H. BONITZ

INDEX ARISTOTELICUS

SECUNDA EDITIO

1955

AKADEMISCHE DRUCK- U. VERLAGSANSTALT

GRAZ

Unveränderter photomechanischer Nachdruck aus dem fünften Bande der von
der Königlichen Preussischen Akademie der Wissenschaften herausgegebenen
Ausgabe der Werke des Aristoteles, Berlin 1870.

Photomechanischer Nachdruck der
Akademischen Druck- u. Verlagsanstalt Graz
72. 64

Indicem Aristotelicum dudum et promissum ab Academia Regia Borussica et desideratum a lectoribus philosophi nunc demum edituro pauca videntur praemonenda esse de eius descriptione finibus auctoribus.

Aristoteles quoniam in lingua Graeca multa novavit adeo ut vocabulorum philosophicorum, quae etiam nunc usurpantur, plurimorum auctor sit habendus, idemque doctrinam naturalem, quae tunc erat, prope universam libris suis complexus est, in iusto indice Aristotelico utrumque requiretur, ut et peculiaris Aristotelis usus et rerum naturalium copia lecturis in conspectu ponatur. itaque cum conficiendi indicis Aristotelici operam ante hos quinque et viginti annos ab Academia Regia Borussica honorifice mihi mandatam in me recepissem, non quo ad magnitudinem operis vires meas idoneas iudicarem, sed quia assiduitate tamen me aliquid ad interpretandum Aristotelem conferre posse sperabam, hoc et petivi et impetravi ab Academia, ut socium laboris quaerere liceret, qui quaecunque ad historiam animalium pertinent et colligeret et suo ordine disponeret. ac contigit quidem, ut vir doctissimus Jürgen Bona Meyer, qui de intelligenda et rectius iudicanda Aristotelis historia animalium insigniter meritus erat, meo rogatu hanc operis partem in se reciperet. is igitur cum abhinc tres annos ea certe vocabula, quae a littera α incipiunt, prelo parata se habere indicasset, index typis mandari coeptus est. sed paucis mensibus post vir doctissimus cum vocatus ad obeundum in universitate Rhenana munus professoris nova haec officia cum opera in indice Aristotelico ponenda non posse conciliari videret, promisso suo ut solveretur petiit. ita verendum erat ne inchoatum iam opus iaceret, nisi Bernardus Langkavel, qui et cognoscendae Aristotelis historiae animalium iam diu operam impenderat et ea fere ipsa, quae ad indicem requiruntur, suum in usum collegerat, precibus meis id concessisset, ut in locum a Meyero destitutum continuo succederet, et quae amicissime receperat, ea indefessus operis amplitudine strenue et assidue ad finem perduxisset; huius viri et voluntati, quam gratissimo animo prosequor, et diligentiae debetur, quod index Aristotelicus usui publico tradi nunc potest. de ipsa autem operis societate ita inter nos convenit, ut Meyerus quidem suos de singulis vocabulis ad historiam animalium pertinentibus commentarios mihi traderet, ut eos hic illic immutatos in formam indicis redigerem; Bernardus Langkavel inde a littera β usque ad finem de omnibus vocabulis zoologicis ea fere et collegit ipse et disposuit quae nunc edita leguntur; antequam tamen chartae typothetae traderentur, et meam ego partem amico et ille suam mihi legendam offerebat, ut si quid vel addendum vel emendandum videretur, id mutuo consensu absolveretur. quae vocabula Meyeri vel Langkavelii diligentiae debeantur singulatim recensere non videtur opus esse, quoniam ipsi lectores auctorum manus facile dignoscent.

Aristotelico indici non eadem videtur lex et norma scribenda esse, quae Homerico vel Sophocleo; quodsi quis, quibus quodque vocabulum locis ab Aristotele usurpatum sit, eos omnes consignare et apte disponere sustinuerit, verendum est ne molem magis operis quam usum auxerit. neque enim ea quae pedestribus scriptoribus fere omnibus communia sunt, sed quae peculiaria sint Aristoteli, quaerentur in indice Aristotelico. in tali delectu cum putaverim acquiescendum esse, non ignoro equidem et lubricum omnino esse hoc deligendi iudicium, quoniam non eadem omnibus memoratu digna videbuntur, et vix contingere homini, ut in opere per quinque lustra et continuato et saepe munerum vel officiis vel mutatione intercepto eandem semper servet animi attentionem; sed cum multa multos desideraturos esse praeviderem, malui tamen in hanc vel iustam vituperationem incurrere, quam absolutionem quandam perfectionemque affectare speciosam magis quam utilem. eandem deligendi rationem secutus sum in vocabulis philosophicis, quibus praecipuam operam putabam impendendam esse; nam ne in his quidem omnes quotquot exstant loci describendi vel significandi esse videbantur. quid enim conferre poterit vel ad Aristotelis libros intelligendos vel ad usum linguae Graecae cognoscendum, si quis omnes locos, quibus apud Aristotelem εἶδος, ὕλη, αἰτία, λόγος, οὐσία, φύσις, συλλογισμός, πρότασις alia plurima eiusmodi vocabula exhibentur, in conspectu posuerit. hoc autem enixe studui, ut ne qua varietas usus lateret, sed singula significationis genera, quae in vocabulo quoque distinguuntur, et colligerentur omnia et apte disponerentur. apte autem dispositam arbitror eam varietatem, si lecturis satis facilis praebeatur conspectus; historiam quandam vocabuli ab eius primordiis deducere vix poterit, qui universae Graecitatis lexicon condendum susceperit, nedum qui intra fines librorum unius scriptoris contineatur. et indicem, non lexicon Aristotelicum proponi meminerint velim aequi iudices; indicis enim brevitas hoc videtur requirere, ut non tam interpretando, quam apto et coniungendi locos et disiungendi ordine varietas usus significetur. — In nominibus propriis et hominum et locorum id videbatur agendum esse, ut omnes, quibus nomen quodque legitur, loci afferrentur. praeterea latere notum est in libris Aristotelis multa hominum nomina, siquidem ille saepe philosophorum sententias, poetarum versus adhibet non nominatis auctoribus. talia quamquam studui suis reddere auctoribus, satis multa adhuc feliciori indagationi relicta esse non ignoro. — In vocabulis zoologicis, id est in nominibus animalium et partium animalium, Bernardus Langkavel id spectavit, ut omnibus fere Aristotelis locis allatis illius de his rebus doctrina plena ex indice peti posset.

Qui nunc proponitur index quoniam pars est Academicae Aristotelis editionis, et textum eius editionis et paginarum versuumque numerum sequitur. et in significandis quidem locis satius duxi paginarum versuumque numeris per abundantiam quandam librorum (quorum sigla in limine indicis exhibentur) et capitum addere notas; ita statim ac certo discernitur, quae in ipsis Aristotelis libris, quae in subditis dubiisve inveniantur, atque errores vel in scribendo vel a typotheta commissi, quos ne acerrima quidem diligentia evitaveris, facilius corrigentur. ad textum editionis Academicae eae emendationes, quae satis probabiles videbantur, saepe sunt adhibitae; sed cum ingens sit isque maxime dispersus emendationum Aristotelicarum numerus et de veritate multorum tentaminum fluctuet iudicium, excusationem habebit si quae vel certissimae emendationes omissae sunt. praeterea, quia indicis natura prolixiorem explicationem non admittit, gratum fore lectoribus videbatur, si eos vel interpretes librorum Aristotelicorum vel singularum commentationum scriptores notatos invenirent, qui de aliquo vocabulo disseruerunt. itaque addito ad alicuius loci notationem nomine editoris vel interpretis significatum est, ab eo vel ad emendandum vel ad explicandum locum afferri aliquid, quod usui esse possit. in vocabulis zoologicis, ut iustum usum index haberet, significandum erat, quo nomine idem animal vel eadem animalis pars hodie nuncupetur; qua de re cum saepe dissentiant homines docti et adhuc sub iudice lis sit, Bernardus Langkavel sub finem cuiusvis vocabuli universam sententiarum varietatem adiecit. quae ad botanica pertinent nomina, ego quidem collegi et disposui; sed additas hodiernorum nominum notas, quae in his pariter requirentur, Bernardi Langkavel doctrinae et amicitiae debeo. quibus siglis in significandis editoribus et commentationum scriptoribus usi simus, infra indicatur.

Indicis usus cum inde praecipue suspensus sit, ut quam minime erratum sit in significandis locis, ii viri docti, qui chartas a prelo recentes perscrutabantur, eam in se receperunt operam, ut impressi indicis singulos numeros cum numeris indicis scripti conferrent. hanc operam taedii plenam quod amice et diligenter impenderunt collegae coniunctissimi, ab initio operis Guilelmus Wilmanns, deinde per semestre tempus Rudolphus Eucken, denique Paulus Eichholtz, summam iis habeo gratiam. quae vel eorum aciem effugisse vel a me ipso sociisque operis peccata esse adhuc animadversum est, infra in fine indicis notavi. his ego mendis subieci addenda quaedam, quorum praecipuam partem Jacobi Bernays eximio acumini et Bernardi Langkavel diligentiae acceptam refero. gratissimo denique animo amici et collegae coniunctissimi, Joannis Vahlen, memoriam recolo; is enim Aristotelis et orationis et ingenii existimator acerrimus, quo tempore Vindobonae maiorem huius indicis partem elaborabam, et consilio prudenti et omnino felicissima studiọrum communione operam meam mirum quantum adiuvit.

Opus diuturno labore et perseverantia ad finem tandem perductum cum foras sum daturus, aequos lectores ut benevole illud accipiant ingenue et verecunde rogo. quantum enim absit, ut mea opera Aristotelicae et dictionis et doctrinae imago talis sit repraesentata, qualem indice posse absolvi arbitror, profecto me minime fugit. quodsi aliquid contulerim ad libros Aristotelis facilius rectiusque cognoscendos et condendo aliquando pleniori Aristotelicae dictionis thesauro fundamentum posuerim non inutile, satis mihi pro meis viribus effecisse neque perdidisse operam videbor.

Scribebam Berolini mense Novembri a. MDCCCLXX.

H. BONITZ.

In significandis fragmentis poetarum et philosophorum has secuti sumus editiones, poetarum elegiacorum et lyricorum Th. Bergkii (ed. III. Lips. 1866), tragicorum A. Nauckii, comicorum A. Meinekii, philosophorum F. G. A. Mullachii (Paris 1860).

Editores et interpretes librorum Aristetolicorum his siglis significavimus:

A, Aub. Aristoteles von der Zeugung und Entwicklung der Thiere, übers. uud erläutert von H. Aubert und Fr. Wimmer. Lpz 1860. Aristoteles Thierkunde etc von H. Aubert und Fr. Wimmer. Lpz. 1868. quid alteri utri horum editorum debeatur, distinctum non est. litterae A ubi opus erat additum est siglum eius libri Aristotelici, ad quem pertinet horum interpretum adnotatio, veluti AZι i e Aub ad Zι.

Bk, Bk², Bk³. ipsum Academicae editionis textum, ubi ea distinctione opus erat, significavimus litteris Bk; quae deinde Bekkerus in aliquot libris Aristotelis seorsim iterum ac tertium editis emendavit, siglis Bk², Bk³ distinximus.

Bsm. Bussemakeri emendationes et observationes criticae, quae in Didotiana Aristotelis editione continentur.

Bz. Aristotelis Metaphysica, rec. etc H. Bonitz. Berol. 1848.

C. Histoire des animaux d'Aristote, avec la traduction française, par M. Camus. Paris 1783.

Cr. Aristotle's history of animals, translated by Rich. Cresswell. London 1862.

Did. Aristotelis opera omnia. Paris, Didot 1848 sqq.

F. Aristoteles über die Theile der Thiere, griechisch und deutsch von A. v. Frantzius. Lpz. 1853.

Fr, Fritzsche. Aristotelis Ethica Eudemia edidit A. T. H. Fritzschius. Ratisb. 1851. Ἀριστοτέλης περὶ φιλίας (Eth Nic VIII, IX), edidit A. T. H. Fritzschius. Gissae 1847.

Ka. Ar über die Theile der Thiere, Ar Naturgeschichte der Thiere, deutsch von A. Karsch. Stuttgart 1855, 1866. alter liber ab altero distinguitur siglis KZμ. KZι.

K. Ar Thiergeschichte, von den Theilen der Thiere, übers. von Ph. H. Külb. Stuttg. 1856.

P, Pik. Ἀριστοτέλους περὶ ζῴων ἱστορίας βιβλία θ' ἐφ' οἷς κ̣ δέκατον τὸ νόθον, ἐπιμελείᾳ κ̣ διορθώσει N. Σ. Πικκόλυ ἰατρῦ. Paris 1863.

Prtl. Ar Physik, über das Himmelsgebäude, über Entstehen und Vergehen, griechisch und deutsch von C. Prantl. Lpz. 1854, 1857.

S. Ar de animalibus historiae libri decem, ed etc J. G. Schneider. Lips 1811. Primum et alterum commentarii volumen, quae eadem sunt universi operis volumen tertium et quartum, significatum est siglis S I, S II.

Spgl. Ar ars rhetorica cum adnotatione Leonardi Spengel. Lips. 1867. Anaximenis ars rhetorica ed. L. Spengel. 1844.

St. Ar Naturgeschichte der Thiere, übers. von Fr. Strack. Frankf. 1816.

Trdlbg. Ar de anima libri III, ed. A. Trendelenburg. Jenae 1833.

Vhl. Ar de arte poetica liber rec J. Vahlen. Berol. 1867.

Wz. Ar Organon, ed. Th. Waitz. Lips. 1844.

Reliqua editorum et interpretum nomina cum sine compendio scripta sint explicationem non requirunt.

Tituli eorum librorum, qui vel ad philosophiam vel ad dictionem Aristotelis explicandam pertinent, plerique ita sunt perscripti, ut lectores ipsi, qui sint libri significati, cognoscant. Joannis Vahlen commentationes de Ar rhetoricis libris et arte poetica ita sunt significatae: Vhl Poet. I, II, III, IV i e Beiträge zu Aristoteles Poetik I, II, III, IV, quae insertae sunt annalibus Academiae Caes. Vindobonensis (Sitzungsberichte der phil. hist. Classe) Vol. L. LII. LVI; Vhl Rhet i e zur Kritik Aristotelischer Schriften (Poetik und Rhetorik), eorundem annalium Vol XXXVIII; Vhl Alkidamas i e der Rhetor Alkidamas, ibid Vol XLIII; Vhl Rgfolge i e Aristoteles Lehre von der Rangfolge der Theile der Tragödie, quae commentatio continetur in libro 'Symbola philologorum Bonnensium in honorem Friderici Ritschelii collecta' p. 153 sqq. Rudolphi Eucken observationes de Aristotelico usu particularum breviter signatae sunt 'Eucken' vel 'Eucken I', eiusdem viri docti observationes de Aristotelico usu praepositionum (Ueber den Sprachgebrauch des Aristoteles. Beobachtungen über die Praepositionen, von R. Eucken. Berl. 1868.) 'Eucken II.'

In parte zoologica et botanica indicis auctores et libros saepe adhibitos his notavimus siglis:

Ar. Petri Artedi Synonymia piscium, auctore J. G. Schneider. Lips. 1789.

B. Expédition scientifique de Morée. Tome III. Zoologie. Paris 1832.

Cuv. Cuvier, Règne animal; Cuvier et Valenciennes, histoire naturelle des Poissons. Paris 1829—49.

Da. Daremberg.

Da I. Daremberg, la médicine dans Homère. Paris 1865.

Da II. Daremberg, état de la médicine entre Homère et Hippocrate. Paris 1869.

E. Erhard, Fauna der Cycladen. Lpz. 1858.

Fo. Forskal, descriptiones animalium. Havniae 1775.

G. Gloger de avibus ab Ar commemoratis. Vratisl. 1830.

H. van der Hoeven, Zoologie. Leyden 1864.

Harvey de generatione animalium. Amstel. 1662.

Hehn, Kulturpflanzen und Hausthiere. Berlin 1870.

Heldreich, Nutzpflanzen Griechenlands. Athen 1862.

Lnd. Lindermayer, Vögel Griechenlands. Passau 1860.

M. Ar Thierkunde, von Jürgen Bona Meyer. Berlin 1855.

Mo. Monro, Vergleichung des Baues und der Physiologie der Fische, übers. von Schneider. Lpz. 1787.

Mr. v. Martens, die klassischen Konchyliennamen (Jahreshefte des Vereins für vaterländische Naturkunde in Würtemberg, 1860. p. 175—264).

PCG. Peters, Carus, Gerstäcker, Handbuch der Zoologie Bd. II. Lpz. 1863.

R. Rondelet, G. libri de piscibus marinis et aquatil. Leyd. 1554, 1555.

Siebld. Zeitschrift für wissenschaftliche Zoologie, herausg. von C. Th. v. Siebold und A. Kölliker. Lpz. Auberti commentationes, quae in his annalibus continentur, significatae sunt *A Siebld.*

SMz. Schneideri commentationes quae continentur in libro 'Magazin der Gesellschaft naturforschender Freunde zu Berlin. 1807.'

Sonnenburg, zool. krit. Bemerk. zu Ar. Progr. Bonn 1857.

Sprgl. Sprengel Versuch einer pragmatischen Geschichte der Heilkunde. Halle 1792.

Stn. Stannius, Handbuch der Zootomie. Thl. 2. Zweite Auflage. Berlin 1854, 1856.

Su. Die Thierarten des Ar von C. J. Sundevall, übers. aus dem Schwedischen. Stockholm 1863.

INDEX

ARISTOTELICUS.

A

α φωνῆεν (cf h v) πο 20. 1456ᵇ27. — θήλεα ὅσα εἰς α ἐπεκτεινόμενον τελευτᾷ πο 21. 1458 ᵃ12. — αἱ ἀπὸ τῦ α ἀποφάσεις ποσαχῶς Μδ 22. 1022ᵇ32, διχῶς, τῷ μὴ ἔχειν, τῷ φαύλως ἔχειν Αγ 12. 77ᵇ24. σχεδὸν ἐπὶ ἐναντίοις λέγονται ξ 4. 978ᵇ22. — ΑΒΓ signa terminorum in prima syllogismorum figura Αα 4 al.

ἀάζειν θερμόν μβ 8. 367ᵇ2. opp φυσᾶν πλδ 7. 964 ᵃ11. ὁ ἀάζων ἀθρόον ἐκπνεῖ τὸν ἀέρα πλδ 7. 964 ᵃ16.

ἀασμός, ἀθρόα (ἀέρος) ἔκπνευσις πλδ 7. 964 ᵃ18.

Ἄβα, Ἄβαντες. Ἄβα ἡ Φωκική, Ἄβαντες πόθεν ὠνομάσθησαν f 559. 1570 ᵃ36, 38.

ἀβαρές, opp τὸ ἔχον βάρος Οα 8. 277ᵇ19. Μγ 2. 1004ᵇ14.

ἀβατώτατος τόπος οἱ τάφοι πκ 12. 924 ᵃ5.

Ἀβδηρίτης. Δημόκριτος ὁ Ἀ. Ογ 4. 303 ᵃ4. μβ 7. 365ᵃ19. αν 2. 470ᵇ28. Ζγβ 6. 742 ᵇ20. δ 1. 764 ᵃ7.

ἀβέβαιος φιλία, opp βέβαιος ηεη 2. 1236ᵇ9. ἀβέβαιοι Η ιι2. 1172 ᵃ9. ἡ λεία σὰρξ ᾗ εὔφυέα ᾗ ἀβέβαιον σημαίνει φ 2. 806ᵇ23. — φαντάσματα ἀβέβαια (veluti λαμπάδες, δοκίδες, πίθοι) κ 4. 395ᵇ15. ὀφθαλμὸς ἀβέβαιος Ζια 10. 492ᵃ12.

ἀβελτερία ᾗ νωθρότης Ρβ 15. 1390 ᵇ30. ἀβελτερία, dist πονηρία ρ 5. 1426 ᵇ32, 30. δεισιδαίμων ἄνευ ἀβελτηρίας (ἀβελτερίας Bk²) Πε 11. 1315 ᵃ3. hoc loco et οβ 1352 ᵇ8 ἀβελτηρία cum codd Bk scripsit.

ἀβέλτερος ρ 5. 1426 ᵇ36. — ὅσοι ἐξόφθαλμοι, ἀβέλτεροι φ 6. 811 ᵇ23.

ἀβίαστος συστέλλεται ἡ τῦ πνεύματος φύσις Ζκ 10. 703 ᵃ21.

ἀβλαβής act ὅσα ἀβλαβῆ τῶν ἡδέων, χαρὰ ἀβλαβής Πθ 5. 1339 ᵇ25. 7. 1342 ᵃ16. — περιττώματα ὑδαρῆ γίνεται ᾗ ἀβλαβῆ πκη 1. 949ᵇ1. — pass σκληρόδερμα ὄντα τὰ ὄμματα ἀβλαβέστερα ἀν ἦν Ζμβ 13. 657ᵃ22. ἐτήρησαν ἀβλαβεῖς τὰς νεανίσκας κ 6. 400 ᵇ5.

ἄβολος ἵππος (ι ε ὁ μήπω βεβληκὼς τὰς ὀδόντας) Ζιζ 22. 576 ᵇ15.

ἄβρωτος θ 144. 845 ᵃ20. χυμοὶ ἄβρωτοι ᾗ ἄποτοι μδ 3. 380 ᵇ3. ἰχθύδια ἄβρωτα sim Ζιβ 14. 505 ᵇ20. δ 5. 531 ᵃ2. ι28. 618 ᵃ1. Ζμδ 5. 681ᵃ5. καρποὶ κατὰ συμβεβηκὸς ἄβρωτοι φτα 5. 820 ᵇ4. διὰ τί τὰ μὲν ἄβρωτα τὰ δὲ βρωτά πκ 6. 923 ᵃ25.

Ἄβυδος θ 31. 832 ᵇ17. eius res publicae Πε 6. 1305 ᵇ28, 1306 ᵃ31. — Ἀβυδηνοί, eorum inventum oeconomicum οβ 1349 ᵃ3.

ἀγαθοδαιμονιαστής ηεη 6. 1233 ᵇ3 (ἀγαθοδαιμονιστής e cod MᵇFr).

Ἀγαθοκλῆς, βασιλεὺς Σικελιωτῶν θ 110. 840 ᵇ23.

ἀγαθός. βελτίων. βέλτιστος, ἀμείνων, ἄριστος (κρείττων, κράτιστος v s h v).

τὸ ἀγαθόν 1. notio. καλῶς ἀπεφήναντο τἀγαθόν, ὖ πάντ' ἐφίεται· τὸ αὐτῦ ἕνεκα ᾗ μὴ ἄλλυ αἱρετόν, τὸ ὗ ἕνεκα ᾗ τὸ τέλος sim Ηα 1. 1094 ᵃ3. 5. 1097 ᵃ18, 20. ε 7. 1131ᵇ23. ημβ 7. 1205ᵇ35. ηεα 8. 1218ᵇ6. Ρα 6. 1362 ᵃ22, 1363 ᵃ9. 7. 1363 ᵇ13, 1364 ᵇ17, 25. Πα 2. 1252 ᵇ34. β 8. 1269 ᵃ4. γ 12. 1282 ᵇ15. ΜΑ 3. 983 ᵃ32 Bz. 7. 988 ᵇ9. β 2. 996 ᵃ24. κ 1. 1050 ᵃ36. λ 10. 1075 ᵃ37. τγ 1. 116 ᵃ19 al. ὄντος τινὸς θείυ ᾗ ἀγαθῦ ᾗ ἐφετῦ Φα 9. 191 ᵃ17. Ζκ 6. 700ᵇ25. τἀγαθὸν ᾗ τὸ εὖ Ηα 6. 1097 ᵇ27. ὐδεὶς ὑπολαμβάνων πράττει παρὰ τὸ βέλτιστον Ηη 3. 1145 ᵇ26. ὀρεκτόν ἐστιν ἢ τὸ ἀγαθὸν ἢ τὸ φαινόμενον (sive δοκῦν) ἀγαθόν ψγ 10. 433 ᵃ28. Πα 1. 1252 ᵃ3. ηεη 2. 1235 ᵇ26. Μδ 2. 1031ᵇ26. Φβ 3. 195 ᵃ26. Ζκ 6. 700 ᵇ28. τὸ ἀληθῶς ᾗ πρώτως ἀγαθὸν θειότερον ἢ ὥστ' εἶναι πρὸς ἕτερον Ζκ 6. 700 ᵇ33. ἀγαθὰ def et enumerantur Ρα 6. τὸ ἀγαθὸν ὐκ ἔστιν ἐν γένει, ἀλλ' αὐτὸ γένος Κ 11. 14 ᵃ23. ποτέρως ἔχει ἡ τῦ ὅλυ φύσις τὸ ἀγαθὸν ᾗ τὸ ἄριστον Μλ 10. 1075 ᵃ12. τὸ βέλτιον ᾗ τὸ τιμιώτερον πρότερον τῇ φύσει Κ 12. 14 ᵇ4. βέλτιον ᾗ θειότερον ἡ ἀρχὴ ἢ κίνυσα Ζυβ 1. 732 ᵃ3, 7. cf Ηη 9. 1151 ᵃ25. τὸ βέλτιον ἐν ὑπολαμβάνομεν ἐν τῇ φύσει ὑπάρχειν Φθ 7. 260ᵇ22. 6. 259 ᵃ11. ἡ φύσις ἢ διὰ τὸ ἀναγκαῖον ποιεῖ ἢ διὰ τὸ βέλτιον Ζγα 4. 717 ᵃ16. β 1. 731ᵇ23, 21. 4. 738ᵇ1. cf φύσις 2 c. ἀεὶ τὸ χεῖρον τῦ βελτίονος ἕνεκέν ἐστιν Πη 14. 1333 ᵃ22. ημβ 10. 1208 ᵃ13, 18. τῶν ἀγαθῶν ἀπάντων αἴτιον αὐτὸ τἀγαθόν ΜΑ 4. 985 ᵃ10. ὐκ εἶναί τι αὐτοαγαθόν Μβ 2. 996 ᵃ28. idea boni refutatur Ηα 4. ηεα 8. ημα 1. 1182 ᵇ10 - 1183 ᵇ8. τἀγαθὸν λέγεται ἰσαχῶς τῷ ὄντι, ἐν πάσαις ταῖς κατηγορίαις, ὁμώνυμον Ηα 4. 1096 ᵃ20, 23. ημα 1. 1183 ᵃ9. β 7. 1205 ᵃ9. ηεα 8. 1217 ᵇ26. τα 15. 107 ᵃ11, 106 ᵃ4. τιθέντες ἐν τῇ τῶν ἀγαθῶν συστοιχίᾳ τὸ ἕν Ηα 4. 1096 ᵇ6. ἀγαθὸν κατὰ τὰς Πυθαγορείυς τὸ δεξιὸν ᾗ ἄνω ᾗ ἔμπροσθεν f 195. 1513 ᵃ24. τὸ ἀγαθὸν τῦ πεπερασμένυ Ηβ 5. 1106 ᵇ30 (cf Φθ 6. 259 ᵃ11). — τἀγαθὸν οἰκεῖόν τι ᾗ δυσαφαίρετον Ηα 3. 1095 ᵇ25. τὸ ἀγαθὸν ἁπλῦν, ᾗ τὸ κακὸν πολύμορφον ηεη 5. 1239 ᵇ11.

2. species τῦ ἀγαθῦ distinguuntur. τἀγαθὰ τὰ μὲν καθ' αὑτά, ἕτερα δὲ διὰ ταῦτα· τὰ μέν ἐστι τέλη, τὰ δ' ὐ τέλη Ηα 4. 1096 ᵇ13. ημα 2. 1184 ᵃ3 - 14. τἀγαθὸν ᾗ τὸ ἄριστον, τὸ ἀκρότατον τῶν πρακτῶν Ηα 1. 1094 ᵃ22. 2. 1095 ᵃ17. τὸ ἄριστον ἀγαθῶν, syn τέλειον ἀγαθόν ημα 2. 1184 ᵃ36. 4. 1184 ᵇ36, 1185 ᵃ1, 2. τὸ τέλειον ἀγαθὸν αὔταρκες Ηα 5. 1097 ᵇ8. Πα 2. 1253 ᵃ1. — τὸ πρακτὸν ἀγαθὸν τέλος τῶν πρακτῶν ἀπάντων Ηα 5. 1097 ᵃ22. ηεα 8. 1218ᵇ6. Ζκ 6. 700 ᵇ25. τὸ μὲν ἀγαθὸν ᾧ ἐστιν ἀνθρώπῳ πρακτά, τὸ δ' ὐ ηεα 7. 1217 ᵃ31. ἀγαθὸν ἀνθρωπίνῳ τί Ηα 6. 1098 ᵃ16. 1. 1094ᵇ7. opp θεῶν ημα 1. 1182 ᵇ3 - 5. ταὐτὸν ἀγαθὸν ἑνὶ ᾗ πόλει Ηα 1. 1094 ᵇ7. ὁ αὐτὸς βίος ἄριστος ἑκάστῳ ᾗ κοινῇ

ταῖς πόλεσι Πη3. 1325ᵇ31. ἀγαθὸν πολιτικόν Πγ12. 1282
ᵇ17. ημα1. 1182ᵇ5. — τὸ ἀγαθὸν διχῶς, τὸ μὲν ἁπλῶς
τὸ δὲ τινί Ηη13. 1152ᵇ27 Fr. ε2. 1129ᵇ3sqq. α1. 1094
ᵇ17. ηεγ1. 1228ᵇ18. η2. 1235ᵇ31, 1236ᵇ26, 1237ᵃ27.
15. 1248ᵇ29. Πη13. 1332ᵃ23. (ἀγαθὰ ἁπλᾶ ie τὰ ἁ-
πλῶς ἀγαθά ηεη2. 1238ᵇ6, 7). ἕκαστον ἰδίῳ ἀγαθῷ ὀρέγεται
ηεα8. 1218ᵃ32. τὸ ἑκάστῳ ἀγαθὸν σώζει ἕκαστον ΠΒ2.
1261ᵇ9. ἐν περὶ ἕκαστον εἶδος τὸ βέλτιστον ηεδ4. 1231ᵇ36.
— ἀγαθὸν κυρίως, dist φύσει Ηζ13. 1144ᵇ7. — τῶ ἀγαθῶ
τὸ μὲν ἐνεργείᾳ τὸ δ᾽ ἕξις Ηη13. 1152ᵇ33. θ6. 1157ᵇ6. — 10
τἀγαθὰ τριχῆ, ἐκτός, περὶ σῶμα, περὶ ψυχήν Ηα8. 1098
ᵇ12. ι9. 1169ᵇ10. ηεβ1. 1218ᵇ32sqq. ηεα3. 1184ᵇ1-6.
β3. 1200ᵃ13. 6. 1202ᵃ30. Ρα5. 1360ᵇ25. ρ36. 1440ᵇ16.
τὰ ἐξωτερικὰ ἀγαθά Πη1. 1323ᵇ25. τῶν ἐκτὸς ἀγαθῶν
αἴτιον ταὐτόματον Πη1. 1323ᵇ27. — ἀγαθὰ ὁμολογούμενα 15
τίνα Ρα6. 1362ᵇ10-29. ἀγαθὰ ἔντιμα Ρβ11. 1388ᵃ31,
ᵇ10. ἀγαθὰ περιμάχητα Πβ9. 1271ᵇ7. ἀλλότριον ἀγαθὸν ἡ
δικαιοσύνη Ηε3. 1130ᵃ3. ψευδῆ ἀγαθά Πδ¹²12. 1297ᵃ11. —
τῶν μήτε ἀγαθῶν μήτε κακῶν ἀντίθεσις πρὸς τὰ μήτε
ἀγαθὰ μήτε κακά f121. 1498ᵇ31, 40.   20
3. synonyma. τῷ ἀγαθῷ κ̇ κακῷ ἐν τῷ αὐτῷ γένει
τὸ ἀληθὲς κ̇ τὸ ψεῦδος ψγ7.431ᵇ11. τὸ ἀγαθόν, dist τὸ
καλόν Μμ3.1078ᵃ31 (cf coniuncta ἀγαθόν et καλόν Μδ¹1.
1013ᵃ22. ν4. 1091ᵃ30, 36). ημβ9. 1207ᵇ30. ηεη15.
1248ᵇ18 Fr. ἀγαθὰ μέν, ἐπαινετὰ δ᾽ ΰ ηεη15. 1248ᵇ25. 25
ἀγαθόν, dist ἡδύ, χρήσιμον (sive συμφέρον) Ηθ2. 1115ᵇ19.
χεη2. 1236ᵃ13. ημβ11. 1209ᵃ17. Αα1. 24ᵉ 22. 40. 49
ᵇ10. Ρβ13. 1390ᵃ1 (cf α3. 1358ᵇ22, 23. 6. 1362ᵃ20).
τὸ ἁπλῶς ἀγαθὸν κ̇ ἡδὺ ἁπλῶς ἐστίν Ηθ4. 1156ᵇ22, 15.
ημβ11. 1209ᵃ7, ᵇ32sqq.   30
ἀγαθός. οἱ ἀγαθοί περί τι γιγνόμενοι Πε11.1315ᵃ4.
ἵππος ἀγαθὸς δραμεῖν, μαθεῖν Ηβ5. 1106ᵃ20. Ζυ15. 616ᵃ11.
ἀγαθοὶ φαγεῖν Ζυ34. 619ᵇ31. φ3. 808ᵇ2. ἀμείνων σίδηρος
ποῖος μδ⁷6. 383ᵇ4. αἱ κοχλίαι πότε ἀμείνους (sc πρὸς τὸ φα-
γεῖν) Ζιε12. 544ᵃ22. ἵν᾽ αὐτὸς αὑτῷ τυγχάνει βέλτιστος 35
ὤν (Eur fr 183) Ρα1. 1371ᵇ33. ὁ εὐθύμως μὴ ἐπισπερ-
χὴς ἀλλ᾽ ἀγαθὸς φαινέσθω φ3. 808ᵃ7. — ἀγαθός, syn σπου-
δαῖος Πγ16. 1287ᵇ12. coni syn φρόνιμος Ηζ13. 1144ᵇ1.
Πγ4. 1277ᵃ15. τγ1. 116ᵃ15. ἀγαθὸς κατ᾽ ἀρετήν, κατ᾽
ἀρετὴν τελείαν Ρβ4. 1381ᵃ27. Πα6. 1255ᵃ21. η4. 1276 40
ᵇ33. ἀγαθός ἐστιν ᾧ τὰ φύσει ἀγαθά ἐστιν ἀγαθά ηεη15.
1248ᵇ27. οὐχ οἷόν τε ἀγαθὸν εἶναι ἄνευ φρονήσεως, μὴ χαί-
ροντα ταῖς καλαῖς πράξεσιν Ηζ13. 1144ᵇ31, ᵃ36. α9.1099
ᵃ17. ἄριστος ὁ κ̇ πρὸς ἕτερον χρώμενος τῇ ἀρετῇ Ηε3. 1130
ᵃ7. γνώμῃ ἀρίστῃ τί ἐστι Ρα15. 1375ᵃ30, ᵇ17. 1376ᵃ19. εἰ
β25. 1402ᵇ34. ὁ ἀγαθὸς φίλος οὐ δι᾽ αὐτόν, εἷς αὑτὸς αὑτῷ,
φίλος, ὀρεκτὸς αὐτὸς αὑτῷ Ηθ5. 1157ᵃ18sqq. ηεη5. 1239
ᵇ12. 6. 1240ᵇ15, 19. ἀγαθός τε κ̇ εὐδαίμων ἅμα γίγνεται
ἀνήρ (secundum Platonem) f623. 1583ᵃ17. γίνεσθαι ἀγα-
θὸς φύσει, ἔθει, λόγῳ Ηκ10. 1179ᵇ19sqq, 1180ᵇ25. 50
ἀγαθὸς ἀνήρ, dist ἀγαθὸς πολίτης Πε5. 1130ᵇ29. Πδ⁴7.
1293ᵇ6. ζωὴ ἀρίστη Πη1. Οα9. 279ᵃ21. syn ἄριστα ἔχειν
Οβ12. 292ᵃ22, ᵇ5. ἀρίστη πολιτεία Πγ13. 1284ᵇ25. ὁ αὐ-
τὸς ὅρος τῷ τε ἀρίστῳ ἀνδρὶ κ̇ τῇ ἀρίστῃ πολιτείᾳ Πη15.
1334ᵃ13. — ἀγαθοί, βελτίους, ἄριστοι, syn εὐγενεῖς Πε1. 55
1302ᵃ1. β6.1266ᵃ21. γ7.1279ᵃ35.11.1281ᵃ40. ἐξ ἀγα-
θῶν ἀγαθοί Πα6. 1255ᵇ2. γ13. 1283ᵃ36. Ρα9.1367ᵇ30.
— τύχη ἀγαθή Φβ5. 197ᵃ25. Μχ8. 1065ᵃ35. — βοτάνη
συντελέσια πρὸς ἀμβλυωπίαν ἄριστα θ171. 847ᵃ2. ἄριστον
μὲν ὕδωρ (Pind Ol 1, 1) Ρα7. 1364ᵃ28. — βέλτιον ἴσως 60
διελθεῖν ημβ11. 1208ᵇ7. ὃ βέλτιον (ie οὐκ ἀγαθόν) τι25.

180ᵇ12. — ἀγαθῶς τε7. 136ᵇ28. ἀγαθῶς ἔχειν Ρβ11.
1388ᵇ6. ἄριστα ἔχειν Οβ12. 292ᵃ22, ᵇ5. — ἀρίστως
φτα6. 820ᵇ36.
Ἀγάθυρσοι. ἐν Ἀ. ἄδουσι τὰς νόμας πιθ28. 920ᵃ1.
Ἀγάθων. eius versus afferuntur Ηζ2. 1139ᵇ9 (fr 5), ζ4. 5
1140ᵃ19 (fr 6). ηεγ1. 1230ᵃ1 (fr 7). Ρβ19.1392ᵇ7 (fr 8),
β24. 1402ᵃ9 (fr 9), iidem versus (fr 9) resp πο18. 1456
ᵃ24. 25. 1461ᵇ15. — eius Ἰλίου πέρσις πο18. 1456ᵃ18, fort
resp πο23.1459ᵇ6. ἐν τῷ Ἀγάθωνος Ἄνθει πο9. 1451ᵇ21.
τὸν Ἀχιλλέα βελτίω ἐποίει πο15. 1454ᵇ14 (? Nauck fr tr
p 594). ἦρξε τοῦ ᾄδειν ἐμβόλιμα πο18. 1456ᵃ30. ὥσπερ
Ἀντιφῶν ἔφη πρὸς Ἀγάθωνα ηεγ5. 1232ᵇ8.
ἄγαλμα, coni γραφῇ Πη17. 1336ᵇ15. τὸ τῆς Ἀθηνᾶς ἄ-
γαλμα f402. 1545ᵃ24, 33.
ἀγαλματοποιός Ηα6. 1097ᵇ25. ἀγ. Φειδίας κ6.399ᵇ33. 15
ἀγ. ἢ γραφεὺς ἠθικός Πδ⁵5. 1340ᵃ38.
Ἀγαμέμνων Ηθ13. 1161ᵃ14. Πγ14. 1285ᵃ11. πολυγύ-
ναιος f172. 1506ᵇ30. versus Homerici afferuntur τι4. 166
ᵇ7 (B15. v1 cf Wolf Prol p CLXVIII). Πγ16. 1287ᵇ14
(B372). Ργ11.1413ᵃ32 (I1388). f144.1502ᵇ30 (Γ277).
ἐπιτάφιον ἐπὶ Ἀγαμέμνονος f596.1575ᵃ29. — Ἀγαμέμνων,
tragoedia Aeschyli f575. 1572ᵇ22, 26. — Ἀγαμεμνο-
νίδαις θυσία ἐν Τάραντι θ106. 840ᵃ8.
ἀγαμένως v. ἀγάσθαι.
ἄγαν. τὸ μηδὲν ἄγαν Ρβ21. 1395ᵃ20 (cf παροιμία). πάντα 25
ἄγαν πράττειν παρὰ τὸ Χιλώνειον, ἧττον ἄγαν ἅπαντα ποιεῖν
ἢ δεῖ Ρβ12. 1389ᵇ4. 13. 1389ᵇ17. τὸ ἄγαν ἡ σωφροσύνη
Ηη3. 1146ᵃ12. — ἄγαν ψυχρόν, ξηρόν μβ8. 366ᵇ6. ἄγαν
ἄτοπον Πη2. 1324ᵇ23. ἄγαν δεσποτικὸς Πε6. 1306ᵇ3. ἡ
ἄγαν ἐλευθερία Πε12. 1316ᵇ24. — non raro adiectivo post- 30
ponitur, ἐκ πολλῶν ἄγαν Πη4. 1326ᵇ4. Ζιγ19. 521ᵃ12.
ποιητικῶς γὰρ ἄγαν, σεμνὸν ἄγαν κ̇ τραγικόν Ργ3. 1406
ᵇ11, 8 al.
ἀγανακτοῦσι διὰ τὴν ὑπεροχήν Ρβ2. 1379ᵃ6.
ἀγαπᾶν, syn τιμᾶν Κ12. 14ᵇ6. Ηκ9. 1179ᵃ27, syn βούλε- 35
σθαι, αἱρεῖσθαι, διώκειν Ηα3. 1095ᵇ17. 4. 1096ᵇ10. γ14.
1119ᵃ19. ἀγαπήσας τὴν κόρην διὰ τὸ κάλλος f66.1487ᵃ2.
δι᾽ αὑτὸ ἀγαπᾶσθαι Ηα3. 1096ᵃ8 (cf1. 1094ᵃ19). κ7.
1177ᵇ1. ΜΑ1. 980ᵃ23. αἱ ἀγαπώμεναι ἡδοναί Ηκ10. 1180
ᵃ14. syn χαίρειν τινί Ηγ13. 1118ᵇ4. syn χαρίζεσθαι τινι
Ηθ8. 1168ᵇ33, 1169ᵃ3 (οἱ Λύκιοι αὐτὸ τὸ τρίχωμα
φορεῖν οβ 1348ᵃ29). τὸ φιλεῖσθαι ἀγαπᾶσθαί ἐστιν αὐτὸν
δι᾽ αὑτὸν Ρα11. 1371ᵃ21. syn φιλεῖν Ηθ8. 1168ᵃ29. ἕκα-
στος περὶ ταῦτα ἐνεργεῖ, ἃ μάλιστ᾽ ἀγαπᾷ Ηκ4. 1175ᵃ13.
ἀγαπᾶν τὴν θεωρίαν Ζμα5. 645ᵃ14. οἱ εὖ πεπονηκότες φι- 45
λοῦσι κ̇ ἀγαπῶσι τὰς πεπονηκότας, πάντες ἀγαπῶσι τὰ αὑ-
τῶν ἔργα Ηθ2. 1120ᵇ14. ι7. 1167ᵇ32, 34, 1168ᵃ4. τὸ
ἀλγοῦντι συναλγεῖν μὴ δι᾽ ἕτερόν τι ἀγαπᾶν θήσομεν ηεη6.
1240ᵃ33. — ἀγαπᾶν i q contentum esse ἀγαπῶσιν ἴσον ἔχον-
τες Πε7. 1307ᵃ18. δ5. 1292ᵇ19. μικρὰς εὐπορίας ἀγαπᾶν
Οβ12. 291ᵇ27. οὐχ ἑνὸς σώματος ἀγαπᾶν ἀπόλαυσιν Ρβ23.
1398ᵃ23. — ἀγαπητός. λόγος συνετὸς ἀγαπητός (syn αἱ-
ρετός) ρ1. 1420ᵇ12. τό τε ἴδιον κ̇ τὸ ἀγαπητόν Πβ4. 1262
ᵇ23. δαπανᾶν εἰς γάμον τῷ ἀγαπητῷ ηεγ6. 1233ᵇ2. τὸ ἀγα-
πητὸν μεῖζον ἀγαπᾶν Ρα7. 1365ᵇ16, 19. τοῖς ἐρῶσι τὸ ὁρᾶν 55
ἀγαπητότατόν ἐστι κ̇ μᾶλλον αἱροῦνται Ηι12.1171ᵇ29. —
ἀγαπητόν, opp κάλλιον κ̇ θειότερον Ηκα1. 1094ᵇ9, cf ἀγα-
πητὸν (sc ἐστίν) c inf, ἀγαπητὸν κ̇ ὀλίγας εὑρεῖν τοιαύτας sim
Ηι10. 1171ᵃ20. κ10. 1181ᵃ21. α1. 1094ᵇ19. Ζγα23.
731ᵇ2, ἀγαπητόν (sc ἐστίν) c εἰ et optat, veluti ἀγαπητὸν 60
εἴ τις τὰ μὲν κάλλιον λέγοι τὰ δ᾽ ὓ χεῖρον Μμ1. 1076ᵃ15.

Ηκ10. 1179 b18.

Ἀγαπήνωρ, Ἀγκαίȣ υἱός f 596. 1576 b4, 5.

ἀγάπησις τῶν αἰσθήσεων ΜΑ1. 980 a22.

ἄγασθαι τὸν νομοθέτην, τῇ νομοθέτῃ τὸν σκοπόν Πη14. 1333 b18, 13. σφόδρα ἀγασθῆναί τινος Ηη1. 1145 a29. — ἀγαμένως λέγειν Ργ7. 1408 a18.

ἀγγεῖον, τὸ ἔχον. συνέχον τὰς ὄγκȣς Κ15. 15 b23. Ογ7. 305 b15. τὸ ἀγγεῖον τόπος μεταφορητός Φδ2. 209 b29. 4. 212 a4. cf ξ2. 976 b18. ἐκκρίνεσθαι. ῥεῖν ὥσπερ ἐξ ἀγγείȣ Ογ7. 305 b4. μα13.349 a34. σπᾶσθαι εἰς τὸ ἀγγεῖον Οδ5. 312 b13. ἀγγεῖα σαττόμενα πκα14. 928 b29. τῶν ἀγγείων ὁ πυθμὴν πκδ5. 936 a32. 8. 936 b13. ἀγγεῖον μεῖζον Ζιδ1. 525 a5. ε18. 550 a2. ᾠὰ ἐκπεττόμενα ἐν ἀγγείοις ἀλεεινοῖς Ζιζ2. 559 b5. ἀγγεῖον κήρινον Ζιθ2. 590 a25. ἀγγεῖον οἴνȣ, κέγχρȣ εν2. 460 a31. Ζιζ37. 580 b12. ἡ οἰκία ἀγγεῖον σκεπαστικὸν σωμάτων κ χρημάτων Μη2. 1043 a16. χελιδόνες ἐν ἀγγείοις (fort i q ἐν φωλεοῖς, Ζιζ2. 559 b5) Ζιθ16. 600 a16. — ἀγγεῖα ἐν τοῖς τῶν ζῴων σώμασιν: πάντα ὅσα φύσει ὑπάρχει ὑγρὰ ἐν τῷ σώματι, ἐν ἀγγείοις ὑπάρχει, ὥσπερ κ αἷμα ἐν φλεψὶ κ μυελὸς ἐν ὀστοῖς, τὰ δὲ ἐν ὑμενώδεσι κ δέρμασι κ κοιλίαις Ζιγ20. 521 b6. cf Ζμγ5. 667 b19. πν2. 481 a12, 30, veluti φλέβες Ζιγ2. 511 b17. 19. 520 b13. 20. 521 b6. Ζμγ4. 665 b12, 666 a18. 5. 667 b19. Ζιβ4. 740 a22 al, κοιλία ἀγγεῖον τροφῆς Ζιβ17. 506 b37. Ζμδ5. 680 b33. πκ34. 726 b30, ἀγγεῖα περιττώματος ὑγρȣ Ζιβ4. 676 a35. β3. 357 b4. μαστὸς ἀγγεῖον γάλακτος Ζμδ11. 692 a12. ἀγγεῖα πνεύματος Ζγε7. 787 a3. αχ800 a8, 801 a10, 19. τῶν ἀγγείων αὔξησις κ τροφή πν2. 482 a3. 3. 482 b11.

ἀγγειώδης. μόριον δεκτικὸν κ ἀγγειῶδες Ζμγ8. 671 a23.

ἀγγελία. τὰ ὕστερον δεῖται προαγορεύσεως κ ἀγγελίας πο15. 1454 b5.

ἀγγελιαφόροι κ ἡμεροδρόμοι κ6. 398 a31.

ἄγγος. ἐς ἄγγος (Emped 354) αν7. 473 b20. ἐξ ἄγγȣς κ6. 398 a27. ὁ ἐχῖνος ἄγγος τι f 415. 1547 b2.

ἄγειν ἐποίκȣ Πε6. 1306 a3. ὁ ἥλιος τὰς τέσσαρας ὥρας ἄγων τȣ ἔτȣς κ6. 399 a23. ἄγειν τεχνήν τινα πρὸς τὰς μαθήσεις, εἰς παιδείαν Πθ6. 1341 a32, 18. — ἄγειν εἰς τὰ δικαστήρια Ργ15. 1416 a32. ἀγόμενος ἐπὶ τὸ ἀποθανεῖν, υἱὸς ἀποθανȣμένος Ρβ8. 1386 a19. πο11. 1452 a27. ἡ ἐπιθυμία ἄγει, opp λέγει φεύγειν Ηη5. 1147 a34. ἄγεσθαι ὑπὸ τῆς ἐπιθυμίας, ὑπὸ τȣ πάθȣς, ὑπὸ τῶν ἡδονῶν Ηγ14. 1119 a2. δ11. 1125 b34. η8. 1150 b21. 10. 1151 b11. ἄγειν προπετῆ τὸν ἀκροατήν, εἰς τὰ πάθη ἄγειν τὸν ἀκροατήν Ργ9. 1409 b32. 19. 1419 b25. ρ35. 1439 b25. ἄγειν τοῖς νόμοις Πε8. 1308 b17. ἦχθαι διὰ τῶν ἐθῶν, τοῖς ἔθεσιν, ἐκ νέων Πη15. 1334 b12. Ηα2. 1095 b4. β2. 1104 b11. ἄγειν τὰς βασιλέας ἐπὶ τὸ μετριώτερον Πε11. 1313 a19. ἄγειν τὰς γυναῖκας ἐπὶ τὰς νόμȣς Πβ9. 1270 a6. ὁπότεροι ἂν ὑπερέχωσι, καθ' αὑτὰς ἄγȣσι τὴν πολιτείαν Πδ11. 1296 a26. ἡ φύσις ἄγει εἰς αὑτήν (αὐτήν?) αδ3. 380 a26. τὰ εἰς τὴν τελείωσιν ἀγόμενα τῆς φύσεως Ηη13. 1153 a12. ἄγειν τὸ τίμιον εἰς τὸ καλόν sim Ρα9. 1367 b11. ρ5. 1427 a28. 37. 1444 a4. εἰς ὄνειδος ἄγειν Ηι8. 1168 b15. ἄγειν εἰς τὸ ἀδύνατον Αα16. 36 a22. 29. 45 a24, 37, b15. ἄγειν εἰς ὃ αὐτὸς δύναται ποιεῖν Μζ7. 1032 b9. ἄγειν (ἀνάγειν Wz, cf s h v) τὰς λόγȣς Αα32. 47 a21. ἄγειν ἐπὶ τὰ εἴδη τὸν τιθέμενον ἰδέας τζ8. 147 a6. ἄγειν εἰς σχῆμα ἀναλογίας, εἰς τὸν λόγον Ηε8. 1133 b1. ψγ2. 426 b4. — ἄγειν ἡσυχίαν Πδ13. 1297 b7. ἄ. λαμπρῶς τὰ Διονύσια οβ1347 a26. ἄγειν γραμμάς τα1. 101 a16. μβ5. 362 b1. ἡ ἀχθεῖσα (i e κάθετος) ἐπὶ τὴν βάσιν Οβ4.

287 b8. ἤχθω διάμετρος, ἤχθωσαν κάθετοι, ἔστωσαν ἠγμέναι μβ6. 363 b6. γ3. 373 a11. Αα24. 41 b15. τὰ κέρατα χλιαινόμενα ἄγεται ὅπη ἄν τις ἐθέλῃ Ζιθ9. 595 b13. — ἡ θάλαττα πλέον ἄγει (graviora pondera sustinet) πκγ3. 931 b15. — (pondus habere) τρεῖς μνᾶς sim θ45. 833 b11. f 248. 1523 b29. 223. 1518 a38. — ἀκτέον τζ8. 147 a6. Πθ6. 1341 a18.

ἀγελάζειν. ἀγελάζονται φάτται, ἰχθῦς Ζιθ12. 597 b7. 12. 610 b2.

ἀγελαῖος. ζῷα ἀγελαῖα Πα2. 1253 a8, opp μοναδικά Ζια1. 487 b34, 488 a2, 13, opp σποραδικά Πα8. 1256 a23, cf Ζια1. 488 a3. exempla ἀγελαίων ζῴων universe Ζια1. 488 a3-7. τετραπόδων ζῳοκοκȣντων Ζιθ7. 595 b15. 23. 604 a13. ι50. 632 b7 (μὴ ἀγελαῖα Ζιζ18. 571 b29), ὀρνίθων Ζιθ12. 597 b15. 2. 593 b22. ι25. 617 b21, ἰχθύων Ζι2. 610 b4. ζ14. 568 b25. 17. 570 b21. f 286. 1528 b6. 313. 1531 a28. cf Ζιθ13. 598 a28. δ11. 538 a29, ἐντόμων Ζι40. 623 b8.

ἀγέλη. ἀγέλαι γίνονται ἀρρένων κ θηλειῶν Ζιζ17. 570 a23. τὰς ἀγέλας ποιῶνται ὅταν κινωσι Ζι2. 610 b9.

ἀγεληδόν, opp κατὰ μίαν f 313. 1531 a28.

ἀγένεια, coni πενία, βαναυσία Πζ2. 1317 b40. ἀγ. ἀκολȣθεῖ τῇ ἀνελευθερίᾳ αρ7. 1251 b16.

ἀγένητος. (ἀδύνατον) ἀγένητα ποιεῖν (Agath fr 5) Ηζ2. 1139 b11. — ἀγένητον ποσαχῶς λέγεται Οα11. 280 b6-14. ἀγένητον ὃ ἔστι νῦν, καὶ ἀγένητον οὐκ ἀληθὲς ἐν εἰπεῖν τὸ μὴ εἶναι Οα12. 282 a28. ὁ χρόνος ἀγένητον Φθ1. 251 b15. τὸ τε ἀγένητον ἄφθαρτον κ τὸ ἄφθαρτον ἀγένητον Οα12. 282. a31. τὸ ἀεὶ ὂν ἁπλῶς ἄφθαρτον κ ἀγένητον Οα12. 281 b26. ἄφθαρτον κ ἀγένητον, ἀγέννητον κ ἄφθαρτον Φα9. 191 a28. γ4. 203 b8. f 17. 1477 a9. ἠσίαι ἀγένητοι κ ἄφθαρτοι Ζμα5. 644 b22. τὸ σύμπαν ἀνώλεθρον κ ἀγένητον κ4. 396 a31.

ἀγεννής, coni μοχθηρός Ηδ3. 1121 a26. τῶν πολιτῶν οἱ ἀγενεῖς, opp οἱ γενναῖοι Πδ12. 1296 b22. 13. 1283 a35. οἱ ἀγενεῖς πότερον κατ' ἀλήθειαν διαφέρȣσι τῶν εὐγενῶν f 82.1490 a14. βίος ἀγεννής, βάναυσος, ἀγοραῖος Πη9. 1328 b40. ἀγεννέστατοι τῶν ἐργασιῶν, syn βαναυσόταται, θητικώταται, opp τεχνικώταται Πα11. 1258 b39. ἀλεκτορίδες ἀγεννεῖς, opp γενναῖαι Ζιζ1. 558 b16. Ζγγ1.749 b31. — ἐκ ἀγεννές (ἐστιν) καὶ ἀνιερόν τι σεμνύνεσθαι Ηδ8. 1124 b22.

ἀγέννητος. ἀνάγκη εἶναί τι τὸ γιγνόμενον κ ἐξ ὃ γίγνεται κ τȣτων τὸ ἔσχατον ἀγέννητον (ἀγένητον?) Μβ4. 999 b7.

ἀγερμός ποθ. 1451 a27.

ἄγευστος pass ἡ γεῦσις τȣ γευστȣ κ ἀγεύστȣ ψβ10. 422 a30. cf 9. 421 b8. — act ἀγεύστȣ ἡδονῆς ἐλευθερίᾳ, τῇ καλῇ Ηκ6. 1176 b19. 10. 1179 b15.

ἀγεωμέτρητος. ἐν ἀγεωμετρήτοις ὃ διαλεκτέον περὶ γεωμετρίας Αγ12. 77 b13. ἀγεωμέτρητα ἐρωτήματα Αγ12. 77 b16. τὸ ἀγεωμέτρητον διττόν Αγ12. 77 b23.

ἀγήρατον κ ἀναλλοίωτον κ ἀπαθές Οα3. 270 b2.

ἀγήρως κ ἄφθαρτος ὁ κόσμος, ἡ φύσις κ5. 397 a16, 27.

Ἀγησίλαος. Κινάδωνος ἐπίθεσις Πε7. 1306 35.

Ἀγησίπολις ci Muretus Spgl Bk[1] coll Xen Hell 4, 7, 2 pro Ἡγήσιππος Ρβ23. 1398 b32.

ἄγημα ὅρκος θ57. 834 b11.

ἁγιστεία τῶν θεῶν Οα1. 268 a14.

Ἀγκαῖος, ὁ Ποσειδῶνος κ Ἀστυπαλαίας, Σάμιος, φιλόγεωργος f 530. 1566 a42, 15. Ἀγαπήνωρ, Ἀγκαίȣ υἱός f 596. 1576 b5.

ἄγκιστρον κ ὁρμιά Ζμδ12. 693 a23. καταπίνειν τὸ ἄγκιστρον Ζιι37. 621 a7.

ἀγκιστροφάγος Ζιι37. 621 b1.

ἀγκιστρώδη σώματα (Democr), dist σκαληνά, κοῖλα, κυρτά f 202. 1514 ᵇ28.

ἄγκος θ138. 844 ᵇ11. οἰκεῖ βήσσας χ ἄγκη Ζιι 32. 618 ᵇ24.

ἄγκυρα χ κρέμαθρα πῶς διαφέρησι Ργ11. 1412 ᵃ14. βάλλεσθαι ἀγκύρας Ζιδ1. 523 ᵇ33. ἄγκυραι βέβληνται Ζμγ7. 670 ᵃ10. αἱ σηπίαι ὥσπερ ἀγκύραις ταῖς προβοσκίσιν ὁρμῶσιν f 317. 1531 ᵇ40.

ἀγκών, brachium Ζμδ10. 688 ᵃ3. οἱ ἀγκῶνες ἐκ πλαγίω προσκείμενοι Ζμδ 10. 688 ᵃ11. ἐναντίως τοῖς ἀγκῶσιν ἡ τῶν ὤμων ἔχει καμπή Ζιβ1. 498 ᵃ24. — brachii pars superior οἷς βραχεῖς οἱ ἀγκῶνες, χ οἱ μηροὶ ὡς ἐπὶ τὸ πολύ Ζια15. 493 ᵇ24, 27.

Ἀγλαΐη. Νιρεὺς Ἀγλαΐης (Hom Β 672) Ργ12. 1414 ᵃ3. f 596. 1576 ᵃ6.

ἀγλαόκαρπος (Hom η115, λ589) x6. 401 ᵃ7.

ἀγλευκής, opp γλυκύς πδ12. 877 ᵇ25.

ἄγλωττος κροκόδειλος Ζμδ11. 690 ᵇ23.

ἀγνευτικὰ ζῷα, opp ἀφροδισιαστικά Ζια1. 488 ᵇ5.

ἀγνοεῖν, opp ἐπίστασθαι, εἰδέναι, γιγνώσκειν Αγ 1. 71 ᵇ6. Ηε10. 1135 ᵃ24, 30, 32. ψα5. 410 ᵇ4. ὑδεὶς ὁ προαιρεῖται ἀγνοεῖ Ρα9. 1368 ᵇ12. ἀγνοῶν χ (χ Βkᵃ, ἢ Βk) ἄκων, ἑκὼν χ εἰδώς Ρα13. 1373 ᵇ34. ἀγνοῦντες ἁμαρτάνυσιν Ρα15. 1375 ᵇ18. cf πο14. 1453 ᵇ28, 30, 35, 37, 1454 ᵃ2, 3. οἱ ἀγνοῦντες φαίνονται ἀνδρεῖοι εἶναι Ηγ11. 1117 ᵃ22 – 28. — ἀγνοεῖν τι, veluti ὁ φυσικὸς ὁ περὶ τὴν ὕλην, τὸν δὲ λόγον ἀγνοῶν ψα1. 403 ᵇ8 al. ἀγνοεῖν περὶ τινος ρ20. 1433 ᵇ28. ἀγνοεῖν cum enunciatione interrog, πόσα πολιτείας εἴδη, τί λέγει ὁ νόμος al Πδ1. 1289 ᵃ8. Ρα15. 1375 ᵇ18. πο5. 1449 ᵇ5 (ἠγνόηται). — Ἀναξαγόρας τὴν οἰκείαν φωνὴν ἠγνόησεν (i e non intellexit) Γα1. 314 ᵃ13. ὅσα εἰσημένα ἀγνοήμενα ἐστιν Ργ10. 1410 ᵇ24. — ὁμοδοξῶ χ ἀγνοῶσιν ἀλλήλως ὑπάρξειεν ἂν Ηι6. 1167 ᵃ23. — ἀγνοῶντος τβ9. 114 ᵇ10.

ἄγνοια, opp ἐπιστήμη Α321. 66 ᵇ26. γι2. 77 ᵇ18. Μλι0. 1075 ᵇ23. cf Ζιγ2. 511 ᵇ13. διὰ τὸ φεύγειν τὴν ἀγνοίαν ἐφιλοσόφησαν ΜΑ2. 982 ᵇ20. opp σύνεσις ψα5. 410 ᵇ2. ἐξ ἀγνοίας εἰς γνῶσιν μεταβολή πο11. 1452 ᵃ30. παρὰ τὴν τύτων γνῶσιν ἢ ἄγνοιαν πο19. 1456 ᵇ13. ἀγνοίας φθορὰ ἀνάμνησις χ μάθησις μχ2. 465 ᵃ22. ἄγνοια, dist ψεῦδος, ἀπάτη Μθ10. 1052 ᵃ2. ἄγνοια κατ᾿ ἀπόφασιν, κατὰ διάθεσιν Αγ16. 79 ᵇ23 Wz, cf 12. 77 ᵇ18. τζ 9. 148 ᵃ5. τύτων εὐίατος, ἡ ἄγνοια Μγ5. 1009 ᵃ19. ἄγνοια φυσική ημα 34. 1195 ᵃ38. ὁμοίως ἐπὶ τῶν ἄλλων ἀγνοιῶν ημα34. 1195 ᵃ35. — ἄγνοια ἑλέγξει, παραλογισμοὶ παρὰ τὴν τῆ ἐλέγχῳ ἄγνοιαν τι5. 166 ᵇ24, 167 ᵃ21-35. 6. 168 ᵃ18 sqq, ᵇ15. — ὁ μέλλων ποιεῖν τι τῶν ἀνηκέστων δι᾿ ἄγνοιαν πο14. 1453 ᵇ35. τὸ δι᾿ ἄγνοιαν πράττειν, dist ἀγνοῶντα πράττειν Ηγ2. 1110 ᵇ25. ε10. 1136 ᵃ6-9. τὸ μετ᾿ ἀγνοίας Ηε10. 1135 ᵇ12. (μετ᾿ ἀγνοίας τῶν οἰκείων κακῶν ἀλυπότατος ὁ βίος f 40. 1481 ᵇ11). τὸ δι᾿ ἄγνοιαν πότε ἀκύσιον Ηγ2. 1110 ᵇ18. ηεβ9. cf ημα34.1195 ᵃ26. ἄγνοια ἡ ἐν τῇ προαιρέσει, ἡ καθόλυ, ἡ καθ᾿ ἕκαστα Ηγ2. 1110 ᵇ31. — ἡ δι᾿ ἀπειρίαν χ ἄγνοιαν ἀνδρεία ηεγ1. 1229 ᵃ16, ᵇ26.

ἀγνοῦντος v ἀγνοεῖν.

ἀγνός. Ἄρτεμις ἀγνή (Hom υ 71) πι36. 894 ᵇ34. μακάρων θέμις ἀγνή f 624. 1583 ᵃ26. ἀγνὲ θεῶν πρέσβισθ᾿ ἑκατηβόλε f 621. 1583 ᵃ2.

ἄγνος, ἀφ᾿ ᾗ οὐ φέρυσι μέλιτται Ζιι40. 627 ᵃ9. ἄγνοι χ βάτοι φτα4. 819 ᵇ8 (Vitex Agnus castus L).

Ἄγνων. Θηραμένης ὁ Ἄγνωνος f 370. 1540 ᵃ6.

ἀγνώς act τῶν λόγων τι22. 178 ᵃ26. — pass ἀγνῶτες ἀλλήλοις Πε11. 1313 ᵇ5. ἀγνῶτες, opp γνώριμοι, συνήθεις, syn

οἱ ἄπωθεν, ἀσυνήθεις Πη7. 1327 ᵇ40. Ρβ6. 1384 ᵇ25. Ηδ12. 1126 ᵇ25. ὁ ἀγνώς, opp ὁ πάλαι φίλος ηεγ2. 1237 ᵇ40. εὔνοια γίνεται χ πρὸς ἀγνῶτας (cf θ2. 1155 ᵇ35, an ἀγνῶτας active accipiendum est?) χ λανθάνυσα Ηι5. 1166 ᵇ36. — αἱ μὲν γλῶτται ἀγνῶτες, τὰ δὲ κύρια ἴσμεν Ργ10. 1410 ᵇ22.

ἄγνωστος ἡ ὕλη καθ᾿ αὑτήν ΜΖ10. 1036 ᵃ9. ἄγνωστον ξ5. 979 ᵃ12. ἄγνωστον τὸ ἄπειρον Ργ8. 1408 ᵇ27. ἐπιστητὸν τὸ ἄγνωστον ὅτι ἄγνωστον Ρβ24. 1402 ᵃ6. ἄγνωστοι ἀρχαί, i e ἀναπόδεικτοι Αγ3. 72 ᵇ12. — ἄγνωστα, opp γνώριμα διὰ συνήθειαν Ζια16. 494 ᵇ22, 21. — ἀγνωστότερον, opp πιστότερον, γνωριμώτερον (cf s h v) Αβ16. 64 ᵇ31. τε2. 129 ᵇ6 sqq. διὰ τὴν ἀσυνήθειαν ἀγνωστότερα χ ξενικώτερα Μα3. 995 ᵃ2. ἀγνωστότερα ὀνόματα τζ11. 149 ᵃ5. ἄγνωστον ὄνομα ΜΖ15. 1040 ᵃ11.

ἀγόνατος. εἴ τι ἀγόνατον εἴη τῶν βαδιζόντων Ζπ9. 709 ᵃ3. — ἀγόνατοι οἱ κύαμοι f 190. 1512 ᵃ8.

ἀγονία. ἵππος, ὄνος εὐφυεῖς πρὸς τὴν ἀγονίαν Ζγβ8. 748 ᵇ8. τῆς ἀγονίας αἴτια Ζγβ7. 746 ᵇ20, 25, 29, 31. δ2. 767 ᵃ27. λέοντος ἀγονίας τῆς ὑστερον τί τὸ αἴτιον Ζγγ 1. 750 ᵃ31. ἀγονία τίς ἰατή, τίς ἀνίατος Ζγβ7. 746 ᵇ20.

ἄγονος vel cum gen coniungitur vel absol ponitur, Σικελία ἄγονος λαγῶν f 527. 1565 ᵃ 7. ἡ ὁμίχλη ἀναθυμίασις ἄγονος ὕδατος x4. 394 ᵃ20. ἡ ὁμίχλη νεφέλη ἄγονος μα9. 346 ᵇ35. ἄγονα σπερματικὰς ἐκκρίσεις ἀμφότερα (γυναῖκες χ παιδία) Ζγε3. 784 ᵃ5. — ἄγονος, i e ὐκ ἔχων σπέρμα: οἱ ἄγονοι, οἷον παῖδες χ γυναῖκες χ οἱ ἤδη γέροντες χ οἱ εὐνῦχοι (ὀξὺ φθέγγονται) πια16. 900 ᵇ15. 34. 903 ᵃ27. ι37. 895 ᵃ1. — σπέρμα ἄγονον, opp γόνιμον Ζικ6. 585 ᵇ34. διὰ τί ἄγονόν ποτε τὸ σπέρμα Ζγα18. 725 ᵇ15. τὸ ἄγονον σπέρμα λεπτόν, ψυχρόν, ἐν ὕδατι διαχεῖται Ζιγ2. 523 ᵃ25. η1. 582 ᵃ30. Ζγβ7. 741 ᵃ4. τὸ πρῶτον σπέρμα ἄγονον, διὰ τί Ζιε14. 544 ᵇ15. η1. 582 ᵃ17. Ζγβ4. 739 ᵃ10, 26. ἀγονώτερα τὰ πιμελώδη χ ἄρρενα χ θήλεα, διὰ τί Ζιγ18. 520 ᵇ6. Ζγα18. 726 ᵃ3. Ζμβ5. 651 ᵇ13. ἄγονοι τίνες χ διὰ τί Ζιγ11. 518 ᵇ3. η1. 581 ᵇ22. Ζγα7. 718 ᵃ23. χ τοῖς ἀγόνοις ἀνδράσι γίνεται ἡδονὴ (ἐν τῇ συνυσίᾳ) Ζγα20. 728 ᵃ13. ἐξ ἀγόνων γίνονταί τινες γόνιμοι Ζγα18. 723 ᵃ27. ἡ γυνὴ ὥσπερ ἄρρεν ἄγονον Ζγα20. 728 ᵃ18. — ἄγονοι ἵπποι, ὄνοι Ζγβ2. 576 ᵃ5. 23. 577 ᵇ13. Ζγβ8. 748 ᵇ7, ὀρεῖς, ἡμίονοι Ζγβ 7. 746 ᵇ14 sqq. 8. 747 ᵃ25 sqq, λέοντες Ζιζ31. 579 ᵇ11. ὀρνίθων ᾠὰ ἄγονα, ὑπηνέμια Ζιζ3. 562 ᵃ22. 21. 539 ᵃ32. ὀρνίθων χ ἰχθύων τινὰ ᾠὰ ἄγονα Ζγγ5. 756 ᵃ18. α21. 730 ᵃ21. Ζιζ14. 568 ᵇ8. τῶν ἐντόμων ἔνια ὅλως ἄγονά ἐστιν Ζγβ1. 732 ᵇ9.

ἀγορά. περὶ τὴν ἀγορὰν χ τὸ ἄστυ κυλίεσθαι Πζ4. 1319 ᵃ29. μέχρι ἀγορᾶς πληθυίσης Ζιβ32. 619 ᵃ16. κλέψαι ἐκ παλαίστρας ἢ ἐξ ἀγορᾶς πκθ14. 952 ᵃ18. ἀγορὰ ἀναγκαία, ἐλευθέρα Πη12. 1331 ᵃ31, ᵇ1, 11. οἱ παρέχοντες σφᾶς αὐτὺς πᾶσιν ἀγοράν Πη6. 1327 ᵃ29. — τὰ περὶ τὴν ἀγορὰν συμβόλαια Πδ15. 1300 ᵇ11. τὸν δέκα ἐτῶν μὴ ἀπεσχημένον ἀγορᾶς Πγ5. 1278 ᵃ26. χρηματιστικαὶ τέχναι αἱ πρὸς τὰς ἀγορᾶς (ἀγοράσεις ci Sylb) ηεα4. 1215 ᵃ31. — συναγοράσαι ἔλαιον χ ὥνιον χ τὴν ἄλλην ἀγοράν οβ1347 ᵇ6, 10.

ἀγοράζειν βραχέως οβ1346 ᵇ8. παρά τινος οβ1347 ᵇ12. ἀγοράσαι Φβ4. 196 ᵃ5.

ἀγοραῖος. ἔμποροι χ ἀγοραῖοι οβ1350 ᵃ26, 1347 ᵃ34. ἀγοραῖον (δῆμυ εἶδος) τὸ περὶ ὠνὴν χ πρᾶσιν διατρίβον Πδ4. 1291 ᵇ19, ᵃ4. πλῆθος ἀγοραῖον, βαναυσον Πζ4. 1319 ᵃ28. πλῆθος γεωργικόν, βάναυσον, ἀγοραῖον, θητικόν Πζ7. 1321 ᵃ6. δῆμος γεωργικός, ἀγοραῖος, βάναυσος Πδ3. 1289 ᵇ33. ἀγοραῖος ὄχλος Πζ4. 1319 ᵃ36. τῆς ναυκληρύντας τῶν ἀγοραίων προτιμᾶν ρ3. 1424 ᵃ29. τόποι ἀγοραῖοι οβ1346

b19. ἀγοραῖα τέλη οβ1346 a2. βίος ἀγοραῖος, βάναυσος Πη9.
1328 b39. φιλία πάμπαν ἀγοραία, ἀγοραίων Ηθ15. 1162
b26. 7. 1158 a21.

ἀγορανομία, coni ἀστυνομία Πη12. 1331 b9.

ἀγορανομικὰ κ̣ ἀστυνομικά (Plat rep IV 425 D) Πβ5.
1264 a31.

ἀγορανόμος, coni ἀστυνόμος Πδ15. 1299 b17. ζ8. 1322
a14. def f 409. 1546 a43.

ἀγόρασμα. ἀποστέλλειν τινὰ ἐπ' ἀγόρασμά τι οβ1352 b4.

ἀγοραστής οβ1352 b6.

ἀγορεύειν. οἱ νόμοι οὕτως ἀγορεύωσι Ρα1. 1354 a22. οἱ νόμοι
ἀγορεύωσι περί τινος Ρα13. 1374 a20. Ηε3. 1129 b14. κα-
κῶς ἀγορεύειν τινά f 378. 1541 a8.

ἄγος. ὅθεν τὸ ἄγος συνέβη τοῖς Συβαρίταις Πε3. 1303 a30.

ἀγράμματος. δηλοῦσί τι κ̣ οἱ ἀγράμματοι ψόφοι, οἷον θη-
ρίων, ὧν οὐδέν ἐστιν ὄνομα ε1. 16 a29. ζῷα ἀγράμματα,
opp διάλεκτον ἔχοντα Ζια1. 488 a33, opp γράμματα φθέγ-
γεσθαι Ζιβ12. 504 b2.

ἀγραυλεῖν. οἱ ἀγραυλοῦντες θ11. 831 a29.

ἀγραφία. γραφή f 378. 1541 a4. 379. 1541 a32.

ἄγραφος. νόμοι ἄγραφοι, opp γεγραμμένοι Ηκ10. 1180 b1.
Πζ5. 1319 b40. Ρα13. 1373 b5, 1374 a20. νόμος ἄγραφος
κ̣ κοινός ρ2. 1422 a1. δίκαιον ἄγραφον Ηθ15. 1162 b22 (opp
κατὰ νόμον). Ρα14. 1375 a15, 17. ἔθος ἄγραφον ρ2. 1421
b36. ὅσα ἄγραφα παρὰ πᾶσιν ὁμολογεῖσθαι δοκεῖ Ρα10.
1368 b9. λέγειν γεγραμμένα, ἄγραφα ρ37. 1444 a23. —
ἐν τοῖς λεγομένοις ἀγράφοις δόγμασι (Platonis) Φδ2. 209 b15.

ἀγρεύειν. σὰν (ἱ ε τῆς ἀρετῆς) ἀγρεύοντες δύναμιν f 625.
1583 b18.

ἀγριαίνειν intr ζῷα ἀγριαίνοντα Ζιι1. 608 b31.

ἀγριέλαιος, dist καλλιέλαιος φτα6. 820 b41. (Olea Oleaster
Hoffsg et Lk).

ἄγριος. τῶν ζῴων διαφοραὶ κατὰ τὰς βίας κ̣ τὰς πράξεις, τὰ
μὲν ἄγρια τὰ δὲ ἥμερα Ζια1. 488 a26. β1. 499 a5. θ6.
595 a13. 19. 602 b15. 28. 606 a9. πάντα ὅσα ἥμερά ἐστι
γένη, κ̣ ἄγριά ἐστι· διὸ ἀδύνατον τῷ ἀγρίῳ κ̣ τῷ ἡμέρῳ
διαιρεῖσθαι Ζια1. 488 a30. Ζμα3. 643 b3. πι45. 895 b24.
ἀεὶ ἥμερα ἄνθρωπος κ̣ ὀρεὺς Ζια1. 488 a27 (sed ἄνθρωπος
κ̣ ἄγριον κ̣ ἥμερον Ζμα3. 643 b5). θηρία ἄγρια Πα8. 1256
a38. τἄλλα ζῷα τῶν ἀνθρώπων χάριν ἐστί, τὰ μὲν ἥμερα
κ̣ διὰ τὴν χρῆσιν κ̣ διὰ τὴν τροφήν, τῶν δ' ἀγρίων τὰ
πλεῖστα τῆς τροφῆς κ̣ ἄλλης βοηθείας ἕνεκεν Πα8. 1256 b18.
η2. 1324 b41. τὰ ἥμερα τῶν ἀγρίων βελτίω τὴν φύσιν Πε5.
1254 b11. πι45. 896 a2. ἅπαξ τῷ ἐνιαυτῷ τίκτει τὰ πολλὰ
τῶν ἀγρίων Ζιε9. 542 b31. 13. 544 a25. αὐτῶν τῶν ἀγρίων
διαφοραὶ πρὸς πραότητα κ̣ ἀγριότητα Ζιι44. 629 b5. ἡ ἀν-
δρία οὐκ ἀκολουθεῖ τοῖς ἀγριωτάτοις Πθ4. 1338 b18. plerumque
τὰ ἄρρενα ἀγριώτερα Ζιι1. 608 b3. τὰς ὄψεις ἀγριώτερα κ̣
ἀλκιμώτερα Ζιθ28. 607 a11. ὅλως τὰ ἄγρια ἀγριώτερα ἐν
τῇ Ἀσίᾳ Ζιθ28. 606 b17. περὶ Αἴγυπτον μετ' ἀλλήλων ζῶσι
κ̣ αὐτὰ τὰ ἀγριώτατα Ζιι1. 608 b35. ἡμερώτατον τῶν ἀγρίων
ὁ ἐλέφας Ζιι46. 630 b18. — exempla ζῴων ἀγρίων et qui-
dem τῶν τετραπόδων ζῳοτοκούντων Ζια1. 488 a27, 30, b18.
β1. 498 b31, 499 a5, 501 b1. ε9. 542 b31. ζ18. 571 b13,
26, 572 b20. 28. 578 a25, 32. 36. 580 b3. 37. 580 b26. θ5.
594 b10, 17, 28. 6. 595 a13. 19. 602 b15. 28. 606 a7. 29.
607 a11. ι5. 611 a15. 46. 630 b18. 50. 632 b3. Ζμα3. 643
b3. Ζγε3. 783 a18. Ηυ13. 1118 a22. τετράποδα ἄγρια, τε-
τράποδα κ̣ ἄγρια Ζιθ5. 594 b28. ι5. 611 a15. Ζγε6. 786 a31.
πῇ κ̣ πόθεν ποιεῖται τὴν τροφὴν Ζιθ5. 594 b28, 17, a25. eorum
ὀδόντες Ζμγ1. 661 b5, τρίχες Ζγε3. 783 a18, μεταβολὴ

χρώματος κατὰ τὰς ὥρας Ζγε6. 786 a31. — τῶν ὀρνέων τὰ
ἄγρια ἅπαξ ὀχεύεται κ̣ τίκτει τὰ πλεῖστα Ζιε13. 544 a25.
ι8. 614 a9. μεταβάλλει τὴν ἰδέαν κατὰ τὰς ὥρας Ζιι15.
616 b2. Ζγε6. 786 a31. eorum οἰκήσεις Ζιι11. 614 b31. —
ἔντομα ἄγρια Ζιε31. 557 a5. ι41. 627 b23, 628 a29, b10. —
φυτὰ ἄγρια, opp ἥμερα φτα4. 819 b28, 29, 37. πι45. 896
a8. κ36. 927 a6, θὶς ὁ μέλας, ὁ δ' ἄλλος ὅμοιος ἐστι τοῖς
ἀγρίοις Ζιθ13. 598 a6. μυρρίναι ἀγριώτεραι τὸ γένος πκ36.
927 a4. — ἤθη ἀγριώτατα, opp ἡμερώτερα κ̣ λεοντώδη Πθ4.
1338 b18. ἄγριος, syn σκληρός, χαλεπός, ὀργίλος Ηδ14.
1128 a9, b2. ηεγ3. 1231 b9, opp φιλητικὸς Πη7. 1327 b40.
ἀνοσιώτατον κ̣ ἀγριώτατον ἄνθρωπος ἄνευ ἀρετῆς Πα2.
1253 a36.

ἀγριότης, opp ἡμερότης Ζιθ1. 588 a21. opp πραότης Ζιι44.
629 b7.

ἀγροικία def Ηβ7. 1108 a26. ηεα31. 1193 a11. θρασύτης
κ̣ ἀγροικία ἤθη Ργ16. 1417 a21.

ἄγροικος (ἄγροικος Ζια1. 488 b2. Ηει10. 1151 b13. ηεγ31.
1193 a13, 16). 1. proprie, ζῷα ἄγροικα, dist ὄρεια, συναν-
θρωπίζοντα Ζια1. 488 b2. — 2. metaph ηεγ2. 1230 b19. def
Ηβ7. 1108 a26. ηεγ7. 1234 a5. ηεα31. 1193 a13. opp πε-
παιδευμένος Ργ7. 1408 a32. syn ἀναίσθητος Ηβ2. 1104 a26.
οἱ ἀμαθεῖς κ̣ οἱ ἄγροικοι Ηει10. 1151 b13. οἱ ἄγροικοι μά-
λιστα γνωμοτύποι Ρβ21. 1395 a7. — ὄντες μικρὸν ἀγροικό-
τεροι, Ξενοφάνης κ̣ Μέλισσος ΜΑ5. 986 b27 Bz.

ἀγρονόμοι, coni ὑλωροὶ Πζ8. 1321 b30. η12. 1331 b15.

ἀγρός. ἐν τοῖς ἀγροῖς κατὰ τὴν χώραν Πβ5. 1263 a37. ἐπὶ
τῶν ἀγρῶν οἰκεῖν Πε5. 1305 a19. ἀγρὸν ἔλαβεν ἀργόν (exem-
plum παρομοιώσεως) Ργ9. 1410 a28.

ἀγροτέρα. θύειν Ἀρτέμιδι ἀγροτέρα κ̣ τῷ Ἐνυαλίῳ f 387.
1542 b6.

ἀγρυπνεῖν. τοῖς ἠγρυπνηκόσιν ἡ φωνὴ τραχυτέρα πια11. 900 a10.

ἀγρυπνία διὰ τὸ νοεῖν πιη7. 917 a39.

ἄγρυπνος, opp καθεύδων Πει11. 1314 b35. τὸ θῆλυ ἀγρυ-
πνότερον Ζιι1. 608 b13. — νοήσεις ἄγρυπνοι πιη7. 917 b1.

ἀγρωστις. κρότωνες γίνονται ἐκ τῆς ἀγρώστεως Ζιε19. 552 a15.

ἀγυμνασία, coni syn ἀμέλεια Ηγ7. 1114 a24.

ἀγυμνασία ΜΑ4. 985 a14. opp γεγυμνασμένοι πγ15. 873
a13. η10. 888 a23.

ἀγχιβαθής. ἀκταὶ ἀγχιβαθεῖς Ζιε16. 548 b28. τὰ ἀγχι-
βαθῆ πκγ31. 935 a2.

Ἀγχιμόλιος Λάκων f 357. 1538 b19.

ἀγχίνοια, def, dist εὐβουλία Αγ34. 89 b10. Ηζ10. 1142 b6.
ηεα5. 1185 b15. αρ4. 1250 a36. coni εὐμάθεια Ρα6. 1362 b24.
ἀγχίνοια πρὸς τὰ συμβαίνοντα Ζιη10. 587 a12. — ἀγχίνως
χρήσασθαι λόγῳ, ἔργῳ αρ4. 1250 a33.

ἀγχιστεία ὑπάρχει τινὶ πρός τινα Ρβ6. 1385 a3.

ἀγχιστεία. αἱ ἀγχόναι μάλιστα τοῖς νέοις πλ1. 954 b35.

ἀγωγή. ἡ ἀγωγὴ ὁμώνυμος τζ2. 139 b22. — ἀγωγὴ εἰς οὐσίαν
ἡ γένεσις τζ2. 139 b20. — ἐκ νέων ἀγωγῆς ὀρθῆς τυχεῖν πρὸς
ἀρετὴν Ηκ10. 1179 b31. διὰ τὸ ἔθος κ̣ τὴν ἀγωγήν, τῇ
ἀγωγῇ κ̣ τοῖς ἔθεσιν ὀλιγαρχικὴ Πδ5. 1292 b14, 16. ἐφ' ὁποτέραν τὴν ἀγωγὴν ὁ δίκαιον ἐφαρ-
μόσει Ρα15. 1375 b2. ἀγωγὴ εὐδαιμονικὴ ηεα4. 1215 a32.
ἀκρασία ἡ παρὰ τὸν λόγον ἀγωγὴ πκη3. 949 b16.

ἀγώγιμος. τὸ τῶν ἀγωγίμων βάρος μβ3. 359 a8.

ἀγών Φγ6. 206 a22, 31 (Ὀλύμπια). ἀγῶνες γυμνικοί Ηγ12.
1117 b2. Πζ9. 1323 a1. Ργ9. 1409 b5. ὁ ἀγὼν ἄγεται μυσικὸς f 66. 1487 a19. ἀγῶνες οἱ ἐπὶ λαμ-
πάδι f 385. 1542 a17. διατιθέναι τὸν ἐπιτάφιον ἀγῶνα f 387.
1542 b7. νικᾶν ἀγῶνα στεφανίτην Ρα2. 1357 a19. ἡ τάξις

τῶν ἀγώνων f 594. 1574 ᵇ25. ἀγῶνες Διονυσιακοί, τεχνικοί
Ργ15. 1416 ᵃ32. Πζ8. 1323 ᵃ1. θ6. 1341 ᵃ10. ἡ τῆς τρα-
γῳδίας δύναμις ᵏᶤ ἄνευ ἀγῶνος ᵏᶤ ὑποκριτῶν ἐστίν, ἐπὶ τῶν
σκηνῶν ᵏᶤ τῶν ἀγώνων τραγικώταται sim ποϚ. 1450 ᵇ18. 13.
1453 ᵃ27. 7. 1451 ᵃ6. cf 24. 1459 ᵇ26. Vhl Poet II 79.
κριτὴς ἐν τοῖς πολιτικοῖς ἀγῶσι, κατὰ τὰς πολιτικὰς ἀγῶνας
ποῖοι μεῖζον δύνανται Πβ18. 1391 ᵇ18. γ1. 1403 ᵇ34. οἱ
ἔμπειροι πολλῶν ἀγώνων Ρα12. 1372 ᵃ13. λέγειν ἐντέχνως
ἐν τοῖς ἰδίοις ᵏᶤ ἐν τοῖς κοινοῖς ἀγῶσι ρ39. 1445 ᵇ28. οἱ τῶν
γραφικῶν λόγοι ἐν τοῖς ἀγῶσι στενοὶ φαίνονται Ργ12. 1413
ᵇ15, 17. τὰ γελοῖα χρῆσιν ἔχει ἐν τοῖς ἀγῶσι Ργ18.1419 ᵇ3.
ὁ ἀγὼν ἄπεστιν, ὥστε καθαρὰ ἡ κρίσις Ργ12. 1414 ᵃ13. —
προτάσεις πρὸς κρίψιν λαμβανόμεναι ἀγῶνος χάριν τθ1. 155
ᵇ26. ἐκ ἀγῶνος ἀλλ' ἐπιδείξεως ἕνεκα λέγειν ρ36. 1440 ᵇ13.
— λόγχη φονίοις ἐν ἀγῶσι κρατήσας f 624. 1583 ᵃ28.

ἀγωνία 1. i q ἀγών. μελετᾶν πρὸς ἀντινῶν ἀγωνίαν Ηγ7. 1114.
ᵃ8. cf Πδ1. 1288 ᵇ17. πλ11. 956 ᵇ16. — 2. οἱ τῆς ψυχῆς
φόβοι ἐλπίδες ἀγωνίαι πν4. 483 ᵃ5. ἡ ἀγωνία φόβος τις sin
πβ31. 869 ᵇ6. ια36. 903 ᵇ12. 53. 905 ᵃ8. κζ10. 948 ᵇ38.

ἀγωνιᾶν (cf ἀγωνία 2) περί τινος Ρα9. 1367 ᵃ15. β5.1383 20
ᵃ6. οἱ ἀγωνιῶντες οἰψητικοί. ἱδρῶσι, ὠχριῶσι sim πκζ3.948
ᵃ2. β26. 868 ᵇ34. 31. 869 ᵇ4, 8. ια31. 902 ᵇ30. 32. 902ᵇ36.
53. 905 ᵃ5.

ἀγωνίζεσθαι. στεφανῶνται οἱ ἀγωνιζόμενοι Ηα9. 1099 ᵃ5.
ἀθληταὶ οἳ ἂν δύνωνται ἀγωνίζεσθαι Ρβ20. 1393 ᵇ6. ἀγω- 25
νίσασθαι καλὸν κίνδυνον Πθ4. 1338 ᵇ31. Ἥρα ᵘ περὶ μι-
κρῶν ἀγωνιζομένη f 157. 1504 ᵇ25. — de orationibus iudi-
cialibus: αὐτοῖς ἀγωνίζεσθαι τοῖς πράγμασιν, opp τὰ ἔξω τᵘ
ἀποδεῖξαι Ργ1. 1404 ᵃ5. τῆς ῥητορικῆς προοιμιάσασθαι πρὸς
εὔνοιαν, ἀγωνίσασθαι πρὸς ἀπόδειξιν f 123. 1499 ᵃ33. — de 30
re scenica: ἑκατὸν τραγῳδίας ἀγωνίζεσθαι, πρὸς κλεψύδραν
ἀγωνίζεσθαι ρο18. 1456 ᵃ18. ὅταν φαῦλοι οἱ ἀγωνιζόμενοι
ὦσιν Ηκ5. 1175ᵇ12. — οἱ ἄλλοι (epici poetae praeter Home-
rum) αὐτοὶ μὲν δι' ὅλᵘ ἀγωνίζονται, μιμοῦνται δ' ὀλίγα πο24.
1460 ᵃ9 (cf αὐτὸν δεῖ τὸν ποιητὴν ἐλάχιστα λέγειν ᵃ7). — 35
ἀγωνίζεσθαι de disputationibus, dist πειρᾶσθαι, σκέπτεσθαι
τθ5. 159 ᵃ27, 30, coni διαφιλονεικεῖν τι3. 165 ᵇ13.

ἀγώνιον σχῆμα ὁ κύκλος Μδ14. 1020 ᵃ25.

ἀγωνίσματα ποιεῖν πο9. 1451 ᵇ37.

ἀγωνιστής Ηι5. 1166 ᵇ35, 1167 ᵃ21. ὁ ὑποκριτὴς ἀγωνιστής 40
πιθ15. 918 ᵇ28.

ἀγωνιστικός. ἀγωνιστικὴ ἀρετὴ σώματος def Ρα5. 1361
ᵇ21-26. δύναμις ἀγωνιστικὴ Ρα5. 1361 ᵃ4, 1360 ᵇ22. —
ἀγωνιστικοὶ λόγοι, syn ἐριστικοὶ τι2. 165 ᵇ11 (cf ᵃ39). 14.
174 ᵃ12. 17. 176 ᵃ22. ἀγωνιστικαὶ διατριβαί, dist διαλεκτικαὶ 45
τθ11. 161 ᵃ24. ι16. 175 ᵃ22. — ἀγωνιστικὴ λέξις ἡ ὑποκρι-
τικωτάτη, opp γραφικὴ Ργ12. 1413 ᵇ9, 4. — ἀγωνιστι-
κῶς διαλέγεσθαι τθ14. 164 ᵇ8. πιθ15. 918 ᵇ21.

Ἀδάμας. ἀπέστη Κότυος Πε10. 1311 ᵇ22.

ἀδάπανος τῶν χρημάτων εἰς τὸ δέον αρ7. 1251 ᵇ7. 50

ἀδεὴς περὶ τὸν καλὸν θάνατον Ηγ9. 1115 ᵃ33. ἀδ. ἐν θαλάττῃ,
ἐν νόσοις Ηγ9. 1115 ᵇ1. — ἀδεῶς λέγειν περί τε τῶν ἰδίων
ᵏᶤ δημοσίων f 394. 1543 ᵇ18.

ἄδεια, opp ζημία Πδ13. 1279 ᵃ22. ἐν ὅσοις ἄδειαν ἔδωκεν
ὁ νόμος Ηε7. 1132 ᵇ15. φοβεῖσθαι ᵏᶤ τὴν δικαίαν ἄδειαν αρ4. 55
1250 ᵇ9.

ᾄδειν, de hominibus, ᾄδειν ᵏᶤ ὀρχεῖσθαι Ρβ24. 1401 ᵇ25. ᾄδειν
πρὸς αὐλὸν ἢ λύραν, ᾄδειν ἄνευ λόγᵘ πιθ9. 918 ᵃ23. 43.
922 ᵇ2. 10. 918 ᵃ29. ᾄδει πᾶς γεγηθὼς ὁ μὴ δι' ἀνάγκην
πιθ40. 921 ᵃ37. — de animalibus, κύκνος, κόττυφος. ἀηδὼν 60
ᾄδει Ζιι12. 615 ᵇ4. 49Β. 632 ᵇ17. θ9. 536 ᵃ29. ἔνια τῶν

ὀρνέων ᾄδουσιν ὁμοίως τὰ ἄρρενα τοῖς θήλεσιν Ζιθ9. 536 ᵃ28.
περὶ τὰς ὀχείας μάλιστα ᾄδειν ᵏᶤ λαλεῖν Ζια1. 488 ᵇ1. οἱ
τέττιγες ᾄδουσιν Ζιθ9. 535 ᵇ6. ε30. 556 ᵃ16, ᵇ12. οἱ τέττι-
γες ᾄσονται (Stesichori apophthegma) Ργ11.1412ᵃ23. β21.
1395 ᵃ2. βάτραχοί τινες ᵘκ ᾄδουσιν, syn ἄφωνοί εἰσιν θ70.
835 ᵇ3. 68. 835 ᵃ33.

ἀδέκαστος. ᵘκ ἀδέκαστοι κρίνομεν τὴν ἡδονὴν Ηβ9. 1109ᵇ8.

ἀδελφικός. ἡ ἀδελφικὴ φιλία τῇ ἑταιρικῇ ὁμοιῦται Ηθ14.
1161 ᵇ35, 1162 ᵃ10. cf 12. 1161 ᵃ6.

ἀδελφός. ὑστέρα ᵏᶤ δελφύς, ὅθεν ᵏᶤ ἀδελφὸς προσαγορεύεσι 10
Ζιγ1. 510 ᵇ14. — τῶν ἀδελφῶν ὁ πρεσβύτατος, πρεσβύτε-
ροι, νεώτεροι Πε6. 1305 ᵇ15, 7. ἀδελφῶν φιλία ποία Ηθ12.
1161 ᵃ4. 14. 1161 ᵇ30-35, 1162 ᵃ9-15. ἀδελφοῖς ᵏᶤ ἑταίροις
πάντα κοινά Ηθ11. 1159 ᵇ32. χαλεποὶ πόλεμοι ἀδελφῶν
(Eur fr 965) Πη7. 1328 ᵃ15.

ἀδέσποτος. αἱ ἀδέσποτοι τῶν οἰκήσεων Ηθ12. 1161 ᵃ7.

ἄδηλος ἡ ἔλλειψις ημβ11. 1210 ᵃ35. σχῆμα ἄδηλον μγ4.
373 ᵇ19. ἄδηλος ἡ φύσις τῶν φλεβῶν Ζιγ2. 511 ᵇ14. ἰχθύ-
δια ὅταν ποιήσῃ ἑαυτὰ ἄδηλα Ζιλ37. 620 ᵇ31. συμβαίνει
ταὐτό, ἀλλ' ἀδηλότερον Ζγε7. 787 ᵇ34. εἴ τι κατὰ βάθυς
ἄδηλον ἡμῖν μα3. 339 ᵇ13. Δῆλος, πρὶν μὲν ἄδηλος f 446.
1551 ᵇ6. ἐν πολλῷ πλήθει ἄδηλον μβ1. 354 ᵃ9. — ᵘκ ἄδη-
λον ὅτι vel c enunciatione interrog Ζμδ10. 689 ᵃ21. μα3.
339 ᵇ7. τὰ ἄδηλα πῶς ἀποβήσεται (i e ὅσα ἄδηλόν ἐστι πῶς
ἀποβήσεται) Ηγ5. 1112 ᵇ9. — ἄδηλον ᵏᶤ ἀδιόριστόν ἐστι λέ-
γειν νῦν περὶ τύτων Ζμα1. 639 ᵃ22. — ἀδήλως ἀφανισθῆναι
πο17. 1455ᵇ3. ἀναξηραίνεσθαι ταχὺ ᵏᶤ ἀδήλως μβ2. 355ᵇ32.

ἀδηλόφλεβος, coni ὠχρός Ζγα19. 727 ᵃ24. coni μικροκοί-
λιος Ζμγ4. 667 ᵃ31. οἱ ἀδ. φίλυπνοι υ3. 457 ᵃ22.

ἀδὴν ἔχειν τᵘ φαγεῖν πκη7. 950 ᵃ15.

ᾅδης. τῷ κακῷ δαίμονι ὄνομα εἶναι Ἅιδης ᵏᶤ Ἀρειμάνιος f 8.
1475 ᵃ38. Ἅιδα πύλαις ὅμοιοι οἱ κύαμοι f 190. 1512 ᵃ8. ὁ
ἥλιος ᵘχ ὁρᾷ τὰ ἐν ᾅδᵘ f 144. 1502ᵇ33. ὅσα ἐν ᾅδᵘ, εἶδος
τραγῳδίας πο18. 1456 ᵃ3. ᵏᶤ ᾅδᵘ (Soph Ant 911) Ργ16.
1417 ᵃ32. Ἀΐδαο δόμης ἦλθον f 625. 1583 ᵇ19.

ἀδηφαγία. ἡ ἐν ταῖς ἀδηφαγίαις ἀπεψία f 172. 1506 ᵇ26.

ἀδιάβλητος φιλία Ηθ5.1157 ᵃ21, coni μόνιμος Ηθ8.1158ᵇ9.

ἀδιαίρετος. ἀδιαίρετον, opp διαιρόμενον Οαλ1. 280 ᵇ11. opp
διαιρετὸν ψζ. 427 ᵃ5. syn ἁπλῶν Μδ3. 1014 ᵇ5. syn ἀμε-
ρές Φζ1. 231 ᵇ3 (cf ἀμερής). coni τὸ αὐτὸ ψγ2. 427 ᵃ6.
coni ἀχώριστον ψγ2. 427 ᵃ2. ἀδιαίρετον δυνάμει, ἐνεργείᾳ
ψγ6. 430 ᵇ7. 2. 427 ᵇ6. ἀδιαίρετον κατὰ τὸ εἶδος (εἴδει),
κατὰ τὸ ποσόν, ἀριθμῷ Μβ3. 999 ᵃ3. δ3.1014 ᵃ27. 6.1016
ᵇ19, 21. ιι. 1052 ᵃ32 (et omnino ιι). ψγ6. 430 ᵇ14. ἀδι-
αίρετον κατὰ λόγον, κατὰ χρόνον Μμ8. 1084 ᵇ14. ἀδιαίρετον
τᵘ εἶναι, τόπῳ ᵏᶤ ἀριθμῷ ψγ2. 427 ᵃ5, 2. cf α4. 409 ᵃ24.
ἀδιαίρετα μεγέθη πότερον ἔστιν ἢ ᵘ Γα2. 315 ᵇ26-317 ᵃ17.
ᵘκ ἔστιν ἀδιαίρετον μῆκη Ογ1. 299 ᵃ11, cf 17, 19. τὸ πέρας
ἀδιαίρετον, ᵏᶤ τὸ πεπερασμένον Φα2. 185 ᵇ18. ἤ γ' ἀδιαί-
ρετος στιγμὴ Μβ5. 1002 ᵇ4. (ᵘκ ἐνδέχεται) ἀδιαίρετόν τι
κινεῖσθαι Φζ10. 241 ᵃ26. — τὸ μέσον πολὺ ᵏᶤ ᵘκ ἀδιαίρετον
Γβ7. 334 ᵇ28. — ἀδιαίρετόν τὸ ὑπόζωμα, opp διηρημένοι
Ζιε30. 556 ᵃ19. ἀστέρες ἀδιαίρετοι καθ' ἑαυτὰς μα6. 343
ᵇ34, 35. τὸ στοιχεῖον φωνὴ ἀδιαίρετος πο20. 1456 ᵇ22, 24.
— ἡ τῶν ἀδιαιρέτων νόησις, περὶ ἃ ᵘκ ἔστι ψεῦδος ψγ6.
430 ᵃ26. cf ἀσύνθετος. — logice διάστημα ἀδιαίρετον, syn
ἄμεσον, opp διαιρετὸν Αγ22. 84·35. — μᾶλλον ἕν, ᵘ ἀδιαι-
ρετωτέρα ᵏᶤ κίνησις ᵏᶤ μᾶλλον ἁπλῆ Μι1. 1052 ᵃ21.

ἀδιάκοιτος. ἀδιακριτώτερον τὸ αἷμα μετὰ τὴν τῆς τροφῆς
προσφορὰν υ3. 458 ᵃ21.

ἀδιανόητος. Σαρδανάπαλλον τὸν Ἀνακυνδαράξεω ἀδιανοητό-

τερον κατὰ τὴν προσηγορίαν τῦ πατρὸς Ἀριστοτέλης ἔφη f 77.
1488 ᵇ41.
ἀδιάρθρωτος, opp λαμβάνειν τὴν διάρθρωσιν Ζιη 3. 583 ᵇ21,
24. μόρια (σκέλη, γλῶττα) ἀδιάρθρωτα Ζιζ 30. 579 ᵃ24.
Ζιμ17. 660 ᵇ33. ∂11. 690 ᵇ25. λεῖος χ ἀδιάρθρωτος τόπος 5
Ζιβ10. 503 ᵃ4. ἐλέφας τὰ περὶ τῆς δακτύλης ἀδιαρθρωτό-
τερα ἔχει Ζιβ1. 497 ᵇ23. πολυπόδια ἀδιάρθρωτα Ζιε18. 550
ᵃ9. τίκτειν, ἐκτίκτειν, γεννᾶν ἀδιάρθρωτα Ζιζ 33. 580 ᵃ7.
Ζγβ1. 732 ᵃ27. ∂6. 774 ᵇ14. cf f 260. 1526 ᵃ6.
ἀδιάστροφος. ὀμμάτων σφαῖραι ἀδιάστροφοι χ ἀκίνητοι τῇ 10
θέσει πλα7. 958 ᵃ12, 13.
ἀδιάσχιστος. γλωττοειδὲς συμφυὲς χ ἀδιάσχιστον Ζιθ 7.
532 ᵇ13.
ἀδιάφθορος αἴσθησις, opp διεφθαρμένη ὑπὸ οἰνοφλυγίας νεη2.
1236 ᵃ1. ἡ ἀρχὴ τῆς τροφῆς (τριχῶν) μένει ἀδιάφθορος πι22. 15
893 ᵃ21. — μάρτυρες ἀδιάφθοροι Ρα15. 1376 ᵃ17. πότερον
ἀδιαφθορώτερος ὁ εἷς ἄρχων ἢ οἱ πολλοί Πγ15. 1286 ᵃ39,
31, 33.
ἀδιάφορος, coni ὅμοιος Α∂13. 97 ᵇ7. Ο∂3. 310 ᵇ5. Ρα12.
1373 ᵃ33. ἀδιάφορα ὧν ἀδιαίρετον τὸ εἶδος κατὰ τὴν αἴσθη- 20
σιν Μ∂6. 1016 ᵃ18. ἀδιάφορα τῷ εἴδει, κατ᾽ εἶδος, κατ᾽
ἀναλογίαν τα7. 103 ᵃ11. ∂1. 121 ᵇ15, 22. Φ∂8. 262 ᵃ2. αυ17.
478 ᵇ23. Ζιβ1. 497 ᵇ11. Ζγβ7. 746 ᵃ31, 748 ᵃ1. cf Α∂19.
100 ᵃ16. Μζ12. 1038 ᵃ16. Ηκ5. 1176 ᵃ9. τὰ ἀδιάφορα,
syn τὰ καθ᾽ ἕκαστον, opp τὰ καθόλα Α∂13. 97 ᵇ31, 28. 25
ἀδιάφορα κατὰ τὴν ὐσίαν χ ἐν ὄντα τι24. 179 ᵃ38. ἢ κατὰ
τὴν ὐσίαν ἀδιάφορα τὴν συγκειμένην Μι3. 1054 ᵇ4. τὰ εἰλι-
κρινῆ στοιχεῖα ἀδιάφορα πλα29. 960 ᵃ31. ἀδιάφορον μονάδες
(cf συμβλητός) Μμ7. 1081 ᵇ13, 36. 1082 ᵇ27, Βz ad Μμ6.
— ὁ μεγαλόψυχος ἀδιάφορος εὐτυχῶν χ ἀτυχῶν Α∂13.97 ᵇ21. 30
Adiectiva verbalia in — τέον, impersonaliter usurpata, con-
structa cum dativo subiecti, veluti ὁ κριτὴς οἴεται οὐχ αὑτῷ
κριτέον Ρβ25. 1403 ᵇ31. γ14. 1415 ᵃ33. ἐв. 1428 ᵇ33; cum
accusativo subiecti, et quidem omisso verbo ἐστὶ, διελομένης
ποσαχῶς ἐνδέχεται λεκτέον sim αι3. 439 ᵇ19. Ζιμ1. 646 35
ᵃ11. Ηγ1.1145 ᵃ15. θ16.1163 ᵇ20. Πη1.1323 ᵃ21,1324 ᵃ2.
Ργ17. 1418 ᵃ38. ρ30. 1437 ᵃ29. 36.1441 ᵃ11. 37.1442 ᵃ7,
addito verbo ἐστὶν ργ19, 1433 ᵇ2 (cf Krüger gr Gr 56,18,3).
ab altera constructione ad alteram transitur: δυναμένῳ δὴ
ἀνταποδοτέον τὴν ἀξίαν ὧν ἔπαθεν, χ ἑκόντι· ἄκοντα γὰρ 40
φίλον ὒ ποιητέον. ὡς δὴ διαμαρτόντα ἐν τῇ ἀρχῇ χ εὖ πα-
θόντα ὑφ᾽ ὒ ὐκ ἔδει Ηθ15.1163 ᵃ3 Fr.
ἀδιεξίτητον ἐπὶ τὴν αὔξην τὸ ἄπειρον Φγ7. 207 ᵇ29.
ἀδιέξοδον τὸ ἄπειρον Φγ5. 204 ᵃ14.
ἀδικεῖν, def τὸ ἑκόντα πλέον αὑτῷ νέμειν τῶν ἁπλῶς ἀγαθῶν, 45
τὸ βλάπτειν ἑκόντα παρὰ τὸν νόμον Ηε10. 1134 ᵃ33, 1135
ᵃ16. 13. 1137 ᵃ23 (cf ᵃ5). Ρα10. 1368 ᵇ6. 13. 1374 ᵃ12.
15. 1377 ᵇ4 (cf ημα12. 1188 ᵃ14. νεβ7. 1223 ᵃ39). τβ2.
109 ᵇ33. dist ἄδικον εἶναι Ηε10. 1134 ᵃ21. η9. 1151 ᵃ10.
dist ἁμαρτάνειν (cf s h v) Πγ11. 1281 ᵇ27. Ργ2. 1405 ᵃ26. 50
τίνος ἕνεκα χ πῶς ἔχοντες ἀδικῦσι χ τίνας Ρα10-12. ρ5.
1427 ᵃ36. 37. 1444 ᵃ11. ἀδικεῖν δι᾽ ἐπιθυμίαν
al πκθ13. 951 ᵇ27, 952 ᵃ2. Πβ7. 1267 ᵃ3-9. ∂8. 1293 ᵇ39.
ἀδικεῖν ἀδικήματα ὑβριστικά, κακουργικά, ἐπιζήμια Ρβ16.
1391 ᵃ18. α14. 1375 ᵃ19. ἀδικεῖν τὰ ἀδικήματα εἰς ὕβριν, 55
εἰς κακουργίαν Ρβ12. 1389 ᵇ7. 13. 1390 ᵃ18 (aliter ἀδικεῖν
τινα εἰς ἀτιμίαν, εἰς κέρδος Πε8. 1308 ᵃ9). ἀδικεῖν ταδική-
ματα πρὸς ἕνα. πρὸς τὸ κοινὸν Ρα13. 1373 ᵇ21. cf Π∂16.
1300 ᵇ20. — ἀδικεῖσθαι def Ρα13. 1373 ᵇ27. Πε3. 1303 ᵇ4.
dist βλάπτεσθαι, ἄδικα πάσχειν Ηε11. 1136 ᵃ23, 28, ᵇ3-14. 60
12. 1136 ᵇ23-25. τὸ ἀδικεῖν χ τὸ ἀδικεῖσθαι ἄμφω μὲν

V.

φαῦλα, ὅμως χεῖρον τὸ ἀδικεῖν Ηε15. 1138 ᵃ28-31. cf 9.
1134 ᵃ12. πότερον ἔστιν ἑκόντα ἀδικεῖσθαι Ηε11. 1136 ᵃ15,
ᵇ13. 15. 1138 ᵃ12. ημα34. 1195 ᵇ5. πότερον ἐνδέχεται αὐ-
τὸν αὑτὸν ἀδικεῖν Ηε15. 11. 1136 ᵃ33. 12.1136 ᵇ17. ημα34.
1195 ᵇ35. πότερον ἀδικεῖ ὁ νείμας παρὰ τὴν ἀξίαν τὸ πλεῖον
ἢ ὁ ἔχων Ηε12. 1136 ᵇ16. ημα 34. 1196 ᵃ33. — fut pass
ἀδικήσονται Πγ13. 1284 ᵃ9.
ἀδίκημα, dist τὸ ἄδικον Ηε10. 1135 ᵃ8. ημα 34. 1195 ᵃ8.
τὸ ἀδίκημα ὥρισται τῷ ἑκουσίῳ Ηε10. 1135 ᵃ20. ἀδίκημα,
dist ἄδικον εἶναι, ἀτύχημα, ἁμάρτημα Ηε10. 1135 ᵇ12-
1136 ᵃ3. Ρα13. 1374 ᵇ8. τῦ ἀδικήματος τὸ μὲν ἔλαττον τὸ
ἀδικεῖσθαι, τὸ δὲ μεῖζον τὸ ἀδικεῖν Ηε9. 1134 ᵃ12. τῶν ἀδι-
κημάτων εἴδη Ρα13. ἀδίκημα μείζον τί Ρα14. 3. 1359 ᵃ25.
ἀδικήματα πρὸς ἕνα, πρὸς τὸ κοινόν Ρα13. 1373 ᵇ21. ἀδί-
κημα οἰκονομικὸν τῶν τῆς ψυχῆς μερῶν πρὸς ἄλληλα ημα34.
1196 ᵃ26, 29. ἀδικήματα ὑβριστικά, κακουργικά, ἀκρατευ-
τικά, θηριωδέστερα, διὰ φιλοχρηματίαν al Ρβ16. 1391 ᵃ18.
α14. 1375 ᵃ6. Πβ9. 1271 ᵃ17. ∂11. 1295 ᵇ10.
ἀδικία (cf δικαιοσύνη, ἄδικος). περὶ ἀδικίας Ηε. ημα34. πκθ.
ἀδικία def αρ1. 1250 ᵃ1. 3. 1250 ᵃ25. 7. 1251 ᵃ30-ᵇ3, eius
εἴδη αρ7. 1251 ᵃ30. ἡ ἀδικία πλεοναχῶς λέγεται Ηε2. 1129
ᵃ26. ἀδικία ἡ ὅλη Ηε4. 1130 ᵃ33. ἡ κατὰ μέρος, ὡς μέρος
ἀδικία Ηε4. 1130 ᵃ15, 22, 33. def Ρα9. 1366 ᵇ10. ρ5. 1427
ᵃ32 (dist ἁμάρτημα, ἀτυχία). ΜΑ8. 990 ᵃ24 (Pyth). dist
ἀδικεῖν Ηε10. 1134 ᵃ32. ἡ ἀδικία ἐν βλάβῃ ἐστίν ημβ3. 1199
ᵇ12, ᵃ21. ἡ ἀδ. πότερον φαῦλόν ἐστι ημβ3. 1199 ᵇ10-36.
ἀδικία ὐκ ἔστι πρὸς αὑτόν, πρὸς τὰ αὑτοῦ ἁπλῶς Ηε10.1134
ᵇ12, 9. ημβ11. 1211 ᵃ25. ἡ τῶν χρημάτων ἀδικία πκθ1.
950 ᵃ24. ἀδικίας εἶδός τι ἐν ἀγῶνι, ἀδικομαχία τι11.171 ᵇ22.
ἀδικομαχία ἐν ἀντιλογίᾳ τι11. 171 ᵇ23.
ἄδικος (cf δίκαιος) ποσαχῶς λέγεται Ηε2. 1129 ᵃ31. ὁ παρά-
νομος Ηε2. 1129 ᵃ32.15.1138 ᵃ14. ὁ ἄνισος Ηε2.1129 ᵃ33.
dist τὸ ἀδικῶν Ηε10. 1134 ᵃ18, 21. η9. 1151 ᵃ10. ὐκ ἄδικος,
ὐ γὰρ ἐπίβολος Ηη11. 1152 ᵃ17. 7. 1149 ᵇ13. ἄδικος, dist
ἀδίκημα, ἀτύχημα, ἁμάρτημα, coni μοχθηρός, πονηρός Ηε10.
1135 ᵇ23-1136 ᵃ9. ημα34. 1195 ᵃ18. — οἱ τεχνικώτατοι
χ ἀδικώτατοι Ργ13. 1416 ᵇ7. ἄδικον τὸ παράνομον Ηε2. 1129
ᵇ1. τὸ ἄνισον, τὸ παρὰ τὸ ἀνάλογον Ηε2. 1129 ᵇ1.7. 1131
ᵇ11, 17, 32. dist ἀδίκημα Ηε10. 1135 ᵃ9. ημα34. 1195 ᵃ8.
ἄδικον φύσει Ρα13. 1373 ᵇ8. τὰ ἄδικα αὔξησιν λαμβάνει
τῷ μᾶλλον πρὸς φίλους Ηη11. 1160 ᵃ4. — ἄρχειν χει-
ρὸς ἀδίκων Ρβ24. 1402 ᵃ2. ρ37. 1444 ᵇ13.
ἀδιόριστος (dist ἀόριστος Wz ad Αα4. 26 ᵇ14). ἡδοναὶ σύνεγ-
γυς ταῖς ἐνεργείαις χ ἀδιόριστοι ὕτως ὥστ᾽ ἀμφισβήτησιν
ἔχειν, opp ἡδοναὶ διωρισμέναι Ηκ 5. 1175 ᵇ32. κύημα τὸ
πρῶτον ἀδιόριστον Ζγγ7. 758 ᵃ35. ἀδιόριστον διακρινό-
μενον Ζγα15. 720 ᵇ22. cf ∂4. 770 ᵃ23. μέλη ἀδιόριστα, opp
διωρισμένα φτα1. 816 ᵇ7. τὸ κάτω τῦ διαζώματος ἀδιορι-
στότερον Ζγβ6. 741 ᵇ29. — πρότασις ἀδιόριστος, i e τῦ ὑπάρ-
χειν ἢ μή, ἄνευ τῦ καθόλυ ἢ κατὰ μέρος, dist καθόλυ, ἐν
μέρει Αα1. 24 ᵃ19. 2. 25 ᵃ5. opp διωρισμένη Αα4. 26 ᵇ23.
syn ἐν μέρει Αα4. 26 ᵃ30, 32 Wz, 39, ᵇ3, 14 (? cf ᵇ16). 6.
28 ᵇ28. 7. 29 ᵃ28. δεικτέον ἐκ τῦ ἀδιορίστυ Αα5. 27 ᵇ20
Wz, 28. 6. 29 ᵃ6. 15. 35 ᵇ11. — ἀδιόριστον, i e ὐδὲν ἔχομεν
παραδεδομένον ὑπ᾽ ἄλλων τβ5. 159 ᵃ25, cf ᵃ36. ἄδηλον χ
ἀδιόριστον νῦν περὶ τινῶν (fort ἢ ὐκ ἔστιν καιρὸς
τῦ διορίζειν) Ζμα1. 639 ᵃ22. — ἀδιορίστως ὑπάρχειν Αα6.
29 ᵃ8. ἀδιορίστως λέγεται νῦν Γα6. 322 ᵇ5. cf Ζγε1. 778
ᵇ9. α19. 726 ᵇ16. ἀδιορίστως ἐπέρριψε ΜΑ5. 986 ᵃ33. ὅλον
τι χ ἀδιορίστως σημαίνει Φα1. 184 ᵇ11.

B

ἄδιψος. ἄδιψα ⁊ ὀλιγόποτα ζῷα Ζμγ6. 669 ᵃ34. ἁλμυράς
τινες προσφερόμενοι τροφὰς ἄδιψοι διέμειναν f 99. 1494 ᵃ10.
Ἀδμητος f 596. 1576 ᵇ2.
ἀδολεσχεῖν, syn πολλάκις λέγειν τὸ αὐτό τε2. 130 ᵃ34. θ2.
158 ᵃ28. ποιῆσαι ἀδολεσχεῖν, παραλογισμοὶ παρὰ τὸ ποιῆσαι 5
ἀδολεσχεῖν τι3. 165 ᵇ15. 13. 173 ᵃ31-ᵇ11. 31 (cf ἀπάγειν
εἰς ταὐτὸ πολλάκις 31. 181 ᵇ25). — ἄν τε ἀδολεσχῇ, ἢ σα-
φής, ἠδὲ ἀν σύντομος Ργ12. 1414 ᵃ24.
ἀδολέσχης def Ηγ13. 1117 ᵇ35.
ἀδολεσχία τὸ πάντα συνάγειν διὰ τὸ φανερὰ λέγειν Ρβ22. 10
1395 ᵇ26. cf γ3. 1406 ᵃ34. ἀδολεσχία τῶν πρεσβυτέρων
Ρβ13. 1390 ᵃ9. ἐν τοῖς ἐριστικοῖς ὐκ ἔνεστιν ἀδολεσχία (cf
ἀδολεσχεῖν) πιη8. 917 ᵇ4. ὦτα ἐπανεστηκότα μωρολογίας ⁊
ἀδολεσχίας σημεῖον Ζια11. 492 ᵇ2.
ἀδοξεῖν ρ38. 1445 ᵇ16. οἱ ἀδοξῦντες, opp οἱ εὐδοκιμῦντες 15
Ρα12. 1372 ᵇ22, 23. 15. 1376 ᵃ31. μένει (ἀνδρεῖός τις) ὅτι
ἀδοξήσει ηεγ1. 1230 ᵃ24. ἠδέ πω ἠδοξηκόσι Ρβ6. 1384ᵇ14.
ἀδοξία Ηγ9. 1115 ᵃ10. φόβος ἀδοξίας Ηδ15. 1128 ᵇ12. περὶ
ἀδοξίας φαντασία ἡ αἰσχύνη, ἡ αἰσχύνη λύπη τις περὶ τὰ
εἰς ἀδοξίαν φαινόμενα φέρειν Ρβ6. 1384 ᵃ23, 1383 ᵇ14. 20
ἄδοξος, opp εὐδοκιμῶν Ρβ6. 1384 ᵇ31. — ἄδοξον, syn παρά-
δοξον, opp ἔνδοξον τι12. 173 ᵃ26 (coll 15. 174 ᵇ6, 17.
ἄδοξος θέσις τθ5. 159 ᵃ38-ᵇ35. ὑπόθεσις ἄδοξος διχῶς τθ9.
160 ᵇ18. ἄδοξος ἀπόκρισις τι12. 173 ᵃ19. ἀδοξότερα, syn
ἧττον πιστά τθ11. 161 ᵇ31. τὰ ἀδοξότατα λέγειν τθ4. 159 25
ᵃ19, 22. εἰς ἄδοξον ἄγειν τὸν λόγον τι12. 172 ᵇ10, 19, 23.
εἰς τὰ ἄδοξα συνάγειν τι12. 173 ᵃ27.
ἀδορυφόρητος διετέλεσε κατὰ τὴν ἀρχήν Πε12. 1315ᵇ28.
ἀδυλία Πς8. 1323 ᵃ6.
Ἀδραμύτειον, Ἀδράμυτος. Ἀδραμύτειον πόλις τῆς κατὰ 30
Κάικον Μυσίας κέκληται ἀπὸ Ἀδραμύτε κτιστῦ f 507. 1561
Ἀδράστεια, etymol ἢ ἀναπόδραστος αἰτία χ7. 401 ᵇ13.
Ἀδριαναί, Ἀδριανικαὶ ἀλεκτορίδες descr Ζιζ1. 558ᵇ16. Ζγγ1.
749 ᵇ29 (gallinarum domesticarum varietates quaedam non- 35
dum certo definitae C II 697 St K 714 AZγ216 Cr Su
138 n 107).
Ἀδρίας χ3. 393 ᵃ28. θ79. 836 ᵃ7. 81. 836 ᵃ25. 104. 839ᵇ3,
8. 105. 839 ᵇ11, 18. καταπλέοντες, εἰσπλέοντες εἰς τὸν
Ἀδρίαν Ζιθ13. 598 ᵇ16, 18. 40
ἁδρός. σῖτος μήπω ἁδρός Μδ7. 1017 ᵇ8. ὅταν ἤδη γίγνηται
ἁδρότερον τὸ ᾠόν Ζιζ2. 559 ᵇ11. ἄλφιτα ἁδρά πκα26. 929
ᵇ38. ῥεύματα ἁδρά πκη1. 949 ᵇ5. ψακάδες ἁδρότεραι χ4.
394 ᵃ31.
ἁδρύνειν. σῖτοι οἱ ταχὺ ἁδρυνόμενοι Φε6. 230 ᵇ2. ἔμβρυα 45
ἁδρυνόμενα ⁊ τέλεα ὄντα Ζιζ10. 565 ᵇ13. η8. 586 ᵇ24.
νεοττοὶ ἁδρυνόμενοι Ζι34. 619 ᵇ30.
ἅδρυνσις ⁊ γήρανσις Φγι1. 201 ᵃ19. Μχ9. 1065 ᵇ20.
ἀδυναμία, def στέρησις δυνάμεως Μδ12. 1019ᵇ15sqqBz. θ1.
1046ᵃ29. ι10.1058ᵇ27 (cf 5.1055ᵇ Bz). τγ6.119ᵇ3. ὅσα 50
κατὰ δύναμιν φυσικὴν ἢ ἀδυναμίαν λέγεται Κ8. 9ᵃ16, 18, 23,
27. μδ8.385ᵃ11. ἀδυναμία, δι' ἀδυναμίαν, opp δυνάμει, διὰ
δύναμιν Ζγα18. 726ᵃ8, 11. 20. 728ᵃ18. δ1. 765ᵇ9, 766ᵃ32.
εε7. 787 ᵃ29. ὅλως ἔνεστιν ἐν τῇ δυνάμει ἡ ἀδυναμία ηεη13.
1246 ᵇ32. διὰ τὴν ἀδυναμίαν τῦ ἐκτρέφειν Ζγδ6. 774 ᵇ35. 55
ὕπνος ἀδυναμία αἰσθήσεως τζ6. 145 ᵇ1, 4, 14, 15. ὕπνος
ἀδυναμία δι' ὑπερβολὴν τῦ ἐγρηγορέναι υ1. 454 ᵇ5. διὰ ψυ-
χρότητα ⁊ ἀδυναμίαν Ζγδ1. 765 ᵇ17. — ἡ ἄνεσις γίνεται δι'
ἀδυναμίαν, ἡ δ' ἀδυναμία παρὰ φύσιν Οβ6. 288 ᵇ14. αἱ ἐν
τοῖς ζῴοις ἀδυναμίαι πᾶσαι παρὰ φύσιν εἰσίν, οἷον γῆρας ⁊ 60
φθίσις Οβ6. 288 ᵇ15. γῆρας ⁊ πᾶσα ἀδυναμία Ηδ3. 1121

ᵇ14. τὸ τροφὴν μὴ ἔχειν ἀδυναμίαν ποιεῖ οα5. 1344 ᵇ2. ἐκ
τῶν ἀφροδισιασμῶν συμβαίνει ἔκλυσις ⁊ ἀδυναμία Ζγα18.
725 ᵇ18, 21. cf πη9. 888 ᵃ4. — εἰ μεγάλα παθὼν μὴ ἀπο-
δώῃ δι' ἀδυναμίαν ηεη10. 1243 ᵇ11. ἀδυναμία τῶν πραγμά-
των (i e τῷ πράττειν τὰ πολιτικά) Πε11. 1314 ᵃ23. μὴ δυ-
ναμένης λύειν τὸν λόγον προσεξαπατᾷν ἑαυτῆς βοηθῆντας τῇ
ἀδυναμίᾳ ατ969 ᵇ6. — προείλετο μιμήσασθαι (ὀρθῶς, ἥμαρτε
δ' ἐν τῷ μιμήσασθαι δι') ἀδυναμίαν (i e δι' ἀδυναμίαν τέχνης,
δι' ἀτεχνίαν) π25. 1460 ᵇ17. Vhl Rhet p 29 Poet IV 409.
ἀδυνατεῖν c inf, opp δύνασθαι, veluti ἀδυνατῦμεν χωρίσαι,
διορίζειν, πορίζειν, βλέπειν al Μζ11. 1036 ᵇ7. Ηε3.1129ᵇ34.
ι3. 1165 ᵇ22. 9. 1169 ᵇ7. κ5. 1175 ᵃ4, ᵇ3. 6.1176ᵇ34. 10.
1179 ᵇ10. Πγ16. 1287 ᵇ17. μγ4. 375 ᵇ14. τζ4. 141ᵇ17.
Ζυ34. 619 ᵇ19. Ζγδ1. 765 ᵇ35, 766 ᵃ31. 7. 776 ᵃ3.
εε4. 784 ᵇ5. om infinitivus, qui ex antecedentibus facile sup-
pletur (cf Ellipsis) veluti ἀλλὰ διὰ τὸ ἀδυνατεῖν (sc καλῶς
διαιρεῖσθαι) τῦτο ποιῆσαι Μζ12. 1038 ᵃ13. ὐθ' ὁ προαιρύμε-
νος ἀδυνατῶν δέ, ὐθ' ὁ δυνάμενος μὴ προαιρύμενος δέ τδ5.
126 ᵇ9. — ἀδυνατεῖν absol i e ἀδύνατον (cf ἀδύνατος 1) εἶναι:
ὅσων ἐστί τι ἔργον κατὰ φύσιν, ὅταν ὑπερβάλλῃ τὸν χρόνον
ᾧ δύναται χρόνῳ τι ποιεῖν, ἀνάγκη ἀδυνατεῖν υ1. 454 ᵃ27, 31.
διαλύονται τε ἐὰν πίωσι ⁊ ἀδυνατῦσιν Ζιη5. 585ᵃ33. κομί-
ζονται παρὰ δυναμένων ἀδυνατῦσι τῷ γήρᾳ σα3. 1343ᵇ23.
ἀδύνατος. τὸ ἀδύνατον πλεοναχῶς λέγεται Μδ12. 1019 ᵇ21-
27. Φζ10. 241 ᵇ5. Οα11. 281 ᵃ2-27. Ζγδ1. 766 ᵃ2. Ζκ4.
699 ᵇ18.

1. (cf δυνατός 1) τὸ ἀδύνατον ἢ τῇ τοιαύτῃ δυνάμει
(i e τῇ κατὰ κίνησιν) ἐναντία στέρησις Μδ1. 1046 ᵃ29. δ12.
1019ᵇ21, 15 Bz. ἀδύνατος εἰπεῖν. opp ῥητορικός Ρβ1. 1379
ᵇ2. ἀδύνατοι i e imbecilli πια62. 906 ᵃ10. οα3. 1343 ᵃ22.
ἀδύνατοι οἱ ἐντὸς τριῶν μνῶν κεκτημένοι, τὸ σῶμα πεπηρω-
μένοι f 430. 1549 ᵃ38, ᵇ2. — αὐτὸς ἀδυνάτως ἔχει πρε-
σβεύειν ρ25. 1435 ᵃ16. ἐν τοῖς νότοις βαρύτερον ἔχει ⁊
ἀδυνατώτερον οἱ ἄνθρωποι πα24. 862 ᵃ27. κς42. 945 ᵃ14.

2. (cf δυνατός 2). ἀδύνατον, dist δυνατόν, ἐνδεχόμενον,
ἀναγκαῖον ε13. ἀδύνατον γίνεσθαι ὃ μὴ ἐνδέχεται γενέσθαι Οα7.
274ᵇ13, 15. ὥσπερ ὐκ ἔστιν ὃ ἀδύνατον, ὕτως ὐδὲ γίγνεται
Οδ4. 311 ᵇ2. γ2. 300 ᵇ4. Γα9. 327 ᵃ14. Φθ9. 265 ᵃ19.
Αα15. 34ᵃ9. Μβ4. 999ᵇ11. 6. 1003ᵃ5. ἀδύνατον ψ τὸ ἐναν-
τίον ἐξ ἀνάγκης ἀληθές Μδ12. 1019 ᵇ23. Ζκ4. 699 ᵇ30.
ἀδύνατον, dist ψεῦδος Μθ4. 1047 ᵇ13 Bz. Αα15. 34ᵃ25-29,
37, ᵇ1. Φθ5. 256 ᵇ11. Οα12. 281 ᵇ9, 14, 15. ψα3. 406
ᵃ2. ἀδύνατον ἐξ ὑποθέσεως, ἁπλῶς Οα12. 281 ᵇ4. περὶ δυνα-
τῦ ⁊ ἀδυνάτῳ Ρβ19. 1392 ᵃ8-ᵇ14. τὸ ἀδύνατον λέγεται
διχῶς, ἢ γὰρ τῷ μὴ ἀληθὲς εἶναι εἰπεῖν ὅτι γένοιτ' ἄν, ἢ τῷ
μὴ ῥᾳδίως Οα11. 280 ᵇ12. ἢ τῶν πάνυ χαλεπῶν ἢ τῶν
ἀδυνάτων ἐστί Κ7. 8 ᵃ30 Wz. cf Πθ6. 1340ᵇ24. Μμ9.1085
ᵃ29. πθ13. 877 ᵃ13. ὐδεὶς ἐπιχειρεῖ τοῖς ἀδυνάτοις Πε11.
1314 ᵃ24. Ρβ19. 1392 ᵃ24. cf 6. 1383 ᵇ24. φαίνεται εἶναι
ἀδύνατος ὁ βίος (sc τῶν πάντα κοινωνύντων) Πβ5. 1264ᵇ29.
ἀδύνατον (sc εἶναι) c inf μα3. 340 ᵇ1. β3. 357 ᵇ21, 33. δ3.
380 ᵃ22, ᵇ26 al. τὸ ἀδύνατα εἶναι Μθ4. 1047 ᵇ5 Bz (Wz ad
22 ᵃ14). ἐν τοῖς μὴ ἀδυνάτοις ἄλλως ἔχειν ἀλλ' ἐνδεχομένοις
Ζγδ8. 777 ᵃ20. πράξεις ἀδύνατοι ἐπιτελεσθῆναι ρ5.1426ᵇ34.
ἀδύνατος ἡ φύσις τῦ τοιαύτε γένες ἀίδιος εἶναι Ζγβ1. 731
ᵇ31. — ἀδύνατον, coni syn ἄτοπον Φθ8. 216 ᵇ12. α2. 185
ᵃ30. Μν2. 1089 ᵃ13. ἐν τύτοις μυρία φαίνεται τά τε ἀδύ-
νατα ⁊ τὰ πλασματώδη ⁊ τὰ ὑπεναντία πᾶσι τοῖς εὐλόγοις
Μμ9. 1085 ᵃ14. τῶν ἀδυνάτων εἶναί φασιν μα6. 343 ᵇ7.
Πθ8. 1294 ᵃ1. φανερὸν ὅτι τῦτ' ἀδύνατον μα8. 345 ᵃ32.
τῦτο δ' ἐστὶν ἀδύνατον κατά τε τὰ φαινόμενα ⁊ κατὰ τὸν

λόγον μβ5. 362 ᵇ14. ἀδύνατόν τι συμβαίνει Αα23. 41 ᵃ25.
συμβαίνει τὸ ἀδύνατον τι29. 181 ᵃ32. συμβαίνει πολλὰ (ἔνια)
ἀδύνατα, συμβήσεται τὸ ἀδύνατον, συμβήσεται πολλὰ χ
ἀδύνατα sim ψα4. 408 ᵇ33. Ζγα18. 722 ᵃ3. Μγ1. 1002
ᵇ32. ι6. 1056 ᵇ5. Γα2. 315 ᵇ20. 5. 320 ᵇ7. Οδ2. 309 ᵇ11.   5
Φδ8. 216 ᵃ5. ὐδὲν ἀδύνατον συμβαίνει ε13. 22 ᵇ28. Αα9.
30 ᵇ4. 17. 37 ᵃ29. cf Μϑ4. 1047 ᵇ19. συμπίπτει λέγειν ἀδύ-
νατα μα6. 343 ᵃ21. ὐδὲν ἀδύνατον συμπίπτει Αα9. 30 ᵇ4.
τὸ αὐτὸ ἔσται ἀδύνατον Οα6. 273 ᵇ15. cf 11. 281 ᵃ15. ὐδὲν
ἔσται (ἂν εἴη) ἀδύνατον Μϑ4. 1047 ᵇ11. Γα2. 316 ᵃ21, 19.   10
εὐηθικώτερον ἢ ὥστε περὶ αὐτὰ τὰ ἀδύνατα ἐπισκοπεῖν Φδ10.
218 ᵇ8. ἀδύνατόν τι συναγαγεῖν Ογ1. 299 ᵇ12. ποιῆσαι τὸ
ἀδύνατον Αα15. 34 ᵇ3. ἐκ τῦ ἀδυνάτυ δεικνύναι Αα17. 37
ᵃ9. διὰ τῦ ἀδ. δεικνύναι, δεῖξαι, ποιεῖν τὴν ἀπόδειξιν
Αα5. 28 ᵃ7. 6. 28 ᵃ23, 29, ᵇ14. 15. 34 ᵃ3, 35 ᵃ40. 29. 45 ᵇ3.   15
διὰ τῦ ἀδ. περαίνειν, opp δεικτικῶς Αα7. 29 ᵃ31. 23. 41 ᵃ23.
44. 50 ᵃ29. διὰ τῦ ἀδ. συλλογίζεσθαι Αα 23. 41 ᵃ31. 29.
45 ᵃ27, 28. τϑ 2. 157 ᵇ34 sqq. ὁ διὰ τῦ ἀδ. συλλογισμός
Αβ11-14. α15. 34 ᵇ30. 23. 41 ᵃ36. ἡ διὰ τῦ ἀδ. δεῖξις,
ἀπόδειξις Αα29. 45 ᵃ35. 21. 39 ᵇ32. τὸ διὰ τῦ ἀδ. μέρος τῶν   20
ἐξ ὑποθέσεως Αα23. 40 ᵇ26. εἰς τὸ ἀδύνατον ἄγειν, ἀπάγειν
Αα5. 27 ᵃ15. 7. 29 ᵇ8. 16. 36 ᵃ22. 23. 41 ᵃ33. ἡ εἰς τὸ ἀδύ-
νατον ἀπαγωγή Αα7. 29 ᵇ5. 44. 50 ᵃ30 ἡ εἰς τὸ ἀδύνατον Αβ17.
65 ᵇ1. οἱ εἰς τὸ ἀδ. ἄγοντες συλλογισμοί. οἱ εἰς τὸ ἀδ. συλλο-
γισμοί Αα23. 41 ᵃ22. 29. 45 ᵃ23, 37, ᵇ15. β17.   25
65 ᵃ40. τι5. 167 ᵇ23. ἡ εἰς τὸ ἀδ. ἄγυσα ἀπόδειξις, ἡ εἰς τὸ
ἀδ. ἀπόδειξις Αβ14. 62 ᵇ29. γ11. 77 ᵃ22. 24. 85 ᵃ16, 19.
26. 87 ᵃ2, 6. — ἀδυνατώτερον. ὅπερ ἐστὶν ἀδυνατώτερον
Μβ2. 998 ᵃ19. ἔτι ἀδυνατώτερον c inf Οβ14. 296 ᵇ34.
ἀεί. ὁ ἄπειρος ἐν τῷ ἀεὶ λαμβανόμενος χρόνος Φδ10. 218 ᵃ1.   30
φησί (Plato) τὸν ὐρανὸν γενέσθαι μέν, ὐ μὴν ἀλλ᾽ ἔσεσθαί
γε τὸν ἀεὶ χρόνον Οα10. 280 ᵃ31. τῦ ἀεὶ χ ἀπείρυ ὐκ εἶναι
ἀρχὴν λέγει Δημόκριτος Ζγβ6. 742 ᵇ20. τὸ ἀεὶ συνεχές, τὸ
δ᾽ ἐφεξῆς ὐ συνεχές Φϑ6. 259 ᵃ16. τῷ ἀεὶ ὄντα, ἢ ἀεὶ ὄντα,
ὐκ ἔστιν ἐν χρόνῳ Φδ12. 221 ᵇ3. ἅπαν τὸ ἀεὶ ἁπλῶς   35
ἄφθαρτον Οα12. 281 ᵇ25. τὸ ἀεὶ χ ἐπὶ πάντων ὐκ ἀπὸ τύ-
χης ἀλλὰ φυσικόν πιε3. 910 ᵇ30. τὸ ἐξ ἀνάγκης χ ἀεὶ ἅμα
Γβ11. 337 ᵇ35. Με2. 1026 ᵇ27. ἵνα τῦ ἀεὶ χ τῦ θείυ με-
τέχωσιν ψβ4. 415 ᵃ29. — ἀεί, dist ὡς ἐπὶ τὸ πολύ Ρα6.
1362 ᵇ36. 10. 1369 ᵃ33, ᵇ1. 13. 1374 ᵇ16. Με2. 1026 ᵇ35 al.   40
τὸ εἰκὸς ὐ τὸ ἀεὶ ἀλλὰ τὸ ὡς ἐπὶ τὸ πολύ Ρβ25. 1402
ᵇ21. ἀεὶ in enunciatis comparativis, veluti ἀγαθῶν δὲ τὸ
μεῖζον αἱρετώτερον ἀεὶ sim Ηα5. 1097 ᵇ20. δ7. 1123 ᵇ28.
κ6. 1177 ᵃ4. Πα5. 1254 ᵃ25. η14. 1333 ᵃ21. Ραλ. 1355
ᵃ37. π07. 1451 ᵃ10. 26. 1461 ᵇ28 Vhl ad h l Poet IV 431.   45
ἀεὶ γὰρ ἑκάστῳ τὸ θ᾽ αἱρετώτατον, ὃ τυχεῖν ἔστιν ἀκροτάτη
sim Πη14. 1333 ᵃ29. θ1. 1337 ᵃ17. — αἰεὶ exhibetur Πδ11.
1296 ᵃ24. 14. 1299 ᵃ1. ε9. 1310 ᵃ6. Με2. 1027 ᵃ15 al,
quam retinuit apud Ar omnino praeferendam esse iudicat
Göttling ad Pol p 303. — pro ἀεὶ Ρβ23. 1398 ᵃ12 restituit   50
ἀεὶ Vhl Rhet p 35. ἀεὶ pro δεῖ Πδ11. 1296 ᵇ7 Bkᶜ. π026.
1461 ᵇ28 Vhl Poet IV 430.
ἀείδειν. ἀείδε (Hom Α1) π019. 1456 ᵇ16. φησὶ Μυσαῖος εἶναι
βροτοῖς ἥδιστον ἀείδειν Πϑ5. 1339 ᵇ22.
ἀειδής. ἀειδὲς χ ἄμορφον δεῖ τὸ ὑποκείμενον εἶναι Ογ8. 306   55
ᵇ17. — ἄκιχυς (Hom ι515) explicatur per voc ἀειδής π022.
1458 ᵇ27.
ἀεικέλιος δίφρος (Hom υ259) i c μοχθηρός π022. 1458 ᵇ29.
ἀεικίζειν (Hom Ω54) Ρβ23. 1380 ᵇ29.
ἀεικινήτως κ6. 400 ᵇ31.   60
ἀειμνήμονες φβ3. 808 ᵃ37.

ἀεισκῶπες descr Ζυ28. 617 ᵇ31-618 ᵃ7. (espèce de petits
Ducs C II 288; strix scops S; strix aluco St Cr; strix scops et
otus Su 96 n 5 cf K 985; σκώψ. ephialtes scops ΑΖι I 77 n 99).
ἀείφυλλα φυτά, opp φυλλοβολεῖν Ζγε3. 783 ᵇ10, 20.
ἀελία χήρωσεν αὐγὰς f 625. 1583 ᵇ21.
ἀελλοπόδων ἵππων (Simonid fr 7) Ργ2. 1405 ᵇ27.
ἄελπτον (Archil fr 76) Ργ17. 1418 ᵇ29.
ἄεναος. ποταμοὶ ἀέναοι μα13. 349 ᵇ9. 14. 352 ᵇ5, 12. —
ἀεννάως. τὰ μὲν κάρπιμα χρόνον τινά, τὰ δ᾽ ἄκαρπα ἀεν-
νάως ἀπέδοντο οβ1346 ᵇ15.
ἀέξειν. ἀέξεται (Hom Σ110) Ρβ2. 1378 ᵇ6. (Emped 375)
ψγ3. 427 ᵃ23.
ἀέρινον Μϑ7. 1049 ᵃ26. ὐχ ἁπλῦν τὸ τῦ ζῴυ σῶμα οἷον
πύρινον ἢ ἀέρινον ψγ13. 435 ᵃ12.
ἀέριος. ἑξῆς τῆς ἀερίυ φύσεως θάλασσα ἐρήρεισται κ3. 392
ᵇ14, 32. — ζῷα ἀέρια, dist νηκτά, χερσαῖα κ6. 398 ᵇ33.
ἀεροειδής. τὸ τῷ ἀέρι ὅμοιον ἀεροειδὲς Γβ3. 330 ᵇ24. τὸ λευ-
κὸν χ διαφανὲς ὅταν ἀραιὸν ἢ σφόδρα, φαίνεται τῷ χρώ-
ματι ἀεροειδὲς χ3. 794 ᵃ4. ἀεροειδές, dist ὀρφνιον, μέλαν χ5.
797 ᵃ7. καπνὸς ἀεροειδὴς χ3. 793 ᵇ5.
ἀερώδης. ὑπὸ τῆς τῦ πλείμονος κινήσεως ὔσης ἀερώδυς χ
κενῆς Ζμγ6. 669 ᵇ2. — τὸ τάχιστον τῶν ὄντων, τὸ πυρῶδες,
τὸ δὲ ἧττον ταχὺ ἀερῶδες κ4. 395 ᵃ20.
ἀετός, κυρίως ἀεροειδῆ πλεῖν τι4. 166 ᵃ16. — 1. ἀετός, avis
(aquilae et falcones Su 104; ΑΖι I 77) πτηνόν, πτερωτόν, γαμ-
ψώνυχον Ζια5. 490 ᵃ6. γ9. 517 ᵇ2. ἀετῶν γένη Ζιϑ3. 592 ᵇ1.
ζ6. 563 ᵇ5, eorum nomina: πύγαργος (sive νεβροφόνος), πλάγ-
γος (νηττοφόνος), μορφνός), μελαναέτος (sive λαγωφόνος), περ-
κνόπτερος (πελλαργος, ὑπάετος), ἀλιαέτος, ὁ καλύμενος γνή-
σιοι (cf h v), οἱ μέλανες ΖιΖ6. 563 ᵇ5. ι32. 618 ᵇ18-619 ᵃ10.
ἐκ τῦ ζεύγυς τῶν ἀετῶν θάτερον τῶν ἐγγόνων ἀλιαέετος γίνεται
παραλλὰξ θ60. 834 ᵇ35. ἀετός universe describitur φ6. 811
ᵃ37, 812 ᵇ6. Ζυ34. 619 ᵇ28. 32. 618 ᵇ30. διὰ τί φασιν
εἶναι μόνον τῶν ὀρνέων Ζυ32. 619 ᵇ5. πόθεν τρέφεται χ πῶς
ποιεῖται τὴν θήραν Ζιϑ3. 592 ᵇ1. 18. 601 ᵇ2. ι11. 615 ᵇ13. 32.
619 ᵃ15, 30, ᵇ1. 10. 1. 609 ᵃ4. τίσι ζῴοις πολέμιος ὁ ἀετός χ
τίνα ζῷα μάχεται πρὸς τὸν ἀετόν Ζυ1. 609 ᵃ4, ᵇ7, 12, 26, 610
ᵃ11. 15. 615 ᵃ20. 12. 615 ᵃ33, ᵇ13. 8. 613 ᵇ11. f 275. 1527 ᵇ25.
πῶς νεοττεύει Ζυ32. 619 ᵃ20, 33. 619 ᵇ17. ᾠά, ἐπῳασμός
ΖιΖ6. 563 ᵃ17, 27. πῶς τρέφει τὸς νεοττὸς ΖιΖ6. 563 ᵃ17,
21, ᵇ5. ι34. 619 ᵃ20, 27, ᵇ25, 34. 32. 618 ᵇ30. βίῃ μήκος,
γήρας Ζυ32. 619 ᵇ11, ᵃ16. — 2. ἀετός, piscis, inter σέλαχη
numeratur Ζιε5. 540 ᵇ18 (raia aquila K ad l l cf C).
ἀζήμιοι εἶναι δύνανται οἱ εἰπεῖν δυνάμενοι Ρα12. 1372 ᵃ12.
ἄζυξ ὢν ὥσπερ ἐν πεττοῖς Πα2. 1253 ᵃ7.
ἀηδὴς ὁ ὑδαρὴς οἶνος, τὸ ἀηδὲς ἐμετικόν πγ18. 873 ᵇ31, 35,
26, 36. καρκίνυς πίνειν ἀηδές Ζυ5. 611 ᵇ23. — ἀηδὴς ὁ δύσ-
κολος Ηβ7. 1108 ᵃ30. ὑπερόπται ἢ ἀηδεῖς ημβ3. 1200 ᵃ15.
ἀηδὲς χ ἐπίλυπον Ηκ5. 1175 ᵇ18. αἰσχρὰ χ ἀηδῆ ἐστιν, ἃ
πράττειν ἐπιχειρῦσι ρ35. 1440 ᵃ1. — ἀηδῶς ἀκύειν, opp
ἡδέως Ηθ8. 1124 ᵇ15.
ἀηδία. ἡ συμβαίνυσα ὕστερον (sc μετὰ τὴν ἡδονήν) ἀηδία
πδ10. 877 ᵇ2. — δόξαι ἀηδίας εὐλαβητέον Ηι11. 1171 ᵇ26.
ἀηδών. πῶς ᾄδει Ζιϑ9. 536 ᵃ29, ᵇ17. ι49Β. 632 ᵇ21. ax804
ᵃ23, 800 ᵃ26. ἴδιον ἀηδόνι παρὰ τὰς ἄλλας ὄρνιθας τὸ μὴ ἔχειν
τῆς γλώττης τὸ ὀξὺ Ζυ15. 616 ᵇ8. μεταβολὴ τῦ χρώματος
Ζυ49 Β. 632 ᵇ25. ᾠά, φωλεία Ζιε9. 542 ᵇ26. ι49 Β. 632 ᵇ27.
(luscinia CS, sylvia lusc St, luscinia vera Su 109 n 40 ΑΖι I 77. n 2).
ἀηθής. ἀηθὲς τραγικόν, syn ὐδὲν ἔχυσαι ἦθος π06. 1450 ᵃ25,
28. (Ὅμηρος ποιεῖ) ὐδὲν ἀηθές, ἀλλ᾽ ἔχοντα ἤθη π024. 1460
ᵃ11. cf ἦθος.

ἆῆναι. ἀέντων (Emped 223) αι2. 437 ᵇ29.

ἀήρ. ὅσα περὶ τὸν ἀέρα πκε. ὁ ἀὴρ δοκεῖ εἶναι ἀσώματος, κενόν, ἥκιστα ἔχει τῶν ἄλλων διαφορὰς αἰσθητάς Φδ4. 212 ᵃ12. ψβ8. 419 ᵇ34. Φα6. 189 ᵇ7. πῶς ἐπιδεικνύασιν ὅτι ἔστι τι ὁ ἀὴρ Φδ6. 213 ᵃ26. 8. 216 ᵇ18. περὶ τὸν καλύμενον ἀέρα τίς αὐτῦ ἡ φύσις κ̣ πῶς ἔχει τάξει πρὸς τἆλλα τὰ λεγόμενα στοιχεῖα μα3. ὁ ἀὴρ θερμὸν κ̣ ὑγρόν, οἷον ἀτμὶς ὁ ἀὴρ Γβ3. 330 ᵇ4, 22. ὁ ἀὴρ ὑγρῷ μᾶλλον ἢ θερμῷ Γβ3. 331 ᵃ5. τὸ μὲν ὕδωρ ὕλη ἀέρος, ὁ δ' ἀὴρ οἷον ἐνέργειά τις ἐκείνε Φδ5. 213 ᵃ2, 4. ἀὴρ συνιστάμενος (συγκρινόμενος, πῆξις ἀέρος) διὰ τὴν ψύξιν γίνεται νέφος κ̣ ὕδωρ μα4. 342 ᵃ1, 29. 13. 349 ᵃ18. β6. 364 ᵇ27. γ4. 373 ᵇ21. ἐξ ὕδατος ἀὴρ γίνεται διακριθέντος, ὁ ἥλιος διαλύει, διακρῖ τὰς συστάσεις τῦ ἀέρος μα3. 340 ᵃ10, 24. γ3. 373 ᵃ29. 5. 376 ᵇ23. οἷον εἰ ἐξ ὕδατος κοτύλης εἴεν ἀέρος δέκα Γβ6. 333 ᵃ22. ξηρότερος ὁ ἀὴρ τῦ θέρους, ἐν δὲ τῷ ἔαρι ἔτι ὑγρός μα12. 348 ᵇ28. ὁ νότιος ἀὴρ μᾶλλον εἰς ὕδωρ μεταβάλλει τῦ πρὸς ἄρκτον μγ6. 377 ᵇ27. — περὶ τὸ ὕδωρ ἢ τῦ ἀέρος σφαῖρα κ̣ περὶ ταύτην ἡ τῦ πυρὸς μβ2. 354 ᵇ24. Οβ4. 287 ᵃ32. δ4. 311 ᵃ28. 5. 312 ᵃ27. ἀὴρ κ̣ ὕδωρ ἔχυσι κ̣ κυφότητα κ̣ βάρος ἑκάτερον Οδ5. 312 ᵃ25. ἐν τῷ ἀέρι βαρύτερον ἔσται ταλαντιαῖον ξύλον μολίβδῳ μναῖς, ἐν δὲ ὕδατι κυφότερον Οδ4. 311 ᵇ3. δύναται πολὺ βάρος φέρειν ἀπολαμβανόμενος κ̣ μένων ὁ ἀὴρ Οβ13. 294 ᵇ22. ὁ ἀὴρ πολύκενος πκε22. 940 ᵃ4. κ̣ ὁ ἀὴρ φέρεται ἄνω μδ7. 383 ᵇ26. ἀὴρ πυρὸς ἐγγύτατω τῶν ἄλλων, ὕδωρ δὲ γῆς μα2. 339 ᵃ18. ἐν τῷ ἄνω τόπῳ κ̣ν ἔνεστιν ἀὴρ μόνον, ἀλλὰ μᾶλλον οἷον πῦρ μα3. 340 ᵇ31. τὸ ἔσχατον τῦ λεγομένε ἀέρος δύναμιν ἔχει πυρὸς μα8. 345 ᵇ33. ὁ ἀὴρ πρὸς τἆλλα πῦρ μκ5. 466 ᵃ24. ὁ ἀὴρ διὰ τὴν πληγὴν τῇ κινήσει γίγνεται πῦρ Οβ7. 289 ᵃ27. — ὁ περιέχων. ὁ θύραθεν ἀὴρ Ζγδ10. 777 ᵇ7. β6. 744 ᵃ3. ὁ περὶ τὴν γῆν ἀὴρ μόνον ἀήρ ἐστιν ἀλλ' οἷον ἀτμὶς μα3. 340 ᵃ34, ᵇ24. ἀτμιδώδης ἀὴρ Ζγε6. 786 ᵃ13. ἀὴρ πλήρης ψυχρᾶς κ̣ πολλῆς ἀτμίδος μβ8. 367 ᵃ34. πᾶσα ἡ γεώδης ἀτμὶς ἀέρος ἔχει δύναμιν Ζγε4. 784 ᵇ15. ἀὴρ ὕτω κεκραμένος μα8. 346 ᵃ6. κ̣ ἀὴρ σήπεται μα1. 379 ᵃ15. ὁ ἀὴρ ἄπηκτος Ζγβ2. 736 ᵃ23. ἐν ἀέρι ἢ πυρὶ ὐκ ἔστι ζῷα μδ4. 382 ᵃ7. — ὁ ἀὴρ κινύμενος κ̣ ῥέων μα13. 349 ᵃ17. 10. 347 ᵃ34. πᾶς ὁ κύκλῳ ἀὴρ συνέπεται τῇ φορᾷ μβ4. 361 ᵃ24. ἀταραχωδέστερος ὁ ἀὴρ τῆς νυκτὸς μτ2. 464 ᵃ14. ἀὴρ καθεστηκὼς πκς2. 940 ᵃ38. ἀὴρ ἀμφότερα (τὸ θᾶττον κ̣ βραδύτερον ποιεῖν) ὥσπερ ὀργάνῳ χρῆται τῷ ἀέρι ἡ κίνησις Ζγ2. 301 ᵇ2. — ὁ ἀὴρ λευκότερος τὴν φύσιν τῦ ὕδατος μγ4. 374 ᵃ2. Ζγε6. 786 ᵃ6. χ1. 791 ᵃ2. χρωματίζεται ὁ ἀὴρ συνιστάμενος παντοδαπὰς χρόας, ἀνάκλασιν δεχόμενος ὁ ἀὴρ παντοδαπὰ χρώματα ποιήσει μα5. 342 ᵇ5, 7. πκγ3. 934 ᵃ19. κυκνοειδῆς χ3. 794 ᵃ8. — πότερον αἱ ὀσμαὶ καπνὸς ἢ ἀὴρ ἢ ἀτμὶς πιβ10. 907 ᵃ29. τὸ ἔλαιον ἀέρος, ἐκ τῆς ἐξενὸς διαπέπνευκεν ὁ ἀὴρ μδ7. 384 ᵃ16, ᵇ19. — αὐτὸ ἄψοφον ὁ ἀὴρ ψβ8. 420 ᵃ7. — ἀὴρ, syn πνεῦμα αι5. 443 ᵇ5, 4. ἀὴρ εἰσρέων κ̣ ἐκρέων πν2. 482 ᵃ5. ἀέρος πότερον ἴσον τὸ ἀναπνευστὸν πε5. 135 ᵃ33, 36. 9. 138 ᵇ30sqq. ἀκίνητος ὢν ὁ ἀὴρ θερμαίνεται ζ6. 470 ᵃ20. ἀέρα τὴν ψυχὴν εἶναι ᾤηθη Διογένης ψα2. 405 ᵇ22. ἄνθρωπός τις μόνῳ τῷ ἡλιοειδεῖ τρεφόμενος ἀέρι f 37. 1481 ᵃ2.

ἀήτται (Hom σ 567) πκς31. 943 ᵇ23.

ἀήττητος. ἀρχικὸν κ̣ ἀήττητον ὁ θυμός Πη7. 1328 ᵃ7. ηεγ1. 1229 ᵃ28.

ἀθανασία ὑρανῦ κ̣ ἀιδιότης Οβ1. 284 ᵃ1. ἀθανασία, syn ζωὴ ἀίδιος Οβ3. 286 ᵃ9, dist ζωὴ ἀίδιος τδ5. 126 ᵇ35. βύλησις ἀθυνάτων, οἷον ἀθανασίας Ηγ4. 1111 ᵇ22.

ἀθανατίζειν χρὴ ἐφ' ὅσον ἐνδέχεται Ηκ7. 1177 ᵇ33. ἀθανα-

τίζειν τὴν φύσιν βυλόμενος f 601. 1578 ᵇ23.

ἀθάνατος. τῷ ἀθανάτῳ τὸ ἀθάνατον συνηρτημένον Οα3. 270 ᵇ9. ἀθάνατον κ̣ ἄπαυστον, ἄπαυστός τις κ̣ ἀθάνατος κίνησις Φθ1. 250 ᵇ13. 6. 259 ᵇ25. ἀθάνατον τι κ̣ θεῖον Οβ1. 284 ᵃ3. ὁ ποιητικὸς νῦς ἀθάνατον κ̣ ἀίδιον ψγ5. 430 ᵃ23. ψυχὴ βελτίων κ̣ ἀθανατωτέρα ψα5. 411 ᵃ13. ὅτι ἀθάνατος ἡ ψυχή, quomodo demonstretur in dialogo Eudemo f 33. 1480 ᵃ11. 34. 1480 ᵇ2. — καρπὸς ἀθάνατος· ἀθάνατόν μιν αὐξήσυσι Μῦσαι f 625. 1583 ᵇ14, 22. ἀθανάτοισι (Hes θ120) ξι.975 ᵃ13. ἀθάνατος ὀργή (fr trag adesp 54) Ρβ21.1394ᵇ21.

ἀθέατος act ἀθέαται τῶν κρειττόνων κ1. 391 ᵃ25.

ἀθερίνη piscis, πῶς τίκτει Ζιζ17. 570ᵇ15, 571 ᵃ6. cf ἀθερῖνος (epi C, Graecis hodie atherno S Cr, atherina presber Cr, atherina vera Cr K ΑΖι I 121. n 1 ather. hepsetus L?).

ἀθερῖνοι inter ἀγελαῖα numerantur Ζυ2. 610 ᵇ6. (ἀθερῖνος i q ἀθερίνη).

ἄθετος. μονὰς ὐσία ἄθετος, στιγμὴ δὲ ὐσία θετός Αγ27. 87 ᵃ36 (syn ὐκ ἔχει θέσιν, ἔχει θέσιν 32. 88 ᵃ33). Μδ6. 1016 ᵇ25, 30. μ8. 1084 ᵇ27, 33.

ἀθεώρητος act ἀθεώρητοι τῶν ὑπαρχόντων ὄντες Γα2. 316 ᵃ8. — pass ὁ θεὸς πάσῃ θνητῇ φύσει ἀθεώρητος ἀπὸ τῶν ἔργων θεωρεῖται κ6. 399 ᵇ22.

Ἀθηνᾶ θ96. 838 ᵃ24. 108. 840 ᵃ31. τῇ Ἀ. τὴν ἐπιστήμην περιτίθεμεν Πθ6. 1341 ᵇ7. Ἀ. ἀπέβαλε τὺς αὐλύς Πθ6. 1341 ᵇ3. τὸν Ὀδυσσέα προέκρινεν Ρα6. 1363 ᵃ18. Ζαλεύκῳ ἐνύπνιον τὴν Ἀθηνᾶν παρίστασθαι f 505. 1561 ᵃ11. Ἀστὴρ γίγας ὑπὸ Ἀθηνᾶς ἀναιρεθείς f 594. 1574 ᵇ28. ἡ ἐν ἀκροπόλει Ἀ. οβ1374 ᵃ15, τὸ ἄγαλμα τῆς Ἀθηνᾶς f 402. 1545 ᵃ24, 33. Phidiae statua κ6. 399 ᵇ34. θ155. 846 ᵃ18. ἐν τῷ ἱερῷ τῆς Ἀθηνᾶς ἐν ἀκροπόλει χρήματα ἱερά τε κ̣ δημόσια f 402. 1545 ᵃ31. ἱερὰ τῆς Ἀθηνᾶς Ἑλληνίας (Εἰλενίας coni Osann) θ108. 840 ᵃ28, 34, Ἀχαιᾶς θ109. 840 ᵇ2. — Ἀθηναίη (Hom I 390) Ργ11. 1413 ᵃ34.

Ἀθῆναι Φει. 224 ᵇ21. Κ6. 5 ᵇ23. θ133. 843 ᵇ18. ἐν Ἀθήναις Πβ8. 1268 ᵃ10. ε3. 1303 ᵃ8. f 596. 1576 ᵇ16. ἐξ Ἀθηνῶν f 619. 1582 ᵇ20. εἰς Ἀθήνας f 27. 1479 ᵃ13. 443. 1550 ᵇ46. 489. 1554 ᵇ6. 619.1582ᵇ22. περὶ Ἀθήνας Ζιζ15. 569 ᵇ11. ι31. 618 ᵇ15. περὶ Ἀθήνας ἐπεχωρίασεν ἡ αὐλητικὴ Πθ6. 1341 ᵃ34. — Ἀθήναζε Φγ3. 202ᵇ13. — Ἀθήνηθεν Φγ3. 202 ᵇ14. f 381. 1541 ᵇ23. — Ἀθήνησι Ζιζ24. 577 ᵇ30. Μγ5. 1010ᵇ10. Ρβ23. 1398 ᵇ1. ρ9.1429 ᵇ8. 14. 1431 ᵃ17. πε5. 1449 ᵇ7. θ153. 846 ᵃ6. τὰ Ἀθήνησι διατρίβειν ἐργῶδες f 617. 1582 ᵃ22, 30. οἱ Ἀθ. ῥήτορες Ργ17. 1418 ᵃ29. ἐπ' ἄρχοντος Ἀθ. Εὐκλέυς sim μα6. 343 ᵇ4. 7. 345 ᵃ2. res publicae Ἀθήνησι Πβ7. 1267 ᵇ17. γ2. 1275 ᵇ35. δ4. 1291 ᵇ24. 16. 1300 ᵇ28. ε3. 1302 ᵇ19, 1303ᵇ10. 5. 1305 ᵃ23. 6. 1305 ᵇ25. 10. 1310ᵇ30. 12. 1315ᵇ30. ζ4. 1319 ᵇ21. 8. 1322 ᵃ20. f 347. 1536 ᵃ46. 402. 1545 ᵃ30. 411. 1546 ᵇ12. 419. 1547 ᵇ45. — Ἀθηναῖοι Αδ11. 94 ᵃ36–ᵇ7. θ131. 843 ᵃ1. Ηδ8. 1124 ᵇ17. Ρβ22. 1396 ᵃ8, 24. ρ2. 1422 ᵃ40, 1423 ᵃ9. 9. 1429 ᵇ1. ὁ Ἀθηναίων λιμὴν Ζιζ15. 569 ᵇ26. Ἀθηναίων πολιτεία f 343-431. Ἀθηναῖοι θεῦ Ἴωνος κοινὸς Ἀπόλλωνα πατρίωον τιμῶσιν, Ἴωνες ἐκλήθησαν f 343. 1535 ᵇ37, 39. Ὅμηρος μόνυς Ἀθηναίυς δῆμον προσαγορεύει f 346. 1536 ᵃ39. Solonis leges Πβ12. 1273 ᵇ35sqq. Ρβ23. 1398 ᵇ16. f 350. 1537 ᵃ16, 24. res publicae Πγ13. 1284 ᵃ39. ε4. 1304 ᵃ6, 9. 5. 10. 7. 1307ᵇ22. Ρβ6. 1384ᵇ33. γ10. 1411 ᵃ9, 11. 11. 1412 ᵇ4. οβ1347 ᵃ8, 18. f 374. 1540 ᵃ40. 372. 1540 ᵃ27. 380. 1541 ᵇ3. 386. 1542 ᵇ2. Ἀ. Ὁμήρῳ μάρτυρι ἐχρήσαντο περὶ Σαλαμῖνος Ρα15. 1375ᵇ30. — Α. καλῦσι δήμυς, πράττειν, οἱ Πελοποννήσιοι κώμας, δρᾶν

πο3. 1448 ᵃ36, ᵇ1. τέτριξ, ἣν καλῦσιν Ἀθηναῖοι ὕραγα Ζιζ1.
559 ᵃ12. ὃ χαλεπὸν Ἀθηναίως ἐν Ἀθηναίοις ἐπαινεῖν Ρα9.
1367 ᵇ8. γ14. 1415 ᵇ31. proverbium ϑκέτι γιγνώσκϑσιν
Ἀθηναῖοι Μεγαρῆας ηεη2. 1236 ᵃ36. 10. 1242 ᵇ25. — Ἀ.
οἱ ἐν Ποτιδαίᾳ οἰκῦντες οβ1347 ᵃ18. Ἱππίας ὁ Ἀθηναῖος 5
οβ 1347 ᵃ4. Τιμόθεος, Χαβρίας, Πυθοκλῆς, Ἰφικράτης Ἀθ.
οβ 1347 ᵃ4. 1350 ᵃ23, ᵇ33. 1351 ᵃ18. 1353 ᵃ15.
ἀθήρ. ὅταν ἀθέρας ἔχῃ σκληρὸς ἡ κρᾶσις Ζιϑ8. 595 ᵇ27.
ἄβλαστος. περὶ τϑ ἀβλάστϑ μδ8. 385 ᵃ15. 9. 386 ᵃ17-26.
ἄθλημα. τὰ περὶ τὸ σῶμα, τὰ γυμνικὰ ἀθλήματα πλ11. 10
956 ᵇ26, 31.
ἀθλητής, opp ἰδιώτης Ηγ11. 1116 ᵇ13. κληρῦν τὺς ἀθλητάς
Ρβ20. 1393 ᵇ5. βϑλονται ἀθλητήν τινα νικᾶν Ηγ4. 1111ᵇ24.
ἡ τῶν ἀθλητῶν ἕξις ϑ χρήσιμος πρὸς πολιτικὴν εὐεξίαν Πη16.
1335 ᵇ5. ἡ τῶν ἀθλητῶν πολυφαγία Ζιδ3. 768 ᵇ29. οἱ ἀθ- 15
ληταὶ ἄχροοι. δύσριγοι, ὑγιεινῶς διακείμενοι πλη5. 967 ᵃ13.
η4. 887 ᵇ22. α28. 862 ᵇ21. — αὐτὺς ἀθλητὰς τῶν ἔργων
εἶναι Πζ7. 1321 ᵃ26.
ἀθλητικὴν ἕξιν ἐμποιεῖν Πϑ4. 1338 ᵇ10.
ἄθλιος, opp εὐδαίμων. μακάριος Ηα11. 1100 ᵃ29, ᵇ5, 1101 20
ᵃ6. 13. 1102 ᵇ7. ἄθλιοι οἷς πλείονος ἀξία ἡ κτῆσις τῆς ἰδίας
φύσεως f 89. 1492ᵃ9. — ἀθλίως τελευτήσας Ηα10. 1100ᵃ9.
ἀθλοθέτης. ἀπὸ τῶν ἀθλοθετῶν ἐπὶ τὸ πέρας Ηκ2. 1095ᵇ1.
ἀθλοθέτας ἕνα κατὰ φυλὴν ἑκάστην χειροτονεῖν f374.1540ᵇ6.
ἆθλον ἀρετῆς. νίκης Ηδ7. 1123 ᵇ35, 20. Πβ9. 1270 ᵇ24. 25
δ11. 1296 ᵃ30. οαδ. 1344ᵇ5. ἐφ᾽ ὅσοις τὰ ἆθλα τιμή, καλὰ
Ρα9. 1366 ᵇ34. τὰ ἆθλα σχεδὸν ἐκ τῶν ἀγώνων οἱ ὑποκριταὶ
λαμβάνϑσιν Ργ1. 1403ᵇ22, 1404ᵃ17. τοῖς ϑϑλοις ἆθλον προ-
κεῖσθαι τὴν ἐλευθερίαν Πη10. 1330 ᵃ33.
ἄθραυστος, περὶ τϑ ἀθραύστϑ, dist τὸ ἀκάτακτον μδ8. 385 30
ᵃ14. 9. 386 ᵃ9-17.
ἀθρεῖν. ἀθρήσειεν (Hom Κ 11) πο25. 1461 ᵃ18. οἱ μεθύοντες
ἀθρεῖν τὰ πόρρω ϑ δύνανται πγ9. 872 ᵃ19. — δεῖ τὰ ὑπάρ-
χοντα περὶ ἕκαστον ἀθρεῖν (syn ἐπιβλέπειν, σκέψασθαι, ἐπί-
σκεψις) Αα30. 46 ᵃ5. τὴν φύσιν ἀθρεῖν Μβ3. 998 ᵇ1. τὸ 35
πιστὸν ϑκ ἐκ τῶν φαινομένων ἀθρῆσιν, ἀλλὰ μᾶλλον ἐκ τῶν
λόγων Οβ13. 293 ᵃ29.
ἀθροίζω. ἀθροισθέντες κατέλυσαν τὸν δῆμον Πε5. 1304 ᵇ33.
ἀθροίσαντες χρήματα Πε11. 1314 ᵇ10. ἐᾶται ἀθροίζεσθαι ἡ
ἀναθυμίασις, opp σβέννυται πρὶν συστῆναι μα10. 347 ᵇ11. 40
ἀθροίζεταί ἡ σύγκρισις, ἡ πύκνωσις, τὸ περίττωμα sim μα8.
346 ᵃ22. 7. 345 ᵃ19. Ζγβ4. 738 ᵇ7. δ8. 776 ᵇ30. α17. 725
ᵇ4 (coni syn συρρεῖ). πκς56. 946 ᵇ36. ἠθροισμένος ὄγκος
μβ2. 354 ᵇ6. ἐξ ὁμοιομερῶν πάντων ἠθροισμένον (Anaxag)
Ογ3. 302 ᵇ3. ἠθροισμένον Ζγβ4. 737 ᵇ35. 45
ἄθροισις ὑγρϑ. νεφῶν πϑ1. 889 ᵇ12. κς56. 946 ᵇ35. αἱ τῶν
νεφῶν ἀθροίσεις μια3. 340 ᵃ31.
ἀθρόος. ἀθρόος, ἀθρόᾳ, opp κατὰ μέρος, κατὰ μικρόν, καθ᾽
ἕκαστον Πδ14. 1298 ᵃ12. γ13. 1283 ᵃ35. Ζγγ5. 756 ᵃ13,
14. ἀ3. 783 ᵇ15. περὶ ϑν καθ᾽ ἓν ἕκαστον εἴρηκας ἀθρόα 50
συντιθέναι ρ23. 1434 ᵇ9. ἀθρόας τὰς τιμὰς ϑϑναι. ἀφαι-
ρεῖσθαι. opp ἐκ προσαγωγῆς Πε11. 1315 ᵃ13. σῶμα κεί-
μενον ἀθρόον, πλῆθος ὕδατος ἀθρόον, ποταμοὶ ῥέοντες ἀθρόοι
sim, opp εἰς πλάτος διαταθῆναι, ἀφικέσθαι εἰς πλατὺν τόπον
μβ2. 354 ᵇ12, 355 ᵇ20, 31. 3. 357 ᵃ24. 8. 368 ᵃ4. τὰ ξύλα 55
ἀθρόον ἔχει τὸ ὑγρὸν ϑ, δι᾽ ὅλϑ συνεχὲς μδ9. 387 ᵇ27.
πνεῦμα φέρεται ἀθρόον, ἀθρόον ϑ πυκνότερον, opp διασπώ-
μενον, σποράδην διαχεόμενον μβ8. 367 ᵃ30, 366ᵇ21. γ1.370
ᵇ7, 5, 371ᵇ1, 5. ἀέρα ἀθρϑν ἀθρόον ἀφάλλεσθαι
ψβ8. 420 ᵃ25. μεταβολή, ἀλλοίωσις, μετάβασις ἀθρόα Φα3. 60
186 ᵃ15. θ3. 253 ᵇ25. Πε8. 1307 ᵇ35. ἔκκρισις ἀθρόα μβ5.

361 ᵇ18. κάθαρσις ἀθρόα, opp κατ᾽ ὀλίγον Ζιη2. 582 ᵇ7.
κατάστασις ἀθρόα εἰς τὴν ὑπάρχϑσαν φύσιν Ρα11. 1369 ᵇ34.
ὄψις ἀθρόα μγ6. 377 ᵇ18, 378 ᵃ5. πλα15. 958 ᵇ37. ἀθρόον
ἐκκαγχάζειν Ηη8. 1150 ᵇ11. — ἀθροώτερα ὕδατα μα12.
348 ᵇ11. πνεῦμα ἀφιέναι ἀθροώτερον πκε2. 938 ᵃ5. πῆξις
ἀθρωτέρα μα12. 348 ᵇ22. ὄψις ἀθρωτέρα πλα16. 959 ᵃ6.
τὸ ἀθρωΐτερον ᾔδιον ἡ πολλῷ κεκραμένον τῷ χρόνῳ πο26.
1462 ᵇ1. — ἀθρόως περικυκλῶν Ζιδ8. 533 ᵇ10, πίνειν, ποιεῖν
τι πγ21. 874 ᵃ22. ιϑ2. 917 ᵇ22. μεθ᾽ ὕδατος ἀθρόως ῥαγέν-
τος ×4. 394 ᵇ18. ἔκκρισις ὑγρϑ ἀθρόως (ἀέρος v l) μδ9.
387 ᵃ31.
ἀθυμεῖν. πῶς ϑκ ἄξιον ἀθυμῆσαι Μγ5. 1009 ᵇ37.
ἀθυμία. ποιεῖν ἀθυμίας ἡ φόβϑς πλ1. 954 ᵃ23. ὃ δυνηθεὶς
συμβαλεῖν (τὸ αἴνιγμα) Ὅμηρος διὰ τὴν ἀθυμίαν ἐτελεύ-
τησε f 66. 1487 ᵃ29.
ἀθυμίατος. περὶ τϑ ἀθυμιάτϑ μδ8. 385ᵃ18. 9. 387 ᵃ23-
388 ᵃ9.
ἄθυμος. ἔθνη ἄθυμα, opp ἔνθυμα Πη7. 1327 ᵇ28, 30. ἀθύμϑ
σημεῖα φ3. 808 ᵃ7-12. ἀθυμότερα τὰ θήλεα τῶν ἀρρένων
Ζιι1. 608 ᵃ33. πότε ἀθυμότερον ἐργάζονται αἱ μέλιτται Ζιι40.
627 ᵃ33, ᵇ2.
ἄθυμα τῇ ποιήσει (apud Alcidamantem, cf Vhl Alcidam p10)
Ργ3. 1406 ᵃ9, ᵇ13.
Ἄθως. ἐν Ἄθῳ Ζιδ29. 607 ᵃ12. περὶ τὸν Ἄθων Ζιε17. 549
ᵇ17. αἱ περὶ Παλλήνην ἡ τὸν Ἄθω πόλεις f 560. 1570 ᵃ43.
τὸν Ἄθω διορύξας (Isocr 4, 89) Ργ9. 1410 ᵃ11. σφόδρα
ὑψηλὸν ὄρος πκγ36. 944 ᵇ13.
αἰάζειν ἡ ἐκπνεῖν Ζιδ9. 586 ᵇ22. coni syn θερμότερον πνεῦμα
προΐεσθαι Ζγε7. 788 ᵃ22.
Αἰακός Ργ17. 1418 ᵃ36. — Αἰακίδαις θυσία ἐν Τάραντι
θ106. 840 ᵃ7.
Αἴας, versus Hom affertur Ρβ9. 1387 ᵃ34 (Λ 542). Αἴας
μεγαλόψυχος, ὅμοιος Ἀχιλλεῖ Αθ13. 97 ᵇ18. τγ2. 117ᵇ13,
16, 24. cf f 625. 1583 ᵇ19. μελαγχολικός πλ1. 953 ᵃ21.
ἐπιτάφιον ἐπ᾽ Αἴαντος ἡ Τελαμωνίᾳ f 596. 1575 ᵇ10. Αἴας
(Sophoclis) ἐν ταῖς διδασκαλίαις ψιλῶς Αἴας ἀναγέγραπται
f 580. 1573 ᵃ31. Αἴας ὁ Θεοδέκτε Ρβ23. 1399 ᵇ28, 1400
ᵃ27 (Nck fr tr p 622). Αἴαντες tragoediae patheticae πο18.
1455 ᵇ34. — Αἴας ὁ Ὀιλέως, ἐπιτάφιον ἐπ᾽ αὐτϑ f 596
1576 ᵃ1.
Αἰγαῖ αἱ κατὰ Συρίαν σ973 ᵇ2. f 238. 1521 ᵇ21.
Αἰγαῖος ὁ μβ1. 354 ᵃ14, 20. Ζιϑ13. 598 ᵃ26. πκγ6. 932
ᵃ22, 25. Αἰγαῖον πέλαγος ×3. 393 ᵃ30.
Αἰγεῖδαι, φρατρία Θηβαίων f 489. 1557 ᵇ40, 1558 ᵃ5, 7.
αἴγειον γάλα, μιγνύμενον εἰς προβάτειον, πρὸς τί χρήσιμον
Ζιγ20. 522 ᵃ23, 27, 29.
αἴγειρος ϑ φέρει σπέρμα Ζγα18. 726 ᵃ7. αἴγειρος ἄκαρπος
(Hom ε64, 239) ×6. 401 ᵃ4, 2. αἴγειροι ἐξ ὧν ἐκπίπτειν φασὶ
τὸ καλύμενον ἤλεκτρον θ81. 836 ᵇ3. αἴγειροι καρποφόροι θ69.
835 ᵇ2. αἴγειρον καλύμενον καρποφορϑσιν ἐν νεότητι φτα7. 821
ᵇ20 (populus nigra L).
Αἰγεὺς Euripidis πο25. 1461 ᵇ21 (cf Nck fr tr p 289).
αἰγιαλός. περὶ τὺς αἰγιαλὺς μβ8. 367 ᵇ13. μχ15.852ᵇ29.
ἐν τοῖς αἰγιαλοῖς ἡ περὶ τὰς ἀκτὰς Ζιε15. 547 ᵃ10.
αἰγιαλώδη ζῷα, dist πελάγια, πετραῖα Ζια1. 488 ᵇ7.
αἰγιθαλός avis, refertur inter σκωληκοφάγα Ζιϑ8. 592 ᵇ17.
τίκτει ᾠὰ πλεῖστα, ἀδικεῖ μελίττας Ζιι15. 612 ᵇ3. 40. 626
ᵃ8. αἰγιθάλων εἴδη τρία Ζιϑ3. 592 ᵇ17-21 (parus C S St K
Cr Su A; in definiendis tribus speciebus ab Ar descriptis
dissentiunt).
αἴγιθος, avis, εὐβίοτος, πολύτεκνος, τὸν πόδα χωλός Ζιι15.

616 b10. διὰ τί πολέμιος ὄνῳ Ζυ1. 609 a31. αἰγίθυ ϰ̣ ἄνθυ αἷμα ὑ συμμίγνυσθαι ἀλλήλοις λέγεται Ζυ1. 610 a7 (linaria rubra C, species emberizae L St Cr, parus caeruleus K Cr, fringilla cannabina, sylvia cinerea Su 161 n. 159).

Αἴγινα Μθ5. 1015 a25. 30. 1025 a26. res publicae Πδ4. 1291 b24. ε6. 1306 a4. Ρβ22. 1396 a19. Αἴγινα λήμη τῦ Πειραιέως Ργ10. 1411 a14. — χωρίον τι (ἐν Ἰῳ νήσῳ) τὸ καλύμενον Αἴγινα f 66. 1486 b44. — Αἰγιναῖος ὀβολὸς f 436. 1550 a12. — Αἰγινῆται Ρβ 22. 1396 a19. Αἰγ. ἐπλήθυναν f 432. 1549 b24. Αἰγινητῶν πολιτεία f 432.

Αἴγισθος ποι13. 1453 a37. f 596. 1575 a31.

αἴγλη λευκή (Hom ζ 45) x6. 400 a14. νῆστις αἴγλη (Emp 212) ψα5. 410 a5.

αἰγοθήλας, avis, descr Ζυ30. 618 b2 (caprimulgus C S, caprimulgus europaeus L St K CrSu131 n95 AZι1.77.n5).

αἰγοκέφαλος, avis, descr Ζιβ15. 506 a17, b23. 17. 509 a2. (la barge? C, strix otus? St 170, 81 K Cr, αἰγοθήλας legendum ci Su 162 n 169).

Αἰγὸς ποταμοί. ἐν Α. π. ἔπεσε λίθος ἐκ τῦ ἀέρος μα7. 344 b32.

αἰγυπιός, avis, descr Ζυ1. 609 b9, 34, 610 a1 (vultur S, vultur cinereus K, magna avis rapax St Su 107 n 34).

Αἴγυπτος ἡ Οα7. 274 b16. β14. 298 a3. Ρβ20. 1393 a32, 33. τὴν Α. οἱ μὲν τῇ Ἀσίᾳ οἱ δὲ τῇ Λιβύῃ προσάπτυσι x3. 394 a1. θάλαττα ἡ ἀπὸ Κυρήνης πρὸς Αἴγυπτον Ζιε31. 557 a30. ἡ Α. τὸ ἀρχαῖον Θῆβαι καλύμεναι μα14. 351 b34. πρόσχωσις Νείλυ μα14. 351 b28, 352 b21. κοίλη τὰ κάτω πκς44. 945 a25. Φάρος, ἐμπόριον τῆς Αἰγύπτυ f 161.1505 a14. κατ' Α. ὁ νότος ὑ πνεῖ πκς44. 945 a20. ὁ ἐν Α. βῦς, ὃν ὡς Ἆπιν τιμῶσιν ηεα5. 1216 a1. ἡ περὶ Αἴγυπτον ἐπιμέλεια τῶν ζῴων Ζυ1. 608 b33. animalia ἐν Αἰγύπτῳ Ζιβ7. 502 a9. 10. 503 a1. ζ2. 559 b1. 4. 562 b25. 37. 581 a1. θ12. 597 a6. 28. 606 a21. ιϛ. 612 a16. 27. 617 b27, 29, 30. θ7. 831 a11. 142. 845 a11. f 271. 1527 a32. πολύγονοι αἱ γυναῖκες περὶ Αἴγυπτον Ζγδ4. 770 a35. Ζιη4. 584 b7, 31. f 258. 1525 a38. τὰ ἐν Αἰγύπτῳ φυτὰ φτα4. 819 a11. 7. 821 a33, b8. πκ32. 926 b6. instituta ac mores Πγ15. 1286 a13. η10. 1329 b2, 3, 24, 32. ΜΑ1. 981 b23. αἱ περὶ Αἴγυπτον πυραμίδες Πε11. 1313 b22. Αἰγύπτυ σατραπευῦσιν οβ 1352 a9, 16. — Αἰγύπτιοι Ζιβ1. 500 a4. ἀρχαιότατοι τῶν ἀνθρώπων μα14. 352 b21. πρεσβύτεροι οἱ μάγοι τῶν Αἰγυπτίων f 8. 1475 a36. eorum natura et ingenium φ1.805 a27. 6. 812 a12. πιδ4. 909 a27. placita de diis Μλ8. 1074 b6. artes mathematicae et astronomicae ΜΑ1. 981 b23. Οβ12. 292 a8. μα6. 343 b10, 28. ὁ τῆς ἀφισταμένης Α. ἀποκρίνασθαί φησιν ὁ Ἡρόδοτος (Her 2, 30) Ργ16. 1417 a6. Ταῶς ὁ Α. βασιλεὺς οβ1350 b33. Αἰγύπτιον πέλαγος x3. 393 a29.

αἰγωλιός (αἰγωλιός 609 a27, 616 b25), avis, descr Ζιζ6. 563 a31 (αἰτωλιος Bk). θ3.592 b11. ι1. 609 a27. 17. 616 b25 (Camus Ζιζ6. 563 a31 lectionem αἰτωλιος secutus, αἰτωλιον interpretatur milvum nigrum, αἰγωλιον chouette, reliqui l l αἰγωλιος legendum censent; strix — passerina an flammea an aluco? — S St K Cr Su 97 n 7, ulula aluco? AZι I 77).

Αἰγών, ποταμὸς Λιβύης μα13. 350 b11.

αἰγωπός. ὄμματα αἰγωπὰ διὰ τίνα αἰτίαν, dist γλαυκά, χαροπά Ζγε1. 779 b14. πι11. 892 a3. ὀφθαλμὸς αἰγωπὸς ἥδυς βελτίστυ σημεῖον ϰ̣ πρὸς ὀξύτητα ὄψεως κράτιστον Ζια10. 492 a3. ἔνια ζῷα αἰγωπά, ἄνθρωποι τινες αἰγωποί, dist γλαυκοί, χαροποί, μελανόφθαλμοι Ζγε1. 779 a33, b1.

αἰδεῖσθαι, dist φοβεῖσθαι Πε11. 1314 b20. πια53. 905 a7. κατάπληξ ὁ πάντα αἰδύμενος Ηβ7. 1108 a34. κόρη αἰδε-

σθεῖσα τὸ συμβὰν διὰ τὸν ὄγκον τῆς γαστρός f 66. 1486 b42. ἔοικε Μενέλαος αἰδεῖσθαι γαμετὴν ὖσαν τὴν Ἑλένην f 172. 1506 b27.

Αἴδεψος. τὸ θερμὰ τὰ περὶ Αἴδεψον μβ8. 366 a29.

ἀδηλος. πῦρ ἀδηλον (Emp 379) ψα2. 404 b14. Μβ4. 1000 b8.

αἰδήμων def Ηβ7. 1108 a32, 35. ηεγ7. 1233 b29. ηmα30. 1193 a7. τίνας δεῖ αἰδήμονας εἶναι Ηδ15. 1128 b17-20. ἐπιεικὴς ϰ̣ αἰδήμων Ηγ9. 1115 a14.

Ἀίδης v ᾅδης.

ἀίδιος. ἀίδιος βασιλεία Πε1. 1301 b27, στρατηγία Πγ14. 1285 a8, b28. 16. 1287 a5, ναυαρχία Πβ9. 1271 a40, ἀρχή Πδ15. 1299 a8. ζ2. 1317 b41. στρατηγὸς ἀίδιος Πγ15. 1285 b39. ἀίδιοι βασιλεῖς Πγ13. 1284 b33, γέροντες Πε6. 1306 a17. — ὑσίαν ἀίδιον εἶναι ἀνάγκη Μλ6 Bz. ἆρα δυνατὸν τὰ ἀίδια ἐκ στοιχείων συγκεῖσθαι Μν2. 1088 b14. ἄτοπον γένεσιν ποιεῖν ἀιδίων Μν3. 1091 a12. ὑκ ἀίδιον τὸ ἐνδεχόμενον μὴ εἶναι Μν2. 1088 b24. εἰ ἔστιν ἐξ ἀνάγκης, ἀίδιόν ἐστι, ϰ̣ εἰ ἀίδιον, ἐξ ἀνάγκης Γβ11. 338 a1. Ζμα1. 639 b24. τὰ ἐξ ἀνάγκης ὄντα ἁπλῶς πάντα ἀίδια, τὰ δ' ἀίδια ἀγένητα ϰ̣ ἄφθαρτα Ηζ3. 1139 b24. cf Οα12. 282 a23. ὑδὲν ὡς ἔτυχεν ὑδ' ἀπὸ ταὐτομάτυ ἐν τοῖς ἀιδίοις Οβ3. 286 a18. ὑδεμία ἐστὶν ἀίδιος ὑσία ἐὰν μὴ ᾖ ἐνεργείᾳ Μν2. 1088 b26. θ8. 1050 b8 Bz. ἐνδέχεσθαι ἢ εἶναι ὑδὲν διαφέρει ἐν τοῖς ἀιδίοις Φγ4. 203 b30. τὰ ἀίδια πρότερα τῇ ὑσίᾳ τῶν φθαρτῶν Μθ8. 1050 b7. τὰ ἀίδια ϰ̣ πρῶτα, opp γενητὰ ϰ̣ φθαρτά Γβ9. 335 a29, 24. τὰ ἐξ ἀρχῆς ϰ̣ τὰ ἀίδια Μθ9. 1051 a20. ἀθάνατον ϰ̣ ἀίδιον ὁ ποιητικὸς νῦς ψγ5. 430 a23. ζωὴ ἀίδιος, syn ἀθανασία Οβ3. 286 a9, dist ἀθανασία τὸ5. 126 b35. ἀίδιος ϰ̣ τέλος ὑκ ἔχυσα κίνησις μα2. 339 a25. Φθ8. 263 a3 (ubi pro ἐπὶ ἀίδιον scribendum est ἀίδιον ἐπὶ). ἀίδιον τὸ πᾶν, τὸ ὅλον μβ3. 356 b8. a14. 353 a15. τὰ ἀίδια τῶν αἰσθητῶν ΜΑ9. 991 a10. λ1. 1069 a31 Bz. 1069 b25. τὸ ἀίδιον τὸ ἄνω σῶμα ψβ7. 418 b9. ἔστι τὰ μὲν ἀίδια ϰ̣ θεῖα τῶν ὄντων, τὰ δ' ἐνδεχόμενα ϰ̣ εἶναι ϰ̣ μὴ εἶναι Ζγβ1. 731 b24. τὸ τῶν ἐμψύχων γένος ἀριθμῷ ἀίδιον εἶναι ἀδύνατον, εἴδει δέ Ζγβ1. 732 b32-35. — περὶ τῶν ἀιδίων ὑδεὶς βυλεύεται Ηγ5. 1112 a21. ἡ δόξα ὑδὲν ἧττον περὶ τὰ ἀίδια ἢ τὰ ἐφ' ἡμῖν Ηγ4. 1111 b32. τῶν ἀιδίων πῶς ἐστιν ἐπιστήμη Ζγβ6. 742 b5, 31. ἀίδιον, syn καθόλυ Αγ7. 75 b21, 22. — ὑκ ἔστιν εἰς ἀίδιον (i e εἰς ἄπειρον cf h v) συναρτῆσαι τῆς τοιαύτης ἀποδείξεως τὴν ἀνάγκην Ζμα1. 640 a6. — τὸ τοιῦτον ἐπίπονον, ὅσῳπερ ἂν ἀιδιώτερον ᾖ Οβ1. 284 a17.

ἀιδιότης. ἡ ἀθανασία τῦ ὑρανῦ ϰ̣ ἡ ἀιδιότης Οβ1. 284 a1. τὸ τρίγωνον ἔχει δυσὶν ὀρθαῖς ἀεὶ τὰς γωνίας ἴσας, ἀλλ' ὅμως ἔστι τι τῆς ἀιδιότητος ταύτης ἕτερον αἴτιον Φθ1. 252 b3.

αἰδοῖον. 1. notio. proprie αἰδοῖον usurpatur de membro genitali virili, pene, θῆλεος ἴδιον μέρος ὑστέρα, ἄρρενος αἰδοῖον Ζιβ13. 493 a25, 31 cf x5. 637 a15. Ζγα18. 725 b3. δ1. 764 a15; saepe de pene animalium usurpatur, ἐλέφαντος. ἵππυ. αἰγός, ταύρυ, καμήλυ. φώκης. γίννυ. ἰκτίδος Ζιβ1. 500 b7. γ20. 522 a14. ε2. 540 a6, b18, a25. ζ24. 577 b28. ιϛ. 612 b15. cf θ12. 831 b1. plerumque αἰδοῖον et ὄρχεις dist Ζια13. 493 a32. β1. 500 b3, 4. πο26. 879 b6. sed testium scrotum ὀσχέα τῦ αἰδοίυ appellatur πκζ11. 949 a16 ac de pene et testibus usurpatur αἰδοῖον θ10. 831 a26. — universe αἰδοῖον partes genitales significat utriusque sexus, ἄρρενα ϰ̣ θήλεα τῶν αἰδοίων ὀσμῶνται ἀλλήλων Ζιε5. 541 a25. cf Ζια15. 494 b3. 17. 497 a25. β1. 500 b14. ε14. 544 b24. Ζγδ1. 764 b23. — inde fit ut αἰδοῖον femineum etiam membrum genitale significet, γυναικὸς αἰδοῖον ἐξ ἐναντίας τῷ τῶν ἀρρένων sim Ζια14. 493 ᵇ2. Ζγα13. 719 ᵇ30. Ζιβ8. 502 ᵇ23. ζ32. 579 ᵇ16. Ζγγ6. 757 ᵃ5; ita usurpatur de feminis καμήλω, ἐλέφαντος, τέττιγος, φώκης, ἵππω, βοῶν, κυνῶν Ζιβ1. 449 ᵃ19, 500 ᵇ10, 14, 18. ε30. 556 ᵃ27. ζ12. 567 ᵃ13. 18. 572 ᵃ26, ᵇ2. 20. 574 ᵃ32. — 2. αἰδοῖον (penis) quae sint partes praecipuae, qui situs, quomodo cohaereant cum aliis partibus, imprimis in homine Ζια13. 493 ᵃ25. γ1. 510 ᵃ21-36. Ζγα13. 720 ᵃ33. πῶς φλέβες πεφύκασιν εἰς τὸ αἰδοῖον Ζιγ2. 511 ᵇ30. 3. 513 ᵃ7. 4. 515 ᵃ3. — 3. τὸ αἰδοῖον τίνος ἕνεκα: ὄργανον πρὸς συνδυασμόν, γεννητικόν. τόπος σπερματικῆς τροφῆς sim Ζγα5. 717 ᵇ14. 13. 719 ᵇ29, 720 ᵃ4. 18. 725 ᵇ3. Ζιγ1. 509 ᵇ29. πῶς φέρεται τὸ περίττωμα εἰς τὸν οἰκεῖον τόπον, θερμαινομένων τῶν αἰδοίων προέρχεται τὸ σπέρμα Ζγβ4. 737 ᵇ31. α18. 725 ᵇ3. 5. 717 ᵇ24. πδ26. 879 ᵇ6. — αἰδοίω γένεσις: ἔμβρυον ἄρρεν τετταρακοσταῖον τὰ μέλη δῆλα ἔχει τά τε ἄλλα ⅄ τὸ αἰδοῖον Ζιη3. 583 ᵇ19. — αἱ τῶ αἰδοίω κινήσεις ἀκούσιαι Ζκ11. 703 ᵇ6. πε15. 882 ᵃ35. αἰδοίω κίνησις (ἔπαρσις, αὔξησις, σύντασις) πῶς ⅄ πότε γίνεται Ζιβ1. 500 ᵇ22. γι. 581 ᵃ28, 32. ζ18. 572 ᵇ2, 26. 20. 574 ᵃ32. πδ23. 879 ᵃ15. λ1. 953 ᵇ34, 954 ᵃ4. αἰδοίω συντονία Ζιε2. 540 ᵃ6. πιγ6. 908 ᵇ8. ἔχεσθαι τὰ αἰδοῖα δι᾽ ἀκολασίαν πλ1. 953 ᵇ37. οἱ ἀφροδισιάζοντες ⅄ ὑβρητιῶντες ἐντείνουσιν, οἱ φοβχἐμενοι συσπῶσι τὰ αἰδοῖα πδ22. 879 ᵃ11. χζ7. 948 ᵇ10. 11. 949 ᵃ9. ὁ ἀφροδισιασμὸς μαραίνει τὴν τῶ αἰδοίω συντονίαν πδ20. 879 ᵃ3. — 4. τῶ αἰδοίω διαφοραὶ ἐν τοῖς τῶν ζῴων γένεσιν, universe: αἰδοῖον χονδρῶδες, σαρκῶδες, νευρῶδες, ἔξω, ἐντός, συνηρτημένον πρὸς τὴν γαστέρα, ἀπολελυμένον Ζιβ1. 500 ᵇ19, ᵃ33. γ1. 509 ᵃ35. τὰ ζῳοτόκα ποῖον ἔχει αἰδοῖον (dist οἱ ὄρνιθες) Ζγα3. 716 ᵇ26 (cf 13. 719 ᵇ29). 5. 717 ᵇ14. ποῖον ἔχει αἰδοῖον τὰ τετράποδα ᾠοτόκα ⅄ ἔναιμα Ζιβ10. 503 ᵃ6. Ζγα13. 720 ᵃ4, τὰ ᾠοτόκα (δίποδα ⅄ τετράποδα) Ζιγ1. 509 ᵇ29, ὅσα ᾠοτοκήσαντα ἐν αὐτοῖς ζῳοτοκεῖ ἐκτὸς Ζγα13. 720 ᵃ24, οἱ ὄφεις Ζγα7. 718 ᵃ18, οἱ ἰχθύες Ζγβ13. 504 ᵇ27, ὁ πολύπους Ζιε12. 544 ᵃ12 (cf δ1. 524 ᵃ8. Ζγα15. 720 ᵇ32 v αἰδοιώδης). — ὁ γίννος, ὥσπερ οἱ νάνοι, μέγα ἴσχει τὸ αἰδοῖον Ζιζ24. 577 ᵇ28. οἱ μέγα τὸ αἰδοῖον ἔχοντες ἀγονώτεροι, διὰ τί Ζγα7. 718 ᵃ23. τοῖς ἱππεύουσι συνεχῶς μείζω τὰ αἰδοῖα γίνεται, διὰ τί πδ11. 877 ᵇ17. — 5. παρὰ φύσιν γινόμενά τινα: δύο ἔχειν αἰδοῖα, τὸ μὲν ἄρρενος τὸ δὲ θήλεος· ἀεὶ τὸ ἕτερον κύριον Ζγδ4. 770 ᵇ32, 772 ᵇ26. παίδων ἐνίοις ἢ κατὰ τὸ αὐτὸ συνέπεσε τὸ πέρας τῶ αἰδοίω ⅄ ὁ πόρος ἢ διέρχεται τὸ περίττωμα τὸ ἐκ τῆς κύστεως, ἀλλ᾽ ὑποκάτωθεν Ζγδ4. 773 ᵃ21. — 6. ζῷα περιττὰ ἐν θαλάττῃ ὅμοια αἰδοίω ἀνδρός Ζιδ7. 532 ᵇ23 (penna marina, pennatula L, S III 379 St K Cr M p 169).

αἰδοιώδης. φασί τινες τὸν ἄρρενα πολύποδα ἔχειν αἰδοιωδές τι ἐν μιᾷ τῶν πλεκτανῶν Ζιε6. 541 ᵇ8. cf 12. 544 ᵃ11. δ1. 524 ᵃ8. Ζγα15. 720 ᵇ32 (cf de ea re Aubert die Cephalopoden des Arist p 25, v Siebold in Zeitschr f wiss Zoologie IV, Roulin in Annales des sciences naturelles 1852 T XVII, Steenstrup in Troschel Arch f Naturg 1856).

Αἰδώλιος. λόχος Λακεδαιμονίων f 498. 1559 ᵃ26.

αἰδώς. def Ηβ7. 1108 ᵃ32. γεβ3. 1221 ᵃ1. γ7. 1233 ᵇ26. ημα30. 1193 ᵃ1. περὶ αἰδῶς Ηδ15. ημα30. ἡ αἰδὼς φόβος τις πια53. 905 ᵃ6. opp φόβος Ηκ10. 1179 ᵇ11. δι᾽ αἰδῶ ⅄ τὴν τῶ καλῶ ὄρεξιν, opp διὰ φόβον Ηγ11. 1116 ᵃ28. αἰδὼς ἀξία προθυμίας μᾶλλον ἢ θράσους Οβ12. 291 ᵇ25. αἰδὼς συμβάλλεται εἰς σωφροσύνην, εἰς ἀνδρείαν ηεγ7. 1234 ᵃ32. 1. 1230 ᵃ17, παρέπεται τῇ σωφροσύνῃ αρ4. 1250 ᵇ12. — ἐν ὀφθαλμοῖς αἰδώς (cf παροιμία) Ρβ6. 1384 ᵃ36. πλα3.

957 ᵇ11. λβ8. 961 ᵃ10. f 91. 1492 ᵃ36. ἀλλά με κωλύει αἰδώς (Alc fr 55) Ρα9. 1367 ᵃ10.

Αἴητος. ἐπίγραμμα ἐπὶ Αἰ. f 596. 1577 ᵃ4.

Αἰθάλεια, νῆσος ἐν τῷ Τυρρηνικῷ πελάγει θ93. 837 ᵇ26. 105. 839 ᵇ20.

αἰθαλώδεις κεραυνοί x4. 395 ᵃ26.

αἴθειν. πυρὸς αἰθομένοιο (Emp 221) αι2. 437 ᵇ27.

αἰθέριος διὰ τί καλεῖται ὁ θεός x7. 401 ᵃ17. μετὰ τὴν αἰθέριον ⅄ θείαν φύσιν συνεχὴς ἐστιν ἡ παθητή x2. 392 ᵃ31.

αἰθὴρ δαψιλός (Emp 237) Οβ13. 294 ᵃ26. αἰθέρα οἷαν (Emp 379) ψα2. 404 ᵇ14. αἰθέρι, αἰθὴρ παφλάζων, αἰθὴρ λελιημένος, αἰθέρος ῥεῦμα (Emp 347, 349, 360, 366) αν7. 473 ᵇ13, 15, 26. 474 ᵃ5. Ἀναξαγόρας τὸ πῦρ ⅄ τὸν αἰθέρα προσαγορεύει ταὐτά, τὸν αἰθέρα φησὶ πεφυκότα φέρεσθαι ἄνω Ογ3. 302 ᵇ4. α3. 270 ᵇ25. μα3. 339 ᵇ21. β7. 365 ᵃ19. 9. 369 ᵇ14. αἰθέρα προσωνόμασαν τὸν ἀνωτάτω τόπον. ἀπὸ τῶ θεῖν ἀεὶ θέμενοι τὴν ἐπωνυμίαν Οα3. 270 ᵇ22. μα3. 339 ᵇ25. x2. 392 ᵃ8. ὑρανὸς ⅄ ἄστρων ὑσίαν αἰθέρα καλῶμεν x2. 392 ᵃ5.

Αἰθιοπία μβ5. 362 ᵇ21. coeli temperies μπ12. 349 ᵃ5. f 236. 1520 ᵇ32. animalia περὶ Αἰθιοπίαν Ζια5. 490 ᵃ11. ζ19. 573 ᵇ28. instituta Πο4. 1290 ᵇ5. — Αἰθιοπικὰ ὄρη μα13. 350 ᵇ11. — Αἰθίοπες μέλανες, λευκοὶ τὰς ὀδόντας, βλαισοί, δειλοί πι5. 167 ᵃ11. φ6. 812 ᵃ13, ᵇ31. π.66. 898 ᵇ12. ιδ4. 909 ᵃ27. Ζιγ9. 517 ᵃ18. ὑλότριχες Ζγε3. 782 ᵇ35. ἡ τῶν Αἰθιόπων γονὴ ὑ μέλαινα Ζιγ22. 523 ᵃ18. Ζγβ2. 736 ᵃ11. eorum proles qualis sit Ζιη6. 586 ᵃ3, 4. Ζγα18. 722 ᵃ10, 11. τὰ ἐν τῇ γῇ τῶν Αἰθιόπων φυτά φτα4. 820 ᵃ4.

αἴθρη ἀνέφελος (Hom ζ 44) x6. 400 ᵃ13.

αἰθρία, def ἀνέφελος ⅄ ἀνόμιχλος x4. 394 ᵃ22. ποιεῖν αἰθρίαν μβ6. 364 ᵇ9. αἰθρία νυκτὸς μᾶλλον ἢ μεθ᾽ ἡμέραν πκε7. 938 ᵇ5. ὕδωρ ἀλεεινότερον τῆς αἰθρίας Ζιβ10. 503 ᵃ14. ἐν αἰθρίαις μα6. 343 ᵇ19. αἰθρίας ὑσης μα4. 342 ᵃ12. 5. 342 ᵃ34. β9. 369 ᵇ23 (opp ὕταν ἐπινεφέλων ᾖ), etiam sine participio τῆς αἰθρίας πκε18. 939 ᵇ15. αἰθρίας ⅄ νηνεμίας μα10. 347 ᵃ26.

αἰθριάζειν. ὁ ἥλιος διακρίνει ⅄ αἰθριάζει τὸν ἀέρα πκζ8. 941 ᵃ4.

αἴθριος. ἄνεμοι αἴθριοι τίνες μβ6. 364 ᵇ29. 3. 358 ᵇ1, 2. πκε20. 942 ᵃ34. 27. 943 ᵃ13. αἰθριώτατος μβ6. 364 ᵇ7. τὰ ἐπινέφελα ἀλεεινότερα τῶν αἰθρίων πκε21. 939 ᵇ33. αἴθριος διὰ τί καλεῖται ὁ θεός x7. 401 ᵃ17.

αἴθυια, avis, πῶς ἔνυδρον, τίκτει ἐν ταῖς περὶ θάλατταν πέτραις, ὑ φωλεύει Ζια1. 487 ᵃ25. ε9. 542 ᵇ17. θ3. 593 ᵇ15 (mergus C, refutat S, larus S St K Cr Su 158 n 151, sive parasiticus sive marinus sive argentatus).

αἰκαυνίαις (?). παρὰ δὲ αἰκαυνίαις (v l ταῖς Καυνίαις) σ973 ᵃ12.

αἰκία, συνάλλαγμα ἀκούσιον βίαιον Ηε5. 1131 ᵃ8. αἰκίαι ⅄ φόνοι Πβ4. 1262 ᵃ26. θάνατοι ⅄ αἰκίαι σωμάτων Ρβ8. 1386 ᵃ8.

αἰκίζεσθαι. εἴ τις τὸν εἰωθότα ὑβρίζειν αἰκίσαιτο Ρα12. 1373 ᵃ13. — εἰς τὸ σῶμα αἰκισθῆναι πληγαῖς Πε10. 1311 ᵇ24.

αἴλουρος. ἐπὶ τῆς ἀλύσεως ὀχεία, τόκος, τροφή, γήρας Ζιε2. 540 ᵃ10. ζ35. 580 ᵃ23. ὀρνιθοφάγοι Ζιθ6. 612 ᵇ15. οἱ μικρὰ τὰ πρόσωπα ἔχοντες μικρόψυχοι· ἀναφέρεται ἐπὶ αἴλουρον φ6. 811 ᵇ9 (chat C, felis, felis domesticus et catus S K Cr Su ΑΖ.Ι 63).

αἷμα. 1. τὸ αἷμα τί ἐστιν. τῶν ὑγρῶν μόνων ἢτα τὸ σῶμα τοῖς ζῴοις ⅄ ἀεὶ ἔχει. τὸ αἷμα μόνον Ζιγ19. 521 ᵃ9. α4. 489 ᵃ20. Ζμγ4. 665 ᵇ11. τῶν ὁμοιομερῶν κοινότατον πᾶσι τοῖς ἐναίμοις, ἀναγκαιότατον, ὑκ ἐπίκτητον Ζιγ2. 511 ᵇ2. 19. 520 ᵇ10. ὑγρόν, ἕως ἂν ᾖ ἐν τῇ φύσει Ζια1. 487 ᵃ3. Ζμβ2. 647 ᵇ12. ὑγρὸν ⅄ θερμὸν ἀεί, ἔχον τὸν

χυμὸν γλυκύν, τὸ χρῶμα ἐρυθρόν Ζιγ19. 520 [b]19 (sanguinis
color adhibetur ad significandas plantas quasdam, quae fiunt
ὑπὸ τῆς σταλαγμῆς, ὅλως ὅπη συμβαίνει γίνεσθαι μετρία
ὑδάτων ἔκρυσις χ5. 796 [a]15, cf Prantl, Arist über d Farben
p 129, Meyer Gesch d Botanik I 199; Protococcum viridem
Ag vel Haematococcum Ag vel Nostoc commune Vauch signifi-
cari ci J B Meyer). ἀναγκαῖον ἢ ἔχειν αἷμα ἢ τὸ τῷ τούτῳ τὴν
αὐτὴν ἔχον φύσιν, δύναμιν, τὸ ἀνάλογον sim Ζμβ2. 648
[a]20, 1. α5. 645 [b]9. δ4. 678 [a]9. Ζγα20. 728 [a]20, [b]1. δ1.
766 [a]34. — 2. τὸ αἷμα ἐκ τίνων στοιχείων σύγκειται κ̣ τίνα
μόρια ἔχει. (Anaxagorae de sanguine opinio Φα4. 188 [a]3).
τὸ αἷμα κοινὸν γῆς κ̣ ὕδατος, μικτὸν ἐξ ἀμφοῖν Ζμγ5. 688
[b]11. μδ11. 389 [b]9. αἷμα κ̣ γονὴ κοινὰ γῆς κ̣ ὕδατος κ̣
ἀέρος. τὸ μὲν ἔχον αἷμα ἴνας μᾶλλον γῆς, τὰ δὲ μὴ ἔχοντα
ἴνας ὕδατος μδ10. 389 [a]19. cf 7. 384 [a]16, 25. ἀτελὲς αἷμα
ἴς κ̣ ἰχώρ Ζια4. 489 [a]23. γένος ἰνῶν ἐν αἵματι Ζιγ6. 515
[b]30. αἱ ἴνες γῆς εἰσίν, γεώδεις, οἷον πυρίαι ἐν τῷ
αἵματι Ζμβ4. 650 [b]18, 651 [a]1. cf μδ7. 384 [a]28. 10. 389
[a]20. τὸ ἰχώρ ἄπεπτον αἷμα, τὸ ὑδατῶδες τῷ αἵματος Ζιγ19.
521 [b]2. Ζμβ4. 651 [a]17. — 3. αἵματος τόπος. τόπος αἵμα-
τος αἱ φλέβες, τούτων τὸ δ' ἀρχὴ κ̣ καρδία υ3. 456 [b]1. οἷον ἐν
ἀγγείῳ τυγχάνει κείμενον ἐν τῇ καρδίᾳ κ̣ ταῖς φλεψὶν Ζμβ3.
650 [b]6. Ζιγ19. 520 [b]12. αν8. 474 [b]5. τῶν ἄλλων σπλάγχνων
ἡ καρδία μόνον ἔχει αἷμα Ζια17. 496 [b]7. ἐκ τῆς καρδίας
ἐποχετεύεται κ̣ εἰς τὰς φλέβας, εἰς δὲ τὴν καρδίαν ἐκ ἄλ-
λοθεν (sanguinis circuitus ignotus Aristoteli) · αὕτη γὰρ ἀρ-
χὴ κ̣ πηγὴ τῷ αἵματος ἢ ὑποδοχὴ πρώτη Ζμγ4. 666 [a]1-
[b]1, 24. cf υ3. 485 [a]15. αἱ φλέβες ἀγγεῖον, μόριον δεκτικὸν
τῷ αἵματι, αἵματος χάριν Ζμγ4. 665 [b]11. 5. 667 [b]17. Ζιγ20.
521 [b]7. 2. 511 [b]2, 17. Ζγβ4. 738 [a]8, 740 [a]21. δ1. 764 [b]33.
πθ26. 879 [b]5. αἱ φλέβες συνεχεῖς πρὸς τὴν τῷ αἵματος ἀρ-
χὴν Ζμβ3. 654 [b]9. ὅπη ἂν τις διέλῃ τὴν σάρκα, γίνεται
αἷμα ἐν τῷ ζῶντι Ζιγ19. 520 [b]18. Ζμγ5. 668 [a]33 (ἐν τίνσιν
ἰχώρ γίνεται, ἐχ αἷμα πν6. 484 [a]34), quamvis ἐ συνεχές τὸ
αἷμα τῇ σαρκὶ ἰδὲ συμπεφυκὸς Ζμβ3. 650 [b]6. — 4. αἷμα-
τος θερμότης, σφυγμός. τὸ αἷμα κ̣ ὑγρὸν κ̣ θερμὸν αὐτῷ
φύσις μετέχει, πῶς δ᾽ ἀπὸ καρδίας θερμότης ἐστιν αἰτία κ̣
τῷ αἵματι τῆς ὑγρότητος κ̣ τῆς θερμότητος Ζμβ2. 648 [a]20-3.
650 [a]2. 9. 654 [b]9. γ5. 667 [b]27. πῶς κατέχεσιν αἱ φλέβες τὸ
θερμὸν πν5. 483 [b]19, 484 [a]10. — σφίζει τὸ αἷμα ἐν ταῖς
φλεψὶν ἐν ἅπασι πάντη αἷμα τοῖς ζῴοις Ζιγ19. 521 [a]6. πῶς
γίνεται ὁ σφυγμὸς αν20. 480 [a]6. — 5. αἵματος πέψις, πῆξις,
τῆξις, σῆψις. ἰχὼρ αἷμα ἄπεπτον Ζιγ19. 521 [b]2. Ζμβ4.
651 [a]17. αἵματος ἐξυγρανθέντος δι᾽ ἀπεψίαν, ἀδυνατούσης
τῆς ἐν τοῖς φλεβίοις θερμότητος πέσσειν Ζμγ5. 668 [b]8. γί-
νεται πεττόμενον ἐξ ἰχώρος αἷμα, ἐξ αἵματος πιμελή · ἡ καθ᾽
αὐτὸ πέψις αἵματος στέαρ κ̣ πιμελή ἐστιν Ζιγ19. 521 [a]17.
Ζμβ6. 652 [a]8. 5. 651 [a]21, [b]7, 20. γ9. 672 [a]4. ἐκ τῷ αἵ-
ματος πεττομένῃ κ̣ μεριζομένῃ πως γίνεται τῶν μορίων ἕκα-
στον Ζγα19. 726 [b]5. — αἷμα ἔχον τὰς ἐξ ὧν ἔξω ψύξει
πήγνυται, ἐξαιρουμένων τῶν ἰνῶν ἐ πήγνυται Ζιγ19. 520 [b]24,
26. 6. 515 [b]31. Ζμβ4. 650 [b]17, 651 [a]5. μδ10. 389 [a]19, 20.
πη1. 887 [b]10. — αἷμα ἴνας ἔχον ὑγρὸν τήκεται μδ10. 389
[a]21. — αἷμα κ̣ τὰ ἔναιμα τάχιστα σήπεται κ̣ τούτων τὸ
περὶ τὰ ὀστᾶ Ζιγ19. 521 [a]1. αἷμα σήπεται χωριζόμενον Ζμβ9.
654 [b]9. σηπόμενον γίνεται τὸ αἷμα ἐν τῷ σώματι πύον, ἐκ
δὲ τῷ πύῳ πῶρος Ζιγ19. 521 [a]20. — 6. αἵματος γένεσις, με-
ταβολή· τὸ αἷμα τροφή. αἵματος ἐκ σπέρματος (γονῆς) γέ-
νεσις πῶς Ζγα4. 319 [b]16. Ζγα18. 723 [a]1, 14 (sed vicissim
σπέρμα πεφθὲν ἀποκρίνεται τῷ αἵματος Ζγα19. 726 [b]6, 727
[a]35). πρῶτον γίνεται τὸ αἷμα ἐν τῇ καρδίᾳ τοῖς ζῴοις, κ̣

πρὶν ὅλον διηρθρῶσθαι τὸ σῶμα Ζιγ19. 521 [a]9. ἡ καρδία ἔχει
ἐν αὐτῇ τὴν δύναμιν τὴν δημιουργῦσαν τὸ αἷμα πρώτην Ζμβ1.
647 [b]5. αν20. 480 [a]5. ἀναγκαῖον τὰ ζῷα λαβεῖν τροφὴν θύ-
ραθεν κ̣ πάλιν ἐκ ταύτης γίνεσθαι τὴν ἐσχάτην τροφὴν (τὸ
αἷμα) Ζμδ4. 678 [a]7. cf Ζγδ1. 765 [b]34. β4. 740 [a]3. πβ3.
866 [b]21. αἵματος μεταβολή πν6. 484 [a]15. αἷμα κ̣ τὸ ἀνά-
λογον τούτῳ δύναμει σῶμα κ̣ σάρξ ἢ τὸ ἀνάλογόν ἐστι
Ζμγ5. 668 [a]26. β6. 651 [b]20. τῶν μορίων ἕκαστον κ̣ τὸ αἷ-
ματος συνέστηκεν Ζμγ5. 668 [a]10. cf β6. 651 [b]22. 1. 647
[b]4. δ5. 678 [a]31. τὸ αἷμα τροφή, ἐσχάτη, ὑστάτη, τελευταία
τροφή, ἐξ ὗ γίνεται τὰ μόρια sim Ζμβ3. 650 [a]34, [b]12, 651 [a]13.
6. 652 [a]6. γ5. 668 [a]5, 20. δ4. 678 [a]9. Ζγγ1. 751 [b]1. δ1.
766 [a]34. α20. 728 [a]20. 19. 726 [b]2. β4. 740 [a]21. αν8. 474
[b]4. υ3. 456 [a]35. ζ3. 469 [a]1. πν1. 481 [a]11. — 7. αἵματος
διαφοραί. τὸ αἷμα διάφορον Ζμα3. 643 [a]4. αἵματος διαφοραί
τίνες (λεπτότερον παχύτερον, καθαρώτερον θολερώτερον, ψυ-
χρότερον θερμότερον) ἔν τε τοῖς μορίοις τῷ ἑνὸς ζῴῳ κ̣ ἑτέρῳ
πρὸς ἕτερον κ̣ τίς αὐτῶν κ̣ δύναμις Ζμβ2. 647 [b]30 sqq.
cf Ζιγ19. 521 [a]1. πῶς ἐν τοῖς μορίοις διαφέρει κατὰ τὸ πο-
σὸν κ̣ τὸ ποιόν: ἐν κεφαλῇ κ̣ ἐν ἐγκεφάλῳ Ζμβ7. 652 [a]32,
36. δ10. 686 [a]9. αι5. 444 [a]10. υ3. 458 [a]13. φτβ3. 824
[b]18, ἐν πλευμόνι Ζια17. 496 [a]35, [b]6. υ3. 513 [b]23. ἐν καρ-
δίᾳ Ζια17. 496 [b]9. Ζμγ4. 667 [a]1, ἐν χολῇ Ζμδ2. 677 [a]26, ἐν
ἥπατι Ζμγ12. 673 [b]26, ἐν νέφροις Ζια17. 497 [a]10. Ζμγ9. 679
[b]15, ὑπὸ τῶν σαρκῶν Ζιγ2. 512 [b]8. διαφέρει αἵματος χρῶμα
κατὰ τὰς τῆς σαρκὸς κ̣ τῶν φλεβῶν διαφορὰς Ζιγ16. 520 [a]1.
τὸ αἷμα διὰ τί μέλαν γίνεται χ6. 798 [b]18. πρεσβυτέρων τὸ
αἷμα ξηραινόμενον μελάντερον πλη9. 967 [b]15. διψώσης ὄντος τῷ
αἵματος κ̣ κεχωρισμένῃ Ζμγ4. 666 [b]29 (inde quod Aristo-
telem vidisse concludunt sanguinis arteriarum et venarum
discrimen K Fr p 292 n 31 al, cf Meyer p 425). — πῶς
διαφέρει τὸ αἷμα κατὰ τὰς ἡλικίας κ̣ πλήθει κ̣ εἴδει Ζιγ19.
521 [a]31. πλη9. 967 [b]15. τὸ α. πιόνων Ζιγ19. 520 [b]32. πῶς δια-
φέρει τὸ τῶν θηλειῶν πρὸς τὸ τῶν ἀρρένων Ζιγ19. 521 [a]21. —
διαφοραὶ τῷ αἵματος ἐν τοῖς ζῴοις: ἀνθρώπῳ λεπτότατον, ταύρῳ
κ̣ ὄνῳ παχύτατον κ̣ μελάντατον Ζιγ19. 521 [a]3, ταύρῳ, κάπρῳ
Ζμβ4. 651 [a]2, ἐλάφῳ, προκός, ταύρῳ, βυβαλίδος Ζιγ19. 520
[b]24, 27. 6. 515 [b]33. Ζμβ4. 650 [b]14 (cf K Fr p 272 n 12). λέ-
γεται ὅτι αἰγίθῳ κ̣ ἀνθα αἷμα ἐ συμμίγνυται ἀλλήλοις Ζιι1. 610
[a]1. — 8. αἷμα ὑγιές, νοσερόν· αἵματος ῥύσεις. ποῖον αἷμα ὑγιές
(ὑγιαινον), ποῖον νοσερὸν (νοσῶδες) Ζμδ2. 677 [a]28. γι2. 673
[b]26. Ζιγ19. 520 [b]19, 521 [a]22. μδ7. 384 [a]31. πι2. 891 [a]16.
θ5. 890 [a]11. cf Φγ1. 201 [b]3. — αἱμορροΐδες ἄπονοι ἐκ τίνων
τόπων γίνονται κ̣ διὰ τί Ζμγ5. 668 [b]16. νενοσηκότος αἵμα-
τος αἱμορροΐς κ̣ τ᾽ ἐν ταῖς ῥισὶ κ̣ ἡ περὶ ἕδραν κ̣ ἰξία Ζιγ19.
521 [a]19. ῥύσεις αἵματος ἐκ τῶν φλεβῶν Ζιγ19. 727 [a]13. πι2.
891 [a]13. ὁ πέλος αἷμα ὑῖς φασὶν ἀφίησιν ἐκ τῶν ὀφθαλ-
μῶν ὀχεύων Ζιι1. 609 [b]24. — μεταβεβληκότος εἰς αἷμα τῷ
περιττώματος βέλεται γίγνεσθαι τὰ καταμήνια Ζγβ4. 738
[a]23. (καταμηνίων) αἷμα εἰσὶν νεοσφαχτον Ζιγ11. 581 [b]1. νενο-
σηκὸς τῦτο τὸ αἷμα καλεῖται ῥὅς Ζιγ19. 521 [a]27. πῶς ἐν
ἵππῳ αἵματος ῥύσις Ζιζ18. 573 [a]10. ἂν μὴ γιγνομένων κα-
θάρσεων αἷμα συμπέσῃ ἐμέσαι Ζιη11. 588 [a]1. — αἵματος
συνδρομὴ (εἰς τὸν πληγέντα τόπον) τὸ ἐρυθημά ἐστιν πθ3.
889 [b]30. — στερισκόμενα τῷ αἵματος τὰ ἀφιεμένα ἔξω πλείο-
νος μὲν ἐκθνήσκεσι. πολλῷ δ᾽ ἄγαν ἀποθνήσκεσιν Ζιγ19. 521
[a]11. α4. 489 [a]22. Ζιγ19. 726 [b]12. πν5. 484 [a]11. Ζιη10.
587 [a]16, 20. — 9. τὸ αἷμα πῶς ἔχει πρὸς τὰ ἄλλα μόρια,
τίνων αἰτιᾶται κατὰ τε σῶμα κ̣ κατὰ ψυχήν: ὅσα ἔχει αἷμα, ἔχει
κ̣ ἐγκέφαλον Ζια4. 494 [b]27, καρδίαν, ἥπαρ, σπλῆνα τὰ πλεῖστα
Ζιβ15. 506 [a]16, νεῦρα Ζιγ5. 515 [b]23, σπέρμα Ζιγ22. 523

a13. τὸ καθαρωτάτῳ ⁊ πλείστῳ κεχρημένον αἵματι τῶν ζώων ὀρθότατόν ἐστιν ὁ ἄνθρωπος αν13.477ᵃ21. τὰ ἄναιμα ἠκ ἔχει αἷμα ἐξ ᾗ συνέστηκεν ἡ τῶν σπλάγχνων φύσις Ζμὸ5.678ᵃ31. πιμελὴ ⁊ στέαρ διαφέρουσιν ἀλλήλων κατὰ τὴν τᾶ αἵματος διαφορὰν Ζμβ5.651ᵃ21,25. ὑς ὅσον ἕλκει ζῶσα, τὸ ἕκτον μέρος εἰς τρίχας ⁊ αἷμα ⁊ τὰ τοιαῦτα Ζιθ6.595ᵇ3. — τὸ αἷμά ἐστι τὸ χρῶζον ἡμῶν τὰ σώματα φυσικῶς πλη9.967ᵇ17. ἕλκειν, ἐκπίνειν αἷμα Ρβ20.1393ᵇ30,32. — τὸ αἷμα πῶς ἔχει πρὸς τὸν ὕπνον ιϑ.458ᵃ21. Ζιγ19.521ᵃ16. — τὸ αἷμά φασί τινες εἶναι τὴν ψυχήν ψα2.405ᵇ4. τὸ αἷμα ἠκ ἔχει αἴσθησιν Ζιγ19. 520ᵇ15. Ζμβ5.651ᵇ5.10.656ᵇ19, sed πολλῶν αἴτιον τοῖς ζώοις κατὰ τὸ ἦθος ⁊ κατὰ τὴν αἴσθησιν Ζμβ4.651ᵃ12. πῶς τᾶτο γίνεται Ζμβ4.650ᵇ19.7.653ᵇ8.10.656ᵇ4. γ4.667ᵃ19. ψα1.403ᵃ21. φ6.813ᵇ7. — ὅθεν φασὶ (de fratribus) ταυτὸν αἷμα ⁊ ῥίζαν ⁊ τὰ τοιαῦτα Ηθ14.1161 ᵇ32. ἢ κατ᾽ ἄλλην τινὰ συγγένειαν ἢ πρὸς αἵματος Ππ3. 1262ᵃ11.

αἱμασιά. εἰς τὰς αἱμασιὰς τιθέναι, πρὸς ταῖς αἱμασιαῖς ὑφαίνειν ἀράχνιον Ζιθ4.594ᵃ11. ιϑ9.623ᵃ4.

αἱματίζειν. αἱ μυῖαι (γλώττῃ) θιγγάνασαι αἱματίζησιν Ζιθ7. 532ᵃ3.

αἱματικός. αἱματικὴ θερμότης. φλεγμασία Ζιδ13.697ᵃ29. εν2.460ᵃ7. αἱματικὸν ὑγρότης. ἰχμὰς Ζγδ8.777ᵃ7. Ζμγ10. 673ᵃ34. αἱματικὴ τροφή Ζμβ6.652ᵃ21. Ζγα19.726ᵇ9. β7.745ᵇ29,746ᵃ3. Ζγδ1.766ᵇ17. αἱμ. ὕλη Ζιγ4.665 ᵇ6. πλῆθος αἱματικὸν ἀκατέργαστον Ζγδ1.766ᵇ22. αἱματικὴ φύσις Ζμβ1.647ᵃ35. Ζγδ8.776ᵇ12. αἱμ. ἀρχὴ Ζγγ11.762ᵇ6. εὐπεψία αἱματική Ζμγ9.672ᵃ4. ἶνες αἱματικαί. σπλάγχνα αἱματικά. τὸ ἧπαρ αἱματικώτατον μετὰ τὴν καρδίαν ΖιΓ3.561ᵃ15. Ζμβ1.647ᵇ7. γ12.673ᵇ27. τὰ αἱματικὰ (μόρια) Ζια4.489ᵃ25. — τὰ αἱματικὰ ἱ q τὰ ἔναιμα Ζιβ2.501ᵃ21. τὰ σπλάγχνα τῶν αἱματικῶν ἐστιν ἴδια Ζμγ4. 665ᵇ5. τοῖς θήλεσιν ἅπασιν ἀναγκαῖον γίγνεσθαι περίττωμα τοῖς μὲν αἱματικοῖς πλεῖον Ζγβ4.738ᵇ5,8. α20.728ᵃ35.

αἱμάτινος. ὅσον στιγμὴ αἱματίνη ἐν τῷ λευκῷ ἡ καρδία ΖιΓ3.561ᵃ11.

αἱματίς. ὅταν βάπτοντες τὴν πορφύραν καθῶσι τὰς αἱματίδας (?) χ5.797ᵃ6.

αἱμάττειν. αἱμάξαι θ132.843ᵇ14.

αἱματώδης (cf αἱματικός). ὑγρότης αἱματώδης, dist ὑδατώδης Ζιη7.586ᵃ29. Ζγα19.726ᵇ32. ὑγρὸν αἱματῶδες Ζιγ1. 510ᵃ24. ἱδρὼς αἱματώδης, ἱδρῶσιν αἱματώδει περιττώματι Ζιγ19.521ᵃ14. Ζμγ5.668ᵇ6. τροφὴ αἱμ. Ζμδ3.677ᵇ25. σαρκώδης ⁊ αἱματώδης σύστασις Ζμδ3.677ᵇ28. κάθαρσις, ἀπόκρισις αἱματώδης ΖιΓ18.573ᵃ3. Ζγα19.726ᵇ35. ἰχώρες αἱματώδεις, opp ὑδαρεῖς Ζιη9.586ᵇ9. σπέρμα αἱμ. Ζγα19.726ᵇ9. μυελός, σπλὴν, ὑμὴν αἱματώδης Ζγα20.521 ᵇ8 (opp πιμελώδης ᵇ10). Ζμβ6.651ᵇ24. γ7.670ᵇ6. Ζγγ2. 753ᵇ35. σπλάγχνα αἱματώδη. αἱματωδέστερα Ζμβ6.651 ᵇ26. γ4.665ᵇ7. αἱματῶδες φαίνεται τὸ κύημα Ζγγ2.752 ᵇ5 (cf ὀρνίθων γονῇ. τὸ μὲν πρῶτον μικρὸν ⁊ λευκὸν φαίνεται. ἔπειτα ἐρυθρὸν ⁊ αἱματῶδες ΖιΓ2.559ᵇ9). πόροι αἱματώδεις, opp ἄναιμοι Ζιγ1.510ᵃ16. τὸ αἱματῶδες Ζγγ1. 751ᵇ33. αἱματῶδες ἀμέλγεσθαι Ζιγ20.522ᵃ9. — χρῶμα αἱματῶδες, αἱματώδης τὴν χρόαν μα5.342ᵃ36. Ζιε19.552 ᵃ1. ἡ10.587ᵃ31. Ζγδ1.765ᵇ25. Ζιε19.552ᵃ9. σὰρξ ἐρυθρὰ κ. αἱματώδης τὴν χρόαν εν2.459ᵇ30.

αἱμοβόρα ἔντομα, dist παμφάγα Ζιθ11.596ᵇ13.

αἱμορροΐς. 1. αἱμορροΐδες ἄπονι ἐκ στόματος, ὐχ ὥσπερ ἐκ τῆς ἀρτηρίας μετὰ βίας Ζμγ5.668ᵇ18. διὰ τὴν ἀπεψίαν ἐν ταῖς φλεψὶν αἵ τ᾽ ἄλλαι αἱμορροΐδες ⁊ αἱ τῶν καταμηνίων·

⁊ γὰρ αὕτη αἱμορροΐς ἐστιν, ἀλλ᾽ ἐκεῖναι μὲν διὰ νόσον, αὕτη δὲ φυσικὴ Ζγα20.728ᵃ23. νενοσηκότος αἵματος αἱμορροῒς ἤ τ᾽ ἐν ταῖς ῥισὶ ⁊ ἡ περὶ τὴν ἕδραν ⁊ ἰξία Ζιγ19.529ᵃ19. ὀλίγαις γυναιξὶ γίνεται αἱμορροῒς ⁊ ἐκ ῥινῶν ῥύσις· ἐὰν δέ τι συμβαίνῃ τᾶτιον. τὰ καταμήνια χείρω Ζιγ19.521ᵃ29. cf ἡ11. 587ᵇ33. Ζγα19.727ᵃ12. β4.738ᵃ16. — 2. αἱμορροῒς (ἀπορροῒς codd P Dᵃ), ὀστρακόδερμον descr Ζιδ4.530ᵃ19, 24 (testaceorum genus S, testacé univalve C, fort murex Gaza Cr, fort helix janthina St, refutant K M p 188, natica K, fort aplysia depilans AZι I 175).

αἱμωδία. τί παύει αἱμωδίαν πα38.863ᵇ11. ζ9.887ᵇ1.

αἱμωδιᾶν. αἱμωδῶμεν τᾶς ὀξεῖς ὁρῶντες ἐσθίοντας πζ5.886ᵇ12.

Αἵμων ὁ Σοφοκλέως (Antig) Ργ16.1417ᵇ19. 17.1418ᵇ32. πο14.1454ᵃ2.

Αἰνέας βασιλεὺς ἐν τῇ Διομηδείᾳ νήσῳ θ79.836ᵃ17. Αἰνείας f 597.1577ᵇ5.

αἰνεῖν. ἀνδρός ὃν ὐδ᾽ αἰνεῖν τοῖσι κακᾶσι θέμις f 623.1583ᵃ14. — αἰνετός Ρβ25.1402ᵇ11 (συνετός ci Vhl Rhet 85).

Αἰνεσίδημος Ρα12.1373ᵃ22.

Αἰνιακὴ χώρα θ133.843ᵇ15.

Αἰνιᾶνες θ133.843ᵇ17.

αἴνιγμα ἐκ μεταφορῶν πο22.1458ᵃ24-26. τὸ αἴνιγμα τὸ εὐδόκιμὸν Ργ2.1405ᵇ1. νέων ἀνδρῶν αἴνιγμα φυλάξαι (apud poetam incertum) f 66.1487ᵃ17.

αἰνιγματώδης. τὰ Λακωνικὰ ἀποφθέγματα ⁊ τὰ αἰνιγματώδη Ρβ21.1394ᵇ34. — αἰνιγματωδῶς ἑρμηνεύειν ρ36. 1441ᵇ22.

Αἴνιοι Πε10.1311ᵇ21.

αἰνίττεσθαι. εἴπερ ἠνίττοντο τὸν ὠκεανὸν οἱ πρότερον μα9. 347ᵃ6. αἰνιττόμενοι εὐετηρίαν f 108.1495ᵇ20. αἰνισσόμενοι ὡς ἄρα κατέλιπον f 66.1487ᵃ26. μεταφοραὶ αἰνίττονται Ργ2. 1405ᵇ5. ἠνιγμένα Ργ2.1405ᵇ4.11.1412ᵃ24.

αἴξ. 1. ἡ αἴξ ετ ὁ αἴξ. inter τῶν τετραπόδων ἐναίμων ζωοτοκούντων τὰ δισχιδῆ δίχαλα κερατοφόρα refertur Ζιβ1.499 ᵇ10,17. Ζμγ12.673ᵇ33.14.674ᵇ8. ὁ10.688ᵇ25, cf M p 317. — a, (anatom et physiol) χρόα, χρόας μεταβολή Ζγε6.785ᵇ25. Ζιδ2.676ᵇ36, σπλῆνα στρογγύλον Ζμγ12.673 ᵇ33. οἱ ζωμοὶ ⁊ πήγνυνται Ζιγ17.520ᵇ10. ⁊ς ἀληθὲς ἀναπνεῖν αἶγας κατὰ τὰ ὦτα Ζια11.492ᵃ14. ἐν τοῖς μηροῖς ἔχει δύο μαστές, διὰ τί Ζμδ10.688ᵇ25. ⁊ ὁ ἄρρην δύο ἔχει παρὰ τὸ αἰδοῖον, ἐξ ὧν ἐν Λήμνῳ ποτὲ γάλα ἠμέλγετο Ζγα20.522ᵃ14. διὰ τί αἴγες ⁊ πρόβατα ἀμέλγονται πλεῖστον γάλα πι6.891ᵇ4. καταμήνιον κάθαρσις ΖιΓ18. 572ᵇ31. πῶς ὀχεύει, ἐγχεύεται, κύει. τίκτει Ζιε14.545ᵃ24. ζ12.567ᵃ5.18.573ᵃ25,ᵇ19-30. Ζγδ4.770ᵃ35. πι6.891 ᵇ9. cf Ζικ7.638ᵃ9 (?). πλείας ὀδόντας ἔχωσιν οἱ ἄρρενες τῶν θηλειῶν ΖιΓ3.501ᵇ21. κύστεως περίττωμα τῶν θηλειῶν παχύτερον ἔτι ἢ τὸ τῶν ἀρρένων ΖιΓ18.573ᵃ19. ὀρρην αἴξ ἱ q τράγος (cf h v) ΖιΓ13.573ᵇ30. — b. (biologica) αἶγες πολυφάγοι, πῶς τὴν νομὴν ποιῶνται Ζιθ10.596ᵃ13. φυσιωδιῶν ἔνια τὰ μὲν φιλεῖ γάλα Ζγα21.522ᵇ33. πῶς αἱ τηγῷ Οἴην τρίβωσι ⁊ πῶς αἴγας βία Ζιγ20.522ᵃ8. πῶς αἰγοθήλας πῶς λάζει τὰς αἶγας Ζιι30.618ᵇ5. πῶς κατάκεινται αἱ αἶγες Ζιι3.611ᵃ4. διὰ τί τῶν αἰγῶν ἡγεμόνα ὐ καθιστᾶσιν οἱ νομεῖς ΖιΓ19.574ᵃ10. αἶγες et ὄιες comparantur Ζιι3.610ᵇ3. θ10.596ᵇ9. ἔχυσι κρότωνας. φθεῖρας δ᾽ ὐ Ζιε31.557ᵃ16. πόσα ζῶσιν ἔτη ΖιΓ18.573ᵇ23,29. ἐνυπνιάζειν φαίνενται

Ζιδ10. 536 ᵇ29. τί ποιῦσι φρονίμως πρὸς βοήθειαν Ζιι6. 612
ᵃ3. θ4. 830 ᵇ20. — νομικὸν αἶγα θύειν Ηε10. 1134 ᵇ22. θαυ-
μαστόν τι περὶ θυσίαν αἰγός θ137. 844 ᵇ1. — c. (physiogno-
monica). ὄμματα αἰγωπά Ζγε1. 779 ᵃ33. τίνες ὀφθαλμῶν,
φωνῆς διαφοραὶ ἀναφέρονται ἐπὶ τὰς αἶγας φ6. 812ᵇ7, 813
ᵇ6. εἰκάζειν τινὰ αἰγὶ φυσῶντι πῦρ Ζγδ3. 769ᵇ19. — d. (παρὰ
φύσιν γιγνόμενά τινα). τράγαιναι δύο ἔχησαι αἰδοῖα· αἲξ κέ-
ρας ἔχυσα πρὸς τῷ σκέλει Ζγδ4. 770 ᵃ35, ᵇ32, 35. —
e. (διαφοραὶ κατὰ τὰς χώρας, κατ᾽ εἴδη sim) αἶγες χ̣ ἥμερα
γένη χ̣ ἄγρια Ζια1. 488 ᵃ31. Ζμα3. 643. ᵇ6. αἶγες ἄγριαι ἐν 10
Κρήτῃ ἐν Λιβύῃ ὐκ ἔστιν αἲξ ἄγριος Ζιι6. 612ᵃ3. 928.606ᵃ7.
(capra fera Cretensis, Su p 63 n 43, fort aegocerus pictus ΑΖι
I 63 n 2ᵈ). ἐν Συρίᾳ τὰ ὦτα αἱ αἶγες ἔχυσι σπιθαμῆς χ̣ παλαι-
στῆς Ζιθ28. 606 ᵃ14 (ovis aurita St, = capra hircus mambricus
sive depressus sive capra mambrica K Cr Su ΑΖι I 63 n 2ᵇ). 15
ἐν Λυκίᾳ αἱ αἶγες κείρονται ὥσπερ τὰ πρόβατα Ζιθ28. 606ᵃ17
(capra Angorensis St K Cr ΑΖι I 63 n 2ᶜ). χίμαιρα (cf h v)
Ζιγ21. 522 ᵇ33. αἶγες περὶ τὴν Οἴτην, ἐν Δήμνῳ Ζιγ20.
522 ᵃ7, 13. περὶ τὴν Αἰθιοπίαν Ζιζ19. 573 ᵇ29. ἐν Αἰγύπτῳ
Ζιθ28. 606 ᵃ25. ἐν χώρᾳ τινὶ Λιβύων f 64. 1532 ᵃ41. ἐν 20
Νάξῳ, ἐν Χαλκίδι (θαυμαστά τινα περὶ τὴν χολήν) Ζμδ2.
676 ᵇ36. ἐν Κεφαλληνίᾳ θ9. 831 ᵃ19.

2. αἲξ avis Ζιθ3. 593 ᵇ20 (fort vanellus, Kiebitz, qui
adhuc in Graecia aex appellatur Belon C, refutant C S Su;
fort tantalus arquatus St, scolopax gallinago L K Cr, refutat 25
Su p 153 n 139, probabiliter anserum species, fort anser
leucopsis Su, cf ΑΖι I 86 n 10).

3. αἶγες ἐν τῷ ὐρανῷ. οἱ καλύμενοι ὑπό τινων δαλοὶ χ̣
αἶγες διὰ τίν᾽ αἰτίαν μα4. 341 ᵇ3 sqq.

Αἰολεῖς f 66. 1487 ᵃ8.　　　　　　　　　　　　　　　　　　　30
Αἰολίς οβ1351 ᵇ19.
αἴολος. ἡμέραι αἴολοι ἐπὶ Ὠρίωνι χ̣ ἀκαιρίαι τῶν πνευμάτων
πκς13. 941 ᵇ24.
Αἰόλυ καλύμεναι νῆσοι μβ8. 367 ᵃ3. κ4. 395 ᵇ21. θ101. 838
ᵇ30. 132. 843 ᵇ6. f 591. 1574 ᵃ18.　　　　　　　　　　　　35
αἶραι, ὑπνωτικόν ν3. 456 ᵇ30 (Lolium temulentum L).
αἴρειν, opp πιέζειν Ρα5. 1361 ᵇ16. αἴρειν τὸ ἱμάτιον, opp
ἕλκειν Ηη8. 1150ᵇ4. αἴρειν (τὰς πόδας), opp θεῖναι πε41. 885
ᵇ7. ἠρκότες τὰ πρόσθια τῶν σκελῶν Ζπ11. 710 ᵇ20. ἆραι
βάρος Οα11. 281 ᵃ8. λίθοι αἰρόμενοι ὑπὸ τῶν ἐκφυσομένων 40
πια28. 902 ᵇ2. λίθος ὑπὸ πνεύματος ἀρθείς μα7. 344 ᵇ33.
αἴρεσθαι βραδέως, ῥᾷον ἀπὸ τῆς γῆς, ᾔρθαι ἀπὸ τῆς γῆς (de
avibus sim) Ζυ32. 619 ᵇ5. Ζμδ6. 683 ᵃ32, 35. κῦμα με-
τέωρον αἴρειν θ130. 843 ᵃ7. ἄνεμος αἰρόμενος πκς21. 942
ᵇ11. ἡλίυ αἰρομένυ, opp καταφερομένυ μγ2. 372 ᵃ13, 371 45
ᵇ28. πιε9. 912 ᵃ35. κε7. 938 ᵇ9. κ34. 944 ᵃ25. αἴρειν φύ-
ματα πδ13. 878 ᵃ15. ἡ αἴρυσα θερμότης Ζμδ10. 686 ᵇ29.
αἴρειν τὸν θώρακα, τὸ ὄργανον, αἴρεσθαι, opp συνίζειν αν21.
480ᵃ27, 20. 19. 479 ᵇ13. 20. 479ᵇ32, 480ᵃ4. 21. 480ᵃ24,
25, 28, ᵇ2, 14, 15, 18. αἴρεται ἡ ὑστέρα Ζικ3. 636ᵃ22. ὅταν 50
ὀυὸ δακτύλυς ἀρθῶσιν οἱ μαστοὶ Ζγα20. 728 ᵃ31. οὐ πρὸς
οὐιεστὸ αἴρειν, opp συνίζειν, intransitivam vim habere videtur
αν9. 475 ᵃ8. 17. 479 ᵃ26. — ὁ θυμὸς αἴρεται Πη7. 1328 ᵃ2.
— ἀρθέντος τῦ αἰτίυ (sublata causa) πιθ36. 920 ᵇ11. — med
αἴρεσθαι σίδηρον ἐπὶ τινα ρ37. 1444 ᵇ12.　　　　　　　　　55
αἱρεῖσθαι τὴν ἀρχὴν ἀριστίνδην, τὺς ἄρχοντας, αὐτοκράτορας
Πβ11. 1272ᵇ36. δ5. 1292 ᵇ1. 10. 1295ᵃ11. 13. 1297ᵇ15.
14. 1298 ᵇ2. ε3. 1303 ᵃ16. αἱρεῖσθαι active non addito ob-
iecto Πβ6. 1266 ᵃ14, 22, 28. γ11. 1282 ᵃ8. αἱρησόμενοι
Πὁ14. 1298 ᵃ21. passive αἱρύνται Πὁ15. 1299 ᵃ19. οἱ αἱ- 60
ρεθέντες Πβ8. 1268 ᵃ13. — αἱρεῖσθαι, syn διώκειν, βύλεσθαι:
εἰ μὴ πάντα δι᾽ ἕτερον αἱρύμεθα, syn δι᾽ αὐτὸ βυλόμεθα

Ηα1. 1094 ᵃ20, 19. καθ᾽ αὐτὸ διώκει χ̣ αἱρεῖται Ηη10.
1151 ᵇ1. αἱρεῖσθαι χ̣ φιλεῖν ηεη2. 1236 ᵃ11. τὸ μέσον χ̣
εὑρίσκειν χ̣ αἱρεῖσθαι Ηβ6. 1107 ᵃ6. opp φεύγειν Ηβ5.1106
ᵇ6. γ6. 1113 ᵇ1. 11. 1116 ᵃ11, 14. κ2. 1173 ᵃ12. Ρα5.
1360 ᵇ5. τα11. 104 ᵇ6. αἱρεῖσθαί τι ἀντί τινος Ρβ23.1399
ᵇ18. ποῖα ἀντὶ ποίων αἱρετόν Ηγ1. 1110 ᵃ30, ᵇ7. ὀρθῶς αἱ-
ρεῖσθαι Ηγ6. 1113 ᵃ18. ὐχ αἱρετέον ὁμοίως περὶ ἱματίων χ̣
φιλν ηεη2. 1237 ᵇ36. — αἱρεῖσθαι ἄτοπα Αγ33. 89 ᵃ27. αἱ-
ρεῖσθαι τὸ α (sc μᾶλλον) ἢ τὸ δ Αβ22. 68 ᵃ39. — αἱρετοὶ
ἄρχοντες, opp κληρωτοί, ἀρχαὶ αἱρεταί, opp κληρωταί (αἱρετοὶ
ἐκ πάντων, ἐξ αἱρετῶν κληρωτοὶ al) Πβ6. 1266 ᵃ9, 26. 8.
1268 ᵃ1, 12. δ9. 1294 ᵇ9, 12, 32. 14. 1298ᵃ23, 27,ᵇ7, 22.
15. 1299 ᵃ17. ε3. 1303 ᵃ15. Ηδ6. 1167 ᵃ31. αἱρετὴ τυραν-
νίς Πγ14. 1285 ᵃ31. ε10. 1310 ᵇ20. βασιλεῖαι αἱρεταί, opp
κατὰ γένος Πγ14. 1285 ᵃ16. — αἱρετόν, syn διωκτόν, opp
φευκτὸν Ηα5. 1097 ᵃ31. γ15. 1119 ᵃ22. η6. 1148ᵇ3, 4.
κ2. 1172 ᵇ20. Ρβ21. 1394ᵃ25. Αβ22. 68ᵃ25, 28,30. τβ7.
113 ᵃ3, 5. 11. 8. 113 ᵇ32sqq. γ3. 118 ᵇ33- 35. 4. 119 ᵃ3.
ε4. 133 ᵃ28. 6. 135 ᵇ15. ἕξεις αἱρεταί Πβ6. 1265 ᵃ35. αἱ-
ρετὸν δι᾽ αὐτό, δι᾽ ἕτερον Ηα5. 1097 ᵃ31. τγ1. 116 ᵃ29.
τὸ πρὸς δόξαν, τὸ διὰ τὴν δόξαν αἱρετὸν τγ3. 118 ᵇ21. μά-
λιστα αἱρετόν, ὁ μὴ δι᾽ ἕτερον μηδ᾽ ἑτέρα χάριν αἱρύμεθα
Ηκ2. 1172 ᵇ21. τὸ καλὸν χ̣ τὸ δι᾽ αὐτὸ αἱρετὸν Μλ7. 1072
ᵃ35. αἱρετὸν μὲν τὸ ἁπλῶς ἀγαθόν, αὐτῷ δὲ τὸ αὐτῷ (l
αὐτῷ) ἀγαθὸν ηεη2. 1237 ᵃ1. αἱρεταὶ καθ᾽ αὑτὰς σοφία χ̣
φρόνησις Ηζ13. 1144 ᵃ1. τὰ τῶν ἀρχιτεκτονικῶν τέλη αἱρε-
τώτερα τῶν ὑπ᾽ αὐτὰ Ηα1. 1094 ᵃ15. αἱρετώτερον μὲν
ἕτερον ἀγαθὸ ἢ μονώμενον Ηκ2. 1172 ᵇ28, 32, 34. α5.1097
ᵇ17. αἱρετώτερον τὸ αὐταρκέστερον Πβ2. 1261 ᵇ14. ὁ θά-
νατος τῆς τοιαύτης σωτηρίας αἱρετώτερος Ηγ11. 1116ᵇ20.
αἱρετωτέρα πολιτεία Πὁ11. 1296ᵇ11. γ15. 1286ᵇ5. αἱρετώ-
τερον τὸν νόμον ἄρχειν Πγ16. 1287 ᵃ19. κατὰ τὸ αἱρετώτερον
ἢ φευκτότερον εἶναί πως ἔχυσιν οἱ ὅροι Αβ22. 68 ᵃ25. πότερον
αἱρετώτερον ἢ βέλτιον δυεῖν τγ 1-4. ἡ εὐδαιμονία αἱρετωτάτη
μὴ συναριθμυμένη Ηα5. 1097ᵇ16. τίς αἱρετώτατος βίος Πη1.
αἱρετωτάτη ζωή, πολιτεία Πγ18. 1288 ᵃ37. δ2. 1289 ᵇ15.
τοῖς φίλοις αἱρετώτατον τὸ συζῆν Ηι12. 1171 ᵇ32.

αἵρεσις τῆς τροφῆς Πα8. 1256 ᵃ26. — αἵρεσις τῶν ἀρχῶν,
τῶν γερόντων sim Πγ11. 1282 ᵃ26 (syn ἀρχαιρεσίαι 1281
ᵇ33). δ14. 1298 ᵃ3. β9. 1271 ᵃ9. εἰς δατητῶν αἵρεσιν f381.
1541 ᵇ9. 383. 1541 ᵇ35, 1542 ᵃ2. αἱρέσει ἢ κλήρῳ Πὁ15.
1300 ᵃ19, 21, 23. 16. 1300ᵇ18. αἵρεσις δυναστευτικὴ Πε6.
1306 ᵃ18. ποιεῖσθαι τὴν αἵρεσιν Πβ9. 1271 ᵃ9. — αἵρεσις,
αἱρέσεις, opp φυγή, φυγαὶ τα11. 104 ᵇ2. Ηβ2. 1104ᵇ30.
ημα35. 1197 ᵃ2. β3. 1199 ᵃ5. τὰ ὑπὸ τὴν αἵρεσιν Ηβ2.
1104 ᵇ5. τὴν κατὰ τὸ καλὸν αἵρεσιν φίλαυτος ἔσται ημβ13.
1212 ᵇ6. πράξεις χ̣ αἱρέσεις τῶν φύσει ἀγαθῶν ηεη15. 1249
ᵃ25. περὶ τιμῆς αἵρεσιν χ̣ χρῆσιν ηεγ5. 1233 ᵃ4. ὡς πρὸς
δόξαν οὖσαν τὴν αἵρεσιν τῆς εὐγενείας f 82. 1490 ᵃ13. ἡ αἵ-
ρεσις τῦ ζῆν τιμία ηεα5. 1216 ᵃ15. ποιεῖσθαι τὴν αἵρεσιν
ηεα5. 1215 ᵇ35. διδόναι αἵρεσιν ηεα5. 1215ᵇ21. Ρβ24.1401
ᵇ36 (pro αἵρεσις scribendum videtur διαίρεσις Πη14. 1333
ᵃ34 e ci Schn δ6. 1292 ᵇ35).

αἶσα, etymol i q ἀεὶ ὖσα (αἰτία) κ7. 401 ᵇ14.

αἰσάλων, avis, descr, τίσι ζῴοις πολέμιος Ζυ1. 609 ᵇ30-34,
8. 36. 620 ᵃ18 (emerillon C, falco aesalon, merlin K Cr,
falconum species St Su p 100 n 13 ΑΖι I 93).

αἰσθάνεσθαι, αἰσθητός. cf αἴσθησις. a. τῷ αἰσθάνεσθαι τὸ
ζῷον πρὸς τὸ μὴ ζῷον διορίζομεν ζ1. 467 ᵇ24. υ2. 455ᵇ23.
ψα2. 403 ᵇ27. τῷ μὴ αἰσθάνεσθαι τὰ φυτὰ τί τὸ αἴτιον
ψβ12. 424 ᵃ33. τὰ αἰσθάνομενα ἢ πάντα κινητικά ψα5. 410
ᵇ19. — τὸ αἰσθάνεσθαι πάσχειν τι ἐστὶν ψβ11. 423 ᵇ31.

τὸ αἰσθάνεσθαι διχῶς λέγομεν, κατὰ δύναμιν, κατ' ἐνέργειαν (αἴσθησιν ἔχειν, αἰσθήσει χρῆσθαι) ψβ5. 417 ᵃ10. γ2. 426 ᵃ33. τε2. 129 ᵇ33 sqq. τὸ κατ' ἐνέργειαν αἰσθάνεσθαι ὁμοίως λέγεται τῷ θεωρεῖν ψβ5. 417 ᵇ19. αι4. 441 ᵇ23. χρῆσις αἰσθήσεως τὸ αἰσθάνεσθαι εν1. 458 ᵇ4. νοῆσαι μὲν ἐπ' αὐτῷ, 5 ὁπόταν βύληται, αἰσθάνεσθαι δ' ὐκ ἐπ' αὐτῷ· ἀναγκαῖον γὰρ ὑπάρχειν τὸ αἰσθητὸν ψβ5. 417 ᵇ24. τὸ αἰσθητὸν ἐνεργεῖν ποιεῖ τὴν αἴσθησιν αι2. 438 ᵇ22. τὸ αἰσθητὸν πρότερον τῆς αἰσθήσεως δοκεῖ εἶναι Κ7. 7ᵇ36. ἡ τῇ αἰσθητῇ ἐνέργεια χ τῆς αἰσθήσεως ἡ αὐτή ἐστι χ μία, τὸ δ' εἶναι 10 ὐ ταὐτὸν αὐταῖς ψγ2. 425 ᵇ26, 426 ᵃ1. cf γ8. 431 ᵇ28. ἀπελθόντος τῦ θύραθεν αἰσθητῦ ἐμμένει τὰ αἰσθήματα αἰσθητὰ ὄντα εν2. 460 ᵇ3. τὸ πάθος ἐστὶν ὐ μόνον ἐν τοῖς αἰσθανομένοις τοῖς αἰσθητηρίοις, ἀλλὰ χ ἐν πεπαυμένοις εν2. 459 ᵇ6. εἰ ἅπαν αἰσθάνεται χ ἥσθηται χ μή ἐστι γένεσις αὐτῶν 15 αι6. 446 ᵇ3. Μθ7. 1084 ᵇ23, 33 Bz. — ὅτε τῆς ψυχῆς ἴδιον τὸ αἰσθάνεσθαι ὅτε τῦ σώματος υι. 454 ᵃ7. cf τα15. 106 ᵇ23. αἰσθάνεσθαι αὐτῶν ἀπτομένοις, διὰ τῶν μεταξύ ψγ1. 424 ᵇ28, 29. βι1. 423 ᵇ7. αι4. 442 ᵇ1. — b. λεκτέον καθ' ἑκάστην αἴσθησιν περὶ τῶν αἰσθητῶν πρῶτον ψβ6. 418 ᵃ7. 20 αἰσθητὰ καθ' αὑτά, opp κατὰ συμβεβηκός ψβ6. 418 ᵃ16, 20-24. αἰσθητὰ ἴδια, opp κοινά (i ε κίνησις, ἠρεμία, ἀριθμός, σχῆμα, κίνησις. Trdlbg p 166 addit χρόνος) ψβ6. 418 ᵃ11-17. τὰ αἰσθητὰ (int ἴδια) πάντα ἔχει ἐναντίωσιν αι4. 442 ᵇ18. 6. 445 ᵇ24. Φη2. 244 ᵃ28. Γβ1. 329 ᵃ11. Μκ3. 1061 25 ᵃ32. τὸ αἰσθάνεσθαι κρίνειν ἐστίν, ὁ αἰσθανόμενος κρίνει πως τβ4. 111 ᵃ19. τὰ παθήματα τὰ αἰσθητὰ πότερον εἰς ἄπειρον διαιρετὰ αι6. 445 ᵇ3-446 ᵃ20. Ογ4. 303 ᵃ1. — αἰσθάνεσθαι πόρρωθεν Ζγε2. 781 ᵇ6. τὰς διαφορὰς τῶν ὑποκειμένων ὅτι μάλιστα αἰσθάνεσθαι Ζγε2. 781 ᵃ16, 17. ἑκάστῳ 30 μᾶλλον ἐστιν αἰσθάνεσθαι ἁπλῦ ὄντος ἢ κεκραμένα αι7. 447 ᵃ18. παντὸς αἰσθητὸ ὑπερβολὴ ἀναιρεῖ τὸ αἰσθητήριον ψγ13. 435 ᵇ13. 4. 429 ᵇ1. β12. 424 ᵃ29. ἐν τοῖς αἰσθητοῖς τὰ μικρὰ πάμπαν λανθάνει αι6. 446 ᵃ4. — πότερον ἐνδέχεται ὀυεῖν ἅμα αἰσθάνεσθαι αι7. τίνι αἰσθανόμεθα ὅτι διαφέρει τὰ 35 καθ' ἑκάστην αἴσθησιν αἰσθητά ψγ2. 426 ᵇ14. τίνι αἰσθανόμεθα ὅτι ὁρῶμεν ἢ ἀκούομεν ψγ2. 425 ᵇ12-25 (Alex Aphr ἀπ. κ. λ. ΙΙΙ 7). Ηι7. 1170 ᵃ31. αὐτῷ (codd αὐτὸ) αἰσθάνεσθαι ηει12. 1244 ᵇ26. ἀνάγκη ἕν τι εἶναι τῆς ψυχῆς, ᾧ ἅπαντα αἰσθάνεται αι7. 444 ᵃ9. δοκεῖ τισιν αἰσθάνεσθαι τὰ 40 ζῷα διὰ τὸν ἐγκέφαλον ζ3. 469 ᵃ22. Ζγε3. 783 ᵇ31. τὸ αἰσθάνεσθαι διὰ τῶν ἐναίμων γίνεται μορίων Ζμβ3. 10. 656 ᵇ25. — c. αἰσθάνεσθαι ἀναγκαῖον τόδε τι, τὸ καθ' ἕκαστον Αγ31. 87 ᵇ29, 37. τὰ αἰσθητὰ τῶν καθ' ἕκαστα ψβ5. 417 ᵇ27. Αα27. 43 ᵃ27. Οα9. 278 ᵃ10. αἰσθητόν, dist ἐπιστη- 45 τόν τβ8. 114 ᵃ21-25. αἰσθητὸν χ φρονεῖν ἢ φρονεῖν ὐ τι ψγ3. 427 ᵃ17-ᵇ8. (πότερον ἔστιν αἰσθάνεσθαι τῷ ὁμοίῳ τὸ ὅμοιον ψγ3. 427 ᵃ27) αἰσθάνεσθαι, dist δοξάζειν ψβ2. 413 ᵇ20. αἰσθάνεσθαι χ νοεῖν ὐ ταὐτόν ψγ3. 427 ᵇ8-29. τὸ αἰσθά- νεσθαι ὁμοίως τῷ φάναι μόνον χ νοεῖν ψγ7. 431 ᵃ8. περὶ ὧν 50 αἰσθανόμεθα, πολλάκις ὐ μαθεῖν τι εν1. 458 ᵇ16. ὑδ' ἂν αἰσθανόμενος μηθὲν ὐθὲν ἂν μάθοι ὐδὲ ξυνείη ψγ8. 432 ᵃ7. αἰσθάνεται μὲν τὸ καθ' ἕκαστον, ἡ δ' αἴσθησις τῦ καθόλω ἐστιν Αβ19. 100 ᵃ17. ἐν τοῖς εἴδεσι τοῖς αἰσθητοῖς τὰ νοητὰ ἐστιν ψγ8. 432 ᵃ5. — d. αἰσθάνεσθαι c acc, veluti αἰσθά- 55 νονται τὸ παρόντα, μεμνημένα τὰ γεγενημένα, ἐλπίζειν τὰ μέλλοντα Ρα11. 1370 ᵃ34. ψβ6. 418 ᵃ8. 9. 421 ᵃ11, 14, ᵇ10, 22. 11. 424 ᵃ2, 8. αι7. 448 ᵃ6,18. αἰσθάνεσθαι τὰς ἄλ- λας αἰσθήσεις πάσας Γα8. 324 ᵇ29. c gen, veluti χρόνω, αὐτὸς αὑτῆ, λευκῦ, λόγω ψβ6. 418 ᵃ23. αι7. 448 ᵃ5, 25, 60 26. Πα5. 1254 ᵇ22. ὑθενὸς αἰσθάνεται τῶν ὀσφραντῶν ἄνευ

τῇ λυπηρᾷ χ ἡδέος ψβ9. 421 ᵃ11. αἰσθάνεσθαι τῇ λυπηρᾷ χ ἡδέος Πα2. 1253 ᵃ13. ἐν ταῖς κινήσεσι τῇ οἴνω αἰσθάνονται αἱ πλεῖσται Ζιη5. 585 ᵃ32. (ad significandam percipiendi notionem uterque casus, ubi accedit πάθης alicuius notio, genetivus usurpari videtur. c part ὁ κροκόδειλος αἰσθάνεται ὠφελύμενος sim Ζιι6. 612 ᵃ22. 37. 622 ᵃ18. ᵃ10. 587 ᵇ8.— αἰσθητός. αἰσθητόν, opp νοητόν ψγ8. 431 ᵇ22. Μβ4. 999 ᵇ2. ἡμα 35. 1196 ᵇ25 sqq. τῶν αἰσθητῶν ὐκ ἔστιν ὁρισμὸς ὐδ' ἐπιστήμη Μζ15. cf 11. 1036 ᵇ29. ὐδὲν τῶν αἰσθητῶν ἔξω τῆς αἰσθήσεως γενόμενον ἴσμεν ὡς τῷ ἐνεργεῖν Αβ21. 67 ᵃ39. τε3. 131 ᵇ21. ἐπιστῆμαι τῶν αἰσθητῶν ψβ5. 417 ᵇ26. ἐν τοῖς αἰσθητοῖς πολλὴ ἡ τῦ ἀορίστω φύσις Μγ5. 1010 ᵃ13. πότερον τὰς αἰσθητὰς ὑσίας μόνας εἶναι φατέον Μβ2. 997 ᵃ34. 6. 1002 ᵇ12. κ2. 1059 ᵃ38. γ5. 1010 ᵃ3. ὑσία αἰσθητή, ἀΐδιος, μεταβλητή Μλ1. 1069 ᵃ30. 2. 1069 ᵇ3. ὐ καλῶς λέγωσιν οἱ πάντα τὰ αἰσθητὰ κινεῖσθαι φά- σκοντες ἀεί Φθ8. 265 ᵃ4. ΜΑ6. 987 ᵃ34. ὕλη αἰσθητή. opp νοητή Μη6. 1045 ᵃ34. τὸ αἰσθητὸν ἅπαν ἐν τῇ ὕλη Οα9. 278 ᵃ11. τὸ αἰσθητὸν πᾶν ἐστι μέγεθος, ἅπτον, ἐν τόπῳ αι7. 449 ᵃ20. Γβ2. 329 ᵇ7. Οα7. 275 ᵇ11. πᾶν σῶμα αἰ- σθητὸν ἔχει δύναμιν ποιητικὴν ἢ παθητικὴν Οα7. 275 ᵇ5. ἀριθ- μὸς αἰσθητός, dist μαθηματικός, νοητός, εἰδητικός ΜΑ8. 990 ᵃ16, 32. ν3. 1090 ᵇ36. cf α2. 1077 ᵃ6. — ἡ ἡδονὴ κα- τάστασις ἀθρόα τῷ αἰσθητῇ εἰς τὴν ὑπάρχυσαν φύσιν Ρα11. 1369 ᵃ34. Ηιι12. 1152 ᵇ13. — αἰσθητὸν. συνεχῶς μὲν ὐκ αἰσθητῶς δὲ παραγίνεται πρὸς τὰς ὄψεις χ3. 798 ᵇ27. αἰσθητὰ. τὸ μήτε τὰ αἰσθητὰ εἶναι μήτε τὰ αἰσθήματα ἴσως ἀληθές, τὸ δὲ ὑποκείμενα μὴ εἶναι, ἢ ποιεῖ τὴν αἴσθησιν, ἀδύνατον Μγ5. 1010 ᵇ32. τὰ αἰσθητὰ μηδὲν μεταβάλλοντα ποιεῖ ἕτερα αἰσθήματα τοῖς κάμνυσι Μκ6. 1063 ᵇ4. ἡ κί- νησις ἐνσημαίνεται οἷον τύπον τινὰ τῦ αἰσθήματος μν1. 450 ᵃ31. χ ἀπελθόντος τῦ θύραθεν αἰσθητῦ ἐμμένει τὰ αἰσθή- ματα αἰσθητὰ ὄντα εν2. 460 ᵇ2. μονὴ αἰσθήματος Αδ19. 99 ᵇ36 (cf μνήμη 100 ᵃ3). τὸ ἐνύπνιον αἴσθημα τρόπον τινὰ υ2. 456 ᵃ26. τὰ φαντάσματα χ αἱ ὑπόλοιποι κινήσεις αἱ συμβαίνυσαι ἀπὸ τῶν αἰσθημάτων εν3. 461 ᵃ19. ὑπόλειμμα τῦ ἐν τῇ ἐνεργεία αἰσθήματος ε3. 461 ᵇ22. τὰ φαντά- σματα ὥσπερ αἰσθήματά ἐστι πλὴν ἄνευ ὕλης ψγ8. 432 ᵃ9. τῇ διανοητικῇ ψυχῇ τὰ φαντάσματα οἷον αἰσθήματα ὑπάρχει ψγ7. 431 ᵃ15. φύσει διηνέχθησαν τά τε νοήματα χ τὰ αἰσθήματα f 76. 1488 ᵇ29.

αἴσθησις. 1. a. (αἴσθησις universe) τὸ ζῷον αἰσθήσει ὥρισται, διαφέρει αἰσθήσει τὰ ζῷα τῶν ζώντων μόνον, τῶν φυτῶν Ζμγ4. 666 ᵃ34. β1. 647 ᵃ21. 10. 656 ᵃ3. δ'5. 681 ᵃ19. Ζγα23. 731 ᵃ33, ᵇ4. β1. 732 ᵃ11. 5. 741 ᵃ9. γ7. 757 ᵇ16. ει. 778 ᵇ32. ψβ2. 413 ᵇ1. αι436 ᵇ11. ζ1. 467 ᵇ24. ΜΑ1. 980 ᵃ28. Ηι9. 1170 ᵃ16. ζ2. 1139 ᵃ20. (δοκεῖ ἡ ὁ σπόγ- γος ἔχειν τινὰ αἴσθησιν Ζια1. 487 ᵇ10. οἱ ἐκ φύσεως ἀλό- γιστοι χ μόνον τῇ αἰσθήσει ζῶντες θηριώδεις Ηι6. 1149 ᵃ10). αἱ αἰσθήσεις δυνάμεις συγγενεῖς Μθ5. 1047 ᵇ32. cf Ηβ1. 1103 ᵃ28, 29. — ἡ αἴσθησις ἐν τῷ κινεῖσθαί τε χ πάσχειν συμβαίνει, δοκεῖ γὰρ ἀλλοίωσίς τις εἶναι ψβ5. 416 ᵇ33. 4. 415 ᵇ24. εν2. 459 ᵇ5. Φη2. 244 ᵇ11, 25. Μγ5.1009 ᵇ13. sed quoniam διχῶς λέγεται ἡ αἴσθησις, ἡ μὲν ὡς δυ- νάμει, ἡ δὲ ὡς ἐνεργεία ψβ5. 417 ᵃ13. γ2. 426 ᵃ23. 3. 428 ᵃ6, ea significatione, quae est σωτηρία τῦ δυναμει ὄντος χ τῇ ἐντελεχεία ὄντος, et cum τῷ θεωρεῖν τὸν ἐπιστήμην ἔχοντα comparatur (ψβ5. 417 ᵇ3), ὐκ ἔστιν ἀλλοίωσις ἀλλ' ἐνέρ- γεια τῦ αἰσθητικῦ ἢ ἕτερον γένος ἀλλοιώσεως ψγ7. 431 ᵃ5. β5. 417 ᵇ2. γ5. 429 ᵇ29 (cf omnino ψβ5. 12 et Volkmann Arist Psych p 15). αἰσθήσεως πάσης πρὸς τὸ αἰσθητὸν

ἐνεργούσης Ηκ4. 1174 ᵇ14. ἢ μόνον πάσχει ἀλλὰ κ̧ ἀντι-
ποιεῖ τὸ τῶν χρωμάτων αἰσθητήριον εν2. 460 ᵃ25. ταχεῖα ἡ
αἴσθησις εν2. 460 ᵃ24. ἡ αἴσθησις τὰ αἰσθητά πως, εἶδος
αἰσθητῶν, δεκτικὸν τῶν αἰσθητῶν εἰδῶν ἄνευ τῆς ὕλης ψγ8.
431 ᵇ23, 432 ᵃ2. β12. 424 ᵃ18. ἡ αἴσθησις ἢ μέγεθος ἀλλὰ   5
λόγος τις κ̧ δύναμις ἐκείνη ψβ12. 424 ᵃ27, 31. ἡ αἴσθησις
μεσότης τις τῆς ἐν τοῖς αἰσθητοῖς ἐναντιώσεως ψβ11. 424
ᵃ4. ἡ αἴσθησις δύναμις σύμφυτος κριτικὴ Αδ19. 99 ᵇ35.
ψγ9. 432 ᵃ16. (Platoni ἡ αἴσθησις τῷ στερεῷ ψα2. 404 ᵇ23).
τῇ αἰσθήσει quae intercedat ad τὸ αἰσθητὸν ratio ψγ2. 425   10
ᵇ25-426 ᵇ8. τὸ αἰσθητὸν πρότερον τῆς αἰσθήσεως δοκεῖ εἶναι
Κ7. 7 ᵇ36. ἡ τῷ αἰσθητῷ ἐνέργεια κ̧ τῆς αἰσθήσεως ἡ αὐτὴ
μέν ἐστι κ̧ μία, τὸ δ᾽ εἶναι ἢ ταὐτὸν αὐταῖς ψγ2. 425 ᵇ26,
426 ᵃ15. αι3. 439 ᵃ15. τῇ αἰσθήσει ὔτε τὸ μέλλον ὔτε τὸ
γενόμενον, ἀλλὰ τὸ παρὸν μόνον γνωρίζομεν μν1. 449 ᵇ14.   15
ἀπελθόντων τῶν αἰσθητῶν ἔνεισιν αἱ αἰσθήσεις κ̧ φαντασίαι
ἐν τοῖς αἰσθητηρίοις ψγ2. 425 ᵇ25. εν2. 459 ᵃ24 sqq. αἰσθή-
σις. list φαντασία ψγ3. 428 ᵃ5-16, 27. β2. 413 ᵇ22. Μγ5.
1010 ᵇ3. cf εν2. 460 ᵇ24. Ζκ7. 701 ᵇ17. τὸ ἐγρηγορέναι
ὥρισται τῷ λελῦσθαι τὴν αἴσθησιν υι. 454 ᵇ1. εν3. 462 ᵃ18.   20
κ̧ καθεύδουσι τοῖς ζῴοις αἰσθήσεις συμβαίνειν Ζγε1. 779
ᵃ13. — ἡ αἴσθησις κίνησίς τις διὰ σώματος τῆς ψυχῆς ἐστί,
κοινὸν ψυχῆς κ̧ σώματος Φη2. 244 ᵇ11. υι. 454 ᵃ9, 10. αι1.
436 ᵃ8, ᵇ6. ἡ αἴσθησις ἐγγίγνεται ἐν τοῖς ὁμοιομερέσι Ζμβ1.
647 ᵃ5, 21. τῷ κινεῖσθαι τὸ μεταξὺ τῆς αἰσθήσεως ὑπὸ τῷ   25
αἰσθητῷ γίνεσθαι τὴν αἴσθησιν αι3. 440 ᵃ19. ἢδὲν ἀπτόμενον
τὸ αἰσθητήριῳ ποιεῖ τὴν αἴσθησιν ψβ7. 419 ᵃ26. 11. 423 ᵇ21.
αἰσθήσεις ἅπτικαι, dist δι᾽ ἄλλ̷ αι5. 445 ᵃ7.

b. (αἴσθησις τῶν ἰδίων, αἰσθήσεων diversitas, αἴσθησις
κοινή) αἴσθησις τῶν ἰδίων, dist τῶν οἶς συμβέβηκε τὰ ἴδια,   30
τῶν κοινῶν ψγ3. 428 ᵇ18-25. λέγω δ᾽ ἴδιον ὃ μὴ ἐνδέχεται
ἑτέρᾳ αἰσθήσει αἰσθάνεσθαι κ̧ μὴ ἐνδέχεται ἀπατη-
θῆναι ψβ6. 418 ᵃ11. ὑπάρχει καθ᾽ ἑκάστην αἴσθησιν τὸ μέν
τι ἴδιον τὸ δέ τι κοινόν υ2. 455 ᵃ13. ἑκάστη αἴσθησις ἓν
αἰσθάνεται, ἑνὸς γένους ἐστί, μιᾶς ἐναντιώσεως ψγ1. 425 ᵃ20.   35
β11. 422 ᵇ23, 424 ᵃ4, 11. Μγ2. 1003 ᵇ19. τα15. 106 ᵃ30.
ταῦτα (τὰ ὁμοιομερῆ σώματα) διαφέρει ἀλλήλοις τοῖς τε
πρὸς τὰς αἰσθήσεις ἰδίοις κ̧ τῷ ποιεῖν τι δύνασθαι μδ8.
385 ᵃ1. ἡ αἴσθησις τῶν ἰδίων ἀληθής ἐστι ἢ ὅτι ὀλίγιστον
ἔχουσα τὸ ψεῦδος ψγ3. 428 ᵇ18, ᵃ11. 427 ᵇ12. Μγ5. 1010   40
ᵇ2, 15. Ηζ2. 1139 ᵃ18. ἀπατώμεθα περὶ τὰς αἰσθήσεις (i e
περὶ τὰ οἷς συμβέβηκε τὰ ἴδια) ἐν τοῖς πάθεσιν ὄντες εν2.
460 ᵇ4. — τίνος ἕνεκα πλείους ἔχομεν αἰσθήσεις ἀλλ᾽ ἢ μίαν
μόνην ψγ1. 425 ᵇ4-11. ὅτι ὐκ ἔστιν αἴσθησις ἑτέρα παρὰ
τὰς πέντε ψγ1. 424 ᵇ22-425 ᵃ13 (Alex Aph απ. κ.λ. III 6   45
Bz Ar St II 36). αι5. 444 ᵇ19. ad τὰ ἁπλᾶ σώματα quo-
modo referantur singula αἰσθήσεως genera ψγ1. 424 ᵇ30-
425 ᵃ9 (cf αἰσθητήριον). περὶ τῶν αἰσθήσεων τῶν ζῴων, τίσι
πᾶσαι ὑπάρχουσι, τίσιν ἐλάττης Ζιδ8. ψγ12. αι1. 436 ᵇ18.
πᾶσι τοῖς ζῴοις ὑπάρχει κοινὴ κ̧ ἀναγκαιοτάτη αἴσθησις, ἁφή   50
(ἁφὴ κ̧ γεῦσις) ψβ2. 413 ᵇ4, 9, 414 ᵃ2. Ζα3. 489 ᵃ17.
θ12. 596 ᵇ24. Ζμβ8. 653 ᵇ23. cf ἁφή 2. τῶν αἰσθήσεων
τίνες ἀναγκαῖαι, τῆς σωτηρίας ἕνεκα, τίνες τῷ εὖ ἕνεκα αι1.
436 ᵇ20-437 ᵃ1. ψγ12. 434 ᵇ24. 13. 435 ᵇ20. f 39. 1481
ᵃ13, 15. ὐκ ἔστιν ὐδὲ τοῖς ἄλλοις ζῴοις κατὰ ταύτας τὰς   55
αἰσθήσεις (ὄψιν, ἀκοήν, ὄσμήν) εἰδέναι πλὴν κατὰ συμβε-
βηκός Ηγ13. 1118 ᵃ17. τί συμβάλλονται αἱ αἰσθήσεις (prae-
cipue ὄψις et ἀκοή) πρὸς φρόνησιν αι1. 437 ᵃ3-17. ἔχου-
σαι αἰσθήσεις ἐπὶ τὸ πρόσθεν, ἐκ τῷ πλαγίῳ Ζια15. 494 ᵇ11.
Ζπ4. 705 ᵇ12. ἀκριβέστεραι γίνονται αἱ αἰσθήσεις διὰ τῶν   60
καθαρωτέρων ἐχόντων τὸ αἷμα μορίων Ζμβ10. 656 ᵇ3. 4. 650

ᵇ22. διαφέρει ὄψις ἁφῆς καθαριότητι κ̧ ἀκοὴ κ̧ ὄσφρησις
γεύσεως Ηκ5. 1175 ᵇ36. τὴν ὀσμὴν ὐκ ἔχομεν ἀκριβῆ, ἀλλὰ
χείρω πολλῶν ζῴων ψβ9. 421 ᵃ9. ἡ ἀκοὴ ἀμβλυτέρα ὄψεως,
ἡ ὄψις ἐναργεστάτη αἴσθησις πζ5. 886 ᵇ32, 35. αἰσθήσεις
ἀδιάφθορος μεη2. 1236 ᵃ1. ἡ αἴσθησις ὃ δύναται αἰσθάνεσθαι
ἐκ τῷ σφόδρα αἰσθητῷ ψγ4. 429 ᵃ31. — πότερον ἐνδέχεται
δυεῖν ἅμα αἰσθάνεσθαι αι7. διὰ τί τῶν αἰσθήσεων αὐτῶν ὃ
γίνεται αἴσθησις ψβ5. 417 ᵃ3. cf Μλ9. 1074 ᵇ35. τίνι κρί-
νομεν τὰς ἐξ ἑτέρων αἰσθητηρίων αἰσθήσεις πρὸς ἀλλήλας
ψγ2. 426 ᵇ8-427 ᵃ16. τὰ ἀλλήλων ἴδια κατὰ συμβεβηκὸς
αἰσθάνονται αἱ αἰσθήσεις, ὐχ ᾗ αἱ αὐταί, ἀλλ᾽ ᾗ μία ψγ1.
425 ᵃ31. ὐχ οἷόν τε κεχωρισμένως κρίνειν τὰ κεχωρισμένα
ψγ2. 426 ᵇ23. ἔστι μία αἴσθησις κ̧ τὸ κύριον αἰσθητήριον
ἓν υ2. 455 ᵃ20. κοινὰ ἐστι τὰς αἰσθήσεις οἷον σχῆμα κ̧
μέγεθος κ̧ κίνησις κ̧ τἆλλα τοιαῦτα εν1. 458 ᵇ5. αι4. 442
ᵇ4 sqq. Ηζ9. 1142 ᵃ27. κοινὴ αἴσθησις (πρῶτον αἰσθητικόν)
μν1. 450 ᵃ10-12. Ζμδ10. 686 ᵃ31. ἀρχὴ τῆς αἰσθήσεως εν3.
461 ᵃ6, ᵇ4. τὸ κύριον τῶν αἰσθήσεων ἐν τῇ καρδίᾳ τοῖς ἐναί-
μοις πᾶσιν ζ3. 469 ᵃ10. υ2. 455 ᵇ34, 456 ᵃ6. Ζμβ10. 656
ᵃ28. γ3. 665 ᵃ12. Ζγβ6. 743 ᵇ26. αἱ μὲν τῶν αἰσθήσεων
φανερῶς συντείνουσι πρὸς τὴν καρδίαν ζ3. 469 ᵃ20 (cf αἰσθη-
τήριον). ὐκ ἔχει αἴσθησιν τὸ αἷμα Ζιγ19. 520 ᵇ11. Ζμβ3.
650 ᵇ4. ἐν τοῖς ἀναίμοις τὸ κύριον τῆς αἰσθήσεως ἀνάλογον
τι μόριον Ζμδ5. 681 ᵇ15, 32.

c. (αἴσθησις—ἐπιστήμη). τῶν καθ᾽ ἕκαστον ἡ κατ᾽ ἐνέρ-
γειαν αἴσθησις, ἡ δ᾽ ἐπιστήμη (ὁ λόγος) τῶν καθόλυ ψβ5.
417 ᵇ22. Αγ18. 81 ᵇ6. 24. 86 ᵃ29. Φα5. 189 ᵃ7. Ηβ9. 1109
ᵇ23. η5. 1147 ᵃ26. 11. γεννῦνται ἐξ αἰσθήσεως
τὰ καθ᾽ ἕκαστα, πορρωτάτω τὰ καθόλυ Αγ2. 72 ᵃ4. ΜΑ2.
982 ᵃ25. γνωριμώτερα κατὰ τὴν αἴσθησιν (ἡμῖν), opp κατὰ
τὸν λόγον Φα5. 188 ᵇ32, 189 ᵃ5. Αγ2. 72 ᵃ2. κατὰ τὴν
αἴσθησιν, opp κατὰ τὸν λόγον ζ2. 468 ᵃ22. ΜΑ5. 986 ᵃ32.
δ11. 1018 ᵇ32. Ζγα2. 716 ᵃ19. Γα3. 318 ᵇ29. Ηκ1. 1172
ᵃ36. πη4. 482 ᵇ19, 21. ἐπὶ τῆς αἰσθήσεως, ἐπὶ τῷ λόγῳ
Φθ8. 262 ᵃ18. Ζγβ4. 740 ᵃ4. διὰ τῶν λόγων, διὰ τῆς αἰ-
σθήσεως Πη7. 1328 ᵃ21. τὰ κατὰ τὴν αἴσθησιν ὁμολογούμενα
τοῖς λόγοις sim Γβ10. 336 ᵇ16. 4. 331 ᵇ24. α8. 325 ᵃ13.
ματ. 344 ᵃ5. Ζια6. 491 ᵃ25. Ζγγ10. 760 ᵇ31. Μι3. 1054
ᵃ29. — δι᾽ αἰσθήσεως ὐκ ἔστιν ἐπίστασθαι Αγ31. αἴσθησις,
dist ἐπιστήμη. φρόνησις, σοφία τβ8. 114 ᵃ21-25. ΜΑ1. 981
ᵇ10, 12. 2. 982 ᵃ12. β4. 999 ᵇ3. γ5. 1009 ᵇ13. nec tamen
ab αἰσθήσει ἡ ἐπιστήμη seiuncta est. ἡ αἴσθησις τῷ τοιῷδε
κ̧ μὴ τῷδέ τινος Αγ31. 87 ᵇ29, 37. ψβ12. 424 ᵃ24. πῶς
τὰ καθόλυ ἐκ τῆς αἰσθήσεως γίγνεται Αδ2. 90 ᵃ26 sqq. 19.
100 ᵃ3 sqq. εἴ τις αἴσθησις ἐκλέλοιπεν, ἀνάγκη κ̧ ἐπιστήμην
τινὰ ἐκλελοιπέναι Αγ18. 81 ᵃ38. ὐδὲ νοεῖ ὁ νῦς τὰ ἐκτὸς
μὴ μετ᾽ αἰσθήσεως ὄντα κό. 445 ᵇ17. ἡ αἴσθησις γνῶσίς
τις Ζγα23. 731 ᵃ33. τὴν ἐπιστήμην μέτρον τῶν πραγμά-
των λέγομεν κ̧ τὴν αἴσθησιν διὰ τὸ αὐτό Μι1. 1053 ᵃ32-35.
ἡ φαντασία κ̧ ἡ αἴσθησις τὴν αὐτὴν τῷ νῷ χώραν ἔχουσι
Ζι6. 700 ᵇ20. ἡ αἴσθησις κ̧ ἡ διάνοια τῷ ἠρεμεῖν τὴν ψυχὴν
ἐνεργεῖ πλ14. 959 ᵇ39.

d. (dicendi usus). ἡ αἴσθησις (sc. γίγνεται) ἐν τῷ ἄκρῳ
τῆς γλώττης, διὰ τῆς ἀναπνοῆς Ζια11. 492 ᵇ27. Ζμβ10.
657 ᵃ7. ποιεῖν τὴν αἴσθησιν et τὰ αἰσθητήρια et τὰ αἰσθητὰ
dicuntur Ζμβ3. 660 ᵃ3. δ11. 690 ᵇ30. ψβ7. 419 ᵃ26. Ηγ13.
1118 ᵃ19. πιγ5. 908 ᵃ27 (sed aliter dictum est ποιεῖν τὴν
αἴσθησιν δι᾽ ἁφῆς αι3. 440 ᵃ18, i e referre αἴσθησιν ad ἁφήν,
explicare αἴσθησιν ἐξ ἁφῆς, cf ποιεῖν). ἐμποιεῖν αἴσθησιν
Ζμβ2. 648 ᵇ14. τὸ μόριον, ᾧ ποιοῦνται τὴν αἴσθησιν τῆς τρο-
φῆς Ζμβ17. 661 ᵃ9. ἔχειν αἴσθησίν τινος Ζιι31. 618 ᵇ16.

Πϑ5. 1340 ᵃ3 (latiore sensu ἔχειν αἴσθησίν τινος i q usum habere alicuius rei, novisse aliquid Ηζ12. 1143 ᵇ5. Πα2. 1253 ᵃ17. γ11. 1281 ᵇ35. cf Zeller Gesch II 2. 504, 2. ἡ φύσις βύλεται τὴν τῶν τέκνων ἐπιμελητικὴν αἴσθησιν παρασκευάζειν Ζγγ2. 753 ᵃ8). λαμβάνειν αἴσθησίν τινος Φδ11. 219 ᵃ25. πε17. 882 ᵇ19. (sed ὅταν ἐν τῇ μητρὶ λάβῃ πρῶτον αἴσθησιν Ζγε1. 778 ᵇ22 i e τὴν τῆς αἰσθήσεως δύναμιν, ἀρχήν). δῆλον (ἄδηλον) τῇ αἰσθήσει. διὰ τῆς αἰσθήσεως Ζια6. 491 ᵃ23. Με1. 1025 ᵇ11. κ7. 1064 ᵃ8. δῆλον, σημεῖον πρὸς τὴν αἴσθησιν Ζγδ1. 763 ᵇ28. μβ8. 366 ᵇ30. δ4. 382 ᵃ18. Γα10. 327 ᵇ33, 328 ᵃ13. μχ1. 849 ᵇ27. τὰ κατὰ τὰς αἰσθήσεις, syn τὰ αἰσθητά Μκ6. 1063 ᵇ2, 3. ὑπὲρ τὰς αἰσθήσεις τὰς ἡμετέρας εἶν τὸ ἀξίωμα Μμ2. 1077 ᵃ30. λίαν ἐστὶ παρὰ τὴν αἴσθησιν Ζγβ8. 747 ᵇ10.

2. αἴσθησις i q αἰσθητήριον (quamquam plerumque αἰσθήσεις et αἰσθητήρια distinguuntur, veluti Ζια15. 494 ᵇ11). τῷ κινεῖσθαι τὸ μεταξὺ τῆς αἰσθήσεως ὑπὸ τῶ αἰσθητῶ γίνεσθαι τὴν αἴσθησιν αι3. 440 ᵃ19. ἐπὶ τῶν ἄλλων αἰσθητηρίων φανερωτέρως ἐστὶν ἡ αἴσθησις διφυής, ὦτα γὰρ δύο Ζμβ10. 657 ᵃ3. ἐξέθετο ἡ φύσις ἐν τῇ κεφαλῇ τῶν αἰσθήσεων ἐνίας Ζμδ10. 686 ᵃ8. πάσας τὰς αἰσθήσεις ἐν τῇ κεφαλῇ εἶναι f 90. 1492 ᵃ30. μεταφέρειν τὴν αἴσθησιν εν2. 459 ᵇ9. αἰσθήσεις ἐπιπεπλασμέναι τῶν μεθυόντων πγ27.875 ᵃ31. τὰς αἰσθήσεις βεβαρύνθαι διὰ τὰς τῶν σιτίων πληρώσεις φ6. 810 ᵇ22. αἱ αἰσθήσεις αἱ ἐν τοῖς δεξιοῖς, ἀριστεροῖς πλα12. 958 ᵇ16.

3. αἴσθησις interdum a notione actionis vel facultatis τῶ αἰσθάνεσθαι transfertur (cf ποίησις, πρᾶξις sim) ad ea quae sensibus percipiuntur. ὁ ὁποιανῶν εὑρὼν τέχνην παρὰ τὰς κοινὰς αἰσθήσεις θαυμάζεται· ἡ τῶν αἰσθήσεων ἀγάπησις ΜΑ1. 981 ᵇ14, 980 ᵃ22. inde explicatur αἱ ἐξ ἀνάγκης ἀκολυθῦσαι αἰσθήσεις τῇ ποιητικῇ πο15. 1454 ᵇ17 (Bernays Dial p 5-7 Vhl Poet II 79) cf 1.1451 ᵃ6. Ρβ8. 1386 ᵃ32 (αἰσθήσει cod Aᶜ, Vhl l l, ἐσθῆτι Bk).

αἰσθητήριον. τὸ αἰσθητήριον δεκτικὸν τῶ αἰσθητῶ ἄνευ τῆς ὕλης ἑκαστηρῆ. υ2. 425 ᵇ23. Ζμβ1. 647 ᵃ7. τὰ αἰσθητήρια ὁμοιομερῆ, opp τῶν ὀργανικῶν μερῶν ἑκαστον ἀνομοιομερές Ζμβ1. 647 ᵃ2-14. τῶν αἰσθητηρίων ἕκαστον πρὸς ἕκαστον ἐπιζευγνύυσι τῶν στοιχείων Ζμβ1. 647 ᵃ12. 10. 656 ᵇ16. Ζγε1. 779 ᵇ25. ψγ1. 425 ᵃ3-7. αι2. 437 ᵃ19, 438 ᵇ18. ὐδὲν ἀπότόμενον τῶ αἰσθητηρίω ποιεῖ τὴν αἴσθησιν ψβ7. 419 ᵃ26, 14, 28, 29. cf 11. 422 ᵇ22, 423 ᵇ29. 12. 424 ᵃ24. Ζμβ10. 656 ᵇ35. Ζγε2. 781 ᵇ16. παντὸς αἰσθητῶ ὑπερβολὴ ἀναιρεῖ τὸ αἰσθητήριον ψγ13. 435 ᵇ15. 12. 424 ᵃ29. ταχὺ τὰ αἰσθητήρια κ̔ μικρὰς διαφορὰς αἰσθάνεται εν2. 459 ᵇ14. τὸ πάθος ἐστὶν ἐν μόνον τὸ αἰσθανομένοις τοῖς αἰσθητηρίοις. ἀλλὰ κ̔ ἐν πεπαυμένοις εν2. 459 ᵇ6. εἰσὶ κινήσεις φανταστικαὶ ἐν τοῖς αἰσθητηρίοις εν3. 462 ᵃ9. — τίνα τῶν ζῷων πάντα ἔχει τὰ αἰσθητήρια Ζιδ8. ψ12. Ζμδ11. 691 ᵃ11. cf Πδ4. 1290 ᵇ27, 31. τὸ γευστικὸν, ὀσφραντικὸν αἰσθητήριον ψβ10. 422 ᵇ5. 9. 421 ᵇ32. τὰ αἰσθητήρια φανερά, μὴ φανερά Ζιβ13. 505 ᵃ33. 10. 502 ᵇ35. δ8. 533 ᵃ19. Ζμβ10. 656 ᵇ36. τὰ αἰσθητήρια καλῶς τέτακται τῇ φύσει Ζμβ10. 656 ᵃ33, ᵇ26 sqq. Ζια15. 494 ᵇ11-18. αἱ3. 445 ᵃ25. αἰσθητήρια διμερῆ, διπλᾶ, διφυῆ Ζμβ10. 656 ᵇ33, 657 ᵃ3. τὸ αἰσθητήριον ἓν ψβ9. 421 ᵃ12. ἡ παρὰ τὰς διαφορὰς ἀκρίβεια τῶ αἰσθητηρίω ἐν τῷ τὸ αἰσθητήριον καθαρὸν εἶναι Ζγε2. 781 ᵇ3, 20. cf β6. 744 ᵇ23. αἰσθητήριον διεφθαρμένον, λελωβημένον Μκ6. 1063 ᵃ2.— τῶν κοινῶν ὐδὲν αἰσθητήριον ἴδιον ψγ1. 425 ᵃ13-ᵇ3. τῶν ἰδίων αἰσθητηρίων ἓν τι κοινὸν ἁμαρτ αἰσθητήριον ζ1. 668. 3. ᵃ469 ᵃ12. υ2. 455 ᵃ20. (cf αἴσθησις 1b). ἔστι μία αἴσθησις κ̔ τὸ κύριον αἰσθητήριον ἓν υ2. 455 ᵃ21. τὰ αἰσθητήρια ἐπὶ

πόρων εἰσὶν Ζγβ6. 743 ᵇ36, 37. φλέβες εἰς τὰ αἰσθητήρια ἀποτελευτῶσιν Ζιγ3. 514 ᵃ22. οἱ πόροι τῶν αἰσθητηρίων πάντων τείνυσι πρὸς καρδίαν Ζγε2. 781 ᵃ21. ἡ ἀρχὴ τῶ αἰσθητηρίω τῶ τῆς ἀκοῆς Ζγε2. 781 ᵃ32.

αἰσθητικός (cf αἴσθησις 1). a. ὥρισται ἡ ψυχὴ θρεπτικῷ, αἰσθητικῷ, διανοητικῷ, κινήσει ψβ2. 413 ᵇ12. 3. 414 ᵃ32. ἡ αἰσθητικόν, ταύτην τὸ σῶμα ζῷον εἶναι λέγομεν ζ3. 469 ᵃ19. ψβ3. 414 ᵇ1. Κ7. 8 ᵃ7. Ζγβ3. 736 ᵃ30. αἰσθητικὴ ζωὴ κοινὴ παντὶ ζῴω Ηα6. 1098 ᵃ2. αἰσθητικὴ ψυχὴ Ζγβ3. 736 ᵇ1, 14. 5. 741 ᵃ11. ψα3. 407 ᵃ5. ἄνευ τῶ θρεπτικῶ τὸ αἰσθητικὸν ὐκ ἔστιν. ἡ δὲ θρεπτικὴ ψυχὴ χωρίζεται τῆς αἰσθητικῆς ἀρχῆς ψβ3. 415 ᵃ1, 414 ᵇ31. α5. 411 ᵇ30. — τὸ αἰσθητικὸν ὐκ ἔστιν ἐνεργείᾳ, ἀλλὰ δυνάμει μόνον ψβ5. 417 ᵃ6. τῶ αἰσθητικῶ μορία ἡ πρώτη μεταβολὴ γίνεται ὑπὸ τῶ γεννῶντος ψβ5. 417 ᵇ16. γίνεσθαι τὰς ἀποβολὰς κ̔ λήψεις ἀναγκαῖον ἀλλοιωμένα τὸ αἰσθητικῶ μέρους Φη3. 247 ᵃ6. αἰσθητικὴ κίνησις Φϑ2. 253 ᵃ19. τὸ αἰσθητικὸν δύναμις δίχως (τὸ μὲν ὡς ἀπεπιστήμον, τὸ δ᾽ ὡς ἐπιστήμην ἔχον ἀλλὰ μὴ θεωρῶν) ψβ5. 417 ᵇ32 (cf αἴσθησις 1a), inde τὸ αἰσθητικὸν ᾗ πάσχει ὐδ᾽ ἀλλοίωται ψγ7. 431 ᵃ5. ὐχ ὁμοία ἡ ἀπάθεια τῶ αἰσθητικῶ κ̔ τῶ νοητικῶ ψγ4. 429 ᵃ30. τὸ αἰσθητικὸν δυνάμει ἐστὶν οἷον τὸ αἰσθητὸν ἤδη ἐντελεχείᾳ ψβ5. 418 ᵃ3. μία ἐστὶν ἐνέργεια ἡ τῶ αἰσθητῶ κ̔ ἡ τῶ αἰσθητικῶ, τὸ δ᾽ εἶναι ἕτερον ψγ2. 426 ᵃ16, 11. 8. 431 ᵇ26. — b. τὸ αἰσθητικὸν ὐκ ἄνευ σώματος ψγ4. 429 ᵇ5. ὐθὲν ἄνευ θερμότητος τὸ αἰσθητικὸν ψγ1. 425 ᵃ6. τὰ αἰσθητικὰ μόρια πῶς ἐπιζεύγνυται πρὸς ἕκαστον τῶν στοιχείων αι2. cf αἰσθητήριον. τὸ αὐτὸ κ̔ ἐν ἀριθμῶ τὸ αἰσθητικὸν πάντων αι7. 449 ᵃ17. τὸ πρῶτον αἰσθητικὸν μν1. 450 ᵃ11. υ1. 454 ᵃ23. ὐτ᾽ ἄναιμον ὐδὲν αἰσθητικὸν ὔτε τὸ αἷμα Ζμβ10. 656 ᵇ19. γ4. 666 ᵃ17. αἰσθητικώτερον τὸ λεπτότερον, καθαρώτερον ἄκον αἷμα Ζμβ2. 648 ᵃ3. 10. 656 ᵇ6. διὰ τί ὁ ἄνθρωπος αἰσθητικώτατον τῶν ζῴων τὴν διὰ τῆς ἀφῆς αἴσθησιν Ζμβ16. 660 ᵃ12. αἰσθητικὸν πρῶτον τὸ πρῶτον ἔναιμον, τοιῶτον δ᾽ ἡ καρδία Ζμγ4. 666 ᵃ34 (τῶν αἰσθητικῶν ἡ καρδία ἀρθρωδεστέρα, μαλακωτέρα, τῶν νωθροτέρων, ἀναισθήτων ἀκροθρότερα, σκληρὰ Ζμγ4. 667 ᵃ9, 14). μία αἰσθητικὴ ψυχὴ, ψυχῆς αἰσθητικῆς ἀρχή, αἰσθητικὴ ἀρχή Ζμγ5. 667 ᵇ13, 29. γ10. 672 ᵇ16. δ5. 678 ᵇ2. ζ2. 468 ᵇ4. αἰσθητικὸς τόπος μν2. 453 ᵃ24. — c. τὸ αὐτὸ τῷ αἰσθητικῷ τὸ φανταστικόν, τὸ δ᾽ εἶναι ἕτερον ι. 459 ᵃ16, 458 ᵃ30. αἰσθητικὸν εἶναι κ̔ δοξαστικὸν ἕτερον ψβ2. 413 ᵇ29. τὸ αἰσθητικὸν ὔτε ἄλογον ὔτε λόγον ἔχον ψγ9. 432 ᵃ30. τὸ ἐνύπνιον πότερον τῶ νοητικῶ πάθος ἢ τῶ αἰσθητικῶ εν1. 458 ᵇ2. φαντασία αἰσθητικὴ, dist λογιστικὴ (βυλευτικὴ) ψγ10. 433 ᵇ29. 11. 434 ᵃ5. ἐπιστήμη αἰσθητικὴ, dist μαθηματικὴ Αγ13. 79 ᵃ2, dist ἡ κυρίως ἐπιστήμη Ηη5. 1147 ᵇ17. — τὸ ἥδεσθαι κ̔ τὸ λυπεῖσθαί ἐστι τὸ ἐνεργεῖν τῇ αἰσθητικῇ μεσότητι πρὸς τὸ ἀγαθὸν ἢ κακόν ψγ7. 431 ᵃ11. ἡ αἰσθητικὴ ἡδονὴ ἢ λύπη ηεβ2. 1220 ᵇ13. — d. τὸ αἰσθητικὸν χυμῶ γλῶττα Ζια21. 492 ᵇ27. αἰσθητικὴ ἡ ἁφὴ τῶ ἀλλοτρίω τὸ τῶ οἰκείω πλε1. 964 ᵇ23. τὰ ἐναντία τῶν ἐναντίων αἰσθητικώτατα πγ8. 872 ᵃ12. οἱ κεφαλὴν μεγάλην ἔχοντες αἰσθητικοί, opp ἀναίσθητοι φ6. 812 ᵃ6, 7. — αἰσθητικῶς ἔχειν περί τι ηεγ2. 1230 ᵇ37.

αἴσιμον (σύξιμον Bk cum aliquot codd) ὕδωρ (Emp 357, 363) ανγ7. 473 ᵇ23, 474 ᵃ2.

Αἰσίωνος exemplum μεταφορᾶς Ργ10. 1411 ᵃ25.

αἰσυμνητεία, αἱρετὴ τυραννίς Πγ14. 1285 ᵇ25.

αἰσυμνήτεια, αἰσυμνήτης Πγ14. 1285 ᵃ31. 15. 1286 ᵇ38. δ10. 1295 ᵃ14. ἰδίως ὑπὸ Κυμαίων αἰσυμνήτην τὸν ἄρχοντα λέγεσθαι· f 481. 1557 ᵃ2.

Αἰσχίνης περὶ Κρατύλȣ Ργ16. 1417 ᵇ1.
αἶσχος ἀνώδυνον τὸ γελοῖον πο5. 1449 ᵃ35. ἀσυμμετρία τῶν ὀργανικῶν τὸ αἶσχος f 41. 1482 ᵃ12.
αἰσχροκέρδεια, syn ἀνελευθερία Ηδ 3. 1122 ᵃ2sqq. Ρβ6. 1383 ᵇ26. δι' αἰσχροκέρδειαν Πγ15. 1286 ᵇ18.
αἰσχροκερδής def Ηδ3. 1122 ᵃ12, 8. ηεγ4. 1232 ᵃ13. ημα25. 1192 ᵃ10.
αἰσχροκερδία, εἶδος ἀνελευθερίας, def αρ7. 1251 ᵇ4, 5.
αἰσχρολογεῖν Ργ2. 1405 ᵇ10.
αἰσχρολογία, dist ὑπόνοια Ηδ14. 1128 ᵃ23. αἰσχρολογίαν ἐξορίζειν ἐκ τῆς πόλεως Ηη17. 1336 ᵇ4.
αἰσχροπραγεῖν, opp καλὰ πράττειν Ηδ1. 1120 ᵃ15.
αἰσχρός. εἶναι τῶν αἰσχρῶν (fort de ignavis) ηεγ5. 1232 ᵇ2. — περὶ καλȣ̑ ϗ αἰσχρȣ̑ Ρα9. αἰσχρὰ κατ' ἀλήθειαν, κατὰ δόξαν Ηδ15. 1128 ᵇ23. πράττειν τι αἰσχρόν Ηη8. 1150 ᵃ28. πράξεις αἰσχραί, ὀνόματα αἰσχρά ρ36. 1441 ᵇ20. ἀποκαλεῖν ὡς ἐν αἰσχρῷ Η8. 1168 ᵃ30. τȣ̑ αἰσχρȣ̑ ἐστι τὸ γελοῖον μόριον πο5. 1449 ᵃ34.
Αἰσχύλος δύο ὑποκριτὰς εἰσήγαγε, τὰ τȣ̑ χορȣ̑ ἠλάττωσε πο4. 1449 ᵃ16. τὰ μυστικὰ ἐξέφηνε Ηγ2. 1111 ᵃ10. Αἰσχύλȣ Φιλοκτήτης πο22. 1458 ᵇ22 (affertur versus fr 249), Νιόβῃ πο18. 1456 ᵃ17 (? Nck fr tr p 38). Aeschyli sunt Φορκίδες, Προμηθεύς πο18. 1456 ᵃ2 (Nck p 65), ὅπλων κρίσις πο23. 1459 ᵇ5, Μυσοί πο24. 1460 ᵃ32 (Nck p 35). πρῶτος Αἰσχύλος Ἀγαμέμνονι Χοηφόροις Εὐμενίσι Πρωτεῖ σατυρικῷ f 575. 1572 ᵇ26. Aeschyli versus citantur Ζυ49 Β. 633 ᵃ18 (fr 297), Ρβ10. 1388 ᵃ7 (fr 298).
Αἰσχύλος, Ἱπποκράτȣς τȣ̑ Χίȣ μαθητής, περὶ κομητῶν μα6. 342 ᵇ36, 343 ᵃ27.
αἰσχύνεσθαι. εἰς τὸ σῶμα αἰσχύνεσθαι (i e contumelia affici) (ὑπὸ) τῶν μοναρχῶν Πε10. 1311 ᵇ7. — ποῖα ταῦτα αἰσχύνονται ϗ πρὸς ποίȣς ϗ πῶς ἔχοντες Ρβ6. ȣ̓δεὶς ταῦτά τȣς γνωρίμȣς ϗ τὺς ἀγνῶτας αἰσχύνεται Ρβ6. 1384 ᵇ24. ȣ̓κ αἰσχυντέον Ηδ15. 1128 ᵇ25. — οἱ αἰσχυνόμενοι ἐρυθριῶσιν, οἱ φοβȣ́μενοι ὠχριῶσιν f 233. 1520 ᵃ10. αἰσχυνόμενοι ἐπιδίδοασι τὰ ὦτα πρὸς τὸ ἐρυθριᾶν πλα3. 957 ᵇ10. λβ1. 960 ᵃ37. 8. 961 ᵃ3. 12. 961 ᵃ31.
αἰσχύνη def Ρβ6. 1383 ᵇ13, 1384 ᵃ23. ἐπὶ τίσι γίγνεται Ηδ15. 1128 ᵇ21, 22. dist φόβος τδ5. 126 ᵃ8. — ἤμπισχε τὴν τȣ̑ σώματος αἰσχύνην (Alcidam) Ργ3. 1406 ᵃ29.
αἰσχυντηλός, syn αἰδήμων Ηδ15. 1128 ᵇ20, 19. τίνες αἰσχυντηλοί, πότε μάλιστα Ρβ12. 1389 ᵃ29. 13. 1390 ᵃ2. 6. 1385 ᵃ9. οἱ αἰσχ. ȣ̓ μαχητικοὶ περὶ κέρδος Ρα12. 1372 ᵇ30. αἰσχυντηλȣ̑ σημεῖα φ6. 812 ᵃ31. ζῷα αἰσχυντηλὰ ϗ φυλακτικά Ζια1. 488 ᵇ23. — τὰ ῥηθέντα αἰσχυντηλὰ Ρβ6. 1384 ᵇ18.
αἰσχυντικά Ρβ6. 1384 ᵃ9 (ἀναίσχυντα e cod Aᵇ Vhl Spgl).
Αἰσώπȣ λόγος ὑπὲρ δημαγωγῷ Ρβ20. 1393 ᵇ9, 23. Αἴσωπος ὁ λογοποιὸς ηὐδοκίμει f 533. 1566 ᵇ30, 34. οἱ Δελφοὶ ἀνελόντες τὸν Αἴσωπον f 445. 1551 ᵃ30. Αἰσώπȣ f 445. 50 1551 ᵃ28. λόγοι Αἰσώπειοι ϗ Λιβυκοί Ρβ 20. 1393 ᵃ30. Αἰσώπȣ μῦθοι μβ3. 356 ᵇ11. ὁ Αἰσώπȣ Μῶμος (cf fab 155 Halm) Ζμγ2. 663 ᵃ35.
αἰτεῖν, dist δανείζεσθαι, ἀπαιτεῖν Ρβ6. 1383 ᵇ29. αἰτεῖν τὰς φυλακὰς, τὰς φόρȣς Πγ15. 1286 ᵇ39. οβ1348 ᵃ6. — logice αἰτήσαι τβ13. 163 ᵃ6, 11, 21. αἰτήσασθαι τβ13. 163 ᵃ20, 23. αἰτήσεται Αα24. 41 ᵇ8. δεικνύναι πάντα τὰ αἰτηθέντα ἐν τῷ α' σχήματι Αγ3. 73 ᵃ13. αἰτεῖται, opp ἀναγκαῖόν ἐστιν Αα31. 46 ᵇ11. αἰτήσεται ὁ δεῖ δεῖξαι Αα31. 46 ᵃ33 (cf Αγ10. 76 ᵇ31). αἰτεῖσθαι (syn λαμβάνειν) τὸ ἐν 60 ἀρχῇ sive τὸ ἐξ ἀρχῆς Αα24. 41 ᵇ8, 13, 20. β16. Μγ4.

1006 ᵃ17 Bz; def Αβ16. 64 ᵇ36 (Wz ad 64 ᵇ28). αἰτεῖν τὸ ἐξ ἀρχῆς Μγ4. 1006 ᵃ21. ποσαχῶς φαίνονται αἰτεῖσθαι τὸ ἐν ἀρχῇ τβ13. 162 ᵇ31-163 ᵃ13. αἰτεῖσθαι τἀναντία τβ13. 163 ᵃ14-28. αἰτεῖσθαι διελόμενον Αδ13. 96 ᵇ35.
αἴτημα logice, def Αγ10. 76 ᵇ23-34, 77 ᵃ3. ρ20. 1433 ᵇ17. opp ἀνάγκη Αδ13. 97 ᵃ21. coni ὑπόθεσις, πρότασις Αγ25. 86 ᵃ34. προκαταλήψεις ϗ αἰτήματα ρ7. 1428 ᵃ8. περὶ αἰτήματος ρ20. μέγα λίαν τὸ αἴτημα ψβ7. 418 ᵇ26.
αἴτησις. τὸ πτωχεύειν ϗ τὸ εὔχεσθαι ἄμφω αἰτήσεις Ργ2. 1405 ᵃ19. — αἴτησις ἀποκρίσεως ε11. 20 ᵇ22.
αἰτητικός, syn εὐχερῶς εὐεργετεῖσθαι Ηδ2. 1120 ᵃ33.
αἰτία, τὸ αἴτιον. a. αἰτία, dist σημεῖα, συμπτώματα μτ1. 462 ᵇ27. τὸ καθὸ ἴσαχῶς ϗ τὸ αἴτιον ὑπάρξει Μδ18. 1022 ᵃ20. αἰτία, syn et dist ἀρχή, v ἀρχή 3, est enim ἡ ἀρχὴ πρώτη τῶν αἰτίων Γα7. 324 ᵃ27, ἔστιν ἀρχή τις ϗ ȣ̓κ ἄπειρα τὰ αἴτια Μα2. 994 ᵃ1. τὰ ἐξ ἀρχῆς αἴτια ΜΑ3. 983 ᵃ24. ἡ πρώτη αἰτία, τὰ πρῶτα αἴτια Φβ3. 194 ᵇ20. α1. 184 ᵃ13. Μγ1. 1003 ᵃ31. μα2. 339 ᵃ24. 1. 338 ᵃ20. Ζγδ1. 765 ᵇ6. τὰ πρῶτα ϗ τὰ αἴτια ΜΑ2. 982 ᵇ2. τὸ αἴτιον πρότερον ϗ αἴτιον Αδ16. 98 ᵇ17. αἱ ἀκρόταται αἰτίαι, τὸ αἴτιον τὸ ἀκρότατον Μγ1. 1003 ᵃ27. Φβ3. 195 ᵇ22. αἰτία, coni syn στοιχεῖον ψα2. 405 ᵇ17 cf ἀρχή 3, sed dist στοιχεῖα μὲν τρία, αἰτίαι δὲ αἱ ἀρχαὶ τέτταρες Μλ4. 1070 ᵇ26, 24. (τέτταρα διώρισται αἴτια τῶν στοιχείων, int θερμὸν ψυχρὸν ὑγρὸν ξηρὸν μδ1. 378 ᵇ10). ὁρᾶν μηδεμίαν αἰτίαν εὔλογον μτ1. 462 ᵇ19, 24. διά τιν' αἰτίαν εὔλογον Ζμβ17. 660 ᵇ16. ἀποδῶναι τὴν αἰτίαν Ζγε1. 779 ᵇ21. ȣ̓ μικρὸν ἔργον τὸ ἀπ' ἐκείνης τῆς ἀρχῆς τὴν αἰτίαν συναγαγεῖν Ζγδ1. 764 ᵃ28. πόρρωθεν ἀπτεσθαι τῆς αἰτίας Ζγδ1. 765 ᵇ5. — b. causarum genera Ar distinguit quatuor, causam materialem (ἡ ὕλη, ἡ ὕλη ϗ τὸ ὑποκείμενον, ἐξ ȣ̑ γίγνεται), formalem (τὸ εἶδος, τί ἐστι, τὸ τί ἦν εἶναι, τὸ τί ἦν εἶναι τὸ τί ἦν εἶναι, εἶδος ϗ λόγος, ὁ λόγος), motricem (τὸ κινȣ̑ν, τὸ κινῆσαν, τί πρῶτον ἐκίνησε, ὅθεν ἡ κίνησις, ὅθεν ἡ ἀρχὴ τῆς κινήσεως, τῆς μεταβολῆς), finalem (τὸ τέλος, τίνος ἕνεκα, τὸ ȣ̑ ἕνεκα, τὸ ᾧ ἕνεκα ϗ τἀγαθόν) Φβ3. 194 ᵇ23-195 ᵃ3. 7. 198 ᵃ16-22. γ7. 207 ᵇ34. δ1. 209 ᵃ20. υ2. 455 ᵇ14. Ζγα1. 715 ᵃ4. ε1. 778 ᵇ8-10. Αδ11. 94 ᵃ21-23. ΜΑ3. 983 ᵃ26-32. δ1. 1013 ᵃ16. 2. 1013 ᵃ24-ᵇ3, 16. η4. 1044 ᵃ33sqq. λ4. 1070 ᵇ26. πῶς τȣ̑ αὐτȣ̑ πολλὰ ἐστιν αἴτια Φβ3. 195 ᵃ5-26. Μδ2. 1013 ᵇ4-28. β2. 996 ᵇ6. πότερον μιᾶς ἐπιστήμης θεωρῆσαι πάντα τὰ γένη τῶν αἰτίων Μβ2. 996 ᵃ20. αἴτια ἐνυπάρχοντα, ἐν αὐτῷ, ἐντός, opp ἔξω, ἐκτός Φβ5. 197 ᵃ2. 6. 197 ᵇ36. Μλ4. 1070 ᵇ22. τὰ μὲν κινῶντα αἴτια ὡς προγεγενημένα ὄντα, τὰ δ' ὡς ὁ λόγος ἅμα Μλ3. 1070 ᵃ21. αἴτια τρία (ὕλη, εἶδος, στέρησις) Μλ2. 1070 ᵇ22. τὰ τρία (εἶδος, κινȣ̑ν, ȣ̑ ἕνεκα) ἔρχεται εἰς [τὸ] ἓν πολλάκις Φβ7. 198 ᵃ24sqq. cf ψβ4. 415 ᵇ9. Ζγα1. 715 ᵃ6. β1. 732 ᵃ4. ἡ αἰτία ἡ ἐνȣ̑σα πρώτη, ᾗ ὁ λόγος ὑπάρχει ϗ τὸ εἶδος τῆς ὕλης Ζγβ1. 732 ᵃ4. πλείȣς αἰτίαι περὶ τὴν γένεσιν τὴν φυσικήν, οἷον ἥ τε ȣ̑ ἕνεκα ϗ ἡ ὅθεν ἡ ἀρχὴ τῆς κινήσεως Ζμα1. 639 ᵇ11. — causa materialis: ἡ ἐν ὕλης εἴδει αἰτία ΜΑ3. 984 ᵃ17. αἴτιον ὡς ὕλη μα4. 342 ᵃ28. — causa motrix: μα2. 339 ᵃ24, 31. ἡ κινȣ̑σα, ἡ κινητικὴ αἰτία Ζγβ1. 732 ᵃ4. ε8. 789 ᵇ20. ἡ πρώτη ϗ ἀρχαιόγονος αἰτία κ6. 399 ᵃ26. τὸ αἴτιον ϗ ποιητικόν, opp ἡ ὕλη ψγ5. 430 ᵃ12. τὰ κατὰ κίνησιν αἴτια ἀνάπαλιν τοῖς τελικοῖς Αδ11. 94 ᵇ23. τὸ πρῶτον αἴτιον, ὃ ἐν τῇ εὑρέσει ἔσχατόν ἐστιν Ηγ5. 1112 ᵇ19. — causa formalis: Μζ17. 1041 ᵃ28. τὰ ὡς λόγος αἴτια Μλ3. 1070 ᵃ22. παραλείπȣσι τὴν κυριωτέραν αἰτίαν, ἐξαιρȣ̑σι γὰρ τὸ τί ἦν εἶναι ϗ τὴν μορφήν Γβ9. 335 ᵇ35. — causa finalis: αἰτία

τῦ εὖ ΜΑ6. 988 ᵃ14. τὸ αἴτιον τῦ καλῶς χ ὀρθῶς ψα2.
404 ᵇ2. διὰ τὸ βέλτιον χ τὴν αἰτίαν τὴν ἕνεκά τινος Ζγβ1.
731 ᵇ23. δ3. 767 ᵇ14, opp ἡ ἐξ ἀνάγκης αἰτία Ζγε8. 789
ᵇ19. δ8. 776 ᵃ25 cf ἀνάγκη. ὡς ἐξ ἀνάγκης γιγνομένων
εἰς τὴν ὕλην χ τὴν κινήσασαν ἀρχὴν ἀνακτέον τὰς αἰτίας 5
Ζγε1. 778 ᵇ1. cf 8. 789 ᵇ3. — c. αἴτια δοκῦσιν εἶναι φύσις
χ ἀνάγκη χ τύχη, ἔτι δὲ νῦς χ πᾶν τὸ δι' ἀνθρώπυ Ηγ5.
1112 ᵃ31. αἰτίαι φυσικαί πο4. 1448 ᵇ4. δόξειεν ἂν φυσι-
κώτερον εἶναι τὸ αἴτιον Ηι7. 1167 ᵇ29. φύσει, ὅσων ἡ αἰτία
ἐν αὐτοῖς χ τεταγμένη Ρα10. 1369 ᵃ35. τὸ καθ' αὑτὸ ὂν 10
αἴτιον πρότερον τῦ καθ' ἕτερον Φβ5. 257 ᵃ30. αἴτιον καθ'
αὑτό, opp κατὰ συμβεβηκός Φβ5. 196 ᵇ25. 6. 198 ᵃ9. Μν8.
1065 ᵃ30. αἴτια λεγόμενα ὡς συμβεβηκός Φβ3. 195 ᵃ32-ᵇ3.
Μδ2. 1013 ᵇ34 - 1014 ᵃ6. τῶν κατὰ συμβεβηκὸς χ τὸ αἴ-
τιον κατὰ συμβεβηκός Με2. 1027 ᵃ8. κ8. 1065 ᵃ6. δ30. 15
1025 ᵃ24. τῶν ἀπὸ τύχης ἡ αἰτία ἀόριστος Ρα10. 1369 ᵃ33.
αἱ αἰτίαι τῶν συμβεβηκότων ταῖς ὑσίαις ψα1. 402 ᵇ18. τὰ
αἴτια πῶς λέγεται προτέρως χ ὑστέρως Φβ3. 195 ᵃ29-32.
Μδ2. 1013 ᵇ31-34. τὰ ἐγγύτατα Μη4. 1044 ᵇ2. αἴτια ὡς
δυνάμενα, ὡς ἐνεργῦντα Φβ3. 195 ᵇ3-6. Μδ2. 1014 ᵃ7-10. 20
τὰ αὐτὰ αἴτια τοῖς αὐτοῖς, τἀναντία αἴτια τῶν ἐναντίων
Οβ13. 259 ᵃ29. μδ7. 384 ᵇ3. 6. 383 ᵇ16, ᵃ8. αἴτια ἀλλή-
λων πῶς Φβ3. 195 ᵃ8-10. Μδ2. 1013 ᵇ9-11. cf Δ16.98
ᵇ17. — d. αἰτία, causa cognoscendi, cf ἀρχή 2. διὰ τὰς
εἰρημένας αἰτίας Πδ10. 1295 ᵃ24. ὐκ ἀπαιτητέον τὴν αἰτίαν ἐν 25
ἅπασιν ὁμοίως Ηα7.1098 ᵃ33. ταύτην οἰητέον εἶναι ἱκανὴν αἰτίαν
Γα3. 318 ᵃ27. εἷς λόγος χ μία αἰτία ἐπὶ πάντων Μζ17.
1041 ᵃ17. ἡ αἰτία χ τὸ δι' ὃ τί Ρβ21. 1394 ᵃ30. τὸ ἀνώ-
τερον αἴτια, syn μὴ αἰτιατά Αγ9. 76 ᵃ19. ὐκ ἐνδέχεται αἴτια
εἶναι ἀλλήλων Αδ16. 98 ᵇ17. αἴτια τῦ συμπεράσματος, 30
γνωριμώτερα, πρότερα Αγ2. 71 ᵃ22 sqq. αἴτιον τὸ μέσον Αδ2.
90 ᵃ7. αἱ αἰτίαι πᾶσαι διὰ τῦ μέσου δείκνυνται Αδ11. ἡ
αἴτιον τὸ μέσον, dist ὗ αἴτιον τὸ μέσον Αδ12. 95 ᵃ22. 17.
99 ᵃ5 Wz, 17, 31. 18. 99 ᵇ11. παραλογισμοὶ παρὰ τὸ μὴ
αἴτιον ὡς αἴτιον τι5. 167 ᵇ21-36. 6. 168 ᵇ22-26. — e. αἰτία 35
sensu iudiciali. οἱ ἐν αἰτίᾳ f 385. 1542 ᵃ23, 40. οἱ τὴν αἰ-
τιαν ἐπενεγκόντες ρ30. 1437 ᵃ9 (ἐπ' αἰτία μοιχείας, ἐπὶ τῆς γα-
μικῆς αἰτίας Πε6. 1306 ᵃ38, 34). τὴν αἰτίαν εἰς τὴν τύχην
ἀναφέρειν ρ30. 1437 ᵇ23. εἴ τις αἰτίαν ἔχει κακὴν τῦς γο-
νέας f 381. 1541 ᵇ16. ἐὰν ἄπιστα ᾖ ἡ ἐὰν ἄλλος αἰτίαν ἔχῃ 40
Ργ17. 1417 ᵇ34. — f. αἰτίαν ἔχει (i e dicitur, fertur) πρό-
τερον Ἑρμότιμος εἰπεῖν ΜΑ3. 984 ᵇ19 Bz.
αἰτιᾶσθαι, i e τίθεσθαι αἰτίαν. ὐκ αἰτιάσεται τὴν δίνην Οβ13.
295 ᵃ32. αἰτιώμενος ἀπορροάς μτ2. 464 ᵃ6. αἰτιᾶσθαι τὰ
ἐκτός Ηγ1. 1110 ᵇ13. αἰτιῶνται τὰς τροφάς Ζιθ28.606 ᵃ25. 45
αἰτιᾶσθαι τὸ θερμόν Ζγδ1. 764 ᵇ22. αἰτιᾶσθαί τί τινος, veluti
τῶν κοσμικῶν πάντων αἰτιῶνται τὸ αὐτόματον al Φβ4. 196
ᵃ25. 3. 195 ᵃ12. Μδ2. 1013 ᵇ13. Α4. 985 ᵃ21. Οα10.280
ᵃ19. μβ3. 357 ᵃ15. 8. 368 ᵃ30. Ζγε8. 788 ᵇ14. Πη13.1332
ᵃ27 al. αἰτιᾶσθαί τι περί τινος: τοῖς περὶ τῆς τῦ πυρὸς κυ- 50
φότητος αἰτιωμένοις τὸ πολὺ κενὸν ἔχειν ρ2. 309 ᵃ28. —
αἰτιατέον τὴν ἐν τοῖς κινωμένοις δύναμιν μα2. 339 ᵃ32.
αἰτιατέον τὴν ἡλικίαν ρ8. 1428 ᵇ37. — αἰτιατόν (i e ἐφ'
ᾧ αἴτιον τὸ αἴτιον Φβ3. 195 ᵇ7. Μδ2. 1014 ᵃ10). αἰτιατὸν χ
αἴτιον πῶς ἔχει πρὸς ἄλληλα Αδ16. μὴ αἰτιατὰ αἴτια Αγ9. 55
76 ᵃ20. ἕως τῦ τελευταίυ αἰτίυ Μκ8. 1065 ᵃ11.
αἰτίασις cf τῆς αἰτιάσεως τῦ θανάτυ μέχρι τῦ τέλυς πο18.
1455 ᵇ31.
αἰτιολογία (ci Halm, ἀντιλογία codd et edd) ρ7. 1428 ᵃ7.
αἴτιος. ὁ δῆμος αἴτιος γενόμενος τῆς νίκης sim Πε4. 1304 ᵃ21, 60
22, 34. δ4. 1292 ᵃ23. αἴτιοι οἱ ὀρθῶς κείμενοι νόμοι Πβ4.

1262 ᵇ5. τῦ μὴ γίνεσθαι πολλῦς αἴτιος ἡ κίνησις μα7. 345
ᵃ6. — τὸ αἴτιον i q ἡ αἰτία, v h v — αἰτιώτερον τὸ
καθόλυ Αγ24. 85 ᵇ24. τὸ πρότερον αἰτιώτερον τῦ κινεῖσθαι
τῦ ἐχομένυ Φθ5. 257 ᵇ16.
Αἴτνη x4. 395 ᵇ21. 6. 400 ᵃ33. θ38. 833 ᵃ17. 105. 840 ᵃ4.
154. 846 ᵃ9.
αἰτώλιος, avis, Ζιζ6. 563 ᵃ31, cf αἰγωλιος.
Αἰτωλοί f64. 1486 ᵇ22. Αἰτωλῶν πολιτεία f 433. 1549 ᵇ34.
ἀσπάλακες ἐν Αἰτωλοῖς θ176. 847 ᵇ3. — Αἰτωλίας ἔθνος
f 465. 1554 ᵇ12.
αἰχμή (Hom Ε 661, Ο 542) Ργ11. 1412 ᵃ1.
αἰφνίδιοι φόβοι, opp πρόδηλοι Ηγ11. 1117 ᵃ18.
αἰών. ἔμπεδος αἰών (Emped 72) Φθ1. 251 ᵃ1. — τὸ τέλος τὸ
περιέχον τὸν τῆς ἑκάστυ ζωῆς χρόνον, ὗ μηδὲν ἔξω κατὰ
φύσιν, αἰὼν ἑκάστυ κέκληται· τὸ τῦ παντὸς ὑρανῦ τέλος χ
τὸ τὸν πάντα χρόνον χ τὴν ἀπειρίαν περιέχον τέλος αἰών
ἐστιν, ἀπὸ τῦ ἀεὶ εἶναι εἰληφὼς τὴν ἐπωνυμίαν Οα9. 279
ᵃ25, 27. cf β1. 283 ᵇ28. ζωὴ χ αἰὼν συνεχὴς χ ἀΐδιος ὑπάρ-
χει τῷ θεῷ Μλ7. 1072 ᵇ29. ὑπολείποι ἂν ὁ αἰὼν διαριθ-
μῦντα Ρα13. 1374 ᵃ33. τὸν ἅπαντα αἰῶνα Οα9. 279 ᵃ22.
Ζμα5. 644 ᵇ23. Μλ9. 1075 ᵃ10. τὸν ἅπειρον αἰῶνα τυγ-
χάνυσι διὰ τέλυς ὕτω νενομικότες f 40. 1481 ᵃ39. δι' αἰῶ-
νος x2. 391 ᵇ19. 5. 397 ᵃ31, ᵇ7. ἐξ αἰῶνος εἰς ἕτερον αἰῶνα
x5. 397 ᵃ10. 7. 401 ᵃ16.
αἰώρα. μέλη (Θεοδώρυ) περὶ τὰς αἰώρας f 472. 1556 ᵃ2.
αἰωρεῖσθαι, coni ἀνίπτασθαι θ79. 836 ᵃ12.
ἀκάθαρτος. ὅταν τὸ σῶμα ἀκάθαρτον ᾖ πε27. 883 ᵇ27.
ἀκαιρίαι τῶν πνευμάτων χ αἰόλιοι ἡμέραι πκς13. 941 ᵇ25.
ἀκακία. τῇ αὑτῶν ἀκακίᾳ οἱ νέοι τὺς πέλας μετρῦσιν Ρβ12.
1389 ᵇ9.
ἀκαλήφη. καλῦσιν οἱ μὲν κνίδας οἱ δ' ἀκαλήφας Ζμδ5. 681
ᵃ36. ἔνυδρον Ζια1. 487 ᵃ25. ὐκ ὀστρακόδερμον, ἀλλ' ἔξω
πίπτει τῶν διῃρημένων γενῶν, ἐπαμφοτερίζει φυτῷ χ ζώῳ
Ζμδ5. 681 ᵇ1. τὸ τῶν ἀκαλήφων γένος ἴδιον descr Ζια1.
487 ᵇ11. δ6. 531 ᵃ31. θ1. 588 ᵇ20. 2. 590 ᵃ27. Ζμδ5. 681
ᵃ36. γένη τῶν ἀκαλήφων ἐστὶ δύο Ζιθ6. 531 ᵇ10. Ἀριστο-
τέλης μήτρας χ καρδίας ἡ ἀκαλήφης ἀπέχεσθαι φησι τὺς
Πυθαγορικὺς f 189. 1511 ᵇ29, 34. (ortie de mer C, urtica
marina S, actinia St K Cr Ka Ζμ Fr ΑΖι I 173; cf de va-
riis opinionibus M p 165).
ἀκάλυπτα βράγχια Ζια5. 489 ᵇ5. β13. 505 ᵃ2. Ζμδ13.
696 ᵃ4.
ἀκάλυφες αἰσθητήριον ψβ9. 422 ᵃ1.
ἀκάμας. πόνυς τλῆναι μαλερὺς ἀκάμαντας f 625. 1583 ᵇ12.
Ἀκάμας. ἐπίγραμμα ἐπὶ Ἀ. f 596. 1577 ᵃ40.
ἀκάματος πυρός (Orph VI 14) x7. 401 ᵇ3.
ἄκαμπτος. περὶ ὀρθότης ρ8. 385 ᵃ14. 9. 385 ᵇ26-386 ᵃ9.
δακτύλυ τὸ ἄκαμπτον φάλαγξ Ζια15. 493 ᵇ29.
ἀκαμψία, coni ὀρθότης Ζμβ8. 654 ᵃ24. ἀκαμψία τῆς φω-
νῆς, opp εὐκαμψία Ζγε7. 786 ᵇ11.
ἄκανθα. 1. μόριον τὸ τῦ ὀψύων σώματος. a. (vocabuli usus)
τῶν ἰχθύων τοῖς ᾠοτόκοις ἄκανθά ἐστι Ζμβ9. 655 ᵃ19. cf
Ζιι37. 622 ᵃ8. 14. 616 ᵃ32. ἐν τοῖς μὴ ἔχυσιν ὀστᾶ ἀλλ'
ἄκανθαν κοίλη ἄκανθα μόνον ἡ τῆς ῥάχεώς ἐστιν Ζμβ6. 652
ᵃ13, 15. ἄκανθα i q vertebra, ἀνθρώπυ νωτιαία ἄκανθα Ζιγ2.
511 ᵇ33, ᵃ12 sq, 513 ᵃ3, τῶν ἰχθύων τὰ κινῦντα ἄκανθαν ἔχει,
ἢ ἐστιν ὥσπερ τοῖς τετράποσιν ἡ ῥάχις Ζιγ7. 516 ᵇ16. 1.
509 ᵇ19, τῶν ὄφεων Ζιγ1. 511 ᵇ20. alia τῶν ἀκανθῶν ge-
nera descr ἐχίνων χερσαίων Ζιγ11. 517 ᵇ22. Ζγα5. 717 ᵇ31
(cf ἀκανθώδεις τρίχες Ζια6. 490 ᵇ28), ἀκανθῦ et βατράχυ
Ζιζ10. 565 ᵇ27, ἀστακῦ Ζιδ2. 526 ᵇ11, 14, ἐχίνων θαλατ-

τῶν Ζιϑ5. 530 b8, 11, 17. Ζμδ5. 679 b30, 681 a8. Ζγε3.
783 a23. — b. (ἡ ἄκανθα τί ἐστι, τίνος ἕνεκα, ἐκ τίνος
γίγνεται) refertur inter τὰ ξηρὰ ᾧ στερεά τῶν ὁμοιομερῶν
Ζμβ2. 647 b16. cf Ζιϑ1. 524 b25. Ζμβ8. 654 a20. 9. 655
a16. Ζιγ7. 516 b12. δ7. 532 a33. ἡ ἄκανθα τὸ ἀνάλογον (τῆς
αὐτῆς φύσεως) τῷ ὀστῷ Ζια1. 486 b19. γ2. 511 b7. Αδ14.
98 a22. ἡ ἄκανθα σωτηρίας ἕνεκα, πρὸς τὴν ὀρθότητα ᾧ τὴν
ἀκαμψίαν Ζμβ8. 653 b35, 654 a26. 6. 652 a4. cf Ζιδ7. 532
a33. ἄκανθαι ἐν ἐχίνοις χερσαίοις τριχὸς χρείαν παρέχυσιν,
ἐν ἐχίνοις θαλαττίοις ποδῶν Ζια6. 490 b29. δ5. 530 a6. Ζμδ5.
681 a9. — αἱ ἄκανθαι ᾧ αἱ τρίχες γίνονται ἐκ περιττώματος
Ζγε3. 783 a27. φανερὸν ὅτι μυελὸς τῆς αἱματικῆς τροφῆς
τῆς εἰς ὀστᾶ ᾧ ἄκανθαν μεριζομένης ἐστὶ τὸ ἐμπεριλαμβα-
νόμενον περίττωμα πεφθέν Ζμβ6. 652 a22. — 2. ἄκανθαι
spinae in plantis et arboribus quibusdam φτα5. 820 a20. β6.
826 b35,827 a1.7.827 b5,11. Ζμβ9.654 b7. ἄκανθα, sarmenta
spinis horrida Ζυ8. 613 b10. — ἄκανθα (cynarocephala quae-
dam, fort cnicus ferox L) Ζυ1. 610 a5, 609 a32. ϑ3. 593 a1.
ἀκανθηρός de piscium quorundam ordine usurpatur, γίνεται
ἐν τῷ εὐρίπῳ ὔτε σκάρος ὔτε θρίττα ὔτε ἄλλο τῶν ἀκαν-
θηροτέρων ὠθέν Ζυ37. 621 b16. M p 284.
ἀκανθίας γαλεός descr Ζιζ10. 565 a29, b27. γαλεοὶ ᾧ ἀκαν-
θίαι Ζυ37. 621 b17. ἔχει καρδίαν πεντάγωνον f 293. 1529
a15, 18 (spinax Gazae C S, squalus acanthias Ζιζ10 et raja
acanthias Ζυ37 St, squalus acanthias K Cr, acanthias vul-
garis J Müller Abhandl d Berl Akad 1840 p 193. 235 ΑΖι
I 145).
ἀκάνθιον. ἐν ἰχθύσιν ἐνίοις κατὰ τὴν σάρκα κεχωρισμένα
ἀκάνθια λεπτά Ζιγ7. 516 b19 (v ΑΖι I 335. spinae epipleu-
rales).
ἀκανθίς, avis. ἀκανθοφάγος, ἐπὶ ἀκανθῶν νέμεται, τίσι ζῴοις
πολέμιος Ζιϑ3. 592 b30. 11. 610 a4. ἀκανθίδες κακόβιοι, κα-
κόχροοι, φωνὴν λιγυρὰν ἔχυσιν Ζυ17. 616 b31. (une des va-
riétés du serin C, fringilla cannabina St Su p 120 n 67 Glo-
ger disquisitionum de avibus ab Arist commemoratis spe-
cimen I p 1 ΑΖι I 86; sive fringilla carduelis Cr, sive frin-
gilla spinus K Cr, refutat Su).
ἄκανθος. τῆς ἀκάνθη εἶδος περὶ τὴν Ἐρίθειαν διαποίκιλον τὴν
χρόαν f 253. 1524 b39 (Acacia vera W. cf Landsberg in Ja-
nus Ztschr f Med IV 2, 269. W A Schmidt die griech Pa-
pyrusurkunden p 77, 385).
ἀκανθοστεφῆ εἶναι ᾧ ποικιλόχροα φυχίδα f 279. 1528 a10.
ἀκανθοφάγος Ζιϑ3. 592 b30.
ἀκανθυλλίς avis, eius μέγεθος, νεοττιά Ζιϑ3. 593 a13. ι13.
616 a5 (serin C, parorum species, fort parus pendulinus sive
caudatus St C, parus (aegithalus) pendulinus K Gloger I 2
ΑΖι I 77, n 12).
ἀκανθώδης. ἀκανθῶδές φύσει τὸ ῥόδόν ἐστι πιβ8. 907 a22.
τροφὴ ἀκανθώδης ᾧ ξυλικὴ τῶν πολυκοιλίων Ζμγ14. 674
b3, a29. ἀκανθώδης γλῶττα Ζιϑ10. 503 a2. 13. 505 a30.
ἀκανθώδης ὁ τόπος τῦ στόματος Ζμβ17. 660 a16. ῥάχις
ἀκανθώδης, ἀκανθωδεστέρα Ζιγ7. 516 b20, 22, 23. σκέλη
ἀκανθώδη (dist νευρώδη, ὀστώδη) Ζμδ10. 689 b10. ταῖς
ὄφεσιν ἀκανθώδης ἡ τῶν ὀστῶν φύσις Ζμβ9. 655 a20. ἀκαν-
θώδης ῥᾷ Ζμδ13. 695 b7, 10, κεφαλὴ Ζγγ3. 754 a28. cf
Ζιϑ9. 535 b22. ἀκανθώδεις τρίχες Ζια6. 490 b28. Ζγε3. 781
b33. κραγγώνως πτερυγίων τὸ μέσον ἀκανθῶδές Ζιδ2. 525
b30. ἐπικάλυμμα ἀκανθῶδες Ζμδ13. 696 b5. Ζιβ13. 505
a6. τῶν ἀκανθωδῶν ἡ κίνησις ταχεῖα Ζμδ13. 696 b7.
Ἀκανίας λιμὴν σ 973 a5.

ἀκαρί, τῶν ζῴων ἐλάχιστον, λευκόν, γίνεται ἐν κηρῷ παλαιω-
μένῳ, ὥσπερ ἐν ξύλῳ Ζιε32. 557 b8. ('duo diversa insecta
simul memorat Ar, — alterum est phalaena cereana L, al-
terum ἀκαρί termes fatale L' S I 392, 675, fort der-
mestes fatidicus sive bostrichus quidam St, acarus K Su
p 230 n 46 M p 230, τυρῷ pro κηρῷ ci et interpr acarus
siro ΑΖι I 159).
ἀκαριαῖος. ἀκαριαία μεταβολή μα14. 352 a26. ἀκαριαῖος
χυμός α16. 446 a9. ἀκαριαία φλόξ αι17. 479 a19. ἀκαριαῖον
φλέγμα μτ1. 463 a14. ἀκαριαίῳ τινὸς μεταβάλλοντος Ζιβ2.
590 a3. τῷ οἴακος ἀκαριαῖόν τι μεθισταμένῳ Ζκ7. 701 b26.
Ἀκαρνάνων πολιτεία f 434. 435. 433. 1549 b32. Λεύκαρος
ὁ Ἀκαρνάν f 435. 1550 a5.
ἀκαρπία, opp εὐετηρία θ122. 842 a22.
ἄκαρπος. ἔνια ἄνθος ἔχοντα ἄκαρπά ἐστιν πκ3. 923 a13. τῶν
φυτῶν ἐν ὅσοις τὸ μὲν καρποφορεῖ τὸ δ' ἄκαρπόν ἐστιν
Ζγγ5. 755 b10. τὰ ἄκαρπα, opp τὰ κάρπιμα οα6. 1344 b29.
β1346 b15. ἄκαρπα μέν, χρήσιμα δέ Παl1. 1258 b30. x6.
401 a2. τὰ ἄκαρπα κτήματα ἐλευθεριώτερα τῶν καρπίμων
ᾧ ὠφελίμων Ρα9. 1367 a27, 23. Ηδ8. 1125 a12.
Ἄκαστος. ὁ ἐν Ἰολκῷ ἀγών Ἀκάστῃ καθηγησαμένῃ f 594
1574 b31.
ἀκάτακτος. περὶ ἀκάτακτυ μδ8. 385 a14. 9. 386 a9-17
(dist ἄθραυστος).
ἀκατάληπτος. τὴν ὑπάτην ὁρῶντες ἀκατάληπτον ὖσαν πιθ42.
921 b23.
ἀκατάλληλος. ἀσθενῆ ᾧ ἀκατάλληλα τὰ ἐπὶ τῆς γῆς x6.
397 b31.
ἀκατάστατος. πνεύματα ἀκατάστατα πκς13. 941 b29.
ἀκαταχώριστος ὕλη πκη1. 949 b3.
ἀκατέργαστος τροφή Ζμβ3. 650 a15. γ14. 674 b12. πλῆ-
θος αἱματικὸν ἀκατέργαστον Ζγδ1. 766 b23.
ἄκαυλος. πτερὸν ἄκαυλον Ζμδ6. 682 b18. 12. 692 b14.
ἄκαυστος. περὶ ἀκαύστυ μδ8. 385 a18. 9. 387 a17-22.
ἀκεῖσθαι τὸ διερρωγὸς ἀράχνιον Ζμϑ39. 623 a18. τὴν τῦ με-
γέθους ὑπερβολὴν ᾧ θερμότης ἠκέσατο φ6. 813 b27.
ἄκεντρος. τῶν σφηκῶν οἱ κηφῆνες ἄκεντροι Ζιε22. 553 b11
(coni νωθροί). ι40. 624 b6. 41. 628 b4. Ζγγ10. 759 b4. opp
ἔγκεντρος Ζυ41. 628 b1.
ἀκέραιος. ὕδωρ ψυχρὸν ᾧ ἀκέραιον Ζιθ24. 605 a15. νέμεσθαι
ἀκέραιον νομήν Ζι21. 575 b3.
ἀκέρατος κριός, κάμηλος Ζιβ28. 606 a21. Ζμγ14. 674 a32.
ἀκέρατα ζῷα, opp κερατοφόρα Ζμβ1. 501 a14. Ζμβ5. 651
a34. γ15. 676 a14. δ10. 686 b18.
ἀκερδῶς ἄρχειν Πε8. 1309 a13.
ἄκερκος. ὁ ἄνθρωπος ἄκερκον Ζμδ10. 689 b6, 22.
ἄκερως. ζῷα ἄκερα, opp κερατοφόρα Ζιβ1. 499 b16.
ἀκήρατος. στοιχεῖον ἀκήρατόν τε ᾧ θεῖον x2. 392 a9. δόξα
ἀκήρατος ρ1. 1421 a37.
ἀκίκυς (Hom ι515) i e ἀειδὴς πο22. 1458 b25.
ἀκίνδυνος. οἱ ἐθισμοὶ ἀκίνδυνοι Ηγ15. 1119 a27. — ἀκιν-
δύνως διάγειν Πδ11. 1295 b33.
ἀκινησία, opp κίνησις Ηγ15. 1154 b27. μα3. 340 b18. συ-
νεχὴς κίνησις ᾧ μία τῷ χρόνῳ, ὅπως μὴ ἀκινησία μεταξὺ
ᾖ Φε4. 228 b3. ᾧ ἡ κίνησις ὑπάρχει, τάτῳ ᾧ ἀκινησία ἠρε-
μία Φγ2. 202 a5, 4. ὁ ὕπνος τῷ αἰσθητικῷ μορίῳ οἷον δεσμὸς
ᾧ ἀκινησία τις υι. 454 b10, 26. τὸ σκωλήκιον ἐξ ἀκινησίας
λαμβάνει κίνησιν Ζιε19. 552 a26. ἀκινησία, i e νηνεμία μβ8.
366 b6.
ἀκινητίζειν. τὰς αἰσθήσεις ἀργεῖν ᾧ ἀκινητίζειν υ2. 455 a30.
ἔντομα ἡσυχάζυσι ᾧ ἀκινητίζυσιν ἐπιδήλως Ζιδ10. 537 b7.

αἱ καλύμεναι χρυσαλλίδες, αἱ ψυχαὶ αὐξηθεῖσαι, οἱ σκώ-
ληκες ἀκινητίζωσι sim Ζγ9. 758ᵇ31, 25, 17, 759ᵃ4. Ζιε19.
551ᵃ18, ᵇ4, 18. θ2. 590ᵃ19. ἰχθύες ἀκινητίζοντες αν9. 475
ᵇ12. f 294. 1529ᵃ34. ἡ νάρκη τὰ ἰχθύδια ναρκᾶν χ ἀκι-
νητίζειν ποιῦσα f 305. 1530ᵃ15. ἔντομα φοβηθέντα ἀκινη- 5
τίζει χ τὸ σῶμα γίνεται σκληρὸν αὐτῶν Ζμδ6. 682ᵇ26.
β4. 650ᵇ31. τὸ κινέμενον χ ῥέον ἧττον σήπεται τῦ ἀκινη-
τίζοντος μδ1. 379ᵃ34. ἀὴρ ἀκινητίζων πις8. 914ᵇ25.
ἀκίνητος. ἀκίνητον ποσαχῶς λέγεται Φε2. 226ᵇ10. Μχ10.
1068ᵇ20. ἀκίνητον εἶναί φησιν, εἰ κενὸν μὴ ἔστιν ξ2. 976 10
ᵇ12. ἔστι τι ὃ ἀεὶ κινεῖ τὰ κινέμενα, χ τὸ πρῶτον κινῦν
ἀκίνητον αὐτό Μγ8. 1012ᵇ31. Φθ6. 260ᵃ3, 17. Ζχ1. 698
ᵃ9. 2. 698ᵇ13. ἀναγκαῖον εἶναί τι τὸ ἀκίνητον αὐτὸ πάσης
τῆς ἐκτὸς μεταβολῆς Φθ6. 258ᵇ14. ὐσίαν ἀκίνητον εἶναι
ἀνάγκη Μλ6 Βz. 1. 1069ᵃ33. cf γ5. 1010ᵃ34. ἀρχὴ ἀκί- 15
νητος, κινημένη Φα2. 184ᵇ16. — ἡ φυσικὴ περὶ ἀχώριστα
ἀλλ' ὐκ ἀκίνητα, τῆς δὲ μαθηματικῆς ἔνια περὶ ἀκίνητα μὲν
ὖ χωριστὰ δ' ἴσως Με1. 1026ᵃ15. περὶ ἀκίνητα χ μαθηματι-
κὸν Ογ6. 305ᵃ25. ἀκίνητα στερεὰ Μμ2. 1076ᵇ21. ἐν ταῖς
ἀκινήτοις ἀρχαῖς, οἷον ἐν ταῖς μαθηματικαῖς, ὐκ ἔστι τὸ 20
κύριον ηεβ6. 1222ᵇ23. χ ἐν τοῖς ἀκινήτοις μᾶλλον τὸ καλὸν
ηεα8. 1218ᵃ22. εἰς τὸ τί ἐστιν ἀνάγεται τὰ διὰ τί ἔσχατον
ἐν τοῖς ἀκινήτοις, οἷον ἐν τοῖς μαθηματικοῖς Φθ7. 198ᵃ17. ἀρχὴ
ἐν τοῖς ἀκινήτοις τὸ τί ἐστιν, ἐν δὲ τοῖς γινομένοις ἤδη πλείως
Ζγβ6. 742ᵇ33. ὁ νῦς κατὰ τὰς ἀποδείξεις τῶν ἀκινήτων 25
ὅρων χ πρώτων Ηζ12. 1143ᵇ2. — τελευταῖον φορὰ ὑπάρχει
πᾶσι τοῖς ἐν κινήσει· οἷον τὰ μὲν ὅλως ἀκίνητα τῶν ζῴντων
δι' ἔνδειαν τῦ ὀργάνυ, οἷον τὰ φυτὰ χ πολλὰ γένη τῶν ζῴων,
τοῖς δὲ τελειυμένοις ὑπάρχει Φθ7. 261ᵃ16. φυτὰ ἀκίνητα
Ζπ5. 706ᵇ6. Ζμδ10. 686ᵇ33. πολλὰ τῶν ζῴων μόνιμα χ 30
ἀκίνητα ψγ9. 432ᵇ20, imprimis ὀστρακοδέρμων quaedam,
veluti ὄστρεα, ὁλοθύρια, πίννα, τήθυα, βάλανοι Ζια1. 487ᵇ14.
δ4. 528ᵃ32, ᵇ16 (opp πορευτικά). 8. 535ᵃ24. Ζμδ7. 683
ᵇ8. σκωλήκων τινὲς ἀκίνητοι Ζια5. 489ᵇ17. μυίων σκωλή-
κιον ἀκίνητον χρόνον τινὰ Ζιε19. 552ᵃ27. τὰ ἀριστερὰ ἀκι- 35
νητότερα Ζπ4. 706ᵃ23. ἀκινήτοις μορίοις σαρκώδεσιν ὑπεστιν
ὀστᾶ φυλακῆς ἕνεκεν Ζμβ9. 654ᵃ35. ἀνθρώπῳ μόνῳ τὸ μό-
ριον ἀκίνητον κατ' ἰδίαν Ζια11. 492ᵃ22, ᵃ15. κροκοδείλῳ σιαγὼν
ἡ κάτω ἀκίνητος, ἄλλων ἡ ἄνω Ζμβ17. 660ᵇ27, 29. —
τῆς νόμης ἐὰν ἀκινήτυς Πβ8. 1269ᵃ9. τὸ φύσει ἀκίνητον 40
χ πανταχῦ τὴν αὐτὴν ἔχει δύναμιν Ηε10. 1134ᵇ25. ἐκ-
στάσεις δυσαπάλλακτοι ἢ χ ὅλως ἀκίνητοι Κ8. 10ᵃ4. —
ἀκινήτως ἔχειν δι' ἀναισθησίαν πρὸς τὰς ἡδονάς ηεγ2.
1230ᵇ13.
Accusativus temporalis, πᾶσαν ὥραν γίγνεται τῆς ἡμέρας 45
ἡ ἶρις μγ2. 371ᵇ31. γίνονται οἱ λευκόνοτοι τὴν ἀντικειμένην
ὥραν μβ5. 362ᵃ14. ὥστε πολλῷ ἐλάττω μεγέθει πλοῖα νῦν
εἰσπλεῖν ἢ ἔτος ἑξηκοστόν μα14. 353ᵃ4. accusativus lo-
calis, ὁ νότος ὖ πνεῖ κατ' αὐτὴν τὴν Αἴγυπτον τὰ πρὸς θά-
λατταν πκς44. 945ᵃ20. — acc relationis, τὴν προπετῆ 50
ἀκρασίαν εἰσὶν ἀκρατεῖς Ηγ8. 1150ᵇ36. διὰ τὸ αὐτὸ μέ-
γεθος ξύλον ῥᾶον κατεάσσεται μχ14. 852ᵇ22 (sed proba-
bili coni ξύλῳ Ddt). — acc obiecti cum nomine coniunctus
τὰ σπυδαῖα μάλιστα ποιητὴς Ὅμηρος ἦν πο4. 1448ᵇ34. —
acc absol ὡς ἐνδεχόμενον Ζιδ9. 536ᵃ17.
ἄκλητος. ἡ κύκλῳ φορὰ Οβ6. 288ᵃ25.
ἄκλητον χ προθύμως ἰέναι πρὸς τὺς ἀτυχῦντας Η11. 1171
ᵇ21.
ἀκμάζειν. τὰ μὲν γίνεται, τὰ δὲ ἀκμάζει χ5. 397ᵇ3. ἅμα
πᾶν ἀκμάζειν χ φθίνειν ἀναγκαῖον μα14. 351ᵃ29. ἀκμα- 60
ζύσης τῆς καθάρσεως (ὖ γίνεται σύλληψις) f 259. 1525ᵇ27.

V.

ἀκμάζει τὸ σῶμα ἀπὸ τῶν τριάκοντα ἐτῶν μέχρι τῦ πέντε
χ τριάκοντα Ρβ14. 1390ᵇ10. cf Πη16. 1335ᵃ30. ὁ βῦς
ἀκμάζει πεντέτης sim, ἰχθύες ἀκμάζυσι τῦ ἔαρος Ζι21.
575ᵇ4. ε14. 546ᵃ12. ι37. 621ᵇ19. ὁ νέος χ ἀκμάζων
Ηγ13. 1118ᵇ11. ὁ ἀκμάζων μεταξὺ τῦ νέυ χ τῦ γέρον-
τος Ρα5. 1361ᵇ11. Ζιγ19. 521ᵃ34. Ζγδ2. 766ᵇ29. ε7.
787ᵇ11. οἱ ἀκμάζοντες ποῖοί τινές εἰσι τὰ ἤθη Ρβ14.
ἀκμαῖος. οἱ ἀκμαῖοι Ηκ4. 1174ᵇ33. χειμὼν ἀκμαιότατος πα
17. 861ᵃ24.
ἀκμή. opp ἐπίτασις, ἄνεσις Οβ6. 288ᵃ19. opp αὔξησις, φθί-
σις ψα5. 411ᵃ30. γ12. 434ᵃ24. cf 9. 432ᵇ24. opp νεότης,
γῆρας αν18. 479ᵃ32. μα14. 351ᵃ28. Ρβ12. 1388ᵇ36. 14.
1390ᵇ12. Ζιη3. 583ᵇ27. Ζγδ6. 775ᵃ13. μέχρι τῆς ἀ-
κμῆς, μέχρι ἀκμῆς τινος Ζιγ11. 518ᵇ13. ε14. 546ᵇ29. ἡ
ἀκμὴ ποιῶν ἠθῶν ἐστιν Ρβ14. ἀνθήσαν ἔχειν τὴν ἀκμὴν
Isocr. 5, 10) Ργ11. 1411ᵇ28. ἑτέρας ἀκμῆς τὸ πολεμεῖν χ
τὸ βυλεύεσθαι Πη9. 1329ᵃ8. — ἀκμὴν adv τῆς μήτρας
ἐν νέμαις τε τῆς ὕσης χ διαθέρμυ f 259. 1525ᵇ33.
ἄκμων Ζγε8. 789ᵇ11. αχ802ᵇ42.
ἀκοή. 1. περὶ ἀκοῆς ψβ8. ἡ ἀκοὴ τῦ ἀκυστῦ χ ἀνηκύστυ,
ψόφυ τε χ σιγῆς ψβ8. 421ᵇ4. 10. 422ᵃ23. διττὸν ἡ ἀκοή,
δυνάμει, ἐνεργείᾳ (ἡ ἐνεργείᾳ ἀκοὴ peculiari nomine dicitur
ἄκυσις) ψγ2. 426ᵃ7, 12. ἡ κατ' ἐνέργειαν ἀκοὴ ἅμα γί-
νεται χ ὁ κατ' ἐνέργειαν ψόφος ψγ2. 425ᵇ31. ἡ φωνὴ
ἡ ἀκοή ἐστιν ὡς ἕν ἐστι χ ἔστιν ὡς ὐχ ἕν ψγ2. 426ᵃ28.
ἡ ἀκοὴ λόγος τις, διὰ τῦτο φθείρει ἕκαστον ὑπερβάλλον τὴν
ἀκοήν ψγ2. 426ᵃ29. διαφέρει καθαιότητι τῆς ἀκοῆς γεύσεως
Ηκ5. 1176ᵃ1. περὶ ἀκριβείας ἀκοῆς Ζγε2. 781ᵃ14-ᵇ29. ἡ
ἀκοὴ χ ἡ ὄψις πρὸς τὸ εὖ εἶναι συμβάλλονται f 39. 1481
ᵃ12. τῶν ζῴων τῶν ἐχόντων ἀκοὴν τὰ μὲν ἔχει ὦτα, τὰ
δ' ὐκ ἔχει ἀλλὰ πόρυς φανερύς Ζια11. 492ᵃ24. cf 15. 494
ᵇ13. β10. 503ᵃ5. 12. 504ᵃ23. θ8. 533ᵃ20, ᵇ4. τίνα ζῷα
ὐκ ἔχει ἀκοήν Ζιβ13. 505ᵃ34. θ8. 533ᵃ34, ᵇ4, 535ᵃ13.
ι40. 627ᵃ17. ἀκοὴν ἔχει τὸ ζῷον ὅπως σημαίνῃ τι αὐτῷ
ψ13. 435ᵇ24. πρὸς τὰ ἀναγκαῖα κρεῖττον ἡ ὄψις χ καθ'
αὑτήν, πρὸς δὲ νῦν χ κατὰ συμβεβηκὸς ἡ ἀκοὴ πλεῖστον
συμβάλλεται α1. 437ᵃ5, 11, 13. cf ΜΑ1. 980ᵃ25, ᵇ23 Bz.
Ζω1. 608ᵃ19. ἀκοὴ ἀμβλυτέρα ὄψεως πζ5. 886ᵇ32. ἀκοῆς
πόρυς νυκτὸς μᾶλλον ἀνεῳγμένος πια33. 903ᵃ22. τὴν ἀκοὴν
μάλιστα ἐκ γενετῆς πηρῦνται πια1. 898ᵇ28. αἱ περὶ τὴν
ἀκοήν, ἡ ἀκοῆς ἡδοναὶ Ηγ13. 1118ᵃ7. ηεγ2. 1230ᵇ28-
1231ᵃ17. ἡ ὄψις προτερεῖ (celeritate motus) τῆς ἀκοῆς
μβ9. 369ᵇ6. cf χ4. 395ᵃ17. ἡ κατὰ τὴν ἀκοὴν ἁρμονικὴ
(cf αἰσθητικὴ ἐπιστήμη), opp ἡ μαθηματικὴ Αγ13. 79ᵃ2.
— 2. ἀκοὴ i e τὸ τῆς ἀκοῆς αἰσθητήριον. δυοῖν ὄμμασι χ
δυσὶν ἀκοαῖς κρίνειν Πγ16. 1287ᵇ27. ἡ κόρη ὕδατος, ἡ ἀκοὴ
ἀέρος, συμφύυσα ἀέρι ψγ1. 425ᵃ4. β8. 420ᵃ4. (etiam ta-
libus locis, quales sunt ἡ ὄσφρησις χ ἡ ἀκοὴ πόρυς συνά-
πτοντες πρὸς τὸν ἀέρα τὸν θύραθεν Ζγβ6. 744ᵃ2, ἔχει χ τὴν
ἀκοὴν ἔνια τῶν ζῴων περὶ τὴν κεφαλήν Ζμβ10. 656ᵇ14
ἀκοὴ potest τὸ αἰσθητήριον significare). ἡ ἀκοῆς ἀνο-
μοία γίγνεται χ ἀριστερά πλα29. 960
ᵃ30. συμπιέζεσθαι τὰς ἀκοὰς πια44. 904ᵃ22.
ἄκοιλος. ἄκοιλα τὰ τελευταῖα τῆς ἀορτῆς Ζιγ5. 515ᵃ31.
ἀκοινωνησία Πβ5. 1263ᵇ22.
ἀκοινωνητία. τῆς τῦ κακῦ ἀκοινωνητότερον τγ2. 117ᵇ31.
ἀκολασία. περὶ ἀκολασίας Ηγ13-15. ηεγ2. ημα22. πκη.949
ᵃ24-950ᵃ19 (cf ἀκόλαστος). def Ηβ7. 1107ᵇ6. ηεβ3. 1221
ᵃ2. απ1. 1249ᵇ31. 3. 1250ᵃ20. 6. 1251ᵃ16-23. nomen ex-
plicatur Ηγ15. 1119ᵃ33 sqq. — δαπανηροὶ εἰς τὴν ἀκολασίαν,
εἰς τὰς ἀκολασίας Ηδ1. 1119ᵇ31. 3. 1121ᵇ9.

D

ἀκολασταίνειν Ηβ6. 1107 ᵃ19. ἀκολασταίνων, syn ἀκόλαστος Ηγ7. 1114 ᵃ12.

ἀκόλαστος Ηγ13-15. ηεγ2. ημα22. ὁ ἀκ. λέγεται πολλαχῶς ηεγ2. 1230 ᵃ38-ᵇ9. τίνα δεῖ λέγειν ἀκόλαστον Ηη6. 1148 ᵃ17. ὁ ἀκόλαστος def Ηη8. 1150 ᵃ21. ηεβ3. 1221 ᵃ19. τὰ θηρία ὔτε σώφρονα ὔτ' ἀκόλαστα Ηη7. 1149 ᵇ31. dist ἀκρατής Ηη2. 1145 ᵇ16. 4. 1146 ᵇ20. 11. 1152 ᵃ4sqq. ημβ6. 1203 ᵃ1. ὁ ἀκόλαστος ὐ μεταμελητικός, ἀνίατος Ηη9. 1150 ᵇ29, 32, 1151 ᵃ11. ημβ6. 1203 ᵇ30. ἀκόλαστοι οἱ πολλοὶ τῶν ἀσώτων Ηδ3. 1121 ᵇ8. τῶν γυναικῶν αἱ ἀκόλαστοι περὶ τὸ ἀφροδισιάζεσθαι, πρὸς τὴν ὁμιλίαν τὴν τῶν ἀφροδισίων Ζιζ18. 572 ᵃ12. η1. 582 ᵃ26.

ἀκολȣθεῖν. μετὰ τὰς συνδέσμȣς, ὃς ἂν προείπῃς, ἀποδίδȣ τὰς ἀκολȣθȣντας ρ26. 1435 ᵃ39. — ἡ ἀναθυμίασις ἀκολȣθεῖ τῇ ὁρμῇ τῆς ἀρχῆς μβ8. 366 ᵃ7. cf γ1. 370 ᵇ14. οἱ νέοι οἷοι ἀκολȣθεῖν τῇ ὁρμῇ Ρβ12. 1389 ᵃ9. διὰ τὸ τὴν φύσιν αὐτὴν ὕτως ἐπάγειν ἀκολȣθεῖν Οα1. 268 ᵃ20. τὸ ·μὴ ἀκολȣθεῖν τῇ λαιμαργίᾳ Ζμδ13. 696 ᵇ30. ἀκολȣθεῖν τῷ λόγῳ, τῷ νόμῳ, ταῖς δόξαις, τῇ ἀναλογίᾳ, ταῖς ὁμοιότησιν, τοῖς φαινομένοις Πδ11. 1295 ᵇ8 (syn πειθαρχεῖν τῷ λόγῳ ᵇ6). 14. 1298 ᵃ38. β11. 1273 ᵃ40. Η14. 1137 ᵇ2. ζ3. 1139 ᵇ19. ημα34. 1194 ᵃ39. ΜΑ5. 986 ᵇ31. 9. 990 ᵇ21. ταῖς ἡλικίαις οἰόμεθα ἀκολȣθεῖν Ηζ12. 1143 ᵇ8. ἡ ἐποποιία τῇ τραγῳδίᾳ μέχρι τȣτȣ ἠκολȣθησεν, opp ταύτῃ διαφέρειν πο5. 1449 ᵇ10. — sequi videtur causam effectus, propositiones conclusio, conditiones id quod ex iis suspensum est, substantiam accidens; de his rationibus ἀκολȣθεῖν usurpatur. τῇ ȣσίᾳ ἡ γένεσις ἀκολȣθεῖ κ̅ ταύτης ἕνεκά ἐστιν, ȣχ αὕτη τῇ γενέσει Ζγε1. 778 ᵇ5. ἀρχῆς κινηθείσης πολλὰ ἀνάγκη μεθίστασθαι τῶν ἀκολȣθȣντων Ζγδ1. 766 ᵃ29, 764 ᵇ25. cf 10. 778 ᵃ1, 777 ᵇ35. ἐκ τȣ ἀκολȣθȣτος προτρέπειν ἢ ἀποτρέπειν Ρβ23. 1399 ᵃ11, 13 (syn ἕπεσθαι ᵃ10). ἀκολȣθεῖ ὡς ἐπὶ τὸ πολὺ ἐὰν θάτερα πλεοναχῶς λέγηται, κ̅ θάτερα πλεοναχῶς λέγεσθαι Ηι1. 1129 ᵃ23. ἀκολȣθεῖν καθ' ὁμοιότητα Ηη11. 1151 ᵇ34. οἱ βίοι ἀκολȣθȣσι κατὰ ταύτας τὰς διαιρέσεις sim Ζιθ2. 590 ᵃ16, 18. γ2. 517 ᵃ3. ἀναγκαίων ἀκολȣθμένῳ τῷ ζώῳ γίνεσθαι τȣτο τὸ μόριον Ζγδ1. 764 ᵃ28. ἀκολȣθεῖ ἀπό τινος Φζ4. 235 ᵇ1. ἐὰν αἱ τρίχες ὦσι λευκαί, ȣκ ἀκολȣθεῖ τῷ δέρματι λευκότης Ζγε4. 784 ᵃ27. ἀκολȣθεῖ τῇ μεγέθει ἡ κίνησις· διὰ γὰρ τὸ τὸ μέγεθος εἶναι συνεχὲς κ̅ ἡ κίνησίς ἐστι συνεχής Φδ11. 219 ᵃ11, ᵇ15. 12. 220 ᵇ24. μᾶλλον ἀκολȣθȣσι παιδεία ᾗ εὐγένεια τοῖς εὐπορωτέροις Πδ8. 1293 ᵇ37. τῇ δικαιοσύνῃ ἀκολȣθȣσιν αἱ ἄλλαι ἀρεταὶ Πγ13. 1285 ᵃ39. ηεγ5. 1232 ᵃ31. cf Πβ6. 1265 ᵃ34. αἱ ἄλλαι διαφοραὶ ταύταις ἀκολȣθȣσι Ζμβ1. 646 ᵃ18. τὰ ἤδη σχεδὸν ἀεὶ τȣτοις (τῷ φαύλῳ κ̅ τῷ σπȣδαίῳ) ἀκολȣθεῖ μόνοις· κακία γὰρ κ̅ ἀρετὴ τὰ ἤθη διαφέρȣσι πάντες πο2. 1448 ᵃ3. ἐπεὶ τὸ ἀγαθὸν διχῶς, κ̅ αἱ φύσεις κ̅ αἱ ἕξεις ἀκολȣθήσȣσιν Ηη13. 1152 ᵇ28. cf Μδ10. 1018 ᵃ36. ἀκολȣθȣσι ταύτῃ αἱ ἄλλαι μεταβολαὶ Μη1. 1042 ᵇ3. cf μπ3. 340 ᵇ17. ἀκολȣθεῖ διχῶς, ἢ ἅμα ἢ ὕστερον Ρα6. 1362 ᵃ29, 36. εὐθὺς ἀκολȣθεῖ γενομένοις, dist προϊȣσης τῆς ἡλικίας γίνεσθαι Ζγε1. 778 ᵃ27. ἐν ἀκολȣθεῖ βέλτιστον ἦθος τῇ εὐτυχίᾳ Ρβ16. 1391 ᵇ2. cf 9. 1386 ᵇ25. συμβαίνει ταῖς τοιαύταις ἕξεσι τὰ τοιαῦτα ἀκολȣθεῖν Ρα10. 1369 ᵃ20, 27 (syn ἐπακολȣθεῖν ᵃ22). τῷ μεμνημένῳ ἀκολȣθεῖ φαντασία τις ὧ μέμνηται Ρα1. 1370 ᵃ29. τὰ ἀκολȣθȣντα (sc ταῖς αἰσθήσεσι) κ̅ κοινά, οἷον κίνησις μέγεθος ψγ1. 425 ᵇ5. ἡ ἁφὴ κ̅ γεῦσις ἀκολȣθεῖ πᾶσι ζώοις ἐξ ἀνάγκης α1. 436 ᵃ13. τὰ ταῖς δημοκρατίαις ἀκολȣθȣντα ᾗ δοκȣντα εἶναι τῆς πολιτείας οἰκεῖα ταύτῃς Πζ1. 1317 ᵃ30, 60 20. τὸ κοινὸν ἀκολȣθεῖ πᾶσι τοῖς καθ' ἕκαστον Ζγδ3. 768

ᵇ13. — inde ἀκολȣθεῖν τινί eadem vi usurpatur, atque ὑπάρχειν τινί, κατηγορεῖσθαί τινος (cf ἕπεσθαι. Steinthal p. 222) Αα5. 26 ᵇ6, 9. 27. 43 ᵇ4, 19, 31 et saepe. ε12. 13. ΜΑ1. 981 ᵃ27 Bz. δ6. 1016 ᵇ35. Φε4. 228 ᵇ30. ημβ6. 1203 ᵇ19, 25. 11. 1209 ᵃ7, ᵇ32 al. ἀκολȣθεῖν παντί, ȣδενί Αα4. 26 ᵇ6. ἀκ. ἀντιφατικῶς, ἀντεστραμμένως ε13. 22 ᵃ34. ἀκ. ἀνάπαλιν τβ8. 114 ᵃ4. ἤτοι ταὐτά ἐστιν ἢ ἀκολȣθεῖ ἀλλήλοις Αα13. 32 ᵃ24, 27. cf Μγ2. 1003 ᵇ23. ψγ1. 425 ᵇ8. ἀκολȣθȣν πᾶσι τὸ ὂν ᾗ τὸ ἓν (syn ἕπεσθαι) τὸ6. 127 ᵃ26, 27.

ἀκολȣθησις. ἐναντία ὑπομονὴ ἀκολȣθησις (Isocr 4, 35) Ργ9. 1410 ᵃ4. — ἀκολȣθησις τῷ λόγῳ ηεγ1. 1229 ᵃ1. — πρότερον λέγεται τὸ μὴ ἀντιστρέφον κατὰ τὴν τȣ εἶναι ἀκολȣθησιν Κ12. 14 ᵃ30. cf ᵃ35, ᵇ12. 13. 14 ᵇ28, 15 ᵃ6, 8. — ἀκολȣθησις logice, cf ἀκολȣθεῖν i q κατηγορεῖσθαί τινος. αἱ ἀκολȣθήσεις ε13. 22 ᵃ14. ἡ τῶν ἑπομένων ἀκολȣθησις τι28. 181 ᵃ23. αἱ τῶν ἐναντίων ἀκολȣθήσεις τβ9. 114 ᵇ14. ἀκολȣθησις ἐπὶ ταὐτά τβ8. 113 ᵃ28, 30, 33, 114 ᵃ2 al. ἀνάπαλιν ἡ ἀκ., ἡ κατὰ τὴν ἀντίφασιν ἀκολȣθησις τβ8. 113 ᵇ15, 19, 25sqq. ι28. 181 ᵃ30. ἡ κατὰ τὰς ἀντιθέσεις ἀκολȣθησις τι28. 181 ᵃ26. ἡ ἀκολȣθησις ἀντιστρέφει τι5. 167 ᵇ2.

ἀκολȣθητικός τοῖς πάθεσι, τῇ φαντασίᾳ Ηα1. 1095 ᵃ4. η8. 1150 ᵇ28. ταῖς ἐπιθυμίαις Ρβ12. 1389 ᵃ5. τῷ λόγον ἔχοντι ηεβ1. 1220 ᵃ10.

ἀκόλȣθος. χρῆσθαι γυναιξὶ κ̅ παισὶν ὥσπερ ἀκολȣθοις Πζ8. 1323 ᵃ6. τὸ ἀκόλȣθον γένος τῶν κυνῶν, dist τὸ θηρευτικόν Ζιι1. 608 ᵃ30. — ἀκόλȣθον τοῖς εἰρημένοις, δόξειε δ' ἀκόλȣθον εἶναι διελθεῖν Ηβ8. 1321 ᵇ4. Ηδ4. 1122 ᵃ18 (cf ἕπεσθαι). — τὸ καλὸν κ̅ τὸ ἡδὺ ᾗ τὰ τȣτοις ἀκόλȣθα ρ7. 1427 ᵇ40. — τὸ ἀκόλȣθόν τινι i q ἀκολȣθȣν τινί (cf h v) τβ4. 111 ᵇ22 (i e ὃ ἔστιν, εἰ τὸ προκείμενον ἔστι). 5. 112 ᵃ17, 22 (veluti ἀκόλȣθον ἀνθρώπῳ ζῷον, δίπȣν al). — ἀκολȣθως φτβ10. 829 ᵇ39.

ἀκονᾶν. πρίων ἀκονώμενος πζ5. 886 ᵇ10. inde ἀκονȣμένȣ scribendum videtur pro ἀκονȣμένȣ πλε3. 964 ᵇ37.

ἀκονεῖν. cf ἀκονᾶν.

ἀκονή. τὰς ἀκόνας τῷ μολίβδῳ τήκεσθαι f 204. 1515 ᵃ27. cf 205. 1515 ᵃ33.

ἀκόνιτος. τὰ ἀκόνιτα τῶν ἀγγείων σπᾷ τὸ ὕδωρ εἰς αὐτά Ζγβ4. 739 ᵇ12.

ἀκοντίζειν. φλόγες ἀκοντίζονται κ2. 392 ᵇ3. cf 4. 395 ᵇ4 (opp στηρίζεσθαι).

ἀκόντιον. ἔχων ἀκόντια Ρβ20. 1393 ᵇ17.

ἀκοπίαστος ὁδός κ1. 391 ᵃ12.

ἄκοπος. τοῖς τετράποσιν ἄκοπον τὸ ἑστάναι Ζμδ10. 689 ᵇ17. περίπατοι ἀκοπώτεροι, opp κοπιαρώτεροι πε1. 880 ᵇ16. 10. 881 ᵇ20. 23. 883 ᵃ24. ᾗ συνήθεια ἀκοπον πε12. 882 ᵃ1. — ἄλυπον κ̅ μετὰ τὰς ἐργασίας ἄκοπον Ζιχ1. 633 ᵇ20, 24. ἀκοπώτεροι πολλοὶ ἐμέσαντες πε7. 881 ᵃ37. — σῖτος ἑαθεὶς ἐν τῷ ψύχει πολλὰ ἔτη γίνεται ἄκοπος πιδ2. 909 ᵃ19.

ἄκος τινός, genetivo vel id significatur quod avertitur Πε8. 1308 ᵇ26, vel id quod expetitur Πβ7. 1267 ᵃ3, 9. ε5. 1305 ᵃ32. ἄκος ἐπὶ πάσῃ ὑπερβολῇ Πγ7. 1408 ᵇ1. ȣκ ἐπιζητεῖν εἰ μὴ παρὰ φιλοσοφίας ἄκος Πβ7. 1267 ᵃ12.

ἀκοσμία ἀκολȣθεῖ τῇ ἀκολασίᾳ αρ6. 1251 ᵃ22. — κόσμος τὸ σύμπαν, ἀλλ' ȣκ ἀκοσμία κ6. 399 ᵃ14. cf f 16. 1477 ᵃ1. — ἀκοσμία τῶν δυνατῶν (apud Cretenses) Πβ10. 1272 ᵇ8.

ἀκυάζεσθαι (Hom ι 17) Πθ3. 1338 ᵃ29.

ἀκύειν. ἅμα ἀκύει κ̅ ἀκήκοε αι6. 446 ᵇ2 (cf αἰσθάνεσθαι a). ἀκύεται ἐν ἀέρι κ̅ ὕδατι ψβ8. 419 ᵇ18. ἐκπνέοντες ἧττον ἀκύȣσιν ἢ εἰσπνέοντες Ζγε2. 781 ᵃ30. cf πια1. 903 ᵇ34. 48. 904 ᵇ11. 44. 904 ᵃ16. τῶν ζῴων τίνα ȣκ ἀκύει, cf ἀκοή.

μᾶλλον ἑνὸς ἀκούοντες συνίεμεν ἢ πολλῶν ἅμα ταῦτά λε-
γόντων ακ 801 ᵇ16. ἀκούει (τὸ τῆς ἀκοῆς αἰσθητήριον) ὃ μό-
νον κατ' εὐθυωρίαν ἀλλὰ πάντοθεν Ζμβ10. 656 ᵇ28. ἔστι
μὲν ὡς τὸ αὐτὸ ἀκούει ὁ πρῶτος χ̣ ὁ ὕστερος, ἔστι δ' ὡς
ὃ αι6. 446 ᵇ16. ἀκούβως ἀκούειν διχῶς λέγεται Ζγε2. 781
ᵃ15. οἱ φυσικοὶ λόγοι, τὸ ὁρᾶν χ̣ τὸ ἀκούειν φάσκοντες εἶναι
λυπηρόν, ἀλλ' ἤδη συνήθεις ἐσμέν, ὡς φασίν Ηη15. 1154 ᵇ8.
— ἀκούειν c gen μικρῷ ψόφῳ Οα11. 281 ᵃ22. ἀκούειν μὲν
τῷ λόγῳ, παρακούειν δέ Ηη7. 1149 ᵃ26. ἀκούσατω τῷ Ἡσι-
όδῳ Ηα2. 1095 ᵇ9. c acc ἀκουσόμενος τὰ παραγγελλόμενα
Πδ14. 1298 ᵃ19. absol συνομοιοπαθεῖ ὁ ἀκούων τῇ παθη-
τικῶς λέγοντι Ργ7. 1408 ᵃ23. ὐχ ἡ ἀπόδειξις αἰτία, ἀλλ' ὁ
ἀκούων Αγ24. 85 ᵇ22. — ἀκούειν i q λέγεσθαι. Ἀγαμέμνων
κακῶς ἀκούων ἠνείχετο Ππ14. 1285 ᵃ11. ἀρχὴν ταύτην ἄξιον
ἀκοῦσαι τῷ ζῷ Ζγβ4. 740 ᵃ20. — ἀκουστός. τὸ ἀκουστόν,
opp ἀνήκουστον ψβ9. 421 ᵇ4. τὸ φωνῆεν ἔχει φωνὴν ἀκουστὴν
πο20. 1456 ᵇ26. ὁ λόγος αἴτιος τῆς μαθήσεως ἀκουστὸς ὢν
αι1. 437 ᵃ13. τὸ ἀκουστὸν ὑπὸ τῷ ὁρατῷ πέφυκε φθάνεσθαι
κ4. 395 ᵃ17. τὸ ἀκουστὸν μόνον ἦθος ἔχει τῶν αἰσθητῶν πιθ
27. 919 ᵇ26.

ἀκούσιος. κινεῖταί τινας χ̣ ἀκουσίας κινήσεις ἔνια μέρη τῶν ζῴων
Ζκ11. 703 ᵇ4. περὶ ἑκουσίν χ̣ ἀκουσίν Ηγ1-3. ηεβ7-9. ηεα
12-16. δοκεῖ ἀκούσια τὰ βίᾳ ἢ δι' ἄγνοιαν γινόμενα Ηγ1.
1109 ᵇ35. τὰ βίᾳ χ̣ ἀπάτῃ ἀκούσια Ρα15. 1377 ᵇ5. ἀκού-
σιον, dist ὐχ ἑκούσιον Ηγ2. 1110 ᵇ18. ἁπλῶς ἀκούσια, νῦν
δὲ χ̣ ἀντὶ τῶνδε ἑκούσια Ηγ1. 1110 ᵃ8-ᵇ7. ἀκούσια συναλ-
λάγματα Ηε5. 1131 ᵃ3. φονικὰ εἴδη τὰ ἐκ προνοίας, τὰ
ἀκούσια Πδ16. 1300 ᵇ26. δικάζειν φόνα ἀκουσίᾳ f 417. 1547
ᵇ28. — ἀκουσίως πράττειν Ηγ2. 1111 ᵃ2. 3. 1111 ᵃ28.
βλάπτεσθαι Ρα13. 1373 ᵇ30. τοῖς κακῶς δεδρακόσιν ἀκου-
σίως Ρβ23. 1397 ᵃ14 (fr trag adesp 55).

ἀκουστ-ς, χ̣ κατ' ἐνέργειαν ἀκουστικὴ ἐνέργεια ψγ2.
426 ᵃ1, 7, 12. αι3. 439 ᵃ16. opp κωφότης τε6. 135 ᵇ32.
ἀκούσματα, syn ἀκροάματα Ηκ4. 1174 ᵇ28. 2. 1173 ᵇ18.
ἀκούσματα χ̣ ὁράματα ἀνελευθερίας Πη17. 1336 ᵇ2.
ἀκουστός τῷ πατρὸς Ηα13. 1103 ᵃ3. — ἀκουστικόν: ἡ τῷ
ἀκουστικῷ ἐνέργεια (cf ἄκουσις) ψγ2. 426 ᵃ7.
ἄκρα. (φλεβῶν τινων) σχίζεται ἄκρα ἑκατέρα, ἡ μὲν ἐπὶ τὸν
μέγαν δάκτυλον, ἡ δ' ἐπὶ τὸν ταρσὸν Ζιγ2. 512 ᵃ6. λευ-
καίνεται ἀπ' ἄκρας ἡ θρὶξ Ζιγ11. 518 ᵃ9. — αἱ ἄκραι ἀνε-
σπασμέναι φαίνονται ἐν τῇ θαλάττῃ μγ4. 373 ᵇ10. ἡ Ἵππη
ἄκρα θ134. 844 ᵃ8.

Ἀκραγαντῖνος Ἐμπεδοκλῆς Οα10. 279 ᵇ16. Ἀκραγαντίνων
πολιτεία f 436.
ἀκραίπαλος πγ17. 873 ᵇ11.
ἀκρασία. περὶ ἀκρασίας Ηη1-11. ημβ4-6. πκη.949 ᵃ24-950
ᵃ19. def Ηη6. 1147 ᵇ22. 7. 1149 ᵇ25. 9. 1150 ᵇ34. ηεη2.
1237 ᵃ9. Ρα12. 1372 ᵇ13. β19. 1392 ᵇ23. αρ6. 1251ᵃ23-
29 (cf ἀκράτεια). πκη3. 949 ᵇ15. ἀκρασία πόλεως Πε9.
1310 ᵃ19. ἀκρασία. opp ἐγκράτεια, dist κακία (μοχθηρία),
θηριότης Ηη1. 1145 ᵃ16sqq. 9. 1150 ᵇ33, 35. Ρα10. Ηη3.
1368 ᵇ14. (πότερόν ἐστι τις σπουδαία ἀκρασία Ηη3. 1146
ᵃ19). ἀκρασία θηριώδης, νοσηματώδης, ἁπλῶς Ηη6. 1148
ᵇ19, 35, 1149 ᵃ19. ἀκρασία παρακολουθεῖ τῇ ἀφροσύνῃ αρ6.
1251 ᵃ2. ἀκρασία, dist μαλακία ημβ6. 1202 ᵇ33. cf Ηη1. 1145 ᵃ35.
2. 1145 ᵇ9. ἀκρασία ἁπλῶς, κατὰ μεταφορὰν Ηη7.6. 1147
ᵇ22. ημβ6. 1202 ᵃ33 sqq. πκη3. 949 ᵇ14. ἀκρασίας τὸ μὲν
προπέτεια τὸ δ' ἀσθένεια Ηη8. 1150 ᵇ19sqq. ἀκρασία προ-
τρεπτικὴ (προπετική?), ἀσθενικὴ ημβ6. 1203 ᵃ30sqq.

ἀκράτεια def αρ1. 1250 ᵃ1. 3. 1250 ᵃ22 (cf ἀκρασία 6. 1251

ᵃ23-29).
ἀκρατεύεσθαι, def ἐνεργεῖν κατὰ τὴν ἀκράτειαν ηεβ7.1223
ᵃ38, ᵇ9. Ηη5. 1147 ᵃ24. πῶς ὑπολαμβάνων ἀκρατεύεταί τις
Ηη3. 1145 ᵇ21, 30. 5. 1146 ᵇ25, 1147 ᵇ1, 18. τῶν ἀκρα-
σιῶν, ἣν οἱ μελαγχολικοὶ ἀκρατεύονται Ηη11. 1152 ᵃ28.
ἀκρατευτικὰ ἀδικήματα, dist ὑβριστικά, κακουργικά Ρβ16.
1391 ᵃ19.
ἀκρατής, def Ηη2. 1145 ᵇ11. 6. 1148 ᵃ4-11. 9. 1151 ᵃ4, 20-
28. ιδ. 1166 ᵇ8. ηεβ7. 1223 ᵃ37. 8. 1224 ᵇ19. ψγ9. 433 ᵃ3.
τζ8. 146 ᵇ25. πκη2. 949 ᵇ6. 7. 949 ᵇ38. πότερον εἰδὼς πράτ-
τει Ηη5. 2. 1145 ᵇ12. ὁ ἀκρατὴς μεταμελητικός, ἰατός, ἡμι-
πόνηρος Ηη9. 1150 ᵇ30 sqq. 11. 1152 ᵃ17. ημβ6. 1203 ᵇ30.
τὰ θηρία ὐκ ἀκρατῆ Ηη5. 1147 ᵇ4. ἀκρατής, dist ἀκόλα-
στος Ηη11. 1152 ᵃ4sqq. 9. 1151 ᵃ20-28. 6. 1148 ᵃ13 sqq.
ημβ6. 1203 ᵃ1. opp ἐγκρατής, dist μαλακός Ηη8. 1150
ᵃ33, 13, 14. 6. 1147 ᵇ23. ημβ6. 1202 ᵇ36. dist πονηρός
Ηη11. 1152 ᵃ20-24. ἀκρατεῖς τὴν προπετῆ ἀκρασίαν (opp
τὴν ἀσθενῆ) Ηη8. 1150 ᵇ26. ἀκρατεῖς ἁπλῶς, dist ἀκρατεῖς
κατὰ μέρος sive κατὰ πρόσθεσιν. veluti θυμῷ, τιμῆς, κέρ-
δους al Ηη6. 2. 1145 ᵇ19. 3. 1146 ᵇ3-5. 4. 1146 ᵇ19. 6.1147
ᵇ33, 1148 ᵃ11. 8. 1150 ᵇ11. ημβ6. 1202 ᵃ32, 35. πκη3.
949 ᵇ13, 14. ἀκρατὴς πρὸς τὸν οἶνον sim, περὶ τὰ πόματα
Ζιθ4. 594 ᵃ10. Ζγδ7. 774 ᵃ4. Ζμδ11. 691 ᵃ3. ἀκρατεῖς τῆς
κεφαλῆς, τῶν ὄπισθεν Ζγβ6. 744 ᵃ31. Ζιι12. 615 ᵃ23. —
ἀκρατῶς βιοτεύειν Ηη7. 1114 ᵃ15.
ἀκράτητον ὑπὸ τῆς φύσεως χ̣ ἄπειρον μδ7. 384 ᵃ33.
ἀκράτισμα. ἕως ἀκρατίσματος ὥρας Ζιθ. 564 ᵃ20.
ἀκρατοποτῆσιν οἱ οἰνόφλυγες πγ5. 871 ᵃ28. 26. 874 ᵇ23.
ἄκρατος. 'ζωρότερον κέραιε' ὃ (σημαίνει) τὸ ἄκρατον ὡς οἰνό-
φλυξιν πο25. 1461 ᵃ15. πόμα ἧττον ἄκρατον πκα20. 929
ᵃ36. μελίκρατον ἄκρατον, opp ὑδαρές Μγ6. 1092 ᵇ30. μᾶλ-
λον κραιπαλῶσιν οἱ ἀκρατέστερον πίνοντες ἢ οἱ ὅλως ἄκρατον
πγ3. 871 ᵃ16. 14. 873 ᵃ4. (cf εὔκρατος πγ22. 874 ᵃ28). —
αὐτὸ ἂν μάλιστα ἕκαστον ἦν ἄκρατον ὄν Ζγα18. 723 ᵃ20.
μέλαν ἄκρατον χ5. 795 ᵃ9, ᵇ30, 796 ᵃ3. ἀκρατέστερον ἄν-
θος χ4. 794 ᵇ6. ἶρις ἄκρατος μγ4. 375 ᵃ10. ὀλιγαρχία ἄκρα-
τος χ̣ τελευταία Πε10. 1312 ᵇ35. δ11. 1296 ᵃ2. β12. 1273
ᵇ37. κακὸν ἄκρατον Μν4. 1091 ᵃ37. ἄκρατος τῆς διανοίας
ὀργή (cf Ἀλκιδάμας) Ργ3. 1406 ᵃ10. λόγος ἄκρατος Μγ4.
1009 ᵃ4. — τὸ κεκραμένον τῷ ἀκράτῳ πᾶν ἥδιον (de sonis,
cf ἄμικτον) πιθ38. 921 ᵃ4.
ἀκρέμων. οἱ ἀκρέμωνες, dist τὰ φύλλα φτβ10. 829 ᵇ8.
ἀκρίβεια τῶν φθόγγων ακ801 ᵇ2, 804 ᵃ28, 31. κατ' ἀκρί-
βειαν ἔντορνος ὁ κόσμος Οβ4. 287 ᵇ15. τὸ ἔμβρυον ἀπαρτί-
ζεσθαι πρὸς ἀκρίβειαν f 257. 1525 ᵃ26. ἀκρίβειαν τῶτων
(τῶν κινήσεων) ὑθεμίαν ὑπολημπτέον Λη8. 583 ᵇ. — ἡ πόρ-
ρωθεν ἀκρίβεια τῶν αἰσθήσεων, ἡ περὶ τὰς διαφορὰς ἀκρί-
βεια τῶν αἰσθήσεων Ζγε2. 781 ᵇ17, 2. ἡ τῆς διανοίας ἀκρί-
βεια Ζιι7. 612 ᵇ21. τὴν ἀκρίβειαν ὐ δεῖ ὁμοίως ἐν ἅπασιν
ἐπιζητεῖν Ηη7. 1098 ᵃ27. εἰδήσεις (δύναμις) τιμιωτέρα ἑτέρα
ἑτέρας κατ' ἀκρίβειαν ψα1. 402 ᵃ2. Αδ19. 99 ᵇ34. ᵇ τὴν
αὐτὴν ἀκρίβειαν δεῖ ζητεῖν διὰ τε τῶν λόγων ᵇ διὰ τῆς
αἰσθήσεως Πη7. 1318 ᵃ20. πρὸς ἀκρίβειαν, opp πρὸς ὄψιν
αν16. 478 ᵇ1. εἰς ἀκρίβειαν Πη11. 1331 ᵃ2. τῇ ἀκριβείᾳ
τῶν κινήσεων γλαφυρώτερος Πβ12. 1274 ᵇ7. δι' ἀκριβείας λέ-
γειν, γράφειν, διορίζειν, ἀκριβοῦν, ἰδεῖν Αα4. 24 ᵇ14. τη3.
153 ᵃ11. Φδ8. 191 ᵇ29. 9. 192 ᵃ35. Ζια6. 491 ᵃ9 (opp ἐν
τύπῳ). 13. 493 ᵇ1. Ζμδ5. 644 ᵇ35. Ζγα20. 728 ᵇ12. γ2.
753 ᵇ14. Ηκ3. 1174 ᵇ2. αν12. 477 ᵇ11. κ6. 397 ᵇ11. κατ'
ἀκρίβειαν ζητεῖν ηεγ2. 1236 ᵇ18. — ὅπυ μάλιστα ὑποκρί-
σεως, ἐνταῦθα ἥκιστα ἀκρίβεια ἔνι Ργ12. 1414 ᵃ16. —

plur ὡς ἐνδέχεται λαμβάνειν τῶν τοιύτων τὰς ἀκριβείας μβ5. 362 ᵇ25.

ἀκριβής. δεικνύναι, συλλογίζεσθαι ἀκριβέστερον, opp μαλακώτερον Μκ7. 1064 ᵃ7. Ρβ22. 1396 ᵃ34. ἀρχαὶ ἢ ἀκριβέστεραι ἢ ἁπλύστεραι Με1. 1025 ᵇ7. ἀντὶ λόγου ἁπλῶ ἀκριβέστερος Μζ4. 1030 ᵃ16. τοῖς μὲν ἀκριβέστερον τοῖς δὲ ἀμαυρῶς Οα9. 279 ᵃ29. νῦν μὲν ἱκανῶς πρὸς τὴν παρῆσαν χρείαν, ἀκριβέστερον δὲ πάλιν Οα3. 269 ᵇ21. ἀκριβῆ λόγον ἀποδῦναι, opp τύπῳ περιλαβεῖν τα1. 101 ᵃ21. ἀκριβὴς κὴ περιττὴ διάνοια τζ4. 141 ᵇ13. ἀκριβὲς ἐν ὑπολήψει, syn σαφές τβ4. 111 ᵃ9. ὅροι μήτε ἀσαφεῖς μήτε ἀκριβεῖς Ρα10. 1369 ᵇ32. ἐν οἷς τὸ ἀκριβὲς μή ἐστιν ἀλλὰ τὸ ἀμφιδοξεῖν Ρα2. 1356 ᵃ8. ὑποπτεύειν κὴ μηδὲν ἀκριβὲς ἔχειν πκθ13. 951 ᵇ35. — τὸ τῦ ἀριθμῶ μέτρον ἀκριβέστατον Μα1. 1053 ᵃ1. κινεῖσθαι ἐν ἀκριβεστάτοις μέτροις κ5. 397 ᵃ10. ἀκριβέστεραι ἀνάγκαι Οβ5. 287 ᵇ34. αἰσθητήριον ἀκριβές, αἴσθησις ἀκριβής, ἀκριβέστερα ψβ9. 421 ᵃ12, 10 (opp χείρων). αι6. 446 ᵃ12. Ζια15. 494 ᵇ16. Ζμβ2. 648 ᵃ19, cf ἀκρίβεια. διωρίσται ἀκριβέστερον τηβ. 153 ᵃ25. ὁρισμὸς ἀκριβῆς Ηθ9. 1159 ᵃ3. διὰ λογικωτέρων κὴ ἀκριβεστέρων λόγων Μμ5. 1080 ᵃ10. cf Αβ. 1073 ᵇ16. οἱ ἀκριβεῖς τῶν λόγων ΜΑ990 ᵇ15. μ4. 1079 ᵃ11. σαρκὸς κὴ νεύρω οἱ λόγοι ὐκ ἀκριβεῖς μὸ 12. 390 ᵃ19. ὁ ἀκριβέστατος ἑκάστη λόγου Πγ4. 1276 ᵇ24. τὴν σοφίαν τοῖς ἀκριβεστάτοις τὰς τέχνας ἀποδίδομεν Ηζ7.1141 ᵃ9. ἀκριβέστεροι γενόμενοι, opp ἐξ ἀρχῆς τζ4. 142 ᵃ4. — ἀκριβέσταται ἐπιστῆμαι Ογ7. 306 ᵃ27. Ηζ7. 1141 ᵃ16. Ρα1.1355 ᵃ24. αἱ ἀκριβεῖς κὴ αὐτάρκεις τῶν ἐπιστημῶν Ηγ5. 1112 ᵇ1. ἀκριβεστέρα ἀπόδειξις ἡ μᾶλλον ἐξ ἀρχῆς Αγ24. 86 ᵃ17. ἀκριβεστέρα ἐπιστήμη τίς Αγ 27. ἀκριβέσταται τῶν ἐπιστημῶν αἱ μάλιστα τῶν πρώτων εἰσίν ΜΑ 2. 982 ᵃ25 Bz. μ3. 1078 ᵃ10. ἡ ἀκριβεστάτη τῶν ἐπιστημῶν ἡ σοφία Ηζ7. 1141 ᵃ16. ἀκριβεστέρας ἔχειν γνώσεις ἀποδείξεως Αθ 19. 99 ᵇ27. τὸ ἀκριβὲς ὐχ ὁμοίως ἐν ἅπασι τοῖς λόγοις ἐπιζητητέον Ηα1. 1094 ᵇ13, 24. — τὸ ἀκριβὲς ἀνελεύθερον εἶναι δοκεῖ Μα3. 995 ᵃ10.— λόγος ἀκριβής, i e oratio exquisita, elaborata Ργ17. 1418 ᵇ1. ἐν τῇ δημηγορικῇ κὴ ἀκριβὴς περίεργα, ἡ δὲ δικανικὴ ἀκριβεστέρα Ργ12. 1414 ᵃ9, 10. ἀκριβὴς ὥσπερ λογογράφος Ργ12. 1413 ᵇ13. — ἐπιθεωρεῖν τὰ μεγάλα τῶν ἠθῶν κὴ τὰ ἀκριβῆ κὴ τὰ μέτρια ρ23. 1434 ᵇ30 — ἀκριβῶς. τύπῳ κὴ ὐκ ἀκριβῶς Ηβ2. 1104 ᵃ2. ἀποδείξαι τὸ ἀκριβῶς ἢ μαλακῶς Γβ6. 333 ᵇ25. ἀκριβῶς διαριθμήσασθαι κὴ διαλαβεῖν εἰς εἴδη Ρα3. 1359 ᵇ3. ἀκριβῶς ὁρᾶν, ὀσφραίνεσθαι, θεωρεῖν Ρα7. 1364 ᵃ38. Πγ9. 1280 ᵇ28. ῥυθμὸν ἔχειν μὴ ἀκριβῶς, syn μέχρι τυ πο8. 1408 ᵇ31, 32. ὐκ ἀκριβῶς λέγονται οἱ λόγοι Μζ6. 1031 ᵃ7. καθ' αὑτὸ κὴ ἀκριβῶς λέγειν μα3.·341 ᵇ14. ὐχ ὁμοίως ἀκριβῶς ἔχειν Πβ6. 1265 ᵇ2. — (Wz ad Αγ13. 78 ᵇ32).

ἀκριβοδίκαιος ἐπὶ τὸ χεῖρον Ηε14. 1138 ᵃ1.

ἀκριβολογεῖσθαί τι Ρα10. 1369 ᵇ2. διατρίβειν ἀκριβολογύμενος Πη12. 1331 ᵇ1. opp ἐκ παρόδυ τὺς τοὺς λόγυς ἀποδέχεσθαι Ογ8. 306 ᵇ27. opp ἀκολυθεῖν ταῖς ὁμοιότησιν Ηζ3. 1139 ᵇ19. ἀκριβολογεῖσθαι κατὰ μέρος, opp καθόλυ λέγειν Πα11. 1258 ᵇ34. — ὐχ ἅπαντα ἀκριβολογητέον Ργ1. 1404 ᵃ37.

ἀκριβολογία Ρα5. 1361 ᵇ34. ἡ μαθηματικὴ ἀκριβολογία Μα3. 995 ᵃ15. ἡ καθ' ἕκαστον ἀκριβολογία, opp νομικῶς διελεῖν Πθ7. 1341 ᵇ30. τοιαύτην ὐκ ἐπραγματεύθησαν ἀκριβολογίαν Ζιγ3. 513 ᵃ10. — ἡ ἀκριβολογία μικροπρεπές Ηδ4. 1122 ᵇ8.

ἀκριβόυν. ἡ διάμετρος βύλεται μὲν κατὰ τὸν διὰ παντὸς εἶναι φαινόμενον, ὐκ ἀκριβοῖ δέ μβ6. 363 ᵇ32. ἡ φύσις ὐκ ἀκριβοῖ

Ζγδ 9. 778 ᵃ6. ζῷά τινα ὐκ ἀκριβώσει περὶ τὰς διαφορὰς τῶν χρωμάτων Ζγε1. 780 ᵇ26. κατὰ τὴν ἀφὴν διαφερόντως ἀκριβῦν, opp λείπεσθαι τῶν ἄλλων ζῴων ψβ9. 421 ᵃ22. μὴ ἀκριβῦν, syn πταίειν, σφάλλεσθαι τῇ γλώττῃ πγ31. 875 ᵇ28. πρότερον δύνανται τῇ λέξει ἀκριβῦν ἢ τὰ πράγματα συνίστασθαι πο6. 1450 ᵃ36. cf διακριβῦν, ἐξακριβῦν. — ἠκριβῶσθαι πρὸς πᾶσαν ἀρετὴν Πγ7. 1279 ᵇ1. εἰκόνες μάλιστα ἠκριβωμέναι πο4. 1448 ᵇ11.

ἀκρίς, insectum, refertur inter τὰ πηδητικὰ ἔντομα Ζιδ7. 531 ᵇ20, 532 ᵇ10. ει19. 550 ᵇ22, 32. Ζμδ6. 683 ᵃ33. Ζγα 16. 721 ᵃ2, 4. ἀκρίδος μέγεθος Ζιθ3. 593 ᵇ23. ἐξάπης. ὄπισθεν ἔχει τὰ πηδάλια ὤδη Ζμδ6. 683 ᵃ36. ἔχει κοιλίαν κὴ ἀπὸ ταύτης τὸ λοιπὸν ἔντερον εἰλιγμένον Ζιδ7. 532 ᵇ10. θήλεσι τὸ ταῖς ὑστέραις ἀνάλογον μόριον ἐσχισμένον παρὰ τὸ ἔντερον Ζγα16. 721 ᵃ23. θηλειῶν κὴ ἀρρένων τινές αἱ διαφοραί Ζιε28. 555 ᵇ20, 21, 556 ᵃ1, 2. — ἐκ συγγενῶν γίγνονται, συνδυάζονται Ζιε19. 550 ᵇ32. Ζγα16. 721 ᵃ4, sed ἀκρίδες τινὲς ἐγένοντο αὐτόματοι ἔγκυοι Ζικ6. 637 ᵇ18. πῶς ὀχεύονται, πῶς κὴ πότε γίγνονται κὴ ἐκπέττονται σκώληκες, ἐκδύνυσιν, ἀποθνήσκυσιν Ζιε28. 555 ᵇ18-556 ᵃ7. θ17. 601 ᵃ6. — πῶς ᾄδυσι (ψόφον ποιῦσιν) ἀκρίδες Ζικ6. 637 ᵇ16. δ9. 535 ᵇ12. φωνὴ λιγυρά ακ804 ᵃ23. — πῶς μάχονται τοῖς ὄφεσιν Ζιϛ. 612 ᵃ34. ἀκρίδος τὸ γένος ἐν Ἄργει, ὃ καλεῖται σκορπιομάχος, πῶς μάχεται θ139. 844 ᵇ21. ἐν Αἰτωλοῖς φασὶν ὁρᾶν τὰς ἀσπαλάκας σιτεῖσθαι τὰς ἀκρίδας θ147. 847 ᵇ4. (criquet C, locusta S, tetigonia Fabr St, non modo acridium genus sed etiam locustina et gryllina F p. 313 n 61, dubitat M p 222, acridium genus K, refertur ad orthoptera saltatoria, genus incertum ΑΖγ35, acridium ΑΖιΙ 156 n 2, locust acridium et Ζιι 6 spex lacerticida Cr, acridium et Ζιε 28. 555 ᵇ21 certe locustinarum genus Su 198 n 10).

ἄκριτος κὴ χαλεπὸς ᾿Ωρίων μβ5. 361 ᵇ31.

ἀκροάματα κὴ ὁράματα Ηκ2. 1173 ᵇ18.

ἀκροᾶσθαι πρὸς χάριν Ρα1. 1354 ᵇ34. δελφῖνος ῥέγχοντος ἤδη ἠκρόανται τινες Ζιδ10. 537 ᵇ3.

ἀκρόασις. αἱ ἀκροάσεις κατὰ τὰ ἔθη συμβαίνυσιν Μα3. 994 ᵇ32. τὸ πλῆθος τῶν τραγῳδιῶν τῶν εἰς μίαν ἀκρόασιν τιθεμένων πο24. 1459 ᵇ22.

ἀκροατής. ἀναλαβεῖν τὸν ἀκροατήν Ρα1. 1354 ᵇ32. ὁ ἀκροατὴς ἢ θεωρὸς ἢ κριτής Ρα3. 1358 ᵇ2. πῶς κλέπτεται ὁ ἀκροατής Ργ7. 1408 ᵇ5. — Θάλητος ἀκροατής Λύκυργος Πβ12. 1274 ᵃ29. τῆς πολιτικῆς ὐκ οἰκεῖος ἀκροατὴς ὁ νέος Ηα1. 1095 ᵃ2.

ἀκροατικός. ἔγραψάς μοι περὶ τῶν ἀκροατικῶν λόγων f 612. 1581 ᵃ41.

ἀκρογένειος. οἱ ἀκρογένειοι εὔψυχοι φ6. 812 ᵇ24.

ἀκρόδρυον. ὔτ' ἀκρόδρυα ὔτ' ὀπώρα χρόνιος Ζιδ28. 606 ᵇ2. τὰ ἄλλα τὰ ἀκρόδρυα πκβ8. 930 ᵇ26 (cf ὀπώρα, οἷον σῦκα κὴ τὰ τοιαῦτα ᵇ20). ἕσμα ὁ αὐχὴν τῦ καρπῶ τῶν ἀκροδρύων f 254. 1525 ᵃ3, 9.

ἀκροθώραξ. οἱ ἀκροθώρακες, opp οἱ σφόδρα μεθύοντες πγ2. 871 ᵃ9. 27. 875 ᵃ29.

ἀκροκώλιον πκγ40. 935 ᵇ38.

ἀκρόνυχοι ἄνεμοι μβ8. 367 ᵇ26. — ἀκρόνυχον adverb πκς 18. 942 ᵃ23.

ἀκρόπολις ρ9. 1429 ᵇ21. ἡ (ἐν ᾿Αθήναις) ἀκρόπολις Ρβ23. 1400 ᵃ33. κ6. 399 ᵇ34. οβ1347 ᵃ15. f 374. 1540 ᵇ3. 402. 1545 ᵃ31. ἀκρόπολις ὀλιγαρχικὸν κὴ μοναρχικὸν Πη11. 1330 ᵇ19. — metaph ὥσπερ ἀκρόπολις τῦ σώματος Ζμγ7. 670 ᵃ26. ἀκρόπολις σωτηρίας ρ1. 1421 ᵃ1.

ἀκροποσθία, κοινὸν δέρματος κὴ βαλάνυ Ζια13. 493 ᵃ29. διὰ

τί ὃ συμφύεται Ζμβ13. 657 ᵇ6. (praeputium penis).

ἄκρος, α, ον, τὸ ἄκρον. ἄκρα, i e τὰ μάλιστα ἐναντία, opp τὰ μέσα, τὰ ἀνὰ μέσον, τὰ μεταξὺ Κ10. 12 ᵃ23. τὸ 3. 123 ᵇ25, 124 ᵃ7, 8. Φϑ11. 219 ᵃ27. ε1. 224 ᵇ32 (cf ᵇ29, 33). 5. 229 ᵇ20. ζ4. 234 ᵇ19. Γβ3. 330 ᵇ33. 5. 332 ᵇ7. 8. 5 335 ᵃ8. ψβ11. 424 ᵃ7. Πϑ9. 1294 ᵇ18. τὸ μέσον ἀμφοτέρων μετέχει τῶν ἄκρων Ζμγ1. 661 ᵇ11. ἀμφοτέρων τῶν ἄκρων τὸ μέσον ἔσχατον Ζκ9. 702 ᵇ17. ita lineae puncta extrema τῆς εὐθείας τῶν ἐντὸς τῶν ἄκρων ὁτιῶν σημεῖον δυνάμει ἐστὶ μέσον Φϑ8. 262 ᵃ23. ἡ Ζ (int γραμμὴ) ἄκρα, τὸ 10 Ζ ἄκρον Φϑ8. 262 ᵇ12, 19. ἅπτεσθαι λέγεται ὧν τὰ ἄκρα ἅμα Φε3. 226 ᵇ23. Μκ12. 1068 ᵇ27. ξύλα ἀπ᾽ ἄκρου φέρειν ᾗ κατὰ τὸ μέσον μχ26. 857 ᵃ5. τῇ πολυαγκίστρῳ τὸ ἄκρον Ζιϑ7. 532 ᵇ26. ἐπ᾽ ἄκρῳ τῷ δένδρῳ Ζυ33. 619 ᵇ15. ἐπ᾽ ἄκροις τοῖς πτόρθοις Ζμϑ10. 687 ᵃ1. αἱ αἶγες τῶν ἄκρων 15 ἁπτόμεναι μόνον Ζιϑ10. 596 ᵃ15. τῶν ἀνθῶν τὰ ἄκρα χ5. 796 ᵇ29. τὰ ἄκρα τῶν φυτῶν φτβ1. 822 ᵇ17. γλῶττα ἄκρα Ζιβ17. 508 ᵃ25. οἱ τὴν ῥῖνα ἄκραν παχεῖαν ἔχοντες φ6. 811 ᵃ28. ἐπ᾽ ἄκρας τῆς καρδίας Ζιβ17. 507 ᵃ9. ἐπ᾽ ἄκρων τῶν κεράτων Ζιγ9. 517 ᵃ22. ἐπ᾽ ἄκρων τῶν πτερυγίων Ζιι13. 20 615 ᵇ29. ἐπ᾽ ἄκρῳ τῷ ᵘῷ Ζγγ3. 754 ᵇ9. περὶ ἄκραν τὴν τῆς κέρκου πρόσφυσιν Ζιβ11. 503 ᵇ13. τῇ τριχώματος λευκαίνεται ἐπ᾽ ἄκρων Ζγα5. 785 ᵃ35. τὰ πτερύγματα πρὸς τοῖς ἄκροις ξανθότερα χ6. 798 ᵃ5, 10. ὁ ὄνυξ ἐπ᾽ ἄκρῳ (τῶν δακτύλων) Ζια15. 494 ᵃ15. cf β1. 499 ᵃ27. ἐπικάμπτειν τὸν 25 δάκτυλον ἀπ᾽ ἄκρου Ζιε10. 556 ᵇ17. τὸ ἄκρον τῆς χειρὸς Ζκ8. 702 ᵇ3. τὰ ἄκρα (τῶν ποδῶν) Ζιϑ7. 525 ᵇ19. (πόδες) ἐπ᾽ ἄκρων, ἐξ ἄκρων Ζιβ8. 502 ᵇ9. ϑ2. 526 ᵃ14, 17, 20, ᵇ7. ε32. 557 ᵇ15. πλεκτάνη ἐξ ἄκρου δικρόα Ζιϑ1. 524 ᵃ6. τὰ ἄκρα τῶν πτερυγίων Ζιι13. 615 ᵇ29. τὰ ἄκρα τῷ ῥύγχος 30 Ζμγ1. 662 ᵇ15. τὸ ἄκρον τῆς γλώττης Ζια11. 492 ᵇ28 (opp τὸ πλατὺ). Ζμβ11. 660 ᵇ8. ηεγ2. 1231 ᵃ13. γλῶττα ἐπ᾽ ἄκρου τριχώδης Ζμϑ11. 691 ᵃ7. τὸ ἄκρον τῆς καρδίας Ζια19. 496 ᵃ19. β17. 507 ᵃ5. Ζμγ4. 666 ᵇ1, τῷ αἰδοίῳ ᾗ τῶν ὑστέρων Ζια13. 493 ᵃ26. γ1. 510 ᵇ18, τῷ ᵘῷ Ζιζ10. 35 564 ᵇ31. 13. 567 ᵇ28. Ζγγ2. 752 ᵇ12. 3. 754 ᵇ1, τῇ κέρκου Ζιε17. 549 ᵇ33. ἐπὶ τὸ ἄκρον (usque ad extremam partem corporis) ἐλθὼν ὁ ὄφις Ζιϑ4. 594 ᵃ18. — in enunciationibus σύνδεσμος τίθεται ᾗ ἐπὶ τῶν ἄκρων ᾗ ἐπὶ τῷ μέσῳ πο20. 1457 ᵃ2. — in civitate ἄκροι i q πλούσιοι et πένητες, 40 opp μέσοι Πϑ12. 1296 ᵇ39. — in doctrina morali ἄκροι dicuntur ὁ ὑπερβάλλων et ὁ ἐλλείπων, opp ὁ μέσος Ηβ7. 1107 ᵇ31, 1108 ᵃ7. 8. 1108 ᵇ24. ὁ10. 1125 ᵇ25. αἱ ἄκραι διαθέσεις Ηβ8. 1108 ᵇ14. (his cf ἂν ληφθῇ τὰ ἄκρα ἑκατέρων (i e τῷ τε ἄρρενος ᾗ τῷ θήλεος), ἢ τὸ μὲν ποιητικὸν 45 ᾗ κινῶν, τὸ δὲ παθητικὸν ᾗ κινούμενον, οὐκ ἔστιν ἐν τούτῳ τὸ γιγνόμενον ἕν Ζγα21. 729 ᵇ14). ἡ ἀδικία τῶν ἄκρων ἐστὶ Ηε9.1134 ᵃ1. τὰ ἄκρα ᾗ ἑαυτοῖς ᾗ τῷ μέσῳ ἀντίκειται, ἐναντιώτερα ἑαυτοῖς ἢ τῷ μέσῳ Ηβ8. ἐναντιώτερον τοῖς ἄκροις τὰ μέσα ἢ ἐκεῖνα ἀλλήλοις ηεγ7. 1234 ᵃ34. τῇ μεγέθει τὸ 50 ἄκρος, τῷ δὲ οὐ δεῖ μέσος Ηϑ7. 1123 ᵇ14. τὸ μέσον εἶναί πως ἄκρον Ηϑ6. 1107 ᵃ23. — ἄκρα termini proportionis Ηε8. 1133 ᵇ2. — ἄκρα terminus maior et minor syllogismi Αα4. 25 ᵇ34, 36. 31. 46 ᵇ22. Μζ6. 1031 ᵃ25, 26. (οἱ ἄκροι Αϑ12. 95 ᵇ40, οἱ ὅροι Wz.) ac terminus maior dicitur τὸ 55 πρῶτον τῶν ἄκρων Αα31. 46 ᵇ2, τὸ μεῖζον ἄκρον Αα4. 26 ᵃ18-22 Wz, τὸ ἄκρον Αα38. 49 ᵃ26, 37. β8. 59 ᵇ2. 23. 68 ᵇ34, 35, 38. ὁ17. 99 ᵃ4 (cf ᵃ22); terminus minor τὸ ἔσχατον ἄκρον Αβ8. 59 ᵇ29, τὸ ἔλαττον ἄκρον Αα4. 26 ᵃ18-22, τὸ ἄκρον Αα36. 48 ᵃ41, ᵇ26. β24. 69 ᵃ13, 18 Wz. — 60 τὰ ἄκρα termini medii in secunda ac **tertia** figura syllogismo-

rum Αβ27. 70 ᵇ4 Wz. 23. 68 ᵇ26 (cf ᵃ22). τὸ πρὸς τῷ μείζονι, ἐλάττονι ἄκρῳ i e propositio maior, minor Αα4. 26 ᵇ1, 2. —

ἀκρότατος. ἀκροτάτη κορυφῇ (Hom Α 499) χ6. 397 ᵇ26. τὸ πρῶτον ᾗ ἀκρότατον Οα9. 279 ᵃ33. ἀκρόταται αἰτίαι Μγ1. 1003 ᵃ26. Φβ3. 195 ᵇ22. τέλος ἀκρότατον, ἀκρότατον τῶν πρακτῶν ἀγαθῶν, αἱρετώτατον οὗ τυχεῖν ἔστιν ἀκροτάτη Ηα2. 1095 ᵃ16. Πη2. 1325 ᵃ7. 14. 1333 ᵃ30. ἀκροτάτη δόξα Μγ5. 1010 ᵃ10. ἀκροτάτη πολιτεία, opp κοινὴ Πϑ1. 1288 ᵇ35. ἀκροτάτην ἔχει θέαν Φϑ2. 209 ᵇ20. ὕστεραι ἀκρόταται (i e μάλιστα ψυχραί?) Ζκ7. 638 ᵇ6. — ἄκρως τῷ μέσῳ τυχεῖν Ηβ9. 1109 ᵃ34. οἱ ἄκρως θερμανθέντες φ6. 812 ᵃ24. — ἀκρόθεν. τὰ ἀκρόθεν παχεῖα φ6. 811 ᵃ29.

ἀκροστήθιον τὸ ἀπὸ τῷ ὀμφαλῷ πρὸς τὸ ἀκροστήθιον, τὸ ἀπὸ τῷ ἀκροστηθίῳ πρὸς τὸν τράχηλον φ6. 810 ᵇ17.

ἀκρότης, opp μεσότης Ηβ6. 1107 ᵃ8. — ἕλκειν τὸ γάλα εἰς τὰς ἀκρότητας φτβ9. 829 ᵃ10. — ἡ ἀκρότης τῇ παρόντος λόγῳ ἐστὶ διορίσασθαι φτα3. 818 ᵃ36.

ἀκρόλοι τρίχες φ6. 812 ᵇ33.

ἀκροχειρίζεσθαι Ηγ2. 1111 ᵃ15.

ἀκροχολία πικρία βαρυθυμία, εἴδη ὀργιλότητος αρ6. 1251 ᵃ3. ἀκρόχολοι, def Ηϑ11. 1126 ᵃ18.

ἀκρωμία. ζῷα τετράποδα χαίτην ἔχοντα ἐν τῷ πρανεῖ τῷ αὐχένος ἀπὸ τῆς κεφαλῆς μέχρι τῆς ἀκρωμίας (ὥσπερ ἵππος, ὀρεύς, βόνασος), ἐπὶ τῇ ἀκρωμίᾳ (ἱππέλαφος), ἀπὸ τῆς κεφαλῆς ἐπὶ τὴν ἀκρωμίαν (πάρδιον) Ζιβ1. 498 ᵇ30 sqq. ι45. 630 ᵃ24. ἄρκτος τῷ στόματι τὴν ἀκρωμίαν δακὼσα καταβάλλει τὸν ταῦρον Ζιϑ5. 594 ᵇ14.

ἀκρώμιον. τὰ ἀκρώμια. χαίτην ἐπὶ τῶν ἀκρωμίων ἔχουσι βόες τινὲς ᾗ κάμηλοι Ζιϑ28. 606 ᵃ16.

ἀκρωτήριον. ἀκρωτήρια montium, τὸν κλύδωνα προσβάλλειν πρὸς ἀμφότερα τὰ ἀκρωτήρια ϑ130. 843 ᵃ4. omnino partes extremae, ἡ κύλιξ κολοβός, ἂν τρυπηθῇ τὸ ὗς ἢ ἀκρωτήριόν τι Μϑ27. 1024 ᵃ25, imprimis corporis animalium partes extremae, χεῖρες, πόδες, δάκτυλοι Ζιγ12. 519 ᵃ21. Ζγ4. 772 ᵇ17, 36. μη5. 887 ᵇ26. Μϑ27. 1024, ᵃ26, ἀκρωτήρια i q τῶν δακτύλων τὰ ἄκρα Ζμϑ10. 687 ᵇ24, 690 ᵇ9. ἀκρωτήρια ἰσχυρότερα, λιπαρώτερα, εὐεκτικώτερα φ2. 806 ᵇ33. ἀκρωτήρια μεγάλα, ἰσχυρά, ἀσθενῆ, ἐγκρατῆ, τίνων τῆς ψυχῆς παθημάτων σημεῖά ἐστιν Αβ27. 70 ᵇ17, 35. φ3. 807 ᵃ33, ᵇ8, 808 ᵃ22. — ossium extremae partes, χόνδροι εἰσὶ τὰ ἄκρα τῶν ἀκρωτηρίων Ζιγ8. 517 ᵃ4.

ἀκτὴ στενοπόρος (apud Lycophronem cf h v) Ργ3. 1405 ᵇ36. τὴν ἀκτὴν ταύτην τῆς Εὐρώπης Ἰταλίαν τοὔνομα λαβεῖν Πη10. 1329 ᵇ11. περὶ τὰς ἀκτάς, πρὸς ταῖς ἀκταῖς Ζιε15. 547 ᵃ10. 16. 548 ᵇ28. οἰκεῖν περὶ θάλατταν ᾗ ἀκτὰς Ζιι32. 619 ᵃ6. διασημήνασθαι ταῖς ἀκταῖς Ζιε17. 549 ᵇ18.

ἀκτίς. ἀκτίνεσσιν (Emped 225) αι2. 437 ᵇ31. ὁ κῶνος ὁ ἀπὸ τῷ ἡλίῳ συμβάλλει τὰς ἀκτίνας μα8. 345 ᵇ6. ἐμπεριλαμβανομένων τῶν τῷ ἡλίῳ ἀκτίνων μβ9. 369 ᵇ14. ᾗ ἐπαλλάττωσιν αἱ ἀκτῖνες ᾗ ποιῶσι σκιάν μγ4. 374 ᵇ4. λήγουσι διὰ τὸ σχίζεσθαι εἰς ἀχανὲς αἱ ἀκτῖνες μα3. 340 ᵃ32. ἀκτῖνες ἀνακλώμεναι μα3. 340 ᵃ29. 12. 348 ᵃ17. χ1.791 ᵇ1. ξύσματα, ἃ φαίνεται ἐν ταῖς τῶν θυρίδων ἀκτίσιν ψα2. 404 ᵃ4. πιε13. 1313 ᵃ10. νυκτὸς ἀπεληλύθασιν ἐκ τῷ ἀέρος αἱ ἀκτῖνες, σώματα ὄντα πια33. 593 ᵃ15.

Ἄκτορος υἱὸς Ποδάρκης f 596. 1576 ᵃ33.

ἄκυλος. ὗς πιαίνεται ἀκύλοις Ζιϑ6. 595 ᵃ29 (glans Quercus Ilicis).

ἄκυμος τόπος πκγ4. 931 ᵇ31.

ἄκυρος. αἱ ὕστεραι συνθῆκαι κύριαι, ἄκυροι δ᾽ αἱ πρότεραι Ρα15. 1376 ᵇ27, 12. ἄκυρα ψηφίσματα Ηη10. 1151 ᵇ15.

ὁ μὲν ἀμφορεὺς κύριος ἦν, ὁ δὲ ἄκυρος f 426. 1548 ᵇ33, 40.
ποιεῖν τὰς φαύλης νόμας ἀκύρας ρ37. 1443 ᵇ28. ἄκυρον τὸ
τῷ θήλεος βυλευτικὸν Πα13. 1260 ᵃ13. — τῶν πλεοναζόν-
των (αἰδοίων) τὸ μὲν κύριον τὸ δ' ἄκυρον Ζγδ4. 772 ᵇ28.
αἱ τῶν ἀκυροτέρων περίοδοι ἀκολυθῶσι ταῖς τῶν κυριωτέρων
Ζγδ9. 778 ᵃ1.

ἀκωλύτως χωρεῖν κ7. 401 ᵇ10.

ἄκων. πολιτείαν βίᾳ κατέχειν ἀκόντων Πε4. 1304 ᵇ12. τὰ
τραύματα λυπηρὰ κ ἄκοντι ἔσται Ηγ12. 1117 ᵇ8. dist ὐχ
ἑκών Ηγ2. 1110 ᵇ21. τὸ Ἐμπεδοκλέης εἰς Ἀπόλλωνα προ-
οίμιον ἄκυσα κατέκαυσεν ἀδελφὴ f 59. 1485 ᵇ14. — ἄκων
passive Ρβ6. 1384 ᵃ20.

ἀλαζονεία, def Ηβ7. 1108 ᵃ21. ηεβ3. 1221 ᵃ6. ημα33. 1193
ᵃ28. περὶ ἀλαζονείας Ηδ13. ἀκολυθεῖ τῇ ἀδικίᾳ ἀλαζονεία
αρ7. 1251 ᵇ2. δι' ἀλαζονείαν Ρα2. 1356 ᵃ29.

ἀλαζονεύεσθαι Ηδ13. 1127 ᵇ17, 21. οα4. 1344 ᵃ19.

ἀλαζονικὸν ἡ ὑπερβολὴ ἢ ἡ λίαν ἔλλειψις Ηδ13. 1127 ᵇ29.

ἀλαζών, def Ηβ7. 1108 ᵃ22. δ13. 1127 ᵃ21. ηεβ3. 1221
ᵃ24. γ7. 1234 ᵃ2. ημα33. 1193 ᵃ29. ὐκ ἐν τῇ δυνάμει ὁ
ἀλαζών, ἀλλ' ἐν τῇ προαιρέσει Ηδ13. 1127 ᵇ14. ἀλαζών,
syn προσποιητικὸς ἀνδρείας Ηγ10. 1115 ᵇ29.

ἀλαμπής, opp στίλβων χ3. 793 ᵃ12. ὀμμάτιον ἀλαμπές φ3.
807 ᵇ35.

ἅλας, τὸ θ138. 844 ᵇ16. φτβ2. 824 ᵃ37.

ἀλᾶτο (Hom Ζ201) πλ1. 953 ᵃ24.

ἀλατοπωλία τῶν ἁλῶν οβ1346 ᵇ21.

Ἄλβιον, νῆσος Βρεταννικὴ κ3. 393 ᵇ12.

ἀλγεῖν. ἀλγῦντι συναλγεῖν ηεη6. 1240 ᵃ33. οἱ ἀλγῦντες ἀνα-
βοῶσιν πκζ9. 948 ᵇ21. ὅταν ἀλγήσωσιν αἱ κάμηλοι Ζιβ1.
499 ᵇ30. ἀλγεῖν τὰς πόδας, τὰς ὤμας Ζιθ7. 595 ᵇ14. 26. 30
605 ᵇ1.

ἀλγεινός. ἀλγεινότερος πθ8. 890 ᵃ37, 39.

ἀλγηδών, def τζ6. 145 ᵇ2, 13. ποιεῖσθαι κίνησιν μετ' ἀλγη-
δόνος αν20. 479 ᵇ28. ὑπ' ἀλγηδόνος κ θυμῦ, δι' ἀλγηδόνος
κ θυμῷ ἐξελαίνεσθαι πρὸς τὸν κίνδυνον Ηγ11. 1116 ᵇ34, 35
1117 ᵃ3.

ἀλγήματα περὶ τὸν νῶτον, περὶ τὰς ὄρχεις Ζιγ3. 512 ᵇ18, 25.

ἄλγος. ἄλγεσι (Hom ο400) Ρα11. 1370 ᵇ5.

ἀλέα Ζγη11. 761 ᵇ8. Ζιε8. 542 ᵃ28 al (ἀλέα πα9. 860 ᵃ14).
coni πνῖγος, θερμότης Με2. 1026 ᵇ34. μα3. 341 ᵃ19. opp 40
ψῦχος μα10. 347 ᵃ20. Ζιθ13. 598 ᵃ1. Ηη6. 1148 ᵃ8. ἀλέα
ἡ γινομένη ὑπὸ τῦ περιέχεσθαι sim Ζμβ6. 652 ᵃ8. δ10. 686
ᵃ10. πβ30. 869 ᵃ32. ἀλέαι κ ψύχη ηεγ1. 1229 ᵇ5. πε40.
885 ᵃ19. ἐν ταῖς ἀλέαις μα12. 348 ᵇ4. δ1. 379 ᵃ27. αν4.
472 ᵃ31. Ζγγ2. 753 ᵃ23. πκγ9. 932 ᵇ19. κε16. 939 ᵇ9. 45
ἀλέα πολλὴ πα20. 861 ᵇ24. β30. 869 ᵃ38. ἀλέα ἰσχύεσα
Ζιζ16. 570 ᵃ23. δεῖ μηδ' ἀλέαν εἶναι σφόδρα Ζιε16. 548
ᵇ26. πονεῖν ταῖς ἀλέαις Ζιθ6. 531 ᵇ16.

ἀλεάζειν. ἀλεάζοντες πολλάκις ἀναπνέυσιν αν4. 472 ᵇ4. θέρμη,
ἢ ποιήσει ἀλεάζειν πα39. 863 ᵇ22. ε38. 884 ᵇ39. 50

ἀλεαίνειν intr Ζμβ10. 656 ᵃ22. πς3. 885 ᵇ27.

ἀλεγίζειν, ἐν δ' ἀλεγίζει (Mus 2) Ζγ6. 563 ᵃ19.

ἀλεείνειν (Hom Λ 542) Ρβ9. 1387 ᵃ34. (Hom Ζ 202) πλ1.
953 ᵃ25.

ἀλεεινός, opp ψυχρός μα12. 348 ᵇ4. ἀλεεινοὶ τόποι sim, syn 55
θερμοί, opp ψυχροί, χειμερινοὶ μκ5. 466 ᵇ17, 20. μα10. 347
ᵃ21. 12. 348 ᵃ19, 349 ᵃ4. πιδ13. 910 ᵃ6. ἐν τοῖς ἀλεεινο-
τάτοις Ζια5. 490 ᵃ24. ἀλεεινὸν πνεῦμα, ὕδωρ, θάλαττα μβ3.
358 ᵃ30. 6. 364 ᵃ23. Ζιθ10. 503 ᵃ13. πκγ9. 932 ᵇ20. κε21.
939 ᵇ33. ἀλεειναὶ (ἀλεεινότεραι) ὧραι, ἡμέραι, νύκτες μα10. 60
347 ᵃ21. 12. 348 ᵇ6, 9, 349 ᵃ4. Ζγβ8. 748 ᵃ29. πκς 11.

941 ᵃ33. ἀλεειναῖς ἡμέραις Ζιε12. 544 ᵃ20. αἱ στενοχωρίαι
ἀλεεινότεραι πκε19. 939 ᵇ24. ἐν ἀγγείοις ἀλεεινοῖς Ζιζ2. 559
ᵇ5. ἐσθὴς ἀλεεινή Πβ8. 1267 ᵇ26.

ἀλείαντος τροφή Ζμγ14. 674 ᵇ28.

ἀλείμματι ἰᾶσθαι τὰς κόπυς πα39. 863 ᵇ20. ε38. 884 ᵇ37.

ἀλεῖν. φρίττυσιν ὄν λίθον ἀλῦντος πλε3. 964 ᵇ38. φρίττειν
ποιεῖ λίθος ἀλύμενος πζ5. 886 ᵇ11. σῖτος ἀληλεσμένος οβ
1350 ᵇ9.

ἀλείπτης Ηβ5. 1106 ᵇ1.

ἀλείφειν ἐλαίῳ, κηρῷ, πίσσῃ Ζιη3. 583 ᵃ23. θ7. 595 ᵇ14.
23. 604 ᵃ16. στλεγγίσματα, ἃ ἐποιῦντο ἀλειφόμενοι θ105.
839 ᵇ26. οἱ ἀληλιμμένοι πλβ11. 961 ᵃ28.

ἄλειψις. ἡ ἄλειψις ἡ τῷ ὕδατος κ τῷ ἐλαίῳ μιγνυμένων
Ζγε5. 785 ᵃ30. ταὐτὸν ποιεῖ ἡ ἐν τῷ ἱματίῳ ἴδισις κ ἡ εἰς
τὸ ἱμάτιον ἄλειψις πλη3. 966 ᵇ39.

ἀλεκτορίς, avis, τὸ τῶν ἀλεκτορίδων γένος ἥμερον (οἱ ἄρ-
ρενες κ αἱ θήλειαι τῶν ἀλεκτορίδων) Ζιε13. 544 ᵃ32. eius
μέγεθος Ζιθ9. 614 ᵇ10. 26. 617 ᵇ24. refertur inter τὰ βαρέα
κ μὴ πτητικά, ἐπίγεια, κονιστικά Ζγγ1. 749 ᵇ13. Ζιὶ49Β.
633 ᵇ1. varietas quaedam αἱ Ἀδριανικαὶ ἀλεκτορίδες Ζιζ1.
558 ᵇ16. Ζγγ1. 749 ᵇ29 cf h v. — αἱ ἀλεκτορίδες πῶς
πολύγονοι, ὀχευτικαί. διὰ τί, ἔνιαι ἤδη πολυτοκήσασαι λίαν
ἀπέθανον Ζιζ1. 558 ᵇ27. Ζγγ1. 749 ᵇ13, 19. πόσον τῦ ἐνι-
αυτῷ χρόνον, ποσάκις τῆς ἡμέρας τίκτυσιν Ζιε13. 544 ᵃ32.
ζ1. 558 ᵇ13, 20. θ128. 842 ᵇ31. τῶν ἀλεκτορίδων αἱ νεοτ-
τίδες πῶς τίκτυσιν Ζιζ2. 560 ᵇ3. πῶς φανερὰ ὅταν ὀχευ-
θῶναι δέηται Ζικ6. 637 ᵇ7. αἱ ἀλεκτορίδες ἐπυάζυσαι χα-
λεπαί πι35. 894 ᵇ17. ἐπὶ περδίκων κ ἀλεκτορίδων ὥπται
μίγνυσθαι πρὸς ἀλλήλας κ τὰ ἔκγονα γόνιμα Ζγβ7. 746
ᵇ2, 12. — ἀλεκτορίδος ὠὸν συνίσταται κ τελειῦται ἐν δέχ'
ἡμέραις Ζιζ2. 560 ᵇ19. ἡ γένεσις ἡ ἐκ τῦ ὠῦ descr Ζιζ3.
561 ᵇ6 - 562 ᵃ21. ἐν πόσαις ἡμέραις αἱ ἀλεκτορίδες τελέπυσιν
Ζιζ2. 560 ᵃ1. ἔνια ὠὰ μαλακὰ τίκτυσιν αἱ ἀλεκτορίδες
Ζιζ2. 559 ᵃ15. ἀλεκτορίδων νεοττίδων ὠὰ ὑπηνέμια, γενό-
μενα ἄνευ ὀχείας Ζιζ2. 559 ᵇ23, 28. Ζγγ1. 751 ᵃ12. πῶς
ἐπυάζει κ ἐκτρέφει f 270. 1527 ᵃ3. 274. 1527 ᵇ11. ἀλεκτο-
ρίσιν ὑποτιθέασι τῶν ταῶν τὰ ὠὰ ἐπυάζειν Ζιζ9. 564 ᵇ2. —
τέρατα διὰ τί γίνεται ἐν τοῖς πολυτόκοις μᾶλλον κ μάλιστα
τῶν ὀρνίθων ἐν ἀλεκτορίσιν Ζγδ4. 770 ᵃ10sqq. εἰσὶν ἀλεκτο-
ρίδες αἱ πάντα δίδυμα τίκτυσιν Ζιζ3. 562 ᵃ27. — αἱ ἀλεκτο-
ρίδες ἀναπαύονται ὑφ' αὑτὰς ἀγόμεναι τὰς νεοττίδας Ζιθ9.
613 ᵇ15. πῶς τὰ ἤθη μεταβάλλυσι κατὰ τὰς πράξεις, ὅταν
νικήσωσι τὰς ἄρρενας Ζιθ9. 631 ᵇ8. (gallina, poule C S, pha-
sianus gallus fem L, gallus alector St Cr ΑΖγ 22, Ζι I 77
n 13 Su 137 n 107; de coitu et ovorum incremento ΑΖγ
11, 15).

ἀλεκτρυών, avis. τὶ τῶν ἀλεκτρυόνων γένος ἀφροδισιαστικὸν
Ζια1. 488ᵇ4, ἐπίγε ον. ἡ πτητικὸν, ὐκ ὀξύωπον, σχιδόπτερον
Ζμβ13. 657 ᵇ28. Ζπ10. 710 ᵃ5. eius μέγεθος Ζιθ3. 592
ᵇ12. ποία προσώπυ φύσις ἀναφέρεται ἐπὶ τὰς ἀλεκτρυόνας
φ6. 811 ᵇ2, 812 ᵇ12. πῶς ἡ τῦ πτερῦ φύσις σημεῖόν ἐστιν
ἀνδρείᾳ ἢ δειλῷ φ2. 806 ᵇ14. — ἴδιον ἔχει τὸν λόφον Ζιβ12.
504 ᵇ11. cf Ζπ10. 710 ᵃ6. eius κάλλαιον, πλῆκτρα Ζιι49.
631 ᵇ10, 12, 28. — πρόλοβον ἔχει πρὸ τῆς κοιλίας. τὰς ἀπο-
φυάδας τῷ ἐντέρῳ Ζιβ17. 508 ᵇ27, 509 ᵃ20. — ᾄδυσι μᾶλ-
λον τῶν θηλειῶν Ζιθ9. 536 ᵃ31. ἀλεκτρυόνων φωνὴν ἀκνέειν
εν3. 462ᵇ4. τὰς τραχήλυς ἔχοντες μακρὰς φθέγγονται βιαίως
ακ800 ᵇ24. — πῶς ποιῦνται τὸν συνδυασμόν, πῶς μάχονται
Ζιθ9. 536 ᵃ28. ε2. 539 ᵇ30. ὀχεύονται ὅπυ ἐν τοῖς ἱεροῖς
ἄνευ θηλειῶν ἀνάκεινται Ζιι8. 614 ᵃ6. περὶ τὴν ὀχείαν τὰς
ὄρχεις μείζυς ἔχυσιν Ζιζ9. 564 ᵇ12. — ἐφάνη ἤδη ὠὰ ἐν

ἀλεκτρυόνι διαιρουμένῳ ὑπὸ τὸ ὑπόζωμα. ἃ ἐν τέρατος λόγῳ
τιθέασιν Ζιζ 2. 559 ᵇ18. τὰ γιγνόμενα ἐκ μίξεως τῶν μὴ
ὁμογενῶν, οἶον πέρδικος χ̣ ἀλεκτρυόνος, τέλος ἀποβαίνει κατὰ
τὸ θῆλυ τὴν μορφήν Ζγβ4. 738 ᵇ27 - 36. — πῶς τὰ ἤδη
μεταβάλλωσιν οἱ ἀλεκτρυόνες κατὰ τὰς πράξεις· γίνονται χ̣   5
θηλυδρίαι τινὲς ἐκ γενετῆς Ζιι49. 631 ᵇ13, 17. πῶς ἐκτέ-
μνονται Ζιι50. 631 ᵇ25. (gallus, coq C S, phasianus gallus
mas L St K Cr ΑΖιι I 77 n 13 Su 137 n 106 M 299).
ἀλέκτωρ i q ἀλεκτρυών. ἡ φάστα ἀλέκτορος τὸ μέγεθος
f 271. 1527 ᵃ17.   10
Ἀλεξαμενὸς ὁ Στυρεὺς ἢ Τήϊος πρῶτος ἔγραψε διαλόγους
f 61. 1485 ᵃ41, 1486 ᵃ11.
Ἀλεξανδρεὺς Κλεομένης οβ1352 ᵃ16.
Ἀλέξανδρος ὁ Πριάμου Ρα6. 1363 ᵃ18. β23. 1397 ᵇ21, 22,
23, 1399 ᵃ3. 24. 1401 ᵇ35. γ14. 1414 ᵇ38. f 142. 1502 ᵃ36.   15
151. 1503 ᵇ29, 32. ἐν τῷ Ἀλεξάνδρῳ (i e ἐν τῷ ἐγκωμίῳ
Ἀλεξάνδρου) Ρβ23. 1398 ᵃ22. 24. 1401 ᵇ20 (tribuit hoc Po-
lycrati Sauppe Orat II 223, et ad eandem declamationem
refert 1397 ᵇ21, 22, 23, 1399 ᵃ3, 1401 ᵇ35; sed 1399 ᵃ3
iure Isocrati vindicat Vhl).   20
Ἀλέξανδρος Macedonum rex ρ1. 1420 ᵃ5. κ1. 392 ᵃ2. οβ
1352 ᵃ28, ᵇ26. f 602. 1579 ᵃ19. 612. 1581 ᵃ40.
Ἀλέξανδρος ὁ Μολοττὸς f 571. 1572 ᵃ7.
Ἄλεξις χ̣ Ἐπείος. Ἠλεῖν υἱοὶ f 595. 1575 ᵃ16.
ἀλεπίδωτα τὰ σελάχη Ζιι13. 697 ᵃ7.   25
Ἀλευάδαι ἐν Λαρίσσῃ Πε6. 1306 ᵃ30.
Ἀλευάς Θετταλὸς f 456. 1552 ᵇ43. ἐπὶ Ἀλεύα f 455.
1552 ᵇ36.
ἄλευρον. ἄλευρα καταπάσαντες Ζιι40. 627 ᵇ19. τῶν ἑφθῶν
ἀλεύρων αἱ γραῖαι καλοῦμεναι πι27. 893 ᵇ31. τὸ ἄλευρον   30
ἐλαίῳ ἐπιχεομένῳ λευκότερον γίνεται πκα1. 927 ᵃ11. ἀλεύ-
ρων νὶ ἀλφίτων natura dist πα37. 863 ᵇ2. κα3. 927 ᵃ23. 7.
927 ᵇ15. 22. 929 ᵇ8. 26. 930 ᵃ3.
ἀλεωρά. Bk modo ἀλεῦρα exhibet, modo ἀλεωρά, modo ἀλε-
ωρή. ἡ περὶ τὸ σῶμα ἀλεωρα Ζμδ10. 687 ᵃ29. τῆς περὶ   35
τῆς εἵρακας ἕνεκα ἀλεωρας Ζιι8. 613 ᵇ11. τὸ ὄστρακον τοῖς
ᾠοῖς ἀλεωρα Ζγγ3. 754 ᵇ8. — ἀλεωραν ἔχειν Ζμδ5. 679
ᵇ28. — ἔχει ἐν αὐτοῖς ἀλεωρήν Ζια1. 488 ᵇ10.
ἀλήθεια 1. quoniam ἀλήθεια in eo cernitur, ut cogitatio con-
cinat cum natura rerum (cf ἀληθής. ἕκαστον ὡς ἔχει τῶ εἶναι,   40
οὕτω καὶ τῆς ἀληθείας Μα1. 993 ᵇ31), nominis usus modo ad
τὸ ὂν et τὴν ἐσίαν, modo ad cognitionem et scientiam vergit.
πρὸς τὸ πρᾶγμα χ̣ τὴν ἀλήθειαν Φθ8. 263 ᵃ18. ἡ ἀλήθεια,
opp τὰ ὅμοια Πθ5. 1340 ᵃ24. κατὰ τὴν ἀλήθειαν, opp μῦ-
θος Ζιθ12. 597 ᵃ7. ζητεῖν μὲν χ̣ τὴν φύσιν τὴν ἀλήθειαν   45
τῶν ὄντων Μα1. 993 ᵃ25. εἰς ἐπίσκεψιν τῶν ὄντων ἐλθόντες
χ̣ φιλοσοφήσαντες περὶ τῆς ἀληθείας ΜΑ3. 983 ᵇ3 Bz. ἡ
φιλοσοφία ἐπιστήμη τῆς ἀληθείας Μα1. 993 ᵇ20. φιλοσο-
φεῖν, ἀποφήνασθαι περὶ τῆς ἀληθείας, ἡ περὶ τῆς ἀληθείας
θεωρία Μα1. 993 ᵃ30, ᵇ17. Γα5. 271 ᵇ6. γ1. 298 ᵇ13. Γα8. 50
325 ᵃ17. ζητεῖν, ἰδεῖν τὴν ἀλήθειαν μβ3. 356 ᵇ17. Φθ1.
251 ᵃ6. δηλῶν τὴν περὶ ἕκαστον ἀλήθειαν Πγ8. 1279 ᵇ15.
ὥσπερ ὑπ' αὐτῆς τῆς ἀληθείας ἀναγκασθέντες Φα5. 188 ᵇ30.
ΜΑ3. 984 ᵇ10. ἀγόμενος ὑπ' αὐτῆς τῆς ἀληθείας Ζμα1.
642 ᵃ19. ἔχει ἀληθείας οἰκεῖόν τι πρὸς ἀληθείαν να6. 1216 ᵇ   55
ᵇ31. — δόξης ὀρθότης ἀλήθεια Ηζ10. 1142 ᵇ11. ἀλήθεια χ̣
γνῶσις τα11. 104 ᵇ2. δοκεῖ πρὸς ἀλήθειαν ἅπασαν ἡ γνῶσις
τῆς ψυχῆς συμβάλλεσθαι ψα1. 402 ᵃ5. προτιμᾶν τὴν ἀλή-
θειαν Ηα4. 1096 ᵃ16. ἀμφοτέρων τῶν νοητικῶν μορίων ἀλή-
θεια τὸ ἔργον· τῶν πρακτικῶν ἡ ἀλήθεια ὁμολόγως ἔχουσα τῆ   60
ὀρέξει τῇ ὀρθῇ· ἡ πρακτικὴ ἀλήθεια Ηζ2. 1139 ᵇ12, ᵃ30, 27.

ἡ περὶ τὰ φαινόμενα ἀλήθεια (i e ea sententia, ex qua sta-
tuunt τὰ φαινόμενα εἶναι ἀληθῆ) Μγ5. 1009 ᵇ1. — τῇ ἀλη-
θείᾳ (i e ἀληθῶς. τῷ ὄντι) Ηε8. 1133 ᵃ27, ᵇ19. οβ1350ᵇ1,
24. τὸ τῇ ἀληθείᾳ χ̣ τῇ φύσει ὂν δίκαιον ημα34. 1196 ᵇ2.
τῇ ἀληθείᾳ, opp τῇ δόξῃ ηεγ2. 1230 ᵇ25. τῇ ἀληθείᾳ, πρὸς
ἀλήθειαν, syn ἐξ ὑπαρχόντων, opp ἔνδοξα, διαλεκτικῶς Αγ19.
81 ᵇ21. τυγχάνειν τῆς ἀληθείας, opp τὰ ἔνδοξα Ρα1. 1355
ᵃ17. τὰ πρὸς ἀλήθειαν, opp τὰ πρὸς δόξαν, τὰ πρὸς νόμον
Ρα7. 1365 ᵇ1, 6 (τείνειν πρὸς ἀλήθειαν ᵇ15). β4. 1381 ᵇ21.
6. 1384 ᵇ26. κατ' ἀλήθειαν τζ4. 141 ᵇ34. Φθ3. 254 ᵃ24.
Πγ6. 1278 ᵇ33. κατὰ τὴν ἀλήθειαν Ρα4. 1359 ᵇ5. opp ψευ-
δῶς Αα29. 45 ᵇ10, opp κατὰ δόξαν, πρὸς δόξαν ἐξεταστι-
κῶς. φαίνεσθαι. αἴσθησις Αα27. 43 ᵇ9. 30. 46 ᵃ8, 10. β16.
65 ᵃ36. τα10. 104 ᵃ32. θ3. 162 ᵇ32. Γα3. 318 ᵇ28, 29.
f 82. 1490 ᵃ14. ἀλήθειαν διδάσκει, opp οἴεσθαι ποιεῖ ρ15.
1431 ᵇ4. δόξειεν ἂν ἔχειν ἀλήθειαν Πγ11. 1281 ᵃ12. —
2. ἀλήθεια, def μεσότης ἀλαζονείας χ̣ εἰρωνείας Ηβ7. 1108
ᵃ20. δ13. ημα30. νεβ3. 1221 ᵃ6. ἀκολουθεῖ τῇ μεγαλο-
ψυχίᾳ ἁπλότης χ̣ ἀλήθεια αρ5. 1250 ᵇ42, 23.
ἀληθεύειν. ὁ λέγων ἀληθεύσει Μκ5. 1062 ᵃ25. ὁ εἰπών ἀλή-
θευκέ τι χ̣ ἔψευσται α20 ᵃ36. ὁ ὑπολαμβάνων κατὰ τὴν ἀλη-
θείαν, opp ψεύσεται Μγ4. 1008 ᵇ3. 5. 1009 ᵃ14.
θ10. 1051 ᵇ3. ἀληθεύειν τις ἢ ψεύσεται, τὸ ἀληθεύειν ἢ ψεύ-
δεσθαι, οἱ ἀληθεύοντες ἢ ψευδόμενοι ε2. 16 ᵇ3, 5. 1. 16 ᵃ10.
4. 17 ᵃ3. 10. 20 ᵃ34. Ηδ13. 1127 ᵃ19. οἷς ἀληθεύειν ἡ ψυχὴ
τῷ καταφάναι ἢ ἀποφάναι Ηζ3. 1139 ᵇ15, 13. δύναμις καθ'
ἣν ἀληθεύσομεν ἢ ψευσόμεθα ψγ3. 428 ᵃ4. τὰ ἀεὶ ἀληθεύ-
οντα, οἶον ἐπιστήμη ἢ νῷς ψγ3. 428 ᵃ17. ἀληθεύειν ἐν οἷς
μὴ διαφέρει, ἐν οἷς διαφέρει, ἐν ταῖς ὁμολογίαις Ηδ13. 1127
ᵃ33, ᵇ4. αρ5. 1250 ᵇ18. ἀληθεύειν περί τι Μγ5. 1010 ᵃ9,
περί τινος Μγ5. 1010 ᵇ26. τὸ ἀληθεύειν ἀντὶ τοῦ καλὸν ἢ
δόξα τῶ ἀληθεύειν τα Ηι10. 1151 ᵇ20. Ρα11. 1371 ᵃ10, 14.
β6. 1384 ᵃ33. 7. 1384 ᵇ24. — ἀληθεύεσθαι (vere dici), ἀλη-
θεύεται (vere dicitur, verum est) ε9. 19 ᵃ2. 12. 21 ᵇ17. Αα4.
26 ᵇ15. 5. 27 ᵇ21. ἡ φάσις, ἡ ἀπόφασις ἀληθεύεται Μκ5.
1062 ᵃ24, 34, ᵇ7. ἀληθεύεταί τι (i e ἀληθῶς κατηγορεῖται)
κατά τινος τὸ 1. 121 ᵃ14. ε5. 134 ᵇ35, 135 ᵃ21, 34, ᵇ1, 3.
ζ1. 139 ᵃ27. Ηα11. 1100 ᵃ35. Μγ5. 1010 ᵃ8. 6. 1011 ᵇ16.
ἀληθεύεταί τι ἐπί τινος ε12. 22 ᵃ1, 2. 13. 22 ᵇ2. ἀληθεύε-
ταί τι κατά τινος τε5. 134 ᵃ23, 25, ᵇ11. Μκ6. 1063 ᵇ23.
Ηα11. 1100 ᵃ35. τὸ ἀληθεύεσθαι τοσαυταχῶς, ὁσαχῶς αἱ
κατηγορίαι διήρηνται Αα37. 49 ᵃ6.
ἀληθευτικός, μέσος ἀλαζόνος χ̣ εἴρωνος Ηδ13 (syn ἀληθής
β7. 1108 ᵃ20). ὁ μεγαλόψυχος ἀληθευτικός Ηδ8. 1124 ᵇ30.
ἀληθής. 1. τὸ ἀληθές, syn τὸ πρᾶγμα Ρα7. 1364 ᵇ9, 8. —
τὸ λέγειν τὸ ὂν εἶναι χ̣ τὸ μὴ ὂν εἶναι ἀληθές Μγ7.
1011 ᵇ27. συμπλοκὴ νοημάτων ἐστὶ τὸ ἀληθὲς ἢ ψεῦδος
ψγ8. 432 ᵃ11. 6. 430 ᵃ27sqq. ε1. 16 ᵃ12. τὸ ὡς ἀληθὲς ὂν
χ̣ μὴ ὂν ὡς ψεῦδος περὶ σύνθεσιν χ̣ διαίρεσίν ἐστι, τὸ
σύνολον περὶ μερισμὸν ἀντιφάσεως Με4. 1027 ᵇ18, 20, 25.
κ8. 1065 ᵃ21. τὸ ἀληθὲς τῷ ἔστιν ὁμοίως τάττεται Αα46.
52 ᵃ32. Μδ7. 1017 ᵃ31. ὁμοίως οἱ λόγοι ἀληθεῖς ὥσπερ τὰ
πράγματα εθ. 19 ᵃ33. περὶ τὰ ἀσύνθετα τὸ θιγεῖν χ̣ φάναι
ἀληθές· ἀπατηθῆναι γὰρ οὐκ ἔστιν Μθ10. 1051 ᵇ24, 27 Bz.
τὸ ἀληθὲς χ̣ τὸ ψεῦδος ἐν τῷ αὐτῷ γένει ἐστὶ τῷ ἀγαθῷ
χ̣ κακῷ ψγ7. 431 ᵇ10. φύσει κρείττω τἀληθῆ χ̣ τὰ δίκαια
τῶν ἐναντίων Ρα1. 1355 ᵃ21, 37. καθ' αὐτὸ τὸ μὲν ψεῦδος
φαῦλον χ̣ ψεκτόν, τὸ δ' ἀληθὲς καλὸν χ̣ ἐπαινετόν Ηδ13.
1127 ᵃ29. cf x1. 1172 ᵇ4. οἱ ἄνθρωποι πρὸς τὸ ἀληθὲς πε-
φύκασιν ἱκανῶς Ρα1. 1355 ᵃ16. κατὰ τὸ ἀληθὲς κρίνοντες
Ρβ14. 1390 ᵃ34. κρίνειν, ἰδεῖν, θεωρεῖν ἱκανῶς, διορίζειν τὸ

ἀληθές, λέγειν τἀληθῆ Πγ16. 1287ᵇ2. Ρα1. 1354ᵇ10, 1355 ᵃ14. 15. 1377 ᵃ2. β23. 1398ᵃ33. — ἐπὶ μόνων τῶν ἀντιφατικῶς ἀντικειμένων ἀεὶ τὸ μὲν ἀληθὲς τὸ δὲ ψεῦδος Κ10. 13 ᵇ2 sqq. δεῖ πᾶν τὸ ἀληθὲς αὐτὸ ἑαυτῷ εἶναι ὁμολογούμενον πάντη Αα32. 47 ᵃ8. Ηα8. 1098ᵇ11. ἐξ ἀληθῶν ἀληθῆ, 5 ἐκ ψευδῶν ἀληθῆ συλλογίσασθαι Αβ2-4. ἐξ ἀληθῶν οὐκ ἔστι ψεῦδος συλλογίσασθαι Αβ2. 53 ᵇ7 sqq. ἐξ ἀληθῶν δεῖ εἶναι τὴν ἀποδεικτικὴν ἐπιστήμην Αγ2. 71 ᵇ21 sqq. πρότασις ὅλη ἀληθής, cf ὅλος. τὸ ἀληθές i e demonstratio directa Αβ14. 63 ᵃ1, 4, 6 Wz. — δόξα ἀληθής Πγ4. 1277 ᵇ28. τὸ ἀληθὲς 10 ⲕ̀ τὸ εἰωθὸς ὑπολαμβάνεσθαι Μμ2. 1077 ᵃ15. ἀληθές, opp ἄτοπον μβ3. 358 ᵃ16. ἀληθές, dist ἀληθὲς τάτῳ Μγ6. 1011 ᵇ3. ἀληθὲς μέν, οὐ σαφὲς δέ ηεη15. 1249 ᵇ6. α6.1216 ᵇ32. Ηζ1. 1138 ᵇ26. ἀληθές, opp φαινόμενον Ρβ24.1402 ᵃ26. 25.1402 ᵇ23. (Democritus statuit) τὸ ἀληθὲς εἶναι τὸ 15 φαινόμενον ψα2. 404 ᵃ28. Γα2. 315 ᵇ9. ἀληθές, dist φαινόμενον Ρα2. 1356 ᵃ19. β9. 1387 ᵃ26. κατὰ τὸ ἀληθές, dist κατὰ τὸν γεγραμμένον νόμον Ρα13. 1374ᵇ1. τὸ ἀληθὲς δίκαιον, opp τὸ δοκῦν, τὸ κίβδηλον Ρα15. 1375 ᵇ3, 4, 6. ἐκ τῶν ψευδῶν ἀγαθῶν συμβαίνει ποτὲ ἀληθὲς κακόν Πδ12. 20 1297 ᵃ11. — ἀληθές ἐστιν (ἦν) εἰπεῖν ε7. 17 ᵇ30. 9. 18 ᵇ10 sqq. 11. 21 ᵃ18. ΜΔ8. 989 ᵇ7 Βz. γ4. 1006 ᵇ29. μ3. 1077 ᵇ33. saepe omisso ν ἐστίν ε9. 18 ᵃ39. 11. 21 ᵃ12. 13. 23 ᵃ13. Αα6. 28 ᵇ29. 17. 37 ᵃ7, 18. τζ1. 139 ᵃ25. Οα12. 283 ᵇ6. Μθ9. 1017 ᵇ34. δ15. 1021 ᵇ1. μ3. 1077 ᵃ31 al. 25 ἀληθὲς κατηγορῆσαι Αα38. 49 ᵃ16, 32. τὸ ἀληθὲς εἶναι (i e ὃ εἶναι ἀληθές ἐστιν) Μδ12. 1019 ᵇ32 Βz. — κατά γε τὸ ἀληθές Πθ4. 1338 ᵇ34. τὸ μὲν ἀληθές adverbii instar Πδ8. 1293 ᵇ15. — ἀληθέστερον ⲕ̀ βέλτιον Πδ3. 1290 ᵃ24. ἀληθέστατον τὸ τοῖς ὑστέροις αἴτιον τῦ ἀληθέσιν εἶναι Μα1. 30 993 ᵇ27. — 2. cf ἀλήθεια 2. ἀληθῶς ⲕ̀ ἁπλῶς, οὐ καθ' αὑτὸν αὐθέκαστον ηεγ7. 1233 ᵇ38. ὁ ἀληθὴς μέσος ἀλαζόνος ⲕ̀ εἴρωνος ημα33. 1193 ᵃ33. ἀποδεῖξαι αὐτὸν μὲν ἀληθῆ, τὸν δὲ ἐναντίον ψευδῆ Ργ19. 1419 ᵇ14. huius usus auctorem Aristotelem esse colligas ex Ηβ7. 1108 ᵃ20 περὶ τὸ ἀληθὲς ὁ 35 μέσος ἀληθής τις ⲕ̀ ἡ μεσότης ἀλήθεια λεγέσθω. — ἀληθῶς. τὰ δυνάμενα ποιεῖν τὸ αὑτῶν ἔργον ἀληθῶς ἐστιν ἕκαστα, dist ὁμωνύμως μδ12. 390 ᵃ11. ἀληθῶς εἰπεῖν Αγ22. 83 ᵃ1. ὡς ἀληθῶς Πγ5. 1277ᵇ34. δ1. 1288ᵇ27. ηι.1323 ᵃ24. Ηγ4. 1112 ᵃ7 (syn ὀρθῶς). δ7. 1123 ᵇ29. ε11. 1136 40 ᵃ15. x10. 1179 ᵇ15, 23. Ργ11. 1412 ᵃ21.

ἀληθινός. ἡ ἀληθινὴ σύνοδος τῶν ᾠοτόκων ἰχθύων ὀλιγάκις ὁρᾶται Ζιε5. 541 ᵃ31. ὑποκάτω τύτων τὸ ἀληθινὸν αἰδοῖον Ζιζ32. 579 ᵇ26. ὀφθαλμοὶ διεφθαρμένοι, πάντ' ἔχοντες μέρη ταῦτα τοῖς ἀληθινοῖς Ζιδ8. 533 ᵃ7. τὰ γεγραμμένα διὰ τέ- 45 χνης τῶν ἀληθινῶν διαφέρει Πγ11. 1281ᵇ12. cf Θ5.1340ᵃ19. χαλεπαίνει ὁ ὀργιζόμενος ἀληθινώτατα πο17. 1455ᵃ32. ὅ γ' ἀληθινὸς πλῆτος Πα8. 1256ᵇ30. τόν γ' ἀληθινὸν φίλον Ρβ21. 1395 ᵃ30. εὐλαβύμενοι ἀληθινὴν δυσχέρειαν Μν4. 1091 ᵃ37. μὴ ῥητορικῆς εἶναι τέχνης ἀλλ' ἐμφρονεστέρας ⲕ̀ μᾶλλον ἀληθινῆς Ρα4. 1359 ᵇ7. ἀληθινὸς ἔλεγχος, opp φαινόμενος τι5. 168 ᵃ12. 17. 175 ᵇ2. ἀριστοκρατία μάλιστα τῶν ἄλλων παρὰ τὴν ἀληθινὴν ⲕ̀ πρώτην Πδ8. 1294 ᵃ25. συλλογισμοὶ ἐξ ἀληθινῶν τινῶν ⲕ̀ πρώτων Αγ9. 76 ᵃ28. λόγοι ἀληθινώτεροι, opp κενώτεροι Ηβ7. 1107 ᵃ31. κἂν εἴη τι ἀληθὲς (ἀλη-θές), ἀλλ' ἤδη γέ τι ἐστὶ βεβαιότερον ⲕ̀ ἀληθινώτερον Μγ4. 1009 ᵃ3. — ἀληθινῶς. ὁ ἀληθινῶς δημοτικός Πζ5. 1320ᵃ33.

Ἀλήϊον (Hom Ζ 201) πλ1. 953 ᵃ24.

ἀλήτης (Hom ρ 420. τ 76) Ηδ4. 1122 ᵃ27.

ἀλῆτις, ᾆσμα ταῖς αἰώραις προσᾳδόμενον f 472. 1556 ᵃ3, 60 1555 ᵇ41.

Ἀληθηφιὰς ἄμπελος f 554. 1569 ᵇ35.

Ἀληθήφιος, εἷς τῶν Ἀλφειᾷ ἀπογόνων f 554. 1569 ᵇ36.

ἁλιάετος, avis. γένος ἀετῶν οἱ καλόμενοι ἁλιάετοι descr, eius μορφή, βίος, θήρα. ἐκτροφὴ τῶν τέκνων Ζιθ3. 593 ᵇ23. ι32. 619 ᵃ4. 34. 620 ᵃ1-12. ἐκ τῦ ζεύγυς τῶν ἀετῶν θάτερον τῶν ἐγγόνων ἁλιάετος γίνεται παραλλάξ, ἕως ἂν συζύγα γένηται· ἐκ δὲ ἁλιαέτων φήνη γίνεται θ60. 835 ᵃ1. (aigle de mer C, aquila marina S, pelecanus aquilus St, falco haliaetos K, aquila albicilla Cr, pandion haliaetus ad Ζιθ 3 aquila naevia et fort etiam haliaetus albicilla et falco communis ad Ζι 32. 34 Su 106 n 30 ΑΖι I 77 n 1d).

ἁλιάς. ῥύμης τῆς ἁλιάδος ψόφος Ζιδ8. 533 ᵇ20.

ἁλιεία. ἀφ' ἁλιείας ζῆν Πα8. 1256 ᵃ36. — τῆς θαλάττης ἡ ἁλιεία (i e ius piscandi) οβ1346 ᵇ20.

ἁλιεύεσθαι med, ἁλιευομένων ὀχ ἁλίσκεται ἡ ἀφύη Ζιζ15. 569 ᵇ5.

ἁλιεύς. οἱ ἁλιεῖς Πδ4. 1291 ᵇ23. οἱ ἀλ. τὰ δελέατα ἀποβάλλυσιν πκθ2. 950 ᵇ1. τὰ δίκτυα ἀναιρῦνται Ζιθ19.602ᵇ9. λαμβάνειν ὄψον παρὰ τῶν ἁλιέων f 510. 1561 ᵇ24. οἱ ἀλ. ⲕ̀ πορφυρεῖς πυρροί εἰσιν πηι2. 966 ᵇ25. ἐμπειρικοὶ ἁλιεῖς Ζιθ7. 532 ᵇ20. eorum de piscibus observationes Ζιθ8. 533 ᵇ29. Ζγα15. 720 ᵇ34. γ5. 756 ᵃ32.

ἁλιεύς. βάτραχος ὁ ἁλιεὺς καλύμενος, ν s βάτραχος.

ἁλιευτικός βίος Πα8. 1256 ᵇ2. κάλαμος Ζμθ12. 693 ᵃ23. τὸ ἁλιευτικόν collective (εἶδος ὄψην) Πδ4. 1291 ᵇ22.

ἁλίζειν, syn ἀθροίζειν πκθ9. 936 ᵇ32. β28. 869 ᵃ17.

ἁλίζειν. ἄρτοι ἡλισμένοι, opp ἄναλοι πλα5. 927 ᵃ36. ἁλιζομένη ἡ ἀφύη πλείω μένει χρόνον Ζιζ15. 570 ᵃ1. τὰ πολλὰ ἁλίζοντες προσφέρυσιν Ζιθ10. 596 ᵃ19. — ἁλίζειν τὰ πρόβατα, τὰ βοσκήματα θ138. 844 ᵇ20. Ζιζ19. 574 ᵃ9. θ10. 596 ᵃ24.

Ἁλικαρνασσός f 515. 1562 ᵃ27.

ἅλιος. ὁ Ἀπόλλων ὁ ἅλιος θ107. 840 ᵃ20.

ἅλις. περὶ μὲν τύτων ἅλις Ηα3. 1096 ᵃ3. 13. 1102 ᵇ11. τῶν μὲν ἦν τοιύτων ἅλις Ηκ1. 1172 ᵇ7. περὶ μὲν τύτων ἅλις τὰ εἰρημένα Ζγγ6. 757 ᵃ13. — ἅλις ἐγὼ δυστυχῶν (fort ex poeta tragico) Ηι11. 1171 ᵇ18.

ἁλίσκεσθαι. ἄστυ ἁλύῃ (Hom Ι 592) Ρα7. 1365 ᵃ13. Βαβυλωνίας ἑαλωκυίας Πγ3. 1276 ᵃ29. ἁλῦσα Πολυκρίτη f 518. 1562 ᵇ36. ἁλίσκεσθαι ἕρκεσιν Ζιι26. 617 ᵇ24. — ἁλίσκεσθαι ἐπιληψει, διαρροίᾳ, νοσήμασιν ν3. 457 ᵃ11. Ζιε26. 605 ᵃ27. πλ1. 954 ᵃ35. ἁλίσκεσθαι ὑπὸ πλευρίτιδος. μέθης πγ1. 871 ᵃ3. 6. 871 ᵇ33. f 103. 1494 ᵇ28. ἁλίσκεσθαι ἀπὸ φθίσεως, ψώρας πζ8. 887 ᵃ23. — ὀχ ἁλίσκεται τὰ εἴκοτα ψευδομαρτυριῶν Ρα15. 1376 ᵃ20. ἑάλως συκοφαντῶν ρ37. 1444 ᵃ32. οἱ ξενίας ἁλόντες f 451. 1565 ᵃ3.

Ἀλκαῖος poeta, eius versus afferuntur Πγ14.1285 ᵃ7 (fr 37). Ρα9. 1367 ᵃ9 (fr 55). ἐφιλονείκει Πιττακῷ f 65.1486ᵇ34.

Ἀλκαῖος. ἐνίκησεν (Ἀριστοφάνης Εἰρήνην) ἐπὶ ἄρχοντος Ἀλκαίυ (i e Ol 89, 3) f 579. 1573 ᵃ24.

ἀλκή. πρὸς ὑγίειαν Πθ3. 1338 ᵃ20. τὰ πρὸς ἀλκὴν (διὰ τὴν ἀλκὴν) ὄργανα. dist πρὸς τροφήν Ζιθ11. 538 ᵇ15. Ζμβ9. 655 ᵇ10. 16. 659 ᵇ10, 22. γ1. 661ᵇ17. Ζγγ10. 759 ᵇ31. ε8. 788 ᵇ5. ἀλκῆς χάριν Ζμγ1. 661 ᵇ2. 2. 662 ᵇ27 (coni syn βοηθείας). ἡ φύσις δέδωκεν ἀλκὴν ἀλκὴν πρὸς σωτηρίαν Ζμγ2. 663 ᵃ2. ἀνδρίζονται ἐν οἷς ἐστιν ἀλκή Ηγ9. 1115 ᵇ4.

Ἀλκιβιάδης πο9. 1451 ᵇ11. πῆ ἐτελεύτησιν Ζιζ29. 578ᵇ28. μετεπέμψαντο Ἀλκιβιάδην ἀπὸ Σικελίας f 403. 1545 ᵃ35, ᵇ12. οἱ ἀπ' Ἀλκιβιάδυ Ρβ15. 1390 ᵇ29. Ἀλκ., exemplum μεγαλοψυχίας Αδ13. 97 ᵇ18.

Ἀλκιδάμας Ρβ23. 1398 ^{b}10. Ἀ. ἐν τῷ Μεσσηνιακῷ Ρα13.
1373 ^{b}18. β23. 1397 ^{a}11. exempla τῷ ψυχρῷ κατὰ τὴν
λέξιν Ργ3. 1406 ^{a}1, 9, 18 ^{b}11. cf Vhl Alcidamas.
Ἀλκιμένης ὁ Συβαρίτης θ96. 838 ^{a}15, 25.
ἄλκιμος. οἱ ἔχοντες τὰ κέντρα σφῆκες μείζους κ̣ ἄλκιμοι 5
Ζιι41. 628 ^{b}6. ζῷα τὰς ὄψεις ἀγριώτερα κ̣ ἀλκιμώτερα
Ζιβ29. 607 ^{a}11. πάλαι ποτ᾽ ἦσαν ἄλκιμοι Μιλήσιοι f 516.
1562 ^{b}5 cf παροιμία.
Ἀλκίνω ἀπόλογος Ργ16. 1417 ^{a}13. πο16. 1455 ^{a}2. Ἀλκινόω
θυγάτηρ Ναυσικάα f 463. 1554 ^{a}33.   10
Ἀλκμαίων πο13. 1453 ^{a}20. 14. 1453 ^{b}24. — Ἀ. Εὐριπίδου
Ηγ1. 1110 ^{a}28 (cf fr 70). f 584. 1573 ^{a}12. Ἀ. Ἀστυδά-
μαντος πο14. 1453 ^{b}33 (Nck fr tr p 603). Ἀ. Θεοδέκτα,
inde versus afferuntur Ρβ23. 1397 ^{b}3 (fr 2).
Ἀλκμαίων ὁ Κροτωνιάτης ΜΑ5. 986 ^{a}26. Ζιη1. 581 ^{a}16. 15
Ζγγ2. 752 ^{b}25. comparatur cum Pythagoreis ΜΑ5. 986 ^{a}26,
29. τί ὑπέλαβε περὶ ψυχῆς ψα2. 405 ^{a}29 (fort resp ψα2. 404
^{a}22 cf Trend p 216), περὶ θανάτου ἀνθρώπων πιζ3. 916 ^{a}34.
ἀναπνεῖν τὰς αἶγας κατὰ τὰ ὦτα Ζια11. 492 ^{a}14. compa-
rat τὴν ἥβην τῷ τῶν φυτῶν ἄνθει, τὸ γάλα τῷ ἐν τοῖς 20
υἱοῖς λευκῷ Ζιη1. 581 ^{a}16. Ζγγ2. 752 ^{b}25.
Ἀλκμαιωνίδαι f 357. 1538 ^{b}17.
Ἀλκμὰν ὁ ποιητὴς τίνι νόσῳ διεφθάρη Ζιε31. 557 ^{a}2.
ἀλκυόνειοι ἡμέραι διὰ τί καλοῦνται Ζιε8. 542 ^{b}15.
Ἀλκυόνη, ἡ Διοκλέους μήτηρ Πβ12. 1274 ^{a}35.   25
ἀλκυονίδες ἡμέραι Ζιε8. 542 ^{b}6.
ἀλκυών, avis, ὁ τῶν ἀλκυόνων γένος πάρυδρον descr, eius
εἴδη δύο Ζιθ3. 593 ^{b}8. σπανιώτατον ἰδεῖν ἀλκυόνα Ζιε9. 541
^{b}22. μέγεθος, χρῶμα τῷ σώματος, τῶν πτερύγων, τῷ ῥύγ-
χους Ζιι14. 616 ^{a}14. 13. 615 ^{b}29. πῶς κ̣ πότε τὴν ὀχείαν 30
ποιεῖται κ̣ τὴν νεοττιάν, πῶς τίκτει κ̣ ἐκτρέφει τὰ νεοττία,
ζῇ ἰχθυοφαγῦσα Ζιε8. 542 ^{b}4, 12, 16. ι14. 616 ^{a}14-34.
ἡμέραι ἀλκυόνειοι cf ἀλκυόνειοι, ἀλκυονίδες. ὥραν παιδοτρό-
φον ποικίλας ἀλκυόνος (Simonid fr 12) Ζιε8. 542 ^{b}10. (? ΟΠ
409, alcedo hispida et marina St, alcedo Ζιε8. 9. ι13. 14, 35
sed Ζιθ3 ἀηδόνων pro ἀλκυόνων legit K, alcedo vel fort tur-
dus arundinaceus Cr, alcedo ispida et fort species maior al-
cedinis smyrnensis Su 133 n 98, alcedo ispida ΛΖι I 77
n 14).
ἀλλά. in conclusione demonstrationum apagogicarum, veluti 40
ἀλλὰ παντὶ ὑπῆρχεν, ἀλλ᾽ ὑπέκειτο τινὶ ὑπάρχειν Αα29.
45 ^{a}31, 33. 5. 27 ^{b}19. 6. 28 ^{b}20. — ἀλλά in apodosi post
protasin conditionalem a part εἰ vel ἐὰν exorsam, veluti εἰ
μὴ γὰρ κατὰ τῷ πράγματος.., ἀλλὰ περὶ τῷ ἤθους Ρα15.
1376 ^{a}28. κἂν μὴ πρὸς τοὺς ἐνδόξους, ἀλλὰ πρὸς τοὺς ἄλλους 45
δεῖ παραβάλλειν Ρα9. 1368 ^{a}25, cf τ24. 179 ^{b}15. Αδ̄3. 90
^{b}28. Φυ5. 205 ^{b}8. ε2. 225 ^{a}27 (ἀλλ᾽ ὅμως). Ογ2. 300 ^{b}12.
Γβ9. 336 ^{a}12. Πυ5. 1278 ^{a}9. ὀ2. 1289 ^{b}16, ὅταν — ἀλλὰ
Ζγο8. 777 ^{a}23; εἰ (ἐὰν) — ἀλλὰ ... γε veluti εἰ μὴ πάντα,
ἀλλὰ τά γε πρῶτα κ̣ τὰς ἀρχάς τι11. 172 ^{a}19 Wz. 10. 50
171 ^{a}29. Φα7. 190 ^{a}15. Πβ11. 1273 ^{a}4. πο13. 1453 ^{a}29.
25. 1460 ^{b}33 (Vahlen, Rhet p 33). ἀλλὰ γε non interpo-
sito alio vocabulo οα3. 1343 ^{b}25. — ἀλλὰ γάρ Φθ2. 253
^{a}20. υ3. 456 ^{b}17. ΜΑ8. 989 ^{b}21. Πβ5. 1264 ^{a}36. η1.
1323 ^{b}36. ρ1. 1421 ^{a}4. ἀλλὰ ... γὰρ Πγ1. 1275 ^{b}13. — 55
ἀλλ᾽ οὖν Γβ7. 334 ^{a}25. Φτβ9. 828 ^{b}15. ἀλλ᾽ ἤ post
enunciationem negativam vel interrogativam admodum usi-
tatum Aristoteli, veluti Κ5. 3 ^{b}19. Αγ6. 74 ^{b}17. τα7. 103
^{a}21. β4. 111 ^{b}31 (ἄλλο ἢ Wz). δ̄6. 127 ^{a}30. Φθ7.260 ^{b}25.
Γαζ2. 316 ^{a}29. Ζιβ1. 497 ^{b}35. Ηδ̄9. 1125 ^{a}1. ε4.1130 ^{a}32. 60
10.1135 ^{a}18. πο16. 1455 ^{a}5 al; interdum ad significationem
v.

particulae πλὴν vel εἰ μὴ prope accedit, veluti διὰ τῶτο ὑ
τῷ γεωμέτρῳ θεωρῆσαι τί τὸ ἐναντίον, ἀλλ᾽ ἢ ἐξ ὑποθέσεως
Μγ2. 1005 ^{a}12. cf Αγ9. 76 ^{a}23. 12. 77 ^{b}12. τη5. 155 ^{a}36.
ι11. 172 ^{a}4. Οδ̄5. 312 ^{b}12. ψβ1. 412 ^{b}14. γ9. 432 ^{b}17.
Ζιγ15. 519 ^{b}16. 17. 520 ^{a}12. ε2. 540 ^{a}18. θ20. 603 ^{a}16.
Ηδ̄9. 1124 ^{b}24. ε13. 1137 ^{a}12, 22. Πε6. 1305 ^{b}15. Ρβ6.
1384 ^{a}25. φτβ3. 825 ^{a}15 (Wz ad Κ 6. 5 ^{b}10). εἰ δ᾽ ἐστὶν
ὁ χρόνος ὅτος τῆς κινήσεως ἢ μὴ ἐστιν, ὀδὲν πω συνῶπται
μέχρι γε τῷ νῦν, ἀλλ᾽ ἢ ὅτι λέγεται μόνον Ζιζ35. 580 ^{a}20.
quin etiam ab ἀλλ᾽ ἢ perinde atque a part πλὴν enunciatio
limitativa incipitur, ὀδὲ τὰ περὶ τὴν κεφαλὴν ἔοικεν ἱέρακι,
ἀλλὰ περιστερᾷ μᾶλλον· ἀλλ᾽ ἢ κατὰ τὸ χρῶμα μόνον
προσέοικεν ἱέρακι, πλὴν τῷ μὲν ἱέρακος τὰ ποικίλα οἷον γραμ-
μαί εἰσι, τῷ δὲ κόκκυγος οἷον στιγμαί Ζιζ7. 563 ^{b}22. ali-
quoties ἀλλά usurpatur, ubi ἀλλ᾽ ἢ exspectes, ἠδέα δ᾽ ὐκ
ἔστιν, ἀλλὰ τύτοις κ̣ ὅτω διακειμένοις Ηκ5. 1176 ^{a}22, ἔνια
δ᾽ ὀδὲ τῷδε (sc αἰρετὰ εἶσιν) ἀλλὰ ποτὲ ἢ ὀλίγον χρόνον
Ηη13. 1152 ^{b}30 (Bk suspicatur ἀλλ᾽ ἢ scribendum esse),
ἐν ὀδεμιᾷ τέχνη ἀλλ᾽ ἐν ῥητορικῇ κ̣ ἐριστικῇ Ρβ24. 1402
^{a}27. sed etiam ἀλλ᾽ ἢ legitur, ubi ipsum ἀλλὰ vel sufficit,
ἡ καπηλικὴ ποιητικὴ χρημάτων, ὐ πάντως, ἀλλ᾽ ἢ διὰ χρη-
μάτων μεταβολῆς Πα9.1257 ^{b}21, vel requiri videatur, ὠστ᾽
ὐ λεκτέον τῷ ὑποπόδιος τὸ μὲν πτερωτὸν τὸ δὲ ἄπτερον,
ἐάνπερ λέγῃ καλῶς, ἀλλὰ διὰ τὸ ἀδυνατεῖν ποιήσει τῶτο·
ἀλλ᾽ ἢ τὸ μὲν σχίζοπην τὸ δ᾽ ἄσχιστον ΜΖ12. 1038 ^{a}14.
— ἀλλὰ μὴν admodum frequens apud Ar, vel ad ordien-
dum alterum dilemmatis alicuius membrum, veluti Μβ2. 996
^{b}1, 997 ^{a}11, ^{b}34. 3. 998 ^{b}11, 27, 999 ^{a}1. 4. 999 ^{b}2, 27,
1001 ^{a}29, ^{b}19. ζ3. 1029 ^{a}16. 4. 1029 ^{b}18 al, vel omnino
ad significandum argumentationis progressum Μθ8. 1050 ^{a}4,
^{b}6. μ5. 1079 ^{b}15, 20 ac saepe (Euncken, Ar dic ratio p 8).
ἀλλὰ μὴν . . γε Μγ4. 1007 ^{b}29. ζ3. 1039 ^{a}19 al. — ἀλλὰ
μὴν ἀλλὰ ν ε ὑ. — ἀλλ᾽ ὖν τι10. 170 ^{b}38. Φδ̄7. 214 ^{a}6.
Μθ8. 1050 ^{a}2. ρο25. 1461 ^{a}1 (ci Bz Ar St I 99, ἀλλ᾽ ὐ
codd Bk), in apodosi enunciationis conditionalis ηεα6. 1216
^{b}2. — ἀλλ᾽ ἄρα γε Κ8. 11 ^{a}20. τη3. 153 ^{b}10. ψγ6. 430
^{b}4 (γε om censet Torstr), in apodosi enunciationis conditio-
nalis ζ13.150 ^{a}9. ημβ8.1207 ^{b}14. ἀλλ᾽ ὖν γε κ6.397 ^{b}12.
ἀλλαγή. ἡ κατὰ τόπον ἀλλαγὴ πν8. 485 ^{a}22. — συμβλητὰ
δεῖ εἶναι, ὧν ἐστιν ἀλλαγή Ηε8. 1133 ^{a}19. ποία ἡ ἀλλαγὴ
ἦν πρὶν τὸ νόμισμα εἶναι Ηε8. 1133 ^{b}26. ἀλλαγὴ ἑκάστοις
Ηε7. 1132 ^{b}13 (cf συνάλλαγμα 5. 1131 ^{a}1). ἀλλαγὴ condi-
tio τῆς κοινωνίας Ηε8. 1133 ^{b}15-18, ^{a}24, 28. ἀλλαγὴ κ̣
συμμαχία, αἱ ἀλλαγαὶ ἢ ἡ πρὸς ἀλλήλους χρῆσις Πγ9. 1280
^{b}23, ^{a}35. ἀλλαγὴ τινος, dist χρεία Πα9. 1257 ^{a}13, 25. ποι-
εῖσθαι τὴν ἀλ. Πα9. 1257 ^{a}19.
ἀλλακτικαὶ κοινωνίαι Ηε8. 1132 ^{b}31.
ἀλλάττειν. ἀλλάσσοντα διαμπερὲς (Emped 73) Φθ1. 251 ^{a}2.
ἀλλάττεσθαι Ηε8. 1133 ^{b}1, 8. ὁ ἀλλαττόμενος τῷ δεο-
μένῳ ὑποδήματος ἀντὶ νομίσματος Πα9. 1257 ^{a}10. — ἀλ-
λάσσεσθαι alternare πκε2. 940 ^{a}15.
ἀλλαχόσε f 381. 1541 ^{b}23.
ἀλλαχῦ φτα4. 820 ^{a}5.
ἄλλεσθαι, cf ἅλσις. τὰ ἀλλόμενα ἀθρόῳ παντὶ τῷ σώματι
μεταβάλλει (dist ἔρπειν) , πῶς ποιεῖται τὴν κάμψιν, ποιεῖται
κάμψιν ἐν τῷ ὑποκειμένῳ μέρει τῷ σώματος Ζπ3. 705 ^{a}5,
12. 8. 708 ^{a}29. 9. 709 ^{b}7. χαλεπὸν συνεχῆ ποιεῖσθαι τὴν με-
ταβολὴν ἀλλόμενα Ζπ14. 712 ^{a}31. διὰ τί οἱ πένταθλοι ἅλ-
λονται πλεῖον ἔχοντες τὰς ἁλτῆρας ἢ μὴ ἔχοντες Ζπ3. 705
^{a}16. πε8. 881 ^{b}5. — (ἵππων ἀρρωστούντων ποδάγρᾳ) ὁ ὄρχις
ἅλλεται ὁ δεξιός Ζιθ24. 604 ^{a}27.

                                                         E

ἀλληλοκτονεῖ ὁ μάχιμος κύκνος f 268. 1526 ᵇ34.
ἀλληλοφαγεῖν. ἀλληλοφαγῦσι πάντες ἰχθύες Ζιθ2. 591ᵃ17.
f 299. 1529 ᵃ15.
ἀλληλοφάγοι τῷ γένος τῷ οἰκείῳ ὐκ εἰσὶν οἱ ὄρνιθες Ζιθ3.
593 ᵇ27. ιι. 610 ᵃ2.
ἀλλήλων διαφέρειν Πδ2. 1289 ᵃ34. γίγνεσθαι ἐξ ἀλλήλων
μα3. 339 ᵃ37, 340 ᵃ17. ἐξ ἀλλήλων sive δι' ἀλλήλων δείκνυσθαι, ἡ δι' ἀλλήλων δεῖξις Αβ5. 57 ᵇ18, 36. 7. 59 ᵃ32
cf κύκλῳ. — διὰ τὰς αὐτὰς αἰτίας ἀλλήλοις μγ2. 371 ᵇ20.
— ἡ εἰς ἄλληλα μεταβολή μα1. 338 ᵃ23. παρ' ἄλληλα τίθεσθαι, φαίνεσθαι Οβ6. 289 ᵃ8. τἀναντία γνωριμώτατα κ̅
παρ' ἄλληλα μᾶλλον γνώριμα sim Ργ9. 1410 ᵃ21. 2. 1405
ᵃ12. 17. 1418 ᵇ4. β23. 1400 ᵇ27 (παρ' ἄλληλα Bkᵃ recte,
παράλληλα Bk, pariter παρ' ἄλληλα pro παράλληλα scribendum videtur p24. 1434 ᵇ39. 26. 1435 ᵇ17. τθ14. 163
ᵇ4). μγ4. 375 ᵃ7. ἡ καθ' αὐτὰ λέγοντες ἡ πρὸς ἄλληλα
ἀντιπαραβάλλοντες Ρα3. 1359 ᵃ22. ἀπλῶς, πρὸς ἄλληλα
μδ9. 386 ᵇ32. τῶν ἑτερογενῶν ἡ μὴ ὑπ' ἄλληλα τεταγμένων Κ3. 1 ᵇ16. κωλύεται ἡ ὄψις κατ' εὐθεῖαν ἐκπίπτειν
διὰ τὸ μὴ κατ' ἀλλήλως εἶναι τὰς πόρας πια58. 905 ᵃ40, ᵇ5.
ἄλλοθι κ̅ ἄλλοθι μγ5. 376 ᵇ11.
ἀλλοῖος. ἀλλοῖοι μετέφυν (Emp 376) Μγ5. 1009 ᵇ20. —
ἀλλοῖα γίνεται τὰ μέρη ὥστε μηδὲν ἐοικέναι τῷ πρότερον
Ζγδ3. 768 ᵇ32. ἀλλοῖα ἡ φωνὴ γίνεται ἀλλοίᾳ γινομένῃ τῷ
κινῦντος Ζγδ8. 776 ᵇ17. ἵνα σεμνότερος φαίνηται κ̅ μᾶλλον
ἀλλοῖα σπυδάσαι f 170. 1506 ᵇ2. ἐστι τινὰ αὐξανόμενα ἃ
ὐκ ἀλλοιῦται, οἷον τὸ τετράγωνον γνώμονος περιτεθέντος ηὔξηται μὲν, ἀλλοιότερον δὲ ὐδὲν γεγένηται Κ14. 15 ᵃ31. μυελὸς ἀλλοιότερος, ὀδόντες ἀλλοιότεροι Ζμβ6. 652 ᵃ18. δ5.
678 ᵇ18. τὴν φωνὴν ἀφιᾶσιν ἀλλοιοτέραν ἡ κατὰ τὸν ἄλλον
χρόνον Ζιζ18. 572 ᵃ25. σπέρμα ἀλλοιότερον τῦ αἵματος, opp
αἱματῶδες Ζγα19. 726 ᵇ6, 9. — interdum ἀλλοιότερον ἡ
prope i q ἄλλο ἤ, veluti τὸ ἐναλλάξ συνιστάναι ἡ διαλύειν
ὐδὲν ἀλλοιότερον ποιεῖν ἐστιν ἡ τὸ κατασκευάζειν αἴδιον Οα
10. 280 ᵃ12. μβ9. 370 ᵃ1. ὐδὲν ἀλλοιότερον ὥσπερ ἂν εἰ
f 150. 1503 ᵇ12.
ἀλλοιῦν. τὸ ἀλλοιύμενον ἅπαν ἀλλοιῦται ὑπὸ τῶν αἰσθητῶν
κ̅ ἐν μόνοις ὑπάρχει τύτοις ἀλλοίωσις ὅσα καθ' αὑτὰ λέγεται πάσχειν ὑπὸ τῶν αἰσθητῶν Φη3. 245 ᵇ3sqq. εἰ μένει
σὰρξ ὖσα κ̅ τὸ τί ἐστι, πάθος δέ τι ὑπάρχει τῶν καθ'
αὐτό, ὃ πρότερον ὐχ ὑπῆρχεν, ἠλλοίωται τῦτο Γα5. 321 ᵇ4.
(cf ὄντων κ̅ μὴ ἀλλοιυμένων Γα10. 327 ᵇ1). ἀλλοιῦσθαι ἡ
κατὰ διαφορὰν (i e κατὰ τὸ τί ἐστι) ἀλλὰ κατὰ πάθος
τζ6. 145 ᵃ4-12. ἀλλοιῦσθαι ταῖς τῶν ὁμοιομερῶν διαφοραῖς
Ζγβ5. 741 ᵇ12. ἡ θερμαινόμενον ἡ γλυκαινόμενον ἡ πυκνύμενον ἡ ξηραινόμενον ἡ λευκαινόμενον ἀλλοιῦσθαι φαμεν Φη2.
244 ᵇ7. τὰ ζῷα ἀλλοιῦται φυσικὴν ἀλλοίωσιν Ζκ11. 703
ᵇ11. τὸ πεπονθὸς κ̅ ἠλλοιωμένον ὁμωνύμως προσαγορεύομεν
Φη3. 245 ᵇ13. — ἅμα ἐστὶ τὸ ἔσχατον ἀλλοιῦν κ̅ τὸ πρῶτον ἀλλοιύμενον, τῦ ἀλλοιυμένῳ κ̅ τῷ ἀλλοιῦντος ὐδὲν μεταξύ Φη2. 245 ᵃ4, 25. τὸ ἀλλοιῦν ἡ ἀρχὴ τῆς κινήσεως
ἐν τῷ ἀλλοιυμένῳ Γα5. 321 ᵇ7. τὸ ἐπιδῦναι ἐκ δυνάμεως
εἰς ἐντελέχειαν πότερόν ἐστιν ἀλλοιῦσθαι ψβ5. 417 ᵇ6 (cf
ἀλλοίωσις). ἐνδέχεται ἀθρόον ἀλλοιῦσθαι αι6. 447 ᵃ2. — ἀλλοιωτός Φγ1. 201 ᵃ12 al.
ἀλλοίωσις, def μεταβολὴ (κίνησις) κατὰ τὸ ποιόν, κατὰ τὸ
πάθος Μλ2. 1069 ᵇ12. ν1. 1088 ᵃ32. Κ4. 15 ᵇ12, ᵃ18. Φε2.
226 ᵃ26. η2. 243 ᵃ9. Οα3. 270 ᵃ27. Γα2. 317 ᵃ27. 5. 320
ᵃ14. ἀλλοίωσίς ἐστιν, ὅταν ὑπομένοντος τῦ ὑποκειμένυ, αἰσθητῦ ὄντος, μεταβάλλῃ ἐν τοῖς αὑτῦ πάθεσιν, ἡ ἐναντίοις
ὖσιν ἡ μεταξὺ Γα4. 319 ᵇ10, 33. ἐν μόνοις ὑπάρχει ἀλ-

λοίωσις, ὅσα καθ' αὑτὰ λέγεται πάσχειν ὑπὸ τῶν αἰσθητῶν
Φη3. 245 ᵇ4sqq. ἡ ἐν τῷ αὑτῷ εἴδει μεταβολὴ ἐπὶ τὸ μᾶλλον κ̅ ἧττον ἀλλοίωσίς ἐστιν Φε2. 226 ᵇ2. ἀλλοίωσις dist a
tribus reliquis μεταβολῆς generibus κατ' ὐσίαν, κατὰ τὸ
ποσόν, κατὰ τόπον ψα3. 406 ᵃ13. Κ14. 15 ᵃ13. Μη2. 1042
ᵃ36. λ2. 1069 ᵇ12. ν1. 1088 ᵃ32. Φε2. 226 ᵃ23-25. η2.
243 ᵃ9. Γα5. 320 ᵃ14. 2. 317 ᵃ27. ἀλλοίωσις τί διαφέρει
γενέσεως Γα4. γίγνεσθαι ἀλλοιώσει, dist μετασχηματίσει,
προσθέσει, συνθέσει, ἀφαιρέσει Φα7. 190 ᵇ6. τὴν ἀλλοίωσιν
ἀναιρεῖσθαι ἀνάγκη τοῖς ὖτω (Emped) λέγυσιν ΜΑ8. 989
ᵃ27. κατὰ τὰ τῶν ἀπτῶν πάθη τοῖς ἁπλοῖς σώμασιν ἡ ἀλλοίωσίς ἐστιν Γβ4. 331 ᵃ10. ἡ γένεσις τῶν ἀρετῶν μετ'
ἀλλοιώσεως, αὗται δ' ὐκ εἰσὶν ἀλλοιώσεις Φη3. 247 ᵃ19.
ἀλλοίωσις, syn πάθος Φη3. 246 ᵃ2, 3, (cf 245 ᵇ13). 4. 248
ᵃ13, 15. τῷ ἀλλοιωτῷ ἡ ἀλλοιωτὸν ἐντελέχεια ἀλλοίωσις
Φγ1. 201 ᵃ12. ἡ ἐκ δυνάμεως εἰς ἐντελέχειαν ἐπίδοσις ἡ ὐκ
ἔστιν ἀλλοίωσις ἡ ἕτερον γένος ἀλλοιώσεως ψβ5. 417 ᵇ7.
Trdlbg p 305. — ἡ ἀλλοίωσις ἐξ ἐναντίων τινῶν, εἰς ἐναντία, ἐν τοῖς πάθεσιν ἡ ἐναντίοις ὖσιν ἡ μεταξὺ ΦΣ10. 241
ᵃ32. θ7. 260 ᵃ33. Γα4. 319 ᵇ10. δύο τρόποι ἀλλοιώσεως,
ἥ τε ἐπὶ τὰς στερητικὰς διαθέσεις μεταβολὴ κ̅ ἡ ἐπὶ τὰς
ἕξεις κ̅ τὴν φύσιν ψβ5. 417 ᵇ14. ἀλλοίωσις ὑδ' αὔξησις
ὑδὲ γένεσις ἀν εἰσὶν ὁμαλεῖς (ἰσοταχεῖς), φορὰ δ' ἐστὶν
Φδ14. 223 ᵇ20. η4. 249 ᵃ29. γίγνεται πολλάκις ἀθρόα ἡ
ἀλλοίωσις Φθ3. 253 ᵇ25. α3. 186 ᵃ15. — plur ἀλλοιώσεις
Φη3. 246 ᵃ3, ᵇ15, 247 ᵃ5, 19 al.
ἀλλοιωτικός. τὸ ἀλλοιωτικὸν ὐκ ἐξ ἀνάγκης αὐξητὸν Φθ5.
257 ᵃ24. πάθος τῆς κατὰ δύναμιν γεύσεως ἀλλοιωτικὸν εἰς
ἐνέργειαν (cf ἀλλοίωσις) αι4. 441 ᵇ21.
ἄλλος. ἄλλο def et dist, syn ἕτερον, opp ταὐτό Μι3. 1054
ᵇ15-22 Bz. cf ν1. 1087 ᵇ26, 30. ἄλλος c gen, ἡ αὐτὴ μὲν
ἑαυτῇ, ἐκείνης δ' ἄλλη sim αι7. 447 ᵇ8. Ηε15. 1138 ᵃ16.
Αα28. 45 ᵃ21. τι15. 174 ᵇ31 Wz. ἄλλον τρόπον ἀλλήλων
Ζια1. 487 ᵇ19. ἄλλος, coni ἕτερος· ἑτέρων μὲν ἐπιθυμῦσιν,
ἄλλα δὲ βύλονται sim Ηι4. 1166 ᵇ8. θ7. 1158 ᵃ28. μβ6.
365 ᵃ4. — ἄλλος ἐστὶν λόγος Πβ9. 1271 ᵃ20. ἄλλος γίγνεται ηεγ10. 1243 ᵇ19. ἄλλη κ̅ ἄλλο γίγνεται μα3. 341 ᵃ8.
4. 342 ᵃ6. β3. 357 ᵇ30 (aliter δ9. 386 ᵇ7). ὐδὲν ἄλλο πλήν,
παρά, ἤ μβ2. 354 ᵇ11. δ12. 390 ᵃ5, 6. ἤ τι τοιῦτον ἄλλο
πάθος μα8. 345 ᵃ18. κ̅ τἆλλα τὰ τοιαῦτα, κ̅ ὅσα ἄλλα
τοιαῦτα μδ10. 390 ᵇ22. 8. 384 ᵇ33, 385 ᵃ6. ἄλλοι τι; (nonne)
scribendum videtur pro ἀλλ' ὅτι Μγ4. 1044 ᵇ16 Bz. —ὁ
φίλος ἄλλος αὐτός Ηι4. 1166 ᵃ32. ἄλλος Ἡρακλῆς, ἄλλος
ἐγὼ (cf παροιμίαι) ημβ15. 1213 ᵃ13. ηεγ12. 1245 ᵃ30.—
ἄλλως ἔχειν μβ8. 365 ᵇ29. γ4. 373 ᵇ32 al. ἄλλως κ̅ ἄλλως ἔχειν Φθ6. 260 ᵃ7. ἄλλοι· ἄλλως κ̅ ὡς ἔτυχε, opp
τεταγμένον Ζμα1. 641 ᵇ20. παρὰ ταῦτα ὐκ ἔστιν ἄλλως
πο14. 1453 ᵇ36. — ἄλλως, opp τὸν αὐτὸν τρόπον μδ6. 383
ᵃ16. — κ̅ ἄλλως ἄτοπον, κ̅ ἄλλως ἐφάνη Φβ4. 196 ᵇ2.
Γβ11. 338 ᵃ18. ἄλλως ὐδὲν ὄντα χρήσιμα Ζμγ2. 663 ᵇ4.
— ἄλλως τε κ̅ Ηα4. 1096 ᵃ15. Πβ5. 1263 ᵇ18. γι15. 1286
ᵇ9 al. ἄλλως τε ἐπειδὴ κ̅ Ζιγ2. 511 ᵇ2. — 'ceterum, tamen' ἐὰν ἡμίπυρον ἦ, σφοδρὰν δὲ ἄλλως κ̅ ἀθρόον κ4.
395 ᵃ23.
ἄλλοτε. τὸ ἄλλοτ' ἄλλως κ̅ ὡς ἔτυχε, opp τὸ τεταγμένον
Ζμα1. 641 ᵇ19.
ἀλλότριος (cf οἰκεῖος). οἱ πένητες ἐπιθυμῦσι τῶν ἀλλοτρίων
Πδ11. 1295 ᵇ30. cf Ηδ1. 1120 ᵃ18. θερμότης ἀλλοτρία,
opp οἰκεία, φυσικὴ μδ1. 379 ᵃ18. 3. 381 ᵃ24. 11. 389 ᵇ1.
Ζιγ6. 786 ᵇ12. ἀλλότριον τὴν φύσιν Ζγδ7. 776 ᵇ6. ὥρισται
τοῖς τόποις τοῖς τ' οἰκείοις κ̅ τοῖς ἀλλοτρίοις Οα7. 276 ᵃ12.

ἡ δικαιοσύνη δοκεῖ ἀλλότριον ἀγαθὸν εἶναι Ηε3. 1130 ᵃ3. 10.
1134 ᵇ5. φαίνεται τὸ οἰκεῖον ἀγαθὸν μέγα, τὸ δ' ἀλλότριον
μικρὸν πεπά. 1239 ᵃ17. ἀλλότρια ὀνόματα, opp ἡ κειμένη
ὀνομασία τβ1. 109 ᵃ31. μεταφορᾶς τρόπος, προσαγορεύσαντα
τὸ ἀλλότριον ἀποφῆσαι τῶν οἰκείων τι πο21. 1457 ᵇ31. ἐὰν 5
ἔχῃ μεταφορὰν μήτ' ἀλλοτρίαν μήτ' ἐπιπόλαιον Ργ10. 1410
ᵇ32. — ἀλλότριος c gen τῆς πολιτείας, opp μετέχων Πβ8.
1268 ᵃ40. ἀλλότρια τῆς περί τι διαιρέσεως Κ8. 10 ᵃ18.
λόγοι ἀλλότριοι (opp οἰκεῖοι) τῦ πράγματος, τῆς πραγμα-
τείας ηεα6. 1217 ᵃ2, 9. cf ἀλλοτρίοις λόγοις σοφίζεσθαι ηεα 10
8. 1218 ᵇ23. ἀλλότριον τῆς ἰατρικῆς τζ5. 143 ᵃ4. βίος ἐλευ-
θερίας ἀλλότριος αρ7. 1251 ᵇ14. — τῶν συγγενῶν οἱ μὲν
οἰκειότεροι οἱ δ' ἀλλοτριώτεροι Ηθ14. 1162 ᵃ3. ταῦτα ἀφείσθω,
ᵏ γάρ ἐστιν ἀλλοτριώτερα Ηθ10. 1159 ᵇ24. — ἀλλοτριώ-
τατος τρόπος (de usu alicuius vocabuli, opp κυριώτατος) 15
Κ15. 15 ᵇ29. 12. 14 ᵇ8. — ἀλλοτρίως ὁρίζεσθαι τα18.
108 ᵇ28. ἀλλοτρίως ἀποδιδόναι Κ5. 2 ᵇ35. πρὸς τῆς ἀκυόν-
τας ἀλλοτρίως ἔχειν ρ37. 1445 ᵃ21.
ἀλλοτριότητος ἀρχή Πε10. 1311 ᵇ15.
ἀλλοτριῶν. ἠλλοτριωμένον πκθ17. 937 ᵇ19. 20
ἀλλοτρόπως φτα3. 818 ᵃ23.
ἀλλοφρονεῖν. Ἕκτωρ κεῖτ' ἀλλοφρονέων (cf Ὅμηρος extr)
ψα2. 404 ᵃ30. Μγ5. 1009 ᵇ30 Bz.
ἀλλοχροεῖν πδ29. 880 ᵃ25.
ἅλμα. τὸ φέγγος ἀπέτεινεν οἷον ἅλμα μα6. 343 ᵇ23. 25
ἅλμη. ἅλμη προσραίνεσθαι Ζιθ10. 596 ᵃ26. ἐν ἅλμῃ τρέφε-
σθαι Ρβ23. 1400 ᵃ12.
ἁλμυρίζειν. γῆ ἁλμυρίζῦσα Ζιι7. 613 ᵃ3.
ἁλμυρὶς γεώδης ὑφίσταται ἐν τοῖς ἀγγείοις Ζμδ1. 676 ᵃ34.
μβ3. 357 ᵇ4. ἡ κατὰ τὴν ἁλμυρίδα βαρύτης πκγ20. 933 ᵇ24. 30
ἁλμυρός. ἁλμυρὸν ὕδωρ τε5. 135 ᵃ28, 32. ἁλμυρὰ ὕδατα
αι4. 441 ᵇ3. ὅσα περὶ τὸ ἁλμυρὸν ὕδωρ ᵏ θάλατταν πκγ
1–41. τὸ ἁλμυρὸν ᵏ πικρὸν σχεδὸν τὸ αὐτό, opp γλυκύ,
λιπαρόν αι4. 442 ᵃ18, 26. ψβ10. 422 ᵇ12, ᵃ19. μβ2. 355
ᵇ9. πλβ4. 960 ᵇ19. βαρύτερον, παχύτερον τὸ ἁλμυρὸν τῦ 35
ποτίμῳ μβ3. 354 ᵃ33. μβ2. 355 ᵃ33. Ρκγ8. 932 ᵇ2. 934 ᵃ9.
διηθύμενον γίνεσθαι τὸ ἁλμυρὸν πότιμον μβ2. 354 ᵇ18. τῶν
ἁλμυρῶν τὰ ποτιμώτερα Ζγγ11. 761 ᵇ4. ἁλμυρὸν γάλα
Ζιη5. 585 ᵃ31. προσφερόμενοι ἁλμυρὰς τροφὰς f99. 1494 ᵃ9.
ἁλμυρότης μβ1. 353 ᵇ13. πκθ16. 937 ᵇ9. coni πικρότης 40
μβ3. 354 ᵇ2. τῆς ἁλμυρότητος τῆς θαλάττης τίς ἡ αἰτία
μβ3. φτβ2. 824 ᵃ4.
ἀλογία. πολλὴν ἔχει ἀλογίαν, opp εὔλογον Γα2. 315 ᵇ33.
πρὸς τῆ ἄλλῃ ἀλογίᾳ, opp εὔλογον μτ1. 462 ᵇ21, 22. πα-
ρασύρῃσι τῆ ἀλογίᾳ τὴν ἐπιθυμίαν αρ3. 1250 ᵃ23. ὀρθὴ ἐπι- 45
τίμησις ᵏ ἀλογία (ἀλογίᾳ ci Vhl Poet IV 428) πο25. 1461
ᵇ19.
ἀλόγιστοι τῦ πείσεσθαί τι Ρβ8. 1385 ᵇ32, 30. οἱ ἀλόγιστοι
ᵏ μόνον τῆ αἰσθήσει ζῶντες θηριώδεις Ηη6. 1149 ᵃ10. ἀλό-
γιστον πάθος ηεγ1. 1229 ᵃ21. ἀλόγιστος ἐν τῷ μὴ ὑπομέ- 50
νειν τὴν ἀπὸ λογισμῦ λύπην ηεγ4. 1232 ᵃ17. — ὑπερηφα-
νώτεροι ᵏ ἀλογιστότεροι διὰ τὴν εὐτυχίαν Ρβ17. 1391 ᵇ1.
— τὰ μὲν διὰ λογιστικὴν ὄρεξιν τὰ δὲ δι' ἀλόγιστον (ἄλο-
γον Spgl Bk³) Ρα10. 1369 ᵃ2.
ἄλογος. ἡδονὴ πάντα ἐφίεται ᵏ ἔλλογα ᵏ ἄλογα Ηκ2. 1172 ᵃ55
ᵇ10. ἐπιθυμία ᵏ θυμὸς κοινὸν ᵏ τῶν ἀλόγων Ηγ4. 1111 ᵇ13.
δυνάμεις ἄλογοι, opp μετὰ λόγυ ε13. 22 ᵇ39. Μθ2. 1046
ᵇ2 Bz. τῆς ψυχῆς τὸ μὲν ἄλογον τὸ δὲ λόγον ἔχον, τὸ ἄλο-
γον διττὸν Ηα13. 1102 ᵃ18–1103 ᵃ10. γ13.1117 ᵇ24. ψθ9.
432 ᵃ26. Πη15. 1334 ᵇ18, 21. ἄλογοι ἐπιθυμίαι, ὀρέξεις, 60
ἄλογος ὁρμή, ἄλογα πάθη sim Ρα10. 1369 ᵃ4. 11. 1370

ᵃ18. Ηγ3. 1111 ᵇ1. ημα35. 1198 ᵃ17. πλ1. 954 ᵇ35. —
μηδὲν ἀξιῶν ἀξίωμ' ἄλογον, ἀλλ' ἢ ἐπαγωγὴν ἢ ἀπόδειξιν
φέρειν Φθ1. 252 ᵃ24. τῦτο παντελῶς ἄλογον ᵏ πλάσματι
ὅμοιον Οβ6. 289 ᵃ6. τῦτο δ' ἄλογον, συμβαίνει ἄλογον sim
Φα4. 188 ᵃ5. μβ2. 355 ᵃ21. Ζγα17. 722 ᵇ30. β1. 734 ᵃ7.
Μβ4. 999 ᵇ23. 5. 1002 ᵃ29. μ8. 1083 ᵃ18. ὐδὲν ἄλογον
συμβαίνει, ὐκ ἄλογον Οβ8. 289 ᵇ34. μβ8. 366 ᵃ9. μτ1.
463 ᵃ23. ἄλογον εἰ μὴ μβ2. 355 ᵃ35. — ἐνδέχεται ἐν τῆ
ἐποποιίᾳ τὸ ἄλογον ποιεῖν πο24. 1460 ᵃ13. πρὸς ἅ φασι
τάλογα πο25. 1461 ᵇ14 Vhl Poet IV 426. — ἄλογος mathe-
matice i q irrationalis Αγ10. 76 ᵇ9. opp ῥητός ατ 968 ᵇ18.
— ἀλόγως. ἐν τοῖς ἄλλοις ζῴοις ἡ ὁμιλία ἀλόγως ὑπάρχει
οα3. 1343 ᵇ13. — ἡ φύσις ὐδὲν ἀλόγως ὐδὲ μάτην ποιεῖ
Οβ11. 291 ᵇ13. μηδὲν ἀξιῦν ἀλόγως, opp μετὰ λόγυ ηεα
8. 1218 ᵃ29. ὐκ ἀλόγως ὑπολαμβάνειν, συμβαίνει Ηα3.
1095 ᵇ15. δ'2. 1120 ᵇ18. ἔχει δ' ὐκ ἀλόγως μβ5. 362 ᵃ14.
ὐκ ἀλόγως, syn εὐλόγως Φθ5. 212 ᵇ34, 30.
ἀλογωδέστερον v l πν2. 481 ᵇ27, cf λογοδέστερον.
ἀλοιφὴ συνεχὴς Ζιι40. 624 ᵃ17.
ἅλοξ (Emped 344) αν7. 473 ᵇ11.
Ἀλόπη Καρκίνυ Ηη8. 1150 ᵇ10 (Nck fr tr p 619).
ἀλοσάχνη. ἡ τῆς ἀλκυόνος νεοττιὰ παρομοία ταῖς καλυμέναις
ἀλοσάχναις, πλὴν τῦ χρώματος Ζιι14. 616 ᵃ20, 28 (genus
alcyonii S II 105 cf 490, 544 (halcyoneum cotoneum, ver-
mis marinus) St, alcyonium bursa K, species quaedam zoo-
phytorum, alcyonia Cr, polyparium ignotum M 168, cf ΑΖι
II 245).
ἀλυργής), ἀλυργές saepe exhibetur in libro de coloribus χ2.
792 ᵃ7, 15, 24, 25, ᵇ10. 3. 793 ᵃ7. 4. 794 ᵃ21. 5. 796 ᵇ4,
797 ᵃ7. 6. 799 ᵇ3, rarius ἀλυργός χ2. 792 ᵇ2. 5. 796 ᵃ25.
apud Arist ubique forma ἁλυργὸς videtur exhiberi.
ἀλυργοπῶλαι μχ1. 849 ᵇ34.
ἀλυργός (cf ἀλυργής). τὸ ἀλυργόν, coni τὸ φοινικῦν αι4. 442
ᵃ24. 3. 440 ᵃ10. μγ2. 372 ᵃ8. χ2. 792 ᵃ7, ᵇ2, dist φοινικῦν
μγ4. 374 ᵇ33. χ2. 792 ᵇ10. syn πορφυροειδὲς χ2. 792 ᵃ15,
17, 24, 21. τὸ ἀλυργὲς τὴν πορφύραν βάπτεται χ4. 794 ᵃ21.
ἱμάτιον ἀλυργές θ96. 838 ᵃ21. τὸ ἀλυργὲς πῶς γίνεται χ2.
792 ᵃ15-26. τὸ ἀλυργὸν ὃ γίγνεται κεραννύμενον μγ2. 372
ᵃ8. cf χ2. 792 ᵇ2. τὸ ἀλυργὲς εὐανθὲς ᵏ λαμπρὸν χ2. 792
ᵃ15. ἥδιστα τῶν χρωμάτων τὸ ἀλυργὸν ᵏ φοινικῦν αι3. 440
ᵃ1.
ἄλοχος ᵏ πόσις, μέρη οἰκίας Πα3. 1253 ᵇ7.
ἅλς ὁ. οἱ ἅλες (plerumque coni λίτρον) γῆς τι εἶδός εἰσιν αι4.
441 ᵇ4. μδ7. 383 ᵇ20. 10. 388 ᵇ13, 389 ᵃ18. cf 7. 384 ᵃ18.
9. 385 ᵇ3. ἄτεγκτον μδ9. 385 ᵇ16. λυτὸν ὑγρῷ, τήκεται
ὑγρῷ μδ6. 383 ᵇ13. 8. 385 ᵃ31. εν3. 461 ᵇ16. πκγ22. 934
ᵃ1. ἅλες μᾶλλον λίτρυ ὀσμώδεις αι5. 443 ᵃ13. ἅλες χον-
δροί, χαῦνοι ᵏ λεπτοί, ἁλῶν πλῆθος μβ3. 359 ᵃ32, ᵇ4. ἅλες
ὀρυκτοὶ θ134. 844 ᵃ12. ἅλες ἐξανθῦσιν (ἐκ τῆς θαλάττης)
f 210. 1516 ᵃ24. μβ3. 359 ᵇ1. ἅλας ἐξανθεῖν φθ1346 ᵇ21.
λείχειν ἅλα Ζιζ27. 580 ᵇ31. παρέχειν ἅλας f 588. 1574 ᵃ1.
ἅλας διδόασι προβάτοις Ζιθ10. 596 ᵃ17, 20. κολοκύνθην ἁλὶ
πάττειν Ζιθ10. 596 ᵃ21. ἅλες παύυσι τὴν αἱμωδίαν πα38.
863 ᵇ11. ζ9. 887 ᵇ1. ψοφῦσιν εἰς τὸ πῦρ ἐμβληθέντες πια26.
902 ᵃ1. 42. 904 ᵃ5. τὸ ἐν τοῖς ἅλασιν ὑφιστάμενον ἔλαιον
πκγ32. 935 ᵃ8. cf 15. 933 ᵃ20. ὥσπερ ὑπ' ἅλες καταλεί-
φονται (?) Ζιε24. 555 ᵃ14. — τὸ ἕλος πρίασθαι ᵏ τῆς
ἅλας (cf παροιμίαι) Ρβ23. 1399 ᵃ26. τὰς λεγομένας ἅλας
συναναλῶσαι (cf παροιμίαι) Ηθ4. 1156 ᵇ27. ηεη2. 1238 ᵃ3.
— sing ἅλς, ἁλός εν3. 461 ᵇ16. Ζιζ27. 580 ᵇ31 (v l ἅλ-
λας). θ10. 596 ᵃ21. πια26. 902 ᵃ1. 42. 904 ᵃ5, reliquis

locis pluralis legitur. dat plur ἀλσί μδ9. 385 ᵇ9, ἅλασι
πκγ32. 935 ᵃ8.

ἄλσις, εἶδος κινήσεως, dist πτῆσις, βάδισις Ηκ3. 1174 ᵃ31.
dist πορεία Ζπ14. 712 ᵃ30. γίγνεται ἀθρόῳ παντὶ τῷ σώ-
ματι Ζπ8. 708 ᵃ29. ὅσα ἅλσει χρώμενα μόνον ποιεῖται τὴν 5
κατὰ τόπον μεταβολήν, dist ὅσα κὴ πορείας προσδέονται Ζπ
8. 708 ᵃ22. τὸ ἁλλόμενον πῶς ποιεῖται τὴν ἅλσιν Ζπ3. 705
ᵃ13. τὸ μόριον τὸ τῆς ἅλσεως κύριον (ἰγνύα) Ζιγ5. 515 ᵇ7.
ἡ τῆς καρδίας ἅλσις Ζιγ6. 669 ᵃ18, 23. — ἅλσις exemplum
ἐντελεχείας τῦ κινητῦ Φγ1. 201 ᵃ19. Μκ9. 1065 ᵇ20.　　　10

ἄλσος. οἰκεῖν ἄλση Ζυ32. 618 ᵇ34, 29. ἄλση σύσκια Ζιε30.
556 ᵃ25.

ἀλτῆρες. οἱ πένταθλοι ἅλλονται πλεῖον ἔχοντες τὺς ἁλτῆρας
Ζπ3. 705 ᵇ16. πε8. 881 ᵇ5.

ἁλτικός. τὰ ἁλτικὰ μόρια Ζμδ6. 683 ᵇ3.　　　　　　　15

Ἀλυάττυ παῖς Ἀδράμυτυ f 507. 1561 ᵃ28.

ἁλυκός. ἁλυκὸν ὕδωρ Ζιζ19. 574 ᵃ8. πκ1. 923 ᵃ6. γ8. 872
ᵃ9. 19. 873 ᵇ37. τὰ ἁλυκὰ τῶν γλυκέων ἧττον ψυχρά πκγ
7. 932 ᵇ1. οἱ πρὸς νότον τόποι ἁλυκώτερα τὰ ὕδατα ἔχυσιν
πκγ25. 934 ᵃ30. δάκρυον, ἱδρὼς ἁλυκά ἐστιν εϑ7. 884 ᵇ29. 20
τὰ μέρη τὰ γεώδη, ἅ εἰσιν ἁλυκά φτβ2. 823 ᵇ24.

ἁλυκότης f 209. 1516 ᵃ15. φτβ2. 823 ᵇ17. 3. 824 ᵇ5.

ἀλυπία. μετ' ἀλυπίας, opp μετὰ λύπης τγ2. 117 ᵃ24. Ρα5.
1361 ᵇ27. ὑπερτείνειν τῇ ἀλυπίᾳ Η11. 1171 ᵇ8. κὴ ἡ ἡδονὴ
ἀγαθὸν κὴ ἡ ἀλυπία Ρα7. 1365 ᵇ13. τὴν τύτων ἀλυπίαν 25
διώκει ὁ φρόνιμος Η13. 1153 ᵃ31.

ἄλυπος. οἰόμενοι δεῖν ἀλύπους εἶναι τοῖς ἐντυγχάνυσιν Ηδ12.
1126 ᵇ14. αὐτὴ ἡ δειλία ἄλυπος Ηγ15. 1119 ᵃ29. ἄλυπος
ὄρεξις ἡ βύλησις τζ8. 146 ᵇ2. ἄλυπος ὁ ἐν τῷ γήρᾳ θάνατος
αν17. 479 ᵃ20. ζωὴ ἄλυπος κὴ μακαρία Οβ1. 284 ᵃ29. τῷ 30
θεῷ ἄλυπον ἀπονὸν τε τὸ ἄρχειν κ6. 400 ᵇ10. ἰδίον τῶν ὄνων τὸ
ἄλυπον φ4. 808 ᵇ37. — ἄλυποι ἡδοναὶ αἱ μαθηματικαὶ Ηκ2.
1173 ᵇ16. τὸ ἄλυπον, dist τὸ ἡδύ Ηδ2. 1120 ᵃ27. η12.
1152 ᵇ15. ημβ7. 1204 ᵃ24. — ἀλυποτέρας διανοίας τὸ μὴ
θαυμάζειν Οβ13. 294 ᵃ12. τίς βίος ἀλυπότατος f 40. 1481 35
ᵇ11. — ἀλύπως ἐκσπύνται τρίχες πι22. 893 ᵃ20.
ἀλύπως, dist ἡδέως, χαίρειν νεα5. 1216 ᵃ37. Ηδ2. 1120
ᵃ26. Ρβ9. 1387 ᵇ16. τὸ ἀλύπως ἐγγὺς τῆς ἡδονῆς ἐστιν
ημβ7. 1204 ᵃ24.

ἄλυρος. ἡ σάλπιγξ μέλος ἄλυρον (ex poeta incerto) Ργ6. 40
1408 ᵃ7, 9.

Ἅλυς. Κροῖσος Ἅλυν διαβὰς Ργ5. 1407 ᵃ38.

ἄλυσις. ὅσα ὥσπερ αἱ ἀλύσεις σύγκειται τῶν σωμάτων μδ9.
387 ᵃ13.

ἀλυσιτελές Ηϑ16. 1163 ᵇ27. (pro λυσιτελές ci Bk ρ37. 45
1443 ᵇ34). ὐκ ἀλυσιτελές ρ3. 1424 ᵃ19.

ἄλυτος 1. physice. ἄλυτα ὑγρῷ, θερμότητι, opp λυτά Ζγβ6.
743 ᵃ7. μδ6. 383 ᵇ10, ᵃ30. τίνα μάλιστα ἄλυτα μδ7. 384
ᵇ7. — 2. logice. μόνον τὸ ἀναγκαῖον, ἂν ἀληθὲς ᾖ, ἄλυτόν
ἐστιν, opp λυτόν Ρα2. 1357 ᵇ17. τεκμήριον ἄλυτον Ρβ25. 50
1403 ᵃ14. ἄλυτος συλλογισμός, opp λύσιμος Αβ27. 70
ᵃ29. — ἀλύτως τίνα πήγνυται Ζμβ2. 649 ᵃ32.

ἄλφα. πολλὰ τὰ ἄλφα, αὐτὸ ἄλφα Μμ10. 1087 ᵃ8, 9.

ἀλφάνυσι φθόνον (Eur Med 297) Ρβ2. 1394 ᵃ34.

Ἀλφειῦ θυγάτηρ, ἀπόγονοι f 555. 1569 ᵃ43. 554. 1569 ᵇ36. 55

Ἀλφεσίβοια ἐν τῷ Ἀλκμαίωνι τῷ Θεοδέκτυ Ρβ23. 1397
ᵇ5 (fr 2).

ἀλφηστικός. κιρρὸς ὁ ἀλφηστικὸς μονάκανθός ἐστιν f 290.
1528 ᵇ29.

ἄλφιτον (Emped 275) μδ4. 382 ᵃ1. ὅσα περὶ ἄλφιτα πκα 60
1-26. τὰ ἄλφιτα ἀδρά πκα26. 929 ᵇ37. μᾶλλον τῷ ὕδατι

συμμένει φυρόμενα ἢ τῷ ἐλαίῳ πκα16. 929 ᵃ11. ἀλφίτων
et ἀλεύρων natura dist πκα3. 927 ᵃ23. 7. 927 ᵇ15. 22. 929
ᵇ9. 26. 930 ᵃ3. α37. 863 ᵇ2. ὄντος μεδίων τῶν ἀλφίτων
τετραδράχμυ οβ1347 ᵃ33. ὅπως ὁ σῖτος δικαίως πραθήσεται
κὴ τὰ ἄλφιτα κὴ οἱ ἄρτοι f 411. 1546 ᵇ13.

Ἀλωάδαι κ1. 391 ᵃ11.

ἅλων. πεδίον ὅμοιον ἅλωνι μεγάλη σ973 ᵃ14. f 238. 1521 ᵇ7.
ἀλωπεκία. αἱ ἀλωπεκίαι καλύμεναι (νόσημα) πι27. 893 ᵇ38.
ἀλωπεκίας, piscis, refertur inter τὰ τῶν γαλεῶν εἴδη, εἰσ-
δέχεται τὰ γεννηθέντα εἰς τὸ στόμα κὴ πάλιν ἀφίησιν f 293.
1529 ᵃ15, 21 (selachiorum s squalorum L species quaedam).

Ἀλωπεκόννησος Ζιϑ13. 598 ᵃ22.

ἀλώπηξ 1. vulpes, refertur inter τὰ πολυσχιδῆ τῶν τετρα-
πόδων Ζγβ6. 742 ᵃ8. δ6. 774 ᵇ7. ἐν Αἰγύπτῳ ἀλώπεκες
ἐλάττονες Ζιϑ28. 606 ᵃ24. τὸ αἰδοῖον ὀστῶδες ἔχει Ζιβ1.
500 ᵇ24. πῶς ὀχεύει κὴ τίκτει Ζιζ34. 580 ᵃ6. γεννᾷ πάντα
τυφλά, ἀδιάρθρωτα σχεδὸν Ζγβ6. 742 ᵃ9. δ6. 774 ᵇ14. —
γίνεται ἡ συνδυασμὸς κὴ ἐπὶ κυνῶν κὴ ἀλωπέκων κὴ λύκων
Ζγβ7. 746 ᵃ34. ἐξ ἀλώπεκος κὴ κυνὸς γίνονται οἱ Λακωνικοὶ
κύνες Ζιϑ28. 607 ᵃ3. τὰ γιγνόμενα ἐξ ἀλώπεκος κὴ κυνὸς
τέλος ἀποβαίνει κατὰ τὸ θῆλυ τὴν μορφήν Ζγβ4. 738 ᵇ31.
— πανῦργος, κακῦργος, τρωγλοδύτης Ζια1. 488 ᵇ20. ι1. 610
ᵃ12. cf φ6. 812 ᵃ17. τίσι ζῴοις πολέμιος κὴ τίσι φίλος Ζιζ
37. 580 ᵇ25. ι1. 609 ᵇ1, 3, 26, 30. 32. 619 ᵇ10. 1. 609 ᵇ32,
610 ᵃ12. f 275. 1527 ᵇ23. ὀρνίθων γένος ὃ τίκτει ἐν δέρ-
ματι ἀλώπεκος Ζιϑ33. 619 ᵇ15. θαυμάσιόν τι ἄκυσμα περὶ
ἀλώπεκος ϑ99. 838 ᵇ4. Αἰσώπυ λόγος περὶ τῆς ἀλώπεκος
κυνοραϊστὰς πολλὰς ἐχύσης Ρβ20. 1393 ᵇ24 (renard C, de
vulpe Aegyptiaca C II 726; canis vulpes S St K Cr, fort
etiam canis niloticus Geoff AZι I 63 n 3 Su 144 no 10).

2. τῶν πτηνῶν τὰ δερμόπτερα, οἷον ἀλώπηξ ἡ νυκτερὶς
Ζια5. 490 ᵃ7; ad hoc animal etiam Ζιζ34. 580 ᵃ6. 37. 580
ᵇ25 refert S (renard volant C, sciurus petaurista Herrmann
Alopex Arist Argent 1782, vulpecula Gazae S, 'de vulpecula
dubitatio magna est, sciuri aut lemuris genus aliquod volans
intelligi videtur' S I 21, fort sciurus volans sive vespertilio
caninus St Cr, pteromys volans Su 41 n 6, dubitat AZι I 64 n 4).

3. piscis, refertur inter γαλεωειδεῖς Ζιζ11. 566 ᵃ31. eius
γένεσις Ζιζ10. 565 ᵇ1 πῶς βοηθῦσι πρὸς τὸ ἄγκιστρον Ζιι
37. 621 ᵃ12. ad hoc animal etiam Ζιϑ28. 606 ᵃ24 refert S.
(species quaedam canis marini C II 726, 222, piscis cartila-
gineus S St Cr, squalus sive vulpes centrina K, squalus vul-
pes L (alopias vulp Raffinesque) J Müller Abhandl d Berl
Acad 1840 p 197, squalus nondum certo definitus AZι I
145 n 87).

ἅλως 1. ὁ σῖτος ἐν τῇ ἅλῳ ἀπόλλυται Φβ8. 198 ᵇ22. ἰχθὺς
ἐξιόντες ἐπὶ τὰς ἅλως νέμονται θ72. 835 ᵇ9. cf 120. 842
ᵃ7. — 2. ἅλως ἐστὶν ἔμφασις λαμπρότητος ἄστρυ περι-
αυγὺς κ4. 395 ᵃ36. de eius natura μγ2. 3. α7. 344 ᵇ2. 8.
346 ᵃ5. διὰ τί περὶ τὴν σελήνην πλεονάκις γίγνονται μγ3.
373 ᵃ27.

ἅλωσις. γίνεται ἡ ἅλωσις, γίνονται αἱ ἁλώσεις (τῶν ὀρνίθων,
τῶν ἰχθύων) Ζιϑ3. 593 ᵃ20. 15. 600 ᵃ3.

ἅμα κατὰ τόπον, def Μκ12. 1068 ᵇ26. Φε3. 226 ᵇ21. η2. 243
ᵃ4 (ὗθεν αὐτῶν μεταξύ ἐστιν). ἅμα κατὰ χρόνον def Φθ10.
218 ᵃ25. Κ13. 14 ᵇ25. αι7. 448 ᵇ19. αἱ κινήσεις αἱ ἅμα
Ργ17. 1418 ᵃ14. ἅμα τῇ φύσει def Κ13. 14 ᵇ27, 34, 15
ᵃ8. 7. 7 ᵇ15. τε3. 131 ᵃ14, 16. — ἅμα, opp χωρὶς μδ9.
386 ᵃ9. Μζ15. 1040 ᵃ15. opp κατὰ τινα τάξιν ἢ χρόνον
Ππβ2. 1261 ᵃ32. — ἅμα . . ἅμα μα3. 339 ᵇ25. δ6. 382 ᵇ31.
9. 386 ᵃ3 al. ἅμα . . τε . . κὴ μα3. 340 ᵇ5. ἅμα κὴ μβ8.

368ᵃ18. ἅμα κ̣ .. κ̣ μϑ9. 386 ᵇ20. ἅμα c dat μβ8. 368
ᵃ34. ἅμα c partic, veluti ἀποσπινθηρίζει ἅμα καιόμενον μα4.
341 ᵇ30. Ζιζ20. 574 ᵃ4. τὰς γνώμας ἅμα λεγομένας δήλας
εἶναι Ρβ21. 1394 ᵇ14. ἅμα λεγομένων ἡ γνῶσις γίνεται sim
Ργ10. 1410 ᵇ24. 11. 1412 ᵃ31. ἅμα εἰρημένων γνωρίζειν
Ρβ23. 1400 ᵇ33. ἅμα δὲ in principio enunciationis, ut ad
alteram argumentationem transeatur, veluti ἅμα δὲ φανε-
ρόν al Μβ4. 1008 ᵃ30. Πδ9. 1294 ᵃ32. Ηθ16. 1163 ᵇ22.
Φα2. 185 ᵃ14.
Ἀμαδόκῳ Σεύθης ἐπέθετο Πε10. 1312 ᵃ14.
ἀμαθής. ζῷα θυμώδη κ̣ ἀμαθῆ Ζια1. 488 ᵇ14. ὁ χρόνος πό-
τερον σοφώτατος ἢ ἀμαθέστατος Φδ13. 222 ᵇ18.
ἀμαθία παρακολυθεῖ τῇ ἀφροσύνῃ αρ6. 1251 ᵃ2.
ἀμαθύνει (Hom I 593) Ρα7. 1365 ᵃ14.
ἀμάλακτος. περὶ ἀμαλάκτυ μϑ9. 385 ᵇ6-26. 8. 385 ᵃ13.
7. 384 ᵇ1. ἄτηκτα κ̣ ἀμάλακτα μϑ10. 388 ᵇ25.
ἄμαξα μχ31. 858 ᵃ4.
ἀμαξιαῖος λίθος θ98. 838 ᵇ1.
ἀμάξιον Ζκ7. 701 ᵇ4.
ἀμαρτάνειν, opp κατορθῶν Ηβ6. 1107 ᵃ15 al. ρ30. 1437
ᵇ5. opp ὀρθῶς ποιεῖν Ηδ11. 1126 ᵃ34. dist ἀτυχεῖν Ηε10.
1135 ᵇ18. cf ρ5. 1427 ᵃ41. dist ἀδικεῖν Πγ11. 1281 ᵇ28.
cf Ργ2. 1405 ᵃ27. ἁμαρτάνειν τῆς προστάξεως, τήτη Ηη7.
1149 ᵃ28. Πε1. 1301 ᵃ28. ἁμαρτεῖν τῆς ὁρμῆς Ζιθ21. 575
ᵃ14. ταύτην ὐχ ἥμαρτον τὴν ἁμαρτίαν Πϑ4. 1338 ᵇ12. ὐ
συγχωρήσω Ἀθηναίοις δὶς ἁμαρτεῖν εἰς φιλοσοφίαν f 617.
1528 ᵃ19, 28. ἁμαρτάνειν ἐπὶ τὴν ἔλλειψιν, ἐπὶ τὸ μᾶλλον
sim Ηγ13. 1118 ᵇ16. δ̔3. 1122 ᵃ1. 11. 1126 ᵃ1. ηεγ2.
1230 ᵇ17. Ρβ12. 1389 ᵇ3. ἁμαρτάνοντες λέγυσιν, opp ὃ
βύλονται Φδ6. 213 ᵃ24. ἁμαρτάνυσιν ὅσοι τῶν ποιητῶν Ἡρα-
κληίδα πεποιήκασι πο8. 1451 ᵃ20. — ἁμαρτάνειν πολλαχῶς
ἔστιν Ηβ5. 1106 ᵇ28. τὸ ἁμ. κοινὸν πάντων ἀνθρώπων ρ37.
1444 ᵇ10. τῶν ἀγαθῶν μήτ' αὐτὸς ἁμαρτάνειν μήτε τοῖς
φίλοις ἐπιτρέπειν Ηθ10. 1159 ᵇ7. ὁ ἑκὼν ἁμαρτάνων πῦ αἱ-
ρετώτερος; Ηζ5. 1140 ᵇ23. — ἁμαρτάνεσθαι. ἡ μὲν ὑπερ-
βολὴ ἁμαρτάνεται, τὸ δὲ μέσον κατορθῦται Ηβ5. 1106 ᵇ25.
cf 6. 1107 ᵃ25. τὸ ἁμαρτανόμενον Ηε14. 1137 ᵇ16. Φβ8.
199 ᵇ2. τὰ κατὰ λογισμὸν ἢ θυμὸν ἁμαρτηθέντα Ηγ3.
1111 ᵃ34. οἱ ἡμαρτημένοι, dist οἱ κακοί Ηδ9. 1125 ᵃ14.
τὸ ἐν ἀρχῇ ἡμαρτημένον Πε1. 1302 ᵃ6. ἕξεις ἡμαρτημέναι
ηεγ3. 1231 ᵇ22. πολιτεῖαι ἡμαρτημέναι, syn παρεκβάσεις
Πγ1. 1275 ᵇ1. 6. 1279 ᵃ20. ε1. 1301 ᵃ34. τυραννὶς ἡμαρ-
τημένη, opp ὀρθή Η12. 1160 ᵇ31.
ἁμάρτημα. ἐν τοῖς ἀϊδίοις ὔτε κακὸν ὔτε ἁμάρτημα
Μϑ9. 1051 ᵃ20. τὰ τέρατα ἁμαρτήματα τῦ ἕνεκά τυ Φβ8.
199 ᵇ4. — κοινὸν πᾶσιν ἁμάρτημα τοῖς ἐν ὑποτιθεμένοις, τὸ
ἐν ἀρχῇ ἁμάρτημα sim Ογ5. 304 ᵇ11. 4. 303 ᵃ17. Πε4.
1303 ᵇ29. τὸ ἁμ. ὐκ ἐν τῷ νόμῳ ἀλλ' ἐν τῇ φύσει τῦ
πράγματός ἐστι Ηε14. 1137 ᵇ17, 25. ἁμάρτημα κ̣ αἶσχος
ἀνώδυνον πο5. 1449 ᵃ34. — ἁμάρτημα, dist ἀτύχημα, ἀδί-
κημα Ηε10. 1835 ᵇ12-1136 ᵃ3. Ρα13. 1374 ᵇ7.
ἁμαρτητικός, opp κατορθωτικός Ηβ2. 1104 ᵇ33.
ἁμαρτία. ταύτην ὐχ ἥμαρτον τὴν ἁμαρτίαν Πϑ4. 1338 ᵇ12.
αἴτιον τῆς συμβαινύσης ἁμαρτίας, εἰς μίαν δόξαν δύο συμ-
βαίνειν ἁμαρτίας Μμ8. 1084 ᵇ24, 4. ἡ τῆς ᾠδῆς ἁμαρτία
πιθ43. 922 ᵃ18. ἁμαρτία ἐπιστήμης, περὶ αἴσθησιν, opp ἀγ-
νοίης Ηζ1. 1142 ᵇ10. 1142 ᵃ11 ᵃ16, 18. ἁμ. ἥτις κατὰ
τέχνην, κατὰ φύσιν Φβ8. 199 ᵃ33. ἁμ. ἐν τῇ διανοίᾳ, ἐν
τῇ ἐνεργείᾳ, κατὰ τὴν αἴσθησιν ημα17. 1189 ᵇ22. ηεβ10.
1226 ᵃ36. Ηζ9. 1142 ᵃ21. ἁμαρτία ἐν τῷ ὁρίζεσθαι τζ1.
139 ᵇ9. αἱ ἐν τοῖς προβλήμασιν ἁμαρτίαι διτταί τβ1. 109

ᵃ28. — ἁμαρτία, dist κακία, ἀδικία, ἀτυχία Ηη6. 1148 ᵃ3.
πο13. 1453 ᵃ10. ρ5. 1427 ᵃ34. — ἁμαρτία φυσική ημβ6.
1202 ᵃ26. ἁμαρτίαι Ηγ10. 1115 ᵇ15. Πβ8. 1269 ᵃ16. ἔχειν
τὰς παρεκβάσεις καὶ τὰς ἁμαρτίας τὰς παρ' ἀμφοτέρων
Πε10. 1310 ᵇ6. ἁμαρτίαι παιδικαί Ηγ15. 1119 ᵃ34.
ἁμαρτωλός. τῶν ἄκρων τὸ μέν ἐστιν ἁμαρτωλότερον Ηβ9.
1109 ᵃ33.
Ἄμασις Ρβ8. 1386 ᵃ19. eius λόγος περὶ τῦ ποδανιπτῆρος
Πα12. 1259 ᵇ8 (Her. 2, 172).
ἀμαυρός. ἥλιος ἀχλυώδης κ̣ ἀμαυρότερος μβ8. 367 ᵃ21.
ἀστὴρ ἔσχε κόμην ἀμαυράν μα6. 343 ᵇ12 (cf ἀμυδρός ᵇ13).
ἶρις ἀμαυροτέρα τοῖς χρώμασιν μγ4. 375 ᵃ30,ᵇ13. κομῆται
σπανιώτεροι κ̣ ἀμαυρότεροι τὸ μέγεθος μα7. 344 ᵇ29. ὁ θα-
λάττιος ὄφις ἀμαυρότερος Ζιι37. 621 ᵃ4. — φωναὶ ἀμαυραὶ
ακ802 ᵃ19. κινεῖσθαι ὑπὸ μικρῶν κ̣ ἀμαυρῶν παθημάτων,
opp ἰσχυρὰ κ̣ ἐναργῆ Ψα1. 403 ᵃ21. ζῷα ἀμαυρότερα κ̣
βραχυβιώτερα Ζιι1. 608 ᵃ11. — ἀμαυρῶς, opp ἀκριβέ-
στερον Οα9. 279 ᵃ29.
ἀμαυρῦν. ἀμαρῦται τὸ θερμὸν μβ8. 367 ᵇ28. Ζμγ4. 667 ᵃ19.
πκς18. 942 ᵃ24, ἡ ἡδονὴ Ηκ4. 1175 ᵃ10. ἡμαύρωται τῦ
ἀνδρὸς ἡ δύναμις πϑ25. 879 ᵃ34. ἀμαυρῦσθαι κατὰ τὴν
τροφὴν Ζγδ4. 772 ᵇ28.
ἀμαυρώσις ἡ ἐν τῷ γήρᾳ ψα4. 408 ᵇ20.
ἀμβλίσκειν. ὅσα δ' ἐλλείποντα γίνεται τῶν τοιύτων μορίων,
οἷον ἀκρωτηρίυ τινὸς ἢ τῶν ἄλλων μελῶν (μερῶν cod P),
τὴν αὐτὴν δεῖ νομίζειν αἰτίαν, κἂν ὅλως τὸ γινόμενον ἀμ-
βλωθῇ Ζγδ4. 773 ᵃ1.
ἀμβλύνειν. εἰ ὀδόντες ἀμβλύνονται Ζμγ1. 661 ᵇ22. cf Ζγε8.
789 ᵃ9. τὸ τέμνον ἀμβλύνεται ὑπὸ τῦ τεμνομένυ Ζγδ3.
768 ᵇ17. — τὸ ψυχρὸν τὰς χυμὰς ἀμβλύνει κ̣ τὰς ὀσμὰς
ἀφανίζει αι5. 443 ᵇ15.
ἀμβλεῖα. τὸ ἀμβλὺ πολλαχῶς λέγεται τα15. 106 ᵃ14. ἀμ-
βλεῖα (int γωνία), ἀμβλυτέρα, opp ὀξεῖα μχ23. 855 ᵃ10,
15, 17, 13. ῥὶς ἀμβλεῖα φ6. 811 ᵃ32. ὀδόντες ἀμβλεῖς, opp
ὀξεῖς Ζιβ2. 501 ᵇ13. ζ20. 575 ᵃ12. ἀνάλογον ἔχει (τὸ ἐν
ψόφῳ ὀξὺ κ̣ βαρὺ) τῷ περὶ τὴν ἁφὴν ὀξεῖ κ̣ ἀμβλεῖ· τὸ
γὰρ ὀξὺ οἷον κεντεῖ, τὸ δ' ἀμβλὺ οἷον ὠθεῖ ψβ8. 420 ᵇ2.
ἡ ἀκοὴ ἀμβλυτέρα αἴσθησις τῆς ὄψεως πζ5. 886 ᵇ32. τὰ
αἴτια τῦ ἀμβλὺ ἢ ὀξὺ ὁρᾶν Ζγε1. 780 ᵃ26. πλα8. 958 ᵇ1.
ἀμβλύτερον βλέπειν Ζμβ13. 657 ᵇ36.
ἀμβλύτης ὀδόντων Ζγε8. 789 ᵃ11.
ἀμβλυωπία θ171. 847 ᵃ2.
ἀμβλυωπότεροι ἐγένετο τὰς ὄψεις Διονύσιος f 546. 1568
ᵇ22.
ἀμβλωσις. ἀμβλώσεις γίνονται πολλαὶ τῶν κυημάτων Ζγδ4.
773 ᵃ1. ἐὰν δέ τισι γίγνηται παρὰ ταῦτα συνδυασθέντων,
πρὶν αἴσθησιν ἐγγενέσθαι κ̣ ζωήν, ἐμποιεῖσθαι δεῖ τὴν ἄμ-
βλωσιν Πη16. 1335 ᵇ25.
Ἀμβρακία. ἐν Ἀ. μικρὸν τὸ τίμημα Πε3. 1303 ᵃ23. Πε-
ρίανδρος τύραννος Πε4. 1304 ᵃ31. 10. 1311 ᵃ40. Δεξαμεναί,
μέρος τῆς Ἀμβρακίας f 437. 1550 ᵃ22. — Ἀμβρακία, θυ-
γάτηρ Φόρβαντος Ἠλίυ f 437. 1550 ᵃ23. — Ἀμβρα-
κιωτῶν πολιτεία f 437.
ἀμβροσίας κ̣ νέκταρος γεύσασθαι Μβ4. 1000 ᵃ12, 17.
ἄμβροτος (Orphic VI 12) κ7. 401 ᵇ2.
ἀμεγέθης. ἀσώματον κ̣ ἀμέγεθες Γα5. 320 ᵃ31. πῶς ἔσται
ἐξ ἀμεγεθῶν μέγεθος Μλ10. 1075 ᵇ29. Γα2. 316 ᵃ27. 5.
320 ᵇ32. ὐ κινεῖται τὸ ἀμέγεθες Φθ10. 267 ᵃ23.
ἀμείψασθαι τὴν προϋπάρχην Ηι2. 1165 ᵃ5.
Ἀμειψίας ἐνίκα Κόννῳ f 578. 1573 ᵃ12.
ἀμέλγεσθαι γάλα πολύ Ζιγ21. 523 ᵃ7. 20. 522 ᵃ15. πι6.

891 ᵇ4. ἀμέλγονται αἱματῶδες Ζιγ20. 522 ᵃ10. ἀμέλγεται μήνας ὀκτὼ Ζιγ21. 523 ᵃ5.

ἀμέλει. ὥσπερ ἀμέλει (ἡ φύσις συνήγαγεν al) κ5. 396 ᵇ9. 6. 398 ᵇ14, 400 ᵇ13. f 208. 1515 ᵇ40.

ἀμέλεια Ηγ7. 1114 ᵃ25. Ρβ2. 1379 ᵇ37. ἀμέλειαι, ῥαθυ- 5 μίαι, ἀπονίαι Ρα11. 1370 ᵃ15. ἀκολυθεῖ τῇ ἀκολασίᾳ ἀμέλεια αρ6. 1251 ᵃ22.

ἀμελεῖν τῶν ἰδίων Ηδ2. 1120 ᵇ2. — non addito obiecto Πδ6. 1293 ᵃ18. ρ4. 1426 ᵃ12. opp προσέχειν τὸν νῶν Πε12. 1316 ᵇ13. ἠμελημένον ρ3. 1425 ᵇ20.   10

ἀμελέτητος, opp γεγυμνάσθαι τι16. 175 ᵃ26, 24.

ἀμενηνός. ἀμενηνῇ τῇ φωνῇ, μικρὸν καὶ ἀμενηνὸν φθέγγεσθαι πια6. 899 ᵃ30, 31. οἱ ἄκεντροι σφῆκες ἐλάττυς καὶ ἀμενηνότεροι Ζιι41. 628 ᵇ4.

ἀμερής. ἀμερές, def τὸ κατὰ ποσὸν ἀδιαίρετον, τὸ μηθὲν 15 ἔχον μέγεθος Φζ10. 240 ᵇ12. 1. 231 ᵇ3. θ10. 266 ᵃ10. ἆρ' ἐν τοῖς ποσοῖς ἐστί τι ἀμερές ατ968 ᵃ2. ἀμερὲς ἀμερῶς ἐκ ἔστιν ἐχόμενον Φζ6. 237 ᵇ7. 5. 236 ᵇ12. 1. 231 ᵃ28. 2. 233 ᵇ32 (syn ἄτομον ᵇ17). τὸ ἀμερὲς ἐκ ἐνδέχεται κινεῖσθαι Φζ10. 240 ᵇ8. 8. 239 ᵃ4. θ6. 258 ᵇ25, 18. ἐσία ἀμερὴς καὶ 20 ἀδιαίρετος Μλ7. 1073 ᵃ6. εἰ μεριστὴ ἢ ἀμερὴς ἡ ψυχὴ ψα1. 402 ᵇ1. ηεβ1. 1219 ᵇ32. — τὰ καθόλυ dicuntur ἀμερῆ Αδ19. 100 ᵇ2 Wz, cf Μμ8. 1084 ᵇ14.

ἄμεσος. τὰ ἄμεσα, syn ἀναπόδεικτα, opp ἀποδεικτά, δι' ἀποδείξεως Αα35. 48 ᵃ33, 37. γ2. 71 ᵇ27. 3. 72 ᵇ22. 17. 25 81 ᵃ36. ἐκ ἐνδέχεται ἐπίστασθαι δι' ἀποδείξεως μὴ γινώσκοντι τὰς πρώτας ἀρχὰς τὰς ἀμέσυς Αδ19. 99 ᵇ21. ἐξ ἀμέσων δεῖ εἶναι τὴν ἀποδεικτικὴν ἐπιστήμην Αγ2. 71 ᵇ21, 72 ᵃ7. τὸ ἄμεσον ἀρχὴ Αγ24. 86 ᵃ15. ἄμεσος ἀρχὴ συλλογιστικὴ Αγ2. 72 ᵃ15. ἄμεσα καὶ ἀρχαί Αδ9. 93 ᵇ22. ἄμε- 30 σος, πρώτη καὶ ἄμεσος πρότασις Αβ23. 68 ᵇ30. γ2. 72 ᵃ7. 23. 85 ᵃ1. ἄμεσον διάστημα, syn ἀδιαίρετον, opp διαιρετὸν Αγ22. 84 ᵃ35. ἵσταταί ποτε τὰ ἄμεσα Αγ3. 72 ᵇ22. ἡ τῶν ἀμέσων ἐπιστήμη ἀναπόδεικτος Αγ3. 72 ᵇ20. ὁ τῶν ἀμέσων ὁρισμός Αδ10. 94 ᵃ9. τῶν ἀμέσων γνῶσις πῶς Αδ19. — 35 ὅτι μάλιστα ἄμεσα (Wz, ἄμεσα Bk) Αβ19. 66 ᵃ37.

ἀμεταβλησία, dist μονὴ Φε6. 230 ᵃ10.

ἀμετάβλητος καὶ ἀρύθμιστος Μδ4. 1014 ᵇ28. ἀμετάβλητον ἢ μὴ ῥᾳδίως ἐπὶ τὸ χεῖρον εὐμετακίνητον Μδ12. 1019 ᵃ27.

ἀμετακίνητος. ὁ τόπος ἀγγεῖον ἀμετακίνητον Φδ4. 212 ᵃ15. 40 — ἀμετακινήτως ἔχειν, syn βεβαίως Ηβ3. 1105 ᵃ33.

ἀμεταμέλητος ὁ σπυδαῖος Ηι4. 1166 ᵃ29. ὁ ἀμεταμέλητος ἀνίατος, opp ὁ μεταμελητικός Ηη8. 1150 ᵃ22.

ἀμετάπειστος ὁ ἐπιστάμενος ἁπλῶς Αγ2. 72 ᵇ3. ὑπόληψις ἀμετάπειστος ὑπὸ λόγυ τε2. 130 ᵇ16. 4. 133 ᵇ30 sqq. 5. 45 134 ᵃ35. βέβαιος καὶ ἀμετάπειστον ἢ σφοδρὰ δόξα ημβ6. 1201 ᵇ6. ἀμετάπειστόν τι ἡ ἀνάγκη Μδ5. 1015 ᵃ3.

ἀμετάπτωτος ἐπιστήμη τζ2. 139 ᵇ33. ἀμετάπτωτος φιλία, ἡ ἀρετὴ ἀμετάπτωτον ημβ11. 1209 ᵇ13, 14.

ἀμετρία ἀκολυθεῖ τῇ ἀνελευθεριότητι αρ7. 1251 ᵇ15.   50

ἄμετρος. διαφέρυσι τῷ ἔμμετρα λέγειν ἢ ἄμετρα πο9. 1451 ᵇ1. — ἄμετρον (codd, μέτριον Bk, fort ἄπειρον Bz Ar St I 67) ξι1. 974 ᵃ14.

ἀμήχανος. ἀμήχανόν ἐστι γενέσθαι (Emped 102) ξ2. 975 ᵇ2. — τῶν ἀγρίων ὀρνέων οἱ μὲν εὐμήχανοι πρὸς τὸν βίον, οἱ δ' 55 ἀμηχανώτεροι Ζιι11. 614 ᵇ34. — ἰσχὺς ἀμήχανος Οβ9. 291 ᵃ4. ψόφος ἀμήχανός τις τὸ μέγεθος Οβ9. 290 ᵇ20. ἠδονὰ ἀμήχανοι Ζμα5. 645 ᵃ9. — διαφέρει ἀμήχανον ὅσον Μλ6. 1071 ᵇ37. Ηη5. 1147 ᵃ8.

ἀμία, piscis, refertur inter τὰ ἀγελαῖα Ζια1. 488 ᵃ7. ἀμίαι 60 ἔχυσιν ὀδόντας ἰσχυρύς Ζιι37. 621 ᵃ19. σαρκοφάγοι εἰσίν,

ἅπτονται καὶ φυκίων Ζιθ2. 591 ᵃ11, ᵇ11. τὴν χολὴν ἔχυσιν παρ' ὅλον τὸ ἔντερον παρυφασμένην, πολλάκις καὶ ἐπαναδίπλωμα Ζμδ2. 676 ᵇ21. Ζιβ15. 506 ᵇ13. πῇ γίνονται, πότε ἐμβάλλυσιν εἰς τὸν Πόντον, ἀναπλέυσιν εἰς τὰς ποταμὺς Ζιθ13. 598 ᵃ22, 27. 19. 601 ᵇ21. πῶς θηρίον τι ἀμύνυσιν Ζιι37. 621 ᵃ17. easdem fere notas complectitur f 291. πόθεν ὠνόμασται f 291. 1528 ᵇ37. 313. 1531 ᵃ27. (boniton C Π 138, 'putant scombrum amiam intelligi' S II 174, scomber St K Cr, scomber amia L, s lichia amia Cuv F 304, 9, scomber sardo Ka Ζι ada1, pelamys sarda, bonite ΑΖιΙ121 n 2).

ἀμιγής. ὁ νῶς ἀμιγής (Anaxag), coni ἁπλῶς, καθαρός, ἀπαθής, χωριστὸς ΜΑ8. 989 ᵇ15, 17. Φθ5. 256 ᵇ25. ψα2. 405 ᵃ17. γ4. 429 ᵃ18. 5. 430 ᵃ18. ἡδέα ἐστὶν ὅταν εἰλικρινῇ καὶ ἀμιγῆ ἄγηται εἰς τὸν λόγον ψγ2. 426 ᵇ4. ἡδοναὶ ἀμιγεῖς, opp μικταί Ηκ2. 1173 ᵃ23. τὸ ἀγαθὸν ἀμιγές ἐστι τοῖς φαύλοις ημβ7. 1204 ᵃ38. — τὰ τοῖς ἐναντίοις ἀμιγέστερα μᾶλλον τοιαῦτα τγ5. 119 ᵃ27sqq. ἀμιγεστέρα ὀσμή πιβ4. 907 ᵃ1.

ἅμιλλα. ὅπυ ἅμιλλα, ἐνταῦθα καὶ νίκη ἐστὶν Ρα11. 1371 ᵃ6.

ἀμιλλᾶσθαι πρὸς τὸ εὖ ὁρᾶν Ηθ15. 1162 ᵇ8. ἀμιλλωμένων πρὸς τὸ καλὸν καὶ διατεινομένων τὰ κάλλιστα πράττειν Ηι8. 1169 ᵃ8. (ἀδύνατον) ἐν τῷ πελάγει ἀμιλλᾶσθαι ἅρματα ξ6. 980 ᵃ12.

ἄμικτος. ἄμικτα δεῖν προϋπάρχειν ΜΑ8. 989 ᵇ1. τὸ μεμιγμένον τῷ ἀμίκτῳ ἥδιον, οἱ τῆς λύρας φθόγγοι ἀμικτότεροι τῇ φωνῇ πιθ43. 922 ᵃ4, 16.

ἀμίμητος πκθ10. 951 ᵃ6.

Ἀμιναῖος οἶνος f 453. 1552 ᵃ32, 36, 39.

ἀμιξία, opp μῖξις πν9. 485 ᵇ18.

ἀμίς. αἱ ἀμίδες διὰ τί χρωΐζονται πι43. 895 ᵇ7.

ἄμισθος. ἐκκλησιάζειν ἀμίσθυς Πζ5. 1820 ᵃ18. ἀμίσθυς ἄρχειν ἀριστοκρατικὸν Πβ11. 1273 ᵃ17. — ἀμίσθων ἐχ οἶόν τε ἄρχειν οα5. 1344 ᵇ3.

Ἄμισός Ζιε22. 554 ᵇ15. οβ1350 ᵇ27. Ἀμισηνὸς σίδηρος θ48. 833 ᵇ22. f 248. 1524 ᵃ6.

ἅμμα. ἐὰν λυθῇ τὸ ἅμμα, ἀποθνήσκει τὸ ἔμβρυον Ζιη10. 587 ᵃ16.

ἄμμορος (Hom Σ 489, ε 275) πο25. 1461 ᵃ20.

ἄμμος, def πκγ33. 935 ᵃ11. cf 8. 932 ᵇ13. φύεσθαι ἐξ ἄμμυ καὶ ἰλύος Ζιε11. 543 ᵇ18. ζ15. 569 ᵃ12. τρέφεσθαι φυκίοις καὶ ἄμμῳ Ζιθ2. 591 ᵃ22. ἐμπίπτειν εἰς τὴν ἄμμον Ζιδ1. 524 ᵃ19. πορεύεσθαι ἐν τῇ ἄμμῳ Ζκ2. 698 ᵇ16. φωλεῖν ἐν τῇ ἄμμῳ sim Ζιθ15. 599 ᵇ26. δ10. 537 ᵃ25, 23. ὁ Χαλυβικὸς σίδηρος συμφύεται ἐκ τῆς ἄμμυ τῆς καταφερομένης ἐκ τῶν ποταμῶν θ48. 833 ᵇ23. f 248. 1524 ᵃ7.

Ἀμμᾶς i q Ζεὺς f 487. 1557 ᵇ21.

ἀμμώδης γῆ Ζιζ15. 599 ᵃ29. ἡ Λιβύη ἀμμώδης καὶ ἄνικμος πιβ3. 906 ᵇ19. ἰλὺς ἀμμώδης Ζιε15. 547 ᵇ20. ἐν τοῖς ἀμμώδεσι (φύεσθαι al) Ζιε15. 547 ᵇ14, 15. ι37. 620 ᵇ16. μέλι ἐχ ὅτω στερεόν, ἀλλ' ὡσανεὶ ἀμμῶδες θ19. 831 ᵇ30.

Ἄμμων. αἱ ἐν Ἄμμωνι κρῆναι f 488. 1557 ᵇ23. — ὁ ἐπὶ τὴν τῷ Ἄμμωνος (τριήρη ἱερὰν) ταμίας f. 402. 1545 ᵃ36.

Ἀμμωνία χώρα μια14. 352 ᵇ32.

Ἀμμωνιάς, τριήρης ἱερὰ f 403. 1545 ᵇ4, 18.

Ἀμνέα προσαγορεύυσι τὸν ὀρθόνοτον σ973 ᵇ7. f 238. 1521 ᵇ26.

ἀμνημονεῖν Πε10. 1311 ᵇ40.

ἀμνημόνευτος. μὴ παραλιπεῖν ἀμνημόνευτον θ101. 839 ᵃ10.

ἀμνημοσύνη παρακολυθεῖ τῇ ἀφροσύνῃ αρ6. 1251 ᵃ3.

ἀμνήμων. οἱ σφόδρα νέοι καὶ οἱ γέροντες ἀμνήμονες μν1. 450 ᵇ6. 2. 453 ᵇ5. οἱ νανώδεις ἀμνημονέστεροι τῶν ἐναντίων μν2. 453 ᵇ1. — ἀμνήμονες (i e ingrati) οἱ πολλοί Ηι7. 1167 ᵇ27.

ἀμνός, i q φάγιλος f 464. 1554 ᵇ3.

ἀμοιβαῖος (Emped 179) Μβ4. 1000 ᵇ15.

ἀμοιβὴ γίνεταί τινι ἀντί τινος Ηι1. 1163 ᵇ35. ἡ ἀμ. γίνεται πρός τι Ηι1. 1164 ᵇ19. τὴν ἀμοιβὴν ποιητέον πρὸς τὴν προαίρεσιν Ηι1. 1164 ᵇ1. θ15. 1163 ᵃ32.

ἄμοιρος τῆς μεταβάσεως Ογ7. 306 ᵃ3. τῆς ἀνθρωπικῆς ἀρετῆς Ηα13. 1102 ᵇ12.

ἀμόργης. τῆς ἐλαίας ὁ ἀμόργης χ5. 796 ᵃ27.

ἀμορφία φτα4. 819 ᵇ36. coni ἀσχημοσύνη, ἀταξία Φα7. 190 ᵇ15.

ἄμορφος. ἡ ὕλη ⟨⟩ τὸ ἄμορφον Φα7. 191 ᵃ10. ἀειδὲς ⟨⟩ ἄμορφον δεῖ τὸ ὑποκείμενον εἶναι Ογ8. 306 ᵇ17. — οἱ τὴν ὄψιν ἄμορφοι f 108. 1495 ᵇ11.

ἀμυργοὶ λαμπτῆρες (Emped 222, v l ἀμοργύς) αι2.437ᵇ28.

ἀμυσία ⟨⟩ μυσική, πάθος καθ' αὑτόν Γα4. 319 ᵇ27.

ἄμυσος. ῥαθυμία ἄμυσος ρ1. 1421 ᵃ33. γίγνεται ἐκ μυσικῶ ἄμυσος Φα5. 188 ᵇ2. Γα4. 319 ᵇ25. Ζγα18. 724 ᵃ26.

ἀμπέλινα φύλλα Ζμγ5. 668 ᵃ23.

ἀμπελογενῆ ἐλαιόπρωρα Φβ8. 199 ᵇ12.

ἄμπελος χ6. 400 ᵇ34. ἀμπέλων συστάδες Πη11.1330ᵇ29. ἱστάναι τὰς ἀμπέλυς ἐν καλάμοις Ζιε30. 556 ᵇ3. ἄμπελοι τραγῶσαι Ζιε14. 546 ᵃ2. Ζγα18. 725 ᵇ34, 726 ᵃ2. τὰ τῶν ἀμπέλων φύλλα ἐσχισμένα φτα5. 820 ᵃ16. ὁ χυμὸς ὁ στάζων ἐκ τῆς ἀμπέλυ φτα3. 818 ᵇ35. ἀμπελός τις ἦν καλῶσι κάπνον Ζγδ4. 770 ᵇ20. ἄμπελος 'Ανθηδονιὰς ⟨⟩ 'Υπερείας f 554 1569 ᵇ34 (Vitis vinifera L).

ἀμπέχειν. ἀμπεχόμενοι, opp γυμνοί πβ9. 867 ᵃ19.

ἀμπεχόνη. καθάραι περὶ ὄψιν, περὶ ἀμπεχόνην Ρβ4. 1381 ᵇ1.

ἀμπίσχειν σκέπασμα μικρὸν (τοῖς γεννωμένοις) Πη17. 1336 ᵃ17.

ἄμπωτις μβ8. 366 ᵃ19. πκγ17. 933 ᵇ8. ἀμπώτεις λέγονται συμπεριοδεύειν τῇ σελήνῃ κ4. 396 ᵃ26 (Ideler ad Met I 501).

ἀμυγδαλῇ. ἀμυγδαλαῖ φτα5. 820 ᵇ2. 7. 821 ᵃ38, ᵇ19. φυτεύειν συμφέρει περὶ τὰ σμήνη ἀμυγδαλῆν Ζιι40. 627 ᵇ18. ἐπιθεῖναι ταῖς ῥίζαις αὐτῶν κόπρον χοιρείαν f 255. 1525 ᵇ5. (Amygdalus communis L).

ἀμύγδαλον. δρυοκολάπτης ἀμύγδαλον διέκοψε Ζιι9. 614 ᵇ15. τὰ ἀμύγδαλα χρησιμώτατα πρὸς τὸ μέλι ποιεῖν θ20. 832 ᵃ1. eorum amaritudo explicatur f 256. 1525 ᵇ9. (drupa Amygdali communis).

ἀμυδρός. φέγγος ἀμυδρόν μα6. 343 ᵇ13 (cf ἀμαυρός ᵇ12). χρώματα ἀμυδρότερα μγ2. 372 ᵃ2. — ἀμυδρῶς ὁρᾶν, βλέπειν θ176. 847 ᵇ3. Ζιθ10. 537 ᵇ11. 430. 556 ᵇ19. ἀμυδρῶς σημαίνεσθαι Ζιθ1. 588 ᵇ18. θέναρ κακῶς ⟨⟩ ἀμυδρῶς μεμιγμένον πτέρυγα Ζιβ8. 502 ᵇ9. τὴν ἀορτὴν ἔνια μὲν ἀμυδρῶς ἔνια δ' ἀφανῶς ἔχει Ζμγ5. 668 ᵃ3. Ζιθ8. 533 ᵃ27. ἢ ὅλως ὐκ ἔστιν ἢ μόλις ⟨⟩ ἀμυδρῶς Φδ10. 217 ᵇ33. ἐφήψαντο, ἀμυδρῶς μέντοι ⟨⟩ ὐδὲν σαφῶς ΜΑ4. 985 ᵃ13. cf 7. 988 ᵃ23. 9. 993 ᵃ13.

ἀμυλοι χόνδροι Ζμβ9. 655 ᵃ35.

ἀμύητος Ργ2. 1405ᵃ21.

ἀμύθητον πλῆθος μυῶν Ζιζ37. 580 ᵇ16. ἀμύθητον διαφέρει μγ4. 375 ᵃ23. ἀμύθητον ὅσον διαφέρει Πβ5. 1263 ᵃ40.

'Αμυχλαεῖς. ὁ τῶν Λακεδαιμονίων πρὸς 'Αμυχλαεῖς πόλεμος f. 489. 1557 ᵇ42, 1558 ᵃ5.

ἀμύλιον ἐκ τῶ σταιτός πδ21. 879 ᵃ10.

ἀμύνειν τὺς ἐπιόντας Πβ7. 1267 ᵃ25. om obiecto Ζιι37. 621 ᵃ18. — ἀνανδρίας ἢ ὑπομονὴ ⟨⟩ τὸ μὴ ἀμύνεσθαι Ρβ6. 1384 ᵃ22. ἀμύνεσθαι om obiecto Ζια1. 488 ᵇ9. ι41. 628 ᵇ5.

Ζμγ2. 662 ᵇ29. ἀμύνασθαι τὺς ἀδικήσαντας sim ρ3. 1425 ᵃ12. Ζιζ29. 578 ᵇ22. ἀμύνεσθαι πρός τι Ζμγ2. 663 ᵃ12.

ἀμύνεσθαι περὶ πάτρης (Hom Μ 243) Ρβ21. 1395 ᵃ14. — ὁ χαρίεις ἀμύνεται εὖ δρῶν Ηθ15. 1162 ᵇ10. ἀμύνασθαι ὁμοίως εὖ παθόντα ὥσπερ ⟨⟩ κακῶς Ρβ23. 1398 ᵃ25.

'Αμύνται, ἔθνος Θεσπρωτικόν f 452. 1552 ᵃ25.

'Αμύντας, 'Αρχελάυ υἱὸς ⟨⟩ γαμβρός Πε10. 1311 ᵇ14. — 'Αμύντας ὁ μικρός Πε10. 1311 ᵇ3.

ἀμυντῆρες τῶν ἐλάφων. τὰ προνενευκότα τῶν φυομένων κεράτων εἰς τὸ πρόσθεν, οἷς ἀμύνεται Ζυ5. 611 ᵇ5 (adminicula vertit Gaza, ramos Plinius, rectius propugnacula Scaliger, defenses C, Augsprossen S II 34, Wehrzinken AZι).

ἀμυντικός Ηδ11. 1126 ᵃ7. τὸ ἄρρεν ἀμυντικώτερον οα3. 1344 ᵃ1. ἀμυντικὸν ὄργανον Ζμδ6. 683 ᵃ21. ζῷα ἀμυντικά, dist φυλακτικά Ζια1. 488 ᵇ8, 9.

ἀμύντωρ πατρός (Eur Or 1588) Ργ2. 1405 ᵇ23.

ἀμύττειν τοῖς ὄνυξιν Ζγ2. 619 ᵃ23.

ἀμφί. οἱ ἀμφ' αὐτὸν βασιλέα κ6. 398 ᵃ20.

'Αμφιάραος. Πιττακῦ ἀπόφθεγμα εἰς 'Α. Ρβ12. 1389 ᵃ16.

— 'Αμφιάραος Καρκίνυ πο17. 1455 ᵃ27 (Nck fr tr p 619).

ἀμφιβάλλειν (in dubitationem vocare, dubium esse) ηεη10. 1243 ᵃ12, 25.

ἀμφίβιος ὁ κόρδυλος f 301. 1529 ᵇ30. τὰ ἀμφίβια aquatilium in numerum referuntur f 301. 1529 ᵇ38.

ἀμφιβολία εἰρῆσθαι πο25. 1461 ᵃ25 Vahlen Poet IV 371. παραλογισμοὶ παρὰ τὴν ἀμφιβολίαν τι4. 166 ᵃ6-21. (cf ἀμφίβολον τζ6. 145 ᵇ24) 19. 23. 179 ᵃ20. ἡ περὶ τῦτυ ἀμφιβολία, coni syn ζήτησις φται. 815 ᵃ29.

ἀμφίβολον τζ6. 145 ᵇ24. τὸ πλέων ἀμφίβολον πο25. 1461 ᵃ26. νόμος ἀμφίβολος Ραι5. 1375 ᵇ11. μὴ ἀμφιβόλοις ὀνόμασι λέγειν Ργ5. 1407 ᵃ32, 37. ὀνόμαζε τοῖς οἰκείοις ὀνόμασι διαφέρων τὸ ἀμφίβολον ρ26. 1435 ᵃ33. συνοράν, προιδεῖν τὸ ἀμφίβολον τθ7. 160 ᵃ29. ἀποκρίνασθαι πρὸς τὰ ἀμφίβολα διαιρέντα λόγῳ Ργ18. 1419 ᵃ20. — τὸ μαρτυρύμενον ἢ πιθανὸν ἢ ἀπίθανον ἢ ἀμφίβολον πρὸς πίστιν ρ16. 1431 ᵇ22. ἀμφίβολον ποιήσεις τὸ ἀμφιγορεύμενον p8. 1429 ᵃ4.

ἀμφιδέξιος. εἰ τῇ ἀριστερᾷ μελετῶμεν ἀεὶ βάλλειν, γενοίμεθ' ἂν ἀμφιδέξιοι ημα34. 1194 ᵇ34. cf Ηε10. 1134 ᵇ34. Πβ12. 1274 ᵇ13. πλα12. 958 ᵇ20. μόνον ἀμφιδέξιον τῶν ἄλλων ζῴων ἄνθρωπος Ζιβ1. 497 ᵇ31.

ἀμφιδοξεῖν. ἐν οἷς τὸ ἀκριβὲς μή ἐστιν ἀλλὰ τὸ ἀμφιδοξεῖν Ραι2. 1356 ᵃ8. τι17. 176 ᵇ23. ὅσα ἀμφιδοξῦσιν τι17. 176 ᵇ15. ὅ τι ἂν οἱ δικασταὶ ἀμφιδοξήσωσιν πκθ13. 951 ᵃ31, ᵇ5. — pass τἀληθὲς ἀμφιδοξεῖται τι17. 176 ᵇ20.

ἀμφίδοξος. τὸν μάρτυρα εἶναι ἢ πιστὸν ἢ ἄπιστον ἢ ἀμφίδοξον ρ16. 1431 ᵇ23.

ἀμφικέφαλος. σκέλυς τὸ μὲν ἀμφικέφαλον μηρός Ζια15. 494 ᵃ5.

'Αμφικτύων. Φύσκος, ὁ 'Αμφικτύονος f 520. 1563 ᵃ32. 'Εριχθόνιος ὁ 'Αμφικτύονος f 594. 1574 ᵇ22. — οἱ 'Αμφικτύονες πρὸς τὸν πόλεμον ὥρμησαν, ἀγῶνα ἔθηκαν f 572. 1572 ᵃ26. 594. 1574 ᵇ37.

ἀμφικύπελλον. ἡ τῶν ἀμφικυπέλλων βάσις Ζιι40. 624 ᵃ9.

ἀμφίκυρτος σελήνη, dist μηνοειδής, διχότομος Οβ11. 291 ᵇ20. 14. 297 ᵇ27.

ἀμφίλογος. ὀφείλημα δῆλον κὺκ ἀμφίλογον Ηθ15. 1162 ᵇ28.

'Αμφίμαχος. ἐπίγραμμα ἐπὶ 'Αμφιμάχῳ f 596. 1576 ᵇ7.

ἀμφινάροντας (Emped 287) αι2. 438 ᵃ2.

ἀμφινωμήσει (Aeschyl fr 297, 8) Ζιι49 B. 633 ᵃ26.

'Αμφίπολις, 'Αμφιπολῖται, στάσεις πρὸς τὺς Χαλκιδέων

ἐποίκης Πε3. 1303 ᵇ2. 6. 1306 ᵃ2. — ἡ Θράκη ἡ ὑπὲρ Ἀμ-
φίπολιν θ118. 841 ᵇ15.
ἀμφισβητεῖν. ἀμφισβητῶντες προστιθέασιν ἀεὶ τὸ ἴσως Ρβ
ά13. 1389 ᵇ18. — ἀμφ. περὶ τῦ δικαίᾳ, τῶν ζημιώσεων, τῦ
᾽νόματος al Πδ 16. 1300 ᵇ27, 22. 15. 1299 ᵃ29. γ9. 1281
ᵃ9. Ρα6. 1363 ᵇ6. 3. 1358 ᵇ31. ἀμφισβητεῖται περί τινος
Ηε10. 1135 ᵇ28. Ζιβ2. 501 ᵇ5. — ἀμφ. c acc τὴν μὲν τῦ
πράγματος ἰσότητα ὁμολογῦσι, τὴν δὲ οἷς ἀμφισβητῦσι Πγ
9. 1280 ᵃ19. pass ἀμφισβητεῖται τὸ ἀποδοθὲν γένος sim τὸ 2.
122 ᵃ19. Πγ1. 1275 ᵃ2. ηεη3. 1237 ᵇ9 (opp δοκεῖν). τὰ
ἀμφισβητῤμενα Ρβ18. 1391 ᵇ19. 21. 1394 ᵇ10, 28 (coni
παράδοξα). τὰ ἀμφισβητῤμενα ᷉ δὲ διαπορῤμενα ηεα4. 1215
ᵃ20. — ἀμφ. c dat τὸν ἥττω τῷ κρείττονι ἀμφισβητεῖν
Ρβ 9. 1387 ᵃ32. (ἡ ὗς) ὥσπερ ἀμφισβητῶν τῇ φύσει τῇ
τῶν μωνύχων δίχηλόν ἐστιν Ζγδ 6. 774 ᵇ2. ἀμφ. τοῖς φα-
νεροῖς, τοῖς φαινομένοις Φθ3. 253 ᵇ29 (cf μάχεται τοῖς φα-
νεροῖς ὁ ἀμφισβητῶν Φθ3. 254 ᵃ8). Ηη3. 1145 ᵇ28. ἀμ-
φισβητητέον τοῖς εἰρημένοις Ηγ7. 1113 ᵇ17. cf Ζγγ5. 755
ᵇ12. τῶν ἀμφισβητῶντων λόγων ἀκηκοέναι ὥσπερ ἀντιδίκων
Μβ1. 995 ᵇ3. Οα10. 279 ᵇ9. ηεα3. 1215 ᵃ6. — ἀμφ. ὡς
ὖ δεῖ sim Πη1. 1323 ᵃ24. γ16. 1287 ᵇ17. — ἀμφισβητεῖν
sensu forensi i q causam dicere vel adversarium esse in iu-
dicio Ηε7. 1132 ᵃ19. Πδ4. 1291 ᵃ40. πκθ13. 951 ᵇ9 (opp
ἐγκαλεῖν). οἱ ἀμφισβητῦντες Ρα1. 1354 ᵃ27, 31, ᵇ4. 7. 1365
ᵃ2 al. dist οἱ συμβυλεύοντες, οἱ ἐπιδεικνύμενοι Ρβ18. 1391
ᵇ26. 23. 1399 ᵇ31. οἱ ἀμφισβητῦντες aut κατηγορῦσιν aut
ἀπολογῦνται Ρα3. 1358 ᵇ12. ἀμφισβητεῖν πρός τινα Ρβ23.
1398 ᵇ1. — ἀμφισβητεῖν τινος Πγ12. 1283 ᵃ11 (syn ἀντι-
ποιεῖσθαι ᵃ16, cf ᵃ38). 8. 1280 ᵃ6. δ8. 1294 ᵃ19. Ηδ10.
1125 ᵇ17. ηεα4. 1215 ᵃ26. ἀμφισβητεῖν ἱερωσύνης f 385.
1542 ᵃ31, 37. (cf ἀμφισβητεῖν πρός τι Πγ13. 1283 ᵃ24).
ὡς ἐρήμης ἀμφισβητεῖν Ηδ10. 1125 ᵇ18.
ἀμφισβήτημα Πγ2. 1275 ᵇ37.
ἀμφισβητήσιμόν ἐστι Μβ2. 996 ᵇ27. γ5. 1010 ᵃ17. Ογ3.
302 ᵃ17. Πβ9. 1270 ᵇ39. ἀμφισβητήσιμα ἀγαθά, opp ὁμο-
λογῤμενα Ρα6. 1362 ᵇ29. (εἰς ἐμφανῶν κατάστασιν) ὑπὲρ
τῦ τὰ ἀμφισβητήσιμα εἶναι ἐν φανερῷ f. 382. 1541 ᵇ28.
ἀμφισβήτησις ὑποφαίνεται Ηα4. 1096 ᵇ8. ἀμφισβητήσίς
ἐστι ηεη10. 1243 ᵇ37. ημβ11. 1210 ᵃ37. ἀμφισβήτησίς
ἐστι (εἰσὶν ἀμφισβητήσεις) περί τινος Φθ3. 253 ᵃ34. Οβ13. 40
294 ᵇ31. Ρα13. 1374 ᵃ11. γ5. 1416 ᵃ9. πολλαὶ περὶ τὴν
σκέψιν ταύτην εἰσὶν ἀμφισβητήσεις Πη5. 1326 ᵇ36. αἱ δ᾽
ἀμφισβητήσεις (int εἰσὶν) ἢ μὴ γεγονέναι ἢ μὴ βλαβερὸν
εἶναι Ργ16. 1417 ᵃ8. ἔχει ἀμφισβήτησιν Κ7. 8 ᵃ26. Μβ3.
998 ᵇ17. Ηα11. 1100 ᵃ18. γ1. 1110 ᵃ7. θ15. 1163 ᵇ9. ×1. 45
1172 ᵃ27. 5. 1175 ᵇ33. τοσαύτην τὸ θερμὸν ᷉ τὸ ψυχρὸν
ἔχει ἀμφισβήτησιν Ζμβ2. 648 ᵃ34. ποιεῖσθαι τὴν ἀμφισβή-
τησιν ἔν τινι Πγ12. 1283 ᵃ15. — sensu forensi αἱ περὶ τῶν
ἱερῶν τοῖς ἱερεῦσιν ἀμφισβητήσεις, ἀμφισβήτησις ἱερωσύνης
f 385. 1542 ᵃ19, 32, 38. 50
Ἄμφισσα πόθεν ὠνόμασται f 521.
ἀμφίστομοι θυρίδες ᷉ αἱ τῦ μέλιτος ᷉ τῶν σχαδόνων Ζιι
40. 624 ᵃ8.
Ἀμφιτρύων θ58. 834 ᵇ26. f 480 1556 ᵇ31, 39.
ἀμφιφαής, opp ἑσπέριος, ἑῷος ×4. 395 ᵇ14. 55
ἀμφορεὺς οἴνᾳ, γάλακτος Φδ3. 210 ᵃ32. Ζιγ20. 522 ᵃ30.
21. 522 ᵇ16. ἀμφορεὺς κενὸς πκε2. 938 ᵃ9. ἀμφορεῖς ἀπο-
λελιθωμένοι θ52. 834 ᵃ28. οἱ Κερκυραϊκοὶ ἀμφορεῖς θ104.
839 ᵇ8. — ἀμφορεῖς δύο ἐν τοῖς δικαστηρίοις, ὁ μὲν κύριος
ὁ δ᾽ ἄκυρος f 426. 1548 ᵇ31, 39. 60
ἀμφοτεράκις μχ24. 855 ᵇ32. πια31. 902 ᵇ31.

ἀμφότεροι. dualis ἐν ἀμφοτέροιν τοῖν λόγοιν τζ11. 149 ᵃ12
(ἀμφοτέροις codd BC, ᵃ32 ἐν ἀμφοτέροις τοῖς λόγοις Bk). —
ἀμφότεροις Οα1. 268 ᵃ17. μβ6. 364 ᵃ31. ἀμφότερα Ργ1.
1412 ᵇ3. Πβ3. 1261 ᵇ29. δ9. 1294 ᵇ35 (opp μηδέτερον).
ἐν ἀμφοτέροις Ργ12. 1414 ᵃ10. ἐπ᾽ ἀμφότερα Φθ1. 251
ᵇ26. Οα5. 272 ᵃ13 (opp ἐπὶ θάτερα ᵃ12). Πγ4. 1277 ᵇ16.
cf praeterea ἀμφω. — ἀμφοτέρως μα13. 350 ᵃ11. γ4.
374 ᵇ23. 6. 377 ᵇ12. δ7. 383 ᵇ31. Ρα7. 1364 ᵃ16. β7.
1385 ᵇ4. ξ1. 974 ᵃ4.
ἄμφω, ἀμφοῖν. ἄμφω etiam pro gen usurpatur ἄμφω ἐχόν-
των τγ3. 118 ᵃ28. ἄμφω ὑπὸ ταὐτὸ ὄντων τζ6. 144 ᵇ21,
25. — et de personis et de rebus usurpatur, veluti ἄμφω
Ργ2. 1405 ᵃ19, 22, 24, 34, ᵇ2, 15. 10. 1410 ᵇ15, 1411 ᵇ13,
14, 18. 11. 1411 ᵇ27, 1412 ᵃ13, 15, ᵇ28, 1413 ᵃ4, 17. 12.
1413 ᵇ5. Πε1. 1301 ᵇ35. μγ1. 370 ᵇ13, ἀμφοῖν τι30. 181
ᵇ1. Πη7. 1327 ᵇ30. Ρβ5. 1407 ᵇ19. γ15. 1416 ᵃ36, etiam
ubi in utraque parte non singuli sunt plures, ἀμφοῖν (i e
τοῖς νεωτέροις ᷉ τοῖς πρεσβυτέροις) νενεμῆσθαι συμφέρει
Πη9. 1329 ᵃ16. ἐν ἀμφοῖν Ργ2. 1405 ᵇ33. τὸ ἐξ ἀμφοῖν
Μλ5. 1071 ᵃ9. μδ3. 380 ᵃ30. τὰ ἄμφω: ἀδύνατον ἑκα-
τέρα μέρᾳς μηδὲν ἔχοντος βάρος τὰ ἄμφω ἔχειν βάρος Ογ
1. 299 ᵃ26. cf τι5. 168 ᵇ10. τὸ ἄμφω, i e τὸ ἐξ ἀμφοῖν,
τὸ συναμφότερον Μμ8. 1084 ᵇ12 Bz. — ἄμφω et ἀμφότεροι
usu vix distingui, ex locis talibus apparet: τὰ δύο ἄμφω
λέγομεν ᷉ τὰς δύο ἀμφοτέρας Οα1. 268 ᵃ16. ἀμφοῖν νενε-
μῆσθαι, coll ἀμφοτέροις ἀποδίδόναι Πη9. 1329 ᵃ16. τὰς ἐξ
ἀμφοῖν πολιτῶν Πγ5. 1278 ᵃ34, θείων ἀπ᾽ ἀμφοῖν (Theo-
dect fr 3 Nck) Πα6. 1255 ᵃ37, coll τὰς ἐξ ἀμφοτέρων πο-
λιτῶν ᷉ μὴ θατέρα (cf ἐξ ὁποτερῳῆν Πζ4. 1319 ᵇ9) μόνον
Πγ2. 1275 ᵇ22. δ4. 1291 ᵇ27. εὐβοηθήτᾳς κατ᾽ ἀμφότερα
εἶναι δεῖ τὰς σωθησομένᾳς· εἰ μὴ κατ᾽ ἄμφω δύνατόν, ἀλλὰ
κατὰ θάτερον ὑπάρξει μᾶλλον ἀμφοτέρων μετέχωσι Πη6.
1327 ᵃ22-25.
ἀμφώδοντα. τῶν τετραπόδων ᷉ ἐναίμων ᷉ ζῳοτόκων τὰ μέν
ἐστιν ἀμφώδοντα τὰ δ᾽ ὔ· ὅσα μὲν τὰς ἐστι κερατοφόρα,
ὐκ ἀμφώδοντά ἐστιν, ὁ γὰρ ἔχει τὰς προσθίας ὀδόντας ἐπὶ
τῆς ἄνω σιαγόνος Ζιβ1. 501 ᵃ11. τὰ κερατοφόρα ὐκ ἀμφώ-
δοντα, διὰ τί Ζμγ14. 674 ᵃ31. 2. 662 ᵃ36. τὰ μὴ ἀμφώ-
δοντα πάντα μείζω τῶν ἀμφωδόντων Ζιβ17. 507 ᵇ31. τὰ
ἀμφώδοντά ἐστι μονοκοιλία, ποίαν ἔχει τὴν κοιλίαν τὰ ἀμ-
φώδοντα ᷉ τὰ μὴ ἀμφώδοντα Ζια16. 495 ᵇ31. Ζιβ17. 507
ᵇ15. Ζμγ14. 674 ᵃ24, 675 ᵃ24. δ1. 676 ᵇ4. Ζιβ17. 507
ᵃ35, ᵇ12. Ζμγ14. 674 ᵃ30 sqq. Αδ14. 98 ᵃ17. τὰ μὴ
ἀμφώδοντα κερατοφόρα μηρυκάζει, τῶν ἀμφωδόντων ἔνια
Ζμγ14. 675 ᵃ5. Ζιβ17. 507 ᵃ36. ι50. 632 ᵇ2, 8. τὰ μηρυ-
κάζοντα ι q τὰ μὴ ἀμφώδοντα Ζιγ21. 522 ᵇ9. τοῖς μὴ
ἀμφώδουσι ᷉ τοῖς ἀμφώδῦσι πῶς διαφέρει ἡ τῶν ἐντέρων
φύσις Ζιβ17. 507 ᵇ29, 34, τὸ ἐπίπλων Ζια16. 495 ᵇ31. γ14.
519 ᵇ10, ἡ ὑστέρα Ζιγ1. 511 ᵃ29. Ζγβ7. 745 ᵇ30, 746
ᵃ9, τὸ γάλα (ἡ πυετία) Ζιγ20. 521 ᵇ9. 21. 522 ᵇ9. τὰ
ἀμφώδοντα ἔχει πιμελήν, τὰ μὴ ἀμφώδοντα στέαρ Ζιγ17.
520 ᵃ15, διὰ τί Ζμβ5. 651 ᵃ30, διὸ τοῖς κερατοφόροις ᷉
μὴ ἀμφώδῦσι στεατώδης, τοῖς ἀμφώδῦσι ᷉ πολυσχιδέσι
πιμελώδης ὁ μυελός Ζμβ6. 651 ᵇ30. — τῶν ἀμφωδόντων
nominantur ἄνθρωπος, ἄρκτος, δασύπυς, ἵππος, κύων, λέων,
λύκος, μῦς, νυκτερίς, ὄνος, ὄρευς, ὗς Ζια16. 495 ᵇ31. Ζι17.
507 ᵇ12. γ1. 511 ᵃ30. 21. 522 ᵇ9. ι50. 632 ᵇ8. Ζμγ14.
674 ᵃ24, 27, 28, 675 ᵃ26, 27; τῶν μὴ ἀμφωδόντων αἴξ,
βῦς, κάμηλος, πρόβατα Ζιι50. 632 ᵇ2. β1. 499 ᵃ23, 501
ᵃ14. Ζμγ14. 674 ᵃ30.
ἄμωμον f 105. 106. 1494 ᵇ43.

ἀμῶς γέ πως Φβ4. 196 ᵃ16. Μδ16. 1022 ᵃ2. Ργ14. 1415
ᵇ30. ἀποδείξαι ἢ ἀκριβῶς ἢ μαλακῶς ἢ ἀμῶς γέ πως Γβ
6. 333 ᵇ26.

ἄν. formula κἂν εἰ ita usurpata, ut 'consopita' per usum vi
particulae ἄν (Buttm ad Dem Mid n 153) idem fere valeat
ac ἢ εἰ nec particula ἄν quidquam faciat ad determinan-
dum modum verbi in apodosi, ad quam pertineat, admodum
saepe apud Ar legitur (Vhl Poet I 35), veluti κἂν εἰ δὲ τῆς
ἀποφάσεως ἴδιον τὸ ἀποδοθέν, οὐκ ἔσται τῆς φάσεως ἴδιον
τε6. 137 ᵃ31. cf Αα19. 38 ᵇ12. τε1. 129 ᵃ26. 6. 135 ᵇ29,
35, 136 ᵃ9, 17, (20), 24, (27), (ι24. 179 ᵇ22). Φζ7. 237
ᵇ34. θ3. 254 ᵃ28. Οα6. 274 ᵃ24. 7. 274 ᵃ32. 11. 281 ᵃ15.
γ2. 300 ᵇ17. Γα1. 315 ᵃ2. 6. 322 ᵇ28. 8. 326 ᵃ6. 10. 327.
ᵇ4. μα3. 339 ᵇ12, 15, 340 ᵃ5. (6. 343 ᵇ33). ψγ9. 432ᵃ21.
Ζμα5. 645 ᵃ31. β3. 650 ᵃ6. Ζγα18. 724 ᵃ9. δ1. 765 ᵃ1.
ΜΑ5. 986 ᵃ6. β1. 995 ᵇ12, 996 ᵃ14. 2. 996ᵇ32. 3. 998 ᵇ6.
γ4. 1009 ᵃ2. 5. 1011 ᵃ1. Ηα10. 1099 ᵇ4. ε7. 1132 ᵃ11.
η8. 1150 ᵃ15. ηεα5. 1216 ᵇ1. β6. 1222 ᵇ36. η2.1237ᵃ21.
Πα3. 1253 ᵇ16. γ6. 1278 ᵇ7. (8. 1279 ᵇ22). η4. 1326 ᵃ17.
θ5. 1339 ᵇ4. (πολ. 1447 ᵃ24). πγ26. 875 ᵃ16 al. οἷον κιθά-
ραν κἂν εἴ τι τοιοῦτον ἕτερόν ἐστιν Πθ6. 1341 ᵃ19, cf eius-
modi formulas quibus enumeratio rerum similium conti-
hitur Φθ1. 252 ᵃ20. Ζιε8. 542 ᵃ11. Ζμβ4. 650 ᵇ26. Πα9.
1257 ᵃ38. (β1. 1260 ᵇ31). 9. 1269 ᵇ26. δ2. 1289 ᵇ15. 3.
1290 ᵃ1. 4. 1291 ᵇ27. ζ8. 1323 ᵃ2. η5. 1327 ᵃ8. θ6.1340
ᵃ37. (uncinis inclusi sunt ii loci, in quibus εἰ coniunctivo
cum coniunctivo exhibetur, de quorum ratione v s εἰ. quam-
quam frequentissimus est usus formulae κἂν εἰ, non deest
tamen καὶ εἰ, veluti ψβ3. 414 ᵇ18. Ζιε8. 542 ᵃ11. Ζμβ8.
653 ᵇ32. 9. 655 ᵇ18. Ζπ7. 707 ᵃ21, ubi aliquot codd κἂν
εἰ habent; sine v l Αα10. 30 ᵇ14. 14. 33 ᵃ12.) insolentior
videtur usus formulae κἂν εἰ ubi καί pertinet ad vocabulum
similitudinem significans (παραπλήσιον, ὅμοιον, τὸ αὐτό),
veluti παραπλήσιον γὰρ κἂν εἰ τῷ Διὸς ἀρχεῖον ἀξιοῖεν Πγ13.
1284 ᵇ31. cf Φθ5. 257 ᵃ9. αν9. 475 ᵃ12. πλ7. 956 ᵃ18.
κἂν εἰ καὶ, non sequente εἰ ipsum κἂν εἰ ista
usurpatur, ut a simplice καὶ εἰ vix distinguatur ἔπειτα κἂν οὕτως
οὐδὲν ἧττον ἄλογα τὰ συμβαίνοντα Ογ7. 305 ᵇ6. ἁλίσκονται
οἱ ἰχθύες, εἰ μὴ διὰ τὰς φθεῖρας, κἂν ὥστε τῇ χειρὶ λαμ-
βάνειν ῥᾳδίως ζα10. 537 ᵃ6. ὅταν ἄρξηται τι κινεῖσθαι
ὁτοσοῦν Ζιθ10. 603 ᵇ5. Κ10. 13 ᵃ25 (κἂν ἐξαδύνατῶν μένει
θ1. 830 ᵃ17, κἂν ἐξαδύνατῇ Did e codd). ubi in voc κἂν
particula ἄν suam vim retinet ad determinandum apodosis
modum, plerumque iteratur, κἂν εἰ σταίη, κινηθείη ἂν πάλιν
sim Οβ2. 285 ᵇ1. Φζ4. 234 ᵇ33. ψβ10. 422 ᵃ11. Ζμα1.
640 ᵃ23, 24. Μζ6. 1040 ᵇ14. (Πα11. 1370 ᵃ29 Bk, sed
ἀεί ἐν pro κἂν cod Αᶜ Spgl). — ὥσπερ ἂν εἰ, καθάπερ
ἂν εἰ i q ὥσπερ Οβ14. 297 ᵃ14. γ5. 304 ᵃ21. ὥσπερ
κἂν εἰ Ζγα18. 722 ᵃ30. ὡς κἂν εἰ x5. 396 ᵇ1. ὡς ἂν εἰ
Ηε1. 1329 ᵃ17. ὡς ἂν δ' sim in enunciatione in-
terrogativa ψβ12. 424 ᵇ3. Ρβ20. 1393 ᵇ15. 23. 1398 ᵃ6,
in protasi conditionali ψ12. 434 ᵃ33. Ρβ23. 1398 ᵃ10
(cod Αᶜ Spgl, ἄν om Bk), 1399 ᵇ20 (ἄν unc incl Bkᵌ). γ7.
1408 ᵃ15. Ηα10. 1180 ᵇ25. — infinitivus aoristi v part ἄν
et infinitivo futuri inter se coniuncti
μηδὲν ἂν παθεῖν μηδὲ πείσεσθαι ἢ κατορθώσειν οἴωνται Ρβ5.
1383 ᵇ9. — ἄν e priore membro repetendum ad posterius
ἔξεστι ποιεῖν ὅτι ἂν θέλωσι τοῖς γνωρίμοις μᾶλλον, ἢ κη-
δεύειν ὅτῳ θέλωσιν Πε7. 1307 ᵃ37. contra non rara sunt
exempla iteratae in eodem membro particulae ἄν, veluti
οὕτως γὰρ ἂν ἔχον χρησιμώτατον ἂν εἴη πρὸς τὴν ἰσχὺν sim

V.

Ζμβ8. 654 ᵃ18. τζ3. 140 ᵇ36. Ηζ1. 1138 ᵇ29. ε14. 1137
ᵇ22 (cf γ11. 1116 ᵇ36 v l) Πβ7. 1267 ᵃ39. γ9.1280ᵃ36.
δ3. 1290 ᵇ4. πο25. 1460 ᵇ7 al. Vahlen Poet IV 408, 438,
cf supra de formula κἂν εἰ extr. — singularia quaedam,
quae a vulgato part ἄν usu recedunt, librariorum errori
deberi videntur. aliquoties ἄν deest apud optativum po-
tentialem Πγ13. 1283 ᵇ15. ζ8. 1322 ᵃ35 (Bkᵌ utroque
loco ἂν addit). Ρβ23. 1398 ᵃ7 (ἂν om cod Αᶜ, add Bk
Spgl). ηεγ1. 1229 ᵇ34, 38 (fort ἂν ἀνδρείος pro ἀνδρεῖος),
1230 ᵃ17 (fort μάλιστ' ἂν pro μάλιστα). ημα20. 1191
ᵃ27 (fort γὰρ ἂν pro γάρ). φ2. 807 ᵃ10 (fort ὑπολαμβάνο-
μεν pro ὑπολαμβάνοιμεν). 4. 808 ᵇ21 (fort δῆλον ἂν pro
δῆλον). imperfectum conditionale de re non facta sine part
ἄν πκε14. 939 ᵇ2. κγ12. 941 ᵃ39. 48. 945 ᵇ30 (ubivis fa-
cili coniectura κἂν pro καί potest scribi). εὖ ἂν δύνηται
(δύναιτο?) χρῆσθαι ημα2. 1183 ᵇ29. — insolito loco posita
part ἄν: εἴτε ἂν λαθεῖν πράξαντες Ρα12. 1372 ᵃ7 (i e εἴτε
οἴονται λαθεῖν ἂν πράξαντες, fort scribendum ἔτι ἂν λαθεῖν
πράξαντες sc. οἴωνται. Spgl ci εἴτ' ἐὰν λαθεῖν πράξαντες).
— ἂν c aoristo de re iterata, εἶπας ἂν ὅτι δέχομαι ἐξαιρεῖν
ἐκέλευεν οβ1353 ᵇ23. — ἂν c coniunctivo, ubi requiritur
optativus potentialis, exhibetur φτα1. 815 ᵃ28, ᵇ25. 7. 821
ᵇ29. β2. 823 ᵇ35. 6. 826 ᵇ27.

ἀνά. ἀνὰ γῆν ἑλίττεσθαι x3. 392 ᵇ16. ἀνὰ τὴν γῆν φέρεσθαι
χειμάρρου δίκην x6. 400 ᵃ33. θ154. 846 ᵃ9. — ἀν' ἑκάστην
ἡμέραν Πζ1. 588 ᵇ18. ἀνὰ πᾶσαν ὥραν x82. 836 ᵇ15. ἀνὰ
πέντε i e quini Ζιη4. 584 ᵇ35. ἀνὰ μέρος, opp πάντες ἅμα
Πδ15. 1300 ᵃ24. cf ε8. 1308 ᵇ25. γ16. 1287 ᵃ17. — ἀνὰ
λόγον v s ἀνάλογον. ἀνὰ μέσον i q μεταξύ v s μέσον extr.
ἀναμεταξύ cf h v.
ἀναβαδὸν ποιοῦνται τὴν ὀχείαν Ζιζ30. 579 ᵃ19.
ἀναβαθμοὶ οβ1347 ᵃ5.
ἀναβαίνειν. 1. ἀναβαίνειν ἐπὶ τὸν ἵππον, ἐπ' ἐλέφαντας, ἐπὶ
τὰ δένδρα Ρβ20. 1393 ᵇ17. Ζιθ24. 604 ᵇ11. ι1. 610 ᵃ25.
θ5. 594 ᵇ6. ι33. 619 ᵇ16. οἱ τέττιγες ἀναβαίνουσιν ἐπὶ τὸν
δάκτυλον Ζιε30. 556 ᵇ19. ἀναβαίνειν ἐν τῇ θαλάττῃ εἰς
τὰς ποταμούς, ἐκ τῆς ποταμοῦ Ζιζ14. 569 ᵃ7. ι33. 616
ᵃ32. φλεβὸς μέρος ἀναβαίνει εἰς τὸν ἀριστερὸν βραχίονα
Ζιγ4. 514 ᵇ7. — absol ἀναβαίνοντες τὰ γόνατα πονεῖμεν,
καταβαίνοντες τοὺς μηρούς πε19. 882 ᵇ25. — 2. ἀναβαίνειν
i q ὀχεύειν Ζιζ18. 572 ᵇ24, 539 ᵇ24. ζ18. 572ᵇ4.
21. 575 ᵃ16. 22. 576 ᵃ18. ι47. 630 ᵇ31. Ζγβ8. 748 ᵃ33.
θ2. 830 ᵇ5. ἀναβαίνειν abs Ζιε7. 541 ᵇ28. ζ2. 560ᵇ27. 24.
577 ᵇ19. 34. 580 ᵃ6. Ζγα16. 721 ᵃ15.
ἀναβάλλειν τὰ ὄμματα, opp καταβάλλειν πδ1. 876 ᵃ31.
ἀναβάλλεσθαι (differre) τοὺς πολέμους, dist διαλύεσθαι
(Isocr 4, 172) Ργ10. 1411 ᵇ14.
ἀναβιῶν. τὸ παιδίον πάλιν ἀνεβίωσε Ζιη10. 587 ᵃ24. τὰ πε-
πνιγμένα πάλιν ἀναβιοῖ θ29. 832 ᵇ6.
ἀναβλέπειν. τυφλὸς γενόμενός τις ᾧ πάλιν ἀνέβλεψεν Κ10.
13 ᵃ35. ἐγίγνεται ἀναβλέπειν Ζιζ3. 562 ᵃ19. — ἀναβλέ-
πειν εἰς τὸν οὐρανὸν μαθ8. 346 ᵃ34. f 13. 1476 ᵃ26.
ἀνάβλεψις ἢ ἁφὴ πότερον γενέσεις εἰσὶν Φη3. 247 ᵇ21, 8.
ἀναβλύζει trans ἢ κρήνη ἀναβλύζει ἔλαιον θ113. 841 ᵃ17.
— intr φλόγες τῆς ἀναβλύσασαι x6. 400 ᵃ32.
ἀναβλύσεις πηγῶν x4. 396 ᵃ22.
ἀναβοᾶν. οἱ ἀλγοῦντες ἀναβοῶσιν πκζ9. 948 ᵃ21.
ἀναβολή τῶν πομφολύγων πκδ6. 936 ᵇ1. — ἀναβολὴ χρόνου,
χρόνιος Ρα12. 1372 ᵃ34, 35. ὀφείλημα φιλικὸν τὴν ἀναβο-
λὴν ἔχει Ηθ15. 1162 ᵇ29. — αἱ ἐν τοῖς διθυράμβοις ἀνα-
βολαί Ργ9. 1409 ᵃ25, cf ᵇ25, 27, 29.

ἀναβράττεσθαι ἐν τοῖς λίκνοις μβ8. 368 ᵇ29.

ἀναγγέλλειν τῷ δήμῳ Ηγ5. 1113 ᵃ9. ἀναγγέλλειν c inf οβ1347 ᵇ22.

ἀνάγειν. ὁ ἥλιος ἀνάγει τὸ ὕδωρ, τὸ ἀναχθὲν ὕδωρ πάλιν καταβαίνει, ἡ ἀναχθεῖσα ἀτμίς sim μβ3. 356 ᵇ30, 357 ᵃ7, 14. 4. 360 ᵃ1. 2. 355 ᵃ26. α9. 347 ᵃ8. 13. 349 ᵇ3 al. πκγ30. 934 ᵇ27, 31. ἀνάγεσθαι, i e ἀναπλεῖν Ζιθ28. 606 ᵇ12. — αἱ ἀπὸ τῆ̣ ηκ ἀναγόμεναι γραμμαί μγ5. 376 ᵃ1. εἰ ἀνῆκτο ἡ παρὰ τὴν πλευράν Μθ9. 1051 ᵃ25. — ἀνάγειν πάντα εἰς τὸν δῆμον, ἀνάγεσθαι εἰς δικαστήριον Πδ4. 1292 ᵃ25. β8. 1267 ᵇ40. εἰς αὑτὸν ἀνάγειν τὴν ἀρχὴν τῆς πράξεως Ηγ5. 1113 ᵃ6. ηεβ10. 1226 ᵇ13. Ρα4. 1359 ᵃ38. ἀνάγειν εἰς ἄλλας ἀρχάς Ηγ7. 1113 ᵇ20. ἀνακτέον τὰς αἰτίας εἰς τὴν ὕλην χ̣ τὴν κινήσασαν ἀρχήν Ζγε1. 778 ᵇ1. λύειν τῷ εἰς τὰ ὑπάρχοντα ἀνάγειν ἔθη ὅτι τοιαῦτα ἦν f 158.1504ᵇ36. ἀνάγειν τὴν δύναμιν εἰς τὴν ἐνέργειαν Ηι9.1170 ᵃ18. Μθ9.1051 ᵃ30. ἀν. εἰς τὸ δυνατόν μα7. 344 ᵃ6. εἰς τὰς ἀριθμὰς ΜΖ11. 1036 ᵇ12. ημα1. 1182 ᵃ13. ἀνάγειν τὰς διαφορὰς εἰς τὰς πρώτας, πάσας τὰς ἐναντιώσεις εἰς μίαν, ἀν. εἰς ἄλλον ὁρισμόν sim Γβ2. 330 ᵃ25. Φα6. 189 ᵇ27. β3. 194 ᵇ22. 7. 198 ᵃ16. η2. 243 ᵃ18, 25. ΜΑ3. 983 ᵃ28. α2. 994 ᵇ17. γ2. 1004 ᵃ1, ᵇ28, 34. -α. 1055 ᵇ29. × 3. 1061 ᵇ14. μ7. 1082 ᵇ27. Ζγε8. 789 ᵇ3. 1. 778 ᵇ1. Ζια16. 494 ᵇ25. Πε11.1314 ᵃ25. ημβ11. 1210 ᵃ24. ηεη5. 1239 ᵇ10 al. αἱ ἐναντιώσεις ἀναχθήσονται πρὸς τὰς πρώτας Μκ3. 1061 ᵃ13. ἀνάγειν τὰς συλλογισμὰς (τὰς λόγους) εἰς τὰ προειρημένα σχήματα, εἰς θάτερον sim Αα32. 46 ᵇ40 (syn ἀναλύειν 47 ᵃ4), 47 ᵃ21 (Wz, ἀναγεῖν Bk), 36. 35. 48 ᵃ31. 44. 50 ᵃ17, 26. 45. 50 ᵇ6, 18, 51 ᵇ3 (syn ἀναλύειν) al. ἀνάγονται πάντες οἱ συλλογισμοὶ εἰς τὰς ἐν τῷ πρώτῳ σχήματι Αα7. 29 ᵇ1. 23. 40 ᵇ19, 41 ᵇ5. ἀνάγειν τὰς συλλογισμὰς (non addita praep εἰς) Αα35. 48 ᵃ31. ἀνακτέον τὰς λόγους εἰς τὴν τῆ̣ ἐλέγχῳ ἄγνοιαν (syn ἀναλύειν εἰς) σ16. 168 ᵃ18. ἀνάγειν εἰς γνωριμώτερον Μβ4. 1001 ᵃ13. ζ16. 1040 ᵇ20. ἀνάγειν ἅπαντα εἰς εὐμάθειαν Ργ14. 1415 ᵃ38. ἀνακτέον τὸν λόγον ἐπὶ τὰς καιρὰς ρ3. 1423 ᵇ25. ἀνάγεσθαι εἰς ἄπειρον Αγ3. 72 ᵇ8. — ὑγιεινὸν λέγεται τῷ ἀνάγεσθαι πρὸς ὑγίειαν Μκ3. 1061 ᵃ2. ἀνάγεσθαι πρὸς τὰς ἀρχάς ψα2. 405 ᵇ12. cf ηεη6. 1240 ᵇ18, 38. ἀνάγειν πρὸς τὸ βέλτιον, πρὸς δόξαν πο25. 1461 ᵇ10. Ογ7. 306 ᵃ9, πρὸς ταύτας τὰς ὑποθέσεις Πε11. 1314 ᵃ27. — ἐφ' ὃ Δημόκριτος ἀνάγει τὰς αἰτίας Φθ1. 252 ᵃ34. Ζγε8. 789 ᵇ3.

ἀναγινώσκειν, legere, πιη1. 916 ᵇ1. 7. 917 ᵃ18.

ἀναγκάζειν. ἃ ἡμεῖς ἀναγκάσαιμεν ἂν ἢ πείσαιμεν Ρβ19. 1392 ᵃ27. ἀναγκάζοντες, syn διὰ βίας Πε4. 1304 ᵇ9. ἡ βία με ταῦτ' ἀναγκάζει ποιεῖν (Soph El 256) Μδ5. 1015 ᵃ31. — ἀναγκάζεσθαι c inf μγ1. 370 ᵇ24. Πε3. 1303 ᵃ7. 5. 1304 ᵇ30 al. ὥσπερ ὑπ' αὐτῆς τῆς ἀληθείας ἀναγκασθέντες Φα5. 188 ᵇ30.

ἀναγκαῖος. ἀναγκαῖον ποσαχῶς λέγεται Μδ5 Bz. ἀναγκαῖον τὸ μὲν βίᾳ ὅτι παρὰ τὴν ὁρμήν, τὸ δὲ ὃ̣ ἄνευ τὸ εὖ, τὸ δὲ μὴ ἐνδεχόμενον ἄλλως ἀλλ' ἁπλῶς Μλ7. 1072 ᵇ11. ἀναγκαῖον ἁπλῶς, ἐξ ὑποθέσεως Ζμα1. 639 ᵇ23, 24. — 1. ἀναγκαῖον τὸ μὴ ἐνδεχόμενον ἄλλως ἔχειν Μδ5. 1015 ᵃ34. λ7. 1072 ᵇ12. γ5. 1010 ᵇ28. ἀναγκαῖα τὰ μὴ ἐφ' ἡμῖν ὄντα πράττειν ρ2. 1422 ᵃ19. τὸ ἀναγκαῖον ὁμωνύμως ἐνδέχεσθαι λέγομεν Αα13. 32 ᵃ20. τῷ ἀναγκαῖον εἶναι ἀπόφασις τὸ μὴ ἀναγκαῖον εἶναι ε12. 21 ᵇ26. τὸ ἀναγκαῖον εἶναι πῶς ἔχει πρὸς τὸ δυνατὸν εἶναι χ̣ τὸ ἐνδεχόμενον εἶναι ε13. ἀναγκαία πρότασις (i e πρότασις τὸ ἐξ ἀνάγκης ὑπάρχειν) Αα3. 25 ᵃ27. 9. 30 ᵃ15. 10. 30 ᵇ8 al. ἀναγκαῖος συλλογι-

σμός Αα9. 30 ᵃ16 al. περὶ συλλογισμῶν ἀναγκαίων (i e τῷ ἐξ ἀνάγκης ὑπάρχειν) Αα8-12. ἀναγκαῖον συμπέρασμα Αα9. 30 ᵃ29, 35 al. ἀναγκαῖον μέσον Αγ6. 75 ᵃ13. ἀναγκαῖαι ἀρχαί Αγ6. 74 ᵇ5. ἐξ ἀναγκαίων ὁ συλλογισμός Αγ6. 74 ᵇ15sqq. τὰ ἀναγκαῖα ἐξ ἀναγκαίων δεῖ συλλογίζεσθαι Ρα2. 1357 ᵃ29. ἐκ τῶν ἐξ ἀνάγκης ἀναγκαίων τὸ συμβαῖνόν ἐστιν ηεβ6. 1223 ᵃ1. — τὸ ὡς ἐπὶ τὸ πολὺ γίνεσθαι χ̣ διαλείπειν τὸ ἀναγκαῖον Αα13. 32 ᵇ6, 8. τὰ ἀναγκαῖα, dist τὰ ὡς ἐπὶ τὸ πολύ Ρα2. 1357 ᵃ22, 27, 31. β22. 1396 ᵃ2, 3.

2. ἀναγκαῖον ἐξ ὑποθέσεως Ζμα1. 639 ᵇ24. (cf τᾱ́των μὲν ὄντων ἀναγκαῖον, ἁπλῶς δ' ὐκ ἀναγκαῖον Αα10. 30 ᵇ38 Wz), δ̣ ἄνευ ὐκ ἐνδέχεται ζῆν ὡς συναιτία, δ̣ ἄνευ τὸ ἀγαθὸν μὴ ἐνδέχεται Μδ5. 1015 ᵃ20, 22. λ7. 1072 ᵇ12. ἐν τῇ ὕλῃ τὸ ἀναγκαῖον, τὸ δ' ὃ̣ ἕνεκα ἐν τῷ λόγῳ Φβ9. 200 ᵃ14, 15-20, 31. 8. 198 ᵇ11. πᾶν ἢ φύσις ἢ διὰ τὸ ἀναγκαῖον ποιεῖ ἢ διὰ τὸ βέλτιον Ζγα4. 717 ᵃ15. ὐχ ὡς βέλτιστον, ἀλλ' ὡς ἀναγκαῖον διὰ τὸν ἴδιον λόγον τῆς ὐσίας Ζμδ9. 685 ᵃ18. δ̣ ἕνεκεν χ̣ βέλτιον, opp τὸ τῇ̣τι ἕνεκεν χ̣ ἀναγκαῖον Ζμγ10. 672 ᵇ23. (τὸ τέρας ὐκ ἀναγκαῖον πρὸς τὴν ἕνεκά τυ χ̣ τὴν τῆ̣ τέλυς αἰτίαν, ἀλλὰ κατὰ συμβεβηκὸς ἀναγκαῖον Ζγδ3. 767 ᵇ14). ἡ ἀναγκαία φύσις, opp ἡ κατὰ τὸν λόγον φύσις Ζμγ2. 663 ᵇ22. ἐκ τῶν περὶ τὰς ὀχείας συμβαινόντων ἀναγκαίων Ζγα12. 719 ᵇ15. λέγω ἐξ ὑποθέσεως τἀναγκαῖα, τὸ δ' ἁπλῶς τὸ καλῶς Πιη13. 1332 ᵃ11. τὰ ἀναγκαῖα, opp τὸ καλόν Πδ4. 1291 ᵃ17. πράξεις ἀναγκαῖαι, dist ἁπλῶς καλλισται Πιη13. 1332 ᵃ13, 16. τῶν πρακτῶν τὰ μὲν [εἰς τὰ] ἀναγκαῖα χ̣ χρήσιμα, τὰ δὲ [εἰς τὰ] καλά· τὰ ἀναγκαῖα χ̣ χρήσιμα τῶν καλῶν ἕνεκεν Πη14. 1332 ᵇ32, ᵃ36. μαθήσεις ἀναγκαῖαι χ̣ χάριν ἄλλων, opp ἑαυτῶν χάριν Πθ3. 1338 ᵃ13. παιδεία ἀναγκαία χ̣ χρήσιμη, opp ἐλευθέριος χ̣ καλή Πθ3. 1338 ᵃ31. φιλία ἀναγκαιοτέρα, opp ἐντιμοτέρα Πα7. 1255 ᵇ8. — λέγωμεν, αὐτὰ τὰ ἀναγκαῖα κεφαλαιωμένοι χ4. 394 ᵃ8. εἰλημμένων τῶν ἀναγκαίων Αβ19. 66 ᵃ36. ἐκ πόσων μερῶν ἀναγκαίων, ἀναγκαιοτάτων πόλις σύγκειται Πιγ3. 1290 ᵃ3. 4. 1291 ᵃ12. ὅσα ἀναγκαιότατα μόρια τοῖς ζῴοις Ζια3. 489 ᵃ15. αἴσθησις ἀναγκαιοτάτη τοῖς ζῴοις ἡ ἀφή ψβ2. 414 ᵃ3. Σόλων τὴν ἀναγκαιοτάτην ἀπέδωκε τῷ δήμῳ δύναμιν Πβ12. 1274 ᵃ15. ἐκκλησιάζειν τὰς ἀναγκαίας ἐκκλησίας Πδ6. 1292 ᵇ29. ἀρχαὶ ἀναγκαῖαι εἰ ἔσται πόλις Πδ15. 1299 ᵃ31. ἀρχαὶ ἀναγκαῖαι, opp κύριαι ΠΖ5. 1320 ᵇ24. 8. 1321 ᵇ6. ἡδοναὶ ἀναγκαῖαι Πη8. 1150 ᵃ16. 6. 1147 ᵇ24, 25, 29. — τἀναγκαῖα, opp διαγωγή, ῥᾳστώνη ΜΑ2. 982 ᵇ23. 1. 981 ᵇ18. cf Πβ7. 1267 ᵃ3. τὰ ἀναγκαῖα, opp τὰ εἰς εὐσχημοσύνην χ̣ περισσίαν Πη10. 1329 ᵇ27, 28. ἀχορήγητον εἶναι τῶν ἀναγκαίων Πδ1. 1288 ᵇ32. τὰ ἀναγκαῖα, dist τὰ συμφέροντα Πδ4. χρῆσις (χρεία) ἀναγκαία, τῶν ἀναγκαίων Πα5. 1254 ᵇ29 (opp βίος πολιτικὸς). 3. 1253 ᵇ16. δ4. 1291 ᵃ26. ζ8. 1321 ᵇ16. ἔργα ἀναγκαῖα (βαναύσων, δὐλων) Πγ5. 1278 ᵃ11. β6. 1265 ᵃ7. τὰ τοῖς χρῆσιν τὴν μὲν θεωρίαν ἐλεύθερον ἔχει, τὴν δ' ἐμπειρίαν ἀναγκαίαν Πα11. 1258 ᵇ11. σχολὴ τῶν ἀναγκαίων Πβ9. 1269 ᵃ35. πράξεις ἀναγκαῖαι (ὠνή, πρᾶσις) Πιη12. 1331 ᵇ13. ἡ ἀναγκαία ἀγορά Πιη12. 1331 ᵇ11. εἶναι περὶ τὰς ἀναγκαίας τέχνας πλ10. 956 ᵇ13.

3. ἀναγκαῖον τὸ βίαιον Μδ5. 1015 ᵃ28, 36. λ7.1072 ᵇ12. τὸ ἀναγκαῖον ἀνιαρόν (cf Εὔηνος) Μδ5. 1015 ᵃ29. Ρα10. 1370 ᵃ10. ηεβ7. 1223 ᵃ32. ἀναγκαῖοι πόνοι, ἀναγκαῖα γυμνάσια, syn οἱ πρὸς ἀνάγκην πόνοι, opp κυφότερα γυμνάσια Πιη17. 1336 ᵃ5. θ4. 1339 ᵃ4, 1338 ᵇ40, 41.

4. τῶν μὲν ἕτερον αἴτιον τῷ ἀναγκαῖα εἶναι, τῶν δὲ ὐθὲν

Μδ5. 1015ᵇ10. τὸ πρῶτον ϗ κυρίως ἀναγκαῖον τὸ ἁπλῶν ἐστιν Μδ5. 1015ᵇ12. inter ea ἀναγκαῖα, quibus alia sunt αἴτια τῷ ἀναγκαῖα εἶναι, praecipue referenda est concludendi necessitas. usitatum in afferenda conclusione ἀναγκαῖον c inf Φθ6. 260ᵃ16. μα3. 340ᵇ34. 4. 341ᵇ7, 17. Πγ11. 1281ᵇ30, 1282ᵇ12 al. (raro ἐστίν additur, veluti μβ4. 360ᵃ17). γί- γνεται, φαίνεται, ἐπιτελεῖται τὸ ἀναγκαῖον Αα1. 24ᵇ22, 24. 4. 26ᵃ7. 5. 27ᵃ18. 14. 33ᵃ20. ἰδὲν γίγνεται (συμβαίνει, ἔσται) ἀναγκαῖον, ἰδαμῶς γίγνεται τὸ ἀναγκαῖον, ἰ γίγνεται τὸ καθόλο (τὸ κατὰ μέρος) ἀναγκαῖον Αα4. 26ᵃ4, 6. 5. 27ᵃ25. 7. 29 ᵃ11. 15. 35ᵃ8, 13, 18. 18. 37ᵇ32, 38ᵃ6. 19. 38ᵇ33. 20. 39 ᵃ24. κατὰ τὸ ἀναγκαῖον Μμ4. 1079ᵃ24. ἀναγκαῖον, opp αἰτεῖσθαι, λαμβάνειν Αα31. 46ᵇ11, 19, syn συλλογισμός, συλλογίζεσθαι Αβ1. 53ᵃ26, 35, 36, sed latius patet τὸ ἀναγκαῖον quam ὁ συλλογισμός Αα7. 29ᵃ21, 23 Wz. 32. 47ᵃ23, 26, 27, 33-35, ᵇ16, 20. ἄλλη ὁδὸς τῆς ἀναγκαίας (ie τῆς συλλογιστικῆς) Αα28. 45ᵃ21. κατὰ τὸ εἰκὸς ϗ τὸ ἀναγκαῖον πο9. 1451ᵃ38, ᵇ9. 11. 1452ᵃ24. 15. 1454ᵃ34. εὔλογον, ἵνα μὴ ἀναγκαῖον εἴπωμεν Φθ5. 256ᵇ23. cf Μμ7. 1081ᵇ5. τὸ ἀναγκαῖον ἀφείσθω τοῖς ἰσχυροτέροις λέγειν Μλ8. 1074ᵃ17. ἀποδεικνύωσιν ἢ ἀναγκαιότερον ἢ μαλακώ- τερον Με1. 1025ᵇ13. ἰδὲν ἀναγκαῖον ἀλλ᾽ ἀναγκαῖον Φθ. 289ᵇ15. — ἀναγκαίως. ἔσται ἀναγκαίως (cf ἀναγκαῖος 1). Αα8. 30ᵃ12. — ἔχει τὰ σχήματα τῶν μορίων πρὸς τὴν ἐργασίαν ἀναγκαίως (cf ἀναγκαῖος 2). Ζμδ10. 689ᵃ21. τὸ καλῶς ἀναγκαίως ἔχειν Πη13. 1332ᵃ13.

ἀναγκαστικός. ὁ νόμος ἀναγκαστικὴν ἔχει δύναμιν Ηκ10. 1180ᵃ21. λόγοι ἀναγκαστικοὶ ϗ ἰκ εὔποροι διαλύειν ὡς ἰκ ἐνδέχεται ἄλλως ἔχειν Γα2. 315ᵇ21.

ἀνάγκη (cf ἀναγκαῖος). vocabuli origo repetitur ab ἀκίνητον κ7. 401ᵇ8. ποσαχῶς λέγεται Αδ11. 94ᵇ37. Ζμα1. 639 ᵇ21, 642 ᵃ3-7, 32-35. Με2. 1026ᵇ28. κ8. 1064ᵇ33. —
1. ἀνάγκην λέγομεν τῷ μὴ ἐνδέχεσθαι ἄλλως Με2. 1026 ᵇ28. κ5. 1062ᵃ21. γ4. 1006ᵇ32, 30. ἀνάγκη ἁπλῶς Φβ9. 199ᵇ34. ἀνάγκη κατὰ φύσιν Αδ11. 94ᵇ37. Ζμα1. 642 ᵃ34. ἐξ ἀνάγκης ὑπάρχειν, syn ἀναγκαῖον, dist ἐνδέχεσθαι ὑπάρχειν Αα3. 25ᵃ29-34. 8. 29ᵇ29 al. ἕτερον τὸ μὴ ἐξ ἀνάγκης ὑπάρχειν ϗ τὸ ἐξ ἀνάγκης μὴ ὑπάρχειν Αα16. 35ᵇ35. τὸ ἐξ ἀνάγκης ὂν κατ᾽ ἐνέργειάν ἐστιν ε13. 23ᵃ21. cf Μθ8. 1050ᵇ18. τὸ ἐξ ἀνάγκης ϗ ἀεὶ ἅμα, τὸ ἐξ ἀνάγκης καὶ ὡσαύτως sim Γβ11. 337ᵇ35. Φβ5. 196 ᵇ12, 10. Μδ5. 1015ᵇ14 Bz. 30. 1025ᵃ15, 18, 20. ε2. 1026 ᵇ28. κ8. 1064ᵇ33-1065ᵃ5. Ηγ5. 1112ᵃ24. ἡ ἀεὶ ϗ ἐξ ἀνάγκης φύσις, opp ἡ ἐπὶ τὸ πολὺ Ζγδ4. 770ᵇ11. ἐξ ἀνάγκης, dist ὡς ἐπὶ τὸ πολὺ Φβ5. 196ᵇ12. Μδ30.1025 ᵃ15, 18, 20. Ρβ19. 1392ᵇ31. πο6. 1450ᵇ30. ἐξ ἀνάγκης, dist ὡς ἐπὶ τὸ πολὺ, ὁπότερ᾽ ἔτυχεν εθ. 18ᵇ6 sqq. τβ6. 112ᵇ1-20. ἐξ ἀνάγκης, opp διὰ τύχην Ρα10. 1368ᵇ35. τὰ ἐξ ἀνάγκης ὄντα ἁπλῶς πάντα ἀΐδια Ηζ3. 1139ᵇ23. ἡ ἐπιστήμη περὶ τῶν καθόλυ ὑπόληψίς ϗ τῶν ἐξ ἀνάγκης ὄντων Ηζ6. 1140ᵇ32. 3. 1139ᵇ22. ἰκ ἔστι βω- λεύσασθαι περὶ τῶν ἐξ ἀνάγκης ὄντων, τῶν ἐξ ἀνάγκης ὄντων ἢ γινομένων ἡ τέχνη ἰκ ἔστι Ηζ5. 1140ᵇ1. 4. 1140 ᵃ14. τὰ μὴ ἐφ᾽ ἡμῖν ὄντα πράττειν, ἀλλ᾽ ὡς ἐξ ἀνάγκης θείας ἡ φύσεως ἕτως ἔχοντα πρ2. 1422ᵃ20.
2. ἀνάγκη ἐξ ὑποθέσεως Φβ9. 199ᵇ34. υ2. 455ᵇ26. ἡ ἀνάγκη ὁτὲ μὲν σημαίνει ὅτι εἰ ἐκεῖνο ἔσται τὸ ἰ ἕνεκα, ταῦτα ἀνάγκη ἐστὶν ἔχειν Ζμα1. 642ᵃ32, 8. τίνων ὑπαρ- χόντων ϗ διὰ τίνας ἀνάγκας συμβαίνει, opp τίνος ἕνεκα Ζγε3. 782ᵃ23, 20. Ζμδ2. 677ᵃ18. εἰσὶ δύο αἰτίαι αὗται, τό θ᾽ ἰ ἕνεκα ϗ τὸ ἐξ ἀνάγκης Ζμα1. 642ᵃ2. Ζγδ8. 776

ᵇ33. εὐλόγως συμβαίνει ϗ διὰ τὴν ἐξ ἀνάγκης αἰτίαν Ζγδ8. 776ᵃ25. ἡ ἀνάγκη ϗ τὸ ἕνεκά τυ ἐν τοῖς φύσει συνιστα- μένοις Αδ11. 94ᵇ27-37. τίνων ὄντων ἀνάγκη τῦτ᾽ εἶναι (significatur ἡ ὑλικὴ αἰτία) Αδ11. 94ᵃ22, 24. ὡς ἐξ ἀνάγ- κης γιγνομένων εἰς τὴν ὕλην ϗ τὴν κινήσασαν ἀρχὴν ἀνα- κτέον τὰς ἀρχάς. syn ἰ συντείνει εἰς τὸν λόγον τὸν τῆς ἰσίας Ζγε1. 778ᵃ35. ὅσα γίνεσθαι συμβαίνει μὴ ἕνεκά τυ, ἀλλ᾽ ἐξ ἀνάγκης ϗ διὰ τὴν αἰτίαν τὴν κινητικήν Ζγε8. 789ᵇ20. τὸ ἐξ ἀνάγκης πῶς ὑπάρχει ἐν τοῖς φυσικοῖς Φβ9. ἐξ ἀνάγκης, opp ἕνεκά τυ, τῷ βελτίονος ἕνεκα. διὰ τὸ βέλτιον, χάριν τῦ βελτίονος Ζμδ11. 692ᵃ3. 12. 694ᵃ22, ᵇ5, 6. Ζγβ1. 731ᵇ21, 23. 4. 738ᵃ33, ᵇ1, 739ᵇ28. 6. 743ᵇ4, 16. γ4. 755ᵃ22, 23. ε8. 789ᵇ5, 13. Δημόκριτος τὸ ἰ ἕνεκα ἀφεὶς λέγειν πάντα ἀνάγει εἰς ἀνάγκην Ζγε8. 789ᵇ3 (cf ἰ καλῶς λέγειν ἰδὲ τῷ διὰ τί τὴν ἀνάγκην Ζγβ6. 742ᵇ18. ἕως ἰσχυροτέρα τις ἀνάγκη παραγενομένη διασείσῃ τὰς ἰσίας f. 202. 1514ᵇ31). ὀφθαλμὸν μὲν ἐξ ἀνάγκης ἔχει τὸ ζῷον, τοιόνδε δὲ ὀφθαλμὸν ἐξ ἀνάγκης μέν, ἰ τοιαύτης δ᾽ ἀνάγκης Ζγε1. 778ᵇ17. — νῦν δ᾽ ὅσον ἀνάγκη, τοσῦτον περὶ αὐτῶν λέγωμεν μγ4. 374ᵇ17.
3. ἀνάγκη ἡ κατὰ τὸ βίαιον λεγομένη, ἡ βία ϗ παρὰ τὴν ὁρμὴν Με2. 1026ᵇ28. Αδ11. 94ᵇ37. cf Ζμα1. 642ᵃ5. μηδεμιᾶς προσδεῖσθαι βιαίας ἀνάγκης Οβ1. 284ᵃ15 (cf ἀνάγκη ἔμψυχος ᵃ23). οἱ πρὸς ἀνάγκην πόνοι, syn ἀναγκαῖα γυμνάσια, opp κηφότερα γυμνάσια Πθ4. 1338ᵇ41,40, 1339ᵃ4. ἐὰν μή τις δεσμὸν ϗ ἄλλην τινὰ προσενέγκῃ ἀνάγ- κην Ζἰ22. 576ᵇ23. τῇ ἰσχυροτάτῃ ἀνάγκῃ κατέλαβε τὸν Δία Ἥρα f 157. 1504ᵇ27. ἀνάγκην λέγομεν τὴν ἔξωθεν ἀρχήν, τὴν παρὰ τὴν ὁρμὴν ἢ ἐμποδίσασαν ἢ κινήσασαν ηεβ8. 1224ᵇ13. ἡ λύπη ἐπὶ τοῖς δι᾽ ἀνάγκης ἐστίν, ὁ ἐξ ἀνάγκης πράττων ἰ σπυδαῖος ημβ7. 1206ᵃ14, 16, cf περὶ ἀνάγκης ημα15.
4. ἀνάγκη ᾗ χρώμεθα ἐν τοῖς κατὰ τὰς ἀποδείξεις Μκ8. 1064ᵇ33. ἀνάγκη, ἰδεμία ἀνάγκη (sc ἐστί) c inf Φθ7. 260 ᵇ26. Πγ11. 1282ᵇ8. δ12. 1297ᵃ10. 15. 1299ᵇ1 al. ἐξ ἀνάγκης μα2. 339ᵃ21. β8. 365ᵇ32. Πδ4. 1290ᵇ32 al. ἰ ἐξ ἀνάγκης ἀλλὰ κατὰ τὸ εἰκὸς πο10. 1452ᵇ10. ἰδὲν συμ- βαίνει ἐξ ἀνάγκης Αα23. 40 ᵇ35 al. ἰκ ἔστιν ἰδὲν ἐξ ἀνάγ- κης ἑνός τινος ὄντος ἀλλὰ δυοῖν ἐλαχίστοιν Αα15. 34ᵃ17. ἰ μᾶλλον ἀπόδειξίς ἐστι ἡ ἀνάγκην Ργ17. 1418ᵃ4. ἡ τῆς τοιαύτης ἀποδείξεως ἀνάγκη Ζμα1. 640ᵃ7. διὰ ταύτας τὰς ἀνάγκας Πδ6. 1293ᵃ12. τοῖς αὐτοῖς τεκμηρίοις ϗ ταῖς αὐ- ταῖς ἀνάγκαις Οα8. 277ᵃ12. ταῖς ἀκριβεστέραις ἀνάγκαις ὅταν τις ἐπιτύχῃ Οβ5. 287ᵇ34.

ἀναγωφαγίαις καταλαμβάνει τὴν ἡλικίαν Πθ4. 1339ᵃ6.
ἀναγνωρίζειν. τῇ ἐπαγωγῇ λαμβάνειν τὴν τῶν κατὰ μέρος ἐπιστήμην ὥσπερ ἀναγνωρίζοντας (cf Plat Men 81) Αβ21. 67ᵃ24. ἀναγνωρίζειν, opp λαμβάνειν τὴν ἐπιστήμην πιθ5. 918ᵃ8. cf ψγ1. 425ᵃ24. — ἀναγνωρίζειν (in compositione tragoediarum), ἀναγνωρίσαι πρὶν ποιῆσαι, πρᾶξαντα ἀναγνω- ρίσαι al πο14. 1453ᵇ35, 1454ᵃ3. 16. 1454ᵇ27, 32, 1455 ᵃ15. sed πο17. 1455ᵇ9. 16. 1454ᵃ32 (ex lectione codd) ἀναγνωρίζειν significare videtur ἀναγνώρισιν ἑαυτῷ ποιεῖν, ἑαυτὸν ποιεῖσθαι γνώριμον (cf Vhl Poet II 85), et Ὀδυσ- σεὺς ἀναγνωρίζας τινὰς πο17. 1454ᵇ32 (ex lectione codd) significat 'certiorem aliquem facere de se', δηλώσας τι ᾖ τίς ἦν cf fr 35. Vhl l l).

ἀναγνώρισις. αἱ τῶν συνήθων ἀναγνωρίσεις ηεγ2. 1237ᵃ25. μέγιστα οἷς ψυχαγωγεῖ ἡ τραγῳδία αἴτε περιπέτειαι ϗ ἀνα- γνωρίσεις πο6. 1450ᵃ34. ἀναγνωρίσεως τινα εἴδη πο16. 11. 1452ᵃ29-ᵇ8 (pro ἐν τῇ ἀναγνωρίσει πο26. 1462ᵃ17 scribendum est ἐν τῇ ἀναγνώσει).

ἀναγνωρισμός. ἄνευ περιπετείας ἢ ἀναγνωρισμῦ, μετ' ἀναγνωρισμῦ ἢ περιπετείας πο10. 1452 ᵃ16, 17.

ἀνάγνωσις πιϰ1. 916 ᵇ10. 7. 917 ᵃ26 (πο26. 1462 ᵃ17 ν s ἀναγνώρισις). τὸ ἔργον τῆς ἐπιδεικτικῆς λέξεώς ἐστιν ἀνά- 5 γνωσις Ργ12. 1414 ᵃ18.

ἀναγνωστικός. βαστάζονται οἱ ἀναγνωστικοί Ργ12. 1413 ᵇ12.

ἀναγράφειν τὰς τῆς γῆς περιόδὰς μα13. 350 ᵃ17. ἐκ τῶν περὶ τὰς ἱστορίας ἀναγεγραμμένων δεῖ θεωρεῖν Ζγγ10. 761 ᵃ10. ἀναγράψαι τήσδε τὰς στίχας θ133. 843 ᵇ25. ἀναγέ- 10 γραπται ἐν ταῖς ἱστορίαις θ134. 844 ᵃ11. — ὕστερον ἀναγράψαι, opp περιγράφειν, ὑποτυπῶν Ηα7. 1098 ᵃ21. — ἀναγράφεσθαι τὰ συμβόλαια πρὸς τὴν ἀρχὴν Πζ3. 1321 ᵇ34. ἀναγράφεσθαι τὴν τιμὴν οβ1353 ᵃ1. ἀνέγραφον τὰς ἔχοντας οβ1350 ᵃ9. αἱ προθέσεις τῶν ἀναγεγραμμένων Πζ8. 15 1322 ᵃ10.

ἀναγραφὴν ποιεῖσθαί τινος θ101. 839 ᵃ11 (cf μὴ παραλιπεῖν ἀμνημόνευτον ᵃ10). ἐν τῇ τῶν πυθιονικῶν ἀναγραφῇ f 572. 1572 ᵃ28. — συναλλαγμάτων ἀναγραφαὶ Πζ8. 1322 ᵇ34.

ἀναγωγή. 1. ἀναγωγὴ τῦ ὑγρῦ μβ2. 355 ᵃ15. cf πι54. 897 20 ᵃ30. τὴν ἀναγωγὴν ἡ νεῦρα ὃ λαμβάνει ἐπὶ πολὺν τόπον αχ800 ᵇ15. — 2. i q ἀπόπλης θ108. 844 ᵃ33. — 3. logice cf ἀνάγειν, ἀνάλυσις. εἰς ἀρχὴν ποίαν ἡ ἀναγωγή Μεϑ. 1027 ᵇ14. cf γ2. 1005 ᵃ1. x3. 1061 ᵃ11, 16. Αδ3. 90 ᵃ37 Wz. — ἐξ ἀναγωγῆς. opp συνεχῶς Ζιε18. 550 ᵇ11, 13. 25

ἀνάδαστος. ἀνάδαστον ποιεῖν τὴν χώραν Πε7. 1307 ᵃ2. ρ3. 1424 ᵃ32. ποιεῖν ἀναδάστας τὰς ὑσίας, τὰς κτήσεις Πε5. 1305 ᵃ5. 8. 1309 ᵃ15.

ἀναδέχεσθαι. τὰ ἐπὶ γῆς πολλὰς ἑτεροιώσεις ἀναδέδεκται χ6. 400 ᵃ24. 30

ἀναδιδόναι. trans μᾶλλον ἂν προέλοιντο Τελεσταγόρα δῦναι ἢ τοσῦτα ἀναδόσθαι (vendere) f 517. 1562 ᵇ20. intr πότιμον ὕδωρ ἀναδιδῶσιν μα13. 351 ᵃ15, 17. β2. 356 ᵃ2. ἐνίοτε ἂν ἦ ἀγαθὸν τὸ γένος, ἐγγίνονται διά τινος χρόνω ἄνδρες περιττοί, ἔπειτα πάλιν ἀναδιδῶσι (deficit, opp ἐπιδι- 35 δόναι) Ρβ15. 1390 ᵇ28.

ἀναδιπλώνειν τῦ ἐντέρω τῦ σκάρω (ἰχθύος) Ζιβ17. 508 ᵇ13. ἀναδιπλώσεις τῦ ἐντέρω τῶν κερατοφόρων Ζμγ14. 675 ᵇ2.

ἀνάδοσις. πνεῦμα ἄνω φερόμενον κατὰ τὴν ἐκ βυθῦ τινὸς ἀνάδοσιν χ4. 395 ᵇ9. 40

ἀναδύνειν. ποταμοί, ἂν ἀφανισθῶσιν εἰς τὴν γῆν, πάλιν ἀναδύνυσιν μβ2. 356 ᵃ25. ὁ ναυτίλος πῶς ἐκ τῦ βυθῦ ἀναδύνει f 316. 1531 ᵇ19.

ἀναζεῖν. πῦρ ἀναζέσαι λέγεται θ39. 833 ᵃ19. τὴν λίμνην ἀναζεῖν χ ὑπερχεῖσθαι θ89. 837 ᵇ9. — ἀναζεῖν χ ὁρίνεσθαι 45 τὸν θυμὸν θ43. 947 ᵇ32.

ἀνάζεσις τῦ ῥύακος θ40. 833 ᵃ22.

ἀναζευγνύναι. ἀναζεύξας (i e ὁρμήσας) ἐβάδιζεν οβ1350 ᵇ21.

ἀναζωπυρεῖν θερμῷ τὸ θερμόν πν5. 484 ᵃ7. 50

ἀναθερμαίνεται ἡ γῆ, τὸ ὑγρόν Ζιζ15. 569 ᵇ11. πζ2. 886 ᵃ33. ἀναθερμανθέντες πιζ3. 948 ᵃ11.

ἀνάθημα. τὰ περὶ θεὺς ἀναθήματα Ηδ5. 1122 ᵇ20. πόλις κοσμημένη ἀναθήμασιν Πζ7. 1321 ᵃ38. τὰ ἀναθήματα τῶν Κυψελιδῶν Πε11. 1313 ᵇ22. cf s δῶρον. Μανδρόβυλος τῇ 55 Ἥρᾳ πρόβατον ἀνάθημα ἀνῆψε f 532. 1566 ᵃ26.

ἀναθολῦν. ἡ πλεονάζυσα θερμασία ἀναθολοῖ τὰ ὠὰ οἷον σήπυσα Ζγγ2. 753 ᵃ30. — ἀναθολῦται τὸ ὕδωρ, ὁ οἶνος sim Ζιθ2. 592 ᵃ8. Ζγγ2. 753 ᵃ26. πκγ8. 932 ᵇ15.

ἀναθρώσκει αἷμα (Emped 350) αν7. 473 ᵇ16, 474 ᵃ6. 60

ἀναθυᾷ πάλιν ὑς Ζιε14. 546 ᵃ28. ζ18. 573 ᵇ8.

ἀναθυμιᾶσθαι. ἡ γῆ ξηραινομένη ἀναθυμιᾶται μβ4. 360 ᵇ32. ἐξατμίζοντος χ ἀναθυμιωμένη ἐν αὐτοῖς τῦ ὑγρῦ Ζγε3. 782 ᵃ32. cf χ4. 394 ᵃ14. τὸ ἀναθυμιώμενον πῦρ μα3. 341 ᵃ7. οἱ ἡρακλειτίζοντές φασιν ἐκ τῆς θαλάττης τὸν ἥλιον ἀναθυμιᾶσθαι πκγ30. 934 ᵇ36. τὸ ἀναθυμιώμενον μα7. 344 ᵃ21. — ἀναθυμιᾶται impers i q ἀναθυμίασις γίγνεται μβ5. 361 ᵇ28.

ἀναθυμίασις. ἀναγκαῖον χ ἀπὸ ὑγρῦ χ ἀπὸ ξηρῦ γίγνεσθαι ἀναθυμίασιν μβ8. 365 ᵇ22. διπλῆ ἡ ἀναθυμίασις (δύο ἀναθυμιάσεις, δύο εἴδη ἀναθυμιάσεως), ἡ μὲν ὑγρά, ἀτμιδώδης, ἡ δὲ ξηρά, καπνώδης μβ3. 357 ᵇ24, 358 ᵃ22. 4. 359 ᵇ28, 360 ᵃ8. 9. 369 ᵃ12. γ7. 378 ᵃ18. α9. 346 ᵇ32. x4. 394 ᵃ9-15. ἀναθυμίασις ἡ μὲν ἀτμιδωδεστέρα ἡ δὲ πνευματωδεστέρα μα4. 341 ᵇ7. ἀναθυμίασις ξηρά, θερμή, πυρώδης μα7. 344 ᵃ10. β4. 360 ᵇ16. γ1. 371 ᵃ5, 372 ᵇ32. ἀναθυμίασις γῆς μα3. 340 ᵇ26. (ἀναθυμίασις angustiore sensu τὴν ξηρὰν χ θερμὴν ἀναθυμίασιν significat, ἔστιν ἀτμίδος μὲν φύσις ὑγρὸν χ θερμόν. ἀναθυμιάσεως δὲ θερμὸν χ ξηρόν· ἔστιν ἀτμὶς μὲν δυνάμει οἷον ὕδωρ, ἀναθυμίασις δὲ δυνάμει οἷον πῦρ μα3. 340 ᵇ27, 29). νοτερὰ χ ἀτμιώδης ἀναθυμίασις x4. 394 ᵃ14, 20. κάτωθεν ἀναβαίνει εὔκρατος ἀναθυμίασις χ2. 394 ᵃ14, 20. συνεχὴς ὗσα ἡ ἀναθυμίασις μβ8. 366 ᵃ6. ἤδη ἐξεληλυθέναι τὴν ἀναθυμίασιν χ ἄλλην μήπω ἐπιρρεῖν μβ5. 361 ᵇ29. πλῆθος τῆς θερμῆς ἀναθυμιάσεως μα7. 344 ᵇ24. ἔσται ἀθροίζεσθαι ἡ ἀναθυμίασις μα11. 347 ᵇ11. ἀναθ. συνεστραμμένη φέρεται μβ9. 369 ᵃ33. συμπεριλαμβάνει πολλὴν ἀναθυμίασιν ξηρὰν μβ3. 358 ᵃ34. ὁ ἥλιος ἀσθενὴς ὗσας τὰς ἀναθυμιάσεις μαραίνει μβ5. 361 ᵇ15. ἀναθυμίασις ἐκκαομένη ὑπὸ τῆς κινήσεως, ἐγκατακλειομένη, ἀποσβεννυμένη διὰ ψύχος, καταμαραινομένη ὑπὸ τῦ πνίγυς, παγεῖσα μα4. 341 ᵇ35, 342 ᵃ18. δ8. 384 ᵇ33. β5. 361 ᵇ26. γ7. 378 ᵃ29, ᵇ2. ἀναθυμίασιν in doctrina physiologica, ἔστιν ἡ μὲν ἀτμὶς ὑγρότης τις, ἡ δὲ καπνώδης ἀναθυμίασις κοινὸν ἀέρος χ γῆς αι5. 443 ᵃ27. ἡ ὀσμὴ καπνώδης τίς (πνευματωδης) ἐστιν ἀναθυμίασις αι2. 438 ᵇ24. 5. 445 ᵃ26. ἡ περὶ τὴν τροφὴν ἀναθυμίασις υ3. 456 ᵃ19. γίνεται ἀναθυμίασις εἰς τὰς φλέβας υ3. 456 ᵇ3. ἡ περιττωματικὴ ἀναθυμίασις υ3. 458 ᵃ2. πολλὴ προσπίπτει ἀναθυμίασις πρὸς τὸν ἄνω τόπον εν3. 462 ᵇ7. πρὶν ἐπιστῆναι τὴν ἀναθυμίασιν ζ5. 469 ᵇ31. ἡ ἐν ταῖς θριξὶν ἀναθυμίασις Ζγε3. 482 ᵇ19. Ἡράκλειτος τὴν ἀρχὴν εἶναί φησι ψυχήν, εἴπερ τὴν ἀναθυμίασιν, ἐξ ἧς τἆλλα συνίστησιν ψα2. 405 ᵃ26.

ἀναίδεια ἀκολυθεῖ τῇ ἀκολασίᾳ αρ6. 1251 ᵃ22.

ἀναιδὴς λᾶας (Hom λ 598) Ργ11. 1411 ᵇ34. — ἀναιδῶς σημεῖα φ3. 807 ᵇ28-33. 6. 810 ᵃ20. ὁ ἀτενὴς ὀφθαλμὸς ἀναιδής Ζια10. 492 ᵃ12. τὸ θῆλυ ἀναιδέστερον Ζιι1. 608 ᵇ12.

ἀναιμία. τὰ ἄναιμα ὀλιγόθερμα διὰ τὴν ἀναιμίαν Ζμβ7. 652 ᵇ26.

ἄναιμος. 1. μόρια ἄναιμα. ὗτ' ἄναιμον ὑδὲν αἰσθητικόν ὗτε τὸ αἷμα Ζμβ10. 656 ᵇ19, 21. γ4. 666 ᵃ16. ἄναιμος ὁ ἐγκέφαλος, ἀναιμότατον τῶν ὑγρῶν ὑν ἐν τῷ σώματι πάντων Ζια16. 495 ᵃ4. γ3. 514 ᵃ18. Ζμβ7. 652 ᵃ35. (τὰ ζῷα) γίνεται πιότερα γινόμενα ἀναιμότερα· ἄναιμον γὰρ τὸ πίον Ζιγ19. 520 ᵇ33. ἄναιμος ὁ πλεύμων Ζμγ6. 669 ᵇ8. ὅσα ἄναιμον ἔχει πλεύμονα ἡ σομφόν, ἧττον δέονται τῆς ἀναπνοῆς αι7. 470 ᵇ14. πόροι φλεβικοί τινες ἄναιμοι Ζιγ1. 510 ᵃ16 (arteriae spermaticae ΑΖι I 305 n 7). πόροι ἄναιμοι ἕτεροι Ζμγ9. 671 ᵇ16 (ureteres, Harnleiter Fr 298. 59). πόροι ἄναιμοι ἕτεροι, τὸ ἄναιμον μέρος πόρῳ τινός, ὃ δέχεται τὸ σπέρμα Ζγβ4. 739 ᵃ1. α6. 718 ᵃ12 (vas deferens ΑΖγ 54 n 1). — 2. ζῷα ἄναιμα, τὰ ἄναιμα. a. ὅτι ἐστὶ τῶν ζώων τὰ μὲν ἔναιμα τὰ δ' ἄναιμα ἐν τῷ λόγῳ ἐνυπάρξει τῷ ὁρίζοντι τὴν ἐσίαν αὐτῶν Ζμδ 5. 678 ᵃ33. ὁμοιότητες ἀνώνυμοι, οἷον τὸ ἔναιμον χ̣ τὸ ἄναιμον Ζμα2. 642 ᵇ5. χαλεπώτατον ἢ ἀδύνατον διαλαβεῖν εἰς τὰ ἄναιμα (?) Ζμα3. 642 ᵇ35. Μ p 139. διαφέρει τὰ μέγιστα γένη τῷ τὰ μὲν ἔναιμα τὰ δ' ἄναιμα εἶναι Ζιβ15. 505 ᵇ27. α4. 489 ᵃ32. τῶν ἀναίμων γένη μέγιστα τέτταρα nominantur Ζια6. 490 ᵇ14. δ1. 523 ᵃ1. Ζμδ5. 678 ᵃ29. Ζγα14. 720 ᵇ4. ἄναιμα πάντα τὰ ἔντομα Ζγβ1. 733 ᵃ25. αν9. 475 ᵃ1. τὰ ὀστρακόδερμα χ̣ τὰ μαλακόστρακα τὰ ἔσχατά ἐστι τῶν ἀναίμων 10 ζώων Ζγβ6. 743 ᵇ11. — b. quid differant omnino inter se τὰ ἔναιμα et τὰ ἄναιμα. ὡς ἐπὶ πᾶν βλέψαντας εἰπεῖν τὰ ἔναιμα μείζω τῶν ἀναίμων Ζγ1. 732 ᵃ19. Ζια5. 490 ᵃ21. ἔνια τὰ ἄναιμα τῶν ἐναίμων θερμότερά φασιν εἶναι Ζμβ2. 648 ᵃ28. τὰ ἄναιμα ψυχρὰ τὴν φύσιν Ζγγ8. 758 15 ᵃ5. Ζμβ6. 654 ᵃ6. δέονται ἀλέας, ἢ καταψύξεως Ζμδ5. 680 ᵃ35. αν12. 476 ᵇ34. διόπερ ὅσα ἄναιμα χ̣ μὴ θερμὰ τὴν φύσιν. ἢ γίνεται ἐν λίμναις Ζγγ11. 761 ᵇ2. ἄναιμα ὄντα χ̣ διὰ τᾶτο κατεψυγμένα χ̣ φοβητικά, δύστριγχ. δειλότερα Ζμδ5. 679 ᵃ25, 680 ᵃ35. β4. 650 ᵇ30. διὰ τί τῶν ἀναί- 20 μων ἔνια συνετωτέραν ἔχει τὴν ψυχὴν ἐνίων ἐναίμων Ζμβ4. 650 ᵇ23. τῶν ἀναίμων ἐνίοις κατ' ἐνέργειαν μόνον ἕν ἐστι τὸ τὴν αἰσθητικὴν ἀρχὴν ἔχον μόριον Ζμγ5. 667 ᵇ21. τῶν ἀναίμων ἔνια διαιρεθέντα (τῆς κεφαλῆς ἀφῃρημένης) δύναται ζῆν πολὺν χρόνον Ζπ7. 707 ᵃ27. Ζμγ10. 673 ᵃ30. τῶν ἀναί- 25 μων σχεδὸν πάντα, ἢ πάντα βραχυβία αν9. 474 ᵇ30. μχ4. 466 ᵃ5, 11. διὰ τί τὰ ἄναιμα ἔνυδρα πλείω χρόνον ἐν τῷ ἀέρι ζῇ τᾶτο κατεψυγμένα αν9. 475 ᵇ6, 13. 10. 475 ᵇ15. — c. τῶν ἀναίμων differentiae anatomicae et physiol τὰ ἄναιμα ἔχει τὸ ἀνάλογον τᾶ αἵματος ἀνώνυμον, τὸ ἀνάλογον 30 διὰ ψυχρότητα τῆς φύσεως υ3. 456 ᵃ35. Ζμβ3. 650 ᵃ35. γ5. 668 ᵃ6. δ4. 678 ᵃ4. Ζγα19. 726 ᵇ2. 20. 728 ᵃ20. ἡ τῶν καταμηνίων σύστασις χ̣ τὸ ἀνάλογον ἐν τοῖς ἀναίμοις Ζγα20. 729 ᵃ23. τὰ ἄναιμα ἔχει ἀνάλογόν τι τῆς καρδίας ἀνώνυμον Ζμβ1. 647 ᵃ30. ζ3. 468 ᵇ30. 4. 469 ᵇ6, 11. αν8. 35 474 ᵇ2. 17. 479 ᵃ1. τὰ ἄναιμα ἐκ ἔχει σπλάγχνα Ζιδ3. 527 ᵇ3. Ζμγ4. 665 ᵃ30. δ5. 678 ᵃ29. ἔτε πιμελὴν ἔτε στέαρ Ζμδ5. 651 ᵃ25. cf μχ5. 467 ᵃ3. τὸ ἀνάλογον αὐτοῖς τῇ πιμελῇ ἀποκρίνεται εἰς τὸ περίττωμα τὸ σπερματικὸν Ζγα19. 727 ᵇ2. τῶν ἀναίμων ἐδὲν ἔχει ἐγκέφαλον, πλὴν 40 ὅτι κατὰ τὸ ἀνάλογον, οἷον ὁ πολύπες Ζμβ7. 652 ᵇ24. τῶν ἀναίμων ἔνιος ἀδιόριστον ἡ κεφαλή, οἷον τοῖς καρκίνοις Ζμδ10. 685 ᵇ35. ἔνια τῶν ἀναίμων ἐκτὸς ἔχει τὴν τῶν ὀστῶν βοήθειαν. ὥσπερ τὰ μαλακόστρακα χ̣ τὰ ὀστρακόδερμα Ζιβ8. 654 ᵃ1. — τῶν πτηνῶν πτιλωτὰ ὅσα ἄναιμα, οἷον τὰ ἔν- 45 τομα Ζια5. 490 ᵃ9, 13. ἄναιμά ἐστι πάνθ' ὅσα πλείες πόδας ἔχει τετταράων. τὰ ἄναιμα χ̣ πολύποδα πόδας ἔχει τε τὴν πλαγίαν Ζια4. 489 ᵃ33. 5. 490 ᵃ32. Ζπ16. 713 ᵃ26. 17. 713. ᵇ26. Ζμδ9. 684 ᵇ12. διὰ τί τὰ ἄναιμα πλείοσι τεττάρων κινεῖται σημείοις Ζπ1. 704 ᵃ11. οἱ ἰχθύες εἰ πλείω τὰ κι- 50 νητικὰ σημεῖα εἶχον, ἄναιμοι εἰ ὄψεις Ζμδ13. 696 ᵃ2. Ζπ18. 714 ᵇ2. πῶς διὰ τᾶτο τὸ ὄψεις ἀπόψες Ζπ8. 708 ᵃ18. — διαφοραὶ εἰσι τᾶ θήλεος χ̣ ἄρρενος χ̣ ἐν τοῖς ἀναίμοις Ζγα1. 715 ᵃ22, 30. 2. 716 ᵇ1. τῶν ἀναίμων τίς ὁ τρόπος τῶν μορίων τῶν πρὸς τὴν γένεσιν συντελέντων Ζγα14. 720 ᵇ2. τὰ 55 ἄναιμα (ἀλλ' ἢ πάντα ἁπλῶς) σκωληκοτοκεῖ Ζμδ10. ἐτοτοκεῖ Ζγβ1. 732 ᵃ29, 10, 733 ᵇ25. γ1. 751 ᵃ34. 11. 762 ᵇ21. — τοῖς ἀναίμοις τὸ σύμφυτον πνεῦμα ἀναφυσώμενον χ̣ συνιζάνον φαίνεται υ2. 456 ᵃ11. τὰ ἄναιμα ἐκ ἔχει φωνὴν ψβ8. 420 ᵇ10. τὰ ἄναιμα ἔνυδρα δοκᾶσιν ὀσμῆς 60 αἰσθάνεσθαι ψβ9. 421 ᵇ11, 20. τῶν ἀναίμων σκληρόδερμοι

οἱ ὀφθαλμοὶ αι2. 438 ᵃ24.

ἀναιμότης τᾶ πλεύμονος Ζμδ1. 676 ᵃ31.

ἀναιρεῖν, locali sensu, ἀναιρᾶνται τὰ δίκτυα οἱ ἁλιεῖς Ζιθ19. 602 ᵇ9. ὁ μὲν τὴν ἀσπίδα ἀναιρεῖται χ6. 399 ᵇ3. — ἀναιρεῖται τἀναντία ὑπ' ἀλλήλων μχ3. 465 ᵇ4. ἀναιρεῖν τὰς υἱὰς sim, syn κτείνειν Ρα15. 1376 ᵃ6. β21. 1395 ᵃ16, 17. ἀναιρεῖσθαι, opp ὑγιάζεσθαι Ζγα18. 726 ᵃ14. ἀναιρεῖν τῆς ὑπερέχοντας, τὰς φρονημάτιας, τὰς κρείττες Πγ13. 1284 ᵃ33. ε11. 1313 ᵃ41. Ρβ5. 1382 ᵇ18. cf χ4. 395 ᵇ29. ἀναιρεῖν ἑαυτὸν Ηδ4. 1166 ᵇ13. τὴν νεότητα ἐκ τῆς πόλεως ἀνῃρῆσθαι Ρα7. 1365 ᵃ32 (syn ἐξαιρεῖσθαι, ἠφανίσθαι Ρβ10. 1411 ᵃ2). ἀναιρεῖν συνθήκην, νόμας sim, ἀναιρεῖται ἡ πρὸς ἀλλήλας χρεία Ρα15. 1376 ᵇ10, 11, 13, 1377 ᵇ8. ἀναιρεῖν πολιτείας, ἀρχήν, τύραννον Πδ1. 1288 ᵇ41. ε1. 1301 ᵇ19 (opp καταστῆσαι). 4. 1304 ᵇ30. ἀνελεῖν ἀπορίας. opp καταλιπεῖν Ηδ4. 1146 ᵇ7. ἀναιρεμένη τᾶ ὅλε ἐκ ἔσται πᾶς Πα2. 1253 ᵃ21. σῶμα πεπερασμένον ὑπὸ σώματος πεπερασμένε, τᾶ ἀπείρε ἐκ ἀναιρεθήσεται Φα4. 187 ᵇ26. ζ7. 238 ᵃ27. — ἀναιρεῖν 'cogitando et ratiocinando evertere, refutare', opp τιθέναι Αβ14. 62 ᵇ30. opp κατασκευάζειν v h v, syn μὴ συγχωρεῖν τι17. 176 ᵃ28. dist διαιρεῖν τι18. 176 ᵇ36, 177 ᵃ4. ἀναιρεῖν ἐναντίων Αβ9. 60 ᵃ16 Wz. ὁ καταφατικὸς συλλογισμὸς ἀναιρεῖται τῷ στερητικῷ Αα14. 33 ᵃ12. ἀναιρεῖν τὸ πρόβλημα. τὸ προκείμενον. τὸν ὁρισμόν, τὴν ἐρώτησιν, τὴν ὑπόθεσιν Αα36. 48 ᵇ34. τγ6. 120 ᵃ13. α5. 102 ᵃ14. ι22. 178 ᵇ14. 24. 179 ᵇ7. νεβ6. 1222 ᵇ28. ἀναιρεῖν. ἀνελεῖν τἀναντία. ἢ κωλύοντα Ρβ1. 1391 ᵇ15. γ14. 1415 ᵃ31. 18. 1418 ᵇ18, τὰ οἰκεῖα Ηα4. 1096 ᵃ15, τὴν πίστιν Ηχ2. 1173 ᵃ1. ἀναιρεῖν τὸ διαλέγεσθαι, τὰς λόγας, τὸ ἐπίστασθαι, τὰ εἴδη, τὴν ὑσίαν, τὰς ἀρχάς, πολλὰ τῶν ἐνδόξων sim Μχ5. 1062 ᵇ11. 6. 1063 ᵇ11. γ4. 1006 ᵃ26. 8. 1012 ᵇ15. 4. 1007 ᵃ20. α2. 994 ᵇ20. Δ9. 992 ᵇ9, 990 ᵇ18. μ4. 1079 ᵃ14. 8. 1082 ᵇ33. θ3. 1047 ᵃ20. Φα2. 185 ᵃ2. 8. 191 ᵇ12. β4. 196 ᵃ14. γ6. 206 ᵃ17. Οα12. 283 ᵃ6. γ4. 303 ᵃ23. ατ969 ᵃ20. ἀεὶ ἀναιρεῖν ἔστιν ΜΖ15. 1040 ᵃ7. ἀνηρηκότες ἐσόμεθα τβ4. 111 ᵇ23. ἀναιρεῖται τὸ μετεχόμενον Μδ8. 1017 ᵇ18. χ6. 1071 ᵃ35. ἀναιρεμένε τᾶ μετεχομένε ἀναιρεῖται τὰ μετέχοντα νεα8. 1217 ᵇ11. pass ἀναιρεῖται, ἀναιρεθήσονται. ἀνήρηται, ἀνήρεσθ. ἀνῃρημένον ἔσται Μχ8. 1065 ᵃ14. β4. 1000 ᵇ29. γ4. 1006 ᵇ9. τγ6. 120 ᵃ31. πο24.1460 ᵃ33. — ἀνεῖλεν ὁ θεός πο17. 1455 ᵇ7. Ζμδ9. 522 ᵇ18. f 66. 1487 ᵃ15. — ἀναιρεῖ videtur intrans usurpatum esse πα19. 861 ᵇ11, 15. — (ἀναιρεῖ f l ξ1. 974 ᵇ6. cf Bz Ar Stud I p 70).

ἀναίρεσις. dist διαίρεσις τι33. 183 ᵃ10, 11.

ἀναιρετικά, syn φθαρτικὸν Ρβ3. 1386 ᵃ6, 5, 7. ὅσων ἡ φύσις ἀναιρετικὴ τᾶ τὴν ηεγ1. 1229 ᵃ40. κίνδυνοι ἀναιρετικοὶ τῆς ὑσίας ημα20. 1191 ᵃ31. ἀρρωστήματα ἀναιρετικώτερα πα28. 862 ᵇ21. — ἀναιρετικοὶ χ̣ κοινοὶ λόγοι ηεα8. 1217 ᵇ18.

ἀναισθησία. opp αἴσθησις τβ8. 114 ᵃ10. δ4. 124 ᵇ6. Ζγα23. 731 ᵇ2. συμπίπτειν οἱ ἀνθρώποι μετ' ἀναισθησίας Ζιγ3. 514 ᵃ7. ἐξαιρέθεντες διὰ τὴν ἀναισθησίαν (i e ὅτι αἴσθησιν ἐκ εἶχον) τὸ μεταξὺ Φδ11. 218 ᵇ26. — opp ἀκολασία et σωφροσύνη Ηβ7. 1107 ᵇ8. 8. 1109 ᵃ4. εθ3. 1221 ᵃ2. γ2. 1230 ᵇ13, 1231 ᵃ39. ἐκ ἀνθρωπικὴ ἡ τοιαύτη ἀναισθησία Ηγ14. 1119 ᵃ7.

ἀναίσθητος. 1. act Ζμγ4. 667 ᵃ13. δέρμα ἀναίσθητον Ζιγ11. 517 ᵇ31. ὑστέραι πυκνότεραι ἢ ἀναισθητότεραι Ζιχ3. 635 ᵇ10. 1. 634 ᵃ4. τὰ ἄψυχα χ̣ ἀναίσθητα Φη2. 245 ᵃ10. ἀναίσθητον εἶναι κατὰ ψυχήν. κατὰ σῶμα τα15. 106 ᵇ24. οἱ τὰς ἐν αὐχένι φλέβας καταλαμβανόμενοι ἀναίσθητοι γί-

νονται υ2. 455 ᵇ7. ἀναίσθητα τῇ ὠφελῇντος, opp ἔχοντα
αἴσθησιν π32. 894 ᵃ33. — ἀναίσθητος def, opp ἀκόλαστος
et σώφρων Ηβ2. 1104 ᵃ24. 7. 1107 ᵇ8. ηεβ3. 1221 ᵃ21.
γ2. 1230 ᵇ14, 1231 ᵃ26. — stupidus, opp εὐφυής φ3. 807
ᵇ19, 12. ἀναισθήτῳ σημεῖα φ3. 807 ᵇ19-28. 2. 806 ᵇ22. κο-
μιδῇ ἀναίσθητ' ἐστὶν Ηγ7. 1114 ᵃ10. ἐπιτιμᾶν ὡς ἀναι-
σθήτῳ ημβ15. 1213 ᵃ5. — 2. pass ἡ ὕλη ἀναίσθητος ᾖσα
ᾗ ἀχώριστος Γβ5. 332 ᵃ35. τὸ συμφυὲς ἀναίσθητον πλε1.
964 ᵇ24. ἐν ἀναισθήτῳ χρόνῳ Φδ13. 222 ᵇ15. πγ10. 872
ᵇ9. cf αι7. 448 ᵃ25. ἐξ ἀναισθήτων ἡμῖν Φα4. 187 ᵇ1. συγ-
χεῖται ἡ θεωρία ἐγγὺς τῇ ἀναισθήτῳ [χρόνῳ] γινομένη π07.
1450 ᵇ39 (cf Bz Ar Stud I 96). ποιεῖν τὴν κρᾶσιν ἀναίσθη-
τον Πβ4. 1262 ᵇ18. ἀναίσθητος μεταβολή, ἀπόλυσις τῆς
ψυχῆς, πόνος μγ4. 374 ᵇ35. αν17. 479 ᵃ22. πια33. 903
ᵃ20. — ἀναισθήτως διακεῖσθαι, opp αἰσθητικῶς ἔχειν
ηεγ2. 1231 ᵃ1. πγ5. 871 ᵃ32.

ἀναισχυντεῖν. ποῖα αἰσχύνονται ᾗ ἀναισχυντῶσιν Ρβ6. 1383
ᵇ12. — ὁ ἀναισχυντῶν πρὸς τὸν ἀναισχυντόμενον Ργ11.
1412 ᵃ6.

ἀναισχυντία, def Ρβ3. 1380 ᵃ19. 6. 1383 ᵇ16. opp αἰδώς,
κατάπληξις Ηδ15. 1128 ᵇ31 (cf β7. 1108 ᵃ35). ηεβ3. 1221
ᵃ1. γ7. 1233 ᵇ27. ημα30. 1193 ᵃ1.

ἀναίσχυντος, opp αἰσχυντηλός Ρβ13. 1390 ᵃ2. def et opp
αἰδήμων, κατάπληξ Ηβ7. 1108 ᵃ35. ηεγ7. 1233 ᵇ28 ημα30.
1193 ᵃ2.

ἀναίτιος. τὸ ἀναίτιον, syn μὴ αἴτιον Λγ13. 78 ᵇ12, ᵃ29. τι5.
167 ᵇ21, 20. τὸ ἀναίτιον τιθέναι ὡς αἴτιον Αβ17. 65 ᵇ16.
τόπος παρὰ τὸ ἀναίτιον ὡς αἴτιον Ρβ24. 1401 ᵇ30.

ἀνακαθαίρειν. τῶν μετάλλων ἀνακαθαρθέντων θ52. 834 ᵃ27.

ἀνακαλεῖν. ἀνακαλεῖται τὰς θηλείας, τὸς νεοττὸς Ζιδ9. 536
ᵃ13. θ12. 597 ᵇ17. ι8. 613 ᵇ21.

ἀνακαλύπτειν. ἀνακαλυφθέντων τῶν βλεφάρων αι5. 444
ᵇ25, cf ᵃ27.

ἀνακάμπτειν. trans ᾗ τὸ ἀνακαμπτόμενον ᾗ τὸ κατακαμπτό-
μενον κάμπτεται μδ9. 385 ᵇ33. — intr, de motu: ἡ περι-
φορὰ ἐπ' ἀρχὴν ἀνακάμπτει ψα3. 407 ᵃ30. ὁ καικίας ἀνα-
κάμπτει εἰς αὐτόν, πρὸς αὑτόν μβ6. 364 ᵇ12, 25. πόροι
ἀνακάμπτοντες Ζιγ1. 510 ᵃ33, 18. τὸ ἀνακάμπτον τὴν εὐ-
θεῖαν τὰς ἐναντίας κινεῖται κινήσεις, τὸ ἀνακάμπτον ἀνάγκη
στῆναι, dist τὸ συνεχὲς Φθ8. 261 ᵇ33, 262 ᵃ14, 17, ᵇ22. 9.
265 ᵃ21. de γενέσει: κύκλῳ φαμὲν περιεληλυθέναι τὴν γένε-
σιν διὰ τὸ πάλιν ἀνακάμπτειν Γβ10. 337 ᵃ6. 11. 338 ᵃ5
(syn ἀνακυκλεῖν), ᵇ4. 5. 332 ᵇ33. Φθ5. 257 ᵃ7. 2. 975 ᵃ24.
φθαρῆναι ᾗ μὴ ἀνακάμπτειν Οα10. 280 ᵃ24. πότερον ὁμοίως
ἅπαντα ἀνακάμπτει ᾗ οὔ, ἀλλὰ τὰ μὲν ἀριθμῷ τὰ δὲ εἴδει
μόνον Γβ11. 338 ᵇ12, 8. Μα2. 994 ᵃ31, ᵇ3 Bz. ἀνακάμψαι
πάλιν ἐπὶ τὸν τῇ παιδὸς βίον ηεα5. 1215 ᵇ13. — de conver-
tendis syllogismorum terminis, ἀνακάμπτειν διὰ πολλῶν, δι'
ὀλίγων Αγ3. 72 ᵇ36 Wz. οὐκ ἀνακάμπτουσιν αἱ ἀποδείξεις
πάλιν ἐπ' ἀρχήν, opp εὐθυπορεῖν ψα3. 407 ᵃ28.

ἀνακαμψίπνοοι ἄνεμοι, opp εὐθυπνοοι κ4. 394 ᵇ36.

ἀνάκαμψις. κάμπτεται πᾶν ἢ ἀνακάμψει ἢ κατακάμψει
μδ9. 386 ᵃ5. ἂν συνεχεῖς ὦσιν αἱ κινήσεις ᾗ μὴ γίνηται
ἀνάκαμψις Φθ8. 262 ᵃ11.

ἀνακάπτειν τὰ ᾠά, τὸ σπέρμα, τὸν θορόν Ζιε5. 541 ᵃ13, 18.
ζ13. 567 ᵃ33. Ζγγ5. 756 ᵃ6.

ἀνάκαψις. αἱ ἀνακάψεις τῇ θορῷ ᾗ τῶν ᾠῶν Ζγγ5. 756 ᵇ4.

ἀνακεῖσθαι ἐν τοῖς ἱεροῖς Ζιι8. 614 ᵃ7. βωμοὶ ἀνακείμενοι ὑπὸ
Ἰάσονος θ105. 839 ᵇ17. — οἱ Τυρρηνοὶ δειπνῶσι μετὰ τῶν
γυναικῶν ἀνακείμενοι ὑπὸ τῷ αὐτῷ ἱματίῳ f 565.1571ᵃ4. 60

ἀνακεφαλαιῶν. ἔργον ῥητορικῆς ἀγωνίσασθαι πρὸς ἀπόδειξιν,

ἀνακεφαλαιώσασθαι πρὸς ἀνάμνησιν f 123. 1499 ᵃ23.

ἀνακλᾶσθαι. ἡ ἀνακλασθεῖσα σφαῖρα οὐχ ὑπὸ τῇ τοίχῳ ἐκι-
νήθη ἀλλ' ὑπὸ τῇ βάλλοντος Φθ4. 255 ᵇ27. γραμμαὶ ἀνα-
κλώμεναι μγ5. 376 ᵇ9. ἀκτῖνες ἀνακλώμεναι ἀπὸ τῆς γῆς
μα3. 340 ᵃ28. χ1. 791 ᵃ27. αὐγαὶ ἀνακλώμεναι χ 2. 792
ᵇ18. ἡ ὄψις ἀνακλᾶται ἀπό τινος (τῇ ἀέρος, τῆς συστά-
σεως) πρός τι (πρὸς τὸν ἥλιον, πρὸς ἄλλο τι τῶν λαμπρῶν)
μα6. 343 ᵃ3. 8. 345 ᵇ27. β9. 370 ᵃ18. γ2. 372 ᵃ30. 3. 372
ᵇ34, 373 ᵃ18. 4. 373 ᵇ7. 6. 377 ᵃ31, 33, ᵇ6, 10, 12. πιε12.
912 ᵇ30. χγ6. 932 ᵃ33, 38. τοσοῦτον ἀνακλασθῆναι ἀδύνατον
μα 6. 343 ᵇ7 (ubi ἀνακλᾶσθαι videtur impers usurpatum
significare et q ἀνάκλασιν γίγνεσθαι).

ἀνάκλασις. ὅπω συνήθεις ἦσαν ταῖς περὶ τῆς ἀνακλάσεως
δόξαις μβ9. 370 ᵃ16. περὶ ἀνακλάσεως βέλτιον ἢ τὴν ὄψιν
ἐξιῆναι ἀνακλᾶσθαι (κλᾶσθαι Bk), τὸν ἀέρα πάσχειν ψ12.
435 ᵃ5. περὶ τῶν ἐμφαινομένων ᾗ ἀνακλάσεως αι2. 438
ᵃ8, 9. αὐτὸς αὐτὸν ὁρᾷ ὁ ὀφθαλμός, ὥσπερ ᾗ ἐν τῇ ἀνα-
κλάσει αι2. 437 ᵇ10. λήψειν ἐκεῖ τὰς ἀπὸ τῆς γῆς τῶν
ἀκτίνων ἀνακλάσεις μα12. 348 ᵃ17. πῶς ἔχοντος τῇ ἀέρος
ἀνάκλασις γίγνεται μγ3. 372 ᵇ15-34. cf α5. 342 ᵇ6, 11.
ἀνάκλασιν εἶναι τὸ γάλα τῆς ἡμετέρας ὄψεως πρὸς τὸν ἥλιον
μα8. 345 ᵇ10. ἀνάκλασις τῆς ὄψεως ἀπό τινος πρός τι (πρὸς
τὸν ἥλιον, πρὸς ἄλλο τι τῶν λαμπρῶν) μγ3. 372 ᵇ15. 2.
373 ᵃ20. α8. 345 ᵇ20. πκγ6. 932 ᵃ22, cf ἀνακλᾶσθαι. διὰ
τὴν ἀνάκλασιν ὀλίγην τῇ ὄψει θεωρῦνται μγ4. 374 ᵇ22. τὴν
τρίτην ἀνάκλασιν πάμπαν ἀσθενῆ γίγνεσθαι μγ4. 375 ᵇ14.
πάντα ταῦτα (ἶρις, ἅλως, παρήλιοι al) ἀνάκλασίς ἐστιν μγ2.
372 ᵃ18. διὰ τί ἔχει ᾗ διὰ τί ἐμφαίνεται ᾗ διὰ τί ἶρις;
ἅπαντα γὰρ ταῦτα ἀνάκλασις, ἀλλ' εἴδει ἕτερα Αδ15. 98
ᵃ29 Wz. ἠχὼ ἀνάκλασις τῆς φωνῆς ἐπὶ τἀναντίον πια45.
904 ᵃ38. 23. 901 ᵇ19. 51. 904 ᵇ30. πρὸς ὁμοίαν γωνίαν ἐστὶν
ἡ ἀνάκλασις πια23. 901 ᵇ22. τὰ κοῖλα τῇ ἀνακλάσει πολ-
λὰς ποιεῖ πληγὰς μετὰ τὴν πρώτην ψβ8. 419 ᵇ16. φέρε-
σθαι ἐξ ἀνακλάσεως π154. 897 ᵃ5. ἔστιν ἡ τροπαία ἀπόγεος
ἀνάκλασις (πνεύματος) πκς40. 945 ᵃ7. ἀνάκλασιν τῆς σαρ-
κὸς ποιεῖσθαι πλζ6. 966 ᵇ17.

ἀνακλίνειν ἑαυτὸν ἐπὶ τἀναντίον μχ7. 851 ᵇ13. — ἀνακλί-
νεσθαι ἐπὶ τὰ δεξιὰ Ζιβ1. 498 ᵃ11.

ἀνάκλισις ᾗ στάσις θέσεις τινές Κ7. 6 ᵇ11.

ἀνακοινῦσθαί τινι ὑπέρ τινος θ133. 843 ᵇ20.

Anacoluthia. 1. nominativus in principio enunciati ponitur
quasi absolute et tituli instar: τὰ δ' ἐν αὐτοῖς ζῳοτοκῦντα,
τρόπον τινὰ μετὰ τὸ σύστημα τὸ ἐξ ἀρχῆς ᾠοειδὲς γίγνεται
Ζγγ9. 758 ᵇ2. ὕτω ᾗ ἐν τῷ σώματι διαδεχόμενα τὰ μέρη
ταῖς ἐργασίαις, τὸ τελευταῖον πάμπαν μικρὸν ἐξ ἁπάσης γί-
νεται τῆς τροφῆς Ζγδ1. 765 ᵇ32. cf τα15. 106 ᵃ1. Πε6.
1306 ᵇ9. — ad idem genus anacoluthiae talia videntur re-
ferenda esse: τὸ δὲ Ἴλιον φάναι ἤδη ἑαλωκέναι, ᾗ λέγομεν,
ὅτι πόρρω λίαν τῇ νῦν Φδ13. 222 ᵇ11. καθ' ἕκαστον μὲν
ὒν ἀκριβῶς διαριθμήσασθαι ᾗ διαλαβεῖν εἰς εἴδη περὶ ὧν
εἰώθασι χρηματίζεσθαι, ἔτι δ' ὅσον ἐνδέχεται περὶ αὐτῶν
διορίσαι κατὰ τὴν ἀλήθειαν, ἴσως κατὰ τὸν παρόντα καιρὸν
ζητεῖν Ρα4. 1359 ᵇ2-5. ἐν τοῖς ἐνύδροις, καλυμένοις δὲ
ἰχθύσι, τὸ μὲν τῶν χυμῶν αἰσθητήριον ἔχυσι μὲν Ζιδ8. 533
ᵃ25. cf περί et ὅσος. — ἤδη γὰρ συνέβη τινὶ γυναικὶ συγ-
γενομένῃ τῷ ἀνδρὶ ᾗ δόξασιν συλλαβεῖν, τὸ μὲν πρῶτον
ὅ τε ὄγκος ηὐξάνετο Ζγδ7. 775 ᵇ27 sqq. — 2. constructio
ita continuatur, quasi aliud praecesserit verbum vel nomen
eiusdem significationis. τὸ μάλιστα γίγνεσθαι ἅμα τῷ ἡλίῳ
αὐτῷ τὴν θερμότητα εὔλογον (i q εὔλογον φάναι vel οἴεσθαι),
λαμβάνοντας τὸ ὅμοιον ἐκ τῶν παρ' ἡμῖν γιγνομένων μα3.

341 ᵃ25. τὰ μὲν ἦν ὄμματα εὐλόγως, ὅταν ἦ τὰ κατα-
μήνια, διάκειται, ὥσπερ κ̣ ἕτερον μέρος ὁτιῶν· ᾗ γὰρ φύσει
τυγχάνᾰσι φλεβώδεις ὄντες (quasi praecesserit οἱ ὀφθαλμοί)
εν2. 460ᵃ5. — 3. post protasin conditionalem vel causalem
interdum explicandi ac ratiocinandi causa alia cola ita in-
tercedunt, ut periodi continuitas solvi videatur et frustra
eam quaeras apodosin, quae grammatice ad protasin refe-
ratur. multa quidem eiusmodi enunciata accurata interpre-
tatione ad legitimam formam possunt redigi, Bz Ar St II, III
1-129; sed profecto restant eiusmodi exempla, in quibus
vel probabilius anacoluthia statuatur quam constructionis
continuitas, veluti Ζμβ1. 646 ᵃ24-ᵇ2. ψγ3. 427 ᵃ17-ᵇ8.
Πδ4. 1290 ᵇ25-37, vel manifesta cernatur anacoluthia, ve-
luti Αγ19. 81 ᵇ24sqq. Μγ2. 1003 ᵇ22-1004ᵃ1. ζ17.1041
ᵇ11sqq. μ4. 1078 ᵇ17sqq. Γα3. 319 ᵃ3-14. μβ2. 354 ᵃ4-
16. υ3. 456ᵃ32-ᵇ5. Πγ9. 1280ᵃ31sqq. Ρβ2.1378ᵇ10sqq.
(Spgl φανερὸν ἦν κτλ1379 ᵃ10 apodosin esse statuit) cf Bz
Ar St II, III 129-141.

ἀνακομιδή, reditus, opp παραγίνεσθαι Ζιθ12. 597 ᵇ9.
ἀνακομίζειν τιμὴν πρὸς αὑτὸν ἐκέλευσεν οβ1347 ᵃ9.
ἀνακόπτω. νέφη ἀνακοπέντα κ4. 394 ᵃ34.
ἀνακυᾰφίζει κ̣ κωλύει κάτω φέρεσθαι πκε13. 939 ᵃ35.
ἀνακρίνειν τὰς ἐπαγγελλομένας τέχνην τι11. 172 ᵃ32. (τὸν
ἄρχοντα) ἀνακρίναντα εἰσάγειν εἰς τὸ δικαστήριον f 382.
1541 ᵇ31.
ἀνάκρισις θεσμοθετῶν, def f 374. 1540 ᵃ40. 375. 1540ᵇ14,
22.
ἀνακτᾶσθαι. ἀνεκτήσατο τὰς πολίτας οβ1349 ᵃ31. — δένδρα
ἐν ᾗ καρποφορᾶσιν ἔτει, ἐν δὲ τῷ ἑτέρῳ ἀνακτῶνται ἑαυτά
φτα7. 821 ᵇ16. τὰ φυτὰ τῷ ὕπνῳ ἀνακτῶνται (sc ἑαυτά)
φται. 815 ᵃ25.
ἀνακυΐσκειν. τὰ πρόβατα (κ̣ αἱ αἶγες) ἂν ὕδωρ ἐπιγένηται
μετὰ τὴν ὀχείαν ἀνακυΐσκει Ζιζ19. 573 ᵇ18.
ἀνακυκλεῖν. intrans ἀνάγκη ἀνακυκλεῖν ἢ ἀνακάμπτειν Γβ11.
338 ᵃ4. τὰς αὐτὰς δόξας ἀνακυκλεῖν ἐν τοῖς ἀνθρώποις μαθ.
339 ᵇ29. — pass τὰς τύχας πολλάκις ἀνακυκλεῖσθαι περὶ
τὰς αὐτὰς Ηα11. 1100 ᵇ3.
Ἀνακυνδαράξης, Σαρδαναπάλλη πατήρ f 77. 1488 ᵇ10.
ἀνακύπτειν. τὰς περισσοτέρας μὴ ἀνακύπτειν πινύσας Ζιυ7.
613 ᵃ13. ἀνακύπτομεν πρὸς τὸν ἥλιον πλγ15. 963 ᵃ8. ὅρις
ἀνακύπτων (ἱ ε ἀναδυόμενος ἐκ τῆς θαλάττης) Ζιυ34. 620 ᵃ9.
ἀνακωχεύειν Οδ6. 313 ᵃ23.
ἀναλαμβάνειν, opp ἐκβάλλειν Ζιυ34. 619 ᵇ26. ἀναλαμ-
βάνειν πολὺ πνεῦμα πη20. 889 ᵃ20. οἱ οἶνοι ἀναλαμβάνᾰσι
τὰς ὀσμάς εν2. 460 ᵃ32. εἰς αὑτὸ ἀναλαμβάνειν τὸ ὑγρὸν
μδ3. 380 ᵇ19. ἀναλαβόντες τὰ ὅπλα f 517. 1562 ᵇ26. Ὅ-
μηρον ἀναλαβὼν ὁ Μαίων υἱὸς ᾤχου ἔτρεφεν f 66. 1487 ᵃ5. —
πόρρω ὑστέρας ᾗ τόπος ὅθεν δεῖ ἀναλαβεῖν (concipere) Ζικ1.
634 ᵃ13. — ἀναλαμβάνειν τὰς διαφορὰς κ̣ τὰς χρήσεις κατὰ
τὰ προγυμνάσματα ρ26. 1436 ᵃ25. — ὅτως ὡς μὴ ἀνα-
ληφθῆναι συγκείμενα ἀλλὰ μεμιγμένα (?) ξ2. 977 ᵃ9. —
ἀναλαβεῖν (capere, sibi conciliare) τὸν ἀκροατήν f 315.
1354 ᵇ32. ρ2. 1438ᵇ22. — ἀφεθέντα
λίθον ᾦ δυνατὸν ἀναλαβεῖν Ηγ7. 1114 ᵃ18. τῇ δυνάμει τῆς
κοιλίας ἡ φύσις ἀναλαμβάνει (compensat, cf ἀναμάχεσθαι)
τὴν τᾶ στόματος ἔνδειαν Ζμγ14. 674 ᵇ29. ἔστιν ὁ ἔξωθεν
ἀναλαμβάνειν (revocare) πη8. 917 ᵇ7. ἀναλαμβάνειν (recreare)
χρὴ πρῶτον τὰς ῥοφήμασι πα50. 865 ᵃ38. — ἀναλαμβάνειν
μνήμην (dist λαμβάνειν) μν2. 451 ᵃ22, 23. ἀναλαβόντες τὰ
προειρημένα, τὴν ὑποκειμένην ἀρχήν, τὰς ἐξ ἀρχῆς θέσεις,
αὐτὰ Ηκ6. 1176 ᵃ32. μα8. 345ᵇ31. 3. 339 ᵃ33. Πθ5. 1339

ᵃ12. ἀναλαβεῖν καλῶς εἰρημένον ὅρον τζ14. 151 ᵇ20. ἀνα-
λαβόντες τί ἐστι τὸ ἀδικεῖσθαι Ρα13. 1373 ᵇ26. πάντας τὰς
προγόνους ἐξ ἀρχῆς ἀναλαβόντες ρ36. 1440 ᵇ30. ἀναλαβόν-
τες, ἐξ ἀρχῆς, τὰς ἀρχὰς ἀναλαβόντες λέγωμεν Ηα2. 1095.
ᵃ14. γ9. 1115 ᵃ4. κ3. 1174ᵃ13. Οα5. 271ᵇ17. Ζγδ1.766.
ᵇ7. νῦν δ' ἀναληπτέον ὑπὲρ αὐτῶν υ3. 465 ᵇ6. — (τὸ ἐξ ἀρ-
χῆς δόξειεν ἀναλαμβάνεσθαι, l δόξειεν ἂν λαμβάνεσθαι ατ
969 ᵃ24.)
ἀναλάμπειν θ115. 841 ᵃ32.
ἀναλγησία. φέρειν εὐκόλως μεγάλας ἀτυχίας, μὴ δι' ἀναλ-
γησίαν Ηα11. 1100 ᵇ32. — opp ὀργιλότης ηεβ3. 1220ᵇ38
(cf ἀοργησία Ηβ7. 1108 ᵃ8). ἀναλγησία πρὸς ὀργήν ηματ7.
1186 ᵃ23.
ἀνάλγητος ὁ ἀφοβίᾳ ὑπερβάλλων Ηγ10. 1115 ᵇ26. ἀνάλ-
γητος, opp ὀργίλος ηεβ3. 1221 ᵃ16 (cf ἀόργητος Ηβ7. 1108
ᵃ8). ηματ23. 1191 ᵇ34. cf Ρα9. 1367 ᵃ35. ἀνάλγητος, ὁ
ἐλλείπων τῷ χαίρειν κ̣ λυπεῖσθαι, syn ἀναίσθητος ηεγ2.
1231 ᵃ33, 26. — τὸ ἀνώδυνόν τε κ̣ ἀνάλγητον (Meliss)
ξι. 974 ᵃ19. — ἀναλγήτως ἔχειν, opp ὑπεραλγεῖν ηματ7.
1186 ᵃ21.
ἀναλέγειν, ὁ δρυοκολάπτης ἀναλέγεται σκώληκας Ζιυ9. 614ᵇ1.
ἀνάληψις. ἡ τᾶ κηρᾶ ἀνάληψις ᾤπται Ζιυ40. 624 ᵇ9. — ἀνά-
ληψις μνήμης, dist λῆψις μν2. 451 ᵃ30.
ἀναλίσκειν, syn δαπανᾶν Ηδ6. 1123 ᵃ26. ἀναλίσκειν εὐχε-
ρῶς Ηδ3. 1121 ᵇ8. ἀναλῶσαι τὰ ἴδια Πε6. 1305 ᵇ40. ἀνα-
λίσκειν εἴς τι Ηδ2. 1120 ᵇ22. — εἰς ἄλλον τὴν ὀργὴν ἀνα-
λῶσαι Ρβ3. 1380 ᵇ11. — δι' ἀδυναμίαν ᾦ πέττᾰσι (τὸ
περίττωμα), διὰ δύναμιν ἀναλίσκᾰσιν Ζγα18. 726ᵃ9. ἀνα-
λίσκει ὁ πόνος τὸ περίττωμα Ζγδ6. 775 ᵃ35. τὸ περίττωμα
ἀναλίσκεται (ἀνήλωται) εἰς τὴν πιμελὴν sim Ζγα19. 727ᵇ1.
18. 725 ᵃ6, 32. γ3. 754 ᵇ30. 5. 756 ᵃ25. δ5. 773 ᵇ2. 8.
776 ᵃ27, 32. ὅταν ὑφ' ἧς ἔχει θερμότητος ἀναλωθῇ τὸ ὑγρὸν
μδ5. 382 ᵇ26. τί ποτ' ᾦκ ἀνήλωται κ̣ φροῦδον τὸ πᾶν Γα3.
318 ᵃ17.
ἀναλκής. τὰ θήλεα τῶν ἀρρένων ἀναλκέστερα φ5. 809 ᵃ39.
ἀναλλοίωτον, coni ἀναύξητον, ἀπαθές, ἀγένητον, ἀκίνητον
Οα3. 270 ᵃ14, 26, ᵇ2. Γβ10. 337 ᵃ20. Μλ7. 1073 ᵃ11.
ἀναλογεῖν. ὁ πολίτης σπλάγχνον ᾦκ ἔχει ἀναλογᾶν f 315.
1531 ᵇ7. — ἀναλογητέον (παλιλλογητέον ci Spgl) τὸν λόγον
ὅλον ο37. 1443 ᵇ15.
ἀναλογία. ἀναλογίαν ἔχειν πρός τι, syn τὸν αὐτὸν λόγον ἔχειν
Φδ8. 215 ᵇ29, 6. ἀναλογία ἰσότης λόγων, διῃρημένη συ-
νεχής, ἀριθμητικὴ γεωμετρική Ηε6. 1131 ᵃ31sqq. 7. 1131
ᵇ12, 1132 ᵃ1, 30. β5. 1106 ᵃ36. ἐν δέκα ἀναλογίαις τέτ-
ταρες κυβικοὶ ἀριθμοὶ ἀποτελοῦνται πιε3. 910 ᵇ36. ὑπερβάλ-
λειν τὴν ἰσότητα τῆς κοινῆς ἀναλογίας, μαθ. 340 ᵃ4. ὑπερ-
έχειν τῆς ἀναλογίας ο2. 309 ᵃ14. ὑπερέχειν τὴν εἰρημένην
ἀναλογίαν Πδ12. 1296 ᵇ25 (cf ᵇ31). ἀναλογία ταχίστη,
πολλαπλάσια Αγ12. 78 ᵃ1, 4. — κατ' ἀναλογίαν, dist κατ'
ἀριθμόν, κατ' ἰσότητα, τῷ τᾶ ποσᾶ μέτρῳ Γβ6. 333 ᵃ28.
Ηε8. 1132 ᵇ33. 10. 1134 ᵃ27. Πε1. 1301 ᵃ27. γ12. 1282
ᵇ40. ἀναλογία τις κ̣ τὸ ἁρμόττον Ρβ9. 1387 ᵃ28. κατὰ τὴν
ἀντιστροφὴν τῆς ἀναλογίας Φθ10. 266 ᵇ19. — ταυτὸ (ἓν)
ἀριθμῷ, εἴδει, γένει, ἀναλογίᾳ sive κατ' ἀναλογίαν Μδ6.
1016 ᵇ34, 1017 ᵃ2. 9. 1018 ᵃ13. Ζια1. 486 ᵇ19. β1. 497
ᵇ11. 2. 488 ᵇ22. 497 ᵃ19. β1. 497 ᵇ11. Ζμα5. 645ᵇ27.
cf Ηα4. 1096 ᵇ29. στοιχεῖα κατ' ἀναλογίαν ταὐτὰ πάντων
Μλ4. 1070 ᵃ32,ᵇ26. ᾦ κεῖται ὄνομα κοινόν, ἀλλὰ κατ' ἀνα-
λογίαν ἐν ταὐτῷ πάντα μδ9. 387 ᵇ3. καθ' ὁμοιότητα κ̣
κατ' ἀναλογίαν λέγεσθαι Ζγα1. 715 ᵇ20. μεταφοραὶ κατ'
ἀναλογίαν Ργ10. 1411 ᵃ1, ᵇ3. 11. 1412 ᵃ4. κατ' ἀναλογίαν

λαμβάνεσθαι τι 8. 138 ᵇ24. ἡ ὑποκειμένη φύσις ἐπιστητὴ
κατ᾽ ἀναλογίαν Φα7. 191 ᵃ8.
ἀναλογίζεσθαι τὸ μέγεθος τῆς περιφερείας Οβ14. 298 ᵃ16.
cf Ζιι48. 631 ᵃ27. συνάγειν ἀναλογιζόμενον πρός τι Πζ6.
1320 ᵇ20. ἀναλογίζεσθαι ἔκ τινος Οβ13. 293 ᵃ33. ἀναλο-
γίσασθαι ὅτι μα14. 353 ᵃ4. Ζγε3. 783 ᵇ32.
ἀνάλογον. τὸ ἀνάλογον def πο21. 1457 ᵇ16. τὸ ἀνάλογον ἐν
τέτταρσι γίνεται ἐλαχίστοις ημα34. 1193 ᵇ37. τὸ ἀνάλογον
ὗ μόνον ἐστὶ μοναδικῷ ἀριθμῷ, ἀλλ᾽ ὅλως ἀριθμῷ Ηε6.
1131 ᵃ30. γραμμαὶ ἀνάλογόν εἰσιν μγ5. 376 ᵃ24, 29. ἀπο-   10
δῦναι τὸ ἀνάλογον μβ5. 363 ᵃ11. Ηθ15. 1262 (τῷ Βκ).
τὸ ἀνάλογον ἐναλλάξ (de proportionibus convertendis) Αγ5.
74 ᵃ18. δ17. 99 ᵃ19. τὸ ἀνάλογον ἐν τῇ λέξει τί Ργ7.
1408 ᵃ12, 11, ᵇ4. τὸ δίκαιον ἀνάλογόν τι Ηε6. 1131 ᵃ29.
ταὐτό, ἕν, ἴσον, ἰσάζεσθαι, ὅμοιον τῷ ἀνάλογον ψγ7. 431 15
ᵃ22. Μθ6. 1048 ᵇ7 Βz. λ4. 1070 ᵇ17. 5. 1071 ᵃ4, 26. ν6.
1093 ᵇ18. Ζιγ7. 516 ᵇ14. Ηθ4. 1148 ᵇ10 Fr. ηεη10. 1243
ᵇ31, 29. ημα34. 1193 ᵇ37. διαφέρειν κατὰ τὸ μᾶλλον κ̣
ἧττον, dist διαφέρειν τῷ ἀνάλογον Ζμα4. 644 ᵃ21, ᵇ11.
εἰκάζειν τῷ ἀνάλογον, ἡ μεταφορὰ ἡ ἐκ τῦ ἀνάλογον, ἡ 20
ἀνάλογον μεταφορά Ργ4. 1406 ᵇ31, 1407 ᵃ14. 6. 1408 ᵃ8.
10. 1411 ᵃ1 sqq. 11. 1412 ᵇ34. πο21. 1457 ᵇ6. τὸ ἀνάλογον
συνορᾶν, dist ὅρον ζητεῖν Μθ6. 1048 ᵃ37 Βz. ἐν ἑκάστῃ κα-
τηγορίᾳ ἐστὶ τὸ ἀνάλογον Μν6. 1093 ᵇ19. κ2. 1043 ᵃ5. τὸ
αὐτὸ κ̣ τὸ ἀνάλογον Μν2. 1089 ᵇ4. ὁ δημαγωγὸς κ̣ ὁ κόλαξ 25
οἱ αὐτοὶ κ̣ ἀνάλογον Πὁ4. 1292 ᵃ21. ἐκ τῦ ἀνάλογον τγ1.
116 ᵇ27. Ργ4. 1407 ᵃ14. ἐν τῷ ἀνάλογον Ργ4. 1406 ᵇ31.
κατὰ τὸ ἀνάλογον Αὁ14. 98 ᵃ20. Ζμβ7. 652 ᵇ24. παρὰ τὸ
ἀνάλογον Πε2. 1302 ᵇ3. 3. 1303 ᵇ34 (cf παρὰ τὴν συμμε-
τρίαν 8. 1308 ᵇ12). φοβεῖσθαι διὰ τὸ μὴ ἀνάλογον ἔχειν τὸ 30
θερμὸν τῇ καρδίᾳ Ζμγ4. 667 ᵃ17. — frequens voc ἀνάλογον
usus (ὥσπερ εἴρηται πολλάκις Ζγβ5. 741 ᵇ16) in definiendis
partibus animalium, veluti τοῖς μὲν ἐναίμοις ἡ καρδία, τοῖς
δ᾽ ἀναίμοις τὸ ἀνάλογον τῇ καρδίᾳ, τὸ ἀνάλογον τῷ στήθει,
ταῖς σαρξί, ταῖς θριξί sim Ζια1. 487 ᵃ5, 9. β10. 510 ᵇ32. 35
12. 503 ᵇ31. γ2. 511 ᵇ4, 5, 6. 16. 519 ᵇ29. θ2. 589 ᵇ18.
Ζγα19. 727 ᵇ4. β1. 735 ᵃ26. 6. 742 ᵇ37, 743 ᵃ10. 6. 745
ᵇ10. ε3. 782 ᵃ17 al (c gen τὸ ἀνάλογον τύτων Ζια2. 489
ᵃ22). vel omisso dativo τὸ (τὰ) ἀνάλογον Ζια3. 489 ᵃ14.
4. 489 ᵃ29. γ10. 517 ᵇ3. θ1. 588 ᵇ3. Ζγα19. 726 ᵇ2, 4. 40
20. 728 ᵃ20, ᵇ1, 729 ᵃ22 al. ἀνάλογον ὡς τοῖς ἄρρεσιν ἡ γονὴ
ὕτω τοῖς θήλεσι τὰ καταμήνια Ζγα19. 727 ᵃ3. explicatur
τὸ ἀνάλογον: τὸ τὴν αὐτὴν ἔχον δύναμιν, τὸ παραπλησίαν
ἔχον φύσιν Ζμα5. 645 ᵇ6. Ζιγ16. 519 ᵇ26 (cf ὅμοιον, ὁμοι-
ότης Ζιε22. 554 ᵃ14. δ11. 537 ᵇ23. ἡ ἀνάλογον ὁμοιότης 45
Ζμα44. 691 ᵃ9). dist ὅμοιον: τῷ τὸ ἀνθρώπῳ στῆθος ἀνά-
λογον, ἀλλ᾽ ὐχ ὅμοιον Ζιβ1. 497 ᵇ33. — ἀνάλογον κινεῖσθαι,
αὐξάνεσθαι, ὑπερέχεσθαι, συμβαίνειν, γίγνεσθαι, ὑπάρχειν
Οα6. 274 ᵃ5. Πε3. 1302 ᵇ35 (cf συμμετρία ᵇ36). Ηθ7.
1158 ᵃ15. Ρβ23. 1399 ᵃ33. μα11. 347 ᵇ14. 14. 351 ᵇ4. 50
πζ5. 886 ᵇ35. ἀνάλογον ἔχειν Ζια3. 489 ᵃ18. β5. 362 ᵇ32.
Ζιθ1. 588 ᵇ3. Ζγγ10. 760 ᵃ12. Πβ10. 1271 ᵇ40. 11. 1272
ᵇ37 (syn παραπλήσια ᵇ37). η1. 1323 ᵇ18. 14. 1333 ᵃ27.
Ρα7. 1363 ᵇ26. πο4. 1448 ᵇ38. κύων ἀνάλογον ἀποδίδωσι
τὴν αὔξησιν Ζιβ1. 501 ᵃ3. ἀνάλογον (adverb) εἶναί τινι, πρός 55
τι, vel absol Πὁ4. 1292 ᵃ18. 14. 1298 ᵃ32. ε4. 1303 ᵇ30.
1. 1301 ᵇ2. Φη5. 250 ᵃ4. Οα7. 275 ᵃ9. inde ἀνάλογον
(perinde atque ὡσαύτως) sine verbo praedicati loco ponitur,
veluti κ̣ τῶν σπυδαιοτέρων ἀνάλογον αἱ ἐπιστῆμαι διὰ ταῦτα
sim Ρα7. 1364 ᵇ11 (cf ἀνάλογον ἔχειν 1363 ᵇ26). Ηβ1. 1103 60
ᵇ9. 8. 1108 ᵇ26. θ14. 1162 ᵃ15. Οα6. 273 ᵇ3. Ρα7. 1364

ᵇ11. — (ἀνάλογον an ἀνὰ λόγον Wz ad Αα46. 51 ᵇ24.
Ideler ἀνὰ λόγον scribit μα2. 339 ᵃ18. 14. 351 ᵇ4. β5. 362
ᵇ32. γ2. 372 ᵃ5. 4. 375 ᵃ4. δ12. 390 ᵃ6, ubi Βκ ἀνάλογον
exhibet. cf ἀνὰ λόγον Αγ24. 85 ᵃ38, 39).
ἄναλοι ἄρτοι, opp ἡλισμένοι πκα5. 927 ᵃ35.   5
ἀναλῦν i q ἀναλίσκειν, τῶν ἀναλωμάτων τῶν νῦν ἀναλυμέ-
νων οβ1346 ᵃ23.
ἀναλύειν. ἕν τι ὑπόκειται, εἰς ὃ ἀναλύονται ἔσχατον μα3.
339 ᵇ2. ἀναλύεσθαι εἰς ὕλην, εἰς ἄλληλα, εἰς τὰ πρῶτα sim
Οα3. 270 ᵃ24. γ1. 300 ᵃ11. Ζγα19. 726 ᵇ26. — ἀναλύσει 10
τὰ βομβύκια Ζιε19. 551 ᵇ14. τὸ ἔντερον ἀναλυόμενον Ζιβ17.
509 ᵃ17. Ζμγ14. 675 ᵃ33. — ἀναλύονται αἱ κοιλίαι Ζγα20.
728 ᵃ15 (cf λύειν). — ἐπ᾽ ἀρχὴν ἀναλύειν τὰς λόγας τὰς τῶν
ἐναντίων Μκ6. 1063 ᵇ18. (τὰ σχήματα τῶν κατηγοριῶν)
ἀναλύεται ὗτ᾽ εἰς ἄλληλα ὗτ᾽ εἰς ἕν τι Μὁ28. 1024 ᵇ15. 15
ἀναλύειν τὰς συλλογισμὰς εἰς τὰ προειρημένα σχήματα, syn
ἀνάγειν Αα32. 47 ᵃ4. 44. 50 ᵃ30, ᵇ3. 45. 50 ᵇ30, 33, 51 ᵃ2,
26-28, ᵇ4 (coll 50 ᵇ6, 51 ᵇ3). ἀναλύειν τὰς λεχθέντας τρό-
πας εἰς τὸν τῦ ἐλέγχυ διορισμόν, syn ἀνάγειν τι6. 168 ᵃ19,
18. ἀναλύειν (non addita praep εἰς) Αγ12. 78 ᵃ7. — ἀνα- 20
λύειν τὰ διαγράμματα, opp συνθεῖναι τι16. 175 ᵃ28. ζητεῖν
κ̣ ἀναλύειν ὥσπερ διάγραμμα Ηγ5. 1112 ᵇ20. cf Zeller II
2 p 131, 5.
ἀνάλυσις. ὑπὸ τῆς παρὰ φύσιν ἀναλύσεως Ζγα18. 724 ᵇ28.
ἄνεμοι γινόμενοι κατὰ ῥῆξιν νέφυς κ̣ ἀνάλυσιν τῇ πάχυς 25
κ4. 394 ᵇ17. — logice (cf ἀναλύειν, ἀναγωγή), ὗ γίνεται,
ὐκ ἔσται ἀνάλυσις Αα38. 49 ᵃ19. 45. 51 ᵃ18, 32. ἐν τῇ ἀνα-
λύσει ὗ δυνατόν Αγ32. 88 ᵇ18. ἐν τῇ ἀναλύσει τῇ περὶ τὰ
σχήματα (i e Αα31) εἴρηται Αὁ5. 91 ᵇ13. τὰς ἀναλύσεις
ὕτω ποιητέον Αα12. 50 ᵃ8. Πλάτων μέχρι ἐπιπέδων ποιεῖται 30
τὴν ἀνάλυσιν Γβ1. 329 ᵃ23. τὸ ἔσχατον ἐν τῇ ἀναλύσει
πρῶτον ἐν τῇ γενέσει Ηγ5. 1112 ᵇ23 (syn εὕρεσις ᵇ19).
ἀναλυτικός. ἡ ῥητορικὴ σύγκειται ἔκ τε τῆς ἀναλυτικῆς ἐπι-
στήμης κ̣ τῆς περὶ τὰ ἤθη πολιτικῆς Ρα4. 1359 ᵇ10. δι᾽
ἀπαιδευσίαν τῶν ἀναλυτικῶν ταὐτὸ δρῶσιν Μγ3. 1005 ᵇ4. 35
τὰ ἀναλυτικὰ citantur: εἴρηται, διώρισται ἐν τοῖς ἀναλυτικοῖς,
δῆλον ἡμῖν ἐκ τῶν ἀναλυτικῶν, cf ᾽Αριστοτέλης III Analy-
tica. — ἀναλυτικῶς, opp λογικῶς Αγ22. 84 ᵃ8 (Wz ad
82 ᵇ35).
ἀνάλωμα. δαπανᾶν ἀνάλωμά τι Πβ9. 1271 ᵃ30. τίνα ἀναλώ- 40
ματα περιαιρετέον οβ1345 ᵇ26. opp πρόσοδοι οβ1346 ᵃ11,16.
ἀναμάρτητοι ὄντες οἱ ἐπιεικεῖς Πζ4. 1319 ᵃ3. αἱ ἡμαρτη-
μέναι κ̣ παρεκβεβηκυῖαι πολιτεῖαι ὕστερα τῶν ἀναμαρτή-
των Πγ1. 1275 ᵇ2. ποιεῖν ἀναμάρτητον τὴν προαίρεσιν κ̣ τὸ
τέλος ὀρθὸν ηεβ11. 1227 ᵇ12. — νέοις πρὸς τὸ ἀναμάρτητον 45
ἡ φιλία βοηθεῖ Ηθ1. 1155 ᵃ13.
ἀναμάχεσθαι. renovare pugnam Ρα12. 1372 ᵇ10. πιη12.
916 ᵇ23. — compensare ἀναμάχεται: ἡ φύσις τῷ πλήθει τὴν
φθορὰν Ζγγ4. 755 ᵃ31.
ἀναμένειν. ἀναμένοντες οἱ πρότερον τὰς ὕστερον Ζιθ12. 597 50
ᵃ11. διὰ σφοδρότητα ὑκ ἀναμένυσι τὸν λόγον Ηη8. 1150 ᵇ27.
ἀναμεταξύ. ὐδέν ἐστιν ἀναμεταξὺ Φη2. 243 ᵃ15 (syn ὐδὲν
ἐστι μεταξὺ 244 ᵃ6, ᵇ2, cf ἀνὰ μέσον s ν μέσος).
ἀναμετρεῖν. μέγεθός τι ᾧ ἀναμετρήσει τὸ ὅλον Φὁ12. 221
ᵃ3 (syn καταμετρεῖν ᵃ2). ζ7. 238 ᵃ22, ᵇ11.   55
ἀναμηρυκᾶσθαι. φασὶν αὐτὸν (τὸν ὗτον) τὴν τροφὴν ἀνα-
μημρυκᾶσθαι f 275. 1527 ᵇ20.
ἀναμιγνύναι. ὗ δεῖ ἐφεξῆς λέγειν τὰ ἐνθυμήματα, ἀλλ᾽
ἀναμιγνύναι Ργ17. 1418 ᵃ6. ὅπως ὅτι μάλιστα ἀναμιχθῶσι
πάντες ἀλλήλοις Πζ4. 1319 ᵇ25. ἂν ἀναμιχθῶσιν ἀλλήλοις 60
οἱ ἵπποι Ζιζ18. 572 ᵇ11.

ἀναμιμνήσκειν τὰ γενόμενα, τὰ προειρημένα Ρα3. 1358
b19. γ19. 1419 b28. ρ31. 1438 a4. περὶ τῶν εἰρημένων συν-
τόμως ἀναμιμνήσκειν ρ22.1434 a20. τὸ ἐκ προαιρέσεως ἀναμι-
μνήσκειν τοιόνδε ρ21.1434 a3-8. — ἀναμιμνήσκεσθαι. περὶ τῦ
ἀναμιμνήσκεσθαι μν2. def μν1. 451 a6. 2. 451 b4, 453 a10, 5
22. dist μνημονεύειν μν2. 453 a6. 1. 449 b6, 4. Ζια1. 488
b26, 25. dist πάλιν μανθάνειν μν2. 452 a4. ἀναμιμνήσκεσθαι
ὀδὲν ἄλλο ζῷον δύναται πλὴν ἄνθρωπος Ζια1. 488 b26. μν2.
453 a8 (Trdlbg de an p 168). ἀναμιμνήσκεσθαι ἀπὸ τόπων
μν2. 452 a13. ἃ πολλάκις ἐννοῦμεν, ταχὺ ἀναμιμνησκόμεθα 10
μν2. 452 a28.

ἀναμὶξ τὰ ἄρρενα τοῖς θήλεσι, opp διακεκριμένα Ζυ37.
621 b25.

ἀνάμιξις (ἡ ὁμιλία, κοινωνία) πκθ14. 952 b3.

ἀνάμνησις, def ψα4. 408 b17 (Trdlbg p 270). ἀναμνήσεις 15
πῶς συμβαίνωσιν μν2. γίγνεται αὐτοῖς ἀνάμνησις τῶν ἐπι-
θυμητῶν Ηγ13.1118 a13. ἡ μάθησις ἀνάμνησις (Plat) Αβ21.
67 a22. — ἐξ ἀναμνήσεως ὁ ἐπίλογος σύγκειται Ργ19. 1419
b13. παλιλλογία ἐστὶ σύντομος ἀνάμνησις ρ21. 1433 b29.

ἀναμνηστικός, ἀναμνηστικώτερος, dist μνημονικός μν1. 449 20
b7, 8. 2. 453 a5.

ἀναμφισβήτητος κρίσις Πγ13. 1283 b4. ἀναμφισβήτητος
ἡ φανερὰ ὑπεροχὴ Πη14. 1332 b20. ἀναμφισβήτητον ἡ
φανερόν ἐστιν, ὅτι Κ5. 3 b4. cf Πη14. 1332 b20. — ἀναμ-
φισβητήτως Κ8. 11 a2. 25

ἀνανδρία, coni δειλία Ρβ6. 1384 a21. αρ6. 1251 a14.

ἀνάνδροι Πη1. 1331 a6.

ἀνανεύειν, opp διδόναι τθ1. 156 a35, b31. 2. 158 a8. 11. 161
b13. ι15. 174 a30. Ἕκτωρ ἀνανεύων (Hom X 205) πο24.
1460 a16. 30

ἀνανήφειν. ἀνανήψας βραδέως θ178. 847 b9.

ἀνανήχεσθαι ἐν τοῖς ὑγροῖς αν9. 475 b1.

ἀνάντης. τὸ ἄναντες, opp τὸ κάταντες Μχ9. 1066 a33. Φγ3.
202 a19. γ4. 248 a22. πρὸς ἀνάντη πκγ7. 940 b35. ἐν τοῖς
ἀνάντεσιν πε1. 880 b19. 19. 882 b34. 35

ἄναξ. οἱ υἱοὶ τῦ βασιλέως ἡ οἱ ἀδελφοὶ καλῦνται ἄνακτες
f 483. 1557 a18.

Ἀναξαγόρας ὁ Κλαζομένιος μβ7. 375 a17. ΜΑ3. 984 a11.
ηεα4. 1215 b6. Λαμψακηνοὶ Ἀναξαγόραν ξένον ὄντα ἔθαψαν
Ρβ23. 1398 b15. τῇ μὲν ἡλικίᾳ πρότερος Ἐμπεδοκλέης, τοῖς 40
δ' ἔργοις ὕστερος ΜΑ3. 984 a11. σοφός, φρόνιμος δ' οὐ
Ηζ7. 1141 b3. τίνα ὑπέλαβεν τὸν εὐδαίμονα Ηκ9.
1179 a13. ηεα4. 1215 b6. αἱρετὸν εἶναι τὸ ζῆν ἕνεκα τῦ
θεωρῆσαι τὸν ὀρανὸν ἡ τὴν περὶ τὸν ὅλον κόσμον τάξιν ηεα5.
1216 a11. ἀπόφθεγμα, ὅτι τοιαῦτ' αὐτοῖς ἔσται τὰ ὄντα 45
οἷα ἂν ὑπολάβωσι Μγ5.1009 b25 Βz. Ἀναξαγόρα Σωσίβιος
ἐφιλονείκει f 65. 1498 b9. — ipsa Anaxagorae verba affe-
runtur ὁμῦ πάντα χρήματα ἦν, ἄπειρα ἡ πλῆθει ἡ μικρό-
τητι (fr 1) Μι6. 1056 b28, vel simplicius ἦν ὁμῦ πάντα,
ὁμῦ πάντα χρήματα Φα4. 187 a28. γ4. 203 a25. Γα10. 50
327 b20. Μγ4. 1007 b25. λ2. 1069 b21. τὸ γίνεσθαι τοιόνδε
καθέστηκεν ἀλλοιῦσθαι (sed Anaxagorea verba paullum ab
Ar immutata esse videntur) Φα4. 187 a29. Γα1. 314 a13.
— Anaxagorae doctrina saepe cum Empedocle et Democrito
comparatur v Ἐμπεδοκλῆς, cum Democrito Φγα4. 203 a20 55
(resp α2. 184 b21). Μγ5. 1009 a27. doctrina Anaxagorae
universe exponitur et examinatur ΜΑ3. 984 a11-16. 8.989
a30-b21. Φα4. Ογ4. Anaxagoras ponit ἀπείρῡς τὰς ἀρχάς,
ἄπειρα τὰ στοιχεῖα, ἀεὶ ὄντα ΜΑ3. 984 a11. 7. 988 a28.
Φα4. 187 a26, 22. 6. 189 a17. γ4. 203 a20. Γα1. 314 a17, 60
12. ξ2.975 b17. resp Φα2.184 b21. ea principia Ar Anaxa-
v.

goreo vocabulo appellat σπέρματα Ογ3. 302 b2, sed ple-
rumque suo (cf Breier, Phil. des Anax) ὁμοιομερῆ Φγ4. 203
a20. Ογ3. 302 a31, b3. 4. 302 b14. Γα1. 314 a19. ΜΑ3.
984 a13. 7. 988 a28, τὰ ὁμοιοειδῆ (ὁμοειδῆ Torstrik) Φα4.
188 a13, τά τε ὁμοιομερῆ ἡ τἀναντία Φα4. 187 a25. quae
Empedocli sunt στοιχεῖα. ea Anaxagorae πανσπερμία, μίγ-
ματα ἐκ πάντων τῶν ὁμοιομερῶν Γα1. 314 a25, 29, b1.
Ογ3. 302 a28, 31, b1-3. ὀδὲν τῶν ὁμοιομερῶν γίνεται, γίγνε-
ταί τι ἡ ἀπόλλυται συγκρίσει ἡ διακρίσει τῶν ὁμοιομερῶν,
ἡ γένεσις ἀλλοίωσις Ζγα18. 723 a7, 11. ΜΑ3. 984 a15.
Φα4. 187 a29. Γα1. 314 a12, 13. ab initio ἦν ὁμῦ πάντα
v supra (στηρίζειν αὐτὸ αὑτὸ τὸ ἄπειρον Φγ5. 205 b1),
quam elementorum omnium mistionem Ar materiae Plato-
nicae comparat ΜΑ8. 989 a30-b21. ὁμῦ πάντων ὄντων ἡ
ἠρεμῦντων τὸν ἄπειρον χρόνον κίνησιν ἐμποιῆσαι τὸν νῦν ἡ
διακρῖναι Φθ1. 250 b24, 252 a10. 9. 265 b22. γ4. 203 a31.
Ογ2. 301 a12. resp Φβ4. 196 a18. 8. 198 b16. γ4. 203
b13. Ζμα1. 640 b8. ἡ νῦς εἷς, ἁπλῦς, ἀμιγής, ἀπαθής, κα-
θαρός ΜΑ8. 989 b15. λ2. 1069 b31. Φθ5. 256 b24. ψα2.
405 a13, 16 Trdlbg, b19. γ4. 429 a19, b24. νῦν τις εἰπὼν
τὸν αἴτιον τῦ κόσμυ ἡ τῆς τάξεως πάσης οἷον νήφων ἐφάνη
ΜΑ4. 984 b15. ὁ νῦς αἴτιος τῦ καλῶς ἡ ὀρθῶς, ὁ νῦς ἀγα-
θόν ψα2. 404 b1. ΜΑ6. 988 a17. λ10. 1075 b8. ν4. 1091
b11. ὁ νῦς ἐνέργεια Μλ6. 1072 a5. ἅμα τῦ καλῦς τὴν αἰ-
τίαν ἀρχὴν εἶναι τῶν ὄντων ἔθεσαν ἡ τὴν τοιαύτην ὅθεν ἡ
κίνησις ΜΑ3. 984 b18. Ἀν. μηχανῇ χρῆται τῦ νῦ πρὸς τὴν
κοσμοποιίαν ΜΑ4. 985 a18-21. cf 7. 988 b6. πότερον ἄφθαρ-
τος ἡ κίνησις Φθ1. 252 a10. quamquam ὁ νῦς δύναται,
tamen μέμικται πᾶν ἐν παντὶ Μγ5. 1009 a27. Φα4. 187
b1, 188 a9-17. γ4. 203 a23. (Anaxagorea μίξεως notio re-
prehenditur Γα10. 327 b32 sqq.) σάρκας ἐκ τῆς τροφῆς προσ-
ιέναι ταῖς σαρξὶν Ζγα18. 723 a11 (fort resp β4. 740 b16.
5. 741 b13). τὸ λευκὸν μεμιγμένον τῷ λευκῷ ΜΑ9. 991
a16. μ5. 1079 b20. ἀφῇ συνεχὲς τὸ ἄπειρον Φγ4. 203 a22.
ὐκ εἶναι κενόν Φδ6. 213 a24. Οδ2. 309 a20. ξ2. 976 b20.
— τὸ πῦρ ἡ τὸν αἰθέρα προσαγορεύει ταὐτό Ογ3. 302 b4.
α3. 270 b24. μα3. 339 b22. β9. 369 b14. ὁ πύρινα φά-
σκοντες εἶναι τὰ ἄστρα resp Οβ7. 289 a16. α2. 269 b11.
περὶ γαλαξίυ μα8. 345 a25-31. περὶ κομητῶν μα6. 342 b27.
περὶ κεραυνῦ μβ9. 369 b14 sqq. τὸ πλάτος ἡ τὸ μέγεθος
τῆς γῆς αἴτιον τῦ μένειν ἐπὶ τῦ ἀέρος Οβ13. 294 b13, 295
a16 (cf 293 a9?) μβ7. 365 a32. περὶ χαλάζης μα12. 348
b12. περὶ τῆς τῶν ποταμῶν γενέσεως resp μα13. 349 b3
Ideler. περὶ θαλάττης resp μβ1. 353 b5. 3. 357 b19 Ideler.
περὶ σεισμῶν μβ7. 365 a17, 19. τῆς ἡμέρας σίζειν τὸν ἀέρα
θερμαινόμενον ὑπὸ τῦ ἡλίυ πια33. 903 a8. περὶ τῶν περὶ τὴν
κλεψύδραν πνευμάτων πις8. 914 b10. — τὰ πάντα ζῷα
εἶναι, πνοὴν ἔχειν, ἥδεσθαι ἡ λυπεῖσθαι, νῦν ἡ γνῶσιν ἔχειν
φτα1. 815 a15, 18, b16. 2. 816 b26. τῶν φυτῶν ἡ γῆ μή-
τηρ, ὁ ἥλιος πατὴρ φτα2. 817 a26. — τὰ ζῷα πάντα ἀνα-
πνεῖν αν2. 470 b30, 33. τῷ θήλεος ἡ ἄρρενος τί τὸ αἴτιον
Ζγδ1. 763 b31. τῶν ὀρνίθων τινὰς μίγνυσθαι, τὰς ἱερα-
πόδων τινὰ τίκτειν κατὰ τὸ στόμα Ζγγ6. 756 b17. τὴν χολὴν
αἰτίαν εἶναι τῶν ὀξέων νοσημάτων Ζμδ2. 677 a5. φρονιμώ-
τατον εἶναι τῶν ζῷων ἄνθρωπον διὰ τὸ ἔχειν χεῖρας Ζμδ10.
687 a7. ταὐτὸν ψυχὴ ἡ νῦς ψα2. 404 b1, a25, 405 a13.
ἡ γιγνώσκεσθαι τῷ ἀνομοίῳ τὸ ὅμοῖα resp ψα2. 405 b19
Trdlbg. Anaxagorea doctrina, τῷ μεμῖχθαι πᾶν ἐν παντὶ,
tolli principium contradictionis Ar colligit Μγ4. 1007 b25.
5. 1009 a27. 7. 1012 a26. κ6. 1063 b25-30. — (Ἀναξαγό-
ρας certa emendatione restitutum est ξ2. 976 a14).

'Αναξανδρίδης, versus eius afferuntur Hη11. 1152 a22 (fr inc 16), Ργ10. 1411 a18 (fr inc 17), Ργ11. 1412 b16 (fr inc 18). ἐν τῇ 'Αναξανδρίδȣ γεροντομανίᾳ, ἐν τῷ προλόγῳ τῶν εὐσεβῶν Ργ12. 1413 b24 (Γεροντομανία fr 2). eidem poetae tribuendum censet verba τὴν ἀξίαν δεῖ (ἔδει ci Mke) γαμεῖν τὸν ἄξιον Ργ11. 1412 b27 Meineke fr inc 18.

ἀναξηραίνειν. ἡ πάλη συνεχὴς ἀναξηραίνει πβ7. 867 a11. — ἀναξηραίνεται ὕδωρ, οἶνος, ἰχμάς μβ2. 355 b26, 32. δ10. 388 b6. Ζγε3. 782 b3. ἀναξηραινομένων τῶν χυμῶν πα12. 860 b24. ἀναξηραίνεται τὰ φρέατα θ54. 834 a35. τῆς μήτρας ἀνεξηραμμένης ἤδη κ̣ κατεψυγμένης f259. 1525 b32.

'Αναξίλαȣ τυραννὶς ἐν 'Ρηγίῳ Πε12. 1316 a38. 'Αναξίλας ὁ 'Ρηγῖνος f527. 1565 a6.

'Αναξίμανδρος. ipsa eius verba adhibentur· κ̣ 'περιέχειν ἅπαντα κ̣ κυβερνᾶν', ὥς φασιν ὅσοι μὴ ποιȣσι παρὰ τὸ ἄπειρον ἄλλας αἰτίας. οἶον νῦν ἡ φιλίαν· κ̣ τȣτ' εἶναι τὸ θεῖον· 'ἀθάνατον γάρ κ̣ ἀνώλεθρον' ὥς φησιν ὁ 'Αναξίμανδρος Φγ4. 203 b11-14. (Anaximander resp ὁ δὲ τὸ ἄπειρον sim Μι2. 1053 b16. 1. 1052 b10. Γβ5. 332 a25). 'Εμπεδοκλέυς τὸ μῖγμα κ̣ 'Αναξιμάνδρȣ Μλ2. 1069 b22 (μῖγμα quomodo intelligendum sit of Oγ3. 302 a16, Zeller I 160, 5). Anax resp οἱ περὶ φύσεως ὑποτιθέασιν ἑτέραν τινὰ φύσιν τῷ ἀπείρῳ Φγ4. 203 a16. Anax resp τὸ ἄπειρον σῶμα τὸ παρὰ τὰ στοιχεῖα· οἱ ποιῦντες μίαν ὕλην παρὰ τὰ εἰρημένα στοιχεῖα sim Φγ5. 204 b23, 25, 205 a5. Γβ1. 329 a9, 12. οἱ δ' ἐκ τȣ ἑνὸς ἐνȣ́σας τὰς ἐναντιότητας ἐκκρίνεσθαι, ὥσπερ 'Αναξίμανδρος φησι Φα4. 187 a21. Anax videtur resp ἄπειροι κόσμοι Φθ1. 250 b18. cf Schol 424 b44. Zeller I 173 sq. οἱ διὰ τὴν ὁμοιότητά φασιν αὐτὴν (τὴν γῆν) μένειν, ὥσπερ 'Αναξίμανδρος Οβ13. 295 b12. Anax resp ὥσπερ φασί τινες, ἀπελθόντος τȣ πλείστȣ ὑγρȣ διὰ τȣ ἡλίον τὸ λειφθὲν εἶναι θάλατταν μβ3. 357 b19 Ideler. cf 2. 355 a22, 354 b33. 1. 353 b6 Alex. — ab interpretibus Aristotelis (veluti Alex Aphr ad Metaph 34, 2. 45, 20 Bz) ad Anaximandrum refertur ea ἀρχή, quam Arist describit ὕδατος μὲν λεπτότερον, ἀέρος δὲ πυκνότερον Oγ3. 303 b12. Φγ3. 203 a18. 5. 205 a27. Γβ5. 332 a21. ΜΑ8. 989 a14, vel ἀέρος λεπτότερον, πυρὸς δὲ πυκνότερον ΜΑ7. 988 a30. Φα4. 187 a14. Γβ1. 328 b35. 5. 332 a21. falso haec ad Anaximandrum referri apparet coll Φα4. 187 a12, 20. Zeller I 163 sqq. — 'Αναξίμανδρος ὕδωρ φάμενος εἶναι τὸ πᾶν ἐξ 2. 975 b22.

'Αναξιμένης ἀέρα τὴν ἀρχὴν τίθησι ΜΑ3. 984 a5. ἐξ 2. 975 b24. resp ΜΑ7. 988 a30. 8. 989 a13. β1. 996 a9. ι2.1053 b16. Φα2. 184 b17. 4. 187 a13 (cf θ9. 265 b30). Oγ5. 303 b11. Γβ1. 328 b34. 5. 332 a8, b10. Anaximenem posuisse τὸν ἀέρα ἄπειρον colligi potest ex Φγ4. 203 a18. 6. 206 b26. Oγ5. 303 b11. 'Αναξιμένης τὸ πλάτος αἴτιον εἶναί φησι τȣ μένειν τὴν γῆν Οβ13. 294 b13. Anaximenes quam dixerit σεισμȣ causam μβ7. 365 a18, b6.

ἀνάξιος. καταδȣλῶσθαι τὸς ἀναξίȣ Πη14. 1333 b40. — λυπεῖσθαι ἐπὶ ταῖς ἀναξίαις εὐπραγίαις, κακοπραγίαις Ργ9. 1386 b10, 12. — ἀναξίως εὐπραγεῖν, κακοπραγεῖν Ρβ9. 1386 b13, 26, 1387 a9. ρ35. 1440 a35.

ἀναξύειν. ἀναξυομένης τῆς γῆς Ζιζ15. 569 b7. cf θ20. 603 a22.

ἀνάπαιστος. στάσιμον, μέλος χορȣ τὸ ἄνευ ἀναπαίστȣ κ̣ τροχαίȣ πο12. 1452 b23.

ἀνάπαλιν de qualibet conversione in contrarium usurpatur. 1. locali sensu, ἀπὸ τῶν ἀθλοθετῶν ἐπὶ τὸ πέρας ἢ ἀνάπαλιν Ηα2. 1095 b1. ἀνάπαλιν στραφῆναι Οβ2. 285 a8, b30. cf ἀνάπαλιν μεταβάλλειν Πε12. 1316 a23. — 2. de inversis

rationis alicuius terminis, τὴν ἀναλογίαν ἣν τὰ βάρη ἔχει, οἱ χρόνοι ἀνάπαλιν ἔχȣσιν Οα6. 273 b32. huc fere referri possunt Φβ2. 194 a9. Ζγδ3. 769 a3. Ηβ1. 1103 a30. γ1. 1110 a22. 4. 1111 b14. 15. 1119 a31. δ13. 1127 a22. ε9. 1134 a5. θ15. 1163 a14. ι7. 1168 a18. 11. 1171 b20. Πα5. 1254 b9. τζ6. 145 b12. 4. 141 b9, 142 a4. de converso ψαι. 402 b21. Φβ9. 200 a19. Ρα7. 1364 a14. de inversa propositionum syllogismi ratione, ἀνάπαλιν τεθέντος τῇ στερητικᾳ, ἀνάπαλιν τεθείσης τῆς καταφατικῆς Αα17. 37 b11. 19. 38 b5. γ16. 80 a37 (i e negatione vel affirmatione in altera propositione syllogismi posita, cf μετατιθέναι γ16. 80 b6. ἀνάπαλιν ἔχȣσιν αἱ προτάσεις β9. 60 a31). ἀνάπαλιν τιθέναι τὸ μέσον (i e τȣ μέσȣ et τȣ ἄκρȣ alterius locum inter se commutare) Αγ13. 78 b7. ἀνάπαλιν λαμβάνειν τὴν πρότασιν, ἀνάπαλιν τῇ κατηγορίᾳ τὴν πρότασιν λαβεῖν (i e μεταλλαγῇ τῶν τῆς προτάσεως ὅρων) Αβ5. 58 a35, 26, 57 b19, 24. cf α28. 44 a4. ἀνάπαλιν ἡ ἀκολȣθησις (i e μεταλλαγέντων τῶν ὅρων), opp ἐπὶ ταȣτα τβ8. 113 b21, 19, 16, 28, 34. — 3. ἀνάπαλιν i q ἡ εἰς ἀντίφασιν μετάληψις, cf ἀντιστρέφειν 2. Αγ16. 79 b35. τβ7. 112 b33. — 4. omnino fere i q ἐναντίως· γιγνόμενα εἰς, ἀνάπαλιν συμβαίνοντα Ηα11. 1100 b28. cf Φθ1. 251 a33. Ρβ23. 1399 b15. ρ26. 1435 b15. — interdum ἀνάπαλιν elliptice ita usurpatur, ut universale quoddam verbum γίγνεται, συμβαίνει, ποιεῖ al omittatur, ἐπὶ δὲ τῶν φοβερῶν ἀνάπαλιν Ηγ15. 1119 a27. cf ε7. 1131 b20. θ16. 1163 a33. ἡ δὲ κραγγὼν τὸ ἀνάπαλιν Ζιδ2. 525 b21.

ἀναπάλλειν. τῶν σεισμῶν οἱ ἀναπάλλοντες κ4. 396 a9.

ἀνάπαλσις. ταῖς εἰς ἑκάτερον ἐγκλίσει κ̣ ἀναπάλσεσι κ4. 396 a9.

ἀναπαύειν. ἡ ὁμοιότης ȣκ ἀναπαύει τὰ μέρη πε1. 880 b22. — ἀναπαύεσθαι περιεσταλμένον δεῖ τὸν πυρέττοντα πα55. 866 a25.

ἀνάπαυσις. μεθ' ἡδονῆς, ὠφέλιμον, σῴζει ἡ ἀνάπαυσις υ2. 455 b18. 3. 458 a32. Πθ3. 1337 b38. τῇ ψυχῇ ἐστιν ἡ ἀνάπαυσις ἡ περὶ τὸν ὕπνον γενομένη τῇ σώματος ἄνεσις Οβ1. 284 a33. υ2. 455 b21. ἡ παιδιὰ χάριν ἀναπαύσεως ἐστιν Πθ3. 1337 b39. 5. 1339 b15, a16. Ηδ14. 1128 b3. η8. 1150 b17. κ6. 1176 b34. ἀνάπαυσις συντονίας Πθ7. 1341 b41. πορίζειν αὑτοῖς ἀναπαύσεις μεθ' ἡδονῆς Ηθ11. 1160 b24. coni ῥαθυμίαι, ἀμέλειαι Ρα11. 1370 a15. τὴν ἀνάπαυσιν ἔχειν περὶ τὰς θεὰς Πη9. 1329 a32. — ποιεῖσθαι ἀνάπαυσιν τῶν δρόμων Ζιζ29. 579 b13. coni syn καθέδρα Ζμδ10. 689 b16, 20.

ἀναπείθειν c inf Πε4. 1303 b25.

ἀναπείρειν. ἀναπαρῆναι ἐπὶ τὸν ὀβελίσκον θ63. 835 a18.

ἀναπέμπειν πῦρ, φλόγα πυρός θ105. 840 a1. 114. 841 a21. — ἀνέπεμπον (οἱ διαιτηταὶ) ἐπὶ τὸς δικαστάς f414. 1547 a37.

ἀναπετάννυσθαι. τόπος ἀναπεπταμένος μβ5. 363 a16. πκγ16. 933 a29. κς30. 943 b6. πελάγει ἀναπεπταμένῳ πκγ40. 945 a1. ὄμματα ἀναπεπταμένα πλα8. 958 a39. 15. 958 b37.

ἀναπέτεσθαι εἰς τὸ ὕψος Ζμβ13. 657 b27, εἰς τὸ πέλαγος Ζιι12. 615 b2. ἀναπετόμεναι ὅταν σοβήσῃ τις Ζιε30. 556 b14. ἀναπέτονται κ̣ ᾄδȣσι Ζιθ17. 601 a9. ἀναπτᾶσα ἡ πέρδιξ Ζιη8. 613 b20.

ἀναπηδᾶν. ἄρκτοι ἐπὶ τὰ δένδρα ἀναπηδῶσιν Ζιϛ6. 611 b34. ὕδωρ ἀναπηδᾷ Ζιθ11. 596 b18. θ138. 844 b11. 127. 842 b16.

ἀναπήδησις τῆς καρδίας, def dist σφύξις αν20. 480 a13, 14.

ἀναπηνίζεσθαι. τὰ βομβύκια ἀναλύȣσιν ἀναπηνιζόμεναι

Ζιε19. 551 ᵇ14. τὸ τῆς πέρκης κύημα ἀναπηνίζονται οἱ ἁλιεῖς Ζιζ14. 568 ᵃ24.

ἀναπηρία, κακὸν ἢ ἡ τύχη αἰτία Ρβ8. 1386 ᵃ11. τὸ τέρας ἀναπηρία τις ἐστὶν Ζγδ3. 769 ᵇ30. ὥσπερ ἀναπηρία φυσικὴ ἡ θηλύτης Ζγδ6. 775 ᵃ15. — ἡ τῆς γλώττης ἀναπηρία Ζμβ17. 660 ᵇ26. ἡ ἀναπηρία τῶν σκελῶν πδ31. 880 ᵇ6. ι24. 893 ᵇ15.

ἀνάπηρος. ὁ ἀσθενὴς ⟨κ⟩ ἀνάπηρος, opp ὁ ὑγιὴς ⟨κ⟩ ὁλόκληρος ηεη15. 1248 ᵇ33. ἀνάπηρα ζῷα Ζδ4. 773 ᵃ13. coni τέρατα Ζγδ3. 769 ᵇ24. τὸ σπέρμα ἀποτελεῖ ἢ χεῖρον ἢ ἀνάπηρον τὸ γιγνόμενον Ζγβ6. 743 ᵃ30. ὁ κίγχλος ἀνάπηρος· ἀκρατὴς γὰρ τῶν ὄπισθέν ἐστιν Ζιι12. 615 ᵃ23. τὸ τῶν ὀστρακοδέρμων γένος οἷον ἀνάπηρον ἐστιν Ζπ18. 714 ᵇ10. ὁ γίννος ἡμίονος ἀνάπηρος Ζγβ8. 748 ᵇ34. ἀνάπηρα ἐν ἀνθρώποις τὰ ἄρρενα μᾶλλον τῶν θηλέων Ζγδ6. 775 ᵃ4. γίνονται ἐξ ἀναπήρων ἀνάπηροι Ζιη6. 585 ᵇ29.

ἀναπηρῦσθαι πλβ6. 960 ᵇ37.

ἀναπιμπλάναι. τὸ ὕδωρ ἀναπίμπλησι πκε12. 939 ᵃ29. τὸ πῦρ τὸν κέραμον ἀναπίμπλα πλη8. 967 ᵇ4.

ἀναπίνειν. ἡ σκαμμωνία μετὰ τῦ ποτῦ ἀναπίνεται εἰς τὰς πόρυς πα43. 864 ᵇ22.

ἀναπίπτειν. οἱ κητώδεις ὕπτιοι ἀναπίπτοντες λαμβάνυσι (τὴν θήραν) Ζιθ2. 591 ᵇ26.

ἀναπλάττειν τὰ κηρία Ζιι40. 624 ᵇ18.

ἀναπλεῖν. εἰς τὰς ποταμὰς ἀναπλέυσι πολλοὶ τῶν ἰχθύων Ζιθ19. 601 ᵇ20. 13. 598 ᵇ15. πλοῖα καταπίνεται ὥστε μηδὲ ναυάγιον ἀναπλεῖν πκγ5. 932 ᵃ1.

ἀνάπλεως. ῥάγες ἀνάπλεω πκ23. 925 ᵇ17. χνῦ ἀνάπλεών τι Ζιθ27. 605 ᵇ15. ὕδωρ μεταξύ, ὃ ἀνάπλεα τὰ ἔσχατα ψβ11. 423 ᵃ27.

ἀναπληρῦν τὴν ἔνδειαν, τὸ προσλεῖπον τῆς φύσεως Πζ4. 1318 ᵇ22. ηι7.1337 ᵃ3. τὰς τῶν ὄψιν ἀμόρφας ἀναπληρῦ ἡ τῦ λέγειν πιθανότης f108. 1495 ᵇ12. ἀναπληρῦν τὸ ὅλον, syn συμπληρῦν Ογ8. 306 ᵇ4, 6. ἡ φύσις ἀναπληροῖ τῆ περιόδῳ τὸ ἀεὶ εἶναι σα3. 1343 ᵇ24. φύσις ἀναπληρυμένη, opp καθεστηκυῖα Ηη13. 1153 ᵃ2-4. ὁ σπόγγος φύεται πάλιν ⟨κ⟩ ἀναπληροῦται (i e τελεῦται) Ζιε16. 548 ᵇ18.

ἀναπληρώματα τῆς γῆς πάλιν γίγνεσθαι ἐν τοῖς ἐξορυσσομένοις τόποις θ44. 833 ᵇ4. f 248. 1523 ᵇ31.

ἀναπλήρωσις, opp ἔνδεια Ηκ2. 1173 ᵇ8 sqq. ἐξ ἐνδείας ἀναπληρώσεις ημβ7. 1205 ᵇ22. ἀναπλήρωσις τῆς ἐνδείας ἡ φυσικὴ ἐπιθυμία Ηγ13. 1118 ᵇ18. τῶν πρὸς ἀναπλήρωσιν τῆς ἐπιθυμίας Ββ7. 1268 ᵃ4. πρὸς ἀναπλήρωσιν τῆς κατὰ φύσιν αὐταρκείας ἡ μεταβλητικὴ Πα9. 1257 ᵃ30. τῦ κατὰ φύσιν ἀναπλήρωσις ἡ ἡδονὴ Ηκ2. 1173 ᵇ9. ημβ7. 1205 ᵇ28.

ἀναπληρωτικὸν τὸ ὑγρὸν διὰ τὸ μὴ ὡρίσθαι μὲν εὐόριστον δ' εἶναι Γβ2. 329 ᵇ34. πκε12. 939 ᵃ31. cf Ζμβ3. 649 ᵇ16.

ἀνάπλυσις ⟨κ⟩ ἔκμαξις εν2. 460 ᵃ17.

ἀναπνεῖν, syn εἰσπνεῖν, δέχεσθαι τὸν ἀέρα, ἕλκειν τὸ πνεῦμα, opp ἐκπνεῖν, dist κατέχειν, δέχεσθαι τὸν ἀέρα ⟨κ⟩ ἀφιέναι, ὃ καλεῖται ἀναπνεῖν ⟨κ⟩ ἐκπνεῖν Ζια1. 487 ᵃ29. cf 11. 492 ᵇ6. Ζμγ3. 664 ᵃ19. αν2. 471 ᵃ10, 15. 3. 471 ᵃ26. 4. 472 ᵇ6. ψβ9. 421 ᵇ14. ἄραντες τὸν τόπον, καθάπερ τὰς φύσας ἐν τοῖς χαλκείοις, ἀναπνέυσιν αν7. 474 ᵃ13. sed ἀναπνεῖν saepe etiam universe usurpatum τὸ εἰσπνεῖν et τὸ ἐκπνεῖν complectitur, ἀνάψυξιν ποιεῖ τὸ ἀναπνεῖν ⟨κ⟩ ἐκπνεῖν αν2. 476 ᵃ17. cf 7. 474 ᵃ8. 5. 472 ᵇ27. πλδ11. 964 ᵃ39 al. — a. (διὰ τίνος ὀργάνυ ἀναπνέυσιν.) ἐκ ἀληθὲς ἀναπνεῖν τὰς αἶγας κατὰ τὰ ὦτα Ζια11. 492 ᵃ14. ἀναπνεῖν ⟨κ⟩ ἐκπνεῖν τῆ ῥινὶ Ζια11. 492 ᵇ6. δελφὶς ⟨κ⟩ φάλαινα ἀναπνέυσι διὰ τῦ αὐλῦ Ζιθ10. 537 ᵇ2. πῶς ὁ ἐλέφας ἀναπνεῖ τῷ μυκτῆρι

Ζμβ16. 659 ᵃ4 sqq. ἀναπνεῖν διὰ τῦ φάρυγγος Ζμγ3. 664 ᵃ19. πάντα τὰ ἀναπνέοντα ἔχει πλεύμονα, τῦ δ' ἀναπνεῖν ὁ πλεύμων ὄργανόν ἐστιν Ζμγ6. 669 ᵃ5, 13. 7. 670 ᵃ29. ὅσα τὸν ἀέρα δεχόμενα ἀναπνεῖ ⟨κ⟩ ἐκπνεῖ, πάντ' ἔχει πνεύμονα ⟨κ⟩ ἀρτηρίαν ⟨κ⟩ στόμαχον Ζιβ15. 506 ᵃ2. ἀναπνεῖ τὰ φανερῶς ἀναπνέοντα διὰ τῆς ἀρτηρίας αν7. 474 ᵃ8. — b. (διὰ τί ἀναπνέυσιν.) καταψύξεως χάριν Ζιθ2. 589 ᵇ15. Ζμγ6. 669 ᵃ5. cf δ13. 697 ᵃ26. υ2. 456 ᵃ8. πλ12. 964 ᵇ5. — c. (πάθη quaedam coniuncta cum τῷ ἀναπνεῖν.) τῶν πεζῶν ὅσα ἀναπνεῖ ἀδυνατεῖ ὀσμᾶσθαι μὴ ἀναπνέοντα· πῶς ὀσμᾶται τὰ μὴ ἀναπνέοντα ψβ7. 419 ᵇ1. 9. 421 ᵇ14, 20, 422 ᵃ4. τῷ ἀναπνεομένῳ καταχρῆται ἡ φύσις ἐπὶ δύο ἔργα, πρὸς τὴν θερμότητα τὴν ἐντὸς ὡς ἀναγκαῖον ⟨κ⟩ πρὸς τὴν φωνήν· μὴ δύνασθαι φωνεῖν ἀναπνέοντα μηδ' ἀναπνέοντα, ἀλλὰ κατέχοντα ψβ8. 420 ᵇ17, 421 ᵃ2. ἀναπνέοντες ἐχ ἅμα καταδέχονται τὴν τροφὴν αν11. 476 ᵃ28. (διὰ τί, ἐὰν μείζω ψωμὸν καταπίωμεν, πνιγόμεθα πλδ9. 964 ᵃ26.) διὰ τί οἱ μὴ σφόδρα συντόνως ῥέοντες ἐν ῥυθμῷ ἀναπνέυσιν πε16. 882 ᵃ2. ἀλεαζοντες πολλάκις ἀναπνέυσιν αν4. 472 ᵇ4. πυκνότερα, πυκνὸν γὰρ ἀναπνεῖ Ρα2. 1357 ᵇ19. — d. (τῦ ἀναπνεῖν ἀρχή, τελευτή.) τὰ ἀναπνέοντα ⟨κ⟩ ἐν τῆ μήτρᾳ λαμβάνοντα διάρθρωσιν ἐκ ἀναπνεῖ, πρὶν ἢ ὁ πλεύμων λάβῃ τέλος Ζγβ6. 742 ᵃ5. ἐν τῷ ἐκ τῷ ὠῷ γενέσει ἡ καρδία ἅμα τῷ ὀμφαλῷ ἀναφυσᾷ ὡς ἀναπνέοντα Ζιζ3. 562 ᵃ20. τὸ ἀναπνεῖν κύριον τῦ ζῆν αν5. 472 ᵇ27. cf Μδ5. 1015 ᵃ21. ψα5. 410 ᵇ29. Ζιθ2. 589 ᵃ29, ᵇ7. τὰ ἀναπνέοντα ἀποπνίγεται, ἐὰν περιπωμασθῇ ὀλίγος ἀὴρ Ζιθ2. 592 ᵃ22. cf Ζμγ3. 664 ᵇ31 (πνιγμὸς προσφερομένης τῆς τροφῆς). — e. (ζῷα ἀναπνέοντα, ὡς ἀληθὲς πάντα τὰ ζῷα ἀναπνεῖν αν1. 470 ᵇ10. ψα5. 411 ᵃ1. ἀναπνεῖ πάντα ὅσα ἔχει φυσητῆρα ⟨κ⟩ δέχεται τὸν ἀέρα· πλεύμονα γὰρ ἔχυσιν Ζιζ12. 566 ᵇ13. ἀναπνεῖ τὰ πεζὰ πάντα, ἔνια δὲ ⟨κ⟩ τῶν ἐνύδρων Ζμγ6. 669 ᵃ5. ὅθεν ζῳοτοκεῖ ἐν αὑτῷ τὰ ⟨κ⟩ ἀναπνέοντα Ζγβ1. 732 ᵇ30. ἀδύνατον τὰ αὐτὰ ἀναπνεῖν ⟨κ⟩ βράγχια ἔχειν Ζμδ13. 697 ᵃ21. cf ψβ8. 421 ᵃ4. τὰ αἵματα ἐκ ἀναπνέυσιν Ζμδ5. 678 ᵇ1. τὰ ἔντομα ἐκ ἀναπνεῖ Ζιθ9. 535 ᵇ5. ζῷα ἅτ' ἀναπνέει ἔτε δεχόμενα τὸ ὕδωρ Ζιθ2. 589 ᵃ16. — formae ἀναπνέει, ἀναπνέειν exhibentur Αγ13. 78 ᵇ15, 16, sed ἀναπνεῖ, ἀναπνεῖν Αγ13. 78 ᵇ17, 27 et alibi. — ἀναπνευστὸς ὁ ἀὴρ πε5. 135 ᵃ33, 36. 9. 138 ᵇ31 sqq.

ἀνάπνευσις. ἅμα δ' ἡ ἀνάπνευσις ⟨κ⟩ ἔκπνευσις γίνεται εἰς τὸ στῆθος Ζια11. 492 ᵇ8. ἡ ἀνάπνευσις ψόφον τινὰ παρέχει πια48. 904 ᵇ12.

ἀναπνευστικός. ὁ ἀναπνευστικὸς τόπος αι5. 445 ᵃ27. τὰ μὴ ἀναπνευστικὰ (ζῷα) πν2. 482 ᵃ8. ἥ γε σφυγμώδης ⟨κ⟩ ἀναπνευστικὴ (τροφή?) πν4. 483 ᵃ12.

ἀναπνοή. 1. respiratio, opp ἐκπνοή: καλεῖται ἡ μὲν εἴσοδος τῦ ἀέρος ἀναπνοή, ἡ δ' ἔξοδος ἐκπνοή αν21. 480 ᵇ10. sed saepe ἀναπνοή (cf ἀναπνεῖν) utrumque, τὴν εἴσπνοὴν et τὴν ἐκπνοὴν complectitur, ἀναπνοὴ καλεῖται, ταύτης δὲ τὸ μὲν ἐκπνοή ἐστι τὸ δ' εἴσπνοή αν2. 471 ᵃ7. ἡ ἀναπνοὴ πάθος τι ⟨κ⟩ διάθεσις Ζμα1. 639 ᵃ20, κίνησις ἀκώσις Ζκ11. 703 ᵇ9. — a. (τῆς ἀναπνοῆς ὄργανα.) δεῖ εἶναί τινα κοινὸν οἷον αὐλῶνα, δι' ὗ μερίζεται τὸ πνεῦμα κατὰ τὰς ἀρτηρίας εἰς τὰς σύριγγας, διμερὴς ὢν Ζμγ3. 664 ᵃ29. ἀρτηρία, δι' ἧς ἡ φωνὴ ⟨κ⟩ ἡ ἀναπνοὴ Ζμα12. 493 ᵃ8. Ζμγ3. 665 ᵃ16. cf αν7. 473 ᵃ19. ὁ φάρυγξ ⟨κ⟩ ἡ ἀρτηρία ⟨κ⟩ μόνον ἀναπνοῆς ἕνεκεν Ζμγ3. 664 ᵇ1. ὄργανον τῆ ἀναπνοῆ ὁ φάρυγξ· ᵇ δ' ἕνεκα ⟨κ⟩ τὸ μόριόν ἐστι τῦτο ὁ πλεύμων ψβ8. 420 ᵇ23, 25. Ζμγ6. 669 ᵇ8. ⟨κ⟩ τῷ στόματι χρῆται ἡ φύσις πρὸς ἀναπνοὴν αν11. 476 ᵃ20. Ζμγ1. 662 ᵃ17, 25. (ζῷα τινά, οἷον βάτραχοι, κα-

θεύθει ἐν τῷ ὑγρῷ ὑπερέχοντα τὸ στόμα διὰ τὴν ἀναπνοὴν
αν10. 475 ᵇ31. τὰ κητώδη ἐπιπολάζει ἐπὶ τῆς θαλάττης διὰ
τὴν ἀναπνοὴν αν12. 476 ᵇ23. ἔστι διὰ τῆς ἀρτηρίας ἐκ τῶν
στηθῶν ἡ ἀναπνοή, ᶜ ἡ διὰ τῶν μυκτήρων· ὐκ ἴδιος μυκτή-
ρων, ἀλλὰ περὶ τὸν αὐλῶνα τὸν περὶ τὸν γαργαρεῶνα αν7.
473 ᵃ19-25, 474 ᵃ19. cf Ζια11. 492 ᵇ11. πλγ1. 961 ᵇ18.
οἶον τοῖς κολυμβηταῖς ἔνιοι πρὸς τὴν ἀναπνοὴν ὄργανα πορί-
ζονται (cf πλβ5. 960 ᵇ27, 31), τοιῦτον ἡ φύσις τὸ τῦ μυ-
κτῆρος μέγεθος ἐποίησε τοῖς ἐλέφασιν Ζμβ16. 659 ᵃ9, 30.
Ζυ46. 630 ᵇ29. — b. (διὰ τί ἡ ἀναπνοή.) Ζμα1. 642 ᵃ31.
τὴν κατάψυξιν ποιεῖται διὰ τῆς ἀναπνοῆς, ὅσα μὴ μόνον
ἔχυσι καρδίαν ἀλλὰ ᶜ πνεύμονα τῶν ζῴων αν16. 478 ᵃ30.
δεῖται τῆς ἀναπνοῆς ὁ περὶ τὴν καρδίαν τόπος πρῶτος ψβ8.
420 ᵇ25. αν20. 479 ᵇ19. διὰ τί τὰ ἔχοντα πνεύμονα δεῖται
τῆς ἀναπνοῆς αν13. 477 ᵃ15. ἄτοπον τῦ θερμῦ τὴν ἀναπνοὴν
εἴσοδον εἶναι· ὐδὲ τροφῆς χάριν ὑπολητέον γίνεσθαι τὴν ἀνα-
πνοὴν αν5. 472 ᵇ33. 6. 473 ᵃ4. κατακέχρηται ἡ φύσις τῇ
ἀναπνοῇ ἐπὶ δύο, ὡς ἔργῳ μὲν ἐπὶ τὴν εἰς τὸν θώρακα βοή-
θειαν, ὡς παρέργῳ δ᾽ ἐπὶ τὴν ψύξιν αν5. 444 ᵃ19, 25. αν7.
473 ᵃ19-25. Ζμβ10. 657 ᵃ7. (cf αἱ ἐκ τῦ θώρακος ὀσμαὶ
ποιῦσιν αἴσθησιν διὰ τῆς ἀναπνοῆς Ζγβ7. 747 ᵃ22.) — c (ἀνα-
πνοῆς ἀρχή. τελευτή.) ἔσωθεν ἡ ἀρχὴ τῆς ἀναπνοῆς γίνεται
αν4. 472 ᵃ23. ἡ ἀναπνοὴ γίνεται αὐξανομένυ τῦ θερμῦ, ἐν
ᾗ ἡ ἀρχὴ ᶜ θρεπτικὴ αν21. 480 ᵃ16. ἐνίοις τῶν ζῴων (cf
αν1) διὰ ἀναπνοῆς συμβαίνει τὸ ζῆν ᶜ τὸ μὴ ζῆν ζ1. 467
ᵇ12. τῦ ζῆν ὅρον εἶναι τὴν ἀναπνοήν· τὴν ψυχὴν καλεῖσθαι
διὰ τὴν ἀναπνοὴν ᶜ τὴν κατάψυξιν ψα2. 404 ᵃ10, 405 ᵇ28.
ἐὰν ἡ τῦ θερμῦ ἄθροισις ἐπὶ τὰς ἀρχὰς τῆς ἀναπνοῆς ἔλθῃ,
ἀφωνία ᶜ ἀδυναμία συμβαίνει πη9. 888 ᵃ7. διὰ τί ὅταν
μείζονα ψωμὸν καταπίωμεν, ἡ ἀναπνοὴ συμφράττει (συμ-
φράττεται?) ὥστε πνίγεσθαι πλθ9. 964 ᵃ31. — d. (τῆς
ἀναπνοῆς διαφοραί.) τὰ ἔναιμον ἔχοντα τὸν πλεύμονα πάντα
μᾶλλον δεῖται τῆς ἀναπνοῆς διὰ τὸ πλῆθος τῆς θερμότητος
αν1. 470 ᵇ24. ἐν ταῖς ἀλέαις θερμαινόμενοι μᾶλλον ᶜ τῆς
ἀναπνοῆς μᾶλλον δεόμεθα αν4. 472 ᵃ31, ᵇ3. εἰ μόνοις τὸ
τῆς ἀναπνοῆς ὑπάρχει τοῖς πεζοῖς λεκτέον τὴν αἰτίαν τῦ
μόνοις αν5. 472 ᵇ9. τὰ φολιδωτὰ τῇ ἀναπνοῇ χρῆται μανό-
τερον αν10. 475 ᵇ25. — e. περὶ τῆς ἀναπνοῆς ὀλίγοι τινὲς
τῶν πρότερον φυσικῶν εἰρήκασιν αν1. 470 ᵇ6. cf αν2-7. De-
mocriti sententia examinatur αν2. 470 ᵇ28. 4. 471 ᵇ30, 472
ᵃ6, Empedoclis αν7. 473 ᵃ1, 15 sqq. — 2. πυρὶ ἐὰν ἀνα-
πνοὴν μὴ διδῷς, σβέννυται πα55. 866 ᵃ20. πυρὸς πηγαὶ ὑπὸ
γῆν, ἀναπνοὰς ἔχυσαι ᶜ ἀναφυσήσεις κ4. 395 ᵇ20. σειομέ-
νης τῆς γῆς διεξάττυσιν αἱ τῶν πνευμάτων παρεμπτώσεις
κατὰ τὰ ῥήγματα τὰς ἀναπνοὰς ἰσχυσαι κ5. 397 ᵃ32. τὰ
ἄνθη ἡδίστην τοῖς ὁδοιπόροῦσι προσβάλλειν τὴν ἀναπνοὴν θ113.
841 ᵃ14. γίνεται ἡ αὔρα ᶜ ἡ ἀναπνοή (fort ἀποπνοή, cf ᵃ27.
πκς30. 943 ᵇ12) θερμαινομένων ᶜ ψυχομένων τῶν ὑγρῶν
πκγ16. 933 ᵃ35.

ἀνάπνοια i q ἀναπνοή. ἀνάπνοια ταύτῃ γίνεται τῷ ὑγρῷ πλγ8.
962 ᵃ26 (cf ἀναπνοὴ ταύτῃ γίνεται τῷ ὑγρῷ πλα1. 957
ᵃ39).

ἀναπόδεικτος. δεῖ προσέχειν τῶν ἐμπείρων ταῖς ἀναποδείκτοις
φάσεσιν Ηζ12. 1143 ᵇ12. ὅρκος ἐστὶ μετὰ θείας προσλή-
ψεως φάσις ἀναπόδεικτος ρ18. 1432 ᵃ33. — ἀναπόδεικτα,
syn ἄμεσα Αγ2. 71 ᵇ27, 21. ἐκ πρώτων ἀναποδείκτων ἡ
ἀπόδειξις Αγ2. 71 ᵇ27. ἀναπόδεικτος ἡ τῶν ἀμέσων ἐπι-
στήμη Αγ3. 72 ᵇ20, 22. ἀναπόδεικτοι ὁρισμοὶ τὰ πρῶτα
ἔσονται Αδ3. 90 ᵇ27. ἀναπόδεικτοι αἱ ἀρχαὶ ημα35. 1197
ᵃ22. πρότασις ἀναπόδεικτος Αβ1. 53 ᵇ1. 2. 5. 57 ᵇ33. ἀναπό-
δεικτον εἴληπται Αβ1. 53 ᵃ32.

ἀναπόδοτος ὁδὸς ἡ δωρεὰ τὸ4. 125 ᵃ18.
ἀναπόδραστος αἰτία ἡ Ἀδράστεια κ7. 401 ᵇ13.
ἀναπόλυτος. ἀναπόλυτα ὀστρακόδερμα, opp ἀπολελυμένα
Ζιθ13. 599 ᵃ15.
ἀνάπτειν. 1. ὧν τὰς λόγυς εἰς τὰς ἀριθμὺς ἀνῆπτον Μμ4.
1078 ᵇ22. Μανδροβύλος τῇ Ἥρᾳ πρόβατον ἀνάθημα ἀνῆψεν
f 532. 1566 ᵇ26. — 2. τὸν νῦν ὁ θεὸς φῶς ἀνῆψεν ἐν τῇ
ψυχῇ Ργ10. 1411 ᵇ12. — intr ἀναλάμπυσι ᶜ ἀνάπτυσι
κάλλιον θ115. 841 ᵃ32.
ἄναπτος, opp ἁπτός, def ψβ11. 424 ᵃ12.
ἀνάπτυξις τῦ στόματος Ζμγ1. 662 ᵃ29. ἡ ἐκ τῦ ἀέρος ἀνά-
πτυξις φτβ7. 827 ᵃ31. — ἀνάπτυξις ἡ ἄλλη διαίρεσις ρ26.
1435 ᵇ18.
ἀναπτύσσεσθαι, opp ἐπιπτύσσεσθαι Ζμγ3. 664 ᵇ27, 28.
(ὁ τεῦθος, ὁ πολύπης) ἀναπτυχθεὶς ποίαν ἔχει κοιλίαν sim
f 319. 1532 ᵃ17. 315. 1531 ᵇ3. ὄμμα ἀνεπτυγμένον ᶜ λαμ-
πρόν, opp συμμύον φ3. 807 ᵇ1, 29. — ἀνάπτυκτος. τῶν
διθύρων ὀστρακοδέρμων τὰ μέν ἐστιν ἀνάπτυκτα, οἷον κτένες
ᶜ μύες· τὰ θάτερα γὰρ συγκέκλεισται, ὥστε ἀνοίγεσθαι ἐπὶ
θάτερα ᶜ συγκλείεσθαι Ζμδ7. 683 ᵇ15. cf Μ p 192.
ἀνάπτυχος. τῶν διθύρων τὰ μέν ἐστιν ἀνάπτυχα Ζιδ4.
528 ᵃ14.
ἀναπυρῦν. ἀναπυρωθὲν κ4. 395 ᵃ22.
ἀνάρβυλος. (Eur fr 534, 7) f 64. 1486 ᵇ20.
ἀναρθρία θηλυκή πιθ6. 894 ᵇ21.
ἄναρθρος. ἄναρθρα τὰ νέα μᾶλλον ᶜ ἄνευρα Ζγε7. 787 ᵇ12.
ἀνευρότερον ᶜ ἀναρθρότερον τὸ θῆλυ Ζιθ11. 538 ᵇ7. τὸ κύημα
τὸν ἔμπροσθεν χρόνον ἄναρθρον συνέστηκε κρεῶδες Ζιη3. 583
ᵇ10. φ6. 810 ᵇ27. ὦμοι ἀσθενεῖς ἄναρθροι, opp ἐξηρθρω-
μένοι φ6. 810 ᵇ37, 35. cf ᵃ18. 5. 810 ᵃ6. τῆς χειρὸς τὸ εἴσω
ἀναρθρότατον πι49. 896 ᵇ3. λθ10. 964 ᵃ38. τὰ ἄναρθρα βρα-
χύβια ᶜ ἀσθενῆ πι49. 896 ᵃ38. λθ10. 964 ᵃ34.
ἀναρίθμητος Οβ12. 292 ᵃ12. αβ2. 355 ᵇ22. θι19. 841 ᵇ29.
τὸ ἄπειρον ᶜ ἀναρίθμητον ταὐτόν πλ4. 955 ᵇ11.
ἀνάριθμος. τὰ δὲ ἄλλας ἀναρίθμυς ἔχοντα διαφοράς f 202.
1514 ᵇ29.
ἀναρμοστία. φθείρεται τὸ ἡρμοσμένον εἰς ἀναρμοστίαν Φα5.
188 ᵇ14. τῇ ἁρμονίᾳ τὸ ἐναντίον ἀναρμοστία· ἀναρμοστία
τῦ ἐμψύχυ σώματος νόσος ᶜ ἀσθένεια ᶜ αἶσχος f 41.
1481 ᵇ42, 1482 ᵃ8.
ἀνάρμοστος. ἀκοὴ τῶν εὐαρμόστων ᶜ ἀναρμόστων ηεγ2.
1230 ᵇ28. λυπεῖ ᶜ φαίνεται ἀνάρμοστον πιθ20. 919 ᵃ16.
χορδὴ ἀνάρμοστος πιθ36. 920 ᵇ13. — ταῦτα χορῷ μὲν ἀνάρ-
μοστα, τοῖς δ᾽ ἀπὸ σκηνῆς οἰκειότερα πιθ48. 922 ᵇ16. λόγος
ἀνάρμοστος φτα2. 817 ᵇ38. — universe πᾶν τὸ ἡρμοσμένον
ἐξ ἀναρμόστυ γίγνεται (cf ἀναρμοστία, ἀρρύθμιστον) Φα5.
188 ᵇ12.
ἀναρραίνειν κρυνόν (trans an intr?) θ114. 841 ᵃ22.
ἀναρρηγνύναι. ἀναρρήξαντες τὴν εἴσοδυσιν θ99. 838 ᵇ8. —
ἀναρρήγνυσθαι τὰς πόρυς χ3. 793 ᵃ29. τὰς μυκτῆρας ἀναρ-
ραγῆναι Ζμα1. 640 ᵇ15. τῶν ἐν Αἴτνῃ κρατήρων ἀναρρα-
γέντων κ6. 400 ᵃ33. θ154. 846 ᵃ9. ᶜ ὕδατα ἀνερραγη γιγνο-
μένων σεισμῶν μβ8. 368 ᵃ26. ἀναρργνυμένα τῦ φωτὸς ἐκ
κυανέυ ᶜ μέλανος μα6. 342 ᵇ14. — στόμα ἀνερρωγός, opp
συστομώτερον, μύρον Ζμγ1. 662 ᵃ27. δ13. 696 ᵇ34. Ζιβ7.
502 ᵃ6. 13. 505 ᵃ32. f 307. 1530 ᵃ24. ἀνέρρωγεν ἐπὶ πολὺ
τὸ αἰδοῖον Ζιβ1. 500 ᵇ13.
ἀνάρρινον πκ22. 925 ᵃ30. (Antirrhinum maius L?).
ἀναρριπίζειν. τῶν δεδειπνηκότων τὸν μὲν περίπατον ἀναρρι-
πίζειν τὸ θερμόν, τὸν δὲ ὕπνον καταπνίγειν f 224. 1518 ᵇ44.

ἀναρρίπτειν τὴν κόνιν Ζιι45. 630 ᵇ5. ἡ κρήνη ἀναρρίπτει ὕδωρ θ37. 834 ᵇ8. — ἀναρρίπτειν. ἀναρριπτῶμεν ἄνω τὸ σῶμα πε19. 882 ᵇ27. αἱ πηγαὶ ἀναρριπτῦσι μύδρυς κ4. 395 ᵇ23.

ἀναρρίχησις. ἐπιδείξασθαι τὴν ἐπὶ τῆς οἴκυς ἀναρρίχησιν f 73. 1488 ᵃ13.

ἀνάρροια τῆς θαλάσσης θ130. 843 ᵃ27.

ἀναρροφήσασα ἡ Χάρυβδις μβ3. 356 ᵇ13.

ἀναρτᾶν. ἀνήρτηται ἀπ' ἄκρου Ζιβ17. 507 ᵃ5.

ἀναρχία ᾳ ἀταξία Πε3. 1302 ᵇ29, 31. ἀναρχία δύλων ᾳ γυναικῶν Πζ4. 1319 ᵇ28.

ἄναρχος. ζῷα ἄναρχα, opp ὑφ' ἡγεμόνα Ζια1. 488 ᵃ11, 13. ε22. 553 ᵇ17.

ἀνάσιλον (ci Sylb, codd et Bk ἂν ἄσιλον) φ5. 809 ᵇ24.

ἀνάσιμος. ὁ ἐλέφας ὀδόντας ἔχει ἀνασίμυς Ζιβ5. 501 ᵇ33. πλοῖα ἀνάσιμα πκγ5. 932 ᵃ18.

ἀνασκάπτεσθαι θ73. 835 ᵇ22.

ἀνασκευάζειν, syn ἀναιρεῖν, opp κατασκευάζειν ν s κατασκευάζειν. ἀνασκευάσαι καθόλυ Αβ8. 59 ᵇ17, cf ᵇ10. ἀνασκευάζειν ἀπό τινος, opp κατασκευάζειν κατά τινος Αα30. 46 ᵃ14.

ἀνασκευαστικοὶ τόποι τη2. 152 ᵇ37. — ἀνασκευαστικῶς δείκνυσθαι Αα46. 52 ᵃ38.

ἀνασπᾶν. opp πιέζειν μχ17. 853 ᵃ22. τὸ ἀνεσπασμένον μόριον τῦ ζυγᾶ μχ2. 850 ᵃ10. ἀνασπᾶν δένδρα Ζιβ1. 497 ᵇ29. Ζμβ16. 659 ᵃ1. τὰ ἐκ τῆς γῆς ἀνασπώμενα πδ8. 877 ᵃ37. cf Ζιθ1. 588 ᵇ15. ἀνασπᾶν εἰς αὐτὸ τὸ ὑγρόν, syn ἕλκειν εἰς ἑαυτό μδ3. 380 ᵇ22, 24. ἀνασπᾶν ὕδωρ, ποτόν, τροφήν αν12. 476 ᵇ27. Ζιβ16. 495 ᵃ26. Ζμβ17. 661 ᵃ19. — ἀνεσπάσθαι ἐκ τῆς εὐθυωρίας πιγ10. 908 ᵇ31. αἱ ἄκραι ἀνεσπασμέναι φαίνονται μγ4. 373 ᵇ10. γαστροκνημία ἀνεσπασμένη, opp κατεσπασμένη Ζια15. 494 ᵃ8. φ3. 807 ᵇ6, 22. ἀνεσπάσθαι ἀνώτερον τὸν δεξιὸν νεφρὸν Ζμγ9. 671 ᵇ34. ἀνασπᾶν τὴν ὑστέραν, τὰς ὄρχεις, τὰ αἰδοῖα Ζγα4. 717 ᵇ13. 11. 719 ᵃ19. δ4. 773 ᵃ23. 5. 774 ᵃ9. πκζ7. 948 ᵇ11 (syn συσπᾶν ᵇ10). τὰς πόρυς ἀνεσπάσθαι Ζγα4. 717 ᵇ4.

ἄνασσα. τῦ βασιλέως αἱ ἀδελφαὶ ᾳ γυναῖκες καλῦνται ἄνασσαι f 483. 1557 ᵃ19.

ἀνάσσειν κώρας (Eur fr 700) Ργ2. 1405 ᵃ29.

ἀνάστασις. πόδες ἀναστάσεως χάριν πν8. 484 ᵃ18. ἡ ἀνάστασις τῦ Μενελάυ (i ε τὸ ἀναστῆναι τὸν Μενέλαον) f 151. 1503 ᵇ28.

ἀναστεῖλον. οἱ τῦ μετώπυ τὸ πρὸς τῇ κεφαλῇ ἀναστεῖλον ἔχοντες ἐλευθέριοι φ6. 812 ᵇ35.

ἀναστέλλειν τὰς ῥίζας ἄνω Ζιι50. 632 ᵃ17. οἱ ἄλλοι ἄνεμοι, ὅθεν ἂν πνέωσιν, ἐνταῦθα ἀναστέλλυσι τὰ νέφη πκς 29. 943 ᵃ35.

ἀναστομῦν. οἱ πόροι ἀναστομῦνται Ζιη1. 581 ᵇ19. Ζγγ1. 751 ᵃ2. πδ12. 877 ᵇ34. opp συμμεμύκασι πβ8. 867 ᵃ17. ὑστέρα ἀνεστομωμένη Ζικ2. 635 ᵃ12, 18, 22. τῶν φλεβῶν ἀναστομωθέντων Ζμγ5. 668 ᵇ5. Ὠκεανὸς κατὰ στενοπόρυς αὐχένας ἀνεστομωμένος χ3. 393 ᵃ22.

ἀναστρέφεσθαι. ἡ σηπία ἀναστρέφεται (redit, se recipit) εἰς τὸν θόλον Ζιη7. 621 ᵇ34. — ἀναστρέφεσθαι ἐν φανερῷ Ρβ6. 1385 ᵃ8. ὕτωσὶ ἀναστρέφεσθαι Ηβ1. 1103 ᵇ20. — τὴν φάλαγγα πᾶσαν γενέσθαι μοχλὸν ἀνεστραμμένον μχ20. 854 ᵃ10. — ἀνεστραμμένως νεη10. 1242 ᵇ7 (ἀντεστραμμένως Fr c cod Mᵇ).

ἀναστροφή. ὅταν δελφῖσι μακρὰ γίνηται ἡ ἀναστροφή (reditus) Ζιι48. 631 ᵃ26. ἡ τροπαία οἷον ἀναστροφή ἀπογείας πκς5. 940 ᵇ23. — ἀναστροφὰς ποιεῖσθαι ὄφεων σπειράματι παρομοίας θ130. 843 ᵃ30.

ἀνάσχεσις. πρὸς ταῖς ἀνασχέσεσι τῦ ἡλίυ, opp δύσις χ3. 893 ᵇ2, ᵃ17.

ἀνάσχετος. Ἀνάσχετος ὐκ ἀνάσχετος Ργ11. 1412 ᵇ12. Ἀνάσχετος Ργ11. 1412 ᵇ12 (ἄσχετος Bk).

ἀνασχίζειν. ἄν τις ἀνασχίσῃ τὸ ᾠὸν Ζιζ3. 562 ᵃ15. τὸ ἔμβρυον ἀνασχιζόμενον Ζιζ22. 577 ᵃ5. ἀνασχίζειν τὰς κυάδας Ηδ6. 1148 ᵇ20, τὲς μῦς ᾳ26. 832 ᵃ25. ἀνασχισθεῖσαι ἐντὸς πόρυς ἔχυσι Ζιζ16. 570 ᵃ5.

ἀνασώζειν οβ 1353 ᵃ3. ἀνασῶσαι φίλον ἀλλοιωθέντα Ηι3. 1165 ᵇ22. ἀνασώζηται (ἀνασώζῃ τὰ cod L) ἐναντία ὄντα αν14. 477 ᵇ4.

ἀναταράσσειν. ἐν τοῖς θολώδεσιν ἀναταράξας κρύπτει ἑαυτόν Ζιι37. 620 ᵇ16.

ἀνατείνειν. trans ἀνατείνομεν τὰς χεῖρας κ6. 400 ᵃ16. ἡ ὄψις πόρρω ἀνατεινομένη πιε12. 912 ᵇ34. οἱ νόμοι ὄρθιοι ᾳ οἱ ὀξεῖς χαλεποί εἰσι διὰ τὸ ἀνατετάμενοι εἶναι πιθ37. 920 ᵇ20 (syn ἄνω ᵇ19). — intr ᾗ τὸ ἔντερον ἀνατείνει 1. 524 ᵇ19.

ἀνατέλλειν. 1. ἥλιος, Ὠρίων ἀνατέλλων ᾳ δύνων Οβ8. 290 ᵃ15. 13. 294 ᵃ1. μβ5. 361 ᵇ31. γ2. 371 ᵇ27. — 2. οἱ ὀδόντες ἀνατέλλυσιν. ἀνατεῖλαι τὰς ὀδόντας Ζγε8. 789 ᵃ17. Ζιβ4. 501 ᵇ29. Φβ8. 198 ᵇ24. ὅσα γενρὰ ᵇίαν τῶν ἀνατελλόντων γίνεται σκληρὰ οἷον ὄνυχες ᾳ κέρατα Ζγβ6. 743 ᵃ12.

ἀνατέμνειν. ἀνατεμνόμενος φαίνεται περὶ τὴν καρδίαν νοσώδη πάθη Ζμγ4. 667 ᵇ11. cf Ζιζ10. 565 ᵇ9. δεῖ θεωρεῖν ἐκ τῶν ἀνατεμνομένων αν16. 478 ᵃ27 (cf ἀνατομή). ἀνατμηθέντος τῦ ἀρχῦ Ζγδ4. 773 ᵃ28. ἐνεργεῖ τῷ πνεύματι ἀνατετμημένος ὅλος Ζιζ11. 503 ᵇ23. ἀνατέμνυσιν οἱ σπογγεῖς τὸν τόπον (?) πρὸς εὐπνοίαν πλβ5. 960 ᵇ23.

ἀνατιθέναι. ἐλεγχείην ἀναθήσει (Hom X 100) Ηγ11. 1116 ᵃ23. ηεγ1.1230 ᵃ20. Διὶ πάντα ἀναθήσειν οβ1346 ᵃ33. τάγμα τι ἀνατιθέναι εἰς τὸ ἱερὸν οβ 1349 ᵃ24. ἀργύριον ἀνατεθεικὼς οβ 1349 ᵃ13. ἀνδριάντα χρυσῶν ἰσομέτρητον ἀναθήσειν εἰς Δελφοῖς f 377. 1540 ᵇ36. ἀλεκτρυόνων ἀνατιθέμενος Ζιι8. 614 ᵃ8 (cf ἀνακεῖσθαι ᵃ7).

ἀνατλῆναι. ἀρετᾶς ἕνεκα πόλλ' ἀνέτλασαν f 625. 1583 ᵇ17.

ἀνατολή. 1. ὅθεν αἱ ἀνατολαὶ τῶν ἄστρων, δεξιόν, ᾗ δ' αἱ δύσεις, ἀριστερόν Οβ2. 285 ᵇ18. τροπαὶ ᾳ ἀνατολαὶ Ηγ5. 1112 ᵃ25. ὐκ ἀφ' ἑσπέρας ποιησάμενος τὴν ἀνατολὴν μα7. 345 ᵃ4. — inde deflectitur ad significandum tempus, Ὠρίωνος, Πλειάδος ἀνατολή μβ5. 361 ᵇ23, 32 (syn ἐπιτολή ᵇ35, opp δύσις). Ζιθ15. 599 ᵇ11, vel locum πνεῖν ἀπ' ἀνατολῆς μβ6. 364 ᵃ22. Πηι1. 1330 ᵃ40. πκς12. 941 ᵇ17. ὁ ἥλιος ἐπὶ δυσμὰς ᾳ ἐπ' ἀνατολὰς ἀεὶ φέρεται μβ4. 361 ᵃ9. ἀπ' ἀνατολῆς ἐπὶ δυσμὰς ψβ7. 418 ᵇ25. ἀνατολὴ (ἀνατολαὶ) ἰσημερινή, θερινή, χειμερινή μβ6. 363 ᵇ1, 4, 5. χ4. 394 ᵇ23. — 2. ὀδόντες πόνον παρέχυσιν ἐν τῇ ἀνατολῇ Ζμβ4. 501 ᵇ4.

ἀνατομή. ἀνατομαί, sectio animalium, φανερὸν ἐκ τῶν ἀνατομῶν εἶναι πν5. 483 ᵇ24. θεωρείσθω ἐκ τῶν ἀνατομῶν, φανερὸν ἐκ τῶν ἀνατομῶν (citatur Aristotelis liber ἀνατομαί) cf Ἀριστοτέλης III. — ἀνατομαὶ ᾳ διαιρέσεις (de dividendo in singulas species genere) Αδ14. 98 ᵃ2.

ἀνατρέπειν τὰς ναῦς Ρβ23. 1398 ᵇ7. Ζιβ28. 606 ᵇ14, τὰς οἰκήσεις Ζιζ18. 571 ᵇ34. ἀνατρέπειν τὸ ὕδωρ, ἡ θάλαττα ἀνατρέπεται Ζιθ24. 605 ᵃ11. 15. 600 ᵃ4. ιι4. 616 ᵃ29. ἀνατρεπομένης τῆς ἰλύος Ζγγ2. 753 ᵃ24. ἡ γῆ ἀνατρέπεται, τὰ περὶ Σίπυλον sim μβ8. 368 ᵃ31, ᵇ31. χ4. 396 ᵃ7. ἃ πολλὰς δημοκρατίας ἀνέτρεψεν Πζ4. 1320 ᵃ21.

ἀνατρέφειν. ὅταν ἀνατραφῶσιν Ζιι30. 608 ᵃ2.

ἀνατρέχειν. ἀναδέδρομεν αἴγλη (Hom ψ 45) κ6. 400 ᵃ14. — αἱ ἀλώπεκες (pisces) ἀναδραμῦσαι ἐπὶ πολὺ πρὸς τὴν ὁρμιὴν Ζιι29. 621 ᵃ14. ἀναδραμεῖν εἰς τὰς τοίχυς f 73. 1488

ᵃ16. — σῖτος ἀνατρέχει πκ21. 925 ᵃ26. ἔνια τῶν φυτῶν
πάλιν ἀνατρέχει χ6. 799 ᵃ8.
ἀνάτρεψις. ἡ ἔκχυσις ἀνατρεψίς τίς ἐστιν μβ8. 368 ᵃ32.
ἀνατρίβειν. med ὅταν τις ἐλαίῳ ὕδωρ συμμίξας ἀνατρίψη-
ται πε6. 881 ᵃ5. — pass ἀνατριφθὲν ἔλαιον μεθ' ὕδατος
πε6. 881 ᵃ11.
ἀνατροπὴ πλοίⁱ Φβ3. 195 ᵃ14. Μδ2. 1013 ᵇ14.
ἀναυξής. ἀναυξὲς ⅋ ἀναλλοίωτον Οα3. 270 ᵃ13. ἡ ἀφύη
ἀναυξὴς ⅋ ἄγονος Ζιζ15. 569 ᵃ30. ἡ τῶν ᾠῶν φύσις ὅταν
λάβῃ τέλος ἀναυξής ἐστιν Ζγγ9. 758 ᵇ34.
ἀναύξητον ⅋ ἄφθαρτον ⅋ ἀναλλοίωτον Οα3. 270 ᵃ25. opp
λαμβάνειν αὔξησιν Ζγγ7. 757 ᵇ4.
ἀναύχενες κόρσαι (Emped 307) ψγ6. 430 ᵃ29. Ογ2. 300
ᵇ31. Ζγα18. 722 ᵇ20.
ἀναφαίνειν. ἡ φύσις μυρίας ἰδέας ἀναφαίνει ⅋ πάλιν ἀπο-
κρύπτει κ6. 399 ᵃ34. ὁ Ὠκεανὸς ἀναφαίνει συνεχῆ τὴν Ἐρυ-
θρὰν θάλασσαν διειληφώς κ3. 393 ᵇ4.
ἀναφαλαντίασις, λειότης κατὰ τὰς ὀφρῦς Ζιγ11. 518 ᵃ28.
ἀναφέρειν, sursum ferre, ἀναφέρειν τὰς κώπας μβ9. 369 ᵇ10.
γ4. 374 ᵃ30. ὁ τυφῶν στρέφει ⅋ ἀναφέρει μγ1. 371 ᵃ14.
ἀνενεχθέντος τῇ σώματος, dist προενεχθέντος Ζπ12. 711 ᵃ30.
κάτωθεν εἰς ὀρθὸν ἀναφέρεται al μβ4. 361 ᵃ35. 2. 355
ᵇ19 (opp ὑπολείπεσθαι). μχ2. 850 ᵃ5 (opp κάτω ῥέπειν ᵃ4).
πκε13. 939 ᵃ35. Ζεὺς ἐς φάος ἀνενέγκατο (Orph VI 43)
κ7. 401 ᵇ7. — ἄλλη ἀρχή, πρὸς ἣν αἱ πρόσοδοι τῶν κοινῶν
ἀναφέρονται Πζ8. 1321 ᵇ32. — ἀναφέρειν τι πρός τι, referre
alqd ad alqd, πάντα πρὸς τὸ πρῶτον ἀναφέρεται sim Μγ2.
1004 ᵃ26, 25. θ1. 1045 ᵇ28. Κ6. 5 ᵇ17. Ζμα1. 639 ᵃ13.
Ηα12. 1101 ᵇ19, 31. γ7. 1114 ᵇ15. δ12. 1126 ᵇ29. ι1.
1164 ᵃ2. ηεη15. 1249 ᵃ22. Ρα8. 1366 ᵃ15. ἀναφέρειν τι
εἴς τι ρ30. 1437 ᵇ24. ημβ11. 1211 ᵃ3. ηεβ1. 1219 ᵇ13.
ἀναφέρειν τι ἐπί τι φ6. 810 ᵃ17, 19, 21, 23, 26 sqq. (ἀνα-
φέρεται ἀπὸ τῇ φαινομένῃ? φ6. 811 ᵃ2). — τὴν τῆς συμ-
μετρίας ἀναφορὰν πρὸς τὴν εὐφυίαν ἀνοιστέον φ6. 814 ᵃ4. —
intrans τὸ πῦρ ᾗ ἀναφέρει πλη8. 967 ᵇ4.
ἀναφορά. ποιεῖσθαι τὴν ἀναφορὰν ἐκ τῇ βυθῇ, syn ἀναφέ-
ρεσθαι Ζυ37. — 2 ᵇ7. syn ἄρσις, ἄνω φορά πε23. 883 ᵃ26.
γ13. 872 ᵇ35. ᵃα10. 900 ᵃ7. θ130. 843 ᵃ10. — πρὸς ἕτερον
ἢ ἀναφορά (cf ἀναφέρειν πρός τι) Κ6. 5 ᵇ20. ἡ ἀναφορά
ἐστιν εἴς τι ρ1. 1420 ᵃ20. ημα34. 1196 ᵃ5. γίνονται οἱ
ἔπαινοι δι' ἀναφορᾶς Ηα1. 1101 ᵇ21. — τὴν ἀναφορὰν ἀνα-
φέρειν πρός τι φ6. 814 ᵃ3.
ἀναφύειν. ὅμοια ἀεὶ ἀναφύουσιν κέρατα Ζυ5. 611 ᵇ1. — αἱ
νῆσοι βρεχόμεναι ἀναφύουσιν f 240. 1522 ᵃ22. — ἀναφύονται
(ἀναφύησαν, ἀνέφυσαν) τρίχες, πτερά Ζιγ11. 518 ᵃ15, ᵇ13,
28. 12. 519 ᵃ27. Ζγε3. 784 ᵃ13. 4. 784 ᵇ24. π122. 893 ᵃ18.
φυτὸν προάγει σπέρμα ὅμοιον τῷ σπέρματι ἐξ οὗ ἀνεφύη
φτα6. 821 ᵃ3. ἀναπεφυκυῖα κ3. 392 ᵇ31.
ἀναφυσᾶν. τὸ ἐκ τῆς γῆς ἀναφυσώμενον ἀπωθεῖται πάλιν
εἴσω μβ8. 367 ᵃ16. τοῖς ἀναίμοις τὸ σύμφυτον πνεῦμα ᾗ
ἀναφυσώμενον ⅋ συνιζάνον φαίνεται υ2. 456 ᵃ12. ὁ ἐλέφας
διὰ τῇ ὕδατος βαδίζων τῷ μυκτῆρι ἀναφυσᾷ Ζιβ1. 497
ᵇ30. ι46. 630 ᵇ28. τὰ ἀναφυσῶντα κήτη Ζμγ6. 669 ᵃ7.
ἐν τῇ ἐκ τῇ ᾠῇ γενέσει ἡ καρδία ἅμα τῷ ὀμφαλῷ ἀνα-
φυσᾷ ὡς ἀναπνέοντος Ζιζ3. 562 ᵃ20.
ἀναφύσημά ἐστι γῆς πνεῦμα ἄνω φερόμενον κατὰ τὴν ἐκ
βυθῇ τινος ἢ ῥήγματος ἀνάδοσιν κ4. 395 ᵃ8. ἠχοῦσιν οἱ τόποι
ἐξ ὧν γίνεται τὰ ἀναφυσήματα (i e οἱ σεισμοὶ) μβ8. 367
ᵃ15, 8. ἀναφυσήματα πυρός κ4. 396 ᵃ21. θ105. 840 ᵃ3.
ἀναφύσησις. πηγαὶ πυρὸς ἀναπνοὰς ἔχⁱσι ⅋ ἀναφυσήσεις
κ4. 395 ᵇ21.

ἀναφυτεύειν θ100. 838 ᵇ29.
ἀναφωνεῖν. ἡ κακῶς κἀκεῖνο ἀναπεφώνηται κ6. 400 ᵃ18.
Ἀνάχαρσις. παίζειν ὅπως σπⁱδάζῃ κατ' Ἀνάχαρσιν Ηκ6.
1176 ᵇ33. τὸ τῇ Ἀναχάρσιος, ὅτι ἐν Σκύθαις ⁱκ εἰσὶν αὐ-
ληταί, ⁱδὲ γὰρ ἄμπελοι Αγ13. 78 ᵇ30.
ἀναχεῖν. ὁ Ὠκεανὸς κατὰ μικρὸν ἐπιπλατυνόμενος ἀναχεῖται
κ3. 393 ᵃ20. τὸ πνεῦμα τῇ ἀναχυθέντος ὑγρῇ κίνησις πκ⟨ς⟩34.
944 ᵃ27.
ἀναχλιαίνειν. ἀναχλιάνῃ πη18. 889 ᵃ8. ἀναχλιανθέντος, opp
ψυχθέντος πκβ7. 930 ᵇ18.
ἀναχωρεῖν. προσστάττοντες, κἂν ἀναχωρῶσι τύπτοντες Ηγ11.
1116 ᵃ36. ἀναχωρῆσαι τὰ πυκνὰ μέρη τῆς ἁλυκότητος φτβ3.
824 ᵇ27. τὸ μὲν ἀνακεχωρηκέναι δοκεῖ τῆς γραφῆς τὸ
δὲ προέχειν ακ801 ᵃ34.
ἀναχωρήματα ⅋ χάσματα θαλάσσης κ4. 396 ᵃ18.
ἀναχωρήσεις ⅋ ἐπιδρομαὶ κυμάτων κ6. 400 ᵃ27.
ἀνδραγαθία Πβ9. 1270 ᵇ38.
ἀνδραγαθίζεσθαι αρ4. 1250 ᵇ4.
Ἀνδραίμων, πατὴρ Θόαντος f 596. 1576 ᵃ23. — Ἀνδραί-
μων, οἰκιστὴς Ἀμφίσσης f 521. 1563 ᵇ17.
ἀνδραποδίζειν. λῃστὰς ἀνδραποδίσαι τὴν κόρην f 66. 1486
ᵇ44. — med ἀνδραποδισάμενος Ρα12. 1373 ᵃ23. ἀνδραπο-
δίσασθαι Αἰγινήτας, πόλιν Ρβ22. 1396 ᵃ19. ρ2. 1423 ᵃ6.
ἀνδραποδισταί, coni δραπέται, μοιχοὶ f 504. 1560 ᵇ35.
ἀνδράποδον. κτῆσις βοσκημάτων ⅋ ἀνδραπόδων Ρα5. 1361
ᵃ14. τοῖς ἀνδραπόδοις ⅋ τοῖς θηρίοις τὸ πολὺ ὅ τι ἔτυχεν
Μλ10. 1075 ᵃ21. εὐδαιμονίας ⁱδεὶς ἀνδραπόδῳ μεταδίδωσιν
Ηκ6. 1177 ᵃ8. περιέλκειν τινὰ ὥσπερ ἀνδράποδον Ηη3. 1145
ᵇ24. μὴ παντελῶς ὢν ἀνδράποδον ηεα5. 1215 ᵇ34.
ἀνδραποδώδης, opp ἐλευθέριος, ἐπιεικὴς Ηδ14. 1128 ᵃ21.
opp χαλεπός ηεγ3. 1231 ᵇ26. coni φαῦλος, ἀφιλότιμος Ρβ9.
1387 ᵇ12. coni ἀνόητος ηεγ3. 1231 ᵇ10. ἀνδραποδώδεις ἄν-
θρωποι Ηα3. 1095 ᵇ19. γ13. 1118 ᵇ21. Πη15. 1334 ᵃ39.
πλῆθος λίαν ἀνδραποδῶδες Πγ11. 1282 ᵃ15. ἀνδραποδῶδεις
⅋ θηριώδεις ἡδοναὶ Ηγ13. 1118 ᵃ25. ἀνδραποδῶδες τὸ ὑπη-
ρετεῖν διακονικὰς πράξεις Πγ14. 1277 ᵃ35, τὸ ἀνέχεσθαι
προπηλακιζόμενον Ηδ11. 1126 ᵃ8. ἀνδραποδώδης ὁ προπη-
λακιζόμενος εὐχερῶς ηεγ3. 1231 ᵇ10, 12, 19.
ἀνδραποδωδία Πη17. 1336 ᵇ12.
ἀνδράχνη αἱμωδίαν παύει πα38. 863 ᵇ11. ζ9. 887 ᵇ1. ἀν-
δράχνης φύλλα πεττόμενα φοινικᾶ χ5. 797 ᵃ27. (Portulacea
oleracea L.)
ἀνδρεία (cf ἀνδρία) μεσότης περὶ φόβⁱς ⅋ θάρρη Ηβ7. 1107
ᵃ33. γ9. 1115 ᵃ6. ηεγ1. 1228 ᵃ27. ημα20. 1190 ᵇ9, cf αρ1.
1249 ᵇ27. 2. 1250 ᵃ6. 4. 1250 ᵃ44–ᵇ6. opp δειλία, θρασύ-
της ηεβ3. 1220 ᵇ39, 1221 ᵃ17. γ1. 1228 ᵃ26. περὶ ἀνδρείας
Ηγ9-12. ηεγ1. ημα20. def Ρα9. 1366 ᵃ11. ᷠζ13. 151 ᵃ3.
ἀνδρείας εἴδη καθ' ὁμοιότητα πέντε: πολιτικὴ (cf διὰ τί μά-
λιστα τὴν ἀνδρείαν τιμῶσιν αἱ πόλεις; πκζ5. 948 ᵃ31. Ηγ9.
1115 ᵃ31), δι' ἐμπειρίαν, διὰ θυμὸν (⅋ πάθος ἀλόγιστον),
κατ' ἐλπίδα, δι' ἄγνοιαν (ἀπειρίαν) Ηγ11. ηεγ1. 1229
ᵃ11-31. ημα20. 1190 ᵇ21-1191 ᵃ7. τί Σωκράτης ᾤήθη
ἀνδρείαν εἶναι Ηγ11. 1116 ᵇ4. ηεγ1. 1229 ᵃ15, 1230 ᵃ7.
ημα20. 1190 ᵇ28. ἐν ἀνδρίας πάθει ὄντες, syn ἐν ὑβριστικῇ
διαθέσει Ρβ8. 1385 ᵇ30. ἀνδρία δύναμιν ἔχⁱσα θράσος ἐστὶν
Πε10. 1312 ᵃ19. ἀνδρίας ⁱ χρήματα ποιεῖν ἀλλὰ θάρσος
Πα9. 1258 ᵃ10. ἀνδρία ⅋ καρτερία Πη15. 1334 ᵃ22. ἀνδρία
ἀρχική, ὑπηρετική, ἀνδρός, γυναικός Πα13. 1260 ᵃ23. γ4.
1277 ᵇ21. ἀ. βαρβαρικὴ ηεγ1. 1229 ᵇ29. ἀ. ⁱκ ἀκολυθεῖ
τοῖς ἀγριωτάτοις ἤθεσιν Πθ4. 1338 ᵇ18, 18. cf Zeller II 2,
577, 1. ὅσα περὶ φόβον ⅋ ἀνδρείαν πκζ1. 947 ᵇ11-11. 949 ᵃ20.

ἀνδρείκελον. τοῖς γραφεῦσι τῦ ἀνδρεικέλυ (i e coloris cuiusdam) πολλάκις περιττὸν γίνεται ὅμοιον τῷ ἀναλωθέντι Ζγα18. 725 ᵃ26.

ἀνδρεῖος, def Ηγ9. 1115 ᵃ34. 10. 1115 ᵇ19. ημα20. 1191 ᵃ18. ἀνδρείυ ἔργα τίνα Ηε3. 1129 ᵇ19. dist μάχιμος Ηγ11. 1117 ᵃ7. τὰ θηρία ὐκ ἄν τις εἴποι ἀνδρεῖα ημα20. 1191 ᵃ3. Ηγ11. 1116 ᵇ34. ηγ1. 1229 ᵃ25, 1230 ᵃ22. τῶν ζῴων τὰ μὲν ἐλευθέρια ᶄ ἀνδρεῖα ᶄ εὐγενῆ Ζια1. 488 ᵇ17. ζῷα ἀνδρειότερα, opp ἀθυμότερα Ζιι1. 605ᵃ35, 33. θ28. 606 ᵇ18. δειλὸς ἀνὴρ εἰ ὕτως ἀνδρεῖος εἴη ὥσπερ γυνὴ ἀνδρεία Πγ4. 1277 ᵇ22. πράττειν τἀνδρεῖα ημα34. 1193 ᵇ4. ἀνδρείυ σημεῖα φβ3. 807 ᵃ31-ᵇ4. — διὰ τί οἱ ἀνδρεῖοι τὴν φύσιν θερμοί, ἐν ψυχροῖς τόποις, φίλοινοι πιϑ8. 909 ᵇ10, 12. 16. 910 ᵃ39, ᵇ2. κζ4. 948ᵃ13, 27, 30. — κατερρύη τὸ τῆς πόλεως ἀνδρεῖον, f 516. 1562 ᵇ4. — ἀνδρείως, dist πράως Πβ6. 1265 ᵃ36.

ἀνδρία (cf ἀνδρεία). in Eth. Nic. Bekkerus ubique, quantum memini, ἀνδρεία, scripsit, in aliis libris vel saepe vel plerumque ἀνδρία, veluti τζ13. 151 ᵃ3. Πα9. 1258 ᵃ10. 13. 1260 ᵃ23. γ4. 1277 ᵇ21. ε10. 1312 ᵃ19. η15. 1334 ᵃ22. θ4. 1338 ᵇ13, 18. Ρα6. 1362 ᵇ33. 7. 1364ᵇ20, 36. 9.1366 ᵇ11, 29, 30. β8. 1385 ᵇ30. 11. 1388 ᵇ16. 14. 1390 ᵇ3. ηεγ1. 1229 ᵇ29, 1230 ᵃ8, 29. ημα9. 1186 ᵇ7. 20. 1190ᵇ9, 15, 29, 32 al.

ἄνδρια, τὰ συσσίτια Πβ10. 1272 ᵃ3.

ἀνδριαντοποιητική Ζμα1. 640 ᵃ30.

ἀνδριαντοποιία Πα8. 1256 ᵃ7. coni γραφική, ποιητική Ρα11. 1371 ᵇ7.

ἀνδριαντοποιικὴ (v l ἀνδριαντοποιητική) Φβ3. 195 ᵃ6. Μδ2. 1013 ᵇ6.

ἀνδριαντοποιός Φβ3. 195 ᵃ34sqq. Μδ2. 1013 ᵇ36, 1014 ᵃ14, 15. Πα8. 1256 ᵃ10. ἀνδριαντοποιός, λιθυργὸς σοφός Ηζ7. 1141 ᵃ11. οἱ ἀρχαῖοι γραφεῖς ᶄ ἀνδριαντοποιοὶ πι45. 895 ᵇ37.

ἀνδριάς. ἀνδριάντος αἴτια τίνα Μδ2. 1013 ᵇ6sqq. Φβ3. 195 ᵃ33sqq. πῶς ἐκ χαλκῦ ἀνδριὰς γίγνεται Ζγα18. 724 ᵃ23. ἀνδριὰς καθήμενος Πε12. 1315 ᵇ20. αἱ ἀπηρτημέναι στολίδες τῶν ἀνδριάντων ακ802 ᵃ38. ἀποτῖσαι χρυσῦν ἀνδριάντα ἰσομέτρητον f 374. 1540 ᵇ2. 377. 1540 ᵇ35.

ἀνδρίζεσθαι Ηγ9. 1115 ᵇ4.

ἀνδρικός. τὸ τῆς χρόας ἀνδρικὸν f 499. 1559 ᵃ34.

Ἄνδριοι Πβ9. 1270 ᵇ12 (ἀνδρίοις Bk).

Ἀνδρόγυνοι supra Nasamonas confinesque illis Machlyas f 563. 1570 ᵇ37.

Ἀνδροδάμας Ῥηγῖνος Ρβ12. 1274 ᵇ23.

Ἀνδροκλῆς ὁ Πιτθεύς Ρβ23. 1400 ᵃ9.

Ἀνδρομάχη ἡ Ἀντιφῶντος ηεη4. 1239 ᵃ37.

ἀνδρόπρωρα (Emped 314) Φβ8. 198 ᵇ32, 199 ᵇ11.

Ἀνδροτίωνος εἰκὼν εἰς Ἰδριέα Ργ4. 1406 ᵇ27.

ἀνδρῦσθαι. ἀκμάζυσι ᶄ ἀνδρυμένοις πια34. 903 ᵃ34. ἀνδρωθέντας Ηχ10. 1180 ᵃ2.

ἀνδροφονία, εὐθὺς συνειλημμένον μετὰ φαυλότητος Ηβ6. 1107 ᵃ12. φεύγειν δυλείας ἢ ἀνδροφονίας πκϑ13. 951 ᵇ3.

ἀνδροφόνος θ23. 832 ᵃ18.

ἀνδρώδης Πε7. 1306 ᵇ34. οἱ ἀνδρώδεις τὴν φύσιν Ηι11. 1171 ᵇ6. τὺς χαλεπαίνοντας ἀνδρώδεις ἀποκαλῦμεν Ηβ9. 1109 ᵇ18. τὸν φιλότιμον ἐπαινῦμεν ὡς ἀνδρώδη ᶄ φιλόκαλον Ηδ10. 1125 ᵇ12. φιλοτιμότεροι ᶄ ἀνδρωδέστεροι τὰ ἤθη Ρβ17. 1391 ᵃ22.

Ἄνδρων ὁ Ἀργεῖος, ἄδιψος ᶄ ἄποτος δι' ὅλυ τῦ βίυ f 99. 1494 ᵃ14, 19, 21.

ἀνέγερτον ὕπνον καθεύδειν ηεα5. 1216 ᵃ3. ὐθεὶς ὕπνος ἀνέγερτος Ζγε1. 779 ᵃ3.

ἀνέγκλητοι οἱ δι' αὑτὺς (fort αὑτὺς) προϊέμενοι Ηι1.1164 ᵃ35. ἡ νομικὴ φιλία ἀνέγκλητος, ἡ ἀρετὴ ἀνέγκλητον ηεη10. 1243 ᵃ6, 3. διαφυλάττειν τὺς πολίτας ἀνεγκλήτυς πρὸς δύο Ρα4. 1360 ᵃ16. — ἀνεγκλήτως ἔχειν Πζ8. 1321 ᵇ22.

ἀνεδάφιστος γῆ πκγ29. 934 ᵇ22.

ἀνέδην διώκειν τὰς ἡδονάς Ηη9. 1151 ᵃ23.

ἀνειλεῖσθαι. αἱ μέλιτται ὐκ ἀποπέτονται, ἀλλ' αὐτῦ ἀνειλῦνται Ζιι40. 627 ᵇ12. ἡ φωνὴ ἀνειλεῖται ακ804 ᵃ20.

ἀνειμένως ν s ἀνιέναι.

ἀνείργειν τὴν θλίψιν αν4. 472 ᵃ9.

ἀνέκπληκτος ὁ ἀνδρεῖος Ηγ10. 1115 ᵇ11.

ἀνελέημων ρ37. 1442 ᵃ13.

ἀνελέητος (i q ἀνελέημων), opp ἐλεήμων φβ3. 808 ᵇ1.

ἀνελευθερία. περὶ ἀνελευθερίας ν s ἐλευθεριότης et Ηβ7. 1107 ᵇ10. ε4. 1130 ᵃ19. ἀνελευθερία def αρ1. 1250 ᵃ1. 3. 1250 ᵃ26. 7. 1251 ᵇ4-16. ἄδικος κατ' ἀνελευθερίαν ηεγ4. 1232 ᵃ15. αἰσχροκέρδεια ᶄ ἀνελευθερία Πβ6. 1383 ᵇ26. τῶν ἀκοσμάτων ᶄ τῶν ὁραμάτων ἀνελευθερία Πη17. 1336 ᵇ3. φιλεργία ἄνευ ἀνελευθερίας Ρα5. 1361 ᵃ8.

ἀνελευθεριότης ημα25. 1192 ᵃ8, 11.

ἀνελεύθερος, cf ἐλεύθερος, def ηεβ3. 1221 ᵃ34. γ4. 1231 ᵇ31, 1232 ᵃ6. ζῷα ἀνελεύθερα ᶄ ἐπίβυλα Ζια1. 488 ᵇ16. οἱ τὰς ἀνελευθέρυς ἐργασίας ἐργαζόμενοι Ηδ3. ἔργον ἀνελεύθερον, syn βάναυσον, opp ἐλεύθερον Πδ2. 1337 ᵇ6. παιδίαι ἀνελεύθεροι Πη17. 1336 ᵃ29. ἀτιμίαι ἀνελεύθεροι Πη17. 1336 ᵇ12. ἀνελεύθερον τὸ ἀκριβὲς Μα3. 995 ᵃ12.

ἀνελίττειν. τῆς φύσεως διαυλοδρομώσης ᶄ ἀνελιττομένης ἐπὶ τὴν ἀρχήν Ζγβ5. 741 ᵇ21. σφαῖραι ἀνελίττυσαι ᶄ εἰς τὸ αὐτὸ ἀποκαθιστᾶσαι Μλ8. 1074 ᵃ2. cf f 21. 1477 ᵇ23. ἀνελίττειν βιβλίον πιϛ6. 914 ᵃ26.

ἀνέλκτων. περὶ ἀνέλκτυ μδ8. 385 ᵃ16. 9. 386 ᵇ11-18.

ἀνέλπιστον πολλοῖς ηεα3. 1215 ᵃ13. ὐθεὶς βυλεύεται περὶ τῶν ἀνελπίστων Ρβ5. 1383 ᵃ8.

ἄνελυτρος. τῶν πτηνῶν ἀναίμων τὰ μὲν κολεόπτερά ἐστι τὰ δ' ἀνέλυτρα, ᶄ τύτων τὰ μὲν δίπτερα τὰ δὲ τετράπτερα Ζια5. 490 ᵃ15. τῶν ἐντόμων τὰ ἀνέλυτρα, οἷον ἀελλῦραι ᶄ σφῆκες Ζιδ7. 532 ᵃ24. Ζπ10. 710 ᵃ11. cf Μ ρ 206.

ἀνεμεῖν. κύνες ἐσθίυσαι πόαν ἀνεμῦσι ᶄ καθαίρονται Ζιϑ5. 594 ᵃ29. αἱ μέλιτται ἀνεμῦσι τὸ μέλι Ζιι40. 626 ᵇ27. ὅταν ἀνεμέσωσι Ζθ12. 597 ᵇ2.

ἄνεμος, κίνησις ἀέρος μαι13. 349 ᵃ20, 12. ἄνεμος πλῆθός τι τῆς ἐκ γῆς ξηρᾶς ἀναθυμιάσεως κινύμενον περὶ τὴν γῆν μβ4. 361 ᵃ30. ὁ ἄνεμος ἀὴρ πολύς ῥέων ᶄ ἁθρόος κ4. 394 ᵇ8. τὸ τῦ ἀνέμυ σῶμα μβ4. 360 ᵇ32. ἀνέμυ, σεισμῦ, βροντῆς ἡ αὐτὴ φύσις μβ9. 370 ᵃ26. ἀνέμυ ᶄ ὄμβροι κατ' ἀλλήλυς γίνονται μβ4. 360 ᵇ26sqq. περὶ ἀνέμων μβ4-6. περὶ θέσεως ἀνέμων ᶄ παθημάτων μβ6. ὅσα περὶ τῆς ἀνέμυς πκς940 ᵃ18-947ᵇ9. γίνονται ἄνεμοι μβ8. 367 ᵇ25. ὅταν ἄνεμοι κατέχωσιν μβ4. 360 ᵇ33. πρὶν φανερῶς ἐληλυθέναι τὸν ἄνεμον μβ4. 361 ᵃ21. οἱ ἄνεμοι ὅθεν ἑκάστοτε πνέυσιν ἐλάχιστοί εἰσι, προϊόντες δὲ λαμπροὶ πνέυσιν μβ4. 361 ᵇ4, 5. ἄνεμοι ἀποφυσῶντες τὰ νέφη μβ6. 364 ᵇ8. στῆναι κατ' ἄνεμον τῶν ἀρρένων Ζιε5. 541 ᵃ26. ἄνεμος μέγας, μείζων, πλείων, ψυχρός, θερμός, ἀλεεινός, ἀλεεινότατος μβ5. 363 ᵃ17. 6. 364 ᵇ10. 8. 363 ᵃ3. 358 ᵃ30. πκς28. 943 ᵃ28. ἄνεμοι εὐθύπνοοι, ἀνακαμψίπνοοι κ4. 394 ᵃ35. ἄνεμος συνεχής, ἐκνεφίας μγ1. 370 ᵇ30, 8. ἄνεμοι ἐαρινοὶ κ4. 395 ᵃ4. ἄνεμος νότος μβ8. 367 ᵃ13. πλείυς ἄνεμοι ἀπὸ τῶν πρὸς ἄρκτον τόπον ἢ τῶν πρὸς μεσημβρίαν μβ6. 364 ᵃ6. ἄνεμος γίνεται πρὸ τῶν ἐκλείψεων ὡς τὰ πολλὰ πκς18. 942 ᵃ22.

ὅταν ἀστέρες διάττωσιν, ἄνεμοι σημεῖον πκϛ23. 942 b16. — τὴν ψυχὴν ἐκ τῦ ὅλυ εἰσιέναι ἀναπνεόντων, φερομένην ὑπὸ τῶν ἀνέμων ψα5. 410 b30.

ἀνεμπόδιστος. pass ἐνέργεια, opp ἐμποδιζομένη Hη13. 1153 a15. 14. 1153 b10, 11, 16. τὸν εὐδαίμονα βίον εἶναι κατ᾽ ἀρετὴν ἀνεμπόδιστον Πδ11. 1295 a37. — act κέρατα πρὸς τὰς ἄλλας κινήσεις τῦ σώματος ἀνεμπόδιστα Ζμγ2. 663 b11.

ἀνεμώδης. ἔτη ἀνεμώδη μβ4. 360 b5. τὰ κύματα ἀνεμώδη πκγ11. 932 b29.

ἀνεξαπάτητοι πρὸς τὴν ὠνὴν ᴈ πρᾶσιν Πθ3. 1338 a42. ἀνεξαπάτητον εἶναι ὑπὸ λόγυ, syn μὴ ἀπατᾶσθαι ὑπὸ λόγυ τε4. 132 a32, 34.

ἀνεξέλεγκτος. ἡ μεταφορὰ ποιήσει τὸν λόγον ἀνεξέλεγκτον τι17. 176 b24.

ἀνεξεύρετον ἀνθρώποις τῶν ἀπλανῶν πλῆθος κ2. 392 a17.

ἀνεξίκμαστον ᴈ κολλῶδες πκα12. 928 a29.

ἀνεπάλλακτα ζῷα, οἷον ἵππος ᴈ βῦς, dist καρχαρόδοντα Ζιβ1. 501 a17.

ἀνεπίμικτος τῷ ἔξω πν5. 483 b1.

ἀνεπισκέπτως εἶχον τῆς τῦ τέλυς αἰτίας Ζγε1. 778 b10.

ἀνεπισκεψία. ἕνα τῶν καθ᾽ ἕκαστον ὐκ ἴσασι δι᾽ ἀνεπισκεψίαν Αγ13. 79 a6.

ἀνεπιστημονικὴ πρᾶξις, opp ἐπιστημονικὴ νεβ3. 1220 b25.

ἀνεπιστημοσύνη. αἱ νέαι μέλιτται τραχέα τὰ κηρία ἐργάζονται δι᾽ ἀνεπιστημοσύνην Ζιι40. 626 b4.

ἀνεπιστήμων, coni ἔμπειρος Hκ10. 1180 b17. opp ἔμπειρος Hκ10. 1181 b6. οἱ ἐπιστήμονες ὑπὸ τῶν ἀνεπιστημόνων ἐλέγχονται τι6. 168 b7. τὸ ἀνεπιστήμον τζ9. 147 a19. — τὰ παιδία ὥσπερ ἀνεπιστήμονα τῦ ἐγρηγορέναι Ζγε1. 779 a19.

ἀνεπιτήδειος ᴈ φαῦλος Πα10. 1258 a27.

ἀνεπιτίμητον, opp φαῦλον Hη15. 1154 b4.

ἀνέργαστον, opp ἀπειργασμένον Μθ6. 1048 b4.

ἀνερεύγεσθαι. ποταμοὶ ἀνερευγόμενοι εἰς θάλασσαν κ3. 392 b16.

ἀνερεύνητον παραλιπεῖν Hκ10. 1181 b12.

ἀνέρπειν πρὸς τὸ μετεωρότερον Ζμδ10. 688 a10.

ἀνέρχεται τὸ ὕδωρ, opp συγκαταβαίνει μβ3. 358 a32.

ἄνεσις, opp δεσμός. τῆς αἰσθήσεως δεσμὸν τὸν ὕπνον εἶναί φαμεν, τὴν δὲ λύσιν ᴈ ἄνεσιν ἐγρήγορσιν υι1. 454 b27. ἄνεσις δ῀υλων, γυναικῶν, ἡ περὶ τὰς γυναῖκας ἄνεσις Πε11. 1313 b35. β9. 1269 b13, 1270 a1. — ἡ ἀνώμαλος φορὰ ᴈ ἄνεσιν ἔχει ᴈ ἐπίτασιν ᴈ ἀκμήν Oβ6. 288 a19, b13. ἄνεσις def Ζγε7. 787 b22. ἡ ὑπάτη μετ᾽ ἀνέσεως, opp σύστασις πιθ4. 917 b36. ἄνεσις τῦ πυρετῦ πια22. 901 b10. τῇ ψυχῇ ἀνάπαυσις ἡ περὶ τὸ ὕπνον γινομένη τῦ σώματος ἄνεσις Oβ1. 284 a34. ἡ ὑπὸ τῆς θερμότητος ἄνεσις πολύπορον τὸ σῶμα ᴈ μανὸν ἀπειργασμένη f 208. 1516 a1. ἄνεσις, syn παιδιά, τῆς συντονίας ἀνάπαυσις Hγ8.1150 b17. Pα11.1371 b34. Πθ7. 1341 a1. 3. 1337 b42.

ἀνετεροίωτος ᴈ ἄτρεπτος κ2. 392 a32.

ἄνετοι ᴈ πλήρεις περιττώματος τόποι Ζγβ4. 738 a2.

ἄνευ. ὐκ ἄνευ μὲν τύτων, ὐ μέντοι διὰ ταῦτα Φβ9. 200 a5, 8. — ἄνευ ἱ q χωρίς, εἰ μή: ἄνευ τῶν κατὰ μέρος ἀδικημάτων ὐδεὶς ἀδικεῖ Hε15. 1138 a24. — ἄνευ postponitur (ubique, ut videtur) pronomini relativo, ὧν ἄνευ, ὐ χωρὶς ἄνευ sim Φδ1. 208 b35. Πγ5. 1278 a3. δ4. 1291 a2. η8. 1328 a23, b3. 9. 1329 a34. Μθ5. 1015 a20, 22. λ7. 1072 b12. ηεα2. 1214 b14, pronomini interrogativo τίνων ἄνευ ηεα2. 1214 b13; nomini substantivo postpositum exhibetur τῶν ὐσιῶν ἄνευ Μλ5. 1070 a2.

ἀνεύθυνος (cf ἀνυπεύθυνος) Πβ9. 1271 a5.

ἀνεύθυντος. περὶ ἀνευθύντυ μδ9. 385 b26-386 a9. cf ἄκαμπτος.

ἄνευρος. ἄναρθρα τὰ νέα μᾶλλον ᴈ ἄνευρα Ζγε7. 787 b12. ἀνευρότερον ᴈ ἀναρθρότερον τὸ θῆλυ Ζιδ11. 538 b7. ἀνευρότερα ᴈ μαλακώτερα τὰ θήλεα φ5. 809 b10.

ἀνευρύνεται πάλιν ὁ Ὠκεανός κ3. 393 b6.

ἀνέφελος ἀήρ κ4. 394 a23.

ἀνέχειν. τῇ μὲν ὁ ἥλιος ἀνέχει, τῇ δὲ σκιάζει μγ4. 374 b2. ὁ κομήτης ἀπὸ δυσμῶν ἀνέσχε μα6. 343 b3. — δύναται ἄποτος ἀνέχεσθαι τέτταρας ἡμέρας Ζιδ8. 596 b2. ἀνέχεσθαι προπηλακιζόμενον, ἀδικύμενον Hδ11. 1126 a8. Pα13. 1374 b18, λαμβάνοντα κατὰ δύναμιν ηεη10. 1243 b11. ἠνείχετο ἀκύων Πγ14. 1285 a11. — ἀνεκτὰ πο24. 1460 a36.

ἀνεψιός Πβ3. 1262 a10, 13. ἀνεψιῶν φιλία Hθ14. 1162 a1-4.

ἄνηβοι ᴈ ἄγονοι ἐκ γενετῆς Ζιη1. 581 b22, 23.

ἀνήδυντος. αἱ ἐπὶ τῶν βοτρύων ῥᾶγες ἀνήδυντοι πκ23. 925 b18. — οἱ νέοι ἀνήδυντον ὐδὲν ὑπομένυσιν, ἡ δὲ μυσικὴ τῶν ἡδυσμένων ἐστὶν Πθ5. 1340 b16.

ἄνηθον. τὰ ἄνηθα ὑρητικά πκζ10. 949 a2. (Anethum graveolens L.)

ἀνήκειν. ὅσα ἐστὶν ἀνθρωπικὰ ᴈ ἀνήκει εἰς τὰ ἤθη ᴈ τὰ πάθη Hθ2. 1155 b10. τὰ συμφέροντα ᴈ τὰ εἰς τὸν βίον ἀνήκοντα Hι6. 1167 b4.

ἀνήκεστα διαπεπραγμένοι Pβ23. 1399 b4. ὁ μέλλων ποιεῖν τι τῶν ἀνηκέστων πο14. 1453 b15.

ἀνήκοοί εἰσιν οἱ καθεύδοντες πικ41. 903 b38.

ἀνήκυστος, opp ἀκυστός ψβ9. 421 b5. ἀνήκυστος ὁ μικρὸς ψόφος ᴈ ὁ μέγας ᴈ βίαιος ψβ10. 422 a26.

ἀνήλατον. περὶ ἀνήλατυ μδ8. 385 a16. 9. 386 b19-25.

ἀνύλιστον (Emped 103) ξ2. 975 b2.

ἀνήρ. de masculo animalium genere universe, ὅταν ᴈ τῷ ἄρρενι ἀνήρ (i e ἄρρεν, gallus) συνῇ Ζικ5. 637 b15. — vir, opp femina. διὰ τί γυνὴ ἀνδρὸς ὐκ εἴδει διαφέρει Μι9. 1058 a29. — a, anatom et physiolog Παρμενίδης τὰς γυναῖκας τῶν ἀνδρῶν θερμοτέρας εἶναί φησιν Ζμβ2. 648 a29. οἱ ἄνδρες θερμοὶ ᴈ ξηροί πγ7. 872 a5. δ28. 880 a13. 25. 879 a33. τὸ τῶν ἀνδρῶν κρανίον πόσας ἔχει ῥαφάς Ζια8. 491 b3. γ7. 516 a20. τοῖς ἀνδράσιν αἱ κεφαλαὶ ἧττον φθείρωδεις ἢ ταῖς γυναιξίν Ζιε31. 557 a8. οἱ κρανήρες τοῖς ἀνδράσι πότε φύονται Ζιβ4. 590 b25. τῶν ἀνδρῶν ἡ φύσις πῶς διαφέρει τῆς τῶν γυναικῶν, πότε μεταβάλλει ᴈ πῶς Ζιη1. 581 b8, a22. τῶν ἀνδρῶν τίνες τρίχες ὑστερογενεῖς Ζιγ12. 518 b2. τοῖς ἀνδράσι φλέβες τείνυσιν εἰς τὺς ὄρχεις Ζιγ2. 512 b4. ἀνδράσιν ἐνίοις μεθ᾽ ἥβην ἐκθλίβεται γάλα Ζιγ1. 522 a19. ἐκ τίνος ἡλικίας ᴈ μέχρι τίνος γεννῶσιν οἱ ἄνδρες Ζιη1. 582 a29. 6. 585 b5. Empedoclis de generatione sententia, ἐν τῷ ἄρρενι ᴈ τῷ θήλει οἷον σύμβολον ἐνεῖναι Ζγα18. 722 b10. δ1. 764 b11. ἀνδρὸς αἰδοῖον Ζιδ7. 532 b23. κ7. 637 a22. εἰς τὸ πρόσθεν τοῖς ἀνδράσιν ἡ πρόεσις τῦ σπέρματος· ὐ προίεται ὁ ἀνὴρ τὸ σπέρμα Ζικ2. 634 b37. 3. 636 a6. 5. 637 a16, b33. παισὶ μήπω δυναμένοις προίεσθαι ἡδονὴ γίνεται ξυομένοις Ζγα20. 728 a11. συγγίνεσθαι ἀνδρὶ Ζγδ7. 775 b27. Ζικ2. 634 b31. 5. 635 a34, 636 a11. 6. 637 b25, 30. πλησιάζειν τῷ ἀνδρὶ Ζια4. 584 a31. κ3. 635 a37, b1, 32. (ὁ ἀνὴρ πλησιάζει Ζικ5. 637 a16). ἡ πρὸς τὸν ἄνδρα συνυσία Ζικ3. 635 b17. αἱ πρὸς τὸν ἄνδρα χρήσεις Ζικ4. 636 a39. τίνες ἄνδρες ἀφροδισιάσαντες εὐρωστότεροι Ζικ5. 636 b24. ἀναπάσαι τὸ τῦ ἀνδρός Ζικ3. 635 b29. δέχεσθαι παρὰ τῦ ἀνδρὸς ᴈ ἀφιέναι Ζικ4. 636 b5. λαβεῖν παρὰ τῦ ἀνδρὸς ᴈ μὴ συλλαβεῖν Ζικ3. 636 a27. τῆς ἀγονίας τῶν ἀνδρῶν τίνες αἱ αἰτίαι· ἀγονία ἰατή, ἀνίατος Ζγβ7. 746 ᵇ16 sqq. Ζιη6. 585 ᵇ9, 27. κι. 633 ᵇ11. 4. 636 ᵇ8. 5. 636 ᵇ11, 39, 637 ᵃ3. οἱ πίονες ἀγονώτεροι διὰ τί Ζγα18. 726 ᵃ4. ἄνδρες ἀρρενογόνοι, θηλυγόνοι Ζιη6. 585 ᵇ12, 21. Ζγα18. 723 ᵃ23. — b, ethica. γυνὴ ἀνδρὸς ἐλεημονέ-5 στερον, ἀρίδακρυ μᾶλλον, φθονερώτερον, μεμψιμοιρότερον, φιλολοίδορον μᾶλλον Ζι1. 608 ᵇ8. ἀνδρὸς κỳ γυναικὸς ἕτε-ραι ἀρεταί Πγ4. 1277 ᵇ20, 24. cf β4. 1264 ᵇ6. — ἀνὴρ de virili aetate, opp παῖς, παιδίον Ζμδ10. 686 ᵃ24. Ζγα18. 724 ᵃ22. β2. 734 ᵃ29. Ζιδ10. 537 ᵇ10 al. ἐπὶ τῆς ἐχομέ-10 νης ἡλικίας κỳ ὅταν ἄνδρες γίγνωνται Πδ9. 1294 ᵇ25. ἄνδρες προΐασης ἤδη τῆς ἡλικίας γίγνονται φαλακροί Ζγε3. 782 ᵃ10. — ἀνήρ, maritus, opp μοιχὸς Ζιγ4. 585 ᵃ16. οἰκίας μέρος ἀνὴρ κỳ γυνὴ Πβ9. 1269 ᵇ15. κατ' ἀξίαν ὁ ἀνὴρ ἄρχει Ηθ12. 1160 ᵇ33. ἀνδρὸς κỳ γυναικὸς φιλία ποία Ηθ14. 1162 15 ᵃ16-33. 12. 1160 ᵇ33 sqq. ἀδικία ἀνδρὸς αἱ θύραζε συνεσίαι οα4. 1344 ᵃ12. — ἀνήρ, dist πολίτης· ἀνδρὸς κỳ πολίτη πό-τερον ἢ αὐτὴ ἀρετή Πγ18. 1288 ᵃ38, 40, ᵇ2. ὁ αὐτὸς ὅρος τῷ τε ἀρίστῳ ἀνδρὶ κỳ τῇ ἀρίστῃ πολιτείᾳ Πη15. 1334 ᵃ13. πότερον τὸν ἄριστον νόμον ἄρχειν αἱρετώτερον ἢ τὸν ἄνδρα 20 ἄριστον Πγ16. 1287 ᵇ21. 15. 1286 ᵃ9.

ἀνθεῖν. κύτισος ἀνθῶν Ζιγ21. 522 ᵇ28. ἐν κάλυκι ἀνθεῖν Ζιε22. 554 ᵃ12. — ἀνθῦσα ἀνδρὸς ἀκμή (Isocr 5, 10) Ργ11. 1411 ᵇ28.

ἀνθέλκειν. ὁ νῦς διὰ τὸ μέλλον ἀνθέλκειν κελεύει ψγ10. 25 433 ᵇ8.

Ἀνθεμῦσσα πρότερον ἐκλήθη ἡ Σάμος f 529. 1566 ᵃ2.

Ἀνθεύς, Ἀλικαρνασσεύς. ἐκ βασιλέια γένης f 515. 1562 ᵃ28.

Ἄνθη. οἱ περὶ Ἄνθην κỳ Ὑπέρην κατοικῦντες f 555. 1569 ᵇ44.

Ἀνθηδονία. Ἀνθηδονίαν ἐκάλυν τὴν Καλαυρίαν f 555. 1569 30 ᵇ44.

Ἀνθηδονιὰς ἄμπελος f 554. 1569 ᵇ34.

Ἀνθηδών. ἐπεὶ ὑκ Ἀνθηδόνα ναίεις (ex oraculo quodam) f 555. 1570 ᵃ1.

ἀνθίας, piscis. ὁ αὐλωπίας, ὃν καλῦσί τινες ἀνθίαν, τίκτει 35 τῦ θέρης Ζιζ17. 570 ᵇ19. ἀγελαῖος Ζιι2. 610 ᵇ5. οἱ σπογ-γεῖς καλῦσιν ἱερὺς ἰχθῦς τύτυς Ζιι37. 620 ᵇ33 (piscis non definitus C S St Cuvier et Valenc hist des poissons II 255 AZι I 125 n 3; scomber alalonga K Cr).

ἀνθίζειν. πορφύρας ὑμὴν θλιβόμενος ἀνθίζει τὴν χεῖρα Ζιε15. 40 547 ᵃ18.

ἄνθινον μέλι θ16. 831 ᵇ18.

ἀνθολογῦνται αἱ μέλιτται Ζιι42. 628 ᵇ32.

ἄνθος, τό. ἄνθος καλλύντῳ, καλάμῃ, ἐλαίας Ζιε21.553 ᵇ20,21. φασὶ τῦτο ἄνθος εἶναί τι φυσικὸν τὸ φυκίον Ζιζ13. 568 ᵃ6. 45 φυτῶν ἄνθη φτα3. 818 ᵃ15. χ4. 794 ᵃ17. γίνεται κηρίον ἐξ ἀνθέων Ζιι22. 553 ᵇ27 sqq. ἄνθη ἐρυσιβώδη Ζιθ27. 605 ᵇ18. ταῖς τῶν ἀνθῶν ὀσμαῖς μόνον χαίρει τῶν ζῴων ἄνθρωπος αι5. 444 ᵃ33, 443 ᵇ27. τριβόμενα τὰ ἄνθη δυσωδέστερα πιγ3. 907 ᵇ33. αἱ ὀσμαὶ τῶν ἀνθῶν ἧττον εὐώδεις ἐκ τῦ ἐγγὺς 50 πιβ2. 906 ᵃ31. 9. 907 ᵃ25. τῶν ἀνθῶν τὰ χρώματα πῶς γίνεται χ5. 796 ᵇ7sqq. — color. ποιεῖ φαίνεσθαι τὰ ἄνθη λαμπρότερα χ4. 794 ᵇ3, 6. τῦτο καταφανὲς κỳ ἐπὶ τῶν ἀν-θῶν μγ4. 375 ᵃ23. τὸ ἄνθος τῶν πορφυρῶν, τῦ ὀστρέυ Ζιε15. 547 ᵃ7-28, 548 ᵃ13. ζ13. 568 ᵃ10 (ostreum, sanies pur-55 purea). ἄνθος χαλκῦ θ58. 834 ᵇ30.

ἄνθος, ὁ. avis. σκωληκοφάγος, τὸ μέγεθος ὅσον σπίζα Ζιθ3. 592 ᵇ25. descr Ζιι1. 609 ᵇ14. 12. 615 ᵃ27. λέγεται ὅτι αἰ-γίθῳ κỳ ἄνθυ αἷμα ὑ συμμίγνυται ἀλλήλοις Ζιι2. 610 ᵃ16. (avis incerta, utrum sit motacilla boarula an emberiza ci-60 trinella dubitant C S St Cr; motacilla boarula K, motacilla V.

flava et boarula Su 118 n 62, dubitat AZι I 87 n 15.)

Ἄνθος Ἀγάθωνος πο9. 1451 ᵇ21 (Nck fr tr p 592).

Ἄνθος (an Ἄνθης?). ἀπὸ Ἄνθυ τινὸς κỳ Ὑπέρη f 554. 1569 ᵇ35.

ἀνθοφορῦσιν αἱ μέλιτται Ζιι40. 625 ᵇ19.

ἀνθρακευτά, dist φλογιστὰ μθ9. 387 ᵇ19.

ἀνθρακώδης αι2. 437 ᵇ17.

ἄνθραξ, dist φλόξ, φῶς τε5. 134 ᵇ29sqq. 8. 138 ᵇ19, 20. ὁ ἄνθραξ ἀποσβεσθεὶς ψυχρός Ζμβ2. 649 ᵃ23. ἡ σφραγίς, ὁ καλύμενος ἄνθραξ μθ9. 387 ᵇ18. ἄνθρακες καταπνιγόμε-νοι ζ5. 470 ᵃ8. ὑπὸ τῆς τῶν ἀνθράκων ἀτμίδος καρηβαρεῖν αι5. 444 ᵇ31. ἀνθράκων τρώξεις Ηη6. 1148 ᵇ28. τὸ ἀπὸ τῶν ἀνθράκων πκδ3. 936 ᵃ25.

ἀνθρήνη, insectum, refertur ad γένη συγγενικὰ (συγγενῆ) ταῖς μελίτταις κỳ ταῖς σφηξίν, inter γένη ἐξ ἀγελαῖα τῶν με-λιττῶν κỳ τῶν παραπλησίων τὴν μορφὴν Ζιθ7. 531 ᵇ23. ι38. 622 ᵇ21. 40. 623 ᵇ10. cf ε22. 553 ᵇ9. ι40. 624 ᵇ25. 43. 629 ᵃ32. αἱ ἀνθρῆναι παμφαγώτεραι, ποικιλώτεραι τῶν με-λιττῶν Ζγε6. 786 ᵇ1. οἱ τῶν ἀνθρηνῶν σκώληκες πῶς αὐξά-νονται Ζιι9. 551 ᵃ30. ἡ τῶν ἀνθρηνῶν γένεσις παραπλησίως ἔχει ταῖς μελίτταις Ζγγ10. 761 ᵃ3. πῶς ποιῦσι κηρίον τῷ γόνῳ, τὸ τῶν ἀνθρηνῶν κηρίον γλαφυρώτερον ἢ τὸ τῶν σφηκῶν Ζιε23. 554 ᵇ22-555 ᵃ8. ι40. 625 ᵃ2. τῶν ἀνθρηνῶν vita ac victus descr Ζι42. 628 ᵇ32-629 ᵃ28. (frelon C, crabro S, species quaedam apium ferarum, similis api nostrae sed non eadem St, vespa crabro K, apis terrestris vel vespa crabro Cr, species plures vespariarum Su p 221 n 30, spe-cies incerta vespariarum AZγ35 AZι I 159 n 3.)

ἀνθρώπειος. πάντα τἀνθρώπεια ἀδυνατεῖ συνεχῶς ἐνεργεῖν Ηχ4. 1175 ᵃ4. κοινὰ τῆς ἀνθρωπείας φύσεως πάθη ρ8. 1428 ᵇ4.

ἀνθρωπεύεσθαι. δεήσεται τῶν τοιύτων πρὸς τὸ ἀνθρωπεύ-εσθαι Ηχ8. 1178 ᵇ7, cf ᾗ ἄνθρωπός ἐστιν ᵇ5.

ἀνθρωπικός. τὸ θρεπτικὸν ἄμοιρον τῆς ἀνθρωπικῆς ἀρετῆς Ηα13. 1102 ᵇ12. ὑχ ἧττον ἀνθρωπικὰ τὰ ἄλογα πάθη Ηγ3. 1111 ᵇ1. αἱ εἰς σύνθετε ἀρεταὶ ἀνθρωπικαί Ηχ8. 1178 ᵃ21. ἐνέργεια ἀνθρωπικαί Ηχ8. 1178 ᵃ10, 14. ἀνθρωπικὸν κỳ φυ-σικαὶ ἐπιθυμίαι Ηη7. 1149 ᵇ28. — ἀνθρωπικὸν μὴ διωθεῖσθαι τὴν ἐπικυρίαν, τὸ ἀμνημονεῖν, ἀνθρωπικώτερον τὸ τιμωρεῖσθαι Ηθ16. 1163 ᵇ24. ι7. ᵈ11. 1126 ᵃ30. κỳ τὸ ἀνθρω-πικὴ ἡ τοιαύτη ἀναλγησία Ηγ14. 1119 ᵃ7. δι' ἀλαζονείαν, δι' ἄλλας αἰτίας ἀνθρωπικὰς Ρα2. 1356 ᵇ30. ἀνθρωπικά, opp ἥρωες πιθ48. 922 ᵇ20, 17, 18. — ὑδὲ περὶ τῶν ἀνθρωπικῶν πάντων βυλεύονται Ηγ5. 1112 ᵃ28. συζῆν κỳ κοινωνεῖν τῶν ἀνθρωπικῶν πάντων χαλεπόν Πβ5. 1263 ᵃ15. ὅσα ἀπορή-ματά ἐστιν ἀνθρωπικά, κỳ ἀνήκει εἰς τὰ ἤθη, opp ἀπορήματα φυσικά Ηθ2. 1155 ᵇ9.

ἀνθρώπινος. ὁ ἔποψ τὴν νεοττιὰν μάλιστα ποιεῖται ἐκ τῆς ἀνθρωπίνης κόπρυ Ζιι15. 616 ᵃ35. — περὶ τὰς βίας πολλὰ ἂν θεωρηθείη μιμήματα τῶν ἄλλων ζῴων τῆς ἀνθρωπίνης ζωῆς Ζιι7. 612 ᵇ19. ψυχὴ ἀνθρωπίνη Πγ15. 1286 ᵃ19. τἀνθρώπινον ἀγαθὸν Ηα1. 1094 ᵇ7. 6. 1098 ᵃ16. ηεα7. 1217 ᵃ22. τὰ μὴ φυσικὰ ἀλλ' ἀνθρώπινα δίκαια Ηε10. 1135 ᵃ4. ἡ περὶ τὰ ἀνθρώπινα φιλοσοφία (i ἡ πολιτική) Ηχ10. 1181 ᵇ15. οἱ σοφώτεροι τὴν ἀνθρωπίνην σοφίαν, opp οἱ περὶ τᾶς θεολογίας διατριβόντες μβ1. 353 ᵇ, ᵃ35. ὑπερτείνειν τὴν ἀν-θρωπίνην φύσιν Ηγ1. 1110 ᵃ25. μείζονος ἀρετῆς ἢ κατ' ἀνθρωπίνην φύσιν Πγ15. 1286 ᵇ27. ὡς γε πρὸς ἀνθρωπίνην εἰπεῖν πίστιν Οα3. 270 ᵇ12. κύκλος τὰ ἀνθρώπινα πράγματα Φδ14. 223 ᵇ25. πιζ3. 916 ᵃ35. ὑ χρὴ ἀνθρώπινα φρονεῖν ἄνθρωπον ὄντα Ηχ7. 1177 ᵇ32. τοῖς ἀνθρωπίνοις συγγινώσκειν

H

ἐπιεικές Ρα13. 1374 ᵇ10. — πῶς ἔχων τῷ πιστεύειν, πότε-
ρον ἀνθρωπίνως ἢ καρτερικώτερον Οβ5. 287 ᵇ33.
ἀνθρωπόγλωττον ὄρνεον ἡ ψιττάκη Ζιθ12. 597 ᵇ27.
ἀνθρωποειδής. μαρτιχόρας ἔχει πρόσωπον κ̄ ὦτα ἀνθρωπο-
εἰδές Ζιβ1. 501 ᵃ29. οἱ πίθηκοι ἀνθρωποειδεῖς Ζιβ8. 502 ᵃ24. 5
ποιεῖν τὰς θεὰς ἀνθρωποειδεῖς Μβ2. 997 ᵇ10. λ8. 1074 ᵇ5.
ἀνθρωπολόγος Ηδ8. 1125 ᵃ5.
ἄνθρωπος. 1. (notio. γένος, ἴδιον, εἶδος). a. πᾶς ἄνθρωπος
ζῷον, ζῷον παντὶ ἀνθρώπῳ ὑπάρχει, τὸ ζῷον γένος τ̄ ἀν-
θρώπ̄ Κ1. 1 ᵃ8. Αα2. 25 ᵃ25. β2. 53 ᵇ35, 54 ᵇ6. 3. 56 ᵃ28. 10
δ4. 91 ᵇ5. τα5. 102 ᵃ38. δ6. 128 ᵃ25 al. cf Ζγβ3. 736 ᵇ2.
δ3. 767 ᵇ30. — b. ἄνθρωπος refertur ad γένη μέγιστα τῶν
ἐναίμων Ζιβ15. 505 ᵇ28. cf α4. 489 ᵃ30, ζῷα χερσαῖα Ζια1.
487 ᵃ30, inter ζῷα ἀγελαῖα et ζῷα μοναδικὰ ἐπαμφοτε-
ρίζει ἄνθρωπος Ζια1. 488 ᵃ7. refertur ad ζῷα πολιτικὰ Ζια1. 15
488 ᵃ9 (cf infra 60 ᵇ36), ad ζῳοτόκα Ζια5. 489 ᵃ35, ad
τὰ ἥμερα ἀεί Ζια1. 488 ᵃ27 (sed πάντα ὅσα ἥμερα κ̄ ἄγρια
τυγχάνει ὄντα, οἷον ἄνθρωποι Ζμα3. 643 ᵇ5, κ̄ ἄνθρωποί πῃ
φαίνονται ἄγριοι ὄντες πι45. 895 ᵇ24). ἔστι τῶν θηρίων τὰ
μὲν ἀεὶ πολέμια ἀλλήλοις, τὰ δ᾽ ὥσπερ ἄνθρωποι, ὅταν 20
τύχωσιν Ζιι1. 610 ᵃ4. — ἄνθρωπος ζῷον πεζὸν δίπν, ζῷον
θνητὸν ὑπόπν δίπν ἄπτερον τα7. 103 ᵃ27. ε4. 133 ᵃ3, ᵇ8.
Αδ5. 91 ᵇ5, ζῷον ἥμερον φύσει, ἐπιστήμης δεκτικὸν τε2.
130 ᵃ26, ᵇ8. 3. 132 ᵃ19. 4. 133 ᵃ22. — c. usitato nomine
dicitur τὸ τῶν ἀνθρώπων γένος, veluti Ζιη4. 584 ᵇ29. Ζμα5. 25
645 ᵃ29. β9. 655 ᵇ15. 10. 656 ᵃ7. Ζγδ10. 777 ᵇ5. sed pro-
prie ἄνθρωπος est εἶδος, quoniam ὐκ ἔχει διαφοράν, ὐκ ἔχει
διαφορὰν κατὰ τὸν καθόλυ λόγον, ἄτομον τῷ εἴδει, πλείω
ὄντα ἀδιάφορα κατὰ τὸ εἶδος Ζια6. 490 ᵇ18, 33. Ζμα5.
645 ᵇ25. 4. 644 ᵃ31, ᵇ7. τα7. 103 ᵃ11. (alia ratione εἴδη 30
τ̄ λόγ̄ comparantur τοῖς τῶν ἀνθρώπων εἴδεσι, qui τῇ μὲν
ὅμοιοι τῇ δὲ ἀνόμοιοι τὰς ὄψεις κ̄ τὰς αἰσθήσεις εἰσὶν ρ6.
1427 ᵇ34.)
2. (figura, magnitudo hominis universe.) ἔστι τὰ τέλεια
ζῷα πρῶτα, τοιαῦτα δὲ τὰ ζῳοτοκⁿτα, κ̄ τούτων ἄνθρω- 35
πος πρῶτον Ζγβ4. 737 ᵇ27. γίγνεται μείζων, ὁ δ᾽ ἐλάττων
ἄνθρωπος Ζγδ4. 772 ᵃ1. πολυμορφοτέραν ἔχει τὴν ἰδέαν κ̄
πολυχυστέραν, ὅσων μὴ μόνον τ̄ ζῆν ἀλλὰ κ̄ τ̄ εὖ ζῆν
ἡ φύσις μετείληφεν· τοιοῦτο δ᾽ ἐστὶ τὸ τῶν ἀνθρώπων γένος
Ζμβ10. 656 ᵃ7. ἔχει ὁ ἄνθρωπος κ̄ τὸ ἄνω κ̄ τὸ κάτω κ̄ 40
πρόσθια κ̄ ὀπίσθια κ̄ δεξιὰ κ̄ ἀριστερά Ζια15. 493 ᵇ17. cf
Ζπ1. 706 ᵃ19 sqq. τὰ τ̄ ἀνθρώπῳ ἄνω κ̄ κάτω πρὸς τὰ τ̄
παντὸς ἄνω κ̄ κάτω τέτακται Ζια15. 494 ᵃ28, 33. Ζμβ10.
656 ᵇ12. μόνον ὀρθὸν τῶν ζῴων ἄνθρωπος Ζμβ10. 656 ᵃ13.
υ3. 457 ᵇ5. αι13. 477 ᵃ12. διὰ τί μόνον ὀρθὸν Ζμβ10. 45
687 ᵃ5, 689 ᵇ11, διὰ τὸ τὴν φύσιν αὐτῦ κ̄ τὴν ὑσίαν εἶναι
θείαν Ζμβ10. 686 ᵃ25, διὰ τὴν τ̄ θερμῦ φύσιν ἐνισχύσαν
Ζμβ7. 653 ᵃ31, διὰ τὴν πολυαιμίαν Ζμγ6. 669 ᵇ5. διὰ τί
ἄλλα ζῷα ὐκ ἐνδέχεται εἶναι ὀρθὰ Ζμδ10. 689 ᵇ25. δ12.
695 ᵃ6. Ζπ11. 710 ᵇ31. πάντα τὰ ζῷα νανώδη τἆλλα παρὰ 50
τὸν ἄνθρωπον Ζμδ10. 686 ᵇ3, 22. διὰ τὸ μόνον ὀρθὸν εἶναι
τῶν ζῴων μόνον πρόσωθεν ὅπωπε κ̄ τὴν φωνὴν εἰς τὸ πρόσω
διαπέμπει Ζμγ1. 662 ᵇ20. τὰ τετράποδα κ̄ ζῳοτόκα τὰ
ἀριστερὰ ἧττον ἔχει ἀπολελυμένα τῶν ἀνθρώπων, πλὴν ἐλέ-
φαντος Ζιβ1. 497 ᵇ21. Ζπ1. 706 ᵃ19. μάλιστα τῶν ἄλλων 55
ζῴων ἄνθρωπος ἔχει κατευγμένα τὰ ἀριστερὰ Ζμγ4. 666
ᵇ9. — Δημόκριτος φησι παντὶ δῆλον εἶναι οἷόν τι τὴν μορ-
φὴν ἐστὶν ὁ ἄνθρωπος· καίτοι ὁ τεθνεὼς ἔχει τὴν αὐτὴν τ̄
σχήματος μορφήν, ἀλλ᾽ ὅμως ὐκ ἔστιν ἄνθρωπος Ζμα1.
640 ᵇ32. ὁ νεκρὸς ἄνθρωπος ὁμωνύμως μδ12. 389 ᵇ31. 60
3. (de partibus corporis humani universe.) πρῶτον τὰ τῦ

ἀνθρώπῳ μέρη ληπτέον, ὁ γὰρ ἄνθρωπος τῶν ζῴων γνωρι-
μώτατον ἡμῖν ἐξ ἀνάγκης ἐστὶν Ζια7. 491 ᵃ20, 22. τὰ μόρια
τὰ πρὸς τὴν ἔξω ἐπιφάνειαν· τῶν ἔξωθεν μορίων ἡ μορφὴ
γνώριμος μάλιστα Ζια16. 494 ᵇ19. Ζμβ10. 656 ᵃ10. τὰ
ἐντὸς μόρια ἄγνωστα μάλιστα τὰ τῶν ἀνθρώπων Ζια16.
494 ᵇ21. cf 17. 497 ᵇ1. ἐξ ὧν συνέστηκε τὸ τῶν ἀνθρώπων
γένος πολλῆς ἐστὶ δυσχερείας ἰδεῖν, οἷον αἷμα φλέβες Ζμα5.
645 ᵃ29. τὰ περὶ γενέσεως πλείστην ἔχει πραγματείαν Ζιε1.
539 ᵃ1, 6 sqq. ηι. 581 ᵃ9.
4. (τὰ ἀνομοιομερῆ μόρια corporis humani.) a. τὰ ἐκτὸς
μόρια enumerantur Ζια15. 494 ᵃ33. ἡ κεφαλὴ διὰ τί ἄσαρ-
κος Ζμβ10. 656 ᵃ14. τὸ κρανίον συγκείμενον (opp μονό-
στεον) Ζμγ7. 516 ᵃ17. διὰ τί μαλακὸν τὸ βρέγμα τῶν παι-
δίων Ζγβ6. 744 ᵃ25. τὸ ὑπὸ τὸ κρανίον ὀνομάζεται πρόσωπον
ἐπὶ μόνου τῶν ἄλλων ζῴων ἀνθρώπῳ Ζια9. 491 ᵇ10. τῶν ἀν-
θρώπων καλεῖται τὸ μεταξὺ τῆς κεφαλῆς κ̄ τ̄ αὐχένος
πρόσωπον, διὰ τί Ζμγ1. 662 ᵇ18. ὁ ἄνθρωπος μικρόστομος
Ζιβ7. 502 ᵃ8. περὶ τῶν χειλῶν κ̄ τῆς γλωττης Ζμβ16.
659 ᵇ31-660 ᵃ2. 17. 660 ᵃ17. ἄνθρωπος ἄνω κ̄ κάτω κινεῖ
τὰς σιαγόνας κ̄ εἰς τὸ πλάγιον Ζμδ11. 691 ᵃ28. περὶ αὐχέ-
νος Ζια12. 493 ᵃ5. περὶ θώρακος Ζια12. 493 ᵃ11. περὶ στήθυς
Ζμδ10. 628 ᵃ12. Ζιβ1. 497 ᵇ33. τὰς ἔχει μαστὺς Ζιβ1.
497 ᵇ35, 500 ᵃ13, 17. γ20. 521 ᵇ23. Ζμδ10. 688 ᵃ19, ᵇ30.
περὶ νώτυ Ζια15. 493 ᵇ12. ὁ ἄνθρωπος ἄκερκον, διὰ τί
Ζμδ10. 689 ᵇ1, 21. περὶ γαστρός Ζια13. 493 ᵃ17. οἱ ὀμ-
φαλοὶ διὰ τί μεγάλοι γίνονται πι46. 896 ᵃ12. τῶν ἀρρένων
τὰ αἰδοῖα ἔξω, τὸ αἰδοῖον ὡς ἀρχῆς εἰς τὸ πρόσθεν κ̄
ἀπολελυμένα, ἀπηρτημένα Ζιβ1. 500 ᵃ33, ᵇ3. γ1. 509 ᵇ15.
Ζγα4. 717 ᵃ30. τὸ αἰδοῖον χονδρῶδες κ̄ σαρκῶδες Ζιβ1.
500 ᵇ21. οἱ ὄρχεις σῴζοντες τὴν ἐπαναδίπλωσιν Ζγα4. 717
ᵃ32. 6. 718 ᵃ15. — τὰ ἔναιμα τέτταρσι κινεῖται σημείοις,
οἷον ἄνθρωπος χερσὶ δυσὶ κ̄ ποσὶ δυσὶν Ζια5. 490 ᵃ27. δύο
πόδας ἔχει ἄνθρωπος κ̄ ὄρνις Ζια5. 489 ᵇ20. ἡ διποδία ἀν-
θρώπῳ κ̄ ὄρνιθος διάφορος· ἐναντίας ἔχυσι τὰς κάμψεις τῶν
σκελῶν Ζμα3. 643 ᵃ3. δ12. 693 ᵇ2. Ζπ1. 704 ᵃ16. 12. 711
ᵃ11, ᵇ7. ὁ ἄνθρωπος μάλιστα κατὰ φύσιν ἐστὶ δίπυς Ζπ5.
706 ᵇ10. cf τα5. 102 ᵃ27. ὁ ἄνθρωπος πῶς κινεῖ τὰ σκέλη,
τὺς βραχίονας Ζπ12. 711 ᵃ15, ᵇ9. 13. 712 ᵃ11. 1. 704 ᵃ20.
cf Ζια15. 494 ᵇ11. β1. 498 ᵃ4, 19, 26. Ζμδ10. 687 ᵇ25.
ὁ ἄνθρωπος ἀντὶ σκελῶν κ̄ ποδῶν τῶν προσθίων βραχίονας
κ̄ τὰς καλυμένας ἔχει χεῖρας Ζμδ10. 686 ᵃ25, 687 ᵃ5.
Ἀναξαγόρας φησι διὰ τὸ χεῖρας ἔχειν φρονιμώτατον εἶναι
τῶν ζῴων ἄνθρωπον· εὔλογον δὲ διὰ τὸ φρονιμώτατον εἶναι
χεῖρας λαμβάνειν Ζμδ10. 687 ᵃ7. ὁ ἄνθρωπος σαρκώδη ἔχει
σχεδὸν μάλιστα τὰ ἰσχία, τὺς μηρὺς, τὰς κνήμας, τὰ
σκέλη· τὰ σκέλη κατὰ λόγον πρὸς τὸ σῶμα ἔχει
μέγιστα τῶν ὑποπόδων κ̄ ἰσχυρότατα διὰ τὸ μόνον ὀρθὸν
εἶναι Ζιβ1. 499 ᵇ2. Ζμδ10. 689 ᵇ5, 690 ᵃ27. πι41. 895
ᵃ23. Ζπ11. 710 ᵇ9. τῶν δακτύλων μέγεθος ἐναντίως ἔχει
ἐπί τε τῶν ποδῶν κ̄ τῶν χειρῶν κατὰ λόγον Ζμδ10. 690
ᵃ30. πολυσχιδὴ αἵ τε ἀνθρώπων χεῖρες κ̄ οἱ πόδες Ζμδ1.
499 ᵇ7. διὰ τί πολυσχιδεῖς οἱ πόδες τῶν ἀνθρώπων, ἢ μα-
κροδάκτυλοι δέ Ζμδ10. 690 ᵇ7. ἄνθρωπος βαδίζει κινῶν τὺς
ὤμυς Ζπ10. 709 ᵇ25. οἱ μακροὶ τῶν ἀνθρώπων λορδοὶ βα-
δίζυσιν Ζπ7. 707 ᵇ18. διὰ τί ἄχρηστος τοῖς ἀνθρώποις ἡ
τῶν πτερύων ἕξις κατὰ φύσιν κινυμένοις Ζπ11. 711 ᵃ3. —
b. τὰ ἐντὸς μόρια. κατὰ μέγεθος ἔχει ὁ ἄνθρωπος πλεῖστον
ἐγκέφαλον κ̄ ὑγρότατον, κ̄ τῶν ἀνθρώπων οἱ ἄρρενες τῶν
θηλειῶν Ζμα16. 494 ᵇ28. β7. 653 ᵃ27. 14. 658 ᵇ7. Ζγε3.
784 ᵃ1, διὰ τί Ζγβ6. 744 ᵃ29. ὁ ἐγκέφαλος ὑγρὸς κ̄ ψυ-
χρός Ζγε3. 782 ᵇ17. ὁ ἐγκέφαλος συνίσταται μόλις, ὀψὲ

παύεται τῆς ψυχρότητος κ̔ τῆς ὑγρότητος μάλιστα ἐπὶ τῶν ἀνθρώπων Ζγβ6. 744 ᵃ25. ἡ καρδία κεῖται τοῖς ἀνθρώποις ἐν τοῖς ἀριστεροῖς μᾶλλον Ζια17. 496 ᵃ15. β17. 506 ᵇ33. Ζμγ4. 666 ᵇ6, ἀρχικὴν χώραν ἔχει Ζμγ4. 665 ᵇ22. ὁ περὶ τὴν καρδίαν κ̔ τὸν πλεύμονα τόπος θερμότατος κ̔ ἐναιμότατος Ζμβ7. 653 ᵃ29. ἐν ἀνθρώπῳ συμβαίνει μόνον τὸ τῆς πηδήσεως (τῆς καρδίας), διὰ τί Ζμγ6. 669 ᵃ19. ὁ πλεύμων οἱμερής, ὂ πολυσχιδής, ἡ διάστασις ἥκιστα φανερὰ ἐν ἀνθρώπῳ Ζια16. 495 ᵇ1. ὁ σπλὴν ποῖος Ζια17. 496 ᵇ21. Ζιγ12. 674 ᵃ2, τὸ ἧπαρ Ζια17. 496 ᵇ23. ἀνθρώπων ἔνιοι φαίνονται ἔχοντες χολὴν ἐπὶ τῷ ἥπατος, ἔνιοι δ' ἐκ ἔχοντες Ζιδ2. 676 ᵇ31. περὶ κοιλίας κ̔ ἐντέρων Ζιβ17. 507 ᵇ16, 18, 22. περὶ νεφρῶν Ζμγ9. 671 ᵇ6. ἡ κύστις πόση Ζια17. 497 ᵃ23. τῆς ὑστέρας τίς ἡ θέσις Ζιγ1. 510 ᵇ17. Ζγα8. 718 ᵃ37. 12. 719 ᵇ25. γι. 749 ᵃ31.

5. (τὰ ὁμοιομερῆ μόρια corporis humani). a. τὰ ὑγρά. 1. τῶν ὑγρῶν τὰ σύμφυτα. ἔχει λεπτότατον κ̔ καθαρώτατον αἷμα ἄνθρωπος Ζιγ19. 521 ᵃ3, σάρκα μαλακωτάτην Ζμβ16. 660 ᵃ11. — 2. τῶν ὑγρῶν τὰ ὑστερογενῆ. τὸ γάλα τοῖς θήλεσι πότε γίνεται Ζγδ8. 776 ᵃ15, 22, παύεται ἐὰν πάλιν συλλάβωσιν Ζιη11. 587 ᵇ29. τῶν ἀρρένων ἐν ἐδενὶ ὡς ἐπὶ τὸ πολὺ γίνεται γάλα Ζιγ20. 522 ᵃ12. διὰ τί ἄνθρωπος κ̔ βοῦς ἔλαττον ἀμέλγονται γάλα ὡς κατὰ λόγον π.6. 891 ᵇ5. πλεῖστον σπέρμα κατὰ τὸ σῶμα ἄνθρωπος προΐεται Ζιγ22. 523 ᵃ15. γ. 583 ᵃ6. τῶν νέων σπέρμα ἄγονον Ζιε14. 544 ᵇ17. πάθος τι τῆς προέσεως τῷ σπέρματος Ζγγ1. 751 ᵃ16. τὸ τῆς κύστεως περίττωμα τοῖς τετράποσι παχύτερον ἢ τὸ τῷ ἀνθρώπῳ Ζιζ18. 573 ᵃ17. διὰ τί ὁ ἄνθρωπος πλείω τὴν ὑποχώρησιν ποιεῖται τὴν ὑγρὰν τῆς ξηρᾶς π.59. 897 ᵇ34. διὰ τί τοῖς θήλεσι τῶν ἀνθρώπων πλεῖστον γίνεται τὸ περίττωμα Ζγβ4. 738 ᵇ6. — b. τὰ στερεά. αἱ φλέβες ἐν τῷ ἀνθρώπῳ πῶς ἔχωσιν Ζιγ2. 511 ᵇ1-4. 515 ᵃ14, φανεραὶ ἐν τοῖς λελεπτυσμένοις σφόδρα ἀνθρώποις Ζιγ2. 511 ᵇ22, 31. αἱ τῶν ἀνθρώπων φλέβες παχεῖαι ὡς κατὰ τὸν λόγον τῷ σώματος Ζια17. 496 ᵃ14. περὶ ὀστῶν κ̔ χόνδρων Ζιγ7. 8. περὶ ὀδόντων Ζιβ1. 501 ᵃ9, ᵇ1. 3. 501 ᵇ19. 4. 501 ᵇ24. τῶν μελάνων ἀνθρώπων οἱ ὀδόντες διὰ τί λευκοί Ζιγ9. 517 ᵃ17. πῶς ὁ ἄνθρωπος πρὸς τὴν κοινὴν χρῆσιν καλῶς ἔχει πεφυκότας τὰς ὀδόντας Ζμγ1. 662 ᵇ6. περὶ τριχῶν Ζιβ1. 498 ᵇ17 sqq. 8. 502 ᵃ25. Ζμβ14. 658 ᵃ15sqq. τρίχες συγγενεῖς, 40 ὑστερογενεῖς Ζιγ11. 518 ᵃ18. διὰ τί λειότατον (ψιλότατον) κατὰ τὸ σῶμα τῶν ζῴων ἄνθρωπος Ζιη2. 583 ᵃ1, 6. Ζγβ6. 745 ᵇ16. τὴν κεφαλὴν ἄνθρωπός ἐστι τῶν ζῴων δασύτατον Ζμβ14. 658 ᵇ2. Ζγε3. 782 ᵇ9, 16. π.48. 896 ᵃ28 ᵃ20. διὰ τί τῷ ἀνθρώπῳ τὰ ἔμπροσθεν δασύτερα τῶν ὄπισθεν π.53. 896 ᵇ29. ὂ πᾶς ἄνθρωπος ἄρρην τὸ γένειον τριχῦται Αθ12. 96 ᵃ10. διὰ τί τοῖς ἀνθρώποις ἐκ τῶν ἔλῶν ὂ φύονται τρίχες π.29. 894 ᵃ13. διὰ τί ὁ ἄνθρωπος χαίτην ἐκ ἔχει π.35. 893 ᵇ14. τὰ τριχώματα διαφέρουσι κ̔ πρὸς αὐτὰ τοῖς ἀνθρώποις κατὰ τὰς ἡλικίας κ̔ πρὸς τῶν τῶν ἄλλων ζῴων Ζγε3. 781 ᵇ31. τρίχες ἐν τοῖς θερμοῖς σκληραί, ἐν τοῖς ψυχροῖς μαλακαί Ζιγ10. 517 ᵇ18. ἐπὶ τῶν ἀνθρώπων τὸ δέρμα ἐκ αἴτιον τῷ χρώματος τῶν τριχῶν. πλὴν τῶν πολιῶν τῶν διὰ νόσον Ζγε4. 784 ᵃ25. 5. 785 ᵇ6. οἱ ἄνθρωποι κατὰ τὴν ἡλικίαν μεταβάλλεσι τὰ χρώματα τῶν τριχῶν Ζγε6. 786 55 ᵃ31. Ζιγ11. 518 ᵃ7, ὂ μεταβάλλεσι μεταβάλλοντες τὰ ὕδατα π.17. 891 ᵇ15. αἱ τῶν ἀνθρώπων τρίχες ἐκ βάθυς πεφυκυῖαι βίᾳ κ̔ μετ' ἀλγηδόνος ἐκσπῶνται, τιλλόμεναι ἀναφύονται σκληρότεραι π.22. 893 ᵃ24, 18. διὰ τί αἱ τῶν ἀνθρώπων τρίχες ὅσῳ ἂν μακρότεραι ὦσι μαλακώτεραι γίνονται 60 π.23. 893 ᵃ37. περὶ τῆς τῶν ἀνθρώπων πολιότητος, φαλα-

κρότατος Ζγε1. 778 ᵃ26, 780 ᵇ5. 3. 782 ᵃ8, 11, 14, 783 ᵇ8, 12, 784 ᵃ1. 4. 784 ᵇ3-13, 785 ᵃ6. Ζιγ11. 518 ᵃ17. π.5. 891 ᵇ1. 63. 898 ᵃ31. εὐθυώνυχα ὥσπερ ἄνθρωπος (opp γαμψώνυχα) Ζιγ9. 517 ᵇ1. ἄνθρωπος ὄνυχας ἐλαχίστυς ἔχει ὡς κατὰ μέγεθος Ζγβ6. 745 ᵇ17. ὄνυχες τοῖς ἀνθρώποις ἐπικαλυπτήρια Ζμδ10. 687 ᵇ24. δέρμα πάντων λεπτότατον ἄνθρωπος ἔχει κατὰ μέγεθος Ζιγ11. 517 ᵇ27. Ζγε2. 781 ᵇ21. π.33. 894 ᵇ4. τῷ γαργαλίζεσθαι μόνον ἄνθρωπον αἴτιον ἡ λεπτότης τῷ δέρματος Ζμγ10. 673 ᵃ7. πλεῖστα σκαρδαμύττει ὁ ἄνθρωπος διὰ τὸ λεπτοδερμότατος εἶναι Ζμβ13. 657 ᵇ2. τῷ ἀνθρώπῳ ἐστὶ τὸ δέρμα καθάπερ πάθος σαρκός π.27. 893 ᵇ29. τὸς ἀνθρώπυς ὁ ἥλιος μελαίνει, τὸ πῦρ ὂ πλή8. 967 ᵇ6. ἄνθρωποι μέλανες Ζιγ9. 517 ᵃ17. οἱ λευκοὶ ἄνθρωποι π.11. 892 ᵃ1.

6. (αἰσθήσεις.) ὁ ἄνθρωπος ἔχει τὰς πέντε αἰσθήσεις πάσας Ζιδ8. 532 ᵃ33. τὴν πόρρωθεν ἀκρίβειαν τῶν αἰσθήσεων ἥκιστα ἄνθρωπος ἔχει ὡς κατὰ μέγεθος τῶν ζῴων, τὴν δὲ περὶ τὰς διαφορὰς μάλιστα πάντων εὐαίσθητον Ζγε2. 781 ᵇ17. τὰ ὄμματα ἐλάχιστον κατὰ μέγεθος διεστήκεν ἀνθρώπῳ· ἔχει ἀκριβεστάτην ἄνθρωπος τῶν αἰσθήσεων τὴν ἁφήν. δευτέραν τὴν γεῦσιν, ἐν δὲ ταῖς ἄλλαις λείπεται πολλῶν Ζια15. 494 ᵇ15. π.15. 892 ᵇ4. ὁ ἄνθρωπος διὰ τί αἰσθητικώτατον τῶν ζῴων Ζμβ16. 660 ᵃ12. 17. 660 ᵃ20. μόνον ἢ μάλιστα τῶν ζῴων ἄνθρωπος πολύχρυς τὰ ὄμματά ἐστιν Ζια9. 492 ᵃ5. Ζγε1. 779 ᵃ34, ᵇ6, 780 ᵇ3. διὰ τί οἱ λευκοὶ ἄνθρωποι γλαυκοὶ π.11. 892 ᵃ1. διὰ τί οἱ ἄνθρωποι μόνοι τῶν ἄλλων ζῴων τὰ ὄμματα διαστρέφονται πλα27. 960 ᵃ12. οἱ ἄνθρωποι φυλακὴν ἔχυσι τῆς ὄψεως Ζμβ13. 657 ᵃ25. ἀκίνητον τὸ ὡς ἄνθρωπος ἔχει μόνος Ζια11. 492 ᵃ22, 28.

7. (φωνή.) διάλεκτον ἔχειν ἴδιον τῷ ἀνθρώπῳ· οἱ ἄνθρωποι φωνὴν μὲν αὐτὴν ἀφιᾶσι, διάλεκτον δ' ὂ τὴν αὐτὴν Ζιδ9. 536 ᵇ19. π.38. 895 ᵃ4, 5. λαλεῖ ἐδὲν τῶν ἄλλων ζῴων πλὴν ἀνθρώπυ κ̔ ἤτοι δὲ ὀψέ πια1. 899 ᵃ2. 57. 905 ᵃ30. διὰ τί μόνον τῶν ζῴων ἄνθρωπος γίνεται ἰσχνόφωνον π.40. 895 ᵃ15. τὸ θῆλυ ὀξύτερον τῷ ἄρρενος Ζγε7. 786 ᵇ1. ἀπίστον τῷ φθέγγεσθαι τὴν κεφαλὴν ἀποκοπεῖσαν ἐκ ἀξίόπιστον Ζμγ10. 673 ᵃ14. πῶς χρήσιμα πρὸς τὴν τῶν γραμμάτων διάρθρωσιν τὰ χείλη, ἡ γλῶττα Ζμβ16. 659 ᵇ31, 36. 17. 660 ᵃ22.

8. (τὰ περὶ ὀχείαν, κύησιν κτλ.) ἄνθρωπος ἄνθρωπον γεννᾷ (solenne generationis naturalis exemplum) Μζ7. 1032 ᵃ25 Bz. 8. 1033 ᵇ32. θ8. 1049 ᵇ25. λ3. 1070 ᵃ8, 28. 4. 1070 ᵇ31, 34. ν5. 1092 ᵃ16. Φβ1. 193 ᵇ8, 12. 2. 194 ᵇ13. 7. 198 ᵃ26. γ2. 202 ᵃ11. Γβ6. 333 ᵇ7. Ζμα1. 640 ᵃ25. β1. 646 ᵃ33. Ζγβ1. 735 ᵃ21. γεβ6. 1222 ᵇ17 al. ἄνθρωπον ἐκ ἀνακάμπτεσιν εἰς αὑτὸς ὥστε πάλιν γίνεσθαι τὸν αὐτὸν Γβ11. 338 ᵇ8. — ἄνθρωπος ζωοτοκεῖ ἐν αὑτῷ ἄνευ ᾠοτοκίας Ζια5. 489 ᵇ11. ε1. 539 ᵃ15. Ζγα9. 718 ᵇ29. 20. 728 ᵃ7. β1. 732 ᵃ34. πότε αἱ ἡλικίαι γίνονται τοῖς ἀνθρώποις Ζιε14. 544 ᵇ22. γεννᾷ ὁ ἄνθρωπος τὸ ἔσχατον μέχρι ἑβδομήκοντα ἐτῶν ὁ ἄρρην. γυνὴ μέχρι πεντήκοντα Ζιε14. 545 ᵇ26. ὁ ἄνθρωπος τὴν ὀχείαν ποιεῖται πᾶσαν ὥραν· ὀργᾷ πρὸς τὴν ὁμιλίαν τὸ ἄρρεν ἐν τῷ χειμῶνι μᾶλλον. τὸ θῆλυ ἐν τῷ θέρει Ζιε8. 542 ᵃ26, 32. π.47. 896 ᵃ21. ἀνθρώπων λαγνίστατος ΖιΖ22. 575 ᵇ30. οἱ δασεῖς ἀφροδισιαστικοὶ κ̔ πολύσπερμοι μᾶλλον τῶν λείων Ζγδ5. 774 ᵇ1. π.24. 893 ᵇ10. ἡ τῶν σκελῶν λεπτότης κ̔ ἀσθένεια συμβάλλεται πρὸς τὸ τὴν φύσιν ὀχευτικὴν εἶναι Ζγγ1. 749 ᵇ34. ἐπικυΐσκεταί ποτε Ζιη4. 585 ᵃ8. Ζγδ5. 773 ᵇ8. ἀνάγκη κατασχόντα τὸ πνεῦμα προΐεσθαι τὴν γονὴν Ζγα6. 718 ᵃ2. ἀνθρώπῳ μόνῳ τῶν ζῴων πολλοὶ χρόνοι τῷ τόκῳ, τῆς κυήσεως Ζιγ4. 584 ᵃ35. Ζγδ4.

772 [b]8. πι41. 895 [a]24. τῶν γυναικῶν αἱ πολλαὶ δυσφοροῦσι περὶ τὴν κύησιν Ζγδ 6. 775 [a]28. ὁ ἄνθρωπος χ̣ μονοτοκεῖ χ̣ πολυτοκεῖ χ̣ ὀλιγοτοκεῖ, μάλιστα μονοτοκεῖ Ζγδ 4. 772 [b]1. Ζιη4. 584 [b]26. τὸν ἄνθρωπον φύσει πολυτόκον εἶναι Ζγδ 5. 773 [b]22. διὰ τί ἄνθρωπος ϑ πολύτεκνος πι14. 892 [b]1.

9. (γένεσις, αὔξησις, ἐκγόνων ὁμοιότης). περὶ ἀνθρώπων γενέσεως τῆς τε πρώτης τῆς ἐν τῷ θήλει χ̣ τῆς ὑστερον μέχρι γήρως Ζιη1. 581 [a]9sqq. τὰ δίποδα συγκεκαμμένα ἐν τῇ ὑστέρᾳ, οἷον ὄρνις χ̣ ἄνθρωπος descr Ζιη8. 586 [b]2. τῶν μορίων γένεσις descr Ζγβ6. 744 [a]21sqq, 745 [b]10sqq. οἱ λέγοντες ὡς συνέστηκεν ϑ καλῶς ὁ ἄνθρωπος (ἀνυπόδητος, γυμνός cf Plat Prot 321 C) ϑκ ὀρθῶς λέγεσιν Ζμδ 10. 687 [a]24. ἐν τοῖς ἀνθρώποις ὀλίγα σῴζεται τῶν διδύμων ἐὰν ᾖ τὸ μὲν θῆλυ τὸ δὲ ἄρρεν. διὰ τί Ζιη4. 585 [a]2. Ζγδ 6. 775 [a]22. πι28. 894 [a]8. ἀποτελεῖται τὰ θήλεα τῶν ἀρρένων ἔμπροσθεν, ἐν δὲ τῇ γαστρὶ τὰ ἄρρενα τῶν θηλειῶν Ζιζ 22. 576 [b]9. — ὁ ἄνθρωπος τελευωθεὶς τὰ ἄνω ἔχει ἐλάττω τῶν κάτωθεν, νέος ὢν μείζω τὰ ἄνω ἔχει χ̣ τὰ κάτω Ζιβ1. 500 [b]26, 33. Ζμδ 10. 686 [b]6, 11. ἐν ἔτεσι πέντε λαμβάνειν δοκεῖ ἄνθρωπ τὸ σῶμα ἥμισυ τῷ μεγέθους τῷ ἐν ἄλλῳ χρόνῳ γιγνομένῳ ἅπαντος Ζγβ18. 725 [b]23. οἱ ἄνθρωποι μέχρι τριάκοντα ἐτῶν ἐπιδιδόασιν πκ7. 923 [a]36. τοῖς ἄλλοις ζῴοις τὰ ἔκγονα μᾶλλον ὁμοιῶται ἢ τοῖς ἀνθρώποις, διὰ τί Ζγβ. 767 [b]4, 30, 768 [b]12, 769 [b]7. πι10. 891 [b]33.

10. (παρὰ φύσιν γιγνόμενα. πηρώσεις.) γίνεται ἀνάπηρα μᾶλλον ἐν ἀνθρώποις τὰ ἄρρενα τῶν θηλειῶν, διὰ τί Ζγδ 6. 775 [a]1. προϊὸν ὕτως τέλος ϑδὲ ἄνθρωπος ἀλλὰ ζῷόν τι μόνον φαίνεται τὸ γιγνόμενον. ἃ δὴ χ̣ λέγεται τέρατα Ζγδ 3. 769 [b]7. διὰ τί τὸ τερατῶδες ἐν ἀνθρώπῳ γίνεται ἧττον Ζγδ 4. 770 [a]32. τὰ δύο ἔχοντα αἰδοῖα, τὸ μὲν ἄρρενος τὸ δὲ θήλεος Ζγδ 4. 770 [b]32. διὰ τί ἄνθρωπος γίνεται ἐκ γενετῆς χωλὸς μάλιστα τῶν ἄλλων ζῴων πι41. 895 [a]20. νάνοι ἐν ἀνθρώποις comparantur γίνοις ἐξ ἵππῳ Ζιζ24. 577 [b]26. — ἐὰν παῖδας ὄντας πηρώσῃ τις, ϑτε αἱ ὑστερογενεῖς ἐπιγίνονται τρίχες ϑτε ἡ φωνὴ μεταβάλλει Ζιη50. 631 [b]30.

11. (τροφή.) διὰ τί ὁ ἄνθρωπος ὑγρᾷ μᾶλλον ἢ ξηρᾷ τροφῇ χρῆται πι56. 897 [b]19. 59. 897 [b]36. ἐνίος τῶν ἀπηγριωμένων χαίρειν ἀνθρώπων κρέασιν Ηη6. 1148 [b]22. δοκεῖ ἀνθρώπῳ ἀγαθὸν τῦτο (καρκίνος?) πίνειν, ἀλλ᾽ ἔστιν ἀηδές Ζιδ5. 611 [b]22. ὁ ὑοσκύαμος χ̣ ὁ ἐλλέβορος ἀνθρώποις δηλητήριον φτα5. 820 [b]5.

12. (ὑγίεια, νόσος.) εὐετηρία κατὰ τὰς ἀνθρώπας Ζιθ19. 601 [b]27. πᾶς ἄνθρωπος δεκτικὸς νόσῳ Αα34. 48 [a]6. σχεδὸν ὅσαπερ ἀρρωστεῖ ἄνθρωπος ἀρρωστήματα, χ̣ ἵππος ἀρρωστεῖ χ̣ πρόβατον Ζιδ24. 604 [b]6. τὰ μακροσκελῆ τῶν ζῴων ὑγρόκοιλια, τὰ δ᾽ εὐρυστήθη ἐμετικὰ μᾶλλον χ̣ ἐπὶ τῶν ἀνθρώπων Ζιδ50. 632 [b]13. φλεβῶν τινων ἐπιλαμβανομένων ἐνίοτε ἔξωθεν ἄνευ πνιγμῦ καταπίπτεσιν οἱ ἄνθρωποι μετ᾽ ἀναισθησίας Ζιγ3. 514 [a]7. φθεῖρες νόσημα Ζιε31. 556 [b]30. νόσημα λοιμῶδες ἐπὶ τῶν ἀνθρώπων πολλάκις Ζιθ19. 602 [b]13. λυτ τῶν ἅπαντα τὰ δηχθέντα πλὴν ἀνθρώπε Ζιθ22. 604 [a]7 (πλὴν ἀνθρώπε om ΑΖι II 183). πυρετὸς Ζιδ23. 604 [a]18. νεφρῶν ἀρρώστημα δυσαπάλλακτον Ζμγ9. 671 [b]10, 672 [a]34. διὰ τί ἄνθρωπος βήττει πι1. 891 [a]8. διὰ τί ἄνθρωπος μόνος λιθιᾷ πι43. 895 [a]37, [b]4, ἴσχει λευκὸν πι5. 891 [a]35, μόνῃ πι18. 892 [b]22. 54. αἷμα ῥεῖ ἐκ τῶν μυκτήρων πι2. 891 [a]13. διὰ τί ἄνθρωπος μάλιστα τῶν ἄλλων ζῴων πτάρνυται πι18. 892 [b]22. 54. 897 [a]1. λγ10. 962 [b]8, κορυζᾷ πι54. 897 [b]11, καπνίζεται πι51. 896 [b]8.

13. (βίϑ μῆκος.) τοῖς ἀνθρώποις κατὰ τὴν ἡλικίαν γίνεται χειμὼν χ̣ θέρος χ̣ ἔαρ χ̣ μετόπωρον Ζγε3. 783 [b]25, 784 [a]18.

ἄνθρωπος μακροβιώτατον τῶν ζῴων, πλὴν ἐλέφαντος μκ4. 466 [a]13. Ζγδ10. 777 [b]3. οἱ ἀραιὰς τὰς ὀδόντας ἔχοντες βραχύβιοι πι48. 896 [a]30. — γένος ἀνθρώπων ἀεὶ Ζγβ1. 732 [a]1. εἴπερ ἐγίγνοντό ποτε γηγενεῖς, ὥσπερ φασί τινες, πῶς τῦτο ὑποληπτέον γενέσθαι Ζγγ11. 762 [b]28. ἀρχαιότατοι τῶν ἀνθρώπων Αἰγύπτιοι μα14. 352 [b]19.

14. (psychologica, ethica.) ἔνεστιν ἐν τοῖς πλείστοις χ̣ τῶν ἄλλων ζῴων ἴχνη τῶν περὶ τὴν ψυχὴν τρόπων, ἅπερ ἐπὶ τῶν ἀνθρώπων ἔχει φανερωτέρας τὰς διαφοράς Ζιθ1. 588 [a]20, 25. cf ι1. 608 [b]6. Ζγγ2. 753 [a]13. ἐνυπνιάζειν φαίνονται ϑ μόνον ἄνθρωποι, ἐνυπνιάζει μάλιστα ὁ ἄνθρωπος Ζιδ10. 536 [b]28, 537 [b]14. τὰ ζῷα νανώδη, διὸ χ̣ ἄφρονέστερα πάντα τῶν ἀνθρώπων Ζμδ10. 686 [b]22. δηλοῖ τὴν εὐκρασίαν ἡ διάνοια, φρονιμώτατον γὰρ τῶν ζῴων ἄνθρωπος Ζγβ6. 744 [a]30. — τοσῦτον διεστάναι ὅσον ἄνθρωπος θηρία Πα5. 1254 [b]16. θηριώδεις ἕξεις ἀνθρώπων, ποίαν κακίαν καλῦμεν θηριότητα Ηη6. 1148 [b]10. ημβ5. 1200 [b]10. 6. 1203 [a]19. — λόγον μόνον ἄνθρωπος ἔχει τῶν ζῴων Πα2. 1253 [a]10. η13. 1332 [b]4. τῷ λογικῷ ζῴῳ τὸ μέν ἐστι θεός, τὸ δ᾽ ἄνθρωπος, τὸ δ᾽ οἷον Πυθαγόρας f 187. 1511 [a]44. ἄνθρωπος τὸ ἐπιστάμενον ἀριθμεῖν τζ5. 142 [b]25. ἀναμιμνήσκεσθαι μόνος ἄνθρωπος δύναται Ζια1. 488 [b]26. οἱ ἄνθρωποι πρὸς τὸ ἀληθὲς πεφύκασιν ἱκανῶς Ρα1. 1355 [a]15. τὸ σοφὸν ζῷον ἄνθρωπος sim ×3. 392 [b]19. πλ6. 956 [a]11. 3. 955 [b]4. πάντων χρημάτων μέτρον ἄνθρωπος (Protag) Μ×6. 1062 [b]14. τῦτο (i e νῦς) μάλιστα ἄνθρωπος Ηκ7. 1178 [a]7, sed ὁ τὸν νῦν κελεύων ἄρχειν δοκεῖ κελεύειν ἄρχειν τὸν θεὸν χ̣ τὸν νῦν μόνος, ὁ δ᾽ ἄνθρωπον προστιθεὶς χ̣ θηρίον Πγ16. 1287 [a]30 (cf πότερον δεῖ κύριον εἶναι τὸν νόμον ἢ τὸν ἄνθρωπον Πγ10. 1281 [a]35. 16. 1287 [a]24. δ6. 1293 [a]16, 32.) ὁ ἄνθρωπος ἀρχὴ πράξεων, ὄρεξις διανοητικὴ ὁ ἄνθρωπος sim Ηγ5. 1112 [b]32. ζ2. 1139 [b]5. ηεβ1. 1219 [b]40. 6. 1222 [b]19, 28. η15. 1249 [b]9. βϑλευτικὸν μόνον ἄνθρωπός ἐστι τῶν ζῴων Ζια1. 488 [b]24. τὸ ἔργον τῦ ἀνθρώπϑ τί Ηα6. 1097 [b]25sqq. ἄνθρωπος ἴδιον τὸ δίκαιὰ χ̣ ἄδικα αἴσθησιν ἔχειν Πα2. 1253 [a]16. ἄνθρωπος φύσει ζῷον πολιτικὸν Πα2. 1253 [a]2, 8. γ6. 1278 [b]19. Ηα5. 1097 [b]11. ι9. 1169 [b]18, συνδυαστικὸν μᾶλλον ἢ πολιτικὸν Ηθ14. 1162 [a]17, ϑ̓ μόνον πολιτικὸν ἀλλὰ χ̣ οἰκονομικόν, κοινωνικόν ηεη10. 1242 [a]22, 26. (τὸν νομοθέτην δεῖ βλέπειν πρὸς τὴν χώραν χ̣ τὰς ἀνθρώπης Πβ6. 1256 [a]22. διαιρεῖν κατὰ τὸ πράγμα, κατὰ τὰς ἀνθρώπης Πδ15. 1299 [b]19.) τελευωθὲν βέλτιστον τῶν ζῴων ἄνθρωπος, χωρισθὲν νόμϑ χ̣ δίκης χείριστον πάντων Πα2. 1253 [a]31sqq. cf Ηη7. 1150 [a]3-8. πκθ7. 950 [b]32. τῶν ἀνθρώπων ἕνεκεν πάντα πεποιηκέναι τὴν φύσιν Πα8. 1256 [b]22. Φβ2. 194 [a]34. ϑ̓ τὸ ἄριστον τῶν ἐν τῷ κόσμῳ ἄνθρωπος Ηζ7. 1142 [a]22, 34. ὑπὲρ ἄνθρωπον, κατ᾽ ἄνθρωπον Ηγ10. 1115 [b]8, 9. δεῖ μεμνῆσθαι ἄνθρωπον ὄντα f 22. 1478 [a]7. ὥσπερ θεὸς ἐν ἀνθρώποις Πγ13. 1284 [a]11. καθάπερ φασίν, ἐξ ἀνθρώπων γίνονται θεοὶ δι᾽ ἀρετῆς ὑπερβολὴν Ηη1. 1145 [a]23.

15. (τρίτος ἄνθρωπος (argumentum ad redarguendam doctrinam Platonicam de ideis) ΜΑ 9. 990 [b]17 Bz. μ4. 1079 [a]13. ζ13. 1039 [a]3. ×1. 1059 [b]8. f 183. 1509 [b]23, 26. τρίτος ἄνθρωπος παρ᾽ αὐτὸν χ̣ τὰς καθ᾽ ἕκαστον τι22.178 [b]36. ἄνθρωπος. ἡ διάνοια Ηη6. 1148 [b]20.

Ἄνθρωπος Ηη6. 1147 [b]35.

ἀνθρωποφαγεῖν Ζιθ5. 594 [a]29.

ἀνθρωποφαγία Πθ4. 1338 [b]20. cf Ηη6. 1148 [b]22.

ἀνθρωποφάγος. θηρίον ἄγριον χ̣ ἀνθρωποφάγον Ζιβ1. 501 [b]1.

ἀνθυπηρετεῖν πολλοῖς Ηι10. 1170 [b]25. ἀνθυπηρετῆσαι τῷ χαρισαμένῳ Ηε8. 1133 [a]4.

ἀνιαρός. πρᾶγμ' ἀνιαρόν (Euen fr 8) Μδ5. 1015 ᵃ29. Pα11.
1370 ᵃ11. ηεβ7. 1223 ᵃ32.
ἀνιᾶσθαι, opp εὐφραίνεσθαι φ4. 808 ᵇ15. οἱ ἀνιώμενοι σκυ-
θρωποί φ6. 812 ᵃ4.
ἀνίατος. ἀνίατα ἀρρωστήματα Ζιθ24. 604 ᵇ9. cf 21. 603ᵇ30.
ἀνίατος ἀγωνία. opp ἰατή Ζγβ7. 746 ᵇ34. διάθεσίς τις διὰ
χρόνου πλῆθος ἤδη πεφυσιωμένη χ ἀνίατος ἢ πάνυ δυσκίνητος
ὅσα Κ8. 9 ᵃ3. οἱ δυσίατοι χ ἀνίατοι διὰ κολάσεως ηεγ2.
1230 ᵇ8, opp ἰατός, ἐπανόρθωσιν ἔχων Ηη9. 1150 ᵇ32. ᵢ3.
1165 ᵇ18. οἱ ἀνίατοι κατὰ τὴν μοχθηρίαν Ηι3. 1165 ᵇ18.
ὁ ἀκόλαστος, ὁ ἀμεταμέλητος, ἡ ἀνελευθερία ἀνίατός ἐστι
Ηη9. 1150 ᵇ32. 8. 1150 ᵃ22. δ3. 1121 ᵇ13. τὰς ἀνιάτας
ὅλως ἐξορίζειν Ηκ10. 1180 ᵃ9. — ἀνιάτως Ζιθ29. 607
ᵃ23. ἀνιάτως κακοί Ηε13. 1137 ᵃ29.
ἀνίατρος, opp ἰατρεύειν Φα8. 191 ᵇ6.
ἀνιέναι (ἄνειμι). ἀνήει λοφώδης ὄγκος μετὰ ψόφου μβ8.
367 ᵃ4.
ἀνιέναι. 1. trans τέφραν, φλόγα, κάπνον al μβ8. 367 ᵃ6, ᵇ30.
δ9. 387 ᵇ13, 23. ἀνιέναι βλαστόν, ἀνίεσθαι καρπός Φβ1.
193 ᵃ14. θ80. 836 ᵃ21. — ὅπως ἀνέντες (i e omittentes)
ἃ πράττυσι μηκέτι ταῦτα ποιήσωσι ρ38. 1445 ᵇ4. ἀνειμένα
τᾶ κωλύοντος ἐνεργῦσιν αἱ κινήσεις σ3. 461 ᵇ17. — ἀνιέναι,
opp ἐπιτείνειν Ηζ1. 1138 ᵇ23. ακ802 ᵃ1. ἀνίεται ἡ συντο-
νία, ἡ τάσις Ζγε7. 787 ᵇ13, 788 ᵃ3. περαίνονται αἱ κινήσεις
διὰ τῷ ἕλκειν χ ἀνιέναι Ζμγ4. 666 ᵇ15. πολιτεῖαι χ ἀνιέ-
μεναι χ ἐπιτεινόμεναι φθείρονται Pα4. 1360 ᵃ24. ἵνα ἐπιπα-
θῶσιν χ ἀνεθῶσιν αἱ πολιτεῖαι Πε1. 1301 ᵇ17 (cf μᾶλλον,
ἧττον ᵇ14). πολιτεῖαι ἀνειμέναι χ μαλακαί, opp συντονώ-
τεραι Πδ3. 1290 ᵃ28. πολιτεία ἀνειμένη πρὸς τὸ πλῆθος
Πη4. 1326 ᵃ28. τὰ ἄρθρα ἀνίεται ὑπὸ τῶν νοτίων πα24.
862 ᵃ31 (cf syn ἀτονεῖν πκς42. 945 ᵃ17). τὰ αἰδοῖα ἀνίε-
ται, opp συσπᾶται πκζ11. 949 ᵃ11, 9. ἀνιέναι τὸν τόνον,
opp ἐπιτείνειν, συντείνειν φ2. 807 ᵃ17. πια15. 900 ᵇ12, 8.
ἀνιέναι τὸ πνεῦμα, opp συντείνειν πβ1. 866 ᵇ10, cf 23. 868
ᵇ12. οἱ πάγοι τὰς φλόγας ἀνιᾶσιν χ5. 397 ᵇ2. φωνὴ ἀνει-
μένη χ ἀσθενής, opp ἐρρωμένη φ2. 807 ᵃ24, 806 ᵇ27. ἀνι-
εμένος χ ἐπιτεινόμενος ὁ λόγος τι7. 169 ᵃ28. ἁρμονίαι ἀνει-
μέναι, opp σύντονοι Πθ7. 1342 ᵇ22. 5. 1340 ᵇ3. ἡ συμμε-
τρία ἀνειμένη διαμένει ἕως τινός Ηκ2. 1173 ᵃ27. ἐν ταῖς
κινήσεσι βραδὺς χ ἀνειμένος φ3. 808 ᵃ5. ἐπιτείνειν χ ἀνιέναι
τὰ τιμήματα Πε8. 1308 ᵇ4. ἀνέντες τοὺς παῖδας χ τῶν
ἀναγκαίων ἀπαιδαγωγήτους ποιήσαντες Πθ4. 1338 ᵇ32. ἀνιέναι
τὰς ὄρλας οα5. 1344 ᵃ30, cf ᵇ7. ἀνιέμενοι (opp κακοπαθῶς
ζῶντες) ὑβρίζυσι Πβ9. 1269 ᵇ9. δίαιτα ἀνειμένη λίαν Πβ9.
1270 ᵇ32. παιδιαὶ ἀνειμέναι, dist ἐπίπονοι Πη17. 1336 ᵃ29.
ἀνειμένως ζῆν Ηγ1. 1114 ᵃ5. ἀνειμένως ὀργισθῆναι, opp
σφοδρῶς, dist μέσως Ηβ4. 1105 ᵇ27. — ἡ δευτέρα ἐκκλη-
σία ἀνίεται τοῖς βελομένοις λέγειν f 394. 1543 ᵇ17. — 2. intr
αἱ ἐπιθυμίαι ἀνείκασι Pβ13. 1390 ᵃ15 (cf ἐκλελοίπασιν,
ἀσθενεῖς εἰσιν ᵃ12). πανταχῇ ἀνιᾶσι μᾶλλον ἢ ἀρχόμενοι
(opp προσέχειν) Pγ14. 1415 ᵇ10. ἐάν τε ἐπιτείνῃ ἡ κίνησις
ἐάν τε ἀνῇ ἐάν τε μένῃ Φζ7. 238 ᵃ6. Οβα. 288 ᵇ26, 27.
ἀνιερῦν. ἅπαντα ἅπερ ἀνιέρωσε οβ1346 ᵇ5.
ἀνικία (Pythag), v l pro ἀδικία ΜΑ8. 990 ᵃ34.
ἄνικμος χ ἀμμώδης ἡ Λιβύη πιβ3. 906 ᵇ19.
ἀνιμᾶν. ἀνιμῶσι οἱ ἥλιοι τὰς ὄψεις φτβ6. 826 ᵇ36.
ἀνίπτασθαι χ αἰωρεῖσθαι θ79. 836 ᵃ12.
ἀνισάζειν. τὴν θατέρου ὑπερβολὴν ἀνισάζει θάτερον Ζμβ7.
652 ᵃ32. ἀνισάζειν τὸ βάρος Ζπ8. 708 ᵇ14. οἱ δύο πτερύγια
ἔχοντες τῇ καμπῇ ἀνισάζυσι τὰ τέτταρα σημεῖα Ζπ7. 708
ᵃ8. om obiecto ταύτῃ ἀνισάζει ἡ φύσις χ ποιεῖ τινα τάξιν

Οβ12. 293 ᵃ2. δεῖ τινι ἑτέρῳ ἀνισᾶσαι χ ποιῆσαι ἀνάλογον
ηεγ10. 1242 ᵇ18. — pass ἀνισαζομένων τῶν ἐλαττόνων
Οβ14. 297 ᵇ12.
ἄνισος (fem ἄνισος Κ6. 6 ᵃ33. μχ24. 856 ᵃ32), def Κ6. 6
ᵃ26, 33. Μδ22. 1022 ᵇ33. ἄνισόν ἐστι, dist ὐκ ἔστιν ἴσον
Αα46. 51 ᵇ27. ἄνισοί τι, κατά τι, καθ' ἕν, opp ἁπλῶς,
ὅλως Πε1. 1301 ᵃ31, ᵇ1. γ9. 1280 ᵃ23, 1281 ᵃ7. 13. 1283
ᵃ28. — ὁ ἄδικος ἄνισος (ἄνισος χ πλεονέκτης) χ τὸ ἄδικον
ἄνισον Ηε6. 1131 ᵃ10. 2. 1129 ᵃ33 sqq. cf Πε1. 1301 ᵃ35.
ἐν τούτοις ἐστὶ χ ἄνισον ἔχειν χ ἴσον ἕτερον ἑτέρῳ Ηε5. 1130
ᵇ33. τὸ ἄνισον δίκαιον τοῖς ἀνίσοις Πγ9. 1280 ᵃ12. διὰ τὸ
ἄνισον ἡ στάσις Πε1. 1301 ᵇ26. β7. 1266 ᵇ40. — τὸ ἄνισον
χ τὸ πρός τι, ἡ ἄνισος δυὰς στοιχεῖον (Plat) Μν1. 1087 ᵇ7,
5, 11. 2. 1088 ᵇ32, 1089 ᵇ6-15. — ἀνίσως νενεμῆσθαι τὰς
ἀρχάς Πγ12. 1282 ᵇ24.
ἀνισότης. στέρησις ἰσότητος τζ9. 147 ᵇ5. ἐφίεσθαι ἀνισότητος
χ ὑπεροχῆς Πε2. 1302 ᵃ26. στάσεις διὰ τὴν ἀνισότητα Πε1.
1308 ᵇ31. β7. 1266 ᵇ38. ποίων ἰσότης ἐστὶ χ ποίων ἀνι-
σότης Πγ12. 1282 ᵇ22. cf ε1. 1301 ᵇ3. — φιλίαι ἐν ἀνι-
σότητι, opp ἐν ἰσότητι ημβ11. 1210 ᵃ7. — τὸ μὴ ἓν ἡ
ἀνισότης (Plat) Μβ4. 1001 ᵃ23.
ἀνισοῦν τὴν κατάψυξιν Ζμγ4. 666 ᵇ8.
ἀνίστασθαι. οἱ ἀνιστάμενοι πρὸς ὀξεῖαν γωνίαν τῷ μηρῷ
ποιῦσι τὴν κνήμην μχ30. 857 ᵇ21. ἀνέστην συμβωλεύσων
ρ30. 1436 ᵇ1. — ἀναστάς, opp καθεύδων εν1. 458 ᵇ20.
ἀνίστασθαι τὰ τεθνεῶτα τῶν ζῴων ψα3. 406 ᵇ4.
ἀνίσχειν. ἥλιος, σείριος ἀνίσχων, opp δύνων μγ4. 373 ᵇ13.
Οβ7. 289 ᵃ33. Ζυ49 Β. 633 ᵃ15. πιθ9. 912 ᵃ34.
ἀνίσχιος. σκέλη ἀνίσχια χ σκληρὰ Ζμδ10. 689 ᵇ27. Ζιβ1.
499 ᵇ1.
ἀνιχνεύειν Ζυ40. 624 ᵃ28.
ἀνίωτος χ καθαρὸς σίδηρος θ48. 833 ᵇ31. 49. 834 ᵃ2. μόνον
αὐτὸν τὸν σίδηρον ἀνίωτον εἶναι f 248. 1524 ᵃ15.
ἀννέφελος, v l ἀνέφελος (Hom ζ45) χ6. 400 ᵃ14.
Ἄννων ἐν Καρχηδόνι ἐπιθέμενος τυραννίδι Πε7. 1307 ᵃ5. —
ὁ Ἄννωνος περίπλως θ37. 833 ᵃ11.
ἄνοδμος πγ13. 873 ᵃ2.
ἄνοδος τῷ ὑγρῷ τοιαύτη μβ2. 355 ᵃ6.
ἀνόδυς. ἀνόδοντα Ζμγ14. 674 ᵇ20. ἀνόδοντα χ λεῖα ὡς ῥαφίς
(piscis) f 278. 1528 ᵃ1.
ἀνόητος Ηγ15. 1119 ᵇ11. syn ἠλίθιος Ηδ7. 1123 ᵇ4. οἱ τυ-
χόντες χ ἀνόητοι Πβ8. 1269 ᵃ6. ἀνδραποδώδης χ ἀνόητος
ηεγ3. 1231 ᵇ10. οἱ ἀνόητοι Ἀλωάδαι χ1. 391 ᵃ10. — ἀνόη-
τον χ ἢ καλὸν ηεγ5. 1232 ᵇ38. τὰ ἀνόητα, syn ἄλογα, opp
φρόνιμα, ἔλλογα Ηκ2. 1173 ᵃ2, 3, 1172 ᵇ10. τὸ τῶν προ-
βάτων ἦθος εὔηθες χ ἀνόητον Ζιι3. 610 ᵇ23. ὁ πολύπυς ἀνό-
ητον Ζιι37. 622 ᵃ3.
ἀνόθευτος γάμος θ158. 846 ᵃ30.
ἄνοια. τὰ ἤθη τῶν ζῴων διαφέρει κατὰ νῦν χ ἄνοιαν Ζιι3.
610 ᵇ22. — τίκτει ἀπαιδευσία μετ' ἐξυσίας ἄνοιαν f 89.
1492 ᵃ12.
ἀνοίγειν. αἱ θύραι αἱ ἀνοιγόμεναι ἔξω οβ 1347 ᵃ6. ψόφος
στροφέων ὅταν ἀνοίγωνται βιαίως αχ 802 ᵇ41. ἀνοίγεσθαι,
opp συγκλείεσθαι Ζιθ4. 528 ᵃ16. πόροι ἀνοίγονται, ἀνεῳγ-
μένοι, opp συγκλείονται πβ23. 868 ᵇ16. 8. 867 ᵇ14. ε7.
881 ᵃ27. ια33. 903 ᵃ23. λθ12. 964 ᵇ11. λέων τὸ ἐντὸς
ἀνοιχθείς (cf ἀνατέμνειν) ὅμοια πάντ' ἔχει κυνί Ζιβ1. 497
ᵇ17. cf δ6. 531 ᵃ16. θ5. 594 ᵇ27. 23. 604 ᵃ21.
ἀνοιδεῖν. οἱ (περὶ τὰς μασχὰς) τόποι ἀνοιδῦσιν ὑπὸ τῷ πνεύματος
Ζγα20. 728 ᵇ20. πδ26. 879 ᵇ2. cf χδ10. 937 ᵃ2. τὸ κά-
λυμμα ἀνῳδηκός Ζιι40. 625 ᵃ2. λίμνιον ἀνοιδῦν θ112. 841 ᵃ4.

ἀνοίδησίς τις τῶν μαστῶν ἐπιγίνεται Ζιζ 20. 574 ᵇ16. ἡ
    ἀνοίδησις ἡ ἀπὸ τῆς τροφῆς γινομένη Ζμβ 9. 655 ᵃ2. ᵈ10.
    689 ᵃ1. θαλάσσης ἀνοιδήσεις κ6. 399 ᵃ27.
ἀνοικίσαι τὴν Σπάρτην ρ2. 1423 ᵃ7.
ἀνομαλίζειν. cf ἀνωμαλίζειν.
ἀνομάλωσις τῶν ὀστῶν Πβ12. 1274 ᵇ9. (quoniam non parti-
    tionem inaequalem, sed aequalitatis restitutionem videtur
    significare, non est scribendum cum Steph Thes ed Ddf
    ἀνωμάλωσις.)
ἀνομβρία Ζιθ28. 606 ᵇ20.
ἀνομία ρ37. 1443 ᵃ22.
ἀνόμιχλος κ̀ ἀνέφελος ἀήρ κ4. 394 ᵃ23.
ἀνομοθέτητον τὸ ἥμισυ τῆς πόλεως Πβ9. 1269 ᵇ19.
ἀνομοιοβαρής Οα6. 273 ᵇ23.
ἀνομοιοειδεῖς (ἀνομοειδεῖς Lᵇ Mᵇ cf s v ὁμοιοειδής) φιλίαι
    Η1. 1163 ᵇ32.
ἀνομοιομερής, opp ὁμοιομερής, veluti εἰ ἄπειρον σῶμά ἐστιν,
    ἤτοι ἀνομοιομερὲς ἅπαν ἢ ὁμοιομερὲς ἀνάγκη εἶναι Οα7.
    274 ᵃ31. πᾶν μέρος τῶν κατὰ φύσιν ἢ τῶν ἀνομοιομερῶν
    ἢ τῶν ὁμοιομερῶν Ζγα18. 724 ᵇ24 al, opp ὁμοιειδής ψα5.
    411 ᵃ21. ὕλη τοῖς ζῴοις τὰ μέρη, παντὶ μὲν τῷ ὅλῳ τὰ
    ἀνομοιομερῆ, τοῖς δ᾽ ἀνομοιομερέσι τὰ ὁμοιομερῆ, τούτοις δὲ
    τὰ καλύμενα στοιχεῖα τῶν σωμάτων Ζγα1. 715 ᵃ10. τὰ
    ὁμοιομερῆ τῶν ἀνομοιομερῶν ἕνεκέν ἐστιν, ὕλη τῶν ἀνομοιο-
    μερῶν, τρίτη κ̀ τελευταία σύστασις ἡ τῶν ἀνομοιομερῶν Ζμβ1.
    646 ᵇ31, 9, ᵃ22, 647 ᵃ2. 2. 647 ᵇ22. Ζια1. 486 ᵃ13. τὰ ἀνο-
    μοιομερῆ αὐξάνεται τῷ τὰ ὁμοιομερῆ αὐξάνεσθαι Γα5. 321
    ᵇ17. τὰ ὁμοιομερῆ τοῖς πάθεσι διώρισται, τὰ ἀνομοιομερῆ τῷ
    δύνασθαί τι ποιεῖν Ζγα18. 722 ᵇ32. μδ10. 388 ᵃ10. αἱ
    ποιητικαὶ δυνάμεις ἐν τοῖς ἀνομοιομερέσιν Ζια4. 489 ᵃ27.
    τῶν ἀνομοιομερῶν ἔργα κ̀ πράξεις εἰσίν Ζμβ1. 646 ᵇ12,
    647 ᵃ24, 30. τῶν ὀργανικῶν μερῶν ἕκαστον ἀνομοιομερές
    ἐστιν Ζμβ1. 646 ᵇ26, 647 ᵃ4. τὰ ἀνομοιομερῆ τὰ ἐν τοῖς
    ζῴοις enumerantur μδ10. 388 ᵃ16, ad ea referuntur χεῖρες
    πρόσωπον στόμα πόδες πτέρυγες ὀφθαλμοὶ μυκτὴρ δάκτυλος
    βραχίων σπλάγχνα τινὰ Ζια1. 486 ᵃ7. 4. 489 ᵃ28. Ζμα1.
    640 ᵃ20. β1. 646 ᵃ23, ᵇ14, 32, 647 ᵇ9. cf Ζιγ1. 511 ᵃ35.
    δ1. 523 ᵃ32. Ζμα1. 640 ᵃ20. β1. 647 ᵇ9. 9. 655 ᵇ18. ἡ
    καρδία διὰ τὴν τῦ σχήματος μορφὴν ἀνομοιομερές ἐστιν,
    ἀρχὴ κ̀ τῶν ὁμοιομερῶν κ̀ τῶν ἀνομοιομερῶν Ζμβ1. 647
    ᵃ33. Ζγδ4. 740 ᵃ19. ἐοίκασι μάλιστα τοῖς γονεῦσι τὰ ἀνο-
    μοιομερῆ Ζγα18. 722 ᵃ18, 20, 23, 25, 29. τὰ ἀνομοιομερῆ
    τὰ ἐν τοῖς φυτοῖς enumerantur μδ10. 388 ᵃ19. ἡ τῶν φυ-
    τῶν φύσις ὅσα μόνιμος ὑ πολυειδής ἐστι τῶν ἀνομοιομερῶν·
    πρὸς γὰρ ὀλίγας πράξεις ὀλίγων ὀργάνων ἡ χρῆσις Ζμβ10. 45
    656 ᵃ1.
ἀνόμοιον ποσαχῶς λέγεται Μι3. 1054 ᵇ14. δ9. 1018 ᵃ19.
    Κ8. 11 ᵃ16. πάσχειν ὑπὸ τῦ ἀνομοίᾳ, ὑπὸ τῦ ὁμοίᾳ ψβ5.
    417 ᵃ19. ἐξ ἀνομοίων ἡ πόλις Πγ4. 1277 ᵃ5. φιλία ἐν τοῖς
    ἀνομοίοις πῶς γίνεται ημβ11. 1210 ᵃ13. — femin ἀνομοία
    ακ 803 ᵇ8.
ἀνομοιότης, opp ὁμοιότης Ζγδ3. 769 ᵃ15. τοῖς ἄκροις πρὸς
    ἄλληλα πλείστη ἀνομοιότης Ηβ8. 1108 ᵇ33. στασιάζειν δι᾽
    ἀνομοιότητα Πε2. 1302 ᵇ5. αἱ ἀνομοιότητες τῶν ἠθῶν ἥκιστα
    φιλικὸν οα4.1344 ᵃ18. φιλία κατ᾽ ἀνομοιότητα ημβ11.1210 ᵃ9.
ἀνομολογούμενον. τοῦτο δ᾽ ἀνομολογούμενον (non consenta-
    neum) τοῖς προειρημένοις Αα34. 48 ᵃ21. ἐλεγκτικὸς τόπος,
    τὸ τὰ ἀνομολογούμενα σκοπεῖν Ρβ23. 1400 ᵃ15. δεικτικὸν
    ἐνθύμημα τὸ ἐξ ὁμολογουμένων συνάγειν, ἐλεγκτικὸν τὸ τὰ
    ἀνομολογούμενα συνάγειν Ρβ22. 1396 ᵇ28.
ἄνομος. τὰ ἄνομα, coni ἄδικα, ἀσύμφορα ρ11. 1430 ᵃ33.

ἀνόνητος τοῖς κατὰ πάθος ζῶσιν ἡ γνῶσις Ηα1. 1095 ᵃ9
    (syn ἀνωφελῶς ᵃ5). ἀνόνητος ἡ χάρις, ἡ βοήθεια Πη16.
    1334 ᵇ40.
ἄνοπλος. ὥσπερ ἄνοπλοι ὡπλισμένοις μάχονται Ηγ11. 1116
    ᵇ12. τὸ ἄνοπλον, opp τὸ ὁπλιτικόν Πδ3. 1289 ᵇ32.
ἀνορέγειν ἄνω Ζιβ1. 497 ᵇ28.
ἀνόρεκτος ἀπολαύσεως αρ4. 1250 ᵇ9. ἀνόρεκτοι περὶ τὰς
    ἀπολαύσεις αρ2. 1250 ᵃ8.
ἀνορθῦν. ἀνορθῦσθαι τὰ πίπτοντα τῶν οἰκοδομημάτων, coni
    σώζεσθαι Πζ8. 1322 ᵇ20.
ἀνορύειν. ἀνόρυσε (Emped 178) Μβ4. 1000 ᵇ15.
ἀνορροπύγιος κάρκινος Ζιδ2. 525 ᵇ31. πτῆσις ἀνορροπύγιος
    Ζιδ7. 532 ᵃ24.
ἀνορύττειν τὰς μυωπίας, τὰ ᾠά Ζιζ37. 580 ᵇ25, 23. ι33.
    558 ᵃ10.
ἄνορχος. φοινίκων ἀνόρχων, οὕς τινες εὐνύχας καλῦσιν, οἱ δὲ
    ἀπυρήνας f 250. 1524 ᵇ24.
ἀνόσιος. ἀνοσιώτατον κ̀ ἀγριώτατον ἄνθρωπος ἄνευ ἀρετῆς
    Πα2. 1253 ᵃ36.
ἀνόσιουργοί Ηι4. 1166 ᵇ5.
ἄνοσμος Ζιχ1. 634 ᵇ19.
ἄνοσος Ρα5. 1361 ᵇ3. ὑγιές τε κ̀ ἄνοσον τὸ ἕν (Melissi verba)
    ξ1. 974 ᵃ19. ἄνοσοι πρὸς τὰ ἄλλα ἀρρωστήματα, τῶν ἄλ-
    λων ἀρρωστημάτων Ζιθ22. 604 ᵃ11. 24. 604 ᵃ22. — ἀνό-
    σως Ζικ3. 635 ᵇ40.
ἀνόστεος ἡ καρδία Ζμγ4. 666 ᵇ17. τὰ περὶ τὴν κοιλίαν ἀνό-
    στεα Ζμβ9. 655 ᵃ2.
ἄνοστος. ὑ πάντες ἐγένοντο ἄνοστοι f 140. 1502 ᵃ5.
ἀνόσφραντος, def ψβ9. 421 ᵇ6.
ἀνόχευτος. αἱ πέρδικες αἵ τ᾽ ἀνόχευτοι κ̀ αἱ ὠχευμέναι
    Ζιγγ1. 751 ᵃ14. τὰς μελίττας γεννᾶν ὀχευμένας ἢ ἀνο-
    χεύτας Ζιγγ10. 759 ᵃ16. διατελεῖν ἀνόχευτα Ζιγ21. 523 ᵃ4.
    θ7. 595 ᵇ17. ζῷα ἀνόχευτα, γένος ἀνόχευτον Ζιε15. 546
    ᵇ16, 17.
ἄνοχλος, non impediens. τὰ κέρατα ὕτως ἔχοντα πρὸς τὸν
    ἄλλον βίον ἀνοχλότατα Ζμγ2. 663 ᵇ20.
ἀνταγωνίζεσθαι. οἱ ἐλευθέριοι προίενται κ̀ ὑκ ἀνταγωνί-
    ζονται περὶ τῶν χρημάτων Ρα9. 1366 ᵇ8.
ἀνταγωνιστεῖν Ργ15. 1416 ᵇ14.
ἀνταγωνιστής. ἀνταγωνιστὰς τῆς παιδείας νῦν ἔχωσιν (οἱ
    Λακεδαιμόνιοι) Πθ4. 1338 ᵇ37. οἱ τῶν αὐτῶν ἀνταγωνισταί,
    ὅσα μὴ ἐνδέχεται ἅμα ὑπάρχειν ἀμφοῖν Ρβ5. 1382 ᵇ13,
    ᵃ22. πρὸς ἀνταγωνιστὰς κ̀ ἀντεραστὰς φιλοτιμεῖσθαι Ρβ10.
    1388 ᵃ13. ἀνταγωνισταί, i q ἀντίδικοι ρ2. 1422 ᵃ27. 19.
    1433 ᵃ32. 37. 1442 ᵇ8.
ἀντάδειν. ὁ πέρδιξ ἀντάσας ὡς μαχέμενος Ζιυ8. 614 ᵃ11,
    12, 14, 24. τὸ θηρίον ἀντάδει κ̀ προσεισιν θ151. 845 ᵇ25.
ἀντανερεῖν. τὰ πρότερα τῷ εἶναι ὑκ ἀντανερεῖται Μζ15.
    1040 ᵃ22. cf συναναιρεῖν.
ἀνταναίρεσις. τὴν αὐτὴν ἀντανέρεσιν ἔχει τὰ χωρία κ̀ αἱ
    γραμμαί τθ3. 158 ᵇ33.
ἀντανακοπὴ κυμάτων, opp πρόωσις κ4. 396 ᵃ19.
Ἄντανδρος, πόλις ὑπὸ τὴν Ἴδην πρὸς τῇ Μυσίᾳ τῆς Αἰο-
    λίδος f 438. 1550 ᵃ29. ἐν τῇ Ἀντανδρίᾳ δύο ποταμοὶ Ζιγ12.
    519 ᵃ16. Ἀντανδρίων πολιτεία f 438.
ἀντανδείκνυσι τὸ ἀντικείμενον Ρβ26. 1403 ᵃ27.
ἀνταποδιδόναι τὴν ἴσην, τὸ ἴσον, χάριτας, τὸ ἐνδεχόμενον
    Ρβ2. 1379 ᵇ7. Ηη7. 1157 ᵇ35. ι7. 1167 ᵇ25. θ16. 1163
    ᵇ14. ἀνταποδοτέον τὰς εὐεργεσίας, χάριν, τιμήν, τὴν ἀξίαν
    Ηι2. 1164 ᵇ31, 26. θ16. 1163 ᵇ14. 15. 1163 ᵃ2. non ad-
    dito obiecto τὸ ἀνταποδιδόναι δίκαιον Ρα9. 1367 ᵃ21. γ5.

1407 ᵃ23. παῦλα γίνεται τῆς ὀργῆς ὅταν ἀνταποδιδῷ Ηδ11. 1126 ᵃ21, 16. — ὁ ἀὴρ φέρεται, εἶτα ἀνταποδίδωσιν πκς4. 940 ᵇ20. — intrans ὡς ἐκεῖ χάλαζα, ἐνταῦθα ὐκ ἀποδίδωσι τὸ ὅμοιον μα11. 347 ᵇ32. cf Pγ4. 1407 ᵃ15. τὸ δεξιὸν ἡγεῖται κὴ ἀνταποδίδωσι κατὰ τὸ ὄπισθεν Ζπ7. 707 ᵇ16.

ἀνταπόδοσις ἴδιον χάριτος Ηε8. 1133 ᵃ3. τὴν ἀδταπόδοσιν πῶς δεῖ γίγνεσθαι Ηθ15. 1163 ᵃ9-23. ι1. 1164 ᵇ7. 2. 1165 ᵃ6. δεῖσθαι χρημάτων εἰς τὰς ἀνταποδόσεις Ηι8. 1178 ᵃ30. — ἄν τις ἅπτηται τῶν χορδῶν βιαίως, ἀνάγκη κὴ τὴν ἀνταπόδοσιν αὐτὰς ὕτω πάλιν ποιεῖσθαι βιαιοτέραν ακ803 ᵃ31.

ἀνταπωθεῖν πκδ9. 936 ᵇ35. (τὸ σωματῶδες ἀναχθὲν) πάλιν ἀνταπωθεῖται κὴ κάτω ῥεῖ υδ. 457 ᵇ23.

ἀνταρκτικὸς πόλος, opp ἀρκτικός κ2. 392 ᵃ4.

ἀνταυγεῖν. ὁ ἀὴρ κυανᾶς, κὴ ἡ θάλαττα ἀνταυγῦσα τοιαύτη φαίνεται πκγ6. 932 ᵃ27.

ἀντειπεῖν τοῖς εἰσφερομένοις Πβ11. 1273 ᵃ12. τοῖς λεγομένοις ὗ χαλεπῶς ἀντερῦμεν ρ9. 1430 ᵃ11. πρὸς τὴν ἀπορίαν ῥάδιον ἀντειπεῖν κὴ λῦσαι ημβ7. 1206 ᵇ8. παραπεπεῖσθαι τῷ μὴ ἔχειν ἀντειπεῖν ατ969 ᵇ18. — ὥσπερ δῆλος ὐδ' ἀντειπεῖν τὰς ἄλλας ἐπιστήμας δίκαιον, opp ἐπιστήμη ἀρχικωτάτη κὴ ἡγεμονικωτάτη Μβ2. 996 ᵇ11.

ἀντεκκόπτω. ἀντεκκοπῆναι ὀφθαλμόν ημα34. 1194 ᵃ38.

ἀντεκτρέφεσθαι τὰς πελαργὰς ὑπὸ τῶν ἐκγόνων Ζιι13. 615 ᵇ23, 25.

ἀντεπιχειρεῖν. μήτ' ἐνίστασθαι μήτ' ἀντεπιχειρεῖν ἔχων τθ8. 160 ᵇ10, 5.

ἀντερραστής. φιλοτιμεῖσθαι πρὸς τὸς ἀνταγωνιστὰς κὴ ἀντεραστὰς Ρβ10. 1388 ᵃ14.

ἀντερείδειν. trans (?) τὰ μαλάκια ἀντερείδοντα κὴ διαπτύττοντα τὰς πλεκτάνας Ζγα15. 720 ᵇ16. — intr ὐκ ἔσται πορεία, εἰ μὴ ἡ γῆ μένοι, ὐδὲ πτῆσις ἢ νεῦσις, εἰ μὴ ὁ ἀὴρ ἢ ἡ θάλασσα ἀντερείδοι Ζκ2. 698 ᵇ18. cf πκγ3. 931 ᵇ12. 13. 933 ᵃ13. τὰ μένοντα διὰ τὸ ἀντερείδειν μχ8. 851 ᵇ35. τὸ ὠθύμενον ἀντερείδει ὅθεν ὠθεῖται μχ34. 858 ᵃ26. μηδενὸς ἀντερείσαντος Οβ13. 294 ᵃ19.

ἀντέρεισις πις8. 915 ᵃ2. δυσκινήτως ἔχειν πρὸς τὰς ἀνέμας διὰ τὴν ἀντέρεισιν Οβ13. 294 ᵇ17. ἔχει τινα ἀντέρεισιν πρὸς ἄλληλα τὰ μόρια ἐν ταῖς καμπαῖς Ζπ3. 705 ᵃ14, 11.

ἀντεστραμμένως, ν ἀντιστρέφειν.

ἀντευεργετεῖν τὸς εὖ ποιήσαντας ρ2. 1422 ᵃ32, 37.

ἀντευεργετικὸς πλειόνων ὁ μεγαλόψυχος Ηδ8. 1124 ᵇ11.

ἀντευποιεῖν Ηκ9. 1179 ᵃ28, τὸν εὖ ποιήσαντα Ρα13. 1374 ᵃ24.

ἀντέχειν. τὸ καρτερεῖν ἐστιν ἐν τῷ ἀντέχειν, dist κρατεῖν Ηη8. 1150 ᵃ34, 35. — ἂν ἁπτομένῳ τῷ δακτύλῳ τραχύτερα τὰ χείλη ᾖ κὴ ἀντέχηται (i q ἀντέχῃ, resistunt) Ζιη3. 583 ᵃ18. — ἀντέχεσθαι τῶν παραδεδομένων μύθων, δικαίη τινὸς αι πο9. 1451 ᵇ24, 16. Πα6. 1255 ᵃ32. ρ1. 1421 ᵃ16. — ἀνθεκτέον τῆς μέσης ἕξεως Ηδ11. 1126 ᵇ9.

ἀντηχεῖν δοκεῖ ἡ ὑπάτη μόνη πιθ24. 919 ᵇ16.

ἀντί. τὸ μένειν ἀντὶ τῶ μάχεσθαι ἠρύντο Ρβ23. 1399 ᵇ17. τὰ μὲν ἔναιμα τῶν ζώων ἐστί, τὰ δ' ἀντὶ τῶ αἵματος ἔχει ἕτερόν τι μόριον τοιῦτο· ἀντὶ σιαγόνων ῥύγχος· ἀντὶ πλεύμονος βράγχια sim Ζμβ2. 648 ᵃ1. 16. 659 ᵇ5. γ6. 669 ᵃ4. 14. 674 ᵇ22. δ10. 686 ᵃ26 al. cf ἀνάλογον p48 ᵃ31. μεταβάλλωσι κατὰ τὰς ὥρας τὸ χρῶμα, οἱ ὄ κόττυφος ἀντὶ μέλανος ξανθός Ζιι49Β. 632 ᵇ16. — ἀλλ' ἴσως ἀντὶ τῦτε (i e pro eo quod affectibus non caret) βυλεύσεται περὶ τῶν καθ' ἕκαστα κάλλιον Πγ15. 1286 ᵃ20.

ἀντιάζειν. ἀντιάσαντα (Emped 330) Ζγα18. 723 ᵃ25.

ἀντιβαίνειν κὴ ἐναντιῦσθαι τῷ λόγῳ Ηα13. 1102 ᵇ24.

ἀντιβλάπτειν Ηε15. 1138 ᵃ8.

ἀντιβλέπειν ὑπ' αἰδῦς ὑ δύνανται πλα3. 957 ᵇ12. ὐκέτι ἀντιβλέπυσαι κατάκεινται αἱ αἶγες, ἀλλ' ἀπεστραμμέναι ἀπ' ἀλλήλων Ζιι3. 611 ᵃ5.

ἀντιβολεῖν. δὶς τἀφὦ ἀντιβολήσας Ἡσίοδος f 524. 1563 ᵇ38. Ἀντιγόνη Σοφοκλέης Ρα13. 1373 ᵇ9. 15. 1375 ᵃ34. γ16. 1417 ᵃ29. 17. 1418 ᵇ32. πο14. 1454 ᵃ1.

ἀντιγράφειν. med ἀντιγράφεσθαι τὰ καταβαλλόμενα τῇ πόλει f 399. 1544 ᵇ3, 11, 14.

ἀντιγραφεύς, τίνα ἀντιγράφεται, αἱρετός, κληρωτός f 399. 1544 ᵇ13, 10.

ἀντίγραφον. τίθεσθαι ἀντίγραφα παραδόσεως χρημάτων Πε8. 1309 ᵃ11.

ἀντιδανειστέον τῷ δανείσαντι Ηι2. 1165 ᵃ8.

ἀντιδιαβάλλειν τὸν διαβάλλοντα Ργ15. 1416 ᵃ26.

ἀντιδιαιρεῖσθαι. ἀντιδιηρῆσθαι λέγεται ἀλλήλοις τὰ κατὰ τὴν αὐτὴν διαίρεσιν Κ13. 14 ᵇ34. ἀντιδιηρημέναις διαφοραῖς πᾶν γένος διαιρεῖται τζ 6. 143 ᵃ36. ἀντιδιηρῆσθαι διαφορᾷ τινι τζ6. 143 ᵃ34, ᵇ10. τοιαύτη κατάφασις ἢ ἀπόφασιν ἀναγκαῖον ἀντιδιαιρεῖσθαι· τῷ πλάτος ἔχοντι τὸ μὴ ἔχον πλάτος ἀντιδιήρηται, ἄλλο δ' ὐδὲν τζ 6. 144 ᵃ1. τὰ ἀντιδιηρημένα τε6. 136 ᵇ3, 4, 8, 9. ἅμα τῇ φύσει τὰ ἀντιδιηρημένα ἐκ τῦ αὐτῦ γένες τζ6. 142 ᵇ7-10. Κ13. 14 ᵇ33.

ἀντιδιδόναι ημβ11. 1210 ᵇ18.

ἀντίδικος, opp διαιτητής Οα10. 279 ᵇ11. cf f 414. 1547 ᵃ19. syn ἀνταγωνιστής ρ37. 1442 ᵇ6, 8, 1443 ᵃ1, 12. ὁ νόμος δύο λόγυς τῶν ἀντιδίκων ἑκάστῳ ἀποδίδωσι ρ19. 1432 ᵇ37. ἀπὸ τῶν ἀντιδίκων αὐτῶν τὸ εἰκὸς λαμβάνειν p8. 1428 ᵇ24. τῷ ἀντιδίκῳ τί σκεπτέον, opp ὁ κατηγορῶν Ρα10. 1368 ᵇ30. τὰ πρὸς ἀντίδικον Ργ13. 1414 ᵇ1, 9. — τῶν ἀμφισβητῶντων λόγων ἀκηκοέναι ὥσπερ ἀντιδίκων Μβ1. 995 ᵇ3.

ἀντίδοσις ἡ κατ' ἀναλογίαν Ηε8. 1133 ᵃ6. — Ἰσοκράτης ἐν τῇ ἀντιδόσει Ργ17. 1418 ᵇ27.

ἀντιδωρεαί Ηδ5. 1123 ᵃ3.

ἀντιδωρεῖσθαι Ηθ10. 1159 ᵇ14.

ἀντίζυγος. τὸ ἧπαρ ἔχει ὥσπερ ἀντίζυγον τὸν σπλῆνα Ζμγ4. 666 ᵃ27.

ἀντίθεσις. ὁ μέγας δάκτυλος πρὸς τὸ λοιπὸν τῆς χειρὸς ἀντίθεσιν ἔχει Ζιβ11. 503 ᵃ25. — logice ἀντίθεσις ambitum et varietatem usus eandem habet atque ἀντικείσθαι, quocum saepe pro syn coniunguntur (cf τγ1. 151 ᵇ35, 34. 128. 181 ᵃ26, 27 al). ἀντιθέσεως genera quatuor distinguuntur τβ8. ε6. Μι4. 1055 ᵃ38. 3. 1054 ᵃ23. 4. 1055 ᵃ38. κ11. 1067 ᵇ21. Φε1. 225 ᵃ11 (cf ἀντικεῖσθαι). αἱ λεγόμεναι ἀντιθέσεις, αὗται αἱ ἀντιθέσεις (genera oppositionis) τη1. 151 ᵇ35. Κ10. 11 ᵇ38. ὁ τρόπος τῆς ἀντιθέσεως ὁ αὐτὸς Κ10. 12 ᵇ3, 12. ἀντίφασίς ἐστιν ἀντίθεσις ἧς ὐκ ἔστι μεταξὺ Αγ2. 72 ᵃ12. ὅσαι καταφατικὸν ἔχυσι τὸ σχῆμα κατὰ τὴν ἀντίθεσιν Αα13. 32 ᵃ32. τὸ πότερον δεῖ ἐν ἀντιθέσει λεγόναιεν, πότερον λευκὸν ἢ ὐ λευκὸν Μι5. 1055 ᵇ32. τῶν καταφάσεων (i e τῶν καταφατικῶν προσδιορισμῶν) αἱ ἀντιθέσεις τρεῖς Αβ15. 64 ᵃ38. τἀναντία κατὰ τὴν ἀντίθεσιν τθ13. 163 ᵃ16. ἀντιθέσεις φανερῶτεραι ηεβ5. 1222 ᵃ22. — rhet ἀντίθεσις, i q ἀντικειμένη λέξις, def Ργ9. 1409 ᵃ35, 1410 ᵃ22, dist παρίσωσις, παρομοίωσις ᵃ23. ψευδεῖς ἀντιθέσεις Ργ9. 1410 ᵇ3.

ἀντίθετον, def, eius usus ρ27.

ἀντιθλίβεται τὸ θλῖβον Ζγδ3. 768 ᵇ0.

ἀντικαθιστάναι κατ' ἐνιαυτὸν ἄλλυς ἄρχοντας θ94. 838 ᵃ3.

ἀντικαταλλάττεσθαί τι Ηθ5. 1157 ᵃ12. ημα15. 1188 ᵇ20.

τί ἀντί τινος Ηθ8. 1158 ᵇ3. ημα17. 1189 ᵃ15. 34. 1195
ᵇ16. τί τινος ημα34. 1194 ᵃ11, 1195 ᵇ16. β11. 1210 ᵃ38.
ἀντ. πρός τινα ημα34. 1194 ᵃ20. — τὰ δὲ ἀντικαταλλάτ-
τεταί τι πρὸς τὴν περὶ τὰ θεῖα φιλοσοφίαν Ζμα5. 645 ᵃ3.
— ἀντικαταλλάττεσθαι (excusare) τὸ οὗ ἕνεκα Ργ15. 1416 5
ᵃ17, 11.

ἀντικατάσχεσις τῦ πνεύματος πλγ1. 961 ᵇ22.

ἀντικατηγορεῖσθαι. τὰ ἀντικατηγορύμενα, syn τὰ ἀντι-
στρέφοντα (cf ἀντιστρέφειν) Αγ13. 78 ᵃ28, 27 (cf 19. 82
ᵃ16 Wz, 15), syn τὰ ἑπόμενα ἀλλήλοις Αγ3. 73 ᵃ16, 12. 10
ἀντικατηγορεῖσθαι τῦ πράγματος, syn μόνῳ ὑπάρχειν, ad-
hibetur in definienda τῦ ἰδίυ notione τα5. 102 ᵃ19, 29. 8.
103 ᵇ8, 9, 12. ε5. 135 ᵃ15. ζ3. 140 ᵇ22, 24, dist τὸ τί ἦν
εἶναι τε3. 132 ᵃ4, 7.

ἀντικεῖσθαι, ἀντικείμενον. 1. sensu locali. ἡ κύκλῳ ἔχει 15
πως ἀντικείμενα τὰ κατὰ διάμετρον Οα8. 277 ᵃ23. τὸ
πρόσθεν χ̣ τὸ ἀντικείμενον Οβ2. 284 ᵇ22 (cf ὄπισθεν ᵇ32).
ad hunc usum v ἀντικεῖσθαι referendum videtur, quod res
sensibus obiectae ἀντικείμενα nominantur ψα1. 402 ᵇ15.
β4. 415 ᵃ10. — 2. ἀντικεῖσθαι ἕτερον ἑτέρῳ λέγεται τετρα- 20
χῶς ἢ ὡς τὰ πρός τι ἢ ὡς τὰ ἐναντία ἢ ὡς στέρησις χ̣
ἕξις ἢ ὡς κατάφασις χ̣ ἀπόφασις Κ10. 11 ᵇ17 Wz. τβ3.
109 ᵇ17. 8. 113 ᵇ15, 16, 27, 114 ᵃ7, 13. ε6. 135 ᵇ7, 8, 17,
27, 136 ᵃ5. Μι4. 1055 ᵃ38. 7. 1057 ᵃ33 cf ×12. 1069 ᵃ3.
Φε3. 227 ᵃ8. quod Μδ10 duo adduntur τῦ ἀντικεῖσθαι ge- 25
nera cf Bz ad h l. iam ἀντικεῖσθαι et ἀντικείμενον modo ita
usurpatur, ut universus notionis ambitus contineatur, veluti
μιᾶς ἐπιστήμης, τἀντικείμενα θεωρῆσαι Μγ2. 1004 ᵃ9. τα14.
105 ᵇ33. β2. 109 ᵇ17. ζ4. 142 ᵃ25. θ1. 155 ᵇ2. 13. 163
ᵃ3, modo ex contextu sententiarum colligitur, quamquam 30
nota specifica addita non est, unam tantum speciem op-
positionis intelligi. τὰ ἀντικείμενα, i e τὰ πρός τι τὸ δ.
125 ᵃ25 (ex hac τῶν ἀντικειμένων significatione Trdlbg
de an p 203 repetit quod ψα1. 402 ᵇ15. β4. 415 ᵃ20 res
sensibus obiectae ἀντικείμενα nominantur, sed cf 1). quae 35
contradictorie opposita sunt, distincte quidem dicuntur
ἀντικείμενα ἀντιφατικῶς, κατ᾽ ἀντίφασιν ε7. 17 ᵇ16, 17.
τα15. 106 ᵇ13; sed etiam ipsum ἀντικεῖσθαι, ἀντικείμενα
usurpatur de ea oppositione quae est inter affirmationem et
negationem ε6. 17 ᵃ32, 34. 9. 19 ᵇ1. Αβ8. 9. 10. 15. α5. 40
27 ᵇ9. 13. 32 ᵃ5. 46. 51 ᵇ15, 21, 52 ᵇ15. Βα11. 31. 14.
63 ᵇ15. τζ7. 146 ᵇ27. ψβ11. 424 ᵃ11 (aliter Trdlbg). Γα7.
324 ᵇ7. Ρβ26. 1403 ᵃ27. μὴ εἶναι ἀληθεῖς ἅμα τὰς ἀντι-
κειμένας φάσεις Μγ6. 1011 ᵇ14. ×5. 1062 ᵃ10, 6 Bz. 6.
1063 ᵇ16. ι5. 1055 ᵇ37. ita ἀντικείμεναι προτάσεις, cum 45
universe oppositas inter se προτάσεις (et τὰς κατ᾽ ἀλή-
θειαν et τὰς κατὰ τὴν λέξιν ἀντικειμένας) significet Αβ15.
63 ᵇ24, 27, tamen idem nomen restringitur ad τὰς ἀντι-
φατικῶς ἀντικειμένας, a quibus αἱ ἐναντίαι distinguuntur
Αβ15. 63 ᵇ28, 30, 35, 64 ᵃ32. α17. 36 ᵇ40. ε10. 20 ᵃ30. 50
ac τὰ ἐναντία accurate quidem nominantur ἐναντίως ἀντι-
κείμενα ε7. 17 ᵇ20, sed non raro ἀντικείμενα simpliciter τὰ
ἐναντία significat, ἡ μεταβολὴ εἰς τὰ ἀντικείμενα ἢ τὰ με-
ταξύ Μγ7. 1011 ᵇ34, coll λ1. 1069 ᵇ4, 5. ἡ τῶν ἀντικει-
μένων συναπόφασις Μι5. 1056 ᵃ35 Bz. τὰ ἀντικείμενα ἅμα 55
τῇ φύσει τε3. 131 ᵃ14, 16. ζ4. 142 ᵃ24. v praeterea ψα5.
411 ᵃ4. Πδ14. 1298 ᵇ34. ε8. 1308 ᵇ26. ρ27. 1435 ᵇ28.
μβ5. 362 ᵃ14 (coll 6. 364 ᵃ33). — adeo late patet usus v
ἀντικεῖσθαι, ut non videatur ubivis ad unum ex iis gene-
ribus referri posse, quae sola eius ambitu contineri Ar vo- 60
luit, ἀντίκειται ἑτέρα πρὸς ταύτην τὴν δόξαν ἀπορία μβ2.

354 ᵇ18. ἀντίκειταί πως χ̣ τῇ κινήσει χ̣ τῇ ἠρεμίᾳ ἡ κί-
νησις ἡ ἐναντία Φθ7. 261 ᵇ18, 21. κίνησις ἀντικειμένη, dist
ἐναντία Φθ8. 264 ᵇ16. ἡ ἀντικειμένη ὥρα μβ5. 362 ᵃ14.
τὸ γένος ἐν διαφέρον ταῖς ἀντικειμέναις διαφοραῖς Μδ6.
1016 ᵃ25. ἀντίκειται τῷ μὲν ἄρρενι τὸ θῆλυ, τῷ δὲ πατρὶ
ἡ μήτηρ Ζμδ3. 768 ᵃ26, cf ᵃ3. 1. 766 ᵃ2, 765 ᵇ35. ἀντί-
κειται τῷ ἐλεεῖν τὸ νεμεσᾶν sim Ρβ9. 1386 ᵃ9, 11, 17,
1387 ᵇ16. τὰ μὲν ἐντελεχείᾳ ἔσται, τὰ δ᾽ ἐν τῷ ἀντικει-
μένῳ μδ4. 381 ᵇ28. τὰ σκέλη πρὸς τὰς βραχίονας ἀντί-
κειται (i e ἀντίστροφά ἐστι) Ζια15. 493 ᵇ23. — rhetor λέξις
ἀντικειμένη def Ργ9. 1409 ᵃ35, 33. — ἀντικειμένως
eandem habet usus varietatem atque ἀντικείμενος. τὸ ἄλλο
ἀντικειμένως λέγεται ᾗ τὸ ταὐτὸ Μι3. 1054 ᵇ15. ἀντικει-
μένως λέγεται τῷ ταὐτῷ τὸ ἕτερον, τὰ πολλὰ τῷ ἑνί, τοῖς
ὁμοίοις τὰ ἀνόμοια Μδ6. 1017 ᵃ3. 9. 1018 ᵃ11, 18. 10.
1018 ᵇ8. η2. 1043 ᵃ1. ἀντικειμένως de affirmatione et ne-
gatione Αα5. 27 ᵃ28-31. ἀντικειμένως ἀντιστρέφειν Αβ8.
9. 10, def 8. 59 ᵇ6, 9. ἀντικειμένως ἔχειν, i e ἐναντίως
Ζμβ8. 654 ᵃ10, 26. ο̇5. 679 ᵇ32. cf Ρα7. 1364 ᵇ3. — rhet
ἀντικειμένως εἰπεῖν Ρβ24. 1401 ᵃ5. ἀντικειμένως λέγεσθαι
Ργ10. 1410 ᵇ29, cf ἀντικειμένη λέξις.

ἀντικινεῖν. τὸ κινῦν ἔξω τῦ πρώτυ ἀντικινεῖταί τινα κίνησιν
Ζγδ3. 768 ᵇ19. Φθ5. 257 ᵇ23, 21. cf Οα5. 272 ᵇ4, 5. μν2.
453 ᵃ26, 27.

ἀντικνήμιον, tibia. τῆς κνήμης τὸ πρόσθιον ἀντικνήμιον, τὸ
δ᾽ ἔσχατον ἀντικνημίᾳ σφυρόν Ζια15. 494 ᵃ6, 9.

ἀντικόπτειν. ὅταν πνεῦμα ἀντικόψῃ Ζιθ13. 599 ᵃ1. τῦ ἐντὸς
θερμῦ ἀντικόπτοντος Ζμα1. 642 ᵇ1.

ἀντικρύειν (Democr) Οδ6. 313 ᵇ2. τὸ φερόμενον ὑγρὸν ὅταν
ἀντικρύσῃ Ζγδ4. 772 ᵇ20. τὸ θερμὸν ἀνάγκη ἐξιέναι χ̣ πάλιν
εἰσιέναι ἀντικρῦον Ζμα1. 642 ᵃ36. ὅσα ἔλη ὑπὸ τῆς θαλάττης
ἀντικρύονται πκε 2. 938 ᵃ4. — ἀντικρύειν πρὸς τὰς ἐπιθυ-
μίας, syn ἀντιτείνειν ηεγ7. 1233 ᵇ31, 33. ἐὰν κατ᾽ εὐθυω-
ρίαν ὁτιῦν ἀντικρύσῃ τις, οἷον τῷ διψῶντι πρὸς τὸ πιεῖν Ρβ2.
1379 ᵃ12 (cf ἀντιπράττειν ᵃ13). ὡς ἀντέκρυον αἱ γυναῖκες
Ππβ9. 1270 ᵃ7.

ἀντίκρυσις τῆς δίνης μγ1. 371 ᵃ11. δῖναι διαλυόμεναι εἰς
ἄλλα σχήματα διὰ ἀντίκρυσιν εν3. 461 ᵃ11. πολλὰς πάν-
τοθεν ἀντικρύσεις λαμβάνειν πκγ2. 931 ᵇ5. — ἀντίκρυσις in
periodis μείρϊος Ργ9. 1409 ᵇ22.

ἀντικρύ. κατ᾽ ἀντικρὺ χ̣ εἰς τὸ πρόσθεν Ζμδ13. 696 ᵇ24.

ἀντίκρυς. ὅταν ἀντίκρυς (contrarium, oppositum) ᾖ τι τῶν
ἰδίων ηεη10. 1243 ᵃ37.

ἀντιλαμβάνειν. τοσοῦτον ἀντιλαβὼν ἕξει τὴν ἀξίαν Ηι1.
1164 ᵃ11. ἀντιλαμβάνειν ἔρανον Πη14. 1332 ᵇ40. ἀντιλαμ-
βάνειν εὐθύς (ἀέρα, de ἀναπνοῇ) πν1. 481 ᵃ21. — med ἵππον
θέοντα ἀντιλαμβανόμενον ἀποστρέψαι ημα14. 1188 ᵇ1. τὸ
ξηρὸν μᾶλλον ἀντιλαμβάνεται χ̣ τὴν πληγὴν ποιεῖται σκλη-
ροτέραν ακ802 ᵇ26. ἀντειλῆφθαι (?) Ζιε22. 554 ᵃ21.

ἀντιλέγειν ὐκ ἔστιν (Antisthen) τα11. 104 ᵇ20. τὺς ἀντι-
λέγοντας χ̣ ἀρνυμένυς οἰκέτας μᾶλλον κολάζομεν Ρβ3. 1380
ᵃ16. διὰ φιλονεικίαν ἀντιλέγειν f 10. 1475 ᵇ11. — ὺ τῦτο
γ᾽ ἀντιλέγειν, ὡς ὐκ Πγ16. 1287 ᵇ23. — τὸ πρᾶγμα ἐφ᾽
ὃ παρακαλῦμεν ἢ ᾧ ἀντιλέγομεν ρ8. 1428 ᵇ13. μέχρις ὗ
μηκέτι ἔχῃ ἀντιλέγειν αὐτὸς αὑτῷ Οβ13. 294 ᵇ10. — pass
ἐὰν ἀντιλέγηται τὰ πράγματα, opp ἐὰν ὁμολογῆται ρ37.
1442 ᵇ33.

Ἀντιλέοντος ἐν Χαλκίδι τυραννίς Πε12. 1316 ᵃ32.

ἀντίληψις. Δημόκριτος τῦ συμμένειν τὰς ὺσίας μετ᾽ ἀλλή-
λων αἰτιᾶται τὰς ἐπαλλαγὰς χ̣ τὰς ἀντιλήψεις τῶν σωμά-
των f 202. 1514 ᵇ26.

ἀντιλογία. ἔνια περὶ αὐτῶ λέγειν ἢ ἐπίφθονον ἢ ἀντιλογίαν
ἔχει Ργ17. 1418 ᵇ25. προοίμιον γίνεται ὅταν ἀντιλογία ἦ
Ργ13. 1414 ᵇ3. τὰ παραδιδόντα ἀντιλογίαν πότερον τῶτο ἢ
τῶτο αἱρετόν ημαι17. 1189 ᵃ27. τὰς ἐνδεχομένας ἀντιλογίας
ῥηθῆναι τοῖς ὑπὸ σῶ εἰρημένοις προκαταλαμβάνων διασύρεις 5
ρ34. 1439 ᵇ3. ταῖς ἀντιλογίαις ἢ ταῖς συνηγορίαις ταῖς περὶ
τῶν συμμάχων εὐπορήσομεν χρῆσθαι ρ3. 1425 ᵃ6. πρὸς τὰς
ἀντιλογίας χρήσιμον ρ38. 1445 ᵃ32. ἐν ἀντιλογίᾳ ἀδικομα-
χία ἡ ἐριστική ἐστι τι11. 171 ᵇ23. (πλείστης ἀντιλογίας
δέονται ρ7. 1428 ᵃ7, αἰτιολογίας ci Halm.) 10
ἀντιλογικός. πρὸς τὰς ἀντιλογικὰς ἐνεργέστερον ὁ συλλο-
γισμός τα12. 105 ᵃ18.
Ἀντίλοχος. υἱὸς Νέστορος f. 596. 1595 ᵇ25. — Ἀντίλοχος
Λήμνιος ἐφιλονείκει Σωκράτει f 65. 1486 ᵇ28.
ἀντιλυπήσεως ὄρεξις ψα1. 403 ᵃ30. 15
ἀντιλυτρωτέον τὸν λυσάμενον Ηι2. 1164 ᵇ35.
Ἀντίμαχυ versus affertur Ργ6. 1408 ᵃ1. Antimachus Colo-
phonius f 626. 1584 ᵃ6.
ἀντιμεθίστασθαι. ἀντιμεθίσταται ἀλλήλοις τό τε ὕδωρ ἢ
ὁ ἀὴρ Φδ2. 209 ᵇ25. 4. 211 ᵇ27. μδ9. 386 ᵃ25, 32. cf β8. 20
366 ᵇ20, 367 ᵇ24. ἂν ἀντιμετεστάναι μδ4. 382 ᵃ12,14.
Ἀντιμένης Ῥόδιος οβ1352 ᵇ26, 1353 ᵃ24. — Ἀντιμένης ὁ
Κῷος Πινδάρῳ ἐφιλονείκει f 65. 1486 ᵇ32.
Ἀντιμενίδης ἢ Ἀλκαῖος Πγ14. 1285 ᵃ36. ἐφιλονείκει Πιτ-
τακῷ f 65. 1486 ᵇ34. 25
ἀντιμετάστασις, ὅπη νῦν ὕδωρ, ἐνταῦθα ἐξελθόντος πάλιν
ἀὴρ ἔνεστιν Φδ1. 208 ᵇ2.
ἀντιμηχανᾶσθαι Ζι8. 613 ᵇ27.
ἀντίμιμος ἡ τῆς ψυχῆς ἐπιθυμία (Alcidam, cf Vahlen Al-
kidam p 7) Ργ3. 1406 ᵃ29. 30
ἀντίξυς. τὸ ἀντίξυν ξυμφέρον (Heracl fr 37) Ηθ2. 1155 ᵇ5.
ἀντιπαίειν. ἀντιπαίοντος τῶ ἔσωθεν εἰσέρχεται ὁ ἔξωθεν ψό-
φος πια29. 902 ᵇ13.
ἀντίπαλος τῷ ἀπαρκτία ὁ νότος, ἀντίπαλος τῇ ὁμίχλῃ ἡ
αἰθρία κ4. 394 ᵇ32, ᵃ22. — ἐχθροὶ ἢ ἀντίπαλοι Ρβ5. 1382 35
ᵇ20.
ἀντιπαραβάλλειν πρὸς ἄλληλα, opp καθ' αὑτὰ λέγειν Ρα3.
1359 ᵃ22. ἐὰν μὴ καθ' αὑτὸν εὐπορῇς, πρὸς ἄλλας ἀντι-
παραβάλλειν Ρα9. 1368 ᵃ20 (syn πρὸς ἄλλως παραβάλλειν
ᵃ25). ἀντιπαραβάλλειν ἑτέρας ἀγαθᾶς τὴν εὐγένειαν f 82. 40
1490 ᵃ11. ἀντιπαραβάλλειν τὐλάχιστον τῶν ὑπὸ τὴν αὐτὴν
ἰδέαν πιπτόντων ρ4. 1426 ᵃ28.
ἀντιπαραβολή, def αὔξησις τῶν αὐτῶ, μέρος τι τῶν πί-
στεων Ργ13. 1414 ᵇ10, 2. λέγεται ἐξ ἀντιπαραβολῆς τῶ
ἐναντία Ρχ19. 1419 ᵇ4. 45
ἀντιπαρήκει τοῖς εἰρημένοις πελάγεσι ὁ Πόντος κ3. 393 ᵃ31.
ἀντιπάσχειν. εὖ ποιεῖν μὴ ἵνα ἀντιπάθῃ Ηη15. 1163 ᵃ1.
κρείττυς εἶναι ἢ μηδὲν ἀντιπαθεῖν Ηχ11. 1117 ᵃ14. cf Ρβ4.
1382 ᵃ15. — τὸ ἀντιπεπονθὸς πότερον δίκαιον Ηε8. 1132
ᵇ21, 1133 ᵃ11, 32, ᵇ6. ημα34. 1194 ᵃ28, 30 sqq. τὸ ἀντι- 50
πεπονθὸς ἄλλῳ Ηε8. 1132 ᵇ23. τὸ ἀντιπεπονθὸς σῴζει τὰς
πόλεις Πβ2. 1261 ᵃ30. εὔνοια ἐν ἀντιπεπονθόσι φιλία Ηθ2.
1155 ᵇ33. — de proportione geometrica ὃ τὸ κινόμενον
βάρος πρὸς τὸ κινῶν, τὸ μῆκος πρὸς τὸ μῆκος ἀντιπέπονθεν
μχ3. 850 ᵇ2. 55
ἀντιπεριάγειν θ139. 844 ᵇ27.
ἀντιπεριστάναι, ἀντιπερίστασθαι. (cf ἀντιπερίστασις). μα-
λακόν ἐστι τὸ ὑπεῖκον τῷ μὴ ἀντιπερίστασθαι, syn ἀντιμε-
θίστασθαι μδ4. 382 ᵃ12, 25. μηθὲν εἶναι κενὸν ἀντιπεριστα-
μένων ἀλλήλοις αυ5. 472 ᵇ26. μία ἐκ πάντων περαινομένη 60
σωτηρία διὰ τέλυς, ἀντιπερισταμένων ἀλλήλοις ἢ τοτὲ μὲν

V.

κρατώντων τοτὲ δὲ κρατυμένων κ5. 397 ᵇ6. περὶ τὰς τόπυς
ἀντιπερίστασθαι ἢ μεταβάλλειν τὰς ἀναθυμιάσεις μβ4. 360
ᵇ25. τῷ συνάγειν ἢ ἀντιπεριστάναι τὸ θερμόν μδ5. 382 ᵇ10.
ὁ βορέας διὰ τὴν ψυχρότητα ἀντιπεριστὰς τὸ θερμὸν ἀθροίζει·
ὅταν ἔτι μᾶλλον ἀντιπεριστῇ ἐντὸς τὸ ψυχρὸν ὑπὸ τῶ ἔξω
θερμῶ sim μα10. 347 ᵇ6. 12. 348 ᵇ6, 16. β4. 361 ᵃ1. πιδ3.
909 ᵃ23. κδ8. 936 ᵇ16. κς27. 943 ᵃ11. αἱ νόσοι ἀντιπε-
ρίστανται αἱ τῶ ὠτὸς εἰς τὰ τῶ πνεύμονος πάθη πλγ1.
961 ᵇ15.
ἀντιπερισπᾶν. διὰ τὸ ἀντιπερισπᾶσθαι τὰς ὑγρότητας, coni
syn διὰ τὴν παλίρροιαν τῆς ὑγρότητος Ζμγ7. 670 ᵇ10.
ἀντιπερίστασις. κινεῖται τὰ ῥιπτόμενα δι' ἀντιπερίστασιν,
ὡς λέγυσί τινες (cf Plat Tim 59 A, 79 B) Φθ8. 215 ᵃ15.
θι0. 267 ᵃ16, 18. (cf ἀντιπερίστασίς ἐστιν, ὅταν ἐξωθυμένυ
τινὸς σώματος ἀνταλλαγὴ γένηται τῶν τόπων, ἢ τὸ μὲν
ἐξωθῆσαν ἐν τῷ τὸ ἐξωθηθέντος στῇ τόπῳ, τὸ δ' ἐξωθηθὲν
τὸ προσεχὲς ἐξωθῇ, ἕως ἂν τὸ ἔσχατον ἐν τῷ τόπῳ γένηται
τῶ πρώτυ ἐξωθήσαντος Simpl ad Φθ10. 267 ᵃ16 Schol 452
ᵃ30). γίνεται ἀντιπερίστασις τῷ θερμῷ ἢ τῷ ψυχρῷ ἀλ-
λήλοις μα12. 348 ᵃ9, 349 ᵃ8. ὁ ὕπνος συνόδῳ τις τῶ θερμῶ
εἴσω ἢ ἀντιπερίστασις φυσική υ3. 457 ᵇ2, 458 ᵃ27. ἀντι-
περίστασις πάντα Αδ15. 98 ᵃ25 Wz. καθεύδοντες μᾶλλον
ἱδρῶσι διὰ τὴν ἀντιπερίστασιν πβ16. 867 ᵇ32. ἀντιπερίστασις
τῶ κάτω πνεύματος πλγ5. 962 ᵃ2.
ἀντιπίπτειν. ἕως ἀντιπεσὼν πεδο. 884 ᵃ2.
ἀντιπίπτειν. πρὸς ἀντιπῖπτον ἡ πληγὴ γίνεται, ἢ ὑ πρὸς
ὑπεῖκον πλβ13. 961 ᵇ3. τὰ φερόμενα ὅταν ἀντιπέσῃ ἀφάλ-
λεται εἰς τὐναντίον πις13. 915 ᵇ18. κς4. 940 ᵇ18.
ἀντιπλήττειν. ἀντιπληγῆναι Ηε8. 1132 ᵇ29. ὅταν ἀντιπλήτ-
τωσιν ἀλλήλως φτβ4. 826 ᵃ3.
ἀντιπνεῖν. διὰ τὸ ἀντιπνεῖν δίνην γίνεσθαι τῶ πνεύματος μγ1.
370 ᵇ22. ἀντιπνεῖν πρὸς ὄρη πικ7. 940 ᵇ34.
ἀντίπνοιαν ποιεῖ φτβ4. 826 ᵃ3.
ἀντιποιεῖν. τὸ αὐτῷ Ηε15. 1138 ᵃ22. πζ7. 886 ᵃ30. τῷ ἀν-
τιποιεῖν ἀνάλογον συμμένει ἡ πόλις Ηε8. 1132 ᵇ34. οἱ μὴ
ἀντιποιῶντες εὖ Ρβ2. 1397 ᵇ7. ἀντιποιεῖν om obiecto Ηε8.
1133 ᵃ1. Ρβ2. 1378 ᵇ25. ηεη11. 1244 ᵃ3. ἀντιποιῆσαι (?)
ηεη10. 1243 ᵇ6. — med ἀντιποιεῖσθαι ἀρετῆς, τιμῆς, τῆς
ῥητορικῆς Πγ12. 1283 ᵃ16. δ4. 1291 ᵇ5. ηι1. 1330 ᵇ33.
ηεγ5. 1232 ᵃ23. Ρβ2. 1356 ᵃ28. οἱ Δωριεῖς ἀντιποιῶνται τῆς
τραγῳδίας πο3. 1448 ᵃ30.
ἀντιπολιτεύεσθαι Πβ12. 1274 ᵃ14.
ἀντίπορθμοι νῆσοι κ3. 392 ᵇ23.
ἀντίπυς πανταχόθεν ἔσται πορευόμενος ἕκαστος αὐτὸς αὑτῷ
Οδ1. 308 ᵃ20.
ἀντιπράττειν, opp συμπράττειν μχ3. 465 ᵇ27. Ρβ2. 1379
ᵃ13, 14. ἀντιπράττειν πρός τι Πζ5. 1320 ᵃ6.
ἀντιπροαίρεσις τῆς ἀλλήλων γνωρίσεως, ἀντιφιλία ἢ ἀντι-
προαίρεσις πρὸς ἀλλήλυς ηεη2. 1237 ᵃ31, 32, 1236 ᵇ3.
ἀντιπροκαταλαμβάνειν. ἀντιπροκαταληπτέον, ἐὰν οἱ ἐναν-
τίοι προκατειληφότες ὦσιν ρ19. 1433 ᵇ1.
ἀντιπροσώπως ἵστασθαι θ72. 835 ᵇ11.
ἀντίπυγος. συμπλέκεσθαι, ὀχεύειν ἀντίπυγον Ζι8. 542 ᵃ16.
2. 540 ᵃ14.
ἀντισεμνύνεσθαι ἢ ἐλευθεριάζειν Πε11. 1314 ᵃ7.
Ἀντισθένης, Ἀντισθένειοι. Ἀντισθένης ᾤετο εὐήθως μηθὲν
ἀξιῶν λέγεσθαι πλὴν τῷ οἰκείῳ λόγῳ ἓν ἐφ' ἑνὸς Μδ29.
1024 ᵇ32. ἢ ἔστιν ἀνθρώπῳ καθεῖναι ἔφη Ἀντ. τα11.
104 ᵇ21. ἡ ἀπορία ἣν οἱ Ἀντισθένειοι ἢ οἱ ὅλως ἀπαίδευτοι
ἠπόρυν, ὅτι ὐκ ἔστι τὸ τί ἐστιν ὁρίσασθαι Μη3. 1043 ᵇ24.
Antisthenes resp τὴν ἡδονὴν κομιδῇ φαῦλον λέγυσί τινες

I

Ηκ1. 1172 ᵃ29.— Antisthenis apophthegmata Πγ13. 1284
ᵃ15. Ργ4. 1407 ᵃ9.
ἀντισοφίζεσθαι Πδ̅13. 1297 ᵃ36.
ἀντισπᾶν ἀράχνιον, opp σπᾶν Ζιε8. 542 ᵃ15. ἀντισπᾶν ἐκ
τῆς κοιλίας τὰς ἰκμάδας Ζμγ7. 670 ᵇ4. ἀντισπᾶν τὴν φορὰν 5
μχ26. 857 ᵃ8. ἀντισπᾶν εἰς αὑτό πκα20. 929 ᵃ39. ἀντισπᾶν
τινὶ αι4. 442 ᵃ11. πγ15. 873 ᵃ20. ἀντισπᾶσθαι μχ1. 849
ᵃ30. ἀντισπᾶσθαι εἰς τἠναντίον μχ1. 849 ᵃ13. πε39. 885
ᵃ10. κ32. 926 ᵇ12. — ὅταν ὁ ἀκρατὴς ἔτι ὁρμῶν ἐπὶ τὸ
πόρρω ἀντισπασθῇ παυσαμένε Ργ9. 1409 ᵇ21.   10
ἀντισπαστικὴν ποιεῖν τὴν ὑστέραν Ζικ1. 638 ᵃ31.
Ἀντισσαῖοι Πε3. 1303 ᵃ34. ο̅β1347 ᵃ25.
ἀντίστασις. τὴν ἴσην ἀντίστασιν ἔχει τὰ βαρέα πρὸς τὰ
κῦφα κ5. 397 ᵃ1.
ἀντιστηρίζειν πκε22. 940 ᵃ11.   15
ἀντιστοιχία. κατὰ τὴν ἀντιστοιχίαν τῶν ποδῶν ἡ κίνησις
πι30. 894 ᵃ19.
ἀντίστοιχος, opp σύστοιχος Ζπ6. 707 ᵃ11. ἀντίστοιχοι πό-
δες, ἀντίστοιχα ἐρείσματα, κῶλα Ζπ8. 708 ᵇ8, 13, 15, 31.
ἀντιστρέφειν transitive 'convertere' τθ14. 163 ᵃ30. ἀντι- 20
στρέφεσθαι 'converti' Αα45. 50 ᵇ11, 15, 20, 51 ᵃ20, 23.
ἀντιστρεφομένης vel ἀντιστραφείσης τῆς προτάσεως Αα6.
28 ᵃ29, ᵇ35. 7. 29 ᵃ24 al. ἀντιστραφέντος τῆ στερητικῆ, τῆ
ἐνδέχεσθαι Αα7. 29 ᵇ4. 10. 30 ᵇ21. 18. 38 ᵃ6 al. — ἀντιστρέ-
φειν intrans 'aptum esse ad convertendum' Αα45. 50 ᵇ25, 25
39, 51 ᵃ4, 11, 29 al, syn ἀντιστροφὴν δέχεσθαι Αα45. 50
ᵇ32, 51 ᵃ39. β11. 61 ᵃ32. ἐν μόνοις τοῖς ἀντιστρέφουσι
κύκλῳ χ̅ δι' ἀλλήλων ἐνδέχεται γίνεσθαι τὰς ἀποδείξεις
Αβ5. 58 ᵃ13. omisso subiecto intransitivum ἀντιστρέφειν im-
personaliter videtur usurpatum esse ὡς ἀντιστρέφοντος πα- 30
ραλογίζεται ἡ ψυχή πε25. 883 ᵇ8. λ4. 955 ᵇ15.
   1. ἀντιστρέφειν intrans et ἀντιστρέφεσθαι pass dicuntur
termini duo, inter quos ea intercedit ratio, ut alter in al-
terius locum substitui possit vel substituatur τὰ πρός τι
πάντα πρὸς ἀντιστρέφοντα λέγεται Κ7. 6 ᵇ28, 7 ᵃ4. 10. 12 35
ᵇ22 sqq. τ̅ζ12. 149 ᵇ12. ὁ4. 125 ᵃ6, 12 Wz. ἀντιστρέψαντι
de converso enumerandi ordine Μδ̅6. 1016 ᵇ28. πρότερον
δοκεῖ εἶναι τὸ μὴ ἀντιστρέφον κατὰ τὴν τῆ εἶναι ἀκολύθησιν,
vel ὅ μὴ ἀντιστρέφει ἡ τῆ εἶναι ἀκολύθησις Κ12. 14 ᵃ30,
34, ᵇ11, 13. 15 ᵃ5, 8. de converso aetias et aitiατῆ, vel 40
conditionis positae et conclusionis inde factae ordine, ἐν οἷς
τὸ ὕστερον ἀνάγκη εἶναι, ἐν τύτοις ἀντιστρέφει, χ̅ ἀεὶ τῆ
προτέρω γενομένω ἀνάγκη γενέσθαι τὸ ὕστερον Γβ11. 337
ᵇ23. cf α10. 328 ᵃ19. Ζμα1. 640 ᵃ9. εἰ ἔστιν ἄνθρωπος,
ἀληθὴς ὁ λόγος ᾧ λέγομεν ὅτι ἔστιν ἄνθρωπος· χ̅ ἀντι- 45
στρέφει γε· εἰ γὰρ ἀληθὴς ὁ λόγος ᾧ λέγομεν ὅτι ἔστιν
ἄνθρωπος, ἔστιν ἄνθρωπος Κ12. 14 ᵇ17. cf Φ̅ζ2. 233 ᵃ9.
ημαι10. 1187 ᵇ27. τὰ γένη κατὰ τῶν εἰδῶν κατηγορεῖται, τὰ
δὲ εἴδη κατὰ τῶν γενῶν ἐκ ἀντιστρέφει Κ5. 2 ᵇ61. — prae-
cipue ἀντιστρέφειν vocabulum doctrinae logicae est, ac di- 50
cuntur ἀντιστρέφειν προτάσεις 'κατὰ τὴν ὑπαλλαγὴν τῶν
ὅρων' (Schol 166 ᵇ13), ubi subiectum in praedicati loco et
praedicatum subiecti in loco poni potest, opp ὑπερτείνειν
Αβ23. 68 ᵇ23. 27. 70 ᵇ34. γ22. 84 ᵃ24; atque vel termini
dicuntur ἀντιστρέφειν Αβ16. 65 ᵃ15, 34. 22. 67 ᵇ27, 68 ᵃ3, 55
12, 13 al. cf μθ9. 386 ᵇ24. ψβ11. 423 ᵃ21 (Trdlbg p408).
Μκ3. 1061 ᵃ17, vel αἱ προτάσεις Αα2. 25 ᵃ6, 8. 3. 25 ᵃ28,
ᵇ8, 17. 5. 27 ᵃ6, 13, 34 al. ἡ πρὸς τῷ ἐλάττονι ἄκρῳ πρό-
τασις ἀντιστρεπτέα Αα45. 51 ᵃ23. χ̅ ἀντιστρέψαντι εἰπεῖν
ἀληθές ψα3. 406 ᵃ32. τὸ ἀντιστρέφειν ἔστιν, εἴπερ ἕπονται 60
ἀλλήλοις τὸ μέσον χ̅ οἱ ἄκροι (Bk, ὅροι Wz) Αδ̅12. 95 ᵇ40.

ἀντιστρέφει τὸ καταφατικὸν Αα11. 31 ᵃ40. ἀντιστρέφει ἡ
ἀκολύθησις τι15. 167 ᵇ1. ἀντιστρέφει τὸ β τῷ α (dativo
τῷ α subiectum propositionis e conversione ortae signifi-
catur, Wz ad 52 ᵇ8) Αβ22. 67 ᵇ30, 31, 34, 35, 37, 68 ᵃ22
al. ε13. 22 ᵃ16. ἀντιστρέφειν πρός τι (i q τινί) Αβ22. 67
ᵇ28, 38, 39. 23. 68 ᵇ26 al. (aliam vim habet ἀντιστρέφεσθαι
ἐπὶ τῶν ὅρων Αβ15. 64 ᵃ11, 40, ἀντιστρέψαι κατὰ τὸς ὅρος
Αβ15. 64 ᵇ3. Wz ad 25 ᵃ6) ἀντιστρέφειν καθόλυ, opp ἐν
μέρει, κατὰ μέρος, ἐπὶ μέρυς Αα2. 25 ᵃ8, 11. 20. 39 ᵃ15.
45. 51 ᵃ5. ἀντιστρέφει τὸ καθόλυ τῷ κατὰ μέρος Αα11.
31 ᵃ27. ἀντιστρέφει τὸ γ τῷ α τινί Αα11. 31 ᵃ32, 35. de
conversione propositionum Αα2. 25 ᵃ1-3. 25 ᵇ25. — huic
logicae verbi ἀντιστρέφειν significationi vel adnumeranda
vel affinia sunt talia: ἔστι χαλεπώτατον τὸ ἀντιστρέφειν τὴν
ἀπὸ τῆ συμβεβηκότος ὀνομασίαν τβ1. 109 ᵃ10, 14, 15, 26
(Schol 264 ᵃ35-41). ἀντιστρέφειν de convertendis inter se
causa et effectu in demonstratione, syn ἀντικατηγορεῖσθαι
Αγ13, 78 ᵃ27 Wz, 28, ᵇ12. ἀντιστρέφοντα, quae κατὰ πρόσ-
ληψιν Theophrastus appellavit Αβ6. 58 ᵇ8 Wz. 7. 59 ᵃ30.
   2. ἀντιστρέφειν 'περὶ τῆς εἰς ἀντίφασιν μεταλήψεως'
(Schol 166 ᵇ13), i e transitive 'affirmantem propositionem
convertere in negantem et contra', intransitive 'ad eiusmodi
conversionem aptum esse' Αα29. 45 ᵇ6. β8-10 (de tali con-
versione syllogismorum). γ17. 80 ᵇ25 Wz, 30, 38, 81 ᵃ20, 23.
Wz ad 25 ᵃ6 (cf ἀντιστρέφειν τὸς λόγυς, int τὸς συλλογισμὸς,
i e μεταλαβόντα τὸ συμπέρασμα μετὰ τῶν λοιπῶν ἐρωτημά-
των ἀνελεῖν ἐν τῶν δοθέντων τβ14. 163 ᵃ30 sqq. Αβ8.) ἀν-
τιστρέφειν ἐναντίως, ἀντικειμένως Αβ8. 59 ᵇ9, 10 al. ἀντι-
στρέφυσιν αἱ ἐν τῷ ἐνδέχεσθαι καταφάσεις ταῖς ἀποφάσεσι,
χ̅ αἱ ἐναντίαι χ̅ αἱ ἀντικείμεναι Αα15-20 saepe. 13. 32 ᵃ30.
17. 36 ᵃ39. cf 14. 33 ᵃ7, 16, 32 ᵇ2. ἀν ἀντιστρέφει τὸ ἐν
τῷ ἐνδέχεσθαι στερητικὸν Αα17. 36 ᵇ35-37 ᵃ31. ἀντιστρα-
φέντος τῆ ἐνδέχεσθαι Αα18. 38 ᵃ6. ὥστε ὐδὲν ἔστιν· ἀντι-
στρέψαντι ἔστιν ὁμοίως φάναι ὅτι πάντα ἔστιν ξ6. 979 ᵇ18.
— huic significationi v ἀντιστρέφειν comparandum videtur
ὁ τόπος ἀντιστρέφει πρὸς τὸ ἀνασκευάζειν χ̅ κατασκευάζειν
τβ2. 109 ᵇ25. 3. 110 ᵃ28. 6. 112 ᵃ27. 8. 113 ᵇ25 (i e πρὸς
ἄμφω κοινός, χρήσιμός ἐστι τβ4. 111 ᵃ12, ᵇ9. 6. 112 ᵃ31.
10. 114 ᵇ28). ἐκ ἀντιστρέφει πρὸς τὸ ἀνασκευάζειν τβ11.
115 ᵃ33, ᵇ7. ἡ μὴν ἀντιστρέφει γε τὸ νῦν ῥηθέν (int ἀπὸ
τῆ ἀνασκευάζειν πρὸς τὸ κατασκευάζειν τα5. 102 ᵃ14.
ἀντεστραμμένος, proprie locali sensu: ἔχυσι τὰ κοῖλα
τῆς περιφερείας πρὸς ἄλληλα ἀντεστραμμένα Ζιβ1. 498 ᵃ8.
— logice, cf ἀντιστρέφειν 1 et 2. ἀντιστραμμένος (i e δι'
ἀναστροφῆς) ἔσται συλλογισμὸς Αα28. 44 ᵃ30 Wz. ἀντε-
στραμμένη πρότασις Αβ5. 58 ᵃ1. — ὥσπερ ἀντεστραμμένον
(i e ἐναντίον) τῇ πάχνῃ ὁ εὑρὼς ἐστι Ζγε4. 784 ᵇ16. ἐπί
τε τὴν καθαίρεσιν χ̅ τὴν ἀντεστραμμένην πρόσθεσιν Φγ6. 207
ᵃ23. — ἀντεστραμμένως. cf ἀντιστρέφειν 1. de inver-
sa ratione. καθ' αὑτὸν ψεκτόν, πρός τι ἐπαινετόν, χ̅ πάλιν
ἀντιστραμμένως καθ' αὑτὸν ἐπαινετόν, πρός τι ψεκτόν ηε11.
162 ᵃ1. ὁ ὑπερέχων ἀντεστραμμένως τὸ ἀνάλογον ηεη10.
1242 ᵇ7. ἀντεστραμμένως δίεισι τῷ τάχει Φδ8. 215 ᵇ31.
cf γ6. 206 ᵇ5, 27. Οα5. 273 ᵃ1. Ζπ13. 712 ᵃ4. μγ4. 375
ᵇ3. Πδ̅14. 1298 ᵇ38. ημβ7. 1206 ᵃ38. — cf ἀντιστρέφειν 2.
ἀντεστραμμένως ἀκολυθεῖν (i e τῇ καταφάσει τὴν ἀπόφασιν
χ̅ τὴν κατάφασιν τῇ ἀποφάσει), σημαίνειν ε13. 22 ᵃ34 Wz,
ᵇ9. — αὐτοῖς μὲν παραπλησίως, τύτοις δ' ἀντεστραμμένως
Ζμθ9. 684 ᵇ5.
ἀντιστροφή eandem usus varietatem habet ac v ἀντιστρέφειν.
   1. κατὰ τὴν ἀντιστροφὴν τῆς ἀναλογίας Φθ10. 266 ᵇ18. —

ἀντιστροφή i q μεταλλαγὴ τῶν τῆς προτάσεως ὅρων Αα3.
25 ᵃ40. 19. 38 ᵇ27. 20. 39 ᵃ22, 38. ἀντιστροφαὶ στερητικαί
(i e τῶν στερητικῶν προτάσεων) Αα3. 25 ᵇ16. ἀντιστροφὴν
δέχεσθαι Αα45. 50 ᵇ32, 51 ᵃ39. β11. 61 ᵃ32. δείκνυσθαι,
περαίνεσθαι, γίνεται συλλογισμὸς διὰ τῆς ἀντιστροφῆς Αα8. 5
30 ᵃ4. 7. 29 ᵃ27, 33. 17. 37 ᵃ33. — 2. ἀντιστροφή i q con-
versio ἐκ καταφάσεως εἰς ἀπόφασιν χ̥ ἀνάπαλιν Αα18.
38 ᵃ3. 20. 39 ᵃ28. 22. 40 ᵇ10. β8-10. 11. 61 ᵃ22, 33. ἀν-
τιστροφὴ τῷ ἐνδέχεσθαι ὑπάρχειν, ἐνδέχεσθαι μὴ ὑπάρχειν
Αα15. 35 ᵇ1, 2. 16. 36 ᵃ27. cf Αα15-20.   10
ἀντίστροφος. α. τὸ ψυχρὸν συνίστησιν ἀντίστροφον τῇ θερμό-
τητι τῇ περὶ τὴν καρδίαν τὸν ἐγκέφαλον Ζγ6. 743 ᵇ28.
διὰ τὸ τοῖς φυτοῖς ἀντίστροφον ἔχειν τὴν φύσιν Ζγγ11.
761 ᵃ20. — b. τὸ τέταρτον εἶδος τῆς ὀλιγαρχίας τῦτ᾽ ἐστίν,
ἀντίστροφον τῷ τελευταίῳ τῆς δημοκρατίας (i e haec quarta 15
species in genere oligarchiae eundem locum obtinet, ac τὸ
τελευταῖον εἶδος in genere democratiae, ἀντίστροφον fere
i q ἀνάλογον) Πδ6. 1293 ᵃ33. cf 5. 1292 ᵇ7. 10. 1295
ᵃ18. ἡ ῥητορική ἐστιν ἀντίστροφος τῇ διαλεκτικῇ Ρα1.
1354 ᵃ1. — c. ἀντίστροφοι in carminibus choricis. αἱ 20
τῶν ἀρχαίων ποιητῶν ἀντίστροφοι Ργ9. 1409 ᵃ26. Μελα-
νιππίδης ποιήσας ἀντὶ τῶν ἀντιστρόφων ἀναβολάς Ργ9. 1409
ᵇ27. τὰ ἀπὸ σκηνῆς ὐκ ἀντίστροφα, τὰ δὲ τῦ χορῦ ἀντί-
στροφα πιθ15. 918 ᵇ27. οἱ νόμοι ὐκ ἐν ἀντιστρόφοις ἐποιῦντο
πιθ15. 918 ᵇ13. οἱ διθύραμβοι, ἐπειδὴ μιμητικοὶ ἐγένοντο, 25
ὐκέτι ἔχυσιν ἀντιστρόφυς πιθ15. 918 ᵇ19, cf ἡ ἀντίστροφος
ἁπλῦν ᵇ25. — ἀντιστρόφως. ἡ γλῶττα ὥσπερ ἀντίστρο-
φος ἔχυσα τῷ μυκτῆρι Ζμβ17. 661 ᵃ27 cf ἀντίστροφος b.
— συμβαίνει δ᾽ ἀντιστρόφως (i e ὕτως ὥστε ἀντιστρέφειν,
ea ratione, qua possunt τὸ αἴτιον et τὸ αἰτιατὸν ἀντιστρέφειν 30
πρὸς ἄλληλα. cf ἀντιστρέφειν 1) Φθ9. 265 ᵇ8.
ἀντισυλλογίζεσθαι. ἔστι λύειν ἢ ἀντισυλλογισάμενον ἢ ἔν-
στασιν ἐνεγκόντα Ρβ25. 1402 ᵃ31, 32. γ17. 1418 ᵇ13.
ἀντιτάττειν. πρὸς τὸν πάντως ἐνιστάμενον πάντως ἀντιτα-
κτέον ἐστίν τε4. 134 ᵃ4.   35
ἀντιτείνειν trans ἀντιτείνειν εἰς τὐπισθεν τὰ σπάρτια πη9.
888 ᵃ20. ἀντιτείνειν τὴν κατὰ φύσιν ἀγωγήν πη9. 888 ᵃ18.
— intrans μάχεσθαι χ̥ ἀντιτείνειν τῷ λόγῳ Ηα13. 1102
ᵇ18. τοῖς ὀργιζομένοις Ρβ4. 1381 ᵇ9. ἀντιτείνειν πρὸς τι
Ηδ12. 1126 ᵇ15. πρὸς τι γε7. 1233 ᵇ33. πρὸς τὺς σπυδάζοντας 40
μᾶλλον ἀντιτείνυσι τθ1. 156 ᵇ25. οἱ πάντα πρὸς ἡδονὴν ἐπαι-
νῦντες χ̥ ὐθὲν ἀντιτείνοντες Ηδ12. 1126 ᵇ13. ἥτταταί τις
ἀντιτείνων, ἥτταταί χ̥ ὐ δύναται ἀντιτείνειν (syn ἀντέχειν
ᵇ12) Ηη8. 1150 ᵇ2, 8, 13. τύπτειν χεῖρα ἀντιτείνυσαν ηεβ8.
1224 ᵇ14. ἀντιτείνυσα ὑπόληψις, φραγμύσις, ὄρεξις Ηη3. 1146 45
ᵃ1, 4. ηεβ8. 1224 ᵃ35. — τὸ ἠρεμῦν ἀντιτείνει (cf ἀντερείδειν)
μχ31. 858 ᵃ8.
ἀντίτεχνοι χ̥ πρὸς τὴν ἀρχὴν ἐμπόδιοι Πε10. 1311 ᵃ17.
ἀντιτιθέναι. πρὸς τὐτ᾽ ἀντιθετέον ὅτι Πγ15. 1286 ᵇ2.
ἀντιτυπεῖν. ἢ ἀν ἀντιτυπήσῃ ἢ μὴ ῥᾳδίως διέλθῃ μβ8. 368 50
ᵃ3. γ1. 370 ᵇ18, 371 ᵃ25.
ἀντίτυπος. οἱ ἐν ἀντιτύποις περίπατοι πε40. 885 ᵃ36. εἰς
ἀντίτυπον πκ9. 923 ᵇ27.
ἀντιφάναι. ἀντίφησιν ἕτερόν τι πρὸς τὴν φαντασίαν, τῇ φαν-
τασίᾳ εν2. 460 ᵇ19. 3. 462 ᵃ7. non addito obiecto ἀντιφῇ 55
εν3. 461 ᵇ5. ἀντιφήσας Αβ17. 65 ᵇ1.
ἀντιφάρμακον θ86. 837 ᵃ18.
ἀντίφασις ἔστω τὸ κατάφασις χ̥ ἀπόφασις αἱ ἀντικεί-
μεναι ε6. 17 ᵃ33 Wz. ἡ ἀντίφασις ἀντίθεσις ἧς ὁτψῶν θά-
τερον μόριον πάρεστιν, ὐκ ἐχύσης ὐδὲν μεταξὺ Μι7. 1057 60
ᵃ34. Αγ2. 72 ᵃ12. ἀντιφάσεως ὐθὲν μεταξὺ (ἀνὰ μέσον)

Μγ7. 1011 ᵇ23. ι4. 1055 ᵇ1. κ12. 1069 ᵃ3. Φε3. 227 ᵃ9,
dist ἐναντία, μεταξύ, στέρησις Μι4. 1055 ᵇ1. κ11. 1067
ᵇ14, 21. Φε1. 224 ᵇ29, 225 ᵃ12. ἀντιφάσεως θάτερον, ὁπο-
τερονῦν μόριον Αα1. 24 ᵃ23. γ2. 72 ᵃ11. ἀντιφάσεως με-
ρισμός Με4. 1027 ᵇ20. ἀντιφάσεως ἐρώτησις Αα1. 24 ᵃ25,
ᵇ11. ἡ ἀντικειμένη ἀντίφασις τθ13. 163 ᵃ24 Wz. σκοπεῖν τὸ
συμπέρασμα πρὸς τὴν ἀντίφασιν τι25. 180 ᵃ25, 30 (ubi coll
ᵃ26 per ἀντίφασιν simul τὰ ἐναντία significari coniicias),
26. 181 ᵃ3 Wz. τὰ κατὰ τὴν ἀντίφασιν μὴ ἀληθεύεσθαι, τὰ
κατὰ τὰς ἀντιφάσεις ταύτὰς κατηγορεῖν Μκ6. 1063 ᵃ21, 24.
ἡ κατ᾽ ἀντίφασιν μεταβολή Φε1. 225 ᵃ13. ζ5. 235 ᵇ13, 16.
θ7. 261 ᵇ8. τἀναντία κατ᾽ ἀντίφασιν προτεινόμενα (i e nega-
tio τῶν ἐναντίων) τα10. 104 ᵃ14, 21, 24, 26 Wz. — sed
etiam τὸ κατὰ τὴν ἀντίφασιν, ἀντιφάσεως ὁποτερονῦν μόριον
appellatur ἀντίφασις, et ἀμφότερα μόρια ἀντιφάσεως ap-
pellantur ἀντιφάσεις. ὐ πᾶσα ἀντίφασις ἀληθὴς ἢ ψευδής
ε7. 18 ᵃ11. 8. 18 ᵃ27. ἀδύνατον τὴν ἀντίφασιν ἀληθεύεσθαι
ἅμα κατὰ τῦ αὐτῦ, ἅμα κατηγορεῖσθαι τὰς ἀντιφάσεις
Μγ6. 1011 ᵇ16. 4. 1007 ᵇ18. Φα3. 187 ᵃ5. cf ε7. 17 ᵇ26,
27. ὁ ἔλεγχος ἀντιφάσεως συλλογισμός Αβ20. 66 ᵇ1. ἀν-
τίφασις τῦ συμπεράσματος, τῆς ὑποθέσεως, ἡ ἀντικειμένη
ἀντίφασις Αα15. 34 ᵇ29, 31. β11. 61 ᵃ19. 26. 69 ᵇ21. ἀν-
τίφασις τῦ ταὐτῦ, τῷ λευκῷ Μι3. 1054 ᵇ20. κ6. 1063 ᵇ24.
ἔσται ἐν τῇ ἀντιφάσει χ̥ ἀγνοίᾳ Φθ4. 255 ᵇ5. πᾶσα δύναμις
ἅμα τῆς ἀντιφάσεώς ἐστιν Μθ8. 1050 ᵇ9.
ἀντιφατικῶς ἀντικεῖσθαι, dist ἐναντίως ε7. 17 ᵇ17, 20, 18
ᵃ8. 14. 24 ᵇ5, 3. ἀντιφατικῶς μέν, ἀντεστραμμένως δὲ ἀκο-
λυθεῖν ε13. 22 ᵃ34.
ἀντιφέρεσθαι κατὰ τὸν αὐτὸν κύκλον Οβ10. 291 ᵇ2. ἐμποδί-
ζει μάλιστα τὸ ἀντιφερόμενον, ἔπειτα τὸ μένον Φδ8. 215 ᵃ30
Ἀντιφέρων ὁ Ὠρείτης μν1. 451 ᵃ9.
ἀντιφθέγγεσθαι τὸ ἀκυσθέν Ζγε2. 781 ᵃ26.
ἀντιφιλεῖν. ἀντιφιλῦσι μετὰ προαιρέσεως Ηθ7. 1157 ᵇ30.
ἀντιφιλεῖσθαι Ηθ9. 1159 ᵃ30. ηεη3. 1238 ᵇ26. ὑπερφιλῶν
ὐκ ἀντιφιλεῖται Ηι1. 1164 ᵃ4. ἀντιφιλύμενος Ρβ4. 1381 ᵃ2.
ἀντιφίλησις ὐ λανθάνυσα Ηθ3. 1156 ᵃ8. 2. 1155 ᵇ28.
ἀντιφιλία ηεη2. 1236 ᵇ2.
ἀντιφορτίζεσθαι ἀργύριον θ135. 844 ᵃ18.
Ἀντίφος ἥρως. ἐπίγραμμα ἐπὶ Ἀ. f 596. 1576 ᵇ31.
ἀντιφράττειν γῆς Αβ2. 90 ᵃ16. 8. 93 ᵃ30 (cf ἀντιφράττειν et
ἔκλειψις). ἥλιον ἐκλείπειν σελήνης ἀντιφράξει f 203. 1515
ᵃ23. ὅταν πλησίον ᾖ ἡ ἀντίφραξις, νηνεμία γίνεται μβ8.
367 ᵇ21.
ἀντίφρασις. λίθος καλύμενος σώφρων κατ᾽ ἀντίφρασιν θ167.
846 ᵇ27.
ἀντιφράττειν c dat τῷ ἀέρι ζ5. 470 ᵃ13. ὅσοις ἀντιφράττει
ἡ γῆ μα8. 345 ᵃ29 Ideler. ἀντιφράττειν τῷ πώματι πκα20.
929 ᵃ38. — c acc Οβ13. 293 ᵇ25 (sed fort pro αὐτὴν scri-
bendum αὐτῇ). — absolute ἡ θάλαττα ὐ οἴδωσι πολεμύντι
τῷ πνεύματι, ἀλλ᾽ ἀντιφράττει πβ8. 368 ᵇ10. παρεμφαι-
νόμενον κωλύει τὸ ἀλλότριον χ̥ ἀντιφράττει ψ4. 429 ᵃ21
Trdlbg. ἡ γῆ ἀντιφράττει Αγ31. 87 ᵇ40. δ2. 90 ᵃ18. ὐδε-
νὸς ἀντιφράττοντος πκθ13. 937 ᵃ32.
ἀντιφρίττειν. ἀντιφρίσσει Ζμ44. 630 ᵃ2.
Ἀντιφῶν poeta. eius Ἀνδρομάχη ηεη4. 1239 ᵃ38. Μελέα-
γρος Ρβ23. 1399 ᵇ25 (fr 2). 2. 1379 ᵇ15. versus afferuntur
Ρβ23. 1399 ᵇ25 (fr 2). μχ847 ᵃ20 (fr 4). fortasse Anti-
phontis versus sunt Ρβ23. 1397 ᵇ18-20 (fr adesp 56). Anti-
phontis apophthegma Ρβ6. 1385 ᵃ9.
Ἀντιφῶν orator ηεη5. 1232 ᵇ7. Antiphon Rhamnusius f131.
1500 ᵇ19.

Ἀντιφῶν sophista Φβ1. 193 ᵃ12. ὁ Ἀντιφῶντος τετραγω-
νισμός Φα2. 185 ᵃ17. τι11. 172 ᵃ7 Wz. Ἀντιφῶν ὁ τερα-
τοσκόπος (?) ἐφιλονείκει τῷ Σωκράτει f 65. 1486 ᵇ28.
ἀντίφωνος. τὸ ἀντίφωνον, i e τὸ διὰ πασῶν πιθ13. 918 ᵇ3
Bojesen. 7. 918 ᵃ7. 17. 918 ᵇ34 (ante πέντε adde ἐν τῷ διὰ
τεσσάρων ἢ διά, coll ᵇ39). τὸ ἀντίφωνον σύμφωνόν ἐστι
διὰ πασῶν πιθ39. 921 ᵃ8. ἥδιον τὸ ἀντίφωνον τῷ συμφώνῳ
πιθ16. 918 ᵇ30. μιᾶς ἔχει χορδῆς φωνὴν τὰ ἀντίφωνα πιθ18.
919 ᵃ7. ἀντίφωνοι χορδαὶ πιθ18. 919 ᵃ1. ὁ τῆς ἀντιφώνν
φθόγγος πιθ17. 918 ᵇ39.
ἀντιχασμᾶσθαι τοῖς χασμωμένοις πζ1. 886 ᵃ24. 2. 886
ᵃ31. 6. 887 ᵃ4.
ἀντίχθων (Pythag) ΜΑ5. 986 ᵃ12. Οβ13. 293 ᵃ24, ᵇ20.
f 198. 1513 ᵇ3.
ἀντλεῖν ἠθμῷ (cf παροιμία) οα6. 1344 ᵇ25.
ἀντλία. οἱ ῥυάδες ἰχθύες τῆς ἀντλίας ἐκχυθείσης. φεύγωσιν
Ζιθ8. 534 ᵃ28. ἂν δὲ συμβῇ ὥστ᾿ ἐν τῷ αὐτῷ κηρίῳ
ἅπαντα ποιεῖν αὐτά, ἔσται ἐφεξῆς ἓν εἶδος εἰργασμένον δι᾿
ἀντλίας Ζιι40. 624 ᵇ34 (δι᾿ ἀντλίας? cf Auber ad h l, διαν-
ταίως ci Pikkolos).
ἀντορχεῖσθαι. ἀντορχṓμενος ὁ ὦτος ἁλίσκεται Ζιθ12. 597
ᵇ24. f 276. 1527 ᵇ33.
ἀντρώδης τόπος πκγ5. 932 ᵃ2.
ἀντωθεῖν. τὸ ὠθῦν ἀντωθεῖταί πως Ζγδ3. 768 ᵇ19. μχ5. 851
ᵃ3. 31. 858 ᵃ8. ἀντωθεῖσθαι ὑπ᾿ ἀλλήλων πκγ5. 932 ᵃ16.
ἄντωσις γινομένη πρὸς τὴν τῷ ψυχρῷ σύνωσιν αν20. 480 ᵃ14.
ἄνυδρος. διὰ τῆς ἀνύδρṓ Λιβύης ᾤδενιν f 99. 1494 ᵃ20 vel
(om Λιβύης) διὰ τῆς ἀνύδρṓ f 99. 1494 ᵃ16, 11.
ἀνύειν. τὸ μηδὲν προνοεῖν μηδὲ ἀνύειν ἀηδές Ργ9. 1409 ᵇ4.
— ἄνυστός. τὸ μετὰ τὸ ἄριστον ᾿χ τὸ πρῶτον τῶν ἄλλων
ἄνυστον f 40. 1481 ᵇ15.
ἀνυπέρβλητος θ102. 839 ᵃ16. 130. 843 ᵃ12. — ἀνυπερ-
βλήτως λυπεῖσθαι, τιμωρεῖσθαι Ρα11. 1370 ᵇ31. ρ12.
1430 ᵇ25.
ἀνυπεύθυνος μοναρχία Πδ10. 1295 ᵃ20. ἀνυπεύθυνοι Πδ4.
1292 ᵃ2. 6. 1292 ᵇ35. τὸ ἀνυπεύθυνον μεῖζόν ἐστι γέρας
τῆς ἀξίας Πβ10. 1272 ᵃ37.
ἀνυποδετεῖν. τὸν δεξιὸν πόδα ἀνυποδετῦσιν Αἰτωλοὶ f 64.
1486 ᵇ23.
ἀνυπόδετος ὁ ἀριστερὸς πṓς f 64. 1486 ᵇ19 (ἀνυπόδετος an
ἀνυπόδητος cf Lob Phryn 445).
ἀνυποδησία πδ5. 877 ᵃ5.
ἀνυπόδητος ὁ ἄνθρωπος ᾿χ γυμνός (Plat Prot 321C) Ζμδ10.
687 ᵃ24.
ἀνυπόθετος ᾿χ γνωριμωτάτη ἀρχή Μγ3. 1005 ᵇ14.
ἀνυπομόνητον θεάσασθαι, ἄπιστον διηγεῖσθαι θ130. 843 ᵃ15.
ἀνυπόπτως ἔχειν (in disputando) τθ1. 156 ᵇ18.
ἀνυστικός. τὸ μακρὰ βαίνειν ἀνυστικόν, τὸ βραδέως δὲ μελ-
λητικόν φθ6. 813 ᵃ4.
ἀνυτικός. ᾿χ πολυποδία ἀνυτικωτέραν ποιεῖ τὴν κίνησιν Ζμδ᾿6.
682 ᵇ1.
Ἄνυτον καταδεῖξαι τὸ δεκάζειν τὰ δικαστήρια f 371. 1540 ᵃ18.
ἄνω, ἀνώτερος, ἀνώτερον, ἀνωτέρω, ἀνώτατος, ἀνωτάτω.
1. sensu locali, vel 'supra' significat vel 'sursum'. a. 'supra'
τόπṓ (θέσεως) εἴδη ᾿χ διαφοραὶ ἄνω κάτω, πρόσθεν ὄπισθεν,
δεξιὸν ἀριστερὸν Φα5. 188 ᵃ24. γ2. 205 ᵇ32. Οβ2. 284 ᵇ21.
Κ6. 6 ᵃ13. Ζπ2. 704 ᵇ20. τὸ ἄνω τῷ μήκῃς ἀρχή Οβ2.
284 ᵇ24. τὰ ἄνω ὅθεν ἡ κίνησις, πρότερον τῷ δεξιῷ κατὰ
γένεσιν Οβ2. 284 ᵃ23, 25, 21, 284 ᵇ28. τὸ ἄνω φύσει, opp
τὸ ἄνω πρὸς ἡμᾶς Φδ1. 208 ᵇ14. Οδ1. 308 ᵃ18. τὸ ἄνω
ἐστὶν ὅπṓ φέρεται τὸ πῦρ ᾿χ τὸ κῦφον Φδ1. 208 ᵇ19. γ1.

201 ᵃ7. Μχ9. 1065 ᵇ13. τὸ τῦ παντὸς ἔσχατον ἄνω λέγομεν
Οδ1. 308 ᵃ21. Φδ4. 212 ᵃ27. τὸ ἄνω σῶμα (i e ὑρανὸς)
ψβ7. 418 ᵇ9, 12 (Trdlbg p 373). τὸ ἄνω ᾿χ μέχρι σελήνης
σῶμα μα3. 340 ᵇ6. τὸ ἄνω στοιχεῖον μα3. 341 ᵃ3. τὰ ἄνω
πλήρη πυρός μα3. 339 ᵃ23. ἡ ἄνω φορά, αἱ ἄνω φοραί, ὁ
περὶ τὰς ἄνω φορὰς κόσμος sim μα1. 338 ᵃ21. 2. 339 ᵃ22.
3. 339 ᵇ18. 4. 342 ᵃ29. τὸ ὑπὸ τὴν ἄνω περιφορὰν σῶμα
μα3. 340 ᵇ15. τὸν ἀνωτάτω τόπον αἰθέρα προσωνόμασαν,
τῷ θείῳ ἀποδιδόασι Οα3. 270 ᵇ22, 6. ὁ ἄνω τόπος θειότερος
τῷ κάτω Οβ5. 288 ᵃ4. (τὸ μὲν ἄνω τῷ ὡρισμένṓ, τὸ δὲ
κάτω τῆς ὕλης Οδ4. 312 ᵃ16. 3. 310 ᵇ14. φύσει ἀεὶ ἡ ἄνω
ἀρχικωτέρα ψγ11. 414 ᵃ15 Trdlbg). ὁ ἄνω τόπος μα3. 339
ᵇ37, 340 ᵃ25, ᵇ30. 12. 348 ᵃ16 al. ὁ ἄνω πόλος ὁ καθ᾿ ἡμᾶς
μβ5. 362 ᵃ33. ἀνωτέρω ἡ πηγὴ τῆς ῥύσεως μβ1. 353 ᵇ27.
κεραία ἀνωτέρα μχ6. 851 ᵃ38. ἡ ἄνω ἀγορὰ Πη12. 1331
ᵇ12, cf ᵃ30. τὰ ἄνω τῆς Αἰγύπτṓ Ζιθ12. 597 ᵃ5. οἱ ἄνω
Λιβύες Πβ3. 1262 ᵃ20. ἔνιοι τῶν ἄνω (i e τῶν τὴν ἀνω-
τέρω Ἀσίαν οἰκṓντων) Ζιι50. 632 ᵃ25. ἀνωτέρω, opp ἐγγύ-
γύτατα τῷ αἰγιαλῷ Ζιθ13. 598 ᵇ31. — τὸ ἄνω ἐν τοῖς
φυτοῖς ᾿χ τοῖς ζῴοις τί ἐστιν Ζιβ1. 500 ᵇ28. Ζπ4. 705
ᵃ29sqq, 706 ᵃ25. Ζμδ10. 686 ᵇ5, 34 sqq, cf Ζιδ5. 530 ᵇ20.
Ζμδ7. 683 ᵇ21. ψβ4. 416 ᵃ3. ζι. 468 ᵃ2, 467 ᵇ33. Οβ2.
284 ᵇ17, 285 ᵃ16, 2. τὰ ἄνω τῶν ζῴων et τὰ κάτω quo-
modo differant inter se dignitate Ζμγ3. 665 ᵃ23. 4. 665
ᵇ19. 10. 672 ᵇ20. β2. 648 ᵃ11. Ζγδ8. 776 ᵇ5. Ζιδ11. 538 ᵇ2
(Pythag τὸ δεξιὸν ᾿χ ἔμπροσθεν ἀγαθὸν ἐκάλṓν f 195.
1513 ᵃ24), magnitudine Ζιβ1. 500 ᵇ26, 32, 501 ᵃ4. 8. 502
ᵇ14. Ζμδ10. 686 ᵇ13. τὸ ἄνω et τὰ κάτω ἐν τῇ τῶν ζῴων
γενέσει ᾿χ αὐξήσει Ζιζ3. 561 ᵃ22, ᵇ11. 10. 565 ᵃ1, ᵇ12. Ζγβ6.
741 ᵇ28 sqq, 742 ᵇ13, 743 ᵇ18. γ11. 763 ᵃ10. ὁ ἄνθρωπος
τὸ ἄνω πρὸς τὸ τῦ ὅλṓ ἄνω ἔχει μόνος Ζμβ10. 656 ᵃ12.
Ζπ5. 706 ᵇ3sqq. αν13. 477 ᵃ22. ζι. 468 ᵃ7. ἡ ἄνω κοιλία
τῷ σώματος, opp ἡ κάτω μβ4. 360 ᵇ23. πα41. 864 ᵃ3.
Ζμγ14. 675 ᵇ17. — transfertur ἄνω ad ea quae antea sunt
dicta. εἴρηται ἐν τοῖς ἄνω Ργ11. 1412 ᵇ33. Ζιζ10. 564 ᵇ19.
ξ4. 978 ᵇ27. τὰ ἄνω εἰρημένα Αγ21. 82 ᵇ24. καθὼς ἄνω
λέλεκται κ5. 397 ᵃ33. ὁ ἄνω τρόπος Αγ21. 82 ᵇ15. —
b. 'sursum' ἄνω φέρεσθαι μα4. 342 ᵃ16. Οδ1. 308 ᵃ16. 6.
313 ᵃ15. Ζιθ2. 592 ᵃ11. ἀνώτερον ἄγεσθαι μχ6. 851 ᵇ4.
ἀποχωρῦσιν εἰς τὰ ὄρη ἄνω Ζιθ12. 597 ᵃ20. ἀνωτέρω γί-
νεσθαι Φδ4. 255 ᵇ21. ἄνω ποταμῶν (cf s παροιμία) μβ2.
356 ᵃ19. φορά, κίνησις, μεταβολὴ ἄνω Οα2. 268 ᵇ21. Φδ8.
214 ᵇ14. ε5. 229 ᵇ7. θ8. 261 ᵇ34. Κ14. 15 ᵇ5. — 2. trans-
latum ad seriem quamlibet ἄνω id significat, quod ordine
prius est, veluti in serie sonorum τὰ ἄνω i q τὰ ὀξέα, soni
acutiores πιθ37. 920 ᵇ19. 3. 917 ᵃ31. ἄνω βάλλειν πιθ4. 917
ᵇ37. in serie causarum, τὰ ἀνώτερον αἴτια Αγ9. 76 ᵃ19. τὸ
ἀνώτερον κινῦν, syn τὸ πρότερον Φθ5. 257 ᵃ11. Ζχ4. 700 ᵃ20.
ἐκ ἄπειρος ἡ γένεσις ἐπὶ τὸ ἄνω Μα2. 994 ᵇ8, ᵃ20. γένεσις ἄνω
Γβ11. 338 ᵃ9. in serie notionum ἄνω dicuntur quae magis
sunt universales, λέγω δ᾿ ἄνω μὲν τὴν ἐπὶ τὸ καθόλṓ μᾶλ-
λον, κάτω δὲ τὴν ἐπὶ τὸ κατὰ μέρος Αγ20. 82 ᵃ23. ἄνω
πορεύεσθαι, εἰς ἄπειρον ἐπὶ τὸ ἄνω ἰέναι Αα27. 43 ᵃ36 Wz.
β17. 65 ᵇ23. γ19. 81 ᵇ40. ἀνωτέρω Αγ21. 82 ᵇ21. ἀπο-
στατέον ὅτι ἀνωτάτω τθ1. 155 ᵇ30. τὸ ἄνω γένος, τὸ ἀνω-
τέρω γένος, τὸ ἀνωτάτω τῶν γενῶν Μδ6. 1016 ᵃ29, 30.
β3. 998 ᵇ19. τὸ ἄνωθεν, τὸ ἀνώτερον, τὰ ἄνω (genus uni-
versalius) Αγ5. 74 ᵃ7. δ13. 97 ᵃ33. ΜΑ9. 992 ᵃ17 Bz.
ἡ ἄνω ἐπιστήμη Αγ9. 76 ᵃ12. ἔστι τῷ φυσικῷ τις ἀνωτέρω
Μγ3. 1005 ᵃ34. ἀνώτερον ἐπιζητεῖν ᾿χ φυσικώτερον Ηθ2.
1155 ᵇ2. τὰ ἀνωτέρω τῶν ὄντων ΜΑ8. 990 ᵃ6.

ἄνῳδος. ζῷα ἄνῳδα, opp ᾠδικά Ζια1. 488 ᵃ34.
ἀνώδυνος. ἁμάρτημα ἀνώδυνον χ̣ ἣ φθαρτικὸν πο5. 1449
 ᵃ35. τὸ ἐν ἀνώδυνον χ̣ ἀνάλγητον (Meliss) ξ1. 974 ᵃ19.
ἀνωθεῖν ἀπὸ τῆς γῆς τὰς νεφέλας μα12. 348 ᵃ20. κάτωθεν
 ἀνωθύμενος ἀήρ πκγ4. 931ᵇ35. πάλιν ἀνωσθεὶς πις4. 913ᵇ14.
ἄνωθεν, desuper, sensu locali, τὸ ἄνωθεν ἐπίον ὕδωρ μα13.
 351 ᵃ6. αὐξάνεσθαι ἄνωθεν Ζιγ12. 519 ᵃ25. ἡ ὑστέρα ἕλκει
 ἄνωθεν Ζικ7. 638 ᵃ7. κατάγεται τι εἰς Ἀμισὸν ἄνωθεν Ζιε22.
 554 ᵇ16. ἐπῳάζειν ἄνωθεν Ζιε33. 558 ᵃ7. ἄνωθεν τοῖς ὀξυω-
 ποῖς τῶν ὀρνίθων ἡ θεωρία τῆς τροφῆς Ζιβ13. 657 ᵇ26.
 ἀρχὴ δὲ ἄνωθεν Φθ. 363 ᵃ1. metaph μικρὸν ἄνωθεν ἀρκτέον
 Ηζ13. 1144ᵃ12. — inde per attractionem quandam (Krü-
 ger gr Gr § 50, 8, 14) ἄνωθεν significat i q supra. ἡ θερ-
 μότης ἀπὸ τῶν ἄνωθεν ἄστρων γίνεται μα3. 340 ᵃ21. ἀπὸ
 τῆς ἄνωθεν φλογὸς ἅπτειν τὸν κάτωθεν λύχνον μα4. 342 ᵃ4.
 sed etiam sine eiusmodi attractione ἄνωθεν i q supra. ἡ
 τῶν ἄνωθεν κίνησις, ὁ ἄνωθεν αἰθήρ sim μα7. 344 ᵃ16. 6. 343
 ᵃ18. β9. 369 ᵇ14. γ6. 377 ᵇ29 al. οἱ ἄνωθεν ὀδόντες Ζιη10.
 587 ᵇ16. γ7. 516 ᵃ25. τὸ ἄνωθεν (τῶν ἰχθύων) τί λέγεται
 (cf ἄνω p 68ᵇ19) Ζιγ1. 509ᵇ18. — a loco transfertur ad se-
 riem quamlibet, μικρὸν ἄνωθεν ἢ κάτωθεν ΜΑ8. 990 ᵃ23.
 οἱ γεννήσαντες ἢ οἱ ἄνωθεν γονεῖς, οἱ ἄνωθεν (i e οἱ πρόγο-
 νοι) Ζιγ6. 586 ᵃ1. Ζιγα18. 722 ᵃ7. δ3. 768 ᵃ21. 33. 36.
 Ηη7. 1149 ᵇ9. τὸ ἄνωθεν γένος (cf ἄνω p 68ᵇ54) Αδ13.
 97 ᵃ33. ἄνωθεν ἑνὶ ὀνόματι περιλαβεῖν Ζμα4. 644 ᵃ12. —
 ἄνωθεν i q εἰς τὸ ἄνω: τῇ κάτωθεν μεταβολῇ ἡ ἄνω, τῇ
 δὲ ἄνωθεν ἡ κάτω ἀντίκειται Κ14. 15 ᵇ5 (?)
ἀνώλεθρος. ἀθάνατον χ̣ ἀνώλεθρον (Anaximand fr 1) Φγ4.
 203 ᵇ14. ἀνώλεθρόν τε χ̣ ἀγένητον κ4. 396 ᵃ31.
ἀνωμαλής. παθητικὸν τὸ ἀνωμαλές πιθ6. 918 ᵃ11. ἡ φωνὴ
 μεταβάλλει ἐπὶ τὸ τραχύτερον χ̣ ἀνωμαλέστερον Ζιη1. 581
 ᵃ18. — ἀνωμαλῶς φέρεσθαι Φθ9. 265 ᵇ12 (sed cf ἀνω-
 μάλως p 69 ᵃ58).
ἀνωμαλία κινήσεως Οβ6. 288 ᵃ26. Γβ10. 336 ᵃ30. ἀνω-
 μαλία τῆς φωνῆς Ζγε7. 788 ᵃ24 (cf ἀνωμαλής et ἀνώμα-
 λος). ἀνωμαλία τῶν νεφῶν, τῇ ἐνόπτρῳ μβ9. 369 ᵇ1. γ6.
 377 ᵇ14. ὁ πλεύμων τῶν ἀνθρώπων ἔχει ἀνωμαλίαν Ζια16.
 495 ᵇ2. ἀνωμαλία τῆς κτήσεως Πβ9. 1270 ᵃ15.
ἀνωμαλίζειν. χ̣ τὸ ἀνωμαλίσθαι τὰς πόλεις Ργ11. 1412
 ᵃ16. quoniam aequalitatis restitutio significatur, forma non
 ab ἀνωμαλίζειν derivanda esset, sed ab ὁμαλίζειν (cf
 ἀνωμάλωσις), quod verbum non est aliunde notum. ὁμα-
 λίσθαι Spgl, ὁμαλισθῆναι secutus vestigia codd Aᶜ Vhl Rhet
 71.
ἀνώμαλος. οἱ ἀνώμαλοι περίπατοι, opp οἱ εὐθεῖς, οἱ ἐν τοῖς
 ὁμαλέσι πε40. 885 ᵃ15. 1. 880 ᵃ16. 10. 881 ᵇ19. 23. 883
 ᵃ23. διαφέρει ἡ φωνὴ τῷ ὁμαλὸν ἢ ἀνώμαλον εἶναι τὸ ὄρ-
 γανον δι’ ᵘ φέρεται Ζγε7. 788 ᵃ26. — ἀνώμαλος κίνησις,
 opp ὁμαλής Φε4. 228 ᵇ16, 28. Γβ10. 336 ᵇ5. Οβ6. 288
 ᵃ14, 18. ἀνώμαλος τῇ νέφης σύστασις, τὸν ἥλιον φαίνεσθαι
 ἐν ἀνωμάλῳ μγ6. 377 ᵇ4, 8. φωνὴ ἀνώμαλος Ζγε7. 788 ᵃ1
 (cf τραχεῖα Ζιη1. 581 ᵃ18). χρόνοις ἀνώμαλος ἡ μὴ δι’ ἴσω
 Ζικ1. 634 ᵃ35. τοῖς ἀνθρώποις ἀνώμαλοι οἱ τῆς κυήσεως
 χρόνοι Ζιγδ4. 772 ᵇ7. ἀνώμαλος ἡ ἰδιωτικὴ οἰκονομία οβ1346
 ᵃ9. ἡ μελαγχολικὴ κρᾶσις ἀνώμαλος, οἱ μελαγχολικοὶ ἀνώ-
 μαλοι πλ1. 954 ᵇ9, 955 ᵃ30. ἦθος ἀνώμαλον εθ160. 1505 ᵃ6.
 ἀνώμαλοι κακῶς, καλῶς μεγ7. 1234 ᵇ4. ὁμαλῶς ἀνώμαλος
 εἶναι πο15. 1454 ᵃ26, 28. — ἀνωμάλως κινεῖσθαι Φζ7.
 238 ᵃ22 (inde θ9. 265 ᵇ12 pro ἀνωμαλῶς φέρεται scriben-
 dum videtur ἀνωμάλως). Οβ6. 288 ᵃ17. ἀνωμάλως ἔχειν
 μδ9. 385 ᵇ9.

ἀνώμοτος φρὴν (Eur Hipp 612) Ργ15. 1416ᵃ31.
ἀνώνυμος. λίθοι πολλοὶ ἀνώνυμει μδ10. 389 ᵃ8. praecipue
 usitatum Arist, ubi generis alicuius non exstat unum quo
 contineatur nomen: ἔστι τι γένος τῶν ἐντόμων, ὃ ἑνὶ μὲν
 ὀνόματι ἀνώνυμόν ἐστιν, ἔχει δὲ πάντα τὴν μορφὴν συγγε-
 νικὴν Ζιω40. 623 ᵇ5. α5. 490 ᵃ13. 6. 490 ᵇ11. cf 3. 489ᵃ18.
 λόγῳ μὲν ἔστιν εἰπεῖν, ἀνώνυμον δὲ τυγχάνει ὂν ψβ7. 418
 ᵃ28. ἀνώνυμα ἐπὶ ὀνόματι ψβ7. 419 ᵃ4. ἀνώνυμον τὸ κοινὸν
 ἐπὶ δικαστῇ χ̣ ἐκκλησιαστῇ Πγ1. 1275 ᵃ3. ἡ κατὰ τὸ ποσὸν
 κίνησις τὸ κοινὸν ἀνώνυμον, ἡ κατὰ τόπον χ̣ τὸ κοινὸν χ̣ τὸ
 ἴδιον ἀνώνυμος Φε2. 226 ᵃ30, 33. (ἀναθυμίασις) ἡ μὲν ἀτμίς,
 ἡ δὲ τὸ μὲν ὅλον ἀνώνυμος μβ4. 359 ᵇ30. γένος ἀνώνυμον,
 διαφορὰ ἀνώνυμος Αγ5. 74 ᵃ8 (cf ᵃ21). δ13. 96 ᵇ7. ψβ5.
 417 ᵇ32. Ρα2. 1357 ᵇ4. εἴ τι ἄλλο ἀνώνυμόν ἐστι διὰ τὸ
 μὴ εἶναι γένος Ζιβ15. 505 ᵇ30. δεῖ ἐκ τῶν συγγενῶν χ̣
 ὁμοειδῶν μεταφέρειν τὰ ἀνώνυμα ὠνομασμένως Ργ2. 1405
 ᵃ36. cf praeterea σβ3. 381 ᵇ6. Πα3. 1253 ᵇ9. Μι5. 1056
 ᵇ7. ζ7. 1033 ᵃ14 (ἄδηλος ἢ ἀνώνυμος). in systemate vir-
 tutum et vitiorum et ἀκρότητες et μεσότητες multae ἀνώ-
 νυμοι sunt Ηβ7. 1107 ᵇ2. γ10. 1115 ᵇ26. δ10. 1125 ᵇ17,
 21. 11. 1125 ᵇ26, 29. 12. 1127 ᵃ12. (cf ὄνομα ᵘκ ἀποδέ-
 δοται, ᵘκ ὠνόμασται 1126 ᵇ19, 1127 ᵃ7). 13. 1127 ᵃ14.
 ηεγ2. 1231ᵇ1. 6. 1233ᵃ39. — ἀνωνυμώτερος μδ3. 381
 ᵇ15. Ζιθ2. 525 ᵇ6. ηεβ3. 1221 ᵃ40. — τὸ ἀνώνυμον, i e
 τὸ ἀόριστον ὄνομα, ῥῆμα εθ9. 19 ᵇ6, 7 (Wz, cf 2. 16ᵃ32. 3.
 16 ᵇ14). — (Trdlbg de an p 378. Vhl Poet I 39).
ἀνωφελὴς ἡ φιλοσοφία Πα11. 1259 ᵃ9. βραδεῖα χ̣ ἀνωφελὴς
 κίνησις Ζπ8. 708 ᵃ20. — ματαίως χ̣ ἀνωφελῶς ἀκύειν
 Ηα1. 1095 ᵃ5.
ἀνωφερής. active i q ἄνω φέρων Φδ9. 217 ᵃ3. — pass τὸ
 θερμὸν χ̣ αἱ ὀσμαὶ πᾶσαι ἀνωφερεῖς πιγ5. 908 ᵃ25.
ἄξεινος (Hesiod ε715) Η10. 1170 ᵇ2.
ἀξία. χρήματα λέγομεν ὅσων ἡ ἀξία νομίσματι μετρεῖται
 Ηδ1. 1119 ᵇ26. cf ι1. 1164 ᵇ4. διπλῆν τῆς ἀξίας ἀποτίνειν
 πκθ14. 952 ᵃ19. τὴν ἀξίαν πότερα ἔστι τάξαι Ηι1. 1164
 ᵃ22-ᵇ21. τὴν ἀξίαν ἄλλοι ἄλλην λέγουσι Ηε6. 1131 ᵃ24-29.
 ἡ τιμὴ ὥσπερ ἀξία τις ἐστίν Ρα7. 1365 ᵃ8. cf E16. 1391
 ᵃ2. κινεῖν παρὰ τὴν ἀξίαν τὸ μεγέθος μχ17. 853 ᵃ26. ἔχον
 κατ’ ἀξίαν τῇ δαπανήματος Ηδ5. 1123 ᵃ18. μᾶλλον ἀγαπᾷ
 τὰς τοιαύτας ἡδονὰς τῆς ἀξίας Ηγ14. 1119 ᵃ20. μεῖζόν
 ἐστι γέρας τῆς ἀξίας αὐτῆς Πβ10. 1272 ᵃ38. πλείω τῆς
 ἀξίας ἐνδιατέτριφεν ὁ λόγος μβ3. 357 ᵃ4. — τοῖς ὁμοίοις
 τὴν αὐτὴν ἀξίαν κατὰ φύσιν εἶναι Πγ16. 1287 ᵃ13. διανέ-
 μειν, πράττειν τι al κατ’ ἀξίαν Πγ5. 1278 ᵃ20 (syn κατ’
 ἀρετήν). η4. 1326 ᵇ16. Ηγ10.1115 ᵇ19 (syn ὡς ἂν ὁ λόγος).
 δ4. 1122 ᵃ26. θ8. 1158 ᵇ27, 11. 1159 ᵃ35. ι2. 1160 ᵇ33.
 ι1. 1164 ᵇ4. τὸ πρέπον κατ’ ἀξίαν ἐστί ηεγ6. 1233 ᵇ7. νέ-
 μειν, ποιεῖν τι παρὰ τὴν ἀξίαν Ηε12. 1136 ᵇ16. θ12. 1160
 ᵇ36. παρὰ τὴν ἀξίαν χ̣ τὸ δέον, opp ὀρθῶς Ηδ4. 1122 ᵇ29.
 τὸ κατ’ ἀξίαν ἴσον, opp τὸ κατ’ ἀριθμὸν sive τὸ ἀριθμῷ
 ἴσον, ἀριθμητικὴ ἰσότης Πε1. 1301 ᵇ30, 1302 ᵃ8. ζ2. 1317
 ᵇ4. τὸ κατ’ ἀξίαν ἴσον τὸ δίκαιον Πγ12. 1282 ᵇ27. η9. 1329
 ᵃ17. Ηε6. 1131 ᵃ24, 26. θ13. 1161 ᵃ22.
ἀξιόλογος. εἴ τι ἀξιόλογον Πβ12. 1273 ᵇ29. ᵘδὲν ἀξιόλογον
 ἑώραται Ζγβ7. 746 ᵇ5. τὰ μάλιστα ἀξιόλογα Πβ8. 1268
 ᵃ15. σβ1346 ᵃ28. νήσοις ἀξιολόγοις κ3. 393 ᵃ12. διοικήσεις
 εὐγενεστέρα χ̣ ἀξιολογωτέρα τῆς ἡμετέρας φτα1. 816 ᵃ32.
 — ἀξιολόγως ἥφθαι φιλοσοφίας Φγ4. 203 ᵃ1.
ἀξιόπιστόν τινα ποιεῖν Ρα2. 1356 ᵃ5. 9. 1366 ᵃ28. Κτησίας
 ᵘκ ὢν ἀξιόπιστος Ζιθ28. 606 ᵃ8. ἀκύειν ἀξιοπίστῳ τινὸς
 Ζια15. 493 ᵇ15. Ζμγ10. 673 ᵃ13. πεῖρα ἀξιόπιστος Ζγβ5.

741 ᵃ37. δ10. 777 ᵇ4. — ἀξιοπίστως ᵘ συνῶπται Ζγβ5.
741 ᵃ31.

ἄξιος. ᵘκ ἴσων ὄντες ἄξιοι, πολλαπλασίᵘ τιμήματος ἄξιαι
κτήσεις Πβ7. 1267 ᵃ10. ε6. 1306 ᵇ13 al. πειρατέον λέγειν
τὸ φαινόμενον, αἰδᵘς ἄξια εἶναι νομίζοντας τὴν προθυμίαν 5
μᾶλλον ἢ θράσᵘς (i e quam pro temeritate habendam) Οβ12.
291 ᵇ25. — τῷ τοιᵘτῳ μάλιστα ζῆν ἄξιον Ηγ12. 1117
ᵇ12. — ἄξιοι ᵘˌκλεύειν Πα5. 1254 ᵇ36. — ᵘˌ τι ᵌκ ἄξιον εἰ-
πεῖν Πβ11. 1272 ᵇ32. ε1. 1302 ᵃ13. Ζμβ8. 654 ᵃ12. (cf
ᵘˌ τι ᵌκ ἄξιον λόγᵘ ηεγ2. 1231 ᵃ2). ἄξιον εἰπεῖν, ἄξιον καλεῖν 10
πόλιν τὴν φύσει ᵘˌκλην Πγ14. 1285 ᵇ17. δ4. 1291 ᵃ9. —
ἀξίως. ὡς ἀξίως εἰπεῖν Ζμβ6. 651 ᵇ36.

ἀξιῦν. 1. τὰ ἁμαρτήματα ᵌκ τὰ ἀδικήματα μὴ τῷ ἴσῳ ἀξιῦν
Ρα13. 1374 ᵇ5. ἀξιῦν ἑαυτᵘς ἀγαθῶν, μεγάλων, τῶν ἴσων,
ἀξιᵘμενοι τῶν ἴσων, ἠξιῶσθαι τῶν ὁμοίων Πβ9. 1269 ᵇ9. 15
γ13. 1284 ᵃ9. ε1. 1301 ᵇ39. Ρβ9. 1387 ᵇ6, 11, 14. 11.
1388 ᵇ1. 13. 1389 ᵃ33. ἠξιώθη τῆς τυραννίδος Πε5. 1305
ᵃ27. φύσει δεσποτείας ἠξιωμένοι Πα6. 1255 ᵇ14. ὁ ἀξιω-
θησόμενος τῆς ἀρχῆς Πβ9. 1271 ᵃ11. τίς ἂν προσειπεῖν
ἀξιώσειεν λάτριν (Theodect fr 3) Πα6. 1255 ᵃ38. — 2. po- 20
stulare. δεόμενός τε ᵌκ ἀξιῶν Ργ5. 1407 ᵃ26. ἀξιῦντες φι-
λεῖσθαι ὡς φιλᵘσιν, ἀξιωτέον Ηθ10. 1159 ᵇ17, 18. ἀξιῦσι
μετέχειν Πε1. 1301 ᵃ34. ᵘˌθείς ἀξιῦ τὰ φαινόμενα ἀδύνατα
Ρβ11. 1388 ᵇ2. ἀξιῦσι τὸν νόμον ἄρχειν, τὸν ἕνα ὑπερβάλ-
λειν Πδ6. 1293 ᵃ20. πολᵈ8. 1456 ᵃ7. ἀξιῦμεν ὑμᾶς ἐμμένειν 25
sim Ρα15. 1377 ᵇ9, ᵃ25, 29. ἠξίᵘ τᵘς Ἀθηναίᵘς ὑπολαβεῖν
Ρβ6. 1384 ᵇ33. ὅσα ἐν τῇ ὡς ἀληθῶς φιλίᾳ ἀξιῦται Ηθ5.
1157 ᵃ24. — οἱ ᵘˌ ἐλεεῖσθαι ἀξιᵘμενοι Ρβ10. 1388 ᵃ27
(cf τᵘς ἀξιῦντας ἐλεεῖσθαι 9. 1387 ᵇ18). — 3. proponere
aliquam sententiam, contendere, Αα17. 30 ᵃ10, 20. 24. 24. 30
ᵇ10, 17. 33. 47 ᵇ28. δ4. 91 ᵃ37 al. ἔνδοξον τὸ ἀξιῦσαι,
ἁρμόττει ἀξιῦν Αβ11. 62 ᵃ16, 17. syn αἰτεῖσθαι τθ13. 163
ᵃ3, 7, 10, 19 (cf ᵃ2, 6). ἀξιῦν μηδὲν ἀξιῦν' ἄλογον,
ἀλλ' ἢ ἐπαγωγὴν ἢ ἀπόδειξιν φέρειν Φθ1. 252 ᵃ24. τᵘτο
εὐλόγως ἀξιῦμεν Ζγα1. 715 ᵇ11. ἀξιῦν μηδὲν ἀλόγως, ᵌλ λ 35
μετὰ λόγᵘ πιστεῦσαι ᵘ ῥᾴδιον ηεα8. 1218 ᵃ29. ἀξιῦμεν
δὴ τὸν τόπον εἶναι πρῶτον περιέχον Φδ4. 210 ᵇ34. cf sim
Φθ3. 254 ᵃ15. Οα8. 276 ᵇ22. βΒ14. 297 ᵇ3. Μι1. 1053 ᵃ29.
ατ969 ᵃ13. ξ2. 975 ᵇ25.

ἀξίωμα. 1. ὁ μικρόψυχος ἐλλείπει πρὸς τὸ τᵘ μεγαλοψύχᵘ 40
ἀξίωμα (i e πρὸς ταῦτα, ὧν ὁ μ. ἀξιοῖ ἑαυτόν) Ηδ7. 1123
ᵇ25. οἱ δι' ἀγνοιαν ἀνδρείοι χείρᵘς τῶν εὐελπίδων, ὅσᵡ ἀξίωμα
ᵘˌδὲν ἔχᵘσιν (i e ᵘˌδενὸς ἀξιᵘσιν), ἐκεῖνοι δὲ Ηγ11.
1117 ᵃ24 Zell. τᵘτο στάσεως αἴτιον ᵌκ παρὰ τοῖς μηδὲν
ἀξίωμα κεκτημένοις, ἢ πᵘ γε δὴ παρὰ θυμοειδέσι ᵌκ πολε- 45
μικοῖς ἀνδράσι Πβ5. 1264 ᵇ9. — τὰ ἀξιώματα δημοκρα-
τίας, ὀλιγαρχίας (quae requiruntur in democratia, cf ἀξιῦν 2,
et ὑπόθεσις τῆς δημοκρατικῆς πολιτείας ᵃ40) Πζ1. 1317 ᵃ39.
— μήτε πλᵘσιοι μήτε ἀξίωμα ἔχοντες ἀρετῆς Πγ11. 1281
ᵇ25. τὸ μέγεθος ᵌκ τὸ ἀξίωμα τῆς ἀρχῆς Πε10. 1313 ᵃ8. 50
μέγεθος ἔχειν ᵌκ ἀξίωμα Ηδ5. 1122 ᵇ33. ποιεῖ ἐμφανεστέ-
ρᵘς τὸ ἀξίωμα Ρβ17. 1391 ᵃ27. οἱ ἐν ἀξιώμασι Ηδ12.
1126 ᵇ36 (opp οἱ τυχόντες). 5. 1123 ᵃ2. 7. 1123 ᵇ19. οἱ ἐν
ἀξιώματι ᵌκ εὐτυχίαις Ηδ8. 1124 ᵇ19. ᵘˌκ ἴσον τὸ ἀξίωμα
Ηι2. 1165 ᵃ11. ὅμοιοι κατὰ ἀξιώματα Ρβ8. 1386 ᵃ25. λέξις 55
μήτε ταπεινὴ μήτε ὑπὲρ τὸ ἀξίωμα, ἀλλὰ πρέπᵘσα Ργ2.
1404 ᵇ4. — 2. μηδὲν ἀξιῦν ἀξίωμ' ἄλογον (cf ἀξιῦν 3)
Φθ1. 252 ᵃ24. κατὰ τὸ Ζήνωνος ἀξίωμα (i e placitum)
Μβ4. 1001 ᵇ7 Bz. cf μ2. 1077 ᵃ31. τὰ τᵘ Μελίσσᵘ ἀξιώ-
ματα ξ6. 979 ᵇ22. ἔλαττον ἀξίωμα λαμβάνειν ατ969 ᵃ18. 60
ἐπὶ τῶν αἰσθητῶν ᵘˌκ ἔσται τὰ ἀξιώματα (i e theoremata

mathematica) Μν3. 1090 ᵃ36. ἀξίωμα, syn λῆμμα, πρό-
τασις τθ1. 156 ᵃ23 Wz. 3. 159 ᵃ4. ᵌ24. 179 ᵇ14. ἀξίωμα
ἔνδοξον Αβ11. 62 ᵃ13. dist ὑπόθεσις, αἴτημα Αγ10. 76
ᵇ23-34. ἀξίωμα principium, ex quo demonstratio ducitur,
ἀξίωμα (ἐστὶ θέτις) ἣν ἀνάγκη ἔχειν τὸν ὁτιᵘν μαθησόμενον
Αγ2. 72 ᵃ17 (Wz et ad 24 ᵃ30). ἀξίωμα δ' ἐστὶν ἐξ ὧν Αγ7.
75 ᵃ41. τὰ κοινὰ λεγόμενα ἀξιώματα ἐξ ὧν πρώτων ἀπο-
δείκνυσιν Αγ10. 76 ᵇ14. πᾶσαι αἱ ἀποδεικτικαὶ χρῶνται τοῖς
ἀξιώμασιν, καθόλᵘ ᵌκ ἀρχαὶ τὰ ἀξιώματα Μβ2. 997 ᵃ11,
13 (Bz ad 996 ᵇ26). ἀρχὴ τῶν ἄλλων ἀξιωμάτων αὕτη
(principium contradictionis) πάντων Μγ3. 1005 ᵇ33. τίνος
ἐπιστήμης τὰ ἐν τοῖς μαθήμασι καλᵘμενα ἀξιώματα Μγ3.
1005 ᵃ20.

ἀξύνετος, v ἀσύνετος.

ἄξων. ἐὰν αἱ γραμμαὶ ποιῶσιν ὥσπερ ἄξονα (i e axem coni)
μγ5. 375 ᵇ22. cf f342.1535 ᵇ3. — εἰ διὰ τῶν πόλων νοήσαι-
μεν ἐπεζευγμένην εὐθεῖαν, ἥν τινα ἄξονα καλᵘσιν x2. 391 ᵇ26.

ἀοίδιμος ἔργοις (Ἀταρνέος ἔντροφος) f 625. 1583 ᵇ22.

ἀοιδὸς (Hom p335. ᵌ7) Πθ3. 1338 ᵃ26, 30. πολλὰ ψεύδονται
ἀοιδοὶ (cf παροιμία) ΜΑ2. 983 ᵃ4.

ἀοίκητοι τόποι, τὰ ὑπὸ τὴν ἄρκτον ἀοίκητα, μέχρι τῶν ἀοι-
κήτων μβ5. 362 ᵇ7, 9, 26.

ἄοικος. ζῷα ἄοικα, opp οἰκητικά. ἄοικα πολλὰ τῶν ἐντόμων
ᵌκ τῶν τετραπόδων Ζια1. 488 ᵃ21.

ἄοινος. τροφὴ ἀοινοτέρα Πη17. 1336 ᵃ8. ἡ ἀσπὶς φιάλη ἄοινος
(Vhl e ci Vict, οἴνᵡ Bk) πο21. 1457 ᵇ32.

ἀολλέες (Alcaei fr 37) Πγ14. 1285 ᵇ1.

ἀόρατος ποσαχῶς λέγεται ψβ10. 422 ᵃ26. Μδ22. 1022 ᵇ34.
πῶς λέγεται ἡ φωνὴ ἀόρατος Φγ4. 204 ᵃ4. 5. 204 ᵃ13, 16.
ε2. 226 ᵇ11. Μχ10. 1066 ᵃ36. ἡ ὄψις τᵘ ὁρατᵘ ᵌκ ἀοράτᵘ
ψβ9. 421 ᵇ5. ἆρ' ἔστι μεγέθη ἀόρατα αι3. 440 ᵃ27. Γα2.
316 ᵇ33. διὰ μικρότητα ἀόρατον μγ3. 373 ᵃ20. 4. 373 ᵃ25.
cf Ζγβ2. 736 ᵃ16. ἐξ ἀοράτων ὁμοιομερῶν πάντων (Anaxag)
Ογ3. 302 ᵇ2. — Δαρεῖος παντὶ ἀόρατος x6. 398 ᵃ14.

ἀοργησία, opp ὀργιλότης Ηβ7. 1108 ᵃ8. δ11. 1126 ᵃ4. ημα
23. 1191 ᵇ25.

ἀόργητος, def Ηβ7. 1108 ᵃ8.

ἀοριστεῖν πιη7. 917 ᵇ2. κς13. 941 ᵇ26.

ἀοριστία. ᵘˌκ ἀκριβοῖ ἡ φύσις διὰ τὴν τῆς ὕλης ἀοριστίαν
Ζγδ10. 778 ᵃ6. μεταβολαὶ ταραχώδεις διὰ τὴν ἀοριστίαν
μβ5. 361 ᵇ34. ἀοριστία τῆς ὥρας πκς13. 941 ᵇ32.

ἀόριστος. ἀόριστον dicitur id, quod vel nondum cir-
cumscriptum est certis finibus vel non potest certis fini-
bus circumscribi: ἀποβλέπειν μὴ εἰς τὰ ἀόριστα ἀλλ' εἰς
τὰ ὑπάρχοντα Ρβ22. 1396 ᵇ8. τὸ ἀόριστον πλανᾷ Ργ14.
1415 ᵃ14. ἡ ἐποποιία ἀόριστος τῷ χρόνῳ, opp ἡ τραγῳ-
δία ὑπὸ μίαν περίοδον ἥλιᵘ πο5. 1449 ᵇ14. πρὸς ἄλληλα
ἀόριστα τὸ σκληρὸν ᵌκ τὸ μαλακὸν τῷ μᾶλλον ᵌκ ἧττον μδ4.
382 ᵃ16. ἡ σπερματικὴ ὕλη ᵘˌκ ἔστιν ἀόριστος ᵘˌτ' ἐπὶ τὸ
πλεῖον ᵘˌτ' ἐπὶ τὸ ἔλαττον ὥστ' ἐξ ὁποσᵘνᵘν γίνεσθαι τῷ
πλήθει Ζγδ4. 772 ᵃ3. τῶν μοναρχιῶν ἡ ἀόριστος τυραννίς,
ἡ κατὰ τὴν τῶν τινα βασιλεία Πα8. 1366 ᵃ2. ἀόριστος ἄρχων,
opp ὁ κατὰ τὴν ἀρχὴν ὡρισμένος Πγ1. 1275 ᵇ4, ᵃ26. ἀόρι-
στος ἀρχή Πγ1. 1275 ᵃ32. τὸ ἀγαθὸν ὡρίσθαι, τὴν δ' ἡδονὴν
ἀόριστον εἶναι Ηκ2. 1173 ᵃ16. ἀόριστος ἡ μοχθηρὰ ζωή
Ηι9. 1170 ᵃ24. ἐξ ἀορίστων ἀτελῶν δὲ ἀεὶ τὰ τελειότερα
Μν5. 1092 ᵃ13. ἡ ἀόριστος ὑγρότης, τὸ ἐν τῷ ὑγρῷ ἀόρι-
στον, opp ἡ πέψις μδ2. 380 ᵃ3. 3. 380 ᵃ29, ᵇ14, 381 ᵃ14.
— τὸ ἀόριστον διαφανές, opp τὰ ἔσχατα αι3. 439 ᵃ27.
ὑγρὸν τὸ ἀόριστον οἰκείᵡ ὅρᵡ Γβ2. 329 ᵇ30. τᵘ ἀορίστᵡ
ἀόριστος ᵌκ ὁ κανὼν Ηε14. 1137 ᵇ29. ἀόριστος ἐπὶ τὸ πλεῖον,

ἐπὶ τὸ ἔλαττον Ζγδ4. 772 ᵃ3. τὸ ποιὸν ὡρισμένης φύσεως, τὸ δὲ ποσὸν τῆς ἀορίστ𝜗 Μκ6. 1063 ᵃ28. ἡ ὕλη τὸ ἀόριστον πρὶν ὁρισθῆναι κ̣ μετασχεῖν εἴδ𝜗ς τινός ΜΑ8. 989 ᵇ18. cf Φδ᾿2. 209 ᵇ9, 210 ᵃ8, 3, 6 (opp εἶδος ᵃ8). Μζ11. 1037 ᵃ27. ἀόριστος δυάς v s δυάς. ἡ δύναμις ὡς ὕλη ἀόριστος τ𝜗 κα- 5 θόλυ κ̣ ἀορίστ𝜗 ἐστίν Μμ10. 1087 ᵃ17. γ4. 1007 ᵇ29. ἀόρι- στον ἡ στέρησις, αἱ στερητικαὶ ἀρχαὶ ἀόριστοι Φγ2. 201 ᵇ26. Μκ9. 1066 ᵃ15 (inde explicatur ἀόριστον ὄνομα, ῥῆμα ε2. 16 ᵃ32, ᵇ14. 10. 19 ᵇ8, 10). ἀόριστον τὸ ἀπὸ τύχης γι- νόμενον Αα13. 32 ᵇ10-12. Ρα10. 1369 ᵃ33. ἐν τοῖς αἰσθη- 10 τοῖς πολλὴ ἡ τ𝜗 ἀορίστ𝜗 φύσις Μγ5. 1010 ᵃ3. 𝜗κ ἔστιν ἐπιστήμη τῶν ἀορίστων Αα13. 32 ᵇ19. τὸ κατὰ συμβε- βηκὸς ἀόριστον Φβ5. 196 ᵇ28. Μκ8. 1065 ᵃ25. ἡ ὕλη κ̣ τὰ πάθη ἀόριστα Μθ7. 1049 ᵇ2. — ἀορίστως κεῖσθαι Οα8. 276 ᵃ21. ἀορίστως ἔχει ἡ διάνοια Οα11. 280 ᵇ3. ἀορίστως 15 εἰδέναι, opp ἀφωρισμένως Κ7. 8 ᵇ9. ἀορίστως, opp μῖξις κατ᾿ ἀριθμ𝜗ς τινας αι4. 442 ᵃ15.

ἄορνος λίμνη θ102. 839 ᵃ13.

ἀορτή, praecipue i q nunc aorta (cf Philippson ὕλη ἀνθρω- πίνη p 28, Thielemann veterum opin de sanguinis motu 20 p 28, Μ p 425, Κ p 515 n 3, ΑΖι I 319, F p 275 n 32, ΚαΖμ p 91 n 7). φλὲψ ἐλάττων ἐν τῷ θώρακι κατὰ τὴν ῥάχιν ἐντός, κειμένη ὄπισθεν τῆς μεγάλης φλεβός, ἐν τοῖς ἀριστεροῖς μᾶλλον, ἣν καλ𝜗σί τινες ἀορτήν, διὰ τί Ζιγ3. 513 ᵃ20. ἡ καλυμένη ἀορτὴ νευρωδής ἐστι φλέψ, ἀπὸ τῆς 25 μέσης κοιλίας τῆς καρδίας τείνει, στενωτέρα τῆς μεγάλης φλεβός, προσπέφυκε μάλιστα τῇ ῥάχει περὶ τὴν καρδίαν, πῶς ἡ καρδία κεῖται ἐπὶ τῆς ἀορτῆς Ζιγ5. 515 ᵃ30. 3. 513 ᵇ4, 8. 4. 514 ᵇ20, 22. α17. 496 ᵃ7, 27. (ἡ φλὲψ) εἰς τὴν ἀορτὴν ἀπὸ τῆς καρδίας τείνει Ζιγ3. 513 ᵇ7 (? cf ΑΖι I 320 30 n 33). τῶν δυοῖν φλεβῶν ἀρχηγῶν, πρώτων δεχομένων τὸ αἷμα διφυές, ἡ ἀορτὴ μία ἐστὶν Ζμγ4. 666 ᵇ26. 5. 667 ᵇ16. υ3. 458 ᵃ19. πῶς τιμιωτέρα ἡ μεγάλη φλὲψ τῆς ἀορτῆς, ἣν τῶν ἐναίμων ἔνια μὲν ἀμυδρῶς ἔνια δ᾿ ἀφανῶς ἔχει Ζμγ5. 668 ᵃ1. F p 293 n 37. — (aortae rami.) πῶς τῆς 35 ἀορτῆς ἔσχισται μέρη, μέρος τι τῆς μεγάλης φλεβὸς συνέ- χεται πρὸς τὴν ἀορτὴν Ζιγ4. 514 ᵃ24, 31. ὁ πλεύμων συν- ήρτηται κ̣ τῇ ἀορτῇ Ζια16. 495 ᵇ7. γ3. 513 ᵇ13 (Ar ar- teriam et venam pulmonalem atque aortam non plane distinguit Κ p 517 n 4, ΑΖι I 239 n 77). ἀπὸ τῆς τε με- 40 γάλης φλεβὸς κ̣ τῆς ἀορτῆς τελευτῶσιν αἱ φλέβες εἰς τὴν μήνιγγα τὴν περὶ τὸν ἐγκέφαλον Ζμβ7. 652 ᵇ29 (arteriae meningeae Κα p 41 n 7). εἰς τὸ ἧπαρ κ̣ τὸν σπλῆνα 𝜗δεμία τείνει ἀπὸ τῆς ἀορτῆς φλέψ Ζια17. 496 ᵇ30. γ4. 514 ᵇ28. cf Ζμγ7. 670 ᵃ16 (ignorat Ar arteriam hepaticam et linea- 45 lem Κα p 96 n 3, cf ΑΖι I 241 n 82, 326 n 44). τὸ μεσεν- τέριον ἐξήρτηται ἐκ τῆς μεγάλης φλεβὸς κ̣ τῆς ἀορτῆς Ζια16. 495 ᵇ34. τείν𝜗σιν ἀπὸ τῆς ἀορτῆς εἰς τὸ μεσεντέριον φλέβες Ζιγ4. 514 ᵇ24. Ζμδ4. 678 ᵃ1 (arteriae mesentericae et in- testinales ΑΖι I 326 n 44). διεστῶσαι ἄνωθεν ἡ μεγάλη 50 φλὲψ κ̣ ἀορτὴ ἐναλλάσσ𝜗σαι συνέχ𝜗σι τὸ σῶμα Ζμγ5. 668 ᵇ20 (decussationem arteriarum et venarum iliacarum descr Ar F p 293 n 38, Κα p 91 n 7). μέχρι τῶν νεφρῶν μία 𝜗σα ἑκατέρα τείνει κ̣ ἡ ἀορτὴ κ̣ μεγάλη φλέψ, ἐν- ταῦθα δὲ σχίζονται εἰς δύο Ζιγ4. 514 ᵇ16 (fissio arteriarum 55 iliacarum ΑΖι I 325, 326 n 43, 45). φέρ𝜗σιν εἰς νεφρ𝜗ς πόροι ἐκ τῆς ἀορτῆς, ἀπὸ τῆς ἀορτῆς φλέβες Ζια17. 497 ᵃ5. γ4. 514 ᵇ32. Ζμγ7. 670 ᵃ17 (arteriae renales F p 295 n 49, Κα᾿p 96 n 4). φέρ𝜗σι πόροι εἰς τὴν κύστιν ἐκ τῆς ἀορτῆς ἰσχυροὶ κ̣ συνεχεῖς Ζια17. 497 ᵃ13. Ζμγ9. 671 ᵇ17. ἀπὸ 60 τῆς ἀορτῆς ἄλλοι δύο πόροι φέρ𝜗σιν εἰς τὴν κύστιν Ζιγ4.

514 ᵇ33 (arteriae spermaticae Κ p 447, F p 298 n 60, re- futant ΑΖι et Κα; Aristotelem arterias iliacas earumque ramos atque Ζιγ4. 514 ᵇ33 ligamenta vesicae descripsisse iudicat ΑΖι I 242 n 84, 326 n 45, 46, praeterea arterias vesicales et partem arteriae umbilicalis ΚαΖμ p 100 n 10). τείν𝜗σιν ἐκ τῆς ἀορτῆς πόροι φλεβικοὶ μέχρι τῆς κεφαλῆς ἑκατέρ𝜗 τ𝜗 ὄρχεως, ἄναιμοι, ἧττον αἱματώδεις ἔχοντες τὸ ὑγρόν Ζιγ1. 510 ᵃ14, 25 (arteriae spermaticae, sed arterias et venas spermaticas Ar non plane distinguit ΑΖι I 304 n 7, 305 n 8). τείν𝜗σιν εἰς τὰς ὑστέρας ἀπὸ τῆς ἀορτῆς φλέβες πολλαὶ κ̣ πυκναί, λεπταί Ζιγ4. 515 ᵃ6. Ζγβ4. 738 ᵃ11 (arteriae uterinae ΑΖι I 327 n 46, ΑΖγ p 156 n 2, 3). τείν𝜗σιν εἰς τὰ ἔμβρυα φλέβες δύο πρὸς τὴν ἀορτήν, ἣ σχίζεται κ̣ γί- νεται ἡ ἀορτὴ δύο ἐκ μιᾶς Ζιη8. 586 ᵇ20 (arteriae umbi- licales ΑΖι II 362 n 55).

ἄοσμος. ἄοσμα τὰ στοιχεῖα, λίθος, χρυσός αι5. 443 ᵃ10, 15, 17. ἀοσμότεραι αἱ σκωρίαι αι5. 443 ᵃ19.

ἀπαγγελία. ἡ τραγῳδία μίμησις, δρωἠντων κ̣ 𝜗 δι᾿ ἀπαγ- γελίας πο6. 1449 ᵇ26. cf 5. 1449 ᵇ11. ἀπαγγελία, dist δήλωσις, πρόρρησις (cf ἀπαγγέλλειν) ρ31. 1438 ᵇ10. 32. 1438 ᵇ23. 37. 1442 ᵇ30.

ἀπαγγέλλειν. ἔστι μιμεῖσθαι τὰ αὐτὰ ὁτὲ μὲν ἀπαγγέλ- λοντα πο3. 1448 ᵃ21. ἀπαγγέλλειν τὰς προγεγενημένας πρά- ξεις, δηλ𝜗ν τὰς νῦν, προλέγειν τὰς μελλύσας ρ31. 1438 ᵃ4. οἱ ἀπαγγέλλοντες (nuncii) Ργ16. 1417 ᵇ9.

ἀπάγειν. προσάγειν κ̣ ἀπάγειν τὸ γεννητικὸν Γβ10. 336 ᵃ18. ὁ ἥλιος ἀπάγει τὸ ἐλαφρότατον ἀπὸ τῶν ὑγροτέρων τόπων πκγ30. 934 ᵇ28. — τὰς περὶ τὸ πρᾶγμα διαβολὰς ἀπὸ τῶν συμβ𝜗λευόντων ἀπάξ𝜗ιν ρ30. 1437 ᵃ27. — ἡ παραβολὴ αὕτη ἀπάγει ἀπὸ τ𝜗 ἀληθ𝜗ς Μζ11. 1036 ᵇ26. ἀπάγειν εἰς ἀδύνατον (de demonstratione indirecta) Αα7. 29 ᵇ8. — πολὺ ἀπαγαγόντες ἑαυτ𝜗ς ἡμαρτήκασι Ηβ9. 1109 ᵇ5. — δια- γόνες προμήκεις εἰς στενὸν ἀπηγμέναι Ζμβ6. 658 ᵇ30.

ἀπαγορεύειν, ἀπειπεῖν, ἀπειρηκέναι. — 1. renunciare, τ𝜗ς Καρχηδονί𝜗ς ἀπείπασθαι θανάτ𝜗 ζημι𝜗ν θ84. 837 ᵃ2. — 2. ἀπαγορεύειν c acc vel c inf, opp κελεύειν Ηε3. 1129 ᵇ24. 15. 1138 ᵃ7. Πη1. 1333 ᵃ6. ρ2. 1422 ᵇ14. ὁτὲ δηλ𝜗ς ἀπειρήκασι τὸ γυμνάσια Πβ5. 1264 ᵃ21. περὶ ὧν ὁ νόμος ἀπαγορεύει μὴ κινῶσιν Πδ14. 1298 ᵃ38. πράττειν τι τῶν ἀπηγορευμένων Πη17. 1336 ᵇ9. ᾿Αντιγόνη λέγει, ὅτι δίκαιον ἀπειρημένον θάψαι τὴν Πολυνείκ𝜗ς Ρα13. 1373 ᵇ10. — 3. ἀπειπεῖσθαι τὸν υἱόν, syn ἀφεῖναι, ἀποστῆναι Ηθ16. 1163 ᵇ19-27. ἀπειπεῖν τὴν ἀρχὴν Πβ10. 1272 ᵇ5. — 4. intrans φεύγοντες τὴν δυσχέρειαν ἀπειρήκασι Μν4. 1091 ᵇ23. οἱ διὰ τὸν χρόνον ἀπειρηκότες Πη9. 1329 ᵃ33. θ7. 1342 ᵇ21. ἀπει- πεῖν διὰ τὸν πόνον Ζιζ18. 572 ᵃ18. ταχὺ ἀπαγορεύ𝜗σιν οἱ ἵπποι Ζπ14. 712 ᵃ32. ἁρμονίαι ἀπειρηκυῖαι Πθ7. 1342 ᵇ27 (cf ἀνειμέναι ᵇ24). ὁ ἄθυμος ταπεινὸς κ̣ ταῖς κινήσεσιν ἀπη- γορευκώς φ3. 808 ᵃ11.

ἀπαγρι𝜗ν. οἱ ἀπηγριωμένοι Ηθ6. 1148 ᵇ22.

ἀπάγχεσθαι ιγ5. 886 ᵇ13. λ1. 955 ᵃ8, 9. ἀπάγχεο (Archil fr 69) Πη7. 1328 ᵃ5. τί 𝜗κ ἀπήγξω ἵνα Θήβησιν ἥρως γένη f 460. 1553 ᵇ28.

ἀπαγωγή (i e μετάβασις ἀπ᾿ ἄλλυ προβλήματος ἢ θεωρή- ματος ἐπ᾿ ἄλλο, 𝜗 γνωσθέντος ἢ πορισθέντος κ̣ τὸ προκεί- μενον ἔστι καταφανές Αβ25. 69 ᵃ20 sqq Wz. ἐξ ἀδυ- νάτυ ἀπαγωγή (demonstratio indirecta) Αα6. 28 ᵇ21. 7. 29 ᵇ6. 44. 50 ᵃ29. Wz ad 33 ᵇ30.

ἀπάδειν ἐπὶ τὸ ὀξὺ πιδ26. 919 ᵇ23. 46. 922 ᵇ39. 21. 919 ᵃ30.

ἀπάθεια, opp πάθος Φδ9. 217 ᵇ26. ἕξις ἀπαθείας τῆς ἐπὶ

τὸ χεῖρον χ̣ φθορᾶς τῆς ὑπ' ἄλλυ ἢ ἦ ἄλλο, ὑπ' ἀρχῆς
μεταβλητικῆς Μθ1. 1046 ᵃ13. ἔντομά ἐστιν, ὅπως σώζηται
δι' ἀπάθειαν συγκαμπτόμενα Ζμδ6. 682 ᵇ21. ὐχ ὁμοία ἡ
ἀπάθεια τῦ αἰσθητικῦ χ̣ τῇ νοητικῇ ψγ4. 429 ᵃ29. — ὁρί-
ζονται τὰς ἀρετὰς ἀπαθείας τινὰς χ̣ ἠρεμίας Ηβ2. 1104 5
ᵇ24. ἀπάθειαν χ̣ ἠρεμίαν περὶ ἡδονὰς χ̣ λύπας εἶναι τὰς
ἀρετάς νεβ4. 1222 ᵃ3. ἀπάθεια περὶ τὰς τύχας Αδ13. 97
ᵇ23. χ̣ ἀναισχυντία ὀλιγωρία τις χ̣ ἀπάθεια περὶ ταῦτα
Ρβ6. 1383 ᵇ16.

ἀπαθής. 1. ἀπαθές ἱ q τὸ μὴ οἷόν τε πάσχειν. ἀπαθῆ ἃ μόλις 10
χ̣ ἠρέμα πάσχει διὰ δύναμιν χ̣ τὸ ἔχειν πως Μδ12. 1019
ᵃ31. ἀπαθὲς ἕκαστον τῶν ἀδιαιρέτων (ὖ γὰρ οἷόν τε πάσχειν
ἀλλ' ἢ διὰ τῦ κενῦ) χ̣ μηδενὸς ποιητικὸν πάθυς Γα8. 326 ᵃ1.
ἀπαθὲς χ̣ ἀναλλοίωτον Μλ7. 1073 ᵃ11. ἕξεις καθ' ἃς ἀπαθῆ
ὅλως χ̣ ἀμετάβλητα Μδ12. 1019 ᵃ27. ἡ ἀρετὴ ποιεῖ ἢ ἀπα- 15
θὲς ἢ ὡς δεῖ παθητικόν Φχ3. 246 ᵇ19. τὸ ἰσχυρότερον ἀπα-
θέστερον πκ1. 923 ᵃ8. ἐπὶ τῶν ποιητικῶν τὸ πρῶτον ποιῦν
ἀπαθὲς Γα7. 324 ᵇ13 (cf ἀκίνητος). ἀγήρατον χ̣ ἀναλλοίωτον
χ̣ ἀπαθές ἐστι τὸ πρῶτον τῶν σωμάτων Οα3. 270 ᵇ2. ἀπα-
θὴς πάσης θνητῆς δυσχερείας ἐστὶν ὁ ὐρανός Οβ1. 284 ᵃ14. 20
τὰ συμπεφυκότα ἀπαθῆ, ἀπτόμενα δὲ παθητικὰ χ̣ ποιητικὰ
ἀλλήλων Φδ5. 212 ᵇ32. θ4. 255 ᵃ13. Γα9. 327 ᵃ1. τὸ
ὅμοιον ὑπὸ τῦ ὁμοίυ ἀπαθὲς διὰ τὸ μηδὲν μᾶλλον ποιητικὸν ἢ
παθητικὸν εἶναι θάτερον θατέρυ Γα7. 323 ᵇ4. ψα5. 410 ᵃ23. β4.
416 ᵃ32. πγ8. 872 ᵃ11. ἀπαθεῖς αἱ ἰδέαι τζ10.148 ᵃ20. f 184. 25
1510 ᵃ5. τίνι διοίσυσιν αἱ μονάδες ἀπαθεῖς ὖσαι ΜΑ9. 991
ᵇ26 Βz. Ἀναξαγόρας τὸν νῦν ἀπαθῆ λέγει χ̣ ἀμιγῆ εἶναι
Φθ5. 256 ᵇ5. ψα2. 405 ᵇ20. ὁ νῦς θειότερόν τι χ̣ ἀπα-
θὴς χ̣ ἀμιγής ψγ5. 430 ᵃ18. ὁ νῦς θειότερόν τι χ̣ ἀπα-
θές ἐστι ψα4. 408 ᵇ29. τὸ θεωρεῖν αὐτὸ ἀπαθές ἐστι ψα4. 30
408 ᵇ25. — ἀπαθής, dist ἐγκρατής τδ5. 125 ᵇ23. ἀπαθὴς
ἢ ὅλως ἢ ἠρέμα ὑφ' ὧν οἱ πολλοὶ νεγ1. 1228 ᵇ33, 28.
ἀπαθής, opp ἐπιθυμῶν Ρβ1. 1378 ᵃ5. ἀπαθεῖς οἱ ἄνθρωποι
ἢ τῷ μὴ πεπεῖρᾶσθαι ἢ τῷ βοηθείας ἔχειν Ρβ5. 1383 ᵃ28.
πρὸς τὸν θάνατον ἀπαθής νεγ1. 1229 ᵇ9. ἀναίσθητος ὁ ἀπαθὴς 35
ὥσπερ λίθος νεβ3. 1221 ᵃ22. — 2. ἀπαθές ἱ q τὸ μὴ πε-
πονθός. ἐὰν δύναμενα μεταβάλλειν ἀπαθῆ ἦ, syn ὠμά αδ3.
380 ᵇ10. ita ἀπαθές ἄρα δεῖ εἶναι (τὸ μόριον τῆς ψυχῆς
ᾧ γιγνώσκει) ψγ4. 429 ᵃ15 significare videtur μηδέν πω
πεπονθός coll ᵃ22-24. — 3. ἀπαθές ἱ q τὸ μὴ ἔχον πάθος. 40
εἴπερ ἀκμὴν μᾶλλον ὁ σίδηρος λαμβάνει, ῥᾴων χ̣ ἀπαθε-
στέρα (ἧττον πάθος ἔχυσα, ἱ ε ποιῦσα) ἡ διαίρεσις πα35.
863 ᵃ28. τὸ γιγνώσκοντα μελλῆσαι χ̣ μὴ πρᾶξαι χείριστον·
τό τε γὰρ μιαρὸν ἔχει χ̣ ὐ τραγικόν· ἀπαθὲς γὰρ (ἱ ε ὐ
γὰρ ἔχει πάθος, cf πάθος) πο14. 1453 ᵇ39. τὰ ἀπαθῆ ὐ κι- 45
νητέον ἐν τοῖς ἐπιλόγοις (ἱ ε τὰ μὴ ἔχοντα πάθος, τὰ μὴ
εἰς πάθος ἄγοντα τὰς ἀκύσας) f 125. 1499 ᵇ13.

ἀπαιδαγώγητος Ηδ3.1121 ᵇ11. ἀπαιδαγωγήτυς τῶν ἀναγ-
καίων ἐάσαντες Πθ4. 1338 ᵇ33.

ἀπαιδευσία τὸ μὴ γιγνώσκειν τίνων δεῖ ζητεῖν ἀπόδειξιν 50
Μγ4. 1006 ᵃ16. ἀπαιδευσία τὸ μὴ δύνασθαι κρίνειν τύς τ'
οἰκείυς λόγυς τῦ πράγματος χ̣ τὺς ἀλλοτρίυς νεα6.1217 ᵃ8.
δι' ἀπαιδευσίαν Ρα2. 1356 ᵃ29. ἀπαιδευσία τῶν ἀναλυτικῶν
Μγ3. 1005 ᵇ3. ἀπαιδευσία πλώτυ Ρβ16. 1391 ᵃ17. ἀπαι-
δευσία μετ' ἐξυσίας τίκτει ἄνοιαν f 89. 1492 ᵃ11. 55

ἀπαίδευτος, opp πεπαιδευμένος Ηδ14. 1128 ᵃ21. Ρβ22.
1395 ᵇ27. coni syn ἠλίθιος Ρβ21. 1395 ᵃ6. — οἱ Ἀντισθέ-
νειοι χ̣ οἱ ὕτως ἀπαίδευτοι Μη3. 1043 ᵇ24.

ἀπαίρειν. οἱ φάτται ἀπαίρυσι χ̣ ὐ χειμάζυσι Ζιθ12. 597
ᵇ3, 16. 60

ἄπαις. οἱ ἄπαιδες ἀποθνήσκοντες ρ2. 1422 ᵇ8. Κεφάλυ ἄπαιδι

ἐπιπολὺ ὄντι ἐδόθη χρησμός f 462. 1554 ᵃ11, 20.

ἀπαΐσσειν. ἀπαΐξη (Emped 348) αν7. 473 ᵇ14.

ἀπαιτεῖν, dist αἰτεῖν Ρβ6. 1383 ᵇ29. ἀπαιτεῖν τὰς ὑποσχέ-
σεις, τὴν ἐπικαρπίαν Η1. 1164 ᵃ17. οβ1348 ᵃ23. ἀπαιτεῖν
λόγον, αἰτίαν, τὸν ῥητορικὸν ἀποδείξεις Μκ6. 1063 ᵇ9. Ηα7.
1098 ᵃ33 (syn ἐπιζητεῖν ᵃ27). 1. 1094 ᵇ27. β2. 1104 ᵃ3.
ἀπαιτήσειεν ἄν τις τῦτο παρ' Ἐμπεδοκλέυς ψα4. 408 ᵃ18.
— ὁ μὲν ἀπαιτεῖ τὸν δέ Ργ5. 1407 ᵃ22. — pass ἀπαιτῦ-
μενος οβ1350 ᵇ18. — ἀπαιτητέον Ηα7. 1098 ᵃ33. ἀπαιτη-
τέοι Ηβ2. 1104 ᵃ3.

ἀπαιωρεῖσθαι. ὅταν τὰ φύλλα τῦ ἄρρενος τῷ θήλει ἀπαιω-
ρῶνται φτα6. 821 ᵃ23. ὁ καρπὸς ἀπηώρηται τῦ ἰδίυ φιτρῦ
φτα4. 819 ᵃ10.

ἀπακοντίζειν τὰς ἀποφυάδας (Ctes fr 64) Ζιβ1. 501 ᵃ32.

ἀπακριβῦν. τὰ μάλιστ' ἀπηκριβωμένα Ζμγ4. 666 ᵃ28.

ἀπαλείφειν. παραλαβόντες τὰ γραμματεῖα οἱ ἀποδέκται
ἀπαλείφυσι τὰ καταβαλλόμενα χρήματα f 400. 1544 ᵇ26.

ἀπαλλαγὴ τῆς ἐναντιότητος, opp λῆψις Φε5. 229 ᵃ24. ἐνίων
μὲν στερήσεων ὐκ ἔστιν ἀπαλλαγή, ἐνίων δὲ ἔστιν f 119.
120. 1498 ᵃ40. μετὰ τὴν τῶν καταμηνίων ἀπαλλαγὴν Ζιη2.
582 ᵇ12.

ἀπαλλακτικός πλα23. 959 ᵇ26 (cf ἀπαλλάττειν sanare).

ἀπάλλαξις (ἐπάλλαξις ci Mullach, v h v) ξ1. 974 ᵃ26.

ἀπαλλάττειν, trans ἀπαλλάττειν τινὰ τῦ φόβυ πο11. 1452
ᵃ25. ἀπαλλάττειν τὴν ψυχὴν τῆς μανίας φ4.808 ᵇ23. ἀπαλ-
λάττειν (sanare) τελέως τὺς ἐπιλήπτυς θ18. 831 ᵇ25. —
intr χαλεπῶς ἀπαλλάττειν, ῥᾷον ἀπαλλάττειν Ζιη2. 582 ᵇ6.
4. 584 ᵃ13. πγ15. 873 ᵃ14. ψα2. 883 ᵃ12. κη1. 949 ᵃ31.
Μενέλαος μονομαχήσας χ̣ ὖ καλῶς ἀπαλλάξας f 151. 1503
ᵇ30. — med ἀπαλλάττεσθαι, opp φανερὸν εἶναι Ζυ22. 617
ᵃ30. ἡ γλάνις τεκῦσα ἀπαλλάττεται Ζυ37. 621 ᵃ22. ἐν τῇ
ὀχείᾳ ταχέως ἀπαλλάττεσθαι (cf ἀπολύειν) Ζιβ1. 500 ᵇ9.
ἔχοντες χ̣ δόντες ἀπαλλάττονται νεη10. 1243 ᵃ4 (cf ἀπα-
λύονται ᵃ5). ὐχ ἱκανὸν τὸ ὕτως εἰπόντα ἀπηλλάχθαι Φγ5.
205 ᵇ9. — pass κίνησις πάσης ἀπηλλαγμένη ῥᾳστώνης Οβ1.
284 ᵃ31. cf κ2. 392 ᵃ7. ὅταν ἀπαλλαγῇ τὸ πάθος, ὅταν
αὐτοῖς ἢ μέθη ἀπαλλαγῇ ημβ6. 1202 ᵃ3. τὰ ἀπηλλαγμένα
(? Βz Ar St V 47) τῶν παθημάτων ημβ2. 1220 ᵇ11.

ἀπαλλοτριῦν. οἰκεῖά ἐστιν ἃ ἐφ' αὑτῷ ἐστιν ἀπαλλοτριῶσαι
ἢ μή Ρα5. 1361 ᵃ22.

ἀπαλλοτρίωσιν λέγω δόσιν χ̣ πρᾶσιν Ρα5. 1361 ᵃ22.

ἀπαλός. ἀπαλώτερον ἀφίησι τὸν ἦχον ακ802 ᵇ5.

ἀπαλότης. διαστρέφεται τὰ μέλη δι' ἀπαλότητα Πη17.
1336 ᵃ10.

ἀπαμύνεσθαι, med μεγέθει μκ5. 467 ᵃ3.

ἀπάνευθε μάχης (Hom Β 391) Ηγ11. 1116 ᵃ35. Πγ14.
1285 ᵃ13.

ἀπανθεῖν. ἄμφω, τό τε γῆρας χ̣ ἡ καλάμη, ἀπηνθηκότα
Ργ10. 1410 ᵇ15. metaph οἱ ἀπανθήσαντες (resp Plat Rep
X 601B) Ργ4. 1406 ᵇ37.

ἀπαντᾶν. ἅμα δέχεσθαι τὸ ὕδωρ κατὰ τὸ στόμα χ̣ ἐκπνεῖν·
ἀνάγκη δ' ἀπαντῶντα ἐμποδίζειν θάτερον θατέρῳ αν2. 471
ᵃ13. βραδύτερον ὁ ἀὴρ ἀπαντᾷ πιθ50. 923 ᵃ1. — οἱ Κελτοὶ
πρὸς τὰ κύματα ὅπλα ἀπαντῶσι λαβόντες νεγ1. 1229 ᵇ29.
ἀπαντᾶν (πῶς ἀπαντητέον) πρὸς τὸν λόγον, τὴν σκέψιν, τὴν
ἀπορίαν, τὸ πρόβλημα, τὸν λέγοντα, τὸν ἐρωτῶντα sim τι12.
173 ᵃ13. 16. β7. 182 ᵃ7. 32. 182 ᵇ5. Φδ6. 213 ᵇ3. ψ3. 263
ᵇ13. 8. 263 ᵃ4. Ζγδ1. 764 ᵇ15. Μζ10. 1058 ᵃ14. κ6.1063
ᵇ13. μ1. 1076 ᵃ29. Πγ13. 1283 ᵇ36. Ργ15. 1416 ᵃ7. 17.
1418 ᵇ8. μηδεὶς ἀπαντήσῃ μοι, ὕτω τοῖς θορύβοις ἀπαντη-
τέον ρ19. 1432 ᵇ17, 33. περὶ τὰς διαβολὰς ὕτως ἀπαντητέον

ρ 37. 1444 ᵃ28. ἀπανταν non significata ea re, cui occurritur τθ7. 160 ᵃ18. ι17. 176 ᵃ37. 22. 179 ᵃ5. — τὰ ἔνυδρα πόρρωθεν ἀπαντᾷ πρὸς τὴν τροφήν ψβ9. 421 ᵇ12. Ζγβ7. 746 ᵇ10. οἱ πολῖται ἀπαντῶσιν ἐπὶ (Bk', περὶ Bk) τὰς ἀρχὰς κ̀ τὰς εὐθύνας Πδ14. 1298 ᵃ25. cf ζ4. 1319 ᵃ31. οἱ φίλοι ἀπαντῶσιν εἰς τὰς χρείας, εἰς κήδη Ηθ7. 1158 ᵃ8. ι2. 1165 ᵃ21. οἱ τραγῳδοποιοὶ ἀναγκάζονται ἐπὶ ταύτας τὰς οἰκίας ἀπαντᾶν πο14. 1454 ᵃ12. πυκνὰ ἀπαντᾶν (ἐν τοῖς μέλεσι) πρὸς τὴν μέσην πιθ20. 919 ᵃ21. — αἱ αἰσθήσεις εἰς ἕν τι κοινὸν αἰσθητήριον ἀπαντῶσιν ζ1. 467 ᵇ29, cf Ζγα13. 720 ᵃ32. Ζμγ9. 672 ᵇ6. πρὸς τὸ τέλος ἄπαντα δέον ἀπαντᾶν (referri) Πα9. 1258 ᵃ14. (μβ1. 353 ᵃ22?). — ἐκ τῆ ἐν ἀρχῇ ἡμαρτημένα ἀπαντᾷ (i e συμβαίνει) εἰς τὸ τέλος κακόν τι Πε1. 1302 ᵃ6. πρὸς τῦτον ἀπαντᾷ τὸν καιρὸν ἡ τῆ γάλακτος πέψις Ζγδ8. 776 ᵃ21. ἀπαντᾷ τι δυσχερές, παράδοξον τθ7. 160 ᵃ23. ι17. 175 ᵇ37.

ἀπάντησις (cf ἀπανταν). ἡ πρὸς τὸ διττὸν ἀπάντησις τι17. 176 ᵃ23. ἀπάντησις πρὸς τὸν λόγον, πρὸς τὴν διάνοιαν Μγ5. 1009 ᵃ20 (cf ἔντευξις ᵃ17). τῦτο ἔχει τινὰς ἀληθεῖς ἀπαντήσεις; Φγ8. 208 ᵃ8.

ἀπαντλεῖν πβ21. 868 ᵃ33. οἱ πόνοι ἀπαντλῦσι τὸ περιττεῦον ὑγρόν πβ41. 870 ᵇ16. ὑγρὸν ἀπαντλύμενον χ5. 795 ᵃ1.

ἀπάντλησις. τὰ ἐν ἡμῖν ὑγρὰ δεῖται ἀπαντλήσεως πβ33. 869 ᵇ38.

ἅπαξ. ἢ δὶς ἀλλ' ἅπαξ μόνον Πδ15. 1299 ᵃ10. ἅπαξ ἢ πολλάκις μβ3. 356 ᵇ27. ὐχ ἅπαξ ὐδὲ δὶς ἀλλ' ἀπειράκις Οα3. 270 ᵇ19. μα3. 339 ᵇ28.

ἀπαξιῶν αὐτὸν τῶν καλλίστων χ1. 391 ᵃ6.

ἀπαρασκευάστως πολεμῆσαι ρ9. 1430 ᵃ3.

ἀπαριθμεῖν τὰ μέρη τῶν φυτῶν φτα3. 818 ᵇ4, 28. πρὸ τῦ οἱ ποιηταὶ τὰς τυχόντας μύθας ἀπηρίθμων πο13. 1453 ᵃ18. καθ' ἕκαστον εἶδος· ἀπολαβόντας ἀπαριθμήσασθαι τὰς δυνάμεις ρ2. 1421 ᵇ16.

ἀπαρκτίας· πόθεν πνεῖ μβ6. 363 ᵇ14. χ4. 394 ᵇ29. cf μβ6. 363 ᵇ29, 31, 364 ᵃ14, ᵇ4, 21, 365 ᵃ2, 7, 8. χαλαζώδης, αἴθριος μβ6. 364 ᵇ22, 29.

ἀπαρνεῖσθαι. οἱ εἰρωνες ἀπαρνῦνται τὰ ἔνδοξα Ηδ13. 1127 ᵇ25. — logice, opp κατηγορεῖν Αα23. 41 ᵃ9, 11. passive Αβ15. 63 ᵇ37 (ubi idem vocabulum active ᵇ36).

ἀπαρτᾶν. 1. suspendere. ἀπὸ τῶν φλεβῶν φλέβια ἀπήρτηται Ζγβ4. 740 ᵃ29. κρατεῖ ὁ βάλλων τῇ χειρὶ μᾶλλον ἢ ἀπαρτήσας τὸ βάρος (καίαρ Capp Bus) μχ12. 852 ᵇ1. ῥίναν τὰς ἀπηρτημένας στολίδας τῶν ἀνδριάντων ακ802 ᵃ38. — 2. seiungere. ἀνταποδιδόναι ἀλλήλοις ἕως μέμνηται κ̀ μὴ μακρὰν ἀπαρτᾶν Ργ5. 1407 ᵃ24. τὴν χώραν πολὺ τῆς πόλεως ἀπηρτῆσθαι Πζ4. 1319 ᵃ34. cf πν4. 483 ᵃ7. τρίχας μακραὶ τῆς ἀρχῆς ἀπηρτημέναι πι23. 893 ᵃ39. ἀπηρτῆσθαι, opp συμπεφυκέναι, συνεχῆ εἶναι, συμπίπτειν Ζιζ17.507ᵃ14. γ1. 509 ᵇ13. α16. 495 ᵃ18. πολὺ ἀπηρτῆσθαι τῆς καρδίας, τῦ ἥπατος Ζιβ17. 508 ᵃ33. Ζμο2. 677 ᵃ4. ἀπηρτημένη χολή, ἀπηρτημένα αἰδοῖα, κῶλα, πτερύγια (sf cf ἀπολύειν)Ζιβ15. 506 ᵇ19. γ1. 509 ᵇ14. ζ22. 576 ᵇ19. Ζμβ11. 657 ᵃ13. δ2.676 ᵇ17. 12. 693 ᵃ26, ᵇ8. 13. 695 ᵇ17. Ζγα3. 716 ᵇ29. 13. 720 ᵃ24. τὸ ἀσύμμετρον, ἅτε μᾶλλον ἀπηρτημένον πε22. 883 ᵃ15. ὐδὲν ἀπηρτημένον ἔχει ὐδὲ προέχον Οβ8. 290 ᵇ6. δεῖ τὰς γνωμικὰς ἀπηρτημένας αἰδοῖα, κῶλα, πτερύγια γβ5. 112 ᵃ10.

ἀπάρτησις τῶν πτερυγίων μακρά Ζγα14. 720 ᵇ12.

ἀπαρτίζειν, trans ἡ περιφέρεια ἡ ἀπαρτίζυσα ὥστε τὴν γῆν σφαιροειδῆ εἶναι πᾶσαν μα3.340 ᵇ35. ὅταν μὴ δύνηται ἀπαρ-

V.

τίσαι ἡ φύσις Ζγε1. 780 ᵇ10. cf φτβ3. 825 ᵃ37. τὸ ἔμβρυον ἀπαρτίζεσθαι πρὸς ἀκρίβειαν μηνὶ τῷ ἕκτῳ f 257. 1525 ᵃ26. — intr πια27. 902 ᵃ14. ἀδύνατον μὴ ἀπαρτίζειν τὸν τόπον κ̀ τὸ σῶμα Φγ5. 205 ᵃ32. ἀπαρτίζειν πρός τι Πε10. 1313 ᵃ7. ἡ ἀπαρτίζυσα ὥρα Ζιε8. 542 ᵃ31.

ἀπάρτισις φυτῶ φτβ4. 825 ᵇ23.

ἀπαρύσας ψυχήν (ex incerto poeta, cf Ὅμηρος extr) πο21. 1457 ᵇ14.

ἀπάρχεσθαι θ45. 833 ᵇ13. f 248. 1523 ᵇ40.

ἀπαρχή. αἱ θυσίαι γίνονται οἷον ἀπαρχαί Ηθ11. 1160 ᵃ27. ἀνθρώπων ἀπαρχὴν εἰς Δελφὸς ἀποστέλλειν f 443. 1550 ᵇ39.

ἅπας. ἅπας ὁ περὶ τὴν ὑγίη τόπος μβ1. 353 ᵇ7. ἡ θάλαττα ἅπασα. opp κατὰ μέρος μδ1. 379 ᵇ5. τὸ ἅπαν i q τὸ ὅλον Φθ4. 254 ᵇ32. ἅπαν, dist ἅπαντα τι22. 178 ᵇ36. φιλία θαυμαστὴ πᾶσι πρὸς ἅπαντας Πβ5. 1263 ᵇ18.

ἅπαστος ὁ ἀετὸς ἐν τῷ χρόνῳ τῦ νεοττεύειν Ζιζ6. 563 ᵃ23.

ἀπατᾶν. αἱ ὕστεραι συνθῆκαι ἠπατήκασιν Ρα15. 1376 ᵇ28. — pass ἀπατᾶσθαι περί τι Ρα10. 1368 ᵇ22. ψβ6. 418 ᵃ12. περί τινος αι4. 442 ᵇ8. ἀπατώμεθα ταύτῃ τὴν ἀπάτην, syn διαμαρτάνειν Αγ5. 74 ᵃ6, 4. ἠπατῆσθαι, opp γνωρίζειν ψγ3. 427 ᵇ1, ᵃ21. τὸ μανθάνειν ἐναντίον τῷ ἀπατᾶσθαι μὴ οἱ αὐτῷ Φε5. 229 ᵇ4. τὸ ἀπατᾶσθαι λέγεται τριχῶς Αβ21. 67 ᵇ5. ἐνδέχεται εἰδέναι κ̀ ἠπατῆσθαι περὶ ταὐτό, πλὴν ὐκ ἐναντίως Αβ21. 67 ᵃ29, ᵇ6, 10, 11. περὶ τὰ ἴδια ὐκ ἐνδέχεται ἀπατηθῆναι τὴν αἴσθησιν ψβ6. 418 ᵃ12. αι4. 442 ᵇ8. ἀπατηθῆναι περὶ τὸ τί ἐστιν ὐκ ἔστιν ἀλλ' ἢ κατὰ συμβεβηκός Μθ10. 1051 ᵇ25.

ἀπάτη, coni ψεῦδος, dist ἄγνοια Μθ10. 1052 ᵃ2 Bz. ἡ ἀπάτη κ̀ ἡ ἐπιστήμη τῶν ἐναντίων ἡ αὐτή ψγ3. 427 ᵇ5. τὴν τῦ ἀνομοίω θίξιν ἀπάτην εἶναι ψγ3. 427 ᵇ4. αἱ ἀπάται ἐκ τῶν ἀντικειμένων ε14. 23 ᵇ13-15. ἀπάτη κατὰ τὴν ὑπόληψιν Αβ21. ἀπάτη γίνεται ἐν τῷ παρὰ μικρὸν Αα3. 47 ᵇ38. ἡ τῦ ὑπάρχειν ἀπάτη διὰ τίνων γίνεται· διὰ μέσα σχήματος γενομένης τῆς ἀπάτης Αγ16. 80 ᵃ6. 17. 81 ᵃ5. ὁ συλλογισμὸς τῆς ἀπάτης, τῆς ἐναντίας ἀπάτης Αγ17. 81 ᵃ15. 2. 72 ᵇ3. ἡ ἀπάτη ἐν τοῖς παραλλογισμοῖς πόθεν γίγνεται τι7. ἔστιν ἀπάτην κ̀ τοῖ αὐτῷ κτᾶσθαι δι' ἄλλα Φε5. 229 ᵇ6. συμβάλλεταί τι πρὸς τὴν ἀπάτην Ζγγ5. 756 ᵃ31. — ἀπάτης χάριν τῶν συνοικύντων Πγ5. 1278 ᵃ39. δι' ἀπάτης, dist διὰ βίας Πε4. 1304 ᵇ8. τὰ βίᾳ κ̀ ἀπάτῃ ἀκύσια Ρα15. 1377 ᵇ5. διὰ τῦτο μετασφίγξ ἢι' ἀπάτην ἢι' ἀνάγκην Ρα15. 1376 ᵇ22. — ὁ δολόφρων Ἀπάτα f 596. 1575 ᵇ14.

ἀπατητικὸς συλλογισμός Αγ16. 80 ᵇ15. συλλογισμὸς ἀπατητικὸς τῦ διὰ τί τι11. 171 ᵇ10. ἀπατητικὸς κ̀ ἄδικος λόγος τι11. 171 ᵇ21. τὸ λαθραῖον ἀπατητικόν Ρα15. 965 ᵃ16.

ἀπατμίζειν, intr ἀπατμίζον, τὸ ὑγρὸν ἀπατμίζει Ζμβ6. 653 ᵃ36. μβ3. 359 ᵃ31. υ3. 457 ᵇ31. πι48. 896 ᵃ34. χα12.928 ᵃ20. ὐκ ἀπατμίζει ἀπὸ τῦ ἀναρρίνῳ λεπτόν τι πκ22. 925 ᵃ36.

ἀπαυστος κίνησις, κυκλοφορία, μεταβολή Οα9. 279 ᵇ1. β1. 284 ᵃ9. 5. 288 ᵃ11. Γα3. 318 ᵃ25. Μλ7. 1072 ᵃ21. ἄπαυστος κ̀ ἀθάνατος κίνησις Φθ6. 259 ᵇ25. 1.250 ᵇ14. — ἀπαύστως δι' αἰῶνος χ2. 391 ᵇ18.

ἀπειθεῖν τοῖς νόμοις, τοῖς ἄρχυσιν Ρα15. 1375 ᵃ23. Πβ8. 1269 ᵃ18. ιθ. 1328 ᵇ9. αρ7. 1251 ᵃ38.

ἀπεικάζειν. μιμῦνται πολλὰ χρώμασι κ̀ σχήμασιν ἀπεικάζοντες πο1. 1447 ᵃ19.

ἀπειλή, σχῆμά τι λέξεως πο19. 1456 ᵇ12. βροντὴ ἀπειλῆς ἕνεκα τοῖς ἐν ταρτάρῳ (Pyth) Αδ11. 94 ᵇ33. ἀπειλὴ (Ἡφαίστῳ), ψόφος ἐν τῇ φλογὶ γινόμενος μβ9. 369 ᵃ32 Ideler.

ἀπεῖναι ἀπὸ τῶν ἰδίων Πζ5. 1320 ᵃ28.

K

ἀπειπεῖν, ἀπειρηκέναι v s ἀπαγορεύειν.

ἀπειράκις Φβ1. 193 ᵃ28. Οα10. 279 ᵇ29. ξ2. 975 ᵃ26. πολλάκις ἢ ἀπειράκις ψα3. 407 ᵃ14. πολλάκις, μᾶλλον δ' ἀπειράκις Πη10. 1329 ᵇ27. ὐχ ἅπαξ ὐδὲ δὶς ἀλλ' ἀπειράκις Οα3. 270 ᵇ19. μα3. 339 ᵇ29.

ἀπείργειν τὴν βίαιον τροφήν Πβ4. 1338 ᵇ41. ἀπείργειν τῆς συμμεθέξεως τῶν χαλεπῶν ηεγ12. 1245 ᵇ34.

ἀπειρία. 1. opp ἐμπειρία Γα2. 316 ᵇ6. Ζγγ8. 758 ᵃ3. ἡ ἐμπειρία τέχνην ἐποίησεν, ἡ δ' ἀπειρία τύχην (cf Πῶλος) ΜΑ1. 981 ᵃ5. ὑπὸ ἀπειρίας Φα8. 191 ᵃ26. ἀπειρία τῶν πολεμικῶν Πε5. 1305 ᵃ13. ἡ δι' ἀπειρίαν ᾧ ἄγνοιαν ἀνδρεία ηεγ1. 1229 ᵃ16. παρακολυθεῖ τῇ ἀφροσύνῃ ἀπειρία αρ6. 1251 ᵃ2. — 2. opp πέρας. παρέχειν τοῖς ὖσι τὴν ἀπειρίαν Φγ4. 203 ᵃ12. ὐ μένει ἡ ἀπειρία ἀλλὰ γίνεται Φγ7. 207 ᵇ14. προσάπτειν τῷ μὴ ὄντι ἀπειρίαν ξ4. 978 ᵃ35. ἡ τῶν ὁμοιομερῶν ἀπειρία (Anaxag) ΜΑ7. 988 ᵃ28. — τὸ τὸν πάντα χρόνον ᾧ τὴν ἀπειρίαν περιέχον Οα9. 279 ᵃ26.

ἀπειροκαλία, def Ηβ7. 1107 ᵇ19. δ4. 1122 ᵃ31.

ἀπειρόκαλοι ᾧ σαλάκωνες ηεγ6. 1233 ᵇ1.

ἄπειρος. 1. opp ἔμπειρος. ἀπείρως ἔχειν τινός τβ9. 114 ᵇ11. 116. 175 ᵃ13. εἰρήκασιν ἀπειροτέρως τῶν συμβαινόντων αν1. 470 ᵇ9. — 2. ἄπειρος infinitus. ἄπειρον τι τῆς θαλάττης βάθος μα13. 351 ᵃ12. τὸ πολυειδὲς ᾧ τὸ ἄπειρον τῶν χρωμάτων χ3. 729 ᵇ33. τὸν ἄπειρον αἰῶνα f40. 1481 ᵃ39. τὰς δακτυλίας ἀπείρως λέγεσι τὰς μὴ ἔχοντας σφενδόνην, ὐ κυρίως Φγ6. 207 ᵃ2. πλῆτος ἄπειρον Πα9. 1257 ᵇ24. cf 8. 1256 ᵇ32. ἄπειρος ἡ τῆς ἐπιθυμίας φύσις Πβ7. 1267 ᵇ3. ἡ φύσις φεύγει τὸ ἄπειρον· τὸ γὰρ ἄπειρον ἀτελές, ἡ δὲ φύσις ἀεὶ ζητεῖ τέλος Ζγα1. 715 ᵇ15. — de ἀπείρῳ Ar disputat universe Φγ4–8. Οα7. ἄπειρον ποσαχῶς λέγεται Φγ4. 204 ᵃ2–7. Μχ10. 1066 ᵃ35–9. notionis definiti: ἄπειρον ᾧ κατὰ ποσὸν λαμβάνεσιν αἰεί τι λαβεῖν ἔστιν ἔξω, opp τὸ ὅλον ᾧ τέλειον Φγ6. 207 ᵃ7, 1, 9. ἄπειρον ὁ ἂν μὴ ἔχῃ πέρας δεκτικὸν ὂν πέρατος ξ4. 978 ᵃ17. πε25. 883 ᵇ12. λ4. 955 ᵇ19. τὸ ἄπειρον ὐκ ἔστιν ἀρχή, ὐκ ἔστι τι πρῶτον, πάντα τὰ μόρια μέσα Γβ1. 337 ᵇ28. Ζγβ6. 742 ᵇ21. Φθ5. 256 ᵃ18. ε2. 226 ᵃ9. Μχ12. 1068 ᵇ4. α2. 994 ᵃ17. λόγος ὐδεὶς τὐ ἀπείρου πρὸς τὸ πεπερασμένον, πρὸς τὸ ἄπειρον Οα6. 274 ᵃ7. 7. 275 ᵃ13. Φθ1. 252 ᵃ13. τὐ ἀπείρου ὐδέν ἐστι μόριον ὁ καταμετρήσει Φζ7. 238 ᵃ12, 13. ἐνδέχεται ἀφελεῖν ἢ θεῖναι ὁποσονῦν Οα6. 273 ᵇ2. 20. — genera τὐ ἀπείρου distinguuntur. ἄπειρον κατὰ πλῆθος, κατὰ μέγεθος, κατ' εἶδος Φα4. 187 ᵇ8, 9. αἴτια ἄπειρα εἰς εὐθυωρίαν, κατ' εἶδος Μα2. 994 ᵃ1 Bz. ἄπειρα ἐπὶ τὸ ἄνω Μγ4. 1007 ᵇ9. α2. 994 ᵇ7. γραμμὴ ἄπειρος ἐπὶ θάτερα, ἐπ' ἀμφότερα Οα5. 272 ᵃ12, 13. Φζ7. 238 ᵃ31. ἄπειρον ἅπαν ἢ κατὰ πρόσθεσιν ἢ κατὰ διαίρεσιν ἢ ἀμφοτέρως Φγ4. 204 ᵃ6; formulae κατὰ πρόσθεσιν syn κατὰ τὴν πρόσθεσιν Μα2. 994 ᵇ30, προσθέσει Φγ6. 206 ᵃ15, ἐπὶ τὴν αὔξην Φγ7. 207 ᵇ28, ἐπὶ τὴν αὔξησιν Φγ5. 204 ᵇ3 (ἐπὶ Torstrik e codd, περὶ Bk) τοῖς ἐσχάτοις Φζ2.233 ᵃ19, 24. η1.242 ᵃ30, κατὰ ποσὸν Φζ2. 233 ᵃ26, 25, κατ' ἐνέργειαν Φγ6.206 ᵃ16; formulae κατὰ διαίρεσιν syn τῇ διαιρέσει Φζ2.233 ᵃ19, 24. γ6.206 ᵃ16, ἀφαιρέσει Φγ6. 206 ᵃ15, δυνάμει ἐπὶ τὴν διαίρεσιν Γα3. 318 ᵃ21, δυνάμει τε ᾧ ἐπὶ καθαιρέσει Φγ6. 206 ᵇ13. — πόθεν ἡ πίστις τὐ εἶναί τι ἄπειρον Φγ4. 203 ᵇ15-30. cf γ8. προσαγορεύει Δημόκριτος τὸν τόπον τοῖσδε τοῖς ὀνόμασι, τῷ τε κενῷ ᾧ τῷ ὐδενὶ ᾧ τῷ ἀπείρῳ f 202. 1514 ᵇ12. τὸ ἄπειρον τιθέασι τινὲς ὡς ἀρχήν ᾧ ὐσίαν (Pythagorei, Plato) Φγ4. 203 ᵃ5, 9. Μα5. 987 ᵃ18. 8. 990 ᵃ9 et universe Μμν. Πλάτων δύο τὰ ἄπειρα τίθησι, τὸ μέγα ᾧ τὸ μικρόν, τὸ ἄπειρον ἐκ με-

γάλυ ᾧ μικρῦ Φγ4. 203 ᵃ15. 6. 206 ᵇ28. ΜΑ6. 987 ᵇ26. sed Ar docet ὅτι ὐκ ἐνδέχεται εἶναι τὸ ἄπειρον ὡς ἐνέργεια ὂν ᾧ ὡς ὐσίαν ᾧ ἀρχήν Φγ5. Μχ10. 1066 ᵇ11, ὅτι ὐκ ἔστιν ἐνέργεια σῶμα (μέγεθος) ἄπειρον Φγ5. 206 ᵃ8. 4. 204 ᵃ2. θ10. 267 ᵇ20. Οα7. 275 ᵇ6. Γα3. 318 ᵃ21. Μλ7. 1073 ᵃ10. Ζχ4. 699 ᵇ28. λείπεται δυνάμει εἶναι τὸ ἄπειρον Φγ6. 206 ᵃ18, ᵇ13. ὐχ ὕτω δυνάμει ὡς ἐνέργεια ἐσόμενον χωριστόν Μθ6. 1048 ᵇ14. ὕτως ἔστι τὸ ἄπειρον τῷ ἀεὶ ἄλλο ᾧ ἄλλο λαμβάνεσθαι Φγ6. 206 ᵃ27. τὸ ἄπειρον τῆς τὐ μεγέθυς τελειότητος ὕλη ᾧ τὸ δυνάμει ὅλον· ἐντεῦθεν λαμβάνεσι τὴν σεμνότητα κατὰ τὸ ἄπειρον Φγ6. 207 ᵃ21, 19. ὡς ὕλη τὸ ἄπειρον αἴτιον Φγ7. 207 ᵇ35. ὐκ ἔστιν ὐσία ἄπειρος Φα2. 185 ᵃ33. ὐκ ἄπειρον γ' ἐστὶ τὸ ἄπειρῳ εἶναι Μα2. 994 ᵇ27. κατὰ συμβεβηκὸς ὑπάρχει τὸ ἄπειρον Φγ5. 204 ᵃ29. — τὸ ἄπειρον ὐ ταὐτὸν ἐν μεγέθει ᾧ κινήσει ᾧ χρόνῳ, ὡς μία τις φύσις Φγ7. 207 ᵇ21. Μχ10. 1067 ᵃ33. τὸ ἄπειρον ἐμφαίνεται πρῶτον ἐν τῷ συνεχεῖ Φγ1. 200 ᵇ17. θ8. 263 ᵃ28. τὸ ἄπειρον ἐν τοῖς μεγέθεσίν ἐστι κατὰ διαίρεσιν, ἐν δὲ τῷ ἀριθμῷ κατὰ πρόσθεσιν 7. Οα5. 272 ᵃ2. ὁμοίως τὸ ἄπειρον ἔν τε τῷ μήκει ὑπάρχει ᾧ ἐν χρόνῳ Φθ8. 263 ᵃ14, 21. 10. 266 ᵃ21. τὸ ἄπειρον ὐκ ἐνδέχεται κινεῖσθαι Οα7. 274 ᵇ29-275 ᵇ11. 5. 272 ᵃ21. ὐδ'ἐν ἐνδέχεται εἰς ἄπειρον κινεῖσθαι Οθ4. 311 ᵇ31. ὐκ ἔστιν κίνησις ἀπείρος ἐν πεπερασμένῳ χρόνῳ sim Φζ7. 238 ᵇ19, ᵃ20, 237 ᵇ24. θ10. 266 ᵃ13. ὐκ ἐνδέχεται ἄπειρον εἶναι δύναμιν ἐν πεπερασμένῳ μεγέθει Φθ10. 266 ᵇ25, 19, ᵃ25. Οα7. 275 ᵇ22. πκα14. 929 ᵃ1. ἄπειρόν τι εἶναι βάρος ἀδύνατον Οα6. 273 ᵇ29, ᵃ24. ἀδύνατον ἄπειρον ὑπὸ πεπερασμένυ παθεῖν τι ἢ ποιῆσαι τὸ πεπερασμένον Οα7. 274 ᵇ33. ἄπειρος κόσμος πῶς φασὶ Φθ1. 250 ᵇ18. — ἀδύνατον διελθεῖν τὸ ἄπειρον, διεξελθεῖν τὸ κατὰ τὴν πρόσθεσιν ἄπειρον ἐν πεπερασμένῳ χρόνῳ Φθ8. 263 ᵃ6. 9. 265 ᵃ20. Οα5. 272 ᵃ3. γ2. 300 ᵇ5. Μα2. 994 ᵇ30. Φζ2. 233 ᵃ22. 7. 238 ᵃ33. θ8. 263 ᵇ4. Οα5. 272 ᵃ29. τὰ ἄπειρα ὐκ ἔστι διελθεῖν νοῦντα Αγ22. 83 ᵇ6, 82 ᵇ39. 3. 72 ᵇ11. — τὰ ἄπειρα, i e res individuae, opp τὰ εἴδη τβ2. 109 ᵇ14. Αγ24. 86 ᵃ4. τὸ καθ' ἕκαστον ἄπειρον ᾧ ὐκ ἐπιστητόν Ρα2. 1356 ᵇ31. τῶν ἀπείρων ὐκ ἐνδέχεται λαμβάνειν ἐπιστήμην Μβ4. 999 ᵃ27. α2. 994 ᵇ22. Αγ24. 86 ᵃ6. τὸ ἄπειρον ἄγνωστον Φα4. 187 ᵇ7. γ6. 207 ᵃ25. ἀηδὲς ᾧ ἄγνωστον τὸ ἄπειρον Ργ8. 1408 ᵇ28. 9. 1409.ᵇ31. ὐκ ἄπειρα τὰ αἴτια Μα2. 994 ᵃ1. Φα6. 189 ᵃ16, 20. — progressus in infinitum (opp ἵστασθαι, στῆναι): εἰς ἄπειρον ἰέναι Αγ19. 81 ᵇ33, 37, 40, 82 ᵃ2, 6. 21. 82 ᵃ39. Φδ3. 210 ᵇ27. θ5. 257 ᵃ17, 28, 29. Ογ2. 300 ᵇ14. Γβ5. 332 ᵇ13. ψ2. 425 ᵇ16. Μχ2. 994 ᵃ3, 8, 20, ᵇ4. ζ5. 1030 ᵇ35. 6. 1032 ᵃ3. λ3. 1070 ᵃ2. ἐπ' ἄπειρον ἰέναι Μα2. 994 ᵃ20. εἰς ἄπειρον ἔρχεσθαι Αγ19. 82 ᵃ7. εἰς ἄπειρον ἀνάγεσθαι Αγ3. 72 ᵇ6. εἰς ἄπειρον ποιεῖσιν Φδ1. 209 ᵃ25. η1. 242 ᵃ19, ᵇ33. χ2. 1060 ᵃ36. Ηα5. 1097 ᵇ13. 1. 1094 ᵃ20. προείσιν ἐπὶ τὸ ἄπειρον ψα5. 411 ᵇ13. εἰς ἄπειρον βαδίζειν, εἰς ἄπειρον βαδιεῖται Αγ22. 84 ᵃ3. δ3. 90 ᵇ27. Ογ5. 304 ᵇ5. Μγ7. 1012 ᵇ12. ζ8. 1033 ᵇ4. χ12. 1068 ᵃ33. Φε2. 225 ᵇ34. τύτ' ἐποιεῖτ' ἂν εἰς ἄπειρον Ζγα1. 715 ᵇ14. εἰς ἄπειρον ἥξει Ηγ5. 1113 ᵃ2. ηβ10. 1226 ᵇ1. εἶναι εἰς ἄπειρον Μγ5. 1010 ᵃ22 (εἶναι Bz e codd, ἰέναι ci Bk). Πα9. 1257 ᵇ25, 26, 27, 1258 ᵃ1. εἰς ἄπειρον (sc εἶναι) Μλ8. 1074 ᵃ29. ἀνάγκη ἢ ἄπειρον εἶναι ἢ ἵστασθιν διάλυσιν Ογ6. 304 ᵇ27. — ἀπείρως τρυφθῆναι πια6. 899 ᵇ16.

ἀπείρων. ἀπείρονα γῆς βάθη (Emped 237) Οβ13. 294 ᵃ25. ξ2. 976 ᵃ35.

ἀπελαύνειν ἐκ τὐ ἄστεος Πε10. 1311 ᵃ14. ἀπελαύνειν ἀπό

τινος Πη17. 1336 ᵇ2. Ζιζ24. 577 ᵇ32.
ἀπελεύθεροι, coni δῦλοι Πγ5. 1278 ᵃ2. τὰ τῦ ἀπελευθέρυ
χρήματα ρ2. 1422 ᵇ9, 12.
ἀπελευθερῦν. οἱ ἀπελευθερώσαντες ρ2. 1422 ᵇ10. ὁ ἀπελευ-
θερύμενος αἱρεῖται ἐπίτροπον Ργ8. 1408 ᵇ25.   5
ἀπεμεῖν πυ3. 871 ᵃ21. 22. 874 ᵃ33. τὰ ἀπεμύμενα πκ34.
926 ᵇ26.
ἄπεπτος. ἄπεπτον εἶναι ᵕ ἀκράτητον ὑπὸ τῆς φύσεως μδ7.
384 ᵃ33. τροφὴ ἄπεπτος, opp πεπεμμένη ψβ4. 416 ᵇ5.
υ3. 456 ᵇ35 (τζ3. 140 ᵇ8, 9), opp περίττωμα Ζμγ14. 674   10
ᵃ15. τὸ γεηρὸν ἐν τοῖς σώμασιν ἀπεπτότατον Ζγβ6. 745 ᵇ20.
ἐν τοῖς σώμασι τὸ ἀπεπτότατον ἁλμυρὸν ᵕ πικρὸν μβ3.
358 ᵃ6, 7. αἷμα, ἄπεπτον, opp πεφθέν Ζιγ19. 521
ᵇ2. Ζγα19. 726 ᵇ7. δ̓5. 774 ᵃ2. τὸ σατυριᾶν γίνεται διὰ
ῥεύματος ἢ πνεύματος ἀπέπτυ πλῆθος Ζγδ3. 768 ᵇ35. ψᾶ 15
ἧττον ἤδεα διὰ τὸ ἀπεπτότερα εἶναι Ζγγ1. 750 ᵇ25. — τὰ
ἄπεπτα τῆς χυμῦς χείρυς ἔχει πδ̓12. 877 ᵇ2. — τυφὼν οἷον
ἐκνεφίας ἄπεπτος μγ1. 371 ᵃ3.
ἀπέραντος. μακρὸν ᵕ ἀπέραντον φαίνεται Ηα11. 1101 ᵃ25.
δεήσει χώρας ἀπεράντυ τὸ πλῆθος Πβ6. 1265 ᵃ15. προσ- 20
θεῖναι χρόνυ πλῆθος ἀπέραντόν τι ηεα5. 1215 ᵇ29. τὸ φαι-
νόμενον μὴ ὡρίσθαι φαίνεσθαι ἀνάγκη πως ἀπέραντον π5.
883 ᵇ13. λ4. 955 ᵇ21. ἀπέραντός τις τόπος θ82. 836 ᵇ16.
— ἀπεράντως. ἄπειρον σῶμα ἀπεράντως διεστηκός
Φγ5. 204 ᵇ21. Μκ10. 1066 ᵇ33.   25
ἀπεργάζεσθαι. ἡ τέχνη ἐπιτελεῖ, ἃ ἡ φύσις ἀδυνατεῖ
ἀπεργάσασθαι Φβ8. 199 ᵃ16. cf οα3. 1343 ᵇ10. ἀπερ-
γάζεσθαι τὸ ὅλον ξ2. 975 ᵇ27. ὃ τὸ σπέρμα ἀπεργάζεται
ἐν τῷ θήλει Ζγα21. 729 ᵇ26, 27. ὅπερ ἡ θερμότης, ᵕ ἔκ-
κρισις ἀπεργάζεται Ζγγ11. 762 ᵇ14. μγ7. 378 ᵃ16. ἀπερ- 30
γάζεται τὸν ὕπνον Ζμβ7. 653 ᵃ16, πάταγον κ4. 395 ᵃ13,
τἠναντίον Ζγε2. 781 ᵇ27. ὁ ἀπὸ ὕδωρ πληγεὶς ὀσμὴν βαρυ-
τάτην ἀπεργάζεται f 327. 1532 ᵇ19. ἀπεργάζεται πολλὴν
ἀσάφειαν ακ801 ᵇ11. ἀπεργάζεταί τι ῥώμης ἔργον φ5. 809
ᵇ38. ἀπεργάζονται τὸ σῶμα ἄχρηστον, τὰς παῖδας θηριώδεις 35
Πβ2. 1337 ᵇ10. 4. 1338 ᵇ13. — τὸ ἀπειργασμένον, opp τὸ
ἀνέργαστον Μθ6. 1048 ᵇ4.
ἀπεργασία τῶν ὄψεων ποβ. 1450 ᵇ19 (ἡ εἰκὼν) ποιήσει τὴν
ἡδονὴν διὰ τὴν ἀπεργασίαν ἢ τὴν χροίαν ποδ. 1448 ᵇ18.
ἀπερείδεσθαι, ἀπερείσασθαι μχ5. 850 ᵇ38. Ζπ3. 705 ᵃ9. 40
ἀπερείδεσθαι πρός τι, πρὸς τὸ ὑπὸ τὰς πόδας sim Ζπ3. 705
ᵃ12. Ζκ1. 698 ᵇ6. πε8. 881 ᵇ2. ἀπερείδεσθαι εἴς τι, εἰς τὴν
θάλασσαν μχ4. 850 ᵇ20. πγ3. 885 ᵇ29. ἀπερείδεσθαι τῷ
ὑγρῷ Ζιθ9. 535 ᵇ26. ἀπερείδεσθαι τοῖς ποσίν, τῇ ὑρᾷ, ἀκάν-
θαις Ζιζ12. 567 ᵃ8. δ̓5. 531 ᵃ6. Ζμδ8. 684 ᵃ3.   45
ἀπέρεισίς τις γίνεται Ζπ3. 705 ᵃ18, 11. πεδ0. 885 ᵇ1.
ἀπερεύγειν. ἀπερυγεῖν, syn ἐρυγμῶν πλγ5. 962 ᵃ8, 9.
ἀπερικάλυπτος τόπος φτβ2. 823 ᵇ39.
ἀπερύκειν τινὰ Ζιλ34. 620 ᵃ12.
ἀπέρχεσθαι. ἀπελθεῖν, opp ἐλθεῖν Πβ6. 1265 ᵃ28. opp προσ- 50
ιέναι Γβ10. 336 ᵇ9. syn ἀπογίγνεσθαι (v h v) Φθ8. 262
ᵇ26, 30. μεταβάλλειν ἀπελθόντος τινὸς ᵕ συμμιχθέντος τινὸς
μβ3. 357 ᵃ30. ἀπελθεῖν ἐκ τῆς αἰσθήσεως, ἐκ τῆς ἐντελε-
χείας Μζ15. 1040 ᵃ4. 10. 1036 ᵃ6, εἰς τὸ μὴ ὄν Γα3. 318
ᵃ14. ἀπέρχεταί τι ἀπὸ παντὸς τῦ σώματος sim (cf ἀπιέναι) 55
Ζγα1. 721 ᵇ9. πδ7. 384 ᵃ5.
ἀπεσθίειν. αὐτοὶ τὰ πτερὰ ἀπεσθίυσιν al Ζιε22. 554 ᵇ6. ζ22.
577 ᵃ8. ἡ χελώνη ἀπεσθίει ᵕ καταγνύσιν ὅτι ἂν ἐπιλάβηται
Ζιθ2. 590 ᵇ6. — ὁ κεστρεὺς ἀπεσθίεται ὑπὸ λάβρακος Ζιυ2.
610 ᵇ16. πλεκτάναι ἀπεσθεμέναι ὑπὸ γόγγρων Ζιθ2. 591 ᵃ5. 60
ἀπέχειν. τὰ φερόμενα ἄστρα ὁμοίως ᵕ ἴσον πρὸς ἡμᾶς ἀπέ-

χοντα μα8. 345 ᵇ21. μακρὰν ἀπέχειν τοῖς τόποις ρ3. 1425
ᵃ4. πλεῖστον ἀπέχειν κατὰ τόπον. κατὰ τὸ εἶδος μβ6. 363
ᵃ31, 32. ἀπέχειν τὸ ἡμισφαίριον ὅλον, τὴν ἡμίσειαν διάμε-
τρον Οβ13. 293 ᵇ26, 30. ἕκαστον ἀπέχειν τὴν εὐθεῖαν τίθε-
μεν Οα4. 271 ᵃ13. — πλεῖστον ἀπέχειν πολιτείας, μοναρχίας,
φιλίας Πδ̓2. 1289 ᵇ2. 6. 1293 ᵇ17. 11. 1295 ᵇ23. τὰ πλεῖς-
ἀπέχοντα τῷ μέσῳ ἐναντιώτερα Ηβ8. 1109 ᵃ10. — med
ἀπέχεσθαί τινος, opp πράττειν τι Ηα1. 1094 ᵇ5. προαιρ-
ρεύεται τοῖς ἐν αἰτίᾳ ἀπέχεσθαι μυστηρίων f 385. 1542 ᵃ23.
τῆς Πυθαγορικῆς ἀπέχεσθαι ἀκαλήφης f 189. 1511 ᵇ29.
ἀποσχόμενοι βαναύσων ἔργων Πζ7. 1321 ᵃ29. ἀπεσχημένος
τῆς ἀγορᾶς Πγ5. 1278 ᵃ25. ἃ δεῖ πράττειν ᵕ ὧν ἀφεκτέον
Ηγ2. 1110 ᵇ29. ὅτε ἑαυτῦ ὅτε τῶν ἄλλων ἀπεχόμενος εἰ
γέλωτα ποιήσει Ηδ̓14. 1128 ᵃ35.
ἀπεχθάνεσθαι. ἀγαθὰ ἃ χαρίυνται τοῖς φίλοις ἢ ἃ ἀπεχθή-
σονται τοῖς ἐχθροῖς Ρα6. 1363 ᵃ34.
ἀπέχθεια. διὰ τὴν ἀπέχθειαν τὰ πάθη Πβ12. 1274 ᵃ40. ἡ
πρὸς τὰς πλησίυς ἀπέχθεια Πε5. 1305 ᵃ23. πολλὴν, διπλὴν
ἔχει τι ἀπέχθειαν Πζ8. 1322 ᵃ2, 17. ἀπέχθεια, opp κολα-
κεία, φιλία ηεβ3. 1221 ᵃ7, syn ἔχθρα ηεγ7. 1233 ᵇ30.
ἀπεχθητικός, def ηεβ3. 1221 ᵃ26. γ7. 1233 ᵇ32. ημα32.
1193 ᵃ32.
ἀπεψία, ἀτέλεια δι᾽ ἔνδειαν τῆς οἰκείας θερμότητος· γίνεται
ὅταν μὴ κρατῇ τὸ θερμὸν τῆς ὕλης μδ2. 380 ᵃ6, 379 ᵇ13.
1. 379 ᵃ2. ἐναντίον πεπάνσει ἀπεψία τῆς ἐν τῷ περικαρπίῳ
τροφῆς μδ3. 380 ᵃ28. ἀπεψίας species μδ3. ἀπεψία πρώτη
μδ3. 381 ᵃ13, Ideler II 435. ἀπεψία τις ᵕ ἡ μόλυνσίς
ἐστιν· ἔνιαι ἀπεψίαι ὅμοιαι τῇ μωλύσει Ζγδ7. 776 ᵃ7. μδ3.
381 ᵇ9, ᵃ12, 13. τῦ αἵματος ἐξυγρανθέντος δι᾽ ἀπεψίαν,
ἀδυνατῦσης τῆς ἐν τοῖς φλεβίοις θερμότητος πέσσειν δι᾽ ὀλι-
γότητα Ζγυ5. 668 ᵇ8. τροφῆς ὑπόστασις διὰ τὴν ἀπεψίαν
μβ3. 357 ᵇ9. τῶν ἐν τῷ σώματι ἔνια γίνεται ἐκ περιττώ-
ματος τροφῆς, τῦτο δ᾽ ἐστὶν ἀπεψία πκ12. 924 ᵃ11.
θῆλυ τῇ ἀπεψίᾳ ᵕ τῇ ψυχρότητι τῆς αἱματικῆς τροφῆς· τοῖς
θήλεσι δι᾽ ἀπεψίαν πλῆθος αἱματικὸν Ζγδ1. 766 ᵇ17, 22.
ἀρχαὶ νόσων δι᾽ ἀπεψίαν τῶν εἰσφερομένων πα25. 862 ᵇ5.
κοιλίαι ὑγραὶ διὰ τὴν ἀπεψίαν Ζμγ14. 674 ᵇ34. διάρροια
δι᾽ ἀπεψίαν Ζγα20. 728 ᵃ22. ἡ πολιότης ᵕ ἡ γλαυκότης
ἀπεψία τις Ζιγε1. 780 ᵇ7. 4. 784 ᵇ30. ἡ μαλακία ἐστὶν ἐξ
ἀπεψίας πλα23. 959 ᵇ23. ὁ λυγμὸς ἀπεψία πνεύματος
πλγ1. 963 ᵇ12. ἡ πρόεσις ἡ προτέρα ἄγονος, ἐλάττω ἔχει
θερμότητα ψυχικὴν διὰ τὴν ἀπεψίαν Ζγβ4. 739 ᵃ12. δυσ-
ωδία δι᾽ ἀπεψίαν πδ̓12. 877 ᵇ36. ιγ4. 908 ᵃ1. ἀπεψία τις
αἰτία τῦ φθείρας ἔχειν πα16. 861 ᵃ11.
ἀπηγορεῖσθαι i q ἀπολογεῖσθαι πκβ13. 951 ᵃ23.
ἀπίθανον πλοῖον Ζπ10. 710 ᵃ8.
ἄπηκτος. ἄπηκτα τινὰ θ8. 385 ᵃ12, ᵇ1-5. ὁ ἀὴρ θερμὸν ᵕ
ἄπηκτον Ζγβ2. 735 ᵇ30, 736 ᵃ23. πιμελὴ χυτὸν ᵕ ἄπηκτον
Ζιγ17. 520 ᵃ8. cf αι2. 438 ᵃ22.
ἀπηλιώτης ἐναντίος τῷ ζεφύρῳ μβ6. 363 ᵇ13, cf 364 ᵃ15,
16, ᵇ19, 365 ᵃ10. ἀπηλιώτης ὁ ἀπὸ τῦ πρὸς τὰς ἰσημερινὰς
τόπυ πνέων κ4. 394 ᵇ24. cf πκς12. 941 ᵇ17. εἰσὶν οἳ ᵕ
ἀπηλιώτην νομίζειν εἶναι τὸν εὖρον f 238. 1521 ᵇ25. ἐν
μέσῳ τῶν θερμῶν ᵕ τῶν ψυχρῶν πνευμάτων πκς31. 943
ᵇ33. 55. 946 ᵇ24. ὑγρός, ἐχ ὑγρὸς μβ6. 364 ᵇ19. πκς1.
940 ᵃ31. eius nomina varia σ973 ᵃ13, 17, 19, 21, 24, 25.
f 238. 1521 ᵇ6.
ἀπηλιωτικὸς τῷ τόπῳ ἄνεμος μβ6. 364 ᵇ28. πνεύματα
ἀπηλιωτικὰ μβ6. 364 ᵃ21.
ἀπήνη νικήσας Ὀλύμπια f 527. 1565 ᵃ9.
ἀπηχεῖν πια6. 899 ᵃ24. ἡ ἀπηχῦσα ὀξυτέρα πιθ11. 918 ᵃ35.

ἀπιέναι, opp προσιέναι Γβ10. 336 ᵇ4, 18. ὑγρῷ μὲν ἀπιόν-
τος, τῷ ξηρῷ δὲ συνισταμένη μο 6. 383 ᵃ11. ἀπιέναι τι (τὸ
σπέρμα) ἀπὸ τῷ ἄρρενος, ἀπὸ παντὸς τῷ σώματος sim
Ζγα17. 721 ᵇ12, 723 ᵃ12, 30. 18. 725 ᵃ22. 21. 729 ᵇ18.
ἀπίεστος. περὶ ἀπιέστῳ μο8. 385 ᵃ15. 9. 386 ᵃ29-ᵇ11.
ἀπίθανος Ργ3. 1406 ᵇ14. λόγος ἀπίθανος, syn ἄπιστος ρ30.
1437 ᵇ31, 29. ποιεῖν, καθιστάναι τι ἀπίθανον ρ8. 1429 ᵃ10.
37. 1444 ᵃ4 (syn ἄπιστον 1443 ᵇ28). πράξεις ἀπίθανοι ρ31.
1438 ᵇ2. ἢ πιθανὸν ἢ ἀπίθανον ἢ ἀμφίβολον πρὸς πίστιν
ρ16. 1431 ᵇ21. 17. 1432 ᵃ32. — πρὸς ποίησιν αἱρετώτερον
πιθανὸν ἀδύνατον ἢ ἀπίθανον ϗ δυνατόν πο25. 1461 ᵇ12. 24.
1460 ᵃ27.
ἄπικρος ϗ ἀφιλόνεικος τῷ ἤθει αρ4. 1250 ᵃ42.
ἀπίλητος. περὶ ἀπιλήτῳ μο8. 385 ᵃ17. 9. 387 ᵃ15-17.
ἀπίμελος. ἐπίπλων ἀπίμελον, opp πῖον Ζιγ14. 519 ᵇ8. ἀρχὸς
ἀπίμελος, opp κνισώδης Ζμγ14. 675 ᵇ11. τὰ πίονα ἧττον
σπερματικὰ τῶν ἀπιμέλων Ζγα19. 727 ᵃ33. ἕξις ἀπίμελος
πη4. 887 ᵇ23. ὁ δεξιὸς νεφρὸς ἀπιμελώτερος Ζιγ17. 520
ᵃ30. Ζμγ9. 672 ᵃ23. τὰ σέλάχη ἀπιμελώτατα κατὰ σάρκα
κεχωρισμένη πιμελῇ Ζιγ17. 520 ᵃ19.
ἄπιος. τὰ τῆς ἀπίῳ φύλλα χ5. 797 ᵃ27. αἱ πρὸς ταῖς ἀπίοις
κάμπαι Ζιε19. 552 ᵇ2. ἄπιοι ἐπεμβολάδες, i e ἐγκεκεντρι-
σμέναι f 251. 1524 ᵇ28, 32. (Pirus communis L.)
Ἀπις ηεα5. 1216 ᵃ1.
ἀπιστεῖν. ἀπιστῶντες ἡμῖν αὐτοῖς Ηγ5. 1112 ᵇ10.
ἀπιστία. ἔχει τι ἀπιστίαν Φδ6. 213 ᵃ15. ἀπιστία τῷ κατη-
γόρῳ (denegata accusatori fides) Ρβ23. 1398 ᵃ10. ζημιῶν
εἰς δόξαν ϗ ἀπιστίαν ρ16. 1431 ᵇ32. ἰᾶσθαι τὰς ἀπιστίας
ρ31. 1438 ᵇ10. — ἡ πρὸς ἀλλήλας, ἡ πρὸς τὸν δῆμον ἀπι-
στία Πδ12. 1297 ᵃ4. ε6. 1306 ᵃ21.
ἄπιστος. χάλαζα πολλὴ ϗ τὸ μέγεθος ἄπιστος μα12. 348
ᵃ27. τὰ δοκοῦντα μὲν γίγνεσθαι, ἄπιστα δέ Ρβ23. 1400 ᵃ5.
ὁ μάρτυς πιστὸς ἢ ἄπιστος ἢ ἀμφίδοξος ρ16. 1431 ᵇ3.
λόγος, ὅρκος ἄπιστος, syn ἀπίθανος ρ30. 1437 ᵇ29, 31. 37.
1443 ᵇ28, 1444 ᵃ4. τὰς βασάνους ἀπίστους ποιεῖν, opp ἰσχυ-
ρὰς ποιεῖν ρ17. 1432 ᵃ20, 13.
ἀπισχναίνειν. ἀπισχναντέον πα50. 865 ᵃ37. ἀπισχναίνεσθαι
Ζιζ20. 574 ᵇ6.
ἀπλανής. ἄστρα ἀπλανῆ κ2. 392 ᵃ10. Μλ8. 1073 ᵇ19. τὰ
ἀπλανῆ, οἱ ἀπλανεῖς, opp πλάνητες μα6. 343 ᵇ9. 7. 344 ᵃ36.
ἄπλαστος. περὶ ἀπλάστῳ μο8. 385 ᵃ15. 9. 386 ᵃ25-29.
ἀπλατὴς γραμμή Αα41. 49 ᵇ36. μῆκος ἀπλατές τζ6. 143
ᵇ14sqq. f 24. 1478 ᵇ12.
ἄπλατον μέγεθος ὄφεων Ζιθ28. 606 ᵇ9 (cf ἄπλετος).
ἄπλετος (Emped 439) Ρα13. 1373 ᵇ17. ἄπλετον πλῆθος
Ζγγ5. 755 ᵇ26. θ27. 832 ᵃ27. ἄπλετοι τὸ μέγεθος, τὸ πά-
χος μβ2. 355 ᵇ23. πκ13. 924 ᵃ27.
ἄπλευρον στῆθος φ5. 810 ᵃ3. οἱ ἄπλευροι μαλακοὶ τὰς ψυ-
χάς φ6. 810 ᵇ13. ἀπλευρότερα φ5. 809 ᵇ7.
ἀπληστία τῆς εὐχῆς Παθ. 1257 ᵇ16.
ἀπληστότης ϗ τῷ ἡδέος ὄρεξις Ηγ15. 1119 ᵇ8. ἡ πονηρία τῶν
ἀνθρώπων ἄπληστον Πβ7. 1267 ᵇ1. λαιμαργὸς ὁ κεστρεὺς
ϗ ἄπληστος Ζιθ2. 591 ᵇ2.
ἁπλότης φωνῆς ακ801 ᵃ19. — ἁπλότης ϗ ἀλήθεια τῇ μεγα-
λοψυχίᾳ ἀκολουθεῖ αρ5. 1250 ᵇ11.
ἁπλῶς. ἁπλῶς. dist Μλ7. 1072 ᵃ33. τὸ πρῶτον ϗ κυρίως
ἀναγκαῖον τὸ ἁπλῶν ἐστὶ Μδ5. 1015 ᵇ12. τὸ ἁπλούστερον
μᾶλλον ἀρχή Μκ1. 1059 ᵇ35. — syn ἀμιγές, ἀδιαίρετον,
καθαρόν, opp κεκραμένον ΜΑ8. 989 ᵇ17. δ3. 1014 ᵇ5. ψα2.
405 ᵃ16. αι7. 447 ᵃ18. (cf ἁπλᾶ χρώματα τίνα χ1. 791 ᵃ1.)
opp σύνθετον, συμπεπλεγμένον, συνδεδυασμένον, διπλῶν

Οβ4. 286 ᵇ17. Φγ5. 204 ᵇ11. Μκ10. 1066 ᵇ27. ζ5. 1030
ᵇ15. Αα37. 49 ᵃ8. μα4. 341 ᵃ7. Ζμα3. 643 ᵇ29. coni syn
ὁμοιομερές Ζμβ1. 647 ᵃ1, 14 (sed cf ᵃ15, 29). εἶδος ἁπλῶν
ϗ οὐκ ἔχον διαφορὰν Ζια6. 490 ᵇ17. β15. 505 ᵇ31. τὰ ἁπλᾶ,
i e τὰ μονόχροα Ζγε6. 786 ᵃ21, 22, 18. ἀπόφανσις ἁπλῆ,
opp συγκειμένη ε5. 17 ᵃ20. ὄνομα ἁπλῶν, opp διπλᾶ, συμ-
πεπλεγμένα, σύνθετα, κατὰ μεταφοράν ε1. 16 ᵃ23. 4. 16 ᵇ32.
πο21. 1457 ᵃ31. ρ24. 1434 ᵇ33. πρᾶξις ἁπλῆ, πράγματα
ἁπλᾶ. σύνθεσις τραγῳδίας ἁπλῆ, ἁπλῆ τραγῳδία, ἐποποιία,
μῦθος ἁπλῶς, opp διπλῆς, πεπλεγμένος, πο9. 1451 ᵇ33.
10. 1452 ᵃ12, 14. 13. 1452 ᵇ31, 1453 ᵃ13. 18. 1456 ᵃ20.
24. 1459 ᵇ9. — ἁπλῶς ϗ μὴ ποικίλος λόγος ρ32. 1438 ᵇ20.
λόγος ἁπλούστερος Ργ15. 1416 ᵇ24. cf 11.
1413 ᵃ1, 3. cf Ζγβ1. 734 ᵇ5. τὸ ἀγαθὸν ἁπλῶν, τὸ κακὸν
πολύμορφον ηεη5. 1239 ᵇ11. — τὰ ἁπλᾶ σώματα (i e τὰ
στοιχεῖα) sive τὰ ἁπλᾶ ΜΑ3. 984 ᵃ6 Bz. 8. 988 ᵇ30. δ8.
1017 ᵇ10. η1. 1042 ᵃ8. κ10. 1067 ᵃ1. Φβ1. 192 ᵇ10. γ5.
204 ᵇ33. δ1. 208 ᵇ9. 8. 214 ᵇ13. Οα2. 268 ᵇ28. γ1. 298
ᵃ29. 8. 306 ᵇ3. Γα1. 314 ᵃ28. ψβ4. 416 ᵃ28. γ1. 424 ᵇ30.
alio sensu dicitur ἡ ἁπλῆ ϗ κατ' ἐνέργειαν οὐσία Μλ7.
1072 ᵃ32 et τὰ ἁπλᾶ ϗ τὰ τί ἐστι, τὰ ἁπλᾶ Με4. 1027
ᵇ27. ζ17. 1041 ᵇ9. — ἡ ἁπλῆ γένεσις, def Φει1. 225 ᵃ14.
Μχ11. 1067 ᵇ23. λ2. 1069 ᵇ10. ν1. 1088 ᵃ33. cf Φβ8. 186
ᵃ15. β1. 193 ᵇ21. Γα2. 315 ᵃ26. dist ἡ κατὰ μέρος γέ-
νεσις Γα3. 317 ᵇ35. ἡ ἁπλῆ ϗ φυσικὴ γένεσις μδ1. 378
ᵇ32. — κίνησις ἁπλῆ Ογ3. 302 ᵇ7. 4. 303 ᵇ5. Γα2. 315 ᵃ28.
Μι1. 1053 ᵃ9. φορὰ ἁπλῆ Οβ14. 296 ᵇ31. Μλ8. 1073 ᵃ29.
— ἁπλῆ ἀκρασία, opp κατὰ μέρος, κατὰ πρόσθεσιν Ηη6.
1149 ᵃ2. ἀγαθὰ ἁπλᾶ (i e ἀγαθὰ ἁπλῶς) ηεη2. 1238 ᵇ6,
7. — ἁπλῶς, i e ἀδιόριστος. ἀρχαὶ ἢ ἁπλούστεραι ἢ ἀκριβέ-
στεραι Μει1. 1025 ᵇ7. ἀντὶ λόγου ἁπλῷ ἀκριβέστερος Μζ4.
1030 ᵃ16. his confer λίαν ἁπλῶν τὸ νομίζειν αι3. 339 ᵇ34.
νόμους λίαν ἁπλῶς ϗ βαρβαρικῶς Πβ8. 1268 ᵇ39. — ὁ κριτὴς
ὑπόκειται εἶναι ἁπλῶς (cf opp πόρρωθεν λογίζεσθαι ᵃ4) Ρα2.
1357 ᵃ12. ἀληθὴς ϗ ἁπλῶς, ὃν καλοῦσιν αὐθέκαστον ηεη7.
1233 ᵇ38. ληπτέον πρὸς τὸ βέλτιον τὸν ὀργίλον ἁπλῶν Ρα9.
1367 ᵃ37. ἁπλῶς τῷ ἤθει ϗ γενναῖος αρ5. 1250 ᵇ40. τὰ
ἄρρενα ἁπλούστερα, τὰ θήλεα κακουργότερα ϗ ἧττον ἁπλᾶ
Ζω1. 608 ᵇ4, 1. — ἁπλῶς λέγεσθαι, σημαίνειν, opp διχῶς,
πλεοναχῶς λέγεσθαι, πλείω σημαίνειν ψγ2. 426 ᵃ26. Ρβ24.
1401 ᵃ23. τθ3. 158 ᵇ10. ι4. 166 ᵃ18. πάντες ὑπολαμβά-
νουσιν ἔχειν ἁπλῶς Μγ4. 1008 ᵇ26. ἐσθλοὶ ἁπλῶς, παντο-
δαπῶς κακοί Ηβ5. 1106 ᵇ35. ἁπλῶς λέγεσθαι (i e μὴ
καταλλήλως, non distincto subiecto et praedicato) Μζ17.
1041 ᵇ1 Bz. ἢ ἁπλῶς λεγόμενα ἢ ὡς συμπλεκόμενα Φβ3.
195 ᵇ15. Μδ2. 1014 ᵃ19. ἁπλῶς, opp μεμιγμένα αι4.
442 ᵃ2. τὸ ἁπλῶς, opp ἡ ὑπερβολή, μᾶλλον ϗ ἧττον, μά-
λιστα πκδ11. 937 ᵃ19. τε5. 135 ᵃ2. 8. 137 ᵇ17, 23, 26, 29
coll ᵇ14, 138 ᵃ29. — ἁπλῶς, def ὁ μηδενὸς ἄλλου προστε-
θέντος ῥηθήσεται τβ11. 115 ᵇ29-35. τὸ ἁπλῶς ἤτοι τὸ πρῶ-
τον σημαίνει καθ' ἑκάστην κατηγορίαν τῷ αὐτοῦ ϗ τὸ κα-
θόλυ ϗ τὸ πάντα περιέχον Γα3. 317 ᵇ5. — 1. coni syn πρώ-
τως Μζ1. 1028 ᵃ31. 4. 1030 ᵃ23, 30. coni φύσει Αγ2. 72
ᵃ3, 71 ᵇ34. Φα1. 184 ᵃ18, 17. Μδ10. 1018 ᵇ11. Ηγ13.
1153 ᵃ6. coni κατὰ τὸν λόγον Φγ1. 201 ᵃ32. Μκ9. 1065
ᵇ26. coni κατ' ἀλήθειαν Ηδ6. 1113 ᵃ23. coni κυρίως, κυ-
ριωτατα Κ13. 14 ᵇ24. Αγ3. 72 ᵇ14. τι5. 166 ᵇ37. 25. 180
ᵃ24. Ηζ13. 1145 ᵃ1, 1144 ᵇ7. ἡ τελεία ϗ ἁπλῶς κακία
Ηε15. 1138 ᵃ33. syn κατὰ παντός Αγ1. 71 ᵇ3, ὅλως Πε1.
1300 ᵃ29, 31, ἀεί Φβ5. 197 ᵃ34,-31. ἁπλῶς ὄν, ὃν ἢ ὃ ὄν
Με1. 1025 ᵇ9. — coni opp τι (veluti ἁπλῶς εἰκός, τι εἰκός),

τοδί, καθ' ἕκαστον, κατὰ μέρος, ὡς ἐπὶ τὸ πολύ ε11. 21
ᵃ19, 31. Οα9. 278 ᵃ13. Ηα1. 1095 ᵃ1. η6. 1147 ᵇ20. 1148
ᵃ4. Μθ7. 1049 ᵃ23. Πε1. 1301 ᵃ29. γ17. 1288 ᵃ29. ε4.
1304 ᵇ17. 11. 1313 ᵃ19. Ρβ24. 1402 ᵃ3, 8, 16. Φβ7. 198
ᵇ6. θ7. 261 ᵇ4. f 182. 1502 ᵃ16, 19. inde ἂν ἢ ἀδιόριστον, 5
δέῃ δὲ νομοθετῆσαι, ἀνάγκη ἁπλῶς εἰπεῖν Ρα13. 1374 ᵃ34.
ὁ νομοθέτης ἥμαρτεν ἁπλῶς εἰπὼν Ηε14. 1137 ᵇ22, 25, coll
ᵇ13, 27. ᶄ ἁπλῶς δὴ ἐπὶ πάντων Ηα6. 1098 ᵃ10. (cf ἁπλῶς
ἡδύ, opp κατὰ γένη ζῴων Ηη6. 1148 ᵇ16. ἁπλῶς δίκαιον,
dist πολιτικὸν δίκαιον Ηε10. 1134 ᵃ25). εἶναι ἁπλῶς, opp 10
εἶναί τι, ἐπὶ μέρος· γίγνεσθαι ἁπλῶς, opp γίγνεσθαί τι
Αθ1. 89 ᵇ33. 2. 89 ᵇ39, 90 ᵃ2, 4, 10, 32. τι5. 167 ᵃ2. Γα3.
317 ᵃ33. Φα7. 190 ᵃ32, ᵇ5. ἁπλῶς, opp πῇ, πῶς, ἔστιν
ὥς, ὡδί, τρόπον τινά, πῇ sim ε11. 21 ᵃ5 Wz. Αα37. 49 ᵃ8.
38. 49 ᵃ27. γ1. 71 ᵃ26, 27, 28, 32 Wz. 7. 75 ᵃ8. τι5. 166 15
ᵇ37, 167 ᵃ20. 6. 168 ᵇ11-16. 24. 180 ᵃ15. 25. 180 ᵃ24.
Φθ9. 266 ᵃ4. εν3. 462 ᵃ26. μχ24. 856 ᵃ38. Μγ6. 1011 ᵇ22.
δ10. 1018 ᵇ11. ε2. 1027 ᵃ5. ζ4. 1030 ᵃ23. μ2.1077 ᵇ16.
Ηβ4. 1105 ᵇ33. Ζιθ7. 595 ᵇ9. opp ποτέ, κατὰ χρόνον, νῦν,
ἤδη ε1. 16 ᵃ18. Αα15. 34 ᵇ8, 18. τα5. 102 ᵃ25. ψγ10. 20
433 ᵇ9. opp τινί, ἡμῖν, ἑκάστῳ, πρός τινα, πρός τι sim
Αα23. 41 ᵃ5. γ2. 71 ᵇ34, 72 ᵃ13, 10. 76 ᵇ29. τα5. 102 ᵃ25.
γ1. 116 ᵃ21. ζ4. ι8. 170 ᵃ12. ψ7. 431 ᵇ12. Φα1. 184
ᵃ18, 17. Μκ5. 1062 ᵃ2. Πη1. 1323 ᵇ17. Ηε2. 1129 ᵇ3, 5.
3. 1129 ᵇ26. η13. 1152 ᵇ27, 29. θ1. 1155 ᵇ34. 4. 1156 25
ᵇ13, 20. 7. 1157 ᵇ27. Πγ9. 1419 ᵇ17. (ἁπλῶς μαλακά,
κῦφα, βαρέα, opp πρὸς ἄλληλα μθ9. 386 ᵃ32. Οδ4. 311
ᵃ17, 27). opp ἐπί τι Αβ21. 66 ᵇ39, 67 ᵃ5, μέχρι τινός Πγ9.
1280 ᵃ22. opp ἐξ ὑποθέσεως, ἐκ τῶν ὑποκειμένων, πρὸς
ὑπόθεσιν sim Αα10. 30 ᵇ33, 39. γ3. 72 ᵇ14. 22. 83 ᵇ38, 30
84 ᵃ6. Φβ9. 199 ᵇ35. Οα12. 281 ᵇ7. Ζμα1. 639 ᵇ24. Πγ5.
1278 ᵃ4. δ1. 1288 ᵇ26. 7. 1293 ᵇ8. 1294 ᵃ8. 14. 1298
ᵇ9. η9. 1328 ᵇ38. 13. 1332 ᵃ10, 11. opp κατὰ πρόσθεσιν,
προστιθέντες τι Πγ1. 1275 ᵃ16. Ηη6. 1147 ᵇ33, 1148 ᵃ10,
1149 ᵃ16. ημβ6. 1202 ᵇ1. κατὰ μεταφοράν. ὁμοιότητα Ηη6. 35
1149 ᵃ33. 2. ἁπλῶς ὑπολαμβάνειν, opp διὰ συλλογισμοῦ
Αγ16. 79 ᵇ26. ἁ. ἐπίστασθαι, opp κατὰ συμβεβηκός Αγ2.
71 ᵇ9, 15. — eodem sensu ἁπλῶς usurpatur non additis
vocabulis vel synonymis vel oppositis, veluti ἀποδέδεικται
ἁπλῶς Μδ5. 1015 ᵇ2 Bz. ἁπλῶς ἀποδεῖξαι, ἐπίστασθαι Αγ9. 40
1. 71 ᵃ26, 27, 28. 2. 72 ᵃ3 (vs ἀποδεικνύναι, εἰδέναι, ἐπί-
στασθαι). τὸ ἁπλῶς ἀγαθόν. καλόν. δίκαιον. ὠφέλιμον sim
Ηε8. 1132 ᵇ21, 22. 9. 1134 ᵃ10. 10. 1134 ᵃ34, ᵇ4. 12. 1136
ᵇ22. Πγ6. 1279 ᵃ19. 13. 1284 ᵇ29. η13. 1332 ᵃ23. ἁ. σκλη-
ρόν, μαλακόν μθ4. 382 ᵃ14, 15, 19. cf praeterea Αα24. 45
41 ᵇ32. Οα9. 289 ᵃ5. 127 ᵃ19. 6. 128 ᵇ9. Ογ1. 299 ᵇ4.
Ηε10. 1134 ᵇ10. Πδ7. 1293 ᵇ5. ε1. 1301 ᵃ36. 9. 1309 ᵇ14.
Ρα2. 1356 ᵃ7. 6. 1362 ᵃ21. β19. 1393 ᵃ12, 16. τὰ συμβε-
βηκότα ἐπὶ τῶν καθ' ἕκαστα ἁπλῶς λέγεται Μδ9. 1018
ᵃ2. — per vocab ab enumeratis singulis, τοῖς καθ' 50
ἕκαστα, ad universale transitur (cf ὅλως) Αα46. 52 ᵃ39.
β23. 68 ᵇ12. τδ4. 124 ᵇ31. Αα24. 41 ᵇ32. — 2. sed po-
test etiam id, quod simpliciter et universe dicitur, oppo-
situm esse accuratiori rei definitioni, inde ἁπλῶς i q
ἀορίστως, ἀδιορίστως. ἁπλῶς, opp ὡρισμένως τθ5. 159 ᵃ39. 55
Μδ15. 1020 ᵇ33. cf Αα1. 24 ᵃ28 Wz. ἁπλῶς δῦναι τὴν
ἐρώτησιν, syn μὴ διορίσαντα τι17. 175 ᵇ31. ἁπλῶς εἰρήκα-
μεν, opp διορίσασθαι μᾶλλον ηεγ1. 1229 ᵃ33. opp σαφέ-
στερον Πθ7. 1341 ᵇ39. σκεπτέον ἁπλῶς ᶄ ὅσον νόμῳ χάριν
Μμ1. 1076 ᵃ27 (Bernays Dial p 150). τὸ ὂν τὸ ἁπλῶς 60
λεγόμενον λέγεται πολλαχῶς Με2. 1026 ᵃ33. τὸ μὲν πρῶτον

(τὸ νόμισμα) ἁπλῶς ὁρισθὲν μεγέθει ᶄ σταθμῷ, opp χα-
ρακτῆρι Πα9. 1257 ᵃ39. ἁπλῶς γινόμενον, opp τεχνικώτερον
Πα9. 1257 ᵇ4. ἁπλῶς ἐν ᾧ πέφυκεν, opp ἐν ᾧ πρώτῳ
πέφυκεν τζ9. 147 ᵇ29. ἁπλῶς ἕπεσθαι, dist ὅλον ἕπεσθαι
Αα27. 43 ᵇ19. ἁπλῶς ὕτως Πδ4. 1290 ᵃ31. — inde cum
vituperatione dicitur λίαν ἁπλῶς λέγεσθαι, πραγματεύεσθαι
μβ7. 365 ᵃ26. Ζμα1. 641 ᵃ5. Ζγγ6. 756 ᵇ17 (coni ἀπε-
ρισκέπτως). ηεα8. 1218 ᵃ27. ΜΑ5. 987 ᵃ21. ἁπλυστέρως
λέγειν, opp κομψοτέρως τῷ λόγῳ προσάγειν Ογ5. 304 ᵃ11.
— eadem varietas significationis, quae omnino in voc
ἁπλῶς cernitur, observari potest in formula ὡς ἁπλῶς εἰπεῖν,
ὡς ἁπλῶς εἰπεῖν, veluti ἡ ἁπλῶς εἰπεῖν ἀπόδειξις Αγ8. 75
ᵇ23 i e ἀπόδειξις proprio sensu, sed ὡς ἁπλῶς εἰπεῖν, opp
ὡς δὲ καθ' ἕκαστον Πε11. 1313 ᵃ18. ἁπλῶς εἰπεῖν, opp
σαφέστερον διορίσαι ημα4. 1185 ᵃ39. Cf eam formulam ὡς
ἁπλῶς εἰπεῖν τθ14. 164 ᵇ3. Ζιδ4. 529 ᵇ25. θ18. 601 ᵃ32.
Ζμβ1. 646 ᵇ34. 4. 650 ᵇ31. Ηγ9. 1115 ᵃ8. ε7. 1132 ᵃ10.
ηεγ2. 1231 ᵃ17. Πγ14. 1285 ᵃ31. δ8. 1293 ᵇ34. 15. 1299
ᵃ25. ε9. 1310 ᵃ38. Ρα1. 1355 ᵃ38. 5. 1360 ᵇ8. β5. 1382
ᵇ26. 9. 1387 ᵃ14. 18. 1393 ᵇ13. ρ1. 1420 ᵃ26. ἁπλῶς δ'
εἰπεῖν τ1. 116 ᵇ19. ζ3. 140 ᵃ37. 6. 145 ᵃ8. θ1. 156 ᵇ6.
ἁπλῶς μὲν ὕτως ῥηθῆναι ημα12. 1187 ᵇ34. ὡς ἁπλῶς διο-
ρίσαντας εἰπεῖν πο7. 1451 ᵃ11. — Τηλέμαχος ᶄ μειδιᾶν
εἴωθε ᶄ ἁπλῶς διαλέγεσθαι ᶄ κρατεῖν τῦ πάθυς f 168.
1506 ᵃ29 cf ἁπλῆς p 76 ᵇ37.
ἀπλυσίας. γένος τι τῶν σπόγγων ὃ καλῦσιν ἀπλυσίας διὰ
τὸ μὴ δύνασθαι πλύνεσθαι descr Ζιε16. 549 ᵃ4 (genus spon-
giarum nigrum S Cr, fort aplysia quaedam St, refutat K
p 669 n 3, spongiarum genus sarcotragus Schmidt die
Spongien des adriat Meeres p 2, 35, cf ΑΖι I 183 n 24.)
ἄπλυτοι σπόγγοι Ζιε16. 548 ᵇ29.
ἄπλωτος θ105. 839 ᵇ13.
ἀπνεύματος ἡ μεσημβρία πιε5. 911 ᵇ2, ᵃ37.
ἀπνευστὶ ζῆν δύναται ανθ. 475 ᵃ23. πι67. 898 ᵇ24.
ἀπνευστία ᶄ συντονία πεθ. 881 ᵇ13. ἀπνευστία παύει τὰς
λύγγας πλγ1. 961 ᵇ21. 5. 962 ᵃ4 (syn πνεύματος κατα-
σχεσις ᵃ1).
ἀπνευστιάζειν πλγ13. 962 ᵇ31.
ἄπνοια, syn ὁ ἀὴρ ἠρεμεῖ πκς36. 944 ᵇ12. κε16. 939 ᵇ10.
— ἡ σκέπη τοῖ ἀέρος ἄπνοιαν ποιεῖ Ζγγ5. 785 ᵃ29.
ἄπνυς. τὰ περὶ τὴν ἄρκτον νήνεμα ᶄ ἄπνοα μβ4. 361 ᵇ6. 1.
354 ᵃ22. — κεφαλῆς μόριον, δι' ὃ ἀκνεῖ, ἄπνυν, τὸ ὖς
Ζια11. 492 ᵃ13. ἡ μασχάλη τόπος δυσωδέστατος. ὅτι
ἀπνύστατος πιγ8. 908 ᵇ21.
ἀπό. sensu locali. νέφος ἀφ' ὗ ἀνακλᾶται ἡ ὄψις μγ3. 373
ᵃ18. ἀφ' ἑσπέρας ποιεῖσθαι τὴν ἀνατολὴν μα7. 345 ᵃ3, 344
ᵇ34. ἀπὸ στόματος ἐξεπίστασθαι τθ14. 163 ᵇ28. ἀπὸ μη-
χανῆς πο15. 1454 ᵇ1. — de tempore. ἀπὸ δείπνυ περιπατεῖν
Αθ1. 94 ᵇ11. τι11. 172 ᵃ8. ἀπλῶς τῶν ὀνομάτων λέγεται
τῆς τροφῆς υ3. 456 ᵇ24. αἱ κύνες χαλεπαὶ ἀπὸ τῶν σκυ-
λακίων Ζιζ18. 571 ᵇ31, 30. ad significandam originem
et causam. εἰσὶν ἀπὸ τῆς παντελῆς φιλίας ᶄ αὗται αἱ φιλίαι
ημβ11. 1209 ᵃ16. ἀδύνατον ἀπὸ τῦ πρώτυ ἡμαρτημένυ μὴ
ἅπαντα κακὸν η. Πε1. 1302 ᵃ5. τῶν ὀνομάτων λέγεται
θάτερα ἀπὸ τῶν ἑτέρων ᶄ προτέρων Γα6. 322 ᵇ31. τὸν
μακάριον ὠνομάκασιν ἀπὸ τῦ χαίρειν Ηζ12. 1152 ᵇ7. ζῆν
ἀφ' ἑτέρων, χρωματίζεσθαι ἀπὸ τῶν κοινῶν, τρέφεσθαι ἀπὸ
τῆς πόλεως sim Ρβ4. 1381 ᵃ22. Πγ15. 1286 ᵇ14. 6. 1293
ᵃ19. ε3. 1302 ᵇ9. δικάζειν, βυλεύειν, ἄρχειν ἀπὸ τιμήματος.
κοινωνεῖν ἀπὸ συμβόλων Πγ1. 1275 ᵃ10. 11. 1282 ᵇ30, 32.
δ4. 1291 ᵇ39. ε6. 1306 ᵇ7. γίγνεσθαι ἀπὸ συμπτώματος,

ἀπὸ τύχης, ἀπ' αὐτομάτε Πε6. 1306 ᵇ6. Φβ4. 196 ᵃ1, 2.
inde τὰ ἀπὸ τύχης, ἀπὸ ταὐτομάτε (syn διὰ τύχην cf s v
διὰ) ν τύχη, αὐτόματος. ἡ ἀπὸ τε αἴρειν λύπη, ἡ ἀπὸ τε
λογισμε̄ λύπη Ηζ8. 1150 ᵇ4. ηεγ4. 1232 ᵃ17. οἱ ἀπὸ τῆς
ἐπιστήμης λόγοι Ηη5. 1147 ᵃ19. ἀπὸ τῆς αὐτῆς ἰσχύος αἱ- 5
ρεσθαι πλέον μχ 22. 854 ᵇ12, cf 8. ἀπὸ τε̄ αὐτε̄ βάρος
καταδύνειν μβ3. 359 ᵃ8. ἡ πέλις γίγνεται ἀπὸ τε̄ πυρός
μὸ3. 380 ᵇ16. ἀπὸ τῆς αὐτῆς ἰσχύος ῥιφθέν πιϛ3. 913 ᵃ38.
12. 915 ᵇ10. ἀπὸ ubi ὑπὸ exspectes, ταῦτα γίγνεται ἀπ'
ἀμφοῖν Ηθ8. 1158 ᵇ2 (idem scribendum 7. 1158 ᵃ19). τὰς 10
μεγίστας ἀρχὰς χειροτονηγτὰς ποιεῖν ἀπὸ τε̄ πλήθυς ρ3. 1424
ᵃ15 (Spgl ad h l). τιμαί τινες ἀπὸ τῶν λόγων ἀφωρισμέναι
ρ3. 1424 ᵃ27. — ad significandam separationem. χωρὶς
σκέπτεσθαι ἀπὸ τῶν περὶ τὰ τέκνα νενομοθετημένων Πβ5.
1262 ᵇ40. (ἡ γῆ ὃ φέρεται, εἰργμένη μέντοι ἀπὸ (? Simpl 15
ὑπὸ) τε̄ μέσε Φγ5. 205 ᵇ11). ἐγκαλεῖσι δὴ αὐτε̄ ὅτι ὀδὲν
ἀφ' ἑαυτε̄ πράττει (nihil quod a suis commodis alienum
sit) Ηι8. 1168 ᵃ33. λέγεσθαι ἀπό τινος de propositionibus
negativis, opp λέγεσθαι κατά τινος Αβ15. 64 ᵃ14. 16.
65 ᵃ33. γ2. 72 ᵃ14. Wz ad Αα1. 24 ᵇ17. — anastrophe 20
praepositionis, veluti δωμάτων ἄπο, aliena a pedestri ora-
tione πο22. 1458 ᵇ33.

ἀποβαίνειν. ὃ τῷ προβεβηκότι (ποδὶ) κινεῖνται, ἀλλὰ τῷ ἀπο-
βεβηκότι Ζπ4. 706 ᵃ9. — τὰ ἀποβαίνοντα, opp αἱ ἀρχαὶ
ϗ τὰ αἴτια Ρα7. 1364 ᵃ35. Ογ7. 306 ᵃ15. δι' αὐτό, opp 25
τῶν ἀποβαινόντων ἕνεκα Ηα5. 1097 ᵇ3. η8. 1150 ᵃ20. ΜΑ2.
982 ᵃ16. Πη3. 1325 ᵇ18. Ρβ6. 1384 ᵃ24. cf ηεα5. 1215
ᵇ19. τοῖς ἀποβαίνεσι συνέπεσθαι Ηδ 12. 1127 ᵃ4. τὰ φύσει
ἢ ἀεὶ ἢ ὡς ἐπὶ τὸ πολὺ ὡσαύτως ἀποβαίνει Ρα10. 1369 ᵇ2.
τὸ βυλεύεσθαι ἐν τοῖς ἀδήλοις πῶς ἀποβήσεται Ηγ5. 1112 30
ᵇ9. τέναντίον ἀποβέβηκε τῷ νομοθέτη τε̄ συμφέροντος Πβ9.
1271 ᵇ15 (cf συμβαίνειν ᵃ31). κατὰ τὸν ὕστερον ὀχευσάντα
τὸ γένος ἀποβαίνει τὸ τῶν νεοττῶν Ζγα21. 730 ᵃ8. cf β4.
738 ᵇ33. γ7. 757 ᵇ26. Ζιε19. 552 ᵃ27. ἀποβαίνειν ἐπὶ τὸ
χεῖρον, παρὰ τὴν ὑπόληψιν, εὐλόγως sim Ρβ13. 1390 ᵃ5. 35
α4. 1360 ᵃ5. πο18. 1456 ᵃ15. Ζιζ37. 580 ᵇ21. ρ9. 1429
ᵇ30. — πολλὰ τῶν ἐνυπνίων ὀκ ἀποβαίνει μτ1. 463 ᵇ10, 8.

ἀποβάλλειν τὰ κέρατα, τὰς ὁπλάς, τὴν πάχνην, τὰς τρίχας
Ζιβ1. 500 ᵃ10. γ9. 517 ᵃ25. θ10. 596 ᵇ2. 23. 604 ᵃ15. 24.
604 ᵃ24. ιδ. 611 ᵇ8. Ζμγ2. 663 ᵇ13. Ζγ3. 783 ᵇ11. πι21. 40
893 ᵃ4. θ5. 831 ᵃ1. ἀποβαλεῖν ἀσπίδα Ρβ6. 1383 ᵇ20.
ἁπλῶς ἑκὼν ὀδεὶς ἀποβάλλεται (e navi eiicere) Ηγ1. 1110
ᵃ9. — ὁ ἀποβάλλων (τὸ τίμημα), opp ὁ κτώμενος Πδ4.
1291 ᵇ41. ἀποβεβλήκασι τὸ ζῆν καλῶς Πη14. 1333 ᵇ25.
ἀποβάλλειν, opp λαμβάνειν Φη3. 247 ᵃ3, cf ὅταν ἀπο- 45
βάλλη, ἔτι δοκεῖ ἔχειν τὸ ἀποβαλλόμενον Φε6. 230 ᵇ29.
ἀποβεβληκέναι δόξαν, ἀποβαλεῖν τέχνην, ἐπιστήμην, opp
λαμβάνειν, μανθάνειν ψγ3. 428 ᵇ5. Μθ3. 1047 ᵃ1. ημβ6.
1201 ᵇ3, 32.

ἀποβάπτειν εἰς ποταμὸν ψυχρὸν τὰ γιγνόμενα Πη17. 1336 50
ᵃ16. λίθον ἐν οἴνῳ ἀποβάπτυσιν Ζιθ29. 607 ᵃ25. ἀποβα-
φῆναι εἰς ὕδωρ θ29. 832 ᵇ6. — φάρμακον, ᾧ ἀποβάπτυσι
τὰς ὀϊστὰς θ141. 845 ᵃ1.

ἀποβιάζεσθαι, trans, vel addito accusativo obiecti ἀποβιά-
ζεσθαι τὸ ὑγρόν, ἄλληλα al μβ8. 368 ᵇ10, 35. Ζπ17. 714 55
ᵃ19. πια35. 903 ᵇ5, vel non addito μα13. 351 ᵃ6. θ6.
364 ᵇ8. 7. 365 ᵇ4. 8. 366 ᵇ27. Ζγβ4. 737 ᵇ29. πκγ5. 932
ᵃ9. κδ9. 936ᵇ31, 35. — passive ἐναπολαμβάνεσθαι ἐν στε-
νωτέροις τόποις ϗ ἀποβιάζεσθαι εἰς ἐλάττω τόπον τὴν ἀπό-
κρισιν μβ8. 366 ᵇ11. ἐὰν ἀποπνεύσωσιν ἀποβιαζόμενα τῷ 60
πνεύματι Ζιη9. 587 ᵃ5. ἅτερος παύσεται ἀποβιασθεὶς μβ6.

364 ᵃ29.

ἀποβλέπειν. τί ἐστι τὸ ἐργαζόμενον πρὸς τὰς ἰδέας ἀπο-
βλέπον ΜΑ9. 991 ᵃ23. ἡ τυραννὶς πρὸς ὀδὲν ἀποβλέπει κοι-
νόν sim Πε10. 1311 ᵃ3. β12. 1274 ᵇ22. γ8. 1279 ᵇ13.
δ11. 1296 ᵃ34. η16. 1334 ᵇ33. οα6. 1345 ᵃ25. ἀπορήσειεν
ἄν τις εἰς τὰ τοιαῦτα ἀποβλέψας sim ψα4. 408 ᵇ1. Κ6.
5 ᵇ1. Πη4. 1326 ᵃ12. ὅσοι ἐπὶ τὸ κινεῖσθαι τὸ ἔμψυχον
ἀπέβλεψαν ψα2. 404 ᵇ7.

ἀποβολὴ χρημάτων, opp κτῆσις ηεγ4. 1231 ᵇ8. Ηγ9. 1115
ᵃ21. γίνεσθαι κατὰ τὴν μετάληψιν τῶν εἰδῶν ϗ φθείρεσθαι
κατὰ τὴν ἀποβολήν Γβ9. 335 ᵇ15. ἀποβολαὶ ϗ λήψεις τῶν
ἐναντίων, τῶν ἀγαθῶν al τγ2. 117 ᵇ3. Μδ10. 1018 ᵃ34.
ι4. 1055 ᵃ37. Φη3. 245 ᵇ8, 22. 246 ᵇ13, 247 ᵃ5. Ρα6.
1362 ᵃ36.

ἀπόγειος. οἱ ἐκ νενοτισμένης γῆς πνέοντες ἄνεμοι ἀπόγειοι
λέγονται κ4. 394 ᵇ14. ἡ ἀπόγεια ἐστι τὸ ἐκ τῆς γῆς πρὸς
τὴν θάλατταν πνεῦμα γινόμενον, opp τροπαία πκς5. 940
ᵇ24, 22. cf τὰ ἀπόγεια (?) 4. 940 ᵇ18. ἐστὶν ὥσπερ ἀπό-
γειον τὸ πνεῦμα τὸ βόρειον μβ5. 363 ᵃ1.

ἀπογεισσῶν. ὦτα μακρὰ ϗ ἀπογεγεισσωμένα πόρρωθεν Ζγε
2. 781 ᵇ13.

ἀπογείσωμα τῶν ἀπὸ τῆς κεφαλῆς ὑγρῶν αἱ ὀφρύες Ζμβ15.
658 ᵇ16.

ἀπόγεος (cf ἀπόγειος). αἱ ἀπόγεαι, ἡ τροπαία ἀπόγεος ἀνά-
κλασις πκς40. 945 ᵃ4, 7.

ἀπογηράσκειν Ζμβ15. 658 ᵇ20.

ἀπογίγνεσθαι, ἀπογεγονέναι, opp προσγίγνεσθαι, προσγε-
γονέναι Μθ7. 1049 ᵃ11. ε2. 976 ᵃ28. Φθ8. 262 ᵃ29, 32, ᵇ1,
7, 20, 29 (syn ἀπελήλυθεν ᵇ27). cf πκς54. 946 ᵇ17. μεί-
ζονος ἀγαθε̄ ἕνεκεν, ἵνα γένηται, ἢ μείζονος κακε̄, ἵνα ἀπο-
γένηται πο25. 1461 ᵃ9. φθίνει τὸ φθῖνον ἀπογινομένε τινὸς
τῶν τε̄ φθίνοντος Φη2. 245 ᵃ14. — ἀπογίνεται ἀπὸ τε̄
σταθμε̄ τῆς ὑὸς τὸ ἕκτον μέρος εἰς τρίχας ϗ αἷμα Ζιθ6.
595 ᵇ1.

ἀπογιγνώσκειν. ἀπεγνώκασι τὴν σωτηρίαν Ηγ9. 1115 ᵇ2.
ἀπόγονος Ηα5. 1097 ᵇ12. 11. 1100 ᵃ21, 1101 ᵃ22. τὰ συνε-
τώτερα ζῷα πολιτικώτερον χρῶνται τοῖς ἀπογόνοις Ζιθ1.
589 ᵃ2.

ἀπογράφεσθαι. ἔξεστι πᾶσιν ἀπογραψαμένοις ἐκκλησιάζειν
Πδ13. 1297 ᵃ24 sqq. — ἀπογράψασθαι τὰς ὀσίας, τὰ χρέα
sim οβ1347 ᵃ19, ᵇ35, 24, 1346 ᵇ1, 1352 ᵇ34.

ἀπογραφή. αἱ ἀπογραφαὶ τῶν δημευσομένων f 394. 1543 ᵇ15.
396. 1544 ᵃ1.

ἀπογυμνάζειν. κηφῆνες ἐπιδινεῖντες αὐτὺς ϗ ὥσπερ ἀπο-
γυμνάζοντες Ζιι40. 624 ᵃ25.

ἀπογυμνῶν. τὰ ἱμάτια μὴ ἀπογυμνῶσθω πα55. 866 ᵃ21.

ἀποδάκνειν. τὸ ἀποδάκνειν (cf δάκνειν, δηκτικός) συμφέ-
ρει, οἷον κρόμμυον πλα9. 958 ᵇ7.

ἀποδακρύειν. ἀποδακρύσαντι λύεται ἡ πυκνότης πλα9. 958ᵇ6.

ἀποδεής. πλείων ἐστὶ ϗ κρατεῖ μᾶλλον εἰς ἀποδεὲς κατερ-
χόμενος (ὁ ἀὴρ) ἢ ἀνγίων f 215. 1517 ᵇ27.

ἀποδεικνύναι, syn δεικνύναι Αβ5. 58 ᵃ8, 9, 11. ὁ ἀποδεικ-
νύς, opp ὁ ἐπάγων Αδ7. 92 ᵃ15, 37. ἢ ὁρίσασθαι ἢ ὑπο-
θέσθαι ἢ ἀποδεῖξαι, ἢ ἀκριβῶς ἢ μαλακῶς Γβ6. 333 ᵇ25.
(ἀποδεικνύειν ἢ ἀναγκαιότερον ἢ μαλακώτερον Με1. 1025
ᵇ13). τὰ μὲν ὑπόκειται, τὰ δ' ἀποδέδεικται Οα3. 269 ᵇ18.
ἀποδεῖξαι ἁπλῶς ὀκ ἔστιν ἀλλ' ἢ ἐκ τῶν ἑκάστυ ἀρχῶν
Αγ9. ὀκ ἐνδέχεται ἄλλως ἔχειν, εἰ ἀποδέδεικται ἁπλῶς
Μδ5. 1015 ᵇ8. ἀποδεδεῖχθαι κατὰ σημεῖον, κατὰ συμβε-
βηκός, opp καθ' αὐτό Αδ17. 99 ᵃ3. ἀποδεῖξαι διὰ τε̄ ἀδυνά-
τε̄, τῇ ἐκθέσει Αα6. 28 ᵇ14. ἐλεγκτικῶς Μγ4. 1006 ᵃ11,

15. νομίζομεν ἱκανῶς ἀποδεδεῖχθαι μα7. 344 ᵃ6. — ἀποδεικνύασι πο6. 1450 ᵃ7. ἀποδεικνύασι πο6. 1450 ᵇ11. Με1. 1025 ᵇ13. ἀποδεικνύειν ρ16. 1431 ᵇ27. — ἀ π ο δ ε ι κ τ ό ς. ᵇ πάντα ἀποδεικτά Αγ22. 84 ᵃ33. ᵇ3. 90 ᵇ25, cf ἀπόδειξις 3. τὸ ἐπιστητὸν ἀποδεικτὸν Ηζ6. 1140 ᵇ35. ἀποδεικτόν, opp ἄμεσον, ἀναπόδεικτον Αα35. 48 ᵃ37, 33. ᵇ8. 93 ᵃ6. ἀποδεικτὰ μᾶλλον τὰ καθόλε Αγ24. 86 ᵃ7. — ἀποδεικτῶν (Wz, ἀποδεικτικῶν Bk) Αγ31. 88 ᵃ10.

ἀ π ο δ ε ι κ τ ι κ ό ς. λόγοι ἀποδεικτικοί, syn διδασκαλικοί τι2. 165 ᵇ39, ᵃ39. ἐδὲν λέγεται μετὰ σπεδῆς ἀποδεικτικῆς Μλ8. 1073 ᵃ22. ἐ μόνον αἱ πίστεις γίνονται δι' ἀποδεικτικῶ λόγε ἀλλὰ χ) δι' ἠθικῶ Ρα8. 1366 ᵃ9. πίστεις ἀποδεικτικαὶ Ρα2. 1358 ᵃ1. 17. 1417 ᵇ21. ἀποδεικτικαὶ ἀρχαὶ αἱ κοιναὶ δόξαι, ἐξ ὧν ἅπαντες δεικνύασιν Μβ2. 996 ᵇ26, 28. κ1. 1059 ᵃ24. ἀποδεικτικὴ πρότασις, ἐὰν ἀληθὴς ᾖ χ) διὰ τῶν ἐξ ἀρχῆς ὑποθέσεων εἰλημμένη, dist διαλεκτικὴ Αα1. 24 ᵃ30, 22, 23, ᵇ13. γ2. 72 ᵃ10. ἀποδεικτικὰ (cf δεικτικός) ἐνθυμήματα, dist ἐλεγκτικὰ Ρβ23. 1400 ᵇ25. ἀποδεικτικὸς συλλογισμὸς ἐξ ἀναγκαίων, dist διαλεκτικός, ῥητορικός Αγ6. 74 ᵇ10. β23. 68 ᵇ10, ἐκ ἔστι τῶν συμβεβηκότων μὴ καθ' αὑτὰ Αγ6. 75 ᵃ19, syn φιλοσόφημα τθ11. 162 ᵃ15, coni ἐπιστήμη Αα13. 32 ᵇ18. ἀποδεικτικὴ ἐπιστήμη χ) ἐπιστήμη. dist ὁρισμός Αγ3. ᵈ3. 4. ἡ ἐπιστήμη ἐστιν ἕξις ἀποδεικτικὴ Ηζ3. 1139 ᵇ31. πᾶσα ἀποδεικτικὴ περὶ τι ὑποκείμενον θεωρεῖ τὰ καθ' αὑτὰ συμβεβηκότα ἐκ τῶν κοινῶν δοξῶν Μβ2. 997 ᵃ5-30 Bz. ἀποδεικτικὴ σοφία ἡ περὶ τὰ συμβεβηκότα Μκ1. 1059 ᵃ32. — ἀ π ο δ ε ι κ τ ι κ ῶ ς ἐπίστασθαι Αγ6. 75 ᵃ12. ᵈ3. 90 ᵇ10 (ἀποδεικτὸν Wz).

ἀ π ο δ ε ι λ ι ᾶ ν, ἵνα μὴ οἴηται τὸν Ἀχιλλέα ἀποδεδειλιακέναι f 152. 1503 ᵇ39.

ἀ π ο δ ε ῖ ν. ἐρίω ἀποδεῖται ὁ ὀμφαλός· ᾗ ἂν ἀποδεθῇ Ζιη10. 587 ᵃ14, 15. ἀποδέμενοι τὸν ἕτερον ὄρχιν Ζγδ1. 765 ᵃ23.

ἀ π ο δ ε ῖ ν. βραχὺ ἀποδέον τετρακισμυρίων σταδίων κ3. 393 ᵇ19.

ἀ π ό δ ε ι ξ ι ς. ἱστορίης ἀπόδειξις (Herod I 1) Ργ9. 1409 ᵃ28. —

1. ἀποδείξεως notio ac natura. ληφθέντων ἱκανῶς τῶν φαινομένων ὅτως εὑρέθησαν αἱ ἀστρολογικαὶ ἀποδείξεις Αα30. 46 ᵃ21. ἀπόδειξις et πρόβλημα ita inter se referuntur, ut πίστις et πρόθεσις Ργ13. 1414 ᵃ36. περὶ ἀπόδειξιν ἡ σκέψις in Analyticis Αα1. 24 ᵃ11. ἀπόδειξις, κατ' ἀλήθειαν, opp τὰ διαλεκτικά, κατὰ δόξαν Αβ16. 65 ᵃ36. ἔστιν ἀπόδειξις ῥητορικὴ ἐνθύμημα Ρα1. 1355 ᵃ6. μανθάνομεν ἢ ἐπαγωγῇ ἢ ἀποδείξει Αβ18. 81 ᵃ40 (cf ᵈ7. 92 ᵃ35, 37). πᾶσα μάθησις διὰ προγιγνωσκομένων, χ) ἡ δι' ἀποδείξεως χ) ἡ δι' ὁρισμῶν ΜΑ9. 992 ᵇ31. ἀπόδειξις συνεχής, dist ὁρισμὸς Αδ10. 94 ᵃ7. ἀπόδειξις et ὁρισμὸς comparantur Αδ3-8. 45 ἀπόδειξις ἢ διαίρεσις ἢ καί τις ἄλλη μέθοδος Ψα1. 402 ᵃ19. ἀπόδειξις, dist δηλῶν, φανερὸν ποιεῖν δι' ἀποδείξεως Αθ8. 93 ᵇ17-9. 93 ᵇ28. — ἡ μὲν ἀπόδειξις συλλογισμός τις, ὁ συλλογισμὸς δὲ ἐ πᾶς ἀπόδειξις Αα4. 25 ᵇ29. πᾶσα ἀπόδειξις διὰ τριῶν ὅρων Αα25. τὸ ἐπίστασθαί ἐστι τὸ ἀποδεικτὸν (ἀπόδειξιν Wz) ἔχειν Αδ3. 90 ᵇ10. ἡ ἀπόδειξις συλλογισμὸς ἐπιστημονικός Αγ3. 71 ᵇ18. ἡ ἀπόδειξις συλλογισμὸς δεικτικὸς αἰτίας Αγ24. 85 ᵇ23. ἡ ἀπόδειξις τῶν ἀναγκαίων, ἐξ ἀναγκαίων Μδ5. 1015 ᵇ7. ζ15. 1039 ᵇ31. Αγ4. 73 ᵃ24. Ηζ5. 1140 ᵃ34. ἀπόδειξις χ) ἀνάγκη Ργ17. 1418 ᵃ4. ἀπόδειξις φαίνεται ὅσα πολλῶν τῶν ἀληθῶν Ζγβ6. 742 ᵇ25. ἀπόδειξις τῶν πολλάκις γινομένων Αγ8. 75 ᵇ33. ἀπόδειξις ἐκ ἔστιν ἁπλῶς τῶν φθαρτῶν Αγ8. 75 ᵇ24. τῶν ἐσιῶν τῶν αἰσθητῶν τῶν καθ' ἕκαστα ἐκ ἔστιν ἀπόδειξις Μζ15. 1039 ᵇ28. ἐνδέχεται περὶ τῶν αἰσθητῶν μεγεθῶν εἶναι ἀποδείξεις, μὴ ᾗ δὲ αἰσθητὰ ἀλλ' ᾗ τοιαδὶ

Μμ3. 1077 ᵇ22. — ἀπόδειξις ἐκ ἔσται ἂν μὴ ᾖ τὸ καθόλε Αγ11. 77 ᵃ8. 18. 81 ᵇ1. ἀπόδειξίς τινος πρώτε καθόλε Αγ5. — ἡ ἀπόδειξις διὰ προτέρων, πιστοτέρων, γνωριμωτέρων, ἀληθῶν χ) πρώτων· ἐ γὰρ ἀρχὴ ἀποδείξεως τὸ ὁμοίως ἄδηλον Αβ16. 64 ᵇ32, 65 ᵃ14. τα1. 100 ᵃ27. ζ4. 141 ᵃ30. τρία ἐστὶ τὰ ἐν ταῖς ἀποδείξεσι (τὰ ἀξιώματα, τὸ γένος, τὰ καθ' αὑτὰ ὑπάρχοντα) Αγ7. 75 ᵃ39 sqq. Μβ2. 997 ᵃ9 Bz. ἀποδείξεις ἐπιστημονικαὶ περὶ τῶν καθ' αὑτὰ ὑπαρχόντων χ) ἐκ τοίτων εἰσὶ Αγ6. 75 ᵃ30. τῶν κατὰ συμβεβηκὸς ἰδίων ἀπόδειξις ψα1. 402 ᵃ15. ἕκαστον ἀποδεῖξαι ἐκ ἔστιν ἀλλ' ἢ ἐκ τῆς ἑκάστε ἀρχῶν· ἐκ ἔστι δεῖξαι ἐξ ἄλλε γένες μεταβάντα Αγ8. 9. 75 ᵇ37. 7. 75 ᵃ37. τῆς ἀρχῆς ἄλλη γνῶσις χ) ἐκ ἀπόδειξις Ζγβ6. 742 ᵇ33.

2. ἀποδείξεως genera. ἡ καθόλε ἀπόδειξις βελτίων τῆς κατὰ μέρος Αγ24. ἡ δεικτικὴ βελτίων τῆς στερητικῆς Αγ25. ἡ δεικτικὴ (κατηγορικὴ) βελτίων τῆς εἰς τὸ ἀδύνατον ἀγέσης Αγ26. ἀποδείξεις πλείες εἶναι τῶ αὐτῶ ἐγχωρεῖ Αγ29. ἡ εἰς τὸ ἀδύνατον (int ἀγέσα), ἡ διὰ τῶ ἀδυνάτε, opp ἡ δεικτικὴ Αβ14. 62 ᵇ29. α21. 39 ᵇ33. χ) διὰ τῶ ἀδυνάτε χ) τῶ ἐκθέσθαι ποιεῖν τὴν ἀπόδειξιν Αα6. 28 ᵃ23. λογικαὶ ἀποδείξεις Μν1. 1087 ᵇ21. Ζγ8. 747 ᵇ28. ἀπόδειξις ἁπλῶς, dist πρὸς τόνδε Μκ5. 1062 ᵃ3. ἀπόδειξις, dist ἔλεγχος, ἐλεγκτικῶς ἀποδεῖξαι Μγ4. 1006 ᵃ18. αἱ κατὰ τὸ σημεῖον ἀποδείξεις ἐν τοῖς ῥητορικοῖς τι5. 167 ᵇ9.

3. ἀπόδειξις, dist ἀρχὴ ἀποδείξεως. ἁπάντων ἀπόδειξιν εἶναι ἀδύνατον Μβ2. 997 ᵃ7 Bz. γ4. 1006 ᵃ8. Αγ3. 72 ᵇ6 sqq. 19. 82 ᵃ7. 22. 84 ᵃ31. cf Ηζ6. κύκλῳ χ) ἐξ ἀλλήλων ἐκ ἐνδέχεται ἀπόδειξις γίνεσθαι ἁπλῶς Αγ3. 72 ᵇ17-73 ᵃ20. τὰ δι' ἀποδείξεως, opp τὰ ἄμεσα Αγ17. 81 ᵇ37. δι' ἀποδείξεως εἰδέναι, opp τὰ ἄμεσα ἀναποδίκτως ἐπίστασθαι Αγ2. 71 ᵇ17, 72 ᵇ19. 9. 76 ᵃ16 sqq. ἀποδείξεως ἀρχὴ ἐκ ἔστιν ἀπόδειξις Μγ6. 1011 ᵃ13. Αδ19. 100 ᵇ13. ἀρχὴ τῶν ἀποδείξεων αἱ ὑποθέσεις Μδ1. 1013 ᵃ15. ἀποδείξεως ἀρχὴ πρότασις ἄμεσος Αγ2. 72 ᵃ7. ἀποδείξεων ἀρχαὶ ὁρισμοὶ ἀναπόδεικτοι, ἀποδείξεως ἀρχὴ τὸ τί ἐστι, τῆς ἐσίας χ) τῶ τί ἐστιν ἐκ ἔστιν ἀπόδειξις Αδ3. 90 ᵇ24, 27, 31. Μβ2. 997 ᵃ32. ε1. 1025 ᵇ14. κ7. 1064 ᵃ9. ψα1. 402 ᵇ23. 3. 407 ᵃ26. ἐν ἀποδείξει χ) ἐπιστήμῃ ἀρχὴ ὁ νῶς Αγ23. 85 ᵃ1. δ19. 100 ᵇ12. cf Ηζ12. 1143 ᵇ1.

4. dicendi usus. ζητεῖν ἀπόδειξίν τινος Μγ4. 1006 ᵃ7. φέρειν τὰς ἀποδείξεις περὶ τινος, περὶ τι Αγ11. 77 ᵃ25. 14. 79 ᵃ19. Μγ3. 1005 ᵃ26. Ργ17. 1417 ᵇ23, 24, 33. ἢ ἐπαγωγὴν ἢ ἀπόδειξιν φέρειν δεῖ Φθ1. 252 ᵃ25. διὰ τῶ ἀδυνάτε ποιεῖν τὴν ἀπόδειξιν Αα6. 28 ᵃ23. λέγειν τὴν ἀπόδειξιν ἐπί τινος, κατά τινος Ζγ8. 747 ᵃ24. οἱ δι' ἀποδείξεως λέγοντες Μβ4. 1000 ᵃ20. διὰ τῶν αὐτῶν ὅρων ἔσται ἡ ἀπόδειξις Αα17. 37 ᵇ13, 16. 18. 37 ᵇ22, 38 ᵃ12, ᵇ37. τὴν ἀπόδειξιν αὐξάνειν (i e μέσον ἐμβάλλειν) Αγ25. 86 ᵇ13, 18. ἡ ἀπόδειξις μεταβαίνει Αγ7. 75 ᵇ9.

ἀ π ο δ έ κ τ α ι χ) ταμίαι Πζ8. 1321 ᵇ33. ἀποδέκται παρ' Ἀθηναίοις τί πράττεσιν f 400. 1544 ᵇ23.

ἀ π ο δ έ σ ι ς ὀμφαλῶ τοῖς παιδίοις Ζιη10. 587 ᵃ12.

ἀ π ο δ ε κ τ ῆ ρ ε ς δώρων κ6. 398 ᵃ25.

ἀ π ο δ έ χ ε σ θ α ι. οἱ ἀποδέκται παρελάμβανον χ) ἀπεδέχοντο τὰ γραμματεῖα f 400. 1544 ᵇ3. — ἀποδέχεσθαι τὴν ὑπερβολήν, τὴν ἔλλειψιν ηεβ5. 1222 ᵃ19. — ἀποδέχεσθαι ἐκ παρόδε τὼς λόγως Ογ8. 306 ᵇ28. πεπαιδεῦσθαι πῶς ἕκαστα ἀποδεκτέον Μα3. 995 ᵃ13. γ3. 1005 ᵇ3. — 'accipere cum assensu, probare' τθ12. 162 ᵇ19. μα8. 346 ᵇ1. ΜΑ6. 987 ᵇ4. η2. 1043 ᵃ22. Ηα1. 1094 ᵇ23, 1095 ᵃ12. κ9. 1179 ᵃ22. Ρβ23. 1398 ᵇ22. ρ5. 1427 ᵃ25. Πβ6. 1265 ᵃ25. η2. 1324 ᵃ12. Ζμα1. 639 ᵃ13. Ζγβ4. 740 ᵇ18. πιζ3. 916 ᵃ30. opp ἀποδοκιμάζειν ρ39. 1446 ᵇ6. opp δυσχεραίνειν Ηδ 12. 1126 ᵇ18, 35, 24. — ἀποδέχεσθαι μαθηματικῷ πιθανολογῦντος Ηα 1. 1094 ᵇ26. ἀποδέχεσθαι τῦ εἰπόντος Ρβ 21. 1395 ᵇ8. ἀποδέχεσθαι ὡς τύπῳ φράζοντος πιζ3. 916 ᵃ36. — 'probare hominem, in amicitiam recipere', syn ἐπαινεῖν, φίλον εἶναι, τιμᾶν Ηδ6. 1157 ᵇ18. 4. 1156 ᵇ28. ι3. 1165 ᵇ13. 8. 1169 ᵃ8. — ἀποδεκτέον Μα3. 995 ᵃ13. Ηα 1. 1095 ᵃ12. κ9. 1179 ᵃ22.

ἀποδηλῦν. trans ἀποδηλώσας (Aeschyl fr 297, 2) Ζκ49 Β. 633 ᵃ20. ταῦτ' ἀποδηλοῖ αὐτὰς ὅτι Ζικ3. 635 ᵇ6. — intr τῦτο ἀποδηλοῖ (i e δῆλον γίγνεται, cf δηλῦν) θ58. 834 ᵇ33.

ἀποδημεῖν Πε4. 1303 ᵇ21. πο17. 1455 ᵇ17. πα13. 860 ᵇ31. ἰδίᾳ ἀποδημῦντες οβ1352 ᵇ31. ἀποδημεῖν ἐν ἑτέρᾳ πόλει τινί ρ14. 1431 ᵃ18. ὐκ ἐξεῖναι ἀποδημεῖν τοῖς Λακεδαιμονίοις f 500. 1559 ᵇ18. — μηθ' ἀποδημῦντα ἐπιστρέφεσθαι (Pythag), τυτέστι μὴ ἔχεσθαι τῷ βίῳ τύτῳ ἀποδημήσκοντα f 192. 1512 ᵇ5. — τῶν ἐν ὀργῇ διαπραττομένων ὁ λογισμὸς ἀποδημεῖ f 97. 1493 ᵇ27.

ἀποδημητικὰς ποιεῖσθαι τὰς παραστάσεις Πε8. 1308 ᵇ19.

ἀποδία. ἡ αἰτία τῆς ἀποδίας Ζμδ11. 690 ᵇ15. Ζπ8. 708 ᵃ9. ἀποδίας ὅκ ἔστιν εἶδ Ζμα3. 642 ᵇ23.

ἀποδιδόναι. ἡ φύσις ἀποδίδωσι τοῖς ζῴοις τὰ ὅπλα, τὰ ὄργανα Ζγγ10. 759 ᵇ3. 10. 760 ᵇ27. δ1. 766 ᵃ5 al. — ἐκ πολλῦ λαμβάνοντα τὴν κίνησιν ἀποδίδωσι πρὸς τὸ αἰσθητήριον Ζγε22. 781 ᵇ16. ἃ ὑπέσχετο ἀποδέδωκεν Ργ19. 1419 ᵇ33. εὐχὴν παλαιὰν ἀποδιδόντες οἱ Κρῆτες f 443. 1550 ᵇ39. ἀπέδωκεν ἀλλ' ὀκ ἔδωκεν Ρβ7. 1385 ᵇ3, cf opp οἴδωσιν, ἀποδίδωσιν Ργ19. 1419 ᵇ33. ἀποδιδόναι πᾶν τὸ ληφθέν, χάριν, χάριτας μβ2. 355 ᵃ27, 28. Ρβ2. 1379 ᵇ30. ρ37. 1445 ᵃ1. (ἀποδιδόναι non addito obiecto 'debitum solvere' Ηδ15. 1163 ᵃ6. ηεη10. 1243 ᵇ25. ἀποδώ ηεη10. 1243 ᵇ10. ἀποδοτέον Ηθ15. 1163 ᵃ7, 20. 16. 1163 ᵇ20.) τὸ ἔνοπτρον τὸ αὐτὸ ἀποδίδωσι χρῶμα μγ4. 373 ᵇ28. οἱ ἀγαθοὶ εἰκονογράφοι ἀποδιδόντες τὴν ἰδίαν μορφὴν πο15. 1454 ᵇ10. μετὰ συνδέσμως, ἃν προείπω ἀποδίδω τὰς ἀκολυθύσας ρ26. 1435 ᵃ39. Ργ5. 1407 ᵃ20, 25, 28. ὁ ἀποδώσων ᾗ κρινῶν τὸ δίκαιον Πδ4. 1291 ᵃ23. — ἀποδιδόναι τινὶ τὰς κρίσεις sim Πδ14. 1298 ᵃ7. γ1. 1275 ᵇ16. 14. 1285 ᵃ6. ε5. 1304 ᵇ28. ᾗ ταῦτα πᾶσιν ἀποδοθῇ Ηι2. 1165 ᵃ14. ἀποδιδόναι τινὶ ε inf ζητεῖν, βυλεύεσθαι Πθ7. 1341 ᵇ30. δ15. 1299 ᵃ26. — δεῖ τὰς ἐνεργείας ποίας ἀποδιδόναι Ηβ1. 1103 ᵇ22. τέλειον ἀποδίδωσι τὸ τέκνον Ζγβ1. 733 ᵇ1. τὸ αὑτῆς ἔργον εὖ ἀποδιδόναι Ηβ5. 1106 ᵃ16, 24. Ζμγ7. 670 ᵇ27. ἀποδιδόναι τὸ τέλος, τὸ κατὰ φύσιν, τὴν ἐξ ἀρχῆς πρόθεσιν, τὰς ἐνεργείας, τὴν αὔξησιν Μθ8. 1050 ᵇ18. πια27. 902 ᵃ18. Ρβ18. 1392 ᵃ3. Ηβ1. 1103 ᵃ27. Ζιβ1. 501 ᵃ3. ἀποδιδόναι τὰς κρίσεις ὀχ ὁμοίως Ρα2. 1356 ᵃ15. ἀποδιδόναι τάξιν τινὰ Πο1. 1296 ᵃ40. ἀποδιδόναι τὸ ἀντίφωνον πιθ7. 918 ᵃ17. τὸ μὴ ὑπολείπειν τὴν διαίρεσιν ἀποδιδῶσι τὸ εἶναι δυνάμει ταύτην ταύτην τὴν ἐνέργειαν Μθ6. 1048 ᵇ16. — τί καλῶς ᾗ μὴ καλῶς ἀποδίδωσιν ὁ λέγων Ζμα1. 639 ᵃ6. ἀποδιδόναι τὰ γένη ὀρθῶς Ργ5. 1407 ᵇ8. ὅταν ἀποδιδῶσιν οἱ ποιηταὶ Ργ11. 1413 ᵃ11. ἀποδιδόναι sequente enunciatione interrogativa, syn ὀρίζειν: ἐὰν ἀποδιδῷ τις πόση τις ἡ πρᾶξίς ἐστι, τῷ χρόνῳ ὁρίεῖ Κ6. 5 ᵇ6. cf Κ1. 1 ᵃ5, 10. 5. 2 ᵇ8. Τα3. 318 ᵃ7. ψα3. 406 ᵃ27. Ζμα1. 642 ᵃ20. Μγ2.1004 ᵃ28. Ηα2.1095 ᵃ22, et cum eadem constructione λαβεῖν ᾗ ἀποδῦναι Κ6. 5 ᵃ19, ὀκ ἔχυσιν ἀποδῦναι, χαλεπὸν ἀποδῦναι, ὃ ῥάϊον τῷ λόγῳ ἀποδῦναι Μζ16. 1040 ᵇ30. β2. 997 ᵃ33. κ1. 1059 ᵃ27. Ηγ1. 1110 ᵇ8. δ11. 1126 ᵇ3. ἀποδιδόναι περί τινος:

χαλεπώτερον ἀποδῦναι περὶ γενέσεως sim Γβ6. 333 ᵇ4. μα1. 339 ᵃ7. ψα1. 402 ᵇ23. Ηα2. 1095 ᵃ22. ἐκ εὐπετὲς ὁρισμῷ ἀποδῦναι περὶ αὐτῶν τα14. 105 ᵇ26. ἀποδῦναι τὺς λόγυς, τὸ τί ἐστι, τὸ διὰ τί, τὴν αἰτίαν, ὃ καλῶς τὰς ἀρχὰς sim ρ39. 1445 ᵇ25. Μκ8. 1064 ᵃ28. Αθ13. 96 ᵃ20. τα11.104 ᵇ16. μβ3. 358 ᵃ3. Μδ2. 1013 ᵃ35. νι. 1087 ᵇ13. 5. 1092 ᵃ11. Ογ4. 302 ᵇ21. Ρα1. 1354 ᵇ3. Αδ17. 99 ᵃ30. Φβ7. 198 ᵇ6. Ζμα1. 639 ᵇ4. Ογ3. 769 ᵇ4. ε1. 779 ᵇ21. obiecti loco vel ea res ponitur, cuius datur definitio, ἑπομένως τύτοις τὴν ψυχὴν ἀποδόασιν sim ψα2. 405 ᵃ4. 5. 409 ᵇ16. Κ10. 12 ᵃ23. τι25. 180 ᵇ4. Φβ3. 194 ᵇ34. Μδ2. 1013 ᵃ35. τὸ λευκὸν ποσόν τι ἀποδίως Κ6. 5 ᵇ6. ἀποδίδομεν ὃ περὶ τὰ χρήσιμα τὸν μεγαλόψυχον κεγ5. 1233ᵃ6, vel ea notio, quae in definitione ponitur ἀποδιδόναι τὸ κοινὸν ἐπὶ πάντων γένος sim τα18. 108 ᵇ28, 29. β2. 109 ᵃ35. Κ7. 6 ᵇ37. ὁ μὲν τὴν ὕλην ἀποδίδωσιν, ὁ δὲ τὸ εἶδος ᾗ τὸν λόγον ψα1. 403 ᵇ1. aliter εἰ μέλλει τις ἀποδώσειν (i e plene explicare, explicando exprimere, cf supra πο15. 1454 ᵇ10 ἀποδιδόναι τὴν ἰδίαν μορφὴν) τὰ φαινόμενα Μλ8. 1073 ᵇ37, 1074 ᵃ1. ηεη2. 1236 ᵃ25. cf ηεη2. 1235 ᵇ14. Φα6. 189 ᵃ16. δ9. 217 ᵃ5. μβ7. 365 ᵃ34. ἀποδῦναι ᾗ λῦσαι τὴν ἀπορίαν Μη6. 1045 ᵃ22. ἀποδίδοσθαι πλεοναχῶς, ἐναντίως τα7. 103 ᵃ25. ε13. 22 ᵇ5. τὸ ἀποδοθὲν ἀποδιδόμενον τα6. 102 ᵇ31. Αγ13. 78 ᵇ22. — ἀποδιδόναι τινί τι, i e assignare alicui aliquid tamquam ἴδιον vel συμβεβηκός ἀποδιδόναι τὸ γιγνώσκειν ᾗ κινεῖν τῇ αὐτῇ ἀρχῇ, τὴν σοφίαν τοῖς ἀκριβεστάτοις τὰς τέχνας sim ψα2. 405 ᵃ17. Ηζ7. 1141 ᵃ10. Φθ9. 265 ᵇ19. Γα3. 319 ᵃ5. 6. 323 ᵃ1. ψα4. 408 ᵃ3. αι2. 438 ᵇ18. Μθ3. 1047 ᵃ33. μ8. 1084 ᵃ35. Ηδ12. 1126 ᵇ19. Πδ4. 1291 ᵃ20. ηεβ8. 1224 ᵃ28. γ5.1232ᵃ20. Ρβ9. 1386 ᵇ16. πο15. 1454 ᵇ5. ἀποδιδόναι τινός τι, i e κατηγορεῖν τε1. 128 ᵇ28. — ἀποδιδόναι intransitive, ἀποδιδόναι διὰ πολλῶν γενῶν αἱ ὁμοιότητες Ζγα18. 722 ᵃ8. Ζιη6. 585 ᵇ32, 586 ᵃ2. ὅτω γὰρ τὸ ἀνάλογον ἀποδώσει μβ5. 363 ᵃ11. ὁμοίως λεγομένη ἡ ἐπιστήμη πρὸς τὸ ἐπιστητὸν ὀχ ὁμοίως ἀποδίδωσιν Μι6. 1057 ᵃ8. ἀποδώσει intrans et impers accipiendum videtur, ἐπὶ τῶν σχημάτων ἀποδίδωσι ζητῶσι τὴν παρακολύθησιν Αθ18. 99 ᵃ30. — ἀποδίδοσθαι med 'vendere' οα6. 1344 ᵇ32. 'vomere' ηεη13. 1246 ᵃ31.

ἀποδιδράσκειν ε acc ἀποδιδράσκοντες τὺς ἄρρενας τίκτυσι Ζιζ5. 564 ᵇ6. λάθρα τὸν νόμον ἀποδιδράσκειν Πβ9. 1270 ᵇ35. sine obiecto ἀποδράσα ἐπωάζει al Ζιθ. 613 ᵇ33, 28. 11. 615 ᵃ3. εἴ τι ἀποδρύῃ ἀνδράποδον οβ1353 ᵃ2.

ἀποδικάζειν, opp καταδικάζειν, ἁπλῶς ἀποδικάζειν Πβ8. 1268 ᵇ18sqq.

ἀποδιορίζειν Πδ4. 1290 ᵇ25.

ἀποδιώκειν τινὰ ἀπό τινος Ζυ8. 614 ᵃ16.

ἀποδοκιμάζειν, opp ἀποδέχεσθαι ρ39. 1446 ᵃ7. cf 31.1438 ᵃ26. τὸ πολλάκις τὸ αὐτὸ εἰπεῖν ὀρθῶς ἀποδοκιμάζεται Ργ12. 1413 ᵇ20. ἀποδοκιμάζειν τὰς πολιτικὰς ἀρχάς, τὴν τῦ αὐλῦ χρῆσιν ἐκ τῶν νέων Πη3. 1325 ᵃ18. 6. 1341 ᵃ26. 7. 1342 ᵃ34. ἡ ὄρνις ἀποδοκιμάζει τὰς αὐτῆς νεοττιὰς Ζυ29. 618 ᵃ17. — ἡ πᾶσα κίνησις ἀποδοκιμαστέα πο26. 1462 ᵃ8.

ἀπόδοσις, dist δόσις πκθ2. 950 ᵃ37. δανείζεσθαι χρήματα ἐπ' ἀποδόσει οβ1349 ᵇ28. — ἀπόδοσις τῶν ὁρισμῶν τα18. 108 ᵇ9, 20 cf Κ7. 7 ᵃ8, 30. ἔδει ὅτω τὴν ἀπόδοσιν ποιήσασθαι τζ8. 147 ᵃ5.

ἀποδύειν. εἰ ἀποδυόμενος δύναται ζῆν ὁ ναυτίλος Ζυ37. 622 ᵇ18.

ἀποδυσπετεῖν. ἀποδυσπετῦσιν οἱ ἀποκρινόμενοι τθ14. 163 ᵇ19 (cf ὀυσκολαίνειν).

ἄποθεν Ζιι7. 613ᵃ10. Ζμδ8. 684 ᵃ24. ἄποθεν φαίνεσθαι, opp
ἐγγύθεν Μγ5. 1010ᵇ5. ἄποθεν αἰσθάνεσθαι, opp ἁπτόμενον
ψβ11. 423ᵇ3. γ12. 434ᵇ27. Γα9. 327 ᵃ4. τὰ ἄποθεν
Ζμθ9. 685ᵃ33, 35. οἱ ἄποθεν σύμμαχοι, οἰκεῖν τοσοῦτον
ἄποθεν Πγ9. 1280ᵇ9 (v l, Bkᵃ ἄπωθεν), 18 (Bkᵃ ἄπωθεν). 5
οἱ ἄποθεν πρόγονοι Ζγδ3. 769 ᵃ25. ἄποθεν κεῖσθαι κ3. 392
ᵇ23 (v l ἄπωθεν). μικρὰ μεταβολὴ γινομένη ἐν ἀρχῇ μεγά-
λας διαφορὰς ποιεῖ ἄποθεν Ζκ7. 701 ᵇ26. μὴ ταυτὸν εἶναι
τοῖς ἐγγὺς τῶν θεῶν ὦσι πρὸς τὸς ἄποθεν f 166. 1505 ᵇ39.
ἀποθεραπεία θεῶν Πη16. 1335 ᵇ15. 10
ἀπόθεσις τῆς τροφῆς, τῆς θήρας Ζιι39. 622 ᵇ26, 623 ᵃ12.
γάλα χρήσιμον εἰς τύρευσιν ₰ ἀπόθεσιν Ζιγ20. 522 ᵃ26.
ἀπόθεσις τῶν γεννωμένων (cf ἀποτίθεσθαι) Πη16. 1335 ᵇ19.
ἀποθεωρεῖν τὰ εἰσπλέοντα πλοῖα θ104. 839 ᵇ3.
ἀποθλίβειν τὸς ὄρχεις Ζιι50. 632 ᵃ17. ἀπέθλιψαν τὸ αἷμα 15
εἴσω ἐκ τῷ ὀμφαλῷ Ζιη10. 587 ᵃ22.
ἀποθνήσκειν, dist ἐκθνήσκειν Ζιγ19. 521 ᵃ12, 11. πότε μά-
λιστα ἀποθνήσκωσιν πα25. 862 ᵃ35. 26. 862 ᵇ8. δικαίως
ἀπέθανε Ρβ23. 1397 ᵃ30 (v l, ἔπαθέ τι Bk). ἀποθνήσκειν
τῷ δέει ημα20. 1191 ᵃ35. — ἀποθανετέον Ηγ1. 1110 ᵃ27. 20
ἀποθραυομένων ₰ καιομένων τῶν ἀνθράκων πλη8. 967 ᵇ5.
ἀπόθραυσις νεφῶν πεπυκνωμένων κ4. 394 ᵃ33.
ἀποθυμιᾶν τὰς μῦς Ζιζ27. 580 ᵇ23.
ἀποικεῖν ἐν νήσῳ πόρρω τῶν διαφθερόντων Πβ10. 1272 ᵇ1.
ἀποικία. ἐλθόντες πρὸς τὴν ἀποικίαν Πβ10. 1271ᵇ29. ποιεῖσθαι 25
τὰς ἀποικίας Πζ4. 1319 ᵃ36. ἡγεῖτο τῆς Ἰωνικῆς ἀποικίας
f 66. 1486 ᵃ40. ἐστάλησαν αἱ ἀποικίαι αὗται f 560. 1570
ᵇ2. πρῶτοι κατασχόντες τὰς ἀποικίας Πδ4. 1290 ᵇ14. —
ἡ κώμη ἀποικία οἰκίας Πα2. 1252 ᵇ17, 21.
ἀποικίζειν. ἀποικίσει (Aeschyl fr 297, 10) Ζιι49 Β. 633 ᵃ28. 30
ἀποικισθὲν τέκνον ἀπὸ πατρὸς Ζα4. 740 ᵃ7.
ἀποικισμός. μετὰ τὸν ἀποικισμόν Πε5. 1304 ᵇ32.
ἄποικοι Λακώνων, Χαλκιδέων Πβ10. 1271 ᵇ27. ε3. 1303ᵇ3.
Δελφῶν f 588. 1573 ᵇ45.
ἀποκαθαίρειν. τὰ προσπίπτοντα τοῖς προσθίοις ἀποκαθαίρωσι 35
σκέλεσιν Ζμδ6. 683 ᵃ29. ὀφθαλμιάσαντες ἔνιοι ὀξύτερον
ὁρῶσι διὰ τὸ ἀποκεκαθάρθαι τὰ ὄμματα πλα9. 958ᵇ5. — οἷς
πολὺ τὸ σπέρμα, πολλάκις ἐπιθυμῶσιν ἀποκαθαίρεσθαι πδ30.
880 ᵃ32. — ἀποκαθαίρεσθαι etiam id dicitur, quod facta
purgatione secernitur: ὑφίσταται ₰ ἀποκαθαίρεται κάτω ₰ 40
σκωρία (τῷ σιδήρῳ) μδ6. 383 ᵃ34. ἀπὸ τῶν γονίμων ₰ὖν
αὐξανομένων τῶν ἰχθυδίων ἀποκαθαίρεται οἷον κέλυφος, τοῦτο
δ' ἐστὶν ὑμὴν ὁ περιέχων τὸ ᾠόν ₰ τὸ ἰχθύδιον Ζιζ14.
568 ᵇ9.
ἀποκάθαρμα, id quod purgatione facta secernitur, purga- 45
mentum. ὗ τινος ἕνεκα, ἀλλ' ἀποκάθαρμα ἡ χολὴ Ζμδ2.
677 ᵃ29 (syn περίττωμα ᵃ14, 26). ὅσα ἐξ ἀποκαθάρματος
γίνεται ₰ ἐκκρίσεως πδ13. 878 ᵃ7. ἡ μίτυς ἀποκάθαρμα
τῷ ἡγεῖ Ζιι40. 624 ᵃ15. ταῖς πορφύραις ἡ καλυμένη μελί-
κηρα συμβαίνει ὥσπερ ἀποκάθαρμα Ζιε15. 546 ᵇ24. 50
ἀποκάθαρσις, cf ἀποκαθαίρειν. ἔστι δ' ἀμείνων σίδηρος ὁ
ἐλάττω ἔχων ἀποκάθαρσιν μδ6. 383 ᵇ4. ἡ πάχνη γίνεται
πέψεως γινομένης, μετὰ δὲ τὴν πέψιν ₰ τὴν ἀποκάθαρσιν
ἡ μεταβολὴ εἰς τοὐναντίον γίνεται πιᾳ3. 940 ᵇ10, 13. —
ἀποκάθαρσις, int καταμηνίων, γονῆς, σπέρματος: ὅσαις ἂν ἐν 55
ταῖς ἀποκαθάρσεσι προεξορμήσωσιν οἱ καθαρμοί, δυσαπαλλα-
κτότεραι γίνονται τῶν ἐμβρύων Ζιη10. 587 ᵃ35. ἐνίοις γίγνε-
ται ἀρρώστημα, ὅταν αὐτῶν μὴ εὐοδήσῃ ἡ ἀποκάθαρσις
Ζγα18. 726 ᵃ10. — (πη9. 888 ᵃ17 pro ἀποκάθαρσις scri-
bendum ἀποκατάστασις Bz Ar St IV 410). 60
ἀποκαθήμεναι μέλιτται Ζιι40. 625 ᵃ26.

v.

ἀποκαθιστάναι εἰς τὸ αὐτὸ Μλ8. 1074 ᵃ3, εἰς τὴν ἐναντίαν
ἕξιν Κ10. 13 ᵃ30. — ἀποκαθίστασθαι πθ2. 889 ᵇ25. εἰς
φύσιν ημβ7. 1204 ᵇ37, 38. ταχύ, ταχέως, μὴ ῥᾳδίως Κ8.
9 ᵇ25, 28. πθ4. 889 ᵇ37. — δένδρον ἀποκαθίσταται στεῖρον
φτα6. 821 ᵃ12.
ἀποκαίειν, ἀποκάειν. ὀπτωμένου τῷ ἄρτῳ τῷ ἀλείφῳ τὸ
ἀχυρωδέστατον ἀποκαίεται πκα12. 928 ᵃ20. — ₰ ὑπὸ παγ-
ων ἀποκάεται ₰ ὑπὸ θερμῶ πιγ26. 874 ᵇ37. ἡ ψυχρότης
πήγνυσι ₰ ἀποκάει πκγ34. 935 ᵃ25, 19.
ἀποκαλεῖν. τὸς χαλεπαίνοντας ἀνδρώδεις ἀποκαλῶμεν Ηβ9.
1109 ᵇ18. ὑὶς ἐν αἰσχρῷ φιλαύτης ἀποκαλῶσιν Ηι8. 1168
ᵃ30.
ἀποκαλύπτειν. ἐπικάλυμμα, ὃ ἀναπνεόντων ἀποκαλύπτεται
ψβ9. 422 ᵃ2. ἀπεκαλύφθη τὸ πρόσωπον Ζιι47. 631 ᵃ5.
ἀποκάμνειν πκγ6. 932 ᵃ35.
ἀποκάμπτειν. οἱ ἐξωτέρω ἀποκάμπτοντες τῷ τέρματος Ργ9.
1409 ᵇ23.
ἀποκατάστασις εἰς φύσιν, ἀποκατάστασις τῷ ἐνδεῶς ημβ7.
1204 ᵇ36, 1205 ᵃ4, ᵇ11. cf πη9. 888 ᵃ17.
ἀποκατορθῶσαί τι ηεη14. 1247 ᵇ10.
ἀποκεκάρθαι Ζιγ11. 518 ᵇ7. ζ18. 572 ᵇ8. ἀποκεκάρθαι
Φβ5. 197 ᵃ23.
ἀποκεῖσθαι. εἰς ἐκεῖνον τὸν καιρὸν ἀποκείσθω Φα9. 191 ᵇ1.
— ἴσαι χάριτές σοι ἀποκείσονται παρ' ἀμφοτέραις f 609.
1580 ᵇ38.
ἀποκενοῦν. τὸ ἐν τοῖς ἀποκενουμένοις ἀγγείοις ἔλαιον f 215.
1517 ᵇ25.
ἀποκηρύττειν, venum dare, ρ1. 1421 ᵃ34.
ἀποκινδυνεύειν. ὗ τῶν εὐτυχούντων ἦν ἀποκινδυνεύειν f 154.
1504 ᵃ10, 9. cf 151. 1503 ᵇ31.
ἀποκλείειν. ἀπέκλεισε τὴν ἐξαγωγὴν τῷ σίτῳ οβ1352 ᵃ18.
τὸ φῶς ἀποκέκλεισται πια49. 904 ᵇ18. πνεῦμα ἀποκλεισθὲν
ἔξοδ̈ν κ4. 395 ᵇ34.
ἀπόκληρος. φαῦλοι οἱ ἀπόκληροι τβ6. 112 ᵇ19.
ἀποκληρῶν. ἐὰν δίχα ἡ ἐκκλησία γένηται, ἀποκληρωτέον
(sorte decernendum est) ₰ ἄλλο τι τοιῶτον ποιητέον Πζ3.
1318 ᵇ1. — δεῖ ἀποκληρῶν (i e sorte eiicere, sed cf Schndr)
τὸς πλείας Πδ14. 1298 ᵇ26.
ἀποκλίνειν, trans ὅταν ἀποκλίνωσι τὸ ἐπικάλυμμα Ζιδ4.
530 ᵃ20. — intr ἀποκλίνειν πρὸς ἡδονήν, πρὸς τὴν ἔλλειψιν
Ηδ3. 1121 ᵇ10. κ1. 1172 ᵇ2. δ11. 1125 ᵇ28. πρὸς δημο-
κρατίαν, πρὸς τὰς χρησίμους ἀρετὰς Πδ8. 1293 ᵇ35. ε7.
1307 ᵃ15. η14. 1333 ᵇ9. Ζμα1. 642 ᵃ30. πρὸς τὸν ὄχλον
f 346. 1536 ᵃ37. πρὸς ταῦτ' ἀποκλιτέον Η2. 1165 ᵃ4. ἀπο-
κλίνειν ἐπὶ τὴν ὑπερβολήν, ἐπὶ τὸ ἔλαττον μᾶλλον τὸ ἀλη-
θὲς Ηδ13. 1127 ᵇ7. ἡλικία πᾶσα ῥέπει ἀποκλίνοντος τῷ
σώματος Ζγε4. 784 ᵃ32.
ἀποκλύζεται ἡ γῆ ὄμβροις κ5. 397 ᵃ34.
ἀποκνεῖν. ὐκ ἀποκνητέον τῷ φάναι μὴ συνιέναι τθ7. 160 ᵃ21.
ἀποκνίζειν. ἀποκνίσας κηφῆνος πτερόν Ζιε22. 554 ᵇ5.
ἀποκολπύμενος ὁ Ὠκεανὸς τρία ποιεῖ πελάγη κ3. 393ᵃ26.
ἀποκοπαὶ ₰ ἐπεκτάσεις τῶν ὀνομάτων πο22. 1458 ᵇ1.
ἀποκόπτειν τὸ ὑραῖον Ζιγ12. 566 ᵇ25. ἂν ἀποκοπῇ χόνδρος
Ζιγ8. 516 ᵇ32. ἀνθρώπου κεφαλὴ ἀποκοπεῖσα (ἀποκεκομ-
μένη) φθέγγεται Ζμγ10. 673 ᵃ14, 20. — τῷ ἀρχαίῳ ἀπέ-
κοπτον ὐδέν, ἀεὶ δὲ μάτην ἐδαπάνων οβ1348 ᵇ25. — rhet
δεῖ τῇ μακρᾷ ἀποκόπτεσθαι (enunciationem) ₰ ὀγλήν εἶναι
τὴν τελευτὴν διὰ τὸν ῥυθμὸν Ργ8. 1409 ᵃ19.
ἀποκρεμαννύναι. τὸ χεῖλος ἀποκρεμάμενον πκζ6. 948 ᵇ1.
— τὰ πρὸ τῶν ὀφθαλμῶν ἀποκρεμάμενα Ζιι37. 620 ᵇ14.
οἱ ἡγεμόνες τῶν μελιττῶν γίνονται κάτω πρὸς τῷ κηρίῳ,

L

ἀποκρεμάμενοι χωρὶς Ζιε 21. 553 ᵇ3. ἀποκρεμώμενα ἄττα ὀύο Ζιε5. 540 ᵇ26.

ἀπόκρημνοι πέτραι Ζιι32. 619 ᵃ26. τόποι δυσβατώτατοι κ̀ ἀπόκρημνοι Ζιζ 28. 578 ᵃ27.

ἀποκρίνειν 1. secernere, pass ἀποκρίνεσθαι secerni. a. ἀπο- 5 κρίνεται σύστασις, πάχνη ὅταν ἀποκριθῇ, ἀποκέκριται ἀτμίς, ἀποκεκριμένη θερμότης φυσική sim μα 8. 345 ᵇ34, 346 ᵇ8. β 4. 360 ᵇ34. γ 3. 372 ᵇ32. 7. 378 ᵃ31. δ 1. 379 ᵇ7. — usitatissimum verbum ἀποκρίνειν, ἀποκρίνεσθαι in descri- bendis iis functionibus, quibus corpora animalium servantur 10 et augentur; ac vel usurpatur ἀποκρίνεσθαι de secernendis conformandisque iis partibus humidis siccisque, quarum continua mutatione vita continetur: ἡ ἐν τῷ ζῴῳ θερμότης ἀποκρίνασα κ̀ συμπέττουσα ποιεῖ τὸ περίττωμα Ζγγ11. 726 ᵇ6, 16. ἐκ τῆς πρώτης τροφῆς ἐκ πολλῆς ὀλίγον ἀποκρί- 15 νεται τὸ χρήσιμον Ζγδ 1. 765 ᵇ29. ἀποκρίνεται τὰ περιττώ- ματα Ζγα20. 728 ᵃ15. π ε29. 883 ᵇ35. οἱ πόροι δι' ὧν ἀπο- κρίνεται τὸ περίττωμα Ζγβ7. 747 ᵃ12. λέγω περίττωμα τὸ τῆς τροφῆς ὑπόλειμμα, σύντηγμα τὸ ἀποκριθὲν ἐκ τῷ αὐξή- ματος ὑπὸ τῆς παρὰ φύσιν ἀναλύσεως Ζγα18. 724 ᵇ27. 20 ΑΖγ p 88 n 1. ἀπὸ τῆς περὶ τὸν ἐγκέφαλον ὑγρότητος ἀπο- κρίνεται τὸ καθαρώτατον Ζγβ6. 744 ᵃ9. ἀποκρινομένη τῷ γλυκέος Ζγγ 11. 762 ᵃ12. ἡ τῷ αἵματος φύσις γλυκεῖα ἡ εἰς τὸ ἧπαρ ἀποκρινομένη Ζμδ2. 677 ᵃ20. τὸ περίττωμα τὸ εἰς τὴν κύστιν ἀποκρινόμενον Ζμγ 7. 670 ᵃ22. 9. 671 ᵇ25. 25 ἀποκεκριμένον γάλα Ζιγ20. 521 ᵇ19. ἀποκρίνεται τὸ σπέρμα, τὸ περίττωμα τὸ σπερματικόν, ἡ σπερματικὴ περίττωσις, τὰ περιττώματα τὰ γεννητικά Ζγα2. 716 ᵃ11. 18. 723 ᵇ12, 724 ᵃ12. 19. 726 ᵃ33, 727 ᵃ6. 20. 729 ᵃ7. β4. 738 ᵃ5, ᵇ14, 739 ᵃ5, ᵇ36. 8. 748 ᵇ2. δ1. 765 ᵃ1. ἀποκρίνεται τὸ γεῶδες 30 εἰς τὰ κέρατα, εἰς τὸν θόλον, τὸ τῇ πιμελῇ ἀνάλογον εἰς τὸ περίττωμα τὸ σπερματικὸν Ζμγ2. 664 ᵃ9. δ5. 679 ᵃ20. Ζγα19. 727 ᵇ5. (med τὸ ἐντὸς τῆς φύσεως θερμὸν ἀποκρι- νάμενον τὴν φρίκην ἐποίησεν πβ34. 870 ᵃ14). — vel usur- patur idem verbum ἀποκρίνεσθαι de emittendis e corpore 35 excrementis: τὸ τῷ σώματος πέρας, ᾗ τὰ περιττώματα ἀποκρίνεται Ζμγ4. 665 ᵇ24. καταμηνιώδες περίττωμα, ὃ θύραζε ἐκ ἀποκρίνεται Ζγγ 1. 751 ᵃ4. cf β4. 738 ᵃ25. οἱ ἄρρενες ἀφροδισιαστικοί, ὅταν συνειλεγμένον μὲν ᾖ τὸ σπέρμα μὴ ἀποκρινόμενον δέ Ζγδ 5. 773 ᵇ35. μικρὰ πάμπαν ἀπο- 40 κρίνεται τὰ ᾠὰ Ζγγ4. 755 ᵃ26. — b. ἀποκρίνεσθαι i q se- cernendo conformari. λιμναῖ τινες ἀποκεκριμέναι, ὕδωρ ἀποκεκριμένον sim μα13. 349 ᵇ29, 26. 3. 340 ᵇ20. β3. 359 ᵃ4. γ4. 374 ᵃ35. ἐνέργεια πρὸς δύναμιν ὡς τὸ ἀποκεκρι- μένον πρὸς τῆς ὕλης πρὸς τὴν ὕλην κ̀ τὸ ἀπειργασμένον πρὸς 45 τὸ ἀνέργαστον Μθ6. 1048 ᵇ3. κ6. 1063 ᵇ30. cf Α8. 989 ᵇ6, 14. ἀποκεκριμένον, syn ὡρισμένον Φ9. 369 ᵇ28. τὸ κε- νόν ἐκ ἔστιν ἀποκεκριμένον (i q χωριστόν) καθ' αὑτό Φδ 8. 216 ᵃ24. 9. 217 ᵇ20. ἡ κάμηλος ἐκ ἔχει ἀποκεκριμένην τὴν χολήν Ζμδ 2. 676 ᵇ27. ἀποκρίνεται πρῶτόν ἡ καρδία ἐνερ- 50 γείᾳ Ζγβ4. 740 ᵃ3. τὸ σῶμα ἀποκρίνεται ἐν τῷ ᾠῷ, τὸ ζῷον ἀποκρίνεται ἐκ μέρους τῷ ᾠῷ sim Ζιζ3. 561 ᵃ17. Ζγγ1. 751 ᵇ15, 17, 29, 34, 752 ᵃ3. 2. 752 ᵃ10, ᵇ17. — 2. ἀπο- κρίνειν sensu iudiciali, ἀποκρίνειν τινὰ τῆς νίκης Πε12. 1315 ᵇ18. — 3. med ἀποκρίνεσθαι respondere. καλῶς ἀποκρινο- 55 μένῳ τί ἐστιν ἔργον τθ4. 159 ᵃ16 sqq. σοφιστικῶς ἀποκρι- νάμενος Ργ18. 1419 ᵃ14. ἐκ ἀποκρίνεται τὸ ἐρωτώμενον Μγ4. 1007 ᵃ9. ἐκ ἀποκέκριται ἀλλ' εἴρηκεν τι 17. 176 ᵃ16 Wz.

ἀπόκρισις. 1. cf ἀποκρίνειν 1, vel actionem τῷ ἀποκρίνειν 60 significat, γίνεσθαι ἀποκρίσει Φα4. 187 ᵇ29. ὅταν ἡ τοιαύτη

(τῷ θερμῷ) ἀπόκρισις ἢ μβ4. 360 ᵇ33, vel τὸ ἀποκεκριμένον: ἀπόκρισις σηπομένη ἐν τῇ κάτω κοιλίᾳ μδ̅3. 381 ᵇ11. ἀπο- κρίσεις, οἷον κόπρος πδ̅ 13. 878 ᵃ23, 3. — in physiologia usitatum nomen ἀπόκρισις eandem habet usus varietatem ac verbum ἀποκρίνειν, ut vel de secernendis in corpore animalium partibus humidis siccisque vel de emittendis e corpore excrementis usurpetur, et vel actionem τῷ ἀπο- κρίνειν vel τὸ ἀποκεκριμένον significet. ἡ ἀπόκρισις γίνεται ἐν τῷ σπέρματι κ̀ ἐν τοῖς καταμηνίοις Ζιη1. 582 ᵃ3. cf Ζγα2. 716 ᵃ12. ἡ ἀπόκρισις ἡ ἢ σπερματικὴ ἡ ἢ περιττωματικὴ Ζμδ 5. 681 ᵇ35. ἡ τῆς γονῆς, τῷ σπέρματος, σπερματικὴ ἀπόκρισις sim Ζγα 19. 726 ᵃ19. 19. 727 ᵃ26. β4. 737 ᵇ27. πα 50. 865 ᵃ33. ἡ τῷ ὕνε ἀπόκρισις (i e σπέρμα) Ζγβ 8. 748 ᵇ14. ἐν τῷ θήλει αἱματώδης ἀπόκρισις ἡ τῶν καλε- μένων καταμηνίων ἔκκρισις, ἡ ἀπόκρισις εἰς τὰ καταμήνια, ἡ τῶν καταμηνίων ἀπόκρισις, ἡ τῶν γυναικῶν ἀπόκρισις Ζγα19. 726 ᵇ35, 727 ᵃ22. β8. 748 ᵇ20. γ1. 750 ᵇ6, 12, 751 ᵃ1. δ8. 776 ᵇ29, 777 ᵃ17. ἐν τοῖς καταμηνίοις ὑπάρχει τοιοῦτον ὂν δυνάμει οἷόν πέρ ἐστι σώματος ἀπόκρισις Ζγβ4. 738 ᵇ4. τὰ καταμήνια κ̀ τὰ λευκὰ ἀποκρίσεις τῶν περιτ- τωμάτων Ζγβ4. 738 ᵃ27, 739 ᵃ15. ἡ ἐν ταῖς ὑστέραις ἀπό- κρισις Ζγα20. 727 ᵇ36, 728 ᵃ9. β4. 739 ᵇ20. γ1. 749 ᵇ5. ἡ τῷ γάλακτος ἀπόκρισις Ζγδ8. 776 ᵃ27, 777 ᵃ4. μίαν ἀπό- κρισιν ἀπὸ μιᾶς ἀναγκαῖον γίνεσθαι συνουσίας κ̀ μιᾶς δια- κρίσεως Ζγα18. 723 ᵇ13. τὴν ἀπόκρισιν ἀπὸ τῶν δεξιῶν γίνεσθαι Ζγδ1. 756 ᵃ36. γίνεται ἡ ἀπόκρισις ἐκ τῷ αἵματος Ζγγ1. 751 ᵃ33. τὸ γεῶδες εἰς τὴν τῷ ὄνυχος φύσιν ἔλαβεν ἀπόκρισιν Ζμδ10. 690 ᵃ8. ἡ τῷ λευκῷ ἀπόκρισις ἐν ᾠῷ Ζγγ7. 757 ᵇ7. ἐν ᾠοῖς κ̀ σπέρμασι κ̀ τοιαύταις ἄλλαις ἀποκρίσεσιν Ζγβ1. 733 ᵇ23. — ὁ ἀφροδισιασμὸς φυσικῆς θερμότητος ἀπόκρισίς ἐστιν Ζγγ3. 783 ᵇ30. — 2. cf ἀπόκρι- σεις, οἷον κόπρος πδ̅ 13. 878 ᵃ23. — 2. cf ἀπόκρισις. ἀπόκρισις, σχῆμα τῆς λέξεως πο19. 1456 ᵇ12. διακρίνειν τὰς ὁμολογίας κ̀ τὰς ἀρνήσεις ἐν ταῖς ἀποκρίσεσιν ρ37. 1444 ᵇ10. περὶ ἀποκρίσεως τθ4. 159 ᵃ16. ἀποκρίσεως αἴ- τησις ε11. 20 ᵇ22.

ἀποκρύπτειν. ἀστὴρ ἀποκρυφθεὶς κατὰ τὸ μέλαν τῆς σελή- νης Οβ12. 292 ᵃ5.

ἀπόκρυφος. θ114. 841 ᵃ24.

ἀπόκρυψις. ὁ ἥλιος εὐθεῖαν τὴν ἀπόκρυψιν ποιεῖται ὑπὸ τῆς γῆς Οβ13. 294 ᵃ2.

ἀποκτείνειν. ὁ ἀνδριὰς ἀπέκτεινε τὸν αἴτιον τῷ θανάτῳ πο9. 1452 ᵃ8. ἀποκτεῖναι γυναῖκα δεινότερον ἢ ἄνδρα πκθ 11. 951 ᵃ11. ἀπεκταγκώς Πη2. 1324 ᵇ16, 18. ἀπεκτόνηκε τι33. 182 ᵇ19.

ἀποκτιννύναι Ζιι29. 618 ᵃ25. ἑαυτόν Ηε15. 1138 ᵃ6.

ἀποκυεῖν. τὴν κόρην ἀποκυῆσαι τὸν Ὅμηρον ἐπὶ τῷ ποταμῷ f 66. 1487 ᵃ4.

ἀπολαμβάνειν. 1. ἀὴρ ἀπολαμβανόμενος κ̀ μένων Οβ13. 294 ᵇ21. ἡ θερμότης κ̀ ἀπολαμβανομένη ἐν τοῖς νέφεσιν μβ9. 369 ᵇ26. ἐντὸς ἀπολαμβάνεσθαι, syn ἐναπολαμβά- νεσθαι, opp ἀνίεσθαι, ἐξέρχεσθαι πβ24. 868 ᵇ27, 23, 24. ια44. 904 ᵃ17. κε1. 937 ᵇ37. ἀπολαμβάνειν τὴν ὄρησιν, opp συνεχῶς ὀρεῖν πα51. 865 ᵇ6. — ἡμικύκλιον ἀποληφθήσεται τὸ κύκλῳ πς5. 375 ᵇ27. ἀπολαμβάνεσθαί τι τὸ περιέχοντος ἐν τοῖς ζῴοις ψα5. 411 ᵃ19. θηρεύειν ἀπολαμβάνων καθ' ἕνα Ζιι34. 620 ᵃ7. καθ' ἓν ἕκαστον εἶδος ἀπολαβόντες ἀπαριθ- μησόμεθα ρ2. 1421 ᵇ15. ἐν μέρος ἀπολαβὼν πο23. 1459 ᵃ35. ἡ μαθηματικὴ ἀπολαβῷσα περί τι μέρος ποιεῖται τὴν θεωρίαν Μκ4. 1061 ᵇ21 Bz (cf ἀποτέμνειν). ἀπολαβόντες ἐκ τῶν εἰρημένων τὸν γινόμενον ὅρον πο6. 1449 ᵇ23. — 2. ἀπο-

λαμβάνειν τὴν ἑαυτῦ φύσιν, μορφήν Φθ7. 261 ᵃ18. μγ3.
372 ᵇ21. Ζγβ1. 732 ᵃ27. ἀπέλαβε τὴν τάξιν ἐν τοῖς ὁμοιο-
μερέσι Ζμβ9. 655 ᵇ22.
ἀπολαύειν τροφῆς ἀφθόνω Ζιε31. 557 ᵃ31. μάλιστα τῆς τῦ
θεῦ δυνάμεως ἀπολαύει τὸ πλησίον αὐτῦ σῶμα κ6. 397 ᵇ28. 5
ἐνδέχεται ἀπολαύειν τὸ ὑγρὸν κ̣ πάσχειν τι ὑπὸ τῆς ἐγγύμυ
ξηρότητος αι5. 443 ᵇ3. ὥσπερ ὐδὲν ἀπολελαυκότα διάκεινται
τὰ σώματα αὐτοῖς υ3. 457 ᵃ30. ἧττον ἀπολαύειν, opp ὀξύ-
τεραι ἐπιθυμίαι Ζιη4. 584 ᵃ21. — οἱ ἀπολαύοντες, opp οἱ
πονῦντες Πβ5. 1263 ᵃ13. πιθ1. 917 ᵇ19. 10
ἀπόλαυσις κτήσει ἀντίκειται Ργ9. 1410 ᵃ6. ἔστι χρήσιμα
μὲν τὰ κάρπιμα, ἐλευθέρια δὲ τὰ πρὸς ἀπόλαυσιν Ρα5.
1361 ᵃ17. ἡδὺς ὢν ἰδεῖν πρὸς ἀπόλαυσιν Ρα5. 1361 ᵇ9 (cf
Knebel ad h l). ἐν ταῖς ἀπολαύσεσι, opp ἐν τοῖς ἔργοις Πβ5.
1263 ᵃ11. ὁ κατ᾽ ἀπόλαυσιν βίος, opp ὁ κατ᾽ ἀρετὴν τα5. 15
102 ᵇ17. ἡ τῆς εὐτυχίας ἀπόλαυσις Πη15. 1334 ᵃ27. ἡ
τῆς τροφῆς, τῦ γάλακτος ἀπόλαυσις Ζιθ8. 595 ᵇ24. Ζγβ6.
743 ᵃ32. ε8. 788 ᵇ23. αἱ τῆς τροφῆς ἀπολαύσεις πκη7.
950 ᵃ1. ποιεῖσθαι τὴν ἀπόλαυσιν Ζγβ7. 746 ᵃ27. πρὸς τὴν
τοιαύτην ἀπόλαυσιν Ζιι43. 629 ᵃ34. 39. 623 ᵃ17. ἀπολαύ- 20
σεις τῶν φαύλων ἡδονῶν αρ2. 1250 ᵃ9. 3. 1250 ᵃ24. 4.
1250 ᵇ8. 6. 1251 ᵃ17, 24. φαύλαι ἀπολαύσεις αρ5. 1250
ᵇ14. ἀπολαύσεις σωματικαί Ηη6. 1148 ᵃ5. Πα9. 1258 ᵃ3,
4. ε11. 1314 ᵇ28. ἡ περὶ τὰ σώματα κ̣ τὰς ἀπολαύσεις
ἡδονή ηεα5. 1216 ᵃ30. ἀπόλαυσις πᾶσα δι᾽ ἁφῆς Ηγ13. 25
1118 ᵃ30. — ὐχ ἑνὸς σώματος ἀγαπᾶν ἀπόλαυσιν Ρβ23.
1398 ᵃ24.
ἀπολαυστικὸς βίος Ηα3. 1095 ᵇ17. ηεα4. 1215 ᵇ1, 4. αἱ
ἀπολαυστικαὶ ἀρεταὶ ἄλλοις μᾶλλον ἢ αὐτοῖς Ρα9. 1367
ᵃ18. ἀπολαυστικά, dist κάρπιμα Ρα5. 1361 ᵃ18. ἀπολαυ- 30
στικὴ ὑπερβολή Πα9. 1258 ᵃ7. — ἀπολαυστικῶς ζῆν Πε10.
1312 ᵇ23.
ἀπολείπειν. 1. trans τῆς θαλάττης τὰ μὲν ἀπολειπύσης τὰ
δ᾽ ἐπιύσης μα14. 353 ᵃ22. σημεῖον τῦτο γίνεται ὅτι ἀπο-
λείψει τὸ σμῆνος (sc τὸν τόπον, τὸν οἶκον) Ζιι40. 627 ᵇ14. 35
ὅσον χρόνον ἀπολείπει τὸ θῆλυ (sc τὸν ἐπψασμόν) Ζιζ8.
564 ᵃ9. τὸ μεταβάλλον ἐξίσταται ἢ ἀπολείπει αὐτὸ Φζ5.
235 ᵇ9, 10. ἡ αἴσθησις ἀπολείπει ἡμᾶς τε3. 131 ᵃ34. cf
ψα4. 408 ᵃ29. ἀπολείπειν τι τῦ λόγῳ τι5. 167 ᵃ28 (syn
ἔλλειψις τῦ λόγῳ ᵃ22). cf Ογ8. 307 ᵇ9. — pass ὁ τόπος 40
δοκεῖ ἀπολείπεσθαι ἑκάστῳ ὣ χωριστὸς εἶναι Φδ4. 211 ᵃ2.
ἐπωσὶς ἐστιν ὅταν τὸ κινῦν τ̣ κινεμένη μὴ ἀπολείπηται,
syn ἐπακολουθεῖν Φη2. 243 ᵃ27, 19. εἰς τὸν ἐλάττονα κύκλον
ἀπολείπεσθαι, syn ὑπολείπεσθαι μχ35. 858 ᵇ20, 24. ἀπο-
λείπεται μέρος τι, syn καταλείπεται, ὑπολείπεται f 156. 45
1504 ᵃ37, 38, ᵇ3. logice ὁ κατὰ πάντα χρόνον ἀληθευόντι
κ̣ μηδέποτε ἀπολείπεται, syn ἀεὶ παρέπεσθαι τε1. 129 ᵃ1, 4.
τὰ μακρὰ ἀπολείπεσθαι ποιεῖ τὸν ἀκροατὴν Ργ9. 1409 ᵇ22. —
ἡ φυσικὴ ἀρετὴ ἀπολειπομένη τῦ ἐπανεῖσθαι ημα35. 1198 ᵃ5.
τὰ ἀπολειπόμενα τῦ θείῳ νόμῳ κ7. 401 ᵇ27. — 2. intr ὥπω 50
ἔσται πρὸς τῷ δ᾽ ἀλλ᾽ ἀπολείπει Φζ2. 232 ᵃ30. cf ὅπου ὑπερ-
βάλλειν Φζ4. 235 ᵃ4, 7. ἔνιαι τῶν εἰκοσὶν ἐτῶν ὀλίγον ἀπο-
λείπεσι Ζιζ18. 573 ᵇ16. — ἀπολείπει τι, opp ἀεὶ παρέπεται
τε3. 131 ᵃ34. ὁ2. 123 ᵃ16, 19 (cf pass ἀπολείπεσθαι). τὸ
μηδὲν ἀπολείπειν τῶν ὑπὸ τὸ β ἐνδεχομένων Αα14. 33 ᵃ4. 55
— ἀπολείπειν κ̣ φιλία sim, opp ἀπολείπεσθαι ημβ11. 1209 ᵇ23.
Ηι3. 1165 ᵇ4. cf Ζιζ8. 564 ᵃ9, 11. ἀπολείπει ἡ θερμότης,
τὸ φῶς, ἡ σελήνη. ἡ ὄψις, τὸ ζῆν μα9. 346 ᵇ26. β8. 367
ᵇ22. Αδ2. 90 ᵃ18. 15. 98 ᵃ33. ψβ1. 412 ᵇ20. Ζγβ5. 741
ᵇ18, 20. σημεῖα ἐπιγινόμενα κ̣ ἀπολείποντα φ1. 806 ᵃ8. 60
ἀπόλειψις. 1. cf ἀπολείπειν trans. τὰ περὶ τὴν ἀπόλειψιν

(τῦ βασιλέως τῶν μελιττῶν) Ζιι40. 625 ᵇ16. — 2. cf ἀπο-
λείπειν intr. κατὰ τὰς τῶν ποταμῶν γενέσεις κ̣ ἀπολείψεις
μα14. 351 ᵃ21. ἡ ἀπόλειψις τῶν καταμηνίων Ζιχ7. 638 ᵇ25.
ἀπόλειψις τῦ θερμῦ μα9. 346 ᵇ30. σελήνης φθίσις κ̣ ἀπό-
λειψις (luna decrescens) Ζγδ2. 767 ᵃ5. β4. 738 ᵃ21.
ἀπολεπτύνειν. πλάτος ἀπολελεπτυσμένον Ζια5. 489 ᵇ33.
ἀπολευκαίνεσθαι. φαλαρίδες ἀπολευκαινόμεναι κατὰ καιρὰς
f 273. 1527 ᵇ2.
ἀπολήγειν εἰς ἓν κ6. 399 ᵃ13.
ἀπολιθῦν πκδ11. 937 ᵃ17. ἀπολιθῦσθαι θ95. 838 ᵃ14. πκδ11.
937 ᵃ14 (cf λιθῦσθαι ᵃ17). φτβ9. 829 ᵃ23. ἀπολελιθωμένα
θ52. 834 ᵃ28.
ἀπολίθωσις. ἡ τῦ δράκοντος ἀπολίθωσις (Hom B 319) f 140.
1502 ᵃ3, 14.
ἀπολις διὰ φύσιν, διὰ τύχην Πα2. 1253 ᵃ3.
ἀπολισθαίνει ἡ γονὴ ἂν λεῖα τὰ χείλη ἦ Ζιη3. 583 ᵃ16.
ἀπολισθαίνειν τὴν θάλατταν τὸ ἔλαιον ποιεῖ πλβ11. 961 ᵃ27.
ἀπολίτευτα ἔθνη Πη7. 1327 ᵇ26.
Ἀπολλόδωρος ὁ Λήμνιος περὶ γεωργίας Πα11. 1259 ᵃ1. —
τὸ δράμα ὑπεκρίνετο Ἀπολλόδωρος f 579. 1573 ᵃ26.
Ἀπολλοφάνης f 604. 1579 ᵇ44.
ἀπολλύναι. ἀπολλύσι Πδ12. 1297 ᵃ12. ὁ μικροπρεπὴς τὸ
καλὸν ἀπολεῖ Ηδ6. 1123 ᵃ29. — ἄσωτος ὁ δι᾽ αὑτὸν ἀπολ-
λύμενος Ηδ1. 1120 ᵃ1. οἱ παντελῶς ἀπολωλότες, opp οἱ
ὑπερευδαιμονεῖν οἰόμενοι Ηδ1. 1120 ᵃ1.
Ἀπόλλων θ96. 838 ᵃ24. Ἐμπεδοκλέες προοίμιον εἰς Ἀπόλ-
λωνα f 59. 1485 ᵇ12. Ἀπόλλων πατρῷος f 343. 1535 ᵇ37,
40. 374. 1540 ᵃ41. 375. 1540 ᵇ19. εἰς Δελφὸς πρὸς τὸν
Ἀπόλλωνα f 492. 1558 ᵃ31. βωμὸς ἐν Δήλῳ ὁ Ἀπόλλωνος
τῦ γενέτορος f 447. 1551 ᵇ14. ἡ τῦ Ἀπόλλωνος τιμὴ παρὰ
Τενεδίοις f 552. 1569 ᵇ10. Ἀπόλλωνος νεὼς ἐν Σικυῶνι θ58.
834 ᵇ24. Α. ἅλιος θ107. 840 ᵃ19. Ἀπόλλωνος θ107. 840
ᵃ21. ὁ στίλβων ἱερὸς Ἀπόλλωνος κ2. 392 ᵃ27.
Ἀπολλωνία ἡ ἐν Πόντῳ Πε6. 1306 ᵃ9. Ἀπολλωνιᾶται οἱ ἐν
τῷ Εὐξείνῳ πόντῳ Πε3. 1303 ᵃ36. Ἀπολλωνία ἡ ἐν τῷ
Ἰονίῳ Πδ4. 1290 ᵇ11. Ἀπολλωνία ἡ πλησίον κειμένη τῇ
Ἀτλαντίνων χώρᾳ θ127. 842 ᵇ14. Ἀπολλωνία ἡ Κυρη-
ναίος λιμὴν σ973. 239. f 238. 1521 ᵇ17. Ἀπολλωνιά-
της Διογένης Ζιγ2. 511 ᵇ30. Ἀπολλωνιᾶτις περὶ
Ἀτιτανίαν θ36. 833 ᵃ7.
Ἀπολλωνίδης τι33. 182 ᵇ20 (lusus etymologicus).
ἀπολογεῖσθαι. ἀπολογησόμεθα ἢ κατηγορήσομεν ρ37. 1441
ᵇ34. ὁ πρὸς τὰς δικαστὰς ἀπολογησόμενος κ6. 400 ᵇ20.
ἀπολογητικὸν εἶδος τῶν λόγων, opp κατηγορικὸν ρ2. 1421
ᵇ10. def ρ5. 1426 ᵇ27, 25. περὶ τῦ ἀπολογητικῦ εἶδυς
ρ5. 37.
ἀπολογία, opp κατηγορία Ρα3. 1358 ᵇ11. περὶ κατηγορίας
κ̣ ἀπολογίας Ρα10-14. φέρειν τὰς ἀπολογίας ρ30. 1437
ᵇ39. ἔχει τι ἀπολογίαν Ρα12. 1372 ᵃ31. Μβ4. 1001 ᵇ15.
ἀπολογίζεσθαι περὶ τῶν εἰρημένων ρ37. 1444 ᵇ31. τὸ ἀπο-
λογίζεσθαι ποῖόν ἐστιν ρ21. 1433 ᵇ38-1434 ᵃ2.
ἀπόλογος Ἀλκίνω Ργ16. 1417 ᵃ13. πο16. 1455 ᵃ2.
ἀπολύειν. ὁ χαρακτὴρ τῦ νομίσματος ἀπολύει αὐτὰς (τὰς
χρωμένας) τῆς μετρήσεως Πα9. 1257 ᵃ40. — ἀπολύειν
ἁπλῶς ἐν τοῖς δικαστηρίοις, opp καταδικάζειν Πβ8. 1268
ᵃ4, 3. — med τῷ αὐτῷ τι τὸς ὑπολήψιν δυσχερῆ ἀπολύσαις
Ργ15. 1416 ᵃ10. τῷ διαβάλλειν ἢ φόβῳ ἀπολύονται ἐν τοῖς
προοιμίοις Ργ14. 1415 ᵇ18. sine obiecto ἢ διαβάλλειν ἢ
ἀπολύεσθαι ἀνάγκη Ργ14. 1415 ᵇ37. 15. 1416 ᵇ9, 11. —
pass ἀπολυθέντος δι᾽ ὃ φίλοι ἦσαν, διαλύεται κ̣ ἡ φιλία
Ηθ3. 1156 ᵃ22. τὸ κυφότατον ἀνηλῶσθαι εἰς τὸ σῶμα, τὸ

δὲ ἀπεπτότατον ἀπολύεσθαι πβ3. 866 ᵇ25. — c gen ὁ ξενικὸς κ̇ τῆς πολιτικῆς κοινωνίας ἀπολελυμένος βίος Πη2. 1324 ᵃ16. ἀπολυθῆναι τῦ ἐκ τῆς τροφῆς βάρꙋς υ3. 458 ᵃ24. ἀπολύεσθαι πόνων περὶ τὸ ἧπαρ Ζιγ4. 514 ᵇ2. ἀπολυθῆναι τῆς κυήσης πν4. 483 ᵃ13. ἡ ἕλιξ συγκατάγꙋσα τὸ νέφος 5 ꙋ̔ δυναμένη ἀπολυθῆναι μγ1. 371 ᵃ12 (cf ἐκκριθῆναι τῦ νέφꙋς ᵃ10). οἱ τυφλοὶ ἀπολυθέντες τῦ πρὸς τοῖς ὁρατοῖς εἶναι μᾶλλον μνημονεύꙋσι ꭓεη14. 1248 ᵇ1. ἀπολελυται ἡ α γραμμὴ τῆς β sim (de lineis, quarum altera alteram praetervehitur) Οα5. 272 ᵃ24, 26, ᵇ3, 10, 26. εἰ ἀπολελυμένα ἀλλή- 10 λων (int τὸ ἀγαθόν et τὸ ἀγαθῷ εἶναι, i e si diversa et natura sua seiuncta sunt) Μζ6. 1031 ᵇ3, 4 Bz. cf μ9.1085 ᵃ16. ταῦτα (int ꙋσία ποσόν κτλ) εἴτ' ἀπολελυμένα ἀπ' ἀλλήλων εἴτε μὴ Φα2. 185 ᵃ28. ἀπολύεσθαι τῆς γενέσεως Ζγβ6. 745 ᵇ11. ἀπολύεσθαι ταχέως, βραδέως (sc τῆς ὀχείας) 15 Ζγα6. 718 ᵃ1. 7. 718 ᵃ32. 23. 731 ᵃ21. ἀπολελυται τὰ ᾠὰ τῆς ὑστέρας Ζγγ3. 754 ᵇ18, 28. τὰ ζῷα κ̇ προσφύεται κ̇ ἀπολύεται Ζια1. 487 ᵇ12, 14. ꙋ̔6. 531 ᵇ7. ε16. 548 ᵃ26 (cf ἀπολύεσθαι τῶν πετρῶν ᵃ25). θ13. 599 ᵃ12. γλῶττα ἀπολελυμένη, ὄρχεις ἀπολελυμένοι Ζιꙋ̔8. 533 ᵃ27. 9. 535ᵇ2, 20 536 ᵃ10. β 10. 503 ᵃ3. 1. 500 ᵇ2, 5, 6, 497 ᵇ22. Ζμβ17. 660 ᵃ17, 24, 661 ᵃ10. Ζπ4. 706 ᵃ18, 23. ὁ κίθαρος τὴν γλῶτταν ἀπολελυμένος f 300. 1529 ᵇ26. πρότερον ἢ τꙋ̈το τὸ μόριον ἀπολυθῆναι ᾧ διαλέγεται πια27. 902 ᵃ15. ὠμοπλάται ꙋ̈τε λίαν συνδεδεμέναι ꙋ̈τε παντάπασιν ἀπολελυμέναι 25 φ3. 807. — inde, quum ἀπολελυμένον idem fere sit ac ἀποκεκριμένον (cf ἀποκρίνειν), χωριστόν, explicari videtur ἡ φορᾷ ἀπολελυμένων ἐστὶ κ̇ γενέσει ὑστάτη τῶν κινήσεων Οδ3. 310 ᵇ03 Prtl.

ἀπόλυσις. ἀναίσθητος ἡ τῆς ψυχῆς ἀπόλυσις τοῖς γέρꙋσιν 30 αν17. 479 ᵃ22. — ταχεῖα, χρονιωτέρα γίνεται ζῴοις τισὶν ἡ ἀπόλυσις (cf ἀπολύεσθαι τῆς ὀχείας) Ζγα6. 718 ᵃ14, 1. 7. 718 ᵃ32. γ5. 756 ᵇ3. δύναμίς τις τὸ μόρια κ̇ ἀπόλυσις πια27. 902 ᵃ22 (cf ᵃ15 s v ἀπολύειν).

ἀπομαδᾶν τὰς τρίχας ποιεῖ θ78. 836 ᵃ1. 35

ἀπομακρύνειν. ὁ ꙋ̔ρανὸς ἀπεμακρύνθη τꙋ̈των φτα1. 816 ᵃ33. τόποι ἀπομεμακρυσμένοι τꙋ̈ ἡλίꙋ φτβ6. 826 ᵇ5.

ἀπομαλακίζεσθαι πρός τι Ζιι7. 613 ᵃ1.

ἀπομαραίνεται πνεῦμα μβ8. 367 ᵇ11. πκγ11. 932 ᵇ34, τὸ ἀπὸ τῦ ἡλίꙋ θερμόν μβ8. 367 ᵇ23, σύστασις μγ3. 372 ᵇ29, 40 ψόφος πια6. 899 ᵇ1, ἶρις μγ4. 375 ᵃ14. κομῆται ἀπομαρανθέντες κατὰ μικρὸν ἠφανίσθησαν μα6. 343 ᵇ16. ζῷον ἀπομαραίνεται κ̇ ἀποθνήσκει Ζιε19. 552 ᵇ22.

ἀπομάττεσθαι. τὸν ὄφιν λυσσᾶν ἐπιθυμꙋ̈ντά πꙋ ἀπομάξασθαι τὸν ἐγχλᾶντα ἰόν f 334. 1534 ᵃ21. — οἱ φίλοι ἀπο- 45 μάττονται παρ' ἀλλήλων οἷς ἀρέσκονται Ηι2. 1177 ᵃ12.

ἀπομάχεσθαι. ὅταν τὰ θερμὰ μὴ παντελῶς καταλαμβάνηται, ἀλλ' ἔτι ἀπομάχεσθαι δύναται πβ41. 870 ᵇ23.

ἀπομένειν. οἱ καρποὶ ἀπομένꙋσιν ὠμοὶ φτα7. 821 ᵇ14. cf β2. 823 ᵇ37, 824 ᵃ39. 10. 829 ᵇ2. 50

ἀπομίμησις. ἡ ἐκ τꙋ̈της ἀπομίμησις ρ1. 1420 ᵇ16.

ἀπομνημονεύειν. ἐξ ὧν ἀπομνημονεύꙋσιν ψα2. 405 ᵃ19. τὸ ἀπομνημονεύειν ꙋ̔ μεγαλοψύχꙋ Ηδ8. 1125 ᵃ4.

ἀπομνημόνευσις. τὰς ἀπομνημονεύσεις καθόλꙋ ποιεῖσθαι τῶν λόγων τθ14. 164 ᵃ3. 55

ἀπομοργνύναι. ὅσοι ἔχꙋσιν ὀλίγην σάρκα (πυγὸς), οἷον ἀπωμοργμένα, κακοήθεις φ6. 810 ᵇ3.

ἀπομύττεσθαι ὑδατώδη πι54. 897 ᵃ31.

ἀποναρκώσεις κ̇ ἀποπληξίαι πγ29. 875 ᵇ7. 32. 875 ᵇ37.

ἀπονέμειν τινὶ τιμήν, ἀρχάς, ἑκάστοις τὰ ἁρμόττοντα sim 60 Ηδ7. 1123 ᵇ35, 1124 ᵃ9. 12. 1127 ᵃ2. θ8. 1158 ᵇ21. ι2.

1165 ᵃ18. Πε8. 1309 ᵃ21. τῇ ψυχῇ ἀπονέμειν κίνησιν ψα4. 408 ᵃ1. τῷ ὀργάνῳ ἀπονέμειν τὴν αἰτίαν Γβ9. 336 ᵃ9. τῇ φυσικῇ ἀπονέμειν τὴν θεωρίαν τινός Μκ3. 1061 ᵇ7. — ἀπονεμητέον Ηι2. 1165 ᵃ18. 3. 1165 ᵇ36.

ἀπονεοττεύꙋσα ἡ περιστερὰ τίκτει πάλιν ἐν τριάκοντα ἡμέραις Ζιζ4. 563 ᵃ3.

ἀπονεύειν. ἀπονενεύκασιν οἱ ῥήτορες πρὸς τὸ δικολογεῖν Ρα1. 1355 ᵃ20.

ἀπονία, opp πόνος, syn βίος ἑδραῖος Ζδ6. 775 ᵃ37. αἱ ἀπονίαι κ̇ αἱ ἀμέλειαι τῶν ἡδέων εἰσί Ρα11. 1370 ᵃ14. ἀκολυθεῖ τῇ δειλίᾳ ἀπονία αρ6. 1251 ᵃ15.

ἀπονικᾶν. τὸ κῦφον ὑπὸ τῦ βαρυτέρꙋ ἀπονικώμενον Ζκ10. 703 ᵃ27.

ἄπονον, opp ἐργῶδες Ηι7. 1168 ᵃ24. ἄπονον τὸ ꙋ̈τω κινεῖν Φθ10. 267 ᵇ3. ἄπονος ὁ ꙋ̔ρανός Οβ1. 284 ᵃ15. ἄπονον, coni ἄλυπον, πάσης κεχωρισμένον ἀσθενείας κ6. 400 ᵇ10. αἱμορροῖδες ἄπονοι, opp μετὰ βίας Ζμγ5. 668 ᵇ18.

ἀποξενῦσθαι ἔξω τῆς οἰκείας πολὺν χρόνον Πβ9. 1270 ᵃ2.

ἀποξηραίνεσθαι πκ21. 925 ᵃ25. ἀποξηρανθῆναι χ4. 794 ᵃ27.

ἀποξυλίζοντες (cf ἀποχυλίζειν) πγ17. 873 ᵇ4.

ἀποπάλλειν. τὰ ὑγρὰ προσκόψαντα ἀποπάλλεται πάλιν πθ14. 891 ᵃ3.

ἀποπαύεσθαι. αἱ ἵπποι ἀποπαύονται τῆς ὁρμῆς Ζιζ18. 572 ᵇ8. ꙋ̔ κατέχꙋσι τὴν ὀργὴν ἀλλ' ἀνταποδιδόασιν, εἶτ' ἀποπαύονται Ηδ11. 1126 ᵃ17.

ἀποπειράζειν εἰ τꙋ̈τ' ἀληθές ἐστιν θ11. 831 ᵃ29.

ἀποπειρᾶσθαι. ἀποπειραθεὶς τꙋ̈ βάρꙋς Ζιι32. 619 ᵃ34.

ἀποπέμπειν. ꙋ̈τω τὴν ἡδονὴν ἀποπεμπόμενοι Ηβ9. 1109 ᵇ11.

ἀποπέτεσθαι. ὁ ἀετὸς τὴν θήραν ποιεῖται ꙋ̔κ ἐκ τῶν σύνεγγυς τόπων τῆς νεοττιᾶς, ἀλλὰ συχνὸν ἀποπτάς Ζιι32. 619 ᵃ32. ἐξαπατᾷ ὁ πέρδιξ ἕως ἂν ἀποπτῶσιν οἱ νεοττοί f 270. 1527 ᵃ6.

ἀποπηδᾶν. οἱ ἦχοι προσπίπτοντες ἀποπηδῶσιν ακ803 ᵇ1, cf 802 ᵇ33. ἀποπηδᾶν πρὸς ὁμοίας γωνίας πις13. 915 ᵇ26. ὅθεν ἀπεπήδησεν Οδ3. 311 ᵃ10.

ἀποπιέζειν τὸ αἷμα ἐκ τῦ μέσꙋ πθ3. 889 ᵇ28.

ἀποπίπτειν Ζιε15. 547 ᵃ31. ꙋ10. 587 ᵃ15. κ3. 636 ᵃ23. πλα21. 959 ᵇ11. ἀποπίπτει τὰ ἐρινὰ Ζιε32. 557 ᵃ29, τὰ φύλλα πκ31. 926 ᵃ39 (syn ἀπορρεῖν ᵃ35).

ἀποπλανᾶσθαι. σφῆκες ὅταν ἀποπλανηθῶσιν, ἐὰν ἀποπλανηθῇ ὁ ἀφεσμός sim Ζιε23. 554 ᵇ23. ιϳ. 611 ᵃ3. 4. 611 ᵃ8. 40. 624 ᵃ28.

ἀποπλάνησις vocaculum artis rhetoricae Ργ13. 1414 ᵇ17. (Spengel Συναγωγή p 88 sqq))

ἀποπληκτικός τις Ργ10. 1411 ᵃ21. ἀποπληκτικὰ νοσήματα πλ1. 954 ᵇ30. κ26. 874 ᵇ29.

ἀποπληξία τῦ μέρꙋς τꙋ̈τꙋ πια54. 905 ᵃ17. 60. 905 ᵇ36. ἀποπληξίαι πα9. 860 ᵃ33. γ29. 875 ᵇ7. 32. 875 ᵇ37. ζ8. 887 ᵃ24. λ1. 954 ᵃ23.

ἀποπληρꙋ̈ν. ἡ τιμωρία τῦ ποιꙋ̈ντος ἕνεκά ἐστιν, ἵνα ἀποπληρωθῇ Ρα10. 1369 ᵇ14.

ἀποπλήττεσθαι, med τὸν προσπίπτοντα ἀέρα πια7. 899 ᵇ24.

ἀπόπλꙋς. τὰ περὶ τὸν ἀπόπλꙋν πο15. 1454 ᵇ2. εἰς τὸν ἀπόπλꙋν ἐσήμαινεν f 140. 1501 ᵇ43. ἀπόπλꙋς tragoedia πο23. 1459 ᵇ7 (cf Nauck fr trg p 195).

ἀποπνευόμενον τὸ ψυχρόν τ5. 443 ᵇ7.

ἀποπνεῖν. intr δυστοκꙋ̈σιν ἐὰν μεταξὺ ἀποπνεύσωσιν Ζιη9. 587 ᵃ5. τελευτῶσιν ἀποπνεύσαντες αν17. 479 ᵃ28. — πνεῦμα κατὰ μικρὸν ἀποπνέον, ἀποπνέον ἀπὸ τῆς γῆς μβ4. 361 ᵇ7. 8. 366 ᵃ35. ακ800 ᵃ13. τὸ ὑγρόν, τὸ θερμόν, τὸ πῦρ ἀποπνεῖ Ζγβ6. 744 ᵃ16. 2. 735 ᵇ34. μδ5. 382 ᵇ26. ζ5. 470 ᵃ12.

πκα5. 927 ᵇ3. — impers trans ἀποπνεῖ ἔωθεν ψυχρόν πκγ16. 933 ᵃ27. κς30. 943 ᵇ4. — pass ἡ ἀτμὶς ἀποπνεῖται πκδ10. 937 ᵃ7.

ἀποπνίγεσθαι, def αν1. 470 ᵇ23. 9. 475 ᵃ28. ἀποπνίγεσθαι ἐν τῷ ὑγρῷ αν19. 479 ᵇ9. Ζιθ2. 589 ᵃ30, ᵇ8. ἀπεπνίγησαν θ52. 834 ᵃ26. τὰ ἀποπεπνιγμένα τῶν ζῴων Ζιγ3. 512 ᵃ13. τὰ μὴ γόνιμα ἀλλ' ἀποπεπνιγμένα ἔμβρυα Ζιη4. 583 ᵇ32.

ἀποπνοή. γίνεται ἡ αὔρα κ̣ ἀποπνοή πκς30. 943 ᵇ12. κἂν ἱδρῶτα ποιεῖ κ̣ ἀποπνοήν πα30. 863 ᵃ7.

ἀποπορεύεσθαι τὸς στρατιώτας οβ1350 ᵃ33.

ἀποπτίσματα (?) κέδρᾳ θ113. 841 ᵃ16. (ἀποπρίσματα ci Sylb).

ἄποπτος. ὅπως μὴ ἄποπτος ἔσται (ne conspici possit) ἡ Κορινθία ἀπὸ τῦ χώματος Πβ12. 1274 ᵃ40, ᵇ1.

ἀποπυτίζει κάρκινος τὴν θάλατταν Ζιδ3. 527 ᵇ22.

ἀπορεῖν. ὅταν οἱ μὲν ἀπορῶσι λίαν, οἱ δ' εὐπορῶσι Πε7. 1306 ᵇ36. β6. 1265 ᵇ3. ἀπορεῖν τροφῆς Πα9. 1257 ᵇ14. η10. 1330 ᵃ2. — ὐκ ἀπορήσεις ὅθεν χρὴ δημηγορεῖν ρ3. 1425 ᵇ17. ἀπορῶμεν διαλῦσαι τὸν λόγον τι16. 175 ᵃ30. — ὁ ἀπορῶν κ̣ θαυμάζων οἴεται ἀγνοεῖν ΜΑ2. 982 ᵇ17. (cf de Aristotelis consuetudine τῦ ἀπορεῖν Wz ad δ3. 90 ᵃ38). ἀπορεῖν περί τινος Φβ2. 194 ᵃ15. μβ3. 357 ᵇ26. ὁ10. 388 ᵃ33 al. c acc τὰ μὲν ἀπορῦμεν, τῶν δ' ἐφαπτόμεθά τινα τρόπον μα1. 339 ᵃ2. τῦτο ἀπορῆσαι μβ2. 355 ᵇ24. c acc et περί, περὶ ὧν συμβαίνει τὰ αὐτὰ ἀπορεῖν Μμ9. 1085 ᵃ35. c enunciatione interrogativa, ἀπορήσει τινες διὰ τί βορέαι γίνονται sim μβ5. 362 ᵃ11. 3. 357 ᵇ26. Πγ13. 1283 ᵇ36 al. ὁ λόγος, ᾧ ἄν τις ἀπορήσειεν, ὗτος Φβ8. 198 ᵇ33. — pass ἡ τῶν μυῶν γένεσις ἀπορεῖται Ζιζ37. 580 ᵇ14. τὸ ἀπορύμενον ἐξ ἀρχῆς Πα10. 1258 ᵃ19. τὰ ἀπορύμενα λύεται Φδ4. 211 ᵃ8. λύσις τῶν πρότερον ἀπορημένων Μβ1. 995 ᵃ29. τὸ ἀπορύμενον φανερόν Φγ3. 202 ᵃ13. ἐκ τῶν ἀπορημένων λόγων συνεπισκεψάμενοι ημβ6. 1200 ᵇ21, 22. ἀπορεῖται, πότερον - ἤ Ηα10. 1099 ᵇ9. ἀπορηθῆναι προσηκόντως μβ2. 355 ᵃ35. τὰ ἀπορηθέντα (?) Αγ19. 82 ᵃ19. τἆλλα ἠπόρηται ἀληθῶς ὅτι Φθ9. 217 ᵃ11. περὶ τῶν ἠπορημένων Πγ10. 1281 ᵃ38. ἠπόρησθω μα3. 340 ᵇ4. — med ἐὰν χελιδὼν ἀπορῆται πηλῦ Ζιι7. 612 ᵇ24. ἀπορύμενος ἀργυρίᾳ, ἀπορεῖσθαι χρημάτων οβ1350 ᵃ23, ᵇ19.

ἀπόρημα, def συλλογισμὸς διαλεκτικὸς ἀντιφάσεως τθ11. 162 ᵃ17. τὸ αὐτὸ ἀπόρημα περὶ ἀμφοτέροις Αδ6. 92 ᵃ29. τὸ ἐν Μένωνι ἀπόρημα Αγ1. 71 ᵃ29. τὰ τοιαῦτα ἀπορήματα Μγ6. 1011 ᵃ6. τὸ τῆς δυσκολίας αἴτιον κ̣ τῶν ἀπορημάτων Φδ4. 211 ᵃ10. ἐν τοῖς ἀπορήμασι (διαπορήμασι cod Fᵇ) ἐπήλθομεν Μμ2. 1077 ᵃ1. γ2. 1004 ᵃ34. ἀπόρημα διαιρεῖν, λύειν Γα10. 327 ᵇ32. Αγ1. 71 ᵃ31.

ἀπόρθητος ρ1. 1421 ᵃ2.

ἀπορθῶν πιζ11. 915 ᵃ39.

ἀπορία, i q πενία Πβ9. 1270 ᵇ10. γ8. 1279 ᵇ26. Ηδ3. 1121 ᵃ21. — ἀπορία, def ἰσότης ἐναντίων λογισμῶν τζ6. 145 ᵇ2. cf Οα10. 279 ᵇ7. ordiendas esse quaestiones ab exponendis ἀπορίαις μκ1. 464 ᵇ21. ψα2. 403 ᵇ20. Φδ10. 217 ᵇ30. 1. 208 ᵃ34. Wz ad Αδ3. 90 ᵃ38. Bz ad Μβ1 init. ἀπορίαι περὶ ἑκάστην πραγματείαν οἰκεῖαι ηεα3. 1215 ᵃ3. ταῦτα παρέχει ἀπορίαν Μβ1. 996 ᵃ12. Ηα11. 1100 ᵃ22, longe frequentius τῦτο ἔχει ἀπορίαν Φα2. 185 ᵇ11. ψβ2. 413 ᵇ16 (opp ὐ χαλεπὸν ἰδεῖν). 4. 416 ᵃ29. 5. 417 ᵃ2. 11. 422 ᵇ19. Ηι2. 1164 ᵇ22 Fr. 3. 1165 ᵃ36. Πβ8. 1268 ᵇ33. γ2. 1275 ᵇ34. 11. 1281 ᵃ41. εθ. 1309 ᵃ39 al. ἀπορίαν ἔχει κ̣ δεῖται σκέψεως ηεα1. 1214 ᵃ10. ἔχει τινὰ ἀπορίαν Κ14. 15 ᵃ18. ἔχει ἀπορίαν θαυμαστήν, ἱκανήν, λογικήν Γα3. 317 ᵇ18,

318 ᵃ13. Φγ3. 202 ᵃ21. ἔχει ἀπορίας τοιαύτας, πολλάς, εὐλόγως ψα4. 408 ᵃ24. Φδ1. 208 ᵃ33. Γα2. 315 ᵇ19. λόγος φορτικὸς κ̣ ὐκ ἔχων ἀπορίαν Φα2. 185 ᵃ11. 3. 186 ᵃ9. περὶ ὧν τὰς μεγίστας ἔχομεν ἀπορίας Οβ12. 291 ᵇ28. ἡ ἀπορία συμβαίνει διὰ ταῦτα Ηε14. 1137 ᵇ6. ζητεῖν, προβάλλειν ἀπορίαν Πγ13. 1283 ᵇ35. μβ2. 355 ᵇ21. ταύτην πραοτέραν θετέον τὴν ἀπορίαν Πγ3. 1276 ᵃ23. τὰς ἐνδεχομένας ἀπορίας διέλθωμεν ΜΑ7. 988 ᵇ21. λείπεται τις ἀπορία, καταλιπεῖν ἀπορίας Πγ5. 1277 ᵇ33. Ηδ4. 1146 ᵇ6. ἀπαντᾶν πρὸς ἀπορίαν Πγ13. 1283 ᵇ35. λύειν, διαλύειν ἀπορίαν, λύσις ἀπορίας Μκ3. 1061 ᵇ15. 6. 1062 ᵇ31. Πγ11. 1281 ᵇ22. ημβ6. 1201 ᵇ1. Ηδ4. 1146 ᵇ7. μβ2. 354 ᵇ22. ἡ ἀπορία εὔλυτος Ζηγ5. 755 ᵇ20. ἀνελεῖν ἀπορίας Ηδ4. 1146 ᵇ6.

ἄπορος. ἄποροι, εὔποροι (οἱ τὰς ὐσίας ἔχοντες, ἀγαθοί, εὐγενεῖς), μέσοι μέρη μάλιστα πόλεως Πδ4. 1291 ᵇ8. 13. 1297 ᵃ14sqq. γ7. 1279 ᵇ9. 8. 1279 ᵇ19, 38. δ3. 1289 ᵇ30, 1290 ᵃ10. 4. 1291 ᵇ3. 5. 1292 ᵃ40. 6. 1293 ᵃ5. 9. 11. 1295 ᵇ2, 1296 ᵃ17. 12. 1296 ᵇ25. ε1. 1302 ᵃ2. 3. 1303 ᵃ2. 8. 1308 ᵇ4, 29. οἱ ἀπορώτεροι Πε7. 1307 ᵃ25. δύο ἀδελφῶν ὁ μὲν ἀπορώτερος Πε4. 1303 ᵇ34. τὸ πλῆθος ἄπορον τῶν καρπῶν Πβ8. 1268 ᵃ42. — ἄπορον (sc ἐστι) τί ὠφεληθήσεταί ὁ τὴν ἰδέαν τεθεαμένος Ηα4. 1097 ᵃ8. ἡ τρίτη ὐσία ἀπορωτάτη Μζ3. 1029 ᵃ33. ἀπορώτατα ἔχει ἡ τῦ ἐλαίῳ φύσις μδ7. 383 ᵇ20. — ἀπόρως διακείμενος οβ1350 ᵃ31.

ἀπορραίνειν ὑγρότητα, τὸν θορόν, χολήν al ΖιΖ13. 567 ᵃ31. 18. 572 ᵇ28. Ζμδ2. 677 ᵃ7. Ζγγ7. 757 ᵃ16, 24, ᵇ9. ἀπορραίνειν om obiecto Ζιε5. 541 ᵃ24. 18. 550 ᵃ18, ᵇ11. τὸ ἀπορραινόμενον Ζμδ2. 677 ᵃ11.

ἀπορραπίζειν. αἱ οἰκεῖαι κινήσεις ὐκ ἐνοχλῦσιν ἀλλ' ἀπορραπίζονται μτ2. 464 ᵃ26.

ἀπορρεῖν. ὕδωρ ἀπορρέον κ̣ ἐπιρρέον Ζιθ2. 591 ᵃ3. μβ3. 359 ᵇ18. λιγνὺς ἀπὸ τῆς φλογὸς ἀπορρέῦσα μγ4. 374 ᵃ25. ἀναθυμίασις ἀπὸ τῆς γῆς ἀπορρέῦσα χ4. 394 ᵃ13. τρίχες ἀπορρυεῖσαι Ζιγ11. 518 ᵃ14. ἀπορρεῖ τὰ φύλλα τοῖς φυτοῖς Ζιγε3. 783 ᵇ14. πν31. 926 ᵃ35 (syn ἀποπίπτει ᵃ39). οἱ ἀπορρέοντες καρποί χ5. 797 ᵃ17.

ἀπορρηγνύναι. κολωνοὶ ἀπορρηγνύμενοι μβ7. 365 ᵇ8. ἀπορραγέντα ᾠὰ τῶν πολυπόδων Ζιε18. 550 ᵃ4. — ἀπορρήγνυται ἡ φωνή, def ακ804 ᵇ11-26. cf πια12. 900 ᵃ16 (syn διαφθείρεται 22. 901 ᵃ35). 46. 904 ᵇ1, 2. ιθ3.917 ᵇ30 Bojesen (διαφθείρεται ᵇ34). φωναὶ ἀπερρωγυῖαι ακ804 ᵇ20.

ἀπόρρητος. ὐκ εἰδέναι ὅτι ἀπόρρητα Ηγ2. 1111 ᵃ9. λόγος ἐποιήσατο ἐν ἀπορρήτοις οβ1348 ᵇ1. φυλάττειν τὸς λόγος ἐν ἀπορρήτοις f 612. 1581 ᵃ42.

ἀπορριγώσαντες ὀλίγον χρόνον ἕως λύονται πα29: 862 ᵇ37.

ἀπορριπίζει ὁ ἄνεμος τὴν ἀναθυμίασιν πκς58. 947 ᵃ20.

ἀπορρίπτειν. ἀπορρῖψαι πόρρω τὸ πληγέν ακ800 ᵇ9.

ἀπορροὴ ἀτμιώδης μβ8. 367 ᵇ6. ἡ ὀσμὴ ἀτμὸς κ̣ ἀπορροή τις πιγ5. 908 ᵃ21. γίνεται ἀπορροή Πβ2. 868 ᵃ35. λ1. 955 ᵃ28. λζ1. 965 ᵇ20. ἀπορροὴ τῶν φύλλων, τῶν ῥιζῶν φτα1. 815 ᵃ19. βθ. 828 ᵇ11. — Δημόκριτος εἴδωλα κ̣ ἀπορροὰς αἰτιώμενος μτ2. 464 ᵃ6.

ἀπόρροιαι. αἱ ἀπόρροιαι αἱ ἀπὸ τῶν ὁρωμένων (cf Emped 337) αι2. 438 ᵃ4. cf 3. 440 ᵃ20. 5. 443 ᵇ2. μτ2. 464 ᵃ11. εὐπεπτότερος ὁ πυρὸς τῆς κριθῆς, ὥστε κ̣ αἱ ἀπόρροιαι πκα24. 929 ᵇ29. ληι10. 967 ᵇ22.

ἀπόρρυτος. ἡ θάλαττα ὐκ ἀπόρρυτός ἐστι μβ1. 353 ᵇ32. πκγ20. 933 ᵇ21.

ἀπορρὼξ πέτρα Ζιι5. 611 ᵃ21.

ἀποσαλεύειν. προβοσκίδας βαλλόμεναι πρός τινα πέτραν ὥσπερ ἀγκύρας ἀποσαλεύωσιν Ζιδ1. 523 ᵇ33. προβοσκίδες

αἷς ὁρμῶσι κ̣ ἀποσαλεύωσιν ὥσπερ πλοῖον Ζμδ9. 685 ᵃ34.
ἀποσαρκῦσθαι πα52. 865 ᵇ30. ε34. 884 ᵃ38. λζ3. 966 ᵃ26.
Bz Ar St IV 402.
ἀποσβεννύναι. ἀποσβεσθῆναι, ἀπεσβέσθαι ἀρχὴν πυρὸς μα7.
344 ᵃ18. β3. 359 ᵇ6. Αδ8. 93 ᵇ9, 11. λύχνος ἀποσβεννύ- 5
μενος Ζθ24. 604 ᵇ30. ἀποσβέννυται τὸ θερμὸν αν17. 479 ᵃ18,
20. διὰ ψῦχος ἀποσβεννυμένης τῆς ἀναθυμιάσεως μβ5.
361 ᵇ25. ἀποσβέννυσθαι τὰ ζῷα κ̣ ἀποθνήσκειν αν20. 479
ᵇ25. — ἂν συλλάβωσιν ἀποσβέννυται τὸ γάλα Ζγδ8. 777
ᵃ14. ἀποσβέννυσθαι τὸν μαστὸν Ζυ30. 618 ᵇ8. 10
ἀπόσβεσις πυρὸς Αδ8. 93 ᵇ10, φωτὸς αι2. 437 ᵇ16, σελήνης
Αδ8. 93 ᵇ6.
ἀποσείεσθαι. ὄρνιθες ὀχευθεῖσαι ἀποσείονται Ζιζ2. 560 ᵇ8.
μέλιτται εἰς τὸ σμῆνος ἀφικόμεναι ἀποσείονται Ζυ40. 624 ᵇ6.
ἀποσεμνύνειν. ἡ τραγῳδία ὀψὲ ἀπεσεμνύνθη πο4. 1449 ᵃ20. 15
ἀποσημαίνειν. intr τοῖς μὲν ἐπιληπτικὰ νοσήματα ἀποση-
μαίνει (i e φανερὰ γίνεται, cf ἐπισημαίνειν) πλ1. 954 ᵇ30.
ἀποσκεπτέον πρὸς τὸν βίον τῆς πόλεως Πη6. 1327 ᵇ4.
ἀποσκήπτει τὸ ὕδωρ εἰς ὀφθαλμὰς θ152. 846 ᵃ2.
ἀποσκληρύνεσθαι τὸ ἤλεκτρον ὡσανεὶ λίθον θ81. 836 ᵇ5. 20
ἀποσκοπεῖν πρὸς τὸ ἴδιον, opp ἐπισκοπεῖν τὸ κοινὸν Πγ13.
1284 ᵇ5.
ἀποσπᾶν. ὁ σπόγγος χαλεπώτερον ἀποσπᾶται Ζια1. 487 ᵇ10.
cf ε16. 548 ᵇ11. ὅταν ἀποσπασθῇ τὰ ζῷα, ἃ ἐν ἑαυτῷ
τρέφει Ζιε16. 548 ᵇ16. ἀποσπάσαι τὸν ἄρρενα πέρδικα ἀπὸ 25
τῆς θηρευούσης Ζυ8. 614 ᵃ25. ἐγκαταλείπεται ἀποσπασθὲν
(μόριόν τι τῶ φυτῶ) πδ8. 877 ᵃ38. φλὸξ ἀποσπωμένη χωρὶς
μγ1. 371 ᵃ32.
ἀποσπερματίζειν Ζγα20. 728 ᵃ11.
ἀποσπινθηρίζειν μα4. 341 ᵇ30. 30
ἀποστασία δίκη f 387. 1542 ᵇ11. 388. 1542 ᵇ17, 22, 25.
401. 1545 ᵃ14.
ἀπόστασις. de loco, ἐκ μικρᾶς ἀποστάσεως ποιεῖσθαι τὴν
πληγήν, λαβεῖν τῆς πληγῆς τὴν ἀπόστασιν ακ800 ᵇ7, 10.
τοσαύτην ἀπόστασιν ἀπέχει Οβ12. 292 ᵃ16. μετεωρότερος 35
τῇ ἀπὸ τῆς γῆς ἀποστάσει Ζιβ11. 503 ᵃ21. διὰ τὴν ἀπό-
στασιν τῆς ἡμετέρας ὄψεως Οβ8. 290 ᵃ16. ἐν ἀποστάσει
πλείστη χ6. 397 ᵇ30. ὑποθέμενοι τὰς ταχυτῆτας ἐκ τῶν
ἀποστάσεων ἔχειν τὰς τῶν συμφωνῶν λόγος Οβ9. 290 ᵇ22.
τετάχθαι πως ταῖς ἀποστάσεσιν Ζπ6. 707 ᵃ10. ἡ σελήνη 40
φαίνεται κοινωνῦσα τῆς τετάρτης ἀποστάσεως (cf τὸ πῦρ τέ-
ταρτον τῶν σωμάτων ᵇ18) Ζγγ11. 761 ᵇ22. — de tempore,
κατὰ τὴν πρὸς τὸ νῦν ἀπόστασιν Φδ14. 223 ᵃ5. — logice,
ἀδηλότερον ἐν τῇ ἀποστάσει τὸ συμβησόμενον τθ1.155 ᵇ38,
cf ἀποστατέον ὅτι ἀνωτάτω ᵇ30 et ἀφίστασθαι. 45
ἀποστεγάζειν. ἀποστεγάσῃ (Emped 356) αν7. 473 ᵇ22.
ἀποστεγάζειν σικύης πκ14. 924 ᵃ37.
ἀποστέγειν. ἀπέστεγον (Emped 228) αι2. 438 ᵃ2. ὑμὴν
πυκνὸς ὥστ' ἀποστέγειν Ζμγ11. 673 ᵇ6. αἱ βλεφαρίδες ἀπο-
στέγωσι τὸ ὑγρὸν Ζμβ15. 658 ᵇ16. ἀποστέγειν τὸ ὕδωρ, 50
τὴν ἀτμίδα πκ13. 924 ᵃ26. κε18. 939 ᵇ17. τὸ ψῦχος ἀπο-
στέγει πλε4. 965 ᵃ6. η10. 888 ᵃ27. ἀποστέγεται (τὸ ὑγρόν)
πκε21. 939 ᵇ39.
ἀποστέλλει τινὰς οἰκιστὰς Πε7. 1306 ᵇ31. ἀνθρώπων ἀπαρ-
χὴν εἰς Δελφὰς ἀποστέλλειν f 443. 1550 ᵇ40. 55
ἀποστερεῖν, dist ἱεροσυλεῖν Ρα7. 1363 ᵇ32. εἰ ἐπιεικὴς φαῦ-
λον ἀπεστέρησεν Ηε7. 1132 ᵃ3. ἀποστερῆσαι παρακαταθήκην
Ρβ6. 1383 ᵇ21. χρήματα ἀποστερῆσαι ἑταῖρον Ηθ11. 1160
ᵃ5. τὰς κυριωτάτας ἀποστερεῖν ἀρχῆς (i e denegare iis im-
perium) Πγ1. 1275 ᵃ28. — ἀποστερεῖν (efficere conclu- 60
sionem negantem), opp κατασκευάζειν Αα28. 44 ᵇ23.

ἀποστερεῦσθαι θ89. 837 ᵇ13. 134. 844 ᵃ14.
ἀποστερητὴς ὁ ἄδικος ηεγ4. 1232 ᵃ15.
ἀπόστημα τῶ ἡλίω πρὸς τὴν γῆν, ἀποστήματα τῶν ἄστρων
Οβ13. 294 ᵃ4. 10. 291 ᵃ31. Μλ8. 1073 ᵇ33. ἐν τῷ αὐτῷ
ἀποστήματι, ἐκ τῶ ἴσω ἀποστήματος μα8. 345 ᵇ16. μχ15.
852 ᵇ36. πεπερασμένον τὸ ἀπόστημα ὅθεν ὁρᾶται αι7. 449
ᵃ22, 25. 3. 440 ᵃ28. cf μν2. 452 ᵇ16. — τοῖς ἀποστήμασι
πρὸς τὰς γονεῖς παντοδαπῶς ἔχειν Ηα11. 1100 ᵃ26. —
medic 'abscessus', ἰξίαι κ̣ τὰ ἄλλα ἀποστήματα πς3.
885 ᵇ31.
ἀποστηρίζεσθαι πρὸς τὸ ὑποκείμενον Ζπ3. 705 ᵃ8. Ζκ2.
699 ᵃ5. ἀποστηρίζεσθαι μᾶλλον δυνάμεθα ἐν τῷ σωματω-
δεστέρῳ πκγ13. 933 ᵃ11. cf ἐπιστηρίζεσθαι ᵃ10. τοῖς μηροῖς
ἀποστηρίζόμενοι πε19. 882 ᵇ30. — ταῖς γυναιξὶ κυάσαις
ἀποστηρίζονται οἱ πόνοι εἰς τὸν μηρὸν Ζιη9. 586 ᵇ28.
ἀποστίλβον φαίνεται τὸ ὕδωρ νυκτὸς μβ9. 370 ᵃ14.
ἀποστλεγγισαμένος μᾶλλον ῥεῖ ὁ ἱδρὼς πβ12. 867 ᵇ4.
ἀποστολή. ἥμαρτεν ἡ Μήδεια περὶ τὴν ἀποστολὴν τῶν παί-
δων Ρβ23. 1400 ᵇ12. ξένων ὑποδοχαὶ κ̣ ἀποστολαὶ Ηδ5.
1123 ᵃ3.
ἀποστοματίζειν. τὰ ἀποστοματιζόμενα τι4. 165 ᵇ32.
ἀποστόμωσις τῶν πόρων πη10. 888 ᵃ28.
ἀποστρέφειν. τὰς πράξεις εἰς τὰς ἀντιδίκας ἀποστρέψεις ρ37.
1442 ᵇ6. ἵππον ἐπ' ὀρθὸν θέοντα ἀποστρέψαι ημα14. 1188
ᵇ6. — pass τὸ τῶ ἡμετέρω θελήματος τέλος πρὸς τὴν αἴσθη-
σιν ἀποστρέφεται φτα1. 815 ᵇ22. ἀποστρεφθέντος (?) ξ2.
977 ᵃ36. ὑκέτι ἀντιβλέπψας κατακεῖσθαι τὰς αἶγας ἀλλ'
ἀπεστραμμένας ἀπ' ἀλλήλων Ζυ3. 611 ᵃ6. τρίχες ὔτε φριξὶ
ὔτε ἄγαν ἀπεστραμμέναι φ5. 809 ᵇ25.
ἀποστύφειν. δριμέα ὥστε ἀποστύφειν πα33. 863 ᵃ18.
ἀποσύρματα ἐκβαλλόμενα τῶν μετάλλων θ42. 833 ᵃ29.
f 248. 1523 ᵇ23.
ἀποσφαιρίζεσθαι πκδ9. 936 ᵇ36, cf ἀπορριφθῆναι ᵇ38.
ἀποσφάττειν. ἀποσφάξας τὰ κτήνη Πε5. 1305 ᵃ25. ἀπέ-
σφαξεν ἑαυτὸν Ρα14. 1374 ᵇ36.
ἀποσχαζόντων τῶν ἰατρῶν φλέβα Ζιγ4. 514 ᵇ2.
ἀποσχᾶν. φλέβες ἃς ἀποσχῶσιν Ζιγ2. 512 ᵃ30.
ἀποσχεδιάζω. νόμος ἀπεσχεδιασμένος Ηε3. 1129 ᵇ25.
ἀποσχίζειν. τῦτο ὁ Τάναϊς ἀποσχίζεται μέρος ὢν μα13.
350 ᵃ24. ἀπὸ τῆς μεγάλης φλεβὸς ἀποσχίζονται Ζιγ4. 514
ᵇ10, 6. αἱ ἀποσχιζόμεναι ἀπὸ τῶν ὄψεων ἀκτῖνες πιε6.
911 ᵇ14.
ἀπόσχισις. ἡ πρότερον ἀπόσχισις τῆς φλεβὸς κατὰ τὴν τῶ
βραχίονος καμπὴν Ζιγ3. 514 ᵃ13 (vena basilica K p 519
n 5, venae brachiales superficiales et vena cephalica sive
basilica ΑΖ: I 323 n 38). δύο ἀπὸ τῆς διὰ τῶ ἥπατος φλε-
βὸς ἀποσχίσεις descr Ζιγ4. 514 ᵃ35 (errare Ar iudicat K
p 520 n 4, 5, una est vena phrenica, altera ab Ar non
recte descripta ΑΖ: I 324 n 41).
ἀποσχολάζειν τι τὴν Ηκ6. 1176 ᵇ17.
ἀπότασις τῆς φωνῆς Ζιε14. 545 ᵃ17. αὐλὸς κ̣ λύρα κ̣ ὅσα
ἄλλα τῶν ἀψύχων ἀπότασιν ἔχει κ̣ μέλος κ̣ διάλεκτον ψβ8.
420 ᵇ8 Trdlbg.
ἀποτάττειν. μία ἀποτεταγμένη ἀρχὴ Πζ8. 1322 ᵃ26. —
ὐδὲν ἀποτέτακται (i e τέτακται, ὥρισται) τῦτων Ζιη6. 585
ᵇ36.
ἀπόταυρος. ἐν τῇ Ἠπείρῳ τὰς καλυμένας Πυρρίχας βῦς
ἐννέα ἔτη διατηρῦσιν ἀνοχεύτυς κ̣ καλῦσιν ἀποταύρυς, ὅπως
αὐξάνωνται Ζιθ7. 595 ᵇ17. cf γ21. 522 ᵇ24.
ἀποτείνειν. trans πάντα ἀποτεινόμενα κύκλῳ φέρεται, οἷον οἱ
ὀιστοὶ κ̣ τὰ κατατρώμενα πγ20. 874 ᵃ17. τὸ θῆλυ εἰς τὸ

ἄρρεν μέρος τι αὐτῷ ἀποτείνει Ζγα17. 723 ᵇ22. ἡ ὄψις πόρρω ἀποτεινομένη μγ6. 377 ᵇ33. 4. 375 ᵃ33. Οβ8. 290 ᵃ17. αι2. 438 ᵃ26. πγ20. 874 ᵃ14. νοεῖ τὰ πόρρω ὐ τῷ ἀποτείνειν ἐκεῖ τὴν διάνοιαν μν2. 452 ᵇ10. τὸ δέρμα κατέχει εἰς ἐπτάκλινον ἀποταθὲν Ζιι45. 630 ᵃ23. ἀορτὴ ἀποτεινομένη πόρρω Ζιγ3.513 ᵇ9. ἔξω ἀποτεινόμενα πλα17.959 ᵃ17. χολὴ ἀποτεταμένη ἀπὸ τῦ ἥπατος Ζιβ15. 506 ᵇ12. ἀποτεταμένα μόρια Ζμγ7. 670 ᵃ11. ἀποτεταμένα ἀράχνια Ζιε8. 542 ᵃ14. — intr φλέβια ἀποτείνει ἀπὸ τινῶν, εἰς τὸ ἧπαρ Ζιβ11. 503 ᵇ16. γ4. 514 ᵃ34. τὰ μακρὰ τὰ ἀποτείνοντα Ζιι37. 622 ᵃ1. τὸ φέγγος ἀποτείνει μέχρι τινὸς μα6. 343 ᵇ22.

ἀποτελεῖν ἔργον τι, ἐν ὑφ' ἑνὸς ἔργον ἄριστ' ἀποτελεῖται Πβ11. 1273 ᵇ10. Ηβ5. 1106 ᵃ16. δ15. 1128 ᵇ12. ζ13. 1144 ᵃ7. η2. πλ5. 955 ᵇ31. τὸ ἀποτελούμενον, syn ἔργον Πα5. 1254 ᵃ26. η4. 1326 ᵃ14. Ηα6. 1098 ᵃ15, 13. μιᾶς ἐμπειρίας δύναμιν ἀποτελῶσιν ΜΑ1. 981 ᵃ1. ἀποτελεῖν τοιοῦτον ἕτερον οἷον αὐτό μδ3. 380 ᵃ14. ἀποτελεῖν. εἰς φανερὸν ἀποτελεῖν τὸ ζῷον Ζγγ11. 762 ᵇ4. β1. 732 ᵃ32. Ζιε19. 552 ᵃ28. ἡ χεῖρον ἢ ἀνάπηρον ἀποτελεῖ τὸ γινόμενον Ζγβ6. 743 ᵃ30. τὸ θερμὸν ἀποτελεῖ τοιῶτον (acc praedicati) μδ2. 380 ᵃ5. τὸ σῶμα ἀπετελέσθη ἐν τρισί Οα2. 268 ᵇ26. ἄνθρωπος ἔχει τὴν φύσιν ἀποτετελεσμένην Ζιι1. 608 ᵇ7. — ἀποτελεῖται τὸ δέκατον μέρος οβ1351 ᵃ12.

ἀποτελεῖται τὰ θήλεα τῶν ἀρρένων ἔμπροσθεν ΖιΖ22. 576 ᵇ7.

ἀποτέλεσμα. εἰς μηνὸς ἀποτέλεσμα κ5. 397 ᵃ14.

ἀποτελευτᾶν. φλέβες εἰς τὰ αἰσθητήρια ἀποτελευτῶσιν Ζιγ3. 514 ᵃ22. ἀποτελευτᾶν εἰς τὐναντίον χ τὸ ἄμεινον ΜΑ2. 983 ᵃ18. ἡ ὀλιγαρχία εἰς δῆμον ἀπετελεύτησεν Πε6. 1305 ᵇ11.

ἀποτέμνειν τὰς κεφαλὰς al Ζμγ10. 673 ᵃ25. Ζιβ21. 603 ᵇ6. θρὶξ ἀποτμηθεῖσα πῶς αὐξάνεται Ζιγ11. 518 ᵇ27. 12. 519 ᵃ25. — ἔλαττον τμῆμα ἀποτέμνυσι τῆς διαμέτρου μχ1. 849 ᵃ37. ὐ καθόλυ περὶ τῦ ὄντος, ἀλλὰ μέρος τι ἀποτε-μόμεναι ἐπιστῆμαι Μγ1. 1003 ᵃ24. cf ηεη12. 1244 ᵇ29. ἡ δίδαξις ἐνέργεια, ὐκ ἀποτετμημένη (i e χωριστή, Simpl ad h 1), ἀλλὰ τόδε ἐν τῷδε Φυ3. 202 ᵇ8.

ἀποτευγμα χ ἀτυχία αρ7. 1251 ᵇ20.

ἀποτίθεσθαι τροφὴν τοῖς νεοττοῖς Ζιι32. 619 ᵃ20. 40. 623 ᵇ15, 18, 22. Ζμδ10. 688 ᵃ24. — ἀποθέμενος τὸν στέφανον δικάζει ὁ βασιλεύς f 385. 1542 ᵃ22. ἀποτίθεσθαι τὰ γεν-νώμενα (cf ἀπόθεσις) Πι16. 1335 ᵇ22.

ἀποτίκτειν. κατὰ τὸν τόκον ὑ ἄρρενες τῶν ἰχθύων τοῖς θή-λεσιν ἕπονται χ ἀποτικτυσῶν ἀνακάπτυσι τὰ ᾠά Ζιε5. 541 ᵃ18. σηπία τίκτει πᾶσαν ὥραν, ἀποτίκτει ἐν ἡμέραις πέντε χ δέκα Ζιε12. 544 ᵃ3. 18. 550 ᵃ26. σηπία ἀποτίκτει χ ἀπορραίνει ἐξ ἀναγωγῆς Ζιε12. 544 ᵇ10. ἐκ τῶν ἀποτικτο-μένων ἄπειρον γίνεται τὸ πλῆθος (πολυπόδων) Ζιε12. 544 ᵃ10. κάραβοι πρὸς τὰ χονδρώδη ἀποτίκτυσι Ζιε17. 549 ᵇ5. cf 18. 549 ᵇ31, 550 ᵃ10 (cf ἐκτίκτει πρὸς τὴν γῆν 550 ᵃ7). οἱ ἰχθύες ἀποτίκτυσιν ἔξω Ζγγ1. 751 ᵃ28, similiter de aliis animalibus Ζιε19. 551 ᵃ12. ζ11. 566 ᵃ16. θ30. 607 ᵇ6. Ζγα15. 720 ᵇ23. γ4. 755 ᵃ16. 7. 757 ᵃ23, 26. 8. 758 ᵃ11.

ἀποτίνειν πλείω ζημίαν Πβ12. 1274 ᵇ20. διπλῆν τῆς ἀξίας πκθ14. 952 ᵃ20. ἀποτῖσαι τίμημα μέτριον οβ1347 ᵃ13. μὴ δωροδοκήσειν, ἢ χρυσᾶν ἀνδριάντα ἀποτῖσαι f 374. 1540 ᵇ2.

ἀποτομή. αὗται αἱ ἀποτομαὶ τῶν φλεβίων εἰς τὴν κύστιν καθήκυσιν Ζιγ17. 497 ᵃ17, cf ἀποσχίσεις Ζιγ 4. 514 ᵃ35. 3. 514 ᵃ13. — ὅτε γὰρ ἂν αἱ τῆς σελήνης ἐκλείψεις τοι-αύτας ἂν εἶχον τὰς ἀποτομάς Οβ14. 297 ᵇ25 (cf περὶ τὰς ἐκλείψεις ἀεὶ κυρτὴν ἔχει τὴν ὁρίζυσαν γραμμὴν ᵇ27). cf

13. 294 ᵃ4. οἷον ἀποτομὴν ἐκ δυοῖν ὀνομάτοιν (?) ατ968 ᵇ19.

ἀπότομοι πέτραι ΖιΖ7. 564 ᵃ6. ἐν ἀποτόμοις Ζιι11. 615 ᵃ3.

ἄποτος. act δύναται ἄποτος ἀνέχεσθαι Ζιθ8. 596 ᵃ1. οἱ γαμ-ψώνυχες ἄποτοι πάμπαν Ζιθ3. 594 ᵃ1. — pass χυμοὶ ἄβρωτοι χ ἄποτοι μδ3. 380 ᵇ3. ψβ10. 422 ᵃ32.

ἀποτρέπειν. λόγος ἀποτρέπων Ηκ10. 1179 ᵇ27. συμβυλεύ-οντες [ἢ ἀποτρέποντες] Ρβ18. 1391 ᵇ33. — med τὰ τοι-αῦτα ὡς φαῦλα ἀποτρεπόμενοι φτα 1. 815 ᵇ18.

ἀποτρεπτικὸν εἶδος τῶν λόγων ρ35. 2. 1421 ᵇ9.

ἀποτρίβειν. λίθος ἀποτριβόμενος χ 3. 793 ᵃ25. — χαλεπὸν ἀποτρίψασθαι τῦτο τὸ πάθος ἐγκεχρωσμένον τῷ βίῳ Ηβ2. 1105 ᵃ2.

ἀποτροπή, def, opp προτροπή Ρα3. 1358 ᵇ9. ρ2. 1421 ᵇ21. περὶ τίνος αἵ τε προτροπαὶ χ αἱ ἀποτροπαί Ρα5. 1360 ᵇ11.

ἀπότροφος. ὀρνίθια ἀπότροφα Ζιθ9. 536 ᵇ16.

ἀποτρώγειν τὸ ἱππομανές Ζιθ24. 605 ᵃ4, τὴν ὁρμιάν Ζιι37. 621 ᵃ15. f 291. 1528 ᵇ36. — ἀποτρώγυσι τὸ ἀπορηθὲν Μβ4. 1001 ᵃ2 Bz.

ἀποτυγχάνειν. μήτ' ἀξίως τυχεῖν τῆς ἀληθείας μήτε πάν-τως ἀποτυγχάνειν Μα1. 993 ᵇ1. — sine obiecto κατὰ ταύτας (τὰς πράξεις) χ τυγχάνυσι χ ἀποτυγχάνυσι πάντες ηο6. 1450 ᵃ3. ἐὰν μὲν ἀποτετυχηκότες ὦμεν, ἂν δ' ἐπιτύ-χωμεν ρ31. 1438 ᵃ10, 12. ἀποτυχόντες, opp κατορθώσαντες ρ5. 1427 ᵃ17. ἀπέτυχε χ κακῶς εἰργάσατο ημβ7. 1205 ᵃ35. μήπω ἀποτετυχηκέναι πολλὰ Ρβ12. 1389 ᵃ21, cf 6. 1388 ᵇ30, 1384 ᵇ12. οἱ πολλάκις ἀποτετυχηκότες Ρα12. 1372 ᵇ9. λυπεῖται ἀποτυγχάνων Ηγ14. 1119 ᵃ3. — ἐν τοῖς ἁμαρτανομένοις ἕνεκα μέν τινος ἐπιχειρεῖται ἀλλ' ἀποτυγ-χάνεται Φβ8. 199 ᵇ3.

ἀποτυμπανίζεσθαι Ρβ6. 1385 ᵃ10. 5. 1383 ᵃ5.

ἀποτυφλῦν. ἀποτυφλίγειν θ 144. 845 ᵃ23. ἀποτυφλῦνται ἰχθύες, αἶγες Ζιθ19. 602 ᵃ2. ι30. 618 ᵇ7. — ἀποτυφλωθῆναι τὰς πόρυς πδ 26. 879 ᵇ7.

ἀπύρας (Hom Β 240) Ρβ2. 1378 ᵇ32.

ἄπυς. a. (notio.) ἄπυν λέγεται χ τῷ μὴ ἔχειν ὅλως πόδας χ τῷ φαύλως Μδ22. 1022 ᵃ35. ψβ10. 422 ᵃ29. τῶν ζῴων τὰ μὲν ἔχει πόδας τὰ δ' ἄποδα Ζια5. 489 ᵇ19. διαφοραί, οἷον ὑπόπυν, δίπυν, σχιζόπυν, ἄπυν Ζμα1. 642 ᵇ8. cf Μ ρ 71. διὰ τί τὰ μὲν δίποδα τὰ δὲ πολύποδα τὰ δ' ἄποδα τῶν ζῴων ἐστίν Ζμδ10. 686 ᵇ30, 687 ᵃ3. Ζπ1. 704 ᵃ12, 17. τὰ πολύποδα ἢ ἄποδα τὸ ἄνω πρὸς τὸ τῦ ὅλυ μέσον ἔχει, διὰ τί Ζπ5. 706 ᵇ5, 8. τὰ ἄποδα πῶς προέρχεται Ζπ9. 709 ᵃ24. — b. (exempla τῶν ἀπόδων.) περὶ τῶν ἐναίμων ζῴων τῶν ἀπόδων χ τετραπόδων Ζμδ11. 692 ᵇ1. δελφίς, φάλαινα Ζιγ1. 509 ᵇ10. ἄποδα ἄποδα, οἷον ὕδρος Ζια1. 487 ᵃ23. οἱ ὄφεις ὑ οἱ ἰχθύες Ζιβ14. 505 ᵇ12. γ1. 511 ᵃ3. ε5. 540 ᵇ29. η8. 586 ᵃ35. Ζμδ1. 676 ᵃ24. 13. 696 ᵃ11, 697 ᵃ10. Ζπ1. 704 ᵃ17. 4. 705 ᵇ27. 18. 714 ᵃ20. Ζγβ1. 732 ᵇ3. αν10. 476 ᵃ3. ἄποδα χ μακρὰ τῶν ζῴων, οἷον ὄφεις χ σμύραιναι Ζιε4. 540 ᵃ33. Ζμδ11. 692 ᵃ6. τῶν ἐναίμων ζῴων ᾠοτόκων ὐ μόνον γένος ἄπυν (ἄπυν φύσει ἐστὶν ἔναιμον πεζόν) τὸ τῶν ὄφεων Ζμδ11. 690 ᵃ13. 13. 697 ᵃ30. Ζια6. 490 ᵇ23. Ζγβ1. 732 ᵇ25. τῶν ὀστρακοδέρ-μων χ ἀπόδων ὁ κτείς Ζιι37. 621 ᵇ10. τὸ τῶν καμπῶν γένος, τὰ καλύμενα γῆς ἔντερα χ βδέλλαι Ζπ4. 705 ᵇ28. 9. 709 ᵃ27, 29. τῦ τῆς κραγγῦνος σώματος μόριόν τι ἄπυν ἐστὶν Ζιθ2. 525 ᵇ24. — c. (περὶ ἀπόδων physiologica quaedam.) ἔναιμα τυγχάνει ὄντα πάθ' ὅσα ἄποδά ἐστι τέλεα ὄντα Ζια4. 489 ᵃ31. ἐν οἷς μή εἰσι καμπαὶ ἀλλ' ἄποδα χ ἀχειρά ἐστι Ζιγ5. 515 ᵇ24. τῶν νευστικῶν ὅσα ἄποδα τὰ μὲν πτερύγια ἔχει τὰ δ' ἐκ ἔχει Ζια5. 489 [b]23, 28. cf Ζπ18. 714 [a]22. τὰ πτερωτὰ ἢ δερμόπτερα δίποδα πάντα ἢ ἄποδα Ζια5. 490 [a]10. ἐδὲν ᾠοτοκεῖ χερσαῖον ἢ ἔναιμον μὴ τετράπυν ὂν ἢ ἄπυν Ζιβ10. 502 [b]30. ἢ ἄποδα ζῳοτοκεῖ οἷον οἱ ἔχεις ἢ τὰ σελάχη Ζγβ1. 732 [b]21. Ζιγ1. 511 [a]3. ἄπυν ἐδέν, ὅσα μὴ ζῳοτοκεῖ ἐν αὐτοῖς, ὄρχεις ἔχει Ζιγ1. 509 [b]5. ε5. 540 [b]29. Ζιδ13. 697 [a]10. διὰ τί τοῖς ἄποσιν ἐκ ἐνδέχεται τὸ αἰδοῖον ἔχειν Ζγα5. 717 [b]16. σχῆμα ἔχει ἐν τῇ ὑστέρᾳ τὰ ἄποδα πλάγια Ζιη8. 586 [a]35. ἐδὲν ὁμοίως τρωγλοδυτεῖ τῶν ζῳοτόκων ἔτ' ἄπυν ἔτε πεζεῦον Ζμγ6. 669 [b]7. — d. ἄπυς, avis. τῶν ὀρνίθων εἰσί τινες κακόποδες, οἳ διὰ τῦτο καλῦνται ἄποδες· φαίνεται ὁ ἄπυς πᾶσαν ὥραν Ζια1. 487 [b]24, 29. οἱ ἄποδες, ὃς καλῦσί τινες κυψέλυς descr Ζιι30. 618 [a]31, [b]2. (hirundinis species C S, hirundo apus St Cr, cypselus K; cypselus apus, sed nidum hirundinis ripariae descripsisse Ar iudicat Su p 130 n 92; hirundo urbica, non cypselus apus AZι I 77, 111 n 116.)

ἀπυσία (θερμῦ, τῦ κυβερνήτῃ al), opp παρυσία Φα7. 191 [a]7. β3. 195 [a]13. Μδ2. 1013 [b]13. ζ7. 1032 [b]4. μδ3. 382 [a]33. 8. 385 [a]28. β8. 366 [a]18. τίνος ἐστὶν ἀπυσία Φγ6. 207 [a]12. ἀπυσία ἡ ἀπόφασις ἐκείνη ἐστὶ Μγ2. 1004 [a]14. λυπεῖσθαι τῇ ἀπυσίᾳ ἢ τῷ ἀπέχεσθαι Ηγ13. 1118 [b]33. — ἀπυσίαν γίγνεσθαι πολλὴν (i e ἀπορρεῖν πολλὰ τῷ σιδήρῳ τηκομένῳ) ἢ τὸν σταθμὸν ἐλάττω μδ6. 383 [b]3.

ἀποφαίνειν τὴν ἐσίαν, τὸν θησαυρὸν Πε4. 1303 [b]35. — ἡ μήτηρ ἀπέφηνεν Ρβ23. 1398 [b]2, syn ἀπέδειξεν [b]3. usitatum hac vi activum ἀποφαίνειν in Rhet ad Alex, plerumque cum participio (vel cum adiectivo, omisso partic ὢν) coniunctum veluti ρ32. 1438 [b]19. 35. 1439 [b]29, 1440 [a]11, 30. 36. 1440 [b]12. 37. 1442 [b]31, 1445 [a]13. 38. 1445 [b]15. locos ubi cum inf coniunctum legitur ρ1426 [a]21. 35. 1440 [a]25 corruptos iudicat Spgl Anax Rhet p 141. — med ἀποφαίνεσθαι, dist a simplice φάσει e5. 17 [a]19. ἀποφαίνεσθαι τὸ ὑπάρχον ὡς μὴ ὑπάρχον e6. 17 [a]27. ἀποφαίνεσθαι ὡς ὑπάρχει τί τινι, ἀποφαίνεσθαι ἐπὶ τινος ὅτι ὑπάρχει τι e7. 17 [b]2, 3. — ἀποφαίνεσθαι περὶ πολιτείας, περὶ τῆς ὅλης φύσεως Παι3. 1260 [b]23. δ1. 1288 [b]35. θ5. 1339 [a]14. Οα5. 271 [b]7. ὅτως ἀπεφήναντο περὶ τῆς ἀληθείας sim Γα8. 325 [a]17. Πδ2. 1289 [b]5. ΜΑ3. 984 [a]3. α1. 993 [b]17. ἀποφαίνεσθαί τι περὶ τινος Οβ5. 287 [b]29. γ5. 304 [a]19. Πβ12. 1273 [b]27, 30. ψα2. 403 [b]22. καθόλυ τι ἀποφαίνονται πο6. 1450 [b]12. ἀπεφήναντο τὴν αὐτὴν δόξαν Πηι4. 1333 [b]12. ἀποφαίνονται γνώμην πο6. 1450 [a]7. παραπλησίως τύτοις ἀπεφήναντο μα6. 343 [a]1. γνωμοτύποι εἰσὶ ἢ ῥᾳδίως ἀποφαίνονται Ρβ21. 1395 [a]7, [b]15. ῥᾷον ἀποφαίνονται Γα2. 316 [a]9. ἀτόπως ἀπεφήναντο Ψε5. 204 [a]32. περὶ ἐνίων ἡσίων ἴδια τινὲς ἀπεφήναντο Μη1. 1042 [a]7. ὑπέρ τινος σφοδρῶς ἀποφαίνεσθαι Κ7. 8 [b]22. — καλῶς ἀπεφήναντο (i e διωρίσαντο) τ'ἀγαθόν, ὃ πάντ' ἐφίεται Ηα1. 1094 [a]2.

ἀποφάναι. ὃ κατέφησέ τις ἀποφῆσαι ἢ ὃ ἀπέφησέ [τις] καταφῆσαι e6. 17 [a]31. cf 10. 20 [a]24. τ.ῷ2. 158 [a]20. ἐν κατὰ πολλῶν καταφάναι ἢ ἀποφάναι e11. 20 [b]14. τὸ αὐτὸ δεῖ ἀποφῆσαι τὴν ἀπόφασιν ὅπερ κατέφησεν ἡ κατάφασις e7. 17 [b]39. πάλιν ἔσται ἀποφῆσαι τῦτο πρὸς τὴν φάσιν ἢ τὴν ἀπόφασιν Μγ7. 1012 [a]13. praeterea cf locos ad καταφάναι allatos opp φάναι v s φάναι. opp εἰπεῖν Ργ11. 1412 [b]10. — ὁμωνύμαν ἀπέφησεν Ργ11. 1412 [b]12. μεταφορᾶς τρόπος, προσαγορεύσαντα τὸ ἀλλότριον ἀποφῆσαι τῶν οἰκείων τι πο21. 1457 [b]31.

ἀπόφανσις ἀντιφάσεως ὁποτερενῦν μόριον Αδ2. 72 [a]11 (coll [a]8, 19). ἀπόφανσις ἁπλῆ, συγκειμένη e5. 17 [a]20, 21. ἀπό-

φανσίς τινος κατά τινος, ἀπό τινος e6. 17 [a]25, 26. ἀποφάνσεις ἐναντίαι, ἀντιφατικῶς, ἐναντίως ἀντικείμεναι e7. 17 [b]5, 17, 20. (τῶν ἀντικειμένων ἀποφάνσεων Αα19. 38 [b]21, ubi τ. ά. καταφάσεων Wz ex Alex). ἡ γνώμη ἀπόφανσις καθόλυ Ρβ21. 1395 [b]6, 1394 [a]22.

ἀποφαντικὸς λόγος, def e4. 17 [a]2. 5. 17 [a]8.

ἀπόφασις. 1. i q ἀπόφασις, γνώμη, δόξα. μεμνῆσθαι δεῖ τὰς τῶν ἄλλων ἀποφάσεις Μλ8. 1073 [a]16 Bz. καθ' ἑκάστην πολιτείαν κυρία ἐστὶν ἡ τῦ κυρίυ ἀπόφασις Ρα8. 1365 [b]27. — 2. negatio. τῇ πρὸς ἄλληλα συμπλοκῇ κατάφασις ἢ ἀπόφασις γίνεται Κ4. 2 [a]6. ἄνευ ῥήματος ἐδεμία ἀπόφασις e10. 19 [b]12. ἡ ἀπόφασίς ἐστι λόγος ἀποφατικός Κ10. 12 [b]8. ἡ ἀπόφασίς ἐστιν ἀπόφασις τινος ἀπὸ τινος e6. 17 [a]25. Αγ2. 72 [a]14. ἀπυσία ἡ ἀπόφασις ἐκείνη ἐστίν (int τῦ ἐν τῇ ἀποφάσει) Μγ2. 1004 [a]15. ἀπόφασις τῦ εἶναι λευκὸν τὸ μὴ εἶναι λευκὸν Αα46. 51 [b]9 (cf τὸ μέλαν οἷον ἀπόφασίς ἐστιν μγ4. 374 [b]13). ὁ ἀριθμὸς τῇ ἀποφάσει τῦ συνεχῦς (cognoscitur) ψγ1. 425 [a]19. μία ἀπόφασιν μιᾶς καταφάσεως e7. 17 [b]38. 10. 20 [b]3. inter ἀπόφασιν et κατάφασιν quae intercedat ratio cf s κατάφασις. ὅλαι ἀποφάσεις (universales?) τι17. 176 [b]19 Wz. ἰδέας τῶν ἀποφάσεων εἶναι συμβαίνει ΜΑ9. 990 [b]13. μ4. 1079 [a]10. ἐν ἀποφάσει ψευδομαρτυρήσας p16. 1432 [a]6. — ἀπόφασις ποία ἐναντία, ποία ἀντικειμένη e10. 20 [a]16, 30. 14. 24 [b]3. cf ἀντιστρέφυσιν αἱ ἐν τῷ ἐνδέχεσθαι καταφάσεις ταῖς ἀποφάσεσι, αἱ ἐναντίαι ἢ αἱ ἀντικείμεναι Αα17. 36 [b]39. — ἀπόφασις, dist στέρησις Μγ2. 1004 [a]15, 10, 12 Bz. ἀπόφασις στερητική· ἐφ' ὧν λέγεται στερητικῶς ἡ ἀπόφασις αὐτη Μι5. 1056 [a]17 Bz, 29. ἀπόφασις, dist ἐναντίον Οα12. 282 [a]4, 6. ὁσαχῶς αἱ ἀπὸ τῦ α ἀποφάσεις λέγονται, τοσαυταχῶς ἢ αἱ στερήσεις λέγονται Μδ22. 1022 [b]32. σχεδὸν αἱ ἀπὸ τῦ α ἀποφάσεις ἐπὶ ἐναντίου λέγονται ξ4. 978 [b]22. ἐν ὅσοις γένεσιν ἡ ἀπόφασις τὸ ἐναντίον ἐπιφέρει Μγ7. 1012 [a]9.

ἀποφάσκειν. τὸ τὰ φυτὰ τῦ ζῆν ἀποφάσκον φτα1. 816 [a]4.

ἀποφατικός, v καταφατικός. — ἀποφατικῶς λέγεσθαι, opp καταφατικῶς Αβ15. 64 [a]15.

ἀποφεύγειν, opp ἀμύνεσθαι ψιγ2. 663 [a]13.

ἀπόφθεγμα Ἀναξαγόρυ Μγ5. 1009 [b]26, Πιττακῦ Ρβ12. 1389 [a]16, τῦ Πέρσυ οα6. 1345 [a]2. ἀποφθέγματα Λακωνικά Ρβ21. 1394 [b]34, ἀστεῖα Ργ11. 1412 [a]21.

ἀποφορά. οἱ γεωργοὶ ἀποφορὰν φέροντες Πβ5. 1264 [a]33. — ἀποφάσεις ἢ ἀποφοραὶ δηλοῖ (ὁ λόγος) τὸ ἐναντίον, ἡ στέρησις ἀποφορά θατέρυ Μθ2. 1046 [b]14, 15.

ἀποφράττειν τὰς τῦ θερμῦ περιόδυς πβ34. 870 [a]10. ἀποφράξαι ῥέον ὕδωρ πβ24. 868 [b]21.

ἀποφυάς. αἱ λοιπαὶ φλέβες τῆς μεγάλης φλεβὸς ἢ τῆς ἀορτῆς ἀποφυάδες εἰσίν Ζμγ5. 667 [b]6. — ἔχυσιν ἔνια ἢ ἀποφυάδας τῶν ἐντέρων, ἴδιον τῶν ἰχθύων ἐστὶ ἢ τῶν ὀρνίθων τῶν πλείστων τὸ ἔχειν ἀποφυάδας, πῶς ἔχυσιν Ζιβ17. 507 [b]33, 508 [b]14, 25, 509 [a]17. Ζμγ14. 675 [a]12 sqq. (coecum, appendix vermiformis, appendices pyloricae, K p 489, 492, 495. AZι I 298 n 90. F p 301 n 82-84.) μαρτιχόραν ἐν κέρκῳ κέντρον ἔχειν ἢ τὰς ἀποφυάδας ἀπακοντίζειν φησὶ Κτησίας Ζιβ1. 501 [a]31.

ἀποφυγή. ποιεῖσθαι τὰς ἀποφυγάς Ζιι5. 611 [a]21.

ἀποφύειν. ἀποπέφυκεν (?) Μγ7. 1012 [a]16 Bz.

ἀποφυσᾶν. ἄνεμοι ἀποφυσῶντες τὰ συνιστάμενα νέφη μβ6. 364 [b]8. ἀποφυσᾶν τῦ σπέρματος τὸ ὑγρότερον Ζιη2. 582 [b]27.

ἀποφυτεία μκ6. 467 [a]26, 28. ἀποφυτεῖαι τῶν φυτῶν πῶς γίνονται ζ3. 468 [b]23-28.

ἀποφυτεύειν. τῶν φυτῶν ἔνια γίνεται ἀπὸ σπαραγμάτων ἀποφυτευομένων Ζγγ11. 761 ᵇ28. ζ2. 468 ᵃ32. τὰ ἀποφυτευόμενα, μόριόν τι τὸ ἀποφυτευθέν μκ6. 467 ᵃ25, 27. τὰ ἀποφυτευόμενα πῶς φέρει σπέρμα Ζγα18. 723 ᵇ16, 17.

ἀποχειμάζειν. impers ὅταν ἀποχειμάσῃ πκς31. 943 ᵇ31.

ἀποχειροτονεῖν τὰς ἀρχάς, opp ἐπιχειροτονεῖν f 394. 1543 ᵇ13. 395. 1543 ᵇ35. τὸν ἀποχειροτονηθέντα κρίνουσιν οἱ θεσμοθέται f 374. 1540 ᵇ9.

ἀποχετεύειν. εἰς ὃν τόπον ἀποχετεύεται τὸ ὑγρόν πβ14. 867 ᵇ13.

ἀποχραίνειν. ὁ καρπὸς τὸ τελευταῖον ἀποχραίνεται χ5. 796 ᵃ24.

ἀπόχρη. ἀπόχρη τῶν ἑτέρων ὑπαρχούσα ἡ αἴσθησις αι5. 444 ᵇ5. ἀπέχρησεν ἂν τὰ εἰρημένα φ2. 806 ᵃ36. ἀπόχρη τὸ δεῖξαι τβ1. 109 ᵃ22. η5. 154 ᵇ3, 6 al. Ργ1. 1403 ᵇ16. ἀπόχρη διαλεγῆναι τη5. 154 ᵃ33. ἀπόχρη κἂν τὰ πρῶτα (λέγηται) Μι4. 1055 ᵇ27. partic acc absol οὐκ ἀποχρῆσαν αὐτῷ ξ2. 976 ᵇ21.

ἀποχρῆσθαι. c dat ἀπεχρᾶτο τῷ στρατοπέδῳ, ἀποχρήσασθαι τοῖς στρατιώταις οβ1350 ᵇ29, 1351 ᵃ28. ἀτόκοις τοῖς χρήμασιν ἀποκεχρημένοι οβ1350 ᵃ11. — c acc τὰ τούτων χρήματα ἀπεχρᾶτο οβ1349 ᵇ17.

ἀποχυλίζειν πγ17. 873 ᵇ4 (ἀποξυλίζειν Bk).

ἀποχωρεῖν. ἥλιος ἀποχωρῶν, opp πλησιάζων μβ3. 356 ᵇ30. ἀποχωρεῖν τῷ μᾶλλον ἐναντίῳ Ηβ9. 1109 ᵃ31. ἀποχωρεῖν εἰς ἐρημίαν, εἰς δυσβατωτάτους τόπους Ζιε2. 540 ᵃ16. ζ28. 578 ᵃ26. — ἄγονόν ποτε γίνεται τὸ ἀποχωρῆιν (περίττωμα) Ζγα18. 725 ᵇ15. — ὅτε τὰ πρὸς φυτείαν ἐπιτηδεῖα ἀποχωρήσωσιν, ἀσθενεῖ τὸ φυτὸν φτβ6. 826 ᵇ1. δεῖ ἵνα πᾶς τις ἀποχωρῇ τῶν τοιούτων ὀνομάτων φται1. 816 ᵃ36. — εἰς τὸ κάτω ἀποχωρεῖ (scribendum ὑποχωρεῖ Bz Ar Stud IV 401) πα18. 861 ᵃ36.

ἀποχώρησις ἐκ τοῦ βαλανείου πκβ14. 952 ᵇ24. ἀποχώρησις γονῆς, σπέρματος, αἵματος Ζγα18. 726 ᵃ21, 23. 19. 726 ᵇ12. — τῇ ἀποχωρήσει (i e τῇ ἀπουσίᾳ) φτβ6. 826 ᵇ2.

ἀποχωρίζειν. ἀποχωρισθῆναι ἀπὸ παντὸς Ζικ5. 637 ᵃ13.

ἀποψηφίζεσθαι, reiicere aliquid suffragiis, ἀποψηφιζόμενον μὲν κύριον δεῖ ποιεῖν τὸ πλῆθος, καταψηφιζόμενον δὲ μὴ κύριον Πδ14. 1298 ᵇ35, 39. — ἀποψηφίζεσθαι, liberare, absolvere, δικαιότερον ἂν δι' ἐκεῖνα τούτων ἀπεψηφίσαντο ἢ διὰ ταῦτα ἐκείνων κατεψηφίσαντο Μγ5. 1010 ᵃ31. cf πκθ13. 951 ᵇ1. — pass οἱ θεσμοθέται εἰσάγουσι τὰς ἀπεψηφισμένας f 378. 1541 ᵃ5.

ἀποψύχεσθαι τὰς τρίχας τῶν κυνῶν Ζι45. 630 ᵇ11. θ1. 830 ᵃ20.

ἄποψις βαθεῖα χ φρικώδης θ130. 843 ᵃ17.

ἀποψοφεῖν πι44. 895 ᵇ17. λγ15. 963 ᵃ15. ἀποψοφοῦσιν οἱ φοβούμενοι πκζ9. 948 ᵇ26. ἴδιον ἐνίοις τῶν ὀρνίθων τὸ ἀποψοφεῖν Ζυ49 B. 633 ᵇ7.

ἀποψύχεσθαι, ἀπεψυγμένος Ζγβ6. 744 ᵇ5. πη17. 888 ᵇ29. 50 κγ18. 933 ᵇ13. κς17. 942 ᵃ21. λ1. 953 ᵇ1. οἱ μελίχλωροι ἀπεψυγμένοι εἰσὶν φ6. 812 ᵃ19. — metaph ἀπεψυγμένοι πρὸς τὸ μέλλον Ρβ5. 1383 ᵃ4.

ἀπράγμων. οἱ ἀπράγμονες οὐκ ἄδικοι Ρβ4. 1381 ᵃ25. — ἀπραγμόνως (Eurip fr 785) Ηζ9. 1142 ᵃ3. ὁ λόγος ἀπραγμόνως εἴρηται λίαν μβ9. 369 ᵇ27.

ἀπρακτεῖν, opp πράττειν Πη3. 1325 ᵃ31, ᵇ24. ηεβ10. 1226 ᵇ31. ἀπρακτεῖν διὰ βίου Ηα3. 1095 ᵇ33. ἀπρακτεῖν τὰ αἰσχρά ηεβ11. 1228 ᵃ6.

ἄπρακτος κηδευτὴς ὁ χορός πιθ48. 922 ᵇ26. 60

ἀπρέπεια τῆς πολιτείας Πβ9. 1270 ᵃ13.

ἀπρεπής. αἰσχρὸν ἢ ἀπρεπές Ργ6. 1407 ᵇ29. ἀπρεπέστερα Ργ3. 1406 ᵃ13. ἀπρεπές (int ἐστι) c inf Ρβ21. 1395 ᵃ5. f 175. 1507 ᵇ11. ἀπρεπέστερον (int ἐστιν) εἰ Ργ2. 1404 ᵇ26. — ἀπρεπῶς χρῆσθαι μεταφοραῖς πο22. 1458 ᵇ14.

ἄπρηκτον (Emped 103) ξ2. 975 ᵇ3.

ἀπροαίρετα πράττομεν ὅσα ἀπροβούλευτα Ηε10. 1135 ᵇ10. — ἀπροαιρέτως φοβούμεθα Ηβ4. 1106 ᵃ3.

ἀπροβούλευτος, act οὐκ ἀπροβούλευτοι Ηθ9. 1151 ᵃ3. — pass ἀπροαίρετα πράττομεν ὅσα ἀπροβούλευτα Ηε10. 1135 ᵇ11.

ἀπρονόητος ἀκρασία, syn προπετική ηεβ6. 1203 ᵃ30.

ἀπρόσβατοι πέτραι Ζιζ5. 563 ᵃ5. ι11. 615 ᵃ13.

ἀπροσηγορία διέλυσε φιλίας (ex poeta inc) Ηθ6. 1157 ᵇ13.

ἀπροστασίου δίκη f 387. 1542 ᵇ11, 23.

ἅπτειν λύχνον μα4. 342 ᵃ4. ἅψας (Emped 222) αι2. 437 ᵇ28.

ἄπτερος. ἀδύνατον εἴδη εἶναι τοῦ μὴ ὄντος, οἷον τῆς ἀποδίας ἢ τοῦ ἀπτέρου Ζμα3. 642 ᵇ24. cf Μζ12. 1038 ᵃ12. χαλεπὸν διαλαβεῖν εἰς τοιαύτας διαφορὰς ὧν ἔστιν εἴδη, ὥστ' ὁτιῶν ζῷον ἐν ταύταις ὑπάρχειν χ μὴ ἐν πλείοσι ταὐτόν, οἷον πτερωτῶν χ ἀπτέρων (ἔστι γὰρ ἄμφω ταὐτόν, οἷον μύρμηξ χ λαμπυρὶς χ ἕτερά τινα) Ζμα3. 642 ᵇ33, 643 ᵇ1. Ζιδ1. 523 ᵇ20. 8. 534 ᵇ19. ἔντομα χ ἄπτερα, οἷον ἴουλος χ σκολόπενδρα Ζιδ1. 523 ᵇ17 (cf M p 87, 206. Su p 189, 227. ΑΖ: I 158).

ἅπτεσθαι. 1. συνεχῆ μὲν ὧν τὰ ἔσχατα ἕν, ἁπτόμενα δ' ὧν ἅμα, ἐφεξῆς δ' ὧν μηδὲν μεταξὺ συγγενές Φζ1. 231 ᵃ22. ε3. 226 ᵇ23, 227 ᵃ18, 21, 24. δ4. 211 ᵃ34. Μκ12. 1068 ᵇ27, 1069 ᵃ10. Οβ4. 287 ᵃ34. Γα6. 323 ᵃ3, 10. ψβ11. 423 ᵃ24. το2. 122 ᵇ29, 30. ὅταν ἅπτηται ἢ διαιρῆται τὰ σώματα, ἅμα ὁτὲ μὲν μία ἁπτομένων ὁτὲ δὲ δύο διαιρουμένων γίγνεται Μβ5. 1003 ᵃ34. ἔνιοι τὸ ἅπτεσθαι λέγουσιν εἶναι ἄνευ τοῦ γίνεσθαι Οα11. 280 ᵇ8. ἅπτεται ἅπαν ἢ ὅλον ὅλῳ ἢ μέρος μέρει ἢ ὅλῳ μέρος Φζ1. 231 ᵇ2. ατ971 ᵃ26. ἅπτεσθαι τὴν Μεγαρέων πόλιν χ Κορινθίων τοῖς τείχεσιν Πγ9. 1280 ᵇ14. ἅπτεσθαι σφαίρας κατὰ στιγμὴν ψα1. 403 ᵃ13. Μβ2. 998 ᵃ2. εὐθεῖα εὐθείας οὐχ ἅπτεται διχῇ πιε5. 911 ᵃ27. ποιεῖν χ πάσχειν οὐ δύναται κυρίως ἃ μὴ οἷόν τε ἀφάσθαι ἀλλήλων Γα6. 322 ᵇ24. Φη1. 242 ᵇ25. συμπεφυκότα μὲν ἀπαθῆ, ἁπτόμενα δὲ παθητικὰ χ ποιητικὰ ἀλλήλων Φδ5. 212 ᵇ2. ἔστι μὲν ὡς ἐπὶ τὸ πολὺ τὸ ἁπτόμενον ἁπτομένου ἅπτόμενον, ἔστι δ' ὡς ἐνίοτέ φαμεν τὸ κινοῦν ἅπτεσθαι μόνου τοῦ ἁπτομένου, τὸ δ' ἁπτόμενον μὴ ἅπτεσθαι τοῦ ἁπτομένου Γα6. 323 ᵃ25, 29, 32, 34. (ἤδη ἁπτομένου τῆς μέθης πιγ9. 872 ᵃ19. 20. 874 ᵃ6). τὸ πῦρ οὐ μόνον ἁπτόμενον θερμαίνει, ἀλλὰ κἂν ἄποθεν ᾖ Γα9. 327 ᵃ3. ἁψάμενον μέν, οὐχ ἁπτόμενον δέ Ζγβ1. 734 ᵇ14-16. ἀστέρες ἁψάμενοι, syn συνελθόντες μαθ. 343ᵃ ᵇ35, 344 ᵃ1. — ἅπτεσθαι τοῦ δελέατος Ζιδ8. 534 ᵃ13. κυνίδια οὐχ ἁπτόμενα τοῦ βάλλοντος (Plat Rep V 469E) Ργ4. 1406 ᵇ34. ἅπτεσθαι de coitu Πη16. 1335 ᵇ40. πδ29. 880 ᵃ28. — 2. metaph οἷον ἁπτομένου τῆς ζητήσεως ἐξ ἀρχῆς Γα5. 320 ᵇ34. ἁψάμενοι τῆς μεθόδου τῆς ζητήσεως, τούτων τῶν λόγων ΜΑ3. 984 ᵃ28. 19. ἅπτεσθαι πάσης μαθήσεως, τῶν τοιούτων ἁρμονιῶν Πθ6. 1341 ᵃ31. 7. 1342 ᵇ29. τῶν μαθημάτων ἁψάμενοι ΜΑ5. 985 ᵇ24. οἱ ἐριστικοὶ ἅπτονται πάντων τι11. 171 ᵇ24. ἀξιολόγως ἧφθαι τῆς φιλοσοφίας Φγ4. 203 ᵃ2. ἅπτεσθαι τῆς αἰτίας, τοῦ εἴδους, τῆς ὕλης αν4. 472 ᵃ3. Φβ2. 194 ᵃ21. ΜΑ5. 986 ᵇ19. λ2. 1069 ᵇ24. ἅπτεσθαι τῆς ἀληθείας, τῆς φύσεως, δικαίου τινὸς sim ηεβ10. 1227 ᵃ1. α5. 1216 ᵃ27. Γα7. 324 ᵃ15. Πγ9. 1280 ᵃ9. ημα1. 1182 ᵃ23. ἥψατο (int ἐλέγχων) πρῶτον τοῦ εὐηθεστάτου Ργ17. 1418 ᵇ23. ἡμμένης τῆς τοιαύτης οὐσίας, ἀλλ' οὐχ ἱκανῶς Φα9. 191 ᵇ35. λίαν πόρρωθεν ἅπτεσθαι τῆς αἰτίας Ζγδ1.

765 ᵇ5. δεῖ διορίζειν περὶ τύτων, νῦν δ' ὅσον ἀναγκαῖον ἅψασθαι αὐτῶν αι4. 442 ᵃ4. ἱκανὸν αὐτῶν ἅψασθαι τοσῦτον ΜΔ9. 990 ᵃ34. (propius ad propriam vocabuli vim accedit quod dicitur ταύτης τῆς αἰτίας ὐθὲν ἅπτεται τὰ εἴδη ΜΔ9. 992 ᵃ32). — om obiecto ἥψατο πρῶτος, μόνον ἐπὶ μικρὸν 5 Δημόκριτος Ζμα1. 642 ᵃ26. Μμ4. 1078 ᵇ20. φανερὸν τοῖς κὴ μετρίως ἠμμένοις Μλ8. 1073 ᵇ9. μᾶλλον ἁπτόμενοι Ρα2. 1358 ᵃ8. — ἁπτός, cf ἁφή. περὶ τῦ ἁπτῦ ψβ11. ἁπτὸν τὸ αἰσθητὸν ἁφῇ ψγ12. 434 ᵇ12. Γ2. 329 ᵇ8. ἁπτόν. opp ἄναπτον ψβ11. 424 ᵃ12. τὰ ἁπτά, coni τὰ γευστὰ Ρα11. 10 1370 ᵃ24. ηεγ2. 1230 ᵇ25-1231 ᵃ17. τὸ γευστόν ἐστιν ἁπτόν τι ψβ10. 422 ᵃ12. τὸ ὀσφραντὸν ἐν τῷ ἁπτῷ γένει αι5. 445 ᵃ9. ἐντὸς τὸ τῦ ἁπτῦ αἰσθητικὸν ψβ11. 423 ᵇ23. ἐναντιώσεις ἐν τῷ ἁπτῷ, διαφοραὶ ἁπταί ψβ11. 423 ᵇ25, 26. Γβ2. 329 ᵇ17. σῶμα ἁπτόν, syn αἰσθητόν Γβ2. 329 15 ᵇ8. σῶμα ἁπτόν, ὃ ἂν ἔχῃ βάρος ἢ κυφότητα Φδ7. 214 ᵃ1.

ἁπτικός 1. cf ἁφή 1. ἀνάγκη ὅσοις ἐστὶ μίξις, εἶναι ταῦτ' ἀλλήλων ἁπτικά Γα6. 322 ᵇ27. — 2. cf ἁφή 2. τὰ ζῷα πάντα φαίνεται τὴν ἁπτικὴν αἴσθησιν ἔχοντα ψβ2. 413 ᵇ9. γ12. 434 ᵇ13. 13. 435 ᵃ14. Ζμβ8. 653 ᵇ28. ἄνευ τῦ ἁ- 20 πτικῦ τῶν ἄλλων αἰσθήσεων ὐδεμία ὑπάρχει ψβ3. 415 ᵃ3. τί τὸ αἰσθητήριον τὸ τῦ ἁπτῦ ἁπτικόν ψβ11. 422 ᵇ20, 423 ᵇ30. τὸ μεταξὺ τῦ ἁπτικῦ προσπεφυκὸς ἡ σάρξ ψβ11. 423 ᵃ16, ᵇ26. τὸ ἁπτικὸν γῆς αι2. 438 ᵇ30. ἡ μαλακὴ γλῶττα, ἁπτικωτάτη γάρ, ἡ δὲ γεῦσις ἁφή τις Ζμβ17. 25 660 ᵃ21. ἡ τῦ ὀσφραίνεσθαι αἴσθησις μέση τῶν τε ἁπτικῶν κὴ τῶν δι' ἄλλῳ αἰσθητικῶν αι5. 445 ᵃ7.

ἄπυρηνος ποσαχῶς λέγεται ψβ10. 422 ᵃ29. Μδ22. 1023 ᵃ1. φοίνικες ἀπύρηνοι f 250. 1524 ᵇ25. ἀπυρηνότερα πκ24. 925 ᵇ23. 30

ἄπυρος. ἐὰν ἄπυρον ᾖ τὸ ἀστράψαν κ4. 395 ᵃ24. χρυσὸς ἄπυρος θ45. 833 ᵇ8. f 248. 1523 ᵇ35. τὸ ἄλφιτον ἄπυρον, τὸ ἄλευρον πεπύρωται πκα22. 929 ᵇ11.

ἀπωθεῖν μα4. 342 ᵃ13, 20. β3. 358 ᵇ1. γ4. 373 ᵇ9. ὐκ ἐν- δίδωσιν ὁ ἀὴρ ἀλλ' ἀπωθεῖ πκε1. 937 ᵇ4. ἀπῶσαι, ἀπω- 35 θεῖσθαι, dist προωθεῖν, προωθεῖσθαι μβ8. 368 ᵃ2, 367 ᵃ16. ὅταν ὁ ἀὴρ ἀπωσθῇ ὥσπερ σφαῖρα ψβ8. 419 ᵇ27. ὅταν ἀπωσθῇ τὸ νέφος εἰς τὸν ἄνω τόπον μα12. 348 ᵃ15. β4. 360 ᵇ21. τοσαύτην γωνίαν ἀπέωσται ὅση γίνεται ἡ κατὰ κορυφὴν πις 13. 915 ᵇ32. πλάγιον ἀπωθεῖν μχ35. 858 ᵇ9. 40 ἀλώπεκα ἀπωσθῆναι εἰς φάραγγα Ρβ20. 1393 ᵇ25. — ἀπωθῶνται τὸν μέσον οἱ ἄκροι ἑκάτερος πρὸς ἑκάτερον Ηβ8. 1108 ᵇ23. τὰς διαβολὰς ὕτως ἀπωσόμεθα, syn λύειν ρ37. 1442 ᵇ22, 21. ζητῦντες ἐξετράπησαν οἷον ὁδόν τινα ἄλλην ἀπωσθέντες ὑπὸ ἀπειρίας Φα8. 191 ᵃ26. 45

ἄπωθεν (cf ἄποθεν). οἱ ἄπωθεν, syn οἱ ἀγνῶτες, opp οἱ γνώ- ριμοι, οἱ συνήθεις, οἱ συγγενεῖς Ρα11. 1371 ᵃ12. 15. 1376 ᵃ16. β6. 1384 ᵇ26. Πβ4. 1262 ᵃ29. ubique v l ἄποθεν, cf Lob Phryn p 9. Göttling ad Ar Pol p 311.

ἀπώλειά τις αὐτῇ ἡ τῆς ὐσίας φθορά Η1. 1120 ᵃ2. ὅλων 50 τῶν ἐθνῶν ἀπώλειαι κὴ φθοραί μα14. 351 ᵇ11. ἡ γένεσις κὴ ἡ ἀπώλεια τῶν φθαρτῶν πις 3. 916 ᵃ26. — iactura πκθ14. 952 ᵇ26.

ἀπώμοτον (Archil fr 76) Ργ17. 1418 ᵇ30.

ἄπωσις, def Φη2. 243 ᵃ19, 27. ἀπώσεις, opp ἕλξεις Φη2. 55 243 ᵇ15. εἰς τὐναντίον τῆς ἀπώσεως ἐξελίττεσθαι πις 4. 913 ᵇ16.

ἄρα usitatum in conclusionibus (συμπερασματικῶς τὸ τελευ- ταῖον εἰπεῖν, ὐκ ἄρα τὸ κὴ τό, ἀνάγκη ἄρα τὸ κὴ τό Ρβ24. 1401 ᵃ3) veluti δῆλον ἄρα Πδ11. 1295 ᵇ33. η2. 1325 ᵃ5, 60 ἀναγκαῖον ἄρα, ἀνάγκη ἄρα, δεῖ ἄρα Πβ7. 1267 ᵃ20. η8.

1328 ᵇ20. αι2. 437 ᵃ28. (in quibus libris Aristotelis sae- pius, in quibus rarius usurpatum legatur ἄρα, distinxit R. Eucken, de Ar dic ratione I p 50.) inter articulum et nomen ἄρα collocatum legitur τὸ ἄρα πῦρ ὐδὲν ἔχει βάρος Οδ4. 311 ᵇ27. in apodosi usurpatur ἄρα ε9. 19 ᵃ18. Γβ10. 337 ᵃ24. ψγ1. 425 ᵃ9. Ζμα1. 642 ᵃ13. Ηε10. 1134 ᵇ6. ημα34. 1196 ᵃ4 (cf ὔν, ὥστε). — εἰ ἄρα, εἴπερ ἄρα, ἐὰν ἄρα, εἰ μὴ ἄρα in pleno enunciato hypothetico, veluti εἰ δ' ἄρα κὴ σημαίνει, ἀλλ' ὐ ταῦτό· ἐὰν ἄρα τινὰ δέῃ ποιῆσαι μέγαν τι31. 181 ᵇ33. 24. 180 ᵃ10. α5. 102 ᵃ24. δ5. 127 ᵃ9. Πε11. 1315 ᵃ10. Κ6. 5 ᵇ14. αι2. 437 ᵇ19. 4. 442 ᵇ14. Μη4. 1044 ᵇ4. μ2. 1077 ᵃ33. ν1. 1087 ᵇ28. Ηκ10. 1081 ᵇ11. πο4. 1449 ᵃ7. πν2. 482 ᵃ14. 4. 483 ᵃ18. εἰ μή τι ἄρα διαφέρει Μι6. 1056 ᵇ12. (in interrogatione obliqua usurpari εἰ ἄρα negat Vahlen Ar Poet I 43, ac Μβ1. 995 ᵇ27. πο4. 1449 ᵃ7 ἄρα pro εἰ ἄρα restituit.) ἀλλ' εἰ ἄρα elliptice sine verbo, veluti τῶν δὲ ἄλλων ὐδὲν λέγεται καθ' αὑτό, ἀλλ' εἰ ἄρα, κατὰ συμβεβηκός Κ6. 5 ᵇ10. 8. 11 ᵃ20. τα15.106 ᵇ7. κἂν ἄρα (i e κὴ ἐὰν ἄρα) Ζιζ20. 574 ᵃ22. eadem vi atque in eiusmodi protasibus hypotheticis ἄρα usurpatur in subsumtione, ἀλλ' ἦν ἄρα τὸ α δυνατόν· κὴ τὸ β ἄρα Μθ4. 1047 ᵇ22. — ὡς ἄρα Φζ9. 240 ᵃ21. f 40. 1481 ᵃ43. ὅτι ὐκ ἄρα πο17. 1455 ᵇ11. — ἄρα γε Ηε4. 1130 ᵃ22 (?). — κὴ ἄρα πζ4. 886 ᵇ7. — ἀλλ'. ἄρα ν ἄρα extr.

ἄρα. εἰ et ἄρα in eadem interrogatione coniuncta εἰ ὖν ἤρετο εἰ ὅσα τις μὴ ἔχει πρότερον ἔχων, ἀρά γε ἀποβέβληκε τοσαῦτα, ὐδεὶς ἂν ἔδωκεν τι22. 178 ᵃ35. — ἄρα et πότερον quomodo inter se differant τα4. 101 ᵇ30. in interrogatione directa ἄρα — ἤ Ηα4. 1096 ᵇ27, ἄρα — ἤ ὐ Αγ1. 71 ᵃ31. δ2. 90 ᵃ8. 3. 90 ᵇ19. τι10. 171 ᵃ36; in interrogatione obliqua ἄρα Μν2. 1088 ᵇ14, ἄρα — ἤ ὐ Φγ5. 204 ᵇ3. δ3. 210 ᵃ25. Αδ1. 89 ᵇ38. 8. 93 ᵃ2, 32. ψγ7. 431 ᵇ17 (Vhl Poet I 43 sq). in interrogationibus bimembribus (ἄρα — ἤ) alterum membrum a particula ἤ exorsum interdum respon- sionis vim habet Ηι3. 1165 ᵇ14, 17, 24, 31. α11. 1100 ᵃ12. Ρβ23. 1398 ᵃ16 (secundum lectionem cod Aᶜ, cui non de- bebat ὐ addere Spgl). ἀλλ' ἄρα Αδ3. 90 ᵇ28. 6. 92 ᵃ6. cf ἤ. ipsum ἄρα in interrogationibus simplicibus non raro ita usurpatur, ut interrogatio vim habeat enunciati modeste vel dubitanter affirmantis (cf ἤ) Μη4. 1044 ᵃ35. Ηγ6. 1113 ᵃ23. ἀρά γε Ηα4. 1096 ᵇ27. γ4. 1112 ᵃ15. ξ4. 978 ᵇ17. ἀρ' ὖν Γα3. 318 ᵃ23. Ηα1. 1094 ᵃ22. θι5. 1163 ᵇ16. ι2. 1164 ᵇ27. 4. 1166 ᵇ3. ξι. 974 ᵇ8. ἀλλ' ἄρα Φη4. 249 ᵃ3. Ηα4. 1096 ᵇ27. γ4. 1112 ᵃ15. Πγ10. 1281 ᵃ24. Μζ13. 1038 ᵇ16. ημα2. 1184 ᵃ25, 29. 17. 1189 ᵃ5. β6. 1200 ᵇ38. 8. 1207 ᵃ6 al. collatis his locis apparet pro ἀλλ' ἄρα scri- bendum esse ἀλλ' ἆρα Φη4. 248 ᵃ16. ξ2. 975 ᵃ18 (Bz Ar St I 73). Μζ7. 1033 ᵃ1 (ac deinde ᵃ2 γε pro δὲ). πν2. 482 ᵃ3, et ἄρα pro ἆρα Γβ11. 337 ᵇ13. πν6. 484 ᵇ7. 9. 486 ᵃ4.

Ἀραβία μα12. 349 ᵃ5. γεώδης πιβ3. 906 ᵇ19. τὰ εὐώδη τἀκεῖθεν πιγ4. 908 ᵃ14. ἐν Ἀ. κάμηλοι θ2. 830 ᵇ5. Ζιε14. 546 ᵇ3. ὑαινῶν τι γένος θ145. 845 ᵃ24. σαῦροι Ζιθ28. 606 ᵇ5. — ὁ Ἀραβικὸς κόλπος κ3. 393 ᵇ16, 28. ὁ Ἀ. ἰσθμός κ3. 393 ᵇ32. κόμι Ἀραβικόν φτα3. 818 ᵃ5. Ἀραβιοὶ βέν- τελοι φτα4. 819 ᵇ21. — Ἀράβιαι κάμηλοι (dist Βακ- τριαναί) Ζιβ1. 498 ᵇ9, 499 ᵃ15. (camelus dromedarius C St K Ka Cr Su p 71 n 53 AZι 70 n 25.)

ἀραιόδ̓ηις. οἱ ἀραιόδοντες βραχυβιώτεροι Ζιβ3. 501 ᵇ23.

ἀραιός. νέφη ἀραιότερα, opp σφόδρα πυκνῶν μβ6. 364 ᵇ25. ὁμίχλη ἀναθυμίασις νέφυς ἀραιοτέρα κ4. 394 ᵃ21. ὀστῦν ἀραιόν Ζια7. 491 ᵇ1. τρίχες ἀραιαί χ6. 797ᵇ27. φῶς ἀραιόν, ἀκτῖνες ἀραιαί χ1. 791 ᵃ19, 27. πάντα ἀραιότερα φαινόμενα πρὸς τὴν αἴσθησιν ἀσημότερα γίγνεται ακ802 ᵃ13. τὰς πόρας ἀνεῳχθαι μᾶλλον ἢ ἀραιὰ τὰ σώματα εἶναι πβ8. 867 ᵃ15. ἀραιοί, opp πυκνόσαρκοι πα20. 861 ᵇ26, 33, 29, 36. ἀραιῶν τῶν πόρων ὄντων πβ42. 870 ᵇ37. ἀραιᾷ τροφῇ χρῆσθαι Πη16. 1335 ᵇ13. φωναὶ ἀραιαί, opp πυκναί ακ803ᵇ28.

ἀραιότης φτα3. 819 ᵃ3. ἀραιότητες, opp πυκνότητες Φθ7. 260 ᵇ10 (cf μάνωσις ᵇ8, 11). φτβ8. 827 ᵇ37. διὰ τὴν μαλακότητα ἢ ἀραιότητα τῶν πόρων ακ802 ᵃ24.

ἀραιῶν. τὸ θερμὸν ἀραιοῖ τὰ πυκνὰ πκδ10. 937 ᵃ4. ἀραιῶν τὴν σάρκα, opp πυκνῶν, ἡ σὰρξ ἀραιῶται, opp πυκνῶται πα52. 865 ᵇ19. 53. 866 ᵃ4. 29. 863 ᵃ4, 3. ε34. 884 ᵃ27. λζ3. 966 ᵃ14, 24. ἀραιαμένων τῶν πλησίον Ζγα20. 728 ᵇ26. ἀραιαμένων τῶ τῦ ὀφθαλμῦ πόρων πε37. 884 ᵇ34. τῦ ὑγρῦ ὕπω χυθέντος ὑδὲ ἠραιωμένα κ4. 394 ᵃ36.

ἀραιώδης. οἱ ἀραιώδοντες πλδ1. 963 ᵇ20. (ἀραιοὶ ὀδόντες codd, scr videtur ἀραιόδοντες.)

Ἀράξης μα13. 350 ᵃ24.

ἀράχνης ὁ, ἀράχνη ἡ. insectum. τὸ καρκίνιον ὅμοιον τοῖς ἀράχναις Ζιδ4. 529 ᵇ25. ὁ θύννων οἶστρος ἐστι τὸ μέγεθος ἡλίκος ἀράχνης Ζιε31. 557 ᵃ29. θι9. 602 ᵃ28. — ἰδιότροφον τὸ τῶν ἀραχνῶν γένος, ζῶσιν ἀπὸ τῆς τῶν μυιῶν θήρας Ζια1. 488 ᵃ16. cf ι40. 623 ᵇ14. οἱ ἀράχναι ἔξω ἐκχυμίζασι τὸ ζῶον Ζιθ4. 594 ᵃ14. πότε ἢ πῶς ἀφίενται τὸ ἀράχνιον Ζιι39. 623 ᵃ30. ἐργάζεται ἐν ταῖς εὐδίαις πκς61. 947 ᵃ33, 34. φύσει τε ποιεῖ ἢ ἕνεκα τῦ ἀράχνης τὸ ἀράχνιον Φβ8. 199 ᵃ22, 27. αἱ λειμώνιαι ἀράχναι πῶς προαποτίκτασιν εἰς ἀράχνιον, ἐπωάζεται ζωοποιῶσιν, ἐν πόσῳ χρόνῳ τέλειοι γίνονται· τίκτασιν αἱ γλαφυραὶ ἐλάττω τὸ πλῆθος Ζιε27. 555 ᵇ7-17. cf 19. 553 ᵃ9. ἐκβάλλονται ὑπὸ τῶν τέκνων Ζιε26. 555 ᵇ24. — πόλεμος ἀσκαλαβώτῃ ἢ ἀράχνῃ Ζιι1. 609 ᵃ29. (αἱ λειμώνιαι ἀράχναι araneorum species C, dolomedes mirabilis K p 697 n 4, lycosarum species Su p 233 n 50ᵇ.1. ΑΖι I 161 II 1.— cf praeterea ἀράχνιον 2.)

ἀράχνιον. 1. tela aranearum. τὰ φαλάγγια ὅσα ὑφαίνει ἀράχνια, τὰ ἀποτεταμένα ἀράχνια Ζιε8. 542 ᵃ13. τίκτει ἐν ἀραχνίῳ, ἀφίησιν ἀράχνιον, περιέχεται ὑπὸ τῦ ἀραχνίῳ, αἱ λειμώνιαι ἀράχναι προαποτίκτασιν εἰς ἀράχνιον Ζιε27. 555 ᵇ1-8. cf ι39. 623 ᵃ2, 4, 7, 21. πότε ἀφίεται τὸ ἀράχνιον, πῶς χρῶνται αὐτῷ Ζιι39. 623 ᵃ15-30. τὰ ἀράχνια τὰ πολλὰ ὅταν φέρηται πνεύματος ἐστι σημεῖα πκς61. 947 ᵃ33, 37, 38. φύσει τε ποιεῖ ἢ ἕνεκα τῦ ὁ ἀράχνης τὸ ἀράχνιον Φβ8. 199 ᵃ27. ἔπεστιν οἷον ἀράχνιον ἐπὶ τῶν θαλαμῶν τὴν σπόργανον Ζιε16. 548 ᵃ29. ('membrana tenuis, similis telae aranearum' S I 328, in incerto relinquit ΑΖι I 493 n 75). γίνεται ἐν τῷ ἐδάφει σκωλήκια μικρά, ἀφ' ὧν αὐξανομένων ὥσπερ ἀράχνια κατίσχει ὅλον τὸ σμῆνος Ζιι40. 626 ᵇ18. τὰ πλεῖστα τῶν γινομένων ἐκ καμπῶν ἢ σκωλήκων ὑπὸ ἀραχνίων (i e ὑφασμάτων ὁμοίων τοῖς ἀραχνίοις) κατέχεται τὸ πρῶτον Ζιε19. 552 ᵇ25. — 2. insectum, i q ἀράχνης, ἀράχνη (non distingui usu vocabula ἀράχνης, ἀράχνη, ἀράχνιον iudicant S II 188, Su p 233 n 50, M p 228; plerisque locis ἀράχνης pro ἀράχνιον scribendum existimat ΑΖι I 528 n 128). τὸ ἀράχνια γίνεται ἐκ ζῴων τῶν συγγενῶν Ζιε19. 550 ᵇ31. τὰ ἀράχνια πῶς ὀχεύεται ἢ γεννᾷ Ζιε27. 555 ᵃ27-ᵇ5. εἰσὶ τῶν ἀραχνίων (ἀραχνῶν ci A) ἔνιοι γλαφυρώτατοι ἢ λαγαρώτατοι ἢ τεχνικώτεροι περὶ τὸν βίον Ζιι38. 622 ᵇ22. τῶν ἀραχνίων ἢ τῶν φαλαγγίων εἰσὶ πολλὰ γένη Ζιι39. 622 ᵇ27. τῶν ἀραχνίων τῶν γλαφυρῶν ἢ ὑφαινόντων ἀράχνια πυκνὸν δύο ἐστὶ γένη, descr Ζιι39. 623

ᵃ25-ᵇ2. — κλῆρος ὃς ἐντίκτει ἐν τῷ κηρίῳ ὅμοιον ἑαυτῷ οἷον ἀράχνιον Ζιθ27. 605 ᵇ13. δεῖ τὰ τῶν ἀραχνίων ᾠὰ εἶδος τιθέναι σκώληκος Ζγγ9. 758 ᵇ9. (ἀραχνίων δύο γένη, τὸ μεῖζον μακροσκελέστερον liniphya triangularis K p 1011 n 1, aranea labyrinthica Su p 253 n 50 d 1; τὸ ἔλαττον συμμετρότερον aranea domestica K p 1011 n 2, Su p 233 n 50 d 2; τὰ δύο γένη tegenariarum et agelenarum species quaedam ΑΖι I 161 II 2 a.b.)

ἀραχνιῶν. τὸ σκωλήκιον τὸ ἀραχνιῶν ἢ λυμαινόμενον τὰ κηρία Ζιθ27. 605 ᵇ10. φθείρεσθαι τὰ κηρία ἢ ἀραχνιᾶσθαι Ζιι40. 625 ᵃ8, 14.

ἀραχνιώδης. αἱ χρυσαλλίδες τῶν ψυχῶν προσέχονται πόροις ἀραχνιώδεσιν Ζιε19. 551 ᵃ21. ὁ ξυλοφθόρος ἐν χιτῶνι ἀραχνιώδει Ζιε32. 557 ᵇ16. τὸ πρῶτον μικρὸν ἢ ἀραχνιῶδες τὸ γάλα ἐν τοῖς μαστοῖς Ζιη3. 583 ᵃ34. ὁ ναυτίλος ἔχει μεταξὺ τῶν πλεκτανῶν ἐπί τι συνυφές, λεπτὸν ἢ ἀραχνιῶδες Ζιε37. 622 ᵇ12.

ἀραχνώδης. σφῆκες ποιῶσιν ἐκ φλοιώδης ἢ ἀραχνώδης ὕλης τὸ κηρίον Ζιε23. 554 ᵇ28.

Ἀραχῶται. ἐν Ἀραχώταις Ζιβ1. 499 ᵃ4.

ἀργεῖν ἢ ἀκινητίζειν τὰς αἰσθήσεις υ2. 455 ᵃ30. κύνες ἀργῦντες, opp πονήσαντες ΖιΖ20. 574 ᵇ29.

ἀργέστης. syn Ὀλυμπίας, σκίρων, Ἰάπυξ, τίνα ἔχει θέσιν ἢ ποῖός ἐστι τὴν φύσιν μβ6. 363 ᵇ24, 29, 364 ᵃ14, 18, ᵇ5, 20 (ξηρός), 23 (χαλαζώδης), 30 (ἀστραπαῖος), 365 ᵃ3, 8. κ4. 394 ᵇ25. σ973 ᵇ17. f 238. 1521 ᵇ40.

ἀργής. ποῖος λέγεται κεραυνός, dist ψολόεις μγ1. 371 ᵃ10. κ4. 395 ᵃ27.

ἀργία. μεταβάλλειν εἰς ἐνέργειαν ἐξ ἀργίας ψβ4. 416 ᵇ3. δι' ἀργίαν τῶν κατὰ μόριον αἰσθήσεων ἢ ἀδυναμίαν τῦ ἐνεργεῖν εν3. 461 ᵃ4. διαφεύγειν τὴν ἀργίαν τῶν σωμάτων Πη17. 1336 ᵃ27. διανέμειν τροφὴν ἢ ἀργίαν τοῖς δήλοις οα5. 1344 ᵇ8. ἀργία ὁ ὕπνος τῆς ψυχῆς, ἢ λέγεται σπαδαία ἢ φαύλη Ηα13. 1102 ᵇ7. κεβ1. 1219 ᵇ19. γραφὴ ἀργίας f 381. 1541 ᵇ13. ἀργίαν ἔχειν τῶν μελιττῶν, συμφόρα Ζιι40. 626 ᵇ19. — χωρὶς ἄλλης ἀργίας (ex Eur Med 296) Ρβ21. 1394 ᵃ33.

ἀργικέραυνος (v l ἀρχικέραυνος) Ζεύς (Orph VI, 10) κ7. 401 ᵃ28.

ἀργιλώδης μα14. 352 ᵇ10.

Ἀργινῦσα. τῆς Ἀσίας ἐν τῇ Ἀργινῦσῃ ΖιΖ29. 578 ᵇ27. ἡ ἐν Ἀργινῦσαις ναυμαχία f 370. 1540 ᵃ10.

Ἀργοναῦται Πη13. 1284 ᵃ23.

ἀργός, active πότερον ἀνθρώπῳ ἔργον ἐστὶν ἢ ἀργὸν πέφυκεν Ηα6. 1097 ᵇ30. οἱ ἀργότατοι νομάδες εἰσίν, ἀργοὶ χίλιοι θρέφονται Πα8. 1256 ᵃ31. β6. 1265 ᵃ15. πόδες ἀργότεροι πρὸς τὴν πορείαν Ζμδ8. 684 ᵃ6. ὁ ἀστερίας ἀργότατος Ζιι8. 617 ᵃ7. γυναῖκες ἀργαί Ζιι40. 627 ᵃ15. ὁ μεγαλόψυχος ἀργὸς ἢ μελλητής Ηδ8. 1124 ᵇ24. ἡ εὐνοία ἀργὴ φιλία Η5. 1167 ᵃ11. ἐν τοῖς ἀργοῖς τραγῳδίας μέρεσι ἢ μήτε ἠθικοῖς μήτε διανοητικοῖς πο24. 1460 ᵇ3. τὸ διατρίβειν νῦν ἀκριβολογεμένες ἀργόν ἐστιν Πη12. 1331 ᵇ19. — passive χώρα ἀργή, opp χρησίμη μα14. 352 ᵃ13. χώρα ἀργὸς οβ1349 ᵃ3. ἀγρὸς ἀργός (paromoeosis) Ργ9. 1410 ᵃ29. τέττιγες τίκτεσιν ἐν ἀργοῖς Ζιε30. 556 ᵃ30, 1.

ἀργός, exemplum ὀνόματος ἀγνωστοτέρα pro v λευκός τζ11. 149 ᵃ7.

Ἄργος. ἐν Ἄργει res publicae Πε3. 1302 ᵇ18, 1303 ᵃ6. 4. 1304 ᵃ25. 10. 1310 ᵇ27. Ρα14. 1375 ᵃ5. ἐν Ἄργει, εἰς Ἄργος f 549. 1574 ᵇ29. 449. 1553 ᵇ18. 596. 1576 ᵇ19. Ἄργος χωρίον τι καλύμενον Κύθνον f 480. 1556 ᵇ38. ὁ τῦ

Μίτυος (Βίτυος) ἀνδριάς πο9. 1452 ᵃ8. θ156. 846 ᵃ22. Πελασγοὶ ἐκπεσόντες ἐξ Ἄργυς θ81. 836 ᵇ11. ἀκρίδος τι γένος θ139. 844 ᵇ23. ἰχθῦς ἐξ Ἄργης Ρα7. 1365 ᵃ27 (Simonid fr 165). — ἡ Ἀργεία ἐπὶ τῶν Τρωικῶν ἑλώδης μα14. 352 ᵃ10. Ναυπλία τῆς Ἀργείας Ζιθ19. 602 ᵃ8. — Ἀργεῖοι μα14. 352 ᵃ9. ἐχθροὶ τοῖς Λάκωσιν Ηγ11. 1117 ᵃ26. Πβ9. 1269 ᵇ4, 1270 ᵃ2. Ἀργείων πολιτεία f 439-441. Ἀρχωνίδης ὁ Ἀργεῖος, Ἄνδρων ὁ Ἀργεῖος f 99. 1494 ᵃ10, 14, 19.

ἀργύριον. εὐπορῶν ἀργυρίῳ οβ1349 ᵃ33. ἐξαπατῆσαι ἐπὶ ἀργυρίῳ Ρα15. 1376 ᵃ20. — τὸ ἀργύριον ζέον ἐκπαφλάζει πκθ9. 946 ᵇ25.

ἀργυρογνώμων Ρα15. 1375 ᵇ5.

ἀργυροκοπεῖον πκθ9. 936 ᵇ26.

ἄργυρος. τῷ χαλκῷ ἢ ἀργύρῳ γενέσθαι τίς ἡ αἰτία μδ12. 390 ᵇ12. ἀργύρου ὕδατος, ὀσμωδης μδ10. 389 ᵃ7. αι5. 443 ᵃ19. ἄργυρος κοῖλος ἐκ τῶν ἱερῶν οβ1350 ᵇ23. τὸν θεὸν μῖξαί τισιν ἄργυρον (Plat Rep III 415A) Πβ5. 1264 ᵇ14. — ἄργυρος χυτός ψα3. 406 ᵇ9, ἄπηκτον μδ8. 385 ᵇ4.

Ἀργυρῦν ὄρος μα13. 350 ᵇ14.

ἀργυφέοιο ὕδατος (Emp 353) αν7. 473 ᵇ19.

Ἀργώ Πγ13. 1284 ᵃ24.

ἄρδειν. οἱ γεωργοὶ πειρῶνται μίξαντες (γῇ) ἄρδειν Γβ8. 335 ᵃ14. ὅσα θερμῷ ἄρδεται τῶν φυομένων, σκληρότερα πι60. 898 ᵃ8.

ἀρδεύειν ἕωθεν, νυκτός, δείλης πκ15. 924 ᵇ15. λάχανα ἀρδευόμενα Ζιθ19. 601 ᵇ13.

Ἀρδιαῖοι Ἰλλυριοί θ138. 844 ᵇ9.

Ἀρέθυσα διὰ πενταετηρίδος κινεῖται θ172. 874 ᵃ3.

Ἀρειμάνιος, ὄνομα τῷ κακῷ δαίμονος f 8. 1475 ᵃ38.

Ἀρειοπαγίτης. μὴ πάντα δικάζειν τὰς Ἀρειοπαγίτας f 366. 1539 ᵇ32.

Ἄρειος πάγος. ἐν Ἀρείῳ πάγῳ ὀϊναι δίκην Ρβ23. 1398 ᵇ26, ἀποφυγεῖν ημα16. 1188 ᵇ33. εἰσάγειν δίκας εἰς Ἄρειον πάγον f 385. 1542 ᵃ21. δίκαι ψευδομαρτυριῶν τῶν ἐξ Ἀρείυ πάγυ f 378. 1541 ᵃ11. οἱ ἐξ Ἀρείω πάγω μετὰ τὸν πρότερον λόγον φυγόντες f 401. 1545 ᵃ17. οἱ ἐν Ἀ. π. νόμοι Ρα1. 1354 ᵃ23. Πεισίστρατος ὑπέμεινε δίκην Πε12. 1315 ᵇ22. ἡ ἐξ Ἀρείω πάγυ βυλή f 360. 1539 ᵃ12. ἡ ἐν Ἀρείῳ πάγῳ βυλή ὀλιγαρχικόν Πβ12. 1273 ᵇ39. ε4. 1304 ᵃ20. τὴν ἐν Ἀ. π. βυλὴν Ἐφιάλτης ἐκόλυσε κ̄ Περικλῆς Πβ12. 1274 ᵃ7.

Ἀρειφράδης v Ἀριφράδης.

ἀρείων. ἃ ὑμῖν ἄρειον μὴ γνῶναι f 40. 1481 ᵇ10.

ἀρέσκεια, opp αὐθάδεια, σεμνότης ηεβ3. 1221 ᵃ8, 27. γ7. 1233 ᵇ34. ημα29. 1192 ᵇ30.

ἀρέσκειν. ἀρέσκει αὐτοῖς τὸ μὴ λαμβάνειν Ηδ3. 1121 ᵇ30. ἀρέσκωσιν ἑαυτοῖς Ηι4. 1166 ᵇ3. εἰ δὲ ταῦτα μὴ ἀρέσκει Ηγ6. 1113 ᵃ23. κ6. 1176 ᵇ1. — med πῶς ἂν φίλοι εἶεν μὴ ἀρεσκόμενοι τοῖς αὐτοῖς Ηι3. 1165 ᵇ28. cf κ5. 1175 ᵇ11. Σιμωνίδη ὐκ ἀρεσκόμενος Ηδ2. 1121 ᵃ7.

ἄρεσκος, def Ηβ7. 1108 ᵃ28. δ12. 1126 ᵇ12, 1127 ᵃ7 (cf ι10. 1171 ᵃ17, 18). ηεγ7. 1233 ᵇ37. ημα29. 1192 ᵇ34. syn κόλαξ ημβ3. 1199 ᵃ17.

ἀρετή, universe. ἀρετὴ κτήσεως, σώματος, ὀφθαλμῦ, ἵππυ, θύννων Πα13. 1259 ᵇ20. Ρα5. 1361 ᵇ3-35. Φη3. 246 ᵇ4-7. φ2. 806 ᵇ34. Ηβ5. 1106 ᵃ17. θ136. 844 ᵃ33. ἀρετὴ ἀποδείξεως, λόγυ ῥητορικῦ, λέξεως Αγ24. 85 ᵃ22. Ργ2. 1404 ᵇ37. 12. 1412 ᵃ22. ἀρετὴ κλέπτῃ, συκοφάντῃ Μδ16. 1021 ᵇ19, 22. ἡ ἀρετὴ τελείωσίς τις, ὅταν γὰρ λάβῃ τὴν ἑαυτῦ ἀρετήν, τότε λέγεται τέλειον ἕκαστον· ἀρετὴ τὸ κατὰ φύσιν

Μδ16. 1021 ᵇ20. Φη3. 246 ᵃ13, 14, ᵇ28, 29. ἡ ἀρετὴ περὶ ταῦτα, ὑφ᾽ ὧν ἀλλοιῦσθαι πέφυκε τὸ ἔχον Φη3. 246 ᵇ18. αἱ ἀρεταὶ ἐν τῷ πρός τι πῶς ἔχειν Φη3. 246 ᵇ3, ᵃ30. — ἀρετή sensu morali. disciplinae moralis τὸ τέλος ὐ γνῶσις ἀλλὰ πρᾶξις Ηα1. 1095 ᵃ5. β2. 1103 ᵇ26. κ10. 1179 ᵃ35. ηεα5. 1216 ᵇ20. ἀρετῆς τί ἐστιν ἔργον αρ8. ἀρετὴ quomodo referatur ad εὐδαιμονίαν Ηα13. 1102 ᵃ5. κ6.1176 ᵇ7. Πϑ 11. 1295 ᵃ37. ηεα1. 1214 ᵃ33. ἡ τῦ ἀνθρώπυ ἀρετὴ εἴη ἂν ἕξις ἀφ᾽ ἧς ἀγαθὸς ἄνθρωπος γίνεται κ̄ ἀφ᾽ ἧς εὖ τὸ ἑαυτῦ ἔργον ἀποδώσει Ηβ5. 1106 ᵃ22, 15 (cf ζ2.1139 ᵃ17). ηεβ1. 1218 ᵇ38, 1219 ᵃ27, 32, 1220 ᵃ29. 5.1222 ᵃ6. ημα4. 1185 ᵃ38. Ρα9. 1366 ᵃ36. Πγ4. 1276 ᵇ39. Φη3. 247 ᵃ2. ἀρετὴν ἀνθρωπίνην λέγομεν ὐ τὴν τῦ σώματος ἀλλὰ τὴν τῆς ψυχῆς Ηα13. 1102 ᵃ16. (ἀνοσιώτατον ἄνευ ἀρετῆς ὁ ἄνθρωπος Πα2. 1253 ᵃ36). quoniam ψυχῆς discernitur μόριον τὸ ἄλογον, λόγυ πῃ μετέχον κ̄ τὸ λόγον ἔχον, duo sunt virtutum genera, αἱ ἠθικαὶ ἀρεταί sive αἱ τῦ ἤθυς ἀρεταί et αἱ διανοητικαὶ (τῆς διανοίας, λογικαί) ἀρεταί Ηα13. 1102 ᵃ23-1103 ᵃ10. β1. 1103 ᵃ14-18. 7. 1108 ᵇ9, 10. γ13. 1117 ᵇ24. ζ2. 1139 ᵃ1. ηεβ1. 1220 ᵃ4-13. 4. 1221 ᵇ29-34. Πα13. 1260 ᵃ6. ἀρετὴ τῦ λογιστικῦ, τῦ θυμοειδῦς, τῦ ἐπιθυμητικῦ αρ1. 1249 ᵇ26. — περὶ ἠθικῆς ἀρετῆς Ηβ - ε. ηεγ. ημα20-34. — a. ad definiendam eius notionem Ηα13-β9. ἠθικαὶ ἀρεταὶ ὐκ εἰσὶν ἐπιστῆμαι Ηε1. 1129 ᵃ13 (cf ηγ3. 1145 ᵇ21sqq). ηεη13. 1246 ᵇ1 (cf Σωκράτης τὰς ἀρετὰς ἐπιστήμας ἐποίει, ὐκ ὀρθῶς ημα1. 1182 ᵃ16. ηεα5. 1216ᵇ6.), ὐ δυνάμεις Ηβ4. 1106 ᵃ6. ημα7. 1186 ᵃ14, ὐ πάθη Ηβ4. 1105 ᵇ28. ημα7. 1186 ᵃ12. αἱ ἀρεταὶ ἕξεις εἰσίν Ηα13. 1103 ᵃ9. β4. 1106 ᵃ11. 1. 1103 ᵇ22. ε1. 1129 ᵃ14. Φη3. 246 ᵃ11, 30. τὸ βεβαίως κ̄ ἀκινήτως ἔχειν Ηβ3. 1105 ᵃ33. ἡ ἀρετὴ μόνιμον, ἀμετάπτωτον Ηθ4. 1156 ᵇ12. ημβ1. 1209 ᵇ13. ἡ ἀρετὴ σπυδαίον Ηγ1. 1490 ᵇ43. — τὰ κατὰ τὰς ἀρετὰς γινόμενα ὐκ ἐὰν αὐτά πως ἔχῃ, δικαίως ἢ σωφρόνως πράττεται, ἀλλὰ κ̄ ἐὰν ὁ πράττων πως ἔχων πράττῃ, πρῶτον μὲν ἐὰν εἰδώς, ἔπειτ᾽ ἐὰν προαιρύμενος κ̄ προαιρύμενος δι᾽ αὐτά Ηβ3. 1105 ᵃ28-32. cf ζ13. 1144 ᵃ18. ε13. 1137 ᵃ12. αἱ ἀρεταὶ ἑκούσιον Ηγ7. 1113 ᵇ6. ηεβ6. 1223 ᵃ20. ημα9. 1187 ᵃ29. β8. 1207 ᵃ22. (εἰ ἔστιν ἀρετή, ὐκ ἔστι τύχη f 88. 1491 ᵇ19.) αἱ ἀρεταὶ προαιρέσεις τινὲς ἢ ὐκ ἄνευ προαιρέσεως Ηβ4. 1106 ᵃ3. ζ2. 1139 ᵃ22. κ8. 1178 ᵃ34. ηεγ7. 1234 ᵃ25. αἱ κατ᾽ ἀρετὴν πράξεις καλαί κ̄ τῦ καλῦ ἕνεκα Ηδ2. 1120 ᵃ23 (cf καλός). ημα22. 1191 ᵇ20. τὸ κατ᾽ ἀρετὴν ἡδὺ ἢ ἄλυπον, ἥκιστα δὲ λυπηρόν Ηδ2. 1120 ᵃ27. ημβ7. 1206 ᵃ11-23. 11. 1209 ᵇ33, ᵃ7. ἀρετῆς ἴδιον ὃ τὸν ἔχοντα ποιεῖ σπυδαῖον τε3. 131 ᵇ1. Κ8. 10 ᵇ7. οἱ ἀπ᾽ ἀρετῆς Ηδ1. 1120 ᵃ22. eo quod in virtute non ἔργον solum spectatur, sed τὸ πῶς ἔχοντα πράττειν, differt ἀρετῇ et τέχνῃ Ηβ3. 1105 ᵃ23-ᵇ3. cf ζ5. 1140 ᵇ24. Μδ29. 1025 ᵃ12. — ἡ ἠθικὴ ἀρετὴ περὶ ἡδονὰς κ̄ λύπας ἐστί Ηβ2. 1104 ᵇ8-1105 ᵃ13. η12. 1152 ᵇ5. κ8.1178 ᵃ15. ημα6. β7. 1204 ᵃ28, 24. Πθ5. 1340 ᵃ15, περὶ πάθη κ̄ πράξεις Ηβ6. 1106 ᵇ16. γ1. 1109 ᵇ30. (πάθη quomodo cum ἡδονῇ et λύπῃ cohaereant cf ημα7. 1186 ᵃ12.) ὁρίζονται τὰς ἀρετὰς ἀπαθείας τινὰς κ̄ ἠρεμίας Ηβ2. 1104 ᵇ24. ηεβ4. 1222 ᵃ4. Φη3. 246 ᵇ19, 247 ᵃ22. — ἡ ἀρετὴ τῦ μέσυ ἂν εἴη στοχαστική· τὸ μέσον ὐ τὸ τῦ πράγματος, ἀλλὰ τὸ πρὸς ἡμᾶς Ηβ5. 1106 ᵇ15, 7. γ7. 1114 ᵇ26. ηεβ3. 1220 ᵇ34. 5. 1222 ᵃ10. ημα5. 1185 ᵇ13. 7. 1186 ᵃ20. (μέσον, syn ὡς δεῖ sim cf μέσος). κατὰ τὴν ὐσίαν μεσότης ἐστὶν ἡ ἀρετή, κατὰ δὲ τὸ ἄριστον κ̄ τὸ εὖ ἀκρότης Ηβ6. 1107 ᵃ7. (πότερον εἰς ὑπερβολὴν γενόμεναι αἱ ἀρεταὶ χείρυς ποιῦσι, πότερον ἔστιν ἀρετὴ κακῶς χρῆσθαι

ημβ3. 1200 ᵃ11-35. 7. 1206 ᵃ36-ᵇ17. ηεη13. cf Πγ10.
1281 ᵃ19.) — inde plena conficitur definitio: ἕξις προ-
αιρετική, ἐν μεσότητι ὖσα τῇ πρὸς ἡμᾶς, ὡρισμένη (fort
ὡρισμένῃ) λόγῳ χ̣ ὡς ἂν ὁ φρόνιμος ὁρίσειεν Ηβ6. 1106
ᵇ36. ἕξις προαιρετικὴ μεσότητος τῆς πρὸς ἡμᾶς ἐν ἤδεσι χ̣
λυπηροῖς ηεβ10. 1227 ᵇ8. — b. virtutis origo et incrementa.
τῆς ἀρετῆς ἀρχὴ χ̣ ἡγεμὼν ὐκ ἔστιν ὁ λόγος, ἀλλὰ μᾶλλον
τὰ πάθη ημβ7. 1206 ᵇ18-29. ἐν ταῖς φυσικαῖς ἀρεταῖς ἡ
ὁρμὴ μόνον ὑπάρχει πρὸς τὸ καλὸν ἄνευ λόγυ ημβ3. 1199
ᵇ38. cf 7. 1206 ᵇ19. Ζια1. 488 ᵇ12 sqq. θ1. ιι. φυσικὴ
ἀρετή, opp κυρία Ηζ13. 1144 ᵇ3-17. ηεγ7. 1234 ᵃ28. opp
τελεία ημβ3. 1200 ᵃ4 (aliter τελεία ἀρετή dicitur Ηε3.1129
ᵇ30, 31, cf 1130 ᵃ7). ἡ χρήσιμος ἀρετὴ χ̣ πολιτικὴ Ζμα1.
642 ᵃ30. χωρίζεσθαι ἀλλήλων τὰς ἀρετὰς κατὰ μὲν τὰς
φυσικὰς ἐνδέχεται, καθ' ἃς δὲ ἁπλῶς λέγεται ἀγαθὸς ὐκ
ἐνδέχεται Ηζ13. 1144 ᵃ33. ημβ3. 1199 ᵇ36-1200 ᵃ11. ad
efficiendam virtutem quid conferant φύσις, ἔθος, διδαχή
(λόγος, προαίρεσις) Ηκ10. 1179 ᵇ20 sqq. β1. 1103 ᵃ17,19,
24. ημα35. 1197 ᵇ38 sqq. Πη13. 1332 ᵃ40. cf Ηη9. 1151
ᵃ18. — ἡ κυρία ἀρετὴ ὐ γίνεται ἄνευ φρονήσεως· ὐ μόνον
κατὰ τὸν ὀρθὸν λόγον, ἀλλὰ χ̣ μετὰ τῦ ὀρθῦ λόγυ Ηζ13.
1144 ᵃ17, 27. ημβ3. 1200 ᵃ4. 7. 1206 ᵇ10 sqq. α35.1198
ᵃ10-22. συνέζευκται χ̣ ἡ φρόνησις τῇ τῦ ἤθυς ἀρετῇ χ̣ αὕτη
τῇ φρονήσει Ηκ8. 1178 ᵃ16. ζ13. 1144 ᵇ31, 20 (cf φρό-
νησις χ̣ ἀρετή Πα2. 1253 ᵃ34). ἡ μὲν ἀρετὴ τὸν σκοπὸν
ποιεῖ ὀρθόν, ἡ δὲ φρόνησις τὰ πρὸς τῦτον Ηζ13. 1144 ᵃ8, 20,
1145 ᵃ5. ηεβ11. γ1. 1230 ᵃ31. ημα18. 1190 ᵃ8 sqq. ἡ
ἀρετὴ σώζει τὴν ἀρχὴν Ηη9. 1151 ᵃ15. ἡ ἀρετὴ τῦ νῦ ὄρ-
γανον ηεγ14. 1248 ᵃ29. ἀρετή, dist δεινότης Ηζ13. 1144 ᵇ2
(cf φρόνησις). — c. ἠθικῆς ἀρετῆς εἴδη enumerantur Ηβ7.
ηεβ3. Ρα9. 1366 ᵇ1. γ12. 1414 ᵃ21, describuntur Ηγ8-ε
(cf supra p 92 ᵇ22); quaedam μεσότητες non ipsis virtutibus
moralibus adnumerantur ημα33. 1193 ᵃ36-38, veluti ἐγκρά-
τεια Ηη1. 1145 ᵃ36-ᵇ2, quamquam ea est σπυδαία
Ηη9. 1151 ᵃ27, et αἰδὼς Ηβ15. 1128 ᵇ10, cf β7. 1108
ᵃ31. ἡρωική τις χ̣ θεία ἀρετή, opp θηριότης Ηη1. 1145 ᵃ20.
ημβ5. — aliud virtutum discrimen inde oritur, quod vel
naturali indole vel gradu civili homines differunt Πα13.
1260 ᵃ26. ἀρετὴ δύλη, δεσπότυ, παιδός, γυναικός, ἀνδρός
Πα13. 1259 ᵇ21, 1260 ᵃ15, 31, 33. ὐχ οἶον τ' ἐπιτηδεῦσαι
τὰ τῆς ἀρετῆς ζῶντα βίον βάναυσον ἢ θητικόν Πγ5. 1278
ᵃ21. ἀρετὴ ἀρχόντων, ἀρχομένων Πα13. 1259 ᵇ33, 1260 ᵃ3.
γ4. 1277 ᵇ19, 27. πότερον ἡ αὐτὴ ἀρετὴ ἀνδρὸς ἀγαθῦ χ̣
πολίτυ σπυδαίυ Πγ4. 1276 ᵇ17, 32, 1277 ᵃ1, 10, 26, ᵇ15.
γ18. 1288 ᵃ38. ι4. 1333 ᵃ12. ἀρεταὶ ὀργανικαὶ χ̣ διακο-
νικαὶ Πα13. 1259 ᵇ23. ἀρετὴ πολεμικὴ Πγ12. 1283 ᵃ20.
ἀρετὴ πολιτικὴ Πγ9. 1280 ᵇ5, 1281 ᵃ7. τὴν ἀρετὴν δεῖ εἶναι
πρὸς τὴν πολιτείαν Πγ4. 1276 ᵇ30. — bona, quibus cives
alii alios antecedunt, saepe inter se coniunguntur et dist
ἀρετή, παιδεία, εὐγένεια, πλῦτος, veluti Πδ4. 1291 ᵇ29. 2.
1289 ᵃ33. 3. 1290 ᵃ1. 7. 1293 ᵇ15, 18. 6. 1294 ᵃ11, 20,
22. 11. 1295 ᵃ27. 15. 1300 ᵃ17. ε1.1301 ᵇ40. 3. 1303 ᵇ15.
γ13. 1283 ᵃ25, 1284 ᵇ33. α6. 1255 ᵃ13, 39. Ρβ4. 1381
ᵃ27 al. ἡ εὐγένεια ἀρετὴ γένυς f85. 1490 ᵇ43. — ἀρετὴ
διανοητικὴ τὸ πλεῖον ἐκ διδασκαλίας ἔχει τὴν γένεσιν χ̣ τὴν
αὔξησιν Ηβ1. 1103 ᵃ15. ἀρεταὶ διανοητικαὶ def Ηζ. τί
χρήσιμοί εἰσιν Ηζ13. — περὶ ἀρετῆς χ̣ κακίας, ex quo funda-
mento λόγοι ἐπιδεικτικοί Ρα9. ἡ ἀρετὴ ἀνέγκλητον ηεη10.1243
ᵃ3. ἀρ. ὐδεμία ἄνευ μεγέθυς ηεγ5. 1232 ᵇ33. ἀρ. ἡ μὲν
ὅλη ἡ δὲ μόριον ηεβ1. 1219 ᵃ37. — Ἀρετά, πολύμοχθε
γένει βροτείῳ· ἆ τλάμων Ἀρετά f 625. 1583 ᵇ8. 596.

1575 ᵇ11.

Ἄρης πρὸς Ἀφροδίτην συζευχθείς Πβ9. 1269 ᵇ28. ἀσπὶς
φιάλη Ἄρεος (Ἄρεως) Ργ4. 1407 ᵃ17. 11. 1412 ᵇ35, 1413
ᵃ6. π021. 1457 ᵇ22, 32. (acc Ἄρην 1457 ᵇ21). ὃν κτάνεν
ὠκὺς Ἄρης f 596. 1575 ᵇ9. —Ἄρης sidus Οβ12. 292 ᵃ5.
κ2. 392 ᵃ26.

ἀρητήρ (Hom A 11, 94) π021. 1457 ᵇ35.

Ἀρθριότης νομὸς οβ 1353 ᵃ6.

Ἄρθρον. 1. artus, articulus corporis. τὸ ἄρθρον ἀεὶ δυοῖν ὅρος
ατ972 ᵃ25. ἄρθρα χειρὸς χ̣ βραχίονος καρπός (i e carpus
ΑΖι ad h l) Ζια15. 494 ᵃ1. τὰ νεῦρα διεσπασμένα περὶ τὰ
ἄρθρα χ̣ τὰς τῶν ὀστῶν ἐστὶ κάμψεις Ζιγ5. 515 ᵇ4. ἡ
δύναμις ἡμῶν ἐν τοῖς ἄρθροις ἐστίν πα24. 862 ᵃ30, 32. οἱ
ἐν τοῖς μαλακοῖς περίπατοι τοῖς ἄρθροις κοπιώδεις· τῶν γὰρ
ἄρθρων πυκνὰς τὰς κάμψεις ποιῦσιν πε40. 885 ᵇ2. — χειρ-
ρὸς θέναρ διῃρημένον ἄρθροις (lineis, incisuris)· Ζια15. 493
ᵇ33. — 2. ἄρθρον i q αἰδοῖον. ὁ δελφὶς ἔχει μαστὸς πλη-
σίον τῶν ἄρθρων Ζιβ13. 504 ᵇ23. τὰς ὑστέρας ἔχυσι πρὸς
τοῖς ἄρθροις (opp πρὸς τῷ ὑποζώματι) αἱ γυναῖκες χ̣ τίνα
ἄλλα ζῷα Ζιγ1. 510 ᵇ9. Ζγα3. 716 ᵇ34. 8. 718 ᵃ38. γ1.
749 ᵃ30, 751 ᵃ30. (τῶν σελαχῶν) γίγνεται ζῷα ἐκ τῦ
ᾠῦ πρὸς τοῖς ἄρθροις Ζγα11. 719 ᵃ4. διικνεῖσθαι πρὸς τὸν
θώρακα τὰς κινήσεις ἀπὸ τῶν ἄρθρων Ζγβ7. 747 ᵃ21. ἀϊὲ
τῶν ἄρθρων οἱ ἡμίονοι χ̣ ἄρρενες ὀσφραίνονται τῶν θηλειῶν
Ζγβ8. 748 ᵇ26. — 3. ἄρθρον φωνῆς. ὁ δελφὶς γλῶτταν ὐκ
ἀπολελυμένην ἔχει ὐδὲ χείλη ὥστε ἄρθρον τι τῆς φωνῆς
ποιεῖν Ζιδ9. 536 ᵃ3. ἡ ἐν τοῖς ἄρθροις φωνή, ἣν ἄν τις ὥσπερ
διάλεκτον εἴπειεν Ζιδ9. 536 ᵇ11. — 4. ἄρθρον, vocabulum
grammaticum. πρόσεχε τοῖς καλυμένοις ἄρθροις ὅταν τὰ
δέοντα προστίθηται π26. 1435 ᵃ35. ἄρθρον def π020.1457 ᵃ6
(difficillima de hoc loco vel interpretando vel emendando
quaestio, cf Vhl Poet III 234-236, 306-312, Steinthal
Gesch p 257 sqq, Schömann Redetheile p 115 sqq, J Jahrb
Suppl V 1-67)

ἀρθρῦν. κνῆμαι ἠρθρωμέναι φ6. 810 ᵃ28 (cf διηρθρωμένος
ᵃ16). τὰ ἠρθρωμένα, opp τὰ ἄναρθρα πι49. 896 ᵇ2.

ἀρθρώδης. καρδίαι ἀρθρωδέστεραι, opp ἀναρθρότεραι Ζμγ4.
667 ᵃ9. ὅσοι τὸ μετάφρενον ἔχυσι μέγα χ̣ εὔισαρκον χ̣ ἀρ-
θρῶδες φ6. 810 ᵇ26. ὅλον τὸ σῶμα ἀρθρῶδες χ̣ νευρῶδες
φ5. 809 ᵇ30.

ἀριδάκρυοι οἱ μεθύοντες πγ24. 874 ᵇ8.

ἀρίδακρυς πλ1. 953 ᵇ11. γυνὴ ἀνδρὸς ἀρίδακρυ μᾶλλον Ζιι1.
608 ᵇ9.

ἀριθμεῖν τί ἐστιν ατ968 ᵇ2, 969 ᵃ31, ᵇ3. ὐδὲν ἄλλο πέφυκεν
ἀριθμεῖν ἢ ψυχή Φδ14. 223 ᵃ25. ἄνθρωπος τὸ ἐπιστάμενον
ἀριθμεῖν (Plat) τζ5. 142 ᵇ26. πλ6. 956 ᵃ12. ἀριθμεῖται
ἕκαστον ἑνί τινι συγγενεῖ Φδ14. 223 ᵇ13. τὸ ἀριθμύμενον,
dist ᾧ ἀριθμῦμεν Φδ11. 219 ᵇ6. ἀριθμύμενα (ἐναριθμήσεται
Wz) τῷ ἐξ ἀρχῆς πι6. 168 ᵇ25. — ἀριθμεῖται τὰ τῶν πολι-
τειῶν εἴδη Πδ7. 1293 ᵃ41. ἐν τοῖσι πολλοῖσι ἠριθμημένῳ
στρατῷ (Eurip fr 785) Ηζ9. 1142 ᵃ4. — (ἀριθμεῖν τὰ
πόρρω, fort ἀθρεῖν πγ20. 874 ᵇ6 cf 872 ᵃ19 Bz Ar St IV
404). — ἀριθμητὸν Φγ5. 204 ᵇ9. δ11. 219 ᵇ6. 14. 223
ᵃ23. dist μετρητὸν Μλ3. 1020 ᵃ9. ἡ ὕλη ἀριθμητὴ (ἀρίθ-
μιστος ci Bz Ar St I 237) Φα7. 190 ᵇ25.

ἀριθμητικὸς ἀριθμὸς Μμ8. 1083 ᵇ16 (cf ἀριθμός) ἀριθ-
μητικὴ ἰσότης, opp ἡ κατ' ἀξίαν Πε1. 1302 ᵃ7. ἀριθμητικὴ
ἀναλογία Ηβ5. 1106 ᵃ35. ε7. 1132 ᵃ1, 30. μεσότης ἀριθμη-
τική, ἁρμονικὴ f 43. 1483 ᵃ6. αἱ ἐξ ἐλαττόνων ἐπιστῆμαι
ἀκριβέστεραι τῶν πρὸς θέσεως λεγομένων, οἷον ἀριθμητικὴ
γεωμετρίας ΜΑ2. 982 ᵃ28 Bz. Αγ27. 87 ᵃ34, 35.

ἀριθμός. τέτταρα τὸν ἀριθμόν, ἴσα τὸν ἀριθμόν Πγ14. 1285
b20. μγ2. 372 a1. Ζγβ6. 742 b35 al, sed τοσαῦτα ἀριθμῷ
ρ2. 1421 b12 (cf Spgl ad h l p 102). ὑπερβάντες τὸν ἐφεξῆς
τῶν μορίων ἀριθμῶν Ζμγ7. 670 b30. βύλεται ἡ φύσις τοῖς
τέτων ἀριθμοῖς (τῶν περιφορῶν τῶν ἄστρων) ἀριθμεῖν τὰς
γενέσεις Ζγδ9. 778 a5. — τιθέναι εἰς ἀριθμόν Αδ1. 89
b25 Wz. — ἀριθμὸς διχῶς, τὸ ἀριθμύμενον ἢ [τὸ] ἀριθ-
μητόν ἢ ᾧ ἀριθμῦμεν Φδ11. 219 b6. 14. 223 a24. ἀριθμός
def ποσὸν διωρισμένον, πλῆθος ἑνὶ μετρητόν, πλῆθος μέτρων,
μονάδων, ἀδιαιρέτων sim K6. 4 b23. Φγ7. 207 b7. Μδ13. 10
1020 a13. ι1. 1053 a30. 6. 1057 a3. μ9. 1085 b22. ν2.
1088 a5, 1089 b34. ὁ ἀριθμὸς τῶν διωρισμένων ἐστί, opp
συνεχές K6. 4 b23, 31. Φδ12. 220 b3 (cf 11. 219 b4). ψγ1.
425 a19. cf πιζ1. 916 a9. — numerus mathematicus (ab-
stractus, purus) opponitur et numero rerum sensibilium et 15
numero ideali, ἀριθμὸς προβάτων κυνῶν, πύρινος, γήϊνος,
σωματικός, αἰσθητός Φδ14. 224 a2. Μν5. 1092 b19. 3.
1090 b35. ν5. 1092 b22. (cf Φδ14. 224 a13.) ἀριθμὸς μα-
θηματικός, ἀριθμητικός, μοναδικός Ηε6. 1131 a39. Μμ8.
1083 b16. 6. 1080 a21, b30 Bz. 7. 1081 a21. 8. 1083 b2. 9. 20
1086 a5. ν2. 1088 b34. 3. 1090 b33, 35. 5. 1092 b19, 24.
οἱ περὶ ἀριθμὸς τη3. 153 a10. ἀριθμὸς εἰδητικὸς v infra. —
τὸ ἐν ἀριθμῷ ἀρχὴ ᾧ μέτρον Μδ15. 1021 a3. 6. 1016 b18
Bz. ι1. 1052 b18 (cf 6. 1057 a4). ν1. 1087 b33. ατ969
a15. ἐλάχιστος ἀριθμὸς ἡ δυάς Φδ12. 220 a27. ὁ ἀριθμὸς 25
ἀριθμεῖται κατὰ πρόσθεσιν Μμ7. 1081 b14. ὁ ἀριθμὸς τίνι
εἷς Μη3. 1044 a3. — ὁ ἀριθμὸς ποιεῖ τινες, eius genera
πρῶτος, σύνθετος, ἄρτιος περιττός, ἀφ' ἑνὸς διπλασιαζόμε-
νος, ἰσόπλευρος, ἑτερομήκης, τετράγωνος, κύβος, στερεὸς
Μδ14. 1020 b3. γ2. 1004 b10. Αγ4. 73 a40. Κ10. 12 a6. 30
ΜΑ6. 987 b34 Bz. μ8. 1084 a2, 3, 6 Bz. ν5. 1092 b12. 6.
1093 a7. Πε12. 1316 a8. πιε3. 910 b32. ἀριθμοὶ ἁρμονικοὶ
ψα3. 406 b29. ἀριθμὸς ἄπειρος, πεπερασμένος Φγ4. 203
b25. Οα5. 272 a1. Μμ8. 1083 b36. ὁ δέκα ἀριθμὸς διὰ τί
τέλειος πιε3. 910 b32, 37. — ἕν, τὸ αὐτὸ ἀριθμῷ, dist 35
εἴδει (λόγῳ), γένει, κατ' ἀναλογίαν τα7. 103 a9, 23. Μδ6.
1016 b32 Bz. 9. 1018 a13. ι3. 1054 a34. κ2. 1060 b29.
μ10. 1086 b26. ν1. 1087 b12. Φα7. 190 a15. η1. 242 a33.
Γβ11. 338 b13, 18. μβ3. 357 b28. ψα5. 411 b21. Ζγβ1.
731 b33. (cf πᾶν κατ' ἀριθμόν, κατ' εἶδος Αγ5. 74 a31). 40
τὸ ἀριθμῷ ἓν i q τὸ καθ' ἕκαστον Μβ4. 999 b33. ι1. 1052
a31. inde explicatur ὕστερον γενέσει ἡ ἐνέργεια ᾧ κατ'
ἀριθμὸν Μθ9. 1051 a32. aliter opp τῷ ἀριθμῷ et τῷ λόγῳ,
τῷ εἶναι, τῇ δυνάμει, veluti τὸ μέσον πρὸς ἑκάτερον ἄμφω
ἐστί, ᾧ τῷ μὲν ἀριθμῷ ἕν, τῷ λόγῳ δὲ δύο al. Φθ8. 262 45
a21, 263 b13. Γα5. 320 b14. 8. 326 b6. ψγ2. 427 a2, 5.
ζ1. 467 b25. — τὰ ὕστερον γένη τῷ ἀριθμῷ (i e τὰ μήκη,
ἐπίπεδα etc) Μμ9. 1085 a8. cf Φε3. 227 a20. ψα3. 407
a8. — ἐν ἀριθμῷ εἶναι τί ἐστι Φδ12. 221 a11. ἐν ἀριθμῷ
εἶναι τὴν μῖξιν, ἐν ἀριθμοῖς, ἐν ἀριθμοῖς εὐλογίστοις Μν6. 50
1092 b27 Bz. αι3. 439 b32, 440 a3, 5, b20 (opp καθ'
ὑπεροχήν). 4. 442 a16. ἐν ὅλοις ἀριθμοῖς, syn ἐν ὅλοις ὅροις
πιθ35. 920 a32, 28. κατ' ἀριθμός, opp ἀορίστως αι4. 442
a15. (cf κατὰ μὴ σύμμετρον ἀριθμόν Μδ15. 1021 a5.
ὐδένα ἔχει λόγον τὸ μηδὲν πρὸς ἀριθμόν Φδ8. 215 b13. λό- 55
γος ἀριθμῶν, λόγος ἐν ἀριθμοῖς ΜΑ9. 991 b13, 20. ν5. 1092
b14. 6. 1092 b31. Αδ2. 90 a18, 20, 22. ἀριθμός, opp λόγος
ἀριθμῶν Μν5. 1092 b22 (cf ἀριθμῷ, opp κατ' ἀξίαν Πε1.
1301 b30. ζ2. 1317 b4), sed etiam ἀριθμός significat i q
λόγος ἀριθμῶν· τὸν ὅλον ὐρανὸν ἁρμονίαν εἶναι ἢ ἀριθμὸν 60
ΜΑ5. 986 a3. τῷ ἀνάλογον ἢ τῷ ἀριθμῷ ὃν ἔχει πρὸς ἑκά-

τερον ψγ7. 431 a23. ἀριθμὸν ἔχει ἡ ἐν περιόδοις λέξις Ργ9.
1409 b5. ὁ ῥυθμὸς τεταγμένῳ ἀριθμῷ ἔχει πιθ38. 920 b33.
— οἱ ἀριθμοὶ πότερον ὐσίαι τινές εἰσιν ἢ ὔ Μβ5. 1001 b26-
1002 b11 Bz. — (Pythag) ἀριθμὺς ποιῦσι τὰ ὄντα, ἐξ
ἀριθμῶν συντιθέασι τὸν ὐρανόν, τὸν ἀριθμὸν εἶναι τὴν ὐσίαν
ἁπάντων ΜΑ5. 985 b26, 987 a19. ν3. 1090 a22. Ογ1.300
a15, 16. πάντα ἀνάγειν εἰς ἀριθμὸς Μζ11. 1036 b12. ἀριθμῷ
στοιχεῖα τό τε ἄρτιον ἢ τὸ περιττόν ΜΑ5. 986 a17. ἡ τάξις
ἢ ἐν τῷ ὐρανῷ ἣν ἐποίυντο τῶν ἀριθμῶν οἱ Πυθαγόρειοι
f 197. 1513 a37. — (Plato et Platonici) ἡ ψυχὴ ἀριθμὸς
αὐτὸς αὑτὸν κινῶν τζ3. 140 b2. ἀριθμοὶ τὰ εἴδη αὐτὰ τῶν
πραγμάτων, ὁ τῦ ἐπιπέδω ἀριθμός δόξα, ὁ τῦ στερεῦ
αἴσθησις ψα2. 404 b25, 27, 23. ἄλλος ἀριθμὸς αἱ ἰδέαι f 11.
1475 b28. ἡ τῶν εἰδῶν ἀριθμός, ὁ εἰδητικὸς ἀριθμός, οἱ
νοητοὶ ἀριθμοί, opp ὁ μαθηματικὸς (cf supra) ΜΑ8. 990
a30. μ7. 1081 a21. 8. 1083 b2. 9. 1086 a5. ν2. 1088 b34.
3. 1090 b33, 35. 5. 1092 b19. τὰς ἀριθμὺς πρώτυς τῶν ὄν-
των εἶναι Μμ8. 1083 a23. πρῶτος ἀριθμὸς (i e εἰδητικὸς)
Μμ6. 1082 b22 (Bz et ad ΜΑ6. 987 b34). 7. 1081 a5. γέ-
νεσις τῶν ἀριθμῶν Μν4. 1091 a28. ἀρχὴ ἀριθμῶν αὐτὸ τὸ
ἓν Μμ8. 1083 a24. πολὺ ὀλίγον, ἐξ ὧν οἱ ἀριθμοὶ Μν2.
1089 b12. ἀριθμὸς τέλειος μέχρι τῆς δεκάδος Μμ8. 1084
a12, 32. ὐθὲν διώρισται ὁπότερως οἱ ἀριθμοὶ αἴτιοι τῶν ὐσιῶν
Μν5. 1092 b8, 24. διὰ τί ὐκ ἐν τόπῳ τὰ εἴδη ἢ οἱ ἀριθμοὶ
Φδ2. 209 b35. περὶ τῶν εἰδητικῶν ἀριθμῶν, πότερον οἱ αὐτοὶ
τοῖς μαθηματικοῖς ἢ ὔ, πότερον συμβλητοὶ ἢ ἀσύμβλητοι
Μμ6-9. 1086 a21 Bz. — ὐκ ἐποίυν ἰδέας ἐν οἷς τὸ πρό-
τερον ἢ ὕστερον, διόπερ ὐδὲ τῶν ἀριθμῶν ἰδέαν κατεσκεύαζον
Ηα4. 1096 a19. Μβ3. 999 a8. δ11. 1019 a22 utrum ad
mathematicos numeros referendum sit an ad ideales (coll
Μμ6. 1080 b10) dubitatur, Bz ad Met p 153, 251. Zeller
II 1 p 434.

Ἀρίμας, λόχος τῶν Λακεδαιμονίων f 498. 1559 a23.
Ἀριοβαρζάνη Μιθριδάτης ἐπιτίθεται Πε10. 1312 a16.
Ἀρισταῖος ἐν Σαρδοῖ Θ100. 838 b23. Ἀρισταῖον αἱ νύμφαι
ἐκθρέψασαι ἐδίδαξαν τὴν τῦ ἐλαίν ἐργασίαν f 468. 1555

ἀρισταρχεῖν Πβ11. 1273 b5.

ἀριστεῖα. περὶ τῶν ἀριστείων συνηγορῆσαι τῇ ἡδονῇ Ηα12.
1101 b28.

Ἀριστείδης Ρβ23. 1398 a10. γ14. 1414 b36. f 83. 1490
a21. Μυρτῶ ἡ Ἀριστείδῃ τῷ δικαίῳ θυγάτηρ (θυγατριδῆ)
f 84. 1490 b11, 18.

ἀριστερός. τόπυ εἴδη ἢ διαφοραὶ ἄνω κάτω, ἔμπροσθεν ὄπι-
σθεν, δεξιὸν ἀριστερόν Φγ5. 205 b33. Οβ2. 284 b22. Ζπ2.
704 b22. 4. 705 a28. ἡ εἰς δεξιὰ φορὰ τῇ εἰς ἀριστερὰ
ἐναντία Φε5. 229 b8. θ8. 261 b35. δεξιὸν ἢ ἀριστερὸν πρὸς
ἡμᾶς, opp φύσει Φδ1. 208 b15. Οβ2. 285 a2. ὅθεν αἱ ἀνα-
τολαὶ τῶν ἄστρων δεξιόν, ὃ δ' αἱ δύσεις ἀριστερόν Οβ2.
285 b19. οἱ Πυθαγόρειοι τί φασιν εἶναι δεξιὸν ἢ ἀριστερὸν
τῷ ὐρανῷ Οβ2. 284 b6. f 200. 1513 b28. τὸ ἀριστερὸν ἢ
κάτω ἢ ὄπισθεν κακὸν ἔλεγον οἱ Πυθαγόρειοι f 195. 1513
a25. — τὸ δεξιὸν ἢ ἀριστερὸν ὐκ ἐνυπάρχει τοῖς φυτοῖς
Οβ2. 285 a18. ἐν πᾶσι τοῖς ἐναίμοις ἢ πορευτικοῖς ζῴοις
διώρισται τὸ δεξιὸν ἢ τὸ ἀριστερόν· ὅθεν ἡ ἀρχὴ τῆς κινή-
σεως, τύτο δεξιὸν ἑκάστῳ, τὸ ἀντικείμενον ἀριστερὸν Ζμγ5.
667 b34. Οβ2. 284 b17. Ζπ4. 705 b16, 21, 31, 33, 706 a1,
6. 6. 706 b25-707 a13. cf Ζιβ1. 498 b10. τὸ ὀστρακό-
δερμα, οἱ κάρκινοι πῶς ἔχυσι τὰ δεξιὰ Ζπ19. 714 b8-19.
ἀπολελυμένα ἔχυσι τὰ ἀριστερὰ τῶν ζῴων μάλιστα ἄν-
θρωποι διὰ τὸ κατὰ φύσιν μάλιστα ἔχειν τῶν ζῴων· διω-

ρισμένων τῶν δεξιῶν εὐλόγως τὰ ἀριστερὰ ἀκινητότερά ἐστιν Ζπ4. 706 ᵃ18, 22. θερμότερα τὰ δεξιὰ τῦ σώματος τῶν ἀριστερῶν· μάλιστα τῶν ἄλλων ζῴων ἄνθρωπος ἔχει κατεψυγμένα τὰ ἀριστερὰ Ζγδ1. 765 ᵇ1. Ζμβ2. 648 ᵃ13. γ7. 670 ᵇ19. 4. 666 ᵇ10. τὸ δεξιὸν τῦ ἀριστερῦ φύσει βέλτιον, τιμιώτερον Ζπ4. 706 ᵃ20. 5. 706 ᵇ13. Ζμγ3. 665 ᵃ25. τῦ μὲν ἄλλυ σώματος τὰ ἀριστερὰ ἀσθενέστερα, ὄμμα δὲ κ̀ ἀκοὴ ὔ πλα18. 959 ᵃ20, 30. 12. 958 ᵇ17. cf 24. 959 ᵇ33. λβ7. 961 ᵃ2, 6. φασί τινες εἶναι τὸ ἄρρεν ἐκ (ἀπὸ) τῶν δεξιῶν, τὸ θῆλυ ἐκ (ἀπὸ) τῶν ἀριστερῶν Ζγδ1. 763 ᵇ33, 765 ᵃ3. cf Ζιζ10. 565 ᵇ14. ὁ ἄνθρωπος τὴν καρδίαν ἔχει ἐν τῦ ἀριστερῦ μᾶλλον μέρει Ζιβ17. 507 ᵃ1. ὁ σπλὴν ἐστι πᾶσιν ἐν τοῖς ἀριστεροῖς κατὰ φύσιν κ̀ οἱ νεφροί (τὰ ἐναντία κρίνεται τέρατα) Ζιβ17. 507 ᵃ20.

ἀριστεύειν. τὲς πρὸς τὸν βάρβαρον συμμαχεσαμένυς κ̀ ἀριστεύσαντας Ρβ22. 1396 ᵃ19.

ἀριστεύς. μνημεῖα τῶν ἀριστέων θ105. 839 ᵇ22. ἐποίησε τὲς ἀριστέας βυλευομένυς f 154. 1504 ᵃ7.

ἀριστίνδην αἱρεῖσθαι, syn κατ' ἀρετήν, dist πλυτίνδην Πβ11. 1273 ᵃ23, 26, 1272 ᵇ36. δ7. 1293 ᵇ10.

Ἀρίστιππος. τῶν σοφιστῶν τινες οἷον Ἀρίστιππος προεπηλάκιζε τὴν μαθηματικήν Μβ2. 996 ᵃ32 resp Μμ3. 1078 ᵃ33. Ἀριστίππυ πρὸς Πλάτωνα ἀπόφθεγμα Ρβ23. 1398 ᵇ29.

Ἀριστογείτων Πε10. 1311 ᵃ38. Ρβ23. 1398 ᵃ19, 21. 24. 1401 ᵇ11. eius statua Ρα9. 1368 ᵃ18.

Ἀριστογένης πν2. 481 ᵃ28.

Ἀριστόδικος ὁ Ταναγρικός f 367. 1539 ᵇ37.

ἀριστοκρατεῖσθαι, pass πόλις ἀριστοκρατυμένη Πγ18. 1288 ᵃ41. δ8. 1294 ᵃ1.

ἀριστοκρατία. 1. ἀριστοκρατίας notio. καλεῖται ἀριστοκρατία ἢ διὰ τὸ τὲς ἀρίστυς ἄρχειν ἢ διὰ τὸ πρὸς τὸ ἄριστον τῇ πόλει Πγ7. 1279 ᵃ35. δ7. 1293 ᵇ5. ἀριστοκρατίας ὅρος ἀρετή Πδ8. 1294 ᵃ9, 1293 ᵇ40. γ13. 1283 ᵇ21. 17. 1288 ᵃ11. ε7. 1307 ᵃ9. ἀριστοκρατίας τέλος τὰ πρὸς παιδείαν κ̀ τὰ νόμιμα Ρα8. 1366 ᵃ5, 1365 ᵇ33. (cf πλῦτος, ἀρετή, δῆμος Πδ7. 1293 ᵇ38.) ἀριστοκρατία def Ηθ12. 11. ἀνδρὸς πρὸς γυναῖκα ἡ αὐτὴ φιλία κ̀ ἐν ἀριστοκρατίᾳ Ηθ13. 1161 ᵃ23. πολιτεῖαι ὀρθαὶ τρεῖς, βασιλεία ἀριστοκρατία πολιτεία Πδ2. 1289 ᵇ27. ἀριστοκρατίας παρέκβασις ὀλιγαρχία Πγ7. 1279 ᵇ5. cf δ2. 1289 ᵇ3. 7. 1293 ᵇ9. β11. 1273 ᵃ21. ἡ ἀριστοκρατία τῆς ὀλιγαρχίας εἶδος, ὀλιγαρχία τις Πδ3. 1290 ᵃ16. ε7. 1306 ᵇ24, 1307 ᵃ34. ἀριστοκρατίαι ὀλιγαρχικαί Πζ1. 1317 ᵃ2. — 2. ἀριστοκρατίας εἴδη. ἡ πρώτη ἀριστοκρατία i ε ἡ ἀρίστη πολιτεία Πδ7. 1293 ᵇ18. cf 2. 1289 ᵇ16, 430. 3. 1290 ᵃ2. ἀριστοκρατίας εἴδη παρὰ τὴν πρώτην Πδ7. 1293 ᵇ18. πολιτεῖαν (cf πολιτεία 7) τὰς ἀποκλινύσας πρὸς ὀλιγαρχίαν ἀριστοκρατίας καλῦσιν Πδ8. 1293 ᵇ36. ε7. 1307 ᵃ15. ἃς καλῦσιν ἀριστοκρατίας τὰ μὲν ἐξωτέρω πίπτυσι ταῖς πλείσταις τῶν πόλεων, τὰ δὲ γειτνιῶσι τῇ καλυμένῃ πολιτείᾳ Πδ11. 1295 ᵃ31. cf δ8. 1294 ᵃ28. — 3. ἀριστοκρατίας aestimatio. αἱρετώτερον ἀριστοκρατία βασιλείας Πγ15. 1286 ᵇ4. ἐν μόνῃ τῇ ἀριστοκρατίᾳ (int τῇ πρώτῃ) ἁπλῶς ὁ αὐτὸς ἀνὴρ κ̀ πολίτης ἀγαθός ἐστι Πδ7. 1293 ᵇ5. — 4. ἐν ἀριστοκρατίᾳ τίνες τίνων κύριοί εἰσιν Πδ14. 1298 ᵇ7. αἱ ἀρχαὶ ἐκ τῶν πεπαιδευμένων Πδ15. 1299 ᵇ25. ὅτι ἐν δόξῃ τῷ πλείστῳ μέρει τῶν μετεχόντων τῆς πολιτείας, τῦτ' ἐστὶ κύριον Πδ8. 1294 ᵃ13. τῶν πρὸς ὑπόθεσιν τῆς ἀριστοκρατίας κ̀ τῆς πολιτείας τὰ μὲν εἰς δῆμον ἐκκλίνει μᾶλλον τὰ δ' εἰς ὀλιγαρχίαν Πβ11. 1273 ᵇ4. — 5. ἐν ἀριστοκρατίαις στάσεις κ̀ μεταβολαὶ ἐκ τίνων γίνονται Πε7. δημο-

κρατία ἐξ ἀριστοκρατίας Πβ9. 1270 ᵇ16. ἀριστοκρατίαι διὰ τί μένυσιν Πε8. 1308 ᵃ3.

ἀριστοκρατικός. οἱ ἀριστοκρατικοί Ηε6. 1131 ᵃ29. πλῆθος ἀριστοκρατικόν, dist βασιλευτόν, πολιτικόν Πγ17. 1288 ᵃ7, 9. ἀριστοκρατικὴ ἡ ἀρχὴ ἀνδρὸς κ̀ γυναικός Ηθ12. 1160 ᵇ32. ηεη9. 1241 ᵇ30. πολιτεία ἀριστοκρατικὴ Ηθ11. 1273 ᵇ1. γ5. 1278 ᵃ19. 17. 1288 ᵃ21. δ7. 1293 ᵇ11, 15. 12. 1297 ᵃ8. 14. 1298 ᵇ10 (cf πολιτεία 7.) τίς αἱρετωτάτη μετὰ τὴν ἀρίστην πολιτείαν κἂν εἴ τις ἄλλη τετύχηκεν ἀριστοκρατικὴ Πδ2. 1289 ᵇ16. πᾶσαι αἱ ἀριστοκρατικαὶ πολιτεῖαι ὀλιγαρχικαί Πε7. 1307 ᵃ34. πολιτεία ἀριστοκρατικωτέρα Πβ6. 1265 ᵇ33. ἀριστοκρατικὸν τὸ κατ' ἀρετὴν αἱρεῖσθαι Πβ11. 1273 ᵃ27. 12. 1273 ᵇ40. δ5. 1292 ᵇ3. 15. 1301 ᵇ5. ε8. 1309 ᵃ3. ἀριστοκρατικά, dist δημοτικά, ὀλιγαρχικά, πολιτικά Πδ16. 1301 ᵃ14. ἀριστοκρατικὸν κ̀ πολιτικὸν Πδ9. 1294 ᵇ10. — ἀριστοκρατικῶς συντεταγμένον Πζ1. 1317 ᵃ6. ἀριστοκρατικῶς ἄρχειν f 560. 1570 ᵇ5. πολιτικὸν ἀριστοκρατικῶς Πδ15. 1300 ᵃ41.

Ἀριστομένης Αα33. 47 ᵇ22-29.

ἄριστον, dist δεῖπνον Μη2. 1042 ᵇ21. ἐξ ἀρίστυ, opp νήστεις ὄντες πια46. 904 ᵇ4. ἀπ' ἀρίστυ μέχρι δείλης Ζυ32. 619 ᵃ15.

Ἀριστοξένη sive Πέττα, γυνὴ Εὐξένυ f 508. 1561 ᵇ5.

Ἀριστοτέλης Ἀλεξάνδρῳ εὖ πράττειν ρ1. 1420 ᵃ5. f 612. 1581 ᵃ40. — Aristoteles in iis, quos superstites habemus, libris saepissime quae antea exposita sunt in memoriam revocat vel promittit quae postea expositurus sit. talia quatenus intra eiusdem operis ambitum continentur, veluti quod in opere de Coelo alia eiusdem operis pars sive superior sive inferior respicitur, non videtur huius loci recensere; neque vero enumerandi finis inveniretur, quoniam descendendum esset vel ad eos locos, quibus eorum fit mentio quae proxime vel antecedunt vel sequuntur. eos vero locos, quibus alius liber Aristotelicus vel citatur vel promittitur, iuvabit omnes collegisse, quia eorum cognitio cum multis de libris Aristotelicis quaestionibus coniuncta est; his addentur il loci, quibus eiusdem quidem operis partem aliquam Ar respicit, sed perinde atque peculiare opus (cf II Φυσικὴ ἀκρόασις, III Physica). hanc rem ita tractabimus, ut primum (I) varietatem formularum, quibus Ar utitur in citandis promittendisve aliis suis libris, in conspectu ponamus, deinde (II) singulos libros et Aristotelicos et Pseudo-Aristotelicos ex ordine editionis Bekkerianae ita persequamur, ut qui in iis alii libri Aristotelici citentur vel promittantur significemùs, denique (III) de superstitibus Aristotelis libris eodem ordine et de deperditis notemus, in quibus aliorum librorum Aristotelicorum locis vel citati vel promissi sint.

I. A. formularum discrimen primum in eo est conspicuum, quod alterius libri mentio cum contextu disputationis vel artissime coniuncta vel liberius adiuncta, adeo ut videri possit ab alio addita esse. huius quidem varietatis ea est ab artissima coniunctione ad levissimam continuitas, ut potissimos gradus per aliquot exempla significasse videatur sufficere. τῶν δύο τρόπων τῶν διωρισμένων ἐν τοῖς κατὰ φιλοσοφίαν Ζμα1. 642 ᵃ6, cf similia Φθ1. 251 ᵃ9. Οα6. 274 ᵃ21. ΜΑ4. 985 ᵃ12. 7. 988 ᵃ22. 10. 993 ᵃ11. αι1. 436 ᵇ14. μβ6. 363 ᵃ24 al. εἰ καλῶς ἐν τοῖς Ἠθικοῖς εἴρηται Πδ11. 1295 ᵃ36. Φβ10. 336 ᵃ19. mentio alterius libri cum ipsa ratiocinatione coniuncta est, veluti εἰ γὰρ μὴ ὥρισται, ἄπειρος ἂν εἴη κίνησις· τῦτο δ' ὅτι ἀδύνατον δέδεικται πρό-

τερον· ὥρισται ἄρα τὸ μέσον Οα6. 273 ᵃ17. cf similia Οα7.
275 ᵇ22. 8. 277 ᵇ10, 11. 10. 280 ᵃ28. γ2. 301 ᵇ32. 6. 305
ᵃ21. Γα5. 320 ᵇ28. υ2. 456 ᵃ2. Αδ΄12. 96 ᵃ1. Φθ3. 253 ᵇ8.
ἐπεὶ δὲ διώρισται πρότερον sim Γβ4. 331 ᵃ17. 10. 336 ᵃ15.
(11. 338 ᵃ18). εν1. 459 ᵃ15. ζ1. 467 ᵇ13. quae ex alio 5
libro in memoriam revocantur et quae nunc vel exponuntur
vel exposita sunt, duobus enunciati membris per particulas
μὲν-δὲ inter se opponuntur, veluti τὸ ἐν ἀρχῇ πῶς αἰτεῖται
ὁ ἐρωτῶν κατ᾽ ἀλήθειαν μὲν ἐν τοῖς ἀναλυτικοῖς εἴρηται,
κατὰ δόξαν δὲ νῦν λεκτέον τη3. 153 ᵃ24. cf Αγ3. 73 ᵃ8. 10
τθ13. 162 ᵇ32. ι2. 165 ᵇ9. Φγ1. 201 ᵃ26. θ8. 263 ᵃ11. 10.
267 ᵇ21. Οβ2. 284 ᵇ13. γ1. 299 ᵃ1. Ζμβ1. 646 ᵃ9. ΜΑ3.
983 ᵃ33 al. καθόλυ μὲν ὗν εἴρηται σχεδόν, δι᾽ ἀκριβείας δὲ
διεληλύθαμεν ἐν τῇ πραγματείᾳ τῇ περὶ τὴν διαλεκτικήν
Αα30. 46 ᵃ30. cf τα10. 104 ᵃ33. Ὀβ3. 286 ᵃ31. Ζμδ10. 15
689 ᵃ10 al. τε-καὶ νῦν Γβ9. 336 ᵃ13. cum mentione alte-
rius libri simul additur aliquid ad id, quod nunc est ex-
positum ὃν δὲ τρόπον (δι᾽ ἣν δ᾽ αἰτίαν, ἣν δ᾽ ἔχυσι δια-
φορὰν al), εἴρηται ἐν ἑτέροις (ἐρῦμεν, δεῖ θεωρεῖν sim) αν16.
478 ᵃ28. Ζιβ17. 507 ᵃ25. γ1. 509 ᵇ22, 511 ᵃ13. 22. 523 20
ᵃ14. δ1. 525 ᵃ8. 4. 529 ᵇ19. Ζμγ14. 674 ᵇ16. δ13. 691
ᵇ1 al. minus arcte mentio alterius libri cum contextu dispu-
tationis cohaeret, ubi enunciatum relativum interponitur
ὥσπερ (καθάπερ, ὅπερ) εἴρηται (διώρισται al) πρότερον, ἐν
ἑτέροις Αβ17. 65 ᵇ16. δ13. 91 ᵇ13. Οα3. 270 ᵃ17. β4. 25
286 ᵇ19. Γα2. 315 ᵇ31. 5. 320 ᵇ18. 6. 323 ᵇ23. 10. 337
ᵃ18, 25 al (exempla multa sub I B conferri possunt). mi-
nime cum contextu loci mentio alterius libri connexa est,
ubi peculiare enunciatum inseritur eiusmodi εἴρηται δ᾽ ἐν
τοῖς περὶ φιλοσοφίας Φβ2. 194 ᵃ36. εἴρηται δὲ περὶ αὐτῶν 30
ἐν τοῖς περὶ ψυχῆς υ2. 455 ᵃ8. διώρισται δὲ περὶ αὐτῶν
ἀκριβέστερον ἐν ... Ζγα3. 716 ᵇ31. δῆλον δ᾽ ἡμῖν τῦτο ἐκ...
αν8. 474 ᵇ9; ad eandem fere formam hi loci referendi sunt
ε5. 17 ᵃ14. 11. 20 ᵇ26. Αγ11. 77 ᵃ34. τθ11. 162 ᵃ11. Φα8.
191 ᵇ26. Ογ4. 303 ᵃ1. Γα2. 316 ᵇ17. βι0. 336 ᵇ29. αι6. 35
445 ᵇ19. υ2. 455 ᵃ24, 456 ᵃ10, ᵇ2. αν7. 473 ᵃ27. 12. 477
ᵃ5. Ζμα1. 640 ᵃ2 (sed cf ᵃ8). β3. 650 ᵃ31. 17. 660 ᵇ2.
δ΄11. 692 ᵃ16. Ζπ5. 706 ᵇ2. Ζγβ4. 740 ᵃ13. 8. 747 ᵇ5.
ΜΑ8. 989 ᵃ24. θ8. 1049 ᵇ36. λ8. 1073 ᵃ32. Ρα2. 1356
ᵇ9, 1357 ᵃ30. 11. 1372 ᵃ1. 40

B. aliud formularum discrimen in eo cernitur, quod vel
libri iam scripti citantur vel scribendi promittuntur, iique
vel ipso titulo (ἐν τοῖς περὶ ψυχῆς sim) aliave argumenti
notatione (veluti ἐν τοῖς περὶ συλλογισμῦ, ἐν τοῖς περὶ κι-
νήσεως) significantur vel non distincte significantur. 45

a. Aristoteles ubi libri iam conscripti mentionem facit,
plerumque, id quod rei natura fert, tempore perfecto utitur
(quocum conferri potest tempus praesens δείκνυται et ad-
iectiva δῆλον, φανερὸν ἐκ), sed non deest usus aoristi et
imperfecti, de quo dubitat Heitz p 215. haud raro his 50
mentionibus alius iam scripti operis Aristoteles addit πρό-
τερον, cuius vocabuli usus frequentissimus sane est, ubi
eiusdem operis pars superior citatur (cf, ut ex Politicorum
primis quinque libris solum exempla petantur β7. 1266 ᵇ7.
9. 1270 ᵃ12. γ13. 1282 ᵃ26, 29. 16. 1287 ᵇ11. 17. 1288 55
ᵃ6, 24. δ΄1. 1289 ᵃ7. 2. 1289 ᵃ35. 4. 1290 ᵇ28. ε1. 1301
ᵃ28, ᵇ37. 3. 1303 ᵇ5. 6. 1306 ᵃ35. 7. 1307 ᵇ2. 8. 1308 ᵃ2,
18.), sed nequaquam ad hunc ambitum potest restringi,
quod fecit Heitz p 83. — in enumerandis locis ab initio 60
eos ponemus, ubi ipsum nomen vel similis notatio libri
citati additur, ac praepositione ἐν (ἐκ, κατά, διά) additam

ab Aristotele esse libri notationem significabimus; sequan-
tur deinde ii loci, quibus liber citatus magis universe (ἐν
τοῖς πρώτοις, ἐν ἄλλοις) vel omnino non est significatus.
εἴρηται ἐν ε1. 16 ᵃ8. 11. 20 ᵇ26. τθ13. 162 ᵇ32. ι2. 165 ᵇ9.
Φβ2. 194 ᵃ36. μβ6. 363 ᵃ24. αι3. 439 ᵃ8, 16, 18. 6. 445
ᵇ19. υ2. 455 ᵃ8, 24, 456 ᵃ29. 3. 456 ᵇ5. εν1. 459 ᵃ15. ζ5.
470 ᵃ18. Ζμβ7. 653 ᵃ19. 17. 660 ᵇ2. γ5. 676 ᵃ18. δ΄11.
690 ᵇ15. 13. 696 ᵃ11, ᵇ1, 697 ᵃ22. Ζκ6. 700 ᵇ5. Ζγβ8. 747
ᵇ5. δ΄3. 768 ᵇ23. 4. 772 ᵇ11. 5. 775 ᵇ37. ε7. 786 ᵇ25. ΜΑ1.
981 ᵇ25. 8. 989 ᵃ24. ζ12. 1037 ᵇ8. ηι1. 1042 ᵇ8. κ6. 1062
ᵇ31. μι1. 1076 ᵃ9. 9. 1086 ᵃ3. Πδ΄11. 1295 ᵃ36. Ργ1. 1404
ᵃ38. 2. 1404 ᵇ7, 1405 ᵃ5. 18. 1419 ᵇ5. ἱκανῶς εἴρηται χ̖ ἐν
Ηα3. 1096 ᵃ3. πο15. 1454 ᵇ17. διὰ τὴν αἰτίαν τὴν εἰρημέ-
νην ἐν sim αι1. 436 ᵇ14. ΜΑ10. 993 ᵃ11. κ1. 1059 ᵃ34.
Οα6. 274 ᵃ21. εἰρήκαμεν ἐν ψβ5. 417 ᵃ1. ΜΑ5. 986 ᵇ30.
ὥσπερ (καθάπερ, ὅπερ) εἴρηται ἐν Αα1. 24 ᵇ12. β17. 65
ᵇ16. δ5. 91 ᵇ13. Οδ΄3. 311 ᵃ11. 4. 441 ᵇ12.
Ζιε1. 539 ᵃ20. Ζμγ6. 669 ᵃ4. Ζγε2. 781 ᵃ21. Ρα2. 1356
ᵇ19. εἴρηται πρότερον ἐν Ογ4. 303 ᵃ23. Γα3. 318 ᵃ3. μα3.
339 ᵇ36. αι1. 436 ᵇ10. 4. 440 ᵇ13, 28. μν1. 449 ᵇ30. ζ3.
468 ᵇ32. αν8. 474 ᵇ11. Ζκ6. 700 ᵇ5. Ζγε3. 782 ᵃ21. εἰρή-
καμεν πρότερον ἐν ψβ11. 423 ᵇ29. καθάπερ (ὥσπερ) εἴρηται
πρότερον ἐν Ζγα15. 720 ᵇ20. Πβ2. 1261 ᵃ31. γ9. 1280 ᵃ17.
δέδεικται ἐν Αγ3. 73 ᵃ14, 15. 11. 77 ᵃ34. ΜΑ8. 1073 ᵃ32.
δέδεικται πρότερον ἐν Φθ5. 257 ᵃ34. 10. 267 ᵇ21. Οα5. 272
ᵃ30. διώρισται ἐν Οβ2. 284 ᵇ13. Ζγα3. 716 ᵇ31. Ρα2.
1357 ᵇ25. 11. 1372 ᵃ1. διώρισται κατὰ Πη13. 1332 ᵃ22.
τὰ διωρισμένα ΜΑ7. 988 ᵃ22. Ζμα1. 642 ᵃ6. Φθ1. 251
ᵃ9. διώρισται πρότερον ἐν Ζμβ10. 656 ᵃ29. Ζκ6. 700 ᵇ8.
Ζγε7. 788 ᵇ1. τεθεώρηται (τεθεωρήσθω, τεθεωρημένον ἔστω)
ἐν ΜΑ3. 983 ᵃ33. γ2. 1004 ᵃ2. μγ2. 372 ᵇ9. Ργ2. 1404
ᵇ28. ἐπέσκεπται πρότερον ἐν Ζγα9. 209 ᵃ10. Ζμδ11. 692
ᵃ17. γέγραπται ἐν αν12. 477 ᵃ5. Ζγα20. 728 ᵇ13. καθάπερ
γέγραπται ἐν Ζγγ1. 750 ᵇ31. δεδήλωται ἐν Ζμβ1. 646 ᵃ9.
διηκρίβωται ἐν Ρα8. 1366 ᵃ21. ἐξηρίθμηται ἐν Ργ9. 1410
ᵇ2. διεληλύθαμεν ἐν Αα20. 46 ᵃ30. ὥπται ἡμῖν διὰ μα3.
339 ᵇ8. τεθρύληται ὑπὸ Μμ1. 1076 ᵃ28. κείσθω ἐν πο19.
1456 ᵃ35. ὑποκείσθω τὰ περὶ αι1. 436 ᵃ5. δῆλον ἐκ αν8.
474 ᵇ9. Ζπ1. 704 ᵇ10. Ζγβ4. 740 ᵃ23. Ρα2. 1356 ᵇ9,
1357 ᵃ29. β25. 1403 ᵃ5, 12. δῆλον ἐν Μθ8. 1049 ᵇ36.
κατάδηλα μᾶλλον ἐν Ζμγ4. 666 ᵃ9. φανερὸν ἐκ Φθ11. 162
ᵃ11. υ2. 456 ᵇ2. Ζμδ10. 689 ᵃ18. Ζγβ3. 736 ᵃ37. Ρα2.
1356 ᵇ12. φανερὸν ἡμῖν ἔστω ἐκ Ργ18. 1419 ᵃ24. λόγος
ἐν Οα7. 275 ᵇ22. πιστεύομεν χ̖ τοῖς ἐξωτερικοῖς λόγοις Ηζ4.
1140 ᵃ3. καθάπερ προφαίνεται πολλάκις ἐν Οα9. 279 ᵃ30.
δείκνυται ἐν μα8. 345 ᵇ1. διοριζόμεθα, προσδιοριζόμεθα ἐν
Πγ6. 1278 ᵇ31. Ηζ3. 1139 ᵇ32. φαμὲν ἐν Πη13. 1332 ᵃ8.
λέγεται ἐξαρκύντως, ἱκανῶς ἐν Ηζ4. 1102 ᵃ26. Πη1. 1323
ᵃ22. ὥσπερ λέγομεν ἐν Ηζ3. 1139 ᵇ27. ὥσπερ λέγεται ἐν
ε10. 19 ᵇ1. ὡς ἐλέχθη ἐν Αβ15. 64 ᵃ37. ὥσπερ ἐλέχθη
πρότερον ἐν Ζγ1. 779 ᵇ22. ἐτέθη ἐν Φθ3. 253 ᵇ8. ὥσπερ
διεγράψαμεν ἐν Μι3. 1054 ᵃ30. διωρίσαμεν ἐν ΜΑ4. 985
ᵃ12. ὥσπερ ἐλέγομεν ἐν Ρα1. 1355 ᵃ28. ἐλύομεν ἐν Φθ8.
263 ᵃ11. θεωρείσθω ἐκ, δεῖ θεωρεῖν, τεθεωρηκέναι ἐκ, ἀκρι-
βέστερον ἂν θεωρηθείη ἐκ (ipsis harum formularum verbis
nondum significatur, scriptos iam libros citari, ac non fu-
turos promitti, sed de scriptis eas intelligendas esse ap-
paret conferri praecipue 509 ᵇ22, 746 ᵃ14, 753 ᵇ17)
Ζια17. 497 ᵃ32. γ1. 509 ᵇ22. δ1. 525 ᵃ8. 4. 529 ᵇ19, 530
ᵃ31. ζ10. 565 ᵃ12. 11. 566 ᵃ15. Ζμβ3. 650 ᵃ31. γ5. 668
ᵇ29. 14. 674 ᵇ16. δ5. 680 ᵃ1. 8. 684 ᵇ4. 13. 696 ᵇ14.

Ζγα4. 717 ᵃ33. 11. 719 ᵃ10. β7. 746 ᵃ14. γ2. 753 ᵇ17. 3. 758 ᵃ24. 10. 761 ᵃ10. 11. 763 ᵇ16. αν16. 478 ᵃ27, ᵇ1. Οβ10. 291 ᵃ29. ὥσπερ ἐν, καθάπερ ἐν, οἷον ἐν, non addito verbo Ρβ22. 1396 ᵇ4. 23. 1398 ᵃ28, 1399 ᵃ6. 25. 1402 ᵃ35. 26. 1403 ᵃ22 (infra sub II ad hos locos apparebit non plane eandem huius formulae ac reliquarum esse vim). — καθάπερ ἐν τοῖς πρώτοις εἴρηται λόγοις Οα3. 270 ᵃ17. δέδεικται ἐν τοῖς πρώτοις Αδ12. 96 ᵃ1. δῆλον ἐκ τῶν προειρημένων Ογ2. 301 ᵇ32. τὰ πρότερον καλῶς εἴρηται Γβ10. 336 ᵃ19. ὥσπερ ἐν τοῖς πρώτοις ἐλέχθη λόγοις Ζμδ5. 682 ᵃ2. καθάπερ ἐν τοῖς ἐν ἀρχῇ λόγοις διωρίσθη Γβ10. 337 ᵃ25. — ἐν ἄλλοις, ἐν ἑτέροις additum legitur his locis: εἴρηται ἐν ἄλλοις (ἑτέροις) Γβ10. 336 ᵇ29. μβ3. 359 ᵇ21. δ3. 381 ᵇ13. αι2. 438 ᵇ3. ζ3. 469 ᵃ23. Ζμα1. 640 ᵃ2. Ζκ10. 703 ᵃ11. Μδ15. 1021 ᵃ20. Ηκ3. 1174 ᵇ3. εἰρήκαμεν Ζκ11. 704 ᵇ2. εἴρηται ἐν ἑτέροις σαφέστερον (δι᾽ ἀκριβείας) αν7. 473 ᵃ27. Ηκ3. 1174 ᵇ3. ταὶ τὰς ἐν ἄλλοις εἰρημένας διαφορὰς Ζκ6. 700 ᵇ21. ὥσπερ (καθάπερ) εἴρηται ἐν ἄλλοις μδ8. 384 ᵇ34. ψβ5. 417 ᵃ17. υ3. 457 ᵇ28. Ζγε4. 784 ᵇ8. καθάπερ εἰρήκαμεν ἐν ἄλλοις Γα2. 315 ᵇ31. εἴρηται πρότερον ἐν ἄλλοις Γα5. 320 ᵇ28. μγ1. 371 ᵇ1. Ζμγ9. 672 ᵃ12. Ζπ5. 706 ᵇ2. Ζγβ1. 732 ᵇ14. 6. 743 ᵃ6. δ1. 765 ᵇ3. ὥσπερ (καθάπερ) εἴρηται πρότερον ἐν ἑτέροις Γβ10. 337 ᵃ18. Ζμβ1. 647 ᵃ26. 2. 648 ᵇ9. ὥσπερ εἴρηται ἐν ἑτέροις χ πρότερον Ζμβ1. 646 ᵃ15. διώρισται ἐν ἄλλοις τη3. 153 ᵃ24. ι2. 165 ᵇ6. Φα8. 191 ᵇ29. Γα3. 317 ᵇ13. 5. 320 ᵇ18. β1. 329 ᵃ27. ζ1.447 ᵇ13. Ζμα1. 640 ᵃ8. β2. 649 ᵃ33. ΜΑ1. 986 ᵃ12. ὥσπερ διώρισται ἐν ἄλλοις Γα5. 320 ᵇ18. διωρισται πρότερον ἐν ἄλλοις υ2. 456 ᵃ2. διωρισμένων πρότερον ἐν ἄλλοις υ1. 454 ᵃ11. δεδήλωται ἐν ἄλλοις Ζμγ10. 673 ᵃ30. ἔσκεπται. ἐπέσκεπται ἐν ἄλλοις Γα2. 316 ᵇ17. Ζκ1. 698 ᵃ3. Ζγα23. 731 ᵃ29. ὑπόκειται ἐν ἄλλοις οα3. 1343 ᵇ9. λόγος τύτων ἐν ἄλλοις Μδ30. 1025 ᵃ33. καθάπερ ἐν ἄλλοις λόγοις συνέβη πραγματευθῆναι Μν2. 1088 ᵇ24. χ ἄλλως ἐφάνη Γβ11. 338 ᵃ18. — nulla omnino libri citati notatio addita est: εἴρηται πρότερον Γβ9. 336 ᵃ13. μκ1. 384 ᵃ24. 3. 339 ᵇ16. ψα3. 406 ᵃ3. αι1. 437 ᵃ18. μκ1. 464 ᵇ31. αν8. 474 ᵃ25. Ζμδ3. 677 ᵇ16. 13. 695 ᵇ4. Ζγα19. 726 ᵇ2. ε8. 788 ᵇ6. εἰρήκαμεν ἐν τοῖς πρότερον λόγοις Γα8. 325 ᵇ34. καθάπερ (ὥσπερ) εἴρηται πρότερον αι7. 449 ᵃ9. αν3. 474 ᵇ14. Ζμδ5. 688 ᵇ12. δέδεικται πρότερον Γδ6. 273 ᵃ17. γ6. 305 ᵃ21. Γβ5. 332 ᵃ31. διώρισται προτερον Γβ4. 331 ᵃ7. Ζκ1. 698 ᵃ9. ὥσπερ ὥρισται πρότερον Οβ4. 286 ᵇ19. ὡς διήρηται πρότερον τι4. 166 ᵇ14. ἐλέχθη πρότερον Ζγα16. 721 ᵃ26. καθάπερ ἐλέχθη, διωρίσθη πρότερον τι2. 172 ᵇ27. Γα6. 323 ᵃ3. εἴρηται Ζγα1. 715 ᵃ1. εἰρήκαμεν Ζκ11. 704 ᵇ2. ὥσπερ εἴρηται πολλάκις Γβ10. 337 ᵃ1. δέδεικται Αγ3. 73 ᵃ8. Γβ10. 336 ᵇ15. Μλ7. 1073 ᵃ5. διώρισται αι1. 436 ᵃ1. Πγ12. 1282 ᵇ20. τὴν ἐπίσκεψιν εἴληφεν αν14. 477 ᵇ12. ἔστωσαν τεθεωρημέναι Μκ3. 1061 ᵃ15. διωρίσθη Οα4. 271 ᵃ21.

b. longe minor numerus est eorum locorum, quibus Aristoteles alibi, alio in libro se expositurum aliquid promittit. formulis huius generis eae sunt admodum affines, quibus non promittendi temporisque futuri certa inest notatio, sed tantum inquirendum esse, esse eam quaestionem alius doctrinae propriam significatur, quales formulae possunt etiam usurpari ubi conscripti iam libri citantur (cf sub Βα p 96 ᵇ55). has igitur formulas incertae notationis formulis promittendi continuo ordine adiungemus. in utroque genere formularum eos locos, in quibus liber promissus suo significatur nomine, addita littera *n* distinguemus.

ὕστερον (ἐν τοῖς ὕστερον, πάλιν) ἐρῦμεν Ζια5. 489 ᵇ17n. Πθ7. 1341 ᵇ40n. Αα44. 50 ᵇ2. 27. 43 ᵃ7. Πη10. 1330 ᵃ5, 33. Φα9. 192 ᵇ2. Ζιβ17. 507 ᵃ25. ὕστερον (ἐν τοῖς ἐπομένοις) λεχθήσεται. ῥηθήσεται, δειχθήσεται Ζμδ10. 698 ᵃ18n. υ2. 456 ᵃ10. Ζμδ10. 689 ᵃ10,12. Οβ3. 286 ᵇ5. ἔσται δῆλον ἐκ τῶν (ἐν τοῖς) ὕστερον Οα10. 280 ᵃ28. Γα2. 317 ᵃ30. ὕστερον λεκτέον, διασαφητέον, σκεπτέον, ἐπισκεπτέον, πειρατέον δεῖξαι Ζγε4. 784 ᵇ2n. ψβ4. 416 ᵇ31n. υ2. 456 ᵃ27. μκ1. 464 ᵇ32. ψγ7. 431 ᵇ19. 9. 432 ᵇ12. Φβ1. 193 ᵇ21. δ5. 213 ᵃ5. Ηε5. 1130 ᵇ28. Οβ3. 286 ᵃ31. λοιπόν (ἐχόμενόν, ἐφεξῆς) ἐστι θεωρῆσαι, διελθεῖν, εἰπεῖν μκ6. 467 ᵇ6. Ζκ11. 704 ᵇ3. Ζπ19. 714 ᵇ23. Ζμδ14. 697 ᵇ29. εἰς ἐκεῖνον τὸν καιρὸν ἀποκείσθω Φα9. 192 ᵃ36n. ἐρῦμεν, θεωρήσωμεν, λεχθήσεται, διορισθήσεται, ἔσται δῆλον Ζια5. 489 ᵇ17n. Ζμδ4. 678 ᵃ19n. 11. 692 ᵃ16n. 12. 695 ᵃ27n. μκ6. 467 ᵇ4n. τα10. 104 ᵃ30n. Μμ3. 1078 ᵇ5. μα1. 339 ᵃ6. Ζιγ22. 523 ᵃ14. Φγ1. 201 ᵃ26. ἕτερος ἔσται λόγος ζ2. 468 ᵃ31. θεωρητέον, ἐπισκεπτέον, λεκτέον Ζμβ10. 656 ᵃ2. ψ10. 433 ᵇ20. αι1. 436 ᵃ16. μγ7. 378 ᵇ5. Ζγα1. 716 ᵃ1. ε3. 783 ᵇ20. Πα13. 1260 ᵇ21. δεῖ διορίζειν, λεχθῆναι, δειχθῆναι αι4. 442 ᵃ3n. Αδ12. 95 ᵇ10n. Ογ4. 303 ᵃ1. ἡ αἰτία δῆλη ἐκ Ζμδ12. 693 ᵇ24n. προσήκει (ἁρμόττει, ἁρμόττον ἐστι) λέγειν, διελθεῖν, ἁρμόττωσαν ἔχει τὴν σκέψιν sim μα3. 341 ᵃ14n. Ζμβ7. 653 ᵃ8n. 9. 655 ᵇ25n. ψ5. 668 ᵃ8n. δ4. 678 ᵃ25n. οἰκειότερόν ἐστι διελθεῖν, οἰκείαν ἔχει σκέψιν sim αι4. 442 ᵇ5n. Ζμβ3. 650 ᵇ10n. 7. 653 ᵇ14n. γ14. 674 ᵃ20n. ἑτέρων λόγων. ἄλλης ἂν εἴη φιλοσοφίας οἰκειότερον ψα3. 407 ᵇ12. υ3. 458 ᵃ20. Ηκ4. 1097 ᵃ30. διὰ τῶν ἐκ τῆς πρώτης φιλοσοφίας λόγων δειχθείη ἂν Οα8. 277 ᵇ10n. φιλοσοφίας τῆς πρώτης διορίσαι ἔργον Φβ2. 194 ᵇ14n. Γα3. 318 ᵃ6n. ἔτερον ἔργον ἐστι θεωρίας Φβ6. 334 ᵃ15. ἄλλης ἐστι πραγματείας ε5. 17 ᵃ14. τη3. 153 ᵃ11. ἕτερος ἔστω λόγος Ογ1. 299 ᵃ1. ψγ4. 427 ᵇ26. ἄλλος λόγος ψβ7. 419 ᵃ7. μν1. 450 ᵃ9. ex iis formulis, quas extremo loco posuimus, veluti προσήκει λέγειν, οἰκειότερόν ἐστι διελθεῖν, ἄλλος λόγος sim, non potest certo concludi, Aristotelem eam de qua agitur rem alio loco expositurum fuisse; possunt eae etiam ac videntur aliquoties usurpatae esse, ubi quaestio aliqua simpliciter ab hoc loco removetur, cf Πη16. 1335 ᵇ4. πο20. 1456 ᵇ34 (cf ᵇ38. Ζμβ16. 660 ᵃ8) et infra II ad ε5. 17 ᵃ5. μα3. 341 ᵃ14.

II. singulis locis, quibus Ar ad alium librum lectores remittit, in parenthesi addita est significatio eius libri, quem respici vel certum vel verisimile est. ubi Ar non citat alium librum iam tum scriptum, sed de eadem re in alio libro se expositurum promittit, litteram *p* addidimus; ubi dubium est ex ipsis verbis Aristotelis, utrum alius liber scriptus citetur an scribendus promittatur, litteram *d* adiecimus. — Κατηγορίαι. nusquam in hac disputatione alius libri mentio fit. — Περὶ ἑρμηνείας 1. 16 ᵃ8 ἐν τοῖς περὶ ψυχῆς (ψα1. 402 ᵃ9 respici Philoponus falso existimat; ψγ6 respici iudicant Trdlbg p 116 Wz, sed quae ψγ6 disputantur, quamquam recte citari possunt ad 16 ᵃ10-13, non possunt referri ad superiora 16 ᵃ6-8, quibus addita est psychologiae mentio; fortasse scriptor intelligi voluit ψβ5. 417 ᵇ25. cf Μγ5. 1010 ᵇ32). 5. 17 ᵃ5. ῥητορικῆς ἢ ποιητικῆς οἰκειοτέρα ἡ σκέψις (attingitur quidem haec res πο19. 1456 ᵇ11, sed non tam citari alius liber, quam quaestio ab hoc loco removeri videtur). 5. 17 ᵃ14 ἄλλης πραγματείας (Μζ12. 13. ἡ 6 d). 10. 19 ᵇ31 ἐν τοῖς Ἀναλυτικοῖς (Αα46. 51 ᵇ36sqq, hunc Analyticorum locum respici certum est; ipsa hermeniae verba quomodo vel inter-

pretanda sint vel emendanda incertum). 11. 20 ^b26 ἐν τοῖς
Τοπικοῖς (τι7. 175 ^b39 sqq. 30. 181 ^a36 sqq). — 'Αναλυ-
τικὰ πρότερα α1. 24 ^b12 ἐν τοῖς Τοπικοῖς (τα1. 100 ^a29.
10. 104 ^a8). α27. 43 ^a37. πάλιν ἐρῦμεν (p Αγ22). α30. 46
^a30 ἐν τῇ πραγματείᾳ τῇ περὶ τὴν διαλεκτικήν (τ universe). 5
α33. 50 ^b2 ὕστερον ἐρῦμεν (περὶ τύτων ὑπερτίθεται μὲν ὡς
ἐρῶν ἐπιμελέστερον, ἳ μὴ φέρεται αὐτῦ σύγγραμμα περὶ
αὐτῶν Alex Schol 184 ^b45). β15. 64 ^a37 ἐν ⟨τοῖς⟩ Τοπικοῖς
(τθ). β17. 65 ^b16 ἐν ⟨τοῖς⟩ Τοπικοῖς (τι5. 167 ^b21). —
'Αναλυτικὰ ὕστερα γ3. 73 ^a8 δέδεικται (Αα15. 34 ^a17). 10
γ3. 73 ^a14, 15 ἐν τοῖς περὶ συλλογισμῦ (Αβ 5-7). γ11.
77 ^a34 ἐν τοῖς περὶ συλλογισμῦ (Αβ15. 64 ^b7). δ5. 91 ^b13
ἐν τῇ ἀναλύσει τῇ περὶ τὰ σχήματα (Αα31). δ12. 95 ^b10
ἐν τοῖς καθόλυ περὶ κινήσεως δεῖ λεχθῆναι (p Φεsqq). δ12.
96 ^a1 ἐν τοῖς πρώτοις· (Αβ5).. — Τοπικὰ α10. 104 ^a33 15
ἐν τοῖς ὑπὲρ τῶν ἐναντίων λεγομένοις ῥηθήσεται (Wz con-
fert ε14, sed hoc caput hermeniae neque ad eandem rem
pertinet atque hic Topicorum locus, neque ab Aristotele
scriptum esse probabile est; referuntur potius haec verba
ad τβ7. cf Alex Schol 259 ^a33). η3. 153 ^a11 ἄλλης ἐστὶ 20
πραγματείας (Αδ3-13 d, sed cf 153 ^a24, ubi eadem Ana-
lytica citantur). η3. 153 ^a24 διώρισται ἐν ἑτέροις (Αδ13).
θ11. 162 ^a11 ἐκ τῶν 'Αναλυτικῶν (Αβ2). θ13. 162 ^b32 ἐν
τοῖς 'Αναλυτικοῖς (Αβ16). — Σοφιστικοὶ ἔλεγχοι 2.
165 ^b6 ἐν ἑτέροις (τα2. θ5). 2. 165 ^b9 ἐν τοῖς 'Αναλυτικοῖς 25
(Αα-δ). 2. 165 ^b10 ἐν [τοῖς] ἄλλοις (τα-θ). 4. 166 ^b14
πρότερον (τα9). 12. 172 ^b27 πρότερον (τβ5). — Φυσικὰ
α8. 191 ^b29 ἐν ἄλλοις διώρισται (Μθ, sed cf infra III Meta-
physica). α9. 192 ^a35 τῆς πρώτης φιλοσοφίας ἐστὶ διορίσαι
(p Μλ7-9; Prantl Μν. μ9. 10 respici putat). α 9. 192 ^b2 30
ὕστερον ἐρῦμεν (p Γβ). β1. 193 ^b21 ὕστερον ἐπισκεπτέον
(p Γα3). β2. 194 ^a36 εἴρηται δ' ἐν τοῖς περὶ φιλοσοφίας
(dialogum περὶ φιλοσοφίας confert Bernays Dial p 108 sq;
Hz p 180 sqq verba εἴρηται-φιλοσοφίας non esse ab Aristo-
tele scripta coniicit). β2. 194 ^b14 φιλοσοφίας τῆς πρώτης 35
διορίσαι ἔργον (pΜζ6-8; Prantl potius Μμν intelligi putat).
γ1. 201 ^a26 ἐξ ἄλλων ἔσται δῆλον (pΦθ5, cf infra III Phy-
sica). δ5. 213 ^a5 διοριστέον ὕστερον (p Γα3). δ10. 217 ^b31
διὰ τῶν ἐξωτερικῶν λόγων (cf III 'Εξωτερικοὶ λόγοι). θ1. 251
^a9 ἐν τοῖς Φυσικοῖς (Φγ1). θ3. 253 ^b8 ἐν τοῖς Φυσικοῖς 40
(Φβ1. 192 ^b21). θ5. 257 ^a34. ἐν τοῖς καθόλυ περὶ φύσεως
(Φζ5). θ8. 263 ^a11 ἐν τοῖς πρώτοις λόγοις τοῖς περὶ κινή-
σεως (Φζ2. 9). θ10. 267 ^b21 ἐν τοῖς Φυσικοῖς (Φγ5). —
Περὶ ὑρανῦ α3. 270 ^a17 ἐν τοῖς πρώτοις λόγοις (Φα7-9).
α4. 271 ^a21 (Φε5. 229 ^b21). α5. 272 ^a30 ἐν τοῖς περὶ κι- 45
νήσεως (Φζ2. 233 ^a31. 7. 238 ^a20. θ10). α6. 273 ^a17 πρό-
τερον (videtur respici Φθ8). α6. 274 ^a21 ἐν τοῖς περὶ τὰς
ἀρχάς (Φγ4-8). α7. 275 ^b22 ἐν τοῖς περὶ κινήσεως (Φθ10.
266 ^a25 sqq). α8. 277 ^b10 διὰ τῶν ἐκ τῆς πρώτης φιλο-
σοφίας λόγων δειχθείη ἄν (Μλ8. 1074 ^a31-38 d). α8. 277 50
^b11 (Φθ9). α9. 279 ^a30 ἐν τοῖς ἐγκυκλίοις φιλοσοφήμασι
(cf III 'Εγκύκλια). α10. 280 ^a28 (pΓα3, imprimis 318 ^a19).
β2. 284 ^b13 διώρισται ἐν τοῖς περὶ τὰς τῶν ζῴων κινήσεις
(Ζπ4. 5. 2. 704 ^b18 sqq, pro διώρισται scribendum διοριστέον
ci Prantl de Ar libr ordine p 50 n 34). β3. 286 ^a31 ὕστερον 55
(p Γβ3. 4). β3. 286 ^b5 ἐν τοῖς ἑπομένοις (Γβ10). β4. 286
^b19 ὥρισται πρότερον (Φγ6. 207 ^a8; Prantl respici putat
Οα2, sed quae ibi leguntur 269 ^a19 a re plane aliena
sunt). β10. 291 ^a29 ἐκ τῶν περὶ ἀστρολογίαν (cf infra III
'Αστρολογικά). γ1. 299 ^a1 ἕτερος ἔστω λόγος (? — quod 60
libros περὶ φιλοσοφίας respici suspicatur Prantl, probari non

potest; ceterum cf ad μα3. 341 ^a14). γ1. 299 ^a10 ἐν τοῖς
περὶ κινήσεως λόγοις (Φζ1. 231 ^b15. 2. 233 ^b16). γ2. 301
^b32 ἐκ τῶν προειρημένων (conferenti proxima verba 302 ^a1
probabile videbitur Φδ8 respici; Φα8 respici putat Bran-
dis p 959 n 743). γ4. 308 ^a1 (pΓβ2). γ4. 303 ^a23 ἐν τοῖς
περὶ χρόνυ ᾳ κινήσεως (Φδ10-14. ζ1. 2. 232 ^a24, 233 ^b17,
32). γ6. 305 ^a21 πρότερον (Φδ8). δ3. 311 ^a11 ἐν τοῖς πρώ-
τοις λόγοις (Φθ4. 255 ^b24). — Περὶ γενέσεως ᾳ φθορᾶς
α2. 315 ^b31 ἐν ἄλλοις (Ογ1. 299 ^b31. 7. 303 ^a35. δ2. 308
^b35). α2. 316 ^b17 ἐν ἑτέροις (Φδ10-14. ζ1. 2. 232 ^a24,
233 ^b17, 32). α2. 317 ^a30 ἐν τοῖς ὕστερον (p μδ 5-7). α3.
317 ^b13 ἐν ἄλλοις (Φα2. 6-9). α3. 318 ^a3 ἐν τοῖς περὶ
κινήσεως λόγοις (Φα7). α3. 318 ^a6 τῆς ἑτέρας ᾳ προ-
τέρας διελεῖν ἐστι φιλοσοφίας ἔργον (p Μλ6. 7) α5. 320 ^b18
ἐν ἄλλοις (Φα7). α5. 320 ^b28 ἐν ἑτέροις (Φδ8). α6. 323 ^a3
πρότερον (Φε3. 226 ^b23). α8. 325 ^b34 ἐν τοῖς πρότερον λό-
γοις (cf ad α2. 315 ^b31). α10. 328 ^b2 ἢν (Οδ6. 313 ^b8).
β1. 329 ^a27 ἐν ἑτέροις (Φα6-9). β3. 330 ^b16 ὡσαύτως δὲ
ᾳ εἰ τρία λέγοντες, καθάπερ Πλάτων ἐν ταῖς διαιρέσεσιν·
τὸ γὰρ μέσον μῖγμα ποιεῖ (Platonis ἄγραφα δόγματα ab
Aristotele conscripta significari censet Alex apud Philop
ad h 1, Brandis de libr dep p 12, cf Zeller II, 1, 320; ipsas
Platonis scholas intelligendas iudicat Ueberweg Plat Schr
p 155). β4. 331 ^a7 et β5. 332 ^a31 (Ογ6. 305 ^a32. δ4. 312
^a32). β6. 334 ^a15 ἑτέρας ἔργον ἐστὶ θεωρίας (p ψα5). β9.
336 ^a13 πρότερον (Φβ3-9). β10. 336 ^a15 (Φθ7-9). β10.
336 ^a19 (Φθ7. 260 ^b6). β10. 336 ^b29 ἐν ἄλλοις εἴρηται
(Μθ7). β10. 337 ^a1 ὥσπερ εἴρηται πολλάκις (Φθ. Οαβ).
β10. 337 ^a18 ἐν ἑτέροις (Φθ4). β10. 337 ^a25 ἐν τοῖς ἐν
ἀρχῇ λόγοις (Φθ9). β11. 338 ^a18 ᾳ ἄλλως ἐφάνη (Φθ8).
— Μετεωρολογικὰ α1. 338 ^a20 (Φ). α1. 338 ^a21 (Ο,
imprimis Οαβ). α1. 338 ^a24 (Γ et fortasse Ογδ). α1. 339
^a7 θεωρήσωμεν (p Ζι, Ζμ, Ζγ, περὶ φυτῶν). α3. 339 ^b8
ὧπται διὰ τῶν ἀστρολογικῶν θεωρημάτων (cf III 'Αστρο-
λογικά). α3. 339 ^b16 πρότερον (Οα3). α3. 339 ^b36 ἐν τοῖς
περὶ τὸν ἄνω τόπον θεωρήμασιν (Οβ7). α3. 341 ^a14 ἐν τοῖς
περὶ αἰσθήσεως προσήκει λέγειν (quo haec pertineant, non
reperitur in libro περὶ αἰσθήσεως vel in alio libro Aristo-
telico, Trdlbg p 119; sed ex ipsa formula προσήκει λέγειν
dubium est, num Ar ea de re se disputaturum promittat).
α8. 345 ^b1 ἐν τοῖς περὶ ἀστρολογίαν θεωρήμασιν (cf III
'Αστρολογικά). β3. 359 ^b21 εἴρηται χωρὶς ἐν ἄλλοις (coll
α14. 442 ^b25 Heitz p 61 colligit, haec ad libros περὶ φυ-
τῶν referenda esse; iidem tamen libri, qui hic citantur,
promittuntur μα1. 339 ^a7; aliud statuit Prantl l 1 p 51
n 35, cf Rose Ar Ps p 265). β6. 363 ^a24 ἐν τοῖς προβλή-
μασι τοῖς κατὰ μέρος (cf III Προβλήματα). γ2. 372 ^b9 ἐν
τοῖς περὶ αἰσθήσεως (α13). γ7. 378 ^b5 ἰδίᾳ ἐπισκεπτέον (cf III
Περὶ μετάλλων). δ3. 381 ^b13 εἴρηται ἐν ἑτέροις (ἐν τοῖς
προβλήμασι Ps Alex fr 231. 1519 ^b22, Rose Ar libr ord
p 194; librum περὶ τροφῆς intelligi suspicatur Hz p 194).
δ8. 384 ^b34 εἴρηται ἐν ἄλλοις (librum περὶ μετάλλων citari
Heitz p 68 coniicit, eundem quem promitti putat γ7. 378
^b5; sed manifesto haec verba 384 ^b34 referenda sunt ad
μγ7. 378 ^a15 sqq. cf Rose Ar libr p 197, Brandis p 1076
n 976, Zeller II, 2, 62). — Περὶ κόσμυ, nusquam in hoc
libello Aristotelici libri mentio fit. — Περὶ ψυχῆς α2.
404 ^b19 ἐν τοῖς περὶ φιλοσοφίας λεγομένοις (ad dialogum
Aristotelis περὶ φιλοσοφίας haec refert Bernays Dial p 170,
intelligenda potius esse Platonis ἄγραφα δόγματα recte

iudicat Heitz p 211, 180). α3. 406 ᵃ3 πρότερον (Φϑ5; quod
Trdlbg ψα2. 403 ᵇ29 respici putat, probari non potest).
α3. 407 ᵇ12 ἐστὶν ἡ τοιαύτη σκέψις ἑτέρων λόγων οἰκειοτέρα
(dubium est num Ar quaestionem alibi instituendam pro-
mittat). α4. 407 ᵇ29 εὐθύνας δεδωκυῖα ᾧ τοῖς ἐν κοινῷ 5
γιγνομένοις λόγοις (dialogum Eudemum respici iudicant Ber-
nays Dial p 15-29, Heitz p 140, 200). β4. 416 ᵇ31 διασα-
φητέον ἐν τοῖς οἰκείοις λόγοις (cf III Περὶ τροφῆς). β5.
417 ᵃ1 ἐν τοῖς καθόλου λόγοις περὶ τοῦ ποιεῖν ᾧ πάσχειν
(Γα7). β5. 417 ᵃ17 ἐν ἑτέροις (Φγ2. 201 ᵇ31). β5. 417 ᵃ10
ᵇ29 περὶ ὧν διασαφῆσαι καιρὸς γένοιτ᾽ ἂν ᾧ εἰσαῦθις (cf ad
α3. 407 ᵇ12). β7. 419 ᵃ7 ἄλλος λόγος (αι2. 437 ᵇ5d). β11.
423 ᵇ29 ἐν τοῖς περὶ στοιχείων (Γβ2). γ3. 427 ᵇ26 (ρΗζ?).
γ7. 431 ᵇ19 σκεπτέον ὕστερον (non videtur exstare ea quae
promittitur disputatio). γ9. 432 ᵇ12 (ρ αν. υ). γ10. 433 15
ᵇ20 ἐν τοῖς κοινοῖς σώματος ᾧ ψυχῆς ἔργοις θεωρητέον περὶ
αὐτοῦ (referenda haec esse ad υι. μν1. ζ1-3. Ζμβ1. Ζχ11
Rose Ar libr p 163 statuit (?); non exstare ea de re doctri-
nam Aristotelis Meyer iudicat p 440; quae omisit Ar, ea
auctor libri de motu animalium videtur voluisse explere 20
Ζχ 8). — Περὶ αἰσθήσεως ᾧ αἰσθητῶν 1. 436 ᵃ1, 5
(ψ universe). 1. 436 ᵃ16 θεωρητέον (ρ υ. περὶ νεότητος ᾧ
γήρως. ζ. αν). 1. 436 ᵃ17 (cf III Περὶ ὑγιείας ᾧ νόσυ). 1.
436 ᵇ10 ἐν τοῖς περὶ ψυχῆς (ψβ5). 1. 436 ᵇ14 ἐν τοῖς περὶ
ψυχῆς (ψγ12. 434 ᵇ10-23). 1. 437 ᵃ18 πρότερον (ψβ6-11). 25
2. 438 ᵇ3 ἐν ἄλλοις (ψβ7. 418 ᵇ2). 3. 439 ᵃ8 ἐν τοῖς περὶ
ψυχῆς (ψβ6-11). 3. 439 ᵃ16 ἐν τοῖς περὶ ψυχῆς (ψβ5.
γ2. 425 ᵇ26, 426 ᵃ15). 3. 439 ᵃ18 ἐν τοῖς περὶ ψυχῆς
(ψβ6. 418 ᵇ11). 3. 440 ᵇ3, 13 ἐν τοῖς περὶ μίξεως (Γα10).
3. 440 ᵇ28 ἐν τοῖς περὶ ψυχῆς (ψβ8). 4. 441 ᵇ12 ἐν τοῖς 30
περὶ στοιχείων (Γβ2). 4. 442 ᵃ3 δεῖ διορίζειν ἐν τοῖς περὶ
γενέσεως (ρ Ζγγ11. 762 ᵃ12 sqq, ᵇ6 sqq. δ8. 776 ᵃ28. ε6.
786 ᵃ16). 4. 442 ᵇ25 οἰκείαν ἔχει σκέψιν ἐν τῇ φυσιολογίᾳ
τῇ περὶ τῶν φυτῶν (cf III Περὶ φυτῶν). 6. 445 ᵇ19 ἐν τοῖς
περὶ κινήσεως (cf ad Oγ4. 303 ᵃ23). 7. 449 ᵃ9 πρότερον 35
(ψγ1. 425 ᵃ31. 2. 426 ᵇ23). — Περὶ μνήμης ᾧ ἀνα-
μνήσεως 1. 449 ᵇ30 ἐν τοῖς περὶ ψυχῆς (ψγ3. 8. 432 ᵃ12).
1. 450 ᵃ9 (cf ad ψα3. 407 ᵇ12). 1. 450 ᵇ6 τοῖς ἐπιχει-
ρηματικοῖς λόγοις (Themistius et Michael Ephesius τὰ προ-
βλήματα significari arbitrantur, sed videntur potius haec 40
verba ad eas ἀπορίας referenda esse, quae μν1 expositae
sunt). — Περὶ ὕπνου ᾧ ἐγρηγόρσεως 1. 454 ᵃ11 ἐν
ἑτέροις (ψβ2. 3). 2. 455 ᵃ8 ἐν τοῖς περὶ ψυχῆς (ψβ2. 413
ᵇ4, 414 ᵃ4. 3. 414 ᵇ3. γ12. 434 ᵃ29, ᵇ13, 24. 13. 435 ᵃ14,
ᵇ4, 17, 19). 2. 455 ᵃ24 ἐν τοῖς περὶ ψυχῆς θεωρήμασιν 45
(ψγ13. 435 ᵃ13, ᵇ2. β2. 413 ᵇ6. 3. 415 ᵃ4). 2. 456 ᵃ2 ἐν
ἑτέροις (Ζγβ10. 656 ᵃ18. γ3. 665 ᵃ13. Ζγβ6. 742 ᵇ26. cf
αι2. 438 ᵇ26-439 ᵃ5). 2. 456 ᵃ10 ὕστερον (ρ αν8 sqq). 2.
456 ᵃ27 ὕστερον (ρ εν2. 461 ᵇ21, 462 ᵃ29). 2. 456 ᵃ29 ἐν
τοῖς προβληματικοῖς (cf III Προβλήματα). 3. 456 ᵇ2 ἐκ τῶν 50
ἀνατομῶν (cf III Ἀνατομαί). 3. 456 ᵇ5 ἐν τοῖς περὶ τροφῆς
(cf III Περὶ τροφῆς). 3. 457 ᵇ28 ἐν ἄλλοις (Ζμβ7). 3. 458
ᵃ20 ἑτέρων ἐστὶ λόγων οἰκειότερον (Ζμγ4. 5d). — Περὶ
ἐνυπνίων 1. 459 ᵃ15 ἐν τοῖς περὶ ψυχῆς (ψγ3. 8. 432
ᵃ10). — Περὶ τῆς καθ᾽ ὕπνον μαντικῆς 2. 464 ᵇ5 55
καθάπερ ᾧ πρότερον εἴπομεν (εν3. 461 ᵃ14-18). — Περὶ
μακροβιότητος ᾧ βραχυβιότητος 1. 464 ᵇ31 (υ). 1.
464 ᵇ32 (ρζ). 1. 464 ᵇ32 περὶ νόσυ ᾧ ὑγιείας λεκτέον ὕστε-
ρον (cf III Περὶ νόσυ κ. ὑ). 6. 467 ᵇ4 ἐν τοῖς περὶ φυτῶν
διορισθήσεται (cf III Περὶ φυτῶν). 6. 467 ᵇ6 λοιπὸν θεωρῆσαι 60
περί τε νεότητος ᾧ γήρως ᾧ ζωῆς ᾧ θανάτυ (ζ, cf III de

iuventute et senectute). — Περὶ νεότητος ᾧ γήρως,
περὶ ζωῆς ᾧ θανάτυ 1. 467 ᵇ13 (ψ universe). 2. 468
ᵃ31 ἕτερος ἔσται λόγος (cf III Περὶ φυτῶν). 3. 468 ᵇ32 ἐν
τοῖς περὶ τὰ μέρη τῶν ζώων (Ζμγ4. 665 ᵇ15). 3. 469 ᵃ23
ἐν ἑτέροις (Ζμβ10. 656 ᵃ27). 5. 470 ᵃ18 ἐν τοῖς προβλή-
μασιν (fortasse conferri potest πα55, cf III Προβλήματα).
— Περὶ ἀναπνοῆς 7. 473 ᵃ27 ἐν ἑτέροις (Ζμβ16). 8.
474 ᵃ25 εἴρηται πρότερον (ζ4. 469 ᵇ6-20. 5. 470 ᵃ5. 6. 470
ᵃ20). 8. 474 ᵇ9 ἐκ τῶν ἀνατομῶν (cf III Ἀνατομαί). 8.
474 ᵇ11 ἐν τοῖς περὶ ψυχῆς (ψβ2. 3). 8. 474 ᵇ14 πρότερον
(ζ5. 469 ᵇ21). 12. 477 ᵃ5 ἐν ταῖς περὶ τῶν ζῴων ἱστορίαις
(Ζιδ1. 524 ᵃ9). 14. 477 ᵇ12 καθ᾽ αὑτὰ τὴν ἐπίσκεψιν εἴληφεν
(Ζμβ2. 648 ᵇ2). 16. 478 ᵃ28 ἔκ τε τῶν ἀνατεμνομένων ᾧ τῶν
ἱστοριῶν τῶν περὶ τὰ ζῷα γεγραμμένων (Ζια17.496 ᵃ23sqq,
cf III Ἀνατομαί). 16. 478 ᵇ1 ἐκ τῶν ἀνατομῶν (cf III Ἀνα-
τομαί). 16. 478 ᵇ1 ἐκ τῶν ἱστοριῶν (Ζιδ17.507 ᵃ2). 21. 480
ᵇ23 (ρ περὶ ὑγιείας ᾧ νόσυ, cf III). — Περὶ πνεύματος
commentatio libri Aristotelici mentionem non habet. — Περὶ
τὰ ζῷα ἱστορίαι α5. 489 ᵇ17 ἐν τοῖς περὶ γενέσεως (ρ
Ζγβ1. 732 ᵃ25-733 ᵇ23. γ3. 4. 9. 1. 747 ᵃ17-27). α17.
497 ᵃ32 ἐκ τῆς διαγραφῆς τῆς ἐν ταῖς ἀνατομαῖς (cf III
Ἀνατ). β17. 507 ᵃ25 ὕστερον (ρ Ζμγ3. 665 ᵇ21). γ1. 509
ᵇ22 ἐκ τῶν ἀνατομῶν (cf III Ἀνατ). γ11. 511 ᵃ13 ἐκ τῶν
ἀνατομῶν (cf III Ἀνατ). γ22. 523 ᵃ14 ἐν ἄλλοις (ρΖγα21.
22. 17. 721 ᵇ2. β1. 734 ᵃ33-3. 737 ᵇ7). δ1. 525 ᵃ8 ἐκ τῆς
ἐν ταῖς ἀνατομαῖς διαγραφῆς, δ4. 529 ᵇ19, 530 ᵃ31 ἐκ τῶν
ἀνατομῶν (cf III Ἀνατ). ε1. 539 ᵃ20 ἐν τῇ θεωρίᾳ τῇ περὶ
φυτῶν (cf III Περὶ Φυτῶν). ζ10.565 ᵃ12. ἐκ τῶν ἀνατομῶν.
ζ11. 566 ᵃ15 ἐκ τῶν ἐν ταῖς ἀνατομαῖς διαγεγραμμένων (cf
III Ἀνατ). — Περὶ ζώων μορίων α1. 640 ᵃ2 ἐν ἑτέροις
(Φϑ9). α1. 640 ᵃ8 ἐν ἑτέροις (Γβ11. 337 ᵇ23). α1. 642 ᵃ6
ὑδέτερος τῶν τρόπων τῶν διωρισμένων ἐν τοῖς κατὰ φιλο-
σοφίαν (non titulum libri alicuius significari, sed disputa-
tionis genus ac rationem apparet coll Πγ12. 1282 ᵇ19.
τα2. 101 ᵃ27. θ14. 163 ᵇ9. ηεα8. 1217 ᵇ23, cf φιλοσοφία;
videtur Ar respicere ad Φβ8. 9). β1. 646 ᵃ9 ἐν ταῖς ἱστο-
ρίαις (Ζια-δ7). β1. 646 ᵃ15 ἐν ἑτέροις (Γβ2. μδ). β1. 647
ᵃ26 (γ12. 647 ᵇ29). 1. 667 ᵇ28, 34. cf Trdlbg
p 164sq, Meyer p 427sqq). β2. 648 ᵇ9 ἐν ἑτέροις (Γβ2.
μδ). β2. 649 ᵃ33 ἐν ἑτέροις (μδ10). β3. 650 ᵃ31 ἔκ τε
τῶν ἀνατομῶν ᾧ τῆς φυσικῆς ἱστορίας (Ζιγ4. 514 ᵇ12.
cf III Ἀνατ). β3. 650 ᵇ10 ἐν τοῖς περὶ γενέσεως ᾧ ἐν ἑτέροις
οἰκειότερόν ἐστι διελθεῖν (ρ Ζγβ4. 740 ᵃ21-5. 6. 743 ᵃ8-7.
746 ᵃ28. — ἐν ἑτέροις Γα5. 321 ᵃ32-322 ᵃ33. β8. 335
ᵃ10. μδ2. 379 ᵇ23. cf III Περὶ τροφῆς. Meyer p 449). β7.
653 ᵃ8 ἐν ταῖς τῶν νόσων ἀρχαῖς (ρ Περὶ νόσυ ᾧ ὑγιείας
cf III). β7. 653 ᵃ19 ἐν τε τοῖς περὶ αἰσθήσεως ᾧ περὶ ὕπνυ
διωρισμένοις (υ2. 455 ᵇ28-3. 458 ᵃ32; in libro περὶ αἰσθή-
σεως locus, qui apte huc referatur, non reperitur, cf Bran-
dis p 1191 n 284). β7. 653 ᵇ14 περὶ τὴν τῆς τροφῆς σκέψιν
οἰκείας ἔχει τινὰς λόγυς (cf III Περὶ τροφῆς). β7. 653 ᵇ16
ἐν τοῖς περὶ γενέσεως et β9. 655 ᵇ25 τοῖς περὶ γενέσεως
(ρ Ζγα17-β3. δ8). β10. 655 ᵇ37-656 ᵃ3 (cf III Περὶ φυ-
τῶν). β10. 656 ᵃ29 ἐν τοῖς περὶ αἰσθήσεως (citari videtur
αι2. 438 ᵇ26-439 ᵃ5, quamquam is locus non prorsus ea
continet, quae hac mentione respici videntur). β17. 660 ᵇ2
ἐν ταῖς ἱστορίαις ταῖς περὶ τῶν ζῴων (Ζιδ9. 536 ᵃ20-ᵇ23).
γ4. 666 ᵃ9 ἐκ τῶν ἀνατομῶν κατάδηλα μᾶλλον ταῦτα ᾧ
ἐκ τῶν γενέσεων (ipsam sectionem et generationem signi-
ficari, non libros de anatomia et de generatione, ex ea
quae additur argumentatione intelligitur; nec libri de gene-

ratione animalium appellantur αἱ γενέσεις, sed τὰ περὶ γενέ-
σεως, cf III). γ5. 668 ᵃ8 ἐν τοῖς περὶ γενέσεως λόγοις (cf ad β3.
650 ᵇ10). γ5. 668 ᵇ29 ἐκ τε τῶν ἀνατομῶν ᾗ τῆς ζωικῆς
ἱστορίας (Ζιγ2-4. cf III Ἀνατομαί). γ6. 669 ᵃ4 ἐν τοῖς περὶ
ἀναπνοῆς (αν10.16). γ6.672ᵃ12 ἐν ἑτέροις (Ζιγ17. cf Ζμβ5). 5
γ10. 673 ᵃ30 ἐν ἑτέροις (ψα5. 411 ᵇ19. β2. 413 ᵇ20. μχ6.
467 ᵃ19. ζ2. 468 ᵃ25, ᵇ2. αν17. 479 ᵃ3. Ζιδ7. 531 ᵇ30-
532 ᵃ5. Ζπ7. 707 ᵃ27). γ14. 674 ᵃ20 ἐν τοῖς περὶ τὴν γέ-
νεσιν ᾗ τὴν τροφήν (cf ad β3. 650 ᵇ10). γ14. 674 ᵇ16 ἐκ τε
τῆς ἱστορίας τῆς περὶ τὰ ζῷα ᾗ ἐκ τῶν ἀνατομῶν (Ζιβ17. 10
507 ᵃ36-ᵇ15, cf III Ἀνατομαί). γ15. 676 ᵃ18 ἐν τοῖς προ-
βλήμασιν (cf III Προβλήματα). δ2. 677 ᵃ9 ἐν ταῖς ἀνα-
τομαῖς ἂν ἐγίγνετο τῦτο φανερόν (non liber anatomicus, sed
ipsa animalium sectio videtur significari, cf III Ἀνατομαί).
δ3. 677 ᵇ16 πρότερον (Ζιγ17. cf Ζμβ5). δ4. 678 ᵃ19 ἐν 15
τοῖς περὶ τὴν γένεσιν τῶν ζῴων λεχθήσεται ᾗ τὴν τροφήν
(cf ad β3. 650 ᵇ10). δ4. 678 ᵃ25 περὶ γενέσεως (p Ζγα2-
16). δ5. 680 ᵃ1 ἐκ τε τῶν ἱστοριῶν τῶν περὶ τὰ ζῷα ᾗ
ἐκ τῶν ἀνατομῶν (Ζιδ4. cf III Ἀνατ). δ5. 682 ᵃ2 ἐν τοῖς
πρώτοις λόγοις (cf ad γ10. 673 ᵃ30). δ7. 683 ᵇ12 πρότερον 20
(praeter Ζμδ5. 679 ᵇ16 fortasse etiam respicitur Ζιδ4. 528
ᵃ10). δ8. 684 ᵇ4 ἔκ τε τῶν ἀνατομῶν ᾗ ἐκ τῶν ἱστοριῶν
τῶν περὶ τὰ ζῷα (Ζιδ2. 3. cf 7. 541 ᵇ29. cf III Ἀνατ). δ10.
689 ᵃ10, 12 (p Ζγα18. 724 ᵃ14-20. 729 ᵃ33). δ10. 689
ᵃ18 ἔκ τε τῆς ἱστορίας τῆς π. τ. ζ. φανερὸν ᾗ ἐκ τῶν 25
ἀνατομῶν ᾗ ὕστερον λεχθήσεται ἐν τοῖς περὶ γενέσεως (Ζια13.
14. 17. 497 ᵃ27. γ1. cf III Ἀνατομαί. p Ζγα2-16). δ11.
690 ᵇ15 ἐν τοῖς περὶ τῆς πορείας τῶν ζῴων (Ζπ8. 708
ᵃ9-20). δ11. 692 ᵃ16 ἐν τοῖς περὶ γενέσεως (p Ζγγ2. 752
ᵇ15sqq). δ11. 692 ᵃ17 ἐν τοῖς περὶ πορείας (Ζπ7. 707 30
ᵇ7sqq). δ12. 693 ᵇ24 ἐν τοῖς περὶ γένεσιν (p Ζγγ2. 754
ᵃ9). δ12. 695 ᵃ27 ἐν τοῖς περὶ τὰς γενέσεις τῶν ζῴων
(p Ζγα12. 717 ᵇ4). δ13. 695 ᵇ4 εἴρηται περὶ τύτων ἡ αἰτία
πρότερον (ipsa res commemorata est Ζια5. 489 ᵇ23. β13.
504 ᵇ15; causam nusquam distincte exposuit Ar, sed for- 35
tasse eam concludi voluit ex natura et discrimine inter-
narum partium, de quibus conferri possunt αν11. 13. 16.
3. 471ᵃ22. Ζμγ6. 669ᵃ3sqq. δ10. 686ᵃ18, 24,ᵇ21. Ζπ18.
714 ᵃ21). δ13.696 ᵃ11 ἐν τοῖς περὶ πορείας ᾗ κινήσεως
τῶν ζῴων (Ζπ7. 707 ᵇ7sqq). δ13. 696 ᵇ2, 697 ᵃ22 ἐν τοῖς 40
περὶ ἀναπνοῆς (αν10. 13). δ13. 696 ᵇ14 ἐκ τῶν ἀνατομῶν
ᾗ ἐν ταῖς ἱστορίαις ταῖς περὶ τὰ ζῷα (Ζιβ13. 504 ᵇ28-505
ᵃ20. cf III Ἀνατομαί). δ14. 697 ᵇ29 (p Ζγ). — Περὶ
ζῴων κινήσεως 1. 698 ᵃ3 ἐν ἑτέροις (Ζπ). 1. 698 ᵃ9 πρό-
τερον (Φθ). 1. 700 ᵇ5 ἐν τοῖς περὶ ψυχῆς (ψβ2. 3). 6. 700 45
ᵇ8 διώρισται πρότερον ἐν τοῖς περὶ τῆς πρώτης φιλοσοφίας
(Μλ7. 1072 ᵃ26; Krische Forsch p 267, 3, cf Heitz p 182,
verba ἐν τοῖς περὶ τῆς πρώτης φιλοσοφίας spuria esse iu-
dicat, ut διώρισται πρότερον pariter ac 1. 698 ᵃ9 ad Φθ re-
feratur; sed quod quaeritur 700 ᵇ8 πῶς κινεῖ τὸ πρῶτον 50
κινῦν non in Physicis, sed in Metaphysicis expositum est).
6. 700 ᵇ21 ἐν ἄλλοις (ψγ3). 10. 703 ᵃ11 ἐν ἄλλοις (πν1.
481 ᵃ1. cf υ2. 456 ᵃ15sqq. Michael Ephesius librum περὶ
τροφῆς respici opinatur). 11. 704 ᵃ3-ᵇ3 (Ζμ. ψ. αι. υ. μν.
p Ζγ). — Περὶ πορείας ζῴων 1. 704 ᵃ10 ἐκ τῆς ἱστο- 55
ρίας φυσικῆς (Ζια5. 490 ᵇ4. β1. 498 ᵃ3sqq). 5. 706 ᵇ2 ἐν
ἑτέροις (Ζμδ9. 686 ᵃ14, 34). 19. 714 ᵇ23 ἐχόμενόν ἐστι
θεωρῆσαι περὶ ψυχῆς (ψ. extrema libri verba ᵇ20-23 non
videntur ab Aristotele scripta esse). — Περὶ ζῴων γε-
νέσεως α1. 715 ᵃ1 (Ζμ). α1. 716 ᵃ1. (cf III Περὶ φυτῶν). 60
α3. 716 ᵇ31 ἐν ταῖς ἱστορίαις ταῖς περὶ τῶν ζῴων (Ζια13.

493 ᵃ25. 17. 497 ᵃ26. γ1. 509 ᵃ31-510 ᵇ5). α4. 717 ᵃ33
ἐκ τῶν ἱστοριῶν τῶν περὶ τὰ ζῷα (Ζιγ1. 510 ᵃ20sqq).
α11. 719 ᵃ10 ἔκ τε τῶν ἀνατομῶν ᾗ τῶν ἱστοριῶν (Ζιγ1.
510 ᵇ5-511 ᵃ34, cf III Ἀνατομαί). α15. 720 ᵇ20 ἐν τοῖς
περὶ τῶν μορίων λόγοις (Ζμδ9. 685 ᵃ9). α16. 721 ᵃ26 πρό-
τερον (Ζμ). α19. 726 ᵇ2 πρότερον (Ζμβ3. 650 ᵃ34. δ3.
678 ᵃ7). α20. 728 ᵇ13 ἐν ταῖς περὶ τὰ ζῷα ἱστορίαις
(Ζιγ19. 521 ᵃ25. ζ18. 572 ᵇ29. 20. 574 ᵃ31. η1. 581 ᵇ1.
2. 582 ᵃ34sqq). α23. 731 ᵃ29 (cf III Περὶ φυτῶν). β1. 732
ᵇ14 ἡ αἰτία εἴρηται πρότερον ἐν ἑτέροις (res ipsa, non causa
exposita legitur Ζιε1. 539 ᵇ7-14). β3. 736 ᵃ37 ἐκ τῶν περὶ
ψυχῆς (ψβ3. 4). β4. 740 ᵃ23 ἐκ τῶν ἱστοριῶν ᾗ τῶν ἀνα-
τομῶν (Ζιγ2-4. cf III Ἀνατομαί). β6. 743 ᵃ6 ἐν ἑτέροις
(μδ6. 383 ᵇ9. 7. 384 ᵃ33). β7. 746 ᵃ14 ἐκ τῶν παραδειγ-
μάτων τῶν ἐν ταῖς ἀνατομαῖς ᾗ τῶν ἐν ταῖς ἱστορίαις
γεγραμμένων (Ζιη8? cf III Ἀνατομαί). β7. 746 ᵃ22 (cf III
Ἀνατομαί). β8. 747 ᵇ5 ἐν τοῖς προβλήμασιν (cf III Pro-
blemata). γ1. 750 ᵇ31 ἐν ταῖς ἱστορίαις (Ζιδ11. 538 ᵃ21.
ζ13. 567 ᵃ21). γ2. 753 ᵇ17 ἐν ταῖς ἱστορίαις (Ζιζ3). γ8.
758 ᵃ24 ἐκ τῶν ἱστοριῶν (Ζιε16. 550 ᵃ20sqq). γ10. 761
ᵃ10 ἐκ τῶν περὶ τὰς ἱστορίας ἀναγεγραμμένων (Ζιι41. 42).
γ11. 763 ᵇ16 ἐκ τῆς ἱστορίας (Ζιδ3-6. β2. 590 ᵃ18sqq.
13. 599 ᵃ10sqq). δ1. 764 ᵃ35 (cf III Ἀνατομαί). δ1.765
ᵇ8 ἐν ἑτέροις (Ζμ). δ3. 768 ᵇ23 ἐν τοῖς περὶ τῦ ποιεῖν ᾗ
πάσχειν (Γατ7-9. β2). δ4. 771 ᵇ32 (cf III Ἀνατομαί). δ4.
772 ᵇ11. 7. 775 ᵇ37 ἐν τοῖς προβλήμασιν (cf III Proble-
mata). ε1. 779 ᵃ6 ἐν ἑτέροις (υ3. 456 ᵇ26sqq). ε1. 779 ᵃ8
(cf III Ἀνατομαί). ε1. 779 ᵇ22 ἐλέχθη πρότερον ἐν τοῖς
περὶ τὰς αἰσθήσεις ᾗ τύτων ἔτι πρότερον ἐν τοῖς περὶ ψυχῆς
διωρισμένοις (αι2. ψγ1. 425 ᵃ4). ε2. 781 ᵃ21 εἴρηται ἐν τοῖς
περὶ αἰσθήσεως (alibi Ar dixit, quae hic respicit, veluti
ζ3. 469 ᵃ12. Ζμβ10. 656 ᵃ29. Ζγβ6. 744 ᵃ4, cf Meyer
p 427; qui ex libro περὶ αἰσθήσεως conferri potest locus
αι2. 439 ᵃ1 partem tantum rei de qua agitur continet).
ε3. 782 ᵃ21 ἐν τοῖς περὶ τὰ μέρη τῶν ζῴων (Ζμβ8. 653
ᵇ32. 9. 655 ᵇ17. 14. 658 ᵃ11-ᵇ26. δ12. 692 ᵇ11). ε3.783
ᵇ20 ἐν ἄλλοις λεκτέον (cf III Περὶ φυτῶν). ε3. 784 ᵇ2
ὕστερον λεκτέον ἐν τοῖς περὶ αὐξήσεως ᾗ τροφῆς (cf III
Περὶ τροφῆς) ε4. 784 ᵇ8 ἐν ἑτέροις (μδ1. 379 ᵃ14, 17).
ε7. 786 ᵇ25, 788 ᵇ1 τὰ μὲν ἐν τοῖς περὶ αἰσθήσεως, τὰ δ᾽
ἐν τοῖς περὶ ψυχῆς (αι4. 440 ᵇ27. 6. 446 ᵇ5. ψβ8). ε8.
788 ᵇ6 πρότερον (Ζγ1. Ζβ1. 501 ᵃ8-5. 502 ᵃ3). — in
libris pseudepigraphis: περὶ χρωμάτων, περὶ ἀκυ-
στῶν, φυσιογνωμονικά, περὶ θαυμασίων ἀκυ-
σμάτων, μηχανικά, περὶ ἀτόμων γραμμῶν, ἀνέ-
μων θέσεις, περὶ Ξενοφάνης κτλ non exstat libri Ari-
stotelici mentio. — Περὶ φυτῶν β2. 822ᵇ32 ἐκτεθείκαμεν
αἰτίας ἐν τῷ ἡμετέρῳ βιβλίῳ τῷ περὶ μετεώρων (μβ7.
365 ᵇ1). — Προβλήματα. de iis problematum locis,
quibus ad aliud problema lectores remittuntur, cf Prantl
die Arist Probleme p 348, 29. alii libri septem locis respi-
ciuntur: ις1. 913 ᵃ27 τῦτο ὅτι ἀδύνατον δείκνυται ἐν τοῖς
ὀπτικοῖς (potest referri ad Ὀπτικά, quae Aristotelem
scripsisse aliunde cognitum est, Rose Ar Ps p 373-378.
Heitz p 115). λ1. 954 ᵃ20 εἴρηται σαφέστερον ἐν τοῖς περὶ
πυρός (potest cogitari de problematis περὶ πυρός, quae
Aristotelem scripsisse coll ζ5. 470 ᵃ18 intelligitur; sed
cum problema λ1 ad Theophrastum auctorem videatur
referendum esse, potest etiam de Theophrasti libro περὶ
πυρός cogitari, cfHeitz p104). reliquis quinque locis ii libri,
ad quos respiciunt, non nominantur, sed universe ἐν ἄλλοις

res tractata esse dicitur: ∂18. 878 b29 εἴρηται ἐν ἄλλοις (Ζγ11. 518 b6 respici eorundem verborum usu probatur, Heitz p 115). ι67. 898 b25 ἡ αἰτία ἐν ἑτέροις εἴρηται (causa exposita est αν1. 470 b10. 3. 471 a20). κ7. 923 b3 δι᾽ ἣν αἰτίαν ἄλλος ἔστω λόγος (potest promissus esse liber περὶ μακροβιότητος). κζ4. 948 a20, 23 ἐν ἄλλοις (quo haec referantur, incertum est). — Τὰ μετὰ τὰ φυσικά A1. 981 b25 ἐν τοῖς Ἠθικοῖς (Ηζ3-7). A3. 983 a33. 4. 985 a12 ἐν τοῖς περὶ φύσεως (Φβ3. 7). A5. 986 a12 ἐν ἑτέροις (αἱ τῶν Πυθαγορικῶν δόξαι, cf Alex 31, 1. 56, 10). A5. 986 b30 ἐν τοῖς περὶ φύσεως (Φα3). A7. 988 a22 ἐν τοῖς περὶ φύσεως (Φβ3. 7). A8. 989 a24 ἐν τοῖς περὶ φύσεως (Ογ7. Γβ6. 333 a16, cf III Physica). A10. 993 a11 ἐν τοῖς φυσικοῖς (Φβ3. 7). γ2. 1004 a2, cf b34 ἐν τῇ ἐκλογῇ τῶν ἐναντίων (cf III Ἐκλογὴ τῶν ἐναντίων). ∂15. 1021 a20 ὃν τρόπον ἐν ἑτέροις εἴρηται (quoniam ipsa ea enunciatio, cui haec verba addita sunt, non habet certam interpretationem, qui locus ex alio libro citetur non potest cognosci). ∂30. 1025 a33 λόγος τούτου ἐν ἑτέροις (Αδ6, sed possunt etiam alii loci afferri, qui apte comparentur, cf Schwegler ad h l). ζ12. 1037 b8 ἐν τοῖς ἀναλυτικοῖς (Αδ6). η1. 1042 b7 ἐν τοῖς φυσικοῖς (Φε1; potest praeterea conferri Γα3, sed num hunc etiam locum significare voluerit Ar incertum est). θ8. 1049 b36 ἐν τοῖς περὶ κινήσεως (Φζ6). ι3. 1054 a30 ἐν τῇ διαιρέσει τῶν ἐναντίων, cf 4. 1055 b28. κ3. 1061 a15 (cf III Ἐκλογὴ τῶν ἐναντίων). κ1. 1059 a34 (Φβ3). κ6. 1062 b31 ἐν τοῖς φυσικοῖς (Φα7-9 et fortasse Γα3, cf ad η1. 1042 b7). λ7. 1072 b2 ἡ διαίρεσις δηλοῖ (num his verbis Ar τὴν ἐκλογὴν τῶν ἐναντίων citare voluerit, dubium est). λ7. 1073 a5 δέδοκται (Φθ10. 276 b17). λ8. 1073 a32 ἐν τῇ μεθόδῳ τῇ τῶν φυσικῶν (Φα. θ). μ1. 1076 a9 ἐν τοῖς φυσικοῖς (Φα. θ. Οα2. β3). μ1. 1076 a28 τεθρύληται ὑπὸ τῶν ἐξωτερικῶν λόγων (cf III Ἐξωτερικοὶ λόγοι). μ3. 1078 b5 ἐν ἄλλοις ἐρῶμεν (? cf Bz ad h l). μ9. 1086 a23 ἐν τοῖς περὶ φύσεως (Φα4-6, et fortasse Ογ3. 4. Γα1, cf ad η1. 1042 b7). ν2. 1088 b24 ἐν ἄλλοις λόγοις (Οα7 sqq an Μθ8 citetur incertum est). — Ἠθικὰ Νικομάχεια a3. 1096 a3 (cf III Ἐγκύκλια). α4. 1096 b30 ἄλλης ἂν εἴη φιλοσοφίας οἰκειότερον (metaphysicam doctrinam intelligi apparet, ac similes certe sunt eae quaestiones, quae Μγ2 tractantur). α12. 1101 a34 ἐξακριβοῦν οἰκειότερον τοῖς περὶ τὰ ἐγκώμια πεπονημένοις (quaestio omnino rhetoribus permitti, non liber de rhetorica citari videtur). α13. 1102 a26 (cf III Ἐξωτερικοὶ λόγοι). β7. 1108 b6 ἄλλοθι καιρὸς ἔσται (p Ρβ9. 10). ε5. 1130 b28 ὕστερον διοριστέον (similia iis, quae hic promittuntur, exstant Ηκ10. 1180 a1. Πγ4. 18. 1288 b1). ζ3. 1139 b27 ἐν τοῖς ἀναλυτικοῖς (Αγ1). ζ3. 1129 b32 ἐν τοῖς ἀναλυτικοῖς (Αγ2. 71 b21). ζ4. 1140 a3 (cf III Ἐξωτερικοὶ λόγοι. κ3. 1174 b3 ἐν ἄλλοις (Φζ-θ). κ10. 1181 b12-23 (p Πολιτικά). κ10. 1181 b17 ἐκ τῶν συνηγμένων πολιτειῶν (non significari τὰς πολιτείας, quas Ar collegit, demonstrat Heitz p 231). — Ἠθικὰ μεγάλα β6. 1201 b25 ὥσπερ ἔφαμεν ἐν τοῖς ἀναλυτικοῖς (conferri potest Αα24. 25, sed num Aristotelis ipsius Analytica citare auctor voluerit dubium est). — Ἠθικὰ Εὐδήμια. ex iis locis, quibus Eudemus aliquid se vel antea dixisse vel postea expositurum esse scribit, complures (α5. 1216 a37. 7. 1217 a30. 8. 1218 b16. β5. 1222 b8. 10. 1227 a2. 11. 1227 b16. γ2. 1230 b12, 1231 b3. 7. 1234 a28. η15. 1248 b10, 1249 a17) ad eam quaestionem pertinent, quae est de libris Nicomacheis et Eudemiis Ethicis communibus, utrum Aristo-

telem an Eudemum habeant auctorem; conferendae igitur de hac re eae commentationes, quibus librorum utrisque Ethicis communium origo investigatur. ubi aliorum praeter Ethica librorum mentionem Eudemus facit, nusquam certum est, eum Aristotelicos ac non suos ipsius libros significasse. citantur autem ἐξωτερικοὶ λόγοι α8. 1217 b22. β1. 1218 b34 (cf III Ἐξωτερικοὶ λόγοι), Ἀναλυτικά α6. 1217 a17 (cf Αβ2-4. γ6. 75 a3. 32. 88 a20), β6. 1222 b38 (similia cf Αγ4), β10. 1227 a9 (similia cf Αγ2), sed quamquam in Aristotelicis Analyticis reperiuntur, quae vel concinant vel satis apte comparentur, inde concludi nequit, Aristotelis potius quam Eudemi Analytica significari. α8. 1217 b27 ὥσπερ ἐν ἄλλοις διήρηται, exposita haec quidem sunt in Aristotelicis Categoriis, sed eadem in aliquo Eudemi libro tractata esse verisimile est. α8. 1217 b17 ἑτέρας τε διατριβῆς κ πολλὰ λογικωτέρας, quaestio omnino ad metaphysicam doctrinam remittitur, non certus quidam liber citatur. α8. 1218 a36 ἔτι κ τὸ ἐν τῷ λόγῳ γεγραμμένον (?). — Πολιτικά β2. 1261 a31 ἐν τοῖς ἠθικοῖς (Ηε8. 1132 b33, cf 5. 1130 b32 sqq). γ6. 1278 b31 (cf III Ἐξωτερικοὶ λόγοι). γ9. 1280 a17 ἐν τοῖς ἠθικοῖς (Ηε6). γ12. 1282 b20 οἱ κατὰ φιλοσοφίαν λόγοι, ἐν οἷς διώρισται περὶ τῶν ἠθικῶν (Ηε6). ∂11. 1295 a36 ἐν τοῖς ἠθικοῖς (Ηη14. 1153 b10. α6. 1098 a16. κ7.1177 a12). η1. 1323 a22 (cf III Ἐξωτερικοὶ λόγοι). η10.1330 b9 ὕστερον ἐροῦμεν (referendum videtur vel ad deperditam extremam partem Politicorum, Rose Ar libr p 128, vel ad Oeconomica, Göttling ad h l). η10. 1330 a33 ὕστερον ἐροῦμεν (p οα5. 1344 b15). η13. 1332 a8 ἐν τοῖς ἠθικοῖς (Ηα6). η13. 1332 a22 κατὰ τὰς ἠθικοὺς λόγους (Ηγ6). θ7. 1341 b40 πάλιν ἐν τοῖς περὶ ποιητικῆς ἐροῦμεν σαφέστερον (ad deperditas poeticae partes refert Bernays Grdz p 139 sqq, ad deperditas partes politicorum Heitz p 100, sed verbis ἐν τοῖς περὶ ποιητικῆς alibi semper liber de arte poetica significatus est, cf III Poetica). — Οἰκονομικά α3. 1343 b9 ἐν ἄλλοις (videtur respici Ζγβ1). — Τέχνη ῥητορικὴ α1. 1355 a28 ἐν τοῖς τοπικοῖς (τα1. 101 a30). α2. 1356 b9 ἐκ τῶν ἀναλυτικῶν (Αβ23. 24, praecipue 23. 68 b13). α2. 1356 b12 ἐκ τῶν τοπικῶν (τα1. 12. cf Vahlen Rhet 37 sqq). α2. 1356 b19 ἐν τοῖς μεθοδικοῖς (referri haec ad τα12. 105 a16. θ2. 157 a18 Vahlen demonstravit l l p 43, nec probanda sunt quae contra monuit Heitz p 81 sqq). α2. 1357 a30 ἐκ τῶν ἀναλυτικῶν (Αα12. 32 a10. 27. 43 b33). α2. 1357 b25 ἐν τοῖς ἀναλυτικοῖς (Αβ27). α2. 1358 a29 καθάπερ κ ἐν τοῖς τοπικοῖς κ ἐνταῦθα διαιρετέον τῶν ἐνθυμημάτων κ τὰ εἴδη κ τὰς τόπους (non unus aliquis locus topicorum citatur, sed omnino ea via ac ratio significatur, cuius exempla multa in topicis leguntur, veluti τα10. 14. ι9 al). α8. 1366 a21 ἐν τοῖς πολιτικοῖς (II universe). α11. 1372 a1 ἐν τοῖς περὶ ποιητικῆς (deperditam nunc poeticae partem, quae erat de comoedia, significari censet Bernays Rh Mus VIII 561). β22. 1396 b4 ὥσπερ ἐν τοῖς τοπικοῖς, 1396 b26 ὥσπερ ἐν τοῖς διαλεκτικοῖς (cf ad α2. 1358 a29). β23. 1398 a28 ὥσπερ ἐν τοῖς τοπικοῖς καὶ τὸ ὀρθῶς (legendum esse περὶ τοῦ ὀξέος ac respici ad τα15. 106 a14 evidens est coniectura Thurotii Obs s l rhet p 9). β23. ὥσπερ ἐν τοῖς τοπικοῖς ποία κίνησις ἡ ψυχή (τβ4. 111 b6. cf γ6. 120 a34). β24. 1401 a2 ὥσπερ ἐν τοῖς διαλεκτικοῖς, 1402 a3 ὥσπερ ἐν τοῖς ἐριστικοῖς, 25. 1402 a35 καθάπερ κ ἐν τοῖς τοπικοῖς (eadem harum comparationis ratio, de qua dictum est ad α2. 1358 a29 cf Vahlen l l p 84, quamquam 1401 a2 referri

potest ad τι15. 174 b10). β25. 1403 a5, 12 ἐκ τῶν ἀνα-
λυτικῶν (Αβ26. 27). β26. 1403 a32 καθάπερ ἐν τοῖς το-
πικοῖς (cf ad α2. 1358 a29). γ1. 1404 a38. 2. 1404 b7 ἐν
τοῖς περὶ ποιητικῆς, 2. 1404 b28 ἐν τοῖς περὶ ποιήσεως (πο21.
22). γ2. 1405 a5 ἐν τοῖς περὶ ποιητικῆς (πο22. 1459 a5). 5
γ9. 1410 b2 ἐν τοῖς Θεοδεκτείοις (cf III Θεοδέκτεια). γ18.
1419 a24 φανερὸν ἡμῖν ἔστω ἐκ τῶν τοπικῶν (cf ad α2.
1358 a29). γ18. 1419 b5 ἐν τοῖς περὶ ποιητικῆς (cf ad α11.
1372 a1). — 'Ρητορικὴ πρὸς Ἀλέξανδρον non habet
libri Aristotelici mentionem. — Περὶ ποιητικῆς 6. 1449 10
b21 περὶ κωμῳδίας ὕστερον ἐροῦμεν (cf ad Ρα11. 1372 a1).
15. 1454 b17 ἐν τοῖς ἐκδεδομένοις λόγοις (cf III Ἐξωτερικοὶ
λόγοι). 19. 1456 a35 ἐν τοῖς περὶ ῥητορικῆς κείσθω (P uni-
verse respici videtur).

III. ubi signum interrogationis in parenthesi additum 15
est, quae sit de eius loci ratione dubitatio ex superiore
parte, II, petendum est; ex eadem parte superiore petendum
est, quis potissimum alicuius libri locus respici videatur.
De categoriis librum respici videri ψα1. 402 a23. 5.
410 a14 et fortasse τι4. 166 b10. 22. 178 a5. Aα37. 49 a7 20
Zeller iudicat II, 2, 49, 1, cf Steinthal Gesch p 201; sed
τι4. 166 b10 refertur ad τα9, reliquis in locis non libri,
sed doctrinae de categoriis mentio fit. quod in Eudemiis
Ethicis legitur τὸ γὰρ ὄν, ὥσπερ ἐν ἄλλοις διῄρηται, ση-
μαίνει τὸ μὲν τί ἔστι κτλ ηεα8. 1217 b27, dubium est utrum 25
ad Aristotelis an ad Eudemi librum aliquem referendum sit,
cf II p 101 b13. — De interpretatione libri caput 14,
id ipsum, quod non esse Aristotelis iudicatur, Waitzio pro-
mitti videtur τα10. 104 a33; sed alio esse hunc Topico-
rum locum referendum cf II p 98 a15. — Analytica 30
priora citantur nominatim: τὰ Ἀναλυτικά ε10. 19 b31.
τθ11. 162 a11. 13. 162 b32. ι2. 165 b9. Ρα2. 1356 b9, 1357
a30, b25. β25. 1403 a5, 12. ημβ6. 1201 b25 (?). ηεα6.
1217 a17 (?); τὰ περὶ συλλογισμῶν Αγ3. 73 a14, 15. 11.
77 a34; non addito nomine libri Αγ3. 73 a8, ἐν τοῖς πρώ- 35
τοις Αδ12. 96 a1. — Analytica posteriora citantur:
τὰ ἀναλυτικά τι2. 165 b9. Μζ12. 1037 b8. Ηζ3. 1139 b27,
32. ηεα6. 1217 a17 (?). β6. 1222 b38 (?). 10. 1227 a9 (?);
sine nomine τη3. 153 a11, 24. Μδ3. 1025 a33; promittun-
tur Αα27. 43 a37. — Topica citantur: τὰ τοπικά Αα1. 40
24 b12. β15. 64 a37. Ρα1. 1355 a28. 2. 1356 b12, 1358
a29. β22. 1396 b4. 23. 1398 a28, 1399 a6. 25. 1402 a35.
26. 1403 a32. γ18. 1419 a24, τὰ μεθοδικά Ρα2. 1356 b19,
ἐν τοῖς διαλεκτικοῖς Ρβ22. 1396 b26. 24. 1401 a2, ἐν τῇ
πραγματείᾳ τῇ περὶ τὴν διαλεκτικήν Αα30. 46 a30, ἐν τοῖς 45
ἐριστικοῖς Ρβ24. 1402 a3; sine nomine διῄρηται, ἐλέχθη
πρότερον τι4. 166 b14. 12. 172 b27, ἐν ἑτέροις τι2. 165 b6,
10. — Sophistici elenchi citantur: τὰ τοπικά ε11.
20 b26. Αβ17. 65 b16, τὰ μεθοδικά Ρβ24. 1401 a2. So-
phisticos elenchos non peculiarem esse commentationem, 50
sed partem Topicorum, ex his citandi formulis aliisque
argumentis recte concludit Wz II, 528. cf Zeller II, 2, 54,
1. — Physica admodum saepe ab Aristotele citantur.
nomen τὰ φυσικά, τὰ περὶ φύσεως (ἡ μέθοδος ἡ τῶν φυ-
σικῶν Μμ1. 1076 a9) in extremo libro Physicorum et in 55
Metaphysicis legitur. illic Φθ1. 251 a9. 3. 253 b8. 10. 267
b21 nomine τὰ φυσικά prior Physicorum pars perinde re-
spicitur (δέδεικται πρότερον ἐν τοῖς φυσικοῖς, ἐτέθη ἐν τοῖς
φυσικοῖς sim), atque alibi peculiaris et seiuncta commen-
tatio citari solet (conferri potest, quod Φγ1. 201 a26 ἐξ 60
ἄλλων ἔσται δῆλον pertinet ad extremum Physicorum librum

Φθ5); sextus Physicorum liber in extremo eiusdem operis
libro modo hac formula significatur ἐν τοῖς καθόλυ περὶ
φύσεως Φθ5. 257 a34, modo ἐν τοῖς περὶ κινήσεως Φθ8.
263 a11. in Metaphysicis ubi τὰ φυσικά, τὰ περὶ φύσεως
citantur, aliquoties sane prior Physicorum pars respicitur
ΜΑ3. 983 a33. 4. 985 a12. 5. 986 b30. 7. 988 a22. 10. 993
a11. κ1. 1059 a34. 6. 1062 b31. μ9. 1086 a23, sed eodem
nomine etiam posteriorem partem Physicorum contineri ap-
paret Μη1. 1042 b7. μ1. 1079 a9; ac latiore sensu nomen
τὰ φυσικά, τὰ περὶ φύσεως praeter Physica etiam libros
de coelo ac de generatione et corruptione complectitur
ΜΑ8. 989 a24. λ8. 1073 a32, cf η1. 1042 b7 (?). κ6. 1062
b31 (?). μ9. 1086 a23 (?). — οἱ λόγοι οἱ περὶ τὰς ἀρχὰς
εἰρημένοι ἡμῖν (i e Physicorum pars prior) citantur Οα6.
274 a21, τὰ περὶ κινήσεως (i e Physicorum pars posterior)
Οα5. 272 a30. 7. 275 b22. γ1. 299 a10. Γα3. 318 a3. α6.
445 b19. Μθ8. 1049 b36, τὰ περὶ χρόνου ἢ κινήσεως Ογ4.
303 a23. non adhibito libri titulo vel aliqua argumenti
significatione Physica citantur: ἐν τοῖς πρώτοις, τοῖς ἐν ἀρχῇ
λόγοις Οα3. 270 a17. δ3. 311 a11. Γβ10. 337 a25, ἐν τοῖς
κατὰ φιλοσοφίαν Ζμα1. 642 a6 (?), πρότερον Οα6. 273 a17.
β4. 286 b19. γ6. 305 a21. Γα6. 323 a3. 9. 336 a13. 10.
336 a19. ψα3. 406 a3. Ζκ1. 698 a9, δῆλον ἐκ τῶν προει-
ρημένων Ογ2. 301 b32, ἐν ἑτέροις, ἐν ἑτέροις πρότερον Γα2.
316 b17. 3. 317 b13. 5. 320 b18, 28. β1. 329 a27. 10. 337
a18. 11. 338 a18. ψβ5. 417 a17. Ζμα1. 640 a2. Ηκ3. 1174
b3, omnino δέδεικται, εἴρηται sim Οα4. 271 a21. 8. 277
b11. Γβ10. 336 a15, 337 a1. μα1. 338 a20. Μλ7. 1073 a5.
Physica promittuntur, μᾶλλον φανερῶς ἐν τοῖς καθόλυ περὶ
κινήσεως δεῖ λεχθῆναι περὶ τούτων Αδ12. 95 b10. — De coelo
libri citantur: εἴρηται πρότερον ἐν τοῖς περὶ τὸν ἄνω τόπον
θεωρήμασιν μα3. 339 b36, ἐν τοῖς φυσικοῖς ΜΑ8. 989 a24.
λ7. 1073 a32 (cf supra, Physica), sine nomine δέδεικται
πρότερον sim Γα8. 325 b34. β4. 331 a7. 5. 332 a31. μα1.
338 a24. 3. 339 b16, 36, ἐν ἄλλοις Γα2. 315 b31. Μγ2.
1088 b24 (?), εἴρηται Γβ10. 337 a1. μα1. 338 a21, ἐν
Γα10. 328 b2. quae commemorantur ἀστρολογικὰ θεωρή-
ματα μα3. 339 b8. 8. 345 b1 non videntur ad libros de
coelo referenda esse, cf infra Ἀστρολογικά. — De gene-
ratione et corruptione libri citantur: εἴρηται πρότερον
ἢ φθορᾶς τῆς κοινῆς εἴρηται μα1. 338 a24, ἐν τοῖς καθόλυ
περὶ τοῦ ποιεῖν ἢ πάσχειν ψβ5. 417 a1. Ζγδ3. 768 b23, ἐν
τοῖς περὶ στοιχείων ψβ11. 423 b29. αι4. 441 b12, ἐν τοῖς
περὶ μίξεως αι3. 440 b3, 13, ἐν τοῖς φυσικοῖς (cf Physica)
ΜΑ8. 989 a24. η1. 1042 b7 (?). κ6. 1062 b31 (?), sine no-
mine ἐν ἑτέροις πρότερον, ἐν ἑτέροις μγ1. 371 b1. Ζμα1.
640 a8. β1. 646 a15. 2. 648 b9. 3. 650 b10; promittuntur
Φα9. 192 b2. β1. 193 b21. δ5. 213 a5. Οα10. 280 a28.
β3. 286 a31, b5. γ4. 303 a1. — Meteorologica citan-
tur: ἐν ἑτέροις πρότερον, ἐν ἑτέροις Ζμβ3. 646 a15, 648 b9,
649 a33. 3. 650 b10. Ζγβ6. 743 a6. ε4. 784 b8 (titulus
operis non commemoratur nisi in libro spurio φτβ2. 822
b32 ἐκτεθείκαμεν ἐν τῷ ἡμετέρῳ βιβλίῳ τῷ περὶ μετεώ-
ρων; promittuntur Γα2. 317 a30. quod Aristoteles Ζμβ9.
655 b23 scribit ἔτι δὲ περὶ γονῆς ἢ γάλακτος ἀπελίπομεν
ἐν τῇ περὶ τῶν ὑγρῶν ἢ ὁμοιομερῶν θεωρίᾳ, Meteorologi-
corum librum quartum significari iudicant Ideler Meteor
II, 358sqq, Zeller II, 2, 62; sed his verbis respici ad eius-
dem libri secundi de partibus animalium capita 2-9 apparet
conferenti 2. 647 b10. 7. 653 b9. 8. 653 b19. — De anima
libri citantur: ἐν τοῖς περὶ ψυχῆς ε1. 16 a8 (?). αι1. 436

ᵇ10, 14. 3. 439 ᵃ8, 16, 18. 4. 440 ᵇ28. μν1. 449 ᵇ30. υ2. 455 ᵃ8, 24. εν1. 459 ᵃ15. ανθ. 474 ᵇ11. Ζκ6. 700 ᵇ5. Ζγβ3. 736 ᵃ37. ε1. 779 ᵇ22. 7. 786 ᵇ25, 788 ᵃ1, ἐν ἑτέροις, εἴρηται, εἴρηται πρότερον sim αι1. 436 ᵃ1, 5, 437 ᵃ18. 2. 438 ᵇ3. 7. 449 ᵃ9. υ1. 454 ᵃ11. ζ1. 467 ᵇ13. Ζμγ10. 673 ᵃ30. 5 Ζκ6. 700 ᵇ21. 11. 704 ᵇ1; promittuntur: ἑτέρας ἔργον ἐστὶ θεωρίας Γβ6. 334 ᵃ15, ἐχόμενόν ἐστι θεωρῆσαι Ζπ19. 714 ᵇ23 (?). — De sensu et sensili liber citatur: ἐν τοῖς περὶ αἰσθήσεως μα3. 341 ᵃ14 (?). γ2. 372 ᵇ9. Ζμβ7. 653 ᵃ19 (?). 10. 656 ᵃ29. Ζγε2. 781 ᵃ21 (?). 7. 786 ᵇ25, 788 ᵇ1, 10 ἐν τοῖς περὶ τὰς αἰσθήσεις Ζγε1. 779 ᵇ22, ἐν ἑτέροις εἴρηται πρότερον, εἴρηται υ2. 456 ᵃ2. Ζκ11. 704 ᵇ1; promittitur: ἄλλος λόγος ψβ7. 419 ᵃ7. — De memoria et reminiscentia liber citatur: εἴρηται Ζκ11. 704 ᵇ1; quod promitti eum librum αι1. 436 ᵃ8 Zeller existimat II, 2, 66, 2, 15 probari non potest coll ᵃ13-17. — De somno et vigilia disputatio citatur: ἐν τοῖς περὶ ὕπνυ Ζμβ7. 653 ᵃ19, περὶ ὕπνυ ὰ ἐγρηγόρσεως εἴρηται πρότερον μκ1. 464 ᵇ31, ἐν ἑτέροις εἴρηται πρότερον sim Ζμβ1. 647 ᵃ26. Ζκ10. 703 ᵃ11. 11. 704 ᵇ1. Ζγε1. 779 ᵃ6; promittitur ψ9. 432 ᵇ12. αι1. 20 436 ᵃ16. — De insomniis liber citatur μτ2. 464 ᵇ9, promittitur υ2. 456 ᵃ27. — De divinatione per somnum commentatio nec citatur nec promittitur. — De longitudine et brevitate vitae liber citatur: εἴρηται ἐν ἑτέροις Ζμγ10. 673 ᵃ30, ἄλλος ἔστω λόγος πκ7. 923 ᵇ3 (?). 25 — De iuventute et senectute disputationem se scripturum promittit Aristoteles αι1. 436 ᵃ14. μκ6. 467 ᵇ6, num scripserit dubium est. quamquam enim in codd libri de vita et morte prima duo capita περὶ νεότητος ὰ γήρως inscripta sunt (cuius inscriptionis quae sit causa apparet 30 cf ζ1. 467 ᵇ10), tamen ea duo capita nec possunt seiungi a reliquis eiusdem de vita et morte libelli, nec videntur ea continere, quae de iuventute et senectute seorsim exponenda erant. cf Zeller II, 2, 67. — De vita et morte disputatio citatur: ἐν ἑτέροις εἴρηται, πρότερον sim ανθ. 474 35 ᵃ25, ᵇ14. Ζμβ1. 647 ᵃ26. γ10. 673 ᵃ30, ἐν τοῖς πρώτοις λόγοις Ζμδ5. 682 ᵃ2; promittitur αι1. 436 ᵃ15. μκ1. 464 ᵇ32. 6. 467 ᵇ9. — De respiratione liber citatur: ἐν τοῖς περὶ ἀναπνοῆς Ζμγ6. 669 ᵃ4. δ13. 696 ᵇ2, 667 ᵃ22, ἐν ἑτέροις Ζμγ10. 673 ᵃ30. πι67. 898 ᵇ25, ἐν τοῖς πρώτοις λόγοις 40 Ζμδ5. 682 ᵃ2; promittit ψγ9. 432 ᵇ12. αι1. 436 ᵃ15. υ2. 456 ᵃ10. — De spiritu liber citatur: ἐν ἄλλοις Ζκ10. 703 ᵃ11. — Historia animalium citatur: αἱ περὶ τῶν ζώων ἱστορίαι αν12. 477 ᵃ5. Ζμβ1. 646 ᵃ9. 17. 660 ᵇ2. Ζγα3. 716 ᵇ31, αἱ ἱστορίαι αἱ περὶ τὰ ζῶα αν16. 478 ᵃ28. 45 Ζμδ5. 680 ᵃ1. 8. 684 ᵇ4. 13. 696 ᵇ14. Ζγα4. 717 ᵃ33. 20. 728 ᵃ13, ἡ ἱστορία ἡ περὶ τὰ ζῶα Ζμγ14. 674 ᵇ16. δ10. 689 ᵃ18, ἡ ζωικὴ ἱστορία Ζμγ5. 668 ᵇ29, ἡ φυσικὴ ἱστορία Ζμβ3. 650 ᵃ31. Ζπ1. 704 ᵇ10, αἱ ἱστορίαι αν16. 478 ᵇ1. Ζγα11. 719 ᵃ10. β4. 740 ᵃ23. 7. 746 ᵃ14. γ1. 750 ᵇ31. 2. 50 753 ᵇ17. 8. 758 ᵃ24, τὰ περὶ τὰς ἱστορίας Ζγγ1. 761 ᵃ10, ἡ ἱστορία Ζγγ11. 763 ᵇ16, non significato libri titulo ἐν ἑτέροις, πρότερον Ζμγ9. 672 ᵃ12. 10. 673 ᵃ30. δ3. 677 ᵇ16. 7. 683 ᵇ12. Ζγβ1. 732 ᵇ14. ε8. 788 ᵇ6, ἐν τοῖς πρώτοις λόγοις Ζμδ5. 682 ᵃ2; promittitur μα1. 339 ᵃ7. — De partibus animalium libri citantur: ἐν τοῖς περὶ τὰ μέρη τῶν ζῴων ζ3. 468 ᵇ32, ἐν τοῖς περὶ τῶν μορίων λόγοις Ζγα15. 720 ᵇ20, ἐν ταῖς αἰτίαις ταῖς περὶ τὰ μέρη τῶν ζῴων Ζγε3. 782 ᵃ21, πρότερον, ἐν ἑτέροις υ2. 456 ᵃ2. 3. 457 ᵇ28, 458 ᵃ20. ζ3. 469 ᵃ23. αν7. 473 ᵃ27. 14. 477 ᵇ12. 60 Ζκ11. 704 ᵃ3. Ζπ5. 706 ᵇ2. Ζγα1. 715 ᵃ1. 16. 721 ᵃ26. 19.

726 ᵇ2. δ1. 765 ᵇ8. εθ. 788 ᵇ6; promittuntur μα1. 339 ᵃ7. Ζιβ17. 507 ᵃ25. — De motu animalium liber promitti putatur ψγ10. 433 ᵇ20. — De incessu animalium liber citatur: ἐν τοῖς περὶ πορείας τῶν ζῴων Ζμδ11. 690 ᵇ15, ἐν τοῖς περὶ πορείας Ζμδ11. 692 ᵃ17, ἐν τοῖς περὶ πορείας ὰ κινήσεως τῶν ζῴων Ζμδ13. 696 ᵃ11, ἐν τοῖς περὶ τὰς τῶν ζῴων κινήσεως Οβ2. 284 ᵇ13, ἐν ἑτέροις Ζκ1. 698 ᵃ3. — De generatione animalium libri promittuntur: ἐρῦμεν (λεχθήσεται sim) ἐν τοῖς περὶ τὴν γένεσιν τῶν ζῴων Ζμδ4. 678 ᵃ19, ἐν τοῖς περὶ τὰς γενέσεις τῶν ζῴων Ζμδ12. 695 ᵃ27. 14. 697 ᵇ29, ἐν τοῖς περὶ τὴν γένεσιν Ζμγ14. 674 ᵃ20. δ12. 693 ᵇ24, ἐν τοῖς περὶ γενέσεως αι4. 442 ᵃ3. Ζια5. 489 ᵇ17. Ζμβ3. 650 ᵇ10. 7. 653 ᵇ16. 9. 655 ᵇ25. γ5. 668 ᵃ8. δ4. 678 ᵃ25. 10. 689 ᵃ18. 11. 692 ᵃ16, ὕστερον, ἐν ἄλλοις Ζιγ22. 523 ᵃ14. Ζμδ10. 689 ᵃ10, 12. 14. 697 ᵇ29. Ζκ11. 704 ᵇ2, θεωρήσωμεν μα1. 339 ᵃ7; fortasse citantur οα3. 1343 ᵇ9. — Problemata a se scripta Aristoteles septem locis nominatim citat (εἴρηται ἐν τοῖς προβλήμασιν μβ3. 363 ᵃ24. ζ5. 470 ᵃ18. Ζμγ15. 676 ᵃ18. Ζγβ38. 747 ᵇ5. δ4. 772 ᵇ11. 7. 775 ᵇ37, εἴρηται ἐν τοῖς προβληματικοῖς υ2. 456 ᵃ29, praeterea conferri potest μδ3. 381 ᵇ13; falso Heitzp 112 addit μν2.451 ᵃ18, cfII p 99 ᵃ38); inde scripsisse Aristotelem συναγωγὴν προβλημάτων ὰ λύσεων certum est. cum iis quae nunc feruntur Aristotelis nomine problematis unus ex septem illis locis quodammodo comparari potest (cf II p 99 ᵇ5 ad ζ5. 470 ᵃ18), reliqui in problematis quae nunc exstant nihil omnino habent, quo referantur. confirmatur hac re, id quod aliunde iam cognitum est, problematum quae nunc Aristotelis nomine feruntur vel nullam vel exiguam partem Aristoteli posse tribui. — Metaphysica quae nunc dicuntur, ab Aristotele τῆς πρώτης φιλοσοφίας nomine appellantur. libri de prima philosophia promittuntur: δι' ἀκριβείας τῆς πρώτης φιλοσοφίας ἔργον ἐστὶ διορίσαι, ὥστ' εἰς ἐκεῖνον τὸν καιρὸν ἀποκείσθω Φα9. 192 ᵃ35, cf φιλοσοφίας τῆς πρώτης διορίσαι ἔργον Φβ2. 194 ᵇ14, τῆς ἑτέρας ὰ προτέρας διελεῖν ἐστι φιλοσοφίας ἔργον Γα3. 318 ᵃ6, διὰ τῶν ἐκ τῆς πρώτης φιλοσοφίας λόγων δειχθεὶη ἂν Οα8. 277 ᵇ10; vel promittuntur vel citantur: ἔστιν ἄλλης πραγματείας ἔργον ε5. 17 ᵃ4, ἄλλης ἂν εἴη φιλοσοφίας οἰκειότερον Ηα4. 1096 ᵇ30; citantur in libro pseudepigrapho: διώρισται ἐν τοῖς περὶ τῆς πρώτης φιλοσοφίας Ζκ6. 700 ᵇ8 (?). sed in iisdem libris, in quibus disputatio de prima philosophia nominatim promittitur, eadem, non addito quidem operis nomine, citatur: τὸ εἶναι ποσαχῶς λέγομεν, ἐν ἄλλοις εἴρηται Γβ10. 336 ᵇ29, τῦτο ἐν ἄλλοις διώρισται δι' ἀκριβείας μᾶλλον Φα9. 191 ᵇ9. — Ethica Nicomachea citantur: εἴρηται (εἴρηται πρότερον) ἐν τοῖς ἠθικοῖς ΜΑ1. 981 ᵇ25. Πβ2. 1261 ᵃ31. γ12. 1280 ᵃ17. δ11. 1295 ᵃ36. η13. 1332 ᵃ8, κατὰ τὰς ἠθικὰς λόγους Πη13. 1332 ᵃ22, ὁμολογῦσι τοῖς κατὰ φιλοσοφίαν λόγοις, οἷς διώρισται περὶ τῶν ἠθικῶν Πγ12. 1282 ᵇ20; utrum citentur an promittantur dubium est: ἕτερος ἔστω λόγος ψγ3. 427 ᵇ26 (?). — Politica citantur: διηκρίβωται ἐν τοῖς πολιτικοῖς Ρα8. 1366 ᵃ21; promittuntur Ηε5. 1130 ᵇ28. κ10. 1181 ᵇ12-31. — Oeconomica promittuntur Πη10. 1330 ᵃ3 (?), 33. — Ars rhetorica videtur citari: ἐν τοῖς περὶ ῥητορικῆς κείσθω πο19. 1456 ᵃ35, sed cf Vhl Poet I 17, 47; promittitur Ηβ7. 1108 ᵇ6, vix potest videri promissa esse ε5. 17 ᵃ5. — De poetica liber citatur: εἴρηται ἐν τοῖς περὶ ποιητικῆς Ρα11. 1372 ᵃ1. γ1. 1404 ᵃ38. 2. 1404 ᵇ7, 1405 ᵃ5. 18. 1419 ᵇ5, ἐν τοῖς περὶ ποιήσεως Ργ2. 1404 ᵃ28; promittitur: ἐν τοῖς περὶ

ποιητικῆς ἐρύμεν σαφέστερον Πθ7. 1341ᵇ40, vix potest videri promissus esse ε5. 17 ᵃ5.

Deperditi libri Aristotelis, qui in superstitibus nunc libris Aristotelis vel citantur vel promittuntur. Ἀνατομαί citantur: δῆλον τῦτο (φανερόν, δεῖ θεωρεῖν, θεωρείσθω) ἐκ τῶν ἀνατομῶν υ3. 456 ᵇ2. αν8. 474 ᵇ9. 16. 478 ᵇ1. Ζιγ1. 509 ᵇ21. 11. 511 ᵃ13. 4. 529 ᵇ19, 530 ᵃ31. ζ10. 565 ᵃ12. Ζμβ3. 650 ᵃ31. γ4. 666 ᵃ9. 5. 668 ᵇ29. 14. 674 ᵇ16. δ5. 680 ᵃ1. 8. 684 ᵇ4. 10. 689 ᵃ18. 13. 696 ᵇ14. Ζγα11. 719 ᵃ10. β4. 740 ᵃ23, ἐκ τῶν ἀνατεμνομένων αν16. 478 ᵃ28, ἐκ τῆς διαγραφῆς τῆς ἐν ταῖς ἀνατομαῖς, ἐκ τῶν ἐν ταῖς ἀνατομαῖς διαγεγραμμένων, ἐκ τῶν παραδειγμάτων τῶν ἐν ταῖς ἀνατομαῖς Ζια17. 497 ᵃ32. δ1. 525 ᵃ8. ζ11. 566ᵃ15. Ζγβ7. 746 ᵃ14. non liber anatomicus, sed ipsa animalium sectio et quae inde petitur cognitio videtur intelligenda esse Ζμδ2. 677 ᵃ9. Ζγβ7. 746 ᵃ22. δ1. 764 ᵃ35. 4. 771 ᵇ32. ε1. 779 ᵃ8. cf Heitz p 70sqq. Ἀστρολογικά. τὰ περὶ ἀστρολογίαν Οβ10. 291 ᵃ29, τὰ ἀστρολογικὰ (περὶ ἀστρολογίαν) θεωρήματα μα3. 339 ᵇ8. 8. 345 ᵇ1 significare videntur peculiarem Aristotelis de rebus astronomicis librum. cf Heitz p 116sqq. — Διαιρέσεις, cf II p98ᵇ18 ad Γβ3. 330 ᵇ16. — Ἐκλογὴ τῶν ἐναντίων citatur τεθεωρήσθω δ' ἡμῖν ἐν τῇ ἐκλογῇ τῶν ἐναντίων Μγ2. 1004 ᵃ2,ᵇ34, ὥσπερ ἐν τῇ διαιρέσει τῶν ἐναντίων διεγράψαμεν Μι3. 1054 ᵃ30. 4. 1055 ᵇ28. κ3. 1061 ᵃ15; quod Μλ7. 1072 ᵇ2 legitur ἡ διαίρεσις δηλοῖ, num διαίρεσις pro titulo libri accipiendum sit (i q διαίρεσις τῶν ἐναντίων), admodum est dubium. quae de ἐκλογῇ τῶν ἐναντίων Graeci interpretes referunt collegit Rose Ar Ps p 49. ipsum Alexandrum, cuius ex commentariis reliquos interpretes sua hausisse apparet, non constare secum, sed modo distinguere τὴν ἐκλογὴν τῶν ἐναντίων ab altero libro περὶ τἀγαθῦ modo cum eo confundere, monet Heitz p 213. — Θεοδέκτεια. αἱ ἀρχαὶ τῶν περιόδων σχεδὸν ἐν τοῖς Θεοδεκτείοις ἐξηρίθμηνται Ργ9. 1410 ᵇ2. suum se citare librum quamquam non distincte scribit Aristoteles, tamen ex formula citandi erat simillimum. dubitat de ea re Heitz p 85sqq; quod Rose Ar Ps p 137 ea verba interpretatur 'initia autem periodorum fere dimensus est Theodectes in orationibus', probari nequit. — Περὶ μετάλλων librum Aristoteles duobus Meteorologicorum locis promittere putatur; sed alter locus Θ8. 384 ᵇ34 (cf II ad h l) manifesto ad μγ7. 378 ᵃ15 referendus est; ex altero loco μγ7. 378 ᵇ5 κοινῇ μὲν ὖν εἴρηται περὶ πάντων αὐτῶν (i e τῶν ὀρυκτῶν χ τῶν μεταλλευτῶν), ἰδία δ' ἐπισκεπτέον περὶ ἑκάστου γένος, voluisse Aristotelem περὶ μετάλλων peculiarem librum scribere non potest concludi. Heitz p 67sqq. — Περὶ νόσυ χ ὑγιείας. de morbo et valetudine quaestionem Aristoteles non solum ad doctrinam physicam pertinere iudicat (περὶ ὑγιείας χ νόσυ ὐ μόνον ἰατρῦ ἀλλὰ χ τῦ φυσικῦ μέχρι τυ τὰς αἰτίας εἰπεῖν αν21. 480 ᵃ23, φυσικῦ δὲ χ περὶ ὑγιείας χ νόσυ τὰς πρώτας ἰδεῖν ἀρχάς αι1. 436 ᵃ17, περὶ τύτων ἐν ταῖς τῶν νόσων ἀρχαῖς ἁρμόττει λέγειν. ἐφ' ὅσον τῆς φυσικῆς φιλοσοφίας ἐστὶν εἰπεῖν περὶ αὐτῶν Ζμβ7. 653 ᵃ8), sed etiam se instituturum eam quaestionem promittit perinde ac de iis rebus, de quibus libros eius superstites habemus (περὶ δὲ ζωῆς χ θανάτυ λεκτέον ὕστερον, ὁμοίως δὲ χ περὶ νόσυ χ ὑγιείας μχ1. 464 ᵇ32). inde voluisse Ar scribere disputationem περὶ νόσυ χ ὑγιείας apparet; num scripserit neque ex his locis neque aliunde certo colligi potest. Heitz p 56 sqq. — Ὀπτικά memorat auctor problematis ις1. 913 ᵃ27 δεί-

κνυται ἐν τοῖς ὀπτικοῖς. his verbis si citatur liber de doctrina optica et non quaestio omnino ad opticam doctrinam ablegatur, tamen, quoniam de problematis auctore non constat, non potest inde effici, ut exstitisse commentationem de doctrina optica ab Aristotele scriptam comprobetur. aliunde eiusmodi operis Aristotelici notitiam exhibuit Rose Ar Ps p 378. — Περὶ πυρός. εἴρηται σαφέστερον ἐν τοῖς περὶ πυρός πλ1. 954 ᵃ20. utrum problematum aliqua pars an peculiaris ea de re liber, Aristotelis an Theophrasti aliusve Peripatetici citetur, non potest diiudicari. — Αἱ τῶν Πυθαγορικῶν δόξαι. de Pythagoreorum doctrina se alicubi accuratius exposuisse Aristoteles scribit ΜΑ5. 986 ᵃ12 διώρισται περὶ τύτων ἐν ἑτέροις ἡμῖν ἀκριβέστερον. peculiarem ea de re exstitisse Aristotelis librum, testantur Graeci Ar interpretes, veluti Alex ad Met 31, 1. 56, 10. cf Rose Ar Ps p194. — Περὶ τροφῆς sive περὶ αὐξήσεως χ τροφῆς peculiarem librum ab Ar scriptum esse, probabiliter ex his colligitur locis: τύπω μὲν ὖν ἡ τροφὴ τί ἐστιν εἴρηται, διασαφητέον δ' ἐστὶν ὕστερον περὶ αὐτῆς ἐν τοῖς οἰκείοις λόγοις ψβ4. 416 ᵇ31, ὕστερον λεκτέον ἐν τοῖς περὶ αὐξήσεως χ τροφῆς Ζγε4. 784 ᵇ2, εἴρηται περὶ τύτων ἐν τοῖς περὶ τροφῆς υ3. 456 ᵇ5, quibus accedunt Ζμβ3. 650 ᵇ10. 7. 653 ᵇ14. 14. 674 ᵃ20. δ4. 678 ᵃ19. μδ3. 381 ᵇ13. quodsi re vera exstitit eiusmodi liber Aristotelicus, is promitti putandus est ψβ4. 416 ᵇ31. Ζγε4. 784 ᵇ2. Ζμδ4. 678 ᵃ19, citari υ3. 456 ᵇ5. μδ3. 381 ᵇ13 (?), reliquis locis (οἰκειότερον ἐστι διελθεῖν sim) utrum scriptus an scribendus significetur incertum est. cf Heitz p 59sqq. — Περὶ φιλοσοφίας. διχῶς τὸ ὃ ἕνεκα· εἴρηται δ' ἐν τοῖς περὶ φιλοσοφίας Φβ2. 194 ᵃ36. si genuina sunt Aristotelis verba εἴρηται—φιλοσοφίας, qua de re potest dubitari, cf Heitz p 180sqq, referenda sunt ad Aristotelis περὶ φιλοσοφίας dialogum, Bernays p 108sqq. non esse ad eum dialogum referenda quae habemus ψα2. 404 ᵇ19 ἐν τοῖς περὶ φιλοσοφίας λεγομένοις cf II p 98ᵇ59. qui dicuntur οἱ κατὰ φιλοσοφίαν λόγοι omnino sunt philosophicae disputationes, distinctae a dialecticis, cf φιλοσοφία extr. Περὶ φυτῶν peculiarem librum Ar promittit μα1. 339ᵃ7. μκ6. 467 ᵇ4. ζ2. 468 ᵃ31, περὶ φυτῶν καθ' αὐτά, χωρὶς ἐπισκεπτέον, τὰ πάθη τὰ τῶν χυμῶν οἰκείαν ἔχειν τὴν σκέψιν ἐν τῇ φυσιολογίᾳ τῇ περὶ φυτῶν Ar scribit Ζμβ10. 656 ᵃ2. Ζγα1. 716 ᵃ1. ε3. 783 ᵇ20. αι4. 442 ᵇ25, librum περὶ φυτῶν scriptum citat Ζιε1. 539 ᵃ20. Ζγα23. 731 ᵃ29. μβ3. 359 ᵇ20 (?). cf Heitz p 61sqq. — Ἐξωτερικοὶ λόγοι, ἐγκύκλια, ἐκδεδομένοι λόγοι, ἐν κοινῷ γιγνόμενοι λόγοι. Aristoteles τῶν ἐξωτερικῶν λόγων aliquoties mentionem facit: λέγεται δὲ περὶ αὐτῆς (τῆς ψυχῆς) χ ἐν τοῖς ἐξωτερικοῖς λόγοις ἀρκύντως ἔνια, χ χρηστέον αὐτοῖς Ηα13. 1102 ᵃ26, ἕτερον δ' ἐστι ποίησις χ πρᾶξις· πιστεύομεν δὲ περὶ αὐτῶν χ τοῖς ἐξωτερικοῖς λόγοις Ηζ4. 1140 ᵃ3, τῆς ἀρχῆς τῆς λεγομένης τρόπης ῥάδιον διελεῖν· ἢ γὰρ μὲν τὰ ἐξωτερικοῖς λόγοις διοριζόμεθα περὶ αὐτῶν πολλάκις Πγ6. 1278 ᵃ31, νομίσαντας ἂν ἱκανῶς πολλὰ λέγεσθαι χ τῶν ἐν τοῖς ἐξωτερικοῖς λόγοις περὶ τῆς ἀρίστης ζωῆς, χ νῦν χρηστέον αὐτοῖς Πη1. 1323 ᵃ22, τεθρύληται γὰρ τὰ πολλὰ (de ideis) χ ὑπὸ τῶν ἐξωτερικῶν λόγων Μμ1. 1076 ᵃ28. non significari hac formula 'communes hominum non rudium extra scholam sermones rationesque', vulgatas hominum opiniones ac disputationes, nec vero omnino libros Aristotelicos eos, qui cadant extra ambitum eius, quae tum maxime tractetur, quaestionis ac doctrinae, sed certos quosdam Ari-

stotelis libros, demonstravit Bernays p 29-73, cf Heitz
p 122 sqq. non esse titulum eorum librorum οἱ ἐξωτερικοὶ
λόγοι, sed comprehendi eo nomine genus quoddam libro-
rum, quod a severa et accurata philosophicae doctrinae
ratione alienius sit, et ex ipsa eos libros citandi forma 5
colligi potest, si quidem ubique etiam (vel iam) οἱ ἐξωτε-
ρικοὶ λόγοι sufficere ad aliquam quaestionem solvendam di-
cuntur, et eo confirmatur, quod Eudemus, sive is suos sive
Aristotelis libros intelligi voluit, τὰς ἐξωτερικὰς λόγους op-
posuit τοῖς κατὰ φιλοσοφίαν: ἐπέσκεπται δὲ πολλοῖς περὶ 10
αὐτῦ τρόποις ἢ ἐν τοῖς ἐξωτερικοῖς λόγοις ἢ ἐν τοῖς κατὰ
φιλοσοφίαν ηεα8. 1217 ᵇ22, παντα ὡς τἀγαθὰ ἢ ἐκτὸς ἢ ἐν
ψυχῇ, ἢ τύτων αἱρετώτερα τὰ ἐν τῇ ψυχῇ, καθάπερ διαι-
ρύμεθα ἢ ἐν τοῖς ἐξωτερικοῖς λόγοις ηεβ1. 1218 ᵇ34. cf
Simpl Schol 386 ᵇ25 ἐξωτερικά ἐστι τὰ κοινὰ ἢ δι᾽ ἐνδόξων 15
περαινόμενα, ἀλλὰ μὴ ἀποδεικτικὰ μηδὲ ἀκροαματικά. cum
hac interpretatione formulae ἐν τοῖς ἐξωτερικοῖς λόγοις con-
cinit. quod similibus verbis Aristoteles eiusmodi rationes
ac quaestiones significat, quae ad ipsam rem non neces-
sario pertinent neque ex ipsa eius natura petitae sunt: 20
πρῶτον δὲ καλῶς ἔχει διαπορῆσαι περὶ αὐτῦ (τῦ χρόνυ) ἢ
διὰ τῶν ἐξωτερικῶν λόγων Φο10. 217 ᵇ31 (intelligendae
sunt eae ἀπορίαι, quae usque ad 218 ᵃ30 exponuntur),
ταῦτα μὲν ἴσως ἐξωτερικωτέρας ἐστὶ σκέψεως Πα5. 1254
ᵃ33. aliter de ἐξωτερικοῖς λόγοις statuunt Rose de Ar libr 25
p 104, Ar Ps. p 717. Spengel Arist Stud I p 13 sq. Forch-
hammer Ar u die exoter Reden 1864. — quos libros Ari-
stoteles τῶν ἐξωτερικῶν λόγων nomine significat, eosdem
τὰ ἐγκύκλια, τὰ ἐγκύκλια φιλοσοφήματα appellare videtur:
περὶ μὲν τύτων ἅλις ἱκανῶς γὰρ ἢ ἐν τοῖς ἐγκυκλίοις εἴ- 30
ρηται περὶ αὐτῶν Ηα3. 1096 ᵃ3, ἢ γὰρ καθάπερ ἐν τοῖς
ἐγκυκλίοις φιλοσοφήμασι πολλάκις προφαίνεται τοῖς λόγοις
Οα9. 279 ᵃ30. Simpl ad h l Schol 487 ᵃ3 ἐγκύκλια δὲ καλεῖ
φιλοσοφήματα τὰ κατὰ τὴν τάξιν ἐξ ἀρχῆς τοῖς πολλοῖς
προτιθέμενα, ἅπερ ἢ ἐξωτερικὰ καλεῖν εἴωθεν. Bernays p 85, 35
93-125, 171. (ethicorum l l ἐγκύκλια προβλήματα signi-
ficari coniicit Heitz p 122). — libros antea iam a se editos
Aristoteles adhibet, ubi τὰς ἐκδεδομένες λόγες citat, εἴρηται
δὲ περὶ αὐτῶν ἢ ἐν τοῖς ἐκδεδομένοις λόγοις ἱκανῶς περ ο15.
1454 ᵇ17; ac possunt ii quidem esse iidem, quos alibi 40
ἐξωτερικὰς λόγες appellat, Bernays p 5, 10. Heitz p 140.—
quos denique Aristoteles τὰς ἐν κοινῷ γιγνομένες λόγες ap-
pellat, εὐθύνας δεδωκυῖα ἢ τοῖς ἐν κοινῷ γιγνομένοις λόγοις
ψα4. 407 ᵇ29, eos Bernays p 15-29 et Heitz p 140, 200
eosdem esse iudicant, ac τὰς ἐξωτερικὰς λόγας, editos pri- 45
mum ab Aristotele dialogos (quod quamquam probabile est,
manet tamen dubitatio de usu temporis praesentis participii
γιγνόμενοι, qui non videtur explicatus esse.
Ἀριστοτέλης Ῥόδιος, ἄρχων Φωκαίας οβ1348 ᵃ35.
Ἀριστοφάνης πο3. 1448 ᵃ27. ἐν τοῖς Βαβυλωνίοις Ργ2. 50
1405 ᵇ30 (Meineke Com II 982). δεύτερος Ἀριστοφάνης εἰ-
ρήνη f 579. 1573 ᵃ25. cf ᵃ16. Ἀ. Platonicus Πβ4. 1262
ᵇ11 (cf Plat Symp 129 D).
Ἀριστοφῶν. Ἰφικράτης πρὸς Ἀ. Ρβ23. 1398 ᵃ5.
Ἀριφράδης εἰς τὰς τραγωδὰς πο22. 1458 ᵇ31 (Ἀρειφρά- 55
δης Bk).
Ἀρίφρων. Ξάνθιππος ὁ Ἀριφρόνος f 361. 1539 ᵃ38.
ἀριχᾶσθαι. τὸν κηρὸν ἀναλαμβάνυσιν αἱ μέλιτται ἀριχώμεναι
πρὸς τὰ βρύα ὀξέως τοῖς ἔμπροσθεν ποσὶν Ζυ40. 624 ᵃ34
(v l ἀρχόμεναι, ἀρυόμεναι, fort scribendum ἀρριχώμεναι). 60
Ἀρίων ἤρξατο τῆς ᾠδῆς f 627. 1584 ᵇ1.

V.

Ἀρκαδία. ποταμοὶ καταπινόμενοι μα3. 1351 ᵃ3. οἶνος ἐν Ἀρ-
καδίᾳ μδ10. 388 ᵇ6. ἐλυώδης, τὰ πνεύματα ὑκ ἔχυσα ψυχρὰ
πκς58. 947 ᵃ15, 18. Κυλλήνη, Λυσοὶ τῆς Ἀρκαδίας Ζυ19.
617 ᵃ14. 615. 831 ᵇ14. 125. 842 ᵇ6. Ἀταλάντης σῆμα ἐν
Ἀρκαδίᾳ f 596. 1577 ᵃ7. τὰ Λύκαια, ἀγὼν ἐν Ἀρκαδίᾳ
f 594. 1574 ᵇ30. βάρβαροι τὴν Ἀρκαδίαν ᾤκησαν f 549.
1568 ᵇ43. — Ἀρκάδες ἐξέβαλον ἐξ Ἀρκαδίας τὰς βαρ-
βάρες f 549. 1568 ᵇ44. Δρύοπος τὰς Ἀρκάδας κατοικισαν-
τος f 441 1550 ᵇ1. Ἀρκάδων πολιτεία f 442. Ἀρκάδες κατὰ
κώμας κεχωρισμένοι Πβ2. 1261 ᵃ29. ἐχθροὶ Λάκωσιν Πβ9.
1269 ᵃ4, 1270 ᵃ3. Ἀρκάδων πρὸς Λακεδαιμονίας συνθῆκαι
f 550. 1569 ᵃ13.
ἀρκεῖν. ἀρκεῖ ταῦτα γενέσθαι Ηβ3. 1105 ᵃ28. τοῖς ἐπιεικέσιν
ἀρκέσαν εἶναι τὴν τάξιν Πζ4. 1318 ᵇ36. — ἀρκύμενοι αὐτῷ
τύτῳ Ηβ7. 1107 ᵇ15.
Ἀρκείσιος. Κέφαλος ἄρκτῳ μιγεὶς τὸν Ἀρκείσιον ἔτεκεν
f 462. 1554 ᵃ21, 15.
ἄρκιος. ἄρκιον (Hom Β 393) Πγ14. 1285 ᵃ13. Ηγ11. 1116
ᵃ35. μισθὸς ἄρκιος (in versu qui Pitthei esse ferebatur)
f 556. 1570 ᵃ12.
ἀρκύντως ἔνια λέγεται Ηα13. 1102 ᵃ27. εἰ τῦτο φαίνοιτο
ἀρκύντως Ηα2. 1095 ᵇ6.
ἀρκτικὸς πόλος, opp ἀνταρκτικός χ2. 392 ᵃ3.
ἄρκτος ἡ (gen masc dubium est num exhibeatur χ 6. 798
ᵃ26 ἢ μέλας δέ ποτε πέφηνε ἢ ἔλαφος ἢ ἄρκτος). 1. ursus
arctos. refertur inter τὰ τετράποδα ζῳοτόκα πεζὰ ἀμφώ-
δοντα πολυσχιδῆ ἄγρια Ζιβ1. 498 ᵇ25. 17. 507 ᵇ16. ε2.539
ᵇ33. θ17. 600 ᵃ28. Ζγδ6. 774 ᵇ7, 14. ἅπαν τὸ σῶμα τῆς
ἄρκτυ δασὺ Ζιβ1. 498 ᵇ27. διὰ τῦτο ἐνδεῶς ἔχει τὰ περὶ
τὴν κέρκον Ζμβ14. 658 ᵇ2. μονόχροος, ὑ μεταβάλλει ἀν μὴ
διὰ πάθος, ἤδη ἢ ὦπται ἄρκτος λευκή Ζγε6. 785 ᵇ35. ἐν
Μυσίᾳ ἄρκτων τι γένος λευκὸν θ4. 845 ᵃ17. ἢ μέλας δὲ
ποτε πέφηνε ἢ ἔλαφος ἢ ἄρκτος χ6. 798 ᵃ26. οἱ τῆς ἄρκτυ
πόδες ὅμοιοι χερσίν, ὁ πῦς κάτωθεν σαρκώδης Ζιβ1. 498 ᵃ34,
499 ᵃ29. βαδίζει ἢ τοῖν δυσὶν ποδοῖν ὀρθὴ Ζιθ5. 594 ᵇ15.
τέτταρας ἔχει μαστὰς Ζιβ1. 500 ᵃ23. μίαν ἔχει κοιλίαν,
μείζω Ζιβ17. 507 ᵇ16, 20. πῶς ἄρκτοι τὴν ὀχείαν ποιῦνται
(ὑκ ἀναβάδον), χαλεπαὶ περὶ τὴν ὀχείαν ἢ αἱ θήλειαι ἀπὸ
τῶν σκύμνων Ζιε2. 539 ᵇ33. ζ18. 571 ᵇ27, 30. 30. 579 ᵃ18,
25. πόσον χρόνον κύει ἢ μέγεθος, πῶς ἢ ποσαὰ ἢ ποῖα
τὰ ἔμβρυα Ζιζ30. 579 ᵃ20, 30. 34. 580 ᵃ6. θ17. 600 ᵃ32.
Ζγδ6. 774 ᵇ14. (Κέφαλον κατὰ χρησμὸν ἄρκτῳ συγγενέ-
σθαι, τὴν δὲ ἐγκύμονα γενομένην μεταβαλεῖν εἰς γυναῖκα ἢ
τεκεῖν παῖδα Ἀρκείσιον f 462. 1554 ᵃ13, 15.) πῶς ἢ πόσον
χρόνον φωλῶσιν αἱ ἄρκτοι, πιότατοι περὶ τὸν χρόνον,
ἢ αἰτία τῆς φωλείας ἀμφισβητεῖται Ζιθ17. 600 ᵃ28-ᵇ17.
16. 611 ᵇ34. περὶ τῦ τῆς ἄρκτυ φωλευύσης στέατος θ67.
835 ᵃ30. ἢ ἄρκτος πίνει κἀψεῖ Ζιθ6. 595 ᵃ9. ἢ ἄρκτος πάμ-
φαγον, τί ἐστίει, τίσι ζῴοις ἐπιτίθεται ἢ πως Ζιθ5. 594
ᵇ5-16. 17. 600 ᵇ11. 16. 611 ᵇ35. αἱ ἄρκτοι πῶς φεύγυσι τὰ
σκύμνια προωθῦσι ἢ ἀναλαβῦσαι φέρυσιν Ζιθ6. 611 ᵇ32.
ἄρκτοι τινὲς ὅταν κυνηγῶνται ἀφιᾶσι τοιαύτην πνοὴν ὥστε
τῶν κυνῶν τὰς σάρκας σήπειν θ144. 845 ᵃ18. ἢ θήλεια
ἄρκτος ἀνδρειοτέρα ὁ ἄρρενος Ζι1. 608 ᵃ34. — ἐν Κρήτῃ
ἄρκτος ὑ φασὶ γενέσθαι θ83. 836 ᵇ27. — 2. ἄρκτος μα-
λακόστρακον. τοῖς χρόνοις παραπλησίως αἱ καλύμεναι ἄρκτοι
τίκτυσι τοῖς χαραδίοις Ζιε17. 549 ᵇ23. (cancer spinosissimus
St, scyllarus arctus K p 672 n 8 cf Cr, incerta species cru-
staceorum C ΑΖι I 152 n1). — 3. ἄρκτος, sidus, regio coeli
septentrionalis. τὰ περὶ τὴν ἄρκτον ἐν τῷ χειμῶνι νήφεια
μβ4. 361 ᵇ5. τὰ πρὸς ἄρκτον, οἱ πρὸς τὴν ἄρκτον τόποι

O

μβ1. 354 ᵃ28. μκ5. 466 ᵇ25. οἱ ὑπὸ τὴν ἄρκτον τόποι μβ5.
362 ᵃ17. α13. 350 ᵇ7. οἱ ὑπὸ τὰς ἄρκτας πι22. 893 ᵃ34.
οἱ ὑπὸ ταῖς ἄρκτοις οἰκῦντες φ2. 806 ᵇ16. μᾶλλον ὁ νότιος
ἀὴρ εἰς ὕδωρ μεταβάλλει τῦ πρὸς ἄρκτον μγ6. 377 ᵇ27.
αἱ ἵπποι ὅταν ἱππομανῶσι θέωσι πρὸς ἄρκτον ἢ νότον Ζιζ18. 5
572 ᵃ17. — τὰς ἄρκτας Ῥέας χεῖρας οἱ Πυθαγόρειοι ἐκάλων
f 191. 1512 ᵃ30. — ἡ ἑτέρα ἄρκτος, ἡ ἐκεῖ ἄρκτος (polus
meridionalis) μβ5. 362 ᵃ32 Ideler, ᵇ34.

Ἀρκτῦρος πα3. 859 ᵃ23. ὅταν Ἀρκτῦρος ἐπιτέλλῃ Ζυ22.
617 ᵃ31. μέχρι Ἀρκτῦρα δύσεως Ζιθ15. 599 ᵇ11. πρὸ Ἀρ- 10
κτῦρα, μετ᾽ Ἀρκτῦρον Ζιε17. 549 ᵇ11. θ13. 598 ᵃ18. ἀπὸ
Ἀρκτῦρα μετοπωρινῦ Ζιζ15. 569 ᵇ3.

Ἀρκύνια ὄρη μα13. 350 ᵇ5.

ἅρμα κ6. 400 ᵇ6. ξ6. 980 ᵃ12.

Ἀρμενία. φάρμακον ἐν Ἀ. θ6. 831 ᵃ4.   15

Ἁρμόδιος Πε10. 1311 ᵃ37, Ρβ23. 1398 ᵃ18, 21. 24. 1401
ᵇ11. eius statua Ρα9. 1368 ᵃ17. τοῖς περὶ Ἁρμόδιον ἐνα-
γίζει ὁ πολέμαρχος f 387. 1542 ᵇ8.

Ἁρμόδιος, Iphicrati aequalis Ρβ23. 1397 ᵇ28 (cf 1398 ᵃ18,
21).   20

ἁρμοδίη τόπῳ τὸ φυτὸν δεῖται φτβ6. 826 ᵃ39.

ἁρμόζειν, ἁρμόττειν. 1. trans ἁρμόσας τὰς ἄλλας χορδὰς
πιθ20. 919 ᵃ13. — ῥῆσιν ἐξ ἄλλῃ εἰς ἄλλο ἁρμόττειν πο18.
1456 ᵃ31. — med οἱ τὰς σύριγγας ἁρμοττόμενοι πιθ23.
919 ᵇ8. — pass τὸ ἡρμοσμένον ἐξ ἀναρμόστῳ γίνεσθαι φα5. 25
188 ᵇ12. ἡρμόσθαι ἁπάσας χορδὰς πιθ36. 920 ᵇ9, 12, 15.
— 2. intrans ἁρμόζει τινί τι: ποῖα ποίοις ἁρμόττει, ἢ ταῦτα
ἁρμόζει θεοῖς ἢ ἀνθρώποις al Ηχ10. 1181 ᵇ9. δ5. 1123 ᵃ9.
15. 1128 ᵇ16. θ12. 1160 ᵇ34. ι10. 1170 ᵇ24. Μδ16. 1022
ᵃ2. Πδ1. 1288 ᵇ15, 24. 2. 1289 ᵇ17. 13. 1297 ᵇ34. Ρα4. 30
1360 ᵃ33. τὸ ἁρμόζον ἑκάστῳ Ηθ13. 1161 ᵃ24. ἁρμόττει
τι ἐπί τινος: τὰ δεικνύμενα ἐπὶ τύτῳ ἁρμόττει Μμ7. 1081
ᵃ20. ὁ αὐτὸς ἐπὶ πάντων ἁρμόσει λόγος, διορισμὸς sim μγ3.
372 ᵇ15. Ηε10. 1034 ᵇ33. Πγ11. 1281 ᵇ19. τθ10. 160
ᵇ32. Ζμβ12. 657 ᵃ21. (cf ὁ αὐτὸς ἁρμόσει λόγος Φδ1. 35
209 ᵃ9. ὁ αὐτὸς ἁρμόσει λόγος περί τινος Φδ8. 214 ᵇ23.
μβ9. 369 ᵇ36, ἐπί τινι ημα20. 1191 ᵃ11). ἁρμόττει τι πρός
τι Πζ1. 1317 ᵃ10. θ5. 1339 ᵇ26. ἔλαιον εἰς πάντα ἁρμόττον
θ88. 837 ᵃ33. τὸ λεχθὲν πρότερον ἁρμόσει ἢ νῦν Ηχ7. 1178
ᵃ5. ποιήσει ἐν ἑκάστοις ὡς ἁρμόζει Ηδ12. 1126 ᵇ26. τὸ 40
ἁρμόττον, syn τὸ οἰκεῖον, ἀναλογία Ηι2. 1165 ᵃ17. πο15.
1454 ᵃ22. Ρβ9. 1387 ᵃ28. τὸ περὶ ἕκαστον γένος ἁρμόττον
Πδ1. 1288 ᵇ12. τὴν ἁρμόττυσαν ἀποδῦναι θερμασίαν Ζγγ2.
753 ᵃ28. ῥαθυμίᾳ τῆς ἁρμόσης ἐπιμελείας f 17. 1477
ᵃ17. ἁρμόττει impers c inf act, veluti ἁρμόττει (ἁρμόσει) 45
λέγειν, εἰπεῖν, καταλαμβάνειν al Αβ11. 62 ᵃ17. τὸ6. 128
ᵃ9, 24. ζ8. 146 ᵇ37 (?). 13. 150 ᵇ31. η5. 154 ᵇ19. Ζμγ5.
668 ᵃ9. Ηγ4. 1111 ᵇ29. η1. 1145 ᵃ19. ι11. 1171 ᵇ20.
Πδ15. 1299 ᵇ13, 14, 29. η16. 1335 ᵇ28. θ4. 1339 ᵃ6. ψα4.
408 ᵃ1. Μγ5. 1010 ᵃ6. ρ35. 1439 ᵇ16. 36. 1441 ᵇ11. cf 50
Ργ5. 1407 ᵃ25. ἁρμόττον ἦν c inf f 144. 1502 ᵇ30. ἁρ-
μόττει τινὶ λέγειν, ζητεῖν al Ηδ14. 1128 ᵃ19. 7. 1123 ᵇ31.
Πθ3. 1338 ᵇ3. μβ3. 356 ᵇ16. ἐπί τινος ἁρμόσει λέγειν
μα14. 353 ᵃ19. cf Ηι10. 1170 ᵇ22. ἁρμόσει c inf pass,
λέγεσθαι τα6. 102 ᵇ28.   55

ἁρμονία. 1. compages. τὰ τύτων ὀστᾶ τῶν ἁρμονιῶν ἐστιν,
ἢ μὲν ἔχει τὰ κῶλα κάμψιν, συνδεδεμένα τε νεύροις, ἢ τῶν
ἐσχάτων συναρμοττόντων Ζμβ9. 654 ᵇ18. — 2. concentus
sonorum. ὅσα περὶ ἁρμονίαν πιθ917 ᵇ17–923 ᵃ3. μυτικὴ
φθόγγας μίξασα ἐν διαφόροις φωναῖς μίαν ἀπετέλεσεν ἁρ- 60
μονίαν κ5. 396 ᵇ17. ἡ ἁρμονία κρᾶσις ἢ σύνθεσις ἐναντίων,

λόγος τις τῶν μιχθέντων ἢ σύνθεσις ψα4. 407 ᵇ30, 32.
χορὸς ἀνδρῶν μίαν ἁρμονίαν ἐμμελῆ κεραννύντων κ6. 399
ᵃ17. ἡ ἁρμονία ἐστὶν ὑρανία τὴν φύσιν ἔχυσα θείαν ἢ
καλὴν ἢ δαιμονίαν f 43. 1483 ᵃ4. ἑπτάχορδοι ἦσαν αἱ ἁρ-
μονίαι τὸ παλαιὸν πιθ25. 919 ᵇ21. 44. 922 ᵃ22. 7. 918
ᵃ13. 47. 922 ᵇ3. cf 24. 919 ᵇ20. ἑπτὰ χορδαὶ ἡ ἁρμονία
(ita scribendum e codd E Fᵇ, ἢ ἁρμονίαι Bk Bz) Μν6. 1093
ᵃ14. αἱ διαφέρυσαι ἁρμονίαι τίνα δύναμιν ἔχυσιν Πθ5. 1340
ᵃ40–ᵇ17. ἁρμονίαι σύντονοι, ἀνειμέναι Πθ7. 1342 ᵇ21. ἁρ-
μονιῶν παρεκβάσεις comparatae cum παρεκβάσεσι πολιτειῶν
Πθ7. 1342 ᵃ23. δ3. 1290 ᵃ26. ηεη9. 1241 ᵇ29. ἁρμονία
Δώριος, Φρύγιος, δωριστί, φρυγιστί Πγ3. 1276 ᵇ8. ἡ ὑπο-
δωριστὶ ποία πιθ48. 922 ᵇ15. ἡ ὑποδωριστὶ ἢ ὑποφρυγιστὶ
μέλος ἥκιστα ἔχυσιν πιθ48. 922 ᵇ11. πρὸς παιδείαν τισιν ἁρ-
μονίαις ἢ τίσι ῥυθμοῖς χρηστέον Πθ7. τὸ ὑποκείμενον ἓν ἐν
ἁρμονίᾳ οἷεσις Μν1. 1087 ᵇ35. — κατὰ φύσιν ὄντος τῦ
μιμεῖσθαι ἢ τῆς ἁρμονίας ἢ τῦ ῥυθμῦ πο4. 1448 ᵇ20. λέγω
ἡρμοσμένον λόγον τὸν ἔχοντα ῥυθμὸν ἢ ἁρμονίαν ἢ μέλος
πο6. 1449 ᵇ29. ἅπασαι (αἱ ποιητικαὶ τέχναι) ποιῦνται τὴν
μίμησιν ἐν ῥυθμῷ ἢ λόγῳ ἢ ἁρμονίᾳ πο1. 1447 ᵃ22 (cf
μέλος ᵇ25). ἁρμονίᾳ ἢ ῥυθμῷ χρώμεναι ἥ τε αὐλητικὴ ἢ
ἡ κιθαριστική, αὐτῷ δὲ τῷ ῥυθμῷ χωρὶς ἁρμονίας ἡ (πολλαὶ)
τῶν ὀρχηστῶν πο1. 1447 ᵃ23, 26. τῆς φωνῆς διαφοραὶ enu-
merantur μέγεθος ἁρμονία ῥυθμὸς Ργ1. 1403 ᵇ31. latiore
sensu ἁρμονία usurpatur πλεῖστα ἰαμβεῖα λέγομεν ἐν τῇ
διαλέκτῳ τῇ πρὸς ἀλλήλας, ἐξάμετρα δὲ ὀλιγάκις ἢ ἐκ-
βαίνοντες τῆς λεκτικῆς ἁρμονίας πο4. 1449 ᵃ28. τῶν ῥυθμῶν
ὁ ἡρῷος σεμνὸς ἢ λεκτικῆς ἁρμονίας δεόμενος Ργ8. 1408
ᵇ33. — δύο ἁρμονίαι (Plat rep VIII 546 C, i e proportiones
harmonicae) Πε12. 1316 ᵃ7. — Pythagorei statuerunt τὸν
ὅλον ὑρανὸν ἁρμονίαν εἶναι ἢ ἀριθμόν, ἐπειδὴ ἐν ἀριθ-
μοῖς ὁρῶντες τὰ πάθη ἢ τῆς λόγας ΜΑ5. 986 ᵃ3, 985 ᵇ31.
τὴν τῶν ὅλων σύστασιν μία διεκόσμησεν ἁρμονία κ5. 396
ᵇ25. τῶν φερομένων ἄστρων ὅτι ὐκ ἔστιν ἁρμονία Οβ9. ἡ
ψυχὴ ὐκ ἔστιν ἁρμονία ψα4. 407 ᵇ30–408 ᵃ29. cf Πθ5. 1340
ᵇ19. εἰς τί βλέποντες ἁρμονίαν λέγομεν ψα4. 408 ᵃ5–9, 407
ᵇ30. cf f 41. 1481 ᵇ42 (opp ἀναρμοστία). ἁρμονία, coni
τάξις, σύνθεσις Φα5. 188 ᵇ15. ἐν τοῖς μὴ μετέχυσι ζωῆς
ἔστι τις ἀρχὴ οἷον ἁρμονίας Πα5. 1254 ᵃ33.

ἁρμονικά. μεμερισμένα κατὰ τὰς ἁρμονικὰς ἀριθμάς (Plat)
ψα3. 406 ᵇ29. ἁρμονικὴ μεσότης, dist ἀριθμητικῇ f 43.
1483 ᵃ7. — ἡ ἁρμονικὴ ἥ τε μαθηματικὴ ἢ ἡ κατὰ τὴν
ἀκοὴν Αγ13. 79 ᵃ1. ἡ ἐν τοῖς μαθήμασιν ἁρμονικὴ Μβ2.
997 ᵇ21. cf μ3. 1078 ᵃ14. οἱ κατὰ τὰς ἀριθμὰς ἁρμονικοὶ
τα15. 107 ᵃ16. τὰ φυσικώτερα τῶν μαθημάτων, οἷον ὀπτικὴ
ἢ ἁρμονικὴ Φβ2. 194 ᵃ8. ἁρμονικῆς ἀμφιδέστερα ἀριθμητικὴ
Αγ27. 87 ᵃ34. — τὰ ἁρμονικά Μμ2. 1077 ᵃ5. τὰ ἁρμο-
νικὰ ὑπὸ τὴν ἀριθμητικὴν Αγ7. 75 ᵇ16. 9. 76 ᵃ10. 13. 78 ᵇ38.

ἀρνεῖσθαι τὰ ὑπάρχοντα, τὰ φανερὰ Ηδ13. 1127 ᵃ23. Ρβ3.
1380 ᵃ19. ἀποδῦναι, ἀντιλέγειν τὸ αὐτό τε1. 128 ᵇ24. non
addito obiecto τθ2. 158 ᵃ9. coni ἀντιλέγειν Ρβ3. 1380 ᵃ17.
ἀρνήσασθαι, opp ὁμολογῆσαι τθ6. 160 ᵃ20. ἀρνηθῇ active
τθ2. 158 ᵃ12.

ἀρνήσεις, opp ὁμολογίαι ρ37. 1444 ᵇ10.

ἄρνες. ἔστιν ὕδατα ἃ πιόντα ὡς ὀχεύσαντα μετὰ τὴν πόσιν
τὰ πρόβατα μέλανας γεννῶσι τὰς ἄρνας Ζιγ12. 519 ᵃ14.
ἐν Λιβύῃ εὐθὺς γίνεται κέρατα ἔχοντα τὰ κερατώδη τῶν
κριῶν, ὐ μόνον οἱ ἄρνες, ὥσπερ Ὅμηρός (δ 85) φησιν Ζιθ28.
606 ᵃ19.

ἄρνυσθαι μισθὸν Πγ16. 1287 ᵃ36.

ἄρον ἐσθίειν, γεύεσθαι τῦ ἄρῳ πρὸς τὸ ἀφιστάναι τὸ ἔντερον

Ζμ6. 611 ᵇ35. θ17. 600 ᵇ11. (Arum Dioscoridis Sibth.)

ἄροσις. γῆς ἀρόσεις κ̀ φυτεύσεις κ6. 399 ᵇ17.

ἀροτήρ (Hom Marg) Ηζ7. 1141 ᵃ15. βῦν ἀροτῆρα (Hes ε405) ca2. 1343 ᵃ21.

ἀρῦν. ἀρῦντες κ̀ σκάπτοντες Ζμ41. 628 ᵃ9.

ἄρυρα. ἐν ἀρύρᾳ καιομένης καλάμης μα4. 341 ᵇ26. — ὁμαλῦναι τὴν ἄρυραν ἀφαιρῦντα τὺς ὑπερέχοντας τῶν σταχύων Πγ13. 1284 ᵃ30.

ἀρυραῖοι μύες. πολλαχῦ εἴωθε πλῆθος γίνεσθαι ἀμύθητον τῶν ἀρυραίων μυῶν Ζιζ37. 580 ᵇ16, 20. ἐν Ἀραβίᾳ γίνονται μύες πολὺ μείζυς τῶν ἀρυραίων Ζιθ28. 606 ᵇ7. (mus silvaticus C St ΚΑΖι I 73 n 34. II 108 n 186, hypudaei maiores (i e hyp amphibius et alii) et probabiliter etiam cricetus Su p 53 n 27).

ἁρπαγή, συνάλλαγμα ἀκύσιον βίαιον Ηε5. 1131 ᵃ8. ὅπυ Πλύτων ἐποιήσατο τὴν ἁρπαγὴν τῆς Κόρης θ82. 836 ᵇ20.

ἁρπαστικός φ6. 813 ᵃ19.

ἁρπεδόνη. ἐλιγμὸς ὥσπερ ἁρπεδόνη τὸ πάχος Ζιὸ2. 527 ᵃ29.

ἅρπη, avis. ἀπὸ τῆς θαλάττης ζῆ, τίσι πολεμεῖ Ζμ1. 609 ᵃ24, 610 ᵃ11. 18. 617 ᵃ10. (le harpage, busard roux, de Buffon C, falco rufus K p 944 n 10, in incerto relinquit S II 8, fort larus parasiticus St, species lari, aut milvus ater sive parasiticus Su p 163 n 172, fort tringae vel lari species quaedam ΑΖι I 77. 87 n 16.)

Ἀρράβαιος Πε10. 1311 ᵇ12.

ἀρράβδωτα τῶν ὀστράκων τινά Ζιὸ4. 528 ᵃ26. τῆθος ἀρράβοωτον λειόστρακον f 287. 1528 ᵇ12.

ἀρραβῶνας διαδῦναι τῶν ἐλαιωργίων Πα 11. 1259 ᵃ12.

ἀρραγής. αἱ νεηλιφεῖς οἰκίαι λειότεραι διὰ τὸ ἀρραγὲς κ̀ τὸ συνεχὲς πιαπ7. 899 ᵇ20.

ἀρρενογονίας κ̀ θηλυγονίας αἴτια Ζιη6. 585 ᵇ11. Ζγὸ1. 765 ᵃ30. 2. 767 ᵃ9, 23.

ἀρρενογόνος. σπέρματα ποῖα ἀρρενογόνα Ζιη1. 582 ᵃ31. γυναῖκες, ἄνδρες ἀρρενογόνοι ἢ θηλυγόνοι διὰ τί Ζιη6. 585 ᵇ13, 22. ζ19. 573 ᵇ32.

ἀρρενότης κ̀ θηλύτης ἡνωμέναι ἐν τοῖς φυτοῖς ὐχ εὑρίσκεται φτα2. 817 ᵃ17.

ἀρρενοτοκεῖν τίσι κ̀ διὰ τίνας αἰτίας συμβαίνει Ζιζ19. 574 ᵃ1, 2. η6. 585 ᵇ26. 9. 586 ᵇ32. Ζγὸ1. 765 ᵃ24. 2. 766 ᵇ34. 40

ἀρρενοτόκοι ἐκ θηλυτόκων γίγνονται Ζγα18. 723 ᵃ27.

ἀρρενωπός. τῶν ἀρρένων ἔνια γίνεται θηλυκὰ κ̀ τῶν θηλέων ἀρρενωπά Ζιθ2. 589 ᵇ31. γυναῖκες ἀρρενωποὶ Ζγβ7. 747 ᵃ1. ἡ τῶν ὑστερῶν ἔκκρισις ὐ γίνεται ταῖς μελαίναις κ̀ ἀρρενωποῖς Ζγα20. 728 ᵃ4.

ἄρρηκτον δέρμα φολιδωτὸν Ζιβ10. 503 ᵃ10.

ἄρρην. 1. (notio τῦ ἄρρενος, distinctio a τῷ θήλει.). a. ὐδὲ ζῷον θήλυ κ̀ ἄρρεν ἕτερον τῷ εἴδει· τὸ ἄρρεν κ̀ τὸ θήλυ τῦ ζῴυ οἰκεῖα πάθη, ἀλλ' ὐ κατὰ τὴν ὐσίαν, ἀλλ' ἐν τῆ ὕλῃ κ̀ τῷ σώματι Μι9. 1058 ᵃ31, ᵇ21. μ3. 1078 ᵃ7. ἕνεκα τῆς γενέσεώς ἐστι τὸ θῆλυ κ̀ τὸ ἄρρεν ἐν τοῖς ὖσιν Ζγβ1. 731 ᵇ21-732 ᵃ2. διὰ τί τὸ θῆλυ κ̀ τὸ ἄρρεν ἀρχαὶ τῆς γενέσεως ζ πόπε Ζγα2. 716 ᵃ13. καλεῖται τὸ ζῷον τὸ εἰς αὐτὸ ἀφιὲν (τὸ σπέρμα) θῆλυ, τὸ δ' εἰς τῦτο ἄρρεν Ζια3. 489 ᵃ12. Ζγα2. 716 ᵃ14. (διὰ τί αἱ γυναῖκες τὸ μὲν ἄρρεν τὸ δὲ θῆλυ καλῦσι τῶν ὤτων πλβ7. 961 ᵃ1.) ἔστιν ἡ γυνὴ ὥσπερ ἄρρεν ἄγονον, τὸ θῆλυ ὥσπερ ἄρρεν ἔστι πεπηρωμένον sim Ζγα20. 728 ᵇ18. 737 ᵃ27. α19. 727 ᵃ24. — b. ἐναντίον τὸ ἄρρεν τὸ θῆλυ Ζγὸ1. 766 ᵃ21, ᵇ16. τὸ ἄρρεν κ̀ τὸ θῆλυ διαφέρει κατὰ τὸν λόγον τῷ δύνασθαι ἕτερον ἑκάτερον, κατὰ τὴν αἴσθησιν μορίῳ τινί Ζγα2. 716 ᵃ18, 29. — κατὰ

τὸν λόγον τὸ ἄρρεν τὸ δυνάμενον γεννᾶν εἰς ἕτερον Ζγα2. 716 ᵃ20. τὸ ἄρρεν πῶς συμβάλλεται πρὸς τὴν γένεσιν, τὸ ἄρρεν παρέχεται τὸ εἶδος, τὴν ἀρχὴν τῆς κινήσεως (ποιητικόν, δημιουργῦν sim), τὸ θῆλυ τὴν ὕλην κ̀ τὸ σῶμα Ζγα22. 730 ᵇ8-32. 21. 729 ᵇ2. 2. 716 ᵃ11. 20. 729 ᵃ9, 29. 21.729 ᵇ13, 730 ᵃ27. β4. 738 ᵇ20, 740 ᵇ25. δ1. 766 ᵇ12. τὴν θρεπτικὴν δύναμιν τῆς ψυχῆς ἔχει τὰ θήλεα κ̀ τὰ ἄρρενα κ̀ πάντα τὰ ζῶντα Ζγγ7. 757 ᵇ17. τὸ σῶμα ἐκ τῦ θήλεος, ἡ ψυχὴ ἐκ τῦ ἄρρενος Ζγβ4. 738 ᵇ26. 3. 737 ᵃ32, cf 736 ᵇ16. τὸ ἄρρεν ἐπιτελεῖ τὴν γένεσιν, ἐμποιεῖ τὴν αἰσθητικὴν ψυχὴν Ζγβ5. 741 ᵇ5. — ὄργανα ἴδια τῷ θήλει ἢ ὑστέρα, τῷ ἄρρενι ὁ περίνεος, τὰ περὶ τὰς ὄρχεις Ζγὸ1. 766 ᵃ22, 4. α2. 716 ᵃ32. Ζια13. 493 ᵃ25. ἔχει διαφορὰς τὸ τῶν ἀρρένων ὄργανον κατὰ τὰς τῦ σώματος διαφορὰς Ζμὸ10. 689 ᵃ22. περὶ τῆς ἐν τοῖς ἄρρεσι διαφορᾶς τῶν σπερματικῶν ὀργάνων Ζγα4. 717 ᵃ10-16. 721 ᵃ26. Ζγγ1. 509 ᵃ29. cf Ζια14. 493 ᵇ3. β1. 500 ᵃ33. ε2. 539 ᵇ20. Ζγα13. 719 ᵇ31, 720 ᵃ11, 25. 16. 721 ᵃ12.

2. (ἄρρεν κ̀ θῆλυ κεχωρισμένα, ἀχώριστα.) βέλτιον τὸ κεχωρίσθαι τὸ κρεῖττον τὸ χείρονος, διὰ τῦτ' ἐν ὅσοις ἐνδέχεται κ̀ καθ' ὅσον ἐνδέχεται κεχώρισται τῦ θήλεος τὸ ἄρρεν Ζγβ1. 732 ᵃ7. ἐπεὶ ἐν τοῖς τελευταίοις τῶν ζῴων ἐστὶ τὸ θῆλυ κ̀ τὸ ἄρρεν κεχωρισμένον. κ̀ ταύτας τὰς δυνάμεις ἀρχὰς φαμεν εἶναι πάντων τῶν ζῴων κ̀ φυτῶν. ἀλλὰ τὰ μὲν αὐτὰς ἀχωρίστυς ἔχει ἐν ᾧ ἄρρεν κ̀ θῆλυ κεχωρισμένα Ζγγ1. 763 ᵇ21. ὐ δεῖ θῆλυ καλεῖν ὐ ἄρρεν μὴ ἔστι κεχωρισμένον Ζγγ10. 759 ᵇ27. ἐν τοῖς φυτοῖς ὐ κεχώρισται τὸ θῆλυ τῦ ἄρρενος Ζγα23. 731 ᵃ1, 29. β4. 741 ᵃ4. ἐν φυτοῖς κ̀ ἔν τισι τῶν ζῴων προσεοῖται τῆς τῦ ἄρρενος ἀρχῆς, ἔχει γὰρ ἐν αὐτοῖς μεμιγμένην Ζγγ11. 762 ᵇ10. ἀτεχνῶς οἷονεὶ ζῷα ὥσπερ φυτὰ διαιρεθέν, οἷον εἴ τις κἀκεῖνα, ὅτε σπέρμα ἐξενέγκειε, διαλύσειε κ̀ χωρίσειεν εἰς τὸ ἐνυπάρχον θῆλυ κ̀ ἄρρεν Ζγα23. 731 ᵃ21. τὸ ἄρρεν κ̀ τὸ θῆλυ τοῖς μὲν ὑπάρχει τῶν ζῴων, τοῖς δ' ὐχ ὑπάρχει Ζιὸ11. 537 ᵇ2. α3. 489 ᵃ12. Ζια18. 724 ᵇ1. τὸ θῆλυ κ̀ τὸ ἄρρεν ἐναίσιμα ἔξω ὀλίγων ἅπασιν, ἐν τοῖς κατὰ τόπον μεταβλητικοῖς, ὐχ ὑπάρχει ἐν τοῖς μονίμοις ὐδ' ὅλως ἐν τοῖς ὀστρακοδέρμοις Ζιὸ11. 537 ᵇ24, 31, 28. Ζγα1. 715 ᵇ16, ᵃ20, 25. 2. 716 ᵇ1. 23. 731 ᵇ10, 730 ᵇ33. β1. 732 ᵃ14. πῶς ὑπάρχει ἐν τοῖς διαφόροις γένεσι τῶν ζῴων Ζιὸ11. 537 ᵇ25, 30, 538 ᵃ2. ε1. 539 ᵃ28. Ζγα1. 715 ᵇ1. γ7. 757 ᵇ23, πῶς ἐν μελίτταις Ζγγ10. 759 ᵃ23. τὸ γιγνόμενον ἐκ σηπομένης τῆς ὕλης ὔτε θῆλυ ὔτε ἄρρεν, τοιαῦτα δ' ἐστὶν ἔνια τῶν ἐντόμων Ζγα1. 715 ᵇ5. β4. 731 ᵇ13.

3. a. (τῦ τεκνῦν ἀρχή.) ἀρχὴ κ̀ παῦλα τῦ τεκνῦν τοῖς ἄρρεσιν ὐ τῦ σπέρματος πρόεσις Ζιη5. 585 ᵃ34. πότε φέρειν σπέρμα πρῶτον ἄρχεται τὸ ἄρρεν, πῶς μεταβάλλει ἐκ τύτυ Ζιη1. 581 ᵃ12, 24, 582 ᵃ13. αἱ νέαι πάμπαν ἀφροδισιάζομεναι ἀκολαστότεραι γίνονται κ̀ οἱ ἄρρενες Ζιη1. 581 ᵇ10. τὰ σώματα ἀτελέστερα γίνεται κ̀ γηράσκει θᾶττον τῶν ἀφροδισιαστικῶν ἀρρένων Ζιη1. 582 ᵃ23. Πι16. 1335 ᵃ24. — ἡ πρὸς τὺς ἄρρενας συνυσία, ὁμιλία, ἡ τῶν ἀρρένων ὁμιλία Ππ9. 1269 ᵇ27, 29. 10. 1272 ᵃ24. — b. (σπέρμα, θορός.) ὐχ ὅμοιον τὸ ἀπιὸν ἀπὸ τῦ ἄρρενος κ̀ τῦ θήλεος Ζγα18. 722 ᵇ6sqq. cf supra p 107 ᵃ2. ἀνάλογον τοῖς θήλεσι ἡ γονή, ὥτω τοῖς θήλεσι τὰ καταμήνια Ζγα19. 727 ᵃ3sqq. 20. 728 ᵇ23. ὑπὸ τὸν αὐτὸν καιρὸν τῶν ἰχθύων οἱ ἄρρενες τὸν θορὸν κ̀ αἱ θήλειαι τὰ ᾠὰ ἔχυσι Ζγγ5. 756 ᵃ8. τὸ σπέρμα ἐκ τῦ θήλεος κ̀ τῦ ἄρρενος πῶς συμβαίνει γίγνεσθαι Ζγα2. 716 ᵃ12. ἐν οἷς μή κεχώρισται τὸ θῆλυ τῦ ἄρρεν τὸ σπέρμα οἷον κύημά ἐστι Ζγα18. 724 ᵇ16. 20. 728 ᵇ32. — c. (γένεσις ἐκ συνδυασμῦ, ἄνευ τῦ ἄρρενος.) φυσικὴ ἡ ἐκ τῶν

ἐναντίων γένεσις· τὰ μὲν γὰρ ἐξ ἐναντίων γίγνεται ἄρρενος
ἢ θήλεος. τὰ δ' ἐξ ἑνὸς μόνη οἷον τά τε φυτὰ ἢ τῶν ζῴων
ἔνια, ἐν ὅσοις μὴ ἐστι διωρισμένον τὸ ἄρρεν ἢ τὸ θῆλυ χωρίς
Ζγα18. 724 ᵇ9. ἐν ὅσοις κεχώρισται τὸ θῆλυ ἢ τὸ ἄρρεν, τὸ
θῆλυ δεῖται τῆς τῇ ἄρρενος κοινωνίας· γένεσις ἐκ συνδυασμῇ·
ὀχείας διαφοραί Ζιε1. 539 ᵃ27. 2. 539 ᵇ18. Ζγα1. 715 ᵃ19.
22. 730 ᵃ33. β4. 739 ᵃ17. 4. 741 ᵃ5, 8, 14, 28,ᵇ2. τὰ μα-
λάκια ἢ τὰ μαλακόστρακα τίκτει ἐξ ὀχείας Ζγγ8. 547 ᵇ34.
τὰ τῶν ὀρνίθων ὑπηνέμια ἄγονα, ἐὰν μή τις αὐτοῖς συμβῇ
τρόπος ἄλλος τῆς κοινωνίας πρὸς τὰς ἄρρενας Ζιε1. 539 ᵇ1. 10
Ζγγ1. 751 ᵇ24. τοῖς τῶν ὀρνίθων ἢ τῶν ἰχθύων ᾠοῖς τε-
λείωσιν ποιεῖ τὸ ἄρρεν Ζγγ7. 757 ᵃ33. πότερον ἰχθύων ἐνίαις,
ὅταν αὐτόματα γεννήσωσιν ᾠά, συμβαίνει ἐκ τύτων ἢ ζῷα
γίνεσθαι ἄνευ τῆς ἀρρένων κοινωνίας Ζιε1. 539 ᵇ5. Ζγβ5.
741 ᵃ32, ᵇ1. γ5. 755 ᵇ5, 756 ᵃ27. 7. 757 ᵃ19,ᵇ20. ὅσα ἀπὸ 15
ταὐτομάτη γίνεται ἔχυσι δὲ τὸ ἄρρεν ἢ τὸ θῆλυ. ἐκ τύτων
συνδυαζομένων γίνεται μέν τι. ἀλλ' ἀτελές Ζιε1. 539 ᵇ8.
ἐν αὐτομάτοις πόθεν ἢ τίς ἡ κίνησα ἀρχὴ ἡ κατὰ τὸ ἄρρεν
Ζγγ11. 762 ᵇ5. — d. (αὔξησις τῇ ᾠῇ. διάκρισις εἰς ἄρρεν
ἢ θῆλυ.) ἀποκρίνεται ἐν τοῖς ᾠοῖς ἡ τῇ ἄρρενος ἀρχὴ καθ' 20
ὃ προσπέφυκε τῇ ὑστέρα τὸ ᾠὸν Ζγγ2. 752 ᵃ10. ὅταν τὸ
λευκὸν ἀφωρισμένον ᾖ ἢ τὸ ᾠχρὸν ἀπ' ἀλλήλων, ἔχει ἤδη
τὴν ἀπὸ τῇ ἄρρενος ἀρχήν Ζγγ7. 757 ᵇ13. ὐκ ἔστι τῆς δι-
χροίας αἴτιον τὸ ἄρρεν ἢ τὸ θῆλυ Ζγγ1. 751 ᵇ26. — τὸ
αὐτὸ σπέρμα ἢ θῆλυ ἢ ἄρρεν δύναται γίνεσθαι Ζγα18. 25
723 ᵃ34. πότε ἢ διὰ τίν' αἰτίαν γίνεται τὸ μὲν θῆλυ τὸ δ'
ἄρρεν ἢ τὰ μόρια οἷς διαφέρει τὸ θῆλυ τῇ ἄρρενος Ζγδ1.
763 ᵇ27-766 ᵇ27. cf ΖιΖ10. 565 ᵇ14. ἐν τῇ ἐξ ἀρχῆς συ-
στάσει ἀκαριαίᾳ τινὸς μεταβάλλοντος, ἐὰν ᾖ ἀρχοειδής. γί-
νεται τὸ μὲν θῆλυ τὸ δ' ἄρρεν Ζιθ2. 590 ᵃ1. Ζγα2. 716 ᵇ9. 30
ἀποτελεῖται τὰ θήλεα τῶν ἀρρένων ἔμπροσθεν, ἐν δὲ τῇ γαστρὶ
τὰ ἄρρενα τῶν θηλειῶν ΖιΖ22. 576 ᵇ7. ηβ. 583 ᵇ23. τὸ ἄρρεν
ὅταν ἐξέλθῃ τετταρακοσταῖον πῶς σινίσταται Ζιη3. 583 ᵇ14.
κίνησιν παρέχεται ἐν τῷ σώματι μᾶλλον τὸ ἄρρεν τῇ θήλεος
ἢ τίκτεται θᾶττον, ὁ πόνος ἐπὶ τοῖς ἄρρεσιν ὀξύς. πολλῷ 35
χαλεπώτερος Ζιη4. 584 ᵃ26, 29. 3. 583 ᵇ3. ἐν τοῖς ἀνθρώποις
ὀλίγα σῴζεται τῶν διδύμων, ἐὰν ᾖ τὸ μὲν θῆλυ τὸ δ' ἄρρεν
Ζιη4. 584 ᵇ37. νέοι ὄντες μετ' ἀλλήλων θήλεα γεννῶσι,
πρεσβύτεροι δ' ἄρρενα Ζιη5. 585 ᵇ15. Ζγδ2. 767 ᵃ14. ὡς
ἐπὶ τὸ πολὺ ἔοικε τὰ ἄρρενα τῷ πατρὶ Ζιη6. 586 ᵃ5. Ζγδ3. 40
767 ᵇ3-768 ᵃ25, 769 ᵃ1.

4. physiologica quaedam. a. (τῶν ἄλλων ζῴων τὰ ἄρ-
ρενα.) ἐν τοῖς πεζοῖς ἢ ἐναίμοις τῶν ζῴων ὅσα μὴ ᾠοτοκεῖ
τὰ πλεῖστα μείζω ἢ μακροβιώτερα τὰ ἄρρενα τῶν θηλειῶν
εἰσίν, ἐν δὲ τοῖς ᾠοτόκοις ἢ τοῖς σκωληκοτόκοις μείζω τὰ 45
θήλεα τῶν ἀρρένων ἐστίν Ζιδ11. 538 ᵃ23, ᵇ1. Ζγα16. 721
ᵃ12, 19. μχ5. 466 ᵇ16. π36. 894 ᵇ27. 48. 896 ᵃ35. λδ1.
963 ᵇ19. φ2. 806 ᵇ32, διὰ τί Ζγα19. 727 ᵃ20. πι8. 891
ᵇ1. θερμὸν ἢ λεπτὸν ἢ καθαρὸν τὸ αἷμα τῶν ἀρρένων
μᾶλλον Ζμβ2. 648 ᵃ12. Ζιγ19. 521 ᵃ22. θερμότερα τὰ ἄρ- 50
ρενα τῶν θηλέων, contraria Parmenidis sententia refellitur
Ζγδ1. 765 ᵇ15, 20. Ζμβ2. 648 ᵃ28sqq. μχ5. 466 ᵇ16. ὗτε
φλεβώδεις ὁμοίως γλαφυρώτερά τε ἢ λειότερα τὰ θήλεα
τῶν ἀρρένων ἐστί, διὰ τί Ζγα19. 727 ᵃ17. ὑγροσαρκότερα
τὰ θήλεα τῶν ἀρρένων ἢ γονυκροτώτερα Ζιδ11. 538 ᵇ10. τὰ 55
τῶν ἀρρένων ὑπερείσματα σκληρότερα ἢ τὰ τῶν θηλειῶν Ζμβ9.
655 ᵃ12. τὰ μὲν ἄνω ἢ πρόσθια πάντων τῶν ζῴων τὰ ἄρ-
ρενα κρείττω ἢ ἰσχυρότερα ἢ εὐοπλότερα Ζιδ11. 538 ᵇ3.
(νανωδέστερον τὸ ἄρρεν μχ6. 467 ᵃ33.) ἔχυσι πλείης οἱ ἄρ-
ρενες τῶν θηλειῶν ὀδόντας ἢ ἐν ἀνθρώποις ἢ ἐπὶ προβάτων 60
ἢ αἰγῶν ἢ ὑῶν Ζιβ3. 501 ᵇ19. πλθ1. 963 ᵇ19. τὰ πρὸς

ἀλκὴν μόρια τὰ ἄρρενα ἢ μόνον ἔχει ἢ κρείττω τῶν θηλειῶν
Ζιδ11. 538 ᵇ15. Ζμγ1. 661 ᵇ32. τῶν μωνύχων τὰ ἄρρενα
ὐκ ἔχυσι μαστὸς Ζιβ1. 500 ᵃ31. Ζμδ10. 688 ᵇ32. τῶν
ἀρρένων ἐν τοῖς ἄλλοις ζῴοις ἢ ἐν ἀνθρώπῳ ἐν ὐδενὶ ὡς ἐπὶ
τὸ πολὺ γίνεται γάλα Ζιγ20. 522 ᵃ11, 14. ἐγγίνεται ἢ τοῖς
ἄρρεσι γάλα. ἀλλὰ πυκνὴ ἡ σάρξ τοῖς ἄρρεσι Ζια12. 493
ᵃ14. β1. 500 ᵃ22. τὰ ἄρρενα ὑπεναντίως ἔχει ἀλλήλοις. τὰ
δὲ θήλεα πάντα ὀπισθυρητικά. τῶν ἀρρένων ὀλίγα ὀπισθυ-
ρητικά Ζιβ1. 500 ᵇ6. Ζμδ10. 689 ᵃ33. ὡς ἐπὶ τὸ πολὺ τὰ
ἄρρενα βαρύτερον φθέγγονται τῶν θηλειῶν Ζιε14. 545 ᵃ15.
αἱ βόες βαρύτερον φθέγγονται αἱ θήλειαι τῶν ἀρρένων Ζιδ11.
538 ᵇ15. (τῶν ὀρνέων) ἔνια τὴν αὐτὴν ἀφιᾶσι φωνὴν τά τε
θήλεα ἢ τὰ ἄρρενα, ἔνια δ' ἑτέραν Ζιδ9. 536 ᵃ23, 28, 31.
ἡ φωνὴ ὀξυτέρα ἡ τῶν θηλειῶν παίδων ἡ τῶν ἀρρένων Ζιη1.
581 ᵇ10. — φυσιογνωμονικῶς distinguuntur τὸ ἄρρεν ἢ τὸ
θῆλυ φ5. 809 ᵃ28-ᵇ13. — b. (τῶν ἀνθρώπων οἱ ἄρρενες.)
τὸ τῇ ἄρρενος κρανίον τρεῖς ἔχει ῥαφὰς ἄνωθεν συναπτύσας
τριγωνοειδῶς. πλείυς τῶν θηλειῶν Ζιγ7. 516 ᵃ18. Ζμβ7.
653 ᵇ1. τὸ ἄρρεν τῇ θήλεος μακροβιώτερον διὰ τὰς ῥαφὰς
πι48. 896 ᵃ35. ἐγκέφαλον πλείω τῶν ἀνθρώπων ἔχυσιν οἱ
ἄρρενες τῶν θηλειῶν Ζμβ7. 653 ᵃ28. ἄνθρωπος ἢ ὁ θῆλυς
ἢ ὁ ἄρρην ἔχει μαστὸς σαρκώδεις Ζμδ10. 688 ᵃ22, ᵇ31. πότε
τὸ σπέρμα φέρειν ἄρχεται τὸ ἄρρεν Ζιη1. 581 ᵃ12. τοῖς ἄρ-
ρεσι πλείστη τῇ σπέρματος πρόεσις κατὰ λόγον τῇ μεγέθυς
γίνεται Ζγα20. 728 ᵇ15. ἄρρενα ἔνια ᾧ προίεται γονὴν Ζγβ4.
738 ᵇ10, 18. διὰ τί ἄγονα ἄρρενά τινα Ζγβ7. 746 ᵇ16-31.
τοῖς ἄρρεσι γίγνεται τὸ ἐξονειρώττειν Ζγβ4. 739 ᵃ22. ἡ ἔκ-
κρισις μεθ' ἧς εἴωθε γίγνεσθαι τοῖς ἄρρεσιν ἡ ἡδονὴ Ζγβ4.
739 ᵃ34. ἄνευ τῆς τῇ ἄρρενος προέσεως ἐν τῇ συνυσίᾳ ἀδύ-
νατον συλλαβεῖν Ζγβ4. 739 ᵃ25. πῶς προίεται τὸ ἄρρεν, τί
ποιεῖ ἡ πρόεσις Ζγβ4. 739 ᵇ2, 21.

5. psychologica. τὸ ἄρρεν ἢ τὸ θῆλυ πῶς διέστηκε κατὰ
τὸ ἦθος Ζιι1. 608 ᵃ21-ᵇ18. οα3. 1343 ᵇ26-1344 ᵃ8. οἱ ἄρ-
ρενες περὶ τὴν ὀχείαν χαλεπώτατοι ΖιΖ18. 571 ᵇ11. τὸ ἄρρεν
ἰσχυρότερον ἢ θυμικώτερον Ζμγ1. 661 ᵇ32. τὸ ἄρρεν φύσει
τῇ θήλεος κρεῖττον. ἄρχον. ἡγεμονικώτερον Πα5. 1254 ᵇ13.
12. 1259 ᵇ2. κοινωνία μάλιστα φύσει τῷ θήλει ἢ τῷ ἄρρενι
οα3. 1343 ᵇ8, 20. Πα2. 1252 ᵃ27.

6. ἄρρεν de genere grammatico τι32. 182 ᵃ18. Πρωτα-
γόρας τὰ γένη τῶν ὀνομάτων διῄρει ἄρρενα ἢ θήλεα ἢ σκεύη
Ργ5. 1407 ᵇ7. ἄρρενα, θήλεα, μεταξὺ πο21. 1458 ᵃ9. τι4.
166 ᵇ11, 12. 14. 173 ᵇ27sqq. μήτε θῆλυ μήτε ἄρρεν τι32.
182 ᵃ15.

ἀρρήτως. ὐδὲν ἐθέλειν εἰπεῖν ἀλλὰ σιωπᾶν ἀρρήτως τὸν Σει-
ληνόν f 40. 1481 ᵇ6. (ἀρράτως ci Bernays, sed cf Vahlen Rh
Mus 22, 147.)

ἄρριγος (ἄριγος). τῇ σώματος ἀρριγότατον ὁ ὀφθαλμός αι2.
438 ᵃ22. διὰ τί ἄριγον ὁ ὀφθαλμός πλα22. 959 ᵇ17.

ἄρριζος. ἀτελῆ τὰ σπέρματα τῶν φυτῶν ὅσα ἄρριζα αν17.
478 ᵇ31.

ἀρρίζωται κόγχαι διαμένωσιν Ζιε15. 548 ᵃ5.

ἀρριχᾶσθαι, cf ἀριχᾶσθαι.

ἀρρύθμιστος (ἀρύθμιστος Μδ4. 1014 ᵇ27). δοκεῖ ἡ ὐσία τῶν
φύσει ὄντων εἶναι τὸ πρῶτον ἐνυπάρχον ἑκάστῳ ἀρρύθμιστον
καθ' ἑαυτὸ Φβ1. 193 ᵃ11. Μδ4. 1014 ᵇ27 Bz. ὅλως ἡ ὕλη
ἀρρύθμιστος (ci Bz Ar St I 237, ἀριθμητὴ codd Bk) Φα7.
190 ᵇ25.

ἀρρύθμος. τὸ σχῆμα τῆς λέξεως δεῖ μήτε ἔμμετρον εἶναι
μήτε ἀρρύθμον· τὸ ἀρρύθμον ἀπέραντον Ργ8. 1408 ᵇ22, 26,
1409 ᵃ22.

ἀρρωστεῖν πα25. 862 ᵃ34. opp ἐρρῶσθαι ρ25. 1435 ᵃ26.

κίνησις τῶν ἀρρωστούντων μβ 8. 366 ᵇ28. ὃ μηδείς πω ἠρρώστηκεν Ρα 12. 1372 ᵃ28. ἀρρωστεῖν ἀρρωστήματά τινα Ζιθ24. 604 ᵇ26.

ἀρρώστημα πγ33. 876 ᵃ12. τὰ ἀρρωστήματα τῆς ὄψεως ἐκατέρας Ζγε 1. 780 ᵃ14. γίγνεται ἀρρωστήματα Ζγα 18. 726 ᵃ12. ἀρρώστημα δυσαπάλλακτον Ζμγ 9. 671 ᵇ9. ἄνοσοι πρὸς τὰ ἄλλα ἀρρωστήματα Ζιθ22. 604 ᵃ11. ἀρρωστεῖν ἀρρωστήματά τινα Ζιθ24. 604 ᵇ26. φυλάττεσθαι ἀρρωστήματα Ρα 12. 1372 ᵃ27. λαμβάνεσθαι ἀρρωστήμασι πλ1. 953 ᵃ13. ἀρρωστήματα θανάσιμα πα28. 862 ᵇ16. ἀρρώστημα i q ἐπίληψις πλα27. 960 ᵃ20.

ἀρρωστία. ἐπ᾽ ἀρρωστίαν ἐμπίπτειν ρ4. 1426 ᵃ10. ἀρρωστία τῆς διανοίας Φθ3. 253 ᵃ33. ἀρρωστία τῆς ὄψεως, syn ἀσθένεια μγ4. 373 ᵇ8, 3. ἡ πυρρότης ὥσπερ ἀρρωστία τριχὸς Ζγε5. 785 ᵃ20. ἀρρωστίαι Ηγ8. 1115 ᵃ2. φ1. 805 ᵃ3. πλα23. 959 ᵇ29. ἀρρωστίαι ἀποπληκτικαὶ πγ26. 874 ᵇ29. ἐν ταῖς ἀρρωστίαις, ἐν τῇ ἀρρωστίᾳ Ζιθ18. 601 ᵇ6. Ζγα18. 725 ᵇ20. ε4. 784 ᵇ25, 28. μεταβολὴ εἰς ἀρρωστίαν, εἰς θάνατον Ζιθ 10. 537 ᵇ20.

ἄρρωστος (ci Busem, ἄριστος Bk) πλγ9. 962 ᵇ6. ἀρρωστότεραι, opp ἰσχύρσι μᾶλλον Ζικ1. 634 ᵇ14.

ἀρσενίκιον φτβ4. 826 ᵃ6, 7.

ἀρσενικὸν πλη2. 966 ᵇ28.

ἄρσις τῶν σκελῶν Ζπ12. 711 ᵇ25. πᾶσα πορεία ἐξ ἄρσεως καὶ θέσεως συντελεῖται πε41. 885 ᵇ6. 10. 881 ᵇ24, 26. 23. 883 ᵃ26. ἄρσις πλείμονος αν9. 475 ᵃ14, 23. κυμάτων ἄρσεις χ4. 396 ᵃ26. — ἀδυναμία ἐστὶ στέρησις δυνάμεως καὶ τῆς τοιαύτης ἀρχῆς ἄρσις τις Μθ12. 1019 ᵇ16 Bz.

Ἀρτάβαζος οβ 1351 ᵇ20.

ἀρτάβη οβ 1351 ᵃ9.

Ἀρταπάνης Πε10. 1311 ᵇ38.

ἀρτᾶσθαι, ἠρτῆσθαι. αἱ φλέβες ἤρτηνται ἐκ τῆς καρδίας, πόρος ἠρτημένος ἀπὸ τῆς στήθεος sim αν8. 474 ᵇ8. 20. 480 ᵃ12. Ζιγ1. 509 ᵇ17. 3. 513 ᵃ2. α16. 495 ᵇ19, 29. δ′2. 527. ᵃ11, 19. Ζγδ9. 777 ᵃ30. αἱ χεῖρες ἐκ τῶ στήθεος ἤρτηνται πκζ6. 948 ᵃ39. τὸ πρῶτον ῳ ἐξ ᾧ τὰ ἄλλα ἤρτηται Μγ2. 1003 ᵇ17. ἡ συγγενικὴ φιλία ἤρτηται ἐκ τῆς πατρικῆς Ηθ14. 1161 ᵇ17. πᾶσαι αἱ φιλίαι ἀπὸ ταύτῳ πως ἠρτημέναι ηιμβ11. 1209 ᵃ22. ἡ ἀρχὴ τῆς θερμότητος ἐντεῦθεν ἤρτηται sim ζ4. 469 ᵇ15. πλα4. 957 ᵇ19. Μενέλαος. ἐν ᾧ τὸ τέλος ἤρτητο τῷ πολέμῳ f 151. 1503 ᵇ31.

Ἄρτεμις. ὁ πολέμαρχος θύει Ἀρτέμιδι ἀγροτέρᾳ f387. 1542 ᵇ5. Ἀρτέμιδος ἱερά θ105. 839 ᵇ18. 110. 840 ᵇ18, 21. Ἀ. Ὀρθωσία θ175. 847 ᵇ1. versus Hom (υ71) explicatur π36. 894 ᵇ34.

ἀρτεμισία, dist ἀγρία ἀρτεμισία φτα6. 820 ᵇ40. (Artemisia arborescens L?).

ἄρτημα. αἱ φάλαγγες ἱστᾶσιν ἀπὸ μικρῶ ἀρτήματος μεγάλα βάρη μη20. 853 ᵇ25. 18. 853 ᵃ34.

ἀρτηρία. 1. trachea, bronchi. a. τῶ αὐχένος τὸ χονδρῶδες καὶ πρόσθιον, δι᾽ ᾧ ἡ φωνὴ καὶ ἡ ἀναπνοή. ἀρτηρία ἐστιν Ζια12. 493 ᵃ8. ἡ ἀρτηρία descr Ζια16. 495 ᵃ22-ᵇ24, 494 ᵃ2. Ζμγ3. 664 ᵃ27-665 ᵃ27 (F p 289 n 12). cf αν11. 476 ᵃ31. ἡ καρδία κεῖται ἀνωτέρω τῶ πλεύμονος κατὰ τὴν σχίσιν τῆς ἀρτηρίας Ζια17. 496 ᵃ5. πόροι τινὲς σχίζονται τὸν αὐτὸν τρόπον ὅνπερ ἡ ἀρτηρία κατὰ πάντα τὸν πλεύμονα παρακολυθοῦντες τοῖς ἀπὸ τῆς ἀρτηρίας Ζια17. 496 ᵃ28. τείνει ἡ ἀρτηρία πᾶσιν εἰς τὸν πλεύμονα Ζιβ17. 507 ᵃ24. ἐπάνω τῆς φλεβὸς εἰσὶ πόροι τῶν ἀπὸ τῆς ἀρτηρίας συριγγῶν τεινυσῶν Ζιγ3. 513 ᵇ24, cf 515 ᵃ5. (τῶν πόρων ἀρχὴ τῶν ἀπὸ τῆς ἀρτηρίας Ζιγ1. 510 ᵃ30, ἀορτὴς ci PkA.) ὁ αὐχὴν τῆς ἀρτηρίας χάριν Ζμδ10. 686 ᵃ18. ἀδύνατον τὴν κεφαλὴν φθέγγεσθαι

κεχωρισμένης τῆς ἀρτηρίας Ζμγ10. 673 ᵃ24. ἡ πληγὴ τῶ ἀναπνεομένε ἀέρος ὑπὸ τῆς ἐν τύτοις τοῖς μορίοις ψυχῆς πρὸς τὴν καλυμένην ἀρτηρίαν φωνή ἐστιν ψβ8. 420 ᵇ29, 421 ᵃ1. πῶς αἱ φωναὶ διαφέρυσι κατὰ τὰς διαφορὰς καὶ τὰ πάθη τῆς ἀρτηρίας αχ 800 ᵇ19-804 ᵇ27. πια 22. 901 ᵇ7, 14. ἔστι καὶ διὰ τῆς ἀρτηρίας ἐκ τῶν στηθῶν ἡ ἀναπνοὴ αν7. 473 ᵃ19. cf αχ 800 ᵃ20. παθήματα συμβαίνει ἥκιστα τῶ πλεύμονος περὶ τὴν ἀρτηρίαν Ζμγ4. 667 ᵇ8. αἱμορροΐδες ἐν τῆς ἀρτηρίας μετὰ βίας Ζμγ5. 668 ᵇ19. inter τὴν ἀρτηρίαν et τὰ ὦτα quae intercedat ratio πλβ6. 960 ᵇ36, 38. — b. (τῆς ἀρτηρίας διαφοραὶ ἐν τοῖς τῶν ζῴων γένεσι.) ἔχει τὴν ἀρτηρίαν πάντα ὅσαπερ καὶ πνεύμονα ἔχει Ζια16. 495 ᵃ22. ὅλως πάντα ἔναιμα ὅσα τὸν ἀέρα δεχόμενα ἀναπνεῖ καὶ ἐκπνεῖ (ὅσα ἐστὶ τετράποδα καὶ ζῳοτόκα), πάντ᾽ ἔχει πνεύμονα καὶ ἀρτηρίαν καὶ στόμαχον, καὶ τὴν θέσιν τῆς ἀρτηρίας ὁμοίως ἀλλ᾽ οὐχ ὅμοια Ζιβ15. 506 ᵃ3, ᵇ33. Ζμδ1. 676 ᵇ13. πῶς ὁ χαμαιλέων ἔχει Ζιβ11. 503 ᵇ11. πῶς τὸ τῶν ὄφεων γένος Ζιβ17. 508 ᵃ17. Ζμδ11. 691 ᵇ27. ἔχει καὶ ὁ δελφὶς Ζιδ9. 536 ᵃ2. τὴν ἐπιγλωττίδα ἐπὶ τῆς ἀρτηρίας ὐδὲν τῶν ᾠοτοκούντων ἔχει Ζιβ12. 504 ᵇ4. Ζμγ3. 664 ᵇ22. αν11. 476 ᵃ34. οἱ ἰχθύες ὐκ ἔχυσι τὴν ἀρτηρίαν διὰ τὸ πνεύμονα μὴ ἔχειν Ζιδ9. 535 ᵇ15. αν3. 471 ᵃ22. — 2. arteria et trachea, imprimis arteria. τρεῖς αἱ κινήσεις τῆ ἐν τῇ ἀρτηρίᾳ πνεύματος, ἀναπνοή, σφυγμός, τρίτη δ᾽ ἡ τὴν τροφὴν ἐπάγυσα καὶ κατεργαζομένη πν4. 482 ᵇ14-5. 484 ᵃ35. in hoc libro pseudepigrapho ἀρτηρία modo tracheam significat πν5. 483 ᵇ3, 12, 14, 15, 17, 18, modo arteriam πν3. 482 ᵇ8, 10. 4. 483 ᵃ5. 5. 483 ᵃ24, ᵇ22, 29, 484 ᵃ4, 13. 6. 484 ᵃ14, 25, 34.

ἄρτι, def τὸ ἐγγὺς τῶ παρόντος νῦν [, τὸ] μόριον τῶ παρελθόντος Φθ13. 222 ᵇ12. τὸ ἄρτι ῥηθέν, λεχθέν Φη4. 248 ᵇ5. Πγ8. 1279 ᵃ31. δ8. 1293 ᵇ24. εἴπομεν ἐν τοῖς ἄρτι λόγοις Φθ8. 263 ᵃ23.

ἀρτιάζειν. ἀρτιάζοντες (ci Bk, cf Ργ5. 1407 ᵇ3, ἄρτια μερίζοντες codd et Bk). μτ2. 463 ᵇ20.

ἀρτιασμοὶ Ργ5. 1407 ᵇ3.

Articulus, ubi genus aliquod universum significatur, non raro omittitur. τὸ ζῆν ὁρίζονται τοῖς ζῴοις δυνάμει αἰσθήσεως, ἀνθρώποις δὲ αἰσθήσεως καὶ νοήσεως Ηι9. 1170 ᵃ17 (coll τῦτο πρὸς τἆλλα ζῷα τοῖς ἀνθρώποις ἴδιον Πα2. 1253 ᵃ16). ἄνθρωπος φύσει πολιτικὸν ζῷον Πα 2. 1253 ᵃ2, 10, 32 (coll πολιτικὸν ὁ ἄνθρωπος ζῷον ᵃ7, 34). γονεῖς τέκνα φιλῦσι, τέκνα δὲ γονεῖς Ηθ14. 1161 ᵇ27 (coll οἱ γονεῖς στέργυσι τὰ τέκνα. τὰ δὲ τέκνα τὺς γονεῖς ᵇ18) Vahlen Poet III 340. Wz ad K5. 3 ᵃ21. — ubi coniunguntur duo nomina inter se distincta, articulus ad utrumque nomen ponendus interdum omittitur in altero. εἴ τις συνάγει τὴς τόπης εἰς ἕν, ὥστε ἅπτεσθαι τὴν Μεγαρέων πόλιν καὶ Κορινθίων, ὅμως μία πόλις Πγ9. 1280 ᵇ15. ὁ τὰ Κύπρια ποιήσας καὶ τὴν μικρὰν Ἰλιάδα πο23. 1459 ᵇ2. (ἀναγνώρισις βελτίστη) οἷον ἡ ἐν τῷ Σοφοκλέυς Οἰδίποδι καὶ τῇ Ἰφιγενείᾳ πο 16. 1455 ᵃ18. ἡδόναι διαφέρυσιν τῷ εἴδει καὶ ἀφ᾽ ὧν Ηκ2. 1174 ᵃ10. cf praeterea Ηγ3. 1111 ᵃ34. δ12. 1127 ᵇ1. πο24. 1459 ᵇ37. Vahlen Poet III 329. ἐποποιία δὴ καὶ ἡ τῆς τραγῳδίας ποίησις, ἔτι δὲ κωμῳδία καὶ ἡ διθυραμβοποιητικὴ πο1. 1447 ᵃ13. ὥσπερ Ἰλιὰς καὶ ἡ Ὀδύσσεια πο4. 1449 ᵃ1 Vahlen Poet IV 409. — contra ubi nomen duobus epithetis, eandem notionem continentibus determinatur, interdum articulus videtur repeti τῶ φυσικῶ καὶ τῶ αἰσθητῶ σώματος Οα9. 278 ᵇ9, 23 (sed τὸ φυσικὸν σῶμα καὶ αἰσθητὸν 279 ᵃ9, περὶ τὰ αἰσθητὰ καὶ ἐν κινήσει ημα35. 1196 ᵇ28). — singularis quaedam et abundantia et ellipsis cernitur in hoc articuli usu: αὕτη μὲν γὰρ (ἡ γωνία) τῇ α ἴση, ἡ δὲ τὸ γ τῇ β Αδ11. 94 ᵃ32 (ἱ ε ἡ δὲ ἐφ' ᾗ κεῖται τὸ γ τῇ β). cf Αβ2. 54 ᵃ8, 12, 13 Wz. Φδ8. 215 ᵇ3. ζ1. 231 ᵇ27, 232 ᵃ1 al.

ἀρτιοπέριττον τὸ ἓν διὰ τί καλεῖται f 194. 1513 ᵃ12.

ἄρτιος. τὸ περιττὸν χ ἄρτιον ἀριθμῷ κατηγορεῖται χ ἀναγκαῖον θάτερον τῷ ἀριθμῷ ὑπάρχειν Κ10. 12 ᵃ6. πάντα ζῷα ἀρτίως ἔχει πόδας Ζια5. 489 ᵇ22. Ζπ1. 704 ᵃ14. 8. 708 ᵃ21. π26. 893 ᵇ20. 30. 894 ᵃ17. ἐπιτυχεῖς ὄντες ὥσπερ ἔνιοι ἄρτια μερίζοντες (? ἀρτιάζοντες ci Bk) π2. 463 ᵇ20. ἄρτια πῶς διχῶς λέγεται χ ἐριστικῶς ποιεῖ συλλογισμοὺς Πβ3. 1261 ᵇ29. 5. 1264 ᵇ20. — ἀριθμῶν στοιχεῖα τό τε ἄρτιον χ τὸ περιττόν (Pythag) ΜΑ5. 986 ᵃ18. 9. 990 ᵃ9. ἄπειρον τὸ ἄρτιον (Pyth) Φγ4. 203 ᵃ11. τὸ ἄρτιον ἐξ ἀνίσων τῷ μεγάλῳ χ μικρῷ ἰσασθέντων (Plat) Μν4. 1091 ᵃ24 Bz. — ἀρτίως λέλεκται (Epicharm fr inc 47 Lorenz) Μμ9. 1086 ᵃ17. ἐπὶ τῶν ἀρτίως ῥηθέντων τζ13. 150 ᵇ18. αἷμα ἀρτίως ἐπεσφαγμένου χ5. 796 ᵃ15.

ἀρτιότης, opp περιττότης Μγ2. 1004 ᵇ11.

ἀρτίφρων ἀνήρ (Eur Med 294) Ρβ21. 1394 ᵃ29, ᵇ18.

ἄρτος. ἄρτοι ἄναλοι, ἡλισμένοι πκα5. 927 ᵃ35. ἄρτοι ἄτριπτοι, σφόδρα τετριμμένοι πκα17. 929 ᵃ17. 8. 927 ᵇ22. ἄρτοι δίπυροι πκα12. 928 ᵃ11. οἱ ἄρτοι λευκότεροι φαίνονται ψυχροὶ ὄντες πκα4. 927 ᵃ27. ὅπως ὁ σῖτος δικαίως πραθήσεται χ τὰ ἄλφιτα χ οἱ ἄρτοι f 411. 1546 ᵇ13.

ἀρτύειν τὰ ὄψα Ηγ13. 1118 ᵃ29.

ἀρύειν, ἀρύσαιτο τζ6. 145 ᵃ23, 24.

ἀρύθμιστος Μδ4. 1014 ᵇ27. cf ἀρρύθμιστος.

ἀρχαϊκῶς ἀπορῆσαι Μν2. 1089 ᵃ2 Bz.

ἀρχαιόγονος χ πρώτη αἰτία κ6. 399 ᵃ26.

ἀρχαιόπλυτοι, opp νεόπλυτοι Ρβ9. 1387 ᵃ24.

ἀρχαῖος. ἐν τοῖς ἀρχαίοις χρόνοις, ἐπὶ τῶν ἀρχαίων χρόνων ε4. 1303 ᵇ19. γ5. 1278 ᵃ6. 14. 1285 ᵇ13. δ3. 1289 ᵇ36. ἐν τοῖς ἀρχαίοις Ἕλλησιν Πγ14. 1285 ᵃ30. δ10. 1295 ᵃ12. ἡ Ἑλλὰς ἡ ἀρχαία μα14. 352 ᵃ35. κατὰ τὴν ἀρχαίαν γλῶτταν Ρα2. 1357 ᵇ10. ἀνδριὰς εἰργασμένος τὸν ἀρχαῖον τρόπον θ81. 836 ᵃ26. 100. 838 ᵇ13. νόμοι ἀρχαῖοι λίαν ἁπλοῖ, νόμιμα ἀρχαῖα. τὰ ἀρχαῖα ἧττον διήρθρωται τῶν νεωτέρων Πβ8. 1268 ᵇ39, 42. 10. 1271 ᵇ24. ταῦθ' οὕτως ἀρχαῖα χ παλαιὰ διατελεῖ νενομισμένα παρ' ἡμῖν f 40. 1481 ᵃ36. Vhl Rh Μ 22, 145. ἀρχαῖοι χ πάτριοι λόγοι Οβ1. 284 ᵃ2. ἀρχαία χ δημοτικὴ ὑπόληψις ΜΑ8. 989 ᵃ11. μα3. 339 ᵇ20. νομοθέτης τῶν ἀρχαιοτάτων Πβ6. 1265 ᵇ13. αὐτόχθονες ἢ ἀρχαῖοι Ρα5. 1360 ᵇ32. ἐπὶ τῶν ἀρχαίων, ἐν τοῖς ἀρχαίοις Πε5. 1305 ᵃ7. γ14. 1285 ᵃ9. δ13. 1297 ᵇ21. οἱ ἀρχαῖοι Πγ15. 1286 ᵃ37. Οα9. 279 ᵃ23. οἱ ἀρχαῖοι σοφοί, οἱ ἀρχαῖοι φιλόσοφοι, οἱ ἀρχαῖοι χ διατρίβοντες περὶ τὰς θεολογίας, οἱ ἀρχαῖοι Φβ4. 196 ᵃ8. Οα4. 271 ᵇ3. μβ1. 353 ᵃ34. Φα6. 189 ᵇ14. 8. 191 ᵃ23. β2. 194 ᵃ19. Γα1. 314 ᵃ6. μγ2. 372 ᵃ22. Οδ3. 310 ᵇ1. ψ3. 427 ᵃ21. Μλ1. 1069 ᵃ25. Ζμα1. 640 ᵇ4. Ζγα18. 724 ᵇ35, 725 ᵃ21. ε1. 778 ᵇ7. οἱ ἀρχαῖοι χ παμπαλαίοι Μλ8. 1074 ᵇ1. ὄντες ἀρχαιότεροι καινοτέρως ἐνόησαν Οδ2. 308 ᵇ31. — τὸ ἀρχαῖον ἐγγύς τι τῷ φύσει Ρβ9. 1387 ᵃ16. πλοῦτος ἀρχαῖος Πδ8. 1294 ᵃ22. — τὸ ἀρχαῖον subst (sors, caput) οβ1348 ᵃ3, ᵇ25. — τὸ ἀρχαῖον adverb (olim) Πβ10. 1272 ᵃ2. ε10. 1310 ᵇ21. — ἀρχαίως λίαν ὑπολαμβάνειν Πη11. 1330 ᵇ3.

ἀρχαιρεσίαι, coni εὔθυναι, νομοθεσίαι Πγ11. 1281 ᵇ33, 1282 ᵃ13. δ14. 1298 ᵃ20. ρ3. 1424 ᵃ19.

ἀρχέγονος χυμὸς ἐν δένδροις τισὶν φτα3. 818 ᵇ36.

ἄρχειν. 1. incipere. Κράτης πρῶτος ἦρξε καθόλου ποιεῖν λόγους πο5. 1449 ᵇ7. ἄρχειν στάσεως Πε4. 1304 ᵃ9, 37. ἄρχειν

χειρῶν ἀδίκων Ρβ24. 1402 ᵃ2. ρ37. 1444 ᵇ13. ὃ ἄρχει ἡ μακρά, τελευτῶσι δὲ τρεῖς βραχεῖαι Ργ8. 1409 ᵃ14, 17.— med χρῶνται τῷ ἑνὶ παιᾶνι χ ἀρχόμενοι (χ τελευτῶντες add Vhl) Ργ8. 1409 ᵃ10. ἤρχθαι, opp πεπαῦσθαι ρ30. 1437 ᵃ33. οὐδὲν γίγνεται ὃ ἄρχεται γίγνεσθαι Ρβ19. 1392 ᵃ17, 18. cf μγ4. 373 ᵇ14. ὅθεν ἤρξαντο ῥεῖν, πνεῖν μβ2. 356 ᵃ8. 3. 358 ᵃ32. ἄρχονται κηριάζειν Ζια15. 546 ᵇ29. ἄρχεσθαι τῆς ὑφῆς Ζιι39. 623 ᵃ21. στόμαχος ἀπὸ στόματος ἀρξάμενος Ζιβ17. 507 ᵃ37. φλέβες ἠργμέναι ἐντεῦθεν Ζμγ4. 666 ᵃ1. β9. 654 ᵃ33. cf δ9. 685 ᵇ21. ῥύγχος ἠργμένων ἐκ τῆς κεφαλῆς φοινικῶν f 272. 1527 ᵃ37. ἄρχεσθαι ἀπ' ἰατρικῆς, τελευτᾶν εἰς ἰατρικήν αι1. 436 ᵇ1. ἄρχεσθαι ἀπὸ ἀφυῶν, τελευτᾶν εἰς ἀφυῶν ρ24. 1424 ᵇ36. ἀρξάμενοι κατὰ φύσιν πρῶτον ἀπὸ τῶν πρώτων π1. 164 ᵃ22, Wz ad 93 ᵃ16. Ζμα5. 646 ᵃ3. β5. 655 ᵇ28. ποι. 1447 ᵃ12. πεα7. 1217 ᵃ19. ἀρξάμενος ἀπὸ τῷ τί ἐστιν τα14. 105 ᵇ15. ἐντεῦθεν ἀρχόμενοι Φδ11. 219 ᵃ3. ὧδ' ἀρξάμενοι λέγωμεν μα1. 339 ᵃ10. ἀρξάμενοι ἄλλην, τὴν αὐτὴν ἀρχὴν Φα9. 191 ᵇ4. β3. 254 ᵃ18. — ἀρκτέον ἄνωθεν Ηζ13. 1144 ᵃ13. ἀπὸ τῶν γνωρίμων Ηα2. 1095 ᵇ2, 3. ἐντεῦθεν, ἀπὸ τῶν εἰρημένων Ζμα1. 640 ᵃ13. δ5. 682 ᵃ31. ἀπὸ τῷ πρώτῳ Μδ1. 1013 ᵃ3. ἀπὸ τῶν πρώτων ἀρκτέον πρῶτον Ζγβ4. 737 ᵇ25. — 2. imperare. πολιτεύεσθαι χ ἄρχειν Πζ4. 1318 ᵇ15. ἄρχειν χ δεσπόζειν Πα6. 1255 ᵃ21. εἶναι τι χρεῖττον χ ἄρχον ψα5. 410 ᵇ13. ἄρχοντες, opp ἰδιῶται Πδ16. 1300 ᵇ21. πκθ14. 952 ᵇ28. opp πρὸς τοῖς ἰδίοις σχολάζειν Πε8. 1308 ᵇ35. opp πλῆθος, πάντες Πδ14. 1298 ᵇ38, 34. — ἄρχων ἄνθρωπος, dist ἄρχων λόγος, νόμος Ηε10. 1134 ᵃ35 (cf ᵇ1. γ15. 1119 ᵇ7). Πγ15. 1286 ᵃ9. δ5. 1292 ᵇ6. — ἄνευ ἀρχόντων ἀδύνατον εἶναι πόλιν Πδ4. 1291 ᵃ35, 37. ἄρχοντος ἔργον τί Πη4. 1326 ᵇ14. γ11. 1282 ᵇ3. ὁ ἀόριστος ἄρχων Πγ1. 1275 ᵇ14. 11. 1282 ᵃ35. ἄρχοντα κατὰ γράμματα, αὐτογνώμονας Πβ10. 1272 ᵃ38. ἄρχοντες αἱρετοὶ Πβ8. 1268 ᵃ11. φέρειν ἄρχοντας, coni ἐκκλησιάζειν, ποιεῖν τι τῶν πολιτικῶν Πβ6. 1266 ᵃ10. ποῖά τινα χρὴ ἔχειν τὸς μέλλοντας ἄρξειν τὰς κυρίας ἀρχὰς Πη9. 1309 ᵃ33–ᵇ18. γ4. 1277 ᵃ14. α13. 1260 ᵃ17. πολιτ χ ἄρχοντος αὐτὴ ἀρετὴ Πη14. 1333 ᵃ11. — τὸ ἄρχεσθαι χ ἄρχοντος εἶδει διαφέρει Πα13. 1259 ᵇ37. ἄρχον χεῖρον, χ ἀρχόμενον φύσει def Πα2. 1252 ᵃ31, 33, 30. 5. 1254 ᵃ23, 21. 13. 1260 ᵃ8. ἄρχοντες χ ἀρχόμενοι πότερον οἱ αὐτοὶ ἀεὶ Πη14. οὐκ ἔστιν εὖ ἄρξαι μὴ ἀρχθέντα Πγ4. 1277 ᵇ12. η14. 1333 ᵃ2, 13. ἄρχοντος χ ἀρχομένου πότερον ἡ αὐτὴ ἀρετὴ ἢ ἑτέρα Πα13. 1259 ᵇ33. γ4. 1277 ᵇ20, 3. — ἄρχειν c gen ἡ μοναρχία ἄρχει τῶν ὁμοίων Πδ10. 1295 ᵃ20. ἡ ψυχὴ ἄρχει τῷ σώματος δεσποτικὴν ἀρχήν Πα5. 1254 ᵇ5. ἄρχειν, absolute syn εἶναι ἐν ταῖς ἀρχαῖς Πε8. 1309 ᵃ2. 6. 1305 ᵇ8. β9. 1271 ᵃ12, 16 al. εἰργέσθαι, μετέχειν τῷ ἄρχειν Πε8. 1308 ᵇ35. β2. 1261 ᵇ7 (cf μετέχειν τῶν ἀρχῶν ν ἀρχή). ἄρχειν κατὰ μόνας Πγ11. 1281 ᵇ33. ἄρχειν ὀλίγον χρόνον, διὰ βίου Πε8. 1308 ᵃ20. γ14. 1285 ᵃ33. ἄρχειν ἀκερδῶς Πε8. 1309 ᵃ13. ἄρχειν ἀπὸ τιμημάτων Πε3. 1303 ᵃ24. ἡ δεσποτεία πῶς ἄρχει Πγ6. 1278 ᵇ34. ἄρχειν c acc, ἄρχειν τὰ κατὰ πόλιν, τὰ ἔνδημα Πγ14. 1285 ᵇ14. ἄρχειν ἀρχήν τινα Πα6. 1255 ᵇ8. γ11. 1282 ᵃ32. 14. 1285 ᵃ33. δ14. 1298 ᵃ28. ε6. 1306 ᵇ9. ζ2. 1317 ᵇ23. ἄρχειν τὰς πολιτικὰς ἀρχὰς Πγ6. 1279 ᵃ10. ἄρχειν δεσποτικὴν ἀρχήν Πα5. 1254 ᵇ5 (cf δεσποτικῶς ἄρχειν, opp ἡ τῶν ἐλευθέρων ἀρχή Πδ10. 1295 ᵃ17. η14. 1333 ᵇ28). ἄρχεσθαι ἀρχὴν δυλικὴν, τὴν τῶν ἐλευθέρων ἀρχήν sim Πα5. 1254 ᵇ20. γ17. 1288 ᵃ10. δ11. 1259 ᵇ19. ἄρχεσθαι ὑθεμιᾷ ἀρχῇ Πδ11. 1295 ᵇ19. οἱ πρεσβεύσαντες ἢ ἄρξαντες τὰς εὐθύνας ἐδίδοσαν f 405. 1545 b43. — ἐγχειρίζυσι τὴν φυλακὴν ἄρχοντι μεσιδίῳ, ὃς ἐνίοτε γίνεται κύριος ἀμφοτέρων Πε 6. 1306 a28. ὀλιγαρχικὸν ὁ ἄρχων ὁ εἷς ἐν τῇ τῶν Ἐπιδαμνίων πολιτείᾳ Πε 1. 1301 b25. ἄρχοντας καλῦσι τὰς ἀφωρισμένας πρὸς τὰς θυσίας τὰς κοινὰς Π ζ 8. 1322 b29. — τῶν ἐννέα ἀρχόντων 5 τῶν Ἀθήνησιν ὀνόματα f 374. 1540 a37, 38. πρὸς τὸν ἄρχοντα τινες ἐλαγχάνοντο δίκαι f 381. 1541 b15. 385. 1542 a1. ὁ ἄρχων διατίθησι Διονύσια ꝗ Θαργήλια f 381. 1541 b6, λαμβάνει προέδρυς f 389. 1542 b31, ἐπώνυμος, ἐπεγράφετο ὅτε ἄρχων ὁ ἐπώνυμος ὁ τῷ προτέρῳ ἔτει δεδιωκηκὼς (?) 10 f 381. 1541 b20. 429. 1549 a18, 22. ὁ ἄρχων (Atheniensium) χορὸν ἔδωκε πο 5. 1449 b2. — fut pass ἄρξονται Π ζ 4. 1318 b36. ἀρχθήσεται Πα 13. 1259 b40.

ἀρχεῖον. 1. curia. ἐξίασιν ἄρχοντες ἐπὶ τὰ ἀρχεῖα x 6. 400 b16. — 2. ἀρχεῖον, syn ἀρχή Π δ 15. 1299 b15. ε 4. 1304 15 a19. τὸ τῶν ἐφόρων ἀρχεῖον Π β 9. 1270 b17. 10. 1272 a29. τὰς δίκας ὑπὸ τῶν ἀρχείων δικάζεσθαι Π β 11. 1273 a19. κατασκευάζειν ἀρχείων τι οἷον προβύλας Π δ 14. 1298 b28. ποιεῖν τὰ ἀρχεῖα οἷον ὀβελισκολύχνια Π δ 15. 1299 b9. βαδίζειν εἰς τὰ ἀρχεῖα, syn ἐν ταῖς ἀρχαῖς εἶναι Π δ 15. 1299 20 a36, b3. ἐμπίπτυσιν ἄνθρωποι σφόδρα πένητες εἰς τὸ ἀρχεῖον Π β 9. 1270 b10.

Ἀρχέλαος ὁ τῆς Μακεδονίας βασιλεὺς πλ 1. 954 b32. ἡ εἰς Ἀ. ἐπίθεσις Πε 10. 1311 b8, 30. Σωκράτης ὐκ ἔφη βαδίζειν ὡς Ἀ. Ρ β 23. 1398 a25.

Ἀρχέλαος philosophus resp ψα 2. 404 a26 (cf Philop ad h l).

Ἀρχέμορος. ἀγὼν ἐπὶ Ἀρχεμόρῳ f 594. 1574 b35.

ἀρχή ποσαχῶς λέγεται Μ δ 1. τὸ πρῶτον ἀρχή τδ 1. 121 b9. Μ δ 1. 1013 a18. Αγ 2. 72 a6. ἀρχή ἐστιν ᾗ αὐτὸ μὲν μὴ ἐξ ἀνάγκης μετ᾽ ἄλλο ἐστί, μετ᾽ ἐκεῖνο δ᾽ ἕτερον πέφυκεν 30 εἶναι ꝗ γενέσθαι, opp τελευτή, μέσον πο 7. 1450 a27, 29, 31.

1. ἀρχή, initium. ἀρχὴ πλεῖον ꝗ ἥμισυ παντός, παντὸς μέγιστον Ηα 7. 1098 b7. τι 34. 183 b22. ἡ ἀρχὴ δυνάμει μείζων ꝗ μεγέθει Οα 5. 271 b12. cf Ζγα 2. 716 b3. ἐξ ἀρχῆς εἰς τέλος μα 14. 351 b12. ἀρχὴν λαμβάνειν ἀπό τινος 35 μ β 8. 368 b21. cf τα 1. 100 b29. ἀρχῆ ἤρξαντο ῥεῖν μ β 2. 356 a4. τελευτῷ μᾶλλον ὕδατος ꝗ ἀρχὴ ꝗ θάλασσα μ β 2. 356 b1. αἱ ἀρχαὶ τῶν περιόδων Ρ γ 9. 1410 b2. ἀρχὴ τῆς πράξεως, τῆς μεταβολῆς, τῆς γεννήσεως, τῆς αἰτίας Η ε 12. 1136 b28. 10. 1135 b19. ψ ζ 5. 236 a14. Ζ ιε 14. 545 40 b25. ἀρχὴ τῦ αἰσθητηρίυ, τῆς αἰσθητικῆς ψυχῆς sim Ζγε 2. 781 a31. δ 1. 766 a36. Ζμγ 5. 667 b29. 10. 672 b16. ἀρχαὶ τῶν φλεβῶν, τῶν νεύρων, τῶν ὀδόντων, ἀρχὴ τῦ ᾠῦ Ζιγ 2. 511 b21, 23. 4. 515 a15, 16, 28. 5. 515 a33. δ 5. 530 b31. ζ 3. 561 a10. ἡ ἀρχὴ τῶν σκωληκίων μικρά Ζιε 19. 552 a24. 45 15. 547 b13. ἀρχή, opp πέρας τ β. 264 b21. μα 7. 344 a33, sed ἡ ἀρχὴ πέρας τι Μ δ 17. 1022 a12. τῦ ἀπείρυ ὐκ ἔστιν ἀρχή Ζγ β 6. 742 b21. — τὴν ἀρχήν (ab initio) Ζια 5. 489 b8, opp εἶτα Ζιε 15. 548 a15. ἀρχὴν ὑδ᾽ (omnino non) ἐπιχειρῦσιν Πη 1. 1331 a17. κατ᾽ ἀρχὰς χ 6. 798 b11, 25, 50 30. ἐπ᾽ ἀρχῆς τὺς λόγυς ἀναλύειν Μχ 6. 1063 b18. ἐπ᾽ ἀρχὴν ἰέναι Φθ 7. 261 a13. cf μα 4. 341 b31. τὸ ἐν ἀρχῇ γινόμενον, ἡμαρτημένον Πε 8. 1308 a34. 1. 1302 a6. 4. 1303 b28. Ζχ 7. 701 b25. χ 6. 798 b30. ἀπ᾽ ἀρχῆς τὸν νομοθέτην ὁρᾶν δεῖ Πη 16. 1334 b29. βέλτιον ἐξ ἀρχῆς ὁρᾶν Πε 3. 1302 55 b19. ἐξ ἀρχῆς διελθεῖν Π δ 10. 1300 a10. πάλιν ἐξ ἀρχῆς εἴπωμεν Α δ 8. 93 a16 Wz. Γα 2. 316 b18. λεκτέον ἐξ ἀρχῆς ἀναλαβῦσιν Οα 5. 271 b17. cf Ζμβ 10. 655 b28. ἐξ ἀρχῆς εὐθὺς ὑπάρχειν Πγ 16. 1287 b10. cf Φη 3. 247 b16. Ηε 10. 1134 b20. ἐξ ἀρχῆς, opp ὕστερον χ 6. 799 a10, b9. καθιστάναι, συστῆσαι ἐξ ἀρχῆς Π θ 1. 1337 a16. γ 13. 1284 b11. 60

οἱ πάμπαν ἐξ ἀρχῆς ἁψάμενοι τῆς μεθόδυ ΜΑ 3. 984 a27. (cf ἡ πρώτη φιλοσοφία, νέα κατ᾽ ἀρχὰς ὖσα ΜΑ 10. 993 a16). οἱ ἐξ ἀρχῆς (i e οἱ παλαιοί) Π δ 3. 1337 b29. πλ 11. 956 b16. ἡ ἐξ ἀρχῆς πολιτεία Π δ 13. 1297 b17. τὰ ἐξ ἀρχῆς αἴτια (i e τὰ πρῶτα αἴτια) ΜΑ 3. 983 a24 Bz. ἡ ἐξ ἀρχῆς σύστασις, γένεσις αν 14. 477 b8. μ β 1. 353 a34. 6. 365 a11. τὰ ἐξ ἀρχῆς ꝗ τὰ ἀίδια Μ θ 9. 1051 a19. τὰ ἐξ ἀρχῆς, opp τὰ ἐπιγινόμενα Π γ 9. 1280 a30. Η ε 7. 1132 b14. ἡ ἐξ ἀρχῆς σκέψις, πρόθεσις, προαίρεσις Αα 32. 47 a5. εν 2. 460 a32. Ρ β 18. 1392 a4. μα 1. 339 a9. αἱ ἐξ ἀρχῆς θέσεις, ὑποθέσεις, προτάσεις μα 3. 339 a33. Αα 1. 24 a30. 23. 41 a32. 16. 36 a6. τὸ ἐξ ἀρχῆς ῥηθέν τ ζ 9. 147 b1, 2, 3. τὸ ἐξ ἀρχῆς Αα 5. 27 a17. Οα 2. 268 b25. ὐκ ἐν τοῖς ἐξ ἀρχῆς (i e in iis ipsis quae a principio sumpsimus) ἀλλ᾽ ἐν τοῖς μεταλαμβανομένοις Αα 29. 45 a18 Wz. τὸ ἐν ἀρχῇ, syn τὸ κείμενον, ἡ θέσις, opp τὸ ἀκόλυθον τ θ 6. 160 a5, 11. β 5. 112 a20. ἀνήρηται ἐξ ἀρχῆς τὸ ἐξ ἀρχῆς τη 5. 154 b27. Αα 26. 43 a7. β 8. 60 a7. 9. 60 a39. ἀποδεικνύναι τὸ ἐξ ἀρχῆς (i e id quod ab initio ad demonstrandum propositum erat) Α β 16. 65 a1. α 23. 41 a24, 34 (cf a40. 25. 42 a30). Φη 1. 242 b20. λαμβάνειν, αἰτεῖσθαι, αἰτεῖν τὸ ἐξ ἀρχῆς. τὸ ἐν ἀρχῇ (i e sumere id quod ab initio ad demonstrandum propositum est, petitio principii) Αα 23. 40 b32 Wz. 24. 41 b8, 13, 20. Μ γ 4. 1006 a17, 21. τὸ ἐξ ἀρχῆς κείμενον Μ γ 4. 1008 b2. τὸ ἐν ἀρχῇ αἰτεῖσθαι ποσαχῶς τ θ 13. 162 b31-163 a13. παραλογισμὸι παρὰ τὸ αἰτεῖσθαι τὸ ἐξ ἀρχῆς τι 27. 5. 167 a36-39. 6. 168 b22-26. — ad initium disputationis alicuius (rarius ad initium universi libri, cf Krische Jen LZ 1836 p 116) Ar lectores remittit his formulis: εἴρηται (διωρίσαμεν al) κατ᾽ ἀρχὰς Ηη 7. 1149 b27 Fritsche. Αγ 22. 84 a32. Φθ 6. 260 a11. ψγ 3. 427 a29. ηεη 5. 1239 b7. Μμ 10. 1086 b15, κατ᾽ ἀρχὴν Π δ 8. 1293 b27, ἐξ ἀρχῆς Γα 10. 327 a32. Πα 10. 1258 a19, ἐν τοῖς ἐξ ἀρχῆς Αα 14. 33 a34. 25. 42 a34, ἐν ἀρχῇ Αα 17. 37 a27. Μ ζ 4. 1029 b1, ἐν ἀρχαῖς ρ 37. 1443 b11. 38. 1445 a37. — disputationis alicuius initium Ar saepe facit a talibus formulis: πάλιν ἄλλην ἀρχὴν ποιησάμενοι λέγωμεν. λέγωμεν ποιησάμενοι ἀρχὴν τήνδε Μ ζ 17. 1041 a7. Φθ 7. 260 a20. Πα 13. 1260 b22. β 1. 1260 b36. Οα 2. 268 b14. λέγωμεν ἀρχὴν λαβόντες ἄλλην, τὴν αὐτήν, τήνδε sim Φθ 5. 257 a32. μ β 3. 357 b23. 4. 359 b27. Γ δ 4. 1290 b23. 14. 1297 b5. (cf ἄλλας ἀρχὰς λαμβάνειν καλῶς Αγ 6. 74 b22. δεῖ πρῶτον ὑπολαβεῖν τὴν ἀρχήν, ὅτι Πε 1. 1301 a26). πάλιν ἄλλην ἀρχὴν ἀρξάμενοι λέγωμεν Φα 9. 191 b4. σκεπτέον ἀρχὴν θεμένοις Αγ 6. 74 b13. ἀρχὴ ἔστιν ἐντεῦθεν Οα 12. 281 b2. ἀρχή in his formulis a mera initii vi prope accedit ad eam significationem, quae sub 2 describitur. omnino saepe dubites, utrum ἀρχή unice initium significet, an alia quaedam notio, imprimis notio causae, accedat, αὕτη πασῶν ἀρχὴ τῶν ἐναντιώσεων τοῖς ἀποφηναμένοις Οα 5. 271 b6. ἀρχαὶ ꝗ ῥίζαι γῆς ꝗ θαλάττης μ β 1. 353 b1. ἀρχαὶ ꝗ πηγαὶ στάσεως, φιλίας Πε 1. 1301 b4. ηεη 10. 1242 b1. ἡ καρδία, quamquam est ἀρχὴ τῶν φλεβῶν Ζ 3. 468 b32, tamen saepe pleniore sensu ἀρχὴ dicitur ζ 5. 470 a7. εν 3. 461 b12. ἀρχὴ ꝗ οἷον ψυχὴ ὁ μῦθος τῆς τραγῳδίας, δεύτερον δὲ τὰ ἤθη πο 6. 1450 a38 (cf infra 3b ἀρχὴ ꝗ ὐσία). ἔστι δ᾽ ἀρχὴ τῆς λέξεως τὸ ἑλληνίζειν Ρ γ 5. 1407 a19.

2. ἀρχαί, principia cognoscendi, ὅθεν γνωστὸν τὸ πρᾶγμα πρῶτον Μ δ 1. 1013 a14. ἀρχαὶ ἐξ ὧν δεικνύνται ἅπαντες, συλλογιστικαί, ἀποδεικτικαί, ἐπιστημονικαί Μ β 1. 995 b8. 2. 996 b26. γ 3. 1005 b7. χ 1. 1059 a24. τα 1. 100 b19. τινος

ἐπιστήμης ἐστὶν αὐτὰς θεωρῆσαι Μβ1. 995 ᵇ8. 2. 996 ᵇ26.
×1. 1059 ᵃ24. αἱ ἀρχαὶ ⅹ αἱ λεγόμεναι ὑποθέσεις Αγ19.
81 ᵇ14. Μμ9. 1086 ᵃ15. ἀμέσων ἀρχῆς συλλογιστικῆς θέσιν
λέγω Αγ2. 72 ᵃ15. ὑπομένουσι τὸ συμβαῖνον ὡς ἀληθεῖς
ἔχοντες ἀρχάς Ογ7. 306 ᵃ14 (cf τὰς θέσεις διαφυλάττειν 5
ᵃ12). — ἀρχαὶ τȣ συμπεράσματος αἱ προτάσεις Αα27. 43
ᵃ21, ᵇ36, 35. 30. 46 ᵃ10 Wz. γ32. 88 ᵇ4. Φβ9. 200 ᵃ21.
ἀρχὴ ἐν συλλογισμῷ, ἀρχὴ ἀποδείξεως πρότασις ἄμεσος
Αγ23. 84 ᵇ37. 2. 72 ᵃ7. ἀρχαὶ ἀποδέιξεως προτάσεις ἀναγ-
καῖαι Αγ6. 74 ᵇ5. (ἀρχὴ συλλογισμȣ propositio maior no- 10
minatur Αγ25. 86 ᵇ30 Wz.) ἀρχαὶ ἀποδείξεων ὁρισμοὶ ἀνα-
πόδεικτοι Αδ3. 90 ᵇ24, 27. τθ3. 158 ᵇ2sqq. — οἱ ἀπὸ τῶν
ἀρχῶν λόγοι, οἱ ἐπὶ τὰς ἀρχὰς λόγοι Ηα2. 1095 ᵃ31-ᵇ1.
αἱ ἀρχαὶ διτταί, ἐξ ὧν τε ⅹ περὶ ὅ· αἱ μὲν ȣν ἐξ ὧν κοιναί,
αἱ δὲ περὶ ὃ ἴδιαι Αγ32. 88 ᵇ27, 28, ᵃ36. καθόλυ μάλιστα 15
ⅹ πάντων ἀρχαὶ τὰ ἀξιώματά ἐστιν Μβ2. 997 ᵃ13, in iis
axiomatis quod primum locum obtinet, principium contra-
dictionis, exponitur Μγ3-6. ×5. 6; hoc principium est
ἀρχὴ βεβαιοτάτη, γνωριμωτάτη, πιστοτάτη, ἀνυπόθετος, περὶ
ἣν ȣκ ἔστι διεψεῦσθαι Μγ3. 1005 ᵇ11, 12, 13, 14, 18, 22. 20
×5. 1061 ᵇ34, 1062 ᵃ4. τὰς αὐτὰς εἶναι ἀρχὰς ἁπάντων τῶν
συλλογισμῶν ἀδύνατον Αγ32. τὰς ἑκάστης ἀρχὰς ἰδίας ȣκ
ἔστιν ἀποδεῖξαι Αγ9. 76 ᵃ17. 10. 76 ᵃ31. τὰς ἀρχὰς περὶ
ἕκαστον παραδȣναι ἐμπειρίας ἐστί Αα30. 46 ᵃ18sqq. αἱ περὶ
ἕκαστον ἀρχαί, αἱ οἰκεῖαι ἀρχαί Αβ1. 53 ᵃ3. γ2. 71 ᵇ23, 25
72 ᵃ6. ημα1. 1183 ᵇ1. οἱ μὴ ἐκ τῶν οἰκείων ἀρχῶν λόγοι
κενοί Ζγβ8. 748 ᵃ8, 747 ᵇ30. τῷ γεωμέτρῃ ȣκέτι λόγος ἐστὶ
πρὸς τὸν ἀνελόντα τὰς ἀρχὰς Φε2. 185 ᵃ2. cf θ3. 253 ᵇ2.—
αἱ ἀρχαὶ γνωριμώτεραι τῶν ἀποδείξεων Αθ19. 100 ᵇ9. β16.
65 ᵃ14. αἱ ἀρχαὶ δι' αὑτῶν γνωρίζονται Αβ16. 64 ᵇ35. δεῖ 30
ἑκάστην τῶν ἀρχῶν αὐτὴν καθ' αὑτὴν εἶναι πιστήν τα1. 100
ᵇ20. ἀποδείξεως ἀρχὴ ȣκ ἀπόδειξίς ἐστιν Μγ6. 1011 ᵃ13.
Αθ19. 100 ᵇ13. Ζγβ6. 742 ᵇ29-33. αἱ ἀρχαὶ ἀναπόδεικτοι,
ȣκ ἔστιν αὐτῶν λόγος διδασκαλικὸς ημα35. 1197 ᵃ22. Ηη9.
1151 ᵃ18. αἱ ἀρχαὶ αἱ πρῶται, αἱ ἄμεσοι, πῶς γίνονται 35
γνώριμοι Αθ19. τῶν ἀρχῶν ȣκ ἔστι συλλογισμός· ἐπαγωγὴ
ἄρα Ηζ3. 1139 ᵇ30. α7. 1098 ᵇ1. cf τα2. 101 ᵇ1. ἀρχὴ
ἐπιστήμης. ἢ τὰς ὅρȣς γνωρίζομεν Αγ3. 72 ᵇ24. ἀρχὴ ἐπι-
στήμης νȣς Αγ23. 84 ᵇ37. 33. 88 ᵇ35sqq. ὁ19. 100 ᵇ12.
Ηζ12. 1143 ᵇ10. 6. 1140 ᵇ34-1141 ᵃ8. 40

3. ἀρχαί, principia realia, ἀρχαὶ τῆς ȣσίας, dist ἀρχαὶ
ἐξ ὧν δεικνύεται Μβ1. 995 ᵇ7. ἀρχὴ τοῦ συναναιρῶν Μκ1.
1060 ᵃ1. ἡ ἀρχὴ τινός ἢ τινῶν Φα2. 185 ᵃ4. δεῖ τὰς ἀρχὰς
μήτε ἐξ ἀλλήλων εἶναι μήτε ἐξ ἄλλων, ⅹ ἐκ τύτων πάντα
Φα5. 188 ᵃ27. Ζγε7. 788 ᵃ14. πρότερον ἡ ἀρχὴ ὧν ἀρχή 45
ἐστιν Μμ10. 1087 ᵃ3. ἀρχαὶ ἄνωθεν πάντων f 85. 1491 ᵃ13.
ἡ ἀρχὴ τίμιον Ζπ5. 706 ᵇ12. αἱ ἀρχαὶ μεγέθει μικραί, δυ-
νάμει μεγάλαι Ζγε7. 788 ᵃ13. ἀδύνατον τὴν ἀρχὴν ἕτερόν
τι ȣσαν εἶναι ἀρχήν Μν1. 1087 ᵃ33. Φα6. 189 ᵃ30. ἀρχή,
coni syn αἰτία, αἴτιον ΜΑ2. 982 ᵇ9. 3. 983 ᵃ29, ᵇ4. 5. 986 50
ᵇ33. 8. 989 ᵇ23, 990 ᵃ2. β3. 999 ᵃ18. γ1. 1003 ᵃ26. 2.
1003 ᵇ18. δ12. 1019 ᵇ5. ε1, 1025 ᵇ7. 3. 1027 ᵃ29. λ4.
1070 ᵇ26. Φα1. 184 ᵃ13. μα3. 340 ᵇ18. 9. 346 ᵇ19. β8.
366 ᵃ12. Πε2. 1302 ᵃ18, 34. Ρα7. 1364 ᵃ11, 35. ηεβ6.
1222 ᵇ30 al. (cf αἱ τῶν νόσων ἀρχαὶ Ζμβ7. 653 ᵃ8.) πάντα 55
τὰ αἴτια ἀρχαὶ Μδ1. 1013 ᵃ17 Bz, sed ἔστιν ἀρχή τις ⅹ
ȣκ ἄπειρα τὰ αἴτια τῶν ὄντων Μα2. 994 ᵃ1, ἀρχὴ ⅹ αἴτιον
ταὐτὸν ⅹ μία φύσις τῷ ἀκολȣθεῖν ἀλλήλοις, ἀλλ' ȣχ ὡς
ἑνὶ λόγῳ δηλȣμένα Μγ2. 1003 ᵇ24. ἡ ἀρχὴ πρώτη τῶν αἰ-
τίων Γα7. 324 ᵃ27. (ὅσων ὁ ἄνθρωπος ἀρχὴ ⅹ κύριος ηεβ6. 60
1223 ᵃ5.) ἀρχή, coni syn στοιχεῖον ΜΑ3. 983 ᵇ11. 8. 989

ᵇ30. β1. 995 ᵇ27. 6. 1002 ᵇ32, 1003 ᵃ1, 6. γ3. 1003 ᵃ29.
λ4. 1070 ᵇ16. 5. 1071 ᵃ30. μ6. 1080 ᵇ32. 7. 1081 ᵃ15. 9.
1086 ᵃ28. 10. 1086 ᵇ20, 1087 ᵃ3. ν4. 1091 ᵇ23. Φα5. 188
ᵇ28. Γβ1. 329 ᵃ5 al, coni στοιχεῖον et αἴτιον Με1. 1025 ᵇ5.
η1. 1042 ᵃ5. λ1. 1069 ᵃ26. μ9. 1086 ᵃ21. Φα1. 184 ᵃ11,
coni syn στοιχεῖον et ȣσία Μμ6. 1080 ᵇ6. ἐπεὶ δὲ ȣ μόνον
τὰ ἐνυπάρχοντα αἴτια, ἀλλὰ ⅹ τῶν ἐκτός, δῆλον ὅτι ἕτερον
ἀρχὴ ⅹ στοιχεῖον, αἴτια δ' ἄμφω Μλ4. 1070 ᵇ22. δ1. 1024
ᵃ26 Bz. ἀρχή, dist στοιχεῖον Μζ17. 1041 ᵇ31. ×1. 1059
ᵇ23. λ4. 1070 ᵇ26. ν4. 1091 ᵇ3, 20-22, 1092 ᵃ6. — quae-
stiones de principiis: πότερον τὰς τῆς ȣσίας ἀρχάς ἐστι
τῆς ἐπιστήμης ἰδεῖν μόνον, ἢ ⅹ περὶ τῶν ἀρχῶν ἐξ ὧν δεικ-
νύησιν ἅπαντες Μβ1. 995 ᵇ7. αἱ ἀρχαὶ πότερον ἀριθμῷ ἢ
εἴδει ὡρισμέναι Μβ1. 996 ᵃ1. 4. 999 ᵇ25-1000 ᵃ4. ×2.1060
ᵇ28-30. πότερον τὰ γένη, τὰ εἴδη ἀρχαί Μβ3. 998 ᵃ22, ᵇ4-
14. ×1. 1059 ᵇ21-1060 ᵃ2. αἱ ἀρχαὶ πότερον καθόλȣ ἢ ὡς
τὰ καθ' ἕκαστα Μβ6. 1003 ᵃ7-17. ×2. 1060 ᵇ19-23. μ10.
cf λ5. 1071 ᵃ20, πότερον δυνάμει ἢ ἐνεργείᾳ Μβ6. 1002
ᵇ32-1003 ᵃ5. πότερον ἕτεραι ἢ αἱ αὐταὶ τῶν ȣσίων ⅹ τῶν
πρός τι Μλ4. 1070 ᵃ34. cf τι11. 172 ᵃ14. πῶς ἔχει πρὸς
τὸ ἀγαθὸν τὰ στοιχεῖα ⅹ αἱ ἀρχαὶ Μν4. 1091 ᵃ31-5. 1092
ᵃ17. πότερον αἱ αὐταὶ τῶν φθαρτῶν ⅹ τῶν ἀφθάρτων ἢ
ἕτεραι Μβ4. 1000 ᵃ7. ×2. 1060 ᵃ30. Ογ7. 306 ᵃ11. αἱ ἀρ-
χαὶ ὁμογενεῖς τοῖς ὑποκειμένοις Ογ7. 306 ᵃ11, cf β2. 285
ᵃ21. Μα1. 993 ᵇ28. ηε36. 1222 ᵇ42. ημα10. 1187 ᵃ34.
ἀρχὴ ἀριθμȣ, γραμμῆς Μμ7. 1081 ᵃ15. ι1. 1052 ᵇ24. τα18.
108 ᵇ27, 30. α7 969 ᵃ15. τὸ ἄνω κάτω, πρόσθεν ὄπισθεν,
δεξιὸν ἀριστερὸν ἀρχαὶ Οβ2. — de numero Οβ2. ×
ἀρχὴ ἢ μία ἢ πολλαί f 16. 1476 ᵇ42. veteres philosophi
quot posuerint ἀρχάς Φα2. 184 ᵇ15-22, Ἀναξαγόρας ἀπεί-
ρȣς ΜΑ3. 984 ᵃ13, οἱ Πυθαγόρειοι δέκα ΜΑ5. 986 ᵃ22.
ἔστι μὲν ὡς ἰδεῖν τὰς ἀρχὰς (i e ὕλη, εἶδος), ἔστι
δ' ὡς τρεῖς (i e ὕλη, εἶδος, στέρησις) Φα6. 7. Μλ2-5 (im-
primis 2. 1069 ᵇ33. 4. 1071 ᵇ8). τἀναντία τῶν ὄν-
των ΜΑ5. 986 ᵇ3. γ2. 1004 ᵃ31. Φα5. 188 ᵃ19, ᵇ28. ἀρχαὶ
ἐναντίαι πότερον τῶν ἀκινήτων ȣσίων Μν1. 1087 ᵃ29-ᵇ4. ἀρ-
χὴν μίαν βέλτιον ἢ πολλάς, ὅπη ἀποδέχεται Ζμγ4. 665 ᵇ15,
ᵃ14. — genera τῶν ἀρχῶν Ar eadem quatuor distingui
ac causarum ΜΑ3. 983 ᵃ26 sqq (cf ἀρχαὶ αἱ ἐν τοῖς λόγοις,
αἱ ἐν τοῖς ὑποκειμένοις Μβ1. 996 ᵃ1 Bz). a. ἀρχὴ ὡς ὕλη
ΜΑ5. 986 ᵃ17. αἱ ἐν ὕλης εἴδει ἀρχαὶ ΜΑ3. 983 ᵇ7. τὸ
ἐξ ȣ γίγνεται ἀρχὴ πάντων ΜΑ3. 983 ᵇ24. ὑλικὴ ἀρχὴ
Ζμα1. 640 ᵇ5. Ζγγ11. 762 ᵇ1. σωματικὴ ἀρχὴ ΜΑ5. 987
ᵃ4. τὸ δυνάμει σῶμα αἰσθητὸν ἀρχὴ Γβ1. 329 ᵃ33. αἱ ἀρχαὶ
τῶν σωμάτων αἱ παθητικαὶ ὑγρὸν ⅹ ξηρὸν μδ4. 381 ᵇ24.
— b. ἀρχὴ ἐν τοῖς ἀκινήτοις τὸ τί ἐστι Ζγβ6. 742 ᵇ33.
ἀρχὴ ⅹ φύσις μᾶλλον τῆς ὕλης Ζμα1. 642 ᵃ17. ἀρχή, coni
syn ȣσία Μζ9. 1034 ᵃ31. 17. 1041 ᵃ9. λ1. 1069 ᵃ28. μ1.
1076 ᵃ24, 30. ἀρχαὶ nominantur eae oppositae inter se
qualitates, quibus τὰ στοιχεῖα definiuntur μα2. 339 ᵃ11,
13, 14. Ζμβ2. 648 ᵇ9. — c. αἱ ἀρχαὶ αἱ κινῆσαι Φβ7. 198
ᵃ36. Ζγγ11. 762 ᵇ3, 5. ἡ ἀρχὴ ἢ ὡς κινῆσα Μη4. 1044
ᵃ31. ἡ ὡς κινῆσα ⅹ κυρία ἀρχὴ μα9. 346 ᵇ20. (ἡ ἀρχὴ ἡ
κινῆσα τὴν φωνὴν Ζγε7. 788 ᵃ5.) ἡ ἀρχὴ τῆς κινήσεως Φβ1.
192 ᵇ28. 7. 198 ᵇ1. ὅθεν ἡ ἀρχὴ τῆς κινήσεως ΜΑ3. 984
ᵃ27. μα2. 339 ᵃ31. ἡ ἀρχὴ τῆς γενέσεως Μβ8. 1033
ᵃ25. ἀρχαὶ τῆς γενέσεως Ζγα2. 716 ᵃ4. β1. 735 ᵃ27. ἀρχὴ
μεταβλητικὴ Μθ12. 1020 ᵃ5. θ1. 1046 ᵃ14. 2. 1046 ᵇ4. 8.
1049 ᵇ7. ἀρχὴ κινητικὴ ἢ στατικὴ Μθ8. 1049 ᵇ7. ἀρχὴ
κινητικὴ ⅹ γεννητικὴ Ζγβ6. 742 ᵃ29, cf α19. 726 ᵇ21. opp
ἡ ὕλη ψγ5. 430 ᵃ19. μβ8. 368 ᵃ34. ἀρχὴ τῶν κινȣμένων

πάντων τὸ ἀκίνητον Φθ6. 259ᵃ33, cf ᵇ27, 30. ἡ θειοτάτη ἀρχὴ Οβ12. 292 ᵇ22. ψυχικὴ ἀρχή· ἀρχὴ τῆς ψυχῆς Ζγβ3. 737 ᵃ8, 29. γ1. 751 ᵇ6. 11. 762 ᵃ25, ᵇ17. Ζκ10. 703 ᵃ12. ἡ ἀρχὴ ἡ ἐν τῇ ψυχῇ φτα1. 816 ᵃ21. ζωτικὴ ἀρχὴ Ζγβ3. 737 ᵃ5. ἀρχὴ θερμὴ φυσικὴ Ζμβ3. 650 ᵃ7. ἐξ ἀρχῆς φυσικῆς φτα1. 816 ᵇ12. ἀρχὴ τῆς φύσεως φτβ7. 827 ᵇ7. τῶν ζῴων τὰ μετέχοντα καθαρωτέρας ἀρχῆς Ζγβ1. 732 ᵇ29. ἡ θρεπτικὴ ἀρχὴ ζ1. 468 ᵃ1. αυ21. 480 ᵃ17. αὐξήσεως ἀρχὴ Ζγβ1. 735 ᵃ16. ἡ ἀπὸ τῦ ἄρρενος ἀρχή, ἡ τῦ σπέρματος ἀρχὴ Ζγγ7. 757 ᵇ13. 2. 752 ᵃ10, 19, 23. σπέρμα ἔχον τὴν ἀρχὴν τῦ εἴδῦς Ζγδ1. 765 ᵇ11. ἀρχή τις τὸ θῆλυ ϰὴ τὸ ἄρρεν Ζγα2. 716 ᵇ10. δ1. 763 ᵇ23. ὅσων ἐστὶν ἀρχῶν ἡ ἐνέργεια σωματικὴ Ζγβ3. 736 ᵇ22. ἡ καρδία ἀρχὴ ϰὴ τῶν ὁμοιομερῶν ϰὴ τῶν ἀνομοιομερῶν Ζγβ4. 740 ᵃ18. 5. 741 ᵇ15, ἀρχὴ αἱματικὴ Ζγγ11. 762 ᵇ25, cf Ζιγ2. 511 ᵇ10. ἔνια τῶν μορίων ἀρχαί εἰσιν Ζγδ1. 766 ᵃ28, 29. cf Ζκ8. 702 ᵃ8. τὰ ζῷα ἀρχὴν ἐντὸς ἔχει Ζγβ4. 740 ᵃ16, 7, 2. αἰσθητικὴ ἀρχὴ ψα5. 411 ᵇ30. ζ2. 468 ᵇ4. αἱ ἀρχαὶ τῶν ὄψεων πγ30. 875 ᵇ10, 15. δύναμις ϰὴ ἀρχὴ ψβ2. 413 ᵃ27. cf μκ6. 467 ᵃ21, 29. Μδ12. 1019 ᵇ9. ἀρχαὶ κύριαι λέγονται ὅθεν πρῶτον αἱ κινήσεις ηεβ6. 1222 ᵇ21 (cf μα9. 346 ᵇ20). ἀρχὴ κυριωτέρα εν3. 461 ᵇ4. μτ2. 463 ᵇ28. ἡ τέχνη ἀρχὴ ἐν ἄλλῳ, ἡ φύσις ἀρχὴ ἐν αὐτῷ Μλ3. 1070 ᵃ7, 8. ἀρχῆς ἔργον ποιῆσαι οἷον αὐτὴ ἕτερα πολλά f 85. 1491 ᵃ5, 3. saepe dubites nec differt, utrum εἶδος an τὸ κινῦν per v ἀρχὴ significari putes, veluti ἡ ψυχὴ οἷον ἀρχὴ τῶν ζῴων ψα1. 402 ᵃ6, 22, ἡ ξηρὰ ἀναθυμίασις τῶν πνευμάτων ἀρχὴ ἡ φύσις μβ4. 360 ᵃ13 et in multis ex iis locis, quas sub b attulimus. — d. αἱ ἀρχαὶ τῶν πρακτῶν τὸ ὖ ἕνεκα τὰ πρακτά Ηζ5. 1140 ᵇ16. η9. 1151 ᵃ16. ἀρχαὶ πρακτικαί Ηζ13. 1144 ᵃ35. διὰ προαιρέσεως ἀρχήν, dist διὰ πάθος Ηε10. 1134 ᵃ21 (opp δι' ἀρχὴν ὡρισμένην ημα17. 1189 ᵇ12). ἡ τοιαύτη ἀρχὴ ἀνθρωπος Ηζ2. 1139 ᵇ1. cf γ5. 1112 ᵇ32.

4. ἀρχή, ἣ κατὰ προαίρεσιν κινεῖται τὰ κινούμενα ϰὴ μεταβάλλει τὰ μεταβάλλοντα. ὥσπερ αἱ κατὰ τὰς πόλεις ἀρχαὶ ϰὴ αἱ δυναστεῖαι Μδ1. 1013 ᵃ10. — a. imperium, dominatio, principatus. ἀρχὴ θαλάττης ἀρχὴ κακῶν sim (Isocr 5, 61. 8, 101) Ργ11. 1412 ᵇ4, 6. κοινωνεῖν ἐξωτερικῆς ἀρχῆς Πβ10. 1272 ᵇ20. βελτίων ἡ ἀρχὴ ἡ τῶν βελτιόνων ἀρχομένων Πα5. 1254 ᵃ25, cf ᵃ33, 30. ἀρχαί, coni δυναστεῖαι, βασιλεῖαι, τυραννίδες Ηθ1. 1155 ᵃ6. Μδ1. 1013 ᵃ13. τῆς ἀρχῆς πόσα εἴδη (sive πόσαι ἀρχαί), δεσποτική, δῦλική, πολιτικὴ al Πγ6. 1278 ᵇ16. α5. 1254 ᵇ4. 7. 1255 ᵇ17. 12. 1259 ᵇ4. γ14. 1285 ᵃ22. 17. 1288 ᵃ11. δ11. 1295 ᵇ21. η3. 1325 ᵃ27. ὑπομένειν τὴν ἀρχὴν Πβ5. 1264 ᵃ19. γ14. 1285 ᵃ22. ἀρχὴν ἔχων, syn ἄρχων Ηε8. 1132 ᵇ28, 29. ἀρχὴ ἄνδρα δείξει Ηε3. 1130 ᵃ1. — b. magistratus. ἀρχαί, syn τιμαὶ Πγ10. 1281 ᵃ30. ε6. 1305 ᵇ3, 4. opp δῆμος, ἰδιῶται Πδ4. 1292 ᵃ28. ε4. 1304 ᵃ35. dist ὁ νόμος Πδ4. 1292 ᵃ33. γ16. 1287 ᵇ16. ἡ πολιτεία τάξις περὶ τὰς ἀρχὰς Πδ1. 1289 ᵃ15. 3. 1290 ᵃ8. πολίτης ᾧ κοινωνεῖ ἔξεστιν ἀρχῆς Πγ5. 1277 ᵇ35. 1. 1275 ᵃ23. ἀρχὴ def Πδ15. 1299 ᵃ15, 25. περὶ τὰς ἀρχάς, ποίας ϰὴ πόσας δεῖ εἶναι ϰὴ πῶς αὐτὰς καταστῆσαι Πδ14. 15. ρ3. 1424 ᵃ39–ᵇ3. τῶν ἀρχῶν πόσα εἴδη Πζ8. ποίας δεῖ ἀρχὰς συνάγειν εἰς μίαν ἀρχὴ sim Πδ15. 1299 ᵇ13, 16, 2, ᵃ35. ἀρχαὶ πολιτικαί, dist ἱερεῖς, χορηγοί, κήρυκες al Πδ15. 1299 ᵃ18. ζ8. 1322 ᵇ18. γ6. 1279 ᵃ9. 4. 1277 ᵇ7. η3. 1325 ᵃ19. ἀρχὴ βϋλευτική, κριτικὴ Πγ1. 1275 ᵇ18. ἀρχὴ ἀόριστος (τῶν βϋλευτῶν, τῶν ἐκκλησιαστῶν) Πγ1. 1275 ᵃ23, 32, 29. 16. 1287 ᵇ16. ε6. 1306 ᵇ8. ἀρχαὶ κληρωταί, αἱρεταὶ Πδ9. 1294 ᵇ8, 13. ἀρχαὶ

ἀπὸ τιμημάτων, ἀπὸ τιμημάτων μακρῶν. ἐκ τῶν μεγίστων τιμημάτων, μὴ ἀπὸ τιμήματος Πδ5. 1291 ᵇ39, 1292 ᵃ40, ᵇ1. 9. 1294 ᵇ8, 13. β6. 1266 ᵃ13. 7. 1266 ᵇ24. ἀρχαὶ ἀναγκαῖαι Πζ6. 1320 ᵇ24 (opp κυριώτεραι). 8. 1321 ᵇ6. ἀρχαὶ μικραί ρ3. 1424 ᵃ13. ἀρχαὶ μεγάλαι, μέγισται Πε5. 1305 ᵃ16. 6. 1306 ᵃ15. δ9. 1294 ᵇ29. γ11. 1281 ᵇ26, 1282 ᵃ32. ἀρχαὶ κύριαι, κυριῶται Πε10. 1310 ᵇ20. β8. 1268 ᵃ23. ἀρχαὶ ἀφ' ὧν λήμματα Πε8. 1309 ᵃ21, 1308 ᵇ33. ἀρχαὶ ὀλιγοχρόνιοι, ἑξάμηνοι Πζ2. 1317 ᵇ25. ε8. 1308 ᵃ15. οἱ ἐν ταῖς ἀρχαῖς Πε3. 1302 ᵇ7. 6. 1305 ᵇ3. δ15. 1299 ᵇ3. ἄρχειν τὰς μεγίστας ἀρχάς Πγ11. 1282 ᵃ32. δ4. 1291 ᵇ6. β11. 1273 ᵃ8. μετέχειν τῶν ἀρχῶν, τῶν μεγίστων ἀρχῶν Πβ9. 1270 ᵇ19. 11. 1273 ᵇ13. γ11. 1281 ᵇ26. ε6. 1306 ᵃ15 al. παριέναι εἰς τὰς ἀρχὰς Πε3. 1303 ᵃ17. βαδίζειν εἰς τὰς ἀρχάς Πβ7. 1266 ᵇ24. δ14. 1298 ᵃ15. λειτουργεῖν περὶ τὰς ἀρχάς Πδ4. 1291 ᵃ35. ἀμφισβητεῖν τῶν ἀρχῶν Πγ12. 1283 ᵃ11. ἐγχειρίζειν, ἀπονέμειν τὰς ἀρχὰς Πε8. 1308 ᵇ27, 1309 ᵃ21. 5. 1305 ᵃ16. ἀνίσως νενεμῆσθαι τὰς ἀρχὰς Πγ12. 1282 ᵇ24. αἱρεῖσθαι ϰὴ εὐθύνειν τὰς ἀρχάς, αἱρεῖσθαι ἀριστίνδην πλϋτίνδην, αἵρεσις ἀρχῶν Πβ12. 1274 ᵃ16, 2. 11. 1272 ᵇ36. γ11. 1282 ᵃ26. δ7. 1293 ᵇ11. ε6. 1305 ᵇ31. ἐπιψηφίζειν ἀρχῇ τις Πε1. 1301 ᵇ24. ἐξαμυνᾶσθαι ἀρχὴν Πδ18. 1297 ᵃ16, 19. ἀπειπεῖν τὴν ἀρχὴν Πβ10. 1272 ᵇ5. ἐπιχειροτονεῖν, ἀποχειροτονεῖν τὰς ἀρχὰς f 394. 1543 ᵇ13. 395. 1543 ᵇ35. εἰσάγειν δοκιμασίας ταῖς ἀρχαῖς, ἐπικληρϋν τὰ δικαστήρια ταῖς ἀρχαῖς f 378. 1541 ᵃ5, 8.

ἀρχηγός Ηθ14. 1162 ᵃ4 (auctor ac princeps generis). ἀρχηγὸς τῦ γένϋς, ἀρχηγοὶ τῶν προγόνων f 85. 1491 ᵃ15, 21. αἱ ἀρχηγοὶ φλέβες δύο εἰσὶν Ζμγ4. 666 ᵇ25. ὁ τῆς τοιαύτης ἀρχηγὸς φιλοσοφίας ΜΑ3. 983 ᵇ20.

Ἀρχίας Θηβαῖος Πε6. 1306 ᵇ1.

Ἀρχίβιος· Πλάτων πρὸς Ἀ. Ρα15. 1376 ᵃ10.

Ἀρχίδαμος Ργ4. 1406 ᵇ30.

ἀρχιθέωρος Ηδ4. 1122 ᵃ25.

ἀρχικέραυνος (v l, ἀργικέραυνος Bk) Ζεύς (Orph VI 10) κ7. 401 ᵃ28.

Ἀρχικλῆς ημα17. 1189 ᵇ20.

ἀρχικός. ἡ τῆς καρδίας θέσις ἀρχικὴν χώραν ἔχει Ζμγ4. 665 ᵇ18. — ἀρχικὴ ἀρετή, ἀνδρία sim, opp ὑπηρετικὴ Πα13. 1260 ᵃ23. γ4. 1277 ᵃ28, ᵇ18. ἀρχικὸν ϰὴ ἀήττητον ὁ θυμός, τὸ φρονῦν Ηε7. 1328 ᵃ7. Πα11. 1371 ᵇ27. φύσει ἀρχικὸν πατὴρ υἱῶν Ηθ3. 1161 ᵃ18. τὸ ἐπιτάττειν ἀρχικώτερον Πδ15. 1299 ᵃ27. φύσει ἡ ἄνω ἀρχικωτέρα ϰὴ κινεῖ ψγ11. 434 ᵃ15. ἀρχικωτέρα ἐπιστήμη, ἀρχικωτάτη ϰὴ ἡγεμονικωτάτη, opp ὑπηρετῦσα ΜΑ2. 982 ᵃ16, ᵇ4. (Bz ad 981 ᵃ30). β2. 996 ᵇ10. τίμια τῶν ἀγαθῶν τὰ ἀρχικώτερα f 110. 1496 ᵃ35.

Ἀρχίλοχον Πάριοι τετιμήκασι Ρβ23. 1398 ᵇ11. eius versus afferuntur Πη7. 1328 ᵃ3 (fr 69). Ργ17. 1418 ᵇ28 (fr 76. 24). Archilochus Parius scripsit carmina elegiaca f 626. 1584 ᵃ7.

ἀρχιτεκτονικὴ τέχνη, δύναμις Μδ1. 1013 ᵃ14. Ηα1. 1094 ᵃ14, 27 (μάλιστα ἀρχιτεκτονική, syn κυριωτάτη). ἡ ὡς ἀρχιτεκτονικὴ φρόνησις, opp ἡ ὡς τὰ καθ' ἕκαστα Ηζ8. 1141 ᵇ22, 25. ἀρχιτεκτονικὴ διάνοια ηεα6. 1217 ᵃ6. δύο τέχναι, ἥ τε χρωμένη ϰὴ ἡ ποιητικὴ ϰὴ ἀρχιτεκτονικὴ Φβ2. 194 ᵇ2. τῆς ὑποκριτικῆς ϰὴ τῦ τὴν τοιαύτην ἔχοντος ἀρχιτεκτονικὴν πο19. 1456 ᵇ11. — ἰατρὸς ὅ τε δημιουργὸς ϰὴ ὁ ἀρχιτεκτονικός Πγ11. 1282 ᵃ3.

ἀρχιτέκτων, opp χειροτέχνης, ὑπηρέτης ΜΑ1. 981 ᵃ30, ᵇ31. Πα4. 1253 ᵇ38. ημα35. 1198 ᵃ36. τὸ ἔργον ἐστὶν ἁπλῶς

τῦ ἀρχιτέκτονος Πα13. 1260 ᵃ18. μάλιστα πράττειν λέγο-
μεν κυρίως τὰς ταῖς διανοίαις ἀρχιτέκτονας Πη3. 1325 ᵇ23.
ὁ τὴν πολιτικὴν φιλοσοφῶν τῦ τέλᾳς ἀρχιτέκτων Ηη12.
1152 ᵇ2.
ἀρχοειδής. ἀρχοειδές Ζιθ2. 590 ᵃ3. μᾶλλον ἀρχοειδὲς τὸ ἕν 5
Μβ3. 999 ᵃ2. κεῖται ὑδαμῶς τὸ ἧπαρ πρὸς ἀρχοειδῆ θέσιν
Ζμγ4. 666 ᵃ27. ἀρχοειδεστέρα ἀπόδειξις ἡ δεικνῦσα τῆς
στερητικῆς Αγ25. 86 ᵇ38.
ἀρχὸς ἁπάντων Ζεύς (Orph VI, 17) κ7. 401 ᵇ5.
ἀρχός, anus. τὸ ἔντερον τελευτῶν πρὸς τὴν ἔξοδον τῆς τροφῆς 10
ᵑ τὸν καλύμενον ἀρχὸν Ζιβ17. 507 ᵃ33. ὁ καλύμενος ἀρχὸς
τοῖς μὲν κνισώδης τοῖς δ' ἄπιμελος Ζμγ14. 675 ᵇ10. ὁ τῆς
ξηρᾶς τροφῆς πόρος συμπεφυκὼς ἐπί τινων ζώων γέγονε ᵑ
ἀναπμηθέντος τῦ ἀρχῦ ταχὺ πάλιν συνεφύετο Ζγδ4. 773
ᵃ25. πίονα ἄμφω τυγχάνει ὄντα πάντων ἀεὶ, ἀρχός τε ᵑ 15
ὄμματα πδ2. 876 ᵇ15.
Ἀρχύτας οὕρ ἀπεδέχετο ὅρς Μη2. 1043 ᵃ21. τὰ μόρια τῶν
φυτῶν ᵑ τῶν ζώων περιφερῆ εἶναι ἔλεγε πις9. 915 ᵃ29.
ταῦτὸν εἶναι διαιτητὴν ᵑ βωμὸν Ργ11. 1412 ᵃ12. ἡ Ἀρχύτυ
πλαταγή Πθ6. 1340 ᵇ26.   20
ἄρχων ν ἄρχειν extr.
Ἀρχωνίδης ὁ Ἀργεῖος. ἄδιψος f 99. 1494 ᵃ10.
ἀρώματα f226. 1519 ᵃ10, 19. 241. 1522 ᵇ42. ἀρώματα ἐπὶ
τέφρας θυμιώμενα πιβ7. 907 ᵃ13. 11. 907 ᵃ35.
ἀρωματικὴ ἡ ῥίζα δένδρων τινῶν ἐστίν φτα6. 820 ᵇ27.   25
ἀρωματοφόρα δένδρα φτα6. 820 ᵇ26.
ἄσαι χροός (Hom Λ 574) Ργ11. 1412 ᵃ1.
ἀσάλευτος ᵑ ἀκίνητος ἡ γῆ κ3. 392 ᵇ34.
ἀσᾶσθαι. ἀσῶνται αἱ γυναῖκες κύσαι Ζιη4. 584 ᵃ22.
ἀσαφής. τὸ ἐν κινήσει ἀσαφές πιδ7. 909 ᵇ4. τὸ ξηρότερον 30
ἀσαπέστερον πιδ9. 909 ᵇ21.
ἀσαρκία, opp εὐσαρκία Ζια15. 493 ᵇ23.
ἄσαρκος, ἀσαρκότερος, opp σαρκώδης, σαρκωδέστερος Ζμβ10.
656 ᵃ17. γ4. 666 ᵇ4. δ13. 695 ᵇ13. σκέλη ἄσαρκα Ζιβ1.
499 ᵃ32. Ζμδ10. 689 ᵇ8. 12. 695 ᵃ14. δέρμα ἄσαρκον 35
Ζια7. 491 ᵇ2. γ11. 517 ᵇ33. ὀσφὺς ἄσαρκος Ζμγ9. 672 ᵃ18.
κεφαλὴ ἄσαρκος Ζμβ10. 656 ᵃ14. ἄσαρκοι αἱ καμπαὶ πάν-
των Ζμγ9. 672 ᵃ18. διὰ τί τὸ πρόσωπον μάλιστα ἱδρῶσιν
ἀσαρκότατον ὄν πβ17. 867 ᵇ34. λς2. 965 ᵇ4. πρόσωπον ῥυ-
τιῶδες ἄσαρκον φ3. 808 ᵃ19. ὁ εὐφυὴς τὸν νῶτον ἄσαρ- 40
κότερος φ3. 807 ᵇ17. ζῷον ἀσαρκότερον τὰ ἰσχία ᵑ τὺς
μηρὺς φδ. 809 ᵇ29. ὅσοι ἔχυσι μετάφρενον ἀσθενὲς ᵑ ἄσαρ-
κον ᵑ ἄναρθρον φ6. 810 ᵇ27.
ἀσαφής. φωναὶ ἀσαφεῖς. opp λαμπραὶ ακ801 ᵇ21. — ἀσα-
φής. opp εὔσημος φ2. 806 ᵃ35. ἀσαφές ημα35. 1196 ᵇ9. 45
τὸ ἀσαφὲς Ρα9. 1368 ᵃ33. ἀσαφὲς ἡμῖν. φύσει, opp σα-
φές, γνωρίμων Φα1. 184 ᵃ19. ψβ2. 413 ᵃ11. ὅροι μήτε
ἀσαφεῖς μήτε ἀκριβεῖς Ρα10. 1369 ᵇ32. ἀσαφὴς ᵑ δύσ-
χρηστος μέθοδος τα6. 102 ᵇ37. ἀσαφὴς ἑρμηνεία τζ1. 139
ᵇ12. ἀσαφὲς τὸ διὰ ἧττον ὑπόμνημα τε2. 129 ᵇ17. ἀσαφὲς 50
τὸ πλεοναχῶς λεγόμενον τε2. 130 ᵃ3. ἀσαφὲς διὰ τὸ πλεο-
νάκις εἰρῆσθαι τὸ αὐτὸ τε2. 130 ᵃ33, διὰ τὴν ἀδολεσχίαν
Ργ3. 1406 ᵃ34. ἀσαφὲς τὸ κατὰ μεταφορὰν λεγόμενον, τὸ
μὴ εἰωθὸς τζ2. 139 ᵇ34, 140 ᵃ5. — ἀσαφῶς ᵑ πλεονα-
χῶς λέγεσθαι τθ7. 160 ᵃ17. ἀσαφῶς δι' ὁμωνυμίαν τζ2. 55
139 ᵇ19-31.
Ἀσβαμαῖον ὕδωρ περὶ τὰ Τύανα θ152. 854 ᵇ34.
ἄσβολος πλη8. 967 ᵇ4.
ἀσέβεια, def ἡ περὶ θεὺς πλημμέλεια, εἶδός τι τῆς ἀδικίας
αρ7. 1251 ᵃ30, 31. δίκαι ἀσεβείας πρὸς τὸν βασιλέα λαγ- 60
χάνονται f 385. 1542 ᵃ19, 37.

ἀσεβής, coni πονηρός, ἄδικος Ηδ3. 1122 ᵃ6. opp εὐσεβής
Ρα15. 1377 ᵃ20, 24.
ἀσέλγεια τῶν δημαγωγῶν Πε5. 1304 ᵇ21.
ἀσελγὴς πάλαι ἡ Κριτίυ οἰκία Ρα15. 1375 ᵇ33. — ἀσελ-
γῶς ζῶντες ἀναλίσκυσι τὰ ἴδια Πε6. 1305 ᵇ40.
ἄσεμνον ἦν τῷ Ξέρξῃ αὐτυργεῖν ἅπαντα κ6. 398 ᵇ4.
ἄσημος. 1. pass χρυσίον ἄσημον οβ1351 ᵃ13. θ47. 833 ᵇ18.
f 248. 1524 ᵃ2. — διὰ τὸ πάμπαν ἄσημον ᵑχειν μυελὸν
δοκεῖ ὑκ ἔχειν ὅλως Ζμβ6. 652 ᵃ1. πάντα ἀραιότερα φαι-
νόμενα πρὸς τὴν αἴσθησιν ἀσημότερα γίνεται ακ802 ᵃ14.
— 2. act ι q μηδὲν σημαίνων. τῶν διπλῶν ὀνομάτων τὸ
μὲν ἐκ σημαίνοντος ᵑ ἀσήμυ, τὸ δὲ ἐκ σημαινόντων σύγ-
κειται πο21. 1457 ᵃ33. ἡ συλλαβή, ὁ σύνδεσμος, τὸ ἄρθρον
φωνὴ ἄσημος πο20. 1456 ᵇ35, 38, 1457 ᵃ6, 8. cf φωναὶ
ἄσημοι Ργ2. 1405 ᵃ35.
ἄσηπτος. τὸ πῖον, τὸ λιπαρὸν ἄσηπτον Ζιγ19. 521 ᵃ1. μκ5.
466 ᵃ24. ἄσηπτα τὰ ἐν ἀσκοῖς κρέα, τὰ τεταριχευμένα
πκβ4. 930 ᵇ1. κα5. 927 ᵃ39. τὸ ξηρὸν ἀσηπτότερον πυ1.
907 ᵇ24. ἐν τοῖς δοκῦσιν ἀσηπτοτάτοις εἶναι ἐγγίγνονται ζῷα
Ζιε19. 552 ᵇ6.
ἀσθένεια τῆς ὄψεως μγ2. 372 ᵇ8. 4. 373 ᵇ3. Οβ8. 290 ᵃ18.
ἀσθένεια τις ᵑ γλαυκότης Ζγε1. 779 ᵇ2. ᵑ τῶν σκελῶν
λεπτότης ᵑ ἀσθένεια Ζγγ1. 749 ᵇ35. ἀσθένεια τῦ δέρματος
Ζγε5. 785 ᵇ10. δι' ἀσθένειαν ᵑ ἔνδειαν θερμότητος Ζγε4.
784 ᵃ31. ἄσπερμα δι' ἀσθένειαν Ζγα18. 725 ᵇ30. 22. 730
ᵇ27. ἡ ἀσθένεια ἀσυμμετρία τῶν ὁμοιομερῶν f 41. 1482
ᵃ11. ἀσθένεια σωματική κ6. 400 ᵇ11. ᵑ μακρὰ ἀσθένεια
οἷον γῆρας συμβαίνει πα17. 861 ᵃ27. ἀσθένεια τῆς φύσεως
ημβ16. 1213 ᵇ9. — μὴ δυναμένης λύειν τὸν λόγον δυλεύειν
τῇ ἀσθενείᾳ ατ969 ᵇ5. ἀσθένεια τῦ ἀκροατῦ, τῶν θεάτρων
Ργ18. 1419 ᵃ18. πο13. 1453 ᵃ34. — ἀσθένεια et προπέ-
τεια, εἶδη τῆς ἀκρασίας Ηη8. 1150 ᵇ19.
ἀσθενεῖν. ὁ ἄνθρωπος ἀσθενῶν ὀξύτερον φθέγγεται πια40.
903 ᵇ31.
ἀσθένημα τῦτο συνέβη τισὶν Ζγα18. 726 ᵃ15. δι' εὐτύχημα
ἀσθενήματος Ζικ7. 688 ᵃ37.
ἀσθενής, opp ἰσχυρός, def ηγι1. 1228 ᵇ35. opp εὐεκτικός
Ηκ5. 1176 ᵃ14. τὰ ἀσθενῆ γηράσκει θᾶττον Ζγε5. 785 ᵃ21.
τροχίλος τὸ ἦθος ἀσθενής Ζιι11. 615 ᵃ18. οἱ ἀσθενεῖς ὀξὺ
φθέγγονται πια21. 901 ᵃ30. ὄψις, ἀνάκλασις ἀσθενής, ἀσθε-
νεστέρα μγ4. 373 ᵇ7, 14, ᵃ34. ἔκκρισι ᵑ ἰσχυροτέρα κίνησις
τὴν ἀσθενεστέραν Ζγε1. 780 ᵃ9. ἐτησίαι, ἀναθυμιάσεις ἀσθε-
νεῖς μβ5. 362 ᵃ23, 361 ᵇ15. ὅσα ἔχει ὑγρότητα ἀσθενεστέ-
ραν πυρός μδ9. 387 ᵃ21. ἅλες τὴν δύναμιν ἀσθενέστεροι
μβ3. 359 ᵃ33. τὴν δύναμιν ἀφε√ηθέντος τῦ οἴνυ ἀσθενεστέραν
γίνεσθαι f 102. 1494 ᵇ13. φόβος ἀσθενής. opp ἰσχυρός πη1.
1228 ᵇ14. ἀσθενὲς τὸ στασιάζον Πε6. 1305 ᵇ18. λόγος σο-
φιστικὸς ᵑ ἀσθενής ατ969 ᵇ15, 971 ᵃ4. ἀσθενὴς συλλογι-
σμός Αα31. 46 ᵃ33. τὰ ἐπίδοξα λέγεσθαι ὑπὸ τῶν ἐναντίων
διαλύειν τῇ ἀσθενῇ ποιεῖν p19. 1433 ᵃ37.
ἀσθενικός. παιδίον ἀσθενικὸν Ζιη10. 587 ᵃ20. ἔκγονα ἐλάττω
ᵑ ἀσθενικώτερα Ζιε14. 545 ᵇ12. ζ22. 575 ᵇ23. — ἀσθε-
νικὸς ι q ὑτιδανὸς πο22. 1458 ᵇ27. ἀκρασία ἀσθενική, opp
προτρεπτική (? fort προπετική, cf προπέτεια) ημβ6. 1203
ᵃ34. — ἀσθενικῶς αἰσθάνεσθαι ᵑ οἷον πόρρωθεν αν3. 462 ᵃ20.
ἄσθμα. διὰ τὸ καῦμα ᵑ τὸ ἄσθμα Ζιζ29. 579 ᵃ9. οἱ ὀργι-
ζόμενοι πλήρεις ἄσθματος γίνονται πια60. 905 ᵇ31.
ἀσθμαίνειν πια60. 905 ᵇ33. λγ14. 962 ᵇ39. ἀσθμαίνοντες
ἀναπνέυσιν αν5. 472 ᵇ35. ἀσθμαίνειν, syn πολλάκις τὸ πνεῦμα
σπᾶν αν5. 472 ᵇ35, ᵃ2.
Ἀσία μα13. 350 ᵃ18. κ6. 398 ᵃ35. θ167. 846 ᵇ26. Πβ10.

1271 ᵇ36. eius fines × 3. 393 ᵇ22, 26, 31, 394 ᵃ2. 6. 398
ᵃ27. τῆς Ἀσίας ἐν τῇ Ἀργινύσῃ Ζιζ29. 578 ᵇ27. τῶν ἄλ-
λων πολλοὶ περὶ τὴν Ἀσίαν Πδ̄3. 1289 ᵇ40. οἱ περὶ τὴν
Ἀσίαν δυλικώτεροι Πγ14. 1285 ᵃ21. τὰ περὶ τὴν Ἀσίαν
ἔθνη ἄθυμα Πη7. 1327 ᵇ27. animalia ἐν τῇ Ἀσίᾳ Ζιζ15. 5
569 ᵃ19. θ28. 606 ᵇ16, 18. — Ἀσία γαίη (apud Choeri-
lum) Ργ14. 1415 ᵃ17.

ἄσιλλα τραχεῖα (Simonid fr 165) Ρα7. 1365 ᵃ26.

ἄσιλον. ὁ λέων ἔχει τρίχας ἐκκλινεῖς οἷον ἄν ἄσιλον (οἷον ἀνά-
σιλον ci Sylb) φ5. 809 ᵇ24. 10

Ἀσίνη, Δρυόπων οἰκητήριον f 441. 1550 ᵃ48.

ἀσινής. ἀσινεστέρα ἡ φαυλότης ἡ τῷ μὴ ἔχοντος νῦν Ηη7.
1150 ᵃ4. — ἀσινῶς ὀχεύειν Ζιι18. 617 ᵃ3.

ἀσιτεῖν, opp ἐσθίειν πι31. 894 ᵃ29. ἀσιτεῖν ἡμέρας δύο Ζιθ5.
594 ᵇ20. 24. 604 ᵇ2. 15

ἀσιτία πι35. 894 ᵇ18. ἀσ. συμφέρει τῷ πυρέττοντι Ηκ10.
1180 ᵇ9.

ἄσιτος. διαμένειν ἄσιτον θ65. 835 ᵃ26. τὰ φαλάγγια δύνα-
ται πολὺν χρόνον ἄσιτα ζῆν Ζιθ4. 594 ᵃ22. cf ζ8. 564 ᵃ15.

ἀσκαλαβώτης, τετράπυν ᾠοτόκον φολιδωτὸν τρωγλοδυτι- 20
κόν, φωλεῖ, ἐκδύνει τὸ γῆρας, ἐκ τῆς πλαγίας προσπεφυκότα
τὰ σκέλη ἔχει Ζιδ11. 538 ᵃ27. θ15. 599 ᵃ31. 17. 600 ᵇ22.
Ζπ17. 713 ᵃ17. ὕπτιος πορεύεται ἐπὶ τοῖς δένδρεσι Ζιι9. 614
ᵇ4. θ13. 831 ᵇ6. ἐν τόποις τισὶ τῆς Ἰταλίας τὰ τῶν ἀσκα-
λαβωτῶν δήγματα θανάσιμα Ζιθ29. 607 ᵃ27 (cf A ad h l). 25
κατεσθίει τὰς ἀράχνας Ζιι1. 609 ᵃ29. (une espèce de lézard,
lacerta mauretanica L, quae populari nomine taruntola,
apud Romanos stellio vocatur C S K, lacerta gekko St Cr,
ascalabotes mauretanicus Bonap Su 176 n 6, ascalabotarum
species quaedam ΑΖι I 115 n 1.) 30

ἀσκάλαφος, ὄρνις, τὰς ἀποφυάδας ἔχει Ζιβ17. 509 ᵃ21. (ex
Ovidio Metam V 539sqq concludit bubonis esse speciem
Scaliger ad h l, cf C S I 117, noctuarum species St, pro-
babiliter stryx ulula Cr K, in incerto relinquunt Su 162
n 167 ΑΖι I 88 n 17.) 35

Ἀσκάλαφος. ἐπίγραμμα ἐπὶ Ἀσκαλάφῳ f 596. 1576 ᵃ10.

ἀσκαλώπας, avis, ἐν τοῖς κήποις ἁλίσκεται ἕρκεσιν, eius mé-
γεθος, ῥύγχος, χρῶμα, δρόμος, ἦθος descr Ζιι26. 617 ᵇ23.
(quod plerique putant, ἀσκαλώπαν eandem esse avem quae
Ζιι9. 614 ᵃ33 σκολόπαξ, propter magnitudinem, quae signi- 40
ficavit, negat C, propter verba φιλάνθρωπος ἐπιεικῶς S II
131, scolopax gallinago St, scolopax phaeopus Cr K (?),
scolopax rusticola Su p 146 n 121, scolopax rusticola an
numenius arquata? ΑΖι I 88 n 18.)

Ἀσκανία λίμνη θ33. 834 ᵃ31. 54. 834 ᵃ34. 45

ἀσκαρίς. 1. αἱ ἐμπίδες γίνονται ἐκ τῶν ἀσκαρίδων, αἱ ἀσκα-
ρίδες γίνονται ἐν τῇ ἰλύι τῶν φρεάτων Ζιε19. 551 ᵇ27-552
ᵃ14. (culicis pipientis L larva C II 308 K 682 n 1, fort
tabani larva St, culicis et chironomi larva Su 226 n 40
ΑΖι I 163 n 12.) — ἐν μίνθωυ τινὶ Ζιε19. 551 ᵃ10. 50
cf C II 830. Rudolphi Entozoorum vol I 17, S I 404, M
p 231, oxyuris vermicularis (?) ΑΖι I 163 n 11.)

ἀσκεῖν. ἠσκηκέναι μηδεμίαν ἄσκησιν κυριωτέραν τῆς πολεμικῆς
Πβ9. 1271 ᵇ5. — ποῖα πρὸς ποίας ἀσκητέον Πη2. 1325
ᵃ13. — ἡ ἀρετὴ πότερον μαθητὸν ἢ ἐθιστὸν ἢ 55
ἄλλως πως ἀσκητόν Ηα10. 1099 ᵇ10.

ἀσκελής. τὰ ἄποδα ὅλως ἀσκελῆ ἐστιν Ζγα5. 717 ᵇ17.

ἄσκεπτος. ἐν ἀσκέπτῳ χρόνῳ Αγ34. 89 ᵇ10. — ἀσκέπτως
λέγειν Ζιδ11. 538 ᵃ7. ἁπλῶς χ̀ ἀσκέπτως λέγοντες Ζγγ6.
756 ᵇ17. ἀσκεπτότερον λέγοντες Πβ12. 1274 ᵃ30. 60

ἄσκησις τῆς ἀρετῆς Ηι9. 1170 ᵃ11. τῶν πολεμικῶν Ηη14.

1333 ᵇ39. τῶν ψυχρῶν Πη17. 1336 ᵃ21. ἀσκήσεις πολε-
μικαὶ χ̀ πολιτικαὶ Πθ6. 1341 ᵃ8. ποία ἄσκησις ποίῳ σώ-
ματι συμφέρει Πδ̄1. 1288 ᵇ13. ἄσκησίν τινα ἀσκεῖν, με-
λετᾶν Πβ9. 1271 ᵇ6. η14. 1333 ᵇ39.

ἀσκός. στρεβλοῦντες τὰς ἀσκοὺς ἐπιδεικνύουσιν ὅτι ἐστὶ τι ὁ ἀήρ 5
Φδ̄6. 213 ᵃ26. ἀσκὸς πεφυσημένος, κενός Οδ̄4. 311 ᵇ10.
πκε1. 937 ᵇ31. ὁ ἄνεμος οἷον ἐξ ἀσκῶν ἀφιέμενος μα13.
349 ᵃ35. ἀσκοὶ ἄνω φέρονται Φδ̄9. 217 ᵃ2. ὁ τὸν λίθον ἀφε-
λὼν ἀπὸ τῆς ἀσκῆς ἐν τῷ ὕδατι Φθ4. 255 ᵇ26. οἶνος, κρέα
ἐν τοῖς ἀσκοῖς μδ̄10. 388 ᵇ6. Φδ̄6. 213 ᵇ17. πκβ4. 930 ᵇ1. 10
— συμφωνεῖ διὰ πασῶν ὁ διπλασίων ἀσκὸς πρὸς τὸν ἥμι-
συν πι50. 923 ᵃ3.

ἀσκωλιάζωσι ῥᾶον ἐπὶ τοῖς ἀριστεροῖς Ζπ4. 705 ᵇ33.

ἀσμενής. φωνὴ πνευματώδης χ̀ ἀσμενής (? v l ἀσμενές, ἀσθε-
νές) φ3. 807 ᵇ35. 15

ἄσμενος ὁρᾷ Πζ7. 1321 ᵃ38. — ἀσμένως πείθεσθαι, δέ-
χεσθαι Πγ13. 1284 ᵇ33. δ̄4. 1292 ᵃ29.

ἀσπάζεσθαι. διὰ τὸ ἀσπάζεσθαι ἐδόκει συνεῖναι τῷ μειρα-
κίῳ Ρβ23. 1400 ᵃ25.

ἀσπάλαθος πιβ3. 906 ᵇ11. (Genista acanthoclada DC.) 20

ἀσπάλαξ, ζῳοτόκος, ὀφθαλμοὺς ἐν τῷ φανερῷ ὐκ ἔχει, τυ-
φλός κατὰ τὸ γένος Ζιγ9. 491 ᵇ28. δ̄8. 533 ᵃ3. Μδ̄22.
1022 ᵇ26. φαίνεται χ̀ ἡ σπάλαξ (ἀσπάλαξ Torstrik) ὑπὸ
τὸ δέρμα ἔχουσα ὀφθαλμούς ψ1. 425 ᵃ11. ἐν Αἰτωλοῖς φα-
σὶν ὁρᾶν τὰς ἀσπάλακας ἀμυδρῶς χ̀ ὐδὲ σιτεῖσθαι γῆν ἀλλ' 25
ἀκρίδας θ176. 847 ᵇ3. ἐν τῇ Βοιωτίᾳ ἀσπάλακες περὶ τὸν
Ὀρχομενὸν πολλοὶ γίνονται, ἐν τῇ Λεβαδιακῇ γειτνιώσῃ ὐκ
εἰσὶν Ζιθ28. 605 ᵇ31. cf θ124. 842 ᵇ3. (talpa vulgaris C
St Cr K, aliud significari genus, quod in Syria repertum
descripsit Olivier et cum Aristotelico comparavit, nomine 30
graeco appellatum (i e spalax typhlus), existimat S I 234,
cf ΑΖι I 64 n 6, hanc opinionem refutant et talpam caecam
esse iudicant Ka Ζιι4 n 53 Su p 58 n 5.)

ἀσπαρίζειν. οἱ ἰχθύες φαίνονται ἀσπαρίζοντες ἐν ἀέρι ὥσπερ
τὰ πνιγόμενα αν3. 471 ᵇ13. Ζμδ̄13. 696 ᵃ20. 35

ἄσπερμος, dist ὀλιγόσπερμος, πολύσπερμος Ζγα18. 725 ᵇ30.

Ἄσπετος ὁ Ἀχιλλεὺς ἐν Ἠπείρῳ προσαγορευόμενος f 522.
1563 ᵇ20.

ἀσπιδιώτας ἀνέρας (Hom B 554) f 13. 1476 ᵃ22.

ἀσπίς. 1. ἀποβαλεῖν ἀσπίδα Ρβ6. 1383 ᵇ20. πληγῆναι δι' 40
ἀσπίδος ψβ11. 423 ᵇ15. τὴν ἀσπίδα ἁρμόττει λέγεσθαι
φιάλην Ἄρεος, τὴν φιάλην ἀσπίδα Διονύσου Ργ4. 1407 ᵃ16.
11. 1412 ᵇ35. πο21. 1457 ᵇ21, 22, 32. ζῷά τινα ἐν τῇ
θαλάττῃ ἀσπίσιν ὅμοια Ζιδ̄7. 532 ᵇ22. ἡ πέλτη ἀσπὶς ἴτυν
ὐκ ἔχουσα f 456. 1553 ᵃ1. — 2. ἀσπίς, ὄφις, ἡ ἀσπὶς ἐν 45
Λιβύῃ γίνεται, ἐξ ὑ ὄφεως ποιοῦσι τὸ σηπτικὸν Ζιθ29. 607
ᵃ22. πῶς ὁ ἰχνεύμων ἐν Αἰγύπτῳ ἔχει ὅταν ἴδῃ τὸν ὄφιν
τὴν ἀσπίδα Ζιι6. 612 ᵃ16. δύναμίς τις τῆς ἐν Αἰγύπτῳ
ἀσπίδος θ142. 845 ᵃ11. (aspis, naia, imprimis coluber haye
K, coluber aspis Cr, naia haye Su p 183 n 12 ΑΖι I 115 50
n 2.)

Ἀσσύριοι. παρ' Ἀσσυρίοις Χαλδαίας γεγενῆσθαι f 30. 1479
ᵃ30.

Ἀσσυρῖτις. ἐν τῇ Χαλκιδικῇ τῇ ἐπὶ τῆς Θρᾴκης ἐν τῇ
Ἀσσυρίτιδι (?) ὁ καλούμενος ποταμὸς ψυχρός Ζιγ12. 519 55
ᵃ15.

ἀστακός. μαλακοστράκων γένος τι, παραπλήσιον τῷ τῶν κα-
ράβων γένει. πῶς διαφέρουσιν οἱ ἀστακοὶ τῶν καράβων Ζιδ̄6.
490 ᵇ12. δ̄2. 535 ᵃ32. descr Ζ2.536 ᵃ11-18. Ζμδ̄8. 683
ᵇ27, 684 ᵃ32. πῶς ὀχεύονται Ζιε7. 541 ᵇ20, 25. πότε ἐκ-
δύνουσιν Ζιθ17. 601 ᵃ10, 20. γίνονται ἐν τοῖς λείοις, ἐν Ἑλ-

λησπόντῳ ⟨καὶ⟩ περὶ Θάσον Ζιε17. 549 ᵇ14. — ἕτερον γένος
μικρόν, τὸ εἶδος ὅμοιον τοῖς ἀστακοῖς Ζιδ2. 525 ᵇ11. ζῷα
ἐν κόχλοις ὅμοια τοῖς ἀστακοῖς τοῖς μικροῖς οἱ γίνονται ἐν
τοῖς ποταμοῖς Ζιδ4. 530 ᵃ28. (homarus sive astacus mari-
nus C St. — ὁ ἐν ποταμοῖς ἀστακός astacus fluviatilis K 5
565 n 4. 586 n 3 Ka Ζμ128 n 30 Fr p 8 M p 245 ΑΖι I
152 n 2.)

ἀστασίαστος. δεῖ τὰς πολίτας ἀστασιάστυς εἶναι διὰ τὸν νο-
μοθέτην Πβ11. 1273 ᵇ21. πολιτεία ἀστασίαστος, ἀσφαλε-
στέρα ⟨καὶ⟩ ἀστασίαστος Πδ11. 1296 ᵃ7. ει. 1302 ᵃ9. αἱ με-10
γάλαι πόλεις ἀστασιαστότεραι. opp διαλαβεῖν εἰς δύο Πδ11.
1296 ᵃ9. οἱ μὲν στασιάζυσιν, ὁ δ᾽ εἰς ἀστασίαστος Πγ15.
1286 ᵇ2. ἀστασίαστον τὸ τὰς ἀρχὰς κληρωτὰς εἶναι ρ3.
1424 ᵃ14.

ἄστατον τὸ κύκλῳ σῶμα Μλ8. 1073 ᵃ31. 15
ἀσταφίς πκγ26. 934 ᵃ35. πιαίνονται αἱ βόες ἀσταφίσι Ζιθ7.
595 ᵇ10. (uva passa.)

ἀστειολογίαι ρ29. 1436 ᵃ20.

ἀστεῖος. τὰ ἀστεῖα πόθεν λέγεται Ργ10. ρ23. 1434 ᵃ33-40.
Ργ10. 1411 ᵇ21. 11. 1412 ᵃ18, ᵇ27, 28. ρ16. 1431 ᵇ26. 20
ἀστειότερον Ργ11. 1412 ᵇ30. — οἱ μικροὶ ἀστεῖοι ⟨καὶ⟩ σύμ-
μετροι. καλοὶ δ᾽ ἤ Ηδ7. 1123 ᵇ7.

Ἀστεῖος. ἐπὶ Ἀστείυ ἄρχοντος μέγας κομήτης μα6. 343
ᵇ19 (cf ᵇ1-3).

ἀστερίας. 1. avis. a. ὁ ἀστερίας καλύμενος, τῶν ἐριωδῶν 25
γένος, ἐπικαλύμενος ὄκνος, μυθολογεῖται γενέσθαι ἐκ δήλων
Ζιι1. 609 ᵇ22. 18. 617 ᵃ5. (ardea stellaris St Cr K Su p 151
n 133 ΑΖι I 92 n 34.) — b. γένος τῶν ἱεράκων Ζιι36. 620
ᵃ18. (falconum species St Cr K, incerta species ΑΖι I 93
n 37d, astur palumbarius pullus Su p 101 n 15.) — 2. pi-30
scis. ὁ καλύμενος τῶν γαλεῶν ἀστερίας ἀποτίκτει δὶς τῦ
μηνός Ζιε10. 543 ᵃ17. ζ11. 566 ᵃ17. (le boutillat C, squa-
lus asterias Cr, squalus stellaris K, in incerto relinquit
ΑΖι I 145 n 88.)

Ἀστέριος ὁ γίγας f 594. 1574 ᵇ43. 35

ἀστερόεις ὑρανός (Orph VI, 13) κ7. 401 ᵇ1.

ἀστήρ. 1. οἱ ἀστέρες ἀδιαίρετοι καθ᾽ ἑαυτὺς εἶναι δοκῦσιν
μα6. 343 ᵇ34. σημεῖον τῆς ἐκλείψεως τὸ τὸν ἀστέρα εἰσελ-
θεῖν μτ1. 462 ᵇ30. ἔνιοι ἐν Αἰγύπτῳ ἀστέρες ὁρῶνται, ἐν δὲ
τοῖς πρὸς ἄρκτον ὐχ ὁρῶνται Οβ14. 298 ᵃ3. ἀστέρας ὁρῶσιν 40
οἱ ἐκ τῶν φρεάτων Γε1. 780 ᵇ22. τὸ στίλβειν τῆς ἀστέρας
τίς αἰτία Οβ8. 290 ᵃ19. ἀστέρες πλάνητες, opp ἐνδεδεμένοι
μα6. 342 ᵇ31. Οβ8. 290 ᵃ19. ἀστέρων εὔτακτος κίνησις,
εὔτακτοι χορεῖαι f 12. 1476 ᵃ7. 13. 1476 ᵃ28. ὁ Ἑρμῦ ⟨καὶ⟩
Διός, ὁ ἐν τῇ ἰσχίῳ τῦ κυνὸς ἀστήρ μα6. 342 ᵇ33, 343 ᵃ45
ᵇ30, 12. ἀστὴρ κομήτης μα6. 343 ᵇ5. 7. 344 ᵃ20, 34. 8.
345 ᵇ12, 35. ἀστέρες διαθέοντες, διάττοντες, φερόμενοι, αἱ
διαδρομαὶ τῶν ἀστέρων, αἱ τῶν σποράδων ἀστέρων διαδρο-
μαί μα8. 341 ᵃ33. 4. 841 ᵇ3, 34 (de eorum causa μα4).
5. 342 ᵇ4, 21. 7. 344 ᵃ15, 28, 32. πκγ23. 942 ᵇ16. οἱ κα-50
λύμενοι δαλοὶ ⟨καὶ⟩ αἶγες ⟨καὶ⟩ ἀστέρες μα4. 341 ᵇ28. — (ση-
μεῖον) ἀστερες οἵας ἐν τῇ Θυέστῃ Καρκίνος πο16. 1454 ᵇ22
(cf Nauck fr tr p 619). — προέρχονται ἐξ ἀέρος διὰ τῆς
δυνάμεως τῶν ἀστέρων τὰ εἴδη τῶν σπερμάτων φτβ3. 824
ᵇ10 (usus vocabuli non Aristotelicus). — 2. ἀστήρ. ζῷον 55
θαλάττιον ὁ καλύμενος ἀστὴρ θερμός ἐστι, οἶνος μέγιστόν
ἐν τῷ εὐρίπῳ τῷ τῶν Πυρραίων, τὴν μορφὴν ὅμοιον τοῖς
γραφομένοις Ζιε15. 548 ᵃ7. ὅμοιον τῷ γένει τῶν ἀκαλήφων
⟨καὶ⟩ τὸ τῶν ἀστέρων ἐστὶ γένος, προσπῖπτον ἐκχυμίζει πολλὰ
τῶν ὀστρέων Ζιδ5. 681 ᵇ9. (stella marina C S, asterias L 60
St K Fr p 311 n 49 ΑΖι I 175 n 3, num ὀστρακόδερμον sit

M p 167.)

Ἀστήρ. τὰ Παναθήναια ἐπὶ Ἀστέρι τῷ γίγαντι ὑπὸ Ἀθηνᾶς
ἀναιρεθέντι f 594. 1574 ᵇ28.

ἀστός. φθόνος παρ᾽ ἀστῶν (Eur Med 297) Ρβ21. 1394 ᵃ34.
δικαστήριον ξένοις πρὸς ἀστὺς Πδ16. 1300 ᵇ32. τὺς ἐξ ἀμ-
φοῖν ἀστῶν πολίτας ποιῶσιν Πγ5. 1278 ᵃ34.

ἄστοχος. ὐκ ἀστόχυ διανοίας Ζιη10. 587 ᵃ9.

ἀστραβής. ποιεῖν τὸ σῶμα ἀστραβές Πη17. 1336 ᵃ12.

ἀστραγαλίσεις, coni κυβεῖαι, πεττεῖαι Ρα11. 1371 ᵃ2.

ἀστράγαλος. 1. τὰ κῶλα συνδεδεμένα νεύροις ⟨καὶ⟩ τῶν ἐσχά-10
των συναρμοττόντων, ἐν μέσῳ δὲ περιειληφότων, οἶον γόμ-
φον, ἀστράγαλον, ἵνα γίγνηται κάμψις ⟨καὶ⟩ ἔκτασις Ζμβ9.
654 ᵇ21. ὁ ἀστράγαλος γόμφος ἰὼν ὥσπερ ἀλλότριον κώλων
ἐμβέβληται τοῖς δυσί, βάρος παρέχον, ποιῶν ἀσφαλεστέραν
τὴν βάσιν, διὰ τί ἐν τοῖς ὄπισθεν Ζμδ10. 690 ᵃ13-20. τὰ
δίχηλα ἔχει ἀστράγαλον, τὰ πολυδάκτυλα ὐκ ἔχει, τὰ μώ-
νυχα ὐκ ἔχει ὡς ἐπὶ τὸ πολύ Ζμδ10. 690 ᵃ21, 24, 10. β5.
651 ᵃ32. τίνα ζῷα ἔχει ἀστράγαλον ⟨καὶ⟩ τίνα τρόπον ἔχει ⟨καὶ⟩
θέσις τῶν ἀστραγάλων τοῖς ἔχυσιν Ζιβ1. 499 ᵇ20-31, ᵃ22.
7. 502 ᵃ11. (ungulae accessoriae ruminantium Fr p 273 20
n 17 M p 324, refutat et talum sive astragalum esse iu-
dicat K p 458, refutat et rem in incerto relinquit ΑΖι I
255 n 18.) — 2. talus lusorius. μυρίας ἀστραγάλυς χίυς
βαλεῖν ἀμήχανον Οβ12. 292 ᵃ29. ἀστράγαλοι μεμολιβδω-
μένοι πιζ3. 913 ᵃ36. 12. 915 ᵇ8. 25

ἀστραπαῖος. ἄνεμοι ἀστραπαῖοι μβ6. 364 ᵇ30. ἀστραπαῖος
διὰ τί καλεῖται ὁ θεὸς κ7. 401 ᵃ16.

ἀστραπή. περὶ ἀστραπῆς μβ9. γ1. τὸ πνεῦμα τὸ ἐκθλιβό-
μενον τὰ πολλὰ ἐκπυρῦται λεπτῇ ⟨καὶ⟩ ἀσθενεῖ πυρώσει, ⟨καὶ⟩
τῦτ᾽ ἔστιν ἣν καλῦμεν ἀστραπήν μβ9. 369 ᵇ6. κ4. 395 ᵃ16.30
ἀστραπὴ γίνεται μετὰ τὴν βροντήν μβ9. 369 ᵇ7, γίνεται διὰ
τὸ ψυχρόν μβ6. 364 ᵇ32.

ἀστράπτειν κ6. 398 ᵃ16. τὸ ἀστράψαι ἀναπυρωθὲν κ4. 395
ᵃ21. ἤστραψε Ρβ19. 1392 ᵇ27.

ἀστροβλὴς ὁ γλάνις γίνεται Ζιθ20. 602 ᵇ22. 35

ἀστρόβλητα δένδρα ἀστρόβλητα ζ6. 470 ᵃ32.

ἀστρολογία ναυτική, μαθηματική Αγ13. 79 ᵃ1. ἀστρολογίας
quae sit ad mathematicam doctrinam et ad philosophiam
ratio Φβ2. 193 ᵇ26, 194 ᵃ8. ΜΑ8. 989 ᵇ33. λ8. 1073 ᵇ5.
Οβ14. 297 ᵃ4. Ζμα1. 639 ᵇ7. ἐν τῇ ἀστρολογίᾳ μέτρον ἡ τῦ 40
ὑρανῦ κίνησις Μι1. 1053 ᵃ10. θεωρείσθω ἐκ τῶν περὶ ἀστρολο-
γίαν Οβ10. 291 ᵃ31. ἐκ τῆς περὶ ἀστρολογίαν θεωρημάτων
μα8. 345 ᵇ1 (cf Ἀριστοτέλης p104 ᵃ17). κατανοήσας ἐκ τῆς
ἀστρολογίας Πα11. 1259 ᵃ11. — Platoni ἡ ἀστρολογία ἡ
περὶ τὸν ὑρανὸν τόνδε Μβ3. 997 ᵇ35, 16. μ2. 1077 ᵃ2. 45

ἀστρολογικός. ἀστρολογικὴ ἐμπειρία, ἐπιστήμη Αα30.
ᵃ19. ἀστρολογικὴ (sc ἐπιστήμη) Αγ13. 78 ᵇ39. διὰ τῶν
ἀστρολογικῶν θεωρημάτων μα3. 339 ᵇ8. διὰ τῶν ἀστρολο-
γικῶν Οβ11. 291 ᵇ21.

ἄστρον. τὰ ἄστρα ἐκ τίνων συνεστᾶσι ⟨καὶ⟩ ἐν ποίοις σχήμασι 50
⟨καὶ⟩ τίνες αἱ κινήσεις αὐτῶν Οβ7. 8. cf f 20. 1477 ᵇ3. πῶς
γίνεται αὐτῶν ἡ θερμότης ⟨καὶ⟩ τὸ φῶς Οβ7. 289 ᵃ19-35, 16.
cf μα3. 340 ᵃ28, 21. πκε18. 939 ᵇ16. 21. 939 ᵇ34. σφαι-
ροειδῆ τὰ ἄστρα Οβ11. 8. 290 ᵃ7, ὁ κινεῖται τὰ ἄστρα,
ἀλλ᾽ οἱ κύκλοι ἐν οἷς ἐνδέδεται Οβ8. (ἀντιφέρεσθαι τὺς 55
κύκλυς Οβ9. 291 ᵇ2.) τὰ ἤτε ἐγκύκλιον φερόμενα κίνησιν
ἄστρα Οβ12. 293 ᵃ12. ἡ τῶν ἄστρων περιφορά, φορὰ
Ζγδ10. 778 ᵃ3. μα1. 338 ᵇ22. ὅθεν αἱ ἀνατολαὶ τῶν ἄστρων,
τῦτο δεξιόν. ὁ δ᾽ αἱ δύσεις, ἀριστερόν Οβ2. 285 ᵇ18. αἱ
τάξεις τῶν ἄστρων τίνες εἰσὶν Οβ10. Μλ8 Bz. τὰ περὶ τὴν 60
ἄνω φορὰν διακεκοσμημένα ἄστρα μα1. 338 ᵃ22. διὰ τίνα

αἰτίαν ἐν τῇ πρώτῃ φορᾷ τοσοῦτόν ἐστιν ἄστρων πλῆθος, τῶν δ' ἄλλων ἐν χωρὶς ἕκαστον Οβ 12. 292 ᵃ11. ἡ τῶν ἄστρων πρᾶξις τοιαύτη οἵα περ ἡ τῶν ζῴων ϗ φυτῶν Οβ12. 292 ᵇ1. ἡ τῶν ἄστρων φύσις ἀίδιος οὐσία τις Μλ8. 1073 ᵃ34. τὸ τῶν ἄστρων στοιχεῖον Ζγβ3. 737 ᵃ1. πλήρης 5 ὁ οὐρανὸς σωμάτων θείων, ἃ δὴ καλεῖν ἄστρα εἰώθαμεν x2. 391 ᵇ17. cf Μλ8. 1074 ᵇ1-14. Ηζ7. 1141 ᵇ1. f 19. 1477 ᵃ43. ὄγκος γῆς τῶν ἄστρων ἐνίων πολὺ ἐλάττων μα3. 339 ᵇ9. — ἄστρα πυκνότατα, πλεῖστα, μέγιστα, λαμπρότατα μα8. 346 ᵃ11, 20, 25, 28. ἄστρα ἀνίσχοντα, δυόμενα μα5. 10 342 ᵇ10. τὰ διὰ παντὸς ἐν τοῖς πρὸς ἄρκτον φαινόμενα τῶν ἄστρων Οβ14. 298 ᵃ6. ἡ διαδρομὴ τῶν ἄστρων α8. 346 ᵇ12. ἀναγκαῖον γίγνεσθαι παρόδυς ϗ τροπὰς τῶν ἐνδεδεμέ-νων ἄστρων Οβ14. 296 ᵇ4. — οἱ μὲν αὐτὴν τὴν γῆν ἓν τῶν ἄστρων ποιῦσιν Οβ14. 296 ᵃ25, saepe ἄστρα ita usur- 15 patur, ut sol ac luna excipiantur et opponantur, veluti μα 3. 341 ᵃ22. Οα9. 278 ᵇ18. β12. 292 ᵃ1. ἄστρα ἐνδε-δεμένα, ἀπλανῆ. opp πλανώμενα, πλάνητες μα 8. 346 ᵃ2. 7. 344 ᵃ35. Οβ12. 292 ᵃ1. ἄστρα stellas fixas significat μα8. 345 ᵇ4, coll Οβ8. 290 ᵃ20. — ἐπὶ τοῖς ἄστροις ποι- 20 εῖσθαι τὸν τόκον. γίνεσθαι τὰς ἁλώσεις Ζιζ14. 568 ᵃ18. θ15. 600 ᵃ3.

ἀστρονόμος πιϗ6. 917 ᵃ8.

ἄστυ, unum ex quinque nominibus quae τελευτᾷ εἰς τὸ υ πο21. 1458 ᵃ17. — πρὸς τὸ ἄστυ ϗ τὴν πόλιν Πζ4.1319 25 ᵃ9 (Schneider p 373). cf η6. 1327 ᵃ34. μᾶλλον δημοτικοὶ οἱ τὸν Πειραιᾶ οἰκῦντες τῶν τὸ ἄστυ Πε3. 1303 ᵇ12. τῇ κατὰ κώμας πλάνῃ ἀτιμαζόμενοι ἐκ τῦ ἄστεως πο3. 1448 ᵃ38. περὶ τὴν ἀγορὰν ϗ τὸ ἄστυ κυλίεσθαι Πζ4. 1319 ᵃ29. ἐκ τῦ ἄστεος ἀπελαύνειν τὸν ὄχλον Πε10. 1311 ᵃ14. 30

Ἀστυάγης Πε10. 1312 ᵃ12.

ἀστυγείτονας Πδ3. 1289 ᵇ38. καταδελυῦσθαι τὰς ἀστυγεί-τονας Ρα3. 1358 ᵇ36. — πόλεμοι ἀστυγείτονες Πη10. 1330 ᵃ18.

Ἀστυδάμας tragicus. Ἀλκμαίων ὁ Ἀστυδάμαντος πο14. 35 1453 ᵇ33 (Nauck fr tr p 603).

ἀστυνομία, coni ἀγορανομία Πη12. 1331 ᵇ10. ζ8.1321 ᵇ23.

ἀστυνομικός. τὰ ἀστυνομικά (Plat rep IV. 425D) Πβ5. 1264 ᵃ31.

ἀστυνόμος Πζ8. 1322 ᵃ13. δέκα οἱ ἀστυνόμοι (Ἀθήνησι) 40 f 408. 1546 ᵃ38.

Ἀστυπάλαια, μήτηρ Ἀγκαίυ f 530. 1566 ᵃ43.

Ἀστυπαλαιεύς. ἡ Ἀστυπαλαιέων γῆ ὄφεσιν ἐχθρά f 324. 1532 ᵇ5.

ἀσύγκλειστος ταῖς πλευραῖς ὁ περὶ τὴν κοιλίαν τόπος Ζμδ10. 45 688 ᵇ35.

ἀσυλλόγιστος (i e ἄνευ συλλογισμῦ, ὐκ ἔχων συλλογισμόν, itaque pro natura eius nominis, quocum coniunctum est, vel passive explicari potest ὁ συλλογισθείς, vel active ὁ συλλογιζόμενος. τὰ μὲν ἐκ συλλελογισμένων πρότερον, τὰ 50 δ' ἐξ ἀσυλλογίστων μὲν δεσμεύων ἐστὶ συλλογισμὸς Ρα2. 1357 ᵃ9, ᵇ24. ἀσυλλόγιστόν ἐστι πᾶν σημεῖον Ρβ25. 1403 ᵃ4. 24. 1401 ᵇ9, 13. λυτόν, ἀσυλλόγιστον γάρ ἐστι Ρα2. 1357 ᵇ14. λόγοι ἀσυλλόγιστοι ἁπλῶς, πρὸς τὸ προκείμενον τι5. 167 ᵇ34 (cf ὁ συλλελόγισται ᵇ31). τρόποι ἐνδεχόμενοι συλ- 55 τι6. 168 ᵃ21. ἀσυλλόγιστος χρῆσις ὁ τῶν ἐνδεχομένων συλ-λογισθῆναι Αδ5. 91 ᵇ23. — (Eleatae) ψευδῆ λαμβάνυσι ϗ ἀσυλλόγιστοί εἰσιν Φα2. 185 ᵃ10. 3. 186 ᵃ8. — ἀσυλ-λογίστως λέγειν Αγ12. 77 ᵇ40.

ἀσύμβλητος. τάχη ἀσύμβλητα Φδ9. 217 ᵃ10. τὸ πλῆθος 60 τό τ' ἐν τοῖς ἀρρωστήμασιν ὑπάρχον ϗ τὸ ἀπορραινόμενον

ἀσύμβλητον Ζμδ2. 677 ᵇ1. μονάδες ἀσύμβλητοι Μμ6. 1080 ᵃ9, Bz ad Μμ6. τὰ γένει διαφέροντα ἀπέχει πλέον ϗ ἀσύμβλητα Μι4. 1055 ᵃ7.

ἀσυμμετρία. ἀτέλεια δι' ἀσυμμετρίαν πρὸς τὸ ὑγρόν μδ3. 380 ᵃ32. ἀσυμμετρία τῶν στοιχείων ἡ νόσος f 41. 1482 ᵃ10. — τὰς (τῇ ποσῷ) συμμετρίας ϗ ἀσυμμετρίας σκοπεῖ ὁ μαθηματικὸς Μκ3. 1061 ᵇ1. ἡ ἀσυμμετρία (Did, συμ-μετρία Bk) κατὰ τὴν διαφορὰν πιζ1. 916 ᵃ3. ἡ τῆς δια-μέτρυ ἀσυμμετρία ΜΑ2. 983 ᵃ16 Bz, cf διάμετρος.

ἀσύμμετρος. σῶμα ἀσύμμετρον πο25. 1461 ᵃ13. τῶν ἐναί- 10 μων ὅσα κατὰ τὸ μῆκος ἀσύμμετρά ἐστι πρὸς τὴν ἄλλην τῦ σώματος φύσιν Ζπ8. 708 ᵃ15. δέρμα κατὰ μέγεθος ἀσύμμετρον περιλαβεῖν Ζγα12. 719 ᵇ12. ἀσύμμετρα τὰ θερμὰ ϗ ψυχρά, syn μὴ ὑγιαίνειν Αδ13. 78 ᵇ18. ἡ αἰτία ἐν τῷ σύμμετρον ἢ ἀσύμμετρον εἶναι τὸ ἀπὸ τῆς γυναικὸς 15 ϗ τῦ ἀνδρὸς ἀπιὸν Ζγα18.723 ᵃ29. — ἀσύμμετρος, irra-tionalis, πιζ1. 915 ᵇ38. καθ' ὑπεροχὴν ϗ ἔλλειψιν ἀσύμ-μετρον, opp κατὰ λόγον πι3. 439 ᵇ30. βάρη σύμμετρα, ἀσύμμετρα Οα6. 273 ᵇ11. ἀσύμμετρος ἡ διάμετρος (qua-drati) ϗ ἡ πλευρά Ηγ5. 1112 ᵃ23 et saepe, cf διάμετρος. 20

ἀσυμπέραντος (fort int ὁ λόγος), syn ὁ συμπεραίνεται Φα3. 186 ᵃ25, 24.

ἀσυμφανής θ82. 836 ᵇ19.

ἀσύμφορος. τὰ ἀσύμφορα, coni τὰ ἄδικα, ἄνομα ρ11. 1430 ᵃ33. ἀσύμφορόν τινι Ζιθ18. 601 ᵃ29. 20. 603 ᵃ20. 25 Πα11. 1259 ᵃ31. δ10. 1259 ᵃ6, πρός τι Πη6. 1327 ᵃ14.— ἀσυμφόρῳ τινι Πα6. 1255 ᵇ9, πρὸς τι: τὰς ζώντας ἀσυμφόρως πρὸς τὴν πολιτείαν Πε8. 1308 ᵇ21.

ἀσύμφωνος. πρὸς τὰ πάθη ϗ τὰς δυνάμεις ἀσύμφωνα τὰ σχήματα (Democriti) τοῖς σώμασιν Ογ8. 306 ᵇ30. — πάντῃ 30 ἀσύμφωνόν (i e ἄλογον) ἐστι φται. 816 ᵃ8.

ἀσύναπτος. proprie αὐταὶ μὲν (πλευραὶ) συνάπτυσιν, αἱ δ' ἄλλαι ἀσύναπτοι sim Ζιγ7. 516 ᵃ30. δ5. 530 ᵇ15. — lo-gice ἀσύναπτοι συλλογισμοὶ Αα25. 42 ᵃ21. β17. 65 ᵇ14 (opp συνεχής ᵇ21, 24, συνάπτειν ᵇ33). 35

ἀσύνδετος, λόγοι ἀσύνδετοι ε5. 17 ᵃ17. — τὰ ἀσύνδετα τί ἔχει ἴδιον, ἐν ποίᾳ λέξει ἀποδοκιμάζεται Ργ12. 1413 ᵇ19, 29, 31. 19. 1420 ᵇ2. ἄνευ μὲν συνδέσμυ, μὴ ἀσύνδετα δὲ λέγειν Ργ6. 1407 ᵇ38.

ἀσυνεσία, opp σύνεσις Ηζ11. 1142 ᵇ34. 40

ἀσύνετος, opp συνετός Ηζ11. 1142 ᵇ34. ἀξύνετοι (cf s Δη-μόδοκος) Ηη9. 1151 ᵃ9.

ἀσυνήθεια τῷ δικολογεῖν Ρα9. 1368 ᵃ11. ἀγνωστότερα διὰ τὴν ἀσυνήθειαν Μα3. 995 ᵃ2.

ἀσυνήθης. οἱ ἀσυνήθεις, opp συνήθεις, syn ἄγνωτες Ηθ12. 45 1126 ᵇ26. — ἀσυνήθες τοῖς ζῴοις τὸ πίνειν ἐστὶν Ζιθ12. 606 ᵇ26. τὸ σύνηθες ἡδὺ μᾶλλον τῦ ἀσυνήθυς πιθ5. 918 ᵃ9.

ἀσύνθετος. πρότερα τῶν συγκειμένων τὰ ἀσύνθετα Μμ2. 1076 ᵇ19. τὸ σύνθετον μέχρι τῶν ἀσυνθέτων διαιρεῖ Παι. 1252 ᵃ19. τοῖς ἐν τοῖς ζῴοις μορίων ἀσύνθετά ἐστιν, ὅσα 50 διαιρεῖται εἰς ὁμοιομερῆ Ζια1. 486 ᵃ5. ἀσύνθετα τῷ γένει Μι7. 1057 ᵇ21. περὶ τὰ ἀσύνθετα τί τὸ ἀληθὲς ϗ τὸ ψεῦ-δος Μθ10. 1051 ᵇ17, 27. ἀσύνθετον ὐσία πᾶσα Μζ13. 1039 ᵃ17. — ἀσυνθετώτερα τὰ ἐξ ὧν Μζ15. 1040 ᵃ23.

ἀσφάλεια, def Ρα5. 1361 ᵇ19. κατασκευάζειν τὴν τῆς πο- 55 λιτείας ἀσφάλειαν Πζ5. 1319 ᵇ39.

ἀσφαλής. πολιτεία ἀσφαλής, ἀσφαλεστέρα (syn ἀστασία-στος, πολυχρονιωτέρα), ἀσφαλεστάτη Πγ14. 1285 ᵃ23. ὁ 11. 1296 ᵃ13. ε1. 1302 ᵃ8, 15. 7. 1307 ᵃ17. 8. 1308 ᵃ4. τῶν κατὰ γράμματα ἄνθρωπος ἄρχων ἀσφαλέστερος Πγ16.1287 ᵇ7. ἀσφαλεῖς πρὸς τὸ μηθὲν νεωτερίζειν Πη10. 1330 ᵃ28.

ὐκ ἀσφαλὲς τὸ νομοθετεῖν, τὸ μετέχειν Πβ8. 1268 ᵇ23. γ11. 1281 ᵇ27. — ἐν ἀσφαλεῖ f 154. 1504 ᵃ8. πολὺ τῷ ἀσφαλεῖ προέχειν f 157. 1504 ᵇ24. — ἀσφαλῶς μακαρίζειν Ηα11. 1100 ᵃ16. ἀσφαλεστέρως ἔχει πρὸς τὰς ἀπορίας Οδ2. 310 ᵃ6.

ἄσφαλτος ὀρυκτή θ127. 842 ᵇ15. ὀσμὴ ἀσφάλτῳ ψβ9. 421 ᵇ24. θ115. 841 ᵃ33.

ἀσφαλτώδης. τὰ ἀσφαλτώδη φθαρτικά αι5. 444 ᵇ33.

ἀσφόδελος, φέρουσιν ἀπ' αὐτῆς αἱ μέλιτται Ζιι40. 627 ᵃ8. (Asphodelus ramosus L.)

ἄσχετος ('Ανάσχετος Bkᵃ) ὐκ ἀνάσχετος Ργ11. 1412 ᵇ12.

ἀσχημάτιστος Φα7. 191 ᵃ2 (cf opp ἐσχηματισμένον Φα5. 188 ᵇ20).

ἀσχημονεῖν. τὰ ὅπλα ῥίπτειν χ τἆλλα ἀσχημονεῖν Ηγ15. 1119 ᵃ30. γιγνώσκυσι τὲς δειλὲς ἀσχημονῦντας f 234. 1520 15 ᵃ27. ὅπως δύνωνται σχολάζειν χ μηδὲν ἀσχημονεῖν Πβ11. 1273 ᵃ34.

ἀσχημοσύνη, syn ἀμορφία Φα7. 190 ᵇ15. τῶν ἐσχηματισμένων τι γίνεται ἐξ ἀσχημοσύνης Φα5. 188 ᵇ20. — ἀσχημοσύνη τῇ προσώπυ Πθ6. 1341 ᵇ5. φέρει τι τῷ ποιῆντι 20 ἀσχημοσύνην Ηδ12. 1126 ᵇ33.

ἀσχήμων. κακίαι μήτε βλαβεραὶ τῷ πέλας μήτε λίαν ἀσχήμονες Ηδ6. 1123 ᵃ33. θεωρεῖν ἢ γραφὰς ἢ λόγυς ἀσχήμονας Πη17. 1336 ᵇ14. ὁ μείζω προσποιύμενος ἀργυρίυ ἕνεκα ἀσχημονέστερος Ηδ13. 1127 ᵇ13.

ἀσχιδής. ποδότης ἀσχιδὴς χ ἀδιαίρετος, οἷον τὰ μώνυχα, 25 opp πολυσχιδής, δισχιδής Ζμα3. 642 ᵇ29. ζῷα ἀσχιδή, οἷον τὰ μώνυχα Ζιβ11. 499 ᵇ11. ἧπαρ ἀσχιδές Ζιβ17. 507 ᵃ12. ἰσχάδες ἀσχιδεῖς, opp πολυσχιδεῖς, δίχα ἐσχισμέναι πκβ9. 930 ᵇ33.

ἄσχιστος. περὶ ἀσχίστυ μδ8. 385 ᵃ16. 9. 386 ᵇ25-387 ᵃ3. 30 δάκτυλοι ἄσχιστοι Ζιγ9. 517 ᵃ32. Ζμδ10. 690 ᵇ2. ζῷον ἄσχιστον, opp σχιζόπυν Μζ12. 1038 ᵃ14. πτερὸν ἄσχιστον Ζιγ12. 519 ᵃ28. Ζμα3. 642 ᵇ27. δ6. 682 ᵇ17. 12.692ᵇ13. ὑραῖον ἄσχιστον Ζιβ13. 504 ᵇ17. πόροι ἄσχιστοι, φλὲψ 35 ἄσχιστος, νεῦρα φύσις κατὰ πλάτος ἄσχιστος Ζιη4. 584 ᵇ5. γ3. 513 ᵇ13. 5. 515 ᵇ15.

ἀσχολεῖν, intr ὁ ἀσχολῶν ἕνεκά τινος ἀσχολεῖ τέλυς Πθ3. 1338 ᵃ4. μὴ μόνον ἀσχολεῖν ὀρθῶς ἀλλὰ χ σχολάζειν δύνασθαι καλῶς Πθ3. 1337 ᵇ31. η14. 1333 ᵃ41. δῆμος ἀσχο- 40 λῶν Πθ15. 1299 ᵇ33 (cf ἄσχολος πρὸς τοῖς ἔργοις ε5. 1305 ᵃ20). — med ἀσχολύμεθα ἵνα σχολάζωμεν Ηκ7. 1177 ᵇ4.

ἀσχολία σχολῆς, τὰ ἀναγκαῖα χ χρήσιμα τῶν καλῶν ἕνεκέν ἐστιν Πη14. 1333 ᵃ35, 31. 15. 1334 ᵃ16. θ3. 1337 ᵇ34.

ἄσχολος. δῆμος ἄσχολος ὢν πρὸς τοῖς ἔργοις Πε5. 1305 ᵃ20. 45 ποιῆσαι ἄσχολον τὴν διάνοιαν χ ταπεινήν Πθ2. 1337 ᵇ14. κίνησις ἄσχολος χ πάσης ἀπηλλαγμένη ῥαστώνης ἔμφρονος Οβ1. 284 ᵃ31. αἱ περὶ τὰ πολιτικὰ πράξεις ἄσχολοι Ηκ7. 1177 ᵇ8, 12, 17. — δῆμος ἄσχολος ὥστε μὴ πολλάκις ἐκκλησιάζειν Πζ4. 1318 ᵇ12. πρὸς τῷ καθ' ἡμέραν ὄντες 50 ἄσχολοί εἰσιν ἐπιβλεύειν Πε11. 1313 ᵇ20.

ἀσώματος. τὰ ἀσώματα, opp τὰ σώματα ΜΑ8. 988 ᵇ25. δυνάμει μὲν μέγεθος χ σῶμα, ἐντελεχείᾳ δ' ἀσώματον χ ἀμέγεθες Γα5. 320 ᵃ30. ἐάν τε σῶμα ἐὰν τε ἀσώματον τιθῶσι τὴν ὕλην ΜΑ7. 988 ᵃ25. ἀρχαὶ σωματικαί, ἀσώματοι ὐ 55 ψα2. 404 ᵇ31. στοιχεῖα ἀσώματα, σωματικὰ Φδ1. 209 ᵃ16. ἀδύνατον τὸ ἀσώματον μεμίχθαι σώματι τζ12. 149 ᵇ1. — ὁ ἀὴρ δοκεῖ ἀσώματος εἶναι Φδ4. 212 ᵃ12. λεπτότερον ἀὴρ ὕδατος χ ἀσωματώτερον Φδ8. 215 ᵇ5. ὅσῳ ἂν ᾖ ἀσωματώτερον χ ἧττον ἐμποδιστικὸν χ εὐδιαιρετώτερον Φδ8. 215 60 ᵇ10. τὸ πῦρ λεπτομερέστατον χ μάλιστα τῶν στοιχείων

ἀσώματον ψα2. 405 ᵃ7 (Trdlbg p 241). ὁρίζονται ψυχὴν τῷ ἀσωμάτῳ ψα2. 405 ᵇ11. ἡ ψυχὴ σῶμα τὸ λεπτομερέστατον ἢ τὸ ἀσωματώτατον τῶν ἄλλων ψα5. 409 ᵇ21. 2. 405 ᵃ27.

'Ασωπῦ ἡ Σινώπη f 540. 1567 ᵇ23.

ἀσωτευόμενοι (χ) κατατοκιζόμενοι γίνονται πένητες Πε12. 1316 ᵇ15.

ἀσωτία. περὶ ἀσωτίας cf ἐλευθεριότης et Ηβ7. 1107 ᵇ10. ηεβ3. 1221 ᵃ5. opp φειδώ Ρβ14. 1390 ᵇ2.

ἄσωτος, proprie, cui spes nulla salutis est, τῶν ἐκθνησκόντων οἱ ἄσωτοι πλγ9. 962 ᵇ5. — sensu morali cf ἐλευθέριος. def Ηβ3. 1221 ᵃ33. f 178. 1508 ᵃ3. etymol ὁ δι' αὐτὸν ἀπολλύμενος Ηδ1. 1120 ᵃ1. ὁ ἄσωτος ὅμοιόν τι ἔχει τῷ ἐλευθερίῳ Ηη10. 1151 ᵇ7. Ρα9. 1367 ᵇ3. — ἀσώτως f 178. 1507 ᵇ23.

ἄτα. ἐγγύα πάρα δ' ἄτα f 6. 1475 ᵃ25. cf παροιμία.

ἄτακτος, opp τεταγμένον Οα10. 280 ᵃ8. αι3. 440 ᵃ4. f 16. 1476 ᵇ44. ἄτακτος φθορά, syn ὅπως ἂν τύχῃ Ζιε29. 556 ᵃ12. ὐδὲν ἄτακτον τῶν φύσει Φθ1. 252 ᵃ11. κατὰ φύσιν μέν, ἀτακτοτέραν μέντοι τῆς τῦ πρώτυ στοιχείυ μα1. 338 ᵇ20. εἰ ἄτακτοι αἱ ἀρχαί, ἀτακτότερα τὰ ἐξ αὐτῶν f 16. 1476 ᵇ45. τῷ κατὰ συμβεβηκὸς ἄτακτα χ ἄπειρα τὰ αἴτια Μκ8. 1065 ᵃ26. ἐπιστήμη τῶν ἀορίστων ὐκ ἔστι διὰ τὸ ἄτακτον εἶναι τὸ μέσον Αα13. 32 ᵇ19 Wz. κίνησις ἄτακτος πη14. 888 ᵇ13. ἡ πυρώδης χ ἄτακτος λεγομένη φύσις κ2. 392 ᵇ2. — ποιεῖν τὴν πολιτείαν ἀτακτοτέραν Πζ4. 1319 ᵇ15. — (pro ἀτακτοτέρον πκς37. 944 ᵇ23 ἀταρακτοτέρον ci Bussem). — ἀτάκτως, syn παρὰ φύσιν Ογ2. 301 ᵃ4. ἀτάκτως κινεῖσθαι Ογ2. 300 ᵇ18, 27, 33. ἀτάκτως ἔχειν χηλάς Ζμδ8. 684 ᵃ35. ζῆν ἀτάκτως, opp σωφρόνως Πζ4. 1319 ᵇ32. ὁ λαφύκτης ἀτάκτως ἀναλίσκει ηεγ4. 1232 ᵃ16. — περαίνεται ὁ μῦθος ὐκ ἀτάκτως κ7. 401 ᵇ23.

'Αταλάντη. ἐπίγραμμα ἐπὶ 'Αταλάντης f 596. 1577 ᵃ7.

ἀτάλαντος (Hom Β 169) explicatur f 138. 1501 ᵇ8.

ἀταμίευτος. ἡ σκληρότης τῆς φωνῆς ἀταμίευτον Ζγε7. 788 ᵃ34.

ἀταξία, opp τάξις Ογ2. 301 ᵃ3, 5. ἀπὸ τύχης χ ἀταξίας Ζμα1. 641 ᵇ23. ἀταξία χ τὸ αἰσχρόν, opp τάξις χ τὸ καλόν ΜΑ4. 985 ᵃ1. ἀταξία, coni ἀσχημοσύνη, ἀμορφία Φα7. 190 ᵇ15, opp εἶδος Μλ4. 1070 ᵇ28. — ἀταξία χ ἀναρχία Πε3. 1302 ᵇ28, 31. ἀκολουθεῖ τῇ ἀκολασίᾳ ἀταξία αρ6. 1251 ᵃ22.

ἀτάρ in versu Empedoclis (ν 379) Μβ4. 1000 ᵇ7. in fabula Aesopi Ρβ20. 1393 ᵇ32.

ἀτάρακτος. κόπρος βοναίων ἀταράκτυ, opp τεταραγμένυ Ζιι45. 630 ᵇ12. ἀταρακτότερα τὰ τῆς νυκτός πια5. 899 ᵃ21. τὸ ἀταρακτότερον (ci Bsm, ἀτακτότερον codd Bk) μέλαν φαίνεται πκς37. 944 ᵇ23.

ἀτάραχος, opp τεταραγμένος θ1. 830 ᵃ22. — ἀτάραχος ἐν τοῖς φεβεροῖς, syn ἄφοβος Ηγ12. 1117 ᵃ31. 11. 1117 ᵃ19. ἀτάραχον εἶναι, syn μὴ ἄγεσθαι ὑπὸ τῦ πάθυς Ηδ11. 1125 ᵇ34. ἀτάραχος διάνοια πλ14. 975 ᵃ5.

ἀταραχωδέστερος ὁ ἀὴρ τῆς νυκτός μτ2. 464 ᵃ4.

ἀτάριχευτοι φύκει μυρρίναι πκ31. 926 ᵃ35.

'Αταρνεύς Πβ7. 1267 ᵃ32, 35. f 625. 1583 ᵇ30. τὰ ἐν 'Α. θερμὰ πκδ16. 937 ᵇ7. 'Αταρνέος ἔντροφος f 625. 1583 ᵇ20.

ἀτασθαλία· τῆς φύσεως (Alcid fr V, 5) Ργ3. 1406 ᵃ9.

ἄτε cum partic. Φθ6. 260 ᵃ5, 7. μγ1. 371 ᵇ10. ΜΑ8. 990 ᵃ17. Πε10. 1310 ᵇ5. κ7. 401 ᵃ26. Ζμβ5.651ᵇ9 al, omisso participio μβ3. 358 ᵃ35. — frequentius quam ab Aristotele in Problematis videtur usurpatum esse, veluti πα9. 860 ᵃ20,

24. 12. 860 ᵇ23. β22. 868 ᵇ7. ε22. 883 ᵃ15, 19. 40. 885
ᵇ3. ια33. 903 ᵃ10, 13 al.
ἄτεγκτος. περὶ ἀτέγκτυ μδ̅8. 385 ᵃ13. 9. 385 ᵇ13-26.
ἀτειρής. ἀτειρέϊ χαλκῷ (ex incerto poeta, cf Ὅμηρος extr)
πο21. 1457 ᵇ14. ἀτειρέσιν ἀκτίνεσσιν (Emped 225) αι2.
437 ᵃ31.
ἀτείχιστος πόλις οβ̅1348 ᵃ13.
ἀτεχνία Πβ̅6. 1265 ᵇ10. διὰ τὰς ἀτεχνίας Πβ̅6. 1265 ᵃ41.
ποῖα ὕδατα ἀτεχνίαν ποιεῖ Ζγδ̅2. 767 ᵃ34. ἂν μὴ ὁ ἀνὴρ
αἴτιος ᾖ τῆς ἀτεχνίας Ζικ̅4. 636 ᵇ8. περὶ ἀτεχνίας ἡμιόνων
Ζγγ̅1. 749 ᵃ10.
ἄτεχνος κ̅ μονώτης Ηα̅9. 1099 ᵇ4. οἱ ἄτεχνοι θᾶττον δια-
λύονται Ηθ̅14. 1162 ᵃ28. ἡ τῶν ἀτέχνων κ̅ γονίμων γυναι-
κῶν πεῖρα ποδ̅2. 876 ᵇ12. τῶν ἵππων τινὲς ἄτεχνοι ὅλως
Ζιζ̅22. 577 ᵃ3. ἄτεχνοι ἰχθύες Ζγγ̅5. 755 ᵇ19.
ἀτέλεια, opp τελειότης Φθ̅7. 261 ᵃ36. Ζγγ̅9. 758 ᵇ20. δ̅4.
770 ᵇ5. opp τελείωσις μδ̅3. 380 ᵃ31. cf 2. 380 ᵃ6, 8.
ἀτελείωτα τὰ Περσικὰ Ἐμπεδοκλῆς f 59. 1485 ᵇ15.
ἀτέλεστος, non initiatus Ργ̅18. 1419 ᵃ4, 5.
ἀτελεύτητος, def Φγ̅4. 204 ᵃ5. Μκ̅10. 1066 ᵃ37. coni
ἄπειρος, ἔχειν τέλος Οα̅5. 273 ᵃ5.
ἀτελής. 1. imperfectus. ἡ κίνησις ἐνέργεια ἀτελής Φγ̅2. 201
ᵇ32. θ̅5. 257 ᵇ8. Μθ̅6. 1048 ᵇ29. κ̅9. 1066 ᵃ21. ψβ̅5. 417
ᵃ16. γ̅7. 431 ᵃ6. Ηκ̅3. 1174 ᵃ22. ἡ τῶν ἀτελῶν ἐνέργεια
ἀτελής, ὐδὲν ἀτελὲς εὔδαιμον ηεβ̅1. 1219 ᵃ38, ᵇ8. τὸ γινό-
μενον ἀτελὲς κ̅ ἐπ᾽ ἀρχὴν ἰόν Φθ̅7. 261 ᵃ13. ἡ γένεσις ἀτε-
λές τι ημβ̅7. 1204 ᵃ34. opp τέλειος Φγ̅1. 201 ᵃ6. Μκ̅9.
1065 ᵇ12. Οβ̅1. 284 ᵃ7. πρότερον τὸ τέλειον τῦ ἀτελῦς
Φθ̅9. 265 ᵃ23. Μμ̅2. 1077 ᵃ19, cf ν̅5. 1092 ᵃ13. — συλ-
λογισμὸς ἀτελής Αα̅1. 24 ᵃ13, ᵇ24. 5. 28 ᵃ4. 6. 29 ᵃ15. 15.
34 ᵃ4, 35 ᵃ6. 16. 36 ᵇ24. 19. 39 ᵃ2. 22. 40 ᵇ15. — ἡ
φύσις ὐδὲν ἀπολείπει τῶν ἀναγκαίων πλὴν ἐν τοῖς πηρώμασι
κ̅ ἐν τοῖς ἀτελέσι ψγ̅9. 432 ᵇ23, cf 1. 425 ᵃ10. 11. 433
ᵇ31. υ2.455 ᵃ8. ζῷα ἀτελεστέραν ἔχοντα τὴν φύσιν, ζῷα
ἀτελῆ Ζγδ̅4. 737 ᵇ8. Ζια̅9. 491 ᵇ27. τῶν ζῳοτόκων τὰ μὲν
ἀτελῆ προΐεται ζῷα, τὰ δὲ τετελειωμένα Ζγδ̅6. 774 ᵇ5. cf
Ζιε̅1. 539 ᵇ10. ἀτελές, syn ἀνάλογον (v h v) Ζια̅4. 489 ᵃ23.
ᾠὰ ἀτελῆ ἄνευ τῆς τῦ ἄρρενος γονῆς Ζγα̅21. 730 ᵃ32. γι.
750 ᵇ15. ἀτελέστατα γεννᾶται τὰ τῶν τετελεσμένων Ζγε̅1.
779 ᵃ24. ἀτελῆ τὰ τῶν νέων ἔγγονα Πη̅16. 1335 ᵃ13, 16,
ᵇ30. Ζιη̅1. 582 ᵃ19, 21 (aliter ἀτελῆ dicuntur τὰ ᾠὰ
κ̅ τὰ σπέρματα τῶν φυτῶν ὅσα ἄρριζα αν̅17. 478 ᵇ30).—
ἀτελής, syn νεώτερος, opp τελειωθείς, πρεσβύτερος Πα̅12.
1259 ᵇ4. ηεβ̅2. 1237 ᵃ29. πι̅46. 896 ᵃ18. opp ἐπιτελεστικός
φ̅6. 813 ᵇ30. ἔχειν ἀτελὲς τὸ βυλευτικόν, χωρὶς ἕκαστος
ἀτελὲς περὶ τὸ κρίνειν Πα̅13. 1260 ᵃ14. γι̅11. 1281 ᵇ38. —
ἡ βραχεῖα (in fine) διὰ τὸ ἀτελὴς εἶναι ποιεῖ κολοβόν Ργ̅8.
1409 ᵃ18. — 2. ἀτελές i e ὐκ ἔχον τέλος sive ὐ ἕνεκα.
ἡ φύσις ὐδὲν ὔτε ἀτελὲς ποιεῖ ὔτε μάτην Πα̅8. 1256 ᵇ21.
— 3. ἀτελής exemptus a vectigalibus, ἀτελὴς πάντων Πβ̅9.
1270 ᵇ4. cf οβ̅1349 ᵇ8, 9. — ἀτελεστέρα κ̅ ἀρετῇ Ηα̅3.
1095 ᵇ32. — ἀτελῶς πως, opp τελέως Πγ̅1. 1275 ᵃ13.
ἀτενής. ὀφθαλμοὶ ἀτενεῖς, opp σκαρδαμυκτικοὶ Ζια̅10. 492
ᵃ11. οἱ ἀτενὲς τὸ μέτωπον ἔχοντες κόλακες φ̅6. 811 ᵇ26
(cf γαληνές ᵇ38).
ἀτενίζειν εἴς τι, opp παραβλέπειν μα̅6. 343 ᵇ12. ἀτενίζειν
πρός τι πλα̅19. 959 ᵃ24. θατέρου καταληφθέντος ὀφθαλμῦ ὁ
ἕτερος ἀτενίζει μᾶλλον πλα̅4. 957 ᵇ18. — φαντασθείη ἂν
τῷ πρὸς τὸ κακοποιὸν αὐτῆς ἀτενίζοντι τὴν διάνοιαν Φα̅9.
191 ᵃ15.
ἀτέραμνος. τὰ ἀτέραμνα ὕδατα ἀτεχνίαν ποιεῖ Ζγδ̅2. 767 ᵃ34.

ἀτέρμων. ἐξ αἰῶνος ἀτέρμονος εἰς ἕτερον αἰῶνα κ7. 401 ᵃ16.
ἄτερος, ν ἕτερος 3.
ἀτερψία, def Ηζ̅4. 1140 ᵃ21.
ἄτεχνος. ἡ μισθαρνία τῶν ἀτέχνων κ̅ τῷ σώματι μόνον χρη-
σίμων Πα̅11. 1258 ᵇ26. πρᾶξις ἄτεχνος, opp τεχνικὴ ηεβ̅3.
1220 ᵇ26. διδασκαλία ἄτεχνος τι34. 184 ᵃ1. ὁ λόγος ἔχει
τὸ μὲν ἄτεχνον, ὐδὲν γὰρ αἴτιος ὁ λέγων τῶν πράξεων, τὸ
δ᾽ ἐκ τῆς τέχνης Ργ̅16. 1416 ᵇ18. πίστεις ἄτεχνοι, opp ἔν-
τεχνοι Ρα̅15. 2. 1355 ᵇ35. φύσεώς ἐστι τὸ ὑποκριτικὸν εἶναι
κ̅ ἀτεχνότερον Ργ̅1. 1404 ᵃ16. ἡ ὄψις ψυχαγωγικὸν μέν,
ἀτεχνότατον δὲ κ̅ ἥκιστα οἰκεῖον τῆς ποιητικῆς πο6. 1450
ᵇ17. 14. 1453 ᵇ8. — ἀτέχνως μετέχυσι τύτῳ ἢ ἐντέχνως
ἡ διαλεκτική ἐστι τι11. 172 ᵃ34.
ἀτέχνως καθάπερ .. κ̅ ὔτως Ηα̅13. 1102 ᵇ18. ἀτέχνως ὥσπερ
Ζγβ̅6. 743 ᵇ22. ἀτέχνως ἔοικε Ζγα̅23. 731 ᵃ21.
ἄτη κ̅ ἀτυχία μεγάλη αρ7. 1251 ᵇ20.
ἄτηκτος μγ7. 378 ᵃ13. πυρὶ ἄτηκτα Ζγγ̅11. 762 ᵃ31. ἄτηκτα
κ̅ ἀμάλακτα μδ̅10. 388 ᵇ24. ἄτηκτα τινὰ μδ̅8. 385 ᵃ12.
20-33.
ἀτιμαγελεῖν Ζιϑ̅3. 611 ᵇ2, def Ζιζ̅18. 572 ᵇ19.
ἀτιμάζειν τινὰ ρ36. 1441 ᵇ25. ἀτιμάζεσθαι, opp τιμᾶσθαι
Πε3. 1302 ᵇ11. ὡς ἀτιμαζόμενος ἐμήνισεν Ἀχιλλεὺς Ρβ̅24.
1401 ᵇ29. ἀτιμάζεσθαι ὑπό τινος Πε7. 1306 ᵇ31. ηεγ5.
1232 ᵇ13. ἀτιμαζόμενοι ἐκ τῦ ἄστεως πο3. 1448 ᵃ38.
ἀτίμητον μετανάστην (Hom I 644) Πγ̅5. 1278 ᵃ37. Ρβ̅2.
1378 ᵇ33.
ἀτιμία. αἱ ψυχαὶ διαφέρυσι τιμιότητι κ̅ ἀτιμίᾳ Ζγβ̅3. 736
ᵇ32. περὶ τιμᾶς κ̅ ἀτιμίας ὁ μεγαλόψυχός ἐστιν Ηδ̅7. 1123
ᵇ21, 1124 ᵃ5. ἀτιμία πρόσεστι τῷ ἑαυτὸν διαφθείροντι Ηε15.
1138 ᵃ13. ἀτιμία κ̅ ζημία Πε2. 1302 ᵃ33. ἀτιμίαι κ̅ πλη-
γαί, ἀτιμίαι ἀπελεύθεροι Πη17. 1336 ᵇ10, 11. ἀδικεῖν εἰς
ἀτιμίαν, opp εἰς κέρδος Πε8. 1308 ᵃ9. — ἀτιμία ἀφώρισται
τῷ μὴ διαιτήσαντι τὴν ἐπικληρωθεῖσαν δίαιταν f 414. 1547
ᵃ28.
ἄτιμος, opp ἔντιμος Ηγ̅11. 1116 ᵃ21. τῆς γνώσεως τὸ τίμιον
κ̅ ἄτιμον πολὺ διαφέρει Ζγα̅23. 731 ᵃ34. γένος τιμιώτερον,
ἀτιμότερον Ζγγ̅11. 762 ᵃ25. ζῷα ἄτιμα ημβ̅7. 1205 ᵃ30.
ζῷα κ̅ τίμια κ̅ ἀτιμότερα ψα̅2. 404 ᵇ4. θηρίων μορφὰς
τῶν ἀτιμοτάτων πο4. 1448 ᵇ12. in partibus corporis distin-
guitur τὸ ἀτιμότερον κ̅ τὸ τιμιώτερον Ζγμ̅10. 672 ᵇ21. 4.
665 ᵇ20. 5. 667 ᵇ34. — ἄτιμος. syn μὴ τιμώμενος καὶ τὰς
πολιτικὰς ἀρχὰς Πγ̅10. 1281 ᵃ30, 32, 34. 11. 1281 ᵇ29.
1. 1275 ᵃ21. σφόδρα ἄτιμος, opp ὑπερευγενὴς Πδ̅11. 1295
ᵇ8. ἄτιμον εἶναι τὸν ἐν στάσει μηδετέρας μερίδος γενόμενον
f 353. 1538 ᵃ6.
Ἀτιτανία πρὸς τοῖς ὁρίοις τῆς Ἀπολλωνιάτιδος θ36. 833 ᵃ7.
Ἀτλαντικὴ θάλασσα κ3. 392 ᵇ22, 27. Ἀτλαντικὸν πέλαγος
κ3. 393 ᵃ16. πκς52. 946 ᵃ29.
Ἀτλαντίνων χώρα (Ταυλαντίνων coni Did) θ127. 842 ᵇ14.
Ἄτλας τὸν ὐρανὸν ἔχειν λέγεται Μδ̅23. 1023 ᵃ20. Οβ̅1.284
ᵃ19. ἐπὶ τῆς γῆς ἔχει τὼς πόδας Ζικ̅3. 699 ᵃ27, ᵇ1.
ἄτμητον πολλαχῶς λέγεται Μδ̅22. 1023 ᵃ2. ηεγ2. 1230 ᵃ39.
περὶ ἀτμήτυ μδ̅8. 385 ᵃ17. 9. 387 ᵃ3-11. — ζῷα ἄτμητα,
opp ἐκτεμνόμενα Ζιϑ̅50. 629 ᵃ32, 632 ᵃ9.
ἀτμιδῦσθαι. τὸ ὑγρὸν ἀτμιδύμενον φέρεται ἄνω μα9.346 ᵇ25.
ἀτμιδώδης ἀναθυμίασις, opp καπνώδης, ξηρὰ μγ6. 378 ᵃ19.
β4. 360 ᵃ9. 3. 358 ᵃ22. ἀναθυμίασις ἀτμιδωδεστέρα, opp
πνευματωδεστέρα μα4. 341 ᵇ8. ἀτμιδώδης ἀπορροὴ μβ8.
367 ᵇ6, ἀὴρ Ζγε6. 786 ᵃ12. ὁ βορέας ἅτε ἀφ᾽ ὑγρῶν τό-
πων ἀτμιδώδης μβ3. 358 ᵃ38.
ἀτμίζειν (cf ἀτμίς), syn διακρίνεσθαι μβ2. 354 ᵇ30. ἀτμι-

κέναι, syn διαπνεῖν, ἐξικμάζειν πκβ9. 930 ᵇ36, 34. ἀτμίζειν,
opp συνίστασθαι, συγκρίνεσθαι μα13. 349 ᵇ23. ββ.358ᵇ16,
17, 19, 20. 6. 364 ᵇ27. ἀτμίζειν et ea dicuntur, quae ἀ-
τμίδα ἐξιᾶσι, veluti ὁ κέραμος ὀπτώμενος ἀτμίζει μδ6. 383
ᵃ24, λιβανωτὸς παραπλησίως τοῖς ξυλίσις ἀτμίζει μδ10.
388 ᵇ32, et ea quae ἔχωσιν ἀτμίδα vel εἰσὶν ἀτμίς, veluti
συνίσταται ὁ ἀτμίζων ἀὴρ εἰς ὕδωρ μα13. 349 ᵇ23, τὸ καθ'
ἡμέραν ἀτμίζον μα10. 347 ᵃ13. 3. 340 ᵇ25 Ideler. —
ἀτμιστόν, opp θυμιατόν μδ9. 387 ᵇ8.

ἀτμίς. ἔστι δύο εἴδη ἀναθυμιάσεως, καλεῖται δ' ἡ μὲν ἀ-
τμίς, ἡ δὲ τὸ μὲν ὅλον ἀνώνυμον οἷον καπνός μβ4. 359 ᵇ30.
ἡ ἐξ ὕδατος ἀναθυμίασις ἀτμίς ἐστιν μα9. 346 ᵇ32. 3. 340
ᵇ3. 4. 341 ᵇ10. δ9. 387 ᵃ25. Αδ12. 96ᵃ3. πκγ34.935ᵃ20.
ἔστιν ἀτμίδος φύσις ὑγρὸν ⁊ θερμόν μα3. 340 ᵇ27. Γβ3.
330 ᵇ4. (ἡ ἀτμὶς ὑγρὸν ⁊ ψυχρόν, ὁ δὲ καπνὸς θερμὸν ⁊
ξηρόν μβ4. 360 ᵃ23). ὁ τῆς ἀτμίδος ἄνω ῥεῖ ποταμός μα9.
347 ᵃ4. ἡ ἀτμὶς ὑγρότης τις αι5. 443 ᵃ26. ἔστιν ἀτμὶς δυ-
νάμει οἷον ὕδωρ, ἀναθυμίασις δὲ δυνάμει οἷον πῦρ μα3. 340
ᵇ28. συνίσταται πάλιν ἡ ἀτμὶς ψυχομένη ⁊ γίνεται ὕδωρ ἐξ
ἀέρος μα9. 346 ᵇ29. 10. 347 ᵃ17. 11. 347 ᵇ18. β4. 360 ᵃ2.
δ7.384ᵃ6. τὰς ἀτμίδας ξηραίνει ὁ ἥλιος πβ9. 867 ᵃ21. πᾶσα
ἡ γεώδης ἀτμὶς ἀέρος ἔχει δύναμιν Ζγε4. 784 ᵇ15. πότερον
αἱ ὀσμαὶ καπνὸς ἢ ἀὴρ ἢ ἀτμίς πιβ10. 907 ᵃ29. τὸ σῶμα
ἴδιον ἡμῶν ἀτμίδα χλιαρὰν ἀφίησιν πε36. 884 ᵇ17. ἀνοιχθέν-
τος λέοντος ἀτμίδα ἀφίησι βαρεῖαν Ζιθ5. 594 ᵇ27.

ἀτμός. ὅταν ἐκ γῆς ἀτμὸς ἄνῃ πολὺς ὑπὸ τῷ ἡλίῳ πα21.
862 ᵃ4. ἡ ὀσμὴ ἀτμὸς ⁊ ἀπορροή τις πιγ5. 908 ᵃ21. ἀτμὸς
ὑδατώδης πιβ4. 907 ᵃ3.

ἀτμώδης ⁊ νοτερὰ ἀναθυμίασις κ4. 394 ᵃ14, 19, 27.

ἄτοκος. ἄτοκος τοῖς χρήμασιν ἀποκεχρημένοις οβ1350 ᵃ11.

ἄτομος. 1. mathematice. ἀδύνατον ἐξ ἀτόμων εἶναί τι συνεχές,
μέγεθος δ' ἐστὶν ἅπαν συνεχές· ὅτε γραμμὴ ὅτε ἐπίπεδον
ὅτε ὅλως τῶν συνεχῶν ὐδὲν ἔσται ἄτομον Φζ2. 232 ᵃ24,
233 ᵇ17 (syn ἀμερές 233 ᵇ32). ὐκ εἰσὶν ἄτομοι γραμμαί
Φγ6. 206 ᵃ17. Ογ1. 299 ᵃ12. ατ968ᵃ1sqq, 970ᵇ30. Πλά-
των ἐτίθει τὰς ἀτόμυς γραμμὰς ΜΑ9. 992 ᵃ22. ὐκ ἔστιν
ἄτομα μεγέθη Γα2. 315 ᵇ26-317 ᵃ17. Φα3. 187 ᵃ3. Μμ8.
1088 ᵇ13. αι6. 445 ᵇ18. μάχονται ταῖς μαθηματικαῖς ἐπι-
στήμαις ἄτομα σώματα λέγοντες Ογ4. 303 ᵃ21. Democriti
ἄτομα σώματα Φθ9. 265 ᵇ29. Ογ4. 303 ᵃ21. ψα2. 404 ᵃ2.
Μζ13. 1039 ᵃ10. ψῆς οἷόν τε εἰς ἀτόμυς χρόνυς διαιρεῖσθαι
τὸν χρόνον Φθ8. 263 ᵇ27. τὸ νῦν τὸ ἄτομον οἷον στιγμὴ
γραμμῆς ἐστιν Ογ1. 300 ᵃ14. cf Φδ13. 222 ᵇ8. ζ10. 241
ᵃ25. χρόνος, ⁊ ὐκ ἄτομον Φζ8. 239 ᵃ9. 5. 235 ᵇ33. τὸ ἅμα
λέγω ἐν ἑνὶ ⁊ ἀτόμῳ χρόνῳ πρὸς ἄλληλα αι7. 448 ᵇ19,
449 ᵃ3. κατ' ἄτομον χρόνον αι7. 447 ᵇ18. ἐν ἀτόμῳ Φζ5.
236 ᵃ6. ἐν ταῖς γραμμαῖς χρῶνται ὡς ἀτόμῳ τῇ ποδιαία
Μι1. 1052 ᵇ33. — 2. logice a. τὰ καθ' ἕκαστα, opp τὰ εἴδη.
ἁπλῶς τὰ ἄτομα ⁊ ἓν ἀριθμῷ κατ' ὐδενὸς ὑποκειμένυ λέ-
γεται Κ2. 1 ᵇ6. τῶν δευτέρων ὐσιῶν τὸ μὲν εἶδος κατὰ τῦ
ἀτόμυ κατηγορεῖται, τὸ δὲ γένος ⁊ κατὰ τῦ εἴδυς ⁊ κατὰ
τῦ ἀτόμυ· ἐπὶ τῶν πρώτων ὐσιῶν ἄτομον ⁊ ἓν τὸ δηλύ-
μενόν ἐστιν Κ5. 3 ᵃ38, ᵇ12. cf ἄτομα hac vi usurpatum
Αβ24. 69 ᵃ17 (αἱ ἄτομοι τριάδες). δ13. 96 ᵇ11, 12. τὸ ι.
121 ᵃ36. 2. 122 ᵇ21. ζ6. 144 ᵇ2. Μβ1. 995 ᵇ29. 3. 998
ᵇ16. Φθ5. 257 ᵃ1. αι7. 448 ᵃ3, ᵇ21. μν2. 451 ᵃ26 (?) al.
τὰ εἴδη τοῖς οἰκείοις ἀτόμοις ὀνόματα διδόασιν φτα1. 816
ᵃ14. — b. τὰ ἔσχατα εἴδη, ἃ ὐκέτι διαφοραῖς διαιρεῖται,
opp τὰ γένη, τὰ πρῶτα εἴδη (plerumque εἴδη vel εἴδει ad-
ditur, cf Zeller II, 2, 150, 5) Αδ13. 96 ᵇ16. 17. 99 ᵇ7. τβ2.
109 ᵇ16, 21. γ6. 120 ᵃ35. δ1. 121 ᵇ19. Μββ3. 999 ᵇ29 Bz.

ζ8. 1034 ᵃ8. ι8. 1058 ᵃ18, 19 Bz. 9. 1058 ᵇ10. κ1. 1059
ᵇ36. α2. 994 ᵇ21 (?). ψβ3. 414 ᵇ27 (κατὰ τὸ οἰκεῖον ⁊
ἄτομον εἶδος). Φε4. 227 ᵇ7, 30. Ζμα3. 643 ᵃ7, 8, 16, 19.
4. 644 ᵃ29, 33. — ἀτόμως ὑπάρχειν, syn πρώτως ὑπάρ-
χειν, μὴ εἶναι μέσον, opp κατ' ἄλλο ὑπάρχειν Αγ15. 79
ᵃ33-36, ᵇ21. 16. 79 ᵇ30, omnino Αγ15-17.

ἀτονεῖν. ἡ δύναμις ἀτονεῖ πκς42. 945 ᵃ17.

ἄτονος. φωνεῖν ἄτονον φ6. 813 ᵇ3.

ἄτοπος. σκωλήκιον ὐδενὸς ἧττον ἄτοπον τῶν ζώων Ζιε32. 557
ᵇ13. εἴ τις ἄτοπος φανείη τοῖς πολλοῖς Ηκ9. 1179 ᵃ15.
ηεα4. 1215 ᵇ8. Ρβ23. 1398 ᵃ13. ἀφροδισίων ἄτοπος ἡδονή
Ηη6. 1149 ᵃ15. ἡ ἀρετὴ ⁊ ἡ κακία αὐταὶ ἄτοποι ημβ4.
1200 ᵃ38. ἄτοπον, coni syn παράλογον, ἄλογον ψα5. 411
ᵃ14. Ζμα5. 645 ᵃ11. Ζγβ1. 734 ᵃ10, 7, ἀδύνατον Φδ8.
216 ᵇ11. α2. 185 ᵃ30. Μν2. 1089 ᵃ12, opp ἀναγκαῖον Οβ8.
289 ᵇ15. ἄτοπος ⁊ πλασματίας ὁ λόγος Ζγβ1. 734 ᵃ33.
σφόδρα, παντελῶς ἄτοπον τζ13. 150 ᵃ7, 10. ἀτοπώτατόν τι
ποιῶσιν, ὅσοι λέγυσιν αι4. 442 ᵃ30. ἄτοπον, ὐδὲν ἄτοπον (int
ἐστί) καταριθμεῖσθαι, τὸ λέγειν, τὸ φροντίσαι al Κ8.11ᵃ37.
Φβ4. 196 ᵇ2. Μν2. 1089 ᵃ12. μα8. 345 ᵃ18. β2. 355 ᵃ18.
3. 357 ᵃ18. ἄτοπον, ὐδὲν ἄτοπον, εἰ μα5. 342 ᵇ4. ρ1. 1421
ᵃ14. συμβαίνει ἄτοπον, ὐδὲν ἄτοπον συμβαίνει εθ. 18 ᵇ26.
Αα41. 49 ᵇ33. ψα5. 411 ᵃ14. Φη1. 242 ᵇ21, 243 ᵃ2. Μζ14.
1039 ᵇ17. λ10. 1075 ᵃ26. ἑνὸς ἀτόπυ δοθέντος τὰ ἄλλα
συμβαίνει Φα2. 185 ᵃ11. 3. 186 ᵃ9. ἀλλ' ἄτοπον (in princi-
pio refutationis) Αδ7. 92 ᵇ28. — ἀτόπως λέγων Ηε11.
1136 ᵃ12.

ἀτραγῳδότατον τῦτο, τὰς μοχθηρὰς ἐξ ἀτυχίας εἰς εὐτυ-
χίαν μεταβάλλοντας φαίνεσθαι πο13. 1452 ᵇ37.

ἄτρακτος (τῶν Μοιρῶν) κ7. 401 ᵇ15.

ἀτρακτυλλίς, φέρονται ἀπ' αὐτῆς αἱ μέλιτται Ζιι40. 627 ᵃ8.
(Kentrophyllum lanatum DC.)

ἀτραπός. μίαν ἀτραπὸν πάντες βαδίζυσι μύρμηκες Ζιι38.
622 ᵇ25.

Ἀτρείδης (Hom I 388) Ργ11. 1413 ᵃ32. Ἀτρείδαις θυσία
ἐν Τάραντι θ106. 840 ᵃ7.

ἀτρεμεῖν, syn ἠρεμεῖν ξ3. 977 ᵇ17, 16, 20.

ἀτρεμία ποιεῖ τὰ ἔχοντα κοιλίαν θερμὴν Ζιθ6. 595 ᵃ30. ταῖς
ἀτρεμίαις λαβεῖν σημεῖα τῦ ὕπνυ Ζιθ10. 537 ᵃ4.

ἀτρεμής, coni syn ἀνετρεώπιστον, ἀπαθές κ2. 392 ᵃ32. τὰ
παρελθόντα ἀτρεπτα κ7. 401 ᵇ19.

ἄτρητος, pass ὀστῦν ἄτρητον, opp τρητόν Ζιγ7. 516 ᵃ26.
ἄτρητοι οἱ χόνδροι Ζιγ8. 516 ᵇ35. — act τὰ μὲν ζῷα τρη-
ματώδη, τὰ δ' ἄτρητα Ζια1. 488 ᵃ25.

ἄτριπτοι ἄρτοι, μᾶζαι, opp σφόδρα τετριμμένοι πκα17. 929
ᵃ17. 2. 927 ᵃ22.

Ἄτροπος, μία τῶν Μοιρῶν, ἐπεὶ τὰ παρελθόντα ἄτρεπτά
ἐστιν κ7. 401 ᵇ18.

ἀτροφεῖν κ4. 395 ᵇ28.

ἀτροφία, coni πόνος, νόσος ακ803 ᵇ21. ἀδυναμία συμβαίνει
διὰ τὴν τῦ σώματος ἀτροφίαν ⁊ σύντηξιν πη9. 888 ᵃ10.
λζ3. 966 ᵃ10.

ἄτροφος, pass τρίχες ἀτροφώτεραι, opp τροφὴν ἔχυσαι πι23.
893 ᵃ39. τὸ ψυχρὸν ἄτροφον, opp τὸ θερμὸν τροφῆς δεῖται
Ζμδ5. 682 ᵃ24. — act τὸ μὴ ἔχον τυρὸν γάλα ἄτροφον
μδ7. 384 ᵃ25 (cf τροφιμώτατον τὸ πλεῖστον ἔχον τυρὸν
Ζιγ21. 523 ᵃ11).

ἀτρύγητοι βότρυες, opp ῥάγες τετρυγημέναι πκ23. 925 ᵇ15.

ἄτρυγος οἶνος (ex oraculo) f 555. 1569 ᵇ32, 1570 ᵃ2.

ἀτρύπητοι ψῆφοι, opp τετρυπημέναι f 424. 1548 ᵇ17. 426.
1548 ᵇ38.

ἄτρυτος. Ἰξίονός τινος μοῖραν κατέχειν ἀίδιον ᾗ ἄτρυτον Οβ1. 284 ᵃ35. τὸ αὔταρκες ᾗ σχολαστικὸν ᾗ ἄτρυτον κατὰ τὴν τῦ νῦ ἐνέργειαν φαίνεται ὄντα Ηκ7. 1177 ᵇ22. δυνάμει χρώμενος ἀτρύτῳ ὁ θεός κ6. 397 ᵇ23.

ἄτρυτος Ρβ22. 1396 ᵇ18.

ἄττα, coniunctum cum nomine vel pronomine ὄργανα ἄττα, ἴδια ἄττα, ἄττα ἴδια, ἄττα στερεά, τριχώδη ἄττα, λεύκ᾽ ἄττα al μδ̄12. 390 ᵃ1. Αα23. 41 ᵃ10. 27. 43 ᵇ27, 28 al. Γα8. 325 ᵇ6. Ζιδ̄1. 524 ᵇ21, 525 ᵃ2. 2. 527 ᵃ22. ε5. 540 ᵇ26. ποῖ᾽ ἄττα, πόσα ἄττα Ογ1. 298 ᵃ26. πιζ̄1. 916 ᵃ4. Ηε8. 1133 ᵃ22. πόσα ᾗ ποῖ᾽ ἄττα Ζιγ1. 509 ᵃ28. ποσά ἄττα, πός᾽ (indef) ἄττα Φα2. 185 ᵇ2. γ7. 207 ᵇ8. Μδ13. 1020 ᵃ29. ὀλίγ᾽ ἄττα αι3. 440 ᵃ1. ἄττα abs, ἔστιν ἄττα, εἶναι ἄττα al Φε4. 227 ᵇ12. θ6. 259 ᵃ22. β9. 200 ᵃ7. Ρα2. 1356 ᵇ35.

ἀτταγήν, avis. eius χρῶμα Ζυ26. 617 ᵇ25. ὁ πτητικός, ἀλλ᾽ ἐπίγειος, κονιστικός Ζυ49Β. 633 ᵇ1. (francolin, tetrao bonasia L C St, tetras attagen K, tetrao bonasia vel t attagen Cr, perdix cinerea Su p 141 n 112, dubitat AZι I 77, 88 n 19.)

Ἄτταλος Πε10. 1311 ᵇ3.

ἄττειν, ἄττειν. ᾄξαντες (Eur I A 80) Ργ11. 1411 ᵇ30. ὁ γλάνις ἐρύκων τὰ ἰχθύδια ἄττει ᾗ ἦχον ποιεῖ Ζω37. 621 ᵃ28. — ὁ ἀὴρ ἄττεσθαι (σάττεσθαι?) εἰς αὑτὸν (ᾗ αὑτὸν) ὗ πέφυκεν πιςᵃ8. 914 ᵇ24.

ἀττέλαβος, ἔντομον. οἱ ἀττέλαβοι ἐκ συγγενῶν γίνονται, πῶς τίκτυσι, φθείρεται αὐτῶν τὰ ᾠὰ ὑπὸ τῶν μετοπωρινῶν ὑδάτων, τίκτυσιν ἐν τοῖς ἀργοῖς, διὸ πολλοὶ ἐν τῇ Κυρηναία γίνονται Ζιε19. 550 ᵇ32. 29. 556 ᵃ8. 30. 556 ᵇ1. (locustarum larva C St, 'locustarum genus illud, quod L gryllos, Fabricius achetas vocavit' S I 381 K p 677 n 3 Cr, acridium migratorium Su 198 n 11, locusta quaedam AZι I 156, 161 n 6.)

Ἀττικὸς πάροικος, proverbium Ρβ21. 1395 ᵃ18. οἱ Ἀττικοὶ ῥήτορες Ργ11. 1413 ᵇ11. τὰ Ἀττικὰ φιδίτια Ργ10. 1411 ᵃ25. σῖτος καταπλέων εἰς τὸ Ἀττικὸν ἐμπόριον f 410. 1546 ᵇ7. Δρυμὸν Ἀττικόν, dist Δρυμὸν Βοιώτιον f 569. 1571 ᵇ33. μέδιμνος Ἀττικὸς f 525. 1564 ᵇ26, 29. Ἀττικὴ οἰκονομία οα6. 1344 ᵇ31, 1345 ᵃ8. — ἡ Ἀττικὴ Ρβ23. 1398 ᵃ1. f 357. 1538 ᵇ22. οἱ Παλληνεῖς, δῆμος τῆς Ἀττικῆς f 355. 1538 ᵇ19. Δειψύδριον, χωρίον τῆς Ἀττικῆς f 356. 1538 ᵃ35. Ἴωνος οἰκήσαντος τὴν Ἀττικὴν f 343. 1535 ᵇ38. Ἴωνες οἱ ἐκ τῆς Ἀττικῆς τετραπόλεως f 449. 1551 ᵇ37. coeli temperies πκ20. 925 ᵃ8. κς17. 942 ᵃ19. 56. 946 ᵇ33, 947 ᵃ2.

Attractio relativi, ubi proprie relativum casu nominativo ponendum erat: ἄλυπον διὰ τὸ μηδὲν ἔχειν ὧν τὸ γῆρας λωβᾶται Ρα5. 1361 ᵇ14.

ἀτυχεῖν πεζῇ Πε3. 1303 ᵃ8. opp κατορθῦν Ργ9. 1410 ᵃ7. κακοπαθεῖν ᾗ ἀτυχεῖν τὰ μέγιστα Ηα3. 1096 ᵃ1. ἀτυχεῖν περὶ τὰς πράξεις, κοινὸν πᾶσι τὸ ἁμαρτάνειν ᾗ τὸ ἀτυχεῖν ρ5. 1427 ᵃ38, ᵇ1.

ἀτύχημα, dist ἁμάρτημα, ἀδίκημα Ηε10. 1135 ᵇ12-1136 ᵃ5. Ρα13. 1374 ᵇ6. τὰ τυχόντα ἀτυχήματα, ἀτυχήματα μεγάλα ᾗ πολλὰ Ηα11. 1101 ᵃ10. τὰ περὶ αὐτὸν (αὑτὸν?) ἀτυχήματα Ηα11. 1101 ᵃ28.

ἀτυχής, dist ἄδικος ημα34. 1195 ᵃ18.

ἀτυχία γίγνεται, συμβαίνει Πβ11. 1273 ᵇ22. 7. 1266 ᵇ20. ἀτυχία, dist ἀδικία, coni ἁμάρτημα ρ5. 1427 ᵃ36. περὶ πᾶσαν εὐτυχίαν ᾗ ἀτυχίαν μετρίως ἔχειν Ηδ7. 1124 ᵃ14. 60. — ἀτυχία δηλοῖ τὰς φίλας ηεη2. 1238 ᵃ19.

V.

αὗ. ᾗ αὖ Ηδ14. 1128 ᵃ21. δ᾽ αὖ Ηγ6. 1113 ᵃ20. δ3. 1121 ᵇ28, 31. θ5. 1157 ᵃ10. ι2. 1165 ᵃ29. 4. 1166 ᵇ10. ὅτ᾽ αὖ Φα7. 190 ᵇ36. μήτ᾽ αὖ Ηι10. 1170 ᵇ23. ὑδ᾽ αὖ Ηγ2. 1110 ᵇ21. δ1. 1119 ᵇ24. 8. 1125 ᵃ7. 12. 1126 ᵇ28. ι2. 1165 ᵃ25. κ2. 1173 ᵇ24.

αὐαίνεσθαι (αὐαίνεσθαι). ἡ πόα αὐαινομένη λευκαίνεται Ζγε5. 785 ᵃ33. τῶν φύλλων αὐαινομένων φλέβες λείπονται μόνον Ζμγ5. 668 ᵃ25. αὐαίνεσθαι ᾗ καταγηράσκειν πκ7. 923 ᵇ1.

αὔανσις, opp σῆψις Ζγε5. 785 ᵃ26. αὔανσις τριχὸς ἢ πολιά f 226. 1519 ᵃ12. τοῖς μὲν φυτοῖς αὔανσις, ἐν δὲ τοῖς ζῴοις καλεῖται γῆρας αν17. 478 ᵇ28. 18. 479 ᵇ3. γῆρας ᾗ αὔανσις μδ̄1. 379 ᵃ5.

Αὐγείας θ58. 834 ᵇ27.

αὐγή. φαίνεται ᾗ ἀὴρ ᾗ ὕδωρ χρωματιζόμενα· ᾗ γὰρ ἡ αὐγὴ τοιῦτόν ἐστιν αι3. 439 ᵇ2. διαφέρει τὰ χρώματα τιθέμενα ἐν αὐγῇ τοιᾳδὶ ἢ τοιᾳδὶ μγ4. 375 ᵃ26. τὸ τῦ ὀφθαλμῦ λευκὸν ὑγρόν, στίλβον πρὸς τὴν αὐγήν Ζιζ3. 561 ᵃ32. ὀξύτερον βλέπει στρέφοντα πρὸς τὸ φῶς ᾗ δεχόμενα τὴν αὐγήν Ζμβ13. 658 ᵃ2. τὰ κοῖλα ᾗ τὰ ἐξέχοντα μάλιστα τῇ αὐγῇ κρίνεται πλα25. 960 ᵃ6. ἡ ὄψις ἀνακλᾶται πρὸς τὴν αὐγήν πκγ6. 932 ᵃ37. αἱ τῦ ἡλίυ αὐγαί, ἀσθενεῖς προσπίπτυσαι αἱ τῦ ἡλίυ αὐγαί, κεράννυσθαι ταῖς τῦ ἡλίυ αὐγαῖς πιε11. 912 ᵇ14. χ2. 792 ᵃ17, 23, ᵇ28. (ἀελίυ αὐγαί f 625. 1583 ᵇ21.) αἱ τῦ φωτός, τῶν λύχνων, τῦ μέλανος αὐγαί χ3. 793 ᵇ15, 20. 4. 794 ᵇ7. κεράννυσθαι ταῖς αὐγαῖς χ2. 792 ᵇ26. 4. 794 ᵇ7. αὐγαὶ προσπίπτυσαι, ἀνακλώμεναι χ1. 791 ᵃ22. 3. 793 ᵇ11. 2. 792 ᵇ18. αὐγαὶ ἠεροειδεῖς χ2. 792 ᵇ8. αὐγὴ σκληρὰ ἢ μαλακή χ3. 793 ᵇ17.

αὐδήεσσα. διὰ τὴν Καλυψὼ ᾗ τὴν Κίρκην ᾗ τὴν Ἰνὼ αὐδήεσσας λέγει μόνας f 163. 1505 ᵃ4. αὐδήεσσα (Ημχ136), Ἀριστοτέλης ὑδήεσσα f 163. 1505 ᵇ5. μεταγράφει ποτὲ τὸ αὐδήεσσα εἰς τὸ αὐλήεσσα f 163. 1505 ᵃ42.

αὐθάδεια, opp ἀρέσκεια, σεμνότης ηεβ3. 1221 ᵃ8. γ7. 1233 ᵃ34. ημα29. 1192 ᵇ30.

αὐθάδης, def ηεγ7. 1233 ᵇ36. ημα29. 1192 ᵇ31. τὸν αὐθάδη ληπτέον (πρὸς ἔπαινον) μεγαλοπρεπῆ ᾗ σεμνὸν Ρα9. 1367 ᵃ37. αἱ γλῶτται χρησιμώταται ἐποποιοῖς· σεμνὸν γὰρ ᾗ αὐθάδες Ργ3. 1406 ᵇ3.

αὐθαίρετος ἔφεσις τῦ τέλυς Ηγ7. 1114 ᵇ6.

αὐθέκαστος, syn ἀληθευτικός, ἁπλῦς Ηδ13. 1127 ᵃ23. ηεγ7. 1233 ᵇ38.

αὐθημερὸν κ6. 398 ᵃ35. Ζιζ14. 568 ᵇ21. θ20. 603 ᵃ15.

αὐλεῖν Πβ11. 1273 ᵇ11. Πδ24. 604 ᵇ11. κατακάίειν αὐλῦντος Πκ5. 1175 ᵇ4. χορηγὸς αὐτὸς ηὔλησε τῷ χορῷ Πθ6. 1341 ᵃ33. αὐλεῖν βέλτιον Ργ12. 1282 ᵇ33, μαλακῶς, σκληρῶς ακ803 ᵃ20, βαρύτερον Ζγε7. 788 ᵃ22. πια13. 900 ᵃ31. ἂν Σκύλλαν αὐλώσιν πο26. 1461 ᵇ32. — pass vel med οἱ πονῦντες ᾗ ἀποφαύνοντες αὐλήτιναι πιθ1. 917 ᵇ19.

αὐλήεσσα (cf αὐδήεσσα) f 163. 1505 ᵃ42.

αὔλησις. ὅπερ ἐν ποιήσει πρόλογος ᾗ ἐν αὐλήσει προαύλιον Ργ14. 1414 ᵇ20.

αὐλητής Ργ12. 1282 ᵃ21. Ζμδ10. 687 ᵃ12. αὐλητὴς ὁ χρώμενος, opp αὐλοποιὸς Πγ4. 1277 ᵇ30. οἱ αὐληταὶ τί προαυλῆσιν Ργ14. 1414 ᵇ23. αὐλητὴς ἄνευ χορῦ ὗ χρήσιμος οβ1353 ᵇ17. οἱ φαῦλοι αὐληταὶ κυλίονται μιμώμενοι πο26. 1461 ᵇ31. εἰκάζυσι πιθήκῳ αὐλητήν Ργ11. 1413 ᵃ3.

αὐλητικὴ Ηκ5. 1175 ᵇ1. Ργ12. 1282 ᵇ37. Ζμδ10. 687 ᵃ13. τῆς αὐλητικῆς ἡ πλείστη μιμητική, πῶς ποιεῖται τὴν μίμησιν πο1. 1447 ᵃ15, 24. τὴν αὐλητικὴν ἤγαγον πρὸς τὰς μαθήσεις Πθ6. 1341 ᵃ32.

Q

αὐλητρίδων χ ψαλτριῶν μέλει τοῖς ἀστυνόμοις f 408.
1546 ᵃ40.
αὐλίζεσθαι. ὐκ ἐᾷ ἀετὸς πλησίον αὐτῶν ἄλλυς αὐλισθῆναι
Ζια32. 619 ᵃ30.
Αὐλίς. ἡ ἐν Αὐλίδι Ἰφιγένεια πο15. 1454 ᵃ32. f 584. 1573 5
ᵃ12.
αὐλίσκος. ψῆφοι χαλκαῖ (τετρυπημέναι) αὐλίσκον ἔχυσαι ἐν
τῷ μέσῳ f 424. 1548 ᵇ8, 15.
αὐλοποιὸς ὁ ἀρχόμενος, ὁ δ' ἄρχων αὐλητὴς ὁ χρώμενος
Πγ4. 1277 ᵇ29.　　　　　　　　　　　　　　　　　　　10
αὐλός. 1. tibia. αὐλῶν συρίγγων θ' ὁμαδόν (Hom K 13)
πο25. 1461 ᵃ18. αὐλός, ὄργανον μυσικὸν ψα3. 407 ᵇ25.
Ζγβ6. 742 ᵃ26. Ηα5. 1097 ᵃ27 (?). Πγ12. 1282 ᵇ32. αἱ
τῶν αὐλῶν γλῶτται Ζιζ10. 565 ᵃ24. αὐλοὶ λίθινοι ὁμωνύ-
μως μδ12. 389 ᵇ32. Ζμα1. 641 ᵃ2. ὁ αὐλὸς ὀργιαστικὸν 15
χ παθητικὸν Πδ7. 1342 ᵇ2. 6. 1341 ᵃ21. ἐμβαίνειν, ὀρχεῖσθαι
πρὸς αὐλόν f 234. 1520 ᵃ26. 541. 1567 ᵇ29. πυκτεύειν ὑπ'
αὐλῷ f 566. 1571 ᵃ9. αὐλὸς εἰς παιδείαν ὐκ ἀκτέον Πθ6.
1341 ᵃ18. ὁ αὐλὸς ἡδονῇ τῆς λύρας, μίγνυται τῇ ᾠδῇ δι'
ὁμοιότητα πιθ43. 922 ᵃ3, 9. sonorum varietas explicatur 20
Ζγε7. 788 ᵃ20. ακ801 ᵇ32-802 ᵃ17, 802 ᵇ18-28. πια13.900
ᵃ30. αὐλοὶ τέλειοι ακ804 ᵃ11. — 2. αὐλός universe fistulam
significat. ἐπιλαβὼν τὸν τῆς κλεψύδρας αὐλόν πιζ8. 914
ᵇ14, 27. εἰ ἀπὸ τῆς ὄψεως εὐθὺς συνεχὴς ἦν πρὸς τὸ ὁρώ-
μενον οἷον αὐλός· βλέπειν δι' αὐλῷ Ζγε1. 781 ᵃ9, 780 ᵇ19. 25
— ita αὐλός usurpatur ad significandas fistulas, quae sunt
in corpore animalium. αὐλος i q spiraculum cetaceorum.
τὰ κητώδη διὰ τί αὐλὸν ἔχει Ζιθ2. 589 ᵇ19. α5. 489 ᵇ3.
αν12. 476 ᵇ16. δεχόμενα κατὰ τὸ στόμα τὴν θάλατταν
ἀφιᾶσι κατὰ τὸν αὐλόν, ὁ αὐλὸς κεῖται πρὸ τῷ ἐγκεφάλῳ 30
Ζιθ2. 589 ᵇ2, 6. Ζμδ13. 697 ᵃ17, 18, 25. αν12. 476 ᵇ26-
28. διὰ τῷ αὐλῷ αἰσθάνονται τῶν ὀσμῶν Ζμβ16. 659 ᵇ16
(Fr 284 n 70). ὑπερέχοντα τὸν αὐλὸν καθεύδει τῆς θαλάττης,
δι' ὗ χ ἀναπνέυσιν Ζιδ10. 537 ᵇ1. — infundibulum cepha-
lopodorum. τὰ μαλάκια πρὸ τῷ κύτυς ὑπὲρ τῶν πλεκτανῶν 35
ἔχυσι κοῖλον αὐλόν, ᾧ τὴν θάλατταν ἀφιᾶσιν, ἀφιᾶσι τὸν
θόλον ταύτῃ Ζιδ1. 524 ᵃ10 (A ad h l). Ζμδ5. 679 ᵃ3.
Ζγα15. 720 ᵇ32. — bulbus aortae. ὁ ἐπ' ἄκρας τῆς καρ-
δίας πόρος ἐν ἰχθύσι μεγάλοις παχὺς αὐλός ἐστι χ λευκός
Ζιβ17. 507 ᵃ11 (A ad h l). τείνει ἐξ ἄκρυ τῆς καρδίας αὐ- 40
λὸς φλεβονευρώδης εἰς τὸ μέσον, ἡ συνάπτυσιν ἀλλήλοις
πάντα τὰ βράγχια αν16. 478 ᵇ8. — trachea. ὁ παρθένιος
αὐλὸς τῷ παιδικῷ ὀξύτερος Ζιη1. 581 ᵇ10. — (ἐν τῇ τῷ
ᾠῷ γενέσει) τῷ ὑμένος τι κατ' ἀρχὰς ὀμφαλῶδές ἐστι κατὰ
τὸ ὀξὺ, ᾗ ἀπέχει ἔτι μικρῶν ὄντων οἷον αὐλός Ζγγ2. 752 45
ᵇ3 (A ad h l).
αὐλος δύναμίς τις ἐν ὕλῃ Γα5. 322 ᵃ28.
Αὖλος ὁ Πευκέστιος θ78. 836 ᵃ5.
αὐλοτρυπᾶι πιθ23. 919 ᵇ7.
αὐλών. ζέφυρος ὐκ ἀπὸ ὀρέων πνεῖ, ἀλλὰ ῥαδίως ὥσπερ 50
δι' αὐλῶνος ῥέων πκς52. 946 ᵃ27. — αὐλών usurpatur ad
significandam tracheam (cf αὐλός 2). δεῖ γὰρ εἶναί τινα
κοινὸν αὐλῶνα, δι' ὗ μεριεῖται τὸ πνεῦμα κατὰ τὰς ἀρ-
τηρίας εἰς τὰς σύριγγας Ζμγ3. 664 ᵃ27. ἀνοπνοὴ παρὰ
τὸν αὐλῶνα τὸν περὶ τὸν γαργαρεῶνα αν7. 474 ᵃ19. cf 21. 55
480 ᵇ6.
αὐλωπίας, piscis. τίκτει τῷ θέρυς, καλῦσί τινες αὐτὸν χ ἀν-
θίαν Ζιζ17. 570 ᵇ19. ('definire genus nondum cuiquam con-
tigit' C S II 471 St ΑΖι I 125 n 3, scomber alalonga, non
labrus anthias K 762 n 7 Cr.)　　　　　　　　　　　　60

αὐξάνειν, αὔξειν. 1. trans. notio τῷ αὐξάνεσθαι ex tribus
his notis conficitur τὸ ὁτιῶν μέρος μεῖζον γίγνεσθαι τῷ
αὐξανομένῳ μεγέθυς χ προσιόντος τινὸς χ σωζομένυ τῷ
αὐξανομένυ χ ὑπομένοντος Γα5. 321 ᵃ19-22. τὸ αὐξανόμενον
πῶς μεταβάλλει κατὰ τὸν τόπον Γα5. 320 ᵃ20. πρόσθεσίς
τις ἡ αὔξησις, ὥσθ' ἅμα τό τ' αὐξανόμενον χ τὸ αὖξον
Φη2. 245 ᵃ28, 12. ἐνδέχεται ἡ αὐξάνεσθαι χ μόνον εἰσιόντος
τινὸς ἀλλὰ χ ἀλλοιωθέν Φθ7. 214 ᵇ2. ἀνάγκη τὸ αὐξανό-
μενον λαμβάνειν τροφήν Ζμβ3. 650 ᵃ3. αὐξάνειν, dist τρέ-
φειν Γα5. 322 ᵃ21-24. ἔστι μὲν ὡς τὸ ὅμοιον ὁμοίῳ αὐξά-
νεται, ἔστι δ' ὡς ἀνομοίῳ Γα5. 322 ᵃ3. Φθ7. 260 ᵃ30. Οα3.
270 ᵃ23. ἄτοπον τὸ ἐξ ἀνάγκης τὸ ἀλλοιωτικὸν αὐξητὸν
εἶναι Φθ5. 257 ᵃ24. τὸ ἀλλοιῶν χ ἡ ἀρχὴ τῆς κινήσεως ἐν
τῷ αὐξανομένῳ χ τῷ ἀλλοιωμένῳ Γα5. 321 ᵇ7. ὅταν γέ-
νηται, αὔξει ἤδη αὐτὸ ἑαυτὸ Ζγβ1. 735 ᵃ14. ἡ γονὴ χ
αὔξυσα ἕκαστον τῶν μορίων, αὔξειν τὸ ᾠόν Ζγδ3. 767 ᵇ18,
19. γ1. 751 ᵃ6. αὐξάνεσθαι ἀνὰ λόγον, syn δια-
μένειν τὴν μορφήν Ζγδ3. 768 ᵇ31. Γα5. 321 ᵇ29. Πε3.
1302 ᵇ35. — ἡ σελήνη αὔξεται, σελήνη αὐξανομένη χ φθί-
νυσα Αδ2. 90 ᵃ3. Οβ11. 291 ᵇ19. ἐπὶ τῶν αὐξανομένων χ
καθαιρυμένων γραμμῶν Φζ6. 237 ᵇ9. τῆς χώρας αὐξομένης
Πδ4. 1291 ᵃ20. αὐξανομένων τῶν πόλεων, τῶν ὑσιῶν Πδ13.
1297 ᵇ22. εδ. 1303 ᵃ12. αὐξῆσαι τὴν δημοκρατίαν, τὸ μέ-
σον Πζ4. 1319 ᵇ22. ε8. 1308 ᵇ30. τῆς ῥητορικῆς ηὐξημένης
Πε5. 1305 ᵃ12. μὴ αὐξάνειν λίαν μηθένα παρὰ τὴν συμ-
μετρίαν Πε8. 1308 ᵇ21. αὐξηθῆναι, coni εὐδοκιμῆσαι Πε4.
1304 ᵃ19. cf Ρβ5. 1382 ᵇ19. — rhetorice περὶ τὸ αὔξειν
χ μειῶν Ρβ26. αὔξησαί ἡ μειῶσαι Ργ14. 1415 ᵇ37. αὐξά-
νεσθαι, opp ἐπισυστέλλεσθαι Ργ2. 1404 ᵇ17. αὔξειν, opp
ταπεινῶν ρ4. 1426 ᵃ19. (18. 1432 ᵃ34. 34. 1439 ᵇ5.) cf ηεη1.
1244 ᵃ6. opp ἀσθενῆ χ μικρὰ ποιεῖν ρ34. 1439 ᵇ9. ἀθάνα-
τόν μιν αὐξῆσαι Μσια f 625. 1583 ᵇ22. — logice αὐξά-
νειν τὴν πρότασιν, τὴν ἀπόδειξιν, τὸν συλλογισμόν, i e μέσον
ἐμβάλλειν (cf καταπυκνῶν) Αγ14. 79 ᵃ30 Wz. 25. 86 ᵇ13,
17, 18. — 2. intr ἡ σελήνη αὐξάνει Αγ 13. 78 ᵇ6. ὅταν
ἐξέλθῃ χ αὐξηθῇ αν42. 629 ᵃ21. εἰσὶ ζῷα χ αὐξάνυσιν ἐκ
τῆς γῆς sim φια1. 816 ᵃ21. 4. 820 ᵃ5. 5. 820 ᵃ28. β1.
822 ᵃ39, ᵇ10. 6. 826 ᵇ1, 827 ᵃ3. — αὐξητός. τῷ αὐξητῷ
ἐντελέχεια αὔξησις Φγ1. 201 ᵃ13. τὸ σπέρμα τῶν αὐξανο-
μένων ταχύ ἐστι χ τῶν αὐξητῶν Ζικ5. 636 ᵇ34, 35. —
formae praesentis αὐξάνειν, αὐξάνεσθαι et αὔξειν, αὔξεσθαι
promiscue exhibentur, adeo ut etiam coniungantur τὸ μὲν
αὔξει, τὸ δ' αὐξάνεται Φη5. 250 ᵃ30, τὸ αὖξον χ τὸ αὐξα-
νόμενον Φη5. 250 ᵃ29. 2. 245 ᵃ12. in libris physicis ubi Bk
αὐξάνειν scripsit, saepe αὔξειν in v l invenitur, ubi αὔξειν
exhibet, fere ubivis aliquot codd αὐξάνειν habent; in libris
de naturali historia et de republica αὔξειν aliquoties ex-
hibetur sine v l veluti Ζγβ1. 735 ᵃ14. γ1. 751 ᵃ6. δ3. 767
ᵇ18, 19, 768 ᵇ31. Πδ4. 1291 ᵃ20. Ρβ26. 1403 ᵃ17 al.
αὔξη. χ ἐπὶ τὴν αὔξην δοκεῖ εἰς ἄπειρον ἰέναι χ ἐπὶ τὴν
καθαίρεσιν Φγ6. 206 ᵇ28, 32. τὸ ἐπ' ἄπειρον τῇ αὔξῃ
ἀδιεξίτητον Φγ7. 207 ᵇ29. μὴ σωζεσθαι εἰς αὔξην τὰ ἔκγυνα
Ζιη2. 582 ᵇ21. καταμήνια λευκὰ κωλύει τὴν αὔξην Ζιη1.
581 ᵇ4. τὸ μὲν εἰς ὑγίειαν ἔρχεται, τὸ δ' εἰς αὔξην Οο3.
310 ᵇ29. αὔξη τε χ ἀκμὴ χ φθίσις ψα5. 411 ᵃ30. ἡ ἐξ
ἀμφοῖν αὔξη πιζ1. 916 ᵃ11. — αὔξῃ χ φθίσις Φε4. 228
ᵇ21. Γα4. 319 ᵇ21. — exceptis tribus locis Φγ6. 206
ᵇ28, 32. Ζιη2. 582 ᵇ21 ubique in v l exhibetur αὔξη-
σις; Φε4. 228 ᵇ21 et Γα4. 319 ᵇ32 scribendum videtur
αὔξησις.

αὔξημα. σύντηγμα λέγω τὸ ἀποκριθὲν ἐκ τοῦ αὐξήματος ὑπὸ τῆς παρὰ φύσιν ἀναλύσεως Ζγα18. 724 ᵇ27.

αὔξησις, def ἡ κατὰ τὸ ποσόν (τὸ μέγεθος) μεταβολή, opp φθίσις Μλ2. 1069 ᵇ11. ν1. 1088 ᵃ31. Φϑ4. 211 ᵃ15. ε2. 226 ᵃ31. η2. 243 ᵃ9. Γα5. 320 ᵃ14. opp μείωσις Κ14. 15 ᵃ13. ἡ αὔξησίς ἐστι τοῦ ἐνυπάρχοντος μεγέθους ἐπίδοσις, ἡ δὲ φθίσις μείωσις Γα5. 320 ᵇ30. notio τῆς αὐξήσεως exponitur Γα5, dist a tribus reliquis τῆς μεταβολῆς generibus, κατ᾽ οὐσίαν, κατὰ τὸ ποιόν, κατὰ τὸ ποσόν ψα3. 406 ᵃ13. Κ14. 15 ᵃ13. Μη2. 1042 ᵃ36. λ2. 1069 ᵇ12. ν1. 1088 ᵃ32. Φε2. 226 ᵃ23-25. η2. 243 ᵃ9. Γα5. 320 ᵃ14. 2. 317 ᵃ27. τῷ αὐξητῷ ᵇ τῷ ἀντικειμένῳ φθιτῷ ἐντελέχεια αὔξησις ᵇ φθίσις Φγ1. 201 ᵃ13. κατ᾽ Ἐμπεδοκλέα οὐκ ἂν εἴη αὔξησις ἀλλ᾽ ἡ κατὰ πρόσθεσιν Γβ6. 333 ᵃ35. αὔξησις et τροφή quomodo differant Γα5. 322 ᵃ1, 23, 25. πρόσθεσίς τις ἡ αὔξησις 15 ὥσθ᾽ ἅμα τό τ᾽ αὐξανόμενον ᵇ τὸ αὔξον Φη2.245 ᵃ27. ἀδύνατον αὔξησιν εἶναι ἀλλοιώσεως μὴ προϋπαρχούσης Φθ7. 260 ᵃ29 (sed cf Κ14. 15 ᵃ31). αὐξήσεως τὸ πέρας τῷ κατὰ τὴν οἰκείαν φύσιν τελείῳ μεγέθεις (λῆψις) Φζ10. 241 ᵃ33. δεῖ τὸ κέρας τὴν φύσιν ἔχειν τῆς αὐξήσεως ὁμαλὴν ᵇ λείαν ακ802 20 ᵃ20. τελεύμενα μὲν τοιαῦτ᾽ ἐστίν, ἐν δὲ τῇ αὐξήσει διαφέρει Ζιβ1. 500 ᵇ34. ἀλλοίωσις, αὔξησις, γένεσις οὐκ εἰσὶν ὁμαλεῖς, φορὰ δ᾽ ἐστίν Φθ14. 223 ᵇ20. — ἄπειρόν ἐστι μέγεθος οὔτε τῇ καθαιρέσει οὔτε τῇ νοητικῇ αὐξήσει Φγ8. 208 ᵃ22. σελήνης ἐν αὐξήσει οὔσης ἢ φθίσει πιε11.912 ᵇ24. 25 αὔξησις ᵇ φθίσις τῶν σωμάτων, τῶν κυημάτων, τῶν ἐμβρύων, τῶν ᾠῶν, τῶν μορίων Ζγδ4. 771 ᵃ28. 6. 775 ᵇ20, 15. γ1. 752 ᵃ24. 2. 753 ᵇ12. ἡ εἰς τὸ σῶμα αὔξησις Ζγγ1. 749 ᵇ27. λαμβάνει τι αὔξησιν, τὴν αὔξησιν, τὴν πρώτην αὔξησιν ᵇ τροφήν, τὴν 30 αὔξησιν ταχεῖαν, ἐπίδηλον Ζθ11. 1160 ᵃ4. Πη10. 1329 ᵇ20. Ζγβ1. 733 ᵇ3. 6. 743 ᵇ19, 744 ᵇ30. γ1. 749 ᵃ26. 2. 752 ᵃ28, ᵇ18, 753 ᵇ29. α8. 718 ᵇ8. Ζιε10.543 ᵃ21. 15. 547 ᵇ29. ἔχει τι αὔξησιν, αὔξησιν ταχεῖαν, πολλήν Ζιβ1. 500 ᵇ22. ε15. 547 ᵇ33. Ηγ15. 1119 ᵇ4. τὴν αὔξησιν τὰ τέκνα τῶν 35 δελφίνων ποιεῖται ταχεῖαν Ζιζ12. 566 ᵇ18. ἡ αὔξησις τῷ κυήματι γίγνεται Ζγβ2. 740 ᵇ9. ἡ τῆς θρεπτικῆς ψυχῆς δύναμις ποιεῖ τὴν αὔξησιν Ζγβ4. 740 ᵇ31. — rhetorice ἡ αὔξησις ἐπιτηδειοτάτη τοῖς ἐπιδεικτικοῖς λόγοις, τοῖς ἐπαίνοις Ρα9. 1368 ᵃ27, 23. πράξεων ᵇ λόγων ἐνδόξων αὔξησις ρ4. 40 1425 ᵇ37. αὔξησις, αὐξήσεις, opp ταπείνωσις, ταπεινώσεις ρ4. 1425 ᵇ39, 1426 ᵇ18. 3. 1425 ᵃ27. 7. 1428 ᵃ2. αὔξησις διὰ τίνων γίγνεται ρ4. 1426 ᵃ19-ᵇ20.

αὐξητικός. ἐν τῷ αὐξανομένῳ ᵇ ὄντι ἐντελεχείᾳ σαρκὶ τὸ ἐνὸν αὐξητικόν Γα5. 322 ᵃ12. αὐξητικὸν σαρκός Γα5. 322 ᵃ27. τῆς τροφῆς τὸ μὲν θρεπτικὸν τὸ δ᾽ αὐξητικόν Ζγβ6. 744 ᵇ34. ἡ ἐπίκτητος τροφὴ ᵇ ἡ αὐξητική Ζγβ6. 745 ᵃ3. θρεπτικὴ ᵇ αὐξητικὴ ζωή Ηα6. 1098 ᵃ1. αὐξητικὴ ψυχή, dist θρεπτική, αἰσθητική ζ4. 469 ᵃ26. αὐξητικὸν τὸ θερμόν Ζγε8. 789 ᵃ8. — rhetorice χρηστέον τῶν αὐξητικῶν πολ- 50 λοῖς Ρα9. 1368 ᵃ10.

αὔξιμον (ν1 αἴξιμον) ὕδωρ (Emp 357, 363) αν7. 473 ᵇ23, 474 ᵃ2.

αὔξίς. Βυζάντιοι τὰς τῶν θύννων νέας αὐξίδας καλοῦσι διὰ τὸ ἐν ὀλίγαις αὐξάνεσθαι ἡμέρας Ζιζ7. 571 ᵃ17. (foetus thynni 55 vulgaris C S St K Cr ΑΖι I 129 n 25.)

αὖος. δένδρα αὖα, opp χλωρά πιβ3. 906 ᵇ8. σώματα αὖα, opp διερά πα9. 860 ᵃ28. τὸν ὄφιν αὖον εὐθὺς γενέσθαι θ151. 845 ᵇ31.

αὐότης. οὐχ αὐότης ἐστὶν ἡ πολιότης Ζιγ11. 518 ᵃ11. 60

ἄϋπνος ἄνθρωπός τις ᾧ μόνῳ τῷ ἡλιοειδεῖ τρεφομένῳ ἀέρι

f 37. 1481 ᵃ1.

αὔρα. αὔρας καλοῦμεν τὰς ἐξ ὑγροῦ φερομένας ἐκπνοάς χ4. 394 ᵇ13. cf πκγ16. 933 ᵃ35, 38. χς30. 943 ᵇ11,14. αὖραι πνέωσιν πκς54. 946 ᵇ3, 14.

αὔριον Ρβ6. 1385 ᵃ13.

Αὔσονες (Ὀπικοί) Πη10. 1329 ᵇ20.

αὐστηρός, opp γλυκύς αι4. 441 ᵃ15. αὐστηρὸς οἶνος, opp γλυκύς τβ3. 111 ᵃ5. πκγ26. 934 ᵃ34. ὁ αὐστηρὸς χυμὸς μεταξὺ τοῦ γλυκέος ᵇ τοῦ πικροῦ ψβ10. 422 ᵇ13. αι4. 442 ᵃ18. ὀσμὴ αὐστηρά ψϑ9. 421 ᵃ30. αι5. 443 ᵇ10. — αὐστηρός, opp εὐτράπελος ηεϑ5. 1240 ᵃ2.

Αὐταριᾶται ἐν Ἰλλυριοῖς θ138. 844 ᵇ10.

αὐτάρκεια Ηα5. 1097 ᵇ7. αὐτάρκεια τέλος ᵇ βέλτιστον Πα2. 1253 ᵃ1. αὐτάρκεια ζωῆς Ρα5. 1360 ᵇ15. Πγ1.1275 ᵇ21. ζῷα ἐν αὑτοῖς ἔχοντα τὴν τῆς τροφῆς αὐτάρκειαν Ζγδ8. 776 ᵇ8. αὐτάρκεια κτήσεως Πα8. 1256 ᵇ32. ἀναπλήρωσις τῆς κατὰ φύσιν αὐταρκείας Πα9. 1257 ᵃ30. πόλις πάσης ἔχουσα μέρος τῆς αὐταρκείας Πα2. 1252 ᵇ29. κοινωνοὶ βίου πρὸς τὸ εἶναι αὐτάρκειαν Ηε10. 1134 ᵃ27. μηδὲν δεόμενος δι᾽ αὐτάρκειαν Πα2. 1253 ᵃ28. περὶ αὐταρκείας ᵇ φιλίας ηε19. ημβ15. ἡ αὐτάρκεια περὶ τὴν θεωρητικὴν μάλιστ᾽ ἂν εἴη Ηκ7. 1177 ᵃ27.

αὐταρκεῖν ci Fr pro αὐτάρκῃ ηεγ10. 1242 ᵃ8.

αὐτάρκης. τὸ αὔταρκες def Ηα5. 1097 ᵇ14. Πη5.1326 ᵇ30. Ρα7. 1364 ᵃ8. αἱρετώτερον τὸ αὐταρκέστερον Πβ2. 1261 ᵇ14. τὸ τέλειον ἀγαθὸν αὔταρκες Ηα5. 1097 ᵇ8. Ρα6. 1362 ᵃ27. ζωὴ τελεία αὐτάρκης, ἀρίστη ᵇ αὐταρκεστάτη Πγ9. 1280 ᵇ34, 1281 ᵃ1. Οα9. 279 ᵃ21. τὸ πρῶτον ᵇ ἀΐδιον ᵇ αὐταρκέστατον Μν4. 1091 ᵇ16, 18, 19. τὰ τιμιώτερα ζῷα ᵇ αὐταρκέστερα τὴν φύσιν ἐστίν Ζγα1. 732 ᵃ17. αὐτάρκης, syn εὐδαίμων, μακάριος Ηι9. 1169 ᵇ5, 3, 4. ηεγ12. 1244 ᵇ3, 6, 4. ὁ σοφὸς αὐταρκέστατος Ηκ7. 1177 ᵇ1. οἰκία αὐταρκέστερον ἑνός, πόλις δ᾽ οἰκίας Πβ2. 1261 ᵇ11. cf α2. 1253 ᵃ26. δ4. 1291 ᵃ14. τὸ δοῦλον οὐκ αὔταρκες Πδ4. 1291 ᵇ10. ἐλλείπον πρὸς τὸ αὔταρκες εἶναι Πα8. 1256 ᵇ4. ἐν ᾧ ἐστι βασιλεὺς ὁ μὴ αὐτάρκης Ηθ12. 1160 ᵇ4. ὁ αὐτάρκης πότερον δεήσεται φίλων Ηι9. ηεγ12. ημβ15. — αἱ ἀκριβεῖς ᵇ αὐτάρκεις τῶν ἐπιστημῶν Ηγ5. 1112 ᵇ1. — αὔταρκες (i e ἱκανόν) πρὸς τὸ ἀνασκευάσαι, γνωρίσαι τα5. 102 ᵃ16. ζ15. 150 ᵇ23. ὅταν τὸ πνεῦμα σείειν μὴ ᾖ αὔταρκες χ4. 396 ᵃ13. — αὐτάρκως ἔχειν, syn εὖ διακεῖσθαι Ρα6. 1362 ᵃ27.

αὐτίκα δ᾽ Ἡσίοδος φησι ξ1. 975 ᵃ11.

αὐτίτης. ὅσῳ αὐτίτης ᵇ μονώτης εἰμί, φιλομυθότερος γέγονα f 618. 1582 ᵇ14.

αὐτοαγαθόν (cf αὐτός 1 b) Μβ2. 996 ᵃ28.

αὐτοάδης (adhibetur ad explicandum nomen αὐθάδης) ημα29. 1192 ᵇ33.

αὐτοάνθρωπος (cf αὐτός 1 b) τε7. 137 ᵇ6. ζ10. 148 ᵃ17. ΜΑ9. 991 ᵃ29, ᵇ19. ζ16. 1040 ᵇ33. μ5. 1079 ᵇ33. 7.1081 ᵃ8, 11. 8. 1084 ᵃ14, 18. Ηα4. 1096 ᵃ35. f 183. 1509 ᵇ20.

αὐτογνώμων. αὐτογνώμονας κρίνειν, ἄρχειν, opp κατὰ γράμματα Πβ9. 1270 ᵇ29. 10. 1272 ᵃ39.

αὐτογραμμή (cf αὐτός 1 b) Μζ11. 1036 ᵇ14.

αὐτοδιπλάσιον (cf αὐτός 1 b) ΜΑ9. 990 ᵇ32.

αὐτοδόξα (cf αὐτός 1 b) τϑ11. 162 ᵃ30, 31.

αὐτοειδός (an αὐτὸ εἶδος?) Μμ10. 1087 ᵃ6 Bz.

αὐτοέκαστον (cf αὐτός 1 b) τϑ11. 162 ᵃ27, 31. Ηα4. 1096 ᵃ35.

αὐτοεπιστήμη (cf αὐτός 1 b) Μθ8. 1050 ᵇ36.

αὐτοετὲς γεννᾶν, ὀχεύεσθαι Ζιζ4. 562 ᵇ12. ε14. 545 ᵃ24.

αὐτοζῷον (cf αὐτός 1 b) τε7. 137 b11.

αὐτόθεν. ἄλογον μὲν φαίνεται ἐξ αὐτόθεν ἐπιστήσασιν, ὒ μὴν ἀλλὰ ἔτι προιῦσι μᾶλλον Φθ1. 251 a21.

αὐτόθι θ57. 834 b11. 89. 837 b12. πκγ5. 932 a10. κϛ58. 947 a20.

αὐτοῖππος (cf αὐτός 1 b) Μζ16. 1040 b33. μ8. 1084 a14.

αὐτόϊσος (cf αὐτός 1 b) f 182. 1509 a19.

αὐτοκάβδαλος. αὐτοκάβδαλα φαίνεται, ἐὰν μὴ ἔχῃ προοίμιον Ργ14. 1415 b38. — αὐτοκαβδάλως. μήτε περὶ εὐόγκων αὐτοκαβδάλως λέγειν μήτε περὶ εὐτελῶν σεμνῶς Ργ7. 1408 a12.

αὐτοκίνητος (i e αὐτὸ ἑαυτὸ κινῦν) Φθ5. 258 a2.

Αὐτοκλῆς εἰς Μιξιδημίδην Ρβ23. 1398 b26.

αὐτοκράτωρ. μόναρχοι αὐτοκράτορες Πδ10.1295 a12. στρατηγὸς αὐτοκράτωρ Ρβ20. 1393 b10, 21. στρατηγία τις αὐτοκράτωρ (Bk2, αὐτοκρατόρων Bk) ἐξ ἀίδιος Πγ14. 1285 a8.

αὐτοματίζειν. τὰ μὲν φυτὰ ἐκ σπέρματος γίνεται, τὰ δ᾽ ὥσπερ αὐτοματιζούσης τῆς φύσεως Ζγα1. 715 b27.

αὐτόματος. 1. (dicendi usus.) usitatissimum γίγνεταί τι ἀπὸ ταὐτομάτῃ, coni ἀπὸ τύχης Ζιε1. 539 b7. Ζμα1. 640 a28, 20 641 b22. Φβ4-6 saepe. Μζ7. 1032 a29. 9. 1034 a10. Ρα1. 1354 a10 al. sed etiam dicitur γίγνεταί τι διὰ τὸ αὐτόματον, coni διὰ τύχην Φβ4. 195 b33. γίγνεσθαι τῷ αὐτομάτῳ, dist τέχνῃ, φύσει Μλ3. 1070 a7. γίγνεσθαι αὐτομάτως v infra p 124 b30. συμβαίνειν ἐκ ταὐτομάτου f 13. 25 1476 a30. γίγνεταί τι αὐτόματον, ὁ τρίπος αὐτόματος κατέπεσεν sim Ζμα1. 640 a31. Φβ6. 197 b15, 16. μβ1. 353 b28. Ζιη11. 587 b26 al. — forma fem. et αὐτόματος usurpatur γένεσις αὐτόματος Ζγγ11. 762 a9, et αὐτομάτη: γένεσις αὐτομάτη ψβ4. 415 a28. σύστασις αὐτομάτη Ζγγ11. 30 761 b26. θρὶξ ἐξέρχεται αὐτομάτη Ζιη11. 587 b26. — 2. (opposita, synonyma, notio.) περὶ τύχης ἐξ τῦ αὐτομάτη Φβ4-6, cf τύχη. τὸ αὐτόματον ἐξ κατὰ τὸ ὄνομα, ὅταν αὐτὸ μάτην γένηται Φβ6. 197 b29. τὰ ἀπὸ τύχης (ὡς ἔτυχε) ἐξ ἀπὸ ταὐτομάτου, opp τὰ ἐξ ἀνάγκης, τὰ ἀίδια, 35 τὰ ἀεί, τὰ ὡς ἐπὶ τὸ πολὺ Γβ6. 333 b6. Οα12. 283 a31, 32. β5. 287 b25. 8. 289 b21, 17. ἀπὸ ταὐτομάτου ἐξ τῆς τύχης, opp ἐξ αὐτῶν τῶν πραγμάτων, ἐπίτηδες πο9. 1452 a5, 7. τῶν γιγνομένων τὰ μὲν φύσει γίγνεται, τὰ δὲ τέχνῃ, τὰ δὲ ἀπὸ ταὐτομάτου Μζ7. 1032 a13. λ3. 1070 a7. ἀπὸ 40 ταὐτομάτου, opp ἀπὸ τέχνης Μζ7. 1033 b23. (αὐτόματον ἐρράγη τὸ στόμα τῶν ὑστερῶν, opp ὑπ᾽ ἰατρῶν διῃρέθη Ζγδ4. 773 a18. ἀρρωστήματα ἀνίατα, ἐὰν μὴ αὐτόματα καταστῇ Ζιθ24. 604 b9. αὐτομάτη ἐξῆλθεν ἡ θρίξ, opp ἐξεθηλάσθη Ζιη11. 587 b26. ὕδατα αὐτομάτα ῥεῖ, opp τέχνης 45 προσδεῖται μβ1. 353 b28. ὅσα ἔξω τέχνης ἐστί, τὸ αὐτόματον αὐτὸ δείξει ρ29. 1436 a12.) ὕστερον τὸ αὐτόματον ἐξ ἡ τύχη ἐξ νῦ ἐξ φύσεως Φβ6. 198 a10. Μκ8. 1065 b3. (ᾧ᾽ αὖ τῷ αὐτομάτῳ ἐξ τῇ τύχῃ τοσοῦτον ἐπιτρέψαι πρᾶγμα — int τὸ καλῶς ἰσχύειν τὰ γιγνόμενα — καλῶς εἶχεν 50 ΜΑ3. 984 b14. f 13. 1476 a30. ἀπὸ ταὐτομάτου δρᾶν, syn εἰκῇ Ρα1. 1354 a10. τὰ ἀπὸ ταὐτομάτου συμβαίνοντα κατὰ τρόπον ὐκ ἔστιν εὐβυλίας ἠμβ3. 1199 a10. τῶν ἐκτὸς ἀγαθῶν τῆς ψυχῆς αἴτιον ταὐτόματον ἐξ ἡ τύχη Πη1. 1323 b28.) τύτων τῶν (ποιήσεις) γίγνονται ἐξ ἀπὸ ταὐτομάτου ἐξ 55 ἀπὸ τύχης παραπλησίως ὥσπερ ἐν τοῖς ἀπὸ φύσεως γιγνομένοις Μζ7. 1032 a29. διὰ τί τὰ μὲν γίγνεται ἐξ τέχνῃ ἐξ ἀπὸ ταὐτομάτου. οἶον ὑγίεια, τὰ δ᾽ ὔ, οἶον οἰκία Μζ9. 1034 a10. Ζμα1. 640 a28, 31. Αθ11. 95 a4. — τὸ αὐτόματον, dist ἡ τύχη Φβ6. Bz ad Μκ8. 1065 a30. Wz ad Αγ30. 87 60 b19. — 3. (opera mechanicorum, quae per se moveri vi-

dentur.) τῶν θαυμάτων ταὐτόματα ΜΑ2.983 a14 Bz. Ζγβ1. 734 b10, 13. 5. 741 b9. cf Ζκ7. 701 b2. cf Αζγ p 138 n1. — 4. (γένεσις αὐτόματος φυτῶν ἐξ ζῴων τινῶν.) συμβέβηκε ἐξ ἐπὶ τῶν ζῴων ἐξ ἐπὶ τῶν φυτῶν αὐτόματά τινα γίνεσθαι· τὰ αὐτομάτως γιγνόμενα ἐκ τίνων (ἐκ γῆς σηπομένης, δρόσου al), ἐν τίσι (ἐν βορβόρῳ, κόπρῳ, περιττώμασι, ξύλοις al) γίγνεται Ζιε1. 539 b18-25, b7. 19. 551 a2-9. ψβ4. 415 a28. opp ἀπὸ ὑπέρματος, ἀπὸ συγγενῶν γίγνεσθαι Ζιε1. 539 a18, 22. 15. 547 b19. τίνα τρόπον γίνεται τὰ ἀπὸ ταὐτομάτου γινόμενα Ζγγ11. 763 a24. Ζμα1. 640 a27-32. Μζ9. 1034 b4. cf π165. 898 b5. τοῖς αὐτομάτως γινομένοις ἡ τῆς ὥρας αἰτία κίνησις ἐξ θερμότης Ζγβ6. 743 a35. — τῶν ἀπὸ ταὐτομάτου γενομένων exempla: τῶν φυτῶν τῶν ἀπὸ ταὐτομάτου γινομένων σύστασις Ζγγ11. 762 b18. πάντα τὰ ὀστρακώδη γίνεται ἐξ αὐτόματα, γίνονται ἐξ οἱ πλεύμονες αὐτόματοι Ζιε15. 547 b18, 548 a11. cf Ζγγ11. 761 a18, b24, 762 a1, 9, 763 a24. τῶν ἐντόμων ἔνια γίνεται αὐτόματα Ζιε1. 539 a24. Ζγβ1. 732 b12. γ9. 758 a30, b7, 759 a7. ἀκρίδες τινὲς ἐγένοντο αὐτόματοι ἔγκυοι Ζικ6. 637 b18. αἱ καλύμεναι ἕλμινθες ἐν τοῖς ζῴοις Ζιε19. 551 a8. ἐν μελίτταις πῶς ἐστὶ γένεσις αὐτόματος Ζγγ10. 759 a13, 30. τῶν ἰχθύων ἔνια ΖιΖ15. 569 a25. 16. 570 a16. ε1. 539 b3. — συνίσταται κυήματα ὀρνίσι τισι ἐξ αὐτόματα, ἃ καλῦσιν ὑπηνέμια ἐξ ζεφύρια τινὲς Ζγγ1. 749 a35. ἄγονα τοῖς ὄρνισι ἐξ τοῖς ἰχθύσι γίνεται τὰ ᾠὰ τὰ αὐτόματα, ἐὰν μὴ ἐπιρράνη τὸ ἄρρεν Ζγγ5. 756 a19. sed cf Ζιε1. 539 b3. — ἐκλέπεται τὰ τῶν σαύρων ᾠὰ αὐτόματα ἐν τῇ γῇ Ζιε3. 558 a16. τὰ ᾠὰ ἐκπέττεται ἐπωαζόντων τῶν ὀρνίθων, ὒ μὴν ἀλλὰ ἐξ αὐτόματα ἐν τῇ γῇ, ἐν ἀγγείοις ἀλεεινοῖς ΖιΖ2. 559 b1, 6. — αὐτομάτως πν2. 482 a20. αὐτομάτως γίνεσθαι Ζμα1. 640 a27. Ζγβ6. 743 a35. αὐτομάτως συνίστασθαι Ζγγ11. 761 b24.

Αὐτομέδων. ἐπίγραμμα ἐπὶ Αὐτομέδοντος f 596. 1576 b28.

αὐτόνομοι ὄντες πολῖται, opp βασιλευόμενοι Πε11. 1315 a6. αἱ αὐτόνομοι τῶν πόλεων ρ1. 1420 a22.

αὐτοπροαίρετος. κίνησιν αὐτοπροαίρετον ὐκ ἔχει τὸ φυτόν φτα2. 817 b23.

αὐτόπτης μα13. 350 a17. Ζιι29. 618 a18. 37. 620 b23. 41. 628 b8.

αὐτός. 1. ipse. a. τὰ μὲν πολιτείας ἀριστοκρατικῆς ἐστὶ τὰ δὲ πολιτείας αὐτῆς Πδ14. 1298 b11. τὸ μέν ἐστιν ἁπλῦν αὐτὸ ὐκ ἔχον διαφορὰν τὸ εἶδος Ζια6. 490 b17. διαφερέτω μηδὲν αὐτὸ εἰπεῖν ἀγαθὸν ἢ φαινόμενον ἀγαθὸν Μδ2. 1013 b27. συνέρχονται ἐξ τῇ ζῆν ἕνεκεν αὐτῆ ἐξ συνέχυσι τὴν κοινωνίαν ἐξ κατὰ τὸ ζῆν αὐτὸ μόνον Πγ6. 1278 b24. νέφη φερόμενα παρ᾽ αὐτὴν τὴν γῆν μα12. 348 a24. σφέτερον αὐτῆς Πε10. 1295 a21. saepe cum pronomine reflexivo coniungitur αὐτοὶ ἑαυτοῖς, αὐτὲς, πρὸς αὐτές sim τα11. 104 b5, 34. Πδ14. 1298 a3, b3. ε1. 1302 a12. 6.1305 b13. γ4·1277 b6 al. ἀπρέπειαν τῆς πολιτείας αὐτὴν καθ᾽ αὐτὴν Πβ9. 1270 a13. αὐτὸ καθ᾽ αὐτὸ Κ6. 5 b16. Φθ5. 257 a30 al. — b. addito pronomine αὐτός ideae Platonicae distinguuntur a rebus concretis, ποιῦσι τὰς αὐτὰς τῷ εἴδει τοῖς φθαρτοῖς, προστιθέντες τοῖς αἰσθητοῖς τὸ ῥῆμα τὸ αὐτὸ Μζ16. 1040 b34. ηεα8. 1218 a11. αὐτὸ ζῷον τζ6. 143 b31. αὐτὸ τὸ ζῷον, τὸ ζῷον αὐτὸ ψα2. 404 b19 (sed cf Trdlbg). Μμ9. 1085 a26. αὐτὸ τι ζῷον Μη6. 1045 a16. αὐτὸ ἐν ἐξ ὄν Μβ4. 1001 a22, 27. αὐτὸ μῆκος, αὐταὶ γραμμαί, αὐτὴ δυάς, τριάς τζ6. 143 b24, 31. Μβ2. 997 b14. Α9. 991 a5 Bz. μ6. 1080 a28. 7. 1081 a3, b31. αὐτὸ τὸ ἀγαθόν, αὐτὸ τι ἀγαθὸν ηεα8. 1217 b3, 1218 a10. αὐτὸ ἀγαθόν, αὐτὸ ἡδύ, αὐτὸ τὸ ὑγιεινόν, αὐτὴ ἐπιθυμία, βόλησις, ὑγίεια, ἰατρική τζ 8. 147 ᵃ8-10. Γβ9. 335 ᵇ22. Μβ 2. 997 ᵇ29, 31. αὐτὸ ἄλφα, βῆτα Μμ10. 1087 ᵃ9. ipsum αὐτό ad significandam naturam idealem usurpatur, εἶναι δοξαστὸν ἀληθῶς αὐτό τθ11. 162 ᵃ28 Wz. αὐτὸ γὰρ ἕκαστος ἀριθμὸς μέχρι δε- 5 κάδος Μμ8. 1084 ᵃ15. ex αὐτο et nominibus composita nomina formantur ad significandas ideas, cf αὐτοάνθρωπος, αὐτογραμμή, αὐτοδιπλάσιον, αὐτοδόξα, αὐτοείδος, αὐτοέκαστον, αὐτοεπιστήμη, αὐτοζῶον, αὐτοίππος, αὐτοίσον, αὐτοσύμμετρον, αὐτοτρίγωνον, αὐτοϋγίεια. non firmiter coaluisse 10 eiusmodi composita intelligitur, si comparaveris αὐτὸ ἕκαστος ἄνθρωπος Μμ8. 1084 ᵃ21, αὐτὸ γὰρ ἄνθρωπον Μβ2. 997 ᵇ8 cum iis locis (ν s αὐτοάνθρωπος) ubi coniunctim scriptum est αὐτοάνθρωπος. — c. non raro αὐτός, αὐτό absolute ponitur, omisso eo nomine, cui distinguendo in- 15 serviat, vel quia illud ex contextu sententiarum intelligi-tur, vel praecipue quia universalis notio cogitanda est. τὰς τῇ ἀρχῇ ⅋ αὐτῇ (int τῷ ἄρχοντος) φίλας ποιῶνται συνάρχως Πγ16. 1287 ᵇ31. cf 6. 1279 ᵃ2. ἐναντίον τὸ ἄνισον τῷ ἴσῳ ⅋ τὸ ἕτερον τῷ ταυτῷ ⅋ τὸ ἄλλο αὐτῷ Μν1. 20 1087 ᵇ30. ὁ φίλος ἕτερος αὐτός, ἄλλος αὐτός Ηι9. 1169 ᵇ7, 1170 ᵇ6. 4. 1166 ᵃ32. θι4. 1161 ᵇ28. ηεη12. 1245 ᵃ30 (Fr, ὕτος codd Bk). ταὐτό πως αὐτὸ ⅋ αὐτὸ πεπονθός Μδ29. 1024 ᵇ30. ἕκαστον μάλιστα αὐτὸ τῶν ἄλλων, καθ' ὃ ⅋ τοῖς ἄλλοις ὑπάρχει τὸ συνώνυμον Μα1. 993 ᵇ24. ποιεῖν 25 ὥσπερ ἐκ τῶν ἑκάστῳ ἀγαθῶν τὰ ὅλως ἀγαθὰ ἑκάστῳ ἀγαθά, ὅτως ἐκ τῶν αὐτῷ γνωριμωτέρων τὰ τῇ φύσει γνώριμα αὐτῷ γνώριμα Μζ4. 1029 ᵇ7. ἐπεὶ τέλος τὸ γεννῆσαι οἷον αὐτό, εἴη δὲ πρώτη ψυχὴ γεννητικὴ οἷον αὐτό ψβ4. 416 ᵇ24. ἡ φύσις ἀρχὴ κινητικὴ ὑκ ἐν ἄλλῳ ἀλλ' ἐν αὐτῷ 30 ᾗ αὐτό Μθ8. 1049 ᵇ10. λ3. 1070 ᵃ8. Ογ2. 301 ᵇ18. ὅσοις μὴ ἔστιν ἐναντίον ἡ ἐξ αὐτῦ τῇ εἰς αὐτὸ μεταβολὴ ἐναντία Φε5. 229 ᵇ12. 6. 230 ᵃ8. (cf Torstrik, Philol. 12, 525). φανερόν, δῆλον ἐξ αὐτῶν Κ7. 8 ᵃ38. τα5. 102 ᵃ11, ᵇ21 al. (inde Πη12. 1331 ᵃ21 αὐτὸ προκαλεῖται scribendum videtur 35 pro αὐτὰ προκαλεῖται). eiusmodi exempla quominus ad eum usum pronominis αὐτός referamus, qui sub 2 describitur, maior illa vis impedit, quae aperte pronomini inest ac saepe per oppositionem significatur.

2. casus obliqui αὐτῦ. αὐτῷ etc significant 'eius, ei' etc. 40 interdum per epanalepsin quandam hae formae pronominis pleonastice ponuntur, ὑπὲρ δὲ τῶν λοιπῶν, ἧ τε ποτὲ ⅋ τῷ τί ⅋ τῷ αὐτῶν, διὰ τὸ προφανῆ εἶναι ὑδὲν ὑπὲρ αὐτῶν ἄλλο λέγεται Κ9. 11 ᵇ11. cf similia μβ3. 359 ᵇ21. Ζιζ8. 564 ᵃ24. Ζμβ9. 655 ᵇ19. Ρα2. 1357 ᵇ25. Wz ad Κ10. 45 12 ᵇ29.

3. ὁ αὐτός, τὸ αὐτό 'idem'. — a. (identitatis notio.) τὸ μὲν ἄλλο ἀντικειμένως ⅋ τὸ ταυτό, διὸ πᾶν πρὸς ἅπαν ἢ ταυτὸ ἢ ἄλλο Μι3. 1054 ᵇ15. ἐναντίον τὸ ἕτερον τῷ ταυτῷ ⅋ τὸ ἄλλο αὐτῷ Μν1. 1087 ᵇ30. ταὐτὸ ποσαχῶς λέγεται Μδ 9. 50 ι3. 1054 ᵃ32-ᵇ3. τα7. ε4. 133 ᵇ15sqq. ταῦτα κατὰ συμβεβηκὸς Μδ9. 1017 ᵃ27. ζ11. 1037 ᵇ7. ταυτό πως αὐτὸ ⅋ αὐτὸ πεπονθός Μδ29. 1024 ᵇ30. ταὐτὰ λέγεται καθ' αὐτὰ ὥσπερ ⅋ τὸ ἓν Μδ9. 1018 ᵃ5 (cf ταυτότης). ταυτὰ ὧν μία ἡ ὑσία Μδ15. 1021 ᵃ11. ἐπεὶ τὸ ἓν ⅋ τὸ ὂν πολ- 55 λαχῶς λέγεται, ἀκολυθεῖν ἀνάγκη ⅋ τὸ ταυτὸν ⅋ τὸ ἕτερον Μδ10. 1018 ᵃ37, ᵇ7 Bz. ταυτὸν ἀριθμῷ, εἴδει, γένει τα7. ηι. 151 ᵇ28-30, 152 ᵃ31. Φηι. 242 ᵃ33, ᵇ4. ψα5.411 ᵇ20. Μθ8. 1049 ᵇ29. ι8. 1058 ᵃ18 Bz. Ζιβ1. 497 ᵇ12. ταυτὸν ἁπλῶς ⅋ κατὰ τὸν λόγον Φγ1. 201 ᵃ32. Μκ9. 1065 ᵇ26. 60 ταυτό λέγεται ὃ μὴ διαφέρει διαφορᾷ Φδ14. 224 ᵃ6. τὸ

αὐτὸ ἀδιάφορον εἴδει Φη4. 249 ᵃ20. τὸ αὐτὸ ⅋ ἓν ἀριθμῷ ὂν Κ5. 4 ᵃ10. τὸ αὐτὸ ⅋ ἀδιαίρετον ψ2. 427 ᵃ6. ταυτὸν ἀριθμῷ, εἴδει, κατὰ τὸν λόγον τὸν τῆς πρώτης ὑσίας Μι3. 1054 ᵃ32-ᵇ3 Bz. τὸ αὐτὸ κυρίως Φγ3. 202 ᵇ20. ὗ ταυτὰ πάντα ὑπάρχει τοῖς ὁπωσῦν τοῖς αὐτοῖς Φγ3. 202 ᵇ15. οἱ αὐτοὶ ⅋ ἀνάλογον Πδ4. 1292 ᵃ21. — πότερον ταυτὸν ἢ ἕτερον τη1. περὶ αὐτῦ τίνος ἐστιν ἐπιστήμης θεωρεῖν Μγ2. 1003 ᵇ36. ὑκ ἐνδέχεται τὸ αὐτὸ καθ' ἕνα ⅋ τὸν αὐτὸν χρόνον ἐναντί ⅋ μὴ εἶναι Μκ5. 1061 ᵇ36. γ3. 1005 ᵇ19 sqq. — b. (constructio et formae.) ταυτὸ ⅋ μβ 3. 357 ᵃ32. Ζιζ28. 578 ᵃ30. τὴν αὐτὴν ἣν ⅋ πρότερον μβ3. 357 ᵇ23. ταυτὸ c dat μβ8. 367 ᵇ4. 9. 370 ᵃ32. Πδ2. 1289 ᵇ6. 15. 1299 ᵇ al. τὸν αὐτὸν ⅋ ἕνα κατοικεῖν τόπον Πγ9. 1280 ᵇ35. ταῦτα πάντ' ἐστὶ τὸ αὐτὸ μα4. 341 ᵇ4. 9. 370 ᵃ28. γ1. 371 ᵇ16. τὰ εἴδη καθόλυ ταυτὰ μδ3. 381 ᵇ5. τὸ ταυτόν τι5. 167 ᵃ38 al. v supra. forma generis neutrius ταυτόν saepe legitur non solum ante vocales τζ 3. 140 ᵇ25, 141 ᵃ5. 4. 141 ᵇ24. 6. 144 ᵇ22. 7. 146 ᵃ31 al (sed ὑπὸ ταυτὸ εἴδος 3. 140 ᵇ17, 22, ὑπὸ ταυτὸ ὄντων 6. 144 ᵇ22), verum etiam ante consonantes τζ3. 140 ᵇ27, 29, 33. 5. 143 ᵃ19. 7. 146 ᵃ25, 26 al.

αὐτόσε. ὅταν ἀφέλκῃ ἐκεῖθεν αὐτόσε πη μν2. 452 ᵇ4.

αὐτοσύμμετρος (cf αὐτός 1b) f 182. 1509 ᵃ10.

αὐτοσχεδιάζειν περὶ τὰς κρίσεις ⅋ τὰς ἀρχάς Πη4. 1326 ᵇ19.

αὐτοσχεδίασμα. ἐγέννησαν τὴν ποίησιν ἐκ τῶν αὐτοσχεδιασμάτων πο4. 1448 ᵇ23.

αὐτοσχεδιαστική ἀπ' ἀρχῆς ἡ τραγῳδία ⅋ ἡ κωμῳδία πο4. 1449 ᵃ9.

αὐτοσχέδιος τριήρης f 558. 1570 ᵃ30.

αὐτοτελὴς ὁρισμὸς πρὸς τὸ γνωρίζειν τί ἐστι τὸ λεγόμενον τα5. 102 ᵇ13. αἱ αὐτοτελεῖς ⅋ αἱ αὐτῶν ἕνεκεν θεωρίαι, opp αἱ τῶν ἀποβαινόντων χάριν γινόμεναι Πη3. 1325 ᵇ20.

αὐτοτρίγωνον (cf αὐτός 1b) Γα2. 316 ᵃ12.

αὐτοϋγίεια (cf αὐτός 1b) f 182. 1509 ᵃ17.

αὐτυργεῖν τι κ6. 398 ᵃ5. αὐτὸν Ξέρξην αὐτυργεῖν ἅπαντα ⅋ ἐπιτελεῖν κ6. 398 ᵇ4.

αὐτυργός. οἱ ἀπὸ γεωργίας ⅋ τῶν ἄλλων οἱ αὐτυργοὶ Ρβ4. 1381 ᵃ24. cf α12. 1373 ᵃ8. — ὑκ ὑπομένων αὐτυργῦ ⅋ ἐπίπονα ζῷ κάματον κ6. 397 ᵇ22.

Αὐτοφραδάτης Πβ7. 1267 ᵃ32, 36.

αὐτοφυὴς πέτρα θ114. 841 ᵃ19. τὸ αὐτοφυὲς τῦ ἐπικτήτυ αἱρετώτερον Ρα7. 1365 ᵃ29.

αὐτόφυτος. βίοι ὅσοι αὐτόφυτον ἔχυσι τὴν ἐργασίαν, opp οἱ δι' ἀλλαγῆς πορίζοντες τὴν τροφήν Πα8. 1256 ᵃ40.

αὐτόχειρ. τὰς αὐτόχειρας ἑαυτῶν γινομένυς ὑκ ἐτίμων οἱ Θηβαῖοι f 460. 1553 ᵇ32.

αὐτόχθων. εὐγένεια ἔθνει τὸ αὐτόχθονας ἢ ἀρχαίυς εἶναι Ρα5. 1360 ᵇ31. Λέλεξ αὐτόχθων τις f 433. 1549 ᵇ36. 503. 1560 ᵃ33.

αὕτως. ὡς δ' αὕτως (Emped v 358) αν7. 473 ᵇ24.

αὐχήν. 1. a. (αὐχὴν descr.) αὐχὴν refertur inter τὰ μέγιστα μέρη τῦ σώματος Ζια8. 491 ᵃ27. αὐχὴν τὸ μεταξὺ προσώπυ ⅋ θώρακος, ⅋ τύτυ τὸ μὲν πρόσθιον μέρος λάρυγξ, τὸ δ' ὀπίσθιον στόμαχος, τὸ ὀπίσθιον αὐχένος μόριον ἐπωμίς, μετὰ τὸν αὐχένα ἐν τοῖς προσθίοις στῆθος, κοινὸν μέρος αὐχένος ⅋ στήθυς σφαγή Ζια12. 493 ᵃ5, 12. 14. 493 ᵇ7. 15. 494 ᵇ1. ἐντὸς τῦ αὐχένος ὁ οἰσοφάγος Ζια16. 495 ᵃ18. φλέβες ἐν τῷ αὐχένι Ζιγ2. 512 ᵃ21. 3. 512 ᵇ14, 20, 26, 513 ᵃ1, ᵇ28, 514 ᵃ4. οἱ τὰς ἐν τῷ αὐχένι φλέβας καταλαμβανόμενοι ἀναίσθητοι γίνονται υ2. 455 ᵇ7. νεῦρα πλεῖστα

περὶ τὸν αὐχένα Ζιγ5. 515 ᵇ22. στρέφειν τὸν αὐχένα υ3.
457 ᵃ19. τῶν ἀνθρώπων καλεῖται τὸ μεταξὺ τῆς κεφαλῆς
χ̣ τῷ αὐχένος πρόσωπον Ζμγ1. 662 ᵇ19. διὰ τί ὁ αὐχὴν
πέφυκε τοῖς ἔχουσιν αὐχένα Ζμγ3. 664 ᵃ12. 10. 686 ᵃ18, 20.
— b. (τῶν ζώων τίνα ἔχει αὐχένα, τίνα ὐκ ἔχει.) αὐχένα 5
ἔχει τὰ τετράποδα χ̣ ζωοτόκα Ζιβ1. 497 ᵇ14, τὰ τετρά-
ποδα ῳοτόκα ἔναιμα Ζιβ10. 502 ᵇ30, οἱ ὄρνιθες Ζιβ12. 503
ᵇ30. τῶν ὀρνίθων ὁ αὐχὴν πῶς ἔχει πρὸς τὰ ἄλλα τῷ σώ-
ματος μόρια Ζμβ16. 659 ᵇ7. ð12. 692 ᵇ19, 693 ᵃ10, 18,
694 ᵇ26. Ζιβ17. 509 ᵃ10. Ζπ10. 710 ᵃ30. τὰ μὴ ἀναπνέ- 10
οντα θύραθεν ὐκ ἔχει αὐχένα Ζμδ10. 686 ᵃ2. 11. 691 ᵇ26.
γ3. 664 ᵃ20. ἥκιστα τῶν πλεύμονι ἀναπνεόντων ὁ ὄφις δό-
ξειεν ἂν ἔχειν αὐχένα, ἀλλὰ τὸ ἀνάλογον τῷ αὐχένι Ζμδ11.
691 ᵇ29. αὐχένα ὐδεὶς ἔχει ἰχθύς Ζιβ13. 504 ᵇ17. Ζμγ3.
664 ᵃ20. ὅσα μὴ ἔχουσιν αὐχένα, ὐð᾽ οἰσοφάγον ἐπιδήλως 15
ἔχυσιν Ζμγ3. 664 ᵃ22. — c. (physiognom) οἱ τὸν αὐχένα
ὄπισθεν δασὺν ἔχοντες ἐλευθέριοι al ð6. 812 ᵇ23. 3. 807 ᵇ20,
808 ᵇ4. — 2. αὐχὴν metaph, locus angustus, fauces. Ὠκεα-
νὸς κατὰ στενοπόρης αὐχένας ἀνεστομωμένος x3. 393 ᵃ22.

αὐχμᾶν. τῆς χώρας ἢ μετρίοις χρωμένης ὕδασιν ἢ χ̣ μᾶλ- 20
λον αὐχμώσης μβ4. 360 ᵇ11.

αὐχμηρός. ἔαρ, θέρος αὐχμηρὸν χ̣ βόρειον, opp νότιον χ̣
ἐπομβρον πα9. 860 ᵃ13. 10. 860 ᵃ35. αὐχμηρὸν τὸ γλισχρόν,
opp λιπαρόν Ζγβ6. 743 ᵇ10, 12. Ζιγ17. 520 ᵃ28, 27. τυρὸς
αὐχμηρότερος Ζιγ20. 522 ᵃ24. αὐχμηρότερος ὁ δεξιὸς νεφρός 25
Ζια17. 497 ᵃ3. — αὐχμηρὸν χ̣ ἀλαμπές, opp λαμπρὸν ἢ
στίλβον χ3. 793 ᵃ11. αὐχμηρότερον τὸ χρῶμα τὸ ἐπὶ τῷ
σώματος φ3. 807 ᵇ2. Νικήρατος κομῶν χ̣ αὐχμηρός Ργ11.
1413 ᵃ9.

αὐχμός. περὶ αὐχμῶν μβ4. 360 ᵇ5 sqq. def ὅταν πλείων ἡ 30
ἀναθυμίασις ἡ ξηρὰ γίγνηται τῆς ὑγρᾶς μβ8. 366 ᵇ8. opp
ἔπομβρα, ὑγρά μβ4. 360 ᵇ5. opp ἐπομβρίαι μβ4. 360 ᵇ6.
Ζιθ18. 601 ᵃ27, 31, 29, 30. opp ὑπερομβρίαι μβ7.365 ᵇ9.
ὅταν αὐχμοὶ χ̣ ἐρυσίβη γένηται Ζιε22. 553 ᵇ20. σημαίνουσι
γιγνόμενοι οἱ πλείους κομῆται αὐχμὺς μα7. 344 ᵃ20. σκλη- 35
ρύνειν τὰ σώματα διὰ τὸν αὐχμόν πα9. 860 ᵃ17.

αὐχμώδης. ἔτη αὐχμώδη μβ4. 360 ᵇ5. Ζιθ19. 602 ᵃ13.
θέρος βόρειον χ̣ αὐχμώδες πα11. 860 ᵇ8. 12. 860 ᵇ16.

ἀφαιρεῖν. αἷμα ἀφαιρῶντες βοηθῦσι Ζιθ24. 604 ᵇ3. τοῖς εὖ
ἔχουσιν ἔργοις ὔτ᾽ ἀφελεῖν ὔτε προσθεῖναι ἔστιν Ηβ5. 1106 40
ᵇ10. προστιθεὶς ὑπερβαλῶ, ἀφαιρῶν ἐλλείψω Φθ10. 266 ᵇ3.
λαβεῖν ἰσοφαρὲς σώματα, ἢ ἀφαιρῶντας ἢ προστιθέντας Οα6.
273 ᵇ25. μεταξὺ τύτων ἔσονται, ἑκατέρων ἀφαιρῶντες τὴν
ὑπερβολὴν Ρβ14. 1390 ᵃ30. ἀφαιρῶν τὺς ὑπερέχοντας τῶν
σταχύων Πγ13. 1284 ᵃ29 ἀφελόντες (i e per compendium, 45
brevius iusto) τι24. 180 ᵃ19. — med ἀφαι-
ρεῖσθαι τὰ κτήματα τῷ πλήθυς Πγ10. 1281 ᵇ8. ἀφαιρεῖσθαι
μηθὲν τῆς ὐσίας Πð13. 1297 ᵇ8. ἀφαιρεῖσθαι ἀθρόας, ἐκ
προσαγωγῆς Πε8. 1308 ᵇ15. τὸ τῷ χρόνῳ μῆκος ἀφήρηται
τὴν ἀρχὴν μα14. 351 ᵇ32. — pass ðέρμα ἰσχυρὸν ἀφαι- 50
ρύμενον ἀπὸ τῷ σαρκώδους Ζιβ17. 508 ᵇ3. ἀφῃρῆσθαι, opp
προσκεῖσθαι, ἀφαιρεθῇ, opp προστεθῇ Ηε7. 1132 ᵇ7, ᵃ33.
15. 1138 ᵃ18. ὁ μήτε προστιθέμενον μήτε ἀφαιρύμενον ποιεῖ
τι μεῖζον μηδὲ ἔλαττον Μβ4.1001 ᵇ8. ἀφαιρυμένων τῶν δια-
φορῶν, ἀφαιρεθεισῶν τῶν ἄλλων ἡδονῶν Γα1. 315 ᵃ13. ηεα5. 55
1215 ᵇ32. ἡμικύκλιον ἀφῃρηται τῷ ὀρίζοντος, τὰ ἀφαι-
ρύμενα ὑπὸ τῶν ἐκ τῷ κέντρυ (i e sectores circuli) μγ5.
376 ᵇ21. Οβ8. 290 ᵃ8. — ἀφῄρηνται (exceptae sunt) αἱ
ἐλευθεριώται τῶν ἡδονῶν Ηγ13. 1118 ᵇ5. ὥρα ὐκ ἀφαι-
ρεῖται ὐδεμία τεταγμένη τῷ ὀχεύεσθαι χ̣ ὀχεύειν Ζιζ 22. 60
576 ᵇ23. — ἀφῄρηταί τι ἡ ἐλάττων κίνησις μιγνυμένη αι7.

447 ᵃ23. ὄνομα ἀφῃρημένον, opp ἐπεκτεταμένον πο21. 1458
ᵃ1. — ἀφαιρετός. διαφοραὶ ἀφαιρεῖται, γενόμεναί γε Γα1.
315 ᵃ13. ὄργανον ἀφαιρετόν, opp σύμφυτον ηεη9. 1241ᵇ23.
— ἀφαιρεῖν de abstractione logica, opp προσθεῖναι Αγ5.
74 ᵃ37, 39. ð5. 91 ᵇ27. ἡ προστιθέντας ἢ ἀφαιρῶντας Μζ4.
1030 ᵃ33. χαλεπὸν ἀφελεῖν τῦτο τῇ διανοίᾳ Μζ11. 1036
ᵇ3, cf ᵇ23. ἀφαιρυμένα μήκυς χ̣ πλάτυς χ̣ βάθυς Μζ3.
1029 ᵃ16.

ἀφαίρεσις ατ972 ᵃ23. opp πρόσθεσις τγ3. 118 ᵇ17. opp
ἐπίθεσις ζ5. 470 ᵃ11. ἡ τῶν στεφάνων ἀφαίρεσις f 108.
1495 ᵇ16. ἡ τῷ περιττώματος ἀφαίρεσις ὠφέλιμος Ζγα18.
726 ᵃ22. ἡ βίαια ἑκάστυ ἀφαίρεσις στέρησις λέγεται Μð22.
1022 ᵇ31. γίγνεσθαι προσθέσει, ἀφαιρέσει, συνθέσει Φα7.
190 ᵇ7. τὸ τῆς φθίσεως αἴτιον ἀφαίρεσις τις Φη2. 245 ᵃ29.
ἄπειρον προσθέσει, ἀφαιρέσει Φγ6. 206 ᵃ15. ἀεὶ ἔχειν ἀφαί-
ρεσιν Φα4. 187 ᵇ33. — ἀφαίρεσις 'abstractio logica'. τὰ
ἐξ ἀφαιρέσεως λεγόμενα ('eae notionis cuiusque partes, quae
cogitatione separari possunt' Wz) Αγ18. 81 ᵇ3. τῶν ἐξ
ἀφαιρέσεως ὐδενὸς ἡ φυσικὴ θεωρητική Ζμα1. 641 ᵇ11. τὸ
ἐξ ἀφαιρέσεως, opp τὸ ἐκ προσθέσεως Μμ2. 1077 ᵇ10. ita
praecipue res mathematicae significantur, τὰ μὲν ἐξ ἀφαι-
ρέσεως λέγεσθαι τὰ μαθηματικά, τὰ δὲ φυσικὰ ἐκ προσθέ-
σεως Ογ1. 299 ᵃ16. Μκ3. 1061 ᵃ29 (Bz ad ΜΑ2.982ᵃ27).
ψα1. 403 ᵇ15. τὰ ἐξ ἀφαιρέσεως ὄντα, λεγόμενα ψγ4. 429
ᵇ18 (Trdlbg p 478). 7. 431 ᵇ12 8. 432 ᵃ5. δι᾽ ἀφαιρέσεως,
ἐξ ἐμπειρίας Ηζ9. 1142 ᵃ18.

ἀφάκη πιαίνει τὰ πρόβατα Ζιθ10. 596 ᵃ25. (Vicia Cracca L.)
ἀφάλλεσθαι ἀπὸ τῶν λείων, τὸν ἀέρα ἀθρὺν ἀφάλλεσθαι χ̣
σείεσθαι ψβ8. 420 ᵃ22, 26. τὰ πίπτοντα ἐπὶ τὴν γῆν χ̣
ἀφαλλόμενα ὁμοίας γωνίας ποιεῖ πι5 4. 913 ᵇ6. 13. 915
ᵇ18, 35.

ἀφανής. ὁ ἀφανὴς πόλος Οβ2. 285 ᵇ21 (syn ὁ ἄδηλος ἡμῖν
ᵇ15, opp ὁ ὑπὲρ ἡμᾶς φαινόμενος ᵇ15, ὁ φανερός ᵇ21). x4.
394 ᵇ31. τὸ ἀφανὲς τῷ τμήματος μγ5. 377 ᵃ17, 8 (opp τὸ
ὑπὲρ τῷ ὁρίζοντος ᵃ4). κατὰ τῦτον τὸν χρόνον ἀφανές ἐστιν
ὁ ἱέραξ sim Ζιζ7. 563 ᵇ26. 37. 580 ᵇ22. ἐντὸς ἔχει τὴν σάρκα
ἀφανῆ πᾶσαν Ζιð4. 528 ᵃ8. ἀφανῆ τῶν περιστερῶν τὰ ἴχνη
f 149. 1503 ᵇ2. εἰς ἀφανῆ ὕλην μεταβάλλειν, opp εἰς αἰσθη-
τὴν Γα3. 318 ᵇ21. τὰ ἀφανῆ τῇ αἰσθήσει μα7. 344 ᵃ5.
εὐγενείας ἀφανὲς τὸ κάλλος f 82. 1490 ᵃ12. ὑπὲρ τῶν ἀφα-
νῶν τοῖς φανεροῖς μαρτυρίοις χρῆσθαι Ηβ2. 1104 ᵃ13. ημα5.
1185 ᵇ16. δεικνύναι τὰ φανερὰ διὰ τῶν ἀφανῶν Φβ1. 193
ᵃ5. δόξαι ἀφανεῖς, syn ἀποκεκρυμμέναι, opp φανεραί τι12.
173 ᵃ5. ζημίαι μικραὶ ἢ ἀφανεῖς Ρα12. 1372 ᵃ37. —
ἀφανῶς. ὐ ταὐτὰ φανερῶς ἐπαινῦσι χ̣ ἀφανῶς Ρβ23.
1399 ᵃ29. τὴν ἑορτὴν ἔνια μὲν ἀμυδρῶς ἔνια ð᾽ ἀφανῶς
ἔχει Ζμγ5. 668 ᵃ24.

ἀφανίζειν, de visu, τὸ τῆς ἡμέρας φέγγος ἀφανίζει τὴν
ἀστραπήν μβ9. 370 ᵃ21. ἀστὴρ συνελθὼν τινι χ̣ ἀφανίσας
μα6. 343 ᵇ31. πηγαί, ποταμοί, θυμιάματα ἀφανίζονται
μα14. 351 ᵇ1, 4. ð9. 387 ᵃ27. κομῆται ἄνευ δύσεως ἠφα-
νίσθησαν μα6. 343 ᵇ15. ταχέως, ἅμα διανοηθῆναι ἀφανί-
ζεσθαι μβ2. 355 ᵇ13, 29. ὰ πολλαχῦ ἀφανίσει εὔπορον, τὰ
ἐν μικροῖς τόποις ἀφανιζόμενα Ρα12. 1373 ᵃ31,32. ὁ κόκκυξ
φαίνεται ἐπ᾽ ὀλίγον χρόνον τῷ θέρυς, τὸν δὲ χειμῶνα ἀφα-
νίζεται sim Ζιζ 7. 563 ᵇ19, 15. 12. 566 ᵇ21. ε9. 542 ᵇ24.
f 273. 1527 ᵃ46. γίνονται ἐλάττυς χ̣ τέλος ἀφανίζονται
Ζγβ7. 746 ᵃ2. cf γ11. 763 ᵇ11. ð4. 772 ᵃ16. Ζιγ16. 519
ᵇ32. ἀφανίζεται τὰ φλέβια εἰς τὸν σπλῆνα Ζιγ4. 514 ᵇ5,
ᵃ34, 515 ᵃ1. — de auditu, ἀφανίζυσι φθόγγοι ἀλλήλους αι7.
447 ᵃ20. πιθ9. 918 ᵃ28. 16. 918 ᵇ33. — de odoratu, τὸ

ψυχρὸν τὰς ὀσμὰς ἀφανίζει αι5. 443 ᵇ15. — universe, ὁ
καττίτερος ἐν τῇ μίξει σχεδὸν ἀφανίζεται Γα10. 328 ᵇ13.
αἱ κινήσεις αἱ ἅμα ἀφανίζϗσιν ἢ ἀσθενεῖς ποιϗσιν ἀλλήλας
Ργ17. 1418 ᵃ14. ἀφανίζει τὸν ἀληθινὸν ἔλεγχον τι17. 175
ᵇ2. λήσεται τὴν τῆς ῥητορικῆς φύσιν ἀφανίσας Ρα4. 1359 5
ᵇ14. τὸ τέλος ἡδὺ ὑπὸ τῶν κύκλῳ ἀφανίζεται Ηγ12. 1117
ᵇ2. ὁ ποιητὴς ἀφανίζει ἡδύνων τὸ ἄτοπον πο24. 1460 ᵇ2.
ὑθ' ἐγένετο τὸ ναύσταθμον, ὁ δὲ πλάσας ποιητὴς ἠφάνισεν
f 173. 1506 ᵇ44.

ἀφάνισις Ἡρακλέϗς ἐν Οἴτῃ πλ1. 953 ᵃ17.   10

ἀφανισμὸς τῶν μυιῶν, syn ἀφανεῖς γίγνονται Ζιζ 37. 580
ᵇ21, 22.

ἀφαρεύς. τϗ θύννϗ τϗ θήλεος ὑπὸ τῇ γαστρὶ πτερύγιον, ὃ
καλϗσιν ἀφαρέα Ζιε9. 543 ᵃ13. (quid significet Ar, non vi-
detur definiri posse ΑΖι I 466 n 33. Κ 645 n 11.)   15

ἀφαυαίνεσθαι πι46. 896 ᵃ14.

ἀφαυρόν τι ᾗ μικρόν Ηα11. 1101 ᵇ2. ἀφαυρότατοι ἄνδρες
(Hes ε586) πϗ25. 879 ᵃ29.

ἀφειδὴς τϗ βίϗ Ηδ8. 1124 ᵇ8. — ἀφειδῶς ἑαυτῶν ἔχειν
Πε11. 1315 ᵃ29.   20

ἀφελὴς περίοδος ἡ μονόκωλος, opp ἡ ἐν κώλοις περίοδος Ργ9.
1409 ᵇ16, 13.

ἀφέλκειν δεῖ ἑαυτὸς εἰς τϗναντίον Ηβ9. 1109 ᵇ5, cf μν2.
452 ᵇ4 (qui locus corruptus esse videtur).

ἀφέλκϗν. τὸ ἀφηλκωμένον ἕλκει πθ1. 889 ᵇ13.   25

ἀφέσιμος. τὴν βϗλὴν (συνάγϗσιν) ὁσημέραι, πλὴν ἐάν τις
ἀφέσιμος ᾖ Ρ95. 1543 ᵇ33.

ἄφεσις. ταχεῖαν ποιεῖται τὴν ἄφεσιν ᾗ τὴν λῆψιν τῆς τροφῆς
αν11. 476 ᵇ9. ἄφεσις τϗ περιττώματος Ζμγ2. 663 ᵃ15. πρὸς
τὴν ἄφεσιν τϗ ὕδατος ἔχϗσι (τὰ κητώδη) τὸν αὐλὸν Ζμδ13. 30
697 ᵃ24. ἄφεσις τϗ σπέρματος, τϗ θορϗ, τῶν ᾠῶν Ζγβ4.
739 ᵃ35. γ5. 756 ᵃ12. οἱ ποταμίοι ἰχθύες ἄριστοι γίνονται
μετὰ τὴν ἄφεσιν τϗ κυήματος Ζιθ30. 608 ᵃ1. ἡ ἵππος ἡ
θήλεια ὅταν ἤδη πλησίον ᾖ τῆς ἀφέσεως, ὀρθὴ στᾶσα προΐεται
τὸ ἔκγονον Ζιζ22. 576 ᵃ25. — ἄφεσις ᾗ ἀφεσμός Ζιι40. 35
625 ᵃ20, ᵇ7, 17.

ἀφεσμός, examen apium, Ζιι40. 624 ᵃ28, 31. 42. 629 ᵃ9.

ἀφέψειν. ἀφέψοντες τϗ ὕδατος μέρος τι μβ3. 359 ᵃ30, ᵇ3.
ὥσπερ ἀφηψημένον τὸ τϗ Νείλϗ ὕδωρ ἐστὶν f 258. 1525 ᵇ12.
θερμαινομένϗ (τϗ ἁλμυρῷ ὕδατος) ἀφέψεται τὸ ἁλμυρὸν 40
πκγ18. 933 ᵇ15. εἰ ὁ οἶνος ἀφεψηθείη f 102. 1494 ᵇ11.

ἀφή 1. (cf ἅπτεσθαι 1.) ἀφή, dist σύμφυσις, τὸ ἐφεξῆς, μῖξις
Φε3. 227 ᵃ17, 26. δ5. 213 ᵃ9. Μδ4. 1014 ᵇ22. κ12. 1069
ᵃ11. μ7. 1082 ᵃ20. λ3. 1070 ᵃ10. περὶ ἁφῆς Γα6. 322
ᵇ29-323 ᵃ34. τὸ ἄνευ φθορᾶς ὁτὲ μὲν ὂν ὁτὲ δὲ μὴ ὄν, 45
οἶον αἱ ἁφαί Οα11. 280 ᵇ27. ὀδόντες παρακλίνοντες ὑπὸ τὴν
τὴν ἀλλήλων Ζγβ6. 745 ᵃ26. γίγνεσθαι τὴν ἀφὴν τῆς ἀκοῆς
ἀνομοίαν ακ803 ᵇ8. τῆς φωνῆς τὸ λιγυρὸν ϗκ ἔστιν ἐν ταῖς
τῶν φθόγγων ἁφαῖς ακ804 ᵃ27 (videntur opponi φωναὶ
πυκναί, ὅσαις μηθεὶς ἀλλότριος ἦχος παρακολϗθεῖ ᵃ22, 24). — 50
commissura. ϗτε κατὰ τὰς ἁφὰς ϗκ δέχεται διαιν διὰ τῶν
διαφανῶν, ϗτε διὰ τῶν πόρων Γα8. 326 ᵇ12. διακρίνεσθαι
κατὰ τὰς ἁφάς Γα9. 327 ᵃ12. — 2. ἀφὴ ᾗ ᾗ ἁπτικὴ
αἴσθησις. περὶ ἁφῆς ψβ11. ὅσα περὶ τὰ ὑπὸ τὴν ἀφὴν πλε.
ἡ ἀφὴ τϗ ἁπτϗ ᾗ ἀναιτή ψβ11. 424 ᵃ12. Γβ2. 329 ᵇ18. 55
ἀφὴ ἀναγκαιοτάτη, πρώτη αἴσθησις, μόνη πᾶσι ζῴοις ὑπάρχει
ψβ2. 413 ᵇ5, 414 ᵃ4. 3. 414 ᵇ3. γ12. 434 ᵃ29, ᵇ24. 13.
435 ᵇ4, 17, 19. υ2. 455 ᵃ27. Ζια3. 489 ᵃ18. δ8. 535 ᵃ4.
Ζμβ8. 653 ᵇ24. Ηγ13. 1118 ᵇ1. (non multum differt, quod
dicitur ἡ ἀφὴ ᾗ γεῦσις ἀκολϗθεῖν πᾶσι τοῖς ζῴοις ἐξ ἀνάγκης 60
αι1. 436 ᵇ13. υ2. 455 ᵃ7, etenim τὸ γευστικὸν εἶδός τι ἁφῆς

ἐστίν αι2. 439 ᵃ1. ψβ9. 421 ᵃ19. γ12. 434 ᵇ18. Ζμβ17.
660 ᵃ21. ἡ ἀφὴ τῆς τροφῆς αἴσθησις ψβ3. 414 ᵇ7). ἄνευ
ἀφῆς ϗδεμίαν οἶόν τε ἄλλην αἴσθησιν ὑπάρχειν, αἱ δ' ἄλλαι
ταύτης ἀχώριστοι ψγ13. 435 ᵇ2, ᵃ13. β3. 415 ᵃ4. υ2. 455
ᵃ23. πάντων ἡ ἀφὴ τῶν ἁπτῶν ἐστιν ὥσπερ μεσότης ψγ13.
435 ᵃ21. αἱ κατὰ τὴν ἀφὴν διαφοραί τίνες Γβ2. 329 ᵇ18.
μθ8. 9. 10. 388 ᵃ12. 4. 382 ᵃ19. ἡ ἀφὴ ἐν ὁμοιομερεῖ μὲν
ἥκιστα δ' ἁπλϗν τῶν αἰσθητηρίων ἐγγίνεται Ζμβ1. 647 ᵃ15.
Ζια4. 489 ᵃ24. cf Ζγβ6. 743 ᵇ37. πότερον ἡ σὰρξ ἐστι τὸ
τῆς ἀφῆς αἰσθητήριον Ζμβ8. 643 ᵇ24-27. ψβ11.423ᵇ23-26,
ᵃ16. ἡ ἀφὴ φανερῶς ἠρτημένη πρὸς τὴν καρδίαν ἐστὶν Ζμβ10.
656 ᵃ29. ζ3. 469 ᵃ12. αι2. 439 ᵃ2. φαίνεσθαι κατὰ τὴν
ἀφήν, κατὰ τὴν ὄψιν Ζια16. 494 ᵃ33. Μγ6. 1011 ᵃ33.
διαφέρει ἡ ὄψις ἀφῆς καθαριότητι Ηκ5. 1176 ᵃ1. πρὸς τὸ
φρονεῖν ὥσπερ ϗδὲν εἶναι δοκεῖ τὸ κοινωνεῖν ἀφῆς ᾗ γεύσεως
Ζγα23. 731 ᵇ1. ἔχει ἀκριβεστάτην (τῶν ἄλλων ζῴων) ἄν-
θρωπος τῶν αἰσθήσεων τὴν ἀφήν, δευτέραν δὲ τὴν γεῦσιν·
ἐν δὲ τοῖς ἄλλοις λείπεται πολλῶν Ζια15. 494 ᵇ16. Ζμβ16.
660 ᵃ13. ψβ9. 421 ᵃ20sqq. αι4. 441 ᵃ2. — αἱ δι' ἀφῆς
ᾗ γεύσεως ἡδοναὶ ᾗ λῦπαι Ηγ13. 1118 ᵃ26. ᾗ8. 1150 ᵃ9.
6. 1148 ᵃ9. γίγνεσθαι ἐν τῇ ὁμιλίᾳ τὴν ἡδονὴν τῇ ἁφῇ Ζγα
20. 728 ᵃ32.

ἀφηγεῖσθαι. ὁ ἀφηγησάμενος τῆς Μιλησίων ἀποικίας f 471.
1555 ᵇ33. τῶν ἀγρίων ὀνῶν ἕνα ἀφηγεῖσθαι τῆς ἀγέλης
θ10. 831 ᵃ22.

ἄφθαρτος. τὸ ἄφθαρτον ποσαχῶς λέγεται Οα11. 280 ᵇ25-
281 ᵃ1. τὸ κυριώτατα λεγόμενον ἄφθαρτον τῷ μὴ δύνασθαι
φθαρῆναι ἂν μηθ' ὁτὲ μὲν εἶναι ὁτὲ δὲ μή Οα11. 281 ᵃ3.
ἅπαν τὸ ἀεὶ ὂν ἁπλῶς ἄφθαρτον Οα12. 281 ᵇ25, 282 ᵃ29.
τό τε ἀγένητον ἄφθαρτον ᾗ τὸ ἄφθαρτον ἀγένητον Οα12.
282 ᵃ31. ἄφθαρτον, coni ἀγένητον Φα9. 191 ᵃ28. γ4. 203
ᵇ8. Ζμα5. 644 ᵇ23. (ἀναύξητον ᾗ ἄφθαρτον Οα3. 270 ᵃ26.
cf ἄφθιτος.) ϗσίαι ἄφθαρτοι ΜΖ16. 1040 ᵇ31. Ζμα5. 644
ᵇ23. ἕτερον τῷ γένει τὸ φθαρτὸν ᾗ τὸ ἄφθαρτον Μι10.
1058 ᵇ29. πρότερον ᾗ φύσει ᾗ λόγῳ ᾗ χρόνῳ τϗ φθαρτϗ
τὸ ἄφθαρτον Φθ9. 265 ᵃ23. τὸ ἄφθαρτον ἐν τοῖς καθόλϗ ἐστὶν
Αγ24. 85 ᵇ18. ἀγένητον ᾗ ἄφθαρτον ᾗ ὕλη Φα9. 191 ᵃ28.
ἀγένητος ᾗ ἄφθαρτος ὁ κόσμος f 17. 1477 ᵃ9. τὸ ἄπειρον
ἀγένητον ᾗ ἄφθαρτον ὡς ἀρχή τις ϗσα Φγ4. 203 ᵇ8. —
ϗτε τὰ μέγιστα ἀφθαρτότερα ϗτε τὰ μικρὰ μχ4. 466 ᵃ1.

ἄφθαρτος. ἀναύξητον ᾗ ἄφθιτον (ἄφθαρτον Bk, ἄφθιτον cod
H Prantl) Οα3. 270 ᵃ26.

ἀφθονία τροφῆς Ζιζ22. 575 ᵇ33 (coni εὐβοσία). ι1. 608 ᵇ30.
εὐετηρία ᾗ ἀφθονία τροφῶν f 108. 1495 ᵇ20. ναυτῶν, να-
μάτων Πη6. 1327 ᵇ12. 11. 1330 ᵇ16. σχολάζειν ἐν ἀφθονίᾳ
τῶν τοιούτων ἀγαθῶν Πη15. 1334 ᵃ33.

ἄφθονος τροφή, opp σπανία Ζιθ28. 606 ᵃ26. ἄφθονον, opp
σπανιώτερον Ρα7. 1364 ᵃ24. ὕδατος πλῆθος ἄφθονον μβ4.
360 ᵇ11. θ56. 834 ᵇ7. ὑποδοχαὶ ὀμβρίοις ὕδασιν ἄφθονοι ᾗ
μεγάλαι Πη11. 1330 ᵇ6. — ἀφθόνως διδόναι ἑταίραις
Πε11. 1314 ᵇ4. πᾶσιν ἀφθόνως μεταδϗναι τῶν τιμίων κ1.
391 ᵃ17.

Ἀφιδνεύς. Ξενοκλῆς Ἀφιδνεύς f 575. 1572 ᵇ27.

ἀφιδρῦν πβ22. 868 ᵃ37 (syn ἰδίειν πλζ1. 965 ᵇ22).

ἀφίδρωσις. χρῆσθαι ταῖς ἀφιδρώσεσιν πβ8. 867 ᵃ13.

ἀφιέναι. τὸ φερόμενον ᾗ τὸ ἀφεθὲν Φθ8. 216 ᵃ20. Οβ13.
294 ᵃ14, 16. μζ10. 388ᵇ23. ἀφιέναι τὸν καταπέλτην, λίθον,
ἀσπίδα Ηγ2. 1111 ᵃ11. 7. 1114 ᵃ17. ε13.1137 ᵃ21. ἀφιέναι
φορτίον μα10. 347 ᵃ33. ὁ ἥλιος ἀφίησι τὸ πότιμον μβ3.
356 ᵇ30. ἡ ἀρτηρία δέχεται μόνον τὸ πνεῦμα ᾗ ἀφίησιν
Ζια16. 495 ᵇ18. ἀφιέναι τὸ πνεῦμα, ἀφιέμενος ἄνεμος, ἀήρ

μα13. 349 ᵃ35, ᵇ2. Ζκ2. 698 ᵇ27. πκε2. 938 ᵃ5. κς21.
942 ᵇ5. ἀφιέναι φωνήν, ψόφυς, τριγμόν, γρυλισμόν sim
Ζιδ9. 535 ᵇ16, 17, 21. ε14. 545 ᵃ7. ζ12. 567 ᵃ12. 18. 572
ᵃ24. ι8. 614 ᵃ22. 41Β. 633 ᵃ10. μβ8. 368 ᵃ24. τὰ φω-
νήεντα ἡ φωνὴ ἢ ὁ λάρυγξ ἀφίησι, τὰ δ' ἄφωνα ἡ γλῶττα
ἢ τὰ χείλη Ζιδ9. 535 ᵃ32. ἀφιέναι τὸ ὑγρόν (opp δέχεσθαι),
αἷμα, γλισχρότητα, ἀτμίδα Ζια1. 487 ᵃ18. δ1. 524 ᵃ10.
6. 531 ᵃ14. γ19. 521 ᵃ11. ε15. 546 ᵇ29. θ5. 594 ᵇ27. ιι.
609 ᵇ24. ἀφιέναι γάλα θ128. 842 ᵇ30. ἀφίησι ᾗ δέχεται
τὴν τροφὴν Ζιδ6. 531 ᵃ22. ἀφιέναι περίττωμα Ζια2. 488
ᵇ34. δ5. 530 ᵇ20. ε19. 551 ᵃ25. η10. 587 ᵃ28. Ζμβ10.
655 ᵇ31. δ5. 679 ᵃ2, 28. ἀφιέναι ἀπόκρισιν, καταμήνια, ᾠόν,
τὸ κύημα Ζγα19. 727 ᵃ22. Ζικ1. 634 ᵃ17. ζ14. 568 ᵇ30,
ᵃ22. ἀφιέναι σπέρμα, γόνον, θόλον, γεννητικόν Ζια3. 489 ᵃ9.
δ1. 524 ᵃ12. ε22. 554 ᵃ18. ζ14. 568 ᵇ1. Ζγα4. 717 ᵇ12.
15. 720 ᵇ30. β4. 739 ᵇ8. γ11. 763 ᵃ34. ἀφίησι τὸ ἄρρεν
εἰς τὸ θῆλυ ὑδὲν μόριον Ζγα16. 721 ᵃ13. omisso obiecto
θήλεια εἰς ἣν ἀφίησιν ὁ ἄρρην Ζιε30. 556 ᵃ29. ἀφιέναι εἰς
αὑτό, εἰς ἕτερον Ζια3. 489 ᵃ11. — ἀφιέναι πτόρθυς θ51.
834 ᵃ14. ἀφιέναι ἀράχνιον Ζιε27. 555 ᵇ5. ι39. 623 ᵃ30.
ἀφίησιν οἷον ῥίζαν τὸν ὀμφαλὸν εἰς τὴν ὑστέραν Ζγβ7. 745
ᵇ24. — αἰδοῖον τοῖς μὲν συνήρτηται πρὸς τὴν γαστέρα, τοῖς
δ' ἀφεῖται Ζγ1. 509 ᵇ1. τὰ περὶ τὰ κάτω ἀφειμένα (?) φ3.
807 ᵇ16. — ἐσμοὶ ἀφίενται πλεῖστοι Ζιε21. 553 ᵃ23. —
'omittere, missum facere'. ζητεῖν λόγον ἀφέντας τὴν αἴσθη-
σιν Φθ3. 253 ᵃ33. τίνα τῶν ὀνομάτων ἀφείκασιν Ργ1.1404
ᵃ33, 35. τίνες ῥυθμοὶ ἀφετέοι, τίνες ληπτέοι Ργ8. 1409 ᵃ7.
ὁ ἐπιστάτης ἐξ ἑκάστης φυλῆς πρόεδρον κληροῖ, μόνην τὴν
πρυτανεύυσαν ἀφιεὶς f 394. 1543 ᵇ27. τῦτο μὲν ὖν (περὶ
τύτων) ἀφείσθω τὰ νῦν, τὴν πρωτην sim Φε1. 224 ᵇ27.
Γα8. 325 ᵇ36. ζ1. 467 ᵇ18. ΜΑ9. 990 ᵃ33. ε4. 1028 ᵃ3.
θ1. 1046 ᵃ7. Ηα3. 1096 ᵃ10. ε5. 1130 ᵇ20. θ2. 1155 ᵇ8.
10. 1159 ᵇ23. ι4. 1166 ᵃ34. 11. 1171 ᵃ33. χ5. 1175 ᵃ19.
Πγ15. 1286 ᵃ5. δ2. 1289 ᵇ12. τῦτο (ταῦτα) ἀφετέον ἀφῶ-
μεν, ἀφέντες, ἀφεῖμεν πάλαι Με4. 1027 ᵇ34. Ηα4. 1096
ᵇ30. ψα3. 407 ᵇ13. Πα13. 1260 ᵇ21. β8. 1269 ᵃ28. Φε2.
226 ᵃ1. cf δίκαιον αὐτὴς ἀφεῖναι ἐκ τῆς νῦν μεθόδυ Μν3.
1091 ᵃ20. περὶ τύτυ ῥαθυμης ἀφεῖσαν, τὴν μίμησιν ἀφεῖ-
σαν ἐν κοινῷ ζητεῖν ΜΑ4. 985 ᵇ20. 6. 987 ᵇ14. — ἀφεῖναι
τὸν υἱόν, syn ἀπείπασθαι, ἀποστῆναι Ηθ16. 1163 ᵇ22, coll
19, 23. — ἀφεῖναι c acc praedicati vel c inf ἀφεῖναι τὴν
τεκνοποιίαν ἀόριστον Πβ6. 1265 ᵃ39, cf τὸ νόμος ἀφίησι
τὰς πρεσβυτέρας τιμαλφεῖν τὰς θεάς Πη17. 1336 ᵇ17. ἀφεῖθη
σχολάζειν τὸ τῶν ἱερέων ἔθνος ΜΑ1. 981 ᵇ24. ὁ θυμὸς ἐπαι-
ρόμενος τὸ συμβησόμενον ὐκ ἀφίησι τῇ διανοίᾳ προλαβεῖν
f 96. 1493 ᵇ33. — ἀφεῖναι c gen (qui interdum cogitatione
addendus est). ἀφεῖναι τῆ χώρας Πε7. 1307 ᵃ33. ἀφεῖναι
τῆς τιμωρίας ρ37. 1443 ᵇ4 (etiam sine gen ἀφεῖναι 'absol-
vere' Ρα12. 1372 ᵃ21, opp ὑποδίκυς ποιεῖν ρ5. 1427 ᵃ13,
'liberare' οβ1349 ᵇ21). ἀφεῖσθαι τῆς γεννήσεως, τῶν λει-
τυργιῶν, τῶν ἔργων Πη16. 1335 ᵇ36. ζ5. 1320 ᵇ3. θ6.
1340 ᵇ38. γ5. 1278 ᵃ11. cf β6. 1266 ᵃ11. γέροντες ἀφει-
μένοι, opp παῖδες μήπω ἐγγεγραμμένοι Πγ1. 1275 ᵃ15.
(cf ἡμίονος ἀφειμένος ἤδη διὰ τὸ γῆρας Ζιζ24. 577 ᵇ30).
ἀφιέμενοι ('liberati morbo') ἐν κρισίμοις ἡμέρας Φε6. 230
ᵇ4. — ἀφεῖναι fort intrans ἀφέντες τῷ κινδύνῳ πη9. 888
ᵃ14. — med ἀφέμενος τῆς ἰαμβικῆς ἰδέας πο5. 1449 ᵇ8.
— ἄφετος (Isocr 5, 127) Ργ11. 1411 ᵇ29. τὴν βωλὴν
συνάγυσιν ὁσημέραι, πλὴν ἄν τις ᾖ ἄφετος (cf ἀφέσιμος)
f 394. 1543 ᵇ9.
ἀφικνεῖσθαι. ἡ ὄψις, ὁ ψόφος, ἡ θερμότης sim ἀφικνεῖται

πρός τινα τόπον μα3. 341 ᵃ29. 6. 343 ᵃ20. β2. 355 ᵃ6. 9.
369 ᵇ11. γ6. 378 ᵃ10. — εὔνοια εἰς συνήθειαν ἀφικνυμένη
Ηι5. 1167 ᵃ12. ἀπειράκις δεῖ νομίζειν τὰς αὐτὰς ἀφικνεῖσθαι
δόξας εἰς ἡμᾶς Οα3. 270 ᵇ20. ὁ λόγος εἰς ταυτὸν ἀφῖκται
Ηα5. 1097 ᵃ24.
ἀφιλία Ηγ9. 1115 ᵃ11. coni ὀλιγοφιλία Ρβ8. 1386 ᵃ9. coni
ἐρημία ϙεη1. 1234 ᵇ33.
ἀφιλόνεικος ἢ ἄπικρος τῷ ἤθει αρ4. 1250 ᵃ43. εὐλάβειά τις
ἢ τὸ ἀφιλόνεικον τῦ ἤθυς αρ6. 1251 ᵃ15.
ἄφιλος, opp πολύφιλος Ηι10. 1170 ᵇ22. ἀδικῦσι τὺς ἀφίλυς
Ρα12. 1373 ᵃ5. — λίαν ἄφιλον φαίνεται Ηα11. 1101 ᵃ23.
ἀφιλοτιμία Ηδ10. 1125 ᵇ22. περὶ ἀφ. Ηδ10.
ἀφιλότιμος Ηβ7. 1107 ᵇ29, 33. δ10. 1125 ᵇ10, 12. am-
bigue dicitur Ηβ7. 1107 ᵇ29. οἱ ἀφιλότιμοι ὐ νεμεσητικοί,
ἧττον φθονεροί Ρβ9. 1387 ᵇ13. 10. 1387 ᵇ31.
ἄφιξις πκς47. 945 ᵇ7.
ἀφιστάναι. trans ἡ φύσις τὰ ἄστρα ὅτι πλεῖστον ἀπέστησε
τῶν ἐχόντων ὄργανα πρὸς κίνησιν Οβ8. 290 ᵃ34. ἀφιστάναι
τὸ ἔντερον ἢ διευρύνειν Ζιθ17. 600 ᵇ11. ἴσον ἀποστήσας τῶν
ἄκρων μχ14. 852 ᵇ23. — πολέμιῳ ἀποστήσειν τινάς ρ3.
1424 ᵇ33. — πλέον ἀποστήσαντα τὸ μέσον εἰπεῖν Αγ13.
78 ᵇ29. — intrans ἐπικάλυμμα μᾶλλον ἀφεστηκός Ζιε7.
541 ᵇ31. Ζμβ17. 660 ᵇ23. ἀφιστάμενη, opp πλησίον ὄντος
μα9. 347 ᵃ4. πλεῖον, τοσῦτον, πόρρω, πορρωτέρω ἀφίστασθαι
(ἀποστῆναι, ἀφεστηκέναι) τινός μα9. 347 ᵃ4. Φθ9. 265 ᵇ14.
Οα2. 269 ᵇ16. 5. 271 ᵇ9. Ηβ8. 1108 ᵇ28. Πδ11. 1296 ᵇ8.
ἀποστατέον ὅτι ἀνωτάτω (in ponendis propositionibus syllo-
gismi dialectici) ρ1. 155 ᵇ30. — μηδεμίαν πόλιν ἔχειν
σύμμαχον τοῖς ἀφισταμένοις sim Πβ9. 1269 ᵇ2, 5 al. ἀφί-
στασθαι, syn διαλύεσθαι τὴν φιλίαν Ηι3. 1165 ᵇ22, 21.
ἀποστῆναι τῦ υἱῷ, syn ἀπείπασθαι, ἀφεῖναι Ηθ16. 1163 ᵇ23,
19, 22. — ἐπιχειρήσαντα ἀποστῆναι πάλιν Πβ9. 1270 ᵃ8.
(κακῶς πυνθάνεται), ὅτι ὐκ ἐπιτιμᾷ ᾗ ἀφίσταται τθ2. 158
ᵃ30. ἀφίστανται τῦ πράττειν, ἀφεστᾶσι τῦ μεγάλυ Ηι4.
1166 ᵇ10. δ10. 1125 ᵇ4. αρ6. 1251 ᵃ27. ἀποστάντες τῆς
ἀληθείας διὰ τὸ μέγεθος χ1. 391 ᵃ4. ὐ διελόντες ἀπέστησαν
Φα8. 191 ᵇ10. ὐκ ὀρθῶς 'Αναξαγόρας ἀπέστη εἰπὼν Μι6.
1056 ᵇ28. ὐκ ἀποστατέον Ηι2. 1165 ᵃ35. ὐκ ἀποστατέον
ἀλλ' ἐπισκεπτέον τα15. 107 ᵇ9.
ἀφλέγμαντον ἢ συμφυτικόν πα33. 863 ᵃ15.
ἀφλόγιστος. τῶν καυστῶν τὰ μὲν φλογιστά ἐστι τὰ δ'
ἀφλόγιστα μθ9. 387 ᵇ18.
ἄφνω προσαλλόμενον ἢ βίαιον πνεῦμα χ4. 395 ᵃ7.
ἀφοβία. ὁ τῇ ἀφοβίᾳ ὑπερβάλλων ἀνώνυμος Ηβ7. 1107 ᵇ1.
γ10. 1115 ᵇ24.
ἄφοβος, opp φοβητικός ϙεγ1. 1228 ᵇ4, 5. syn ἀτάραχος
Ηγ11. 1117 ᵃ19. dist ἀνδρεῖος Ηγ9. 1115 ᵃ16, 19. ϙεγ1.
1228 ᵃ12. ημα20. 1191 ᵃ24, 25. — ἀφόβως ἔχειν πρός τι
ϙεγ1. 1228 ᵇ26.
ἀφοδεύειν. ἀφοδεύυσι πρὶν τεκεῖν Ζυ45. 630 ᵇ15. ἀφοδεύυσιν
αἱ μέλιτται ἢ ἀποπετόμεναι ἢ εἰς ἓν κηρίον Ζυ40. 627 ᵃ10.
ὄρνεά τινα ὐκ ἀφοδεύυσι Ζυ43. 835 ᵃ16.
ἄφοδος. κατὰ φύσιν ἡ ἄφοδος τύτυ (τῆς γονῆς) γίνεται
Ζικ3. 635 ᵇ40. — τεταραγμένη τῦ βολίνθυ ἐπικαίειν φασὶ
τὸν (τὴν corr Busem) ἄφοδον θ1. 830 ᵃ22.
ἀφομοιῦν τινί τι, τὰ τῶν θεῶν εἴδη ἑαυτοῖς ἀφομοιῦσιν al
Πα2. 1252 ᵇ26. ρ8. 1429 ᵃ11. (sed instrumentalem vim
dativus habere videtur ἀφομοιῶν ταῖς ψήφοις τὰς μορφὰς
τῶν φυτῶν Μν5. 1092 ᵇ13). — pass τὰ ἄλλα τοῖς ἀριθμοῖς
ἀφομοιῦσθαι τὴν φύσιν [πᾶσαν] ΜΑ5. 985 ᵇ33. τὸ μέγεθος
τῦ σώματος ἢ ἡ ἰσχὺς τῷ θήλει ἀφομοιῦται Ζιζ23. 577 ᵇ11.

άφόρητον κακόν Ηδ11. 1126 [a]13.

άφορίαι μα14. 351 [b]14. σημεῖον αὐχμῦ ϗ ἀφορίας f 240. 1522 [a]26.

ἀφορίζειν. ὕδατος φύσιν συνεστηκυῖαν ϗ ἀφωρισμένην ἐχ ὁρῶμεν, syn κεχωρισμένην τῆς γῆς μα3. 339 [b]10. πρῶτον τὸ ἄνω κύτος ἀφορίζεται κατὰ τὴν γένεσιν Ζγβ6. 743 [b]18. συστάσης τῆς καρδίας ϗ τῆς μεγάλης φλεβὸς ἀπὸ ταύτης ἀφορισθείσης Ζγγ2. 753 [b]19. ὅταν τὸ λευκὸν (τῦ ᾠῦ) ἀφωρισμένον ᾖ ϗ τὸ ὠχρὸν ἀπ' ἀλλήλων Ζγγ7. 757 [b]12. ἀφορίσαι τι σχήμασι Ογ8. 307 [b]10. ἀφορισθῆναι θέσει Φε3. 226 [b]35. ᾗ γίνονται αἱ ἀρχαὶ τῶν ποταμῶν ὡς ἐξ ἀφωρισμένων κοιλιῶν μα3. 350 [b]23. ὅσα μὴ τῶν ἱερῶν ὁ νόμος ἀφορίζει χωρὶς Πη12. 1331 [a]27. cf ζ8. 1322 [b]26. τὸ θρεπτικὸν ἀφορίζεται πρὸς τὰς ἄλλας δυνάμεις τῷ ἔργῳ τούτῳ ψβ4. 416 [a]20. ἀφοριστέον (secludenda est) τὴν θρεπτικὴν ζωὴν Ηα6. 1098 [a]1. ἀφορισθήσεται ϗ τὰ ἔξω κωλύοντα Μθ5. 1048 [a]19. — τῦτο ἐπὶ τίνων ἐστὶ ϗ ἐπὶ τίνων ᾗ, χαλεπὸν ἀφορίσαι, ἀφορίσωμεν sim Μκ2. 1060 [b]27. Ηβ9. 1109 [b]21. γ13. 1117 [b]28. — τὸ εἶδος ϗ τὸ γένος περὶ ἡσίαν τὸ ποιῦν ἀφορίζει Κ5. 3 [b]20. κατ' εἶδος ἐν ἀφορισθέντα, ἀφορίσας εἴδει. ἀφωρισμένον ὅλῳ τινι ΜΑ1. 981 [a]10. Αδ13. 97 [b]6. 16. 98 [b]33. ἀρχαὶ ἀφωρισμέναι ἀριθμῷ, εἴδει Μβ6. 1002 [b]17. τὰ ἀφωρισμένα ποσὰ Κ5. 3 [b]32. 6. 5 [b]12. ἕν τι γένος ἀφωρισμένον, τέχνη τις ἀφωρισμένη, ἀφωρισμένη τις ἀθλεία Ρα1. 1355 [b]8, 34, 1354 [a]3. Πα13. 1260 [b]1. κοινὰ πάντων γνωρίζειν ϗ ὐδεμιᾶς ἐπιστήμης ἀφωρισμένης Ρα1. 1354 [a]3. πάντες, ὅτι ἀφωρισμένοι τινὲς Πδ5. 1292 [b]4. 15. 1300 [a]16. Ηη4. 1146 [b]11. θ11. 1159 [b]33. cf περὶ ἀφωρισμένων κρίνειν Ρα1. 1354 [b]8, syn κατὰ μέρος [b]5. ὡς ἀφωρισμένον, opp δυνάμει Φγ8. 208 [a]6. Μβ5. 1002 [a]23. ἐνέργεια ἀφωρισμένη Μθ6. 1048 [b]5 (? Βz). κενὸν ἀφωρισμένον Φγ6. 305 [a]21. φύσις τις ἀφωρισμένη Μμ3. 1077 [b]26. Ζμα1. 639 [a]16. ἕξεις ἀφωρισμέναι Αθ19. 100 [a]10. ἀφωρισμένον ἤδη τὸ προαιρετὸν Ηγ5. 1113 [a]3. — ἀφωρισμένως. ζῶα τὰ μὲν κατὰ σάρκα ἐστὶ πίονα, τὰ δὲ ἀφωρισμένως, μεγάλην ἔχει τὴν πιότητα Ζιγ17. 520 [a]22, 23. — ἀφωρισμένως θάτερον, opp ὁπότερον ἔτυχεν Κ10. 12 [b]39, 13 [a]2, 11. ἀφωρισμένως εἰδέναι Κ7. 8 [b]4, 9.

ἀφορισμός. ποιεῖσθαι τὸν ἀφορισμὸν ἐπὶ πλεῖον, syn ἐπὶ πλεῖον περιλαμβάνειν Κ5. 3 [b]22.

ἀφορμὴ ἐμπορίας ϗ γεωργίας ΠΖ5. 1320 [a]39, cf [b]8. — καλῶς ἔχει ζητεῖν καίπερ μικρὰς ἀφορμὰς ἔχοντας Οβ12. 292 [a]16. — rhet ἀφορμὰς (int τῦ λέγειν) περί τινος ἔχειν, εὑρεῖν ἔκ τινος ρ3. 1423 [a]33, [b]32. ἀφορμὰς εὐπρεπεῖς, πλείστας ϗ τεχνικωτάτας ἔχειν ρ3. 1423 [b]14. 39. 1445 [b]29. χρήσιμοι αἱ τῶν αὐξήσεων ἀφορμαί ρ4. 1426 [b]19.

ἄφορος. φυτὰ ἄφορα, opp εὔφορα Ζιδ11. 538 [a]1.

ἀφρίζειν πέφυκε τὸ ἔλαιον πκα1. 927 [a]13.

ἀφρῖτις, ἀφύης γένος τι, ὃ γίνεται ἀπὸ γόνυ, ἀλλ' ἐκ τῦ ἐπιπολάζοντος τῇ θαλάσσῃ ἀφρῦ f 292. 1528 [a]2.

ἀφροδίσια, τά. ὅσα περὶ ἀφροδίσια πὸ 876 [a]30-880 [b]12. οἱ ἀφῆς γίνεται ἡ ἡδονὴ ἐν τοῖς ἀφροδισίοις λεγομένοις Ηγ13. 1118 [a]31. χαίρειν ἀφροδισίοις Ηη14. 1154 [a]18. ἡ τῶν ἀφροδισίων ἡδονή Ηη12. 1152 [b]17. ἡδονὴ σφοδρὰ γίνεται ἐν τῇ ὁμιλίᾳ τῇ τῶν ἀφροδισίων Ζγα18. 723 [b]33. ἡ τῶν ἀφροδισίων χρεία Ηη6. 1147 [b]27. ὁρμᾶν πρὸς τὴν τῶν ἀφροδισίων χρῆσιν Ζιη1. 581 [b]13. ὅσαι τῶν γυναικῶν ἀκόλαστοι πρὸς τὴν ὁμιλίαν τὴν τῶν ἀφροδισίων Ζιη1. 582 [a]26. οἱ περὶ τὰ ἀφροδίσια ἀκόλαστοι πκη7. 950 [a]1. τῶν γυναικῶν τινες μάλιστα ἐξικμάζουσιν ἐν ταῖς ὁμιλίαις τῶν ἀφροδισίων Ζιη2. 583 [a]10. τοῖς χρωμένοις πλείοσιν ἀφροδισίοις

V.

ἐνειδόασι τὰ ὄμματα φανερῶς Ζγβ7. 747 [a]16. μετὰ τὰ ἀφροδίσια οἱ πλεῖστοι ἀθυμότεροι πλ1. 955 [a]25. ἡ τῶν ἀρρένων ἐλάφων ὁρμὴ ἡ τῶν ἀφροδισίων Ζιζ29. 578 [b]33. ἀφροδισίων ἐπιθυμίαι, αἱ περὶ τὰ ἀφροδίσια ἐπιθυμίαι Ρα11. 1370 [a]23. ὀργᾶν πρὸς τὰ ἀφροδίσια πζ2. 886 [a]34. ἡ περὶ τὰ ἀφροδίσια ἔκστασις φ4. 808 [b]34, 36. ὁρμητικοὶ πρὸς τὰ ἀφροδίσια. πότε ὁρμητικώτεροι πρὸς τὰ ἀφροδίσια πγ11. 872 [b]22. ὅ25. 28. ἀφροδίσια τοῖς ἄρρεσιν ἡδονὴ νοσηματώδης, ἄτοπος ἡδονὴ Ηη6. 1148 [b]29, 1149 [a]14.

ἀφροδισιάζειν, coni πίνειν, ἐσθίειν ηεγ2. 1230 [b]33. πι52. 896 [b]16. ὅταν ἄρχηται δύνασθαι ἀφροδισιάζειν, ἡδῦ πὸ4. 876 [b]33. 12. 877 [b]20. αἱ ἐν ταῖς βλεφαρίσι τρίχες ῥέουσιν, ὅταν ἀφροδισιάζειν ἄρξωνται Ζιγ11. 518 [b]10. φαλακρότης ϗ ἀναφαλαντίασις συμβαίνει ἡδενὶ πρὶν ἢ ἀφροδισιάζειν ἄρξηται Ζιγ11. 518 [a]29. Ζγε3. 783 [b]26. φωνῆς μεταβολὴ γίνεται μᾶλλον τοῖς πειρωμένοις ἀφροδισιάζειν Ζιη1. 581 [a]22. τὸ γίνεσθαι καθαρὸν ἐν ἵστιν ὥσπερ τοῖς ἄρρεσι τὸ ἀφροδισιάσαι Ζγδ5. 773 [b]31. ὁ ἀφροδισιάζων ἀναβάλλει τὰ ὄμματα πὸ1. 876 [a]31 et saepe in πὸ. τὸ ἀφροδισιάζειν ἥδιστον πὸ15. τίνες ἧττον ἐπιθυμῦσι τῦ ἀφροδισιάζειν Ζγα18. 725 [b]34. αἰσχύνονται ἀφροδισιάζοντες Ρβ6. 1384 [b]19. ἐνίοτε ἀνδράσιν ἀφροδισιάσασι συμβαίνει εὐρωστοτέροις εἶναι Ζικ5. 636 [b]24. ὅταν τις προσβιάζηται πλεονάκις χρώμενος τῷ ἀφροδισιάζειν, ἐνίοις αἱματῶδες ἤδη προελήλυθεν Ζγα19. 726 [b]8. ἐν ὕδατι ἧττον δύνανται ἀφροδισιάζειν οἱ ἄνθρωποι πὸ14. οἱ μεθύοντες ἀδύνατοι ἀφροδισιάζειν πη11. 872 [b]15. 35. 875 [b]39. — pass ἀφροδισιάζεσθαι de feminis. αἱ νέαι πάμπαν ἀφροδισιαζόμεναι ἀκολαστότεραι γίνονται Ζιη1. 581 [b]17. ὅταν γυναῖκες ὀργῶσιν ἀφροδισιασθῆναι Ζικ5. 637 [a]25. ἱππομανεῖν λέγεται ἐπὶ τῶν ἀκολάστων περὶ τὸ ἀφροδισιάζεσθαι Ζιζ18. 572 [a]12. ἀφροδισιάζεσθαι, muliebria pati πὸ26. 879 [a]36, [b]37. 27. 880 [a]7 (?).

ἀφροδισιασμός. θάρρη ϗ φόβοι ϗ ἀφροδισιασμοὶ ϗ τἆλλα τὰ σωματικὰ λυπηρὰ ϗ ἡδέα τὰ μὲν κατὰ μόριον μετὰ θερμότητος ἢ ψύξεώς ἐστι, τὰ δὲ καθ' ὅλον τὸ σῶμα Ζκ8. 702 [a]3. τοῖς πλείστοις συμβαίνει ἐν τῷ ἀφροδισιασμῷ ἔκλυσις ϗ ἀδυναμία Ζγα18. 725 [b]17. ὁ ἀφροδισιασμὸς καταψύχει Ζγε3. 783 [b]29. ὁ ἀφροδισιασμὸς θερμότητα ἐργάζεται πὸ2. 876 [b]3. ὁ ἀφροδισιασμὸς μετὰ πνεύματος ἐξόδυ, πνευματιώδης πὸ20. 879 [b]31. λ1. 953 [b]33.

ἀφροδισιαστικός. χάρις ἀφροδισιαστικὴ Πε10. 1311 [b]16. — τῶν ζῴων τὰ μὲν ἀφροδισιαστικὰ τὰ δὲ ἀγνευτικὰ Ζια1. 488 [b]4, utriusque generis exempla Ζιε2. 540 [a]12. ἰ8. 613 [b]25. Ζγγ6. 756 [b]25. δ5. 773 [b]29, 774 [a]7, 16. f 270. 1527 [a]8. τῶν ἀνθρώπων οἱ δασεῖς ἀφροδισιαστικοὶ Ζγδ5. 774 [b]2. οἱ μελαγχολικοὶ ἀφροδισιαστικοὶ πὸ30. 880 [a]30. τίνες τρίχες ῥέουσι τοῖς ἀφροδισιαστικοῖς Ζιγ11. 518 [b]11, 24. τῶν ἀφροδισιαστικῶν ἀρρένων τὰ σώματα γηράσκει θᾶττον Ζιη1. 582 [a]22. μετὰ τὰ σιτία ἥκιστα ἀφροδισιαστικοὶ πη33. 876 [a]6. ὁ οἶνος ἀφροδισιαστικοὺς ἀπεργάζεται πλ1. 953 [b]31. οἱ ἱππεύοντες συνεχῶς ἀφροδισιαστικώτεροι πὸ11. 877 [b]14. — τῶν ἐδεσμάτων τινὰ ἀφροδισιαστικὰ πλ1. 954 [a]3.

Ἀφροδίτη μτ2. 464 [b]3. θ96. 838 [a]24. nomen explicatur Ζγβ2. 736 [a]20. συζεύξας τὸν Ἄρη πρὸς τὴν Ἀφροδίτην Πβ9. 1269 [b]29. Ἀφ. ϗ Διόνυσος πλ1. 953 [b]31. Δαίδαλος κινουμένην ἐποίησε ψα3. 406 [b]19. versus afferuntur Homeri Ργ11. 1413 [a]33 (Ι 389). Ηη7. 1149 [b]15 (Σ 217 et lyr fr adesp 133), Euripidis Ρβ23. 1400 [b]23 (Troad 989). — Ἀφροδίτη sidus Μλ8. 1073 [b]31. x2. 392 [a]28. — καρποί τινες Ἀφροδίτη προκαλῦνται φτα7. 822 [a]6.

ἀφρός. 1. spuma. ὁ ἀφρὸς γίνεται παχύτερος ϗ λευκός· διὰ

R

τί λευκός Ζγβ2. 735 b10. τὸ πνεῦμα ἐγκαταμιγνύμενον τὴν λευκότητα διαφαίνει ἐν τῷ ἀφρῷ κỳ τῇ χιόνι, κỳ γὰρ ἡ χιὼν ἐστιν ἀφρός Ζγβ2. 735 b20. ἡ ὑπέρζεσις γίνεται διὰ τὸ μέγεθος τῦ ἀφρῦ πκδ6. 936 b9. ἐκ τῆς συγκρύσεως τῶν ὑδάτων γίνεται πρῶτον ἀφρὸς φτβ2. 823 b12. βάπτεσθαι ἀφρῷ χ4. 794 a20. ὁ ἀφρὸς ἐκ πολλῦ μικρὸς γίνεται συγχεόμενος Ζμγ6. 669 a32. ὁ πλεύμων σομφὸς κỳ ὅμοιος ἀφρῷ Ζμγ6. 669 a32. ἡ γονὴ ἀφρός, ὁ δ' ἀφρὸς λευκόν Ζγβ2. 736 a14. — 2. ἀφρός fetus piscium. τῆς ἀφύης ὁ καλούμενος ἀφρὸς γίνεται ἐκ τῆς ἀμμώδυς γῆς, ἐν τίσι τόποις γίνεται ὁ ἀφρός, διὰ τί καλεῖται, ἐπιφέρεται ἐνίοτε ἐπιπολῆς τῆς θαλάττης, ὁ ἀφρὸς ὁ ἄγονος ὑγρός ἐστιν Ζιζ15. 569 a29, b13, 16, 28. οἱ κέφφοι ἁλίσκονται τῷ ἀφρῷ Ζιι35. 620 a13. (S I 463, fetus piscium St ΑΖι I 125 n 4, fort atherina hepsetus C K p 758 n 1.)

ἀφροσύνη, def ap 1. 1249 b30. 3. 1250 a16. 6. 1250 b43-1251 a3. δι' ἀφροσύνην ἁμαρτάνειν Πγ11. 1281 b27. συμβαίνει ἡ ἀφροσύνη μετὰ ἀκρασίας ἀρετῆ Ηη3. 1146 a27.

ἄφρωρος ὁ γεννήσας τρεῖς υἱὰς Πβ9. 1270 b4.

ἀφρώδης πομφόλυξ, ἰλύς Ζγγ11. 762 a23, 763 a28. ἐκ ἀφρώδες Ζιγ2. 512 b10. ἀφρώδης ἡ τῦ σπέρματος φύσις Ζγβ2. 736 a19. 3. 736 b36. τὸ ἀφρῶδες κỳ ἔκλευκον κ4. 394 a35. λευκὸν κỳ ἀφρῶδες θ130. 843 a11.

ἄφρων. ἀφρονέστερα πάντα τὰ ζῷα τῶν ἀνθρώπων ἐστὶν Ζμδ10. 686 b22. τῶν ἀφρόνων οἱ ἐκ φύσεως ἀλόγιστοι βηριώδεις Ηη6. 1149 a9. ὁ ψευδὴς ἄφρων ηεγ7. 1234 a34. συμβαίνει Ἐμπεδοκλεῖ ἀφρονέστατον εἶναι τὸν θεὸν ψα5. 410 b5.

ἀφυγραίνειν. μετὰ τὺς ἐξονειρωγμὺς ὁ αὐτὸς τόπος ἀφυγραίνεται Ζικ6. 637 b29.

ἀφύη. ἰχθύων ἔνια αὐτόματα γίνεται, οἷον κỳ τῆς ἀφύης ὁ καλούμενος ἀφρός, ἐστὶν αὕτη ἡ ἀφύη ἀναυξὴς κỳ ἄγονος κỳ ὅταν πλείων γένηται χρόνος ἀπόλλυται· κỳ ἄλλαι ἀφύαι, γένεσις αὐτῶν descr Ζιζ15. 569 a29-b28. ἀφύης πλείω γένη descr f 292. 1528 b41. ἀφύαι καλῦνται ὡς ἂν ἀφύεσθαι ὖσαι f 313. 1531 a29. ('vocabulum ἀφύη genituram et feturam piscium minutam omnem significasse docent loci scriptorum apud Athen' S I 464 K p 757 n 5 ΑΖι I 125 n 4, fort imprimis melanuri iuvenculi St Cr.)

ἀφυής, opp εὐφυής ηεη2. 1237 a6. ἐν τῷ γένει τῶν ἀνθρώπων παρὰ τὴν ἀφὴν εὐφυεῖς κỳ ἀφυεῖς εἰσιν, οἱ μὲν σκληρόσαρκοι ἀφυεῖς τὴν διάνοιαν, οἱ δὲ μαλακόσαρκοι εὐφυεῖς ψβ9. 421 a24. 25. ζῷον ἀφυὲς πρὸς τὴν στροφὴν Ζμδ11. 692 a6. ἀφυέστεροι πρὸς ἀρετὴν Ηκ10. 1180 a8. — ἀφύαι (καλῦνται) ὡς ἂν ἀφυεῖς ὖσαι τυτέστι δυσφυεῖς f 313. 1531 a29. — ἀφυῶς ἔχειν πρός τι Ζπ10. 710 a5.

ἀφυΐα. διὰ τὴν βραδυτῆτα κỳ ἀφυΐαν τῆς κάμψεως Ζμβ16. 659 a29. διὰ τὴν ἀφυΐαν τῆς παραπτώσεως Ζγα7. 718 a27.

ἀφυλακτεῖν. ἐάν τ' ἐπὶ θάτερα ἐάν τ' ἐπὶ ἀμφότερα ἀφυλακτήσωσιν Ζιν1. 581 b18.

ἀφύλακτος. active i q ὁ μὴ φυλαττόμενος. οἱ φίλοι ἀφύλακτοι πρὸς τὸ ἀδικεῖσθαι Ρα12. 1372 a19, b34. — pass i q ᾧ ἅ τις μὴ φυλάττεται. ἀφύλακτα τὰ λίαν φανερά Ρα12. 1372 a24, 26.

Ἀφυταίων νόμος Πζ4. 1319 a14.

ἀφωνία κỳ ἀδυναμία πη9. 888 a8. ἀφωνία κỳ πῆξις θ145. 845 a26.

ἄφωνος. 1. τῶν ζῷων τὰ μὲν ἄφωνα τὰ δὲ φωνήεντα Ζια1. 488 a32. ἄφωνα τά τε ἄναιμα κỳ τῶν ἐναίμων ἰχθύες ψβ8. 420 b10, 421 a4. Ζιδ9. 535 b14. τῶν ἁλκυόνων ἡ μὲν φθέγγεται, ἡ δ' ἄφωνος Ζιθ3. 593 b10. σκῶπες ἄφωνοι, opp

φθέγγονται Ζιι28. 618 a5. βάτραχοι ἄφωνοι ἐν Κυρήνῃ θ68. 835 a33. — ἄλογον ὁ ἄφωνος ἐκ Τεγέας εἰς τὴν Μυσίαν ἥκων (in Aeschyli Mysis, Nauck fr tr p 35). — 2. συλλαβῆς στοιχεῖα τὸ φωνῆεν κỳ τὸ ἄφωνον ΜΖ17. 1041 b17. ὁ6. 1016 b22. πο20. 1456 b35. πι39. 895 a9. γραμματικὴ ἐκ φωνηέντων κỳ ἀφώνων γραμμάτων κρᾶσιν ποιησαμένη κ5. 396 b18. ἀπὸ ἀφώνων ἀρξάμενον εἰς ἄφωνον τελευτᾶν ρα4. 1434 b36. τὰ ἄφωνα ἡ γλῶττα κỳ τὰ χείλη ἀφίησι Ζιδ9. 535 a32. ἄφωνον τὸ μετὰ προσβολῆς καθ' αὑτὸ μὲν ὐδεμίαν ἔχον φωνήν, μετὰ δὲ τῶν ἐχόντων τινὰ φωνὴν γινόμενον ἀκυστόν, οἷον τὸ γ κỳ τὸ δ πο20. 1456 b28, 25.

ἀφωρισμένως v ἀφορίζειν.

Ἀχαῖα. ὁ ἐν Ἀχαΐᾳ σεισμὸς μα6. 343 b2. 8. 366 a26, 368 b6. οἱ ἐν Ἀ. ἔλαφοι θ5. 830 b23.

Ἀχαιός. Ἀχαιῶν πολιτεία 1550 b18. τὺς Ἀχαιὺς τὸν νόμον (τῦ πυρριχίζειν) εἰς Κρήτην κομίσαι f 476. 1556 a37. Ἀχαιοὶ οἱ Θετταλοῖς πρόσχωροι Πβ9. 1269 b6. οἱ συνοικίσαντες Σύβαριν Πε3. 1303 a29. οἱ περὶ τὸν Πόντον Πβ4. 1336 b22. οἱ περὶ Ἴλιον μαχόμενοι Ρβ24. 1401 b18. θ109. 840 b11. Ἀχαιοί (Hom B 227) f 172. 1506 b32. Ἀχαιῶν τινὰς τῶν ἀπὸ Τροίας ἀνακομισαμένων ἐλθεῖν εἰς Λάτιον f 567. 1571 a20. Ἀθηνᾶ Ἀχαία θ109. 840 b2. — Ἀχαϊκός. λιμένας εἰς Ἀχαϊκὺς Ργ6. 1407 b34 (ex poeta tragico, fr adesp 58).

ἀχαΐνης ἔλαφος. τῶν ἐλάφων οἱ Ἀχαΐναι καλύμενοι δοκῦσιν ἔχειν ἐν τῇ κέρκῳ χολὴν Ζιβ15. 506 a24. εἰλήπται ἀχαΐνης ἔλαφος ἐπὶ τῶν κεράτων ἔχων κιττὸν Ζιι5. 611 b18. ('non dubium est, σπαδίνην veram esse scripturam eundemque esse cervum, qui Aristoteli πατταλίας dicitur' S II 36, Ἀχαϊκός ci Su 68 n 48, cervus elaphus Su 11 ΑΖι I 67 n 14c.)

ἀχάνη, μέτρον Ὀρχομένιον τετταράκοντα πέντε μεδίμνυς χωρῦν Ἀττικὺς f 525. 1564 b25, 28.

ἀχανής. ἀφικνεῖσθαι εἰς ἀχανῆ κỳ πλατὺν τόπον μβ2. 355 b31. ἡ ὄψις ὥσπερ δι' ἀχανῦς φερομένη μγ6. 378 a6. σχίζεσθαι, σκεδάννυσθαι sim εἰς ἀχανὲς a3. 340 a32 Ideler. β8. 367 a19. Ζγε1. 780 a2. πια37. 903 b14.

ἀχαριστεῖν, opp χαρίζεσθαι Ρβ7. 1385 b11.

ἀχάριστος ρ22. 1434 a23. 37. 1442 a13. ἀφαιρεῖσθαι τὴν χάριν κỳ ποιεῖν ἀχαρίστα Ρβ7. 1385 a35.

ἀχάρνας κατεσθίει τὺς κεφάλους νέας, πονεῖ τῦ θέρυς Ζιθ2. 591 b1. 19. 602 a12. (anarrhichas lupus K p 860 n 4, anarrhichas rufus Cr, in incerto relinquunt C S I 577 St ΑΖι I 125 n 5.)

ἄχειρα κỳ ἄποδα ζῷα Ζιγ5. 515 b24.

Ἀχελῷος μα13. 350 b15. 14. 352 a35. μεταξὺ τῦ Ἀχελώυ κỳ Νέσσυ Ζιζ31. 579 b7. θ28. 606 b15. ἰχθύες φωνῦντες ἐν τῷ Ἀχελώῳ ψβ8. 420 b12. ὁ κάπρος ὁ ἐν τῷ Ἀχελώῳ Ζιδ9. 535 b18.

ἄχερδυ. γένος τι ἀχέρδυ ἐν Κέῳ θ143. 845 a15. (Pirus salicifolia L. — Rose Ar Ps p 343 cf Lobeck Technol 264, Proleg 77, Pathol I 23.)

ἀχέται. τεττίγων εἶδος οἱ καλύμενοι ἀχέται, διαιρῦνται ὑπὸ τὸ διάζωμα κỳ ἔχυσι ὑμένα φανερόν, μεγάλοι εἰσίν, ἀδῦσιν Ζιθ7. 532 b16. ε30. 556 a20. (cicadarum species C, cicada orni St, cicadarum species maiores (c plebeia, orni, fraxini) Su p 201 n 14, cicada (plebeia?) ΑΖι I 156, 162 n 7 cf S I 385.)

ἄχθεσθαι. ἀχθόμενος, syn λυπύμενος Ηδ2. 1121 a6. opp χαίρων Ηβ2. 1104 b6. ἀχθόμενος τῇ ἐδωδῇ Ζιζ6. 563 a22.

Ἀχίλλειοι σπόγγοι Ζιε16. 548 b1, 20.

Ἀχιλλεύς Ρα3. 1359 b3. 6. 1363 b19. β3. 1380 b28. 22.

1396 ᵃ25, ᵇ12, 15, 16. 23. 1397 ᵇ22. 24. 1401 ᵇ18. γ16.
1416 ᵇ27. 17. 1418 ᵃ35. πο22. 1459 ᵃ1. versus afferuntur
Homeri Ρβ2. 1378 ᵇ32 (Α 356. Ι 648. Π 59). Ργ4. 1406
ᵇ21, 24 (fort resp Υ 164), incerti poetae τι4. 166 ᵃ38.
Ἀχ. exemplum μεγαλοψυχίας Αδ13. 97 ᵇ18. cf τγ2. 117 5
ᵇ14, 15, 24, ὀργιλότητος πο15. 1454 ᵇ14, τῦ καθ' ἕκαστον
ἀνθρώπʋ Μλ5. 1071 ᵃ22. σοῖς δὲ πόθοις ('Αρετᾶς) Ἀχιλλεὺς
Αἴας τ' Ἀΐδαο δόμʋς ἦλθον f 625. 1583 ᵇ19. Ἀχιλλέως
ἀνώμαλον ἦθος f 160. 1505 ᵃ6, μῆνις f 152. 1503 ᵇ39. οἱ
πρυλεῖς Ἀχιλλέως f 476. 1556 ᵃ37. Ἕκτωρ προαγορεύων 10
περὶ τῆς Ἀχιλλέως τελευτῆς (Hom Χ 359) f 12. 1476 ᵃ3.
ἀγὼν ὃν Ἀχιλλεὺς ἐπὶ Πατρόκλῳ ἐποίησεν f 594. 1574 ᵇ36.
Ἀχιλλέα πρῶτον ἐπὶ τῇ τῦ Πατρόκλʋ πυρᾷ τῇ πυρρίχῃ
κεχρῆσθαι f 476. 1556 ᵃ31. Ἄσπετος προσηγορεύετο ὁ Ἀχιλ-
λεὺς ἐν Ἠπείρῳ f 522. 1563 ᵇ20. ἐπίγραμμα ἐπ' Ἀχιλλέως 15
f 596 1575 ᵃ38. Ἀχιλλέως νεὼς ἐν Τάραντι θ106. 840 ᵃ10.
— Ἀχιλλεύς, λόγος Ζήνωνος περὶ κινήσεως Φζ9. 239 ᵇ14.
ἀχλύς. ἡ ἐν τῷ ἀέρι ἀχλύς μβ8. 367 ᵇ17. ἡ ἐν νέφος ἡ
ἀχλύς μβ4. 361 ᵃ28. ἡ συνισταμένη ἀχλύς περὶ τὸν ἥλιον
μγ3. 373 ᵃ1. πυκνὴ ἀχλύς μγ6. 377 ᵇ19. φαίνεται μεῖζον 20
τὰ ἐν ταῖς ἀχλύσιν μγ4. 373 ᵇ12. ἐπιφαίνεταί τις ἀχλύς
χ3. 794 ᵃ5. καταψεῖσθαι ἀχλὺν κατὰ ὀμμάτων πολλὴν (τῦ
πληγέντος ὑπὸ ὕδωρ) f 327. 1532 ᵇ21.
ἀχλυώδης κ̱ ἀμαυρότερος ὁ ἥλιος μβ8. 367 ᵃ20.
ἄχολος. ἧπαρ ἄχολον Ζιβ15. 506 ᵇ2. τὰ ἥπατα τὰ τῶν ἀχό- 25
λων γλυκερά ἐστιν Ζμδ'2. 677 ᵃ23. τὰ μώνυχα ἄχολα κ̱
ζῇ πολὺν χρόνον Ζμδ'2. 677 ᵃ33. τὸ ἄχολον μακρόβιον Αβ23.
68 ᵇ22. — πόλεως ἀχόλω τύραννον (Alcaei fr 37)
Πγ14. 1285 ᵃ39.
ἄχονδρος. ἀχόνδρα, καθάπερ ἡ ῥάχις πνθ6. 484 ᵃ29. 30
ἄχορδος. ἀχόρδον κ̱ ἄλυρον μέλος (ex poeta incerto) Ργ6.
1408 ᵃ6. τόξον φόρμιγξ ἀχόρδος (apud Theognidem trag,
Nauck fr tr p 597) Ργ11. 1413 ᵃ1.
ἀχορήγητος, syn ἄνευ τῶν ἐκτὸς ἀγαθῶν Ηα9. 1099 ᵃ33.
ἀχορήγητος τῶν ἀναγκαίων Πδ'1. 1288 ᵇ32. 35
ἀχράς. φυτεύειν ἀχράδας περὶ τὰ σμήνη Ζυε40. 627 ᵇ17. ἡ
πιαίνεται ἀχρὰς Ζιδ'6. 595 ᵃ29. (fort Pirus salicifolia L.)
ἀχρεῖος, opp ὠφέλιμος Ηθ16. 1163 ᵃ28. χ10. 1181 ᵇ6. τῶν
πτερῶν ἀχρείων ὄντων τὰς πόδας χρησίμως ἔχʋσι πρὸς τὴν νεῦσιν
Ζμδ'12. 694 ᵇ8. ἀχρεῖον ἔσται τ2. 130 ᵇ12, 28. σκέψεις 40
ἀχρεῖοι (v l ἀχρεῖοι) πρὸς τὸ ποιεῖν συλλογισμὸν Αα28 ᵃ4ᵇ26.
ἀχρεῖος εἴς τι Ηδ'14. 1128 ᵇ2. ἀχρεῖόν τινι Ηχ10. 1181 ᵇ6.
σώματα ἀχρεῖα, ἱστορία ἀχρεῖος οα2. 1343 ᵇ4. β1346 ᵃ29.
ʋἱὸν ἀχρεῖον κ̱ ἄγονον Ζιζ14. 568 ᵇ8. σκώληξ γίνεται ἀχρεῖος,
ἐὰν τὸν χιτῶνα περιέλῃ Ζιε32. 557 ᵇ21. cf f39. 623 ᵃ15. 45
— ἀχρεῖος ἀνήρ (Hes e 297) Ηα2. 1095 ᵇ13.
ἀχρήματος πόλις Πβ9. 1271 ᵇ16.
ἄχρηστος, opp χρήσιμος Πβ12. 1274 ᵇ15. δ13. 1297 ᵇ19.
ἐκ ἄχρηστόν ἐστι διηπορηκέναι Κ7. 8 ᵇ24. χρυσὸς σιδήρʋ
ἀχρηστότερος Ρα7. 1364 ᵃ24. ἀχρηστότατον τὸ ἐναντίον τῷ 50
ἐναντίῳ γεη1. 1235 ᵇ5. ἄχρηστον τροφὴν λέγω. ἀφ' ἧς μη-
θὲν ἔτι συντελεῖται εἰς τὴν φύσιν Ζγα18. 725 ᵃ4. περίττωμα
ἄχρηστον Ζμγ14. 675 ᵃ18, ᵇ35. ἄχρηστος πρὸς τὰς θήρας,
πρὸς τὸ ἀμύνεσθαι Ζιζ2. 560 ᵇ14. ι45. 630 ᵃ32. χρήσιμος
θυρωρός, ὃν ἂν ᾖ ἀχρεῖα χρωμένων τῶν ἄλλων ἔργων οα6. 1345 ᵃ35. 55
ἄχρι raro apud Ar legitur ἄχρι τῆς πρώτης καμπῆς Ζιβ1.
499 ᵃ26. θ28. 606 ᵇ8. ἄχρι τῆς κοιλίας Ζιδ'4. 530 ᵃ2. τὰς
ἄχρι τῶν μεγάλων πόδας Ζιδ'2. 526 ᵃ13. ἄχρι ἐτῶν εἴκοσι
Ζιε14. 545 ᵃ12. ἄχρι ἑσπέρας Ζιι34. 619 ᵇ21. in libris pseud-
epigraphis πα26. 862 ᵇ8. ια62. 906 ᵃ19. ιε3. 910 ᵇ29. κα25. 60
929 ᵇ31. κη1. 949 ᵇ2. λγ11. 962 ᵇ19, 20. λδ8. 964 ᵃ22.

κ4. 395 ᵃ22. 6. 397 ᵇ29. θ65. 835 ᵃ26. 157. 846 ᵃ27.
ἄχρʋς 1. χρώματος δεκτικὸν τὸ ἄχρʋν, ἄχρʋν ἐστὶ τὸ δια-
φανὲς κ̱ τὸ ἀόρατον ἢ τὸ μόλις ὁρώμενον ψβ7. 418 ᵃ27,
28. τὸ ὕδωρ ἄχρʋν πκγ9. 932 ᵇ24. — 2. εἰ ἐν ἱματίῳ
δρόμοι εὔχρʋς ποιῶσιν, οἱ δὲ γυμνοὶ ἄχρʋς πλη3. 966 ᵇ35.
ἄχροοι, opp εὔχροοι πλη5. 967 ᵃ13. ἄχροοι κ̱ καταρροϊκοὶ
πκα24. 929 ᵇ27. οἱ πολὺν χρόνον καθεύδοντες ἀχρʋστεροι
πβ30. 869 ᵇ2. ἀχρʋστεραι αἱ τὰ θήλεα κύʋσαι Ζιη4. 584
ᵃ14. ἀχρʋστερα πρὸς ταῖς ἀρχαῖς τὰ ἄνθη χ5. 796 ᵇ30.
ἀχρωμάτιστος. τὸ πνεῦμα ἀχρωμάτιστον μγ1. 371 ᵇ9, ᵃ2.
ἀχρωμάτιστα τὰ νέφη κατ' εὐθυωρίαν εἰσβλέπʋσιν μγ6.
377 ᵇ1.
ἄχρως. ἄχρων (τὸ ἀόριστον, ἡ ὕλη) ΜΑ8. 989 ᵇ9.
ἄχυμος, coni ἄοσμος αι5. 443 ᵃ11, 15, 17. ἡ τῦ ὕδατος
φύσις βʋλεται ἄχυμος εἶναι αι4. 441 ᵃ4. ἄχυμον (τὸ ἀόρι-
στον, ἡ ὕλη) ΜΑ8. 989 ᵇ10.
ἄχυρον. θημῶν ἀχύρων μα7. 344 ᵃ26. πιαίνει τὰ πρόβατα
ἄχυρα Ζιθ10. 596 ᵃ25, 20. ἄχυρα σκληρά, πεπεμμένα πκβ
13. 931 ᵃ23.
ἀχυρῦν. ὅταν ἀχυρωθῶσιν αἱ ὀρχήστραι, ἧττον οἱ χοροὶ γεγώ-
νασιν πια25. 901 ᵇ30.
ἀχυρώδης. τῦ ἀλεύρʋ τὸ ἀχυρωδέστατον πκα22. 928 ᵃ20.
ἀχύρωσις. ἡ περὶ τὸν πηλὸν ἀχύρωσις, syn συγκαταπλέκειν
τοῖς κάρφεσι πηλὸν Ζιι7. 612 ᵇ22, 23.
ἀχώριστος (v χωρίζειν). ἀχώριστον τὸ θῆλυ κ̱ τὸ ἄρρεν,
opp κεχωρισμένον Ζγα23. 731 ᵃ11, 28. δ1. 763 ᵇ24. ἀχώ-
ριστος ἡ ὕλη ὡς ὕσα ἡ αὐτὴ κ̱ μία ἀριθμῷ, τῷ λόγῳ δὲ
μὴ μία Γα5. 320 ᵇ13. β5. 332 ᵇ1. λόγῳ μὲν ἕτερα ὄντα,
μεγέθει δ' ἀχώριστα ψγ10. 433 ᵇ25. Ηα13. 1102 ᵃ30.
ἀριθμῷ ἀδιαίρετον κ̱ ἀχώριστον, τῷ εἶναι δὲ κεχωρισμένʋ
ψγ2. 427 ᵃ2. ἀχώριστον τὸ εὐθύ, εἴπερ ἀεὶ μετὰ σώματός
τινος ἐστιν τα1. 403 ᵃ15. τὰ πάθη ἀχώριστα Φα4. 188 ᵃ6,
12. ἀχώριστος ἡ ἐνέργεια σωματικὴ Ζγβ3. 736 ᵇ25, 737 ᵃ9.
ἡ φυσικὴ περὶ ἀχώριστα Με1. 1026 ᵃ14. ἀχώριστον ἢ τόπῳ
ἢ εἴδει ἢ διανοίᾳ (?) Μι1. 1052 ᵇ17 Bz.
ἀψεύδεια, ἣν φυλάττʋσιν αἱ καλαὶ τῶν ὅλιων ὧραι χ5. 397
ᵃ11.
ἀψευδεῖν περί τι τι1. 165 ᵃ25.
ἀψίκορος. εὐμετάβολοι κ̱ ἀψίκοροι πρὸς τὰς ἐπιθυμίας οἱ νέοι
Ρβ12. 1389 ᵃ6.
ἀψίνθιον. τῦ ἀψινθίʋ χυλοὶ πικροί φτα5. 820 ᵃ36. τὸ ἀψίνθιον
ὑρητικόν πκζ10. 949 ᵃ2. (Artemisia Absinthium L.)
ἄψις. τῆς ἄψεως εἶδός τι συνοχή τῦ2. 122 ᵇ25-30. ὥσις ἡ
κίνησις ὑπὸ τῦ κινῦντος, ἢ γίγνεται ἀπὸ τῆς ἄψεως μο9.
386 ᵇ1. τῇ ἄψει καθ' ὅλον τὸ σῶμα, opp τῷ στόματι
Ζυ37. 621 ᵃ11.
ἀψίς. ὁ κύκλος κατὰ τὴν ἀψῖδα κυλίεται μχ8. 851 ᵇ17. τῆς
ἴριδος ἐλαχίστη μὲν κύκλʋ μεγίστη δ' ἡ ἀψίς (i e τμῆμα
κύκλʋ), κύκλʋ μὲν μείζονος, ἐλάττων δ' ἡ ἀψίς μγ2. 371
ᵇ28, 29.
ἀψοφητὶ προσπλεῖν Ζιδ'8. 533 ᵇ32.
ἀψοφία, opp ψόφος Φη2. 244 ᵇ17.
ἄψοφος. ψόφʋ δεκτικὸν τὸ ἄψοφον ψβ7. 418 ᵃ26. αὐτὸ
ἄψοφον ὁ ἀὴρ διὰ τὸ εὔθρυπτον ψβ8. 420 ᵃ7.
ἄψυχος. 1. τὰ ἄψυχα, opp τὰ ἔμψυχα οα6. 1345 ᵃ29,
opp τὰ ἐν ταῖς φυτοῖς μὸ12. 390 ᵃ17. διώρισται τὸ ἔμψυ-
χον τῦ ἀψύχʋ τῷ ζῆν ψβ2. 413 ᵃ21. τὸ ἔμψυχον τῦ
ἀψύχʋ διαφέρει κινήσει τε κ̱ τῷ αἰσθάνεσθαι ψα2. 403 ᵇ26.
τῶν ἀψύχων ἐν ʋδενὶ ὁρῶμεν ὅθεν ἡ ἀρχὴ τῆς κινήσεως Οβ2.
284 ᵇ33. Ζκ4. 700 ᵃ16. τὸ ἔμψυχον τῦ ἀψύχʋ διὰ τὴν
ψυχὴν βέλτιον Ζγβ1. 731 ᵇ29. ἐκ τῶν ἀψύχων εἰς τὰ ζῷα

μεταβαίνει κατὰ μικρὸν ἡ φύσις Ζιθ1. 588 ᵇ4. τὸ κύημα
ἐκ ἀψύχου Ζγβ3. 736 ᵃ33. τὸ τῶν ἀψύχων γένος Ζγα23.
731 ᵃ35. δυνάμεις ἐν τοῖς ἀψύχοις, ἐν τῇ ψυχῇ Μθ2. 1046
ᵃ36. 3. 1047 ᵃ4. τὰ ἄψυχα φύσει τινὶ ποιεῖ, οἱ δὲ χειρο-
τέχναι δι᾽ ἔθος ΜΑ1. 984 ᵇ4, 2. ἔστιν ὡς τὰ ἄψυχα κτείνει 5
Ηε12. 1136 ᵇ30. δικάζει ᚑ τὰς τῶν ἀψύχων δίκας ὁ βα-

σιλεύς f 385. 1542 ᵃ24. τῶν ἀψύχων ἀθὲν φωνεῖ, ἀλλὰ καθ᾽
ὁμοιότητα λέγεται φωνεῖν ψβ8. 420 ᵇ7. τὰ ἄψυχα ἔμψυχα
λέγειν διὰ τῆς μεταφορᾶς Ργ11. 1411 ᵇ32. τὸ ὄργανον ἄψυ-
λος ἄψυχος Ηθ13. 1161 ᵇ4. ηεη9. 1241 ᵇ24. ὅσα περὶ
ἄψυχα πις 1-13. — 2. ἀψυχότεραι αἱ θήλειαι ἐλέφαντες
Ζωι1. 610 ᵃ21.

B

Βαβύκα, γεφύρα f 493. 1558 ᵇ7.
Βαβυλών θ72. 835 ᵇ7. οβ1352 ᵇ27. πόσην ἔχει περιγραφήν
Πγ3. 1276 ᵃ28. — Βαβυλωνία οβ1352 ᵇ27. ἀπέραντος
Πβ6. 1256 ᵃ14. — Βαβυλώνιοι Πγ13. 1284 ᵃ1. πάλαι 10
τετηρηκότες τὲς ἀστέρας Οβ12. 292 ᵃ8. παρὰ Βαβυλωνίοις
Χαλδαίοις γεγενῆσθαι f 30. 1479 ᵃ30. Βαβυλώνιοι, comoedia
Aristophanis Ργ2. 1405 ᵇ30.
βάδην ὑποχωρεῖν. ὑπάγειν Ζω44. 629 ᵇ14, 17.
βαδίζειν. ἀδύνατον βαδίζειν ἄνευ ποδῶν Ζγβ3. 736 ᵇ24. cf 15
Ζιας5. 490 ᵃ1. βαδίζειν, dist ἕρπειν Ζμδ10. 686 ᵇ9. βαδίζειν
ἠρέμα ᚑ ἀ κρατερὸν ᚑ ἀ πηδῶν Ζω39. 622 ᵇ33. κατὰ σκέ-
λος βαδίζει ὁ λέων Ζιβ1. 498 ᵇ7. βαδίζειν κατὰ ζυγὰ Ζιε12.
544 ᵃ5. β. ἀεὶ μίαν ἀτραφὸν Ζιβ8. 622 ᵇ25. βαδίζειν ὡς
Ἀρχέλαον Ρβ23. 1398 ᵃ24. β. ὑγιεινῶς Ηε1. 1129 ᵃ16. 20
βαδίσαι λαπάξεως ἕνεκα Φβ6. 197 ᵇ24. βαδίζειν, βεβαδι-
κέναι Θήβαζε Φζ1. 231 ᵇ30. βαδίσαι στάδια ἑκατὸν Οα11.
281 ᵃ9. βεβαδικέναι μέγεθός τι Οα5. 272 ᵃ11. βαδίζειν ἐστί,
dist βαδίσαι Φα2. 185 ᵇ39. — τὸ σπέρμα ἐντεῦθεν βαδίζει,
ἡ ἀπόκρισις θύραζε βαδίζει Ζγα17. 721 ᵇ18. δ8. 776 ᵇ29. 25
βαδίζειν εἰς τὸ πολίτευμα, εἰς τὰς ἀρχὰς Πδ6. 1293 ᵃ24.
14. 1298 ᵃ15. β7. 1266 ᵇ25. εἰς τὰ ἀρχεῖα (syn εἶναι ἐν
ταῖς ἀρχαῖς ᵇ3) Πδ15. 1299 ᵃ36. — ὁ πρὸς πάντα βαδίζων
θρασύς Ηβ2. 1104 ᵃ22. ὁμόσε βαδίζειν λόγῳ τινί, πρὸς τὰ
τοιαῦτα Μν2. 1089 ᵃ3. ρ37. 1444 ᵃ21. — βαδιἄνται αἱ γε- 30
νέσεις εἰς ἄπειρον, εἰς ἄπειρον βαδιεῖται Μζ8. 1033 ᵇ4. β4.
1000 ᵃ28. γ7. 1012 ᵃ12. κ12. 1068 ᵃ33. Φε2. 225 ᵇ34.
Ογ5. 304 ᵇ8 (cf s ἄπειρον). τῦτο κατὰ κύκλον ἀναγκαῖον εἰ
βαδίζειν μβ3. 357 ᵃ2. μέχρι τινὸς βαδίζει ἀρχῆς, αὕτη δ᾽
ἀκέτι εἰς ἄλλο Με3. 1027 ᵇ12. θ8. 1050 ᵃ7. φύσει ἐπὶ το 35
ἀγαθὸν βαδίζει πᾶν ηεη14. 1247 ᵇ21. ὁ ὅρος ἔξω βαδιεῖται
Αγ23. 85 ᵃ11 (Wz, syn ἔξω πίπτειν ᵃ3, 4, 9). ἕτερα ὄντα
εἰς τὴν αὐτὴν διαφορὰν βαδίζεται Ζμα3. 643 ᵃ13. — βα-
δίζειν de investigandi disputandique via ac ratione (cf με-
τιέναι), ὅτω βαδίζοντι ἔστιν εἰδέναι ὅτι ἀδὲν παραλέλειπται 40
Αδ13. 97 ᵃ5. γ23. 84 ᵇ33. βαδιστέον ἐπὶ τὸ καθόλυ Ηκ10.
1180 ᵇ21. βαδίζειν εἰς ἕνα λόγον Αδ13. 97 ᵇ14. βαδίζει ὁ
τοιῦτος ἐπὶ τὴν τῶν σπυδαίων φιλίαν ηεΘ1. 1209 ᵃ33.
βάδισις, εἶδος κινήσεως, dist πτῆσις, ἅλσις al Ηκ3. 1174
ᵃ29sqq. Ζμα1. 639 ᵇ3. cf Φε4. 227 ᵇ18, 228 ᵃ17. οἰκεία 45
κίνησις ποδῶν βάδισις ψα3. 406 ᵃ9. Φη4. 249 ᵃ17. ἔφελξις
τὸ πεπηρωμένον μορίᾳ, ἀλλ᾽ ἀ βάδισις Ζπ8. 708 ᵇ10. ποι-
εῖσθαι τὴν βάδισιν, τὴν βάδισιν ὀρθὴν Ζιδ4. 530 ᵃ10. Ζπ11.
710 ᵇ17. προπετὴς βάδισις Ζπ14. 712 ᵃ29. βαδίσεως δια-
φοραί τι σημαίνωσιν φ6. 813 ᵃ3-18. 50
βαδιστικός. τὸ βαδιστικὸν ε12. 21 ᵇ16. 13. 23 ᵃ14.
βάθος (cf πλάτος, μῆκος). διαστήματα ἔχει τρία ὁ τόπος,
μῆκος ᚑ πλάτος ᚑ βάθος· μέγεθος τὸ ἐφ᾽ ἓν συνεχὲς μῆ-
κος, τὸ ἐπὶ δύο πλάτος, τὸ ἐπὶ τρία βάθος Φδ1. 209 ᵃ5.
Μδ13. 1020 ᵃ12, 14. cf β5. 1002 ᵃ20. ψα2. 404 ᵇ21. β11. 55
423 ᵇ22. μαδ4. 341 ᵇ34, 342 ᵃ23. πιζ2. 916 ᵃ14. τὸ πρόσθεν
τῦ βάθυς ἀρχή ἐστιν Οβ2. 284 ᵇ25. τὸ ἐπίπεδον ὑπείκει

(παραλλάττει, μεθίσταται) εἰς βάθος μδ9. 386 ᵃ23, 30, 19.
ἔχειν ὑγρότητα (χρῶμα al) ἐν βάθει, εἰς βάθος, opp ἐπι-
πολῆς Γβ2. 330 ᵃ18. αι3. 440 ᵃ14. εν2. 459 ᵇ7. ὅσοις εἰς
βάθος τι μέμικται τῆς δυνάμεως, ὅτοι ἤδη ποιοί τινές εἰσι
τὰ ἤθη πλ1. 954 ᵇ20. βάθος τῆς ψυχῆς ᚑ μέγεθος αρ5.
1250 ᵇ38. — ἄπειρον τῆς θαλάττης βάθος, βραχύτης τῦ
βάθυς μαι13. 351 ᵃ13. β1. 354 ᵃ18. εἴ τι κατὰ βάθυς ἀδη-
λον ἡμῖν μαι3. 339 ᵇ12. φωλεῖν ἐν τοῖς βάθεσι Ζιθ15. 599
ᵇ9 cf βάθυς. — ἄπειρα γῆς βάθη (Emp 237) Οβ13.
294 ᵃ26.
βαθύκολπος θ109. 840 ᵇ16.
βαθύξυλοι δρυμοί χ3. 392 ᵇ18.
βαθύς. τὸ σῶμα (ὁ ὄγκος) ἐκ βαθέος ᚑ ταπεινῷ ΜΑ9. 992
ᵃ13. μ9. 1085 ᵃ11. ν2. 1089 ᵇ13. cf δ13. 1020 ᵃ21. —
θάλασσα βαθυτέρα μβ1. 354 ᵃ19. τὰ καλύμενα βαθέα τῦ
Πόντυ μαι13. 351 ᵃ12, 350 ᵃ31. ὑποχωρεῖν, καθιεῖναι αὑτὸν
εἰς τὰ βαθέα Ζιθ2. 592 ᵃ27. ι12. 615 ᵃ29. ἐκτίκτειν ἐν τοῖς
βαθέσιν, ᚑ γίγνεσθαι ἐν τοῖς βαθέσι σφόδρα Ζιζ14. 568 ᵃ26.
β14. 505 ᵇ11, 18. — ἔρια βαθύτερα, τρίχες βαθύτεραι Ζιγ11.
518 ᵇ32. θ5. 594 ᵇ1. — ἐν τοῖς βαθυτάτοις ὕπνοις πγ34.
876 ᵃ24.
βαίνειν. 1. τῶν ποδῶν ἔργον τὸ βεβηκέναι ἀσφαλῶς Ζμδ10.
690 ᵇ1. ἡ γῆ κύβος διὰ τὸ βεβηκέναι ᚑ μένειν Ογβ. 307
ᵃ8, 1. — 2. βαίνειν ἱ q ὀχεύειν. ὁ βῦς βαίνει σφοδρῶς
Ζιζ21. 575 ᵃ13. ὁ ἐλέφας βαίνει πεντέτης, ἄρχεται βαίνε-
σθαι δεκ᾽ ἐτῶν Ζιε14. 546 ᵇ8, 9, 7. — 3. scandere. τὸ
ἔπος βαίνεται ἐν μὲν τῷ δεξιῷ ἐννέα συλλαβαῖς, ἐν δὲ τῷ
ἀριστερῷ ὀκτὼ Μν6. 1093 ᵃ30.
βαιός. βαιότερον (Parm 105) ξ2. 976 ᵃ9.
Βακίδες ᚑ Σίβυλλαι πλ1. 954 ᵃ36.
βακτηρία. κινεῖν τὴν βακτηρίαν ἐν τῇ χειρί· γίνεται ὥσπερ
ἀφαιρετὸν μέρος ᚑ βακτηρία Ζκ8. 702 ᵃ36, ᵇ6. cf Φθ5. 256
ᵃ12. ὁ δὲ λαβὼν τὴν βακτηρίαν βαδίζει εἰς τὸ δικαστήριον
τὸ ὁμόχρων τῇ βακτηρίᾳ f 420. 1548 ᵃ16.
Βακτριαναὶ κάμηλοι Ζιβ1. 498 ᵇ8. — αἱ Βάκτριαι κά-
μηλοι Ζιβ1. 499 ᵃ14.
Βάκτροι. ἐν Βάκτροις θ46. 833 ᵇ14.
Βάκτρος ποταμός μαι13. 350 ᵃ23.
Βάκχαι Εὐριπίδυ f 584. 1573 ᵃ12.
βακχεία μάλιστα ἐν τοῖς αὐλοῖς Πθ7. 1342 ᵇ4.
βακχευτικὸν ἡ μέθη ποιεῖ Πθ7. 1342 ᵇ26.
Βακχιάδαι Πβ12. 1274 ᵃ33.
βακχικὴ ᚑ ἐνθυσιαστικὴ ἡ ὑποφρυγιστὶ ἁρμονία πιθ48. 922
ᵇ22.
βάλαγρος Ζιδ11. 538 ᵃ15. (Leuciscus blicca R, non prob
Cuv XVII, 33. Barbus fluviatilis vel vulgaris C St cf ΑΖι I
125, 6.)
βαλανεῖον. κλέψαι ἐκ βαλανείυ πκθ14. 952 ᵃ17. τὰ βαλανεῖα
πκθ8. 936 ᵇ19. ἐν τοῖς βαλανείοις φτβ1. 822 ᵇ19. 3. 824 ᵇ25.
βάλανος. 1. αἱ βάλανοι οἷον ἐν οἰκίσκοις εἰσὶν φτα5. 820 ᵇ11.
ἐλαῖαι ᚑ βάλανοι παλαιύμεναι πικραὶ γίνονται πκ25. 925

ᵇ37. ὕες ἡδέως βαλάνες ἐσθίυσιν Ζιθ21. 603 ᵇ31. cf ι13.
615 ᵇ12 (glandes quercus *L* spec). — 2. βάλανος, glans
penis Ζια13. 493 ᵃ22, 29. — 3. ἥκιστα τὴν ὄσφρησιν φαί-
νεται ἔχειν τῶν ἀκινήτων τήθυα ἢ βάλανοι Ζιδ8. 535 ᵃ24.
μονοφυὲς ἢ λειόστρακον βάλανος f 287. 1528 ᵇ10, 16. περὶ
τὰς σήραγγας τῶν πετριδίων τ. κ. β. Ζιε15. 547 ᵇ22. (Le-
padinae vel Balanidae ΑΖ ι I 175, 4.)
βαλαύστιον φτα6. 821 ᵃ25.
βάλερος. κυπρῖνος ἢ βαλερος Ζιζ14. 568 ᵇ27 (v l βαλῖνος).
cf ΑΖι I 125, 6.
βάλλειν. ἐπ' αὐτῷ τὸ βαλεῖν ἢ ῥῖψαι Ηγ7. 1114 ᵃ18. —
αἱ μέλιτται κτείνυσι βάλλυσαι (int τῷ κέντρῳ) τὰ μεγάλα
τῶν ζώων Ζιμ40. 626 ᵃ21. cf 624 ᵇ17. — βάλλειν τὰς ὀδόν-
τας Ζιβ1. 501 ᵇ2. ζ20. 575 ᵃ5, 8, 10. 22. 576 ᵃ6. βάλλειν,
ἱ q βάλλειν τὰς ὀδόντας Ζιζ22. 576 ᵃ4. — μετὰ τὴν σύ-
στασιν ἐλαφρὸν τὸ ἄνω βάλλειν (canendo) πιθ4. 917 ᵇ37.
— τοῖν ἐπὶ φρένα βάλλεις καρπὸν ἀθάνατον f 625. 1583
ᵇ13. — med αἱ τευθίδες βαλλόμεναι πρός τινα πέτραν ὥσπερ
ἀγκύρας τὰς προβοσκίδας ἀποσαλεύυσιν Ζιδ1. 523 ᵇ32. —
ἐν θυμῷ βάλληται (Hes. ε297) Ηα2. 1095 ᵇ13.
βαλλιρός. ἐν τῷ βαλλίρῳ ἢ τίλωιν ἑλμὶς ἐγγινομένη Ζιθ20.
602 ᵇ26 (v l βαλλίρῳ S βάλερῳ P. Cyprini spec R et Ar cf
M 232, ΑΖι I 125, 6.)
βάλσαμον ἀρωματικόν φτα6. 820 ᵇ28. αἱ ῥοδιακαὶ χυτρίδες
γίνονται σμύρνης, σχοίνυ ἄνθυς, κρόκυ, βαλσάμυ συνεψη-
θέντων f 105. 1494 ᵇ43. (Balsamum gileadense Kth cf H F
Meyer bot Erläut z Strabo p 124.)
βάμμα. ἔχοντες βάμμα λευκώματος ἐπὶ τῷ ὀφθαλμῷ φ6.
813 ᵃ28.
βαναυσία ἢ ἀπειροκαλία ὑπερβολή, opp μεγαλοπρέπεια Ηβ7. 30
1107 ᵇ19. δ4. 1122 ᵃ31. δημοτικὰ δοκεῖ εἶναι ἀγένεια πε-
νία βαναυσία Πζ2. 1317 ᵇ41.
βάναυσος. (cf Zeller II, 2, 547, 5.) ὁ βάναυσος τῷ παρὰ τὸ
δέον ἀναλίσκειν ὑπερβάλλει Ηδ6. 1123 ᵃ19. — τὰς βαναύ-
σας πότερον πολίτας θετέον Πγ5. 1277 ᵇ35, 38, 1278 ᵃ8, 35
12, 17, 24. γ9. 1329 ᵃ20. τὸ πλῆθος τὸ τῶν βαναύσων ΠΒ5.
1264 ᵇ23. δ12. 1296 ᵇ29. ζ4. 1319 ᵃ27. μέρη πλήθυς γεωρ-
γικὸν βαναύσων ἀγοραῖον θητικόν Πζ7. 1321 ᵃ6. 1. 1317 ᵃ25.
τὸ βάναυσον περὶ τί, παρ' ἐνίοις ἦν δῦλον Πδ4. 1291 ᵃ1.
γ5. 1278 ᵃ7. δῆμος γεωργικός, ἀγοραῖος, βάναυσος Πδ3. 40
1289 ᵇ33. βάναυσοι, opp ὁπλῖται Πγ4. 1326 ᵃ22. βάναυ-
σον ἔργον, βάναυσος τέχνη def Πθ2. 1337 ᵇ8. ηεα4. 1215
ᵃ30. cf Πα11. 1258 ᵇ36. Ρα9. 1367 ᵃ31. βάναυσον ἐπι-
στήμαι, ημβ7. 1205 ᵃ32. βάναυσος τεχνίτης Πγ4. 1277 ᵇ1.
αἱ βάναυσοι τέχναι τὰ σώματα ἀχρεῖα ποιῦσιν οα2. 1343 45
ᵇ3. Πθ2. 1337 ᵇ8. α11. 1258 ᵇ37. τίνες τρόποι τῆς μυσι-
κῆς κατεργάζονται τὰς παῖδας βαναύσυς Πθ2. 1337 ᵇ8. 4.
1338 ᵃ33. 5. 1339 ᵇ9. 6. 1340 ᵇ41, 1341 ᵇ14. σῶμα βά-
ναυσον ἢ ἄχρηστον Πθ6. 1341 ᵃ7. ζῆν βίον βάναυσον ἢ θη-
τικόν Πγ5. 1278 ᵃ21. γ9. 1328 ᵇ39. — βαναυσόταται 50
τῶν ἐργασιῶν, syn δ̔ύλικώταται, ἀγεννέσταται, opp τεχνι-
κώταται Πα11. 1258 ᵇ37.
βάπτειν. 1. trans. a. τὸν χόρτον εἰς μέλι βάπτοντες Ζιθ26.
605 ᵃ29. εἰ εἰς κηρὸν βάψειέ τις ψγ12. 435 ᵃ2. βάψαι τὸ
ἀγγεῖον θ54. 834 ᵇ1. μχ28. 857 ᵃ37. — b. colore inficere. 55
ὑμὴν πορφύρας θλιβόμενος βάπτει ἢ ἀνθίζει τὴν χεῖρα Ζιε15.
547 ᵃ18. ἔβαψε φτ89. 829 ᵃ32. pass τὰ βαπτόμενα τὰς
χρόας ἀπὸ τῶν βαπτόντων λαμβάνει χ4. 794 ᵃ16. πολλὰ
τοῖς ἄνθεσι βάπτεται τὰς φυσμένυς χ4. 794 ᵃ17. τὰ βαπτό-
μενα χ4. 794 ᵃ26. πκβ11. 931 ᵃ11. βεβάφθαι χ1. 791 ᵃ7. 60
— 2. intr βάπτεσιν εἰς ψυχρὸν αἱ ἐγχέλυες Ζιθ2. 592 ᵃ18.

Βάπυρον ὄρος σ973 ᵃ15. f 238. 1521 ᵇ8.
βάραθρα πολλὰ αὐτόθι ἐστίν πκς58. 947 ᵃ19.
βαρβαρίζειν τῇ λέξει, syn σολοικίζειν τι3. 165 ᵇ21.
βαρβαρικός. βαρβαρικὰ ἔθνη Πα9. 1257 ᵃ25. βαρβαρικὴ
βασιλεία, τυραννίς Πγ14. 1285 ᵇ24, ᵃ32. μέρη τιμῆς βαρ-
βαρικά Ρα5. 1361 ᵃ36. ἡ βαρβαρικὴ ἀνδρία μετὰ θυμῦ
ἐστίν ηγι1. 1229 ᵇ29. — οἱ ἀρχαῖοι νόμοι λίαν ἁπλοῖ ἢ βαρ-
βαρικοί Πβ8. 1268 ᵇ40. νόμιμα βαρβαρικά (liber Aristote-
licus) f 562. 1570 ᵇ21. — λίθος, μυδῶν κεκλημένος βαρ-
βαρικῶς θ159. 846 ᵃ32.
βαρβαρισμός, λέξις ἐκ γλωττῶν πο22. 1458 ᵃ26, 31.
βάρβαρος. πάντες ἢ βάρβαροι ἢ Ἕλληνες Οα3. 270 ᵇ7. ρ1.
1420 ᵇ15. οἱ διαιρῦντες τὸ τῶν ἀνθρώπων πλῆθος εἰς τε Ἕλ-
ληνας ἢ βαρβάρυς f81. 1489 ᵇ36. οἱ βάρβαροι δ̔υλικώτεροι
τὰ ἤθη φύσει τῶν Ἑλλήνων Πγ14. 1285 ᵃ20. βάρβαρον ἢ
δῦλον ταὐτὸ φύσει Πα2. 1252 ᵇ9. 6. 1255 ᵃ29. χρῆσθαι τοῖς
Ἕλλησιν ἡγεμονικῶς, τοῖς βαρβάροις δεσποτικῶς f81. 1489
ᵇ29, 36. οἱ βάρβαροι οἴκοι μόνον εὐγενεῖς, ἢ ἁπλῶς Πα6.
1255 ᵃ35. μάλιστα ἐν τοῖς βαρβάροις ἐστὶ τὸ θηριῶδες Ηη1.
1145 ᵃ30. 6. 1149 ᵃ11. παρὰ τοῖς βαρβάροις ἀποτέμνυσι
ταχέως τὰς κεφαλὰς Ζμγ10. 673 ᵃ25. βασιλεῖαι παρ' ἐνίοις
τῶν βαρβάρων ποῖαι Πγ14. 1285 ᵃ17. δ10. 1295 ᵃ11. κοι-
νωνία γῆς παρ' ἐνίοις τῶν βαρβάρων Πβ5. 1263 ᵃ8.
βάρβιτος, ὄργανον μυσικόν Πθ6. 1341 ᵃ40.
βαρεῖν. βεβαρημένος οἴνῳ (cf Hom τ 122) πλ1. 953 ᵇ12.
βάρος διττόν, τό τε ὁποσηνῦν ἔχον ῥοπὴν ἢ τὸ ἔχον ὑπεροχὴν
ῥοπῆς Μι1. 1052 ᵇ28. τὰ βάρος ἔχοντα τῶν σωμάτων, opp
τὰ κῦφα μβ7. 365 ᵃ28. τὰ βάρος ἔχοντα ἐπὶ τὸ μέσον φέ-
ρεται Ογ2. 300 ᵇ24. ὑφίστασθαι (opp ἐπιπολάζειν) διὰ τὸ
βάρος μα4. 341 ᵇ12. ἔχειν ῥοπὴν βάρυς ἢ κυφότητος Ογ2.
301 ᵃ23. ἐν τῇ αὐτῇ χώρᾳ τῶν ἐχόντων ἢ βάρος ἢ κυφό-
τητα θάτερον ἔχει βάρος Οδ5. 312 ᵇ4. βάρυς μέτρον βάρος
Μι1. 1053 ᵃ26. ἀνάλογον αἱ μεγέθη τοῖς βάρεσι Οα6. 273
ᵇ3, 29, ᵃ25. ἀνάλογον ἡ ἰσχὺς πρὸς τὸ βάρος Φη5. 250 ᵃ9.
τὸ αὐτὸ βάρος θᾶττον φέρεται διὰ δύο αἰτίας Φδ8. 215 ᵃ25.
τὰ φερόμενα βάρη ἐπὶ τὴν γῆν ἢ παρ' ἄλληλα φέρεται,
ἀλλὰ πρὸς ὁμοίας γωνίας Οβ14. 296 ᵇ19. — φέρειν ἴσον
βάρος μχ29. 857 ᵇ10. μεταλαμβάνειν βάρος Ηι11. 1171
ᵃ30. ἆραι βάρος Οα11. 281 ᵃ8. μικραὶ δυνάμεις μεγάλα
βάρη κινῦσι τῷ μοχλίῳ μχ3. 850 ᵃ30. ἐν ζυγοῖς ἠρτημένα
ῥέπει ἐπὶ τὸ βάρος Ζγθ9. 777 ᵃ31. ἀφαιρεῖν. ἐπιτιθέναι βά-
ρος μχ2. 850 ᵃ4, 18, 25. — τὸ ἁλμυρὸν ὕδωρ ὑπομένει
διὰ βάρος μβ2. 355 ᵃ34. τὸ βάρος τὸ περὶ τὸν ἐγκέφαλον
Ζγβ6. 744 ᵃ3, ᵇ6. ε1. 779 ᵃ5. — κεφαλῆς πόνος ἢ βάρος
Ζιθ21. 603 ᵇ8. μὴ γινομένης τιμωρίας βάρος ἔχυσιν Ηδ11.
1126 ᵃ23.
βαρυδαίμων (Alcaei fr 37) Πγ14. 1285 ᵇ1.
βαρυθυμία, εἶδος ὀργιλότητος αρ6. 1251 ᵃ4. 7. 1251 ᵇ15.
βαρύνειν. ὅ τι ἂν βαρύνηται μόριον, κάτω φέρεται μα3. 341
ᵃ5. — ἡ κατάψυξις βαρύνει τὸν περὶ τὸν ἐγκέφαλον τόπον
ἢ ποιεῖ τὸν ὕπνον υ3. 456 ᵇ2. Ζμβ7. 653 ᵃ13. πιη1. 916
ᵇ15. τὰς αἰσθήσεις βεβαρύνθαι διὰ τὰς τῶν σιτίων πληρώ-
σεις φ6. 810 ᵇ22. τὸ σῶμα βαρύνεται πάσαις ἕως ἂν ἐξέλθη
ἡ κάθαρσις Ζιη2. 582 ᵇ8. αἱ γυναῖκες βαρύνονται τὸ σῶμα
πᾶν Ζιη4. 584 ᵃ2.
βαρυντικὸν τὸ κάτω κινητικόν Οδ3. 310 ᵃ32.
βαρύοσμον μέλι τὸ ἀπὸ τῆς πύξυ θ18. 831 ᵇ24. cf Günther
Ziergewächse der Alten p 10.
βαρύς. 1. a. περὶ βαρέος ἢ κύφυ Οδ. τὸ βαρὺ ἢ τὸ κῦφον
ἐν αὐτοῖς δοκεῖ ἔχειν ἀρχὴν τῆς μεταβολῆς Οδ3. 310 ᵇ25,
31. 1. 307 ᵇ31. βαρὺ τὸ πεφυκὸς φέρεσθαι κάτω ἢ ἐπὶ τὸ

μέσον, βαρὺ ἁπλῶς τὸ πᾶσιν ὑφιστάμενον Οα3. 269 b23,
24. δ1. 308 a30. 4. 311 a17, b15. β13. 259 b9. Φγ1. 201
a8. 5. 205 b27. δ4. 212 a25. θ4. 255 b16. Μκ9. 1065 b13.
τὸ βαρὺ μένει ἐπὶ τῇ μέσῃ Φγ5. 205 b15. Οβ3. 286 a27.
τὸ βαρύτατον κ ψυχρότατον γῆ κ ὕδωρ μα3. 340 b20. 5
βαρέα πρὸς ἄλληλα Οα3. 269 b28. ἐν ἀέρι βαρύτερον τα-
λαντιαῖον ξύλον μολίβδου μναιαῖον, ἐν ὕδατι κυφότερον Οδ4.
311 b3. πάντα φέρεται τὰ βαρέα πρὸς ὁμοίας γωνίας, ἀλλ'
ὑ παρ' ἄλληλα Οβ14. 297 b19. τὸ βαρὺ κ κῦφον ὑ ποιη-
τικὰ ὑδὲ παθητικὰ Γβ2. 329 b21. cf Ζμβ2. 648 b7. ἡ ὕλη 10
τῇ βαρέος κ κῦφυ Οδ4. 312 a17. βαρύ, dist βαρυντικὸν
Οδ3. 310 a32. τὸ βαρὺ ἅπαν διαιρετὸν Ογ1. 299 b6. τὸ
βαρύτερον ἀδύνατον ἰσοδρομεῖν τῷ κυφοτέρῳ ἀπὸ τῆς αὐτῆς
ἰσχύος ῥιφθέν πις3. 913 a38. 12. 915 b10. τὸ βαρὺ κ κῦφον
πῶς ἔχει πρὸς τὸ πυκνὸν κ μανὸν Ογ1. 299 b7. Φθ7. 260 15
b9. δ9. 217 b17. πολλὰ βαρύτερα ἐλάττω τὸν ὄγκον ὄντα
Οα2. 309 a4. Δημόκριτος βαρύτερον φησιν εἶναι ἕκαστον
κατὰ τὴν ὑπεροχὴν τῶν ἀδιαιρέτων Γα8. 326 a9. — b.
avium quaedam genera Ar βαρέα nuncupat. τοῖς μὴ πτητι-
κοῖς τὰ σώματα ὀγκώδη, διὸ βαρέα ἐστὶν Ζμδ12. 694 a11. 20
οἷς ὁ βίος ἐπίγειος κ ἐστι καρποφάγα ἢ πλωτὰ κ περὶ
ὕδωρ βιοτεύυσιν Ζμδ12. 694 a7. οἱ βαρεῖς τῶν πτερωτῶν,
οἱ βαρεῖς ὄρνιθες Ζμβ13. 657 b7, 16, a28, ὑ ποιῦνται νεοτ-
τιὰς Ζυ8. 613 b6. non solum gallinae, F Kα ΑΖι I 82,8, sed
etiam palmipedes, (cf M 293 sq, Su 172 sq.) gallinae: ἔχυσιν 25
ἔνιοι τῶν βαρέων τὰ καλύμενα πλῆκτρα ἐπὶ τοῖς σκέλεσιν
Ζμδ12. 694 a12, 17. τὰ πληκτροφόρα τῶν βαρέων Ζιβ12.
504 b9. — palmipedes: τῶν στεγανοπόδων τὰ βαρύτερα
περὶ ποταμὼς κ λίμνας ἐστὶν Ζιθ3. 593 b15. — 2. βαρὺ
de sono. opp ὀξύ Αδ2. 90 a19sqq. τα15. 106 a13, 19 al. 30
βαρύ ἐστιν ἐν τῷ βραδεῖαν εἶναι τὴν κίνησιν Ζγε7. 786 b26.
ψβ8. 420 a29-32. πια6. 899 a26. 18. 901 a6. φωνὴ βαρεῖα,
coni κίνησις βραδεῖα Ηδ8. 1125 a14. βαρύτερον φθέγγονται αἱ
θήλειαι τῶν ταύρων Ζγε7. 786 b22. βαρυτέρα φωνή Ζιε14.
545 a5. πῶς τοῖς τόνοις δεῖ χρῆσθαι, οἷον ὀξεία κ βαρεία κ 35
μέσῃ φωνῇ Ργ1. 1403 b30. ἡ βαρεῖα φωνὴ κ ἐπιτεινομένη
ἀνδρεῖον σημαίνει φ2. 806 b26. ὁ ῥαθύμως διακείμενος τόν
τε τόνον ἀνίησι κ βαρὺ φθέγγεται φ2. 807 a17 (opp ὀξὺ
φθέγγεσθαι a16). ἐκ τῶν πότων βαρύτερον φθέγγονται πια18.
901 a1. βαρύτερον αὐλεῖν Ζγε7. 788 a22. — ἡ μέση βα- 40
ρεῖα τῇ νήτῃ κ ὀξεῖα πρὸς τὴν ὑπάτην Φε1. 224 b33.
ἐν τοῖς μέλεσι τὸ βαρὺ τῶν συντόνων βέλτιον Ζγε7. 787 a1.
ἡ βαρυτέρα φωνὴ πλείω μὲν ἀέρα κινεῖ, ὑκ εἰς μῆκος δέ
πια19. 901 a8. ἡ βαρυτέρα ἰσχύει τὸν τῆς ὀξυτέρας φθόγ-
γον πιθ7. 918 a16. 8. 918 a19. cf 12. 918 a40. ἔργον μᾶλ- 45
λον ἄδειν τὰ ὀξέα ἢ τὰ βαρέα πιθ37. 920 b19. ἡ συμφωνία
λόγος ἀριθμῶν ἐν ὀξεῖ ἢ βαρεῖ Αδ2. 90 a19. τῶν συμφω-
νίαν ποιῦντων φθόγγων ἐν τῷ βαρυτέρῳ τὸ μαλακώτερον
πιθ49. 922 b29, 31. εὐαρμοστότερον ἀπὸ τῇ ὀξέος ἐπὶ τὸ
βαρὺ ἢ ἐπὶ τῇ βαρέος πιθ33. 920 a19. — προ- 50
σῳδία βαρεῖα, ὀξεῖα· βαρύτερον, ὀξύτερον ῥηθὲν τι23. 179
a14, 15. 21. 178 a3. (βαρεῖαν προσῳδίαν πανταχῇ τὴν περι-
σπωμένην λέγει Alex Schol 315 a14. Vahlen Poet IV 369.)
— 3. βαρὺ de odore. ὀσμὴ δριμυτέρα κ βαρυτέρα Ζικ1.
634 b21. δυσοσμότερα ἢ βαρυτέρα ἡ ὀσμὴ πιγ10. 908 b30. 55
ἀτμίδα ἀφίησι βαρεῖαν Ζιθ5. 594 b28. τὸν ὑπὸ τῶν πλη-
γέντα παραχρῆμα ὀσμὴν βαρυτάτην ἀπεργάζεσθαι f 327.
1532 b18. — 4. βαρὺς de animo. βαρύς, dist σεμνὸς Ρβ17.
1391 a27, cf βαρύτης extr. — βαρέως. βαρύτερον διά-
γυσιν αἱ γυναῖκες Ζιη4. 584 a15. βαρύτερον ἔχυσι κ ἀδυ- 60
νατώτερον οἱ ἄνθρωποι πα24. 862 a27. κς42. 945 a14. τὸ

πλῆθος βαρέως ἔχει ὑβριζόμενον ρ3. 1424 b5. βαρέως ἔχειν
πρός τι Πε10. 1311 b9. βαρέως φέρειν τι Πε11. 1315 a18.
βαρέως φέρειν πρός τι Πε10. 1311 b16. — (pro βαρύτερος
scribendum est βραδύτερος πιθ21. 919 a31 Bz Ar St IV
413; πιθ22. 919 a38, coll 922 a32 Bojesen. πια11. 900
a15 Did.)
βαρύσταθμος. τὰ βαρύσταθμα ὕδατα φαῦλα Ηζ9. 1142
a22.
βαρύτης. cf βαρύς 1. βαρύτητες κ κυφότητες Ζμβ2. 648
b7. βαρύτης ἄπειρος Οα6. 273 a26. — cf βαρύς 2. βα-
ρύτης φωνῆς, opp ὀξύτης, ὀξυφωνία ψβ11. 422 b30. Ζγε1.
778 a19. 7. 786 b13sqq, 788 a2. ακ803 b32. ἡ βαρύτης
ὑπεροχή τις Ζγε7. 787 a2. βαρύτης φωνῆς διὰ τὴν ἔμφραξιν
πια11. 900 a14. τὰ στοιχεῖα διαφέρει ὀξύτητι κ βαρύτητι
κ τῷ μέσῳ πο20. 1456 b33. — cf βαρύς 4. ἔστιν ἡ σε-
μνότης μαλακὴ κ εὐσχήμων βαρύτης Ρβ17. 1391 a28.
βαρύτονος. οἱ μέγα φωνῦντες βαρύτονοι ὑβρισταὶ φ6. 813
a31, b2.
βαρύφθογγοι αἱ θήλειαι βόες Ζγε7. 787 a33.
βαρυφωνεῖν πια15. 900 b13.
βαρυφωνία δοκεῖ γενναιοτέρας εἶναι φύσεως Ζγε7. 786
b35 sqq.
βαρύφωνος. τῶν ζῴων τὰ μὲν βαρύφωνα, τὰ δ' ὀξύφωνα,
τὰ δ' εὔτονα Ζγε7. 786 b7, 787 a14. τὰ ἀνδρεῖα βαρύ-
φωνα φ2. 807 a18. βαρυφωνότεροι πια17. 900 b35. προϊύσης
τῆς ἡλικίας βαρυφωνότερα γίνεται αὐτὰ αὑτῶν Ζγε7. 787
b8. φθέγγονται βαρύφωνα (cod Lα, βαρύφωνοι Bk) φ2.
807 a20.
βασανίζειν τὰ μεγάλα ξύλα ακ802 a32. βασανίζυσι τὸ
τῶν ἀνδρῶν σπέρμα, εἰ ἄγονον, ἐν τῷ ὕδατι Ζγβ7. 747 a3.
— sensu forensi, οἱ βασανισθέντες, dist οἱ μάρτυρες ρ37.
1443 b31.
βάσανος. λίθος χρήσιμος πρὸς τὰς τῇ χρυσῇ βασάνυς Ζιβ12.
597 b2. παρατρίβεσθαι πρὸς τὰς βασάνυς χ3. 793 b1. —
sensu forensi, βάσανοι πίστις ἄτεχνος Ρα2. 1355 b37. def
ρ17. 1432 a12. περὶ βασάνων Ρα15. 1376 b31-1377 a7.
ρ17.
βασιλεία. τῶν μοναρχιῶν ἡ πρὸς τὸ κοινὸν ἀποβλέπυσα συμ-
φέρον Πγ7. 1279 a34, b5 (opp τυραννίς). Ηθ12. 1160 a32.
τῶν μοναρχιῶν ἡ κατὰ τάξιν τινὰ Ρα8. 1366 a2. βασιλεῖαι,
dist μοναρχίαι κ τυραννίδες Πε10. 1313 a4. βασιλεῖαι κ
τυραννίδες, dist πολιτεῖαι Πε10. 1310 b2. βασιλεία def, dist
τυραννίς Πε10. 1310 b2-1311 a22. τῇ βασιλείᾳ comparatur
ἡ πατρὸς πρὸς υἱὸν κοινωνία Ηθ12. 1160 b24, 27. 13. 1161
a19. περὶ βασιλείας Πγ14-18. δ2. 1289 a27, 30, 34, 41.
βασιλείας εἴδη πέντε Πγ14. 15. 1285 b35. ακ κατὰ γένος
βασιλεῖαι Πε10. 1313 a10. ἀΐδιος βασιλεία Πε1. 1301 b24.
ἡ μάλιστα λεγομένη βασιλεία Πδ10. 1295 a4. βασιλείαν
ὑπάρχειν ταῖς πόλεσι πότερον βέλτιον ἢ μὴ Πβ9. 1271 a19.
γ15. 1286 b5. Ηθ12. 1160 a36. κ β. πόθεν σῴζεται Πε11.
1313 a18-33. πόθεν φθείρεται Πε10. 1312 b38-1313 a17.
καταλῦσαι τὴν βασιλείαν Πε1. 1301 b20. β10. 1272 a8. —
ἡ πρώτη πολιτεία ἐν τοῖς Ἕλλησι μετὰ τὰς βασιλείας (post
aetatem regnorum) Πδ13. 1297 b17.
βασίλειος. καλεῖν εἰς τὰ βασίλεια οβ1352 a11.
βασίλειος. ἐν τῇ στοᾷ τῇ βασιλείᾳ f 352. 1537 b24. πρὸς
τῇ βασιλείῳ στοᾷ f 374. 1540 a45.
βασιλεύειν κ ἄρχειν Μν4. 1091 b4. πότερον κ τὸ γένος τῶν
βασιλέων δεῖ βασιλεύειν Πγ15. 1286 b22. — οἰκία βασι-
λεύεται, πόλις βασιλευομένη Πα2. 1252 b19, 20, 21, 25, 26.
γ18. 1288 a41. εὖ ποιεῖν τὺς βασιλευομένυς, ἀρχικὸν βα-

σιλεὺς βασιλευομένων Ηθ13. 1161 ᵃ11, 12, 19. διὰ τί πρό-
τερον ἐβασιλεύοντο αἱ πόλεις Πγ15. 1286 ᵇ8. cf δ2. 1289
ᵇ2. πότερον συμφέρει βασιλεύεσθαι Πγ14. 1284 ᵇ39. 15.
1286 ᵇ23. — βασιλευτὸν πλῆθος, def, dist δεσποστόν,
ἀριστοκρατικόν, πολιτικόν Πγ17. 1288 ᵃ8, 1287 ᵇ38.
βασιλεύς. 1. cf βασιλεία. ὁ βασιλεὺς τὸ τῶν ἀρχομένων
συμφέρον σκοπεῖ, ὐκ ἔστι βασιλεὺς ὁ μὴ αὐτάρκης Ηθ12.
1160 ᵇ3. ποίὰς ἄνδρας προσήκει γενέσθαι βασιλέας αἰδίὰς
Πα12. 1259 ᵇ15. γ13. 1284 ᵃ3-ᵇ34. 17. 1288 ᵃ19. αἱρεῖ-
σθαι βασιλέας Πβ11. 1272 ᵇ38, 1273 ᵃ30. cf 9. 1271 ᵃ22. 10
βασιλεὺς κληρωτός Ηθ12. 1160 ᵇ7. βασιλεὺς ὁ κατὰ τὴν
αὑτῦ βὐλησιν πάντα πράττων, dist ὁ κατὰ νόμον λεγόμε-
νος βασιλεύς Πγ16. 1287 ᵃ1, 3. πόσην δεῖ τῷ βασιλεῖ ὑπάρ-
χειν δύναμιν Πγ15. 1286 ᵇ33, 35. φιλοσοφεῖν τῷ βασιλεῖ
ὐχ ὅπως ἀναγκαῖον ἀλλὰ ᾿ ὐ ἐμποδὼν f 79. 1489 ᵇ16. — 15
τὰς ἀφωρισμένὰς πρὸς τὰς θυσίας τὰς κοινὰς καλὰς βασι-
λεῖς Πζ8. 1322 ᵇ29. — βασιλεύς, εἷς τῶν ἐννέα ἀρχόντων
f 385. 1542 ᵃ27. 374. 1540 ᵃ38, eius munera f 385. 1542
ᵃ16, 18, 30, 36. 386. 1542 ᵃ44.— ὁ τῶν Περσῶν βασιλεύς
Πγ13. 1284 ᵇ1, idem ὁ βασιλεὺς vocatur Πε4. 1304 ᵇ13. 20
— οἱ τῶν πόλεων βασιλεῖς νόμοι Ργ3. 1406 ᵃ23. — forma
acc plur plerumque βασιλεῖς, veluti Πβ9. 1271 ᵃ26. 11.
1272 ᵇ37. 14. 1285 ᵃ26. 15. 1286 ᵇ11, sed βασιλέας legi-
tur Πγ13. 1284 ᵇ33.

2. βασιλεύς, avis. Ζιθ3. 592 ᵇ27. Ζιι11. 615 ᵃ19. (Tro- 25
glodytes parvulus Koch. Lnd 75, E 45, ΑΖι I 109, 107.)
cf τρόχιλος.

3. βασιλεύς, regina apium Ζιι40. 623 ᵇ9, 624 ᵃ26, 625
ᵇ6, 11, 13, 15. οἱ καλὑμενοι βασιλεῖς Ζιι40. 623 ᵇ34. γί-
γνεσθαι τὺς βασιλεῖς ἐκ τῶν βασιλέων, ἢ πάντα τἄλλα ἐξ 30
ἑνὸς οἷον ἐκ τῶν καλὐμένων βασιλέων, ἢ ἡγεμόνων Ζγγ10.
759 ᵃ20. ὁ δὲ τῶν μελιττῶν (γόνος) ὐκ ἐγγίνεσθαι ἄνευ
τῶν βασιλέων· λείπεται τὺς βασιλεῖς γεννᾶν συνδυαζομένὰς·
τὺς βασιλεῖς ὥσπερ πεποιημένὰς ἐπὶ τέκνωσιν ἀφειμένὰς τῶν
ἀναγκαίων ἔργων, ἢ μέγεθος δὲ ἔχειν (τὰς μελίττας) ἐπα- 35
κολυθεῖν τοῖς βασιλεῦσιν Ζγγ10. 759 ᵇ10, 24, 760 ᵇ8. ἔχῃσι
μὲν κέντρον, ἀλλ᾽ ὐ τύπτῃσι Ζιε21. 553 ᵇ5. ὁ τῶν βασι-
λέων γόνος τὴν χρόαν γίνεται ὑπόπυρρος Ζιε22. 554 ᵃ24. τὰ
τῶν βασιλέων κηρία μικρὰ Ζιι40. 624 ᵃ1, 3. ΑΖι I 167, 31.
syn μήτηρ, ἡγεμών. 40

Βασιλίδαι ἐν Ἐρυθραῖς Πε6. 1305 ᵇ19.
βασιλικόν, τὸ καλὑμενον λάχανον βασιλικόν φτα4. 819 ᵇ17.
(Ocimum basilicum L. primus Aëtius hoc cognomen addidit
cf Meyer Gesch d Bot III 362.)
βασιλικός. αἱ ὁδοὶ αἱ βασιλικαί οβ1348 ᵃ24. 1353 ᵃ25. — 45
βασιλικός, dist πολιτικός, δεσποτικός. οἰκονομικός Πα1. 1252
ᵃ8, 12. σπὑδαῖον ἄνδρα ταὐτὰ ποιεῖ ἢ πολιτικὸν ἢ βασιλι-
κόν Πγ18. 1288 ᵇ2. γένος βασιλικόν Πγ17. 1288 ᵃ18. σκο-
πὸς βασιλικός, opp τυραννικός Πε10. 1311 ᵃ5. 11. 1315 ᵇ1.
τυραννίδος σωτηρία ποιεῖν αὐτὴν βασιλικωτέραν Πε11. 1314 50
ᵃ35. βασιλικῇ ἀρχῇ ἢ τῶν τέκνων Πα12. 1259 ᵇ12. γεη9.
1241 ᵇ29. ὁ νὺς τῆς ὀρέξεως ἄρχει βασιλικὴν ἀρχήν Πα5.
1254 ᵇ6. βασιλικώτερον ἔχειν τὴν ψυχὴν εὐγνωμονὑσαν ρ1.
1420 ᵃ15. μοναρχίαι βασιλικαί, opp δεσποτικαί, τυραννικαί
Πγ14. 1285 ᵇ3, 4. δ10. 1295 ᵃ15. πολιτεῖαι ὀλιγαρχικαὶ ἢ 55
βασιλικαί Ηθ13. 1297 ᵇ26. φυλακὴ βασιλική, dist τυραν-
νική Πγ14. 1285 ᵃ14. οἰκονομία βασιλική, dist σατραπική,
πολιτική, ἰδιωτική οβ1345 ᵇ13, 19-28. — ἡ βασιλική,
dist οἰκονομία, δεσποτεία, πολιτική Πα3. 1253 ᵇ19. — βα-
σιλικῶς ἄρχειν τῶν τέκνων, dist πολιτικῶς Πα12. 1259 ᵇ1. 60
βασίλισσα, ἡ συνοικῦσα τῷ βασιλεῖ (ἑνὶ τῶν Ἀθήνησι ἀρ-

χόντων) f 385. 1542 ᵃ25. — βασίλισσαν (pro βασίλειαν)
εἴρηκεν Ἀριστοτέλης Ὁμηρικοῖς ἀπορήμασιν f 171. 1506
ᵇ11, 15.
βάσις, gressus, ἔχειν τὴν βάσιν ἰσχυράν Ζγγ1. 750 ᵃ4. βά-
σις νεανική φ5. 809 ᵇ30. παρ᾽ ἑκάστην βάσιν πε10. 881 ᵇ26.
23. 883 ᵃ28. — rhythm μέτρον ἐν ῥυθμοῖς βάσις ἢ συλ-
λαβή Μν1. 1087 ᵇ36. εἴ τις τὴν συμφωνίαν ποιήσειεν ὁμο-
φωνίαν ἢ τὸν ῥυθμὸν βάσιν μίαν Πβ5. 1263 ᵇ35. — geo-
metr Μθ9. 1051 ᵃ28. αἱ γᾶρ τῇ βάσει (ἰσοσκελὲς τρίγωνὰ)
γωνίαι Αα24. 41ᵇ 15. ἡ ἀχθεῖσα ἐπὶ τὴν βάσιν Οβ4. 287
ᵇ9. βάσις κώνῳ μβ5. 362 ᵇ2. πιε6. 911 ᵇ6. cf f 342. 1535
ᵇ3. ἡ τῶν ἀκανθῶν βάσις φτβ7. 827 ᵇ13. περὶ μίαν βάσιν
δύο θυρίδες εἰσὶν Ζιι40. 624 ᵃ8. αἱ βάσεις τῶν πομφολύγων
πιϛ1. 913 ᵃ19. ἄνθρωπος πρὸς ὀρθὴν πεφυκὸς τῇ βάσει πιϛ4.
897 ᵃ16.
βασκαίνειν. βασκαίνεσθαι δοκῦσι λάβρως ἐσθίοντες· μετα-
διδόντες ἐπιλέγυσιν 'ἵνα μὴ βασκάνῃς με' πχ34. 926 ᵇ21, 24.
ἐμπτύει αὐτοῖς ὡς μὴ βασκανθῶσι f 271. 1527 ᵃ29.
βασκανίας φάρμακον τὸ πήγανον πχ34. 926 ᵇ20.
βαστάζειν. βαστάζονται (i e τιμῶνται) οἱ ἀναγνωστικοί
Ργ12. 1413 ᵇ12.
βατιακαὶ χρυσαῖ, χαλκαῖ θ49. 834 ᵃ4. f 248. 1524 ᵃ19.
βατίς 1. avis. σκωληκοφάγον Ζιθ3. 592 ᵇ17 (v l βατίος,
βάτος) (Gazae rubetra, itaque Belonius: Praticola rubetra?
cf Su 159, 155.ΑΖι I 88, 20.) — 2. piscis. σελαχῶν βατίς
f 277. 1527 ᵇ41, 43. αἱ βατίδες ἴσχυσι τὰ ὀστρακώδη
Ζιε10. 565 ᵃ22. ταῖς βατίσιν, ὅταν ἐκτέκωσι τὺ ὀστράκυ
περιρραγέντος, (sic interpung) ἐξέρχεται ὁ νεοττός Ζιε10.
565 ᵃ27. ἔχει τὸ αἰδοῖον ἡ θήλεια φὡκῃ ὅμοιον βατίδι Ζιε12.
567 ᵃ13. ("Die eierlegenden Rochen" Müller glatt Hai
des Arist 10. ΑΖι I 145, 89.)
βάτος 1. βάτῳ ἢ ἀγνῳ φτα4. 819 ᵇ8. (Rubus idaeus L et Ru-
bus tomentosus W c varietat). — 2. βάτος, piscis. Ζια5. 489
ᵇ6. refertur inter τὰ πλατέα ἢ κερκοφόρα τῶν σελαχῶν
Ζια5. 489 ᵇ31. cf β13. 505 ᵃ4. ε5. 540 ᵇ8. ζ10. 565 ᵇ28.
11. 566 ᵃ32. Ζμδ13. 695 ᵇ28. ῥίνη δοκεῖ μόνη τῦτο ποιεῖν
(συνδυάζειν) ἢ βάτος Ζιζ11. 566 ᵃ28. Ζγβ7. 746 ᵇ6. βάτοι
φωλῦσι Ζιθ15. 599 ᵇ29, καθαμμίζῠσι Ζιι37. 620 ᵇ30, ἀντὶ
τῶν πτερυγίων τῷ ἐσχάτῳ πλατεῖ νέῳσιν Ζμδ13. 696 ᵃ25.
Ζη9. 709 ᵇ17, τραχὺ τὸ δέρμα ἔχῠσιν Ζμδ13. 697 ᵃ6.
(Αr 145 R 331 et F 320, 110: Trygon pastinaca L, aliis
Raja L. ΑΖι I 145, 89.)
βάτραχος. 1. rana ΑΖι I 115, 3. refertur inter τὰ τελμα-
τιαῖα Ζια1. 487 ᵃ27. cf οἱ τελματιαῖοι βάτραχοι apium
hostes Ζιι40. 626 ᵃ9. τῶν βατράχων γένος Ζιθ2. 589
ᵃ28. αν1. 470 ᵇ17. 10. 475 ᵇ27. μεῖζω τὰ θήλεα τῶν ἀρ-
ρένων Ζιθ11. 598 ᵃ28. de voce et lingua Ζιθ9. 536 ᵃ8 sq.
f 241. 1523 ᵃ17. αχ800 ᵃ26. φ6 810 ᵇ16. ἐν Κυρήνῃ οἱ
φωνῦντες βάτραχοι ὐκ ἦσαν Ζιθ28. 606 ᵃ6. ἐν Κυρήνῃ τὺς
ὄντας βατράχυς ἀφώνυς τὸ παράπαν εἶναι θ68. 835 ᵃ33.
ἐν Σερίφῳ τὺς βατράχυς ὐκ ᾄδειν θ70. 835 ᵇ3. τὸν σπλῆνα
μικρὸν πάμπαν ἔχῠσι Ζιθ15. 506 ᵇ20. τὸν πλεύμονα σομ-
φὸν ἔχει τὸ τῶν βατράχων γένος αν1. 470 ᵇ17. ἡ ὑστέρα
Ζιγ1. 510 ᵇ35. τὰ μέλανα ἐν τοῖς βατράχοις Ζιδ5. 530 ᵇ34.
de coitu Ζιε3. 540 ᵃ31. συνεχὲς ἀφίασι τὸ μέλαν Ζιζ14.
568 ᵃ23. φορὰ τῶν μικρῶν βατράχων τῶν φρυνοειδῶν πα22.
862 ᵃ11. — οἱ πεπλασμένοι βάτραχοι οἱ ἀνιόντες ἐν τῷ
ὕδατι τηκομένῃ τῦ ἁλὸς εν3. 461 ᵇ16 ═ ὠά μβ3. 359 ᵃ14
— cf φρύνη, γυρῖνώδης.

2. piscis. ὁ καλὑμενος βάτραχος Ζγγ1. 749 ᵃ23. 3. 754
ᵃ23. inter σελάχη numeratur Ζιε5. 540 ᵇ18. f 277. 1527

^{b}41, 43. de corpore Zμδ 13. 695 ^{b}14 sq, 696 ^{a}27. ἔχει πτε-
ρύγια Ζια 5. 498 ^{b}32. ἐκ πλαγίᾳ ἔχει βράγχια, καλυπτό-
μενα καλύμματι δερματώδει Ζιβ 13. 505 ^{a}6. χολὴν ἔχει
πρὸς τοῖς ἐντέροις Ζιβ15. 506 ^{b}6. τὰ σελάχη πάντα ζωοτόκα
πλὴν βατράχχ Ζιβ13. 505 ^{b}4. cf Ζιζ10. 564 ^{b}18. 565 ^{b}29.
Ζγγ1. 749 ^{a}23. 3. 754 ^{a}25, 33, ^{b}2. 4. 755 ^{a}9. πολυγο-
νώτατον τῶν σελαχῶν Ζιζ17. 570 ^{b}30. ὁ ἁλιεὺς καλύμενος,
ejus dolus Ζω37. 620 ^{b}11 sq (locos veterum de rana pisca-
trice omnes coll S ad Aelian p 567 sq) βάτραχος θαλάτ-
τιος θ71. 835 ^{b}13. (Lophius piscatorius L cf ΑΖι Ι 146, 90.)

Βάττος Κυρήνην ἔκτισε, Βάττχ σίλφιον (cf παροιμία) f 485.
1557 ^{a}33, ^{b}7.

βαυκοπανᾶργοι Ηδ13. 1127 ^{b}27, cf Bernays Mus Rhen
VIII 580, 1.

βαφή. ἡ ὀσμὴ παρείκασται ξηρότητος ἐν ὑγρῷ χὶ χυτῷ οἷον
βαφή τις χὶ πλύσις αι5. 445 ^{a}14. βαφῇ ἡ μίξις αὐτῶν (i e
τῷ ἀλείφχ χὶ τῷ ὑγρῷ) ὁμοία γίνεται πκα12. 928 ^{a}24. τὴν
βαφὴν ἀφιᾶσιν, ὥσπερ ὁ σίδηρος, εἰρήνην ἄγοντες Ηα14.
1334 ^{a}8. — διεργασθὲν μᾶλλον δέχεσθαι τὴν βαφὴν (colo-
rem, quo quid inficitur) πκβ11. 931 ^{a}15. παρὰ τὴν βαφὴν
πολύχρχς φαίνεται ἡ γῆ χ1. 791 ^{a}5. διελήλυθεν ἡ βαφὴ χ3.
793 ^{a}24.

βδάλλειν. ὁ βδάλλων ὀρθὸς ἕστηκεν Ζιγ21. 522 ^{b}17. τὰ παι-
δία ἐν ταῖς ὑστέραις βδάλλειν σαρκίδιόν τι Ζγβ7. 746 ^{a}20. —
pass βδάλλομέναις προῆλθε γάλα Ζιγ 20. 522 ^{a}5, 20. τῶν
βοϊδίων ἕκαστον βδάλλεται γάλα πολύ Ζιγ21. 522 ^{b}15,
16, 31.

βδέλλα. βδέλλαι ἰλυσπᾶσει χρώμεναι Ζπ9. 709 ^{a}29. (Hiru-
dinis L spec.)

βέβαιος φιλία, opp ἀβέβαιος ηεη2. 1236 ^{b}19, 1238 ^{a}11. 5.
1239 ^{b}15. cf f 625. 1583 ^{b}25. οἱ μοχθηροὶ τὸ βέβαιον ὐκ
ἔχχσι Ηθ10. 1159 ^{b}8. ἡ φύσις βέβαιον (Eur El 941) ηεη2.
1238 ^{a}13. βεβαία δόξα, βεβαιοτάτη δόξα, ἀρχὴ Μγ4. 1008
^{a}16. 7. 1011 ^{b}13. 3. 1005 ^{b}11. βέβαιόν τι χὶ γνώριμον, βε-
βαιότερον χὶ ἀληθινώτερον Μγ4. 1008 ^{a}17, 1009 ^{a}7. — βε-
βαίως χὶ ἀμετακινήτως ἔχων Ηβ3. 1105 ^{a}33.

βεβαιότης ὑπάρχει περί τι Ηα11. 1100 ^{b}13. ἡ φιλία ἐν
πίστει χὶ βεβαιότητι ημβ11. 1208 ^{b}24. ποιεῖν βεβαιότητα
p39. 1446 ^{a}22.

βεβαιῦν. βεβαιῶσαι τὴν οἰκείαν δόξαν Ηθ10. 1159 ^{a}22. βε-
βαιώσομεν τὰς προειρημένας πράξεις p33. 1438 ^{b}31. πρυ-
τανεύει εἰς τῶν πωλητῶν, ὃς τὰ πωλύμενα βεβαιοῖ f 401.
1545 ^{a}20. ὁ λόγος τῆς αἰτίας, δι' ἣν βεβαιῦται τὸ γένος
φτα1. 816 ^{a}16.

βεβαίωσις. εἰς τὴν βεβαίωσιν τῆς ἐν τοῖς φυτοῖς ζωῆς φτα1.
815 ^{a}12. — rhet p33.

βελένιον δηλητηριωδῶς, βρώσιμον φτα7. 821 ^{a}32. (fort Ba-
lanites aegyptiaca Delil.)

Βελλεροφόντης μελαγχολικός πλ1. 953 ^{a}21.

βελόνη 1. acus. διὰ τί ἐν ὕδατι κάτω φέρεται Οδ6. 313 ^{a}19.
διὰ τί ὐ ψοφεῖ ἐὰν πατάξῃ βελόνη βελόνῃ ψβ8. 420 ^{a}24.
    2. βελόνη, piscis. refertur inter τὰ ἀγελαῖα Ζω2. 610
^{b}6. τῶν μακρῶν ἡ βελόνη ἔχει τὴν χολὴν πρὸς τῷ ἥπατι
Ζιβ16. 506 ^{b}9. τίκτει χειμῶνος Ζιε11. 543 ^{b}11. ὀψίγονόν
ἐστιν Ζιζ17. 571 ^{a}2 sq. partus Ζιζ13. 567 ^{b}18. Ζγγ4. 755
^{a}33. ἄκανθαι τῆς βελόνης in nido halcyonis Ζω14. 616 ^{a}32
cf Su 133, ΑΖι Ι 125, 7. (Syngnathi et Hippocampi L spec
ita parere egregie docuerunt Cavolini de generat pisc et
Cancrorum p 31, Cuv XVIII, 397, Siebold Archiv f Na-
turgesch 1842 p 292-300.)

βέλος. φερόμενα βέλη Οβ7. 289 ^{a}23. τὰ περὶ τὰ βέλη χὶ

τὰς μηχανὰς εἰς ἀκρίβειαν νῦν εὑρημένα Πη11. 1331 ^{a}2.
ὥσπερ ἄκανθά τις ἢ βέλος Ζμβ9. 654 ^{b}7.

βελτίῶν. αἱ ῥοιαὶ πῶς βελτιῦνται φτα7. 821 ^{a}38.

βένθος ὕδατος (Emp 228) αι2. 438 ^{a}2. κατὰ βένθεα χαλκῦ
(Emp 358) αν7. 473 ^{b}24.

βέντελος. οἱ Ἀραβικοὶ βέντελοι φτα4. 819 ^{b}21. cf I C Scalig
in libr A de pl comment p 64, 1, B.

Βερεκύνθιον ὄρος θ173. 847 ^{a}5.

Βερεκυντίας καλεῖται ὁ ἀπηλιώτης σ973 ^{a}24. f 238. 1521
^{b}18.

βηλός (Emped 225) αι2. 437 ^{b}31.

βήξ πι1. 891 ^{a}12. βῆχες ἐγγίνονται πλγ1. 961 ^{b}16. γίνονται
βράγχοι χὶ βῆχες πα10. 860 ^{a}37. ἡ βὴξ ἀναπνεομένχ ἀέρος,
ὐκ ἔστι σημαντικὸς ψόφος ψβ8. 420 ^{b}33. ἐμποιεῖν (ποιεῖν)
πνιγμὺς χὶ βῆχας Ζμγ3. 664 ^{b}6, 31.

βῆσσα. οἰκεῖν βήσσας χὶ ἄγκη Ζω32. 618 ^{b}24.

βῆτα. τὰ ἄλφα χὶ τὰ βῆτα Μμ10. 1087 ^{a}8.

βήττειν Ζκ4. 700 ^{a}24. πι1. 891 ^{a}43. λβ6. 960 ^{b}35. τὸ βήτ-
τειν ψόφος, ὐ φωνή ψβ8. 420 ^{b}31.

βία. πόνοι πρὸς δρόμον χὶ πρὸς βίαν, πρὸς βίαν χὶ πρὸς τάχος
ἅμα πεφυκέναι Ρα5. 1361 ^{b}9, 10. δοκεῖ μὴ ἄνευ ἀρετῆς
εἶναι τὴν βίαν Ρα6. 1255 ^{a}16. ἰσχὺς ἀμήχανος τῆς βίας
Οβ9. 291 ^{a}4. ὐδὲν ριπτεῖται πόρρω ἄνευ βίας ἀμηχάνης
Ζιη7. 586 ^{a}17. ἡ ἐν τοῖς λόγοις βία Μγ6. 1011 ^{a}21. βία,
opp πειθώ Μγ5. 1009 ^{a}18. βίᾳ κατέχειν τὴν πολιτείαν Πε4.
1304 ^{b}12. βία, dist ἀπάτη Πε4. 1304 ^{b}8, cf Ρα15. 1377
^{b}5. — βία def τὸ παρὰ τὴν ὁρμὴν χὶ τὴν προαίρεσιν Μδ5.
1015 ^{a}26. Ρα10. 1369 ^{b}5. ηεβ8. 1224 ^{a}9, 21. ημα14. τὸ
βία χὶ ἀπάτη ἀκύσια Ρα15. 1377 ^{b}5. τὸ βία παρὰ φύσιν
Ζιη7. 586 ^{a}17. βίᾳ φέρεσθαι, κινεῖσθαι sim, syn παρὰ φύ-
σιν, opp φύσει, κατὰ φύσιν Φδ8. 215 ^{a}1. ε6. 230 ^{a}29. Οα2.
269 ^{a}7. 8. 276 ^{a}23. γ2. 300 ^{a}23. Γβ6. 333 ^{b}26, 28. μα4.
342 ^{a}25. ψ3. 406 ^{a}22. αν4. 472 ^{a}18. Ρα10. 1368 ^{b}35, sed
βίᾳ φέρεσθαι 'vehementer ferri' (?) μα3. 341 ^{a}26, 31. β9.
369 ^{a}28.

βιάζεσθαι, i e βίᾳ κρατεῖν, νικᾶν τι: βιάζεσθαι τὰς μὴ βχ-
λομένας. βιάσασθαι τὰς θεραπευομένας sim Πγ15. 1286 ^{b}30.
10. 1281 ^{a}23. η2. 1324 ^{b}31. βιασάμενοι τὴν φύσιν χὶ τὰ
ἤθη p8. 1428 ^{b}10. βιάζεσθαι τὰ φαινόμενα ηεη2. 1236 ^{b}22.
βιάζεσθαι c inf τί με βιάζεσθε λέγειν f 40. 1481 ^{b}10. —
οἱ νεώτεροι τῶν ταύρων χὶ τὴν αὐτὴν βιάζονται (i e ἀναβαί-
νχσι) πολλάκις Ζιζ 21. 575 ^{a}18. βιάζεσθαι i e βίᾳ ποιεῖν
τι: βιάζεσθαι τὴν ἡδονήν αι5. 444 ^{a}1. — non addito obiecto
vel i q βία κρατεῖν vel omnino βίᾳ χρῆσθαι Πα6. 1255
^{a}11, 14. μβ8. 368. ^{a}28. γ1. 371 ^{a}15. βιάζεσθαι, βιάσασθαι
τῷ πνεύματι Ζγβ4. 737 ^{b}32, 33. ἡ ἰσχὺς βιάσεται κάτω
Οδ6. 313 ^{b}20. τὸ βιάζεσθαι (argumentis, coni ἐλέγχειν)
τθ14. 163 ^{b}6. — pass praes βιάζεται, βιαζόμενον μγ1.
371 ^{a}15. αχ 804 ^{b}26. πκε10. 939 ^{a}23. λβ2. 960 ^{b}9. βιασ-
θείς, τὸ βιασθέν Πα6. 1255 ^{a}11, ^{b}15. Οβ14. 296 ^{b}30. τὸ
πρὸς ὑπόθεσιν βεβιασμένον Μμ7. 1082 ^{b}3.

βίαιος ἄνεμος μγ1. 370 ^{b}9. βίαια πνεύματα, βίαιος ἀὴρ κ4.
395 ^{a}5. πιϛ8. 915 ^{a}14. f 17. 1477 ^{a}16. — τὸ βίαιον def ὗ
ἔξωθεν ἡ ἀρχή, μηδὲν συμβαλλομένχ τῷ βιασθέντος Ηγ1.
1110 ^{a}1-^{b}17, inde coni syn ἀκύσιον, λυπηρόν, ἀναγκαῖον
ηεβ7. 1223 ^{a}29-33. 8. 1224 ^{a}10, 13, 15. Μδ5. 1015 ^{a}26,
28. (cf βίαια ἀνάγκη Οβ1. 284 ^{a}15 et ἐξ ἀνάγκης, ὗ τῆς
κατὰ τὸ βίαιον λεγομένης Με2. 1026 ^{b}28.) τὴν βίαιον τρο-
φὴν χὶ τὺς πρὸς ἀνάγκην πόνους ἀπείργειν Πθ4. 1338 ^{b}41.
ἕξις πεπονημένη πόνοις μὴ βιαίοις Πη16. 1335 ^{b}9. βίαια
ἀφαίρεσις Μδ22. 1022 ^{b}31. βίαιος τελευτή f 27. 1479 ^{a}14.

βίαια συναλλάγματα Ηε5. 1131 ᵃ8. τὸ δεσπόζειν ὐ δίκαιον· βίαιον γάρ Πα3. 1253 ᵇ22. βίαιον πάθος Οβ9. 291 ᵃ5. μὴ ῥάδιον ἀλλὰ βίαιον ψα3. 407 ᵇ1. τὸ βίαιον χ ἐπὶ τῶν ἀψύχων κεβ8. 1224 ᵃ15. βίαιος κίνησις, φορά sim, syn παρὰ φύσιν, opp φύσει, κατὰ φύσιν Φϑ8. 215 ᵃ3. ε6. 230 ᵃ30, 32, ᵇ4. ϑ3. 254 ᵃ9, 10. Οβ9. 291 ᵃ23. 14. 296 ᵃ33. Μϑ5. 1015 ᵇ15. ψα3. 406 ᵃ26. ὁ χρηματιστὴς (βίος) βίαιός τίς ἐστιν Ηα3. 1096 ᵃ7. — βιαίως κινεῖσθαι, syn παρὰ φύσιν Φϑ3. 253 ᵇ34, 254 ᵃ10. βιαίως φθέγγεσθαι αχ800 ᵇ23.

Βίαντος ὑποθήκη Ρβ13. 1389 ᵇ23. τὸ τῦ Βίαντος, ἀρχὴ ἄνδρα δείξει Ηε3. 1130 ᵃ1. Βίαντι Σάλαρος Πριηνεὺς ἐφιλονείκει f 65. 1486 ᵇ33.

βιαστικός. βιαστικὴ χ ὠστικὴ ἡ τῦ πνεύματος φύσις Ζκ10. 703 ᵃ22. ῥύγχος χρήσιμον πρὸς τὸ κρατεῖν χ βιαστικώτερον Ζμγ1. 662 ᵇ3. τῶν ζῴων τὰ βιαστικώτερα Ζμϑ9. 655 ᵃ12. — βιαστικώτερον ὁ συλλογισμός τα12. 105 ᵃ18. βιαστικώτατον χ μονιμώτατον ἡ ἐπιστήμη ημβ6. 1200 ᵇ37.

βιβάζειν ὖν θυῶσαν, ὀργῶσαν Ζιζ18. 573 ᵇ7, 9. — βιβάζεται ἡ ὄνος Ζιζ23. 577 ᵃ29, 30.

βιβλίον. χόλλη (γίνεται) τὸ βιβλίον Μη2. 1042 ᵇ18. τὸ ἐν τοῖς βιβλίοις γινόμενον σκορπιῶδες Ζιδ7. 532 ᵃ18. ε32. 557 ᵇ9. λαβεῖν τὸ βιβλίον πιη1. 916 ᵇ3. 7. 917 ᵃ20. ρ1. 1421 ᵃ28. ἡ τομὴ τῶν βιβλίων γίνεται εὐθεῖα ἀνελιττομένη πιζ6. 914 ᵃ25. — ἐν τῷ ἡμετέρῳ βιβλίῳ τῷ περὶ μετεώρων φτβ2. 822 ᵇ33.

βιβλιοπώλης. περιφέρεσθαι ὑπὸ τῶν βιβλιοπωλῶν (βιβλιοπώλων Rose) f 134. 1501 ᵃ6.

βίβλος. σκοπήσωμεν τὰς βίβλες τῶν παλαιῶν, ἃς ἔγραψαν φτα7. 821 ᵇ30.

βιβρώσκω. οἱ πλεῖον βεβρωκότες πε7. 881 ᵃ21. ὁ λέων μὴ πεινῶν χ βεβρωκὼς πραότατος Ζιι44. 629 ᵇ9. ὁ ἄνθρωπος βεβρωκὼς χ πεπωκὼς τὸν αὐτὸν σταθμὸν ἄγει χ ὅτε νήστης ὑπῆρχεν f 223. 1518 ᵇ37. τὰ σῦκα ἐὰν ὕστατα βρωθῇ πχβ1. 930 ᵃ9. — βρωτός, opp ἄβρωτος πκ6. 923 ᵃ25. 4. 923 ᵃ18.

Βιθυνία (Σιθωνία ci Sylb ex Steph Byz) τῆς Θρᾴκης θ33. 832 ᵇ27.

βιομήχανος, syn εὐμήχανος πρὸς τὸν βίον Ζιι16. 616 ᵇ17. 17. 616 ᵇ20. 15. 616 ᵇ11.

βίος. πᾶς βίος χ χρόνος μετρεῖται περιόδῳ Γβ10. 336 ᵇ13. βίος μακρότατος, μυριετής, ἔκμηνος Ζιζ22. 576 ᵃ29. ε33. 558 ᵃ17. Ζγβ6. 745 ᵃ34. οἱ χρόνοι τῶν κυήσεων χ τῶν γενέσεων χ τῶν βίων Ζγδ10. 777 ᵇ17, ᵃ33. διὰ βίε Ζιε14. 545 ᵇ17, 32. Πβ10. 1272 ᵃ37. γ14. 1285 ᵃ15.— ἐκβάλλει ὁ ἀετὸς πρὸ ὥρας τὰ τέκνα ἔτι βίε (victus) δεόμενα Ζιι34. 619 ᵇ27. — ζῆν φυτῷ βίον Ζγβ3. 736 ᵇ13. γ2. 753 ᵇ18. ει. 779 ᵃ2. βίος τις χ πνεύματός ἐστι χ γένεσις χ φθίσις Ζγδ10. 778 ᵃ2. διαφοραὶ τῶν ζῴων κατά τε τὰς βίας χ τὰς πράξεις χ τὰ ἤθη Ζια1. 487 ᵃ11, 14, ᵇ33. θ1. 588 ᵃ17. cf 143. 629 ᵃ4. Ζμδ12. 693 ᵃ11. Ζγγ1. 750 ᵃ5. τῶν ζῴων τὰ μὲν τὸν βίον χ τὴν τροφὴν ποιεῖται ἐν τῷ ὑγρῷ Ζια1. 487 ᵃ16. ζῴων βίος ἐκτοπιστικός, νομαδικός Ζμδ12. 694 ᵃ6. 6. 682 ᵇ7. πονητικὸς ὁ τῶν γυναικῶν βίος Ζγδ6. 775 ᵃ33. ὁ βίος πρᾶξίς ἐστιν, ὐ ποίησις· διήρηται εἰς ἀσχολίαν χ εἰς σχολὴν Πα4. 1254 ᵃ7. η14. 1333 ᵃ31. τὰ ἔργα χ βίος Ηκ9. 1179 ᵃ19, 21. ὁ καθ᾽ ἡμέραν βίος Πβ6. 1265 ᵇ41. τὰ χαλεπὰ κατὰ τὸν βίον Πγ6. 1278 ᵇ27. βίος νομαδικός, γεωργικός, ληστρικός, ἁλιευτικός, θηρευτικός, στρατιωτικός Πα8. 1256 ᵇ1. β9. 1270 ᵃ5. βίος ἀπολαυστικός, πολιτικός. χρηματιστής, πρακτικὸς χ πολιτικὸς (opp ξενικὸς, θεωρητικός, φιλόσοφος) Ηα3. ηεα4. 1215 ᵃ36. ελ. 1254 ᵇ30. ηγ2. 1324 ᵃ15, 27, 30. τίς ὁ αἱρετώτατος βίος, βίος ἄριστος χ ζωὴ ἀρίστη Πη1. ηεα3.

βίος εὐδαίμων, σπυδαῖος, μετ᾽ ἀρετῆς Πδ11. 1295 ᵃ36. η3. 1325 ᵃ16. τη1. 152 ᵃ7. ὁ κατ᾽ ἀρετήν, ὁ κατ᾽ ἀπόλαυσιν βίος τα6. 102 ᵇ18. ἀγεννὴς β. χ πρὸς ἀρετὴν ὑπεναντίος, ζῆν βίον βάναυσον, ἀγοραῖον· ὁ τῦ ἐλευθέρε, τῦ δεσποτικῷ βίος Πη9. 1328 ᵇ40, 39. 3. 1325 ᵃ24. τῆς ἀνελευθερίας βίος θητικὸς αρ7. 1251 ᵇ12. βίος τοῖς πλείστοις κοινωνῆσαι δυνατὸς Πδ11. 1295 ᵃ29. βίος ἴδιος, β. κοινὸς τῆς πόλεως, ἡ πόλις ἡγεμονικὸν ζήσεται βίον sim Πβ6. 1265 ᵃ25. η6. 1327 ᵇ5. 3. 1325 ᵇ30. δ11. 1295 ᵃ25. — πῶς τὸν βίον δεῖ παρασκευάζειν πρὸς τὸ πιστὸν γενέσθαι ῥήτορα ρ39. — διήρηνται, πολὺ διαφέρουσιν οἱ τῶν ἀνθρώπων βίοι ηεα4. 1215 ᵃ25. Πα8. 1256 ᵃ10, 30. η8. 1328 ᵇ1. τρεῖς βίοι οἱ πρὐχοντες Ηα3. 1095 ᵇ17. ἴδιοι βίοι Πε8. 1308 ᵇ20.

βιοτεύειν. βιοτεύεσιν (ὄρνιθές τινες) περὶ λίμνας, περὶ ἕλη, περὶ ποταμὰς, περὶ ὕδωρ, ἐν τοῖς πετραίοις τόποις Ζιι12. 615 ᵃ27, 32. ϑ3. 593 ᵃ26. ζ17. 570 ᵇ25. Ζμδ12. 694 ᵃ8. βιοτεύεσιν ἀπὸ τῶν ἀκανθῶν Ζιι1. 610 ᵃ5. βιοτεύειν ἀκρατῶς Ηγ7. 1114 ᵃ16.

βιῦν. τύτων τὸ μὲν ἐτελεύτησε, τὰ δὲ ἐβίωσεν Ζιη4. 585 ᵃ21. βιῦν τριάκοντα ἔτη, ἐλάττω χρόνον sim Ζιε19. 552 ᵇ23. 33. 558 ᵃ20. Ζιζ2. 566 ᵇ24 (syn ζῆν). 22. 576 ᵇ2. 24. 577 ᵇ29 (syn ζῆν). βιῶσαι καλῶς ἐνιαυτὸν Ηι8. 1169 ᵃ23. βιῦσι περὶ τὴν θάλατταν Ζιι12. 615 ᵃ21 (syn ζῆν ᵃ29). ἀφ᾽ ὧν βιωσονται Πβ8. 1267 ᵇ36. ὅτω βιώσεται, ὅτω βιωσόμενος Ηχ7. 1177 ᵇ27. α11. 1101 ᵃ17. — med βιώμενοι κατά τινα νῦν Ηχ10. 1180 ᵃ17.

Βισαλτῶν χώρα θ122. 842 ᵃ15.

Βιστωνὶς λίμνη Ζιθ13. 598 ᵃ23.

Βίτυος ἀνδριὰς ἐν Ἄργει θ156. 846 ᵃ22.

βιώσκονται ἕτεροι τόποι χ ἔνυδροι γίγνονται μα14. 351 ᵃ35.

βιωτικὴν τὴν διάνοιαν χ εὐμήχανος Ζιι17. 616 ᵇ27, cf βιομήχανος.

βλαβερόν, syn ἐπιζήμιον, opp ὠφέλιμον Ρβ23. 1399 ᵇ35. ἀγαθὰ φύσει, βλαβερὰ διὰ τὰς ἕξεις ηεη15. 1248 ᵇ30. βλαβερὸν τοῖς σώμασιν Πιγ16. 1287 ᵃ15. ἡ τυραννὶς βλαβερωτάτη τοῖς ἀρχομένοις Πε10. 1310 ᵇ5.

βλάβη ἐν στερήσει τῶν ἀγαθῶν ημβ3. 1199 ᵇ12. πολλαῖς βλάβαι συμβαίνωσιν ἀπὸ τῶν ἀγαθῶν Ηα1. 1094 ᵇ18. ἡ εὔθυνα τῆς δίκαια ἐστὶν Ργ10. 1411 ᵇ20. βλάβης genera tria ἁμάρτημα, ἀτύχημα, ἀδίκημα Ηε10. 1135 ᵇ11. βλάβη, coni syn ἀδίκια ημβ3. 1199 ᵃ21. περὶ ὧν δίκαι γίνονται τρία εἶναι, ὕβριν βλάβην θάνατον Πβ8. 1267 ᵇ39. ἔνοχος ταῖς εἰρημέναις βλάβαις (i e βαναυσία et ἀνελευθερίᾳ) Πϑ2. 1337 ᵇ17. βλάβην ἔχειν Πβ3. 1261 ᵇ32. η14. 1333 ᵇ31. — διά τι τερατῶδες πάθος ἡ διὰ βλάβην τῆς φύσεως Ζιε14. 544 ᵇ2.

βλάβος, syn ἀδικεῖσθαι Πη7. 1328 ᵃ14, 12. ἐκ τῦ βλάβος κρίνεται τὸ μεῖζον ἀδίκημα Ρα14. 1374 ᵇ30, cf Ηε7.1132 ᵃ4.

βλαισός. βλαισοὶ τῇ θέσει ἀμφότεροι πόδες τῷ ἀστακῷ Ζιδ2. 526 ᵃ23. αἱ μέλιτται τὰς μέσας πόδας ἐκμάττωσιν εἰς τὰ βλαισὰ τῶν ὀπισθῶν Ζιι40. 624 ᵇ2 (receptaculum mellis in pedibus apium). βλαισοὶ οἱ Αἰθίοπες χ οἱ Αἰγύπτιοι πιδ4. 907 ᵃ27.

βλαισότης τῶν σκελῶν διὰ τί Ζπ16. 713 ᵇ9. βλαισότης τῶν τριχῶν πιδ4. 909 ᵃ31.

βλαισῦσθαι. τῶν ἄλλων ζῴων βλαισῦται τὰ κῶλα διὰ τὸ μαλακὰ εἶναι Ζπ17. 713 ᵇ21. μικρὸν ἐβλαίσωται (v l βεβλαίσωται) ἐπὶ τὰ πλάγια τῶν ἐντὸς Ζιβ1. 498 ᵃ21. τὰ σκέλη τῶν πολυπόδων βεβλαίσωται εἰς τὸ πλάγιον ἔχει τὰς χαμπάς Ζπ16. 713 ᵇ4. τῶν καρκίνων ἡ χάμψις εἰς τὸ πλάγιον χ ὐ βεβλαίσωται Ζπ16. 713 ᵇ25.

V. S

βλαίσωσις, metaph def Ρβ23. 1399 ᵃ26.

Βλακεία, χωρίον ἐν Κύμῃ f 482. 1557 ᵃ10.

βλακικὸς τὸ ἦθος ὁ αἰγοθήλας Ζιι30. 618 ᵇ5.

βλὰξ κ̩ ἄφρων ηεη14. 1247 ᵃ18.

βλάπτειν βλάβας Ρβ5. 1382 ᵃ29. βλάπτειν μεγάλα Πβ11. 1273 ᵃ1. βλάψαι τὰς εὐφυεῖς πρὸς σύλληψιν Ζικ1. 634 ᵃ38. βλάπτειν πρὸς ὑγίειαν Ηη13. 1153 ᵃ20. ἐν τῇ κυήσει ὃ ἂν βλαφθῇ τῶν τέκνων κ̩ τῷ μεγέθει πηρωθῇ Ζιζ18. 573 ᵇ4. βλάπτεσθαι τὰ ὄμματα πρὸς ὀξυωπίαν πδ3. 876 ᵇ26. — ὐκ ἐπιώρκησαν μὲν ὑν. ἐκακύργησαν δὲ κ̩ ἔβλαψαν τὸς ὅρκυς f 143. 1502 ᵇ11. βλάπτεσθαι, dist ἀδικεῖσθαι Ηε11. 1136 ᵇ3-14. 12. 1136 ᵇ23-25. 10. 1134 ᵇ12. — βεβλαφέναι Ργ16. 1417 ᵃ1. βλαβήσεται, opp ὠφελήσεται Πβ8. 1269 ᵃ18. βέβλαπται Ηε7. 1132 ᵃ6.

βλαστάνειν. δένδρεά τ' ἐβλάστησε (Emp 129) κ6. 399 ᵇ27. Μβ4. 1000 ᵃ30. κόρσαι ἀναύχενες ἐβλάστησαν (Emp 307) Ογ2. 300 ᵇ31. ψγ6. 430 ᵃ29. Ζγα18. 722 ᵇ20. τὰ ὄμματα φύονται κ̩ βλαστάνυσιν ἐξ ἀρχῆς Ζγδ6. 774 ᵇ34. ἡ θερμότης ποιεῖ θᾶττον βλαστάνειν τὸς ὀδόντας Ζγε8. 789 ᵃ5.

βλάστη, syn βλαστός. ἀφελὼν τὴν βλάστην, ὅταν καρποφορήσωσι πκ14. 924 ᵇ3.

βλάστησις τῶν δένδρων Ζιζ9. 564 ᵇ2.

βλαστός. plumula, caulis. Ζγα23. 731 ᵃ9. β4. 739 ᵇ37. αν17. 478 ᵇ35. οἱ παλαιοὶ βλαστοὶ πολὺ μᾶλλόν εἰσι τῶν νέων μέλανες χ5. 795 ᵃ4. οἱ βλαστοὶ κατὰ γῆς ὄντες εἰσὶ λευκοὶ χ5. 795 ᵃ15. ἡ ὑγρασία ἡ διὰ τῶν βλαστῶν χ5. 795 ᵃ18. βλαστὸς μέρος τι τῶν φυτῶν φτα3. 818 ᵃ15. ἀνιέναι βλαστόν Φβ1. 193 ᵃ14. θᾶττον ἐνιέναι (ἀνιέναι ci Sylb, emittere ant vers, mittere Gaza) βλαστόν πκ14. 924 ᵇ10. ἡ τροφή, ἣν ἄνω ἀφίει εἰς τὸν βλαστόν, εἰσέρχεται εἰς αὐτὴν πκ13. 30 924 ᵃ29.

βλασφημεῖν κατὰ τῶν τετελευτηκότων ὐχ ὅσιον f 40. 1481 ᵃ35.

βλασφημία. ἐπιφέρειν ὄνομά τι ἐπὶ τὴν βλασφημίαν Ζιζ18. 572 ᵃ11.

βλάσφημος. Ἀρχίλοχος βλάσφημος Ρβ23. 1398 ᵇ11.

βλέμμα σύννυν πλα7. 958 ᵃ18.

βλέννος. περιπλύνονται τὸ βλέννος Ζιθ2. 591 ᵃ28.

βλεννώδης. κέφαλοι βαρεῖς κ̩ βλεννώδεις, πολύποδες βλεννώδεις Ζιθ2. 591 ᵃ26. 137. 622 ᵃ20.

βλέπειν. πλεοναχῶς λέγεται ταΐ5. 106 ᵇ15. — ἠρέμα κ̩ ὐκ ὀξύ μγ4. 373 ᵇ4. ὀξύτερον, ἀμβλύτερον, φαύλως βλέπειν Ζμβ13. 658 ᵃ2, 657 ᵇ36. Ζιβ10. 503 ᵃ11. βλ. μαλακὸν κ̩ διακεχυμένον φ6. 813 ᵃ26. εἰδωλόν ἐξ ἐναντίας βλέπον πρὸς αὐτὸν μγ4. 373 ᵇ6. τὰ νέφη μελάντερα φαίνεται βλέπυσιν 45 εἰς τὸ ὕδωρ μγ4. 374 ᵇ20. — Παρμενίδης μᾶλλον βλέπων ἔοικε λέγειν ΜΑ5. 986 ᵇ28. — βλέψας ἐπὶ τὰς πόλεις τὰς εὐδαιμονέσας Πη7. 1327 ᵇ21. οἱ βλέποντες ἐπὶ μικρὸν οἴονται μαΐ4. 352 ᵃ17. — βλέπειν πρὸς τὸ τῆς πολιτείας συμφέρον sim Πγ3. 1284 ᵇ21. η2. 1324 ᵇ7. 11. 1330 ᵃ37. θ1. 1337 ᵃ30. βλέπειν εἰς μέρος τι, εἰς ταὐτό sim Πη9. 1329 ᵃ23. δ2. 1289 ᵇ6. ε9. 1309 ᵇ3. Ογ8. 306 ᵇ31. ὅπη ἡ πολιτεία βλέπει εἰς πλῆτον κ̩ ἀρετήν Πδ7. 1293 ᵇ14. τὴν τῦ μέρυς πρὸς τὴν τῦ ὅλυ δεῖ βλέπειν ἀρετήν Πα13. 1260 ᵇ14. — οἱ ὀδόντες κάτω βλέπυσι, τὸ ὕθαρ κάτω βλέπει Ζιβ5. 502 ᵃ1. γ21. 523 ᵃ2.

βλεφαρίς. 1. palpebra. δέρματι περιειλημμένη, ὐ συμφύεται, δέρμα ἄνευ σαρκός Ζμβ13. 657 ᵇ2. Ζια13. 493 ᵃ29. γ11. 518 ᵃ2. αἱ βλεφαρίδες Ζιγ11. 518 ᵇ10. δ10. 536 ᵇ26. τῇ κάτω βλεφαρίδι μύυσι Gallinae et exceptis Ophidiis Reptilia Ζμβ13. 657 ᵃ29, ᵇ5. δ11. 691 ᵃ21, τὶ φολιδωτὰ

Ζιβ12. 504 ᵃ29. ἡ ἄνω βλεφαρὶς deest Reptilibus quibusdam cf Stn 166 sq. κοινὸν τῆς βλεφαρίδος μέρος τῆς ἄνω κ̩ κάτω κανθοὶ δύο Ζια8. 491 ᵇ22.

2. cilia. συγγενεῖς αἱ ἐν τῇ κεφαλῇ κ̩ ταῖς βλεφαρίσι κ̩ ταῖς ὀφρύσι τρίχες Ζιγ11. 518 ᵃ20. πὸ18. 878 ᵇ22, 27. βλέφαρα τρίχες αἱ ἔσχαται βλεφαρίδες Ζια8. 491 ᵇ20. ἐπὶ πέρατι φλεβίων, βοηθείας χάριν, τῶν πρὸς τὰ ὄμματα προσπιπτόντων ἕνεκα Ζμβ15. 658 ᵇ21, 12, 14, 17. βλεφαρίδας ἐπὶ τῶν βλεφάρων ἔχυσιν ὅσα τρίχας ἔχυσιν Ζμβ14. 658 ᵃ11. θ58. 834 ᵇ29. πα51. 865 ᵇ14, ὁ στρυθὸς ὁ Λιβυκός Ζμβ14. 658 ᵃ14. δ14. 697 ᵇ18, οἱ ἄνθρωποι μόνον ἐπ' ἀμφότερα (ἐπ' ἄμφω) Ζμβ14. 658 ᵃ15. Ζιβ1. 498 ᵇ22, πίθηκος Ζιβ8. 502 ᵃ31. τῶν τετραπόδων ὐθὲν βλεφαρίδα ἔχει τὴν κάτωθεν Ζιβ1. 498 ᵇ24. Ζμβ14. 658 ᵃ25. ὄρνιθες ὀφθαλμὸς ἄνευ βλεφαρίδων Ζιβ12. 504 ᵃ24.

βλέφαρον. ἡ τῦ βλεφάρυ χρῆσις Ζμβ13. 657 ᵇ32. 2. 648 ᵃ18. Ζγβ6. 744 ᵃ36-ᵇ9. υδ. 457 ᵇ4. τῆς σωτηρίας χάριν, τὰ προσπίπτοντα κωλύυσιν, φράγμα κ̩ ὥσπερ ἔλυτρον Ζμβ 13. 657 ᵃ35, 37. ψβ9. 421 ᵇ29 (cf Lob Paral 402). τῶν βλεφάρων ἐπικεκαλυμμένων αι 2. 437 ᵃ25. τῶν ζῴων τὰ μὲν ἔχει βλέφαρα πα6. 444 ᵃ25. τὰ ζῳοτόκα ἔχει βλέφαρα δύο, οἷς κ̩ σκαρδαμύττυσιν Ζμβ13. 657 ᵃ27. βλέφαρον τὸ ἄνω κ̩ κάτω Ζια8. 491 ᵇ19. (τὰ τετράποδα τῶν ᾠοτόκων) ὐκ ἔχει βλέφαρον ἐκεῖθεν (ἄνω) Ζμβ13. 657 ᵇ14. τὸ (κάτω) βλέφαρον (τῶν τετραπόδων τῶν ᾠοτόκων) ἔχει λεπτότητα κ̩ τάσιν Ζμβ13. 657 ᵇ15. (οἱ βαρεῖς τῶν πτερωτῶν) τῷ κάτω βλεφάρῳ μύυσι Ζιβ12. 504 ᵃ25. οἱ βαρεῖς ὄρνιθες σκαρδαμύττυσι τύτῳ (βλ. κάτω) μὲν ὐ, τῷ δ' ὑμένι Ζμβ13. 657 ᵇ16, περιστεραὶ κ̩ τὰ τοιαῦτα ἀμφοῖν Ζμβ13. 657 ᵇ10, οἱ γλαυκώδεις τῶν ὀρνίθων κ̩ τῷ ἄνω βλεφάρῳ Ζιβ12. 504 ᵃ27. (τῶν πολυσχιδῶν τῶν τετραπόδων) διάστασι τὸ βλέφαρον γενομένων ὕστερον Ζγβ6. 742 ᵃ10. βλεφαρίδας ἐπὶ τῶν βλεφάρων ἔχυσιν ὅσα τρίχας ἔχυσιν Ζμβ14. 658 ᵃ11. ὑπὸ τὸ κάτω βλέφαρον ἐνίοις (τετράποσι) παραφύονται μαναὶ τρίχες Ζμβ14. 658 ᵃ26. Ζιβ1. 498 ᵇ24. τῶν ἐνύδρων ὐθὲν ἔχει βλέφαρα Ζιδ10. 537 ᵃ4. ἰχθῦς ὐκ ἔχει Ζμβ13. 658 ᵃ8. Ζιβ13. 505 ᵃ35. βλέφαρον ὐδὲν αὐτῶν ἔχει (ἰχθύων, ἐντόμων) Ζμβ13. 657 ᵃ31. σκληρόδερμα ὅλως ὐκ ἔχει Ζμβ13. 657 ᵇ32. αι5. 444 ᵇ26. ψβ9. 421 ᵇ30. ὐδείς πω τὸ ἐντὸς τῶν βλεφάρων ἐρρίγωσεν αι 2. 438 ᵃ23. βλέφαρα λευκά χ 6. 798 ᵃ31. ἀναιδὴς σημεῖον βλέφαρα ὕφαιμα κ̩ παχέα φ3. 807 ᵇ29. cf 6. 813 ᵃ22. οἱ μύωπες συνάγυσι τὰ βλέφαρα πλα8. 958 ᵃ33. 15. 958 ᵇ36, 39. 16. 959 ᵃ3 sq. vena iugulari interna compressa καταπίπτυσιν οἱ ἄνθρωποι, τὰ βλέφαρα συμβεβληκότες Ζιγ3. 514 ᵃ7.

βλίττειν Ζιι40. 627 ᵃ32. — pass πότε βλίττεται τὰ σμήνη Ζιε 22. 554 ᵃ15. βλίττεται τὸ σμῆνος χοᾶ ἢ τρία ἡμίχοα Ζιι40. 627 ᵇ3.

βοᾶν. ἠϊόνες βοόωσιν (Hom P 265) πο22. 1458 ᵇ31. ὥστε βοῆσαι τὴν Ἑλλάδα (apud Aesionem) Ργ10. 1411 ᵃ27. — οἱ νεοττοὶ ἐκβαλλόμενοι βοῶσι Ζιι34. 619 ᵇ33. — metaph αὐτὰ τὰ στοιχεῖα τὸ μέγα κ̩ τὸ μικρὸν βοᾶν ὡς ἑλκόμενα Μν3. 1091 ᵃ10.

βόειος. Ζιβ16. 506 ᵇ29. γ20. 521 ᵇ33, 522 ᵃ29, 31. Ζμγ8. 671 ᵃ18. 9. 671 ᵇ5, 6 al.

Βοηδρομιών. περὶ τὸν Βοηδρομιῶνα Ζιζ29. 578 ᵇ13. τῦ Βοηδρομιῶνος Ζιθ12. 579 ᵃ23.

βοήθεια. τροφὴ κ̩ β. Πα8. 1256 ᵇ19. cf 9. 1257 ᵃ32. βοηθείας κ̩ ἀλκῆς χάριν ἔχυσι τὰ κέρατα· ἄλλοις ὑπάρχυσιν ἕτεραι βοήθειαι Ζμγ2. 662 ᵇ27, 33. δ6. 682 ᵇ33. ἡ παρ' ἀλλήλων β. Πγ6. 1278 ᵇ20. διά τινος τῶν ἐκτὸς βοηθείας

μδ 2. 379 ᵇ23. βοήθειαν φέρειν ἑαυτοῖς (ratiocinando) Οα10.
279 ᵇ32. βοήθεια τοῖς ἀπόροις Πζ 5. 1320 ᵃ32. — ἱκανὴ β.
πρὸς σωτηρίαν ζ 6. 470 ᵃ22. πρὸς ὑγίειαν χ δύναμιν ἔχει
βοήθειαν Ζμβ 5. 651 ᵇ1. ἡ φύσις πρὸς τὴν ἑκάστῃ ὑπερ-
βολὴν (i e ad avertendam ὑπερβολήν) μηχανᾶται βοήθειαν 5
Ζμβ7. 652 ᵃ32. β. τινος vel rei servandae αι5. 444 ᵃ14 vel
avertendae αν9. 474 ᵇ28. — βοήθειαι Ρβ5. 1383 ᵃ20. οα3.
1343 ᵇ17 (syn συνεργίαι). πκζ 9. 948 ᵇ29. ἔχειν βοηθείας
διὰ τὴν ἐμπειρίαν Ρβ5. 1383 ᵃ29, 31. βοήθειαί τινος (i e ad
aliquid avertendum) Ρβ5. 1382 ᵇ25. ηεγ1. 1229 ᵃ15. 10

βοηθεῖν φίλοις, ξένοις Πβ5. 1263 ᵇ6. ταῖς ὑπαρχούσαις πολι-
τείας, τῇ ἀδυναμίᾳ Πδ1. 1289 ᵃ6. ατ969 ᵇ6. ἡ φύσις τοῖς
ἵπποις βεβοήθηκεν, coni ἀλκὴν δέδωκε πρὸς σωτηρίαν Ζμγ2.
663 ᵃ3. — β. c dat instr χρήμασι Ηε4. 1130 ᵃ19. — β.
ἐπὶ τὰς ἀδικοῦντας Πγ9. 1280 ᵇ27. — μᾶλλον βοηθητέον 15
εἰς τὸ ἦθος ἢ τὴν οὐσίαν Ηι3. 1165 ᵇ19. — βοηθεῖν πρός τι
i e aut ad aliquid adducendum, πρὸς τὰς καλὰς πράξεις sim
Ηθ1. 1155 ᵃ14. Μκ5. 1079 ᵇ16, aut ad avertendum aliquid
πρὸς τὴν φθοράν sim αν8. 474 ᵇ24. Ζυ37. 621 ᵃ13. πκζ9.
948 ᵇ32. — βοηθεῖσθαι παρά τινος Ρβ6. 1383 ᵇ28. 20

βοήθημα τηλικοῦτον ἀγνοεῖν Ηα4. 1097 ᵃ6. ἐξ ἐλαττόνων βοη-
θημάτων ὁ λόγος (oratio pedestris) τῶν μέτρων Ργ2.
1405 ᵃ7.

βοηθητικός τινι Ρα13. 1374 ᵃ24. τὸ βοηθητικὸν εἶναι ἐν
τῷ διαφόρῳ ἐλευθέριον αρ5. 1250 ᵇ26. νεῦρα μέγιστα τῷ 25
πρὸς τὴν ἰσχὺν βοηθητικά Ζιγ5. 515 ᵇ9. τρόπος τις τῆς
πολιτείας πρὸς τὰς μικρὰς ἀδικίας (i e ad eas aver-
tendas, cf βοηθεῖν) βοηθητικὸς μόνον Πβ7. 1267 ᵃ16.
βοηθητικώτερον χ ἀνδρειότερον τὸ ἄρρεν τῷ θήλεος Ζυ1. 608
ᵇ15. 30

βοηθὸν ἔχειν τὸν νόμον Ηε14. 1138 ᵃ2. βοηθὸν ἐπαγαγέσθαι
τὸν δῆμον Πε6. 1305 ᵇ38.

βόθρος. ὀρύττειν βόθρον Μδ30. 1025 ᵃ16. Ζιζ29. 579 ᵃ1.

βόθυνος ὃ δέχεται τὴν ἐκβληθεῖσαν γῆν πκε8. 939 ᵃ6. ἐμὺς
ὀρύξασα βόθυνον πιθώδη Ζιε33. 558 ᵃ8. — βόθυνοι, φά- 35
σματα ἐν τῷ οὐρανῷ μα5. 342 ᵃ36 Ideler. κ2. 392 ᵇ4. 4.
395 ᵇ12.

βοΐδιον (Lob Phryn 87). ἐν Φάσει βοΐδια μικρὰ ὧν ἕκαστον
βδάλλεται γάλα πολὺ Ζιγ21. 522 ᵇ14.

Βοιωτία ρ9. 1429 ᵇ14. θ133. 843 ᵇ19. Ζιθ28. 605 ᵇ31. f596. 40
1576 ᵃ16. Κορωνεία τῆς Β. θ124. 842 ᵇ3, 5. Λέλεγας κα-
τασχεῖν τὴν Βοιωτίαν f 433. 1549 ᵇ35. 519. 1563 ᵇ20. —
Δρυμὸν ἐν Ἀττικῷ χ ἕτερον Βοιωτῶν f 569. — Βοιωτοὶ
Ζιζ1. 559 ᵃ3. Βοιωτοὶ ὅμοιοι τοῖς πρίνοις Ργ4. 1407 ᵃ3.
Ὀρχομένιων πόλις ἡ ἐν Β. θ99. 838 ᵇ3. 45

Βόλβη λίμνη ἐν τῇ καλουμένῃ Συκίᾳ Ζιβ17. 507 ᵃ17.

βολβοί, coni σκίλλαι πκ26. 929 ᵃ6. 28. 926 ᵃ19. (Muscari
comosum L.)

βόλινθος. θ1. 830 ᵃ5-25. fort i q βόνασος cf Beckm ad h l
p 4-12. 50

βολίταινα. (πολυπόδων) ἣν καλοῦσιν οἱ μὲν βολίταιναν οἱ δ'
ὀζολιν· εἰσὶ δ' οὗτοι (ναυτίλος χ ποντίλος) μικροί, τὸ εἶδος
ὅμοιοι ταῖς βολιταίναις Ζιδ1. 525 ᵃ19, 26. ὃ γίνονται ἐν τῷ
εὑρίπῳ τῷ ἐν Πύρρᾳ βολίταιναι Ζιι37. 621 ᵇ17. (Tremocto-
pus violaceus? cf A Siebld 1862 p 382, ΑΖι I 149, 1.) 55

βόλος. 1. i q βόλος δικτύφ. ἁλίσκεσθαι πλείως ἰχθὺς ἐν τῷ
αὐτῷ βόλῳ Ζιε15. 600 ᵃ8. βόλοι ὡραῖοι Ζιθ19. 602 ᵇ8. —
2. i q βόλος ὀδόντων. ἀκμάζει ὁ ἵππος μετὰ τὰς βόλας,
ὀχεῖται ὁ ὄνος μετὰ τὸν πρῶτον βόλον sim Ζιζ22. 576 ᵇ13,
16. 24. 577 ᵇ20. Ζγβ8. 748 ᵇ10. 60

βομβεῖν. βομβοῦντα φαίνεται τὰ πτερωτά, ὅταν κινῆται υ2.

456 ᵃ18. βομβῦσι μέλιτται, σφῆκες, μηλολόνθαι, τέττιγες
Ζιθ9. 535 ᵇ6. ι40. 627 ᵃ24, 27 (βομβῆσαι). 41. 628 ᵇ20.
αν9. 475 ᵃ5.

βόμβος. τῇ τρίψει τῇ πρὸς τὸν ὑμένα ποιοῦσι τὸν βόμβον
αν9. 475 ᵃ16.

βομβύκιον 1. folliculus Bombycis L? τὰ βομβύκια ἀναλύουσι
τῶν γυναικῶν τινες Ζιε19. 551 ᵇ14. cf Su 202-204, ΑΖι I
162, 8α. — 2. ἔνια τῶν βομβυκίων (v l βομβυκοειδῶν)
Ζιε24. 555 ᵃ13. Anthophorae Latr vel Osmiae Pz species
cf ΑΖι I 162, 8b (Réaumur H n des Insectes 139: Mega-
chile muraria = Chalicodoma muraria. Brullé 337 Mega-
chile nestorea [fait son nid dans les anfractuosités) et af-
finis).

βομβυλιάζουσιν οἱ δεινῶς δεδιότες πκζ11. 949 ᵃ13.

βομβύλιος. 1. Ζιε19. 551 ᵇ12 (v l βομβυλίς) fort νεκυδάλυ
larva cf Humboldt Kosmos II 425, 87. ΑΖι I 162, 8α. —
2. ὁ καλούμενος βομβύλιος. τρίτος, μέγιστος τῶν σειρήνων
Ζιι40. 623 ᵇ12. victus et generatio Ζιι43. 629 ᵃ29 sq. (Bombi
spec cf quos citat ΑΖι I 162, 9.)

βόμβυξ. ἀπὸ τῷ βόμβικος ἐπὶ τὴν ὀξυτάτην νεάτην ἐν αὐ-
λοῖς Μν6. 1093 ᵇ3. — τὰ τὰς τραχήλας ἔχοντα μακρὰ
χαλεπῶς πληροῦσι τὰς βόμβυκας ακ800 ᵇ25.

βόνασος Ζιι45. 630 ᵃ18-ᵇ17 (v l βόνασσος, βώνασος). τῶν
ἀγρίων χ κερατοφόρων λοφιὰν ἔχει βόνασος Ζιβ1. 498 ᵇ31.
διχαλὰ ἅμα χ χαίτην ἔχοντα χ κέρατα δύο κεκαμμένα εἰς
αὑτά ἐστιν ἔνια, οἷον ὁ βόνασος τὰ ἐντὸς ἅπαντα ὅμοια βοῒ
Ζιβ16. 506 ᵇ30. τοῖς βονάσοις γαμψὰ τὰ κέρατα· τῇ τῷ
περιττώματος ἀφέσει ἀμύνονται Ζμγ2. 663 ᵃ13. (Bos urus
Oken Isis 1829 p 132, Wiegmann Archiv 1858 p 127, Ka,
F, Su 61, ΑΖι I 64, 7.)

βορά. χαίρει ὅτι βορὰν λέων ἕξει Ηγ13. 1118 ᵃ23.

βόρβορος. Ζιε15. 547 ᵇ12. Ζγγ11. 763 ᵇ32. coni κόπρος
Ζιε19. 551 ᵃ4, coni φυκία Ζιθ2. 591 ᵃ13.

βορβορῶν. τῷ τόπῳ βορβορωθέντος Ζγγ11. 763 ᵃ29.

βορβορώδης. φύεσθαι ἐν βορβορώδεσιν, ἐν τῇ ἰλύι βορβο-
ρώδει Ζιε15. 547 ᵇ16, 20.

βορέας. Βορέαι οἱ ἀπ' ἄρκτυ κ4. 394 ᵇ20. κυριώτατα Βορέας
ὁ ἀπαρκτίας κ4. 394 ᵇ28. μβ6. 363 ᵇ14, 364 ᵃ13, 15, 20.
4. 361 ᵃ22. τὸν ζέφυρον τοῖς εἴσω τίθεασι τῷ Βορέᾳ Πδ3. 1290
ᵇ19. Βορέαι γίνονται συνεχεῖς, ὡς καλοῦμεν ἐτησίας μβ5.
362 ᵃ11. πκς2. 940 ᵃ35, 38. ὁ Βορέας εἰς τὴν ἐνταῦθα
οἰκουμένην πνεῖ μβ5. 363 ᵃ2, 362 ᵇ35. ἐν τῷ κόλπῳ Βορέας
κατεῖχεν μα7. 345 ᵃ1. ὁ Βορέας πυκνότερον πνεῖ ἢ ὁ νότος
πκς10. 941 ᵃ27. 15. 941 ᵇ38. ὁ Βορέας ἅτε ἀφ' ὑγρῶν τό-
πων ἀτμιδώδης, οὐ ψυχρός μβ3. 358 ᵃ35, 16. Βορέαι ἐπι-
νέφελοι, αἴθριοι πκς62. 947 ᵇ4. Βορέας λαμπρός, opp πίπτει
πκς60. 947 ᵃ28. ὁ Βορέας ἀρχόμενος μέγας, λήγων δὲ μι-
κρός πκς39. 944 ᵇ30. 20. 942 ᵇ2. 41. 945 ᵃ8. 45. 945 ᵃ29.
Βορέας τριπάσιος λήγει πκς14. 941 ᵇ34. 9. 941 ᵃ20. — Βορέυ
nomina Παγρεύς, Μέσης, Καυνίας, (Γαυρεύς) Ἰόυρεύς σ973
ᵃ1, 3, 4, 6. f 238. 1521 ᵃ33-40.

Βορέας. ὕτε ὁ Τιτυὸς ὐθ᾽ ὁ Βορέας Ζκ2. 698 ᵇ25. ἐκ Βορέυ
ἵπποι γίνονται f 164. 1505 ᵇ12.

βόρειος. χειμὼν ξηρὸς χ βόρειος μα7. 344 ᵇ35. πα8. 859
ᵇ21. ἔαρι θέρος βόρειον πα9. 860 ᵃ13. 10. 860 ᵃ35. βόρειον
κλίμα κ2. 392 ᵃ3. τῆς Πλειάδος βορείᾳ γενομένης Ζιε8. 542
ᵇ11. ὕδωρ βόρειον, νότιον Ζιθ10. 596 ᵃ28. τῶν πνευμάτων
τὰ μὲν βόρεια καλεῖται, τὰ δὲ νότια μβ6. 364 ᵃ19. 5. 363
ᵃ10. 347 ᵇ9. Πδ3. 1290 ᵃ14. τὰ βόρεια, τὰ νότια (int
πνεύματα) πκς31. 944 ᵃ1. 55. 946 ᵇ28. βορείοις (aquilonis
temporibus) μα10. 347 ᵃ36. γ1. 371 ᵃ3. Ζιζ19. 574 ᵃ1.

Ζυγ 2. 766 b34, 767 a10. πκε 18. 939 b20. τοῖς βορείοις
Ζιθ 19. 602 a25. πκς 43. 945 a18. βορείων μὲν ὄντων, νοτίων
δὲ Ζιθ 2. 592 a14. βορείων ἢ νοτίων (om ὄντων) πκε 18. 939
b18. τὰ βόρεια (i e τόποι βόρειοι) Ζιθ 19. 602 a22, 23.

βοροὶ χ ἀναίσθητοι φ6. 810 b18.

βορρᾶς. εἰ βορρᾶς πηλὸν καταλήψεται (ex poeta incerto)
πκς 46. 945 b2. βορρᾷ πκς 3. 940 b11.

Βορυσθένης μτ1. 462 b25. οἱ ἐκ τῦ Φάσιδος ἢ Βορυσθένυς
καταπλέοντες f 72. 1488 a4.

βοσκάς. τῶν στεγανοπόδων τὰ μὲν βαρύτερα οἷον βοσκάς,
ὅμοιος μὲν νήττῃ, τὸ δὲ μέγεθος ἐλάττων (v l βάσκας)
Ζιθ3. 593 b17. (fort Anas crecca et querquedula L fem cf
Lnd 160 et 161, Su 154, ΑΖι I 88, 21.)

βόσκειν. ὐκ ἔστι πλησιάσαι ἀλλ᾽ ἢ τῷ βόσκοντι Ζιε2. 540
a18. — χωρὶς βόσκονται τὰ ἄρρενα τῶν θηλειῶν ΖιΖ 18.
572 b23. βόσκεται (ζῷόν τι) τὸ πράσιον, τὰς μύρμηκας,
τὰς σκώληκας Ζιθ2. 591 a16. 19. 614 b11. 15. 616 b8.

βοσκή. πέτεσθαι ἐπὶ βοσκήν Ζυ40. 624 a27.

βόσκημα. κτῆσις, πλῆτος βοσκημάτων Ρα5. 1361 a14. Πβ7.
1267 b11. ζῆν ἀπὸ βοσκημάτων Πζ4. 1319 a20. πρόσοδοι
ἀπὸ βοσκημάτων οβ1345 b31. οἱ ἐπὶ τοῖς ἀναγκαίοις βοσκή-
μασιν Πδ4. 1291 a15. ἐν Ὀμβρικοῖς τὰ β. τίκτειν τρὶς τῦ
ἐνιαυτῦ θ80. 836 a19. — βοσκημάτων βίος Ηα3. 1095 b20
(cf f 77. 1489 a3). 19. 1170 b13. ἡδονὴ χ ἐν θηρίῳ χ ἐν
βοσκήματι ημβ7. 1204 a38.

Βόσπορος. eius natura descr μα14. 353 a7. Ζιθ15. 600 a5.
— Βόσπορος ὁ Κιμμέριος Ζιε19. 552 b18. οἱ ἐν Βοσπόρῳ
τύραννοι οβ1347 b4. ἐν Βοσπόρῳ (?) μγ2. 372 a15.

Βόσπορος ἐναυπήγησε τετρήρη αὐτοσχέδιον f 558. 1570 a30.

βοστρύχιον. τὰ μαλάκια τίκτει τὸ ᾠὸν καθάπερ βοστρύχιον,
ὅμοιον τῷ τῆς λεύκης καρπῷ Ζιε12. 544 a9. ὅμοιον βοστρυ-
χίοις οἰνάνθης χ λεύκης καρπῷ Ζιθ18. 549 b33. (ovacum ra-
cemo oinanthes et fructu populi amento cylindrico adhaerente
recte comparantur cf S I 338 II 401, A Siebld 401.)

βόστρυχος. 1. οἱ καλύμενοι βόστρυχοι Ζιε19. 551 b26. (Lam-
pyris noctiluca L mas St, ΑΖι I 162, 10.) — 2. ἡ σηπία
ἐκτίκτει μακρὸν χ συνεχὲς ἐκ τῶν ᾠῶν, οἷον τὸ τῶν βο-
στρύχων Ζιε18. 550 b10. (Thomae versio: velut quod vilium
racemorum. Gaza: qualis cirrhi muliebris species est. S
I 341 suspicatus est οἷον τὸ τῆς οἰνάνθης βοστρύχιον, P 173,
20 οἷον τὸ φυτῶν βοστρύχιον. cf βοστρύχιον.)

βοτάνη. ἐσθίοντες βοτανας χ ῥίζας Ζιθ2. 592 a25. τῶν φυ-
τῶν τινα μέσον ἐστὶ δένδρου χ βοτανῶν φτα4. 819 a42.
βοτάναι, dist λάχανα φτα4. 819 b1. βοτάναι ἐλαιώδεις φτα7.
821 b32. ἀπὸ τῆς γῆς ἐστιν ἡ ἔκφυσις τῆς βοτάνης φτβ1.
822 a14. cf 3. 824 b35, 825 a14, 15, 17 al. βοτάνην λόγχη
παρόμοιον θ171. 847 a1 Beckmann. τὴν οἰνῶτταν καλυμένην
βοτάνην f 102. 1494 b21.

βοτρυδόν. τίκτει ὁ πολύπυς ᾠὰ βοτρυδόν f 315. 1531 b13
(cf ὥσπερ βότρυς Ζιε17. 549 a24, 550 a11) cf βοστρύχιον.

βότρυς. οἱ βότρυες πῶς μεταβάλλυσι τὰ χρώματα χ5. 795
b25-30. κάπνεος ἂν ἐνέγκῃ μέλανας βότρυς Ζυγ4. 770 b21.
ῥάγες βότρυος, βοτρύων Ζιε18. 550 a28. χ2. 792 b8. ἐπὶ
τῶν βοτρύων τὰ ἐλάττω ἀπυρηνότερά ἐστιν (Vitis vinifera
apyrena) πκ24. 925 b24. τρίψας βότρυν f 530. 1566 a19.
— τὰ ᾠὰ καθάβας γίνεται ὥσπερ βότρυς Ζιε17. 549 a24,
550 a11. cf βοστρύχιον.

Βοττιαίων origo, διὰ τί ταῖς κόραις τῶν Βοττιαίων ἔθος ἦν
λέγειν χορευύσαις ἴωμεν εἰς Ἀθήνας f 443. 1550 b44, 45, 48.

βυβαλίς. ἐν τῷ τῆς βυβαλίδος αἵματι ὐκ ἔνεισιν ἶνες, τὸ τῆς
βυβαλίδος αἷμα πήγνυται μᾶλλον Ζιγ6. 515 b34, 516 a5.

(fort Antilope bubalis Pall. = Bubalis mauretanica, cf Su
Wiederk 83 et Thierart des Arist 64, vel Capra rupi-
capra vel βῦς ἄγριος, hodie vouvaglia, ΑΖι I 64, 8.)

βύβαλος. προστέθεικεν ἡ φύσις τάχος ταῖς ἐλάφοις χ βυ-
βάλοις χ δορκάσιν Ζμγ2. 663 a11. (fort i q βυβαλίς.)

βυβών. inguen, ΑΖι II tab 2. κοινὸν μέρος μηρῦ χ ἤτρυ βυ-
βών Ζια14. 493 b9. arteria et vena iliaca externa et femo-
ralis τείνυσι ἐπὶ τὰς βυβῶνας, rami arteriae femoralis διὰ
τῶν βυβώνων χ τῶν μηρῶν φέρυσιν ἐναλλάξ Ζιγ4. 515 a8,
10. ἐν τοῖς βυβῶσιν conceptum sentiunt Ζιη3. 583 b2 (cf
Plin VII 5, 41 et var lect ap Gaz, P 258, Thurot Revue ar-
chéolog 1867 Sept p 204). θυμώδης σημεῖον· λεῖος περὶ τὰ
στήθη χ περὶ βυβῶνας φ3. 808 a23. cf Rose Ar Ps 700.
ἐπὶ ταῖς μασχάλαις χ βυβῶσι πα34. 863 a20. — οἱ βυβῶνες
γίνονται πληγέντες (πληγέντος? Gaza: per ictum, ant vers:
vulnerati, cf etiam S Theophr IV 762) διὰ τὴν συνάρτησιν
τῶν φλεβῶν τε καὶ νεύρων πε26. 883 b21.

βυγενῆ ἀνδρόπρωρα (Emp 314) Φβ8. 198 b32, 199 b5, 11.

βύγλωττος. refertur inter σελάχη f 277. 1527 b41. (Solea
vulgaris C? cf Schol Oppian Hal I 99.)

Βυδινοὶ οἱ περὶ Σκαρίσκον f 321-323. 1532 a44.

Βυζύγης f 348. 1536 b25.

βύθος περιφοιτᾷ, παροιμία ἐπὶ τῶν εὐήθων f 573. 1572 a31.

βυκόλοι ΖιΖ18. 572 a33. οἱ βυκόλοι ἐὰν μίαν αἶγα μὴ εὕ-
ρωσιν Ζι4. 611 a8.

βυλαρχεῖν, coni φυλαρχεῖν Πδ11. 1295 b12.

βύλεσθαι. βύλεται ἤθει ὁ μὴ οἴεται εἶναι σπυδαῖον Ηε11.
1136 b7. ηεβ7. 1223 b6. αὐτῷ μάλισθ᾽ ἕκαστος βύλεται
τἀγαθά Ηθ9. 1159 a12. δι᾽ αὐτὸ βύλεσθαι (syn αἱρεῖσθαι)
Ηα1. 1094 a19, 20. βυλόμεθα τὰ τέλη ημα17. 1189 a10.
βύλονται ἔνια χ τῶν ἀδυνάτων ηεβ10. 1225 b32. βύλεσθαι,
opp δύνασθαι Πβ7. 1267 b7. ἃ βύλονται διανοεῖσθαι πράτ-
τυσι πάντες Πε10. 1312 b3. ἄρχεσθαι ὕτε βύλονται ὕτε
ἐπίστανται Πδ11. 1295 b15. βύλεσθαι, dist ἐπιθυμεῖν ηεη2.
1235 b20-22. — τὸ βυλόμενον τὴν πολιτείαν Πε9. 1309
b17. — οἱ βυλόμενοι (i e οἱ τυχόντες), ὁ βυλόμενος Πβ9.
1270 a21. f 394. 1543 b14, 17. 395. 1543 b37. — δεῖ
ἕκαστον λέγειν τοιῶτον εἶναι ὃ φύσει βύλεται εἶναι χ ὃ
ὑπάρχει Οβ14. 297 b22. ἡ ἱκ διάμετρος βύλεται μὲν κατὰ
τὸν διὰ παντὸς εἶναι φαινόμενον, ὐκ ἀκριβοῖ δέ μβ6. 363
b32. ita saepe per βύλεται εἶναι significatur quo quid per
naturam suam tendit, sive id assequitur quo tendit, sive
non plene et perfecte assequitur, veluti Αβ7. 70 a7, 21
(cf a34). Φβ2. 194 a32. δ4. 212 a18. 7. 214 a20. ψβ11.
423 a14. αι4. 441 a3. 7. 447 b10. Ζιη3. 583 a29. Ζμγ4.
665 b22. 7. 669 b22. Ζπ18. 714 b18. Ζγα18. 724 a17. β4.
738 a17, 23. γ11. 761 a29, b17. Ηθ11. 1159 a4. 11. 1125
b34. ε7. 1132 a21. 8. 1133 b14 (Fritzsche). θ12. 1160 b18,
27. 13. 1161 a28. ι10. 1171 a12. Πβ6. 1265 b27, 1266 a7.
δ11. 1295 b25. ηεη10. 1242 b36. ημα34. 1194 b9. πιζ1.
916 a2. ἡ φύσις βύλεταί τι ποιεῖν Ζιε8. 542 a20. Ζμγ8.
670 b34. 5. 682 a6. Ζγα23. 731 a12. γ2. 753 a8. 7. 757
a25. Πα5. 1254 b27. 6. 1255 b3. μβ2. 354 b32. βύλεται
μὲν ἡ φύσις, ὐκ ἀκριβοῖ δέ Ζυγ10. 778 a4. ἡ πολιτεία βύ-
λεται συνεστάναι, ἀπονέμειν Πδ2. 1289 a32. 8. 1293 b40.
βύλεσθαί τι, opp σαφῶς λέγειν, διαρθρῦν ΜΑ8. 989 b19.
β6. 1002 b28. Ζγδ3. 769 b1. cf ε1. 16 a25. βύλεται λέ-
γειν Κ8. 9 a4. Ηθ12. 1126 b21. ε1. 1129 a7. (aliter ὡς
βυλόμεθα λέγειν Μμ10. 1086 b19.) τὸ ἀκύσιον βύλεται λέ-
γεσθαι Ηγ2. 1110 b30 (Zell). βύλεται σημαίνειν τα7. 103
a31. ζ5. 142 b27. — βυλητέον ρ1. 1420 b23. βυλητέον

τὸ ἑκάστῳ ἀγαθόν, βꙍλητὸν τὸ ἁπλῶς ἀγαθόν ἠμβ11. 1208 ᵇ39. — βꙍλητὸν ἁπλῶς τἀγαθόν, ἑκάστῳ δὲ τὸ φαινό- μενον Ηγ6. 1113 ᵃ23. cf ημβ11. 1208 ᵇ39. syn ὀρεκτόν ηεη2. 1235 ᵇ25. dist ἐπιθυμητόν Μλ7. 1072 ᵃ28.

βꙍλεύειν, i e βꙍλευτὴν εἶναι Πγ11. 1282 ᵃ30. εϬ. 1306 ᵇ8. 5 — τὸ βꙍλευόμενον, pars civitatis, dist τὸ προπολεμῦν, τὸ δικάζον Πδ14. 4. 1291 ᵃ28, ᵇ4. ηϑ. 1329 ᵃ3. cf γ11.1281 ᵇ31. 15. 1286 ᵃ20, 26. 16. 1287 ᵇ22. δ15. 1299 ᵃ26. — βꙍλεύεσθαι, dist ζητεῖν Ηζ10. 1142 ᵃ31. cf γ5. 1112 ᵇ22. syn λογίζεσθαι Ηζ2. 1139 ᵃ12. τὸ β. συλλογισμός τίς ἐστιν 10 μνϑ. 453 ᵃ14. περὶ τίνων βꙍλευόμεθα Ηγ5. ζ5. 1140 ᵃ31. 8. 1141 ᵇ10. ΡαϬ. 1359 ᵃ38. ρϑ. 1423 ᵃ27. βꙍλευόμεθα περὶ τῶν ἐφ' ἡμῖν πρακτῶν, ꙍ περὶ τῶν μὴ ἐνδεχομένων ἄλλως ἔχειν, ꙍ περὶ τῶν τελῶν, ἀλλὰ περὶ τῶν πρὸς τὸ τέλος Ηγ5. 1112 ᵃ30, ᵇ11. ζ2. 1139 ᵃ13. ημα35. 1196 15 ᵇ29. Ραϑ. 1357 ᵃ4. 6. 1362 ᵃ18. β5. 1383 ᵃ7. ἁπλῶς εὖ, πρός τι τέλος εὖ βεβꙍλεῦσθαι Ηζ10. 1142 ᵇ21, 29. πράτ- τειν δεῖ ταχὺ τὰ βꙍλευθέντα, βꙍλεύεσθαι δὲ βραδέως Ηζ10. 1142 ᵇ5. — βꙍλευτὸν τί Ηγ5. dist προαιρετὸν Ηγ5. 1113 ᵃ2. βꙍλευτὸν ꙍ τὸ τέλος ἀλλὰ τὰ πρὸς τὰ τέλη Ηγ5. 20 1112 ᵃ33. 7. 1113 ᵇ3.

βꙍλευσις, dist ζήτησις Ηγ5. 1112 ᵇ22. — βꙍλευσις, ἐγ- κλήματος ὄνομα ὅταν ἐξ ἐπιβꙍλῆς τίς τινι κατασκευάσῃ θάνατον f 418. 1547 ᵇ36. γραφαὶ βꙍλεύσεως f 378. 1541 ᵃ4. 379. 1541 ᵃ31, 42. 417. 1547 ᵃ29. 25

βꙍλευτήριον. ἀπαλείφꙍσι τὰ καταβαλλόμενα χρήματα ἐν τῷ βꙍλευτηρίῳ f 400. 1544 ᵇ27. συμβꙍλεύειν ἐν τοῖς βꙍλευτη- ρίοις χ̣ ταῖς ἐκκλησίαις ρ3. 1423 ᵃ14.

βꙍλευτής. ὁ β. δημοτικόν, dist πρόβꙍλος Πδ15. 1299 ᵇ37. ὁ β. ꙍκ ἄρχων Πγ11. 1282 ᵃ34. — βꙍλευταί χ6. 400 ᵇ17. 30

βꙍλευτικός. φρόνιμος ὁ βꙍλευτικὸς Ηζ5. 1140 ᵃ31. ὁ με- λαγχολικὸς ꙍκ βꙍλευτικὸς ὅλως Ηη11. 1152 ᵃ19. ὁ φόβος βꙍλευτικꙍς ποιεῖ Ρβ5. 1383 ᵃ7. τῆς πολιτικῆς ἡ μὲν βꙍλευ- τικὴ ἡ δὲ δικαστική Ηζ8. 1141 ᵇ33. πολιτικὴ αὕτη δὲ πρακτικὴ χ̣ βꙍλευτική Ηζ8.1141 ᵇ27. βꙍλευτικῆς ὀρέξεως τῶν 35 ἐφ' ἡμῖν Ηγ5. 1113 ᵃ11. ζ2. 1139 ᵃ23. ἐκ δόξης βꙍλευ- τικῆς ἡ προαίρεσις ηεβ10. 1226 ᵇ9. τὸ βꙍλευτικὸν μόριον τῆς ψυχῆς ηεβ10. 1226 ᵃ26. ημα35. 1196 ᵇ16 (syn προ- αιρετικὸν ᵇ27, λογιστικὸν Ηζ2. 1139 ᵃ12). τὸ βꙍλευτικὸν 40 περὶ τίνα ἐστὶ ημα35. 1196 ᵇ27. ἡ βꙍλευτικὴ φαντασία ἐν τοῖς λογιστικοῖς ζῴοις ὑπάρχει ψγ11. 434 ᵃ7. βꙍλευτικὸν μόνον ἄνθρωπός ἐστι τῶν ζῴων Ζια1. 488 ᵇ24. ὁ ὄυλος, τὸ θῆλυ, ὁ παῖς πως ἔχει τὸ βꙍλευτικόν Πα13. 1260 ᵃ12. — τὸ βꙍλευτικόν, μέρος τῆς πολιτείας Πη9. 1329 ᵃ31, 38. ζ1. 1316 ᵇ31. κοινωνεῖν ἀρχῆς βꙍλευτικῆς χ̣ κριτικῆς Πγ1. 45 1275 ᵇ19.

βꙍλή. ἡ Σόλωνος, ἡ Κρητῶν, ἡ ἐν Ἐπιδάμνῳ βꙍλή Πβ12. 1274 ᵃ1. 10. 1272 ᵃ8. εϬ1. 1301 ᵇ23. ἡ βꙍλὴ τῶν πεντα- κοσίων f 375. 1540 ᵇ16. οἱ πρυτάνεις συνάγꙍσι τὴν βꙍλὴν f 394. 1543 ᵇ8. 395. 1543 ᵇ31. αἱ ἐκ τῆς βꙍλῆς κατα- 50 γνώσεις f 378. 1541 ᵃ14. ἡ ἐν Ἀρείῳ πάγῳ βꙍλὴ ΠεϬ. 1304 ᵃ20. ἡ β. in civitate Platonica Πβ6. 1266 ᵃ14. ἡ βꙍλὴ δημοτικόν Πδ15. 1299 ᵇ32, 39. ζ8. 1322 ᵇ17, 1323 ᵃ9. γ11. 1282 ᵃ39. ꙍχ ὁ βꙍλευτὴς ἄρχων ἐστὶν ἀλλὰ ἡ βꙍλὴ Πγ11. 1282 ᵃ34. — περὶ τίνων ἐστὶ βꙍλὴ Ηγ5. 1112 ᵃ19, 55 ᵇ1. βꙍλῆς ὀρθότης ἡ εὐβꙍλία Ηζ10. 1142 ᵇ16.

βꙍλημα. τὸ β. παντὸς νομοθέτῃ Ηβ1. 1103 ᵇ4. τὰ βꙍλή- ματα τῶν τυράννων Πε11. 1314 ᵃ26. τὰ βꙍλήματα μένει, μεταρρεῖ Ηι6. 1167 ᵇ7. — ꙍχ ὁμολογεῖσθαι τῷ βꙍλήματι τῆς πόλεως Πβ9. 1270 ᵇ32. 60

βꙍλησις χ̣ θυμός, ἔτι δὲ ἐπιθυμία εὐθὺς ὑπάρχει τοῖς παι-

δίοις (opp λογισμὸς χ̣ νꙍς) Πη15. 1334 ᵇ22. ἡ β. ὄρεξις ψγ10. 433 ᵃ23. Ζκ6. 700 ᵇ22, 18. ἡ β. ὄρεξις ἄλꙍπος τζ8. 146 ᵇ2, 6. ἡ β. ἐν τῷ λογιστικῷ τὸ5. 126 ᵃ13. ψγ9. 432 ᵇ5. τίνων ἐστὶ Ηγ4. 1111 ᵇ19-30. τꙍ τέλꙍς ἐστὶ Ηγ6. 1113 ᵃ15. ἡ β. ἀγαθꙍ ὄρεξις Ραϑ. 1369 ᵃ3. ἡ β. ἐστι χ̣ τῶν ἀδυνάτων Ηγ4. 1111 ᵇ22. ημα17. 1189 ᵃ5. τὸ δι' ꙍ δύναται χ̣ βꙍλήσει ꙍ ἔσται Ρβ19. 1393 ᵃ2. τῆς βꙍλήσεως σημεῖον αἱ λῦπαι χ̣ αἱ ἡδοναὶ Ρβ4. 1381 ᵃ7. αἱ βꙍλήσεις ἄδηλοι Ηκ8. 1178 ᵃ30. αἱ β. δόξαι ἀποκεκρυμμέναι τ̣ι12. 172 ᵇ36-173 ᵃ6. βꙍλήσεις ὀξεῖαι, μεγάλαι Ρβ12. 1389 ᵃ8. τὸ ἴσον ἀνταποδιδόναι τῇ βꙍλήσει Ηθ7. 1157 ᵇ36. — βα- σιλεὺς κατὰ τὴν αὑτꙍ βꙍλησιν, opp κατὰ τὸν νόμον sim Πγ16. 1287 ᵃ1. 15. 1286 ᵇ32. β10. 1272 ᵇ7. παρὰ τὴν αὑτꙍ βꙍλησιν Ηε12. 1136 ᵇ24. 11. 1136 ᵇ4. ἐμποδισμὸς ταῖς βꙍλήσεσιν Ρβ2. 1378 ᵇ18.

βꙍλιμία διὰ τί γίνεται πη9. 887 ᵇ39.

βꙍλιμιᾶν ἐπὶ τꙍ ψυχει πη9. 887 ᵇ38.

βꙍμυκος. οἱ καλούμενοι βꙍμυκοι ἐν τοῖς ἕλεσι παρὰ τꙍς ποταμꙍς πκε2. 937 ᵇ39.

βꙍπρηστις f 338. 1534 ᵇ9. (Meloes spec, ut Latreille opi- natur.)

Βꙍρα χ̣ Ἑλίκη χ4. 396 ᵃ21.

βῦς. 1. a. Bos taurus L (cf Proceedings of the R Irish Acad 1862 Vol VII 71 sq). πρόσωπον σαρκῶδες, μέγα, μέτωπον μέγα ἄγαν, ῥῖνα ἄκραν παχεῖαν ἔχει φ6. 811 ᵇ6, 10, 30 ᵃ29 (cf Rose Ar Ps 704, 4 et 705, 8). τὰ κέρατα Ζιβ1. 500 ᵃ10. δ11. 538 ᵇ24. θ23. 604 ᵃ16. Ζιβ16. 659 ᵃ19. γ1. 662 ᵃ2. πι36. 894 ᵇ23sq. 57. 897 ᵇ26 sq (male Bk: ꙍ δοκꙍσι. ꙍ non habent ant vers et Gaza, ꙍν exhibet Laem). τὰ κέρατα ταῦρꙍι Ζιθ7. 595 ᵇ12 (cf Malpighii opp II 213sq). ἐν Φρυγίᾳ χ̣ ἄλλοθι κινꙍσι (v1 ꙍ κινꙍσι?) τὰ κέρατα Ζιγ9. 517 ᵃ29. dentes Ζιβ1. 501 ᵃ18. ζ21. 575 ᵇ7. ὀφθαλμοὶ ἐπὶ πλέον ἐγκοιλότεροι· μεγαλόφθαλμοι φ6. 811 ᵇ28, 21 μελανόφθαλμοι Ζγε1. 779 ᵃ31. ὁπλαὶ Ζιζ21. 575 ᵃ29, ᵇ6. 604 ᵃ15. διχαλὸς Ζιβ1. 499 ᵇ11. ἀστρά- γαλος Ζιβ1. 499 ᵇ22. τρίχες Ζγε2. 782 ᵇ7. χ6. 797 ᵃ34. 798 ᵃ18, ᵇ20. πι27. 893 ᵇ40. ἀποβάλλει τὰς χειμερινὰς τρίχας, ἔχει ῥυάδα τὴν τρίχα πι21. 893 ᵃ6. 63. 898 ᵃ33. μαστοὶ ἐν τοῖς μηροῖς Ζμδ10. 688 ᵇ24. θηλαὶ τέτταρες Ζιβ1. 499 ᵃ18, 500 ᵃ25. ζ29. 578 ᵇ31. σπλὴν Ζμγ12. 674 ᵃ1 (Gurlt Anatom der Haussäugethiere p 10). γένος τι βοῶν ἔχει ἐν τῇ καρδίᾳ ὀστῦν Ζιβ15. 506 ᵃ9. Ζμγ4. 666 ᵇ19 (Stannius compar Anat p 435). ἔχει πλείꙍς κοιλίας Ζμγ14. 674 ᵇ8. f 317. 1531 ᵇ36 ἐστὶν ὁ ὀμφαλὸς ἐν κελύφει φλέ- βες, βοῒ πλείꙍς Ζγβ7. 745 ᵇ7. νεφροὶ ΖιϬ16. 506 ᵇ29. Ζμγ9. 691 ᵇ6. de urina Ζιζ18. 573 ᵃ20. πζ6. 887 ᵃ5. οἱ βόες αἰδοῖον ἀπὸ τῶν ὄρχεων περαῖνον εἰς τὰ ἔξω Ζγα3. 716 ᵇ28. αἰδοῖα συντονία Ζιε2. 540 ᵃ7. ἐπὶ τῆς γαστρὸς ἔχει τὰς ὑστέρας Ζγα2. 719 ᵇ25. ὑστέρα Ζιγ1. 510 ᵇ17. κύει Ζιζ21. 575 ᵃ25, ᵇ17. κίνησις μᾶλλον ἐσθίꙍσιν Ζιζ18. 573 ᵃ26. εὐθὺς ἐν αὐτῇ ζῳοτοκεῖ Ζγβ1. 732 ᵃ24, ᵇ18. οἱ πόροι τῆς κύστεως εὐρεῖς π̣43. 895 ᵃ38. vaccarum purgatio et menstruatio Ζιζ18. 573 ᵇ4, 11. 21. 575 ᵇ20. vaccae tau- riunt Ζιζ18. 572 ᵃ31-ᵇ7. vaccae ὑπομενꙍσιν Ζιε2. 540 ᵃ6. coeundi libido Ζιζ18. 573 ᵃ10. ἥκιστα λα- γνόν (Lob Phryn p184) Ζιζ21. 575 ᵃ20. coitus Ζιζ22. 575 ᵇ30. 21. 575 ᵃ13 sq de tempore coitus 575 ᵇ15. castratio Ζικ50. 632 ᵃ13 si π57. 897 ᵇ27. ἔμβρυον Ζιη8. 586 ᵇ16. aetas Ζιζ21. 575 ᵃ31 sq τετράμηνοι (δεκάμηνοι P) Ζιζ21. 575 ᵇ14. bucula annicula Ζιε14. 545 ᵇ23. ζ21. 575 ᵃ13, ᵇ13. ι50. 632 ᵃ14. victus Ζιθ7. 595 ᵇ5 sq. sorbendo bibunt Ζιθ6.

595 ᵃ9. 8. 595 ᵇ30. 24. 605 ᵃ14. φωνή Ζιϑ11. 538 ᵇ13, 14. ε14. 545 ᵃ18. φ2. 807 ᵃ19. 6. 810 ᵇ16, 813 ᵃ34. πια24. 901 ᵇ25 sq. f 241. 1522 ᵇ36. Ηγ13. 1118 ᵃ20. μηρυκάζει Ζιι50. 632 ᵇ2. πι44. 895 ᵇ18. μυκώμενος πκε2. 938ᵃ3. γάλα Ζιγ21. 522 ᵇ33, 523 ᵃ7. ζ 21. 575 ᵇ9 sq. πι6. 891 ᵇ5. διὰ τί πιαίνονται οἱ πρεσβύτεροι Ζιϑ7. 595 ᵇ6 sq (cf Denkschr der Philomathie in Neisse 1863 p 102). ἥμερα γένη ⟨ ἄγρια Ζια1. 488 ᵃ31. ἀγελαῖοι Ζιϑ7. 595 ᵇ15. 23. 604 ᵃ1, 3. 14. 611 ᵃ7 sq. πρᾶα ⟨ δύσθυμα ⟨ ὐκ ἐνστατικά Ζια1. 488 ᵇ14, sed tauri θυμώδεις ⟨ ἐκστατικοί Ζμβ4. 651 ᵃ3. φ6. 811 ᵃ14. ῥάθυμοι, αὐθάδεις, νωθροί, πραεῖς φ6. 811 ᵃ29, ᵇ6, 10, 21, 28, 30, 35. ἐνυπνιάζειν φαίνεται Ζιϑ10. 536 ᵇ28. Ἠπειρωτικαὶ Ζιγ21. 522 ᵇ16, 20 sq. Πυρρίχαι Ζιϑ7. 597 ᵇ18 (Lob Proleg 342). ὀπισθονόμοι βόες Ζμβ16. 659 ᵃ19. ἐν Συρίᾳ χαίτας (v l κάλας PA) ἔχουσιν ἐπὶ τῶν ἀκρω-μίων Ζιϑ28. 606 ᵃ15 Bos taurus Zebu, AZ I 65, 9, c. ἐν Νευροῖς ἐπὶ τῶν ὤμων ἔχουσι τὰ κέρατα f 321. 1532 ᵃ38, ᵇ1. περὶ Τορώνην Ζιγ21. 523 ᵃ7. ὐ βήττει, ὐκ ἐρεύγεται, ὐ λιβιᾷ πι1. 891 ᵃ9. 44. 895 ᵇ12. 43. 895 ᵃ38. atresia ani Ζγδ4. 773 ᵃ26. κραῦρος Ζιϑ23. 604 ᵃ14, 17 sq. ποδάγρα ΖιΖ21. 575 ᵇ8. 823. 604 ᵃ14 sq. τὰς πόδας ἀλγῶσιν, πονῶσι μᾶλλον ὑπὸ τῆς πάχνης ἢ ὑπὸ χιόνος Ζιϑ7. 595 ᵇ14, 15. νόσημα λοιμῶδες Ζιϑ19. 602 ᵇ11 sq. parasiti Ζιε31. 557 ᵃ15. boves Geryonis ϑ133. 844 ᵃ2. τέρατα Ζγδ3. 769 ᵇ14 sq cf ταῦρος, βόλινθος, μόσχος, βοίδιον, βόνασος, βόειος. — b. βῦς ἄγριος ἐν Ἀραχωταις. διαφέρουσιν οἱ ἄγριοι τῶν ἡμέρων ὅσον περ οἱ ὕες οἱ ἄγριοι πρὸς τὰς ἡμέρους· μελανές τε ⟨ ἰσχυροὶ τῷ εἴδει ⟨ ἐπίγρυποι, τὰ δὲ κέρατα ἐξυπτιάζοντα ἔχουσι μᾶλλον Ζιβ1. 499 ᵃ4. ἐν Παιονίᾳ πολὺ μέγιστοι ἁπάν-των, ⟨ τὰ κέρατα αὐτῶν τέσσαρας χόας, ἐνίων δὲ ⟨ πλεῖον ϑ129. 842 ᵇ33. (Bos bubalus L cf Cuvier discours sur les révolut du globe p 48; in Paeonia cf A Ficker in Mittheil d kk geogr Ges Wien 1861 vol V p 112. AZ i 65, 9 b.) 2. βῦς, ζῷον ἔνυδρον. τῶν σελαχῶν Ζιε5. 540 ᵇ17. f 277. 1527 ᵇ40. τὰ ἄλλα κήτη, ἔτι δὲ πρίστις ⟨ βῦς ΖιΖ12. 566 ᵇ4. (Raja oxyrhynchus R, Raja Wotton et Gesn, Rajae spec St. cf M 290, AZ i 146, 91.)

βύτυρον f 593. 1574 ᵃ30.

βραβευτὴς τῦ δικαίυ ὁ δικαστής Ρα15. 1376 ᵇ20.

βραγχᾶν. ὗες πότε Βραγχῶσιν Ζιϑ21. 603 ᵇ13.

βραγχιᾶν ὗ τραγίζειν αν804 ᵃ18. οἱ βραγχιῶντες διαφθείρονται τὰς φωνὰς πια22. 901 ᵇ5.

βραγχιοειδής. οἱ κάραβοι παρὰ τὰ βραγχιοειδῆ ἀφιᾶσι τὴν θάλατταν Ζιϑ2. 526 ᵇ20, 21.

βράγχιον. 1. branchia, opp πλεύμων αν3. 471 ᵇ28. 17. 45 479 ᵃ10, 12, ᵇ13. Ζιϑ2. 589 ᵃ19. τὰ βράγχια χρήσιμα τοῖς μὴ ἀναπνέυσιν Ζμδ13. 697 ᵃ21. οἱ ἰχθύες ἔχυσι βράγχια (v l βραγχία cf f 294. 1529 ᵃ28) ἀντὶ τῦ πλεύμονος Ζμγ6. 669 ᵃ4. δ1. 676 ᵃ28. αν9. 475 ᵃ11. 10. 476 ᵃ3. 12. 476 ᵇ26. ἴδιον τοῖς ἰχθύσι τὸ τῶν βραγχίων Ζμβ13. 504 ᵇ28. πρὸς τὴν ἐκπνοὴν Ζμδ13. 696 ᵇ9. αν11. 476 ᵇ5. ΖιΒ13. 504 ᵇ28. f 291. 1528 ᵇ32. ἡ τῶν βραγχίων φύσις Ζμδ13. 696 ᵇ1. αν11. 476 ᵃ24. de situ branchiarum ΖιΒ13. 505 ᵃ2. ἡ θέσις τῆς καρδίας πρὸς τὰ βράγχια αν16. 478 ᵃ35. ΖιΒ17. 507 ᵃ5. structura et connexus αν16. 478 ᵇ8. ΖιΒ17. 507 ᵃ7. ἡ κίνησις τῶν βραγχίων αν21. 480 ᵇ14. de numero ΖιΒ13. 505 ᵃ11, 8, 504 ᵇ31. Ζμδ13. 696 ᵇ13. f 311. 1531 ᵃ15. δίστοιχα ΖιΒ13. 505 ᵃ16. τὸ ἔσχατον βράγχιον ἁπλῦν τοῖς πλείστοις ΖιΒ13. 505 ᵃ9. Ζμδ13. 696 ᵃ14. ἧττον ἐγκρατῆ ἐνίοις Ζμδ13. 696 ᵇ22. ἀδύνατον ἅμα τὸ αὐτὸ ἀναπνεῖν ⟨ βράγχια ἔχειν Ζμδ13. 697 ᵃ23. αν10. 476 ᵃ14. ΖιΒ15. 506

ᵃ11. τὰ βράγχια πρὸς τὴν ἀπὸ τῦ ὕδατος κατάψυξιν αν10. 476 ᵃ10, 24. 16. 478 ᵃ34, ᵇ19. mutatio coloris Ζιϑ30. 607 ᵇ24. obdurescunt αν17. 497 ᵃ11 sq. ἐπικάλυμμα τοῖς βραγχίοις, operculum Ζμδ13. 696 ᵇ3. ΖιΒ13. 505 ᵃ1. f 291. 1528 ᵇ32. ἀκάλυπτα Ζμδ13. 696 ᵇ4. Ζια5. 489 ᵃ5. β13. 505 ᵃ2. βράγχια ἔχει τὸ τῶν καλυμένων σελαχῶν γένος αν10. 476. ᵃ2. Ζιγ1. 511 ᵃ5. τὰ σελάχη πάντα ἀκάλυπτα ΖιΒ13. 505 ᵃ1. τὸ μὲν διὰ τῶν βραγχίων αἰσθάνονται τῶν ὀσμῶν Ζμβ16. 659 ᵇ15. Ζιϑ8. 533 ᵇ4. οἱ ἐν τῷ Ἀχελώῳ ἰχθύες ψοφῦσι τοῖς βραγχίοις ψβ8. 420 ᵇ13. τῇ τρίψει τῶν βραγχίων Ζιϑ9. 535 ᵇ21 (Joh Müller Archiv f Anatomie u Physiol 1857 p 249. Dufossé, Acad des sciences 1858 Feb). φασὶν ἰχθύας τινὰς περὶ Βαβυλῶνα βράγχια ἔχειν ὥσπερ οἱ ἄλλοι θ71. 835 ᵇ14. τῶν ζῴων βράγχια ἐχόντων ὐθὲν ἔχει ὄρχεις Ζιγ1. 509 ᵇ4. τὰ κήτη ὐκ ἔχει βράγχια Ζμδ13. 697 ᵃ16. Ζια4. 489 ᵇ3. ζ12. 566 ᵇ2. φθεῖρες ὑπὸ τὰ βράγ-χια Ζιϑ20. 602 ᵇ29. sententia Anaxagorae et Diogenis αν2. 471 ᵃ1 sq. — 2. arcus branchiarum. ἡ σύμψαυσις τῶν βραγ-χίων, ὧν ἡ φύσις ἀκανθώδης ἐστὶν Ζμβ17. 660 ᵇ24. — 3. apertura branchiarum. ἡ συναγωγὴ τῶν βραγχίων Ζμδ13. 696 ᵇ10. — 4. foramen branchiarum. βράγχια μικρὰ Ζιϑ2. 592 ᵃ6. — 5. bronchiae. τὸ πνεῦμα τῇ ἀναπνοῇ φέρεται ἐκ τῦ βραγχίυ εἰς τὴν κοιλίαν ⟨ πάλιν ἔξω πν5. 483 ᵃ22 (v l βρογχίυ Didot p 666, 22, idem emendaverat Furl p 372). τὰ βράγχια ΖιΒ21. 603 ᵃ32 (βρόγχια Did P e ci Sylb).

βραγχιώδης. τὰ βραγχιώδη τὰ περὶ τὸ στόμα Ζιϑ2. 526 ᵃ26.

βραγχοειδής Ζμδ8. 684 ᵃ20.

βράγχος νόσημα ΖιΒ21. 603 ᵃ31. βράγχοι πα9. 860 ᵃ30. 10. 860 ᵃ37.

βραδύβάμων φ6. 813. ᵃ3.

βραδύνειν intr φτβ7. 827 ᵃ21.

βραδύς. βραδὺ τὸ ἐν πολλῷ χρόνῳ ὀλίγον κινύμενον Φδ10. 218. ᵇ16. ζ2. 232 ᵇ16. φορὰ βραδεῖα, opp ταχεῖα μα3. 341 ᵃ23. ἡ βραδεῖα φορὰ τῦ πνεύματος βαρεῖαν ποιεῖ τὴν φω-νήν πια18. 901 ᵃ6. 6. 899 ᵃ26. — μνημονικώτεροι οἱ βρα-δεῖς αν1. 449 ᵇ8. εἰ ἔσται ἄδικος ἢ βραδὺς Ρβ5. 1382 ᵃ23. — adv βραδύτερον θερμαίνεσθαι, ψύχεσθαι Ζμβ2. 648 ᵇ34, 649 ᵃ7. ὑπολείπεσθαι βραδύτατα τῷ χρόνῳ μα6. 343 ᵃ5. πολίυσθαι βραδύτατα Ζιγ11. 518 ᵇ12. — (βραδύτερος scribendum pro βαρύτερος πιϑ22. 919 ᵃ31, 38. ια11. 900 ᵃ15. cf βαρύς extr)

βραδυτής, opp ταχυτής, τάχος Φε4. 228 ᵇ29. μβ3. 357 ᵇ34. εὐγηρία ἐστὶ βραδυτὴς γήρως μετ᾽ ἀλυπίας Ρα5. 1361 ᵇ27.

βραδυτόκος. βραδυτόκα τὰ μακρόβια πι9. 891 ᵇ27, 28.

Βρασίδα θύειν Ηε10. 1134 ᵇ23.

βράστης, εἶδός τι τῶν σεισμῶν κ4. 396. ᵃ3.

βραχίων. τῶν ἀνομοιομερῶν πᾶς ὁ βραχίων Ζμβ1. 646 ᵇ14. ὅλος ὁ βραχίων ὐ μόνον μέρος ἀλλὰ ⟨ μέλος Ζια1. 486 ᵃ11. ὁ ⟨ τὸ κώλυ βραχίων Ζκ1. 698 ᵇ2. μόριον περιφερὲς πις9. 915 ᵃ27. βραχίονες δύο μέγιστα μέρη Ζια7. 491 ᵃ28. ἐκ τῶν πλαγίων τῶν δεξιῶν ⟨ τῶν ἀριστερῶν οἱ βραχίονες Ζια15. 494 ᵇ9. κῶλα τὸ διφυὲς βραχίων Ζια15. 493 ᵇ26. βραχίονος ὦμος ἄγκων ὠλέκρανον πῆχυς χεὶρ Ζια15. 493 ᵇ26. ἄρθρα χειρὸς ⟨ βραχίονος καρπός Ζια15. 494 ᵃ2. περὶ χειρὸς ⟨ πήχεος ⟨ βραχίονος φορᾶς φ6. 813 ᵃ10. βραχίων ὁ δεξιὸς Ζιγ4. 514 ᵃ37. κινεῖται ⟨ ὐ κινεῖ τὸ ἔσχατον τῦ βραχίονος Ζκ8. 702 ᵃ28. τῦ βραχίονος κινυμένυ τὸ ὠλέκρα-νον ἠρεμεῖ Ζκ1. 698 ᵇ2. τὰ τῶν βραχίωνων ἐχόμενα ὀστᾶ Ζιγ7. 516 ᵃ32. κοινὸν μέρος πλευρᾶς ⟨ βραχίονος ⟨ ὤμυ

μασχάλη Ζια13. 493 b8. ἄνθρωπος κάμπτει τὰς βραχίονας
ἐπὶ τὸ κοῖλον Ζπ1. 704 a22. 12. 711 a14, b19. κάμπτεται
ὁ βραχίων κατὰ τὸ ὠλέκρανον Ζια15. 493 b31. ἄνθρωπος
τὰς βραχίονας εἰς τὔπισθεν κάμπτει Ζιβ1. 498 a20. καμπὴ
τῦ βραχίονος Ζιγ3. 514 a13. ἡ ἐντὸς καμπὴ τῦ βραχίονος,
αἱ καμπαὶ τῶν βραχιόνων ἔχωσιν ἐναντίως τοῖς τετράποσιν
Ζμδ10. 687 b25. βραχίονας τὴν καμψὶν ἔχοντες εἰς τὸ ἐν-
τός Ζια15. 494 b9, 493 b30. τὰ κυρτὰ τῶν σκελῶν ἢ τῶν
βραχιόνων πρὸς ἀλλήλα ἐπ' ἀνθρώπῳ μάλιστα Ζια15. 494
b10. τὰ σκέλη πρὸς τὰς βραχίονας ἀντίκειται Ζια15. 493
b23. β1. 497 b19. Ζμδ10. 686 a26. 12. 693 b11. Ζπ1. 704
a21. βραχίων ἢ χείρ. opp πὴς Ζμδ10. 686 a34. opp σκέ-
λος Ζμδ10. 687 a6. βραχίων, opp πτέρυγες Ζμδ12. 693
a27, b10. βραχίων ἢ χείρ, opp πτέρυγες Ζπ5. 706 a29,
βραχίων ἢ σκέλος τὸ ἔμπροσθεν, opp πτέρυγες Ζιβ1. 498
a30. os brachii Ζιγ3. 513 a2. pes anterior Ζιγ7. 516 b26.
πιθήκω βραχίων Ζιβ8. 502 a35, λέοντος Ζιγ7. 516 b9, ἄρ-
κτω Ζιθ5. 594 b13. πλεῖστα νεῦρα περὶ τὰς βραχίονας, liga-
menta Ζιγ5. 515 b23. vena axillaris φέρει διὰ τῶν μασχα-
λῶν εἰς τὰς βραχίονας Ζιγ3. 513 b36. τῶν βραχιόνων τὸ
κάτωθεν μόριον Ζιγ3. 513 a4. κοπιαρώτερον ἐστι τῷ βρα-
χίονι τὸ διὰ κενῆς ῥίπτειν ἢ λιθάζοντα πε8. 881 a39.
στίγμα ἐν τῷ βραχίονι Ζγα17. 721 b33.

βραχυβάμων φ6. 813 a5.

βραχύβιος. τὰ μὲν εἶναι μακρόβια τῶν ζῴων τὰ δὲ βρα-
χύβια μκ1. 464 b20, 27. Ζια15. 494 a1. ε18. 550 b14. πκ7.
923 b2. ι48. 896 a31. βραχύβιοι ἢ ἀσθενεῖς πι64. 898 b1.
49. 896 a38. λδ10. 964 a34. βραχυβιώτερα διὰ τί μκ1.
465 a10. Ζιβ3. 501 b23. ζῷα βραχυβιώτερα ἢ ἀμαυρότερα
Ζυι1. 608 a12.

βραχυβιότης πλδ10. 964 a35. βραχυβιότητος σημεῖα f 261.

βραχύκυκλος. αἱ λίαν βραχύκυκλοι (περίοδοι?) Ργ9. 1409 b31.

βραχυλογεῖν ρ23. 1434 b10-17. βραχυλογητέον περί τινος
ρ36. 1441 a18.

βραχυλογία ρ7. 1428 a9.

βραχυπτέρος, opp μακρόπτερος Ζμα4. 644 a20.

βραχύς. μακρὸν βραχύ, ἐξ ὧν τὸ μῆκος Μν2. 1089 b12.
μ9. 1085 a10. Α9. 992 a11. βραχὺν φέρεσθαι τόπον μα12.
348 b24. τὰ ἔξω στηλῶν βραχέα διὰ τὸν πηλόν μβ1. 354
a22. ἐν τοῖς βραχυτέροις, opp ἐν τοῖς βαθέσι Ζιζ18. 568
a27, 26. ἐν τοῖς βραχέα, opp τὰ βραχέα, βραχύτατον
Ζιθ20. 602 b25. ζ14. 568 b28. ι37. 621 a32. — ἐν ταῖς βρα-
χυτέραις ἡμέραις μβ371 b30. οὐκ ἐπιτίθενται (τυραννίδι),
πλὴν εἴ πῳ βραχύ τι (per breve tempus?) γέγονε τοιῦτον
Πε5. 1305 a14. παρὰ βραχὺν καιρόν αρ6. 1251 a10. συλ-
λαβὴ βραχεῖα ἢ μακρά, φωνὴν βραχύ Κ6. 4 b34. Ργ8.
1409 a18. π021. 1458 a15. συνηγορεῖν (συναγαγεῖν ci Cas)
ὡς εἰς βραχύτατα (βραχύτητα Bk) ρ11. 1430 a36. —
βραχύ τι πλῆθος μρ11. 347 b22. ὅσα μηδεμίαν ἢ βραχεῖαν
ἔχει ὑπόστασιν μδ5. 382 b14. ὀσία βραχεῖα ἢ ἐργασία
Πβ7. 1267 a9. τιμήματα, ἀναλώματα βραχέα Πδ4. 1291
b40. ὀβ1346 a11. βραχέος ἀγοράζειν ὀβ1346 b8. — βρα-
χεῖα διάρθρωσις τῆς φωνῆς, βραχεῖα χρῆσις τῆς αἰσθήσεως
Ζμβ17. 660 a31, b1. βραχὺ κοινωνεῖν τῆς μανθά-
νειν πο4.1448 b14. βάθην, κατὰ βραχὺ ἐπιτρεφόμενος Ζυι44.
629 b15. βραχὺ μεθίστασθαι Οβ14. 298 a9. βραχὺ ἀπο-
δέον τῶν τετρακισμυρίων x3. 393 b19.

βραχυσκελής, de avibus, opp μακροσκελής Ζμδ12. 692
b5, 23, 694 b23 (v l). Ζπ17. 714 a13, 14.

βραχύτης. βραχύτητι τῦ βάθεος μβ1. 354 a18. τὰ στοιχεῖα
μήκει ἢ βραχύτητι διαφέρει πο20. 1456 b32. ζωῆς μῆκος
ἢ βραχύτης μκ1. 464 b20.

βραχυτράχηλα τὰ γαμψώνυχα Ζιθ12. 597 b26.

βραχύυπνος. βραχύυπνα τὰ ἔντομα, τὰ ἔνυδρα υ1. 454
b19. Ζιθ10. 537 a2.

βρέγμα. κρανίῳ μέρος τὸ πρόσθιον βρέγμα, ὑστερογενές Ζια7.
491 a31. τὸ βρέγμα (v l βλέγμα) τῶν ὀστῶν γίνεται τε-
λευταῖον Ζγβ6. 744 a24. τὸ περὶ τὴν κεφαλὴν ὀστῶν, ὃ
καλῦσι βρέγμα τινές Ζμβ7. 653 a35. ὑπὲρ τὸν ἐγκέφαλον
λεπτότατον ὀστῶν ἢ ἀσθενέστατον τῆς κεφαλῆς ἐστιν, ὃ
καλεῖται βρέγμα Ζια16. 495 a10. ὑπὸ τὸ βρέγμα ὁ ἐγ-
κέφαλός Ζια7. 491 a34. τὸ βρέγμα πολλὴν ἔχει ὑγρότητα
Ζγε4. 785 a1. τοῖς παιδίοις τὸ βρέγμα μαλακὸν ἢ ὀψὲ
πήγνυται Ζιη10. 587 b13. μέσον ἰνίν ἢ βρέγματος κορυφὴ
Ζια7. 491 a33. (non sincipitis ossa duo, sed fonticulus qua-
drangularis sutura frontali sagittali et coronali formatus.)

βρένθος, avis. πολέμιοι οἱ ἀπὸ τῆς θαλάττης ζῶντες ἀλλή-
λοις, οἷον βρένθος λάρος ἅρπη Ζι1. 609 a23. βρένθος (v l
βρίνθος) ἐν τοῖς ὄρεσι ἢ τῇ ὕλῃ κατοικεῖ, ὄρνις εὐβίοτος ἢ
ᾠδικός Ζυ11. 615 a16. (? cf Su 164, AΣ I 88, 22.)

Βρετανικαὶ νῆσοι x3. 393 b12, 17.

βρέχειν. βρέξαι τὰ ἱμάτια μβ33. 359 a22. ἡ χελιδὼν βρέ-
χουσα αὑτὴν κυλινδεῖται πρὸς τὴν κόνιν Ζυ7. 612 b24. cf 6.
612 a19. — pass τὸ βεβρεγμένον, def τὸ ἔχον ἀλλοτρίαν
ὑγρότητα εἰς βάθος, dist διερόν Γβ2. 330 a17, 21. τὸ ἔριον
βρέχεται, σπόγγος βεβρεγμένος μδ9. 385 b15, 18, 386 b5.
γῆ βρεχομένη, βρεχθεῖσα ἐν τῇ γῇ ἢ βεβρεγμένη μβ7. 365
b6. Αδ12. 96 a3, 5. f 240. 1522 a21. ἐὰν βρεχθῇ ἡ ὄρνις
Ζιγ2. 752 b4. ἁλιεῖς βρεχόμενοι πλη2. 966 b30. βραχεῖσα
ἡ ὕλη πιβ3. 906 b26. ἄρτοι βρεχθέντες, βεβρεγμένοι πκα6.
927 b6, 11. τὸ βεβρεγμένα τῶν ζευγῶν ἢ τὰ πεπωκότα
τὸ σίαλον εὐφωνότερα αx802 b21.

Βριάρεω στῆλαι, αἱ ὕστερον Ἡράκλειοι καλῦμεναι f 628.
1584 b8.

βρίθειν. ὅταν βρίσῃ ὁ κύκλος ἐπὶ θάτερον μέρος πιγ11. 915 b3.

βρῖθος ἢ ῥοπὴν ἔχειν πρὸς τὸν βίον Ηα11. 1101 a29.

βρόγχιον πν5. 483 a12 (cod Z Furl Did, βράγχιον Bk). Ζιθ21.
603 a32 (Did, βράγχιον Bk). cf βράγχια 5.

βρόγχος πια11. 900 a13.

βρόμος ἢ πάταγος x4. 395 a13. κῦμα αἴρειν σὺν πολλῷ
βρόμῳ β130. 843 a8. σείοντες τὴν γῆν μετὰ βρόμου x4.
396 a12. ὁ βρόμος ὁ ἀπὸ τῶν Αἰόλου νήσων ἕως πόσω ἀκύε-
ται f 591. 1574 a18.

βρονταῖος διὰ τί καλεῖται ὁ θεός x7. 401 a17.

βροντᾶν. διὰ τί βροντᾷ ΜΖ17. 1041 a25 Βz. Αδ10. 94 a3.
εἰ ἤστραψε, ἢ ἐβρόντησε Ρβ19. 1392 b27. ἐὰν βροντήσῃ
Ζιζ2. 560 a4. βροντήσαντος αβ3. 610 b35. — οἴονται κατὰ
τὰς ὕπνας κεραυνῦσθαι ἢ βροντᾶσθαι μτ1. 463 a13.

βροντή. περὶ βροντῆς μβ9. γ1. def x4. 395 a13. ἄνεμος, σεισμῷ.
βροντῆς ἡ αὐτὴ φύσις. 370 a27. τῆς πληγῆς ὁ ψόφος
καλεῖται βροντή μβ9. 369 a29. Αδ8. 93 a22. ἢ βροντῆς πυ-
ρὸς σβέσις μβ9. 370 a24. Αδ8. 93 b8. 10. 94 a3. ἀὴρ ἢ
μετὰ βροντῆς διίστησι τὸ ξύλον ψ12. 424 b11. Οβ9. 290
b35. γλάνις ὑπὸ βροντῆς νεανικῆς καρῦται Ζιθ20. 602 b23.
τῶν βροντῶν αἱ βιαιόταται γίγνονται σκληρόταται αx803 a3.

βρότειος. ἀρετά, πολύμοχθε γένει βροτείῳ f 625. 1583 b2.

βρότεος. βροτέων (Emp 238) ζ2.976 a36. βροτέῳ (Emp 359)
αν7. 473 b25.

βροτός. ἐν βροτοῖς (Eur fr 400) Ρβ23. 1397 a17. βρο-
τοῖς (Musaei fr 1) Πθ5. 1339 b22. βροτός i q ἄνθρω-
πος τε4. 133 a31, et quidem ὄνομα ἀγνωστότερον τζ11.
149 a7.

βροχθίσαι, dist πίνειν πολύ πκζ3. 948 ᵃ5.

βρύας, avis. τῶν νυκτερινῶν χ̣ γαμψωνύχων βρύας (v l βύας). ἔστι τὴν μὲν ἰδέαν ὅμοιος γλαυκί, τὸ δὲ μέγεθος ἀετῷ ϑδὲν ἐλάττων Ζιϑ3. 592 ᵇ2. (Bubo maximus Ch Bonap, cf Lnd 35, Su 96, AZι I 89, 23.)

βρύειν. γῆ φυτοῖς βρύουσα χ̣ ζῴοις κ3. 392 ᵇ15.

βρύον 1. Ulva lactuca L. τὰ μαλάκια νέμονται τὸ φῦκος χ̣ τὸ βρύον Ζιϑ2. 591 ᵇ12. ἐπιγίνεται ἐπὶ τοῖς ὀστράκοις ὥσπερ φῦκός τι χ̣ βρύον Ζιϑ20. 603 ᵃ17. ἐκτίκτειν πρὸς τῷ καλάμῳ χ̣ τῷ βρύῳ Ζιζ14. 568 ᵃ29. — 2. τὸν κηρὸν ἀναλαμβάνωσιν αἱ μέλιτται ἀριχώμεναι πρὸς τὰ βρύα Ζιι40. 624 ᵃ34. cf Theophr h pl I, 1, 2 ἐπέτειον μέρος.

βρυῶν. οἱ καθ' ὕδατος λίθοι βρυωθέντες χ1. 792 ᵃ1, 791 ᵇ26.

βρύσσος. ἓν γένος τῶν ἐχίνων οἱ καλϑμενοι βρύσσοι, πελάγιοι χ̣ σπάνιοι Ζιϑ5. 530 ᵇ5 (v l βυρσῶν, βυρσσῶν. cf Lob Proleg 388, Path I 141). (Echinidea. AZι I 176, 6 ᶜ.)

Βρύσων ϑδένα ἔφη αἰσχρολογεῖν Ργ2. 1405 ᵇ9. eius τετραγωνισμός Αγ9. 75 ᵇ40 Wz. τι11. 171 ᵇ16, 172 ᵃ4. Ἡρόδωρος ὁ Βρύσωνος τϑ σοφιστϑ πατὴρ Ζιζ5. 563 ᵃ7. ι11. 615 ᵃ10.

βρυχηϑμός. σὺν πολλῷ βρυχηϑμῷ ἡ θάλασσα ἀναζεῖ θ130. 843 ᵃ22.

βρυώδης. κοράκινος τίκτει πρὸς βρυώδεσι χ̣ δασέσιν Ζιε10. 543 ᵇ1.

βρῶμα. τῶν βρωμάτων ὀσμαί Ηγ13. 1118 ᵃ15. διακρίνειν τὰ βρώματα Ηγ14. 1119 ᵃ8. dist τράγημημα f 100. 1494 ᵃ28, 30.

βρωμᾶται ὁ ἔλεφας ὥσπερ οἱ τράγοι Ζιζ29. 579 ᵃ1.

βρώσιμοι καρποί φτα5. 820 ᵇ3.

βρῶσις. χαίρειν τῇ βρώσει τῶν λαγωῶν Ηγ13. 1118 ᵃ19. ὁ λέων τῇ βρώσει χρῆται λάβρως. χαλεπώτατος ἐν τῇ βρώσει Ζιϑ5. 594 ᵇ18. ι44. 629 ᵇ8. οἱ θύννοι ἀρετὴν ἔχϑσι κατὰ τὴν βρῶσιν θ136. 844 ᵃ33.

βρωτικός Ζγβ6. 745 ᵃ29. ὅσα βρωτικώτερα χ̣ μείζω τὴν φύσιν Ζμϑ5. 682 ᵃ17. οἱ μελαγχολικοὶ βρωτικοὶ υ3. 457 ᵃ29. οἱ ἐν τοῖς βορείοις, οἱ ἐν τῇ θαλάττῃ διατρίβοντες βρωτικώτεροι πκς43. 945 ᵃ18. κγ39. 935 ᵇ32. βρωτικώτατος

ἕκαστος αὐτὸς αὑτῷ περὶ τὸ φθινόπωρον f 222. 1518 ᵇ26.

βύειν. τὴν τομὴν θριξὶ βύϑσιν Ζιι50. 632 ᵃ18. βύειν τὰς τῶν φυτῶν πόρϑς φτβ5. 826 ᵃ35. 9. 828 ᵃ36, ᵇ29.

Βυζάντιον. ἐν Βυζαντίῳ Ζιι6. 612 ᵇ8. ἁλιεῖς ἐν Β. Πϑ4. 1291 ᵇ23. οἱ ἐν Β. ἐχῖνοι θ8. 831 ᵃ15. περὶ Βυζάντιον Ζιϑ13. 598 ᵇ10, 14, 599 ᵃ3. — Βυζάντιοι Ζιζ17. 571 ᵃ17. Βυζαντίων ἔποικοι Πε3. 1303 ᵃ33. Βυζαντίων σόφισμα οἰκονομικόν οβ1346 ᵇ13.

βυθίζεσθαι, opp ἐπιπλέειν φτβ2. 823 ᵃ23, 22.

βυθός. καταφέρεσθαι, φέρεσθαι, χωρεῖν εἰς βυθὸν Ζιι32. 619 ᵃ7. 48. 631 ᵃ18. Ζγβ7. 747 ᵃ5. Οβ13. 294 ᵇ5. ἐκ τϑ βυθϑ Ζιι37. 622 ᵇ7. ἐκ βυθϑ τινὸς ἢ ῥήγματος κ4. 395 ᵃ9. θάλασσα κυκωμένη ἐκ βυθῶν θ130. 843 ᵃ24. ἐν τῷ βυθῷ τῆς θαλάττης Ζιϑ10. 537 ᵃ8, 24. τριβομένῃ τῷ βυθῷ Ζιϑ15. 600 ᵃ7. ἐν τοῖς βυθοῖς κατὰ τὸ μεσαίτατον τϑ κόσμϑ κ3. 392 ᵇ32.

βύρσα σκληρά, tergus durum Ζιϑ6. 531 ᵃ11.

βυσσός. αἱ πίνναι ὀρθαὶ φύονται ἐκ τϑ βυσσϑ ἐν τοῖς ἀμμώδεσι χ̣ βορβορώδεσιν Ζιε15. 547 ᵇ15. (Wiegmann Archiv f Naturg 1837, 1 mutavit βυσσϑ in βυθϑ, sed cf S I 318.)

βωλίον χρυσίϑ θ46. 833 ᵇ14.

βῶλος, βῶλος μία, μικρὰ βῶλος, opp ὅλη ἡ γῆ Φγ5. 205 ᵃ12, ᵇ22. Οα3. 270 ᵃ5. 7. 276 ᵃ3. β14. 297 ᵇ8. Μκ10. 1067 ᵃ11. βῶλοι χρυσίϑ θ45. 833 ᵇ11. f 248. 1523 ᵇ38.

βωμολοχία, def Ηβ7. 1108 ᵃ24. ημα31. 1193 ᵃ11. περὶ βωμολοχίας Ηϑ14. εἰρωνεία βωμολοχίας ἐλευθεριώτερον Ργ18. 1419 ᵇ7.

βωμολόχος. 1. def Ηβ7. 1108 ᵃ25. δ14. 1128 ᵃ34. ηεγ7. 1234 ᵃ5. ημα31. 1193 ᵃ12. Ργ18. 1419 ᵇ9. — 2. βωμολόχος. avis. τρίτον γένος τῶν κολοιῶν ὁ μικρός, ὁ βωμολόχος Ζιι24. 617 ᵇ18. (monedula Su 124, 79, AZι I 97, 55 c. cf κολοιός.)

βωμός. Πρώταρχος ἔφη εὐτυχεῖς εἶναι τὰς λίθϑς ἐξ ὧν οἱ βωμοὶ Φβ6. 197 ᵇ10. Ἀρχύτας ἔφη ταὐτὸν εἶναι διαιτητὴν χ̣ βωμόν Ργ11. 1412 ᵃ13. φιλίης βωμός f 623. 1583 ᵃ13.

βῶξ. τῶν ἰχθύων ἀγελαῖοι βῶκες (v l βάκες) Ζιι2. 610. ᵇ4. νωτόγραπτα λέγεται βῶξ f 281. 1528 ᵃ20. AZι I 126, 8.

Γ

γ. τὸ γ ἄφωνον πο20. 1456 ᵇ30.

Γάδειρα οἰκϑντες Φοίνικες θ136. 844 ᵃ24. κατὰ μυσικὴν ἁρμονίαν οἱ ἀστέρες κινϑνται περὶ τὰ Γάδειρα f 629. 1584 ᵇ16.

γαῖα. γαῖαν (Hom Ω54) Ρβ3. 1380 ᵇ29. γαίῃ γαῖαν (Emp 378) ψα2. 404 ᵇ13. Μβ4. 1000 ᵇ6.

Γάϊος (ὁ Πευκέστιος) θ78. 836 ᵃ5.

γάλα. 1. a. eius proprietates facultates usus Ζεϑ8. 776 ᵃ15-777 ᵃ27. Ζιγ20 et 21. 521 ᵇ17-523 ᵃ12. refertur inter τὰ ὁμοιομερῆ, τὰ ὑγρά, τὰ ὑστερογενῆ Ζμβ2. 647 ᵇ13. Ζγα16. 721 ᵃ28. Ζια1. 487 ᵃ4. Ζμβ7. 653 ᵇ12. Ζιγ20. 521 ᵇ18. χάριν γενέσεως Ζμβ7. 653 ᵇ17. γίνεται ἐκ τϑ περιττώματος πι6. 891 ᵇ12. τὴν αὐτὴν ἔχει φύσιν τῇ ἀποκρίσει Ζγϑ8. 777 ᵃ4, καταμηνίοις Ζγβ4. 739 ᵇ25. ϑ8. 777 ᵃ15. πεπεμμένον αἷμά ἐστιν Ζγϑ8. 777 ᵃ8. τοῖς ζῳοτοκϑμένοις γίνεται ἡ τροφή, τὸ καλϑμενον γάλα, ἐν τοῖς μαστοῖς Ζγγ2. 752 ᵇ23. τροφὴ τῶν γινομένων Ζμϑ9. 655 ᵇ27. Πα8. 1256 ᵇ14. η17. 1336 ᵃ7. (μόνῳ γάλακτι χρήσασθαι πάντα τὸν βίον f 590. 1574 ᵃ11.) γάλα ἰῶν φάρμακον f 338. τὸ πρῶτον μικρὸν τε χ̣ ἀραχνιῶδες ἐν τοῖς μαστοῖς Ζιη3. 583 ᵃ34, ἄχρηστον Ζιη5. 585 ᵃ30, ἄχρηστον πρὸ τῶν ἑπτὰ μηνῶν ταῖς γυναιξὶν Ζγϑ8.

776 ᵃ24. (τέτοκεν ὅτι γάλα ἔχει Ρα2. 1357 ᵇ16.) ἡ πυετία γάλα ἐστὶ θερμότητα ζωτικὴν ἔχον Ζγβ4. 739 ᵇ23. γάλα κοινϑ ὕδατος χ̣ γῆς μδ7. 384 ᵃ16. 10. 388 ᵃ31. γάλα ὠμόν, ἐψόμενον μδ3. 380 ᵇ8, 32. συνίσταται χ̣ παχύνεται ἐψόμενον Ζγβ2. 735 ᵇ6. 383 ᵃ22. ἐν τῇ τϑ γάλακτος πήξει τὸ σῶμα τὸ γάλα ἐστίν Ζγα20. 729 ᵃ11. Ζιγ6. 516 ᵃ3. πήγνυται Ζμγ15. 676 ᵃ13, 14. τὸ γάλα εἰς ὀρρὸν χ̣ πυτίαν μδ3. 381 ᵃ7. ὕδωρ τϑ γάλακτος τὸ λοιπὸν τῇ τυρῷ ἐξαιρεθέντος μδ7. 384 ᵃ30. ὅπως συνίστησι Ζγβ3. 737 ᵃ14. δ4. 771 ᵇ23, 772 ᵃ22. ὁ μαστὸς ἀγγεῖον γάλακτος Ζμδ11. 692 ᵃ12. οἱ μαστοὶ πρὸς ταῖς μασχάλαις ἱμῶνται γάλα πλεῖστον Ζμδ10. 688 ᵇ10. ἀπόλαυσις Ζγε8. 788 ᵇ23. καθαίρει πα42. 864 ᵃ36. 47. 865 ᵃ12. θερμότης Ζγε8. 789 ᵃ5. τὰ θερμοτέρῳ γάλακτι χρώμενα τῶν παιδίων ὀδοντοφυεῖ θᾶττον Ζγε8. 789 ᵃ7. χυμός τις συνίστησιν ἐν τῇ κοιλίᾳ τὸ γάλα τοῖς ἐμβρύοις Ζμγ15. 676 ᵃ16. lac muliebre Ζιη3. 583 ᵃ33. 11. 587 ᵇ19. 12. 588 ᵃ4, τῶν ἀκεράτων Ζμγ15. 676 ᵃ14, τῶν κερατοφόρων Ζμγ15. 676 ᵃ13, τῶν μονοκοίλων Ζμγ15. 676 ᵃ13, τῶν πολυκοιλίων ᵃ11, vaccinum Ζιζ18. 573 ᵃ23. 21. 575 ᵇ10, camelinum Ζιζ26. 578 ᵃ13, equinum Ζιζ23. 577

[a]28, leporinum Ζιζ33. 580 [a]1, ovillum Ζιθ10. 596 [a]22. π6.
891 [b]4, caprinum π6. 891 [b]4, caninum Ζιζ 20. 574 [b]7,
suillum Ζιε14. 546 [a]17, τῶν βοσκημάτων ἐν Ἰλλυριοῖς θ128.
842 [b]30. ἔχει ὁ δελφὶς κ̀ ἡ φώκαινα Ζιζ12. 566 [b]16. ὁ δελφὶς
ἔχει ῥύακας δύο. ἐξ ὧν τὸ γάλα ῥεῖ Ζιβ13. 504 [b]25. γάλα 5
λεπτόν, παχύ Ζμγ15. 676 [a]13, 11. ὐδὲν τῶν μὴ ζῳο-
τοκούντων ἐν αὐτοῖς ἔχει, ὐδ' ὅρνις ὐδ' ἰχθὺς ὐδεὶς Ζμδ11.
692 [a]11-13. ἐγγίγνεται κ̀ τοῖς ἄρρεσιν Ζια12. 493 [a]15 (Hum-
boldt Reise in d Aeq Gegenden II 40. Schmidt Jahrb d ge-
sammt Medicin CXXIII, 1864 p 92). ἐν τοῖς ᾠοῖς κ̀ τὸ λευ- 10
κόν ἐστι γάλα, ὡς Ἀλκμαίων φησίν. ἀλλὰ τὸ ὠχρὸν Ζγγ2.
752 [b]26. — Empedoclis sententia Ζγδ8. 777 [a]8. — ἐν
ποιήσει πρέπει γάλα λευκὸν εἰπεῖν Ργ3. 1406 [a]12. — b.
γάλα φυτῶν. τὸ φυτὸν τὸ γάλα ἐκβάλλον ἔχει τᾶτο ἐν τῷ
μέσῳ φτβ9. 829 [a]3-25. αἱ διαφοραὶ τᾶ γάλακτος κ̀ τᾶ κό- 15
μεος φτα7. 821 [b]40.
  2. γάλα i q γαλαξίας. τὸ γάλα μα1. 338 [b]22. τὸ κα-
λύμενον γάλα μα6. 342 [b]25. ἡ τᾶ γάλακτος φαντασία μα3.
339 [a]34. περὶ τᾶ γάλακτος μα8.
γαλάδες v γάλακες. 20
γαλαθηνός. ὗες ἕως ἂν ὦσι γαλαθηναί Ζιθ21. 603 [b]25.
γάλακες. κόγχαι ἔνιαι αἱ καλύμεναι ὑπό τινων γάλακες (v l
γαλάδες) λειόστρακα Ζιδ4. 528 [a]23. (Chamae L spec?)
γαλακτοειδής. ἄρχονται τὰ καταμήνια ἐκ λευκῶν γαλακτοει-
δῶν Ζικ1. 634 [b]19. 25
γαλακτώδης ὑγρότης Ζιε5. 540 [b]32. τροφὴ γαλακτώδης
Ζμδ11. 692 [a]15. ἐν τοῖς τῶν φυτῶν σπέρμασιν ἔνεστι τὸ
φαινόμενον πρῶτον γαλακτῶδες Ζγβ4. 740 [b]7. χρῶμα γα-
λακτῶδες Ζιη10. 587 [a]32.
Γαλάτης. παρὰ Κελτοῖς κ̀ Γαλάταις τὰς καλεμένας δρυίδας 30
κ̀ σεμνοθέας f 30. 1479 [a]32.
Γαλατικὸν πέλαγος κ3. 393 [a]37. Γαλατικὸς κόλπος κ3.
393 [b]9.
γαλεαγκών. φιλόκυβοι γαλεαγκῶνες κ̀ ὀρχησταὶ φ3. 808
[a]31. 6. 813 [a]12. cf Lob Paral 201, Rose Ar Ps 707. 35
γαλεοειδής. γαλεοειδεῖς — γαλεώδεις — γαλεοί. ἔχει ἡ ὑστέρα
τῶν γαλεοειδῶν μικρῶν προελθόντι ἀπὸ τᾶ ὑποζώματος οἷον
μαστὸς λευκός (cf J Müller glatt Hai d Arist p 9) Ζιζ10.
565 [a]20. οἱ γαλεοί (Galeus C) κ̀ οἱ γαλεοειδεῖς (Scyllium
C et Squalus C) κ̀ οἱ πλατεῖς (Rajacei) ζῳοτοκᾶσιν ᾠοτο- 40
κήσαντες Ζιι5. 566 [a]31. cf AZi I 146, 92.
γαλεός. 1. Squalini syn γαλεοί, γαλεοειδεῖς, τὰ προμήκη
τῶν σελαχῶν Ζιβ13. 505 [a]5. γαλεοὶ κ̀ βάτοι (Rajacei)
sunt duae familiae Elasmobranchiorum Ζια5. 489 [b]6, γαλεοὶ
ἔχεσι τὰ βράγχια ἀκάλυπτα Ζιβ13. 489 [b]5, εἰς τὸ φανερὸν 45
μὲν ζῳοτοκᾶσι, ἐν αὐτοῖς δ' ᾠοτοκᾶσι, δικροῦσι ἔχεσι τὴν ὑστέ-
ραν Ζιγ1. 511 [a]4, 6. τίκτει ὁ γαλεὸς τὰ πλεῖστα τρία κ̀
εἰσδέχεται τὰ γεννηθέντα εἰς τὸ στόμα κ̀ πάλιν ἀφίησιν
f 293. 1529 [a]29. ὐ γίνονται ἐν τῷ εὐρίπῳ τῷ ἐν Πύρρα
Ζιι37.621 [b]16. — εἴδη γαλεῶν πλείω ἀκανθίας f 293. 1529 50
[a]15. Ζιζ10. 565 [b]28, ἀστερίας Ζιε10. 543 [a]17. ζ11. 566
[a]17, κεντρίνης f 293. 1529 [a]17, νωτιδανὸς (Ἐπαίνετος ἐν
ὀψαρτυτικῷ ἐπινωτιδέα καλεῖ), ποικίλος, σκύμνος, ἀλωπη-
κίας f 293. 1529 [a]17,15, τὰ σκύλια, ὃς καλᾶσί τινες νε-
βρίας γαλεούς Ζιζ10. 565 [a]26, λεῖοι („nunquam singulari 55
numero Arist dixit" S II 532) Ζγγ3. 754 [b]33. Ζιζ10. 565
[b]2 sq cf J Müller glatt Hai d Arist: Mustelus laevis M. — οἱ
ἄλλοι γαλεοὶ κ̀ ἐξαφιᾶσι κ̀ δέχονται εἰς ἑαυτὲς τὲς νεοτ-
τὲς, δὶς τίκτεσι Ζιζ10. 565 [a]24. 11. 566 [a]19. — ὄνος ἔχει
στόμα ἀνερρωγὸς ὁμοίως τοῖς γαλεοῖς f 307. 1530 [a]24. 60
V.
  2. γαλεὸς ἔχει πολλὰς ἀποφυάδας ἄνωθεν περὶ τὴν κοι-

λίαν Ζιβ17. 508 [b]17. Squalinis desunt appendices pylori-
cae; legendum est cum S γαλῆ (Aelian. XV, 11), hodie
γάλια, Lota fluviatilis.
γαλεώδης. cf γαλεός. γαλεώδη — πλατέα Ζιζ10. 565 [a]14.
πάντα τὰ γαλεώδη (v l γαλοειδῆ γαλεοειδῆ) Ζιε5. 540 [b]19.
πάντες οἱ γαλεώδεις ἔχεσι βράγχια διπλᾶ κ̀ πέντ' ἐφ'
ἑκάτερα Ζιβ13. 505 [a]18, τὰ βράγχια ἐν τοῖς πλαγίοις Ζιβ13.
505 [a]5, τὴν χολὴν πρὸς τῷ ἥπατι Ζιβ15. 506 [b]8. τοῖς γα-
λεώδεσιν ἑκάτερον τὸ μόριον τᾶ ἥπατος ἀπήρτηται κ̀ ὐ συμ-
πέφυκεν ἡ ἀρχή Ζιβ17. 507 [a]15. αἱ θήλειαι ὐκ ἔχεσιν ἀπο-
κρεμώμενα ἄττα δύο περὶ τὴν ἔξοδον τῆς περιττώσεως
Ζιε5. 540 [b]27.
γαλεώτης. ὁ γαλεώτης καταπίνει τὸ δέρμα τὸ χρήσιμον
τοῖς ἐπιληπτικοῖς θ66. 835 [a]27. f 331. 1533 [b]29. ἐν Σικε-
λίᾳ κ̀ ἐν Ἰταλίᾳ οἱ γαλεῶται θανάσιμον ἔχεσι τὸ δῆγμα
θ148. 845 [b]4. (Ascalabotarum C spec cf Bazin in Act Soc
Linn de Bordeaux XIII 32-42.)
γαλῆ. 1. μεγάλην τὴν καρδίαν ἔχει Ζμγ4. 667 [a]21, καθάπερ
τἆλλα τετράποδα, τὸν αὐτὸν τρόπον ἔχει ἐκείνοις τὰς ὑστέ-
ρας Ζγγ6. 756 [b]31, ὀστᾶν τὸ αἰδοῖον Ζιβ1. 500 [b]25. τίκτει
τὰ ἔμβρυα πάμπαν μικρά, λέγεσι τίκτειν κατὰ τὸ στόμα
Ζγγ6. 756 [b]34, 16, 32 (hic loc citatus a Bar Bahlûl 846,
a Tychsen „physiologus syrus" 75 cf Pitra spicileg III 354,
385) — φρονίμως δοκεῖ χειρᾶσθαι τὲς ὄρνιθας Ζι6. 612 [b]1.
ἡ γαλῆ (Thomae vers: catum, Albert: gali, quem nos vul-
pem vocamus), ὅταν ὄφει μάχηται, ἐπεσθίει (προεσθίει S P)
τὸ πήγανον Ζι6. 612 [a]28. ὄφις γαλῇ πολέμιον, κατ' οἰκίαν
ὅταν ὦσιν ἀμφότερα· ἀπὸ γὰρ τῶν αὐτῶν ζῶσιν Ζι1. 609
[b]29. 6. 612 [b]3. πολέμιος ὁ πρέσβυς κ̀ γαλῇ κ̀ κορώνη Ζι1.
609 [a]17. γαλαῖ ὑποτρίζεσαι vehementem praesagiunt tem-
pestatem f 241. 1523 [a]3. ἐν Πορδοσελήνῃ ὁδὸς διείργει, ἧς
ἐπ' ἐκεῖνα μὲν γαλῆ γίνεται, ἐπὶ θάτερα δ' ὐ γίνεται Ζιθ28.
605 [b]30. τὴν Ῥήνειαν ταῖς γαλαῖς ἐχθρὰν εἶναι f 324. 1532
[b]6. — τὸ ἔμβρυον ἔλαττον γαλῆς τίκτει ἡ ἄρκτος Ζιζ30.
579 [a]23. — ἡ γαλῆ ἐδεσίει αὐτῶν Hν6. 1149 [a]8.
(Mustela erminea et vulgaris cf Oken Isis 1834 p 1061,
1073; Bazin in Act d l Soc Linn de Bordeaux XIII 12-32.
AZi I 65, 10.)
  2. αἱ γαλαῖ αἱ ἄγριαι μάλιστα ἀναιρᾶσι μύας [ὅταν
ἐπιγένωνται] Ζιζ37. 580 [b]26. (Mustela furo L. his ἀγρίαις
apud Arist et Strab opponuntur ap Aretaeum ἐνοικιδίαι, cf
Aret ed Ermerins p 251 et Praef n 41).
  3. ἐν Κυρήνῃ φασὶ μύας πλατυπροσώπης, ὥσπερ αἱ γαλαῖ,
γίνεσθαι θ28. 832 [b]2. (fort idem animal cuius mentionem
fecit Plut de Isid et Osir 74 [b], Rhabdogale mustelina Wagn.)
γαλήνη. def Μη2. 1043 [a]24 Bz, dist νηνεμία τα 17. 108 [a]11.
18. 108 [b]25. ἐν γαλήναις κ̀ εὐδίαις Ζιθ8. 533 [b]30. ὅταν
γαλήνη ᾖ μβ8. 367 [b]15. πῶς γαλήνη γίνεται πκγ4. 931
[b]20.
γαληνής. μέτωπον γαληνές φ6. 811 [b]38. cf γαληνός.
γαληνίζειν, intr τὸ γαληνίζον τῆς θαλάττης πκγ41. 936 [a]5.
γαληνός. πομφόλυξ πᾶσα λεία κ̀ γαληνός ἐστι πκγ4. 931.
[b]36. γαλήνη ἕξις μετώπν, opp συννεφής φ6. 812 [a]1, cf
γαληνής.
γαμετή. ἔοικεν ὁ Σπαρτιάτης αἰδεῖσθαι γαμετὴν ὗσαν τὴν
Ἑλένην f 172. 1506 [b]27.
γαμηλιῶνος μηνός μα6. 343 [b]5.
γαμικός. γαμικὴ ὁμιλία, κοινωνία, πότε κ̀ ποίας τινὰς δεῖ
αὐτὴν ποιεῖσθαι Πη16. 1334 [b]32, 33. ἐκ γαμικῆς αἰτίας
Πε6. 1306 [a]34. μετέβαλεν ἡ πολιτεία ἐκ γαμικῆς Πε4.
1304 [a]14. — ἡ γαμική, μέρος τῆς οἰκονομικῆς Πα3. 1253

T

[b]9. 12. 1259 [a]39. — γαμικῶς ἑστιᾶν ἐρανιστάς Ηδ6. 1123 [a]22.

γαμίσκεσθαι τὰς νεωτέρας Πη16. 1335 [a]20.

γάμος, def (Pythag) Μμ4. 1078 [b]23. ὅσα εἰσάπαξ γίνεται, οἷον γάμος Ηδ6. 1123 [a]1. καταστασιάζεσθαι κατὰ γάμις Πε6. 1306 [a]33. ἀνόθευτον τηρεῖν τὸν γάμον θ158. 846 [a]31. γάμις ἑστιᾶν ημα27. 1192 [b]2. ἐπιτελῶν γάμις τῆς θυγατρός f 508. 1561 [a]41.

γαμψός. κέρατα γαμψά Ζu45. 630 [a]31. Ζμγ2. 663 [a]14. γαμψὸν ῥύγχος Ζμγ1. 662 [b]2. ὁ12. 693 [a]12. ὄνυχες γαμψοί, γαμψότεροι Ζμδ12. 694 [a]18. γ1. 662 [b]5. γαμψοὶ ὀδόντες Ζμγ1. 661 [a]14.

γαμψότης Ζu32. 619 [b]9.

γαμψόν. ῥύγχος γαμψούμενον μᾶλλον Ζu32. 619 [a]17.

γαμψῶνυξ, γαμψώνυχος. Arist alternat flexus cf Lob Paral 286 et Ζμ ed Langkavel p XXXIV, 3. 1. animal falculatum Ζιγ9.517 [b]1. β11. 503 [b]30. cf f 265. 1526 [b]5. — 2. avium Rapaces (M 296, Su 95 et 171) Ζιζ6. 563 [b]7. ὅσοις ὄνυχες καμπύλαι φ6. 810 [a]22. τὰ σώματα μικρὰ Ζμδ12. 694 [a]8. βραχυτράχηλα, μιμητικὰ Ζιθ12. 597 [b]25, πλατύγλωττα ibidem et Ζμβ17. 660 [a]34. γαμψὸν τὸ ῥύγχος Ζμγ1. 662 [a]1. τὰς κεφαλὰς φοξοὶ φ6. 812 [a]9. ὀξυπτά Ζμβ13. 657 [b]25. ἔχυσι τὰς πτέρυγας μεγάλας ἢ ἰσχυρὰς Ζμδ12. 694 [a]1. Ζγγ1. 749 [b]3. πτητικὰ Ζμδ12. 694 [a]4. Ζιβ12. 504 [a]8. τάχιστα πετόμενοι Ζπ10. 710 [a]26. τὴν ἐπὶ βάσιν ἰσχυρὰ ἢ τὰ σκέλη πάχος ἔχοντα Ζγγ1. 750 [a]4. μεγίστας τὰς μηρὰς ἢ τὸ στῆθος ἰσχυρότερον ἔχυσιν Ζιβ12. 504 [a]4. ὀλίγον τὸ περίττωμα Ζγγ1. 750 [b]19. ἅτ' ὀχευτικὰ ἅτε πολύγονα Ζγγ1. 749 [b]10. 2. 753 [a]31. ὀλιγόγονα Ζιζ1. 558 [b]28, 29. ὑπηνέμια ὐ γίνεται αὐτοῖς Ζγγ1. 749 [b]2, 3. 30. 2. 753 [a]31. φαύλως πορεύεται ἢ ἐπὶ πέτραις ὐ καθιζάνυσιν Ζμδ12. 694 [a]20. Ζu32. 619 [b]8. πόδες πρὸς τὴν ἁρπαγὴν Ζμδ12. 694 [b]25. ἄχρηστα αὐτοῖς τὰ πλῆκτρα Ζμδ12. 694 [a]14, 15. Ζιβ12. 504 [b]7. χαλεπῶς πορίζεται τὴν τροφὴν Ζγγ1. 749 [b]25. σαρκοφάγοι, τῶν ἄλλων ζώων ἅπτονται Ζιθ3. 592 [a]29, 593 [b]25. ἄποτοι πάμπαν Ζιθ3. 593 [b]29. 18. 601 [a]32. ὐδὲν ἀγελαῖον Ζια1. 488 [a]5. ἀναιδεῖς φ6. 810 [a]22, 812 [a]9. πολλαὶ ἅτε κοινστικαὶ ἅτε λυσται Ζu49 B. 633 [b]5. ὐ φωλῦσι διακεκριμένως Ζιθ16. 600 [a]18 (sed cf [a]26). enumerantur τῶν γαμψωνύχων ἱέραξ Ζιζ7. 563 [b]19. Ζγβ7. 746 [b]2, αἰγωλιός Ζu1. 609 [a]28, ἀετὸς Ζu1. 609 [b]7. γ9. 517 [b]2, αἴσαλων, αἰγυπιός Ζu1. 609 [b]32, 35, κεγχρὶς Ζγγ1. 750 [a]8. Ζιζ1. 558 [b]29, κίρκος Ζu1. 609 [b]4, ἰκτῖνος ἢ γλαυξ Ζιθ16. 600 [a]26, τῶν νυκτερινῶν ἔνιοι γαμψώνυχες Ζιθ3. 592 [b]8 — τὰ περιστερώδη μεταξὺ τῶν γαμψωνύχων ἢ τῶν βαρέων Ζγγ1. 749 [b]19, 20. ὁ κόκκυξ ὐκ ὢν γαμψώνυχος Ζγγ1. 750 [a]11. Ζιζ7. 563 [b]20. opp εὐθυώνυχα Ζιγ9. 517 [b]1. 149 B. 633 [b]2, 5. ϑ16. 600 [a]18.

Γανυμήδης π025. 1461 [a]30.

γάρ interdum ita usurpatur, ut antecedentis enunciati verbum vel simile aliquod verbum supplendum sit, πολλὰ δ' ἀγνοήσει· πάντα γὰρ τἆλλα ψα5. 410 [b]4. ἴσως δὲ ἢ ἐν τῷ λόγῳ ἐστὶ τὸ ἀναγκαῖον· ὁρισαμένῳ τὸ ἔργον Φβ9. 200 [b]5. τὰ δὲ πάθη διαιρετὰ πάντα διχῶς, ἢ γὰρ κατ' εἶδος ἢ κατὰ συμβεβηκός Ογ1. 299 [a]20. περὶ τὰς ἰδίας τῶν ἡδονῶν πολλοὶ ἢ πολλαχῶς ἁμαρτάνυσιν, τῶν γὰρ φιλοτοιῦτων ὄντων Ηγ13. 1118 [b]2. οἱ χρήσιμοι ἢ ἡδεῖς ἐπὶ πλεῖον διαμένυσιν· ἕως γὰρ ἂν πορίζωσιν ἡδονὰς ἢ ὠφελείας ἀλλήλοις Ηθ10. 1159 [b]11. βύλεται τἀγαθὰ ἢ ἑαυτῷ ἕνεκα· τῷ γὰρ διανοητικῷ χάριν, ὅπερ ἕκαστος εἶναι δοκεῖ Ηι4. 1166 [a]17. ἐσμὲν δ' ἐνεργείᾳ· τῷ ζῆν γὰρ ἢ πράττειν

Ηι7. 1168 [a]6. cf πο1. 1447 [a]17. 25. 1460 [b]10. Ηθ14. 1162 [a]2. κ5. 1176 [a]4. Ρα13. 1373 [b]22. Γα3. 318 [b]5. Vhl Rhet p 65, Rangfolge p 156, 3. — γάρ interdum non ipsi primo enunciati vocabulo postponitur, veluti τὸ καλὸν γὰρ Ηι7. 1168 [a]16. ἡ τροφὴ μὲν γὰρ αν8. 474 [b]4. τὸ κατ' ἀξίαν γὰρ Ηθ16. 1163 [b]11. ἐκ τῦ γὰρ εὐχερῶς λέγειν Πη17. 1336 [b]5. ἐκ τῶν ἐναντίων γὰρ Πζ6. 1320 [b]19. Ρβ1. 1378 [a]18. εἰ μὴ γὰρ Ρα15. 1376 [a]26. ὁ μὴ γὰρ εἰδὼς (Wz, Bk ὁ γὰρ μὴ contra codd) τε2. 129 [b]15. ἢ ἐν ᾧ γὰρ Φε4. 227 [b]29. ἢ ἔκ τινος γὰρ ὑποκειμένυ Φε5. 229 [a]31. (ἐπὶ τῷ κύκλῳ γὰρ Φδ5. 212 [b]13, fort scribendum ἐστί· τῷ κύκλῳ γάρ). — γάρ inter ὅστι·σῶν interpositum, ὅντινα γὰρ ἂν Ηκ10. 1150 [b]25. — γάρ ad comprobandam enunciationem, quae cogitatione supplenda est ψα3. 407 [a]23. 4. 409 [a]24 (cf Trdlbg p 277, Wz ad τγ4. 119 [a]6). — τί γὰρ Πγ10. 1281 [a]14. — γάρ abundanter in principio explicationis antecedente enunciatione indicatae, σημεῖον δὲ ... γὰρ Φδ11. 219 [b]3. Μγ2. 1004 [b]17. Πε10. 1312 [b]21. ζ4. 1318 [b]17. πο13. 1453 [a]26. αν5. 472 [b]21. ὅ δὲ ἢ ἐν τοῖς πρότερον εἴρηται· ὐ γὰρ ῥάδιον Ηθ11. 1126 [a]32.

γαργαλίζεσθαι Ηη8. 1150 [b]22. πλε1. 964 [b]28. γαργαλίζεσθαι τὰς μασχάλας, τὰ ἐντὸς τῶν ποδῶν, τὰ χείλη πλε2. 964 [b]30. 7. 965 [a]18. τῷ γαργαλίζεσθαι μόνον τὸν ἄνθρωπον τί τὸ αἴτιον Ζμγ10. 673 [a]6, 3. αὐτὸς αὑτὸν ὐδεὶς γαργαλίζει πλε6. 965 [a]11.

γαργαλισμός, def Ζμγ10. 673 [a]8.

γαργαρεών, uvula. Ζια11. 492 [b]11. αν7. 474 [a]20.

Γαργαρία ἐγγὺς Μεταποντίυ θ108. 840 [a]27.

γαστήρ. alvus, venter 1. animalium vertebratorum Ζια13.493 [a]17. 15. 493 [b]13, 494 [b]3. β13. 504 [b]15. ϑ165. 846 [b]21. πε3. 880 [b]34. 14. 882 [a]14, 16. Ζγα12. 719 [b]25. 13. 720 [a]21. Ζιγ17. 520 [a]26. 3. 513 [a]6. β1. 500 [a]28, 29. ὁ11.538 [a]10. ζ17. 570 [b]9. 22. 576 [b]8. 29. 578 [b]30. 26. 578 [a]14. ι50. 632 [a]28. βι7. 509 [a]14. Ζμδ10. 688 [a]34, 7 bis. πε3. 880 [b]35. Ζμδ12. 694 [b]23. Ζιβ1. 500 [b]4. 12. 504 [a]34. γ1. 509 [a]34, [b]1, 510 [a]8. Ζγε6. 786 [a]14. Ζιε5. 541 [a]16. 9. 543 [a]13. ζ13.567 [b]25. f 214. 1517 [b]15. ὑπὸ τῇ γαστρί, opp πρὸς τῇ ὀσφύι Ζγα13. 720 [a]1. media alvus Ζγα5. 717 [b]17. Ζπ11. 710 [b]29. Ζιβ12. 504 [a]34. Ζμδ12. 694 [a]10. 688 [b]1. πρὸς τῷ τέλει τῆς γαστρὸς Ζγα3. 716 [b]27. Ζγ1. 510 [a]9. ι50. 631 [b]24. τὸ περὶ τὴν γαστέρα κύτος Ζγα13. 721 [a]34. τὸν δρυοκολάπτην φασὶν ἐπὶ τῶν δένδρων βαδίζειν ἢ ὕπτιον ἢ ἐπὶ τὴν γαστέρα θ13. 831 [b]7. ὁ ὀμφαλὸς μικρὸν κατωτέρον τῦ στόματος (v l σώματος S Did Pk) τῆς γαστρὸς Ζιζ10. 565 [a]4. — κόρη αἰδεσθεῖσα διὰ τὸν ὄγκον τῆς γαστρὸς f 66. 1486 [b]43. — 2. crustaceorum Ζιδ2. 525 [b]19. — 3. Cephalopod Ζιδ1. 523 [b]27.

γαστριμαργία, εἶδός τι ἀκολασίας ηεγ2. 1231 [a]19.

γαστρίμαργος, def Ηγ13. 1118 [b]19. ηεβ3. 1221 [b]2, 16. ζῷα γαστρίμαργα εἰς πλῆθος, εἰς τάχος Ζμγ14. 675 [b]28.

γαστροκνημία (Lob Phryn 330). τῆς κνήμης τὸ μὲν πρόσθιον ἀντικνήμιον, τὸ δ' ὀπίσθιον γαστροκνημία Ζια15. 494 [a]7. αἱ καλύμεναι γαστροκνημίαι ἐν ταῖς κνήμαις σαρκώδεις Ζιβ1. 499 [b]5. σαρκώδη τὰ ἰσχία ἢ μηροὶ ἢ γαστροκνημίαι Ζμδ10. 689 [b]15. ἀνδρεία σημεῖον γαστροκνημίαι κάτω προσεσπασμέναι, δειλῦ ἄνω ἀνεσπασμέναι φ3. 807 [a]37, [b]1, 6. cf ΑΖ II tab 2.

Γαυρεὺς καλεῖται ὁ βορρᾶς σ973 [a]6 ('Ιδυρεύς ci Meineke).

Γαυρὶς νῆσος σ973 [a]7 ('Ιδυρίς ci Meineke).

γεγωνεῖν. διὰ τὸ ψαθυρὸς εἶναι ὁ ἀὴρ ὐ γεγωνεῖ, ἂν μὴ λεῖον ᾖ τὸ πληγέν ψβ8. 420 [a]1. φθέγγονται μὲν ἀλλ' ὐ δύνανται γεγωνεῖν, ἀλλὰ μόνον φωνῶσιν ακ804 b24, cf 802 b6, a23. ὁ αὐτὸς τῇ αὐτῇ φωνῇ πορρωτέρω γεγωνεῖ (i e exauditur, cf Bojesen) μετ' ἄλλων ἄσων ἢ μόνος πιθ2. 917 b21. cf ια25. 901 b31. 52. 904 b35.

γεηπονία φτα7. 821 a35 (v l γεοπονία), b1.

γεηρός. τὰ γεηρὰ κάτω φέρεται χ πρὸς τὸ μέσον Φθ4. 254 b22. Οα2. 269 a27. δ2. 308 b14. βάρος ἔχοντα χ γεηρὰ Οβ1. 284 a22. ἐκ τῶν ὑδατωδῶν τὰ γεηρὰ συνίσταται μθ3. 380 a24. ξηραινομένων τῶν γεηρῶν Ζγβ4. 739 b29. σκληρὰ χ γεηρὰ πάμπαν Ζμβ7. 653 a26. γεηρὰ γίνεσθαι, syn σκληρύνεσθαι αν17. 479 a13, 11. ὀστῶδες χ γεηρὸν Ζμβ8. 654 a12. ὅσα γεηρὰ λίαν τῶν ἀνατελλόντων Ζγβ4. 743 a12. τὸ γεηρὸν ἐν τοῖς σώμασιν ἀπεπτότατον Ζγβ6. 745 b19. ὑδ' ἐν τῷ ῳῷ ἐπιπολάζει τὸ γεηρὸν Ζγβ1. 733 a15. — τὸ γῆράς ἐστι κατὰ τὴνομα γεηρὸν Ζγε3. 783 b7.

γεηραμένη. ὅση ἰκμὰς ταῖς γειναμέναις ὑπολείπεται μετὰ τὴν κάθαρσιν Ζιη2. 582 b15.

γειτνιάζειν. ἡ φύσις τῆς εὐκρασίας γειτνιάζει τῇ πέψει φτβ8. 828 a5.

γειτνιᾶν, locali sensu, αἱ κρῆναι ὄρεσι γειτνιῶσιν μα13. 350 a5. εὖρος γειτνιῶν τῷ νότῳ μβ6. 363 b22. ὁ βορέας γειτνιῶν τῇ οἰκημένῃ πκη10. 941 a28. γειτνιῶσι πόλεις, γειτνιῶσα χώρα, γειτνιῶν τόπος Πβ9. 1269 a40. 6. 1265 a21. η12. 1331 a29. μβ4. 360 b20. α1. 338 a21. Ζιθ28. 605 b26, 606 a1. γειτνιᾶν τῇ ἀρχῇ τῷ πνευματικῷ τόπῳ Ζγε2. 781 b1. οἱ γειτνιῶντες Πβ7. 1267 a19 (dist οἱ ἔξωθεν πάντες). 9. 1269 b3. η2. 1325 a12. 10. 1330 a21. — metaph γειτνιῶσι τῇ καλυμένῃ πολιτείᾳ Πδ11. 1295 a33. δοκεῖ γειτνιᾶν (τὸ τίμιον τῷ καλῷ) Ρα9. 1367 b12.

γειτνίασις, locali sensu, διὰ τὴν τῷ ἡλίῳ γειτνίασιν μβ5. 363 a14. διὰ τὴν γειτνίασιν Ζμγ10. 672 b28. πιγ6. 908 b7. — metaph κατὰ τὴν γειτνίασιν χ ὁμοιότητα νεγ6. 1232 a21. διὰ τὴν γ., διὰ τὴν τῆς σοφιστικῆς γειτνίασιν Πα9. 1257 a2. τ.134. 183 b2. ἔχει τινὰ γειτνίασιν νεγ6. 1233 b1.

γειτονία. ὑδὲν γειτονίας χαλεπώτερον Ρβ21. 1395 b9.

γείτων. γείτοσι κεχρημένοις φαύλοις Ρβ21. 1395 b7. — τὰ φυτὰ γείτονά εἰσι πρὸς ἑαυτὰ φτβ8. 828 a14.

γε. αἱ τέχναι συνέστησαν, ἥ τε ῥαψῳδία χ ἡ ὑποκριτικὴ χ ἄλλαι γε Ργ1. 1404 a23. ἀλλὰ μὴν ... γὲ, plerumque uno vel duobus vocabulis interpositis cf ἀλλά. ἀλλὰ μὴν χ τὸν χρόνον γε γνωρίζομεν Φδ11. 219 a22 (γὲ om censet Eucken Ar dic ratio p 9). ἢ μὴ ἀλλὰ περὶ ἀρετῆς ηεα5. 1216 b20. ὑκ ἄρα γε εν1. 458 b9. γε δὴ πκγ15. 933 a22. γε μὴν Μκ2. 1060 a5, 17, 20, b3, 12. 3. 1061 b8. 6. 1062 b33 (Eucken l l p 10). p9. 1429 b34 (Spgl ad h l: 'his particulis saepius auctor libri περὶ κόσμω, nunquam Arist utitur'). κ2. 392 a9, 22. 3. 393 a9, 22. b1, 4. 394 b21, 395 a5. θ84. 837 a1. οἶμαι γε κ1. 391 b5. — saepius quam ex Aristotelico more esse videatur auctor Κατηγοριῶν particula γὲ utitur Κ5. 4 b2. 6. 5 a25, b3. ἀλλὰ ... γε Κ5. 4 a29. 6. 6 a2. 8. 10 a26, 11 a2. δέ γε, ἰδέ γε Κ3. 1 b20. 5. 2 b18, 3 a1, b7, 27, 30, a4 a5, b7, b13. 6. 5 a23. 7. 7 b1, a8 a4, b15. 10. 12 a3, 10, 13 a31, b9, 27. 14. 15 a16. εἰ γε Κ6. 5 a35, b20. 7. 7 b32. ἐὰν γε Κ7. 7 a24. ἐπὶ γε Κ7. 8 a22. χ, κᾶν, καίτοι .. γε Κ6. 4 b28. 7. 7 a14. 8. 9 a7, 12. 10. 12 a5, 7, 8, 12, 17, 13 a24, b2. 14. 14 b17. 13. 14 b38. ὑ γάρ, χ μὴν .. γε Κ5. 3 b15. 7. 8 a34. 8. 9 a17.

Γέλα εἰς τυραννίδα μεταβάλλει Πε12. 1316 a37. — Γελώων πολιτεία f 444.

γελᾶν. μόνον γελᾷ τῶν ζῴων ἄνθρωπος Ζμγ10. 673 a8, 28. καθεύδοντα τὰ παιδία γελᾷ Ζγε1. 779 a11, 12. τὰ παιδία

ὕτε γελᾷ ὕτε δακρύει Ζιη10. 587 b7 (cf P 270, 11 et Salmas exercitat Plin 25). γελῶντες βρῦ φθέγγονται πια13. 900 a20. 15. 900 b7. 50. 904 b22. τυπτόμενοι εἰς τὰς φρένας γελῶσι πλε6. 965 a15. — Ἥφαιστος, Ἑστία γελᾷ μβ9. 369 a32.

γελοῖος, τὸ γελοῖον, def ποδ. 1449 a34. (Bernays Rh M 8, 561sqq) cf Ρα11. 1372 a1. Ὅμηρος ὑ ψόγον ἀλλὰ τὸ γελοῖον δραματοποιήσας ποδ. 1448 b37. λέξις γελοία ποδ. 1449 a20. τὰ γελοῖα ἡδέα Ρα11. 1371 b35. τῷ γελοίῳ πῶς δεῖ χρῆσθαι Ργ18. 1419 b2-9. ποιητικῶς λέγοντες τῇ ἀσεπεία τὸ γελοῖον χ τὸ ψυχρὸν ἐμποιῶσιν Ργ3. 1406 a33. γλίχεσθαι τῷ γελοίῳ Ηδ14. 1128 a5. ἐπὶ τὸ γελοιότερον ὅμοιος τγ2. 117 b17. — γελοῖον (int ἐστί) τὸ λέγειν Φη3. 246 a26 (syn ἄτοπον a18), κινεῖν τὸ πᾶν μια14. 352 a26, εἴ τις οἴεται μβ3. 357 a24. — γελοίως γράφειν τὰς περιόδως τῆς γῆς μβ5. 362 b12.

Γέλων τύραννος Πε3. 1302 b32. 10. 1312 b10. 12. 1315 b34, 36, 1316 a33. Ρα12. 1373 a22. ὑδέρῳ νοσήματι ἐτελεύτησε f 444. 1551 a19.

Γελῶνοί, Σκύθαι θ30. 832 b7.

γέλως. ὁ γέλως τῶν ἡδέων ἐστίν Ρα11. 1371 b34. ὁ γέλως παρακοπή τις χ ἀπάτη πλε6. 965 a14. ὁ γέλως ὑ σημεῖον Αα34. 48 b33. τὴν τῶν ἐναντίων σπωδὴν διαφθείρειν γέλωτι Ργ18. 1419 b4. προάγειν εἰς γέλωτα Ργ14. 1415 a37. ποιεῖν γέλωτα Ηδ14. 1128 a35. κατέχειν τὸν γέλωτα Ηη8. 1150 b11. πκη8. 950 b7. — τῷ γέλωτος τίνες αἰτίαι σωματικαὶ Ζμγ10. 673 a3-12, 27, 28.

γέμειν περιττώματος, ὕλης Ζγδ6. 775 a32. θ113. 841 a11. θυμιαμάτων (Soph OR 4) χ6. 400 b25. — μεταμελείας οἱ φαῦλοι γέμωσιν Ηι4. 1166 b25. — γέμειν abs, τὰ πλοῖα γέμειν δοκεῖ πκγ8. 931 b9.

γεμίζειν. οἱ γεμίζοντες (int τὰ πλοῖα) μβ3. 359 a11. γεμισθεῖσαι ἀποπέτονται αἱ μέλισσαι, βαρυνόμεναι Ζιι40. 624 b2.

γενεά. ἀποδιδόασι διὰ πολλῶν γενεῶν αἱ ὁμοιότητες Ζγα18. 722 a9. ὕτω σπυδαῖος ὥστ' ἔχειν τὸ ἀπ' ἐκείνῃ ἀγαθὸν πολλὰς γενεάς f 85. 1491 a8.

γενεαλογεῖν δεῖ ὧδε p36. 1440 b29. γενεαλογεῖν τινα p36. 1440 b27, 40.

γενεαλογία. μετὰ τὰ προοίμια πρώτην τὴν γενεαλογίαν τάξομεν p36. 1440 b27.

γενέθλιος διὰ τί ὀνομάζεται ὁ θεός κ7. 401 a20.

γενειᾶν. τὸς ἀγόνως ἄνδρας μὴ γενειᾶν Ζγβ7. 746 b24. ὅταν ἄρχωνται τὸ πρῶτον ἡβᾶν χ γενειᾶν χ6. 797 b31.

γένειον. τῶν σιαγόνων τὸ πρόσθιον γένειον, τὸ δ' ὀπίσθιον γένυς Ζια1. 492 a22. τὴν τριχῶν ὑστερογενείς αἱ ἐπὶ τῷ γενείῳ Ζιγ11. 518 a23. τῇ γενείῳ τρίχωσις συμβαίνει τοῖς ἄρρεσι περὶ τὴν ἡλικίαν ταύτην Ζιη1. 582 a32. περὶ τὸ γένειον, ὅταν ἄρχωνται γενειᾶν, αἱ τρίχες γ.ίνονται πυρραὶ χ6. 797 b30. περὶ τὸ γένειον ἐνίοις συμβαίνει χ τὴν ὑπήνην χ τὸ γένειον δασὺ Ζιγ11. 518 b18. ὑγιῆ τὰς ἐπὶ τῷ γενείῳ ὑ φύει τρίχας Ζιγ11. 518 a33. cf ΑΖι II tab 2.

γένεσις, cf γίγνεσθαι, μεταβολή, κίνησις. — 1. (notio γενέσεως.) γένεσις, opp φθορά μα1. 338 a24. β3. 358 a2. Ζμα5. 644 b24 al. αἱ πράξεις χ αἱ γενέσεις πᾶσαι περὶ τὸ καθ' ἕκαστόν εἰσιν ΜΑ1. 981 a17. ἡ γένεσις ἀγωγή εἰς ὑσίαν τε2. 139 b20. γένεσις μεταξὺ τῷ εἶναι χ μὴ εἶναι ΜΑ2. 994 a27. τῷ γενητῷ χ φθαρτῷ ἐντελέχεια γένεσις χ φθορά Φγ1. 201 a14. ἡ ὑκ ἐξ ὑποκειμένου εἰς ὑποκείμενον μεταβολὴ κατ' ἀντίφασιν γένεσίς ἐστιν, ἡ μὲν ἁπλῶς ἁπλῆ, ἡ δέ τις τινός Φε1. 225 a13. Μκ11. 1067 b22. Ζγβ5. 741

ᵇ22. ἡ ἐκ τῆδε εἰς τόδε μεταβολή, οἷον ἐκ δυνάμει ὐσίας εἰς ἐντελεχεία ὐσίαν, γένεσίς ἐστιν Γα5. 320 ᵃ13. γένεσις ἡ ἁπλῆ χ̣ φθορά ἡ κατὰ τόδε, dist αὔξησις, ἀλλοίωσις, φορὰ Μλ2. 1069ᵇ10. — πάσης γενέσεως πόσαι τε χ̣ τίνες αἱ ἀρχαί Γθ9. α3. 317 ᵇ35. Ζμα1. 639 ᵇ11. αἱ γενέσεις τῇ ὕλῃ ἐκ τῶν ἐναντίων, γίγνονται δὲ ἡ ἐκ τῦ εἴδϗς χ̣ τῆς τῦ εἴδϗς ἕξεως ἡ ἐκ στερήσεώς τινος τῦ εἴδϗς χ̣ τῆς μορφῆς Μι4. 1055ᵇ11. ἡ γένεσις εἰς ἐναντία χ̣ ἐξ ἐναντίων Γβ4. 331 ᵃ14. 8. 335 ᵃ7. Οα3. 270 ᵃ22. Ζγα18. 724 ᵇ9. αἱ γενέσεις ἐκ τῶν ἀντικειμένων ε14. 23 ᵇ14. — γένεσίς ἐστι φθορᾷ περὶ τὸ δυνατὸν εἶναι χ̣ μὴ εἶναι Γβ9. 335ᵇ4. ἡ γένεσις τυγχάνει ὖσα ἐν τῷ περὶ τὸ μέσον τόπῳ Γβ9. 335 ᵃ24. ὔτε πάντων ἐστὶ γένεσις ὔθ᾽ ἁπλῶς ὐθενὸς Ογ2. 301 ᵇ32. cf 1. 298ᵇ9. τίνες ἀνεῖλον γένεσιν χ̣ φθορὰν Ογ1. 298ᵇ15. Φα8. 191ᵇ13. ἔστω ἐπί τινων ἐνδεχόμενον ὥστ᾽ εἶναί ποτε χ̣ μὴ εἶναι ἄνευ γενέσεως χ̣ φθορᾶς Φθ6. 258 ᵇ17. ὐσίας πάσης γένεσίς ἐστι, στιγμῆς δ᾽ ὐκ ἔστιν Μχ2. 1060ᵇ18. εἰ ἅπαν ἅμα ἀκύει χ̣ ἀκήκοε χ̣ ὅλως αἰσθάνεται χ̣ ἤσθηται, χ̣ μὴ ἔστι γένεσις αὐτῶν ἀλλ᾽ εἰσὶν ἄνευ τῦ γίνεσθαι αι6. 446ᵇ4. — ἔστιν ἡ θατέρα γένεσις ἀεὶ ἐπὶ τῶν ὐσιῶν ἄλλῃ φθορᾷ χ̣ ἡ ἄλλη φθορὰ ἄλλῃ γένεσις Γα3. 319 ᵃ20, 28. Μα2. 994ᵇ5. γένεσις ἐξ ἀλλήλων, κύκλῳ Γβ4. 331 ᵃ8, ᵇ2. β10. 337 ᵃ6. Αλ12. 95ᵇ38. ξ2. 975 ᵃ32. ἴσος ὁ χρόνος τῆς φθορᾶς χ̣ τῆς γενέσεως τῆς κατὰ φύσιν Γβ10. 336ᵇ19. ὐκ ἀπείρος ἡ γένεσις ἐπὶ τὸ ἄνω Μα2. 994 ᵇ7. — ὐκ ἔστι κίνησις κίνησις ὐδὲ γενέσεως γένεσις ὐδ᾽ ὅλως μεταβολῆς μεταβολή Φε2. 225ᵇ15. Μχ12.1068ᵃ15. Αα36.48ᵇ31. — ἡ γένεσις ἕνεκα τῆς ὐσίας ἐστίν, ἀλλ᾽ ὐχ ἡ ὐσία ἕνεκα τῆς γενέσεως Ζμα1. 640 ᵃ18. Ζγε1.778ᵇ5. τῷ χρόνῳ πρότερον τὴν ὕλην ἀναγκαῖον εἶναι χ̣ τὴν γένεσιν. τῷ λόγῳ δὲ τὴν ὐσίαν χ̣ τὴν ἑκάστϗ μορφήν Ζμβ1. 646ᵇ1. τὸ τῇ γενέσει ὕστερον τῇ ὐσία (τῇ φύσει, τῷ εἴδει, τὴν φύσιν, κατὰ τὴν ὐσίαν) πρότερον Μμ2. 1077 ᵃ26, 19. Α8. 989 ᵃ15. θ8. 1050 ᵃ4. Οδ3. 310ᵇ34. Φθ7. 261 ᵃ14. Ζμβ1. 646 ᵃ25. Ζγβ6. 742 ᵃ21, ᵇ6. τὸ ἴδιόν ἐστι τὸ ἑκάστϗ τῆς γενέσεως τέλος Ζγβ3. 736ᵇ4. τὴν ἐνέργειαν γένεσιν οἴονται εἶναι (Plat) ἔστι δ᾽ ἕτερον Ηι13. 1153 ᵃ16. ὐ τέλος, ἀλλὰ γένεσις Ηη12. 1152ᵇ23. ἡ γένεσις ἀτελές τι (Plat) ημβ7. 1204 ᵃ34. — 2. (γένεσις, dist κίνησις. γένεσις ἁπλῆ, dist γένεσίς τις, ἀλλοίωσις.) ἡ γένεσις ὐχ ἔστι κίνησις Φε1. 225 ᵃ20-ᵇ3. Μχ11. 1067 ᵃ40 ᵇ31. γένεσις ὐκ ἔστιν ὁμαλής, ὐκ ἔστιν ἰσοταχὴς ε14. 223ᵇ21. η4. 249ᵇ20. ἡ φορὰ γένεσι ποθὲν ποι Οδ4. 311 ᵇ33. πρώτη τῶν μεταβολῶν ἡ φορά, ἀλλ᾽ ὐχ ἡ γένεσις Γβ10. 336 ᵃ20. Οδ3. 310ᵇ34. Φθ7. 261 ᵃ8. ἐπεὶ ἡ κατὰ τὴν φορὰν κίνησις ἀίδιος, ἀνάγκη χ̣ γένεσιν εἶναι συνεχῆ χ̣ Γβ10. 336 ᵃ16. cf 11. 338 ᵃ15. μα9. 346ᵇ23. — γένεσις ἁπλῆ (ἁπλῆ χ̣ τελεία Γα2.317 ᵃ17), opp γένεσίς τις, γένεσις κατὰ μέρος Γα2. 317ᵇ4, 35, 315 ᵃ26. Φε1.225 ᵃ13. Μχ11. 1067ᵇ22. λ2. 1069ᵇ10. cf Φβ1. 193ᵇ1. μδ1.378ᵇ2, 28. τῶν ἀρχαίων οἱ μὲν τὴν καλϗμένην ἁπλῆν γένεσιν ἀλλοίωσιν εἶναι φασιν, οἱ δ᾽ ἕτερον ἀλλοίωσιν χ̣ γένεσιν Γα1. 314 ᵃ7. γένεσις ὐχ ἡ ἁπλῆ ἀλλὰ ἀλλοίωσις Φα3. 186 ᵃ14. ὅταν μὲν ὖν κατὰ τὸ ποσὸν ᾖ ἡ μεταβολὴ τῆς ἐναντιώσεως, αὔξη χ̣ φθίσις, ὅταν δὲ κατὰ τόπον, φορά, ὅταν δὲ κατὰ πάθος χ̣ τὸ ποιόν, ἀλλοίωσις, ὅταν δὲ μηθὲν ὑπομένῃ ὗ θάτερον πάθος ἡ συμβεβηκὸς ὅλως, γένεσις, τὸ δὲ φθορὰ Γα4. 320 ᵃ1, 319ᵇ17. 3. 318ᵇ10. 2. 317 ᵃ25. ἡ ἁπλῆ γένεσις ὐκ ἔστι σύγκρισις Γα2. 317 ᵃ31, cf 315ᵇ20, 23. — 3. (γένεσις φυσική, imprimis τῶν ζῴων, τῶν ἀνθρώπων.) ἆρ᾽ ὐκ χ̣ γενέσεις εἰσὶν ἔνιαι βίαιοι χ̣ ὐχ εἱμαρμέναι Φε6. 230 ᵃ31. γένεσις, dist ποίησις Μζ7. 1032 ᵃ26. γένεσις φυσική Ζμα1.

639 ᵇ11. Ζγα18. 724 ᵇ9 al. — ἡ περὶ τὴς καρπϗς γένεσις Ζγα20. 728 ᵃ27. — πᾶσι τοῖς ζῴοις κοινὸν γένεσις χ̣ θάνατος αν17. 478 ᵇ22. γένεσίς ἐστιν ἡ πρώτη μέθεξις ἐν τῷ θερμῷ τῆς θρεπτικῆς ψυχῆς αν18. 479 ᵃ29. — γένεσις et ipsum τὸ γίγνεσθαι et γεννᾶσθαι significat, et universam eam seriem mutationum complectitur, quibus conficitur generatio ('Entwicklung'). τῆς γενέσεως ὁ λόγος Ζμβ1. 646 ᵇ2, ὁ τρόπος Ζγα18. 722 ᵃ28. Ζιε20. 553 ᵃ12, τὸ αἴτιον Ζγα18. 723 ᵇ26, 724 ᵃ10. 19. 726 ᵇ19, 21. β1. 735 ᵃ12. 7. 745 ᵇ22. ε1. 778 ᵇ15. γενέσεως χ̣ φθορᾶς ὐδαμῶς οἷόν τε αὐτὸ αὐτῷ αἴτιον εἶναι ὐδέν Ζχ5. 700 ᵃ35. πλείϗς ὁρῶμεν αἰτίας περὶ τὴν γένεσιν τὴν φυσικήν, οἷον τὴν τε ὗ ἕνεκα χ̣ τὴν ὅθεν ἡ ἀρχὴ τῆς κινήσεως Ζμα1. 639 ᵇ11. αἰτία τῆς γενέσεως Ζγδ1. 764 ᵇ35. 2. 767 ᵃ13. ἡ αὐτὴ ὕλη ἡ τρέφϗσα χ̣ ἐξ ἧς συνιστᾷ τὴν γένεσιν ἡ φύσις Ζγδ8. 777 ᵃ6. ἕνεκα τῆς γενέσεως τὸ θῆλυ χ̣ τὸ ἄρρεν Ζγβ1. 732 ᵃ2. 5. 741 ᵇ5. δ1. 764 ᵃ25. τῆς γενέσεως ἕνεκεν, syn οἷον αὐτὸ, τοιϗ̂τον καταλιπεῖν ἕτερον Πα2. 1252 ᵃ28, 30. τῶν ζῴων ἐνίων παρὰ τὴν γένεσιν ὐδὲν ἔστιν ἄλλο λαβεῖν ἔργον Ζιθ1. 588 ᵇ26. γένεσις μὲν τὸ σπέρμα, ὐσία δὲ τὸ τέλος Ζμα1. 641 ᵇ31. σπέρμα, γονή, τὸ θῆλυ χ̣ τὸ ἄρρεν ἀρχὴ τῆς γενέσεως Ζμβ7. 653 ᵇ17. Ζγα18. 724 ᵇ14. β1. 731 ᵇ18. γ2. 753 ᵇ15. 11. 763 ᵃ3, τὸ ἴδιόν ἐστι τὸ ἑκάστϗ τῆς γενέσεως τέλος Ζγβ 3. 736ᵇ4. ἐργασία Ζγβ1. 732 ᵃ10. οἱ πόροι Ζγα13. 720 ᵃ6. Ζμδ13. 697 ᵃ11. περίττωμα εἰς τὴν γένεσιν ἱκανὸν Ζγα20. 728 ᵇ6. τὰ μόρια τὰ πρὸς (εἰς) γένεσιν συντελϗ̂ντα Ζγα1. 715 ᵃ12. 13. 720 ᵇ1, 3. Ζμδ4. 678 ᵃ23. ὄργανον χρήσιμον πρὸς τὴν γένεσιν Ζγα15. 720 ᵇ35. τὰ περὶ τὴν γένεσιν ὄργανα Ζγα16. 721 ᵃ26. συμβάλλεσθαι πρὸς τὴν γένεσιν Ζγα17. 721 ᵇ3. 21. 730 ᵃ25. 22. 730 ᵇ9, εἰς γένεσιν Ζγα25. 20. 729 ᵃ21. 21. 729 ᵇ1, 22. 730 ᵇ24. Ζιχ4. 636 ᵇ16. ἀποτελεῖν τὴν οἰκείαν γένεσιν Ζιθ1. 588 ᵇ32. τὸ ἔμβρυον ἐξέρχεται χ̣ μεταβάλλει τὴν γένεσιν (nascitur) Ζγδ8. 776 ᵇ2. εὖ χ̣ ἐφεξῆς τὴν γένεσιν ἀποδίδωσιν ἡ φύσις Ζγβ1. 733 ᵃ33. — ἡ γένεσις τῶν ζῴων χ̣ τῶν φυτῶν Ζμα1. 640 ᵇ2. τῶν ζῴων Ζγα1. 715 ᵃ15. 18. 723 ᵃ8. β1. 731 ᵇ31. γ2. 753 ᵇ10. δ8. 777 ᵃ22. τῶν γινομένων Ζγα22. 730 ᵃ33. τῶν ἀνθρώπων χ̣ τετραπόδων Ζγγ11. 762 ᵇ28. Ζιη1. 581 ᵃ9. τῶν ὀρνίθων Ζγγ3. 754 ᵇ34. 6. 756 ᵇ13, τῶν ἰχθύων Ζγγ3. 754 ᵇ34. 7. 757 ᵃ14, τῶν ἐντόμων, μελιττῶν, σφηκῶν Ζγα16. 721 ᵃ3. γ10. 759 ᵃ8. Ζιι41. 628 ᵃ10. τῶν πολυπόδων Ζιι37. 622 ᵃ22. τϗ̂ σπέρματος Ζγα23. 731 ᵃ26. τῶν ἐμβρύων Ζγδ8. 776 ᵃ28, τῶν διδύμων Ζιχ5. 637 ᵃ7, 11, τϗ̂ νεοττϗ̂ Ζιζ2. 660 ᵇ17. τϗ̂ μορίϗ Ζμδ3. 677 ᵇ21, τϗ̂ ἐπιπλόϗ Ζμδ3. 677 ᵇ29. 4. 678 ᵃ3, τϗ̂ κυϗ̂ν Ζμδ10. 694 ᵃ23, τϗ̂ δέρματος Ζγβ6. 743 ᵇ8. — αἱ διαφοραὶ παντοδαπαὶ περί τε τὰς ὀχείας τῶν ζῴων χ̣ τὰς γενέσεις Ζγγ5. 756 ᵃ4. ζητεῖν τὴν τῆς γενέσεως διαφορὰν Ζγδ1. 764 ᵃ21. — ἐπιθεῖναι τῇ γενέσει πέρας Ζγδ7. 776 ᵃ4. λαμβάνειν τὴν γένεσιν Ζγβ6. 743 ᵇ30. αἱ γενέσεις τϗ̂ γένϗς ἐν τῇ ὗλῃ Ζμδ3. 558 ᵃ1. Ζγγ3. 754 ᵇ20. — γῆρας (ὄφεων) ἐστὶ τὸ ἔσχατον δέρμα χ̣ τὸ περὶ τὰς γενέσεις κέλυφος Ζιθ17. 600 ᵇ16. — ἡ φύσις ἡ ἐν τῇ γενέσει πηρωμένη Ζιδ8. 533 ᵃ12. πεπήρωται τι ἐν τῇ γενέσει οἷον ὀρεὶς Ζγα20. 728 ᵇ11. (τὰ ὑπηγμένα) πρὸς τὴν γένεσιν ἀτελῆ Ζγγ1. 750 ᵇ15 (opp τελειῶσθαι πρὸς τὴν γένεσιν ᵇ27). ὀμφαλὸν ἐν τῇ γενέσει ἔχει ὅσα ζῳοτοκεῖται ἡ ᾠοτοκεῖται Ζμδ12. 693 ᵇ22. οἱ χρόνοι τῶν κινήσεων χ̣ τῶν γενέσεων χ̣ τῶν βίων Ζγδ10. 777 ᵇ17. — ἡ γένεσις ἐκ τϗ̂ ὗϗ Ζγγ2. 752 ᵇ6. 3. 754 ᵇ2, 9. 4. 755 ᵃ11. 11. 763 ᵃ2. Ζιζ13. 567 ᵇ27. ἡ τϗ̂ ὠϗ̂ γένεσις Ζιζ2. 560 ᵇ16. 3. 561 ᵃ4. 10. 564 ᵇ26. ἡ ἐξ ἀρχῆς γένεσις Ζγβ1.

734ᵃ24. εἰ. 778ᵇ23. ἐκ τῦ λευκῦ Ζγγ1. 751ᵇ6. ἐκ τῶν
καταμηνίων Ζγα20. 728ᵃ26. ἐκ τῶν ὁμοιομερῶν Ζγβ6.743ᵃ4.
ἐξ ἐναντίων Ζγα18. 724ᵇ7. — γένεσις ἰ q partus, ἐπὶ κεφα-
λὴν ἡ γένεσις τοῖς ζῴοις Ζγδ9. 777ᵃ28. Ζιη8. 586ᵃ6.
ἀπολύεσθαι τῆς γενέσεως Ζγβ6. 745ᵇ11. θεοὶ οἱ εἰληχότες 5
τὴν περὶ γενέσεως τιμὴν Πη16. 1335ᵇ16. κατὰ τὴν πρώτην
γένεσιν εὐθύς, opp τελειωθέντες Πα8. 1256ᵇ9. ἐν οἷς ὑπάρχει
γένεσις ζῴων ἰ q τὰ ζῳοτόκα Ζια3. 489ᵃ10. — ἡ τρίτη
γένεσις ἰ q imago insectorum Ζγγ9. 758ᵇ27. cf 10. 760ᵃ35.
ἐν τῇ τρίτῃ μεταβολῇ τὸ τῆς γενέσεως τέλος Ζγβ1. 733ᵇ16. 10
— γένεσις ἄνευ ὀχείας Ζγγ10. 759ᵃ9. γένεσις ἀπὸ ταὐτο-
μάτυ, opp ἀπὸ συγγενῶν ζῴων Ζιε1. 539ᵃ23, ᵇ7. γένεσις
αὐτόματος (αὐτομάτη Ζγγ11. 762ᵃ9. ψβ4. 415ᵃ27) cf
αὐτόματος d. — γένεσις ἰ q δύναμις τῦ γεννᾶν: οἱ διεφθαρ-
μένοι τὴν γένεσιν Ζγα20. 728ᵃ14. γένεσις ἰ q δύναμις τῦ 15
γεννᾶσθαι: ἀκρωτήριόν τι, ὃ μὴ ἔχει γένεσιν ἀφαιρεθὲν ὅλον
Μδ27. 1024ᵃ27.

4. (vocabuli γένεσις usus varius.) οἱ παμπάλαιοι κ̣ πολὺ
πρὸ τῆς νῦν γενέσεως ΜΑ3. 983ᵇ28. γένεσις ἀνέμων, ὕδα-
τος, θαλάττης, ὑετῶν μα3. 340ᵇ37. β1. 353ᵃ34. 2.354ᵇ1. 20
γ4. 374ᵃ14. Ζμβ7. 653ᵃ4. αἱ τῶν ποταμῶν γενέσεις κ̣
ἀπολείψεις μα14. 351ᵃ20. ἡ φυσικὴ ἡ περὶ γῆν γένεσις ἐκ
προσαγωγῆς ἐν παμμήκεσι χρόνοις γίγνεται μα14. 351ᵇ9.
σφαιροειδὴς ἡ τῆς γῆς γένεσις Οβ14. 297ᵇ15. πρὸς τὴν
γένεσιν τῶν γραμμάτων οἱ πρόσθεν τῶν ὀδόντων συμβάλ- 25
λονται Ζμβ1. 661ᵇ14. δεῖ σχολῆς πρὸς γένεσιν τῆς ἀρετῆς
Πη9. 1329ᵃ1. γένεσις τῶν συλλογισμῶν Αα32. 47ᵃ2.
γενετή. ἐκ γενετῆς Κ10. 12. ᵃ33. Φβ1. 193ᵃ7. Ζιγ11. 518
ᵇ2. δ4. 528ᵇ8. 9. 536ᵇ4. x4. 577ᵇ4. η1. 581ᵇ24. x4.636
ᵇ2. Ζμδ5. 679ᵇ19. Ζγβ7. 746ᵇ21. Ηδ14. 1162ᵃ12. πια1. 30
898ᵇ28. Λα5. 957ᵇ23. ἐκ γενετῆς, opp δι᾽ ἔθος Ηη15. 1154
ᵃ33. opp ὕστερον π:33. 894ᵇ2. εὐθὺς ἐκ γενετῆς Ηζ13.1144
ᵃ20. Πα5. 1254ᵃ23.
γενετήρ πάντων x5. 397ᵃ4.
γενέτωρ πάντων κ̣ ἡγεμών x6. 397ᵇ21, 399ᵃ31. βωμὸς ἐν 35
Δήλῳ Ἀπόλλωνος τῦ γενέτορος f 447. 1551ᵇ14.
γενητικός, opp φθαρτικός τό4. 124ᵃ25 (v l γεννητικός).
Genetivus temporalis, ἔαρος, θέρους, ὀπώρας, χει-
μῶνος μα12. 347ᵇ37, 348ᵃ1, 2, ᵇ26-28. β6. 364ᵇ2. 8.
366ᵇ2 al. αἰθρίας, εὐδίας, νηνεμίας μα10. 347ᵃ26, ᵇ1. πασ- 40
σέληνε Αδ8. 93ᵃ37 Wz. — genetivus materiae praedicati
loco positus, ὅσα μὴ ὕδατός ἐστιν, ἀλλὰ πλεῖον θερμῦ κ̣
γῆς, πᾶς κρυστάλλος ὕδατός ἐστι sim μδ7. 384ᵃ25, 27.
8. 385ᵇ2. 9. 385ᵇ7. 11. 388ᵃ30 al. τὸ ὁρατικὸν ὕδατός
ἐστιν, τὸ ξανθὸν τῦ λευκῦ εἶναι sim αι2. 438ᵃ13, 16, ᵇ6, 45
19, 4, 442ᵃ17, 22. cum genetivo materiae conferri potest
τῷ ἀέρι τῆς παθητικῆς ὄντι δυνάμεως κ̣ παντοδαπῶς ἀλλοιω-
μένῳ x2. 392ᵇ9. — genetivus partitivus localis, τῆς Σι-
κελίας περὶ Λεοντίνους Ζιγ17. 520ᵇ1. — genetivus partiti-
vus non additus, a quo pendeat, pronomine indefinito non 50
solum usurpatur ubi pronomen indefinitum casu nomina-
tivo vel accusativo, sed etiam ubi alio casu ponendum
erat, τῶν ἀναγκαίων, τῶν ἀδυνάτων, τῶν ἡδέων ἐστὶ τὸ2.
121ᵇ36 Wz. Πγ16. 1287ᵇ22. δ8. 1294ᵃ1. Φη1. 242ᵇ32.
Ρα11. 1371ᵃ35. γενόμενος τῶν ἀρχόντων Πε4. 1304ᵃ16. 55
εἰ ἐμπεριείληπται ὁ διαβάλλων ἢ αὐτὸς ἢ τῶν ἐγγύς Ργ15.
1416ᵃ21. ὅπυ μάλιστα ὑποκρίσεως, ἐνταῦθα ἥκιστα ἀκρί-
βεια ἔνι· τῦτο δέ, ὅπυ φωνῆς, κ̣ μάλιστα ὅπυ μεγάλης
Ργ12. 1414ᵃ15. Λακεδαιμόνιοι Χίλωνα τῶν γερόντων ἐποίη-
σαν Ρβ23. 1398ᵃ13. λέγομεν Λύσανδρον τῶν Λακώνων, 60
ὅτι Λάκων τι17. 176ᵇ5. τοιαῦτα συμβεβηκότα ἢ αὐτῷ

ἢ τῶν αὐτῦ, ἢ ἐλπίσαι γενέσθαι ἢ αὐτῷ ἢ τῶν αὐτῦ Ρβ8.
1386ᵃ3. — genetivus partitivus prope accedere potest ad
vim praedicati ταῦτα γὰρ καθ᾽ αὑτὰ ὅτε τῶν σπυδαίων,
ἀλλ᾽ ἤδεα Πθ5. 1339ᵃ18. ὅσα τε γὰρ τῶν λυπηρῶν κ̣
ὀδυνηρῶν [φθαρτικά], πάντα ἐλεεινά, κ̣ ὅσα ἀναιρετικὰ (κ̣
φθαρτικά) Ρβ8. 1386ᵃ5. cf f 89. 1492ᵃ13 ἆρ᾽ ἂν ὅσα τῶν
ὑσιῶν, ἐκ τύτων μόνον ψα5. 410ᵃ17. Vhl Poet II 21. IV
419. — genetivus partitivus numero sing positus, ἡ εἰρο-
μένη τῆς λέξεώς ἐστιν ἥδε Ργ9. 1409ᵃ34. τῆς αὐλητικῆς
ἡ πλείστη πο1. 1447ᵃ15. — genetivus obiectivus, ἡ ἑκά-
στυ (i e πρὸς ἕκαστον) ὀργή Ρβ2. 1379ᵃ22 ἡ τῶν ἐπιπέ-
δων (i e εἰς ἐπίπεδα) διάλυσις Ογ7. 306ᵃ1. ὁρμὴ τῶν ἀφρο-
δισίων Ζιζ29. 578ᵇ32. — genetivus causalis et finalis, οἰὸ
κ̣ τὰς φλεβοτομίας ποιῦνται τῶν περὶ τῶ νώτων ἀλγημά-
των Ζιγ3. 512ᵇ17, 25. τῶ μὴ κλέπτεσθαι τὰ κοινὰ ἡ πα-
ράδοσις γιγνέσθω τῶν χρημάτων παρόντων τῶν πολιτῶν
Πε8. 1309ᵃ10. χρῆται τὸ ἔμβρυον τῇ ὑστέρᾳ ὥσπερ γῆ
φυτόν, τῶ λαμβάνειν τὴν τροφήν Ζγβ4. 740ᵃ26. γέγραπται
μὲν ἄν, τῶ μᾶλλον εὐσήμως ἔχειν, ἐν κύκλος ᾳ6. 363ᵃ27.
— genetivus comparativus, ὅτι προσέχειν ταῖς ἀναποδείκτοις
φάσεσιν ὑχ ἧττον τῶν ἀποδείξεων (i e ἢ ταῖς ἀποδείξεσιν)
Ηζ12. 1143ᵇ13. περὶ δὲ ὀσμῆς κ̣ ὀσφραντῦ ἧττον εὐδιό-
ριστόν ἐστι τῶν εἰρημένων (i e ἢ περὶ τῶν εἰρημένων) ψβ9.
421ᵃ7. — genetivi absoluti ubi infinitivum expectes, συμ-
φέρον ἔσται κατὰ τὰ πάτρια τῶν ἱερῶν θυομένων ρ3. 1423
ᵇ2. — genetivi absoluti, ubi participium casu nom vel acc ad
subiectum vel obiectum enunciati referri poterat, ὑποβεβλη-
μένης τινὸς τὴν αὑτῆς υἱὸν διὰ τὸ ἀσπάζεσθαι ἐδόκει συνεῖ-
ναι τῷ μειρακίῳ Ρβ23. 1400ᵃ24. συνομολογησάντων (sc
τῦ ἵππυ) κ̣ ἀναβάντος (sc τῦ ἀνθρώπυ) ἀντὶ τῦ τιμωρή-
σασθαι αὐτός (sc ὁ ἵππος) ἐδύλευσε τῷ ἀνθρώπῳ Ρβ20.
1393ᵇ17. ὑδὲν διαφέρει μηδενὶ ὑπάρχοντος παντὶ λαβεῖν
ὑπάρχειν κ̣ τινὶ ὑπάρχοντος καθόλυ λαβεῖν ὑπάρχειν Αβ4.
57ᵃ33. Wz τβ6. 112ᵇ6, 8. ζ9.148ᵃ3. cf similia Φα3. 186
ᵃ25. Οβ7. 289ᵃ29. μβ3. 357ᵇ17. Ζιζ6. 563ᵇ12. Ζγβ4.
738ᵃ30. ΜΑ9. 990ᵇ14 Βz. δ14. 1020ᵇ12. Πε6. 1306ᵃ3
al. — genetivus absolutus participii, omisso pronomine gen
neutr, quod subiecti locum teneat (qui usus interdum acce-
dit ad impersonalem usum verborum) δεδειγμένων, ὁ δεδειγ-
μένῳ Ργ19. 1419ᵇ20. β24. 1401ᵇ9. πολλαχῇ ἐχόντων
δυσκολίαν Μβ2. 997ᵇ5. ὅτω δ᾽ ἐχόντων Ογ1.299ᵃ8. προσ-
ιόντος αὐξάνονται τῷ ὁμοίῳ Γα2. 315ᵇ3. φέρεται κάτω τὰ
δύο ὑποσπωμένων Οδ5.312ᵇ17. (cf ΜΑ9. 990ᵇ14 Βz. δ14.
1020ᵇ12. Wz ad ε10. 19ᵇ37.) inde explicari videtur χωρ-
ιζομένων Γα1. 315ᵃ9. — genetivus modalis, ὡς ὑπάρχει
τῶ ἔχειν τὰ μόρια, ὅτω κ̣ τῶ ἔχειν τὰ ἐν αὐτοῖς ὀστᾶ Ζιγ7.
516ᵇ25. cf Ζμβ16. 659ᵇ29. ὡς ἑκάστοις ὑπάρχει μεγέθυς
Ζια16. 495ᵃ1.
γενικόν, ὅσον ὑπὸ τὴν αὐτὴν μέθοδον πίπτει τῷ γένει τα5.
102ᵃ36. ἡ διαφορὰ γενική τα4. 101ᵇ18.
γεννάδας κ̣ μεγαλόψυχος Ηα11. 1100ᵇ32.
γενναῖος. 1. def dist γενναῖος Ζια1. 488ᵇ19. Ρβ15. 1390
ᵃ22. διὰ τὴν Ἀριστείδυ ἀρετὴν κ̣ τὴν θυγατέρα αὐτῦ γεν-
ναίαν εἶναι f 83. 1490ᵃ21. γενναῖοι, γενναιότεροι, opp ἀγενεῖς
νεῖς Πγ13. 1283ᵃ35. δ12. 1296ᵇ22. μορφὴ γενναιοτέρα
φ5. 809ᵇ10. δοκεῖ γενναιοτέρας εἶναι φύσεως ἡ βαρυφωνία
Ζγε7. 786ᵇ35. ἴσα γενναῖα, opp ἀγενῆ Ζια1. 488ᵇ17.
ζ1. 558ᵇ16. ι47. 631ᵃ2. Ζγα21. 730ᵃ10. γ1. 749ᵇ31. —
ὁ θυμὸς ὁ γενναῖος Ζγγ1. 749ᵃ33. ἁπλῶς τῷ ἤδει κ̣ γεν-
ναῖος αρ5. 1250ᵇ40. γενναιότατος ὁ βέλτιστος Ρβ23. 1398
ᵃ18. ὁ γενναῖος Πλάτων x7. 401ᵇ24. — 2. γυνὴ ἤδη γεν-

ναία, opp παρθένος π136. 894 b32.
γεννᾶν. τί ἐγέννησε τὴν ποίησιν ποδ. 1448 b4, 23. αἱ δυνά-
μεις γεννῶσι τὸ θερμὸν ⟨καὶ⟩ ψυχρόν, αἱ ἀρχαὶ γεννῶσι τὴν
τῶν ὄντων φύσιν sim μδ1. 379 a1. γ7. 378 a32. α4. 341
b36. Φθ4. 256 a1. ΜΑ3. 984 b9 al. γεννᾷ τὸ ἔχον τὸ εἶδος
Φθ5. 257 b10. — philosophi γεννῶσι τὸν ὠρανὸν i e γενέ-
σθαι λέγωσιν Οβ1. 283 b31, coll b33. (cf ποιεῖν). ita γεν-
νᾶν τὸν ὠρανόν, τὰ σώματα, τὸν κόσμον, τὸ κενόν, τὸν ἀριθ-
μόν, ἐξ ἀλλήλων, ἐξ ἀλλήλων al Φα4. 187 a15. Οβ4. 285 b28.
13. 295 a14. Γα1. 314 a9. 2. 316 a4. 6. 322 b6. β7. 334
a22. Ζμα1. 640 b11. ΜΑ8. 989 b34. x2. 1060 b8. μ7. 1081
b18. 8. 1084 a32. ὁ ἐξ ἀσωμάτων γεννῶν λόγος Ογ6. 305
a16. — de generatione animalium. τὸ γεννῆσαι κοινὸν τῶν
ζώντων πάντων Ζγα23. 731 a30. ἄνθρωπος ἄνθρωπον γεννᾷ
ν ἄνθρωπος 8. προϋπάρχειν δεῖ τὸ γεννῶν τῷ γεννωμένῳ Ζκ5.
700 b2. ὅθεν αὐτὸ ἑαυτὸ γεννᾷ· ὅταν δὲ γένηται, αὔξει ἤδη
αὐτὸ ἑαυτὸ Ζγβ1. 735 a13. ἐν τοῖς ὀστρακοδέρμοις ⟨καὶ⟩ φυ-
τοῖς τὸ μὲν τίκτον ἐστι ⟨καὶ⟩ γεννῶν, τὸ δ' ὀχεῦον ὠκ ἔστι
Ζιδ11. 538 a19. τὸ μὲν ἄρρεν ἐστι τὸ δυνάμενον γεννᾶν
εἰς ἕτερον, τὸ δὲ θῆλυ τὸ εἰς αὐτό, ⟨καὶ⟩ ἐξ ὗ γίνεται ἐνυ-
πάρχον ἐν τῷ γεννῶντι τὸ γεννώμενον Ζγα2. 716 a20. τῷ
μὲν ἔτι δυναμένῳ γεννᾶν, τῆς δὲ μὴ δυναμένης Πη16.
1334 b36. ὁ γεννήσας, opp ἡ ὕλη Μδ28. 1024 a35. ὁ ἄρ-
ρην ποτὲ γεννήσειεν ἂν Ζγβ8. 748 b31. ὁ ἄρρην (ὗς) γεννᾷ
ὀκτάμηνος Ζιε14. 545 a30. πότε αὐτὸ καθ' αὑτὸ τὸ θῆλυ
γεννᾷ εἰς τέλος Ζγβ5. 741 b3. αἱ ὗες γεννῶσι ⟨καὶ⟩ ἐκτρέφυ-
σιν ἑξάμηνοι Ζιε14. 545 b2. ἵππος γεννᾷ ἄξιως, ὅταν παύ-
σηται βάλλων Ζιζ22. 576 a4. οἱ τῶν μελιττῶν γεννῶμενοι
καλῶνται ὑπό τινων μητέρες ὡς γεννῶντες Ζιε21. 553 a29.
ἐκ τῶν σκωλήκων ὗτε τὰ γεννήσαντα (Mutterthiere) γίνε-
ται ὗτε ἄλλο ὅθεν ζῷον Ζιε1. 539 b13, — ἄνευ ὀχείας γεννᾶν
Ζγγ10. 759 a10, b34. — τέκνα γεννᾶται Ζιε14. 545 a29.
ὅμοια γίγνεσθαι τὰ ἔχοντα τοῖς γεννήσασιν εὔλογον Ζγα19.
726 b14. φύσει φιλία πρὸς τὸ γεγεννημένον τῷ γεννήσαντι
Ηθ1. 1155 a17. τὸ γεννῆσαν ἄρχον Πα12. 1259 b11. ἀριθμῷ
τινος μὴ πλείονα γεννᾶν Πβ6. 1265 b7. τροφὴν τῷ γεννη-
θέντι παρέχειν Πα10. 1258 a36. — γεννητός. αἴτια γεν-
νητὰ ⟨καὶ⟩ φθαρτὰ Με3. 1027 a29. ὅσα μὴ γεννητά, κινητὰ
δὲ φορᾷ Μλ2. 1069 b25. — ὕλη γεννητή (i e τῆς γεννή-
σεως), dist τοπικὴ Μη1. 1042 b6 (Bz ad 1042 a34).
γέννησις. αἱ τοιαῦται πράξεις κατασκευαὶ ἀγαθῶν εἰσι ⟨καὶ⟩
γεννήσεις Πη13. 1332 a18. — περὶ γεννήσεως ψβ4. 415
a23 sqq. τί ὥρισται τέλος γεννήσεως ἀνδράσι ⟨καὶ⟩ γυναιξὶν
Πη16. 1335 a8, b36. αἱ ἀρχαὶ τοῖς ζῴοις τῆς γεννήσεως
πῶς ἔχωσιν Ζιε14. 545 b26. χρήσιμος πρὸς τὴν γέννησιν
Ζιζ22. 576 a16.
γεννητὴς τῶν πράξεων ὥσπερ ⟨καὶ⟩ τέκνων Ηγ7. 1113 b18.
γεννήτης. τὰς εἰς τὰ γένη τεταγμένας γεννήτας καλῶσι f 347.
1536 b4.
γεννητικός. τὸ γεννητικόν Ζγβ6. 742 a24. τὸ θρεπτικόν ἐστι
τὸ γεννητικὸν ἑτέρᾳ οἷον αὐτὸ Ζγβ1. 735 a18. δύναμις τῆς
ψυχῆς θρεπτικὴ ⟨καὶ⟩ γεννητικὴ ψβ4. 416 a19. ἡ πρώτη ψυχὴ
γεννητική οἷον αὐτὸ ψβ4. 416 b25. cf ημα10. 1187 a30. τὰ
τέλεια ζῷα γεννητικὰ ψγ4. 432 b24. Ζγβ1. 735 a18. ἔχειν
τινὰ ἕξιν ⟨καὶ⟩ ἀρχὴν κινήσεως γεννητικὴν Ζγα19. 726 b21. κι-
νήσεις γεννητικαὶ Ζγδ4. 770 b27. ὄργανα πρὸς τὴν γεννη-
τικὴν πρᾶξιν Ζιε2. 539 b21. γεννητικῶν μορίων, αἰδοῖον Ζγα2.
716 b6. 13. 720 a4. Ζκ11. 703 b24. γεννητικὸν περίττωμα
Ζγβ4. 738 b19. γ11. 763 b34. ἡ γεννητικὴ ὥρα π165. 898
b8. — ὁ ἄνθρωπος γεννητικὸς περὶ τὰ τρὶς ἑπτὰ ἔτη Ζιε14.
544 b26.

γένος ποσαχῶς λέγεται Μδ28. — 1. proles, familia, gens.
τὰς κληρονομίας μὴ κατὰ δόσιν εἶναι ἀλλὰ κατὰ γένος Πε8.
1309 a24. οἱ ἐγγυτάτω γένους ὄντες ρ2. 1422 b8. πότερον
⟨καὶ⟩ τὸ γένος (i e τὰ τέκνα) δεῖ βασιλεύειν Πγ15. 1286 b24.
αἱ κατὰ γένος βασιλεῖαι (hereditaria regna) Πε10. 1313
a10. ἕως ἂν ᾖ τὸ γένος ταὐτὸ τῶν κατοικούντων Πγ3. 1276
a35. πόλις γενῶν ⟨καὶ⟩ κωμῶν κοινωνία ζωῆς Πγ9. 1280 b34,
40. ὁ χωρισμὸς ὁ κατὰ γένη τῷ πολιτικῷ πλήθος ἐξ
Αἰγύπτου, διῃρῆσθαι χωρὶς κατὰ γένη τὴν πόλιν Πη10. 1329
b23, 11. διαδικάζει τοῖς γένεσι ὁ τοῖς ἱερεῦσιν ὁ βασιλεὺς
f 385. 1542 a20, 32. ἑκάστης φρατρίας τριάκοντα γένη f 347.
1536 b2. τὸ τῶν ἱερέων γένος Πη9. 1329 a27. ἐκ τίνος γένους
(i e schola philosophica) ὁ διαλεγόμενος τι12. 172 b29. —
στρατιωτικὰ ⟨καὶ⟩ πολεμικὰ γένη Πβ9. 1269 b26. τὰ εὐφυᾶ
γένη ἐξίσταται εἰς μανικώτερα ἤθη Ρβ15. 1390 b28. γένος
σπουδαῖον ἐν ᾧ πολλοὶ σπουδαῖοι πεφύκασιν ἐγγίνεσθαι f 85.
1491 a1. 83. 1490 b5. — de nobilitate κατὰ γένος, γένει,
dist κατ' ἀρετήν, διὰ πλῆτον, τιμήματι, αἱρετὸς Πγ13.
1283 b16. 14. 1285 a16. δ3. 1289 b41. 15. 1300 a17. ζ2.
1317 b39. ὐκ ἐξ ἁπάντων αἱροῦνται τὰς κοσμους, ἀλλ' ἐκ
τινῶν γενῶν Πβ10. 1272 a34. οἱ κατὰ γένος ὑπερέχοντες,
syn εὐγενεῖς Πε1. 1301 b2, 3. γένος ὑπερέχον, διαφέρον κατ'
ἀρετὴν Πγ7. 1288 a9, 15. — sexus. γένος ἄρρεν, θῆλυ,
eorum φύσις ac δύναμις distinguitur Ζιι1. 608 a33-b18.
σα3. 1343 b26. τὰ γένη τῶν μελιττῶν Ζιι40. 623 b9. γένος
ἐν τοῖς φυτοῖς κεκραμένον εἶναι φτα1. 815 a20. grammatice
Πρωταγόρας τὰ γένη τῶν ὀνομάτων διῄρει ἄρρενα ⟨καὶ⟩ θήλεα
⟨καὶ⟩ σκεύη Ργ5. 1407 b7.
2. γένος logice. τὰ γένη καθόλου εἰσι, opp καθ' ἕκαστον,
syn κοινὸν Μλ1. 1069 a27. β3. 998 b18. δ2. 1014 a17. 3.
1014 b9. η1. 1042 a15, cf ζ16. 1040 b23, 25, 26, 1041 a4.
ψα1. 402 b8, 7 (itaque ὡς ἐν γένει λαβεῖν Αβ16. 64 b29
idem est atque ὡς καθόλου λαβεῖν). τὸ καθόλου vero non ne-
cessario est γένος ΜΑ9. 992 b12. ζ3. 1028 b34 Bz, sed
τῶν κοινῶν τὸ μάλιστα ἐν τῷ τί ἐστι κατηγορούμενον γένος
ἂν εἴη τα18. 108 b23. cf Ζμα4. 644 b2. γένος τὸ κατὰ
πλειόνων ⟨καὶ⟩ διαφερόντων τῷ εἴδει ἐν τῷ τί ἐστι κατηγορού-
μενον τα5. 102 a31. τὸ γένος βούλεται τὸ τί ἐστι σημαίνειν
τζ5. 142 b27. μάλιστα τῶν ἐν τῷ ὁρισμῷ τὸ γένος δοκεῖ
τὴν τῷ ὁριζομένῳ ὑσίαν σημαίνειν τζ1. 139 a29. 5. 143 a18.
Μι3. 1054 b30. (8. 1057 b38). δ6. 1015 b33. γένος τὸ
πρῶτον ἐνυπάρχον ὃ λέγεται ἐν τῷ τί ἐστι, ἀρχαὶ τὰ γένη
τῶν ὁρισμῶν Μδ28. 1024 b5. ζ7. 1033 a4. β3. 998 b5.
ὡς γένη λέγεσθαι, dist πολλαχῶς λέγεσθαι Μλ5. 1071 a37.
τιθέναι ἐν γένει τὸ1. 121 a10, 27, b1. τιθέναι εἰς τὸ γένος,
εἰς τὸ ἐγγυτάτω γένος τὸ2. 122 b18. 5. 126 b35. ζ1.
139 a27, 29. 5. 143 a20. τὴν κίνησιν ἐν ἄλλῳ γένει θεῖναι,
ζητητέον τὸ γένος ἐν τόπῳ Φυ2. 201 b19. δ1. 209 a4. Μχ9.
1066 a10. κεῖσθαι ἐν γένει. ἐν ταὐτῷ, ἐν τῷ οἰκείῳ γένει
τζ5. 142 b22, 143 a12. δ3. 123 a20. εἶναι ἐν γένει ττγ1.
116 a23-28 Wz, opp αὐτὸ γένος εἶναι τὸ3. 123 b9, 10. cf
ζ5. 142 b22. — τὸ γένος ἀπὸ τῶν ἄλλων χωρίζει, τὸ δὲ
διαφορὰ ἀπό τινος τῶν ἐν τῷ γένει τζ3. 140 a27. πρὸς τὰ
ἔξω τῷ γένους ὐκ ἔστι διαφορὰ Μι4. 1055 a27. ὐδεμία δια-
φορὰ τῶν κατὰ συμβεβηκὸς ὑπαρχόντων ἐστι, καθάπερ ὐδὲ
τὸ γένος τζ6. 144 a25 (cf διαφορά). πᾶν γένος ταῖς ἀντι-
διῃρημέναις διαφοραῖς διαιρεῖται τζ6. 143 a36. Μδ6. 1016
a24. ζ12. 1037 b20. ἡ διὰ τῶν γενῶν διαίρεσις Αα31. ἐκ
τῷ αὐτῷ γένους ἀντιδιῃρημένα ἀλλήλοις ἅμα τῇ φύσει
Κ13. 14 b33. γένει διαφορὰ Μι8. 1058 a7. μία ἐναντίωσις
ἐν παντὶ γένει Φα6. 189 a14, b26 (sed ἐναντίαι πολιτεῖαι,

opp αἱ ἐν τῷ αὐτῷ γένει Π 6. 1306 ᵇ19, cf ἐναντίος). ἠδὲν
ἕτερόν ἐστιν ἐν τῷ ὁρισμῷ πλὴν τό τε πρῶτον λεγόμενον
γένος χ̣ αἱ διαφοραί ΜΖ12. 1037 ᵇ30. τΖ4. 141 ᵇ15. Αδ13.
97 ᵇ4. γένος, dist ὅρος, ἴδιον, συμβεβηκός τα 5. γένος et
διαφορά dist τΖ6. 144 ᵃ9-19. τὸ γένος καθόλᾳ μᾶλλον, ἐπὶ 5
πλέον λέγεται τῆς διαφορᾶς, ᾧ μετέχει τῆς διαφορᾶς Μδ3.
1014 ᵇ11. ζ12. 1037 ᵇ19. τδ2. 123 ᵃ7. ζ6. 144 ᵃ30. ἡ
διαφορὰ ποιότης τᾳ γένες τὸ 6. 128 ᵃ27. ᾧ κατὰ τῆς δια-
φορᾶς, ἀλλὰ καθ᾽ ὧν ἡ διαφορά, τὸ γένος κατηγορεῖται τζ6.
144 ᵃ32. Μδ3. 1014 ᵇ13. cf χ1. 1059 ᵇ33. τὸ γένος γνω- 10
ριμώτερον (int φύσει) τῆς διαφορᾶς τζ11. 149 ᵃ18, 27. —
ἐκ τᾳ γένες χ̣ τῶν διαφορῶν τὰ εἴδη Μι7. 1057 ᵇ7. ζ12.
1037 ᵇ30, 1038 ᵃ7. τὰ γένη εἰς εἴδη πλείω χ̣ διαφέροντα
διαιρεῖται Μχ1. 1059 ᵇ36. τὰ ὡς γένες εἴδη, dist εἴδη Pla-
tonica Μμ5. 1079 ᵇ34. 9. 1085 ᵃ24. ι7. 1057 ᵇ6 Bz. 8. 15
1058 ᵃ22. ζ12. 1038 ᵃ5. τὰ γένη τῶν εἰδῶν γνωριμώτερα,
πρότερα, τῶν δευτέρων ᾖσίων μᾶλλον ᾖσία τὰ εἴδε τᾳ γένᾳ
τζ11. 149 ᵃ18, 27. 4. 141 ᵇ27. Κ13. 15 ᵃ4. 5. 2 ᵇ8, 19. ἐπὶ
πλέον τὸ γένος τᾳ εἴδε λέγεται τδ1. 121 ᵇ3, 11-14. 5.
126 ᵃ2. 6. 127 ᵃ34. ζ6. 144 ᵃ31. τὰ εἴδη μετέχει τῶν γε- 20
νῶν, τὰ δὲ γένη τῶν εἰδῶν ᾔ· τὸ γένος ᾧ κατὰ τὶ μετέ-
χεται τδ1. 121 ᵇ12. 5. 126 ᵃ18. τὸ γένος καθ᾽ ὑποκειμένε
τᾳ εἴδες, ᾧ ἐν ὑποκειμένᾳ τὸ 6. 127 ᵇ3. συνώνυμον τὸ γένος
χ̣ τὸ εἶδός τδ3. 123 ᵃ28. 6. 127 ᵇ6. β2. 109 ᵇ4 (dist πα-
ρωνύμως κατηγορεῖσθαι). ἀνάγκη τᾱς τῶν γενῶν λόγᾳς κατη- 25
γορεῖσθαι τᾳ εἴδες χ̣ τῶν μετεχόντων τᾳ εἴδες τδ2. 122 ᵇ9.
1. 121 ᵃ25. Κ5. 3 ᵃ38, 2 ᵇ20. cf 2 ᵃ16, ᵇ7, 19, 22. ὧν τὸ
γένος μὴ κατηγορεῖται... 4. 124 ᵇ11.
συναναιρεῖται τοῖς γένεσι τὰ εἴδη Μχ1. 1059 ᵇ39. ᾗκ ἀναγ-
καῖον ὅσα τῷ γένει ὑπάρχει, χ̣ τῷ εἴδει ὑπάρχειν· ὅσα δὲ 30
τῷ εἴδει, ἀναγκαῖον χ̣ τῷ γένει· ὅσα τῷ γένει ᾗχ ὑπάρχει,
ᾗδὲ τῷ εἴδει· ὅσα τῷ εἴδει μὴ ὑπάρχει, ᾗκ ἀναγκαῖον τῷ
γένει μὴ ὑπάρχειν τβ4. 111 ᵃ25, 27, 30. τὸ γένος notione
ἀδιαίρετον χ̣ ἐν τῷ εἴδει, ambitu διαιρετὸν εἰς εἴδη, unde
τὸ εἶδος ἐν τῷ γένει Φδ3. 210 ᵃ18, 19. Μδ3. 1014 ᵇ10. 35
25. 1023 ᵇ18, 24, 25. β3. 999 ᵃ4. χ1. 1059 ᵇ36. πῶς ἐν
εἴδει ὑπὸ δύο γένη τδ1. 121 ᵇ29. — ἕν, ταὐτόν, ἕτερον,
διαφέρειν γένει, dist εἴδει (cf εἷς) τα7. 103 ᵃ13. Φε4. 228
ᵇ12. η1. 242 ᵇ4. ψα1. 402 ᵇ3. μχ1. 465 ᵃ4. Μδ6. 1016
ᵇ33. 28. 1024 ᵇ10. Ρβ20. 1393 ᵃ24. ᾗκ ἔστι μετάβασις ἐκ 40
ἄλλο γένος (logice et physice) Αγ7. 75 ᵃ38. Οα1. 268 ᵇ1.
Μι4. 1055 ᵇ6. 7. 1057 ᵃ27. ἐκ τᾳ αὐτᾳ γένες ἀνάγκη τὰ
ἄκρα χ̣ τὸ μέσον εἶναι Αγ7. 75 ᵇ10. γένη πολὺ, μὴ πολὺ
λίαν διεστηκότα τα16. 108 ᵃ3. 17. 108 ᵃ12. — series τῶν
γενῶν· τὸ ἄνω, ἄνωθεν, ἀνώτερον, ἀνωτέρω, ἀνωτάτω, ἐπάνω, 45
περιέχον, πρῶτον γένος, opp τὸ κάτω, κάτωθεν, περιεχόμε-
νον, ἔσχατον, ὕστατον, τελευταῖον, ἐγγύτατα γένος Κ3. 1
ᵇ22. Αγ5. 74 ᵃ7. δ13. 96 ᵇ37, 97 ᵃ31, 33. τδ2. 122 ᵃ4-21.
4. 124 ᵃ38 Wz, ᵇ31. ζ2. 140 ᵃ1. 5. 143 ᵃ21. 6. 144 ᵃ12,
ᵇ13, 14. η1. 152 ᵃ16, 19. ΜΑ9. 992 ᵃ17 Bz. Ζι1. 1028 ᵇ 50
3. 998 ᵇ15, 18. 4. 999 ᵃ31. δ6. 1016 ᵃ29. 24. 1023 ᵃ27.
ζ8. 1034 ᵃ1. 12. 1037 ᵇ31. χ1. 1059 ᵇ27. (τὰ πρῶτα χ̣
τὰ γένη τῶν ἐναντίων Μι4. 1055 ᵇ27.) γένος οἰκεῖον τζ1.
139 ᵃ28, ᵇ3. 5. 143 ᵃ12. τὰ τᾳ γένεᾳς γένη τδ4. 124 ᵃ29,
31. τῶν ὑπ᾽ ἄλληλα γενῶν ᾗδὲν κωλύει τὰς αὐτὰς δια- 55
φορὰς εἶναι Κ3. 1 ᵇ2. τὰ ἐπάνω τῶν ὑπ᾽ αὐτὰ γενῶν κα-
τηγορεῖται Κ5. 3 ᵃ38. in hac generum serie quae medium
aliquem locum obtinent, ea et γένη dicuntur, quoniam εἴδη
plura continent, et εἴδη. quoniam superius genus differen-
tia specifica est determinatum. ita in naturali historia 60
divisionum series, quae nunc certis ac definitis nominibus

significatur (veluti classis, ordo, familia, genus, species,
varietas), ab Aristotele non ipsis nominibus distinguitur,
sed idem nomen γένος ad significandas et summas classes
et infimas varietates usurpatur, veluti in regno animalium
γένη fere i q hodie classis: γένη μέγιστα τῶν ζῴων, εἰς
ἃ διῄρηται τἆλλα ζῷα, τάδ᾽ ἐστιν. ἐν μὲν ὀρνίθων, ἐν δ᾽
ἰχθύων, ἄλλο δὲ κήτᾳς. ταῦτα πάντα ἔναιμά ἐστι. ἄλλο
δὲ γένος ἐστὶ τὸ τῶν ὀστρακοδέρμων, ἄλλο τὸ τῶν μαλα-
κοστράκων, ἀνώνυμον ἑνὶ ὀνόματι, ἄλλο τὸ τῶν μαλακίων,
ἕτερον τὸ τῶν ἐντόμων. ταῦτα πάντα ἄναιμά ἐστιν. τῶν
δὲ λοιπῶν ζῴων ᾗκέτι τὰ γένη μεγάλα Ζια6. 490 ᵇ7 sq.
τὰ μέγιστα γένη, ὅσα ἔναιμα (animalia vertebrata) opp
τοῖς λοιποῖς τῶν ἄλλων ζῴων (evertebratis Cuv) Ζιβ15.
505 ᵇ26. τὸ τῶν ἰχθύων γένος Ζιβ13. 504 ᵇ13. Ζμδ13.
697 ᵃ14, τῶν καλυμένων μαλακίων Ζιδ1. 523 ᵇ2, ἐντόμων
αι5. 444 ᵇ9, ὀρνίθων Ζια5. 490 ᵃ12. Ζμδ12. 695 ᵃ19. γένος
i q ordo: τὰ λοιπὰ γένη (ἀλώπηξ χ̣ νυκτερὶς) ἀνώνυμα ἑνὶ
ὀνόματι Ζια5. 490 ᵃ13. ᾗ μόνον τᾳ γαμψώνυχα, ἀλλὰ χ̣
ἄλλα γένη ὀρνίθων Ζμδ12. 694 ᵃ4. τὸ τῶν ὄφεων γένος
Ζια6. 490 ᵇ24. β17. 508 ᵃ8. γένος i q familia: τὸ γένος
τῶν ἀσπαλάκων Ζιδ8. 533 ᵃ3. δελφίνων τι γένος Ζιζ12.
566 ᵇ12. τὸ τῶν κορακοειδῶν ὀρνίθων γένος Ζια1. 488 ᵇ5.
τὸ τῶν βατράχων γένος Ζιε3. 540 ᵃ31, κροκοδείλων Ζιι1.
609 ᵃ1, σελαχῶν Ζιζ10. 564 ᵇ15, σηπιῶν Ζιδ1. 523 ᵇ4,
ἄλλο γένος τῶν μαλακοστράκων Ζια6. 490 ᵇ10, τῶν κηριο-
ποιῶν Ζιι40. 623 ᵇ8, μυιῶν, τεττίγων Ζμδ5. 678 ᵇ18, 682
ᵃ18, 24. γένος i q genus: τὸ γένος τῶν αἰγῶν, κυνῶν, προ-
βάτων, ὑῶν, βοῶν, ἵππων Ζια1. 488 ᵃ31, ἡμιόνων, λεόντων,
μυῶν Ζιζ24. 577 ᵇ24. 31. 579 ᵇ5. 37. 581 ᵃ5, ἀλεκτορίδων,
περδίκων Ζια1. 488 ᵇ4. ε13. 544 ᵃ31, ἀλκυόνων Ζιθ3. 593
ᵇ9, τευθῶν Ζιδ1. 524 ᵃ29, ἀστακῶν, καράβων, καρίδων,
καρκίνων Ζιδ1. 523 ᵇ5. 2. 525 ᵃ30, 34, ᵇ3, 10. 4. 530 ᵃ7,
ἐγχελέων, ἐρυθρίνων, κεστρέων Ζιπ7. 708 ᵃ7. Ζιζ15. 569 ᵃ7.
δ11. 538 ᵃ20. ζ15. 569 ᵃ17. γένος i q species: ἄλλο γένος
κολοιῶν Ζιι24. 617 ᵇ18. γένος i q varietas: γένος τι βοῶν
Ζιβ15. 506 ᵃ9. Ζγγ4. 666 ᵇ19. plur τὰ γένη i q species,
veluti τῶν θώων Ζιι44. 630 ᵃ12, κυνῶν, λεόντων Ζιζ20.
574 ᵃ16. ι1. 608 ᵃ28. 44. 629 ᵇ33, τῶν φαλαγγίων Ζιι39.
622 ᵇ28, 623 ᵃ25. (ἔστιν ἔνια ζῷα περιττὰ χ̣ ἐν θαλάττᾳ,
ἃ διὰ τὸ σπάνια εἶναι ᾗκ ἔστι θεῖναι εἰς γένος Ζιδ7. 532
ᵇ18. cf A ad h l.) similiter in regno vegetabili et mine-
rali: ᾗκ ἐφ᾽ ἑτέρα τᾳ εἴδει ἄνθη, οἷον ἀπὸ ἴε ἐπὶ ἴον Ζιι40.
624 ᵇ4. γένος τῶν σίτων (?) Ζγγ1. 750 ᵇ27, τῶν κρομμύων
Ζγγ11. 761 ᵇ29. λίθων οὐδὲν γένος μδ6. 383 ᵇ11. 10. 389
ᵇ18. ac de iis quidem animalium classibus, quas ipse sum-
mas esse ponit (τὰ μέγιστα γένη cf supra ᵇ5), ubique Ar
nomine γένος utitur; in proximis et inferioribus, quamquam
usitatius est nomen γένος, promiscue tamen nomina γένος
et εἶδος usurpat: ἔστι γένη τᾳ εἴδη πολλὰ τῶν ὀστρακο-
δέρμων Ζιε5. 679 ᵇ5. γένος, εἶδος φθειρῶν Ζιε31. 557
ᵃ4, 24, τεττίγων Ζιε30. 556 ᵃ14. δ9. 535 ᵇ8. 7. 532 ᵇ14,
ἰχθύων Ζια4. 486 ᵃ24. ε11. 543 ᵇ5. ζ15. 569 ᵇ12. ὄφεων,
κροκοδείλων Ζια6. 490 ᵇ24. β17. 508 ᵃ8. ι1. 609 ᵃ1 et Ζιβ
15. 505 ᵇ31. — cf praeterea promiscue usurpata de eadem
distinctione γένος et εἶδος Κ7. 8 ᵇ27, 9 ᵃ14, 28, 10 ᵃ11. Πδ4.
1290 ᵇ33, 25, 36. Φε4. 227 ᵇ12. Ζια6. 490 ᵇ16, 17, 34, 31.
sed neque ea εἴδη, quae differentiis specificis amplius dirimi
nequeunt (Ζμα5. 645 ᵇ25), usquam γένη dicuntur, παντὸς γέ-
νᾳς εἴδη πλείω τδ3. 123 ᵃ30. 6. 127 ᵃ13. cf Ζμα4. 644 ᵇ6.
Ζια6. 490 ᵇ31. 1. 486 ᵃ24. ᾗκ ἔστι γένος ὁ ἄνθρωπος τῶν τινων
ἀνθρώπων Μβ3. 999 ᵃ5. ι9. 1058 ᵇ6, cf δ10. 1018 ᵇ5.

Ζιε31. 557 ᵃ24. ἁπλῶν αὐτὸ ὐκ ἔχον διαφορὰν τὸ εἶδος, οἷον ἄνθρωπος Ζια6. 490 ᵇ18. cf β15. 505 ᵇ31. ε31. 557 ᵃ24, neque ea summa genera, quibus non est universalius aliud (cf infra) εἴδη usquam nuncupantur. quae generis unitate circumscribi nequeunt, possunt tamen τῷ ἀνάλογον vinculo 5 contineri Ζμα4. 644 ᵃ18, ᵇ11, cf ἀνάλογον. — quaestio τί τὸ ποιῶν τὸν ὁρισμὸν ἓν εἶναι (cf ὁρισμός) ita solvitur, ut τὸ γένος sit ὑποκείμενον sive ὕλη ταῖς διαφοραῖς, ὕλη ὂ λέγεται γένος Μδ6. 1016 ᵃ26. 24. 1023 ᵇ2. 28. 1024 ᵇ3, 8, 9. ζ7. 1033 ᵃ4. 12. 1038 ᵃ6. η6. 1045 ᵃ35. Γα7. 324 10 ᵇ7. (cf ὕλη 6.) τὰ γένη ὂ φύσεις τινὲς κ̀ ὐσίαι χωρισταί Μι2. 1053 ᵇ21. η2. 1042 ᵃ21. τὸ γενος ὐκ ἔστι παρὰ τὰ ὡς γένος εἴδη Μζ12. 1038 ᵃ5. πότερον δεῖ τὰ γένη στοιχεῖα κ̀ ἀρχὰς ὑπολαμβάνειν Μβ1. 995 ᵇ28. 3. 998 ᵃ20, ᵇ14. δ3. 1014 ᵇ11. κ1. 1059 ᵇ21, 34. ὗτε τὸ ἓν ὗτε τὸ ὂν γένος 15 Μβ3. 998 ᵇ22 Bz (cf εἷς et ὄν). — ex logica notione vocabuli γένος explicatur, quod summa genera praedicamentorum γένη τῆς κατηγορίας, τῶν κατηγοριῶν, γένη τῶν ὄν-των, γένη dicuntur, ἡ ὐσία ἕν τι γένος τῦ ὄντος Φα6. 189 ᵃ14, ᵇ24. ἐν πᾶσι τοῖς γένεσι, κ̀ γὰρ ἐν τῷ ποιῷ κ̀ ἐν τῷ 20 ποσῷ Οδ4. 312 ᵃ13 (cf κατηγορία 1). ad eandem notionem logicam referendum est, quod nomen γένος usurpatur, ubicunque ambitus aliquis rerum notionis unitate continetur: εἰ ἀποδεικτικὴ περὶ αὐτῶν ἐστι, δεήσει τι γένος εἶναι ὑποκείμενον κ̀ τὰ μὲν πάθη τὰ δ' ἀξιώματ' αὐτῶν Μβ2. 997 25 ᵃ6. γένυς ἑνὸς μία ἐπιστήμη κ̀ μία αἴσθησις Μγ2. 1003 ᵇ19. θεωρῆσαι τὸ περὶ ἕκαστον γένος ἁρμόττον Ρι1. 1288 ᵇ12. κ̀ ἑνός τινος γένυς ἀφωρισμένη ἡ ῥητορικὴ Ρα1. 1355 ᵇ8. πρότερον ἐν ἑκάστῳ γένει τὸ ἓν τῶν πολλῶν Οβ4. 286 ᵇ17. ὅπερ ποιεῖ ἐν τῷ ὑγρῷ τὸ ξηρόν, τῦτο ποιεῖ ἐν ἄλλῳ 30 γένει τὸ ἔγχυμον ὑγρόν αι5. 442 ᵇ29. τὸ ἤλεκτρον τῦτο τῦ γένυς ἔοικε μδ10. 388 ᵇ21. ἡ τῦ σεισμῦ αἰτία ἐχομένη τῦτο τῦ γένυς (i e τῶν ἀνέμων) ἐστὶ μβ7. 365 ᵃ15. κλίνη κ̀ ἱμάτιον κ̀ εἴ τι τοιῦτον ἄλλο γένος ἐστὶν Φβ1. 192 ᵇ17. interdum γένος prope ad paraphrasin delitescit τὸ τῶν 35 ὀνύχων, τὸ τῶν ὀδόντων γένος Ζιδ10. 690 ᵇ8. Ζιγ7. 516 ᵃ26. 9. 517ᵇ25. (cf φύσις 2 h.)

γένυς. τῶν σιαγόνων τὸ πρόσθιον γένειον, τὸ δ' ὀπίσθιον γένυς, κινεῖ πάντα τὰ ζῷα τὴν κάτωθεν γένυν, ὁ ποτάμιος κροκό-δειλος κινεῖ τὴν ἄνω γένυν μόνον Ζια11. 492 ᵇ23, 24. ἔστι 40 λέων ἔχων τὴν ἄνω γένυν ὂ προεξεστηκυῖαν ἀλλὰ ἰσορρο-πῦσαν τῇ κάτω φ5. 809 ᵇ17. vena cephalica interna ferei μέχρι τῶν ὤτων, ᾗ συμβάλλωσιν αἱ γένυες τῇ κεφαλῇ (τῆς κεφαλῆς Bk c codd) Ζιγ3. 514 ᵃ10. cf ΑΖι II tab 2.

γεοειδής. γεννᾶται ἔκ τινος συστάσεως γεοειδῦς κ̀ ὑγρᾶς 45 Ζγα23. 731 ᵇ13. ἐκδύνωσιν ἐκ τῦ γεοειδῦς τῦ περιέχοντος ἀκρίδες Ζιε28. 555 ᵇ28.

γεραιός. οἱ γεραίτεροι διὰ τί τάχιστα μεθύσκονται f 102. 1494 ᵇ13.

γεράμενος (γευσάμενος Bk³, γ' ἐράμενος Vhl) πο22. 1458 50 ᵇ10, cf Εὐκλείδης.

γέρανος. τὰ μὲν μακρὸν ἔχει τὸ ῥύγχος [ὥσπερ αἱ γέρανοι] Ζια1. 486 ᵇ10, τὺς τραχήλυς μακρὺς ακ800 ᵇ22. ὂ συγ-καθείσης τῆς θηλείας ἐπιβαίνει τὸ ἄρρεν Ζιε2. 539 ᵇ31, τίκτει δύο ᾠὰ Ζιι12. 615 ᵇ18, κατὰ τὰς ἡλικίας μεταβάλλει· ὗσα 55 τεφρὰ μελάντερα γηράσκοντα τὰ πτερὰ ἴσχει Ζιγ12. 519 ᵃ1. Ζγε5. 785 ᵃ22 — φωνὴ ακ800 ᵃ26. φθέγγονται βιαίως ακ800 ᵇ23. βοῶσι f 241. 1522 ᵃ37. πέτονται πρὸς τὸ πνεῦμα Ζιθ12. 597 ᵃ32. μεταβάλλωσιν, ἐκτοπίζωσιν ἐκ τῶν Σκυ-θικῶν πεδίων εἰς τὰ ἕλη τὰ ἄνω τῆς Αἰγύπτυ (Ideler Me- 60 teor I 467) Ζιθ12. 597 ᵃ4, 24, 30. ι10. 614 ᵇ18-26. f 241.

1522 ᵃ31 sq. — ἀγελαῖον Ζια1. 488 ᵃ4. δ12. 597 ᵇ29. πο-λιτικὸν κ̀ ὑφ' ἡγεμόνα Ζια1. 488 ᵃ10, 11. μάχιμον Ζιι12. 615 ᵇ16. — ἐπιχειρῦσι τοῖς πυγμαίοις Ζιθ12. 567 ᵃ6. — φάρυγγα αὐτῷ μακρότερον γεοδῶν γενέσθαι ηὔξατό τις ὀψοφάγος Ηγ13. 1118 ᵃ33. πκη7. 950 ᵃ4. ηεγ2. 1231 ᵃ16. (Grus cinerea Bchst, Lnd 131, E51 cf Su143, ΑΖι I 89, 24).

γέρας. ἔχει γέρας (Hom Α 356) Ρβ2. 1378 ᵇ32. ἔχει τὸ γέρας (Simonid fr 5, 10) ΜΑ 2. 982 ᵇ31. μέρος τιμῆς γέρας Ρα5. 1361 ᵃ35. μισθὸς τις ὁ γέρας, τῦτο δὲ τιμὴ κ̀ γέρας Ηε10. 1134 ᵇ7. τῆς ἀρετῆς ἡ τιμὴ γέρας Ηθ16. 1163 ᵇ4 γέρας μεῖζον τῆς ἀξίας Πβ10. 1272 ᵃ37. φιλίας γέρας βεβαίᾳ f 625. 1583 ᵇ25. — διαδικάζει τοῖς ἱερεῦσι τὰς ἀμφισβητήσεις τὰς ὑπὲρ τῶν γερῶν f 385. 1542 ᵃ33.

Γερμανοί θ168. 846 ᵇ30.

Γέρμαρα (Γερμέραι ci Meineke), Κελτικῆς ἔθνος, ὃ τὴν ἡμέ-ραν ὂ βλέπει f 564. 1570 ᵇ42.

γεροντομανία, 'Αναξανδρίδυ comoedia Ργ12. 1413 ᵇ26. Meineke fr com III 166.

γερυσία Laced Ρβ9. 1270 ᵇ24, Carthag Πβ11. 1272 ᵃ37.

γέρων, opp νέος. ἀκμάζων κ5. 396 ᵇ3. ἐν τοῖς γέρυσι τὸ αἷμα παχὺ κ̀ μέλαν κ̀ ὀλίγον, ταχὺ πήγνυται Ζιγ19. 521 ᵃ33. οἱ γέροντες ὐκ ὀξὺ ὁρῶσιν Ζγε1. 780 ᵃ31. τῶν γε-ρόντων τὰ ὄμματα σκληρόδερμα πλα14. 958 ᵇ2. οἱ λίαν γέροντες ἀμνήμονες αν1. 450 ᵇ6. 2. 453 ᵇ4. μάλιστα οἱ γέ-ροντες ὑπὸ μέθης ἁλίσκονται f 103. 1494 ᵇ27. τὺς γέροντας τὰς ἀφειμένας πῶς φατέον πολίτας Πγ1. 1275 ᵃ15. — γέρ-ων etiam de animalibus usurpatur, οἱ γέροντες τῶν ἰχθύων Ζιθ30. 607 ᵇ28. ὁ γέροντος ἔλαφος, γέροντες ἔλαφοι Ζιθ30. 607 ᵇ32. ι5. 611 ᵇ3. — γέροντες in civitate Lacedaemoniorum Πβ6. 1265 ᵇ38. 9. 1270 ᵇ36, 1271 ᵃ3, 9, 15. γ1. 1275 ᵇ10. δ9. 1294 ᵇ31. ε6. 1306 ᵃ19. f 494. 1558 ᵇ15, Cretensium Πβ10. 1272 ᵃ7, 12, 34, Carthag Πβ11. 1272 ᵇ38, Eleorum Πε6. 1306 ᵃ17, Hippodami Πβ8. 1267 ᵇ41.

γεύεσθαι. ὅτι αἰσθάνονται (τὰ ἔνυδρα ζῷα) γευόμενα, φα-νερὸν Ζιδ8. 533 ᵃ31. ὅταν προγευματίσας τις ἰσχυρῷ χυμῷ γεύηται ἑτέρῳ ψβ10. 422 ᵇ8. — τὰ μὴ γευσάμενα τῦ νέκταρος κ̀ τῆς ἀμβροσίας Μβ4. 1000 ᵃ12. — γευστός. περὶ τὸ γευστὸ κ̀ χυμῦ ψβ10. αι4. ἡ γεῦσις τῦ γευστῦ τε κ̀ ἀγεύστυ ψβ10. 422 ᵃ29. τὸ γευστὸν ἁπτόν τι ψβ10. 422 ᵃ8. Ρα11. 1370 ᵃ23. ηεγ2. 1230 ᵇ25. cf γεῦσις. τὸ γευστὸν ὁ χυμός ψβ10. 422 ᵃ17. ἐπιθυμίαι φυσικαί, ἡδο-ναὶ περὶ τὸ γευστόν Ρα11. 1370 ᵃ23. ηεγ2. 1230 ᵇ25-1231 ᵃ17 Fr.

γεῦμα. εἴρηται ὡς ἐν τύπῳ, γεύματος χάριν Ζια6. 491 ᵃ8.

γεῦσις. περὶ γεύσεως ψβ10. αι4. ἡ τῆς γεύσεως αἴσθησις Ζμβ17. 660 ᵇ10. ἡ γεῦσις τῦ γευστῦ τε κ̀ ἀγεύστυ ψβ10. 422 ᵃ29. γεῦσίς ἡ τῦ γευστικῦ ἐνέργεια ψ2. 426 ᵃ14. ἡ γεῦσις ἁφή τις ψβ9. 421 ᵃ18. γ12. 434 ᵇ18. αι4. 441 ᵃ3. Ζμβ17. 660 ᵃ21. cf γευστός. ἡ γεῦσις ἀκολυθεῖ πᾶσι ζῴοις διὰ τὴν τροφήν αι1. 436 ᵃ15, ᵇ13. υ2 455 ᵃ7. cf ψ12. 434 ᵇ18. 13. 435 ᵇ22. τῆς γεύσεώς ἐστιν ἡ κρίσις τῶν χυμῶν Ηγ13. 1118 ᵃ27. ἡ γεῦσις φανερῶς ἤρτημένη πρὸς τὴν καρ-δίαν ἐστὶν Ζμβ10. 656 ᵃ29. αι2. 439 ᵃ2. ζ3. 469 ᵃ12. τὸ τῆς ἁφῆς κ̀ τῆς γεύσεως αἰσθητήριον εὐθὺς ἐστιν ἢ σῶμα ἢ τῦ σώματός τι τῶν ζῴων, ἡ δ' ὄσφρησις πόροι Ζμβ6. 744 ᵃ1. πρὸς τὴν τῶν χυμῶν γεῦσιν οἱ ὄφεις μακρὰν γλῶτ-ταν ἔχυσιν Ζμβ17. 660 ᵇ5. ἡδοναὶ κ̀ λῦπαι δι' ἁφῆς κ̀ γεύσεως, περὶ ἁφὴν κ̀ γεῦσιν Ηγ13. 1118 ᵃ26. ε6. 1148 ᵃ9. 8. 1150 ᵃ9. cf γευστός. διαφέρει καθαριότητι ἀκοὴ κ̀ ὄσφρησις γεύσεως Ηκ5. 1176 ᵃ1. πρὸς τὸ γνῶναι ὥσπερ ὐδὲν εἶναι δοκεῖ τὸ κοινωνεῖν ἁφῆς κ̀ γεύσεως μόνον Ζμα23.

731 ᵇ2. ἔχει ἀκριβεστάτην ἄνθρωπος τῶν αἰσθήσεων τὴν ἀφήν, δευτέραν γεῦσιν, ταῖς δ᾿ ἄλλαις λείπεται πολλῶν Ζια15. 494 ᵇ17. Ζμβ17. 660 ᵃ21. ψβ9. 421 ᵃ18.

γευστικός. τὸ γευστικὸν αἰσθητήριον ψβ10. 422 ᵇ5. τὸ γευστικὸν εἶδός τι ἀφῆς ἐστὶν αι2. 438 ᵇ30.

γεωγραφεῖν. οἱ εὖ γεωγραφήσαντες χ3. 393 ᵇ20.

γεωδαισία τί διαφέρει γεωμετρίας Μβ2. 997 ᵇ26, 32.

γεώδης τὸ γεῶδες, opp τὸ θερμὸν Ζγε 3. 782 ᵇ22. τὸ ἐξ ὕδατος ἢ γεῶδες συνιστάμενον ὑγρὸν Ζγβ2. 735 ᵇ9. ἐν τῇ θαλάττῃ πολὺ τὸ γεῶδες ἔνεστιν Ζγγ11. 762 ᵃ28. cf πκγ27. 934 ᵃ38, 33. λείπεται τὸ ὕδωρ ἢ εἴ τι μικρὸν γεῶδες Ζγβ2. 735 ᵇ36. cf γ2. 752 ᵇ1. τὸ γεῶδες καώμενον γίνεται μέλαν πλη11. 967 ᵇ26. cf 1. 966 ᵃ6. τὸ γεῶδες πήγνυται συνεξατμίζοντος τῇ ὑγρῷ Ζμβ4. 650 ᵇ17, 651 ᵃ6. τὸ γεῶδες συνίσταται μδ7. 384 ᵃ20. γεώδης ὑπόστασις Ζιε19. 551 ᵇ29. ὑφίσταται ἀλμυρὶς γεώδης Ζμδ1. 676 ᵃ34. ὥσπερ δι᾿ ἡθμῦ τὸ γεῶδες ἀποκρίνεται μβ3. 359 ᵃ4. cf αι4. 441 ᵇ17, 18. ἐπιπλεῖ γεώδη ἢ κονιορτώδη ἐπὶ τῷ ἀέρος Οθ6. 313 ᵃ20. γεώδης ἀτμὶς Ζγε4. 784 ᵇ15. — ἐν τοῖς ᾠοῖς ἢ λέκιθος τὸ γεῶδες, τὸ γεωεστερον μέρος Ζγγ2. 753 ᵃ25. 1. 751 ᵇ3. περίττωμα γεῶδες, σπέρμα ἕτερον ἑτέρᾳ γεωδέστερον Ζγβ6. 745 ᵇ19. 2. 786 ᵃ6. σωματιῶδες ἢ γεῶδες Ζμγ2. 663 ᵇ25. Ζγε2. 781 ᵇ20. γεῶδες, opp σαρκῶδες Ζμβ8. 654 ᵃ5, 30. σκληρότερα ἢ γεωδέστερα ἢ λιθωδέστερα Ζγε 3. 783 ᵃ30. σκληρότης ὀστωδεστέρα ἢ γεωδεστέρα Ζμβ8. 654 ᵃ30. τὸ γεῶδες εἰς τὸ δέρμα ἀνήλωκεν ἡ φύσις Ζμβ9. 655 ᵃ26. σκληρὰ ἢ γεώδη τὴν μορφὴν οἷον ὄνυχες Ζγε6. 743 ᵃ14. τὰ κέρατα γεώδη ἢ στερεὰν ἔχει τὴν φύσιν Ζμβ9. 655 ᵇ12. cf Ζγβ6. 743 ᵇ13. ε3. 782 ᵃ29. γεωδεστέρα σύστασις Ζμβ9. 655 ᵇ14. γεῶδες τὴν φύσιν Ζγγ2. 753 ᵇ5. ζῷα θερμότερα τὴν φύσιν ἢ ὑγρότερα ἢ μὴ γεώδη Ζγβ1. 732 ᵇ32.

γεωμετρεῖν ἢ ἐπίστασθαι Ργ4. 1406 ᵇ30. ᵇθεὶς ᵇτω διδάσκει γεωμετρεῖν Ργ1. 1404 ᵃ12. γεωμετρικοὶ γίνονται οἱ χαίροντες τῷ γεωμετρεῖν Ηκ5. 1175 ᵃ32.

γεωμέτρης τβ3. 110 ᵇ6. θ11. 161 ᵃ34. Πγ11. 1282 ᵃ9. ᵇτε γεωμέτρης ᵇτ᾿ ἀριθμητικός, ἀλλὰ τῶν φυσικῶν ἔνιοι Μγ3. 1005 ᵃ31. ὁ γ. ποίας λέγει γραμμάς Μβ2. 998 ᵃ1. ὁ γ. θεωρεῖ (τὸν ἄνθρωπον) ἢ στερεὸν Μμ3. 1078 ᵃ25. τῷ γεωμέτρῃ περὶ τῶν ἀρχῶν λόγον ᵇχ ὑφεκτέον, ᵇκέτι λόγος ἐστὶ πρὸς τὸν ἀνελόντα τὰς ἀρχάς Αγ12. 77 ᵇ6. Φα2. 185 ᵃ1. ὁ γ. ποδιαίαν εἶναι ὑποτίθεται τὴν μὴ ποδιαίαν Μν2. 1089 ᵃ22. Αα41. 49 ᵇ35. ὁ γ. ψευδῆ ὑποτίθεται Αγ10. 76 ᵇ39.

γεωμετρία, dist γεωδαισία Μβ2. 997 ᵇ27. ἡ γεωμετρία περὶ γραμμῆς φυσικῆς σκοπεῖ ᵇχ ᾗ φυσική, dist ὀπτικὴ Φβ2. 194 ᵃ10. γεωμετρίας ἀριθμητικὴ ἀκριβεστέρα Αγ27. 87 ᵃ34. ΜΑ2. 982 ᵃ28 Bz. πῶς ἐν γεωμετρίᾳ δυνατὰ ἢ ἀδύνατα λέγομεν Μθ1. 1046 ᵃ8. οἱ περὶ γεωμετρίαν τη3. 153 ᵃ10.

γεωμετρικός. τὸ ἐλέσθαι ὀρθῶς τῶν εἰδότων ἔργον ἐστίν, οἷον γεωμέτρην τῶν γεωμετρικῶν Πγ11. 1282 ᵃ9. γεωμετρικοὶ ἢ νέοι γίνονται, φρόνιμοι δ᾿ ᵇ Ηζ9. 1142 ᵃ12. γεωμετρικοὶ τὸ γίνονται Ηκ5. 1175 ᵃ32. γεωμετρικός ἐστι τὸν διὰ τῶν τμημάτων τετραγωνισμὸν διαλύσαι Φα2. 185 ᵃ16. ἀνὴρ γεωμετρικὸς ΜΑ2. 983 ᵃ20. cf Ργ4. 1406 ᵇ32. ὁ γεωμετρικός τε4. 132 ᵃ31, 33. — δόγμα γεωμετρικὸν ΜΑ9. 992 ᵃ21. ἀρχαὶ γεωμετρικαί, ἐρώτημα γεωμετρικόν, γεωμέτρην Αγ12. 77 ᵃ40, ᵇ4, 16, 23. γεωμετρικοὶ οἱ λόγοι οἱ ἐκ τῶν γεωμετρικῶν ἀρχῶν Ζγβ8. 748 ᵃ10. ἐπιστήμη γεωμετρικὴ Μκ3. 1061 ᵇ3. ἀναλογία γεωμετρικὴ Ηε7. 1131 ᵇ13. — τὰ γεωμετρικὰ καθ᾿ ὑποκειμένῃ ἐστίν, ᵇχ ᾗ καθ᾿ ὑποκειμένῳ Αγ13. 79 ᵃ9. — γεωμετρικῶς μεταβιβάζειν

V.

τθ11. 161 ᵃ35.

γεωμόροι, dist εὐπατρίδαι, δημιωργοὶ f 346. 1536 ᵃ31, 35.

γεωργεῖν τὴν γῆν, τὴν κοινήν, τὴν ἰδίαν, τὰ ἴδια Πβ5. 1263 ᵃ5. 8. 1268 ᵃ34, 38, 41. γεωργεῖν δύο οἰκίας Πβ8. 1268 ᵇ1. οἱ νομάδες ὥσπερ γεωργίαν ζῶσαν γεωργᵇσιν Πα8. 1256 ᵃ34. τὰ γεωργύμενα φυτά, opp τὰ ἠμελημένα ἢ ἄγρια πι45. 896 ᵃ10. — οἱ γεωργᵇντες, τὸ γεωργᵇν, dist οἱ τεχνῖται, οἱ προπολεμᵇντες sive τὸ μάχιμον, πότερον τᵇς αὐτᵇς δεῖ εἶναι τᵇς μαχίμους ἢ γεωργᵇντας Πβ8. 1268 ᵃ37. δ4. 1291 ᵃ30, ᵇ4. η10. 1329 ᵇ1. τᵇς γεωργήσοντας μάλιστα μέν, εἰ δεῖ κατ᾿ εὐχήν, δᵇλυς εἶναι Πη10. 1330 ᵃ25.

γεωργήσιμος. ἔνια φυτὰ ᵇκ ἐθέλει γίνεσθαι ἐν γεωργησίμῳ πκ12. 924 ᵃ22.

γεωργία. ἡ γεωργία τί ποιεῖ πκ12. 924 ᵃ17. γεωργία ψιλή, πεφυτευμένη Πα11. 1258 ᵇ17, 1259 ᵃ1. γεωργεῖν γεωργίαν ζῶσαν Πα8. 1256 ᵃ34. ἔστιν ἐνίοις γεγραμμένα περὶ γεωργίας Πα11. 1259 ᵃ1. — ἔνιοι τῶν μὴ μεγάλας γεωργίας ἐργαζομένων Ζιζ37. 580 ᵇ18.

γεωργικός βίος Πα8. 1256 ᵇ1. γεωργικὸς δῆμος, γεωργικὸν πλῆθος, τὸ γεωργικόν, dist ἀγοραῖον, βάναυσον, θητικὸν Πὸ 3. 1289 ᵇ32. 6. 1292 ᵇ25. ζ1. 1317 ᵃ25. 4. 1319 ᵃ19. 7. 1321 ᵃ6. βέλτιστος δῆμος ὁ γεωργικός ἐστιν Πζ4. 1318 ᵇ9. cf δ6. 1292 ᵇ25. γεωργικώτατος θ100. 838 ᵇ23. τὰ ἄγρια φυτὰ ᵇκ εἰσὶν ἐξ ἐπιμελείας γεωργικῆς φυα4. 819 ᵇ30. — ἡ γεωργικὴ φύσει ἐστὶ Πα9. 1257 ᵃ4. οα2. 1343 ᵃ26. πότερον μέρος τι τῆς χρηματιστικῆς Πα8. 1256 ᵃ17.

γεωργός. λέγεται οἱ γεωργοὶ Ζιε30. 556 ᵇ15. οἱ γεωργοὶ πειρῶνται μίξαντες ἄρδειν τὴν γῆν Γβ8. 335 ᵃ14. οἱ γεωργοὶ τὰ ἐριvὰ πρὸς τὰς συκᾶς περιάπτειν Ζιε32. 557 ᵇ30. γεωργοὶ ἢ τεχνῖται ἢ πᾶν τὸ θητικὸν ἀναγκαῖον ὑπάρχειν ταῖς πόλεσιν Πη9. 1329 ᵃ35. cf δ4. 1291 ᵇ18, ᵃ19, 1290 ᵇ40. γ9. 1280 ᵇ20. γεωργοί, dist δημιωργοὶ f 347. 1536 ᵃ46. ἐὰν τὸ τῶν γεωργῶν ὑπερτείνῃ πλῆθος, ἢ πρώτη δημοκρατία Πὸ 12. 1296 ᵇ28. cf ζ4. 1319 ᵃ6. ἀναγκαῖον εἶναι τᵇς γεωργᵇς δᵇλᵇς ἢ βαρβάρᵇς ἢ περιοίκᵇς Πη9. 1329 ᵃ26. ὅπερ γεωργὸς πρὸς σκυτοτόμον Ηε8. 1133 ᵃ32. γίνεται κοινωνία ἐξ ἰατρᵇ ἢ γεωργᵇ Ηε10. 1133 ᵃ17. cf ηεη10. 1243 ᵇ35. οἱ γεωργοὶ in civitate Platonica Πβ4. 1262 ᵃ40, ᵇ26. 5. 1264 ᵃ15, 27, 33, ᵇ15. δ4. 1291 ᵃ13, in civitate Hippodami Πβ8. 1267 ᵇ32, 1268 ᵃ16, 29 sqq.

γῆ. 1. γῆ στοιχεῖον. ᵇθεῖς τῶν ἓν λεγόντων ἠξίωσε γῆν εἶναι στοιχεῖον ΜΑ8. 989 ᵃ5, 9. ἡ γῆ ψυχρὸν ἢ ξηρὸν Γβ3. 330 ᵇ5. ἡ γῆ ξηρὰ μᾶλλον ἢ ψυχρὰ Γβ3. 331 ᵃ4. μβ8. 365 ᵇ24. δ4. 382 ᵃ3. ἡ ἐκ τῆς γῆς ξηρὰ ἀναθυμίασις μβ4. 361 ᵃ31. α3. 340 ᵇ26. γῆς ὅσα εἴδη ἢ μέρη ἢ πάθη τῶν μερῶν μα1. 338 ᵇ25. δ10. 388 ᵃ25 sqq. γῇ μάλιστα ἐναντίον ἐστὶ Γβ8. 335 ᵃ5. ἡ γῆ μάλιστα στοιχεῖον, μόνον ἀδιάλυτος εἰς ἄλλο σῶμα Ογ7. 306 ᵃ20. ἡ γῆ κάτω φέρεται Φθ8. 214 ᵇ14. Οθ2. 308 ᵇ14. 3. 310 ᵇ16. α8. 277 ᵃ28, ᵇ4. β3. 286 ᵃ21. μα2. 339 ᵃ17. τε2. 130 ᵇ1. 4. 132 ᵇ32. 5. 135 ᵇ3. τὸ βαρύτατον ἢ ψυχρότατον γῆ ἢ ὕδωρ μα3. 340 ᵇ21. ἡ γῆ ἄνευ τῷ ὑγρῷ ᵇ δύναται συμμένειν Γβ8. 335 ᵃ1. ἐν γῇ ὕδωρ ὑπάρχει Ζγγ11. 762 ᵃ19. μικτὰ (κοινὰ) ὕδατος ἢ γῆς· ὅσα ὕδατος πλεῖον ἔχει ἢ γῆς μδ7. 384 ᵃ3, 383 ᵇ18. 6. 383 ᵃ13. οἱ ποταμοὶ τὰς χρόας ἴσχυσι δι᾿ οἵας ἂν τύχωσι ῥέοντες γῆς· δι᾿ ἧς διηθῶνται γῆς μβ2. 356 ᵃ14. 3. 359 ᵇ7. τήκεται ὁ πηλὸς ἢ γῆ μδ6. 383 ᵇ9. ὅσα γῆς μόνον, πήγνυσι τὸ πῦρ Ζμβ2. 649 ᵃ31. ὅσα γῆς πλεῖον ἔχει, παχύνεται ἑψόμενα Ζγβ2. 735 ᵇ1. τὸ ὑγρὸν εὐπλαστοτέραν ἔχει τὴν φύσιν τῆς γῆς, ζωτικώτερον τὸ ὑγρὸν τῷ ξηρῷ ἢ γῆς ὕδωρ Ζγγ11. 761 ᵃ34, 28. ὑπάρχει ἐν τῇ γῇ

U

πολὺ πῦρ, ἡ ἐν τῇ γῇ θερμότης μβ4. 360 ᵃ6, 16. τὰ ᾠὰ συμπέττονται ὑπὸ τῆς ἐν τῇ γῇ θερμότητος Ζγγ2. 752 ᵇ33, cf 753 ᵃ19. — ἐκ γῆς πλείονος γέγονε τὸ τῶν φυτῶν γένος αν13. 477 ᵃ28. χρῆται τῇ ὑστέρᾳ, ὥσπερ γῆ φυτόν, τῷ λαμβάνειν τροφὴν Ζγβ4. 740 ᵃ26. ἔχει ὡς πίειρα γῆ φυτοῖς ἱκανὴν ᵿ δαψιλῆ τροφὴν Ζγδ6. 774 ᵇ26. ζῆν ἀπὸ τῆς γῆς ᵿ τῶν ἡμέρων καρπῶν Πα8. 1256 ᵃ39. 11. 1258 ᵇ29. τῆς λίκμης ἐσθίειν τινὰ γῆν Ζιθ5. 594 ᵃ27. γῆς τρῶξεις, ἡδονὴ νοσηματώδης Ηη6. 1148 ᵇ26. ὅσα γίνεται μὴ ἐκ ζῴων συνδυαζομένων, ἀλλ᾽ ἐκ γῆς σηπομένης ᵿ περιττωμάτων Ζγα1. 715 ᵃ25. τὰ καλούμενα γῆς ἔντερα ν ϛ ν ἔντερα. ὁ Ἀναξαγόρας ἔφη ὅτι ἡ γῆ μήτηρ μέν ἐστι τῶν φυτῶν, ὁ δὲ ἥλιος πατὴρ φτα2. 817 ᵃ27. τὴν τῆς γῆς φύσιν ὡς θῆλυ ᵿ μητέρα νομίζουσιν Ζγα2. 716 ᵃ15. — ἡ γῆ ἐστι φύσει λευκὴ χ1. 791 ᵃ4. — κατὰ γῆν ᵿ κατὰ θάλατταν Πη6. 1327 ᵃ22. — τὸ διδόναι ὕδωρ ᵿ γῆν δουλεύειν ἐστίν Ρβ23. 1399 ᵇ11. — 2. γῆ, terrae globus. ὅπη μία βῶλος, ᵿ ἡ σύμπασα γῆ φέρεται Οα7. 276 ᵃ3. 3. 270 ᵃ5. β14. 297 ᵇ8. τὴν γῆν φασὶν (Pythag) ἐν τῶν ἄστρων εἶναι, κύκλῳ φερομένην περὶ τὸ μέσον νύκτα τε ᵿ ἡμέραν ποιεῖν Οβ13. 293 ᵃ22, 31. 14. 296 ᵃ5. τὴν γῆν κάτω ἐπ᾽ ἄπειρον ἐρριζῶσθαι Οβ13. 294 ᵃ22. ἡ γῆ πῆ τυγχάνει κειμένη, πότερον ἠρεμεῖ ἢ κινεῖται, περὶ σχήματος αὐτῆς Οβ13. 14. ἡ γῆ ἠρεμεῖ Οβ8. 289 ᵇ5. 12. 292 ᵇ20. 14. 296 ᵇ22. Φδ3. 214 ᵇ32. ταὐτὸ μέσον τῆς γῆς ᵿ τῷ παντός, ἡ γῆ κέντρον Οβ14. 296 ᵇ15, 22. δ4. 312 ᵃ1. πιε4. 911 ᵃ5. ἐν τῷ περιέχοντι κόσμῳ τῆς γῆς· τὸ μεταξὺ τῆς γῆς ᵿ τῶν ἐσχάτων ἄστρων μα3. 339 ᵇ4, 31. μηδὲν τῶν ἄστρων τὴν ὑγὰν ἀντιφράττειν μα8. 345 ᵇ9. τῆς γῆς τὸ σχῆμα σφαιροειδὲς Οβ14. 297 ᵃ8 sqq. μα3. 340 ᵇ35. β5. 362 ᵃ35. πιε4. 911 ᵃ9. ἡ γῆ πόση τὸ μέγεθος ᵿ τὸν ὄγκον Οβ14. 297 ᵇ32 sqq. μα3. 339 ᵇ6 Ideler, 340 ᵃ7. 8. 345 ᵇ3. 13. 349 ᵇ18. 14. 352 ᵃ27. — τὰ κάτω τῆς γῆς μα12. 348 ᵇ4. ψόφοι ὑπὸ τὴν γῆν γινόμενοι, μυκᾶν τὴν γῆν μβ8. 368 ᵃ14, 25. ᵿ τῆς γῆς τὰ ἐντὸς ἀκμὴν ἔχει ᵿ γῆρας μα14. 351 ᵃ27. ὐκ ἀεὶ ταῦτα χερσεύεται τῆς γῆς μα14. 353 ᵃ25. — αἱ τῆς γῆς περίοδοι μα13. 350 ᵇ16. Ρα4. 1360 ᵃ34. — 3. γῆ ἱ q χώρα, ager sim γῆ ἑτέρα, ἄδηλος ἡμῖν ΖιΖ5. 563 ᵇ8. γῆ ἑτέρα μετεώρος (?) Ζυ11. 615 ᵃ11. γῆ, syn γήπεδον ΠΒ5. 1263 ᵃ5, 3, 8. ὁ νόμος κωλύει κτᾶσθαι γῆν ὁπόσην ἂν βούληταί τις ΠΒ7. 40 1266 ᵇ18. ἰσάζειν περὶ τὴν τῆς γῆς κτῆσιν ΠΒ7. 1267 ᵇ10. — plur γαῖ κυματωδέστεραι, ὥσπερ ἠδαφισμέναι πκγ29. 934 ᵇ9.

γηγενεῖς ΠΒ8. 1269 ᵃ5, 7. εἴπερ ἐγίγνοντό ποτε γηγενεῖς Ζγγ11. 762 ᵇ29.

Γηγενεῖς (ex incerto poeta tragico, Nauck fr adesp 59) πο16. 1454 ᵇ22.

γήδιον. γῃδίῳ κτῆσις ΠΖ5. 1320 ᵃ39.

γήινος. τὸ ξύλον ὐ γῆ, ἀλλὰ γήινον Μθ7. 1049 ᵃ20, 22. cf ν5. 1092 ᵇ20.

γηθεῖν. γηθῆσαι (Hom Α 255) Ρα6. 1362 ᵇ35. ᾄδει πᾶς γεγηθὼς πιθ40. 921 ᵃ37.

γήπεδον, τὰ γήπεδα, dist οἱ καρποὶ ΠΒ5. 1263 ᵃ3, 8 (syn γῆ ᵃ5).

γηρᾶν. πάσχομεν τὸ γηρᾶν ἢ ἀποθνήσκειν Ηε10. 1135 ᵇ2. γηρανσις Φγ1. 201 ᵃ19. Μκ9. 1065 ᵇ20.

γῆρας. 1. senectus. τὸ γῆρας ἐστὶ κατὰ τοὔνομα γεηρὸν διὰ τὸ ἀπολείπειν τὸ θερμὸν ᵿ μετ᾽ αὐτῷ τὸ ὑγρόν Ζγε3. 783 ᵇ7. ἡ νόσος γῆρας ἐπίκτητον, τὸ γῆρας νόσος φυσικὴ Ζγε4. 784 ᵇ33. γῆρας, coni πάθος, ἀρρωστίαι, νόσοι αν16. 478 ᵇ21. Ζγα18. 725 ᵇ20. πκ12. 924 ᵃ14. χ6. 789 ᵃ32. γῆρας,

opp ἀκμή μα14. 351 ᵃ28. Ζμβ2. 648 ᵇ6. τὸ γῆρας, coni τὸ τεθνηκός μκ5. 466 ᵃ19. γῆρας ᵿ τελευτή Ζγβ6. 745 ᵃ32. γῆρας ᵿ φθίσις Οβ6. 288 ᵇ16. — a. γῆρας γῆς. τῆς γῆς τὰ ἐντὸς ἀκμὴν ἔχει ᵿ γῆρας ᵿ τῦτο γίγνεται κατὰ μέρος διὰ ψύξιν ᵿ θερμότητα μα14. 351 ᵃ28 (Brandis 1167). — b. γῆρας φυτῶν ᵿ ζῴων. τὰ σώματα τὰ τῶν φυτῶν ᵿ ζῴων ἀκμὴν ἔχει ᵿ γῆρας ᵿ ἅμα πᾶν ἀκμάζειν ᵿ φθίνειν ἀναγκαῖον μα14. 351 ᵃ27. insecta φθείρονται ἐρρικνωμένων τῶν μορίων, ὥσπερ γῆρα τὰ μείζω τῶν ζῴων Ζιε20. 553 ᵃ13. γῆρας σφηκῶν ἀγρίων ἀθεῖς πω ὑπται ἑωρακώς Ζιι40. 628 ᵃ28. τὰ μὲν θερμά τε ᵿ ψυχρά, τὰ δὲ ξηρά τε ᵿ ὑγρὰ αἴτια σχεδὸν ἀκμῆς ᵿ γήρως Ζμβ2. 648 ᵇ6. Ζγε3. 783 ᵇ7. ἡ κατὰ φύσιν φθορὰ οἷον γῆρας ᵿ αὔανσις μθ1. 379 ᵃ5. τοῖς φυτοῖς αὔανσις, τοῖς ζῴοις γῆρας, πᾶσιν ᵿ φθορὰ διὰ θερμῦ τινος ἔκλειψιν αν17. 478 ᵇ28 (cf Galen I 581 ed Lips). γῆράς ἐστιν ἡ τῦ πρώτη καταψυκτικῦ μορίυ φθίσις αν18. 479 ᵃ31. τὸ γῆρας κατάψυξίς τις πλ1. 955 ᵃ18, ψυχρὸν ᵿ ξηρὸν Ζγε4. 784 ᵃ34. μκ5. 466 ᵃ19. cf πγ26. 875 ᵃ15 (Bz Ar St IV 409). τὸ γῆρας σηπεδών τις πιθ7. 909 ᵇ3. τὸ σηπόμενον ἐστι γῆρας ᵿ σαπρότης πλη9. 967 ᵇ15. ἐν τῷ γήρᾳ τὸ θερμὸν μαραίνεται τῆς τροφῆς ὑπολειπύσης πγ26. 875 ᵃ13. τὸ γῆρας μαραίνει τὸ θερμὸν πλ1. 955 ᵃ10. ἐν τῷ γήρᾳ ὐ πέττει τὸ ἱκανὸν ἡ φύσις Ζγα18. 725 ᵃ21. ὐκ ἐνυπάρχει σπέρμα Ζγα18. 725 ᵇ20. ἐν τῷ γήρᾳ ᵿ ταῖς νόσοις ὐκ ὀξὺ βλέπυσι Ζγε1. 780 ᵃ36. ἡ φύσις εἰς τὸ γῆρας ᵿ τὴν τελευτὴν συνάγει τὴν ὑπόλειψιν τῶν ὀδόντων Ζγβ6. 745 ᵃ32. — οἱ ποιηταὶ τὰς πολιὰς καλῦσι γήρως εὐφάνια ᵿ πάχνην Ζγε4. 784 ᵇ20. — ἔστιν ὥσπερ σώματος ᵿ διανοίας γῆρας Πβ9. 1271 ᵃ1. ἡ ἐν τῷ γήρᾳ ἀμαύρωσις ποία ψα4. 408 ᵇ20. τὸ γῆρας ποίων ἠθῶν ἐστιν Ρβ13. τὸ γ. δύσελπι πλ1. 955 ᵃ4. ἐν τῷ γήρᾳ οα3. 1343 ᵇ23. ἐπὶ γήρως Ηα10. 1100 ᵃ7. μέχρι γήρως Ηα11. 1100 ᵃ23. τὸ Ἡσιόδειον γῆρας f 524. 1563 ᵇ35. ᵿ ἑσπέρα γῆρας ἡμέρας, τὸ γῆρας ἑσπέρα βίυ πο21. 1457 ᵇ23, 24.

2. senectus serpentum. ἔστι τῦτο τὸ ἔσχατον δέρμα ᵿ τὸ περὶ τὰς γενέσεις κέλυφος Ζιθ17. 600 ᵇ15. οἱ ὄφεις ἐκδύνυσι τὸ καλύμενον γῆρας Ζιε17. 549 ᵇ26. enumerantur animalia, quae ἐκδύνυσιν Ζιθ17. 600 ᵇ20–601 ᵃ21. f 331. 1533 ᵇ30. πᾶν ἀποδύεται (ἀπολύεται S Pic) τὸ γῆρας Ζιθ 17. 600 ᵇ31.

γηράσκειν. γηράσκει πάντα ὑπὸ τῦ χρόνυ Φδ12. 221 ᵃ31. τὰ ἀσθενῆ γηράσκει θᾶττον Ζγε5. 785 ᵃ21sqq. ξηραίνεται ᵿ γηράσκει πάλιν μα14. 351 ᵃ34. μκ5. 466 ᵃ2. τὰ τῶν γεγηρακότων ἔκγονα ἀσθενῆ Πγ16. 1335 ᵇ31. τῶν σωμάτων γηρασκόντων ᵿ φθινόντων τρίχες αὐξάνονται Ζγβ6. 745 ᵃ12. οἱ γηράσκοντες μελάντεροι γίνονται πλη9. 967 ᵇ13.

Γηρυόνειος (ex antiquo epigrammate) θ133. 843 ᵇ28.

Γηρυόνης tragoedia (fort Nicomachi, Nauck fr tr p 591). πιθ48. 922 ᵇ13.

γίγας. Ἡρακλέης πρὸς γίγαντας μάχη θ97. 838 ᵃ29. Ἀστὴρ ὁ γίγας f 594. 1574 ᵇ28.

γιγγλυμός. τὸ κινῶν ὀργανικῶς, ὅπυ ἀρχὴ ᵿ τελευτὴ τὸ αὐτό, οἷον γιγγλυμός ψγ10. 433 ᵇ22 Trdlbg.

γιγγλυμώδης. τὴν μήκωνα ἔχει τὰ δίθυρα ἐν τῷ γιγγλυμώδει Ζιδ4. 529 ᵃ32. syn πρὸς τῇ συναφῇ (in commissura) Ζμδ5. 680 ᵃ24.

γίγνεσθαι, γίνεσθαι. cf γένεσις. 1. (notio.) γίγνεσθαι, dist εἶναι, opp φθείρεσθαι τε7. 137 ᵃ21. μβ9. 369 ᵇ35. Φθ8. 262 ᵃ28. ηεβ1. 1220 ᵃ32 al. εἰ ὃ ἂν ᵾ πρότερον μὴ ὄν, ἀνάγκη γίγνεσθαι ὂν ᵿ ὅτε γίγνεται μή ἐστιν, ὐχ οἷόν τε εἰς ἀτόμυς χρόνυς διαιρεῖσθαι τὸν χρόνον Φθ8. 263 ᵇ26. —

ἀνάγκη τὸ γιγνόμενον ϰ̣ ἔκ τινος γίνεσθαι ϰ̣ ὑπό τινος ϰ̣
τί Ζγβ1. 733 ᵇ25. Μζ7. 1032 ᵃ13. 8. 1033 ᵃ24. τὸ γιγνό-
μενον γίνεται ἔκ τινός τι ϰ̣ ὑπό τινος, ϰ̣ τᾶτο τῷ εἴδει τὸ
αὐτὸ Μθ8. 1049 ᵇ28. πολλαχῶς γίγνεται ἄλλο ἐξ ἄλλυ
Ζγα18. 724 ᵃ21. τρόπον τινὰ πάντα γίγνεται ἐξ ὁμωνύμυ 5
Μζ9. 1034 ᵃ22. γίγνεται πᾶν ἐκ τῦ δυνάμει ὄντος τῦτο ὃ
γίγνεται Μν2. 1088 ᵇ17 (sed ἔστι γὰρ ἐξ ἐντελεχεία ὄντος
πάντα τὰ γιγνόμενα ψγ7. 431 ᵃ3). δεήσει διαιρετὸν εἶναι ἀεὶ
τὸ γιγνόμενον, ϰ̣ εἶναι τὸ μὲν τόδε τὸ δὲ τόδε, λέγω δ᾽
ὅτι τὸ μὲν ὕλην τὸ δ᾽ εἶδος Μζ8. 1033 ᵇ12. Φα7. 190 ᵇ11. 10
cf Αδ12. 95 ᵇ8. γίγνεται πᾶν ἔκ τε τῦ ὑποκειμένυ ϰ̣ τῆς
μορφῆς Φα7. 190 ᵇ20. ἅπαντα τὰ γιγνόμενα ἔχει ὕλην
Μζ7. 1032 ᵃ20. Φα7. 190 ᵃ9, 15, 34, ᵇ5. (γίνεσθαι. dist
ἐνυπάρχον πρότερον ὕστερον ἐκκρίνεσθαι μβ 9. 369 ᵇ33.)
γίγνεται ἐκ τῆς στερήσεως τῦ ὑποκειμένυ ὃ λέγομεν τὴν 15
ὕλην Μζ7. 1033 ᵃ8. γίγνεσθαι ἐξ ὑποκειμένυ, ἐξ ἀντικει-
μένυ Φα7. 190 ᵃ9-ᵇ13. Οα3. 270 ᵃ14. γίγνεται πάντα ἐξ
ἐναντίων ἢ εἰς ἐναντία Φα5. ἀδύνατον γενέσθαι, εἰ μηθὲν
προϋπάρχοι Μζ7. 1032 ᵃ31. τὸ μηθὲν ἐκ μὴ ὄντος γίγνε-
σθαι κοινὸν δόγμα τῶν περὶ φύσεως Φα4. 187 ᵃ28, 34. 20
Μκ6. 1062 ᵇ25. β4. 999 ᵇ6. Γα3. 317 ᵇ31. πῶς λέγομεν
γίγνεσθαί τι ἐκ μὴ ὄντος Φα8. 191 ᵇ13, 25. πᾶν τὸ γινό-
μενον ἔν τινι γίνεται Ογ6. 305 ᵃ17. — ἅπαντα τὰ γινόμενα
ϰ̣ φθειρόμενα φαίνεται Οα10. 279 ᵇ21. εἰσί τινες, οἵ φασιν
ὕθεν ἀγένητον εἶναι τῶν πραγμάτων, ἀλλὰ πάντα γί.γνεσθαι 25
Ογ1. 298 ᵇ27. τὸ γίγνεσθαι ὑκ ἐνδέχεται μὴ γενέσθαι Ηζ2.
1139 ᵇ14. ἀδύνατον γίνεσθαι ὃ μὴ ἐνδέχεται γενέσθαι Οα7.
274 ᵇ14. γίνεται ὑδὲν ἄνευ τῦ κινεῖσθαί πως αὐτὸ ϰ̣ πράτ-
τειν Φδ13. 222 ᵇ23. τῦ γιγνομένυ γεγενῆσθαί τι Μθ8. 1049
ᵇ35. τὸ γεγονὸς ἀνάγκη γίνεσθαι πρότερον ϰ̣ τὸ γινόμενον 30
γεγενῆσθαι Φζ6. 237 ᵇ9, 15. φαίνεται τὸ γινόμενον ἀτελὲς ϰ̣
ἐπὶ τέλος ἰὸν Φθ7. 261 ᵃ13. cf γ4. 203 ᵇ8. τὸ ἐφθαρμένον
ϰ̣ τὸ γεγονὸς ἐν ἀτόμῳ τὸ μὲν ἔφθαρται τὸ δὲ γέγονεν
Φζ5. 236 ᵃ6. — 2. (γίγνεσθαι ἁπλῶς, γίγνεσθαί τι.) γίγνε-
ταί τί τι, γίγνεται ἔκ τινός τι, πῶς λέγεται Φα7. 189 ᵇ32- 35
190 ᵃ31. διὰ τί τὰ μὲν ἁπλῶς γίνεσθαι λέγεται ϰ̣ φθεί-
ρεσθαι τὰ δ᾽ ὑχ ἁπλῶς Γα3. 318 ᵃ27-319 ᵇ5. Μη1. 1042
ᵇ7. ἁπλῶς γίγνεσθαι τῶν ὑσιῶν μόνον· ὅσα μὴ ὑσίαν ση-
μαίνει, ὑ λέγεται ἁπλῶς ἀλλὰ τὶ γίνεσθαι Φα7. 190 ᵃ32.
Γα3. 319 ᵃ13. ΜΑ3. 983 ᵇ14. ὅσοι πάντα ἐξ ἑνὸς γεννῶ- 40
σιν, τύτοις ἀνάγκη τὴν γένεσιν ἀλλοίωσιν φάναι ϰ̣ τὸ κυ-
ρίως γιγνόμενον ἀλλοιῦσθαι Γα1. 314 ᵃ10. — 3. (τῦ γίγνε-
σθαι genera.) τῶν γινομένων τὰ μὲν ἕνεκά τυ γίγνεται, τὰ
δ᾽ ὑ Φβ5. 196 ᵇ17. τῶν γιγνομένων τὰ μὲν φύσει γίγνεται,
τὰ δὲ τέχνῃ, τὰ δὲ ἀπὸ ταὐτομάτυ Μζ7. 1032 ᵃ12. τὰ 45
γινόμενα φύσει πάντα γίγνεται ἢ ἀεὶ ὡδὶ ἢ ὡς ἐπὶ τὸ πολύ,
τὰ δὲ παρὰ τὸ ἀεὶ ϰ̣ ὡς ἐπὶ τὸ πολὺ ἀπὸ τύχης ϰ̣
ἀπὸ τύχης Γβ6. 333 ᵇ5. τὰ φύομενα ϰ̣ γιγνόμενα κατὰ
φύσιν μβ3. 358 ᵃ17. γίγνεσθαι, dist τρέφεσθαι μβ2. 355
ᵃ10. ὅταν πεφθῇ, τετελείωταί τε ϰ̣ γέγονεν μδ2. 379 ᵇ21. 50
— ἔνια ταῦτα ϰ̣ ἐκ σπέρματος γίγνεται ϰ̣ ἄνευ σπέρμα-
τος Μζ7. 1032 ᵃ31. τῶν ζῴων τὰ μὲν ἐξ ἀλλήλων γίνεται,
τὰ δ᾽ ἐκ τινων ὑγκρινομένων ὁμοίως τῆς ἐξ ἀρχῆς γενέ-
σεως αὐτοῖς ὑπαρχύσης πι13. 892 ᵃ23. 65. 898 ᵇ4. δ13.
878 ᵃ3. cf αὐτόματος d. — μὴ γενέσθαι πάντων ἄριστόν 55
ἐστι τοῖς ἀνθρώποις f 40. 1481 ᵃ44, ᵇ12. — 4. (dicendi
usus.) γίνονται ἐκ τῦ δήμυ πάντες οἱ ἔφοροι sim Πβ9. 1270
ᵇ8. δ15.1299 ᵃ11. ε4. 1304 ᵃ16. ὅταν ἐπὶ τῶν πράξεων
γένη pβ9. 1446 ᵃ4. — ἀπὸ πάντων τῶν γινομένων καρπῶν
τέτακται μέρος Πβ10. 1272 ᵃ17. τὰ γενόμενα, τὰ γιγνό- 60
μενα (i e τὰ τέκνα) Πη16. 1335 ᵇ18. 17. 1336 ᵃ16. —

τὸ γεγονός, opp τὸ μέλλον Ργ17. 1418 ᵃ22. εἰ γέγονεν ἢ
μὴ γέγονε, πόθεν σκεπτέον Ρβ19. 1392 ᵇ14-33. ἐκ τῶν
γινομένων καταμαθεῖν, opp τῷ λόγῳ θεωρῆσαι sim (cf λό-
γος, ἔργον) Πα5. 1254 ᵃ21. 9. 1257 ᵇ33. Πη14. 1334 ᵃ5.
Zell ad Eth Nic p 405. — γίγνεσθαι periphrastice usur-
patum, γίνεται ἀνῃρημένος sim τη5. 154 ᵇ11, 23, 155 ᵃ9. —
γίγνεσθαι et γίνεσθαι in ed Bk promiscue exhibetur, veluti
γίγνεται Πϑ11. 1296 ᵃ27. ε3. 1303 ᵃ27. 4. 1303 ᵇ28. 6.
1305 ᵇ3, 24, 1306 ᵃ19, 23 al, γίνεται Πϑ11. 1296 ᵃ17. ε3.
1302 ᵇ9, 13. 7. 1306 ᵇ37, γίνεσθαι Πϑ11. 1294 ᵃ27. 15.
1299 ᵃ11. 16. 1300 ᵇ34. ε3. 1302 ᵇ17. 5. 1305 ᵃ33, 39,
40 al. — γενητός. γενητὸν ποσαχῶς λέγεται Οα11. 280
ᵇ15-20. 12. 281 ᵇ28. τῦ γενητῦ ϰ̣ φθαρτῦ ἐντελεχεία γέ-
νεσις ϰ̣ φθορά Φγ1. 201 ᵃ15. φθείρεται ποτε τὸ φθαρτόν,
ϰ̣ εἰ γενητὸν ὑκ ἀίδιον· τὸ γενητὸν ϰ̣ τὸ φθαρτὸν ἀκολυθῦσιν ἀλλήλοις·
τὰ φθαρτὰ ϰ̣ γενητὰ ϰ̣ ἀλλοιωτὰ πάντα Οα12. 282 ᵃ23,
ᵇ9, 283 ᵇ20. — ἡ γειναμένη, v h v.

γίννος. (de accentu Lob Path I 92.) γίννός ἐστιν ἡμίονος ἀνάπη-
ρος Ζγβ7. 748 ᵇ34. οἱ καλύμενοι γίννοι (v l γῖννοι) γίνονται
ἐξ ἵππυ, ὅταν νοσήσῃ ⟨τὸ συλληφθὲν Pic⟩ ἐν τῇ κυήσει
Ζιζ24. 577 ᵇ25, sed ϰ̣ γὰρ ἐκ τῦ ἵππυ ϰ̣ τῦ ὄνυ γίνονται
γίννοι (v l γῖννοι), ὅταν νοσήσῃ τὸ κύημα ἐν τῇ ὑστέρᾳ Ζγβ7.
748 ᵇ35 et ἤδη ἐγένετο γίννος (v l γῖννος) ὅταν ὁ ὀρεὺς
ἀναβῇ ἐφ᾽ ἵππον θήλειαν Ζιζ24. 577 ᵇ21. ἔστιν ὁ γίννος (v l
γίννος) ὥσπερ ποτε ὁ μετάχοιρος Ζγβ7. 749 ᵃ1, 5. ὁ γίννος (v l
γίννος) λόφωρόν ἐστιν Ζια6. 491 ᵃ2. ἴσχυε ὁ γίννος (v l γῖννος,
γίννος) τὸ αἰδοῖον μέγα Ζιζ24. 577 ᵇ28. cf ΑΖγ25. Su 76.
ΑΖι I 68, 19.

γινώσκειν. γνωσθέντα (deprehensum) ζημιῦσιν οἱ νόμοι ρ16.
1431 ᵇ30. 37. 1443 ᵇ3. — ἕλοιτ᾽ ἂν ὁ φίλος μᾶλλον ἢ
μὴ ἐνδέξαιτ᾽ ἄμφω, γινώσκειν ἢ γινώσκεσθαι ηεη4. 1239
ᵃ36, 38, ᵇ2. γνῶθι σαυτόν Ρβ21. 1395 ᵃ20. τὸ γνῶναι αὐ-
τὸν χαλεπώτατον ημβ15. 1213 ᵃ14. τίνος ἐστὶ τὸ πρόσταγμα
τὸ γνῶθι σαυτόν f 5. 1475 ᵃ9, 19. cf 4. 1475 ᵃ3. — γινώ-
σκεσθαι τὸ ὅμοιον τῷ ὁμοίῳ ψα2. 404 ᵇ17, 405 ᵃ27, ᵇ15.
5. 409 ᵇ26, 410 ᵃ24, 29. τὸ μόριον ᾧ γιγνώσκει τε ἡ ψυχὴ
ϰ̣ φρονεῖ ψγ4. 429 ᵃ10 Trdlbg. cum vv εἰδέναι, ἐπίστασθαι
ita coniungitur γινώσκειν, ut proprie γινώσκειν actionem
cognoscendi, εἰδέναι effectum scientiae significet, nec ta-
men id discrimen ubivis servetur, (cf γνωρίζειν). εἰδέναι
τότ᾽ οἰόμεθα γινώσκειν, ὅταν ἴσμεν γινώσκειν Μζ1. 1028 ᵃ37,
ᵇ2. 6. 1031 ᵇ6 (cf τὸ ἐπίστασθαι ἕκαστον τὸ τί εἶναι
ἐπίστασθαι 1031 ᵇ20). α2. 994 ᵇ22, 21, 29. τότε οἰό-
μεθα γινώσκειν ἕκαστον, ὅταν τὰ αἴτια γνωρίσωμεν Φα1.
184 ᵃ12. γινώσκειν τὴν αἰτίαν Αγ2. 71 ᵇ11. γινώσκειν τι
κατά τι Αγ9. 76 ᵃ15. γινώσκειν τὸ τί ἐστι ψα1. 402 ᵇ17. θεω-
ρῆσαι ϰ̣ γνῶναι ψα1. 402 ᵃ7. τὸ γινώσκειν τὰ δίκαια ὑδὲν
οἴονται σοφὸν εἶναι Ηε13. 1137 ᵃ10. ἐμμένειν τοῖς γνωσθεῖ-
σιν Ηγ1. 1110 ᵃ31. — γινώσκειν περὶ τῶν ἀποδεικτικῶν
ἀρχῶν Μβ2. 997 ᵃ2. — ἄλογον ὑμᾶς ὕτως ἐναντίως γνῶ-
ναι (in contraria sententia esse) περὶ τύτων ρ19. 1433 ᵃ6.
— γνωστός. ἐστι γνωστόν, ἀλλ᾽ ὑ δηλωτὸν Ε5. 979
ᵃ13. γνωστὸν δι᾽ αὑτῷ, μὴ δι᾽ αὑτῷ Αβ16. 64 ᵇ37, 65 ᵃ9.
γνωστὸν αὑτῷ, ὅλως, syn γνώριμον Μζ4. 1029 ᵇ10, 7, 8.
ἀρχὴ τῦ γνωστῦ περὶ ἕκαστον τὸ ἕν Μδ6. 1016 ᵇ20. εἴει
ἀδιαίρετον τὸ τῷ γνωστῷ ϰ̣ τῇ ἐπιστήμῃ Μι1. 1052 ᵃ32.
γλάνις. βράγχια ἔχει τέτταρα μὲν δίστοιχα δὲ πλὴν τῦ ὀξυρύγχυ
Ζιβ13. 505 ᵃ17. ὁ κορδύλος ἔχει ὅμοιος γλάνει (v l γλανί,
γλανεῖ) τὸ ὑραῖον Ζια5. 490 ᵃ4. τὴν χολὴν πρὸς τῷ ἥπατι
γλάνις Ζιβ15. 506 ᵇ8. ἡ αὔξησις τῶν γλανίων (v l τῦ γλα-

νίος, γλανέων) Ζιζ14. 568 b15sq. ὁ θῆλυς τȣ ἄρρενος ἀμείνων, κίων φαῦλός ἐστιν Ζιϑ30. 608 a4, 3. συνεχὲς ἀφίησι τὸ κύημα. τὸ τȣ γλανίος (v l γλανίεως) ᴣὸν γίνεται ὅσον ὄροβος Ζιζ14. 568 a22, b22. partus et coitus τῶν γλανίων (v l γλανιῶν, γλανέων) Ζιζ14. 568 a25-b14. ᴣδ' ᴣοφυλακεῖ τῶν ἄλλων ἔξω γλάνιος (v l γλανίος, γλανίως, γλανίδος) ᴣθεὶς Ζιζ14. 569 a3. τῶν ποταμίων γλάνις (v l γλανὶς, γλανῆς) prolis curam gerit multam Ζιϑ7. 621 a21-b2. — γλάνις (v l γλανὶς) ὑπὸ κύνα μάλιστα διὰ τὸ μετέωρος νεῖν ἀστροβλής τε γίνεται χ ὑπὸ βροντῆς νεανικῆς καρᴕται Ζιϑ20. 602 b22. (cf Cuv XIV 339, 348) — οἱ γλάνεις ἐν βραχέσι ὑπὸ δράκοντος τυπτόμενοι ἀπόλλυνται πολλοί Ζιϑ20. 602 b24. (Silurus glanis L ΑΖι I 126, 9.)

γλάνος Ζιϑ5. 594 a31 i q ὕαινα. (Hyaena striata ΑΖι I 75, 44 cf Rose de Ar libr 148.)

γλαυκός. τὸ καλȣμενον μέλαν τȣ ὀφθαλμȣ διαφέρει, τοῖς μὲν γὰρ σφόδρα γλαυκόν, τοῖς δὲ χαροπόν, ἐνίοις δὲ αἰγωπόν· ἵπποι ἔνιοι γλαυκοί Ζια10. 492 a3-6. cf πι11. 892 a2. ὄμμα γλαυκόν Ζιβ1. 501 a30. τρία χρώματα τοῖς ὄμμασι, μέλαν χ αἰγωπὸν χ γλαυκὸν πι11. 892 a3. οἷς οἱ ὀφθαλμοὶ γλαυκοὶ ἢ λευκοὶ φ6. 812 b4. γλαυκὰ τὰ ὄμματα, τȣ γὰρ λευκȣ ἐγγὺς τȣτο τὸ χρῶμα πι14. 910 a23. διὰ τίν' αἰτίαν τὰ μὲν γλαυκὰ τὰ δὲ χαροπὰ τὰ δὲ μελανόμματ' ἐστιν Ζγε1. 779 b13, a32, 35. γλαυκότερα τὰ ὄμματα τῶν παιδίων Ζγε1. 779 a26, b10. γλαυκὰ ὄμματα τὰ ὀλίγον ὑγρὸν ἔχοντα Ζγε1. 779 b30. τὰ γλαυκὰ ὄμματα ᴕκ ὀξυωπȣ τῆς ἡμέρας, τὰ δὲ μελανόμματα τῆς νυκτὸς Ζγε1. 779 b35. — ἀποτελᴣνται τὰ φύλλα γλαυκὰ θγ9. 828 b2.

γλαῦκος, πελάγιος Ζιβ13. 598 a13, ἀποφυάδας ἔχει ὀλίγας Ζιβ17. 508 b20, τȣ θέρεος φωλεῖ περὶ ἑξήκονθ' ἡμέρας Ζιϑ15. 599 b32, et ferentis et non ferentis caro praestans Ζιϑ29. 607 b27. (fort Gobius Jozzo L, vel Sciaena aquila Cuv V 20. ΑΖι I 126, 10.)

Γλαῦκος (Hom Z 236) Ηε11. 1136 b10. ἐπίγραμμα ἐπὶ Γλαύκη, τȣ Λυδίᴕ f 597. 1577 b35. — Γλαῦκος, ὁ θαλάττιος δαίμων f 448. 1551 b28.

γλαυκότης ὀμμάτων χ μελανία Ζγε1. 778 a18. πι11. 892 a5. ἀσθένειά τις ἡ γλαυκότης Ζγε1. 779 b12, 780 b7.

γλαυκώδης. οἱ γλαυκώδεις τῶν ὀρνίθων χ τᴣ ἄνω βλεφάρῳ σκαρδαμύττᴣσιν Ζιβ12. 504 a26. (Strigidae.)

γλαύκωμα. τὸ γλαύκωμα ξηρότης τίς ἐστι τῶν ὀμμάτων, γίνεται μᾶλλον τοῖς γλαυκοῖς Ζγε1. 780 a17, 15.

Γλαύκων πο25. 1461 b1. cf Susemihl ad h l, Vhl Poet IV 377. — Γλαύκων ὁ Τήιος ἐπραγματεύθη περὶ τὴν ὑπόκρισιν Ργ1. 1403 b26 Spgl.

γλαύξ. 1. Strigidae. νυκτερόβιον Ζια1. 488 a26. ἔχει τὸ σπλῆνα μικρὸν Ζιβ15. 506 a17, μικρὸν εὐρύτερον τὸ κάτω τȣ στομάχȣ Ζιβ17. 509 a3. τῆς ἡμέρας ἀδυνατεῖ βλέπειν, ᴕ κατὰ πᾶσαν τὴν νύκτα θηρεύει Ζιι34. 619 b18. πολέμια γλαὺξ κορώνη ὄρχιλος Ζιι1. 609 a8. ἄσασα εὐδίαν μαντεύεται ᴣ ἡμέραν φαιδρὰν f 241. 1522 a44. τὰ δὲ ἄλλα ὀρνίθια τὴν γλαύκα περιπέταται, ᴣ καλεῖται θαυμάζειν. ᴣ προσπετόμενα τίλλᴣσιν Ζιι1. 609 a14. οἱ ὀρνιθοθῆραι θηρεύᴣσι τῇ γλαυκὶ παντοδαπὰ ὀρνίθια Ζιι1. 609 a14, 16. — 2. Surnia noctua Retz. cf Lnd 34, E44, ΑΖι I 89, 25. νυκτερινόν, γαμψώνυχον Ζιβ3. 592 b9. γλαύκες Ζιι34. 619 b18. ἔστιν ὁ βρίας τὴν ἰδέαν ὅμοιος γλαυκὶ Ζιϑ3. 592 b10. ἔχει ἀποφυάδας ὀλίγας Ζιβ17. 509 a22. ὁ ὠτὸς ὅμοιος ταῖς γλαυξὶ χ ἀντορχύμενος ἁλίσκεται καθάπερ ἡ γλαύξ Ζιϑ12. 597 b22, 25. f 276. 1527 b30. — φωλεῖ ὀλίγας ἡμέρας ἡ γλαὺξ Ζιϑ16. 600 a27. — τὰ λοιπὰ Ζιι34. 619 b18 sunt Bubo Scops

Ulula C.

γλαφυρός. σπήλαιον ὃ καλεῖται γλαφυρὸν θ58. 834 b32. — γλαφυρώτερα χ λειότερα τὰ θήλεα τῶν ἀρρένων ἐστι Ζγα19. 727 a16. πόδας γλαφυρωτέρᴣς ἔχει τὰ θήλεα Ζιϑ11. 538 b11. πάντα ἐὰν νέα ἐκτμηθῇ, μείζω γίνεται ἀτμήτων χ γλαφυρώτερα Ζιι50. 632 a9. γλαφυροὶ τὰ εἴδη οἱ φίλυπνοι φ3. 808 b8. ῥύγχος γλαφυρόν, opp ἰσχυρὸν χ σκληρὸν Ζμγ1. 662 b8. γλαφυρώτερον ἀνθρηνῶν ἢ σφηκῶν κηρίον Ζιε23. 554 b28. — εἴ τις τι γλαφυρὸν γέγραφεν ἐν ταῖς τέχναις ρι1. 1421 a39. — γλαφυρωτέραν ἔχειν τὴν διάνοιαν Ζμβ4. 650 b19. τῶν ἀραχνίων οἱ γλαφυρώτεροι, σοφώτεροι, τεχνικώτεροι Ζιι38. 622 b23. 39. 623 a8, 24. Χαρώνδας τῇ ἀκριβείᾳ τῶν νόμων ἐστὶ γλαφυρώτερος τῶν νῦν νομοθετῶν Πβ12. 1274 b8. — γλαφυρῶς. ἡ Κρητικὴ πολιτεία ἧττον γλαφυρῶς ἔχει Πβ10. 1271 b21. Δημόκριτος γλαφυρωτέρως εἴρηκεν ψα2. 405 a8.

γλεῦκος ἄπηκτον μδ8. 385 b3 (γλυκύς ci Did), ἕψεται, πήγνυται μδ3. 380 b32. 7. 384 a5, πότε πεπέφθαι λέγεται μδ2. 379 b30 (cf Oribas I 573, 9). τὸ γλεῦκος φύσει ἡδύ πκ23. 925 b16. τὸ γλεῦκος καθαίρει πα47. 865 a11. τὸ γλεῦκος ἥκιστα μεθύσκει f 211. 1516 a39. — τὸ γλεῦκος idem videtur significare ac τὸ γλυκύ πκβ12. 931 a18, 16.

γλήχων ὑπὸ τὰς τροπὰς ἀνθεῖ πκ21. 925 a19. (Mentha Pulegium L cf S Theophr IV 34, Fraas Synopsis 177, Langkavel Bot dr spät Gr 54.)

γλίσχρος, opp ψαθυρός μδ8. 385 a17. γλίσχρον τὸ ἔλαιον μδ7. 383 b34. Γβ2. 330 a5. γλισχρότατος γλοιὸς θ134. 844 a13. syn κολλῶδες, κολλητικὸν πβ22. 868 b3. λζ2. 965 b27. καὶ16. 929 a13. τὸ γλίσχρον δυσδιαίρετον πκα12. 928 a29. 8. 927 b29. cf Γα10. 328 b4. περὶ τᴣ γλίσχρᴣ μδ8. 385 a17, b5, 9, 387 a11-15. ὑγρότης γλίσχρα Ζιγ11. 518 b14. σάρξ ἀφὴ γλίσχρα Ζιδ2. 527 a27. μελεσὶ γλίσχρος χ νευρώδης Ζμβ6. 652 a19. γλίσχρα τὴν τᴣ σώματος φύσιν Ζγβ1. 733 a22. ἐπιπολάζει τὸ γλίσχρον διὰ τὸ μὴ δύνασθαι ἐξατμίζειν Ζγβ6. 743 a9. — metaph οἱ γλίσχροι, εἶδός τι ἀνελευθερίας Ηδ3. 1121 b22. ἔχᴣσι (τὸ αἰσθητήριον) τρόπον τινὰ γλίσχρον Ζμβ17. 660 b14. — γλίσχρως λαμβάνειν, opp διδόναι ἀφθόνως Πε11. 1314 b3. ζῆν γλίσχρως, opp τρυφᾶν Πβ7. 1266 b26. ἢ τὸ παράπαν ᴣδέν ἐστι τὸ κοινὸν ἢ γλίσχρως Πγ1. 1275 a38.

γλισχρότης μδ5. 382 b14. λιπαρότης χ γλισχρότης μκ6. 467 a8. εἰς τινα γλισχρότητα τὸ λιπαρὸν Ζγβ6. 743 b15. γλ. τᴣ ἐλαίᴣ μδ7. 384 a2. αι4. 441 a25. πλβ10. 961 a21, τᴣ πνεύματος ακ804 b21. ἡ ἐκ τᴣ πυρὸς τροφὴ μετρίαν ἔχει γλισχρότητα πκα2. 927 a19. — γλισχρότης i q τὸ γλίσχρόν: προίεσθαι γλισχρότητα πολλήν, ἀφίεναι γλισχρότητα ᴣμᴣξώδη sim Ζγβ1. 733 a24. Ζιγ11. 517 b28. ε15. 546 b29. 18. 550 a14. ηδ. 585 a25. — metaph γλισχρότης, opp τρυφᴣ Πηδ. 1326 b38.

γλίχεσθαί τινος Ηδ14. 1128 a5. Πγ6. 1278 b28, 29. κ5. 396 b7. περὶ τινος αι2. 437 a21.

γλοιός, ἅλες ὀρυκτοί, ᴣ στερεοὶ ἀλλ' ὅμοιοι τῷ γλισχροτάτῳ γλοιῷ θ134. 844 a14.

γλοιώδης. αἱ ἐγχέλεις ἀφιᾶσι γλοιῶδες ἐξ αὑτῶν f 294. 1529 a32.

γλυτός. τᴣ διεξοδικᴣ τὸ μὲν οἷον ἐφέδρανον γλυτός Ζια13. 493 a23. μηρᴣ χ γλυτᴣ τὸ ἐντὸς περίνεος, μηρᴣ δὲ χ γλυτᴣ τὸ ἔξω ὑπογλυτὶς Ζια14. 493 b9. ΑΖι II tab 3.

γλυκαίνεσθαι, opp πικραίνεσθαι Ζη2. 244 b23, 6.

γλυκερός. ἥπατα τῶν ἀχόλων εὔχρω χ γλυκερὰ Ζμδ2. 677 a23.

γλυκύς. εἴδη τῶν χυμῶν. ἁπλᾶ μὲν τἀναντία. τὸ γλυκὺ ᾳ̣
τὸ πικρόν, ἐχόμενα δὲ τῷ μὲν τὸ λιπαρὸν ψβ10. 422 ᵇ11.
ὥσπερ τὰ χρώματα ἐκ λευκῶ ᾳ̣ μέλανος μίξεώς ἐστιν,
ὕτως οἱ χυμοὶ ἐκ γλυκέος ᾳ̣ πικρῦ αι4. 442 ᵃ13. ἐν ζῴῳ
τὸ λιπαρὸν γλυκύ μκ5. 467 ᵃ4. πάντα τρέφεται τῷ γλυκεῖ 5
αι4. 442 ᵃ2. μβ2. 355 ᵇ7. πκβ3. 930 ᵃ34. ἐν πᾶσι τὸ πε-
πεμμένον γλυκύτερον. ἡ πέψις γλυκέα ποιεῖ Ζγγ1. 750
ᵇ26. εϛ. 786 ᵃ17. cf δ̔8. 776 ᵃ28. γ11. 762 ᵃ12sqq. — μι-
κρὸν γλυκὺ εἰς πολὺ ὕδωρ μιχθὲν ἀναίσθητον ποιεῖ τὴν κρᾶ-
σιν Πβ4. 1262 ᵇ17. θᾶττον πληρούμεθα ὑπὸ τῶν γλυκέων 10
πκβ2. 930 ᵃ15. 3. 930 ᵃ24. τὰ γλυκέα ἧττον δοκεῖ γλυκέα
εἶναι θερμὰ ὄντα πκβ12. 931 ᵃ16. τὸ γλυκὺ ἐπιπλαστικόν
πγ13. 872 ᵇ32, 33. — τὸ πότιμον ᾳ̣ γλυκὺ ὕδωρ, opp τὸ
ἁλμυρόν μβ2. 355 ᵃ33. τὰ γλυκέα ὕδατα Ζια5. 490 ᵃ25.
ζ13. 567 ᵇ18. γλυκὺ πόμα (τῶν ποταμῶν), opp ἁλμυρόν 15
μβ3. 357, ᵃ29. τὸ λεπτότατον ᾳ̣ γλυκύτατον ὕδωρ ἀνάγε-
ται μβ2. 354 ᵇ29. — ὁ γλυκύς, ie ὁ γλυκὺς οἶνος πγ28.
875 ᵇ2. cf χγ26. 934 ᵃ33. — ὥσπερ χυμὸς ὁ μὲν γλυκὺς
ὁ δὲ πικρός, ὕτω ᾳ̣ ὀσμαί ψβ9. 421 ᵃ27sqq. αι5. 443 ᵇ9.
— χόλος γλυκίων μέλιτος (Hom Σ109) Ρβ2. 1378 ᵇ6.   20
γλυκύτης, opp πικρότης Γβ2. 329. ᵇ12. μέλι διαφέρει γλυ-
κύτητι ᾳ̣ τῷ πάχει Ζιε2. 554 ᵃ11. γλυκύτης συκωίδης
Ζιι40. 623 ᵇ24. — γλιχόμενοι τῷ ζῆν ὡς ἐνέσης τινὸς εὐη-
μερίας ἐν αὐτῷ ᾳ̣ γλυκύτητος φυσικῆς Πγ6. 1278 ᵇ30.
γλύφειν. ὀδόντες, ὀστῦν ἀδύνατον γλύφεσθαι Ζιγ7. 516 ᵃ27. 25
γλύφεσθαι ἐξ ἁλῶν ὀρυκτῶν θ134. 844 ᵃ15.
γλῶττα (γλῶσσα f 275. 1527 ᵇ19. 303. 1530 ᵃ3). 1. lingua,
descr Ζμβ17. 660 ᵃ14-661 ᵇ30. Ζια11.492 ᵇ27-33. a. ana-
tom. τῶν ἀνομοιομερῶν Ζεα18. 722 ᵇ32. ὁ ἄνθρωπος ἔχει
πρὸς τὸ πρόσθιον Ζια15. 494 ᵇ12. τὸ τῆς γλώττης δέρμα 30
Ζιγ11. 518 ᵇ17. τῇ ἐπιγλωττίδι τὸ πέρας συνήρτηται τῆς
γλώττης (basis linguae) Ζια16. 495 ᵃ30. τὸ ὀξὺ (apex)
Ζιι15. 616 ᵇ9. σπογγώδης ἡ τῆς γλώττης σάρξ πγ31. 875
ᵇ22. Ζμβ16.660 ᵃ10. σαρκώδης Ζμβ16. 660 ᵃ10. δ5. 678
ᵇ10. Ζιδ2. 526 ᵇ24. 5. 530 ᵇ25. ὀστώδης f 275. 1527 ᵇ19. 35
303. 1530 ᵃ3. Ζιδ2. 526 ᵇ24. σκληρὰ αχ801 ᵇ38. ἰσχυρὰ
Ζμδ5. 678 ᵇ23. πλατεῖα, λεπτή, στενή Ζμδ12. 692 ᵇ6.
Ζιδ9. 536 ᵃ21. τριχώδης, δικρόα Ζμδ11. 691 ᵃ6, 8. Ζιβ17.
508 ᵃ27. ἀπολελυμένη f 300. 1529 ᵇ26. δυσκίνητος αχ801
ᵇ8. ὑκ ἀπολελυμένη Ζιδ9. 535 ᵇ2, 3. 536 ᵃ3. 538 ᵃ26. προσ- 40
πεφυκυῖα f 303. 1530 ᵃ3. 311. 1531 ᵃ12. Ζμδ5. 682 ᵃ19.
— b. physiolog. καλῶς μεμηχάνηται ἡ τῆς γλώττης κίνη-
σις Ζμγ3. 664 ᵇ33. ὑδενὸς τῶν ζῴων πιερὰ πι19. 892 ᵇ33.
τὴν γλῶτταν δεῖ ὑπολαβεῖν ὥσπερ ἐν μόριον τῶν ἐξωτερι-
κῶν εἶναι οἷον χεῖρα ᾳ̣ πόδα Ζγε6. 786 ᵇ25. διπλῆν γλῶτ- 45
ἕκαστον τῶν αἰσθητηρίων ἐπὶ τῆς γλώττης ἧττον μὲν δῆλον,
μᾶλλον δ᾽ ἢ ἐπὶ τῆς ἁφῆς Ζμβ10. 656 ᵇ36. πλείω (αἰσθήσεις
ποιεῖ) ἡ ἐπὶ τῆς γλώττης ἁφή ψβ11.423 ᵃ17,ᵇ17. τὸ τῶν χυμῶν
αἰσθητήριον Ζιδ8. 533 ᵃ25. Ζμδ11. 690 ᵇ29. ὕτε κατάξηρος
ὕσα ἡ γλῶττα αἰσθάνεται ὕτε λίαν ὑγρὰ ψβ10. 422 ᵇ6. 50
ὅσων τῷ ἄκρῳ τῆς γλώττης ἡ αἴσθησις γεγ2. 1231 ᵃ13.
ἀραιὰ φύσει, ὅπως τὺς χυμὺς γνωρίζῃ πι19. 892 ᵇ34. ἐν
τῇ γλώττῃ τὸ ἡδύ πκη7. 950 ᵃ2. διὰ τί ἡ γλῶττα γλυ-
κέα μὲν ὑ γίνεται, πικρὰ δὲ ᾳ̣ ἁλμυρὰ ᾳ̣ ὀξεῖα πλδ5.
964 ᵃ1. ἡ γλῶττα τῶν τε χυμῶν αἰσθάνεται ᾳ̣ τῶ λόγω Ζιδ5. 55
660 ᵃ1. πρὸς τὺς χυμὺς ᾳ̣ πρὸς τὴν ἑρμηνείαν αν11. 476
ᵃ19. τὴν γλῶτταν ὑκ ὁμοίαν τοῖς ἄλλοις ἐποίησεν ἡ φύσις,
πρὸς ἐργασίας δύο καταχρησαμένη Ζμβ16. 659 ᵇ34, ἐπί
τε τὴν γεῦσιν ᾳ̣ τὴν διάλεκτον ψβ8. 420 ᵇ17. διάλεκτος
ἡ τῆς φωνῆς ἐστι τῇ γλώττῃ διάρθρωσις Ζιδ9. 535 ᵃ31, 60
536 ᵃ21. δύναται τὴν λέξιν διαρθρῦν πγ31. 875 ᵇ21. η14.

888 ᵇ14. ὅσα γλῶτταν μὴ ἔχει ἢ μὴ ἀπολελυμένην ὕτε
φωνεῖ ὕτε διαλέγεται (Bk, ἀπολελυμένην ὑ διαλέγεται ci
Cs S Pic Aub) Ζιδ9. 535 ᵇ2. τῆς γλώττης μὴ τοιαύτης ὕσης
ὑκ ἂν ἦν φθέγγεσθαι τὰ πλεῖστα τῶν γραμμάτων· τὰ μὲν
γὰρ τῆς γλώττης εἰσὶ προσβολαί Ζμβ16. 660 ᵃ4. τὰ ἄφωνα
ἡ γλῶττα ᾳ̣ τὰ χείλη ἀφίησιν Ζιδ9. 535 ᵇ1. τὸ ζῷον ἔχει
γλῶτταν, ὅπως σημαίνῃ τι ἑτέρῳ ψγ13. 435 ᵇ24 Torstr.
ἡ γλῶσσ᾽ ὁμώμοχ᾽, ἡ δὲ φρὴν ἀνώμοτος (Eur Hipp 612)
Ργ15. 1416 ᵃ30. — c. patholog. σημαντικὸν πολλῶν πλδ4.
963 ᵇ28sq. ὑ δύνανται διαλέγεσθαι σαφῶς ὅσων εἰσὶν αἱ
γλῶτται ᾳ̣ τὰ στόματα δυσκίνητα αχ801 ᵇ8. τὰ παιδία
τῆς γλώττης ὑκ ἐγκρατῆ διὰ τὸ πρῶτον Ζιδ9. 536 ᵇ6. ἐν
ταῖς σκληροτέραις γλώτταις ἡ φωνὴ γίνεται σκληροτέρα ᾳ̣
λαμπροτέρα αχ801 ᵃ38. διὰ τί τῶν μεθυόντων ᾳ̣ τῶν ῥι-
γώντων ἡ γλῶττα παίει πγ31. 875 ᵇ21. η14. 888 ᵇ7. τοῖς
κάμνυσι πικρὰ πάντα φαίνεται διὰ τὸ τῇ γλώττῃ πλήρει
τοιαύτης ὑγρότητος αἰσθάνεσθαι ψβ10. 422 ᵇ9. τῶν ἰσχνο-
φώνων τὸ πάθος αχ804 ᵇ28. scarificatio βοηθεῖ, ἐάν τις
σχάσῃ ὑπὸ τὴν γλῶτταν Ζιδ21. 603 ᵇ16. ἡ τραχύτης τῆς
γλώττης τῦ πυρέττειν σημεῖον μτ1. 462 ᵇ31. ἐν τῇ γλώττῃ
τῇ κάτω ἔχυσι μάλιστα τὰς χαλάζας Ζιδ21. 603 ᵇ21 (cf
Oribas ed nov Paris I 272 et 616sq). de colore linguae
Ζγε6. 786 ᵃ21, 29. Ζιγ11. 518 ᵇ17. ζ19. 574 ᵃ6 (cf Monro
p 81). πλδ6. 964 ᵃ5. — d. singulorum generum animalium
linguae descr. (mammalium) τὰ τετράποδα ᾳ̣ ᾳ̣ ζῳοτόκα
ἔχει τὴν γλῶτταν ἐν τῷ στόματι Ζιδ11. 690 ᵇ17. vulpes
foetum τῇ γλώττῃ λείχυσα Ζιζ34. 580 ᵃ9. ἐλέφαντος μι-
κρὰ Ζιβ6. 502 ᵃ3. αἱ φῶκαι ἔχυσι δικρόαν τὴν γλῶτταν
Ζμδ11. 691 ᵃ8. Ζιβ17. 508 ᵃ27. δελφὶς ἔχει τὴν γλῶτταν
ὑκ ἀπολελυμένην Ζιδ9. 536 ᵃ3. — (avium) γλῶτταν ἅπαν-
τες, ταύτην δ᾽ ἀνομοίαν Ζμδ11. 690 ᵃ35. οἱ μὲν πλατεῖαν
οἱ δὲ στενὴν Ζμδ12. 692 ᵇ6. μάλιστα ἔχει διάλεκτον ὅσοις
ὑπάρχει μετρίως ἡ γλῶττα πλατεῖα ᾳ̣ ὅσοι ἔχυσι λεπτήν
Ζιδ9. 536 ᵃ21. Iyngis torquillae L lingua descr Ζιβ12. 504
ᵃ14sq. δρυοκολάπτης Ζιι9. 614 ᵇ2. μελαγκορύφῳ ᾳ̣ ἀη-
δόνι ἴδιον τὸ τὴν γλῶτταν ἔχειν ὑκ ὀξὺ τὸ ὀξύ Ζιι5. 616 ᵇ9.
αἱ πέρδικες (Perdix graeca Briss) τὴν γλῶτταν ἔξω ἔχυσι
περὶ τὴν τῆς ὀχείας ποίησιν Ζιε5. 541 ᵃ30. ὕτις f 275. 1527
ᵇ19 (cf Cuvier leç d'anat comp 2 edit IV 565). — (reptilium)
Ζμδ11. 690 ᵇ19. Ζιβ10. 502 ᵇ35. οἱ σαῦροι, ὥσπερ ὑ ὄφεις,
δικρόαν ἔχυσι τὴν γλῶτταν ᾳ̣ ἐπ᾽ ἄκρῳ τριχώδη πάμπαν
Ζμδ11. 691 ᵃ6. Ζιβ17. 508 ᵃ24. ὁ ποτάμιος κροκόδειλος ὑκ
ἂν δόξειεν ἔχειν γλῶτταν, ἀλλὰ τὴν χώραν μόνον Ζμδ11.
690 ᵇ20. ὁ ἐν Αἰγύπτῳ κροκόδειλος Ζιβ10. 503 ᵃ1 (Mayer
in Nov Act Acad Leop XX p II et in Troschel Archiv 1858
I 318). ὁ βάτραχος Ζμδ9. 536 ᵃ8. ὄφεις Ζιβ17.
508 ᵃ20. — (piscium) οἱ ἰχθύες τὸ τῶν χυμῶν αἰσθητήριον
ἔχυσι μέν, ἔχυσι δ᾽ ἀμυδρῶς· ὀστώδη γὰρ ᾳ̣ ὑκ ἀπολε-
λυμένην Ζιδ8. 533 ᵃ26. β10.503 ᵃ2. 13. 505 ᵃ30. Ζμδ11.
690 ᵇ24. πολλοὶ αὐτῶν ἐν ταῖς γλώτταις ὀδόντας Ζμγ1.
662 ᵃ8. ᾳ̣ ἔνιοι ὀδόντας (Ρ ἔνιοι ᾳ̣) Ζιβ13. 505 ᵃ30. ὁ κίθα-
ρος τὴν γλῶτταν ἀπολελυμένος f 300. 1529 ᵇ26. ὁ κυπρῖ-
νος τὴν γλῶτταν ὑχ ὑπὸ τῷ στόματι ἀλλ᾽ ὑπὸ τὸ στόμα
κέκτηται(?) f 302. 1529 ᵇ43. λάβρακες ἔχυσιν ὀστώδη ᾳ̣
προσπεφυκυῖαν f 303. 1530 ᵃ3. σκάρος ὑ λίαν προσπεφυ-
κυῖαν f 311. 1531 ᵃ12. — (insectorum) ἔνιοις ἀντὶ στόμα-
τος Ζμδ12. 692 ᵇ17. ἔνια γλῶτταν ἔχοντα μόνον τοῖς ὑγροῖς
τρέφεται Ζιθ11. 596 ᵇ11. ἡ ᾳ̣ γεύεται ᾳ̣ εἰς αὐτὸ (αὐτὰ
Pic A) τὴν τροφὴν ἀνασπᾷ Ζιδ7. 532 ᵃ6. ἐνίοις τὸ καλύ-
μενον κέντρον, ἔχον γλώττης ᾳ̣ χειλῶν ἅμα δύναμιν Ζμδ5.
682 ᵃ11. ἡ μέλιττα τὺς χυμὺς τῷ ὁμοίῳ τῇ γλώττῃ ἀνα-

λαμβάνυσα κομίζει Ζιε22. 554 ᵃ14. τὸ κέντρον τοῖς μὲν (dipteris) ἔμπροσθεν κατὰ τὴν γλῶτταν (rudimentum) Ζμδ6. 682 ᵇ35, 683 ᵃ1. τὸ τῶν τεττίγων γένος ἔχει στόμα ᷉ γλῶτταν συμπεφυκός Ζμδ5. 682 ᵃ19. Ζιδ7. 532 ᵇ12. — (crustaceorum) τοῖς καράβοις τὸ στόμα σαρκωδέστερον 5 (ἐν τῷ στόματι σαρκωδές τι Pic Aub) ἀντὶ γλώττης (i e labium inferius) Ζιδ2. 526 ᵇ24. τὰ μαλακόστρακα τὰς πρώτας ὀδόντας (mandibulas) ἔχει ᷉ τὸ ἀνάλογον τῇ γλώττῃ σαρκῶδες Ζμδ5. 678 ᵇ10. — (molluscorum) πάντα ἔχει τὴν γλῶτταν, ἔνια ἰσχυράν Ζμδ5. 678 ᵇ11, 23 (Siebold 10 Lehrb vergl Anat 320). cephalopoda ἔχει μικρὸν σαρκῶδες, γλῶτταν δ' ὐκ ἔχει αὐτῶν ᷉ τὴν τύτυ χρῆται ἀντὶ γλώττης Ζιδ1. 524 ᵇ5. Ζμδ5. 678 ᵇ8 (Owen Cyclopaedia I 554). τὰ στρομβώδη νέμονται ἐξαίροντα (ἐξείροντα Pic Aub) τὴν καλυμένην γλῶτταν ὑπὸ τὸ κάλυμμα Ζιε15. 547 ᵇ5. 15 οἱ κόχλοι (buccinum) Ζμδ5. 679 ᵇ6. πορφύρα ἔχει τὸ μέγεθος τῆς γλώττης μεῖζον δακτύλυ Ζιε15. 547 ᵇ7. — (echinodermatum) ὁ ἐχῖνος ἔχει ἐν μέσῳ τῶν πέντε ὀδόντων σῶμα σαρκῶδες ἀντὶ γλώττης Ζιδ5. 530 ᵇ25. Monro p 94.

2. γλῶτται αὐλῶν Ζιζ10. 565 ᵃ24. αχ801 ᵇ33, 38, 802 20 ᵇ19.

3. γλῶττα rhet τὸ τέκμαρ ᷉ πέρας ταὐτόν ἐστι κατὰ τὴν ἀρχαίαν γλῶτταν Ρα2. 1357 ᵇ10. — λέγω κύριον (ὄνομα) ᷉ χρῶνται ἕκαστοι, γλῶτταν δὲ ᷉ ἕτεροι πο21. 1457 ᵇ4. cf. 25. 1460 ᵇ11. αἱ μὲν γλῶτται ἄγνωτες, τὰ δὲ κύρια 25 ἴσμεν Ργ10. 1410 ᵇ12. αἱ γλῶτται ἁρμόττυσι τοῖς ἡρωικοῖς πο22. 1459 ᵃ9. 24. 1459 ᵇ35. Ργ3. 1406 ᵇ2. γλώτταις ὀλιγαχῇ χρηστέον Ργ2. 1404 ᵃ28. τὸ χρῆσθαι γλώτταις ψυχρόν Ργ3. 1406 ᵃ7.

γλωττικός. τὸ γλωττικὸν ὄργανον Ζμδ6. 682 ᵃ21. 30

γλωττίς. ποιεῖν πολίτας μὴ μόνον τὰς γνησίας ἀλλὰ ᷉ τὰς 50 νόθας Πζ4. 1319 ᵇ9. δι' ἔνδειαν τῶν γνησίων πολιτῶν Πγ5. 1278 ᵃ30. — ἔτι ἄλλο γένος ἐστὶν ἀετῶν οἱ καλύμενοι γνήσιοι Ζυ32. 619 ᵃ8-14 (fort Vultur fulvus L Su 106, AZι I 82, 1 a). — γνησίως ἐπιστήσαντες κ1. 391 ᵃ26.

γνησιότης ἀπ' ἀμφοῖν Ρα5. 1360 ᵇ35. 55

γνόφος. μυρίων γνόφων συμπληγάδας κ2. 392 ᵇ12.

γνῶμα. ἐὰν τέκῃ ἡ ὄνος πρὶν τὸ γνῶμα λιπεῖν Ζιζ 23. 577 ᵇ3, ᵃ31.

γνώμη. κατὰ τὴν αὐτῶν γνώμην Πδ10. 1295 ᵃ17. τῇ δικαιοτάτῃ γνώμῃ Πγ16. 1287 ᵃ26. γνώμῃ τῇ ἀρίστῃ κρί- 60 νειν τί ἐστι Ρα15. 1375 ᵃ29, ᵇ16, 1376 ᵃ19. β25. 1402 ᵇ33.

γνώμη ἔπραξα, ᷉ χρήματα λαβὼν Ργ18. 1419 ᵃ36. εἰδέναι τὴν ἑκάστυ γνώμην, syn δηλῶσαι τὴν ἑκάστυ προαίρεσιν ημα19. 1190 ᵇ4. — περιγίνεσθαι πολεμῦντας διὰ στρατηγῦ γνώμην (i e consilio, prudentia) ρ39.1447 ᵃ5. — ἡ καλυμένη γνώμη ἡ τῦ ἐπιεικᾶς κρίσις ὀρθή Ηζ11. 1143 ᵃ20 (cf εὐγνώμων, συγγνωμονικός). coni σύνεσις, φρόνησις, ᷉ς Ηζ12. 1143 ᵃ25sqq. γνώμην ἔχειν δύναταί τις φύσει Ηζ12. 1143 ᵇ6, 9. — rhet γνώμην τί ἐστι Ρβ21. 1394 ᵃ22. ρ12. 1430 ᵃ40. cf τι17. 176 ᵇ18. πο6. 1450 ᵃ7 (Bernays Rh M 8, 575). περὶ γνώμης Ρβ21. ρ12. γνώμης εἴδη τέτταρα Ρβ21. 1394 ᵇ8. γνώμη ἔνδοξος, παράδοξος ρ12. 1430 ᵇ2. γνῶμαι ἐκ τῆς ἰδίας φύσεως, ἐξ ὑπερβολῆς, ἐκ παρομοιώσεως ρ12. 1430 ᵇ10. αἱ γνῶμαι ἐνθυμηματικαὶ Ρβ21. 1394 ᵇ18. dist ἐνθύμημα Ρβ20. 1393 ᵃ24. 21. 1394 ᵇ18. γ17. 1418 ᵇ34. ρ15. 1431 ᵃ35. dist σημεῖα ρ15. 1431 ᵃ39. τεθρυλημέναι ᷉ κοιναὶ γνῶμαι Ρβ21. 1395 ᵃ11. γνώμαις χρηστέον ᷉ ἐν διηγήσει ᷉ ἐν πίστει Ργ17. 1418 ᵃ17. — λέγυσι τὸν ἵππον γνώμην ἔχειν (i e signum, ex quo eius aetas cognoscatur) ὅταν ἄβολος ᷉ Ζιζ22. 576 ᵇ15.

γνωμολογεῖν. περὶ τίνων ᷉ πότε ᷉ τίσιν ἁρμόττει τὸ γνωμολογεῖν Ρβ21. 1394 ᵃ21, 1395 ᵃ3, 4. γνωμολογητέον, ἐγνωμολογηκώς ρ33. 1439 ᵃ3, 38.

γνωμολογία. περὶ γνωμολογίας Ρβ21. ἐνθυμήμασι ᷉ γνωμολογίαις βεβαιῶν ρ37. 1443 ᵃ2.

γνωμολογικῶς τὰς τελευτὰς ποιεῖσθαι ρ33. 1439 ᵃ5.

γνωμοτύποι μάλιστα οἱ ἄγροικοι Ρβ21. 1395 ᵃ7.

γνώμων. 1. γνώμονος περιτεθέντος, περιτιθεμένυ Κ14. 15 ᵃ30. Φγ4. 203 ᵃ14. γνώμων τὸ αβ, ἐφ' ᷉ αδ᷉ πιε9. 912 ᵃ39. 10. 912 ᵇ7. — 2. τὰς τετάρτας ὀδόντας τῦ ὄνυ καλῦσι γνώμονας (codd γνῶμα, γνώμας) Ζιζ23.577 ᵃ20 Aub.

γνωρίζειν. διὰ τῆς περὶ τὴν ὄψιν αἰσθήσεως τὴν ἐν ἑκάστῳ μορφὴν γνωρίζομεν τβ7. 113 ᵃ32. τῇ αἰσθήσει τὸ παρὸν μόνον γνωρίζομεν μν1. 449 ᵇ14. cf Ψγ6. 430 ᵇ22. τε3.131 ᵇ23, 27. μάλιστα ποιεῖ γνωρίζειν ἡμᾶς ἡ τῦ ὁρᾶν αἴσθησις ΜΑ1. 980 ᵃ26. τύτοις μόνοις (τῷ νοητικῷ ᷉ τῷ αἰσθητικῷ) τῶν ἐν ἡμῖν γνωρίζομεν τι εν1. 458 ᵇ3. τὰ καθ' ἕκαστα μετὰ νοήσεως ἢ αἰσθήσεως γνωρίζονται Μζ10. 1036 ᵃ6. — βέλτιον (in amicitia) τὸ γνωρίζειν ἢ τὸ γνωρίζεσθαι ημβ11. 1210 ᵇ8sqq. τῦ ἀναμιμνήσκεσθαι ὐδὲν τῶν γνωριζομένων (v l γνωρίμων) ζῴων μετέχει πλὴν ἄνθρωπος μν2. 453 ᵃ9. — omnino et significatione et usus ambitu γνωρίζειν et γινώσκειν vix possunt inter se distingui, ac pro synonymis vel in eodem sententiae contextu vel in iisdem formulis γνωρίζειν, γιγνώσκειν, γνῶσιν λαμβάνειν, μανθάνειν, εἰδέναι ἐπίστασθαι leguntur. τότε εἰδέναι οἰόμεθα, ὅταν τὰ αἴτια γνωρίσωμεν Φα1. 184 ᵃ12. Μα2. 994 ᵇ30. Α3. 983 ᵃ26 (cf εἰδέναι τότ' οἰόμεθα ἕκαστον μάλιστα, ὅταν τί ἐστιν ὁ ἄνθρωπος γνῶμεν ζ1. 1028 ᵃ37). ἔστι γνωρίζειν τὰ μὲν πρότερον γνωρίζοντα, τῶν δὲ ᷉ ἅμα λαμβάνοντα τὴν γνῶσιν Αγ1. 71 ᵃ17. ἐνίων τύτων τὸν τρόπον ᷉ μαθησίας τι ᷉ ᷉ διὰ τῦ μέσυ τὸ ἔσχατον γνωρίζεται Αγ1. 71 ᵃ23. ἐπαγόμενος ἐγνώρισεν· πρὶν ἐπαχθῆναι ὐχ ἁπλῶς φατέον ἐπίστασθαι Αγ1. 71 ᵃ21, 25. γνωρίζειν, coni εἰδέναι, ἐπιστήμη Μβ2. 996 ᵇ16, 997 ᵃ1-4. 3. 998 ᵇ5, 7. 4.999 ᵃ29,28. γνωρίζειν τὰς ὑσίας, τί ἐστιν ἕκαστον Μβ2. 997 ᵃ1, 4, cf γινώσκειν ᵃ2, 4. (cf ἐγνωρίζετο τί ἐστιν ἕκαστον τζ2. 140 ᵃ22.) τὰ αἰσθητὰ λέγονται ᷉ γνωρίζονται τῷ καθόλυ λόγῳ, ἡ δ' ὕλη ἄγνωστος καθ' αὑτὴν Μζ10. 1036 ᵃ8. γνωρίζομεν διὰ τῶν ὁρισμῶν, τῷ ὁρισμῷ Μβ3. 998 ᵇ5. τθ3. 158 ᵇ4. ὁ ὁρισμὸς ἀποδίδοται τῦ γνωρίσαι χάριν τζ1. 139 ᵇ14. 4. 141 ᵃ27. 11. 149 ᵃ26 (cf τῦ μαθεῖν χάριν, γνώσεως ἕνεκα

γναθος. ἐνίοις χαυλιόδοντες ἐκ τῶν γνάθων Ζμγ2. 664 ᵃ11. ὀασύπης ἐντὸς τῶν γνάθων τρίχας ἔχει Ζγδ5. 774 ᵃ35. 40 Ζιγ12. 519 ᵃ22. ἐὰν διακοπῇ ᷉ συμφύεται Ζιγ13. 493 ᵃ29. γ11. 518 ᵃ2 (fort ex Hippocr, cf ed Littré I 71). ἐὰν ἀπὸ τῆς γνάθυ τὸ δέρμα ἐφελκόμενον ταχὺ ἐπίῃ (ἐπανίῃ S Pic), νέον ἐστὶ τὸ τετράπυν (domesticum) Ζιζ25. 578 ᵃ8. οἷς αἱ γνάθοι ἐπιφοινίσσυσιν, οἰνόφλυγες φ6. 812 ᵃ33, 35. ἐρυ- 45 θωσιν πλβ12. 961 ᵃ35.

γναφαλος Ζυ16. 616 ᵇ16-19. (Gesnerus: Ampelis garrula. Buffonus: Garrulus Bohemicus, Su 164, 174: Emberiza nivalis L. cf AZι I 90, 27.)

τε2. 130 ᵃ5, 129 ᵇ7. 3. 131 ᵃ1). αἱ γνωρίζουσαι τέχναι Φβ2. 194 ᵇ1 (cf τῷ εἴδως γνωριστική ᵇ4). ὅσα μὴ δοκεῖ δύνασθαι διορίζειν ὁ νόμος, ἐδ᾽ ἄνθρωπος ἂν δύναιτο γνωρίζειν Πγ16. 1287 ᵃ25, 24. γνωρίζειν τὸ ὅμοιον τῷ ὁμοίῳ ψγ3. 427 ᵇ5. γνωρίζειν δι᾽ αὐτῷ, δι᾽ ἄλλε Αβ16. 64 ᵇ35 (cf τὸ μὴ δι᾽ αὐτῷ γνωστόν ᵇ37). περὶ τῶν ἀρχῶν τίς ἡ γνωρίζουσα ἕξις Αδ19. 99 ᵇ18. γνωρίζειν τὰ πρῶτα ἐπαγωγῇ ἀνάγκη Αδ19. 100 ᵇ4. τα14. 105 ᵇ28. ὅθεν οὖν τε προϋπάρχειν γνωρίζοντα πρότερον ΜΑ9. 992 ᵇ25. γνωρίζεται τὸ ἐναντίον ἀπὸ τῷ ἐναντίϣ Ηε1. 1129 ᵃ17. cf ψγ6. 430 ᵇ23. γνωρίζομεν τῷ μέσῳ τί ἀφελεῖν δεῖ Ηε7. 1132 ᵇ2. γνωρίζειν τὸ σχῆμα τῇ τῷ μέσῳ θέσει Αα32. 47 ᵇ14. (alicubi γνωρίζειν videri potest idem significare ac γνωρίζειν, δηλῶν, veluti τζ4. 141 ᵇ16, 142 ᵃ30, sed ad illum locum coll ᵇ17, ad hunc coll Κ7. 8 ᵃ36, ᵇ1 apparebit, a constanti Ar usu, ut γνωρίζειν sit i q γινώσκειν, non esse discedendum.) — γνωρίζειν περὶ τὸ ὂν ᾗ ὂν Μγ8. 1005 ᵃ28. γνωρίζειν περὶ τῆς ὕλης sim Μζ11. 1037ᵃ16. Φϑ1. 208 ᵃ28. — πῶς γνωριστέον ηεη10. 1243 ᵇ28. ἐπὶ τὸ καθόλυ βαδιστέον κἀκεῖνο γνωριστέον Ηκ10. 1180 ᵇ22.

γνώριμος. γνώριμον, opp ἄγνωστον, syn δῆλον, σαφές, ἔνδοξον τε2. 129 ᵇ3. Αγ10. 76 ᵇ21, 17, 19. τθ5. 159 ᵇ8. τῆτο δ᾽ ἐστὶ γνώριμον ἐκ τῆς ἡδονῆς Ηβ9. 1109 ᵇ3. ᾗ νεωστὶ τῷτ᾽ εἶναι γνώριμον τοῖς φιλοσοφῦσιν Πη10. 1329 ᵃ40. ἐστι δ᾽ ἃ πάνυ γνώριμον τὸ πάθος ἐδ᾽ ἐπιπέλαιον ηεγ2. 1230 ᵃ16. τῆτο ἐν τῷ Βοσπόρῳ γνωριμώτατόν ἐστιν Ζιθ15. 600 ᵃ5. γνώριμος μάλιστ᾽ ἀνθρώπῳ ἡ τῶν ἔξωθεν μορίων μορφή Ζμβ10. 656 ᵃ9. cf ᵃ1. 640 ᵇ33. Ζια6. 491ᵃ21. χ τὰ γνώριμα ὀλίγοις γνωρίμα ἐστιν πο9. 1451 ᵇ25. ἀναμιμνήσκειν τὰς γνωρίμους πράξεις Ργ16. 1416 ᵇ25. ὀνόματα γνώριμα, opp πεποιημένα πο9. 1451 ᵇ20. cf Μχ5. 1062 ᵃ14. ὀνόματα γνωριμώτερα, γνωριμώτατα τβ4. 111 ᵃ8. ζ11. 149 ᵃ21. — γνώριμον διχῶς, aut ἁπλῶς. τῇ φύσει, κατὰ τὸν λόγον aut ἡμῖν, πρὸς ἡμᾶς, κατὰ τὴν αἴσθησιν Αγ2. 71 ᵇ33 sqq (Wz ad τ7 ᵇ21. Zeller II 2. 138, 2). 3. 72 ᵇ26. β2. 356 ᵇ35. τα12. 105 ᵃ17. εϑ. 131 ᵃ17. θ1. 156 ᵃ6. Φαι. 184 ᵃ16,18 (Heyder Dial I 164). 5. 188 ᵇ32, 189 ᵃ4. ψβ2. 413 ᵃ12 Trdlbg. Μζ4. 1029 ᵇ3 Bz, 8. Ηα2. 1095 ᵇ2. (τὰ ἡμῖν γνώριμα ζῷα Ζμβ10. 656 ᵃ8.) γνώριμον δι᾽ αὐτό, μὴ δι᾽ αὐτό Φβ1. 193 ᵃ6. γνωριμώτερον χ πρότερον Αβ23. 68 ᵇ35. γ25. 86 ᵇ3, 27, 29. 26. 87 ᵃ25. τὰ γνωριμώτερα χ πιστότερα Ργ17. 1418 ᵃ11. γνωριμώτερον τὸ ὡρισμένον τῷ ἀορίστϣ πιγ9. 917 ᵇ11. γνωριμώτεραι αἱ ἀρχαὶ τῶν ἀποδείξεων Αδ19. 100 ᵇ9. ἐκ γνωρίμων ποιῆμενος τὰς ἀρχάς Ζγβ8. 747 ᵇ6. πῶς αἱ ἀρχαὶ γίνονται γνώριμοι Αδ19. 99 ᵇ18. γνώριμα ποιεῖν δι᾽ ἐπαγωγῆς Αγ18. 81 ᵇ3, διὰ συλλογισμῷ Αγ22. 83 ᵇ36. ἵνα εἰς γνωριμώτερον ἀναγάγωμεν Μζ16. 1040 ᵇ20. γνωριμώτερον χ οἰκειότερον ἀποδώσει τὸ εἶδος ἀποδιδὺς ἤπερ τὸ γένος Κ5. 2 ᵇ9. — γνωρίμως μᾶλλον λέγειν, opp ἐ σαφῶς Ζγβ8. 747 ᵃ27. πῶς δεῖ γνωριμωτέρως λεχθῆναι χ μᾶλλον ὥσπερ ἐπὶ περὶ φύσεως Μι2. 1053 ᵇ14. — homines γνώριμοι aut sunt οἰκεῖοι, συνήθεις, opp ἄγνωτες Ηδ12. 1126 ᵇ25. Πιη7. 1327 ᵇ40. Ρβ8. 1386 ᵃ17. μτ2. 464 ᵃ28, aut nobiles, Πλάτων χ Σωκράτης χ ἕτεροι τῶν γνωρίμων πλ1. 953 ᵃ28. αἱ κρίσεις αἱ ἀπὸ τῶν γνωρίμων ἀνδρῶν Ρβ2. 1402 ᵇ9. α15. 1375 ᵇ29. τὰ δοκᾶντα τοῖς πλείστοις ἢ τοῖς γνωρίμοις τα1. 100 ᵇ23. 10. 104 ᵃ10, ᵇ20. 14. 105 ᵃ37. δι᾽ ἣν πρᾶξιν ὀνομαστοὶ γίγνονται χ γνώριμοι τοῖς ἄλλοις Πε10. 1312 ᵃ28. τῶν γνωρίμων πλῆτος, εὐγένεια, ἀρετή, παιδεία Πδ4. 1291 ᵇ28. γνώριμοι, syn εὔποροι, opp ἄποροι, μέσοι Πβ12. 1274 ᵃ18. δ12. 1296 ᵇ31. 8. 1293 ᵇ39. 3.

1289 ᵇ33. ζ4. 1319 ᵇ13. 5. 1320 ᵇ7, ᵃ19. 7. 1321 ᵃ39. cf εϑ. 1303 ᵃ9. 4. 1303 ᵇ31. 7. 1307 ᵃ30. καλοὶ κἀγαθοὶ χ γνώριμοι, ἐπιεικεῖς χ γνώριμοι Πδ8. 1293 ᵇ39. ζ4. 1318. ᵇ35. opp δῆμος, δημοτικοί, πλῆθος Πδ4. 1291 ᵇ18. 14. 1298 ᵇ21, 25. εϑ. 1302 ᵇ24, 1303 ᵃ4, ᵇ6. 4. 1304 ᵃ25. 5. 1304 ᵇ33. 6. 1305 ᵇ17. 8. 1309 ᵃ3. 10. 1310 ᵇ13.

γνώρισις. ἀντιπροαίρεσις τῆς ἀλλήλων γνωρίσεως ηεη2. 1237 ᵃ31.

γνώρισμα. ἐκ ἂν εἴη τὰ τοιαῦτα γνωρίσματα φι. 806 ᵃ15.

γνωρισμός. ὁ ὁρισμὸς ἐσίας τις γνωρισμός Αδ13. 90 ᵇ16.

γνωριστικός. κινητικὸν ἢ ψυχὴ χ γνωριστικὸν ψα2. 404 ᵇ28. ἐπιστήμη γνωριστική, dist πειραστική Μγ2. 1004 ᵇ26. τέχνη γνωριστικὴ τῷ εἴδει, opp ποιητικὴ τῆς ὕλης Φβ2. 194 ᵇ4.

γνῶσις. γνώσεώς τινος πάντα μετέχυσι τὰ ζῷα· αἴσθησιν γὰρ ἔχυσιν, ἡ δ᾽ αἴσθησις γνῶσίς τις Ζγα23. 731 ᵃ31, 33. αἱ αἰσθήσεις κυριώταταί εἰσι τῶν καθ᾽ ἕκαστα γνώσεις ΜΑ1. 981 ᵇ10. — ἡ γνῶσις πίστιν ποιεῖ πρὸς ἀλλήλυς, opp ἀγνωσία γνῶσιν ἀλλήλοις εἶναι Πε11. 1313 ᵇ5. — γνῶσις, quomodo differat ab ἐπιστήμη sim cf γινώσκειν, γνωρίζειν. ἐξ ἀγνοίας εἰς γνῶσιν μεταβολή πο11. 1452 ᵃ30. cf 19. 1456 ᵇ13. εὐδοκιμεῖ τὰ ἐνθυμήματα, ὅσων ἢ ἅμα λεγομένων ἡ γνῶσις γίνεται ἢ μικρὸν ὑστερίζει ἡ διάνοια Ργ10. 1410 ᵇ24. γνῶσις προϋπάρχυσα Αγ1. 71 ᵃ2. Μθ8. 1049 ᵇ7. γνῶσιν λαμβάνειν, ἔχειν Αγ1. 71 ᵃ18, 19. εἴπερ ἔστιν τις γνῶσις ἢ φρόνησις Ογ1. 298 ᵇ23. πρὸς γνῶσιν ἢ τὴν κατὰ φιλοσοφίαν φρόνησιν τθ14. 163 ᵇ9. περὶ τῶν φθαρτῶν εὐπορῶμεν πρὸς τὴν γνῶσιν διὰ τὸ σύντροφον Ζμα5. 644 ᵇ29. τὰ πρὸς τὴν γνῶσιν, opp τὰ πρὸς τὴν χρῆσιν Πα11. 1258 ᵇ9. ἡ γνῶσις τῷ ὁμοίῳ τὸ ὅμοιον Μβ4. 1000 ᵇ6 Bz. Ηζ2. 1139 ᵃ11. ἐν ἅπασιν ἡ γνῶσις διὰ τῶν πρώτων Ογ3. 302 ᵃ11. τῆς γνώσεως τὸ τί ἦν εἶναι πέρας Μδ17. 1022 ᵃ9. τῆς ἀρχῆς ἄλλη γνῶσις χ ἐκ ἀπόδειξις Ζγβ6. 742 ᵇ32. ἡ ἐσία πρώτων ᾗ λόγῳ χ γνώσει χ χρόνῳ Μζ1. 1028 ᵃ33. cf δ11. 1018 ᵇ30. ἡ γνῶσις τῆς ψυχῆς, syn εἴδησις, ἱστορία ψα1. 402 ᵃ5, 1, 4. εἶδός τι γνώσεως τὸ αὐτῷ (?) εἰδέναι Ηζ9. 1141 ᵇ34. ἡ φυσικὴ γνῶσις, syn ἡ φυσικὴ ἐπιστήμη Ζμα1. 641 ᵇ1, ᵃ35.

γνωστικός. ἕξεις γνωστικώτεραι Αδ19. 100 ᵃ11.

γογγροειδής. οἱ θαλάττιοι ὄφεις τὴν κεφαλὴν ἔχυσι γογγροειδεστέραν Ζιβ14. 505 ᵇ9.

γόγγρος. μακρός, προμήκης, πάχος ἔχων, λεῖος Ζμδ13. 696 ᵃ4. Ζια5. 489 ᵇ27. β2. 590 ᵇ19. β13. 505 ᵃ27. βράγχια δύο ἐφ᾽ ἑκάτερα τὸ μὲν ἁπλῶν τὸ δὲ διπλῶν Ζιβ13. 505 ᵃ14. τὰ πτερύγια ἐν τοῖς ὑπτίοις ἐκ ἔχει Ζμδ13. 696 ᵃ4. δύο πτερύγια μόνον Ζια5. 489 ᵇ27. Ζπ7. 708 ᵃ3. στόμαχον μακρόν Ζιβ17. 507 ᵃ10. γόγγροι οἱ μὲν πρὸς τῷ ἥπατι οἱ δὲ κάτω τὴν χολὴν ἀπηρτημένην ἔχοντες φαίνονται Ζιβ15. 506 ᵇ18. στέαρ ἔχυσιν Ζιζ17. 571 ᵇ1. ἰσχύσι κυήματα ἀλλ᾽ ἐκ ἐν πᾶσι τοῖς τόποις ὁμοίως τῦτο ἐπίδηλον, ἐδὲ τὸ κύημα σφόδρα φανερόν Ζιζ17. 571 ᵃ28. φωλᾶσι Ζιβ15. 599 ᵇ6. πῶς κινῶνται Ζπ7. 707 ᵇ28. σαρκοφάγοι μόνον, ἀλληλοφαγῦσι Ζιβ2. 591 ᵃ10, 18. ζῶσι πολλάκις ἀφῃρημένοι τὴν κέρκον μέχρι τῆς ἐξόδυ τῆς περιττώσεως Ζιι2. 610 ᵇ15, τὺς πολύποδας κατεσθίυσιν Ζιθ2. 590 ᵇ18. ἀπεδηδεμένας (v l περιεδηδεσμένας S) ἔχυσιν ἔνιοι πολύποδας τὰς πλεκτάνας ὑπὸ τῶν γόγγρων (παγήσω cf Osann Beiträge I 276) Ζιθ2. 591 ᵃ6. ἀπεσθίεται ὑπὸ μυραίνης Ζιι2. 610 ᵇ17. οἱ κάραβοι αὐτῶς κρατῶσιν Ζιθ2. 590 ᵇ17. — πελάγιοι εἰσι γόγγροι οἱ λευκοί, οἱ μέλανες ἐπαμφοτερίζυσιν Ζιβ13. 598 ᵃ13 sq. (cf Artedi 41, Μ 277, St, ΑΖι Ι 126, 11. Conger vulgaris C. cf Ε 91.)

γοερός. τῷ χορῷ ἁρμόζει τὸ γοερὸν χ̣ ἡσύχιον ἦθος χ̣ μέλος πιθ 48. 922 b19.

γοητικός. τὴν γοητικὴν μαγείαν ϰδ' ἔγνωσαν οἱ μάγοι f 31. 1479 b8.

γόμφιος. descr γόμφιοι, πρόσθιοι, κυνόδοντες Ζιβ1. 501 b3, 5 4, 7. Ζμγ1. 661 b8. Φβ8. 198 b26. οἱ γόμφιοι ὕστερον γίνονται, ϰκ ἐκπίπτϰσι Ζγε8. 788 b7. Ζιβ2. 501 b24. τϰς γομφίνς ϰθὲν βάλλει τῶν ζῴων Ζιβ1. 501 b5. τοῖς ἔχϰσι γομφίνς χρήσιμος ἡ εἰς τὸ πλάγιον κίνησις Ζμδ11. 691 b2. — in manibus cheliformibus Crustaceorum Ζιδ2. 526 a20. 10

γόμφος. ἀστράγαλος οἷον γόμφος Ζμβ9. 654 b21. ἀστράγαλος γόμφος ὢν ὥσπερ ἀλλότριον κῶλον ἐμβέβληται Ζμδ 10. 690 a13. — ἐν γόμφῳ ἢ κόλλῃ ἡ ἁφή Φε3. 227 a17. Μη2. 1042 b18.

γονεύς. γονεῖς (μελιττῶν), syn πατέρες Ζγγ10. 760 b19, 15. 15 — ὁ μὴ ἐοικὼς τοῖς γονεῦσιν ἤδη τρόπον τινὰ τέρας ἐστίν Ζγδ3. 767 b6. ἐοίκασι τοῖς γονεῦσι Ζγα18. 722 a20. δ3. 769 a2. ὅμοια τοῖς γονεῦσι Ζγδ3. 769 a8. α18. 724 a4. — ἐοίκασι τοῖς ἄνωθεν γονεῦσιν (ἱ ε τοῖς προγόνοις) Ζγα18. 722 a8. δ3. 769 a4. ἐοικότες τοῖς γεννήσασιν ἢ τοῖς ἄνωθεν 20 γονεῦσιν Ζιη6. 586 a1. — οἱ γονεῖς στέργϰσι τὰ τέκνα ὡς ἑαυτῶν τι ὄντα, ἡ φιλία αὐτῶν ποία Ηθ14. 1161 b19-30. ἀγαπᾶν τϰς γονέας (γονεῖς Wz cum codd AB), τιμᾶν τϰς θεϰς τα11. 105 a6. βαστάζειν γέροντας ἐπὶ τῶν ὤμων γονεῖς χ̣ σῴζειν χ6. 400 b2. 25

γονή. 1. liquor seminis, genitura, Befruchtungsstoff, Samen- flüssigkeit. a. τί ἐστιν. ὁμοιομερές Ζια1. 487 a4. Ζγα16. 721 a28. Ζμβ2. 647 b13. ὑστερογενὲς Ζιγ20. 521 b18. Ζμβ7. 653 b12. περίττωμα, ὑγρόν, ὑγρϰ περίττωμα Ζγγ1. 749 b6. Ζμδ10. 689 a9, 15. β2. 647 b13. Ζγα18. 726 a19. 30 ψα2. 405 b3. ὑδατώδης ἡ ὕλη τῆς γονῆς Ζγβ7. 747 a18. ἄχρηστον τῆς γονῆς τὸ ὑγρότερον Ζγβ4. 739 a9. αἷμα ἡ γονὴ κοινὰ γῆς χ̣ ὕδατος χ̣ ἀέρος μδ10. 389 a19. cf πδ15. 878 b9, 8. ἡ γονὴ ἀφρός Ζγβ2. 736 a14. ἡ τῆς γονῆς φύσις ὁμοίως ἔχει τῇ τϰ ἐγκεφάλϰ Ζγβ7. 747 a17. τὴν φύ- 35 σιν θερμὴ μδ11. 389 b10. ἐπεὶ ἡ γονὴ περίττωμά ἐστι τροφῆς χ̣ τῆς ἐσχάτης, ἤτοι αἷμα ἂν εἴη ἢ τὸ ἀνάλογον ἢ ἐκ τϰτων τι Ζγα18. 726 b3. — b. unde generetur. τὸ ἄρρεν προΐεται τὴν γονὴν εἰς τὸ θῆλυ Ζγα22. 730 a34. β1. 733 b19. 3. 736 a25 (cf Oribas III 691). 4. 739 b18. γ1. 40 749 a16. προΐενται κατασχόντες τὸ πνεῦμα Ζγα6. 718 a3. προΐεσθαι τὴν γονήν, ἡ τῆς γονῆς πρόεσις πδ26. 879 b35. χ̣ 11. 949 a19. ϰς τοῖς ἄρρεσιν ϰ̣ ϰτω τοῖς θήλεσι τὰ καταμήνια Ζγα19. 727 a3, 6, 26. 20. 729 a21, 31. β4. 739 a8, b24. 7. 746 b29. γ1. 749 b6. Ζμδ10. 689 a15. ἔνια 45 ϰ̣ προΐεται τὴν γονήν Ζγβ4. 739 b11. εἰς τὴν πιμελὴν ἀνη- λωμένης τῆς περιττώσεως ἐλλείπει τὰ περὶ τὴν γονήν Ζγα19. 727 b1. β7. 746 b28. ἄνευ τῆς τϰ ἄρρενος γονῆς τὰ τῶν ὀρνίθων χ̣ τῶν ἰχθύων ϰὰ ἀτελῆ ἐστι Ζγγ1. 750 b16. 5. 756 a30. — ϰκ ἀπὸ παντὸς ἔρχεται ἡ γονή Ζγα18. 723 50 b25. 20. 729 a6. ἡ γονή ἐστιν ἀπὸ τϰ ἐγκεφάλϰ χωρϰσα διὰ τῆς ῥάχεως πι57. 897 b25. πόρος δι' ϰ̣ προευίεται ἡ γονή Ζγα6. 718 a14. ἡ γονὴ ἀποκρίνεται εἰς ὄρχεις χ̣ αἰδοῖα πδ26. 879 b5. — de ductu eiaculatorio. ἐνίοις μέν, ᾗπερ ἡ τϰ ὑγρϰ, ταύτῃ χ̣ ἡ τῆς γονῆς γίγνεται ἀπόκρισις, ἐνίοις 55 δὲ κατὰ τὴν τῆς ξηρᾶς ὑποστάσεως ἀποχώρησιν Ζγα18. 726 a18, 21. ὄρχεις ἐψυγμένοι ϰ̣ προΐενται τὴν γονήν Ζγα12. 719 b4. — ἐνίοις τῶν πνευματικῶν (περιττωματικῶν Gaza) πλήντρῳ ὄζει ἡ γονή πδ29. 880 a27. — c. de conceptu. ἡ ἀπὸ τϰ ἄρρενος ἐνυπάρχϰσα ἐν τῇ γονῇ δύναμις συνίστησι τὸ 60 ζῷον Ζγα19. 727 b10. 20. 728 a30, 729 a16, b31. 21. 730

a2. β4. 739 b11. γ1. 751 b31. ἐν ἡμέραις πλείοσιν Ζγα23. 731 a20. ἡ ὑστέρα ἕλκει τὴν γονὴν διὰ τὴν θερμότητα τὴν ὑπάρχϰσαν Ζγβ4. 739 b9. συνίσταται ἡ ἐν ταῖς ὑστέραις ἀπόκρισις τϰ θήλεος ὑπὸ τῆς τϰ ἄρρενος γονῆς Ζγβ4. 739 b21. — πᾶν ἐκ σπέρματος χ̣ γονῆς γίνεται Ζγβ1. 734 a36. Ζμβ5. 651 b14. — γονὴ πήγνυται ψύξει ἐξιόντος τϰ ὑγρϰ μετὰ τϰ θερμϰ μδ10. 389 a22. ἐψύχετ' ἂν ἡ τῶν ὄφεων γονὴ διὰ τὴν βραδυτῆτα Ζγα7. 718 a22. ἡ γονὴ τηκομένη φαίνεται πυρὶ πδ14. 878 a37. ὅταν ὅλον μεταβάλλῃ, οἷον ἐκ τῆς γονῆς αἷμα, γένεσις ἤδη τὸ τοιϰτον Γα4. 319 b16. — d. γοναὶ ζῴων χ6. 399 a28. τῶν ζῳοτόκων χ̣ μέγεθος ἐχόντων ὑπάγοντα τὰ θήλεα δέχονται τὴν γονήν Ζιε2. 540 a7. τὰ πολύτεκνα τῶν ζῴων πολλὰς μήτρας χ̣ τύπϰς ἔχει, εἰς ἃ σχίζεται ἡ γονή πι14. 892 b3. ἡ τϰ ὄνϰ γονὴ ψυχρὰ Ζγβ8. 747 b22, 748 a32, b3. ὀλιγοχϰστεροι πρὸς τὴν γονὴν οἱ σελαχώδεις Ζγγ7. 757 a21. — e. causa movens. Μλ6. 1071 b31. γονὴ τὸ ἀπὸ τϰ γεννῶντος αἴτιον (ἀπιόν Aub e cod P), ὅσα συνδυάζεσθαι πέφυκε, τὸ πρῶτον ἔχον ἀρχὴν γενέσεως Ζγα18. 724 b12 (cf Dietz Hippocr de morbo sacro p 152). ἡ γονὴ ἡ πρώτη ψυχή ψα2. 405 b5. ἐνυπάρχει ἐν τῇ γονῇ ἢ μέρος τι ψυχῆς ἢ ψυχὴ ἢ τὸ ἔχον ψυχήν Ζγβ1. 733 b33. τὸ τῆς γονῆς σῶμα, ἐν ᾧ συναπέρχεται τὸ σπέρμα (τὸ σπέρμα om Aub) τὸ τῆς ψυχικῆς ἀρχῆς, τϰτο τὸ σπέρμα διαλύεται χ̣ πνευματϰται Ζγβ3. 737 a7. ἐν ὅσοις κεχώρισται τὸ θῆλυ χ̣ τὸ ἄρρεν ἐμποιεῖ τὸ ἄρρεν τὴν αἰσθητικὴν ψυ- χήν, ἢ δι' αὑτϰ (ϛ ἔνια ἔντομα), ἢ διὰ τῆς γονῆς Ζγβ5. 751 b7. ἡ τῆς γονῆς σπερματικὴ δύναμις Ζμβ6. 651 b21. — f. Ἡρόδοτος ϰκ ἀληθῆ λέγει μελαίναν εἶναι τὴν τῶν Αἰθιόπων γονήν Ζγβ2. 736 a11. — 2. γονή i q σπέρμα Ζγα7. 718 a24. ᾗ τὰ θήλεα προΐενται τὴν γονήν Ζμδ10. 689 a12. ῥεῖ ταῖς ἵπποις ταῖς θηλείαις ἐκ τϰ αἰδοίϰ ὅμοιον γονῇ, λεπτότερον δέ Ζιζ18. 572 a26. — Empedoclis sententia: ἑκατέρα γονὴ μαλακή Ζγβ8. 747 b1, 19. — 3. τὰ φυτὰ προΐεται ϰ̣ γονὴν ἀλλὰ κύημα, τὰ καλύμενα σπέρ- ματα Ζγα23. 731 a3.

γονικὴ ἔκκρισις πδ26. 879 b28.

γόνιμος. σπέρμα γόνιμον, opp ἄγονον Ζιγ22. 523 a25. ε14. 544 b16, 32. η1. 582 a30. Ζγα7. 718 a24. β3. 736 a35, b34. 7. 747 a5. πγ4. 871 a23, 25. γονιμώτερον τὸ συνεστὸς μᾶλ- λον σπέρμα Ζγδ1. 765 b3. ᾠὰ γόνιμα, opp ὑπηνέμια Ζιζ2. 559 b25, 560 a9. Ζγα21. 730 a6, 20. β5. 741 a20, 17, 30. γ1. 751 b24. 7. 757 b1. κυήματα γόνιμα Ζγγ5. 757 a8. τὸ ἔμβρυον, ἐὰν ᾖ γόνιμον, προκαταβαίνει Ζιη4. 538 b31. πηρωθῆναι περὶ τὸν τόπον τὸν γόνιμον Ζιη1. 581 b23. cf Αζι I 9. τὸ πνεῦμα ᾖ ἐν τοῖς ζῴοις ἔμψυχός τε χ̣ γόνιμος ϰσία χ4. 394 b11. γυναῖκες γόνιμοι, opp ἄτεκνοι Ζιχ3. 635 b36. πδ2. 878 b12. τράγοι πίονες ἧττον γόνιμοι, ἵπποι πρεσβύ- τεροι γονιμώτεροι Ζιε14. 546 a2. ζ22. 576 a17. ἡμίονοι γόνιμοι θ69. 835 b1. — νέφος γόνιμον ὕδατος χ4. 394 a27. αἱ περὶ τϰς ἀστέρας ἅλω μικραὶ ἐπιδηλϰσι τὰς συστάσεις χ̣ ὕπϰ γονίμϰς μγ3. 373 a31. αἱ καλαὶ χ̣ γόνιμοι τῶν ὅλων ὧραι χ5. 397 a12.

γόνος. 1. ἡ ὄνος ἐξϰρεῖ τὸν γόνον Ζγβ8. 748 a22 i q γονήν Ζιζ23. 577 a22. — 2. genitura. πλείω τὰ ὑπηνέμια γίνεται τῶν γόνῳ γινομένων (γονίμων ᾠῶν ci Aub fals) Ζγγ1. 750 b21. ἐὰν γόνῳ γένηται Ζιζ2. 559 a16. τὰ γόνῳ εἰλημμένα, τὰ γόνῳ κυόμενα Ζιζ2. 560 a16. τὰ γόνῳ τίκτεται Ζιε19. 553 a8. cf Αζι I 517. ἰχθύες ἐν(om Med Thom SDP) γόνῳ τίκτϰσι χ̣ τὰ ᾠὰ ἀφιᾶσι Ζιζ13. 567 b22. — 3. proles ὁ γόνος τῶν κεστρέων f 299. 1529 b20, τῶν τριγλῶν Ζιε9. 543 a6. f 313. 1531 a25, 34. ἡ ἄλλη ἀφύη γόνος ἰχθύων

ἐστίν Ζιζ15. 569 ᵇ22, 28. f 292. 1528 ᵇ42 sq. ὁ γόνος μι-
κρὸς ἁλίσκεται περὶ Βυζάντιον Ζιθ13. 598 ᵇ9. cf S II 468.
αἱ μέλιτται φέρουσι τὸν γόνον Ζιε21. 553 ᵃ19. Ζγγ10. 759
ᵇ26. ὁ γόνος τῶν μελιττῶν Ζγγ10. 759 ᵃ12, 34, ᵇ9, 19, 36,
760 ᵇ34, τῶν κηφήνων Ζγγ10. 759 ᵃ15, ᵇ8. Ζιε21. 553
ᵃ24, 31, λευκός Ζιε22. 554 ᵃ22, τῶν βασιλέων Ζιε22. 554
ᵃ24, τῶν ἡγεμόνων Ζγγ10. 760 ᵇ26. ἡγεμόνες τῷ ἄλλῳ
γόνῳ πεφυκότες Ζιε21. 553 ᵇ4. ὁ γόνος ἐλάττων γίνεται,
τὸν γόνον ἐπαφιᾶσι Ζιε21. 553 ᵇ21, 24. 22. 554 ᵃ18. ποιεῖν
τῷ γόνῳ χηρία Ζιε23. 554 ᵇ22. — 4. ovum. τὸν γόνον ὅταν
ἀφῇ, ἐπῳάζει Ζιε22. 554 ᵃ18. cf ΑΖι I 523, 120.

γόνυ. κοινὸν μηρῷ καὶ κνήμης γόνυ (καὶ S P) καμπή Ζια15.
494 ᵃ18. τῆς κνήμης κινουμένης τὸ γόνυ ἠρεμεῖ Ζκ1. 698 ᵇ4.
ἀνάγκη κάμψαι τὸ μένον. ἢ ἐν τῷ γόνατι ἢ ἐν τῇ κάμψει,
οἷον εἴ τι ἀγόνατον εἴη τῶν βαδιζόντων Ζπ9. 709 ᵃ3. ὁ ἄν-
θρωπος τὰ γόνατα ἐπὶ τὴν περιφέρειαν κάμπτει Ζπ1. 704
ᵃ22. ἀεὶ ἐναλλὰξ ἐναντίως ἔχει τὰ κῶλα τὰς κάμψεις τοῖς
ἀνθρώποις, οἷον τὸ γόνυ ἐπὶ τὸ κυρτόν Ζπ13. 712 ᵃ17. Ζιβ1.
498 ᵃ25. ἔστι τὸ κατὰ φύσιν ταῖς γόνασιν ἢ εἰς τὸ πρόσθεν
κλάσις πε19. 882 ᵇ32. ἡ σπάσις πολλὴ τοῦ σώματος [καὶ Bz
Ar St IV 410] ἡ ἀπὸ τῶν γονάτων γίνεται πε19. 882 ᵇ28.
ἡ μύλη ἐπὶ τῷ γόνατι πν7. 484 ᵇ34. ἡ μεγίστη φλὲψ καὶ
ἡ ἑτέρα παρὰ τὸ γόνυ τείνουσι τὴν κνήμην τε καὶ τὸν
πόδα Ζγ2. 512 ᵃ15. κατακλιθῆναι εἰς γόνατα Ζιβ1. 499 ᵃ17.
ἀναβαίνοντες τὰ γόνατα πονοῦμεν πε19. 882 ᵇ25, 29. de situ
foetus Ζιη8. 586 ᵇ3. — τὸ αὐτὸ μέγεθος ξύλου ῥᾷον κατα-
άσσεται περὶ τὸ γόνυ μχ14. 852 ᵇ23. — γόνυ κνήμης ἔγ-
γιον (cf παροιμία) Η8. 1168 ᵇ8. — εἰς τὸ υ πέντε ὀνό-
ματα τελευτᾷ πο21. 1458 ᵃ16.

γονύκροτος. οἱ γονύκροτοι κίναιδοι φ6. 810 ᵃ34. cf 3. 808
ᵃ13. 5. 809 ᵇ8. γονυκροτώτερα τὰ θήλεα Ζιδ11. 538 ᵇ10.

γόος. ἵμερος γόοιο (Hom Ψ 108, 153 al) Ρα11. 1370 ᵇ29.

Γόργην, ἡ Οἰνέως θυγάτηρ f 596. 1576 ᵃ24.

Γοργίας ὁ Λεοντῖνος Ργ2. 1275 ᵇ26. verba ex eius oratio-
nibus afferuntur: τὸ ἐγκώμιον εἰς Ἠλείους Ργ14. 1416 ᵃ1,
ἐν τῷ Ὀλυμπικῷ λόγῳ Ργ14. 1414 ᵇ31. exempla τοῦ ψυ-
χροῦ apud Gorgiam Ργ3. 1405 ᵇ37, 1406 ᵇ8, 15. eius dictum
de Λαρισσοποιοῖς Πγ2. 1275 ᵇ26. πῶς ἔφη δεῖν χρῆσθαι τῷ
γελοίῳ Ργ18. 1419 ᵇ3. ποιητικὴ λέξις οἷον ἡ Γοργίου Ργ1.
1404 ᵃ26. μετ' εἰρωνείας ὅπερ ἐποίει Γοργίας Ργ7. 1408
ᵇ20. Gorgiae μακρολογία Ργ17. 1418 ᵃ34 (ad ἐγκώμιον
Ἀχιλλέως refert Sauppe p 130). ἡ Γοργίου πραγματεία τι34.
183 ᵇ37. cf f 131. 1500 ᵇ15. eius auditor clarissimus Iso-
crates f 133. 1500 ᵇ41. — Gorgiae philosophia ξ5 et 6.
οἱ ἐξαριθμοῦντες τὰς ἀρετὰς ὥσπερ Γοργίας Πα13. 1260 ᵃ28.
— Καλλικλῆς ἐν τῷ Γοργίᾳ (Platonis) τι12. 173 ᵃ8.

Γοργών. ἡ κεφαλὴ τῆς Γοργόνος γιγνό-
μενον τοῖς ἐνορῶσι πάθος καταπληκτικόν f 148. 1503 ᵃ41, 42.

Γορδίου υἱὸς Ψαμμήτιχος Πε12. 1315 ᵇ26.

γοῦν Μβ2. 997 ᵃ4. 4. 1001 ᵃ15. γ2. 1004 ᵇ31. 5. 1010 ᵇ10.
Ηα3. 1095 ᵇ28. Πβ8. 1268 ᵇ34. γ9. 1280 ᵃ38. Ρβ23.
1398 ᵇ10, 1399 ᵃ5, 1400 ᵇ11. αι2. 437 ᵇ25. 4. 442 ᵇ14.
μτ1. 463 ᵃ5. Ζμα1. 641 ᵇ18. ξ6. 979 ᵇ27. κ1. 391 ᵃ11.
πια6. 899 ᵃ23. x34. 926 ᵇ23. f 146. 1503 ᵃ13. 172. 1506
ᵇ22. (γοῦν et δ' οὖν quid differant cf Vhl Poet I 45.) ad-
modum frequens particulae γοῦν usus est in libris περὶ φυ-
τῶν φτα1. 815 ᵃ12, ᵇ22. 2. 817 ᵃ5, 15, ᵇ3. 818 ᵃ29. 4.
819 ᵇ35, 820 ᵃ8. β1. 822 ᵃ20. 2. 823 ᵃ6. 3. 824 ᵇ31, 38,
825 ᵃ9. 4. 825 ᵇ27. 7. 827 ᵃ19, ᵇ7. 8. 827 ᵇ28, 31. 9. 828
ᵇ18, 20, 32, 829 ᵃ17. 10. 829 ᵇ23.

Γυνεύς. ἐπίγραμμα ἐπὶ Γυνέως f 596. 1576 ᵇ10.
V.

γοώδης. κύκνος ᾄδει φωνῇ γοώδει Ζιι12. 615 ᵇ5. τὸ ὁμαλὸν
ἔλαττον γοῶδες, τὸ ἀνώμαλες παθητικόν πιθ6. 918 ᵃ12, 11.

γρ. τὸ γρ ἄνευ τοῦ α συλλαβή, καὶ μετὰ τοῦ α, οἷον τὸ γρα
πο20. 1456 ᵇ36. Vhl Poet III 227.

γραῖα. αἱ ὕες πεντεκαιδεκαετεῖς οὖσαι οὐκέτι γεννῶσιν ἀλλὰ
γραῖαι γίνονται (v l ἀλλ' ἀγριαίνονται S Pic) Ζιε14. 546 ᵃ14.
— τῶν ἐφθῶν ἀλεύρων αἱ γραῖαι καλούμεναι πι17. 803 ᵇ32.
cf γραῦς 2.

Γραῖα. Ἀριστοτέλης Γραῖαν καλεῖ τὴν νῦν Ὠρωπόν f 570.
1571 ᵇ40, 37.

Γραικοί. οἱ καλούμενοι τότε μὲν Γραικοὶ νῦν δ' Ἕλληνες μα14.
352 ᵇ2.

γράμμα. γράμματα, literarum formae, ε1. 16 ᵃ5. Ηγ5.
1112 ᵇ2. συγκεχυμένον καὶ οὐ διηρθρωμένον τὸ γράμμα Ζγα17.
721 ᵇ34. λήθην ἴσχειν τινὰς καὶ αὐτῶν τῶν γραμμάτων ὧν
ἐμεμαθήκεσαν f 35. 1480 ᵇ12. ἔχουσα ἐπιγραφὴν ἀρχαίοις
γράμμασιν θ133. 843 ᵇ18. — γράμματα, voces articulatae,
quae illis formis significantur (Steinthal Gesch p 247), ὁ
λόγος ὁ διὰ τῆς φωνῆς ἐκ τῶν γραμμάτων σύγκειται Ζμβ16.
660 ᵃ3. τὰ γράμματα πάθη ἐστὶ τῆς φωνῆς πι39. 895 ᵃ12.
πρὸς τὴν γένεσιν τῶν γραμμάτων οἱ πρόσθιοι τῶν ὀδόντων
πολλὰ συμβάλλονται Ζμγ1. 661 ᵇ15. ἡ τῶν γραμμάτων
διάρθρωσις, ἔνδεια τῶν γραμμάτων Ζμβ7. 660 ᵃ22, 27. οἱ
ἄνθρωποι πολλὰ γράμματα φθέγγονται, τὰ ἄλλα ζῷα ἢ
οὐδὲν γράμμα ἢ ὀλίγα διαλέγονται πι39. 895 ᵃ8. ιζ57. 905
ᵃ32. ἕνια τῶν ὀρνίθων γένη γράμματα φθέγγονται Ζιβ12.
504 ᵇ2. Ζμβ17. 660 ᵃ30. τὰ ἐξ ὁμοίων συλλαβῶν ὀνό-
ματα, ἐν αἷς πλεῖστα γράμματα τὰ αὐτά ἐστιν ρ29. 1436
ᵃ11. τοσαῦτα ἂν ἦν τὰ γράμματα ὅσαπερ τὰ στοιχεῖα
Μβ4. 1000 ᵃ3. κρᾶσιν ποιεῖσθαι ἐκ φωνηέντων καὶ ἀφώνων
γραμμάτων x 5. 396 ᵇ18. παρὰ γράμμα (i e ex ratione
etymologica) λέγοντα σκοπεῖν ημα6. 1185 ᵇ39. cf ἡ παρὰ
γράμμα σκώμματα Ργ11. 1412 ᵃ28, 32. — γράμμα i q
γραμματική, παιδεύειν εἰώθασι γράμματα καὶ γυμναστικήν
Πθ3. 1337 ᵇ24. — γράμματα, literae, epistula, γράμματα
ἥκειν παρὰ βασιλέως οβ134 ᵃ29. εἴωθε βούλεσθαι ἐπιθεῖναι
γράμματα πο16. 1455 ᵃ19. — τὰ γράμματα τῆς πόλεως,
φυλάττειν τὰ γράμματα καὶ τὰ ψηφίσματα sim f 394. 1543
ᵇ25. 397. 1544 ᵃ29. 399. 1544 ᵇ1, 6. ἄρχειν κατὰ τὰ γράμ-
ματα, κρίνειν κατὰ τὰ γράμματα καὶ τοὺς νόμους Πβ9. 1270
ᵇ30. 10. 1272 ᵃ38 (opp αὐτογνωμόνας). γ15. 1286 ᵃ12.
κατὰ γράμματα ἰατρεύεσθαι, ἡ ἐκ τῶν γραμμάτων θερα-
πεία Πγ16. 1287 ᵃ34, 40. ἡ κατὰ γράμματα καὶ νόμους πο-
λιτεία Πγ15. 1286 ᵃ15. οἱ κατὰ τὰ γράμματα νόμοι, opp
οἱ κατὰ τὰ ἔθη Πγ16. 1287 ᵇ5. ὁ νόμος ὁμολόγημα πό-
λεως κοινὸν διὰ γραμμάτων προστάττον πῶς χρὴ πράττειν
ρ2. 1422 ᵃ3. 3. 1424 ᵃ11.

γραμματεῖον ψ4. 430 ᵃ1. εἰς λελευκωμένα γραμματεῖα
ἐνεγράφοντο οἱ ἔφηβοι f 429. 1549 ᵃ17. — τὰ γραμματεῖα
τὰ πρὸς τὰς οἴκας ἐτίθεντο εἰς τὸν ἐχῖνον f 415. 1547 ᵇ3.
τὰ γραμματεῖα τῶν ὀφειλόντων τῷ δημοσίῳ f 400. 1544
ᵇ34, 26, 28.

γραμματεύς. ὁ γραμματεὺς πῶς τε καθίστατο καὶ τί ἔπρατ-
τεν f 399. 1544 ᵃ45, ᵇ5, 9. 375. 1540 ᵇ18. 389. 1542 ᵇ38.

γραμματικός. τὰ γραμματικὰ πράττοντες γραμματικοὶ
γιγνόμεθα Ηβ3. 1105 ᵃ20. γραμματικώτερος ἕτερος ἑτέρα
Κ8. 11 ᵃ3. — ἡ γραμματικὴ x 5. 396 ᵇ17. def τζ5. 142
ᵇ31. πάσας θεωρεῖ τὰς φωνὰς Μγ2. 1003 ᵇ20. ἡ γραμμα-
τικὴ καὶ γραφικὴ χρήσιμοι πρὸς βίον Πθ3. 1337 ᵇ25. cf
γράμμα. — γραμματικῶς Ηβ3. 1105 ᵃ25.

γραμμή. οἱ γραφεῖς ὑπογράψαντες ταῖς γραμμαῖς Ζγ36.

X

743 ᵇ24. γραμμὴ ὁμοία τῷ τῆ θήλεος αἰδοίῳ Ζγ6. 757 ᵃ9. τὰ ποικίλα οἷον γραμμαί, οἷον στιγμαί Ζιζ 7. 563 ᵇ23. γραμμὴ φυσική, αἰσθητή, dist μαθηματική Μβ 2. 998 ᵃ1. Φβ 2. 194 ᵃ10-12. μεγέθης τὸ ἐφ' ἓν γραμμή Οα1. 268 ᵃ8. τὸ μοναχῇ διαιρετὸν γραμμή Μὸ 6. 1016 ᵇ26. μῆκος πεπε- 5 ρασμένον γραμμή Μὸ 13. 1020 ᵃ14. μῆκος ἁπλατὲς τζ6. 143 ᵇ12. στιγμὴ γραμμῆς ἁπλῶς χωριμιμώτερον, στιγμῆ πέρας γραμμῆς τζ4. 141 ᵇ6, 21. ατ 971 ᵃ18 (legendum στιγμὴ γραμμῆς). πᾶσα γραμμὴ ἀεὶ διαιρεῖται, συνεχής ἐστιν, ὐκ ἔστιν ἄτομος Φδ 12. 220 ᵃ30. 13. 222 ᵃ16. ζ 1. 10 231 ᵃ25. Μα2. 994 ᵇ23. Κ6. 5 ᵃ1. Φζ2. 233 ᵇ16. γ6. 206 ᵃ18. ατ968 ᵃ1sqq. ὐδὲν ἴδιον ἕξει ἡ ἄτομος γραμμὴ παρὰ τὴν στιγμὴν πλὴν τὔνομα ατ970 ᵇ30. ἡ γραμμὴ ὐκ ἔστιν ἐκ στιγμῶν Φζ1. 231 ᵃ24. 10. 241 ᵃ3. δ8. 215 ᵇ18. ατ971 ᵃ6. Μβ4. 1001 ᵇ18. στιγμῶν τὸ μεταξὺ γραμμή Φζ 1. 15 231 ᵇ9. ἡ γραμμὴ στιγμῆ κινηθεῖσα ψα4. 409 ᵃ4. τὰς γραμμὰς ὐκ ἐνδέχεται ὔτε γίγνεσθαι ὔτε φθείρεσθαι ὁτὲ μὲν ὔσας ὁτὲ δὲ ὐκ ὔσας Μβ5. 1002 ᵃ32. γραμμὴν πῇ ἐνδέχεται εἶναι ἄπειρον Οα5. 272 ᵇ17. γραμμαὶ πῶς δύναν- ται συντίθεσθαι Ογ1. 299 ᵇ25, 27. γραμμὴ ποδιαία, δίπης 20 Μι1. 1052 ᵇ33. πιθ2. 917 ᵇ24. γραμμαὶ ῥηταί, opp ἄλογοι ατ968 ᵇ15, 18. διάστημα γραμμῶν τί Οα5. 271 ᵇ31. κύκλῳ γραμμὴ μγ3. 373 ᵃ5. γραμμῆς μῆκος εὐθύτητι διηκριβω- μένον μβ8. 367 ᵇ10. γραμμὰς ἄγειν, ἀνάγειν ἀπό τινος τα1. 101 ᵃ16. μβ5. 362 ᵇ1. γ5. 376 ᵃ1. ἐκκείσθω τις 25 γραμμὴ ἡ τετμήσθω μγ5. 376 ᵃ10. γραμμὴ εἰς ἄνισα τετμημένη Ηε7. 1132 ᵃ25. γραμμὴ ἐκβεβλήσθω μγ5. 375 ᵇ31. γραμμαὶ κατὰ κώνων ἐκπίπτεσαι μγ5. 375 ᵇ21. — frequens nominis γραμμή in expositionibus mathematicis ellipsis, cf εὐθεῖα, ποδιαία. ἡ κμ (i e ἡ κμ γραμμή) sim 30 μγ5. 375 ᵇ22, 31, 34, 376 ᵃ4, 5. — Platonis et Plato- nicorum sententiae. ἡ γραμμὴ φύσις, ὐσία Μν3. 1090 ᵇ6. δ8. 1017 ᵇ20. εἰ ἔστιν ἰδέα γραμμῆς ατ968 ᵃ9. Πλάτων ἀρχὴν γραμμῆς ἐτίθει τὰς ἀτόμυς γραμμὰς ΜΑ9. 992 ᵃ22 Bz. μ8. 1084 ᵇ1. Ογ1. 299 ᵃ13. cf Φγ6. 206 ᵃ18. 35 τὸ̄1. 121 ᵇ19. ατ 968 ᵃ1sqq, 970 ᵇ30. γραμμῆς λόγος ὁ τῶν δύο, δυὰς ἐν μήκει ἡ δυὰς Μζ11. 1036 ᵇ12. η3. 1043 ᵃ33.

γραμμοειδῶς φερόμενοι κεραυνοί κ4. 395 ᵃ27.

γραμμοποίκιλος. τῶν γραμμοποικίλων πλαγίαις τε ταῖς 40 ῥάβδοις κεχρημένων πέρκη f 279. 1528 ᵃ11.

γράφῃ ὄζειν πδ̄24. 879 ᵃ23. ιγ9. 908 ᵇ24. cf S Theophr IV 672.

γραῦς. 1. φασὶν ἐκδύνειν τὸ γῆρας κϳ τὰς ὀστρακοδέρμυς, οἷον τὰς μαίας [τάς τε γραῦς] Ζιθ19. 601 ᵃ18 (τάς τε γραῦς 45 e codd P Eᵃ add S Pic Did, cf Aub). 2. ἡ καλυμένη γραῦς ἐπὶ τοῖς ἐψήμασιν Ζγβ6. 743 ᵇ7. cf γραῖα 2.

γράφειν. 1. ἡ διστάζομεν πῶς γραπτέον Ηγ5. 1112 ᵇ2. οἱ περὶ τὰς πράξεις, οἱ περὶ πολιτείας γράφοντες, τῶν ὑστέρων τινὲς γραψάντων Ρα4. 1360 ᵃ36. Πι14. 1333 ᵇ20, 11. τα 50 ἐν Φαίδωνι, τὰ περὶ γεωργίας γεγραμμένα, γέγραπται περὶ αὐτῶν δι' ἀκριβείας ἐν ταῖς ἱστορίαις μβ2. 355 ᵇ33. Πα11. 1258 ᵇ40. αν12. 477 ᵃ5. ἡ κρίσις ἁπλῶς, τὸ ἔγκλημα δι- καίως γέγραπται Πβ8. 1268 ᵇ6, 19. νόμοι γεγραμμένοι, opp ἄγραφοι Ρα13. 1373 ᵇ6. Πζ5. 1319 ᵇ40. β8. 1269 ᵃ8. 1. 55 1261 ᵃ9. ρ2. 1422 ᵃ4. ἀναγκαῖον καθόλυ γραφῆναι Πβ8. 1269 ᵃ10. λόγοι γεγραμμένοι, γραφόμενοι ρ37. 1444 ᵃ19. Ργ1. 1404 ᵃ19. τὰ γραφόμενα, opp τὰ ἐν τῇ φωνῇ ει1. 16 ᵃ4. — εἴ τις μὴ ἐπιτήδειον νόμον γράψειεν f 378. 1541 ᵃ1. — med κωλύειν τὺς εἰκῇ γραφομένυς Πζ5. 1320 ᵃ13. 60 τῦτο τὸ δίκαιον πολλοὶ γράφονται παρανόμων Πα6. 1255 ᵃ8.

— 2. γράφειν διαγράμματα Οα10. 279 ᵇ34. γέγραπται ὁ κύκλος, ἂν γραφῇ ὁ κύκλος μβ6. 363 ᵃ26. γ5. 376 ᵇ9. φερόμενόν τι γράφει κύκλον, εὐθεῖαν Οα5. 272 ᵃ13. μχ1. 848 ᵇ10. πις5. 913 ᵇ37, 39. 11. 915 ᵃ38. ἡ δίπης γραμμὴ γράφει (int in quadrato) τετραπλάσιόν τι πιθ2. 917 ᵇ25. ἡ ῥᾳδίως γράφεσθαι (de argumentatione mathematica, cf διάγραμμα) τὸ̄3. 158 ᵇ30. — 3. οἱ γραφεῖς γράφυσιν μα13. 349 ᵇ1. γράφειν καλλίως πο15. 1454 ᵇ11. τὰ γεγραμμένα διὰ τέχνης καλλίω τῶν ἀληθινῶν Πγ11. 1281 ᵇ12, 14. γε- γραμμένον ζῷον al, opp ἀληθινόν Κ1. 1 ᵃ3. ψβ1. 412 ᵇ22. cf Ζιε15. 548 ᵃ10.

γραφεῖον ὀξύτερον Φη4. 248 ᵇ8.

γραφεύς. 1. scriba. δεῖ δήλην εἶναι τὴν τελευτὴν (enunciati) μὴ διὰ τὸν γραφέα ἀλλὰ διὰ τὸν ῥυθμόν Ργ8. 1409 ᵃ20. — 2. pictor Ηκ10. 1180 ᵇ34. μα13. 349 ᵇ1. οἱ γραφεῖς ὁμοίως, καλλίης, χείρης γράφυσιν πο2. 1448 ᵃ5. συμμετρίας φροντίζυσι Πγ13. 1284 ᵇ8. quomodo coloribus utantur αι3. 440 ᵃ8. μγ2. 372 ᵃ7. Ζιε15. 548 ᵃ11. Ζγα18. 725 ᵃ26. πκγ6. 932 ᵃ31. οἱ γραφεῖς ὑπογράψαντες ταῖς γραμμαῖς ὔτως ἐναλείφυσι τοῖς χρώμασι τὸ ζῷον Ζγβ6. 743 ᵇ23. γραφεῖς ἠθικοί, ἀηθεις Πθ5. 1340 ᵃ37. πο6. 1450 ᵃ26. οἱ ἀρχαῖοι γραφεῖς τζ2. 140 ᵃ21. πι45. 895 ᵇ37. (plur γραφῆς αι3. 440 ᵃ8. μγ2. 372 ᵃ7, alibi γραφεῖς.)

γραφή. τὰ ἄνευ γραφῆς, opp τὰ γεγραμμένα τι4. 166 ᵇ1. γραφαὶ περὶ συμμαχίας Πγ9. 1280 ᵃ40. γραφαὶ δικῶν Πι12. 1331 ᵇ7. ζ8. 1321 ᵇ36. γραφαὶ κακώσεως, παρα- νόμων f 381. 1541 ᵇ16. 378. 1541 ᵃ1. γραφαὶ εἰσὶ (γίγνον- ται, λαγχάνονται) πρὸς τὺς θεσμοθέτας, πρὸς τὸν βασιλέα f 378. 1541 ᵃ2. 379. 1541 ᵃ23, 29, ᵃ5. 385. 1542 ᵃ30. — ἰδίων γραφήν πο16. 1455 ᵃ22. θεωρεῖν γραφὰς ἀσχήμονας Πι17. 1336 ᵇ14. θεάσθαι ἐν γραφῇ τὰ δεινὰ ψγ3. 427 ᵇ24. χαίρειν σχήμασι ϰϳ γραφῇ Ηγ13. 1118 ᵃ4. ὥσπερ τύπος ἡ γραφὴ ἐν ἡμῖν μν1. 450 ᵇ16. μήτε ἄγαλμα μήτε γραφή Πι17. 1336 ᵇ15. ἐπὶ γραφῆς τὸ μὲν ὅμοιον ποιεῖν τῷ πόρρω, τὸ δὲ τῷ πλησίον αχ801 ᵃ33.

γραφικός. λέξις γραφικὴ ἡ ἀκριβεστάτη, opp ἀγωνιστικὴ Ργ12. 1413 ᵇ8, 4. λέξις γραφικωτάτη Ργ12. 1414 ᵃ17. — ἡ γραφική, coni ἀνδριαντοποιία, ποιητικὴ Ρα11. 1371 ᵇ6. ἡ γραφικὴ ἡ ἡ πλαστικὴ Ζμα5. 645 ᵃ13. παιδεύειν γραφικὴν Πθ3. 1337 ᵇ25, 1338 ᵃ18. ἐπὶ τῆς γραφικῆς πο6. 1450 ᵇ1. Ηκ10. 1181 ᵃ23. ἐν γραφικῇ ημα19. 1190 ᵃ31.

γρηγορεῖν. πότε γρηγορεῖ τὸ ζῷον φτα2. 816 ᵇ37. τὰ φυτὰ ὔτε ὑπνώττυσιν ὔτε γρηγορῦσιν φτα2. 816 ᵇ29.

γρῆυς (Hom τ 361) Ργ16. 1417 ᵇ5 (γρηΰς Bk, γρῆυς Bkᵃ Spgl).

γρύζειν (?). ὁμοίως γρύσει ἡ θερμότης πὸ2. 876 ᵇ18. (solvet ant vers, liquefacere potest Gaza, dissolvet Sept).

γρυλισμός. ἀφιᾶσιν ὥσπερ γρυλισμόν Ζιθ9. 535 ᵇ17. cf Sturz de voc animal VI 4.

Γρύλλῳ ἐπιτάφιον f 57. 1485 ᵃ14.

γρυπός. οἱ γρυπὴν ῥῖνα ἔχοντες ϰϳ τῷ μετώπῳ διηρθρωμένην φ6. 811 ᵃ36. (cf Rose Anecd 80.) τὸ γρυπὸν ὑπάρχει σαρκὶ Οα9. 278 ᵃ31. ῥὶς παρεκβεβηκυῖα τὴν εὐθύτητα τὴν καλ- λίστην πρὸς τὸ γρυπὸν ἡ τὸ σιμὸν Πε9. 1309 ᵇ24. σφόδρα γρυπὰ γινόμενα ἡ σιμὰ Ρα4. 1360 ᵃ29.

γρυπότης, def καμπυλότης ἐν ῥινὶ Οα9. 278 ᵃ29 (cf σιμός). ἡ γρυπότης ϰϳ ἡ σιμότης ἀνειμένα ἔρχεται εἰς τὸ μέσον Ρα4. 1360 ᵃ27.

Γύαρος. ἐν τῇ Γυάρῳ τῇ νήσῳ f 326. 1532 ᵇ13 (codd πάρῳ). 625. 832 ᵃ22 (Κύπρῳ Bk, Γυάρῳ Marsilius Cagnatus, Sylb, Beckm p 56, S Theophr IV 814, Did, Rose Ar Ps 334).

Γύγεω (ex Archil fr 24 Bgk) Ργ17. 1418 ᵇ31.
γυῖον. διὰ γυίων (Emped 464) αν7. 474 ᵃ3.
γυμνάζειν. ἂν ἐθίσωμεν ἡμᾶς αὐτὸς κ̄ γυμνάτωμεν ρ29.
1436 ᵃ25. — γυμνάζεσθαι, proprie de exercitationibus
corporis Πδ13. 1297 ᵃ30, 32. πλα14. 958 ᵇ28. γυμνασθεὶς
ἐν τῷ πολέμῳ Πε7. 1307 ᵃ32. γεγυμνάσθαι πρὸς τὸς κιν-
δύνος Πη14. 1333 ᵇ20. τὰ πρὸς τὰς πολεμικὰς πράξεις
γεγυμνασμένοι τὰς ἕξεις Πζ4. 1319 ᵃ22. γυμνάζεσθαι, dist
περιπατεῖν, πάλη, κόνισις Οβ12.292 ᵃ25. dist ὑγιαίνειν, φαρ-
μακεύεσθαι τγ1. 116 ᵃ30. γεη2. 1237 ᵃ14. γεγυμνασμένοι,
coni syn πεπονηκότες Πε9. 1310 ᵃ24, opp ἀγύμναστοι, ἀσθε-
νεῖς πη10. 888 ᵃ23. ια21. 901 ᵃ30. ὀδὲν κωλύει τὸν παιδο-
τρίβην ἕνα τῶν γυμναζομένων ἐνίοτ' εἶναι Πγ6. 1279 ᵃ3, 7.
16. 1287 ᵇ1. — transfertur ad quamlibet exercitationem.
περὶ νομοθεσίαν γυμνασθῆναι Πβ12. 1274 ᵃ26. ποιεῖν ἐστι
τῶ εὐφυῶς ἢ τῷ γεγυμνασμένῳ Ργ10. 1410 ᵇ8. de exer-
citatione dialectica ται17. 108 ᵃ13. θ14. 164 ᵇ1. ι16. 175
ᵃ13, 24. γεγυμνάσθαι πρὸς τὸ ἐρωτᾶν ἢ τὸ ἀποκρίνεσθαι
τθ14. 163 ᵇ3. γυμναστέον ὂ πρὸς τὸν τυχόντα τθ14. 164 ᵇ8.
γυμνασία. περὶ ὅπλισιν, περὶ γυμνασίαν Πδ13. 1297 ᵃ17,
32. — exercitatio dialectica, syn μελέτη, πεῖρα, dist δι-
δασκαλία τα2. 101 ᵃ27. θ5. 159 ᵃ25. 11. 161 ᵃ25. 14. 163
ᵃ29, 164 ᵃ12.
γυμνασιαρχία Πζ8. 1323 ᵃ1.
γυμνάσιον, locus τῶ γυμνάζεσθαι οβ1346 ᵇ18. — i q
γυμνάζεσθαι ρ30. 1437 ᵇ2. γυμνάσια ὑπερβάλλοντα. ἐλλεί-
ποντα, κυφότερα, ἀναγκαῖα Ηβ2. 1104 ᵃ15. Πβ4. 1338 ᵇ40,
1339 ᵃ4 (cf 1338 ᵇ41). γυμνάσια τῶν πρεσβυτέρων Πη12.
1331 ᵃ36. τοῖς δήλοις ἀπειρήκασι τὰ γυμνάσια Πβ5. 1264
ᵃ22. αἱ ἐν τοῖς γυμνασίοις ἡδοναὶ Ηγ13. 1118 ᵇ6. ἱδρῶσαι
ἐκ τῶν γυμνασίων πλη5. 967 ᵃ12. — τὸ ἔθος ὂν γυμνάσιον
αὔξει τὴν δεκτικὴν ἕξιν πλα14. 928 ᵇ30.
γυμναστικὴ ποιητικὸς εὐεξίας τε7. 137 ᵃ5. ἰατρὸς κ̄ γυμνα-
στής Ηκ10. 1180 ᵇ14.
γυμναστικός. τῶ παιδοτρίβῃ κ̄ τῷ γυμναστικῷ Πδ1. 1288
ᵇ18. οἱ ἐριστικοὶ λόγοι γυμναστικοί εἰσι πιη2. 916 ᵇ20. —
γυμναστικήν Πδ1. 1288 ᵇ16. inter usitatas disciplinas re-
fertur Πθ3. 1337 ᵇ24. πῶς χρηστέον τῇ γυμναστικῇ Πθ4.
dist παιδοτρίβικὴ Πθ3. 1338 ᵇ6, 7. ἰατρικὴ κ̄ γυμναστικὴ
Ηα4. 1096 ᵃ34. ε15. 1138 ᵇ31. ζ13. 1143 ᵇ27. Πβ8. 1268
ᵇ35. γ6. 1279 ᵃ1. — ἔχειν ἀπορίαιν πλείονα ἢ κατὰ γυμνα-
στικὴν (cf γυμνάζεσθαι extr) τα11. 105 ᵃ9.
Γυμνήσιαι νῆσοι κείμεναι κατὰ τὴν Ἰβηρίαν θ88. 837 ᵃ30.
γυμνικός. ἀγῶνες γυμνικοί Πγ12. 1283 ᵃ13. ζ8. 1323 ᵃ1.
Ηγ12. 1117 ᵇ2. οἱ τὸς γυμνικὸς ἀγῶνας καταστήσαντες
(Isocr 4, 1) Ργ9. 1409 ᵇ34. γυμνικὰ ἀθλήματα πλ11. 956
ᵇ31.
γυμνοσοφισταὶ παρ' Ἰνδοῖς f 30. 1479 ᵃ31.
γυμνὸν. γεγυμνωμένος πκθ14. 952 ᵇ24.
γυναικεῖα. τὰ γυναικεῖα i q καταμήνια Ζμβ2.648 ᵃ31. Ζιη2.
582 ᵇ20,25. κ1. 634 ᵇ12. 2. 635 ᵃ8, 14. 4. 636 ᵃ39. ἡ τῶν
γυναικείων περίττωσις Ζγβ4. 739 ᵃ27, ἀπόκρισις Ζγγ1.
751 ᵃ1, ὁρμὴ Ζιη1. 582 ᵃ10, 34.
γυναικικός. τὰ ὑγρότερα τῶν σωμάτων κ̄ γυναικικώτερα θηλυ-
γόνα μᾶλλον Ζγδ2. 766 ᵇ32. κ̄ τῶν ἀρρένων (τοῖς ὑγροῖς
κ̄ λείοις) ἐπιδηλότεροι γυναικικωτέρων γίνονται κ̄ μαστοὶ
Ζιη1. 582 ᵃ13. οἱ εὐνῦχοι γυναικικοὶ πιδ2. 895 ᵃ32.
γυναικοκρατεῖσθαι. γυναικοκρατούμενοι καθάπερ τὰ πολλὰ
τῶν στρατιωτικῶν γενῶν Πβ9. 1269 ᵇ24.
γυναικοκρατία περὶ τὰς οἰκίας Πε11. 1313 ᵇ33.
γυναικονομία, coni παιδονομία Πζ8. 1322 ᵇ39, 1323 ᵃ4.

γυναικονόμος. coni παιδονόμος Πδ15. 1299 ᵃ22. ἀρχὴ ἀρι-
στοκρατικὴ Πδ15. 1300 ᵃ4.
γύναιον. γύναια κ̄ οἱ τοιῦτοι ἄνδρες τοῖς συστένεσι χαίρυσι
Ηι11. 1171 ᵇ10.
γυνή. 1. (physica.) ἄνδρες κ̄ γυναῖκες Ζιγ11. 518 ᵇ2 al.
γυναῖκες κ̄ ἄνδρες Ζγα18. 723 ᵃ26, 30 al. ἄρρενες κ̄ γυ-
ναῖκες Ζγβ4. 739 ᵃ23. — διὰ τί γυνὴ ἀνδρὸς ὀκ εἶδει δια-
φέρει Μι9. 1058 ᵃ29. ἔοικε κ̄ τὴν μορφὴν γυνὴ κ̄ παῖς, κ̄
ἡ γυνὴ ὥσπερ ἄρρεν ἄγονον Ζγα20. 728 ᵃ17. αἱ γυ-
ναῖκες ὑγραὶ κ̄ κατεψυγμέναι τὰς φύσεις πδ28. 880 ᵃ13.
25. 879 ᵃ33. αἱ γυναῖκες ἥκιστα ὑπὸ μέθης ἁλίσκονται
f 103. 1494 ᵇ27. Παρμενίδης τὰς γυναῖκας τῶν ἀνδρῶν θερ-
μοτέρας εἶναί φησι Ζμβ2. 648 ᵃ29. — συγγίνεσθαι ταῖς
γυναιξὶν πι57. 897 ᵇ25. τὸ ἀπὸ τῆς γυναικὸς ἀπίὸν Ζγα18.
723 ᵃ30. β4. 739 ᵇ17. εἰς τὸ πρόσθεν κ̄ ἡ γυνὴ προίεται
Ζικ2. 634 ᵇ29. 5. 637 ᵃ15. Ζγβ4. 739 ᵃ14, εἰσβάλλεται εἰς
τὸ σπέρμα κ̄ τὴν γένεσιν Ζικ5. 636 ᵇ17, τὰς ὑστέρας δι-
μερεῖς ἔχυσι πρὸς τὸ ἄρθρωσις Ζγα3. 716 ᵇ34, ἔχυσι
τὸν εἰς τὸ ἔμπροσθεν τῶν ὑστερῶν πόρον Ζικ5. 637 ᵃ34. τὸ
τῆς ὑστέρας στόμα, ᾦ κ̄ ὀρθῦσιν αἱ γυναῖκες Ζικ5. 637 ᵃ22,
24. μετὰ τὰ τρὶς ἑπτὰ ἔτη πρὸς τὰς τεκνογονίας ἤδη εὐ-
καίρως ἔχυσιν Ζιη1. 582 ᵃ28. ἐξονειρώττυσι Ζγβ4. 739 ᵃ23.
Ζικ5. 636 ᵇ24. 6. 637 ᵇ24, ὄζυσι πδ12. 877 ᵇ22. μάλιστα
τῶν θηλέων ζῴων γυνὴ πολύαιμος Ζιγ19. 521 ᵃ25. ἀρχὴ
τῶ τεκνῦσθαι ταῖς γυναιξὶν ἡ τῶν καταμηνίων πρόεσις, πότε
παύονται Ζιη5. 585 ᵃ34, ᵇ2. ταῖς γυναιξὶ μᾶλλον τῶν ἄλλων
θηλειῶν ἡ κάθαρσις γίνεται πλείστη Ζιη2. 582 ᵇ29. γ19.
521 ᵃ27. Ζγα7. 787 ᵃ12, 22. 20. 728 ᵇ15. διὰ τί ἐν τῶ
θέρει αἱ γυναῖκες μᾶλλον δύνανται ἀφροδισιάζειν, μαχλό-
ταται γυναῖκες (Hes ε 586) πδ25. 879 ᵃ27. ἡ ἡδονὴ Ζγβ4.
739 ᵃ34. μεταβάλλυσι γυναῖκες κ̄ ἄνδρες, ὥσπερ ἐξ ἀγό-
νων γόνιμοι Ζγα18. 723 ᵃ26, βαρίνονται Ζιη4. 584 ᵃ2, ἐπι-
νῦσι Ζιη4. 584 ᵇ14, 21. 9. 587 ᵃ2, ὠδίνυσι Ζιη9. 586 ᵇ27,
τίκτυσιν ἓν δίδυμα τρία τέτταρα πέντε Ζιη4. 584 ᵇ26 sq,
τοῖς τόκοις χρώμεναι πλείοσιν Ζιη1. 582 ᵃ23, ἐνίοτε ἐοικότα
αὐταῖς γεννῶσι Ζιη6. 586 ᵃ12. Πβ3. 1262 ᵃ20. περὶ τῶν
τέκνων αἱ γυναῖκες πανταχῆ διορίζυσι τἀληθῆ Ρβ23. 1398
ᵃ33. μύλην ἔτικτε γυνὴ τις Ζικ7. 638 ᵃ11. ταῖς γυναιξὶ
τὸ γάλα πληθύνεται Ζιη11. 587 ᵇ19. — αἱ γυναῖκες γό-
νιμοι Ζικ3. 635 ᵇ36. 5. 637 ᵃ36, ἀγονώτεραι Ζγα18. 726 ᵃ4,
ἄγονοι Ζγβ7. 746 ᵇ17, ἀρρενωποὶ Ζγβ7. 747 ᵃ1, ἀκόλαστοι
πρὸς τὴν ὁμιλίαν Ζιη1. 582 ᵇ31, τὰς γυναίκας βασανίζυσι
τοῖς τε προσθέτοις κ̄ τοῖς ἐγχρίστοις Ζγβ7. 747 ᵃ7, τὰ πολλὰ
βραδύτεραι Ζικ5. 636 ᵇ18, ἀρρενογονῦσι Ζιη5. 585 ᵇ22 (Emp-
pedocli sententia Ζγα18. 723 ᵃ25, cf Emp 329), ἄνθοι
ἐκ γενετῆς Ζιη1. 582 ᵇ13, εὐέκφοροι Ζιη1. 582 ᵇ18. 585
ᵇ19, τῶν ἄλλων τῶν νοσηματικῶν ἧττον μετέχυσι Ζιγ19.
521 ᵃ29. Ζγα19. 727 ᵃ12. β17. 746 ᵇ30. — θεραπείας ἀεὶ
δέονται ἢ πλείονος ἢ ἐλάττονος Ζικ3. 635 ᵇ27. — ὁ καλύ-
μενος ὑπὸ τῶν γυναικῶν πρόφορος Ζιη7. 586 ᵃ30. — 2.
(ethica.) ἀνδρὸς κ̄ γυναικὸς ἕτεραι ἀρεταί Ργ4. 1277 ᵇ20,
24. α13. 1259 ᵇ30 sqq, 1260 ᵃ21. αἱ γυναῖκες ἥμισυ μέρος
τῶν ἐλευθέρων, ἐν ὅσαις πολιτείαις φαύλως ἔχει τὰ περὶ
τὰς γυναῖκας, τὸ ἥμισυ ἀνομοθέτητον Πα13. 1260 ᵇ19.
β9. 1269 ᵇ15, 17. γυναῖκες ἀργαὶ Ζιλ40. 627 ᵃ15. τὰς γυ-
ναῖκας ἐωνῦντο οἱ ἀρχαῖοι Ἕλληνες παρ' ἀλλήλων Πβ8. 1268
ᵇ41. περὶ τῆς πρὸς γυναῖκα ὁμιλίας οα3. 4. ἀνδρὸς κ̄ γυναι-
κὸς φιλία ποία Ηθ14. 1162 ᵃ16-33. πρὸς γυναῖκα οἰκονο-
μικὸν δίκαιον Ηε10. 1134 ᵇ17. γυναικὸς ἄρχειν δεῖ πολιτικῶς
Πα12. 1259 ᵃ39. διὰ τί τὸς συγγενεῖς τῷ στόματι φι-
λῦσιν αἱ γυναῖκες f 567. 1571 ᵃ36. — οἱ ἀπὸ γυναικῶν ᾢ

πολῖται, dist οἱ ἐξ ἀμφοῖν ἀστῶν Πγ5. 1278 ᵃ33. — de mulieribus instituta Laconica Πβ9. 1269ᵇ14, 22, 1270ᵃ23, Cretica Πβ10. 1272 ᵃ23, Platonica Πβ1. 1261 ᵃ4. 3.1262 ᵃ22. 5. 1264ᵇ1, 5. 6. 1264ᵇ38. 7. 1266 ᵃ34, 36. 9. 1269 ᵇ30.

γυπώδης. φίλυπνοι οἱ τὰ ἄνω μείζω ἔχοντες κ̣ γυπώδεις φ3. 808ᵇ7.

γύργαθος. τὰ φαλάγγια τίκτει εἰς γύργαθον πλεξάμενα παχὺν Ζιε27. 555ᵇ10. cf ΑΖι I 529.

γυρινώδης. ὅταν ἀναλωθῇ τὸ ᾠόν, pisciculi γίνονται γυρι- 10 νώδεις (v l πυρινώδεις) ΖιΖ13. 568ᵃ1. cf Aub ad h l, M 313, Su 186.

γύψ. γαμψώνυχον, σαρκοφάγον Ζιθ3. 592ᵇ5. νεοττιά, ᾠά, γένεσις, ἄγονοι ΖιΖ5. 563 ᵃ5-14. ι11. 615 ᵃ8-14. θ60.835 ᵃ3. λέγεται τὰς γῦπας ὑπὸ τῆς τῶν μύρων ὀσμῆς ἀπο- 15 θνῄσκειν θ147.845ᵃ35. δύο ἐστὶν εἴδη, ὁ μὲν μικρὸς κ̣ ἔκλευ-

κότερος, ὁ δὲ μείζων κ̣ σποδοειδέστερος Ζιθ3. 592 ᵇ6. (maior est Vultur fulvus L, ὁ μέγας θ60.835 ᵃ4 Vultur albicollis i q Vultur fulvus senex, ὁ μικρὸς Vultur percnopterus L. cf Su 107, 33 ΑΖι I 83, 1c.)

γωλεός. ποιῦσιν οἷον γωλεόν Ζιθ20. 603 ᵃ6. 5

γωνία. ἡ τῦ τμήματος γωνία, αἱ τῶν ἡμικυκλίων, αἱ πρὸς τῇ βάσει Αα24. 41ᵇ15-18. κατ' ὀξείας, κατ' ὀρθὰς γωνίας κ4. 396 ᵃ1, 2. φέρεσθαι πρὸς ὁμοίας γωνίας Οβ14. 296ᵇ20, 297ᵇ19. δ4. 311ᵇ34. ἡ παράλλαξις τῶν γωνιῶν Οβ4. 287ᵃ18. ἤχθωσαν αἱ κάθετοι ἐκ τῶν γωνιῶν μγ3. 373 ᵃ12. ἐφάπτεσθαι πασῶν τῶν γωνιῶν μγ5. 376 ᵇ9. — frequens nominis γωνία in expositionibus mathematicis ellipsis, cf ὀρθή, τρίγωνον, ἔξω. — θᾶττον ἀνοίγεται κ̣ κλείεται τὰ μίαν ἔχοντα γωνίαν (arthrodiam) ἢ πλείυς Ζμδ10. 690 ᵃ13.

γωνιοειδὴς χαλκός, opp στρογγύλος Γα4. 319 ᵇ14.

δ. τὸ γ κ̣ τὸ δ ἄφωνον πο20. 1456ᵇ31.

δαδῦχος Καλλίας Ργ2. 1405 ᵃ20, 22.

δᾶῃναι. δαῇς (Parmen 52) Μν2. 1089 ᵃ4.

Δαίδαλος θ81.836 ᵃ27, ᵇ7, 11. πῶς κινουμένην ἐποίησε τὴν 20 ξυλίνην Ἀφροδίτην ψα3. 406ᵇ18. τὰ Δαιδάλυ Πα4. 1253 ᵇ35. Euchir, Daedali cognatus f 344. 1536 ᵃ14.

δαιμόνιος, syn θεῖος. τὰ δαιμόνια (i e τὰ θεῖα σώματα, cf θεῖος) Μδ8. 1017ᵇ12 Bz. ἡ τύχη θεῖόν τι κ̣ δαιμονιώτερον ὖσα Φβ4. 196ᵇ7. εἰδέναι θαυμαστὰ κ̣ χαλεπὰ κ̣ δαιμό- 25 νια ΗΖ7. 1141ᵇ7. ἡ ἁρμονία ἐστὶν ὑρανία τὴν φύσιν ἔχυσα θείαν κ̣ καλὴν κ̣ δαιμονίαν f 43. 1483 ᵃ5. θεῖόν τι κ̣ δαιμόνιον ἡ φιλοσοφία κ1.391 ᵃ1. — dist θεῖος. ἡ τῶν ἄλλων ζῴων φύσις δαιμονία, ἀλλ' ὐ θεία· θεόπεμπτα ὐκ ἂν εἴη ἐνύπνια, δαιμόνια μέντοι μτ2. 463ᵇ14. Zeller II, 2, 289. — 30 τὸ δαιμόνιον θεὸς ἢ θεῦ ἔργον Ρβ23. 1398ᵃ15, cf γ18. 1419 ᵃ9. ὧν τὸ δαιμόνιον τὴν αἰτίαν ἔχει, opp τὰ μέλλοντα ὑπ' ἀνθρώπων πράσσεσθαι υ1. 453ᵇ23. πολλοῖς ὕτω παρὰ τῦ δαιμονίυ μεμαρτύρηται f 40. 1481ᵇ1. τοῖς Δελφοῖς ἀνελῦσι τὸν Αἴσωπον συνέβη τὸ δαιμόνιον χαλεπῆναι f 445. 1551 35 ᵃ31. ἀναφέρυσι τὸ πάθος εἰς τὸ δαιμόνιον Ζικ3. 636 ᵃ24. — ἐπιμέλειαι, δαπανήματα περὶ τὰ δαιμόνια ΠΖ8. 1322. ᵇ31. Ηδ5. 1122ᵇ21. — οἱ μεγίστης τιμῆς ὑπὸ τῦ δαιμονίυ τετυχηκότες ρ1. 1421ᵃ10. — τὸ τῶν εὐσεβῶν γένος ἐτίμησε τὸ δαιμόνιον κ6. 400ᵇ1. θ154.846 ᵃ11. μήτε δαι- 40 μόνιον μήτε φαντασίαν ἡντινῦν φοβεῖσθαι θ160. 846 ᵃ36. ἀπέρχεται τὸ δαιμόνιον θ166. 846ᵇ25. ἔννοιαι λαβεῖν δαιμονίαν θ99. 838ᵇ7.

δαίμων Ρβ23. 1399ᵇ22 (fr trg adesp 57). Σωκράτης ἤρετο εἰ ὐχ οἱ δαίμονες ἤτοι θεῶν παῖδες εἶεν Ργ18. 1419ᵃ10. 45 Γλαῦκος ὁ θαλάττιος δαίμων f 448. 1551ᵇ28. κόρη γενομένη ἐγκύμων ὑπό τινος δαίμονος τῶν συγχορευτῶν ταῖς Μύσαις f 66. 1486ᵇ4. δαίμονα ἑκάστῳ εἶναι τὴν ψυχὴν (Xenocr) τβ6. 112 ᵃ38. δαίμοσι κεχρῆσθαι πάντας ἀνθρώπυς συνομαρτῦσιν αὐτοῖς παρὰ τὸν χρόνον τῆς ἐνσωματώσεως 50 f 188. 1511ᵇ16. Δαίμων ἐπιὼν κ̣ Τύχης χαλεπῆς ἐφήμερον σπέρμα f 40. 1481ᵇ9. — θεὸς ἢ δαίμων νεη14. 1247 ᵃ28. πρώτη τῶν δικαιοσυνῶν πρὸς τὺς θεὺς, εἶτα πρὸς δαίμονας αρ5. 1250ᵇ20. πλημμέλεια περὶ δαίμονας αρ7. 1251 ᵃ31. — ἀγαθῦ δαίμονος ἐγχέαι οβ1353ᵇ21. — δύο κατὰ 55 τὺς μάγυς εἶναι ἀρχάς, ἀγαθὸν δαίμονα κ̣ κακὸν δαίμονα f 8.1475ᵃ36. οἱ δαιμόνί τινι κάτοχοι γενόμενοι θ166.846ᵇ24.

δαίνυσθαι. πάντα δέδασται (Choerili fr) Ργ14. 1415 ᵃ4.

δαῖς. δαῖτα θαλείην (ex Homero, versus hodie non exstat, cf Ὁμήρου) Πβ3. 1338 ᵃ25.

δαιτυμών. δαιτυμόνες (Hom ι7) Πβ3. 1338 ᵃ29. θοίνην κρινεῖ ὁ δαιτυμὼν ἀλλ' ὐχ ὁ μάγειρος Πγ11. 1282 ᵃ22.

δάκνειν. τὸ διελεῖν κ̣ δακεῖν ὀδόντων ἔργον ἐστὶ Ζμδ11. 691ᵇ20, 24, ᵃ32. cf γ1. 662 ᵃ30 (δήξεται). δάκνειν, dist πλήσσειν Ζμγ1. 661ᵇ26. κ̣ ἄρκτος τῷ στόματι τὴν ἀκρωμίαν δακῦσα Ζιθ5. 594ᵇ14, cf 595 ᵃ2. ὅταν δάκῃ κύων, λυττῶσι τὰ δηχθέντα Ζιθ22. 604ᵃ6. οἱ κύνες ὐ δάκνυσι τὺς καθίζοντας sim Πβ3. 1380 ᵃ25. γ4. 1406ᵇ28. δηχθῆναι ὑπὸ φαλαγγίων Ζιι5. 611ᵇ20. φρίττειν ἱματίῳ δακνομένῳ πλε3. 964ᵇ36. αἱ σκολόπενδραι τῷ στόματι ὐ δάκνυσι, τῇ δὲ ἁφῇ καθ' ὅλον τὸ σῶμα Ζιι37. 621 ᵃ10. — ὁ κάπνος, τὸ κρόμμυον δάκνει τὺς ὀφθαλμὺς πλα21. 959 ᵇ5. κ22. 925 ᵃ27. ἡ χολὴ τῆς ψυχῆς τὸ περὶ τὸ ἧπαρ μόριον δάκνυσα μὲν συνίστησι, λυομένη δ' ἵλεων ποιεῖ Ζμδ2. 676 ᵇ25. τὸ τῶν μελαγχολικῶν σῶμα δακνόμενον διατελεῖ διὰ τὴν κρᾶσιν Ηη15. 1154ᵇ12. — metaph ὗτος ὁ λόγος δάκνει μάλιστα (cf δριμύς) τι33. 182ᵇ33. τὸν Νικήρατον φάναι Φιλοκτήτην εἶναι δεδηγμένον ὑπὸ Πράτυος Ργ11. 1413ᵃ7.

δάκρυ πλώειν (Hom τ122) πλ1. 953ᵇ12.

δακρύειν. τὰ παιδία τῶν τετταράκοντα ἡμερῶν ἐγρηγορότα ὔτε γελᾷ ὔτε δακρύει, νύκτωρ δ' ἐνίοτε ἄμφω Ζιη11. 587 ᵇ7. καθεύδοντα κ̣ δακρύει κ̣ γελᾷ τὰ παιδία Ζγε1. 779 ᵃ12. οἱ ὀφθαλμοὶ δακρύυσι Ζιι34. 620 ᵃ5. πε13. 882 ᵃ4. 37. 884 ᵇ23. λα1. 957 ᵃ39. λγ8. 962 ᵃ26.

δάκρυον. 1. τὸ δάκρυον πεπέφθαι φαμὲν ὅταν γένηται λήμη μδ2. 379ᵇ31. δάκρυα θερμά, ψυχρά πλα23. 959ᵇ20. τὸ ψῦχος, τὸ θερμὸν ποιεῖ δάκρυα πε13. 882ᵃ7, 8. 37. 884 ᵇ25, 27. — 2. τὸ δάκρυον τῶν δένδρων, τὰ τῶν δένδρων δάκρυα Ζιε22. 553ᵇ28. ι40. 623ᵇ29. τὸ ἤλεκτρον κ̣ ὅσα λέγεται ὡς δάκρυα μδ10. 388ᵇ19, 389 ᵃ14. (cf Bernays Theophr üb d Frömmigk p 168).

δακτυλιαῖοι κάραβοι Ζιε17. 549ᵇ10.

δακτύλιος. δακτυλίυ σφραγίς, σημεῖον ακ801ᵇ4. ψβ12. 424 ᵃ19. σφραγίζεσθαι τοῖς δακτυλίοις μν1. 450 ᵃ32. θεῶν εἰκόνας ἐν δακτυλίοις μὴ φορεῖν, τί λέγωσιν οἱ Πυθαγόρειοι f 192.1512ᵇ14. τίνας δακτυλίυς ἀπείρυς λέγυσι Φγ6. 207 ᵃ2. ἔχειν ἐν χειρὶ δακτύλιον Κ15. 15ᵇ22. ἂν δακτύλιον ἔχων πατάξῃ Ρα13. 1374 ᵃ35.

δάκτυλος. τὰ δάκτυλα φ6. 810 ᵃ22. 1. digitus. descr Ζια15. 493 ᵇ27, 494 ᵃ12. δάκτυλος ἀκρωτήριόν τι Ζγδ4. 772 ᵇ17 (cf ἀκρωτήριον). ὁ δάκτυλος τῶν ὁμοιομερῶν μορίων ἐστίν Ζμβ1. 646 ᵇ14. — ᾗχ ὁ πάντως ἔχων δάκτυλος ζῳᾖ, ἀλλ' ὁμώνυμος ὁ τεθνεὼς Μζ10. 1035 ᵇ24. — α. δάκτυλοι hominis. χεὶρ κ̀ δάκτυλοι Ζιγ2. 512 ᵃ9. 3. 514 ᵃ15. ἡ τῶν δακτύλων θέσις Ζμδ12. 695 ᵃ23, φύσις Ζμδ12. 694 ᵇ4. τὰ περὶ τὰς δακτύλᾱς Ζιβ12. 504 ᵃ14. αἱ φλέβες αὐτῶν Ζιγ2. 512 ᵃ7. 3. 514 ᵃ15. monstrorum τὰ μὲν ἔχει πλείᾱς δακτύλᾱς τὰ δὲ ἕνα μόνον Ζγδ4. 770 ᵇ31 (cf Oribas IV 249). τὰ ἄκρα τῶν δακτύλων πε15. 882 ᵃ30, αἱ καμπαί Ζιβ1. 498 ᵃ34. Ζμδ10. 687 ᵇ10. 12. 694 ᵇ17, ἡ πρώτη καμπὴ Ζιβ1. 499 ᵃ26. θ28. 606 ᵇ8 (?), ἡ δευτέρα καμπὴ Ζιβ1. 499 ᵃ25. ὁ μέγας δάκτυλος Ζιγ2. 512 ᵃ7, ἐκ πλαγίᾱ, βραχὺς κ̀ παχὺς ἀλλ' ᾗ μικρός Ζμδ10. 687 ᵇ11. Ζιβ11. 503 ᵃ24. ὁ μέσος Ζιβ8. 502 ᵇ3, μακρός Ζμδ10. 687 ᵇ18. ὁ ἔσχατος μικρὸς Ζμδ10. 687 ᵇ17. ὁ πέμπτος Ζμδ10. 688 ᵃ7 (cf Sonnenburg 17.) τὸ τῶν δακτύλων μέγεθος ἐναντίως ἔχει ἐπί τε τῶν ποδῶν κ̀ ἐπὶ τῶν χειρῶν κατὰ λόγον Ζμδ12. 690 ᵃ31. — οἱ τῆς χειρὸς δάκτυλοι μακροί Ζια15. 493 ᵃ27. Ζμδ12. 690 ᵃ33. ὁ μέγας τῶν δακτύλων πρὸς τὸ λοιπὸν τῆς χειρὸς ἀντίθεσιν ἔχει Ζιβ11. 503 ᵃ24. — οἱ τᾱ ποδὸς δάκτυλοι Ζια15. 494 ᵃ12. γ2. 512 ᵃ18, βραχεῖς Ζμδ10.690ᵇ6. ἐσχισμένα εἰς δακτύλᾱς Ζμδ10. 690 ᵇ5. τᾱτο δεῖ τὸ μόριον εἶναι νομίζειν (μεῖζα ci Thurot) τὸ ἄσχιστον τᾱ ποδὸς τᾱν δακτύλων Ζμδ10. 690 ᵇ2. ὁ πέμπτος τᾱ ποδὸς δάκτυλος Ζμδ10. 688 ᵃ7. ἀνειδεὶς τῶν ποδῶν οἱ δάκτυλοι καμπύλοι εἰσὶν φ6. 810 ᵃ20, δειμαλέοις τὰ δάκτυλα συμπεφραγμένα φ6. 810 ᵃ22. — ἔχει ὄνυχας ἅπαντα ὅσαπερ δακτύλᾱς, δακτύλᾱς δ' ὅσα εἰς δύο πόδας Ζιγ9. 517 ᵃ31. τῇ ἐπαλλάξει τῶν δακτύλων τὸ ἓν δύο φαίνεται εν2. 460 ᵇ20. Μγ6. 1011 ᵃ34 Bz. πλα11. 958 ᵇ14. 17. 959 ᵃ16. λε10. 965 ᵃ36. οἱ ὑπὸ τὴν ὄψιν ὑποβάλλοντες τὸν δάκτυλον ποιῶσιν ἐκ τᾱ ἑνὸς φαίνεσθαι δύο Μκ6. 1063 ᵃ8. εν3. 461 ᵇ31. ἐάν τις θεωρῇ διὰ κοσκίνᾱ ἢ τᾱς δακτύλᾱς τῆς ἑτέρας χειρὸς ἐπὶ τὴν ἑτέραν ἐπ᾽ζεύξας πε11.912ᵇ13. πυρῆνες ἐκ τῶν δακτύλων ἐκθλιβόμενοι, πηδῶντες μα5. 342 ᵃ10. β9. 368 ᵃ23. δεικνύαι τῷ δακτύλῳ Αδ7. 92 ᵇ2. Κρατύλος ᾱδὲν ᾤετο δεῖν λέγειν ἀλλὰ τὸν δάκτυλον ἐκίνει μόνον Μγ3. 1010 ᵃ13. τοῖς πλεγματίοις οἱ ἰατροὶ τᾱς δακτύλᾱς ἐνέβαλλον Ζμδ9. 685 ᵇ6. — στῆναι ἐπ᾽ ἄκρων τῶν δακτύλων πε15. 882 ᵃ30. — b. δάκτυλοι mammalium. πίθηκος (Macacus ecaudatus *Geoff*) ἔχει δακτύλᾱς ὁμοίᾱς ἀνθρώπῳ· οἱ τῶν ποδῶν δάκτυλοι ὥσπερ οἱ τῶν χειρῶν. ὁ μέσος μακρότατος Ζιβ8. 502 ᵇ3-6. οἱ τᾱ πιθήκᾱ δάκτυλοι ἔχᾱσι τὸ καλήμινον θέναρ Ζιβ8. 502 ᵇ19. πρώτη, δευτέρα καμπὴ τῶν δακτύλων τῶν καμπίλων Ζιβ1. 499 ᵃ25, 26. — ὁ ἐλέφας τὰ περὶ τᾱς δακτύλᾱς ἀδιαρθρωτότερα ἔχει τῶν ποδῶν Ζιβ1. 497 ᵇ23, κ̀ δακτύλᾱς ἀσχίστᾱς κ̀ ἠρέμα διηρθρωμένᾱς κ̀ ὄνυχας ὅλως ᾱκ ἔχει Ζιγ9. 517 ᵃ32. — ἕκαστος τῶν φωκῶν δάκτυλος ἄπας ἔχει τρεῖς Ζιβ1. 498 ᵃ34. — b. avium δάκτυλοι. ἡ τῶν δακτύλων θέσις Ζμδ12. 695 ᵃ23. τετραδάκτυλοι πάντες οἱ ὄρνιθες· πλείᾱς δ' ᾱκ ἔχᾱσι δακτύλᾱς Ζμδ12. 695 ᵃ22. τῶν δακτύλων φύσιν ἔχᾱσι διηρημένην ἔνιοι τῶν ὀρνίθων Ζμδ12. 504 ᵃ7. τῶν πλείστων ὀρνίθων διήρηται οἱ δάκτυλοι Ζιβ12. 504 ᵃ7. τῇ ἴυγξ ἴδια ἔχει τὰ περὶ τᾱς δακτύλᾱς Ζιβ12. 504 ᵃ14. τὰ πλωτὰ διηρθρωμένα ἔχει κ̀ χωρισθὰ δακτύλᾱς Ζιβ12. 504 ᵃ8. τὰ ἕλεια τὰς καμπὰς ἔχᾱσι πλείᾱς ἐν τοῖς δακτύλοις Ζμδ12. 694 ᵇ17. οἱ τῶν ὀρνίθων πόδες μεταξὺ τῶν δακτύλων δερμάτινον ὑμένα ἔχοντες f 316. 1531 ᵇ23. τοῖς στεγανόποσι τὸ μεταξὺ τῶν δακτύλων ποῖον

Ζιι37. 622 ᵇ11. στρᾱθὸς ὁ Λιβυκὸς ᾱ δακτύλᾱς ἔχει ἀλλὰ χηλάς Ζμδ13. 697 ᵇ22. — c. σαυρῶν δάκτυλοι. ἡ πρώτη καμπὴ τῶν δακτύλων Ζιθ28. 606 ᵇ8.

2. δάκτυλος, mensura, digitus transversus. τὸ μέγεθος τῆς γλώττης μεῖζον δακτύλᾱ Ζιε15. 547 ᵇ6. ματτοὶ ᾐρμένοι ἐπὶ δύο δακτύλᾱς Ζγα20. 728 ᵇ31. Ζιη1. 581 ᵇ5. ἡ τῆς ὕγγος γλῶττα ἔχει ἐπὶ μῆκος ἔκτασιν ᾱ ἐπὶ τέτταρας δακτύλᾱς Ζιβ12. 504 ᵃ15.

Δαλογενές (e carmine incerto) Ργ8. 1409 ᵃ14.
δαλός μα7. 344 ᵃ26. πε36. 884 ᵇ18. — οἱ διαθέοντες ἀστέρες κ̀ οἱ καλύμενοι ὑπό τινων δαλοὶ διὰ τίν᾽ αἰτίαν μα4. 5. 342 ᵇ16.
δαμάλης. οἱ δαμάλαι ἐκτέμνονται τᾱτον τὸν τρόπον Ζιι50. 632 ᵃ15 (locus corr, cf Aub).
δαμᾶν. ἐδάμασσε (ex epigrammate antiquo) θ133. 843 ᵇ29.
δάμαρ (ex epigrammate antiquo) θ133. 843 ᵇ30. cf G Hermann Opusc V 179.
Δαναός. ἀγὼν ὃν ἐν Ἄργει Δαναὸς ἔθηκε f 594. 1574 ᵇ29. — Δαναὸς ἐν τῷ Λυγκεῖ (Theodectae, Nauck fr tr p 623) πο11. 1452 ᵃ28.
δανείζειν Ηι7. 1167 ᵇ22, 30. coni ἀντιδανείζειν Ηι2. 1165 ᵃ8, 9. dist διδόναι πκθ2. 950 ᵃ31. δανείζειν τὰ παιδία ἀλλήλοις εἰς εὐψυχίαν Ηη6. 1148 ᵇ23. δανείσαι τῇ πόλει ἐπὶ τόκῳ οβ1348 ᵇ17, 1349 ᵃ10. δεδάνεικε Ρβ23. 1400 ᵃ21. — med παρὰ τῆς θεᾱ δεδανεισμένος οβ1349 ᵃ22.
δάνειον Ηι7. 1167 ᵇ21. οβ1347 ᵃ3. dist παρακαταθήκη πκθ2. 950 ᵃ28. δάνειον ἀποδοτέον Ηι2. 1164 ᵇ33.
δανεισμός, συναλλαγμα ἑκᾱσιον Ηε5. 1131 ᵃ3.
δαπανᾶν ὀλίγα, πολλὰ εἰς τι Ηθ6. 1123 ᵃ27. p21. 1434 ᵃ14. δαπανᾶν ἀνάλωμα τι Πβ9. 1271 ᵃ31, δωρεὰς μεγάλας Πε11. 1314 ᵇ1. δαπανᾶν κατ᾽ ἀξίαν, κατὰ τὴν ᾱσίαν κ̀ εἰς ἃ δεῖ Ηθ4. 1122 ᵃ26. 2. 1120 ᵇ24. — αἱ μικραὶ δαπάναι πολλάκις γινόμεναι δαπανῶσι τὰς ᾱσίας Πε8. 1307 ᵇ34. — ἡ φύσις δαπανᾷ τὸν θορὸν πρὸς τὸ συναύξειν τὰ ᾠά sim Ζγγ7. 757 ᵃ25. β6. 745 ᵃ13.
δαπάνη χρημάτων κ̀ δόσις, opp φυλακή Ηδ1. 1120 ᵃ8. 3. 1121 ᵃ12. ἡ τῶν συσσιτίων δαπάνη Πη10. 1330 ᵃ13..δεῖπνα ἐκ μιᾶς δαπάνης χορηγηθέντα, opp συμφορητά Πγ11. 1281 ᵇ3. εἰδέναι τὰς δαπάνας τῆς πόλεως ἁπάσας Ρα4. 1359 ᵇ26. ἐκλογίζονται πᾶσαι αἱ ἀρχαὶ τά τε λήμματα κ̀ τὰς γεγενημένᾱς δαπάνας f 407. 1546 ᵃ28. δαπάναι μικραί, μεγάλαι κ̀ πρέπᾱσαι Πε8. 1307 ᵇ33. Ηδ4. 1122 ᵇ2. ὁ μεγαλοπρεπὴς περὶ δαπάνην ἐστί ηεγ6. 1233 ᵃ32. — ᾱκ ἔτι εἰς πλᾱσιν τᾱ εὐπόρᾱ γίγνεται ἡ δαπάνη Ζγδ8. 776 ᵃ34.
δαπανήματα ποῖον πρέπον Ηδ4. 1122 ᵃ24, 25, ᵇ4. 5. 1123 ᵃ11, 14, 18. 6. 1123 ᵃ21. τῶν δαπανημάτων τὰ τίμια Ηδ5. 1122 ᵇ19, 34. ἡ μεγαλοπρέπεια ἀρετὴ ἐν δαπανήμασι μεγέθᾱς ποιητικὴ Ρα9. 1366 ᵇ18. τὰ πρὸς τᾱς θεᾱς δαπανήματα Πη10. 1330 ᵃ8. πλᾱσιώτεροι γίνονται ἀφαιρᾱντες τῶν δαπανημάτων Ρα4. 1359 ᵇ30.
δαπανηρία, def ηεβ3. 1221 ᵃ11.
δαπανηρός εἰς ἑαυτόν, εἰς ἀκολασίαν, εἰς ἀκολασίᾱς Ηδ5. 1123 ᵃ4. 1. 1119 ᵇ31. 3. 1121 ᵇ9. — δαπανηραὶ λειτουργίαι, πράξεις Πε8. 1309 ᵃ18. Ηδ4. 1122 ᵃ21.
δάπεδον. ἐλθὼν ἐς κλεινὸν Κεκροπίης δάπεδον f 623. 1583 ᵃ12. δάπεδόνδε (Hom λ 598 v l) Ργ11. 1411 ᵇ34.
Δαρεῖος Ρβ20. 1393 ᵃ33. ημβ12. 1212 ᵃ4, 6. θ49. 834 ᵃ3. Δαρεῖον ἐκρέμασεν Ἀρταπάνης Πε10. 1311 ᵇ38. Δ. ἐπαύσατο διορύττων τὴν ἐρυθρὰν θάλατταν μα14. 352 ᵇ28. Δαρείᾳ πρόσχημα κ6. 398 ᵃ11. τὰ Δαρείᾱ ποτήρια f 248. 1524 ᵃ18.

δᾴς. δᾷδες καιόμεναι πια10. 900 ᵃ8. δᾳδὸς καπνός χ1. 791 ᵇ24.

δάσκιλλος. ὁ δάσκιλλος (δασκίλλος Aᵃ) τρέφεται τῷ βορβόρῳ ἢ κόπρῳ Ζιθ2. 591 ᵃ14. (Sciaena umbra K?)

δασύνεσθαι. τὸ σῶμα δεδάσυνται ταῖς θριξὶν Ζμβ14. 658 ᵃ29. δασύνεσθαι μᾶλλον, πάλιν Ζιη4. 584 ᵃ25. Ζγε3. 782 ᵃ8, 784 ᵃ12. δασύνεσθαι, opp φαλακροῦσθαι Ζιθ11. 518 ᵇ27. δασύνονται τισιν αἱ ὀφρύες Ζιγ11. 518 ᵇ6. Ζμβ15. 658 ᵇ19. —ὅταν τὸ ὄρος ἤδη δασύνηται Ζω49 B. 632 ᵇ22.

δασυπόδειος. τὸ δασυπόδειον γάλα παχύτερόν ἐστι τῷ κυνείῳ Ζιζ20. 574 ᵇ13.

δασύπυς. 1. Leporina et Lepus timidus L. refertur inter ἀμφώδοντα Ζιγ1. 511 ᵃ31. 21. 522 ᵇ9, μονοκοίλια Ζμγ15. 676 ᵃ7, ὀπισθουρητικὰ Ζιβ1. 500 ᵇ16. ε2. 539 ᵇ22. Ζμδ10. 689 ᵃ34 (cf Schreber, Säugethiere III 380, V 1746, Supplem 1840 p. 460). μαλακὴν μὲν ἔχει τὴν τρίχα, ἥττον δὲ λεπτήν Ζγε3. 783 ᵃ7. κατά τινας τόπους δύο δοκοῦσιν ἧπαρ' ἔχειν Ζμγ7. 669 ᵇ34 (cf Haller Elem physiol VI 462). de sanguine Ζιγ6. 516 ᵃ2. — 2. Lepus timidus eiusque varietat L. ὑπὸ τὰς πόδας ἢ ἐντὸς τῶν γνάθων ἔχει τρίχας Ζιγ12. 519 ᵃ22. Ζγδ5. 774 ᵃ35. συνιόντες πυγηδόν' πολλάκις ἡ θήλεια προτέρα ἀναβαίνει ἐπὶ τὸν ἄρρενα Ζιε2. 539 ᵇ22, 23, ἔχει κοτυληδόνας ἐν τῇ ὑστέρᾳ gravida Ζιγ1. 511 ᵃ31, πολυτόκον ἢ σπερματικόν, τὰ μὲν τῶν κυημάτων ἀτελῆ πολλάκις ἔχει, τὰ δὲ προΐεται τετελειωμένα τῶν τέκνων Ζγδ5. 774 ᵃ32, ἐπικυΐσκεται Ζιε9. 542 ᵇ31. ζ33. 579 ᵇ30-580 ᵃ5. η4. 585 ᵃ5. Ζγδ5. 774 ᵃ31 (cf Valentin Physiol II 58, Burdach II 540, contradicit Blasius Säugethiere 419). τὸ τῶν δασυπόδων γάλα πυετίαν ἔχει Ζιγ21. 522 ᵇ9. ζ20. 574 ᵇ13. Ζμγ15. 676 ᵃ6, 15, — δειλὸν ἢ φρόνιμον Ζια1. 488 ᵇ15. cf Ηζ7. 1141 ᵃ27 et Aelian h a VI 47. οἱ λέοντες τί ἔλεγον δημιηγορούντων τῶν δασυπόδων Πγ13. 1284 ᵃ16. — ἐν Ἰθάκῃ ὐ δύνανται ζῆν Ζιθ28. 606 ᵃ2, in Aegypto minores Ζιθ28. 606 ᵇ1 (Lepus aegyptiacus Geoff). δασυπόδων τὸ γένος ἐστὶ ἢ ἄλλοθι ἢ περὶ τὴν λίμνην τὴν Βόλβην Ζιβ17. 507 ᵃ6. cf S II 310 sq. Su 56. K799, 3. Ka Ζι17. ΑΖγ26. ΑΖι166, 11; II 493. Bochart hieroz III 997. Beckmann de hist nat vett 201. cf λαγωός.

δασύς. πάντα ὅσα τετράποδα ἢ ζῳοτόκα δασέα ἐστίν Ζιβ1. 498 ᵇ16. ἄνθρωπος τὴν κεφαλὴν δασύτατον τῶν ζῴων Ζιβ1. 498 ᵇ18. Ζμβ14. 658 ᵇ3. τὸ ἔμβρυον πότε δασὺ γίνεται Ζιζ3. 561 ᵇ28. ἧττον δασέα τῶν ζῴων τὰ ὕπτια, τὰ ἔμπροσθεν Ζιβ1. 498 ᵇ21. πι53. 896 ᵇ29. ὦτα δασέα, ψιλά Ζια11. 492 ᵃ32. σιαγόνες δασεῖαι Ζιγ11. 518 ᵇ19. σῶμα δασὺ λίαν Ζμβ14. 658 ᵃ36. τῶν καράβων τὰ δασέα αε12. 477 ᵃ3. τῶν ἀνθρώπων οἱ δασεῖς ἀφροδισιαστικοί Ζγδ5. 774 ᵇ1. πδ31. 880 ᵃ34. ι24. 893 ᵇ10. — φωναὶ δασεῖαι διὰ τί αχ804 ᵇ8-11. — τὰ δασέα. βρυώδεσι ἢ δασέσιν Ζιε10. 543 ᵇ1. ἐν τοῖς δασέσιν Ζι5. 611 ᵇ11.

δασύτης τοῦ σώματος, opp ψιλότης Ζιβ11. 499 ᵃ11. ι6. 612 ᵇ11. ἡ δασύτης σημεῖον πλήθους περιττώματος Ζγδ5. 774 ᵃ36, 34. δασύτητος διαφοραὶ τί σημαίνουσιν φ6. 812 ᵇ13-813 ᵃ2. 2. 806 ᵇ18. — τὰ στοιχεῖα διαφέρει δασύτητι ἢ ψιλότητι πο20. 1456 ᵇ32.

δατητής, παρὰ Ἀττικοῖς ὁ διανεμητής f 383. 1542 ᵃ3. εἰς δατητῶν αἵρεσιν, εἰδός τι δίκης f 383. 1541 ᵇ35, 1542 ᵃ1. 381. 1541 ᵇ8.

Dativus temporalis νηνεμίᾳ μβ8. 366 ᵃ5. βορείοις, νοτίοις μα10. 347 ᵃ36. γ1. 371 ᵃ3. Ζιζ19. 574 ᵃ1. πχε18. 939 ᵇ20. — localis τίκτει πρὸς τῇ γῇ ἢ βρυώδεσι ἢ δάσεσι Ζιε10. 543 ᵇ1. — dativus constructus cum substantivis, ὁμοιώματα τοῖς οὖσι ΜΑ5. 985 ᵇ27. ὁμοίωμα τῷ τέλει Πθ5. 1339 ᵇ35, cf 1340 ᵃ29. μετέχειν τῆς ὁμοιότητος τοῖς φυτοῖς Ζγγ11. 761 ᵇ34. cf φ2. 806 ᵇ29. ἐμποδισμὸς ταῖς βουλήσεσιν Ρβ2. 1378 ᵇ18. βοήθεια τοῖς ἀπόροις Πζ5. 1320 ᵃ32. δώρημα θεῶν ἀνθρώποις Ηα10. 1099 ᵇ11. ὑπηρέται τοῖς νόμοις Πγ16. 1287 ᵃ21. ἡ Περίανδρῳ Θρασυβούλῳ συμβουλία Πγ13. 1284 ᵃ27. τοῖς ἐστιν ἡ τοῖς μορίοις θίξις ψα3. 407 ᵃ18. τῷ πράγματος μὴ εἰδότι δῆλωσις ρ30. 1436 ᵃ34. ἑρμηνεία ἀλλήλοις Ζμβ17. 660 ᵃ35. ἐπιτίμησις τῷ λόγῳ τθ11. 161 ᵇ19, 38 (et fort ᵃ19, et πο25. 1461 ᵇ19 fort ἀλογία, μοχθηρία scribendum pro ἀλογία, μοχθηρία). πολιτεία γὰρ ἐστι τάξις τοῖς πόλεσιν Πδ1. 1289 ᵃ15. ἡ δικανικὴ ἀκριβεστέρα, ἔτι δὲ μᾶλλον ἡ ἐνὶ κριτῇ Ργ12. 1414 ᵃ11. διεξιὼν τὰ κατὰ τὸν πόλεμον ἀτυχήματα τοῖς ἀνθρώποις ρ3. 1425 ᵃ32. εἰς μισθὸς τοῖς στρατιώταις οβ1350 ᵇ6. ἀπειλῆς ἕνεκα τοῖς ἐν ταρτάρῳ Αδ11. 94 ᵇ34. ὐ λειτουργίας ἕνεκεν τῇ φύσει οα3. 1343 ᵇ20. ἀφροδίσια τοῖς ἄρρεσιν Ηη6. 1148 ᵇ29. ἔφελξις τῇ πεπηρωμένῃ μορίῳ τοῖς ἄλλοις Ζπ8. 708 ᵇ10. — dativus cum verbis constructus, πολλὰ κακὰ αὐτὸς αὐτῷ ποιήσει ἢ τοῖς φίλοις ημβ3. 1199 ᵇ3. — dativus similitudinis cum breviloquentia quadam usurpatus, τὸ πνεῦμα πόρρωθεν ψυχρὸν διὰ τὴν αὐτὴν αἰτίαν τοῖς φέρμοις sim μβ8. 367 ᵇ4. γ2. 371 ᵇ20, 372 ᵃ1. — dativus ethicus, ὑ γὰρ ὁ Ζεὺς αὐτὸς κιθαρίζει τοῖς ποιηταῖς Πθ5. 1339 ᵇ8. — dativus apud passivum, φιλῶσι τὰς φιλουμένους ὑπὸ τῶν φιλουμένων ἑαυτοῖς Ρβ4. 1381 ᵃ16. — interdum dativus liberius et cum negligentia quadam ita usurpatur, ut omnino ratio aliqua et relatio universe significetur, neque eius natura accurate definiatur. ὐδὲ δὴ τῷ καθόλυ ἐκλεκτέον οἷς ἔπεται τὸ περιεχόμενον (i e εἰ δεῖ λαβεῖν οἷς ἔπεται τὸ καθόλυ Wz) Αα27. 43 ᵇ29. ἐπεὶ τὸ ὑπάρχειν ἀεὶ τῷ ἀνωτέρω ἵσταται (i e ἐν τῇ ἐπὶ τὸ ἄνω ὁδῷ Wz) Αγ21. 82 ᵇ21 (cf Wz ad h l, quamquam is usitata immiscuit). τῷ αὐτῷ ὀργάνῳ χρῆται πρὸς ἄμφω ταῦτα ἡ φύσις, καθάπερ ἐνίοις τῇ γλώττῃ πρός τε χυμὸς ἢ πρὸς τὴν ἑρμηνείαν αρ11. 476 ᵃ18. ὁμοίως δὲ ἢ τοῖς ἰχθύσι οἴονται διαφέρειν πλὴν τῶν σελαχῶν' τούτοις γὰρ ὑκ ἀμφισβητοῦσιν Ζγ5. 755 ᵇ12. — peculiaris Aristoteli usus dativi τὸ ἀγαθῷ εἶναι sim, cf εἶναι 5 et τὸ τί ἦν εἶναι.

Δαυνία θ109. 840 ᵇ1. — Δαύνιοι θ109. 840 ᵇ6.

Δαφναῖος Syracusanus Πε5. 1305 ᵃ26.

δάφνης τὸ ἄνθος ἢ ὁ καρπὸς χρώματι διαφέρει χ5. 796 ᵇ11. (Laurus nobilis L.)

δαψίλεια τροφῆς Ζιζ18. 572 ᵃ3, τῷ ὑγρῷ, τῆς νοτίδος Ζγε3. 782 ᵇ18. μα6. 343 ᵃ10.

δαψιλής. δαψιλὴ εἶναι ἐπὶ τῷ εἰς τὰ δέοντα ἀναλωθῆναι ἐλευθεριότητός ἐστι αρ5. 1250 ᵇ25. — δαψιλῆς τροφὴ Ζγδ6. 774 ᵇ26. πκη1. 949 ᵃ33. ἀλὶ δαψιλεστέρῳ χρῆσθαι Ζιη4. 585 ᵃ27. — δαψιλῶς χρῆσθαι ρ3. 1424 ᵃ3.

δαψιλὸς αἰθήρ (Emp 237) Οβ13. 294 ᵃ26. ξ2. 976 ᵃ36.

δέ. ἔνιοι σύνδεσμοι ἀπαιτοῦσιν, ὥσπερ ὁ μὲν ἢ ὁ ἐγὼ μὲν ἀπαιτεῖ τὸν δέ ἢ τὸν ὁ δέ Ργ5. 1407 ᵃ23. — δέ post negationem ubi ἀλλά exspectes, ὑκ ἔστι δὲ μόνα ταῦτα, πολλὰ δὲ ἢ ἕτερα ψα5. 409 ᵇ28. cf Μχ3. 1061 ᵃ23. Πη4. 1326 ᵃ12. — ὁ δέ sim, ubi alterum, cui respondeat, membrum non est per ὁ μὲν significatum, veluti ἢ εἰ ἔβλαψεν, ὁ δὲ βέβλαπται Ηε7. 1132 ᵃ6, 8. Φε6. 230 ᵇ4, 5. Ζιζ19. 573 ᵇ32. Ζμβ8. 654 ᵃ28. Πβ4. 1262 ᵃ27. — ubi demonstrativa enunciatio sequitur relativam, non raro particula δέ relativo addita iteratur apud pronomen (adiectivum, adverbium) demonstrativum: ὅσοι μὲν ἕν τι τὸ πᾶν λέγωσιν

εἶναι.., τύτυς μὲν ἀνάγκη.... ὅσοι δὲ πλείω τὴν ὕλην
ἑνὸς τιθέασιν..., τύτοις δὲ ἕτερον sim Γα1. 314 ᵃ12. μα13.
349 ᵇ13. Ζγα12. 729 ᵃ2. Μζ10. 1035 ᵃ29. Φδ2. 209 ᵃ32.
ὅσοι μὲν ὔν, ὔτοι.., ὔτοι δὲ sim ψα2.
404 ᵇ8. μδ6. 383 ᵃ30. Ζγα12. 719 ᵇ9. 13. 720 ᵃ18. Μγ5.
1009 ᵃ21. Πδ12. 1296 ᵇ32. η9. 1329 ᵃ11. πα40. 864 ᵃ1.
non praecedente enunciato, quod a particula μέν exor-
diatur: ὅσων δὲ τὸ ἐναντίον μὴ ἀεί, ταῦτα δὲ δυνατὰ sim
Φδ12. 222 ᵃ7, 8. Ζγα12. 719 ᵇ9. 13. 720 ᵃ1. 20. 728 ᵇ10.
β6. 743 ᵃ13. Μκ1. 1059 ᵇ31, 33. Πβ2.1261 ᵇ3. Ρα4.1359
ᵃ33. χ5. 796 ᵇ4. πλ1. 954 ᵇ21. cf ἂν δ' ἴσον ἔλθη ἀφ' ἑκα-
τέρυ, τῦτο δ' ὐδετέρῳ γίγνεσθαι ὅμοιον Ζγδ3. 769 ᵃ12. —
in enunciatis comparativis, etiam ubi membrum relativum
praepositum demonstrativo non habet particulam δέ, de-
monstrativo interdum δέ additur: ὥσπερ ὂν κἀκεῖ, ..., 15
ὁμοίως δὲ χ̣ ἐν τύτοις μβ2. 355 ᵇ15. Μλ9. 1075 ᵃ10 (?, δὴ
Bz) cf interpretes ad Plat Prot 326 D 328 A (sed Ηα1. 1094
ᵃ14. Μγ2. 1003 ᵇ5. ψβ10. 422 ᵃ9, qui loci videntur com-
parari posse, δή scribendum videtur). — in enunciatis con-
ditionalibus apodosis interdum, ubi oppositio quaedam signi- 20
ficanda est, particulam δέ adhibet: εἴπερ ὁ ἀνὴρ ὁ σπυδαῖος
διότι βελτίων ἄρχειν δίκαιος, τῦ δὲ ἑνὸς οἱ δύο ἀγαθοὶ βελ-
τίυς Πγ16. 1287 ᵇ13. Φδ8. 215 ᵇ15, cf illud in apodosi
enunciationum conditionalium. — post interiectam paren-
thesin interdum, perinde atque ὔν. δή, particula δέ adhi- 25
betur: διχῶς δὲ κινεμένυ παντός (ἢ γὰρ καθ' ἕτερον ....),
διχῶς δὲ λεγομένυ τῦ κινεῖσθαι ψα3. 406 ᵃ10. ἀλλ' ἐπεὶ
τὸ ὂν τὸ ἁπλῶς λεγόμενον λέγεται πολλαχῶς .... ἐπεὶ δὲ
πολλαχῶς λέγεται τὸ ὂν Με2.1026 ᵇ2 (? ἐπεὶ δὴ Bz). τῦ δὲ
συνόλυ ἤδη, οἷον κύκλυ τυδί, τῶν καθ' ἕκαστά τινος ἢ αἰσθητῦ 30
ἢ νοητῦ (λέγω δὲ..), τύτων δὲ ὐκ ἔστιν ὁρισμός Μζ10.
1036 ᵃ5. ἀλλ' ἐπεὶ τὸ χ̣ ἐστί ..., ἡ ὕλη δὲ δυνάμει ἐστί, τῦ δὲ
ἐστὶ ταῦτὰ τῷ αἰσθάνεσθαι ψγ3.427 ᵇ11. cf Ζιδ1. 524 ᵃ8.
Πδ14. 1298 ᵇ19. — quem interpretes quidam Aristoteli
tribuunt peculiarem et a reliquis graecis scriptoribus alie- 35
num usum particulae δέ in apodosi (Wz ad 17 ᵇ1. Gött-
ling Pol p 291, 357, 401 al), is non videtur certis exem-
plis confirmari posse, cf Bz Ar St III 124 sqq; ex libris
pseudepigraphis cf οβ1349 ᵇ13. — collocatio particulae
δέ. ubi nomini cum articulo coniuncto additur δέ, quam- 40
quam plerumque interponitur inter nomen et articulum,
haud raro tamen utrique postpositum legitur: τῷ μὲν
ἀριθμῷ ἕν, τῷ λόγῳ δὲ δύο sim Φθ8. 262 ᵃ11. δ11.219 ᵇ20.
ζ2. 233 ᵇ14. Γα5. 320 ᵇ14. Αα4. 25 ᵇ30. β9. 60 ᵇ5. γ16.
80 ᵇ9. Ηθ10. 1159 ᵇ11. ι7. 1168 ᵃ18, 19. Πε6. 1305 ᵇ23. 45
οα1. 1343 ᵃ4 (sed τὰς ἴσυς μέν, τὰς δ' ἀνίσυς Ηθ15. 1162
ᵇ3). αἱ τῶν σπυδαίων δὲ (δὴ Bk) πράξεις Ηι9. 1169 ᵇ35
Bz Ar St III 64. κἂν εἰ δὲ τε6. 135 ᵇ29, 136 ᵃ9, 17, 21, 24,
31. εἴ τι δὲ ἔνδοξον ὑπῆρξε ρ36. 1441 ᵃ14. ὐκ ἐν τοῖς αὐτοῖς
δὲ Αβ14. 62 ᵇ41. μὴ τοῖς αὐτοῖς δέ πο21. 1457 ᵇ5. ὅπως 50
δ' ἂν δειχθέντος τε1. 128 ᵇ33. — ᵃμυ .. δέ cf cf χ̣. — ὐδ'
ὐδὲ λήψεται δὲ ὅθεν μὴ δεῖ Ηδ2. 1120 ᵃ31 (χ̣ — δὲ ᵇ30).
cf Μκ10. 1066 ᵇ34. — δὲ δὴ cf δή. — δ' ὂν μα13. 350
ᵇ9. 14. 351 ᵇ32. β3. 357 ᵇ17. γ4. 374 ᵇ18. μτ1. 462 ᵇ26. 55
Ζγα18. 723 ᵃ26. Ηι11. 1171 ᵃ34. Πα5. 1254 ᵇ3. Αα25.42
ᵃ6. τδ2. 121 ᵇ34. Vhl Poet I 45 ad πο4. 1449 ᵃ9. — cf de
particulae δέ usu Aristotelico Euecken p 22-33.
δεδιέναι. δεδιότες ταῦτα Πε6. 1306 ᵃ25. δεδιὼς τὰς παρα-
πετομένας μυίας Πη1. 1323 ᵃ29 (cf παροιμία). δεδιότες μὴ 60
δῶσι Πε3. 1302 ᵇ21. ὅταν φοβηθῶσι χ̣ δείσωσιν Ζμδ5.

679 ᵃ6, 26. ἡ φιλοσοφία τὸ πρᾶγμα ὐκ ἔδεισεν κ1. 391
ᵃ5. δείσαντες ρ8. 1428 ᵃ39.
δέησις. δεήσεις εἰσὶν αἱ ὀρέξεις Ρβ7. 1385 ᵃ22. κατὰ τὰς
δεήσεις ποιεῖσθαι τὰς μεταδόσεις Πα9. 1257 ᵃ23.
δεητικός. ἢ δεητικὸς ὁ μεγαλόψυχος Ηδ8. 1125 ᵃ10.
δεῖγμα. τὸ προοίμιον δεῖγμά ἐστι τῦ λόγυ, ἵνα προειδῶσι
περὶ ὃ ὁ λόγος Ργ14. 1415 ᵃ12.
δεικνύναι. δεικνύναι τῷ δακτύλῳ Αδ7. 92 ᵇ2. ἀρχὴ ἄνδρα
δείξει Ηε3. 1130 ᵃ2 (cf Βίας). ὁ χρόνος λέγεται δεικνύναι
τὸν φιλύμενον ηεν2. 1238 ᵃ14. ποιεῖν μὲν τὰ ἀστεῖά ἐστι
τῦ εὐφυῦς, δεῖξαι δὲ τῆς μεθόδυ ταύτης Ργ10. 1410 ᵇ8.
— δεικνύναι, δεικνύσθαι, δεδεῖχθαι c partic, δεικνύναι τὸς
συμμάχυς δικαίυς ὄντας al Πβ7. 1266 ᵇ20. Ηη11. 1152
ᵃ8. ο3. 1424 ᵇ16,37. Αβ5. 57 ᵇ26. α23. 40 ᵇ21. 29. 45 ᵇ39
al. Wz ad 35 ᵃ16. — logice δεικνύναι latius patet quam
ἀποδεικνύναι, quod per syllogismum conficitur (cf ἀποδεικνύ-
ναι, ἀποδεικτικός, ἀπόδειξις). πῶς ὁ ὁριζόμενος δείξει τὴν
ὑσίαν; ὔτε γὰρ ὡς ἀποδεικνὺς ὔτε ὡς ἐπάγων Αδ7. 92
ᵃ34. ἀνάγκη συλλογιζόμενον ἢ ἐπάγοντα δεικνύναι ὁτιῦν Ρα2.
1356 ᵇ8. itaque δεικνύναι universe demonstrandi, exponendi,
explicandi vim habet, veluti ἐν τοῖς πρώτοις ἐδείχθη λόγος
Πγ18. 1288 ᵃ37. δεικνύναι τὰ φανερὰ διὰ τῶν ἀφανῶν
Φβ1. 193 ᵃ4. τὰ δεικνύμενα διὰ τῶν μαθημάτων, τὰ περὶ
τὰς αἰσθήσεις δεικνύμενα μα3. 339 ᵇ32. γ2. 372 ᵃ32, ᵇ10.
ὁ λόγος δείκνυσιν ὅτι μβ5. 362 ᵇ15. δεικτέον ὕτως Ζμα1.
642 ᵃ31. etiam sine obiecto δεικνύναι περί τινος: νῦν δεικ-
τέον ἡμῖν περὶ πολιτείας Πδ8. 1293 ᵇ31. τὰ ἐπαμφοτερί-
ζοντα δείκνυσι περὶ αὐτῶν Φθ6. 259 ᵃ27. cf δεδειγμένον ἂν
εἴη ἱκανῶς Ηη1. 1145 ᵇ7. — potest tamen δεικνύναι, quo-
niam latius patet, eo angustiore sensu usurpari, qui pro-
prius est verbo ἀποδεικνύναι, veluti sine discrimine δεδειγ-
μένος et ἀποδεδειγμένος legitur Αβ5. 58 ᵃ8, 9, 11 al. δεικνύ-
ναι τὰ ἄλλα (int τὰ ἐκ τῶν ἀρχῶν), opp λαμβάνειν τὰς
ἀρχάς Αγ10. 76 ᵃ34 sqq. ὅσα δεικτὰ ὄντα λαμβάνει μὴ
δείξας Αγ10. 76 ᵇ27 (cf ἀποδεικτός). λύει ἢ δείξας ἢ ἔνστα-
σιν ἐνεγκὼν Ρβ1. 1433 ᵃ26, cf ἀνταπόδειξις, δεῖξαι ᵃ27.
ἀποδεικτικαὶ ἀρχαὶ αἱ κοιναὶ δόξαι ἐξ ὧν ἅπαντες δεικνύ-
ασι Μβ2. 996 ᵇ26, 28. τὸ φάναι ἢ ἀποφάναι ἀξιῦ ὁ δεικνύ-
τος ἐστὶν ἀλλὰ πεῖραν λαμβάνοντος τι11. 171 ᵇ3. δεικνύ-
ναι διὰ τῶν ὅρων, διὰ τῶν αὐτῶν ὅρων Αα17. 37 ᵇ1. 18. 38
ᵃ2, ᵇ29. δειχθήσεται τὸ συμπέρασμα διὰ τῆς ἀντιστροφῆς
Αα8. 30 ᵃ4. δεικνύναι κύκλῳ, ἐξ ἀλλήλων, δι' ἀλλήλων
Αβ5-7. δεικνύναι διὰ τῦ ἀδυνάτυ, ἐκ τῦ ἀδυνάτυ Αα5. 28
ᵃ7. 6. 28 ᵃ29. 15. 34 ᵃ3, 35 ᵃ40. 17. 37 ᵃ9. 29. 45 ᵇ3. —
peculiari usu δεικνύναι opponitur vel indirectae demonstra-
tioni, δεικνύναι, opp εἰς τὸ ἀδύνατον ἄγειν Αγ24. 85 ᵃ16,
19, ἢ δεικνύσα, opp ἢ εἰς τὸ ἀδύνατον ἀπάγυσα Αγ17.
65 ᵇ3, vel negativae, ἡ δεικνύσα ἀπόδειξις βελτίων τῆς
στερητικῆς Αγ25. 86 ᵇ38, cf δεικτικός. — formae verbi
partim a δείκνυμι repetuntur partim a δεικνύω. δεικνύσιν
Αγ9. 75 ᵇ41. 10. 76 ᵇ10. Φδ6. 213 ᵇ15. 7. 214 ᵇ7, 40. Ρα1.
1354 ᵇ21 al (cf ἀποδεικνύασι πο6. 1450 ᵃ7, ἀποδεικνύυσιν ᵇ11,
ἀποδεικνύασιν ᵇ11 Bkˀ). partic δεικνύς, δεικνύσα v supra.
In libro ρ infinitivus et verbi simplicis et compositorum saepe
legitur δεικνύειν ρ2. 1421 ᵇ23. 4. 1426 ᵃ4. 9. 1429 ᵇ31. 37.
1443 ᵃ14, 32. cf Spengel comm p 148, sed alibi exhibetur
forma δεικνύναι ρ5. 1427 ᵃ26. 9. 1429 ᵃ3. 15. 1431 ᵇ13, 11.
35. 1440 ᵃ18. 36. 1441 ᵃ28. 37. 1444 ᵃ7. δεικνύοντας ρ37.
1444 ᵃ11, sed δεικνύντες ρ37. 1445 ᵃ3. 38. 1445 ᵇ8. δεικνύε
ρ33. 1439 ᵃ34. 37. 1444 ᵃ7. — δεδειχότες ἐσόμεθα τα18.
108 ᵇ3, 17. β1. 109 ᵃ4. 7. 113 ᵇ12. δεδειγμένον ἔσται τβ7.

113 ᵇ14.

δεικτικός. ὁ διαλεκτικὸς ὐκ ἔστι δεικτικὸς ὐδενός τι11.172
ᵃ12. — δεικτικὸς συλλογισμός, δεικτικὴ ἀπόδειξις, opp ὁ
διὰ τῦ ἀδυνάτυ ⅋ ὅλως ὁ ἐξ ὑποθέσεως συλλογισμός Αα23.
40 ᵇ27, 41 ᵃ21. 29. 45 ᵃ24, ᵇ7 sqq. β14. 62 ᵇ29, 31. Wz ad
29 ᵃ31. — ἡ δεικτικὴ ἀπόδειξις βελτίων τῆς στερητικῆς
Αγ25. δεικτικὰ ἐνθυμήματα, opp ἐλεγκτικὰ Ρβ23. 22. 1396
ᵇ24. γ17. 1418 ᵇ2. — δεικτικῶς περαίνεσθαι, συλλογί-
ζεσθαι, opp διὰ τῦ ἀδυνάτυ, ἐξ ὑποθέσεως Αα7. 29 ᵃ31-35
Wz. 23. 40 ᵇ25. 29. 45 ᵃ26-ᵇ4. β14. 62 ᵇ39.

δειλαίνειν Ηβ6. 1107 ᵃ18. ε13. 1137 ᵃ22.

δείλη. περὶ δείλην μγ2. 371 ᵇ25. πρὸς τὴν δείλην Ζιθ10. 596
ᵃ23. πχϛ33. 944 ᵃ10 (syn τῆς δείλης ᵃ31). τῆς δείλης Ζιθ9.
596 ᵃ8. ἕωθεν ⅋ δείλης f 488. 1557 ᵇ26. μέχρι δείλης Ζιε19.
552 ᵇ21. ι32. 619 ᵃ15. ἀπὸ δείλης Ζιζ8. 564 ᵃ19.

δειλία, def Ρα9. 1366 ᵇ13. αρ1. 1249 ᵇ31. 3. 1250 ᵃ18. 6.
1251 ᵃ10-16. opp θρασύτης, ἀνδρεία ηεβ3. 1220 ᵇ39. γ1.
1228 ᵇ3. δειλία ⅋ ἀργία Ηι4. 1166 ᵇ10. θηριώδη δειλίαν
δειλός Ηη6. 1149 ᵃ8. ἡ δειλία πότερον ἑκύσιον Ηγ15. 1119
ᵃ27-34.

δειλός, def Ηβ2. 1104 ᵃ21. 7. 1107 ᵇ4. γ9. 1115 ᵃ23. 10.
1115 ᵇ34, 1116 ᵇ2. ηεβ3. 1221 ᵃ18. γ1. 1228 ᵃ31. opp
θυμοειδὴς οαδ. 1344 ᵇ13. δειλὸς θηριώδη δειλίαν Ηη6. 1149
ᵃ8. δειλὸς ἀνήρ, εἰ ὕτως ἀνδρεῖος ὥσπερ γυνὴ ἀνδρεία Πιγ4.
1277 ᵇ22. δειλοὶ οἱ τὴν φύσιν κατεψυγμένοι, οἱ ἐν τοῖς
θερμοῖς τόποις πιθ8. 909 ᵇ13, 9. 16. 910 ᵃ38, ᵇ3. δειλῦ ση-
μεῖα φ3. 807 ᵇ4 - 12. δειλὰ τὰ μεγάλους ἔχοντα τὰς καρ-
δίας, τὰ λίαν ὑδατώδη, τὰ ἄναιμα Ζμγ4. 667 ᵃ15. β4.
650 ᵇ27, 30. ζῷα φρόνιμα ⅋ δειλὰ Ζια1. 488 ᵇ15.

δειμαλέων σημεῖα φ6. 810 ᵃ23.

δεῖν (δεῖ). τί δεῖ τῆς ἀρετῆς Ρε9. 1309 ᵇ10. ὐδὲν δεῖ αὐτῶν
Ηι10. 1170 ᵇ27. δεήσει τῷ εὐδαίμονι φίλων, δεῖ τοῖς με-
γάλοις ὑπερεισμάτων μειζόνων al Ηι9. 1170 ᵇ18. Ζμβ9.
655 ᵃ10, 22. ὧν πόλει δεῖ (Eurip f 16) Πιγ4. 1277 ᵃ20. δεῖ
τῷ συμφῦναι (i q πρὸς τὸ συμφῦναι) χρόνυ Ηη5. 1147
ᵃ22. (πολλῆς ὐν δεῖ δικαιοσύνης τὰ ἄριστα δοκῦντας πράτ-
τειν Πιη15. 1334 ᵃ28, fort add μετέχειν post δεῖ). ἑνὸς δεῖν
πεντήκοντα Ρβ13. 1390 ᵇ11. δυοῖν δέοντα εἴκοσι Πε12. 1315
ᵇ36. τροφαλιδὲς μιᾶς δεύσης εἴκοσιν Ζιγ20. 522 ᵃ31. μικρῦ
δεῖν Ζγβ8. 748 ᵇ15. παρὰ φύσιν ὐδενὸς δεήσει τῦ ἀγόνου
εἶναι Ζγβ8. 748 ᵇ18. — τὸ δέον πολλαχῶς τι19. 177 ᵃ24.
ὀιχῶς τι4. 165 ᵇ35. τὸ δέον, ὡς δεῖ, ἃ δεῖ, syn καλόν, κα-
λῶς ἔχον, ὀρθῶς, ὡς ὁ λόγος τάττει, μέσως ἔχειν sim Ηγ9.
1115 ᵃ12. 10. 1115 ᵇ12, 19, 1116 ᵃ6. 15. 1119 ᵇ16, 17. δ2.
1120 ᵃ24, 25, 1121 ᵃ1. ζ13. 1144 ᵃ17. αι. 1094 ᵃ24. ηεγ4.
1231 ᵇ32. παρὰ τὴν ἀξίαν ⅋ τὸ δέον Ηδ4. 1122 ᵇ29, cf 6.
1123 ᵃ20. ἔστω δέον Αβ19. 66 ᵃ38. ἐν τῷ δέοντι προστι-
θέναι ἄρθρα ρ26. 1435 ᵃ35, ᵇ12. — δέον acc abs Γα7. 323
ᵇ17. ὡς δέον Οα11. 281 ᵃ11. Γα8. 325 ᵃ14. Ρβ20. 1393
ᵇ7. ξ2. 975 ᵃ36. ὥσπερ δέον Ογ7. 306 ᵃ14. δέον pro δέον
ἐστί vel δεῖ ab Ar usurpari Rassow 1861 p 6 (defensurus
inde lectionem codd ημα27. 1192 ᵇ10) colligit ex Ηβ7.
1107 ᵃ32. η3. 1145 ᵇ28, sed illic fort ὖν post ληπτέον c cod
Κᵇ, hic ⅋ ante δέον omittendum est. — δεῖ num supplen-
dum ex adiectivo verbali in τέον terminante ρ30. 1437
ᵃ3. δεῖ utrum omissum ab Ar de coniectura addendum Πιη17.
1336 ᵃ3. insolita constructio verbi δεῖν: ὐκ οἴονται δεῖν
αὐτοὶ φιλεῖν, ἀλλ᾿ αὐτοὶ φιλεῖσθαι ημβ11. 1210 ᵇ4, 17. —
δεῖσθαί τινος μβ5. 362 ᵃ28. Πθ¹1. 1288 ᵇ39. 15. 1299 ᵃ16
al. τὰ λόγυ δεόμενα Ρα2. 1356 ᵇ36. δεῖσθαί τινος πρός τι
μδ7. 384 ᵇ15. φανερὰ τὰ ζῷά ἐστιν, ὅταν ὀχευθῆναι δέην-

ται Ζικ6. 637 ᵇ7.

δεῖν (δέω). δεθῆναι ἐν τῷ κύφωνι Πε6. 1306 ᵇ2. ἐν πεντεσυ-
ρίγγῳ νόσῳ δεδεμένος Ργ10. 1411 ᵃ23. οἷον δέδεται ἀρχή
τις ἐπεγερτικὴ πϛ6. 886 ᵃ9. — δέδεται ἡ διάνοια ὅταν μέ-
νειν μὴ βύληται, προϊέναι δὲ μὴ δύνηται Ηη3. 1146 ᵃ24.
Μβ1. 995 ᵃ32.

δεῖνα. ὁ δεῖνα ⅋ ὁ δεῖνα Ργ15. 1416 ᵃ23. ἐμὸς ἢ τῦ δεῖνος
Πβ3. 1262 ᵃ3.

δεινός, dist φρόνιμος, πανῦργος Ηζ13. 1144 ᵃ23, 28. η11.
1152 ᵃ10-14. ημα35. 1197 ᵇ17-27. β6. 1204 ᵃ13sqq. δει-
νὸς λέγειν, πρᾶξαι τὸ ἐπιταχθέν Πε5. 1305 ᵃ12. Ηθ7. 1158
ᵃ32. δεινότερος περὶ τὴν φρόνησιν ρ4. 1426 ᵃ11. Ἐμπεδοκλῆς
δεινὸς περὶ τὴν φράσιν f 59. 1485 ᵇ8. ῥήτωρ, στρατηγὸς
δεινός πιη4. 916 ᵇ37. — ὐχ ἁρμόττει γυναικὶ τὸ ἀνδρεῖαν
ἢ δεινὴν εἶναι πο15. 1454 ᵃ24. — τὸ δεινὸν ἕτερον τῦ ἐλε-
εινῦ Ρβ8. 1386 ᵃ22. δεινά, syn φοβερά, dist οἰκτρά πο14.
1453 ᵇ14, 1. Ηγ9. 1115 ᵃ26, 24.

δεινότης, dist φρόνησις, ἀρετή, πανυργία Ηζ13. 1144 ᵃ23 sqq.
ᵇ2. η11. 1152 ᵃ11-14. ημα35. 1197 ᵇ17-27. — ὐ δεινό-
τητι πιστεύων ἀνέστην ρ30. 1436 ᵇ34. ἡ δεινότης μάλιστα
ἐν τῷ πλεονεκτεῖν ἐστι πιη4. 917 ᵃ2.

δείνωσις. πάθη, ἔλεος δείνωσις (indignatio) ὀργή Ργ19. 1419
ᵇ26. 16. 1417 ᵃ13. ἐν σχετλιασμῷ ⅋ δεινώσει (i e exagge-
ratio Vhl Rhet 79) Ρβ21. 1395 ᵃ9. — ἄλλος τόπος τὸ δει-
νῶσει κατασκευάζειν ἢ ἀνασκευάζειν Ρβ24. 1401 ᵇ3.

δεῖξις. ἐν τοῖς ἀτελέσι συλλογισμοῖς ἡ δεῖξις ὐκ ἐκ τῶν
εἰλημμένων προτάσεων Αα15. 34 ᵃ4. ἡ ἐκ τῶν σημείων δεῖξις
Ργ7. 1408 ᵃ26. ὁ αὐτὸς τρόπος τῆς δείξεως Αα22. 40 ᵇ5.
ἡ διὰ τῦ ἀδυνάτυ δεῖξις Αα29. 45 ᵃ35.

δειπνεῖν Πε10. 1311 ᵇ40. f 565. 1571 ᵃ3. περίπατος τῶν δε-
δειπνηκότων τί ποιεῖ f 224. 1518 ᵇ43.

δεῖπνον. dist ἄριστον Μη2. 1042 ᵇ20. δεῖπνον συμφορητόν,
opp τὸ ἐκ μιᾶς δαπάνης χορηγηθέν Πγ11. 1281 ᵇ3.

δειπνοποιοί ημβ7. 1206 ᵃ27.

δειπνοφόρος ὁ πέλλος, ἡ φήνη Ζιι18. 616 ᵇ34. 34. 619 ᵇ24.

δεισιδαίμονα εἶναι ⅋ φροντίζειν τῶν θείων Πε11. 1315 ᵃ1.

δέκα συμφράδμονες (Hom Β 372) Πιγ6. 1287 ᵇ15. τὰ δέκα
τέλειος ἀριθμός πιε3. 910 ᵇ32. διὰ τί πάντες ἄνθρωποι εἰς
τὰ δέκα καταριθμῦσι πιε3. 910 ᵇ24. — δέκα ⅋ τέτταρες
(rara apud Ar cardinalium coniunctorum collocatio) Ζιθ10.

δεκαδραχμυ πωλυμένα τῦ σίτυ οβ1352 ᵇ15.

δεκάζειν τὰ δικαστήρια f 371. 1540 ᵃ18.

δεκάκλινος κρήνη θ37. 834 ᵇ8.

δεκάλιτρον f 467. 1555 ᵃ1, 8.

δεκάμηνοι κάπροι ἄρχονται ὀχεύειν Ζιε13. 545 ᵇ2. τόκος δε-
κάμηνος, ἐνιαύσιος Ζγδ10. 777 ᵇ14. πι65. 898ᵇ10. ⅋ ἑπτά-
μηνα ⅋ δεκάμηνα γεννῶνται τῶν ἀνθρώπων Ζγδ4. 772 ᵇ9.
Ζιη4. 584 ᵃ36. f 258. 1525 ᵇ18. πι41. 895 ᵃ26.

Δεκαμνιχος Ἀρχελάῳ ἐπέθετο Πε10. 1311 ᵇ30.

δεκάς. τέλειον ἡ δεκὰς ΜΑ5. 986 ᵃ8. f 198. 1513 ᵃ41. μέχρι
τῆς δεκάδος ὁ ἀριθμὸς (εἰδητικός) Μμ8. 1084 ᵃ12. λ8.
1073 ᵃ20.

δεκαταῖος νεοττὸς Ζιζ3. 561 ᵃ26.

δεκάτη. πρόσοδος ἀπὸ βοσκημάτων, ἐπικαρπία τε ⅋ δεκάτη
καλυμένη· τὴν ἀπὸ τῆς γῆς πρόσοδον οἱ μὲν ἐκφόριον οἱ δὲ
δεκάτην προσαγορεύυσιν οθ1346 ᵃ3, 1345 ᵇ33.

Δεκέλεια f 370. 1540 ᵃ11.

δεκτικός, i e πεφυκὼς δέχεσθαι, Wz ad Κ5. 4 ᵃ11. μόριον
δεκτικὸν τροφῆς, περιττώματος sim Πδ4. 1290 ᵇ27. Ζια2.
489 ᵃ3, 7. Ζγα20. 728 ᵇ25. 21. 729 ᵇ28. β4. 738 ᵃ7, ᵇ37.

δ1. 766 ᵃ12, ᵇ23. μόριον δεκτικὸν χ̣ ἀγγειῶδες Ζμγ8. 671 ᵃ23. πόροι δεκτικοὶ πυρὸς μδ9. 387 ᵃ20. δεκτικὸν πνεύματος Ζμδ10. 689 ᵃ30. δεκτικὸν γενέσεως χ̣ φθορᾶς, τῶν ἐναντίων Γα4. 320 ᵃ3, 4. Κ5. 4 ᵃ11. Μδ10. 1018ᵃ23, 29, 32. τὰ ἐναντία ἐν τῷ αὐτῷ δεκτικῷ υ1. 453 ᵇ28. δεκτικὸν τῆς ἕξεως Κ10. 12 ᵃ30. δεκτικὸν τῦ εἴδυς Μδ23. 1023 ᵃ12. δεκτικὸν ἐπιστήμης τε4. 132 ᵇ1, 133 ᵃ20. 5. 134 ᵃ17 al. ἡ ἐπιστήμη τε χ̣ ὑγίεια εἶδος χ̣ ἐνέργεια τῦ δεκτικῦ, ἡ μὲν τῦ ἐπιστημονικῦ, ἡ δὲ τῦ ὑγιαστικῦ ψβ2. 414 ᵃ10. αἰσθητήριον δεκτικὸν τῶν αἰσθητῶν Ζμβ1. 647ᵃ7, 28. ἕξις δεκτικὴ πκα14. 928 ᵇ26. δεκτικὸν ὒ τὸ τυχόν ἐστιν, ἀλλ' ἐν ἑνὸς τὸ πρῶτον Φη4. 249 ᵃ2, 248 ᵇ21. — τῆς τροφῆς δεκτικώτερα χ̣ τῶν ἐκκρίσεων προετικώτερα γίνεται πλζ3. 966ᵃ12.

δελεάζειν τινί τι Ζιθ8. 534 ᵃ24, ᵇ3. Ζμβ17. 661 ᵃ23. — pass δελεάζεσθαι τινι Ζιθ2. 590 ᵇ2. δ8. 534 ᵃ15, 24.

δέλεαρ πρόσφατον, νεαρόν, σαπρόν Ζιθ8. 534ᵃ12, ᵇ5, 3. θηρεύειν τῆς νηρείτας εἰς τὸ δέλεαρ Ζιθ8. 535 ᵃ20. ἁλίσκεσθαι δελέασιν Ζιθ2. 591ᵇ17. τὸ τῆς ἀμίας δέλεαρ Ζιθ8. 533 ᵃ33. προσκείμενον δελέατος χάριν Ζυ37. 620 ᵇ15. τὰ δελέατα πκθ2. 950 ᵇ1. αἱ πορφύραι τῶν δελεάτων τὰ ὄστρακα διατρυπῶσιν Ζιθ4. 528 ᵃ33 (cf F 285, 77. Κ 580, 8. Heusinger de purpura antiquorum 12).

δελεασμοὶ Ζιθ8. 535 ᵃ7.

δέλτος (Eur Ι Τ 727) Ργ6. 1407 ᵇ34.

δέλφαξ. τῶν ὑῶν τινες ἐπαυξανόμεναι τὰ τέκνα χ̣ τὰς δέλφακας χρηστὰς γεννῶσιν Ζιζ18. 573ᵇ13. (Gaza om, Scaliger porcellos bonos vertit, sed Κ 773 et ΑΖι: Mutterferkel.)

Δελφίνιον, δικαστήριον Ἀθήνησι f 419. 1547 ᵇ44.

δελφινίσκος μικρός Ζυ48. 631 ᵃ17.

Δελφίον ὄρος θ104. 839 ᵇ1.

δελφίς. 1. refertur inter τὰ ἐν αὑτοῖς ζωοτοκῦντα Ζγα9. 718 ᵇ31. β1. 732 ᵃ34, ᵇ26. Ζιβ13. 504 ᵇ21. ἄποδα αν12. 476 ᵇ16. Ζιγ1. 509 ᵇ10. Ζιγβ1. 732 ᵇ26, ἔνυδρα αν12. 476 ᵇ13. Ζια5. 489 ᵃ2. Ζμγ6. 669 ᵃ8. Ζγα9. 718ᵇ31, θαλάττια Ζμδ2. 676 ᵇ29. Ζμγ1. 732 ᵃ34, κήτη, κητώδη saepissime, μακρόβια Ζμδ2. 677 ᵃ35. inter piscium nomina appellatur σαρκοφάγος Ζιθ2. 591 ᵇ9, 29. descr Ζιζ12. 566 ᵇ2. θ2. 589 ᵃ31. ι48. 631 ᵃ8. Ζμδ13. 697 ᵃ15. — a. (anatom.) ἔχει ὀστᾶ ἀλλ' ὖκ ἄκανθα Ζιγ7. 516 ᵇ12. Ζμβ9. 655 ᵃ16, 40 τὸν αὐλὸν διὰ τῷ νώτῳ Ζια5. 489 ᵇ4. αν12. 476 ᵇ5, πλεύμονα χ̣ ἀρτηρίαν χ̣ ἀναπνεῖ Ζιθ9. 536 ᵃ2. αν12. 476 ᵇ19. Ζμγ6. 669 ᵃ8. ἔχει τὴν γλῶτταν ὖκ ἀπολελυμένην ὖδὲ χεῖλη ὥστε ἄρθρον τι τῆς φωνῆς ποιεῖν Ζιθ9. 536 ᵃ3. ὕπτιοι ἀναπίπτοντες λαμβάνυσιν κάτω γὰρ τὸ στόμα ἔχυσιν Ζιθ2. 591 ᵇ2. Ζιγγ3. 696 ᵇ25 (loc corr cf F 321, 117 cf ΑΖι II 127, 34). ὖκ ἔχει χολὴν Ζιβ15. 506 ᵇ5. Ζμδ2. 676 ᵇ29, 677 ᵃ34 (cf ΚαΖμ 118, 4. F 304, 10). πτέρυγας ἔχει Ζιθ10. 537 ᵇ2. ὄρχεις κεκρυμμένυς ὑπὸ τὸ περὶ τὴν γαστέρα αὐτοῦ Ζγα13. 720 ᵇ34. δ7. 716 ᵇ27. 12. 719 ᵇ9. αἰδοῖα ἐντὸς τὸ πρὸς τῇ γαστρὶ Ζιβ1. 500 ᵇ1. γ1. 509 ᵇ9, 510ᵃ9. ἔχει μαστὸς δύο, ὖκ ἄνω δ' ἀλλὰ πλησίον τῶν ἄρθρων Ζιβ13. 504 ᵇ22. γ20. 521ᵇ23. ὖκ ἐμφανεῖς θηλὰς ἀλλ' οἷον ῥύακας δύο Ζιβ13. 504 ᵇ24. — b. (physiol) ὀχεύονται παραπίπτοντες Ζγγ5. 756 ᵇ1. τε 5. 540 ᵇ22. χρονιωτέρα ἡ ἀπόλυσις Ζιζ5. 540 ᵇ7. γάλα Ζιβ13. 504 ᵇ24. γ20. 521 ᵇ23. θηλάζεται ὑπὸ τῶν τέκνων παρακολυθόντων Ζιβ13. 504 ᵇ25. καθεύδει χ̣ ῥέγκει αν12. 476 ᵇ20. Ζιδ10. 537 ᵇ1, 3. θηρείαι Ζιε31. 557 ᵃ32. ἡ ὀξύτης χ̣ δύναμις τῦ φαγεῖν δοκεῖ εἶναι θαυμαστὴ Ζιθ2. 591 ᵇ29. ἀφίησι τριγμὸν χ̣ μύζει ἐν τῷ ἀέρι Ζιθ9. 535

V.

ᵇ32. ἀκύει μέν, ὖκ ἔχει δ' ὦτα Ζια11. 592 ᵃ26, 29. τῆς ἀκοῆς χ̣ τῆς ὀσφρήσεως ὖδὲν φανερὸν αἰσθητήριον Ζιθ8. 533 ᵇ14, 534 ᵇ7, 9 (cf Cuvier II 511). — φθείρ περὶ τὸν δελφῖνα Ζιε31. 557 ᵃ30. — ἡ τῶν δελφίνων θήρα Ζιθ8. 533 ᵇ10, 534 ᵇ8. — ἐπὶ τῦ νώμμυ ἐντετυπῶσθαι Τάραντα τὸν Ποσειδῶνος δελφῖν ἐποχύμενον f 548. 1568ᵇ36. — (Delphinus delphis cf S eclogae phys I 40, II 37. ΚαΖμ 179, 13, Ζι 21, 3. Κ 417. Su 85, 66. Μ 289. ΑΖγ 27. ΑΖι I 66,12. F 321, 122. Blasius Säugethiere 516.)

2. sidus. ὁτὲ μὲν μέσων νυκτῶν ὁ δελφὶς ἐπιτέλλει, ὁτὲ δ' ἕωθεν, τὰ δὲ μόρια τῦ γάλακτος τὰ αὐτὰ μένει μα8. 1417 I 417.

Δελφοί Ρβ23. 1398 ᵇ32. f 616. 1582ᵃ13. αἱ ἐν Δελφοῖς στάσεις Πε4. 1303 ᵇ37. Δελφῶν πολιτεία f 445. Δελφοὶ ἀνελόντες Αἴσωπον f 445. 1551 ᵃ30. ἀνθρώπων ἀπαρχὴν εἰς Δελφὸς ἀποστέλλειν f 443. 1550 ᵇ39. ἀνδριάντα ἀναθήσειν ἐν Δελφοῖς f 377. 1540 ᵇ36. Λυκῦργος ἐν Δελφοῖς πρὸς τὸν Ἀπόλλωνα συνεχὲς ἀπιὼν f 492. 1558 ᵃ30. Μάγνητες Δελφῶν ἄποικοι f 588. 1573 ᵇ45. ὁ ἐν Δελφοῖς νεὼς f 357. 1538 ᵇ17. τὰ ἐν Δελφοῖς πνευμάτων στόμα χ4. 395ᵇ29. — Δελφικὴ μάχαιρα Πα2. 1252 ᵇ2.

δελφύς. cornua uteri Ζιγ1. 510 ᵇ13.

δεξιός. 1. quae perinde ad vocc δεξιός et ἀριστερός pertinent vs ἀριστερός. πρότερον τὸ ἄνω τῦ δεξιῦ κατὰ φύσιν Οβ2. 285 ᵃ21. τὸ δεξιὸν τῦ πλάτυς ἀρχή Οβ2. 284 ᵇ25. ἀπὸ τῶν δεξιῶν ἡ κατὰ τόπον κίνησις Οβ2. 284 ᵇ28, 285 ᵃ23, ᵇ16, 19. τὸ δεξιὸν χ̣ ἄνω χ̣ ἔμπροσθεν ἀγαθὸν ἐκάλων οἱ Πυθαγόρειοι f 195. 1513 ᵃ24. — τὰ πνεύματα περίστασιν ἢ εἰς τἀναντία ἢ εἰς τὰ δεξιὰ πκς31. 943 ᵇ29. 12. 941 ᵇ11. — τοῖς δεξιοῖς πάντα πέφυκε τὰ ζῷα δρᾶν μᾶλλον Ζμδ8. 684 ᵃ27. cf Ζγ9. 671 ᵇ30, 672 ᵃ24. τὰ δεξιὰ κινητικά, ποιητικώτερα· τοῖς δεξιοῖς πονεῖν δυνάμεθα πτ5. 886 ᵃ8. λα12. 958 ᵇ21. 18. 959 ᵃ21. ε32. 884 ᵃ17. τῶν μερῶν θερμότερα τὰ δεξιὰ Ζμγ4. 667 ᵃ1. οἱ καρκίνοι τὴν δεξιὰν ἔχυσι χηλὴν μείζω χ̣ ἰσχυροτέραν Ζμδ9. 684 ᵃ26. τὸ ὠὸν ἐν τοῖς δεξιοῖς Ζμδ5. 680ᵃ24. διὰ τί ὖ διαφέρυσιν αἱ αἰσθήσεις ἥ τε τοῖς δεξιοῖς τῶν ἀριστερῶν, ἐν δὲ τοῖς ἄλλοις πᾶσι κρείττω τὰ δεξιὰ πλα12. 958 ᵇ16. 13. 958 ᵇ23. ἡ δεξιὰ φύσει κρείττων Ηε10. 1134 ᵇ34 (cf ἀμφιδέξιος). — 2. πολλὰ ἀνήρηκε δίκαια, οἷον ὅρκυς δεξιᾶς πίστεις Ρα14. 1375 ᵃ10. — (Emp 353) αν7. 473 ᵇ19.

δένδρον. τῶν δένδρων πολυχρόνιος ἡ φύσις μκ6. 467 ᵇ10. τὰ δένδρα ὖκ ἐν ὕδατι φύεται αν14. 477 ᵇ27. πότε λέγεται σφακελίζειν χ̣ ἀστρόβλητα γ.νεσθαι τὰ δένδρα ζ6. 470 ᵃ32. δένδρα πολυκαρπήσαντα ἐξαυαίνεται Ζγγ1. 750 ᵃ22. ἔνια φυτὰ ἐν ἑτέροις ἐγγίγνεται δένδρεσιν Ζγα1. 715 ᵇ30. τριπλήσιος ἡ τῶν δένδρων εὐπορία ἀκόλυθεῖ φτβ7. 827 ᵃ7. δένδρα ἄγρια, κηπαῖα φτα4. 819 ᵇ37, ἀρωματοφόρα φτα6. 820ᵇ26, εὐώδη πιβ3. 906 ᵃ36, χλωρά, αὔα πιβ3. 906 ᵇ8. τῶν φυτῶν τινα (Emp 129, 286) Μβ4. 1000 ᵃ30. Ζγα23. 731 ᵃ5. δένδρα Ζιε30. 556 ᵃ22 al. δένδρων Ζιε22. 553 ᵇ28. ζ1. 559 ᵃ6 al. δένδρεσι Ζιε 22. 554 ᵇ17. ζ1. 559 ᵃ13. θ17. 600 ᵇ13. ι9. 614 ᵇ6. Ζγα1. 715 ᵇ30 al.

δενδρώδης. ὖκ ἐπέτεια ἀλλὰ δενδρώδη μκ6. 467 ᵇ1.

Δεξαμεναί, μέρος τῆς Ἀμβρακίας· Δεξαμεναῖος f 437. 1550 ᵃ21, 24.

δεξαμενή. τὰ ἐν ταῖς δεξαμεναῖς κονιάματα χ5. 794 ᵇ31.

Δεξαμενός, ὁ Μετόλυ παῖς f 437. 1550 ᵃ22.

δεξιότης f 2. 1474 ᵇ8.

δεξιῦσθαι δώροις χ1. 391 ᵇ8.

Y

δεξιτερός (Hom E 393) πο21. 1458 ᵃ7.
ὁ ἑός οἰκετῶν πρὸς δεσπότην f 178. 1507 ᵇ22, 37.
Δέρδας 'Αμύντα ἐπέθετο Πε10. 1311 ᵇ4.
δέρκεσθαι. πρόσωπον μήτε δεδορκὸς μήτε σύννεν φ3. 808 ᵃ4.
δέρμα. 1. τὸ δέρμα τί ἐστιν. refertur inter τὰ ὁμοιομερῆ 5
μδ´10. 388 ᵃ17. Ζιγ2. 511 ᵇ7. ἡ τῆ δέρματος φύσις Ζγα12.
719 ᵇ5. ε1. 780 ᵃ26, ὅλως ὑπόκειται γεώδης Ζγε3. 782 ᵃ28.
cf Ζμδ13. 697 ᵃ9. β9. 655 ᵃ26. τὸ δέρμα καθ' αὑτὸ Ζιγ11.
517 ᵇ31, 518 ᵃ1. τὸ δέρμα ξηραινομένης τῆς σαρκὸς γίνεται,
γίνεται ἐκ πιμελώδες γλισχρότητος Ζγβ6. 743 ᵇ6, 14. cf 10
Ζιγ11. 517 ᵇ28. τὸ δέρμα ἐστὶ φύσει ἔχον τάσιν πε14. 882
ᵃ19. ἐν τοῖς ζῴοις τὸ δέρμα χώρας ἔχει δύναμιν διὰ τὸ
πάχος Ζγε5. 785 ᵇ13. τῆς αὐτῆς μορφῆς ἐστὶ χ̣ δέρμα χ̣
φλὲψ χ̣ ὑμὴν χ̣ πᾶν τὸ τοιῦτον γένος Ζγβ3. 737 ᵇ4. τὸ
δέρμα ἐκ φλεβὸς χ̣ νεῦρα χ̣ ἀρτηρίας πν5. 483 ᵇ15 (Hip- 15
pocr I 203). ὑπὸ τὸ δέρμα χ̣ διὰ τῆς σαρκὸς φλέβες τεί-
νυσι Ζιγ2. 512 ᵇ3. ἀνθρώπῳ τὸ δέρμα καθάπερ πάθος σαρκὸς
ἐστιν, τοῖς δ' ἄλλοις ζῴοις μέρος τῆς σαρκὸς πι27. 893 ᵇ29.
τίνος ἕνεκεν ὑπάρχει τοῖς ζῴοις Ζμβ9. 655 ᵇ16. τῇ ἁπτικῇ
χάριν Ζμβ8. 653 ᵇ31. διὰ τῆ δέρματος ἡ τροφὴ εἰς τὴν 20
ἐκτὸς περιοχὴν διηθεῖται χ6. 797 ᵇ22. — 2. δέρματος δια-
φοραί. a. universe. τῇ δέρματος χ̣ λεπτότης Ζιο10. 673
ᵃ7. πλε2. 964 ᵇ31, ἡ παχύτης, τὸ πάχος Ζμβ13. 657 ᵇ9.
Ζιδ8. 533 ᵃ11. β7. 502 ᵃ14. Ζγε5. 785 ᵇ13, ἡ σκληρότης
Ζγα12. 719 ᵇ6. Ζπ17. 714 ᵃ3. Ζμβ12. 657 ᵃ18. 13. 657 25
ᵇ6. δ´11. 691 ᵃ14. — τὸ δέρμα ἀναίσθητον, μάλιστα ἀναί-
σθητον Ζιγ11. 517 ᵇ31, 32, ἄρρηκτον Ζιβ10. 503 ᵃ10, ἄσαρ-
κον Ζια7. 491 ᵇ2. Ζμβ13. 657 ᵇ4, ἔσχατον Ζιθ17. 600 ᵇ16,
ἰσχυρὸν Ζιι45. 630 ᵇ6. β17. 508 ᵇ33, ἰχθυῶδες Ζγα12. 719
ᵇ8, χοῖλον Ζιβ17. 508 ᵇ28, κοιλότερον Ζιγ10. 517 ᵇ13, λε- 30
πιδωτὸν Ζμδ13. 697 ᵃ4, λεπτὸν Ζιγ13. 519 ᵃ31. πλδ´6. 964
ᵃ7. Ζγε1. 780 ᵇ25. 3. 782 ᵃ25, 33. Ζμβ13. 657 ᵃ34, πάμ-
παν λεπτὸν Ζιδ´7. 532 ᵇ3, λεπτότατον Ζγε5. 785 ᵇ8. πλβ12.
961 ᵃ35. Ζιγ11. 517 ᵇ27, μαλακὸν Ζιθ17. 600 ᵇ20, μανόν,
μανότερον Ζγε3. 782 ᵃ25, 34, μέγα Ζιβ17. 508 ᵇ28, νεό- 35
δαρτον πθ1. 889 ᵇ10, ὀστρακῶδες Ζπ17. 704 ᵃ3, μὴ ἰστρα-
κῶδες Ζιθ17. 600 ᵇ20, παχύ, παχύτερον, παχύτατον Ζγε3.
782 ᵃ25, 32, 33, 35. Ζιδ8. 533 ᵃ5. γ10. 517 ᵇ11. ζ18.
571 ᵇ16, πέριξ Ζια13. 493 ᵃ32. Ζγε3. 783 ᵇ34, πυκνόν,
πυκνότερον Ζγε3. 782 ᵃ25, ᵇ1. Ζιγ13. 519 ᵃ31. σκληρόν, 40
σκληρότερον πι33. 894 ᵇ3. Ζγα12. 719 ᵇ12. Ζγε3. 665 ᵃ2,
3. β13. 657 ᵇ12, τραχὺ Ζμδ13. 697 ᵃ4, τριχωτὸν Ζμγ3.
664 ᵇ24, ὑγιὲς Ζιζ29. 579 ᵃ17, ὑγρότερον Ζιγ10. 517 ᵇ13,
φολιδωτὸν Ζιβ10. 503 ᵃ10. Ζγα12. 719 ᵇ8. — ἡ τῆ δέρ-
ματος χροᾷ Ζγβ6. 745 ᵃ22, 23. περὶ δέρματος χρωμάτων 45
Ζγε6. χ6. πάντα τοῖς δέρμασι χ̣ τῷ χρώματι συνακολυθεῖ
χ6. 797 ᵇ12, 18. Ζιγ9. 517 ᵃ13. διάλευκον πι33. 894 ᵇ1,
λευκὸν Ζγε5. 785 ᵇ4. 6. 786 ᵃ8, 9. χ6. 797 ᵃ34, μέλαν,
μελάντερον Ζιγ9. 517 ᵃ20. Ζγε5. 785 ᵇ4, 11. χ6. 797 ᵃ35.
πι66. 898 ᵇ14, ποικίλον Ζγε6. 786 ᵃ24, πυρρόν, φαιὸν χ6. 50
797 ᵃ34. — τὰ δέρματα τῶν ζῴων ὑθὲν μεταβάλλει
κατὰ τὰ πνεύματα χ̣ τὸν ἥλιον Ζγε5. 785 ᵇ15. — b. δέρ-
ματος διαφοραὶ ἐν τοῖς τῶν ζῴων γένεσιν. τὰ τῶν ἀνθρώ-
πων χ̣ τῶν ἄλλων ζῴων δέρματα Ζμβ17. 661 ᵃ25. τὰ
δέρματα τῶν ἄλλων ζῴων σκληρὰ πι33. 894 ᵇ3. δέρματα 55
πάντ' ἔχει τὰ ἔναιμα ζῷα Ζιγ11. 518 ᵃ5. — mammalium:
ἡ σπάλαξ ὑπὸ τὸ δέρμα ἔχυσα φαίνεται ὀφθαλμὸς ψγ1.
425 ᵃ11. cf Ζια9. 491 ᵇ31. δ8. 533 ᵃ5. τὸ τῆ ἐχίνυ δέρμα
Ζγα12. 719 ᵃ17. λύκιων δέρματα f 356. 1538 ᵃ28. τῶν
δασυπόδων ἐπιπολῆς ἡ θρὶξ τῆ δέρματος Ζγε3. 783 ᵃ9. τῇ 60
ἐλέφαντος Ζγα12. 719 ᵇ17. Hippopotami τῆ δέρματος τὸ

πάχος ὥστε δόρατα ποιεῖσθαι ἐξ αὐτῦ Ζιβ7. 502 ᵃ14. οἱ
ὕες οἱ ἄγριοι θωρακίζοντες ἑαυτὴς χ̣ ποιῦντες τὸ δέρμα ὡς
παχύτατον ἐκ παρασκευῆς Ζιζ18. 571 ᵇ16. ἐάν τις τὸ δέρμα
τῶν βοῶν ἐντεμὼν ἐμφυσήσῃ Ζιθ7. 595 ᵇ8. ἔνια τῶν ἐντό-
μων τὰ δέρματα διατρυπῶσι τῶν τετραπόδων Ζιδ4. 528
ᵇ31. τὰ κέρατα προσπέφυκε μᾶλλον τῷ δέρματι ἢ τῷ ὀστῦ
Ζγγ9. 517 ᵃ28. τῶν κεράτων κοῖλον ἐκ τῆ δέρματος ἔστιν ὁ
φύκε μᾶλλον Ζιβ1. 500 ᵃ8. τὸ τῶν κεράτων κοῖλον ἢ πέφυ-
κεν ἐκ τῆ δέρματος Ζμγ2. 663 ᵇ17. τὸ δέρμα τῆ βονάσυ
κατέχει εἰς ἑπτάκλινον ἀποταθὲν Ζιι45. 630 ᵃ22. ὁ βόνασος
δέρμα ἔχει πρὸς τὰς πληγὰς ἰσχυρὸν Ζιι45. 630 ᵇ6. τῇ δέρ-
ματος ὑγιῆς ὄντος διακόπτεται τὸ τῶν ἐλάφων ἔντερον λε-
πτὸν Ζιζ29. 579 ᵃ17. τὰ κέρατα τῆ ἐλάφυ φύεται ὥσπερ
ἐν δέρματι τὸ πρῶτον Ζιι5. 611 ᵇ13. — avium: τὸ τῶν
ὀρνίθων δέρμα σκληρὸν Ζγα12. 719 ᵇ12. Ζμβ12. 657 ᵃ18.
τὴν κοιλίαν σαρκώδη οἱ πλεῖστοι ἔχυσι χ̣ ἔσωθεν δέρμα ἰσχυ-
ρὸν ἀφαιρύμενον ἀπὸ τῆ σαρκώδυς Ζιθ17. 508 ᵇ33. ἔστιν ὁ
πρόλοβος δέρμα κοῖλον χ̣ μέγα Ζιβ17. 508 ᵇ28. πάντες οἱ
βαρεῖς σκαρδαμύττυσιν ἐκ τῆ κανθῦ δέρματι ἐπιόντι Ζιβ12.
504 ᵃ25. οἱ βαρεῖς τῶν πτερωτῶν τὴν τῶν πτερῶν αὔξησιν
εἰς τὴν τῆ δέρματος παχύτητα τετραμμένην ἔχυσιν Ζμβ13.
657 ᵇ9. de oculis pullorum in ovo Ζιζ3. 561 ᵃ31. —
reptilium: τὰ τετράποδα τῶν ᾠοτόκων ἔχει τὰ δέρματα
σκληρότερα Ζμβ13. 657 ᵇ12. τὰ ᾠοτόκα τῶν τετραπόδων
διὰ τὴν σκληρότητα τῆ δέρματος τῆ περὶ τὴν κεφαλὴν ὕτω
μύυσιν Ζμβ13. 657 ᵇ6. ἐκδύνει τὸ γῆρας ὅσων τὸ δέρμα
μαλακὸν (χ̣) μὴ ὀστρακῶδες Ζιθ17. 600 ᵇ20. οἱ κροκόδειλοι
οἱ ποτάμιοι ἔχυσι δέρμα ἄρρηκτον φολιδωτῶν Ζιβ10. 503
ᵃ10. περιαιρεθέντος τῆ ἔξωθεν δέρματος τῶν ὀφθαλμῶν τῆ
χαμαιλέοντος περιέχει τι διαλάμπον διὰ τύτων Ζιβ11. 508
ᵇ19. ὁ χαμαιλέων ἔχει ὀφθαλμὸς δέρματι ὁμοίῳ τῷ λοιπῷ
σώματι περιεχομένυς Ζιβ11. 503 ᵃ33. ὁ ἔχις βραδέως ἐκδύνει
τὸ δέρμα θ66. 835 ᵃ27. — piscium: τὸ γεῶδες εἰς τὸ
δέρμα πᾶν ἀνήλωκεν ἡ τῶν σελαχῶν φύσις Ζμβ9. 655 ᵃ26.
— insectorum: τὰ ἔντομα δέρμα ἔχυσι μέν. πάμπαν δὲ
τῦτο λεπτὸν Ζιδ7. 532 ᵇ3. περιρραγέντος τῆ δέρματος ἐκπέ-
τεται ὁ ψὴν Ζιε28. 555 ᵇ27. περιρρήγνυται ταῖς ἀκρίσι τὸ
δέρμα Ζιε28. 555 ᵇ29. — molluscorum: δέρμα ἔχυσι πάντα
τὰ μαλάκια περὶ τὴν σάρκα Ζιδ1. 524 ᵇ8. τὸ τῶν τηθύων
ὄστρακόν ἐστι μεταξὺ δέρματος χ̣ ὀστράκυ Ζιδ6. 531 ᵃ10.
προσπέφυκε τὸ σαρκῶδες τῇ τηθύῳ κατὰ δύο τόπυς τῷ
ὑμένι χ̣ τῷ δέρματι ἐκ πλαγίυ Ζιδ6. 531 ᵃ20. — c. δια-
φοραὶ δέρματος ἐν τοῖς τῶν ζῴων μορίοις. ἡ τῇ δέρματος
σκέπη Ζγβ6. 743 ᵇ14. τῶν συνεχῶν τὸ δέρμα ἐν ἅπασι
τοῖς ζῴοις Ζιγ11. 518 ᵃ3. — τὸ ἐν τῇ κεφαλῇ δέρμα πλα5.
957 ᵇ28, μάλιστα ἀναίσθητον Ζιγ11. 517 ᵇ32. ἡ σκληρότης
τῆ δέρματος τῆ περὶ τὴν κεφαλὴν Ζμβ13. 657 ᵇ6. τὸ κρα-
νίον ἄσαρκω δέρματι περιεχόμενον Ζια7. 491 ᵇ2. τὸ πέριξ
δέρμα τῆ ἐγκεφάλυ Ζγε3. 783 ᵇ34. λεπτόν ἐστι τῇ γλώττῃ
τὸ δέρμα πλδ6. 964 ᵃ4, 7. Ζγε6. 786 ᵃ29. λεπτὸν (τὸ) δέρμα
τὸ περὶ τὴν κόρην Ζμβ13. 657 ᵃ34. ψβ8. 420 ᵃ14. πλα14.
958 ᵇ31. Ζγε1. 780 ᵃ26. τὸ τῆ ὄμματος δέρμα ῥυτιδῦται
Ζγε1. 780 ᵃ32. τῶν ὀφθαλμῶν τὸ ἐπιπολῆς δέρμα λεπτὸν
Ζγε1. 780 ᵇ25. ὀφθαλμοὶ δέρματι ὁμοίῳ τῷ λοιπῷ σώματι
περιεχόμενοι Ζιβ11. 503 ᵃ33, ᵇ19. cf ζ3. 561 ᵃ31. ψγ1. 425
ᵃ11. Ζια9. 491 ᵇ31. δ8. 533 ᵃ5. οἱ βαρεῖς σκαρδαμύττυσιν
ἐκ τῆ κανθῦ δέρματι ἐπιόντι Ζιβ12. 504 ᵃ25. βλεφαρὶς χ̣
ἀκροποσθία εἰσὶ δέρματα ἄνευ σαρκός, ἡ βλεφαρίς ἐστι δέρ-
ματι περιειλημμένη Ζμβ13. 657 ᵇ4, 3. τὸ τῶν βλεφάρων
δέρμα Ζμβ15. 658 ᵇ21. λεπτότατον τὸ δέρμα τὸ περιτε-
ταμένον περὶ τὰ ὦτα πλβ12. 961 ᵃ35. τὸ δέρμα τὸ ἀπὸ

τῆς γνάθε ἐφελκόμενον Ζιζ 25. 578 ᵃ8. λεπτότης τῆ δέρ-
ματος, ταῖς μασχάλαις ᶄ τοῖς ἐντὸς τῶν ποδῶν πλε2. 964
ᵇ31. τὸ περὶ τὴν βάλανον ἀνώνυμον δέρμα (praeputium),
τὸ πέριξ δέρμα, ὃ καλεῖται ὄσχεος Ζια13. 493 ᵃ28, 32.
ἔστιν ὁ πρόλοβος δέρμα κοῖλον ᶄ μέγα Ζιβ17. 508 ᵇ28. οἱ
πλεῖστοι ὄρνιθες ἔχεσιν ἔσωθεν (ἐν τῇ κοιλίᾳ) δέρμα ἰσχυρὸν
ἀφαιρύμενον ἀπὸ τῆ σαρκώδες Ζιβ17. 508 ᵇ33. ἐν τοῖς κοι-
λοτέροις ᶄ ὑγροτέροις δέρμασιν Ζιγ10. 517 ᵇ13. — 3. τὸ
δέρμα πῶς ἔχει πρὸς τὰ ἄλλα τὰ τοιαῦτα. χρώς-δέρμα.
ἐνίων ζῴων ὅ τε χρὼς ᶄ τὰ δέρματα γίνεται μέλανα χ6.
797 ᵇ6. — ὑμὴν-δέρμα. ἕτερα γένη Ζιγ13. 519 ᵃ32. ὁμοίως
ἔστιν ὁ ὑμὴν δέρματι πυκνῷ ᶄ λεπτῷ Ζιγ13. 519 ᵃ31.
προσπέφυκε τὸ σαρκῶδες τῷ τηθύῳ κατὰ δύο τόπυς τῷ
ὑμένι ᶄ τῷ δέρματι ἐκ πλαγίυ Ζιδ6. 531 ᵃ20. δέρμα ᶄ
φλὲψ ᶄ ὑμὴν ᶄ πᾶν τὸ τοιῦτον γένος Ζιγβ3. 737 ᵇ4. τὰ
ὑγρὰ ἐν τῷ σώματι, ἐν ἀγγείοις, ᶄ ὑμενώδεσι, ᶄ δέρμασι
ᶄ κοιλίαις Ζιγ20. 521 ᵇ8. — μήνιγξ-δέρμα. τὸ δέρμα ᶄ
τὴν μήνιγγα ἀφεστάναι τῶν στερεῶν δῆλον πλβ13. 961 ᵃ4.
— σάρξ-δέρμα. τοῖς μὲν ἄλλοις ζῴοις ἐστὶ τὸ δέρμα μέρος
τῆς σαρκός, ἀνθρώπῳ δὲ καθάπερ πάθος σαρκός πι27. 893
ᵇ29, 33. τὸ δέρμα ξηραινομένης τῆς σαρκὸς γίνεται, καθάπερ
ἐπὶ τοῖς ἑψήμασιν ᶄ καλυμένη γραῦς Ζιγβ6. 743 ᵇ6. ὑπὸ
τὸ δέρμα ᶄ διὰ τῆς σαρκὸς φλέβες τείνυσι Ζιγ2. 512 ᵇ3.
σὰρξ μεταξὺ τῆ δέρματος ᶄ τῆ ὀστῆ Ζιγ16. 519 ᵇ27. ἡ
πιμελὴ γίνεται μεταξὺ δέρματος ᶄ σαρκός Ζιγ17. 520 ᵃ12. 25
— ὄστρακον-δέρμα. τοῖς τῶν τηθύων ὄστρακόν ἐστι μεταξὺ
δέρματος ᶄ ὀστράκυ Ζιδ6. 531 ᵃ10. τὸ ὀστρακῶδες τῆ δέρ-
ματος Ζπ17. 704 ᵃ3. — θρίξ-δέρμα. τρίχες ᶄ τὰ τοιαῦτα
γίνονται ἐκ τῆ δέρματος Ζιγβ6. 745 ᵃ21. ε3. 782 ᵃ31. πι27.
894 ᵃ4. 34. 894 ᵇ8. παχεῖαι τρίχες ἐκ τῆ παχέος, λεπταὶ 30
δὲ ἐκ τῆ λεπτῆ δέρματος γίνονται γ3. 782 ᵃ33. Ζιγ10.
517 ᵇ11. τὰ δέρματα ᶄ τὰ τριχώματα κατ' ἀρχὰς ἔχει
τροφὴν χ6. 798 ᵇ21. αἱ τῶν ζώων τρίχες κατὰ τὰ δέρματα
μεταβάλλυσι, ἐπὶ δὲ τῶν ἀνθρώπων ὑθὲν αἴτιον τὸ δέρμα
Ζιγε5. 785 ᵇ3, 6, 14, διαφέρυσι κατὰ τὰς τόπυς, ᶄ διοικίδ- 35
αν ἐπὶ τὸ δέρμα Ζιγ10. 517 ᵇ10. — ὄνυχες-κέρατα-δέρμα.
τὰ τοιαῦτα γίνονται ἐκ τῆ δέρματος Ζιγβ6. 745 ᵃ21. πι66.
898 ᵇ15. Ζιγ9. 517 ᵃ13, 20. — 4. δέρμα ὑγιές, νοσερὸν
Ζιζ29. 579 ᵃ17. ἡ ξηρότης σκληρύνει τὸ δέρμα πᾶν πλα14.
958 ᵇ30. τὸ δέρμα κάμνει πι34. 894 ᵇ30. — τὰ δέρματα τὰ 40
διὰ πάθος λευκὰ Ζιγε6. 786 ᵃ8. ἐν τῇ λεύκῃ τοῖς ἀνθρώποις
γίνεται διάλευκα τὰ δέρματα πι33. 894 ᵇ1. ὅταν τι ὑπὸ
τὸ δέρμα λυπῇ Ζιγ2. 512 ᵃ31. διὰ τὴν ἀσθένειαν τὸ δέρμα
μεταβάλλει αὐτὸ τὴν χρόαν Ζιγε5. 785 ᵇ10. τοῖς γέρυσι ᶄ
τὸ δέρμα ᶄ τὸ τῶ ὄμματος ῥυτιδῦταί τε ᶄ παχύ- 45
τερον γίνεται Ζιγε1. 780 ᵃ2. — τὸ δέρμα ἐκδέρειν θ1. 830
ᵃ16, ἐπιβάπτειν πι66. 898 ᵇ18. ἐπιφυόμενον τὸ δέρμα Ζια9.
491 ᵇ34. δόρατα ποιεῖν ἐκ τῆ δέρματος Ζιβ7. 502 ᵃ14. οἱ
λαμπτῆρες ὑ δύνανται φαίνειν, ἐὰν ὦσιν ἐκ τοιύτυ (ὑ δια-
φανῶς) δέρματος Ζιγε1. 780 ᵃ36. ὅμοιον λαμπτῆρι μὴ ἔχοντι 50
τὸ κύκλῳ δέρμα Ζιδ5. 531 ᵃ5.
δερματικός. ὑμὴν δερματικός Ζια16. 495 ᵃ8. Ζμδ6. 682
ᵇ19. σκέπη δερματικὴ ἡ καλυμένη ὀσχέα Ζγα12. 719 ᵇ5.
φύσις δερματικὴ (om ci Aub) Ζγα12. 719 ᵇ7. ἡ τῆ βλε-
φάρυ χρῆσις ταχεῖαν ᶄ δερματικὴν ἔχει τὴν σωτηρίαν Ζμβ 55
13. 657 ᵇ33. κέλυφος δερματικὸν Ζγβ4. 740 ᵃ32.
δερμάτινος. τῶν ὀρνίθων οἱ πόδες ὁρῶνται μεταξὺ τῶν δα-
κτύλων δερμάτινον ὑμένα ἔχοντες f 316. 1531 ᵇ23.
δερμάτιον. τὸ δερμάτιον λεπτόν φ3. 807 ᵇ18.
δερματώδης. φλὲψ Ζιγ3. 513 ᵇ8. κάλυμμα δερματῶδες, 60
dist ἀκανθῶδες Ζιβ13. 505 ᵃ7. γίνεταί τι δερματῶδες ᶄ

ὑμενῶδες Ζμδ3. 677 ᵇ23.
δερμόπτερος. τὰ δερμόπτερα πεζεύει (οἷον νυκτερίς) Ζια1.
487 ᵇ23. τῶν πτηνῶν τὰ μὲν πτερωτά ἐστι, τὰ δὲ πτι-
λωτά, τὰ δὲ δερμόπτερα, οἷον ἀλώπηξ ᶄ νυκτερίς· δερμό-
πτερά ἐστιν ὅσα ἔναιμα· ἔστι τὰ πτερωτὰ ᶄ δερμόπτερα
δίποδα πάντα ἢ ἄποδα Ζια5. 490 ᵃ7, 8, 10. αἱ νυκτερίδες
εἰσὶ δερμόπτεροι Ζμδ13. 697 ᵇ11.
δέσις τραγῳδίας, opp λύσις def πο18. 1455 ᵇ26.
δεσμεῖν. τὸ φυτὸν δεσμεῖται ὑπὸ τῆς γῆς φτα2. 817 ᵇ21.
δεσμεύυσι τὰς κύνας εἰς τὰς ἐρημίας, τῶν ἐλεφάντων τὰ
ἐμπρόσθια σκέλη Ζιθ28. 607 ᵃ6. il. 610 ᵃ31.
δέσμη. δέσμας πάνυ πολλὰς δικανικῶν λόγων Ἰσοκρατείων
περιφέρεσθαι ὑπὸ τῶν βιβλιοπωλῶν f 134. 1501 ᵃ4.
δεσμός, ligamentum. συνήρτηται ἡ καρδία τῇ ἀρτηρίᾳ πιμε-
λώδεσι ᶄ χονδρώδεσι ᶄ ἰνώδεσι δεσμοῖς Ζια16. 495 ᵇ13.
ὁ στόμαχος συνεχὴς ὢν πρὸς τε τὴν ῥάχιν ᶄ τὴν ἀρτηρίαν
ὑμενώδεσι δεσμοῖς Ζια16. 495 ᵇ21. περὶ τὰ ὀστᾶ αἱ σάρκες
περιπεφύκασι, προσειλημμέναι λεπτοῖς ᶄ ἰνώδεσι δεσμοῖς
Ζμβ9. 654 ᵇ28. τινὰ μέρη τῆ δένδρυ εἰσὶν ἁπλᾶ, ὡς ὁ
χυμὸς ᶄ οἱ δεσμοὶ ᶄ αἱ φλέβες· οἱ δεσμοὶ ὅμοιοι νεύροις
ζῴν φτα3. 818 ᵃ6, 11, 20 (cf E Meyer Gesch d Bot I 161).
— δεσμῷ ἕν, dist τῇ κόλλῃ, γόμφῳ Μη2. 1042 ᵇ17. —
δεσμός, συνάλλαγμα ἀκύσιον βίαιον Ηε5. 1131 ᵃ8. λυθῆναι
ἐκ τῶν δεσμῶν Ργ4. 1406 ᵇ29. — metaph ὁ ὕπνος οἷον
δεσμὸς ᶄ ἀκινησία υι. 454 ᵇ10, 26. ὐκ ἔστι λύειν τὴν ἀπο-
ρίαν μὴ γνόντας τὸν δεσμὸν Μβ1. 995 ᵃ30.
δεσμωτήριον Ρα14. 1375 ᵃ6.
δεσπόζειν τινός Πη2. 1324 ᵃ4. ἄρχειν ᶄ δεσπόζειν Πη2.
1324 ᵃ25. δεσπόζον φύσει, παρὰ φύσιν Πα2. 1252 ᵃ32. 3.
1253 ᵇ21, 22. η2. 1324 ᵇ37. δεσπόζειν τῶν ἀξίων δυλεύειν
Πη14. 1334 ²—. δεσποτικός. δεσπόζειν ὑ πάντων, ἀλλὰ
τῶν δεσποστῶν Πη2. 1324 ᵇ39. δεσποστὸν φύσει, dist βα-
σιλευτόν, πολιτικόν Πγ7. 1287 ᵇ38.
δεσποτεία πῶς ἄρχει Πγ6. 1278 ᵇ32, 37. ὐ πᾶσα ἀρχὴ
δεσποτεία Πη3. 1325 ᵃ28. dist οἰκονομία, πολιτική, βασι-
λική Πα3. 1255 ᵇ18. 7. 1255 ᵇ6. γ6. 1278 ᵇ18. ἡ δύλων
δεσποτεία φύσει ἐστὶν Πα7. 1255 ᵇ18.
δεσπότης, μέρος οἰκίας, opp δῆλος, πῶς ἔχυσι πρὸς ἀλλήλυς
Πα3. 1253 ᵇ6. 4. 1254 ᵃ11, 12. 7. 1255 ᵇ32. 13. 1260 ᵇ4.
γ4. 1277 ᵇ7. 6. 1278 ᵇ32. ηεη9. 1241 ᵇ19sqq. 10. 1242
ᵃ28. Κ7. 6 ᵇ29. f 178. 1507 ᵇ22. ὁ φύσει δεσπότης, opp
ὁ φύσει δῆλος Πγ6. 1278 ᵇ34. δεσπότῃ ᶄ δύλῳ ταὐτὸ
συμφέρει Πα2. 1252 ᵃ34. 6. 1255 ᵇ13. γ6. 1287 ᵇ34. ἵππον
πιαίνει μάλιστα ὁ τῆ δεσπότῃ ὀφθαλμός, κόπρος ἀρίστη τὰ
τῆ δεσπότῃ ἴχνη οα6. 1345 ᵃ3, 5. δῆλος πρὸ δῆλυ, δεσπότης
πρὸ δεσπότυ οα6. 1345 ᵃ13. — ὁ δεσπότης ὑ λέγεται κατ'
ἐπιστήμην ἀλλὰ τῷ τοιόσδ' εἶναι Πα7. 1255 ᵇ20. δεσπότης,
dist οἰκονόμος, πολιτικός, βασιλικός Πα1. 1252 ᵃ11. δύλων
ᶄ δεσποτῶν πόλις ὑ γίνεται Πδ11. 1295 ᵇ21.
δεσποτικός, dist πολιτικός, βασιλικός, οἰκονομικός Πα1.
1252 ᵃ8. δεσποτικὸν δίκαιον, dist οἰκονομικόν, πολιτικὸν
Ηε10. 1134 ᵇ8. 15. 1138 ᵇ7. ἐπιστήμη δεσποτικὴ ᶄ χρη-
στικὴ δύλων Πα7. 1255 ᵇ23, 31, 33. βίος δεσποτικός, opp
ὁ τῆ ἐλευθέρυ Πη3. 1325 ²24. ἀρχὴ δεσποτικὴ Πα5. 1254
ᵇ3, 5 (dist πολιτική, βασιλική). γ4. 1277 ᵃ33, 36. 14. 1285
ᵃ22. δ11. 1295 ᵇ21. η14. 1333 ᵃ5 (opp ἡ τῶν ἐλευθέρων).
ἡ τυραννὶς μοναρχία δεσποτικὴ Πγ8. 1279 ᵇ16. ἀρχαὶ τυ-
ραννικαὶ ᶄ δεσποτικαὶ Πγ14. 1285 ᵇ3. ἡ βαρβαρικὴ βασιλεία
ἀρχὴ δεσποτικὴ κατὰ νόμον Πγ14. 1285 ᵇ24. οἱ τύραννοι
ὀρέγονται δεσποτικωτέρας ἀρχὰς Πε10. 1310 ᵇ19. δεσποτικὸς

χ̓ τυραννικὸς τρόπος τῆς πολιτείας Πη2. 1324 ᵇ2. ὀλιγαρχίαι
δεσποτικαί, δεσποτικώτεραι Πε6. 1306 ᵇ3. δ̃3. 1290 ᵃ28.
δῆμος δεσποτικός Πδ̃4. 1292 ᵃ16, 19. — ἡ δεσποτικὴ
μέρος τῆς οἰκονομικῆς, coni γαμικῇ, τεκνοποιητικῇ Πα12.
1259 ᵃ37. 3. 1253 ᵇ9. dist πολιτικῇ Πη2. 1324 ᵇ32. — 5
δεσποτικῶς ἄρχειν κατὰ τὴν αὐτῶν γνώμην Πδ̃10.1295
ᵃ16. opp πολιτικῶς ἄρχειν, ἡ τῶν ἐλευθέρων ἀρχή Πη2.
1324 ᵃ36. 14. 1333 ᵇ27. τοῖς Ἕλλησιν ἡγεμονικῶς τοῖς δὲ
βαρβάροις δεσποτικῶς χρώμενος f 81. 1489 ᵇ29.

δεται καιόμεναι (Hom Λ 554. Ρ 663) Ζυ44. 629 ᵇ22. 10

δεύεται (Hom ζ 44) χ6. 400 ᵃ13.

Δευκαλίων. ὁ καλούμενος ἐπὶ Δευκαλίωνος κατακλυσμός
μα14. 352 ᵃ32.

δεῦρο. 1. huc. φέρεσθαι. κινεῖσθαι, διήκειν δεῦρο Οα8. 276
ᵃ30. β13. 296 ᵃ6. μβ5. 362 ᵇ35. ταλαντεύεσθαι δεῦρο 15
κἀκεῖσε πολλάκις μβ1. 354 ᵃ8. δεῦρ' ἴτε πάντες λεῴ, κή-
ρυγμα Θησέως f 346. 1536 ᵃ27. — 2. hic. παρὰ τὰ σώ-
ματα τὰ δεῦρο χ̓ περὶ ἡμᾶς ἕτερον κεχωρισμένον Οα2. 269
ᵇ15, cf ἐνταῦθα ᵃ31, ᵇ17. τὰ δεῦρο, ἰ ̔ ὁ τὰ αἰσθητά (opp
αἱ ἰδέαι, τὰ εἴδη) ΜΑ9. 991 ᵇ30. β6. 1002 ᵇ15. χ1. 1059 20
ᵇ8, 11. 2. 1060 ᵃ9 Βz. 6. 1063 ᵃ11, 22.

δευτερεῖον. τὸ δευτερεῖον τῆς νεάτης πιθ42. 921 ᵇ36. cf 39.
921 ᵃ22.

δεύτερος. ἐν μὲν. δεύτερον δὲ. λοιπὸν δὲ Πδ̃15. 1300 ᵃ13.
ὁ τῇ θέσει δεύτερος τόπος μετὰ τῦτον, πρῶτος δὲ περὶ τὴν 25
γῆν μα9. 346 ᵇ16. (κτήσεως) κατὰ φύσιν γεωργικὴ προ-
τέρα, χ̓ δευτέραι ὅσαι ἀπὸ τῆς γῆς οα2. 1343 ᵃ26. ἡ τυ-
ραννὶς πλεῖστον ἀπέχει πολιτείας, δεύτερον δὲ ἡ ὀλιγαρχία
Πδ̃2. 1289 ᵇ3. τῶν παρεκβάσεων τίς χειρίστη χ̓ δευτέρα
τίς Πδ̃2. 1289 ᵃ39. — ἡ φυσικὴ χ̓ δευτέρα φιλοσοφία 30
Μζ11. 1037 ᵃ15. δεύτεραι ὔσίαι τίνες Κ5. 2 ᵃ4. 7. 8 ᵃ15.
δεύτερος πλῦς (cf παροιμίαι) Πγ13. 1284 ᵇ19. Ηβ9. 1109
ᵃ34. — δευτέρως λέγεσθαι, opp πρώτως, κυρίως Μδ̃18.
1022 ᵃ18. Ηθ9. 1158 ᵇ31-33. χ5. 1176 ᵃ29.

δευτεροτόκος ὗς Ζιε14. 546 ᵃ12. 35

δέχεσθαι. ἡ γῆ δέχεται ὕδωρ sim μβ4. 361 ᵃ17. 7. 365 ᵇ2.
8. 366 ᵇ1. Ζγα6. 718 ᵃ4. δέχεσθαι χ̓ ἀφιέναι ἀέρα, ὕδωρ,
ὑγρόν Ζια1. 487 ᵃ17, 20, 25, 27. 16. 495 ᵇ17. δ̃1. 524 ᵃ10.
6. 531 ᵃ14. θ2. 589 ᵃ12, ᵇ5. Ζμδ̃8. 684 ᵃ20. ἀφιέναι χ̓
δέχεσθαι τὴν τροφήν Ζιδ̃6. 531 ᵃ23. δέχεσθαι ἀποίκας Πε3. 40
1303 ᵇ2 (cf εἰσδέχεσθαι. ὑποδέχεσθαι ᵃ35, 36). τὸ δεξό-
μενον (τὴν ψυχήν) σῶμα Ψα3. 407 ᵇ21. τὸ μέλι τῷ γλυ-
κύτητα δεδέχθαι γλυκὺ λέγεται Κ8. 9 ᵃ33. ἀνάκλασιν δεχό-
μενος ὁ ἀὴρ μα5. 342 ᵇ6. ὃ δυνάμενα δέχεσθαι τὴν ὑπερ-
βολήν Ζγβ4. 738 ᵃ15. δέχεσθαι τὸ μᾶλλον χ̓ ἧττον Ζγ4. 45
146 ᵃ3. η1. 152 ᵇ6. δέχεσθαι τὴν ὀχείαν, τὸ πλῆσμα Ζιη4.
585 ᵃ3. ζ23. 577 ᵃ30. Ζγβ8. 748 ᵃ21. ἀσμένως δέχεται
τὴν πρόκλησιν Πδ̃4. 1292 ᵃ29. ἄνθρωπον προδιαβεβλημένον
ὃ δέχεται ἡ ψυχή Ργ17. 1418 ᵇ15.

δή, σύνδεσμός τις ἐστί πο20. 1457 ᵃ4 (Βk, sed δέ Αᶜ Vhl). — 50
particula δή rarissime ab Ar usurpatur vi temporali, veluti
ὁ μὲν γὰρ λόγος ἢ ἡ φαντασία ὅτι ὕβρις ἢ ὀλιγωρία ἐδή-
λωσεν, ὁ δ' ὥσπερ συλλογισάμενος ὅτι δεῖ τῷ τοιούτῳ πολε-
μεῖν χαλεπαίνει δὴ εὐθύς Ηη7. 1149 ᵃ34 (quem locum non
debebat propterea tentare Krische Jen L Ζ 1835 II p415). 55
— admodum frequens apud Ar usus particulae δή vi de-
terminativa ad significanda ea quae certa sint et manifesta.

1. particula δή inserta enunciationi, quae pro fundamento
ponitur proximae argumentationis, eam vel ex communi
omnium opinione vel ex argumentis alibi allatis firmam 60
et evidentem esse significat. τὸ ἔμψυχον δὴ τῦ ἀψύχυ

δυοῖν μάλιστα διαφέρειν δοκεῖ ψα2. 403 ᵇ26. ἔστι δὴ τρία
μόρια τῶν πασῶν πολιτειῶν Πδ̃14. 1297 ᵇ37. νενεμημένων
δὴ τῶν ἀγαθῶν τριχῇ Ηα8. 1098 ᵇ12. cf 13. 1102 ᵇ31.
γ1. 1109 ᵇ30. 5. 1112 ᵇ34. 9. 1115 ᵃ22. 11. 1117 ᵃ6. 12.
1117 ᵃ32. δ̃2. 1120 ᵇ27. 7. 1123 ᵇ20. μβ4. 359 ᵇ34. Πδ̃11.
1295 ᵇ1. ε2. 1302 ᵃ18. η15. 1334 ᵇ6 al. φανερὸν δή, φαί-
νεται δή, δείκε δή, δοκεῖ δὴ Πη15. 1334 ᵇ12. Ηα13. 1102
ᵇ28. γ4. 1111 ᵇ7. 5. 1112 ᵇ31. δ̃13. 1127 ᵃ21. εἰ δὴ ἀεὶ
ἡ μείζων κίνησις τὴν ἐλάττω ἐκκρύει αι7. 447 ᵃ14, 21. cf
Φζ7. 238 ᵃ1. Ηα11. 1100 ᵃ32, 1101 ᵃ28. in proponendis
definitionibus tamquam concessis ac comprobatis: ἔστι δὴ
συλλογισμὸς λόγος ἐν ᾧ τεθέντων τινῶν κτλ Ρα1. 100 ᵃ25.
Ρα13. 1373 ᵇ27. Ηθ15. 1162 ᵇ25 (? v l δέ, δ' ἤ). εἰ δὴ
ἔστι γνώμη τὸ εἰρημένον Ρβ21. 1394 ᵇ7. 6. 1383 ᵇ17. 5.
1382 ᵇ29. 2. 1378 ᵃ33. ἔστω δὴ ῥητορικὴ δύναμις περὶ
ἕκαστον τῦ θεωρῆσαι τὸ ἐνδεχόμενον πιθανόν Ρα2. 1355 ᵇ26
Spgl. 6. 1362 ᵃ21. 7. 1363 ᵇ2. Ρβ2. 1378 ᵃ31. 4. 1380 ᵇ35.
5. 1382 ᵃ21. 6. 1383 ᵇ13. 7. 1385 ᵃ17. 8. 1385 ᵇ13. in af-
ferendis exemplis ἔστω δή, εἰλήφθω δὴ Φθ10. 266 ᵃ15. —

2. δή usurpatur ubi ea, quae modo exposita sunt, vel
iterantur et comprehenduntur (a), vel aliquid ex iis colli-
gitur et concluditur (b). a. πῶς δὲ χ̓ διὰ τίνων ἔσται, τῦτο
δὴ θεωρητέον Πη15. 1334 ᵇ5. pronominibus et adverbiis
demonstrativis ῦτος, ῦτω al. praecipue post insertam pa-
renthesin δή additur: τὸ γὰρ αὐτὸ ἅμα ὑπάρχειν τε χ̓ μὴ
ὑπάρχειν ἀδύνατον τῷ αὐτῷ χ̓ κατὰ τὸ αὐτὸ (χ̓ ὅσα ἄλλα
προσδιορισαίμεθ' ἂν ἔστω προσδιωρισμένα πρὸς τὰς λογικὰς
δυσχερείας), αὕτη δὴ πασῶν ἐστι βεβαιοτάτη τῶν ἀρχῶν
Μγ3. 1005 ᵇ22. cf Ζιγ1. 511 ᵃ6. ΜΑ3. 983 ᵇ25. Πα6.
1255 ᵃ7. η10. 1329 ᵇ14. εἰ δὴ Αγ24. 85 ᵃ29. — b. λεί-
πεται δὴ Φε5. 224 ᵃ20 ᵇ28. Ηα7. 1098 ᵃ3. Πγ10.
1281 ᵇ31. φανερὸν δὴ Μζ8. 1033 ᵇ16 (cf φανερὸν ἄρα ᵇ26).
η2. 1043 ᵃ12. Φβ9. 200 ᵃ30. Ηη9. 1151 ᵃ27. ἀναγκαῖον δὴ
Ηδ̃4. 1122 ᵇ10. ἄτοπον δὴ Ηα11. 1100 ᵃ27. γ2. 1111 ᵇ3.
ῦτω δὴ Ηβ1. 1103 ᵇ13. 5. 1106 ᵇ5. δ̃1. 1120 ᵃ3. εἰ δὴ
Ηβ5. 1106 ᵃ21, ᵇ8. γ7. 1114 ᵇ6. 12. 1117 ᵇ7. δ̃3. 1121
ᵃ3; cf praeterea, ut appareat frequens usus particulae in
exordiendis iis enunciatis, quibus aliquid ex superioribus
concluditur, Ηα11. 1100 ᵇ18. 13. 1102 ᵃ23. β1. 1103 ᵇ21.
γ1. 1110 ᵃ14, 18, ᵇ13, 15. 2. 1111 ᵃ15. 7. 1114 ᵃ28. 9.
1115 ᵃ32. 10. 1115 ᵇ23, 1116 ᵃ2. 11. 1116 ᵇ8, 33, 1117
ᵃ2. 12. 1117 ᵇ7. 13. 1118 ᵃ23 al. pariter ubi intra eun-
dem enunciati circuitum ex praemissis fit conclusio, ad
significandam conclusionis evidentiam in principio apodosis
δὴ inseritur, ἀνάγκη δὴ Οα7. 276 ᵃ15. Ρβ11. 1388 ᵃ36.
πιε5. 911 ᵃ24. cf Ηθ9. 1170 ᵃ2. Φε1. 224 ᵇ4 (Βz Ar St
II 30). ζ7. 238 ᵃ7 (Βz II 33). η5. 250 ᵃ1 (Βz II 53). μα2.
339 ᵃ19 (Βz II 25). β4. 360 ᵃ5 (Βz II 41). φανερὸν δὴ μβ3.
357 ᵇ32 (Βz II 47). ῦτω δὴ ψβ10. 422 ᵃ29. interdum prin-
cipio apodosis non praemittitur protasis, quae priori pro-
tasi subiecta sit, εἰ δή, εἰ μὲν δὴ Φδ̃2. 209 ᵇ1 (Βz II 51).
η5. 249 ᵇ30 (Βz II 53). θ10. 267 ᵃ25 (Βz II 55). quoniam
in longioribus Aristotelis argumentationibus saepe dubitari
potest, utrum nova addatur praemissa (δέ) an incipiatur
conclusio (δή), proclivis erat error confundendi inter se
particulas simillimas; aliquot locis eiusmodi errores, quos
iam antiquitus textum invasisse apparet coll Schol 395 ᵇ5,
probabiliter emendari possunt; veluti δὴ pro δέ videtur resti-
tuendum esse Ηα1. 1094 ᵃ14 (Βz II 46). 7. 1098 ᵃ15 (Βz
II 104). γ5. 1112 ᵃ21. 7. 1113 ᵇ6 (Rassow). 13. 1117 ᵇ28.
δ̃10. 1125 ᵇ20 (Münscher quaest p 56). Φδ̃12. 221 ᵃ7 (Βz

II 30). πο2. 1448 ᵃ7 (Bz II 29). Μγ2. 1003 ᵇ5 al; contra
δὲ pro δή Ηα1. 1094 ᵃ13 (Bz II 46). γ3. 1118 ᵃ26 (Mün-
scher p 45). ι9. 1169 ᵇ35 (Bz II 65). Φθ10. 267 ᵃ24 (Bz
II 54). — δή in enunciatis relativis, τὸ δὲ τί. ἄνθρωπος
ἢ φυτὸν ἢ ἄλλο τι τῶν τοιύτων, ἃ δὴ μάλιστα λέγομεν 5
ἐσίας εἶναι Μζ7. 1032 ᵃ19. cf Ζιγ2. 511 ᵇ5. Ζια1. 641
ᵇ26. δ10. 687 ᵃ30. ψα1. 403 ᵇ18. Ηθ7. 1158 ᵃ10. Πγ6.
1278 ᵇ38. δ11. 1295 ᵇ37. δή in enunciatis interrogativis,
τίς δή, πῶς δή, veluti: διὰ τί δὴ τῦτο ἕν ἐστιν ἀλλ' ὐ
πολλά; Μζ12. 1137 ᵇ13. β4. 1001 ᵇ17. Ηα4. 1096 ᵇ26. 10
γ2. 1111 ᵃ4. ε8. 1133 ᵃ22. ζ9. 1142 ᵃ17.

3. particula δή coniuncta cum aliis particulis. χ . . δή: χ
χαίρειν δὴ ταύτῃ φαίνεται Ηγ13. 1118 ᵃ21. χ πλȣ́τω δὴ
χρήσεται Ηθ2. 1120 ᵃ6. χ τῷ πατρὶ δὴ Ηθ6. 1163 ᵇ22.
χ πάθη δὴ Ζμα5. 645 ᵇ5. χ τὸ τῶν δακτύλων δὴ μέγεθος 15
Ζμδ10. 690 ᵃ31. χ ὅτω δή, χ τῦτον δὴ τὸν τρόπον sim
Πε3. 1303 ᵇ16. δ11. 1296 ᵇ5. Μζ2. 1028 ᵇ24. x8. 1065
ᵃ18. δ6. 1016 ᵃ28. Ζμα1. 639 ᵇ28, 640 ᵇ3. χ ὅλως δή, χ
καθόλυ δή, χ τἆλλα δή, χ ἀνάπαλιν δὴ sim Ρβ8. 1386 ᵃ2.
α7. 1364 ᵃ14. Μη6. 1045 ᵃ19. ν6. 1093 ᵇ15. 2. 1089 ᵃ9, 20
11. ε2. 1026 ᵇ20. ζ10. 1035 ᵇ20. λ4. 1070 ᵃ35. Φβ8. 198
ᵇ13. Πα13. 1259 ᵇ32. ἕκαστος υἱὸν ἑαυτῦ φύσει τὸν αὑτὸν
χ γυναῖκα δὴ τὴν αὐτήν, χ περὶ τῆς ἐσίας χ περὶ ἑκάστω
δὴ τῶν συμβαινόντων ὡσαύτως Πβ3. 1261 ᵇ23, 24. χ δὴ
(non interposito alio vocabulo) ημα11. 1187 ᵇ24. 22. 1191 25
ᵇ8. β10. 1208 ᵃ32. χ δὴ χ μβ3. 357 ᵇ26. πρὸς ἅπασαν
δὲ δὴ πολιτείαν χ δὴ χ τὰς μικρὰς πόλεις Πδ15. 1299 ᵃ33.
ἀλλὰ τε πολλὰ ἄξιος ἐπαινεῖσθαι, χ δὴ ὅτι πο24. 1460
ᵃ5. χ γὰρ δὴ Φβ2. 194 ᵃ15. — τε δή . . . χ Φα3. 186
ᵃ4. δ11. 220 ᵃ5. ε1. 225 ᵃ30. Οα6. 273 ᵃ21. Μν4. 1091 30
ᵇ30. Πβ5. 1263 ᵇ7. Ρβ21. 1395 ᵇ12. Vahlen Poet II 39.—
ὐδὲ . . . δὲ χ χαλκὸς δὴ κύκλος Μι9. 1058 ᵇ12. cf ψ4.
1044 ᵇ8. Ηθ4. 1156 ᵇ28. ὐδὲ δὴ Ψγ13. 435 ᵃ21. Ηζ10.
1142 ᵇ6 (syn ἀλλὰ μὴν ὐδὲ ᵇ2). α11. 1101 ᵃ8. γ3. 1111
ᵇ30. 5. 1112 ᵇ34. 9. 1115 ᵃ22. θ9. 1159 ᵃ8. Ρα4. 1359 35
ᵃ34. ημα1. 1183 ᵃ3. 5. 1185 ᵇ12. 20. 1190 ᵇ37, 1191 ᵃ10,
15, 21. 22. 1191 ᵇ10. 25. 1192 ᵃ19. ὐ δὴ ὐδὲ ημα20.
1190 ᵇ34. — μὲν δὴ Φα8. 191 ᵇ27. δ8. 216 ᵇ11. γ4. 204
ᵃ3. Ζμβ2. 648 ᵇ12. Μι5. 1056 ᵃ16. Ηζ10. 1142 ᵃ34. ι11.
1171 ᵃ24. μὲν γὰρ δὴ ψ8. 431 ᵇ29 (Eucken p 47 γὰρ⁴⁰
om ci). μὲν ὐν δὴ Ηη15. 1154 ᵃ27 (Eucken l l ὐν om ci,
non recte). δὲ δὴ Φγ13. 403 ᵇ9. μα4. 342 ᵃ8. Πδ6. 1292
ᵇ32. x6. 397 ᵇ9. εἰ δὲ δή, ἐὰν δὲ δὴ Μμ8. 1083 ᵃ5. Ηγ6.
1113 ᵃ22. Πγ15. 1286 ᵃ38. δ6. 1293 ᵃ21. (εἰ δὴ cf supra.)
ἀλλὰ . . . δὴ μα13. 350 ᵇ27. ἀλλὰ δὴ Φθ7. 214 ᵃ28. ζ7. 45
237 ᵇ34. η4. 249 ᵇ15. — γὰρ δὴ Φβ7. 419 ᵃ33. 8. 420
ᵇ32. Ηθ7. 1123 ᵇ10. πῶς γὰρ δὴ ψα3. 407 ᵃ10. ὐ γὰρ
δὴ ψα3. 407 ᵃ5. 5. 411 ᵇ7. γ1. 425 ᵇ2. 3. 428 ᵃ29. Ζμα1.
641 ᵇ26. Ηx8. 1178 ᵇ19. Πγ9. 1280 ᵃ24. 13. 1284 ᵇ29.
πι52. 896 ᵇ12. ιε13. 913 ᵃ6. χ γὰρ δὴ χ Φβ2. 194 ᵃ15. 50
Πγ13. 1283 ᵇ30. — ὡς δὴ c participio Ηθ15. 1163 ᵃ3.
πο16. 1455 ᵃ15 (ci Vahlen) — ἦ δὴ . . . ἦ Ργ7. 1408
ᵇ19. — δὴ ὖν Φ2. 806 ᵃ19. — δή ποτε cum pronominibus
interrogativis διὰ τίνα δὴ ποτ' αἰτίαν sim Πγ9. 1280 ᵇ24.
Φ6. 260 ᵃ12. ψα4. 408 ᵃ25. Μβ4. 1000 ᵃ20. ν6. 1092 ᵇ3. 55
τί ὖν ὐν τῦτ' ἀν εἴη ποτέ Ηα6. 1097 ᵇ34. δή ποτε cum
relativis ὅστις δὴ ποτε Ηθ11. 1126 ᵃ24, coniunctim ὁτιδή-
ποτε scriptum exhibetur Μζ8. 1033 ᵇ5. Ηζ13. 1144 ᵃ33.
θ15. 1162 ᵇ32. ὁςδήποτε, οἱοςδήποτε, ὁπωςδήποτε v h v.
— δή πυ μα14. 352 ᵃ28. Πγ17. 1288 ᵃ25 al, vel con- 60
iunctim δήπυ Μγ5. 1010 ᵇ12. f40. 1481 ᵇ3. 83. 1490 ᵃ40.

— de particulae δή usu Aristotelico cf Eucken p 37-49.
δῆγμα. τῶν μὲν διὰ πληγῆς ἡ βοήθεια. τῶν δὲ διὰ δήγμα-
τος Ζμγ1. 661 ᵇ25. ἡ ἀλκὴ ἐν τοῖς δήγμασιν Ζμγ1. 662
ᵃ28. δήγματα χαλεπά, θανάσιμα Ζιθ24. 604 ᵇ21, 23. 29.
607 ᵃ13, 27, 28. δῆγμα ἔχεως ἔμπυρον θ164. 846 ᵇ16.
Δηϊόπης τόδε σῆμα (epigramma) θ131. 843 ᵇ3.
Δηΐπυλος. ἐπίγραμμα ἐπὶ Δ. f 596. 1576 ᵇ34.
δηκτικός. τῶν ἰχθύων οἱ δηκτικοὶ χ σαρκοφάγοι Ζμγ1. 662
ᵃ31. τὰ δηκτικὰ φαλάγγια Ζι39. 622 ᵇ28. — τὰ δηκτικὰ
χ δριμέα χ στρυφνὰ πα9. 865 ᵃ29. cf x22. 925 ᵇ1. δηκτι-
κώτατον πλα21. 959 ᵇ10.
δηλητήριον μὲν ἀνθρώποις, τροφὴ δὲ τοῖς ὄρτυξιν ὁ ὑοσκύα-
μος φτα5. 820 ᵇ6.
δηλητηριῶδες βελένιον φτα7. 821 ᵃ32.
δηλονότι v s δῆλος.
δῆλος, dist φανερός, σαφής Wz ad 76 ᵇ17, cf φανερός. δῆλα
χ σαφῆ τὰ συγκεχυμένα Φα1. 184 ᵃ21. δῆλος (quamquam
non φανερός) ἡμῖν ἅπας ὁ κύκλος μαθ. 345 ᵃ22. δῆλα πρὸς
τὴν αἴσθησιν μχ1. 849 ᵇ27. ἀσπάλαξ ὐκ ἔχει εἰς τὸ φανε-
ρὸν δήλης ὀφθαλμύς Ζια9. 491 ᵇ30. δῆλον ἐκ τῶν εἰρημέ-
νων, ἐκ τῦ διαγράμματος al μβ3. 358 ᵇ34. γ5. 375 ᵇ19.
δ1. 378 ᵇ20. δῆλον ἐπὶ τῶν ὄψεων χ4. 361 ᵇ3. δ12.
389 ᵇ29. δῆλον περὶ τῶν ἄλλων μγ4. 374 ᵇ7. ἥκιστα, μᾶλ-
λον, ἱκανῶς δῆλον μδ12. 389 ᵇ29, 390 ᵃ4. α6. 344 ᵃ4. δῆ-
λον ποιεῖν Πγ8. 1275 ᵇ35. αν7. 473 ᵃ16. δῆλον ποιεῖν (sive
δηλῦν) δι' ἀποδείξεως. dist ἀποδεικνύναι Αδ8. 93 ᵇ17. 9.
93 ᵇ28. — δῆλον σχ6. 798 ᵃ13, 799 ᵃ5, ᵇ9. 1.
791 ᵃ5. pro δῆλον (int ἐστιν) ὅτι interdum legitur δῆλον
ὡς τα7. 103 ᵃ38. Γα10. 328 ᵃ7. Πγ13. 1283 ᵇ16 (cf ὅτι
ᵇ17). η4. 1326 ᵇ23. μβ5. 362 ᵇ32. f 157. 1504 ᵇ15. formu-
lam δῆλον ὅτι interdum adverbii instar esse vel ex colli-
catione vel ex constructione verborum apparet ψα5. 411
ᵃ22. Πη14. 1333 ᵃ26. Μν4. 1091 ᵃ23. β4. 1001 ᵇ10. Οα3.
270 ᵇ8. Ηη1. 1145 ᵃ24. ι11. 1171 ᵇ12. x6. 400 ᵇ16. πγ6.
871 ᵇ38 al. Vhl Poet IV 432; hac vi ubi usurpatur, interdum
apud Bk coniunctim scriptum δηλονότι exhibetur Φα6. 189
ᵇ10. Οα10. 279 ᵇ27. 12. 282 ᵃ12. Γα2. 316 ᵇ11. Ζμδ5.
681 ᵇ14. Πη2. 1325 ᵃ1 (δῆλον ὅτι Bk ᵃ). — δῆλον num
possit pro δῆλον ὅτι usurpatum esse dubitatur Πε11. 1313
ᵃ18 (cf interpr.)
Δῆλος. ηεα1. 1214 ᵃ1. ἐξ Ὑπερβορέων εἰς Δῆλον Ζιζ35. 580
ᵃ18. Δῆλος, μία τῶν Κυκλάδων, unde appellata sit f 446.
1551 ᵇ5, 8. θεωρίαι εἰς Δῆλον f 381. 1541 ᵇ22. 403. 1545
ᵇ19. 404. 1545 ᵇ38. ὁ ἐν Δήλῳ βωμὸς ὁ Ἀπόλλωνος τῦ
γενέτορος f 447. 1551 ᵇ13. Γλαῦκος ὁ θαλάττιος δαίμων
ἐν Δήλῳ κατοικήσας f 448. 1551 ᵇ29. — Δηλιακὸν ἐπί-
γραμμα Ηα9. 1099 ᵃ25. — Δήλιοι. Δηλίων πολιτεία f 446-448.
Δηλιάς Nicocharis poema
πο2. 1448 ᵃ13. — Δήλιοι. Δηλίων πολιτεία f 446-448.
Δήλιον, χωρίον ἐν Νάξῳ f 518. 1562 ᵇ41.
δηλῦν τι ἕτερον ξ6. 980 ᵇ19. δηλῦν τὰ παρόντα, coni
ἀπαγγέλλειν τὰ προγεγενημένα, προλέγειν τὰ μέλλοντα ρ31.
1438 ᵃ5, 20. δηλῦν τὴν περὶ ἕκαστον ἀλήθειαν, opp παρο-
ρᾶν, καταλείπειν τι Πγ8. 1279 ᵇ15. νόμοι οἱ δηλῦντες τὴν
πολιτείαν Πδ1. 1289 ᵃ18. δηλῶσαι περί τινος φ2. 806 ᵃ22.
δηλωθήσεται περὶ τύτων Ρα2. 1356 ᵃ18. cf φ2. 806 ᵃ26.
δεδήλωται περὶ τῆς αἰτίας ἐν ἑτέροις Ζμγ10. 673 ᵃ30. δη-
λωθέντων τύτων θεωρητέον μβ12. 390 ᵇ18. δηλοῖ δ' Ἁλ-
καῖος ὅτι Πγ14. 1285 ᵃ37. δηλῦν c duplice ὅτι et obiecti
et causae ὅτι ἡ χρεία συνέχει δηλοῖ ὅτι ὅταν μὴ ἐν χρεία
ὦσιν ὐκ ἀλλάττους He8. 1133 ᵇ7. — τὰ δηλύμενα ὑπὸ
τῦ πλεοναχῶς λεγομένυ τζ2. 139 ᵇ23. μὴ δηλώσας, syn

μὴ διορίσας τε5. 134 ᵇ10. ὁ λόγος ὁ δηλῶν ἕκαστον Μδ25.
1023 ᵇ23. ἑνὶ λόγῳ δηλύμενα Μγ2. 1003 ᵇ24. τὸ κατα-
φάσει δηλύμενον Φε1. 225 ᵃ7. ἡ στιγμὴ δηλῦται ὥσπερ ἡ
στέρησις ψγ6. 430 ᵇ21, cf ᵇ23. δηλῶν (sive δῆλον ποιεῖν) δι᾽
ἀποδείξεως, dist ἀποδεικνύναι Αδ8. 93 ᵇ17. 9. 93 ᵇ28. ὁ 5
ἐπάγων ἐκ ἀποδεικνύσιν, ἀλλ᾽ ὅμως δηλοῖ τι Αδ5. 91 ᵇ35.
ἐκ τίνων μορίων συνέστηκεν ἕκαστον τῶν ζῴων, ἐν ταῖς
ἱστορίαις δεδήλωται σαφέστερον Ζμβ1. 646 ᵃ9. δηλοῦ non
raro ita usurpatur, ut obiectum e contextu sententiarum ad-
dendum sit, δηλοῖ (id demonstrat) αὐτὸ τὸ ἔργον sim μα13. 10
349 ᵇ35. 14. 352 ᵇ19. 11. 347 ᵇ21. Ζιθ15. 599 ᵇ30. Ζμ5.
651 ᵃ24. 7. 652 ᵃ29. 17. 660 ᵃ25. γ4. 665 ᵇ30 (? fort intr).
Πγ14. 1285 ᵃ10 al. — δηλοῖ intr, τὸ ἡδὺ ταχὺ δηλοῖ ηεη2.
1238 ᵃ24. β10. 1226 ᵃ11. δηλοῖ intr et impers, δηλοῖ δ᾽
ἐκ τῶν ἔργων sim Μμ9. 1086 ᵇ5 Bz. Πδ11. 1296 ᵃ20. μβ9. 15
369 ᵇ9. Ζιθ2. 589 ᵇ33. Ζμβ6. 651 ᵇ22. 17. 660 ᵃ25. δ11.
691 ᵃ17 (cf ποιεῖ φανερὸν β2. 649 ᵃ17). χ5. 796 ᵃ11. 6. 799
ᵃ2. πιβ3. 906 ᵇ23. cf α16. 861 ᵃ15, 17. — δηλωτὸν ἄλλοις
ξ5. 979 ᵃ13.
δήλωσις. μιᾶς πράξεως δήλωσιν ποιεῖσθαι πο23. 1459 ᵃ23. 20
τῦ πράγματος ἐν κεφαλαίῳ μὴ εἰδόσι δήλωσις ρ30. 1436
ᵃ34. δήλωσις, coni ἀπαγγελία, πρόρρησις (cf δηλῶν) φ31.
1438 ᵇ11, 23. οἱ κόρακες ἔχουσιν αἴσθησίν τινα τῆς παρ᾽ ἀλ-
λήλων δηλώσεως Ζιι31. 618 ᵇ16. δόγματος ἰδίᾳ δήλωσις
ρ12. 1430 ᵇ1. — ἄλλος τις τρόπος τῆς δηλώσεως, dist 25
ἀπόδειξις, ἐπαγωγή (cf δηλῶν) Με1. 1025 ᵇ16. cf φτβ2.
823 ᵇ18.
δηλωτικὰ τῦ αὐτῦ φ4. 808 ᵇ30.
δημαγωγεῖν Πε5. 1305 ᵃ13, 31. 6. 1305 ᵇ23. δημ. ταῖς
ἐπιμελείαις Πε12. 1315 ᵇ18. δημαγωγῦντες πρὸς τὰς κρί- 30
σεις μεταβάλλυσι τὴν πολιτείαν Πε6. 1305 ᵇ34. — δημα-
γωγεῖν τινά, τὸν ὄχλον, τὺς τριάκοντα al Πβ9. 1270 ᵇ14.
ε6. 1305 ᵇ26, 28. 10. 1312 ᵇ12. 11. 1315 ᵇ4.
δημαγωγία διττή Πε6. 1305 ᵇ23.
δημαγωγός Ρβ20. 1393 ᵇ24. δημαγωγοὶ φαῦλοι, πονηροί, 35
δημαγωγῶν ἀσέλεια Πβ12. 1274 ᵃ14. ε5. 1304 ᵇ26, 21.
ὁ δημαγωγὸς τῦ δήμυ κόλαξ Με11. 1313 ᵇ40. δ4. 1292
ᵃ20. cf f 421. 1548 ᵃ24. πόθεν ἐγγίνονται οἱ δημαγωγοί, τί
δύνανται Πδ4. 1292 ᵃ8, 15 sqq, 24, ᵇ7. ε5. 1305 ᵃ3. ἐγγί-
νονται δημαγωγοὶ χ ἐν ὀλίγοις Πε6. 1305 ᵇ24. 8. 1308 ᵃ17. 40
μεταβολαὶ πολιτείας διὰ τὺς δημαγωγὺς Πε5. 1304 ᵇ21,
26, 32, 36. β12. 1274 ᵃ10. δημαγωγοὶ ἐκ τῶν στρατηγὕν-
των, τύραννοι ἐκ δημαγωγῶν Πε5. 1305 ᵃ7, 11, 23.
Δημάδης περὶ τῆς Δημοσθένους πολιτείας Ρβ24. 1401 ᵇ32.
Δημάρατος Τιμαίῳ τῷ Λοκρῷ ἀκυστής θ178. 847 ᵇ7. 45
δημάρχυς Κλεισθένης κατέστησε τὴν αὐτὴν ἔχοντας ἐπιμέ-
λειαν τοῖς πρότερον ναυκράροις f 359. 1538 ᵇ35.
δημεύειν τὰ κτήματα τῶν πλυσίων, τὰς ὐσίας τῶν τελευ-
τώντων Πε5. 1305 ᵃ6, 1304 ᵇ36. ζ3. 1318 ᵃ25. ρ3. 1424
ᵃ32. τῶν ἰδιωτῶν μηδένα δημεύων ρ39. 1446 ᵇ34. τὰς 50
ἀπογραφὰς τῶν δημευομένων ἀναγινώσκυσιν f 394. 1543
ᵇ15. 396. 1544 ᵃ22. τὰ δημευόμενα (δεδημευμένα) πιπρά-
σκυσιν οἱ πωληταί f 401. 1545 ᵃ4, 19.
δήμευσις Πδ14. 1298 ᵃ6. ζ5. 1320 ᵃ20.
δημηγορεῖν Πγ13. 1284 ᵃ16. Ρβ23. 1399 ᵃ21. δ. περί τινος 55
Ρβ6. 1384 ᵇ33. οἱ ἰδίᾳ συμβυλεύοντες χ οἱ κοινῇ δημηγο-
ρῦντες Ραз. 1358 ᵇ10. περὶ ὧν βυλευσόμεθα χ δημηγο-
ρήσομεν ρ3. 1423 ᵃ27. δημηγορῦντες ἐν τοῖς ὄχλοις κατα-
τρίβυσιν ὅλην τὴν ἡμέραν ἐν τοῖς θαύμασι f 72. 1488 ᵃ2.
δημηγορία. ἐν ταῖς κοιναῖς δημηγορίαις, opp ἰδίαις ὁμιλίαις 60
ρ2. 1421 ᵇ12, 19. ἧττον κακῦργον ἡ δημηγορία δικολογίας

Ρα1. 1354 ᵇ28.
δημηγορικὸν γένος λόγων, dist δικανικόν ρ2. 1421 ᵇ7. δη-
μηγορικοὶ λόγοι Ηκ10. 1181 ᵃ5. δημηγορικὰ προοίμια, dist
δικανικά ρ37. 1442 ᵇ29. — λέξις δημηγορική Ργ12. 1413
ᵇ4, 1414 ᵃ7. εἰσὶν οἱ λόγοι (fabulae) δημηγορικοὶ Ρβ20.
1394 ᵃ2. ἔστι τὰ παραδείγματα δημηγορικώτατα, τὰ ἐν-
θυμήματα δικανικώτερα Ργ17. 1418 ᵃ1. — (ἐπὶ τῶν δη-
μηγορικῶν ρ30. 1436 ᵃ39. δημηγοριῶν ci Spgl.)
Δημήτηρ. γεγονέναι λέγεται ἐν Ἔννᾳ θ82. 836 ᵇ25. ἱερὸν ἐν
Ἐλευσῖνι θ131. 843 ᵇ1. Ἐλευσίνια διὰ τὸν καρπὸν τῆς Δή-
μητρος f 594. 1574 ᵇ27. τὴν Δήμητρα (ὑπὲρ Κερκύρας)
δεηθῆναι Ποσειδῶνος f 469. 1555 ᵃ39. — τὴν Δήμητραν
οβ1349 ᵃ15.
δημιυργεῖν. τὰ δημιυργύμενα (i e opera opificum) Ηα1.
1094 ᵇ14. — τὸ κινῦν χ δημιυργῦν, αἱ κινήσεις αἱ δημιυρ-
γῦσαι sim α15. 443 ᵇ16. Ζγβ1. 735 ᵃ28. δ3. 768 ᵃ16. 4.
772 ᵇ31. cf π⋅ν9. 458 ᵇ36. ἡ δύναμις ἡ δημιυργῦσα, ὑπὸ
τίνων ἐδημιυργήθησαν δυνάμεων Ζμβ1. 647 ᵇ5. α1. 641 ᵃ8.
κ5. 396 ᵇ31. ἡ δημιυργήσασα τέχνη, τὰ ὑπὸ τῆς τέχνης
δημιυργύμενα Ζμα5. 645 ᵃ12. Ζγγ11. 762 ᵃ16. α18. 724
ᵃ34. ἡ φύσις δεδημιύργηκέ τι, ἡ φύσις ὐδὲν μάτην δη-
μιυργεῖ Ζμα5. 645 ᵃ9. β9. 654 ᵇ32. Ζγα23. 731 ᵃ24. β6.
743 ᵇ25. ⋅15. 759 ᵃ19. Ζπ12. 711 ᵃ18. δημιυργεῖν τὴν τρο-
φὴν α14. 442 ᵃ5, τὴν σύνθεσιν Ζγα18. 722 ᵇ1. ἐν τῇ καρ-
δίᾳ δημιυργεῖται τὸ αἷμα αν20. 479 ᵃ7. μόριον τὸ τὴν τῆς
τροφῆς εἴσοδον δημιυργῦν Ζμδ10. 686 ᵃ12. τὸ δημιυργῦν,
opp ἡ ὕλη Γβ3. 330 ᵇ13. Ζγα18. 723 ᵇ30. 22. 730 ᵇ2. β4.
738 ᵇ12, 21. δ1. 766 ᵃ15. 4. 771 ᵇ21. cf 2. 767 ᵃ19. δη-
μιυργεῖσθαι ἔκ τινος Ζκ8. 702 ᵃ7. δημιυργεῖσθαι ὑπό τινος
μδ8. 384 ᵇ26. τὰ σώματα τὰ δεδημιυργημένα μδ10. 388
ᵃ27. τὸ φυτὸν ἐδημιυργήθη διὰ τὸ ζῷον φτα2. 817. ᵇ25.
β8. 828 ᵃ26.
δημιυργία. πολυχρόνιοι δημιυργίαι χ θεωρίαι Πε10. 1310
ᵇ22. συνδῆσαι διά τινος ἀφανὕς δημιυργίας κ6. 400 ᵃ1.
θ155. 846 ᵃ20. — τὰ μόρια τὰ πρὸς τὴν δημιυργίαν ταύ-
την (i e πρὸς τὸ γεννᾶν) Ζια3. 489 ᵃ13. θερμὰ διὰ τὴν τῦ
θερμῦ δημιυργίαν μδ11. 389 ᵃ28.
δημιυργικόν. τὸ δημιυργικόν Πδ4. 1291 ᵃ34.
δημιυργός. κομίζειν τὴν ὕλην πρὸς τὸν δημιυργὸν Ζγα22.
730 ᵇ27. δημιυργοὶ οἷον ὑφάντης χ ναυπηγός Πη4. 1325
ᵇ41. ᵉ μετεῖχον οἱ δημιυργοὶ ἀρχῦν Πγ4. 1277 ᵇ2. δημιυρ-
γοί (Ἀθήνησι), dist εὐπατρίδαι, γεωμόροι f 346. 1536 ᵃ31,
36. 347. 1536 ᵃ47. ἰατρὸς ὅ τε δημιυργὸς χ ὁ ἀρχιτεκτονι-
κός Πγ11. 1282 ᵃ3. — ὁ δημιυργὸς τῆς περικαλλῦς ταύ-
της διακοσμήσεως (i e ὁ θεός) f 13. 1476 ᵃ29. — δημιυρ-
γὸς νόμων, πολιτείας, ἀρετῆς, χάριτος Πβ12. 1273 ᵇ18, 32.
η9. 1329 ᵃ21. Ργ3. 1406 ᵃ26. Λαρισαίυς εἶναι τὺς ὑπὸ τῶν
δημιυργῶν πεποιημένυς Πγ2. 1275 ᵇ29.
δημογέροντες (Hom Γ149) Ηβ9. 1109 ᵇ9.
Δημόδοκυ τὸ εἰς Μιλησίυς Ηη9. 1151 ᵃ8.
δημοθοινίαι νόμιμοι χ πανηγύρεις ἐνιαύσιοι κ6. 400 ᵇ21.
δημοκρατεῖσθαι pass, δημοκρατῦνταί τινες Πγ3. 1276 ᵃ14.
δ4. 1290 ᵃ36. πόλεις δημοκρατῦμεναι, κατὰ νόμον δημυ-
κρατύμεναι Πγ13. 1284 ᵃ18. δ4. 1292 ᵃ8. — ubi subiectum
non additur, δημοκρατεῖσθαι non multum differt a δημο-
κρατίαν einai Πβ6. 1265 ᵇ38, 40. ε1. 1301 ᵇ16.
Δημοκράτης εἰκὼν εἰς τὺς ῥήτορας Ργ4. 1407 ᵇ7.
δημοκρατία. 1. δημοκρατίας notio. ἔστι δημοκρατία ὅταν
οἱ ἐλεύθεροι χ ἄποροι πλείυς ὄντες κύριοι τῆς ἀρχῆς ὦσι
Πδ4. 1290 ᵇ17, ᵃ30. γ8. 1279 ᵇ18, 37, 40. ἡ δ. ὥρισται
τῷ τὸ πλεῖον εἶναι κύριον χ τῇ ἐλευθερίᾳ Πε9. 1310 ᵃ28.

Ρα8. 1366 ᵃ4. ἐν ταῖς δ. μετέχυσι πάντες πάντων Πη9.
1328 ᵇ32. δημοκρατία ἐν ᾗ κλήρῳ διανέμονται τὰς ἀρχάς
Ρα8. 1365 ᵇ31. δημοκρατία describitur et cum amicitiae
specie quadam comparatur Ηθ12. 13. ἡ δημοκρατία πα-
ρέκβασις πολιτείας Πγ7. 1279 ᵇ6, 8. δ2. 1289 ᵃ29. 3. 1290
ᵃ18. 13. 1297 ᵇ25. δημοκρατία, opp ὀλιγαρχία Πδ4. 1291
ᵇ12 (cf πολιτεία 4). μίξις ὀλιγαρχίας ᾗ δημοκρατίας, δημο-
κρατίας ᾗ ἀρετῆς Πδ7. 1293 ᵇ18. 8. 1293 ᵇ34. β6. 1265
ᵇ27. ἀποκλίνειν πρὸς τὴν δ. Πδ8. 1293 ᵇ34. — ἐν δημο-
κρατίᾳ τίς πολίτης Πγ1. 1275 ᵃ4, ᵇ5. 5. 1278 ᵃ28. — 2. δη-
μοκρατίας εἴδη. δημοκρατίαι πλείος, δημοκρατίας πλείω εἴδη
Πδ1. 1289 ᵃ8, 23. 2. 1289 ᵇ21. 11. 1296 ᵇ4. 12. 1296 ᵇ26.
ε12. 1316 ᵇ25. ζ1. 1317 ᵃ22. δύο αἰτίαι ὅθεν πλείω γίνεται
εἴδη τῆς δημοκρατίας Πζ1. 1317 ᵃ22-33. εἴδη δημοκρατίας
enumerantur Πδ4. 1291 ᵇ15-1292 ᵃ38. 6. 1292 ᵇ22-1293
ᵃ12. δημοκρατίας εἴδη κατὰ τὰς τῶν δήμων διαφορὰς (γεωρ-
γικὸν κτλ) Πζ4. δημοκρατία ἀρίστη τίς ρ39. 1446 ᵇ20. ἡ
πάτριος, πατρία δημοκρατία Πβ12. 1273 ᵇ38. ε5. 1305 ᵃ24.
δημοκρατία ἡ μάλιστ᾽ εἶναι δοκῦσα δημοκρατία, ἡ μάλιστ᾽
εἶναι δοκῦσα δημοκρατική Πδ14. 1298 ᵇ14. ε9. 1310 ᵃ26. ἡ
ἡ τελευταία δημοκρατία Πδ14. 1298 ᵃ31, 32. τελευταῖον
εἶδος τῆς δημοκρατίας Πδ6. 1293 ᵃ34. ἡ ἐσχάτη δ. πε10.
1312 ᵇ36, 37. cf δ15. 1299 ᵇ39. ἡ νεωτάτη δ. Πε5. 1305
ᵃ24. ἡ νεανικωτάτη δ. Πδ11. 1296 ᵃ3. — 3. democratiae
aestimatio Πβ6. 1266 ᵃ2. δ2. 1289 ᵇ5, 8. Ηθ12. 1160 ᵇ20. —
αἱ δημοκρατίαι ἀσφαλέστεραι τῶν ὀλιγαρχιῶν Πε1. 1296
ᵃ13. ε1. 1302 ᵃ9. — 4. τῷ τῆς δημοκρατίας ὅρῳ τί ἀκο-
λυθεῖ Πζ2. ἐν τῇ δημοκρατίᾳ πῶς τὸ ἴσον ἕξυσι Πζ3.
πῶς δεῖ τὰς νόμυς ἔχειν ρ3. 1424 ᵃ12-38. ἐκ τίνων αἱ ἀρχαί
Πδ15. 1299 ᵇ26. δεῖ φείδεσθαι τῶν εὐπόρων Πε8. 1309
ᵃ14. μισθὸν δῦναι τοῖς ἀπόροις Πδ9. 1294 ᵃ39. 14. 1298
ᵇ13. ἀναιρεῖν τὺς ὑπερέχοντας ἄνδρας Πγ13. 1284 ᵃ35. —
5. μεταβολαὶ ἐν δημοκρατίαις πόθεν γίγνονται Πε5. 3. 1303
ᵇ6. τὰς δημοκρατίας ἡ πολυανθρωπία σῴζει Πζ6. 1321 ᵃ1.
εἰς τί μεταβάλλυσιν αἱ δημοκρατίαι Πε3. 1303 ᵃ11. 5. 1305
ᵃ24. 6. 1306 ᵇ17. γ15. 1286 ᵇ17. τίσιν ἀναγκαία ἡ δ. Πδ2.
1289 ᵇ18. γ15. 1286 ᵇ22. ποιεῖν δημοκρατίαν Πδ11. 1296
ᵃ31. καταστῆσαι τὴν πάτριον δημοκρατίαν Πβ12. 1273 ᵇ38.
τὴν πολιτείαν εἰς τὴν νῦν δ. κατέστησαν, προήγαγεν αὔξειν
εἰς τὴν νῦν δ. Πβ12. 1274 ᵃ7, 10. τὴν δημοκρατίαν ἰσχυ-
ροτέραν ποιεῖν Πε4. 1304 ᵃ24. ἡ δ. διεφθάρη Πε3. 1302
ᵇ30.

δημοκρατικός. οἱ δημοκρατικοί Ηε6. 1131 ᵃ27. πολιτεῖαι
δημοκρατικαί Πγ6. 1278 ᵇ12. 17. 1288 ᵃ22. ὑπόθεσις τῆς
δημοκρατικῆς πολιτείας ἐλευθερία Πζ2. 1317 ᵃ40. αἱ δη-
μοκρατικαὶ αἱ μάλιστα εἶναι δοκῦσαι δημοκρατικαί Πε9. 1310
ᵃ26. πολιτεῖαι δημοκρατικώτεραι Πζ1. 1317 ᵃ1. νόμος δη-
μοκρατικός Πγ10. 1281 ᵃ37. δημοκρατικὸν κατασκεύασμα
Πβ9. 1271 ᵃ32. δημοκρατικὰ σοφίσματα πρὸς τὺς εὐπόρυς
Πδ13. 1297 ᵃ35-38. ἦθος δημοκρατικόν Πθ1. 1337 ᵃ16. ἡ 50
ναυτικὴ δύναμις δημοκρατικὴ πάμπαν Πζ7. 1321 ᵃ14. ἡ
τῶν προβύλων ἀρχὴ ὐ δημοκρατική Πδ15. 1299 ᵇ31. δη-
μοκρατικὸν τὸ κληρωτὰς εἶναι τὰς ἀρχὰς al Πδ9. 1294 ᵇ8.
ε8. 1309 ᵃ2. δημοκρατικά Πβ6. 1266 ᵃ6. δ9. 1294 ᵇ20.

Δημόκριτος ὁ Ἀβδηρίτης Ογ4. 303 ᵃ4. μβ7. 365 ᵃ18. αν2.
470 ᵇ28. Ζγβ6. 742 ᵇ20. δ1. 764 ᵃ6. ἑταῖρος Λευκίππυ
ΜΑ4. 985 ᵇ5. cum Leucippo coniunctim commemoratur,
v Λεύκιππος. Aristotelis de eo iudicium παρὰ τὰ ἐπιπολῆς
περὶ ὐδενὸς ὐδεὶς ἐπέστησεν ἔξω Δημοκρίτυ Γα2. 315 ᵃ35.
ὁδῷ μάλιστα διώρικε Γα8. 325 ᵃ1. φανείη ἂν οἰκείοις 60
φυσικοῖς λόγοις πεπεῖσθαι Γα12. 316 ᵃ13. Δημόκριτος ᾗ

γλαφυρωτέρως εἴρηκεν ψα2. 405 ᵃ8. τῦ ὁρίζεσθαι τῶν φυ-
σικῶν ἐπὶ μικρὸν Δημόκριτος ἥψατο μόνον, τῦ εἴδυς ᾗ τῦ τί
ἦν εἶναι ἥψατο Μμ4. 1078 ᵇ20. Φβ2. 194 ᵃ20. Ζμα1. 642
ᵃ26. cum Empedocle et Anaxagora coniungitur v Ἐμπεδο-
κλῆς, cum Eleatis comparatur Γα8. 325 ᵃ23. — libri De-
mocriti respici videntur χροιὰν ὔ φησιν εἶναι. τροπῇ γὰρ
χρωματίζεσθαι Γα2.316 ᵃ1 (fr phys 31 Mull). δ᾽ ὕπο πάντα,
δυνάμει, ἐνεργείᾳ δ᾽ ὔ Μλ2.1069 ᵇ22 (fr phys 7, sed verba
δυν. ἐν. δ᾽ ὔ non esse Democriti, sed Aristotelis cf Bz ad
h l). εἰ γένοιτο κενὸν τὸ μεταξύ, ὁρᾶσθαι ἂν ἀκριβῶς ᾗ εἰ
μύρμηξ ἐν τῷ ὑρανῷ εἴη ψβ7. 419 ᵃ15 (?). vocabula De-
mocritea ῥυσμός, διαθιγή, τροπή Γα2. 315 ᵇ35, 316 ᵃ2. 9.
327 ᵃ19. ΜΑ4. 985 ᵇ16. η2. 1042 ᵇ11. ῥυθμὸς Ε2. 975 ᵇ28.
πανσπερμία Φγ4. 203 ᵃ21. Ογ4. 303 ᵃ16. ψα2. 404 ᵃ4. αι4.
441 ᵃ6, 18. σᾶς Οδ6. 313 ᵇ5. — doctrina Democriti uni-
verse exponitur et examinatur Γα8. Ογ4. ΜΑ4. 985 ᵇ5-20
Bz f 202. doctrinae Leucippeae origo Γα8. 325 ᵃ23. De-
mocritus ponit στοιχεῖα τὸ πλῆρες ᾗ τὸ κενὸν ΜΑ4. 985
ᵇ5. γ5. 1009 ᵃ27. Φα5. 188 ᵃ22. Γα8, 325 ᵃ27. Οα7. 275
ᵇ30. cf δ5. 312 ᵇ21 (resp). τὸ πλῆρες ὐχ ἕν, ἀλλὰ πλεῖω
σώματα Γα1. 314 ᵃ12. 2. 315 ᵇ29. ἄπειρα τὸ πλῆθος Φα2.
184 ᵇ21. Γα1. 314 ᵃ18. 2. 315 ᵇ11. 8. 325 ᵃ30. Ογ4. 303
ᵃ4. resp Ογ2. 300 ᵇ32. ἄπειρα τὸ πλῆθος ᾗ τὰς μορφάς
Γα1. 314 ᵃ21. ἀδιαίρετα sive ἄτομα, ἀόρατα διὰ σμικρό-
τητα τῶν ὄγκων Γα8. 325 ᵇ6, 26, ᵃ30, 326 ᵃ9. Ογ4. 303
ᵃ6. διὰ τί ἄτομα resp Φα3. 187 ᵃ3. (non posse esse ἄτομα
σώματα obiicit Ar Ογ4. 303 ᵃ20.) horum corporum indivi-
duorum eadem substantia, φύσις μία, γένος ἓν Οα7. 275
ᵇ32. Φα2. 184 ᵇ21. differunt σχήματι, θέσει, τάξει, quae
discrimina modo omnia affert Ar ΜΑ4. 985 ᵇ14-19. η2.
1042 ᵇ11. Φα5. 188 ᵃ23 (unde emendanda videtur locus
corruptus α2. 184 ᵇ21 Bz Ar St IV 380). Γα2.314 ᵃ1, modo
unice σχῆμα Οα7. 275 ᵇ32. γ4. 303 ᵃ11. Γα8. 325 ᵇ18,
326 ᵃ15. Ε2. 975 ᵇ28, modo addit μέγεθος sive ὑπεροχήν
Φγ4. 203 ᵃ33. Ογ4. 303 ᵇ18. Γα8. 326 ᵃ9. appellat ea cor-
pora individua Ar ἄτομα μεγέθη Μζ13. 1039 ᵃ9. resp Φα3.
187 ᵃ3 (cf αἱ ἄτομοι ατ969 ᵃ21), τὰ μικρὰ Οδ5. 312 ᵇ30
(resp?), τὸ ἐλάχιστον Μμ8. 1084 ᵇ27 (resp?), τὰ σχήματα
Φγ4. 203 ᵃ21. ψα2. 404 ᵃ2. αν4. 472 ᵃ4, τὰ εἴδη (cf De-
mocriteum voc ἰδέα) ατ969 ᵃ21 (resp). elementorum eorum
quae Empedocles statuit τὸ πῦρ ἐποίησεν σφαῖραν Ογ4.
306 ᵇ32. 8. 307 ᵃ16. Γα8. 326 ᵃ4, ἀέρα ᾗ ὕδωρ ᾗ τἆλλα
μεγέθει ᾗ μικρότητι διεῖλον Ογ4. 303 ᵃ15, ὕδωρ ᾗ ἀέρα
ᾗ γῆν γίγνεσθαι ἐξ ἀλλήλων Ογ4. 303 ᵃ28. (reprehendit
Ar quod Democritus statuat σχήματι ᾗ χρώματι ἕκαστον
εἶναι τῶν τε ζῴων ᾗ τῶν μορίων Ζμα. 640 ᵇ30.) περὶ
βάρεος ᾗ κύφυ Οδ2. 308 ᵇ30sqq. 4. 311 ᵇ16. Γα8. 326 ᵃ9.
τὰς χροιὰς ᾗ τὰς χυμὰς εἰς τί ἀνάγει αι4. 442 ᵇ10. ὔτε
λευκὸν ὔτε μέλαν εἶναι ἄνευ ὄψεως, ὐδὲ χυμὸν ἄνευ γεύ-
σεως ψγ2. 426 ᵃ20. ὅμοιον τὸ ὅμοιον πάσχειν, ποιεῖν
ᾗ πάσχειν ᾗ τυγχάνυσιν ἁπτόμενα, τὸ ὅμοιον τὸ ὁμοίῳ ἐφίε-
σθαι, γιγνώσκεσθαι τὸ ὅμοιον ὑπὸ τῦ ὁμοίυ Γα7. 323 ᵇ10.
8. 325 ᵃ32, ᵇ11. resp Ηθ2. 1155 ᵇ7. ψα2. 405 ᵃ15. — ὐ γί-
νεσθαι ἕτερον ἐξ ἑτέρυ, ὐ γίνεσθαι ἐκ πλειόνων ἓν ὐδ᾽ ἐξ
ἑνὸς πλείω Ογ4. 303 ᵃ33. Ογ4. 303 ᵃ6. Μζ13. 1039 ᵃ9. ὐ
χρόνος ἀγένητος Φθ1. 251 ᵇ16. διακρίσιν ᾗ συγκρίσιν γένε-
σιν ᾗ φθορὰν ποιεῖ, τάξει ᾗ θέσει ἀλλοίωσιν Γα2. 315
ᵇ6. cf 9. 327 ᵃ19. (λανθάνυσιν αὐτοὶ αὑτὺς ὔ γένεσιν ἐξ
ἀλλήλων ποιῦντες ἀλλὰ φαινομένην γένεσιν Ογ7. 305 ᵇ1,
cf ᵃ34.) — διὰ τί κενὸν Φδ6. 213 ᵇ4sqq, ᵃ34. αἱ γενέσεις ᾗ
αἱ διακρίσεις Λευκίππῳ διὰ τε τῦ κενῦ ᾗ διὰ τῆς ἁφῆς

Γα8. 325 b30. περὶ κινήσεως ῥαθύμως ἀφεῖσαν ΜΑ4. 985
b19. ἀεὶ εἶναί φασι κίνησιν, ἀλλὰ διὰ τί χ̓ τίνα ᵫ λέγυσιν
Μλ6. 1071 b32, 1072 a7. διὰ τὸ κενὸν κινεῖσθαί φασιν Φθ9.
265 b24 resp (sed ἐν τῷ ἀπείρῳ κενῷ ᵫκ εἶναι ἄνω ᵫδὲ
κάτω ᵫδὲν Οα7. 276 a8 Ar obiicit; praeterea Democriteam 5
τῦ κενῦ hypothesin Ar resp et refutat Φδ8. 214 b28). τίς
ἡ κατὰ φύσιν κίνησις Ογ2. 300 b8. βl3. 294 b33. πῶς γί-
νεται ἡ ἄνω κίνησις Οδ6. 313 a22. τὸ πῦρ τῇ ἐκθλίψει
ἄνω φέρεσθαι Οα8. 277 b2 resp. τὴν ᵫ̓ ἕνεκα ἀφεὶς λέγειν
πάντα ἀνάγει εἰς ἀνάγκην Ζγε8. 789 b2. αν4. 472 a3. τῦ 10
ἀεὶ ᵫκ ἀξιοῖ αἰτίαν ζητεῖν Φθ1. 252 a34. Ζγβ6. 742 b20.
ἀπὸ ταὐτομάτυ γίνεσθαι τὴν δίνην χ̓ τὴν κίνησιν resp Φβ4.
196 a26. Ζμα1. 640 b8. ὁ παλαιὸς λόγος ὁ ἀναιρῶν τὴν
τύχην resp Φβ4. 196 a14 cf Schol 351 b24. — ἄπειροι κό-
σμοι resp Φθ1. 250 b18 (Schol 424 b44). Οα8. τὰ ἔχοντα 15
πλάτος διὰ τί ἐπιμένει Οδ6. 313 b11. τὸ πλάτος αἴτιον τῦ
μένειν τὴν γῆν Οβ13. 294 b14. περὶ γαλαξίυ μα8. 345
a25-31 Ideler. περὶ κομητῶν μα6. 342 b27, 343 b25 (Ideler
I 177, 186). τὴν θάλατταν ἐλάττω γίγνεσθαι χ̓ τέλος ὑπο-
λείψειν μβ8. 356 b10. περὶ σεισμῶν μβ7. 365 a18, b1. — 20
τὰ φυτὰ νῦν χ̓ γνῶσιν ἔχειν φτα1. 815 b16. — τὰ ἄναιμα
ζῷα σπλάγχνα ἔχειν Ζμα4. 665 a31. οἱ ἀράχναι πῶς ἁφιᾶσι
τὸ ἀράχνιον Ζιι39. 623 a32. τὰ ἔξω πρῶτον διακρίνεσθαι
τῶν ζώων, ὕστερον δὲ τὰ ἐντὸς Ζγβ4. 740 a13. διὰ τί
μένει τὸ ζῷον ἐν ταῖς ὑστέραις Ζγβ4. 740 a36. πῶς γίνε- 25
ται ἡ διαφορὰ τῦ θήλεος χ̓ ἄρρενος Ζγδ1. 764 a6, 21, 71,
765 a6. 3. 769 a18. διὰ τί ἔχυσιν τὰ ἡμίονοι γένος
Ζγβ8. 747 a26, 27, 29. διὰ τί γίνεται τὰ τέρατα Ζγδ4.
769 b30. διὰ τί ἐκπίπτυσιν οἱ ὀδόντες Ζγε8. 788 b10. —
ἡ ψυχὴ ἐν ἅπαντι τῷ αἰσθανομένῳ σώματι ψα5. 409 b2, 30
8. ἡ ψυχὴ πῦρ, ἐκ σφαιρίων ψα2. 403 b31, 405 a8. 3. 406
b17, 20. 4. 409 a12. 5. 409 a32. Ζμβ7. 652 b7. τῦ ζῆν
ὅρος ἡ ἀναπνοὴ ψα2. 404 a9. περὶ ἀναπνοῆς αν4. 471 b30 sqq.
2. 470 b28. πν3. 482 a30. πάντα τὰ αἰσθητὰ ἁπτὰ ποιῶσιν
αι4. 442 a29. περὶ τῆς ὄψεως ψβ7. 419 a15. αι2. 438 a5. 35
περὶ ἐνυπνίων μτ2. 464 a5, 11. τἀληθὲς ᾧοντο ἐν τῷ φαί-
νεσθαι Γα2. 315 b9. resp ψγ3. 427 a21. ταὐτὸ φρόνησις χ̓ αἴσθησις Μγ5. 1009
b15. resp ψγ3. 427 a21. ταὐτὸ ψυχὴ χ̓ νᵫς ψα2. 402 a27.
αν4. 472 a8. ἤτοι ᵫδὲν εἶναι ἀληθὲς ἡ ἡμῖν γ᾽ ἄδηλον Μγ5.
1009 b2-11. 40

Δημόκριτος ὁ Χῖος ὁ ἔσκωψεν εἰς Μελανιππίδην (afferun-
tur duo hexametri heroici) Ργ9. 1409 b26. cf Diog L. IX,
7, 49. Suid s v χιάζειν.

Δημόνησος ἡ Καρχηδονίων νῆσος θ58. 834 b18.

δῆμος. 1. κατὰ φύλας χ̓ δήμυς χ̓ φρατρίας Πδ15. 1300 45
a25. δήμυς οἱ Ἀθηναῖοι καλῦσι, κώμας οἱ Πελοποννήσιοι
πο3. 1448 a37. κατὰ δήμυς δικασταὶ f 413. 1546 b35. τὸν
δῆμον πόθεν ἐστὶν f 374. 1540 a41. 375. 1540 b19. —
2. populus. τίνων κύριος ὁ δῆμος ἐν ταῖς δημοκρατίαις Πγ6.
1278 b12. δ4. 1292 a27. 14. 1298 b15. βl0. 1272 a32. 9. 50
1270 b18, 25. 8. 1268 a12. γ11. 1282 a28. δ9. 1294 b30.
(ἐνίαις πολιτείαις ᵫκ ἔστι δῆμος ᵫδ᾽ ἐκκλησίαν νομίζυσιν Πγ1.
1275 b7.) ἄρχων ὁ δῆμος, ᵫχ ὁ ἐκκλησιαστὴς Πγ11. 1282
a35, 39. δ4. 1291 b37. τίνα ἰσότητα ζητεῖ ὁ δῆμος Πδ14.
1298 a11. ἔστιν ὥσπερ δῆμος οἱ ὅμοιοι Πε8. 1308 a16. ὁ 55
δῆμος μόναρχος σύνθετος Πδ4. 1292 a11, 15 sqq. ε11. 1313
b38. χαρίζεσθαι τῷ δήμῳ ὥσπερ τυράννῳ Πβ12. 1274 a6.
ἡ Πλάτωνος εἰς τὸν δῆμον εἰκών Ργ4. 1406 b35. ὅσα προ-
φάσεως χάριν ἐν ταῖς πολιτείαις σοφίζονται πρὸς τὸν δῆμον
Πδ13. 1297 a15. δῆμος, opp ἀρχαί Πδ4. 1292 a28. οἱ 60
προστάται τῦ δήμυ Πε5. 1305 a21. ὅπυ ἡ πολιτεία βλέπει

εἰς πλῦτον χ̓ ἀρετὴν χ̓ δῆμον Πδ7. 1293 b15. παῦσαι δη-
λεύοντα τὸν δῆμον Πβ12. 1273 b38. ὁ δῆμος ἐφρονηματίσθη
Πβ12. 1274 a13. ᵫκ ἐγγίνεται τῷ δήμῳ στάσις αὐτῷ πρὸς
αὑτόν Πε1. 1302 a13. — δήμυ εἴδη πλείω (ex quaestu et
victu) Πδ4. 1291 b17 sqq. 2. 1289 b32. ε5. 1305 a19. ζ4.
1318 b9, 1319 a6, 20. δῆμοι διάφοροι, δῆμος ἕκαστος Πζ1.
1317 a24. δl2. 1296 b27. — δῆμος, opp εὔποροι, οἱ τὰς
ᵫσίας ἔχοντες, πλήσιοι, γνώριμοι, ἐπιεικεῖς Πδ12. 1297
a10, 13. 11. 1296 a25, 28. 14. 1298 b21. ε4. 1304 b1. 9.
1310 a7. 10. 1310 b9, 12. cf γίνονται οἱ ἔφοροι ἐκ τῦ δήμυ
Πβ9. 1270 b9. 6. 1265 b39. αἱρῦνται ὁπλῖται ἡ ὁ δῆμος
Πε6. 1305 b33. ὁ δῆμος, opp οἱ ἡγεμόνες (Hom) f 153.
1503 b45. — τὸν δῆμον (Athen) συνάγυσιν οἱ πρυτάνεις
f 394. 1543 b9. 395. 1543 b22. — 3. δῆμος i q δημοκρα-
τία. τῶν πολιτειῶν δύο, δῆμος χ̓ ὀλιγαρχία Πδ3. 1290 a16.
8. 1294 a13. 11. 1296 a26. ε1. 1301 b40. 7. 1307 a10. ηεη9.
1241 b32. δῆμυ ὅρος ἐλευθερία Πδ8. 1294 a11. 4. 1290
b1, 11. ε1. 1301 a28. δῆμος ἔσχατος Πγ4. 1277 b3. δ11.
1296 a1 (opp ὀλιγαρχία ἄκρατος). καταστῆσαι τὸν δῆμον
Πβ12. 1274 a2. ἐκκλίνειν εἰς δῆμον Πβ11. 1273 a5. ἀπο-
τελευτᾷν εἰς δῆμον Πε6. 1305 b11. καταλῦσαι τὸν δῆμον
Πε4. 1304 a27. 5. 1304 b21, 34. 7. 1307 b24.

δημός. ὀλίγαι ἐγχέλυς δημὸν ἔχυσιν Ζιθ2. 592 a12.

Δημοσθένης εἰκὼν εἰς τὸν δῆμον Ργ4. 1407 a7. Δ. πολιτεία
Ργ24. 1401 b33. ἡ περὶ Δ. δίκη χ̓ τῶν ἀποκτεινάντων Νι-
κάνορα Ρβ23. 1397 b7 Spgl.

δημοσιεύειν. τὰ δεδημοσιευμένα (γνῶμαι) οἷον τὸ γνῶθι
σαυτόν Ρβ21. 1395 a19.

δημόσιος. 1. δημοσιώτατος (vulgatissimus) τρόπος, τόπος
τθ12. 162 a35. ι1. 165 a5. — 2. ὁδοὶ δημόσιαι οβ1347 a5.
χώρα δημοσία, dist ἱερά, ἴδιος Πβ8. 1267 b34 sqq. δημόσιαι
τριήρεις, dist ἱεραί f 402. 1545 a5. δημόσια δικαστήρια,
dist ἴδια f 378. 1541 a9. σφραγὶς δημοσία f 397. 1544 a14.
τὰ δημόσια Πβ10. 1272 a18. Ρχ13. 1374 a5. ρ2. 1422 b14.
f 402. 1545 a32 (dist ἱερά). διανομὴ τῶν δημοσίων f 365.
1539 b25. μηδὲν εἶναι δημόσιον τῶν καταδικαζομένων ἀλλ᾽
ἱερόν Πζ5. 1320 a7. ἀπογράφεσθαι τὰ χρέα εἰς τὸ δημόσιον
οβ1347 b36. οἱ ὀφείλοντες τῷ δημοσίῳ f 400. 1544 b34.
401. 1545 a10. τροφὴ ἐκ δημοσίυ, τροφαὶ δημόσιαι Πβ8.
1268 a9. Ρα5. 1361 a36. δίκαι δημόσιαι Πζ5. 1320 a12.
— δημόσιοι, servi publici Πβ7. 1267 b15, 16. f 400. 1544
b28 (?).

δημόται Ηθ11. 1160 a18.

δημοτικός. 1. (cf δημόσιος 1.) ἀρχαία χ̓ δημοτικὴ ὑπόληψις
ΜΑ8. 989 a11. — 2. ἐνίας μὴ αἱρεῖσθαι τῶν δημοτικῶν
(i e τῶν ἐκ τῦ δήμυ) Πε6. 1266 a22. — 3. δημοτικός
i q δημοκρατικός. οἱ δημοτικοὶ Πδ14. 1298 b18, 24. ε3.
1303 b11. 5. 1305 a28. 8. 1308 a11. ζ3. 1318 a19. πολιτεία
δημοτική, δημοτικὴ λίαν, δημοτικωτέρα Πβ7. 1266 b22. δ3.
1290 a28. 5. 1292 b13, 16. δίκαιον δημοτικὸν Πζ2. 1317
b3. νόμοι δημοτικοί, νομοθετήματα Πε9. 1310 a17.
8. 1308 a14. καταστάσεις δημοτικαὶ Πδ15. 1300 a32. δη-
μοτικὸν τὸ πάντας χ̓ περὶ πάντων al, δημοτικά, dist ὀλι-
γαρχικά, ἀριστοκρατικά, πολιτικά Πδ14. 1298 a10. 15. 1299
b32, 37. 16. 1301 a11. Πζ2. 1273 b41. ζ2. 1317 b40. πο-
λιτικώτερον χ̓ δημοτικώτερον Πδ3. 1317 a29. πολλὰ τῶν
δοκύντων δημοτικῶν λύει τὰς δημοκρατίας Πε9. 1309 b20.
— δημοτικῶς πολιτεύεσθαι, παιδεύεσθαι, χρῆσθαι ἀλλή-
λοις Πδ5. 1292 b14. ε9. 1310 a17. 8. 1308 a11.

Δημωνίδης ὁ Οἴηθεν f 365. 1539 b25.

δῆξις. φαλάγγια ἀσθενῆ ποιεῖ τὴν δῆξιν Ζιι39. 623 a1. —

τὸ ἔλαιον ποιεῖ δακρύειν, ἀσθενῆ ἔχον δῆξιν πκ22. 925 ᵇ3 (cf δηκτικός).

δήπꝰ v δή p 173 ᵃ60.

δηρόν (Hom Β 298) Ρα6. 1363 ᵃ6.

δῆτα. ὰ δῆτα in responsionibus, Theopompi regis Πε11. 1313 ᵃ33, Laconis cuiusdam Ργ18. 1419 ᵃ34.

διά. 1. c gen. *a.* vi locali et temporali. διὰ παντός (locali vi) Οβ13. 293 ᵇ31. 14. 298 ᵃ5. Ζμϑ9. 685 ᵇ21. ψα2. 404 ᵃ6 al. (temporali) Ζιζ8. 564 ᵃ11 al. δι᾽ ὅλꙋ συνεχής, στερεὸς al μϑ9. 387 ᵇ28, 385 ᵇ24. Ζιβ1. 500 ᵃ6. Ζμγ2. 663 ᵇ12. cf διόλꙋ. διὰ βίꙋ Πγ14. 1285 ᵃ15. β9. 1270 ᵇ39. τὸ διὰ βίꙋ Πβ10. 1272 ᵃ37. (δι᾽ αἰῶνος κ2. 391 ᵇ19. 5. 397 ᵃ30, ᵇ7.) διὰ τέλꙋς ψβ2. 413 ᵃ30. γ9. 432 ᵇ21. διὰ χειρῶν ἔχειν τὴν πολιτείαν Πε8. 1308 ᵃ27. ὅταν μέλος τι διὰ στόματος γένηται σφόδρα μν2. 453 ᵃ29. — ad significandum intervallum, διὰ τρίτα ἔτꙋς, διὰ τριετηρίδος, διὰ τρίτης (int ἡμέρας) Ζιε14. 546 ᵇ10. ϑ5. 594 ᵇ21. Πε8. 1308 ᵇ1. 7. 1307 ᵇ7. f 327. 1532 ᵇ23. τὰ διὰ χρόνꙋ ἡδέα ἐστὶν Ρα11. 1371 ᵃ28. διὰ τινων ὡρισμένων χρόνων, δι᾽ ἐλάττονος Πγ1. 1275 ᵃ25. δ15. 1299 ᵃ6. οα6. 1845 ᵃ22. ὅπꙋ πολὺ τὸ διὰ μέσꙋ, ἥκιστα στάσεις γίγνονται τῶν πολιτειῶν Πδ11. 1296 ᵃ8. δοκꙋμεν αὐτῶν ἀπτεσθαι χ ꙋδὲν εἶναι διὰ μέσꙋ ψβ11. 432 ᵇ12. (δι᾽ ἴσꙋ Ζικ1. 634 ᵃ36. μχ20. 853 ᵇ38. πε16. 882 ᵇ3, 5, 7.) διὰ πασῶν, διὰ πέντε ψβ3. 194 ᵃ28, 195 ᵃ31 al cf πᾶς. — *b.* vi instrumentali ac modali. ἐκπίπτειν, ἐκβάλλειν διὰ μάχης Πε3. 1303 ᵃ34, 35. τοῖς σαρκοφάγοις ἡ τροφὴ διὰ μάχης Ζμϑ. 655 ᵃ13. τὰ γεγραμμένα διὰ τέχνης Πγ11. 1281 ᵇ12. διὰ τῶν νόμων τέτακται, διὰ τῶν νόμων φυλάττειν Πβ9. 1270 ᵃ19. ε8. 1308 ᵃ31. φαίνεται διά τε τῶν ἄλλων ζώων ἐπισκοπꙋσι χ διὰ τῶν ἐθνῶν ἡ τꙋ γαλακτος τροφὴ μάλιστα οἰκεία Πη17. 1336 ᵃ5. δι᾽ ἄλλꙋ τρόπꙋ ('alio modo'), διὰ τριῶν τρόπων ρ37. 1442 ᵇ25. 32. 1438 ᵇ14. — ἡ πολιτεία δι᾽ ὀλίγων, διὰ τῶν πλησίων ἐστὶ Πγ13. 1283 ᵇ6. ε6. 1306 ᵃ6. δι᾽ αὐτῶν τὰς ἀρχὰς ἔχειν βꙋλονται Πδ6. 1293 ᵃ28. ε1. 1301 ᵇ12. — in quibusdam formulis διά c gen prope adverbiascit, veluti δι᾽ ἀκριβείας, cf ἀκρίβεια, διὰ Ζιζ1. 558 ᵇ21. διὰ κενῆς ΜΑ9. 992 ᵃ28. — *c.* instrumentalis ac modalis vis praep διά c genet coniunctae interdum prope accedit ad causalem vim praep διά c acc, ut de eadem re utrumque usurpetur, veluti in syllogismo ἕτερόν τι δεικνύναι τῶν κειμένων τι. 100 ᵃ26. ι1. 165 ᵃ2, διὰ ταῦτα Αα1. 24 ᵇ20. Ρα2. 1356 ᵇ15. δεᾶν τι διὰ συνηθείας πο1. 1447 ᵃ20, διὰ συνήθειαν Ρα7. 1354 ᵃ7. διὰ τέχνης πο1. 1447 ᵃ20. διὰ τέχνην πο8. 1451 ᵃ24. Vahlen Poet III. 304. contra διά c acc coniunctam legitur, ubi genetivum expectes διὰ τὴν παιδείαν Πβ5. 1263 ᵇ36 (cf διὰ τῆς παιδείας ᵇ38). γνώριμον ἡ κίνησις διὰ τὸ κινꙋμενον Φϑ11. 219 ᵇ29 (cf τꙋ φερομένꙋ ᵇ24). Eucken II 39.

2. c acc. τὸ διὰ τί. i e τὸ αἴτιον Αγ24. 85 ᵇ28. Φβ3. 194 ᵇ19. μϑ12. 390 ᵇ17. Ρβ21. 1394 ᵃ31. Μζ17. 1041 ᵃ10. Α1. 981 ᵇ12 (opp τὸ ὅτι ᵃ29). αἴτιον χ ἀρχὴ τὸ διὰ τί πρῶτον ΜΑ3. 983 ᵃ29 Bz. δι᾽ αὐτό. syn καθ᾽ αὑτό Αγ4. 73 ᵇ10 Wz. Τγ1. 116 ᵃ29. διὰ ταῦτα, dist ὧν ἕκ ἄνꙋ Φβ9. 200 ᵃ6, 8, 9. ὅσα μὴ μόνον ἀγνοꙋντες ἀλλὰ χ δι᾽ ἄγνοιαν ἁμαρτάνꙋσιν Ηδ10. 1130 ᵃ6. διὰ τάδε, dist μετὰ τάδε πο10. 1452 ᵃ21. διὰ τύχην χ διὰ τὸ αὐτόματον Φβ4. 195 ᵇ32 (syn ἀπὸ τύχης cf ἀπό). αἱ ὀλιγαρχίαι μεταβάλλꙋσι διὰ δύο τρόπꙋς Πε6. 1305 ᵃ37. ταῦτα μὲν ὑπάρχει διὰ τὸ ποιεῖν, ὑγρὸν δὲ χ ξηρὸν διὰ τὸ πάσχειν ϑ8. 384 ᵇ28. κἂν ἐκινεῖτο ἡ γῆ διά γε τὸν τῆς ὁμοιότη-

τος λόγον Οβ13. 296 ᵃ20. ὕτω δι᾽ ἀρετὴν ἂν εἴη. ἀλλ᾽ ὰ οἱ᾽ ἐπιορκίαν ('periurii metu, ad evitandum periurium') τὸ μὴ ὀμόσαι Ρα15. 1377 ᵃ18. — διό an δι᾽ ὅ scribendum sit Wz ad Αβ5. 58 ᵇ7.

διαβαίνειν. 1. βαδίζον βραδέως χ μεγάλα διαβαῖνον φ5. 809 ᵇ32. θήλεια ἐλέφας ὀχεύεται συγκαθεῖσα χ διαβαίνꙋσα Ζιε2. 540 ᵃ22. ἐκκλίνειν χ διαβεβηκέναι Ζπ9. 709 ᵃ21. — 2. πολέμꙋς ξενικꙋς διαβέβηκεν εἰς τὴν νῆσον Πβ10. 1272 ᵇ21. διαβῆναι ἐξ ἄλλꙋ γένꙋς εἰς ἄλλο (cf μεταβαίνειν) Αγ23. ,84 ᵇ17.

διαβάλλειν. τὸ διαβάλλειν ἀλλήλοις χ συγκρꙋειν τυραννικὸν Πε11. 1313 ᵇ16. — διαβάλλοντες τꙋς πλησίꙋς, ἵνα ἔχωσι δημεύειν τὰ κτήματα Πε5. 1305 ᵃ6. διαβάλλειν, opp ἀπολύεσθαι Ργ14. 1415 ᵇ36. 15. 1416 ᵇ8. πάντες ἢ διαβάλλꙋσιν ἢ φόβꙋς ἀπολύονται ἐν τοῖς προοιμίοις Ργ14. 1415 ᵇ18. τꙋ διαβάλλοντι ἐν τꙋ ἐπιλόγῳ διαβλητέον ἵνα μνημονεύωσι Ργ14. 1415 ᵃ33. οἱ λέγοντες αὑτꙋς ἥκιστα διαβάλλꙋσιν ρ38. 1445 ᵇ19. οἱ διαβεβλημένοι ρ30. 1436 ᵇ30, 37. διαβεβλημένος πρὸς τὸ δημόσιον ρ30. 1437 ᵃ8. ὰ τꙋτο, ὃ διεβάλλετο, ποιῆσαι Ργ15. 1416 ᵃ18. — διαβάλλοι ἂν τις (i e sophistice inpugnare) τὰ πολλὰ τῶν ἰδίων τε4. 133 ᵇ21. — χ πρὸς ἐπιβꙋλεύοντα διαβάλλονται (animo male affecti sunt adversus istos) Ργ2. 1404 ᵇ21.

διάβασις. ἡ τꙋ Ξέρξꙋ διάβασις f 59. 1485 ᵇ11. αἱ διαβάσεις τῶν ὀχετῶν διασπῶσι τὰς φάλυγγας Πε3. 1303 ᵇ12.

διαβεβαιꙋσθαι. οἱ πρεσβύτεροι διαβεβαιꙋνται ꙋδέν. syn διασχυρίζεσθαι Ρβ13. 1389 ᵇ16. 12. 1389 ᵇ6. διαβεβαιꙋσθαι c inf θται. 815 ᵃ17. Β7. 827 ᵃ29.

διαβλέπειν πάμπαν, opp καθεύδειν εν3. 462 ᵃ13, 11.

διαβολή. ἐκ τῆς διαβολῆς ἡ λοιδορία Ζγα18. 724 ᵃ29. αἱ ἐπὶ τῶν δικαστηρίων διαβολαί, πόσαι τὸ εἶδος, πῶς δεῖ αὐτὰς λῦσαι χ ποιῆσαι Ργ15. 14. 1415 ᵃ27, 32. ρ30. 1436 ᵇ37-1437 ᵇ33. 37. 1441 ᵇ36-1442 ᵇ27. τὴν διαβολὴν ψευδῶς ἡμῶν κατήνεγκαν ρ30. 1437 ᵃ19.

διάβολος, coni σοφιστής, κλέπτης, φέναξ τ5. 126 ᵃ31, ᵇ9.

διαβρέχειν πολλάκις πα55. 866 ᵃ10.

διάβροχος γῆ τι5. 167 ᵇ7. πκγ34. 935 ᵃ31, σάρξ πβ34. 870 ᵃ11.

διαγγέλλειν θ84. 837 ᵃ4.

διάγειν, syn διαιτᾶσθαι ημβ3. 1199 ᵇ35, 34. διάγειν ἐν τꙋ ὑγρꙋ Ζιβ2. 589 ᵃ31. δ. ἐν πότοις, ἐν τꙋτῳ Ηγ7. 1114 ᵃ6. ι2. 1172 ᵃ3. δ. μετὰ τῶν φίλων Ηι11. 1171 ᵃ27. 12. 1172 ᵃ3. ὰ μόνος γε διάξει ημβ15. 1212 ᵇ31, 1213 ᵃ29. εὖ, βαρύτερον, ὕτω διάγειν Ζιι40. 625 ᵇ23. χ4. 584 ᵃ15. ζ29. 579 ᵃ3. διάγειν ἀκινδύνως, δυσριγοτέρως Πδ11. 1295 ᵇ33. πα29. 863 ᵃ2.

διαγίγνεσθαι. σμῆνος ἂν διαμείνῃ ἔτη δέκα, εὖ δοκεῖ διαγεγενῆσθαι Ζιε22. 554 ᵇ8. οἱ τεχνῖται δύνανται διαγίγνεσθαι ἀπὸ τῆς τέχνης Πβ8. 1268 ᵃ31.

διαγιγνώσκειν. διαγινώσκειν ὰ ῥάδιον τὴν θήλειαν χ τὸν ἄρρενα περιστεράν Ζιι7. 613 ᵃ16. διαγινώσκοντες τꙋς κύνας τꙋς νεωτέρꙋς χ πρεσβυτέρꙋς ἐκ τῶν ὀδόντων Ζιβ2. 501 ᵇ11. cf ζ25. 578 ᵃ6. διαγινώσκειν τὰ δελέατα τꙋ ὀσφραίνεσθαι Ζιϑ8. 534 ᵃ15. τὸν ἐν Ἰνδοῖς χαλκὸν μὴ διαγινώσκεσθαι τῇ χρόᾳ πρὸς τὸν χρυσὸν ἀλλὰ τῇ ὀσμῇ f 248. 1524 ᵃ17, 20. 949. 834 ᵃ2. εἰ τὰ ὄντα καπνὸς γένοιτο, ῥῖνες ἂν διαγνοῖεν αι5. 443 ᵃ24. φαίνονται οἱ νομοθέται διεγνωκότες ὅτι Πβ7. 1266 ᵇ16. οἷς διαγνωσόμεθα πότερον... ἢ μϑ10. 389 ᵃ5. ἀπιστꙋντες ἡμῖν αὐτοῖς ὡς ꙋχ ἱκανοῖς διαγνῶναι Ηγ5. 1112 ᵇ11.

διάγνωσις φωνῆς χ σιγῆς Οβ9. 290 ᵇ27.

Διαγόρας τὴν ἐν Ἐρετρίᾳ ὀλιγαρχίαν κατέλυσεν Πε6. 1306 ᵃ36. — Διαγόρας Ῥόδιος πύκτης f 528. 1565 ᵃ15.

διάγραμμα, figura geometrica. γράφειν τὰ διαγράμματα, ἡ τῶν διαγραμμάτων ποίησις Οα10. 279 ᵇ34, 280 ᵃ3, 1. θεωρεῖν ἐκ τῦ διαγράμματος μγ5. 375 ᵇ18 Ideler. ὁ τῦ διαγράμματος ἀριθμὸς Πε12. 1316 ᵃ7. — διαγράμματα καλῦσιν οἱ γεωμέτραι αὐτὰ τὰ θεωρήματα Schol 89 ᵇ11. ζητεῖν χ̣ ἀναλύειν ὥσπερ διάγραμμα Ηγ5. 1112 ᵇ21. τι16. 175 ᵃ27. εὑρίσκεται τὰ διαγράμματα ἐνεργείᾳ Μθ9. 1051 ᵃ22. στοιχεῖα τῶν διαγραμμάτων Κ12. 14 ᵃ39. Μβ3. 998 ᵃ25 Bz. δ3. 1014 ᵃ36. ἐν τοῖς διαγράμμασιν Αα24. 41 ᵇ14.

διαγράφειν, geometrice μν1. 450 ᵃ2. οἱ διαγράψαντες μετὰ σπυδῆς μιᾶς σχῆμα πόλεως κ1. 391 ᵃ18. — θεωρείσθω ἐκ τῶν ἐν ταῖς ἀνατομαῖς διαγεγραμμένων Ζιζ11. 566 ᵃ15. — logice διεγράψαμεν τὰς προτάσεις Αα30. 46 ᵃ8. Ρβ1. 1378 ᵃ28 (syn διελεῖν ᵃ29). ἐν τῇ διαιρέσει τῶν ἐναντίων διεγράψαμεν Μι3. 1054 ᵃ30. διεγράψαμεν χ̣ ἀντεθήκαμεν κγγ3. 1231 ᵇ3. cf 2. 1230 ᵇ12. — perscribere debitum, ὅσοι τὸ διαγραφὲν ἀργύριον ἐν πολέμῳ μὴ εἰσέφερον, ὑπέκειντο τοῖς πωληταῖς f 401. 1545 ᵃ12.

διαγραφή (cf διαγράφειν). ληπτέον ἐκ τῆς διαγραφῆς Ηβ7. 1107 ᵃ33. θεωρείσθω ἐκ τῆς ἐν ταῖς ἀνατομαῖς διαγραφῆς Ζια17. 497 ᵃ32. δ1. 525 ᵃ9. διείλομεν ἐν τῇ διαγραφῇ ηεγ1. 1228 ᵃ28 (syn ὑπογραφή β3. 1220 ᵇ37). τὰς διαγραφὰς ποιεῖσθαι τα14. 105 ᵇ13.

διαγωγή 1. πρόσοδος ἀπὸ ἐμποριῶν χ̣ διαγωγῶν οβ1346 ᵃ7. — 2. διαγωγή (sc βίυ, cf διάγειν) universe, τὴν τροφὴν ποιεῖσθαι χ̣ διαγωγὴν ἐν ἀέρι χ̣ ὕδατι Ζιθ2. 589 ᵃ17. ποιεῖσθαι τὰς διαγωγὰς πρὸς τῷ ἐδάφει τῆς θαλάττης Ζιδ8. 534 ᵃ11. διαγωγή ἐστι τῦ θεῦ οἵα ἡ ἀρίστη μικρὸν χρόνον ἡμῖν Μλ7. 1072 ᵇ14. κρεῖττον ἢ ἐν τῷ τεθνάναι διαγωγὴ τῆς ἐν τῷ ζῆν f 40. 1481 ᵇ17. ἐπισκεπτέον τὴν τῶν παίδων διαγωγὴν Πη17. 1336 ᵃ40. imprimis vitae cultus, opp τἀναγκαῖα ΜΑ1. 981 ᵇ18 Bz, (cf Zeller II, 2, 577, 5) coni syn ῥαστώνη, ἡδονή, εὐημερία, σχολή ΜΑ2. 982 ᵇ23. Πη15. 1334 ᵃ17. θ3. 1338 ᵃ10, 22. 5. 1339 ᵇ5. d 3. 1338 ᵃ27. 5. 1339 ᵃ25, 29. τὰ καλὰ χ̣ περιττὰ χ̣ διαγωγὴν ἔχοντα ἡδεῖαν ἄνευ τῦ λυσιτελῦντος αρ5. 1250 ᵇ30. διαγωγὴ ἡδεῖα, μετὰ παιδιᾶς, ἐλευθερίος, τῶν ἐλευθέρων Ηι11. 1171 ᵇ13. κ7. 1177 ᵃ27. δ14. 1127 ᵇ34. Πθ5. 1339 ᵇ5. 3. 1338 ᵃ23. ἡ παρὰ τὸν οἶνον διαγωγὴ f 90. 1492 ᵃ28. χρῆσθαι τῇ μυσικῇ πρὸς διαγωγήν, dist παιδείας, καθάρσεως ἕνεκεν Πθ7. 1341 ᵇ40. τὴν διαγωγὴν δεῖ μὴ μόνον ἔχειν τὸ καλὸν ἀλλὰ χ̣ τὴν ἡδονὴν Πθ5. 1339 ᵇ17. — διαγωγαὶ χ̣ συνυσίαι Πθ5. 1339 ᵇ23. αἱ τοιαῦται διαγωγαὶ Ηκ6. 1176 ᵇ12, 14, 1177 ᵃ9. διαγωγὴ τῷ συζῆν Πγ9. 1280 ᵇ37.

διαδεῖν. ἄν τις τὰ χαλκεῖα ταινίᾳ διαδήσῃ ακ802 ᵃ40.

διάδειν. ἔστι περιεργάζεσθαι τοῖς σημείοις χ̣ ῥαψῳδῦντα χ̣ διάδοντα πο26. 1462 ᵃ7. — συνᾷδον χ̣ διᾷδον (Heraclit fr 45) χ5. 396 ᵇ22.

διαδέχεσθαί τινα. τίνες ἔσονται οἱ τύτυς διαδεξόμενοι πάλιν Πδ15. 1299 ᵇ4. τινί: διαδεχόμενα τὰ ἄρρενα τοῖς θήλεσιν Ζιζ8. 564 ᵃ8. — sine obiecto. τῶν τελευτώντων διαδέχεσθαι τὺς υἱεῖς Πδ6. 1293 ᵃ29. ζέφυροι διαδεχόμενοι συνεχεῖς ἀεὶ πνέυσιν μβ 5. 363 ᵃ7. ἐκπίπτοντες ὀδόντες, δεῖ ἂν ἑτέρυς διαδέχεσθαι πρὸς τὸ ἔργον Ζγε8. 798 ᵃ10. διαδεχόμενα τὰ μέρη ταῖς ἐργασίαις Ζγδ1. 765 ᵇ32.

διάδηλος. ὁ ἀγαθὸς χ̣ κακὸς ἥκιστα διάδηλοι καθ᾽ ὕπνον Ηα12. 1102 ᵇ5. ὅθεν διάδηλος ὁ πλύσιος χ̣ ὁ πένης Πδ9. 1294 ᵇ26. ψόφος διάδηλος πρὸς τὴν ἐναντίαν σιγὴν Οβ9. 290 ᵇ26. μὴ διάδηλυς εἶναι τὰς διαφορὰς τῶν χρωμάτων

ψβ9. 421 ᵃ14. μὴ σφόδρα διάδηλυς εἶναι τὰς ὀσμὰς ψβ9. 421 ᵃ31. μόνῳ τῷ ἀναπνεῖν ἡ τῆθῇ διάδηλος ὅτι ζῇ f 38. 1481 ᵃ8. μεγάλη φλὲψ σιάδηλος, πρῶτον διάδηλοι οἱ ὀφθαλμοί Ζιγ4. 515 ᵃ26. ζ13. 567 ᵇ29. cf 11. 566 ᵃ6, 8. 3. 561 ᵃ26. Ζγε2. 781 ᵇ4. ἐπὶ τὸ πῦρ τιθέμενον διάδηλον ποιεῖ (int πότερον πιμελή ἐστιν ἢ κύημα) Ζιζ17. 571 ᵃ31. ἐν τοῖς μείζοσι διαδηλότερά ἐστιν ἕκαστα Ζμδ5. 679 ᵇ4. Ζγγ2. 754 ᵃ18. τῶν πολυποδίων ἡ φύσις ὕπω διάδηλος Ζιε18. 550 ᵃ6. — forma feminini διάδηλος, sed διαδήλας εἶναι τὰς θηλείας τῶν στρυθίων Ζιζ7. 613 ᵇ1 sine v l.

διαδιδόναι. trans τὸ θερμανθὲν ὑπὸ τῦ θερμῦ τὸ πλησίον θερμαίνει χ̣ τῦτο διαδίδωσιν ἕως τῆς ἀρχῆς εν2. 459 ᵇ3. cf ψ12. 435 ᵃ9. πζ5. 886 ᵇ20. cf μα13. 350 ᵇ29. cf α13. 350 ᵇ29. ἔοικε τύνομα παρὰ τῶν ἀρχαίων διαδεδόσθαι μέχρι χ̣ τῦ νῦν χρόνυ Οα3. 270 ᵇ17. ὡς διαδεδομένων περὶ τὴν Ἡρακλέυς γένεσιν μέμνηται f 157. 1504 ᵇ21. τὰς φλέβας διαδεδόσθαι εἰς τὸ πᾶν σῶμα Ζμγ5. 668 ᵃ4. τρήματα διὰ παντὸς τῦ πλεύμονος, ἀεὶ ἐκ μειζόνων εἰς ἐλάττω διαδιδόμενα Ζια16. 495 ᵇ12. — ἀεὶ διαιρῦντες ἑκάστῳ πρὸς μέρος διεδίδοσαν οβ1348 ᵇ32. κόψας χαλκὸν διεδίδυ τοῖς στρατιώταις οβ1350 ᵃ24. τροφὴ (πνεῦμα) διαδίδοται εἰς τὰ μόρια, εἰς τὰς φλέβας sim Ζμδ4. 678 ᵃ8, 18. Ζγα19. 726 ᵇ11. β6. 745 ᵇ7. πν2. 481 ᵃ30. 3. 482 ᵃ35. τὸ κατιὸν ὕδωρ διαδίδοται πᾶν εἰς τὴν γῆν μβ4. 360 ᵃ5. ἀὴρ ἐμπεριληφθεὶς πνεῦμα, καθάπερ πυκνωθεὶς χ̣ διαδοθεὶς πως πν5. 483 ᵇ8. — intr τὸ πνεῦμα διαδίδωσιν εἰς τὰ κοῖλα μέρη τῦ πλεύμονος Ζια16. 495 ᵇ8.

διαδιδράσκειν. ἕως ἂν διαδράσῃ τῶν νεοττῶν ἕκαστος Ζιι8. 613 ᵇ20.

διαδικάζει ὁ βασιλεὺς τοῖς ἱερεῦσι τὰς ἀμφισβητήσεις τὰς ὑπὲρ τῶν γερῶν f 385. 1542 ᵃ32. — διαδικάζεσθαι ὑπὲρ σύλλων οβ1347 ᵇ8.

διάδοσις τῆς τροφῆς Ζπ4. 705 ᵃ32, τῦ πνεύματος πν3. 482 ᵇ2.

διαδοχή. ἡ τῶν τέκνων διαδοχὴ Πη16. 1334 ᵇ39, 1335 ᵃ32. — ἡ λαμπὰς ἐκ διαδοχῆς φορὰ ἐχομένη Φε4. 228 ᵃ28. παραλαβόντες τὴν τέχνην παρὰ πολλῶν οἷον ἐκ διαδοχῆς τι34. 183 ᵇ30. ἐπιψαζει ἐκ διαδοχῆς τὸ περιστεροειδὲς γένος f 271. 1527 ᵃ27. πρὸς τὴν πρώτην ἐργασίαν, opp πρὸς τὸ τέλος χ̣ τὴν ἐκ διαδοχῆς γινομένην πκα13. 928 ᵇ2. κατὰ διαδοχὰς πυρσεύειν ἀλλήλαις κ6. 398 ᵃ33. κατὰ διαδοχὴν φτθ9. 828 ᵇ6.

διαδρομαὶ τῶν ἀστέρων μα3. 341 ᵃ33. 7. 344 ᵃ15, 28, 32. 4. 342 ᵃ7, cf διαθέοντες, διάττοντες ἀστέρες.

διαδύεσθαι, διαδύνειν. διαδύεσθαι διά τινος, διὰ παντός εν2. 460 ᵃ19. αν15. 478 ᵃ20. διαδύεσθαι εἰς τὴν σάρκα πλη7. 967 ᵃ25. ἐκτείνειν πρὸ τῦ τὸ φάρμακον διαδύναι θ86. 837 ᵃ17. — οἱ τοιῦτοι ῥυσμοὶ διαδύνασι διὰ παντός ψα2. 404 ᵃ7. φῶς, ὕδωρ διαδῦνον χ1. 791 ᵃ26. πκγ22. 934 ᵃ10. κε8. 938 ᵇ27.

διαζευγνύναι. ὅπως αἱ πρότερον συνήθειαι διαζευχθῶσιν Πζ4. 1319 ᵇ26. διαζευχθέντες, διεζευγμένοι (i e aliter atque antea συνεζευγμένοι) ἄνδρες χ̣ γυναῖκες Ζιη6. 585 ᵇ10, 13. Ζγδ2. 767 ᵃ25. ἐνδέχεται διαζευχθῆναι τὸν τόπον χ̣ τὺς ἀνθρώπυς Πιγ3. 1276 ᵃ21. τὰ μέρη τῦ ὕδατος διαζεύγνυνται φτβ2. 824 ᵃ2.

διάζευξις τῶν γυναικῶν Πβ10. 1272 ᵃ23.

διάζωμα. 1. cinctura. μετὰ τὸν θώρακα ἐν τοῖς προσθίοις· γαστήρ· τῶν δ᾽ ὄπισθεν διάζωμα ἡ ὀσφύς Ζια13. 493 ᵃ22. (ἐν τοῖς τηθύοις) διὰ μέσυ λεπτὸν διάζωμα, ἐν ᾧ τὸ κύριον ὑπάρχειν εὔλογον τῆς ζωῆς Ζμδ5. 681 ᵃ35. — 2. diaphragma cf Philippson p 40, 1. τὸ διάζωμα τὸ τῦ θώρα-

κος, αἱ καλύμεναι φρένες Ζια17. 497 ᵃ23, ᵇ11. β15. 506
ᵃ6. descr Ζμδ10. 672 ᵇ10. τὸ διάζωμα πάντ᾽ ἔχει τὰ
ἔναιμα τῶν ζῴων Ζμδ1. 676 ᵇ11. de situ, ὑπὸ τὸν πνεύ-
μονα Ζια17. 497 ᵇ11. κεῖται ἡ κοιλία ὑπὸ τὸ διάζωμα εὐθὺς
Ζιβ17. 507 ᵃ31. ὁ στόμαχος τελευτᾷ διὰ τῦ διαζώματος
εἰς τὴν κοιλίαν Ζια16. 495 ᵇ22. β17. 507 ᵃ26, ᵇ1. ὁ πρὸς
τῷ διαζώματι τόπος θερμός ἐστιν Ζγγ1. 750 ᵇ14. πρῶτον
τὰ ἄνω διαρθρῦται τῦ διαζώματος Ζγβ6. 741 ᵇ28 (cf Köl-
liker Entwicklungsgesch 50). — ovipara ἔχυσιν ὄρχεις
πρὸς τῇ ὀσφύι κάτωθεν τῦ διαζώματος Ζιγ1. 509 ᵇ25, aves
πρὸς τῷ διαζώματι ἄνω τὰς ὑστέρας Ζγγ1. 751 ᵃ5. τῶν
ᾠοτόκων κ̣ τετραπόδων τὰ ᾠὰ πρὸς τῷ διαζώματι συνί-
σταται καθάπερ τὰ τῶν ὀρνίθων Ζγγ2. 753 ᵃ2. τῶν σελαχῶν
αἱ θήλειαι πρὸς τῷ διαζώματι τὰς ὑστέρας ἔχυσι Ζγγ7.
757 ᵃ19. — ὅσα μακροβιώτερα τῶν ἐντόμων, τύτοις ὑπὸ
τὸ διάζωμα διέσχισται αν9. 475 ᵃ2. οἱ καλύμενοι ἀχέται
ὑπὸ τὸ διάζωμα διῃρημένοι Ζιδ7. 532 ᵇ16. τῶν μελιττῶν οἱ
ἡγεμόνες τὸ κάτω τῦ διαζώματος ἔχυσιν ἡμιόλιον μάλιστα
τῷ μήκει Ζιε21. 553 ᵃ28.
διαζωννύναι. ὁ ζωοφόρος καλύμενος κύκλος ἐγκάρσιος διὰ
τῶν τροπικῶν διέζωσται κ2. 392 ᵃ12.
διαθεῖν. οἱ διαθέοντες ἀστέρες διὰ τίνα αἰτίαν μα4. 5. 342 ᵇ21.
διαθερμαίνειν πδ32. 880 ᵇ11. διαθερμᾶναι κ̣ διακρῖναι
πκς33. 944 ᵃ19, 12. διαθερμανθέντος τῦ σώματος Ζμγ5.
668 ᵇ5. ἰχθύες ὅταν ὑπὸ τῦ πυρὸς διαθερμανθῶσιν, syn δια-
καίεσθαι θ63. 835 ᵃ20, 18. χειμῶνος ὐ διαθερμαίνεται ὁ ἀὴρ
πκε6. 938 ᵃ39.
διάθερμος ὁ νότος πκς27. 943 ᵃ23. γῆ διάθερμος κ̣ διακε-
καυμένη πιβ8. 906 ᵇ12. τῆς μήτρας ἐναίμυ ὔσης κ̣ δια-
θέρμυ f 259. 1525 ᵇ34. — ἐν τοῖς θυμοῖς διάθερμοι κ̣ θαρ-
ραλέοι πκς3. 947 ᵇ24. οἱ νέοι ὑπὸ τῆς φύσεως διάθερμοί
εἰσιν Ρβ12. 1389 ᵃ19, opp κατάψυξις, καταψύχεσθαι
ᵇ30, 32.
διάθεσις. ἡ τῶν ἰδίων οἰκήσεων διάθεσις Πη11. 1330 ᵇ22. ὁ
Ἀττικὸς τρόπος τῆς διαθέσεως τῶν ἐπικαρπιῶν οα6. 1345
ᵃ18. — διάθεσις, opp ὕλη κ̣ ταυτὸν ἢ θ᾽ ὕλη τοῖς ζῴοις
κ̣ αἱ ἕξεις κ̣ διαθέσεις αὐτῆς αν14. 477 ᵇ18. cf ὐκ ἂν ὁ
κόσμος γίγνοιτο κ̣ φθείροιτο, ἀλλ᾽ αἱ διαθέσεις αὐτῦ Οα10.
280 ᵃ23. ποία τις γίνεται ἡ τῦ σώματος διάθεσις διὰ τὴν
κρᾶσιν τῦ περιεστῶτος ἀέρος Ζγδ2. 767 ᵃ30. ἡ ἐξ ἀρχῆς
διάθεσις ὑφ᾽ ὕπνος Ζια1. 778 ᵇ34. coni πάθος, ἕξις τζ6.
145 ᵃ34. δ2. 121 ᵇ38. Ζμα1. 639 ᵃ22. Φβ1. 193 ᵃ25.
ποιότητος ἐν εἶδος ἕξις κ̣ διάθεσις λεγέσθωσαν, διαθέσεις λέ-
γονται ἅ ἐστιν εὐκίνητα κ̣ ταχὺ μεταβάλλοντα, quare trans-
itus est a διαθέσει ad ἕξιν Κ8. 8 ᵇ27, 28, 35 Wz, 9 ᵃ3.
Μδ20. 1022 ᵇ10. ποσαχῶς λέγεται Μδ19 Bz.
διάθεσις et opponitur ἕξει, Κ8 1 l. ἡ ἐπὶ τὰς στερητικὰς
διαθέσεις μεταβολή, opp ἡ ἐπὶ τὰς ἕξεις κ̣ τὴν φύσιν ψβ5.
417 ᵇ15 (cf ἡ εἰρημένη διάθεσις Ρα11. 1370 ᵃ2, i e ἡδονή,
quae definitur κίνησις τις τῆς ψυχῆς 1369 ᵇ33) et pro syn
usurpatur, veluti διάθεσις, quae ἕξις definitur ἀρετή, quae
ἀρίστη, μέση appellatur Ηβ7. 1107 ᵇ16, 30, 1108 ᵃ24. 8.
1108 ᵇ11. νεβ1. 1218 ᵇ38. γ1. 1228 ᵇ3. 3. 1231 ᵇ9. ἡ κατὰ
νόμον διάθεσις Φβ1. 193 ᵃ15. ἡ διάθεσις ἡ ἀρίστη ἑκάστυ
πράγματος Πη1. 1323 ᵇ13, 15, 18. ἡ πόλις ἐκ πολλῶν μᾶλ-
λον ὁμοίαν ἐξ ἀνομοίων ἀποτελεῖν διάθεσιν κ5. 396 ᵇ6. — ἔχει
τινὰ διάθεσιν κ̣ αἰτίαν κ̣ ἀρχὴν τῦ τοιύτυ πάθυς Μδ12.
1019 ᵇ5. διαθέσεις κ̣ ἡλικίαι ποῖαι εὐκίνητοι πρὸς ὀργήν
Ρβ2. 1379 ᵃ25. διάθεσις ὑβριστική, εὔπορος Ρβ8. 1385 ᵇ31.
α12. 1372 ᵃ33. ποιεῖν σπυδαίαν διάθεσιν περὶ τὴν ψυχήν
αρθ. 1251 ᵇ27. ποία διαθέσει ἕπεται ἕκαστον ἦθος φ1. 805

ᵃ29. — ἄγνοια κατὰ διάθεσιν, dist ἄγνοια κατ᾽ ἀπόφασιν
Αγ16. 79 ᵇ23 Wz.
διαθήκη. ψηφίζονται τοῖς γένεσι μᾶλλον ἢ ταῖς διαθήκαις
πκη3. 950 ᵇ6.
διαθιγγάνεσθαι Ζικ1. 634 ᵃ9.
διαθιγή (Democr) i q τάξις ΜΑ4. 985 ᵇ17 Bz. η2. 1042
ᵇ14. Γα2. 315 ᵇ35. 9. 327 ᵃ18.
διαθραύεται ἡ τῆς ἀλκυόνος νεοττιά Ζιι14. 616 ᵃ27.
διαθρώσκον ἔξω (Emp 224, 229) αι2. 437 ᵇ30, 438 ᵃ3.
διαίνειν μδ9. 387 ᵃ28, 31. — διαντός πδ9. 385 ᵇ10.
διαίρειν. διαίρυσι τὸ πέλαγος ᾄδοντες οἱ κύκνοι f 268. 1526
ᵇ37. — med ἡ φιλοσοφία μόνη διαραμένη πρὸς τὴν τῶν
ὅλων θέαν κ1. 391 ᵃ3.
διαιρεῖν. pass διαιρεῖσθαι. 1. dirimere in partes re ac loco
seiunctas, dist σχίζειν μδ9. 386 ᵇ27. δ. ξύλον, λίθυς μχ19.
853 ᵇ15. Φθ3. 253 ᵇ16. δ. τὴν τροφήν, dist λεαίνειν Φβ8.
198 ᵇ25. Ζιθ5. 594 ᵇ19. Ζγε8. 788 ᵇ32. οἱ οἶστροι τὰ τῶν
ζῴων δέρματα διαιρῦσι Ζμβ17. 661 ᵃ15. δίχα διαιρεῖν, διαι-
ρεθῆναι, διῃρῆσθαι Φζ9. 239 ᵇ19. Ηε7. 1132 ᵃ28. Πη10.
1330 ᵃ11. διελεῖν τὸ τμῆμα μβ6. 363 ᵃ29. διελὼν χωρὶς
δύο οἰκόθεια Πβ6. 1265 ᵇ26. διελεῖν τί τισι Πζ3. 1318 ᵃ12.
τὸ σῶμα διαιρεθήσεται κατ᾽ ἐπίπεδον Μβ2. 1076 ᵇ5. ἡ εἰς
ἐπίπεδα διαίρεσις τύτον διαιρεῖται τὸν τρόπον Οβ4. 286 ᵇ31.
διῃρῆσθαι κατὰ τὰς ἁφάς Γα9. 327 ᵃ13. πῶς διελεῖς τὸ
ἄπειρον Φγ5. 205 ᵇ30. διελεῖν, διαιρεθῆναι εἰς τὰ ἐλάχιστα,
μέχρι τῶν ἀσυνθέτων α3. 440 ᵇ5, 10. Γα10. 328 ᵃ6 (cf
διαιρετόν, ἢ μέντοι διαιρεθησόμενον Ογ6. 305 ᵃ2). Πα1.1252
ᵃ19. διαιρεῖσθαι εἰς ὁμοιομερῆ, εἰς ἀνομοιομερῆ Ζια1. 486 ᵃ5.
διῃρημένον, dist συνεχές, ἁπτόμενον Φδ4. 211 ᵃ29. θ10.
267 ᵃ24. Μβ5. 1002 ᵇ3. Πα5. 1254 ᵃ29. διῄρηνται οἱ δά-
κτυλοι, θέναρ διῃρημένον ἄρθροις Ζιβ12. 504 ᵇ6. κ15. 493
ᵇ33. τέττιγες διῃρημένοι τὸ ὑπόζωμα Ζιε30. 556 ᵃ18. cf
ακ801 ᵃ1 (?). (cf ἀναλογία διῃρημένη, dist συνεχὴς Ηε6.
1131 ᵃ32). τὸ διῃρῆσθαι λέγων ἀντὶ τῦ κενῦ ξ6. 980 ᵃ7.
οἱ συγγενεῖς ταυτὸ πως ἐν διῃρημένοις sim Ηθ14. 1161 ᵇ33.
7. 1158 ᵃ28. νεη6. 1240 ᵃ14, 27. β6. 1244 ᵇ36 ᵃ12. (αἱ
ἐπιμέλειαι διῃρημέναι Πβ5. 1263 ᵃ27. ζ8. 1322 ᵃ10). τὰ
φυτά, τῶν ζῴων ἔνια, τὰ ἔντομα διαιρύμενα ζῇ ψα4. 409
ᵃ9. 5. 411 ᵇ19. β2. 413 ᵇ17. μχ6. 467 ᵃ19. ζ2. 468 ᵃ27,
30. αν17. 479 ᵃ3. Ζιδ7. 531 ᵇ30. Ζπ7. 707 ᵃ25, 28, ᵇ2.
Μζ16. 1040 ᵇ13, sed ζῷα διαιρύμενα, διαιρεθέντα, διῃρη-
μένα etiam usurpatur de sectione animalium Ζια17. 496
ᵃ11, ᵇ6. β9. 502 ᵇ25. γ2. 511 ᵇ20. ε8. 542 ᵃ6. — τὸ δι-
ῃρημένον συντιθέντα λέγειν ἢ τὸ συγκείμενον διαιρῦντα Ρβ24.
1401 ᵃ24. δι διαιρύμενος κ̣ συντιθέμενος ὁ λόγος ἕτερον
σημαίνει τι20. 177 ᵃ34, ᵇ3. διῃρημένα, opp συναμφότερον ἢ
συμπεπλεγμένον Μχ5. 1062 ᵇ3. γ4. 1008 ᵃ19, 21, 27. —
λέξις διῃρημένη, opp ἀντικειμένη Ργ9. 1409 ᵇ32. λέξις
διῃρημένη κ̣ εὐανάπνευστος Ργ9. 1409 ᵇ14. — τὐναντίον
ἔστιν ὑπολαβεῖν ἢ διῃρημένα (per aliam interpunctionem,
seiunctis versibus) Ργ9. 1409 ᵇ11. — λύειν τὸς φαινομένυς
συλλογισμὸς διαιρῦντα (i e dissolvendo in singulas, ex qui-
bus constat, partes), opp ἀναιρῦντα τι18. 176 ᵇ36 Wz,
177 ᵃ4. — 2. distinguere genus aliquod in species. πό-
τερον χρηστέον πᾶσι τοῖς ρυθμοῖς ἢ διαιρετέον Πθ7. 1341
ᵇ21. διῃρήσθωσαν αἱ ψυχικαὶ κ̣ αἱ σωματικαὶ τῶν ἡδονῶν
Ηγ13. 1117 ᵇ28. διείλομεν δύο εἴδη, τὰ διῃρημένα εἴδη sim
Πθ10. 1295 ᵃ8. 16. 1300 ᵇ39. γ6. 1278 ᵇ31. θ1. 1337 ᵇ5.
ρ6. 1427 ᵇ30 (cf διῃρισμένα ᵇ36). Ρα8. 1365 ᵇ25. γ5.
1407 ᵇ7 al. γένει διελεῖν Ζγα16. 721 ᵃ16. τὰ γένη διῄρηται
Ζιε1. 539 ᵃ4. αἱ κατηγορίαι διῄρηνται, αἱ διαιρεθεῖσαι κατη-

γορίαι Αα37. 49 ᵃ8. ψα1. 402 ᵃ25. 5. 410 ᵃ15. διαιρεῖν
(διῃρῆσθαι) εἰς δύο, δίχα, εἰς τρία εἴδη, εἰς δύο μέρη, εἰς
τρεῖς ἰδέας sim Μλ1. 1069 ᵃ34. Ζμα3. 643 ᵃ17, ᵇ24, 27.
ημβ11. 1210 ᵃ5, 24. Παδ. 1254 ᵇ31. β6. 1264 ᵇ31. Ρβ1.
1378 ᵃ23. ρ8. 1428 ᵃ35. περὶ ὅρκων τετραχῶς ἔστι διελεῖν
Ραl5. 1377 ᵃ8. διῃρῆσθαι χωρὶς κατὰ γένη τὴν πόλιν Πη10.
1329 ᵃ41. cf ηεη7. 1241 ᵃ4. ρ29. 1436 ᵃ28. διαιρεῖν κατὰ
τὸ πρᾶγμα, κατὰ τὸς ἀνθρώπυς Πδ15. 1299 ᵇ18. ηεη7.
1241 ᵃ4. τὰ κύρια διῄρηται κατὰ τὰς πολιτείας, τὸ βυλευ-
όμενον διῄρηται πρὸς τὰς πολιτείας Ρα8. 1365 ᵇ27. Πδ14.
1298 ᵇ11. ἐν τοῖς νέοις χ̣ τοῖς γέρυσι διῄρηται ταῦτα· ὅσα
διῄρηται ἡ νεότης χ̣ τὸ γῆρας Ρβ14. 1390 ᵇ5, 7. ἡ δόξα
διαιρεῖται τῷ ψευδεῖ χ̣ ἀληθεῖ Ηγ4. 1111 ᵇ33. ταῦτα τε-
λευτάτην διαίρεσιν διῄρηται φ6. 814 ᵃ8. — his affinis usus
ν διαιρεῖν de seiungendis membris dilemmatis, διελόντα εἰ-
πεῖν ε9. 19 ᵃ29. αἰτεῖται τις διελεῖν τὸ πρόβλημα τ913.
163 ᵃ8, et de secernendis eiusdem vocabuli notationibus,
διελεῖν ποσαχῶς ἕκαστον, διαιρεῖν πρὸς τὰ ἀμφίβολα sim
Αα29. 45 ᵇ20. ΜΑ9. 992 ᵇ19. Οα11. 280 ᵇ4. β14. 297 ᵇ3.
Ργ18. 1419 ᵃ20 al. διαιρεῖν et med διαιρεῖσθαι syn τ17.
175 ᵇ34, 37. κρίνειν διαιρῶντα τῆς κρίσεως ἁπλῶς γεγραμ-
μένης Πβ8. 1268 ᵇ5. — ex distinguendi significatione διαι-
ρεῖν abit in notionem disputandi, explorandi, explicandi.
διελεῖν ἐν τίνι τῶν γενῶν ἐστί. διελεῖν τίνα ἔχει δύναμιν
sim ψα1. 402 ᵃ23. Πδ15. 1299 ᵃ12. 16. 1300 ᵇ18. θ5.
1339 ᵃ15. 7. 1341 ᵇ31. διελεῖν περὶ τινος φζ9. 239 ᵇ13.
διελεῖν περὶ ἕκαστον γένος Ζμα5. 645 ᵇ1. ἐκ τῶν περὶ τὰς
ἀρετὰς διῃρημένων Ρβ1. 1378 ᵃ18. διελεῖν τῦτο, πῶς δεῖ
διελεῖν Ηζ1. 1138 ᵇ20. Οδ1. 308 ᵃ6. Πβ2. 1261 ᵃ14. γ13.
1283 ᵇ11. ὑ πάντα τὰ συμβαίνοντα διῃρήκαμεν Ζγβ2. 735 ᵃ30
ᵇ8. διελεῖν τὰς αἰτίας Ζμα5. 645 ᵇ3. — διαιρετέον πόσαι
διαφοραί Πδ2. 1289 ᵇ12. διαιρετέον περὶ τινος Ηζ2. 1139
ᵃ5. ηεγ2. 1231 ᵇ3. η10. 1243 ᵇ1. διαιρετέον τὸ ἀπόρημα,
τὰς αἰτίας Γα10. 327 ᵇ32. 1. 314 ᵃ2. ηεβ7. 1223 ᵃ28. —
3. διαιρεῖν seiungere praedicatum a subiecto in proposi-
tionibus negativis. εἴ τι συνάπτει ἤ διαιρεῖ ἡ διάνοια Με4.
1027 ᵇ33 Bz. ἡ προστιθεμένη ἡ διαιρημένη τῷ εἶναι χ̣ μὴ
εἶναι Αα1. 24 ᵇ17 Wz. ἀληθεύει ὁ τὸ διῃρημένον οἰόμενος
διῃρῆσθαι χ̣ τὸ συγκείμενον συγκεῖσθαι Μθ10. 1051 ᵇ3. —
med διαιρεῖσθαι, διελέσθαι eandem fere habet usus varie-
tatem atque activum. διαιρεῖσθαι τὰ δημόσια sim, inter se
distribuere ρ2. 1422 ᵇ15. Ρβ14. 1390 ᵇ7. — distinguere
generis species Αα31. 46 ᵃ38, ᵇ7, 20. Μζ12. 1038 ᵃ9.
Πδ2. 1289 ᵃ26. Ρα2. 1358 ᵃ35. οβ1345 ᵇ12. διελόμενος
τὰς προτάσεις τφ1. 155 ᵇ18. ὡς διαιρῦνται οἱ εἰς δύο δια-
ρῦντές τὰ ζῷα Ζμα3. 643 ᵃ17. 2. 642 ᵇ5. — διελόμενον
ποσαχῶς ἕκαστον λέγεται, δ. πρὸς τὰ ἀμφίβολα Ζμα1.
639 ᵃ23. Μγ2. 1004 ᵃ28. ζ1. 1028 ᵃ10. 4. 1029 ᵇ1. τζ2.
139 ᵇ28 (cf διελῶν ᵇ24). 13. 150 ᵇ33. ι17. 175 ᵃ37, ᵇ34
(cf act ᵇ37). — διελέσθαι τίνων ὀρεγόμενοι ἐγχειρῦσιν ἀδι-
κεῖν sim Ραl0. 1368 ᵇ28. Πγ14. 1284 ᵇ41. δ3. 1290 ᵃ2.
διελέσθαι περὶ τινος Ζμβ2. 648 ᵃ21. ηεγ2. 1230 ᵃ37. τυγ-
χάνομεν διῃρημένοι ὅτι ἔθνς δεῖ Πη15. 1334 ᵇ6. καθάπερ
ἐν ἀρχῇ διειλόμην ρ7. 1427 ᵇ41. — διαιρετός. τὸ διαι-
ρετὸν ᾗ μέγεθός ἔσται χ̣ πλῆθος Φγ5. 204 ᵃ11. Μκ10.
1066 ᵇ4. ποσὸν τὸ διαιρετὸν εἰς ἐνυπάρχοντα Μδ13. 1020
ᵃ7. συνεχὲς τὸ διαιρετὸν εἰς ἀεὶ διαιρετά, σῶμα τὸ πάντη
διαιρετὸν Οα1. 268 ᵃ6, 28. Φ1. 231 ᵇ16. 2. 232 ᵇ25. ἡ
σάρξ διαιρετὴ πάντη Ζιγ16. 519 ᵇ30. ἐν παντὶ συνεχεῖ χ̣
διαιρετῷ Ηβ5. 1106 ᵃ26. χρόνος πᾶς, τὸ μεταβάλλον πᾶν
διαιρετὸν Φζ4. 234 ᵃ12, ᵇ10. διαιρετόν, ὑ μέντοι διαιρεθη-

σόμενον (διαλυθησόμενον) Ογ6. 305 ᵃ2, 5. τὰ ζῷα ὥσπερ
φυτά ἐστι διαιρετά Ζγα23. 731 ᵃ22. — διάστημα διαι-
ρετόν, opp ἄμεσον, ἀδιαίρετον Αγ22. 84 ᵃ35. τῷ εἶναι διαι-
ρετόν, τόπῳ δὲ χ̣ ἀριθμῷ ἀδιαίρετον ψ2. 427 ᵃ5. — ὁ
φίλος ὥσπερ διαιρετὸς αὑτός ηεη12. 1245 ᵃ35. αἱ ἔσχαται
δημοκρατίαι διαιρεῖται τυραννίδες εἰσὶν Πε10. 1312 ᵇ37. —
(διαιρεῖσθαι πο24. 1460 ᵃ4, αἱρεῖσθαι ci Bz. διέλωμεν ρ5.
1426 ᵇ22, διέλθωμεν ci Spgl).
διαίρεσις. cf διαιρεῖν. 1. ὅσα μὴ ἔχει διαίρεσιν, ᾗ μὴ ἔχει,
ταύτῃ ἓν λέγεται Μδ6. 1016 ᵇ4. ὅταν ὑπερβάλλῃ ἡ τῦ βάρυς
ἰσχὺς πρὸς τὴν διάσπασιν χ̣ διαίρεσιν Οδ6. 313 ᵇ20. cf μθ9.
386 ᵇ29. ἡ εἰς μικρὰ διαίρεσις τῆς τροφῆς Ζμβ3. 650 ᵃ12, 10.
γ1. 662 ᵃ12. μηδεμίαν ἔχειν αἰσθητὴν διαίρεσιν μγ3. 372 ᵇ1.
4. 373 ᵃ23. ἡ τῶν οἰκοπέδων, τῶν πόλεων δ. Πβ6. 1265 ᵇ24.
8. 1267 ᵇ23. διαίρεσις (cf τομή) ῥάων χ̣ ἀπαθεστέρα πα35.
863 ᵃ28. 34. 863 ᵃ21. λαμβάνειν πάσας διαιρέσεις, τὴν δ. εἰς
πλείω μέρη Οβ14. 297 ᵇ26. αχ804 ᵇ7. ἡ διαίρεσις τῶν μα-
στῶν, τῶν σπονδύλων Ζια17. 496 ᵃ16. Ζμβ9. 654 ᵇ16. δύο
πόροι χ̣ μία διαίρεσις Ζμδ5. 681 ᵃ29 Fr. — αἱ γραμμαί,
αἱ ἐπιφάνειαι διαιρέσεις Μχ2. 1060 ᵇ14, 19. β5. 1002 ᵃ19,
ᵇ10. ἡ στιγμή, τὸ νῦν διαίρεσις ψγ6. 430 ᵇ20. θβ8. 262
ᵃ30. ἔστι ταὐτὸ χ̣ κατὰ ταὐτὸ ἡ διαίρεσις χ̣ ἡ ἕνωσις, τὸ
δ᾽ εἶναι ὑ ταὐτὸ Φδ13. 222 ᵃ19. — ἄπειρον κατὰ τὴν
διαίρεσιν, τῇ διαιρέσει, τῷ μὴ ὑπολείπειν τὴν διαίρεσιν, opp
κατὰ πρόσθεσιν, τοῖς ἐσχάτοις Φν4. 104 ᵃ7. 6. 206 ᵇ4, 17.
ζ2. 233 ᵃ20, 25. 5. 236 ᵇ15. 6. 237 ᵃ0. Γα3. 318 ᵃ21. Μα2.
994 ᵇ23 (Bz). θ6. 1048 ᵇ16. κ10. 1066 ᵇ1. ἔχειν ἄπειρος
διαιρέσεις Φθ8. 263 ᵃ21. ατ968 ᵃ4. — φαινόμενοι συλλο-
γισμοὶ παρὰ σύνθεσιν χ̣ διαίρεσιν τι20. 4. 166 ᵃ33-38 (i e
verborum enunciati coniunctione vel disiunctione, cf δια-
στίζειν). διαιρέσει λύειν προβλήματα πο25. 1461 ᵃ23. τόπος
ἐκ διαιρέσεως Ρβ23. 1398 ᵃ29. 24. 1401 ᵃ36. — διαίρεσις
συλλογισμῶν (cf διαιρεῖν), dist ἀναίρεσις τι33. 183 ᵃ8sqq.
— διαίρεσις λέξεως Ργ9. 1409 ᵇ15. — 2. ἡ διὰ τῶν γε-
νῶν διαίρεσις Αα31. ἡ κατὰ τὰς διαφορὰς διαιρέσεις Αδ13.
96 ᵇ25. αἱ ἀπὸ τῦ γένυς κατὰ τὴν διαίρεσιν διαφοραί Ζμα3.
643 ᵇ34. διαίρεσις τῶν μελῶν (int ἠθικά, πρακτικά al)
Πθ7. 1341 ᵇ32. περὶ τὰς βίυς χ̣ τὰς τῶν πραγμάτων διαι-
ρέσεις Πη14. 1333 ᵃ41. διῃρῆσθαι τὴν τελευτάτην διαίρεσιν
φ6. 814 ᵃ8. ἡ εἰς δύο διαίρεσις Ζμα2. 642 ᵇ17. διαίρεσις,
syn διαφορά Φη4. 249 ᵃ5, 4. Πδ9. 1294 ᵃ34. τὰ κατὰ τὴν
πρώτην, τὰ κατὰ τὴν αὐτὴν διαίρεσιν εἴδη τδ1. 121 ᵃ29.
2. 122 ᵃ25, 27. ἀκολυθῦσιν οἱ βίοι κατὰ ταύτας τὰς διαι-
ρέσεις Ζιθ2. 590 ᵃ16. ὑπὸ τὴν αὐτὴν δ. πίπτειν τζ13. 151
ᵃ15. ἐμπίπτειν τῇ πλείης διαιρέσει Ζμα3. 643 ᵇ14. τάτ-
τειν εἰς ἀμφοτέρας τὰς διαιρέσεις Ζιθ2. 589 ᵇ12. ἐν τῇ
αὐτῇ διαιρέσει Φδ14. 224 ᵃ9. Ζμα2. 642 ᵇ11. ἐν τῇ αὐτῇ
διαιρέσει, i e in eadem categoria τδ1. 120 ᵇ36, 121 ᵃ6. ἡ
διὰ τῶν διαιρέσεων ὁδός Αδ5. 91 ᵇ12. κατασκευάζειν ὅρον
διὰ τῶν διαιρέσεων Αδ13. 97 ᵃ23. οἱ κατὰ τὰς διαιρέσεις
ὁρισμοί Μζ12. 1037 ᵇ28. — ἀπόδειξις ἡ διαίρεσις ἢ καί τις
ἄλλη μέθοδος ψα1. 402 ᵃ20. ρ26. 1435 ᵇ18. ἡ διαίρεσις
δηλοῖ Μλ7. 1072 ᵇ2. ἐν τῇ διαιρέσει τῶν ἐναντίων Μι3.
1054 ᵃ30. ἡ περὶ τὸ ποιόν, περὶ τὰς ἀρχὰς διαίρεσις Κ8.
10 ᵃ19. Πδ15. 1299 ᵃ3. ηεβ4. 1221 ᵃ31. Πλάτων ἐν ταῖς
διαιρέσεσιν Γβ3. 330 ᵇ16. αἱ γεγραμμέναι διαιρέσεις Ζμα2.
642 ᵇ12. — 3. περὶ σύνθεσιν χ̣ διαίρεσίν ἐστι τὸ ἀληθὲς
χ̣ ψεῦδος ε1. 16 ᵃ12 Wz. Με4. 1027 ᵇ19 Bz, 30. κ11.
1067 ᵇ26. Φε1. 225 ᵃ21. — (διαιρέσεων Πζ3. 1318 ᵃ16
corr, αἱρέσεων Schn).

διαιρετικός, dist εὐδιαίρετος Οδ6. 313 ᵇ7. πᾶσα πληγὴ

διαιρετικὸν ἢ θλαστικόν πε37. 884 b35. — ὅροι διαιρετικοί, syn ἐκ διαιρέσεως Αδ5. 91 b39, 35.

διαίσθανεσθαι (i e αἰσθανόμενον διακρίνειν), coni διακρίνειν πιε6. 911 b33, 31. διαισθάνεσθαι τὰς διαφορὰς τῶν ὁρωμένων, τῶν ψόφων Ζγε1. 780 b17, 30. Ζιι1. 608 a20. cf πγ8. 872 a9. 19. 873 b37. 132. 894 a36. ὁ δυνάμενος ταχὺ διαισθάνεσθαι ἢ συνορᾶν τὰ διαπεφορημένα ἢ διεστραμμένα τῶν εἰδώλων μτ2. 464 b13.

δίαιτα τῶν ἐφόρων ἀνειμένη Πβ9. 1270 b31. οἱ ἰατροὶ φαρμάκοις ἢ διαίταις χρῶνται φ4. 808 b23. ποιεῖσθαι τὴν δίαιταν ἐν ἀέρι, ἐν ὕδατι ζ6. 470 b3. θ125. 842 b7. — ἡ δίαιτα τἀγαθὸν ἐν τόπῳ Ηα4. 1096 a27 (Paraphr: ἡ γὰρ δίαιτα τόπος ἐστίν, ἐν ᾧ εὖ διάγομεν). τὸ νηκτὸν εἰς τὴν ἑαυτῷ δίαιταν ἐκνεύξεται, τὸ δὲ χερσαῖον εἰς τὰ σφέτερα ἤθη ἢ νομὰς κ6. 398 b32.

δίαιτα, dist δίκη Ρα13. 1374 b20. Πβ8. 1268 b7. ἐπιτρέψαι δίαιταν, ἐπικληροῦνται αἱ δίαιται, ὁ μὴ διαιτήσας τὴν δίαιταν f 414. 1547 a28, 29, 31.

διαιτᾶν. ἡ ἰατρικὴ ἐπιστήμη τὸ ὑγίειαν ποιῆσαι ἢ τὸ διαιτῆσαι τβ3. 110 b19. — διαιτᾶσθαι, syn διάγειν ημβ3. 1199 b34, 35. μὴ ἀκολάστως διαιτᾶσθαι πκη1. 949 a25. — ἡ περὶ τῆς καρποῦ γένεσις μήπω διηγημένη (?, διηττημένη Wimmer, fort διηθημένη cf διηθεῖν) Ζγα20. 728 a28.

διαιτᾶσθαι. ὁ μὴ διαιτήσας τὴν ἐπικληρωθεῖσαν δίαιταν f 414. 1547 a28. διῆτων ἐν ἱεροῖς f 414. 1547 a29.

διαίτημα τὸ καθ' ἡμέραν πα56. 866 b3.

διαιτητής, dist δικαστής Ρα13. 1374 b21. Πβ8. 1268 b6. πιστεύεσθαι ὁ δ... δ. δ' ὁ μέσος Πδ12. 1297 a5. διαιτητῇ δεῖ Φγ6. 206 a13. δεῖ διαιτητὰς ἀλλ' οὐκ ἀντιδίκας εἶναι Οα10. 279 a11. ταὐτὸν διαιτητὴς ἢ βωμὸς Ργ11. 1412 a13. — οἱ Ἀθήνησι διαιτηταί f 414. 1547 a35, b14. 413. 1546 b42, 1547 a9. 387. 1542 b10.

διακάεσθαι (διακαίεσθαι). τὰ ξύλα διακάεται μδ9. 387 b28. ἄνθρακες διακεκαυμένοι χ2. 792 a14. ὄρνεα ὅταν ὑπὸ τοῦ πυρὸς διακαυθῇ θ63. 835 a18. οἷον διακαυῖσθαι τὸν τόπον τῦτον μα8. 345 a17. γῆ διάθερμος ἢ διακεκαυμένη πιβ3. 906 b13. cf ιδ8. 909 b12. 16. 910 b1. ἀὴρ ὑπὸ κινήσεως λαμπόμενος ἢ διακαιόμενος κ2. 392 b7. χ1. 791 b18.

διακαρτερῦντες μὴ λέγειν τἀληθῆ Ρα15. 1377 a4.

διακεῖσθαι, syn διάθεσις Κ8. 8 b37, 35. ἕξις λέγεται διάθεσις καθ' ἣν εὖ ἢ κακῶς διάκειται ὁ διακείμενος Μδ20. 1022 b11. μὴ ὁμοίως διακεῖσθαι τὴν ἕξιν Μκ6. 1063 b1. ἐὰν ἡ ἄνω κοιλία ξηρὰ ᾖ, τὴν κάτω ἐναντίως διακεῖσθαι μβ4. 360 b24. κατὰ τὰς ἀρετὰς ἢ κινεῖσθαι λεγόμεθα ἀλλὰ διακεῖσθαί πως Ηβ4. 1106 a6. οἱ διακείμενοι τὰ περὶ τὴν ψυχὴν κακῶς f 89. 1492 a12. κάκιστα διακεῖσθαι διὰ νόσον Ζγα17. 725 a8. οὐχ ὑγιεινῶς διάκεινται πρὸς τὴν ἀλήθειαν Μγ1. 1008 b30. φιλικῶς διακεῖσθαι πρός τινα Ηι4. 1166 b26. ὁ εὖ διακείμενος, opp ὁ διαβεβλημένος ρ37. 1441 b37. — τὸ διακείμενον (videtur verbum intransitivum significare) τι4. 166 b14.

διακελεύεσθαί τινι c inf ρ1. 1421 a15, ὅπως c fut ρ1. 1421 a27.

διάκενος. πολλά ἐστι τὰ διάκενα τῆς τέφρας πκε8. 938 b27, cf b36. κγ8. 932 b12.

διακινεῖν. ὁ ὡσδεὶς ἀὴρ μέχρι τινὸς φέρεται συνεχής, ἔπειτα κατὰ μικρὸν ἀεὶ διακινεῖται μᾶλλον ακ801 a25.

διακλύζειν. ἀγγεῖα ὅταν θερμῷ διακλυσθῇ Ζγβ4. 739 b12. — med διακλύζονται ἢ ἐπιρροφῶσιν πκζ3. 948 a2.

διακναίειν. οἱ ὑπερβάλλοντες ψόφοι διακναίουσι ἢ τῶν ἀψύχων σωμάτων τὰς ὄγκας Οβ9. 290 b34, 291 a22.

διακνίζειν. ἐν διακνιζομένοις ἢ διαιρυμένοις Ζιζ16. 570 a18. διακνισθέντος τοῦ κυήματος Ζιη3. 583 b16.

διακομίζεσθαι εἰς Καρχηδόνα τὰς θύννας ταριχεύοντες θ136. 844 a31. cf Ζιζ15. 570 a1.

διακονεῖν πολλὰ τῶν διακονικῶν ἔργων Πη14. 1333 a8.

διακονήματα ἐγκύκλια Πα7. 1255 b25.

διακονία. γένη τῆς διακονίας Πα7. 1255 b27. διακονίαι οἰκετικαί, ἐγκύκλιοι Πβ3. 1261 b37. 5. 1263 a20.

διακονικός. ὀργανικαὶ ἢ διακονικαὶ ἀρεταί Πα13. 1259 b23. πράξεις διακονικαί, ἔργα διακονικά Πγ4. 1277 a36. η14. 1333 a7.

διάκονος. παρακῦειν καθάπερ τῶν διακόνων οἱ ταχεῖς Ηη7. 1149 a27.

διακόπτειν. θηρεύουσι διακόπτοντες τὸν κρύσταλλον μα12. 348 b36. τὸ ὕδωρ προσπῖπτον διακόπτει τὰ ὦτα τοῖς κολυμβῶσιν, syn ῥήγνυσι πλβ2. 960 b14, 8. σκληρὰ οὕτως ὥστε μόλις διακόπτεσθαι ἢ σιδήρῳ Ζγ7. 775 b35. Ζιι14. 616 a26. δέρμα (νεῦρον, ὑμήν, κύστις) ἐὰν διακοπῇ ἢ συμφύεται Ζια13. 493 a28. γ5. 515 b19. 13. 519 b4. 15. 519 b15. τὸ ἔντερον διακόπτεται Ζιζ29. 579 a17. ἡ βαρύτης τῆς γλεύκης ἢ διακόπτουσα τὴν κοιλίαν f 211. 1516 a41. αἱ πομφόλυγες διακόπτουσιν τῇ ἀέρος διαπίπτουσιν πκδ6. 936 b5. — rhet τὴν περίοδον τῇ διανοίᾳ τετελειῶσθαι ἢ μὴ διακόπτεσθαι Ργ9. 1409 b9.

διακοσμεῖν. τὴν τῶν ὅλων σύστασιν μία διεκόσμησεν ἁρμονία χ5. 396 b25. τὸ ὅλον σῶμα οὕτω διατίθεται ἢ διακεκόσμηται Οα10. 280 a20. cf μα1. 338 a22 (Ideler I 319). συγκρίνει ἢ διακρίνει ταῦτα διακοσμῶσιν (int cogitando, τῇ θεωρίᾳ, cf κοσμοποιεῖν) Φθ9. 265 b32. cf ηεη1. 1235 a10. — διακοσμεῖν τὸν βίον ταῖς ἰδέαις ρ39. 1445 b31. ταῦτα οὕτως ἄν τις διακοσμήσειεν Πη12. 1331 a23. τὸ πρόσχημα εἰς σεμνότητος ὕψος μεγαλοπρεπῶς διεκεκόσμητο κ6. 398 a13, 19.

διακόσμησις. ἡ τῶν ὅλων τάξις τε ἢ διακόσμησις χ2. 391 b11. cf f 13. 1476 a29. πρὸς τὴν ὅλην διακόσμησιν (cf κοσμοποιία) ἐφήρμοττον ΜΑ5. 986 a6. — ἡ διακόσμησις τῇ σώματος γίνεται τοῖς ζῴοις Ζγβ4. 740 a8.

διάκοσμος σύμπας οὐρανοῦ, πᾶς τῷ βίῳ κ6. 400 b32, 399 b16.

διακύειν. διακῦσαι μόνον ἀποδίδοσι τῷ δήμῳ τὰ δόξαντα τοῖς ἄρχουσιν Πβ11. 1273 a10.

διακριβῦν τὸν ὅρον τι7. 169 b15. διακ. τὸ λεχθέν, opp ὡς τύπῳ φράζουσιν ἀποδεχέσθαι πιζ3. 916 a36. εἰ ἢ μὴ διακριβῦσιν, ἀλλ' ἀπτονται γε τῆς ἀληθείας ηεβ10. 1227 a1. διακριβῶσαι μεῖζον τῆς προκειμένης ἐστίν Ηκ8. 1178 a23. — βρεχομένη ἡ γλῶττα οὐ δύναται διακριβῦν πγ31. 875 b24 (cf ἀκριβῦν). — ὅσοις ἔμπροσθεν ἡ κατὰ τὴν ἀκοὴν αἴσθησις διακρίβωται πια27. 949 a13. Ηγ5. 1112 b6. Ρα8. 1366 a21. γραμμῆς μῆκος εὐθύτητι διηκριβωμένον μβ8. 367 b11. πορφύρια μικρὰ ὅπω διηκριβωμένα τὴν μορφήν Ζιε15. 546 b33. — διηκριβωμένως γραφῆναι ρ1. 1420 a10.

διακρίνειν, opp συγκρίνειν, συνάγειν. ἡ φιλία, τὸ νεῖκος συγκρίνει, διακρίνει sim (Emped) ΜΑ4. 985 a24, 28. 3. 984 a11. Φθ1. 252 a27. 9. 265 a21. ὁ νοῦς διακρίνει (Anaxag) Φθ9. 265 a22. πέφυκε τὸ μὲν θερμὸν διακρίνειν, τὸ δὲ ψυχρὸν συνιστάναι Γβ9. 336 a4. διακρίνειν ἢ ἐκπυρῦν τὸν ἀέρα, διαθερμαίνειν ἢ διακρίνειν μα3. 341 a17, 340 b13, 341 a28 (cf a27). πκς33. 944 a19. διακρίνειν τῇ θερμότητι τὰς συστάσεις μα3. 340 a30. 7. 344 a22. τῇ κινήσει τὸν ἀέρα μα8. 345 b34. ὅταν ἐξ ὕδατος ἀὴρ γένηται διακριθέντος ἢ πῦρ ἐξ ἀέρος μα3. 340 a10. διακρίνειν τὰς ἀναθυμιάσεις

μβ5. 361 ᵇ17. διακρίνειν εἰς πνεῦμα πκϛ33. 944 ᵃ13. δια-
κρίνεσθαι εἰς τὸν ἄνω τόπον μβ9. 367 ᵃ17. διακρίνεσθαι,
syn διαιρεῖσθαι Γα9. 327 ᵃ11, syn διαλύεσθαι μα7. 344 ᵇ22.
β8. 367 ᵃ25. opp συνίστασθαι μα7. 345 ᵃ8. 8. 346 ᵃ15.
διακρίνυσι ἢ πέττυσι τὴν ὑγρότητα Ζμγ9. 672 ᵃ20. τροφῆς 5
διακρινομένης, opp πεπτομένης Φθ6. 259 ᵇ13. διακρινομένη
τῇ αἵματος εν3. 461 ᵃ25. εἰς τὸ διακριθῆναι ἀνάγκη ἅπασιν
ἐλθεῖν Μλ10. 1075 ᵃ23 (? Bz). διακριθήσεσθαι Φα4. 188 ᵃ5.
— διακέκριται χωρὶς ἐξ ἧ τε ἡ ἀρχὴ γίνεται ἢ ἐξ ἧ τρέ-
φεται Ζγγ1. 751 ᵇ8. τὰ ἔξω πρότερον διακρίνεσθαι τῶν 10
ζῴων, ὕστερον δὲ τὰ ἐντὸς Ζγβ4. 740 ᵃ14. cf δ6. 775 ᵃ12.
— διακρῖναι ποῖον ἀντὶ ποίυ αἱρετέον Ηγ1. 1110 ᵃ29. cf 14.
1119 ᵃ8. ἐπιψηφίζειν ἢ διακρίνειν ημβ7. 1206 ᵇ21. — δια-
κεκριμένως Ζιθ16. 600 ᵃ18.
διάκρισις. γίγνεσθαι ἢ ἀπόλλυσθαι συγκρίσει ἢ διακρίσει 15
sim ΜΑ8. 988 ᵇ33. Φα4. 187 ᵃ31. Γα6. 322 ᵇ7. β6. 333
ᵇ13 (Emped). ΜΑ3. 984 ᵃ15 (Anaxag). Φγ4. 203 ᵃ27
(Anaxag). πᾶσα κίνησις ἡ κατὰ τόπον συγκρισις ἢ διάκρι-
σίς ἐστι Φη2. 243 ᵇ21, 11. διάκρισις πολλαπλασία μβ8.
368 ᵇ28. διακρίσεις, συγκρίσεις μβ9. 369 ᵇ35. — ἡ διά- 20
κρισις πέψις ἐστί Ζγδ6. 775 ᵃ17. ἡ ἐν τοῖς ᾠοῖς διάκρισις
Ζγγ1. 752 ᵃ6. τὰ μόρια ἐν τοῖς ᾠοῖς λαμβάνει τὴν διά-
κρισιν Ζγβ4. 740 ᵇ2, 13, ᵃ36. μίαν ἀπόκρισιν ἀπὸ μιᾶς
ἀναγκαῖον γίνεσθαι συνυσίας ἢ μιᾶς διακρίσεως Ζγα1β. 723
ᵇ14. τὰ φυτὰ πότερον δύναμιν ἔχει ἐπιθυμίας ὀδύνης τε ἢ 25
ἡδονῆς ἢ διακρίσεως (?) φτα1. 815 ᵃ15. — interdum διά-
κρισις pro concreto usurpatur ἡ καπνώδης διάκρισις μα4.
341 ᵇ15. ἡ ἀτμὶς ὕδατος διάκρισις ἐστιν μα3. 340 ᵇ3.
διακριτικὸν χρῶμα, opp συγκριτικὸν Μι7. 1057 ᵇ8, 10, 19.
τα15. 107 ᵇ29. γ5. 119 ᵃ30. δ2. 123 ᵃ2. ἡ3. 153 ᵃ38. 30
διακυβερνᾶν μάλιστα δεῖ ἐν ταῖς μεταβολαῖς (de curatione
morborum) πα3. 859 ᵃ18.
διακυλινδεῖσθαι οἱ ἄρρενες πέρδικες τὰ ᾠά Ζιι8. 613 ᵇ26.
διακωλύειν. ἢ δέοντα φαύλων ἀλλ᾽ ὡς εἰπεῖν διακωλύσιν
Ηθ10. 1159 ᵇ6. διακωλύειν συμμαχίαν, μέλλοντα πόλεμον 35
al. ρ3. 1425 ᵃ1 (opp συναγορεύειν 1424 ᵇ35), 28 (opp πα-
ρακαλεῖν ᵃ17). 25. 1435 ᵃ15.
διακώλυσις προαιρέσεων, λόγων, πράξεων ρ2. 1421 ᵇ22,
1422 ᵃ7.
διακωλυτικὸν ἧττον τὸ πάθος (ἡ τῶν καταμηνίων ἀνωμαλία) 40
Ζικ1. 634 ᵃ36.
διακωμῳδεῖν τινά, coni ψέγειν, ἐπιτιμᾶν πο22. 1458 ᵇ6.
διαλαμβάνειν. εἰ ἴσον ἀργύριον εἰσήνεγκαν, ἴσον ἢ διαλαμ-
βάνυσιν νεη10. 1242 ᵇ14. τὴν σύμπασαν ἀρχὴν διειλήφεσαν
κατὰ ἔθνη σατράπαις κ6. 398 ᵃ29. τὰ ὁμοιομερῆ κατὰ μέρος 45
διείληφε τὰς δυνάμεις τὰς τοιαύτας Ζμβ1. 646 ᵇ20. — διά-
στημα, ὃ διαλαμβάνει τὸ πᾶν σῶμα ὥστ᾽ εἶναι μὴ συνεχὲς
Φδ6. 213 ᵃ33. πορθμὸς διαλαμβάνων Σικελίαν sim θ105.
840 ᵃ2. 103. 839 ᵃ28, 29. κ3.393 ᵇ4. διαλαμβάνειν τι, opp
συνεχὲς ποιεῖν πα51. 865 ᵇ9. εἱ1. 880 ᵇ22. διέλαβεν ἡ φύσις, 50
φραγμὸν ποιήσασα τὰς φρένας, ἢ διεῖλε τό τε τιμιώτερον
ἢ τὸ ἀτιμότερον Ζμγ10. 672 ᵇ19. διείληφθαι τοῖς τόποις
Ζμγ14. 674 ᵇ19. διείληπται ἔργῳ ἢ ἢ θέσει μόνον τὸ ἄνω
ἢ κάτω Ζπ4. 705 ᵇ31. διελάμβανε γὰρ ἂν ἀπὸ τῆς ῥάχεως
τὸν ἐγκέφαλον Ζμδ13. 697 ᵃ25. ἑκάτερον χωρὶς ὑμένι διεί- 55
ληπται ἀπ᾽ ἀλλήλων Ζιζ2. 560 ᵃ27. κοιλία διειλημμένη
Ζιβ17. 507 ᵇ2. τὖτος (τοῖς μέλασιν) ὥσπερ διαλαμβάνειν
ἐστὶν τὸ ἐχῖνος Ζιδ5. 530 ᵇ15. τὰ τείχη διειλῆφθαι φυλακτη-
ρίοις Πη12. 1331 ᵃ10. τὸ ἱμάτιον ἑκατέρωθεν διείληπτο ζω-
δίοις ἐνυφασμένοις θ96. 838 ᵃ22. τὸ βάρος ἐπ᾽ ἀμφότερα 60
διαλαμβάνει ἡ διάμετρος μχ8. 851 ᵇ29. κίνησις στάσει δια-

λαμβάνεται Φε4. 228 ᵇ6. θ8. 264 ᵃ20. μχ1. 848 ᵇ22. cf
πια25. 901 ᵇ34. χ3. 794 ᵃ13. ἐπεισοδίοις διαλαμβάνειν τὴν
ποίησιν πο23. 1459 ᵃ36. Vahlen Poet III 328. (δύναμις τὸν
σύμπαντα κόσμον δημιωργήσασα ἢ μιᾶς διαλαβῦσα σφαί-
ρας ἐπιφανείᾳ κ5. 396 ᵇ31?). — διαλαβόντες τὰς ἀπόρυς
Πζ5. 1320 ᵇ8. διαλαμβάνοντες τὸν δῆμον ἢ τὰς φίλυς (?)
ΠΒ10. 1272 ᵇ11. διαλαβεῖν εἰς δύο πάντας Πδ11. 1296
ᵃ11. ἡ οἰκυμένη διείληπται τοῖς ἔθνεσιν οα3. 1343 ᵇ27. πῶς
δεῖ διαλαβεῖν αὐτῦ (τῷ αὐτὸ κινῦντος) τὸ κινῦν ἢ τὸ κινῦ-
μενον Φθ4. 254 ᵇ29. διαλαβεῖν εἰς διαφορὰς Ζμα3. 642 ᵇ30.
διαριθμήσασθαι ἢ διαλαβεῖν εἰς εἴδη Ρα4. 1359 ᵇ3. διαλα-
βεῖν ἢ ἀποδῦναι ὅπῃ ἕκαστον κεῖται Κ6. 5 ᵃ18. Δημόκριτος
ἔοικεν ἢ καλῶς διαλαβεῖν περὶ τῶν σπλάγχνων Ζμγ4. 665
ᵃ31. διαληπτέον, syn διορίσασθαι Πδ4. 1290 ᵇ9, 7. διαλα-
βόντα χρὴ σκοπεῖν (Theodect fr 2 Nck) Ρβ2. 1397 ᵇ5. —
(διὰ τῶν ἔργων [δια]λαμβάνειν τὴν πίστιν Πη1. 1323 ᵃ40.
λαμβάνειν Bk᾽).
διαλάμπειν. τὸ διαλάμπον (ἐν τῷ ὀφθαλμῷ) ὥσπερ κρίκος
χαλκῦς λεπτός Ζιβ11. 503 ᵇ20. τῶν σιαγόνων (τῶν ἰχθύων)
διαλαμπυσῶν Ζιθ9. 536 ᵃ17. — metaph διαλάμπει τὸ κα-
λὸν Ηα11. 1100 ᵇ30. ὐδεὶς ἂν αὐτῶν διαλάμψειεν ὑπεράρας
τὸ πλῆθος πιθ45. 922 ᵃ36.
διαλαμψις τῷ πυρός μθ9. 369 ᵇ15, 370 ᵃ24.
διαλανθάνειν. διαλαθεῖν ἐστι μὴ ὄντα Ηδ13. 1127 ᵇ19. τὸ
μὴ διαλανθάνειν, εἰ . . ἢ Ηκ10. 1181 ᵃ22. δεῖ μὴ διαλελη-
θέναι πῶς ἐπισκεπτέον Ζμα1. 639 ᵇ3. διαλανθάνειν τὰς ἐπι-
θυμῦντας πγ19. 874 ᵃ3.
διαλέγειν ὕτω τὰς τε ἀνατομὰς ἢ τὰς διαιρέσεις (ἐκλέγειν
Bk) Αθ14. 98 ᵃ1 Wz. — med διαλέγεσθαι. τῶν ἐν τῷ
διαλέγεσθαι λόγων τέτταρα γένη, διδασκαλικοὶ διαλεκτικοὶ
πειραστικοὶ ἐριστικοί τι2. 165 ᵃ38. cf διαλέγεσθαι, dist δι-
δάσκειν τι10. 171 ᵇ1. ὐκ ἔστιν αὐτὰ τὰ πράγματα διαλέ-
γεσθαι πράσσειν τι1. 165 ᵃ6. διαλέγεσθαι ὅρυς Αδ7. 92 ᵇ32.
οἱ ἀναιρῦντες παντελῶς τὸ διαλέγεσθαι Μκ5. 1062 ᵇ11. ἐὰν
τῦτο ποιῇ, ὐ διαλέγεται Μγ4. 1007 ᵃ20. — διειλέχθαι τοῖς
πολεμίοις, ἀλλ᾽ ὐ προδῦναι Ρα13. 1374 ᵃ5. τἆλλα διαλε-
χθεὶς Ρβ20. 1393 ᵇ12. διαλέγεσθαι πρὸς ἀλλήλυς, πρὸς ἑαυ-
τόν, πρὸς τὸν θυμὸν Μγ4. 1006 ᵇ8. Πη7. 1328 ᵃ4. διαλέ-
γεσθαι πρός τι, i e ea quae pertinent ad aliquam rem
Αα43. 50 ᵃ12 Wz. τθ3. 159 ᵃ5, 7. 11. 161 ᵃ19. διαλέγεσθαι
πρὸς τὐνομα τα18. 108 ᵃ35. διαλέγεσθαι πρός τι i e contra
aliquam sententiam τη5. 154 ᵃ34. ιι1. 172 ᵃ20. Φα2. 185
ᵃ6. διαλέγεσθαι περὶ τινος ΜΑ8. 989 ᵇ33 (syn πραγματεύε-
σθαι). μ4. 1078 ᵃ29. Φα2. 185 ᵃ19. διαλεχθῆναι, διειλεγμένοι
ἐσόμεθα ὅτι ἐστί τις ἡδονὴ ὐκ ἀγαθόν sim τα5. 102 ᵃ38,
39, ᵇ2. γ6. 120 ᵃ17, 19. Ηζ13. 1144 ᵇ33. cf ξ1. 975 ᵃ6.
ἐξ ὁρισμῦ διαλεκτέον Μγ8. 1012 ᵇ7. — ὅσα γλώτταιν μὴ
ἔχει ἀπολελυμένην, ὔτε φωνεῖ ὔτε διαλέγεται Ζιθ9. 535 ᵇ2
(cf διάλεκτος). διαλέγεσθαι μικρόν (loqui submissa voce)
πια35. 903 ᵃ38. 62. 906 ᵃ18. διαλέγεσθαι φωναῖς ὀξείαις
φ6. 813 ᵃ35. διαλέγεσθαι ἐκ τῶν μυκτήρων πλγ14. 962
ᵇ35. τὸ μόριον, ᾧ διαλέγονται πια27. 902 ᵃ15. τὰ παιδία
ὐ δύναται διαλέγεσθαι σαφῶς ακ801 ᵇ6. τὰ ζῷα διαλέ-
γονται ὐδὲν γράμμα ἢ ὀλίγα πια57 905 ᵃ32. — διαλέγε-
σθαι κάλλιστα (de forma τῆς λέξεως) Ργ1. 1404 ᵃ27. —
διαλέξεται τι11. 172 ᵃ20. διαλεχθῆναι τβ3. 110 ᵇ2. θ10. 161
ᵃ11. 11. 161 ᵃ19 ac saepe. διαλέγηται τη5. 154 ᵃ34. θ3.
159 ᵃ5. διειλέχθαι activo sensu τθ5. 159 ᵇ19. 11. 161 ᵇ8,
38 al. διειλέχθαι, διείλεκται, διειλεγμένος passive τθ11. 161
ᵃ18. Αα43. 50 ᵃ12.
διάλειμμα. πέντε ὄντων τῶν διαλειμμάτων (i e ovariorum

interstitia) ἀνάγκη πενταχῇ διῃρῆσθαι Ζμδ΄5. 680 ᵇ34. —
διάλειμμα, intervallum sonorum, τὸ δὶς διὰ πασῶν διά-
λειμμα πιθ41. 921 ᵇ10.
διαλείπειν. trans ὅπως μὴ διαλίπῃ τὸν ἐπιασμόν Ζιζ΄9.
564 ᵇ9. ἂν διαλείπῃ τὴν ὀχείαν Ζγγ7. 757 ᵇ4. συνεχῶς
κινεῖται τὸ μηδὲν διαλεῖπον τῷ πράγματος Φε 3. 226 ᵇ28.
τὰ μικρομερῆ ἢ διαλείπει χώραν πκα26. 929 ᵇ36. διαλείπειν
ἓν ἔτος, ὀλίγας ἡμέρας sim Ζιγ21. 523 ᵃ8. ε14. 546 ᵃ6.
Πϑ15. 1299 ᵃ37. οβ1349 ᵃ28. — pass διαλέλειπται μικρὰ
τῇ ὄψει χώρα ὁ᾽ ἧς ὁρᾷ Ζιβ11. 503 ᵃ34. εἰ μὴ διαλείπεται 10
ὁ χρόνος Φε4. 228 ᵇ8. — intr τὸ δέρμα ταύτῃ διαλείπει,
opp συνεχές Ζιγ11. 518ᵃ3. ὀστῶν συνεχές, μὴ διαλεῖπον
Ζμβ9. 654 ᵇ6. ἢ τῷ διαλείπειν τὸ ἧττον ἢ τὸ μᾶλλόν ἐστι
Φδ 9. 217 ᵇ5. τὸ ἐφεξῆς γινόμενον ὥστε μὴ διαλείπειν Γβ11.
337 ᵇ1. Φθ6. 258 ᵇ10. ὁ 11. 220 ᵃ8. πυρετοὶ διαλείποντες 15
πα55. 866 ᵃ23. cf οβ1353 ᵇ4. διαλείποντες πνέυσιν οἱ ἄνεμοι
μβ5. 362 ᵃ28. τὰ μακραύχενα τῶν ὀρνέων διαλείποντα πίνει
Ζιδ6. 595 ᵇ11. διαλείπει τὸ ἀναγκαῖον (ἐν τοῖς ὡς ἐπὶ τὸ
πολὺ γιγνομένοις) Αα13. 32 ᵇ6. εἴ τι πῃ διέλειπε, opp συν-
ειρομένην εἶναι πᾶσαν τὴν πραγματείαν ΜΑ5. 986 ᵃ7. δια- 20
λείπειν, opp πλήρη ἄστρων εἶναι μα8. 346 ᵃ36. — τὸ δια-
λεῖπον, i e ὁ μεταξὺ χρόνος Φε4. 228 ᵇ4.
διάλειψις. τῆς ἀκοῆς ἢ δυναμένης συναισθάνεσθαι τὰς δια-
λείψεις μία ἢ συνεχὴς ἡ φωνὴ φαίνεται ακ803 ᵇ37.
διαλεκτικός. ἡ διαλεκτική, def μέθοδος, ἀφ᾽ ἧς δυνησόμεθα 25
συλλογίζεσθαι περὶ παντὸς τῷ προτεθέντος προβλήματος ἐξ
ἐνδόξων τα1. 100 ᵃ18. ι2. 165 ᵇ3. 34. 183 ᵃ39. Μβ1. 995
ᵇ23 Bz. cf Αα30. 46 ᵃ30. Wz ΙΙ p 435. ἡ διαλεκτικὴ συλλο-
γίζεται ἐκ τῶν λόγῳ δεομένοις Ρα2. 1356 ᵇ36. ἡ διαλεκτικὴ
πειραστικὴ περὶ ὧν ἡ φιλοσοφία γνωριστική Μγ2. 1004 ᵇ25. 30
ἡ διαλεκτικὴ ἐρωτητικὴ τι11. 172 ᵃ18. ὁ τέχνῃ συλλογιστικὴ
πειραστικὸς διαλεκτικός ἐστι τι11. 172 ᵃ36. (cf οἱ μὲν δια-
κτικοί, opp οἱ πολλοὶ τθ2. 157 ᵃ18). ὁ διαλεκτικὸς προτα-
τικὸς ἢ ἐνστατικὸς τθ14. 164 ᵇ3. τί ἐστι τῷ διαλεκτικῷ
τι9. 170 ᵇ8. ἡ διαλεκτικὴ ὐκ ἔστιν ὡρισμένων ἰδὲ γένος 35
τινὸς ἑνός Αγ11. 77 ᵃ29, 31. τι11. 172 ᵃ12 sqq. Ρα1. 1354
ᵃ2, 1355 ᵇ9. 2. 1356 ᵃ33. περὶ συλλογισμῶν ἅπαντι τῇ
διαλεκτικῆς ἔστιν ἰδεῖν Ρα1. 1355 ᵇ9. ἡ διαλεκτικὴ τἀναντία
συλλογίζεται Ρα1. 1355 ᵇ34. τὰ διαλεκτικά, syn κατὰ
δόξαν, opp ἀπόδειξις, κατ᾽ ἀλήθειαν Αβ16. 65 ᵇ36. φαι- 40
νόμενος συλλογισμὸς ἐν τοῖς διαλεκτικοῖς Ρβ24. 1402 ᵃ4.
ἡ διαλεκτικὴ χρήσιμος πρὸς γυμνασίαν, πρὸς τὰς ἐντεύξεις,
πρὸς τὰς κατὰ φιλοσοφίαν ἐπιστήμας, πρὸς τὰ πρῶτα τῶν
περὶ ἑκάστην ἐπιστήμην ἀρχῶν τα2. 101 ᵃ27, 36. οἱ πρό-
τεροι (ante Socratem et Platonem) διαλεκτικῆς ὐ μετεῖχον 45
ΜΑ6. 987 ᵇ32. μ4. 1078 ᵇ25 Bz. Ζήνων εὑρετὴς τῆς δια-
λεκτικῆς f 54. 1484 ᵇ29, 31, 37. διαλεκτικὸς ὁ ἐξ ἐνδόξων συλλογι-
σμὸς ὁ ἐξ ἐνδόξων συλλογιζόμενος Αα30. 46 ᵃ9. β23. 68
ᵇ10. τα1. 100 ᵃ22, 29. θ11. 161 ᵃ36, 162 ᵃ16 (syn ἐπιχεί-
ρημα). Ρα2. 1358 ᵃ10. διαλεκτικὸς συλλογισμὸς ἀντιφά- 50
σεως, syn ἀπόρημα τθ11. 162 ᵃ18. ἡ διαλεκτικὴ μέθοδος
τῶν συλλογισμῶν Ρα2. 1358 ᵃ4. διαλεκτικαὶ προτάσεις
Αα1. 24 ᵃ22, 25 Wz, ᵇ10, 14. γ2. 72 ᵃ9. τα10. 104 ᵃ3, 8 sqq
θ2. 158 ᵃ16. διαλεκτικὸν πρόβλημα τα11. διαλεκτικὴ ἐρώ-
τησις ε11. 20 ᵇ22 Wz, 30. διαλεκτικὰ ἐρωτήματα τθ2. 158 55
ᵃ17. διαλεκτικοὶ λόγοι τι2. 165 ᵃ39 sqq. διαλεκτικαὶ διατρι-
βαί, σύνοδοι, dist ἀγωνιστικαὶ τθ11. 161 ᵃ24. 5. 159 ᵃ32.
ἐν τοῖς διαλεκτικοῖς Ρα2. 1356 ᵃ36. β24. 1401 ᵃ1. cf Ἀρι-
στοτέλης p 102 ᵃ44. — ἡ διαλεκτικὴ διαφέρει τῆς φιλο-
σοφίας τῷ τρόπῳ τῆς δυνάμεως Μγ2. 1004 ᵇ23, 25, 17 60
Bz. cf τθ1. 155 ᵇ8. διαφερόντως ἂν ὁρίσαιντο φυσικός τε ἢ

διαλεκτικὸς ἕκαστον ψα1. 403 ᵃ29. ἡ διαλεκτικὴ διαφέρει
τῆς σοφιστικῆς τῇ βίῳ τῇ προαιρέσει Μγ2. 1004 ᵇ23. Ρα1.
1355 ᵇ20. cf Μγ2. 1004 ᵇ17 Bz. x3 1061 ᵇ8. ὁ κατὰ τὸ
πρᾶγμα θεωρῶν τὰ κοινὰ διαλεκτικός, ὁ δὲ τῦτο φαινομέ-
νως ποιῶν σοφιστικός τι11. 171 ᵇ7. Μγ2. 1004 ᵇ25. ἡ ῥη-
τορικὴ ἀντίστροφος τῇ διαλεκτικῇ Ρα1. 1354 ᵃ1, cf ᵃ34, ᵇ9.
2. 1356 ᵃ10, 26, 33, 1358 ᵃ10. — διαλεκτικῶς, syn
πρὸς (κατὰ) δόξαν, opp κατ᾽ ἀλήθειαν τα14. 105 ᵇ31. dist
ἐριστικῶς τθ11. 161 ᵃ33. διαλεκτικῶς εἴρηνται ἢ κενῶς ὁρι-
σμοί τινες ψα1. 403 ᵃ2 Trdlbg. δ. συλλογίζεσθαι Αγ19. 81
ᵇ18 sqq. δ. πεῖραν λαβεῖν τι34. 183 ᵇ3.
διάλεκτος, εἶδος φωνῆς πια 1. 898 ᵇ30. dist ψόφος, φωνή,
def διάλεκτος ἡ τῆς φωνῆς τῇ γλώττῃ διάρθρωσις Ζιδ9.
535 ᵃ28, 30 (cf ἡ ἐν ἄρθροις φωνή, ἣν ἄν τις ὥσπερ διά-
λεκτον εἴπειεν Ζιδ9. 536 ᵇ12, 9, 18). Vahlen Poet III 222.
τῶν φωνηέντων ζῴων τὰ μὲν διάλεκτον ἔχει, τὰ δὲ ἀγράμ-
ματα Ζια1. 488 ᵃ33. π39. 895 ᵃ10. μάλιστα ἔχει διάλεκτον
ὅσοις ὑπάρχει μετρίως ἡ γλῶττα πλατεῖα Ζιδ9. 536 ᵃ21.
cf Ζμβ17. 660 ᵃ22, 29. ἡ διάλεκτος ἴδιος ἀνθρώπῳ· ὅσα μὲν
γὰρ διάλεκτον ἔχει, ἢ φωνὴν ἔχει, ὅσα δὲ φωνήν, ἢ πάντα
διάλεκτον Ζιδ9. 536 ᵇ1. καταχρῆται ἡ φύσις τῇ γλώττῃ
ἐπί τε τὴν γεῦσίν ἢ τὴν διάλεκτον Ψβ8. 420 ᵇ18. ὁδόντες
τοιῦτοι πρὸς τὴν διάλεκτον Ζμγ1. 661 ᵇ14. ἢ διὰ τῶν ῥινῶν
διάλεκτος γινομένη πλγ14. 963 ᵃ1. ἐπὶ τῆς διαλέκτυ τί ἀσά-
φειαν ἀπεργάζεται ακ801 ᵇ11. διάλεκτος βραδεῖα φ3. 807
ᵇ34. τῷ ἀνθρώπῳ μία φωνή, ἀλλὰ διάλεκτοι πολλαί πι38.
895 ᵃ6. τὸ ἀόρατον ἢ στοιχεῖον τῆς διαλέκτη Φγ5. 204
ᵃ16. Μx10. 1066 ᵇ10. ὅσα τῶν ἀψύχων ἀπότασιν ἔχει ἢ
μέλος ἢ διάλεκτον ψβ8. 420 ᵇ8 (? Trdlbg). — ἡ εἰωθυῖα
διάλεκτος Ργ2. 1404 ᵃ24. ὅσα τῶν ὀνομάτων παρὰ τὴν
διάλεκτόν ἐστιν Ργ1. 1404 ᵃ33. ἃ ὐδεὶς ἂν εἴποι ἐν τῇ δια-
λέκτῳ πο22. 1458 ᵇ32. πλεῖστα ἰαμβεῖα λέγομεν ἐν τῇ
διαλέκτῳ τῇ πρὸς ἀλλήλυς πο4. 1449 ᵃ26. ποιεῖν ξένην τὴν
διάλεκτον Ργ2. 1404 ᵇ11 (syn ξενικὴν ποιεῖν τὴν λέξιν 3.
1406 ᵃ16). ἐπιτιμῶντες τῷ τοιώτῳ τρόπῳ τῆς διαλέκτυ
πο22. 1458 ᵇ6.
διαλελυμένως ν διαλύειν p 184 ᵃ33.
διάλευκα τὰ δέρματα ἢ αἱ τρίχες πι33. 894 ᵃ39. αἱ λίμναι
διαλευκότεραι τῆς θαλάττης πκγ6. 932 ᵃ29.
διάληψις αἱματικὴ ἡ φύσις πάντων τῶν σπλάγχνων διὰ τὸ
τὴν θέσιν ἔχειν ἐπὶ πόροις φλεβικοῖς ἢ διαλήψεσιν, (i e ra-
mificatio) Ζμβ1. 647 ᵇ2. ἡ ῥάχις ταῖς ἀρθραίαις ἐχοντῶν
δεῖται συνδέσμῳ διὰ τὰς διαλήψεις, (foramina) Ζμβ6. 652
ᵃ17. ἄμερές ἰδὲν ὕτω κινηθῆναι δυνατόν· ἢ γὰρ ἔχει τὴν τῦ
πεισομένῳ ἢ τῦ ποιήσοντος ἐν αὐτῷ διάληψιν (i e distinctio)
Ζπ3. 1027. cf 4. 705 ᵇ26. — τῇ διαλήψει δύο νῆται ἐν
τῇ ὑπάτῃ γίνονται (?) πιθ12. 918 ᵇ1.
διάλλαξίς τε μιγέντων (Emped 100) Γα1. 314 ᵇ8. Μδ4.
1015 ᵃ2. ξ2. 975 ᵇ7.
διαλλάττειν τὸν τόπον πιε4. 913 ᵇ17. διαλλάττειν τὰς λό-
γυς, διαλλάττειν κατὰ πάντας τὰς τρόπυς ρ23. 1434 ᵃ38.
34. 1439 ᵇ8. τῶν ζῴων διελέσθαι, ὁποῖα αὐτῶν προσήκει
διαλλάττειν πρὸς τὸ εἶναι ἀνδρεῖα ἢ δειλά φ5. 809 ᵃ27. —
pass διαλλαττομένων ἢ διακρινομένων φθείρεσθαι, opp μισγο-
μένων ἢ συντιθεμένων γίγνεσθαι ξ2. 975 ᵇ13. — med μὴ
διαλλάττειν αὐτῷ ἄνευ τιμωρίας Ηδ11. 1126 ᵃ28. — intrans
ἴσοι, πλὴν ἐφ᾽ ὅσον διαλλάττει ταῖς ἡλικίαις Ηθ12. 1161
ᵃ5. αἱ ἡδοναὶ ἢ μικρὸν διαλλάττυσιν Ηx5. 1176 ᵃ10.
πολὺ διαλλάττειν τῇ ἀρετῇ Ηι3. 1165 ᵇ24.
διαλογή. ὁ τρόπος τῆς διαλογῆς τῶν ψήφων Πβ8. 1268 ᵇ17.
εἴληπται ἡ διαλογὴ τῶν ἕξεων καθ᾽ ἕκαστα τὰ πάθη ηεβ5.

1222 ᵇ5.

διαλογίζεσθαι, def ρ21. 1433 ᵇ34-38. διαλογισάμενοι (διει-
λόμενοι ci Spgl) ρ36. 1440 ᵇ23.

διάλογος. τὰ ἐν τοῖς διαλόγοις, opp τὰ ἐν τοῖς μαθήμασιν
Αγ12. 78 ᵃ12. Ἀλεξαμένη τῷ Τήϊῳ οἱ πρότεροι γραφέντες ⁵
τῶν Σωκρατικῶν διαλόγων f 61. 1486 ᵃ12.

διαλύειν. ἅπαντα ἐξ ὧ ἐστί, ᾧ διαλύεται εἰς τῦτο Φγ5.
204 ᵇ33. Μ×10. 1066 ᵇ37. Η×2. 1173 ᵇ6. ἐξ ὧν πρώτων
σύγκειται ᾧ εἰς ἃ ἔσχατα διαλύεται Γα8. 325 ᵇ19 (cf δια-
λύεσθαι, syn φθείρεσθαι τὸ 4. 124 ᵃ23. η3. 153 ᵇ31). δια- 10
λύεσθαι ῥᾳδίως Γα8. 326 ᵃ27. διαλύεσθαι, opp συντίθεσθαι
Ογ6. 304 ᵇ30. συντιθέντες ᾧ διαλύοντες εἰς ἐπίπεδα ᾧ ἐξ
ἐπιπέδων Ογ1. 298 ᵇ34. Γα2. 315 ᵇ32. ὅρος εἰς ὃν διαλύεται
ἡ πρότασις Αα1. 24 ᵇ16. syn διαιρεῖν Ογ6. 305 ᵃ5, 2. syn
διακρίνειν· πνεῦμα τὸ διαλύον τὸν ἀέρα ᾧ διακρῖνον μβ8. 367 15
ᵃ24. α7.344 ᵇ23. syn χωρίζειν Ζγα23. 731 ᵃ23. opp συμ-
πεφυκέναι· τῇ μὲν συμπέφυκε, τῇ δὲ διαλέλυται Ζιδ4.
528 ᵃ16. opp συμπλέκεσθαι Ζγα21. 729 ᵇ30. opp συνι-
στάναι· ἐναλλὰξ συνιστάναι ᾧ διαλύειν, συνεστῶτα διαλυ-
θήσεται ᾧ διελυμένα συνέστη ἔμπροσθεν Οα10. 280 ᵃ12, 20
279 ᵇ28. ἅπαντος διαλυομένε ᾧ συνισταμένε πάλιν εἰς ὕδωρ
μβ2. 355 ᵃ31. διαλύειν τὴν σύστασιν μα8. 346 ᵃ13. 10.
347 ᵃ35. γ3. 373 ᵇ28. 6. 377 ᵇ31. διαλυομένων τῶν κομη-
τῶν μα6. 343 ᵇ26, 25. ὅσα εἰς τέφραν διαλύεται μθ9. 387
ᵇ14. τὸ θερμὸν διαλύει τὰ σώματα πιπ56. 905 ᵃ29 (cf συν- 25
έστηκεν ᵃ28). κθ3. 936 ᵃ25. τὸ σῶμα διαλύει ὁ πνευ-
ματῖναι Ζγβ3. 737 ᵃ11. ἐκθερμαινόμενοι οἱ περὶ τὴν κοι-
λίαν τόποι διαλύονται πκζ10. 949 ᵃ1. διαλύειν τὰ ὑπώπια
πθ10. 890 ᵇ20 (cf παύειν 9. 890 ᵇ7). διαλύεται ἀκαριαῖος
χυμὸς εἰς τὴν θάλατταν ἐκχυθεὶς αι6. 446 ᵃ8. πολλὰ βα- 30
σιλευθέντα καλῶς διελύθη δι' ἄλλας κυριωτέρας ἀρχὰς μτ2.
463 ᵇ27. κινήσεις διαλύονται μν2. 453 ᵇ3. εν3. 461 ᵃ10.
μτ2. 464 ᵃ13. Ζγε1. 781 ᵃ10. διαλελυμένως κινεῖν πνεῦμα,
opp σφοδρῶς πια13. 900 ᵃ24. ὅταν ἡ φωνὴ ἤδη διαλελυ-
μένη προσπίπτῃ πρὸς τὴν ἀκοὴν ακ801 ᵃ37. διαλυθέντα τὰ 35
μέτρα (τῆς ποιήσεως) ἐχ ὅμοια φαίνεται Ργ4. 1406 ᵇ37.
— διαλύειν τὴν κοινωνίαν ηα1. 1343 ᵃ12. διαλύειν τὴν φι-
λίαν, ἡ φιλία διαλύεται Ηθ6. 1157 ᵇ10, 13. 16. 1163 ᵃ26.
ι3. 1165 ᵃ26. θᾶττον οἱ ἄτεκνοι διαλύονται, οἱ χρήσιμοι ἐχ
εὐθὺς διαλύονται sim Ηθ14. 1162 ᵇ28. 15. 1162 ᵇ25, 33 40
(opp συναλλάττειν). ι3. 1165 ᵇ3, 21. ηεη10. 1243 ᵃ5. δια-
λυθῆναι πρός τινα Ηι1. 1164 ᵇ14. ἆρ' εὐθὺς διαλυτέον ἢ ὂ
πᾶσιν Ηι3. 1165 ᵇ17, 18. θ15. 1163 ᵃ6. — quoniam ἡ ἀπο-
ρία δεσμῷ comparatur (λύειν ἐχ ἔστιν ἀγνοῦντας τὸν δε-
σμόν Μβ1. 995 ᵃ30), dicitur διαλύειν τὴν ἀπορίαν Μκ6. 45
1062 ᵇ31, 1063 ᵇ8, 13. 3. 1061 ᵇ15. διαλῦσαι τὸν λόγον
τι16. 175 ᵃ30 (opp συνεῖραι, syn λῦσαι ᵃ21). Γα2. 315
ᵇ22. ad eandem imaginem videtur referri διαλύειν τὰ συμ-
βόλαια Πγ3. 1276 ᵃ11, ᵇ13. διαλῦσαι τὸν μισθὸν οβ1347
ᵇ22. — οἱ διαλελυμένοι διὰ νόσον ἢ πόνον ακ803 ᵇ21 (cf 50
σύντονος). διαλύονται ᾧ ἀδυνατῦσιν Ζιη5. 585 ᵃ33. αἱ σφο-
δραὶ ἡδοναὶ ᾧ ἰσχυραὶ διαλύεσιν f 169. 1506 ᵃ39. οἱ ἐκ
τῶν γυμνασίων διαλυόμενοι πε2. 880 ᵇ30. διαλύονται οἱ
πολὺ πεπωκότες πιγ2. 871 ᵃ10. eadem imago ad oratio-
nem transfertur διαλύειν ᾧ ἀσθενῆ ποιεῖν τὰ ἐπίδοξα ρ19. 55
1433 ᵃ37. διαλύει τὸ σαφὲς τῆ ἐπισκοτεῖν Ργ3. 1406 ᵃ35.
εἱ' ὧν τὰ πάθη ἐγγίγνεται ᾧ διαλύεται Ρβ11. 1388 ᵇ29.
διαλύειν fere i q ἐλέγχειν Ρβ4. 1382 ᵃ18. α15.1377 ᵃ2. δια-
λῦσαι τὸν τετραγωνισμὸν Φα2. 185 ᵃ17. — διαλύειν τὰς
στάσεις, τὰς διαφορὰς Πε4. 1303 ᵇ27. 8. 1308 ᵃ30. ρ3. 1424 60
ᵇ7. διαλύεσθαι τὰς πολέμας Ργ10. 1411 ᵇ13. ρ3. 1425 ᵇ12.

ὁ πόλεμος διελύθη οβ1351 ᵃ6. οἱ ξένοι ἐπὶ μικρῷ διαλύον-
ται (conciliantur) ᾧ ῥᾳδίως καταπαύονται Ρα12. 1373 ᵃ9.
cf πιη2. 916 ᵇ25.

διαλυμαίνεσθαι. σῦς διαλυμαινόμενος τὴν χώραν f 530.
1566 ᵃ23.

διάλυσις (cf διαλύειν), opp σύνθεσις Ογ6. 304 ᵇ29. τζ14.
151 ᵃ28. ἡ τῶν ἐπιπέδων (i e εἰς τὰ ἐπίπεδα) διάλυσις
Ογ7. 306 ᵃ1. syn φθορά τὸ4. 124 ᵃ24. τῆς διαλύσεως ᾧ
τῆς φθορᾶς Γα8. 325 ᵇ3. — διάλυσις τῆς φιλίας Ηι1. 1164
ᵃ9. 3. 1165 ᵇ36. — ἔστι δ' ἡ νομικὴ φιλία διάλυσις πρὸς
νόμισμα ηεη10. 1243 ᵃ7 (cf διαλύειν τὰ συμβόλαια, et
δῆλον ἐν ταύτῃ τῇ φιλίᾳ τὸ ὀφείλημα Ηθ15. 1162 ᵇ28).
— ἡ ἀδυναμία ᾧ ἡ διάλυσις υ1. 454 ᵇ7. Ζικ6. 637 ᵇ26.
— ἀδικημάτων κατηγορηθέντων ἢ καθυποπτευθέντων διά-
λυσις ρ5. 1426 ᵇ28. — βελεύεσθαι περὶ διαλύσεως, coni
πολέμε, εἰρήνης Πὁ14. 1298 ᵃ5.

διαλυτικός, syn φθαρτικὸς τη3. 153 ᵇ33. — διαλυτικῶς
τη3. 153 ᵇ32.

διαμαρτάνειν c gen τῶν χρησίμων, τῆς ὀρθοτάτης πολι-
τείας, τῆς θεραπείας sim Πὁ1. 1288 ᵇ37. 8. 1293 ᵇ28. η13.
1331 ᵇ32. ΜΑ1. 981 ᵃ23. οβ1349 ᵃ29. — διαμαρτάνειν
absolute Αγ5. 74 ᵃ4 (syn ἀπατᾶσθαι ᵃ6). Κ7. 6 ᵇ38. τὁ5.
125 ᵇ20, 126 ᵇ34. Φγ8. 307 ᵃ4. αν7. 474 ᵃ18. Μν3. 1090
ᵇ32. Πὁ12. 1297 ᵃ7. ηµβ7. 1204 ᵇ22. διαμαρτάνειν, διη-
μαρτηκὼς τῷ λόγῳ, τῷ λογισμῷ ηµβ6. 1201 ᵃ19, 24, 27,
30. διαμαρτάνειν ἔν τινι Ηὁ3. 1121 ᵃ8. θ15. 1163 ᵃ3. δια-
μαρτάνειν τοῖς ὅλοις, opp τὰ πλεῖστα κατορθῦν Ηα9. 1098
ᵇ28. πολλὰ διαμαρτήσεται περὶ τὴν πραγματείαν οβ1345
ᵇ10. διαμαρτάνωσι λαμβάνοντες ἕτερα ἀνθ' ἑτέρων μὁ4.
375 ᵃ27. — εἴονται, ὑπολαμβάνεσι διαμαρτάνοντες ακ803
ᵃ10, 804 ᵇ23. χ6. 798 ᵇ18.

διαμάρτημα τὸ πρόβλημα εἰκὸς ἐστιν (?) πο25. 1461 ᵇ8 (δι'
ἁμάρτημα recte ci Madius, cf Vahlen Poet IV 424).

διαμασᾶσθαι. med διαμασῶνται τὰ ξύλα Ζιι6. 612 ᵃ1.
διαμασησάμενος τῆς ἁλμυριζάτης γῆς Ζιι7. 613 ᵃ3. —
pass ὁ κύαμος διαμασηθεὶς πθ6. 890 ᵃ25.

διαμάχονται ἐσχάτως αἱ περιστεραὶ Ζιι7. 613 ᵃ11. — me-
taph τύτῳ τῷ γένει ᾧ διεμάχετο Πλάτων ΜΑ9. 992 ᵃ20.
διαμέμφεται ὁ Αἴσωπος Μῶμος τὸν ταῦρον, ὅτι Ζμγ2.
663 ᵃ35.

διαμένειν ἐν τῷ αὐτῷ Φθ6. 260 ᵃ18. διαμεῖναι ᾧ μὴ κατα-
μαρανθῆναι μα7. 344 ᵃ29. cf πι28. 894 ᵃ7. ὕτε γίγνεσθαι
ὕτ' ἀπόλλυσθαι, ἀλλὰ διαμένειν ἀίδια ΜΑ3. 984 ᵃ16. δια-
μένειν ἀκίνητα Κ5. 4 ᵃ35. εἰ ἀλλοιῦτο ᾧ μὴ διαμένοι τὸ
αὐτὸ Οβ6. 288 ᵃ31. ἡ μορφὴ ὁμοία διαμένει Ζγὁ3. 768
ᵇ31. διέμειναν ἄδιψοι f 99. 1494 ᵃ10. οἱ νόμοι διαμένειν
οἱ προϋπάρχοντες Πὁ5. 1292 ᵇ20. αἱ διαμένεσαι λίμναι
Ζιζ16. 570 ᵃ10. διαλύεσθαι πρὸς τὰς μὴ διαμένοντας (φί-
λες) Ηι3. 1165 ᵇ1. — διαμένειν c partic διαμένεσιν ὅμοιοι
ὄντες αl Ηθ10. 1159 ᵇ8. μβ2. 355 ᵃ11. 3. 357 ᵇ27. —
διαμένειν ὅλην τὴν ἡμέραν, αl μβ2. 355 ᵇ27. 3. 358 ᵇ30.
διαμερίζειν τὰς πόνας εἰς ἅπαν τὸ σῶμα πε40. 885 ᵃ18.
διαμερισθέντων τῶν κατὰ μῆνα δαπανωμένων οκ6. 1345 ᵃ19.
διάμεστος εἰς τὸ ἥμισυ πίθος πι950. 922 ᵇ36.
διαμεστεῖν σφόδρα πκε8. 939 ᵃ4.
διαμεστρεῖν. διαμεμετρημένη ἡμέρα def f 423. 1548 ᵃ39.
διάμετρος, diameter circuli Οα4. 271 ᵃ12. β13. 293 ᵇ25.
μβ6. 363 ᵃ34, β6, 9sqq. × 2. 391 ᵇ26 (ἄξων διάμετρος τῦ
κόσμε). Ζικ3. 699 ᵃ29. μχ1. 849 ᵃ24, 37. 8. 851 ᵇ27, 852
ᵃ13. — linea diagonalis, ἡ ἐκ γωνίας εἰς γωνίαν ἀχθεῖσα
γραμμή πιε1. 910 ᵇ11. 2. 910 ᵇ19, 20. cf ις4. 913 ᵇ11.

μχ1. 848 ᵇ12. τῇ ῥόμβῳ διάμετρος ἐλάττων. μείζων μχ23.
854 ᵇ2θ, 855 ᵃ6. κατὰ τὴν διάμετρον φέρεται τὰ δύο φορὰς
φερόμενα μα4. 342 ᵃ26. μχ1. 848 ᵇ23. αἱ κινήσεις τῶν
ζῴων τῶν τετραπόδων ϗ πολυπόδων κατὰ διάμετρόν εἰσιν
Ζιβ1. 498 ᵇ6. α5. 490 ᵇ4. Ζμδ5. 680 ᵇ18. Ζπ14. 712 ᵃ25, 5
ᵇ4, 5, 8, 12, 14. praecipue διάμετρος significat lineam dia-
gonalem quadrati. ἡ διάμετρος τῇ πλευρᾷ ἀσύμμετρος,
demonstratur Αα23. 41 ᵃ26 Wz, saepissime pro exemplo
affertur veluti Αα31. 46 ᵇ29. 44. 50 ᵃ37. β17. 65 ᵇ18. γ2.
71 ᵇ26. 33. 89 ᵃ30. τα 15. 106 ᵃ38. θ13. 163 ᵃ12. ι9. 170 10
ᵃ25. 17. 176 ᵇ20. Φθ12. 221 ᵇ24, 222 ᵃ5. Οα11. 281 ᵃ7.
ψγ6. 430 ᵃ31 Trdlbg. Ζγβ6. 742 ᵇ27. ΜΑ2. 983 ᵃ16 Bz.
γ8. 1012 ᵃ33. θ7. 1017 ᵃ35. 12. 1019 ᵇ24. 29. 1024 ᵇ19.
θ4. 1047 ᵇ6. 10. 1051 ᵇ21. ι1. 1053 ᵃ17 (ἡ διάμετρος δυσὶ
μετρεῖται, cf Bz). Ρβ19. 1392 ᵃ18. Ηγ5. 1112 ᵃ22. γεβ10. 15
1226 ᵃ3. — ab utraque significatione repetitur formula
κατὰ διάμετρον ἀντικεῖσθαι. ἡ κύκλῳ ἔχει πως ἀντικείμενα
τὰ κατὰ διάμετρον Οα8. 277 ᵃ24. πλεῖστον ἀπέχει τὰ κεί-
μενα κατὰ διάμετρον μβ6. 363 ᵃ34. Φθ8. 264 ᵇ15. αἱ κατὰ
διάμετρον ἀντιφάσεις ε10. 19 ᵇ35. ἡ κατὰ διάμετρον σύ- 20
ζευξις Ηε8. 1133 ᵃ6. γεη10. 1242 ᵇ16.
διαμισεῖν. διαμισήσας τὸν ἔρωτα τὸν τῆς μητρός Πβ12.
1274 ᵃ34.
διαμονή τῷ ἐμφύτῳ πνεύματος πν1.481ᵃ1, τῷ ὕδατος φτβ6.
826 ᵇ19, τῶν φυτῶν, τῶν καρπῶν φτα3. 818 ᵃ40. 7. 822 ᵃ1. 25
διαμπερές (Hom Ν 547) Ζιγ3. 513 ᵇ28. (Emp 73, 346)
Φθ1. 251 ᵃ2. αρ7. 473 ᵇ12.
διαμφισβητεῖν περί τινος Κ8. 10 ᵇ32. γεα1. 1214 ᵇ1. διαμ-
φισβητεῖται περὶ φιλίας ἐκ ὀλίγα Ηθ 2. 1155 ᵃ32. οἱ
διαμφισβητῦντες περὶ τῶν πολιτικῶν τιμῶν Πγ13. 1283 30
ᵇ14. ἃ οἱ διαμφισβητῦντες πρὸς τὴν βασιλείαν λέγυσιν
Πγ16. 1287 ᵇ38. διαμφισβητεῖν πρὸς αὐτήν, πρὸς ἀλλήλας
Μκ6. 1062 ᵇ34. γμβ11. 1211 ᵃ14. διαμφισβητῦσι τρόπον
τινὰ δικαίως. Πγ13. 1283 ᵃ30. διαμφισβητῦσι ποῖα θερμὰ
τῶν ζῴων ἐστὶν Ζμβ2. 648 ᵃ24. 35
διαμφισβήτησιν ἔχει, πότερον Πα8. 1256 ᵃ14.
διαναγκάζειν. τὰ χλωρὰ διαναγκάζει τὴν ὄψιν πρὸς τύτοις
εἶναι πλα19. 959 ᵃ36.
διαναπαύειν ἐν ταῖς ἡδοναῖς Πθ5. 1339 ᵇ30. — οἱ γυμνα- 40
ζόμενοι ἐὰν διαναπαυσάμενοι παλαίωσιν πβ7. 867 ᵃ8.
διανάπαυσις. τὴν νυκτερίδα μὴ δεῖσθαι διαναπαύσεως πν8.
485 ᵃ20.
διανέμειν. ἐχ οἷόν τε πολλοῖς συζῆν ϗ διανέμειν αὐτόν Ηι10.
1171 ᵃ3. — διανέμειν τὰς διαφοράς, αἱ διαφοραὶ διανέ- 45
μονται Ογ8. 306 ᵇ31. Γβ3. 330 ᵇ6. Φη2. 243 ᵇ11. τύτοις
πῶς χρὴ διανέμειν περὶ τῦ τίς πρώτος ΜΑ4. 984 ᵇ31. δια-
νέμειν τὰς ἀρχὰς κατ' ἀξίαν Πγ17. 1288 ᵃ14. η4. 1326
ᵇ15. med διανέμεσθαι τὰς ἀρχάς, τὰ δημόσια Πὀ3. 1290
ᵃ8. 4. 1290 ᵇ4. γ10. 1281 ᵃ15, 18. ρ2. 1422 ᵇ14. med 50
pass ὀπότε τοῖς μὲν βέλλοιτο διανέμεσθαι τὰ κοινά Πὀ3.
1541 ᵇ36. pass διανεμόμενον τὸ πάθος γίνεται ἀσθενέστερον
πε22. 883 ᵃ17. ὅταν ἡ τροφὴ πεφθῇ ϗ διανεμηθῇ πκ26.
926 ᵃ7.
διανέμησις. Νέμεσις ἀπὸ τῆς ἑκάστῳ διανεμήσεως κ7.401ᵇ13. 55
διανεμητής. δατητής, παρὰ 'Αττικοῖς ὁ διανεμητής f 383.
1542 ᵃ4.
διανεμητικὸς ὁ δίκαιος Ηε9. 1134 ᵃ3. ἡ δικαιοσύνη διανε-
μητικὴ τῦ ἴσυ τζ5. 143 ᵃ16. 7. 145 ᵇ36, τῷ κατ' ἀξίαν
αρ2. 1250 ᵃ12. τὸ διανεμητικὸν δίκαιον. dist τὸ διορθωτικὸν 60
Ηε7. 1131 ᵇ27. 8. 1132 ᵇ24.

V.

διανίστασθαι νύκτωρ οα6. 1345 ᵃ16.
διανοεῖσθαι (cf διάνοια). dist αἰσθάνεσθαι· περὶ ὃ αἰσθανό-
μεθα, πολλάκις ϗ διανούμεθά τι εν1. 458 ᵇ17. ἡ αἴσθησις
τῶν ἰδίων ἀεὶ ἀληθὴς ϗ πᾶσιν ὑπάρχει τοῖς ζῴοις, διανο-
εῖσθαι δ' ἐνδέχεται ϗ ψευδῶς ϗ ἐδενὶ ὑπάρχει ᾧ μὴ ϗ
λόγος ψγ3. 427 ᵇ13. — ἅμα διανοουμένοις ἀν ἀφανισθείη
πᾶν μβ2. 355 ᵇ29. ἐπίστασθαι ἐνδέχεται πολλά, διανοεῖσθαι
δ' ὔ ψτβ10. 114 ᵇ34. — λέγω νῦν ᾧ διανοεῖται ϗ ὑπολαμ-
βάνει ἡ ψυχή ψγ4. 429 ᵃ23 Trdlbg. ϗ ἄτοπον τὸ διανο-
εῖσθαι περὶ ἐνίων Μλ9. 1074 ᵇ25. — dist νοεῖν Themist ad
ψα4. f 71ᵇ. Alex ad Μγ7. 1012 ᵃ2. τὸ νοεῖν ϗ τὸ θεωρεῖν
μαραίνεται ἄλλυ τινὸς ἔσω (ἐν ᾧ ci Bz) φθειρομένυ. αὐτὸ
δὲ ἀπαθές ἐστιν· τὸ δὲ διανοεῖσθαι ϗ φιλεῖν ϗ μισεῖν ἐκ
ἔστιν ἐκείνυ πάθη, ἀλλὰ τυδὶ τῦ ἔχοντος, ἦ ἐκεῖνο ἔχει· διὸ
ϗ τύτυ φθειρομένυ ὔτε μνημονεύει ὔτε φιλεῖ ψα4. 408 ᵇ25.
— τῦ ἑκυσίυ ὄντος ἐν τῷ διανοηθῆναι ημα16. 1188 ᵇ31. —
διανοητός. πᾶν τὸ διανοητὸν ἢ νοητὸν ἢ διάνοια ἢ κατά-
φησιν ἢ ἀπόφησιν Μγ7. 1012 ᵃ2 Bz. τὸ ἐπιστητὸν ϗ τὸ
διανοητὸν Μθ15. 1021 ᵃ30. κινεῖ πρῶτον τὸ ὀρεκτὸν ϗ τὸ
διανοητόν Ζκ6. 700 ᵇ24.
διανόησις. τὰς αὐτῶν ἕνεκεν θεωρίας ϗ διανοήσεις Πη3.
1325 ᵇ30.
διανοητικός. δυνάμεις (ψυχῆς) εἴπομεν θρεπτικόν, ὀρεκτικόν,
αἰσθητικόν, κινητικὸν κατὰ τόπον. διανοητικόν ψβ3. 414 ᵃ32.
2. 413 ᵇ12. Ηι4. 1166 ᵃ17. ἑτέροις τῶν ζῴων ὑπάρχει ϗ
τὸ διανοητικόν τε ϗ νῦς, οἷον ἀνθρώποις ψβ3. 414 ᵇ18. τὸ
διανοητικὸν μέρος τῆς ψυχῆς Φη3. 247 ᵃ28. τὸ διανοητικὸν
μόριον τῆς ψυχῆς, syn λογιστικόν ημα1. 1182 ᵃ18, 20. τῇ
διανοητικῇ ψυχῇ τὰ φαντάσματα οἷον αἰσθήματα ὑπάρχει
ψγ7. 431 ᵃ14. — διανοητικοί. opp διανοίας ἐνδεέστεροι, dist
ἔνθυμοι, θυμοειδεῖς Πη7. 1327 ᵇ31, 24, 36. — τραγῳδίας
μέρη διανοητικά, dist ἠθικά πο24. 1460 ᵇ4. (cf διάνοια
p 186 ᵇ21 et Vhl Poet III 298). — μάθησις διανοητικὴ Αγ1.
71 ᵃ1 (πρὸς ἀντιδιαστολὴν τῆς αἰσθητικῆς γνώσεως Sch 196
ᵇ8). ἐπιστήμη διανοητικὴ ἢ μετέχυσά τι διανοίας Με1. 1025
ᵇ6 Bz. πρὸς μὲν τὰς χρήσεις διαφέρει μηδέν, ἔχει δέ τιν'
ἄλλην διανοητικὴν πραγματείαν Πὀ15. 1299 ᵃ30. — τὸ
ἀληθὲς ϗ ψεῦδος παντὸς διανοητικῦ ἔργον, τῦ δὲ διανοητικῦ
ϗ πρακτικῦ ἢ ἀληθεία ὁμολόγως ἔχυσα τῇ ὀρέξει τῇ ὀρθῇ
Ηζ2. 1139 ᵃ29. ἡ προαίρεσις ὄρεξις διανοητικὴ Ηζ2. 1139
ᵇ5. ἀρεταὶ διανοητικαί, dist ἠθικαὶ Ηα13. 1103 ᵃ5, 6. β1.
1103 ᵃ14. γεβ1. 1220 ᵃ5. 4. 1221 ᵇ29. (syn τῆς διανοίας
Ηζ2. 1139 ᵃ1, τῦ λόγον ἔχοντος Πα13. 1260 ᵃ6, λογικαὶ
Ηβ7. 1108 ᵇ9) cf ἀρετή p 92 ᵇ17, 93 ᵃ54.
διάνοια. opp σῶμα· ἔστιν ὥσπερ ϗ σώματος, ϗ διανοίας
γῆρας Πβ9. 1270 ᵇ40. τῇ διάνοια προοράν, τῷ σώματι πονεῖν
Πα2. 1252 ᵃ32. ἅμα τῇ τε διάνοια ϗ τῷ σώματι διαπονεῖν
ὔ δεῖ Πθ4. 1339 ᵃ7. βάναυσοι τέχναι, ὅσαι ἄχρηστον ἀπερ-
γάζονται τὸ σῶμα τῶν ἐλευθέρων ἢ τὴν ψυχὴν ἢ τὴν διά-
νοιαν Πθ2. 1337 ᵇ11. εἰ ὁ μὲν διαμέλλων τὴν διάνοιαν παῖς,
ὁ δ' ἀνὴρ εἴη τὸς κράτιστος Ηι3. 1165 ᵇ26. (ὥσπερ περὶ
τὸ σῶμα) ὔτω ϗ περὶ τὰ ἤθη ϗ τὴν διάνοιαν Πγ11. 1281
ᵇ7. αἱ διάνοιαι ἕπονται τοῖς σώμασιν· ὐδενὶ ζῴων γεγένηται,
ὃ τὸ μὲν εἶδος ἔχει ἑτέρυ ζῴυ τὴν δὲ διάνοιαν ἄλλυ φ1.
805 ᵃ1, 12. αἱ σωματικαὶ κινήσεις σημαίνυσι μαλακὴν διάνοιαν
φ2. 806 ᵇ25. πρὸς ἐνίας ἁρμονίας μαλακωτέρως ἔχειν τὴν
διάνοιαν Πθ5. 1340 ᵇ2. φιλεῖν κατὰ τὴν διάνοιαν, opp κατὰ
τὴν σωματικὴν ἐνέργειαν τα15. 106 ᵇ2. — dist τὸ ἦθος.
πέφυκεν αἴτια δύο τῶν πράξεων εἶναι, διάνοια (διάνοια Bk)
ϗ ἦθος πο6. 1450 ᵃ2. πότερον πρὸς τὴν διάνοιαν πρέπει μᾶλ-
λον ἢ πρὸς τὸ τῆς ψυχῆς ἦθος Πθ2. 1337 ᵃ38. cf γ11.

Αα

1281 ᵇ7. ἔθνη τινὰ θυμοῦ πλήρη, διανοίας δὲ ἐνδεέστερα ἢ τέχνης Πη7. 1327 ᵇ24. — διάνοια cogitandi verique inveniendi facultas vel actio. (distinguimus quidem eos locos, ubi διάνοια facultatem cogitandi significat, ab iis, qui ad ipsam cogitandi actionem pertinent, sed discrimen adeo et exiguum et lubricum est, ut saepe dubium sit, ad utrum genus locus aliquis aptius referatur.) cogitandi facultas: ἐλάχιστα τῶν ζῴων λογισμὸν ἢ διάνοιαν ἔχουσιν ψβ3. 415 ᵃ8. οἱ σκληρόσαρκοι ἀφυεῖς τὴν διάνοιαν ψβ9. 421 ᵃ25. ἡ διάνοια τῶν τυχόντων ἢ φροντιστικὴ ἀλλ' ὥσπερ ἔρημος ἢ κενὴ πάντων μτ2. 464 ᵃ22. τὸ βάρος τοῦ σώματος δυσκίνητον ποιεῖ τὴν διάνοιαν Ζμδ10. 686 ᵃ31. συμβαίνει ἔνια ἢ γλαφυρωτέραν ἔχειν τὴν διάνοιαν Ζμβ4. 650 ᵇ19. μᾶλλον ἐπὶ τῶν ἐλαττόνων ἢ μειζόνων (ζῴων) ἴδοι τις ἂν τὴν τῆς διανοίας ἀκρίβειαν Ζμ7. 612 ᵇ20. αἰγωλιός ἐστι τὴν διάνοιαν βιωτικὸς ἢ εὐμήχανος Ζμζ17. 616 ᵇ27. δηλοῖ τὴν εὐκρασίαν ἡ διάνοια· φρονιμώτατον γάρ ἐστι τῶν ζῴων ἄνθρωπος Ζγβ6. 744 ᵃ30. ταχίστη ἡ τῆς διανοίας κίνησις ατ968 ᵃ25, 969 ᵇ1. ἡ αἴσθησις ἢ ἡ διάνοια τῷ ἠρεμεῖν τὴν ψυχὴν ἐνεργεῖ πλ14. 956 ᵇ39. ἀταραχῳ οὔσης τῆς διανοίας μᾶλλον ἐφιστάναι δύνανται αὐτὴν πλ14. 957 ᵃ6. τὴν ἑτέραν πρότασιν τὴν δήλην ὥσθ' ἢ ἐφίσταται (ν1 ἐφεστῶσα) σκοπεῖ οὐδὲν Ζκ7. 701 ᵃ26. παραλογίζεται ἡ διάνοια ὑπ' αὐτῶν Πε8. 1307 ᵇ35. πᾶν τὸ διανοητὸν ἢ νοητὸν ἡ διάνοια κατάφησιν ἢ ἀπόφησιν Μγ7. 1012 ᵃ2. τῶν περὶ τὴν διάνοιαν ἕξεων, αἷς ἀληθεύομεν, αἱ μὲν ἀεὶ ἀληθεῖς εἰσίν, αἱ δ' ἐπιδέχονται τὸ ψεῦδος, οἷον δόξα ἢ λογισμός, ἀληθῆ δ' ἀεὶ ἐπιστήμη ἢ νοῦς Αδ9. 100 ᵇ6. cf γ33. 89 ᵇ7. — cogitandi actio: ἐπιστήμη διανοητικὴ ἢ μετέχουσά τι διανοίας Με1. 1025 ᵇ6. συζῆν ἢ κοινωνεῖν λόγων ἢ διανοίας Ηι9. 1170 ᵇ12. τὰ ἐν τῇ φωνῇ ἀκόλουθα τοῖς ἐν τῇ διανοίᾳ, syn τοῖς ἐν τῇ ψυχῇ ε14. 23 ᵃ32, 24 ᵇ2. εἰκὸς ἔστιν ὃ λεγόμενα παραδείγματα ἐν ταῖς διανοίαις ἔχωσιν οἱ ἀκούοντες ρ8. 1428 ᵃ26. τοῦτο πολιτικῆς διανοίας ἢ θεωρίας ἔργον Πη1. 1324 ᵃ20. ἀπὸ διανοίας εἰρηκέναι τὸν (περὶ Ἀτλαντος) μῦθον Ζκ3. 699 ᵃ28. ἀεὶ ἄλλη ἡ ἐπιστήμη ἢ ἡ αἴσθησις ἢ ἡ δόξα ἢ ἡ διάνοια, αὐτῆς δ' ἐν παρέργῳ Μλ9. 1074 ᵇ36. ἡ τῆς διανοίας ἀπορία· ἀπορεῖ ἡ διάνοια Μβ1. 995 ᵃ30. ἡ διάνοια ἀορίστως ἔχει Οα11. 280 ᵇ3. ἵνα μὴ κρέμηται ἡ διάνοια Ργ14. 1415 ᵃ13. περὶ ὁρισμῶν ἐπιστήσας πρῶτον τὴν διάνοιαν ΜΑ6. 987 ᵇ4. ἱστῶσιν ἢ λέγειν τὴν διάνοιαν ε3. 16 ᵇ20. τῷ ἠρεμῆσαι ἢ στῆναι τὴν διάνοιαν ἐπίστασθαι ἢ φρονεῖν λέγομεν Φη3. 247 ᵇ11. ἀτενίζων τὴν διάνοιαν πρός τι Φα9. 192 ᵃ16. ὁρίσαι τι τῇ διανοίᾳ Μγ4. 1009 ᵃ4. ὑπολαβεῖν τι τῇ διανοίᾳ Μλ8. 1073 ᵇ12. τῇ διανοίᾳ προλαβεῖν τὸ συμβησόμενον ϝ96. 1493 ᵇ33. διάνοια ἀκριβὴς ἢ περιττή, εὖ διακειμένος τὴν διάνοιαν τζ4. 141 ᵇ13, 142 ᵃ10. διάνοια οὐκ ἄστοχος Ζιη10. 587 ᵃ9. ἄδηλον ἀνθρωπίνῃ διανοίᾳ Φβ4. 196 ᵇ6. ποίᾳ ἐργασίᾳ ἄσχολον ποιῆσι τὴν διάνοιαν ἢ ταπεινὴν Πθ2.1337 ᵇ14. διανοίας ἀλυποτέρας ἐστὶ τὸ μὴ θαυμάζειν Οβ13. 294 ᵃ13. εὐτέλεια τῆς διανοίας ΜΑ3. 984 ᵃ5 Bz. ἀρρωστία τις διανοίας Φθ3. 253 ᵃ34. — cogitandi actio, quae διάνοια vocatur, praecipue cernitur in notionibus vel coniungendis vel dirimendis: τὸ ψεῦδος ἢ τὸ ἀληθὲς οὐκ ἐν τοῖς πράγμασιν, ἀλλ' ἐν διανοίᾳ, περὶ δὲ τὰ ἁπλᾶ ἢ τί ἐστιν οὐδ' ἐν τῇ διανοίᾳ· ἡ συμπλοκή ἐστι ἢ ἡ διαίρεσις ἐν διανοίᾳ ἀλλ' οὐκ ἐν τοῖς πράγμασιν· εἴ τι συνάπτει ἢ διαιρεῖ ἡ διάνοια Με4. 1027 ᵇ27, 28, 30, 35. χ8. 1065 ᵃ22. ἐν διανοίᾳ κατάφασις ἢ ἀπόφασις Ηζ2.1139 ᵃ21. ἀφελεῖν τι τῇ διανοίᾳ Μζ11. 1036 ᵇ3. — ἡ διάνοια ipsa actio cogitandi, distinguitur quidem ab ea sententia

et persuasione, ad quam cogitando pervenitur: ἡ διάνοια οὔπω φάσις· ἡ δόξα ἢ ζήτησις ἀλλὰ φάσις τις ἤδη Ηζ10. 1142 ᵇ12 (cf διανοεῖσθαι, dist ὑπολαμβάνειν Trdlbg de an p 469. Wz ad Αγ1. 71 ᵃ1), sed saepe διάνοια cum actione simul effectum (τὴν δόξαν, τὴν ὑπόληψιν) comprehendit, ἔλαβον ταύτην τὴν διάνοιαν (i e ταύτην τὴν δόξαν) κατὰ τῆς θαλάττης μβ3. 356 ᵇ31. cf ΜΑ5. 986 ᵇ9. Πβ11.1273 ᵃ32. ἀποβλέπειν πρὸς τὴν ἑτέρα διανοίας (sententiam) τθ5. 159 ᵇ29. ἀπὸ τῆς αὐτῆς διανοίας ἀμφότεροι οἱ λόγοι Μγ5. 1009 ᵃ16 (syn ἀπὸ τῆς αὐτῆς δόξης ᵃ6). τῆς αὐτῆς διανοίας ἐστὶν Οα3. 270 ᵃ26. Με1. 1025 ᵇ17. ἔοικε τὸ παρὰ τῶν Πυθαγορείων λεγόμενον τὴν αὐτὴν ἔχειν διάνοιαν ψα2. 404 ᵃ17. τὴν αὐτὴν διάνοιαν ἐμφανίζειν κατὰ τῶν πραγμάτων ρ15. 1431 ᵇ9. τὴν διάνοιαν φανερὰν τίθεσθαι, opp κρύβδην τὴν ψῆφον φέρειν ρ19. 1433 ᵃ23. ἡ διάνοια (vis ac significatio vocabuli), opp τὸ ὄνομα τι10. 170 ᵇ12-20. τὴν διάνοιαν φέρειν ἐπὶ ταὐτόν, dist ὄνομα ταὐτὸν τα18. 108 ᵃ23. λαμβάνειν πρὸς τὴν διάνοιαν ἢ μὴ πρὸς ἃ ψελλίζεται λέγων ΜΑ4. 985 ᵃ4. διάνοια τοῦ λεγομένῳ, dist λέξις, λόγος Ργ10. 1410 ᵇ27. 1. 1404 ᵃ19. β26. 1403 ᵃ36, ᵇ2. α13. 1374 ᵇ13. διάνοια, μέρος τραγῳδίας, dist λέξις, ἤθη πο6. 1450 ᵃ6, ᵇ4 -12. 19. 1456 ᵃ36 -ᵇ8. cf Vhl Rangfolge 170. ῥήσεις ἠθικαὶ ἢ λέξεις ἢ διάνοιαι εὖ πεποιημέναι πο6. 1450 ᵃ36. cf Vhl l l 162. — πᾶσα διάνοια ἢ πρακτικὴ ἢ ποιητικὴ ἢ θεωρητικὴ Με1. 1025 ᵇ25. Ηζ2. 1139 ᵃ27, 28. διάνοια αὐτὴ οὐθὲν κινεῖ, ἀλλ' ἡ ἕνεκά τι ἢ πρακτικὴ Ηζ2. 1139 ᵃ35. διάνοιαι πρακτικαὶ ἢ ταῖς διανοίαις ἀρχιτέκτονες Πη3. 1325 ᵇ18, 23. διάνοια ἀρχιτεκτονικὴ ἢ πρακτικὴ ηεα6. 1217 ᵃ6. τὰ κινοῦντα τὸ ζῷον διάνοια ἢ φαντασία ἢ προαίρεσις ἢ βούλησις ἢ ἐπιθυμία Ζκ6. 700 ᵇ17. δύο τὰ κινοῦντα, ὄρεξις ἢ διάνοια πρακτική ψγ10. 433 ᵃ18. ταύτην εἰκότως τὴν διάνοιαν εἶχον ρ1. 1420 ᵃ12. διάνοια, coni ὄρεξις Φθ2. 253 ᵃ17. ηεη7. 1241 ᵃ18, 20. τὰ ἀπὸ διανοίας γινόμενα, opp τὰ φύσει γινόμενα, συνιστάμενα Αδ11. 95 ᵃ3, 94 ᵇ35. Φβ6. 198 ᵃ4. 5. 196 ᵇ22. Μχ8. 1065 ᵃ27. θ7. 1049 ᵃ5. λ4. 1070 ᵇ31. (ἐκ διανοίας, dist μετὰ διανοίας ημα16. 1188 ᵇ26, 37, 38. 17. 1189 ᵃ32, 36.) ἢ τὸ φύσις ἀξιῶ ἢ τὸ στοιχεῖον ἢ ἐν διανοίᾳ ἢ ἡ προαίρεσις Μδ1. 1013 ᵃ20. ὅτ' ἄνευ νοῦ ἢ διανοίας ὅτ' ἄνευ ἠθικῆς ἐστιν ἕξεως ἢ προαίρεσις Ηζ2. 1139 ᵃ33. ἡ διάνοια συγκαταθήσεται ὅτι αἱρετώτερόν ἐστιν ϝγ1. 116 ᵃ11. ἡ ἀνδρία τόλμα μετὰ διανοίας ὀρθῆς τζ3. 151 ᵃ3. παρὰ τὴν προαίρεσιν ἢ τὴν διάνοιαν Ηη6. 1148 ᵃ9. τὰ προαιρετὰ ἢ ἀπὸ διανοίας Φβ5. 197 ᵃ2, sed διάνοια et προαίρεσις opp: μὴ νἱς ἀπὸ διανοίας λέγειν, ἀλλ' ὡς ἀπὸ προαιρέσεως Ργ16. 1417 ᵃ23. cf Vhl Rangfolge 173.

διανοίγειν. διανοιχθέν τι τῶν τετραπόδων ὤφθη ἔχον τὸν σπλῆνα ἐν τοῖς δεξιοῖς Ζιβ17. 507 ᵃ21. — ὁ Ὠκεανὸς τὸν Ἰνδικὸν διανοίξας κόλπον χ3. 393 ᵇ3. πέλαγος ἐν τῷ πρὸς δύσιν στενοπόρῳ διανεῳγὸς στόματι χ3. 393 ᵃ18.

διανομὴ χώρας, Πη10. 1329 ᵇ41. διανομαὶ τιμῆς, χρημάτων Ηε5. 1130 ᵇ31. γίγνεται διανομὴ Ηε7. 1131 ᵇ30. τὸ ἐν τῇ διανομῇ, ἐν ταῖς διανομαῖς δίκαιον Ηε7. 1131 ᵇ10, 31. 6. 1131 ᵃ25.

διαντικὴ ἔκκρισις μδ9. 387 ᵃ26.

διανύειν. τὸ θᾶττον ἢ ἴσῳ χρόνῳ πλεῖον διανύει ατ968 ᵃ25.

διαξύειν. τὰ περὶ τὸ πρόσωπον διεξυσμένα φ3. 808 ᵃ18. οἱ τὰ ῥινία ἄνωθεν διεξυσμένοι φ3. 808 ᵃ35.

διαπάλλει (Aeschyl fr 297) Ζιι49Β. 633 ᵃ22.

διαπάσσειν. ὑπόλευκον χρῶμα, μέλανι διαπεπασμένον Ζιδ2. 526 ᵃ12. πυρρὰ διαπεπασμένα Ζιδ3. 527 ᵇ30.

διαπατᾶν. οἱ νομίζοντες εἶναι κενὸν τὸν πλεύμονα διηπάτηνται Ζια17. 496 ᵇ5. τὸ διηπατημένον τζ9. 148 ᵃ7 Wz, i q ἄγνοια κατὰ διάθεσιν Αγ16. 79 ᵇ23.

διάπαυσις πι31. 894 ᵃ26.

διαπέμπειν. διαπέμποντες κὶ δεχόμενοι ἐμπόρων πλῆθος Πη6. 1327 ᵃ16. δέχεσθαι τὴν τροφὴν κὶ πάλιν διαπέμπειν τὴν ὑπολειπομένην ἰκμάδα Ζμδ5. 681 ᵃ30. — ὁ ἄνθρωπος τὴν φωνὴν εἰς τὸ πρόσω διαπέμπει Ζμγ1. 662 ᵇ22. δέχονται τὸ πνεῦμα κὶ διαπέμπυσι τῇ καρδίᾳ Ζια17. 496 ᵃ32. αἱ φωναὶ διαπέμπονται πρὸς τὴν ἀκοήν. ἡ ὀσμὴ διαπέμπεται πρὸς τὴν αἴσθησιν ἡμῶν ακ802 ᵃ11. πιβ5. 907 ᵃ6. — διαπέμπεται (?) πνι. 481 ᵃ20.

διαπερᾶν. εἰς Ἰταλίαν διαπερᾶσαι (διαπεράσαι Rose) f 443. 1550 ᵇ42.

διαπετάννυναι. πολύπης ὅταν διαπετάσῃ τὰς πλεκτάνας Ζιε6. 541 ᵇ5.

διαπέττειν τὴν ἐσχάτην τροφήν Ζγδ1. 766 ᵇ13.

διαπηγνύναι. στέαρ διαπεπηγὸς διὰ τὸν χειμῶνα θ 67. 835 ᵃ30.

διαπιδᾶν. οἱ ὑψηλοὶ τόποι διαπιδῶσι κὶ συλλείβυσι τὸ ὕδωρ μαΙ3. 350 ᵃ8 Ideler.

διαπιδύσεα ἡ τροφὴ διὰ τῶν πόρων Ζγβ6. 743 ᵃ9.

διαπίνειν. ὁ ἄκρατος κὶ ὁ κυκεὼν μεταξὺ διαπινόμενοι πγ12. 872 ᵇ27.

διαπίπτειν. τὰ στενὰ διαπίπτειν, opp τὰ πλατέα ἀνακω-χεύεσθαι Οδ6. 313 ᵇ1. — τὴν γῆν διαπίπτειν ὑπερυγραινομένην, τελέως ξηραινομένην μβ7. 365 ᵇ12. Γβ8. 335 ᵃ3. ὁ ἀὴρ διαπίπτει, αἱ πομφόλυγες διαπίπτυσιν πια58. 905 ᵇ2. κδ6. 936 ᵇ5. τὰ ἱμάτια ὑπὸ νίτρυ διαπίπτει θ53. 834 ᵃ33.

διαπιστεῖν. τῦ διαπιστεῖν ἀλλήλοις στοχάζεται ἡ τυραννίς Πε11. 1314 ᵃ11. τὸ δὲ μηδεμίαν αἰτίαν εὔλογον ὁρᾶν, τῦτο διαπιστεῖν (fort δὲ ἀπιστεῖν, δὴ ἀπιστεῖν) ποιεῖ μτ1. 462 ᵇ20.

διαπιστεύειν. ὕτω διεπίστευσαν Ζμγ10. 673 ᵃ17.

διαπλάττεται τὰ μόρια τῦ ἐμβρύυ Ζγβ4. 740 ᵃ36.

διαπνεῖν. trans ὁ ἀὴρ διαπνεῖ τὸ σῶμα πλη3. 967 ᵃ3. τὸ πνεῦμα διαπνεῖ πρὸς πᾶν πν3. 482 ᵇ1. διαπνείωσιν ἀῆται (Hom δ567) πκς31. 943 ᵇ23. — intr διαπνέοντος τῦ ὑγρῦ Ζμγ8. 671 ᵃ20. διαπέπνευκεν ὁ ἀήρ, τὸ θερμὸν al μδ7. 384 ᵇ23. αν17. 479 ᵃ17. 20. 479 ᵇ33. πκα6. 927 ᵇ12. κβ9. 930 ᵇ34. κε21. 939 ᵇ37. — pass τριχῶν διαπνεομένων Ζιγ11. 518 ᵃ16. τὸ νοτερὸν ἐκπιεζόμενον τό τε πυρῶδες διαπνεόμενον κ5. 397 ᵃ23. — ἐξελθύσης τῆς ψυχῆς διαπνεῖται κὶ σήπεται τὸ σῶμα Ψα5. 411 ᵇ9.

διαπνοὴν μὴ διδόναι τῷ πνεύματι, ἀλλ' ἀντιφράττειν μβ8. 368 ᵃ9.

διαποικίλλειν. ὠχρᾷ χροιᾷ μέλανι διαπεποικιλμένη Ζιβ11. 503 ᵇ5. ὄρος διαπεποικιλμένον ἄνθεσιν θ113. 841 ᵃ11.

διαποίκιλα ῥάβδοις Ζιδ1. 525 ᵃ12. ἀκάνθῃ εἶδος διαποίκιλον τὴν χρόαν f 253. 1524 ᵃ41.

διαπονεῖν. trans διαπονεῖν τὰ πρὸς τὰς ἀγῶνας τὰς τεχνικὰς συντείνοντα sim Πθ6. 1341 ᵃ11. 5. 1339 ᵃ39. cf 7. 1341 ᵇ22. τῦ ἀγαθῦ τἀγαθὸν διαπονεῖν Ηι4. 1166 ᵃ16. — intr ἅμα τῇ διανοίᾳ κὶ τῷ σώματι διαπονεῖν ὒ δεῖ Πθ4. 1339 ᵃ8. λάβοι τις ἂν βυλόμενος διαπονεῖν ἱκανῶς Ζμα5. 644 ᵇ31. τῇ λέξει δεῖ διαπονεῖν ἐν τοῖς ἀργοῖς μέρεσι ρο24. 1460 ᵇ3. ὁ πολιτικὸς μᾶλλον διαπονεῖ περὶ τὸ σῶμα Ηκ8. 1178 ᵃ26. τῶν γεωργούντων αὐτῶν αὑτοῖς διαπονούντων Πβ5. 1263 ᵃ10. — med διαπονεῖσθαι περὶ τὰ τέκνα Ζγγ10. 756 ᵇ10, 1 (cf πραγματεύεσθαι περὶ τὰ τέκνα ᵇ1). — πρὸς τὰ ὑγρὰ ἀτενίζοντες ὒ διαπονῦμεν (i e πονῦμεν, πόνον ἔχομεν) πλα19. 959 ᵃ34.

διαπορεῖν interdum ita usurpatur, ut obliterata praepositionis vi a simplice ἀπορεῖν non differre videatur ΜΑ9. 991 ᵃ9. γ5. 1009 ᵃ22. μ5. 1079 ᵇ12, 21. 9. 1085 ᵃ25. ηεα5. 1216 ᵃ11. η12. 1245 ᵃ27, 28. f 82. 1490 ᵃ6 (cf ᵃ5). διαπορήσειεν ἄν τις Αδ19. 99 ᵇ23. Ζγβ4. 740 ᵃ10. Ηε11. 1136 ᵃ23. ζ13. 1143 ᵇ18. Πθ3. 1337 ᵇ28. διαπορεῖν κὶ ζητεῖν Πγ16. 1287 ᵇ20. δ. κὶ διερωτᾶν ηεα5. 1216 ᵃ11. διαπορεῖται περὶ αὐτῶν Ζιι48. 631 ᵇ2. δ. κὶ λύειν Πγ1. 1275 ᵃ21. τῶν ἀμφισβητυμένων κὶ διαπορυμένων ηεα4. 1215 ᵃ21. τὸ διαπορεῖσθαι περὶ τὰς κεκμηκότας Ηα11. 1101 ᵃ35. — sed proprie διαπορεῖν est διέρχεσθαι τὰς ἀπορίας Φθ10. 217 ᵇ30. Οδ1. 308 ᵃ5. ψα2. 403 ᵇ20 (opp εὐπορεῖν). μα3. 340 ᵃ19. Μβ1. 995 ᵇ5. κ1. 1059 ᵇ15. Πγ4. 1276 ᵇ36. η17. 1336 ᵇ26. f 85. 1490 ᵇ32. πρῶτον διαπορήσαντες Αδ3. 90 ᵃ37 Wz. Οα9. 277 ᵇ29. Φθ10. 266 ᵇ27. μα6. 342 ᵇ26. μκ1. 464 ᵇ22. Ηη1. 1145 ᵇ4. ηεβ10. 1225 ᵇ18 (cf προαπορήσαντες μα13. 349 ᵃ13). διαπορῆσαί τινα ἀπορίαν Φθ10. 266 ᵇ27. διαπορῆσαι τῷ λόγῳ Μβ1. 996 ᵃ17. Πθ5. 1339 ᵃ11. ηεβ10. 1225 ᵇ18. διαπορῆσαι πρός τι, πρὸς ἀμφότερα μα6. 342 ᵇ26. τα2. 101 ᵃ35. Μκ1. 1059 ᵃ19. ἐπισκέψασθαι κὶ διαπορῆσαι Ηα4. 1096 ᵃ11. — ἔστι τοῖς εὐπορῆσαι βυλομένοις προύργυ τὸ διαπορῆσαι καλῶς Μβ1. 995 ᵃ28 Bz, 35. μκ1. 464 ᵇ22. — τὸ διαπορηθέν Γα10. 327 ᵇ10. Ηα11. 1100 ᵇ12. Πγ11. 1282 ᵇ8. θ5. 1339 ᵇ13. τὰ διαπορηθέντα πρότερον Ζγβ1. 735 ᵃ28. — τὸ διηπορηκέναι Κ7. 8 ᵇ23. διηπόρηται Γα5. 321 ᵇ11. Μκ1. 1059 ᵃ19. ἔστω διηπορημένα Φδ3. 210 ᵇ31. 10. 218 ᵃ30. διηπορήσθω Αδ4. 91 ᵃ12. τὰ διηπορημένα κὶ διωρισμένα, διηπόρηται κὶ διώρισται Μμ9. 1086 ᵃ19. Γα3. 317 ᵇ13. — aliquoties cum διαπορεῖν per part ὅτι id coniunctum legitur, quod ex quaestione in utramque partem instituta exploratum est, τῦτο ὅτι ὒκ ἐνδέχεται διηπόρηται πρότερον, διηπορήσαμεν sim Μμ10. 1085 ᵇ34. β4. 999 ᵃ32. Ζκ3. 699 ᵃ26. πια6. 899 ᵇ9. — ὁπότε διαποροίη τὸ στρατόπεδον οβ1353 ᵃ26.

διαπορεύεσθαι γραμμήν, syn διεξιέναι Ηκ3. 1174 ᵇ1, ᵃ34. διαπορεύεσθαι διὰ τῆς χώρας οβ1348 ᵃ18. τὸ πνεῦμα διαπορεύεται διὰ τῶν γλωττῶν τῶν αὐλῶν sim ακ802 ᵇ20. Ζμα1. 640 ᵇ15. πβ10. 867 ᵃ24.

διαπόρημα, ἐν τοῖς διαπορήμασιν εἴρηται, εἴπομεν, ἐπήλθομεν Μμ2. 1076 ᵇ1. 10. 1086 ᵇ15. ι2. 1053 ᵇ10 (cf μ2. 1077 ᵃ1, ν1 pro ἀπορήμασι). Αδ8. 93 ᵇ20.

διαπράττειν. πολλὰ ὧν διαπράττεται τὰ ζῷα φ4. 808 ᵇ30. οἱ ἀνήκεστα διαπεπραγμένοι Ρβ23. 1399 ᵇ4.

διαπτύττειν. τὰ μαλάκια συμπλέκεται ἀντερείδοντα κὶ διαπτύττοντα τὰς πλεκτάνας Ζγα15. 720 ᵇ17.

διαπτυχαί (Eur I T 727) Ργ6. 1407 ᵇ35.

διαπύλιον ἐπώλει δραχμὴν τῦ σώματος οβ1348 ᵃ26.

διάπυροι μύδροι κ4. 395 ᵇ23, λίθοι πλ1. 954 ᵃ18.

Διάρυς υἱὸς ψβ6. 418 ᵃ21.

διαρθρῦν. διηρθρῶσθαι τὴν ὑστέραν κὶ φαίνεσθαι δίκροαν Ζγγ8. 758 ᵃ7. συγκεχυμένον κὶ ὒ διηρθρωμένον τὸ γράμμα Ζγα17. 721 ᵇ34. cf Ζπ4. 705 ᵇ21, 24. ἔχειν πόρυς διηρθρωμένυς Ζγδ6. 775 ᵃ2. Ζιβ17. 508 ᵃ32. δάκτυλοι διηρθρωμένοι κὶ χωριστοὶ Ζιβ12. 504 ᵃ7. γ9. 517 ᵃ32. πόδες διηρθρωμένοι κὶ νευρώδεις φ6. 810 ᵃ16. βράγχια διηρθρωμένα Ζιβ13. 504 ᵇ34. μυκτῆρες φανερῶς διηρθρωμένοι Ζμβ16. 659 ᵇ3. τὸ στῆθος ζῴοις τισὶ μᾶλλον διήρθρωται ζ2. 468 ᵃ17. ῥὶς τῦ μετώπυ (fort ἀπὸ τῦ μετώπυ cf ᵃ34) διηρθρωμένη φ6. 811 ᵃ36. διαρθρωμένυ κὶ αὐξανομένυ τῦ κυήματος Ζια5. 489 ᵇ9. πρὶν ὅλον διηρθρῶσθαι (διαρθρωθῆναι) τὸ σῶμα Ζιγ19. 521 ᵃ10. η7. 586 ᵃ19. μὴ τελέως τῶν φθόγγων διηρθρωμένων ακ801 ᵇ3, 14. ἐν

μέθη ἡ γλῶττα ὐ δύναται τὴν λέξιν διαρθρῶν πγ31. 875
b22 (syn διακριβῶν b24, ἀκριβῶν b27). η14. 888 b14. —
ἐν τοῖς φυτοῖς τὸ ἕνεκά τℲ ἧττον διήρθρωται Φβ8. 199 b10.
τὰ πλεῖστα τῶν ἀρχαίων πολιτειῶν ἧττον διήρθρωται τῶν
νεωτέρων Πβ10. 1271 b24. τοῖς φρονιμωτέροις ζῴοις ἡ κοι- 5
νωνία διήρθρωται μᾶλλον οα3. 1343 b16. — διαρθρῶν τὸν
συλλογισμόν (syllogismum compositum in partes suas dis-
cernere) τθ1. 156 a19, 20. ἡ διαρθρῶν ἢ μὴ διαιρεῖν τι6.
169 a7. προαγαγεῖν ᾳ διαρθρῶσαι, opp ὑποτυπῶν, περιγρά-
φειν Ηα7. 1098 a22. ἡ σαφῶς διήρθρωται, ἡ καλῶς διαρ- 10
θρῦσιν οἱ λέγοντες sim ΜΑ5. 986 b5 Bz. 8. 989 a32. β6.
1002 b27. ζ17. 1041 b2. διαρθρωτέον περὶ τῆς ἀρετῆς νεη
15. 1248 b10.
διάρθρωσις. ὥσπερ ἡ χρῆσις τῆς τῶν ἰχθύων γλώττης βρα-
χεῖα, ὕτω βραχεῖαν ἔχυσιν αὐτῆς ᾳ τὴν διάρθρωσιν· ᾳ σαφῆ 15
ἔχυσι τὴν διάρθρωσιν τῆς γλώττης Ζμβ17. 660 b20, 661 a3.
ἔχυσι διάρθρωσιν (v l διαίρεσιν) τινα αἱ καρδίαι παραπλησίαν
ταῖς ῥαφαῖς· ὐκ εἰσὶ δὲ συναφεῖς ὡς τινος ἐκ πλειόνων
συνθέτϜ, ἀλλὰ μᾶλλον διαρθρώσει (ἀρθρώδεις ci Thurot)
Ζμγ4. 667 a6-9 (i e sulcus longitudinalis et circularis s 20
coronalis cf Hyrtl Lehrb d Anat 641). τὸ θῆλυ ἔμβρυον
τρίμηνον ἀδιάρθρωτον φαίνεται· ὅ τι δ' ἂν ἐπιλάβη τℲ τε-
τάρτℲ μηνός, γίνεται ἐσχισμένον ᾳ διὰ ταχέων λαμβάνει
τὴν ἄλλην διάρθρωσιν Ζιη3. 583 b23. οἱ ὀφθαλμοὶ τελευ-
ταίαν λαμβάνυσι τὴν διάρθρωσιν Ζιγβ6. 744 b11. ἐν τῷ ᾠῷ, 25
ἐν τῇ μήτρα λαμβάνειν τὴν διάρθρωσιν Ζιγβ6. 742 a3, 6. —
διάλεκτος ᾳ τῆς φωνῆς ἐστι τῇ γλώττη διάρθρωσις Ζιδ9.
535 a31. ἡ τῶν γραμμάτων διάρθρωσις Ζμβ17. 660 a22.
cf Vhl Poet III 223. Siebd Z17, 105sq. τὰ ἔναιμα ᾳ ζῳο-
τόκα τῶν τετραπόδων βραχεῖαν τῆς φωνῆς ἔχει διάρθρωσιν 30
Ζμβ17. 660 a32.
διαριθμεῖν. ὑπολείποι ἂν ὁ αἰὼν διαριθμῦντα Ρα13. 1374
a33. med καθ' ἕκαστον ἀκριβῶς διαριθμήσασθαι ᾳ διαλα-
βεῖν εἰς εἴδη Ρα4. 1359 b2. εἴπωμεν ᾳ διαριθμησώμεθα
Ργ10. 1410 b9. — pass τℲτων ἡμῖν ὕτω διηριθμημένων 35
Φδ14. 222 b30.
διαρκεῖν ἐπὶ πολὺ χρόνον ᾳ μὴ προαναλίσκεσθαι μα14. 352
b4. 13. 349 b11. διαρκεῖν ἐν ταῖς φωλεαῖς θ73. 835 b21.
διαρκὴς τροφή Ζυ40. 626 a2.
διαρπάζειν. ἐρύκειν τὰ ἰχθύδια μὴ διαρπάσωσι τὸν γόνον 40
Ζυ37. 621 a25. διαρπάζειν τὰ κτήματα Πγ10. 1281 a25.
διαρραίνεσθαι τὸ πῦρ τῇ κινήσει μα3. 341 a30.
διαρρεῖν. ποταμοὶ ᾳ διαρρέοντες εἰς τὴν θάλατταν ΖιΖ15.
569 a20. ὁ κεκραμένος ᾳ λεπτός, ὥστε διαρρεῖν ταχὺ πγ18.
873 b30. — φάρμακόν τι πίπτειν ποιεῖ ᾳ διαρρεῖν τὰ μέλη 45
τℲ σώματος θ78. 836 a7.
διαρρηγνύναι. τὰ τέκνα τὴν γαστέρα τῆς μητρὸς διαρρή-
γνυσι θ165. 846 b21. θύννοι ὑπὸ τῆς πιμελῆς, ἰχθύες, βε-
λόναι ὑπὸ τῶν ᾠῶν διαρρήγνυνται ΖιΖ17. 571 a7, 3. 13. 567
b23. Ζιγγ4. 755 a32. θρὶξ ὐ διαρραγήσεται Οβ13. 295 b32. 50
ἀράχνιον διερρωγὸς Ζυ39. 623 a18. — κνῆμαι περίπλεοι, οἷον
ὀλίγῳ διαρρηγνύμεναι φ6. 810 a33.
διαρρινεῖν. ἔχει ὁ χαλκὸς ἀμφορεὺς διερρινημένον ἐπίθημα
f 426. 1548 b34.
διαρριπτεῖν. συγκαλύπτειν τὸ διαρριπτΌμενον πκδ9. 936 b27. 55
διάρροια γίνεται ἐν ταῖς κοιλίαις Ζγα20. 728 a22. ἀλίσκε-
σθαι διαρροίᾳ Ζιδ2. 605 a27. αἱ διάρροιαι Ζιγ21. 522 b10.
αἱ σφοδραὶ διάρροιαι πγ17. 873 b3.
διασαλεύειν. ὁ λέων ζῷον διασαλεῦον ἐν τοῖς ὤμοις, ὅταν
πορεύηται φ5. 809 b32. 60
διασαφεῖν τι Ηα5. 1097 a25. πν3. 482 a32, περί τινος ψα2.

404 b1 al. διασαφητέον ἐστὶν ὕστερον (opp τύπῳ εἴρηται,
νῦν ἐπὶ τοσῦτον εἰρήσθω) ψβ4. 416 b30. 3. 414 b14. δια-
σάφησον, opp ἀσαφές ημα35. 1196 b10. διασαφῆσαι τζ3.
140 b6. 14. 151 b11. μᾶλλον διασαφῆσαι πειρατέον Ηα5.
1097 a25. εἰ κατὰ τὴν ὑποκειμένην ὕλην διασαφηθείη Ηα1.
1094 b12. ὑπάρχει μὲν ᾳ ἐν τύτοις τὸ λεχθέν, ἡ μὴν δια-
σεσάφηται γ' ὁμοίως Ζπ4. 705 b29 (syn διήρθρωται b21,
24). τὰ κοινὰ τῶν σημείων ὐδὲν ἂν διασαφηθείη τῷ φυ-
σιογνωμονῦντι φ1. 805 b21.
διασαφηνίζω. Ξενοφάνης ὐδὲν διεσαφήνισεν (v l διεσάφησεν)
ΜΑ5. 986 b22.
διασείειν. ἐὰν τις τὰ ἱμάτια διασείση βρέξας μβ3. 359 a22.
διασίζων ᾳ τοῖν χεροῖν διασείων Ργ16. 1417 b2. — ἕως
ἰσχυροτέρα τις ἀνάγκη διασείση ᾳ χωρὶς αὐτὰς (τὰς ὐσίας
Democr) διασπείρῃ f 202. 1514 b32.
διασεύεσθαι. διέσσυτο (Hom Ο 542) Ργ11. 1412 a1.
διασημαίνειν. τὸ πάθος διασημαίνει τῆς ὑστέρας τὴν ἕξιν
κινυμένην Ζικ1. 634 a37. — ἐπισκέψασθαι τὴν ἔξιν
μῆναι καθαρῶς τὰς συλλογισμὰς Αα44. 50 a40. — med
διασημαίνονται τὰς τόπας οἱ ἁλιεῖς τοιύτοις σημείοις Ζιε17.
549 b17.
διασείειν ᾳ τοῖν χεροῖν διασείων Ργ16. 1417 b1.
διασκάλλειν. ὠτίδες προσπελάζυσαι πρὸς ἵππυς ᾳ διασκαλ-
λῦσαι τὸν ὄνθον f 275. 1527 b26.
διασκεδαννυμένη ἡ θερμότης πρὸς τὸν ἄνω τόπον μα9.
346 b27.
διασκέπτεσθαι. διασκέψασθαι περί τινος εἰ .. ἢ Πβ10.
1272 a26. πρὸς τὰς ἀμφισβητῦντας διασκεπτέον ὕστερον
Πη1. 1324 a3.
διασκευάζειν. ὁπλῖται διεσκευασμένοι ρ3. 1424 a5. ἀνδρεῖοι
ὅταν διασκευασθῶσιν πκζ3. 948 a8. — (Εὐριπίδης) τὸ δρᾶμα
δοκεῖ ὑποβαλέσθαι παρὰ Νεόφρονος διασκευάσας f 592. 1374
a24.
διασκιδνᾶσιν (Emp 223) αι2. 437 b29.
διασκοπεῖν περί τινος Πη9. 1280 b5. ηεα8. 1217 b16.
διασπᾶν. ταῦτα μάλιστα διασπᾶται, ἃ εἰς τὐναντίον τε ᾳ
ἰσχυρῶς ἕλκεται ᾳ κινεῖται πε39. 885 a8. ὐχ ὅλον ἀλλὰ
διεσπασμένον Οβ13. 296 a8. μὴ διασπᾶσθαι τὸν ὐρανὸν ὅτι
δέδεικται συνεχὲς ὂν τὸ ὅλον Οβ8. 290 a6. τὸ ἔλαττον ἐν
ἑκάστῳ γένει εὐδιαιρετώτερον ᾳ διασπᾶται ῥᾷον Οθ6. 313
b11. αἱ διαβάσεις διασπῶσι τὰς φάλαγγας Πε3. 1303 b13.
οἱ πλείυς ἡγεμόνες διασπῶσι τὰ σμήνη Ζιε22. 553 b19.
ι42. 629 a17. 40. 625 a18. ὅπως τὰ ξύλα ἧττον διασπᾶται
μχ25. 856 a6. διασπωμένη ἀσθενὴς γίνεται ἡ φύσις τℲ
γεώδυς Ζμδ12. 694 a28. νεῦρα διεσπασμένα Ζιγ5. 515 b4.
ὁ ἀὴρ διασπώμενος ψα5. 411 a20. ἐὰν μὴ διασπασθῇ ἡ
σύστασις ἀλλ' ἐαθῇ τὴν αὐτῆς φύσιν ἀπολαμβάνειν μγ3.
372 b21. σβέννυται πῦρ διασπώμενον αν8. 474 b16. cf Οα7.
274 b18. ἡ ὄψις διασπᾶται μγ6. 378 a8. πλα8. 958 b1. 15.
958 b38. τὸ πνεῦμα, ἡ φωνή, ὁ ψόφος, ὁ ἦχος διασπᾶται
μβ8. 367 a29. αν801 a18, 802 a35, πα37. 903 b15.
αἱ κινήσεις ὐ διασπῶνται ἀλλ' εὐθυπορῦσιν Ζυγε2. 781 b11.
διέσπασται μελῶν φύσις (Emp 326) Ζγα18. 722 b12. δ1.
764 b17, 15. διέσπασται τὰ ἄνω ᾳ κάτω Ζγα18. 722 b28,
3. — στασιάζει αὐτῶν ἡ ψυχὴ ᾳ τὸ μὲν δεῦρο τὸ δ'
ἐκεῖσε διασπᾶν ὥσπερ διασπῶντα Ηι4. 1166 b21. τὸ διασπᾶ-
σθαι ἀπὸ τῶν φίλων ἐλεεινόν Ρβ8. 1386 a10. ἃ φύσει βὐ-
λεται εἶναι φίλα ᾳ διασπάσαι ἀδύνατον νεη6. 1240 b30. —
διεσπάσθη κατὰ τὰ οἰκεῖα ἤθη ἡ ποίησις πο4. 1448 b24.
προσήκει μὴ διασπᾶν ἕκαστον γένος· ὕτω διαιρῦντας ἀναγ-
καῖον χωρίζειν ᾳ διασπᾶν Ζμα2. 642 b10, 17, 18. ἄτοπον

διασπᾶν τὸ ὀρεκτικόν ψγ9. 432 b5.

διάσπασις. ἐὰν ὑπερβάλλῃ ἡ ἰσχὺς ἡ τῦ βάρυς τῆς ἐν τῷ συνεχεῖ πρὸς τὴν διάσπασιν κ̣ διαίρεσιν Οδ6. 313 b20. αἱ διασπάσεις τῆς συστάσεως σημεῖον πνεύματος μγ3. 372 b19.

διασπείρειν. ἡ ἐκκρινομένη θερμότης εἰς τὸν ἄνω διασπείρεται τόπον μβ9. 369 a25. cf f 222. 1518 b31. διασπείρειν ψακάδας x4. 394 a30. φτβ7. 827 a19. ὅταν τὰ μέρη (μήκη Bk) τῆς ἀναθυμιάσεως κατὰ μικρά τε κ̣ πολλαχῇ διεσπαρμένα ῇ μα4. 341 b33. μέλαν' ἄττα διεσπαρμένα χύδην Ζμδ5. 680 a14. διεσπάρθαι εἰς πολλὰ Ζμγ9. 671 a30. φτβ1. 822 b17. ἕως ἰσχυροτέρα ἀνάγκη διασείσῃ κ̣ χωρὶς αὐτὰς (τὰς ὑσίας Democr) διασπείρῃ f 202. 1514 b32. τῷ συνῆχθαι τὰ διεσπαρμένα χωρὶς (τῦ κάλλυς μέρη) εἰς ἓν Πγ11. 1281 b13. τὰς γεωργῦντας διεσπάρθαι κατὰ τὴν χώραν Πζ4. 1319 a31. τὰ ὅμοια τῶν ὀνομάτων ἢ παράλληλα τιθέναι ἢ διασπείρειν p24. 1434 b39.

διαστασιάζω. διεστασίασαν πάντας Πε4. 1303 b26. διεστασίασεν αὐτὰς πρὸς τὰς εὐπόρυς Πε6. 1306 a3.

διάστασις. φάραγγες κ̣ διαστάσεις τῆς γῆς μα13. 350 b36. ἡ ἀλγηδὼν διάστασις τῶν συμφύτων μερῶν μετὰ βίας γ6. 145 b2, 13. ἡ διάστασις τῦ πλεύμονος Ζια16. 495 a34. ἡ τῦ στόματος διάστασις διφυὴς ὖσα Ζμγ7. 669 b19. λαμβάνειν διάστασιν εἰσιύσης τῆς τροφῆς Ζιδ5. 681 b24. ἔχυσι διάστασιν αἱ ὑστέραι Ζγβ4. 738 b37. πονῦσι τῇ τῦ συνεχῦς διαστάσει πε26. 883 b19. ἀπορρηγνύνται αἱ φωναὶ ὅταν ὁ περὶ τὸν πνεύμονα τόπος ὑπὸ τῆς διαστάσεως ἐκλυθῇ ακ804 b13. cf πιθ3. 917 b31. — πλείστη τῷ μέσῳ διάστασις πρὸς τὰ πέρατα τῦ κόσμυ Κ6. 6 a15. ἤδη ἂν γεγόνει διάστασις τῶν ἄστρων Οβ6. 288 b10. ἡ διάστασις μία τῶν διεστηκότων ἐνθένδε ἐκεῖσε κἀκεῖθεν δεῦρο Φγ3. 202 b17. διαστάσεις (syn τόπυ διαφοραὶ κ̣ εἴδη) ἕξ, ἄνω κάτω ἔμπροσθεν ὄπισθεν δεξιὸν ἀριστερόν Φγ5. 205 b32, 206 a6. δ1. 208 b14. Ζπ2. 704 b19. σῶμα τὸ πάσας ἔχον διαστάσεις, τὸ πάντῃ ἔχον διάστασιν, τὸ ἔχον τρεῖς διαστάσεις Φγ5. 204 b20. Μx10. 1066 b32. Οa1. 268 b6. 7. 274 b20. β2. 284 b23. τζ5. 142 b25 sqq. τὸ ἀμερὲς ὐκ ἔχει διάστασιν ατ971 b2. — transfertur ad qualitatem. πᾶσα διαφορὰ ποιεῖ διάστασιν, μεγίστη ἴσως διάστασις ἀρετὴ κ̣ μοχθηρία Πε3. 1303 b14. ἥνπερ εἴληφε διάστασιν (ἥπερ διετάσιν ci Bernays Dial p 76. 159) Πη1. 1323 b15. ἐν μεγάλῃ διαστάσει μάλιστα δῆλον γίνεται Ηγ3. 1165 b25. κατὰ τὰς διαφορὰς δι' ἃς ταῦτα χωρίζεται ἢ ἄλλα φανεῖται μόρια ψυχῆς μείζω διάστασιν ἔχοντα ψγ9. 432 a28. ἔστιν ἐν πᾶσι τοῖς γένεσιν αὕτη ἡ διάστασις (εἴδυς κ̣ ὕλης) Οδ4. 312 a13. διαστάσεις, syn στάσεις, κινήσεις πολιτειῶν Πδ11. 1296 a8. 16. 1300 b37. ζ7. 1321 a19.

διαστέλλειν, sensu materiali, opp συνθλίβειν ακ4. 472 a25. διαστέλλειν τὸν ἀέρα ταῖς πτέρυξιν Ζπ15. 713 a12. ἐάν τις διαστείλας θεωρήσῃ τὴν κόμην εἴσω Ζιε18. 530 b18. cf 17. 549 a25. διαστέλλεσθαι, opp πιέζεσθαι ακ800 b2. διαστέλλεντα τὰ ὑγρὰ πθ14. 891 a2. — logice διαστέλλειν, syn διορίσας πε5. 134 b22, 10. διαστειλάμενος, syn διορισάμενος πε3. 131 b17, 15. μικρὰ περὶ αὐτῦ διαστείλασθαι βέλτιον Πβ8. 1268 b32.

διάστημά τι τὸ μεταξὺ τῶν ἐσχάτων Φδ4. 211 b7, 19. τὸ τῶν ἐσχάτων διάστημα μέγιστον Μ4. 1055 a9. ὅ ἐστι μεταξύ τι κ̣ διάστημά τι Μι5. 1056 a36. τὸ αὐτὸ διάστημα ἓν πρὸς δύο κ̣ δύο πρὸς ἓν κ̣ τὸ ἄναντες κ̣ τὸ κάταντες Φγ3. 202 a18. Μx9. 1066 a32 ὁ τόπος ἔχει διαστήματα τρία, μῆκος κ̣ πλάτος κ̣ βάθος Φδ1. 209 a4 (cf διάστασις). οἱ ὄγκοι κ̣ τὰ διαστήματα ατ969 a26. διάστημα

τῶν γραμμῶν τί Οα5. 271 b30. ἐκ διαστήματός τινος κ̣ αὐτῆς στιγμῆς Μμ9. 1085 b30. τὸ τῶν ἄστρων διάστημα πρὸς τὴν γῆν μαθ8. 345 b3. τὰ διαστήματα τῶν ἄνω πλήρη σώματος μα3. 340 a37, 1. ἐκ πολλῦ διαστήματος ακ800 a36, b5. κινεῖσθαι ἐν τῷ αὐτῷ διαστήματι, ὐκ ἄλλως ἔχειν τοῖς διαστήμασιν μα8. 345 a17. γ5. 376 b8. Οβ6. 288 b12. τὸ μεταξὺ διάστημα, τὰ ἀνὰ μέσον διαστήματα Ζγγ4. 771 b35. θ104. 839 b5. ἀγγεῖον ἔχον διάστημα μέγα Ζγε7. 787 b4. — ἂν πολὺ τὸ διάστημα γίγνεται ἀρετῆς Ηθ9. 1158 b33. — in re musica διάστημα τονιαῖον, ἐπίτριτον πιθ47. 922 b6. 23. 919 b11. — logice διάστημα coniugatio praedicati cum subiecto, syn πρότασις Αα4. 26 b21. 15. 35 a12, 31. 18. 38 a4. β2. 53 b20 al, dist πρότασις Αα25. 42 b10 Wz. διάστημα κατηγορικόν, ἄμεσον, ἀδιαίρετον, διαιρετόν Αγ21. 82 b7. 22. 84 a35. 23. 84 b14. διαστημάτων et ὅρων numerus in syllogismis comparatur Αα25. 42 b1-26.

διαστίζειν. ὂ ῥάδιον διαστίξαι τὰ Ἡρακλείτυ Ργ5. 1407 b13, 14, 18.

διαστίλβειν τὰ κέρατα ὡσανεὶ λελεπισμένα θ1. 830 a15.

διαστολὴ κ̣ συναγωγὴ τῆς αὐτῆς ὕλης Φδ9. 217 b15. διαστολὴ τῦ πνεύμονος ἐπὶ πολὺν τόπον, opp συνάγειν ακ800 a35.

διαστομῦν. στόμα ὑστέρας μὴ διεστομωμένον φανερῶς, διεστομωμένον σφόδρα Ζιx2. 635 a9, 15, cf ἀνεστομωμένον a12.

διαστρέφειν. τὰ ξύλα διαστρέφεται, τὰ διεστραμμένα τῶν ξύλων ὀρθῦν πιθ4. 909 a28. Ηβ9. 1109 b6. ὁ κέραμος διαστρέφεται διὰ τὰς καμίνυς μθ6. 383 a25. πρὸς τὸ μὴ διαστρέφεσθαι τὰ μέλη Πη17. 1336 a10. οἱ ὄνυχες τῦ ἀετῦ διαστρέφονται Ζιζ6. 563 a24. διαστρέψαι τὰς ὀφθαλμὺς ηεη13. 1246 a29. πλα7. 957 b36. οἱ ἄνθρωποι διαστρέφονται τὰ ὄμματα, διαστρέφονται (int τὰ ὄμματα), διεστραμμένοι πλα27. 960 a13. 26. 960 a9. 7. 958 a20. 2. 957 b7. ι50. 896 b5. τὰ διαπεφορημένα κ̣ διεστραμμένα τῶν εἰδώλων μτ2. 464 b14. εν3. 461 a16. διέστραπται αὐτῶν ἡ φύσις Ζιθ2. 589 b29. Ζπ17. 714 a8. διαστραφῆναι ἐν τῇ γενέσει Ζγε6. 785 b36. διεστραμμένος ἐξ ἀρχὸν τὰ μέλη πλ49. 1449 a36. — διαστρέφειν τὸ ἐφεξῆς πο9. 1452 a1. τὸ ἡδὺ διαφθείρει κ̣ διαστρέφει τὴν ὑπόληψιν Ηζ5. 1140 b14. ἡ μοχθηρία διαστρέφει κ̣ διαψεύδεσθαι ποιεῖ Ηζ13. 1144 a34. διαστρέφειν τὸν δικαστὴν Ρα1. 1354 a24. ὁ θυμὸς διαστρέφει κ̣ τὺς ἀρίστας ἄνδρας Πγ16. 1287 a31.

διαστροφὴ ὀμμάτων πλα7. 958 a6. cf 27. 960 a20. — διαστροφή, syn παρὰ φύσιν ηεβ10. 1227 a21, 30 (διαστροφή scribendum c Fr, διαστροφὴν Bk). dist φθόρος πθ26. 879 b26.

διασύρειν τὰς ἐνδεχομένας ἀντιλογίας ρ34. 1439 b4. διασυρτέον κ̣ ταπεινωτέον ρ37. 1443 a9. διασεσύρθαι ρ19. 1433 b6.

διασχίζειν τὸ ξύλον μχ19. 853 b17. cf πια42. 904 a8. διέσχισται τὸ φλέβιον πλγ3. 961 b34. — διέσχισται impers i q ἔστι διασχίσις, ὅσα μακροβιώτερα τῶν ἐντόμων, τύτοις ὑπὸ τὸ ὑπόζωμα διασχίσις ανθ9. 475 a2.

διασῴζειν. τῇ τῦ περιττώματος προέσει διασῴζεται ἕτερα Ζμγ2. 663 a16. — διασῴζειν τὰς παλαιὰς κλήρυς Πβ7. 1266 b21. εἴ τι ἐκ κηρῦ συστήσειεν ἡ φύσις, ὐκ ἂν ἐν θερμῷ θεῖσα διασῴζειν αν14. 477 b19. διασῳζομένης τῆς πρώτης ὕλης Μδ4. 1014 b31. εἰ μέλλει διασῴσειν ἀμφοτέρυς τὰς λόγυς Φα6. 189 b1.

διάταξις. ταύτῃ ὁ κόσμος ἔχει τὴν διάταξιν Ογ2. 300 b25.

διαταράττειν. ἔνια ἀνάγκη παντὶ φαίνεσθαι φοβερὰ κ̣ διαταράττειν ηεγ1. 1229 b18.

διάτασις τῶν μερῶν, ὅ ποιεῖ ὁ γυμναζόμενος πς2. 885 ᵇ23. ἡ διάτασις (τῶν θεόντων) Ζπ3. 705 ᵃ18. σπάσμα ὑστέρας γίνεται ὑπὸ τῆς διατάσεως Ζικ4. 636 ᵃ32. ἡ εὔνοια ὐκ ἔχει ὁιάτασιν ὑδ' ὄρεξιν Ηι5. 1166 ᵇ33. — αἱ διατάσεις τῶν παίδων κ̩ κλαυθμοί Πη17. 1336 ᵃ34. — ὁ οἰσοφάγος νευ- 5 ρώδης, ὅπως ἔχῃ διάτασιν (i e δύναμιν τῦ διατείνεσθαι) εἰσιῥύσης τῆς τροφῆς Ζμγ3. 664 ᵃ33. cf Ζικ3. 635 ᵇ9.

διατάσσειν. ἔστι τις ὁ διατάσσων τὴν τοιαύτην (τῶν ὑρα- νίων) τάξιν f 13. 1476 ᵃ19. τίνας εἶναι χρεὼν τῶν ἐπιστη- μῶν ἐν ταῖς πόλεσιν ἡ πολιτικὴ διατάσσει Ηα1. 1094 ᵇ1. 10 πᾶς ὁ τῦ βίῳ διάκοσμος ὑπὸ τῆς ψυχῆς διατέτακται κ6. 399 ᵇ16. διατάττειν οἷς βύλονται Ργ16. 1417 ᵇ17. — ὑπὲρ αὐτῦ διατάττεσθαι πκθ4. 950 ᵇ19.

διατείνειν. trans ὑφαίνει ἀράχνιον πρῶτον διατεῖναν πρὸς τὰ πέρατα Ζιι39. 623 ᵃ9. πλῆθος ὕδατος εἰς πλάτος διαταθὲν 15 μβ2. 355 ᵇ6. ὑστέρα διατεινομένη Ζικ4. 636 ᵃ30. ὑμὴν δια- τέταται Ζιδ1. 524 ᵃ19. φλέβας διατεταμένας πρὸς τὸ ἰσχίον Ζιγ4. 515 ᵃ2. Ζγβ6. 743 ᵃ1. τὸ ἐπιστητόν, μετ' ἀποδείξεως κ̩ λόγυ διατεινόμενον (?) ημα35. 1197 ᵃ1. — intr νεφέλιον διατεῖνον κ̩ μακρόν μβ8. 367 ᵇ10. φλέβες διατείνυσι συνε- 20 χεῖς Γα9. 326 ᵇ35. cf πι54. 897 ᵇ7, ᵃ35. φλέβες διατείνυσι διὰ τῶν σπλάγχνων, καθ' ὅλον τὸ σῶμα, ἐπὶ τὰς δακτύ- λυς Ζμγ4. 665 ᵇ32. Ζβ11. 503 ᵇ21. γ2. 512 ᵃ1, 18. φλέψ̩ διατείνει τὴν χεῖρα Ζιε15. 547 ᵃ19. φωνὴ διατείνει πόρρω, πάντη, ἐπὶ πολὺν τόπον ακ800 ᵃ15, 9, ᵇ30. διατείνει ἐπὶ πολὺ 25 κ̩ πολυειδές ἐστιν Ηδ3. 1121 ᵇ16. ἐφ' ὅσον διατείνει ἡ θεωρία Ηκ8. 1178 ᵇ29. διατείνειν περὶ πάσας τὰς πράξεις Ηδ4. 1122 ᵃ20, διὰ παντὸς τῦ βίυ Ηκ1. 1172 ᵃ23. — med διατείνεσθαι. ὁ σφόδρα περὶ μικρὰ διατεινόμενος ηεγ4. 1232 ᵃ14. διατείνονται τὰ κάλλιστα πράττειν Ηι8. 1169 30 ᵃ9. πνεύματος κάθεξις συμβαίνει τοῖς παιδίοις διατεινομένοις Πη17. 1336 ᵃ39. cf πιθ15. 918 ᵇ15. — διατεταμένως ἐνεργεῖ περί τι Ηκ4. 1175 ᵃ7, φευκτέον τὴν μοχθηρίαν Ηι4. 1166 ᵇ28.

διατελεῖν c partic διατελῶσιν ἐφεδρεύοντες, ἰδιωτεύοντες Πβ9. 35 1269 ᵃ39. 12. 1273 ᵇ29 al — διατελεῖν c adiectivo τὸ ὑγρὸν μαλακὸν διατελεῖ, τὰ ἔθνη διατελεῖ ἐλεύθερα sim Ζιζ2. 560 ᵃ25. ι50. 632 ᵃ1. Οα12. 283 ᵃ30. Πη7. 1327 ᵇ25, 31. ὐκ ἀεὶ τὰ μὲν γῆ τὰ δὲ θάλαττα διατελεῖ μα14. 351 ᵃ23. — διατελεῖν c praepos et nomine διατελεῖν ἐν ὕπνῳ, 40 ἐν ὑγρῷ, πρὸς τοῖς αὐτοῖς sim Ζυ1. 779 ᵃ24. Ζμγ6. 669 ᵃ11. ψγ3. 427 ᵇ2. ζ3. 469 ᵃ9. φ6. 812 ᵇ20. πκγ14. 933 ᵃ14. διατελεῖν μετ' εὐχροίας Ζιη4. 584 ᵃ14. συνανίσχοντες δύο παρήλιοι διετέλεσαν μέχρι ἡλίυ δυσμῶν μγ2. 372 ᵃ16. τῦτο μέχρι πόρρω διατελεῖ Ζιζ3. 561 ᵇ20. — διατελεῖ im- 45 pers ἤδη τισὶ συμβέβηκεν ὥστε μηδὲν ἐνύπνιον ἑωρακέναι· κ̩ τοῖς μὲν ὅλως διετέλεσεν εν3. 462 ᵇ1.

διατέμνειν τὸ ἐν τῇ κεφαλῇ δέρμα πλα5. 957 ᵇ27. — οἱ σπογγεῖς διατέμνονται τὺς μυκτῆρας πλβ5. 960 ᵇ21. πολλὰ τῶν ἐντόμων διατεμνόμενα ζῇ ανβ. 471 ᵇ21. (τὸ τῶν ἀπλυ- 50 σιῶν γένος) διατμηθὲν πυκνότερόν ἐστι τῦ σπόγγυ Ζιε16. 549 ᵃ6.

διατήκεσθαι ὑπὸ ὑγρῦ μδ8. 385 ᵃ28.

διατηρεῖν. διατηρῦντες τὸ πρέπον ἑκάστῳ Ηκ8. 1178 ᵃ13. ταῦτα δεῖ διατηρεῖν τὸν ποιητὴν πο15. 1454 ᵇ15. διατηρεῖν 55 τὸ συμβαῖνον ΜΑ8. 990 ᵃ1. — βῦς ἐννέα ἔτη διατηρῦσιν ἀνοχεύτυς Ζιθ7. 595 ᵇ18. διατηρεῖσθαι τὴν φωνὴν ὁμοίαν ὑπὸ τῦ περιέχοντος ὀργάνυ ακ801 ᵃ31. — χελιδὼν διατη- ρῦσά τινι συνηθείᾳ τὸ προειληφὸς τέκνον, ὅπως μὴ δὶς λάβη Ζιυ7. 612 ᵇ28. 60

διατιθέναι. διατιθέντες οἶνον εἰς ὀστράκια Ζιθ4. 594 ᵃ11. —

ταῦτα διαθεῖναι προσήκει τὸν οἰκονόμον Πα10. 1258 ᵃ24. ὁ ἄρχων διατίθησι Διονύσια, ἀγῶνας f 381.1541 ᵇ6. 387.1542 ᵇ6. ἡ φύσις τὴν τῦ σπέρματος γένεσιν διέθηκε μετ' ἀλλή- λων (τῦ ἄρρενος κ̩ θήλεος) Ζγα23. 731 ᵃ28. — τὺς κριτὰς πρὸς ἡμᾶς εὖ, κακῶς διαθεῖναι ρ87. 1444 ᵇ28. (ἀρεταί τινες) περὶ τὰ μικρὰ διατιθέασιν ἡμᾶς ὡς δεῖ Ηδ10. 1125 ᵇ5. ὕτω διατίθενται οἱ ἐν τοῖς πάθεσιν ὄντες Ηη5. 1147 ᵃ14. cf Πε2. 1302 ᵃ35. τὺς τελευμένυς ὐ μαθεῖν τι δεῖ ἀλλὰ παθεῖν κ̩ διατεθῆναι f 45. 1483 ᵃ21. ἐν τῷ πάσχοντι κ̩ δια- τιθεμένῳ ἡ τῶν ποιητικῶν ὑπάρχει ἐνέργεια ψβ2. 414 ᵃ11. τὸ σῶμα διατίθεται κ̩ διακεκόσμηται Οα10. 280 ᵃ21. — med διατίθεσθαι, de rebus venalibus οβ1345 ᵇ25. — ἂν ἀποθάνῃ μὴ διαθέμενος Πβ9. 1270 ᵃ28. — ταῦτα τῇ λέξει διαθέσθαι Ργ1. 1403 ᵇ20.

διατμίζειν. trans διατμιζομένη κ̩ πνευματωμένη τῦ ὑγρῦ Ογ7. 305 ᵇ14. — intr in vaporem converti, τὸ διατμίζον ὑγρόν, τὸ διατμίσαν μα7. 344 ᵇ23. β1. 353 ᵇ8. 3. 357 ᵃ11.

διατρέχειν. ἐξ ὑρίας διαδραμὼν μχ7. 851 ᵇ6. — metaph προθέμενοι τὴν ἀνδρείαν κ̩ τὴν αὔξησιν ταύτης διαδραμόντες ρ36. 1441 ᵇ7 (cf διέρχεσθαι ᵃ38, διεξέρχεσθαι ᵇ9, διεξιέναι ᵇ16).

διατρίβειν. διατρίβειν περὶ ταῖς θύραις, περὶ θύρας, ἐν Ἴδῃ, περὶ τὴν θάλατταν Ρβ16. 1391 ᵃ12. 24. 1401 ᵇ22. Πε11. 1313 ᵇ7. Ζιδ8. 534 ᵃ7. τὸ Ἀθήνησι διατρίβειν ἐργῶδές f 617. 1582 ᵃ22, 30. διατρίβειν ἐπιτρῦντα δίκην Ρα12. 1373 ᵃ7. διατρίβειν περὶ τὸ ἐρώμενον Ρβ16. 1391 ᵃ5. ὁ ἄρρην ἔλαφος ὑ πρὸς μιᾷ διατρίβει Ζιζ29. 578 ᵇ11. — διατρίβειν πρὸς τοῖς ἔργοις Πε8. 1309 ᵃ8. ζ4. 1318 ᵇ13. — διατρίβειν περὶ ὠνὴν κ̩ πρᾶσιν Πδ4. 1291 ᵇ20, ᵃ6. διατρίβειν ἐν τῷ τιμω- ρεῖσθαι τῇ διανοίᾳ Ρβ2. 1378 ᵇ8. διατρίβειν περὶ τὰς θεο- λογίας, περὶ τὸ μὴ ὄν μβ1. 353 ᵃ35. Μκ8. 1064 ᵇ30. περὶ τὸ ὁμολογύμενον ὐ διατριπτέον Ργ16. 1417 ᵃ10. πανταχῆ διατρίβειν ἢ ἐν τῷ πράγματι Ργ14. 1415 ᵇ13. διατρίβειν ἀκριβολογύμενον Πη12. 1373 ᵃ7.

διατριβή. περὶ τὸν ἥλιον ὐ γίνεται διατριβὴ τοιαύτης συστά- σεως μγ4. 374 ᵃ12. — ποιεῖσθαι τὴν τροφὴν κ̩ τὴν δια- τριβὴν ἐν τῷ ὑγρῷ, syn τὸν βίον κ̩ τὴν τροφὴν ποιεῖσθαι Ζια1. 487 ᵃ20, 16. ποιεῖσθαι τὴν διατριβὴν ἐν ὕδατι, ἐν τῇ γῇ, ἐπὶ τῶν πετρῶν Ζιθ3. 593 ᵃ27. ι19. 617 ᵃ17. αν9. 474 ᵇ26. — ἡ ἐν φιλοσοφίᾳ διατριβὴ Πθ7. 1342 ᵃ32. ἡ δια- τριβὴ ἐπὶ ταῖς τῶν πέλας ἁμαρτίαις Ρβ6. 1384 ᵇ9. ἡ πλείστη δ. περὶ τὰς ὁρισμὰς γίνεται τα5. 102 ᵃ8. ἑτέρας διατριβῆς κ̩ λογικωτέρας ηεα8. 1217 ᵇ17. ὅπως ἀπὸ τύτων διατριβὴν ἐλάττω ἐχόντων ἐπὶ τῶν ἄλλων ὁ λόγος σχολάζη μᾶλλον Ζμδ5. 682 ᵃ33. εἰς βελτίυς διατριβὰς ἀγόμενος κ̩ λόγυς Κ10.13. 49. ᵃ4. ἀγωνιστικὰς, διαλεκτικὰς ποιεῖσθαι τὰς διατριβάς τθ11. 161 ᵃ24. — (ὁ δημηγορῶν) ὐκ ἔχει πολλὰς διατριβάς (res, in quibus commoretur oratio) Ργ17. 1418 ᵃ27.

διατρυπᾶν τὰ ὄστρακα Ζιδ4. 528 ᵇ33. Ζμβ17. 661 ᵃ22, τὰ κογχύλια Ζιε15. 547 ᵇ7, τὰ δέρματα Ζιδ4. 528 ᵇ32, τὺς καλάμυς Ζιε30. 556 ᵇ3. εἰς τὴν ἄμμον καταδύεται τῷ ῥύγχει διατρυπήσας Ζιω37. 621 ᵃ5.

διατρώγειν τὰς τρίχας ημβ6. 1202 ᵃ21. διατραγόντες (μῦς) τὰς νευρὰς Ρβ24. 1401 ᵇ16. ἐάν τις βαλάνυς διατράγη πκβ11. 931 ᵃ8.

διαττᾶν. διηττημένη Ζγα20. 728 ᵃ28 (Aub e cod Z, διηττη- μένη Bk, fort διηθημένη cf διηθεῖν).

διάττειν. ἀστέρες διάττοντες μα4. 341 ᵇ35. πκς23. 943 ᵇ16. διάττοντες (int ἀστέρες) κ4. 395 ᵃ32. σέλα διάττει κ2. 392 ᵇ3. διάττοντος τῦ θερμῦ πβ31. 869 ᵇ15.

διατυπῦν. τὰς τῶν δακτυλίων σφραγῖδας ἀδύνατον εἶναι σαφεῖς, ὅταν μὴ διατυπωθῶσιν ἀκριβῶς ακ801 ᵇ5, 12. — med διατυπώσασθαι τὴν κρᾶσιν τῦ ἄρρενος τῶν φυτῶν ⁊ τῦ θήλεος φτα2. 817 ᵃ29.

διατύπωσις. ὅταν ἐκ σκωλήκων εἰς τὴν διατύπωσιν ἔλθωσι, καλῦνται νύμφαι Ζιε19. 551 ᵇ2.

διαυγὲς ὕδωρ θ112. 840 ᵇ34.

διαυλοδρομεῖ ἡ φύσις ⁊ ἀνελίττεται ἐπὶ τὴν ἀρχήν Ζγβ5. 741 ᵇ21.

διαυλωνίζειν δοκεῖ ἡ θάλαττα ὑπὸ τὴν γῆν μβ8. 366 ᵃ27. διαυλωνίζει τὸ ὕδωρ διὰ τῶν βραγχίων αν16. 478 ᵇ12.

διαφαίνειν. πνεῦμα, ὃ τόν τε ὄγκον ποιεῖ ⁊ τὴν λευκότητα διαφαίνει Ζβ2. 735 ᵇ20. — pass διὰ πυκνοτέρα διαφαινόμενον ἔλαττον φῶς μα5. 342 ᵇ6. τὸ τῆς βαφῆς διαφαινόμενον χ3. 793 ᵇ2. μέλαν τὸ μὴ διαφαινόμενον Ζγε1. 780 ᵃ34, cf διαφανής. τὸ διαφαινόμενον λευκόν. τὸ μὴ διαφαινόμενον μέλαν πκη41. 936 ᵃ8. θ5. 890 ᵃ14. τὴν θάλασσαν πολλάκις πορφυρίζεσαν διαφαίνεσθαι θ130. 843 ᵃ26.

διαφανής. ἄν τις μέλιττα ἐξερπύση, φαίνεται διαφανής, ⁊ ἐδὲν ἐν τῇ κοιλίᾳ ἐνὸν δῆλον Ζιθ14. 599 ᵃ26. — τὸ διαφανές quam habeat naturam et vim in sensu videndi ψβ7. Prantl Farbenl p 94. 148. διαφανὲς λέγω ὃ ἐστι μὲν ὁρατόν, ⁊ καθ' αὑτὸ δὲ ὁρατὸν ἀλλὰ δι' ἀλλότριον χρῶμα ψβ7. 418 ᵇ4. (λέγεσί τινες μᾶλλον ἔχειν πόρες τὰ διαφανῆ μᾶλλον Γα8. 324 ᵇ32) φῶς ἐστιν ἡ ἐνέργεια τῦ διαφανῦς ἢ διαφανὲς ψβ7. 418 ᵇ10, 419 ᵃ11. ἄχρη ἐστὶ τὸ διαφανὲς ψβ7. 418 ᵇ28. πᾶν χρῶμα κινητικόν ἐστι τῦ κατ' ἐνέργειαι διαφανῦς ψβ7. 418 ᵇ1. ἔστι χρῶμα τῦ διαφανῦς κατὰ συμβεβηκός· τὸ διαφανὲς καθ' ὅσον ὑπάρχει ἐν τοῖς σώμασι χρώματος ποιεῖ μετέχειν αι3. 439 ᵃ19, ᵇ9. τὸ μέλαν μὴ εἶναι διαφανὲς Ζγε1. 780 ᵃ34. τὸ διαφανὲς λευκὸν φαίνεται πκγ23. 934 ᵃ18. τὸ διαφανὲς ὐκ ἔστιν ἴδιον ἀέρος ἢ ὕδατος ἀλλά τις κοινὴ φύσις ⁊ δύναμις αι3. 439 ᵃ21. ψι1. 425 ᵃ1. Γα4. 319 ᵇ23. τὸ διαφανὲς τῦ ὄμματος ἡ καλεμένη κόρη αι2. 438 ᵇ16. ὗ συμβαίνει τὸ ὁρᾶν (τὸ ὄμμα) ἢ ὕδωρ ἀλλ' ἢ διαφανές αι2. 438 ᵃ14. τὰ γλαυκὰ κινεῖται μᾶλλον ὑπὸ τῦ φωτὸς ⁊ τῶν ὁρατῶν, ἢ ὑγρὸν ⁊ ἢ διαφανές Ζγε1. 780 ᵃ3.

διαφέρειν. 1. trans εἶτ' ἐκεῖνον μὲν διήνεγκεν, ἕτερος δὲ ἀὴρ ἐπιρρεῖ πκς48. 945 ᵇ24. — pass τὸ ἤλεκτρον διαφέρεται εἰς τὰς Ἕλληνας θ81. 836 ᵇ6. — συναλείφεσι συμφερόμενον ⁊ διαφερόμενον (Heracl fr 45) χ5. 396 ᵇ21. μετατιθεμένα τινὸς μέρης ἢ ἀφαιρεμένα διαφέρεται ⁊ κινεῖται τὸ ὅλον πο8. 1451 ᵃ34. — metaph διαφέρεσθαι, διενεχθῆναι de dissensu, πρὸς ἀλλήλως, περί τινος, ἔν τινι, τί Ογ1. 298 ᵇ14. ψα2. 404 ᵇ30. Πε1. 1301 ᵇ36. η1. 1323 ᵃ35. 3. 1325 ᵃ17. θ2. 1337 ᵇ3. cf Ζμδ2. 677 ᵇ9. φύσει διηνέχθησαν τά τε νοήματα ⁊ τὰ αἰσθήματα f 76. 1488 ᵇ28. de discordia Ηι1. 1164 ᵃ13. ηεη6.1240 ᵇ6..10. 1243 ᵇ21. ημβ11. 1211 ᵃ38. Πβ5. 1263 ᵇ24. διαφέρεσθαι ἑαυτοῖς, ἑαυτοῖς τοῖς συμμάχοις ρ3. 1425 ᵇ14. διενεχθῆναι περί τινος Πε4. 1303 ᵇ34. — 2. intr διαφέρειν τινός τινι Πε7. 1307 ᵃ12. ἐδὲν διαφέρειν τινός ε14. 24 ᵃ8. Ηη4. 1146 ᵇ29, 34. διαφέρειν πρός τι Ζιβ13. 505 ᵃ21. γι9. 521 ᵃ22. θι. 588 ᵃ25. διαφέρεσιν ὅπη τῦ ἄρρενος ⁊ τῦ θηλείας Ζιδ2. 537 ᵃ17. διαφέρεσι ταύτη πρὸς ἀλλήλας διαφοράν μχ1. 465 ᵃ11. διαφέρειν ταῖς εἰρημέναις διαφοραῖς, τῷ μᾶλλον ⁊ ἧττον al Φδ14. 224 ᵃ8. μδ12. 390 ᵇ6. 8. 385 ᵃ19. α4. 341 ᵇ5. 11. 347 ᵇ15. βι. 353 ᵇ25 al. ἔστι δ' ὅπη συμφέρεσιν αἱ αὐταὶ ἀρχαὶ ⁊ ὅπη διαφέρεσιν (?) Πδ15. 1299 ᵇ29. διαφέρειν κατὰ τὴν θέσιν μα4. 341 ᵇ24. διαφέρειν τὰς μορ-

φάς Ζιβ1. 497 ᵇ15. διαφέρειν γένει, εἴδει, κατὰ γένος, κατ' εἶδος Μι3. 1054 ᵇ27. 4. 1055 ᵃ26. δ10. 1018 ᵃ26. Ηκ5. 1175 ᵃ26. Πδ3. 1290 ᵃ6. ψαι. 402 ᵇ3. τὰ πλεῖστον διαφέροντα τῶν ἐν ταὐτῷ γένει sim Μδ10. 1018 ᵃ27-29. ι4. 1055 ᵃ28. διαφέρειν ταῖς ἀντικειμέναις διαφοραῖς, ἐνάντιως Μδ6. 1016 ᵃ25. ι7. 1057 ᵇ11. ἢ ἄνθρωπος, ἐδὲν διοίσεσιν Ηα4. 1096 ᵇ2. ἀλλὰ παρ' ἄλλα τιθέμενα ἀμύθητον διαφέρει μγ4. 375 ᵃ24. διαφέρειν καθ' ὑπεροχὴν ἢ ἔλλειψιν Ζια1. 486 ᵃ22. τὸ πῶς ἐδὲν αὐτοῖς διαφέρει Ηδ3. 1121 ᵇ3. τὸ ἐπίστασαι ἢ ἔστιν ἐπιστάμενος ἐδὲν διαφέρει Αα46. 51 ᵇ14 Wz. τζ 9. 147 ᵇ23 τὸ ὅπως ἢ ἐκείνως ἔχειν ὗ τι μικρὸν ἀλλ' ὅπως διαφέρει ⁊ πᾶν πρὸς τὴν θεωρίαν Οα5. 271 ᵇ5, cf Πδ15. 1299 ᵃ28. Γα2. 315 ᵇ28. haud raro διαφέρει impers usurpatur, vel absolute, ἐδὲν διαφέρει, ἐδὲν διαφέρει πρὸς τὸν λόγον, πρὸς τὰ νῦν Ηε10. 1134 ᵃ19. γ15. 1119 ᵇ2. η5. 1146 ᵇ25. θ2. 1155 ᵇ26. Οα11. 280 ᵇ3. ψαι. 402 ᵃ26, ἤδη ἐν τῇ πῶς διαφέρει Γα2. 315 ᵇ1, πρὸς τὰς ἐνεργείας πολὺ διοίσει Ηκ8. 1178 ᵃ28, κατὰ τέτυς τὰς τρόπας διοίσει ἀμήχανον ὅσον Ηη4. 1147 ᵃ8, τί διοίσει περὶ τῶν ἠπορημένων Πγ10. 1281 ᵃ37, vel addita enunciatione per infinitivum διαφέρει δὲ ἴσως ὗ μικρὸν ἐν κτήσει ἢ χρήσει τὸ ἄριστον ὑπολαμβάνειν sim Ηα8. 1098 ᵇ31. 11. 1101 ᵃ31. β1. 1103 ᵃ24. Ρα10. 1369 ᵃ30. γ1. 1404 ᵃ9. π10. 1452 ᵃ20. Vhl Poet III 316. ἐδὲν διοίσει αὐτῆς ἔχειν ἢ ἄλλοις ἔχεσι πείθεσθαι sim Ηζ13. 1143 ᵇ30 (cf ε10. 1134 ᵇ21). δ14. 1128 ᵃ2. α14. β14. 62 ᵇ37. γ3. 72 ᵇ37. δ5. 91 ᵇ22. 8. 93 ᵃ32. τζ6. 143 ᵇ35 (duo infinitivi per ⁊ non per ἢ coniuncti Αβ4. 57 ᵃ33. γ11. 77 ᵃ14; prius ἢ omittendum videtur τζ9. 147 ᵇ15; ηεη12. 1244 ᵇ32 videtur corruptela inesse), διαφέρει τι πρὸς τὸ πολὺ εἶναι σπυδαῖον ⁊ τὲς παῖδας εἶναι σπυδαίας Πα13. 1260 ᵇ17, enunciatione interrogativa, conditionali Πβ2. 1324 ᵃ32. μα3. 340 ᵃ13. γ5. 375 ᵇ34. — διαφέρειν excellere Ζιζ36. 580 ᵇ5. Πγ12. 1282 ᵇ41. β5. 1263 ᵃ24. διαφέρειν κατ' ἀρετὴν Πγ7. 1279 ᵃ39. ε1. 1301 ᵃ40. — μέγα διαφέρει, syn πὸ ἔργω ερ11 τθ14. 163 ᵇ25, 23. — διαφέρον. ἀληθεύειν ἐν τῷ διαφέροντι αρ5. 1250 ᵇ18. — διαφερόντως. a. τὰ ᾠοτοκῦντα ᾠοτοκεῖ διαφερόντως (i e alia aliter) Ζγα8. 718 ᵇ6. διαφερόντως ἂν ὁρίσαιο φυσικῶς τε ⁊ διαλεκτικῶς ἕκαστον Ψα3. 1409 ᵃ29. cf Πα13. 1260 ᵃ11. τέκτων ⁊ γεωμέτρης διαφερόντως ἐπιζητῦσιν τὴν ὀρθήν Ηα7. 1098 ᵃ29. cf δ12. 1126 ᵇ36. ἐδὲν διαφερόντως ἔχειν ἀλλ' ὡσαύτως Οα8. 277 ᵃ6 — b. praecipue. διαφερόντως ἀκριβῶς, τιμᾶσθαι ψβ9. 421 ᵃ22. Ρβ10. 1387 ᵇ30. διαφερόντως μὲν ... ἐ μὴν ἀλλὰ Ζιβ1. 503 ᵇ25.

διαφεύγειν. διαφεύγειν τὰς ἀνθρώπυς, ἀπὸ τῶν ἄλλων ἰχθύων Ζιι30. 618 ᵇ2. 37. 621 ᵃ27. πολλάκις ἐληλυθότες εἰς τὰ δεινὰ ⁊ διαπεφευγότες Ρβ5. 1383 ᵃ28. 8. 1385 ᵇ25. διαφυγεῖν τὸ νόσημα χαλεπόν Ζιθ21. 603 ᵇ11. — διαφυγεῖν τὸ ἀμφίβολον, τὴν ἀπιστίαν ρ26. 1435 ᵃ33. 12. 1430 ᵇ6. διαφυγεῖν τὸ ἐλέγχεσθαι τι17. 175 ᵇ16. τῦτο μὲν διαφεύγυσιν, ἄλλα δ' ἄλογα συμβαίνει Ογ5. 304 ᵃ8. — τί ἔσται ὅπερ τὴν διαίρεσιν διαφεύγει Γα2. 316 ᵃ16. τὰ λεγόμενα αἴτια διαφεύγειν φαίνεται τὴν λόγον μβ3. 357 ᵇ22. — τίς ἐστιν ἐσία διαφεύγει Μζ3. 1029 ᵃ11. τὰ ἀδύνατα εἶναι ταύτη διαφεύγει, ἥτωςὶ σκοπημένοις διαφεύγει Μθ4. 1047 ᵇ5. ν6. 1093 ᵇ10. διαφεύγει σκοπημένης ηεα5.1216 ᵃ9.

διαφθαρτικόν, syn θανατηφόρον πα47. 865 ᵃ8.

διαφθείρειν. ἐλάφυ διαφθείροντος ·τὴν νομήν Ρβ20. 1393 ᵇ14. ὅπως μὴ διαφθαρῇ τὸ ῥεῦμα τῦ ποταμῦ μα14. 352

[b]29. πόρρω τῶν διαφθερ+ντων, τῶν διαφθειρόντων Πβ10. 1272 [b]1. ε8. 1308 [a]26. διαφθείρειν τὸς ἰατρὸς διὰ κέρδος Πγ16. 1287 [a]39. διεφθάρθαι τὴν κρίσιν Πγ15. 1286 [a]34. οἰαφθείρονται αἱ ἐν πολυχρονίοις ἀρχαῖς Πε8. 1308 [b]14. διαφθείρεσθαι εἰς τὸ θῆλυ π.36. 894 [b]19. τὰ διεφθαρμένα, opp τὰ κατὰ φύσιν Πα5. 1254 [a]37. ὀφθαλμοὶ ἀσπαλάκων διεφθαρμένοι Ζιϑ8. 533 [a]7. διεφθαρμένος δι᾽ ἡδονὴν Ηζ5. 1140 [b]17. ἢ φατέον ἡδονὰς εἶναι πλὴν τοῖς διεφθαρμένοις Ηκ5. 1176 [a]24. διεφθαρμένον, coni κακόν, ἁμάρτημα Μϑ9. 1051 [a]21. ζωὴ διεφθαρμένη χ̣ μοχθηρά Ηι9. 1170 [a]23. — τὸ διαφθεῖραι τῇ ποιῆσαι ῥᾶον τη5. 154 [b]30. διαφθείρειν ἑαυτόν, πολεμίης (i e occidere) Ηε15. 1138 [a]13 coll [a]10. Πη2. 1324 [b]20. νέαι ἐν τοῖς τόκοις διαφθείρονται πολλαί Πη6. 1335 [a]18, 20. Ζγϑ4. 773 [a]19. διαφθείρειν τὸ ἔμβρυον. τὴν ὀχείαν Ζιζ22. 577 [a]14. Ζγβ7. 748 [a]34. ἡ δημοκρατία, ἡ χεὶρ διεφθάρη 15 Πε3. 1302 [b]30. α2. 1253 [a]22. διαφθείρειν τὴν τῶν ἐναντίων σπκδὴν γέλωτι Ργ18. 1419 [b]4.

διαφθορά. ἡ διαφθορὰ κακόν Μϑ9. 1051 [a]21. καλῶνται ἐκρύσεις αἱ μέχρι τῶν ἑπτὰ ἡμερῶν διαφθοραί Ζιη3. 583 [b]11. cf 4. 585 [a]11. — διαφθοραὶ κριτῶν Ρα12. 1372 [a]34. 20

διαφιλονεικεῖν. οἱ ἐν τοῖς λόγοις ἀγωνιζόμενοι χ̣ διαφιλονεικῶντες τι3. 165 [b]13.

διαφορά, 1. sensu logico (cf διαφέρειν) latius quam διαφορὰ patet ἑτέρότης Μι3. 1054 [b]23. γ2. 1004 [a]21 Bz, nam πρὸς τὰ ἔξω τῇ γένῃς ὐκ ἔστι διαφορά Μι4. 1055 [a]27. 25 τῶν ἑτερογενῶν ἕτεραι τῷ εἴδει χ̣ αἱ διαφοραί Κ3. 1 [b]17 Wz. — ἐκ τῇ γένης χ̣ τῶν διαφορῶν αἱ εἴδη Μι7. 1057 [b]7. διαφορά, dist λόγος ἐνοποιός Μη6. 1045 [b]17. δεῖ διαρεῖσθαι τὴν τῆς διαφορᾶς διαφορὰν Μζ12. 1038 [a]9. quae intercedant logicae rationes inter διαφοράν. γένος, εἶδος 30 ν s γένος et εἶδος. ὐδεμία διαφορὰ τῶν κατὰ συμβεβηκὸς ὑπαρχόντων τζ6. 144 [a]24. διαφορά, dist πάθος τζ6. 145 [a]3-12. (διαφοραῖς τισι χ̣ πάθεσι χωρίζεσθαι Γα1. 315 [a]8. παθήμασι χ̣ διαφοραῖς μδ10. 388 [a]10.) ἡ διαφορὰ τῶν μὴ ἐν ὑποκειμένῳ ἐστὶν Κ5. 3 [a]22. πάντα συνωνύμως ἀπὸ τῶν 35 διαφορῶν λέγεται Κ5. 3 [a]33. τῆ διαφορᾷ τῶν ὐσαν γενικὴν ὁμῷ τῷ γένει τακτέον τα4. 101 [b]18. ἔχειν διαφορὰν κατὰ τὸ γένος Ζια1. 486 [a]24. ἡ διαφορὰ ποιότητα τῇ γένης σημαίνει τὸ6. 128 [a]26. ζ6. 144 [a]18-22. Μδ14. 1020 [a]33 Bz, 35, [b]2, 15, 18. Φε2. 226 [a]28. κατὰ τὴν τῇ τί ἐστιν 40 ἀπόδοσιν μᾶλλον ἁρμόττει τὸ γένος ἢ τὴν διαφορὰν εἰπεῖν τὸ6. 128 [a]24. ὐδεμία διαφορὰ σημαίνει τί ἐστιν τὸ2. 122 [b]16. ἡ ὐσία ὐ διαφορὰ τζ6. 143 [a]32, attamen ἡ τελευταία διαφορὰ ἡ ὐσία τῇ πράγματος Μζ12. 1038 [a]19, ἡ τελευταία διαφορὰ χ̣ τὸ εἶδος Ζμα3. 644 [a]2, 643 [a]19. cf Trendllbg 45 Kateg p 53 sqq, 93, Zeller II, 2, 145, 1. ἴδιαι τῇ διαφορᾷ διαφοραί τζ6. 143 [a]31. διαφοραὶ ἀντιδιῃρημέναι, ἀντικείμεναι, διαφορὰ εἰδοποιός ν s h v. ἡ μεγίστη sive τελεία διαφορὰ ἐναντιότης, ἐναντίωσις Μι4. 1055 [a]4, 13. 8. 1058 [a]12. γ2. 1004 [a]21. διαφοραὶ ἐναντίαι ἢ αἱ αὐταὶ τῶν ἐναντίων κατη- 50 γορῶνται τη3. 153 [b]17. αἱ πρῶται ἐναντιώσεις χ̣ διαφοραί Μχ3. 1061 [b]14. Γβ2. 329 [b]17. τὰ γένη τῶν διαφορῶν Μη2. 1042 [b]32. αἱ ἀπὸ τῇ γένης κατὰ τὴν διαίρεσιν διαφοραί Ζμα3. 643 [b]34. — ὁ ἐκ τῶν διαφορῶν λόγος τῇ εἴδὲ ἐστίν, ὁ ἐκ τῶν ἐνυπαρχόντων τῆς ὕλης μᾶλλον Μη2. 1043 55 [a]19. ἔστιν ἡ διαφορὰ τὸ εἶδος ἐν τῇ ὕλῃ Ζμα3. 643 [a]24. διαφοραί, opp ὕλη ΜΑ9. 992 [b]3. Φα4. 187 [a]19. Ζμβ1. 646 [a]17. διαφοραὶ τρεῖς Democriti ΜΑ4. 986 [a]13. γ2. 1042 [b]12. — quae eodem εἴδει ἀτόμῳ continentur, διαφορὰν inter se non habent, ὡς ὕλη γὰρ ὁ ἄνθρωπος, ὐ ποιεῖ δὲ δια- 60 φορὰν ἡ ὕλη, sed ὅσαι ἐν τῷ λόγῳ εἰσὶν ἐναντιότητες, εἴδει

ποιῶσι διαφοράν Μι9. 1058 [b]6, 2, latiore tamen sensu διαφοραὶ πολλαὶ ὑπάρχῃσι τοῖς αὐτοῖς τῷ εἴδει, ἀλλ᾽ ὐ κατ᾽ ὐσίαν ὐδὲ καθ᾽ αὐτά Αδ13. 97 [a]12. ὅσα τῶν ζῴων τῶν σημείων διαισθάνεται τὰς διαφορὰς Ζιι1. 608 [a]20. — verba cum διαφορά coniuncta: προσάπτειν τὰς διαφορὰς τῷ γένει τζ1. 139 [a]29. μετὰ τῇ γένης αἱ συλλαμβανόμεναι διαφοραὶ Μζ12. 1037 [b]32. ἐμπίπτειν εἰς διαφοράς τινας Ζμα3. 643 [a]11. ὐ δεῖ τὸ αὐτὸ χ̣ ἄτομον εἰς ἑτέραν χ̣ ἑτέραν ἰέναι διαφορὰ Ζμα 3. 643 [a]14. διεστηκέναι διαφορᾷ τινι πο2. 1448 [a]16. διαφέρειν διαφοραῖς τισι μδ10. 388 [a]10. 12. 390 [b]7. Ζια1. 488 [b]12. Μδ6. 1016 [a]25. Φδ14. 224 [a]7. διαφέρειν ταύτην πρὸς ἀλλήλης διαφορὰν μκ1. 465 [a]12. ἔχειν διαφορὰν πρός τι Αα13. 32 [a]16. διαφορὰν τινα, μεγάλην. πολλήν, ἴδιον, ἔχειν διαφορὰς πλείς, εὐμεγέθεις al τα7. 103 [a]16. μα3. 340 [b]9. β4. 360 [b]14. Ζιγ1. 509 [a]28, 31. δ1. 524 [a]20. Πβ8. 1269 [a]27. δ4. 1290 [b]34. Ηζ9. 1141 [b]34. ρ6. 1427 [b]33. μὴ ἔχειν διαφοράς, syn μὴ ἔχειν εἴδη Φη4. 249 [a]4. ἐγγὺς ἔχειν τὰς διαφορὰς ηεη9. 1241 [b]17. εἰσὶν αἱ τοιαίδε διαφοραὶ κατὰ τὸς βίος Ζια1. 487 [a]11, [b]33. ἔστι περὶ τὸς ὀδόντας πολλὴ διαφορὰ Ζιβ1. 501 [a]8. εἰσὶν αἱ διαφοραὶ ἐν τρισὶν ὅροις Πὸ15. 1310 [a]10. εὑρεῖν τὰς διαφοράς τα16. 13. 165 [a]24. 18. 108 [a]8 [b]6. κατὰ μικρὰν διαφορὰν Ζιϑ1. 588 [b]21. — in eo usu v διαφορά, qui ad logicam significationem referendus est, aliqua cernitur varietas. ἧς μᾶλλον αἱ διαφοραὶ τόδε τι σημαίνωσι, μᾶλλον ὐσία, ἧς δὲ στέρησιν, μὴ ὂν Γα3. 318 [b]15. ἔνθα μὲν ὂν ἡ διαφορὰ (i e negatio) πρόσεστι παρὰ τὸ ἡ ἀποφάσει Μγ2. 1004 [a]14. τὴν διαφοράν, δι᾽ ἣν ὐκ ἂν εἴη τὸ λεχθέν, ὐκ ἔστιν εἰπεῖν Φδ6. 213 [b]8. ἄνεμοί τε χ̣ πνευμάτων διαφοραί (fere i q εἴδη, cf s εἶδος) κ4. 394 [a]7. cf πκα13. 928 [b]6. ὥσπερ ἐλέχθη πρότερον ἐν τῇ διαφορᾷ τῇ τῶν μορίων (i e in exponendis differentiis) Ζιε5. 541 [a]6. πλῆτος εὐγενεία ἀρετὴ παιδεία χ̣ τὰ τύτοις λεγόμενα κατὰ τὴν αὐτὴν διαφορὰν (fere i q συστοιχίαν) Πὸ4. 1291 [b]30. ἡ ὄψις μάλιστα πολλὰς δηλοῖ διαφοράς ΜΑ1. 980 [a]27. αἱ 1. 437 [a]2, 5. ταύτης τῆς διαφορᾶς (ubi vocabulo διαφορά utrumque oppositionis membrum Ar complectitur) θατέρῳ μορίῳ ἔστω ἡ ἐνέργεια ἀφωρισμένη, θατέρῳ δὲ τὸ δυνατόν Μθ6. 1048 [b]4 Bz. — 2. διαφορά dissensio (cf διαφέρεσθαι). ποιεῖν στάσεις πρὸς ἀλλήλης χ̣ διαφοράς Πη16. 1334 [b]38. cf ε4. 1303 [b]38. (cf ἔοικε πᾶσα διαφορά — i e differentia — ποιεῖν διάστασιν Πε3. 1303 [b]14.) διαλύειν τὰς διαφορὰς τῶν πολιτῶν ρ3. 1424 [b]6. ἐν ταῖς φιλίαις αἱ διαφοραὶ πῶς γίνονται ημβ11. 1210 [a]25, 35, [b]1. τὰ καλὰ τοσαύτην ἔχει διαφορὰν (dissensum) χ̣ πλάνην Ηα1. 1094 [b]15.

διαφορεῖν. συνορᾶν τὰ διαπεφορημένα χ̣ διεστραμμένα τῶν εἰδώλων μτ2. 464 [b]13.

διάφορος def, dist ἕτερος, ἐναντίος Μι3. 1054 [b]23-31. δ9. 1018 [a]12 Bz. τὸ4. 125 [a]2. διάφορα ἀλλήλοις τἀντικείμενα Ζμα3. 643 [a]31. διάφορα γένει, εἴδει (κατ᾽ εἶδος) Μι3. 1054 [b]27-30. τε4. 132 [b]25, 26. Φε4. 228 [b]30. Ζγα18. 723 [b]4. Ηκ2. 1173 [b]13. ἀρχαὶ διάφοροι τῷ γένει, opp συγγενεῖς Αγ32. 88 [b]27. ἡ φύσει φορὰ διάφορος Φδ8. 215 [a]12. διάφοροι μονάδες (i q ἀσύμβλητοι) Μμ7. 1081 [b]33, 35, 1082 [b]25, cf Bz ad Μμ6. — χαλκώματα διάφορα (praestantia) θ62. 835 [a]13. f 248. 1524 [a]37. — τὸ διάφορον, i e causa contentionis οβ1352 [b]2. cf αρ5. 1250 [b]27. 7. 1251 [a]34, [b]10.

διάφραγμα. μέρος τῇ μυκτῆρος τὸ μὲν διάφραγμα χόνδρος, τὸ δ᾽ ὀχέτευμα κενόν (cartilago septi narium) Ζια11. 492 [b]16.

διαφροντίζειν τὴν οἰκειότητα Πβ4. 1262 [b]20.

διαφυλάττειν φίλυς τὰς αὑτᾶς, τὰ καθεστῶτα ρ39. 1445
ᵇ39. 3. 1423 ᵃ31, τὰς ὁμολογίας αρ5. 1250 ᵇ19, τὴν θέσιν
Ηα3. 1096 ᵃ2. Ογ7. 306 ᵃ13. διαφυλάττειν ἀνεγκλήτυς τὰς
πολίτας Ρα4. 1360 ᵃ15. διαφυλάττειν τὰς λόγυς ὅπως μὴ
διαφθαρήσονται ρ1. 1421 ᵃ35. — σαφῶς δηλώσομεν ταῦτα 5
διαφυλάττοντες (observantes) ρ31. 1438 ᵃ37. — διαφυ-
λακτέον ρ3. 1423 ᵃ31. (διαφυλάττοντα, Spgl ci δεῖ φυλάτ-
τειν ρ36. 1441 ᵃ15.)
διαφῦναι. λεπτὸν ὑμένα ἔχυσι διαπεφυκότα f 316. 1531 ᵇ22.
διαφύντος (Emp 71) Φθ1. 250 ᵇ31.   10
διαφυσήσεις χ̣ περιττώσεις δυσώδεις πιγ4. 908 ᵃ17.
διάφυσις. τὰ κοῖλα μέρη τῦ πλεύμονος ἔχει διαφύσεις χον-
δρώδεις εἰς ὀξὺ συνηκυσας· ἐκ δὲ τῶν διαφύσεων τρήματα
(cartilagineos agnatos tubulos habent) Ζια16. 495 ᵇ9. τὰ
δίδυμα τῶν ᾠῶν δὺ΄ ἔχει λεκίθυς, ὧν τὰ μὲν διείργει τῦ 15
λευκῦ λεπτὴ διάφυσις, τὰ δ΄ ὐκ ἔχει ταύτην τὴν διάφυσιν
(tenue albuminis dissepimentum) Ζιζ3. 562 ᵃ26. ἡ βελόνη
ἔχει διάφυσίν τινα (suturam) ὑπὸ τὴν γαστέρα χ̣ τὸ ἦτρον·
ὅταν δ΄ ἐκτέκῃ, συμφύεται ταῦτα πάλιν Ζιζ13. 567 ᵇ25.
cf S II 431.   20
διαφωνεῖν. opp συμφωνεῖν, συνᾴδειν, ἐφαρμόττειν Ηα8.
1098 ᵇ12. ε8. 1132 ᵇ28, 23. κ9. 1179 ᵃ22, 21, 16. Πη13.
1331 ᵇ30. διαφωνεῖν (i e ἕτερον εἶναι) c dat instrumenti
τῷ εἴδει, τῷ ὀνόματι τα15. 106 ᵃ12, 23. εἴ τι διαφωνεῖ
τζ7. 146 ᵃ35. 9. 147 ᵃ21. η1. 152 ᵃ36. εἴ πῃ διαφωνεῖ sim 25
(impersonaliter usurpari videtur) τβ4. 111 ᵇ24. 10. 114
ᵇ32. δ2. 122 ᵃ7, 34, ᵇ10. ζ6. 145 ᵇ21 (cf 7. 146 ᵃ35 et
v l. 9. 147 ᵃ21). η1. 152 ᵇ26 (cf ᵃ36). σκοπεῖν ἐπὶ τῦ δια-
φωνῦντος τε2. 130 ᵃ7. — οἱ πρῶτοι διαφωνῦσι περὶ τῶν
ἀριθμῶν Μμ9. 1085 ᵇ36. — διαφωνεῖ ἃ δεῖ πράττειν χ̣ ἃ 30
πράττει, διαφωνεῖ ταῦτα sim Η8. 1169 ᵃ15. θ2. 1155 ᵇ22.
ηεη15. 1249 ᵃ11. Ρβ23. 1397 ᵇ2. ἵνα μὴ διαφωνῶσιν αἱ
δυνάμεις Πη10. 1334 ᵇ35. διαφωνεῖ ἐπὶ τῆς ἰδέας ὁ ὅρος
τζ10. 148 ᵃ19. — διαφωνεῖν τινι, veluti διαφωνεῖ τῷ ψευδεῖ
τἀληθές, τοῖς λόγοις τὰ ἔργα sim Ηα4. 1097 ᵃ4. 8. 1098 35
ᵇ12. ι8. 1168 ᵇ1. κ1. 1172 ᵃ36. Πη13. 1331 ᵇ30. διαφωνεῖ
ὁ νῦς (codd ὁ παῖς) πρὸς τὴν ἐπιθυμίαν ηεη6. 1240 ᵇ34.
διαχαλᾶν. τὸ πῦρ διαχαλᾷ τὸ πεπηγός πζ3. 886 ᵇ2.
διαχεῖν. ὁ ἥλιος (ἡ θερμότης) διαχεῖ τὸν ἀέρα. τὸ ὑγρόν μγ5.
376 ᵇ23. πβ28. 869 ᵃ15. κϛ35. 944 ᵃ32. τὸ θερμὸν πνεῦ- 40
ματοποιεῖ τὰ ὑγρὰ διαχέον τὸ10. 937 ᵃ6. — pass δια-
χεῖσθαι, opp πήγνυσθαι πθ9. 890 ᵇ17. τὸ ὑγρὸν διαχεῖται
ὑπὸ τῦ πυρὸς πκα25. 929 ᵇ33. κεθ. 938 ᵇ14. ὅταν τὰ φάρ-
μακα εἰς τὴν κοιλίαν εἰσέλθωσι χ̣ διαχυθῶσι πα42. 864
ᵃ31. 43. 864 ᵇ17, 20. μιγνύμενον τῷ πόματι χ̣ διαχεόμενον 45
πκβ5. 930 ᵇ8. ὁ ἀὴρ (τὸ πνεῦμα, ἡ ἀτμίς) διαχεῖται, syn
σκεδάννυται, opp ὑπομένει ᵛβ8. 419 ᵇ21. μγ1. 370 ᵇ5.
(πνεῦμα σποράδην διαχεόμενον). αχ800 ᵃ11, ᵇ28, 35. πκε18.
939 ᵇ17. κϛ49. 946 ᵃ1. διαχεῖται τὸ αἷμα ἐκ τῆς καρδίας
εἰς ἅπαντα τὰ μέρη τῦ σώματος, opp συντρέχει εἰς τὴν 50
καρδίαν f 233. 1520 ᵃ12. τὸ ψυχρὸν διαχεῖ πυ9. 862
ᵇ29. σπέρμα ἄγονον διαχεῖται, γόνιμον ἐν ὕλατι κάτω χωρεῖ
Ζιγ22. 523 ᵃ26 (cf διαχεῖσθαι χ̣ ἀφανίζεσθαι η3. 583 ᵇ15).
Ζιγ37. 747 ᵃ4. ᾠὸν διαχεῖται εἰς πολλὰ Ζιγ1. 510 ᵇ27. τὰ
λεπυριώδη διαχεῖται τι5. 546 ᵇ30. — metaph οἱ μαλα- 55
κὸν χ̣ διακεχυμένον βλέποντες φ6. 813 ᵃ26.
διαχειρίζειν. αἱ ἀρχαὶ διαχειρίζυσι πολλὰ τῶν κοινῶν Πζ8.
1322 ᵇ8.
διαχρῶνται ἑαυτὰς πλ1. 955 ᵃ12.
διαχρίνσιν αἱ μέλιτται τὸ ἔδαφος τῷ κολλωδεστάτῳ Ζιι40. 60
623 ᵇ30.

V.

διάχυλος χ̣ ὑγρὰ λίαν σάρξ Ζιθ21. 603 ᵇ20.
διάχυσις, opp πῆξις μδ5. 382 ᵃ30. cf διαχεῖν.
διαχωρεῖν. λεπτὴ διηθυμένη τροφὴ διεχώρει Ζιγ4. 773 ᵃ27.
ἄπεπτα διαχωρεῖ Ζιιγ14. 675 ᵃ20.
διαχώρησις. ταχείας γινομένης τῆς διαχωρήσεως ταχεῖα γί-
νεται ἡ ἐπιθυμία Ζιιγ14. 675 ᵃ22.
διαχωρητικώτερον τὸ ἄλευρον ἐψόμενον πκα12. 928 ᵃ18.
διαχωρίζεσθαι, opp συνέχεσθαι Μδ23. 1023 ᵃ23. ἅμα
ἐλθόντα εἰς τὰς ὑστέρας ἐκεῖ διεχωρίζετο Ζιγα20. 729 ᵃ8.
ἀνάγκη τὰ βλέφαρα διαχωρίζεσθαι Ζιγ36. 744 ᵇ1.
διαχώρισις Ζιγα18. 723 ᵇ16.
διαψεύδεσθαι Ρβ1. 1378 ᵃ9. ψγ3. 428 ᵇ20 (cf ψεύδεσθαι
ᵇ21). ἡ μοχθηρία διαστρέφει χ̣ διαψεύδεσθαι ποιεῖ περὶ τὰς
ἀρχάς Ηζ13. 1144 ᵃ35. ἡ ὄψις διαψεύδεται πυ9. 872 ᵃ24.
ὑπολήψει χ̣ δόξῃ ἐνδέχεται διαψεύδεσθαι Ηζ3. 1139 ᵇ17.
Ἡρόδοτος διέψευσται γράψας Ζιγ22. 523 ᵃ17. διαψεύδε-
σθαι, διαψευσθῆναι, opp ἀληθεύειν Μκ5. 1061
ᵇ34. γ3. 1005 ᵇ12. 4. 1008 ᵇ3. 5. 1009 ᵃ14, 11 (cf κ6.
1062 ᵇ35). Ηζ6. 1141 ᵃ3. cf ι3. 1165 ᵇ8. μν2. 452 ᵇ25.
syn ἀπάτη Αα34. 47 ᵇ40, 48 ᵃ24. ἐκ συλλογισμῦ διαψευ-
δόμενος, εὐηθικῶς χ̣ λίαν διεψευσμένοι Ζιγγ6. 756 ᵇ18, 757
ᵃ2. αἴτιον τῦ διαψεύδεσθαι εν2. 460 ᵇ23. διαψεύδεσθαι τὰς
τὰς ἕξεις ηεγ1. 1229 ᵇ22. ὁ τῦ λόγυ διεψευσμένος ημβ6.
1202 ᵃ11. διεψευσμένος τὰ περὶ τὴν διάνοιαν Πη1. 1323 ᵃ33.
διαψηφίζεσθαι. ἀρχαὶ κρυπτῇ ψήφῳ διαψηφισται ρ3.
1424 ᵇ2.
διαψύχειν αν15. 478 ᵃ20. — pass διαψύχεσθαι πλη3. 966
ᵇ38. χ5. 794 ᵇ34.
διγονία. τὰ διγονίαν ποιύμενα ζῷα Ζιγα11. 719 ᵃ24. cf δίτ-
τογονεῖν.
Διδάλης Πέρσης οβ1350 ᵇ16.
δίδαξις, ἐνέργεια τῦ διδασκαλικῆ, ἡ ποίησις χ̣ ἡ πάθησις, ἡ
δίδαξις χ̣ ἡ μάθησις ταὐτά, τὸ δ΄ εἶναι ὐ ταὐτό Φγ3. 202
ᵃ32, ᵇ2, 7.
διδασκαλεῖον. ἐν τοῖς διδασκαλείοις Πθ11. 1295 ᵇ17.
διδασκαλία τῆς μυσικῆς Πθ5. 1340 ᵇ14. ἐκ διδασκαλίας,
opp ἐξ ἔθυς Ηβ1. 1103 ᵃ15. ἔνια τῶν ζῴων κοινωνεῖ τινος
μαθήσεως χ̣ διδασκαλίας Ζιι1. 608 ᵃ18. διδασκαλίας χάριν
εἰρηκέναι, opp ὡς γενόμενον εἰρηκέναι Οα10. 280 ᵃ1. φαί-
νεσθαι ἄνευ διδασκαλίας, opp τῷ λόγῳ παρασκευάζεσθαι
πο19. 1456 ᵇ5. τὸ τῆς λέξεως ἀναγκαῖον ἐν πάσῃ διδασκαλίᾳ
Ργ1. 1404 ᵃ9. διδασκαλία, coni μάθησις διανοητικὴ Αγ1. 71 ᵃ1.
τζ4. 141 ᵃ30. opp γυμνασία χ̣ πεῖρα τθ11. 161 ᵃ25. ἄτε-
χνος διδασκαλία τι34. 184 ᵃ1. — διδασκαλίας ἐστὶν ὁ κατὰ
τὴν ἐπιστήμην λόγος Ρα1. 1355 ᵃ25. πᾶσα διδασκαλία ἐκ
προγιγνωσκομένων δι΄ ἐπαγωγῆς ἢ συλλογισμῦ, διὰ προ-
τέρων χ̣ γνωριμωτέρων τζ4. 141 ᵃ30.
διδασκαλικός ηεη14. 1247 ᵇ26. διδασκαλικὴ ἐπιστήμη ἡ
τῶν αἰτίων θεωρητική ΜΑ2. 982 ᵃ28. ἔχειν τὴν διδασκαλι-
κὴν τῶν ἔργων Πλ13. 1260 ᵇ4. ἑκάστη τέχνη περὶ τὸ αὑτῇ
ὑποκείμενόν ἐστι διδασκαλικὴ χ̣ πειστική Ρα2. 1355 ᵇ27.
λόγοι διδασκαλικοί, syn ἀποδεικτικοί, dist διαλεκτικοί, πει-
ραστικοί, ἐριστικοί τι2. 165 ᵃ39, ᵇ9. Ηθ9. 1151 ᵃ18. τὸ δι-
δασκαλικόν, ἡ δίδαξις ἐνέργεια τῆ διδασκαλικῆ Φγ3. 202
ᵇ7. — οἱ σοφώτεροι διδασκαλικώτεροι τῶν αἰτίων ΜΑ2.
982 ᵃ13.
διδάσκειν, opp διαλέγεσθαι τι10. 171 ᵇ1. διδάσκειν μάθησιν
ἰδίαν Πθ1. 1337 ᵃ26. διδάσκεσθαι τὰς υἱεῖς τὰς κύφας ἐρ-
γασίας Πζ7. 1321 ᵃ24. — δεδιδαχὼς Ἰφιγένειαν, ἐδιδά-
χθησαν αἱ Νεφέλαι sim f 578. 1573 ᵃ10. 579. 1573 ᵃ15.
584. 1573 ᵇ11. 585. 1573 ᵇ20. — διδακτὴ πᾶσα ἐπι-

στήμη δοκεῖ εἶναι Ηζ3. 1139 ᵇ25.

διδαχή. διδαχῇ, opp φύσει Ηϰ10. 1179 ᵇ21. ὁ λόγος ϰ̩ ἡ
διδαχή Ηϰ10. 1179 ᵇ23. μνήμης ϰ̩ διδαχῆς πολλὰ τῶν ζῴων
κοινωνεῖ Ζια1. 488 ᵇ25.

διδόναι. αἱ μητέρες διδόασι τὰ αὑτῶν τρέφεσθαι Ηϑ9. 1159
ᵃ29. μισϑός τις δοτέος Ηε10. 1134 ᵇ7. οἶνον πρὸς σῖτον δι-
δόναι ϰ̩ λαμβάνειν Πα9. 1257 ᵃ27. δῦναι, dist ἀποδῦναι,
ἀνταποδοῦναι Ηι2. 1164 ᵇ26, 33. Ρβ7. 1385 ᵇ3. διδόναι, opp
ὠνεῖσϑαι ϰ̩ πωλεῖν Πβ9. 1270 ᵃ21. δῦναι, dist ἀποδόσϑαι
f 517. 1562 ᵇ20. πρὸς χάριν ἀκροώμενοι διδόασι τοῖς ἀμ-
φισβητῦσιν, ἀλλ᾽ ὖ κρίνυσιν Ρα1. 1354 ᵇ34. ὅταν ὁ δαίμων
εὖ διδῷ (Eur Or 667) Ηι9. 1169 ᵇ8. — δῦναι ϰ̩ λαβεῖν
λόγον τι1. 165 ᵃ27. δεδωκέναι λόγον ἢ δώσειν Ργ15. 1416
ᵃ33. διδόναι ϰ̩ λαμβάνειν ὅρϰης Ρα15. 1377 ᵃ8. δῦναι δί-
ϰην. δίϰας Πε3. 1302 ᵇ22. β10. 1272 ᵇ9. Ρβ23.1398 ᵇ27.
διδόναι τὰς εὐϑύνας Πβ9. 1271 ᵃ8. γ11. 1282 ᵃ2. Ργ10.
1411 ᵃ6, 8, ᵇ20. f 389. 1542 ᵇ33. 405. 1545 ᵇ43. ψα4.
407 ᵇ29 (Bernays Dial p 15. 142). οἱ πεῖραι μὴ δεδωκότες
ρ30. 1436 ᵇ31. — ἐκ τριῶν δοϑεισῶν εὐϑειῶν συνίσταται
τρίγωνον ατ970 ᵃ8. ἐπεὶ τὰ σημεῖα δέδοται, ϰ̩ ἡ ϰη δεδο-
μένη ἂν εἴη δεδομένης τῆς περιφερείας μγ5. 376 ᵃ4, 5. ϑεω-
ρεῖν τὴν δοϑεῖσαν πολιτείαν, syn τὴν ἐξ ὑποϑέσεως Πδ1.
1288 ᵇ28. ἡ ῥητορικὴ περὶ τῦ δοϑέντος ὡς εἰπεῖν δύναται
ϑεωρεῖν τὸ πιϑανόν, opp περί τι γένος ἴδιον ἀφωρισμένον
Ρα2. 1355 ᵇ33. — διδόναι, concedere, permittere. διδόναι
δίοδον ὑγρῷ, διαπνοὴν τῷ πνεύματι μϑ7. 384 ᵇ10. β8.368
ᵇ9. διδόναι ἐξυσίαν Πβ9. 1270 ᵃ21. ε3. 1302 ᵇ11. μβ3.359
ᵃ27. ὁ νόμος δίδωσιν ἐπανορϑῶσϑαι Πγ16. 1287 ᵃ27. ἂν ἡ
πολιτεία διδῷ τὴν ὑπεροχὴν Πε7. 1307 ᵃ19. δίδωμεν ταῦτα
τοῖς ποιηταῖς πο25. 1460 ᵇ13. — concedere aliquid in
disputando. εἴτε δώη τις αὐτοῖς εἴτε δειχϑείη τῦτο ΜΑ8.
990 ᵃ12. ἂν τις τῦτο διδῷ, syn συγχωρεῖν Μγ4. 1006 ᵇ24,
27. cf Φζ9. 239 ᵇ29. α2. 185 ᵃ11. 3. 186 ᵃ9. πιη8.917 ᵇ7.
διδόναι, opp ἀνανεύειν ϑ11. 161 ᵇ13. δοτέον ἁπλῶς ἢ ἀρ-
νητέον τϑ7. 160 ᵃ25. ὐϰ ἄρα δοτέον ἐν παντί Φϑ8. 263 ᵇ20.
(δοτέον pro ποιητέον ψγ2. 425 ᵇ17 ci Torstr, cf ποιεῖν) τῦ
δοϑῆναι τὸ καϑόλυ τθ1. 155 ᵇ22. εἴ τις δίδωσι Αβ27. 70 ᵇ7
(syn ὑπόκειται ᵇ16). ἀναιρεῖν τῶν δεδομένων τι Οα12.
283 ᵃ6.

δίδραχμος οβ 1353 ᵃ17.

δίδυμος. τὸ ἀριστερὸν ϰ̩ δεξιὸν δίδυμα, διδύμην ἔχει τὴν
φύσιν Ζμγ7. 670 ᵃ6. — τὰ δίδυμα τῶν ῴῶν Ζιζ 3. 562
ᵃ24. Ζγα20. 728 ᵇ36. π161. 898 ᵃ17. τίκτειν δίδυμα Ζγδ4.
770 ᵃ13. Ζιη4. 585 ᵃ13. γίνεται δίδυμα ϑῆλυ ϰ̩ ἄρρεν ἅμα
Ζγδ1. 764 ᵃ33. ἤδη ἐγένετο δίδυμα ὐϰ ἐοικότα ἀλλήλοις
Ζιη6. 586 ᵃ8. ἐν ἀνϑρώποις δ᾽ ἢ τὰ δίδυμα ἄρρεν ϰ̩ ϑῆλυ,
ὀλίγα σώζεται Ζιη4. 585 ᵃ2, 584 ᵇ37. π128. 894 ᵃ8. ἤδη
δίδυμα κυήσασά τις ἐπεκύησε τρίτον Ζιη4. 585 ᵃ17. — οἱ
δίδυμοι sidus. ἐν τοῖς διδύμοις μα6. 343 ᵇ31.

διδυμοτοϰεῖν Ζιζ19. 573 ᵇ30. θ128. 842 ᵇ28. ἐν ἀνϑρώποις
τὰ διδυμοτοϰύμενα ϑῆλυ ϰ̩ ἄρρεν ἧττον σώζεται Ζγδ6.
775 ᵃ23.

διδυμοτοϰία Ζγδ4. 772 ᵇ14.

διδυμοτόϰος Ζιζ19. 573 ᵇ32.

διεγείρεσϑαι π31. 894 ᵃ23. διεγερϑῆναι πυ34. 876 ᵃ22. —
metaph ἐν ἔργον ἐπιλόγυ τὸ τὰ πάϑη διεγεῖραι f 125. 1499
ᵇ10.

διεδρεῖαι, opp συνεδρεῖαι ηεη2. 1236 ᵇ10.

διεδρία. ὅϑεν τὰς διεδρίας ϰ̩ τὰς συνεδρίας οἱ μάντεις λαμ-
βάνυσιν Ζιι1. 608 ᵇ27.

δίεδρος, δίεδρα τὰ πολέμια τιϑέντες οἱ μάντεις Ζιι1. 608 ᵇ28.

διειπάμενος οβ1351 ᵇ5. ἂν μὴ διείπωνται (Ρᵇ Fritzsche,
διέπωνται Bk) ηεη10. 1243 ᵃ31. ὖ διείποντο ὡς ἠϑικῶς
ηεη10. 1243 ᵇ7.

διείργειν. συνεχεῖς ϰ̩ μὴ διείργῃ μηδέν Ζγδ4. 770 ᵃ18.
cf Γα8. 325 ᵃ5. διάφυσις διείργει τὰ ῴὰ τῦ μὴ εἰς ἄλληλα
συγκεχύσϑαι τὰ ὠχρὰ Ζιζ3. 562 ᵃ25. cf δ6. 531 ᵃ26. ὑμὴν
διείργει ψ11. 423 ᵇ10. ὁδός, ποταμὸς διείργει Ζιϑ28. 605
ᵇ28, 29.

διεϰϑεῖν. τὸ ἀστράψαν ἄχρι τῆς γῆς διεϰϑέον ϰ4. 395 ᵃ22.

διεϰπίπτειν. τὸ ἐντὸς ϑερμὸν ἔξω διεϰπίπτει πιϑ 14. 910 ᵃ17.
16. 910 ᵇ5.

διεϰπνεῖν. ὅσοι ἄνεμοι διεϰπνέυσι πρόσω ϰατ᾽ εὐϑεῖαν ϰ4.
394 ᵇ35.

διελέγχειν τι ἐϰ συλλογισμῦ f 85. 1490 ᵇ38.

διεξάττοντες ἄνεμοι ϰ4. 394 ᵇ15. 5. 397 ᵃ31.

διεξέρπειν, διεξερπύζειν ϰ6. 399 ᵃ24, 398 ᵇ33.

διεξέρχεσϑαι. διεξελϑεῖν ἴσον τόπον μχ1. 848 ᵇ7. τὰ ἄπειρα
ἀδύνατον διεξελϑεῖν Φϑ8. 263 ᵃ6, ᵇ4. γ5. 204 ᵇ9 (syn διελϑ-
εῖν 4. 204 ᵃ3). Μα2. 994 ᵇ31. διεξελϑεῖν τὰ ἄπειρα νοῦντα
Αγ22. 83 ᵇ6. — ὕδωρ ὖ δυνάμενον διεξελϑεῖν, syn διελϑεῖν
μβ8. 386 ᵃ6, 4. cf π143. 895 ᵇ3. — διεξεληλύϑαμεν τὰς
πάσας πίστεις, διεξελϑεῖν πάντα τὰ ῥηϑέντα sim ρ18. 1432
ᵇ35. 36. 1441 ᵇ9. 31.1438 ᵃ7. φ1. 805 ᵇ12. διεξελϑόντες
τὰς τῶν ἄλλων ὑπολήψεις Οα10. 279 ᵇ5.

διεξιέναι τὴν γραμμήν, τὸ πεπερασμένον, ποσόν τι Ηϰ3.
1174 ᵃ34. Φϑ10. 266 ᵇ13. γ6. 206 ᵇ9, 11 (syn διιέναι 4.
204 ᵃ3). ζ7. 238 ᵃ23 (syn διιέναι ᵃ36). ὁ ἀργὴς φϑάνει
διεξιὼν πρὶν ἐϰπυρῶσαι μγ1. 371 ᵃ22. ὑπὸ τῦ ψυχρῦ διεξι-
όντος τῦ ϑερμῦ μϑ10. 388 ᵇ28. — ὁ λέγων τὸν αὐτὸν
διέξεισι λόγον Μζ14. 1039 ᵃ29. — διεξιέναι τὰ παρεληλυ-
ϑότα, coni δηλῦν τὰ παρόντα, προλέγειν τὰ μέλλοντα ρ31.
1438 ᵃ20. cf 2. 1422 ᵇ22. διεξιτέον τὰς μεταβολὰς ρ3.
1425 ᵇ2. διεξιέναι περί τινος ϰεφαλαιωδῶς ρ38. 1445 ᵃ35.

διεξοδιϰός. τῦ διεξοδιϰῦ τὸ μὲν οἷον ἐφέδρανον γλυτός, τὸ
δὲ ϰοτυληδὼν Ζια13. 493 ᵃ23 (anus).

διέξοδος. ἄπειρον τὸ διέξοδον ἔχον ἀτελεύτητον Φγ4. 204 ᵃ5.
Μϰ10. 1066 ᵃ36. ἡ διέξοδος τῦ περιττώματος (anus) Ζμδ9.
684 ᵇ26. (Ζγα4. 717 ᵇ6 Aub, ἔξοδος Bk.) — διὰ ἁπλῆς
τῆς ὐρανῦ περιαγωγῆς ἀλλοῖαι πάντων διέξοδοι γίνονται ϰ6.
399 ᵃ3. — ἐϰ τῶν περὶ ἑϰάστυ οἰκείων ἡ διέξοδος τῦ προ-
ϰειμένυ ῥᾷον γένοιτ᾽ ἂν τα6. 103 ᵃ1 (cf διεξιέναι). ἀσαφὴς
ἡ τοιαύτη διέξοδος φ2. 806 ᵃ35.

διέπειν. ὁ τὸ σύμπαν διέπων ϑεός ϰ6. 399 ᵃ18.

διεργάζεσϑαι. διεργασϑὲν (τοῖς στρυφνοῖς) μᾶλλον δέχεται
τὴν βαφήν πϰβ11. 931 ᵃ14.

διερεϑίζεσϑαι πρὸς ἀλλήλυς ϑ90. 837 ᵇ17.

διερεῖν, humectare πϰε11. 939 ᵃ28 (Bsm u cod Υᵃ et vetere
interpr lat, διαιρεῖν Bk).

διερευνήσωμεν τῦτο φτα2. 816 ᵇ23.

διερὸν τὸ ἔχον ἀλλοτρίαν ὑγρότητα ἐπιπολῆς, βεβρεγμένον δὲ
τὸ ἐν βάϑος Γβ2. 330 ᵃ16, 19. cf πα9. 860 ᵃ27. ϰε11.
939 ᵇ26 (δίυργος ᵃ17). 12. 939 ᵃ30. τὸ διερὸν ὐϰ ἔστιν
ἄνευ σώματος· λανϑάνει μᾶλλον ἡμᾶς, εἰ διερὸν διερῷ ἅπτε-
ται ψ11. 423 ᵃ25, ᵇ1 Trdlbg.

διέρχεσϑαι ἀνίσυς γραμμὰς πιγ3. 913 ᵇ5. διελϑεῖν τὴν ἄπει-
ρον, τὸ ἄπειρον, τὰ ἄπειρα ἀδύνατον Φγ4. 204 ᵃ3. 89 265
ᵇ7. 9. 265 ᵃ19. Οα5. 272 ᵃ3, 29. Αγ3. ᵃ7 ᵇ11. 22. 82 ᵇ39
al. εἰ ἅμα διέρχεται ϰ̩ διελήλυϑεν Φζ1. 232 ᵃ4. ὐϰ ἔστιν
ὅπη τὸ φερόμενον ἠρεμήσει ὡς διεληλυϑός Φϑ9. 265 ᵇ6. —
τὸ πνεῦμα ἔφϑασε διελϑόν, τὸ πῦρ ϰατεμαράνϑη διελϑόν
μγ1. 371 ᵃ27. α7. 344 ᵃ30. — διὰ πάντων διελήλυϑε τὸ

ἄρχειν κỳ τὸ ἄρχεσθαι Πβ11. 1273ᵇ17. δ14. 1298ᵃ17. 15. 1300ᵃ26. — διέρχεσθαι περὶ τινος, περὶ εὐδαιμονίας τύπῳ διελθεῖν, περὶ φιλίας ἔποιτ' ἂν διελθεῖν sim τα2.101 ᵇ2. Μθ6. 1048ᵃ30. μα1. 339ᵃ5. Ηκ6. 1176ᵃ31. θ1.1155 ᵃ3. δ4. 1122ᵃ19. πλ1. 954ᵃ11 al. διέλθωμεν τὰς ἐνδεχο- μένας ἀπορίας ΜΑ7. 988ᵇ21. ὕτω διελθόντες Οθ2. 308ᵇ1. διελθεῖν τίς πολιτεία τίσι συμφέρει Πδ12. 1296ᵇ14.

διερωτᾶν. παρὰ τῶν δι' ἀποδείξεως λεγόντων δεῖ πυνθάνεσθαι διερωτῶντας Μβ4.1000ᵃ20. cf f40.1481ᵇ3. 83.1490ᵃ23.

διεσθίειν. τὰ ἐχίδια ἔσωθεν διαφαγόντα ἐξέρχεται Ζιε34. 558ᵃ30.

διεσις. 1. δίεσις τῆς πλεκτάνης διὰ τῦ αὐλῦ Ζγα15. 720 ᵇ35. — 2. musice πιθ4. 917ᵇ36 (Bojesen p 67 sq). ἡ δίεσις τὸ ἁπλῦν ἐν μέλει Αγ23. 84ᵇ39. Μθ6. 1016ᵇ21. ι1.1053 ᵃ12, ᵇ35. ν1. 1087ᵇ35. ὁ ἐν τῇ διέσει φθόγγος λανθάνει αι6. 446ᵃ2. αἱ διέσεις δύο Μι1. 1053ᵃ15 Bz.

διετὴς ἵππος Ζιε14. 545ᵇ11. ἔλαφος ἀποβάλλει τὰ κέρατα κατ' ἔτος, ἀρξάμενος ἀπὸ διετῦς Ζιβ1. 500ᵃ11. κύησις διετὴς Ζγδ10. 777ᵇ15. σπέρμα διετὲς λαχάνων πκ17. 924ᵇ28.

διετίζειν. τίνα ζῷα διετίζει, τίνα ὒ διετίζει Ζιε18. 550ᵇ14. 33. 558ᵃ16. θ14. 599ᵃ22. ι37. 622ᵃ15. 41. 627ᵇ29. f 317. 1532ᵃ1.

διευλαβεῖσθαι. ἂν μὴ διευλαβηθῶσιν αἱ παῖδες ἀρχομένων τῶν καταμηνίων Ζιη1. 581ᵇ14.

διευριπίζει ὁ ἀὴρ πκε22. 940ᵃ3.

διευρύνειν. ἀφιστάναι τὸ ἕντερον κỳ διευρύνειν Ζιθ17. 600 ᵇ12. — pass διευρυνομένων τῶν πόρων ψβ9. 422ᵃ3. λι- μνίον διευρύνεται θ112. 841ᵃ3.

δίεφθος. ὅ τι ἂν λάβῃ ὁ ἀστὴρ, παραχρῆμα δίεφθον Ζιε15. 548ᵃ8.

διέχειν, intr 1. ἷνες διέχωσιν ἀπὸ τῶν νεύρων πρὸς τὰς φλέ- βας sim Ζιγ6. 515ᵇ28. β17. 509ᵃ15. α17. 496ᵇ31. Ζμβ6. 651ᵇ33. γ4. 665ᵇ32. ὁ ἥλιος διὰ τῶν τετραπλεύ- ρων διέχων πιε6. 911ᵇ3. — 2. διέχειν i q διαφέρειν. τὸ ὅμοιον ἐν πολὺ διέχειν θεωρεῖν Ργ11. 1412ᵃ12, 17. ὐδὲν ἂν διέχοι φαγεῖν κỳ μὴ φαγεῖν Μκ6. 1063ᵃ31.

διηγεῖσθαι. ἔργον ῥήτορος προσιμιάσασθαι πρὸς εὔνοιαν, διη- γήσασθαι πρὸς πιθανότητα f 123. 1499ᵃ27, 32.

διηγηματικὴ μίμησις πο24. 1459ᵇ33. ἡ διηγηματικὴ κỳ ἐν μέτρῳ μιμητικὴ πο23. 1459ᵃ17. syn μιμεῖσθαι ἀπαγγέλ- λοντα πε3. 1448ᵃ21, opp ἐν τῷ πράττειν μίμησις, μι- μεῖσθαι πράττοντας πο23. 1459ᵃ15. 3. 1448ᵃ27.

διήγησις. Ἡρόδοτος ἐν τῇ διηγήσει τῇ περὶ τὴν πολιορκίαν Ζιθ18. 601ᵇ2. — διήγησις, σχῆμα τῆς λέξεως, dist ἐντολή, εὐχή al. πο19. 1456ᵇ11. — pars orationis, dist προοίμιον al Ρα1. 1354ᵇ18. Κ12. 14ᵇ3. διήγησις τῦ δικανικῦ μόνυ λόγυ ἐστὶν Ργ13. 1414ᵃ36. τὰς διηγήσεις ποίας δεῖ εἶναι Ργ16. ρ31. 32. διήγησις ταχεῖα Ργ16. 1416ᵇ29. διηγή- σεως εἴδη: ἀπαγγελία, δήλωσις, πρόρρησις ρ31. 1438ᵇ10. 32. 1438ᵇ23. 31. 1438ᵇ17-21.

διηγητικός. syn φιλόμυθος, ἀδολέσχης Ηγ13. 1117ᵇ34.

διηθεῖν τὸ ὑγρόν, τὸ ὕδωρ αι4. 441ᵇ18. πκγ37. 935ᵇ5. — pass διηθύμενον ὕδωρ (ὑγρόν) διά τινος μβ2. 354ᵇ17. 3. 359ᵇ7. αι4. 441ᵇ5. Ζιθ2. 590ᵃ20. Ζμγ9. 671ᵇ20. πι44. 895ᵇ14. κι19. 933ᵇ19. 20. 933ᵇ26. χ5. 795ᵃ18. τροφὴ διηθυμένη Ζγδ4. 773ᵃ27. Ζμδ3. 677ᵇ25. χ6. 797ᵇ23. ἡ θηλή, δι' ἧς τοῖς θήλεσι τὸ γάλα διηθεῖται Ζια12. 493ᵃ14. ὁ ἀὴρ ῥαδίως διηθεῖται μβ8. 368ᵃ22. διὰ μανότητα ἔφθασε τὸ πνεῦμα διηθῆεν κỳ διελθὸν μγ1. 371ᵃ27. — pro διη- τημένη Ζγα20. 728ᵃ28 fort scribendum διηθημένη.

διήκειν. ὁ ἄνεμος διήκει δεῦρο, πόρρω μβ5. 362ᵇ35, 363 ᵃ18, 5. ἰσθμὸς εἰς τὸν πόντον, ὠκεανὸς κατὰ στενὸν κỳ ἐπι- μήκη αὐχένα διήκει κ3. 393ᵇ25, 5. ὁ στόμαχος ἀπὸ τῦ στόματος ἀρξάμενος ἐπὶ τὰ κάτω διήκει Ζιβ17. 507ᵃ36. τὸ αὐτὸ πάθος ἐπὶ πλείω διήκει χώραν μβ4. 360ᵇ13. ἀπ' αὐτῦ τὰ φιλικὰ κỳ πρὸς τὰς ἄλλας διήκει Ηι8. 1168ᵇ6. ἡ φιλία κỳ τῦ δίκαιον, ἐπ' ἴσον διήκοντα Ηθ11. 1160ᵃ8. ἡ διὰ πάντων διήκυσα δύναμις κ5. 396ᵇ29. 6. 398ᵇ8. cf 4. 394ᵇ11. 6. 398ᵃ5. ὁ θεὸς διήκων ἐξ αἰῶνος ἀτέρμονος εἰς ἕτερον αἰῶνα κ7. 401ᵃ16.

διημερεύει τὸ μὲν ὀχεῦον τὸ δ' ὀχευόμενον Ζιε2. 540ᵃ16. — impers ἂν ἔωθεν πνεῖν ἄρξηται, διημερεύει μᾶλλον πκς59. 947ᵃ25.

διηνεκὴς κỳ ὁλοτελὴς ὁ κόσμος φτα2. 817ᵇ39. φυτὰ διη- νεκῆ, opp ἀπὸ ἔτυς μετὰ ἔτος φτα4. 819ᵃ27.

δίθαλλος ὁ αἰγωλιός Ζιι17. 616ᵇ27.

διθυραμβικός. ἡ τῶν διθυραμβικῶν ποίησις πο1. 1447ᵇ26.

διθυραμβοποιητική. ἡ δ. μίμησις πο1. 1447ᵃ14.

διθυραμβοποιός Ργ12. 1413ᵇ14. χρησιμωτάτη ἡ διπλῆ λέξις τοῖς διθυραμβοποιοῖς, ὅτοι γὰρ ψοφώδεις Ργ3.1406ᵇ1.

διθύραμβος. περὶ τῶν διθυράμβων κỳ περὶ τῆς νόμυς πο2. 1448ᵃ14. ι2, ἐπειδὴ μιμητικοὶ ἐγένοντο, ὠκεῖ ἔχυσιν ἀντιστρόφυς πιθ15. 918ᵇ18. ὁ δ. ὁμολογυμένως Φρύγιον Πθ7. 1342ᵇ7. τὰ τῶν δ. προοίμια ὅμοια τοῖς ἐπιδεικτικοῖς Ργ14. 1415ᵃ10. αἱ ἐν τοῖς δ. ἀναβολαὶ Ργ9. 1409ᵃ25. τοῖς διθυράμβοις ἁρμόττει τὰ διπλᾶ ὀνόματα πο22. 1459ᵃ9 (cf Ργ3. 1406ᵇ1). ἀπὸ τῶν ἐξαρχόντων τὸν διθύραμβον ἐγένετο ἡ τραγῳδία πο4. 1449ᵃ10.

δίθυρος. 1. plantarum cotyledones. δίθυρα πάντα τὰ σπέρ- ματα ξ3. 468ᵇ20. ἡ συνῆπται τὸ δίθυρον τῶν κυάμων κỳ τῶν τοιύτων σπερμάτων, ταύτῃ προσπέφυκεν Ζγγ2. 752ᵃ22. cf Meyer Gesch d Bot I 117, 141. — 2. bivalvea. λέγω δίθυρα τὰ δυσὶν ὀστράκοις περιεχόμενα Ζιδ4. 528ᵃ12. γέ- νος τῶν ὀστρακοδέρμων Ζμδ5. 679ᵇ16, 683ᵇ11. Ζιδ4. 528ᵃ11, 529ᵃ25. τῶν διθύρων τὰ μέν εἰσιν ἀναπτυκτά, οἷον κτένες κỳ μύες, τὰ δ' ἐπ' ἄμφω συμπέφυκεν, τὰ δὲ τῶν σωλήνων γένος Ζμδ7. 683ᵇ14. Ζιδ4. 528ᵃ14. — τὸ σαρκῶδες τοῖς διθύροις προσπέφυκε τοῖς ὀστράκοις Ζιδ4. 528ᵇ4. τὸ ᾠὸν καλύμενον ἐν τοῖς δεξιοῖς, ἐν δὲ τοῖς ἐπὶ θάτερα ἡ ἔξοδος τῷ περιττώματος τοῖς διθύροις Ζμδ5. 680 ᵃ25. ἔστιν ἡ καλυμένη μήκων τοῖς διθύροις πρὸς τῇ συναφῇ ἐν τῷ γιγγλυμώδει Ζμδ5. 680ᵃ23. Ζιδ4. 529ᵃ31. — ἐν τῷ Πόντῳ ὒ γίνονται ὐδ' ἐν τοῖς ποταμοῖς ἀλλ' ἢ ὀλίγα τῶν διθύρων Ζιθ20. 603ᵃ27. — comparantur alia genera τῶν ὀστρακοδέρμων cum διθύροις. τὰ μονόθυρα γίνεται ἀλ- λοτρίῳ φράγματι τρόπον τινὰ δίθυρα Ζμδ5. 679ᵇ25. τρό- πον τινὰ τὰ στρομβώδη διθύροις ἔοικεν Ζμδ5. 679ᵇ18, 27. Ζιδ4. 530ᵃ22. — τὸ ὄστρεον παχύστομον δίθυρον δὲ κỳ λείστρακον f 287. 1528ᵇ14.

διιέναι (δίειμι), syn διέρχεσθαι, διεξιέναι Φζ1. 232ᵃ2, 3, ᵇ19. 7. 238ᵃ36, 23. ἐπὶ πλεῖστον πέφυκε διιέναι τὸ διὰ παντὸς ἰέναι μάλιστα δυνάμενον μβ8. 365ᵇ34. διιέναι τὸν αὐτῦ κύκλον Οβ10. 291ᵇ4. διιέναι τὸ ἄπειρον Φγ4. 204ᵃ4. ζ7. 238ᵃ6. διιέναι διὰ τῶν πόρων Ογ8. 307ᵇ13. Γα8. 326 ᵇ22, 12. πκγ30. 929ᵇ3. κβ11. 931ᵃ13. ὁ ἀὴρ βραδύ- τερον διιὼν πια34. 903ᵃ36. πορρωτέρω διιόντων πιβ4. 907 ᵃ1. κεραυνὸς ἔφθασε διιὼν μγ1. 371ᵃ24. τῦ ψόφυ διιόντος πρὸς τὸ φερόμενον μέγεθος Οβ9. 291ᵃ2. κωλύει τὴν ἐνῦσαν ἐν τοῖς ζῴοις διιέναι ψυχ3. 472ᵃ10.

διιέναι (δίημι). διᾶσι τὸ ὕδωρ αν21. 480ᵇ15. Ζιγ11. 518 ᵇ9. 15. 519ᵇ18. Θηβαίυς διιέναι Φίλιππον εἰς τὴν Ἀττικὴν

Ρβ23. 1397 ᵇ31. — pass τὲς ἰχθὲς διίεσθαι (subire) εἰς
τὴν ὕλην θ73. 835 ᵇ20. — διιέναι diluere. ἀλείφυσι λιβα-
νωτῷ διέντες ἐλαίῳ Ζιη3. 583 ᵃ24.
διικνεῖσθαι. ἡ κίνησις, ἡ ὄψις, ἡ αἴσθησις διικνεῖται πρός τι
ψβ11. 423 ᵃ5. μγ6. 378 ᵃ6. Ζγβ7. 747 ᵃ8, 20. πιε6. 911 5
ᵇ18. ὃ διικνεῖται ἡ ψύξις εἰς βάθος πι21. 893 ᵃ14. — εἴ
πη κατὰ μικρὸν διικνῶνταί τινες τῶν κινήσεων (ἐν ὕπνῳ)
Ηα13. 1102 ᵇ9. εἰ διικνεῖται πρὸς αὐτὰς (τὲς ἀποθανόντας)
ὅτιῶν Ηα11. 1101 ᵇ1, syn συνικνεῖσθαι 1100 ᵃ30, 1101 ᵃ25.
διίπτασθαι τὴν λίμνην θ102. 839 ᵃ23.   10
διιστάναι. ὁ σφὴν μεγάλα διίστησιν, ὁ μετὰ βροντῆς ἀὴρ
διίστησι τὸ ξύλον sim μχ19. 853 ᵇ23. μγ1. 371 ᵇ12. Οβ9.
290 ᵇ35. ψβ12. 424 ᵇ12. τῷ σφηνὶ μεγάλα βάρη διίστα-
ται μχ17. 853 ᵃ19. μδ9. 386 ᵃ16. διίσταται τὸ βλέφαρον
Ζγβ6. 742 ᵃ9. ὀστᾶ γηρασκόντων διιστάμενα Ζιγ11. 518 15
ᵇ9. εὐρυνομένων ‹ δυσταμένων τῶν ἀγγείων πν2. 842 ᵃ4.
cf πια4. 899 ᵃ17. διὰ τί τοῖς διισταμένοις (distractis ocu-
lis) δύο φαίνεται πλα11. 958 ᵇ11. ὡμοπλάται πλατεῖαι ‹
διεστηκυῖαι φ3. 807 ᵃ34. τὰ τῶν πρεσβυτέρων σώματα
διεστῶσαν ἔχει τὴν σύνθεσιν τῶν μορίων πι4. 891 ᵃ30. δίί- 20
σταται τὸ πᾶν εἰς τὰ στοιχεῖα, διέστηκε τὰ στοιχεῖα ὑπὸ
τῷ νείκυς sim ΜΑ4. 985 ᵃ25. Οβ13. 295 ᵃ30. γ2. 301
ᵃ15. δ2. 309 ᵇ23. ὃ φίλοι ἑαυτοῖς εἰσιν ἀλλὰ διίστανται
ηεη5. 1239 ᵇ15. ὅταν διαστῶσιν ἀγωνίζονται χεῖρον Πζ7.
1321 ᵃ15. διαστάντων χωρὶς τύτων τῶν λόγων Πα6. 1255 25
ᵃ19. — ἡ διάστασις μία τῶν διεστηκότων ‹ τὸ διίστασθαι
ἐνθένδε ἐκεῖσε κἀκεῖθεν δεῦρο ταυτό φγ3. 202 ᵇ18. μάχονται
οἱ ταῦροι διιστάμενοι πρὸς ἀλλήλας Ζιζ18. 571 ᵇ23. ἄπειρον
σῶμα τὸ ἀπειράντως διεστηκὸς Φυ5. 204 ᵇ21. Μχ10. 1066
ᵇ23. πεπερασμένης τόπης διεστηκέναι ἀλλήλων μα2. 339 30
ᵃ27. διισταμένων τῶν τόπων τῶν δεκτικῶν Ζγα20. 728 ᵇ25.
ὅσα πρός τι ἐν ὡρισμένον διίστησι κατὰ τὸν λόγον Μδ13.
1018 ᵇ27. — a loco ad qualitatem transfertur, ἡ φύσις
διέστησε τὸ ἦθος τῶν θηλειῶν πρὸς τὸ τῶν ἀρρένων Ζω1.
608 ᵃ22. τοσῦτον διεστᾶσιν ὅσον ψυχὴ σώματος sim Πα5. 35
1254 ᵇ16. η3. 1325 ᵃ28. ἡ τραγῳδία πρὸς τὴν κωμῳδίαν
διέστηκε sim πο2. 1448 ᵃ17. Ηθ8. 1150 ᵇ6. τὸν αὐτὸν
λόγον ὅνπερ διέστηκεν ἀὴρ πρὸς ὕδωρ Φδ8. 215 ᵇ7. cf Ζμα5.
645 ᵇ29. Ζγγ11. 761 ᵃ27. διεστᾶσι πρὸς ἀλληλα Παβ.
1256 ᵃ29. ἡ ἀριστοκρατία διέστηκεν ἀπὸ ταύτης πολὺ τῆς 40
πολιτείας Πδ2. 1289 ᵇ3. διέστηκε τὰ μὲν ἐπὶ τὸ ἄρχεσθαι
τὰ δ' ἐπὶ τὸ ἄρχειν Πα5. 1254 ᵃ23. τὰ πλεῖστον ἀλλήλων
διεστηκότα ἐναντία ὁρίζονται Κ6. 6 ᵃ17. πολὺ διεστῶτα (i e
μεγάλην ἔχοντα διαφοράν) τγ1. 116 ᵃ5. πολὺ διεστᾶσιν
Ηχ5. 1175 ᵇ16. πολὺ διεστῶτα (διεστηκότα) γένη τα16. 45
108 ᵃ3. 17. 108 ᵃ12. τὰ γένει ἕτερα πλεῖον διέστηκεν ἢ τὰ
εἴδει Μι10. 1059 ᵃ14. — διέστηκε transitive, si vera est
lectio, σ973 ᵃ18. f 238. 1521 ᵇ11.
διισχυρίζεσθαι. οἱ νέοι εἰδέναι πάντα οἴονται ‹ διισχυρί-
ζονται Ρβ12. 1389 ᵇ6. διισχυρίζονται c inf Ζιζ21. 575 ᵃ26. 50
διιτικώτερον ἅπαν τὸ μανότερον πιαδ8. 905 ᵇ13.
δικάζειν. coni βυλεύειν, ἐκκλησιάζειν, ἄρχειν Πγ11. 1282 ᵃ30.
15. 1286 ᵃ26. δ6. 1293 ᵃ9, 1294 ᵃ38. 13. 1297 ᵃ22, 25, 37.
14. 1298 ᵇ18. ε6. 1306 ᵇ2 al. μὴ πάντα δικάζειν τὲς Ἀρεο-
παγίτας f 366. 1539 ᵇ31. Ἀθηναῖοι ἀπὸ συμβόλων ἐδίκαζον 55
τοῖς ὑπηκόοις f 380. 1541 ᵇ4. ὁ βασιλεὺς τοῖς γένεσιν αὐτὸς
δικάζει f 385. 1542 ᵃ21. δικάζειν μέχρι δραχμῶν δέκα
f 413. 1546 ᵇ42. πότε δεῖ δικάζειν τὰ δικαστήρια f 378.
1540 ᵇ43. τὸ δικάζον Πδ14. 1298 ᵃ3. ἐπιορκεῖ ἢ ταῦτα ἢ
ταῦτα δικάζων Πβ8. 1268 ᵇ6. — pass τὰς δίκας ὑπὸ τῶν 60
ἀρχείων δικάζεσθαι πάσας Πβ11. 1273 ᵃ19. — med οβ1348

ᵇ12. ρ37. 1444 ᵇ2. ὁ δικαζόμενος, opp ὁ δικαστὴς Πβ8.
1268 ᵇ12. ‹ δίκην ὑπέχειν ‹ δικάζεσθαι Πγ1. 1275 ᵃ9.
ὐδεμίαν δεδίκασμένος δίκην Ρβ23. 1400 ᵃ19.
Δικαία ἵππος ἐν Φαρσάλῳ Πβ3. 1262 ᵃ24. Ζιη6. 586 ᵃ13.
(Ποσιδικαία ci Salmas exerc Plin 28 ᵃ.)
Δικαιογένης Κύπριοι πο16. 1455 ᵃ1 (Nauck fr tr p 601).
δικαιολογία. πρὸς πίστιν ‹ δικαιολογίαν, βεβαιῶσαι ταῖς
πίστεσι ‹ ταῖς δικαιολογίαις ρ37. 1443 ᵇ13, ᵃ4. 31. 1438
ᵃ25. — aliter δικαιολογίαι (genus iudiciale), opp δημηγο-
ρίαι ρ2. 1421 ᵇ13. 19. 1432 ᵇ33 (Spgl p 102 ci δικολογίαι).
δικαιοπραγεῖν, universe (cf δίκαιος 1) ηεβ7. 1223 ᵇ11, 14.
τγ2. 118 ᵃ3. — δικαιοπραγεῖ ὅταν ἑκὼν τις τὰ δίκαια
πράττῃ Ηε10. 1135 ᵃ16, ᵇ5, 1136 ᵃ19. 1. 1129 ᵃ8. ὁ δι-
καιοπραγῶν, dist ὁ δίκαιος Ηε10. 1136 ᵃ4. cf α9. 1099
ᵃ19. χ8. 1178 ᵃ31. δικαιοπραγεῖν πρὸς ἕνα, πρὸς τὸ κοινὸν
Ρα13. 1373 ᵇ22. δικαιοπραγεῖν, coni σωφρονεῖν Ηχ2. 1172
ᵃ24, 1173 ᵃ21.
δικαιοπράγημα, dist δίκαιον ημα34. 1195 ᵃ12 (cf Ηε10.
1135 ᵃ9, 12). dist δικαίωμα Ηε10.1135 ᵃ12. δικαιοπράγημα
ὥρισται τῷ ἑκυσίῳ Ηε10. 1135 ᵃ20.
δικαιοπραγία μέσον τῷ ἀδικεῖν ‹ τῷ ἀδικεῖσθαι Ηε9. 1133
ᵇ30.
δίκαιος, τὸ δίκαιον. κάλλιστον τὸ δικαιότατον ηεα1.1214 ᵃ5.
καλῶς γίνεσθαι ‹ δικαίως Πβ4. 1291 ᵃ41. — 1. τὸ δίκαιον
πλεοναχῶς λέγεται τα15. 106 ᵇ30. τὸ δίκαιον διττόν, τό τε
νόμιμον ‹ τὸ ἴσον Ηε2. 1129 ᵃ33. δίκαιον τὸ κατὰ νόμον
εἰρημένον, προστάττον τὰ κατὰ τὰς ἀρετὰς ὄντα
ημα34. 1193 ᵇ2-16. Ηε15. 1138 ᵃ5. cf Μχ3. 1061 ᵃ24.
ρ2. 1421 ᵇ35. 37. 1444 ᵃ7. 39. 1447 ᵇ1. εἴχεν ἐπιμέλειαν,
ὅπως δίκαια εἴη τὰ μέτρα τῶν πωλύντων f 412. 1546 ᵇ12,
32. — 2. τὸ δίκαιον τὸ πρὸς ἕτερον ἐστι τὸ ἴσον ημα34.
1193 ᵇ19. Ηε2. 1129 ᵃ34. 6. 1131 ᵃ13. Πγ9. 1280 ᵃ11.
12. 1282 ᵇ17. τὸ δίκαιον ἀνάλογόν τι Ηε6. 1131 ᵃ29, ᵇ12.
Πε1. 1301 ᵃ27. γ16. 1287 ᵃ13. ἐν τέτταρσι γίνεται ἐλα-
χίστοις Ηε6. 1131 ᵃ19, ᵇ4. ημα34. 1193 ᵇ37. cf Πγ9. 1280
ᵃ16. 12. 1282 ᵇ20. — eius εἴδη δύο, τὸ διανεμητικόν, τὸ
διορθωτικὸν Ηε5. 1130 ᵇ31 sqq. — a. τὸ διανεμητικόν, τὸ ἐν
ταῖς διανομαῖς δίκαιον Ηε5. 1130 ᵇ31. 7. 1131 ᵇ27. 8. 1132
ᵇ24. κατὰ τὴν γεωμετρικὴν ἀναλογίαν Ηε7. 1131 ᵇ13.
ημα34. 1193 ᵇ37-1194 ᵃ28. — b. τὸ διορθωτικόν, τὸ ἐπα-
νορθωτικὸν δίκαιον Ηε5. 1131 ᵃ1-9. 7. 1132 ᵃ18. κέρδους ζη-
μίας ‹ κέρδους Ηε7. 1132 ᵃ19. ηεβ3. 1221 ᵃ4. κατὰ τὴν
ἀριθμητικὴν ἀναλογίαν Ηε7. 1132 ᵃ2, 30. etymol ὅτι δίχα
ἐστὶν Ηε7. 1132 ᵃ31 (cf δίχαιος). cf τὸ Ῥαδαμάνθυος
δίκαιον, τὸ ἀντιπεπονθός Ηε8. 1132 ᵇ25. ημα34. 1194 ᵃ28-
ᵇ3. — 3. ἐν τίσι τὸ δίκαιον Ηε13. 1137 ᵃ26. δίκαιον πο-
λιτικόν, dist ἁπλῶς δίκαιον Ηε10. 1134 ᵃ25 cf s 4. δίκαιον
πολιτικὸν τὸ κοινῇ συμφέρον Ηθ11. 1160 ᵃ13. Πγ6. 1279
ᵃ19. 10. 1281 ᵃ20. 13. 1284 ᵇ16. ε8. 1308 ᵃ12. οἱ δικαίων
μετέχοντες πότερον ἤδη πολίται Πγ1. 1275 ᵃ8. dist δίκαιόν
τι καθ' ὁμοιότητα, δεσποτικόν (Πα3. 1253 ᵇ22), πατρι-
κόν, οἰκονομικόν Ηε10. 1134 ᵃ29, ᵇ8-1135 ᵃ5. ημα34. 1194
ᵇ8 sqq, 20, 23. τῷ πολιτικῷ δικαίῳ εἴδη κατὰ τὰς πολιτείας,
ὀλιγαρχικόν, δημοτικόν al Πε9. 1309 ᵃ36. 7. 1307 ᵃ7. γ9.
1280 ᵃ8, 1281 ᵃ9. ζ2. 1317 ᵇ3. ὅσα δίκαια εἴδη, τοσαῦτα
φιλίας ημβ11. 1211 ᵃ6-15. Ηθ11-13 (11. 1159 ᵇ26, 1160
ᵃ7). ηεη9. 1. 1234 ᵃ21. 10. 1243 ᵃ10. — 4. τῷ πολιτικῷ
δικαίῳ τὸ μὲν φυσικόν ἐστι τὸ δὲ νομικὸν Ηε10. 1134
ᵇ18 sqq. φυσικόν, syn φύσει, φύσει κοινόν, παντὶ ἀνθρώπῳ,
ἁπλῶς, κυρίως, πρῶτον, ἄγραφον Ηε12. 1136 ᵇ32-34 (cf
10. 1134 ᵇ18). 10. 1134 ᵃ25. θ13. 1161 ᵇ7. 15. 1162

ᵇ22 sqq. ημα34. 1194 ᵇ30. β1. 1198 ᵇ27, 31. Πγ9. 1280
ᵃ9. Ρα13. 1373 ᵇ7. 14. 1375 ᵃ15. νομικόν, syn κατὰ νό-
μον, νόμῳ Ηθ15. 1162 ᵇ22. ημβ1. 1198 ᵇ27, 31. α34. 1194
ᵇ30. (pro ἐπανόρθωμα νομίμυ δίκαιυ Ηε14. 1137 ᵇ14 fort
scribendum νομικῦ.) ὁ νόμος δίκαιόν τι Πα6. 1255 ᵃ23. — 5
5. δίκαιον, dist ἐπιεικές Ηε14. cf s ἐπιεικής. — 6. δίκαιον,
dist δικαίωμα, δικαιοπράγημα Ηε10. 1135 ᵃ9, 12. ημα34.
1195 ᵃ12. δικαιοπραγεῖ ὅταν ἑκὼν τις τὰ δίκαια πράττῃ
Ηε10. 1135 ᵃ16. δίκαιος ὅταν προελόμενος δικαιοπραγῇ Ηε
10. 1136 ᵃ3. ζ13. 1144 ᵃ14. — 7. (varia.) τὸ δίκαιον 10
εἶναι ὐ ῥάδιον Ηε13. 1137 ᵃ6. δίκαιον ἔμψυχον ὁ δικαστής
Ηε7. 1132 ᵃ22. — πόθεν δεῖ πολλαχῶς λαμβάνειν τὸ δί-
καιον ρ2. 1422 ᵃ27-ᵇ1. πολλὰ ἀνήρηκε δίκαια ἢ ὑπερ-
βέβληκεν, οἷον ὅρκυς πίστεις Ρα14. 1375 ᵃ9. ἐξιᾶσθαι τοῖς
δικαίοις πκθ13. 951 ᵃ36. πλεονεξία τις τῶν πολιτικῶν δικαίων 15
τοῖς ὑπερέχυσιν Πγ12. 1282 ᵇ29. — τὸ δικαίως πάσχειν
ὐ καλὸν Ρα9. 1366 ᵇ32. — δίκαιος ἄρχειν Πγ16. 1287
ᵇ12. ζ3. 1318 ᵃ24. — δικαίως κρῖναι def τα15. 106 ᵇ32.
τὸ δικαίως πάσχειν ὐ καλὸν Ρα9. 1366 ᵇ32. ἐπεμελεῖτο
ὅπως ὁ σῖτος δικαίως πραθήσεται f 411. 1546 ᵇ12 (cf δί- 20
καιος 1).
δικαιοσύνη (cf δίκαιος). περὶ δικαιοσύνης Ηε. ημα 34. πκθ.
f 74. 75. — ἡ δικαιοσύνη πλεοναχῶς λέγεται Ηε2. 1129
ᵃ26. def αρ1. 1249 ᵇ28. 2. 1250 ᵃ12. 5. 1250 ᵇ15-24. uni-
verse τελεία μάλιστα ἀρετή, πρὸς ἕτερον δύναται χρῆσθαι 25
τῇ ἀρετῇ Ηε3. 1129 ᵇ30 sqq. Πγ13. 1283 ᵃ39. σωστικὴ
τῶν νόμων τζ12. 149 ᵇ32. ἀλλότριον ἀγαθόν Ηε3. 1130 ᵃ3.
10. 1134 ᵇ5. ἡ ἐν μέρει ἀρετῆς δικαιοσύνη Ηε5. 1130 ᵃ14.
καθ' ἣν ὁ δίκαιος λέγεται πρακτικὸς κατὰ προαίρεσιν τῦ δικαίυ
Ηε9. 1134 ᵃ1. δι' ἣν τὰ αὑτῶν ἕκαστοι ἔχυσι κ̩ ὡς ὁ νόμος 30
Ρα9. 1366 ᵇ9. διανεμητικὴ τῦ ἴσυ τζ5. 143 ᵃ16. 7. 145 ᵇ36.
μεσότης ἐστὶ ὐ τὸν αὐτὸν τρόπον ταῖς πρότερον ἀρεταῖς,
ἀλλ' ὅτι μέσυ ἐστὶν Ηε9. 1133 ᵇ32. ἀριθμὸς ἰσάκις ἴσος
(Pyth) ημα1. 1182 ᵃ14. — ἡ δικαιοσύνη πολιτικόν Πα2.
1253 ᵃ37. δικαιοσύνη ἀρχική, δικαστική Πγ4. 1277 ᵇ17. 35
δ4. 1291 ᵃ27. δικαιοσύνης διαφοραὶ κατὰ τὰς πολιτείας
Πε9. 1309 ᵃ37. δικαιοσύνη φιλική, ταὐτὸν ἢ ἐγγύς τι ἡ
δικαιοσύνη κ̩ ἡ φιλία Ηθ1. 1243 ᵃ31. 1. 1234 ᵇ31. εἴδη
δικαιοσύνης ἡ εὐσέβεια αρ5. 1250 ᵇ22, 20. — δικαιοσύναι
πλείυς (i e πλείω εἴδη δικαιοσύνης) Ηε5. 1130 ᵇ6. ηεη10. 40
1242 ᵃ30.
δικαιῦσθαι, opp ἀδικεῖσθαι Ηε11. 1136 ᵃ18, 20, 22.
δικαίωμα, dist δίκαιον Ηε10. 1135 ᵃ9. dist δικαιοπράγημα
Ηε10. 1135 ᵃ12. opp ἀδίκημα Ρα3. 1359 ᵃ25. 13. 1373
ᵇ1. δικαιωμάτων εἴδη Ρα13. — προακηκοέναι τὰ τῶν ἀμ- 45
φισβητέντων λόγων δικαιώματα Οα10. 279 ᵇ9. — τὰ γε-
γραμμένα αὐτῷ ('Αριστοτέλει) δικαιώματα 'Ελληνίδων πό-
λεων f 569. 1571 ᵇ32, 24.
δικανικός. λόγοι δικανικοί Ηκ10. 1181 ᵃ4. ρ37. 1444 ᵇ4. f 134.
1501 ᵃ5. γένος δικανικόν, dist συμβυλευτικόν, ἐπιδεικτικόν 50
Ρα3. 1358 ᵇ7, dist δημηγορικόν ρ2. 1421 ᵇ8. λέξις δικανική,
dist δημηγορικὴ Ργ12. 1413 ᵇ5. προοίμια δικανικά, δημη-
γορικά ρ37. 1442 ᵇ8. τὰ ἐνθυμήματα δικανικώτερα, τὰ
παραδείγματα δημηγορικώτατα Ργ17. 1418 ᵃ2. — ἡ δικα-
νικὴ πραγματεία ρ5. 1426 ᵇ23. ἡ δικανικὴ κ̩ ἡ ἐριστικὴ 55
Ρα11. 1371 ᵃ7. τὰ δικανικά, dist τὰ δημηγορικὰ Ρα1. 1354
23, 31.
δικαστήριον, dist δικαστής Πγ11. 1282 ᵃ35. ἄγειν εἰς τὰ
δικαστήρια Ργ15. 1416 ᵃ32. εἰσάγειν δίκην εἰς τὸ δικαστή-
ριον f 381. 1541 ᵇ24. 382. 1541 ᵇ31. ἐπικληρῦν τὰ δικα- 60
στήρια τὰ ἴδια κ̩ τὰ δημόσια, προγράφειν πότε δεῖ δικάζειν

τὰ δικαστήρια f 378. 1541 ᵃ9, 1540 ᵇ43. δοκιμάζεσθαι ὑπὸ
τῦ δικαστηρίυ f 375. 1540 ᵇ17. κρίνεσθαι ἐννόμῳ δικαστηρίῳ
f 389. 1542 ᵇ39. καθίσαι δικαστήριον οβ1348 ᵇ11. δεκάζειν
τὰ δικαστήρια f 371. 1540 ᵃ19. δικαστηρίων διαφορὰ ἐν
τρισὶν ὅροις, ἐξ ὧν τε κ̩ περὶ ὧν κ̩ πῶς Πδ16. 1300 ᵇ15.
εἴδη δικαστηρίων ὀκτὼ Πδ16. 1300 ᵇ19. δικαστήρια δημο-
τικά, ὀλιγαρχικά, ἀριστοκρατικά, πολιτικά Πδ16. 1301 ᵃ11
cf β12. 1273 ᵇ41. ποιεῖν τὰ δικαστήρια ἐκ πολλῶν, ἐκ πάν-
των, ἐκ τῦ πολιτεύματος, καταστῆσαι τὰ δ. μισθοφόρα
Πγ11. 1282 ᵃ39. β12. 1274 ᵃ3, 9. ε6. 1305 ᵇ24. δικαστή-
ριον εἰς ὃ ἀνάγεσθαι δεῖ τὰς μὴ καλῶς κεκρίσθαι δοκύσας
δίκας ΠΒ8. 1267 ᵇ39. τὸ ἐν Φρεαττῷ δ. Πδ16. 1300 ᵇ29.
κρίσις δικαστηρίων Πε6. 1306 ᵃ37. τὸ δικαστήριον δίχα γίγνε-
ται ΠΖ3. 1318 ᵃ40.
δικαστὴς πειρᾶται ἰσάζειν τὸ ἄνισον, οἷον δίκαιον ἔμψυχον
Ηε7. 1132 ᵃ7, 21. μέσος, μεσίδιος, πόθεν ὠνόμασται Ηε7.
1132 ᵃ22, 23, 32. οἱ δικασταὶ ζημίας τιμῶσιν, ὐχ ὑπὲρ
τῦ νόμυ δικάζειν ρ5. 1427 ᵇ3. 37. 1443 ᵃ16. δικαστὴς
περὶ τῶν γεγενημένων, ἐκκλησιαστὴς περὶ τῶν μελλόντων
Ρα3. 1358 ᵇ5. ὁ δικαστὴς κ̩ ὁ ἐκκλησιαστὴς ἀρχαὶ ἀόριστοι
Πγ1. 1275 ᵃ26, 30, ᵇ15. 11. 1282 ᵃ34. ἐμπίπτειν εἰς δικα-
στῶν πλῆθος Πδ16. 1300 ᵇ35. ἐν τοῖς αὐτοῖς δικασταῖς
Πδ16. 1300 ᵇ25. τὸς δικαστὰς μὴ κοινολογεῖσθαι πρὸς ἀλ-
λήλυς ΠΒ8. 1268 ᵇ10. — dist διαιτητὴς Ρα13. 1374 ᵇ21.
ΠΒ8. 1268 ᵇ6. f 414. 1547 ᵃ15, 35. κατὰ δήμυς δικασταί
f 413. 1546 ᵇ35. κληρῦν δικαστὰς f 374. 1540 ᵇ6.
δικαστικός. δικαιοσύνη δικαστικὴ Πδ4. 1291 ᵃ27. ἡ δικα-
στικὴ, μέρος τῆς πολιτικῆς ΗΖ8. 1141 ᵇ33. — τὸ δικα-
στικὸν (i e τὸ δικαίυν), ἐκ τίνων, περὶ τίνων, πῶς Πδ16.
— λαμβάνειν δικαστικὸν (i e μισθὸν δικαστικὸν) ΠΖ5. 1320
ᵃ26.
δίκερων μώνυχον ὐθὲν ἡμῖν ὦπται Ζιβ1. 499 ᵇ18.
δικέφαλος ὄφις ἤδη ὦπται Ζγδ4. 770 ᵃ24. Ζιε4. 540 ᵇ3.
δίκη. ἡ δίκη πολιτικῆς κοινωνίας τάξις ἐστὶν Πα2. 1253 ᵃ37.
νόμος κ̩ δίκη Πα2. 1253 ᵃ33. ἡ δίκη κρίσις τῦ δικαίυ κ̩
ἀδίκυ Ηε10. 1134 ᵃ31. Πα2. 1253 ᵃ38. Ρβ1. 1377 ᵇ22.
δίκη ἰθεῖα (Hes fr 217 Gtlg) Ηε8. 1132 ᵇ27. — δίκης τὸ
μὲν κατηγορία τὸ δ' ἀπολογία Ρα3. 1358 ᵇ10. dist δίαιτα
Ρα13. 1374 ᵇ20. περὶ ὧν αἱ δίκαι γίνονται τρία ἐστὶ ΠΒ8.
1267 ᵇ38. ὑπέχειν δίκην, φεύγειν δίκην τινὸς Πγ1. 1275
ᵃ9. ρ16. 1432 ᵃ7. 37. 1442 ᵃ34. διὰ τὰς ἐπιφερομένας δίκας
Πε3. 1302 ᵇ24. 5. 1304 ᵇ30. δίκας κρίνειν, δικάζειν, κατα-
δικάζειν Πγ14. 1285 ᵇ11. 1. 1275 ᵇ8. β8. 1268 ᵃ3. τὰς τῶν
ἀψύχων δίκας δικάζει ὁ βασιλεύς f 385. 1542 ᵃ25. χρῶν-
ται ἰχθυδίῳ τινὶ πρὸς δίκας κ̩ φίλτρα Ζιβ14. 505 ᵇ19.
εἰσάγειν τὰς δίκας (φόνυ, ἐμπορικάς, τὰς ἀπὸ συμβόλων
al) f 378. 1541 ᵃ6, 10. 381. 1541 ᵇ24. 387. 1542 ᵇ11. 388.
1542 ᵇ17, 22. 414. 1547 ᵃ30. λαγχάνονται οἶκαι (φόνυ,
κακώσεως, ἰδίαι, μεγόλων al) πρός τινα f 381. 1541 ᵇ7.
382. 1541 ᵇ30. 383. 1541 ᵇ44. 385. 1542 ᵃ18, 21, 34. 387.
1542 ᵇ8. 413. 1547 ᵃ7. ἀνάγειν τὰς μὴ καλῶς κεκρίσθαι
δοκύσας δίκας Πβ8. 1267 ᵇ41. εἶδος δίκης εἶχεν ἡ δίκη f 414.
1547 ᵃ20. δίκαι ἔκκλητοι τίνες f 416. 1547 ᵇ21. δίωσις
δίκης Ρα12. 1372 ᵃ33. δίκαι δημόσιαι ΠΖ5. 1320 ᵃ12. οἱ
πρὸς ταῖς δίκαις f 394. 1543 ᵇ16. — ἡ δίκη κ̩ κόλασις
ἴασις Ρα14. 1374 ᵇ33. δίκας, δίκην Πβ10. 1272 ᵇ9.
ε3. 1302 ᵇ22. ἔχοντες δίκην παύονται τῆς ὀργῆς Ρβ3. 1380
ᵃ14. — δίκην. φέρεσθαι χειμάρρυ δίκην θ154. 846 ᵃ10.
χ6. 400 ᵃ34. 4. 395 ᵇ22.
δικολογεῖν Ρα1. 1355 ᵃ20. 'Ισοκράτης ἀσυνήθης τῦ δικολο-
γεῖν Ρα9. 1368 ᵃ21.

δικολογίας ἧττον κακῆργον ἢ δημηγορία Pα1. 1354 ᵇ2ᵍ. cf
δικαιολογία.

δικόνδυλοι δάκτυλοι Ζια15. 493 ᵇ30.

δικόρυφοι γίνονταί τινες τῇ τῶν τριχῶν λισσώσει Ζια7. 491ᵇ7.

δικότυλος. geminus ordo acetabulorum. τὰ ἄλλα πολύποδα
δικότυλά ἐστιν, γένος δέ τι πολυπόδων μονοκότυλον Ζμδ9.
685 ᵇ12. πόδας ὀκτὼ ἔχει πάντα χ̣ τῆτις δικοτύλυς πάντα,
πλὴν ἑνὸς γένυς πολυπόδων Ζιδ1. 523 ᵇ28. τὰ ἄλλα πάντα
δικότυλά ἐστιν Ζιδ1. 525 ᵇ19. αἱ σηπίαι χ̣ αἱ τευτίδες χ̣
οἱ τεῦθοι ἔχυσι δύο προβοσκίδας, τραχύτητα ἐχύσας δικό- 10
τυλον Ζιδ1. 525 ᵇ31. cf A Siebld 374, 383. M 270. Ka
Ζμ150. F 219.

δίκρυς. (cf Lob Phryn 233.) δίκρυν φύσει κέρας τῷ τρίτῳ
ἔτει οἱ ἔλαφοι Ζιι5. 611 ᵃ34. δίκροαν τὴν γλῶτταν ἔχυσι
σαῦροι ὄφεις φῶκαι Ζμδ11. 691 ᵃ6, 8. β17. 660 ᵇ6, 8. 15
Ζιβ17. 508 ᵃ25. de pedibus Thoracostracorum: τὴν τρο-
φὴν ὁ κάραβος προσάγεται πρὸς τὸ στόμα τῇ δικρόᾳ χηλῇ
καθάπερ οἱ καρκίνοι Ζιθ2. 590 ᵇ25. τῆς τῶν καράβων θη-
λείας ὁ πρῶτος πὺς δίκρυς ἐστί, τῷ δ' ἄρρενος μωνὺξ Ζιδ2.
526 ᵃ1. τῶν ὀκτὼ ποδῶν τῆ ἀστακῷ οἱ μὲν τέτταρες ἐξ 20
ἄκρυ δίκροι εἰσίν, οἱ δὲ τέτταρες χ̣ Ζιδ2. 526 ᵇ7. τὸ κα-
λύμενον καρκίνιον (cf h v) ἔχει δύο πόδας δικρύς, οἷς προσ-
άγεται Ζιδ4. 529 ᵇ31. τὸ τῶν νηρειτῶν γένος τὸν δικρόων
ποδῶν τὸ μὲν δεξιὸν ἔχει μικρὸν Ζιδ4. 530 ᵃ8 — τοῖς καρ-
κίνοις ἡ κοιλία δικρόα Ζιδ2. 527 ᵇ24. — meatus geniturae 25
bivii, οἱ πόροι τῶν ἀρρένων γαλεῶν εἰσι δίκροι, ἀπὸ τῆ
ὑποζώματος χ̣ τῆς μεγάλης φλεβὸς ἔχοντες τὴν ἀρχὴν
Ζιζ11. 566 ᵃ4. de utero, matrice, ovario, quae ἰχθύων τὰ
ᾠοτοκῆντα τὰς ὑστέρας ἔχει δικρόας χ̣ κάτω, τὰ δὲ σελάχη
ὀρνιθωδεστέρας Ζιζ10. 564 ᵇ20. 13. 567 ᵃ17. ἐνίοις γαλεω- 30
δεσι δικρόα ἡ ὑστέρα Ζιζ10. 565 ᵃ17. οἱ καλύμενοι λεῖοι
τὰ ᾠὰ ἴσχυσι μεταξὺ τῶν ὑστερῶν, περιστάντα εἰς ἑκατέ-
ραν τὴν δικρόαν τῆς ὑστέρας καταβαίνει Ζιζ10. 565 ᵇ4.
δικραὶ αἱ ὑστέραι τῶν ἐντόμων, τῶν καράβων, τῶν μαλα-
κοστράκων, τῶν μαλακίων Ζγα3. 717 ᵃ8. γ8. 758 ᵃ10. α3. 35
717 ᵃ3. ταῖς σηπίαις χ̣ ταῖς τευθίσι διηρθρωμένη ἡ ὑστέρα
ἐστὶν χ̣ φαίνεται δικρόα Ζγγ8. 758 ᵃ7 cf A Siebld 396. —
τῶν πολυπόδων ἡ ἐσχάτη πλεκτάνη ὀξυτάτη χ̣ ἐξ ἄκρυ
δικρόα Ζιδ1. 524 ᵃ6 cf S II 334. A Siebld 390, 393. Tro-
schel Archiv 1856, 237 sq. 40

δίκταμνον, δίκταμον. ἐν Κρήτῃ τὰς αἶγας, ὅταν τοξευ-
θῶσι, ζητεῖν τὸ δίκταμνον Ζα6. 612 ᵃ4. τὸ δίκταμον θ4.
830 ᵇ21. (Origanum Dictamnus L.)

δίκτυον. καθιᾶσι, ἀναιρῦνται, περικαθαίρυσι τὰ δίκτυα Ζιδ8.
533 ᵇ19. θ19. 602 ᵇ8. 13. 598 ᵇ14. ψόφον ποιεῖν δικτύων 45
Ζιδ8. 533 ᵇ16. λαμβάνεσθαι ἐν τοῖς δικτύοις, τοῖς δικτύοις
Ζιθ2. 589 ᵇ8. αr12. 476 ᵇ21. — ὁμοίως γίγνεσθαι τὸ ζῷον
τῇ τῆ δικτύι πλοκῇ Ζγβ1. 734 ᵃ20.

διμερής, syn διφυής Ζια15. 494 ᵃ4, 493ᵇ26. διμερῆ τὰ σώματα
τῶν ἐναίμων Ζμγ5. 667 ᵇ32. ὁ ἐγκέφαλος διμερής Ζμγ7. 50
669 ᵇ22. f 315. 1531 ᵇ4. αἰδοῖον τῆ ἄρρενος διμερές Ζια13.
493 ᵃ26. ὑστέρα διμερής Ζγα3. 716 ᵇ32. φλὲψ εἰς διμερῆ
ὄντα τὸν πλεύμονα διχῇ σχίζεται Ζιγ3. 513 ᵇ17. ἡ τῆς
ἀκοῆς αἴσθησις διμερής Ζμβ10. 657 ᵃ3 (syn διφυής ᵃ4).
cf similia Ζια15. 494 ᵃ4. Ζμγ3. 664 ᵃ28. — διμερῶν falso 55
exhibetur ξ2. 976 ᵃ19, Bz Ar St I 75.

δίμηνος. εἰς διμήνων σιτηρεσίαν οβ1353 ᵃ22. καταμήνια
διαλείποντα δίμηνον Ζιζ18. 573 ᵃ12.

διμναῖον τιμήσασθαι τὸ σῶμα οβ1347 ᵃ23.

δινεῖν. τὰ φερόμενα ἐν τῷ δινυμένῳ ὕδατι μχ35. 858 ᵇ4. 60
πάντα ὑφ' ἕνα σημάντορα δινεῖται χ6. 399 ᵇ9.

δίνη τῆ πνεύματος πῶς γίγνεται μγ1. 370 ᵇ22sqq. δίνη ἐν
ὑγροῖς, περὶ τὸν ἀέρα Οβ13. 295 ᵃ13. αἱ τῶν συνεχῶν δῖναι,
οἷον τῶν ὑγρῶν Φδ7. 214 ᵃ32. αἱ ἐν τοῖς ποταμοῖς, ἐν τῇ
θαλάττῃ δῖναι εν3. 461 ᵃ8. Ζγδ4. 772 ᵇ19. χ4. 396 ᵃ23.
θ130. 843 ᵃ30. πκγ5. 932 ᵃ14. — ἀπὸ ταὐτομάτυ γίγνε-
σθαι τὴν δίνην (Democr) Φβ4. 196 ᵃ26. τὴν γῆν ὑπὸ τῆς
δίνης ἠρεμεῖν (Emped) Ογ2. 300 ᵇ3.

δίνησις, εἶδος φορᾶς, σύγκειται ἐξ ἕλξεως χ̣ ὤσεως Φη2.
243 ᵃ17, 25, ᵇ17, 244 ᵃ2, 16. τῆ σφαιροειδῆς δύο κινήσεις
εἰσὶ καθ' αὑτό, κύλισις χ̣ δίνησις Οβ8. 290 ᵃ10. ἡ γῆ ἐπὶ
τὸ μέσον φερομένη διὰ τὴν δίνησιν Οβ13. 295 ᵃ10. σῴζε-
σθαι διὰ τὴν δίνησιν Οβ1. 284 ᵃ24.

δῖνος. cf δίνη. δῖνοι τῆ πνεύματος πῶς γίγνονται μγ1. 370
ᵇ28. δῖνοι ἐν θαλάττῃ πκγ5. 932 ᵃ5, cf δίνη ᵃ14.

διό μα14. 352 ᵇ31. δ3. 380ᵇ10. αι3. 439ᵃ30. Πε1.1301ᵇ39
al. — διό ι q ὅτι (quia) φτβ4. 825 ᵇ19.

Διογένης ὁ Ἀπολλωνιάτης Ζιγ2. 511 ᵇ30. εἰ μὴ ἐξ ἑνὸς ἦν
ἅπαντα, ὐκ ἂν ἦν τὸ ποιεῖν χ̣ πάσχειν ὑπ' ἀλλήλων Γα6.
322 ᵇ13. Διογένης ἀέρα ἀρχὴν τίθησι ΜΑ3. 984 ᵃ5. ἀέρα
ὑπέλαβεν εἶναι τὴν ψυχήν, τῦτον οἰηθεὶς πάντων λεπτομερέ-
στατον χ̣ ἀρχὴν ψα2. 405 ᵃ21. πάντα τὰ ζῷα ἀναπνεῖν
αν2. 470 ᵇ31, 471 ᵃ2. 3. 471 ᵇ5. περὶ τῶν φλεβῶν Ζιγ2.
511 ᵇ30. 3. 512 ᵇ12. περὶ ἀναθυμιάσεως, περὶ θαλάττης,
τὸν ἥλιον τρέφεσθαι τῷ ὑγρῷ (resp videtur Diog) μβ2.
354 ᵇ33, 355 ᵃ22. 1. 353 ᵇ6. cf Alex.

Διόγνητος f 518. 1562 ᵇ31.

διοδεύειν. ὁ βασιλεὺς ὅτε διοδεύει τρεῖς ἡμέρας θ27. 832 ᵃ28.

δίοδος. ἡ ὀρήθρα, δίοδος τῷ τῆ ἄρρενος σπέρματι Ζια14.
493 ᵇ5. ταχεῖα ἡ δίοδος εἰς τὴν κοιλίαν Ζμβ17. 660 ᵇ20.
διὰ τῶν πόρων ἐλασσόνων τῷ μὲν αἵματι δίοδος ὐκ ἔστι,
τῷ δὲ ἰδρῶτι Ζμγ5. 668 ᵇ3. βίαιος γίνεται τῷ θερμῷ ἡ δίο-
δος πη19. 889 ᵃ13. ὐκ ἔχυσιν αἱ ὑστέραι λείψανα περὶ τὴν
δίοδον Ζικ2. 635 ᵃ25. δίοδῳ χ̣ βίξει γίνεται ἡ πέψις πν2.
481 ᵇ26. ὑγρῷ διδόναι δίοδον μδ7. 384 ᵇ10. — πληρυμένοι
οἱ τόποι χ̣ ὐκ ἔχοντες ἔκρυσιν αὐτοὶ εὑρίσκονται τὴν δίοδον
εἰς βάθος μα13. 351 ᵃ6. — αἰθέρι δ' εὐπορίην διόδοισι τε-
τμῆσθαι (Emped 347) αν7. 473 ᵇ13.

διοιγνύναι, διοιγνύναι. τοῖς νεοττοῖς διοιγνὺς τὸ στόμα Ζιι7.
613 ᵃ4. — διοίγειν τὸν πόρον, τὸ ἀράχνιον, opp συνάγειν
Ζιβ12. 504 ᵇ5. ε16. 548 ᵃ29, 31. τὸ κάτω τῆ θώρακος διοι-
γόμενον ὐχρὸν ἔνδοθεν Ζιδ4. 530 ᵃ1.

διοικεῖν τὴν ἄλλην οἰκίαν Πη10. 1330 ᵃ7. μέλιτται συμπλάτ-
τυσαι χ̣ διοικῦσαι τὰ ἔνδον Ζιμ41. 628 ᵃ34. χ̣ τὰς πόλεις
χ̣ τὰς ἰδίας οἴκυς διοικεῖν ρ3. 1423 ᵇ21. διοικεῖν τὴν πόλιν,
τὰ περὶ τὴν πόλιν Πγ13. 1283 ᵇ12. οβ1348 ᵇ4. καθ' ὃν
τρόπον διοικῦσι τὴν ἀρχὴν Πε11. 1313 ᵃ35. γ15. 1286 ᵇ31.
τὰ ἄλλα αἱ ἀρχαὶ διοικῦσιν Πδ14. 1298 ᵃ27. διοικεῖν τι
τῶν δημοσίων, τὰς πατρίας θυσίας, τὰς πεντετηρίδας f 405.
1545 ᵃ43. 385. 1542 ᵇ18. 404. 1545 ᵇ33. κατάστασις ἐν
ᾗ ψηφίσμασι πάντα διοικεῖται Πδ4. 1292 ᵃ36. πολλὰ διῳ-
κεῖτο ὑπὸ τῶν γυναικῶν Πβ9. 1269 ᵇ32. ὃν τρόπον ἡ τε-
λευταία δημοκρατία διοικεῖται Πδ14. 1298 ᵃ31. τὰς εὐθύ-
νας τῶν διῳκημένων λογίζονται f 406. 1546 ᵃ6. — διοικεῖν
omisso obiecto. βασιλεία φθείρεται τυραννικώτερον πειρω-
μένων διοικεῖν Πε10. 1313 ᵃ2. διοικεῖ ἑκάστη πολιτεία κατὰ
τὸν εἰρημένον διορισμὸν Πδ14. 1298 ᵇ12. ἐπεγράφοντο ὅ τε
ἄρχων ὁ ἐπώνυμος τῷ προτέρῳ ἔτει δεδιῳκηκὼς f 429.
1549 ᵃ19. — ὅταν ἀπ' ἀμφοῖν ἀποκριθῇ, δεῖ αὐτὸ αὑτὸ
διοικεῖν τὸ γενόμενον Ζγα34. 740 ᵃ6.

διοίκησις. εἰς τὴν τῆς πόλεως διοίκησιν πολλὰ δαπανᾶν ρ21.
1434 ᵃ14. ποιεῖν ἕνα κύριον τῆς διοικήσεως Πγ16. 1287

ᵃ6. περὶ τὰς ἀρχαιρεσίας, περὶ τὴν ἄλλην διοίκησιν ρ3. 1424 ᵃ20. περὶ γραφὰς δικῶν ᴋ τὴν ἄλλην τὴν τοιαύτην διοίκησιν Πη12. 1331 ᵇ9. — διοίκησιν εὐγενεστέραν τῆς ἡμετέρας διοικήσεως ἔχει ὁ ὐρανός, ἡ διοίκησις τῦ φυτῦ, τῆς ψυχῆς sim φτα1. 816 ᵃ32, 3. 2. 816 ᵇ32, 817 ᵇ2.

διοικίζειν, coni ἐκ τῦ ἄστεος ἀπελαύνειν Πε10. 1311 ᵃ14.

διοικονομεῖται ὁ σύμπας διάκοσμος ὐρανῦ ᴋ γῆς κ6. 400 ᵇ32.

Διοκλῆς ὁ νικήσας Ὀλυμπίασιν Πβ12. 1274 ᵃ33, 40.

διόλκ. ἡ Ὀδύσσεια πεπλεγμένον· ἀναγνώρισις γὰρ διόλκ ᴋ ἠθική πο24. 1459 ᵇ16. cf δι' ὅλκ s v ὅλος, Wz ad ε7. 17 ᵃ39.

ὁ ἰόμβρος γενομένη σάρξ πβ41. 870 ᵇ25.

Διομέδων ὁ τελώνης Ρβ23. 1397 ᵇ26.

Διομήδεια νῆσος ἐν τῷ Ἀδρίᾳ θ79. 836 ᵃ7.

Διομήδης Ρβ22. 1396 ᵇ15. — afferuntur versus Hom Ζ236 Ηε11. 1136 ᵇ10. Ο148 sq. Ηγ11. 1116 ᵃ22, 24. resp Aiax Theodectis Ρβ23. 1399 ᵇ28. γ15. 1416 ᵇ12. ἐπίγραμμα ἐπὶ Διομήδες f 596. 1575 ᵇ35. — Diomedis in Italiam adventus, fanum in Diomedea insula θ79. 836 ᵃ8, 15, 16. 109. 840 ᵇ3. 110. 840 ᵇ20.

διομολογεῖσθαι. διομολογησάμενος ὑπὲρ ἑκάστυ οβ1352 ᵃ14. — pass διομολογηθέντων τι26. 181 ᵃ7.

διομολογία γίνεται τῆς ὑπαργίας Ηι1. 1164 ᵃ34.

διονομάζειν. τὰ ἔξω μόρια διωνόμασταί τε μάλιστα ᴋ γνώριμά ἐστιν Ζια16. 494 ᵇ20. οἱ μέγιστοι τῶν διωνομασμένων ποταμῶν μα13. 350 ᵇ12. ἡ διωνομασμένη ἐν ἐκείνοις τοῖς τόποις χαλκῇ ἔλιξ θ110. 840 ᵇ19.

Διονύσια ἄγειν οβ1347 ᵃ26, 1351 ᵇ37. ὁ ἄρχων διατίθησι τὰ Διονύσια, χορηγὸς καθίστησιν εἰς Διονύσια f 381. 1541 ᵇ6, 21. ἔδοξε σύνδυο χορηγεῖν τὰ Διονύσια τοῖς τραγῳδοῖς ᴋ κωμῳδοῖς f 587. 1573 ᵇ33. τοῖς Διονυσίοις θ123. 842 ᵃ26. μετὰ τὰ Θαργήλια Μδ24. 1023 ᵇ10.

Διονυσιακοὶ ἀγῶνες Πζ8. 1323 ᵃ2. αἱ ἐκ τῦ Διονυσιακῦ ἀγῶνος κρίσεις Ργ15. 1416 ᵃ32. οἱ Διονυσιακοὶ τεχνῖται ὡς ἐπὶ τὸ πολὺ πονηροί πλ10. 956 ᵇ11.

Διονύσιος pro exemplo positus τῦ κακὰ ποιεῖν ημβ6. 1203 ᵃ22. κλέπτης Ρα24. 1401 ᵇ13. ἀκόλαστος πκη1. 949 ᵃ25. — Διονύσιος ὁ πρεσβύτερος θ96. 838 ᵃ19. ἐπεβύλευε τυραννίδι Ρα2. 1357 ᵇ31. πῶς κατέστη τύραννος Πγ15. 1286 ᵇ39. ε5. 1305 ᵃ26. 6. 1306 ᵃ1. 10. 1310 ᵇ30. Λοκρῶν πρὸς αὐτὸν κηδεία Πε7. 1307 ᵃ39. Ἀντιφῶντα τὸν ποιητὴν ἀπετυμπάνισε Ρβ6. 1385 ᵃ10. πάντα αὐτὸς ἐφορᾷ οακ6. 1344 ᵇ35. eius τεχνήματα οἰκονομικά Πα11. 1258 ᵃ28. ε11. 1313 ᵇ27. οβ1349 ᵃ14, 1353 ᵇ20. οἱ ἀπ' αὐτῦ ἐξέστησαν εἰς μανικώτερα ἤθη Ρβ15. 1390 ᵇ29. — Διονυσίῳ τῷ ὑστέρῳ Δίων ἐπέθετο Πε10. 1312 ᵃ4, 35, ᵇ11, 16. ρ9. 1429 ᵇ17. Διονύσιος ὁ νεώτερος ἔσθ' ὅτε ἐπὶ ἡμέρας ἐνενήκοντα ἐμέθυεν f 546. 1568 ᵇ20.

Διονύσιος pictor, comp cum Polygnoto et Pausone πο2. 1448 ᵃ6.

Διονύσιος ὁ χαλκῦς (cf fr 7 Bgk) Ργ2. 1405 ᵃ32.

Διονύσιος ὁ σοφιστὴς φ3. 808 ᵃ16. ὁ Διονυσίυ τῆς ζωῆς ὅρος τζ10. 148 ᵃ27.

διονυσοκόλακες, i e τεχνῖται Διονυσιακοί Ργ2. 1405 ᵃ23.

Διονύσιος οβ1347 ᵃ29. Διόνυσο ἱερὸν ἐν Κραστωνίᾳ θ122. 842 ᵃ18. ἡ φιάλη ἀσπὶς Διονύσυ Ργ4. 1407 ᵃ16. πο21. 1457 ᵇ20, 22. Διόνυσος ᴋ Ἀφροδίτη μετ' ἀλλήλων πλ1. 953 ᵇ31.

Διοπείθης Ρβ8. 1385 ᵃ14.

διόπερ quapropter μα6. 343 ᵃ15. 8. 346 ᵃ13. Ηϑ3. 1121 ᵇ3.

8. 1125 ᵃ8. Πε4. 1303 ᵇ26. πγ9. 872 ᵃ26 al. — hanc ob causam quod Ηι10. 1171 ᵃ11 (? Fr).

διορᾶν, i e ὁρᾶν διά τινος μεταξὺ ὄντος Γα8. 326 ᵇ11. χ3. 794 ᵃ8. πια58. 905 ᵃ40, ᵇ3, 6, 7. — metaph πότε ὑπάρχει ᴋ πότε ὔ, ἢ ῥᾴδιον διορᾶν μδ12. 390 ᵃ20.

διορθῦν. ἔχυσι πτέρυγας ὅπως νέωσι ᴋ πρὸς τὸ διορθῦν· διορθῦσθαι τοῖς ποσὶν ἱκανῶς Ζμδ9. 685 ᵇ22, 25. — metaph διορθῦν τὴν πολιτείαν, τὰς νόμυς Πγ13. 1284 ᵇ20. Ρβ23. 1400 ᵃ11. ρ1. 1420 ᵃ23. τὴν πόλιν τοῖς ἔθεσι, τοῖς νόμοις Πβ5. 1263 ᵇ39. βελτίυς γίνονται διορθῦντες ἀλλήλυς Ηι12. 1172 ᵃ12. διορθῦν τὴν μοχθηρίαν τῆς προτάσεως τι17. 175 ᵇ12. non addito obiecto, διορθωτέον προστιθέντα τῇ ἐρωτήσει al τι9. 177 ᵃ25. 17. 175 ᵃ36. — med διορθῦνται τὸν Ὅμηρον τι4. 166 ᵇ4. non addito obiecto, ὡς διορθῦναί τινες τι17. 175 ᵇ18.

διορθῶματί τινι διορθῦν τὴν πολιτείαν Πγ13. 1284 ᵇ20.

διόρθωσις. ὁδῶν σωτηρία ᴋ διόρθωσις Πζ8. 1321 ᵇ21. αἱ διορθώσεις τῆς πολιτείας Πζ1. 1317 ᵃ35. cf β9. 1270 ᵃ40(?). δεῖσθαι διορθώσεως, ἔχειν διόρθωσιν Πγ1. 1275 ᵃ21, ᵇ13. ὁ θεὸς νόμος ὐδεμίαν ἐπιδεχόμενος διόρθωσιν ἢ μετάθεσιν κ6. 400 ᵇ29. διόρθωσις τῶν ἐρωτημάτων, τῶν λόγων τι18. 176 ᵇ34. 24. 179 ᵇ12.

διορθωτικὸν εἶδος δικαιοσύνης, dist διανεμητικὸν Ηε5. 1131 ᵃ1. 7. 1131 ᵇ25.

διορίζειν. τὸ κενὸν διορίζει τὰς φύσεις Φδ6. 213 ᵇ24, 27. διορίζεται τὰ μέρη τῶν ζῴων πνεύματι Ζγβ6. 741 ᵇ37. διωρίσθαι τοῖς τόποις μα3. 339 ᵇ15. τὰς κακὰς ᴋ τόπῳ διορίζει, ἀλλ' ἐναλλὰξ μεταξὺ ἀνδρείᾳ τὸν ἀσθενέστερον f 147. 1503 ᵃ26. ἐν ὅσοις τῶν γενῶν διώρισται τὸ θῆλυ ᴋ τὸ ἄρρεν Ζγα20. 729 ᵃ1. 18. 724 ᵇ11. ὁ1. 763 ᵇ26. ὅσοις τὸ ἄνω ᴋ τὸ κάτω διώρισται Ζγβ6. 741 ᵇ30. cf Ζια15. 494 ᵃ27. διώρισται τό τε λευκὸν ᴋ τὸ ὠχρὸν χωρὶς Ζγγ2. 753 ᵇ12. cf δ4. 770 ᵃ16. τὸ πεττόμενον ᴋ διοριζόμενον, opp τὸ πέττον ᴋ κινῦν Ζγδ3. 768 ᵇ27. τὸ θῆλυ δεῖται ἀρχῆς ᴋ τῦ κινήσοντος ᴋ διορίοντος Ζγα21. 730 ᵃ30. ἅπαντα ταῖς περιγραφαῖς διορίζεται πρότερον, ὕστερον δὲ λαμβάνει τὰ χρώματα Ζγβ6. 743 ᵇ20. ἕως ἂν διορίσθῃ ᴋ γένηται τέλειον Ζγγ9. 758 ᵇ15. τὸ νῦν φαίνεται διορίζειν τὸ παρελθὸν ᴋ τὸ μέλλον Φδ10. 218 ᵃ9. ζ3. 234 ᵃ14. καλῶς διώρισται τοῖς χρόνοις ἡ γένεσις ἡ τῶν ζῴων Ζγδ8. 777 ᵃ21. πότερον διώρισται, ἢ τῷ λόγῳ δύο ἐστιν ἀχώριστα πεφυκότα Ηα13. 1102 ᵃ29. ὑπὸ τῶν αὐτῶν αἰτίων ὑφ' ὧνπερ ᴋ τὸ ποιὸν διορίζεται Ζγβ6. 742 ᵃ13. — ἡ αὐτὴ φύσις ἢ χωρίς, ὥσπερ διώρισται ᴋ τοῖς ὀνόμασιν Γα1. 314 ᵃ6. — distinguere et dividere notionem in suas species. διαφέρει ᴋ δεῖ διορίζειν Ηε6. 323 ᵃ16. cf τγ6. 120 ᵃ20. διώρισται τὸ ἄδικον τό τε παράνομον ᴋ τὸ ἄνισον Ηε5. 1130 ᵇ8. ὁμοίως τὸ τοιῦτον διωρίσθω ἐπὶ τῦ ὗ ἕνεκα Ηε10. 1135 ᵃ30. διορίζεται ἡ ἀρετὴ κατὰ τὴν διαφορὰν ταύτην Ηα13. 1103 ᵃ3. τέτταρα διωρίσται αὐτῶν τῶν στοιχείων μὔ1. 378 ᵇ10. α2. 339 ᵃ11. τὸ διορίζειν ὐκ ἔστι τῶν πολλῶν Ηκ1. 1172 ᵃ21. διορίσαντας εἰπεῖν ηεγ5. 1232 ᵇ16. διορίζειν τὰ καλὰ ᴋ τὰ αἰσχρὰ ρ2. 1421 ᵃ37. διορίζει τις τὸ θῆλυ πρὸς τὸ ἄρρεν θερμότητι Ζγδ1. 765 ᵃ9. τὰ πνεύματα διώρισται τῷ ψυχρῷ ᴋ θερμῷ μβ6. 364 ᵃ22. ὅτω τῶν εἰδῶν διωρισμένων, syn διαιρεῖσθαι p6. 1427 ᵇ36, 3. διοριστέον τὰς τὰ πλείω ἐρωτήματα ἐν ποιῦντας τι30. 181 ᵃ37. διορίζοντες πρὸς τὰ νῦν εἰρημένα μα3. 340 ᵇ5. — διορίσαι, διορίσασθαι, syn διαστείλασθαι, προσθεῖναι, προσσημαίνειν, i e addere notam determinantem, qua notio ab alia distinguatur τε3. 131 ᵇ6, 10, 14, 15 (cf ᵇ17). 5. 134 ᵇ7 (cf ᵇ5,

18). 2. 130 ^{b}24. διωρικέναι κατὰ τὰς διαφοράς τζ 8. 146 ^{b}20. ἀδυναμία διορισθεῖσα Μι4. 1055 ^{b}8 Bz. inde omnino discernendo definire, definire. διορίζειν ἀπό τινος, syn χωρίζειν ἀπό τινος τε 1. 128 ^{b}37, 35. διορίζειν ἐπὶ πλεῖον (de nimium lato notionis ambitu) τγ6. 120 ^{a}27. εἴτε τῷ ἀληθεῖ διορισθέντος τῷ δυνατῷ εἴτε τῷ ῥαδίως sim Οα11. 280 ^{b}17. ηεη8.1241^{b}9. διορίσαι κατὰ τὴν ὀνομασίαν τβ2. 109 ^{a}39. τὰ κατὰ τὴν ἐπιστήμην διορισθέντα Αγ12. 77 ^{b}9. ἢ ῥάδιον διορίσαι ἄλλως τὴν κίνησιν Φιγ2. 201^{b}17. ἡ σοφία διωρίσθη τῶν πρώτων αἰτίων εἶναι Μβ2. 996 ^{b}14. τὸ δίκαιον φανερὸν ὡς διοριστέον sim Ηε5. 1130 ^{b}22. Φβ5. 196 ^{b}32. καθ' ὃν τρόπον διορίζομεν τὸ ἐνδέχεσθαι Αα3. 25 ^{b}15. διορίζειν μᾶλλον τὸ εἶδος ἢ τὴν ὕλην Ζμα1. 640 ^{b}24. διορίσασθαι τὰ περὶ τὰς ἀρχάς Φα1. 184 ^{a}15. ὅσα μὴ δύναται διορίζειν ὁ νόμος Πγ16. 1287 ^{a}24. περὶ τῶν τέκνων αἱ γυναῖκες διορίζωσι τἀληθές Ρβ23. 1398 ^{a}33. διώρισαν ὀνομάζειν αἰθέρα μα3. 339 ^{b}26. διορίσαι, διορίσασθαι seq enunciatione interrogativa, veluti, διοριστέον πότε δυνατὸν ἢ πότε ὔπω· διορίσασθαι τίς αἱρετώτατος βίος· διοριστέον ποσαχῶς λέγεται al Φιγ4. 204 ^{a}2. Ογ1. 298 ^{b}4. ψα1. 402 ^{b}11. Ζηβ3. 736 ^{a}27. Μδ7. 1017 ^{b}9. θ7. 1048 ^{b}37. Πδ15. 1299 ^{a}15. η1. 1323 ^{a}15. 6. 1327 ^{a}39. cf 13. 1332 ^{b}9. διορίσωμεν τί λέγωμεν τὸ καθόλυ Αδ4. 73 ^{a}25. διορίσαι, διορίσασθαι περί τινος, veluti διορισάμενοι περὶ κινήσεως. περὶ τύχης διορίσαι, διοριστέον περὶ τύτων ὕστερον al Φβ4. 196 ^{a}10. γ1. 200 ^{b}15. δ5. 213 ^{a}4. θ10. 266 ^{a}11. Οδ2. 308 ^{b}1 (διωρίσθαι videtur med esse), 29, 309 ^{a}33. Γα2. 315 ^{b}2. αι4. 442 ^{a}3. Ζμα1. 639 ^{a}16. Μζ3. 1029 ^{a}1. 11. 1037 ^{a}14. μ9. 1086 ^{a}23. Πδ'4. 1291^{a}39. Ρα2.1356^{b}26. 5. 1362^{a}14. Ηε5. 1130 ^{b}28 et saepe. λόγος ἐν οἷς διώρισται περὶ τῶν ἠθικῶν Πγ12. 1282 ^{b}20. διορίσαι, διορίσασθαι, διορισθήσεται σαφῶς, ἀκριβῶς, ἀκριβέστερον, δι' ἀκριβείας, μᾶλλον Γα6. 322 ^{b}9. Ηι2. 1164 ^{a}28. β7. 1107 ^{b}16. Φα9. 192 ^{a}36. 8. 191 ^{b}29. Πη17. 1336 ^{b}25 (opp ἐν παραδρομῇ πεποιήμεθα τὸν λόγον). ηεγ1. 1229 ^{a}33 (opp ἁπλῶς εἰρήκαμεν). ἐν αὐτῷ διορίσασθαι μήτε προπετῶς μήτε ῥαθύμως ηεα2. 1214^{b}12. ὡς ἂν ἐνδέχηται διοριστέον Ηι2. 1165 ^{a}35. ὡς ἁπλῶς διορίσαντας εἰπεῖν πο7. 1451^{a}11. — absoluta aliqua quaestione transitus ad aliam paratur his formulis διωρισμένων δὲ (δὴ) τύτων, διωρίσται ἱκανῶς, ἱκανὰ τὰ διωρισμένα, διωρίσθω τὸν τρόπον τῦτον sim ε12. 21 ^{a}34. Αα4. 25 ^{b}26, 26 ^{b}23. 13. 32 ^{b}4. 15. 34 ^{a}34. τα12.105^{a}10. μα4. 341 ^{b}1. β1. 353 ^{b}30. δ12. 389 ^{b}23. Ζμα1. 640 ^{a}8. 5. 645 ^{b}14. Πδ8. 1293 ^{b}32. Οδ2.308^{b}12. 4. 311 ^{a}16. 6. 313^{b}22. Μεα4. 1027 ^{b}18. μ9. 1086 ^{a}19. Ηε15. 1138 ^{b}14. ζ3. 1139 ^{a}5 ^{b}36. ηεη8. 1241 ^{b}11 al. cf ἐκ τῶν περὶ τῆς ψυχῆς διωρισμένων Ζηβ3. 736 ^{a}37. δ3. 768 ^{b}24. ἐκ τῶν πάλαι διωρισμένων Μβ2. 996 ^{b}8. ὡς ἐν ἀρχῇ διωρίσαμεν Αα17. 37 ^{a}27. — διωρισμένος. τίμημα διωρισμένον ὑπὸ τῶν νόμων Πδ6. 1292 ^{b}30. βάρος διωρισμένον Ογ2. 301 ^{b}17. διάστημα (v h v) διωρισμένον, opp ἀδιόριστον Αα4. 26 ^{b}23. ἐναντιότητες διωρισμέναι, opp αἱ τυχῦσαι ΜΑ5. 986 ^{a}31. ποσὸν διωρισμένον, opp συνεχές Κ6. 4 ^{b}20, 22. — διωρισμένως ϗ χωρὶς Ζιγ19. 521 ^{a}15.

διόρισις ϗ χωρισμὸς τῶν ἐφεξῆς τὸ κενὸν Φδ6. 213 ^{b}26.

διορισμός, locali sensu, τῦ διορισμῦ χάριν τὸ διάζωμα Ζιγ10. 672 ^{b}14. τὰ κινύμενα ὐκ ἔχει διορισμὸν καθ' ὃν ἐφ' ἑκάτερα τύτων (τὸ πρόσθεν ϗ τὸ ὄπισθεν) μεταβολὴν ποιεῖται Ζπ6. 706 ^{b}30. — logice: distinctio, ἔστω δὴ διορισμῦ χάριν (distinctionis causa) Πγ1. 1275 ^{a}31. cf δ14. 1298 ^{b}13. ημα34. 1195 ^{a}27. nota distinguens: προσδεῖται διορισμῦ

τε3. 131 ^{b}10. — notio ac definitio: κατὰ τὸν εἰρημένον διορισμὸν τῷ ἐνδέχεσθαι, κατὰ τὸν διορισμὸν τῷ ἀδικεῖν, ὁ τῷ πολίτῃ διορισμός al Αα14. 33 ^{b}23. 15. 33 ^{b}28, 30, 34 ^{b}27. τι6.168^{a}20. Ηε12.1136^{b}23. Πγ1. 1275 ^{b}13. 8.1279 ^{b}20. Γα6. 323 ^{a}22. β1. 329 ^{a}14. μα3. 339 ^{a}34. Ζγε7. 787 ^{a}8. κατ' ὐδένα τῶν διορισμῶν Φδ3. 210 ^{b}9 (cf πολλαχῶς ἄλλο ἐν ἄλλῳ λέγεται al). τὰ ἐν τῷ διορισμῷ προσόντα Μθ5. 1048 ^{a}20, 2. τὰ μέρη τῷ διορισμῷ τι6. 168 ^{a}23. — διορισμός i e ὁ διώρισται περί τινος. ἡ ἀρχὴ ἔχει τὸν εἰρημένον διορισμόν· ἀνάγκη γὰρ ὀντινῶν κτλ Μγ3. 1005 ^{b}23. ὁ αὐτὸς διορισμός (idem statuendum est de, eadem ratio est) ἐλέγχη ϗ συλλογισμῷ Αβ20. 66 ^{b}17. cf α32. 47 ^{b}7. ημα20. 1191 ^{a}11. Ηε10. 1134 ^{b}33. 11. 1136 ^{b}15. 1138 ^{a}27. ἐπιθῦμεν τέλος τῷ περὶ τῦ ἑκυσίυ ϗ ἀκυσίυ διορισμῷ (quaestioni, disputationi) ηεβ8. 1224 ^{a}9. περὶ τύτων ἐν τοῖς περὶ γένεσιν οἰκειότερός ἐστιν ὁ διορισμός Ζμγ14. 674 ^{a}21.

διορᾶν, διορρῦν. τὸ αἷμα γίνεται ἰχωροειδὲς ϗ διορρῦται (v l διορῦται) Ζιγ19. 521 ^{a}13. ὑπὸ τῦ ψυχρῦ ὐ πήγνυται τὸ γάλα, ἀλλὰ διορρῦται (v l διορῦται) μᾶλλον Ζιγ20. 521 ^{b}34. ἢ μήπω πεπέφθαι ἢ διωρρῶσθαι (v l διορῦσθαι) Ζιγ19. 521 ^{b}3. τὰ ᾠὰ θερμαινόμενα μᾶλλον διορᾶται (v l διηρεῖται) ϗ γίνεται ὥρια Ζγγ2. 753 ^{b}7. cf de διορρῦν et διορίζειν S I 408, II 535.

διορύττειν τὴν κατὰ τὴν ἐρυθρὰν θάλατταν χώραν ἐπειράθη τις μα14. 352^{b}25, 29. διορύξας τὸν Ἄθω (Isocr 4, 89) Ργ9. 1410 ^{a}11.

Διοσκύρας ἐπικαλέσασθαι ηεη12. 1245 ^{b}33.

διόστεος. σκέλυς τὸ διόστεον κνήμη Ζια15. 494 ^{a}5.

διότι, cur, περὶ τῆς ἅλω εἴπωμεν διότι κύκλος γίνεται μγ3. 372 ^{b}13. cf Οα3.270^{b}1, 26. Πδ11.1296 ^{a}22. Wz ad Αβ5. 58 ^{b}7. — οἱ ἔμπειροι τὸ ὅτι ἴσασι, διότι δ' ὐκ ἴσασι ΜΑ1. 981 ^{a}29. τὸ διότι ἐπίστασθαί ἐστι διὰ τῦ αἰτίυ ἐπίστασθαι Αγ6. 75 ^{a}35. κυριώτατον τῦ εἰδέναι τὸ διότι θεωρεῖν Αγ14. 79 ^{a}24. ἀρχὴ τὸ ὅτι, ϗ εἰ τῦτο φαίνοιτο ἀρχύντως ὐδὲν προσδέησει τὸ διότι Ηα2. 1095 ^{b}7. τὸ διότι, opp τὸ ὅτι Αβ2. 53 ^{b}9. γ9. 76 ^{a}12. 13. 78 ^{a}22 sqq, ^{b}33 sqq. 27. 87 ^{a}32. 33. 89 ^{a}16 (τὸ διότι· τῦτο δὲ τὸ μέσον). δ1 (dist ὅτι, εἰ, τί). 8. 93 ^{a}17 sqq. — διότι non raro usurpatur pro v ὅτι, veluti τβ3. 110 ^{b}2 Wz. ε4. 133 ^{b}36. 5. 134 ^{b}10, 13. θ2. 157 ^{b}16, 17. Γβ6. 333 ^{b}23. 10. 337 ^{a}15. μα13. 350 ^{b}28. γ3. 372 ^{b}28. ψα2. 404 ^{a}19. Μκ5. 1062 ^{a}6 Bz. Ηζ9.1142 ^{a}11. Πγ9. 1280 ^{a}20 (quamquam ibi causalem vim habere potest). ν9. 1329 ^{a}6. Ργ10. 1411 ^{a}31. ρ3. 1425 ^{a}39 (cf ^{a}37). 9. 1429 ^{b}1. αχ803 ^{a}16. οβ1349 ^{b}18. interdum literas δι in v διότι inde videri ortas esse, quod praecedit vocabulum terminans in αι, praecipue καί, Vahlen monet Rhet p 58; praecedente eiusmodi vocabulo legitur διότι idem significans atque ὅτι τὸ 2. 122 ^{a}23. ε1. 128 ^{b}32. θ6. 160 ^{a}27. Οα3. 270 ^{b}26. Ηζ9. 1142 ^{a}12. ρ15. 1431 ^{a}32 (cf ^{a}29), 42 (cf ^{a}40). 17. 1432 ^{a}16 (cf ^{a}14). 30. 1436 ^{b}23 (cf ^{b}21), 1437 ^{a}19.

διοτρεφέων βασιλήων (Hom Β 196) Ρβ2. 1379 ^{a}4.

Διόφαντος Πβ7. 1267 ^{b}18.

δίπηχυς Φιγ5. 206 ^{a}4. μχ 25. 856 ^{b}4. σηπίαι διπήχεις Ζιδ1.
524 ^{a}27.

διπλασιάζειν. ἀριθμὸς ὁ ἀφ' ἑνὸς διπλασιαζόμενος πῶς γίνεται (Plat) Μμ8. 1084 ^{a}6 Bz. ν3. 1091 ^{a}12. τέτταρες ἢ ἄλλο τι πλῆθος τῶν ἀφ' ἑνὸς διπλασιαζομένων Ζμα3. 643 ^{a}23.

διπλασιόπλευρος. τὰς κλίνας ποιῦσι διπλασιοπλεύρυς μχ25. 856 ^{a}39.

διπλάσιος. διπλάσιον, dist ὀυάς ΜΑ5. 987 ᵃ26. def ὡς ὀύο πρὸς ἕν, τὸ ἴσῳ ὑπερέχον τε6. 135 ᵇ25. ζ9. 147 ᵃ30. πρός τι λέγεται ὡς διπλάσιον πρὸς ἥμισυ Μὀ15. 1020 ᵇ26, 34 Βz.

διπλασίων. συμφωνεῖ ὁ διπλάσιων ἀσκὸς πρὸς τὸν ἥμισυν πιθ50 923 ᵃ3. ἐν διπλασίονι χρόνῳ κ6. 399 ᵃ9.

διπλοῦν. εἰ μὴ ἕτω τις λήψεται διπλώσας (i e nisi in utraque protasi addiderit τὸ τί ἐστι) Αὀ4. 91 ᵃ21.

διπλῆς. διπλῆ ἀναθυμίασις (i e δύο εἴδη ἀναθυμιάσεως), ἡ μὲν ὑγρὰ ἡ δὲ ξηρά μβ3. 357 ᵇ24 (cf δύο ἀναθυμιάσεις μγ7. 378 ᵃ18). διπλῆ κίνησις, ἔκκρισις μα2. 339 ᵃ14. γ7. 378 ᵃ17. — διπλῆν ὄνομα (i e συνθετὸν ἐκ δυοῖν), opp ἁπλῶν πο20. 1457 ᵃ12. 21. 1457 ᵃ32. ε4. 16 ᵇ32. διπλῆ λέξις Ργ3. 1406 ᵇ1. διττῶν ὀνομάτων qui sit· usus Ργ2. 1404 ᵃ29. 3. 1405 ᵇ35, 1406 ᵃ30, 36, ᵇ1. 7. 1408 ᵇ10. πο22. 1459 ᵃ9. μῦθος διπλῆς, opp ἁπλῆς πο13. 1453 ᵃ13. τὴν σύστασιν διπλῆν ἔχειν πο13. 1453 ᵃ31. — τὸ διπλῆν i q ambiguum, τι10. 171 ᵃ34. 19. 177 ᵃ21 (syn διττόν ᵃ19).

δίπλωμα τοῦ γαλαξίᾳ μα8. 346 ᵃ24.

δίπλωσις ὀνομάτων ποιητικῶν Ργ3. 1406 ᵃ6. cf διπλῆς.

διποδία ἀνθρώπῳ ἄλλη ἢ ὄρνιθος Ζμα3. 643 ᵃ3.

δίπους. πᾶν γένος ταῖς ἀντιδιηρημέναις διαφοραῖς διαιρεῖται, καθάπερ τὸ ζῷον τῇ πεζῷ χ̨ τῇ πτηνῷ χ̨ τῷ ἐνύδρῳ χ̨ τῷ δίποδι τζ6. 143 ᵇ1. cf Κ3. 1 ᵇ18, 20. Ζμα2. 642 ᵇ8. 3. 643 ᵇ36. cf Μ 79. δίπων descr τζ6. 144 ᵇ12-30. Ζπ5. 706 ᵃ26-ᵇ16. οἷς μὲν τὸ ἄνω χ̨ τὸ ἔμπροσθεν διώρισται, 25 ταῦτα μὲν δίποδα, ὅσα δ᾽ ἐπὶ τὸ αὐτὸ τὸ πρόσθεν ἔχει χ̨ τὸ ἄνω, τετράποδα ἢ πολύποδα χ̨ ἄπτερα Ζπ5. 706 ᵃ27. τριῶν ὄντων τῶν τόπων, τᴕ ἄνω χ̨ μέσᴕ χ̨ κάτω, τὰ μὲν δίποδα τὸ ἄνω πρὸς τὸ τᴕ ὅλᴕ ἄνω ἔχει, τὰ δὲ πολύποδα ἢ ἄπτερα πρὸς τὸ μέσον, τὰ δὲ φυτὰ πρὸς τὸ κάτω Ζπ5. 30 706 ᵇ4. τῶν ζῴων τὰ μὲν δίποδα τὰ δὲ δίποδα τὰ δὲ τετράποδα τὰ δὲ πολύποδα Ζπ1. 704 ᵃ13, τὰ μὲν δίποδα τὰ δὲ πολύποδα τὰ δ᾽ ἄποδα Ζμὀ10. 687 ᵃ2. — ἔστι τὸ μὲν ἄρρεν τὸ δὲ θῆλυ χ̨ ἐν τοῖς πεζοῖς χ̨ ἐν τοῖς δίποσι χ̨ τετράποσι χ̨ πᾶσιν ὅσα ἐκ συνδυασμᴕ τίκτει Ζιὀ11. 537 ᵇ27. 35 ζῳοτόκων ἀνθρωπος τῶν διπόδων μόνον Ζιε1. 539 ᵃ15. τὰ ἔναιμα ἢ ἄποδα ἢ δίποδα ἢ τετράποδα Ζια4. 489 ᵃ32. Ζγβ1. 732 ᵇ16. Ζιε8. 586 ᵇ1. ὅσα ᵂοτοκεῖ ἢ δίποδα ἢ τετράποδα Ζιγ1. 509 ᵇ24. ὅσα ζῳοτόκα χ̨ δίποδα ἢ τετράποδα Ζιγ1. 510 ᵇ15, 23. Ζπ13. 712 ᵃ9. — πάντα τὰ δίποδα τὰ χ̨ 40 ἔμπροσθεν ἔχει δασύτερα, τῶν τετραπόδων τὰ ὄπισθεν ἀσθενέστερα πι53. 896 ᵇ31. τὸ μέλλον ζῷον ὀρθὸν βαδιεῖσθαι δίπᴕν ἀναγκαῖον εἶναι Ζπ11. 710 ᵇ6. ὁ ἄνθρωπος μάλιστα κατὰ φύσιν ἐστὶ δίπᴕς Ζπ1. 704 ᵃ16, 17. 5. 706 ᵃ27, ᵇ10. ὁ πίθηκος (Inuus ecaudatus) ὡς μὲν δίπᴕς ἰὼν ᴕ̔ραν, ὡς δὲ 45 τετράπᴕς ἔχει Ζμὀ10. 689 ᵇ34. Ζιβ8. 502 ᵇ2. τὰ πτερωτὰ χ̨ θερμότερα δίποδα πάντα ἢ ἄποδα Ζια5. 490 ᵃ10. ὄρνις δίπᴕν Ζμβ16. 659 ᵇ7. δ΄ 12. 693 ᵇ5, 14, 695 ᵃ3, 13. Ζπ1. 704 ᵃ16, 18. 5. 706 ᵃ27. 11. 710 ᵇ18, 21, 25. Ζιβ1. 498 ᵃ29. στεγανόποδε δίποδες Ζπ17. 714 ᵃ10. ὁ 50 στρᴕθὸς ὁ Λιβυκὸς δίπᴕς μέν ἐστιν ὡς ὄρνις, διχαλὸς δ᾽ ὡς τετράπᴕς Ζμὀ14. 697 ᵇ21.

δίπτερος. τῶν πτηνῶν ἐντόμων τὰ μὲν τετράπτερα, ὅσα δὲ μικρὰ τῶν τοιούτων, δίπτερα Ζμὀ6. 682 ᵇ11. Ζιὀ7. 532 ᵃ20. τῶν πτηνῶν ἀναίμων τὰ μὲν κολεόπτερα, τὰ δ᾽ ἀνέλυτρα, 55 χ̨ τᴕτων τὰ μὲν δίπτερα τὰ δὲ τετράπτερα Ζια5. 490 ᵃ16. δίπτερα — πολύπτερα Ζμὀ6. 683 ᵃ13, 18. δίπτερα ὅσα ἐν μέγεθος μὴ ἔχει ἢ ἐμπροσθόκεντρά ἐστιν Ζια5. 490 ᵃ18, 19. δίπτερον ᴕ̔θὲν ἐστιν ὀπισθόκεντρον Ζμὀ6. 683 ᵃ13. Ζιὀ7. 532 ᵃ22. διὰ τὸ ἀσθενῆ χ̨ μικρὰ εἶναι δίπτερά ἐστιν Ζμὀ6. 60 683 ᵃ14. δίπτερα· τὸ τῶν μυιῶν γένος, μυίωψ, οἶστρος, V.

ἐμπίς Ζμὀ6. 682 ᵇ12. Ζια5. 490 ᵃ20. ὀ7. 532 ᵃ20. cf Μ 206, 210, 218-220.

δίπτυχὲς νεῦρον Ζιγ5. 515 ᵇ8.

δίπυροι ἄρτοι πκα12. 928 ᵃ11.

δίραβδος. τὰ μὲν δίραβδα ὥσπερ σεσερῖνος, τὰ δὲ πολύραβδα ὡς σάλπη f 278. 1528 ᵃ3.

δὶς μα6. 343 ᵇ31. β3. 356 ᵇ13. μὴ τὸν αὐτὸν δὶς ἄρχειν ἀλλ᾽ ἅπαξ μόνον Πὀ15. 1299 ᵃ10. ᴕ̔χ ἅπαξ ᴕ̔δὲ δὶς ᴕ̔δ᾽ ὀλιγάκις τὰς αὐτὰς δόξας ἀνακυκλεῖν μα3. 339 ᵇ28.

δίσκος. κυλιόμενοι, ἂν οἶσκον δέῃ μιμεῖσθαι πο26. 1461 ᵇ31. ὁ Ὀλυμπίασι δίσκος, ἐν ᾧ τᴕ̀νομα τᴕ Λυκᴕργᴕ διασῴζεται καταγεγραμμένον f 490. 1558 ᵃ17.

δισσαχῇ. δύο κύκλοι δισσαχῇ συνημμένης ψα3. 406 ᵇ32.

διστάζειν περί τι Ηγ5. 1112 ᵇ8. διστάζειν, πότερον, εἰ sim Μν3. 1091 ᵃ14. Ηγ5. 1112 ᵇ2. μν1. 451 ᵃ5. ηεβ10. 1225 ᵇ19. διστάζειν absolute, ἠρεμαία ὑπόληψις ὥσπερ ἐν τοῖς διστάζᴕσιν Ηη3. 1146 ᵃ1. cf Πβ3. 1262 ᵃ5. ᴕ̔ διστάζᴕσιν, ἀλλ᾽ οἴονται ἀκριβῶς εἰδέναι Ηη5. 1146 ᵇ26. ὅπερ ἀξιοπίστως ᴕ̔ συνῶπται, ποιεῖ δὲ διστάζειν Ζγβ5. 741 ᵃ35.

δίστοιχοι ὀδόντες Ζιβ1. 501 ᵃ24. f 484. 1557 ᵃ24. δίστοιχα βράγχια Ζιβ13. 505 ᵃ16.

δισχιδής. ποδότης ἡ μὲν πολυσχιδής, ἡ δὲ δισχιδής, οἶον τὰ διχαλά, ἡ δ᾽ ἀσχιδὴς χ̨ ἀδιαίρετος, οἶον τὰ μώνυχα Ζμα3. 642 ᵇ29. τὰ μὲν πολυσχιδῆ, τὰ δὲ δισχιδῆ, τὰ δὲ ἀσχιδῆ Ζιβ1. 499 ᵇ9 (syn διχαλά ᵇ12. 7. 502 ᵃ10).

διτοκεῖν Ζιζ1. 558 ᵇ23. dist μονοτοκεῖν, πολυτοκεῖν Ζγὀ6. 774 ᵇ24. τὰ μονοτόκα πότε διτοκεῖ Ζγὀ4. 772 ᵃ35. cf γ1. 750 ᵃ17.

διτόκος. τὰ διχηλὰ μονοτόκα ἢ διτόκα ὡς ἐπὶ τὸ πολύ Ζγὀ 6. 774 ᵇ9.

διττογονεῖν i e χ̨ ᴡοτοκεῖν χ̨ ζῳοτοκεῖν Ζγα11. 719 ᵃ14.

διττός. τῆς ἀναθυμιάσεως διττῆς ᴕ̔σης μβ4. 360 ᵃ9. διττὸν τὸ ὄν, δυνάμει ἐνεργεία Μλ2. 1069 ᵇ15. ἡ ὑπερβολὴ διττή, τᴕ ποιᴕ, τᴕ ποσᴕ Ζιγ5. 668 ᵇ14. ὁ θεατὴς διττός, ὁ μὲν ἐλεύθερος ὁ δὲ φορτικός Πθ7. 1342 ᵃ19. μάρτυρες διττοί, παλαιοὶ πρόσφατοι Ρα15. 1375 ᵇ26. ἡ ἀπάτη διττὴ ὁ ᴠχμαγωγία ἡ ἀπάτη διττὴ Πε1. 1301 ᵇ29. 4. 1304 ᵇ10. 6. 1305 ᵇ23. ποιεῖν διττόν, discrimen facere, τι15. 174 ᵇ24. διττὸν σημαίνει ΜΖ6. 1031 ᵇ23. τὸ διττόν, ambiguitas (cf πολλαχῶς λέγεσθαι), Πβ3. 1261 ᵇ29. Αγ12. 77 ᵇ24, 28. τι19. 177 ᵃ12, 14, 15, 19. ἔλεγχοι, παραλογισμοὶ sim παρὰ τὸ διττόν τι6. 168 ᵃ24. 20. 177 ᵇ8. ἀπάντησις πρὸς τὸ διττόν τι17. 176 ᵃ23. τῷ διττῷ λύειν τᴕς συλλογισμᴕς τι24. 179 ᵇ38 (cf πολλαχῶς λέγεσθαι 180 ᵃ1). — διττῶς. καθ᾽ αὑτὸ διττῶς Αγ22. 84 ᵃ12. διττῶς λέγεσθαι Ηα4. 1096 ᵇ13. 7. 1098 ᵃ5. cf 2. 1095 ᵇ2. — i q ambigue τι24. 180 ᵃ15.

δίυγρος πη4. 887 ᵇ25. ὁ ἀὴρ ᴕ̔ γίνεται δίυγρος πκε10. 939 ᵃ17.

δίφρος. ἀνὴρ ἐφέρετο κατὰ κλίμακος δίφρον (?) τι33. 182 ᵇ17.

διφυής. διφυῆς ὄντος τᴕ αἵματος Ζμγ4. 666 ᵇ29 Fr. — διφυές, syn διμερές Ζια15. 493 ᵇ26, 494 ᵃ4. ἡ τῶν μυκτήρων δύναμις διφυής Ζμβ10. 657 ᵃ4. τὸ διφυὲς τᴕ στόματος παρίσθμιον, τὸ δὲ πολυφυὲς ᴕ̔λον Ζια11. 492 ᵇ34. στῆθος διφυές Ζια12. 493 ᵃ12. ὀφρύες διφυεῖς Ζια9. 491 ᵇ14. διφυὴς ὁ ἐγκέφαλος Ζια16. 494 ᵇ31. τῶν σπλάγχνων τὰ μὲν μονοφυῆ τὰ δὲ διφυῆ Ζμγ7. 669 ᵇ14, 670 ᵃ2. cf similia Ζια13. 493 ᵃ18. 15. 493 ᵇ26, 494 ᵃ10. Ζμγ7. 669 ᵇ19. — nom plur neutr διφυᾶ (v l διφυῆ, quae forma alibi exhibetur) Ζμγ7. 669 ᵇ18.

διφυΐα τῶν κώλων Ζμγ5. 668 ᵃ22.

Cc

δίχα διαιρεῖν Φζ9. 239 ᵇ19. Ηε7. 1132 ᵃ28 (i e in duas partes pares). Πη10. 1330 ᵃ11. διήρηται τῶν ποδῶν τὰ μὲν τρίχα, τὰ δὲ δίχα Ζιβ11. 503 ᵃ28. δίχα διηρῆσθαι, syn εἰς δύο τζ4. 142 ᵇ12 - 19. δίχα γίγνεται τὸ δικαστήριον Πζ3. 1318 ᵃ40. — logice δίχα διαιρωμένης ἀδύνατον ὁτιῶν λαβεῖν τῶν καθ' ἕκαστον Ζμα3. 644 ᵃ11.

δίχαιον. διὰ τῦτο ὀνομάζεται, ὅτι δίχα ἐστίν, ὥσπερ ἂν εἴ τις εἴποι δίχαιον Ηε7. 1132 ᵃ32.

δίχαλός, δίχηλός, δίχηλος. cf Lob Phryn 639, Ideler Meteor I 645, in ed Did 'ut Arist sibi semper constaret' (vol III praef VI) ubique exhibitum est δίχαλός, etiam invitis codd. δίχηλός in textu Ζγδ4. 771 ᵃ23, ᵇ3, 9. 6. 774 ᵇ6, 8, 18. Ζμδ10. 686 ᵇ17, 688 ᵇ24, 690 ᵃ5, 21, 27. 12. 695 ᵃ18, in v l Ζιβ1. 499 ᵃ2, ᵇ14. 145. 630 ᵇ4. Ζμα3. 642 ᵇ29. γ2. 662 ᵇ35, 663 ᵃ7. 11. 673 ᵇ32. δ14. 697 ᵇ21; δίχηλος in textu f 221. 1518 ᵇ17, in v l Ζιβ1. 499 ᵃ23. Ζμα3. 642 ᵇ29. — ἡ σχίσις κỳ τὸ δίχαλὸν κατ' ἔλλειψιν τῆς φύσεώς ἐστιν Ζμγ2. 663 ᵃ31. cf Ζιβ1. 499 ᵇ14. ποδότης ἡ μὲν πολυσχιδὴς, ἡ δὲ δισχιδὴς οἷον τὰ δίχαλά, ἡ δὲ ἀσχιδὴς οἷον τὰ μώνυχα Ζμα3. 642 ᵇ29. οἱ πόδες τοῖς τετράποσι κỳ ἐναίμοις κỳ ζῳοτόκοις διαφέρυσιν· τὰ μὲν μώνυχα, τὰ δὲ δίχηλά, τὰ δὲ πολυσχιδῆ Ζμδ10. 690 ᵃ5, cf 688 ᵇ24. Ζγδ4. 771 ᵃ20-24, ᵇ3, 7. 6. 774 ᵇ6, 18, 23. Ζμγ2. 662 ᵇ35. 12. 673 ᵇ32. dist πολυδάκτυλα, δίχαλά, μώνυχα Ζμβ16. 659 ᵃ26. γ14. 674 ᵃ27. δ10. 686 ᵇ17, 690 ᵃ10, 21, 24. — τὰ δίχαλά δύο ἔχει σχίσεις ὄπισθεν Ζιβ1. 499 ᵇ14, κέρατα Ζμγ2. 662 ᵇ35, cf 663 ᵃ18. 12. 673 ᵃ32. Ζιβ1. 499 ᵃ2, ᵇ16, ἀστράγαλον Ζιβ1. 499 ᵇ22. 7. 502 ᵃ12. f 221. 1518 ᵇ17. Ζμδ10. 690 ᵃ10, 27, ἐστὶν ὀλιγοτόκα Ζγδ4. 771 ᵃ20-24, ᵇ3, 7. cf 6. 774 ᵇ6. δίχαλά εἰσι κάμηλος Ζιβ1. 499 ᵃ23. Ζμδ10. 688 ᵇ24. Ζγδ4. 771 ᵇ9, ἔλαφος αἲξ βῦς Ζιβ1. 499 ᵇ16. 7. 502 ᵃ10, βόνασος Ζιβ1. 499 ᵇ31. 145. 630 ᵇ4, ὗς Ζγδ6. 774 ᵇ18, 23. Ζμγ14. 674 ᵃ27. 2. 663 ᵃ7. cf Fr 287, 6, ὁ ἵππος ὁ ποτάμιος Ζιβ7. 502 ᵃ10, ὁ ἱππέλαφος κỳ τὸ καλύμενον πάρδιον Ζιβ1. 499 ᵃ2, ὁ ὄρυξ Ζμγ2. 663 ᵃ24. 35. Ζιβ1. 499 ᵇ19, ὁ στρυθὸς ὁ Διβυκὸς Ζμδ12. 695 ᵃ17. 14. 697 ᵇ21. — οἱ ἐλέφαντες τῶν πολυδακτύλων εἰσί, κỳ ὔτε δίχαλῶς ἔχυσιν ὔτε μώνυχας τὲς πόδας Ζμβ16. 659 ᵃ26. — διχαλά i q δισχιδῆ Ζιβ1. 499 ᵇ9 cf 12. 7. 502 ᵃ10. cf M 320sq. — pro δίβαλλος (δύσθυμος ci Pic) Ζω17. 616 ᵇ27 versio Thomae habet divaricata; itaque δίχαλος videtur scriptum legisse, cf S I 431.

δίχαμετρος (etym v διάμετρος) πιε2. 910 ᵇ20.

δίχαστής (etym v δικαστής) Ηε7. 1132 ᵃ32.

δίχῇ. τῶν ποδῶν ἕκαστος δίχῇ διήρηται, φλέψ δίχῇ σχίζεται Ζιβ11. 503 ᵃ23. γ3. 513 ᵇ17.

δίχηλεῖν Ζμδ12. 695 ᵃ18 cod m, δίχηλός Bk.

δίχηλός, δίχηλος, v δίχαλός.

δίχοτομεῖν, syn διαιρεῖν δίχα, τὸ ἥμισυ Φζ9. 239 ᵇ19, 12. δίχοτομεῖσθαι πις4. 913 ᵇ31, 23. — logice στερήσει διαιρῦσιν οἱ δίχοτομῦντες Ζμα3. 642 ᵇ22. τὸ δίχοτομεῖν τῇ μὲν ἀδύνατον τῇ δὲ κενὸν Ζμα4. 644 ᵇ19. τὸ δίχοτομεῖν quam habeat vim ad cognoscendum Ζμα 2. 3.

δίχοτομία. ἄπειροι αἱ διχοτομίαι τῦ μεγέθυς Φγ7. 207 ᵇ11, 14. cf α3. 187 ᵃ3. ἡ διχοτομία, syn διαιρεῖν δίχα, τὸ ἥμισυ Φζ9. 239 ᵇ22, 19, 12. δίχοτομίαι τῆς σελήνης Ζγδ10. 777 ᵇ22. — logice εἶναι ὑπὸ μίαν διχοτομίαν Ζμα 3. 644 ᵃ9. κατὰ τὴν δίχοτομίαν, ἐν τῇ διχοτομίᾳ Ζμα3. 643 ᵇ19, 25.

δίχότομος σελήνη Οβ11. 291 ᵇ21. 12. 292 ᵃ4. πιε7. 911 ᵇ36, 912 ᵃ15. μυκτήρ Ζια11. 492 ᵇ17.

δίχροια τῶν ὠῶν Ζγγ1. 751 ᵃ32, ᵇ21.

δίχροος, δίχρως. ὠὸν δίχρων, dist μονόχρων Ζιζ10. 564 ᵇ24. ὠὰ δίχροα Ζια5. 489 ᵇ14. ε33. 558 ᵃ5. Ζγγ1. 749 ᵃ18. 2. 752 ᵃ9, 753 ᵃ2. διὰ τί τὰ μὲν τῶν ὀρνίθων ὠὰ δίχροα, τὰ δὲ τῶν ἰχθύων μονόχροα Ζγγ1. 751 ᵃ30-752 ᵃ8.

δίχῶς λέγεσθαι Πα6. 1255 ᵃ4. Αα13. 32 ᵇ31 al. δίχῶς ἐνδέχεσθαι, γίνεσθαι Πδ8. 1294 ᵃ7. ε1. 1301 ᵇ6. ἡ φύσις δίχῶς Φβ2. 194 ᵃ12. (δίχῶς ἀπορήσειεν ἄν τις Φβ2. 194 ᵃ15, ἴσως ci Bz Ar St I 16).

δίψα, def ἐπιθυμία ψυχρῦ κỳ ὑγρῦ ψβ3. 414 ᵇ12, ἐπιθυμία ποτῦ κỳ τροφῆς πκη5. 949 ᵇ30. πίνειν δίψης χάριν πκβ6. 930 ᵇ13. αὐτοῖς δίψας τινὰς παρασκευάζειν Ηη15. 1154 ᵇ3.

δίψην. ὁ πεινῶν κỳ διψῶν σφόδρα μὲν ὁμοίως δὲ κỳ τῶν ἐδωδίμων κỳ ποτιῶν ἴσον ἀπέχων Οβ13. 295 ᵇ32. ὁ διψῶν ἐνδεὴς τροφῆς τε κỳ καταψύξεως πκη6. 949 ᵇ34. ἥττον ἀνέχονται διψῶντες ἢ πεινῶντες πκη5. 949 ᵇ26. 6. 949 ᵇ32. διψῶσιν οἱ μέλλοντες κολαζεσθαι πκζ2. 947 ᵇ15. — διψῆν φιλοσοφίας Οβ12. 291 ᵇ27.

δίψηρός. ὕστεραι ξηραὶ κỳ διψηραί Ζικ2. 635 ᵃ25.

δίψητικός. τίνα τῶν ζῴων διψητικὰ μάλιστα Ζμγ8. 671 ᵃ2. οἱ παῖδες ὑ διψητικοί πιγ7. 872 ᵃ7. διψητικοὶ κỳ ἀνδρεῖοι οἱ αὐτοὶ πκζ4. 948 ᵃ27. — ὁ φόβος διψητικὸν πκζ3. 947 ᵇ39.

δίψος πκβ2. 930 ᵃ19.

δίωβολία τὸ πρῶτον ἱκανὸν ἦν Πβ7. 1267 ᵇ2.

δίωθεῖσθαι ἐπικυρίαν Ηθ16. 1163 ᵇ25. cf ι11. 1171 ᵇ26. δίωθεῖσθαι τὲς φυλάττοντας f 73. 1488 ᵃ14.

δίωκειν, de motu corporum, τὸ διῶκον, opp τὸ φεῦγον Φζ9. 239 ᵇ16. — ναῦς ὑρὶῳ διωκομένῃ πνεύματι f 13. 1476 ᵃ23. — ὁ διώκων τὸν φόνον Πβ8. 1269 ᵃ2. — δίώκειν, syn ἐφίεσθαι, αἱρεῖσθαι, ἀγαπᾶν, opp φεύγειν Ηα1. 1094 ᵃ16 (coll ᵃ2). 4. 1096 ᵇ10. η10. 1151 ᵇ1. κεβ4. 1221 ᵇ33. τὰ αὐτὰ ὁ λόγος φησὶν κỳ ἡ δὲ ὄρεξις διώκει Ηζ2. 1139 ᵃ26. cf ψγ7. 431 ᵃ9. ταῦτα εὔχονται κỳ διώκυσι Ηε2. 1129 ᵇ4. δίώκειν τὸ ἡδύ, τὴν ἡδονήν, τὸ ὠφέλιμον, τἀληθές, τὴν ἰσότητα, τὰς ἀρχάς ψγ7. 431 ᵃ9. Ηι14. 1153 ᵇ25. δ3. 1156 ᵃ25, 27. Γα3. 318 ᵇ26. Πιγ13. 1284 ᵃ19. 6. 1279 ᵃ16. πλ7. 956 ᵃ27. διώκειν ἀνέδην ἡδονάς Ηη9. 1151 ᵃ23. ἰχθύες τὴν ἀλέαν διώκοντες Ζιθ12. 597 ᵃ16. τὰ πετόμενα διώκειν Μγ5. 1009 ᵇ28. κατὰ πάθος ζῆν κỳ διώκειν ἕκαστα Ηα1. 1095 ᵃ8. — δίωκτόν, syn αἱρετόν, opp φευκτόν Αβ22. 68 ᵃ28. τε4. 133 ᵃ26. Ηα5. 1097 ᵃ31. ψγ7. 431 ᵇ3. 9. 432 ᵇ28. Ζκ8. 701 ᵇ34.

Δίων Πε10. 1812 ᵃ4, 34, ᵇ16. οα6. 1344 ᵇ35. ρ9. 1429 ᵇ5. Κάλλιππος ἐποίει τὰ περὶ Δίωνα Pα12. 1373 ᵃ20.

δίωξις Ἕκτορος πο24. 1460 ᵃ15. 25. 1460 ᵇ26. — ὅπερ ἐν διανοίᾳ κατάφασις κỳ ἀπόφασις, τῦτ' ἐν ὀρέξει δίωξις κỳ φυγή Ηζ2. 1139 ᵃ22.

Δίωρυξ. ἐπίγραμμα ἐπὶ Δίωρυ f 596. 1576 ᵇ7.

δίωρυξ. ὑπονόμοις κỳ διώρυξι συνάγειν ια13. 350 ᵃ1.

δίωσις. ἡ μὲν δίωσις ἄπωσις, ἡ δὲ σύνωσις ἕλξις Φη2. 243 ᵇ4. τὸ μὲν ἐμπνεῦσαι δίωσίς τίς ἐστι, τὸ δὲ ἐκπνεῦσαι συναγωγὴ τόπυ πλθ8. 964 ᵃ22. — δίωσις δίκης, ἐκτίσεως, dist ἀναβολὴ χρόνυ Pα12. 1372 ᵃ33, 35.

δνοφόεις ὄμβρος (Emp 124) Γα1. 314 ᵇ22.

δόγμα. κοινὸν δόγμα τῶν περὶ φύσεως, syn δόξα Μχ6. 1062 ᵇ25, 22. cf μ1. 1076 ᵃ14. ξ1. 974 ᵇ12. δόγμα γεωμετρικὸν ΜΑ9. 992 ᵃ21. ἐκ τῶν οἰκείων δογμάτων ὁμιλεῖν πρός τινα, syn δόξα τα2. 101 ᵃ32, 31. μένειν ἐπὶ τοῖς τύτων δόγμασιν Μβ3. 1269 ᵃ8. γνώμη ἐστὶ καὶ δόγμα Pα2. 1395 ᵃ8. τῶν πραγμάτων δόγματος ἰδίᾳ δήλωσις ρ12. 1430 ᵇ1. μὴ χρῆσθαι δόγμασι πονηροῖς κỳ παρανόμοις ρ37. 1443 ᵃ25. — τὰ λεγόμενα ἄγραφα δόγματα Platonis Φδ2. 209 ᵇ15.

δοθιήν. οἱ νεφροὶ πολλάκις φαίνονται λίθων μεστοὶ ⅋ φυμάτων ⅋ δοθιήνων (v l δοθίνων. δοήνων et v l ap Galen XVI, 461 δοθηίνας) Ζμγ4. 667 ᵇ5. (furunculus.)

δοκεῖν. ἐξεῖναι ποιεῖν ὅ τι ἂν δόξῃ (syn ὅ τι ἂν ἐθέλῃ τις ᵇ40) Πζ4. 1318 ᵇ39. ὅ τι ἂν δόξῃ. τὰ δόξαντα τοῖς πλείοσιν, τοῖς γέρῃσιν Πδ8. 1294 ᵃ12, 13. 4. 1291 ᵇ36. β10. 1272 ᵃ11. — quoniam τὸ δοκεῖν ab hominis alicuius opinione pendet, non ex ipsa rei natura, δοκεῖν perinde ac φαίνεσθαι opponitur veritati rei, veluti τὸ δοκὸν ἑκάστῳ ἀγαθόν Ηγ6. 1113 ᵃ21 (syn τὸ φαινόμενον ᵃ20, 24, opp τὸ ὄν). εἰ τὰ δοκοῦντα πάντα ἐστὶν ἀληθῆ ⅋ τὰ φαινόμενα Μγ5. 1009 ᵃ8. κ6. 1062 ᵇ14, 19. οἱ δοκοῦντες ἀστέρες διάττειν μα4. 341 ᵇ34. ὥστε φλόγα δοκεῖν κάεσθαι μα5. 342 ᵇ3. οἱ μὲν εἰσὶ συλλογισμοί, οἱ δ' οὐκ ὄντες δοκοῦσι τι1. 164 ᵃ24 (syn οἱ δὲ φαινόμενα ᵃ26). cf τι1. 165 ᵃ20-22. β10. 15 114 ᵇ28. 4. 111 ᵇ13 al. — differt tamen δοκεῖν et φαίνεσθαι ita ut vel illud sit 'putari', hoc 'videri', φαίνεσθαι μὲν οὖν πάντως, δοκεῖ δ' οὐ πάντως τὸ φαινόμενον εν3. 461 ᵇ5, 462 ᵃ1, 2, 4. τοῖς μὲν γὰρ δοκεῖ. τοῖς δὲ φαίνεται κἂν μὴ δοκῇ· οὐ γὰρ ἐν ταυτῷ τῆς ψυχῆς ἡ φαντασία 20 ⅋ ἡ δόξα ηεγ2. 1235 ᵇ27, vel illud 'putari', hoc 'apparere', evidens esse', ὅταν γε χρόνος δοκῇ γεγονέναι τις, ἅμα ⅋ κίνησίς τις φαίνεται γεγονέναι Φυ11. 219 ᵃ7. — neque ubivis τὸ δοκεῖν τῷ εἶναι oppositum est, δόξειε δ' ἂν τοῦτο (haec opinio concipi, confirmari potest) ⅋ ἐκ τοῦ 25 μὴ ἐνδέχεσθαι Ηκ3. 1174 ᵇ8; sed potius ὃ πᾶσι δοκεῖ, τοῦτ' εἶναι φαμεν Ηκ2. 1173 ᵃ1. inde δοκεῖ, δοκοῦντα usurpatur de iis opinionibus, quae communi hominum consensu comprobantur, τὰ δοκοῦντα (syn τὰ ἔνδοξα, τὰ φαινόμενα) τι33. 182 ᵇ38. Ηγ2. 1145 ᵇ8, coll 1. 1145 ᵇ3, 5. δοκοῦσα θέσις 30 τα14. 105 ᵇ11 (syn ἔνδοξος ᵇ2). ὃ ἀνάγκη εἶναι δι' αὐτὸ ⅋ δοκεῖν Αγ10. 76 ᵇ24. πόρρω λίαν τῶν δοκούντων ⅋ φαινόντων Μυ1. 1088 ᵃ16. ὑπόκειται ἡμῖν ⅋ δοκεῖ ηεβ7. 1223 ᵇ30. ὥσπερ δοκεῖ ⅋ λέγεται ημβ11. 1208 ᵇ9. καῦστα δοκεῖ εἶναι ὅσα μθ9. 387 ᵇ13. πολλὰ τῶν δοκούντων δημοτικῶν 35 λύει τὰς δημοκρατίας Πε9. 1309 ᵇ20. cf ε12. 21 ᵇ12. Ηε1. 1129 ᵃ13. 6. 1131 ᵃ13. πκγ34. 935 ᵃ27 al. — (δοκεῖ corruptum videtur ex ἰδεῖν Pβ6. 1384 ᵇ6. cf Bz Ar St I 93.)

δοκιμάζειν, explorare. οἱ τὸς οἴνος δοκιμάζοντες Ηγ13. 1118 ᵃ28. τὰ νομίσματα πρὸς τὸ αὐτοῖς ἕκαστοι γνωριμώτατον 40 δοκιμάζουσιν Ζια6. 491 ᵃ21. δοκιμάζειν ἔκ τινος φ1. 805 ᵃ25. δοκιμάζεσθαι, δοκιμασθῆναι ὑπὸ τῆς βουλῆς, ἐν δικαστηρίῳ f 375. 1540 ᵇ17. 389. 1542 ᵇ32, 37. 427. 1549 ᵃ2. 430. 1549 ᵃ40. — probare. τὸ ἐν πολλῷ χρόνῳ ὑπ' αὐτῶν δεδοκιμασμένον Ηθ5. 1157 ᵃ22. δέχεσθαι δεῖ κἄν τινα 45 ἄλλην ἁρμονίαν δοκιμάζωσιν οἱ φιλόσοφοι Πθ7. 1342 ᵃ31.

δοκιμασία ἡ κατὰ τὸν χρόνον βεβαιοτάτη Ηθ14. 1162 ᵃ14. οἱ θεσμοθέται εἰσάγουσι δοκιμασίαν ταῖς ἀρχαῖς f 378. 1541 ᵃ5.

δόκιμος. πολίτης δόκιμός τίς ἡ ἀρετή Πγ4. 1277 ᵃ26. ἄνδρες 50 οἱ πρῶτοι ⅋ δοκιμώτατοι κ6. 398 ᵃ19.

δοκίον. ζῷα ἐν θαλάττῃ ὅμοια δοκίῳ Ζιθ7. 532 ᵇ21.

δοκίς. δοκίδες, φάντασμα ἐν οὐρανῷ κ2. 392 ᵇ4. 4. 395 ᵇ12.

δοκός. ὁ τὴν δοκὸν φέρων Ργ12. 1413 ᵇ28.

δοκερός, coni μικρὸς τὴν ψυχήν, ἐπίλοπος φ5. 810 ᵃ8. 55

δόλιος. ἀνδρὸς πίστει χρησάμενος δολίῳ f 624. 1583 ᵃ29.

δολιχαίωνες θεοί (Emp 131) Μβ4. 1000 ᵃ32.

δολιχόλοχα χυπρογενὴς Ηη7. 1149 ᵇ16 (frg lyr adesp 133).

ὀσλοφονηθέντος Διομήδεος θ79. 836 ᵃ16.

ὀσλοφονία Ηε5. 1131 ᵃ7.   60

Δόλων (Hom Κ 316) πο25. 1461 ᵃ12. Δόλων' Εὐμήδεος υἱόν

f 597. 1577 ᵇ23.

δόναξ. καθιζάνειν ἐπὶ τῶν ὀνάκων Ζιθ3. 593 ᵇ10. ι16. 616 ᵇ15 (Donax arundinacea P B).

δόμος. Ἀίδαο δόμος ἦλθον f 625. 1583 ᵇ19.

δόξα. 1. ἀεὶ ἄλλη ἡ ἐπιστήμη ⅋ ἡ αἴσθησις ⅋ ἡ δόξα ⅋ ἡ διάνοια, αὐτῆς δ' ἐν παρέργῳ Μλ9. 1074 ᵇ36. δόξα. coni φαντασία Φδ3. 254 ᵃ29. Μκ6. 1062 ᵇ33. a φαντασία eo distinguitur δόξα, quod πάσῃ δόξῃ ἀκολουθεῖ πίστις. πίστει δὲ τὸ πεπεῖσθαι. πειθοῖ δὲ λόγος ψγ3. 428 ᵃ20, 22, cf ηεγ2. 1235 ᵇ29, a διανοία eo, quod ἡ δόξα οὐ ζήτησις ἀλλὰ φάσις τις ἤδη Ηζ10. 1142 ᵇ13. δεῖ προσέχειν τῶν ἐμπείρων ταῖς ἀναποδείκτοις φάσεσι ⅋ δόξαις Ηζ12. 1143 ᵇ13. δόξα, syn ὑπόληψις, ὑπολαμβάνειν (v h v) Μγ5. 1010 ᵃ10, 1009 ᵃ23, 30. 3. 1005 ᵇ29. Ηζ3. 1139 ᵇ17. itaque et placita philosophorum et vulgatae hominum de aliqua re opiniones δόξαι perinde atque ὑπολήψεις dicuntur, ἡ τῶν φυσιολόγων δόξα, syn ὑπόληψις Μκ6. 1062 ᵇ25. ἡ κοινὴ δόξα τῶν φυσικῶν Φκ4. 187 ᵃ28. ἡ ἰατρῶν δόξα Μγ5. 1010 ᵇ12. αἱ Ἡρακλείτειοι δόξαι Μλ6. 987 ᵃ33. cf μα6. 343 ᵇ25. ἡ περὶ τῶν ἰδεῶν δόξα, αἱ περὶ τῶν ἰδεῶν δόξαι Μλ9. 990 ᵇ22, 28. μ4. 1078 ᵇ13, 1079 ᵃ18, 25. ἡ κατὰ τὴν ἰδέαν δόξα Μμ4. 1078 ᵇ10. αἱ περὶ τῆς ἀνακλάσεως δόξαι μϑ9. 370 ᵃ17. δόξα παλαιά, ἀρχαία, τῶν πρότερον, πάτριος Φκ6. 189 ᵇ12. Μλ3. 984 ᵃ2. λ8. 1074 ᵇ13. ψα2. 403 ᵇ22. 4. 407 ᵇ27. παιδικὴ δόξα μα3. 339 ᵇ34. ποιεῖν ἰδίας τινὰς δόξας Μνβ3. 1090 ᵇ29. ἡ δόξα τοῦ λέγοντος. πίστις ἐπίθετος p15. 1431 ᵇ9-19. αἱ κοιναὶ περί τινος δόξαι Φδ6. 213 ᵃ22. ταῖς δόξαις (i e ταῖς κοιναῖς δόξαις) ἐναντίαι Ηα11. 1101 ᵃ24. οὐκ ὀλιγάκις τὰς αὐτὰς ἀνακυκλεῖν δόξας μαᵃ3. 339 ᵇ27 Ideler. Οα3. 270 ᵇ20. αὕτη ἡ δόξα sim Μγ5. 1010 ᵃ1, 1009 ᵇ36. μ8. 1083 ᵇ4. ν2. 1088 ᵇ33. Οβ1. 283 ᵇ30. Ζγα17. 721 ᵇ28. ἔστιν ἀπὸ τῆς αὐτῆς δόξης ὁ Πρωταγόρου λόγος, syn ἀπὸ τῆς αὐτῆς διανοίας Μγ5. 1009 ᵃ6, 16. ποῖαι δόξαι ⅋ προτάσεις χρήσιμοι πρὸς τὰς πίστεις Ρβ1. 1377 ᵇ18. cf 18. 1391 ᵇ24. κατὰ δόξαν τὴν ἑαυτοῦ κρίνειν τι25. 180 ᵃ24, 33. κύριοι τῆς τοῦ δήμου δόξης (i e τοῦ δεδογμένου τῷ δήμῳ) Πδ4. 1292 ᵃ27. — ἡ καθόλου δόξα κινεῖ τὸ ζῷον, ἀλλ' ἡ καθ' ἕκαστον ψγ11. 434 ᵃ16-21 Trdlbg. δόξα, dist προαίρεσις Ηγ4. 1111 ᵇ30-1112 ᵃ13. dist σύνεσις, εὐβουλία Ηζ11. 1143 ᵃ2. 10. 1142 ᵇ7. δόξα βουλευτική ηεβ10. 1226 ᵇ9. ἡ δόξα περὶ τὸ ἀληθὲς μὲν ἢ ψεῦδος, ἐνδεχόμενον δὲ ⅋ ἄλλως ἔχειν Αγ33. 89 ᵃ2. Μζ15. 1039 ᵇ34. θ10. 1051 ᵇ14. Μζ5. 1140 ᵇ27. περὶ τοῦ βεβαίου, ἐπιδέχεται τὸ ψεῦδος Αγ33. 89 ᵃ5. δ19. 100 ᵇ7. ψγ3. 428 ᵃ19. Ηζ3. 1139 ᵇ17. Μκ6. 1062 ᵇ33. ἡ δόξα δεκτικὸν τῶν ἐναντίων Κ5. 4 ᵃ23. δόξα, dist ἐπιστήμη Αγ33. Μζ15. 1039 ᵃ32. θ10. 1051 ᵇ14. coll μετ' ἀληθείας, syn διαλεκτικῶς Αα30. 46 ᵃ10. β16. 65 ᵃ37. γ19. 81 ᵇ18-22. τθ13. 162 ᵇ32. Γα3. 318 ᵇ27. Ηθ15. 1128 ᵇ24 (cf κατὰ συμβεβηκός Αα27. 43 ᵃ39 Wz, 34). τῇ δόξῃ, opp τῇ ἀληθείᾳ ηεγ2. 1230 ᵇ24. δόξα ἀληθής, dist φρόνησις Πγ4. 1277 ᵃ28. cf coni δόξα ⅋ φρόνησις μυ1. 450 ᵃ16. sed latiore sensu ἡ δόξα δοκεῖ περὶ πάντα εἶναι, ⅋ οὐδὲν ἧττον περὶ τὰ ἀίδια Ηζ4. 1111 ᵇ31, ac sine nota τοῦ ἐνδεχομένου ψεῦδος axiomata dicuntur κοιναὶ δόξαι Μβ2. 996 ᵇ28 Bz, 997 ᵃ21, 22. γ3. 1005 ᵇ33. ἐσχάτη, βεβαιοτάτη δόξα Μγ6. 1010 ᵇ18. — δόξα 16. — de δόξῃ quid statuerint Pythagorei Μλ8. 990 ᵃ20, Plato ψα2. 404 ᵇ23. — δόξα ἀληθής, ψευδής ε14. 23 ᵃ38. δόξαι φανεραί, ἀφανεῖς, ἀποκεκρυμμέναι τι12. 172 ᵇ36sqq. δόξα πιθανωτάτη p13. 1430 ᵇ37. σφοδρά ημβ6. 1201 ᵇ5. ἐναντία Ογ1. 298 ᵇ25, dist

τῷ ἐναντίῳ ε14. 23 ᵃ33, 36, ᵇ3 sqq. ἐλήλυθεν ἡ δόξα Μγ5.
1009 ᵃ23 (cf ὑπολαμβάνειν ᵃ30). λαβεῖν, παρειληφέναι δόξαν
Φα8. 191 ᵃ34. Μα1. 993 ᵇ18. κοινώσασθαι ταῖς δόξαις τι-
νῶν Μα1. 993 ᵇ12. εἰπεῖν δόξαν τινά Ρβ26. 1403 ᵃ32.
ποιεῖν ἰδίας τινὰς δόξας Μν3. 1090 ᵇ29. παρέχειν, ποιεῖν, 5
ἐργάζεσθαι δόξαν Φθ6. 259 ᵇ3. Ζγγ6. 757 ᵃ2. ρ13. 1430
ᵇ37. ἐμποιεῖν δόξαν Αγ24. 85 ᵃ32, ᵇ2. Πε11. 1314 ᵇ22.
πάντα ἀνάγειν πρός τινα δόξας Ογ7. 306 ᵃ8. πολλὰ ἀδύ-
νατα συναγαγεῖν πρός τινα δόξαν ΜΑ9. 991 ᵃ19. ἔχεσθαί
τινος δόξης (i e πιθανότητος Alex ad h l) Μν1. 1087 ᵇ31. — 10
2. fama. αἰσχύνεσθαι τὰ πρὸς δόξαν, opp τὰ πρὸς ἀλήθειαν
Ρβ4. 1381 ᵇ21. πρὸς δόξαν, opp ἀληθὲς δ' ἀληθείαν f 82.
1490 ᵃ13. ὅρος τοῦ πρὸς δόξαν ὃ λανθάνειν μέλλων οὐκ ἂν
ἕλοιτο Ρα7. 1365 ᵇ1. τὸ διὰ δόξαν (πρὸς δόξαν) αἱρετόν
τγ3. 118 ᵇ20, 21. δόξα τῇ ἀληθείᾳ Ρβ6. 1384 ᵇ23. δόξα 15
εὐεργετική Ρα5. 1361 ᵃ28. δόξης ἀκηράτῳ τυγχάνειν ρ1.
1421 ᵃ37. λαβεῖν δόξαν Ζιι6. 612 ᵇ9. δόξαν ἐπὶ ποιητικῇ
κεκτημένος f 66. 1487 ᵃ13.

δοξάζειν, syn ὑπολαμβάνειν Αβ21. 67 ᵇ22, 20, Wz ad 66
ᵇ19. φτα1. 815 ᵃ21, ᵇ15. περὶ θεῶν ἃ δεῖ δοξάζειν f 614. 20
1581 ᵇ21. dist ἐπίστασθαι Μγ4. 1008 ᵇ28. πῶς ἔστι τὸ
αὐτὸ δοξάσαι κ̣ ἐπίστασθαι Αγ33. 89 ᵃ11-ᵇ6. ψευδῶς δοξά-
ζειν Κ5. 4 ᵃ27. δοξάζειν οὐκ ἐφ' ἡμῖν ψγ3. 427 ᵇ20 (dist
φαντασία). δοξάζειν τἀγαθά, dist προαιρεῖσθαι τἀγαθά
Ηγ4. 1112 ᵃ3. — ἡ δόξα ἡ δοξάζουσα ὅτι ε14. 24 ᵃ5. δοξά- 25
ζειν ταῦτα Μγ5. 1009 ᵃ11, 13. δοξάζειν οὕτως, ἐξ ἐναντίας
Γα8. 325 ᵃ19. Πη2. 1324 ᵃ39. — pass τὸ δοξαζόμενον
Μγ6. 1011 ᵇ10. — δοξαστόν, syn ὑπόληπτόν Αα39. 49
ᵇ6. dist ἐπιστητόν Αγ33. 88 ᵃ30 sqq. τὸ μὴ ὂν δοξαστόν
Αα38. 49 ᵃ24. τὸ ἴ. 121 ᵃ22. τὸ μὴ ὂν δοξαστὸν ὅτι οὐκ 30
ἔστιν (ad refutandum Platonem) ε11. 21 ᵃ32. τι5. 167 ᵃ1.
δοξαστὸν κ̣ ἐλπιστόν μν1. 449 ᵇ11.

Δόξανδρος ἦρξε τῆς ἐν Μιτυλήνῃ στάσεως Πε4. 1304 ᵃ9.

δοξαστικός. αἰσθητικῷ εἶναι κ̣ δοξαστικῷ ἕτερον ψβ2. 413
ᵇ30. δοξαστικὸν μέρος τῆς ψυχῆς Ηζ5. 1140 ᵇ26, opp 35
ἠθικόν Ηζ13. 1144 ᵇ14. — δοξαστικῶς, opp κατ' ἀλή-
θειαν Αα27. 43 ᵇ8.

δοξόσοφος. φθονεροὶ οἱ δ. Ρβ10. 1387 ᵇ32.

δορὰ ἵππων f 275. 1527 ᵇ21.

δορκάς. τὰ τῶν ἱππελάφων κέρατα παραπλήσια τοῖς τῆς δορ- 40
κάδος Ζιβ1. 499 ᵃ9. ἐλάχιστον τῶν γνωριζομένων Ζμγ2.
663 ᵇ27. προστέθεισαν ᾗ φύσις ταῖς δορκάσι τάχος Ζμγ2.
663 ᵃ11. (Cervus capreolus Su 68, 50. Antilope dorcas
Wiegmann obs zool 26; K 455; KaZi 57, Zm 74 et 77;
F 288, 8; AZi I 67, 13. Capra Gazae, quo nomine vett 45
antilopam designare solebant.)

δόρυ εἰς τὸ υ τελευτᾷ πο21. 1458 ᵃ16. οἴεταί τις τὸ λελογ-
χωμένον δόρυ ἐσφαιρῶσθαι Ηγ2. 1111 ᵃ13. δόρατα ἐκ δέρ-
ματος τοῦ ἵππῳ τοῦ ποταμίῳ Ζιβ7. 502 ᵃ14.

Δορύλαιον Φρυγίας f 238. 1521 ᵇ37. 50

δορυφόροι x6. 398 ᵃ20. Περίανδρος πρῶτος δορυφόρους ἔσχε
f 473. 1556 ᵃ10.

δόσις, dist δωρεά τδ4. 125 ᵃ16 sqq. χρημάτων δόσις κ̣ λῆψις
Ηβ7. 1107 ᵇ8. δ'1. 1119 ᵇ25. 2. 1120 ᵇ38. 3. 1121 ᵃ11.
10. 1125 ᵇ26. δόσις παρακαταθήκης, δανείᾳ πκβ2. 950 ᵃ37. 55
λέγω ἀπαλλοτρίωσιν δόσιν κ̣ πρᾶσιν Ρα5. 1361 ᵃ22. κλη-
ρονομίαι κατὰ δόσιν, κατὰ γένος Πε8. 1309 ᵇ24. — κατὰ
θεὸν γενομένης τῆς δόσεως (τῆς φιάλης) f 508. 1561 ᵇ3.

δόσκον (Hom ρ 420. τ 76) Ηδ4. 1122 ᵃ27.

δοτικός, opp φιλοχρήματος Ηδ3. 1121 ᵇ16. δοτικὸς κ̣ ἐλεύ- 60
θερος φ5. 809 ᵇ34.

δουλαπατία Ηε6. 1131 ᵃ7.

δουλεία πότερον πᾶσα παρὰ φύσιν ἐστίν Πα5. 6. ἡ κατὰ πό-
λεμον δουλεία Πα6. 1255 ᵃ23. φεύγειν δουλείας πκθ13. 951
ᵇ2. — plur collective αἱ δουλεῖαι κ̣ εἱλωτεῖαι πλήρεις φρο-
νημάτων Πβ5. 1264 ᵃ36. — metaph δουλεία (sc ἐστίν) εἰ
μὴ ἀντιποιήσει Ηε8. 1133 ᵃ1.

δουλεύειν, opp δεσπόζειν. Πα6. 1255 ᵇ7. διχῶς λέγεται τὸ
δουλεύειν κ̣ ὁ δοῦλος Πα6. 1255 ᵃ4. πότερον βέλτιον κ̣ δί-
καιόν τινι δουλεύειν Πα5. 1254 ᵃ18, ᵇ36, 1255 ᵃ2. τὸν ἀνάξιον
δουλεύειν οὐδαμῶς ἂν φαίη τις δοῦλον εἶναι Πα6. 1255 ᵃ25.
Σόλων ἔπαυσε δουλεύοντα τὸν δῆμον Πβ12. 1273 ᵇ37. —
metaph ὄργανον ἕκαστον ἑνὶ ἔργῳ δουλεύει Πα2. 1252 ᵇ5.
δουλεύειν τοῖς νόμοις, τῷ κέρδει, τῇ ἀσθενείᾳ Πε12. 1315
ᵇ16. Ρβ13. 1390 ᵃ16. ατ969 ᵇ4. δουλεύειν τοῖς ἐπιοῦσιν Πδ4.
1291 ᵃ8. — (δουλεύοντος Bkᵃ, δοῦλα ὄντος Bk¹ Πζ2. 1317
ᵇ13.)

δούλη. κοινωνία δούλης κ̣ δούλου Πα2. 1252 ᵇ7. οἱ ἐκ δούλης
Πγ5. 1278 ᵃ33.

δουλικός. δουλικὸν τὸ πρὸς ἄλλον ζῆν Ηδ8. 1125 ᵃ1. θητικὸν
κ̣ δουλικὸν πράττειν Πβ2. 1337 ᵇ21. δουλικώταται τῶν ἐργα-
σιῶν, coni βαναυσόταται, ἀγεννέσταται Πα11. 1258 ᵇ38.
δουλικαὶ ἐπιστῆμαι Πα7. 1255 ᵇ23, 30. ἄρχεσθαι δουλικὴν
ἀρχὴν Π11. 1295 ᵇ20. ' τίνες δουλικώτεροι τὰ ἤθη φύσει
Πγ14. 1285 ᵃ20.

Δουλίχιον. f 596. 1576 ᵃ29.

δουλοπρεπὴς βίος αρ7. 1251 ᵇ13. δουλοπρεπές φ6. 813 ᵃ1.

δοῦλος, opp δεσπότης Κ7. 6 ᵇ29, 7 ᵃ34. Πγ4. 1277 ᵇ7. δε-
σπότης πρὸς δοῦλον πῶς ἔχει κεν9. 1241 ᵇ19 sqq. ὁ δεσπότης
τοῦ δούλου δεσπότης, ὁ δὲ δοῦλος οὐ μόνον δεσπότου δοῦλος,
ἀλλὰ κ̣ ὅλως ἐκείνου Πα4. 1254 ᵃ11. — κτῆσις ἐκ δεσπότου
κ̣ δούλου Πγ4. 1277 ᵃ8. ὁ δοῦλος κτήσεως μέρος τι, κτῆμα
ἔμψυχον, μέρος τι τοῦ δεσπότου, ὄργανον ἔμψυχον ἀφαιρε-
τόν, ὑπηρέτης τῶν πρὸς τὴν πρᾶξιν Πα8. 1256 ᵃ2. 3. 1253
ᵇ6. 4. 1253 ᵇ32, 1254 ᵃ8. 6. 1255 ᵇ11. Ηθ13. 1161 ᵇ4.
κεη9. 1241 ᵇ23. δοῦλοι, coni ἥμερα ζῷα Πα5. 1254 ᵇ26.
cf 2. 1252 ᵇ12. δεσπότῃ κ̣ δούλῳ ταὐτὸ συμφέρει Πα2.
1252 ᵃ34. γε6. 1278 ᵇ33. cf α6. 1255 ᵇ13. — πότερόν τις
φύσει δοῦλος Πα5. 6. def ὁ μὴ αὑτοῦ φύσει ἀλλ' ἄλλου,
ἄνθρωπος δέ, οὗτος φύσει δοῦλός ἐστι Πα4. 1254 ᵃ11, cf ᵇ21.
2. 1252 ᵃ33. ζ2. 1317 ᵇ13. opp ἐλεύθερος Πα3. 1253 ᵇ4,
21. 5. 1254 ᵃ28, 1255 ᵃ1. 6. 1255 ᵇ5. δοῦλοι κ̣ ἐκ δούλων,
opp εὐγενέστατοι Πα6. 1255 ᵃ27. ἡ σχολὴ δούλοις (cf πα-
ροιμία) Πη15. 1334 ᵃ21. δοῦλον κ̣ βάρβαρον ταὐτὸ φύσει
Πα2. 1252 ᵇ9. 6. 1255 ᵃ29. ἐν τοῖς βαρβάροις θῆλυ κ̣ δοῦλον
τὴν αὐτὴν ἔχει τάξιν Πα2. 1252 ᵇ5, 1. γυνή ἐστι χρηστὴ
κ̣ δοῦλος πο15. 1454 ᵃ21. δοῦλος νόμῳ, κατὰ νόμον Πα3.
1253 ᵇ21. 6. 1255 ᵃ5, 27. — πῶς χρηστέον δούλοις. ἐπι-
στήμη χρηστικὴ δούλων οα5. Πα5. 1254 ᵇ24. 7. 1255 ᵇ31.
δοῦλα εἴδη πλείω, δοῦλοι χερνῆτες Πγ4. 1277 ᵃ37, 38. οα5.
1344 ᵃ25. dist βάναυσοι, θῆτες Πγ5. 1278 ᵃ12, 6. — πό-
τερόν ἐστιν ἀρετή τις δούλου παρὰ τὰς διακονικὰς Πα13.
1259 ᵇ21, 1260 ᵃ12, 33, 35, ᵇ3. Κρῆτες τοῖς δούλοις ἐπει-
ρήκασι τὰ γυμνάσια κ̣ τὴν τῶν ὅπλων κτῆσιν Πβ5. 1264
ᵃ21. ἐὰν δοῦλος κακῶς ἀγορεύῃ τὸν ἐλεύθερον, εἰσάγουσιν οἱ
θεσμοθέται f 378. 1541 ᵃ7. οἱ Σάμιοι ἐπέγραψαν τοῖς δούλοις
ἐκ πέντε στατήρων τὴν ἰσοπολιτείαν f 537. 1567 ᵃ28. δοῦ-
λος κοινωνὸς ζωῆς Πα13. 1260 ᵃ40. πῇ φιλία ἐστὶ πρὸς
δοῦλον Ηθ13. 1161 ᵃ34. δοῦλος πρὸ δούλου, δεσπότης πρὸ δε-
σπότου (cf παροιμία) Πα7. 1255 ᵇ29. — δούλων οὐκ ἔστι
πόλις Πγ9. 1280 ᵃ32. cf δ11. 1295 ᵇ21. δοῦλοι, ξένοι, μέ-
τοικοι, opp πολῖται Πγ1. 1275 ᵃ8. 2. 1275 ᵇ37. — δοῦλος

metaph, δῦλος χρημάτων, τύχης (Eur Hec 865) Ρβ21. 1394
ᵇ6. δῦλοι τῶν ἐπιόντων Πη15. 1334 ᵃ22. — δῦλος, η, ον
adject τὸ φύσει δῦλον, opp τὸ ἐλεύθερον Πα6. 1255 ᵃ30,
40, 10. η3. 1325 ᵃ30. δῦλον χ̣ ἀρχόμενον τὸ βιασθὲν Πα6.
1255 ᵃ10. ἦν δῦλον τὸ βάναυσον ἢ ξενικόν Πγ5. 1278 ᵃ7. 5
πόλιν ὐκ ἄξιον καλεῖν τὴν φύσει δῦλην Πδ4. 1291 ᵃ9. πολ-
λαχῇ ἡ φύσις δῦλη τῶν ἀνθρώπων ΜΑ2. 982 ᵇ29. ἐπιστή-
μαι δῦλαι, opp ἀρχικωτάτη Μβ2. 996 ᵇ11.
δἀλῦσθαι, pass ὁ ἡττηθεὶς ἐλέφας δῦλῦται ἰσχυρῶς Ζι1.
610 ᵃ16. — med κολάζϝσι χ̣ δῦλῦνται τὺς ἐλέφαντας Ζιζ 10
18. 572 ᵃ4.
δῦρειος ἵππος θ108. 840 ᵃ30.
Δρακοντίδης, εἷς τῶν τριάκοντα f 373. 1540 ᵃ30.
δράκων. 1. piscis. refertur inter τὰ πρόσγεια Ζιθ13. 598
ᵃ11. (hodiernis δράκαινα, τράχινα, Sonnini I 274, E 87. 15
Trachinus draco L. K 884, 11.) — 2. δράκων ὁ ὄφις (cf
Lob Path II 364). οἱ γλάνεις ὑπὸ δράκοντος τῦ ὄφεως ἀπόλ-
λυνται πολλοί Ζιθ20. 602 ᵇ25. (K 906, 6: eine Wasser-
schlange. cf E 77, ΑΖι I 115, 4.) — 3. ἔστιν ἀετός χ̣
δράκων πολέμια· τροφὴν γὰρ ποιεῖται τὺς ὄφεις ὁ ἀετός 20
Ζι1. 609 ᵃ4. ὁ δράκων ὅταν ὀπωρίζῃ, τὸν ὀπὸν τῆς πικρίδος
ἐκροφεῖ, χ̣ τῦθ' ἑώραται ποιῶν Ζι6. 612 ᵃ30. (pro omni
serpente dici observat Scaliger. S II 4. K 943, 1; 959, 4.
Su 184, 16. M 309. Lewysohn Zool des Talmud 240.)
Δράκοντα τὸν νομοθέτην, ὅτι ὐκ ἀνθρώπυ οἱ νόμοι ἀλλὰ 25
δράκοντος Ρβ23. 1400 ᵇ22.
Δράκων πολιτεία ὑπαρχύσῃ νόμυς ἔθηκε Πβ12. 1274 ᵇ15.
ὐκ ἀνθρώπυ οἱ νόμοι ἀλλὰ δράκοντος Ρβ23. 1400 ᵇ21.
δράμα. 1. ὅταν ὦσιν ὀλίγα δράματα (i e πράγματα, πράξεις)
ρ32. 1438 ᵇ15. — 2. τὸ δράμα πόθεν καλεῖσθαί φασιν πο3. 30
1448 ᵃ28. ἐν τοῖς δράμασι τὰ ἐπεισόδια σύντομα πο17.
1455 ᵇ15. μὴ ἐν τῷ δράματι, syn ἔξω τῦ μυθεύματος
πο24. 1460 ᵃ31. τῶν δραμάτων οἱ πρόλογοι Ργ14. 1415 ᵃ9.
δραματικαὶ μιμήσεις πο4. 1448 ᵇ35. τὺς μύθυς συνιστάναι
δραματικὺς χ̣ (explicative) περὶ μίαν πρᾶξιν ὅλην χ̣ τελείαν 35
πο23. 1459 ᵃ19. Vahlen Poet III 326.
δραματοποιήσας τὸ γελοῖον πο4. 1448 ᵇ37.
δρᾶν. ἡ τραγῳδία μίμησις πράξεως σπυδαίας, δρώντων χ̣ ὐ
δι' ἀπαγγελίας πο6. 1449 ᵇ26. τὸ δράμα κέκληται, ὅτι
πράττοντας μιμεῖται χ̣ δρῶντας πο3. 1448 ᵃ28, 29. τὸ 40
ποιεῖν οἱ Πελοποννήσιοι δρᾶν, οἱ Ἀθηναῖοι πράττειν προσαγο-
ρεύϝσιν πο3. 1448 ᵇ1. — δρᾶν praecipue universali quodam
sensu usurpatur ut vel addito pron neutr τῦτο, αὐτό no-
tionem actionis antea significatae renovet, vel addito ad-
verbio actionis qualitatem significet. εἰ χ̣ δυνατός τις εἴη 45
τῦτο δρᾶν, ὐ ποιητέον Πβ2. 1261 ᵃ22. αἱ παρεκβεβηκυῖαι
πρὸς τὸ ἴδιον ἀποσκοπῦσαι τὸ σφέτερον Πγ13. 1284 ᵇ5, 15.
τῦτο, αὐτὸ τῦτο, αὐτό, ἕτερον δρᾶν μβ3. 359 ᵃ16. Ζιζ6.
563 ᵇ10. 9. 564 ᵇ4. 19. 573 ᵇ27. ι40. 624 ᵃ25. Ζγγ2. 753
ᵃ20. Ηδ8. 1124 ᵇ3. ε10. 1135 ᵇ31. η9. 1151 ᵃ9. κ5.1175 50
ᵇ13. Πε5. 1305 ᵃ22. ὀρθῶς, δι' αὐτό, διὰ τῦτο τῦτο
δρᾶ, τὰ δίκαια δρῶν sim Ηε15. 1138 ᵃ10. κ5. 1175 ᵇ10.
10. 1180 ᵃ23. θ15. 1163 ᵃ5. ι5. 1167 ᵃ15. εὖ δρᾶν ἀλλή-
λυς, ὁ χαρίεις ἀμύνεται εὖ δρῶν Ηθ15. 1162 ᵇ7, 11. ὣς εὖ
ποιήσυσιν· βύλονται γὰρ εὖ δρᾶν Η111. 1171 ᵃ24. ὐθὲν δὲ 55
ποιήσας ἄξιον τῶν ὑπηργμένων δέδρακεν (ὁ υἱὸς) Ηθ16.
1163 ᵇ21. ὁ δράσας, opp ὁ παθών Ηθ15. 1163 ᵃ11. ι7.
1167 ᵇ18, 1168 ᵃ11. (δρᾶν, πάχειν de rebus venereis πδ26.
879 ᵇ32.) ἡ τῦ δράσαντος προαίρεσις Ηθ15. 1163 ᵃ22.
δραπέτης. δραπέται, coni μοιχοί, ἀνδραποδισταί f 504. 1560 60
ᵇ34. δραπέτης χ̣ δυσάλωτος ὁ τροχίλος Ζι11. 615 ᵃ18.

δραχμιαῖα συναλλάγματα Πδ16. 1300 ᵇ33.
Δρεπάνη. ἀντὶ Δρεπάνης Σχερίαν ὀνομασθῆναι τὴν Κερκύραν
f 469. 1555 ᵃ42.
δρεπανίς Ζια1. 487 ᵇ27 (Cypselus melba Illig cf Su 131, 94.
ΚαΖι12, 41. G 24-27. Lnd 37. Hirundo apus St. Hirundo
riparia K 410, ΑΖι I, 111, 116, Lnd 117.)
δρέπανον Ζι1. 610 ᵃ28. τγ3. 118 ᵇ14.
δρέπεσθαι. δρεπόμενοι ῥάβδον λευκόφυλλον θ158. 846 ᵃ29.
δριμὺς χυμός ψβ10. 422 ᵇ13 (Trdlbg p 404). αι4.442ᵃ19.
ἐδέσματα δριμέα Ζγα20. 728 ᵃ8. τὰ δριμέα ὐκ ἔστι τρό-
φιμα πκβ3. 930 ᵃ30, 25. δριμύν, opp λεῖον πγ5. 871 ᵇ15.
— ὀσμαὶ δριμεῖαι ψβ 9. 421 ᵃ30. αι5. 443 ᵇ9. ὀσμὴ δρι-
μυτέρα χ̣ βαρυτέρα Ζικ1. 634 ᵇ21. δριμύτερον τε πιβ7.
907 ᵃ13. 11. 907 ᵃ35. — δριμὺ μένος (Hom ω 319) Ηγ11.
1118 ᵇ28. λόγος δριμύς, δριμύτερος, δριμύτατος τι33. 182
ᵇ32-183 ᵃ13. δριμεῖς ἐν τῷ ἀποκρίνεσθαι τθ1. 156 ᵇ37.
δρομαία τῆς ψυχῆς ὁρμή (ex Alcidam) Ργ3. 1406 ᵃ23.
δρομάδες. ἐν γένος τῶν πλωτῶν, χ̣ καλῦσι δρομάδας, θύννοι,
πηλαμύδες, ἁμίαι Ζια1. 488 ᵃ6. χρύσοφρυς χ̣ λάβραξ χ̣
μόρμυρος χ̣ ὅλως οἱ καλύμενοι δρομάδες Ζιζ17. 570 ᵇ21.
δρόμημα λέοντος συνεχῶς κατατεταμένον Ζιι44. 629 ᵇ19.
δρομικός K8. 9 ᵃ19, 10 ᵃ34. Ηα12. 1101 ᵇ16. def Ρα5.
1361 ᵇ24.
δρόμος, coni πάλη Ηβ5. 1106 ᵇ5. Οβ12. 292 ᵃ26. coni
περίπατος πε9. 881 ᵇ9. σῶμα χρήσιμον πρὸς δρόμον χ̣ πρὸς
βίαν Ρα5. 1361 ᵇ9. ἐν τῷ δευτέρῳ δρόμῳ χ̣ τρίτῳ Ζιζ29.
579 ᵃ8. — θεασάμενοι ἡλίω τὰς ἀπὸ ἀνατολῆς μέχρι δύ-
σεως δρόμυς σταδιεύοντα f 13. 1476 ᵃ28.
δροσίζειν. intr δροσίζει ἀφιέμενον τὸ ὑγρόν πκε21. 939 ᵇ38.
— trans ὁ ἀὴρ δροσίζει τὸν τόπον φτβ3. 824 ᵇ9.
δροσοπάχνη, ἡμιπαγὴς δρόσος χ4. 394 ᵃ26. cf Epicuri phys
et meteor ed Schneid p 124.
δρόσος, def χ4. 394 ᵃ23, 26. περὶ δρόσυ μα10. 11. 347
ᵇ17. γ7. 378 ᵃ31. δρόσος χ̣ πάχνη πκε5. 938 ᵃ34. 21. 939
ᵇ36, 940 ᵃ1. δρόσος ἡ ἐπὶ τοῖς φύλλοις πίπτυσα Ζιε19.
551 ᵃ1. τέττιξ δρόσῳ τρέφεται μόνον Ζιδ7. 532 ᵇ13. ε30.
556 ᵇ16.
δρυΐδαι. παρὰ Κελτοῖς χ̣ Γαλάταις τὺς καλυμένυς δρυΐδας
χ̣ σεμνοθέυς γεγενῆσθαι f 30. 1479 ᵃ32.
Δρυμὸν ἐν Ἀττικὸν χ̣ ἕτερον Βοιώτιον f 569. 1571 ᵇ33.
δρυμός. βαθυξύλοις δρυμοῖς χ3. 392 ᵇ18. δρυμῶν φ87.837
ᵃ24. 105. 839 ᵇ10.
δρυοκολάπτης (cf Lob Phryn 679). descr Ζιι9. 614 ᵃ34-
ᵇ17. θ13. 831 ᵇ5-10. ἐν γένος Picus varius K 968, 8. Picus
minor Su 127, 86. ἕτερον γένος Picus viridis K, Picus maior
Su (cf Ζιθ3. 593 ᵃ5). τρίτον γένος Picus martius K Su. τι-
θασσευόμενος idem vel Sitta K Su. cf Lnd 42 sq, ΑΖι I
90, 28.
δρυοκόπος. τοῖς δρυοκόποις ἰσχυρόν χ̣ σκληρόν ἐστι τὸ ῥύγ-
χος Ζμγ1. 662 ᵇ7. i q δρυοκολάπτης.
Δρυοπις. Κύθνον νῆσος πρὸς τῇ Δρυοπίδι τῶν Κυκλάδων,
ἐκαλεῖτο χ̣ Δρυοπίς f 479. 1556 ᵇ24, 26.
Δρυῦσσα ἐκλήθη πρότερον ἡ Σάμος f 529. 1566 ᵃ1.
Δρύοψ ὁ Ἀρκὰς κατῴκισεν ἐν Ἀσίνῃ· Ἀσίνη Δρυόπων οἰκη-
τήριον f 441. 1550 ᵇ1, ᵃ47.
δρῦς. ὁ δρυοκολάπτης νέττει τὰς δρῦς Ζιι9. 614 ᵃ35. τίκτειν
ἐν ταῖς δρυσὶν Ζιι41. 627 ᵇ25. δρυῶν εἴδη τινὰ καρπὸν
ποιῦν φτα4. 819 ᵇ31. (Quercus sp cf Fraas Synops 250.)
Δρῦς. Πριηνέων πολλὰς ὑπὸ Μιλησίων ἀναιρεθῆναι περὶ τὴν
καλυμένην Δρῦν· ὀμνύναι τὸ περὶ Δρῦν σκότος f 534. 1566
ᵇ44, 45.

　　　　　　　　　　　　　　　　δύναμις

δυάς. 1. ἐλάχιστος ἀριθμὸς ὁ μὲν ἁπλῶς ἐστίν, ἡ δυάς Φδ 12.
220 ᵃ27. ἢ ταὐτὸν ἴσως ἐστὶ τὸ εἶναι διπλασίῳ κ̉ δυάδι
ΜΑ 5. 987 ᵃ26. — 2. in exponenda Platonica doctrina
dyas idealis nominatur vel ἡ δυὰς ἡ πρώτη, δυὰς πρώτη
Μμ 6. 1080 ᵃ26. 7. 1081 ᵃ21, 23, ᵇ3 sqq et 1082, 1083
saepe, vel ἡ δυὰς αὐτή, αὐτὴ ἡ δυὰς Μμ 6. 1080 ᵃ28. 7.
1081 ᵃ3, ᵇ27, 1082 ᵇ12, 22 al; utrumque nomen eadem vi
coniunctum legitur ἀδύνατον εἶναι πρώτην δυάδα, εἶτ' αὐ-
τὴν τριάδα Μμ 7. 1081 ᵇ30. — infinitam naturam, quae
est materialis causa, Plato dyadem esse ponit, ἀντὶ τῦ
ἀπείρῳ ὡς ἑνὸς δυάδα ποιῆσαι ἴδιον Πλάτωνι ΜΑ 5. 987 ᵇ26,
33. Φα 9. 191 ᵃ11. et numeros quidem Plato progignit ex
dyade magni et parvi, γεννῶνται γὰρ οἱ ἀριθμοὶ ἐκ τῆς τῦ
ἀνίσω δυάδος τῆς μεγάλω κ̉ μικρῦ Μν 1. 1087 ᵇ7 Bz, 10. ἡ
ἀπορία βοηθεῖ τοῖς φάσκωσι τὸ ἄνισον δυάδα εἶναι Μι 5. 1056
ᵃ10. ea dyas ἡ ἀόριστος δυάς· appellatur: ὁ ἀριθμός ἐστιν
ἐκ τῦ ἑνὸς κ̉ τῆς δυάδος τῆς ἀορίστω Μμ 7. 1081 ᵃ15, ᵇ21,
32, 1082 ᵇ30. 9. 1085 ᵇ7. ν2. 1088 ᵇ28, 1089 ᵃ35. 3. 1091
ᵃ5. ἀρχαί εἰσι τό τε ἓν κ̉ ἡ ἀόριστος δυάς· ἀρχὴ κ̉ αὐτῶν
τῶν ἰδεῶν τό τε ἓν κ̉ ἡ ἀόριστος δυάς f 23. 1478 ᵃ21, 24,
30. ἡ ἀόριστος δυὰς τῦ ληφθέντος δυοποιός Μμ 7. 1082 ᵃ13,
15. 8. 1083 ᵇ36. cf Zeller Gesch II 1. 476 ᵇ1. — interdum
δυάς simpliciter usurpatur, et ubi ἀόριστος intelligenda est,
veluti Μμ 7. 1081 ᵇ18, et ubi αὐτὴ ἡ δυάς Μμ 7. 1081
ᵇ20. ν3. 1090 ᵇ22 Bz.

δύειν. δύετο (Emp 259) Γβ 6. 334 ᵃ5. ἄστρα δύεται, opp
ἀνατέλλει Οβ 14. 296 ᵇ6. μα 5. 342 ᵇ10. ἀστὴρ εὐθὺς ἑδύ-
μα 6. 343 ᵇ22. πλοῖα δέδυκε πκγ 3. 931 ᵇ12. ἔνιοι τῶν σχι-
ζοπόδων διὰ τῶν δυομένων (?) τρέφονται Ζιθ 3. 593 ᵃ29 Aub.

Δύμη. περὶ Δύμην κ̉ Ἦλιν κ̉ τὸν Καύκωνα μάλιστα ἱδρυ-
μένοι οἱ Καύκωνες f 451. 1552 ᵃ20.

δύναμις. περὶ δυνάμεως Μθ. δύναμις ποσαχῶς λέγεται Μδ 12.
duas potissimum distinguendas esse διαμένωες notiones ap-
paret ex Μθ 1. 1045 ᵇ35. 6. 1048 ᵃ25 (Bz p 379), quam-
quam ea distinctio non ubivis severe tenetur.

1. ἡ κατὰ κίνησιν λεγομένη δύναμις Μθ 6. 1048 ᵃ25,
potentia. def ἀρχὴ μεταβολῆς (μεταβλητική) ἐν ἄλλῳ ἢ
ᾗ ἄλλο Μθ 1. 1046 ᵃ10. δ 12. 1020 ᵃ5. φύσις μέν ἐστιν ἡ
ἐν αὐτῇ ὑπάρχωσα κινήσεως ἀρχή, δύναμις δ' ἡ ἐν ἄλλῳ
ᾗ ἄλλο Ογ 2. 301 ᵇ18 (cf φύσις 2). ὃ ἐν ἄλλῳ γίγνεται ἢ
ὑπὸ φύσεως ἢ δυνάμεως Μζ 8. 1033 ᵇ8. ἔστι μὲν ὡς μία
δύναμις τῦ ποιεῖν κ̉ πάσχειν, ἔστι δ' ὡς ἄλλη Μθ 1. 1046
ᵃ19. δύναμις ποιητική, παθητική Μθ 15. 1021 ᵃ15. ὅσαι
ἕξεις καθ' ἃς ἀπαθῆ ὅλως ἢ ἀμετάβλητα ἢ μὴ ῥᾳδίως ἐπὶ
τὸ χεῖρον εὐμετακίνητα, δυνάμεις λέγονται Μδ 12. 1019
ᵃ28. (δύναμις, dist ἕξις τὸ 5. 125 ᵇ21.) ποιότητες ὅσαι κατὰ
δύναμιν φυσικὴν ἢ ἀδυναμίαν λέγονται Κ8. 9 ᵃ16. δυνάμει,
διὰ δύναμιν, opp ἀδύναμιν Ζγα 18. 726 ᵃ8,
11. δ 1. 765 ᵇ9, 766 ᵃ32. cf ε 7. 787 ᵃ29. πᾶν σῶμα αἰ-
σθητὸν ἔχει δύναμιν ποιητικὴν ἢ παθητικὴν ἢ ἄμφω Οα 7.
275 ᵇ5. ὁ ἀὴρ τῆς παθητικῆς ὢν δυνάμεως κ̉ παντοδαπῶς
ἀλλοιώμενος κ2. 392 ᵇ9. αἱ ποιητικαὶ δυνάμεις Ζια 4. 489
ᵃ27. ἡ ποιῦσα δύναμις Ζγβ 4. 740 ᵇ35. ἔχειν δύναμιν ὥστε
τὸ μὲν τοδὶ ποιεῖν Ζγβ 6. 743 ᵃ37. πάντα δυνάμει τινί ἐστιν
ἢ τῷ ποιεῖν ἢ τῷ πάσχειν μδ 12. 390 ᵃ18. πάντα τῷ ἔργῳ
ὥρισται κ̉ τῇ δυνάμει Πα2. 1253 ᵃ23. Ζγα 2. 716 ᵃ23. ἅμα
ἡ φύσις τήν τε δύναμιν ἀποδίδωσι ἑκάστῳ κ̉ τὸ ὄργανον
Ζγβ 1. 766 ᵃ5, 765 ᵇ6. itaque δύναμις coni cum ἀρχή vel
pro syn usurpatur, ὕτως ἂν ἔχοι τινὰ δύναμιν ἀρχῆς τὸ ἄνω
Οβ 2. 285 ᵃ24. syn ἀρχή. ἐν αὐτοῖς ἔχοντα δύναμιν κ̉ ἀρ-
χὴν τοιαύτην ψβ 2. 413 ᵃ26. Οβ 2. 285 ᵃ29, coll ᵇ10, 12,

20. τὸ δ' ὕτως αἴτιον ὡς ὅθεν ἡ τῆς κινήσεως ἀρχή, τὴν
τῶν ἀεὶ κινωμένων αἰτιατέον δύναμιν μα 2. 339 ᵃ32. ἡ διὰ
πάντων διήκωσα δύναμις τὸν σύμπαντα κόσμον δημιωργή-
σασα κ5. 396 ᵇ29. ἡ ἐν τῷ σπέρματι (ἐν τῇ γονῇ) ἐνυ-
πάρχωσα δύναμις Ζγα 21. 729 ᵇ5, 730 ᵃ2, 14. 19. 727 ᵇ16.
β3. 736 ᵃ27. 4. 739 ᵃ17. δ3. 767 ᵇ23, 35. 4. 772 ᵃ8. με-
γάλην ἔχει δύναμιν τὸ σπέρμα Ζγα 19. 726 ᵇ11. ἡ ἐν τῷ
ζῴῳ αὐτῷ ὑγρότης κ̉ δύναμις Ζγα 21. 729 ᵇ27. ἐν τοῖς
φυτοῖς μεμιγμέναι αἱ δυνάμεις εἰσὶ τῆ θήλεος κ̉ ἄρρενος
Ζγα 23. 731 ᵃ1. cf 20. 729 ᵃ27. ταύτας τὰς δυνάμεις (τὸ
ἄρρεν κ̉ τὸ θῆλυ) ἀρχὰς εἶναί φαμεν πάντων κ̉ ζῴων κ̉
φυτῶν Ζγδ 1. 763 ᵇ23. — quoniam per id, quod aliqua
res πέφυκε ποιεῖν ἢ πάσχειν, ipsa natura et qualitas rei
significatur, δύναμις affinis est et coni cum notionibus
εἶδος, μορφή, λόγος, φύσις. τῦτο δὲ τὸ εἶδος ἄνευ ὕλης
οἶον ἄλως δύναμίς τις ἐν ὕλη ἐστίν Γα 5. 322 ᵃ28. ἡ αἴσθησις
λόγος τις κ̉ δύναμις ἐκείνη (τῦ αἰσθητῦ) ψβ 12. 424 ᵃ27.
ἀνδρία δὲ πόλεως τὴν αὐτὴν ἔχει δύναμιν κ̉ μορφὴν Πη1.
1323 ᵇ34. τίς ἡ δύναμις ἢ ὁ λόγος τῆς ὐσίας τῦ θήλεος
κ̉ τῦ ἄρρενος Ζγβ 1. 731 ᵇ19. cf 4. 738 ᵇ22. ὃ δὲ λέγομεν
διαφανές, ἐστὶ κοινὴ φύσις κ̉ δύναμις, ἣ χωριστὴ μὲν ὐκ
ἔστιν, ἐν τύτοις δ' ἐστὶν αι3. 439 ᵃ23. τίς ἡ φύσις τῦ δήλυ
κ̉ τίς ἡ δύναμις Πα4. 1254 ᵃ14. ἄμφω (genera διακοισύ-
νης) ἐν τῷ πρὸς ἕτερον ἔχωσι τὴν δύναμιν Ηε 4. 1130 ᵇ2.
ὁποτέρᾳ (γῆς ἢ ὕδατος) πλείον, κατὰ τὴν δύναμιν τύτῃ
ἕκαστον φαίνεται μδ 4. 382 ᵃ5. τὰ κάτω ὡς ὐ τῆ θέσει
διαφέροντα μόνον ἀλλὰ κ̉ τῆ δυνάμει Φδ 1. 208 ᵇ22. (τὰς
ἄλλας δυνάμεις κ̉ φύσεις Μμ 2. 1076 ᵇ2 ad ideas videtur
referendum esse.) — inde explicatur, quod δύναμις idem
fere ac est notio, vis, valor. ὕβρις, κέρδος, πολιτεία, τὰ
τῆς ποιητικῆς εἴδη, τίνα ἔχει δύναμιν Πε 3. 1302 ᵇ6. δ8.
1293 ᵇ32. πο1. 1447 ᵃ9, 25. ἀντίθετον τὸ ἐναντίαν τὴν δυ-
ναμίαν ἅμα κ̉ τὴν δύναμιν ἔχον φ27. 1435 ᵇ27. τῷ ἀπείρῳ
ὐκ ἄλλην ὑπάρχειν δύναμιν πλὴν ὡς ἀρχὴν Φγ 4. 203 ᵇ6.
ἡ χρυσαλλὶς δύναμιν ὡς ἔχει Ζγβ 1. 733 ᵇ15. τὸ λίαν
λεπτὸν τὴν αὐτὴν ἔχει δύναμιν τῷ ὀλίγῳ Ζγε 1. 780 ᵇ9. αἱ
γὰρ πολλαὶ μνῆμαι μιᾶς ἐμπειρίας δύναμιν ἀποτελῦσιν ΜΑ 1.
981 ᵃ1. — sed etiam ea res, cui aliqua facultas inest,
δύναμις nominatur, ut interdum δύναμις prope ad para-
phrasin videri possit delitescere, cf φύσις 2 ἡ. σύνθεσις
πρώτη ἐκ τῶν στοιχείων, ἔτι δὲ βέλτιον ἴσως ἐκ τῶν δυ-
νάμεων λέγειν Ζμβ 1. 646 ᵃ14. ἡ τῦ θερμῦ δύναμις Ζμβ 3.
650 ᵃ5. σπέρμα non solum ἔχει δύναμιν dicitur (v supra),
sed etiam esse δύναμις Ζγα 18. 725 ᵇ14. γ11. 761 ᵇ25.
δ4. 772 ᵃ10. 8. 776 ᵃ29. σπερματικὴ δύναμις Ζμβ 6. 651
ᵇ21. ἡ τῶν εἰρημένων ὀργάνων δύναμις αν 11. 476 ᵃ25
(cf ᵃ24 ἡ τῶν βραγχίων φύσις). ἡ τῦ στόματος, τῶν
μυκτήρων, τῶν ὀστῶν, τῆ περιττώματος δύναμις sim ζ3.
469 ᵃ3. μκ5. 466 ᵇ6. Ζμβ9. 655 ᵃ6, ᵇ12. 10. 657 ᵃ4. δ5.
681 ᵃ11. ἡ τῦ πυρός, τῦ πνεύματος, τῦ θερμῦ, τῦ θείν
(sulphuris) δ., κ̉ νιτρώδης δύναμις μβ3. 359 ᵇ10. 8. 366 ᵇ16,
367 ᵇ5. αι4. 441 ᵃ21. 5. 444 ᵇ33. πκγ 40. 936 ᵃ2. (cf τὰ
σώματα τῶν ἐν αὐτοῖς δυνάμεων γι14. 873 ᵃ12.) αὖται,
τοιαῦται δυνάμεις μβ3. 357 ᵇ3, 358 ᵃ24, 359 ᵇ13. αι5. 444
ᵃ1. Ζμβ 1. 646 ᵃ14. Ζγα 18. 725 ᵇ14. πᾶσα τῦ κόσμω ἡ
δύναμις πόθεν κυβερνᾶται μα 2. 339 ᵃ23. — consequens est
ex hac notione ν δύναμις, quod sit ἀρχὴ μεταβλητική,
ut usurpetur ubi magnitudo facultatis aliquid
moventis vel efficientis significanda est. ita de viribus
physice et mechanice moventibus ἡ ἴση δύναμις (ἡ αὐτὴ
δύναμις) τὸ ἥμισυ τὴν διπλασίαν κινήσει Φη 5. 250 ᵃ2, 4 (syn

ἰσχύς ^a6, 8, 10). ἡ ἰσχὺς ἀφ' ἧς αὕτη ἡ δύναμις Ζϰ4.
699 ^b16. ἔστι τι πλῆθος ἰσχύος ϰ δυνάμεως καθ' ἣν μένει
τὸ μένον Ζϰ3. 699 ^a34. ἡ πλείων δύναμις τὸ ἴσον ἐν ἐλάτ-
τονι χρόνῳ ποιεῖ Φθ10. 266 ^a26. τὸ μεῖζον ὑπὸ πλείονος
κινεῖται δυνάμεως Ζγβ1. 732 ^a19. ἰσότης τῆς δυνάμεως
μα3. 340 ^a16. ἡ τῦ κινῦντος δύναμις μχ31. 858 ^a6. διὰ
τί κινῦσι μεγάλα βάρη μικραὶ δυνάμεις τῷ μοχλῷ μχ3.
850 ^a30. δύναμις ἠρεμαία μχ5. 850 ^b30. δεῖ ὁρίζεσθαι πρὸς
τὸ τέλος ϰ τὴν ὑπεροχὴν τὴν δύναμιν Οα11. 281 ^a11. ἐκ
ἐνδέχεται ἐν πεπερασμένῳ ἄπειρον εἶναι δύναμιν Φθ10. 266
^a25, ^b25. Οα7. 275 ^b22. β12. 293 ^a11. cf πϰα14. 929 ^a1.
εἶτα ἡ δύναμις ἀτονεῖ πϰς42. 945 ^a17. τὸ ὀξὺ δυνάμεως
μᾶλλόν ἐστι (virium intentionem requirit) πιθ7. 918 ^a18.
ἡ ἀρτηρία μικρὰν παρέχεται δύναμιν αϰ803 ^a17. ἀφεψη-
θέντος τῦ οἴνῳ ἡ δύναμις ἀσθενεστέρα γίνεται f 102. 1494
^b12. — idem ubi refertur ad res et actiones humanas,
vulgatum habemus voc δύναμις usum. κράτιστον δυνάμει,
μικρότατον μεγέθει ἀρχὴ παντός τι34. 183 ^b24. εἰς δύναμιν
(i e pro viribus) Ηθ16. 1163 ^b18. μηδὲν παραλιπόντες εἰς
δύναμιν Ζμα5. 645 ^a6. θυσίαι κατὰ δύναμιν γεη10. 1243 20
^b12. ὅσα κατὰ τὴν παρῦσαν δύναμιν εἴχομεν Οβ13. 295 ^a1.
δεῖ προθυμεῖσθαι κατὰ δύναμιν λαβεῖν ϰ καθ' ὅσον ἐνδέ-
χεται Ζγβ3. 736 ^b7. ἡ μὲν δύναμις ἐν νεωτέροις, ἡ δὲ φρόνησις
ἐν πρεσβυτέροις Πη9. 1329 ^a15. ὁ νόμος ἀναγκαστικὴν ἔχει
δύναμιν Ηϰ10. 1180 ^a21 (cf ἰσχύς ^a18). ἡ τῆς ὐσίας ἰμα- 25
λότης ἔχει τινὰ δύναμιν εἰς τὴν πολιτικὴν κοινωνίαν Πβ7.
1266 ^b15. ἀναγκαῖον ὑπάρχειν τῷ βασιλεῖ δύναμιν Πγ15.
1286 ^b28, 33 (syn ἰσχύς ^b29, 35). δύναμις πολιτική, τυραν-
νική, ἡ τῆς βωλῆς δύναμις, ἡ τῆς ἀρχῆς δ., ἐν τοῖς ἵπποις
ἡ δ., ἀριστοκρατία μετὰ δυνάμεως ϰ χωρὶς δυνάμεως sim 30
Πγ13. 1284 ^a7, 10. 14. 1285 ^a18. 15. 1286 ^b6. δ3. 1289
^b37. 15. 1299 ^b39, 1300 ^b9. εβ3. 1302 ^b15. 4. 1304 ^a34 al.
Ἀρετὰς ἀγρεύοντες δύναμιν f 625. 1583 ^b18. Σόλων τὴν
ἀναγκαιοτάτην ἀπέδωκε τῷ δήμῳ δύναμιν Πβ12. 1274 ^a16.
δύναμις ναυτική, πεζική Ρβ22. 1396 ^a9. ἡ κατὰ θάλατταν 35
δ. Πε4. 1304 ^a24. ἡ τῶν Λακεδαιμονίων δ. ρ9. 1429 ^b15.
τῆς δυνάμεως ποῖα ἄττα τὰ ἤδη Ρβ17. 1391 ^a20-30. —
genera δυνάμεως praecipua distinguuntur. δυνάμεις ἄλογοι,
μετὰ λόγω (κατὰ λόγον) ε13. 22 ^b38. Μθ2. 1046 ^b1. αἱ 40
ἄλογοι δυνάμεις μία ἑνός, αἱ μετὰ λόγω τῶν ἐναντίων αἱ
αὐταί Μθ2. 1046 ^b4-24. 8. 1050 ^b31. Ηε1. 1129 ^a12. ἐξ-
εστιν ἐν τῇ δυνάμει ϰ ἀδυναμίᾳ γεη1. 1246 ^b32. (propterea
ubi de τῇ μετὰ λόγω δυνάμει agitur πᾶσα δύναμις τῶν
αἱρετῶν τὸ 5. 126 ^a37, ^b5. cf f 110. 1496 ^a37.) quibus con- 45
ditionibus alterutrae δυνάμεις transeant ad ἐνέργειαν Μθ5.
1048 ^a1-24. δυνάμεις τῆς ψυχῆς Ψβ3. 1434 ^a29. τῆς ψυχῆς
ἢ μόρια ὀποτέρως ἢ τῷ καλεῖν ζ1. 467 ^b17. δυνάμεις
δυνάμεις εἴπομεν θρεπτικόν, ὀρεκτικόν. αἰσθητικόν, κινητικὸν
κατὰ τόπον, διανοητικὸν ψβ3. 414 ^a31. ἡ θρεπτικὴ ψυχὴ 50
πρώτη ϰ κοινοτάτη δύναμις ἐστι ψυχῆς ψβ4. 415 ^a25. ἡ
θρεπτικὴ δύναμις τῆς ψυχῆς Ζγβ7. 745 ^b25. γ7. 757 ^b16.
ἡ θρεπτικῆς ψυχῆς Ζγβ4. 740 ^b29. πάσης
ψυχῆς δύναμις ἑτέρω σώματος ἔοικε κεκοινωνηκέναι Ζγβ3.
736 ^b30. δύναμις τῦ φθέγγεσθαι Ζγε7. 786 ^b20. δύναμις
τῦ φαγεῖν θαυμαστὴ Ζιθ2. 591 ^b29. ἡ τῆς ὄψεως, τῆς 55
ὀσμῆς δ. αι1. 437 ^a7. 5. 444 ^a24. δύναμις σύμφυτος κριτικὴ
Αδ19. 99 ^b35. δύναμις προνοητική, φυλακτικὴ Ηζ7. 1141
^b25. γεγ1. 1230 ^a25. δύναμίς τις φυσικὴ περὶ ἕκαστον τῦτο
τῆς ψυχῆς παθημάτων Ζιι1. 608 ^a14. cf γεβ2. 1230 ^b8, 16.
τῶν δυνάμεων ὑσῶν τῶν μὲν συγγενῶν, τῶν δὲ ἔθει, τῶν 60
δὲ μαθήσει Μθ5. 1047 ^b31. — distinguitur δύναμις, prout

ἐγγυτέρω ἢ πορρωτέρω ἐστὶ τῆς ἐνεργείας ↓β5. 417 ^a26,
^b30. ἔστι δὲ δυνάμει ἄλλως ὁ μανθάνων ἐπιστήμων ϰ ὁ
ἔχων ἤδη ϰ μὴ θεωρῶν Φθ4. 255 ^a33. ψγ4. 429 ^b5. αι4.
441 ^b23. Μθ6. 1048 ^a34. Ζγβ1. 735 ^a9. — αἱ μετὰ λόγω
δυνάμεις idem fere sunt ac τέχναι et ἐπιστῆμαι, itaque
saepe δύναμις vel coniungitur cum vv τέχνη, ἐπιστήμη vel pro
syn usurpatur. πᾶσαι αἱ τέχναι ϰ αἱ ποιητικαὶ [ϰ] ἐπι-
στῆμαι δυνάμεις εἰσίν· ἀρχαὶ γὰρ μεταβλητικαί εἰσιν ἐν
ἄλλῳ ἢ ἄλλο Μθ2. 1046 ^b3. τέχναι ϰ δυνάμεις, ϰ. ἢ
τέχναι Ρα2. 1358 ^a7. Πβ8. 1268 ^b36. θ1. 1337 ^a19. ἰα-
τρική, ῥητορικὴ δ. sim, ὁ. ἀγωνιστική, δ. τῦ λέγειν, τῶν
λόγων τα3. 101 ^b6. Γβ9. 335 ^b23, coll ^b21. Μθ12. 1019
^a17. Ηα1. 1094 ^a10, ^b2. Ρα1. 1355 ^b3. 5. 1361 ^a3. 6. 1362
^b22. οα5. 1344 ^b10. τέχναι ϰ δυνάμεις, ϰ. ἢ
δυνάμεις: ἐπὶ τῆς πολιτικῆς ϰ
τῶν λοιπῶν ἐπιστημῶν τε ϰ δυνάμεων Ηϰ10. 1180 ^b32.
αι. 1094 ^a26. ει. 1129 ^a12. Πγ12. 1282 ^b31. πάσης ἐπι-
στήμης ϰ δυνάμεώς ἐστί τι τέλος ηϰα1. 1182 ^a33, 34,
^b22, 28, 1183 ^a8, 21, 33, 35. τῦτο ἄλλης δυνάμεώς ἐστι
θεωρῆσαι ηϰα1. 1182 ^b24. ἡ πολιτικὴ βελτίστη δύναμις
ηϰα1. 1182 ^b1. cf Πγ12. 1282 ^b16. εθ. 1309 ^a35. sed
dist δύναμις et ἐπιστήμη Ρα4. 1359 ^b13. — δύναμις,
dist προαίρεσις: ἐκ ἐν τῇ δυνάμει ἐστὶν ὁ ἀλαζών (ἡ
σοφιστική), ἀλλ' ἐν τῇ προαιρέσει Ηδ13. 1127 ^b14. Ρα1.
1355 ^b19, 21. cf τὸ 5. 126 ^a31sqq. τὸ ἐν δυνάμει ϰ βω-
λήσει ὃν ἔσται Ρβ19. 1393 ^a2. dist ἕξις, πάθη τὸ 5. 125
^b20. Ηβ4. 1105 ^b20. ει. 1129 ^a12. ηϰα7 (cf ηϰα2. 1183
^b19-37).

2. δύναμις, τὸ δυνάμει ὄν, τὸ κατὰ δύναμιν ὄν, possi-
bilitas (Möglichkeit). εἰ γάρ τι γίνεται, δῆλον ὡς ἔσται
δυναμένη τις ὐσία, ἐντελεχείᾳ δ' ἐκ ἧς ἡ γένεσις ἔσται
ϰ εἰς ἢν ἀνάγκη μεταβάλλειν τὸ φθειρόμενον Γα3. 317 ^b23.
τὸ κατὰ δύναμιν (μὴ ὄν), ἐκ τύτῃ ἡ γένεσίς ἐστιν Μυ2.
1089 ^a28. Φα8. 191 ^b28. τὸ γὰρ δυνάμει ὂν ἐντελεχείᾳ δὲ
μὴ ὂν προϋπάρχειν λεγόμενον ἀμφοτέρως (i e τρόπον τινὰ
ὄν, τρόπον δὲ ἄλλον μὴ ὄν) Γα3. 317 ^b16. πότερον δυνάμει
ἐστὶ τὰ στοιχεῖα ἢ τιν' ἕτερον τρόπον Μβ6. 1002 ^b33. ἔστι
δὲ δυνατὸν τῦτο, ᾧ ἐὰν ὑπάρξῃ ἡ ἐνέργεια, ᾧ λέγεται ἔχειν
τὴν δύναμιν, ὐθὲν ἔσται ἀδύνατον Μθ3. 1047 ^a25. ἐνδέχεται
τὸ δυνάμει ὂν μὴ εἶναι, μὴ ἐνεργεῖν, πᾶσα δύναμις τῆς ἀν-
τιφάσεώς ἐστιν, ἡ αὐτὴ τῶν ἐναντίων ἢ ἐναντία Μλ6. 1071
^b19, 13. θ8. 1050 ^b8. Οα12. 283 ^b4. ϰ. Ρβ19.
1392 ^a11. εθ. 19 ^a17. τὸ δυνάμει ὂν esse negant Megarici
Μθ3. — hac notione τὸ δυνάμει ϰ τὸ ἐνεργείᾳ ὂν recen-
setur inter quatuor primarias τῦ ὄντος significationes
Μθ7. 1071 ^b1. ε2. 1026 ^b1. ν2. 1089 ^a28. cf θ10.
1051 ^a35. 1. 1045 ^b33. ψα1. 402 ^a26. τὸ δυνάμει ὂν ϰ
μὴ ἐντελεχείᾳ τὸ ἀόριστόν ἐστιν Μγ4. 1007 ^a28. μ10.
1087 ^a16. τὸ δυνάμει ὂν i q ἡ ὕλη, cf ὕλη 3 (Bz ad
Μθ7. 1048 ^a37). — ἡ δύναμις, opp ἡ ἐνέργεια sive ἡ ἐντε-
λέχεια. φανερὸν ὅτι δύναμις ϰ ἐνέργεια ἕτερόν ἐστι Μθ3.
1047 ^a18. Ζμα1. 642 ^a1, discrimen describitur Μθ6. inde
saepissime ἔστι τὰ μὲν δυνάμει, τὰ δ' ἐνεργείᾳ, τὸ δυνάμει
ὄν, ἐντελεχείᾳ δὲ μὴ ὂν sim Φα8. 191 ^b28. Γα3. 317 ^b16,
23. 9. 326 ^b31. 10. 327 ^b23. ψα1. 402 ^a26. β1. 412 ^a9.
2. 414 ^a16. γ2. 427 ^a6 (opp ἐνεργεῖσθαι) Ζμβ3. 649 ^b13,
15. Ζγα19. 726 ^b18. β1. 734 ^b22, 35. 3. 736 ^b9, 737 ^a17.
4. 740 ^b20. δ3. 769 ^b2 (κατὰ δύναμιν, opp ἐνέρ-
γεια). Μγ4. 1007 ^b28. δ7. 1017 ^b1. η1. 1042 ^a28. λ5.
1071 ^a10. μ10. 1087 ^a16 al. ἡ θρεπτικὴ ψυχὴ ἐνεργείᾳ
μὲν μία, δυνάμει δὲ πλείως ζ2. 468 ^b3. αν17. 479 ^b2.
Ζμδ5. 682 ^a7. ἕν τινι ὑπάρχειν δυνάμει· μα3. 339 ^b1. ἐν

δυνάμει (i e in statu δυνάμεως) εἶναι Θβ14. 297 ᵃ17. ζῷον δυνάμει πορευτικόν Ζγβ4. 740 ᵃ27. δυνάμει ζῷον, ἀτελὲς δέ Ζγβ4. 740 ᵃ24. τὸ περίττωμα τὸ τῆς θήλεος δυνάμει τοιῦτόν ἐστι, οἷον φύσει τὸ ζῷον Ζγβ4. 740 ᵇ19. πρότερον χρόνῳ ἐν τῷ ἑνὶ δύναμις ἐνεργείας ε13. 23 ᵃ25. ψγ5. 430 ᵃ21. 7. 431 ᵃ2. Φθ1. 251 ᵃ15. Θα12. 283 ᵃ20. γ2. 302 ᵃ7. Γα3. 317 ᵇ16 (cf Μλ6. 1071 ᵇ24). ὕστερον γενέσει ἡ ἐνέργεια ἡ κατ' ἀριθμόν Μθ9. 1051 ᵃ32. ὡδεία δύναμις τῷ γεγονέναι ἐστὶν, ἀλλὰ τῷ εἶναι ἢ ἔσεσθαι Θα12. 283 ᵇ13. πρότερον τῇ ὠσία (κατὰ τὸν λόγον) ἐνέργεια δυνάμεως ε13. 23 ᵃ25. Μθ8. 1050 ᵇ3. λ6. 1072 ᵃ9. ψβ4. 415 ᵃ19, ᵇ14. Ηϑ9. 1170 ᵃ17. τέλος ἡ ἐνέργεια ἡ τούτου χάριν ἡ δύναμις λαμβάνεται Μθ8. 1050 ᵃ9. βελτίων ἡ τιμιωτέρα τῆς σπουδαίας δυνάμεως ἡ ἐνέργεια Μθ9. 1051 ᵃ5. (cf κατὰ δύναμιν πρότερα, opp κατ' ἐντελέχειαν πρότερα Μδ11. 1019 ᵃ7.) ἀεὶ ἐκ τῇ δυνάμει ὄντος γίγνεται τὸ ἐνεργείᾳ ὂν ὑπὸ ἐνεργείᾳ ὄντος Μθ8. 1049 ᵇ24. Φγ2. 202 ᵃ12. Ζγβ1. 734 ᵇ22, ᵃ30. μεταβάλλειν εἰς τὸ ἐνεργείᾳ ὂν Μλ2. 1069 ᵇ15. ἔρχεσθαι, βαδίζειν εἰς ἐντελέχειαν Οδ3. 311 ᵃ4. Φθ5. 257 ᵇ7. syn ἔρχεσθαι εἰς τὸ εἶδος Μθ8. 1050 ᵃ15. πότε δυνάμει ἐστὶν ἕκαστον Μθ7. ἐγγυτέρω, πορρωτέρω δυνάμει εἶναι Ζγβ1. 735 ᵃ10. cf supra p 207 ᵃ61. τὸ δυνάμει ἢ τὸ ἐνεργείᾳ ἢ πῶς ἐστιν Μη6. 1045 ᵃ21 (cf ἡ ὕλη ἢ ἡ μορφὴ ταὐτὸ Μη6. 1045 ᵇ18 et v ὕλη 5). κατὰ μίαν δύναμιν ἢ ἄτομον χρόνον μίαν ἀνάγκη εἶναι τὴν ἐνέργειαν αι7. 447 ᵇ18. — τὰ μὲν ἄνευ δυνάμεως ἐνέργειαί εἰσιν, οἷον αἱ πρῶται ὠσίαι, τὰ δὲ μετὰ δυνάμεως, ἃ τῇ φύσει πρότερα τῷ δὲ χρόνῳ ὕστερα, τὰ δὲ ὠδέποτε ἐνέργειαί εἰσιν ἀλλὰ δυνάμεις μόνον ε13. 23 ᵃ23. ὅθεν τῶν ἀφθάρτων ἁπλῶς δυνάμει ἐστὶν ὂν ἁπλῶς Μθ8. 1050 ᵇ17, 8 (cf εἰ μὴ νόησις ἐστι ἀλλὰ δύναμις. εὔλογον ἐπίπονον εἶναι τὸ συνεχὲς αὐτῷ τῆς νοήσεως Μλ9. 1074 ᵇ28). τὸ ἄπειρον δυνάμει μόνον ἐστίν Φγ6. 206 ᵃ18, ᵇ13. 8. 208 ᵃ6.

3. δύναμις sensu geometrico. κατὰ μεταφορὰν ἡ ἐν τῇ γεωμετρίᾳ λέγεται δύναμις Μδ12. 1019 ᵇ34. θ1. 1046 ᵃ8. αἵ τε μήκει σύμμετροι ἢ αἱ δυνάμει ατ970 ᵃ2. — alio sensu δυνάμεις ὁμώνυμοι ε13. 23 ᵃ7 Wz.

δύνασθαι. 1. τὸ δυνάμενον εἶναι ἢ μὴ εἶναι, τὸ δυνάμενον ταὐτὸ ἄμφω τἀναντία (cf δύναμις 2) Οα12. 282 ᵃ9,5. Μθ9. 1051 ᵃ17. λ2. 1069 ᵇ14. — ἡ φύσις βούλεται μὲν τοῦτο ποιεῖν, οὐ μέντοι δύναται (cf δύναμις 1) Πα6. 1255 ᵇ3. cf dist δύνασθαι, βούλεσθαι Πβ7. 1267 ᵇ8. ε8. 1309 ᵃ6. οἱ δυνάμενοι λέγειν, syn οἱ δεινοὶ λέγειν Πε5. 1305 ᵃ13. οἱ δυνάμενοι ἄρχειν sim Πδ4. 1291 ᵃ37. ε7. 1307 ᵃ3. δυνήσονται κοινωνεῖν, λύειν Πϑ1. 1289 ᵃ2. 14. 1298 ᵇ32. ὁ δυνάμενος ἄλλῳ εἶναι Πκ5. 1254 ᵇ21. βαρὺ ἢ κῶφον λέγεται τῷ δύνασθαι κινεῖσθαι φυσικῶς Οδ1. 307 ᵇ31. infinitivus, qui suspensus sit a verbo δύνασθαι, non raro ex superioribus repetendus est, cf Ellipsis. — δύνασθαι sine inf, δύνασθαι μεῖζον τγ2. 117 ᵃ26. δῆλον ἢ ἡ τιμὴ τί δύναται ἢ πῶς τὸ αἰτία στάσεως Πε3. 1302 ᵇ11. ὁ ἐλλείπων πρὸς ἃ οἱ πολλοὶ ἀντιτείνεσι ἢ δύνανται, ὅτος μαλακός Ηη8. 1150 ᵇ7. πρὸς τὸ σώζεσθαι τὴν φύσιν τὰ μὲν φυτὰ δύναται, ταῦτα δ' ὃ δύναται ζ2. 468 ᵇ6. οἱ δυνάμενοι i e potentes, nobiles Πε4. 1303 ᵇ28. ζ4. 1318 ᵇ32. — 2. δύνασθαι, valere, cf δύναμις 1. τὸ νόμισμα ὃκ ἀεὶ ἴσον δύναται Ηε8. 1133 ᵇ14. ἐξέδωκε τὴν δραχμὴν δύο δυναμένην δραχμάς, ἡ λίτρα δύναται ὀβολὸν Αἰγιναῖον sim f 436. 1550 ᵃ12. 467. 1555 ᵃ2. οβ 1349 ᵇ31. δύνανται αἱ ἀπορίαι αἱ τοιαῦται πᾶσαι τὸ αὐτὸ Μγ6. 1011 ᵃ7. ταὐτὸ δύναται τό τε ἄδικον ἢ τὸ ψεῦδος Πγ2. 1276 ᵃ1. cf ε13. 22 ᵇ5. Αα39. 49 ᵇ3. ὅτω μὲν

λεχθὲν ὑποθήκην δύναται, ὡὶ δ' ἔπαινον Ρα9. 1368 ᵃ5. ἐν οἷς ἡ θεωρία κάθαρσιν μᾶλλον δύναται ἢ μάθησιν Πθ6. 1341 ᵃ23. cf 5. 1339 ᵇ13. — 3. δύνασθαι mathematice. ἡ ὑποτείνουσα δυναμένη τὸ μένον μέγεθος (fort μῆκος) ἢ τὴν μεταξὺ Ζπ9. 709 ᵃ1. εἰ δὲ μὴ ὅτω κατὰ τὸ ποσὸν συμβλητὰ ὡς ποσὸν ἐκ ποσῶ, ἀλλ' ὅσον δύναται Γβ6. 333 ᵃ24.

δυναστεία. ἀρχαὶ ἢ δυναστεῖαι ἢ βασιλεῖαι Μδ1. 1013 ᵃ12. κεκτημένοι ἀρχὰς ἢ δυναστείας, οἱ ἐν δυναστείᾳ Ηθ1. 1155 ᵃ6. κ6. 1176 ᵇ16. — δυναστεία, dist πολιτεία, ὀλιγαρχία, μοναρχία Πβ10. 1272 ᵇ10. δ5. 1292 ᵇ10. 6. 1293 ᵃ31. ε8. 1308 ᵇ8, ᵃ18. 3. 1302 ᵇ18. 6. 1306 ᵃ24. 7. 1307 ᵇ18.

δυναστεύειν. ὃκ ἐν τῷ δυναστεύειν ἡ ἀρετή Ηκ6. 1176 ᵇ18. οἱ δυναστεύοντες ἢ οἱ πλωτῶντες Ηδ8. 1124 ᵃ22. — ἄνεμοι δυναστεύοντες χειμῶνος, θέρους κ4. 395 ᵃ2.

δυναστευτικὴ ὀλιγαρχία Πδ14. 1298 ᵃ32, αἵρεσις Πε6. 1306 ᵃ18, ἰατρεία, opp πολιτικὴ Πβ10. 1272 ᵇ3.

δυνάστης, opp ἰδιώτης Ηκ9. 1179 ᵃ7. οἱ μέγιστοι δυνάσται ἐπιτίθενται τυραννίδι Πε8. 1308 ᵃ23.

δυναστικωτάτη ἢ τυραννικωτάτη τῶν ὀλιγαρχιῶν Πζ6. 1320 ᵇ31.

δυνατός. τὸ δυνατὸν ὃχ ἁπλῶς λέγεται ε13. 23 ᵃ7 sqq. Μδ12. θ6. 1048 ᵃ28. discrimen potentiae ac possibilitatis, quod in nomine δύναμις (cf h v), etiam ad δυνατός pertinet. — 1. (cf δύναμις 1) λέγομεν δυνατὸν ὃ πέφυκε κινεῖν ἄλλο ἢ κινεῖσθαι ὑπ' ἄλλου Μθ6. 1048 ᵃ28. δυνατὸν τὸ ἔχον κινήσεως ἀρχὴν ἢ μεταβολῆς ἐν ἑτέρῳ ἢ ᾗ ἕτερον Μδ12. 1019 ᵃ33. (ἡ δυνατὴ οἰκεῖσθαι χώρα μβ5. 362 ᵃ33, ᵇ6. οἱ δυνατοὶ i e viri potentes in civitate Πβ10. 1272 ᵇ8.) τὸ πρώτως δυνατὸν Μθ8. 1049 ᵇ13 Bz (cf ἡ κυρίως δύναμις 1. 1045 ᵇ36). ὅσα κατὰ τὸ δύνασθαι λέγεται, ταὐτόν ἐστι δυνατὸν τἀναντία Μθ9. 1051 ᵃ6. ὅσα δυνατὰ ποιεῖν ἢ πάσχειν, οὐ πάντα δυνατά ἐστιν, ἀλλ' ὡδὶ ἔχοντα ἢ πλησιάζοντα ἀλλήλοις Φθ1. 251 ᵇ1. ἀνάγκη δυνατὸν καθ' ὑπεροχὴν τοσαδὶ ἢ τὰ ἐντὸς δύνασθαι Θα11. 281 ᵃ12. τὸ ὑπερέχον τῇ δυνάμει ἢ τὸ δυνατώτερον Μδ11. 1018 ᵇ23. πλεοναχῶς λέγεται τὸ δυνατὸν ἢ τὸ ἀδύνατον Ζγβ1. 766 ᵃ2. τὰ κατὰ λόγον δυνατά, opp τὰ ἄνευ λόγω δυνατά Μθ2. 1046 ᵇ23. 5. 1048 ᵃ13 (cf δυνάμεις μετὰ λόγου, ἄλογοι s v δύναμις p 207 ᵃ38). τὰ μὴ κατὰ λόγον δυνατὰ ε13. 22 ᵇ38. ἑκάτερος τούτων ὃ τὸν αὐτὸν τρόπον δυνατός, ἀλλ' ὁ μὲν ὅτι τὸ γένος τοιῦτον ἢ ἡ ὕλη. ὁ δ' ὅτι βουληθεὶς δυνατὸς θεωρεῖν ψβ5. 417 ᵃ26. — 2. (cf δύναμις 2) δυνατόν ἐστι τοῦτο, ᾧ ἐὰν ὑπάρξῃ ἡ ἐνέργεια, ἢ λέγεται ἔχειν τὴν δύναμιν, ὃθεν ἔσται ἀδύνατον Μθ3. 1047 ᵃ24 Bz. Φθ5. 256 ᵇ11 (cf ἐνδέχεσθαι). πῶς λέγομεν τὸ δυνατὸν ἢ ἀδύνατον Θα11. 281 ᵇ2–27. δυνατὸν ἐξ ὑποθέσεως, ἁπλῶς Θα12. 281 ᵇ4. περὶ δυνατῶ ἢ ἀδυνάτω Ρβ19. 1392 ᵃ8–ᵇ14. δυνατά ἐστιν ἃ δι' ἡμῶν γένοιτ' ἂν Ηγ5. 1112 ᵇ27. πολιτεία δυνατή, dist πολιτεία ἀρίστη Πδ1. 1288 ᵇ38. δυνατὰ διχῶς ἐστι, τά τε γενόμενα ἂν ἢ τὰ ῥᾳδίως γιγνόμενα Ρα6. 1363 ᵃ21. cf Θα11. 280 ᵇ17. δυνατόν, dist ἀναγκαῖον μβ4. 360 ᵃ17. ἀνάγκη εἰς τὸ δυνατὸν πα7. 344 ᵃ6. πόρρω τῶ δοκώντων ἢ δυνατῶν Μν1. 1088 ᵃ16. τὸ δυνατὰ κατὰ τὸ εἰκὸς ἢ τὸ ἀναγκαῖον ποϑ. 1451 ᵃ38. ἢ τὸ ἀναγκαῖον ἢ τὸ μὴ ἀναγκαῖον ἢ τὸ δυνατὸν ἐνδέχεσθαι λέγομεν Αα3. 25 ᵃ37 Wz. τὰ δυνατὰ μὴ εἶναι ἐνδέχεται μὴ εἶναι Μθ8. 1050 ᵇ13. ρ2. 1422 ᵃ19. τὸ δυνατὸν ἐνδέχεται ἢ ἐνεργείᾳ εἶναι Μν2. 1088 ᵇ19. δυνατόν, coni syn ἐνδεχόμενον Αγ6. 74 ᵇ38. α11. 31 ᵇ8. τὸ δυνατὸν εἶναι (i e τοῦτο ὃ εἶναι δυνατὸν ἐστι Μθ4. 1047 ᵇ5 Bz), quid ei vel oppositum sit vel coniunctum ε12. 13. τὰ δυνατὰ ἢ εἶναι ἢ μὴ ε9. 19 ᵃ9 sqq.

12. 21 ᵇ14. Οα12. 281 ᵃ29. ὡς ὕλη τοῖς γενητοῖς ἐστιν
αἴτιον τὸ δυνατὸν εἶναι ᵡ μὴ εἶναι Γβ9. 335 ᵃ33. Μζ7.
1032 ᵃ20. δυνατόν, πῶς δυνατόν (sc ἐστιν) c inf Πγ15.
1286 ᵃ24. μια8. 345 ᵇ28. β3. 357 ᵃ19 al. ὗθὲν δυνατόν (sc
ἐστιν) c inf μβ5. 362 ᵇ34. — εἰς τὸ δυνατόν Μλ8. 1074
ᵇ11. τὸ δυνατὸν fort adverbii instar usurpatur Μμ3. 1078
ᵃ28. — συλλογισμὸς δυνατός, i e ἀτελής Αα24. 41 ᵇ33 Wz.
δύνειν. ὁ ἥλιος (ἀστὴρ) δύνων, opp ἀνατέλλων, ἐπιτέλλων,
ἀνίσχων Οβ8. 290 ᵃ15. 13. 294 ᵃ1. μβ5. 361 ᵇ31. γ4. 373
ᵇ13. πιε9. 912 ᵃ34.
δύο. σύν τε δύ' ἐρχομένω (Hom Κ 224) Πγ16. 1287 ᵇ14.
τὰ δύο ἄμφω λέγομεν ᵡ τὰς δύο ἀμφοτέρας Οα1. 268
ᵃ16. διὰ τί δύο φαίνεται τὸ ἓν Μγ7. 1011 ᵃ33 Bz. πλα7.
958 ᵃ25. 11. 958 ᵇ11, 14. 17. 959 ᵃ10, 13. λει0.965ᵃ36.
γ20. 874 ᵃ10. 30. 875 ᵇ13. οἱ δημαγωγοὶ δύο ποιῶσι τὴν
πολιτείαν Πε9. 1310 ᵃ4. εἰς δύο λέγειν. ἑρμηνεύειν ρ25.
1435 ᵃ5, 4. — δύο pro distributivo 'bina' πι26. 893 ᵇ35.
— formae genetivi et dativi. gen δύο et addito genetivo
nominis, δύο γενῶν, δύο αἰτιῶν al, et non addito ἐκ δύο ἕν
al Αγ3. 73 ᵃ10. δ13. 96 ᵇ32. τβ10. 115 ᵃ6, 11. γ1. 116
ᵇ26. ζ6. 144 ᵇ14. 7. 146 ᵃ13. 13. 154 ᵃ9. η3. 154ᵃ9. μα3.
340 ᵃ5. ΜΑ4. 985 ᵇ21. β4. 1000 ᵃ4. ζ13. 1039ᵃ10. Ηε7.
1132 ᵃ32. 8. 1133 ᵃ17. Πη10. 1330 ᵃ15. Ρα6. 1362 ᵇ17.
γ14. 1415 ᵇ27. gen δυοῖν τβ10. 115 ᵃ8, 11. γ1. 116 ᵇ23.
2. 118 ᵃ20 et saepe. ΜΑ4. 985 ᵃ11. 5. 987 ᵃ11. 6. 988ᵃ9.
Ηε6. 1131 ᵃ18. ζ5. 1140 ᵇ25. Ρα7. 1364 ᵃ12, 13, 14, 15,
1365 ᵃ34, ᵇ13. γ19. 1419 ᵇ16. αι7. 447 ᵇ9. πν9. 486 ᵇ2.
gen δυεῖν τγ1. 116 ᵃ3. φ2. 807 ᵃ14 et cum v l δυοῖν αι7.
447 ᵃ13, ᵇ6, 20. — dat δύο, addito dativo nominis δύο
ὀρθαῖς, δύο γένεσι al Αβ21. 67 ᵃ17, 25. γ4. 73 ᵇ32, 37,
38. 5. 74 ᵃ28. τζ6. 144 ᵃ12, 5 19 al, non addito κέχρη-
ται τῷ ἑνὶ σημείῳ ὡς δύο Φθ8. 262 ᵇ25 (sed ως δύο
263 ᵃ24). dat δυοῖν, βέλτιον ἰδεῖν δυοῖν ὄμμασι ᵡ δυσὶν
ἀκοαῖς κρίνων Πγ16. 1287 ᵇ27. dat δυσί Αγ1. 71 ᵃ19. 23.
84 ᵇ7. τβ10. 115 ᵃ17, 22. Φθ11. 220 ᵃ12, 18. ε6. 229
ᵇ29. θ8. 263 ᵃ24. Οβ2. 292 ᵃ12, 6 ᵃ5. 382 ᵃ31. Ζμα3.
643 ᵃ5. ΜΑ4. 985 ᵃ33. θ9. 1018 ᵃ9. Ηδ3. 1121 ᵃ11,ᵇ17.
ε6. 1131 ᵃ15, 33. 7. 1132 ᵃ33. ζ5. 1140 ᵇ15. η1. 1145
ᵃ17. ι10. 1171 ᵃ15. Πδ8. 1294 ᵃ21. ρ1. 1421 ᵇ1.
δυσποιὸς ἡ ἀόριστος δυὰς Μμ8. 1083 ᵇ36. 7. 1082 ᵃ15.
δυσάλωτος ᵡ ὀρχηπέτης ὁ τροχίλος Ζυ11. 615 ᵃ17. οὐσά-
λωτοι ἰχθῦς Ζιθ15. 599 ᵇ25.
δυσανάπνευστα, coni δυσκατάποτα αι5. 443 ᵇ12.
δυσάνιος φ6. 812 ᵇ25. opp εὔθυμος φ1. 805 ᵇ6. coni ἀνιώ-
μενος, ὀργίλος, μικρός φ6. 812 ᵃ3. 2. 807 ᵃ5.
δυσαπάλλακτος. ἐκστάσεις δυσαπάλλακτοι ᵡ ὅλως ἀκίνητοι
Κ8. 10 ᵃ4. ἀρρώστημα δυσαπάλλακτον Ζμγ9. 671 ᵇ9. —
γυναῖκες δυσαπαλλακτότεραι τῶν ἐμβρύων Ζιη10. 587ᵇ1.
δυσαποτρίπτοις ὀνείδεσι περιπεπτωκέναι f 445. 1551 ᵃ29.
δυσαρεστεῖν. ἐὰν ὄρνις πονήσῃ ᵡ δυσαρεστήσῃ Ζιζ2. 560
ᵇ24.
δυσαυξής. κέρατα δυσαυξῆ τὴν φύσιν, opp ταχέως ἐκδε-
δραμηκότα αχ802 ᵃ25, 21.
δυσαφαίρετον, coni οἰκεῖον Ηα3. 1095 ᵇ26. φθεῖρες δυσα-
φαίρετοι ἀπὸ χρωτός Ζιε31. 557 ᵃ6.
δυσβατώτατοι τόποι Ζζ28. 578 ᵃ26.
δυσγενής Ηα9. 1099 ᵇ4. opp εὐγενής Πα6. 1255 ᵇ1.
δύσγνωστα τὰ ὕτω λεγόμενα ρ26. 1435 ᵃ38.
δυσδιαίρετον τὸ γλίσχρον πκα1.928 ᵃ29.
δυσδιάλυτος. δυσδιαλυτώτερα (τὰ σφόδρα συνεστηκότα)
πβ2. 870 ᵇ31. — metaph δυσδιάλυτοι οἱ πικροί Ηδ11.

V.

1126 ᵃ20.
δυσδιαχωρητοτέρα ἡ μᾶζα ὅσῳ ἂν μᾶλλον τριφθῇ πκα8.
927 ᵇ21.
δυσέκπληκτος ὑπὸ φόβων αρ2. 1250 ᵃ7. 4. 1250 ᵃ44.
δυσελπίς τις ὁ δειλός Ηγ10. 1116 ᵃ2. δυσέλπιδες διὰ τὴν
ἐμπειρίαν οἱ πρεσβύτεροι Ρβ13. 1390 ᵃ4. πλ1. 955 ᵃ4. δυσ-
ελπι μᾶλλον τὸ θῆλυ Ζυ1. 608 ᵇ12.
δυσελπιστία ἀκολυθεῖ τῇ μικροψυχίᾳ αρ7. 1251 ᵇ25.
δυσέμβολος τοῖς πολεμίοις χώρα Πη5. 1326 ᵇ41.
δυσεντερία, def πια19. 861 ᵇ16. δυσεντερίας γενομένης Ζιχ7.
638 ᵃ16. Ζγδ7. 775 ᵇ32. δυσεντερίαι διὰ τί γίνονται πα9.
860 ᵃ31.
δυσεξάγωγον, syn ἔργον μεταστῆσαι πβ22. 868 ᵇ11. λζ2.
965 ᵇ34. ὁ κεκραμένος οἶνος δυσεξαγωγότερος πγ3. 871
ᵃ19. 22. 874 ᵃ30.
δυσεξερεύνητος τοῖς ἐπιτιθεμένοις ἡ κατὰ τὸν ἀρχαῖον τρόπον
οἴκησις Πη11. 1330 ᵇ26.
δυσεξεύρετος. ἐν τόποις χαλεποῖς ᵡ δυσεξευρέτοις Ζυ5.
611 ᵃ26.
δυσέξοδος ἡ κατὰ τὸν ἀρχαῖον τρόπον οἴκησις τοῖς ξενικοῖς
Πη11. 1330 ᵇ26.
δυσεπιχείρητος θέσις, δυσεπιχείρητον πρόβλημα τθ3. 158
ᵇ5, 16, 159 ᵃ3. δυσεπιχειρητότερον πρόβλημα, opp εὐεπι-
χείρητον Αα26. 42 ᵇ31. δυσεπιχειρητότατοι τῶν ὅρων τθ3.
158 ᵇ8.
δύσερις ᵡ δύσκολος, δυσέριδες ᵡ δύσκολοι Ηβ7. 1108 ᵇ30.
ι2. 1127 ᵃ11, 1126 ᵇ16. δυσέριδες, syn φιλόνεικοι, ἐλεγ-
κτικοί, opp εὔκολοι Ρβ4. 1381 ᵃ32.
δυσηχὴς ἰσθμός (Emp 361) αν7. 473 ᵇ27.
δυσθεώρητος. αἴτιον τῆς ἀγνοίας τὸ δυσθεώρητον αὐτῶν
Ζιγ2. 511 ᵇ13.
δυσθήρατος ᵡ πανοῦργος ὁ κίγκλος Ζυ12. 615 ᵃ22. cf θ15.
831 ᵇ17. 30. 832 ᵇ10.
δυσθησαύριστος καρπός κ6. 401 ᵃ5.
δυσθυμίαι ἄλογοι πλ1. 954 ᵇ35.
δυσθυμικοί, coni ὀδύνοι φ6. 813 ᵃ33.
δυσθυμία. ζῷα πρᾶα ᵡ δύσθυμα ᵡ ἐκ ἐνστατικά Ζια1.
488 ᵇ13. δύσθυμον μᾶλλον τὸ θῆλυ τῦ ἄρρενος Ζυ1. 608
ᵇ11. δυσθυμότεροι οἱ γέροντες πλ1. 955 ᵃ17.
δυσίατος. διὰ τί τὰ στρογγύλα τῶν ἑλκῶν δυσίατα f 229.
1519 ᵇ1. — δυσίαται ᵡ ἀνίατοι διὰ κολάσεως ηεγ2. 1230
ᵇ8. δυσιατότερα τὰ φυσικὰ τῶν ἐξ ἔθυς ημβ6. 1203 ᵇ30,
1204 ᵃ2.
δύσις τῦ ἄστρυ, opp ἀνατολή μγ5. 375 ᵇ26. β5. 361 ᵇ32.
ὅ αἱ δύσεις τῶν ἄστρων, τῦτο ἀριστερὸν Οβ2. 285 ᵇ19.
ποιεῖσθαι δύσιν Οβ14. 298 ᵃ6. ἄνευ δύσεως ἀφανισθῆναι
μα6. 343 ᵇ15. περὶ δύσιν, opp ἕωθεν μγ2. 371 ᵇ26. δύσεις
καθαραί, τεταραγμέναι πκς8. 941 ᵃ1. — coeli regio πρὸς
δύσιν, ἀπὸ δύσεως κ3. 393 ᵃ18. 4. 394 ᵇ21. δύσις θερινή,
ἰσημερινή, χειμερινή κ4. 394 ᵇ26.
δυσκατάποτος, coni δυσανάπνευστος αι5. 443 ᵇ12.
δυσκινησία Ζμδ9. 685 ᵃ8. Ζγε1. 780 ᵃ25. πιβ6. 907 ᵃ11.
δυσκίνητον τὸ ἐν πολλῷ χρόνῳ μόλις κινὤμενον ἢ τὸ βρα-
δέως ἀρχόμενον Φε2. 226 ᵇ12. δυσκίνητον ἐν τῇ νυκτὶ τὸ
ὑγρόν Ζγ1. 780 ᵃ6. καμπὴ δυσκινητοτέρα Ζμδ10. 690
ᵃ10. σκώληκες δυσκίνητοι Ζιε19. 552 ᵇ9. φωναὶ δυσκινητό-
τεραι αχ802 ᵇ31. cf πιε62. 906 ᵃ5 (?). τὸ δυσκίνητον τῆς
κράσεως φ6. 813 ᵇ22. πρὸς τὰς ἀνέμας δυσκινήτως ἔχειν
Οβ13. 294 ᵇ17. — ἕξις διαφέρει διαθέσεως τῷ πολυχρο-
νιώτερα ᵡ δυσκινητοτέρα (πεφυσιωμένη, ἀνίατος) εἶναι Κ8.
9 ᵃ10, 5, 3. πάθη δυσκίνητα ᵡ παραμόνιμα Κ8. 9 ᵇ20. ἡ

Dd

ἐπιστήμη τῶν παραμονίμων ἐστὶ ⟨καὶ⟩ δυσκινήτων Κ8. 8 b30.
τὸ βάρος δυσκίνητον ποιεῖ τὴν διάνοιαν Ζμδ10. 686 a30.
δυσκίνητοι ὑπὸ ὀργῆς αρ2. 1250 a5.
δυσκολαίνειν in disputando, def τθ8. 160 b3, 4, 6, 11. cf 11. 161 a23, b9. ι17. 175 b35. β5. 112 a12.
δυσκολία, subiective ἡ ἐν τοῖς λόγοις δυσκολία τθ8. 160 b11. cf δυσκολαίνειν. — obiective i q ἀπορία. ἔχειν δυσκολίαν, δυσκολίας τινάς, παρέχειν δυσκολίας Πγ10. 1281 a14. Μβ2. 997 b5. λ9. 1074 b17. Φζ9. 239 b11. δ4. 211 a10.
δύσκολος ⟨καὶ⟩ δύσερις Ηβ7. 1108 a30. δ12. 1126 b16, 1127 a11. ρ19. 1432 b17. ὅσῳ δυσκολώτεροί εἰσι ⟨καὶ⟩ ἧττον ταῖς ὁμιλίαις χαίρουσιν Ηθ7. 1158 a3. — δύσκολον, i q ἄπορον, difficile explicatu, τι25. 180 b5. Μβ4. 1001 b1.
δύσκωφος. γίνονται ⟨καὶ⟩ ἀπὸ τῶν μεγάλων ψόφων δύσκωφοι ⟨καὶ⟩ ἀπὸ τῶν ἰσχυρῶν ὀσμῶν ὀυόσμοι εν2. 459 b21.
δύσλυτος. ὦμοι δύσλυτοι συνεσπασμένοι φ6. 811 a4.
δυσμενῶς ἔχειν, opp εὐνοικῶς ρ30. 1436 b18.
δυσμή. πρὸς δυσμάς, syn καταφερομένη ἡλίῳ μγ2. 372 a14, 16. περὶ δυσμὰς ἡλίῳ ⟨καὶ⟩ ἀνατολάς Ζιθ19. 602 b7. πκε4. 938 a29. κς54. 946 a36. — occidens, regio coeli. ἀπ' ἀνατολῆς ἐπὶ δυσμάς ψ37. 418 b26. φέρεσθαι ἐπὶ δυσμάς ⟨καὶ⟩ ἀνατολάς μβ4. 361 a9. δυσμὴ ἰσημερινή, θερινή, χειμερινή μα13. 350 b1. β6. 363 a34, b5, 6. δυσμαὶ ἰσημεριναὶ μα6. 343 b3. — metaph τὸ γῆρας δυσμαὶ βίῳ (cf Ἐμπεδοκλῆς) πο21. 1457 b25.
δυσμνημόνευτον τὸ δεικνύναι ὕτως Ργ16. 1416 b22.
δυσνόητον (i q ἄλογον, ἄτοπον) φτα1. 816 a3.
δυσόργητοι οἱ τὴν ῥῖνα ἄκραν ὀξεῖαν ἔχοντες φ6. 811 a31.
δυσόριστος τὸ εὐόριστον ⟨καὶ⟩ δυσόριστον τῷ πάσχειν τι λέγεται· τὸ ξηρὸν δυσόριστον μδ1. 378 b24 Ideler. 4. 381 b29. Γβ2. 329 b32.
δύσοσμος. τίνων δυσοσμοτέρα ⟨καὶ⟩ βαρυτέρα ἐστὶν ἡ ὀσμὴ τῦ πνεύματος πιγ10. 908 b29. — γίνονται ἀπὸ τῶν ἰσχυρῶν ὀσμῶν δύσοσμοι (i e ἀδύνατοι ὀσφραίνεσθαι) εν2. 459 b22.
δυσυρία. τὸν Ἱέρωνα δυσυρίᾳ δυστυχῆσαι f 444. 1551 a22. 545. 1568 b17.
δυσπαραπιστότεροι φ5. 809 a35 (fort δυσπαραπεισότεροι).
δύσπειστος, opp εὐμετάπειστος Ηη10. 1151 b6.
δύσπεπτος. δύσπεπτα τὰ μὴ εὐδιαίρετα, opp εὔπεπτα πκα8. 927 b30. α47. 865 a14. ἰκμὰς δύσπεπτος Ζγδ7. 776 a12. τὸ πλεῖον περίττωμα δυσπεπτότερον Ζγδ2. 766 b36. δυσπεπτότερος, δυσπεπτότατος πγ14. 873 a10, 11.
δυσπερίληπτος τοῖς ἐναντίοις πόλις Πη11. 1330 b3.
δύσπνοια. τὰς σπογγέας πονεῖν ἐν τῇ δυσπνοίᾳ τῷ μὴ δύνασθαι προΐεσθαι θύραζε πλβ5. 960 b24.
δυσπραξίαι, opp εὐπραξίαι Ηα11. 1101 b7.
δυσπρόσοδος τοῖς ἐναντίοις πόλις, εὐέξοδος αὐτοῖς Πη11. 1330 b3.
δύσριγος. ζῶα δύσριγα, δυσριγότερα Ζιθ25. 605 a20. ι3. 610 b33. 46. 630 b26. Ζμδ5. 680 a35. Ζγβ8. 748 a24. πκς61. 947 b1. ὁ ἐν τῇ κεφαλῇ τόπος δύσριγος Ζμγ4. 665 b30. πῶς ἔχοντες οἱ ἄνθρωποι δύσριγοί εἰσι, δυσριγότερως διάγουσι πα29. 863 a2. γ1. 871 a2. 6. 871 b32. η4. 887 b22. 10. 888 a25. 17. 888 b37.
δυσταμίευτος. τὸ βίᾳ φερόμενον πνεῦμα δυσταμίευτόν ἐστι ⟨καὶ⟩ οὐ ῥᾳδίως ὑπηρετεῖ αχ 802 a6, 800 b31.
δυστοκεῖν. πῶς ἔχουσαι αἱ γυναῖκες δυστοκοῦσιν Ζγα11. 719 a20. Ζιθ9. 587 a4. 10. 587 a34. τὰς ἐλέφαντας ἐν τῇ ἐκτέξει δυστοκεῖν θ177. 847 b6.
δυστοκία διὰ τὸ μῆκος τῆς φορᾶς Ζγα11. 719 a18. τὰς μαίας περὶ τὰς δυστοκίας τῶν γυναικῶν τῇ εὐχερείᾳ δεῖ

βοηθεῖν Ζιη10. 587 a10.
δυστράπελος, def ηεγ7. 1234 a5.
δυστυχεῖν. ἔλεος περὶ τὸν ἀνάξιόν ἐστι δυστυχῆντα πο13. 1453 a4. τὸν Ἱέρωνα δυσυρίᾳ δυστυχῆσαι f 444. 1551 a22. 545. 1568 b17.
δυστύχημα. ἐκτὸς ὢν κακῶν ⟨καὶ⟩ δυστυχημάτων Ηα11. 1100 a17.
δυστυχής. δυστυχεῖς εἶναι πάντας τὸς περιττύς ΜΑ2. 983 a1.
δυστυχία, opp εὐτυχία, def Φβ5. 197 a27. Μκ8. 1065 b1. εὐπραξίαι ⟨καὶ⟩ δυστυχίαι Ηα11. 1100 a21. μεταβάλλειν εἰς εὐτυχίαν ἐκ δυστυχίας, ἐξ εὐτυχίας εἰς δυστυχίαν πο7. 1451 a13. 13. 1452 b35 (syn ἀτυχία b37), 1453 a2, 9, 14, 25 al.
δυσφορεῖν πράγματί τινι τγ2. 118 a24, 25. ὀδύρεσθαι ἐπὶ πᾶσι ⟨καὶ⟩ δυσφορεῖν αρ7.1251 b21. — τῶν γυναικῶν αἱ πολλαὶ δυσφορῶσι περὶ τὴν κύησιν Ζγδ6. 775 a30.
δύσφορος. τὴν σύμφυσιν ἔχειν πυκνὴν ⟨καὶ⟩ σκληρὰν ⟨καὶ⟩ δύσφορον αχ 802 a26.
δυσφυής. ἀφύαι καλῦνται ὡς ἂν ἀφυεῖς ὖσαι τυτέστι δυσφυεῖς f 313. 1531 a29.
δυσχείμερος. δυσχείμερα ταῦτα, Σκυθικὴ ⟨καὶ⟩ Κελτικὴ Ζιθ28. 606 b5. — δυσχείμεροι αἱ ὗλαι οἷες Ζιθ10. 596 b5.
δυσχεραίνειν c acc, veluti τὸν εὖ ποιῦντα, τὸν θάνατον, τὸ ποτὸν al Ηθ15. 1162 b10. γ9. 1115 b3. χ10. 1179 b31. Πγ14. 1285 a22. Ρβ24. 1402 a25. πο17. 1455 a28. Μν2. 1088 b30. αι5. 444 b29. Ζιθ8. 595 b25. δεῖ μὴ δυσχεραίνειν παιδικῶς τὴν περὶ τῶν ἀτιμοτέρων ζῴων ἐπίσκεψιν Ζμα5. 645 a15. c dat, ἑαυτοῖς, τοῖς γελοίοι λέγουσι, ταῖς ἀπὸ κακίας πράξεσι, ταῖς ὀσμαῖς ΜΑ3. 984 a29. Ηθ14.1128 a8, b3. ι9.1170 a9. Ζιιδ40.626 a26. ημβ7.1204 a22. ἐπί τινι, ἐπὶ τῇ πράξει (syn μεταμέλεσθαι) Ηγ2. 1110 b20, 19. τῷτ' ἰδίᾳ μὴ καθ' ἡμῶν δυσχεραίνωμεν Μμ1. 1076 a15. c inf δυσχεραίνειν εἰς ἡμίοψα ποιεῖν Ργ2. 1405 b25. absolute ὁ δυσχεραίνων ⟨καὶ⟩ ἀπαθής, opp ὁ εὐέλπις Ρβ1. 1378 a6. οἱ ἐν τῇ πολιτείᾳ δυσχεράναντες Πε6. 1306 b4. — pass τὸ μέλλον δυσχεραίνεσθαι τοῖς ἀκύυσιν ρ19. 1432 b19. ἐὰν νέος παντελῶς δημιηγορῇ δυσχεραίνεται ρ30. 1487 a33.
δυσχέρεια. ἢ ὑρανὸς ἀπαθὴς πάσης θνητῆς δυσχερείας Οβ1. 284 a14. αἱρετώτερον ᾧ ὑδεμία δυσχέρεια ἀκολυθεῖ τγ2. 117 b31. — i q ἀπορία, ἀτοπία. συμβαίνει πολλὴ δυσχέρεια Μν4. 1091 b23, cf b1. μ9. 1086 b12. ἔχει δυσχερείας, πολλὰς ἀπορίας ⟨καὶ⟩ δυσχερείας Μμ8. 1083 b9. 9. 1085 b17. αν7. 474 a24. ψα5. 410 a27. Ζγβ4. 740 b15. ἐνέφαινεν δυσχερείας Οδ2. 309 a29. αἱ ἐνῦσαι δυσχέρειαι Μν2. 1090 a8. τεθεωρηκέναι πάσας τὰς δυσχερείας Μβ1. 995 a33 Βz. πρὸς τὰς λογικὰς δυσχερείας Μγ3. 1005 b22. νι. 1087 b20. εὐλαβούμενοι ἀληθινὴν δυσχέρειαν Μν4. 1091 a37. ἢ περὶ τὰ εἴδη δυσχέρεια ⟨καὶ⟩ πλάσις Μμ9. 1086 a4. ὑπεξαιρεῖν τὰς ἐπιφερομένας δυσχερείας ρ19. 1432 b13, 24. δεικτέον μικρὰς ⟨καὶ⟩ ταπεινὰς ὖσας τὰς δυσχερείας ρ3. 1425 a30.
δυσχερής. ἀπολύεσθαι ὑπόληψιν δυσχερῆ Ργ15. 1416 a6. ἀναμιμνήσκονται πολλῶν ⟨καὶ⟩ δυσχερῶν Η5. 1166 b15. — logice τὰ δυσχερῆ: ταῦτα συμβαίνει δυσχερῆ sim Φε1. 225 a30. Μκ11. 1067 b35. μ7.1081 b37. 9. 1085 b6,1086 b7. Ογ5. 304 a22. πολλὰ τῶν συναχθέντων ἂν δυσχερῶν Μκ6. 1063 b32. τοσαῦτα ἀφήρηται τῶν δυσχερῶν Μν2. 1088 b31. ἐὰν λύηται τὰ δυσχερῆ ⟨καὶ⟩ καταλείπηται τὰ ἔνδοξα Ηθ1. 1145 b7.
δύσχρηστος. μέθοδος ἀσαφὴς ⟨καὶ⟩ δύσχρηστος πρὸς τὴν προκειμένην πραγματείαν τα6. 102 b37.
δύσχυμος. ἁλμυρὸν ⟨καὶ⟩ δύσχυμον Ζγδ8. 776 a30.

δυσχωρία. ἐν ταῖς δυσχωρίαις μάλιστα ὁ σεισμός μβ8. 368 ᵃ5.

δυσώδης. σφόδρα δυσώδης ηεη2. 1237 ᵇ6. τὰ δυσώδη, opp εὐώδη ηεγ2. 1231 ᵃ5. δυσώδη καθ' αὑτά, κατὰ συμβεβηκός αι5. 444 ᵇ29. ἡ τῦ ὀσφραντῦ αἴσθησις χ̣ δυσώδὲς χ̣ εὐώδης ὄσφρησίς ἐστιν ψβ9. 421 ᵇ22. ἔχειν τὰς ὀσμὰς δυσώδεις, δυσωδεστέρας αι5. 445 ᵃ3. Ζιι40. 626 ᵃ27. πὸ12. 877 ᵇ24. ὅσα περὶ τὰ δυσώδη πιγ. τὰ δυσώδη ἄπεπτα πα47. 865 ᵃ4. ιβ12. 907 ᵇ10. ×16. 924 ᵇ24. τὸ πήγανον δυσώδεις τὸς ἰδρῶτας ποιεῖ πβ13. 867 ᵇ8. ×33. 926 ᵇ16. δυσώδης ὑπόστασις τῦ ἰδρῶτος πὸ12. 877 ᵇ37. τὰ κρέα γίνεται φαῦλα χ̣ δυσώδη Ζιζ29. 579 ᵃ10. ὁρμᾶν πρὸς τὰ δυσώδη, δελεάζεσθαι τοῖς δυσώδεσι Ζιε19. 552 ᵇ4. ὁ8. 584 ᵃ16. δυσωδέστατα τῶν σπλάγχνων Ζμγ9. 671 ᵇ23. ὁ νότος δυσώδης πκς17. 942 ᵃ16.

δυσωδία, opp εὐωδία ηεγ2. 1230 ᵇ29. δυσωδία αὐτὴ καθ' αὑτήν αι5. 445 ᵃ2. Εὐριπίδῃ δυσωδία τῦ στόματος Πε10. 1311 ᵇ34. δυσωδία τῶν σμηνῶν, νόσημά τι Ζιι40. 626 ᵇ20.

δυσωνεῖν. ὅτε καταβάντες ἐκ τῆς πόλεως δυσωνοῖντό τι τῶν πωλυμένων f 517. 1562 ᵇ18.

δυσωπεῖσθαι. πρὸς τὴν ζήτησιν περὶ ἑκάστυ τῶν ζῴων προσιέναι δεῖ μὴ δυσωπύμενον ὡς ἐν ἅπασιν ὄντος τινὸς φυσικῦ χ̣ καλῦ Ζμδ5. 645 ᵃ22.

δυτικός. ζῷα δυτικά f 454. 1552 ᵇ28. cf Heitz 309.

δῶ. ἀφαιρύμενον οἷον τὸ κρῖ χ̣ τὸ δῶ πο21. 1458 ᵃ5.

δώδεκα Πὸ15. 1300 ᵃ30.

δωδεκάεδρον, coni τὸ ὀκτάεδρον Ογ8. 307 ᵃ16.

δωδεκαταῖος. περὶ δωδεκαταῖα ὄντα τὰ τέκνα Ζιζ2. 567 ᵃ5.

Δωδώνη μα14. 352 ᵃ35 cf Cuvier discours s l révolut du globe Paris 1850 p. 113 adn.

Δωδωνίς Ρβ23. 1398 ᵇ3.

δωρεά, δόσις ἀναπόδοτος τὸ4. 125 ᵃ18. περὶ δωρεᾶς χ̣ ἀντιδωρεᾶς Ηὸ5. 1123 ᵃ3. δαπανᾶν δωρεᾶς Πε11. 1314 ᵇ1.

δωρεῖσθαι ὡς φίλῳ, opp ἐπὶ ῥητοῖς Ηθ15. 1162 ᵇ31. — δωρητοί (Hom I 526) Ργ9. 1410 ᵃ29.

δώρημα θεῶν ἀνθρώποις Ηα10. 1099 ᵇ11.

Δωριεῖς ἀντιποιῦνται τῆς τραγῳδίας χ̣ τῆς κωμῳδίας πο3. 1448 ᵃ30.

Δωριεὺς στεφανίτην ἀγῶνα νενίκηκεν Ρα2. 1357 ᵃ19.

Δώριος ἁρμονία Πγ3. 1276 ᵇ9. Δώρια μέλη, συντάγματα Πθ7. 1342 ᵃ16. ὁ3. 1290 ᵃ22.

δωριστί. τῶν ἁρμονιῶν εἴδη δύο, ἡ δωριστὶ χ̣ ἡ φρυγιστί Πὸ3. 1290 ᵃ21. ἡ δωριστὶ στασιμωτάτη χ̣ μάλιστ' ἦθος ἔχυσα ἀνδρεῖον, μέσως χ̣ καθεστηκότως διατίθησι Πθ7. 1342 ᵇ12, ᵃ30. 5. 1340 ᵇ4.

δωροδοκεῖν. ὤμνυον οἱ θεσμοθέται μὴ δωροδοκήσειν f 374. 1540 ᵇ2.

δωροδόκος Ηθ16. 1163 ᵇ11.

δῶρον def Ρα5. 1361 ᵃ37-ᵇ2. τὰ δῶρα τοῖς ἀναθήμασιν ἔχει τι ὅμοιον Ηὸ5. 1123 ᵃ5. δῶρον παιδικὸν Ηὸ5. 1123 ᵃ15. γραφὴ δώρων f 378. 1541 ᵃ3. 379. 1541 ᵃ41.

δωροξενία. γραφὴ δωροξενίας f 378. 1541 ᵃ3. 379. 1541 ᵃ25, 30, 36, 40, 43.

E

ἐάν, ἄν, forma ἤν non videtur exhiberi apud Ar, cf Eucken I 65 (ἢν μὴ ἁρμόττῃ πο20. 1457 ᵃ3, sed ἢν μὴ ἁρμόττει Vhl Poet III 306 e cod Aᶜ). — ἐάν περ Φὸ10. 218 ᵃ4. Μζ12. 1038 ᵃ13. Ργ16. 1417 ᵇ13, ἄν περ Φὸ8. 215 ᵃ2. Μβ6. 1003 ᵃ16. Πε10. 1313 ᵃ4. — ἐάν τε, ἐάν τε, ἄν τε, ἄν τε, ἄν τε, ἐάν τε cum coniunctivo Πγ11. 1282 ᵇ3. ὁ12. 1296 ᵇ36. f 85. 1491 ᵃ9. al, elliptice sine verbo Αβ2. 54 ᵃ16. Πγ8. 1280 ᵃ1. ὁ16. 1300 ᵇ24. — ἐὰν μὴ elliptice i q praeterquam ηθβ1. 1219 ᵇ25. — ἐάν, ἄν ubi in Aristotelicis libris cum indicativo coniunctum legitur, librariorum errore factum videtur, ἂν ὕτως ἐλήθη Ρβ25. 1402 ᵇ30 (εἰ Spgl Bk¹, λυθῇ ci Bz), ἂν τὰ πρὸς αὑτὴν τὴν τέχνην ἀδύνατα πεποίηται πο25. 1460 ᵇ22 (Bk, sed ἂν om cod Aᶜ, cf Vahlen Poet IV 413); in libro pseudepigrapho περὶ φυτῶν et ἐάν et aliae coniunctiones cum ἄν compositae saepe optativum, aliquoties indicativum a se suspensum habent, ἐάν c optativo φτα1. 815 ᵃ23, 24. 5. 821 ᵃ14. β3. 825 ᵃ4 (c coniunct et optat α7. 821 ᵇ30, 31), ὁπόταν, ὅταν c opt φτα2. 818 ᵃ1. β7. 827 ᵃ13, ἔστ' ἄν c opt φτβ1. 822 ᵃ20. 8. 828 ᵃ23, coni et opt β10. 829 ᵇ7, ἄν c indicativo φτβ3. 828 ᵃ8, ὁπόταν c ind φτβ7. 827 ᵃ30. ἐὰν εἴ τι τρέφεται φτα1. 815 ᵇ11. — κἂν χ̣ ἔχωσι, κἂν χ̣ ὐκ ὦσι φτα3. 816 ᵇ26, 21.

ἐᾶν. 1. ἐάσασα τὰ ᾠὰ ἡμέρας τριάκοντα Ζιι33. 558 ᵃ9. κινήσαντας τὸν νόμον ἐάσειν τὴν ἄλλην πολιτείαν Πε7. 1307 ᵇ16. cf γ13. 1284 ᵇ8. ἐάσαντας γενέσθαι ἰᾶσθαι ὕστερον Πε3. 1302 ᵇ20. cf 8. 1308 ᵇ36. εἰ τὸν ἥλιον παύσει τις (int cogitando) τῆς φορᾶς. εἰ δ' ἐάσει (int cogitando, cf ποιεῖν) εἶναι τὴν φορὰν μβ3. 356 ᵇ28. ἐατέον ἐνίας ἁμαρτίας sim Πβ8. 1269 ᵃ16. 7. 1267 ᵇ13. ὅσον ἀψάμενοι χαιρειν ἐῶσιν Φβ8. 198 ᵇ15. pass ἐᾶται τὴν φύσιν ἀπολαμβάνειν αὐτῆς sim μγ3. 372 ᵇ21. α10. 347 ᵇ10. πιὸ2. 909 ᵃ18. ἐμμένης τῆς γενέσεως χ̣ μὴ πηρωθείσης ηεβ8. 1224 ᵇ30, 33. — 2. ἐάσαντας ἐπὶ τῆς νῦν μεθόδυ διασκεπτέον ὕστερον Πη1. 1324 ᵃ2. τὰς τοιαύτας διαιρέσεις ἐατέον, σκεπτέον δὲ Ρα10. 1369 ᵃ24. cf Ηα13. 1102 ᵇ12.

ἔαρ. περὶ τὸ ἔαρ Ζιζ9. 564 ᵃ31. ἔαρος ἢ μετοπώρυ Ζιε9. 543 ᵃ8. 10. 543 ᵃ24. μα12. 347 ᵇ37. τῦ ἔαρος Ζιε28. 556 ᵃ3. ἔαρος ἀρχομένυ θ163. 846 ᵇ8. ἔαρ ὄψιον Ζιε22. 553 ᵇ20. ἔαρ νοσῶδες, αὐχμηρόν, βόρειον πα27. 862 ᵇ11. 9. 860 ᵃ13. — μία χελιδὼν ἔαρ ὐ ποιεῖ (cf παροιμία) Ηα6. 1098 ᵃ18. τοῖς ἀνθρώποις κατὰ τὴν ἡλικίαν γίνεται χειμὼν χ̣ θέρος χ̣ ἔαρ χ̣ μετόπωρον Ζγε3. 784 ᵃ19. τὴν νεότητα ἠφανίσθαι ἐκ τῆς πόλεως ὥσπερ εἴ τις τὸ ἔαρ ἐκ τῦ ἐνιαυτῦ ἐξέλοι (cf Περικλῆς) Ργ10. 1411 ᵃ3. α7. 1365 ᵃ32.

ἐαρινός. ἰσημερία ἐαρινή μβ6. 364 ᵇ1. Ζιθ12. 597 ᵃ1. ὥρα ἐαρινή Ζιζ1. 558 ᵇ25. 572 ᵃ7. ἄνεμοι ἐαρινοί ×4. 395 ᵃ4.

ἑαυτῷ, αὐτῦ (forma disyllaba longe frequentius apud Ar exhibetur). κατὰ τὴν ἑαυτῦ (αὐτῦ) βύλησιν Πγ16. 1287 ᵃ10, 1. 15. 1286 ᵇ32. κατὰ τὴν αὐτῶν γνώμην Πὸ10. 1295 ᵃ17. πολιτείαι λύονται ἐξ αὐτῶν, ἔξωθεν Πε7. 1307 ᵇ20. τὰ ἐν αὑτοῖς κινύμενα ἐξ αὑτῦ sim scribendum sit non raro dubitatur, cf Wz ad Αβ2. 55 ᵃ14, 32. numero plurali praeter ἑαυτῶν cet usurpatur σφῶν αὐτῶν Πὸ3. 1290 ᵃ7. ε8. 1309 ᵃ23, σφίσιν αὐτοῖς Πγ9. 1280 ᵇ26. ε12. 1316 ᵇ22, σφᾶς αὐτῦς Πγ9. 1280 ᵇ19, 30. ἑαυτῦ pro reflexivo primae personae, θεωρεῖν μᾶλλον τὸ πέλας δυνάμεθα ἢ ἑαυτύς Ηθ9. 1169 ᵇ34. β9. 1109 ᵇ5. ἐν ἑαυτοῖς πλ 5. 955 ᵇ24. αὐτόν pro secunda persona, αὐτὸν ἀπόφαινε συνηγορῦντα ρ37. 1444 ᵃ40. — αὐτὸ καθ' αὑτό i e solum, non adiuvantibus aliis μχ18. 853 ᵇ4. πε6.881 ᵃ6. sed plerumque αὐτὸ καθ' αὑτό (Κ6. 5 ᵇ16. Φϑ5.257 ᵃ30), καθ' αὑτό usurpatur sensu logico, cf κατά, Wz ad 5 ᵇ16. καθ' αὑτὸ ὑπάρχειν (λέγεσθαι) ποσαχῶς λέγεται Αγ4. 73 ᵃ34-ᵇ24. 22. 84 ᵃ12 sqq. Μδ18. 1022 ᵃ25-36. ι1. 1052 ᵃ18. ζ4. 1029 ᵇ16, 29. 5. 1030 ᵇ2. ψβ7. 418 ᵃ30. opp κατὰ συμβεβηκός v locos eosdem et Κ6. 5 ᵇ8. Φβ1. 192 ᵇ22. Πγ6. 1278 ᵇ39, 1279 ᵃ2 ac saepe. ὐδὲν κατὰ συμβεβηκός ἐστι πρότερον τῶν καθ' αὑτό Φβ6. 198 ᵃ8. Μκ8. 1065 ᵇ2. opp κατ' ἄλλα, καθ' ἕτερον Φδ2. 209 ᵃ31. ζ3. 233 ᵇ33. Αγ24. 85 ᵃ24 al. syn κυρίως Κ6. 5 ᵇ8. syn πρώτῳ, πρώτως, πρῶτον ὑπάρχειν Αβ21. 66 ᵇ22, 20. Φβ1. 192 ᵇ22. ζ3. 233 ᵇ33. syn κατὰ φύσιν Φβ1. 192 ᵇ36. syn δι' αὑτό Αγ4. 73 ᵇ10 sqq. syn κατ' ὐσίαν Αδ13. 97 ᵃ13. τὸ καθ' αὑτὸ κ̣ ἢ αὐτὸ ταὐτόν Αγ4. 73 ᵇ28. (τὸ τρίγωνον καθ' αὑτὸ ἔχει δύο ὀρθάς Αα35. 48 ᵃ35.) τὰ καθ' αὑτὰ ὑπάρχοντα ἀναγκαῖα τοῖς πράγμασιν Αγ6. 74 ᵇ6, 75 ᵃ29. τὰ καθόλυ καθ' αὑτὰ ὑπάρχει Μδ9. 1017 ᵇ35.

ἑβδομαῖος. μετὰ τὸν τόκον ἑβδομαία συγγενομένη Ζιη6. 586 ᵃ1.

ἑβδομάς. ἑβδομάσι μετρεῖν τὴν ἡλικίαν, διαιρεῖν τὰς ἡλικίας Πγ16. 1335 ᵇ34. 17. 1336 ᵇ40. χρόνοι κινήσεως διαριϑμένοι εἰς τὸν τῶν ἑβδομάδων ἀριϑμόν Ζιζ17. 570 ᵃ31.

ἑβδομήκοντα ἐτῶν ἀριϑμὸς ἔσχατος τῆς γεννήσεως ἀνδράσιν Πγ16. 1335 ᵃ9.

ἕβδομος Πε4. 1291 ᵃ33. ἐν Ἄργει τῶν ἐν τῇ ἑβδόμῃ (alii Ἑβδόμῃ) ἀπολομένων Πε3. 1303 ᵃ6 cf interpr ad h l. διὰ τί τῇ ἑβδόμῃ τὰ ὀνόματα τίϑενται Ζιη12. 588 ᵃ8.

ἔβενος ὃν ἐπιπλεῖ ἐπὶ τῷ ὕδατι μδ7. 384 ᵇ17, 18. φτβ2. 823 ᵃ27. μέλας φτϑ9. 828 ᵇ24. (Diospyros Ebenum Retz).

Ἕβρος μα13. 350 ᵇ17.

ἐγγίζειν. ἐγγίσῃ ϑ144. 845 ᵃ20.

ἐγγίνεσϑαι. μηδένα ἰχϑὺν ἐγγίνεσϑαι ἐν τῇ ἐν Παλαιστίνῃ λίμνῃ μβ3. 359 ᵃ21. ζῷα ἐγγίνεται τοῖς σηπομένοις, ἐν τοῖς σαπροῖς sim μδ1. 379 ᵇ6. 3. 381 ᵇ10. 11. 389 ᵇ5. ἐν τοῖς νέφεσιν ἐγγίνεται πῦρ μϑ9. 369 ᵇ12, 370 ᵃ24, 6. 3. 359 ᵇ10. ἡ αἴσϑησις ἐγγίγνεται ἐν τοῖς ὁμοιομερέσιν Ζμβ1. 647 ᵃ5. τῷ σώματι πολλαὶ ἐγγίγνονται κινήσεις ὑπὸ τῦ περιέχοντος Φϑ2. 253 ᵃ6. ἡ ψυχὴ ἑτέρῳ τι ᾧσα ἐγγίγνεται τοῖς μέλεσιν ψα4. 408 ᵃ21. ἡ μορφὴ ἐγγίνεται ἐν τῇ ὕλῃ sim Ζγα22. 730 ᵇ14. β3. 736 ᵇ16, 17, 20. τὸ ἐγγινόμενον περίττωμα Ζγβ4. 739 ᵃ16. γ6. 756 ᵇ28. διὰ τῦ τὸ πνεῦμα κατασχεῖν ἡ ἰσχὺς ἐγγίνεται Ζγβ4. 738 ᵃ1. ἐν τοῖς ὁμοίοις ἐγγίγνονται δημαγωγοί sim Πε8. 1308 ᵃ17. 6. 1305 ᵇ24. 5. 1304 ᵇ26. ταῖς ὀλιγαρχίαις ἐγγίγνονται στάσεις Πε1. 1302 ᵃ10, 13. ὐδεμία ἠϑικὴ ἀρετὴ ἡμῖν φύσει ἐγγίνεται Ηβ1. 1103 ᵃ19. εἰσὶν ἀρεταὶ κ̣ φύσει ἐν ἑκάστοις ἐγγινόμεναι ημα35. 1197 ᵇ38. — ἐγγινόμενα τὰ ἄρθρα σαφῆ ποιεῖ τὴν λέξιν ρ26. 1435 ᵇ13.

ἔγγονος. ἀτελῆ τὰ τῶν νέων ἔγγονα (fort ἔκγονα coll ᵇ30) Πη16. 1335 ᵃ13. τῶν ἀετῶν θάτερον τῶν ἐγγόνων ἀλιαίετος ϑ69. 834 ᵇ35.

ἐγγράφειν. ὁ νομοθέτης μείζυς αὐτοῖς ζημίας ἐνέγραψεν πιϑ14. 952 ᵇ27. — pass παῖδες οἱ μήπω δι' ἡλικίαν ἐγγεγραμμένοι Πγ1. 1275 ᵃ15. οἱ ἔφηβοι ἐγγραφόμενοι δοκιμάζονται, πρότερον εἰς λελευκωμένα γραμματεῖα ἐνεγράφοντο ϝ427. 1549 ᵃ2. 429. 1549 ᵃ16, 17. ἐγγράφεσθαι εἰς τὲς λελειτυργηκότας ϑ1347 ᵃ14.

ἐγγραφή. πράξεις τῶν καταδικασθέντων κ̣ τῶν προτιθεμένων κατὰ τὰς ἐγγραφὰς Πζ8. 1322 ᵃ1.

ἔγγραφος. αἱ μαρτυρίαι ἔγγραφοι ἐνεβάλλοντο εἰς ἐχῖνον

ϝ415. 1547 ᵇ13.

ἐγγύη, συνάλλαγμα ἑκούσιον Ηε5. 1131 ᵃ4. λαμβάνειν ἐγγύας παρά τινος ϑ57. 834 ᵇ16. — ἐγγύα πάρα δ' ἄτα (cf παροιμία) ϝ6. 1475 ᵃ25.

ἐγγυητὴς ἀλλήλοις τῶν δικαίων ὁ νόμος Πϑ9. 1280 ᵇ11. τὸ νόμισμα οἷον ἐγγυητὴς ὑπὲρ τῆς μελλύσης ἀλλαγῆς Ηε8. 1133 ᵇ12.

ἐγγύθεν, opp πόρρωθεν, αἰσθάνεσθαι, πνεῖν ψβ11. 423 ᵇ6. μβ6. 364 ᵇ7. ἡ ἐγγύθεν ἀνάκλασις μγ4. 374 ᵃ2. — τοσαῦτα οἷα τοῖς ἄποθεν φαίνεται ἢ τοῖς ἐγγύθεν Μγ5. 1010 ᵇ6. τὸ πνεῦμα ἐγγύθεν θερμόν, πόρρωθεν ψυχρόν μβ8. 367 ᵇ2.

ἐγγύς. τὰς ἐγγύας τῶν εἴκοσι ταλάντων οβ1350 ᵃ19.

ἐγγύς. de loco, ἐγγύς, πόρρω εἶναι τῶν διαφθειρόντων Πε8. 1308 ᵃ26. οἱ ἐγγύτεροι τῆς προσχώσεως τόποι μα14. 352 ᵃ4. τὸ κινῦν ἐγγύτερον, πορρωτέρον ἐστὶ τῷ ἀλλοιυμένῳ Φϑ7. 260 ᵇ3. κατὰ τὸ ἔγγιον κ̣ πορρωτέρω θεῦ εἶναι κ6. 397 ᵇ34. τοῖς ἐγγὺς τῶν θεῶν ὦσι πρὸς τὲς ἄποθεν ϝ166.1505 ᵇ38. — ἐγγὺς εἶναι τόπῳ, χρόνῳ, ἡλικίᾳ, δόξῃ, οἰκειότητι Ρβ10. 1388 ᵃ6. 8. 1386 ᵃ17. — κληρονόμοι οἱ ἐγγύτατα γένυς ὄντες ρ2. 1422 ᵇ8. — αἴτια ἐγγύτερα (ἐγγύτερον) ἄλλα ἄλλων, δεῖ τὰ ἐγγύτατα αἴτια λέγειν Φβ3. 195 ᵇ2. 5. 197 ᵃ24. Μδ2. 1014 ᵃ5. η4. 1044 ᵇ1. τὸ ἔγγιον τῦ τέλυς τγ1. 116 ᵇ23. τὸ ἐγγύτερον τἀγαθῦ τγ2. 117 ᵇ10. τὸ ἐγγύτερον τῆς αἰσθήσεως Αγ2. 72 ᵃ2. τὸ ἐγγυτάτω τῆς ἀρχῆς, τῆς αἰσθήσεως Αγ24. 86 ᵃ15. 2. 72 ᵃ4. τὸ ἐγγυτάτω γένος, opp τὸ ἐπάνω τζ5. 143 ᵃ19 sqq. τὸ ἐγγύτατα γένος Αδ14. 98 ᵃ6. τὸ εἶδος ἔγγιον τῆς πρώτης ὑσίας Κ5. 2 ᵇ8. περιγράφοντες ὅτι πλεῖστα κ̣ ἐγγύτατα τῦ πράγματος Ρβ22. 1396 ᵇ9. ὅσῳ ἐγγύτερα, τοσῦτῳ οἰκειότερα κ̣ ἧττον κοινά Ρβ22. 1396 ᵇ11. οὐξαι ἤδη ἐγγύτερυ κ̣ οἰκεῖαι τῶν φαινομένων ηεη1. 1235 ᵃ30. — inde ἐγγύς similitudinem significat, et interdum quidem adiectivi instar videtur usurpari. κατὰ μὲν λόγον ἐγγὺς εἶναι, διαφέρειν δὲ κατὰ τὴν προαίρεσιν Ηη11. 1152 ᵃ13. ἔγγιον (v l ἐγγὺς ὂν) ἢ μηδὲν διαφέρον Πε3. 1303 ᵃ24. εἰσὶν ὗτοι ἐγγὺς κ̣ ὅμοιοι Ρβ10. 1388 ᵃ18. τῷ ἐγγύτερον εἶναι κ̣ ὁμοιότερον Ηβ8. 1109 ᵃ6. αὐτὸς ἐγγύτερος σπυδαῖος ὢν ἢ πάππυ σπυδαῖα τετυχηκὼς ϝ85. 1490 ᵇ35. κακίας ἢ τῆς τελείας ἢ ἁπλῶς ἢ ἐγγὺς Ηε15. 1138 ᵃ33. ὕπω μὲν ὕσης ὕδωρ ἐγγὺς δ' ὕδατος μγ6. 377 ᵇ20. πολιτεία ἐγγὺς μοναρχίας, ἐγγυτέρω τῦ δήμυ, ἐγγύτατα ταύτῃ Πδ6. 1293 ᵃ31. ε1. 1302 ᵃ14. δ11. 1296 ᵇ8. ἀὴρ πυρὸς ἐγγύτατα (ἐγγύτατα cod E Ideler) μα2. 339 ᵃ19. ὅτι ἐγγύτατα τύτυ (v l τύτοις) Ζμα1. 640 ᵃ35. — comp ἐγγύτερον, ἐγγυτέρω, ἔγγιον, superl ἐγγύτατα, ἐγγύτατω v supra.

ἐγείρεσθαι χρὴ πρότερον δεσπότας οἰκετῶν οα6. 1345 ᵃ13. ἐγείρονται κ̣ κινῦσιν ἑαυτὲς Φϑ6. 259 ᵇ13. πότε τὰ ζῷα ἐγείρεται πάλιν Φϑ2. 253 ᵃ20. ἐγειρόμενος εν3. 462 ᵃ10, 12. τὰ ζῷα ἐγειρόμενα κ̣ ἐν τῇ μήτρᾳ Ζγε1. 779 ᵃ7, 778 ᵇ26. ὅταν ἐγερθῶσιν Φδ11. 218 ᵇ25. — ἐγρηγορέναι (cf ἐγρήγορσις), def λελύσθαι τὴν αἴσθησιν υ1. 454 ᵃ32, 4. τὸ ἐγρηγορὸς πρὸς τὸ καθεῦδον ὡς ἐνεργεῖα πρὸς δύναμιν Μϑ6. 1048 ᵇ1 Bz. τῷ ἐγρηγορέναι τὸ ζῆν μάλιστα ὑπάρχει διὰ τὴν αἴσθησιν Ζγε1. 778 ᵇ31. πᾶν τὸ ἐγρηγορὸς ἐνδέχεται καθεύδειν υ1. 454 ᵇ8. τίνα ζῷα καθεύδει κ̣ ἐγρήγορεν Ζιδ10. ἐγρηγορέναι πῃ. ἁπλῶς εν3. 462 ᵃ26. φωλεῖ μέν, κινεῖται δὲ κ̣ ἐγείρεται Ζιθ17. 600 ᵇ5. τὸ ἐγρηγορέναι τῷ ζῆν αἴτιον πιη1. 916 ᵇ18. τὰ ζῷα ἐλάττω χρόνον καθεύδει ἢ ἐγρήγορεν πι31. 894 ᵃ21. ἐγρηγορότα τὰ παιδία ἢ γελᾷ Ζγε1. 779 ᵃ11. — ἐγερτὸς πᾶς ὕπνος υ1. 454 ᵇ14.

ἔγερσις θυμῦ κ̣ ὁρμή Ηγ11. 1116 ᵇ30.

ἐγκαθεύδειν ψυχρότεραι οἶες αἰγῶν Ζι3. 610 ᵇ31 (συγκα-
θεύδειν ci Schn).
ἐγκαθιδρύειν. κορυφῇ τῷ ὀρανῷ ἐγκαθιδρυμένος κ6. 397 ᵇ27.
ἐγκαλεῖν τῷ φίλῳ Η⁸15. 1152 ᵇ12. ταῖς ἀρχαῖς Πὸ4. 1292
ᵃ28. Εὐριπίδῃ ρο13. 1453 ᵃ24. — sine obiecto ηεη3. 1238
ᵇ34. ἐὰν οἱ ἐγκαλέσαντες μὴ ἐπεξίωσιν ρ30. 1437 ᵃ17. —
pass impers ἐγκαλεῖται τῇ τύχῃ Η⁸2. 1120 ᵇ17. — ἔγ-
κλητος. αἱ ἔγκλητοι τῶν οἴκων ὀβ1348 ᵇ14.
ἐγκαλύπτεσθαι φοβωμένος ͅͅ ͅ ͅ ͅ ͅ ͅ ͅ ͅ ͅ ͅ ͅ ͅ ͅ ͅ ͅ ͅ ͅ ͅ ͅ ͅͅͅͅͅͅͅͅͅ ηεη3. 462 ᵃ14. cf Ρβ6. 1385
ᵃ11, 12.
ἐγκάρσιος. τὸ Σικελικὸν πέλαγος ἐγκάρσιον κ3. 393 ᵃ28.
ὁ ζωοφόρος κύκλος ἐγκάρσιος διὰ τῶν τροπικῶν διέζωσται
κ2. 392 ᵃ12.
ἐγκατακεῖσθαι. τὰ ἐπίπεδα κοπαρώτερα ἐγκατακεῖσθαι τῶν
κοίλων ἐστὶν πε11. 881 ᵇ28.
ἐγκατακλείειν. τὸ ψυχρὸν ἐγκατακλείει τὸ θερμὸν κ) κωλύει
ἐξιέναι πκὸ13. 937 ᵃ29. — pass ἐγκατακλείεται τὸ ἐνυ-
πάρχον ὑγρόν, ἐγκατακλειομένης τῆς ὑγρότητος μὸ3. 381
ᵇ2. Ζμγ9. 672 ᵇ3. πνεῦμα ἐγκατακλειόμενον Ζμγ9. 672
ᵃ32. Ζγβ2. 735 ᵇ23. ὁ ἀτμιδώδης ἀὴρ ἐγκατακλειόμενος
Ζγε6. 786 ᵃ13. ἀναθυμίασις ἐγκατακλειομένη μγ7. 378
ᵃ29, 15. ὸ8. 384 ᵇ34. ἐγκατακλειόμενον θερμόν, ψυχρὸν
θ50. 834 ᵃ9. πγ26. 875 ᵇ10. ιγ10. 908 ᵇ33. κ29. 926 ᵃ22.
κὸ8. 936 ᵇ15. λη3. 966 ᵇ39. f 248. 1524 ᵃ26. ὑγρὸν πνευ-
ματῶδες ἐγκατακεκλεισμένον παρὰ φύσιν πὸ15. 878 ᵇ8.
ἐγκατακλίνεσθαι. τὰ ἐνοιδοῦντα ἀκοπώτερά ἐστι κ) ἐγκα-
τακλιθῆναι κ) ἐνέξεσθαι πε11. 881 ᵇ36.
ἐγκαταλαμβάνειν. ἐξίεσθαι (Bsm), ἔξωθεν Bk) τὸ ἐγκατα-
λαμβανόμενον πνεῦμα πκ34. 926 ᵇ31.
ἐγκατάλειμμα. παλαιᾶς φιλοσοφίας ἐγκαταλείμματα περι-
σωθέντα f 2. 1474 ᵇ7.
ἐγκαταλείπειν. τὸ δέρμα ἐγκαταλιπὼν ὁ ψὴν ἐκπέταται
Ζιε32. 557 ᵇ27. ἐγκαταλείπειν (ἐγκαταλιπεῖν. ἐγκαταλελοι-
πότες) τὸν παραστάτην, τὰ τέκνα, τὸς συμμάχος sim Ηε4.
1130 ᵃ30. Ρβ4. 1381 ᵇ27. 5. 1382 ᵇ7. γ16. 1417 ᵃ4. ρ21. 35
1433 ᵇ36. 39. 1447 ᵃ5. — pass ἐγκαταλείπεται τὸ πῦρ, ἐγ-
καταλελεῖφθαί τι ἐν αὐτοῖς θερμὸν Ζμγ9. 672 ᵃ6. β2. 649
ᵃ27. ἐγκαταλείπεσθαι ἐν ταῖς δυσχωρίαις μβ8. 368 ᵃ4. ἐγ-
καταλείπεται ἀποσπασθέν πὸ8. 877 ᵃ38.
ἐγκαταλιμπάνειν τὸς συγκινδυνεύοντας Ρα10. 1368 ᵇ19.
ἐγκαταμίγνυνται πνεῦμα Ζγβ2. 735 ᵇ19. ἐγκαταμίγνυνται
(τὸ δημιυργὸν) πν9. 486 ᵃ3.
ἐγκαταριθμεῖν. pass ἐγκαταριθμεῖσθαι ἐν τοῖς ἀναγκαίοις
ἐρωτήμασιν τι5. 167 ᵇ24.
ἐγκατειλεῖν. τὸ πνεῦμα πιλὴ γενόμενον ἐγκατειλήθη τοῖς
τῆς γῆς κοιλώμασι κ4. 395 ᵇ33.
ἐγκατοικοδομεῖν. ὁ ἀὴρ ἐν τοῖς ὠσὶν ἐγκατῳκοδόμηται
ψβ8. 420 ᵃ9.
ἐγκαυλῶντα σκόροδα, opp νέα ὄντα πκ30. 926 ᵃ26.
ἐγκεῖσθαι. κατὰ τὴν κοιλίαν ἡ τῶν ἐντέρων ἔγκειται φύσις
πᾶσι τοῖς ζῴοις Ζμγ14. 675 ᵃ31. — ὁ νότος τοῖς πρὸς
μεσημβρίαν οἰκῶσιν ἔγκειται πκγ45. 945 ᵃ35.
ἐγκελεύειν. ὁ διατάσσων τὴν τάξιν κ) ἐγκελευόμενος τοῖς
ὑπ' αὐτὸν κοσμυμένοις στρατιώταις f 13. 1476 ᵃ19.
ἐγκεντρίζειν. δένδρα ἐγκεντριζόμενα φτα6. 820 ᵇ34.
ἐγκεντρίς. περιβέμενον (ὑποδραμενον) τὰς ἐγκεντρίας ἀνα-
δραμεῖν εἰς τὰς τοίχος f 73. 1488 ᵃ16, 29.
ἐγκεντρισμὸς ὁμοίων δένδρων εἰς ὅμοια φτα6. 820 ᵇ35.
ἔγκεντροι σφῆκες, opp ἄκεντροι Ζι41. 627 ᵇ27, 628 ᵇ1.
ἐγκεραννύναι. ζωγραφία λευκῶν κ) μελάνων χρωμάτων
ἐγκερασαμένη φύσεις κ5. 396 ᵇ14. τῶν στοιχείων ἐγκεκρα-

μένων ἀλλήλοις κ4. 396 ᵃ28.
ἐγκέφαλος ͅ. descr Ζμβ7. 652 ᵃ24-653 ᵇ8. 10. 656 ᵃ14-ᵇ36.
Ζγβ6. 743 ᵇ29-744 ᵇ5. εὸ3. 783 ᵇ28-784 ᵃ4. Ζικ16. 494
ᵇ25-495 ᵃ9. — 1. ἐγκεφάλυ τόπος. στέγει κ) περιέχει τὰ
ἐν τῇ κεφαλῇ ὀστᾶ τὸν ἐγκέφαλον πν7. 484 ᵇ15. ὑπὸ τὸ
βρέγμα Ζια7. 491 ᵃ34. κεῖται ἀνώτερον μὲν ὀλίγῳ τῶν
ὀφθαλμῶν, συνεχὴς δὲ τάτοις Ζιβ11. 503 ᵇ17. ἔστιν ἡ κε-
φαλὴ μάλιστα τῷ ἐγκεφάλῳ χάριν Ζμὸ10. 686 ᵃ5. —
2. ὁ ἐγκέφαλος τί ἐστιν. κύριος ἐστιν ὁ τόπος ὁ περὶ τὸν
ἐγκέφαλον ὑ3. 457 ᵇ28. ἀρχὴ ὁ ῥαχίτης κ) ὁ ἐγκέφαλος
πν7. 484 ᵇ21. βέλτιαι διμερῆς ἐστι τὸ ἔγκρα Ζμγ7. 669 ᵇ22
(cf M 473, Lewes 324). αὐτὸς ἄναιμος πάντων ἐστί, κ) ὅτε
μικρὸν ὅτε μέγα φλεβίον τελευτᾷ εἰς αὐτὸν Ζιγ3. 514 ᵃ18.
ἀσθενὴς ὑκ εὐπνοῶν πι48. 896 ᵃ32. — 3. ὁ ἐγκέφαλος πῶς
ἔχει πρὸς τὰ ἄλλα μόρια. ἀνάγκη τὸν ἐγκέφαλον ἔχειν ἐναν-
τίως ἔχον κ) ἐν τῷ ἀντικειμένῳ τόπῳ τῆς καρδίας Ζμὸ10.
686 ᵃ6. α2. 439 ᵃ3. Μὸ1. 1013 ᵃ6. ζ10. 1035 ᵇ26. κοι-
νωνῦσιν οἱ περὶ τὸν ἐγκέφαλον τόποι τῷ πνεύμονι πλγ1.
961 ᵇ13. τὰ ὄπισθεν τῆς κεφαλῆς κενὰ ὑγρότητός ἐστι διὰ
τὸ μὴ ἔχειν τὸν ἐγκέφαλον Ζγε4. 785 ᵃ1. τὸ αἷμα τὸ ἀνερχό-
μενον εἰς τὸν ἐγκέφαλον φτβ3. 824 ᵇ19. τὸ αἷμα τὸ περὶ
τὸν ἐγκέφαλον ἐν τοῖς φλεβίοις λεπτὸν κ) καθαρὸν αι5. 444
ᵃ11. vena jugularis externa et interna ἐπὶ τὸν ἐγκέφαλον
τείνει κ) σχίζεται εἰς πολλὰ κ) λεπτὰ φλέβια εἰς τὴν κα-
λυμένην μήνιγγα τὴν περὶ τὸν ἐγκέφαλον Ζιγ3. 514 ᵃ16.
ἡ λεπτότης κ) ἡ στενότης τῶν περὶ τὸν ἐγκέφαλον φλεβῶν
ὑ3. 458 ᵃ8. αἱ περὶ τὸν ἐγκέφαλον φλέβες Ζμβ10. 656 ᵇ17.
pia et dura mater Ζιγ13. 519 ᵇ2. μέγιστοι κ) ἰσχυρότατοι
τῶν ὑμένων εἰσὶν οἵ τε περὶ τὴν καρδίαν κ) περὶ τὸν ἐγκέ-
φαλον Ζμγ10. 673 ᵇ9. — 4. τὰς ἔχει περὶ τὰ αἰσθητήρια.
αἰσθάνεσθαι τῷ ἐγκεφάλῳ Ζμβ10. 656 ᵃ18. οἱ ὀφθαλμοὶ
περαίνυσιν εἰς τὸν ἐγκέφαλον Ζια11. 492ᵃ21. ἡ τῶν ὀφθαλ-
μῶν συναγωγὴ θλίβει τὰ ἀπὸ τῷ ἐγκεφάλῳ ὑγρὰ πὸ2.
876 ᵇ10. ἡ γένεσις τῶν ὀμμάτων ἀπὸ τῷ ἐγκεφάλῳ συνέ-
στηκεν αι2. 438 ᵇ28. — ἐκ τῷ ἐγκεφάλῳ φλὲψ τείνει εἰς
τὸ ὖς Ζια11. 492 ᵃ20. τὸ ὖς εἰς τὸν ἐγκέφαλον ὖκ ἔχει
πόρον Ζια11. 492 ᵃ19. — τῷ περὶ τὸν ἐγκέφαλον τόπῳ τὸ
τῆς ὀσφρήσεως αἰσθητήριόν ἐστιν ἴδιον αι2. 438 ᵇ26. πρὸς
ἐγκέφαλον περαίνει ἡ ὀσμὴ αἴσθησιν ποιεῖ πιγ5. 908 ᵃ27.
— 5. ἐγκέφαλος ψύξις, ψυχρότης, ὑγρότης, ἀλέα, θερμό-
της. ἡ ψῦξις ἡ περὶ τὸν ἐγκέφαλον· ψυχρόν, ψυχρότατον
αι5. 444 ᵃ9, 10. ὑ3. 457 ᵇ30. ἡ ὑγρότης τῷ ἐγκεφάλῳ
Ζμβ14. 658 ᵇ3. πα16. 861 ᵃ14. β17. 867 ᵇ38. λς2. 965
ᵇ8. Ζγε1. 780 ᵇ7. τὰ ἄλλα ζῷα ὀλίγον ἔχυσι κ) ἧττον
ὑγρόν· ὑγρότερος ὁ τῶν νεωτέρων Ζγε1. 780 ᵃ10, 22. ὑγρὸς
κ) ψυχρὸς Ζγε3. 782 ᵇ17. ὑγρότατος κ) ψυχρότατος αι2.
438 ᵇ29. — ἡ τῷ ἐγκεφάλῳ ἀλέα Ζμὸ10. 686 ᵃ10. τῷ
θερμῷ συμβαίνοντος ἀπὸ θερμασίας κ) τῷ ἐγκεφάλῳ πλγ17.
963 ᵇ61. ἐν τῇ ἀναφορᾷ τῷ θερμῷ τῇ πρὸς τὸν ἐγκέφαλον
ἡ περιττωματικὴ ἀναθυμίασις εἰς φλέγμα συνέρχεται ὑ3.
458 ᵃ2 (hanc Hippocr sententiam refutat van Helmont,
catarrhi deliramenta, opp omnia 1655 p 271). cf φτ3.
824 ᵇ20. πι54. 897 ᵇ4-7. — 6. τὰ τῷ ἐγκεφάλῳ περιτ-
τώματα πι2. 891 ᵃ18. ἡ γονὴ ἔστιν ἀπὸ τῷ ἐγκεφάλῳ χωρῶ-
ρῆσα διὰ τῆς ῥάχεως πι57. 897 ᵇ26. cf ἡ τῆς γονῆς φύσις
ὁμοίως ἔχει τῇ τῷ ἐγκεφάλῳ Ζγβ7. 747 ᵃ17. — 7. cere-
brum hominis. ἄνθρωπος πλεῖστον ἐγκέφαλον κ) ὑγρότατον
ἔχει αι5. 444 ᵃ30. Ζμβ14. 658 ᵇ8. πι1. 891 ᵃ11. 2. 891
ᵃ14. εἰ ἐνώνχυ πολὺν ἔχει τὸν ἐγκέφαλον πι57. 897 ᵇ24.
— 8. cerebrum animalium. οἱ ἐγκέφαλοι τῶν μὲν πιμε-
λωδῶν λιπαροί, τῶν δὲ στεατωδῶν αὐχμηροί Ζιγ17. 520

[a]27. ἀσπάλαξ ἔχει ἀπὸ τῦ ἐγκεφάλυ δύο πόρυς νευρώδεις χỳ ἰσχυρὰς Ζιθ8. 533 [a]12. οἱ ἵπποι λεπτότατον τὸ ὀστῦν ἔχυσι περὶ τὸν ἐγκέφαλον τῶν ἄλλων Ζγ5. 785 [a]13. οἱ ἰχθύες τῆς ἀκοῆς χỳ τῆς ὀσφρήσεως ὐδὲν ἔχυσι φανερὸν αἰσθητήριον· ὐδὲν γὰρ περαίνει πρὸς τὸν ἐγκέφαλον Ζιθ8. 533 [b]3. ὁ τῶν βραγχίων αὐλὸς κεῖται τοῖς ἰχθύσι πρὸ τῦ ἐγκεφάλυ Ζμδ13. 697 [a]25. αν12. 476 [b]29. ὁ ὄνος μόνος ἰχθύων ἐν τῷ ἐγκεφάλῳ ἔχει λίθυς ἐμφερεῖς μύλαις f 307. 1530 [a]26. μικρὸς τῶν πολυπόδων Ζιθ1. 524 [b]4, 32, cf A Siebld XVII 386, 389. 9. aliorum sententiae. δοκεῖ τισὶν αἰσθάνεσθαι τὰ ζῷα διὰ τὸν ἐγκέφαλον ζ3. 469 [a]22. πάντες τὴν τῶν φλεβῶν ἀρχὴν ἐκ τῆς κεφαλῆς χỳ τῦ ἐγκεφάλυ ποιῦσι, λέγοντες ὐ καλῶς Ζιγ3. 513 [a]11. — cf Caesalpini Peripat quaest (1571) lib V, 3 et 6; Taurelli Alpes caesae (1650) p 926; Harles Versuch einer Gesch d Hirn- u Nervenlehre im Alth (1801) p 80; Dietz Hipp de morb sacr 154; Schubert Gesch d Seele I, 271; Philippson ὕλη 6; Lewes 312.

ἔγκλημα. ἐγκλήματα χỳ μέμψεις ἐν ταῖς φιλίαις πῶς γίνονται Ηθ15. 16. ηεη10. 1242[b]37-1243 [b]38. ημβ17. 11. 1210 [a]28sqq. 16. 1213 [b]11. φέρειν μετρίως ἐγκλήματα χỳ ὀλιγωρίας αρ4. 1250 [a]40. ἐντεῦθεν αἱ μάχαι χỳ τὰ ἐγκλήματα Ηε6. 1131 [a]23. ἐν ἐγκλήμασι γίνεσθαι, εἶναι Ηι1. 1164 [a]29, 33. — ὁ ἁπλῶς πολίτης ὐ μηδὲν ἔχων τοιῦτον ἔγκλημα διορθώσεως δεόμενον Πγ1. 1275 [a]20. — μηκέτι εἶναι ὑπὲρ τῶν προτέρων ἐγκλημάτων κρίσεις οβ1348 [b]13. τὸ ἔγκλημα γέγραπται δικαίως Πβ8. 1268 [b]19. ἐγκλήματα, coni μαρτυρίαι, προκλήσεις f 414. 1547 [a]20.

ἐγκληματικός. ἡ διὰ τὸ χρήσιμον φιλία ἐγκληματικὴ Ηθ15. 1162 [b]16. περὶ τὴν οἰκονομίαν ἐγκληματικὸν τὸ πάρεργυς Πμ16. 1335 [a]4.

ἐγκλίνειν. trans πις6. 914 [a]27. ἐγκλίναντι σφόδρα τὸ χεῖλος Ζιβ10. 503 [a]4. πρὸς τὸ ἀναστῆναι ἀνάγκη ἐγκλῖναι τὴν κνήμην ỳ ποιεῖν τὰς πόδας ὑπὸ τὴν κεφαλὴν μχ30: 857 35 [b]36. — ἐφ᾽ ᾧ αὐτοῖς τὰ πράγματα ἐγκλίναι οβ1348 [b]3. — intr μυκτὴρ ἐγκλίνει, ὐ κάμπτεται δέ Ζιβ1. 497 [b]30. καρδία μικρὸν ἐγκλίνυσα εἰς τὸν ἀριστερὸν μαστὸν Ζια17. 496 [a]16. — ἐφ᾽ ὁπότερον ἂν ἐγκλίνῃ ἡ πολιτεία Πε7. 1307 [a]21. ἡ τῶν Λακεδαιμονίων πολιτεία μᾶλλον ἐγκλίνειν βύλεται πρὸς τὴν ὀλιγαρχίαν Πβ6. 1266 [a]7. — med οἱ ἐγκλινόμενοι εἰς τὰ δεξιὰ ἐν τῷ πορεύεσθαι φ6. 813 [a]17.

ἔγκλισις. ἐγκλίσεις τῆς κεφαλῆς εἰς τὰ δεξιὰ φ3. 808 [a]13. σεισμοὶ ἀναπαλλοντες χỳ ταῖς εἰς ἑκάτερον ἐγκλίσεσι ἀναπάλσεσι διορθῦντες κ4. 396 [a]9. ὅταν τὰ κύματα μετεωρίζόμενα κατὰ τὴν ἔγκλισιν σκιασθῇ χ2. 792 [a]22. 3. 793 [b]18. — αἱ πρὸς ἕω τὴν ἔγκλισιν ἔχυσαι πόλεις ὑγιεινότεραι Πη11. 1330 [a]39. ἀπείρυς ἐγκλίσεις ἐγχωρεῖ αὐτὸν (τὸν ἥλιον, τὸν κύκλον?) κλιθῆναι πιε7. 912 [a]25. — τῷ προσιέναι χỳ ἀπιέναι ἡ ἔγκλισις αἰτία Γβ10. 336 [b]4 (cf ἡ κατὰ τὸν λοξὸν κύκλον φορὰ [a]3. Μλ5. 1071 [a]16 Bz. 6. 1072 [a]11).

ἔγκοιλος. ῥὶς ἔγκοιλος φ6. 811 [a]38. ὀφθαλμοὶ ἔγκοιλοι, ἐγκοιλότεροι φ5. 809 [b]19, 810 [a]1. 6. 811 [b]26. — τὸ ἔγκοιλον. κάτωθεν τῦ μυκτήρων (τοῖς ἵπποις νοσῶσιν) ἔγκοιλον γίνεται ỳ ῥυτιδῶδες Ζιθ24. 604 [a]28.

ἐγκοιμᾶσθαι. ἐγκοιμηθῆναι ἐν σπηλαίῳ θ101. 839 [a]3.

ἐγκολπίαι ἄνεμοι οἱ ἐκ κόλπων διεξᾴττοντες κ4. 394 [b]15.

ἐγκολπῦσθαι. λέγεται ὁ Ὠκεανὸς ἐγκεκολπῦσθαι κ3. 393 [a]23.

ἐγκράζειν. ὅσοι φωνῦσιν ὀξὺ χỳ ἐγκεκραγὸς φ6. 813 [b]5. 60

ἐγκρασίχολος. ἐκ μιᾶς ἀφύης οἱ ἐγκρασίχολοι καλύμενοι Ζιζ15. 569 [b]27. cf f 285. 1528 [a]42. 292. 1529 [a]5, 10. (Encrauli Gazae, Engraulis encrasicholus L, K 759, 6. ΑΖι I 127, 14.)

ἐγκράτεια. περὶ ἐγκρατείας Ηη1-11. ημβ4-6. πκη949 [a]24-950 [a]19. αρ5. 1250 [b]12-15. ἀπορίαι περὶ ἐγκρατείας Ηη3. ἐγκράτεια def αρ1. 1249 [b]28. 2. 1250 [a]9, syn κρατεῖν τῶν ἡδονῶν Ηη8. 1150 [a]34. ἐγκράτεια ἁπλῶς, dist περί τι Ηη6. dist σωφροσύνη Ηη11. 1151 [b]33. dist καρτερία ημβ6. 1202 [b]29. Ηη1. 1145 [a]36. ἐγκράτεια αἱρετώτερον καρτερίας Ηη8. 1150 [a]36. ἡ ἐγκράτεια ἐπαινετόν, σπυδαῖον Ηη2. 1145 [b]8. 11. 1151 [b]28. ἡ ἐγκράτεια ὐκ ἔστιν ἀρετή, ἀλλά τις μικτὴ Ηδ15. 1128 [b]34. ψ1. 1145 [a]18, [b]2. — plur ὐ ζητῦμεν τὰς τοιαύτας ἀκρασίας ὐδ᾽ ἐγκρατείας ημβ6. 1202 [a]28.

ἐγκρατεύεσθαι def ηεβ7. 1223 [b]13.

ἐγκρατής, ἐγκρατῶς. παιδία διαλέκτυ ὐκ ἐγκρατῆ ἐστίν Ζιθ9. 536 [b]6. ἡ ὄψις ἐγκρατὴς ὖσα ἀφικνεῖται πρὸς τὰς πλάνητας Οβ8. 290 [a]20. ἔχειν ἀκρωτήρια μεγάλα χỳ ἐγκρατῆ φ2. 806 [b]24. 3. 808 [a]22. ἐπεὶ ἐγκρατῶς ἔσχον τὴν ἀρχὴν Πγ13. 1284 [a]40. — ἐγκρατής, continens, def Ηη10. 2. 1145 [b]11. 18. 1168 [b]34. [a]13. 1102 [b]14. ψγ9. 433 [a]7. τὸ 5. 125 [b]23. ὁ ἐγκρατὴς τίνων μέσος Ηη11. 1151 [b]25. dist σώφρων Ηη2. 1145 [b]15. 3. 1146 [a]10. 11. 1151 [b]34 sqq. ημβ6. 1203 [b]12. opp ἀκρατής, dist καρτερικὸς Ηη8. 1150 [a]33, 14. 6. 1147 [b]22. ημβ6. 1202 [b]33. dist ἰσχυρογνώμων Ηη10. 1151 [b]7 sqq.

ἐγκρύπτειν. ἐγκρύψαι τὸ ᾠὸν ἐν δέρματι λαγωῦ Ζυ33. 619 [b]15. τὸ ἐγκρυπτόμενον πῦρ διαμένει πλείω χρόνον ζ5. 470 [a]16.

ἔγκρυψις. ἡ ἔγκρυψις σᾠζει τὸ πῦρ ζ5. 470 [a]12.

ἐγκύκλημα. πρόσοδος ἀπὸ γῆς, ἀπὸ τῶν ἄλλων ἐγκυκλημάτων οβ1346 [a]13 (cf ἐγκυκλίων [a]8).

ἐγκύκλιος κίνησις, φορὰ Οβ12. 293 [a]11. 14. 296 [a]35. μα4. 341 [b]14. 7. 344 [a]9. ἡ τῶν ἐγκυκλίως φερομένων σωμάτων φύσις μα2. 339 [a]12. σώματα ἐγκύκλια Οβ3. 286 [a]11, [b]6. 8. 290 [a]2. περὶ τυφώνων χỳ πρηστήρων χỳ τῶν ἄλλων τῶν ἐγκυκλίων μα1. 339 [a]4 Ideler. — ἐγκυκλία διακονήματα, ἐγκύκλιοι διακονίαι Πα7. 1255 [b]25. β5. 1263 [a]21. χρήσιμος πρὸς ὐδὲν τῶν ἐγκυκλίων ἀλλ᾽ εἴπερ πρὸς τὸν πόλεμον Πβ9. 1269 [b]35. πρόσοδος ἀπὸ τῶν ἐγκυκλίων οβ1346 [a]2. — ἱκανῦς ἐν τοῖς ἐγκυκλίοις εἴρηται Ηα3. 1096 [a]3. καθάπερ ἐν τοῖς ἐγκυκλίοις φιλοσοφήμασι πολλάκις προφαίνεται τοῖς λόγοις Οα9.279 [a]30. cf Ἀριστοτέλης p 105 [a]27.

ἐγκύκλυ (1 εὐκύκλυ) σφαίρας (Parm 103) ξ2. 976 [a]8.

ἐγκυλίειν. ἕλκειν τὸν κύλινδρον ἐν τῷ ἐπιπέδῳ ἢ ἐγκυλίειν αὐτὸν (1 αὐτῷ, Bsm ci αὐτόν) πις5. 914 [a]22.

ἐγκυμόνησις. τὸ σπέρμα τῦ φυτῦ ὅμοιόν ἐστιν ἐγκυμονήσει ζῴω φτα2. 817 [a]31.

ἐγκύμων. ὃν ἂν ἐγκύμονα ποιήσῃ ἐλέφας Ζιε14. 546 [b]10. κόρην γενομένην ὑπὸ τινος δαίμονος ἐγκύμονα f 66.1486 [b]42.

ἔγκυος. 1. de gravidis mulieribus. ὐ γίνεται γάλα, πρὶν ὐ ἔγκυον γένηται ὐδὲ τῶν ζῴων· ὅταν δ᾽ ἔγκυον ᾖ, γίνεται μέν, ἄχρηστον δὲ τὸ πρῶτον. μὴ ἐγκύοις δ᾽ ὖσαις ὀλίγον μὲν ἀπ᾽ ἐδεσμάτων τινῶν προῆλθε Ζιγ20. 522 [a]2. ταῖς μελλύσαις ἐγκύοις ἔσεσθαι δεῖ τὸ στόμα εἰς ὀρθὸν εἶναι Ζικ2. 635 [a]6. πῶς χρὴ τὰς ἐγκύυς ἐπιμελεῖσθαι τῶν σωμάτων Πη6. 1335 [b]12. — 2. de animalibus. ὃ δ᾽ ἂν ὀχεύσῃ χỳ ἔγκυον ποιήσῃ, τύτῳ πάλιν ὐχ ἅπτεται (ὁ ἐλέφας) Ζιι46. 630 [b]22. ὗς ἔγκυος Ζιε14. 546 [a]16. πέρδικες ἔγκυοι Ζιε5. 541 [a]27. φάτται χỳ τρυγόνες Ζιζ4. 562 [b]29. φασὶ δέ τινες ὅτι ἂν ἅλα οἱ μύες λείχωσιν, ἄνευ ὀχείας γίνεσθαι ἐγκύυς Ζιζ37. 581 [a]1. ἀκρίδες ἐγένοντο αὐτόματοι ἔγκυοι Ζικ6.

637 ᵇ18. — 3. de plantis. ἡ κράστις ὅταν ἔγκυος ᾖ, opp ὅταν ἀθέρας ἔχῃ σκληράς, spicari Ζιθ8. 595 ᵇ27.

ἐγκύπτειν. οἱ τοῖς ὤμοις ἐπενσαλεύοντες ἐγκεκυφότες μεγαλόφρονες φ6. 813 ª13.

ἔγκυρτος κỳ κυφότερος πιγ10. 908 ᵇ29. μικρὸν ἔγκυρτος ὁ ἀναιδὴς φ3. 807 ᵇ30.

ἐγκωμιαστικὸν εἶδος τῶν λόγων, opp ψεκτικόν ρ4. 36. 2. 1421 ᵇ9. def ρ4. 1425 ᵇ36.

ἐγκώμιον. ἔπαινοι κỳ ἐγκώμια Ρβ11. 1388 ᵇ21. ἐγκώμια, opp κακολογίαι, ψόγοι ρ37. 1444 ᵇ27. 4. 1426 ª18. ἐγκώμιον def et dist ἔπαινος: τὸ ἐγκώμιον τῶν ἔργων ἐστίν, ὁ ἔπαινος τῆς ἀρετῆς Ρα9. 1367 ᵇ28, 27. Ηα11. 1101 ᵇ33, 31. ηεβ1. 1219 ᵇ15. εἰς ὃν (οἷον ci Vhl Rhet 113) πρῶτον ἐγκώμιον ἐποιήθη Ρα9. 1368 ª17.

ἐγρηγορεῖν. ἐγρηγορῶσι (dat plur partic) ποδ5. 877 ª9.

ἐγρηγορικαὶ πράξεις, κινήσεις υ2. 456 ª28. μτ1. 463 ª9. καθεύδοντες ποιῶσι πολλὰ ἐγρηγορικά υ2. 456 ª25.

ἐγρήγορσις Αα11. 31 ᵇ28, 41. περὶ ὕπνε κỳ ἐγρηγόρσεως υ1-3. ἐγρήγορσις, def λύσις κỳ ἄνεσις τῆς αἰσθήσεως υ1. 454 ᵇ27. cf πλγ15. 963 ª26. ἀνάλογον ἡ ἐγρήγορσις τῷ θεωρεῖν ψβ1. 412 ª25. ἡ ἐγρήγορσις ἐντελέχεια ψβ1. 412 ᵇ28. ἡ ἐγρήγορσις χρῆσίς τε ψβ1. 1219 ª24. ἐγρήγορσις αἰσθησις νοήσις ἥδιστον Μλ7. 1072 ᵇ17. ἡ ἐγρήγορσις τέλος υ2. 455 ᵇ22. — ὕπνος ἢ ἐγρήγορσις τίσι τῶν ζῴντων ὑπάρχει υ1. 454 ª16, cf ᵇ29. πότερον ἐγρήγορσις πρότερον τοῖς ζῴοις ὑπάρχει ἢ ὕπνος Ζγε1. 778 ᵇ24. διὰ τί καθεύδει κỳ ἐγρήγορε κỳ διὰ ποίαν τιν' αἴσθησιν ἢ ποίας υ2. 455 ª41-3. 458 ª32. περὶ τῶν αἰτίων ὕπνε κỳ ἐγρηγόρσεως υ2. 455 ᵇ13-3. 458 ª32. περὶ ὕπνε κỳ ἐγρηγόρσεως τῶν ζῴων Ζιδ10. εἰ τὰ φυτὰ ἐγείρονται ταῖς ἐγρηγόρσεσι φται. 815 ª26.

ἐγχεῖν. μόλυβδον τῆς φάλαγγος εἰς θάτερον μέρος ἐγχέοντες μχι. 849 ᵇ37. ἐγχέαντες τὴν ὑγρασίαν χ5. 795 ᵇ13. ἀγαθῷ δαίμονι κελεύουσι ἐγχέαι οβ1353 ᵇ22. — pass τὸ εἰς τὴν τέφραν ἐγχεόμενον ὕδωρ Φδ7. 214 ᵇ4.

ἐγχειρεῖν. ἐγχειρῶσιν (ἐνεχείρησεν, ἐγκεχειρήκασι) λέγειν, εἰπεῖν, πράττειν al Γα2. 316 ª4. Μβ4. 1000 ᵇ32. γ3. 1005 ª30. Ηγ5. 1112 ᵇ26. Πβ8. 1267 ᵇ29. δ9. 1294 ᵇ20. ε6. 1306 ª5. Ργ1. 1404 ª13 al. αἱ μέλιτται ἐγχειρῶσι τῇ ἐργασίᾳ Ζιμ40. 625 ᵇ24.

ἐγχειρίζειν τινὶ τὰς ἀρχάς, τὴν φυλακήν Πε5. 1305 ª16. 6. 1306 ª27. 8. 1308 ᵇ26, 1309 ª31. ἐγχειρίζειν τινὶ omisso obiecto Πε6. 1306 ª22.

ἐγχελεών. κονιῶνται τὰς ἐγχελεώνας Ζιθ2. 592 ª4.

ἐγχελυοτρόφοι Ζιθ2. 592 ª2. f 294. 1529 ª25.

ἔγχελυς. declinationes commiscentur et accentus. Ζια5. 489 ᵇ27. δ8. 534 ª20. f 13. Ζιβ13. 505 ª15. 15. 506 ᵇ9. 17. 507 ª11. γ10. 517 ᵇ8. δ11. 538 ª3. Ζμδ13. 696 ª4, ᵇ22 et forma boeotica ἔγχελις f 294. 1529 ª37. gen ἐγχέλεως Ζιζ13. 567 ª21Dª. 14. 569 ª6Dª. ἔγχελυος Ζιδ11. 538 ª11. ζ13. 567 ª21. 14. 569 ª6. plur nom ἐγχέλυες Ζιβ13. 504 ᵇ30. γ17. 520 ª24. ζ16. 570 ª3. 15. θ2. 592 ª10, 23. ἐγχέλυες Ζιβ13. 505 ª27. ζ14. 569 ª8Aª. Ζμδ13. 696 ᵇ22P. Ζπ7. 708 ª4SU. ἐγχέλεις Ζιζ14. 569 ª8P. 16. 570 ª3PDª. θ2..592 ª10PDª, 23Dª. f 294. 1529 ª25. Ζμδ13. 696 ª4PΥᵇ. Ζπ7. 707 ᵇ28. 708 ª4. Ζγβ5. 741 ᵇ1. ἐγχέλεων Ζιθ2. 592 ª23P. gen ἐγχελύων Ζι16. 570 ª13, 23. θ2. 591 ᵇ30. Ζπ7. 708 ª7P. 9. 709 ᵇ12P. Ζγγ11. 762 ᵇ23P, 28PΥ. ἐγχελίων Ζιζ16. 570 ª13P. ἐγχέλεσι Ζιζ16. 570 ª13Dª. θ2. 591 ᵇ30Dª. Ζπ7. 708 ª7. 9. 709 ᵇ12. Ζγγ11. 762 ᵇ23, 28. dat ἐγχέλυσι Ζιθ30. 608 ª5. ἐγχέλεσι Dª.
τὸ τῶν ἐγχέλεων γένος Ζπ7. 708 ª7. 9. 709 ᵇ12. Ζγγ11.

762 ᵇ22, 28. descr Ζιθ2. 591 ᵇ30-592 ª27. Ζμδ13. 696 ᵇ22 sq. Ζπ7. 708 ª4 sq. refertur inter τὰ ἔνυδρα Ζπ7. 707 ᵇ28, τὰ λεῖα Ζιζ13. 567 ª20, προμήκη κỳ λεῖα Ζια5. 489 ᵇ27. β13. 504 ᵇ30, 505 ª27, τὰ προμηκέστερα τὴν μορφήν Ζπ9. 709 ᵇ12, τὰ μακρὰ κỳ πάχος ἔχοντα Ζιβ15. 506 ᵇ9. γ10. 517 ᵇ8. Ζμδ13. 696 ª4. ἔχει ὀλίγαιμον τὴν φύσιν Ζγγ11. 762 ᵇ24, δύο πτερύγια μόνον Ζια5. 489 ᵇ27. β13. 504 ᵇ30. Ζπ7. 708 ª4. 9. 709 ᵇ11, ἐν τοῖς ὑπτίοις ἐκ ἔχει Ζμδ13. 696 ª4. βράγχια μικρά, ἐλάττω κỳ ἧττον ἐγκρατῆ, τέτταρα ἐφ' ἑκάτερα ἁπλᾶ Ζιθ2. 592 ª6. Ζμδ13. 696 ᵇ22. Ζιβ13. 505 ª15. ἔχει στόμαχον μικρόν, κοιλίαν μικρὰν Ζιβ17. 507 ª11. θ2. 592 ª12, ὀλίγον στέαρ περὶ τὸ ἐπίπλοον Ζιγ17. 520 ª24. — ὔτ' ᾠὸν ὔτε θορὸν ἔχει Ζιζ14. 569 ª6. Ζγβ5. 741 ᵇ1. cf Ζιγ10. 517 ᵇ8. ζ13. 567 ª20. de genere, ovo, partu, generatione (cf Zeitschr f gesammt Naturw XVI. 23 sq XIX. 227 sq) Ζιδ11. 538 ª3-13. ζ16. 570 ª3-24. οἴονταί τινες γίνεσθαι ἐγχέλυς ἐκ τῶν ἑλμινθίων Ζιζ16. 570 ª14. cf Η Η 131, ἐκ τῶν γῆς ἐντέρων Ζγγ11. 762 ᵇ27. — τίνι τρέφονται Ζιθ2. 591 ᵇ30. quomodo venantur Ζιδ8. 534 ª20. θ2. 592 ª3. f 294. 1529 ª24-35. ἐκ τῶν ποταμῶν καταβαίνουσιν εἰς τὴν θάλατταν Ζιζ14. 569 ª8. (Anguilla fluviatilis C. K 418. Ka 23, 6. ΑΖι I 127, 15.) — διάφορα τὸ γένος. ἡ μὲν τὴν κεφαλὴν ἔχει μείζω κỳ μακροτέραν, ἡ δὲ μικρὰν κỳ σιμοτέραν Ζιδ11. 538 ª11. θ30. 608 ª5. (fort subspecies latirostris et acutirostris Risso cf Η Η 130, Yarrell british fishes II 284 et 298.)

ἐγχελυών. μεταβαλλόμενοι εἰς τὰς ἐγχελυώνας (sed v l ἐγχελεώνας, cf ἐγχελεώνας ª4) ἐκ τῶν λιμνῶν Ζιθ2. 592 ª16.

ἔγχεα (Hom Κ 152) ποδ25. 1461 ª2.

ἔγχριστα εἰς τὰς ὀφθαλμὰς χρώματα Ζγβ7. 747 ª9.

ἐγχρονίζειν. θυγατέρες πρὸς τὸν γάμον ἐγχρονίζουσαι Ργ10. 1411 ª19. — pass ὅταν λάβηται τὸ σπέρμα τῆς ὑστέρας κỳ ἐγχρονισθῇ Ζιη7. 586 ª18.

ἐγχρωννύναι. ἐν ἅπασι τοῖς μέρεσιν ἐγκέχρωσται ἡ λευκότης ξ4. 978 ª11. — ἀποτρίψασθαι πάθος ἐγκεχρωσμένον τῷ βίῳ Ηβ2. 1105 ª3.

ἔγχυμος ξηρότης αιδ. 443 ª1, ᵇ4. τὸ ἔγχυμον ὑγρόν αιδ. 442 ª29. τὰ ξύλα ὀσμώδη, ἔγχυμα γάρ αιδ 443 ª16.

ἐγχωρεῖν. ἐγχωρεῖ impers, syn ἐνδέχεται Αα3. 25 ᵇ10, 11, 9. 10. 30 ᵇ15. 13. 32 ª37, 36, 505 ª15. 34 ᵇ6, 5. 17. 37 ᵇ7. 28. 44 ᵇ28, 45 ª9, 13. Οα6. 273 ᵇ15. γ8. 306 ᵇ24. Γβ4. 331 ᵇ30. πιε7. 912 ª25 ac saepe. syn ᴂδὲν κωλύει Αβ2. 54 ᵇ28, 55 ª29 al. ἐκ ἐγχωρεῖ Αα5. 27 ᵇ20. αἰσθητικὸν τὸ φυτὸν μὴ εἶναι μὴ ἐγχωρεῖν ᴂ δεῖ (?) φται. 815 ᵇ32.

ἐγχώριος. κρίσιν ἐποιήσαντο περί τινος τῶν ἐγχωρίων Ζμγ10. 673 ª18. — πυροὶ ἐγχώριοι, opp ἐπείσακτοι θ82. 836 ᵇ22.

ἔγχωσις μαι4. 352 ᵇ34.

ἐδαφίζειν, ἐδαφίζεσθαι. γαῖ στερραὶ ὥσπερ ἡδαφισμέναι πκγ29. 934 ᵇ16, 20, 10.

ἔδαφος τῆς θαλάττης Ζιδ8. 534 ª11. Ργ3. 1406 ª5. ἡ τῆς σκίλλης ῥίζα γεννᾶται ἐκ τῷ ἐδάφᾳς φτα5. 820 ª25. ὁ ἀετὸς καταβαίνει ᴂκ εὐθὺς εἰς τὸ ἔδαφος Ζιλ32. 619 ᵇ2. ἔδαφος λεῖον ὀρχήστρας πια25. 901 ᵇ32. τὸ ἔδαφος τῷ βαλανείᾳ φτβ3. 824 ᵇ27. τὰ ὑπὸ τὰς σταλαγμὰς ἐδάφη χ5. 796 ª11. 538 ª11. ἔδαφος, dist τοῖχος θ8. 831 ª17. ἀποστερεῖσθαι τὴν ἐπιφάνειαν ὡσανεὶ ἔδαφος θ89. 837 ᵇ14. ἔδαφος τῷ σμήνους Ζιμ40. 623 ᵇ30, 624 ª7.

ἔδεσμα. ἐδεσμάτων διαφοραὶ Ζιγ20. 522 ª4. 21. 522 ᵇ14. Ζγα20. 728 ª6. f 100. 1494 ª24. ἔνια τῶν δριμέων Ζγα20. 728 ª. μβ3. 359 ᵇ16. τῶν ἐδεσμάτων τῶν προσφερομένων τὸ ἔμβρυον περίπλεων φαίνεται πολλάκις Ζιη4. 585 ª25.

ἐδεσμάτων v l Ζμδ11. 690 ᵇ30, ἐδεστῶν Bk. — ὅμοιοι οἱ
ἄνθρωποι τοῖς οἴνοις ἢ ἐδέσμασιν. ἐκείνων γὰρ τὸ μὲν ἡδὺ
ταχὺ δηλοῖ, πλείω δὲ χρόνον γινόμενον ἀηδές ηεη2. 1238 ᵃ23.
ὐχ ἡδύσματι ἀλλ᾿ ὡς ἐδέσματι χρῆται τοῖς ἐπιθέτοις Ργ3.
1406 ᵃ19.

ἐδεστός. ζῷον ἐδεστόν. θηρευτόν Πη2. 1324 ᵇ11. κρίνειν τὴν
ἐν τοῖς ἐδεστοῖς ἡδονὴν Ζμδ5. 678 ᵇ9. τῶν ἐδεστῶν ἐν τῇ
καθόδῳ ἡ ἡδονὴ ποιεῖ τὴν αἴσθησιν Ζμδ11. 690 ᵇ30, 33.

ἔδος θεῶν (Hom ζ42) ×6. 400 ᵃ11. πάντων ἔδος (Hes θ117)
ξ1. 975 ᵃ12.

ἔδρα. 1. sedes. τὴν ἀνωτάτω ἢ πρώτην ἕδραν ὁ θεὸς ἔλαχεν
×6. 397 ᵇ25. ὁ Καύκασος πολλὰς ἔχει ἕδρας ἐν αἷς ἔθνη τε
κατοικεῖ πολλὰ ἢ λίμνας εἶναί φασι μεγάλας μα13. 350
ᵃ34, 35. — τῶν ἄστρων τὰ ἀπλανῆ τὰς αὐτὰς ἔχοντα
ἕδρας ×2. 392 ᵃ11. (τὸ τῷ Ταρτάρῳ ὕδωρ) ὐκ ἔχειν ἕδραν,
ἀλλ᾿ ἀεὶ περὶ τὸ μέσον εἰλεῖσθαι μ32. 356 ᵃ4. — παρ᾿
αὐτὰς τὰς ἕδρας τῶν ὀφθαλμῶν Ζιδ 8. 533 ᵃ14. —
2. anus, sedes. τὸ ἔντερον τὸ ἀπὸ τῆς κάτω κοιλίας πρὸς
τὴν ἕδραν Ζια16. 495 ᵇ28. μεταξὺ αὐτῶν ἡ μήτρα τῆς
ἕδρας ἢ τῆς κύστεως πι20. 892 ᵇ38. αἱμορροῒς ἥ τε ἐν ταῖς
ῥισὶ ἢ ἡ περὶ τὴν ἕδραν, ἄπονος Ζιγ19. 521 ᵃ20. Ζμιγ5.
668 ᵇ18. δεῖ τὰς τῶν ἀρρένων πόρες μὴ πλανᾶσθαι ἀλλ᾿
ἑδραίως εἶναι, τοιῦτος δ᾿ ὁ ὄπισθεν τόπος· (i q ἕδρα) Ζγα13.
720 ᵃ29. οἱ ὀφθαλμοὶ ἢ τὰ περὶ τὴν ἕδραν συμπονεῖ πδ 2.
876 ᵇ6, 7, 8. τοῖς εὐνόχοις ἢ εὐνοχίαις ἡ γονὴ εἰς τὴν ἕδραν
συρρεῖ· ἢ γὰρ διεξέρχεται ταύτην σημεῖον δ᾿ ἐν τῇ συνεσία
ἡ συναγωγὴ τῷ τοιύτῳ τόπῳ ἢ ἡ σύντηξις τῶν περὶ τὴν
ἕδραν πδ26. 879 ᵇ8-11, 30. οἱ ἄνθρωποι ἢ τὰ τετράποδα
ἔχυσιν ἀπὸ τῆς ἕδρας τὸ ἰσχίον ἢ τὸ σκέλος εὐθὺς ἐχόμενον
Ζμδ12. 695 ᵃ5. τοῖς τετράποσι τὸ ἄνω ἐστὶ τὸ ἀπὸ τῆς
ἕδρας ἐπὶ τὴν κεφαλὴν κύτος Ζμδ10. 686 ᵃ14. πρὸς τὴν
ἕδραν οἱ ὕες ἔχυσι τὰς ὄρχεις Ζγα3. 716 ᵇ30. ἡ κέρκος ἐστὶ
φυλακὴ ἢ σκέπη τῆς ἕδρας Ζμδ10. 690 ᵃ3. τοῖς ἰχθύσι
ἢ τοῖς ὄρνισιν ἡ ὑπόστασις ὑγρὰ ταχὺ διεξέρχεται κατὰ
τὴν ἕδραν πι43. 895 ᵇ4. Ζπ11. 710 ᵃ24. — 3. uropygium.
ἔνια τῶν ὀρνιθίων ποιῆνται περὶ τὴν ἕδραν κίνησιν ἰσχυρὰν
ἅμα τῇ φωνῇ (ἀποψοφεῖν) Ζιι49Β. 633 ᵇ8.

ἑδράζειν. ἡ ῥίζα ἐν τοῖς μέρεσιν ἑδράζεται τῆς γῆς φτβ4.
825 ᵇ6.

ἑδραῖος. τὸ θῆλυ ἑδραῖον πρὸς τὴν ἐργασίαν οα3. 1344
ᵃ4. ἑδραῖαι τέχναι κεα4. 1215 ᵃ30. γυναῖκες ἑδραῖαι, dist
εἰωθυῖαι πονεῖν Ζγδ6. 775 ᵃ36, 32. Ζιη9. 587 ᵃ3. τῶν ἐντό-
μων τὰ τοῖς βίοις ἑδραῖα Ζμδ6. 682 ᵇ13, 16. τὰς ἐχίνες
νέμεσθαι ἢ μὴ ἑδραίως μένειν Ζμδ5. 681 ᵃ7. — (τὰς πόρες)
δεῖ μὴ πλανᾶσθαι ἀλλ᾿ ἑδραίας εἶναι Ζγα13. 720 ᵃ29. τὸ
μέσον ἀκίνητόν τε ὂν ἢ ἑδραῖον ×2. 391 ᵇ13.

ἐδωδή. ὁ ἐλέφας ἐσθίει μεδίμνας ἐννέα ἐπὶ μιᾶς ἐδωδῆς
Ζιθ9. 596 ᵃ4. χαίροντες ἐν τῇ γεύσει ἢ ἐδωδῇ τοῖς δελέασιν
Ζιδ8. 533 ᵃ34. ὀδόντας ἔχει τὰ μὲν ἐδωδῆς χάριν Ζμδ6.
683 ᵃ4. δι᾿ αὐτοὶ περὶ τὰ πόματα ἢ τὰς χυμὰς ἀκρατεῖς ἐσι
εἰσὶ ἢ τὰ ὄψα ἢ τὴν ἐδωδήν Ζμδ11. 691 ᵃ3. τῇ ἐδωδῇ
τῷ βοὸς χαίρει ὁ λέων Ηγ13. 1118 ᵃ20. ἕψειν πρὸς ἐδωδήν,
πρὸς ῥόφησιν μδ3. 381 ᵃ2. ὁ ἄνθρωπος πρὸς ἀφροδίσια ἢ
ἐδωδὴν χείριστόν Πα2. 1253 ᵃ37. — ἐκβάλλει αὐξανομένων
τὸν ἕτερον τῶν νεοττῶν (ὁ ἀετός) ἀχθόμενος τῇ ἐδωδῇ (i e ὡς
taedio nutriendi) Ζιζ6. 563 ᵃ22.

ἐδώδιμος. ὅσων οἱ χυμοὶ μὴ εὐθὺς ἐδώδιμοι πκ4. 923 ᵃ18.
τὰ ἐδώδιμα Ρα12. 1373 ᵃ30. τὰ ἐδώδιμα ἢ ποτὰ Οβ13.
295 ᵇ33. ἐχίνοι ἐδώδιμοι, ᾠὰ ἐδώδιμα sim Ζιδ5. 530 ᵇ16,
2. Ζμδ5. 679 ᵇ13. opp ἄβρωτος Ζιι28. 618 ᵃ3, 1.

ἐδώλιον ἱστῷ μχ6. 851 ᵃ40, ᵇ5.

Ἐδωλός, λόχος Λακεδαιμονίων f 498. 1559 ᵃ22, 27.

ἐέργειν. ἔεργε (Hom μ219) Ηβ9. 1109 ᵃ32. ἐεεργμένον
(Emped 226) αι2. 437 ᵇ32.

ἐθέλειν. ἐξυσία τῷ πράττειν ὅ τι ἂν ἐθέλῃ τις, syn ὅ τι ἂν
δόξῃ Πζ4. 1318 ᵇ40, 39. ἐθέλωσιν οἱ πένητες ἢ μὴ μετέ-
χοντες τῶν τιμῶν ἡσυχίαν ἄγειν πδ13. 1297 ᵇ7. — ἐθέλειν
idem fere ac πεφυκέναι. τῷτ᾿ ἐνδελεχὲς ἐθέλει γίγνεσθαι
κατά γε τὴν τάξιν μα9. 347 ᵃ5. τὸ δ᾿ ἕνεκα βέλτιστον ἢ
τέλος τῶν ἄλλων ἐθέλει εἶναι Φβ3. 195 ᵃ25. Μδ2. 1013 ᵃ27.
τὸ ὕδωρ ὐκ ἐθέλει ἄμικτον ὂν τρέφειν αι5. 445 ᵃ21. τὸ δ᾿
εἰς ἀδιαίρετα (εἶναι ἀδιαίρετον?) πρὸς τὴν αἴσθησιν ἐθέλει
Μι1. 1053 ᵃ23 Bz. οἱ πολῖται τοιῦτοί τινες (i e ἐν ἰσότητι)
ἐθέλει ῥαδίως ἐν τοῖς ἐργασίμοις γίνεσθαι χωρίοις πκ12.
924 ᵃ1, 21.

ἐθελοντής. χορὸν κωμῳδῶν ὀψὲ ὁ ἄρχων ἔδωκεν, ἀλλ᾿ ἐθε-
λονταὶ ἦσαν πο5. 1449 ᵇ2.

ἐθίζειν. τραφῆναι καλῶς ἢ ἐθισθῆναι Ηκ10. 1180 ᵃ15. εἰθι-
σμένοι ἢ πεπαιδευμένοι δημοτικῶς, ὀλιγαρχικῶς Πε9. 1300
ᵃ16. ἂν ἐθίσωμεν ἡμᾶς αὐτὰς ἢ γυμνάσωμεν ἀναλαμβάνειν
ρ29. 1436 ᵃ4. — ἐθισθῆναι πρός τι Ηγ15. 1119 ᵃ25.
ἐθισθῆναί τι Ηδ3. 1121 ᵃ23. ×10. 1180 ᵃ3. ἐθίζειν, ἐθίζεσθαι,
ἐθισθῆναι, εἰθισμένος c inf Ηβ1. 1103 ᵃ21, 23. Πβ8. 1269
ᵃ15, 18. Ρα15. 1375 ᵇ23. β2. 1379 ᵇ4. οβ 1347 ᵃ25. ρ29.
1436 ᵃ24. ×3. 393 ᵃ7. f 499. 1559 ᵃ35. 500. 1559 ᵇ18. —
τίνα ἐθίζεται, τίνα ὐ Ηβ1. 1103 ᵃ20-23. ηεβ2. 1220 ᵇ1.
ἐκ προσαγωγῆς ἐθίζειν Πι17. 1336 ᵃ18. ἐθίζυσι τῶν βοῶν
τὰς τομίας Ζιζ21. 575 ᵇ1. ἡ ἔλαφος ἐθίζει τὰ τέκνα
Ζιι5. 611 ᵃ20. ἡ ἔλαφος εἰθισται τὰς νέβρας ἄγειν ἐπὶ τὰς
σταθμὰς Ζιζ29. 578 ᵇ20. λίαν αἰθισμένος ἐκ τῆς ἐμπειρίας
ρ30. 1437 ᵇ11. τὸ εἰθισμένον ὥσπερ πεφυκὸς ἤδη γίγνεται
Ρα11. 1370 ᵃ6. χρόνος ὐκ ἔστι ταῖς μελίτταις εἰθισμένος
ἀφ᾿ ὅτυ ἄρχονται ἐργάζεσθαι Ζιι40. 625 ᵇ22. βίαια ταῦτα,
ἐὰν μὴ ἐθισθῶσιν Ρα11. 1370 ᵃ13. πολλὰ τῶν φύσει μὴ
ἡδέων ὅταν ἐθισθῶσιν ἡδέως ποιῦσι Ρα10. 1369 ᵇ18, cf 11.
1371 ᵃ7. — τὰ κατὰ φύσιν εἰθισμένα τοῖς ἀνθρώποις γίνεσθαι,
τὸ εἰθισμένον γίνεσθαι πρὸ τῷ πράγματος sim π8. 1428 ᵇ6. 13.
1430 ᵇ31. 33. 1438 ᵇ38 (cf τὰ τῶν πραγμάτων ἔθη ᵇ33, 37).
ὁ νότος εἴθισται εἰς τὰ ἐναντία μεταβάλλειν πκς12. 941 ᵇ6. —
ἐθιστός. ἡ ἀρετὴ πότερον ἐθιστὸν ἢ μαθητόν Ηα10. 1099 ᵃ9.
ἀρετὴ ἐθιστή, opp φυσική Ηη9. 1151 ᵃ19. τὸ συνηθὲς ἢ τὸ
ἐθιστὸν ἡδύ Ρα10. 1369 ᵇ16.

ἐθισμός τῷ λυπεῖσθαι ἢ χαίρειν Πθ5. 1340 ᵃ23. οἱ ἐθισμοὶ
ἀκίνδυνοι Ηγ15. 1119 ᵃ27. ἀρχαί τινες θεωροῦνται ἐθισμῷ
τινι Ηα7. 1098 ᵇ4. οἱ δι᾿ ἐθισμῷ ἀκρατεῖς Ηη11. 1152 ᵃ29.
πολλὰ παρὰ τὰς ἐθισμὰς ἢ τὴν φύσιν πράττυσι Πη13.
1331 ᵇ6.

ἔθνος. ἔθνη μα13. 350 ᵃ34. 14. 351 ᵃ11. Πβ5. 1263 ᵃ5. πᾶσαν
τὴν οἰκυμένην ὡς διείληπται τοῖς ἔθνεσιν Πη7. 1327 ᵇ23.
τῶν ἐθνῶν διαφοραί, τῶν τῶν Ἑλλήνων ἐθνῶν πρὸς ἄλληλα
Πη7. 1327 ᵇ23, 35. μκ1. 465 ᵃ9. τὰς τῶν ἐθνῶν νόμυς ἐκ
τῶν τῆς γῆς περιόδων λαβεῖν ἔστιν Ρα4. 1360 ᵃ35. τὰ
ἔθνη, opp οἱ Ἕλληνες Πα2. 1252 ᵇ19. η2. 1324 ᵇ10. ἔθνος,
coni πόλις Ηα1. 1094 ᵇ10. Πγ13. 1284 ᵃ38. Ρα5. 1360 ᵇ31.
β11. 1388 ᵇ8. dist πόλις Πβ2. 1261 ᵃ28. γ3. 1276 ᵃ29.
πόλις συνεστηκυῖα ἐκ πλειόνων ἢ ἐναντίων ἀλλήλων ×5. 396 ᵇ2. —
τὸ τῶν ἱερέων ἔθνος ΜΑ1. 981 ᵇ25 Bz. — ἡ φυλὴ διῄρηται
εἰς τρία μέρη, τριττῦς ἢ ἔθνη ἢ φρατρίας f 347. 1536 ᵇ7.

ἔθος, def ἔθει ἐστίν, ὅσα διὰ τὸ πολλάκις πεποιηκέναι ποιῦσιν
Ρα10. 1369 ᵇ6. πκα14. 928 ᵇ24. (πράττειν δι᾿ ἔθος, dist
δι᾿ ὄρεξιν Ρα10. 1369 ᵃ1.) ἔθος, ὃ κατὰ συνήθειαν ἕκαστοι
ποιῦμεν ρ8. 1428 ᵇ8. τὰ τῶν πραγμάτων ἔθη, syn ταῦθ᾿

ὅτως εἴθισται γενέσθαι ρ33. 1438 ᵇ33, 37, 38. dist φύσις
Ηη11. 1152 ᵃ30. ημβ6. 1203 ᵇ30. ΜΑ1. 981 ᵇ5. θ5. 1047
ᵇ32. ὅθεν τῶν φύσει ἔθει ἄλλως γίνεται ημα6. 1186 ᵃ4.
Ηβ1. 1103 ᵃ20. δι᾽ ἔθος, dist ἐκ γενετῆς Ηη15. 1154 ᵃ33.
ὅμοιόν τι τὸ ἔθος τῇ φύσει· ἡ μὲν φύσις τῷ ἀεί, τὸ δὲ 5
ἔθος τῷ πολλάκις Ρα11. 1370 ᵃ7. Ηη11. 1152 ᵃ31. μν2.
452 ᵃ28, ᵇ2. πὸ26. 879 ᵇ36. κη1. 949 ᵃ28. (αἱ μὲν στερήσεις
τῶν κατὰ φύσιν λέγονται, αἱ δὲ τῶν ἐν ἔθει f 119. 120.
1498 ᵃ35.) ἔθος (sc ἐστί) c inf f 154. 1504 ᵃ12. ἔθη, coni
syn νόμιμα Ρα8. 1365 ᵇ24, 1366 ᵃ7. ἔθος ἄγραφον ρ2. 10
1421 ᵇ36. τὰ πάτρια ἔθη παραβαίνειν ἄοικον ρ3. 1423 ᵃ34.
ἔθος, dist νόμος Πβ8. 1269 ᵃ21. 5. 1263 ᵇ40. η2. 1324 ᵇ22.
νόμοι κατὰ γράμματα, κατὰ τὰ ἔθη Πγ16. 1287 ᵇ6. ad
παιδείαν pertinent φύσις, ἔθος, λόγος (sive φιλοσοφία)
Πη13. 1332 ᵃ40. 15. 1334 ᵇ9-17. θ3. 1338 ᵇ4. cf γ18. 1288 15
ᵇ1. β5. 1263 ᵇ40. αἱ ἀκροάσεις κατὰ τὰ ἔθη συμβαίνουσιν
Μα3. 994 ᵇ32. τὸ ἦθος ἀπὸ τῦ ἔθυς ἔχει τὴν ἐπωνυμίαν,
ἡ ἠθικὴ ἀρετὴ ἐξ ἔθυς περιγίνεται Ηβ1. 1103 ᵃ17. ημα6.
1186 ᵃ1. ἔθη καὶ ἀγωγή, syn ἦθος καὶ ἀγωγή Πὸ5. 1292
ᵇ16, 14. — ἔθος an ἦθος scribendum sit ambigitur ρ11. 20
1430 ᵃ29. 38. 1445 ᵇ2. — in libro φτβ ἔθος ἐστὶ fere
eadem vi usurpatur ac φύσις ἐστί, πέφυκε. veluti ἔθος
ἐστὶ τῷ ὑγρῷ συνάπτεσθαι sim φτβ2. 823 ᵃ33, 35, 19 (cf
φύσις ᵇ2). 5. 826 ᵃ27.

εἰ. εἰ ἔστι. dist τί ἐστι Αγ1. 89 ᵇ24. 8. 93 ᵃ4. Με1. 1025 ᵇ18. 25
— a part ᴜ suspensa duo membra, alterum per indica-
tivum, alterum per optativum, ἄτοπον ἂν εἴη, εἰ τὰς μὲν
εἰκόνας θεωρῦντες χαίρομεν. αὐτῶν δὲ μὴ ἀγαπῷμεν τὴν
θεωρίαν Ζμα5. 645 ᵃ11-15. — εἰ τὰ σώματα συνέστηκεν
ἐκ πυρός, πάλαι φρῦδον ἂν ἦν ουρανὸς τῶν ἄλλων στοιχείων 30
μα3. 340 ᵃ1. — aliquoties apud Ar εἰ exhibetur cum
coniunctivo, εἰ τεθῇ sim (tredecim omnino locis, ac septem
quidem locis in formula κἂν εἰ cf ἄν, sex locis extra
eam formulam); eam constructionem non esse Aristotelicam
omnesque locos, ubi etiamnunc exhibetur et corruptos 35
esse et lenissima medela emendari posse liquido demon-
stravit Vahlen Ar Poet I 35 sqq; φαίνεται scribendum est
pro φαίνηται τε6. 136 ᵃ21, 27, τυγχάνει pro τυγχάνῃσι
Πβ1. 1260 ᵇ31. πο1. 1447 ᵃ4, συμβαίνει pro συμβαίνῃ
Πγ8. 1279 ᵇ22 (coll ζ8. 1323 ᵃ2), τεθείη pro τεθῇ Αα10. 40
30 ᵇ14 (coll Αα14. 33 ᵃ13. 19. 38 ᵃ26, ᵇ13. 20. 39 ᵃ35,
36, 38 al), εἴη pro ᾖ Αβ20. 66 ᵇ9, pariter optativus resti-
tuendus est ρ1. 1421 ᵃ14. 30. 1436 ᵇ26. 37. 1443 ᵇ29.
ηεβ8. 1225 ᵃ14. (Ζικ5. 636 ᵇ29²), ei post κἂν omittendum
est τι24. 179 ᵇ22 (coll 25. 180 ᵇ24). μα6. 343 ᵇ24, pro 45
εἰ ᾖ ἄνθρωπος scribendum ᾖ ἄνθρωπος ηεβ1. 1219 ᵇ40. —
frequens formula elliptica εἰ δ᾽ ὅτως Ηα1. 1094 ᵃ24. 4.
1096 ᵇ2. 6. 1098 ᵃ12, 15. 9. 1099 ᵃ21. 11. 1101 ᵃ6, 19.
γ7. 1114 ᵃ29 al. εἰ δὲ τῦτο Ρα1. 1370 ᵃ30. — εἰ ἄρα.
εἰ μὴ ἄρα in enunciato pleno (f 140. 1501 ᵇ43), ἀλλ᾽ εἰ 50
ἄρα elliptice sine verbo v s ἄρα. — εἴ γε Ηη3. 1145
ᵇ36 al. — εἴπερ, εἴπερ καὶ, εἴπερ μή, εἴπερ δὴ, εἴπερ ἄρα
in pleno enunciato τζ7. 146 ᵃ6. μβ3. 356 ᵇ7. Φθ6. 259 ᵃ6,
ᵇ22. Μν1. 1087 ᵇ28. Η3. 1165 ᵇ14. Πβ7. 1289 ᵇ13. Ρβ23.
1400 ᵇ14 al, εἴπερ γε Μλ6. 1071 ᵇ22, elliptice sine verbo 55
ἀλλ᾽ εἴπερ ἄρα Οα1. 268 ᵃ22, ἀλλ᾽ εἴπερ ΜΑ9. 992 ᵇ22.
η3. 1044 ᵃ11. ι4. 1055 ᵇ10. λ3. 1070 ᵃ17. Ηα11. 1101 ᵃ12.
ε12. 1136 ᵇ25. θ2. 1155 ᵇ30. ι7. 1168 ᵃ12. κ3. 1174 ᵃ28.
10. 1180 ᵇ7. Ηε1. 1315 ᵃ9. Ρα1. 1371 ᵃ17, εἴπερ Γα5.
321 ᵃ17 (τὸ ὕδωρ ὐκ ηὔξηται. τὸ σῶμα δέ, εἴπερ, ηὔξηται). 60
— εἰ μὴ διὰ πλειόνων, ἀλλὰ διὰ τύτων ἱκανῶς δῆλον μα6.

v.

344 ᵃ3. ὑδ᾽ ἂν κατ᾽ ἀρετὴν ἀμείνων ᾖ, εἰ μὴ τρόπον τινὰ
sim Πγ17. 1288 ᵃ5. β7. 1267 ᵃ11. — εἴτε — εἴτε μβ2.
354 ᵇ26. δ5. 382 ᵇ11. Ζμα1. 639 ᵃ14. Μδ12. 1019 ᵇ2.
Ρβ23. 1397 ᵇ17. τε εἰ — εἴτε Ζμβ9. 654 ᵇ7, 3. εἴτε .. ἢ
τγ2. 117 ᵇ6 Wz. Ζιη7. 586 ᵃ22. εἴτε — ἢ — ἢ Ρα12. 1372
ᵃ7. εἴτε — εἴτε — ἢ Ηδ11. 1160 ᵃ17. γ5. 1112 ᵃ24. Vhl
Poet I 44. εἰ μὲν — εἴτε Γα2. 315 ᵇ22. εἴτε — εἰ δὲ μὴ
ρ3. 1425 ᵃ3. Ζικ1. 634 ᵃ6. εἴτε — εἰ δὲ ηεη7. 1241 ᵇ5, 8
(pro εἴτε scribendum εἴ τε Γα7. 323 ᵇ21 Bz Ar St IV 395).

εἰδέναι. μέχρι τῶν ἀοικήτων ἴσμεν τὴν οἰκυμένην μβ5. 362
ᵇ26. ὐκ ἔστιν εἰδῆσαι ἀλλήλως, πρὶν τὰς λεγομένας ἅλας
συναναλῶσαι Ηθ4. 1156 ᵇ27. — τὸ εἰδέναι. opp ἡ χρῆσις.
ἡ πρᾶξις: πάντες ἄνθρωποι τῦ εἰδέναι ὀρέγονται φύσει ΜΑ1.
980 ᵃ21, cf χωρὶς τῆς χρείας ᵃ22. διὰ τὸ εἰδέναι τὸ ἐπί-
στασθαι ἐδίωκον καὶ ὐ χρήσεώς τινος ἕνεκεν ΜΑ2. 982 ᵇ21
Bz. εἰδέναι τι ὡρισμένως, ἀφωρισμένως Κ7. 8 ᵃ36, 37, ᵇ4,
15, 17. περὶ ὧν ἴσμεν καὶ κεκρίκαμεν Ρβ18. 1391 ᵇ6. εἰδέναι
τὸ ἀκριβές πιθ42. 911 ᵇ26. εἰδέναι. opp οἴεσθαι ρ13. 1430
ᵇ36. 15. 1431 ᵃ41. ἔργον τῦ εἰδότος ἀψευδεῖν περὶ ὧν οἶδε
τι1. 165 ᵃ25. εἰδέναι eadem vi usurpatur atque ἐπίστασθαι,
ita quidem ut videatur εἰδέναι magis receptum ex vulgari
sermone, ἐπίστασθαι ipsum artis vocabulum esse. εἰδέναι,
opp ὑπολαβεῖν, οἴεσθαι, syn ἐπίστασθαι Αβ21. 66 ᵇ29. 6.
75 ᵃ15. coni syn ἐπίστασθαι Φα1. 184 ᵃ10. ΜΑ2. 982 ᵃ30.
α2. 994 ᵇ21. β2. 996 ᵇ15. τὸ εἰδέναι perinde atque ἐπί-
στασθαι definitur τῷ γνῶναι τί ἐστι, διὰ τί ἐστι Φα1. 184
ᵃ10. β3. 194 ᵇ18. ΜΑ3. 983 ᵃ25. α2. 994 ᵇ29. β2. 996
ᵇ20. ζ1. 1028 ᵃ36. μδ12. 390 ᵇ17. τὸ εἰδέναι ἐστὶν εἰ ἐκ
τῶν ἑκάστῳ ἀρχῶν εἰδῶμεν Αγ9. 76 ᵃ28. 24. 85 ᵇ28, 86 ᵃ2.
εἰδέναι τὸ σύνθετον. ὅταν εἰδῶμεν ἐκ τίνων ἐστί Αα4. 187
ᵇ11. σημεῖον τῦ εἰδότος τὸ δύνασθαι διδάσκειν ΜΑ1. 981
ᵇ7. τὸ εἰδέναι καὶ τὸ ἐπαΐειν τῇ τέχνῃ τῆς ἐμπειρίας ὑπάρχει
μᾶλλον ΜΑ1. 981 ᵃ24. εἰδέναι ἁπλῶς Αγ1. 71 ᵃ26 Wz. 3.
72 ᵇ30. 5. 74 ᵃ32. εἰδέναι δι᾽ ἀποδείξεως Αγ2. 71 ᵇ17.
εἰδέναι καθ᾽ αὑτό. καθ᾽ ἄλλο Αγ24. 85 ᵃ24. εἰδέναι μᾶλλον,
μάλιστα Αγ9. 76 ᵃ21. Ηδ3. 1127 ᵃ15. βέλτιον ἔχειν πρός
τι τῦ εἰδέναι Αγ22. 83 ᵇ35, 84 ᵃ5. 2. 72 ᵃ34. — τὸ εἰδέναι
διττόν, ἔχειν — χρῆσθαι ηεθ9. 1225 ᵇ11. cf ἐπίστασθαι. —
εἰδέναι c inf προσέγκειν παρακαλεῖν ἐκ τύτων ἂν εἰδείημεν
ρ30. 1436 ᵇ5. — εἰδώς, dist πεπαιδευμένος Πγ11. 1282
ᵃ7. opp ἰδιώτης Πγ11. 1282 ᵃ12, cf. ᵃ16. ἔνιοι τῶν εἰδότες
ἑτέρων εἰδότων πρακτικώτεροι Ηζ8. 1141 ᵇ17. — εἰδότως.
ὐκ εἰδότως μὲν λέγεται, ὀρθῶς δέ Φα4. 188 ᵃ5. — for-
marum usus: οἶδα Αγ1. 71 ᵃ31, ᵇ4, 5. τι20. 177 ᵇ12. 24.
179 ᵃ33. οἴδαμεν ᾳ8. 93 ᵃ25 (ἴσμεν 326, 36, ᵇ3). ημβ3.
1199 ᵃ32, 35. οἴδασι ημα20. 1190 ᵇ24. θ119. 842 ᵃ2. fut
εἴσεται Κ7. 8 ᵃ37. Αβ21. 66 ᵇ29. Ηδ8. 1168 ᵇ3. εἰδήσομεν
τα18. 108 ᵃ28. ρ36. 1441 ᵇ29. ημα1. 1182 ᵃ4. εἰδήσω,
εἰδήσει ημα1. 1182 ᵃ5, 8. 7. 1186 ᵃ10. β10. 1208 ᵃ35. πιθ42. 921
ᵇ26 (v l ad ψα1. 402 ᵇ22). εἰδήσας ημβ10. 1208 ᵃ31.

εἰδήσις. τῶν καλῶν καὶ τιμίων τὴν εἴδησιν ὑπολαμβάνοντες
ψα1. 402 ᵃ1.

εἰδητικὸς ἀριθμός, dist μαθηματικός, αἰσθητός Μμ9. 1086
ᵃ5. ν2. 1088 ᵇ34. 3. 1090 ᵇ35.

εἰδοποιὸς διαφορά τζ6. 143 ᵇ7. τὸ πόθεν ποῖ εἰδοποιὸν τῆς
κινήσεως Ηκ3. 1174 ᵇ5.

εἶδος. 1. externa figura ac species, ὁ χαίρων τῷ εἴδει, syn
ὁ προησθεὶς τῇ ἰδέᾳ Ηι5. 1167 ᵃ5. γλαφυροὶ τῷ εἴδει sim
φ3. 808 ᵇ8, 33, opp διάνοια φ1. 805 ᵃ3. παραπλήσιαι τὸ
εἶδος, τὸ δὲ μέγεθος μικρῷ ἐλάττυς Ζιβ14. 505 ᵇ13. 12.

E e

504 ᵃ13. διὰ τὸ εἶναι τὸ εἶδος τῆς ὕλης κ̣ τὸ πλῆθος ἐμφανέστατον Ζμγ4. 665 ᵇ8.

2. logice εἶδος speciem significat, i e eam partem τȣ̃ γένȣς, quae formae ac notionis unitate continetur. descenditur a γένει ad εἶδος, veluti αἱ πίστεις δύο τῷ γένει, 5 παράδειγμα κ̣ ἐνθύμημα, παραδειγμάτων δ' εἴδη δύο Ρβ20. 1393 ᵃ24, 37. quomodo γένος et εἶδος et distinguantur usu et confundantur v s γένος p 151 ᵃ57-152 ᵃ6; peculiaris τȣ̃ γένȣς vis in eo cernitur, ut possit διαιρεῖσθαι εἰς εἴδη, τȣ̃ εἴδȣς, ut formae ac notionis unitate multitudo indefinita 10 contineatur, cf τῶν παθητικῶν, τȣ ὑγρȣ κ̣ ξηρȣ, λεκτέον τὰ εἴδη μδ̅4. 381 ᵇ24. εἴδη ἀναθυμιάσεως, ὕδατος, γῆς, τῶν ἐν τῇ γῇ γινομένων, εἴδη ὅσα αἱ εἰρημέναι δυνάμεις ἐργάζονται al μβ̅4. 359 ᵇ28, 360 ᵃ18. ὁ̃5. 382 ᵇ11, 13. 10. 388 ᵃ26, ᵇ2. 2. 379 ᵇ10. γ7. 378 ᵃ20. τὸ ἀνομοιομερὲς 15 ἤτοι ἐκ πεπερασμένων εἰδῶν ἐστιν ἢ ἐξ ἀπείρων Οα7. 274 ᵃ32. ἡ ἐν ἀγῶνι ἀδικία εἶδος τι ἔχει κ̣ ἔσται ἀδικομαχία τις τι11. 171 ᵇ22. καθ' ἕκαστον εἶδος πολιτείας Πε5. 1304 ᵇ19. — ἐκ τȣ γένȣς κ̣ τῶν διαφορῶν τὰ εἴδη Μι7. 1057 ᵇ7 al (τὸ εἶδος γίγνεται ἐκ τῆς τȣ εἴδȣς ὕλης Μδ̅24. 1023 20 ᵇ2 Bz, cf ὕλη 6). de logicis inter γένος et εἶδος rationibus cf s γένος l l. τιθέναι τὸ γένος εἰς τὸ εἶδος τδ̅2. 122 ᵇ25. — εἶδος et διαφορὰ distinguuntur, ἡ διαφορὰ πρότερον κ̣ γνωριμώτερον τȣ εἴδȣς τζ̅4. 141 ᵇ27. 6. 144 ᵇ10. Μι7. 1057 ᵇ9. ἡ διαφορὰ ἐπ' ἴσης ἢ ἐπὶ πλεῖον τȣ εἴδȣς λέγεται. ἡ διαφορὰ 25 ἐπὶ πλέον τȣ εἴδȣς λέγεται τδ̅2. 122 ᵇ39. ζ̅6. 144 ᵇ6. αἱ διαφοραὶ τȣ εἴδȣς κατηγορȣνται τζ̅6. 144 ᵇ6. sed coniunguntur etiam pro syn εἴδη et διαφοραί, veluti τόπῳ εἴδη κ̣ διαφοραὶ τἄνω κ̣ κάτω κτλ Φυ5. 205 ᵇ32; namque ἡ τελευταία διαφορὰ τὸ εἶδος Μζ̅12. 1038 ᵃ26. διαιρεῖσθαι 30 κατ' εἶδος, dist κατὰ συμβεβηκός Ογ1. 299 ᵃ20. μέρος et εἶδος dist Πα8. 1256 ᵃ14. Οβ4. 285 ᵇ32. μα1. 339 ᵇ25, coni syn Φδ̅1. 208 ᵇ13. Μν1. 1088 ᵃ26. — τὰ κατὰ τὴν πρώτην διαίρεσιν εἴδη τδ̅1. 121 ᵃ29. 2. 122 ᵃ27. εἴδη μὴ ὑπ' ἄλληλα Αβ2. 54 ᵃ32. 3. 55 ᵇ19. — ἕτερα τῷ εἴδει 35 τίνα Μι8. ἕτερα, διάφορα εἶναι, διαφέρειν εἴδει sive κατ' εἶδος, dist γένει sive κατὰ γένος, ἀριθμῷ Πα4. 1254 ᵃ5. ὁ̃2. 1289 ᵇ13. 3. 1290 ᵃ6. Οβ4. 285 ᵇ32. μβ̅4. 360 ᵃ18. ψα1. 402 ᵇ3. Ηκ2. 1173 ᵇ28, 33, 1174 ᵃ10. Μλ5. 1071 ᵃ27 (μκ1. 465 ᵃ6 διαφέρειν κατ' εἶδος ἄνθρωπον πρὸς ἄνθρωπον 40 non videtur concinere cum reliquo usu Aristotelico). ἄλλο εἴδει ἔχειν Ηε7. 1131 ᵇ27. τὰ κατ' εἶδος μόρια Οα2. 268 ᵇ13. ἐν ἐναντίοις εἴδεσιν Φθ6. 260 ᵃ9. — ταὐτόν, ἓν τῷ εἴδει sive κατὰ τὸ εἶδος, def Μι8. 1058 ᵃ18. cf Ζια1. 486 ᵃ16, 19. 6. 491 ᵃ4. Ζμα3. 643 ᵃ1. Ζγε4. 784 ᵇ21. (ἔστιν τε45 ἕτερον ζῷον θῆλυ κ̣ ἕτερον ἄρρεν, τῷ δὲ εἴδει ταὐτόν Ζγα2. 730 ᵇ35), dist τῷ γένει, τῷ ἀριθμῷ ψα5. 411 ᵇ21. Φα7. 190 ᵃ16. ε4. 227 ᵇ7, 12, 228 ᵇ12. γι1. 242 ᵇ5. β7. 198 ᵃ26. Μδ̅6. 1016 ᵇ32. 9. 1018 ᵃ13. ι3. 1054 ᵃ34, 35, ᵇ5. κ2. 1060 ᵇ29. γα7. 103 ᵃ10. ἔχειν τὸ κοινὸν κατ' εἶδος, 50 κατὰ γένος, κατ' εἶδος Ζμα5. 645 ᵇ28. ἀνακάμπτειν εἴδει, ἀριθμῷ Γβ11. 338 ᵇ13, 17. ἄλλο κ̣ ἄλλο γίνεται τȣ́των ἕκαστον, τὸ δ' εἶδος τȣ πλήθȣς ἑκάστȣ μένει μβ̅3. 357 ᵇ31. πᾶν κατ' ἀριθμόν, κατ' εἶδος (i e universalitas ex inductione, ex notione) Αγ5. 74 ᵃ31. ȣ̓χ ἑνὶ εἴδει λέγεται ὁ 55 οἶνος μδ̅10. 388 ᵇ2. τῶν γαμψωνύχων οἱ διαφέροντες τῷ εἴδει μίγνυνται πρὸς ἀλλήλȣς Ζγβ7. 746 ᵇ3. ἕτερα εἴδει Ζιβ1. 497 ᵇ10, 12. Ζγβ7. 747 ᵇ33. διαφέρειν τοῖς εἴδεσι τῶν μορίων Ζιβ15. 505 ᵇ35. ἀδιάφορον εἴδει, κατ' εἶδος τδ̅1. 121 ᵇ15, 22. Φθ8. 262 ᵃ2. ἀδιάφορα εἴδει Ζγβ7. 748 60 ᵃ1. ἀδιαίρετον τῷ εἴδει τί Μι1. 1052 ᵃ32. — τελευταῖον

τῷ γένȣς εἶδος Μδ̅10. 1018 ᵇ5. (κ3. 1061 ᵃ24). ἄτομον εἶδος Μζ̅8. 1034 ᵃ8. Φε4. 227 ᵇ7. ψβ3. 414 ᵇ27 (τὸ οἰκεῖον κ̣ ἄτομον εἶδος). ἄτομα τῷ εἴδει Αδ̅13. 96 ᵇ16. Μι8. 1058 ᵃ17 Bz. κ1. 1059 ᵇ36. ὑσία τὸ τῷ εἴδει ἄτομον Ζμα4. 644 ᵃ29. — τῷ εἴδει indefinita individuorum multitudo circumscribitur, εἶδος, opp τὰ ἄπειρα τβ2. 109 ᵇ14. πάντες οἱ τοιοίδε κατ' εἶδος ἐν ἀφορισθέντες ΜΑ1. 981 ᵃ10. τὰ εἴδη τοῖς οἰκείοις ἀτόμοις ὀνόματα τιθέασιν φται. 816 ᵃ14. εἶδος, coni syn καθόλȣ Μζ̅11. 1036 ᵃ29. μ8. 1084 ᵇ5. μδ̅3. 381 ᵇ4. τὰ μαθήματα περὶ εἴδη ἐστίν· ὐ γὰρ καθ' ὑποκειμένȣ τινὸς Αγ13. 79 ᵃ7. — διὰ τί πεπέρανται τὰ εἴδη τῶν αἰσθητῶν αι6. 445 ᵇ21. τὰ αἴτια τῶν ὄντων ȣ̓κ ἄπειρα κατ' εἶδος Μα2. 994 ᵃ2. — ex logica τȣ εἴδȣς significatione talia sunt explicanda: τὸ εἶδος c genetivo explicativo, τὸ τῆς δευτέρας ὀλιγαρχίας εἶδος sim Πδ̅6. 1293 ᵃ22. 8. 1294 ᵃ15. ἔστι πάντα ταῦτα περιειλημμένα τρισὶν εἴδεσιν Πε11. 1314 ᵃ15. τὸ περὶ τῆς τοιαύτης στρατηγίας σκοπεῖν νόμων ἔχει μᾶλλον εἶδος ἢ πολιτείας Πγ15. 1286 ᵃ3. cf Ρβ22. 1395 ᵇ21. ἐν ὀργάνᾳ εἴδει Πα4. 1253 ᵇ30. ἐν μορίᾳ εἴδει Οα1. 268 ᵃ5. ἐν ὕλης εἴδει λέγεσθαι, τίθεσθαι, τάττεσθαι ΜΑ3. 983 ᵇ7 Bz, 984 ᵃ18. 4. 985 ᵃ32. 5. 986 ᵇ6, 987 ᵃ7. Γα3. 318 ᵃ9. μα2. 339 ᵃ29. σχεδὸν ἡμῖν περὶ ἑκάστων (fort ἕκαστον) τῶν εἰδῶν τῶν χρησίμων κ̣ ἀναγκαίων ἔχονται οἱ τόποι Ρβ22. 1396 ᵇ29. τῶν κοινῶν εἰδῶν ἅπασι τοῖς λόγοις ἡ μὲν αὔξησις ἐπιτηδειοτάτη τοῖς ἐπιδεικτικοῖς Ρα9. 1368 ᵃ26. ὅταν ἐπὶ τελευτῇ τὸ μέρος τȣ́τῳ γενώμεθα κ̣ πάντα τὰ εἴδη διεξεληλυθότες ὦμεν ρ36. 1441 ᵇ9. ὥστε κ̣ παρὰ μέρος κ̣ παρὰ εἶδος τῇ παλιλλογίᾳ χρηστέον ρ37. 1444 ᵇ23.

3. Plato τὰς ὁρισμὰς ἐχώρισε κ̣ τὰ τοιαῦτα τῶν ὄντων ἰδέας προσηγόρευσεν Μμ4. 1078 ᵇ31; eaedem notiones, quae substantiae vim ac dignitatem habent, dicuntur εἴδη, f 182. 1509 ᵃ44. εἶδος εἶναι ἢ ἕν τι παρὰ τὰ πολλὰ (dist κατὰ πολλῶν ᵃ11) ȣ̓κ ἀνάγκη Αγ11. 77 ᵃ5. οἱ τὰ εἴδη τιθέντες ΜΑ7. 988 ᵇ1. οἱ λέγοντες τὰ εἴδη Μβ2. 997 ᵇ2. Α9. 990 ᵇ19. μ4. 1079 ᵃ15. τὰ εἴδη λέγȣσί τινες ὑσίας εἶναι Μη1. 1042 ᵃ11. τοῖς τὰ εἴδη (int ποιȣσι, τιθεῖσι) Μλ10. 1075 ᵇ18. διὰ τὸ φίλȣς ἄνδρας εἰσαγαγεῖν τὰ εἴδη Ηα4. 1096 ᵃ13. (cf τὸ τȣ ἀγαθȣ εἶδος ηεκ8. 1218 ᵃ37.) τὰ εἴδη χαιρέτω Αγ22. 83 ᵃ33. τὰ εἴδη, opp τὰ μετέχοντα πλ9. 956 ᵇ7. de Platonica idearum doctrina quid Ar referat ac iudicet cf Πλάτων.

4. Aristoteles quum quatuor distinguit principiorum et summarum causarum genera, formalem causam et aliis nominibus significat (v αἴτιον, ἀρχή) et εἶδος appellat, veluti Φβ3. 194 ᵇ26. Μ∂2. 1013 ᵇ23. Wz ad Αδ̅11. 94 ᵃ20. et duo quidem genera, causarum, finalis ac movens, (γιγνόμενόν ἐστιν ἐκ κινήσαντος κ̣ τȣ εἴδȣς Ζγα21. 729 ᵇ20. τὸ ἄρρεν παρέχεται τό τε εἶδος κ̣ τὴν ἀρχὴν τῆς κινήσεως Ζγα20. 729 ᵃ10) ad formalem referuntur (εἶδος, coni syn τέλος, τὸ ȣ̓ ἕνεκεν Μδ̅4. 1015 ᵃ10, 4. Γα7. 324 ᵇ17. β9. 335 ᵇ6. τὸ κινȣν ἐν τοῖς ἀπὸ διανοίας τὸ εἶδος Μλ4. 1070 ᵇ31. ἡ τέχνη τὸ εἶδος Μζ̅9. 1034 ᵃ24, ᵇ1. λ3. 1070 ᵃ14. Ζγα22. 730 ᵇ15 cf αἰτία p 22 ᵇ46); itaque praecipua ac principalis distinctio est causae formalis et materialis. opponuntur autem inter se vel tria εἶδος, στέρησις, ὕλη Μλ2. 1069 ᵇ34. 4. 1070 ᵇ11, 18. cf στέρησις, vel quod est frequentissimum, εἶδος et ὕλη (quae cur inter se distinguantur, Ar apertissime significat Φα7. 190 ᵇ20) sive εἶδος et ὑποκείμενον, ἐξ ȣ̓ γίνεταί τι ἐνυπάρχοντος, veluti Φα4. 187 ᵃ20. 7. 190 ᵇ28. β1. 193 ᵃ31, ᵇ1. 3. 194 ᵇ26. γ7. 207 ᵇ1. ὁ̃1. 209 ᵃ21. 2. 209 ᵇ23. Οα9. 277 ᵇ33.

δ 3. 310 ᵇ15. 4. 312 ᵃ12, 15. Γα7. 324 ᵇ17. β8. 335 ᵃ16, 21. 9. 335 ᵇ6. ψα1. 403 ᵇ2. β1. 412 ᵃ8, 10. 2. 414 ᵃ14, 17. Ζγβ1. 732 ᵃ5. α21. 729 ᵇ17. Μβ2. 996 ᵇ8. δ2. 1013 ᵇ23. 4. 1015 ᵃ10. ζ8. 1033 ᵇ13. 9. 1034 ᵇ13. η2. 1043 ᵃ20. 4. 1044 ᵃ36. θ7. 1049 ᵃ35. 8. 1050 ᵃ15. ι3. 1054 ᵃ35. λ3. 1069 ᵇ35, 1070 ᵃ1. μ2. 1077 ᵃ32. 8. 1084 ᵇ10. ν5. 1092 ᵇ24. τὰ ἐν ὕλῃ εἶδος ἔχοντα, εἶδος ἐν τῇ ὕλῃ Γα5. 321 ᵇ21. Φδ3. 210 ᵃ21. Οα9. 278 ᵃ9. τὸ εἶδος περιέχει. ἡ ὕλη περιέχεται Φγ7. 207 ᵇ1. Οδ4. 312 ᵃ12. εἶδος μετὰ τῆς ὕλης Μη3. 1044 ᵃ10. εἶδος ὕλῃ μεμιγμένον Οα9. 278 ᵃ14. δεκτικόν τῶν αἰσθητῶν εἰδῶν ἄνευ τῆς ὕλης ψβ12. 424 ᵃ18. ἄλλῳ εἴδει ἄλλη ὕλη Φβ2. 194 ᵇ9. εἶδος, coni syn μορφή Φβ1. 193 ᵃ31. 2. 209 ᵇ3. η2. 246 ᵇ15. Οα9. 278 ᵃ14, 15. Γβ9. 335 ᵇ6. ψβ1. 412 ᵃ8. Μδ4. 1015 ᵃ5. 8. 1017 ᵇ26. ζ8. 1038 ᵇ5. η5. 1044 ᵇ22. ι1. 1052 ᵃ23. 4. 1055 ᵇ13. κ2. 1060 ᵃ22, ᵇ26. pariter cum ν εἶδος, ubi oppositum est ὕλη, coni syn παράδειγμα, διαφοραί Φβ3. 194 ᵇ26. Μδ2. 1013 ᵃ26. Φα4. 187 ᵃ20. ἔστι δ' ἡ διαφορὰ τὸ εἶδος ἐν τῇ ὕλῃ Ζμα3. 643 ᵃ24. εἶδος, opp στέρησις. coni syn κατηγορία, ἕξις Γα3. 318 ᵇ17. Μη5. 1044 ᵇ33. 4. 1055 ᵃ20 ᵇ13. λ5. 1071 ᵃ9. 3. 1070 ᵃ12, quamquam ἡ στέρησις εἶδος πῶς ἐστι Φβ1. 193 ᵇ19. εἶδος, syn ποιόν, opp ποσόν Μγ5. 1010 ᵃ23-25. τῷ εἴδει ᵡ τῷ ποσῷ μεταβάλλειν μβ3. 357 ᵇ28. εἶδος, dist θέσις ι1. 974 ᵃ20. — quoniam ἡ ὕλη δύναμις (cf ὕλη 3), τὸ εἶδος ἐνέργεια sive ἐντελέχεια est Μθ8. 1050 ᵇ2, ᵃ16 (Bz ad Μη2. 1043 ᵃ18). ψβ1. 412 ᵃ10. 2. 414 ᵃ17. cf Μη2. 1043 ᵃ20. 3. 1043 ᵃ33, ᵇ1. λ5. 1071 ᵃ9. εἶδος τι ἡ ψυχή f 42. 1482 ᵇ37. τελευῶν τὸ εἶδος Ηκ3. 1174 ᵃ16, 18. — esse quidem dicitur ὐσία ἥ τε ὕλη ᵡ τὸ εἶδος ᵡ τὸ ἐκ τᵚτων Μζ10. 1035 ᵃ2, sed quia τὸ εἶδος αἴτιον est τῆς ὕλης ᾧ τί ἐστι Μζ17. 1041 ᵇ8, τὸ εἶδος ὐσία δόξειεν ἂν εἶναι μᾶλλον τῆς ὕλης Μζ3. 1029 ᵃ29, 6, 17, et in definienda notione λεκτέον τὸ εἶδος ᵡ ᵡ εἶδος ἔχει ἕκαστον Μζ10. 1035 ᵃ8, τὴν τῶν ὄντων λαβεῖν ἐπιστήμην τὸ τῶν εἰδῶν λαβεῖν καθ' ᾱ λέγονται Μβ3. 998 ᵃ35 ᵇ7. ζ11. 1036 ᵇ28, κατὰ τὸ εἶδος ἅπαντα γιγνώσκομεν Μγ5. 1010 ᵃ25, τὰ μαθήματα (doctrina mathematica) περὶ εἴδη ἐστίν, ᵚ καθ' ὑποκειμένᵚ τινός Αγ13. 79 ᵃ7, ἐν τοῖς εἴδεσι τοῖς αἰσθητοῖς τὰ νοητά ἐστιν ψγ8. 432 ᵃ5. ὁ νᵚς εἶδος εἰδῶν ᵡ ἡ αἴσθησις εἶδος αἰσθητῶν ψγ8. 432 ᵃ2. inde τὸ εἶδος vel esse dicitur ὐσία vel coni syn ὐσία Μζ11. 1037 ᵃ29. 12. 1038 ᵃ26. 8. 1033 ᵇ17. θ8. 1056 ᵃ5. δ4. 1015 ᵃ10. μδ2. 379 ᵇ26, ὐσία τὰ ἔσχατα εἴδη, ταῦτα δὲ κατὰ τὸ εἶδος ἀδιάφορα Ζμα4. 644 ᵃ24. ὐσία ἡ κατὰ τὸν λόγον Μζ10. 1035 ᵇ16. μ8. 1084 ᵇ10, πρώτη ὐσία Μζ7. 1032 ᵇ1 (cf ᵡ κατὰ τὸ εἶδος ὐσία Μη3. 1044 ᵃ10), τόδε τι ᵡ εἶδος Γα3. 318 ᵇ32. Μθ7. 1049 ᵃ35, εἶδος λέγω τὸ τί ἦν εἶναι ἑκάστᵚ Μζ7. 1032 ᵇ1. 10. 1035 ᵇ2, 16. 8. 1033 ᵇ5. η4. 1044 ᵇ12. λ2. 1069 ᵇ34. Φδ1. 209 ᵃ21. ψα1. 403 ᵇ2. β2. 414 ᵃ14, τὸ εἶδος τὸ κατὰ τὸν λόγον Φβ1. 193 ᵃ31, ᵇ1. — τὸ εἶδος ᵚ γίγνεται Μζ8. 1033 ᵇ17, 5. 9. 1034 ᵇ8, 13. η3. 1043 ᵇ17. 5. 1044 ᵇ21. λ3. 1069 ᵇ35, 1070 ᵃ15, ἀκίνητον Φε1. 224 ᵇ5, 11. Μκ11. 1067 ᵇ9. τὸ εἶδος ᵡ ἡ ὕλη ᵚ χωρίζεται τᵚ πράγματος Φδ2. 209 ᵇ23. εἰς εἶδος τι μεταβάλλειν μδ3. 380 ᵇ32. πῶς ἐν τῇ μίξει λύεται τὸ εἶδος Γα10. 328 ᵃ28.

εἰδότως v εἰδέναι.

εἴδωλον. παραπλήσια τὰ φαντάσματα τοῖς ἐν τοῖς ὕδασιν

εἰδώλοις μτ2. 464 ᵇ9, 11. διὰ τί ὁ ὀφθαλμὸς ὁρᾷ μόνον, τῶν δ' ἄλλων ᵚδὲν ἐν οἷς ἐμφαίνεται τὰ εἴδωλα αι2. 438 ᵃ12. Δημόκριτος εἴδωλα ᵡ ἀπορροὰς αἰτιώμενος μτ2. 464 ᵃ6. τὰ φαινόμενα εἴδωλα καθεύδοντι εν3. 462 ᵃ11. ᵡ πάμπαν διαβλέπᵚσι φαίνεται εἴδωλα πολλὰ κινᵚμενα εν3. 462 ᵃ14, 17. εἴδωλον ἐδόκει προηγεῖσθαι βαδίζοντι μγ4. 373 ᵇ5.

εἰδωλοποιεῖν. οἱ ἐν τοῖς μνημονικοῖς τιθέμενοι ᵡ εἰδωλοποι- ᵚντες ψγ3. 427 ᵇ20.

εἰκάζειν. ἐνδέχεται εἶναι ὅμοιον ᵡ μὴ εἰκαζόμενον πρὸς ἐκεῖνο ΜΑ9. 991 ᵃ24. μ5. 1079 ᵇ28. ὡς εἰκάσαι πρὸς μικρὸν μεῖ- ζον, μικρὸν μεγάλῳ πβ8. 366 ᵇ29. Ζια5. 490 ᵃ5. εἰκάζειν τινά τινι Ζγδ3. 769 ᵇ19. Ργ4. 1406 ᵇ30, 1407 ᵃ7, 10. Πολύγνωτος κρείττᵚς, Διονύσιος ὁμοίως εἴκαζεν πο2. 1448 ᵃ6. εἰκάσαι, i e εἰκόνα ποιῆσαι Ργ11. 1413 ᵃ3, 5, 8. δεῖ ᵡ εἰκάζοντα τὰς πράξεις αὔξειν ζ36. 1441 ᵃ32. — εἰκάζειν, coniectura, divinando assequi, μὴ γνωρίζειν μηδ' εἰκάσαι ψα1. 403 ᵃ1. ὡς οἱ Πυθαγόρειοι εἴκαζον Ηβ5. 1106 ᵇ30.

εἴκειν. μηδαμῇ μηδὲν εἴξαι φδ5. 809 ᵃ37.

εἰκῇ λέγειν, ὅταν μηδὲν ἔχωσι προκείμενον τι 12. 172 ᵇ14, 15. cf Ργ3. 1406 ᵃ17. opp μετὰ λόγᵚ ηεα6. 1217 ᵃ1. 3. 1215 ᵃ1. νήφων ἐφάνη παρ' εἰκῇ λέγοντας τᵚς πρότερον ΜΑ3. 984 ᵃ17. εἰκῇ γράφεσθαι δίκας Πζ5. 1320 ᵃ13. εἰκῇ δρᾶν, syn ἀπὸ ταὐτομάτᵚ, dist ἀπὸ ἕξεως Ρα1. 1354 ᵃ6, 10.

εἰκονογράφος πο15. 1454 ᵇ9.

εἰκονοποιός. ζωγράφος ἤ τις ἄλλος εἰκονοποιός πο25. 1460 ᵇ9.

εἰκός, i e εἰκός ἐστιν. veluti ταύτῃ εἰκὸς ὑπολαβεῖν αἰτίαν sim μα8. 346 ᵃ30. 14. 351 ᵇ19, 352 ᵃ2. — τὸ εἰκός, def ὃ ἐπὶ τὸ πολὺ ἴσασιν ᵚτω γινόμενον, τᵚτ' ἐστιν εἰκός Αβ27. 70 ᵃ5 sqq. Ρα2. 1357 ᵃ34. Β25. 1403 ᵃ1, 1402 ᵇ16. κατὰ τὸ εἰκὸς ἢ τὸ ἀναγκαῖον πο9. 1451 ᵃ38, ᵇ9. 10. 1452 ᵃ20. 11. 1452 ᵃ24. 15. 1454 ᵃ34. εἰκὸς ᵡ πιθανόν Ρβ23. 1400 ᵃ8, 12. τὰ παρὰ τὸ εἰκὸς γεγενημένα πράγματα, syn παρὰ λόγον ρ9. 1429 ᵇ7. εἰκός ᵡ παρὰ τὸ εἰκὸς γίνεσθαι πο25. 1461 ᵇ15 (cf Agathonis versus fr 9, Ρβ24. 1402 ᵃ10). προαιρεῖσθαι δεῖ ἀδύνατα εἰκότα μᾶλλον ἢ δυνατὰ ἀπίθανα πο24. 1460 ᵃ27. λαβεῖν τὸ εἰκὸς μβ2. 355 ᵃ7. μαντευόμενοι τὸ συμβησόμενον ἐκ τῶν εἰκότων Ζγδ1. 765 ᵃ27. τὸ εἰκός, species quaedam πίστεως ἐξ αὐτᵚ τᵚ πράγμα- τος ρ8. 1428 ᵃ25-1429 ᵃ20. ᵡ τὰ ἐνθυ- μήματα, ταῦτ' ἐστιν εἰκὸς παράδειγμα τεκμήριον σημεῖον Ρβ25. 1402 ᵇ14, 16. α3. 1359 ᵃ8. εἰκός, dist σημεῖον Αβ 27. 70 ᵃ7. dist παράδειγμα ρ15. 1431 ᵃ24-26. — εἰκότως μγ3. 372 ᵇ22. ρ1. 1402 ᵃ12. εἰκότως in fine enunciati po- situm Φδ8. 214 ᵇ23. Ργ17. 1418 ᵃ22. εἰκότως τᵚτο ὁρῶν- τες Μγ3. 1005 ᵃ32. ἢ εἰκότως πκβ11. 931 ᵃ6.

εἰκών, def ἡ γένεσις διὰ μιμήσεως τζ2. 140 ᵃ14. opp παράδειγμα Μμ5. 1079 ᵇ35. Α9. 991 ᵇ1. f 184. 1510 ᵃ20. ζωγραφία ᵡ εἰκόνες τοῖς προηγουμένοις ἀπετέλεσε συμ- φώνως x 5. 396 ᵇ14. λευκογραφήσας εἰκόνα πο6. 1450 ᵇ3. ᵚδὲ πρίων ξύλινος (ἐστὶν) ἀλλ' ἢ ὡς εἰκών μδ12. 390 ᵃ13. ἃ αὐτὰ λυπηρῶς ὁρῶμεν, τᵚτων τὰς εἰκόνας τὰς μάλιστα ἠκριβωμένας χαίρομεν θεωρᵚντες πο4. 1448 ᵇ11. αἱ τῶν θεῶν εἰκόνες Πα5. 1254 ᵇ35. (θεῶν εἰκόνας ἐν δακτυλίοις μὴ φο- ρεῖν quid significet Pythagoreis f 192. 1512 ᵇ14.) μέρη τι- μῆς εἰκόνες Ρα5. 1361 ᵃ36. cf Β23. 1397 ᵇ29. Πε12. 1315 ᵇ19. — rhetorice αἱ τῶν ποιητῶν εἰκόνες τί ποιᵚσι (cf με- ταφορά) Ργ10. 1410 ᵇ16. εἰκὼν τί ἐστι ᵡ τί διαφέρει μεταφορᾶς Ργ4 (praecipue 1407 ᵃ10-14). 10. 1410 ᵇ17. 11. 1412 ᵇ12.

εἰλεῖσθαι. ᵚκ ἔχειν ἕδραν, ἀλλ' ἀεὶ περὶ τὸ μέσον εἰλεῖσθαι

μβ 2. 356 ᵃ5. πνεῦμα εἰλύμενον κάτωθεν ἄνω, εἰληθὲν ἐν νέφει κ 4. 395 ᵃ8, 11. εἰλεῖσθαι ἐν τῷ τόπῳ, μὴ δυνάμενον ἐκπλεῦσαι θ108. 840 ᵃ33.

Εἰλενία Ἀθηνᾶ (coni Hemsterh; Ἑλληνία Bk) θ108. 840 ᵃ28, 34. cf Göttling ges. Abh I 329.

εἰλεός λαμβάνει τὰς τροφίας ἵππης Ζιθ24. 604 ᵃ30 Aub.

εἴλησις, aestus, Φβ5. 197 ᵃ23.

εἰλιγμός, cf ἑλιγμός.

εἰλικρίνεια. τὸ φοινικιῶν χ̔ τὸ λευκὸν κατὰ τὴν πρὸς ἄλληλα μίξιν χ̔ εἰλικρίνειαν πολλὰς ἔχει διαφορὰς χ3. 793 ᵃ10.

εἰλικρινεῖσθαι. περιπνεομένη αὔραις ἡ γῆ εἰλικρινεῖται κ5. 397 ᵃ35.

εἰλικρινής. τὸ λευκὸν μέλι ὐκ ἐκ θύμυ εἰλικρινῶς Ζυ40. 627 ᵃ3. syn καθαρός μα3. 340 ᵇ8. ὀσμὴ καθαρωτέρα χ̔ εἰλικρινὴς πιβ11. 907 ᵇ1. ἄκρα χ̔ εἰλικρινέστατα πῦρ χ̔ γῆ Γβ3. 330 ᵇ33. τὰ στοιχεῖα τὰ εἰλικρινῆ ἀδιάφορα πλα 29. 960 ᵃ31. ὅσα εἰλικρινῆ γῆς (i e quae εἰλικρινῆ constant e terra) μὸ 10. 388 ᵇ16. ἡδέα, ὅταν εἰλικρινῆ χ̔ ἀμιγῆ ἄγηται εἰς τὸν λόγον ψ2. 426 ᵇ4. — ἄγευστοι ἡδονῆς εἰλικρινὲς χ̔ ἐλευθερίᾳ Ηκ6. 1176 ᵇ20. — εἰλικρινῶς ὅλον λευκόν Φα4. 187 ᵇ4. (de scriptura εἰλικρινής cf Ideler ad Met I 344.)

εἵλως. οἱ εἵλωτες γεωργῦσι τοῖς Λάκωσιν, ἐφεδρεύυσι τοῖς ἀτυχήμασι Πβ10. 1271 ᵃ41,1272 ᵇ19. 9.1269 ᵃ38. οἱ ἔφοροι τοῖς εἵλωσι καταγγέλλυσι τὸν πόλεμον, ὅπως εὐαγὲς ᾖ τὸ ἀνελεῖν f 495. 1558 ᵇ31. εἵλωτες, coni πενέσται, κλαρῶται f 544. 1568 ᵇ2.

εἱλωτεία. οἷς τῦτο (τὸ ἐπιβυλεύεσθαι) συμβαίνει περὶ τὴν εἱλωτείαν Πβ9. 1269 ᵇ12. αἱ παρ' ἐνίοις εἱλωτεῖαι χ̔ πενεστεῖαι χ̔ δυλεῖαι Πβ5. 1264 ᵃ35.

εἱμαρμένος. εἱμαρμένη πόθεν ὠνόμασται κ 7. 401 ᵇ9. γενέσεις βίαιοι χ̔ ὐχ εἱμαρμέναι Φε6. 230 ᵃ32. συνελογίσαντο τὴν εἱμαρμένην, ὅτι ἐν τύτῳ εἵμαρτο ἀποθανεῖν αὐτοῖς πο16. 1455 ᵃ11.

εἶναι, τὸ ὄν. 1. formae et constructiones grammaticae. ἐσσεῖται (Hom B 393) Πγ14. 1285 ᵃ13. εἴμεν ψβ10. 422 ᵃ12 (v l ἥμεν Trdlbg). ἔστω τι17. 176 ᵃ24. ἔστω φάσις, ἀντίφασις ε5. 17 ᵃ18. 6. 17 ᵃ33. ἔστω δεδειγμένον, κείμενον sim Αα27. 73 ᵃ37. β8. 59 ᵇ11. 14. 63 ᵃ7 al. futurum ἔσεσθαι saepe cum participio perfecti coniunctum legitur, veluti ἐσόμεθα ἀνῃρηκότες, δεδειχότες, διειλημμένοι τα 5. 102 ᵃ14, 39. 6. 102 ᵇ33. 18. 108 ᵇ3, 17. β1. 109 ᵃ4, 6. 2. 109 ᵇ24 al. ἔσται ἀνῃρημένον, ἀποδεδομένον, δεδειγμένον τγ6. 120 ᵃ24, 31. ε2. 130 ᵇ7. β4. 111 ᵇ21 al. ἔσται κείμενον τε3. 131 ᵃ7, ᵇ16, 32. 9. 139 ᵃ17. — τῦτο ἦν (i e hoc significabat) Αα14. 33 ᵃ4. 17. 37 ᵃ9, ᵇ10. 19. 38 ᵃ35. 23. 41 ᵃ30. — formae verbi εἶναι insolentius omissae, cf Ellipsis. — schema Pindaricum: ἔστι χ̔ ἡ μεγαλοψυχία χ̔ ἡ μεγαλοπρέπεια χ̔ ἡ ἐλευθεριότης μεσότητες ηεγ4. 1231 ᵇ27. cf Vhl Poet III 320. — εἶναι c genet possessivo ἀλλ' ἐστὶν ἀνθρώπυ, ὃς ἂν κτῆμα ᾖ ἀνθρώπυ ὤν Πα4. 1254 ᵃ15. c gen materiae, ὅσα ἐστὶν ὕδατος, οἱ ἅλες γῆς εἰσι μᾶλλον sim μὸ 6. 383 ᵃ6. 7. 383 ᵇ20, 384 ᵃ1. 8. 385 ᵇ2, 4. cf Genetivus p 149 ᵃ41. εἶναι c dat, ὡς ἐνίας τῶν πολιτειῶν τῷ κρατεῖν ὔσας Πγ3. 1276 ᵃ13. τὸ ἤλεκτρον ψύξει ἐστὶ μὸ 10. 388 ᵇ19. εἶναι δυνάμει μγ 7. 378 ᵃ33 cf p 221 ᵃ30). — εἶναι c praepositionibus. εἶναι πρὸς τοῖς ἰδίοις, syn διατρίβειν πρὸς τοῖς ἔργοις Πε8. 1309 ᵃ6, 8. οἱ ἐν τῇ ὀλιγαρχίᾳ ὄντες Πε6. 1305 ᵇ28. οἱ ἐν ὑπεροχαῖς τῶν εὐτυχημάτων ὄντες, οἱ ἐν πάθει ὄντες Πδ11. 1295 ᵇ14. γ16. 1287 ᵇ3. εἶναι ἐν ἐναντίοις τόποις ἢ εἴδεσιν Φθ6. 260 ᵇ9. ἐν θατέρῳ τύτων (τῷ ἀπείρῳ ἢ τῷ πεπερασμένῳ) εἶναι

Φγ4. 202 ᵇ34. οἰκία μὲν ἐκ πόλεως, ἄνθρωπος δ' ἐξ οἰκίας ἔσται Πβ2. 1261 ᵃ19. ὐδ' ὁ βορέας εἰς τὴν ἐνταῦθα οἰκυμένην πᾶσάν ἐστιν μβ5. 363 ᵃ1. — εἶναι c adverb ὕτως ἡ ἀλλαγὴ ἣν πρὶν τὸ νόμισμα εἶναι Ηε8. 1133 ᵇ26. τὸ αἴτιον τῦ καλῶς εἶναι ρ1. 1421 ᵃ14. ὅσας ἐνδέχεται τρόπυς εἶναι τὰ δικαστήρια Πδ16. 1301 ᵃ11. — ἔστι c infin, veluti ἔστιν ἰδεῖν sim μα14. 353 ᵃ8. Πγ15. 1286 ᵇ7. δ13. 1297 ᵇ3. ε2. 1302 ᵃ28. 8. 1308 ᵇ33, 1309 ᵃ4. ἔστιν ὥστ' ἔχειν sim Πε9. 1309 ᵇ32. πλα17. 959 ᵃ13. — ἔστι ὡς, ἔστι δ' ὡς ὐ Αγ1. 71 ᵇ6 Wz. 33. 89 ᵃ29. Φθ4. 255 ᵇ25. μθ6. 383 ᵃ15. Μμ10. 1087 ᵃ14. Ηε12. 1136 ᵇ30. Πε2. 1302 ᵃ36. ἔστιν ὅπυ Πδ15. 1299 ᵇ28. εἰσὶ δέ τινες, οἳ Πε1. 1301 ᵇ2.

2. τὸ εἶναι τὴν παράτασιν τῆς ὑπάρξεως χ̔ οἷον τὴν ἐνέργειαν τῦ ὄντος δηλοῖ Simpl ad Phys f 174ᵃ. τῷ μετρεῖσθαι τῷ χρόνῳ χ̔ αὐτὴν τὴν κίνησιν χ̔ τὸ εἶναι αὐτῆς Φδ12. 221 ᵃ5, 6, 9, ᵇ12, 28, 31 (cf ὐσία 2). εἰ ἔστι, dist ὅτι, διότι, τί Αδ1. δεῖ τὸ ὅτι χ̔ τὸ εἶναι ὑπάρχειν δῆλα ὄντα Μζ17. 1041 ᵃ15. τῶν ὐσιῶν ἑκάστην τῷ τῳδε χ̔ τῷ ναστῷ χ̔ τῷ ὄντι προσαγορεύει Δημόκριτος f 202. 1514 ᵇ13. syn ζῆν, τὸν βυλόμενον εἶναι χ̔ ζῆν τὸν φίλον αὑτῷ χάριν Ηι4. 1166 ᵃ4, 19, 17. 7. 1168 ᵃ5. 9. 1170 ᵇ7, 8. ηεη6. 1240 ᵃ36. βέλτιον τὸ εἶναι τῦ μὴ εἶναι Γβ10. 336 ᵇ28. dist γίγνεσθαι, φθείρεσθαι τε7. 137 ᵃ21sqq. δυνάμει τὸ αὐτὸ τἀναντία, τῷ δ' εἶναι ὐ ψγ2. 427 ᵃ7. ἐπί τινων ἐνδεχόμενον ὥστ' εἶναί ποτε χ̔ μὴ εἶναι ἄνευ γενέσεως χ̔ φθορᾶς Φθ6. 258 ᵇ17. ἐνδέχεσθαι τὸ εἶναι χ̔ μὴ εἶναι διαφέρειν ἐν τοῖς ἀϊδίοις Φγ4. 203 ᵇ30. τὸ ἀεὶ ὄν Οα12. 281 ᵇ25. μέσον τε ἀεὶ ὄντος χ̔ τὸ ἀεὶ μὴ ὄντος τὸ δυνάμενον εἶναι χ̔ μὴ εἶναι Οα12. 282 ᵃ8. τὸ εἶναι, dist τὸ εὖ εἶναι f 39. 1481 ᵃ14. εἶναι, opp φαίνεσθαι μβ9. 370 ᵃ11. ὧν ἔλεγχος, opp φαινόμενος τι9. 170 ᵇ9. ὄντες ὁρισμοί, opp δοκῦντες τβ11. 157 ᵃ3 cf 10. 114 ᵇ28. τῷ ὄντι (i q ἁπλῶς), dist πρὸς τὸν ἠρωτημένον τι32. 182 ᵃ24. — τὸ ἐσόμενον Ρα15. 1376 ᵃ1. β19. 1392 ᵇ33-1393 ᵃ8. dist τὸ μέλλον Γβ11. 337 ᵇ4. μτ2. 463 ᵇ29. — πνεύματος ἤδη μὲν ὄντος, ὔπω δὲ παρόντος μγ3. 372 ᵇ27.

3. τὸ εἶναι λέγεται πολλαχῶς, τὸ ὄν λέγεται πολλαχῶς Μδ7 Βz. 11. 1019 ᵃ4. Α9. 992 ᵇ19. α1. 993 ᵇ31. ζ1.1028 ᵃ10. 4. 1030 ᵃ21. η2. 1042 ᵇ25. κ3. 1060 ᵇ32. 8. 1064 ᵇ15. μ2. 1077 ᵇ17. ν2. 1089 ᵃ7. Φα2. 185 ᵃ21. γ6. 206 ᵃ21. ψα5. 410 ᵃ13. β1. 412 ᵇ8. τὸ ὄν λέγεται μὲν πολλαχῶς, ἀλλὰ πρὸς ἓν χ̔ μίαν τινὰ φύσιν, πρὸς μίαν ἀρχήν, καθ' ἕν τι χ̔ κοινόν, ὐχ ὁμωνύμως Μγ2. 1003 ᵃ33 Βz, ᵇ5. κ3. 1061 ᵃ11, ᵇ11. λέγεται ἰσαχῶς τὸ ὄν χ̔ τὸ ἓν Μι2. 1053 ᵇ25. ζ4. 1030 ᵇ11. 16. 1040 ᵇ16. 9. 1018 ᵃ35. ταὐτὸ σημαίνει πως τὸ ἓν χ̔ τὸ ὄν τῷ παρακολυθεῖν ἰσαχῶς ταῖς κατηγορίαις, ἀντιστρέφει Μι2. 1054 ᵃ14. κ3. 1061 ᵃ17. γ2. 1003 ᵇ23 Βz. τὸ ὄν χ̔ τὸ ἓν ἔστι καθόλυ μάλιστα πάντων Μβ4. 1001 ᵃ21. ι2. 1053 ᵇ23. κ2. 1060 ᵇ5. τὸ 1. 121 ᵃ16. 6. 127 ᵃ7sqq. ὥσπερ τῦ ἑνὸς εἴη, τοσαύτα χ̔ τῦ ὄντος ἐστίν Μγ2. 1003 ᵇ34. ὐχ οἷόν τε τῶν ὄντων ὔτε τὸ ἓν ὔτε τὸ ὄν εἶναι γένος, ὐδ' ὐσίαν τῶν πραγμάτων Μβ3. 998 ᵇ22 Βz. 4. 1001 ᵃ5, 27. 1. 996 ᵃ6. ζ16. 1040 ᵇ18. η6. 1045 ᵇ3, 7. ι2. 1053 ᵇ23. κ1. 1059 ᵇ27-33. Αδ7. 92 ᵇ13. τὸ 1. 121 ᵃ16. — universalem τῦ ὄντος notionem significat τὸ ᾗ ὄν Μγ2. 1003 ᵃ21, ᵇ15, 1004 ᵇ5, 15, 1005 ᵃ3, 13, 24, 28. syn ὂν ἁπλῶς Με1. 1025 ᵇ9 (sed cf infra 4c). ὂν καθόλυ Μκ3. 1060 ᵇ32. opp ὂν τὶ (ἕν τι Bk) Με1. 1025 ᵇ4-8 (alio sensu ὄν et τὶ ὄν opp Αα38. 49 ᵃ31sqq), μέρος τῦ ὄντος Μγ1. 1003 ᵃ24, κατὰ μέρος Μκ3. 1060 ᵇ32. —

εἶναι ἁπλῶς, dist εἶναι τὶ τι 5. 167 ᵃ2. Αγ10. 76 ᵇ6. α38. 49 ᵃ31 sqq.

4. ubi plene enumeratur ποσαχῶς λέγεται τὸ ὄν, quatuor distinguuntur modi, τὸ ὂν κατὰ συμβεβηκός, τὸ ὡς ἀληθὲς ὄν, τὸ ὂν κατὰ τὰ γένη τῶν κατηγοριῶν, τὸ ὂν δυνάμει ἢ ἐνεργείᾳ Μὸ7. ε2. 1026 ᵃ32-ᵇ2. θ10. 1051 ᵃ34-ᵇ2. ν2. 1089 ᵃ26. — a. τὸ ὂν κατὰ συμβεβηκός Μὸ7. 1017 ᵃ7-22 Bz. — b. τὸ ὡς ἀληθὲς ὄν Μὸ7. 1017 ᵃ31. ε4. ὅ10 Bz. x8. 1065 ᵃ21-26. τὸ ὅτως (ὡς ἀληθὲς) ὂν ἕτερον τῶν κυρίως Με4. 1027 ᵇ31. τὸ κυριώτατα ὂν ἀληθὲς ἢ ψεῦδος Μθ10. 1051 ᵇ1. τὸ μὲν εἶναι ἐστι τὸ συγκεῖσθαι ἢ ἓν εἶναι, τὸ δὲ μὴ εἶναι τὸ μὴ συγκεῖσθαι ἀλλὰ πλείω εἶναι Μὸ10. 1051 ᵇ12 (Wz ad 16 ᵃ12). τὸ εἶναι ψιλὸν ἢ σημαίνει πράγμα, ἢ ἐκ ὑσία ὑδενί ε3. 16 ᵇ22 Wz. Αὸ7. 92 ᵇ13. τὸ εἶναι προσσημαίνει σύνθεσίν τινα ε3. 16 ᵇ24. ἀφελεῖν, μὴ προσάπτειν τὸ ἔστι Φα2. 185 ᵇ27, 30. εἶναι μὴ λευκόν, dist μὴ εἶναι λευκόν Αα46. 51 ᵇ9, 25. εἶναί τινι, i e ὑπάρχειν τινί Αα3. 25 ᵇ12. — c. τὸ ὂν κατὰ τὰ γένη τῶν κατηγοριῶν Μὸ7. 1017 ᵃ22. ζ1. 1028 ᵃ10, 14, 18. 4. 1030 ᵃ21. θ1. 1045 ᵇ33. 10. 1051 ᵃ34-ᵇ2. ν2. 1089 ᵃ7. Φα2. 185 ᵃ21. ψα5. 410 ᵃ13. cf κατηγορία. ἢ πᾶν τὸ ὂν ἐν τόπῳ Φὸ5. 212 ᵇ29. ἢ αἰσθητὰ τὰ ὄντα ἢ νοητά ψγ8. 431 ᵇ22. τὸ πρώτως ὂν ἢ ἢ τι ὂν ἀλλ' ἢ ἁπλῶς ἢ ὑσία ἂν εἴη Μζ1. 1028 ᵃ30. θ1. 1045 ᵇ27. ἡ ὑσία ἢ ὅσα τόδε τι σημαίνει ἐχ ἕτερόν τι ὄντα ἐστὶν ὅπερ ἐστὶν Αγ4. 73 ᵇ8. cf α27. 43 ᵃ25-43. ὑσία ἢ τὸ τόδε ἢ τὸ ὂν Φα7. 191 ᵃ12. μὴ τόδε μηὸ' ὂν Γα3. 317 ᵇ28. τὸ ὂν τὸ τί ἐστι Μν2. 1089 ᵃ34. τὸ ὂν κατὰ τὰς ὑσίας λεγόμενον Μν2. 1089 ᵃ32. αἱ ὑσίαι ἢ ὅσα ἄλλα ἁπλῶς ὄντα Φα7. 190 ᵇ2. — d. τὸ ὂν δυνάμει ἢ ἐνεργείᾳ Μγ5. 1009 ᵃ32-36. ὸ7. 1017 ᵃ35. λ2. 1069 ᵇ15. μ3. 1078 ᵃ30. cf Φγ6. 206 ᵃ21sqq. τὸ εἶναι ἐπεὶ πλεοναχῶς λέγεται, τὸ κυρίως ἢ ἐντελεχείᾳ ἐστὶν ψβ1. 412 ᵇ8.

5. εἶναι c dativo praedicati (Bz Ar St IV 377) notionem substantialem significat, τὸ ἀγαθῷ εἶναι, τὸ μεγέθει εἶναι sim ἄλλο ἐστὶ τὸ μέγεθος ἢ τὸ μεγέθει εἶναι ψ4. 429 ᵇ10sqq Trdlbg. Αβ21. 67 ᵇ12 Wz. ὸ13. 96 ᵇ11, 14. Μγ4. 1007 ᵃ27 al. ἐπὶ τῶν πρώτων ἢ καθ' αὐτὰ λεγομένων τὸ ἑκάστῳ εἶναι ἢ ἕκαστον τὸ αὐτὸ ἢ ἕν ἐστι Μζ6. 1032 ᵃ6. syn λόγος, Φα2. 185 ᵇ32 (cf ὅπερ ὂν Φα3. 186 ᵃ33-ᵇ35, 187 ᵃ8). — τὸ εἶναι συνήθως ὑπὸ τῦ περιπάτυ λεγόμενον ἢ τὸ εἶδος σημαίνειν Simpl ad Phys 174ᵃ cf ὑσία 3f. τὸ ζῆν τοῖς ζῶσι τὸ εἶναί ἐστιν Φα4. 415 ᵇ13. μία μεσότης· τὸ δ' εἶναι αὐτῇ πλείω ψγ7. 431 ᵃ19. ᾧ τὸ εἶναι ἕτερον Μζ3. 1029 ᵃ22 Bz. τὸ εἶναι αὐτῷ (τῷ ἀπείρῳ) στέρησις Φγ7. 208 ᵃ1. κατὰ μὲν τὸ εἶναι ὅτι ἕτερον ὀηλον· ἐχ οἷον γὰρ ὁ λόγος Φὸ3. 210 ᵇ16. τὸ τί εἶναι ὀηλὸν ἐχ ἴδιον ἀλλ' ὅρος τε5. 135 ᵃ11. ἡ ὑσία ἑτέρα ἢ τὸ εἶναι Φθ8. 263 ᵇ9. κατὰ μόνην τὴν φορὰν ὐδὲν μεταβάλλει τὸ εἶναι Φθ7. 261 ᵃ22. τὸ δ' εἶναι ἕτερον, ἢ ταὐτό, ἄλλο (opp ταὐτὸν ἀριθμῷ) τε4. 133 ᵇ34. Φὸ11. 219 ᵇ27. 13. 222 ᵃ20. ε5. 229 ᵃ29. Οὸ4. 312 ᵃ19, 20. 5. 312 ᵇ33. Γα3. 319 ᵇ4. 5. 322 ᵃ26. ψβ11. 424 ᵃ25. γ2. 426 ᵃ16. 7. 431 ᵃ14, 29. Μλ10.1075 ᵇ5 Bz. Ηε3. 1130 ᵃ13. τὸ δ' εἶναι αὐτῷ (αὐτοῖς) ἢ ταὐτό, ἕτερον Φα7. 191 ᵃ1. ὸ6. 213 ᵃ19. 11. 219 ᵃ21, ᵇ11. ε5. 229 ᵃ18. ψγ2. 425 ᵇ27. μν1. 450 ᵇ2. ν2. 455 ᵃ21. ερ1. 459 ᵃ10. Ηζ8. 1141 ᵇ24. syn λόγος Φγ3. 202 ᵃ20, ᵇ9,12, 16. ὸ11. 219 ᵇ11, 20. αι7. 449 ᵃ16. τῷ εἶναι ἕτερον, διαιρετὸν, κεχωρισμένον Φα3. 186 ᵃ31. ὸ8. 216 ᵇ5. 9. 217 ᵃ24 (fort τὸ). ψγ2. 427 ᵃ3, 5. 9. 432 ᵇ1. υ1. 454 ᵃ19. syn τῷ λόγῳ αι7. 449 ᵃ18, 20.

6. τὸ μὴ ὂν πολλαχῶς, ἐπειδὴ ἢ τὸ ὂν Μν2. 1089 ᵃ16. x11. 1067 ᵇ25. Φε1. 225 ᵃ20. τριχῶς τὸ μὴ ὂν Μλ2. 1069 ᵇ27 Bz. τὸ κατὰ τὰς πτώσεις μὴ ὂν ἰσαχῶς ταῖς κατηγορίαις λέγεται Μν2. 1089 ᵃ27. μὴ ὄν τι, dist μὴ ὂν ἁπλῶς Φα3. 186 ᵇ9, 187 ᵃ5. τῷ μὴ ὄντος ὐδεμία διαφορά Φὸ8. 215 ᵃ10. ὐτε τὶ ὐτε ποιὸν ὐτε ποσὸν ὐτε πῇ τὸ μὴ ὂν Γα3. 318 ᵃ16. τὸ μὴ ὂν εἶναι μὴ ὂν φαμεν Μγ2. 1003 ᵇ10. λ1. 1069 ᵃ23. τὸ μὴ ὂν εἶναι τι25. 180 ᵃ33. τὸ μὴ ὂν δεῖξαι ὅτι ἔστιν (Plat) Μν2. 1089 ᵃ5. τὸ μὴ ὂν δοξαστὸν ὅτι ὐκ ἔστιν ε11. 21 ᵃ32. cf τὸ1. 121 ᵃ22. ι5. 167 ᵃ1. — μηὸὲν γίγνεσθαι ἐκ μὴ ὄντος Μx6. 1062 ᵇ24. κατὰ συμβεβηκός ἐνδέχεται γίγνεσθαι ἐκ μὴ ὄντος Μλ2. 1069 ᵇ19. ἀδύνατον τὸ μὴ ὂν κινεῖσθαι Φε1. 225 ᵃ26. Μx11. 1067 ᵇ30.

εἴνεκα τύτων ρ2. 1422 ᵇ21. cf ἕνεκα.

εἰπεῖν. ὡς εἰπεῖν (Wz ad 32 ᵃ16, Bz ad ΜΑ1. 980 ᵃ25) Αγ14. 79 ᵃ20. Γα2. 315 ᵇ4. μα3. 340 ᵃ6. 13. 350 ᵇ25. αι5. 444 ᵃ19, 32. Ζια6. 490 ᵇ33. 13. 493 ᵃ27. ζ1. 558 ᵇ12. 13. 567 ᵃ30. 14. 568 ᵇ3, 27. 15. 569 ᵇ2. θ1. 588 ᵇ1. 3. 593 ᵃ24. 12. 597 ᵃ4. ι13. 615 ᵇ20. 38. 622 ᵇ22. Ζμα1. 639 ᵃ9. β7. 652 ᵃ27. Ζγγ11. 761 ᵃ25. ε4. 784 ᵇ14. 8. 788 ᵇ13. Ηθ10. 1159 ᵇ6. ι4. 1166 ᵃ29. 6. 1167 ᵇ6. Πβ5. 1263 ᵃ36, ᵇ4. 7. 1267 ᵃ38, 1268 ᵃ23. ε2. 1302 ᵃ19. Ρα2. 1355 ᵇ33, 1356 ᵃ13. β5. 1382 ᵇ28. ΜΑ1. 980 ᵃ25. γ5. 1010 ᵃ30. πιβ33. 906 ᵃ31. λγ15. 963 ᵃ6. (ὡς εἰπεῖν f 1 πὸ6. 1450 ᵃ13). ὡς ἔπος εἰπεῖν Μγ5. 1009 ᵇ16. ὡς τύπῳ εἰπεῖν Κ4. 1 ᵇ28. ὡς ἐν χεφαλαίῳ (ἐν χεφαλαίοις) εἰπεῖν Φὸ8. 216 ᵃ8. Πε10. 1312 ᵇ34. ὡς εἰπεῖν συγχεφαλαιωσαμένῳ Πζ5. 1322 ᵇ30. συλλαβόντι εἰπεῖν Ρα10. 1369 ᵇ18. ὡς ἐπὶ τὸ πολὺ εἰπεῖν Ζμὸ10. 690 ᵃ10. Ζγα18. 725 ᵇ17. 20. 728 ᵃ3. ὡς ἐπὶ τὸ πλῆθος εἰπεῖν Ζγε6. 786 ᵃ35. ὡς ἐπὶ τὸ πλεῖστον εἰπεῖν Ζιε15. 547 ᵃ13. Πὸ13. 1297 ᵇ30. ηι6. 1335 ᵃ8. ὡς ἐπὶ πᾶν (ἐπὶ τὸ πολὺ) βλέψαντας εἰπεῖν Ζγβ1. 732 ᵃ21. Ζμγ2. 663 ᵇ31. ὡς ἐπὶ τὸ πᾶν εἰπεῖν Ζιζ18. 573 ᵃ28. ὡς ἐπίπαν εἰπεῖν μβ3. 358 ᵇ16. Ζιβ15. 506 ᵇ7. Ζμγ6. 669 ᵇ3. ὸ2. 677 ᵃ23. ὡς κατὰ παντὸς εἰπεῖν Ζγα1. 715 ᵃ26. ὡς τὸ πᾶν εἰπεῖν x4. 396 ᵃ28. 7. 401 ᵃ25. τὸ ὡς ἀληθῶς εἰπεῖν x2. 392 ᵃ34. ὡς εἰπεῖν ὅλως Ζθ19. 601 ᵇ26. καθόλυ εἰπεῖν, ὡς καθόλυ εἰπεῖν Κ10. 12 ᵃ27. ται. 101 ᵃ19. ὸ1.121 ᵃ6. Ζμὸ14. 697 ᵇ25. Ρβ14. 1390 ᵇ7. ρ30. 1436 ᵃ33. ὡς ἁπλῶς εἰπεῖν Ζιὸ4. 529 ᵇ25. θ18. 601 ᵇ1. ὡς Πγ14. 1285 ᵃ31. ὸ8. 1293 ᵇ34. Ρβ9. 1387 ᵃ14. ὡς ἁπλῶς διορίσαντας εἰπεῖν πο7. 1451 ᵃ12. ἢ ἁπλῶς εἰπεῖν ἀπόδειξις Αγ8. 75 ᵇ23. ὡς ἀξίως εἰπεῖν Ζμβ6. 651 ᵇ36. — ad ea quae antea disputata sunt interdum respicitur per partic aor pass, αἱ ῥηθεῖσαι αἰτίαι Πγ8. 1279 ᵇ38. ὸ8. 1293 ᵇ24, ὁ νῦν ῥηθεὶς τρόπος Κ15. 15 ᵇ29, plerumque per part perf pass Πα5. 1254 ᵇ20. πο16. 1454 ᵇ35. cf ἢ πρότερον εἰρημένον ἐστὶ Πγ16. 1287 ᵇ11. τὰ παρὰ τῶν ἄλλων εἰρημένα μαθ. 345 ᵃ13. — absolutam esse aliquam disputationis partem modo per ind perf pass significatur, veluti τί μὲν ὂν τὸ ἄδικον εἴρηται sim Ηε9. 1133 ᵇ29. β4. 1106 ᵃ12. 9. 1109 ᵃ24. ζ7. 1143 ᵇ17. η11. 1152 ᵃ34. x6. 1176 ᵃ30, περιπέτεια ἢ ἀναγνώρισις εἴρηται πο11.1452 ᵇ11. ἐν τῷ συζῆν οἱ μὲν πρὸς ἡδονὴν ἢ λύπην ὁμιλῦντες εἴρηνται sim Ηὸ17. 1127 ᵃ18. Αα30. 46 ᵃ10. ε19 ᵇ7. Vhl Poet II 10, saepe per imper perf pass, veluti περὶ εἰρήσθω, ἐπὶ τοσούτον εἰρήσθω, ἱκανῶς εἰρήσθω sim Ηα5. 1097 ᵃ14. β2. 1105 ᵃ16. γ5. 1113 ᵃ13. 12. 1117 ᵇ20. 15. 1119 ᵇ18. ὸ3. 1122 ᵃ16. 11. 1126 ᵇ10. ε9. 1134 ᵃ15. η5. 1147 ᵇ17. θ16. 1163 ᵇ27. ι12.1172 ᵃ14. x2. 1174 ᵃ12. 8. 1178 ᵃ23 al. iisdem formulis lector relegatur ad disputationem de eadem re alibi absolutam, cf ἱκανῶς. — in principio alicuius disputationis εἴπωμεν Ζγγ9. 758 ᵃ29. Αα13. 32 ᵇ32. μγ1. 370 ᵇ3 al. — τὸν αὐτὸν λόγον ἐρῦμεν ἢ περὶ τῶν ἄλλων Πγ6. 1278 ᵇ14. φανερὸν ἐκ τῶν ὕστερον ῥηθησομένων Πβ6. 1266 ᵃ24. — formae aoristi primi activi: saepe exhibetur εἴπειεν Αγ6. 75 ᵃ24. τθ5. 159 ᵇ35. ῑ32. 182 ᵃ20*. Γα2. 315 ᵇ2. μα13. 349 ᵃ16*. Οβ13. 295 ᵃ30*. Πβ9. 1270 ᵇ38*. 10. 1272 ᵃ35*. θ5. 1339 ᵃ14*. ψγ2. 426 ᵃ1*. Ρα2. 1357 ᵇ11, 15, 18. 15. 1377 ᵇ11. β23. 1398 ᵃ10*. γ7. 1408 ᵃ15, 32*. Ηζ1. 1138 ᵇ1*. κ6. 1148 ᵇ32*. κεη12. 1245 ᵇ32* (ubi asteriscus* additus est, in quibusdam codd exhibetur εἴποιεν vel εἴποι ἄν vel εἴποι. cf εἴποιεν Ηζ7. 1141 ᵃ4. εἴποι Ρα7. 1364 ᵇ16). part εἴπας τβ2. 109 ᵇ8*. δ6. 128 ᵃ25*, 28*. ε2. 129 ᵇ26, 130 ᵇ8, 20, 29, 35. 3. 131 ᵃ4, 17, ᵇ7. ζ5. 143 ᵃ26, 27 al. οβ1353 ᵇ23 (* v l εἰπών, cf εἰπὼν τζ5. 142 ᵇ34. 11. 149 ᵃ10 ac saepe). εἴπαμεν τζ4. 142 ᵃ18. Φγ1. 200 ᵇ25. 2. 202 ᵃ2. ψβ11. 423 ᵇ8. πο12. 1452 ᵇ26 (cf εἴπομεν ᵇ15). Ηα11. 1100 ᵇ9. 12. 1101 ᵇ21 (ubique v l εἴπομεν, Ηα11. 1100 ᵇ9. 12. 1101 ᵇ21 Bk³ exhibet εἴπομεν, cf εἴπομεν Ηα11. 1100 ᵇ34). εἴπαν τζ12. 149 ᵇ5 (v l εἴπον).   20

εἴπερ v s εἰ.

εἴργειν. εἰρχθέντα (τὸ ἀπὸ τῦ ἡλίῳ ἢ λύχνῳ φῶς) ὑπὸ τῆς χειρὸς τὴν ὄψιν ἢ πημαίνει πλα28. 960 ᵃ25. — ἡ γῆ εἰργομένη ἀπὸ τῦ μέσῳ Φγ5. 205 ᵇ11. εἰργόμενοι τῆς χώρας διὰ πόλεμον Πη11. 1330 ᵇ7. εἰργόμενοι τῦ ἄρχειν, εἴργεσθαι πάσης ὕβρεως Πε8. 1308 ᵇ34. 11. 1315 ᵃ14. εἴργεσθαι τῶν νομίμων τὸς ἐν αἰτίᾳ f 385. 1542 ᵃ39. — πρόθυρα συχνοῖς εἰργόμενα σταδίοις ἀπ' ἀλλήλων κ6. 398 ᵃ17.

εἴρειν. λέξις εἰρομένη def Ργ9. 1409 ᵃ29, opp κατεστραμμένη Ργ9. 1409 ᵃ23-25. περὶ λέξεως εἰρομένης Ργ9. 1409 ᵃ24-34.

εἰρεσία τῶν τριήρων μβ9. 369 ᵇ10. αἱ εἰρεσίαι τῶν τριήρων Ζιδ8. 533 ᵇ6.

εἰρηνεῖν. σύνεδρα ζῷα τὰ εἰρηνῦντα πρὸς ἄλληλα Ζιι1. 608 ᵇ29.   35

εἰρηνεύειν. ὅπως πρὸς τὸς κρείττως (ἡ πόλις?) εἰρηνεύηται Ρα4. 1359 ᵇ39.

εἰρήνη. πόλεμος εἰρήνης χάριν, ἀσχολία σχολῆς Πη14. 1333 ᵃ35. 15. 1334 ᵃ15. ἐν πολέμῳ, ἐν εἰρήνῃ Πε6. 1306 ᵃ20. τὸ βυλευόμενον περὶ πολέμῳ ἢ εἰρήνης Πδ′14. 1298 ᵃ4. περὶ πολέμῳ ἢ εἰρήνης πῶς δεῖ συμβυλεύειν Ρα4. 1359 ᵇ33-1360 ᵃ6. ρ3. 1425 ᵃ8-ᵇ18. — Εἰρήνη, comoedia Aristophanis f 579. 1573 ᵃ16, 25.

Εἰρήνην τὴν Καλαυρίαν τὸ παλαιὸν ὠνόμαζον ἀπὸ γυναικὸς Εἰρήνης f 555. 1569 ᵇ41, 42.   45

εἰρηνικὴ χρεία, opp πολεμικὴ Πα5. 1254 ᵇ32.

εἰρμός πιζ3. 916 ᵃ31.

εἴροψ. εἴροπα Ζιζ1. 559 ᵃ4 (εἴροπα Bk, v l αἴροπα, μέροπα) cf μέροψ.

εἴρων, def Ηβ7. 1108 ᵃ23. δ13. 1127 ᵃ22, ᵇ22. κεβ3. 1221 ᵃ25. γ7. 1234 ᵃ1. ημα33. 1193 ᵃ31. εἴρων πρὸς τὸς πολλὸς Ηδ8. 1124 ᵇ30. φοβεροὶ τῶν ἠδικημένων οἱ εἴρωνες ἢ πανῦργοι, opp οἱ παρρησιαστικοὶ Ρβ5. 1382 ᵇ21. — μωκὸ ἢ εἴρωνος σημεῖον Ζια9. 491 ᵇ17. εἴρωνος σημεῖα φ3. 808 ᵃ27-29.   55

εἰρωνεία, def Ηβ7. 1108 ᵃ22. κεβ3. 1221 ᵃ6. ημα33. 1193 ᵃ28. ρ22. 1434 ᵃ17. περὶ εἰρωνείας Ηδ′3. 1124 ᵇ30. ἀληθευτικός, πλὴν ὅσα μὴ δι' εἰρωνείαν Ηδ8. 1124 ᵇ30. λέγεσθαι ἐξ εἰρωνείας, opp κατ' ἀντικρὺ Ργ19. 1420 ᵃ1, 1419 ᵇ36. ἡ εἰρωνεία καταφρονητικόν, ἐλευθεριώτερον τῆς βωμολοχίας Ρβ2. 1379 ᵇ32. γ18. 1419 ᵇ7.

εἰρωνεύεσθαι πρὸς σπυδάζοντας Ρβ2. 1379 ᵇ31. ἐν ταῖς κακολογίαις ρ36. 1441 ᵇ24. εἰρωνευόμενοι περί τι Ηδ13. 1127 ᵇ31. Γοργίας ἔφη, τὰ μὲν ἴσως ἀπορῶν τὰ δ' εἰρωνευόμενος Πγ2. 1275 ᵇ27.

εἰς. cf Eucken II 31-36. 1. de loco. a. φορὰ (φέρεσθαι sim) εἰς εὐθὺ Φδ9. 217 ᵃ20. Οα7. 275 ᵇ18. Γβ11. 338 ᵃ7 al, εἰς τὸ εὐθὺ μθ9. 386 ᵃ3, 6. ἄνεμοι πνέυσιν εἰς ὀρθὸν μβ4. 361 ᵃ23. εἰς τὸ ὀρθὸν γίνεται ἡ αὔξησις τῶν κεράτων Ζιυ5. 611 ᵇ7. τὰ ῥήγματα γῆς τὰ εἰς ὀρθὸν Ζιυ41. 628 ᵇ30. εἰς ὀρθὸν βλέπυσιν αἱ ὕστεραι μθ9. 386 ᵃ16 (cf πόροι εἰς ὀρθὸν Zικ2. 634 ᵇ39, 27, 635 ᵃ6. εἰς εὐθυωρίαν (cf h v) Μα2. 994 ᵃ2. εἰς ἄπειρον ἰέναι v ἄπειρος p 74 ᵃ42. εἰς πλάτος ἢ εἰς βάθος τὸ ἐπίπεδον μεθίσταται μθ9. 386 ᵇ20 (sed εἰς βάθος i ἢ ἐν βάθει: τὸ ἐπιπολῆς ὕδωρ ἁλμυρώτερον τῦ εἰς βάθος πκγ30. 934 ᵇ25). πόροι εἰς πολὺ μθ9. 386 ᵃ16 (cf πόροι δι' ὅλῳ εἰς 385 ᵇ24). θηρεύειν εἰς τὸ δέλεαρ Ζιδ8. 535 ᵃ20. καταστῆναι εἰς φανερὸν Ζιυ44. 629 ᵇ16, 18. — b. cum hoc locali usu praep εἰς talia possunt conferri: μεταβάλλειν, ἀναλύειν εἴς τι cf h v. μεταφέρειν τὰ ἐκ τῶν γεωργῶν τέκνα εἰς τὸς φύλακας, τὰ δ' ἐκ τύτων εἰς ἐκείνως Πβ4. 1262 ᵇ26, 27. ἀπειράκις τὰς αὐτὰς δόξας ἀφικνεῖσθαι εἰς ἡμᾶς Οα3. 270 ᵇ20. εἰς ἑαυτὸν περιστῆσαι τὴν πολιτείαν Πε4. 1304 ᵃ33. εἰς ἔλαττον ἄγειν δι' αἰσχροκέρδειαν Πγ15. 1286 ᵇ18. εἰς ὀλίγως αἱ ὑσίαι ἔρχονται Πε7. 1307 ᵃ36. συνάγειν εἰς ὀλίγης πολλὰς ἀρχὰς Πδ5. 1299 ᵇ2. συνῆχθαι, συνῆκειν εἰς ὀξὺ Ζμι7. 496 ᵃ19. 16. 495 ᵇ10. συστέλλειν εἰς μικρὸν Ζιθ4. 594 ᵃ19. συνάγειν, συνῆχθαι εἰς ἓν Ζμγ1. 662 ᵃ23. Πγ10. 1281 ᵇ13. συνελθεῖν εἰς ἓν Οβ16. 288 ᵃ16. μβ8. 368 ᵇ16. ἔρχεται τὰ τρία εἰς [τὸ] ἓν πολλάκις Φβ7. 198 ᵃ25. Bz Ar St I 42. — 2. de tempore. a. εἰς αὔριον ε9. 18 ᵇ22. εἰς τὸ ἔτος γενόμενα μυριοστὸν Φδ10. 218 ᵃ28. cf ε9. 18 ᵇ33, 39. εἴ τις τὸν εἰς δέκατον ἔτος κίνδυνον μὴ φοβεῖται, ὕπω ἀνδρεῖος ημα21. 1191 ᵃ33. εἰς νέωτα οβ1347 ᵃ29. εἰς ὕστερον Ηι7. 1167 ᵇ33. × 3. 1174 ᵃ15 (cf εἰσαῦθις). ἀπὸ τῦ ἐν ἀρχῇ ἡμαρτημένῳ ἅπαντα εἰς τὸ τέλος κακὸν τι Πε1. 1302 ᵃ6. εἰς ἕω Ηι1. 1164 ᵃ16. — b. πᾶν τὸ ῥέον ὕδωρ εἰς τὸν ἐνιαυτὸν (per totum annum) μα13. 349 ᵇ19. ἡ πάμπαν ἀγοραία φιλία ἐκ χειρὸς εἰς χεῖρα, ἡ δὲ ἐλευθεριωτέρα εἰς χρόνον Ηθ15. 1162 ᵇ27. — 3. cum numeralibus. τίκτυσι πολὺ πλῆθος ᾠῶν· ἡ γὰρ εἰς ἑκατὸν τίκτυσιν ᾠὰ Ζιε33. 558 ᵃ14. ζῶσιν αἱ μὲν πολλαὶ τῶν καμήλων περὶ ἔτη τριάκοντα, ἔνιαι δὲ πολλῷ πλείω· ἢ γὰρ εἰς ἔτη ἑκατὸν ζῶσιν Ζιθ9. 596 ᵃ10. — εἰς i q circiter. τῶν μαθηματικῶν ὅσοι τὸ μέγεθος ἀναλογίζεσθαι πειρῶνται τῆς περιφερείας, εἰς τετταράκοντα λέγυσιν εἶναι μυριάδας σταδίων Οβ14. 298 ᵃ17. — c. εἰς δύο ἑρμηνεύειν quid significet explicatur ρ25. 1435 ᵃ4, 5, 29. 26. 1435 ᵇ23. — 4. εἰς usurpatur ad significandum quo aliquid spectet. a. εἰς ὅ, syn τέλος Μλ3. 1070 ᵃ2. προτάσεις λαμβάνονται εἰς ὄγκον, εἰς κρύψιν, syn πρὸς κρύψιν τθ1. 155 ᵃ22, 23, 157 ᵃ6. λαμβάνειν τι εἰς τὸ δεῖξαι Αδ6. 92 ᵃ25. τά τε εἰς τροφὴν ὕδατα ἢ τὰ πρὸς τὴν ἄλλην χρείαν Πη11. 1330 ᵇ16. τὸ συμφέρον εἰς εὐδοξίαν ρ3. 1425 ᵃ15. εἰς μοχθηρίαν φέρον τι ρ6. 1427 ᵇ19. εἰς τὴν ἀδοξίαν, ἀτιμίαν φαινόμενα φέρειν Ρβ6. 1383 ᵇ14, 1384 ᵃ17. — b. is usus praep εἰς aliquanto latius patet. εὐποιητικὸς (ὠφελεῖσθαι) εἰς χρήματα Ρβ4. 1381 ᵃ20. Ηθ16. 1163 ᵇ13 Fr. τὸς μὲν φιλοτίμως μὴ ἀδικεῖν εἰς ἀτιμίαν ἢ τὸς πολλὸς, τὸς ἐλευθερίως Πε8. 1308 ᵃ9. εὐπορεῖν εἰς λόγως ρ2. 1421 ᵇ35. κατηγορεῖν εἰς τὴν πονηρίαν ρ5. 1426 ᵇ30. ἐπαινεῖσθαι εἰς ἐλευθεριότητα, εἰς δικαιοσύνην Ηδ1. 1120 ᵃ20. εὐπορεῖν εἰς λόγως ρ2. 1421 ᵇ35. κατηγορεῖν εἰς πονηρίαν ρ5. 1426 ᵇ30. ἀμφισβητεῖν περὶ τῦ ἤθυς εἰς φαυλότητα Ρα15. 1376 ᵃ28. ἀδικεῖν ἀδικήματα εἰς κακυργίαν, εἰς ὕβριν, εἰς αἰκίαν Ρβ12. 1389 ᵇ7. 13. 1390 ᵃ18. 16. 1391 ᵃ19. ζημιῶν, αἱ ζημίαι γίγνονται εἰς ἀργύριον, εἰς δόξαν sim ρ16. 1431 ᵇ31. Ρα12. 1372 ᵇ5. ἀργυρίυ ἢ ὅσα εἰς ἀργύριον Ηδ13. 1127 ᵇ13. ὅσα εἰς τὴν πολιτείαν φέρει (quae pertinent ad) Πδ16. 1300 ᵇ20. γαστρίμαργα εἰς πλῆθος, εἰς τάχος Ζμγ14. 675 ᵇ28. ἔνια τῶν ὁριμέων ἐπίδηλον ποιεῖ εἰς πλῆθος τὴν ἀπόκρισιν Ζγα20. 728 ᵃ8. εἰς τι, in principio enunciationis absolute positum, 'quod attinet ad', εἰς δὲ τὸ ἤθος Ργ17. 1418 ᵇ24. — 5. in quibusdam formulis εἰς cum nomine coniunctum prope adverbii loco usurpatur. εἰς ὑπερβολήν Πη1. 1323 ᵇ3. ἡμα22. 1191 ᵇ13. β3. 1200 ᵃ14, 18. εἰς ἀκρίβειαν Πη11. 1331 ᵃ2. εἰς δύναμιν Ζμα5. 645 ᵃ6. Ηθ16. 1163 ᵇ17. κ10. 1181 ᵇ14. εἰς τὸ δυνατόν μα6. 344 ᵃ6. Μλ8. 1074 ᵇ10. εἰς τὸ ἐνδεχόμενον ημβ6. 1200 ᵇ23. — 6. εἰς i q ἐν. τὰ δένδρα εἰς τῦτο τὸ γένος περιέχονται φτα4. 819 ᵇ23. — formam ἐς exhiberi aliquoties in libris pseudepigraphis, nusquam in libris Aristotelicis observavit Eucken II 36.

εἷς, μία, ἕν. 1. τὸ ἓν πολλαχῶς λέγεται Μδ6 Βz. ιι Βz. δ10. 1018 ᵃ35. Φα2. 185 ᵇ6. ε2. 227 ᵇ3. ψβ1. 412 ᵇ8. τὸ καθ' αὑτό, μὴ κατὰ συμβεβηκός Μδ6. 1015 ᵇ16-36. τῦ καθ' αὑτό, μὴ κατὰ συμβεβηκός (Μι1. 1052 ᵃ18) ἑνὸς Arist Μι1. 1052 ᵃ15-37 quatuor distinguit genera τὸ συνεχές. τὸ ὅλον, τὸ καθ' ἕκαστον, τὸ καθ' ὅλυ, cf τὰ πρώτως λεγόμενα ἕν, ὧν ἡ ὐσία μία, ἢ συνεχεία ἢ εἴδει ἢ λόγῳ Μδ6. 1016 ᵇ8. — α. τὸ συνεχές Μδ6. 1015 ᵇ36, 1016 ᵃ4. κ12. 1069 ᵃ8. Φε3. 227 ᵃ15. α2. 185 ᵇ6. cf μα14. 352 ᵇ31. τὰ μὲν ἁφῇ ἐστιν ἕν, τὰ δὲ μίξει. τὰ δὲ θέσει Μμ7. 1082 ᵃ20. — b. τὸ ὅλον Μδ6. 1016 ᵇ11. 26. 1023 ᵇ36. — c. τὸ καθ' ἕκαστον. τὸ ἀριθμῷ ἓν ἢ τὸ καθ' ἕκαστον λέγεται ὐδὲν Μβ4. 999 ᵇ34. τὰ ἄτομα ἓν ἀριθμῷ Κ2. 1 ᵇ6 Wz. 5. 3 ᵇ12. ἓν ᵍ ταὐτὸν τῷ ἀριθμῷ, ταὐτὸν ᵍ ᵍ ἀριθμῷ Μζ14. 1039 ᵃ28. Κ5. 4 ᵃ11. αι7. 449 ᵃ14. μηδὲν ἐνδέχεσθαι τῶν φθαρτῶν ταὐτὸ ᵍ ἓν ἀριθμῷ διαμένειν ψβ4. 415 ᵇ4. ἓν ἀριθμῷ ᵍ τόδε τι Μυ10. 1086 ᵇ26. κ13. 1020 ᵃ8. dist ἓν εἴδει Φα7. 190 ᵃ16. ψβ4. 415 ᵇ7. αι7. 447 ᵇ24. Μζ8. 1033 ᵇ31. dist ἓν τῷ λόγῳ Γα5. 320 ᵇ14. αι7. 449 ᵃ17, 20. Μι3. 1054 ᵃ34. Φθ8. 262 ᵃ21, 263 ᵇ13. γ3. 202 ᵃ20. Μκ9. 1066 ᵃ33. dist τῷ εἶναι ᵍ ζ1. 467 ᵇ26. dist ἓν ἀριθμῷ Φα7. 192 ᵃ2. Γα8. 322 ᵇ6. τὸ ᵍ ἀριθμῷ πλεοναχῶς ἀποδίδοται τα7. 103 ᵃ24, 25. — d. τὸ καθ' ὅλυ. λέγεται ἓν ὧν τὸ γένος ἕν Μδ6. 1016 ᵃ24. ἓν τῷ εἴδει cf c. ἓν λέγεται ὧν ὁ λόγος ὁ αὐτὸς ᵍ εἷς ὁ τῦ τί ἦν εἶναι Φα2. 185 ᵇ8. Μδ6. 1016 ᵃ32. γ4. 1006 ᵇ26. — seriem unitatis Ar enumerat ἓν κατ' ἀριθμόν, κατ' εἶδος, κατὰ γένος, κατ' ἀναλογίαν Μδ6. 1016 ᵇ31, 33. ἓν τῷ ἀναλογίᾳ ψγ7. 431 ᵃ22. Μυ6. 1093 ᵇ18. — his additur ἄλλον τρόπον ἓν λέγεται τῷ τὸ ὑποκείμενον τῷ εἴδει εἶναι ἀδιάφορον Μδ6. 1016 ᵃ17. — ἓν δυνάμει, ἐντελεχείᾳ sive ἐνεργείᾳ Φα2. 186 ᵃ3. ψβ2. 413 ᵇ18. ζ2. 468 ᵇ3. — 2. (notio τῦ ἑνός.) τὸ ᵍ ᵍ τὸ ἁπλῶν ᵍ τὸ αὐτὸ Μλ7. 1072 ᵃ32. τὸ ἑνὶ εἶναι τὸ ἀδιαιρέτῳ ἐστὶν εἶναι Μι1. 1052 ᵇ16, ᵃ36, 1053 ᵇ7. δ6. 1016 ᵇ4, 23. ζ17. 1041 ᵃ19. β3. 999 ᵃ2. Φγ7. 207 ᵇ6. πιζ1. 916 ᵃ1. ἓν σημαίνει μέτρον Μι1. 1052 ᵇ18-1053 ᵇ3. δ15. 1021 ᵃ12. Λ7. 1072 ᵃ33. τὸ ἓν ἀριθμῷ ἀρχὴ ἢ ἀριθμός Μι1. 1052 ᵇ23. δ15. 1021 ᵃ12. 6. 1016 ᵇ18 Βz. ὐκ ἔστι τὸ ἓν ἀριθμός Μν1. 1088 ᵃ6. (ὁ ἀριθμός, ὁ ὁρισμὸς τίνι εἷς Μη4. 1044 ᵃ2.) ὁ ἀριθμός ἐστιν ἕνα πλείω ᵍ πόσ' ἄττα Φγ7. 207 ᵇ7. ἀντίκειται τὸ ἓν ᵍ ἀριθμὸς ὐχ

ὡς ἐναντία, ἀλλ' ὥσπερ εἴρηται τῶν πρός τι ἕνια Μι6. 1057 ᵃ4. πρότερον τῇ φύσει ἐν ἑκάστῳ γένει τὸ ἓν τῶν πολλῶν Οβ4. 286 ᵇ17. ἓν ᵍ πλῆθος ἐναντία Μι3. 1054 ᵃ20-29. γ2. 1004 ᵃ10, 17. ἓν ᵍ πολλὰ πῶς ἀντίκειται Μι6. δ6. 1017 ᵃ4. τὸ ἓν ᵍ τὰ πολλὰ τὰ πρῶτα ᵍ τὰ γένη τῶν ἐναντίων· τὰ γὰρ ἄλλα εἰς ταῦτα ἀνάγεται Μι4. 1055 ᵇ28. γ2. 1004 ᵃ19. — 3. (logicae rationes.) ἑνός τινος ὄντος ὐδὲν ἐνδέχεται ἐξ ἀνάγκης συμβαίνειν Αβ2. 53 ᵇ17. γ3. 73 ᵃ8. εἷς ἐστι λόγος ᵍ ὁ ἓν σημαίνων ᵍ ὁ ἐκ πλειόνων συνδέσμῳ πο20. 1457 ᵃ18. ε5. 17 ᵃ8, 9, 16. ἓν σημαίνειν, dist καθ' ἑνός Μγ4. 1006 ᵇ13-34 Βz (cf ἓν ἅπαντα ἔσται ᵇ17. ζ11. 1036 ᵇ20). ε11. 20 ᵇ15 Wz. ἓν κατὰ πολλῶν sive ἐπὶ πολλῶν, dist παρὰ τὰ πολλὰ Αγ11. 77 ᵃ5, 6, 9. τὸ ἓν ἐπὶ πολλῶν (de ideis Platonicis) ΜΑ9. 990 ᵇ7, 13, 991 ᵃ2. μ4. 1079 ᵃ9, 32. ζ16. 1040 ᵇ29. cf μ7. 1082 ᵇ26. λέγεσθαι καθ' ἑνός, καθ' ἕν, πρὸς ἓν Μγ2. 1033 ᵃ33-ᵇ15 Βz. ζ4. 1030 ᵇ3. κ4. 1061 ᵇ11. τῷ ἀφ' ἑνὸς εἶναι, πρὸς ἓν συντείνειν ᵍ κατ' ἀναλογίαν Ηα4. 1096 ᵇ27. — 4. (quaestiones metaphysicae.) λέγεται ἰσαχῶς τὸ ὂν ᵍ ᵍ τὸ ἓν Μι2. 1053 ᵇ25. ζ4. 1030 ᵇ10. ὁ10. 1018 ᵃ35. ψβ1. 412 ᵇ8. cf τι7. 169 ᵃ24. τὸ ὂν ᵍ τὸ ἓν ταὐτὸν ᵍ μία φύσις τῷ ἀκολυθεῖν ἀλλήλοις, ἀλλ' ὐχ ὡς ἑνὶ λόγῳ δηλύμενα Μγ2. 1003 ᵇ23 Βz. ι2. 1054 ᵃ13. τὸ ι1. 121 ᵇ7. τὸ ἓν οὐ κατὰ πάντων μάλιστα λέγεται τῶν ὄντων ΜΒ3. 998 ᵇ21. 4. 1001 ᵃ20. ι2. 1053 ᵇ20. κ1. 1059 ᵇ28. 2. 1060 ᵇ5. τὸ6. 127 ᵃ27. πότερον τὸ ὂν ᵍ τὸ ἓν ὐσίαι τῶν ὄντων εἰσὶ Μβ4. 1001 ᵃ6, 27. 3. 998 ᵇ20. ἢ ὥσπερ τὸ ὂν ᵍ τὸ ἓν ὐκ ἔστι γένος, ὐκ ἔστιν ὐσία, ἀλλ' ὑπόκειται αὐτῷ ὐσία, ἓν ἐστιν ἀρχή Μι2. β3. 998 ᵇ22 Βz. ζ16. 1040 ᵇ18. η6. 1045 ᵇ3, 6. κ1. 1059 ᵇ27-33. ὥσπερ ὐδὲ τὸ εἶναι παρὰ τὸ τί ἢ ποιὸν ἢ ποσόν, ᵍ τὸ ἑνὶ εἶναι τὸ ἑκάστῳ εἶναι Μι2. 1054 ᵃ18. cf τι7. 169 ᵃ35. ὅσα περ ἐν ἀριθμῷ τὸ ἓν οὕτως ἐν τοῖς ὄντος ἐστὶν Μγ2. 1003 ᵇ33. — ἓν μᾶλλον ἢ πολλὰ δεῖ νομίζειν τὰ κινύμενα ἀκίνητα ὄντα Φθ6. 259 ᵃ8, cf ἀρχή 3. — aliorum philosophorum de unitate placita. ὅσοι ἓν τὸ πᾶν τιθέασιν ΜΑ8. 988 ᵇ22 Βz. τὸ ἓν Eleatarum ΜΑ5. 986 ᵃ20, 987 ᵃ18, 27. β4. 1001 ᵃ33. κ1. 1089 ᵃ2, Anaxagorae Μλ2. 1069 ᵇ21, Pythagoreorum ΜΑ5. 986 ᵃ20, 987 ᵃ18, 27. 6. 987 ᵇ22. β1. 996 ᵃ6. f 194. 1513 ᵃ9, 13. τιθέντες ἐν τῇ τῶν ἀγαθῶν συστοιχίᾳ τὸ ἓν Ηα4. 1096 ᵇ6, Platonis Μμ. v. Α6. 987 ᵇ21. 7. 988 ᵇ6. 9. 992 ᵃ8. β1. 996 ᵃ6. μ6. 1080 ᵇ6. ν1. 1087 ᵇ5. 5. 1092 ᵇ1. ψα2. 404 ᵇ20. — 5. (grammatice i q numerus singularis.) τὸ ἑλληνίζειν ἐστὶν ἐν τῷ τὰ πολλὰ ᵍ ὀλίγα ᵍ ᵍ ἐν ὀρθῶς ὀνομάζειν Ργ5. 1407 ᵇ10. — 6. (voc usus varius.) μὴ γὰρ ἓν τῶν ἀδυνάτων ἢ Πδ4. 1291 ᵃ8. ἀνίσως ᵍ τι (syn ὁτιῦν ᵃ29) ὄντας ὅλως εἶναι ἀνίσως ὑπολαμβάνυσιν Πε1. 1301 ᵃ31. ἓν ᵍ πρὸς ἓν εἰρεῖν τι. 165 ᵃ24 Wz. ἓν ᵍ ἐν Πγ15. 1285 ᵇ38. ἓν μὲν .. δεύτερον δὲ .. λοιπὸν δὲ Πδ15. 1300 ᵃ12. — τὸ ὅμοιον εἰς ἓν ἄγει ᵍ συνίστησιν Ζγβ4. 739 ᵇ23. — ὡς καθ' ἓν (i e καθ' ἕκαστον) εἰπεῖν Ρα6. 1362 ᵇ9. εἷς μόνος Οα9. 277 ᵇ30, 279 ᵃ10. ὁ αὐτὸς ᵍ ἓν ᵍ ταὐτὸ Πγ9. 1280 ᵇ35. μα3. 339 ᵇ1. ὁ εἷς, opp οἱ πλείυς, ἡ μία πόλις Πγ15. 1286 ᵃ39. 17. 1288 ᵃ19. β1. 1260 ᵇ41. 2. 1261 ᵃ21. λίαν ἓν ποιεῖν, ἧττον ἓν Πβ5. 1263 ᵇ7. 2. 1261 ᵇ14. ἧττον μία μίμησις ἢ τῶν ἐποποιῶν πο26. 1462 ᵇ3. — pluralis ἕνα: ὁ ἀριθμός ἐστιν ἕνα πλείω Φγ7. 207 ᵇ7. Μι6. 1056 ᵇ21, τῶν ἑνῶν Μμ8. 1083 ᵃ25; sed τὰ ἄτομα ᵍ ἓν ἀριθμῷ Κ2. 1 ᵇ6 (quod explicatur coll τὰ μὲν κατ' ἀριθμόν ἐστιν ἓν Μδ6. 1016 ᵇ31 al, τὰ καθ' ἑαυτὰ ἓν λεγόμενα Μδ6. 1015 ᵇ36).

εἰσαγγελία. εἰσαγγέλλειν εἰσαγγελίας f 378. 1540b44. 394. 1543b14. ποιεῖσθαι εἰσαγγελίας f 395. 1543b36.

εἰσαγγέλλειν. αἱ αἰσθήσεις πολλὰς εἰσαγγέλλυσι διαφοράς αι1. 437a2, 6. ἡ ἀφὴ δύο κινήσεις εἰσαγγέλλει εν3. 461b3. — εἰσαγγέλλειν εἰσαγγελίας f 378. 1540b44. 394. 1543b15.

εἰσάγειν. περὶ εἰσαγομένων ἢ ἐξαγομένων πῶς δεῖ συμβαλεύειν Ρα4. 1360b12-17. Πα9. 1257a32 (opp ἐκπέμπειν). εἰσάγεσθαι τὸ πνεῦμα ἢ ἐκπέμπεσθαι Ζμγ3. 664a18. ἤπερ ἂν εἰσαχθῶσιν Ζιθ28. 606a4. — εἰσάγειν τινὰ εἰς τὴν πολιτείαν Πε8. 1308a8. εἰσάγειν δίκην εἰς τὸ δικαστήριον f 381. 1541b25. 382. 1541b31. 385. 1542a22. εἰσάγειν δίκας ἀποστασίя, κλήρων, ἐπικλήρων al, προβολάς f 387. 1542b11. 388. 1542b17, 22. 378. 1540b45. εἰσάγυσι δοκιμασίαν ταῖς ἀρχαῖς f 378. 1541a4. ϑδεμία δίκη πρὶν ἐπὶ διαιτητὰς ἐλθεῖν εἰσήγετο f 414. 1547a30. — εἰσάγειν τὴν πολεμικὴν ἕξιν Πη17. 1336a6. — εὐθὺς εἰσάγαγε σεαυτὸν ποιῶν τινα Ργ16. 1417b7. ὅταν μέλλῃ εἰσάξειν αὐτὸν ὁ ἀπολογύμενος Ργ14. 1415a31. — εἰσάγειν τὰ εἴδη Ηα4. 1096a13. τϑλάχιστον εἰσαγαγὼν τὰ μέγιστ' ἂν κινήσειε τῶν μαθηματικῶν Οα4. 271b11. — med εἰσάγεσθαι ἰατρὸς ἐφ' ἑαυτὸς Πγ16. 1287a41. εἰσάγεσθαι δῆμν πλῆθος Πζ6. 1320b26. εἰσάγεσθαι παιδιὰς Πθ3. 1337b40.

εἰσαγωγεύς. οἱ διαιτηταὶ παρεδίδοσαν τοῖς εἰσαγωγεῦσι τῶν δικῶν f 414. 1547a23.

εἰσαγωγή, opp ἐξαγωγή Ρα4. 1360a14. — εἰσαγωγαὶ δικῶν Πζ8. 1321b37. — ἡ τῶν εἰδῶν εἰσαγωγή (cf εἰσάγειν) ΜΑ6. 987b31.

εἰσαγώγιμος τροφή, opp ἡ αὐτῇ γιγνομένη Ρα4. 1360a12. τὰ εἰσαγώγιμα, opp τὰ ἐξαγώγιμα Πγ9. 1280a39. οβ 1345b21, 24-26.

εἰσακνεῖν. pass ἔξωθεν εἰς τὰς οἰκίας εἰσακνεῖται πια37. 903b13.

εἰσάπαξ. ὅσα εἰσάπαξ γίνεται, οἷον γάμος Ηδ5. 1123a1. μιᾶς ἐνεργείας εἰσάπαξ μία κίνησις αι7. 447b19. — ὁ σεισμὸς ϑκ εὐθὺς ϑϑ' εἰσάπαξ παύεται σείσας μβ8. 367b32. ἡ εἰσάπαξ πρόεσις Ζγβ4. 739a9. εἰσάπαξ ἔπιεν ἐλέφας ιδ' μετρητὰς Ζιθ9. 596a8.

εἰσαῦθις ἐπισκεπτέον Ηα5. 1097b14. διασαφῆσαι καιρὸς γένοιτ' ἂν ἢ εἰσαῦθις ψβ5. 417b29. ἡδονῆς ἕνεκα τῆς εἰσαῦθις μεγάλης Ηδ12. 1127a6.

εἰσαφικνεῖσθαι οβ 1350b12.

εἰσβάλλει ποταμὸς μα13. 351a10. β2. 356a11. ποταμὸς εἰς ὃν εἰσβάλλει ἡ κρήνη μβ3. 359b19.

εἰσβλέπειν κατ' εὐθυωρίαν μγ4. 377a1.

εἰσδέχεσθαι τὸς φυγάδας Πε3. 1303a35. ὁ καλύμενος βάτραχος ϑϑ' ὕστερον δέχεται τὰς νεοττιάς ϑϑ' ἐξ ἀρχῆς ζῳοτοκεῖ Ζγγ3. 754a29. cf ΖιΖ10. 565b29. ὁ δελφὶς ἢ ἡ φώκαινα εἰσδέχονται τὰ τέκνα ΖιΖ12. 566b17 Aub.

εἰσδύεσθαι, εἰσδύνειν. ἀχαλήφαι εἰς τὰς πέτρας εἰσδύονται Ζιδ6. 531b16. εἰσδύεσθαι ἢ ζῆν ἐν ὀστράκῳ Ζιδ4. 519b23. ὅταν εἰσδύνῃ (scr ἐκδύνῃ, coll v1 et ἐκδύη Ζιι40. 625b25) εἰς ὄστρακον Ζιε15. 548a19. ϑχ ὁμοίως εἰσδύεται ἡ χηλὶς ἀλλ' ἐπιπολαιότερον εν2. 460a22. εἰσδύεσθαι εἰς τὸς πόρυς sim πγ3. 871a18. 14. 873a9. ε6. 881a5. κδ3. 936a24. λη7. 967a27. ὀφθαλμοὶ ϑκ εἰσδύνϑνται ἀλλὰ κατακλινόμενοι ἀλλ' ὀρθοὶ Ζιδ4. 529b28. — ἰχθύες ϑκ ἐθέλϑσιν εἰσδύνειν εἰς τὸν κύρτον Ζιδ8. 534b4. ἔλαιον εἰσδύνει διὰ τῶν πόρων πλα21. 959b13.

εἴσδυσις νεοττιᾶς, σμήνυς Ζιι13. 616a6. 14. 616a28. 40. 624a14. εἴσδυσις τϑ ὑπονόμϑ ἀλώπεκος θ99. 838b8.

εἰσέρχεσθαι. εἰσελθϑσης τῆς τροφῆς μβ2. 355b7. τὸ τϑ αἰδοίυ μέρος ἢ ἐξέρχεται ἢ εἰσέρχεται Ζια13. 493a31. σημεῖον τῆς ἐκλείψεως τὸ τὸν ἀστέρα εἰσελθεῖν (?) μτ1. 462b30. ἐν τῷ οἴκῳ ἴσα δεῖ εἶναι τὰ εἰσερχόμενα τοῖς ἐξερχομένοις f 175. 1507b23.

εἰσηγεῖσθαι νόμων λύσιν, τοιαύτην τάξιν Πβ8. 1268b30. δ1. 1289a1. νομίζων τῷ κοινῷ τὸ συμφέρον εἰσηγήσασθαι sim ρ30. 1436b36, 1437b21. 3. 1423b35. περὶ πόρων εἰσηγήμενοι ρ3. 1425b28.

εἰσιέναι (εἴσειμι). εἴσεισι τὸ ὕδωρ εἰς τὴν κλεψύδραν πις8. 914b14. εἰσιόντος τϑ θερμϑ λύεται, opp ἐξιέναι, ἀπιέναι μδ6. 383a28, 27, 9. πολλὰ τῶν εἰσιόντων, οἷον τροφῇ Φθ6. 259b12. Ζγδ2. 767a31. ἐν τῷ οἴκῳ συμμετρα δεῖ εἶναι τὰ εἰσιόντα τοῖς ἐξιϑσιν f 178. 1507b30. — ὅταν παῖς ἀντὶ πατρὸς εἰσίῃ (int εἰς τὴν βυλὴν) Πδ5. 1292b5. 14. 1298b4. — τϑ εἰσιόντος (fort proximi) μηνὸς οβ 1353b4.

εἴσοδος. τοῖς δικαστηρίοις χρῶμα ἐπιγέγραπται ἐπὶ σφηκίσκυ τῆς εἰσόδυ f 420. 1548a16. πέτρα περιρραγεῖσα μίαν ἔχυσα εἴσοδον ΖιΖ29. 578b22. ἡ εἴσοδος τῆς νεοττιᾶς, τϑ σμήνυς Ζιι7. 613a1. 40. 625b3. ϑτε τὸ ὕδωρ εἰσόδϑς ἔχει ϑτε τὸ πῦρ μδ7. 384b21. τὸ μόριον τὸ τὴν τῆς τροφῆς εἴσοδον δημιυργϑν Ζμδ10. 686a12, 15. ἡ τῆς τροφῆς εἴσοδος Ζμβ17. 660b31. δ5. 681b27. ἡ πρώτη Ζμγ14. 675b29. τϑ ἀέρος ἡ εἴσοδος ἢ ἡ ἔξοδος Ζμα1. 642b2. πυ2. 482a18, 20. καλεῖται ἡ μὲν εἴσοδος τϑ ἀέρος ἀναπνοή, ἡ δ' ἔξοδος ἐκπνοή αν21. 480b9. τϑ πνεύματος Ζμγ3. 664b27. ὁ πλεύμων ποιῶν εὐρυχωρίαν τῇ εἰσόδῳ τϑ πνεύματος Ζμγ6. 669a15. εἰσόδος τϑ θερμϑ, τϑ πνεύματος αν5. 472b30-33.

εἰσοικίζεσθαι τὸς πλησίον ξηραινομένων τῶν ἑλῶν μα14. 351b31.

εἰσόκε (Emp 356, 362) αν7. 473b22, 474a1.

εἰσπέτασθαι. ἕως ἂν εἰς τὸ σμῆνος εἰσπετασθῇ Ζιι40. 624b6.

εἰσπέτεσθαι. τροχίλοι εἰσπετόμενοι Ζιι6. 612a21.

εἰσπίπτει φλὸξ εἰς τὰς οἰκίας μγ1. 371b7. ἡ τϑ πνεύματος ἔκκρισις πρὸς τὴν πυκνότητα τῶν νεφῶν εἰσπίπτϑσα μβ9. 369a36. ὅταν εἰσπίπτει εἰς τὸς πόρυς, syn εἰσδύεται πγ14. 873a7, 9. 3. 871a18.

εἰσπλεῖν. εἰς τὴν λίμνην μα13. 350a31. πηλαμύδες εἰσπλέϑσιν εἰς τὸν Πόντον ΖιΖ17. 571a19. θ13. 598a30, b11.

εἴσπλυς. ποιεῖσθαι τὸν εἴσπλυν, opp ἔκπλυν θ105. 839b14.

εἰσπνεῖν. ἀναγκαῖον εἰσπνεύσαντας ἀναπνεῖν αν4. 472b3. τὸ εἰσπνεόμενον ψυχρόν ἐστιν 5. 472b35. τὰ ζῷα εἰσπνεῖ Ζμγ3. 664a18 (v1, εἰσπνεῖ om Bk).

εἴσπνευσις. opp ἔκπνευσις Φη2. 243b26.

εἰσπνοή. ἐν Λιπάρᾳ τῇ νήσῳ λέγϑσιν εἶναί τινα εἰσπνοήν θ34. 832b30. cf ἐκπνοή.

εἰσπτύει τοῖς νεοττοῖς ὁ ἄρρην διοιγνὺς τὸ στόμα Ζιι7. 613a4. cf ἐμπτύειν.

εἰσρεῖν. ποταμοὶ εἰσρέϑσιν μβ2. 356a16. πνεῦμα, ἀὴρ εἰσρεῖ, opp ἐκρεῖ Ζμγ6. 669a17. α1. 642a36. πν2. 842a5.

εἰσρέχειν. τὸν εἴσρυν εἰς τὴν ἔσω θάλατταν ποιεῖται κ3. 393a19.

εἰστιθέναι. σῶμα εἰστεθὲν εἰς τὸ κενόν (v1 ἐντεθὲν, cf ἐντιθέναι b21) Φδ8. 214b19.

εἰστρέπεσθαι, med, opp ἐκτρέπεσθαι Ζιι39. 621a8.

εἰσφέρεσθαι τὸν ἀέρα τὸν θύραθεν αν21. 480a29. med εἰσφέρεσθαι πλεῖστον ὕδωρ Ζγδ2. 767a32. εἰσφέρεσθαι, opp μὴ ἀναπνεῖν υ2. 456a17. — ἐν τῇ παρόδῳ πορφύραν εἰσφέρων Ηδ6. 1123a23. — εἰσφέρειν ἀργύριον, εἰσενέγκαι μίαν μνᾶν, τὰ εἰσενεχθέντα χεη10. 1242b13. Πγ9. 1280a29. Ηε7. 1131b31. τὸ διαγραφὲν ἀργύριον ϑκ εἰσέφερον f 401.

1545 ᵃ12. εἰσφέρειν κατὰ κεφαλὴν τὸ τεταγμένον, εἰσενη-
νοχέναι τὴν ἠσίαν ἅπασαν, ὅσον εἰσοίσει ἕκαστος Πβ10.
1272 ᵃ14. 9. 1271 ᵇ13. ε11. 1313 ᵇ27. η10. 1330 ᵃ7. οβ
1348 ᵃ8. — Ἐμπεδοκλῆς πρῶτος ταύτην τὴν αἰτίαν εἰσ-
ήνεγκεν ΜΑ4. 985 ᵃ30. Πβ7. 1266 ᵃ39. εἰσφέρειν, syn 5
προσάγειν πρὸς τὸν δῆμον Πβ11. 1273 ᵃ9, 7. ἀντειπεῖν τοῖς
εἰσφερομένοις Πβ11. 1273 ᵃ12. δ14. 1298 ᵇ33. — (εἰσφέ-
ρεσθαι fort corr πχθ14. 952 ᵃ32).

εἰσφορὰ τῶν τελῶν Πε11. 1313 ᵇ26. εἰσφορὰ χ̣ δήμευσις
Πζ5. 1320 ᵃ20. ποιήσασθαι τὰς εἰσφορὰς ἀπὸ τιμημάτων 10
sim ρ3. 1425 ᵇ25. Πβ9. 1271 ᵇ15. ε11. 1314 ᵇ14. — ἡ
αὐτὴ ἀρχὴ πολλάκις ἔχει τὸ τέλος χ̣ τὴν εἰσφοράν Πζ8.
1322 ᵇ14.

εἰσφρεῖν. εἰσφρῆσαι, opp ἐξεμεῖν θ14. 831 ᵇ11.

εἰσφυσιν ἔχει ἄνωθεν Ζιχ5. 637 ᵃ18 (φύσιν ci Pic, cf v l). 15

εἴσω. ὁτὲ μὲν ἔξω ῥεῖ, ὁτὲ δ' εἴσω μβ8. 365 ᵇ28. κάμψις
εἴσω Ζια15. 493 ᵇ31. β1. 499 ᵇ28. εἴσω σπᾶν Ζγβ4. 739
ᵇ4, 18. — i q ἔνδον cf Lob Phryn 128. τὰ σφυρὰ τὰ
εἴσω Ζιγ3. 512 ᵇ23. τὸ θερμὸν εἴσω ἐν πηρο. 889 ᵃ20, 17.
τὰ εἴσω πιδ̣3. 909 ᵃ24 (τὰ ἔσω ᵃ26). τῆς μὲν εἴσω ἔχειν 20
τῆς δ' ἔξω τῶν ὅρων. cf ἐμβάλλειν ὄρος Αγ32. 88 ᵃ35, ᵇ5.

εἶτα, de tempore, πρῶτον, εἶτα μα14. 353 ᵃ11. Ζμα1. 639
ᵇ28, 640 ᵇ3. ψα1. 402 ᵃ8. Πδ̣9. 1294 ᵃ35. Ρα15. 1375 ᵇ13.
πρῶτον, εἶθ' ὕτω Ζμα1.640 ᵃ15. θ14. 831 ᵇ12. Ρβ21. 1395
ᵇ11. πρῶτον, εἶθ' ὕστερον Πε4. 1304 ᵇ11. Ζμα1. 639 ᵇ4. 25
πρότερον μὲν, εἶτα Πβ10. 1272 ᵃ9. — in enumerandis
argumentis, πρῶτον μὲν, εἶτα μα6. 343 ᵃ25. Ζμα1. 640
ᵃ23. Πη14. 1332 ᵇ19. ρ3. 1423 ᵇ28. πα37. 863 ᵇ3 — ad
distinguendos gradus, μάλιστα μὲν, εἶτα 6. 365 ᵃ2.
Ρβ1. 1377 ᵇ26. Πε3. 1303 ᵇ15. — εἶτα complectitur quae 30
antea exposita sunt Οβ2. 285 ᵇ3. Πε1. 1301 ᵃ33 — εἶτα
adversativum ρ19. 1432 ᵇ39, post participium Ηι1. 1164
ᵃ28, in interrogatione Ρβ23. 1398 ᵃ7.

εἴτε v εἰ.

εἰώθαμεν λέγειν, εἰώθασι προφέρειν sim τα7. 103 ᵃ8. Πγ3. 35
1276 ᵃ37. 7. 1279 ᵃ23. 17. 1288 ᵃ20. δ8. 1293 ᵇ34. 13.
1297 ᵇ10. ἐν οἷς μὴ εἰώθασιν ἔχειν τρίχας Ζιη4. 584 ᵃ25.
τῦτο γίγνεσθαι, συμβαίνειν εἰώθασιν sim Πε3. 1302 ᵇ17. δ15.
1300 ᵃ2. η4. 1326 ᵃ34. θ1. 1337 ᵃ15. μβ8. 367 ᵇ8. Ζιζ8.
580 ᵇ15. η4. 584 ᵃ17. εἰώθε τῦτο ἀποδίδοσθαι πλεοναχῶς 40
τα7. 103 ᵃ35. — ὀκνῦσι κινεῖν τὸ εἰωθὸς (i e τὸ ἔνδοξον)
τθ1. 156 ᵇ21. — ἀσαφὲς τὸ μὴ εἰωθός, syn τὰ μὴ κείμενα
ὀνόματα τζ2. 1404 ᵇ5. 3. καθαρὰν τῦ εἰωθὸς χ̣ ξενικὸν Ργ12.
1414 ᵃ26. ἐκλέγειν ἐκ τῆς εἰωθυίας διαλέκτου Ργ2. 1404 ᵇ24.

ἐκ, ἐξ. cf Eucken II 10-14. ἐκ τινος ποσαχῶς λέγεται Μδ̣24 45
Βz. α2. 994 ᵃ22. Α9. 991 ᵃ20. η4. 1044 ᵃ24. ν5. 1092 ᵃ23,
29. Ζγα18. 724 ᵃ20. — 1. de loco. οἱ ἵπποι θέασιν ἐκ
τῶν ἀλλήλων ὀμμάτων Ζιζ18. 572 ᵇ4. ζῶον τὸ μέγεθος ἔλαττον,
εὐρύτερον δ' ἐκ τῦ νώτυ Ζιζ12. 566 ᵇ11. ἐκ τῶν ἐναντίων
Ρβ13. 1389 ᵇ14. ἐξ ἐναντίας cf ἐναντίος. ἐκ πλαγίων μγ6. 50
377 ᵇ29, 34. ἐκ πλαγία Ζιβ13. 505 ᵃ2, 6. δ4. 529 ᵇ9 al.
ἐκ πλαγίας μγ2. 372 ᵃ11. 6. 378 ᵃ9. ἐξ ἄκρυ Ζιδ̣1. 524
ᵃ6. 2. 526 ᵃ14, 17. ἐκ πολλῦ Ζιδ̣8. 534 ᵇ20 al. ἐκ πάνυ
πολλῦ Ζιδ̣6. 533 ᵇ29. — 2. de tempore. ἡ αἴσθησις ὑ
δύναται αἰσθάνεσθαι ἐκ τῦ σφόδρα αἰσθητῦ, οἷον ψόφον ἐκ 55
τῶν μεγάλων ψόφων ψγ4. 429 ᵇ1. ἐκ τῶν Παναθηναίων ὁ
πλῦς Ζγα18. 724 ᵇ1. ἔαρ ἀρχόμενον εὐθὺς ἐκ τροπῦν Ζιθ9.
542 ᵇ20. ὥσπερ ἐκ τῶν ὄντα Πζ3. 1320 ᵇ18. — ἐκ
ἀρχῆς quam habeat usus varietatem cf ἀρχή p 111 ᵃ34,
55-ᵇ27, 33. ἐξ ὑπαρχῆς v ὑπαρχή. ἐκ παίδων πο4. 1448 60
ᵇ6. ἐκ νέυ ΜΑ6. 987 ᵃ32. Ηχ10. 1179 ᵇ31. ἐκ νηπίυ Ηβ2.

1105 ᵃ2. ἐκ πολλῦ χρόνυ, opp ἐξ ὑπογυίυ Ρα1. 1354 ᵇ2.
β22. 1396 ᵇ6. ἐκ παλαιῦ, ἐκ προσπαίυ Ηχ10. 1179 ᵇ17.
ι5. 1166 ᵇ35. ἐκ πρώτης πβ32. 869 ᵇ24. ἐκ προτέρυ ηεβ10.
1227 ᵃ13. ἐξ ὑστέρυ πκᵇ13. 951 ᵇ24. ἐξ ὅτυ ρ21. 1434
ᵃ21. ἐξ ἐνιαυτῦ (quotannis?) οβ 1347 ᵃ27. — 3. de
materia. τὸ ἐξ ὗ, i e ἡ ὕλη Φα3. 186 ᵃ19 ac saepe. τὸ
ἐξ ἀμφοῖν ψα1. 403 ᵇ8. β2. 414 ᵃ17. τὸ ἐκ τύτων (ὕλης
χ̣ εἴδυς) ψβ1. 412 ᵃ9. ἡ πολιτεία ἐστὶν ἐκ τῶν ὁπλιτευόντων
sim Πδ̣13. 1297 ᵇ13, 15, 17. ε5. 1305 ᵃ11. 8. 1309 ᵃ31.—
praep ἐκ pro genetivo partitivo usurpatur φτα1. 816 ᵃ39.
β9. 828 ᵇ27. cum hoc usu fort conferri potest τῦτο ἐκ
τῆς ἀπάσης φύσεως ἐνυπάρχει τοῖς ἐμψύχοις Πα5. 1254
ᵃ31. — 4. de origine et causa. a. τὸ ἐκ τῆς γῆς συγκατα-
μεγνύμενον τῷ ὕδατι, ὑ τῆς τέφρας θερμότης 3. 357
ᵇ6. δ11. 389 ᵇ3. ἀρχὴ ἐκ γένυς Πγ14. 1285 ᵇ24. γίγνονται
αἱ στάσεις ὑ περὶ μικρῶν, ἀλλ' ἐκ μικρῶν Πε4. 1303 ᵇ18.
πολιτεῖαι λύονται, κινῦνται, διαφθείρονται ἔκ τινος sim Πε4.
1303 ᵇ21. 6. 1305 ᵇ22, 1306 ᵃ10. 7. 1307 ᵃ38, ᵇ20, δεῖπνα
ἐκ μιᾶς δαπάνης χορηγηθέντα Πγ11. 1281 ᵇ3. τίκτεται ὑν
συνδυασμῦ Ζιδ̣11. 537 ᵇ28. τυφλὸς φύσει ἢ ἐκ νόσυ ἢ ἐκ
πληγῆς Ηγ7. 1114 ᵃ26. τὰ ἐκ θυμῦ, ἐκ προνοίας, ἐκ
προαιρέσεως Ηδ̣10. 1135 ᵇ25, 26. Πδ̣16. 1300 ᵇ26. προ-
ελέσθαι ἐκ λογισμῦ ἢ λόγυ Ηγ11. 1117 ᵃ21. ἐξ ἀνάγκης
v ἀνάγκη. ἐκ φύσεως Μζ7. 1032 ᵃ16. Ηγ6. 1149 ᵃ9. τὸ
μὲν ἄτεχνον, τὸ δ' ἐκ τῆς τέχνης Ργ16. 1416 ᵇ19. ὑ ἐκ
φιλοσοφίας Πθ7. 1341 ᵇ28. δεικνύναι ἔκ τινος Αγ10. 76
ᵃ14, 22. ἐξ ἀλλήλων δείκνυσθαι Αβ5. 57 ᵇ18, 28 (cf δι'
ἀλλήλων Αβ7. 59 ᵃ32). δείκνυται ἐκ τύτων Ηι9. 1151 ᵃ27
al. ἐδόξευ ἐκ ταύτης τῆς ἀπορίας μβ3. 354 ᵇ15. θεωρεῖν ἔκ
τινος, σκοπεῖν ἔκ τινος, cf θεωρεῖν 2 b, σκοπεῖν 3. θεᾶσθαί τι
ἐκ πονηρῦ Ηι7. 1167 ᵇ26. — ἀεὶ ὑ φύσις ἐκ τῶν ἐνδε-
χομένων αἰτία τῦ βελτίονός ἐστιν Ζμβ14. 658 ᵃ23. δ10.
687 ᵃ16. ἐκ τῶν ὑπαρχόντων, ἐκ τῶν ὑποκειμένων Πδ̣1.
1288 ᵇ33, 26. η1. 1323 ᵃ18. Ηα11. 1101 ᵃ2. — ἐξ ὑπο-
θέσεως, ἐξ ἀφαιρέσεως, ἐκ προσθέσεως, v ὑπόθεσις, ἀφαί-
ρεσις. — b. interdum causalis significatio praep ἐκ prope
accedit ad modalem. ἐκ παντὸς τρόπυ τα3. 101 ᵇ8. ἐκ τῦ
προειρημένυ τρόπυ Αα28. 45 ᵃ7. ἐκ τίνος τρόπυ ΜΒ. 990
ᵃ8. ἐκ προσαγωγῆς Πε8. 1308 ᵇ16. μα14. 351 ᵇ9 al. ἐξ
ἀναγωγῆς Ζιε18. 550 ᵇ11. ἐξ ὑπαγωγῆς Ζιζ29. 578 ᵇ7.
ἐκ διαδοχῆς τα34. 183 ᵇ30. Φε4. 228 ᵃ28. ἐκ περιυσίας
τγ2. 118 ᵃ6, 8, 12, 14. ἐκ παρόδυ θεωρεῖν τι Ζγγ6. 757
ᵃ11. Ογ8. 306 ᵇ27. α15. 444 ᵃ28. ἐξ ἐπιπολῆς μβ8. 368
ᵃ27 (ἐξ om cod E). πα43. 864 ᵇ25. θ9. 890 ᵇ13. ἐξ ἑτοίμυ
ρ39. 1445 ᵇ26. ἐκ σπυδῆς θ86. 837 ᵃ15. λέγεσθαι ἐξ ἐρω-
τήσεως, ἐξ εἰρωνείας, ἐκ παραβολῆς, ἐξ ἀντιπαραβολῆς τῶν
ἐναντίων Ργ19. 1419 ᵇ34, 1420 ᵃ1, 3, 4.

Ἑκάβη Εὐριπίδυ Ρβ23. 1400 ᵇ23.

Ἕκαστος. τῶν πολιτειῶν ἑκάστη Πε1. 1301 ᵃ24. παρ' ἑκάστην
τὴν σύριγγα Ζια17. 496 ᵇ3. καθ' ἑκάστην πολιτείαν. opp
κοινῇ Πγ13. 1284 ᵃ1. τὰ καθ' ἕκαστα χ̣ τὰ κοινῇ συμ-
βαίνοντα περὶ αὐτῶν Ζιε1. 539 ᵇ15. ἕκαστον, opp πάντα
Πε8. 1307 ᵇ36. ὑφ' ἕκαστον, opp πάντες Πβ3. 1261 ᵇ26,
27, 34. δ4. 1292 ᵃ12. ἐν πολλῷ πλήθει ὕδατος, opp ἐν
ἑκάστῳ μβ3. 357 ᵃ21. ποιῆσαι ἐκ τῶν ἑκάστῳ ἀγαθῶν τὰ
ὅλως ἀγαθὰ ἑκάστῳ ἀγαθὰ Μζ4. 1029 ᵇ6. ὑχ ὡς καθ'
ἕκαστον εἰπεῖν ἀλλ' ὡς ἀθρόυς Πγ13. 1283 ᵇ34. ὡς ἁπλῶς καὶ
εἰπεῖν. opp ὡς δὲ καθ' ἕκαστον Πε11. 1313 ᵃ18. δῆλον ἐκ
τε τῦ διωρίσθαι χ̣ ἐκ τῆς καθ' ἕκαστα θεωρίας Ογ1. 298
ᵇ5. τὰ καθ' ἕκαστα (singula signa, ex quibus amicitia
cognoscitur) ημβ11. 1211 ᵃ18, 19, 22, 23. — τὸ ἀριθμῷ

ἐν ᾗ τὸ καθ' ἕκαστον λέγειν διαφέρει ὐθέν Μβ4. 999 ᵇ33.
καθ' ἕκαστον λέγω ὅ μὴ πέφυκεν ἐπὶ πλειόνων κατηγορεῖσθαι,
opp καθόλυ ε7. 17 ᵃ40. ὅσα ἤδη τῶν καθ' ἕκαστα τυγχάνει
ὄντα κ̣ μὴ καθ' ὑποκειμένυ τινός Αγ1. 71 ᵃ23, opp τὰ
καθόλυ τθ1. 156 ᵇ15. τὸ μὲν καθόλυ κατὰ τὸν λόγον γνώ- 5
ριμον, τὸ δὲ καθ' ἕκαστον κατὰ τὴν αἴσθησιν Φα5. 189 ᵃ6.
Μδ11. 1018 ᵇ33. Ηζ9. 1142 ᵃ14. ἐκ τῶν καθ' ἕκαστα τὸ
καθόλυ Ηζ12. 1143 ᵇ4. τὰ καθ' ἕκαστα ἐγγυτάτω τῆς
αἰσθήσεως Αγ2. 72 ᵃ35. τὸ καθ' ἕκαστον κ̣ αἰσθητόν, τὰ
αἴσθητα κ̣ τὰ καθ' ἕκαστα Αα27. 43 ᵃ27. Μμ2. 1077 ᵃ6. 10
τὰ καθ' ἕκαστον κ̣ ἄτομα τῷ εἴδει Ζμα4. 644 ᵃ30, cf
Ζᵢβ15. 505 ᵇ31. τὰ ἐνεργῦντα κ̣ τὰ καθ' ἕκαστον Μδ2.
1014 ᵃ21. τὸ καθ' ἕκαστον ἄπειρον κ̣ ὐκ ἐπιστητόν, opp ὁ
τοιόσδε, οἱ τοιοίδε Ρα2. 1356 ᵇ31. τῶν ὐσιῶν τῶν αἰσθητῶν
τῶν καθ' ἕκαστα ὐθ᾽ ὁρισμὸς ὐτ᾽ ἀπόδειξίς ἐστιν Μζ15. 15
1039 ᵇ28, sed ἡ ὐσία τῶν ὄντων ἐν τῷ καθ' ἕκαστον
Ζγβ1. 731 ᵇ34. τὸ καθ' ἕκαστον, τῦτο γὰρ ἡ ὐσία Ζγδ3.
767 ᵇ33. ἡ ὐσία κ̣ τὸ καθ' ἕκαστον Μζ1. 1028 ᵃ27. ἅμα
καθόλυ ὡς ὐσίας ποιῦσι τὰς ἰδέας κ̣ πάλιν ὡς χωριστὰς κ̣
τῶν καθ' ἕκαστον Μμ9. 1086 ᵃ34. αἱ πράξεις περὶ τῶν 20
καθ' ἕκαστόν εἰσιν, πρακτὰ τὰ καθ' ἕκαστον Πβ8. 1269
ᵃ12. Ηζ8. 1141 ᵇ16. 12. 1143 ᵇ32. κυριώτερα πρὸς τὴν
χρείαν τῶν καθόλυ τὰ καθ' ἕκαστα τῶν πραγμάτων Ρβ19.
1393 ᵃ18. — τὸ καθ' ἕκαστον, i e εἶδος ἀδιάφορον Αδ13.
97 ᵇ28,31 Wz. — καθ' ἕκαστον ita quasi in unum voca- 25
bulum coaluit, ut etiam sine articulo adiectivi instar
construatur (cf Krüger gr Gr § 60, 8, 4), μᾶλλον δ' ἴσως
τὴν τήδε ὑγίειαν σκοπεῖ· καθ' ἕκαστον (i e singulos) γὰρ
ἰατρεύει Ηα4. 1097 ᵃ11. ἀξιῶντες πρότερον ἀριθμεῖν καθ'
ἕκαστον γιγνόμενον τὸ ἥμισυ Φθ8. 263 ᵃ8. cf Ζια6. 490 ᵇ32. 30
ἑκάστοτε μα13. 349 ᵃ24. Ζγβ4.'738 ᵃ4.
Ἑκάτε (ex hymno poetae incerti) Ργ8. 1409 ᵃ15.
ἑκάτερος. περὶ ἅλω κ̣ ἴριδος τί ἑκάτερον μγ2. 371 ᵇ18.
ἑκατέρα τῶν πόλεων sim Πδ4. 1290 ᵇ12. 9. 1294 ᵃ34. γ2.
1289 ᵃ33. ἐξ ἑκατέρας ἑκάτερον λαβεῖν Πδ9. 1294 ᵇ11. 35
ἑκάτεροι παρ' ἑκατέροις Πδ4. 1292 ᵃ21. γ9. 1280 ᵇ1.
ἑκατέρωθεν θ96. 838 ᵃ22. Ζια15. 493 ᵇ14. ἑκατέρωθεν ἐκ
τριγωνίας f 374. 1540 ᵃ40.
ἑκατέρωθι Ζιδ2. 527 ᵃ33.
Ἑκάτης μυστήρια θ173. 847 ᵃ6. 40
ἑκατηβόλος. ἀγγέλων θεῶν πρέσβιϑ᾽ ἑκατηβόλε f 621. 1583 ᵃ3.
Ἑκατομβαιών. περὶ τὸν Ἑκατομβαιῶνα Ζιε11. 543 ᵇ12.
17. 549 ᵃ16. ζ17. 571 ᵃ13.
ἑκατόν Πε1. 1302 ᵃ2 al. — ἡ τῶν ἑκατὸν κ̣ τεττάρων ἀρχὴ
παρὰ τοῖς Καρχηδονίοις Πβ11. 1272 ᵇ34, 36, eadem τῶν 45
ἑκατὸν dicitur 1273 ᵃ14 (cf Göttling p 485).
ἐκβαίνειν τῆς λεκτικῆς ἁρμονίας ποδ4. 1449 ᵃ27. ἐκβαίνειν
τὸ μέσον Πδ11. 1296 ᵃ26. — ἄπειροι τῶν ἐκβησομένων
(eorum, quae eventura sunt) ημα20. 1190 ᵇ34.
ἐκβάλλειν. τὰ μὲν εἰς αὐτὴν (αὐτὴν?) ἄγει ἡ φύσις, τὰ δ' 50
ἐκβάλλει μδ3. 380 ᵃ26. ἐκβάλλειν ὀσμὴν Ζιβ24. 604 ᵇ29.
ἐκβάλλειν ὀδόντας Ζιζ22. 576 ᵃ13. ἐκβάλλειν τὰς ὑστέρας,
τὰς κοιλίας Ζιζ31. 579 ᵇ2. θ2. 591 ᵇ6. ἐκβάλλειν, i q ἐκτι-
τρώσκειν, dist τίκτειν Ζιη4. 585 ᵃ23. θ21. 604 ᵃ1. Ζγγ2.
752 ᵇ5. ἐκβάλλειν τοξεύματα θ4. 830 ᵇ22. αἴρειν κ̣ ἐκ- 55
βάλλειν φύματα πδ13. 878 ᵃ15. περὶ τὰ φυκία κἄν τι ᾖ
τοιῦτον ἐκβεβλημένον Ζιε18. 550 ᵇ8. τὰ ἐκβαλλόμενα ἐκ
τῶν μετάλλων ἀποσύρματα f 248. 1523 ᵇ22. ἐκβάλλειν
τὴν ἐπιστήμην, syn ἀποβάλλειν ημβ6. 1201 ᵇ22, 3. —
ἐκβάλλειν τινὰ ἐκ τῆς πόλεως Πβ10. 1272 ᵇ3. γ13. 1284 60
ᵇ29 (coni μεθιστάναι). ε3. 1303 ᵃ30, 35. 5. 1304 ᵇ36. οβ

1346 ᵇ7 al. ἐκβάλλει τὰς νεοττιὰς ὁ κόραξ Ζιζ6. 563 ᵇ2. —
mathem i q ducere, prolongare, αἱ ἀπὸ τῦ μέσυ ἐκβαλλόμεναι
Οα5. 271 ᵇ29. ἐκβαλλόμενον τῦτο κατω κάθετος ἔσται
μχ2. 850 ᵃ11. ἐὰν ἡ αβ, τὸ ἐπίπεδον ἐκβληθῇ ατ 971 ᵇ5.
μγ5. 376 ᵃ1. ἐκβεβλήσθωσαν αἱ διάμετροι, τὸ ἐπίπεδον
ἐκβεβλήσθω, ἔστω ἐκβεβλημένη ἡ ζη παρὰ τὴν αβ μχ1.
849 ᵃ23. μγ5. 375 ᵇ31. μχ23. 854 ᵇ28. — εἰ ἦσαν ἐκ-
βεβλημέναι (?), opp συνάγεσθαι μχ22. 854 ᵇ1, 2. — in-
trans ἡ θάλαττα ὅταν κυμαίνυσα ἐκβάλλῃ μβ8. 367 ᵇ13.
ἔκβασις Οα1. 268 ᵇ3, μετάβασις εἰς ἄλλο γένος ᵇ1.
Ἐκβάτανα κ6. 398 ᵃ14, 34.
ἐκβήσσειν. ἕως ἂν ἐκβήξῃ τὸ κατελθὸν Ζια16. 495 ᵇ19.
ἐκβιάζεσθαι med proiicere. ἐκβιάζεσθαι ὐ δύναται πόρρω
τὸ πληγὲν ακ 800 ᵇ12, cf βάλλειν ᵇ13.
ἐκβλητικὸν τῶν τοξευμάτων τὸ δίκταμον Ζιι6. 612 ᵃ5.
ἐκβοήθειαι Πη5. 1327 ᵃ6.
ἐκβολή. αἱ ἐκβολαὶ τῶν ποταμῶν Ζγγ11. 761 ᵇ7. ἡ ἐκβολὴ
τῶν ὀδόντων Ζγε8. 789 ᵃ15. ἐκβολὴ πνεύματος ακ 804 ᵇ11.
πι54. 897 ᵃ29. — αἱ ἐκβολαὶ αἱ ἐν τοῖς χειμῶσι πῶς
ἐκνῦσι Ηγ1. 1110 ᵃ9. — μετὰ τὴν τῶν τυράννων ἐκβολὴν
Πγ2. 1275 ᵇ36.
ἐκβόλιμος. τὸ ἐκβόλιμον τί ἐστιν Ζιζ21. 575 ᵃ28. τὰ ἐκβό-
λιμα τῶν ἐμβρύων, τῶν μικρῶν ᾠῶν Ζμγ4. 665 ᵇ1. Ζγγ2.
752 ᵇ4.
ἐκβράσσει ποταμὸς χρυσίον περὶ τὰ χείλη θ46. 833 ᵇ16.
f 248. 1523 ᵇ44.
ἔκβρυμα. Ζιι40. 625 ᵃ9, cf ΑΖι II 290, 178 'ein ausge-
fressenes Stück'.
ἐκγελᾶν ἄν τις κνήσῃ πλε8. 965 ᵃ24.
ἔκγονος. φύσει ἀρχικὸν πρόγονοι ἐκγόνων Ηθ13. 1161 ᵃ19.
μεταβολαὶ περὶ τὰς ἐκγόνυς, τὰ τῶν ἐκγόνων Ηα11.1100
ᵃ24, 30. — τὰ τῶν πρεσβυτέρων ἔκγονα ἀτελῆ Πη16.
1335 ᵇ30. τὰ ἔκγονα τῶν ἀρρένων Ζιε14. 545 ᵃ26. ἐκ τῶν
ἀγρίων ᾠῶν ἀδὴς γίνεται ἔκγονον Ζιζ3. 562 ᵃ23. ὅμοια
γίγνεσθαι τὰ ἔκγονα τοῖς γεννήσασιν εὔλογον Ζγα19. 726
ᵇ13. 17. 721 ᵇ32. πι10. 891 ᵇ32. ἔκγονα ἐλάττω, ἀσθενί-
κώτερα, βέλτιστα Ζιε14. 544 ᵇ16, 545 ᵇ12, 546 ᵃ6. 13.544
ᵇ10. ζ22. 575 ᵇ23. ἔκγονα λευκά, μέλανα Ζιζ19. 574 ᵃ5.
ἔκγονον (Theodect fr 3) Πι6. 1255 ᵃ37.
ἐκδανείζειν. ἐκδανεῖσαι χρήματα οβ1350 ᵃ14.
ἐκδέχεσθαι. ἀεὶ ἐκδέχεται κινῦντα ἀέρα κινῶν πια6. 899 ᵃ37.
cf Φθ10. 267 ᵇ12. — ὕτω τὴν ἀσωτίαν ἐκδεχόμεθα Ηδ1.
1120 ᵃ3.
ἔκδηλος ὁπηλικὴν ἀφῇ τῦ χαλκῦ εν2. 460 ᵃ17.
ἐκδημεῖν. ἡ ψυχὴ διὰ φιλοσοφίας ἐπεραιώθη κ̣ ἐξεδήμησεν
κ1. 391 ᵃ12.
ἐκδιδάσκεσθαι, med, τὰς παῖδας σοφὰς (Eur Med 295)
Ρβ21. 1394 ᵃ30.
ἐκδιδόναι. ἐξέδωκεν αὐτὸν μαστιγῶσαι Εὐριπίδη Πε10. 1311
ᵇ32. οἱ βασανιζόμενοι τοῖς ἐκδιδῦσι (int πρὸς βασανισμόν)
πολέμιοι γίνονται ρ17. 1432 ᵃ21. ὁ υἱὸς τὴν μητέρα ἐκδι-
δόναι μέλλων πο14. 1454 ᵃ8. — ἐπικόψας χαρακτῆρα ἐξέ-
δωκε τὴν δραχμὴν δύο δυναμένην δραχμὰς οβ1349 ᵇ31, cf
1347 ᵃ10. εἴρηται ἐν τοῖς ἐκδεδομένοις λόγοις ἱκανῶς πο15.
1454 ᵃ18 (Bernays Dial p 5sqq). cf f 612. 1581 ᵃ43.—
intr ἡ λίμνη ἐκδίδωσιν ὑπὸ γῆν μα13. 351 ᵃ11. τῶν ἄλλων
ζῴων τὰ μὲν εἰς ὀδόντας ἐκδίδωσι καθ' ὑπερβολὴν τῆς τρο-
φῆς, τὰ δὲ εἰς κέρατα, τὰ δὲ εἰς τρίχας πι62. 898 ᵃ22.
ἐκδιηγεῖσθαι τὰς προφάσεις ρ23. 1434 ᵇ4.
ἐκδιώκωσι τὰς ἑαυτῶν νεοττιὰς ἐκ τῦ τόπυ Ζιι31. 618
ᵇ12.

ἔκδοσις. τὰς ἐκδόσεις (int πρὸς γάμον) ποιεῖσθαι πρεσβυτέραις Πη16. 1335 ᵃ22.

ἐκδύεσθαι, ἐκδύνειν. ἀκρίδες, ἐγχέλυες ἐκδύνεσιν ἐκ τῆς γῆς, ἐκ τῷ πηλῷ Ζιε28. 555 ᵇ28, 556 ᵃ3. ζ16. 570 ᵃ18. εὐθὺς νέα ὖσα ἡ μέλιττα, ὅταν ἐκδύη Ζιι40. 625 ᵇ25. — ἐκδύεσθαι τὸ γῆρας Ζιθ17. 600 ᵇ26. ἐκδύσηται τὸ δέρμα θ66. 835 ᵃ27. ἐκδύνεσι τὸ γῆρας, τὸ κέλυφος Ζιθ17. 600 ᵇ15. ει7. 549 ᵇ25.

ἔκδυσις. γωλεὸς ἔκδυσιν ἔχων ἐκ τῷ ποταμῷ Ζιθ20. 603 ᵃ6. — ποιεῖσθαι τὴν ἔκδυσιν, syn ἐκδύνειν τὸ γῆρας Ζιθ17. 601 ᵃ15, 16.

ἐκεῖ, opp ἐνταῦθα Οα8. 276 ᵃ28. μα11. 347 ᵇ30. 13. 349 ᵃ30. δ12. 390 ᵇ14. Μμ4. 1079 ᵃ31. dist κάτω, ἔξω μα3. 341 ᵃ33. β8. 368 ᵇ7.

ἐκεῖθεν, opp ἐντεῦθεν Οα8. 276 ᵃ28. opp ἐνταῦθα Ζγβ3. 736 ᵇ19. γ1. 750 ᵃ3. ἐκεῖθεν τὴν ἀρχὴν ἔχειν, τὸ αἴτιον sim μβ2. 356 ᵃ33. 4. 361 ᵃ33. α2. 339 ᵃ23. — πνέων ἀπὸ τῶν ἐκεῖθεν τόπων μβ5. 363 ᵃ12.

ἐκείνινος Μζ7. 1033 ᵃ7. θ7. 1049 ᵃ19, 21.

ἐκεῖνος, opp ὗτος Πδ2. 1289 ᵇ19. ε6. 1306 ᵇ21 al. ὗτος ἐκεῖνος πο4. 1448 ᵇ17. — sed usurpatur etiam ἐκεῖνος ubi una modo est et proxima res, ad quam referatur, veluti ὑπὸ τὸν ἥλιον ἢ τὴν ἐκείνω φορὰν μβ6. 364 ᵃ10. δ4. 362 ᵃ16. Πι6. 1306 ᵃ11. — ἐκείνως Γα10. 328 ᵃ2. β7. 334 ᵃ35. opp ὗτως Γβ7. 334 ᵇ20. μγ6. 377 ᵇ13. δ9. 387 ᵇ30. Μβ4. 1001 ᵃ4. Ηε11. 1136 ᵃ17. Πβ9. 1270 ᵃ22. δ13. 1297 ᵃ41. 15. 1300 ᵃ27, 29. ε8. 1308 ᵇ9.

ἐκεῖσε, opp δεῦρο Ηι4. 1166 ᵇ21. — ἐκεῖσε (ἐκεῖ?) ρ35. 1440 ᵃ24. ἐκεῖσε i q ἐκεῖ φτα4. 820 ᵃ4.

ἐκεχειρία. Δυκῶργον Ἰφίτῳ συνδιαθεῖναι τὴν Ὀλυμπιακὴν ἐκεχειρίαν f 490. 1558 ᵇ16.

ἐκζεῖν (de morbo), coni ὑπερζεῖν τῷ πάθει πα19. 861 ᵇ10.

ἐκζέεσθαι ἔλκων πλ1. 954 ᵃ25.

ἐκθεῖν. πρὶν ἀκῦσαι πᾶν τὸ λεγόμενον ἐκθέεσιν Ηη7. 1149 ᵃ28.

ἐκθερμαίνει. ἡ ἀλώπηξ τῇ γλώττῃ λείχεσα τὰ τέκνα ἐκθερμαίνει ἢ συμπέττει Ζιζ34. 580 ᵃ9. πρὶν ἡ τρῖψις ἐκθερμάνη τὴν γονὴν πδ14. 878 ᵃ38. ἡ κίνησις ἐκθερμαίνει τὴν κεφαλὴν πιβ14. cf κζ2. 947 ᵇ19. — pass αὐτὰ ἐκθερμαίνεται διὰ τὸ φέρεσθαι Οβ7. 289 ᵃ27. ἐκθερμαίνεσθαι τὴν τροφήν πυ2. 481 ᵇ15. ἐκθερμαίνεται (ἐξεθερμάνθη) τὸ σῶμα, ὁ περὶ τὴν κοιλίαν τόπος al πκζ3. 947 ᵇ37. 10. 948 ᵇ39. γ11. 872 ᵇ16. 33. 875 ᵇ40. α39. 863 ᵇ27. ε38. 885 ᵃ4. τὰ κατὰ τὸ σῶμα ὑπὸ κινήσεως ἐκθερμαινόμενα ἐρυθραίνεται φ6. 812 ᵃ22. τὰς ἐν τοῖς ψυχροῖς ἐκθερμάνθαι τὴν φύσιν, τὰς ἐν τοῖς θερμοῖς κατεψῦχθαι πιδ8. 909 ᵇ14. 16. 910 ᵇ6.

ἔκθεσις. τὰ ἐν Ὀδυσσείᾳ ἄλογα τὰ περὶ τὴν ἔκθεσιν (sc ἐκ τῷ πλοίῳ cf Od ν 116sqq) πο24.1460 ᵃ36. ἐξέρχεται ἐκ τῆς ὑγρότητος ἢ καρπὸς ἢ φύλλα μιᾷ ἐκθέσει φτβ7. 827 ᵃ28.— ἔκθεσις cf ἐκτιθέναι. ἀποδεῖξαι ἐκθέσει Αα6. 28 ᵇ14. κατὰ τὴν (fort τὸ) ἔκθεσιν (i e χωρισμόν) ἑκάστω παρὰ τὰ πολλὰ λαμβάνειν Μν3.1090 ᵃ17 Bz. cf Α9. 992 ᵇ10 Bz. ζ6.1031 ᵇ21 Bz. Vhl Poet II 83. — ἔκθεσις τῶν ὅρων Αα34. 48 ᵃ25. 39. 49 ᵇ6. β4. 57 ᵃ35.

ἐκθηλάζειν. τριχιῶσιν, ἕως ἂν μετὰ τῷ γάλακτος ἐκθηλασθῇ ἡ θρὶξ Ζιη11. 587 ᵇ27.

ἐκθηρεύειν τὰς σκορπίας θ27. 832 ᵃ29.

ἐκθλίβειν. ἐκθλίβεσι τὰς ὄρχεις οἱ νέοι τῶν ὑῶν Ζιζ28. 578 ᵇ4. ἐὰν ὁ πληγεὶς ὑπὸ μελίττης ἐκθλίψῃ τὸ κέντρον Ζιι40. 626 ᵃ20. ἄλευρον ἐκθλίβεται πκα7. 927 ᵇ19. γάλα, σπέρμα ἐκθλίβεται Ζιγ20. 522 ᵃ20. Ζγγ5. 755 ᵇ15. ἔνια διὰ τὸ ἐκθλίβεσθαι ῥιπτεῖται μα4. 342 ᵃ9. ἐκθλίβειν τὰ σχήματα, ἐκθλίβεσθαι τὴν ψυχήν al (Democr) ψα2. 404 ᵃ11. αν4. 471 ᵇ31. Οδ2. 310 ᵃ10. ἐκ πολλῷ διαστήματος ὃ δύναται συνάγων ἑαυτὸν ἐκθλίβειν βίᾳ τὸ πνεῦμα ακ800 ᵇ1, 5. cf πκε8. 938 ᵇ18. τὸ πνεῦμα τὸ ἐκθλιβόμενον· ἐὰν ἐν αὐτῷ τῷ νέφει ἐκθλιβῇ πνεῦμα μβ9. 369 ᵇ5. γ1. 371 ᵃ18. ὑπὸ τῷ ψυχρῷ ἐκκρύεται ἢ ἐκθλίβεται τὸ θερμόν μα4. 342 ᵃ1. cf 3. 341 ᵃ5. δ6. 383 ᵃ18. 8. 385 ᵃ25. Ζμβ4.651 ᵃ8. Ζγε3. 783 ᵃ16.

ἔκθλιψις. φέρεσθαι τῇ ἐκθλίψει, coni βίᾳ Οα8. 277 ᵇ2. εἰς τἠναντίον γίγνεσθαι ἔκθλιψιν μβ9. 369 ᵃ22. ἔκκρισις ὑπὸ τῆς ἐκθλίψεως μα4. 342 ᵃ15. ἡ τῷ περιέχοντος ἔκθλιψις (Democr) αγ4. 472 ᵃ16. cf Οα8. 277 ᵇ2.

ἐκθνήσκειν. αἵματος ἀφιεμένω πλείονος ἐκθνήσκεσιν, πολλῷ δ' ἄγαν ἀποθνήσκεσιν Ζιγ19. 521 ᵃ11. τὰς ἐκθνήσκοντας κινῆσι πταρμικὴ πλγ9. 962 ᵇ4.

ἐκθυμιᾶσθαι, dist κάεσθαι μθ9. 388 ᵃ8.

ἐκκαγχάζεσιν ἀθρόον Ηη8. 1150 ᵇ11.

ἐκκαθαίρειν. αἱ χρησταὶ μέλιτται ἐκκαθαίρεσι τὰ λυμαινόμενα θηρία Ζιι40. 625 ᵇ34. τὸ ψῦχος πυκνῦν τὴν σάρκα ἐκκαθαίρει τὸ ὑγρόν πε37. 884 ᵇ26.

ἐκκαίειν, ἐκκάειν. ταχὺ ἢ ἐπὶ πολὺ ἐκκαίειν, opp ἀποσβέσθηναι ταχὺ μα7. 344 ᵃ18. πνεῦμα πολὺ περὶ τὰ νεῦμα ἐκκαίεται, opp ἐκψύχεται πε15. 882 ᵃ36. ἡ θερμότης ἡ ἐκκαίεσα τὸν ἀέρα φτα5. 820 ᵇ22. ἡ ἀναθυμίασις ἐκκαιομένη μα4. 341 ᵇ36, cf 16, 20. τὸ πῦρ ἐκκαῖον τὸ γεῶδες πιβ11. 907 ᵃ39. ἡ γῆ. τὸ πικρὸν ἐκκέκαυται πκγ33. 935 ᵃ11. 40. 936 ᵃ2. ἐκκαυθέντος τῷ τὴν βαφὴν πεποιηκότος ὑγρῷ χ1. 791 ᵃ6. ὁ ὄρρος ὑπὸ τῷ πυρὸς ἐκκάεται ἑψόμενος μθ7. 384 ᵃ20, 23. τὰς πόρας συμμένειν ποιεῖ ἐκκαίων ὁ ἥλιος πβ9. 867 ᵃ20. — formae ἐκκαίειν et ἐκκάειν promiscue exhibentur, veluti ἐκκάεσθαι, ἐκκαομένης μα4. 341 ᵇ21, 342 ᵃ17 (v1 αι), ἐκκαίεσθαι, καιομένης 341 ᵇ23, 26.

ἐκκαλεῖσθαι, med, metaph τὸ πᾶν ὕδωρ ἐκκαλεῖται τὸ προσιὸν (ἐν τῷ σώματι ὕδωρ) πζ3. 886 ᵇ2.

ἐκκαυλεῖ θᾶττον τὰ λάχανα ἐκ παλαιοτέρω σπέρματος πκ17. 924 ᵇ27, 34.

ἔκκαυσις μα4. 342 ᵃ2, 15.

ἐκκεῖσθαι. ὅταν ἐκκειμένω ἀνθρώπω φῇ τὸ ἐκκείμενον εἶναι ἄνθρωπον (syn κεῖσθαι) τα9. 103 ᵇ29-34. ἐνίοτε ὁ σκοπὸς ἔκκειται καλῶς Πη13. 1331 ᵇ31. — ἔκκεινται (expositi sunt) οἱ τόποι πρότερον Ργ19. 1419 ᵇ23. τὸ μὴ καλῶς ἐκκεῖσθαι τὰς ὅρας κατὰ τὴν λέξιν, syn μὴ καλῶς ἐκτίθεσθαι Αα34. 48 ᵃ8, 1. — ἐκκείσθω τις γραμμή (i e κείσθω ἐκτὸς τῷ διαγράμματος) μγ5. 376 ᵃ10, cf Ideler II p 309.

ἐκκεντεῖν. ἐάν τις ἐκκεντήσῃ τὰ ὄμματα Ζιθ17. 508 ᵇ6. ζ5. 563 ᵃ15. Ζγδ6. 774 ᵇ32.

ἐκκλείεσθαι τῷ καλόν τι πράττειν ημα35. 1198 ᵇ16.

ἐκκλησία. ἐνίαις ὐκ ἔστι δῆμος ὐδ' ἐκκλησίαν νομίζεσιν ἀλλὰ συγκλήτως Πγ1. 1275 ᵇ7. ἡ ἐκκλησία τίνων κυρία, τίνες αὐτῆς μετέχεσιν Πβ10. 1272 ᵃ10. γ11. 1282 ᵃ28 (aliud est κοινωνεῖν ἐκκλησίας Πδ6. 1293 ᵃ9). ὅσα σοφίζονται περὶ τὰς ἐκκλησίας Πδ13. 1297 ᵃ15, 17. 14. 1298 ᵇ19. ἐκκλησίαν ποιῆσαι, syn συναγαγεῖν οβ1349 ᵃ15, 26. ἐκκλησιάζεσι τὰς ἀναγκαίας ἐκκλησίας Πδ6. 1292 ᵇ29. ἐὰν οἴχα ἡ ἐκκλησία γένηται ἢ τὸ δικαστήριον Πζ3. 1318 ᵃ40. συμβωλεύειν ἐν ταῖς ἐκκλησίαις β3. 1423 ᵃ14. κακῶς ἀκύειν ἐν ταῖς ἐκκλησίαις Πγ14. 1285 ᵃ11. — Athenis ἐκκλησίαι τέτταρες καθ' ἑκάστην πρυτανείαν περὶ τίνος χρηματίζειν f 394. 1543 ᵇ12. 396. 1543 ᵇ42. οἱ πρυτάνεις προγράφεσιν ἐκκλησίαν f 395. 1543 ᵇ34.

ἐκκλησιάζειν χ) φέρειν ἄρχοντα ἤ τι ποιεῖν ἄλλο τῶν πολι-
τικῶν Πβ6. 1266 ᵃ10. ἐκκλησιάζυσι τὰς ἀναγκαίας ἐκκλη-
σίας Πδ6. 1292 ᵇ28. institutorum περὶ τῦ ἐκκλησιάζειν
varietas: ἐκκλησιάζειν ἀπὸ τιμήματος, πᾶσιν ἐξεῖναι ἐκκλη-
σιάζειν, ἐπάναγκες ἐκκλησιάζειν, μισθὸς τοῖς ἐκκλησιάζυσι, 5
ζημία τοῖς μὴ Πδ9. 1294 ᵇ3. 13. 1297 ᵃ17, 25, 37. 15.
1300 ᵃ3. β6. 1266 ᵃ10. προϋπάρχει τινὶ πρὸς τὰς ἐκκλη-
σιάζοντας χάρις ρ35. 1439 ᵇ17.
ἐκκλησιαστής κ6. 400 ᵇ17. ὁ ἐκκλησιαστὴς χ) ὁ δικαστὴς
ἄρχων ἀόριστος Πγ1. 1275 ᵃ26, 31, ᵇ14. 11. 1282 ᵃ34, 37. 10
ὁ ἐκκλησιαστὴς χ) ὁ δικαστὴς κρίνυσι περὶ ἀφωρισμένων (opp
ὁ νομοθέτης περὶ τῦ καθόλυ), ὁ ἐκκλησιαστὴς περὶ τῶν μελ-
λόντων, ὁ δικαστὴς περὶ τῶν γεγενημένων Ρα1. 1354 ᵇ7. 3.
1358 ᵇ4.
ἔκκλητοι δίκαι τίνες ἐκαλῦντο f 416. 1547 ᵇ21. 15
ἐκκλίνειν. τὰ μὲν εἰς δῆμον ἐκκλίνει μᾶλλον τὰ δ' εἰς ὀλι-
γαρχίαν Πβ11. 1273 ᵃ5. εἰς ἐριστικὸν ἐκκλίνειν λόγον ατ969
ᵇ14. φυτά τινα ἐκκλίνυσιν εἰς μελανίαν φτα5. 820 ᵇ20.
ἐκκλινής. ἄνωθεν τῦ μετώπυ κατὰ τὴν ῥῖνα ἔχει τρίχας ἐκ-
κλινεῖς φ5. 809 ᵇ23. ὁ ἥλιος ἐκκλινέστερον ἡμῖν ποιεῖ τὸν 20
κύκλον πιε7. 912 ᵃ12.
ἔκκλισις, ἡ εἰς ἀλέαν πα39. 863 ᵇ24.
ἐκκλύζειν. τὸ πολὺ λίαν ὕδωρ ἐκκλύζει πιβ3. 906 ᵇ28.
ἅπασαν ἐξ αὐτῆς τὴν ὑγρασίαν ἐκκλύσαντες χ5. 795 ᵇ13.
ἰχῶρες ἐκ τῶν ἐπιδέσμων ὑ δυνάμενοι ἐκκλύζεσθαι Ζι⁴44. 25
630 ᵃ7. ἐκκλύζεται ὑπὸ τῶν καθάρσεων ὁ γόνος f 259. 1525
ᵇ30. — ναυτίλος ὑπὸ τῶν κυμάτων ἐκκλύζεται εἰς τὸ ξη-
ρόν Ζιδ1. 525 ᵃ23.
ἐκκολάπτειν τὰ ᾠά, coni ἐπωάζειν θ3. 830 ᵇ13. Ζιι29. 618
ᵃ13. ἐκκεκολαμμένα τῦ ᾠῦ δεκαταῖα ΖιΖ3. 562 ᵃ14. 30
ἐκκόλαψις τῶν ᾠῶν ΖιΖ3. 561 ᵇ29.
ἐκκόπτειν. ἐκκόψαι (τὸ ἐπὶ τῆς στήλης ὄνομα) ἐπὶ τῶν τριά-
κοντα Ρβ23. 1400 ᵃ33. ἐκκόπτειν ὀφθαλμὸν ημα34. 1194
ᵃ37. ἐὰν τὸν ἕτερον ὀφθαλμὸν ἐκκοπῇ ὐ ὗς ΖιΖ18. 573 ᵇ14.
— ἡ κίνησις ἐκκόπτει τὴν εὐθυονειρίαν, τὴν αἰσθητικὴν ἐνέρ- 35
γειαν μτ2. 464 ᵇ16. Ζμβ10. 656 ᵇ5.
ἐκκρεμάννυνται περὶ τὴν θαλάμην τὰ ᾠὰ τῦ πολύποδος
Ζιε18. 549 ᵇ34.
ἐκκρίνειν. ὑ συννέμονται ἀλλ' ἐκκρίνονται χ) χωρὶς βόσκονται
τὰ ἄρρενα τῶν θηλειῶν ΖιΖ18. 572 ᵇ22. ἐκκρίνυσιν ἐκ τῶν 40
καμήλων ἐνιαύσιον τὸ ἔκγονον ΖιΖ26. 578 ᵃ11. ὅταν τις ἢ
ἐκκριθῇ ἢ προσδεχθῇ εἰς τι τῶν ἀθλημάτων πλ11. 956 ᵇ25.
ἐκκεκριμέναι ἐκ παίδων ΠΖ7. 1321 ᵃ25. — οἱ δ' (veluti
Emp Anaxag) ἐκ τῦ ἑνὸς ἐνῦσας τὰς ἐναντιότητας ἐκκρί-
νεσθαί φασιν Φα4. 187 ᵃ20, 23. ἐκκρίνεσθαι, dist γίγνεσθαι· 45
ὅμοιον κἂν εἴ τις οἴοιτο τὸ ὕδωρ χ) τὴν χιόνα χ) τὴν χάλαζαν
ἐνυπάρχοντα πρότερον ὕστερον ἐκκρίνεσθαι χ) μὴ γίνεσθαι
μβ9. 369 ᵇ2. cf Ογ3. 302 ᵃ23, 24. ψα2. 404 ᵃ14. ἠθυ-
μένων ἀεὶ μάλιστα ὑφίσταται τὸ παχύτατον χ) βαρύτατον,
ἐκκρίνεται δὲ τὸ κῦφον χ) καθαρόν πκγ20. 933 ᵇ27. — συν- 50
ιόντος τῦ σωματιώδυς ἐκκρίνεται τὸ ὑγρόν Ζγβ4. 739 ᵇ26.
τὸ αἷμα διὰ λεπτοτάτων φλεβῶν εἰς τὰς ὑστέ-
ρας Ζγβ4. 738 ᵃ14. ὅταν τὸ αἷμα ἀπὸ τῆς ὀσφύος ἐκκριθῇ
Ζιη11. 587 ᵇ35. — ὐχ ἅμα τοῖς πολλοῖς ἄρχεταί τε τὸ
σπέρμα ἐκκρίνεσθαι χ) γεννᾶν δύναται, ἀλλ' ὕστερον Ζιε14. 55
544 ᵇ14. ἐν τῇ ἡλικίᾳ ἤδη δύνανται τὸ σπέρμα ἐκκρίνειν
Ζγε7. 787 ᵇ30. κατὰ τὰ αἰδοῖα ἐκκρίνεται τὸ περίττωμα
τὸ ὑγρόν, τὸ σπέρμα χ) τὸ κύημα Ζγα13. 719 ᵇ32. τὸ
ἄρρεν δύναται πέττειν χ) συνιστάναι τε χ) ἐκκρίνειν σπέρμα,
τὸ θῆλυ ἀδυνατεῖ συνιστάναι χ) ἐκκρίνειν Ζγδ1. 765 ᵇ10, 60
15. — ἐκκρίνεται τὰ περιττώματα Ζγβ4. 738 ᵃ1. ἐκκρῖναι

τὸ περίττωμα καθαρόν Ζγδ1. 765 ᵇ35. τὸ ἄχρηστον μετὰ
τῦ περιττώματος τῦ ἐκ τῆς κύστεως ἐκκρίνεται Ζγβ8. 748
ᵇ25. πέττεσθαι χ) ἐκκρίνεσθαι Ζμγ8. 671 ᵃ6. — ἔκκριτα
ἄνω, κάτω πα18. 861 ᵃ32.
ἔκκρισις et actionem τῦ ἐκκρίνειν significat et ipsum τὸ ἐκ-
κεκριμένον. ὐκ ἔστι τῇ ἐκκρίσει ἡ εἰς ἄλληλα μετάβασις
Ογ7. 305 ᵇ27, 23. εἰ στήσεται ἡ ἔκκρισις. ὐχ ἅπαν ἐν παντὶ
ἐνέσται Φα4. 187 ᵇ31. τύτων ἡ γένεσις ὐκ ἔκκαυσις ἀλλ'
ἔκκρισις ὑπὸ τῆς ἐκθλίψεώς ἐστιν μα4. 342 ᵃ15. ὅσα ἔργα
συμβαίνει παρέχεσθαι τὴν ἔκκρισιν ἐν τοῖς τόποις τοῖς ὑπὲρ
τῆς γῆς μγ6. 378 ᵃ12. — ὅταν μὴ αὐτὴ καθ' αὑτὴν γέ-
νηται ὑ τοιαύτη ἔκκρισις μα8. 346 ᵃ1. cf 7. 344 ᵇ21. ὁ ἥλιος
τὴν γῆν φθάνει ξηραίνων πρὶν γενέσθαι ἔκκρισιν ἀθρόαν μβ5.
361 ᵇ18. — ἀποκάθαρμα, ἔκκρισις, σήψις πδ13. 878 ᵃ8,
12. ἡ ἔκκρισις τῶν καταμηνίων, τῆς γονῆς χ) τῶν ὁμοίων
Ζμδ10. 689 ᵃ16. — ὑπερβολὴ περιττώματος ἐκκρίσεως
Ζγγ1. 750 ᵃ30. ἡ τῦ ὑγρῦ περιττώματος ἔκκρισις Ζμγ9.
671 ᵇ2. Ζγα13. 720 ᵃ7. — ὁρμὴ τῆς τῦ σπέρματος ἐκ-
κρίσεως Ζγγ1. 750 ᵇ21. cf πδ21. 879 ᵃ5. ἡ γονικὴ ἔκκρισις
πδ26. 879 ᵇ28. — ἡ τῶν ὑστερῶν ἔκκρισις, ὑγρά ἀπό-
κρισις, ὑγρασία ἴδιος Ζγα20. 728 ᵃ1, 7, 34. μετὰ τῆς ἐκκρί-
σεως εἴωθε γίγνεσθαι χ) τοῖς ἄρρεσιν ἡ ἡδονὴ χ) ταῖς γυ-
ναιξὶν Ζγβ4. 739 ᵃ33. ἡ τῶν καταμηνίων ἔκκρισις περίττωμά
ἐστιν Ζγα19. 727 ᵃ2, 11. ἡ τῶν καταμηνίων ἔκκρισις χ)
συνάθροισις Ζγβ4. 739 ᵇ10. ταῖς εὐσάρκοις γυναιξὶν πορεύεται
εἰς τὴν τροφὴν τῦ σώματος τὸ πολὺ τῆς ἐκκρίσεως Ζιη2.
583 ᵃ10. ἐνίοις τῶν ὀρνέων γίνεται ταχὺ ἡ ἔκκρισις Ζγγ1.
751 ᵃ22. ἡ ἔκκρισις i q τὰ μόρια Ζιη2. 583 ᵃ2. (ἔκκρισις v l
pro ἀπόκρισις Ζμδ5. 681 ᵇ35.)
ἐκκριτικαὶ κινήσεις, opp ληπτικαὶ Φη2. 243 ᵇ14, 27.
ἐκκρύειν. ἡ μείζων κίνησις τὴν ἐλάττω ἐκκρύει αι7. 447 ᵃ15,
22. Ζγε1. 780 ᵃ8. Ργ17. 1418 ᵃ14. πκβ12. 931 ᵃ18. ἡ
ἀσθενεστάτη φορὰ ῥᾳδία ἐκκρύειν μχ5. 851 ᵃ10. τὸ κινύ-
μενον, ἡ κίνησις ἐκκρύεται ὑπό τινος Φθ8. 264 ᵃ10. ἐν3.
460 ᵇ32. μτ2. 464 ᵇ5. πια 29. 902 ᵇ15. ιη1. 916 ᵇ8. 7. 917
ᵃ24. ἐκκρύεσθαι πλεῖον, ἔλαττον, εἰς τὔμπροσθεν μχ1. 849
ᵃ7, 9. πιζ4. 913 ᵇ19. ἐκκρύεται χ) ἐκθλίβεται τὸ θερμὸν
μα4. 342 ᵃ1. ἐκκρύει χ) πέττυσα θερμότης αβ3. 381 ᵃ16.
— ἐκκρύει ἡ ἑτέρα ἐνέργεια τὴν ἑτέραν Ηκ5. 1175 ᵇ8. ἐκ-
κρύσει τὸ πάθος τὸ ἐνθύμημα Ργ17. 1418 ᵃ13. ἐκκρύειν
τὸν λογισμόν, τὴν λύπην Ηγ15. 1119 ᵇ10. η15. 1154 ᵃ27.
τὸ ἔθος ἄλλῳ ἔθει ἐκκρύεται ημβ6. 1204 ᵃ3, 4.
ἔκκρυσις. διὰ τῦ γίνεσθαι μείζονα τὴν ἔκκρυσιν χ) ἀποσπᾶ-
σθαι μᾶλλον μχ1. 849 ᵃ31.
ἐκκρυστικὸν τῦ ἐλεῆ τὸ δεινόν Ρβ8. 1386 ᵃ22.
ἐκκυλίειν. κύκλοι ἄνισοι ἴσην ἐκκυλίονται γραμμήν, syn ἐξε-
λίττονται μχ24. 855 ᵃ30, 34, 39, ᵇ2, 4, coll ᵃ29, ᵇ7. ἐκκυ-
λισθείς πις5. 914 ᵃ15.
ἐκλαμβάνειν. 1. ἐκλαμβάνει τι μέρος τῆς μητρὸς Ζγγ2.
753 ᵇ34. τίνα παρὰ τῶν σατραπῶν ἐκλαβόντι λυσιτελήσει
οβ1345 ᵇ25. — πιβ13. 907 ᵇ17 (?). — 2. ἐκλαμβάνειν τὰς
προτάσεις, syn λαμβάνειν Αα27. 43 ᵇ1, 6 (ἐκλητέον), 11,
16. 32. 47 ᵃ10. ἐκλαμβάνετω τὸ κοινὸν Αδ4. 98 ᵃ15. περὶ
πολέμυ τὰς μεγίστας ἰδέας ἐκλάβωμεν ρ3. 1425 ᵃ10. cf
11. 1430 ᵃ30. 15. 1431 ᵃ32. — 3. ἐκλαμβάνειν, nomen vel
dictum aliquod accipere in aliquam sententiam τβ6. 112
ᵃ33. διχῶς ἔστιν ἐκλαμβάνειν Αα13. 32 ᵇ26. τζ4. 141 ᵇ4.
ἐκλαμβάνειν ἐπὶ τὸ χεῖρον, ἐπὶ τὸ βέλτιον Ργ15. 1416 ᵇ11.
ἢ δέχεσθαι τὸ ἐκλαμβανόμενον ὑπὸ τῦ ἐρωτῶντος, ἢ αὐτὸν
διασαφῆσαι τί ποτε τυγχάνει τὸ δηλύμενον ὑπὸ τῦ λόγυ
τζ14. 151 ᵇ10. paullo aliter ἐκλαμβάνειν φτα1. 815 ᵃ20. —

4. ἐπιχειρητέον ἐνίοτε πρὸς ἄλλα τῷ εἰρημένῳ, ἐκεῖνο ἐκλαβόντας (?, fort exceptω, evitato illo, de quo agendum est) τι15. 174 ᵇ31.

ἐκλάμπει· πῦρ ἐκ λίθων Ζιγ7. 516 ᵇ11. θλιβομένῳ τῷ ὀφθαλμῷ φαίνεται πῦρ ἐκλάμπειν αι2. 437 ᵃ24.

ἐκλέγειν, med ἐκλέγεσθαι. τὰ μέγιστα τῶν μερῶν ἐκλέγων (ἐκλέγοντα?) περὶ τύτων ποιεῖσθαι τὲς λόγες ρ23. 1434 ᵇ18. ἐκλέξασθαι τὲς ἀρίστες νόμες Ηκ10. 1181 ᵃ17. ἐκλέγειν τὰ ἑπόμενα Αα27. 43 ᵇ11, 16, 24 (cf ἐκλαμβάνειν). ἐκλέγειν προτάσεις τα14. 105 ᵃ34 (syn λαβεῖν προτάσεις 13. 105 ᵃ23). πρὸς τὸ ἔχειν τὰ προβλήματα ἐκλέγειν (λέγειν Wz) δεῖ τάς τε ἀνατομὰς κỳ τὰς διαιρέσεις, ὅτω δὲ ἐκλέγειν (διαλέγειν Wz) Αδ14. 98 ᵃ1, 2. βέλτιον ἐκλέγεσθαι τὰς προτάσεις Ρα2. 1358 ᵃ23. προτάσεις ἐξειλεγμέναι περὶ ἕκαστον Ρβ 22. 1396 ᵇ30. περὶ ἕκαστον ἔχειν ἐξειλεγμένα Ρβ22. 1396 ᵇ5. ἐκλέγεσθαι σημεῖα (φυσιογνωμονικά) φ1. 806 ᵃ5.

ἐκλείπειν. trans ἐθέλειν ἐκλιπεῖν ἤδη τὸν Ἀταρνέα Πβ7. 1267 ᵃ35. οἱ μαράνσει τὸν βίον ἐκλείποντες πγ5. 871 ᵇ18. — ὁ Ἑρμῦ ἀστὴρ πολλὰς ἐκλείπει φάσεις, ὥστε διὰ χρόνε φαίνεται πολλῷ μα6. 342 ᵇ34. — intr ἢ τὸ συνεχὲς ἐκλείπει τῆς πυκνότητος μβ9. 369 ᵇ3. γόνος μελίττων ἐκλείπει περὶ ἡ ἡμέρας Ζυ40. 625 ᵇ28. ἢ τὸ θερμὸν ἐκλείπει μβ9. 369 ᵃ17. ἢ δ8. 384 ᵇ28. πγ5. 871 ᵇ16. οἱ κτένες ἐξέλιπον ἐν εὐρίπῳ Ζιθ20. 603 ᵃ22. ζ17. 571 ᵃ9. ἀν ἐπὶ θάτερα γένηται ἢ ἀπόκρισις, ἀναγκαῖον ἐπὶ θάτερα ἐκλείπειν Ζγδ8. 777 ᵃ18. ἢ ἀρχὴ τῆς ζωῆς ἐκλείπει αν17. 479 ᵃ8. ἐκλέλοιπεν αἴσθησις, ἐπιστήμη Αγ18. 81 ᵃ38, 39 (paullo aliter: ἀνάγκη, εἴπερ ἐκλείπει τις αἴσθησις, κỳ αἰσθητήριόν τι ἡμῖν ἐκλείπειν ψ1. 424 ᵇ26, i e deesse). ἐκ ἔσται ἀρετὴ ἐκλείποντος τῷ λόγῳ ημβ7. 1206 ᵇ16. ἐάν τι τυγχάνῃ τύτων (int ὧν δεῖται πᾶσα πόλις) ἐκλείπον, ἀδύνατον αὐτάρκη τὴν κοινωνίαν εἶναι Πη8. 1328 ᵇ18. περὶ ὧν ἐκλείπει (i e ἐνδεὴς ἐστι διὰ τὸ καθόλε εἶναι) ὁ νόμος Πγ15. 1286 ᵃ37. ἑκάστῳ (μορίῳ τῷ ἀληθινῷ συλλογισμῷ) γὰρ ἐκλείποντος (i e ἐνδεῶς ὄντος, cf ἐνδεές 169 ᵇ35) φανείη ἂν ἔλεγχος τι8. 170 ᵃ1. ἐκλείπει ἡ σελήνη, ὁ ἥλιος Αδ2. 90 ᵃ3. 91 ᵇ33. 88 ᵃ1. μτ1. 462 ᵇ29. f 203. 1515 ᵃ23. — (pro ἐκλειπομένων πιθ36. 920 ᵇ14 ἐκλείπων ci Bojesen. pro ἐκλείπειν ξ4. 977 ᵇ37 ἐλλείπει ci Bergk.)

ἔκλειψις τῷ θερμῷ παντελῆς Αδ12. 95 ᵃ18. αν17. 478ᵇ32. ἔκλειψις αἰσθήσεως Αγ31. 88 ᵃ12. ἐκλείψεις ἡλίε, σελήνης vel omissis genetivis ἐκλείψεις ΟΒ13. 293 ᵇ23. 14. 297 ᵇ24, 28. μτ1. 462 ᵇ30. πιε11. 912 ᵇ11. ἐκλείψεις μηνοειδεῖς ΟΒ11. 291 ᵇ22. τί ἔκλειψις σελήνης, solenne exemplum definitionis, quae causam contineat Μη4. 1044 ᵇ10, 14 Bz. Αδ2. 90 ᵃ15. 8. 93 ᵃ23, 30, 37. 12. 95 ᵃ13. 16. 98 ᵃ37. γ8. 75 ᵇ34 sqq. 31. 88 ᵃ1. ἐκλείψεις μεσονύκτιοι μβ8. 367 ᵇ26. ἐκλείψεις περὶ τὰς ἐκλείψεις, ἄνεμοι πρὸ τῶν ἐκλείψεων μβ8. 367 ᵇ20, 26. πκζ18. 942 ᵃ22.

ἐκλέπειν. ἐκλέψαι τὰ ᾠά Ζιε20. 553 ᵃ8. 33. 558 ᵃ10. ζ2. 560 ᵃ1. ι8. 613 ᵇ12. ἐξέλεψε δίδυμα Ζιζ3. 562 ᵃ30. ἐκλέπεται τὰ ᾠά Ζιζ3. 558 ᵃ7, 15. ζ2. 559 ᵇ29. 3. 561 ᵃ11. ἐκπέττεται κỳ ἐκλέπεται τὸ ᾠὸν Ζιζ4. 562 ᵇ19.

ἔκλευκος ὁ κόττυφος Ζιι9. 617 ᵃ12. ὀφθαλμοὶ μικροί, ἔκλευκοι φ5. 810 ᵃ1. τὸ ἀφρῶδες κỳ ἔκλευκον χ4. 394 ᵃ35. 55 γὺψ μικρὸς κỳ ἐκλευκότερος Ζιθ3. 592 ᵇ7.

ἐκλευκος ξ6. 980 ᵃ6.

ἐκλογὴ τῶν ἀρίστων νόμων Ηκ10. 1181 ᵃ18. ἐκλογὴ τῷ ἀνθρώπε (i e τῶν ἑπομένων τῷ ἀνθρώπῳ, cf ἐκλέγειν) Αα27. 43 ᵇ32. τὴν ἐκλογὴν τῶν σημείων (φυσιογνωμονικῶν) ποιεῖσθαι φ1. 805 ᵃ33, 28, ᵇ11. 6. 810 ᵃ14. — τεθεωρήσθω ἡμῖν

ἐν τῇ ἐκλογῇ τῶν ἐναντίων Μγ2. 1004 ᵃ2. cf Ἀριστοτέλης p 104 ᵃ22.

ἐκλογίζονται οἱ λογισταὶ τὰς εὐθύνας τῶν διῳκημένων f 406. 1546 ᵃ6.

ἐκλύειν. τὰ τῶν πλοίων ἐκλελυμένα, opp τὰ πρὸς ναυτιλίαν καλῶς ἔχοντα Πζ6. 1320 ᵇ37, 34. — metaph τὸ ἄγαν πολὺ ἐκλύει τῆς δυνάμεως πθ28. 880 ᵃ19. ἐκλύειν, opp ἐπιτείνειν πγ16. 873 ᵃ31, 30, 35. cf λ1. 953 ᵇ5. τύπτωσιν, ἕως ἂν ἐκλύσωσιν Ζυ1. 610 ᵃ27. ἐκλύονται, syn ἀσθενέστεροι γίνονται Ζικ5. 636 ᵇ28. πθ21. 879 ᵃ4. cf 6. 877 ᵃ16. γ16. 873 ᵃ32. τῆς τάσεως ἀνιεμένης ἢ ἀρχὴ ἢ κινῦσα τὴν φωνὴν ἐκλύεται Ζγε7. 788 ᵃ6. σῶμα ἐκλυμένον πρὸς τὰς πονες πα25. 862 ᵇ3. ἐκλύονται τοῖς σώμασιν ἐν τοῖς τῆς νεότητος χρόνοις f 172. 1506 ᵇ24. ἐπὶ τοῖς καμπτῆρσιν ἐκπνέυσι κỳ ἐκλύονται Ργ9. 1409 ᵃ33. ὅταν ὁ περὶ τὸν πνεύμονα τόπος ὑπὸ τῆς διαστάσεως ἐκλυθῇ αχ804 ᵇ14, 15. — ἐπὶ τῶν διαλειπόντων πυρετῶν παρασκευάζειν δεῖ ἐκλύοντα πα55. 866 ᵃ24. — (pro ἐκλύειν πγ5. 871 ᵇ11 scribendum ἐκλείπειν coll ᵇ16. Bz Ar St IV 408). ἔκλυτος. φοραὶ χειρῶν ὕπτιαι κỳ ἔκλυτοι φ3. 808 ᵃ14.

ἔκλυσις κỳ ἀδυναμία ἐκ τῶν ἀφροδισιασμῶν, ἐν τῇ βυλιμίᾳ Ζγα18. 725 ᵇ18, 6. πη9. 888 ᵃ4. τῇ ἀκολασίᾳ ἀκολυθεῖ ἔκλυσις αρ6. 1251 ᵃ23.

ἐκλυτικός. ἢ τῷ ὑγιεινῷ αἵματος ἀποχώρησις ἐκλυτικὸν Ζγα 19. 726 ᵇ13.

ἐκμαγεῖον. ἐκ τῆς δυάδος γεννᾶσθαι τὲς ἀριθμὲς ὥσπερ ἔκ τινος ἐκμαγείῳ ΜΑ6. 988 ᵃ1 Bz.

ἐκμανθάνειν. λόγους ἐθίδοσαν ἐκμανθάνειν τι34. 183 ᵇ39.

ἔκμαξις κỳ ἀνάλυσις εν2. 460 ᵃ16.

ἐκμάττειν. αἱ μέλιτται τὲς ἔμπροσθεν πόδας ἐκμάττεσιν εἰς τὰς μέσας Ζιμ40. 624 ᵇ1. ἐ ῥάδιον ἐκμάξαι τὴν τοιαύτην κηλῖδα εν2. 459 ᵇ31.

ἔκμηνος βίος σαύρας Ζιε33. 558 ᵃ17. ἔκμηνος ὀχεύει κỳ ὀχεύεται Ζιζ4. 562 ᵇ27.

ἐκμισθῶν τὰ ἐλαιουργεῖα Πα11. 1259 ᵃ15. ὁ ἄρχων τὲς οἴκες ἐκμισθοῖ τῶν ὀρφανῶν f 381. 1541 ᵇ12.

ἐκμύζω ὁ ἥλιος τὰς τῆς σκίλλης παραφυάδας ἐκμύζᾳ φτα5. 820 ᵃ29.

ἐκνεοττεῦσαι θ126. 842 ᵇ11.

ἐκνεφίας, def χ4. 394 ᵇ18. περὶ ἐκνεφιῶν μγ1. 370 ᵇ17, 8 et omnino μγ1. cf β8. 366 ᵇ33. πκε6. 940 ᵇ30. 14. 941 ᵇ36. dist τυφῶν μγ1. 371 ᵃ3. οἱ ἐκνεφίαι κάτω φέρονται μβ9. 369 ᵃ19. ἐκνεφίας ἢ γίγνονται βορείοις μγ1. 371 ᵃ4, γίνονται μάλιστα μετοπώρῳ μβ6. 365 ᵃ1, 3.

ἐκνήχεσθαι. τὸ νηκτὸν εἰς τὴν ἑαυτῷ δίαιταν ἐκνήξεται χ6. 398 ᵇ32.

ἔκνοια, coni πνιγμός, λιποψυχία υ3. 456 ᵇ10. γίνονται κỳ ἔκνοιαί τινες τοιαῦται (int ἀδυναμία αἰσθήσεως) υ2. 455 ᵇ6. ἐπιπεσὸν τὸ θερμὸν ἔκνοιαν ποιεῖ υ3. 457 ᵇ25.

ἑκοντί ρ16. 1431 ᵇ20 (ἑκόντος Spgl).

ἑκούσιος. περὶ ἑκουσίε Ηγ1-3. νεβ7-9. ημα12-16. τὸ ἑκούσιον τί Ηγ3. 1111 ᵃ22. ε10. 1135 ᵃ23. Ρα13. 1373 ᵇ32. ἐχ ἑκούσιον, dist ἀκούσιον Ηγ2. 1110 ᵇ18. ἁπλῶς ἀκούσια, νῦν δὲ κỳ ἀντὶ τῶνδε ἑκούσια Ηγ1. 1110 ᵃ8-ᵇ7. ἐχ ὁμοίως αἱ πράξεις ἑκούσιοί εἰσι κỳ αἱ ἕξεις Ηγ8. 1114 ᵇ30-1115 ᵃ3. τῶν ἑκουσίων τὰ μὲν προελόμενοι πράττομεν, ἃ δὲ ἐ προελόμενοι Ηε10. 1135 ᵇ9. γ4. 1111 ᵇ8. τὰ ζῷα κινεῖται τὰς ἑκουσίας κινήσεις Ζκ11. 703 ᵇ5. — ἑκούσια συναλλάγματα, ἀδικήματα Ηε5. 1131 ᵃ3. Πβ9. 1271 ᵃ17. μοναρχίαι ἑκούσιαί τε κỳ πάτριαι Πγ14. 1285 ᵇ5. — ἑκουσίως πράττειν Ηγ3. 1111 ᵃ26-28.

ἐκπαφλάζειν πκϑ 9. 936 b22.

ἐκπαφλασμός. τὸ θερμὸν ποιεῖ τὸν ἐκπαφλασμόν πκϑ 9. 936 b29.

ἐκπέμπειν. ἐξέπεμπον συμπρεσβευτὰς τὰς ἐχθρὰς Πβ 9. 1271 a24. — ἀεί τι τῷ δήμῳ μέρος ἐκπέμποντες (tamquam in colonias) ἐπὶ τὰς πόλεις Πβ 11. 1273 b9. — εἰσάγεσθαι ὧν ἐνδεεῖς ⟨x̣⟩ ἐκπέμπειν ὧν ἐπλεόναζον Πα 9. 1257 a33. cf ἐξάγειν, ἐξαγωγή. med ἐκπέμψασθαι τὰ πλεονάζοντα τῶν γιγνομένων Πη6. 1327 a27. — ἐκπέμπειν πνεῦμα, τροφήν, ὑγρόν Ζμγ3. 664 a18. 14. 674 a15. Ζιθ2. 589 b18. τῶν ζῴων τὰ μὲν τελεσιουργεῖ ⟨x̣⟩ ἐκπέμπει θύραζε ὅμοιον ἑαυτῷ Ζγβ1. 732 a25. 4. 737 b17. ὁ πέρδιξ ἐκλέψας (τὰ ᾠὰ) ἐκπέμπει (τὰς νεοττὰς) Ζιζ8. 564 a22 (ἐκτρέφει v l S Did Pic).

ἐκπέτασθαι. σχάδων ὑμένα περιρρήξας ἐκπέταται Ζιε22. 554 b1. οἱ κηφῆνες ἐὰν ἐκπετασθῶσιν Ζιι40. 624 a23.

ἐκπέτεσθαι. ζῷα πτερωτὰ ἐκπέταται sim Ζιε19. 551 a23. θ16. 600 a17. ι40. 625 a11.

ἐκπέττειν. ἐκπέττεται ἡ τροφή χ6. 799 a11. ὅταν μὴ ἐκπεφθῇ (τὸ γάλα) Ζιη11. 587 b23. ἐκπέττεται τὰ ᾠὰ Ζγγ2. 20 752 b31, 753 a6. Ζιζ2. 559 a30, b5. ἐκπέττεται ⟨x̣⟩ ἐκλέπεται τὰ ᾠὰ Ζιζ4. 562 b18. ἐκπέψαι ⟨x̣⟩ ξηρᾶναι τὸ κέρας Ζιι5. 611 b15. ἐκ τῆς γῆς σκώληκες ἐκπέττονται Ζιε28. 555 b25. ταχέως ἐκπέττεται τὰ ἄνθη χ5. 797 a1.

ἐκπηδᾶν. ὅταν ταχεῖς ὁ μόλυβδος εἰς ὕδωρ καταχυθῇ ψυχρόν, 25 ἐκπηδᾷν ἐκ τῦ ὕδατός φασιν f 248. 1524 a31.

ἐκπηνίζειν, med οἱ ἀράχναι φερόμενοι ὑπὸ τῦ πνεύματος πολὺ ἐκπηνίζονται πκς61. 947 b2.

ἐκπιέζειν. τὸ νοτερὸν ἐκπιεζόμενον τό τε πυρῶδες διαπνεόμενον χ5. 397 a23. — ἐκπιεστὰ ξύλα πις8. 915 a9. 30

ἐκπιεσμὸς νέφος πεπαχυσμένα χ4. 394 a28.

ἔκπικρον ὑποχωρεῖ πθ29. 880 a24.

ἐκπικρᾶν. τὸ περίττωμα ἐκπικρᾶται πθ29. 880 a29.

ἐκπιμπράναι. ἡ ἐκπιμπραμένη φλόξ μα8. 346 b12. ὅταν κοπτόμενον ἐκπρησθῇ (τὸ πνεῦμα) μβ8. 367 a10. 35

ἐκπίνειν. ὁ ἀράχνης ἐκπίνει ἐὰν τι ἐνῇ ὑγρόν Ζιε32. 557 b4. οἱ κυνοραϊσταὶ ἐκπίνονται τὸ αἷμα Ρβ20. 1393 b31. ὁ ὀχετὸς ἐκπίνει τὸ ὀλίγον ὕδωρ πα55. 866 a14. ἐκπίνεται ἡ οἰκεία τῆς τριχὸς ὑγρότης f 226. 1519 a14.

ἐκπίπτειν. φοβούμενοι νεοττοὶ ἐκπίπτωσιν Ζιι1. 609 a34. ἄστρα 40 ἐκπίπτοντα μα8. 345 a14. λίθος ὑπὸ πνεύματος ἀρθεὶς ἐξέπεσε μεθ᾽ ἡμέραν μα7. 344 b33. πνεῦμα ἐκπῖπτον ακ801 b11, 803 b19. αν5. 472 b18. ἐκ χασμάτων δαλοὶ ἐκπίπτωσιν μα5. 342 b16. ἰχθύδια ἐκπίπτει παραφερόμενα, opp ὑποδεδυκέναι ὑπὸ ταῖς πέτραις Ζιδ8. 534 a3. cf ζ17. 570 b4. 45 ἰχθύες ὑπὸ ψύχους καταψύχονται ⟨x̣⟩ ἐκπίπτωσιν (e mari eiiciuntur) Ζιθ19. 601 b32. cf 3. 593 b13. ἢ ἐκπίπτει τὸ θερμὸν μγ1. 371 a1. ἤλεκτρον, ὕδωρ, κῦμα, τὸ ὑγρὸν ἐκπίπτει θ81. 836 b3. 102. 839 a22. πκγ12. 933 a6. β19. 868 a14. 36. 870 a24. ὀδόντες ἐκπίπτυσιν, πτερὰ ἐκπίπτει 50 Ζγβ6. 745 b6, 14. a8. 788 b8. Ζγι2. 519 a26. ἐξέπεσε τὰ ἐπικυηθέντα Ζιη4. 585 a11. ἡ ὁρμὴ τῦ ὥρῳ ἐκπίπτασα πρὶν διεγερθῆναι πγ34. 876 a21. φάρμακα ἐκπίπτει φέροντα τὰ ἐμπόδια αὐτοῖς πα42. 864 a33. αἱ ὄψεις διά τινων πόρων ἐκπίπτωσιν πλα21. 959 b10. — γραμμαὶ κατὰ κώνων ἐκ- 55 πίπτωσαι μγ5. 375 b22. — ὑπὸ τῆς φύσεως αὐτῆς ἐξέπεσεν εἰς τὴν φρυγιστὶ ἁρμονίαν πάλιν Πθ7. 1342 b11. — λέγοντες φασὶν ἐκπεσεῖν αὐτὰς (αὐτοῖς?) Ηγ2. 1111 a9. — ἐκπεσεῖν, eiici e civitate, θ81. 836 b10. Πε3. 1303 a33, 34, 36, b3 al. οἱ ἐκπίπτοντες Πε5. 1304 b33. — τραγῳδία 60 ἐκπίπτει, ποιηταὶ ἐκπίπτωσιν πο24. 1459 b31. 18. 1456 a18.

17. 1455 a28. Ργ11. 1413 a11.

ἐκπλεῖν. οἱ ἰχθύες ἐκπλέωσιν Ζιθ13. 598 b8, 11.

ἐκπλεονάζωσα τροφή πε14. 882 a25.

ἐκπληκτικὸν ἡ ἀναγνώρισις πο14. 1454 a4. ἐκπληκτικώτερον πο25. 1460 b25.

ἔκπληξις, def ὑπερβάλλωσα θαυμασιότης τὸ5. 126 b14, 17. ἔκπληξις ἐν ἀναγνωρίσει πο16. 1455 a17.

ἐκπλήρωσι πολλὰς τριήρεις Πη6. 1327 b14.

ἐκπλήττειν. τὰς ἀπολογωμένως θορυβῦντα ἐκπλήττειν ρ19. 1433 a12 (cf καταπλήττωσι τὰς ἀκροατὰς θορυβῦντες Ργ7. 1408 a25). — pass ἐκπλήττεσθαι Ζια17. 496 b27. τὰ τυχόντα ἐκπλήγνυνται κ1. 391 a23. οἱ ἐκπεπληγμένοι, syn φοβῦμενοι σφόδρα Ρβ8. 1385 b33. cf aρ3. 1250 a19.

ἔκπλυς. ποιεῖσθαι τὸν ἔκπλυν, opp τὸν εἴσπλυν θ105. 839 b14.

ἐκπλύνω. ὅταν τὸ ἔριον ἐκπλυθῇ Ζιγ20. 522 b3. πολλάκις αὐτῶν (i e τῶν χρωῶν) ἐκπλύνεται (int τὰ βαπτόμενα) χ4. 794 a28 (sed fort subiecti loco ad v ἐκπλύνεται cogitandum est τὰ χρώματα).

ἐκπνεῖν. ἀνάγκη τὰ ἀναπνέοντα ἐκπνεῖν ⟨x̣⟩ εἰσπνεῖν αν2. 471 a18. ἀναπνεῖ ⟨x̣⟩ ἐκπνεῖ ῥινὶ Ζια11. 492 b6, 10. ἀναπνέοντα ⟨x̣⟩ ἐκπνέοντα Ζμγ3. 664 a19. ἅμα ἀναπνεῖν ⟨x̣⟩ ἐκπνεῖν ἀδύνατον αν2. 471 a17. ἀδύνατον παρεῖναι μὴ ἐκπνέοντα πλγ1. 961 b25. συνιζάνοντες ⟨x̣⟩ καταπνίγοντες, ὥσπερ τὰς φύσας, ἐκπνέωσιν αν7. 474 a15. ἐν τῷ ἀναπνεῖν ⟨x̣⟩ ἐκπνεῖν ἐστι τὸ ζῆν ⟨x̣⟩ τὸ ἀποθνῄσκειν αν4. 472 a11. τελευτῶντες ἐκπνέωσιν αν5. 472 b23. τὸ ἐκπνεόμενον θερμόν ἐστιν αν5. 472 b34. πν1. 481 b12. ξένια ἐκπνεῖ διὰ τῶν βραγχίων αν2. 471 a9. ἐπὶ τοῖς καμπτῆρσιν ἐκπνέυσι ⟨x̣⟩ ἐκλύονται Ργ9. 1409 a32. ⟨x̣⟩ χασμώμενοι ⟨x̣⟩ ἐκπνέοντες ἧττον ἀκύυσιν ἢ εἰσπνέοντες Ζγε2. 781 a31. μὴ δύνασθαι φωνεῖν ἀναπνέοντα μηδ᾽ ἐκπνέοντα, ἀλλὰ κατέχοντα ψβ8. 421 a20, b15. — οἱ ἐκνεφίαι γίνονται μάλιστα ὅταν ἄλλων ἐκπνεόντων ἐμπίπτωσιν ἕτεροι μβ6. 365 a4. βορέας τὰς νύκτας ἐκπνεῖ, τὰς δ᾽ ἡμέρας ἧττον πκς60. 947 a31. ὅταν ἄνεμοι ἁθρόοι ἐκπνεύσωσιν πκς26. 942 b24.

ἐκπνευματῦν. τὸ θερμὸν ἐκπνευματοῖ, opp τὸ ψυχρὸν συνίστησι πα53. 866 a3. — pass ἐκπνευματῦται τὸ ὑγρόν, ὁ ἀήρ π154. 897 b1. λγ15. 963 a18. ε17. 882 b14. χς33. 944 a14. τὸ ἐκπνευματύμενον διὰ τὴν ἐναπόληψιν ποιεῖ σφυγμὸν πν4. 482 b31.

ἔκπνευσις. ἡ ἀνάπνευσις ⟨x̣⟩ ἔκπνευσις (v l ἔμπνευσις) γίνεται εἰς τὸ στῆθος Ζια11. 492 b9. ἐν τῷ πταρμῷ ἡ ἀντικατάσχεσις γενομένη τῦ πνεύματος τῦτο ποιεῖ, ⟨x̣⟩ οἰκείως ἡ ἔκπνευσις γίνεται πλγ1. 961 b24. opp εἴσπνευσις Φη2. 243 b26.

ἐκπνοή. ἀναπνοῆς τὸ μὲν ἐκπνοή ἐστι τὸ δ᾽ εἰσπνοή αν2. 471 a8. ἀναγκαῖον εἶναι τὴν ἀρχὴν εἰσπνοὴν αν5. 472 b24, 21. ἐκ τῦ στήθεος ἐστιν ἡ ἀναπνοὴ ⟨x̣⟩ ἐκπνοὴ κατὰ τὸν γαργαρεῶνα Ζια11. 492 b11. ὁ πλεύμων ἀποτελεῖ τὴν ἀναπνοὴν ⟨x̣⟩ ἐκπνοὴν Ζμγ3. 664 a29. ἡ μὲν εἰσπνοὴ ἕλξις, ἡ δ᾽ ἐκπνοὴ ὦσις Φη2. 243 b12. καθάπερ τῦ ἀέρος ἐκπνοὴν αν21. 480 b10. εὐθὺς μετὰ τὴν εἰσπνοὴν ἐκπνοή πν1. 481 b9. πρὸς ἐκπνοὴν ἡ τῶν βραγχίων φύσις Ζμδ13. 696 b9. — αὔρας καλῦμεν τὰς ἐξ ὑγρῦ φερομένας ἐκπνοάς κ4. 394 b13.

ἐκποιεῖν. ἐὰν ὁ μὲν ταχὺ ἐκποιήσῃ (σπέρμα), ἡ δὲ μόλις Ζγε5. 636 b17.

ἐκπονεῖν τὴν τροφήν πθ6. 877 a18. — med ἐκπονεῖσθαι περὶ τὰς τροφὰς τῶν τέκνων Ζιθ1. 588 b32. ι7. 612 b27.

ἐκπορεύεσθαι. κορακῖνος ἐπὶ τῶν φυκίων ἐκπορευόμενος Ζιζ17. 570 b25. διακωλύει τὸ θερμὸν ἐκπορεύεσθαι πθ12. 890 b37.

ἐκπρεπέστερα ζῷα φ5. 810 ᵃ8.

ἔκπρισμα τῷ σώματος Γα2. 316 ᵃ34.

ἔκπτωσις. ὅταν πάλιν ψύχεται τὸ ὕδωρ πηγνύμενον, ὑδεμίαν συμβαίνει γίνεσθαι τοιαύτην (τῷ θερμῷ) ἔκπτωσιν μβ9. 370 ᵃ5. τῇ ζέσει ἡ ἔκπτωσις διὰ τῶν ὁριζόντων αν20. 480 ᵃ1. ἀπὸ τῷ καυλῷ γίνεται ἔκπτωσις (τῷ γυναικείῳ σπέρματος) Ζιϰ5. 637 ᵃ26. ἡ ἔκπτωσις τῷ πνεύματος πκϛ48. 945 ᵇ18, cf ἀφιέναι πνεῦμα ᵇ18. ἡ τῶν ὄψεων ἔκπτωσις κώνός ἐστιν πιε6. 911 ᵇ5.

ἐκπυρηνίζειν τὰ ἐνόντα Φδ7. 214 ᵃ33.

ἐκπυρῶν. πέφυκεν ἡ κίνησις ἐκπυρῶν ξύλα Οβ7. 289 ᵃ21, 24. τὰ μᾶλλον κινώμενα ᚦ μᾶλλον ἐκπυρῶται μα3. 341 ᵃ34. φθάνει διεξιὼν ὁ κεραυνὸς πρὶν ἐκπυρῶσαι μγ1. 371 ᵃ23. διακρίνειν τὸν ἀέρα ᚦ ἐκπυρῶν μα3. 341 ᵃ18. 5. 342 ᵇ2. ἡ ξηρὰ ἀναθυμίασις ἐκπυρῶσα ποιεῖ τὰ ὀρυκτά μγ7. 378 ᵃ21. πνεῦμα ἐκπυρῶται μγ9. 369 ᵇ5. γ1. 371 ᵃ15. τὰ ἐκπυρούμενα ᚦ κινούμενα φάσματα μα1. 338 ᵇ23. 5. 342 ᵇ22. θερμὸς ᚦ ἐκπεπυρωμένος μα3. 341 ᵃ32. cf 340 ᵇ13. πε21. 883 ᵇ6.

ἐκπύρωσις μα5. 342 ᵇ2. cf Ideler Meteor index.

ἔκπωμα. σπονδὰς ποιεῖσθαι κατὰ τὸ ᛃς τῶν ἐκπωμάτων f 192. 1512 ᵇ18.

ἐκρεῖν. ἀφ᾽ ὅπερ οἱ ποταμοὶ ἐκρέωσιν μβ2. 356 ᵃ16. ἀὴρ εἰσρέων ᚦ ἐκρέων πν2. 842 ᵃ5. αἷμα ἐξερρυηκός, ἐκρυέν Ζιη10. 587 ᵃ21, 16. — τρίχες ἐκρέωσιν Ζιγ11. 518 ᵃ32. 25 πδ18. 878 ᵇ32.

ἐκρηγνύναι. trans ὑπὸ τῷ πνεύματος ἐκρήγνυσθαι τὴν γῆν μβ8. 368 ᵇ5. ἐκρήγνυνται αἱ φλύκταιναι Ζιθ24. 604 ᵇ21. — intr ὁ ἄνεμος ἐκρήξας ὥσπερ ἐκνεφίας μβ8. 366 ᵇ32.

ἔκρηξις τῷ νέφυς κ4. 395 ᵃ15.

ἐκριπίζειν μα8. 346 ᵃ9.

ἐκριπτεῖν. ἂν εἰς ἄπειρον ἡ δύναμις ἐκριπτῇ Οβ14. 296 ᵇ25.

ἐκροή. μὴ ἔχειν ἐκροὰς εἰς θάλατταν μα13. 351 ᵃ4. ποταμῶν ἐκροαί κ6. 399 ᵃ27. μβ2. 356 ᵃ10. — ὁ τόπος ὁ κάτω ᚦ περὶ τὰς ἐκροάς (i ε τὸν ἀρχόν) Ζμδ10. 688 ᵇ28. 35

ἔκρυς. λίμνην ἐκ χερσα φανερόν μα13. 351 ᵃ10.

ἐκροφεῖν τὸν ὀπόν Ζιι6. 612 ᵃ31.

ἔκρυσις. τόποι πληρούμενοι ᚦ ἐκ ἔχοντες ἔκρυσιν μα13. 351 ᵃ5 (cf ἐκροή, ἔκρυς). μετρία ὑδάτων ἔκρυσις χ5. 796 ᵃ12. — αἱ καλούμεναι ἐκρύσεις. καλθνται αἱ μέχρι τῶν 40 ἑπτὰ ἡμερῶν διαφθοραί Ζιη3. 583 ᵃ25, ᵇ11. cf G Harvei Exercitat de gen animal 1662 p 356. μετὰ τὸ σύστημα τὸ ἐξ ἀρχῆς ὠοειδὲς γίνεται· περιέχεται τὸ ὑγρὸν ὑμένι λεπτῷ· διὸ ᚦ καλῦσι τὰς τότε γιγνομένας τῶν κυημάτων φθορὰς ἐκρύσεις Ζιγ9. 758 ᵇ6.

ἐκσπᾶν. τρίχες ἀλύπως ἐκσπῶνται πι22. 893 ᵃ20. ἀπὸ ῥιζῶν ἐκσπῶνται τὰ δένδρα φτα6. 820 ᵇ30. 45

ἔκστασις. μέρη τιμῆς τὰ βαρβαρικὰ οἷον προσκυνήσεις ᚦ ἐκστάσεις Ρα5. 1361 ᵃ37. — πᾶσα κίνησις ἔκστασίς ἐστι τῷ κινυμένῃ ᚦ μεταβ. α3. 406 ᵇ13. ἔκστασίς τίς ἐστιν ἐν τῇ γενέσει τὸ παρὰ φύσιν τῷ κατὰ φύσιν Οβ3. 286 ᵃ19. 50 ἡ ἔκστασις εἰς τἀντικείμενα Ζγδ3. 768 ᵃ27, 26. αἱ ἀρεταὶ τελειώσεις, αἱ δὲ κακίαι ἐκστάσεις Φη3. 247 ᵃ3, 20, 246 ᵃ17, ᵇ2. cf ζ10. 241 ᵇ2. ἐκστάσεις μὴ φυσικαὶ Κ8. 10 ᵃ3. ἡ μανικὴ ἔκστασις Κ8. 10 ᵃ1. ἡ περὶ τὰ ἀφροδίσια ἔκστασις 55 φ4. 808 ᵇ34. τὰς μετ᾽ ᾠδῆς εὐθυμίας ᚦ ἐκστάσεις πλ1. 954 ᵃ25.

ἐκστατικός. μεταβολὴ πᾶσα φύσει ἐκστατικόν Φδ13. 222 ᵇ16 (cf ἔκστασις). — ἐκστατικὸς τῷ λογισμῷ, τῆς δόξης, opp ἐμμενετικός Ηη2. 1145 ᵇ11. 9. 1151 ᵃ26, 1. 3. 1146 ᵇ60 ᵃ18, 17. ἐκστατικὸς παρὰ τὸν ὀρθὸν λόγον Ηη9. 1151 ᵃ20.

ἐκστατικοὶ ὑπὸ ὀργῆς φ6. 812 ᵃ35. ἐκστατικὸν ὁ θυμός ηεγ1. 1229 ᵃ25. ζῷα θυμώδη τὸ ἦθος ᚦ ἐκστατικὰ διὰ τὸν θυμόν Ζμβ4. 650 ᵇ34, 651 ᵃ3. οἷς μέτωπον πλατύ, ἐκστατικοί Ζιε8. 491 ᵇ13. ὁ Αἴας ἐκστατικὸς πλ1. 953 ᵃ22. τῶν ἐκστατικῶν ἔνιοι προορῶσιν μτ2. 464 ᵃ25.

ἐκστρατεύειν οβ 1350 ᵇ33.

ἐκστρέφειν. οἱ τοῖς ποσὶν ἐξεστραμμένοις πορευόμενοι φ6. 813 ᵃ14. — ἐξεστραμμένως πε32. 884 ᵃ19.

ἐκσχίζω. ὁ τῷ πυρὸς ποταμὸς ἐξεσχίσθη κ6. 400 ᵇ4. θ154. 846 ᵃ14.

ἔκτασις σκελῶς, κώλων Ζπ12. 711 ᵃ30. Ζμδ10. 688 ᵃ16. opp κάμψις Ζμβ9. 654 ᵇ22. Ζπ10. 709 ᵇ26. συνιέναι δύναται τὸ ὄργανον ᚦ ἔκτασιν ἔχει Ζμδ10. 689 ᵃ30. ἔχει ἐπὶ μῆκος ἔκτασιν Ζιβ12. 504 ᵃ15. προμήκης ἔκτασις κ4. 395 ᵇ7.

ἐκτείνειν. ἐπικάμπτειν τὸν δάκτυλον ᚦ ἐκτείνειν πάλιν Ζιε30. 556 ᵇ18. ὡς ἡ κεκλασμένη ἔχει πρὸς αὑτὴν ὅταν ἐκταθῇ ψ4. 429 ᵇ15. ἐκτεινόμενον, opp συγκαμπτόμενον, ἐκταθείσης τῆς καμπῆς Ζπ9. 709 ᵇ5, 1. τὰ τετράποδα ἐκτεταμένα ἐν τῇ ὑστέρα Ζιη8. 586 ᵃ35. οἱ ἐκτεινόμενοι ᚦ ἐκτεινόμενος πβ31. 869 ᵇ12. ἀὴρ συστελλόμενος ᚦ ἐκτεινόμενος αχ 800 ᵃ5. ἐκτείνεσθαι ἐπὶ πολύ, opp συνιέναι μδ9. 387 ᵃ14. cf φτβ1. 822 ᵇ1. — τὸ ποσὸν ἐκτείνεται, ἐὰν μή τι κωλύῃ Φθ4. 255 ᵇ23. ἡ ὄψις ἐκτεινομένη ἀσθενεστέρα γίνεται μγ4. 374 ᵇ11. ἡ φορὰ ἐκτείνεται πκϛ59. 947 ᵃ26. ἐκτείνει τὸν βίον πρὸς τὰ πεντήκοντα Ζιζ22. 576 ᵃ28. ἐκτείνειν (συλλαβήν, i ε producere) ἐφ᾽ ὁπόσον βύλεται π022. 1458 ᵇ8. — ἐκτείνειν τὰ ᾠά Ζμδ8. 684 ᵃ23 (? ἐκτίκτειν ci Schn).

ἐκτελέθυσιν (Emp 71) Φθ1. 250 ᵇ31.

ἐκτέμνειν. τοιῷτον σχῆμα τῆς γῆς ἐκτέμνυσιν αἱ ἐκ τῷ κέντρᚢ ἀγόμεναι γραμμαί μβ5. 362 ᵃ35. — ἔνια βλαστάνει ᚢκ ἐν τῇ γῇ ὄντα ἀλλ᾽ ἐκτετμημένα πκ26. 926 ᵃ1. ὥστ᾽ ἐκτμηθῆναι τὰς πόρας τῷ ὄμματος αι2. 438 ᵃ13. — διαφθείρυσι τὰς ὄρχεις ἐκτέμνοντες Ζιγ1. 510 ᵇ2. ἐκτέμνεται τῶν ζῴων ὅσα ἔχει ὄρχεις Ζιι50. 631 ᵇ21, 25. ταῦρος ἐκτμηθεὶς Ζιγ1. 510 ᵇ3. ζῷα ἐκτεμνόμενα τὸν ἕτερον ὄρχιν Ζγδ1. 765 ᵃ25. τὰ ἐκτεμνόμενα ζῷα πῶς μεταβάλλει Ζιε14. 545 ᵃ20. γ9. 517 ᵃ26. ι50. 631 ᵇ21, 632 ᵃ32. ζ21. 575 ᵃ32. Ζγα2. 716 ᵇ5. 4. 717 ᵇ2. ε7. 787 ᵇ19, 788 ᵃ7. οἱ ἐκτετμημένοι ᛃ γίνονται φαλακροί Ζιγ11. 518 ᵃ31. ὑβρισμένος διὰ τὸ ἐκτμηθῆναι παῖς ὢν Πε10. 1311 ᵇ22. οἱ εὐνῦχοι ᚦ ἐν τοῖς ἄλλοις ζῴοις τὰ ἐκτεμνόμενα πι36. 894 ᵇ22.

ἐκτενῶς ποιεῖν, opp ἐλλείπειν ημβ11. 1210 ᵃ27.

ἔκτεξις. δυστοκεῖν ἐν τῇ ἐκτέξει θ177. 847 ᵇ6.

ἐκτήκειν. τὸ γλυκὺ διὰ λεπτότητα τῷ θαλαττίᚢ μᾶλλον ἐκτήκει τὰς κηλῖδας f 209. 1516 ᵃ20.

ἐκτήμοροι. θῆτες οἱ αὐτοὶ ᚦ ἑκτήμοροι, ἐπειδὴ ἑκτῳ μέρει τῶν καρπῶν ἐργάζοντο τὴν γῆν f 351. 1537 ᵇ6.

ἐκτιθέναι. τὸ θῆλυ ἐκτίθησι τὸν νεοσσὸν φτα2. 817 ᵃ35. — med ἐκτίθεσθαι, ita excipere et quasi exserere aliquid e multitudine, ut seorsim considerari debeat (Wz ad 26 ᵇ7, 28 ᵃ23, ᵇ13, 179 ᵃ3) τι22. 179 ᵃ3, 5. Φζ4. 235 ᵃ28. ἀποδείξαι τὸ ἐκθέσθαι Αα8. 28 ᵃ23. ἐκθέσθαι ὅρος Αα8. 30 ᵃ9. τὸ ἐκτεθέν Αα8. 30 ᵃ11, 12. Platonici ἐκθεῖναι vel ἐκθέσθαι τὰ καθόλᚢ eodem sensu ac χωρίζειν dicuntur, ταύτας τὰς καθόλᚢ λεγομένας (ᚢσίας) ἐξέθεσαν Μμ9. 1086 ᵇ10. ἐκθέσθαι τὸ κοινῇ κατηγορύμενον Μβ6. 1003 ᵃ10 (cf Bz p 124, 170. Alex ad Met A9. 992 ᵇ10; non necessario per substantialem naturam τῶν ἐκτεθέντων poni apparet ex τι22. 179 ᵃ3, 5). τὰς λόγας δεῖ (τὸν ποιητὴν) ἐκτίθεσθαι καθόλυ (i e ἀφελόντα τὰ συμβεβηκότα ἐκλαβεῖν τὸ ἐν τοῖς λόγοις καθόλυ κ̣ κοινόν, cf Vhl Poet II 83) πο17. 1455 ᵇ1. — pro exemplo ponere, ἐκθέσθαι ὅρυς Αα10. 30 ᵇ31. 41. 49 ᵇ33, 50 ᵃ1. — exponere, explicare, τὸ μὴ καλῶς ἐκτίθεσθαι τὰς κατὰ τὴν πρότασιν ὅρυς· ὃ δεῖ τὰς ὅρυς ἀεὶ ζητεῖν ὀνόματι ἐκτίθεσθαι Αα34. 48 ᵃ1, 29. τὴν πρόθεσιν εὐθέως ἐκθήσομεν ρ30. 1437 ᵇ35. ἐκτεθείκαμεν αἰτίας φτβ2. 822 ᵇ32.

ἐκτικός. οἱ ἐκτικοὶ ὀξύφωνοι πιθ37. 920 ᵇ27.

ἐκτίκτειν. τὰ ζῷα τὰ μὲν τελεσιυργεῖ κ̣ ἐκπέμπει θύραζε ὅμοιον ἑαυτῷ, τὰ δὲ ἀδιάρθρωτον ἐκτίκτει Ζγβ1. 732 ᵃ27. itaque saepissime Ar de oviparis. — 1. a. reptilia. τὰ τετράποδα κ̣ ᾠοτόκα εἰς τὴν γῆν ἐκτίκτει Ζγγ2. 752 ᵇ32. — b. pisces ἐκτίκτυσιν Ζγγ5. 756 ᵃ13, πρὸς τῇ γῇ Ζιζ13. 567 ᵇ11. ὅταν ἡ θήλεια ἐκτέκῃ, ὁ ἄρρην ἐπιρραίνει· (τῶν ᾠῶν) ὅσα ἂν ἐκτέκωσιν εἰς τὰς τόπυς εἰς ὓς ἐκτίκτυσι, ταῦτα σώζεται Ζιζ13. 567 ᵇ4, 1. ἐν κινήσει διατελῦσιν ὄντες ἔνιοι, ἕως ἂν ἐκτέκωσιν Ζιζ17. 570 ᵇ6, 8. ἀκμάζυσιν οἱ ᵖσοφόροι τῦ ἔαρος, μέχρι ὃ ἂν ἐκτέκωσιν Ζυ37. 621 ᵇ20. τὰ σελάχη ἐκτίκτει πρὸς τὴν γῆν Ζιζ11. 566 ᵃ23 et ᵇ20 ἔαρος εἰσπλέυσι διακεκριμένα, μέχρι ἂν ἐκτέκωσιν Ζυ37. 621 ᵇ27. ἡ βελόνη ἐκτίκτει πρὸς αὐτῇ Ζιζ17. 571 ᵃ5. — c. insecta. ἡ τενθρηδὼν ἐκτίκτει κατὰ γῆς ὥσπερ οἱ σφῆκες Ζυ43. 629 ᵃ35. — d. crustacea. τῶν καρκίνων ἡ θήλεια εἰς τὸ ἐπικάλυμμα ἐκτίκτει Ζιε7. 541 ᵇ32. πρὶν ἐκτεκεῖν τῦ ἔαρος ἄρισται εἰσιν αἱ καλύμεναι ἄρκτοι, ὅταν δ' ἐκτέκωσι, χείρισται Ζιε17. 549 ᵇ24. — e. cephalopoda. ἡ σηπία πρὸς τὴν γῆν ἐκτίκτει· ὁ πολύπυς κ̣ ἡ σηπία κ̣ τἆλλα τὰ τοιαῦτα ἐκτεκόντα Ζιε18. 550 ᵇ7, 9, 2. ὅταν ἐκτέκῃ ἡ θήλεια τῶν σηπίων Ζιζ13. 567 ᵇ8. ὅτε οἱ πολύποδες τὰ ᾠὰ ἐκτέκωσιν Ζυ37. 622 ᵃ35. ἐκκρεμάννυνται περὶ τὴν θαλάμην τὰ ᾠά, ὅταν ἐκτέκῃ ὁ πολύπυς Ζιε18. 549 ᵇ34. — 2. generatim. τὰ θήλεα χαλεπώτατα, ὅταν ἐκτέκωσι πρῶτον Ζιζ18. 571 ᵇ11, et de mammalibus, ἡ ἀλώπηξ, ὅταν ἐκτέκῃ, τῇ γλώττῃ λείχυσα ἐκθερμαίνει Ζιζ34. 580 ᵃ9. — τὰ ἐκτικόμενα ᾠά, κυήματα Ζγγ3. 754 ᵇ8. 5. 756 ᵃ27. 4. 754 ᵃ30. — ἐκτίκτειν i q κηριάζειν. (αἱ πορφύραι) ἐὰν πρὶν ἐκτεκεῖν ἁλῶσιν, ἐνίοτε ἐν ταῖς φορμίσιν ὐχ ὅπη ἔτυχον ἐκτίκτυσιν Ζιε15. 547 ᵃ1, cf 546 ᵇ29 et 547 ᵃ13.

ἐκτίλλειν τρίχας, τρίχες ἐκτιλλόμεναι. ἐκτιλθεῖσαι Ζιθ21. 603 ᵇ22. γ11. 518 ᵇ12, 14. πτερὸν ἐκτιλθέν Ζιγ12. 519 ᵃ27. ζ2. 560 ᵇ23. ἐκτῖλαι τὴν ὀρίγανον, κρόμυα θ11. 831 ᵃ30. Ζυ6. 612 ᵃ27. πκ13. 924 ᵃ32.

ἐκτιμᾶν. ἐκτετιμημένα οβ 1352 ᵇ5, cf ὑπερτίμια ᵇ7.

ἐκτίνειν. ὅπως λάβῃ ἀργύριον ἄδικον, ὐχ ὅπως μὴ ἐκτίσῃ ρ37. 1444 ᵇ7.

ἔκτισις. δίωσις τῆς ἐκτίσεως ἢ ἀναβολὴ χρόνος Ρα12. 1372 ᵃ35. ἐπιτηρεῖν δίκην ἢ ἔκτισιν Ρα12. 1373 ᵃ8. ὐκ ὔσης αὐτοῖς ἐκτίσεως σ13 1347 ᵃ2.

ἐκτιθεῦσαι παιδίον Ζιγ20. 522 ᵃ6.

ἐκτιτρώσκει ἡ ὄις, ἐὰν τύχῃ κύσσα Ζυ3. 610 ᵇ35. ἐκτιτρώσκυσαί τινες γυναῖκες συνέλαβον ἅμα Ζιη4. 585 ᵃ22.

ἔκτμημα. τῆς γῆς ἐκτμήματα ποιῦσιν μβ5. 362 ᵇ5. τὸ ἕτερον ἔκτμημα τὸ ὑφ' ἡμῶν οἰκύμενον μβ6. 363 ᵃ29.

ἔκτμησις. μεταβάλλυσι τὴν φύσιν ἐν τῇ ἐκτμήσει εἰς τὰ ἄγονα πιθ7. 895 ᵃ1.

ἐκτομή. ταῦρος μετὰ τὴν ἐκτομὴν εὐθέως ὀχεύσας Ζγα4. 717 ᵇ3.

ἐκτομίαι βόες πι57. 897 ᵇ27.

ἐκτοπίζειν. trans κόρακας ἑαυτὰς ἐκτοπίζυσιν θ126. 842 ᵇ12. — intr τύραννοι ἐκτοπίζοντες ἀπὸ τῆς οἰκείας Πε11.

1314 ᵇ9. ἐκτοπίζει. syn μεταβάλλειν τὰς τόπυς Ζυ23. 617 ᵇ14. ὄρνιθες, ἰχθύες ἐκτοπίζοντες διὰ τὴν τροφήν sim Ζιθ8. 534 ᵇ2. ζ29. 578 ᵇ29. θ12. 596 ᵇ30, 597 ᵃ10. Ζμδ6. 682 ᵇ8. f 275. 1527 ᵇ16. εἰς τὸν Πόντον ἐκτοπίζειν Ζιθ19. 601 ᵇ17. ὐδαμῶ ποιεῖ αὐτὸν φανερὸν ἀλλ' ἐκτοπίζει Ζυ5. 611 ᵃ24. ζ34. 580 ᵃ8. ὐκ ἐκτοπίζυσιν ἀλλὰ κρύπτυσιν ἑαυτὰς Ζιθ16. 600 ᵃ14. — metaph, digredi ab ipso orationis argumento, ἐὰν ἐκτοπίσῃ, ἁρμόττει μὴ ὅλον τὸν λόγον ὁμοειδῆ εἶναι Ργ14. 1414 ᵇ28.

ἐκτοπισμός. περὶ ἐκτοπισμῦ τῶν ζῴων Ζιθ12. 13. ποιῦνται τὸν ἐκτοπισμὸν τῦτον τὸν τρόπον Ζιθ13. 599 ᵃ4.

ἐκτοπιστικὸς βίος Ζμδ12. 694 ᵃ5. ζῷα ἐκτοπιστικά, dist ἐπιδημητικά Ζια1. 488 ᵃ14. f 286. 1528 ᵇ6.

ἔκτοπος. μελαγχολικοὶ μέν, φρονιμώτεροι δὲ ὡς ἧττον ἔκτοποι πλ1. 954 ᵇ2. οἱ Πυθαγόρειοι τοῖς στοιχείοις ἐκτοπωτέροις χρῶνται τῶν φυσιολόγων ΜΑ8. 989 ᵇ30 Bz. — ἐκτόπως. πυρώδης κ̣ θερμὸν ἐκτόπως θ37. 833 ᵃ14.

ἐκτός. opp ἐνυπάρχον Μδ1. 1013 ᵃ20. λ. 1070 ᵇ23. τὰ ἐκτὸς κ̣ τὰ ἐντὸς ὁμαλῶς θερμαίνειν μὁ3. 381 ᵃ31. μηδενὸς ἐμποδίζοντος τῶν ἐκτὸς Πθ1. 1288 ᵇ24. ἀκίνητον πάσης τῆς ἐκτὸς μεταβολῆς Φθ6. 258 ᵇ14. βίαια ὦν ἡ αἰτία ἐν τοῖς ἐκτός, αἰτιᾶσθαι τὰ ἐκτὸς Ηγ1. 1110 ᵇ2, 13. τὰ ἐκτὸς ἀγαθά Ηa8. 1098 ᵇ13. νεβ1. 1218 ᵇ32. ημα3. 1184 ᵇ3. Ρα5. 1360 ᵇ25. Πη1. 1323 ᵃ25, ᵇ27. ἡ ἐκτὸς εὐετηρία Ηa9. 1098 ᵇ26. ἐκτὸς τῶν τροπικῶν μα8. 346 ᵃ14. ἐκτὸς τῆς πολιτείας Πε4. 1304 ᵃ17. ἐκτὸς τῶν εὐλόγων πίπτειν Μκ2. 1060 ᵃ18. ὁ ἐκτὸς (i e ἐκτὸς τῦ νῦν) χρόνος ε10. 19 ᵇ18, cf 6. 17 ᵃ29 et πέριξ.

ἔκτος. ἔκτῳ μηνὶ Ζιε14. 545 ᵇ10.

ἐκτρέπειν. med ἐκτρέπεσθαι τὰ ἐντὸς ἐκτός Ζυ37. 621 ᵃ7. — pass ἐκτετράπησαν τῆς ὁδῦ Φα8. 191 ᵇ32. ἐξετράπησαν οἷον ὁδόν τινα ἄλλην ἀπωσθέντες ὑπὸ ἀπειρίας Φα8. 191 ᵃ26. ὓ δεῖ εἰς ἄλλα ἐκτρέπεσθαι (aberrare) τὴν ἔνστασιν Αβ26. 69 ᵇ35.

ἐκτρέφειν. 1. i q ἐκφέρειν. ἐκτρέφειν τὰ κυήματα Ζγδ5. 773 ᵃ34, 774 ᵃ15, 18, 25. 6. 774 ᵇ11, 12, ἃ ἂν γεννηθῶσιν Ζιζ22. 576 ᵇ25, ὀλίγα Ζγδ6. 774 ᵇ9, τὸ ἐπικυηθὲν Ζγδ5. 773 ᵇ9. ἔνια προτερεῖ τῆς τελειογενείας διὰ τὴν ἀδυναμίαν τῦ ἐκτρέφειν Ζγδ6. 774 ᵇ35. — a. mammalia. ὁ ἄνθρωπος φύσει μὲν πολυτόκος, περίεστι δέ τι τῷ μεγέθει τῆς ὑστέρας κ̣ τῦ περιττώματος, μὴ μέντοι τοσῦτον ὥστε ἐκτρέφειν ἕτερον Ζγδ5. 773 ᵇ24. ὄνος, βῦς, ἤδη κ̣ ἐνιαυσία ἐκύησεν ὥστε κ̣ ἐκτραφῆναι Ζιε17. 545 ᵇ23, 24. ζ23. 577 ᵃ22. ὓ μόνον συλλαβεῖν δεῖ τὴν ἡμίονον ἀλλὰ κ̣ ἐκθρέψαι Ζγβ8. 748 ᵇ23. αἱ ὕες γεννῶσιν κ̣ ἐκτρέφυσιν ἐξάμηνοι Ζιε14. 545 ᵇ2. — b. ovipara. ὐκ ἐκτρέφονται ἐν τῇ μητρὶ τὰ ᾠστοκύμενα Ζγγ2. 753 ᵇ33. τὰ σελάχη ἐκτρέφυσιν ἐν αὑτοῖς Ζιζ10. 564 ᵇ17. — 2. ἐκτρέφειν εἰς τέλος Ζιε14. 545 ᵇ9. Ζγβ8. 747 ᵇ25 κ̣ συλλαβεῖν μὲν ἐνδέχεται τὴν ἡμίονον, ἐκθρέψαι δὲ κ̣ ἐξενηνεγκεῖν εἰς τέλος ἀδύνατον Ζγβ8. 748 ᵇ30. — 3. ἐκτρέφειν i q τὴν τῶν τέκνων αἴσθησιν ἐπιμελητικὴν παρασκευάζειν, educare Ζγγ2. 753 ᵃ10, 14. a. mammalia. πλειόνων δεῖ μαστῶν τοῖς πλείω μέλλυσιν ἐκτρέφειν Ζμδ10. 688 ᵇ17. ἀνὰ πέντε ἔτεκε γυνή τις κ̣ τὰ πολλὰ αὐτῶν ἐξετράφη Ζιη4. 584 ᵇ36. περὶ τὸν Αἴγυπτον ζῇ τὰ ὀκτάμηνα κ̣ ἐκτρέφεται Ζιη4. 584 ᵇ10. ἐν τοῖς ἄλλοις ζῴοις, κἂν ᾖ τὰ δίδυμα ἄρρεν κ̣ θῆλυ, ὐθὲν ἧττον ἐκτρέφεται γενόμενα Ζιη4. 584 ᵇ37. αἱ νύμφαι ἐκθρέψασαι τὸν Ἀρισταῖον f 468. 1555 ᵃ18. ὅταν ἐκτρέφῃ τρίτῳ μηνὶ τὰ ἔμβρυα, ἐκφαίνεται ἡ ἄρκτος ἤδη τῦ ἔαρος Ζιζ30. 579 ᵃ28. αἱ ἥμεροι ὕες τίκτυσι τὰ πλεῖστα εἴκοσιν· ὓ δύνανται ἐκτρέφειν πάντα Ζιζ18.

573 ᵃ32. — b. aves. ἡ φήνη ἐκτρέφει τὰ τέκνα χ̓ αὐτῆς χ̓ τὰ τῦ ἀετῦ Ζυ34. 619 ᵇ24. ζ6. 563 ᵃ27. ὁ μελανάετος ἐκτρέφει μόνος τὰ τέκνα χ̓ ἐξάγει Ζυ32. 618 ᵇ29. τὰ ἄλλα ὄρνεα τῦ θέρᾳς ἀφικνύμενα νεοττεύει ἐνταῦθα χ̓ ἐκτρέφει τὰ πλεῖστα Ζιθ3. 593 ᵃ23. ἡ ὑπολαῖς ἐκπέττει χ̓ ἐκτρέφει τὰ ᴕὰ τῦ κόκκυγος Ζιζ7. 564 ᵃ3. ἀπολομένης τῆς θηλείας ἐνίοτε οἱ ἀλεκτρυόνες ὤφθησαν περιάγοντές τε χ̓ ἐκτρέφοντες τὸς νεοττὸς Ζυ49. 631 ᵇ15. — c. amphibia τίκτει χ̓ ἐκτρέφει ἐν τῷ ξηρῷ Ζιθ2. 589 ᵃ30. — 4. ἐκτρέφειν εἰς τέλος διὰ τὴν τῦ σώματος εὐβοσίαν Ζγδ6. 774 ᵇ24. — 5. ἐκτρέφειν de aqua. τὸ πότιμον χ̓ τὸ γλυκύτερον ὕδωρ ἐκτρέφει τὰ κυήματα τῶν δελφίνων Ζιθ13. 598 ᵇ5.

ἐκτρέχειν. ὁ ψιλὸς εἰς τὴν ἰδίαν ἐκτρέχει χώραν κ6. 399 ᵇ8. Ἀγκαῖος ἐπὶ σὺν ἐκδραμὼν f 530. 1566 ᵃ23. — δεῖ τὸ κέρας τὴν φύσιν ἔχειν τῆς αὐξήσεως ὁμαλὴν χ̓ μὴ ταχέως ἐκδεδραμηκυῖαν ακ 802 ᵃ21.

ἐκτροπή. ἡ ἐπὶ ταύτας τὰς αἰτίας ἐκτροπή (cf ἐκτρέπεσθαι) Μν2. 1089 ᵃ1 Bz.

ἐκτροφή τῶν τέκνων Ζιγ20. 522 ᵃ26. ε8. 542 ᵃ30. Ζγγ2. 753 ᵃ11. αἱ ἐκτροφαὶ τῶν τέκνων Ζιθ1. 588 ᵇ30. ἡ ἐκτροφὴ ὐκ ἐν τῇ μητρί ἐστιν Ζγγ2. 754 ᵃ8. ἐκτροφαί τε πάντων χ̓ ἀκμαὶ χ̓ φθίσεις κ6. 399 ᵃ28.

ἔκτρωμα cf Lob Phryn 209. τὰ καλύμενα ἐκτρώματα Ζγδ5. 773 ᵇ18. (fort et aborsus et abortus.)

ἐκτρωτίζειν. ταῖς κυάρσαις ὁ τόκος ὁ ἐαρινὸς εἰς ἐκτρώσεις γίνεται πα9. 860 ᵃ18.

ἐκτρωσμός. aborsus. ἐκτρωσμοὶ αἱ μέχρι τῶν τετταράκοντα ἡμερῶν διαφθοραί Ζιη3. 583 ᵇ12. cf Sprengel Beitr z Gesch der Medizin I, 3, 190 adn. Lob Phryn 209.

Ἕκτωρ Ρβ22. 1396 ᵇ17. 23. 1397 ᵇ22. f 12. 1476 ᵃ2. 596. 1597 ᵃ15, ᵇ9. 597. 1577 ᵇ38. ἡ τῦ Ἕκτορος δίωξις. epico carmini apta, non dramatico πο24. 1460 ᵃ15. 25. 1460 ᵇ26. versus Homerici afferuntur Ηγ11. 1116 ᵃ22 (Χ100), 25 (Θ148), 33 (Β391). η1. 1145 ᵃ20 (Ω258). ημα20. 1191 ᵃ8 (Χ100). Ρβ3. 1380 ᵇ37 (Ω54). ψα2. 404 ᵃ30 et Μγ5. 1009 ᵇ29 Ἕκτωρ κεῖτ᾽ ἀλλοφρονέων. non legitur in nostro textu Homerico cf Trdlbg p 218.

ἐκφαίνειν. ὅταν ἐκθρέψῃ τρίτῳ μηνὶ (ἡ ἄρκτος τὰ τέκνα), ἐκφαίνυσιν ἤδη τὸ ἔαρος Ζιζ30. 579 ᵃ28. — pass φλ᷉ τῦ ἐκφαίνεται παχεῖα Ζιγ2. 512 ᵃ14.

ἐκφανής. φωνὴ μὴ λίαν ἔχυσα τὸ λαμπρὸν ἐκφανές ακ 802 ᵃ5. — ἔστι τῦτο ἐν τῇ πέψει τῶν μετάλλων ἐκφανές (i q δῆλον) φτβ1. 822 ᵃ28.

Ἐκφαντίδης Πθ6. 1341 ᵃ36.

ἐκφέρειν. προφάσεις τῦ ἐκφέρειν πόλεμον πρός τινας ρ3. 1425 ᵃ10. — διὰ τί ὐδεὶς ὅρον ἐκφέρει ἰδέας Μζ15. 1040 ᵇ2. ἄν ἰατρικόν τι διὰ μέτρων ἐκφέρωσιν πο1. 1447 ᵇ17. — ἐκφέρειν ἡ φέρειν μέχρι τέλος τὸ κύημα. ἐκθρέψαι χ̓ ἐξενεγκεῖν εἰς τέλος Ζγβ8. 748 ᵇ30. ἐξενεγκεῖν διὰ τέλυς Ζιζ24. 577 ᵇ23. opp συλλαμβάνειν Ζιζ22. 577 ᵃ4. η4. 585 ᵃ13. 6. 585 ᵇ20, 21. μίσγεσθαι δοκεῖ τὰ μὴ ὁμόφυλα χ̓ ἐκφέρειν Ζιθ28. 606 ᵇ22. ὅτι ἂν ἔμπροσθεν ἐξενεχθῇ τῶν εἰρημένων χρόνων ἐκβόλιμόν ἐστι Ζι21. 575 ᵃ27. ὅτι τὰ φυτὰ σπέρμα ἐξενέγκειεν Ζγα23. 731 ᵃ22. — Δημόκριτος ἠγάπα (τῦ ὁρίσασθαι), ὡς ὐκ ἀναγκαῖον τῇ φυσικῇ θεωρίᾳ. ἀλλ᾽ ἐκφερόμενος ὑπ᾽ αὐτῦ τῦ πράγματος Ζωα1. 642 ᵃ27.

ἐκφεύγειν τὴν κακοπάθειαν, τὴν τιμωρίαν ρ17. 1432 ᵃ26, 28. εἶναι μὲν μικρὰς τὰς ὀσίας (Democr) ὥστε ἐκφυγεῖν τὰς ἡμετέρας αἰσθήσεις f 202. 1514 ᵇ14. — sine obiecto ἄριστα ἐκφεύγυσι τῦ πλατεῖν Πβ11. 1273 ᵇ18. — τοῖς

V.

τὰς ἰδέας τιθεμένοις τῦτο μὲν ἐκφεύγει Μν3. 1090 ᵇ21.

ἐκφλογῦν. πῦρ ὁ φανερὸν ἐπειδὰν ἔλαιον ἐπιχυθῇ ἐκφλογῦται θ36. 833 ᵃ9.

ἐκφοινίσσονται τὸς ὀφθαλμὺς φ6. 812 ᵃ37.

ἐκφόριον χ̓ δεκάτην προσαγορεύυσι τὴν πρόσοδον οβ 1345 ᵇ33. ἔκφοροι γυναῖκες (i e ἐκφέρυσαι, ἐκτρέφυσαι) f 258. 1525 ᵃ39.

ἐκφύειν. τὰ φυτὰ ἐκ τινος μορίυ γίνεται χ̓ τὸ μὲν ἀρχή τὸ δὲ τροφία γίνεται ἡ πρώτη τοῖς ἐκφυομένοις Ζγγ11. 762 ᵇ20. ἐντεῦθεν ὅ τε καυλὸς ἐκφύεται χ̓ ἡ ῥίζα τῶν φυομένων ζ3. 468 ᵇ21. ὁ ἂν ἐκφύσῃ, τὸ πρῶτον εὐθὺς ὄζει πιβ3. 906 ᵇ13. ξηραινόμενος μὲν ὁ πυρὸς ὅλως εκέται, νοτιῶν ἐκφύεται πκα12. 928 ᵃ14. τὰ ἐκφυόμενα τὸς λίθυς διαιρεῖν Φθ3. 253 ᵇ15. cf πια28. 902 ᵇ2. ἡ γῆ ἐκφύσα πάντα κ5. 397 ᵃ26 (cf φερέσβιος 2. 391 ᵇ13). — τῶν βοῶν ἐκπεφυκέναι τὰ κέρατα f 321. 1532 ᵃ39. οἱ ἔλαφοι νέμονται τὸν χρόνον τῦτον νύκτωρ, μέχριπερ ἂν ἐκφύσωσι τὰ κέρατα Ζυ5. 611 ᵇ13. τὸ ἐντὸς ἐκπεφυκὸς ἐκ τῆς κεφαλῆς ὀστῦν Ζιγ9. 517 ᵃ22 (i q ἡ ἔκφυσις, Stirnzapfen, ap Theophr fragm XIII ed S I 831, 7 V 180). — ἐκφύειν intr, διὰ τί ἐνίοις, ὅταν πονήσωσιν. ἕλκη ἐκφύυσιν ιε27. 883 ᵇ26 (cf Hippocr Epid 6, 5, 34 ἕλκεα ἐκφύυσιν, ἂν ἀκάθαρτος ἐὼν πονήσῃ).

ἐκφυσᾶν. φλόγες ἐκ γῆς ἀναβλύσασαι χ̓ ἐκφυσήσασαι κ6. 400 ᵃ32.

ἔκφυσις. ὅπυ ὑγρὸν χ̓ θερμὸν πλεῖστον, ἐνταῦθ᾽ ἀναγκαῖον πλεῖστον εἶναι τὴν ἔκφυσιν Ζυβ14. 658 ᵇ5. δένδρων ἐκφύσεις κ4. 396 ᵃ23. 6. 399 ᵃ27. ἀπὸ τῆς γῆς ἐστιν ἡ ἔκφυσις τῆς βοτάνης φτβ1. 822 ᵃ14. ἐν τῇ ὥρᾳ τῆς ἐκφύσεως (τῦ φυτῦ) φτα2. 817 ᵃ23. — ἡ πρὸ τῆς ἀφανίσεως ἐν Οἴτῃ τῶν ἑλκῶν ἔκφυσις γενομένη πλ1. 953 ᵃ18. — τῶν τριχῶν ἔκφυσις πβ6. 867 ᵃ6. ἡ ἀσθένεια αὐτῶν τε τῶν πτερῶν χ̓ ἡ τῆς ἐκφύσεως Ζπ10. 710 ᵃ21. τῶν βοῶν τῶν ἐν Νευροῖς ἐκπεφυκέναι τὰ κέρατα χ̓ τὰ ὦτα ἔκφυσιν τὴν αὐτήν χ̓ μίαν συνυφασμένην f 321. 1532 ᵃ41.

ἐκφυτεύειν πήγανον εἰς συκῆν πκ18. 924 ᵇ36.

ἐκχεῖν εἰς τὴν γῆν τὸ σπέρμα Ζικ6. 637 ᵇ37. εἰς Σικελίαν τὴν πόλιν ἐξέχεαν (Αἴσων ἔφη) Ργ10. 1411 ᵃ26. — pass ἐκ φλεβῶν ἐκχεῖται αἷμα ἀθρόον Ζιγ2. 511 ᵇ16. ἐκχεῖται ὁ περιττεύων τῆς θρεπτικῆς ὕλης φτβ1. 822 ᵇ16. ὅταν ἐκχυθῇ τὸ πλύμα τῶν ἰχθύων Ζιθ8. 534 ᵃ27. ἀντλίας ἐκχυνθείσης Ζιθ8. 534 ᵃ28. ἀκαιρίος χυμὸς εἰς τὴν θάλασσαν ἐκχυθείς αι6. 446 ᵃ9. ἐκκέχυται (Emp 239) Οβ13. 294 ᵃ27. ξ2. 976 ᵃ37.

ἐκχυλίζειν τῇ γλώττῃ πάντοθεν Ζιθ11. 596 ᵇ12. ἐξεχύλισεν Ζυ39. 623 ᵃ16.

ἐκχυμίζειν. τὸ τῶν ἀστέρων γένος προσπῖπτον ἐκχυμίζει πολλὰ τῶν ὀστρέων Ζυβ5. 681 ᵇ9. sine obiecto Ζυβ17. 660 ᵇ21. Ζιθ4. 594 ᵃ15.

ἐκχυσις (ὕδατος) μβ1. 354 ᵃ26. 8. 368 ᵃ32. πκς14. 941 ᵇ36. ἡ ἔκχυσις τῦ σπέρματος πλ1. 953 ᵇ39.

ἐκχωρεῖν. τὸς Θετταλὸς ἐκχωρῆσαι ἂν θ23. 832 ᵃ15.

ἐκχωρίζειν. περιττώματα ἐκκεχωρισμένα Ζιε19. 551 ᵃ7.

ἐκψύχειν. ἔνιοι τῆς ἀπαγχομένης ὁρῶντες ἐκψύχυσιν πζ5. 886 ᵇ14. τὸ πνεῦμα πολὺ ἐκκαίεται, ὁ ὐχ ἅμα ἐκψύχεται πε15. 882 ᵃ36.

ἑκών τίς Ηε15. 1138 ᵃ9. η11. 1152 ᵃ15. Ρα10. 1368 ᵇ9. ὐχ ἑκών, dist ἄκων Ηγ2. 1110 ᵇ23, 21. τίνα ποιῦσιν ἑκόντες Ρα10. 1369 ᵃ22. ἀδικεῖ ἢ δικαιοπραγεῖ ὅταν ἑκών τις αὐτὰ πράττῃ Ηθ10. 1135 ᵃ17. πότερον τὸς ἑκὼν ἀδικεῖται Ηε11. 1136 ᵃ15. ἄνθρωπος ἑκὼν ἑαυτὸν χείρω ποιεῖ f 15. 1476 ᵇ35. ὁ ἑκὼν ἁμαρτάνων ἐν μὲν τέχνῃ αἱρετώτερος, περὶ δὲ

Gg

φρόνησιν ἧττον Ηζ5. 1140 ᵇ23. ᴗδεὶς ἑκὼν πονηρὸς ᴗᵈ' ἄκων
μάκαρ Ηγ7. 1113 ᵇ15. — ἢ ἑκόντες ἢ ἄκοντες ᴗᵈὲν λέγᴗσιν
Ηη14. 1153 ᵇ21. — ἄρχειν, μοναρχεῖν ἑκόντων, syn πεί-
σαντες, πεισθέντων Πε4. 1304 ᵇ16. ᵈ10. 1295 ᵃ16. —
ἑκόντα passive Ρβ6. 1384 ᵃ20. 5

ἐλαία (ἐλάα). 1. Olea europaea L. δένδρεα ἐλαίας (Emp
286) Ζγα23. 731 ᵃ5. ἐλαῖαι (Hom η116) κ6. 401 ᵃ2. ἐλάα
(v l ἐλαία) καρποφόρος, ἄκαρπος Ζγγ5. 755 ᵇ11. ἄνθος
ἐλαίας Ζιε21. 553 ᵃ21. κηρᴗ ἀνάληψις ἐπὶ τῶν ἐλαιῶν
Ζυ40. 624 ᵇ10. αἱ ἐλαῖαι ᴗ παλίνσκιοι Ζιε30. 556 ᵃ23. τῆς 10
ἐλαίας καρποί, φιτροὶ ἐκ τᴗς οἰκείας ῥίζης, χυλοί, κλάδοι,
φύλλα φτα3. 818 ᵃ32. 4. 819 ᵇ5. 5. 820 ᵃ32. 7. 821 ᵇ16.
β9. 828 ᵇ2. ἐλαία καλλιστέφανος θ51. 834 ᵃ12. ὁ ἱερὸς
τῆς ἐλαίας θαλλὸς θ153. 846 ᵃ6. — 2. i q καρπὸς ἐλαίας.
ἐλαιῶν φορὰν ἐσομένην Πα11. 1259 ᵃ10. τῆς ἐλαίας ἀμόργης 15
χ5. 796 ᵃ27. ἐλαῖαι παλαιᴗμεναι πικραὶ γίνονται πκ25.
925 ᵇ36.

Ἐλαιατικὸς κόλπος τῆς Μυσίας σ 973 ᵃ10, cf Ἐλαΐτικός.
ἔλαιον γλισχρὸν μᵈ5. 382 ᵇ16. αι4. 441 ᵃ25. λεπτομερέ-
στατον πλα21. 959 ᵇ12. ἢ τᴗ ἐλαῖ᾽ φύσις ποία μᵈ7. 383 20
ᵇ21-384 ᵃ2, 15. 8. 385 ᵇ4. 9. 387 ᵇ7, 22. 10. 388 ᵃ32, ᵇ10.
3. 381 ᵃ8. Ζμβ2. 649 ᵃ23. τὸ ἔλαιον πῶς πήγνυται Ζμβ2.
648 ᵇ32, 33, πῶς παχύνεται Ζγβ2. 735 ᵇ13, 22, 28, 31,
736 ᵃ17. ταχέως λαμβάνει τὰς τῶν πλησίον ὀσμάς εν2.
460 ᵃ28. εὐωδέστερον ἐν τοῖς ἀποκεκινημένοις ἀγγείοις f 215. 25
1517 ᵇ25. τρίβεσθαι ἐλαίῳ, πίνειν ἔλαιον Ζιθ26. 605 ᵃ31,
ᵇ2. ἄλειψις ὕδατος χ ἐλαίᴗ μιγνυμένων Ζγε5. 785 ᵃ30.
τὸ ἔλαιον ποιεῖ δακρύειν, ἀσθενῆ ἔχον δῆξιν πκ22. 925 ᵇ3.
Μάγνητες παρέχᴗσι τοῖς ἐπιδημᴗσι στέγην ἅλας ἔλαιον ὄξος
f 588. 1574 ᵃ1. ἐργασία τᴗ ἐλαίᴗ χ μέλιτος f 468. 1555 30
ᵃ19. τινὰ φυτὰ ποιᴗσιν ἔλαιον φτα4. 819 ᵇ32. δεῖται τὰ
στέμφυλα ἐλαίᴗ Ρβ23. 1400 ᵃ13. ἔλαιον κέδρινον Ζιη3.
583 ᵃ23. ἔλαιον ἀπὸ σελαχῶν (Leberthran) Ζιγ17. 520
ᵃ18. τὸ ἐξικμαζόμενον ἐκ τῶν ἁλῶν ἔλαιον αι5. 443 ᵃ14.
πκγ15. 933 ᵃ20. 32. 933 ᵃ8. 9. 932 ᵇ19. — ἔλαιον i q 35
ἐλαία 1 (?) f 345. 1536 ᵃ19.
ἐλαιόπρωρα ἀμπελογενῆ Φβ8. 199 ᵇ12.
ἐλαιᴗν. τὰ ἔντομα ἀποθνήσκει ἐλαιᴗμενα Ζιθ27. 605 ᵇ20.
ἐλαιᴗργιον. ἀρραβῶνας διαδᴗναι τῶν ἐλαιᴗργίων (v l ἐλαιᴗρ-
γιῶν) Πα11. 1259 ᵃ13. 40
Ἐλαΐτικὸς κόλπος τῆς Μυσίας (v l Ἐλαιατικός) f 238.
1521 ᵇ2.
ἐλαιώδης λιπαρότης Ζιγ20. 522 ᵃ22. τὰ ἐλαιώδη μᵈ9. 388
ᵃ5. βοτάναι ἐλαιώδεις φτα7. 821 ᵇ33.
ἐλᾶν. ἀγέλας ἐλάων (ex epigrammate antiquo) θ133. 843 ᵇ28. 45
ἐλατήριον κινεῖ τὴν κοιλίαν πα41. 864 ᵃ5. ὑγιεινόν ημβ3.
1199 ᵃ32.
ἐλαττονάκις, minus saepe, rarius, μβ8. 368 ᵇ25. γ2. 371
ᵇ25. αν9. 475 ᵇ13. πε22. 883 ᵃ19. opp πλεονάκις Ζιε11.
543 ᵇ30. 50
ἐλαττονεῖν. ἐλαττονεῖται ἡ γῆ φτβ3. 825 ᵃ33.
ἐλαττᴗν. θορὸς ἐλαττᴗμενος Ζγγ5. 756 ᵃ26. τὰ τᴗ χορᴗ
ἠλάττωσεν Αἰσχύλος ποά. 1449 ᵃ17. — τῷ περὶ χρήματα
ἐλαττυμένῳ τιμὴν ἀπονέμυσιν Ηθ16. 1163 ᵇ10 (opp ᴗφε-
λεῖσθαι ᵇ13). τῶν φύσει δικαίων ᴗκ ἐλαττᴗται ὁ ἐπιεικής 55
ημβ1. 1198 ᵇ32. ἄρχειν τᴗς ἐπιεικεῖς, μηδὲν ἐλαττᴗμένα
τᴗ πλήθᴗς Πζ4. 1319 ᵃ3. ζῷον ἠλαττωμένον, opp τέλειον·
κόσμος ἠλαττωμένος, opp τέλειος φτα1.816 ᵃ34. 2. 817 ᵇ36.
ἔλαττων. de magnitudine, γῇ εἴτε πλείων εἴτε ἐλάττων μβ3.
357 ᵇ14. γῆς ὄγκος ἐλάττων ἄστρων ἐνίων μα3. 339 ᵇ9. 60
ἐλάττω μεγέθει πλοῖα μα14. 353 ᵃ3. ἡ ὄψις ἡ τᴗ ἐλάττονος

ὑπερέχει Οα11. 281 ᵃ26. τὸ τᴗ ἐλάττονος ἔλαττον χ αὐτὸ
ἔλαττον Φζ2. 232 ᵇ13. ἡμέραι ἐλάττᴗς, opp μακρότεραι
μγ5. 377 ᵃ11, 13. ἀρχαὶ ἐξάμηνοι, ἐλάττᴗς Πᵈ15. 1299 ᵃ7.
τίμημα ἔλαττον, opp πλεῖον Πε7.1307 ᵃ28. ἄνεμοι ἐλάττᴗς
τὸ μέγεθος μβ8.366 ᵃ11. φῶς ἔλαττον, opp πυκνότερον μα5.
342 ᵇ6. θερμότης ἐλάττων, πλείων μᵈ11.389 ᵇ4.3. 381 ᵇ19.
ἀνάκλασις ἐλάττων μγ4. 375 ᵇ2. ἐλάττω ἀποκάθαρσιν ἔχειν
μᵈ6. 383 ᵇ4. ὅσοι ἐλάττᴗς (aetate minores?) ᴗ δύνανται βα-
δίζειν πια30. 902 ᵇ18. — ἔλαττον ἀξίωμα ατ969 ᵃ18. —
ἔλαττον ἄκρον syllogismi Αα4.26 ᵃ18, 22 al. — ἐπ' ἔλαττον
ἡ διαφορὰ τᴗ γένᴗς λέγεται, opp ἐπὶ πλεῖον τᴗ1. 121 ᵇ13,
12 al. ἐπ' ἔλαττον, opp ὡς ἐπὶ τὸ πολύ τβ6. 112 ᵇ10. —
de numero, ἐλάττᴗς (ἐλάττονες Πᵈ6. 1293 ᵃ24), opp πλείᴗς,
πάντες Πᵈ3. 1290 ᵃ5. 6. 1293 ᵃ21, 26. γ13. 1283 ᵃ40. —
ἐλάχιστος, de magnitudine, ἐν ἑκάστῳ μέτρῳ τὸ ἐλά-
χιστον Οβ4. 287 ᵃ25. εἴ τις ἐλάχιστον εἶναί τι φαίη μέγεθος
Οα5. 271 ᵇ10. διαιρεθῆναι εἰς τἀλάχιστα Γα10. 328 ᵃ6.
αι3. 440 ᵇ5, 10. χρόνος ἐλάχιστος Οβ6. 288 ᵇ33. οἱ ἄνεμοι
ὅθεν πνέᴗσιν ἐλάχιστοί εἰσι, προϊόντες δὲ λαμπροὶ πνέᴗσιν
μβ4. 361. ᵇ4. — de numero, Πιὰ3. 1253 ᵇ5. ἐλάχιστοι τὸν
ἀριθμὸν Πε10. 1312 ᵃ30. ἐν ἐλαχίστοις δυσί, τέτταρσιν
Ηε6. 1131 ᵃ15, 19, 32, ᵇ4.
ἐλάττωσις. ἡ ἐπιείκεια ἐλάττωσις τῶν συμφερόντων χ δι-
καίων τζ3. 141 ᵃ16. — συμπαραληπτέον χ τὰς ἐλαττώσεις
εἴ πη τῶν ἀντιδίκων καταδεεστέρως ἔχει ρ37. 1442 ᵃ16. cf
30. 1436 ᵇ34 (Spengel p 201, 245). ὀλιγωρήσεις χ ἐλατ-
τώσεις αρ6. 1251 ᵃ5.
ἐλαττωτικός, opp ἀκριβοδίκαιος Ηε14. 1138 ᵃ1. ὁ ἐπιεικὴς
ἐλαττωτικός ἐστι τῶν δικαίων τῶν κατὰ νόμον Ηε12. 1136
ᵇ21. ημβ1. 1198 ᵇ26.
ἐλαύνειν. πνεῦμα σφοδρῶς ἐλαυνόμενον κ4.395 ᵃ14. τᴗ ἐλαυ-
νομένᴗ μένοντος τὰ μόρια μεταβάλλει κατὰ τόπον Γα5. 320
ᵃ21.—intr, μόνῳ ἀκράτῳ χρωμένοί τινες πρὸς ἀποπληκτικὰς
νόσᴗς ἤλασαν πηγ26. 874 ᵇ30. — ἐλατός. τὸ ἐλατόν, dist
θλαστόν, πιεστόν μᵈ9. 386 ᵇ22, 24. ὅσα μεταλλεύεται χ
ἔστιν ἢ χυτὰ ἢ ἐλατὰ μγ6. 378 ᵃ27. περὶ ἐλατᴗ μᵈ8.
385 ᵃ16. 9. 385 ᵇ10, 368 ᵇ19—25.
ἐλάφειος. ἐλαφείᴗ κέρατος θυμιωμένᴗ τὰ ἔντομα φεύγει
Ζιθ8, 534 ᵇ23.
Ἐλαφηβολιών. περὶ τὸν Ἐλαφηβολιῶνα Ζιζ17. 571 ᵃ12.
τᴗ μηνὸς τᴗ Ἐλαφηβολιῶνος Ζιζ30. 579 ᵃ25.
ἔλαφος. εἶδος τᴗ γένᴗς τᴗ τῶν τετραπόδων ζῴων χ ζῳοτόκων
Ζια6. 490 ᵇ33. ἡ ἔλαφος i q τὸ τῶν ἐλάφων εἶδος Ζιι5.
611 ᵃ27, ᵇ21, 26. 50. 632 ᵇ4. Ζμγ2. 663 ᵃ9. ᵈ2. 677 ᵃ32
al. ὁ ἄρρην ἔλαφος, ἡ θήλεια Ζιε2. 540 ᵃ5. 14. 545 ᵃ1.
ζ29. 578 ᵇ8. ι5. 611 ᵃ23, ᵇ23. Ζμγ1. 662 ᵃ1. 2. 664 ᵃ6, 7.
refertur inter τὰ μέγεθος ἔχοντα Ζιε2. 540 ᵃ4, τὰ δισχιδῆ
Ζιβ1. 499 ᵇ10, τὰ κερατοφόρα Ζμγ2. 664 ᵃ5. 14. 674 ᵇ8.
descr Ζιζ29. 578 ᵇ7—16, 13. 611 ᵃ15-ᵇ31. μέγεθος
τᴗ ἱππελάφῳ προσεμφερές Ζιβ1. 499 ᵃ8. ἔχει τὸ πρόσωπον
σαρκῶδες, τὴν ῥῖνα σιμήν, τὸν τράχηλον λεπτὸν μακρὸν φ6.
811 ᵇ7, 3, ᵃ16, ἐν τοῖς μηροῖς τᴗς μαστᴗς Ζιᵈ10. 688
ᵇ24, χηλὰς Ζιβ1. 499 ᵃ10, τὴν κέρκον μικρὰν Ζιβ1. 498
ᵇ14, τὸ τῶν ἀρρένων αἰδοῖον νευρῶδες Ζιβ1. 500 ᵇ23, τὸ
ἔντερον πικρόν Ζιβ15. 506 ᵃ32, μεγάλην τὴν καρδίαν Ζμγ4.
667 ᵃ20, πλεῖ᾽ς κοιλίας Ζμγ14.674 ᵇ8, itaque μηρυκάζει
Ζιι50. 632 ᵇ4. χολὴν ᴗκ ἔχει Ζιβ15. 506 ᵃ22, 31. Ζμᵈ1.
676 ᵇ26. 2. 677 ᵃ32. ἐν τῷ αἵματι ᴗκ ἔνεισιν ἶνες Ζιγ6.
585 ᵇ34. Ζμβ4. 650 ᵇ15 cf F272, 12; KaZu33, 2. τὸ
αἷμα ᴗ πήγνυται Ζιγ19. 520 ᵇ24. μᵈ7. 384 ᵃ27 cf Lewes
289. πῆξις τᴗ αἵματος ᴗ στιφρὰ Ζιγ6. 516 ᵃ2. ἔχᴗσι κέρατα

Ζιβ1. 499 ᵇ17. ι5. 611 ᵃ25 sq. Ζμγ1. 662 ᵃ1, πλὴν τῆς ἐλάφῳ θηλείας Ζιθ11. 538 ᵇ13. cf πο25. 1460 ᵇ31. ἡ τῶν κεράτων ἐξοχή, τὸ μέγεθος αὐτῶν κ̅ τὸ πολυσχιδὲς βλάπτει Ζμγ2. 663 ᵃ8, 664 ᵃ7. ἀποβάλλυσι κατ' ἔτος Ζιβ1. 500 ᵃ10. γ9. 517 ᵃ25. ι5. 611 ᵃ27. κατορύττυσι θ75. 835 ᵇ27 (cf Theophr IV 816). f 331. 1533 ᵇ36 (cf Rose Ar Ps 354). κρύπτυσι φτα3. 818 ᵇ23. ἐνίοτε ὑκέτι φύυσι κέρατα, ἐνίοτε ὑκ ἀποβάλλυσι Ζυ50. 632 ᵃ11. de colore cervorum χ6. 798 ᵃ26 (cf Theophr IV 872; D praef XIV ad p 652, 54; Prantl de coloribus 179, 26). — de voce Ζιε14. 545 ᵃ1. ζ29. 579 ᵃ1 (Sturz de vocibus animal I 15), ὀξύφωνος φ2. 807 ᵃ20. de coitu Ζ2. 540 ᵃ5. ἔλαφοι ἐκτμηθέντες Ζιγ9. 517 ᵃ26. ι50. 632 ᵃ10. — κατὰ τὸ ἦθος λαγνός φ6. 811 ᵇ2 (cf Rose Ar Ps 705, 6, Anecdota I 69 sq), δειλός φ2. 806 ᵇ8. 6. 811 ᵃ16, ᵇ7, φρόνιμος κ̅ δειλός Ζια1. 488 ᵇ15 cf Hε7. 1141 ᵃ27. — ἔλαφοι τιθασσοί Ζιε2. 540 ᵃ8. — distrib geogr. ἐν Ἠπείρῳ θ75. 835 ᵇ27 (Theophr IV 816). ἐν τῷ ὄρει τῷ Ἐλαφώεντι καλυμένῳ αἱ ἔλαφοι πᾶσαι τὸ ὗς ἐσχισμέναι εἰσὶν Ζιζ29. 578 ᵇ28. τῶν Κελτῶν οἱ κυνηγύντες ἔλαφον τοξεύυσιν θ86. 837 ᵃ15. ἐν Λιβύῃ πάσῃ ὑκ εἰσὶν Ζιθ28. 606 ᵃ7 (Rose 331. Hippocr de morb sacr 135 Su 68). — πάρδαλις λαμβάνει τὰς ἐλάφυς Ζι6. 612 ᵃ15, λέων Ηγ13. 1118 ᵃ22. ἄρκτος ἐπιτίθεται αὐτοῖς Ζιθ5. 594 ᵇ10. ὑπὸ φαλαγγίυ δηχθεῖσαι τὰς καρκίνας ἐσθίυσιν Ζυ5. 611 ᵇ21. σκώληκας ἔχει ἐν τῇ κεφαλῇ (Pharyngomyia picta, Cephonomyia rufibarbis) Ζιβ15. 506 ᵃ27. — ἔλαφος ἐνιαύσιος, διετής, γέρων, πατταλίας Ζυ5. 611 ᵃ31, 32, 34, ᵇ3, 18, νεβρός cf h v. ἔλαφος ἀχαίνης (v l ἀχανής, ἀχάννης, ἀχαίτης, achainas vers Thomae, axainas lib Lips) Ζυ5. 611 ᵇ14 cf Salmas exercit Plin 156 sq, Niclas ap Arist mir ausc ed Beckm 20, S II 35 sq. αἱ Ἀχαῖναι (v l ἀχαειναί) καλύμεναι δοκῦσιν ἔχειν ἐν τῇ κέρκῳ χολὴν Ζιβ15. 506 ᵃ24. (hic error antiquorum in libris diu grassatus est cf J C Hoppe Jagdlust 1783 I 153, Lewysohn Zool des Talmud 112. de organo glanduloso in hac corporis parte W v Rapp üb ein eigenthüml drüsenähnl Organ ds Hirsches in J Müller Archiv f Anat 1839, 364. K482, KaZι83, 16.) ἐν Ἀχαΐᾳ θ5. 830 ᵇ23 (perverse Gesner hist quadrup 355). — fabulosa et mythol. de hedera in cornibus viridante Ζυ5. 611 ᵇ18. θ5. 831 ᵃ2 (cf S II 36 et ad Theophr IV 183, K955, 5. incredibilia credidit Buffon hist nat III, 2, 50). χαλκῆ ἕλιξ περὶ τὸν ἐλάφυ τράχηλον θ110. 840 ᵇ21 (cf Beckm 246 et de hist nat vett 172). — ᾗ αἱ ἔλαφοι τὰ κέρατα ἀποβάλλυσιν Ζυ5. 611 ᵃ27 cf παροιμία. — (Cervus elaphus L cf Antig Caryst ed Beckm indicem s h v, KaZι17, 70, Su 65 sq, AZι I 67, 14.)

ἐλαφρίζειν, intr, ὡς ἐλαφρίζον γόνυ ἔχοιεν f 64. 1486 ᵇ21.
ἐλαφρός. προβολὴ ἐλαφρά Ζμγ11. 673 ᵇ5 (syn κῦφος ᵇ7). ὐχ ἅπαν τὸ ἐλαφρότερον ἢ εὐδαιπνότερον πκγ38. 935 ᵇ21. 50 — δεῖ τὸν ἡγεμόνων πόδα ἔχειν ἐλαφρόν f 64. 1486 ᵇ24. ἀτυχήματα ἐλαφρότερα, opp βρῖθός τι ἔχοντα Ηα11. 1101 ᵃ30. πάθη ἐλαφρότερα πζ5. 886 ᵇ37. ἐλαφρὸν τὸ ἄνω βάλλειν (ascendere cantando) πιθ4. 917 ᵇ37.
Ἐλαφώεις ὄρος τῆς Ἀσίας ἐν τῇ Ἀργινύσῃ Ζιζ29. 578 ᵇ27. 55 ἐλέα. ἡ δ' ἐλέα, ὥσπερ (εἴπερ S II 112, P 348, 1) ἄλλος τις τῶν ὀρνίθων κτλ Ζυ16. 616 ᵇ12 (v l ἐλαία Αᵃ Cᵃ, et vers: velia Gazae, Lehe Scoti, Leke Alberti). — (fort Emberiza arundinacea vel Turdus arundinaceus St ad h l, Emberiza schoeniclus L K 978, 7, Lnd 56. Calamodytae sp Su 113, 50 cf AZι I 91, 29.)

Ἐλεάτης. Ξενοφάνης Ἐλεάταις συνεβύλευεν Ρβ23. 1400 ᵇ6. — Philosophia Eleatica universe resp Φα2. 184 ᵇ22, 25. 5. 188 ᵃ19. 8. 191 ᵃ32. Οα11. 280 ᵇ7. γ1. 298 ᵇ14. ΜΑ3. 984 ᵃ31—ᵇ3. 5. 986 ᵇ10. λ10. 1075 ᵇ15.
ἐλεγεῖον. διὰ τριμέτρων ἢ ἐλεγείων πο1. 1447 ᵇ12. ἐλεγεῖα Σόλωνος, Διονυσίυ Ρα15. 1375 ᵇ32. γ2. 1405 ᵃ33. ἐλεγεῖα Ἀριστοτέλις f 622. 1583 ᵃ3. 623. 1583 ᵇ10.
ἐλεγειοποιὺς ὀνομάζυσι συνάπτοντες τῷ μέτρῳ τὸ ποιεῖν πο1. 1447 ᵇ14.
ἐλεγῖνος (Lob Prol 207) refertur inter ἀγελαῖα Ζυ2. 610 ᵇ6. (fort Sciaena nigra vel Corvina nigra C K 950, 11 cf AZι I 127, 16.)
ἐλεγκτικός. οἱ μὴ ἐλεγκτικοὶ τῶν ἁμαρτανομένων κ̅ μὴ φιλόνεικοι μηδὲ δυσέριδες Ρβ4. 1381 ᵃ31, ᵇ3. — ἐλεγκτικὰ ἐνθυμήματα, opp δεικτικά Ρβ22. 1396 ᵇ25. 23. 1400 ᵇ27. γ17. 1418 ᵇ2. — ἐν τοῖς ἐλεγκτικοῖς καθάπερ κ̅ ἐν τοῖς ῥητορικοῖς τι15. 174 ᵇ19. — ἐλεγκτικῶς ἀποδεῖξαι, dist ἀποδεῖξαι Μγ4. 1006 ᵃ15.
ἐλεγχείην ἀναθήσει (Hom X 100) Ηγ11. 1116 ᵃ23. ηεγ 1. 1230 ᵃ20.
ἐλέγχειν et refutandi et probandi vi usurpatur, sed ubivis ita, ut non de re ipsa demonstranda agatur, sed de adigendo et convincendo adversario. ὅσα ἔστιν ἀποδεῖξαι, ἔστι κ̅ ἐλέγξαι τὸν θέμενον τὴν ἀντίφασιν τῦ ἀληθῦς τι9. 170 ᵃ24. τὸ ἐλέγχειν πρότερον δύο, παρὰ τὴν λέξιν, ἔξω τῆς λέξεως τι4. 165 ᵇ23. ἐλέγχοιτο ἂν ὑπ' ἀλλήλων ταῦτα ζ1. 975 ᵃ2. δοκεῖ ἐληλέγχθαι, ἄδηλον εἰ ἐλήλεγκται τι15. 174 ᵇ8. 17. 175 ᵇ6, 29. ἐλεγχθῆναι τι17. 175 ᵃ40. — διὰ τὸ παράδοξα βύλεσθαι ἐλέγχειν Ηη3. 1146 ᵃ23.
ἐλεγχοειδὲς φαίνεται τὸ συμπέρασμα τι17. 175 ᵃ40. ἐλεγχοειδὲς φαίνεται τὸ συμπέρασμα τι15. 174 ᵇ18.
ἔλεγχος (cf ἐλέγχειν), def ὁ ἔλεγχος ἀντιφάσεως συλλογισμός Αβ20. 66 ᵇ11, 8. τι9. 170 ᵇ1. 10. 171 ᵃ2, 4. ὁ ἔλεγχος ἀντίφασις τῦ αὐτῦ κ̅ ἑνός, ἀντίφασις μὴ ὁμώνυμος τι5. 167 ᵃ23. 17. 175 ᵃ36. ἐλέγχυ συλλογισμὸς μετ' ἀντιφάσεως τῦ συμπεράσματος τι1. 165 ᵃ2. ὁ ἔλεγχος συναγωγὴ τῶν ἀντικειμένων ἐστὶν Ργ9. 1410 ᵃ22. ἀλλ' αἴτιυ ὄντος ἔλεγχος ἂν εἴη κ̅ ὑκ ἀπόδειξις Μγ4. 1006 ᵃ18. διαφέρει ἔλεγχος κ̅ συλλογισμός Ρβ22. 1396 ᵇ26. ἔλεγχος κ̅ ἐπεξέλεγχος Ργ13. 1414 ᵇ14. — ἔλεγχός ἐστιν ὃ μὴ δυνατὸν ἄλλως ἔχειν, ἀλλ' ὕτως ὡς ἡμεῖς λέγομεν p14. 1431 ᵃ6. dist σημεῖον p15. 1431 ᵇ2. — ἔλεγχος ἀληθινός, ὤν, opp φαινομένυ τι5. 168 ᵃ12. 8. 169 ᵇ38. 9. 170 ᵇ9. 17. 175 ᵇ2. ἔλεγχοι σοφιστικοί τι1. 164 ᵃ20. 8. 169 ᵇ20. 9. 170 ᵇ9. Μθ8. 1049 ᵇ33. οἱ σοφιστικοὶ ἔλεγχοι πρὸς τὴν θέσιν ταύτην τῇ αὐτῇ λύονται λύσει Μζ2. 1032 ᵃ7.
ἐλεδώνη, descr Ζιθ1. 525 ᵃ17 (v l ἐλεαυίνη, ἐλετόνη), refertur inter τὰ μαλάκια f 288. 1528 ᵇ21. (discordes naturae scrutatorum sententias coll S I 185. Eledone moschata vel Aldrovandi A Siebld XII 381, AZι I 149, 2.)
ἐλεεῖν. συναχθεσθαι κ̅ ἐλεεῖν Ρβ9. 1386 ᵇ14. φρίττειν κ̅ ἐλεεῖν πο14. 1453 ᵇ5. τίνας ἐλεῶμεν Ρβ8. φ35. 1439 ᵇ27.
ἐλεεινός, def, dist δεινός, φοβερός Ρβ8. 5. 1382 ᵇ27. εὐπορήσομεν ἐλεεινὰ ποιεῖν ἅπερ ἂν ἐθέλωμεν φ35. 1439 ᵇ26. ἐλεεινὰ κ̅ φοβερὰ ποῖα μάλιστα γίνεται πο9. 1452 ᵃ2-11, cf 13. 1452 ᵇ36, 1453 ᵃ1. ἐλεεινὸν ἐκ τῆς ὄψεως, ἐξ αὐτῆς τῆς συστάσεως τῶν πραγμάτων πο14. 1453 ᵇ1.
ἐλεήμων, coni φιλόπολις φιλέταιρος p37. 1442 ᵃ11. τὺς ἐλεήμονας κ̅ τὺς φοβητικὺς κ̅ τὺς ὅλως παθητικὺς Πθ7. 1342 ᵃ12. γυνὴ ἀνδρὸς ἐλεημονέστερον Ζιι1. 608 ᵇ8. ἐλεήμονος σημεῖα φ3. 808 ᵃ33—ᵇ5.

ἐλεητικοὶ οἱ νέοι, οἱ γέροντες διὰ τί Ρβ12. 1389 ᵇ8. 13. 1390 ᵃ19. ἀκολυθεῖ τῇ ἐλευθεριότητι τὸ εἶναι ἐλεητικόν αρ5. 1250 ᵇ33.

ἐλειός. φωλεῖ ὁ ἐλειὸς (ν l ἐλιὸς, λεῖος) ἐν αὑτοῖς τοῖς δένδρεσι, χ̣ γίνεται τότε παχύτατος Ζιθ17. 600 ᵇ12. S I 638, Π 470; Su 52, 26; K 896, 6; ΑΖι I 67, 15; Diosc ed Spreng II 681; Oribas ed Par I 607. (Myoxus Glis.)

ἐλειος. ζῷα ἔλεια Ζμγ14. 674 ᵇ31. βίος ἔλειος Ζμδ12. 693 ᵃ15, 694 ᵇ13.

Ἑλένη Ρα6. 1363 ᵃ18. β24. 1401 ᵇ36. Ηβ9. 1109 ᵇ9 (resp Hom Γ 154). f 172. 1506 ᵇ28. — Ἑλένη Θεοδέκτε, versus inde afferuntur (fr 3) Πα6. 1255 ᵃ36. Ἑλένη Ἰσοκράτες, prooemium affertur Ργ14. 1414 ᵇ26. β23. 1399 ᵃ1.

ἔλεος, def Ρβ8. 1385 ᵇ13. πάθος μετὰ σώματος ψα1. 403 ᵃ17. ἐπὶ τοῖς ἀκυσίοις συγγνώμη, ἔλεος Ηγ1. 1109 ᵇ32. ἔλεος περὶ τίνα, dist φόβυ ρο13. 1453 ᵃ5. ἡ τραγῳδία δι' ἐλέυ χ̣ φόβυ περαίνει τὴν τῶν τοιυτων παθημάτων κάθαρσιν πο6. 1449 ᵇ27. πῶς δεῖ ἐμποιεῖν ἔλεον ρ35. 1439 ᵇ25-36. — Θρασύμαχος ἐν τοῖς ἐλέοις Ργ1. 1404 ᵃ15.

ἐλεός. ὁ ἐλεὸς μείζων ἀλεκτρυόνος θηρεύει τὰς κίττας Ζιθ3. 592 ᵇ11. πολέμιος κρὲξ ἐλεῷ Ζιι1. 609 ᵇ9. (aluco Gazae cf Gesner 94, ulula Scalig; Buffon cum aliis Gallorum fresaye esse censuit. S I 587. Strix aluco K 865. Strix brachyotus Su 97. Strix aluco vel flammea ΑΖι I 91, 30 sed cf Lnd 32 et v d Mühle 23.)

ἐλευθερία, coni ἰσότης Πδ4. 1291 ᵇ34. dist πλῦτος, ἀρετή, παιδεία Πδ12. 1296 ᵇ18. 8. 1294 ᵃ11, 20. γ8. 1280 ᵃ5. μετέχειν ἐλευθερίας Πγ8. 1280 ᵃ5. ὑπόθεσις τῆς δημοκρατικῆς πολιτείας ἐλευθερία Πζ2. 1317 ᵃ40. cf Ηε6. 1131 ᵃ28. ἡ ἐν τῇ δημοκρατίᾳ ἐλευθερία τί δύναται Πζ2. 1317 ᵇ2-17.

ἐλευθεριάζων, coni ἀντισεμνυνόμενος Πε11. 1314 ᵃ8.

ἐλευθέριος Ηδ1-3. ηεγ4. ημα24. 25. def Ηδ1. 1120 ᵃ8. 2. 1120 ᵇ8, 10, 1121 ᵃ4. dist μεγαλοπρεπής Ηβ7. 1107 ᵇ18. δ4. 1122 ᵇ10. syn μεταδοτικός Αβ 27. 70 ᵇ30. syn ἐπιεικής, opp ἀνδραποδώδης Ηδ14. 1128 ᵃ20. ὁ ἄσωτος ὅμοιόν τι ἔχει τῷ ἐλευθερίῳ Ηη10. 1151 ᵇ7. ἐλευθεριώτερος Ηδ2. 1120 ᵇ10, 11. οα5. 1344 ᵃ30. ζῷα ἐλευθέρια χ̣ ἀνδρεῖα χ̣ εὐγενῆ Ζια1. 488 ᵇ16. τὸ ἐλευθέριον Ηδ2. 1120 ᵇ8. θ7. 1158 ᵃ21. — πρᾶξις ἐλευθέριος Πβ5. 1263 ᵇ12. τὰς τῶν ἐλευθέρων (fort ἐλευθέρων) πράξεις Πη16. 1335 ᵇ11. τὰ ἐλευθέρια τῶν ἔργων οα5. 1344 ᵃ28. κτήματα ἐλευθέρια τὰ πρὸς ἀπόλαυσιν, dist χρήσιμα Ρα5. 1361 ᵃ17. αἱ ἐλευθεριώταται τῶν διὰ τῆς ἁφῆς ἡδονῶν Ηγ13. 1118 ᵇ5. κινήσεις ἐλευθεριωτέραι, opp φορτικώτεραι Πθ5. 1340 ᵃ5 ᵇ10. διαγωγὴ ἐλευθέριος Πθ5. 1339 ᵇ5. ἐπιστῆμαι ἐλευθέριοι Πθ2. 1337 ᵇ15. παιδεία ἐλευθέριος, syn καλή, opp χρησίμη, ἀναγκαία Πθ3. 1338 ᵇ32. — σωτὴρ χ̣ ἐλευθέριος (i e ἐλευθέρων) ἐτύμως ὁ θεός κ7. 401 ᵃ24. — ἐλευθερίως χ̣ σωφρόνως ζῆν, χρῆσθαι τῇ ὑσίᾳ Πη5. 1326 ᵇ31. β6. 1265 ᵃ33, 37.

ἐλευθεριότης. περὶ ἐλευθεριότητος Ηδ1-3. ηεγ4. ημα24. 25. αρ5. 1250 ᵇ24-34. ἐλευθεριότης μεσότης ἀσωτίας χ̣ ἀνελευθερίας, περὶ χρημάτων ὅσοιν ἡ λῆψ́ι Ηβ7. 1107 ᵇ8, 21. δ1. 1119 ᵇ22sqq. ηεβ3. 1221 ᵃ5. γ4. 1231 ᵇ36. ημα24. 55 1191 ᵇ39. cf αρ1. 1249 ᵇ29. 2. 1250 ᵃ13. περὶ χρήματα εὖ ποιητικὴ Ρα9. 1366 ᵇ15. Πβ5. 1263 ᵇ11-14. dist μεγαλοπρέπεια Ηδ10. 1125 ᵇ3.

ἐλεύθερος ἄνθρωπος ὁ αὑτῦ ἕνεκα χ̣ μὴ ἄλλυ ὢν ΜΑ2. 982 ᵇ26. opp μὴ ἐλεύθεροι, ἀνδράποδα Πδ4. 1290 ᵇ10. Μλ10. 1075 ᵃ19. φύσει, νόμῳ ἐλεύθεροι, opp δῦλοι· φύσει

ἐλεύθερον, opp δῦλον Πα5. 1255 ᵃ1. 3. 1253 ᵇ21. η3. 1325 ᵃ29. ἀρετὴ χ̣ κακία διορίζυσι τὸ δῦλον χ̣ ἐλεύθερον Πα6. 1255 ᵃ40. ὁ ἐλεύθερος ῦ λέγεται κατ' ἐπιστήμην ἀλλὰ τῷ τοιόσδ' εἶναι Πα7. 1255 ᵇ22. τὸ μὴ ἐξ ἀμφοτέρων πολιτῶν ἐλεύθερον Πδ4. 1291 ᵇ27. ἐὰν δῦλος κακῶς ἀγορεύῃ τὸν ἐλεύθερον, εἰσάγυσιν οἱ θεσμοθέται f 378. 1541 ᵃ8. — ἡ πόλις κοινωνία τῶν ἐλευθέρων ἐστὶν Πγ6. 1279 ᵃ21. cf δ6. 1292 ᵇ39. ἡ πολιτικὴ ἐλευθέρων ἀρχή Πα7. 1255 ᵇ18, 20. ἀρχὴ ἐλευθέρων. opp δεσποτικὴ Πγ4. 1277 ᵇ8, 15. 17. 1288 ᵃ11. η14. 1333 ᵃ6, ᵇ28. — ἐλεύθεροι χ̣ ἴσοι Πα7. 1255 ᵇ20. ε1. 1301 ᵃ30. Ηε10. 1134 ᵃ18. ἐλεύθεροι, dist οἱ τῶν ἔργων ἀφειμένοι τῶν ἀναγκαίων Πγ5. 1278 ᵃ10. dist πολιτικός, δεσποτικός Πη3. 1325 ᵃ19, 24. dist πλήσιοι, εὐγενεῖς, πεπαιδευμένοι Πδ4. 1290 ᵇ1, 3. 15. 1299 ᵇ27. γ12. 1283 ᵃ16. α6. 1255 ᵃ35. ὁ ἐλεύθερος χ̣ πεπαιδευμένος θεατής, opp φορτικός Πθ7. 1342 ᵃ19. οἱ μεγαλόψυχοι χ̣ οἱ ἐλεύθεροι Πθ3. 1338 ᵇ3. — ἔργον ἐλεύθερον, opp ἀνελεύθερον, βάναυσον Πθ2. 1337 ᵇ5. ἀγορὰ ἐλευθέρα Πη12. 1331 ᵃ32. τὰ τοιαῦτα τὴν μὲν θεωρίαν ἐλεύθερον ἔχει, τὴν δ' ἐμπειρίαν ἀναγκαίαν Πα11. 1258 ᵇ11. φρόνημα ἐλεύθερον ἔχειν Πε11. 1314 ᵃ3. ἐλευθέρα ἐπιστήμη ΜΑ2. 982 ᵇ27.

ἐλευθέρωσιν δῦλων ποιεῖσθαι Πε11. 1315 ᵃ37.

Ἑλευσίνια, eorum origo f 594. 1574 ᵇ26, 44.

Ἑλευσίς θ131. 843 ᵇ2. ἡ Ἑλευσῖνι πεντετηρὶς f 404. 1545 ᵇ39.

ἐλεφάντινος. εἶχον ἐλεφαντίνυς κώπας f 470. 1555 ᵇ20, cf ἐλεφαντινοκώποις ᵇ8.

ἐλεφαντιστὴς Ζιβ1. 497 ᵇ28. ιι. 610 ᵃ27.

ἐλέφας. 1. Elephas indicus L. ὁ ἄρρην χ̣ ἡ θήλεια. ὁ θῆλυς ἐλέφας in loco spurio Ζιβ1. 500 ᵇ18. descr Ζιβ1. 497 ᵇ22-30, 498 ᵃ1-12. Ζμβ16. 658 ᵇ33-659 ᵃ36. refertur inter τὰ μέγιστα τῶν ζῴων Ζγδ4. 771 ᵃ19, παχύδερμα Ζγε3. 782 ᵇ5, πολυδάκτυλα Ζμβ16. 659 ᵃ25, μακροβιώτατα μχ4. 466 ᵃ12. — a. descr corporis. μέγιστον τῶν ζῴων Ζγδ4. 771 ᵇ9. Ζμβ16. 659 ᵃ27. γ2. 663 ᵃ4. θρὶξ Ζγε3. 782 ᵇ5. ἥκιστα δασὺς τῶν τετραπόδων Ζιβ1. 499 ᵃ9. πῶς κάμπτει τὰ σκέλη Ζιβ1. 498 ᵃ9. Ζπ9. 709 ᵃ10. 13. 712 ᵃ11 (cf Br 1304. 1333, Rose libr ord 208. 212). πολυσχιδὲς Ζγδ4. 771 ᵇ9. πενταδάκτυλον, ἡ περ τὰς δακτύλας ἀδιαρθρώτερα, δακτύλας ἀσχίστας χ̣ ἠρέμα διηρθρωμένας ἔχει Ζιβ1. 497 ᵇ23, 25. γ9. 517 ᵃ32. ὄνυχας ὅλως ὑκ (ὄνυχας κολοβὺς ci Pic) ἔχει Ζιγ9. 517 ᵃ32. τὸ τῶν ὀσμῶν αἰσθητήριον, προβοσκίς, μυκτήρ Ζμδ6. 682 ᵇ36. β16. 659 ᵃ15. Ζια11. 492 ᵇ17. β1. 497 ᵇ26sq. θ9. 536 ᵇ21. ι46. 630 ᵇ28. Ζμβ16. 658 ᵇ33, 659 ᵃ12, 30. 17. 661 ᵃ27. β12. 692 ᵇ16. τὸ ἄκρον τῦ μυκτῆρος, appendix extremae proboscidis Ζιβ1. 497 ᵇ30. ὀδόντες Ζιβ5. 501 ᵇ30. ὀδόντες μεγάλοι Ζιι1. 610 ᵃ16, 22. γλῶττα μικρὰ Ζιβ6. 502 ᵃ3. ἔχει δύο μαστὺς μικρὺς χ̣ δύο θηλὰς πρὸς τῷ στήθει, περὶ τὰς μασχάλας, ὑπὸ ταῖς μασχάλαις τῶν ἐμπροσθίων σκελῶν Ζιβ1. 498 ᵃ1, 500 ᵃ17, 19. Ζμδ10. 688 ᵇ5, 15. τὸ αἰδοῖον τῦ ἄρρενος, τῆς θηλείας Ζιβ1. 500 ᵇ7, 10-14, 23. ὄρχις Ζιβ1. 500 ᵇ8. γ1. 509 ᵇ10. Ζγα12. 719 ᵃ15. — ἔντερον συμφυὲς ἔχων ὥστε φαίνεσθαι τέτταρας κοιλίας ἔχειν (S I 112. K 489. ΚαΖι 89, 10ᵃ), σπλάγχνα παραπλήσια τοῖς ὑείοις Ζιβ17. 507 ᵇ35, 37. νεφροί, σπλήν, ἧπαρ ἄχολον Ζιβ1. 500 ᵇ9. 17. 508 ᵃ2. 15. 506 ᵇ1. — b. de generatione. ὀχεία Ζιβ1. 500 ᵇ9sq. ε2. 540 ᵃ20. 14. 546 ᵇ7. 27. 578 ᵃ17-24. ι46. 630 ᵇ2. κύησις θ177. 847 ᵇ5. Ζιε14. 546 ᵇ11 (cf Lewysohn Zool des Talmud 10 et 149). πολυχρόνιος ὁ τόκος Ζγο10. 777 ᵇ15. μονοτόκον Ζμδ10. 688 ᵇ7. Ζγδ4. 771 ᵃ19.

τὸ ἔμβρυον ἡλίκον μόσχος ἐστὶν Ζγδ5. 773 ᵇ5. σκύμνος
Ζιζ27. 578 ᵃ22. πῶλος Ζιι1. 610 ᵃ33. — c. περὶ τȣ
βίȣ ᾳ τȣ ἤθȣς. vita Ζιθ9. 596 ᵃ11. ιᴀ6. 630 ᵇ23. Ζγδ
10. 777 ᵇ4. πῶς καθεύδει Ζιβ1. 498 ᵃ11. victus et potus
Ζιθ9. 596 ᵃ3-12. παραποτάμιον, ȣ ποτάμιον Ζιι46. 630ᵇ26
(cf Pott de voce elephant in Hoefer Zeitschr f Wiss der
Sprache I 1846 p 53). ζῷον ἐλῶδες. διατριβὴ ἐν τῷ ὑγρῷ
Ζμβ16. 659 ᵃ2, 32. φωνή Ζιϑ9. 536 ᵇ20. ιᴀ. 610 ᵃ17. ve-
natio Ζιι1. 610 ᵃ24. ἐξαγρȣ́μενοι Ζιζ18. 571 ᵇ31. ιᴀ. 610
ᵃ31. ἡμερȣ̃σθαι δύνανται ταχύ, τιθασσευτικοί. τιθασσοί,
πραεῖς Ζιι1. 488 ᵃ29, ᵇ22. ιᴀ. 610 ᵃ25, 30. — mores, do-
cilitas Ζιι46. 630 ᵇ18-30. φιλίαι ᾳ πόλεμοι Ζιι1. 610 ᵃ15,
34. οἱ Ἰνδοι χρῶνται πολεμιστηρίοις· ἀνδρία, ἀνδρεῖος, αἱ θή-
λειαι ἀψυχότεραι πολύ Ζιι1. 610 ᵃ18-26. — d. morbi et
curatio. in loco suspecto Ζιϑ22. 604 ᵃ11. 26. 605 ᵃ23-ᵇ5.
aegrotis ῥίζαν ἐψήσαντες ἐν ἐλαίῳ διδόασιν (cf v I et S I
671) Ζιϑ26. 605 ᵇ5 (cf Lassen ind Althkunde I 246. Lenz
Bot der Griech u Röm 229). ἐλέφας πῶν οἶνον μεθύσκεται
f 102. 1494 ᵇ21. — e. sententiae aliorum. ψευδές ἐστι ᾳ
ὃ Κτησίας γέγραφε περὶ τῆς γονῆς τῶν ἐλεφάντων Ζιγ22.
523 ᵃ26. Ζγβ2. 736 ᵃ3. cf John Gesch ds Succins I 142;
Rose libr ord 208; Brandis 1299; Sonnenburg 22. Indo-
rum Ζιζ18. 571 ᵇ32, 572 ᵃ2. 27. 578 ᵃ18. ὁ παλαιὸς λόγος
περὶ τῆς κινήσεως τῶν σκελῶν ȣκ ἀληθής Ζπ9. 709 ᵃ10.
cf Br 1304. ὁ ἐλέφας ȣχ ὡς ἔλεγόν τινες. ἀλλὰ συγκα-
θίζει ᾳ κάμπτει τὰ σκέλη Ζιβ1. 498 ᵃ8 Aub. ὡς φασίν
Ζιϑ22. 604 ᵃ12. 26. 605 ᵇ4. ιᴀ6. 630 ᵇ23. θ177. 847ᵇ5.—
(Elephas indicus S eclog phys I 19-23, II 17 sq; Cuvier
discours sur les révolut du globe 1850, 45. Wiegmann
5 sq; Ritter Erdkunde IV, I, 903 sq. Rose libr ord 212;
Br 1304, 564ᵃ; KaΖι 15, 62; Su 81, 64. AΖγ27.)
2. Elephas indicus et africanus. οἱ ὑπολαμβάνοντες συν-
άπτειν τὸν περὶ τὰς Ἡρακλείας στήλας τόπον τῷ περὶ τὴν
Ἰνδικὴν λέγȣσι τεκμαιρόμενοι ᾳ τοῖς ἐλέφασιν. ὅτι περὶ ἀμ-
φοτέρȣς τȣς τόπȣς τȣς ἐσχατεύοντας τὸ γένος αὐτῶν ἐστιν
Οβ14. 298 ᵃ12. (barrus ap Joan Argyropylum. cf Hum-
boldt krit Unters I 54 sq; Ghillany Gesch ds Seefahrers
Behaim 70, 88; Barth St Hilaire traité du ciel 219.)
3. ebur. οἶκος χρυσῷ ᾳ ἠλέκτρῳ ᾳ ἐλέφαντι ἀστράπτων
κ6. 398 ᵃ16.

Ἐλεφήνωρ. ἐπίγραμμα ἐπὶ Ἐλεφήνορος f 596. 1576 ᵇ13.

ἑλιγμός, εἱλιγμός, cf Lob Phryn 30. ὀλίγοις ἐντόμοις τὸ
ἔντερον ἕλιγμόν ἔχει Ζιϑ7. 532 ᵇ7. οἱ ἄρρενες τῶν καρίδων
ἀπὸ τȣ περὶ τὰ στήθη κηρυκώδȣς (testes) ἔχȣσιν ἄλλον
ἕλιγμόν Ζιϑ2. 527 ᵃ29. ἐπ᾽ ἄκρων αἱ ὑστέραι τῶν καλȣ-
μένων κερατίων εἱλιγμόν (v l εἴλιγμα, εἴλιγμα) ἔχȣσιν αἱ
τῶν πλείστων (tubae Fallopii) Ζιγ1. 510 ᵇ19.

ἑλίκη. 1. ἐντόμοις τȣ στόματος ἔντερον εὐθὺ ᾳ ἁπλȣ̃ν· ἐνίοις
δὲ τȣτο ἑλίκην ἔχει (veluti Melolontha vulgaris L) Ζμδ5.
682 ᵃ15. ἔχȣσιν ὕτω (ut vas deferens) τὸ ᾠὸν αἱ καρίδες
ᾳ τὰς ἑλίκας (v l ἕλικι) Ζιδ2. 527 ᵃ20. — 2. cochleae.
a. turbinum. τῶν στρομβωδῶν τὰ ἔχοντα τὴν ἑλίκην Ζιδ9.
684 ᵇ21. αἱ ἕλικαι Ζγγ11. 763 ᵃ22. τὰ στρομβώδη ȣκ ἐπὶ
τὴν ἑλίκην κινεῖται, ἀλλ᾽ ἐπὶ τὸ καταντικρὺ πάντα προέρ-
χεται Ζπ4. 706 ᵃ14. Ζιδ4. 528 ᵇ9. ἴδιον πᾶσι τοῖς στρομ-
βώδεσιν τὸ ἔχειν ἑλίκην τȣ ὀστράκȣ τὸ ἔσχατον ἐπὶ τῆς
κεφαλῆς Ζιδ4. 528 ᵇ6. ἐν τῇ ἑλίκη (v l ἕλικι) ἡ μήκων
Ζμδ5. 680 ᵃ22. ἡ ἀρχὴ τȣ ἐντέρȣ περὶ τὴν ἑλίκην τῆς μή-
κωνος Ζιδ4. 529 ᵃ10. — b. τῶν κηρύκων. ἡ ἐν τοῖς κη-
ρυξιν ἑλίκη (v l ἕλικι) Ζιδ1. 524 ᵇ12. κήρυκες ἑλίκην ἔχȣσι
Ζμδ7. 683 ᵇ13. (κοιλία, στόμαχος, μήκων) ταῦτα δῆλα ᾳ

ἐπὶ τῶν πορφυρῶν ᾳ τῶν κηρύκων ἐστὶν ἐν τῇ ἑλίκῃ (v l
ἕλικι, ἕλικι) τȣ ὀστράκȣ Ζιδ4. 529 ᵃ7.
Ἑλίκη. σεισμός κ4. 396 ᵃ21. οἱ ἐν Ἑλίκῃ κόκκυγες θ3. 830
ᵇ11.
ἑλικίαι λέγονται οἱ γραμμοειδῶς φερόμενοι κεραυνοί κ4. 395
ᵃ27 (ἐν ἡλικίᾳ ci Heine, cf κόκκυξ).
Ἑλιμείας βασιλεύς Πε10. 1311 ᵇ13.
ἕλιξ. κύκλος ἐὰν ῥιφθῇ τὸ μὲν πρῶτον εὐθεῖαν γράφει, παυ-
ομένης δὲ ἕλικα πιϛ11. 915 ᵃ38. ἡ τῆς κεκλασμένης κίνησις
ἢ ἡ τῆς ἕλικος Φε4. 228 ᵇ24. αἱ κινήσεις ᾳ ἕλικες τȣ ȣρανȣ
Μβ2. 998 ᵃ5. φέρεται ἐπὶ γῆς ἡ ἕλιξ συγκαταγȣσα τὸ νέ-
φος μγ1. 371 ᵃ12. — αἱ ἕλικες τȣ ὠτὸς ψβ8. 420 ᵃ13. —
τὰ τῶν ζῴων σωφρονέστερα εὐρυχωρίαις μὲν ȣκ ἔχει με-
γάλας κατὰ τὴν κάτω κοιλίαν, ἕλικας δ᾽ ἔχει πλείȣς ᾳ ȣκ
εὐθυέντερά ἐστιν Ζμγ14. 675 ᵇ24. cf S I 112. οἱ τȣτων
πόροι ἕλικας ἔχȣσι Ζγα4. 717 ᵃ28. τὸ περίττωμα ἐκ τȣ
κώλȣ ᾳ τῆς εὐρυχωρίας ἐν τῇ κάτω κοιλίᾳ πάλιν εἰς στε-
νότερον ἔρχεται ᾳ εἰς τὴν ἕλικα (colon) Ζμγ14. 675 ᵇ20. —
φανερά ἐστιν ἡ αὔξησις τῆς πορφύρας τοῖς διαστήμασι τοῖς
ἐν τῷ ὀστράκῳ τῆς ἕλικος Ζιε15. 547 ᵇ11. cf H I 660. —
χαλκῆ ἕλιξ (i q ἑλικτήρ) θ110. 840 ᵇ20.
ἑλίσσειν. οἱ κάραβοι τὰς χηλὰς ἐπὶ τὸ περιφερὲς κάμπτȣσι
ᾳ ἑλίσσȣσιν Ζμδ8. 683 ᵇ35. — ἡ ὄψις ἀποτεινομένη μα-
κρὰν ἑλίσσεται διὰ τὴν ἀσθένειαν Οβ8. 290 ᵃ17. cf πκγ5.
932 ᵃ15. πόροι φλεβικοὶ ἑλισσόμενοι Ζιζ3. 561 ᵃ13. ποτα-
μοὶ ἀνὰ γῆν ἑλιττόμενοι κ3. 392 ᵇ16. ἔντερον εἱλιγμένον
Ζια16. 495 ᵇ26. Ζμγ14. 675 ᵇ8. δ5. 682 ᵃ16. — ἕλι-
κτός. ἔντομα ἑλικτά, μὴ ἑλικτά Ζμδ6. 682 ᵇ24. 11. 692 ᵃ2.
ἕλκειν, ἑλκύειν. ἕλκειν, def Φη2. 244 ᵃ8, 14. μδ9. 386 ᵇ12.
opp ὠθεῖν Ρα5. 1361 ᵇ16. opp ἀνιέναι Ζμγ4. 666 ᵇ15. τȣ
ἐπιπέδȣ ἑλκομένȣ ᾳ κυλιομένȣ τȣ κυλίνδρȣ πιϛ5. 914 ᵃ24.
τὸ ἐγγύτερον τȣ ἀπείρȣ ἑλκȣ́ετο ᾳ ἐπεραίνετο ὑπὸ τȣ πέρατος
Μγ3. 1091 ᵃ17. — ἕλκειν τὸ ἱμάτιον, opp αἴρειν Ηη8. 1150
ᵇ3. ὁ ἥλιος ἕλκει τὸ ὑγρόν, ἕλκειν (ἑλκύειν) ὑγρότητα, ὑγρόν
sim μβ4. 360 ᵃ7. αᴀ6. 343 ᵃ3, 9. β3. 359 ᵃ6. δ1. 379 ᵃ25.
3. 380 ᵇ24 (syn ἀνασπᾶν ᵇ22). Ζμγ10. 672 ᵇ29. cf f 316.
1531 ᵇ20. ἕλκειν ἰκμάδα Ζμγ11. 673 ᵇ7. cf Ζιγ11. 518
ᵇ14. ἕλκειν ἐκ τȣ ὕδατος μ4. 441 ᵃ13. ἑλκόντων (sc τὸ
οἴκτιον) Ζιζ15. 569 ᵇ7. ἕλκων ἐφ᾽ αὑτὸν ὥστε καικίας νέφος
(cf παροιμία) μβ6. 364 ᵇ13. τὸ πότιμον ὑπὸ τῆς θερμό-
τητος ἑλκυσθέν μβ2. 355 ᵇ10. ἕλκειν ἀέρα, πνεῦμα αν2.
471 ᵃ1, 4. 3. 471 ᵃ20, 26 (syn ἀναπνεῖν). Ζμβ16. 659 ᵃ10.
ἕλκειν τροφήν ψβ1. 412 ᵇ4. αι4. 442 ᵃ5. Ζγβ3. 736 ᵇ11.
φτα1. 816 ᵇ11. ἕλκειν αἷμα Ρβ20. 1393 ᵇ30. ἡ ὑστέρα
ἕλκει τὸ σπέρμα Ζικ2. 634 ᵇ28. ἄνω ἑλκύσαι τὸν κάδον
μχ28. 857 ᵃ38. — ἕλκειν βάρος. πλεῖον ἑλκύσαι, ἡ
ἕλκȣσα ἰσχύς Οδ4. 311 ᵇ9. Πβ2. 1261 ᵃ27. μχ20. 854 ᵃ8.
18. 853 ᵃ37. Ζιθ6. 595 ᵇ2. 20. 603 ᵃ19. — ὁ ἑλκόμενος
ὑπὸ τȣ υἱȣ, ἑλκύσαι τὸν πατέρα Ηη7. 1149 ᵇ11, 12. ἕλ-
κοντες τὸν κορυφαῖον πο26. 1461 ᵇ31. τὰ στοιχεῖα βοᾷ ὡς
ἑλκόμενα Μγ3. 1091 ᵃ10. — ἕλκειν ἢ ἕλαττε (ἕλκȣς) πρὸς τὴν
ὀλιγαρχίαν Πε6. 1305 ᵇ37. ἕλκειν εἰς τὴν ὑπερβολήν Πε9.
1309 ᵇ22. η5. 1326 ᵇ37. τὸ μὲν δεῦρο τὸ δ᾽ ἐκεῖσε ἕλκει
ὥσπερ διασπῶντα Ηι4. 1166 ᵇ21. εἰς τȣναντίον ἡ ὥρα ἑλ-
κύσασα καθίστησιν εἰς τὴν εὐκρασίαν πα11. 860 ᵇ11. —
ἐνταῦθα δὴ τὸ ἕλκος (huc referat quispiam) ᾳ ἐραστήν ᾳ
ἐρώμενον Ηθ10. 1159 ᵇ14. — ἑλκτόν. περὶ ἑλκτȣ μδ8.
385 ᵃ16. 9. 385 ᵇ10, 386 ᵇ11-18. τὸ νεῦρον ξηρὸν ᾳ ἑλκτόν
Ζγβ6. 743 ᵇ5.
ἑλκεσιπέπλȣς ᾳ βαθυκόλπȣς θ109. 840 ᵇ16.
ἕλκος. τίνα ἕλκη βραδύτερον ὑγιάζεται Αγ13. 79 ᵃ15. πα18.

861 ᵃ33. ἰδ 6. 909 ᵃ35. f 229. 1519 ᵇ1. ἕλκη μὴ καθαρά, φαῦλα πα49. 865 ᵃ26. ἕλκη κυνόδηκτα Ζιι44. 630 ᵃ8. κνήθεσθαι εἰς τὰς ἀκάνθας τὰ ἕλκη, κολάπτειν τὰ ἕλκη Ζιι1. 609 ᵃ33, 35. ἰχῶρες ἐκ τῶν ἑλκῶν Ζιι44. 630 ᵃ6.

ἑλκῶν χ̣ τραχύνειν τὴν ἀρτηρίαν πια 22. 901 ᵇ14. ἑλκῶσαι ὄνυξιν Ζιι44. 630 ᵃ5. ἑλκωθείς Ζικ4. 636 ᵃ36. ιδ. 612 ᵃ33.

ἕλκυσις τῆς τροφῆς φται. 816 ᵇ13.

ἑλκώδεις κνῆμαι χ̣ σαπραί πι42. 895 ᵃ31.

ἕλκωσις περὶ τὴν μήτραν f 260. 1525 ᵇ39.

ἔλλαμψις. ἡ αἴσθησις αἰτία ἐστὶν ἐλλάμψεως τῆς ζωῆς φται. 815 ᵇ33.

ἑλλανοδίκης. τὸ πρῶτον ἕνα κατέστησαν ἑλλανοδίκην f 450. 1552 ᵃ3.

Ἑλλανοκράτης ὁ Λαρισσαῖος Πε10. 1311 ᵇ17.

Ἑλλάς μα13. 351 ᵃ7. 14. 352 ᵃ29. Πδ 11. 1296 ᵃ33. οβ1348 ᵃ33. θ22. 832 ᵃ11. Ζιθ28. 606 ᵃ22. f 258. 1525 ᵇ14. 459. 1553 ᵇ3. 625. 1583 ᵇ11. οἱ περὶ τὴν Ἑλλάδα τόποι Ζιη4. 584 ᵇ11. — Ἑλλὰς ἡ ἀρχαία ἡ περὶ Δωδώνην μα14. 352 ᵃ34. — μάρτυρες πρὸς Ἑλλάδα Ρβ23. 1399 ᵇ27 (ex Antiphontis Meleagro fr 2). ἄξιον κείρασθαι τὴν Ἑλλάδα Ργ10. 1411 ᵃ33 (ex Lysiae or 2, 60). Ἑλλὰς ἑτερόφθαλμος Ργ10. 1411 ᵃ5 (Leptinis dictum). ἡ Ἑλλὰς ἐβόησε Ργ10. 1411 ᵃ27 (Aesionis dictum).

ἑλλέβορος, φάρμακον Ηε13. 1137 ᵃ15. ημβ3. 1199 ᵃ32. ἑλλέβορος ἀνθρώποις δηλητήριον φτα5. 820 ᵇ5. κινεῖ τὴν ἄνω κοιλίαν πα41. 864 ᵃ4. γεραμενος τὸν ἐκείνω ἑλλέβορον (?) πο22. 1458 ᵇ10 Vhl Poet III 321. (ἑλλέβορος legitur πα41. 864 ᵃ4. φτα5. 820 ᵇ5, ἑλέβορος v l Ηε13. 1137 ᵃ15. πο22. 1458 ᵇ10.) (Helleboros orientalis Lam.)

ἔλλειμμα τῶ γεγραμμένω νόμω Ρα13. 1374 ᵃ26.

ἐλλείπειν. trans, ἐλλέλειπται τοῖς νόμοις, τὰ ἐλλελειμμένα ὑπὸ τῶ νομοθέτω Πβ6. 1265 ᵇ18. ημβ2. 1198 ᵇ35, 37, 38. ἐπανορθῶν τὸ Ηε4. 1137 ᵇ22. — intr. 1. deficere, inferiorem esse. βορέας ἐνταῦθα ἐλλείπει χ̣ ὖ δύναται πόρρω διήκειν μβ 5. 363 ᵃ4. cf α1. 347 ᵇ29. ἐλλείπειν δι' ἀσθένειαν τῆς φύσεως, δι' ἀδυναμίαν, opp ἐκτεινῶς ποιεῖν ημβ16. 1213 ᵇ9, 10. 11. 1210 ᵃ27. ἀεὶ διαμένειν ὄντα τὰ γένη ἡ μηδὲν ἐλλείπειν Ζγγ10. 760 ᵇ1. πτερύγιον κύκλω, opp ἐλλείπον Ζιδ1. 524 ᵃ32. τραχὺ τῶ τὸ μὲν ὑπερέχειν τὸ δὲ ἐλλείπειν Κ8. 10 ᵃ23. ὑπερέχειν ἢ μικρῶ ἐλλείπειν Ρβ10. 1388 ᵃ5. τῶτο ἢ καταμετρήσει τὸ ἀβ ἢ ἐλλείψει ἢ ὑπερβαλεῖ Φζ2. 233 ᵇ3. cf μα13. 349 ᵇ18. τὸ ἐλλεῖπον μικρόν, ὑπερέχον τὸ μέγα Ρα7. 1363 ᵇ11. τὰ τιμήματα ἐλλείπει, opp ὑπερβάλλει Πε8. 1308 ᵇ5. ἐλλείπειν κατ' εὐγένειαν, opp ὑπερέχειν Πγ12. 1282 ᵇ37. cf Ζγβ6. 743 ᵃ29. 45 ὃ 8. 776 ᵃ18. ἐλλείπειν ἐν τοῖς περὶ τὴν ἔξω κτῆσιν, dist μετριάζειν Πη1. 1323 ᵇ6. ἐπανόρθωμα τῶ νόμω ἢ ἐλλείπει διὰ τὸ καθόλυ Ηε14. 1137 ᵇ27. τέλειόν, ὅταν κατὰ τὸ εἶδος τῆς οἰκείας ἀρετῆς μηθὲν ἐλλείπωσιν Μδ16. 1021 ᵇ17. Οα1. 268 ᵇ4. μέσον πρὸς ἡμᾶς ὃ μήτε πλεονάζει μήτε ἐλλείπει 50 Ηβ5. 1106 ᵃ32. cf Ζγγ2. 753 ᵃ29. αἱ μέσαι ἕξεις πρὸς μὲν τὰς ἐλλείψεις ὑπερβάλλυσι, πρὸς δὲ τὰς ὑπερβολὰς ἐλλείπυσι Ηβ8. 1108 ᵇ18. ἐλλείπειν τῶ θαρρεῖν, πρὸς ἅπασαν δαπάνην sim, opp ὑπερβάλλειν ηεγ1. 1228 ᵇ2. β3. 1221 ᵃ17, 34. θερμὸν λίαν, opp πολὺ ἐλλεῖπον Ζγδ2. 767 ᵃ18. εἰς τὴν πιμελὴν ἀνηλωμένης τῆς περιττώσεως ἐλλείπει 55 τὰ περὶ τὴν γονὴν Ζγα19. 727 ᵇ1. τὸ συμπέρασμα ἐλλείπει κατὰ τὴν ἀντιστροφὴν (ubi pro universali conclusione ponitur particularis in convertendo) Αβ8. 59 ᵇ40 Wz. c gen ἐλλείπειν τῆς μεσότητος, τῶ πρέποντος, παντὸς ὡρι- 60 σμένω μδ4. 382 ᵃ40. ηεβ3. 1221 ᵃ35. Φθ10. 266 ᵇ3. ἐλ-

λείπειν τῶν ἔργων δι' ἀκολασίαν Πα13. 1260 ᵃ36, 39. ἐλλείπειν τῆς ἐργασίας Ζμγ14. 674 ᵇ9. paullo aliter ὧν ἐλλείπειν οἴονται Ρα6. 1363 ᵃ29. — c inf ἐνέλειπεν ἂν ἡ φύσις τῶν ἐνδεχομένων αὐτῇ τι ποιεῖν Ζγε8. 788 ᵇ25. — 2. deesse. τὸ ἐλλεῖπον ἐν τῷ ὁρισμῷ, opp τὸ προσκείμενον περίεργον τζ 14. 151 ᵇ21. πρὸς τὸ ἐλλεῖπον τῆς πράξεως βοηθεῖ Ηθ1. 1155 ᵃ13 (potest ad 1 referri). ἵνα μὴ λανθάνη τὸ σωζόμενον χ̣ τὸ ἐλλεῖπον οα6. 1345 ᵃ24. οἷς μικρὸν ἐλλείπει τῶ μὴ πάντα ὑπάρχειν (Spgl, μικρῶ-τὸ Bk) Ρβ10. 1387 ᵇ27. — αἱρῶνται αὐτοὶ τὸς ἐλλείποντας (cooptant eos magistratus qui desunt) Πδ 5. 1292 ᵇ2.

ἔλλειψις. ad ἔλλειψιν et ὑπεροχὴν eae referuntur ἐναντιότητες, ex quibus physiologi rerum naturam repetunt Φα4. 187 ᵃ17. 6. 189 ᵇ11. ΜΑ9. 992 ᵇ7. η2. 1042 ᵇ25, 35. ἔλλειψις ὑπεροχὴ ἴδια τῶ ἀριθμῶ ἢ ἀριθμὸς πάθη Μγ2. 1004 ᵇ12. καθ' ὑπεροχὴν χ̣ ἔλλειψιν διαφέρειν, opp κατὰ λόγον αι3. 439 ᵇ30. διαφέρειν καθ' ὑπεροχὴν χ̣ ἔλλειψιν, ὑπεροχῇ χ̣ ἐλλείψει Ζια1. 486 ᵃ22, ᵇ8, syn τῶ μᾶλλον χ̣ ἧττον Ζγβ3. 737 ᵇ6. Ζια1. 486 ᵇ17. κατὰ τὴν ἔλλειψιν Οα1. 268 ᵇ4. τὴν ἔλλειψιν πρὸς τὸ ἄρρενας ἔχει φανεράν Ζγα19. 727 ᵃ24. δι' ἔλλειψιν συνάμεως, ποιεῖ τὴν ἐλλείψιν Ζγδ3. 768 ᵇ26, 767 ᵇ23. ἔλλειψις et ὑπεροχὴ sive ὑπερβολὴ τὰ ἄκρα, quorum μεσότης virtus est Ηβ5. 1106 ᵃ29. 7. 1107 ᵇ10, 19, 23sqq saepissime (syn ἔνδεια 8. 1109 ᵃ4, 3). ε9. 1134 ᵃ9. ηεβ3. 1220 ᵇ22. ημβ11. 1210 ᵃ28, 31, 35. ἐλλείψεως ὐκ ἔστι μεσότης Ηβ6. 1107 ᵃ26. — τόπος παρὰ τὴν ἔλλειψιν, παραλογισμοὶ παρὰ τὴν ἔλλειψιν τῶ λόγω Ρβ 24. 1401 ᵇ2, 34. τι5. 167 ᵃ22.

Ἕλλη, poetae incerti tragoedia πο14. 1454 ᵃ8. cf Nck fr tr p 651.

Ἕλλην. λέγονται Ἕλληνες τὸ γένος ἀπὸ Ἕλληνος Μὀ28. 1024 ᵃ33.

Ἕλλην θ85. 837 ᵃ9. Ἕλληνες Μὀ28. 1024 ᵃ33. Ρβ22. 1396 ᵃ18. 23. 1397 ᵇ26. 24. 1401 ᵃ10. γ14. 1414 ᵇ32. ρ1. 1420 ᵇ15, 27. πλ11. 956 ᵇ23. θ79. 836 ᵃ11. 81. 836 ᵇ6. 105. 839 ᵇ24. 109. 840 ᵇ5. 111. 840 ᵇ27. 123. 842 ᵃ28. 132. 843 ᵇ11. 150. 845 ᵇ15. f 13. 1476 ᵃ15. 100. 1494 ᵃ29. οἱ καλύμενοι τότε μὲν Γραικοὶ νῦν δ' Ἕλληνες μα14. 352 ᵇ3. Ἑ. ἱδρυμένοι περὶ τὴν θάλασσαν πάντες Πβ10. 1271 ᵇ34. Ἑλλήνων natura et ingenium Πα6. 1255 ᵃ33, 35. γ14. 1285 ᵃ21. η7. 1327 ᵇ22, 29, 34, mores Πβ8. 1268 ᵇ40, instituta publica Πδ 10. 1295 ᵃ13. 13. 1297 ᵇ16. η14. 1333 ᵇ5. Ἕλληνες. opp βάρβαροι f 81. 1489 ᵇ29, 36, 37. Ἕλληνες ἢ βάρβαροι τὸν ἀνωτάτω τῷ θείῳ τόπον ἀποδιδόασι Οα3. 270 ᵇ7. Ἑ. χ. Β. εἰς δέκα καταριθμῦσι πιε3. 910 ᵇ23. — Ἕλληνες ἄξαντες (Eur I A 80) Ργ11. 1411 ᵇ30. περιεστάναι κύκλω τὸς Ἕλληνας Ρβ6. 1384 ᵇ34 (Cydiae dictum). — Ἑλληνικός. περὶ τὸν Ἑλληνικὸν τόπον μα13. 350 ᵇ15. 14. 352 ᵃ33. Κύπρος πέφυκε καλῶς πρὸς τὴν ἀρχὴν τὴν Ἑλληνικὴν Πβ10. 1271 ᵇ33. Ἑλληνικὸς τρόπος θ100. 838 ᵇ13. Ἑλληνικὸς λόγος πιθ20. 919 ᵃ23.

Ἑλληνία Ἀθηνᾶ θ108. 840 ᵃ28, 34. cf Εἰλενία.

ἑλληνίζειν, pure et emendate loqui. τὸ ἑλληνίζειν ἐν τίσιν ἐστὶν Ργ5. cf 12. 1413 ᵇ6. τ2. 182 ᵃ14. — ὐκ ἂν ἑλληνίζοι (i e non graece dictum esset) ὕτως τὸ ἐρώτημα λεχθέν τι32. 184 ᵃ34.

ἑλληνοταμίαι διεχείριζον τὰ χρήματα f 362. 1539 ᵇ7.

Ἑλλήσποντος κ3. 393 ᵇ1. 6. 398 ᵃ27. σ973 ᵃ23. σπόγγοι, ἀστακοί, φῦκος ἐν τῷ Ἑλ. Ζιε16. 548 ᵇ24. 17. 549 ᵇ15. ζ13. 568 ᵃ5. σεισμοὶ μβ8. 366 ᵃ26. ventorum illic natura πκς 56. 946 ᵇ33, 39. ζεῦξας τὸν Ἑλλήσποντον Ργ9. 1410 ᵃ11 (ex Isocr 4, 89). — Ἑλλησποντίας ventus, nomen τῷ κακίᾳ μβ6. 364 ᵇ19. τῷ ἀπηλιώτῃ σ973 ᵃ21 (cf ᵇ1). f 238. 1521 ᵇ14, 17. eius natura πκς56. 946 ᵇ33, 947 ᵃ2.

ἐλλιμένιον. πωλυμένῳ τῷ ἐλλιμενίῳ ο𝔟1350 ᵃ16.

ἐλλιπής. ἐπιπλεῖν τὰ ἐλλιπῆ Ρα11. 1371 ᵇ4, 25.

Ellipsis apud Ar non genere vel ratione alia est atque apud alios scriptores graecos, sed notandum videtur si quae duriora in eodem genere Ar admittit. ellipsis verbi εἶναι. τῶν ζῴων τὰ μὲν ἔχει πόδας τὰ δ᾽ ἄποδα Ζια5. 489 ᵇ19. cf ϑ3. 593 ᵇ10. ὁ ἄνθος χρόαν ἔχει καλὴν χ εὐβίοτος Ζιι1. 609 ᵇ19. τὰ γένει διαφέροντα ἀπέχει πλέον χ ἀσύμβλητα Μι4. 1055 ᵃ7. ὗτος ἤτοι ἐξέστηκεν ἢ θρασύς ηεγ1. 1229 ᵃ3. εἰ πλείους ἀδελφοί Πε6. 1305 ᵇ15. ὅταν δὲ μὴ αὐτὴ (fort ad ἦ) ἡ ὥρα Ζιζ11. 566 ᵃ8. τῷ εἰσάγεσθαι ὧν ἐνδεεῖς (int ἦσαν) χ ἐκπέμπειν ὧν ἐπλεόναζον Πα9. 1257 ᵃ32. infinitivus εἶναι post v δεῖ omissus, τὸ προσδιαιρεῖσθαι τὴν λέξιν. ὅτι ἡδεῖαν δεῖ χ μεγαλοπρεπῆ, περίεργον Ργ12. 1414 ᵃ19. δεῖ γὰρ αὐτῶν μὲν ἔχειν ἰσχύν, εἶναι δὲ τοσαύτην τὴν ἰσχὺν ὥστε ἑκάστῳ μὲν χ ἑνὸς χ συμπλειόνων κρείττω, τῷ δὲ πλήθυς ἥττω Πγ15. 1286 ᵇ36. Vahlen Poet III 330. post συμβέβηκεν ρ3. 1423 ᵇ6. post ὥστε πο15. 1454 ᵃ36. — verbum ἔχειν omissum apud adverbia ὀρθῶς sim cf ἔχειν 2 extr. — ellipsis subiecti, quod, licet diversum a proximo, tamen facile suppleatur, ἐὰν γὰρ ἐνστῇ (int ὁ ἐρωτώμενος), κεκρατῆσθαι δοκεῖ (int ὁ ἐρωτῶν) Ργ18. 1419 ᵃ17. χ ἐνιαυσία ὄνος ἐκύησεν ὥστε χ ἐκτραφῆναι (int τὸ ἔμβρυον) Ζιε14. 545 ᵇ23, 24. ζ23. 577 ᵃ22. — ellipsis demonstrativi ante relativum. αἱ ἀκαλῆφαι τρέφονται ὅ τι ἂν περιπέσῃ ἰχθυδίων Ζιϑ2. 590 ᵃ27. καθ᾽ γὰρ λέγεται τὰ συμβεβηκότα, (int τοσαῦτα ἐστιν Wz) ὅσα ἐν τῇ ὀσίᾳ ἑκάστῳ Αγ22. 83 ᵇ26. τὰ συμβλητὰ δεῖ μὴ ἔχειν διαφοράν, μήτε ᾗ μήτε ἐν ᾧ Φη4. 249 ᵃ5. ὁτὲ μὲν γὰρ ἥκει ᾗ ἔλκει, ὁτὲ δὲ ᾗ ἦγε Φη2. 244 ᵃ14. — ellipsis in comparationibus. τὸ μέγεθος τύτῳ τῷ ζῴῳ ἐλάφῳ προσφερές Ζι𝔟1. 499 ᵃ3, 22. his conferri potest τίς ἂν ὁ φυσικὸς τύτων; πότερον ὁ περὶ τὴν ὕλην, τὸν δὲ λόγον ἀγνοῶν. ἢ ὁ περὶ τὸν λόγον μόνον; ἢ μᾶλλον ὁ ἐξ ἀμφοῖν; ψα1. 403 ᵇ7. — ellipsis nominis tum locum habet, ubi vel ex antecedentibus vel ex ipsa rei natura facile notio suppeditatur. τῆς ὕβρεως ὔσης πολυμερῦς, ἕκαστον αὐτῶν (int μέρος) αἴτιον γίγνεται τῆς ὀργῆς Πε10. 1311 ᵃ33. ὡρίσθαι τὴν τεκνοποιίαν, ὥστε ἀριθμῷ τινὸς μὴ πλείονα γεννᾶν Πβ6. 1265 ᵇ7. ὁ τῷ μάττοντι ἐρομένῳ πότερον σκληρὰν ἢ μαλακήν (int μᾶζαν) μάξῃ Ργ16. 1416 ᵇ31. ἀδύνατόν ἐστι πεπερασμένην (int κίνησιν) κινεῖσθαι Φζ7. 237 ᵇ25. ἐπίστασθαί τι (εἰδέναι) τῇ καθόλυ (int ἐπιστήμῃ) Αβ21. 66 ᵇ32, 67 ᵃ19, 21. ἐδείκνυτο τὸ ἀδύνατον (int δεῖξαι) Αβ17. 65 ᵇ1, ubi Wz plura exempla congessit. ἡ ἐν ἡμικυκλίῳ (int γωνία) ὀρθή, αἱ ἔξω τέτταρσιν ἴσαι, τὸ τρίγωνον δύο ὀρθαῖς Αϑ11. 94 ᵃ28. 17. 99 ᵃ19. γ24. 86 ᵃ25 al. — ellipsis verbi facile admittitur, ubi ex antecedentibus vel ipsum verbum, vel simile, vel (intercedente particula adversativa) contrarium suppeditatur. χ οἱ πονηρὸν τὸ πρᾶγμα ἔχοντες ἢ δοκῦντες (int ἔχειν) Ργ14. 1415 ᵇ22. ita ad μέλλειν et δύνασθαι facile suppleatur infinitivus verbi antecedentis Ρα12. 1373 ᵃ2. β2. 1378 ᵇ1. Ηη8. 1150 ᵇ2. Vhl Poet II 74. cf ἀδυνατεῖν ρ10 ᵇ16. τὴν σοφίαν τοῖς ἀκριβεστάτοις ἀποδίδομεν, οἷον Φειδίαν λιθυργὸν σοφὸν (int λέγομεν) Ηζ7. 1141 ᵃ10. ὕτως μὲν ἂν ἢ τὰ τοιαῦτα τῶν ὄντων ἰδέας προσηγόρευσε, τὰ δ᾽ αἰσθητὰ παρὰ ταῦτα χ

κατὰ ταῦτα λέγεσθαι πάντα (int ἔφη). cf Πβ6. 1264 ᵇ33 et quae Wz attulit ad Αβ15. 64 ᵇ26. sed omittitur etiam verbum, quod, cum non suppeditetur ex antecedentibus, facile tamen ex ipsa rei natura suppleatur. εἰ Πάτροκλον Ἕκτωρ, χ Ἀχιλλέα Ἀλέξανδρος Ρβ23. 1397 ᵇ22. ὁ φθόνος λύπη τις ἐπὶ εὐπραγίᾳ φαινομένῃ τῶν εἰρημένων ἀγαθῶν, μὴ ἵνα τι αὐτῷ, ἀλλὰ δι᾽ ἐκείνυς Ρβ10. 1387 ᵇ23. cf 7. 1385 ᵃ19. ἂν μὲν ἦν ἐχθρὸς ἐχθρόν (ἀποκτείνῃ e ci additum est) πο14. 1453 ᵇ17 Vhl Poet II 73.

ἔλλογος (fort ex Eudoxo), opp ἄλογος Ηκ2. 1172 ᵇ10.

ἔλλοψ, piscis. ἔλλοψ (v l ἔλωψ, ἔλοψ) ἔχει τέτταρα βράγχια ἐφ᾽ ἑκάτερα ἁπλᾶ, τὴν χολὴν ἐγγύτερον πρὸς τοῖς ἐντέροις Ζιβ13. 505 ᵃ15. 15. 506 ᵇ16 (locos coll R 411, H Graff in Bulletin de l'Acad Petersbourg T II 1863, et diligentissime KaZι 77, 17. definiri non potest cf AZι I 127, 17.)

ἐλμινθιᾶν. αἱ κύνες ὅταν ἑλμινθιῶσιν, ἐσθίυσι τῦ σίτυ τὸ λήϊον Ζιι6. 612 ᵃ31. (fort Taenia serrata Goetze vel cucumerina Bloch, cf Rudolphi Entozoa V II T II, 170. K 959, 7.)

ἑλμίνθιον. ἐν ἐνίαις τῶν ἐγχελύων ἑλμίνθια ἐγγίνεται (Η II 131) Ζιζ16. 570 ᵃ14. (Entozoa quaedam.)

ἐλμινθώδης. τριχώδη χ ἐλμινθώδη Ζιδ11. 538 ᵃ5 (?).

ἕλμινς, ἑλμίς, ὁ ἡ. de heteroclisiae ratione cf Lob Paral 167. 1. Helmintha Burm. ἐν τῇ κάτω κοιλίᾳ αἱ τε λεγόμεναι τερηδόνες χ οἱ ἕλμινθες f 231. 1519 ᵇ19. ζῷον ἐν τῇ κάτω κοιλίᾳ μδ3. 381 ᵇ11. ἐξ ἐνίων περιττωμάτων ἐν τῷ σώματι ζῷα γίνεται πκ12. 924 ᵃ13 cf E Meyer Gesch d Bot I 124. τὰ τρία γένη τῶν καλυμένων ἑλμίνθων αὐτόματα γίνεται ἐν τοῖς περιττώμασι εἴ᾽ ἐστὶν ἐν τοῖς ζῴοις Ζιε19. 551 ᵃ8. — a. Cestoidea R. ἡ ὀνομαζομένη πλατεῖα, προσπέφυκέ τε μόνη τῷ ἐντέρῳ χ ἀποτίκτει οἷον σικυ σπέρμα Ζιε19. 551 ᵃ9 (Taeniae R sp). ἐν τῷ βαλλιρῷ χ τίλωνι ἑλμίς (v l ἕλμινς, ἑλμίνς) Ζιϑ20. 602 ᵇ26 (fort Ligula L cf Rudolphi I 17 K 906, 8; male St: Oniscus psora). — b. Nematoidea R. αἱ στρογγύλαι Ζιε19. 551 ᵃ9. (fort Strongylus R cf Ermerins Hippocr aliorumque reliq I 137). αἱ ἀσκαρίδες (v l ἀκαρίδες) Ζιε9. 551 ᵃ10 (Ascaris. de his omnibus cf C II 830; Rudolphi Entozoa I 17, 41. II, II 70, 160; S II 403 sq; Ideler Meteor II 446-449; M 201, 231-233, 341; Ermerins anecd medica graeca 1841, 179; Dietz schol in Hippocr et Gal II 376 adn). — 2. fort Anulata Lam. ὁ σπόγγος τρέφει ἐν ἑαυτῷ ζῷα, ἑλμινθάς τε χ ἕτερ᾽ ἄττα Ζιε16. 548 ᵇ15 Aub. M 233, K 668, 3. ζῷά τινα χ ἐξαιρέτως ἕλμινθες γεννῶνται ἐν χιόνι φτβ3. 825 ᵃ2 (vers lat et Nicol Damasc ed E Meyer 32, 28: lumbrici?).

ἔλξις, εἶδος φορᾶς Φη2. 243 ᵃ17, 25. ἔλξις ἡ ἀπ᾽ ἄλλυ πρὸς αὐτὸ τῷ πρὸς ἄλλο κινήσει ᾗ Φη2. 244 ᵃ8, 243 ᵇ23. opp ὦσις ψ10. 433 ᵇ25 Trdlbg. Ζπ2. 704 ᵇ23. αἱ μὲν ἕλξεις εἰσιν, αἱ δ᾽ ἀπώσεις Φη2. 243 ᵇ14. διαφέρειν τάσει ἕλξει θραύσει σκληρότητι μαλακότητι μδ12. 390 ᵇ7.

ἕλος. ποταμοὶ ῥέυσιν ἐξ ἑλῶν, λιμναζύσιν εἰς ἕλη, ἕλη λιμνάζυσιν μα13. 350 ᵇ20. πκε2. 938 ᵃ4. τῶν ἑλῶν ξηραινομένων μα14. 351 ᵇ31. προσοικεῖν Πα8. 1256 ᵃ37. τὰ ἕλη τὰ ἄνω τῆς Αἰγύπτυ Ζιϑ12. 597 ᵃ5. — τὸ ἕλος πρίασθαι χ τὰς ἅλας Ρβ23. 1399 ᵃ25, cf παροιμία.

ἐλπίζειν. ἀναμιμνήσκονται πολλῶν χ δυσχερῶν, χ τοιαῦθ᾽ ἕτερα ἐλπίζυσιν Ηδ4. 1166 ᵇ16. — ἐλπιστός. τὸ μέλλον δοξαστὸν χ ἐλπιστὸν ψγ7. ναι1. 449 ᵇ11.

ἐλπίς. τῦ μὲν παρόντος αἴσθησις, τῦ δὲ μέλλοντος ἐλπίς μν1. 449 ᵇ27, 11. ἡ κατ᾽ ἐλπίδα ἀνδρεία ηεγ1. 1229 ᵃ18. τῇ ἀρετῇ ἀκολυθεῖ ἐλπὶς ἀγαθή αρ8. 1251 ᵇ34.

ἐλπιστικὴ ἐπιστήμη ἡ μαντικὴ μν1. 449 ᵇ12.

ἔλυτρον. 1. tegmen. τὰ μὲν ἔχει φράγμα ⅋ ὥσπερ ἔλυτρον τὰ βλέφαρα ψβ9. 421 ᵇ29. ἐν τοῖς ἐμβρύοις εἰσὶν ὑμένες ⅋ περὶ τούτους ὁ ὀμφαλὸς οἷον ἔλυτρον Ζιη8. 586 ᵇ23. — 2. elytra Eleutheratorum. τὰ μὲν ἔχει τῶν πτηνῶν ἔλυτρον 5 τοῖς πτεροῖς, ὥσπερ ἡ μηλολόνθη. τὰ δ' ἀνέλυτρά εἰσιν, ὥσπερ ἡ μέλιττα Ζιδ7. 532 ª23. Ζμδ6. 682 ᵇ14. τὰ κολεόπτερα ἐν ἐλύτρῳ ἔχει τὰ πτερά, οἷον αἱ μηλολόνθαι ⅋ οἱ κάνθαροι Ζια5. 490 ª14.

ἑλώδης. τόποι ἑλώδεις (vl ὑλώδεις) ⅋ πόαν ἔχοντες Ζιζ8. 10 564 ª12. χωρία ἑλώδη Ζιθ10. 596 ᵇ3. τὰ ἑλώδη πα18. 681 ª33. ἰθ6. 909 ª35. 12. 910 ª4. κς58. 947 ª17. τὰ ἑλώδη, coni ἔνυγρα μα14. 351 ᵇ24. πκ32. 926ᵇ4, 7. ζῷον μὲν ἑλῶδες τὴν φύσιν ⅋ πεζὸν (ὁ ἐλέφας) Ζμβ16. 659 ª2. — ἐν προσχηνέμοις ⅋ ἑλώδεσι (corr, εἱλώδεσι 15 Bussem), opp ἐν κοίλοις ⅋ ἐφύδροις πκ9. 923 ᵇ21.

ἐμβαίνειν. οἷς τῷ αὐτῷ ποταμῷ ἐμβῆναι (Heracl fr 21) Μγ5. 1010 ª14.

ἐμβάλλειν. trans, ἐμβάλλειν ἄνθρωπον εἰς λίμνην μβ3. 359 ª18. cf Πε4. 1304 ª3. τὰ ἐμβαλλόμενα, τὸ ἐμβληθὲν γλυκεῖ 20 εν2. 460 ª30. ψβ10. 422 ª12. θηρεύοντες ⅋ τὰς ὗς ἐμβάλλοντες (ἐπὶ τὰς μῦς) Ζιζ37. 580 ᵇ24. — ἐμβάλλειν ὥσπερ κρόκας (ἐπὶ τῇ στήμονι) Ζιι39. 623 ª11. ἀσαφῆ, ἂν μὴ προθεὶς εἴπῃς, μέλλων πολλὰ μεταξὺ ἐμβάλλειν Ργ5. 1407 ᵇ22. ἐμβάλλειν ὅρον. μέσον Αγ22. 84 ª36. 25. 86 ᵇ18. 32. 25 88 ᵇ5 (cf εἴσω ἔχειν ὅρας ª35). ἐμβλητέον τό τε δίκαιον ⅋ τὸ νόμιμον ρ37. 1442 ª18. συλλαβὴ ἐμβεβλημένη π021. 1458 ª2. — mathematice ἴσαι εὐθεῖαι ἐπ' ἀνίσας κύκλας ἐμβληθεῖσαι πρὸς ὀρθὰς τῇ διαμέτρῳ μχ1. 849 ª36. — intr, ποταμός. ὕδωρ ἐμβάλλει εἴς τι μβ2. 356 ª31. πκδ16. 30 937 ᵇ8. 17. 937 ᵇ15. πηλαμίδες εἰς τὸν Πόντον ἐμβάλλωσιν Ζιδ13. 598 ª24, 27.

ἔμβασις. ἐλθεῖν εἰς θερμὸν ὕδωρ. opp ἐπανελθεῖν ἀπὸ τῶν ἐμβάσεων f 227. 1519 ª37.

ἐμβλέπειν. ἡ διάνοια διατεταμένως περὶ αὐτὰ ἐνεργεῖ, ὥσπερ 35 κατὰ τὴν ὄψιν οἱ ἐμβλέποντες Ηκ4. 1175 ª9. — ἐμβλέψαι εἰς τὸ κάτοπτρον εν2. 459 ᵇ29. κμβ15. 1213 ª21.

ἐμβολάς. Ἀριστοτέλης ἐμβολάδας ἀπίους λέγει τὰς ἐγκεκεντρισμένας f 251. 1524 ᵇ32.

ἐμβολή, ἡ Θηβαίων Πβ9. 1269 ᵇ37. 40

ἐμβόλιμον. ᾄδουσιν ἐμβόλιμα, πρῶτα ἄρξαντος Ἀγάθωνος τοῦ τοιούτου π018. 1456 ª29.

ἐμβριθεστέραν ποιεῖν τὴν πληγήν Ζμδ10. 690 ª19.

ἔμβρυον. 1. foetus. α. universe. cf Philippson ὕλη 63. τὸ ἔμβρυον αὐξανόμενον. τελεύμενον, τελευθέν, ἔλαττον, μεῖζον 45 Ζγβ7. 746 ª1, 7. δ8. 777 ª1. τὰ ἔμβρυα, opp τὰ τέλεια Ηα13. 1102 ᵇ1. τὰ πάμπαν ἔμβρυα αα. 438 ª19. τὸ ἀδρυνόμενον Ζιη8. 586 ᵇ2. τὸ γεγεννημένον Ζγβ6. 744 ª26. τὸ τέλος ἔχον Ζγδ8. 776 ª35. τὰ πλείω τῶν ἐμβρύων τὸν αὐτὸν ἔχει τρόπον τῷ ἑνὶ Ζγβ7. 746 ª13. ἡ πλάσις τοῦ 50 ἐμβρύου Ζγδ8. 776 ª34, ⅋ αὔξησις Ζγα12. 719 ᵇ26. β7. 745 ᵇ23. δ6. 775 ᵇ15. Ζμβ9. 655 ª4. ἡ εἰς τὸ ἔμβρυον τροφὴ Ζγδ6. 775 ᵇ24. αἷμα τροφὴ τοῖς ἐμβρύοις Ζμβ6. 651 ᵇ23. προεκτίθεται τοῖς ἐμβρύοις ἡ φύσις τὴν αἱματικὴν τροφὴν τῆς ὑστέρας. διὰ τῆς τοῦ ὀμφαλοῦ προσφύσεως Ζγβ7. 55 746 ª3, 745 ᵇ23. τὸ μεῖζον ἔμβρυον πλείω λαμβάνει τροφὴν Ζγδ8. 777 ª1. φησὶ τὴν τῶν ἐμβρύων σωτηρίαν ⅋ αὔξησιν συμφέρειν μηδὲν ἐπεῖναι βάρος ἐπὶ ταῖς ὑστέραις Ζγα12. 719 ᵇ26. βάρος ἔχει Ζγα11. 719 ª15. ἠρεμεῖ ἐν ταῖς μήτραις τὰ ἔμβρυα τὸ πρῶτον ⅟3. 457 ª21. κίνησιν 60 ἔχει Ζγα11. 719 ª15. στρέφεται Ζιζ22. 576 ª22. κυλιν-

δεῖται ἐνίοτε περὶ τὸ αἰδοῖον Ζιη8. 586 ᵇ25. φαίνεται τὸ ὕδωρ ⅋ ἐν τοῖς πάμπαν ἐμβρύοις τῇ ψυχρότητι ὑπερβάλλον ⅋ τῇ λαμπρότητι αι2. 438 ª19. — quaenam eius partes primae conspicuae sint. ἐν τοῖς ἐμβρύοις εὐθέως ἡ καρδία φαίνεται κινουμένη Ζιγ4. 666 ª20. πάμμικρα καρδία τε ⅋ ἧπαρ ἐν τοῖς ἐκβολίμοις τῶν ἐμβρύων Ζμγ4. 665 ᵇ1. τὰ περὶ τὴν κεφαλὴν ⅋ τὰ ὄμματα μέγιστα κατ' ἀρχὰς φαίνεται τοῖς ἐμβρύοις Ζγβ6. 742 ᵇ15. λαμβάνει τὸ ἔμβρυον τὴν ἀπόκρισιν Ζγδ8. 776 ᵇ29. προίεσθαι τὸ ἔμβρυον Ζικ7. 638 ᵇ9. ἡ τῶν ἐμβρύων ἐξάρτησις Ζιγ1. 511 ª33. δεῖ τὸ ἔμβρυον ἐν τῇ ὑστέρα εἶναι ⅋ πρὸς τῇ μητρὶ Ζγγ2. 754 ª4. μεταξὺ τῆς ὑστέρας ⅋ τοῦ ἐμβρύου τὸ χόριον ⅋ οἱ ὑμένες εἰσὶν Ζγβ7. 745 ᵇ35, 746 ª18. Ζιη17. 601 ª1. — b. foetus in singulis animalium ordinibus. περὶ ἅπαντα τὰ ἔμβρυα ⅋ τὰ πλωτὰ ⅋ τὰ τῶν πεζῶν ὁμοίως λεπτοὶ περιέχουσιν ὑμένες Ζγβ7. 746 ª23. τὰ ζῳοτοκούμενα ἔμβρυα Ζγβ7. 745 ᵇ23. γ2. 753 ᵇ32. τοῖς ζῳοτόκοις διὰ τὰ ἔμβρυα ἐν τοῖς προσθίοις αἱ ὑστέραι Ζγα13. 720 ª15. incrementum, situs, partus foetuum Ζιη8. 586 ª31-26. 9. 587 ª6 sq. ἔμβρυα γίνονται αἱ κοτυληδόνες αὐξανομένου τοῦ ἐμβρύου Ζιη8. 586 ᵇ12. — mulieris foetus. descr τὸ ἔμβρυον τετταρακοσταῖον Ζιη3. 583 ᵇ17. φασὶ τὸ ἔμβρυον ἀπαρτίζεσθαι πρὸς ἀκρίβειαν μηνὶ τῷ ἕκτῳ f 257. 1525 ª26. τὸ ἔμβρυον γόνιμον προκαταβαίνειν τὸ ὀγδόῳ μηνὶ Ζιη4. 583 ᵇ31. τὴν κεφαλὴν στρέφειν τὸ ἔμβρυον φαίνεται ὠδῖνος ἀρχὴ γίνεσθαι Ζιη4. 584 ª33. ἤδη γεγενημένων θύραζε τῶν ἐμβρύων μαλακόν ἐστι τὸ βρέγμα τῶν παιδίων Ζγβ6. 744 ª26. διὰ τί διαφθείρεται ἐνίοτε τὰ ἔμβρυα Ζικ3. 635 ᵇ12. — quadrupedum foetus Ζιζ10. 565 ᵇ6, ⅋ περιττώματα Ζιζ10. 565 ᵇ8, ὑμένας ἰδίας ⅋ χόριον Ζιζ10. 565 ᵇ11. πλάγια προέρχεται τὰ τούτων ἔμβρυα Ζιζ22. 576 ª24. τῶν μεγάλων ⅋ τὰ ἔμβρυα μεγάλα κατὰ λόγον Ζγδ5. 773 ᵇ4. τῶν πολυτόκων τὰ ἔμβρυα ἐφεξῆς κείμενα Ζγδ4. 771 ᵇ31. τὰ ἔμβρυα τῶν ἀμφωδόντων, τῶν κερατοφόρων ⅋ μὴ ἀμφωδόντων Ζιγ1. 511 ª30. τὰ ἔμβρυα τῆς γαλῆς Ζγγ6. 756 ᵇ34, τῆς ἄρκτου Ζιζ30. 579 ª21. τῆς Περσικῆς ἔν τινι τόπῳ ἀνασχιζομένης τῆς θηλείας μυὸς τῶν ἐμβρύων τὰ θήλεα κύοντα φαίνεται Ζιζ7. 580 ᵇ30 (cf Harvei exercitat de generat animal 135. S I 525). τῶν ἐλεφάντων τὸ ἔμβρυον γίνεται ὅσον μόσχος δίμηνος ἢ τρίμηνος Ζιε14. 546 ᵇ12. Ζγδ5. 773 ᵇ5. τῶν ἐλάφων ἐν τῷ ὄρει τῷ Ἐλαφηέντι καλουμένῳ τὰ ἔμβρυα ἐν τῇ γαστρὶ ὄντα εὐθὺς ἔχει τὸ ὗς ἐσχισμένου Ζιη29. 578 ᵇ30. τοῖς τῶν βοῶν ἐμβρύοις τέτταρες αἱ φλέβες Ζιη8. 581 ᵇ16 (cf Sprengel Gesch d Arzneikunde I 519). τὸ τῶν ἵππων ἔμβρυον ἀνασχιζόμενον ἔχει ἄλλα νεφροειδῆ περὶ τὰς νεφρὰς Ζιζ22. 577 ª5. οἱ Σκύθαι ἱππεύουσι ταῖς κυούσαις ἵπποις, ὅταν θᾶττον στραφῇ τὸ ἔμβρυον Ζιζ22. 576 ª21. ἐνίοτε διαφθείρει τὸ τῶν ἵππων ἔμβρυον τὸ ἐνυπάρχον Ζιζ22. 577 ª14. φασὶ τὰς ἵππους τὸ ἐπιφυόμενον τοῖς ἐμβρύοις ἱππομανὲς ἀποσθίειν f 331. 1533 ᵇ34. — avium foetus Ζιη8. 586 ᵇ17. τὸ ὄστρακον τοῦ ᾠοῦ περὶ τὸ ἔμβρυόν ἐστιν ⅋ περὶ τὴν μητέρα ὅλην Ζγγ2. 754 ª3. ὑμένες περὶ αὐτὸ ἤδη τὸ ἔμβρυον Ζιζ3. 561 ᵇ23, 26. 10. 565 ª7. — piscium foetus Ζιζ10. 565 ª7, ᵇ6. τὰ ἔμβρυα τῶν γαλεῶν λεῖων Ζιζ10. 565 ᵇ9 sq (cf Mo 171, Müller glatt Hai 10, H II 48). — 2. ἔμβρυον i q παιδίον, ut saepius apud alios. ἔμβρυον φαίνυνται ἐν τῇ κοιλίᾳ τὸ γάλα τοῖς ἐμβρύοις Ζμγ15. 676 ª16.

ἐμεῖν. μέλιττα μέλι ἐμεῖ εἰς τὸν κύτταρον Ζιε22. 554 ª17. προστάττουσιν ἐμεῖν πε7. 881 ª12. ἐμεῖταί τι τελευταῖον πκβ1. 930 ª9.

ἐμετιᾶν. πγ18. 873 b24.
ἐμετικός. 1. τὰ εὐρυστήθη (ζῷα) ἐμετικὰ μᾶλλον Ζυ50.
632 b11. — 2. φάρμακον ἐμετικόν πγ18. 873 b36.
ἔμετος. ναυτίαν κ̄ ἔμετοι λαμβάνυσι τὰς κυήσας Ζυ4. 584
a7. cf Ζμγ3. 664 b13. οἱ κύνες ποιῦνται ἔμετον Ζυ6. 612 5
a6. παχεῖαι αἱ φωναὶ μετὰ τῆς ἐμέτυς ax 804 a18. χρῆσθαι
ἐμέτοις πα4. 859 a25. περὶ ἐμέτων πβ22. 868 b6. ε7. 881
a12. λζ2. 965 b30.
ἐμμανής. ἐλέφαντες ἐμμανεῖς περὶ τὴν ὀχείαν Ζιζ18. 571
b34. — οἱ ἐμμανεῖς ἐχόμενα τῦ ὁμοίῳ λέγυσι κ̄ διανοῦν- 10
ται (?) μτ2. 464 b2.
ἐμμελής ἁρμονία κ6. 399 a17, ὁμιλία Ηδ14. 1128 a1. πόλις
τῷ μεγέθει ἑτέρων ἐμμελεστέρα Πη6. 1327 b15. ἐμμελέ-
στερον φαίνεται διὰ τὸ ἐπαχθεῖς τὰς ὑπερβολὰς εἶναι Ηδ13.
1127 b8. ὕτως ὑπολαβεῖν ἐμμελέστερον Οβ1. 284 b3. — 15
ἐμμελῶς. ἠγμένα τῦ θεῶ ἀεικινήτως κ̄ ἐμμελῶς κ6.
400 b31. — ἐμμελῶς φέρειν τὰς τύχας, τὰ εὐτυχήματα
Ηα11. 1100 b21. δ8. 1124 a31. δαπανῆσαι μεγάλα ἐμμε-
λῶς Ηδ4. 1122 a35. ἐμμελῶς λέγειν Ηι10. 1170 b21. ηεγ2.
1231 a11. ἐμμελῶς λέγεται κ̄ μυσικῶς Οβ9. 290 b30. 20
ἐμμελῶς παίζειν, σκώπτειν Ηδ14. 1128 a9. Ρβ4. 1381 a36.
ημα31. 1193 a18.
ἐμμένειν. ἐὰν ἑπτὰ ἡμέρας ἐμμένῃ τὸ σπέρμα, φανερὸν ὅτι
εἴληπται Ζιη3. 583 a24. κίνησις ἐμμένει, opp διαλύεται μν2.
453 b3. τῆς ἐμμενῶν, opp τῆς ἡγυμένος f 64. 1486 b24. 25
ἱκμὰς ἐμμελεῖ ἐν τῇ ἱριῒ μγ5. 376 b28. οἱ ἐμμεμενηκότες
ἐν τοῖς νομίμοις Ρα8. 1365 b35. ἐμμένειν δόξῃ, λόγῳ, τοῖς
γνωσθεῖσιν, τοῖς δόξασιν, τοῖς νόμοις, τῷ φιλεῖν sim Ηη10.
1151 b3 (opp ἐξίστασθαι), 17, 19, a30, 31. γι. 1110 a31.
ημα34. 1193 b9. ηεγ4. 1239 b1. Πδ8. 1294 a6. Ρα15. 1375 30
b8. ρ39. 1445 b39.
ἐμμενετικός δόξῃ, λογισμῷ, opp ἐκστατικός Ηη3. 1146
a17, 18. 2. 1145 b11. 9. 1151 a26. 10. 1151 b5.
ἔμμετρος. διαφέρειν τῷ ἔμμετρα ἢ ἄμετρα λέγειν πο9.
1451 b1. ὐδὲ ἐμμέτρως τῆς καλυμένης Σώφρονος μίμυς 35
f 61. 1486 a9. ὐδὲ ἐν τοῖς ἐμμέτροις, opp ἐν τῶν λόγων πο6.
1450 b14. τὸ σχῆμα τῆς λέξεως δεῖ μήτε ἔμμετρον εἶναι
μήτε ἄρρυθμον Ργ8. 1408 b21. — οἱ κολοιοὶ ἐκ τῶν νήσων
πετόμενοι τοῖς γεωργοῖς σημεῖον αὐχμῦ κ̄ ἀφορίας εἰσίν·
ἐὰν δὲ ἔμμετροι (?) χωρῶσιν, εὐκαρπίαν δηλῶσιν f 240. 40
1522 a27.
ἐμμιγνύναι. μικρὰ ἐμμιγνυμένῃ Γα2. 315 b13. ἡ γῆ ἐμ-
μιγνυμένη μβ3. 357 a16.
ἐμός. ἐὰν πάντες ἅμα λέγωσι τὸ ἐμὸν κ̄ τὸ μὴ ἐμόν (Plat
rep V 462 C) Πβ3. 1261 b18. 45
ἐμπαθής. ὅσῳ ἂν ἐμπαθέστερος ᾖ εν2. 460 b7 (syn ἐν τοῖς
πάθεσιν ὄντες a4).
ἔμπαλιν ἢ πρὶν (Emp 362) αν7. 474 a1. τοῖς δὲ τἤμπαλιν
δοκεῖ ψβ4. 416 a31.
ἔμπεδος αἰών (Emp 72) Φθ1. 251 a1. 50
Ἐμπεδοκλῆς ὁ Ἀκραγαντῖνος Οα10. 279 b16. eius aetas
cum Anaxagora comparatur ΜΑ3. 984 a11 Bz, definitur
f 60. Ἐμπεδοκλῆς ἐλεύθερος κ̄ πάσης ἀρχῆς ἀλλότριος f 55.
1484 b40. μελαγχολικός πλ1. 953 a27. ψελλίζεται ΜΑ4.
985 a5. eius dictio ambigua reprehenditur Ργ5. 1407 a35. 55
ὐδὲν κοινὸν Ὁμήρῳ κ̄ Ἐμπεδοκλεῖ πλὴν τὸ μέτρον πο1.
1447 b18. ὅτιος περὶ τὴν φράσιν, μεταφορικός f 59. 1485
b8. λέγειν ἔπη Ἐμπεδοκλέυς Ηη5. 1147 a20, b12. Ἐμπε-
δοκλῆς πρῶτον ῥητορικὴν εὗρε f 54. 1484 b28, 32, 34. —
Empedoclis carmen de natura rerum significatur Ἐ. ἐν 60
τῇ κοσμοποιίᾳ Φβ4. 196 a22, ἐν τοῖς φυσικοῖς μδ4. 381
V.

b32 (inde πκα22. 929 b16 pro Περσικῦς scribendum φυσι-
κοῖς). ex physicis versus multi afferuntur: v 70-74 Φθ1.
250 b30. v 88 Γβ6. 333 a19. v 94 ξ2. 975 b10 (eodem fort
pertinet ξ2. 976 b25). v 98, 100 101 Μδ4. 1014 b37. v 98,
100 Γα1. 314 b7. v 100, 101 ξ2. 975 b7. v 100 Γβ6. 333
b14 (ibidem b15 respici videtur v 101). v 102-104 ξ2.
975 a39. v 122, 124 Γα1. 314 b20, cf 315 a10. v 128-131
Μβ4. 1000 a29. v 128-130 x6. 399 b26. v162 Μβ4. 1000
b2. v 166 ξ2. 976 b27. v 177-179 Μβ4. 1000 b14. v 181
Γα8. 325 b22 (?). v 198 τὸ 5. 127 a18. v 202 πο25. 1461
a24. v 211-213 ψα5. 410 a3. v 215 resp Ζγδ4. 771 b23.
v 216, 217 μδ9. 387 b4. v 220-229 αι2. 437 b23. v 237-
239 Οβ13. 294 a25. ξ2. 976 a33. v 258 μβ2. 357 a26 (?).
v 259 Γβ6. 334 a5. v 260 Γβ6. 334 a3. Φβ4. 196 a22. v 274
Γβ6. 333 b1. v 275 μδ4. 381 b32. πκα22. 929 b16. v 286
Ζγα23. 731 a4. v 307 ψγ6. 430 a28. Ζγα18. 722 b19. Ογ2.
300 b30. v 314 Φβ8. 198 b32. v 321 Φβ8. 199 b9. v 326,
327 Ζμα18. 722 b8, 12. Ζγο1. 764 b17. v 329, 330 Ζγα18.
723 a24. v 335 ατ972 b29 (?). v 336 Ζγδ8. 777 a8. v 343-
367 αν7. 473 b9. v 371 πο21. 1458 a5. v 375-377 ψγ3.
427 a22. Μγ5. 1009 b17. v 378-380 ψα2. 404 b11.
Μβ4. 1000 b6. ex carmine τῶν καθαρμῶν afferuntur v438,
439 Ρα13. 1373 b14. ex incerto carmine Ἐμπ. τὸ γήρας
εἶπε δυσμὰς βίυ πο21. 1457 b24. apophthegma Empedoclis
περὶ τῆς κυνὸς καθευδύσης ἐπὶ τῆς αὐτῆς κεραμίδος ημβ11.
1208 b12. ηεη1. 1235 a11. — Empedoclis doctrina sae-
pissime componitur cum Anaxagora, Democrito (Leucippo),
veluti Φα4. 187 a22, 188 a18. 6. 189 a15. β2. 194 a20. 8.
198 b16. γ4. 203 b13. Ογ3. 302 a28. 7. 305 a34, b1. ὁ2.
309 a20. Γα1. 314 a11, 16, 25. 8. 325 b5. πν3. 482 a29.
Ζγδ3. 769 a17. ΜΑ6. 988 a16. γ5. 1009 b15. λ2. 1069
b21. 6. 1072 a6. ν4. 1091 b11, cum Heraclito Οα10. 279
b16. Emp doctrina universe exponitur et iudicatur Φα4.
Γβ6. 7. ψα5. 409 b23-410 b26. Ογ7. Empedocles γένεσιν
esse negat Γα1. 314 b7. ξ2. 975 a39, τὴν γένεσιν ἀλλοίωσίν
φησι Γα1. 314 a11. finitum ponit elementorum numerum
Φα4. 188 a18. 6. 189 a15. Γα1. 314 a25. Ογ3. 302 a20.
4. 302 b23. quatuor ponit elementa, τὰ τέτταρα, πρὸς τοῖς
εἰρημένοις γῆν προστιθεὶς τέταρτον, ταῦτα γὰρ ἀεὶ διαμένειν
κ̄ ὐ γίγνεσθαι ἀλλ' ἢ πλήθει κ̄ ὀλιγότητι συγκρινόμενα κ̄
διακρινόμενα ΜΑ3. 984 a8. 7. 988 a27. 8. 989 a20. β3.
998 a30. Γα1. 314 a16. τα14. 105 b16 (cf ημβ12. 1212
a15, 17), eaque primus ΜΑ3. 984 a8. Γβ1. 329 a3, ἄφθαρτα
Μβ4. 1000 b20. Γα8. 325 b19, ἀμετάβλητα εἰς ἄλληλα
Γα1. 315 a3. β1. 329 b1. 6. 333 a18, ἴσα πάντα Γβ6. 333
a19, διαιρεῖ τὰ εἰς ἄτοια Ογ6. 305 a3, sed διαφορᾷ τέτ-
ταρα χρῆται ὡς δυσὶ μόνοις ΜΑ4. 985 a33. Γβ3. 330 b20.
de elementorum qualitate, ἥλιος λευκὸς κ̄ θερμός Γα1.
314 b20, 315 a10, περὶ κύφυ κ̄ βαρέος ὐδὲν διώρισε Οο2.
309 a20. Aristoteli Empedocles ὐ γένεσιν ἐξ ἀλλήλων ποιεῖ
ἀλλὰ φαινομένην γένεσιν Ογ7. 305 b1, a34, ὐ μίξιν ἀλλὰ
σύνθεσιν Γβ6. 334 a18, 27. α8. 325 b16, τὴν αὔξησιν προσ-
θεσιν τῦ ὁμοίυ Γβ6. 333 a35, b1. cf Ηβ2. 1155 b7. ημβ10.
1208 b12. ηεη1. 1235 a11. μίγνυσθαι (Emp dicit) ὅτων
οἱ πόροι σύμμετροι Γα8. 324 b33, 325 b1, 5, 326 a6. —
motrices causas Emp primus duas distinguit, φιλίαν et
νεῖκος, illa συγκρίνει, hoc διακρίνει ΜΑ4. 985 a29. resp
Φα5. 188 b34. β8. 198 b16. γ4. 203 b13. θ9. 265 b21.
Ζμα1. 640 b7. Μγ2. 1004 b33. has causas motrices Ar
etiam στοιχεῖα appellat Γα1. 314 a16. Μν4. 1091 b11 (ἡ
φιλία ὡς ὕλη μόριον τῦ μίγματος Μλ10. 1075 b2) et

Hh

ὑποκείμενον Μβ1. 996 ᵃ8. φιλίαν φησὶν (Emp) εἶναι τὸ ἕν Μι2. 1053 ᵇ15. cf β4. 1001 ᵃ12. ἐπὶ τῆς φιλότητος, i e ὅτε ἐνεργεῖ ἡ φιλότης Ογ2. 300 ᵇ30, 301 ᵃ15. ex Aristotelis ratiocinatione et φιλία διακρίνει et νεῖκος συγκρίνει ΜΑ4. 985 ᵃ21. β4. 1000 ᵃ25, 28, ᵇ10, et Empedocles τὴν ἐνέρ- 5 γειαν πρότερον ποιεῖ τῆς δυνάμεως Μλ6. 1072 ᵃ6. φιλίαν et νεῖκος Ar refert ad τὸ ἀγαθόν et τὸ κακόν, ἡ φιλία αἰτία τῶν ἀγαθῶν, τὸ νεῖκος τῶν κακῶν ΜΑ4. 985 ᵃ5, 8. 6. 988 ᵃ16. λ10. 1075 ᵇ2. — ἀγόμενος ὑπ᾿ αὐτῆς τῆς ἀληθείας τὴν οὐσίαν ἀναγκάζεται φάναι τὸν λόγον εἶναι, οἷον 10 ὀστοῦν ἀποδιδοὺς τί ἐστι Ζμαl. 642 ᵃ17. τὸ ὀστοῦν τῷ λόγῳ ἐστὶν Οα5. 410 ᵃ3. ΜΑ10. 993 ᵃ17. πν9. 485 ᵇ26. ἐπὶ μικρόν τι μέρος Ἐμπεδοκλῆς τῷ εἴδης κ̀ τῷ τί ἦν εἶναι ἥψατο Φβ2. 194 ᵃ20. ΜΑ10. 993 ᵃ17. — Aristoteli Empedocles τῆς μεταβολῆς αἴτιον οὐθὲν λέγει ἀλλ᾿ ἢ ὅτι οὕτως πέφυκεν, 15 αἰτίαν τῆς ἀνάγκης οὐδεμίαν λέγει, adeo ut ad τύχην omnia referantur Μβ4. 1000 ᵇ12. Φβ4. 196 ᵃ18, 20. Ογ2. 300 ᵇ29. Γβ6. 333 ᵇ3, 11, 334 ᵃ3. cf Ζμαl. 640 ᵃ19. — Empedocles ἐναλλὰξ συνίστησι κ̀ διαλύει τὸν κόσμον, ποιεῖ περίοδον, κρατεῖν κ̀ κινεῖν ἐν μέρει τὴν φιλίαν κ̀ τὸ νεῖκος 20 Οα10. 280 ᵃ11, 279 ᵇ16. Φθ1. 252 ᵃ7, 20, 250 ᵇ26 (sed παραλείπει τὴν ἐπὶ τῆς φιλότητος γένεσιν Ογ2. 301 ᵃ15). σφαῖρον Empedocli, in quo coniuncta sunt elementa omnia, Ar appellat τὸ μίγμα Μλ2. 1069 ᵇ21. 10. 1075 ᵇ4. v5. 1092 ᵇ6. Φα4. 187 ᵃ23, τὸ ἓν Φα4. 187 ᵃ21. Γα1. 25 315 ᵃ6, 20. ΜΑ4. 985 ᵃ28. β4. 1000 ᵃ28, ᵇ11, τὸν θεὸν Μβ4. 1000 ᵃ29, ᵇ4. ἡ γῆ σῴζεται ἠρεμῦσα, διὰ τὴν δίνησιν θάττονος τυγχάνουσα φορᾶς τῆς οἰκείας ῥοπῆς Οβ1. 284 ᵃ26. 13. 295 ᵃ17, 29. γ2. 300 ᵇ2. Empedoclis sententia de natura fulminis μβ9. 369 ᵇ12, de natura maris μβ1. 353 30 ᵇ11 Ideler. 3. 357 ᵃ26, de origine saxorum πκθ11. 937 ᵃ15. — τὰ φυτὰ ἔχουσι γένεσιν ἐν κόσμῳ ἠλαττωμένῳ κ̀ ἀ τελείῳ κατὰ τὴν συμπλήρωσιν αὐτῆ φτα2. 817 ᵇ35. ἡ αὔξησις πῶς συμβαίνει τοῖς φυτοῖς ψβ4. 415 ᵇ28. ταὐτὰ τρίχες κ̀ φύλλα μθ9. 387 ᵇ4. ἐν τοῖς φυτοῖς ἀ κεχώρισται 35 τὸ θῆλυ τῇ ἄρρενος Ζγα23. 731 ᵃ4, 2. φτα1. 815 ᵃ20. 2. 817 ᵃ1, 10, 36. ἐπιθυμία κινεῖσθαι τὸ φυτὰ κ̀ ἔχειν νῦν κ̀ γνῶσιν φτα1. 815 ᵃ16, ᵇ16. — τῶν ζῴων ἀπώλετο ὅσα συνέστη ἀχ ὅτως ὥσπερ ἂν εἰ ἕνεκά τυ ἐγίνετο Φβ8. 198 ᵇ32, 29. ψ6. 430 ᵃ28. διὰ τὴν θερμότητα τῆς φύσεως τὰ 40 μὲν ἔνυδρα τὰ δ᾿ ἐν πεζῷ τῶν ζῴων αν14. 478 ᵃ8, 477 ᵃ32, ᵇ13. τὸ θῆλυ θερμότερον τῷ ἄρρενος Ζμβ 2. 648 ᵃ31. ἐν τῷ θήλει κ̀ ἄρρενι οἷον σύμβολον ἐνεῖναι Ζγα18. 722 ᵇ8. cf δ1. 764 ᵇ5. διὰ τί τὰ μὲν ἄρρενα γίνεται τὰ δὲ θήλεα Ζγδ1. 764 ᵃ2, 12, 765 ᵃ6, 9. 3. 769 ᵃ17. διὰ τί ἄγονον τὸ 45 τῶν ἡμιόνων γένος φτα7. 747 ᵃ26, 34. Empedoclis placita περὶ ἀναπνοῆς αν7. πν3. 482 ᵃ29, περὶ χυμῶν αι4. 441 ᵃ6, 10, περὶ ὀφθαλμῶ κ̀ ὄψεως αι2. 437 ᵇ11, 25. 6. 446 ᵃ26. ψβ7. 418 ᵇ20. γ12. 435 ᵃ5. τὰ μέλανα ὄμματα πλεῖον ὕδατος ἔχειν κ̀ πυρὸς Ζγε1. 779 ᵇ16. πιὸ14. 910 ᵃ15. ἀπορ- 50 ροίας εἶναι τὰς χροίας resp Emp αι3. 440 ᵃ15. ἐκ νεύρων τὸν ὄνυχα εἶναι τῇ πήξει πν6. 484 ᵃ38. — ἡ ψυχὴ ἐκ τῶν στοιχείων πάντων ψα2. 404 ᵇ11, 405 ᵇ9. 5. 409 ᵇ23- 410 ᵇ27. πότερον λόγος ἡ ψυχὴ ψα4. 408 ᵃ19. τοῖς σωμα- τικοῖς στοιχείοις ἕκαστα γνωρίζεται ψα5. 410 ᵃ28. inde 55 Ar concludit Empedocli esse ταὐτὸν φρόνησιν κ̀ αἴσθησιν ψγ3. 427 ᵃ22. Μγ5. 1009 ᵇ12-20, et ἀφρονέστατον εἶναι τὸν θεὸν ψα5. 410 ᵇ4. Μβ4. 1000 ᵇ3. ἐμπειρία πῶς γίγνεται ἐκ μνήμης κ̀ ἐξ ἐμπειρίας πῶς γίγνεται τέχνη κ̀ ἐπιστήμη Αὁ19. 100 ᵃ5 sqq Wz. α30. 46 60 ᵃ18 sqq. ΜΑ1. 981 ᵃ1 Bz, 15. Φη3. 247 ᵇ20. πλῆθος χρόνυ

ποιεῖ τὴν ἐμπειρίαν Ηζ9. 1142 ᵃ16. ἐμπειρίαν λαβεῖν κ̀ ἐν συνηθείᾳ γενέσθαι Ηθ7. 1158 ᵃ14. δοκεῖ ἐπιστήμη κ̀ τέχνη ὅμοιον εἶναι ἡ ἐμπειρία, περὶ τὸ πράττειν ἐμπειρία τέχνης οὐδὲν δοκεῖ διαφέρειν ΜΑ1. 981 ᵃ2, 15. cf αρ4. 1250 ᵃ35. αἱ ἄλλαι ἐμπειρίαι κ̀ τέχναι Πγ11. 1282 ᵃ1. ἐμπειρία, syn ἐπιστήμη Πε9. 1309 ᵇ5, 8. παρέχεταί τι πίστιν ὡς ἐξ ἐμ- πειρίας λεγόμενον μτ1. 462 ᵇ16. ἐμπειρία, opp θεωρία Πα8. 1258 ᵇ11. — αἱ περὶ τούτων ἐμπειρίαι Πδ13. 1297 ᵇ20. ἐμπειρίαν ἔχειν περί τινος ρ15. 1431 ᵇ13. ἡ ἐμπειρία ἡ περὶ ἕκαστα δοκεῖ ἀνδρεία τις εἶναι Ηγ11. 1116 ᵇ3-22. ἐμπειρικοὶ ἁλιεῖς Ζιδ7. 532 ᵇ20. — ἐμπειρικῶς ἔχειν τῶν συμβαινόντων Ζγβ6. 742 ᵃ17. ἔμπειρος. οἱ ἔμπειροι τὸ ὅτι μὲν ἴσασι, διότι δ᾿ ἀκ ἴσασιν ΜΑ1. 981 ᵃ29. ὁ ἔμπειρος τῶν ὁποιανῶν ἐχόντων αἴσθησιν σοφώτερος, ὁ δὲ τεχνίτης τῶν ἐμπείρων ΜΑ1. 981 ᵇ30. οἱ ἔμπειροι πρακτικώτεροι Ηζ8. 1141 ᵇ18. πρὸς ἃ εὐφυεῖς εἰσι κ̀ ἔμπειροι Ρα6. 1363 ᵃ35. ἔμπειρος νεὼς f 13. 1476 ᵃ22. νέος ἔμπειρος οὐκ ἔστιν Ηζ9. 1142 ᵃ15. — ἐμπείρως, opp ἀπείρως τβ9. 114 ᵇ11. ἐμπεριέχειν. τὸ ἐμπεριέχον τὸ μέσον ημα9. 1187 ᵃ3. τὰ ἐμ- περιεχόμενα ἄστρα κ2. 392 ᵃ9. ἐμπεριλαμβάνειν. ἐμπεριειλημμένα φαίνεται ζῷα ἐν τῷ ἠλέκτρῳ μδ10. 388 ᵇ21. τὸ ὠχρὸν ἐμπεριλαμβάνεται ἐν τῷ νεοττῷ Ζιζ3. 562 ᵃ14. ἐμπεριλαμβανομένη τροφὴ ἐν τοῖς ὀστοῖς Ζμβ6. 652 ᵃ5, 23. τὸ κενὸν ἐμπεριλαμβανόμενον κι- φίζει τὰ σώματα Οδ2. 309 ᵃ6. ἐμπεριλαμβάνεται ξηρὰ ἀναθυμίασις, ἀὴρ al μβ3. 358 ᵃ23. 9. 369 ᵇ13. φτβ2. 823 ᵇ22. 5. 826 ᵃ21. τὸ ἐμπεριλαμβανόμενον ἐν τῷ σπέρματι πνεῦμα Ζγβ3. 736 ᵇ36. cf γ11. 762 ᵃ22. ὅσοις σώμασιν ἐμπεριλαμβάνεται τὸ θεῖον Ζγβ3. 737 ᵃ9. — ἐνὶ ὀνόματι ἐμπεριλαβόντες ἓν γένος Ζμα4. 644 ᵃ12. ἐμπεριείληπται (int τῷ ἐγκλήματι) ὁ διαβάλλων Ργ15. 1416 ᵃ20, 22. ἐμπερίληψις τῷ πυρὸς μβ9. 369 ᵇ19. ἐμπηγνύναι τὰς ὄνυχας Ζιθ9. 614 ᵇ6. Ζμδ12. 694 ᵃ19. εἰς τὴν γῆν ἐμπήξας κάρφος πη21. 889 ᵇ1. ἀμυγδαλαῖ ἥλων ἐμπηγνυμένων αὐταῖς βελτίωνται φτα7. 821 ᵃ38. ἐμπήγνυ- σθαι ἐν τοῖς πάγοις Ζιδ20. 603 ᵃ27. ἐμπίνειν. οἱ σφόδρα ἐμπεπωκότες φ6. 811 ᵇ15. ἐμπίπλημι. ἀγγεῖον ἐμπίπλαται Ζιε18. 550 ᵃ2. — ἐνέπλησε videtur intr usurpatum esse πη13. 888 ᵇ3. ἐμπίπρημι. ὕλη ἐμπεπρησμένη πιβ3. 906 ᵇ9. ἐμπίπτειν. ἐμπεσόντος τῷ ὀργάνω (πελέκυος) ἐγένετό τι, dist ὅτι ἐποιήσατο τὴν πληγὴν τ̣ῇ τινος ἕνεκα Ζμα1.641 ᵃ11. κατα- βαινόντων ἐμπίπτει τὸ σῶμα κάτω κ̀ προωθεῖ, ἐμπίπτει κ̀ σα- λεύει ιε24. 883 ᵃ37, 38. αἰθὴρ ἐμπίπτων εἰς τὰ κάτω τῆς γῆς μβ7. 365 ᵃ20, οἱ δ᾿ ἄλλων ἐκπνεόντων ἐμπίπτωσιν ἕτεροι ἄνεμοι, ὅτοι δὲ μάλιστα ἐμπίπτωσι τοῖς ἄλλοις πνεύσιν μβ. 365 ᵃ5. τῆς δυάδος ἐμπιπτούσης ὁ ἀφ᾿ ἑνὸς διπλασιαζόμενος ἀριθμὸς γίγνεται Μμ8.1084 ᵃ5. πολλάκις ἐμπίπτουσιν ἄνθρωποι σφόδρα πένητες εἰς τὸ ἀρχεῖον Πβ9.1270 ᵇ9.— αἱ ἀριστοκρατίαι ἧττον ἐμπίπτουσιν εἰς δυναστείας Πε8. 1308 ᵃ11. νόσημα ἐμπίπτει ἐπ᾿ ἀρρωστίαν ρ4. 1426 ᵃ11. νόσημα ἐμπίπτει εἰς τὰς ἰχθῦς, ἐνίοις τῶν ἰχθύων Ζιθ19. 602 ᵇ12. 20. 602 ᵇ21. οἷς τρόμοι ἧττον ἐνέπιπτον πγ26. 874 ᵇ30. ἐμπίπτουσιν αἱ διαθέσεις μετὰ αἰσθήσεως φτα1. 815 ᵇ13. τὰ πλειστάκις ἐμπίπτοντα τῶν προβλημάτων, εἰς ἃ πλειστάκις ἐμπίπτωσιν οἱ τόπου τθ14. 163 ᵇ17, 22. — τὸν τόπον φάσκωσιν εἶναί τι παρὰ τὰ σώματα τὰ ἐμπίπτοντα Φδ7. 214 ᵃ23. μεταξὺ δύο ὅρων ἄπειροι ἂν ἐμπίπτοιεν Αγ23. 84 ᵇ12. imprimis ἐμ- πίπτειν ea dicuntur, quae ambitu generis alicuius conti- nentur. ἐμπίπτειν εἰς τὰς εἰρημένας αἰτίας sim ΜΑ5. 986

a15. Φβ4. 196 b9. οβ1345 b13. στοιχεῖον χ̣ τόπος ἐστίν, εἰς ὃ πολλὰ ἐνθυμήματα ἐμπίπτει Ρβ26. 1403 a19. εἰς τὴν ἔλλειψιν ἐμπίπτει Ρβ24. 1401 b29. ἐμπίπτει εἰς ἄλλο πρόβλημα Πβ8. 1268 b25. ἐμπίπτειν εἰς ἀντίθεσιν, εἰς λύσιν τινά, εἰς ὅρον, διαφοράν, διαίρεσιν sim Μι5. 1056 a2. τι30. 181 b19. α1. 101 a11. Αδ13. 96 b38, 97 a2, 15, 20. γ2. 86 a4. Ζμα3. 643 a12, b14. his cf ἡ περὶ τούτων κρίσις οὐκ ἐμπίπτει εἰς δικαστῶν πλῆθος Πδ16. 1300 b35.

ἐμπίς. 1. Tipularia M. τὸ γένος τῶν ἐμπίδων Ζγα15. 721 a10. refertur inter τὰ ἔντομα Ζιθ17. 601 a3 et τὰ δίπτερα ἐμπροσθόκεντρα Ζια5. 490 a21 (cf Oken Isis 1821 II 1131). unde oriatur Ζιε19. 551 b27-552 a8 (St et K 682, 1 : Culex pipiens). αἱ ἐμπίδες τὸ μὲν πρῶτον ζῶσιν ἐν τῷ ὑγρῷ, ἔπειτα μεταβάλλουσιν εἰς ἄλλην μορφὴν χ̣ ζῶσιν ἔξω Ζια1. 487 b5 (C 307 S I 5 : Tipula L, K 408 : Culex, ΚαΖι9, 21 fort Chironomus). — 2. fort Chironomi larva. ὥσπερ τὰ φυκία μικρὰ σφόδρα χ̣ ἐρυθρὰ Ζιε19. 552 a2. — 3. fort Ephemerina. ἡ ἐμπὶς μετὰ τὴν γένεσιν τὸ γῆρας ἐκδύεται Ζιθ17. 601 a4 (subimago vocatur cf PCG II 60 ; St : Culex, Tabanus, Phryganea. K 898, 4 : Culex). αἱ ἐμπίδες (v l ἐμπίδες) οὔτ᾽ ἐκ ζῴων γίνονται οὔτε συνδυάζονται Ζγα15. 721 a9 (Lewes 345). cf M 219. ΑΖγ36. Su 225, 40. ΑΖι I 163, 12.

ἐμπλάττωσι τὸν κηρὸν εἰς τὴν ὑπάτην ἄκραν πιθ23. 919 b9.

ἐμπλέκειν τὴν ἡδονὴν εἰς τὴν εὐδαιμονίαν Ηη14. 1153 b15.

ἔμπληκτος. τῆς αὐτῆς ἡμέρας ἕτερος χ̣ ἔμπληκτος ηεη6. 1240 b17.

ἐμποδίζειν. c acc Ζιη1. 582 a1. Ζγδ6. 775 b16. ε1.780 a24. Πδ6. 1293 a7. τὸ κοινὸν ἔργον τθ11. 161 a37. ἐμποδίζουσα αὐτὸν περὶ τὴν ὑποδοχὴν τῆς τροφῆς Ζμγ3. 664 b3. τὰς διηρθρωμένας τῶν φθόγγων ακ801 b14. ὁ λόγος αὐτὸς αὐτὸν ἐμποδίζει Φδ7. 214 b4. χ̣ τὸν αἰτῶτα ἐμποδίζει τούτοις τοῖς λόγοις τι8. 169 b29. — c dat ἐμποδίζειν πολλαῖς ἐνεργείαις, φρονήσει, ἀλλήλαις Ηα11. 1100 b29. η13. 1153 a20. Πδ15. 1299 b8. — ἐμποδίζειν πρὸς τὰς ὕστερον πράξεις Πθ6. 1341 a6. μηδενὸς ἐμποδίζοντος πρὸς τὸ χρῆσθαι τοῖς νόμοις Πη14. 1333 b21. ἐμποδίζειν πρὸς τὴν αἴσθησιν, πρὸς τὸ λαβεῖν τροφὴν al Ζμβ5. 651 b1. 15. 658 b24. 16. 659 a17. Ζικ4. 636 a36. — τὸ παρὰ τὴν ὁρμὴν ἐμποδίζον χ̣ κωλυτικὸν Μδ5. 1015 a27. μηδενὸς ἐμποδίζοντος τῶν ἐκτὸς Πδ1. 1288 b24. ἂν μή τι ἐμποδίζῃ, ἐμποδίσῃ, κωλύῃ χ̣ ἐμποδίζῃ Φβ8. 199 a11, b18, 26. δ8. 215 a21. θ4. 255 b7. — ἐνέργεια ἐμποδιζομένη Ηη14. 1153 b16. ὅπως μὴ ἐμποδίζηται ταῦτα Ηη14. 1153 b18.

ἐμπόδιος. c dat, αἱ ἀφ᾽ ἑτέρων ἡδοναὶ ἐμπόδιοι ταῖς ἐνεργείαις al Ηκ5. 1175 b2. γ14. 1119 a17. η12. 1152 b16. Πη2. 1324 a38. πα42. 864 a33. Ζμγ2. 663 b5. ἐμποδιόν τινι πρός τι κ6. 399 b12. ἐμπόδιος πρός τι : εὐπόδιοι πρὸς τὴν ἀρχήν, πρὸς τὸ καλῶς ζῆν, οὐδὲν πρὸς τὸν λόγον ἐμπόδιον al Πε10. 1311 a18. θ4. 1338 b42. Ηι10. 1170 b27. Οα5. 1129. Ζπ12. 711 b28. absol ἡ εὐτυχία ὑπερβάλλουσα ἐμπόδιος Ηη14. 1153 b23.

ἐμποδισμοὶ τῶν συμπερασμάτων τθ10. 161 a15. ἐμποδισμὸς ταῖς βουλήσεσιν Ρβ2. 1378 b18.

ἐμποδιστικὸς τγ3. 1118 b34. ἐμποδιστικὴ Ηη14. 1153 b2. ἧττον ἐμποδιστικὸν Φδ8. 215 b11.

ἐμποδὼν οὐδὲν (i e οὐδὲν κωλύει) Ρβ19. 1392 b20. — περὶ τὰ μὴ λίαν ἐμποδὼν χ̣ φανερὰ Ηδ13. 1127 b30. Χαρίτων ἱερὸν ἐμποδὼν ποιοῦνται (ἐν ἑκάστῃ τῶν πόλεων ἱδρύται Paraphr) Ηε8. 1133 a3. ἡ ἐμποδὼν παιδεία (i e usitata institutio) Πθ2. 1337 a39. κινεῖ κινούμενα σχεδὸν πάντα τὰ ἐμ-

ποδών (i e τὰ παρ᾽ ἡμῖν) Γα6. 323 a27.

ἐμποιεῖν. κίνησιν ἐνεποίησεν ὁ νοῦς χ̣ διέκρινεν Φθ1. 250 b26. ἐμποιεῖν ἀρχήν τινα Πε8. 1308 b20. ἐμποιεῖν τὴν αἰσθητικὴν ψυχὴν Ζγβ5. 741 b6. ἐν τῇ ὀλιγαρχίᾳ ἑτέραν ὀλιγαρχίαν ἐμποιεῖν Πε6. 1306 a13. τοῦτο (i e τὴν ἀπὸ ἐλέου χ̣ φόβου ἡδονὴν) ἐν τοῖς πράγμασιν ἐμποιητέον πο14. 1453 b14. ἐμποιεῖν πάθος τι κατὰ τὴν γεῦσιν Κ8. 9 b8. ἐμποιεῖν ὑγρότητα πα16. 861 a13. ἐμποιεῖν (ἐμποιεῖν τινι) αἴσθησιν, πόνους, φαντασίαν, οἴησιν, δόξαν, ὀργήν, μανίαν, ἔχθραν, ἕξιν sim τι4. 165 b25. αι7. 447 b6. Γβ9. 335 b21. μγ2. 372 b8. Ζιθ22. 604 a5. Ζμβ2. 648 b14. γ3. 664 b4. Ζγγ2. 753 a9. Μδ29. 1024 b24, 1025 a5. Ηδ11. 1126 a22. Πε11. 1314 b22. η12. 1331 a41. θ4. 1338 b10. Ρβ1. 1378 a27. 2. 1378 b9. γ3. 1406 a33. ρ3. 1424 a25. 15. 1431 a40. 35. 1440 a29, 32, 39. 37. 1443 b17. οα5. 1344 b1. f 154. 1504 a17. ἐμποιεῖν τὸ καθόλου Αδ19. 100 b5. δεῖ ἐμποιεῖν, ὡς περὶ τούτων τὸ λόγου Ργα10. 1415 b2. — med πότε δεῖ ἐμποιεῖσθαι τὴν ἀμβλωσιν Πη16. 1335 b25.

ἐμποιητικὸς ἄλλοις τῶν τοιούτων λόγων Μδ29. 1025 a4.

ἐμπορεῖν. πλοῖα ἀπέστειλαν εἰς τὰ ἐμπορεῖα (v l ἐμπόρια) οβ1348 b21. cf ἐμπόριον.

ἐμπορία, dist καπηλεία Πδ4. 1291 a5. ἐμπορίας μέρη ναυκληρία φορτηγία παράστασις Πα11. 1258 b22. πρόσοδοι ἀπὸ τῶν ἐμπορίων οβ1346 a1, 7 (inde corrigendum 1345 b30). ἐμπορίᾳ χρῆσθαι f 508. 1561 a38.

ἐμπορικὸς. πόλις ἐμπορικὴ αὕτη, ἣ τοῖς ἄλλοις Πη6. 1327 a28. — δίκαι ἐμπορικαὶ χ̣ μεταλλικαὶ f 378. 1541 a7. τὸ ἐμπορικόν collective, (cf τὸ πολεμικόν, τὸ χερνητικόν) Πδ4. 1291 b24.

ἐμπόριον κεκτῆσθαι Πη6. 1327 a31. ἀφικέσθαι ἐκ τῶν ἐμπορίων Πα11. 1259 a25. ἐπιμείναντας δέκα κληρῶσιν f 410. 1546 b5. τὸ τῆς Αἰγύπτου ἐμπόριον f 161. 1505 a14. καταγαγὼν οὖν (ἐπὶ Schneider) τὰ ἐμπόρια (v l ἐμπορεῖα) ἀπέδοτο οβ1351 a22. cf ἐμπορεῖν.

ἔμπορος, dist κάπηλος Πδ4. 1291 a16. ὡς ἀφίκοντο ἐκ τῶν ἐμπορίων οἱ ἔμποροι Πα11. 1259 a26. (πρόσοδοι ἀπὸ τῶν ἐμπορῶν, scribendum ἐμπορίων οβ1345 b30, coll 1346 a1, 7. cf Schneider.)

ἔμπροσθεν (ἔμπροσθε aliaque syntheta voc πρόσθε Bk nusquam in textu exhibuit cf Ζυ40. 624 b1. Ζμβ10. 656 b25. δ10. 688 b20, 687 b30). 1. τόπῳ οἴσῃ χ̣ διαφοραί, χ̣ ἔμπροσθεν χ̣ ὄπισθεν Φγ5. 205 b32. τι33. 182 b18 ac saepe. ἔμπροσθεν λέγεται ἐφ᾽ ὃ ἐστιν ἡμῖν ἡ αἴσθησις, ὄπισθεν δὲ τὸ ἀντικείμενον ζ1. 467 b30. Οβ2. 284 b29. τὸ δεξιὸν χ̣ ἄνω χ̣ ἔμπροσθεν ἀγαθὸν ἐκάλουν f 195. 1513 a24. τὸ, τὰ ἔμπροσθεν, opp τὸ ὄπισθεν Ζιθ10. 656 b22, 23, 25. φ6. 810 b31. πβ14. 867 b18, 12, 13. ιδ3. 896 b29. τὸ ἔμπροσθεν τῆς κεφαλῆς Ζμβ10. 656 b7. Ζιη3. 583 b10. γ3. 512 b32. αἱ ἔμπροσθεν τρίχες τῆς κεφαλῆς Ζιγ11. 518 a26. τὰ ἔμπροσθεν σκέλη, αἱ ἔμπροσθεν πόδες Ζμδ10. 688 b20, 687 b31. Ζιι40. 624 b1. — βαδίζει εἰς τοὔμπροσθεν, opp φεύγειν ἀνάπαλιν Ζιθ2. 590 b26. cf f 317. 1531 b42. Φε5. 229 b9. ὁ καρκίνος μόνος οὐ κινεῖται ἐπὶ τὸ πρόσθεν τῶν ζῴων, ἀλλ᾽ ἐπὶ τὸ πλάγιον· ὀφθαλμοὶ κινοῦνται εἰς τὸ πλάγιον, αὐτὸς τρόπον τινὰ ᾗ ὁ καρκίνος κινεῖσθαι διὰ τοῦτ᾽ ἐπὶ τὸ ἔμπροσθεν Ζπ14. 712 b16, cf δ6. 713 b13. — τὸ καλούμενον ἔμπροσθεν Ζμγ3. 665 a13. δ9. 684 b14. — 2. temporale. ἔμπροσθεν ἀναγκαῖον ἐλθεῖν Φζ9. 239 b16. τὰς ἔμπροσθεν ἡμέρας Ζιθ24. 604 b2. συνεστῶτα διαλυθήσεται χ̣ διαλελυμένα συνέστη ἔμπροσθεν Οα10. 279 b28. ἀποτελεῖται τὰ τῶν ἵππων θήλεα τῶν ἀρρένων ἔμπροσθεν

Hh 2

Ζιζ22. 576 ᵇ8. — 3. de qualibet serie, imprimis de ordine disserendi, ἀεὶ ὁ ἔμπροσθεν (ὁρισμός) μᾶλλον, ὁ δ' ὕστερος ἐκ ἔστιν Μα2. 994 ᵇ18. ὁ μαθηματικὸς (ἀριθμὸς) ἀριθμεῖται μετὰ τὸ ἓν δύο, πρὸς τῷ ἔμπροσθεν ἑνὶ ἄλλο ἓν Μμ6. 1080 ᵃ31. — διὰ τὴν εἰρημένην ἔμπροσθεν αἰτίαν Ζμδ10. 688 ᵇ35. ἡ αἰτία εἴρηται ἐν τοῖς ἔμπροσθεν, ὥσπερ ἐν τοῖς ἔμπροσθεν ἐλέγομεν sim αι7. 448 ᵇ15. Μμ9. 1086 ᵇ2. Οθ2. 310 ᵃ6. αν6. 473 ᵃ8. Ρβ21. 1394 ᵇ31. ξ4. 978 ᵇ16.

ἐμπρόσθιος. σκέλη ἐμπρόσθια Ζμδ10. 688 ᵃ12, ᵇ6, 690ᵃ16. 12. 695 ᵃ7, 9. τὰ ἐμπρόσθια κῶλα Ζμδ10. 687 ᵇ28. οἱ ἐμπρόσθιοι πόδες f 221. 1518 ᵇ20. οἱ ἐμπρόσθιοι ὀδόντες, dist οἱ γόμφιοι Φβ8. 198 ᵇ25.

ἐμπροσθόκεντρος. τὰ ἐμπροσθόκεντρα, i e ὅσα ἔμπροσθεν ἔχει τὰ κέντρα Ζια5. 490 ᵃ20 (cf τὰ τὴν ἐξίωσαν ἐπιβοσκίδα τῦ στόματος ἔχοντα Ζμδ5. 678 ᵇ13.) δίπτερα ὅσα ἢ μέγεθος μὴ ἔχει ἢ ἐμπροσθόκεντρά ἐστι Ζια5. 490 ᵃ18. opp ὅσα μὴ ἐμπροσθόκεντρα i q ὀπισθόκεντρα Ζμδ5. 678 ᵇ16, 682 ᵃ12. 6. 683 ᵃ4. cf S I 230, M 209 et 218.

ἐμπροσθυρητικός. τὰ ἐμπροσθυρητικά, opp ὀπισθυρητικά Ζιγ1. 509 ᵇ2. cf M 318, F 317.

ἐμπτύειν. γενομένων τῶν νεοττῶν (τῶν περιστερῶν) ὁ ἄρρην ἐμπτύει αὐτοῖς μὴ βασκανθῶσιν f 271. 1527 ᵃ28.

ἐμπύημα. μίτυς, φάρμακον τυμμάτων ᾧ τῶν τοιῦτων ἐμπυημάτων Ζιι40. 624 ᵃ17. cf Galeni opp XVIII, 1, 149.

ἔμπυοι ἵπποι Ζιδ24. 604 ᵇ6. ἔμπυον πα31. 863 ᵃ8, 9.

ἐμπυρεύειν. ἡ τῶν καταμηνίων ἔκκρισις ἐμπυρεύει θερμότητα Ζγβ4. 739 ᵇ10. ἐν τῷ ἐμπυρευομένῳ θερμῷ Ζμβ8. 654 ᵃ7. 2. 649 ᵃ26. ἐν τῷ φυσικῷ πυρὶ ᾗ φύσις ἐμπεπύρευκε τὴν θρεπτικὴν ψυχήν αν8. 474 ᵇ13. τῆς ψυχῆς ὥσπερ ἐμπεπυρευμένης ἐν τοῖς μορίοις τύτοις ζ4. 469 ᵇ16.

ἐμπύρευμά τι καταλείπεται τοῖς καυθεῖσιν f 216. 1517 ᵇ34, 40. 217. 1518 ᵃ10.

ἔμπυρον δῆγμα θ164. 846 ᵇ16.

ἔμπυρρος. τῶν ἀνθρώπων τῶν ἐμπύρρων ᾗ τὰ τριχώματα γίνεται λευκόπυρρα χ6. 797 ᵇ13.

ἐμπύρωσις τῆς ψυχῆς ἐν τῇ καρδίᾳ αν16. 478 ᵃ30.

ἐμῦς, ἡ (ὁ Ζιθ17. 600 ᵇ22). de inconstanti vocabuli scriptura cf Langkavel Ar de part an p XXIX. — 1. Emydae (Emys lutaria L, E rivulata Valenc, E caspica Auctor cf E 71). ἡ χελώνη ᾗ τὸ τῶν ἐμύδων γένος ὁμοίως ἔχειν δοκεῖ τοῖς μαλακοστράκοις ᾗ τοῖς ὀστρακοδέρμοις, ἕτερον ὂν γένος τύτων Ζμβ8. 654 ᵃ8. αν10. 475 ᵇ28. refertur inter τὰ ᾠοτόκα ᾗ τετράποδα Ζιβ15. 506 ᵃ19. Ζπ15. 713 ᵃ16, τὰ φολιδωτά Ζιθ17. 600ᵇ21, τρωγλοδυτικά Ζπ15. 713ᵃ16. πολὺν χρόνον μένει ἐν τοῖς ὑγροῖς αν1. 470 ᵇ18. 10.475ᵇ27. ὃ δύναται ζῆν χωριζομένη τῆς τῦ ὕδατος φύσεως Ζπ1. 589 ᵃ24. ἐλάττων τῆς θαλαττίας χελώνης ᵃ29. — 2. praecipue Emys lutaria L. ὁ πλεύμων σομφὸς ὀλίγην ἔχει θερμότητα αν1. 470 ᵇ17, 19. ἔχει τὸν σπλῆνα μικρὸν πάμπαν Ζιβ15. 506 ᵃ19. ovorum partus Ζιγ33. 558 ᵃ8sq. cf S Naturg dr Schildkr 73, Theophr IV 801. — 3. Trionyx aegyptiacus Geoff. ἡ ἐμὺς ὔτε κύστιν ὔτε νεφρὰς ἔχει· διὰ τὴν μαλακότητα γὰρ τῦ χελωνίυ εὐλίπανὸν γίνεται τὸ ὑγρὸν (S I 394, II 470 ; R 446) Ζιγ9. 671 ᵃ31, 33. (disputaverunt de hoc animali S Naturg dr Schildkr 73, 75, 122, 123. St: Testudo coriacea; F 297, 157 id vel Sphargis mercurialis; K 482 Emys lutaria; ΚαΖιι 99, 2 Sphargis coriaria Merr vel potius Trionyx aegyptiacus Geoff cf ΚαΖι 82, 9. Su 175, 3 Emys europaea vel lutaria. cf M 311. ΑΖι I 115, 5.)

ἐμφαίνειν φαντασίαν μήκυς χ4. 395 ᵇ6. ἐμφαίνειν αὐθάδειαν

φ6. 812 ᵃ1. ἡ σηπία τὸν θολὸν ἀφίησι ᾗ ἐν αὐτῷ κρύπτεται ἐμφήνασα φεύγειν εἰς τὄμπροσθεν f 317. 1531 ᵇ42. — ἐμφαίνεσθαι κατὰ τὴν ὄψιν Ζγα23. 731 ᵃ13. ἐμφαίνεται ἐν ἐνόπτροις χρώματα, σχήματα μα8. 345 ᵇ26. γ2. 372 ᵃ33. 4. 373 ᵇ18. 6. 377 ᵇ21. Αθ15. 98 ᵃ27. ἐν οἷς ἐμφαίνεται τὰ εἴδωλα αι2. 438 ᵃ12. ἐμφαίνεται ᾗ ἡ μικρὰ ποικιλία πλθ6. 964 ᵃ7. περὶ ἐμφαινομένων ᾗ ἀνακλάσεως αι2. 438 ᵃ9. — τὰ ἤδη τὰ ἐπὶ τῦ προσώπυ ἐμφαινόμενα φ2. 806 ᵃ30 (cf ἐπιφαίνεσθαι φι.805 ᵃ29, ᵇ9). — ἐμφαίνεσθαι i e φαίνεσθαι ἐνυπάρχον. τὸ καθ' ἕκαστον ὅπερ ἐμφαίνεται ἐν τῇ κατηγορίᾳ τῇ τοιαύτῃ Μζ1. 1028 ᵃ28 (cf ᵃ35 Bz). cf ν4. 1091 ᵃ36. Φγ1. 200 ᵇ17. ψβ2. 413 ᵃ15 (ἐνυπάρχειν ᾗ ἐμφαίνεσθαι). Πκ5. 1254 ᵃ30 (cf ἐνυπάρχειν ᵃ31). Ηα4. 1096 ᵇ22. Ρβ21. 1394 ᵇ20. τι31. 181 ᵇ28. ἐν τῷ μέσῳ ἐμφαίνεται ἑκάτερον τῶν ἄκρων Πδ9. 1294 ᵇ18. — ὐκ ἐμφαίνεται ὁ τῆς ἀντιφώνυ φθόγγος πιθ17. 918 ᵇ38.

ἐμφανής. ποιεῖν ἐμφανῆ τὰ ἀποκεκρυμμένα οβ1349 ᵇ22. εἰς ἐμφανῶν κατάστασιν, ὄνομα δίκης f 382. 1541 ᵇ27. ἐν τοῖς φυτοῖς κεκρυμμένη ᾗ ὐκ ἐμφανὴς ἡ ζωή φτα1. 815 ᵃ12. ἐμφανέστατον (τὸ αἱματῶδες) κατὰ τὴν πρώτην σύστασιν Ζμδ4. 665 ᵇ8. ζῳοτοκεῖν, ᾠοτοκεῖν εἰς τὐμφανές Ζιγ1. 510 ᵇ20, 511 ᵃ23. Ζγα1. 717 ᵃ1. β1. 732 ᵃ26. — τὸ ἀξίωμα ποιεῖ ἐμφανεστέρυς Ρ317. 1391 ᵃ27. — ἐμφανέστατον τὸ λεχθέν ἐστιν ἐπὶ τῶν ἀνθρώπων, ἐπὶ τῶν θεῶν Ζυγ4. 665 ᵇ21. Ηθ9. 1158 ᵇ35.

ἐμφανίζειν τὰς ἀποδείξεις, τὸ ψεῦδος, τὸν ψευδόμενον Αα30. 46 ᵃ24. τι8. 169 ᵇ36. 1. 165 ᵃ26. ἐμφανίζειν μέγεθος ἀρετῆς, τὸ δίκαιον, τὸ συμφέρον. τὴν αὐτὴ διάνοιαν, τὴν αὐτὴ κακίαν Ρα9. 1327 ᵇ27. 13. 1374 ᵃ9. ρ2. 1422 ᵇ29. 15. 1431 ᵇ10. 1. 1420 ᵇ6. ἐμφανίζειν c part praedicat ἐμφανίζειν ὐκ ὖσαν ἀγαθὸν τὴν ἡδονὴν sim Ηκ2. 1173 ᵇ31. ρ3. 1424 ᵇ36. ἐμφανίζει ποσαχῶς λέγεται τα18. 108 ᵃ20, 24. ἐμφανίζειν ὅτι vel ὡς ρ30. 1437 ᵃ22, ᵇ5. — ἐμφανιστέον τι29. 181 ᵃ33. ρ30. 1437 ᵃ22, ᵇ5.

ἐμφάνισις ψευδὴς συλλογισμῦ, ἁμαρτίας τι18.176ᵇ29. 24. 179 ᵇ23 (syn δήλωσις ᵇ25), 18. ἐμφάνισις λόγων ἐναντιωμένων ρ6. 1427 ᵇ14.

ἔμφασις χρώματος, σχήματος ἐν ἐνόπτροις μα8. 345 ᵇ15, 18, 24. γ4. 373 ᵇ24. 6. 377 ᵇ17. ποιεῖν μὴ ὁμοίαν ἔμφασιν χ2. 792 ᵇ5. ἔμφασις διὰ τὴν ἀνάκλασιν μγ4. 373 ᵇ31. ἔμφασις σαφεστέρα πκγ9. 932 ᵇ24. ἡ ἔμφασις ᾗ τὰ εἴδωλα μγ2. 464 ᵇ11. τὸ ὁρᾶν πότερον ᾗ ἔμφασις αι2. 438 ᵃ6. — τῶν ἐν ἀέρι φαντασμάτων τὰ μὲν κατ' ἔμφασιν, τὰ δὲ καθ' ὑπόστασιν κ4. 395 ᵃ29, cf ᵃ33, 36.

ἐμφερής. τροφὴ ἐμφερὴς τῷ κηρῷ Ζιι40. 626 ᵃ6. ὕτω τιθέμενος πρὸς τὴν ὄψιν ᾗ ὁμοίως κώνυ τομῇ ἐμφερὴς ἐγένετο πιε7. 912 ᵃ13. λίθοι ἐμφερεῖς μύλαις f 307. 1530 ᵃ27. ὁ ναυτίλος πολύπυς μὲν ὐκ ἔστιν, ἐμφερὴς δὲ κατὰ τὰς πλεκτάνας f 316. 1531 ᵇ17.

ἔμφραξις τῦ φάραγγος πια18. 901 ᵃ1. 11. 900 ᵃ15. μηδεμίαν ἔμφραξιν (τῶν πόρων) γίνεσθαι πβ41. 870 ᵇ19.

ἐμφράττειν τὴς πόρυς πη13. 872 ᵇ35. ι54. 897 ᵃ33. λη3. 967 ᵃ4. ἐμφράττονται οἱ πόροι πα52. 865 ᵇ28. ε34. 884 ᵃ36. λζ3. 966 ᵃ24.

ἔμφρων. ὑ ποιεῖν περὶ ὑδὲν γένος ἔμφρονα Ρα2. 1358 ᵃ22. ὁ ἀληθὴς ἔμφρων πεγ7. 1234 ᵃ34. ληγύσης κινήσεως ἐμφρονέστεροι γίνονται πλ14. 957 ᵃ5. — ῥαστώνῃ ἔμφρων Οβ1. 284 ᵃ32. τέχνη ἐμφρονεστέρα ᾗ μᾶλλον ἀληθινὴ Ρα4. 1359 ᵇ6.

ἐμφύεσθαι ἐν ξύλῳ, ἐν ἐρίοις Ζιι5. 611 ᵇ20. ε32. 557 ᵇ3. 15. 547 ᵇ25. ἐμπεφύασι (Hom Θ 84) Ζγε5. 785 ᵃ16.

ἐμφυλλισμός φτα6. 820 ᵇ39.

ἐμφυσᾶν. τὸν πλεύμονα δϊστασθαι ἐν τῷ ἐμφυσᾶσθαι Ζμγ6. 669 ᵃ28. αυ1. 470 ᵇ20. τὸ σαρκῶδες (τῶ αἰδοίω) ἐκ ἐμφυσᾶται, τὸ δὲ χονδρῶδες ἔχει αὔξησιν Ζιβ1. 500 ᵇ22. τὸ μὲν τῆς τροφῆς ἐμφυσᾷ, τὸ δὲ σαρκοῖ Ζιθ21. 603 ᵇ30. 5 ἐμφυσᾶν τὰς φλέβας πε9. 881 ᵇ14. β20. 868 ᵃ17. χαμαιλέων ἐμφυσώμενος Ζιβ11. 503 ᵇ3. τὰ ὦτα ἐμφυσᾶται πλβ2. 960 ᵇ13. ὀφθαλμοὶ ἐμπεφυσημένοι, κεφαλὴ ὥσπερ ἐμπεφυσημένη Ζιζ3. 561 ᵃ19. ὅ1. 524 ᵃ17.

ἐμφυτεῖαι τῶν φυτῶν πῶς γίγνονται ζ3. 468 ᵇ23-28. 10 ἔμφυτος θερμότης μβ2. 355 ᵇ9. πβ27. 869 ᵃ11 (ἔμφυτος χ̣ προῦπάρχωσα). ἔμφυτον πνεῦμα πν1. 481 ᵃ1. ἔμφυτος ὁρμή, ὄρεξις Φβ1. 192 ᵇ19. ηεη12. 1244 ᵇ28. ἐθίζεται ὑπ' ἀγωγῆς τὸ μὴ ἔμφυτον ηεβ2. 1220 ᵇ2. — ὁ πηλὸς ὑπ' ἐμφύτου ὀξέως προάγει φυτὰ πίονα φτβ4. 826 ᵃ17. 2. 823 ᵇ26, 41. 15 ἔμψυχος. ὅσα περὶ ἔμψυχα πιζ. — τὸ ζῶον σῶμα ἔμψυχον, ὐσία ἔμψυχός ἐστιν Ζγβ4. 738 ᵇ19. τε5. 135 ᵃ17. τὸ ἔμψυχον τῷ ἀψύχῳ δυοῖν μάλιστα διαφέρειν δοκεῖ, κινήσει τε χ̣ τῷ αἰσθάνεσθαι ψα2. 403 ᵇ25. τὸ αὐτὰ ὑφ' αὐτῶν κινεῖσθαι ζωτικὸν χ̣ τῶν ἐμφύχων ἴδιον Φθ4. 255 ᵃ7. 20 6. 259 ᵇ2. 9. 265 ᵇ34. ὁ ὐρανὸς ἔμψυχος Οβ2. 285 ᵃ29. cf α7. 275 ᵇ26 (Volkmann Ar Psych p 10). ὔτ' ἄν ἔμψυχον ὔτε βίαιον φέροιτο φορὰν ὐδὲν αὐτῶν Οβ9. 291 ᵃ23. τῷ ὐρανῷ αἰ ἀρχαῖαι ὑπέστησαν μυθικῶς ἀνάγκην ἔμψυχον Οβ1. 284 ᵃ23. διώρισται τὸ ἔμψυχον τῷ ἀψύχῳ τῷ ζῆν χ̣ 25 ψβ2. 413 ᵃ21. ἔμψυχα εἶναι, syn ψυχήν, ζωὴν ἔχειν Ζγα 18. 722 ᵇ18, 22. ἡ ψυχὴ ὐσία τῷ ἐμφύχῳ Μζ10. 1035 ᵇ15. μόριον ἐμφύχου Φβ1. 734 ᵃ15, ᵇ24, 32. αἱ χεῖρες ἡ χεὶρ ἢ μέρος Μζ11. 1036 ᵇ32. ποῖα τῷ γίγνεται ἔμψυχα Ζγβ3. 737 ᵃ32. 5. 741 ᵃ21. τὸ πνεῦμα, ἔμψυχός τε χ̣ γόνιμος ὐσία χ4. 394 ᵇ11. — τὸ ἔμψυχον τῷ ἀψύχῳ τιμιώ- 30 τερον Ζγβ1. 731 ᵇ29. Ηγ7. 1150 ᵃ4. αἱ ἐν τοῖς ἐμφύχοις χ̣ ἐν ψυχῇ δυνάμεις, αἱ ἄνευ λόγῳ δυνάμεις ἐν ἐμφύχοις εἰσὶν Μθ2. 1046 ᵃ37. 5. 1048 ᵃ4. — τὸ ἔμψυχον σῶμα πᾶν ἀπτικόν ἐστιν ψγ13. 435 ᵃ14. πᾶν ἔμψυχον ἔχει θερ- 35 μότητα ψβ4. 416 ᵇ29. ἀναρμοστία τῷ ἐμφύχῳ σώματος νόσος χ̣ ἀσθένεια χ̣ αἶσχος f41. 1482 ᵃ8. πορρωτάτω τῷ ἐμφύχῳ τὸ ξηρόν Ζγβ11. 733 ᵃ11. — ὁ δικαστὴς βέλτιον ἐστιν οἶον δίκαιον ἔμψυχον Ηε7. 1132 ᵃ22. ὁ δῶλος ὄργανον ἔμψυχον, κτῆμα ἔμψυχον Ηθ13. 1161 ᵇ4. Πα4. 1253 ᵇ32, 40 28. τῆς κτήσεως μέρη ἔμψυχα, ἄψυχα Πη8. 1328 ᵃ35. οα6. 1345 ᵃ29. — Ἐμπεδοκλῆς λέγει περὶ τῶ μὴ κτείνειν τὸ ἔμψυχον Ρα13. 1373 ᵇ14. — κέχρηται Ὅμηρος πολλαχῶ τὰ ἄψυχα ἔμψυχα λέγειν διὰ τῆς μεταφορᾶς Ργ11. 1411 ᵇ32. λέξεις ἔμψυχοι f 129. 1500 ᵃ22. 45

ἐν. ἔν τινι εἶναι ποσαχῶς λέγεται Μδ23. 1023 ᵃ24 Bz. Φδ3. ἆρα αὐτό τι ἐν ἑαυτῷ ἐνδέχεται εἶναι Φδ3. 210 ᵃ25-ᵇ22. — de usu praep ἐν cf Eucken II 21-28. — 1. de loco. a. κάλαμοι ἐν οἷς ἵσταται τὰς ἀμπέλας Ζιε30. 556 ᵃ3. τὰ ἐν τοῖς ζῴοις μόρια (i q τὰ τῶν ζῴων μόρια) Ζγα1. 715 50 ᵃ1. γίνεται (τῶτο τὸ γένος) ἐκ τῆς θαλάττης ἐν πολλαῖς ὀργυιαῖς Ζιδ5. 530 ᵇ9. — ἐν ὀφθαλμοῖς μᾶλλον εἶναι, opp παροράσθαι Πζ4. 1319 ᵇ19. cf Οα4. 287 ᵇ17. Φδ6. 1384 ᵇ1. τὸ λίαν ἐν φανερῷ ἐν ὀφθαλμοῖς Ρα12. 1372 ᵃ24. β6. 1384 ᵃ35. ἐν φανερῷ Ρβ6. 1385 ᵃ8. ἐν τῷ φανερῷ 55 Ζιγ1. 510 ᵃ9. δ8. 533 ᵃ4. πο11. 1452 ᵇ12. ἐν παραβύστῳ τθ1. 157 ᵃ4. — b. εἶναι ἐν ὑποκειμένῳ Κ2. 1 ᵃ21, cf ὑποκείμενον. ἡ ὕλη ἐν ὑποκειμένῳ (fort cogitandum ἐνυπάρχειν ἢ στέρησις τῆς μορφῆς) φθείρεται Φγ6. 192 ᵃ25. τὰ ἐν τόπῳ, τὰ ἐν χρόνῳ ὄντα Φδ12. 221 ᵃ29, 28. τὸ ἐν ἀρχῇ ν ἀρχή 60 p 111 ᵃ52, ᵇ15, 33. logice εἶναι, τιθέναι ἔν τινι, ἐν ὅλῳ τινὶ

Αβ1. 53 ᵃ21, 22. 20. 66 ᵇ16, ἐνίοτε τὴν καθόλυ προτείναντες τὴν ἐν ταύτῃ ὒ λαμβάνωσιν Αα32. 47 ᵃ15, sed aliter ὑπάρχειν ἔν τινι, ἐνυπάρχειν ἔν τινι, tamquam notam in definitione notionis Μδ18. 1022 ᵃ28. Αγ4. 73 ᵃ35, 36, 38. 22. 84 ᵃ14, 25 Bz Ar St IV 367. — τιθέναι ἐν τοῖς ἀγαθοῖς, ἐν ἐπαίνῳ Ρα10. 1369 ᵇ25. 3. 1359 ᵃ1. εἰ ἐν τοῖς διὰ τύχην γινομένοις τὸ καλῶς ζῆν ἐστιν ηεα3. 1215 ᵃ12. τιθέναι ἐν τέρασι λόγοις Ζιζ2. 559 ᵇ20 (syn ὰ κρίνεσιν ἐν τέρασιν Ζιζ22. 576 ᵃ2). ἐν ἀγαθῷ λόγῳ, ἐν μορίᾳ λόγῳ Ηε7. 1131 ᵇ20. Φγ6. 207 ᵃ27. τὰ ἐν ἀρετῆς τάξει ὄντα ηεα34. 1198 ᵃ27. ὡς ἐν αἰσχρῷ φιλαύτης ἀποκαλῶσιν Ηι8. 1168 ᵃ30. — c. ἐν τοῖς δικασταῖς κρίνεσθαι, ὁ ἐν τοῖς δικασταῖς κίνδυνος sim Πδ16. 1300 ᵇ25. Ρα15. 1377 ᵃ14. ρ30. 1437 ᵃ16. 37. 1442 ᵃ20. ὡς αἱ ἀρχαὶ ἐν ἡμῖν, ὡς αὐτὰ ἐφ' ἡμῖν χ̣ ἑκάσια Ηγ7. 1113 ᵇ21. ὒ ἡ ἀρχὴ ἐν τῷ πράττοντι Ηγ2. 1110 ᵇ4, ᵃ16, 17. 3. 1111 ᵃ23. 5. 1112 ᵇ28 al. Rassow 1862 p 15. — d. a locali significatione praep ἐν eo deflectit, ut ἕξιν et διάθεσιν significet, in qua quid versatur. οἱ ἐν ταῖς πράξεσιν ὄντες (dist οἱ πεπραχότες) μτ1. 463 ᵃ24. εἶναι ἐν τιμαῖς, ἐν ἀρχαῖς, ἐν ὑπεροχαῖς εὐτυχημάτων, ἐν τοῖς πράγμασιν, ἐν ὀλιγαρχίᾳ Πδ4. 1290 ᵇ12. 11. 1295 ᵇ14. 15. 1299 ᵇ3. ε6. 1305 ᵇ3, 4, 28. 7. 1307 ᵇ9. 8. 1308 ᵃ5, 1309 ᵃ3, cf ἀρχή p 113 ᵇ9. εἶναι ἐν χώρᾳ τινὸς Πα9. 1258 ᵃ15. Ηε8. 1133 ᵇ7. εἶναι ἐν πάθει, ἐν τῇ ἀντιφάσει χ̣ ἀγνοίᾳ Πγ16. 1287 ᵇ3. Φθ4. 255 ᵇ4. ἔστι τὸ ἥδεσθαι ἐν τῷ αἰσθάνεσθαί τινος πάθος Ρα11. 1370 ᵃ27. cf 5. 1361 ᵃ30. Πα7. 1255 ᵇ32. ηι. 1323 ᵇ1. 11. 1330 ᵇ9. — e. inde praep ἐν modalem significationem induit, ut usurpetur, ubi vel simplicem dativum modalem vel praepositionem causalem expectes, et interdum prope ad adverbii vim accedat. τὰ ἀπὸ τύχης ὡς ἐν προαιρέσει (i e ὡς ἐκ προαιρέσεως γενόμενα) ληπτέον Ρα9. 1367 ᵇ25. ἐν ὑπεροχῇ (i q δι' ὑπεροχήν) ὡς ἴσων μορίων βαρύτερον ἕκαστον Οδ2. 308 ᵇ9. ὡς ἐν τύπῳ εἰρῆσθαι, syn ὡς τύπῳ εἰρῆσθαι, ν τύπος. ὡς ἐν κεφαλαίῳ εἰπεῖν ν κεφάλαιον. ἐν παρέργῳ αν7. 473 ᵃ24. Μλ9. 1074 ᵃ36. ἐν παραδρομῇ Πη17. 1336 ᵇ24. ὡς ἐν γένει λαβεῖν Αβ16. 64 ᵇ29. ὡς ἐν παραβολῇ προτείνειν τθ1. 156 ᵇ25. ἐν ποίοις ὀργανικοῖς μάθησιν (τῆς μυσικῆς) ποιητέον Πθ6. 1341 ᵃ2. ἐν αὐτῇ (fort ταύτῃ) τῇ διαφορᾷ ἡ τραγῳδία πρὸς τὴν κωμῳδίαν διέστηκεν πο2. 1448 ᵃ16. ἐν τρισὶ δὴ ταύταις διαφοραῖς ἡ μίμησίς ἐστιν πο3. 1448 ᵃ24. μιμεῖσθαι τινι, ἐν τοῖς αὐτοῖς (ad significandam μιμήσεως ὕλην Vhl Poet II 81) πο1. 1447 ᵇ29 (cf ᵃ17). 2. 1448 ᵃ20. 3. 1448 ᵃ25. 6. 1449 ᵇ33. ποιεῖσθαι τὴν μίμησιν ἐν ῥυθμῷ, λόγῳ, ἁρμονίᾳ, ἐν τῷ πράττειν πο1. 1447 ᵃ22. 22. 1459 ᵃ15. κινεῖσθαι ἔν τινι (ad significandas κινήσεως categorias, utrum τόπος an ποσόν an ποιὸν mutetur) Φε1. 224 ᵇ9. 3. 226 ᵇ30. 4. 227 ᵇ25. ζ4. 235 ᵇ14, 16. Φβ2. 252 ᵇ11. 6. 260 ᵃ8. 8. 262 ᵃ2, 4. ἐν οἷς σκώπτονται Ρβ2. 1379 ᵇ2. εἰκάζειν ἐν τῷ ἀνάλογον Ργ4. 1406 ᵇ31. ἐν οἷς τρόποις ἐνδέχεται περὶ τότων λόγῳ χρήσασθαι ρ3. 1423 ᵃ28. οἱ ἐν τῷτοις τοῖς σχήμασι συλλογισμοὶ Αα23. 40 ᵇ17. ἐν μυθίω σχήματι Μλ8. 1074 ᵇ1. ἐν ὕλης εἴδει ἢ μορφῆς εἴδει ΜΑ3. 983 ᵇ7 Βz, 984 ᵃ17. 4. 985 ᵃ32. μα2. 339 ᵃ28. Πλ3. 1253 ᵇ30. τὰ ἐν μεγέθει i e τὰ μεγάλα Ηι6. 1167 ᵃ29. cf δ4. 1122 ᵃ23. τὸ ὄξος ἐν φαρμάκῳ (pro medicamento) τῇ ἄλλῃ σαρκὶ πλα21. 959 ᵇ14. ἐν τοῖς ἐναντίοις ὀνόμασι τὰ πράγματα προσαγορεύειν εἰρωνεία ἐστὶν ρ22. 1434 ᵃ18 (syn τοῖς ἐναντίοις ὀνόμασι προσαγορεύειν ᵃ26). αἱ τοιαῦται πράξεις ἐν τῷ σπανίῳ γεγόνασιν ρ9. 1429 ᵃ32. ἐν προχείρῳ μβ3. 356 ᵇ19. ἐν τοῖς πρώτοις, ἐν τοῖς πλεί-

στοις (opp ἐνιαχῦ) Ζιζ 17. 570 ᵇ17, 18. ἐν τοῖς μάλιστα
ρ2. 1421 ᵇ19. ημβ3. 1200 ᵃ25. — ad hunc latiorem usum
praep ἐν referendae videntur quaedam formulae. ἡ ἐν ὅλῳ
πρότασις, opp ἡ ἐν μέρει Αβ6. 58 ᵇ28. α32. 47 ᵃ13. τὸ
ἐν ὅλῳ εἶναι χ̔ τὸ κατὰ παντὸς ὁμοίως ἀποδώσομεν Αα8. 5
30 ᵃ2. 1. 24 ᵇ27. ἐν μέρει ν μέρος. προτάσεις, θέσεις ἐν τῷ
ὑπάρχειν Αα2. 25 ᵃ5 (syn πρότασις τῦ ὑπάρχειν 24 ᵇ31).
τβ1. 109 ᵃ9. μίξις, συμφωνία γίνεται ἐν ἀριθμῷ, ἐν ἀριθ-
μοῖς, opp ἀορίστως Μν6. 1092 ᵇ27 Bz. αι3. 439 ᵇ32, 440
ᵃ2, ᵇ20. 4. 442 ᵃ16. — 2. ἐν de tempore. ἐν ἡμέρα Ζιη10. 10
587 ᵃ29. ἐν νυκτὶ χ̔ ἡμέρα Ζιθ2. 590 ᵃ26. — χ̄ᾱν i εχ̔
ἐν πο1. 1447 ᵃ21. Ζμγ4. 667 ᵃ26. — (pro ἐν ᾧ μγ5. 375
ᵇ31, 32 scribendum ἐφ' ᾧ ci Eucken II 24.)
ἐναγίζειν τινί, syn θυσίαν ἐπιτελεῖν θ106. 840 ᵃ6. τοῖς περὶ
Ἀρμόδιον ἐναγίζει ὁ πολέμαρχος f 387. 1542 ᵇ8. 15
ἔναγχος Ρα15. 1375 ᵇ31.
ἐναγώνιοι νῖκαι αρ5. 1250 ᵇ37.
ἐναδεῖν ἐναρμόνια μέλη πιθ15. 918 ᵇ22.
ἔναιμος. ἔναιμος ὁ πλεύμων Ζμγ6. 669 ᵃ25. 7. 670 ᵇ17, 34.
8. 671 ᵃ17, 34. Ζγβ1. 732 ᵇ33, 35. αν15. 478 ᵃ13. τὸ ζῷον 20
αἰσθήσει ὥρισται, αἰσθητικὸν δὲ πρῶτον τὸ πρῶτον ἔναιμον,
τοῦτον δ' ἡ καρδία Ζμγ4. 666 ᵃ35, ᵇ1. cf Ζγβ4. 740 ᵃ18,
ᵇ3. 5. 741 ᵇ16. 6. 742 ᵇ36. υ2. 456 ᵃ4. τὸ ἔναιμον μέρος
Ζγα6. 718 ᵃ12. ἐναιμότερα καταμήνια Ζιχ1. 634 ᵇ18. ἐναι-
μότατον μόριον αν15. 478 ᵃ13. τίς ἐναίμῳ ἀρετὴ πα33. 863 25
ᵃ13. — metaph χλωρὰ χ̔ ἔναιμα τὰ πράγματα (Gorgias)
Ργ3. 1406 ᵇ9. — τὰ ἔναιμα i q Osteozoa. γένη μέγιστα τῶν
ζῴων, εἰς ἃ διῄρηται τἆλλα ζῷα, ταῦτ' ἐστιν, ἐν μὲν ὀρ-
νίθων, ἐν δ' ἰχθύων, ἄλλο δὲ κήτης. ταῦτα πάντα ἔναιμά
ἐστιν Ζια6. 490 ᵇ7. ἄλλαι (διαιρέσεις) εἰσὶν ἀνώνυμοι οἷον 30
τὸ ἔναιμον χ̔ τὸ ἄναιμον Ζμα2. 642 ᵇ15. τὰ τέλεια χ̔ ἔναιμα
ζῷα, ὅσα ἔναιμα τὴν φύσιν Ζμδ5. 682 ᵃ34. Ζγα17. 721
ᵃ31, τὰ ἔναιμα, opp τὰ μὴ ἔναιμα Ζμγ6. 669 ᵃ1, cf ἄναι-
μος p 44 ᵇ61-45 ᵃ28. πάντα τὰ ἔναιμα Ζγα2. 716 ᵃ34,
ᵇ14. πᾶν τὸ ἔναιμον νανῶδές Ζμδ10. 686 ᵇ22. τὰ ἔναιμα 35
κινεῖται τέτταρσι σημείοις μόνον Ζια5. 490 ᵃ27. Ζμδ12. 693
ᵇ7. τὰ ἔναιμα μείζων τῶν ἀναίμων Ζγβ1. 732 ᵃ21. Ζια5.
490 ᵃ21. συμβέβηκε τῶν ἐναίμων τὰ ἐντὸς μόρια ὀνόματα
ἔχειν Ζιθ3. 527 ᵇ1. τὰ ἔναιμα πάντα γίνεται ἀπὸ σπέρ-
ματος Ζγβ1. 733 ᵇ18. — τὰ ἔναιμα χ̔ πορευτικὰ Ζμγ5. 40
667 ᵇ32. τὰ πεζὰ χ̔ ἔναιμα Ζιθ10. 536 ᵇ25. μχ4. 466
ᵃ10. πάντα τὰ ζῳοτοκῦντα ἢ ᾠοτοκῦντα ἔναιμά ἐστιν, χ̔
τὰ ἔναιμα ἢ ζῳοτοκεῖ ἢ ᾠοτοκεῖ Ζγβ1. 732 ᵇ8. γ1. 750 ᵇ6.
τὰ ᾠοτοκῦντα τῶν ἐναίμων Ζγγ1. 749 ᵃ12. ἔστι τῶν ἐναί-
μων πολυαιμότερα τὰ χ̔ ἐν αὐτοῖς χ̔ ἔξω ζῳοτόκα τῶν 45
ἐναίμων χ̔ ᾠοτοκῦντων δέ Ζγγ19. 529 ᵇ27. τῶν ἐναίμων
ὅσα μὴ ζῳτικὰ λίαν εἰσὶ αν17. 479 ᵃ4.
ἐνάλειμμα. ἡ τῶν γονίμων γυναικῶν τοῖς ἐναλείμμασι πεῖρα
πδ2. 876 ᵇ13.
ἐναλείφειν. ὅταν ἀποπέσῃ τὸ ἐναλειφθὲν τῦ κονιάματος Ζγα 50
19. 726 ᵇ27. οἱ γραφεῖς ὑπογράψαντες ταῖς γραμμαῖς ῦτως
ἐναλείφσσι τοῖς χρώμασι τὸ ζῷον Ζγβ6. 743 ᵇ24. εἴ τις
ἐναλείφειε τοῖς καλλίστοις φαρμάκοις χύδην, opp λευκο-
γραφῆσαι εἰκόνα πο6. 1450 ᵇ1.
ἐνάλιαι νῆσοι χ3. 392 ᵇ19. ζῷα ἐνάλια χ5. 397 ᵃ17. 55
ἐναλίγκιος (Parm 103) ξ2. 976 ᵃ8. 4. 978 ᵇ9.
ἐναλλάξ. οἱ χρήσιμοι πρὸς ἀλλήν ὀδόντες ἐναλλὰξ ἐμπίπτωσιν,
ὅπως μὴ ἀμβλύνωνται τριβόμενοι πρὸς ἀλλήλως Ζμγ1. 661
ᵃ21 cf ἐπαλλάττειν. τὰς κακὰς ἢ τόπῳ διορίζει, ἀλλ' ἐναλ-
λὰξ μεταξὺ ἀνδρεία τὸν ἀσθενέστερον f 147. 1503 ᵃ26. — 60
φλέβες φέρωσιν ἐναλλὰξ Ζιγ4. 515 ᵃ11 (cf πλέκεσθαι Ζμγ5.

668 ᵇ24). ἐναλλάξ i q alternis. γέρανοι καθεύδωσιν ἐπὶ ἑνὸς
ποδός ἐναλλὰξ Ζιι10. 614 ᵇ25. cf Ζπ8. 708 ᵇ17. 13. 712
ᵃ13. Αα15. 35 ᵇ16. 25. 42 ᵇ11. β20. 66 ᵇ6. τι14. 173 ᵇ37.
15. 174 ᵃ23 Wz. θ1. 156 ᵃ24. ἐναλλὰξ συνιστάναι χ̔ δια-
λύειν, ἐναλλὰξ γίνεσθαι τὸ ἀναπνεῦσαι χ̔ τὸ διαλῦσαι sim
Oα10. 280 ᵃ11, 279 ᵇ14. 6. 289 ᵃ5. πχθ8. 964 ᵃ23. —
διὰ τί τὸ περιαγόμενον ἐναλλὰξ τοῖς δακτύλοις δύο φαίνεται
(cf ἐπάλλαξις) πλε10. 965 ᵃ36. — τὸ ἀνάλογον ἐναλλὰξ
(de conversione proportionis) Αγ5. 74 ᵃ18. δ17. 99 ᵃ8.
Ηε6. 1131 ᵇ6.
ἐνάλλαξις. διὰ τῆς τῶν φλεβῶν ἐναλλάξεως συνδεῖται τῶν
σωμάτων τὰ πρόσθια τοῖς ὄπισθεν Ζμγ5. 668 ᵇ26 (cf πλέ-
κεσθαι ᵇ24).
ἐναλλάττειν 1. trans τὰ φυτὰ ἐναλλάττονται τῇ διαφορᾷ
τῶν τόπων φτα4. 820 ᵃ8. — 2. intr διεστῶσαι ἄνωθεν
ἥ τε μεγάλη φλὲψ χ̔ ἡ ἀορτή, κάτω δ' ἐναλλάσσυσαι συνέ-
χυσι τὸ σῶμα Ζμγ5. 668 ᵇ21 (cf πλέκεσθαι ᵇ24).
ἐνάμιλλον πρός τι Πγ12. 1283 ᵃ5.
ἐναντιολογία. αἴτιον τῆς ἐναντιολογίας (i e τῦ ἐναντία ἀλλή-
λοις λέγειν) Γα7. 323 ᵇ17.
ἐναντίος apud Ar haud raro eadem significatione legitur,
atque in vulgari sermone, veluti de adversaria civitatis
factione κρατῆσαι τῶν ἐναντίων, τἀναντία εἶναι δοκῦντα
(ἀλλήλοις) μέρη τῆς πόλεως Πδ11. 1296 ᵃ29. 4. 1291 ᵇ10.
ε4. 1304 ᵃ39, de adversariis in iudicio, in concione ρ5.
1426 ᵇ31, 1427 ᵃ6, 21. 9. 1430 ᵇ19. 1433 ᵃ37, 40 (syn
ἀνταγωνισταὶ ᵃ32). 37. 1442 ᵇ22, 6 ac saepe in ρ. ψηφί-
ζεσθαι μηδὲν ἐναντίον τοῖς εἰσφερομένοις, θέσθαι ἐναντίαν
τῷ νόμῳ ψῆφον Πδ14. 1298 ᵇ32. ρ37. 1443 ᵃ24. κέρδος
χ̔ τιμὴ ἢ τἀναντία τύτοις ζημία χ̔ ἀτιμία Πε2. 1302 ᵃ32. —
ἐναντίον i q coram, ἐναντίον τῆς βυλῆς f 400. 1544 ᵇ27.
402. 1545 ᵃ25. — sed eum usum vulgatum voc ἐναντίος
Ar, ut haberet philosophicum artis vocabulum, certis
circumscripsit finibus. ἐναντίον est una species τῶν ἀντικει-
μένων, a qua distinguuntur tres aliae ἀντίφασις, στέρησις
χ̔ ἕξις, τὰ πρός τι, ν s ἀντικεῖσθαι et Oα12. 282 ᵃ6. Φε1.
225 ᵃ12. Μχ11. 1067 ᵇ20. δ10. 1018 ᵃ37. cf ὅσοις
γένεσιν ἡ ἀπόφασις τὸ ἐναντίον ἐπιφέρει Μγ7. 1012 ᵃ9.
(minus accurate ἐναντίον usurpatur, ubi intelligitur τὸ πρός
τι Μι6. 1056 ᵇ36 Trdlbg Kat 123, vel τὸ κατ' ἀντίφασιν
Μδ12. 1019 ᵇ23. υ1. 454 ᵇ1). philosophicae ν ἐναντίος notio
repetitur ex eius vi locali, ἐοίκασι χ̔ τῶν ἄλλων ἐναντίων
ὁρισμὸν ἀπὸ τύτων (τῶν κατὰ τόπον ποσῶν) ἐπιφέρειν Κ6.
6 ᵃ16; est autem ἐναντίον κατὰ τόπον τὸ κατ' εὐθεῖαν
ἀπέχον πλεῖστον Μχ12. 1068 ᵇ30. Φε3. 226 ᵇ32. 5. 229
ᵇ7-9. θ8. 264 ᵇ15 (κίνησις ἐναντίαι, ᵃλλήλαις ᵇ14). μβ6.
363 ᵃ30. (huc referendum videtur αἱ ἐναντίαι φάσεις, i e
quae in tabula e regione positae sunt ε13. 22 ᵃ39.) inde
ἐναντία λέγεται τά τε μὴ δυνατὰ ἅμα τῷ αὐτῷ παρεῖναι
τῶν διαφερόντων κατὰ γένος, ἢ τὰ πλεῖστον διαφέροντα
τῶν ἐν τῷ αὐτῷ γένει, ἢ τὰ πλεῖστον διαφέροντα τῶν ἐν
ταὐτῷ δεκτικῷ (cf υ1. 453 ᵇ27) χ̔ τὰ πλεῖστον διαφέροντα
τῶν ὑπὸ τὴν αὐτὴν δύναμιν, χ̔ ὧν ἡ διαφορὰ μεγίστη ἢ
ἁπλῶς ἢ κατὰ γένος ἢ κατ' εἶδος Μδ10. 1018 ᵃ25 Bz.
ἀνάγκη πάντα τὰ ἐναντία ἢ ἐν τῷ αὐτῷ γένει εἶναι ἢ ἐν
τοῖς ἐναντίοις γένεσιν ἢ αὐτὰ γένη εἶναι Κ11. 14 ᵃ19. τὸ δ.
123 ᵇ1-124 ᵃ9. η3. 153 ᵃ35-ᵇ4. cf Κ11. 10. 11 ᵇ32-12 ᵇ25,
Wz ad 11 ᵇ34. (πολιτεῖαι ἐναντίαι, opp αἱ ἐν τῷ αὐτῷ
γένει, αἱ σύνεγγυς Πε6. 1306 ᵇ19. 7. 1307 ᵇ20. 12. 1316
ᵃ19.) sed alibi Ar τὰ ἐναντία eiusdem generis ambitu ita
circumscribit, ut is videatur κύριος ὁρισμὸς vocabuli esse,

τὰ πλεῖστον ἀλλήλων διαφέροντα τῶν ἐν τῷ αὐτῷ γένει ἐναντία ὁρίζονται K6. 6 ᵃ18. 11. 14 ᵃ15. Μι3. 1054 ᵇ32-4. 1055 ᵃ16 Bz (et omnino Μι4. 5. 7 Bz). Αγ4. 73 ᵇ21. Γα7. 324 ᵃ2. αι6. 445 ᵃ21-24. cf ε14. 23 ᵇ22. Ηβ8. 1108 ᵇ34. Zeller Phil II, 2. 152, 3. ἀπορίαι περὶ τῦ ὅρυ τῦ 5 ἐναντίυ f 115. 1497 ᵇ7-16. 116. 1497 ᵇ32. 117. 1497 ᵇ44. inde consequitur ἐν ἑνὶ ἐναντίον, ὑκ ἐνδέχεται ἐνὶ πλείω ἐναντία εἶναι Μι4. 1055 ᵃ20 Bz. 5. 1055 ᵇ30. Οα2. 269 ᵃ14 (τὸ αὐτὸ πλείοσιν ἐναντίον πῶς Φθ7. 261 ᵇ16. τβ7. 113 ᵃ14). τῶν ἐναντίων ἡ ἑτέρα συστοιχία στέρησις 10 Μγ2. 1004 ᵇ27. 6. 1011 ᵇ18. θ2. 1046 ᵇ15. Αγ4. 73 ᵇ21. τζ9. 149 ᵇ4, 6. τῶν ἐναντίων τρόπον τινὰ τὸ αὐτὸ εἶδος Μζ7. 1032 ᵇ2. τῶν ἐναντίων μία (ἡ αὐτὴ) ἐπιστήμη Αα1. 24 ᵃ21. 36. 48 ᵇ5. τα 14. 105 ᵇ5, 23. ββ3. 110 ᵇ20. θ1. 155 ᵇ31, 156 ᵇ11. 13. 162 ᵃ2, 18. ι10. 171 ᵃ36. 15. 15 174 ᵇ37. Μβ2. 996 ᵃ20 Bz. κ3. 1061 ᵃ19. Φθ1. 251 ᵃ30. ψγ3. 427 ᵇ5. δύναμις κ̣ ἐπιστήμη τῶν ἐναντίων ἡ αὐτὴ Ηε1. 1129 ᵃ13, 17 (his conferendus τόπος τῶν δεικτικῶν ἐκ τῶν ἐναντίων Ρβ23. 1397 ᵃ7-19. παρ' ἄλληλα τὰ ἐναντία μάλιστα φαίνεται, γνωρίζεται Ργ2. 1405 ᵃ12. 20 9. 1410 ᵃ20. 17. 1418 ᵇ4). — logice ἐναντίος usurpatur de oppositione quae est inter propositiones eorundem terminorum per diversam qualitatem et quantitatem, ἐναντίαι προτάσεις τίνες (v s πρότασις) ε7. 17 ᵇ4, 20. Αβ15. 63 ᵇ28 (cf ὅλη ψευδὴς Αβ2. 54 ᵃ4 sqq), inde ἐναντία 25 ἀπόφασις ε10. 20 ᵃ16, 30. 14. 24 ᵇ3, sed minus accurate Αβ8. 59 ᵇ10, et ubi idem est atque ἀντιφατικῶς ἀντικείμενον Αβ20. 66 ᵇ10. 21. 67 ᵃ5. πότερον ἐναντία ἐστὶν ἡ κατάφασις τῇ ἀποφάσει ἡ ἡ κατάφασις τῇ καταφάσει ε14. ἐναντία δόξα, dist δόξα τῦ ἐναντίυ ε14. 23 ᵃ33. ἐναντία 30 ἀπάτη τῇ ἐπιστήμῃ Αγ2. 72 ᵇ3. — suum ac peculiarem locum notio τῦ ἐναντίυ habet in explicanda mutationis natura et causa. πάντες τἀναντία ἀρχὰς ποιῦσιν Φα5. 188 ᵃ19, ᵇ29. ΜΑ5. 986 ᵇ2. γ2. 1004 ᵇ30. λ10. 1075 ᵃ28 (τὰ ἐναντία ἀσύνθετα ἐξ ἀλλήλων, ὥστ' ἀρχαὶ Μι7. 1057 ᵇ22). 35 ὑκ ἐνδέχεται τὰ ἐναντία ἅμα ὑπάρχειν ἐν αὐτῷ (ἅμα ἀληθεύεσθαι) Μγ6. 1011 ᵇ17. κ6. 1063 ᵇ17, 26. κ7. 448 ᵃ2. Γββ3. 330 ᵃ31. ἀναιρεῖται τἀναντία ὑπ' ἀλλήλων μκ3. 465 ᵇ5. (itaque ἐναντίαι αἱ κινήσεις, αἱ ἱστᾶσι κ̣ παύυσιν ἀλλήλας Φθ8. 262 ᵃ6. ψγ2. 426 ᵇ30.) γίγνεται πάντα ἐξ ἐναντίων 40 ἢ διὰ τὰ ἐναντία, πάντα μεταβάλλει εἰς τὰ ἐναντίον Φα5. γ5. 205 ᵃ6. ε1. 224 ᵇ29. Μκ11. 1067 ᵇ13. Οδ3. 310 ᵃ25. Ζγδ1. 766 ᵃ13, 14. (ἡ τροφὴ τὸ ἐναντίον τῷ ἐναντίῳ ψβ4. 416 ᵃ23.) δεῖ ὑποκεῖσθαί τι τοῖς ἐναντίοις, πάντα γίγνεται ἐξ ἐναντίων ὡς ὑποκειμένυ τινός (cf ὕλη 1) Φ7. 45 191 ᵃ5. Μν1. 1087 ᵃ36, ᵇ1. Κ10. 13 ᵃ18. Οβ3. 286 ᵃ7. Γα1. 314 ᵇ26. Ζγα18. 724 ᵇ3, ᵃ27. (ἐναντίον τῷ πρώτῳ ὐδέν Μλ10. 1075 ᵇ22. ὐ πάντα ἂν τἀναντία γίγνοιτο ἐξ ἀλλήλων Μη5. 1044 ᵇ25.) ἡ ὐσία δεκτικὴ τῶν ἐναντίων, ὐκ ἔστιν ὐσία ὐσίᾳ ἐναντίον Κ5. 4 ᵃ11, 3 ᵇ24. 6. 6 ᵃ1. Φα6. 50 189 ᵃ29, 33. inde explicatur quod et dicuntur τὰ ἐναντία ποιεῖν κ̣ πάσχειν ὑπ' ἀλλήλων, παθητικὰ κ̣ ποιητικὰ εἶναι ἀλλήλων, φθαρτικὰ εἶναι ἀλλήλων Οβ3. 286 ᵃ33. Γα7. 324 ᵃ3, 8. β7. 334 ᵇ20. Φα9. 192 ᵃ22. Μν4. 1092 ᵃ3. μκ3. 465 ᵇ9. ηεβ3. 1220 ᵇ30, 31. πγ8. 872 ᵃ12, et ἀπαθὴ ὑπ' 55 ἀλλήλων τὰ ἐναντία Μλ10. 1075 ᵃ33. Φα7. 190 ᵇ33, ὐ γὰρ τὰ ἐναντία μεταβάλλει (int ἀλλὰ τὸ ὑποκείμενον εἰς τὰ ἐναντία) Μλ1. 1069 ᵇ7. — (τὸ ἐναντίον in amicitiis ἐξ ἐναντίων μάλιστα ἡ διὰ τὸ χρήσιμον γίγνεται φιλία Ηθ10. 1159 ᵇ12. ηεη5. 1239 ᵇ23-1240 ᵃ3. ὐκ ἐφίεται τὸ ἐναντίον 60 τῦ ἐναντίυ καθ' αὑτό, ἀλλὰ κατὰ συμβεβηκός, ἡ δ' ὄρεξις

τῦ μέσυ ἐστὶν Ηθ10. 1159 ᵇ19 sqq. ηεη5. 1239 ᵇ30-36.) — τῶν ἐναντίων τἀναντία αἴτια, ποιητικά Γβ10. 336 ᵃ31, ᵇ9. μδ6. 383 ᵃ8, ᵇ16. 7. 384 ᵇ2. Πε8. 1307 ᵇ29. — ὐδὲν κωλύει τῶν ἐναντίων εἶναι μεταξὺ κ̣ ἐν κ̣ πλείω Οδ5. 312 ᵃ33. Φε3. 227 ᵃ9. 5. 229 ᵇ16. Μι7. 1057 ᵃ18, ᵇ8. κ12. 1069 ᵃ4. cf αι7. 448 ᵃ6. ἐναντίων τὸ μηδέτερον μέσον Οα12. 282 ᵃ18 cf συναπόφασις. — ἐναντίος c dat ἐν ἑνὶ ἐναντίον, ἐναντίον ὐδὲν ταῖς ὐσίαις sim Μι5. 1055 ᵇ30. Κ5. 3 ᵇ24 al. c praep πρός: ἐναντία λέγειν πρὸς τὰ φαινόμενα, κίνησις ἐναντία πρὸς ἄλλην Γα1. 315 ᵃ3. Οα4. 271 ᵃ3. τὸ ἐναντίον et c dat et c gen coniungitur Ρα6. 1362 ᵇ30-35. τδ3. 123 ᵇ10. Wz ad Κ6. 5 ᵇ14. τὰ ἐναντία ἢ ἐφ' οἷς αἰσχύνονται Ρα9. 1367 ᵃ6. ἐναντίως οἱ ταῦροι κ̣ οἱ κριοὶ τὰ κέρατα ἔχυσιν πι36. 894 ᵇ21. — ἐναντιώτερος ε14. 23 ᵇ23. τὰ ἀπέχοντα πλεῖον τῦ μέσυ ἐναντιώτερα Ηβ8. 1109 ᵃ11, 18 (syn μᾶλλον ἐναντία ε14. 9. 1109 ᵃ31). ημα9. 1186 ᵇ23. ηεβ5. 1222 ᵃ28. γ7. 1234 ᵃ34, ᵇ10. — ἐξ ἐναντίας, de loco, ὅϑ ἐντεῦθεν μὲν αὕτη ἀρχή, ἐξ ἐναντίας δ' ἑτέρα Μδ1. 1013 ᵃ1. ἐξ ἐναντίας βλέπειν, κινεῖσθαι, κεῖσθαι al μγ4. 373 ᵇ6, 375 ᵃ31. 2. 372 ᵃ2. 3. 373 ᵃ2. 6. 377 ᵇ34. Φζ9. 239 ᵇ34. πε13. 882 ᵃ11. 37. 884 ᵇ31. — i q ἐναντίως Ηα11. 1100 ᵃ25. θ2. 1155 ᵃ35, ᵇ6. κ1. 1172 ᵃ28. πο13. 1453 ᵃ32. κεγι. 1228 ᵇ1. c dat ἐξ ἐναντίας τύτοις sim Ζια14. 493 ᵇ3. Ηδ12. 1126 ᵇ14. θ12. 1160 ᵇ7. Πε11. 1314 ᵃ31. c gen τύτων ὥσπερ ἐξ ἐναντίας ἕτεροι τυγχάνυσι δοξάζοντες Πι2. 1324 ᵃ39. — τἀναντία Πη9. 1309 ᵇ7, τἀναντίον ρ3. 1424 ᵇ25. φ1. 805 ᵃ5, ᵇ7 prope adverbii instar usurpatur. — ἐναντίως Οα6. 274 ᵃ6. Ηλ14. 1154 ᵃ18 al. ἡ γλῶττα ἐναντίως ἂν ἔχοι πρὸς τὴν τῆς τροφῆς ἐργασίαν Ζμβ17. 660 ᵇ30. ἐναντίως, opp ὕτως Αα13. 32 ᵇ13, 18. ἐναντίως ἢ Αγ17. 80 ᵇ35. Οβ2. 285 ᵃ20. ἐναντίως τοῖς πολλοῖς ζῴοις κάμπτειν Ζιβ1. 498 ᵃ27, 24. ἐναντίως δοξάζειν, dist ἐναντία δοξάζειν ε14. 23 ᵇ7. ἐναντίως τὸ ἀδύνατον τῷ ἀναγκαίῳ ἀποδίδοται ε13. 22 ᵇ1. ἐναντίως ἀντικεῖσθαι ε7. 17 ᵇ20. τὰ ἐναντία διαφέροντα Μι7. 1057 ᵇ11. ἐναντίως τιθέναι τὰς προτάσεις (syn ὅλη ψευδής) Αβ3. 55 ᵇ12. ἐναντίως ἀντιστρέφειν Αβ8-10. ἐναντίως ἀνελεῖν Αβ9. 60 ᵃ16. ἐναντίως ἀπατᾶσθαι Αβ21. 67 ᵃ29, ᵇ10, 11.

ἐναντιότης, opp ταυτότης Μβ1. 995 ᵇ22. dist ἀντίφασις, στέρησις, πρὸς τι Μι5. 1055 ᵇ1. πᾶσαν ἐναντιότητα λέγεσθαι κατὰ στέρησιν Μκ6. 1063 ᵇ17. ἡ ἐναντιότης διαφορά τις, διαφορὰ τέλειος (τελεία) Μγ2. 1004 ᵃ21. ι4. 1055 ᵃ16-ᵇ15. 8. 1058 ᵃ11. πλείων ἐναντιότης τοῖς ἄκροις πρὸς ἄλληλα ἢ πρὸς τὸ μέσον Ηβ8. 1108 ᵇ27. ἐν ὅσαις κατηγορίαις (praedicatis) ἐναντιότης μὴ ἔνεστιν ε11. 21 ᵃ29. ὅσαι ἐν τῷ λόγῳ εἰσὶν ἐναντιότητες, εἴδει ποιῦσι διαφορὰν Μι9. 1058 ᵇ1. μάλιστα ἡ ἐναντιότης τῦ ποσῦ περὶ τὸν τόπον δοκεῖ ὑπάρχειν Κ6. 6 ᵃ12. τόπυ ἐναντιότητες τὸ ἄνω κ̣ κάτω κ̣ τὸ πρόσθεν κ̣ ὄπισθεν κτλ Οα4. 271 ᵃ26 (syn ἐναντίωσις ᵃ28). ἐναντιότης πάντα τὸ ποιῦν Κ9. 11 ᵇ1. — a significatione abstracta ad concretam vergit ἀπαλλαγή, λῆψις τῆς ἐναντιότητος Φε5. 229 ᵃ24. ἐκ τῦ ἑνὸς ἐνόσας τὰς ἐναντιότητας ἐκκρίνεσθαι Φι4. 187 ᵃ20.

ἐναντιῦσθαι. ὁρμήσαντες ἐναντιῦσθαι συνεπείσθησαν Πε7. 1307 ᵇ14. ὐκ ἀκολυθεῖ τὰ πάθη, ἀλλ' ἐναντιῦται ημβ7. 1206 ᵇ27. ἐναντιῦσθαι κ̣ ἀντιβαίνειν τῷ λόγῳ Ηαι3. 1102 ᵇ24. γι5. 1119 ᵇ12. ἐναντιωθῆναι ταῖς ἀρχαῖς ΜΑ9. 990 ᵇ22. μ4. 1079 ᵃ18. ὁ ἐναντιύμενος λόγος τἀναντία ἐρεῖ Μν3. 1090 ᵇ2. ὅσα ὁ λόγος αὐτὸς ἑαυτῷ ἐναντιῦται ρ10. 1430 ᵃ15. τὸ τεκμήριον λύε φράζων παρ' ἃς αἰτίας ἐναντιωθῆναι συνέβη ρ37. 1443 ^{b}41. — ἐναντιᾶσθαι i q ἐναντίον εἶναι: τὸ λευκὸν τῷ μέλανι ἐναντιᾶται f 121. 1498 ^{b}35.

ἐναντίωμα. ὁ στρᾶθος τίνα ἔχει ἐναντιώματα ποὸς τὸ τῶν ὀρνίθων γένος Ζμὸ 12. 695 ^{a}18. τὰ ἐναντιώματα πρὸς τὰ ὑφ' αὑτᾶ λεγόμενα τι15. 174 ^{b}20. τὰ συμβαίνοντα περὶ 5 τὸν λόγον ἢ τὴν πρᾶξιν ἐναντιώματα ρ10. 1430 ^{a}17.

ἐναντίωσις. 1. naturam ac notionem habet nominis verbalis, τὸ κῦμα δι' ἐναντίωσιν ἐγίγνετο πνευμάτων μα7. 344 ^{b}36. ἐὰν ἡ ἐναντίωσις μικρὰν λύπην φέρῃ Ηδ 12. 1126 ^{b}34. πολλὰς ὑπομένει ὁ λόγος ἐναντιώσεις Μν2. 1090 ^{a}2. αὕτη 10 πασῶν ἀρχὴ τῶν ἐναντιώσεων τοῖς ἀποφηναμένοις Οα5. 271 ^{b}5. λύειν τὰς ἀπορίας καὶ τὰς ἐναντιώσεις ηεη2. 1235 ^{b}15. cf β5. 1222 ^{a}24. ἂν πολύχης ᾖ ἡ ἐναντίωσις Ργ17. 1418 ^{b}9. — 2. ἐναντίωσις eadem vi usurpari atque ἐναντιότης apparet ex talibus locis: ἡ μὲν ἐναντίωσις στέρησις ἄν τις 15 εἴη πᾶσα, ἡ δὲ στέρησις ἴσως ᾶ πᾶσα ἐναντιότης Μι4. 1055 ^{b}14 al (cf ἐναντιότης). ἐναντίωσις, dist ἀντίφασις, στέρησις Μι4. 1055 ^{a}33-^{b}29 (Bz ad ι3. 4). ἡ ἐναντίωσις δια-φορά τέλειος Μι3. 1054 ^{b}32. 4. 1055 ^{a}3-33. ἕτερα τῷ εἴδει λέγεται ὅσα ἐν τῷ λόγῳ (ἐν τῇ ὑσία) ἔχει ἐναντίωσιν Μδ 10. 20 1018 ^{b}3. ι9. 1058 ^{a}35, ^{b}15. τίνες συμπλοκαὶ ποιῶσιν ἐναν-τίωσιν τβ7. 112 ^{b}28, 113 ^{a}2, 9. ἡ ἐναντίωσις ᾶ μεταξῦ Μι5. 1056 ^{a}12. θάτερον μέρος τῆς ἐναντιώσεως ψα5. 411 ^{a}4. — ἡ ὕλη ᾶ χωριστὴ ἀλλ' ἀεὶ μετ' ἐναντιώσεως Γβ1. 329 ^{a}26. Φδ9. 217 ^{a}23. ἡ στέρησις καὶ ἡ ἐναντίωσις συμ- 25 βεβηκὸς τῇ ὕλῃ Φα7. 190 ^{b}27. ἐναντιώσεις ποιεῖν ἐν ταῖς ἀρχαῖς μα2. 405 ^{b}23. αἱ ἐναντιώσεις tamquam δεύτερον ponuntur inter τὴν ὕλην et τὰ στοιχεῖα Γβ1. 329 ^{a}34, 26. τὰ αἰσθητὰ πάντα ἔχει ἐναντίωσιν αι4. 442 ^{b}18. Γβ1. 329 ^{a}10. θερμὸν καὶ ψυχρὸν καὶ αἱ ἄλλαι φυσικαὶ ἐναντιώσεις 30 Φδ 9. 217 ^{a}23. Μχ3. 1061 ^{a}22. τῶν ἀπτῶν πᾶαι πρῶται διαφοραὶ καὶ ἐναντιώσεις Γβ 2. 329 ^{b}18. ἐναντιώσεις τῶν παθημάτων Ζια1. 486 ^{b}5. cf Ζγε7. 787 ^{a}23. ἀνάγεσθαι εἰς τὰς πρώτας διαφορὰς καὶ ἐναντιώσεις τᾶ ὄντος Μχ3. 1061 ^{a}12, ^{b}5, 13. cf 6. 1063 ^{b}28. Α5. 986 ^{b}1. αἱ ἐναντιώσεις 35 μεταβάλλωσιν Γβ1. 329 ^{b}2. μεταβάλλειν εἰς τὴν ἐναντίωσιν, εἰς ἐναντιώσεις τὰς καθ' ἕκαστον Μλ1. 1069 ^{b}6. 2. 1069 ^{b}13. cf Φε5. 229 ^{a}23. πέφυκε πάσχειν ᾗ ποιεῖν ὅσα ἐναν-τίωσιν ἔχει Γα7. 323 ^{b}31. 10. 328 ^{a}32. ἡ μίξις κατ' ἐναν-τίωσίν ἐστιν f 184. 1509 ^{b}11. ἐν ἑνὶ γένει μία ἐναντίωσις 40 Φα6. 189 ^{b}26, ^{a}13. ἐν ἑκάστῃ ὑσία ἐστὶ τᾶτων (int τᾶ ποιᾶ, τᾶ ποσᾶ, τᾶ πᾶ) ἐναντίωσις Φε2. 226 ^{a}26. Μκ12. 1068 ^{b}18. αἱ τῆς φορᾶς ἐναντιώσεις κατὰ τὰς τῶν τόπων εἰσὶν ἐναντιώσεις Οα4. 271 ^{a}28 (syn ἐναντιότης ^{a}26). τόπῳ ἐναν-τιώσεως τίνες Φε6. 230 ^{b}11. θ8. 261 ^{b}36. ἐν τοῖς σπέρμασιν 45 εἶναι ταύτην τὴν ἐναντίωσιν (τᾶ ἄρρενος καὶ θήλεος) Ζγδ 1. 763 ^{b}30. — λαμβάνειν πρὸς τὰ ἔνδοξα τὰς ἐν τῷ τᾶ ἐξεταζομένᾳ βίῳ ἐναντιώσεις ρ6. 1427 ^{b}28.

ἐναπολαμβάνειν, syn ἀπολαμβάνειν ἐντός πβ24. 868 ^{b}25, 24. κε1. 937 ^{b}31, 34. ἐναπολαμβάνειν τὸν ἀέρα ἐν ταῖς 50 κλεψύδραις Φδ 6. 213 ^{b}27. πι5.8. 914 ^{b}11. μῦς ἐναπολη-φθεῖσα ἐν ἀγγείῳ Ζιζ 37. 580 ^{b}11. τὸ ἄρτιον ἐναπολαμβα-νόμενον καὶ ὑπὸ τᾶ περιττᾶ περαινόμενον (Pythag) Φγ4. 203 ^{a}11. ἀὴρ (ἀναθυμίασις, πνεῦμα) ἐναπολαμβάνεται Οβ13. 294 ^{b}27. μβ8. 366 ^{b}16, 10. πια44. 904 ^{a}17. τὸ ἐναπολαμ- 55 βανόμενον θερμόν μγ3. 372 ^{b}30. τὸ ἐναπολαμβανόμενον ἐν τῷ πνεύματι τᾶς ψυχικῆς ἀρχῆς Ζγγ11. 762 ^{b}16.

ἐναπολείπειν. τὸ ἐναπολειφθὲν καὶ λιμάσαν ὕδωρ μα14. 352 ^{b}35. φτβ5. 826 ^{a}24.

ἐναπόληψις μβ9. 370 ^{a}1 (cf θερμότης ἀπολαμβανομένη ἐν 60 τοῖς νέφεσιν 369 ^{b}26). τὸ ἐκπνευματᾶμενον διὰ τὴν ἐναπό-

ληψιν ποιεῖ σφυγμόν πν4. 482 ^{b}31.

ἐναποπλύνοντες ἐν τῷ ὑγρῷ τὰ χρώματα καὶ τὰς χυμὰς αι4. 441 ^{b}15.

ἐναποσβεννύναι. ἐναπέσβεσε τὴν θερμότητα πκδ 17. 937 ^{b}13. πυρὸς ἐναποσβεννυμένᾳ ψόφος βροντῇ μβ9. 369 ^{b}16.

ἐναργής. τὰ ἐναργῆ καὶ φανερά Ηα2. 1095 ^{a}22. τὰ ἐναργέ-στατα τῶν περὶ τὴν αἴσθησιν (θερμόν, ψυχρόν) Ζμβ2. 648 ^{a}35. ἡ ὄψις ἐναργεστάτη αἴσθησις πζ5. 886 ^{b}35. χρόαν ἐναργεστέραν ἐπαλείφειν αι3. 440 ^{a}9. ἰσχυρὰ καὶ ἐναργῆ πα-θήματα ψα1. 403 ^{a}19. — συλλογισμὸς ἐναργέστερος ἡμῖν, opp πρότερος καὶ γνωριμώτερος φύσει (cf φανερός) Αβ 23. 68 ^{b}36. ἐναργέστερον ἔτι λεχθῆναι Ηα6. 1097 ^{b}23. — ἐναργῶς. μὴ ἐναργῶς αἰσθάνεσθαι, opp ἀκριβῶς ἐνεργεῖν περὶ τὸ αἰσθητόν ψγ3. 428 ^{a}14. ἐναργέστατα ὁρᾶν πο 17. 1455 ^{a}24. τὰ φαινόμενα ἐναργῶς Ηγ3. 1145 ^{b}28. ἐξακη-έσθαι τυμπάνων ἦχον ἐναργῶς θ101. 839 ^{a}2. ἐναργῶς φάναι Ηκ2. 1173 ^{a}19. κατέδειξεν ἐναργῶς f 623. 1583 ^{a}15.

ἐναριθμεῖν. pass τὴν ἡδονὴν ἐναριθμεῖσθαι τοῖς ἀγαθοῖς ημβ7. 1204 ^{a}23. μὴ ἐναριθμημένᾳ τᾶ ἐν ἀρχῇ τι8. 170 ^{a}8 Wz, cf μὴ συναριθμημένᾳ τᾶ ἐν ἀρχῇ 5. 167 ^{a}25.

ἐναρίθμος. τὰ ἐνάριθμα (i e τὰ ἐν τῷ ἀριθμῷ, αἱ μονάδες), opp ἀσύνθετοι οἱ ἀριθμοί ΜΑ9. 991 ^{b}22 Bz. — ἐνάριθμα ξ2. 976 ^{a}30, ἐν ἀριθμῷ Mullach.

ἐναρμόζειν, ἐναρμόττειν. εἰς σῶμα ἐνήρμοζον τὴν ψυχὴν ψβ2. 414 ^{a}23. περιθεῖναι καὶ ἐναρμόσαι ὁποτερονῦν ὁποτέρῳ μχ24. 856 ^{a}20, 855 ^{b}18. ἐναρμόττυσι τὸν μυκτῆρα εἰς τὸν μυκτῆρα Ζιε6. 541 ^{b}14. ἐνήρμοσται ἐν τῷ δέρματι Ζμγ2. 663 ^{b}17. ἀμύγδαλον ἐναρμοσθὲν εἰς ῥωγμὴν Ζθ9. 614 ^{b}16.

ἐναρμόνιος ἡ φωνὴ τῶν φερομένων ἄστρων Οβ9. 290 ^{b}22. ἐναρμόνια μέλη ἐνδον, dist μεταβάλλειν πολλὰς μεταβολὰς πι15. 918 ^{b}22 Bojesen.

ἔναυλον εἶναι τὴν δύναμιν καὶ μὴ ταχὺ ἐκλιπεῖν (Bsm, ἐκλίπῃ Bk) τὴν αἴσθησιν πκα13. 928 ^{b}7.

ἐναύξεται (Emp 375) Μγ5. 1009 ^{b}19.

ἐναφάπτειν. ὥσπερ ἐναφάψασα (ἡ δύναμις) παραδίδωσιν ἐκατέρῳ Ογ2. 301 ^{b}26.

ἐναφιέναι. ἐναφιᾶσι γόνον Ζιε22. 553 ^{b}24. 23. 554 ^{a}29. ἐνα-φιᾶσι τὰ κάτωθεν εἰς τὰ ἄνω Ζγα18. 723 ^{b}23. ἐναφίησι τὸν πόρον τὸ θῆλυ εἰς τὸ ἄρρεν Ζιε8. 542 ^{a}1. Ζγα22. 730 ^{b}25. omisso obiecto ἐναφίησιν ὁ ἄρρην εἰς τὴν θήλειαν Ζιε 30. 556 ^{a}27.

ἔνδεια τοιαύτης δυνάμεως, τᾶ δεξομένᾳ τὴν τροφήν, τῶν ἀναγκαίων μδ1. 379 ^{a}19. ζ2. 468 ^{b}7. ρ4. 1426 ^{a}12. ἐπι-θυμεῖ ὁ ἐνδεὴς τροφῆς Ηγ13. 1118 ^{b}10. ἄνδρες ἐνδεεῖς τῶν ὑστερογενῶν τριχῶν Ζιγ11. 518 ^{b}2. ἄνευ ἐπιθυμίας, τῆς φύσεως ἐκ ἐνδεᾶς ἔσης Ηγ13. 1153 ^{a}1. τὸ θεῖον ἐκ ἐνδεὲς ἔστι τῶν αὑτᾶ καλῶν ὐδενός f 15. 1476 ^{b}33. ἡ μεσότης τῆς ὑπερβολῆς ἐνδεέστερον, τῆς δ' ἐνδείας ὑπερβάλλον ημα9. 1186 ^{b}13. ἐνδεής, opp ὑπερέχων Ηθ16. 1163 ^{b}3. — ἐν-δεεῖς διχῶς, ὡς ἀναγκαίων, ὡς ὑπερβολῆς Ρα12. 1372 ^{b}20. ἐπαρκεῖν τοῖς ἐνδεέσιν Ηθ16. 1163 ^{a}34. — προσαναπληρῶν τὸν ἐνδεέστατον βίον, ᾗ τυγχάνει ἐλλείπων πρὸς τὸ αὐτάρ-κης εἶναι Πα8. 1256 ^{b}3. — προσερωτᾶν τὸ ἐνδεές (id quod deest) τι8. 169 ^{b}35. δεῖ ἀεὶ πρὸς τὸ ἐνδεὲς ἐπιχειρεῖν ζ7. 146 ^{b}32. αἱ ἐπιστῆμαι ἐπιζητῦσαι τὸ ἐνδεές Ηχ4. 1097 ^{a}5. — ἐναντιωτέρως ἔχειν περί τι Ζμβ14. 658 ^{b}1. γ14. 675 ^{a}19. pro ἡδέως πγ19. 874 ^{a}3 ci ἡδέως BzArStIV 409.

ἔνδεια, syn ἔλλειψις Ηβ8. 1109 ^{a}4, 3. opp ὑπερβολή τὸ 3. 123 ^{b}28. β7. 113 ^{a}6. Ηβ 8. 1109 ^{a}4. ηεη15. 1249 ^{b}19. ημα5. 1185 ^{b}13 sqq ac saepe. opp ἀναπλήρωσις Ηκ2. 1173 ^{b}7. ἀναπλήρωσις τῆς ἐνδείας ἐστὶν ἡ φυσικὴ ἐπιθυμία Ηγ13.

1118 b18. πᾶσα ἔνδεια πονηράν Ρβ25. 1402 b2. ἡ ἔνδεια κ̣
ἡ ὑπερβολὴ φθείρει Ηβ2. 1104 a12. ημα5. 1185 b13. —
πάσχειν τι δι' ἔνδειαν φυσικῇ θερμῇ sim μδ1. 379 a19. 2.
380 a6. 3. 380 a32, 381 a14, 15, 16. χ6. 797 b35. βεβα-
ρύνθαι διὰ τὰς τῶν σιτίων πληρώσεις ἢ ἐνδείας φ6. 810 5
b23. περὶ τῆς ἐνδείας τῶν μερῶν (veluti τῷ ἔχειν ἕνα δά-
κτυλον μόνον) Ζγδ4. 770 b29. ψελλίζονται, τῦτο δ' ἐστὶν
ἔνδεια τῶν γραμμάτων Ζμβ17. 660 a26. ἀναπληρῦν τὴν
ἔνδειαν, εἴ τι φιλοτιμίας ἔχωσιν Πζ4. 1318 b22. οἱ καθ'
ὑπερβολὴν ἐν ἐνδείᾳ τῶν εὐτυχημάτων ὄντες Πθ11. 1295 10
b18. — εἰ μὴ ἔνδεια ζητείται φίλος ηεη12. 1244 b4.
ἐνδεικνύναι αὐτὰ τοῖς δικαίοις ἐναντιώμενα ρ38. 1445 b8. —
τύπῳ τἀληθὲς ἐνδείκνυσθαι Ηα1. 1094 b20.
ἐνδεῖν. ἄστρα ἐνδεδεμένα τοῖς κύκλοις, ἐν ταῖς σφαίραις, ταῖς
φοραῖς Οβ8. 289 b33. 7. 289 a32. 9. 291 a11. 12. 293 a7. 15
cf μχ24. 856 a28. ἄστρα ἐνδεδεμένα, opp πλανώμενα,
πλάνητες μα8. 346 a2. Οβ8. 290 a19.
ἕνδεκα. οἱ ἕνδεκα καλύμενοι Ἀθήνησι Πζ8. 1322 a20.
ἐνδεκάμηνος. κ̣ ἐνδεκάμηνον δοκεῖ γεννᾶσθαι κ̣ δεκάμηνον
f 258. 1525 b18.   20
ἐνδεκάς Μμ8. 1084 a26.
ἐνδελεχής. τῶτ' ἐνδελεχὲς ἐθέλει γ.γίνεσθαι κατά γε τὴν
τάξιν μα9. 347 a5. συνεπλήρωσεν ὁ θεὸς ἐνδελεχῆ (ita scri-
bendum e codd F H et Philop, coll a16, ἐντελεχῆ Bk)
ποιήσας τὴν γένεσιν Γβ10. 336 b32. — ἐνδελεχῶς. ἡ 25
φορὰ ποιήσει τὴν γένεσιν ἐνδελεχῶς, syn συνεχῶς Γβ10.
336 a17, 16. κινεῖσθαι ἐνδελεχῶς, τ' ἅπαντα ἐνδελεχῶς
αἰῶνα κ2. 391 b20. 6. 399 a33. ξ2. 976 b24.
ἔνδεσις εἰς ἑκάτερον μέρος κ6. 399 b31.
ἐνδέχεσθαι. 1. (notio.) τὸ ἐνδέχεσθαι πολλαχῶς λέγεται, κ̣ 30
γὰρ τὸ ἀναγκαῖον κ̣ τὸ μὴ ἀναγκαῖον κ̣ τὸ δυνατὸν ἐνδέ-
χεσθαι λέγομεν Αα3. 25 a37 Wz, b4, 14. τὸ ἀναγκαῖον ὁμω-
νύμως ἐνδέχεσθαι λέγομεν Αα13. 32 a20 (cf ἐνδέχεται μέν,
ὃ μὴ ἀναγκαῖον Πγ1. 1275 b6). τὸ ἐνδέχεσθαι τῷ εἶναι
ὁμοίως τάττεται Αα13. 32 b2. ἐνδέχεσθαι κ̣ εἶναι ὐδὲν δια- 35
φέρει ἐν τοῖς ἀιδίοις Φγ4. 203 b30. ἐνδέχεσθαι μέν, εἶναι δ'
dist ὑπάρχειν, ἐξ ἀνάγκης ὑπάρχειν, ὐδὲν ἔσται Αα8. 29 b30 al. ἐνδε-
χόμενον def: ὃ μὴ ὄντος, τεθέντος δ' ὑπάρχειν, ὐδὲν ἔσται
διὰ τῦτ' ἀδύνατον Αα13. 32 a18 (Wz ad 25 a37). τῦ ἐν-
δεχομένῳ τεθέντος ὐδὲν ἄτοπον ἔδει συμβαίνειν Φη1. 243 a1, 40
242 b28. τὰ ἐνδεχόμενα κ̣ εἶναι κ̣ μὴ εἶναι, ἐ ἐνδέχεται
κ̣ ἄλλως ἔχειν Ζγβ1. 731 b25. δ4. 770 b13. 8. 777 a20.
Ηε10. 1134 b31. ζ2. 1139 a8, 14 (τὸ ἐνδεχόμενον, i ε τὸ
ἐνδεχόμενον ἄλλως ἔχειν Ηζ12. 1143 b3). τὰ ὡς ἐπὶ τὸ
πολὺ συμβαίνοντα κ̣ ἐνδεχόμενα Ρα2. 1357 a28. τὸ ἐνδέ- 45
χεσθαι ὑπάρχειν ἀντιστρέφει τῷ ἐνδέχεσθαι μὴ ὑπάρχειν
Αα13. 32 a33sqq. δύο σημαίνει τὸ ἐνδέχεσθαι, τὸ πεφυκὸς et
τὸ τυχὸν Αα13. 32 b4-22. 15. 33 b28sqq Wz. τὸ μὴ ἐνδέ-
χεσθαι μηδενὶ διχῶς λέγεται Αα17. 37 a15. cf 10. 30 b26.
14. 33 a3. ἐνδεχόμενον, syn δυνατὸν Αγ6. 74 b38. ε9. 19 50
a9, 10. δυνατὸν κ̣ ἐνδεχόμενον ἀληθὲς εἶναι Μδ12. 1019
b32. δυνατὰ πάντα τὰ ἐνδεχόμενα γενέσθαι ρ2. 1422 a19.
τὸ δυνατὸν μὴ εἶναι ἐνδέχεται μὴ εἶναι Μθ8. 1050 b13.
ἀδύνατον γίνεσθαι ὃ μὴ ἐνδέχεται γενέσθαι Οα7. 274 b14.
quid differant δυνατὸν et ἐνδέχεται Bz ad Μθ4. 1047 a24. 55
τὸ ἐνδεχόμενον εἶναι, τὸ δυνατὸν εἶναι et quae vel opposita
sint vel coniuncta ε12, 13. προτάσεις τῦ ἐνδέχεσθαι ὑπάρ-
χειν sive προτάσεις ἐνδεχόμεναι Αα3. 13-22. προτάσεις ἐν-
δεχόμεναι διχῶς λέγονται Αα13. 32 a23-27. — 2. (usus.)
ἐνδέχεται impers, coni cum acc et inf, veluti ἐνδέχεται τὸν 60
μάλιστ' εὐθηνῦντα συμφοραῖς περιπεσεῖν al Ηα10. 1100 a6.
V.

9. 1098 b33. 11. 1100 a23, 27. β3. 1105 a22. ε10. 1134
b34, 1135 a28. 11. 1136 a25, 33, b1. 15. 1138 a4. μα3.
339 b10. 12. 348 a12. δ12. 390 b3 al. c dativo et inf ἐκ
ἐνδέχεται αὐτῷ κινηθῆναι Οα3. 269 b31, 270 a10 (v l αὐτό).
ἐνδέχεται seq ὥστε Αγ20. 82 a25. Φθ6. 258 b17. acc absol
ὥσπερ ἐνδεχόμενον Ζγδ1. 765 b23. gen absol ἐνδεχομένου
Ζμδ6. 683 a20. ὡς ἐνδέχεται μβ3. 358 a26. ΜΑ2. 982 a9.
ὅσον, ἐφ' ὅσον ἐνδέχεται μα6. 343 b21. Με2. 1026 b25.
ἐνδέχεσθαι person ὅσων αἱ ἀρχαὶ μὴ ἐνδέχονται ἄλλως ἔχειν
Ηζ2. 1139 a7. εἰ ἐνδέχεται τὸ πρότερον λεχθὲν Ηε12. 1136
b17. ἐνδεχομένῳ μὴ κρατεῖν ποτὲ τῷ ἄρρενος Ζγδ3. 767
b10. χαλεπὸν ἰδεῖν, ἐνδεχομένη δ' εἶναι Φγ2. 202 a2.
Μκ9. 1066 a26. πάντες οἱ ἐνδεχόμενοι συνδυασμοὶ Πδ4.
1290 b35. ὅταν ποιησώμεθα συντόμως τὴν ἐνδεχομένην
μνείαν Πδ2. 1289 b23. διέλθωμεν τὰς ἐνδεχομένας ἀπορίας
ΜΑ8. 988 b21. ζωὴ ἐνδεχομένη ἀρίστη Πη8. 1328 a36.
πολιτεία ἡ ἐνδεχομένη ἐκ τῶν ὑπαρχόντων Πδ1. 1288 b32.
θεωρῆσαι τὸ ἐνδεχόμενον πιθανὸν Ρα2. 1355 b27. οἱ μάλιστα
τὸ ἐνδεχόμενον ἀληθὲς ἑωρακότες Μγ5. 1009 b34. μεθέξυσι
τῆς ἐνδεχομένης αὐτοῖς εὐδαιμονίας Πη2. 1325 a10. οἱ ἄρι-
στοι τῶν ἐνδεχομένων αὐτοῖς νόμων, dist οἱ ἁπλῶς ἄριστοι
Πδ8. 1294 a8. ἱκανὸν πρὸς θεὸς τὸ ἐνδεχόμενον Ηι1. 1164
b6. ἡ φύσις ὐδὲν ἐλλείπει τῶν ἐνδεχομένων περὶ ἕκαστον
Ζγε8. 788 b22. ἐκ τῶν ἐνδεχομένων Πη11.1330 a36. Ζγδ1.
765 b6. τα3. 101 b7 (opp ἐκ παντὸς τρόπη). κατὰ τὸν ἐν-
δεχόμενον τρόπον Ζγδ16. 658 b31. μέχρι τῶ ἐνδεχομένου
αὐτοῖς Ζγγ7. 757 b15. — (ἐνδέχεσθαι προ24. 1460 a35,
quod vel idem significare atque ἀποδέχεσθαι interpretati
sunt vel de coniectura in ἀποδέχεσθαι mutarunt, defendit
et explicat Vhl Poet III 342.)
ἔνδηλος. ἐν ἱματίῳ καθαρῷ κ̣ αἱ μικραὶ κηλίδες ἔνδηλοι γί-
νονται Ζγε1. 780 b32. συνισταμένων εὐθέως ἔνδηλα γίνεται
καρδία κ̣ ἧπαρ Ζμγ4. 665 a34. τὰ μείζω μέρη ἐνδηλό-
τερα· τὰ ἤδη τῶν μακροβιωτέρων ζώων ἐνδηλότερα Ζιδ4.
528 b19. ιι. 608 a12, 13. — τί τὸ ὑποκείμενον, ὐκ ἔστιν
ἔνδηλον ψβ11. 422 b31.
ἔνδημος. τὰ ἐνδόμια, opp τὰ ὑπερόρια Πγ14. 1285 b14. ἔν-
δημοι πράξεις, opp ὑπερόριος πόλεμος κ6. 399 b18.
ἐνδιαλλάττειν. τὰ παθήματα ἐγγινόμενα τῇ ψυχῇ μηδέν τι
ἐνδιαλλάττει τὰ σημεῖα τὰ ἐν τῷ σώματι φ1. 806 a13.
ἐνδιασπείρειν. τῇ θαλάττῃ τὸ τραχὺ κ̣ γεῶδες ἐνδιέσπαρται
f 209. 1516 a15.
ἐνδιατρίβειν. ψακάδες ἐνδιατρίψασαι ἐπὶ τῦ ἀέρος μα12.
348 a8. — ἐνδιατρίβειν (ἐν τῷ διελεῖν τὰ σιτία) χρονί-
ζοντας Ζμγ14. 675 a6. — ἐνδιατρίβειν φαύλοις, σπυδαι-
οτέροις, ἄπερ ἂν προέλωνται πιη6. 917 a6. μᾶλλον ἢ τις
ἐνδιατρίψει περὶ αὐτῶν ΜΑ8. 989 b27. περὶ τύτων πλείω
τῆς ἀξίας ἐνδιατέτριφεν ὁ λόγος μβ3. 357 a4. cf Ζκ7. 701
a27. φτα1. 815 a31. κατὰ μέρος ἀκριβολογεῖσθαι χρήσιμον
μὲν πρὸς τὰς ἐργασίας, φορτικὸν δὲ τὸ ἐνδιατρίβειν Πα11.
1258 b35.
ἐνδιδόναι. ὁ ἀὴρ ἐνδίδωσι τοῖς ἔξωθεν πιέζυσι τὸν ἀσκὸν
πκε1. 937 b34. ἡ θάλαττα στέγει τὰ βάρη, τῷ γλυκέος ἐν-
διδόντος διὰ κυφότητα f 209. 1516 a17. ὁ οἰσοφάγος σαρ-
κώδης ὅπως μαλακὸς ᾖ κ̣ ἐνδιδῷ Ζμγ3. 664 a34. τὰ ἐν-
διδόντα τῶν μὴ ἐνδιδόντων ἀκσπώτερα ἐγκαταπλιθθῆναι πε11.
881 b35. cf 40. 885 b3. τοῖς χρωμένοις πλείοσιν ἀφροδισίοις
ἐνδιδόασι τὰ ὄμματα Ζγβ7. 747 a16. τὰ ὄμματα κ̣ τὰ
ἰσχία ἐνδίδωσι (concidunt) πδ2. 876 a37. — ἐνδόντες τῷ
λόγῳ σύμφασιν ἀληθὲς εἶναι Μγ7. 1012 a19. Φα3. 187 a1.
ἐνδιδόναι τῇ ἡδονῇ, πρὸς ἡδονήν, syn καταμαλακίζεσθαι,

Ii

ἐξασθενεῖν ημβ 6. 1203 ᵇ6, 10. — (δεῖ) ὅτι ἂν βύληται
εὐθὺ εἰπόντα ἐνδῦναι (exordiri, cf ἐνδόσιμον) ᶍ συνάψαι
Ρ γ14. 1414 ᵇ26. ἐνέδοσαν τοῖς ἵπποις τὸ ὀρχηστικὸν μέλος
f 541. 1567 ᵇ31.

ἔνδοθεν Ζι γ3. 512 ᵇ20. π γ1. 871 ᵃ7. διοιγόμενον ὠχρὸν ἔν- 5
δοθεν Ζι δ4. 530 ᵃ1. τὸ ἔνδοθεν μόριον Ζι γ3. 512 ᵇ22.

ἔνδον. πορίζειν τὰ ἔξωθεν, σώζειν τὰ ἔνδον οα3. 1344 ᵃ3. με-
λιττῶν ἡγεμόνες ἔνδον μένωσι Ζι ι1. 628 ᵃ25.

ἔνδοξος, nobilis, celeber, τα1. 100 ᵇ23, 101 ᵃ13. Ρα9. 1368
ᵃ21, 24 (cf σπυδαῖοι ᵃ22). ὀλίγοι ᶍ ἔνδοξοι ἄνδρες Ηα 9. 10
1098 ᵇ28. οἱ εὐγενεῖς ᶍ οἱ ἔνδοξοι Ηδ 5. 1122 ᵇ32. ὁ ἀλα-
ζὼν προσποιητικὸς τῶν ἐνδόξων Ηδ 13. 1127 ᵃ21. — ἔνδοξα
τὰ δοκοῦντα πᾶσιν ἢ τοῖς πλείστοις ἢ τοῖς σοφοῖς τα1. 100
ᵇ21. ἔνδοξόν ἐστι τα18. 108 ᵇ13. γ6. 119 ᵃ38. Αβ11. 62
ᵃ16. syn φαινόμενον, γνώριμον, opp ἄδοξον Αα 1. 24 ᵇ12. 15
τθ 5. Ηη1. 1145 ᵇ5, 7, 3. syn πιθανόν, πιστόν Ρα2. 1352
ᵇ32, 27. ἀναιρεῖν πολλὰ τῶν ἐνδόξων ᶍ τῶν φαινομένων
κατὰ τὴν αἴσθησιν Ο γ4. 303 ᵃ22. δεόμενα συλλογισμῷ διὰ
τὸ μὴ εἶναι ἔνδοξα Ρα2. 1357 ᵃ10, 13. οἱ διαλεκτικοὶ ἐκ
τῶν ἐνδόξων ποιοῦνται τὴν σκέψιν Μβ1. 995 ᵇ24 Bz. cf Α γ19. 20
81 ᵇ20. πρὸς τὰ ἔνδοξα, dist πρὸς τὴν ἀλήθειαν Ρα1. 1355
ᵃ17. ἔνδοξος πρότασις, ἐρώτησις, ἐπαγωγή, ἀξίωμα Αβ27.
70 ᵃ4, 8, ᵇ5. γ6. 74 ᵇ22, 24, 25. τα10. 104 ᵃ8. β5. 112 ᵃ5.
Αβ11. 62 ᵃ13 Wz. ἔνδοξοι συλλογισμοί τι9. 170 ᵃ4. ἔνδοξος
τρόπος τῶν γνωμῶν, opp παράδοξος ρ12. 1430 ᵇ2. — ἐν- 25
δόξως συλλογίζεσθαι, λύειν, opp ἀληθῶς, κατὰ τἀληθές
τι17. 175 ᵃ31, 33.

ἐνδόσιμον. οἱ αὐληταὶ ὅ τι ἂν εὖ ἔχωσιν αὐλῆσαι προαυλή-
σαντες συνῆψαν τῷ ἐνδοσίμῳ Ρ γ14. 1414 ᵇ24. — δεῖ ἢ
ξένα ἢ οἰκεῖα εἶναι τὰ ἐνδόσιμα τῷ λόγῳ, syn προοίμια 30
Ρ γ14. 1415 ᵃ7, 4. ἵνα ὥσπερ ἐνδόσιμον γένηται τοῖς λόγοις
Π θ5. 1339 ᵃ13. κατὰ τὸ ἄνωθεν ἐνδόσιμον ὑπὸ τῷ φερω-
νύμως ἂν κορυφαίῳ προσαγορευθέντος κινεῖται τὰ ἄστρα κ6.
399 ᵃ19.

ἔνδοσις. τῆς πρώτης οἷον ἐνδόσεως εἰς κίνησιν μίαν (μιᾶς ci 35
Bz Ar St IV 419) γενομένης κ6. 398 ᵇ26.

ἐνδότερος. ἐν τοῖς ἐνδοτέροις τῆς γῆς φτβ4. 825 ᵇ20. 6. 826
ᵇ13. — ἐνδοτέρω. ἐν τοῖς ἐνδοτέρω τῷ ὕδατος φτβ4.
825 ᵇ32.

ἐνδύεσθαι, ἐνδύνειν. ἐνδύεται θώρακα κ6. 399 ᵇ4. — κω- 40
λυτικὴ εἰς τὰς μυκτῆρας ἐνδυόμενος Ζι ι1. 609 ᵇ21. τὴν ψυ-
χὴν εἰς τὸ τυχὸν ἐνδύεσθαι σῶμα ψα3. 407 ᵇ23, 25. ἐν-
δύεται τὸ γλυκὺ διὰ λεπτότητα f 209. 1516 ᵃ19. τὸ θερμὸν
ὕδωρ ὀλισθαίνει ᶍ ἧττον ἐνδύνει πκθ1. 936 ᵃ15.

Ἐνδυμίων, καθεύδων ὥσπερ Ἐ. Ηχ8. 1178 ᵇ20. Εὐρυπύλη 45
ᶍ Ἐνδυμίωνος f 595. 1575 ᵃ15.

ἐνεδρεύειν. πρὸς ἀσφάλειαν τῷ μὴ ἐνεδρεύεσθαι Ζι ι32. 619 ᵇ4.

ἐνέζεσθαι. τὰ ἐνδιδόντα ἀκοπώτερα ἐστι ᶍ ἐγκλιθῆναι ᶍ
ἐνέζεσθαι πε11. 881 ᵇ36.

ἐνειλύμενον ἐν τῇ γῇ πνεῦμα κ4. 396 ᵃ14. 50

ἐνεῖναι. ἔνεστιν ἀήρ, γῆς πλῆθος sim μα3. 340 ᵃ31. 11. 347
ᵇ26. β3. 358 ᵇ5. δ3. 380 ᵃ22. ὅπως μὴ ἐνέσονται (ἐν τῇ
πολιτείᾳ) τοσοῦτον ὑπερέχοντες Πε3. 1302 ᵇ19. — ἐν ᾧ μὴ
ἐνέσται λόγῳ αὐτὸ Μζ4. 1029 ᵇ20 Bz. ἐν τῷ λόγῳ ἐνέστιν
ἐναντίωσις Μι9. 1058 ᵇ15. cf ε11. 21 ᵃ29. ἄν τούτων ἐνού- 55
ρ35. 1439 ᵇ25, 32. περὶ τυραννίδος λοιπὸν εἰπεῖν ὑχ ὡς ἐνού-
σης πολυλογίας περὶ αὐτήν Πδ10. 1295 ᵃ1. τὰς ἀπορίας
ἐπιδραμεῖν τὰς ἐνούσας Π γ15. 1266 ᵃ7. λέγειν δύνασθαι τὰ
ἐνόντα ᶍ ἁρμόττοντα ποβ1. 1450 ᵇ5. — impers ἐνῆν ἂν λέ-
γειν Ζ γ8. 747 ᵇ21. 60

ἐνείρειν. τὰ ἀπὸ τῆς ἐνειρμένης ἐξωτερικὰ ἀμφιβολίας φτα1.

---

816 ᵃ24.

ἕνεκα, ἕνεκεν. cf τέλος 3. τὸ ὗ ἕνεκα τέλος, τοιοῦτον δὲ ὁ
μὴ ἄλλυ ἕνεκα, ἀλλὰ τἆλλα ἐκείνυ Μα2. 994 ᵇ9. ὗ ἕνεκα,
coni syn τέλος Φβ2. 194 ᵃ27, 28. 3. 194 ᵇ32. 7. 198 ᵇ3.
9. 200 ᵇ22, 34. Μδ2. 1013 ᵃ33. η4. 1044 ᵃ36. Πα2. 1252
ᵇ34 al. πρώτη αἰτία, ἣν λέγομεν ἕνεκα τινος Ζμα1. 639 ᵇ14
(ἕνεκα τίνος ci Eucken II 19, coll Πη14. 1333 ᵃ7, 11). ὗ
ἕνεκα, syn πέρας Ζκ6. 700 ᵇ16. ὗ ἕνεκα, syn ἐφ᾽ ὅ, opp
ἀφ᾽ ὗ Μδ17. 1022 ᵃ8. ἕνεκα, coni syn διά: ὡς μὲν ἕνεκα
τυ διὰ τὸ ἔργον Ζ γβ6. 745 ᵃ27. ὗ δὲν τύτυ ἕνεκεν ὐδὲ
διὰ τὖθ᾽ αἱρεῖσθαι πάντα ᶍ πράττειν Ηζ5. 1140 ᵇ18. —
τὸ ὗ ἕνεκα una est e quatuor summis causis ΜΑ3. 982
ᵇ32 Bz al (cf ἀρχή p 112 ᵇ38, αἰτία p 22 ᵇ29); causae
tres, finalis formalis movens, saepe ad unum redeunt Φβ7.
198 ᵃ24. Ζ γα1. 715 ᵃ5 al. cf αἰτία p 22 ᵇ46 (sed τὸ ὗ
ἕνεκα ᶍ ποιητικὸν Γα7. 324 ᵇ14), τὸ ὗ ἕνεκα idem ac τὸ
εἶδος (ὁ λόγος, ἡ ὐσία al) Φβ8. 199 ᵃ32. 9. 200 ᵃ14. Γβ9.
335 ᵇ6. ψα1. 403 ᵇ6. Ζμα1. 639 ᵇ14. Μδ1. 1013 ᵃ21.
οα1. 1343 ᵃ13. opp ἡ ὕλη Φβ9. 200 ᵃ14. μδ12. 390 ᵃ3. —
ἡ φύσις τέλος ᶍ ὗ ἕνεκα Φβ2. 194 ᵃ28. 7. 198 ᵇ4. ὥσπερ ὁ
νῦς ἕνεκα τυ ποιεῖ, τὸν αὐτὸν τρόπον ᶍ ἡ φύσις ψβ4. 415 ᵇ15.
μᾶλλόν ἐστι τὸ ὗ ἕνεκα ᶍ τὸ καλὸν ἐν τοῖς τῆς φύσεως ἔργοις
ἢ ἐν τοῖς τῆς τέχνης Ζμα1. 639 ᵇ19. ὗ δεῖ ζητεῖν πάντα ἕνεκα
τίνος Ζμ 2. 677 ᵃ17. ὅσα μὴ τῆς φύσεως ἔργα κοινὴ μηδ᾽
ἴδια τῷ γένυς ἑκάστῳ ὐθὲν ἕνεκά τυ τοιοῦτον γίγνεται Ζ γε1. 778
ᵃ31. ὗ τύτυ ἕνεκα φύσει, ἀλλὰ συμπεπτεῖν Φβ7. 198 ᵇ27.
εἰσὶ δύο αἰτίαι, τὸ θ᾽ ὗ ἕνεκα ᶍ τὸ ἐξ ἀνάγκης Ζμα1. 642
ᵃ2, 33. γ10. 672 ᵇ22. Ζ γβ4. 739 ᵇ28. 6. 743 ᵇ1, 17, ᵃ37.
εθ. 789 ᵇ3, 19. αν4. 472 ᵃ2. Φβ7. 198 ᵇ17. 9. 200 ᵃ8. ἐν
τῇ ὕλῃ τὸ ἀναγκαῖον, τὸ δ᾽ ὗ ἕνεκα ἐν τῷ λόγῳ Φβ9.
200 ᵃ14. τὸ ὗ ἕνεκα ἥκιστα ἐνταῦθα δῆλον, ὅπῃ πλεῖστον
τῆς ὕλης μδ12. 390 ᵃ3. τὸ ἕνεκά τυ, opp τὸ πέρας, τὸ
ἀπὸ τύχης, τὸ αὐτόματον Ζ γδ3. 767 ᵇ13. Φβ5. 196 ᵇ19,
21. Μκ8. 1065 ᵃ26. — τὸ ὗ ἕνεκα πράξεώς τινός ἐστι
τέλος Μβ2. 996 ᵃ26. — τὸ ὗ ἕνεκα, coni syn τὸ ἀγαθόν,
τὸ ἄριστον, τὸ βέλτιστον, τὸ καλὸν ΜΑ3. 983 ᵃ31. Φ2.
1013 ᵇ26. Πα2. 1252 ᵇ34. ηεα8. 1218 ᵇ10. Ζμα1. 639
ᵇ19. 5. 645 ᵃ15. γ10. 672 ᵇ22. τὸ ὗ ἕνεκα ἀρχὴ ᶍ τῆς
πράξεως ἀλλὰ τῷ λογισμῷ Φβ9. 200 ᵃ23. ἐν ταῖς πράξεσι
τὸ ὗ ἕνεκα ἀρχή, ὥσπερ ἐν τοῖς μαθηματικοῖς αἱ ὑποθέσεις
Ηη9. 1151 ᵃ16. — ὗ ἕνεκα ᶍ τὸ τύτυ ἕνεκα διαφέρει
Ζ γβ6. 742 ᵃ20. Πη14. 1333 ᵃ11. — διττῶς τὸ ὗ ἕνεκα,
τό τε ὗ ᶍ τὸ ᾧ ψβ4. 415 ᵇ2, 20. Φβ2. 194 ᵃ36. Μλ7.
1072 ᵇ2. cf Bernays Dial p 169. — de formis ἕνεκα et
ἕνεκεν Eucken II 18-20 observavit, frequentius omnino ἕνεκα
exhiberi quam ἕνεκεν, in quibusdam formulis fere non
usurpari nisi ἕνεκα, veluti τὸ ὗ ἕνεκα (τὸ ὗ ἕνεκεν non ex-
hiberi nisi Φη2. 243 ᵃ3. Γβ9. 335 ᵇ6 ubi v l ἕνεκα. Μκ1.
1059 ᵃ35). ἕνεκα et ἕνεκεν interdum pluribus vocabulis in-
terpositis a genetivo suo separantur, veluti τῷ γὰρ ἄνω τὰ
κάτω ἕνεκεν Ζμβ6. 743 ᵇ16. cf Ρβ4. 1381 ᵇ36. duobus
substantivis inter se coniunctis ἕνεκα postpositum invenitur,
tur, γυμνασίας ᶍ πείρας ἕνεκα τθ5. 159 ᵃ25. cf ηεη4. 1239
ᵃ40. ἕνεκα et ἕνεκεν substantivo et adiectivo interpositum,
χρήσεως ἕνεκεν μὴ ἐφημέρψ Πα2. 1252 ᵇ16. cf Ζμγ7. 670
ᵇ28. Ζι ι8. 613 ᵇ11.

ἐνενήκοντα Πε6. 1306 ᵃ18.

ἐνεός. περὶ ἐνεῶν πια1. 898 ᵇ32. 2. 899 ᵃ5. ι40. 895 ᵃ16. λβ6.
960 ᵇ37. διὰ τί ἅμα ἐνεοὶ ᶍ κωφοὶ πλγ1. 961 ᵇ14. ὅσοι
κωφοὶ ἐκ γενετῆς, πάντες ᶍ ἐνεοὶ Ζι θ9. 536 ᵇ4. φρονιμώτεροι
οἱ τυφλοὶ τῶν ἐνεῶν ᶍ κωφῶν αι1. 437 ᵃ16.

ἐνεότης π140. 895 ᵃ16.

ἐνέργεια. περὶ ἐνεργείας Μθ6-9 Bz. distinctio inter ἐνέργειαν et δύναμιν (v h v) instituta est ab Ar ad explicandam mutationem Φa8. 191 ᵇ28, notio ἐνεργείας a δυνάμει non definitione, sed per analogiam et adhibitis exemplis distinguitur Μθ6. 1048 ᵃ30-35 Bz, cf 3. 1047 ᵃ18. ὅσα φύσει γίγνεται ἢ τέχνῃ, ὑπ' ἐνεργείᾳ ὄντος γίνεται ἐκ τῷ δυνάμει τοιύτυ Ζγβ1. 734 ᵇ21. 5. 741 ᵇ14. 6. 742 ᵃ12, 743 ᵃ23, 744 ᵃ7. Μλ2. 1069 ᵇ16. πρότερον δυνάμεως ἐνέργεια λόγῳ χρόνῳ ὑσίᾳ ϗ κυριωτέρον Μθ8. λ6. 1072 ᵃ5. Ογ2. 302 ᵃ8. ψβ4. 415 ᵃ19. ε13. 23 ᵃ21-26 (alio sensu πρότερον ἡ δύναμις ὑπάρχει τῆς ἐνεργείας Oα12. 283 ᵃ20). ἐνέργεια ut est opposita δυνάμει Μθ6-9. η2. 1043 ᵃ12. λ5. 1071 ᵃ6. 6. 1071 ᵇ23 al (quamquam τὸ δυνάμει ϗ τὸ ἐνεργείᾳ ἕν πως ἐστὶν Μη6. 1045 ᵇ21, cf ᵇ18 et s ὕλη 5), perinde opponitur τῇ ὕλῃ, cf ὕλη 4, et pro synonymo coniungitur cum iis nominibus quae formam significant, εἶδος, μορφή, λόγος, τὸ τί ἦν εἶναι, ὑσία, ὅπερ τι Μη2. 1042 ᵇ10, 1043 ᵃ6,12, 20 Bz, 23, 25, 28. 3. 1043 ᵃ30, 32, 35, ᵇ1. θ8. 1050 ᵃ16, ᵇ2. 10. 1051 ᵇ31. λ5. 1071 ᵃ8. 7. 1072 ᵃ25. vocabulum ipsum ἐνέργεια explicatur Μθ8. 1050 ᵃ22. — quoniam potentiae vel opponitur is motus et actus, quo res ad perfectionem naturae suae perducitur, vel ipsa illa perfectio, ἐνέργεια λέγεται τὰ μὲν ὡς κίνησις πρὸς δύναμιν, τὰ δ' ὡς ὑσία πρός τινα ὕλην Μθ8. 1048 ᵇ8, quod discrimen quamquam non potest ubique accurate observari, tamen ad perlustrandam varietatem usus aptum est. — a. ἡ ὡς κίνησις ἐνέργεια. ἐλήλυθεν ἡ ἐνέργεια τὕνομα ἐκ τῶν κινήσεων μάλιστα, δοκεῖ ἡ ἐνέργεια μάλιστα ἡ κίνησις εἶναι Μθ3. 1047 ᵃ30, 32. ἡ ἐνέργεια κίνησις Ργ11. 1412 ᵃ9 (inde rhetorice ἐνέργεια appellatur τὸ ποιεῖν ἐνεργῦντα φαίνεσθαι ϗ ἔμψυχα Ργ11. 1411 ᵇ25, 28, 29, 30, 33, 1412 ᵃ3 sqq). μεταβάλλειν εἰς ἐνέργειαν ἐξ ἀργίας ψβ4. 416 ᵇ2. μεταβάλλειν εἰς ἐνέργειαν πυρὸς Ζμβ2. 649 ᵃ28. διὰ κινήσεως τῶν ὀργάνων, αὕτη δ' ἐστὶν ἡ ἐνέργεια τῆς τέχνης Ζγβ5. 740 ᵇ28. ἐνέργεια, coni κίνησις Ζγβ6. 743 ᵃ28. πιᵇ29. 960 ᵃ6. βαρὺ ϗ κῦφον τῷ δύνασθαι κινεῖσθαι λέγομεν, ταῖς δὲ ἐνεργείαις ὀνόματ' αὐτῶν ὑ κεῖται Oδ1. 307 ᵇ32. ὅτε γὰρ ἡ ἐνέργεια ἄνευ τῆς καθ' αὑτὴν ἔσται δυνάμεως, ὑτ' ἄνευ ταύτης ἔσται αἴσθησις αι7. 449 ᵃ1. μία ἐστὶν ἐνέργεια ἡ τῦ αἰσθητικῦ ϗ ἡ τῦ αἰσθητῦ, τὸ δ' εἶναι ἕτερον γβ2. 426 ᵃ16, cf ᵃ5. τὸ αὐτό ἐστιν ϗ κατ' ἐνέργειαν ἐπιστήμη τῷ πράγματι γγ7. 431 ᵃ1. κατὰ μίαν δύναμιν ϗ ἄτομον χρόνον μίαν ἀνάγκη εἶναι τὴν ἐνέργειαν αι7. 447 ᵇ18. cf Φε4. 228 ᵃ14. ἡ ἑτέρα ἐνέργεια τὴν ἑτέραν ἐκκρύει Ηκ5. 1175 ᵇ8. ἐκκόπτει ἡ ἐν τῷ αἵματι κίνησις τὴν αἰσθητικὴν ἐνέργειαν ὕβ6. ὅσων ἐστὶν ἀρχῶν ϗ ἐνέργεια σωματικὴ Ζγβ3. 736 ᵇ22, 29. ζῷα ταχύτερα πρὸς τὴν ἐνέργειαν τῶν συνδυασμῶν Ζγα4. 717 ᵃ26. ἐνέργεια, dist ἕξις, διάθεσις τδ5. 125 ᵇ15-19. Ηα9. 1098 ᵇ33 sqq. β1. 1103 ᵇ21. θ6. 1157 ᵇ6. ημβ1.1219 ᵃ31. ημβ10. 1208 ᵃ34-ᵇ2, coni syn πρᾶξις, χρῆσις ψβ4. 415 ᵃ19. Πη8. 1328 ᵃ31. Μθ8. 1050 ᵃ35,30. ημα35.1197 ᵃ10. β10. 1208 ᵃ34-ᵇ2 (ad eandem significationem pertinent Η₁9. 1169 ᵇ29, 1170 ᵃ7,18. 7. 1168 ᵃ6). ἐνέργειαι σπυδαῖαι, φαῦλαι Η₁6. 1176 ᵇ19, 1177 ᵃ5. ᵇ5. 1177 ᵃ27, 28. τὰ τέλη, τὰ μέν εἰσιν ἐνέργειαι, τὰ δὲ παρ' αὐτὰς ἔργα τινά Ηα1. 1094 ᵃ4, 6. Μθ8. 1050 ᵃ35, 30, 22. cf ημβ12. 1211 ᵇ27-33. Ηη13. 1153 ᵃ10. τελειοῖ τὴν ἐνέργειαν ἡ ἡδονή Ηκ4. 1174 ᵇ23-1175 ᵃ17. ἡδονὴ ϗ ἐνέργεια Μλ7. 1072 ᵇ16 Bz. ἐνέργεια ἀνεμπόδιστος, τέλειος, opp ἐμποδιζομένη Ηη13. 1153 ᵃ15. 14. 1153 ᵇ10, 11. ἡ ἐνέργεια αἱρετωτέρον, τὸ

ἄριστον ηεη8. 1241 ᵃ40, ᵇ7. ἡ ἐνέργεια βελτίων ϗ τιμιωτέρα τῆς σπυδαίας δυνάμεως Μθ9. 1051 ᵃ4 sqq. ἡ εὐδαιμονία ἐνέργεια ἀρετῆς Πη8. 1328 ᵃ38. 13. 1332 ᵃ9, κατ' ἀρετὴν ἐνέργεια Ηκ7. 1177 ᵃ12, ψυχῆς ἐνέργεια κατ' ἀρετὴν Ηα6. 1098 ᵃ16. ἐνέργεια εὐδαιμονικωτέρα Ηκ6. 1177 ᵃ6. 8. 1178 ᵇ23. — sed quamquam inter se cohaerent ἐνέργειας et κινήσεως notiones, tamen distinguuntur Μθ6. 1048 ᵇ18-36 Bz. ἡ κίνησις ἐνέργεια μέν τις εἶναι δοκεῖ, ἀτελὴς δέ Φγ2. 201 ᵃ31. Μχ9. 1066 ᵃ20. ψβ5. 417 ᵃ16. ἡ κίνησις τῦ ἀτελῶς ἐνέργεια ἦν, ἡ δ' ἁπλῶς ἐνέργεια ἑτέρα ἡ τῦ τετελεσμένα ψ7. 431 ᵃ6. τέλος ἡ ἐνέργεια Μθ8. 1050 ᵃ9. τὴν ἐνέργειαν γένεσιν οἴονται εἶναι, ἔστι δ' ἕτερον Ζη13. 1153 ᵃ16. ὑ μόνον κινήσεως ἐστι ἐνέργεια, ἀλλὰ ϗ ἀκινησίας Ηη15. 1154 ᵇ27. τὸ σπέρμα ἔχει κίνησιν ἐνεργείᾳ Ζγα22. 730 ᵇ21. — b. τὸ ὑπάρχειν τὸ πρᾶγμα μὴ ὕτως ὥσπερ λέγομεν δυνάμει Μθ6. 1048 ᵃ31. huc plurimi ex iis locis referendi sunt, quibus ἐνέργειαν opponi δυνάμει ϗ ὕλῃ, componi cum εἴδει supra significatum est; cf praeterea talia: ἐπεὶ δ' ἐστι τὰ μὲν δυνάμει τὰ δ' ἐνεργείᾳ τῶν ὄντων, ἐνδέχεται τὰ μιχθέντα εἶναί πως ϗ μὴ εἶναι Γα10. 327 ᵇ23. ἡ θρεπτικὴ ψυχὴ ἐνεργείᾳ μὲν ἐν τοῖς ἔχυσι μία, δυνάμει δὲ πλείυς ζ2. 468 ᵇ3, et omnino opposita inter se δυνάμει et ἐνέργεια Ζγα19. 726 ᵇ17. β3. 737 ᵃ18. 4. 740 ᵇ20. 5. 741 ᵃ11. δ3. 768 ᵃ12 al.

ἐνεργεῖν. λέγω πρὸ ὀμμάτων ταῦτα ποιεῖν, ὅσα ἐνεργῦντα σημαίνει Ργ11. 1411 ᵇ26, 1412 ᵃ3. κατὰ τὰς ἄλλας μοχθηρίας ὁ ἐνεργῶν ἀδικεῖ Ηε4. 1130 ᵃ17. τἀνθρώπεια ἀδυνατεῖ συνεχῶς ἐνεργεῖν Ηκ4. 1175 ᵃ5. ι9. 1170 ᵃ6. υι.454 ᵇ9. δεῖ εἶναί τι ἀεὶ ἐνεργῦν Μλ6. 1072 ᵃ11, 13. ἐνεργεῖ τῷ πνεύματι ἀνατετμημένος Ζιβ11. 503 ᵇ23. ἐνεργεῖν τῇ ἐπιστήμῃ, dist ἔχειν τὴν ἐπιστήμην ημβ6. 1201 ᵇ16 (cf ἐνέργεια, dist ἕξις). ὑκ ἐνεργεῖ ἐν αὑταῖς ἡ ἐπιστήμη ημβ6. 1201 ᵇ19. πότερον τὸ ἐνεργεῖν τέλος ἢ τὸ ἐνηργηκέναι τζ8. 146 ᵇ14, 18. pass ἡ ὑγρότης, εἰς ἣν ὑκ ἐνηργήθη πέψις φτβ7. 827 ᵃ33. — οἱ Μεγαρικοὶ φασιν ὅταν ἐνεργῇ μόνον δύνασθαι, ὅταν δὲ μὴ ἐνεργῇ ὑ δύνασθαι Μθ3. 1046 ᵇ29. τὰ μὲν ἐνεργῦντα ϗ τὰ καθ' ἕκαστον ἅμα ἔστι ϗ ὑκ ἔστι ϗ ὧν αἴτια, τὰ δὲ κατὰ δύναμιν ὑκ ἀεί Φβ3. 195 ᵇ17. Μθ2. 1014 ᵃ21. τὰς μὲν δυνάμεις τῶν δυνατῶν αἴτια εἶναι, τὰ δ' ἐνεργῦντα πρὸς τὰ ἐνεργῦμενα Φβ3. 195 ᵇ28. δυνάμει τὸ αὐτὸ διαιρετὸν ϗ ἀδιαίρετον, τῷ δ' εἶναι ὑ, ἀλλὰ τῷ ἐνεργεῖσθαι διαιρετὸν (διαιρεῖται ci Torstrik) ψγ2. 427 ᵃ7.

ἐνεργής. ὁ συλλογισμὸς βιαστικώτερον ϗ πρὸς τὰς ἀντιλογικὰς ἐνεργέστερον τα1. 105 ᵃ19.

ἐνεργητικός. (τὸ κινητικόν) ἐστιν ἐνεργητικὸν ϗ κινητῦ Φγ3. 202 ᵃ17. Μχ9. 1066 ᵃ31. τῷ πολλάκις κινεῖσθαι ἤδη ὕτω τὸ ἐνεργητικὸν νεββ2. 1220 ᵇ3.

ἐνεργός. τόπος κοινὸς ϗ ἐνεργός, τόποι ἐνεργότατοι τη4. 154 ᵃ22, 16. ἡ γεωργία πέττει ϗ ἐνεργὸν ποιεῖ τὴν τροφὴν πκ12. 924 ᵃ17.

Ἐνετοί, οἱ ἐκεῖ κολοιοὶ θ119. 841 ᵇ28, 31, 842 ᵃ2.

ἐνέχεσθαι ἐν ταῖς αὐταῖς δυσχερείαις Oδ2. 309 ᵃ29.

ἔνθα demonstr ἔνθα μὲν ... ἔνθα δὲ μβ5. 362 ᵇ26. Πὁ15. 1299 ᵇ29. 8. 1308 ᵇ7. τὸ μὲν ἔνθα τὸ δ' ἔνθα χ6. 400 ᵇ4. — relat α4. 351 ᵃ24. χ6. 398 ᵃ5.

ἔνθεν χ τὴν σωφροσύνην τύτῳ προσαγορευτέον τῷ ὀνόματι Ηζ5. 1140 ᵇ11. — ἔνθεν ϗ ἔνθεν Ζιγ3. 512 ᵇ15. Ζγα14. 720 ᵇ15. ἔνθεν ϗ ἔνθεν τῆς καρδίας, τῆς ἀκάνθης αν16. 478 ᵇ10. Ζιγ1. 511 ᵃ19. cf πιγ11. 915 ᵃ39, ᵇ1.

ἔνθεος. ἔνθεος ἡ ποίησις Ργ7. 1408 ᵇ19. Σίβυλλαι ϗ Βάκιδες ϗ οἱ ἔνθεοι πάντες πλ1. 954 ᵃ37.

ἔνθερμος. ὅσων τὸ αἷμα ἔνθερμον πι60. 898 a6. — διάνοια ἔνθερμος φ2. 806 b26. εὐφυεῖς κỳ ἔνθερμοι φ3. 808 a37.

ἐνθλίβειν. τὸ μαλακὸν ἐνθλίβεται, τὸ καπυρὸν περιθραύεται πκα3. 927 a25. πτερύγια ἐντεθλιμμένα (διὰ τὸ κρύψαι ἑαυτὰς ἐν βορβόρῳ) Ζιθ15. 599 b20.

ἐνθυσιάζειν. ποιεῖ τὺς ἀκροατὰς ἐνθυσιάσαι Ργ7. 1408 b14. φθέγγονται τὰ τοιαῦτα ἐνθυσιάζοντες Ργ7. 1408 b17. ἐπιπνοία δαιμονίη ὥσπερ ἐνθυσιάζοντες γεα1. 1214 a24. οἱ ἐνθυσιάζοντες διὰ πάθυς ἀνόρειει, ἄνευ λόγυ ὁρμὴν ἔχυσι ηιμα20. 1190 b36. β8. 1207 b4.

ἐνθυσιὰν ποιεῖ τὺς ἐμπελαζοντας κ4. 395 b27.

ἐνθυσιασμός, τῦ περὶ τὴν ψυχὴν ἤθυς πάθος ἐστί Πθ5. 1340 a11. διαφέρει τῷ μᾶλλον κỳ ἧττον Πθ7. 1342 a7. διὰ τὺς ἐν τοῖς ὕπνοις γινομένης τῆς ψυχῆς ἐνθυσιασμὺς κỳ τὰς μαντείας f 12. 1475 b41.

ἐνθυσιαστικός. ἡ φρυγιστὶ ἁρμονία ποιεῖ ἐνθυσιαστικὺς Πθ5. 1340 b4. τὰ Ὀλύμπυ μέλη ποιεῖ τὰς ψυχὰς ἐνθυσιαστικάς Πθ5. 1340 a11. μέλη ἐνθυσιαστικά, dist ἠθικά, πρακτικά Πθ7. 1341 a34. ἁρμονία ἐνθυσιαστικὴ κỳ βακχικὴ πιθ48. 922 b22. νοσήματα μανικὰ κỳ ἐνθυσιαστικά πλ1. 954 a36.

ἐνθύμημα, def συλλογισμὸς ἐξ εἰκότων ἢ σημείων Αβ27. 70 a10 (Wz ad 70 a3). Ρα2. 1357 a32. αἱ κοιναὶ πίστεις δύο τῷ γένει, παράδειγμα κỳ ἐνθύμημα Ρβ20. 1393 a24. τὸ ἐνθύμημά ἐστι κυριώτατον τῶν πίστεων, ἀπόδειξις ῥητορική, συλλογισμὸς ῥητορικὸς Ρα1. 1355 a6, 7, 8. 2. 1356 b3, 4, 17. β21. 1394 a26, 22. 1395 b22. Αγ1. 71 a10. τθ14. 164 a6. ἐνθύμημα, dist γνώμη Ρβ21. 1394 a27. μεταβάλλειν τὰ ἐνθυμήματα κỳ γνώμας ποιεῖν Ργ17. 1418 b33. aliter ἐνθύμημα definitur, ἐνθυμήματά ἐστιν ὓ μόνον τὰ τῷ λόγῳ τῇ πράξει ἐναντιώμενα, ἀλλὰ κỳ τοῖς ἄλλοις ἅπασιν ρ11. 1430 a23 (cf Spengel p 162). dist γνῶμαι ρ15. 1431 a35. — τὰ ἐνθυμήματα δικανικώτερα, τὰ παραδείγματα δημηγορικώτερα Ργ17. 1418 a1. α9. 1368 a31. cf πιη3. 916 b27, 30. — ἐνθυμημάτων εἴδη et τόποι dist Ρα2. 1358 a29-32. γ1. 1403 b14. ἐνθυμήματα ἐλεγκτικά, opp δεικτικὰ sive ἀποδεικτικὰ Ρβ22. 1396 b24. 23. 1400 b25, 27. γ17. 1418 b2. ἐνθυμήματα φαινόμενα Ρβ24. 1401 a1. τὰ ἐπιπόλαια τῶν ἐνθυμημάτων Ργ10. 1410 b22. — στοιχεῖον λέγω κỳ τόπον ἐνθυμήματος τὸ αὐτό Ρβ22. 1396 b22. ἐνθυμημάτων Ρβ22-24. ἐξ ὧν δεῖ φέρειν τὰ ἐνθυμήματα τόπων Ρβ2. 1396 b31. τὰ ἐνθυμήματα λέγεται ἐκ τεττάρων Ρβ25. 1402 b13.

ἐνθυμηματικός. πόθεν ἄν τις γένοιτο ἐνθυμηματικός Ρα1. 1354 b22, 1355 a11. ῥητορεῖαι ἐνθυμηματικαί, ῥήτορες ἐνθυμηματικοί, opp παραδειγματώδεις Ρα2. 1356 b21, 22. αἱ μετ' ἐπιλόγυ γνῶμαι ἐνθυμηματικαὶ μέν, ὐκ ἐνθυμήματος δὲ μέρος Ρβ21. 1394 b18. — ἐνθυμηματικῶς Ργ17. 1418 b36.

ἐνθυμηματώδεις κỳ γνωμολογικὰς τὰς τελευτὰς ποιεῖσθαι δεῖ ρ33. 1439 a5.

ἔνθυμος, opp ἄθυμος, syn θυμοειδής Πη7. 1327 b30, 28, 37.

ἔνι, i q ἔνεστιν. τινὶ ἡ εὐγένεια ἔνι ποτέ f 83. 1490 a39. ὡς ἔνι γε εἰπεῖν κ6. 398 a3. ἔνι ἡμᾶς θεωρεῖν πιε4. 911 a8.

ἐνιαυσιαῖος. πρᾶξις ἐνιαυσιαία Κ6. 5 b5.

ἐνιαύσιος. ἀρχαὶ ἐνιαύσιαι Πδ15. 1299 a7. τοκετὸς ἐνιαύσιος Ζγβ8. 748 b21. ἐνιαύσιοι ἢ δεκάμηνοι (γενέσεις?) πι65. 898 b10. ὒς ἐνιαύσια Ζιε14. 545 a29, 31. — πανηγύρεις ἐνιαύσιοι κ6. 400 b21.

ἐνιαυτός, τὸ ἔαρ ἐκ τῦ ἐνιαυτῦ ἐξελεῖν Ργ10. 1411 a3. ἐνιαυτοὶ ξηροί, πνευματώδεις μα7. 344 b28. ἐν ἐνιαυτῷ γίνεται

τέλεια Ζιι15. 547 b25. κατ' ἐνιαυτόν Πεα 1308 a40. β2. 1261 a33. αἱ κατ' ἐνιαυτὸν ὧραι μα14. 352 a30. τὸ δεχόμενον πᾶν τὸ ῥέον ὕδωρ εἰς τὸν ἐνιαυτόν μκ13. 349 b19. τίκτυσι τῦ ἐνιαυτῦ περιόντος Ζιζ14. 568 a13.

ἐνιαχῦ Ζμβ9. 655 a8. Πδ13. 1297 a24. εδ3. 1302 b18. 6. 1305 b8. Ηιι1. 1164 b13. πκ12. 924 a3.

ἐνιέναι (ἐνίημι). ἄν τις πλαγίαν ἐνῇ τὴν κλεψύδραν εἰς τὸ ὕδωρ πις8. 914 b13. — (θᾶττον ἐνιέναι βλαστόν πκ14. 924 b10, sed ἀνιέναι probabiliter ci Sylbg.)

ἐνίζειν. Ξενοφάνης πρῶτος τύτων ἐνίσας ΜΑ5. 986 b21.

ἔνικμος γῆ Ζιζ16. 570 a17.

ἔνιοι. c gen ἔνιαι τῶν πολιτειῶν, ἔνια τῶν ἐδεσμάτων Πε8. 1309 a16. μβ3. 359 b16 al. οἶνοι ἔνιοι μγ10. 389 a10. — singularis ἔνιος: περὶ ψυχῆς ἐνίας θεωρῆσαι τῦ φυσικῦ Μει. 1026 a5.

ἐνίοτε μγ1. 371 a30. Πδ15. 1299 b4 al. ἐνίοτε μὲν ... ὁτὲ δὲ· ἐνίοτε ... ὁτὲ δὲ μβ4. 360 b2, 3, 15, 17.

ἐνιστάναι. trans, ἐνστήσασθαι τὸ πρᾶγμα πκθ13. 951 a28. — intr 1. εἴρηται κατὰ τὸν ἐνεστῶτα καιρὸν ἱκανῶς Ρα9. 1366 b23. ὁ χρόνος ἐγγὺς τῦ ἐνεστῦτος νῦν Φδ13. 222 b14. πόλεμος ἐνεστώς, opp γίγνεσθαι μέλλων ρ3. 1425 a36. περὶ ᵊ νῦν ὁ λόγος ἐνέστηκε Ϝγ9. 432 b8. τὰ τοιαῦτα ὡς φαῦλα ἀποτρεπόμενοι τῷ ὑγιεῖ ἐνεστῶμεν λόγῳ φται. 815 b18. τῶν ἐνεστώτων (?) Πζ8. 1322 a12, Göttling p 422. — 2. cf ἔνστασις. ἐνίσ-ασθαι πρός τι Αγ10. 76 b26. ἐνίστασθαι τινι τβ2. 157 b3. ἐνίστασθαι, ἐνστῆναι absol Κ5. 4 a22. τβ2. 157 b1, 9. Ργ18. 1419 a17. λύει ὁ ἐνιστάμενος, ἐνστὰς λύει Ρβ25. 1402 b24. Οδ6. 313 b3, 4. ἔνιοι τοιαῦτα ἐνίστανται τβ10. 161 a11. Μκ5. 1062 b10 Bz. ἔστιν ἐνστῆναι εἰ ἀληθῆ λέγυσι Ζικ7. 638 a5. ἐνίστασθαι ὅτι Αβ26. 69 b6, 11. ἐνίστασθαι ὡς Ηκ 2. 1172 b35. Οα11. 281 a20.

ἐνισχύειν. ἧττον τὸν ἥλιον πόρρω ὄντα μβ5. 362 a25. ἡ τῦ θερμῦ φύσις ἐνισχύυσα ποιεῖ τὴν αὔξησιν· τὸ πνεῦμα πλεῖον ἐν ταῖς φλεψὶ κỳ ἐνισχύει μᾶλλον Ζμβ7. 653 a31. γ4. 667 a29. ἐνισχύει ἐν ταῖς πόλεσι τὸ νόμιμα Ηκ10. 1180 b4.

Ἔννα ἐν Σικελίᾳ θ82. 836 b13.

ἐννεάμηνος γίνεται ὁ ἄνθρωπος Ζιη4. 584 a36.

ἐννεώροιο βοός (Hom κ 19) Ζιζ21. 575 b6.

ἐννοεῖν. σφόδρα τι ἐννοῦντες αι7. 447 a16. παρὰ τὰ φαντάσματα ἔνιοτε ἄλλα ἐννοεῖ εν 1. 458 b18, 15. θεωρῦσιν κỳ ἐννοῦσιν μν1. 449 b17. cf ψγ6. 430 b10. ἐννοῆσαι κỳ ἀναμνησθῆναι ὅτι ἠκύσαμέν τι πρότερον μν1. 451 a6. — ὐκ ἔστιν ὁμονοεῖν τὸ αὐτὸ ἑκάτερον ἐννοεῖν ὁδήποτε Ηιθ6. 1167 a34.

ἐννόημα. ἐκ πολλῶν τῆς ἐμπειρίας ἐννοημάτων μία καθόλυ γίνεται ὑπόληψις ΜΑ1. 981 a6.

ἐννοητικός φδ6. 813 a19.

ἔννοια. τῦ καλῦ ᵊὖ ἔννοιαν ἔχυσιν Ηκ10. 1179 b15. ἔννοιαν λαβόντες δαιμονίαν θ99. 838 b7. ἂν πρός τινι ἐννοίᾳ σφόδρα γένηται ἡ ψυχή φδ6. 813 a30. — ἡ ἔννοια τῦ συναλγεῖν τὺς φίλυς ἐλάττω τὴν λύπην ποιεῖ Ηιι1. 1171 a32, cf 9 b1. — ἐννοίας χάριν λέγυμεν, ὅπως ᵊ τι τῇ διανοίᾳ πλῆθος ὡρισμένον ὑπολαβεῖν Μλ8. 1073 b12. κỳ φθαρέντων τύτων μένει ἡ αὐτὴ ἔννοια f 182. 1509 a42. ἦλθέ τις εἰς ἔννοιάν τινος, ἦλθέ τι εἰς ἔννοιαν f 13. 1476 a18. 24. 1478 b13. — αἱ φαντασίαι κỳ αἱ αἰσθήσεις κỳ αἱ ἔννοιαι Ζικ7. 701 b17.

ἔννομος. ὀημοκρατίαι κỳ ὀλιγαρχίαι ἔννομοι Πε6. 1306 b20. ἐννόμῳ δικαστηρίῳ κρίνεται ὁ γραμματεύς f 389. 1542 b39. ἔννομον τὸ πεπραγμένον ρ5. 1427 a26. ἐννομώτερα κỳ δικαιότερα τὰ ἡμέτερα ρ37. 1444 a6.

ἐνοικεῖν. φροντίζειν περὶ ὑγιείας τῶν ἐνοικύντων Πη11. 1330

ᵇ8. — metaph ὅσοι ἐνῳκήκασι μᾶλλον ἐν τοῖς φυσικοῖς Γα2. 316 ᵃ6.

ἐνοποιεῖν. τί ἔστι τὸ ἐνοποιὸν τὰ στοιχεῖα ψα5. 410 ᵇ11.

ἐνοποιός. δυνάμεως κ̀ ἐντελεχείας ζητῦσι λόγον ἐνοποιὸν κ̀ διαφορὰν Μη6. 1045 ᵇ17.

ἔνοπτον φαίνεται πα51. 865 ᵇ17.

ἔνοπτρον. εἰ τό τε ὁρῶν ἠρεμοίη κ̀ τὸ ἔνοπτρον κ̀ τὸ ὁρώμενον ἅπαν μα8. 345 ᵇ13. τῶν ἐνόπτρων ἐν ἐνίοις μὲν κ̀ τὰ σχήματα ἐμφαίνεται, ἐν ἐνίοις δὲ τὰ χρώματα μόνον μγ2. 372 ᵃ33. 4. 373 ᵇ18, 22. 6. 377 ᵇ8, 17. α5. 342 ᵇ12. πα51. 865 ᵇ10. ἔνοπτρον ἐγίνετο κ̀ ὁ πλησίον ἀὴρ μγ4. 373 ᵇ8. ἐν ὕδατι κ̀ τοῖς τοιούτοις ἐνόπτροις μα8. 345 ᵇ10. ἀπὸ μικρῦ ἐνόπτρου πόρρω ἀνατεινομένη ἡ ὄψις ἀσθενὴς γίνεται πιε12. 912 ᵇ33. ἔνοπτρον, syn κάτοπτρον εν2. 459 ᵇ25, 28, 30, coll ᵇ29, 31, 460 ᵃ10, 11.

ἐνορᾶν. τὸ ἐκ τῆς Γοργόνος γιγνόμενον τοῖς ἐνορῶσι πάθος καταπληκτικόν f 148. 1503 ᵃ43. ἐν τῷ πολλῷ ὑγρῷ τὰ σχήματα ἐνορᾶται, ἐν τῷ ὀλίγῳ τὰ χρώματα πα51. 865 ᵇ12.

ἔνορκος. ἐκ ἔνορκος ὢν ἐστράτευσεν Ἀχιλλεύς Ρβ22. 1396 ᵇ19.

ἐνόρχης. οἱ ἐνόρχαι τῶν βοῶν Ζιι50. 632 ᵃ20.

ἑνότης Φδ13. 222 ᵃ19. ἡ ταυτότης ἑνότης τίς ἐστι πλειόνων sim Μδ9. 1018 ᵃ7. 26. 1023 ᵇ36. ι3. 1054 ᵇ3. διὰ τὴν τῦ αἵματος ἑνότητα Ζμγ5. 667 ᵇ30.

ἑνῦν λίαν τὴν πόλιν Πβ2. 1261 ᵇ10. ἀρρενότης κ̀ θηλύτης ἡνωμέναι ἔν τινι τῶν φυτῶν φτα2. 817 ᵃ18.

ἐνυπρεῖν πγ34. 876 ᵃ15 (def λανθάνει ἡ ὁρμὴ τῦ ὕρυ ἐκπίπτῦσα πρὶν ἐγερθῆναι ᵃ21).

ἐνοχλεῖν. πνεῖ ὁ Καυνίας ἐνοχλῶν τὸν λιμένα sim σ 973 ᵃ4, 10, 16, 22. f 238. 1521 ᵃ37, ᵇ3, 9, 15. ἐὰν ἄλλο τι ἐνοχλῇ τις ὕτως ἔχοντα, ὀργίζεται Ρβ2. 1379 ᵃ14. ἡμᾶς ὕτοι πρότερον ἠνώχλησαν μ38. 1445 ᵇ2. μάχιμον ἢ περιστερᾷ κ̀ ἐνοχλῦσιν ἀλλήλας Ζιι7. 613 ᵃ8. αἱ οἰκεῖαι κινήσεις ἐκ ἐνοχλῦσι (τὰς ἐκστατικὰς) μτ2. 464 ᵃ26. cf ἐνοχλεῖσθαι μν2. 453 ᵃ23. ὁ οἶνος ἧττον ἐνοχλεῖ πγ13. 872 ᵇ34. ἐνοχλεῖσθαι ὑπὸ τροφῆς, ὑπὸ φυσῶν Ζμγ3. 664 ᵇ21. Ζθ22. 604 ᵃ12. ἐνοχλεῖσθαι ὑπὸ ᾠδίνων, syn τόκοι ἐπίπονοι Ζιη9. 587 ᵃ1, 2, 586 ᵇ35. ἐνοχλεῖσθαι ὑπὸ ἐπιθυμιῶν τγ2. 117 ᵃ34.

ἐνοχλήσεις σοφιστικαί ε6. 17 ᵃ37.

ἔνοχος. τοιαύταις δόξαις γεγένηνται ἔνοχοι Μγ5. 1009 ᵇ17. τοῖς αὐτοῖς νόμοις ἔνοχος θ23. 832 ᵃ17. τὸ προσεφθονεῖν λίαν ταῖς τέχναις ἔνοχόν ἐστι ταῖς εἰρημέναις βλάβαις Πβ2. 1337 ᵇ17. ἔνοχοι τοῖς αὐτοῖς, ὐθενὶ Μμ1. 1076 ᵃ14. ν3. 1090 ᵃ31. ἔνοχος τῇ αἰτίᾳ Ρβ24. 1402 ᵃ18, 19, 21. ἔνοχοι τὐτοις ἐφ’ οἷς ὀργίζονται Ρβ2. 1380 ᵃ3, τῷ φόνῳ Πβ8. 1269 ᵃ3, τῇ διαβολῇ Ργι5. 1416 ᵃ22, τῇ παροιμίᾳ Ηη3. 1146 ᵃ34. τὰς μὴ περὶ ταῦτα ἐνόχας Ρβ6. 1384 ᵇ2. ἔνοχός ἐστι κατὰ τὸν γεγραμμένον νόμον κ̀ ἀδικεῖ Ρα13. 1374 ᵃ36. — ἔνοχος ἱεροσυλίας οβ 1349 ᵃ19.

ἐνσημαίνειν. τὴν αἴσθησιν εὐθέως ἁψάμενος (ὁ ὑμὴν) ἐνσημαίνει ψβ11. 423 ᵃ4. — med ἡ κίνησις ἐνσημαίνεται οἷον τύπον τινὰ τῦ αἰσθητικῦ μν1. 450 ᵃ31.

ἐνσκήπτειν. ἐν οἷς ἂν ἐνσκήψῃ ἡ ἶρις πιβ3. 906 ᵇ24.

ἔνστασις, def πρότασις προτάσει ἐναντία Αβ26. 69 ᵃ37. ἡ ἔνστασις ἔσται ἐπιχείρημα πρὸς τὴν θέσιν τβ2. 110 ᵃ11. περὶ ἐνστάσεως Αβ26. τόποι ἐνστάσεων Ρβ25. ἔστι λύειν ἢ ἀντισυλλογισάμενον ἢ ἔνστασιν ἐνεγκόντα Ρβ25. 1402 ᵃ31, ᵇ23. 26. 1403 ᵃ26. οἱ ἐνστάσεις φέρονται τετραχῶς Ρβ25. 1402 ᵃ35. — ἐνστατικὸν εἶναι διὰ τῶν οἰκείων ἐνστάσεων τῷ γένει Οβ13. 294 ᵇ12. αἱ περὶ τῶν ἀρχῶν ἐνστάσεις Φθ3. 253 ᵇ2. ἔνστασις, ἔνστασις τὐτυ, int ἔστίν

τβ8. 114 ᵃ20. 11. 115 ᵇ14. γ2. 117 ᵃ18, ᵇ4. 13. 123 ᵇ17, 27, 34. δ4. 124 ᵇ32, 125 ᵃ1. 6. 128 ᵇ6. αἱ τύτων ἐνστάσεις τι9. 170 ᵇ5. ἔνστασις πρὸς τὸν χρόνον τθ10. 161 ᵃ10. ἀπαιτεῖν ἔνστασιν τθ2. 157 ᵃ35, 37, ᵇ28. φέρειν ἔνστασιν Αβ26. 69 ᵇ1, 30. γ4. 73 ᵃ33. 6. 74 ᵇ19. 12. 77 ᵇ34, 38. τθ1. 156 ᵇ18. ποιεῖσθαι ἔνστασιν τθ10. 160 ᵇ38. διαλέγεσθαι πρὸς τὴν ἔνστασιν τι11. 172 ᵃ21. ὀκνῦσι κινεῖν τὸ εἰωθὸς μὴ ἔχοντες ἔνστασιν sim τθ1. 156 ᵇ21, ᵃ36. 8. 160 ᵇ4. ἀεὶ ἔχει ἔνστασιν τὸ ὡς ἐπὶ τὸ πολὺ Ρβ25. 1402 ᵇ29.

ἐνστατικός. πρᾶα κ̀ δύσθυμα κ̀ ἐκ ἐνστατικὰ ζῷα. opp θυμώδη κ̀ ἐνστατικὰ Ζια1. 488 ᵇ13, 14. — διαλεκτικὸς ὁ προτατικὸς κ̀ ἐνστατικὸς τθ14. 164 ᵇ3. ἐνστατικὸν εἶναι διὰ τῶν οἰκείων ἐνστάσεων τῷ γένει Οβ13. 294 ᵇ11.

ἐνσχολάζειν Πη12. 1331 ᵇ12.

ἐνταράσσειν. οἱ ὠχρόμματοι ἐντεταραγμένως ἔχοντες τὰς ὀφθαλμὺς φ6. 812 ᵇ8.

ἐνταῦθα. ὅπη ὑπερέχει, ἐνταῦθα πέφυκεν Πδ12. 1296 ᵇ26, 32. opp ἐκεῖ, v s ἐκεῖ. opp ἐν τοῖς ἐναντίοις μβ3. 358 ᵇ1. syn παρ’ ἡμῖν μα3. 341 ᵃ26, 25. τὸ ἐνταῦθα, opp τὸ πορρώτερον μγ4. 375 ᵃ33. τὰ ἐνταῦθα, opp ἡ θειοτέρα (τῦ ὑρανῦ) ὐσία Οα2. 269 ᵃ31, ᵇ16. cf 8. 276 ᵃ27. ἐνταῦθα (i e in rebus sensibilibus), τἀνταῦθα, opp ἐκεῖ (i e in mundo ideali, Plat), τἀκεῖ ΜΑ9. 990 ᵇ34 Bz, 991 ᵇ13. β6. 1002 ᵇ17. μ4. 1079 ᵃ31. — ἐνταῦθα i q ἐνταυθοῖ. ἡ φορὰ ἡ ἐνταῦθα Ογ2. 300 ᵃ31. ἐνταῦθα ἄν τις ἕλκοι Ηθ10. 1158 ᵇ14.

ἐνταυθοῖ. τῇ ἐνταυθοῖ μονῇ ἡ ἐκ τύτυ κίνησις ἐναντία Φε6. 229 ᵇ28. μένει ἐνταυθοῖ (v l ἐνταῦθα) κατὰ φύσιν Οβ13. 295 ᵇ23.

ἐντείνειν τὰ σπαρτία (τὴν κλίνην) κατὰ διάμετρον· ἐὰν κατὰ διάμετρον ἐνταθῇ μχ25. 856 ᵇ5, 38. ἡ νεάτη μάλιστα ἐντεταμένη πιθ42. 921 ᵇ27. πτερώματα ἐντείνομεν πρὸς τὸ φῶς χ2. 792 ᵃ25. οἱ ἀφροδισιάζοντες ἐντείνυσιν (sc τὸ αἰδοῖον) πδ22. 879 ᵃ11.

ἐντελέχεια. ἐλήλυθεν ἡ ἐνέργεια τὐνομα, ἡ πρὸς τὴν ἐντελέχειαν συντιθεμένη, ἐπὶ τὰ ἄλλα ἐκ τῶν κινήσεων μάλιστα Μθ3. 1047 ᵃ30 Bz. τὐνομα ἐνέργεια λέγεται κατὰ τὸ ἔργον, κ̀ συντείνει πρὸς τὴν ἐντελέχειαν Μθ8. 1050 ᵃ23. inde ita videtur Ar ἐντελέχειαν ab ἐνεργείᾳ distinguere, ut ἐνέργεια actionem, qua quid ex possibilitate ad plenam et perfectam perducitur essentiam, ἐντελέχεια ipsam hanc perfectionem significet, τὴν ἐντελέχειαν ὁ Ἀριστοτέλης ἐπὶ τῆς τελειότητος ἄκυει Schol 358 ᵃ19, Trdlbg de an p 297, Schwegler Met IV p 221 sqq. τὸ δυνάμει εἰς ἐντελέχειαν βαδίζει Φθ5. 257 ᵇ7. τὸ δυνάμει ὂν εἰς ἐντελέχειαν ἰὸν Οδ 3. 311 ᵃ4. non teneri tamen hanc discrimen, sed promiscue utrumque nomen usurpari ex constanti Aristotelis usu intelligitur et fortasse ex ipsa notionis τῆς ἐνεργείας (v h v) ambiguitate explicari potest. in eodem sententiae contextu ab altero vocabulo ad alterum transitur, veluti ψγ7. 431 ᵃ1, 3. Ζγ31. 734 ᵇ21, ᵃ30, 35. ἡ ψυχὴ definitur ἐντελέχεια ἡ πρώτη σώματος φυσικῦ ὀργανικῦ ψβ1. 412 ᵃ27, ᵇ5, sed eadem ὐσία κ̀ ἐνέργεια σώματός τινος Μη3. 1043 ᵃ35. ἡ κίνησις dicitur ἐντελέχεια τῦ κινητῦ ἧ κινητόν Φθ1. 251 ᵃ9. γ1. 201 ᵃ11 sqq, ἐντελέχεια κινητῦ ἧ κινητὸν Φθ5. 257 ᵇ8, sed eadem ἐνέργεια Μθ3. 1047 ᵃ30, 32. Ργ11. 1412 ᵃ9, ἐνέργεια ἀτελής Φγ2. 201 ᵇ31. ψβ5. 417 ᵃ16 (cf ἐνέργεια). eadem et opposita et synonyma ἐντελέχεια habet atque ἐνέργεια, opp δύναμις: ὁ ἐντελεχείᾳ ἄνθρωπος ποιεῖ ἐκ τῦ δυνάμει ὄντος ἀνθρώπυ ἄνθρωπον Φγ2. 202 ᵃ11. ὑπὸ τῦ ἐντελεχείᾳ ὄντος τὸ δυνάμει ὂν γίνεται Ζγβ1. 734

ᵃ30, ᵇ35. ἔστιν ἐξ ἐντελεχείᾳ ὄντος πάντα τὰ γιγνόμενα ψγ7. 431 ᵃ3. ἕκαστον τότε λέγεται ὅταν ἐντελεχείᾳ ἦ μᾶλλον ἢ ὅταν δυνάμει Φβ1. 193 ᵇ7. ἐντελεχεία, κατ᾽ ἐντελέχειαν εἶναι, opp δυνάμει, κατὰ δύναμιν εἶναι Φγ1. 200 ᵇ26, 201 ᵃ10, 20, 28. θ5. 258 ᵇ2. Γα2. 316 ᵇ21. 3. 5 317 ᵇ17. 9. 326 ᵇ31. Μθ11. 1019 ᵃ8. 7. 1017 ᵃ1. θ1. 1045 ᵇ33. ψα1. 402 ᵃ26. Ζμα1. 642 ᵃ1 al. cf μθ4. 381 ᵇ27. opp ὕλη Μζ13. 1038 ᵇ6. μ3. 1078 ᵃ30. cf Φδ5. 213 ᵃ7. syn εἶδος, ὐσία, φύσις, λόγος, τὸ τί ἦν εἶναι ψβ1. 412 ᵃ10, 21, 22. 2. 414 ᵃ17, 27. 4. 415 ᵇ15. Μη3. 1044 ᵃ9. λ8. 1074 10 ᵃ36. τὸ εἶναι ἐπεὶ πλεοναχῶς λέγεται. τὸ κυρίως ἡ ἐντελέχειά ἐστιν ψβ1. 412 ᵇ9. — ἀπελθόντα (ἀπελθόντας Bk) ἐκ τῆς ἐντελεχείας Μζ10. 1036 ᵃ6. ἡ ἐντελέχεια χωρίζει Μζ13. 1039 ᵃ5-7 Bz. — ἐντελέχεια ἡ πρώτη ψβ1. 412 ᵃ27, ᵇ5 quid significet intelligitur ex ψβ1. 412 ᵃ10, 22, 15 26. 5. 417 ᵃ21 sqq; nimirum ipsius ἐντελεχείας distinguitur ἕξις ab ἐνεργείᾳ, quarum eadem est ratio atque τῆς ἐπιστήμης ad τὸ θεωρεῖν; iam illa ὡς ἐπιστήμη ἐντελέχεια est ἡ ἐντελέχεια ἡ πρώτη, Trdlbg ad 1 1, Volkmann Ar Psych p 6.   20

ἐντελεχής. συνεπλήρωσε τὸ ὅλον ὁ θεός, ἐντελεχῆ ποιήσας τὴν κίνησιν Γβ10. 336 ᵇ32, sed scribendum ἐνδελεχῆ ex codd F H Philop, coll 336 ᵃ17.

ἐντελής. προσεδρεύειν λίαν πρὸς τὸ ἐντελὲς (τῶν τεχνῶν) ἀνελεύθερον Πθ2. 1337 ᵇ17. — ἐντελῶς, opp ἐνδεῶς ρ28. 25 1436 ᵃ12.

ἐντέλλεσθαι. ἐντειλαμένῳ αὐτῷ τῷ βασιλέως οἰκίσαι πόλιν οβ 1352 ᵃ29.

ἐντερικαὶ ἀποφυάδες Ζμιγ14. 675 ᵃ17.

ἐντεριώνη. ἡ φύσις τῶν φυτῶν φαίνεται ἐν τῇ ἐντεριώνη 30 φτβ8. 827 ᵇ35.

ἐντεροειδὴς πάμπαν κοιλία Ζιβ17. 508 ᵇ11.

ἔντερον. descr figura intestinorum Ζμδ9. 684 ᵇ26. ἡ τῶν ἐντέρων φύσις Ζιβ17. 507 ᵇ27-508 ᵃ17. ζ3. 561 ᵇ3, 562 ᵃ7. Ζμδ1. 676 ᵇ11. γ14. 675 ᵃ31-676 ᵃ5. — τῶν ἐντέρων τὸ 35 πλῆθος Ζμδ3. 677 ᵇ20, ἡ θέσις Ζια16. 496 ᵃ1, ἡ παράτασις Ζμδ4. 677 ᵇ37, ἡ σύμφυσις Ζμδ12. 693 ᵇ25, ἡ ἀναδίπλωσις Ζιβ17. 508 ᵇ12, τὸ μέγεθος Ζιβ17. 508 ᵇ12. — πᾶν, ἅπαν, ὅλον τὸ ἔντερον Ζιγ4. 514 ᵇ13. δ4.529 ᵃ8. Ζμδ2. 676 ᵇ20. — 1. ἐντέρων διαφοραί. ἁπλῶν, ἁπλῶν μέχρι τῆς 40 ἐξόδου Ζιδ2. 527 ᵃ7, 8. 3. 527 ᵇ25. 4. 529 ᵃ7. 7. 532 ᵇ7, 10. βι17. 509 ᵃ16. Ζμδ5. 678 ᵇ27, 679 ᵇ1, 682 ᵃ14. τὸ ἔντερον ἁπλῶν τὴν ἀρχὴν ἔχον Ζμδ5. 679 ᵇ11. λεπτὸν Ζιδ1. 524 ᵇ13. 3. 527 ᵇ25. βι17. 508 ᵃ29, 509 ᵃ16. ζ29. 579 ᵃ15. μικρὸν Ζιδ11. 538 ᵃ17. ἀσθενές Ζιζ29. 579 ᵃ15. μακρὸν 45 ᵏ, μέχρι τῷ τέλῃς οἱ Ζιβ17. 508 ᵃ29. — ἐπιεικῶς πλατύ, εὖρος ἔχον Ζια16. 495 ᵇ27. — παχύτερον (πλατύτερον Pic) Ζιδ1. 524 ᵇ14. ἰσοπαχὲς δι᾽ ὅλου πρὸς τὴν ἔξοδον Ζ. 527 ᵃ7, εὐθὺ Ζμδ5. 682 ᵃ14. Ζιδ7. 532 ᵇ5. εὐθὺ κατ᾽ εὐθυωρίαν Ζιδ2. 526 ᵇ27, ἐπικάμψαν Ζιδ4. 529 ᵃ12. εἰλιγμένον 50 Ζια16. 495 ᵇ26. δ7. 532 ᵇ10. Ζμδ5. 682 ᵃ16. ἑλίκην, ἑλιγμὸν ἔχον Ζμδ5. 682 ᵃ15. Ζιδ7. 532 ᵇ7. πικρὸν Ζι5. 506 ᵃ32. τῷ ἐντέρῳ ἡ τελευτή Ζιβ17. 509 ᵃ19. δ4. 529 ᵃ13, τὸ ἔσχατον Ζιη8. 586 ᵇ9. — 2. intestinorum situs et structura. omentum gastrocolicum, τὸ ἐπίπλοον ἐπέχει 55 τὸ τῶν ἐντέρων πλῆθος Ζμδ3. 677 ᵇ20. ὑπὲρ δὲ (ὑπέρκειται ci Pic) τῶν ἐντέρων τὸ μεσεντέριον Ζια16. 495 ᵇ32. τῆτο διατείνει συνεχὲς ἀπὸ τῆς τῶν ἐντέρων παρατάσεως εἰς τὴν φλέβα τὴν μεγάλην ᵏ, τὴν ἀορτὴν Ζμδ4. 677 ᵇ37. ἡ τῆς ὑστέρας θέσις ἐστὶν ἐπὶ τοῖς ἐντέροις Ζια17. 497 ᵃ33. φλέβες 60 πολλαὶ ᵏ, πυκναὶ κατατείνυσι πρὸς τὴν τῶν ἐντέρων θέσιν

Ζια16. 496 ᵃ1. εἰς τὸ ἔντερον ᵏ, εἰς τὴν κοιλίαν αἵ τε φλέβες ᵏ, αἱ ἀρτηρίαι συνάπτυσιν πιν4. 483 ᵇ24. — 3. anatom et physiolog comparata. ἡ τῶν ἐντέρων φύσις πᾶσι τοῖς ζῴοις Ζμιγ14. 675 ᵃ31. κοινὸν τοῖς ἐναίμοις ᵏ, τοῖς ἀναίμοις κοιλία ᵏ, στόμαχος ᵏ, ἔντερον Ζιδ3. 527 ᵇ4. τὸ τῶν ἐναίμων ἔντερον, ductus intestinalis Ζιβ17. 507 ᵃ31. τὰ περὶ τὴν τῶν ἐντέρων φύσιν ἔχει πάντα τὰ ἔναιμα τῶν ζῴων Ζμδ1. 676 ᵇ11 cf 2.676 ᵇ17. — a. mammalia. ἡ τῷ ἀνθρώπῳ κοιλία ᵏ πολλῷ τῷ ἐντέρῳ μείζων, ἀλλ᾽ ἔοικυῖα οἱονεὶ ἐντέρῳ εὖρος ἔχοντι· εἶτα ἔντερον ἁπλῶν εἰλιγμένον, εἶτα ἔντερον ἐπιεικῶς πλατύ Ζια16. 495 ᵇ25 sq. cf S II 296. κύων λέων ἄνθρωπος ἔχυσι κοιλίαν ᵏ πολλῷ μείζω τῷ ἐντέρῳ Ζιβ17. 507 ᵇ21. ἐν τίνι χρόνῳ τῆς ἄρκτυ κενὰ φαίνεται ἥ τε κοιλία ᵏ, τὰ ἔντερα Ζιζ1. 600 ᵇ9. τῷ τετραπόδων ἔμβρυα ᵏ, σφυράδας ἐν τῷ ἐσχάτῳ τῷ ἐντέρῳ ἔχει Ζιη8. 586 ᵇ9. τὰ ἀμφώδοντα ἔχει μετὰ τὴν κοιλίαν τὸ ἔντερον Ζιβ17. 507 ᵇ18. ἀπὸ τῷ ἠνύστρυ τὸ ἔντερον ἤδη τοῖς κερατοφόροις ᵏ, μὴ ἀμφώδυσι Ζιβ17. 507 ᵇ12. ἔλαφος τὸ ἔντερον ἔχει λεπτὸν ᵏ, ἀσθενὲς Ζιζ29. 579 ᵃ15. τὸ τῶν ἐλάφων ἔντερον ἐστιν πικρὸν ὕτως ὥστε μηδὲ τὰς κύνας ἐθέλειν ἐσθίειν Ζιβ15. 506 ᵃ32. — b. 1. ovipara. τοῖς ᾠοτόκοις οἱ πόροι (ductus seminales) ὑποκάτω τῆς κοιλίας ᵏ, τῶν ἐντέρων Ζιγ1. 509 ᵇ33. — 2. aves. εἰς τὸ ἔντερον ἡ σύμφυσις γίνεται Ζμδ12. 693 ᵇ25. cf S II 313. Κα Ζμ 170. F 318, 96. τῶν ὀρνίθων οἱ πλεῖστοι ἔχυσι λεπτὸν τὸ ἔντερον ᵏ, ἁπλῶν ἀναλυόμενον, ᵏ, ἀποφυάδας κάτωθεν κατὰ τὴν τῷ ἐντέρῳ τελευτὴν Ζιβ17. 509 ᵃ16, 19. τῶν ὀρνίθων ἔνιοι χολὴν πρὸς τοῖς ἐντέροις ἔχυσι Ζιβ15. 506 ᵇ20. 24. in ovo die decimo ᵏ, τὰ σπλάγχνα ἤδη φανερὰ ᵏ, τὰ περὶ τὴν κοιλίαν ᵏ, τὴν τῶν ἐντέρων φύσιν, intestinum tenue crassum coecum Ζιζ3. 561 ᵇ3, die vicesimo 562 ᵃ7-17. — c. 1. ovipara vivipara ἔχει τὴν ὑστέραν ἐπάνω τῶν ἐντέρων Ζιγ1. 511 ᵃ22-27, de tota hac sectione suspecta S II 319 sq. — c. 2. reptilia. τὸ τῶν ὄφεων μακρὸν ἔντερον ᵏ, μέχρι τῷ τέλυς ἕν Ζιβ17. 508 ᵃ29. τῶν ὄφεων οἱ πλεῖστοι τὴν χολὴν ἔχυσι πρὸς τοῖς ἐντέροις Ζιβ17. 508 ᵇ2. Ζμδ. 676 ᵇ21. — d. pisces. τοῖς ἰχθύσιν οἱ πόροι (ductus seminales) ὑποκάτω τῆς κοιλίας ᵏ, τῶν ἐντέρων Ζιγ1. 509 ᵇ33. τὸ τῷ ἐντέρῳ μέγεθος ἁπλῶν ᵏ, ἀναδίπλωσιν ἔχει ᵒ ἀναλίεται εἰς ἓν Ζιβ17. 508 ᵇ12. τῶν ἰχθύων οἱ πολλοὶ (ἔνιοι) ἔχυσι χολὴν πρὸς τοῖς ἐντέροις Ζιβ15. 506 ᵇ12, 15. Ζμδ2. 676 ᵇ20, ἔνιοι παρ᾽ ὅλον τὸ ἔντερον παρυφασμένην οἷον ᵏ, ἅμα Ζμδ2. 676 ᵇ20. cf Κα Ζμ 118. ᵏ, ἅμα χολὴν παρὰ τὸ ἔντερον παρατεταμένην ἰσομήκη ἔχει Ζιβ15. 506 ᵇ13. f 291. 1528 ᵇ34. cf Rose Ar Ps 302. ἐπιτραγίαι ὐκ ἔχυσιν ὕτε ᾠὸν ὕτε θορὸν ὑδέποτε, ἀλλ᾽ ἔντερον μικρὸν Ζιδ11. 538 ᵃ17. — e. insecta. τῶν ἐντόμων τὰ μὲν ἔντερον εὐθὺ ᵏ, ἁπλῶν μέχρι τῆς ἐξόδυ ἔχει (ἐνίοις δὲ τῆτο ἑλίκην ἔχει), τὰ δὲ ἀπὸ τῆς κοιλίας τὸ ἔντερον εἰλιγμένον Ζμδ5. 682 ᵃ14. εὐθὺς μετὰ τὸ στόμα ἔντερον τοῖς μὲν πλείστοις εὐθὺ ᵏ, ἁπλῶν μέχρι τῆς ἐξόδυ ἐστὶν, ὀλίγοις δ᾽ ἑλιγμὸν ἔχει· ἔνια δ᾽ ἔχει ᵏ, κοιλίαν ᵏ, ἀπὸ ταύτης τὸ λοιπὸν ἔντερον ᵏ, ἁπλῶν ἢ εἰλιγμένον Ζιδ7. 532 ᵇ5-10. τῶν ἐντόμων τοῖς θήλεσι τὸ ταῖς ὑστέραις ἀνάλογον μόριον ἐσχισμένον ἐστὶ παρὰ τὸ ἔντερον Ζγα16. 721 ᵃ22. αἱ μέλιτται τύπτυσαι ἀπόλλυνται διὰ τὸ μὴ δύνασθαι τὸ κέντρον ἄνευ τῷ ἐντέρῳ ἐξαιρεῖσθαι Ζιμ40. 626 ᵃ18. αἱ ἄκριδες τὸ ἔντερον ἔχυσι μακρὸν Ζιδ7. 532 ᵇ10. — f. crustacea. τῶν μαλακοστράκων αἱ θήλειαι ἔχυσιν ὑστέρας ὑμενώδεις παρὰ τὸ ἔντερον Ζγα14. 720 ᵇ14. τοῖς καράβοις τὸ ἔντερον πρὸς τῷ κυρτῷ Ζιο2. 527 ᵃ15, ἐκ μέσης τῆς κοιλίας ἁπλῶν ᵏ, λεπτὸν· τελευτᾷ

ὑπὸ τὸ ἐπικάλυμμα τὸ ἔξω Ζιϑ 2. 527 ᵃ7. 3. 527 ᵇ25. οἱ
κάραβοι χ̣ ἔνιοι τῶν καρκίνων ἔχυσιν ἔντερον ἀπλῶν Ζμϑ 5.
679 ᵇ1. τῶν καρκίνων τὰ θήλεα παρὰ τὸ ἔντερον τὴν τῶν
ᾠῶν χώραν ἔχυσιν Ζιϑ 2. 526 ᵇ31. τοῖς μὲν καραβοειδέσι
χ̣ χαρίσι τὸ ἔντερον εὐθὺ κατ' εὐθυωρίαν πρὸς τὴν ὑράν, 5
τοῖς δὲ καρκίνοις, ᾗ τὸ ἐπίπτυγμα ἔχυσι Ζιϑ 2. 526 ᵇ27.
cf K 571, 3. τοῖς τῶν καρίδων ἄρρεσι δύο ἄττα ψαθυρά
ἐστι προσηρτημένα τῷ ἐντέρῳ θορικά Ζιϑ 2. 527 ᵃ30. —
g. mollusca. ἐπὶ τῆς τῶν ὀστρακοδέρμων μυτίδος τὸ ἔντερον
ἔξωθεν, χ̣ ὁ θολὸς πρὸς τῷ ἐντέρῳ Ζμϑ 5. 681 ᵇ26. cf Rose 10
Ar Ps 317. ΚαΖμ 138, 1. 1. cephalopoda. τοῖς μαλακίοις
ἔντερον ἀπλῶν Ζμϑ 5. 678 ᵇ27. ἀπὸ τῆς κοιλίας ἄνω πάλιν
φέρει πρὸς τὸ στόμα ἔντερον λεπτόν· παχύτερον (πλατύτερον
Pic) ἐστι τῇ στόματος τὸ ἔντερον Ζιϑ 1. 524 ᵇ13. cf A Siebld
17, 386. ᾗ τὸ ἔντερον ἀνατείνει, κάτωθεν ὁ θολός, χ̣ τῷ 15
αὐτῷ ὑμένι περιεχόμενον ἔχει τὸν πόρον τῷ ἐντέρῳ (rectius
τὸν θολὸν S I 182, D praef III, Pic) Ζιϑ 1. 524 ᵇ19. —
g. 2. gasteropoda. οἱ κόχλοι ἔχυσιν ἔντερον ἁπλῆν τὴν ἀρχὴν
ἔχον Ζμϑ 5. 679 ᵇ11. cf Ζιϑ 4. 529 ᵃ7-15. — 4. ὑπόστασις,
σφυράδες ἐν τοῖς ἐντέροις Ζιϑ 8. 586 ᵇ9. Ζμϑ 2. 677 ᵃ15. — 20
5. τῶν καλυμένων ἑλμίνθων ἡ πλατεῖα (taenia) προσπέφυκε
μόνη τῷ ἐντέρῳ Ζιε 19. 551 ᵃ11. — ἔντερα γῆς. τὰ
καλύμενα γῆς ἔντερα αὐτόματα συνίσταται ἐν τῷ πηλῷ
χ̣ ἐν τῇ γῇ τῇ ἐνίκμῳ ΖιΖ 16. 570 ᵃ16 sq, ἄποδα, ἰλυσπᾶσει
χρώμενα Ζπ4. 705 ᵇ28. 9. 709 ᵃ28, σκώληκος ἔχει φύσιν, 25
ἐν οἷς ἐγγίνεται τὸ σῶμα τὸ τῶν ἐγχέλεων Ζγγ11. 762
ᵇ26. ΖιΖ 16. 570 ᵃ16. (Lumbricus.)
ἐντεῦθεν ἐκεῖ φέρεσθαι Οα 8. 276 ᵃ28 al. — ἐντεῦθεν αἱ
μάχαι, τὰ ἐγκλήματα al Με 6. 1131 ᵃ23. ηεη 10. 1243 ᵃ20.
Πγ 15. 1286 ᵇ15. φαίνεται θεωρῦσιν ἐντεῦθεν, ἀρξαμένοις 30
ἐντεῦθεν μα 3. 339 ᵇ36, 340 ᵇ14. τὐντεῦθεν ἂν κατίδοι τις
Πγ 4. 1277 ᵃ32. ηεβ 7. 1223 ᵃ2.
ἔντευξις. σεμνότης ἐστὶ περὶ τὰς ἐντεύξεις ημα 29. 1192 ᵇ31.
κατ' ἀξίαν ἑκάστῳ ἀποδιδόναι τὴν ἔντευξιν ημβ 3. 1199 ᵃ18,
14. — ἡ διαλεκτικὴ χρήσιμος πρὸς τὰς ἐντεύξεις τα 2. 35
101 ᵃ27, 30 Wz. ἡ πρὸς τὲς πολλὺς ἔντευξις Ρα 1. 1355
ᵃ29. χ̣ ὁ αὐτὸς τρόπος πρὸς ἅπαντας τῆς ἐντεύξεως Μγ 5.
1009 ᵃ17 Bz (cf ἀπάντησις ᵃ20).
ἔντεχνος μέθοδος Ρα 1. 1355 ᵃ4. ἔντεχνοι πίστεις, opp ἄτεχνοι
Ρα 2. 1355 ᵇ36. 1. 1354 ᵇ21. ἐποίησεν ἔντεχνον τὸ παγ- 40
κράτιον f 435. 1550 ᵃ6. — ἐντέχνως ἐλέγχειν, opp ἀτέ-
χνως τι 11. 172 ᵃ35. ἐντέχνως ἀπαντᾶν, λέγειν p 37. 1444 ᵇ7.
39. 1445 ᵇ27.
ἐντιθέναι. τὸ ἐντιθέμενον, ἐντεθὲν ἐν κενῷ Φδ 8. 216 ᵃ33, 214
ᵇ21 cf εἰσιτιθέναι. — ἐντιθεμένων τῶν (κυρίων) ὀνομάτων 45
εἰς τὸ μέτρον π 22. 1458 ᵇ16 Vhl Poet III 323.
ἐντίκτειν. οἱ κάνθαροι ἣν κολίσσι κόπρον, ἐν ταύτῃ ἐντίκτυσι
σκωλήκια Ζιε 19. 552 ᵃ18. οἱ σφῆκες χ̣ ἰχνεύμονες φαλάγγια
ἀποκτείναντες φέρυσι πρὸς τειχίων χ̣ πηλῷ προσκαταλείψαντες
ἐντίκτυσιν ἐνταῦθα Ζιε 20. 552 ᵇ24. ἔνιοι τῶν κολεοπτέρων 50
τρωγλας ποιῆνται χ̣ ἐνταῦθα τὰ σκωλήκια ἐντίκτυσιν Ζιε 20.
553 ᵃ2. ὁ κόκκυξ ἐν τῇ τῶν ἐλαττόνων ὀρνίθων νεοττιᾷ ἐν-
τίκτει ΖιΖ 7. 563 ᵇ31. cf ϑ 3. 830 ᵇ13.
ἔντιμοι ἄνδρες Ρβ 11. 1388 ᵇ4. opp ἄτιμοι Ηγ 11. 1116 ᵃ21.
οἱ κόλακες ἔντιμοι Πδ 4. 1292 ᵃ17. ἐντιμότεροι χ̣ μᾶλλον 55
ἀγαπώμενοι Κ 12. 14 ᵇ6. ἀτιμάζεσθαι ὑπὸ τῶν ἐντίμων
Πε 7. 1306 ᵇ31. αἱ ἐντιμόταται τῶν δυνάμεων Ηα 1. 1094
ᵇ2. ἐντιμότερα σχήματα (ποιήσεως) π α 4. 1449 ᵃ6. ἐντιμό-
τερα ἔργα, opp ἀναγκαιότερα Πα 7. 1255 ᵇ28. ποιεῖν τὸν
πλῦτον ἔντιμον Πβ 11. 1273 ᵃ37. γ 15. 1286 ᵇ15. ἔντιμα 60
ἀγαθά Ρβ 11. 1388 ᵃ31, ᵇ10. ηεη 5. 1232 ᵇ35. cf Ηδ 8. 1124

ᵃ23. τὰ ἔντιμα Ηδ 9. 1125 ᵃ29. 8. 1124 ᵇ23. ἐντιμότερα
χ̣ εὐαλαζόνευτα Ρβ 15. 1390 ᵇ21. ἐντιμότερα ἦν ἡ χώρα
(propter fertilitatem) μα 14. 352 ᵃ12. ἐντιμότατα δαπανή-
ματα Ηδ 5. 1122 ᵇ35.
ἐντιμότης τις προγόνων Ρβ 15. 1390 ᵇ19.
ἐντολή, σχῆμα τῆς λέξεως, dist εὐχή ἐρώτησις π ο 19. 1456 ᵇ11.
ἔντομα arthrozoa seu articulata cf PCG II 8. γένος τι τῶν
ἀναίμων Ζμϑ 5. 678 ᵃ30. Ζια 6. 490 ᵇ14. δ 1. 523 ᵇ12. 8.
534 ᵇ15. ει. 539 ᵃ11. Ζγα 14. 720 ᵇ6. β1. 733 ᵃ25. αν 9.
475 ᵃ1. τὰ ἔντομα τοῖς μαλακίοις τ' ἐναντίως ἔχει χ̣ τοῖς
ἐναίμοις Ζμβ 8. 654 ᵃ27. τὰ ἔντομα χ̣ τὰ μαλάκια χ̣ τοῖς
μαλακοστράκοις χ̣ τοῖς ὀστρακοδέρμοις χ̣ ταῖς χελώναις χ̣
τῷ τῶν ἐμύδων γένει ἐναντίως χ̣ αὐτοῖς ἀντικειμένως συνε-
στηκεν Ζμβ 8. 654 ᵃ10. τὸ τῶν ἐντόμων γένος Ζια 6. 490
ᵇ13. δ 1. 523 ᵇ12. 7. 531 ᵇ20-532 ᵇ17. Ζγα 1. 715 ᵇ2ι Ζμϑ 6.
682 ᵃ35-683 ᵇ3. ζ 2. 468 ᵇ2. πολλὰ χ̣ ἀνόμοια περιείληφε
εἴδη ζῴων Ζιδ 1. 523 ᵇ12, 7. 531 ᵇ21. 581 ᵇ21. definitio, καλῶ ἔντομα
ὅσα ἔχει κατὰ τὸ σῶμα ἐντομάς, ἢ ἐν τοῖς ὑπτίοις ἢ ἐν
τύτοις τε χ̣ τοῖς πρανέσιν Ζια 1. 487 ᵃ33 cf ΚαΖι 8, 20.
ἔντομα ὅσα κατὰ τὐνομα ἐστὶν ἐντομὰς ἔχοντα ἢ ἐν τοῖς
ὑπτίοις ἢ ἐν τοῖς πρανέσιν ἢ ἐν ἀμφοῖν Ζιδ 1. 523 ᵇ13. τῶν
ἐντόμων τι γένος, ᾧ ἐπὶ ὀνόματι ἀνώνυμον Ζμδ 40. 623
ᵇ5. cf δ 7. 531 ᵇ22 sqq. — 1. descriptio partium. a. sceleton
exterius Ζιδ 1. 523 ᵇ15. 7. 532 ᵇ2. Ζμβ 8. 654 ᵃ10. —
b. caro Ζιδ 7. 532 ᵃ31. Ζμβ 8. 654 ᵃ26 sq. — c. segmenta
Ζμδ 5. 682 ᵃ4. ὁ πολυμερὴ τὸν ἀριθμὸν Ζμδ 6. 682 ᵃ35.
τρία μέρη τῆς σώματος Ζιδ 7. 531 ᵇ30. — d. caput et
sensus. τοῖς ἐντόμοις καθάπερ τοῖς ὄφεσιν ἡ κεφαλὴ ἑλικτὸν
ἐστι τὸ κύριον τῆς αἰσθήσεως Ζμδ 5. 682 ᵃ2. ἔχει πάσας
τὰς αἰσθήσεις, ὄψιν (ὀξεῖαν ci Pic) ὄσφρησιν γεῦσιν Ζιδ 8.
534 ᵇ17, 535 ᵃ1. ἄλλο αἰσθητήριον οὐδὲν φανερὸν πλὴν ὀφθαλ-
μῶν Ζιδ 7. 532 ᵇ5. διὰ τῷ ὑποζώματος αἰσθάνονται τῶν
ὀσμῶν Ζμβ 16. 659 ᵇ16 Langk. τὸ τῶν ἐντόμων γένος
πᾶν ἀκριβῶς χ̣ πόρρωθεν αἰσθάνεται αι 5. 444 ᵇ9. τῇ ἁφῇ
αἰσθάνεται Ζιδ 8. 535 ᵃ4. ὄμματα, ὀφθαλμοί Ζμβ 13. 657
ᵇ30, 37. Ζιδ 7. 532 ᵃ5. — e. organa cibaria. τὸ γλωττοει-
δές Ζιδ 7. 532 ᵇ11. Ζμβ 17. 661 ᵃ15-30. γλῶττα Ζιδ 7.
532 ᵇ6. ϑ 11. 596 ᵇ11. Ζμδ 12. 692 ᵇ17. ὀδόντες Ζιδ 7. 532
ᵃ12. ϑ 11. 596 ᵇ10. Ζμδ 5. 678 ᵇ17-21. 6. 683 ᵃ4. κέντρον
Ζμδ 5. 682 ᵃ11. 6. 682 ᵇ33. — f. respiratio υ2. 456 ᵃ12.
ἀναπνεῖ αν 3. 471 ᵇ20. ὒκ ἀναπνεῖ αν 9. 475 ᵃ29. ὀδὲν ἀνα-
πνεῖ Ζιδ 9. 535 ᵇ5. — g. partes internae. τῶν ἐντόμοις
ἡ εὐθυωρία τῶν ἐντοσθιδίων Ζμϑ 9. 684 ᵇ32. κοιλία, ἔντερον
Ζιδ 7. 532 ᵇ5, 9. Ζμδ 5. 682 ᵃ13. σπλάγχνον ὀδὲν ἔχει ὀδὲ
πιμελὴν Ζιδ 7. 532 ᵇ7. τὸ ἀνάλογον μόριον τῆς ὑστέρας
Ζγβ 4. 739 ᵃ19. δικρόαι ὑστέραι Ζγα 3. 717 ᵃ8. — h. gene-
ratio. πότερον τὰ ἔντομα προίεται σπέρμα ἢ ὔ, ἄλλοι
Ζγα 17. 721 ᵃ32. ἔνια ὔτ' ἄρρεν ὔτε θῆλυ Ζιδ 11. 538 ᵃ2.
coitus Ζιε 8. 541 ᵇ34. Ζγα 18. 723 ᵇ20 sq. 21. 729 ᵇ25-33,
730 ᵃ3. 23. 731 ᵃ17. γ 8. 758 ᵃ5, χ̣ τῷ χειμῶνος Ζιε 9.
542 ᵇ28. generatio Ζιε 19. 550 ᵇ26-553 ᵃ11. 21-32. 553
ᵃ17-557 ᵇ31. Ζγα 1. 715 ᵇ7. 16. 721 ᵃ2-25. β1. 732 ᵇ10,
733 ᵃ25, ᵇ13. 6. 741 ᵇ31, 742 ᵃ2. γ9-10. 758 ᵃ27-761 ᵃ11.
11. 763 ᵃ7. generatio aequivoca Ζιε 1. 539 ᵃ24. 19. 551
ᵃ1. 31. 556 ᵃ27-557 ᵃ32. Ζγα 1. 715 ᵇ27. 16. 721 ᵃ7. β1.
732 ᵇ12. γ9. 758 ᵃ30, ᵇ7. — i. motus. τὰ ἔντομα κατὰ τὸ
ὑπηρεσίας τὰς ἔξωθεν κινητικὰς διαφέρει τῶν ἐναίμων Ζμϑ 9.
684 ᵇ33 Langk. οἱ πόδες κάμπτονται εἰς τὸ πλάγιον Ζιδ 2.
525 ᵇ25. τῷ συμφύτῳ πνεύματι ὥσπερ κινεῖται Ζμβ 16.
659 ᵇ17. ἀνορροπυγίως ἡ πτῆσις αὐτῶν Ζιδ 7. 532 ᵃ24. —
k. senecta. ἔνια ἐκδύνει τὸ γῆρας Ζιϑ 17. 601 ᵃ2-10. —

l. strepitus. βομβεῖ, ἄδειν λέγεται, ψοφεῖ τῷ ἔσω πνεύματι, ὅτε φωνεῖ ὅτε διαλέγεται Ζιϑ 9. 535 ᵇ4, 6. nutrimentum. τὸ ὑγρὸν προσφέρεται ὁ ποτῷ χάριν ἀλλὰ τροφῆς Ζμγ8. 671 ᵃ10. φωλεία Ζιε9. 542 ᵇ29. θ14. 599 ᵃ20-30. ὕπνος Ζιδ10. 537 ᵇ6. κοιμώμενα, βραχύυπνα υ1. 454 ᵇ19. ἐρ- 5 γασίαι Ζυ38. 622 ᵇ19. 40-43. 623 ᵃ13-629 ᵇ5. morbi, mors Ζιε20. 553 ᵃ12. διαιρύμενα, διατεμνόμενα δύναται ζῆν Ζιϑ7. 531 ᵇ30. Ζπ7. 707 ᵃ28, ᵇ2. Ζμϑ5. 682 ᵃ5. μκ6. 467 ᵃ19. ζ2. 468 ᵃ25, ᵇ2. ανϑ. 471 ᵇ21. 17. 479 ᵃ3. ψα5. 411 ᵇ20. β2. 413 ᵇ20. διὰ τί τὸ ἔλαιον τῶν ἐντόμων ζῴων 10 ἀναιρετικόν ἐστι f 214. 1517 ᵇ17. — 2. insectorum genera. ἔνια πτηνά Ζια6. 490 ᵇ15. Ζμϑ6. 682 ᵇ7. τῶν πτηνῶν τὰ μὲν ἔλυτρον ἔχει (μηλολόνθαι), τὰ δ᾽ ἀνέλυτρα (μέλιττα) Ζιϑ7. 532 ᵃ23. τῶν πτηνῶν τὰ μὲν δίπτερα (μυῖαι) τὰ δὲ τετράπτερα (μέλιτται) Ζιϑ7. 532 ᵃ20. ἄπτερα (ὕλος σκο- 15 λόπενδρα), πτερωτά (μέλιττα μηλολόνθη σφήξ), πτερωτὸν κ᾽ ἄπτερον (μύρμηκες κ᾽ αἱ καλύμεναι πυγολαμπίδες) Ζιδ1. 523 ᵇ17. πτερωτά (μέλιττα), ἄπτερα (κνῖπες) Ζιδ8. 534 ᵇ19. πτιλωτά Ζια5. 490 ᵃ9. ἔνια τῶν κολεοπτέρων κ᾽ μικρῶν κ᾽ ἀνωνύμων ζῴων Ζιε19. 552 ᵇ30. ὁλόπτερα (σφῆκες 20 μέλισσαι) υ2. 456 ᵃ14. δίπτερα Ζμϑ6. 682 ᵇ11, 683 ᵃ13. τετράπτερα Ζμϑ6. 682 ᵇ8. πολύπτερα Ζμϑ6. 682 ᵇ13, 18. — τὸ κέντρον τὰ μὲν ἔχει ἐν αὑτοῖς (μέλιτται σφῆκες), τὰ δ᾽ ἐκτὸς (σκορπίος) Ζιϑ7. 532 ᵃ15. ἐμπροσθόκεντρα, ὀπισθόκεντρα, μακρόκεντρα Ζμϑ5. 678 ᵇ13, 16. Ζιϑ7. 532 25 ᵃ11, 17. — τὰ μὲν ἐκ ζῴων τῶν συγγενῶν (φαλάγγια ἀράχνια ἀττέλαβοι ἀκρίδες τέττιγες), τὰ δ᾽ αὐτόματα (cf h v) Ζιε19. 550 ᵇ30. — τὰ μὲν παμφάγα τὰ δὲ μόνον τοῖς ὑγροῖς τρέφεται κ᾽ τύτων τὰ μὲν παμφάγα (μυῖαι), τὰ δὲ αἱμοβόρα (μύωψ οἶστρος), τὰ δὲ φυτῶν κ᾽ καρπῶν 30 ζῇ χυλοῖς Ζιθ11. 596 ᵇ11. τῶν ἐντόμων ὅσα σαρκοφάγα μὲν μή ζῶντα, ζῇ δὲ χυμοῖς σαρκὸς ζῷσης (φθεῖρες ψύλλαι κόρεις et alia epizoa) Ζιε31. 556 ᵃ21. — ὅσα ἐλάττονας ἔχει πόδας Ζμϑ6. 682 ᵇ5. πηδητικά (ἀκρίδες, τὸ τῶν ψυλλῶν γένος) Ζμϑ6. 683 ᵃ33, ᵇ2. Ζιϑ7. 532 ᵃ27. ἑξάποδα 35 Ζμϑ6. 683 ᵇ2. πολύποδα Ζμϑ6. 682 ᵃ36. Ζια6. 490 ᵇ15. μακρὰ κ᾽ πολύποδα (σκολόπενδρα) Ζιϑ7. 531 ᵇ29, 532 ᵃ1. — τὰ μῆκος ἔχοντα Ζμϑ6. 682 ᵇ22. προμήκη Ζπ7. 707 ᵃ31. μικρά Ζμϑ6. 682 ᵇ11. τὰ βραχέα Ζμϑ6. 682 ᵇ12. πάνυ μικρά (μυῖαι μέλιτται) Ζιε8. 542 ᵃ5. αν9. 475 ᵃ30. τὰ 40 πλεῖστα μικρὰ λίαν Ζγα16. 721 ᵃ25. — τὰ μή ἐλικτά Ζμϑ6. 682 ᵇ24. — ἔνια κεραίας ἔχει (ψύχαι κάραβοι) Ζιϑ7. 532 ᵃ26. — νομαδικά, ἑδραῖα Ζμϑ6. 682 ᵇ7, 13, 16. ἄοικα πολλά Ζια1. 488 ᵃ22. τῶν ἐντόμων τι γένος, ὃ ἐνὶ μὲν ὀνόματι ἀνωνύμων ἐστιν· ἔστι ταῦτα ὅσα κηριοποιά 45 (μέλιττα κ᾽ τὰ παραπλήσια)· τύτων γένη ἐννέα Ζιδ40. 623 ᵇ5-8. — μακροβιώτερα αν9. 475 ᵃ1. ἐπέτεια τὰ πολλά μκ4. 466 ᵃ2. cf 6. 467 ᵃ12. ἐφήμερα Ζμϑ5. 682 ᵃ26.

ἐντομή. ἔντομα ἔχει κατὰ τὸ σῶμα ἐντομάς Ζια1. 487 ᵃ33. δ1. 523 ᵇ14. πόρος ἔχει ἐντομὰς ὥσπερ τὸ ἐν τῷ καράβῳ 50 ᵆόν Ζιδ4. 529 ᵃ18. ὅσα μακρὰ κ᾽ πολύποδα, σχεδὸν ἴσα ταῖς ἐντομαῖς ἔχει τὰ μεταξύ Ζιϑ7. 531 ᵇ30. διὰ τὸ ἀρχὰς ἔχειν πλείονας τὰ ἔντομα αἵ τ᾽ ἐντομαί εἰσι κ᾽ πολύποδα κατὰ ταῦτ᾽ ἐστίν Ζμϑ6. 682 ᵇ4.

ἔντορνος κατ᾽ ἀκρίβειαν ὁ κόσμος Οβ4. 287 ᵇ15.

ἐντός. ἐντὸς ἐμβάλλειν ὅρον (cf εἴσω) Αγ22. 84 ᵃ36. — τῷ μὲν ἔξω τὸ αἴτιον, τῷ δ᾽ ἐντὸς Φβ6. 197 ᵇ37. τὰ ἐκτὸς κ᾽ τὰ ἐντὸς ὁμαλῶς θερμαίνειν μϑ3. 381 ᵃ31. τὰ ἐντὸς, opp ἡ ὑπεροχή Οα11. 281 ᵃ10, 13. — νῆσοι φανεραὶ ἡμῖν κ᾽ ἐντὸς (i᾽e in mari interno) ὅσαι κ3. 393 ᵃ12. — τῶν 60 τετραπόδων ὅσα κάμπτει τὰ ὀπίσθια σκέλη ἐντός (ἐκτὸς

Did) Ζγα20. 728 ᵇ9. — ἐντός de internis corporis animalium partibus. ἐντὸς τῷ στόματος, τῶν ὀδόντων Ζμδ5. 682 ᵃ10, 13. opp ἐκτὸς Ζμβ17. 661 ᵃ13, 15. δ9. 684 ᵇ6, 18. 10. 688 ᵃ16. 13. 697 ᵃ10. opp ἔξω Ζγβ4. 740 ᵃ15. γ3. 754 ᵇ3. opp πρόσθεν. θύραζε, θύραθεν. ἡ ἄφεσις ἐκ ἐντὸς γίγνεται ἀλλ᾽ εἰς τὸ πρόσθεν Ζγβ4. 739 ᵃ36. ἡ περίττωσις ἡ θύραζε προελθῆσα ἢ ἐντὸς ὅσα Ζγβ4. 739 ᵃ28. τῷ ἐντὸς θερμῷ ἀντικόπτοντος ἐν τῇ ψύξει τῷ θύραθεν ἀέρος ἡ εἴσοδος κ᾽ ἡ ἔξοδος Ζμα1. 642 ᵇ1. ἀναισπῶνται οἱ πόροι ἐντὸς Ζγα4. 717 ᵇ1. ἡ ἐντὸς θερμότης, ὁ ἐντὸς ὑμήν, τὰ ἐντὸς μόρια Ζγβ2. 735 ᵇ33. 6. 743 ᵃ17. γ2. 752 ᵇ9. Ζιϑ3. 527 ᵇ1. ἔχεται τῷ ἐντὸς θιγγάνοντος παντὸς Ζμϑ9. 685 ᵇ9. γίνεται τὰ ἐντὸς πρότερον τῶν ἐκτὸς Ζγβ6. 741 ᵇ25. τὰ ἐντὸς ᾠστοκῷντα, ὅσα ζῳοτοκεῖται μὴ μόνον ἐκτὸς ἀλλὰ κ᾽ ἐντὸς Ζγγ4. 755 ᵃ12. β1. 733 ᵇ30.

ἐντοσθίδιος, cf Lob Phryn 556. Proleg 356. ἡ εὐθυμορία τῶν ἐντοσθιδίων Ζμϑ9. 684 ᵇ32, 685 ᵃ3 (v l, ἐντοσθίων Bk).

ἐντόσθιος. ὅτος κειμένων νῦν τῶν ἐντοσθίων Ζμϑ9. 685 ᵃ3, 684 ᵇ32 (v l, ἐντοσθιδίων Bk).

ἐντρέφειν. ἐντραφέντες ἐν τοῖς μαθήμασιν ΜΑ5. 985 ᵇ25.

ἐντρίβειν. οἱ τοῖς σώμασι περικλώμενοι κ᾽ ἐντριβόμενοι (?) κόλακες φ6. 813 ᵃ16.

ἔντροφος Ἀχαρνέος f 625. 1583 ᵇ20.

ἐντυγχάνειν. Τηλέμαχον μὴ ἐντυχεῖν Ἰκαρίῳ πο25.1461 ᵇ5. βυλόμενοι ἐντυχεῖν Ἡρακλείτῳ sim Ζμα5. 645 ᵃ18. f 79. 1489 ᵇ28. 142. 1502 ᵃ37. αὐτόπτῃ ὕπω ἐντετυχήκαμεν Ζμα1. 628 ᵇ8. φοβεῖσθαι τὰς ἐντυγχάνοντας, ἄλυποι τοῖς ἐντυγχάνουσιν sim Πε11. 1314 ᵇ19. Hϑ12. 1126 ᵇ14. κμβ3. 1199 ᵃ16. syn ὁμιλεῖν ἡμα29. 1192 ᵇ32, 35. — ἐν ἔτει πεντήκοντα οἷς ἐνετύχομεν μόνον (sc ἴριδι γενομένῃ ἐν τῇ πανσελήνῳ) μγ2. 372 ᵃ29. οἱ διατρίβοντες περὶ τὴν θάλατταν ἐντυγχάνουσι τύτοις πολλοῖς Ζιϑ8. 534 ᵃ7. ἐὰν ἀδυνάτοις ἐντύχωσιν, ἀφίστανται Ηγ5. 1112 ᵇ24. ἐὰν (ἡ ῥητορική) ἐντύχῃ ἀρχαῖς, ὑκέτι ῥητορικὴ ἔσται Ρα2. 1358 ᵃ25.

ἐντυπῦσθαι. τῷ νομίσματι ἐνετύπωσεν ἀπήνην, ἐπὶ τῷ νόμῳ ἐντετυπῶσθαι Τάραντα f 527. 1565 ᵃ10. 548. 1568 ᵇ36. — med Φειδίαν ἐντυπώσασθαι τὸ ἑαυτῷ πρόσωπον κ6.399 ᵇ35. θ155. 846 ᵃ19.

Ἐννάλιος ξυνὸς Ρβ21. 1395 ᵃ15 (Hom Σ 309). θύειν τῷ Ἐνυαλίῳ f 387. 1542 ᵇ6.

ἔνυγρος τόπος, opp ξηρός μα14. 351 ᵃ19. ἐλώδη πεδία, ὄντα ἔνυγρα πκ32. 926 ᵇ5. ἔτος ἔνυγρον Ζιζ15. 569 ᵇ21. — τὰ ἔνυγρα, i e aquatilia. τοῖς ἐνύγροις τίς ἡ τροφὴ κ᾽ αὔξησις τῷ συμφύτῳ πν2. 482 ᵃ21, 25.

ἐνυδρίς, cf Lob Prol 458. refertur inter τὰ τετράποδα κ᾽ ἄγρια Ζιϑ5. 594 ᵇ30. τὴν τροφὴν ποιεῖται ἡ τὴν διατριβὴν ἐν τῷ ὑγρῷ, ὁ μέντοι δέχεται τὸ ὕδωρ ἀλλὰ τὸν ἀέρα, κ᾽ ἔξω γεννᾷ· πεζόν ἐστιν Ζια1. 487 ᵃ22. ποιεῖται τὴν τροφὴν περὶ λίμνας κ᾽ ποταμύς· ἡ λάταξ ἐστὶ πλατυτέρα τῆς ἐνυδρίδος Ζιϑ5. 594 ᵇ29, 32. ἡ ἐνυδρὶς δάκνει τὰς ἀνθρώπας κ᾽ ὑκ ἀφίησιν, ὡς λέγυσι, μέχρι ἄν ὀστῷ ψόφον ἀκύσῃ Ζιϑ5. 595 ᵃ3. (Lutris Gazae, andris anadriz Alberto. Lutra vulgaris L. S I 608; K 407; KaZι 6, 8; Su 49, 23. AZι I 68, 17.)

ἔνυδρος. τόποι ἔνυδροι, opp χερσεύοντες μα14. 352 ᵃ22, 351 ᵃ34, 35. Ζιϑ2. 589 ᵃ19. τὰ ἔνυδρα, coni ἑλώδη μα14. 351 ᵇ25. πκ32. 926 ᵇ7. κατὰ τὰ ποτάμια κ᾽ ἔνυδρα χωρία θ73. 835 ᵇ17. — τὰ ἔνυδρα (sc ζῷα) descr Ζια1. 487 ᵃ14-ᵇ17. θ2. 589 ᵃ10-590 ᵃ15. τζ6. 143 ᵃ2, 144 ᵇ33-145 ᵃ2. opp τὰ φυτά, τὰ πεζά vel τὰ χερσαῖα. τὰ μὲν φυτὰ θείη τις ἂν γῆς, ὕδατος δὲ τὰ ἔνυδρα, τὰ δὲ πεζὰ ἀέρος Ζγγ11.

761 ᵇ13 (cf Zeller II, 2, 425, 6. Brandis 1208. 1331.
M 414). τὰ μὲν ἐκ γῆς πλείονος γέγονεν, οἷον τὸ τῶν φυ-
τῶν γένος, τὰ δ' ἐξ ὕδατος οἷον τὸ τῶν ἐνύδρων. τῶν δὲ
πτηνῶν ϗ πεζῶν τὰ μὲν ἐξ ἀέρος, τὰ δ' ἐκ πυρός αυ13.
477 ª29. πᾶν γένος ταῖς ἀντιδιῃρημέναις διαφοραῖς διαιρεῖ- 5
ται, καθάπερ τὸ ζῷον τῷ πεζῷ ϗ τῷ πτηνῷ ϗ τῷ ἐνύδρῳ
τζ6. 143 ᵇ1 Wz. τῶν ζῴων τά μὲν ἔνυδρα, τὰ δ' ἐν τῇ
γῇ ποιεῖται τὴν διατριβὴν αν9. 474 ᵇ25. τῶν ζῴων τὰ μὲν
ἔστιν ἔνυδρα, τὰ δ' ἐν τῷ ἀέρι ποιεῖται τὴν δίαιταν ζ6.
470 ᵇ2. τὰ μὲν φυτὰ ὡσπερανεὶ ὄστρεα χερσαῖα, τὰ δὲ 10
ὄστρεα ὡσπερανεὶ φυτὰ ἔνυδρα Ζγγ11. 761 ᵇ31. cf M 190.
εἴ τις ὁμ ζῴων ἔνυδρόν τε ϗ χερσαῖον ϗ πτηνὸν ἐν τοῖς
κόλποις ἔχων ἐκβάλοι κ 6. 398 ᵇ30. — τὰ ἔνυδρα, aqua-
tilia, ἐκ τίνων γενῶν τῶν ζῴων σύγκειται. τὰ ἔνυδρα, οἷον
οἵ τε ἰχθύες ϗ τὰ μαλάκια ϗ τὰ μαλακόστρακα χαραβοὶ 15
τε ϗ τὰ τοιαῦτα Ζιδ10. 536 ᵇ32. α13. 504 ᵇ13. Ζμα2.
642 ᵇ13. τῶν ἐνύδρων γένη ἄττα ϗ τῶν πτηνῶν ποιεῖται
τὴν ὀχείαν ϗ τὸν τόκον ϗ μετοπώρου ϗ χειμῶνος Ζιε8. 542
ª25. ζῳοτόκα τῶν ἐνύδρων τὰ κητώδη Ζια5. 489 ᵇ1. τὰ
ὀστρακόδερμα τῶν ἐνύδρων ὑπόποδα διὰ βάρος πν8.485 ª21. 20
τὰ ἔνυδρα λαμβάνει ἐκ τῆς ὑγρᾶς τὴν τροφὴν Ζμδ13. 697
ᵇ1. αν12. 477 ª9. τὰ θερμότατα ϗ πῦρ ἔχοντα πλεῖστα
τῶν ζῴων ἔνυδρά ἐστιν (Empedoclis sententia) αν14. 477
ᵇ1. μικρὸν χρόνον ἐστὶν ἡ αἴσθησις τοῖς ἐνύδροις τῶν χυμῶν
Ζμβ17. 660 ᵇ18. φαίνεται ἔχειν αἴσθησιν ὀσμῆς ψβ7. 419 25
ª35. 9. 421 ᵇ10 Torstr. — saepius in eodem genere ani-
malium opp ἔνυδρα et χερσαῖα Ζμδ11. 690 ᵇ22. Ζιβ14.
507 ᵇ7. 148. 631 ª22. opp πεζά et ἔνυδρα Ζιζ12. 566 ᵇ31.
μχ4. 466 ª11. 5. 466 ᵇ26, 33. Ζμα2. 642 ᵇ19. β2. 648
ª25. δ3. 677 ᵇ21. 13. 697 ᵇ2, 4. ἐν τοῖς ἐνύδροις ϗ 30
ὄρνισιν Ζγδ6. 775 ᵇ17. ἔνυδρα, dist τετράποδα Ζιθ20.603
ª29. — τὰ ἔνυδρα i q natantia Ζμγ6. 669 ª7. δ13. 697
ª30sq. Ζγα9. 718 ᵇ31. τὰ ἔνυδρα i q aves aquaticae ΖιΖ2.
559 ª21. i q pisces Ζπ15. 713 ª10, 11. Ζμβ6. 652 ª4.
αν16. 478 ᵇ20. χ6. 799 ᵇ17. 35

ἔνυλοι λόγοι τὰ πάθη εἰσὶν ψα1. 403 ª25.

ἐνυπάρχειν. διαφθείρειν τὸ ἔμβρυον τὸ ἐνυπάρχον ΖιΖ22.
577 ª14. τὸ ἐνυπάρχον ὑπερέχεται Ρα7. 1363 ᵇ20, 9. ὅσα
ἐν φερομένῳ ἐνδέδεται ϗ ἐνυπάρχει Οθ9. 291 ª11. ποσῶν
λέγεται τὸ διαιρεῖσθαι εἰς ἐνυπάρχοντα Μδ13. 1020 ª7. πό- 40
τερον ἀρχαὶ τὰ γένη ϗ εἰς ἃ διαιρεῖται ἐνυπάρχοντα ἕκαστον
Μβ1. 995 ᵇ28. 3. 998 ª22. ἐξ οὗ γίνεταί τι ἐνυπάρχοντος,
τὸ πρῶτον ἐνυπάρχον, syn ὕλη, στοιχεῖον Φβ3. 194 ᵇ24. 1.
193 ª10. ΜΑ5. 986 ᵇ7. δ3. 1014 ª26, b15. 4. 1014 ᵇ18.
ζ17. 1040 ᵇ22. ρ2. 1043 ª11. χ1. 1059 ᵇ24. Ζγα 18. 45
724 ª25. 21. 729 ᵇ3. (cf ὕλη 3, et ὑπάρχειν ἔν τινι Κ2. 1
ª24. 5. 3 ª32.) γεῶδές ἐστι τὸ ἐνυπάρχον μβ3. 359 ª24,
357 ª8. γ1. 370 ᵇ15. δ3. 380 ᵇ14 al. ἐνυπάρχειν, syn ἐκ-
κρίνεσθαι, dist γίνεσθαι Ογ3. 302 ª12, 24. μβ9. 369 ᵇ32,
370 ª24. δ3. 381 ᵇ2. ἐκ τοῦ σπέρματος γίνεται ἅπαντα 50
οἱονεὶ ἐνυπάρχοντα πχ10. 923 ᵇ33. (sed praeter ὕλην etiam
εἶδός est αἴτιον ἐνυπάρχον, opp τὰ ἐκτὸς οἷον τὸ κινῶν Μλ4.
1070 ª22. δ1. 1013 ª19.) ad hunc usum v ἐνυπάρχειν, ut
ὕλην significet, referenda sunt talia: ἐν ἅπαντι χρόνῳ
τὸ νῦν ἐνυπάρχει Φζ3. 233 ᵇ35. πᾶσιν ἐνυπάρχει τὰ μόρια 55
τῆς ψυχῆς Πα13. 1260 ª11. 5. 1254 ª31. φύσει ἐνυπάρχει
φιλία πρὸς τὸ γεγεννημένον τῷ γεννήσαντι Ηθ1. 1155 ª16.
ἐνυπάρχει ἡ χρῆσις ϗ ἡ ἐπομένη ἐν ῇ θατέρᾳ Ρα6. 1363
ᵇ29. — logice τὸ ἐνυπάρχον τῷ εἴδει εἰς εἴδεσιν dicitur (cf
ὕλη 6). ἐν τοῖς λόγοις τὸ πρῶτον ἐνυπάρχον, ὃ λέγεται ἐν 60
τῷ τί ἐστι, τοῦτο γένος Μδ28. 1024 ᵇ4. ἐνυπάρχειν ἐν τῷ

V.

τί ἐστι, syn ὑπάρχειν ἐν τῷ τί ἐστι Αγ22. 84 ª25, 14.
ἐνυπάρχειν ἔν τινι, dist ὑπάρχειν τινί Αγ22. 84 ª15, 20 Bz
Ar St IV 367. ἐνυπάρχειν ἐν τῷ λόγῳ, ἐνυπάρχειν τοῖς ὅροις,
τοῖς κατηγορουμένοις ε11. 21 ª16-25. Αα5. 28 ª6. γ4. 73
ª37sqq, ᵇ17. Ζμδ5. 678 ª34. ἐν τῷ λόγῳ ἐνυπάρχει τὸ
ζῷον sim Μδ18. 1022 ª29. Φζ4. 253 ᵇ3. ψβ2. 413 ª5.
ημβ11. 1210 ᵇ28. ἐνυπάρχεσθαι Αγ4. 73 ᵇ18 Wz.

ἐνυπνιάζειν. τῷ αἰσθητικῷ μέν ἐστι τὸ ἐνυπνιάζειν, τούτου δ'
ᾗ φανταστικόν εν1. 459 ª21, 9, 14. πότερον συμβαίνει ἀεὶ
τοῖς καθεύδουσιν ἐνυπνιάζειν, ἀλλ' ᵜ μνημονεύουσιν υ1. 453
ᵇ19. ἐνυπνιάζει τῶν ζῴων μάλιστα ἄνθρωπος Ζιδ10. 537
ᵇ13, 27. πε16. 892 ᵇ17. ᵜδὲν κωλύει αἴσθησιν ἀφικνεῖσθαι
πρὸς τὰς ψυχὰς τὰς ἐνυπνιαζούσας μτ2. 464 ª10. (συμ-
βαίνει καθ' ὕπνον ϗ πολλὰ πράττειν ἄνευ τοῦ ἐνυπνιάζειν
Ζγε1. 779 ª15. — med ἐνυπνιαζόμενον τὸ παιδίον δῆλον
γίνεται Ζιη10. 587 ᵇ10. οἱ ἐν τῷ καθεύδειν ἐνυπνιαζόμενοι
πλ14. 957 ª7.

ἐνύπνιον. τὸ ἐνύπνιόν ἐστιν αἴσθημα τρόπον τινά υ2.456 ª26.
τίνι τῶν τῆς ψυχῆς φαίνεται ἐνύπνιον εν1. τί ἐστι ϗ πῶς
γίνεται ἐνύπνιον εν2. 3. τὸ φάντασμα τὸ ἀπὸ τῆς κινήσεως
τῶν αἰσθημάτων, ὅταν ᾖ τοῦ καθεύδειν ᾖ, ἧ καθεύδει, ἐστὶν
ἐνύπνιον εν3. 462 ª31 (cf κινήσεις φανταστικαὶ ª8). πλ14.
957 ª22. ἡ τῶν ἐνυπνίων φαντασία πλ14. 957 ª29. ὅσα
πέφυκε φαίνεσθαι ἃ μὴ ἔστιν, οἷον ἡ σκιαγραφία ϗ τὰ
ἐνύπνια Μθ29. 1024 ᵇ23. παρὰ τὸ ἐνύπνιον ἐννοοῦμεν ἄλλο
εν1. 458 ᵇ13. 3. 462 ª6. συμβαίνουσι τοῖς καθεύδουσιν αἰ-
σθήσεις, ᵜ μόνον τὰ καλούμενα ἐνύπνια Ζγε1. 779 ª14. μετὰ
τὴν τροφὴν ϗ πάμπαν νέοις οὖσιν, οἷον τοῖς παιδίοις, ᵜ γί-
νεται ἐνύπνια εν3. 461 ª13. Ζιδ10. 537 ᵇ15 (sed cf η10.
587 ᵇ10). πλ14. 957 ª20. ἐνύπνια ἐρρωμένα, opp τετα-
ραγμένα, τερατώδη εν3. 461 ª27, 21, 22. συμβέβηκέ τισιν
ὥστε μηδὲν ἐνύπνιον ἑωρακέναι κατὰ τὸν βίον εν3. 462 ª32.
(1. 458 ᵇ20.) Ζιδ10. 537 ᵇ17. — τὰ ἐνύπνια ᾖ αἴτια ᾖ
σημεῖα τῶν γιγνομένων ᾖ συμπτώματα μτ1. 462 ᵇ27, 463
ª10. πῶς ἐνύπνιά τινα αἴτια ᾖ σημεῖα τῶν περὶ τὸ σῶμα
συμβαινόντων μτ1. 463 ª3-b11. πολλὰ τῶν ἐνυπνίων ᵜκ
ἀποβαίνει μτ1. 463 ᵇ9. θεόπεμπτα μὲν ᵜκ ἂν εἴη τὰ ἐνύπνια,
δαιμόνια μέντοι μτ2. 463 ᵇ13. διὰ τί τοῖς φθινοπωρικοῖς
ἐνυπνίοις ἥκιστα πιστεύομεν f 232. 1519 ᵇ29.

ἐνυφαίνειν. ζῳδία ἐνυφασμένα θ96. 838 ª22.

ἕνωσις, opp διαίρεσις Φδ13. 222 ª30. ἡ μῖξις τῶν μικτῶν
ἀλλοιωθέντων ἕνωσις Γα10. 328 ᵇ22. ἡ ἕνωσις τῆς συμ-
πήξεως τῶν φυτῶν φτβ1. 822 ª15.

ἔνωχρος. οἱ φοβηθέντες ἔνωχροι γίνονται φ6. 812 ᵇ10, ª17.
τὰ ἥπατα ἔνωχρα Ζμγ12. 673 ᵇ29.

ἕξ, ν ἐκ. ᵜκ ἐκ τεττάρων ὀστῶν, ἀλλ' ἐξ ἕξ Ζιγ7. 516 ª21.
cf Lob Paral I 12.

ἐξαγγέλλειν. ταῦτα ἐξαγγέλλεται λέξει (ᾖ κυρίοις ὀνό-
μασιν) ᾖ γλώτταις πο25. 1460 ᵇ11. ἐὰν προαπολιπόντες
τὴν πρᾶξιν, περὶ ὧν ἐγχειρήσωμεν λέγειν, πάλιν ἑτέραν
ἐξαγγείλωμεν ρ31. 1438 ª32. τῷ ἡλίῳ ἣν τὸ ἐξαγγεῖλαι ᾖ
Λαμπετία ὥσπερ τῷ ἀνθρώπῳ ᾖ ὄψις f 144. 1502 ᵇ28. —
ἐξαγγέλλουσι αἱ γυναῖκες κατὰ τῶν ἀνδρῶν Πε11. 1313
ᵇ34. εἴδη διαφέρει μὴ δοκεῖν (ἰδεῖν ci Bz Ar St I 93) ᾖ μὴ
ἐξαγγέλλειν Ρβ6. 1384 ᵇ16.

ἐξαγγελσις ἁμαρτημάτων ϗ ἀδικημάτων ρ5. 1426 ᵇ26.

ἐξαγγελτικός. αἰσχύνονται τοὺς ἐξαγγελτικοὺς πολλοῖς Ρβ6.
1384 ᵇ5, 7, 11. — νυκτὸς ἐξαγγελτικὸς μᾶλλον ὁ τῆς ἀκοῆς
πόρος πα38. 903 ª24.

ἐξάγειν. περὶ εἰσαγομένων ϗ ἐξαγομένων Ρα4. 1360 ª12-17.
ἐξάγειν τοὺς νεοττούς, τοὺς σκύμνους, Ζιη8. 613 ᵇ12. θ17.600ᵇ1.

Kk

δύο ᾠὰ μόνα δύναται ἐπωάζυσα ἐξάγειν (i q ἐκτίκτειν)
Ζιζ9. 564 ᵇ8. 6. 563 ᵃ31. 4. 562 ᵇ10. γλῶττα ἐξαγομένη
μέχρι πόρρω Ζιθ12. 597 ᵇ21. ὑπὸ τῦ θερμῦ τὸ ὑγρὸν ἐξά-
γοντος μδ6. 383 ᵃ16. ἐξάγειν ἱδρῶτα, τὸ ὀξύ πβ7. 867
ᵃ10. α38. 863 ᵇ14.

ἐξαγριαίνονται οἱ ἐλέφαντες περὶ τὴν ὀχείαν Ζιζ18. 571
ᵇ31.

ἐξαγριϋμενοι ἐλέφαντες Ζιι1. 610 ᵃ31.

ἐξαγωγεύς. ἐν τοῖς καιροῖς αἱ μέλιτται διαφθείρυσι τὰ τῶν
βασιλέων, ὡς ἐξαγωγέων ὄντων (utpote quum sint auctores
emigrandi) Ζιι40. 625 ᵃ22.

ἐξαγωγή, opp εἰσαγωγή Ρα4. 1360 ᵃ13. ἐξαγωγὴ σίτυ
Ηε8. 1133 ᵇ9. οβ1352 ᵃ18, 20, 1349 ᵃ1. — πρὸς τὴν διά-
κρισιν κ̣ ἐξαγωγήν πβ32. 869 ᵇ28.

ἐξαγώγιμα, opp εἰσαγώγιμα οβ1345 ᵇ21, 24-26.

ἐξάγωνος. τὸ ἐξάγωνον σχῆμα συμπληροῖ τὸν τόπον Ογ8.
306 ᵇ7. τὰ κηρία ἐξάγωνα Ζιε23. 554 ᵇ25.

ἐξαδράχμυ πωλεῖν οβ1347 ᵃ34, 1353 ᵃ18.

ἐξαδυνατεῖν. περὶ ὅσων ἐξαδυνατῦσιν οἱ νόμοι λέγειν ἀκρι-
βῶς Πγ11. 1282 ᵇ4. ημβ1. 1198 ᵇ27, 33. εὐλαβητέον τὸ
τοιῦτον, ἐὰν μή τις ἄλλως ἐξαδυνατῇ διαλέγεσθαι τα18.
108 ᵃ36. ὥστε μὴ ἐξαδυνατεῖν τὸ θερμὸν πρὸς τὴν πέψιν
Ζγε5. 785 ᵃ10. ἐξαδυνατεῖ ἡμῶν ἡ φύσις ἀσθενὴς ὖσα πρὸς
τὸ ἐπὶ πολὺ ἀφικνεῖσθαι ημβ16. 1213 ᵇ6. τὸ ψυχρὸν ποιεῖ
τὸ κατὰ φύσιν θερμὸν ἐξαδυνατεῖν κ̣ ὑποχωρεῖν υ3. 457 ᵃ25.
ᵇ17. cf θ1. 830 ᵃ17. 82. 836 ᵇ18. φ6. 811 ᵃ9. πλα19. 959
ᵃ29. ὅταν ἐξαδυνατήσῃ (int ὀχεύειν) διὰ τὴν λαγνείαν ὁ
ταῦρος Ζιζ21. 575 ᵃ21.

ἐξαερῦν. ἡ τέφρα ἐξαεροῖ τὸ ὕδωρ πκε8. 938 ᵇ34. ἐξαερυ-
μένη τῦ ὕδατος πκγ16. 933 ᵃ37. κς30. 943 ᵇ13. λγ15.
968 ᵃ14 (syn ἐκπνευματῦσθαι ᵃ18).

ἐξαιμᾶυται ἡ τροφὴ μεταβάλλυσα υ3. 456 ᵇ4.

ἐξαιμος. τὸ παιδίον ὥσπερ ἔξαιμον γενόμενον Ζιη10. 587 ᵃ23.

ἐξαιρεῖν. ἐξαιρεῖν τὰ κηρία Ζιι40. 623 ᵇ19. θεωρεῖν τὲς ἐξῃρη-
μένυς πλευῖσμας ἐκ τῶν διαιρυμένων ζῴων Ζια17. 496 ᵇ5.
οἱ ἰατροὶ ῥᾷον ἐξαιρῦσι τὲς ὀδόντας μχ21. 854 ᵃ16. ἐξαιρεῖν
τὰ σῖτα πε7. 881 ᵃ35. ἐξαιρῦντες διὰ τὴν ἀναισθησίαν τὸ
μεταξύ Φδ11. 218 ᵇ26. συγκρῖνον τὸ ὁμόφυλον ἐξαιρεῖ τὸ
ἀλλότριον Ογ8. 307 ᵇ4. ἐξαιρῦσι τὰ ὀχεῖα ἐκ τῶν θηλειῶν
ἵππων Ζιζ18. 572 ᵃ14. τὲς ἐπιλόγυς ἐκ τῶν ἄλλω μέσον ὖ
μερῶν μήτε παντελῶς ἐξαιρεῖν μήτε πᾶσι τοῖς μέρεσιν ἐπι-
φέρειν ρ23. 1434 ᵇ23. ὁ (i e τὴν ὐσίαν) ἐξαιρῦντες τὴν ὕλην
λέγυσιν Μη3. 1043 ᵇ12. εἰ ἐξαιρεθείη ἐξ αὐτῆς τὸ ὑγρὸν
Γβ8. 335 ᵃ2. cf Ζμγ5. 668 ᵃ35. εἰ τὸ ἔαρ ἐκ τῦ ἐνιαυτῦ
ἐξαιρεθείη Ρα7. 1365 ᵃ33. ἐξαιρεθεισῶν τῶν ἰνῶν ὁ πήγνυται
τὸ αἷμα μδ7. 384 ᵃ29. Ζιγ6. 515 ᵇ31. γίνεται ἐλάττων ἡ
φωνὴ ἐξαιρυμένων (?) πιαδ9. 905 ᵇ24, 27. — οἱ λόγοι ἐξαι-
ρῦσι κίνησιν, γένεσιν sim Μθ3. 1047 ᵃ14. α2. 994 ᵇ12. Γβ9.
335 ᵇ35. εἰ ὅλως ἐξαιρετέον κ̣ ὐδέν ἐστιν ἀπὸ τύχης ηεη14.
1247 ᵇ4. — med excipere. ἐξελέσθαι τὸ μέλλον ἔσεσθαι
ἀγένητον ἐκ τῶν ἐναντίων Οα3. 270 ᵃ21. ἐξαιρεῖσθαι τὸν
ἐναντίον λόγον Μγ8. 1012 ᵇ18. — ἐξαιρετὸν τοῖς θεοῖς
ρ3. 1425 ᵇ21. — ἐξαίρετος. τὰς νήσυς ἐξαιρέτυς ποιῶσιν,
opp προσνέμυσι ταῖς γειτοσιν ἠπείροις κ3. 394 ᵃ3. — ἐξαι-
ρέτως φτα3. 818 ᵃ39. β3. 825 ᵃ2.

ἐξαίρειν. ἐξαίρειν τὴν γλῶτταν Ζιε15. 547 ᵇ5. ἱσταμένυ κ̣
ἐξαίροντος, opp κάμπτοντος Ζπ9. 709 ᵃ7. τὰ ὑπώπια κ̣ ὁ
χαλκὸς ἐξαίρει πθ6. 890 ᵃ25. ὀφθαλμοὶ ἐξαιρόμενοι Ζιζ8.
561 ᵃ30. τὰ περιττώματα ἐξαίρεται κ̣ ἐξελκοῖ πε27. 883
ᵇ31. ἡ τῆς γλώττης σὰρξ βρεχομένη ὐκ ἐξαίρεται πγ31.
875 ᵇ23. τὸ ἀέριον ζῷον ἐξαρθὲν ἐκ γῆς κ6. 398 ᵇ34. —

τῦτο ἐξαιρεῖν ὅλον ἀναγκαῖον μβ2. 356 ᵃ20. ἡ ὀρίγανος
ἐξαιρεῖ (ἐξαιρεῖ?) δι' ὧν ἡ αὐστηρότης γίνεται πκ35. 926
ᵇ34. ἡ ψελλότης ἐξαιρεῖ (ἐξαιρεῖ?) τί ἢ γράμμα ἢ συλλα-
βὴν πια30. 902 ᵇ24. ἐξαρθῆναι πδ8. 877 ᵃ39.

ἐξαιρέσιμοι ἡμέραι οβ1351 ᵇ15.

ἐξαίρεσις. χρῶνται τῇ ὀδοντάγρᾳ πρὸς τὴν ἐξαίρεσιν μχ21.
854 ᵃ25.

ἐξαίσιοι χειμῶνες, ὄμβροι κ5. 397 ᵃ22. 6. 400 ᵃ26. f 17.
1477 ᵃ16. πνεῦμα ἐξαίσιον πκς36. 944 ᵇ20.

ἐξαίφνης τί σημαίνει Φδ13. 222 ᵇ15, 16. opp ἐκ προσαγω-
γῆς μβ8. 368 ᵃ6. τὰ νεκρῶν σώματα, ἃ ἐξαίφνης τέφρα
γίνεται μδ13. 390 ᵃ22. οἱ γῦπες ἐξαίφνης ἀκολυθῦσι τοῖς
στρατεύμασι Ζιζ5. 563 ᵃ10. — τὰ ἐξαίφνης ὖ κατὰ προ-
αίρεσιν, κατὰ τὴν ἕξιν Ηγ4. 1111 ᵇ29. 11. 1117 ᵃ22. ηεβ8.
1224 ᵃ3.

ἐξάκις τίκτειν Ζιζ14. 568 ᵃ17.

ἐξακοντίζειν. ὁ καρκίνος ὅταν φοβηθῇ φεύγει ἀνάπαλιν κ̣
μακρὰν ἐξακοντίζει Ζιθ2. 590 ᵇ28.

ἐξακοντισμός, πυρὸς γένεσις ἐκ παρατρίψεως κ4. 395 ᵇ5.

ἐξακόσιοι Πε6. 1305 ᵇ12.

ἐξακύειν. ἡ βαρυτέρα φωνὴ ἐγγύθεν μᾶλλον ἐξακύεται, πόρ-
ρωθεν δὲ ἧττον πια19. 901 ᵃ7.

ἐξακριβῦν. intr αἱ καθάρσεις ὐκ ἐξακριβῦσι πάσαις ὁμοίως
Ζιη3. 583 ᵃ30. — trans ἐξακριβῦν τι, ἕκαστα Ηα12. 1101
ᵇ34. κ5. 1175 ᵃ31. τζ4. 142 ᵃ12. ἡ οἰκεία ἡδονὴ ἐξακριβοῖ
τὰς ἐνεργείας Ηκ5. 1175 ᵇ14. ἐξακριβῦν ἐπὶ πλείον Ηα13.
1102 ᵃ25. ὑπέρ τινος Ηα4. 1096 ᵇ30. ἐξακριβῦσθαι δόξειεν
ἂν μᾶλλον τὸ καθ' ἕκαστον Ηκ10. 1180 ᵇ11.

ἐξαλλαγή. αἱ ἐπεκτάσεις κ̣ ἀποκοπαὶ κ̣ ἐξαλλαγαὶ τῶν ὀνο-
μάτων πο22. 1458 ᵇ2 cf ἐξαλλάττειν rhet.

ἐξαλλάττειν. intr et trans. ἡ τραγῳδία πειρᾶται ὑπὸ μίαν
περίοδον ἡλίυ εἶναι ἢ μικρὸν ἐξαλλάττειν πο5. 1449 ᵇ13. αἱ
διάνοιαι πολὺ ἐξαλλάττυσιν ὑπὸ τῶν τῦ σώματος παθημά-
των φ1. 805 ᵃ4. ὁ μαθὼν ὅ τι μάθημα ὐδὲν ἐξήλλαξε τῶν
σημείων οἷς χρῆται ὁ φυσιογνώμων φ1. 806 ᵃ18. οἱ εὐνῦχοι
ἐξαλλάττυσι τῆς ἀρχαίας μορφῆς Ζγδ1. 766 ᵃ26. — rhe-
torice 'recedere a vulgato usu vel in eligendis vocabulis
vel in eorum formis' Bernays Mus Rh 8, 590. Vhl Poet
III 317. ἐξαλλάττει τὸ εἰωθὸς κ̣ ξενικὴν ποιεῖ τὴν λέξιν
Ργ3. 1406 ᵃ15. σεμνὴ κ̣ ἐξαλλάττυσα τὸ ἰδιωτικὸν ἡ τοῖς
ξενικοῖς κεχρημένη λέξις πο22. 1458 ᵃ21. τὸ ἐξαλλάξαι ποιεῖ
φαίνεσθαι σεμνοτέραν τὴν λέξιν· ἐπὶ τὸ μεῖζον ἐξαλλάττει
τῦ πρέποντος Ργ2. 1404 ᵇ8, 31. ἐξηλλαγμένον ὄνομα def
πο21. 1458 ᵃ5.

ἐξάλλεται ὁ ξιφίας ἐνίοτε ἐκ ἔλαττον τῦ δελφῖνος Ζιδ19.
602 ᵃ30. οἱ κτένες ἐξάλλονται ἐκ τῦ ὀργάνυ ᾧ θηρεύονται
Ζιδ4. 528 ᵃ32. — ἱδρῦσι κ̣ ἐκτείνονται κ̣ ἐξάλλονται κ̣
ὐδέποτε ἠρεμῦσιν (οἱ ἀγωνιῶντες) πβ31. 869 ᵇ12.

ἐξαμαρτάνειν κ̣ περὶ τὰς πράξεις ἀτυχεῖν ρ5. 1427 ᵃ37,
10. 8. 1428 ᵇ38. κ̣ οἱ ἔμπειροι πολλάκις ἐξαμαρτάνυσιν
ρ15. 1431 ᵇ15. — pass πολιτεῖαι ἐξημαρτημέναι, syn παρ-
εκβάσεις Πδ2. 1289 ᵇ9.

ἐξαμβλῦν. ὅταν ἵππος ὀχεύσῃ ὄνον ἢ ὄνος ἵππον πολὺ μᾶλλον
ἐξαμβλοῖ ἢ ὅταν τὰ ὁμογενῆ ἀλλήλοις μιχθῇ Ζιζ23. 577 ᵇ6.

ἐξαμελεῖν. ἡ τῶν γυναικῶν ἐξαμέλεια Πβ9. 1269 ᵇ22.
κοινῇ ἐξαμελυμένων τῶν παίδων Ηκ10. 1180 ᵃ30. ἐξημέ-
ληται περὶ τύτων Ηκ10. 1180 ᵃ27.

ἐξάμετρον. οἱ τὰ ἐξάμετρα ποιῦντες ποίᾳ χρῶνται τῇ λέξει
Ργ1. 1404 ᵃ34. ἐξάμετρα ὀλιγάκις λέγομεν ἐν τῇ διαλέκτῳ
τῇ πρὸς ἀλλήλυς πο4. 1449 ᵃ27.

ἐξάμηνος. ἀρχαὶ ἐξάμηνοι, ἐξαμήνυς ποιεῖν τὰς ἀρχάς Πδ15.

1299 ᵃ6. ε8. 1308 ᵃ15. ὕες ἐξάμηνοι Ζιε14. 545 ᵇ2. — καταμήνια διαλείπει ἐξάμηνον Ζιζ18. 573 ᵃ13.
ἐξανακολυμβῶσιν οἱ κέφαλοι Ζιθ2. 591 ᵃ27.
ἐξαναλισκομένᾳ τᾦ περιττώματος Ζγγ1. 750 ᵃ34.
ἐξαναφέρειν. μᾶλλον ἡ θάλασσα τής τε νηχομένης ἐξανα- 5 φέρει ⅄ στέγει τὰ βάρη, τᾦ γλυκέος ἐνδιδόντος f 209. 1516 ᵃ17.
ἐξανδραποδίσασθαι τὴν πόλιν σπᵤδάσαντες ρ21. 1434 ᵃ2. pass ἐξανδραποδισθεῖεν ἂν οβ1349 ᵇ19.
ἐξανεμᾷνται αἱ ἵπποι Ζιζ18. 572 ᵃ13. γυναῖκές τινες πά- 10 σχᵤσί τι τοιᾦτον ὅ καλᾦσιν ἐξανεμᾷσθαι Ζικ3. 636 ᵃ9, 12.
ἐξανθεῖν. ἐξανθεῖ ἡ τῆς ὕβης τρίχωσις Ζγα20. 728 ᵇ27. — ἂν ἐξανθήσῃ λεύκη χ6. 797 ᵇ15. cf ἐξάνθημα. — ὅταν εἰς θάλασσαν ἐμπέσῃ κεραυνός, ἅλες ἐξανθῶσιν f 210. 1516 ᵃ25. metaph ἐκ ταύτης τῆς ὑπολήψεως ἐξήνθησεν ἡ ἀκροτάτη 15 δόξα Μγ5. 1010 ᵃ10.
ἐξάνθημα. ὅ καλεῖται λεύκη Ζιγ11. 518 ᵃ12. οἷον ἐξάνθημα ⅄ φλεγμασία Ζγβ7. 746 ᵃ5. ἡ ἴονθος ὥσπερ ἐξάνθημα ὑγρότητος ἀπέπτᵤ πλς3. 965 ᵇ17. — ὅμοιον ἐξανθήματι πκγ27. 934 ᵇ1. 20
ἐξανιέναι. ἐξανίησι (intrans?) θ43. 833 ᵇ2.
ἐξανίστασθαι ἐκ τᵦ ὕπνᵤ Ζικ3. 635 ᵇ33.
ἐξανοιδεῖν. ἐξανῴδει τι τῆς γῆς ⅄ ἀνῄει οἷον λοφώδης ὄγκος μβ8. 367 ᵃ3.
ἐξαντλεῖν. τᵦ ὕδατος παντὸς ἐξαντληθέντος Ζιζ16. 570 ᵃ8. 25
ἐξαπατᾶν, non addito obiecto, Ργ11. 1415 ᵃ35. Πε4. 1304 ᵇ10. ὡς ἐξαπατῶντας ⅄ προσποιϫμένᵤς νεη1. 1235 ᵇ10. τὰ εἰκότα ᵤκ ἐξαπατᾷ ἐπὶ ἀργυρίῳ Ρα15. 1376 ᵃ19. cf μν1. 449 ᵇ10. — οἱ νέοι εὔπιστοι διὰ τὸ μήπω πολλὰ ἐξηπα- τῆσθαι Ρβ12. 1389 ᵃ18. ταύτᵥ ἐν τοῖς σύριγξιν ἐξαπα- 30 τῶνται πιθ14. 918 ᵇ12.
ἐξαπίνης ἐπιπεσόντος πληρώματος Ζικ4. 636 ᵃ31.
ἐξαπλασίων. ἐν ἐξαπλασίονι χρόνῳ κ6. 399 ᵃ10.
ἐξαπλᵤν. συκαῖ ἄγριαι εἰς τὴν γῆν ἐξαπλωθεῖσαι φτα6. 821 ᵃ24. 35
ἐξάπᵤς. ἐξάποδα τὰ τοιαῦτα (saltatoria) πάντ᾽ ἐστὶ σὺν τοῖς ἁλτικοῖς μορίοις Ζμδ6. 688 ᵇ2.
ἐξάπτειν. 1. χορδὴν σύντονον ποιῆσαι τᵦ ἐξάψαι τι βάρος Ζγε7. 787 ᵇ23. ἐξάπτεσθε (Hom Θ 20) Ζικ4. 700 ᵃ2. — 2. πῦρ ἐξάπτεται ἐκ λίθων Ζμβ9. 655 ᵃ15. ὅταν ἡ τᵦ θερμᵦ 40 δύναμις πλησιάζῃ, ἐξάπτει (?) πκγ35. 944 ᵃ33.
ἐξαργεῖν. καθεύδων ⅄ ἄλλως πως ἐξηργηκώς Ηα9. 1099 ᵃ2. τὴν δύναμιν ἐξηργηκέναι Πε10. 1312 ᵃ13.
ἐξαρθρᵤν. ἐπωμίδας ἐξηρθρωμέναι φ6. 810 ᵇ35.
ἐξαριθμεῖν. οἱ ἐξαριθμᵤντες τὰς ἀρετὰς Πα13. 1260 ᵃ27. 45 πάλιν ἐξαριθμήσωμεν ρ6. 1427 ᵇ37. οἱ τόποι σχεδὸν ἐξηρίθ- μηνται sim πε15. 155 ᵃ38. Ργ9. 1410 ᵇ2.
ἐξαρνος. ἂν ἐξαρνος ᾖς μὴ πεποιηκέναι ρβ8. 1429 ᵃ8.
ἐξαρτᾶν. ἐξηρτῆσθαι ἔκ τινος Ζια16. 495 ᵇ33. ἐξηρτῆσθαι τινος Ζια17. 497 ᵃ28. ἐξηρτῆσθαί τινι Ζια17. 496 ᵃ26. ὅταν 50 σφόδρα ἐξηρτημένον ᾖ τι, εὐκίνητόν ἐστιν πκη8. 950 ᵃ18. — metaph ὅθεν ⅄ τοῖς ἄλλοις ἐξήρτηται τὸ εἶναι ⅄ ζῆν Οα9. 279 ᵃ29.
ἐξάρτησις. ἡ τῶν ἐμβρύων ἐξάρτησις Ζιγ1. 511 ᵃ33. ἡ τῶν ὀρχέων ἐξάρτησις ἡ πρὸς τὴν κοιλίαν Ζιγ1. 509 ᵇ11. τὴν 55 ἐξάρτησιν ἔχειν ἔκ τινος Ζιγ14. 519 ᵇ9. τὴν ἐξάρτησιν ἔχειν τινί Ζια17. 497 ᵃ19.
ἐξάρχειν. οἱ ἐξάρχοντες τὸν διθύραμβον, τὰ φαλλικὰ πο4. 1449 ᵃ11.
ἐξᾶς. οἱ Σικελιῶται τὰς δύο χαλκᵦς ἐξᾶντα καλᵦσιν f 467. 60 1554 ᵇ43, 1555 ᵃ6.

ἐξασθενεῖν, syn ἐνδιδόναι, καταμαλακίζεσθαι ημβ6. 1203 ᵇ11.
ἐξατμίζειν. 1. trans τᵦ πυρὸς ἐξατμίσαντος ἐκ τῆς γῆς τὸ ὑγρόν sim μα11. 347 ᵇ27. β2. 355 ᵃ18. δ10. 388 ᵇ24. πκα4. 927 ᵃ32. β32. 869 ᵇ30. ἐξατμίζεται, ἐξατμισθὲν τὸ ὑγρόν μδ10. 388 ᵃ29, ᵇ1. Ζμβ7. 653 ᵃ23. Ζγε3. 783 ᵃ34. — 2. intr. ἐξατμίζοντος τᵦ ὑγρᵦ sim μδ6. 383 ᵃ16. 7. 383 ᵇ29, 384 ᵃ14. 9. 387 ᵃ24. Ζγε3. 782 ᵃ29, ᵇ13. δ4. 772 ᵃ15. — ὁ βόνασος φεύγων ὅταν ἐξατονῇ ὑπομένει Ζιι45. 630 ᵇ8.
ἐξάττᵤσιν ἐν τοῖς ὕπνοις οἱ μελαγχολικοὶ πλ14. 957 ᵃ32.
ἐξαυαίνειν. τὰ φυτὰ ἐξαυαίνεται ζ6. 470 ᵃ28. Ζγγ1. 750 ᵃ22. πη7. 923 ᵃ34.
ἐξαφιέναι. ἐξαφιᾶσι θορόν, νεοττᵤς Ζιζ14. 568 ᵃ14. 10. 565 ᵇ24.
ἔξαψις πυρὸς ἀθρόᵤ ἐν ἀέρι κ4. 395 ᵇ3.
ἔξεδρος. πνεῦμα ἔξεδρον γενόμενον ἐκ τῶν οἰκείων τόπων κ4. 395 ᵇ32. — ἔξεδρος ἡ τῆς μοχθηρίας ὑπερβολὴ Ργ3. 1406 ᵃ31.
ἑξείης (Hom ι8) Πβ3. 1338 ᵃ30.
ἐξεῖναι. τὸ ἐξεῖναι πᾶσιν ἄρχειν Πε8. 1309 ᵃ2. ἔξεστιν ὁρᾶν, ποιεῖν μβ3. 358 ᵇ8. γ4. 374 ᵃ5. Πε7. 1307 ᵃ36 al. ἐξὸν λέγειν sim Ογ4. 303 ᵃ18. Ηθ15. 1162 ᵇ15 al. f 154. 1504 ᵃ7.
ἐξεῖπεῖν. εἰ ⅄ μηδεὶς ἐξεῖπεῖν. ὑποψία τις ἐγένετο f 168. 1506 ᵃ31.
ἐξείργεσθαί τινος τι17. 176 ᵃ36. — εἰς τὴν ἐναντίαν ἕξιν ἀποκαθίστησιν ἐὰν μὴ χρόνῳ ἐξείργηται Κ10. 13 ᵃ31.
ἐξεκκλησίασθαι τοῖς Μυλασσεῦσιν ἔλεγεν οβ1348 ᵃ11.
ἐξελαύνειν. ἐξελαύνει τὰ πρόβατα ὀψὲ τῆς ἡμέρας Ζιγ17. 520 ᵇ1. — ἐξελαίνει ἡδονὴ λύπην Ηη15. 1154 ᵇ13. πᾶν ἐξελαύνει τὸ ἐνεργείᾳ ἐναντίον μχ3. 465 ᵇ19. ὑπὸ θυμᵦ ἐξελαύνεσθαι πρός τι Ηγ11. 1116 ᵇ34, 1117 ᵃ3.
ἐξελέγχει ἡ κίνησις ῥιπίζει ⅄ θᾶττον ἀναγκάζει πάσχειν f 212. 1517 ᵃ1. — ἐξελέγχοντο στρατεύσαντες ρ21. 1433 ᵇ36. ὡς ἄξιοι ὄντες ἐπιχειρῶσιν, εἶτα ἐξελέγχονται Ηθ9. 1125 ᵃ29. ἐξελέγχεται ὑπὸ τῶν ἔργων Πε8. 1308 ᵃ1. ⅄ κατὰ τὸν λόγον ἐστὶν εὐέλεγκτα ⅄ τοῖς ἔργοις ἐξελήλεγκται Πη14. 1333 ᵇ15.
ἐξελίττεσθαι. τὰ στρογγύλα εἰς τᵤναντίον τῆς ἀπώσεως ἐξελίττεται πιζ4. 913 ᵇ16. κύκλοι ἐξελιττόμενοι πιζ6. 914 ᵃ30, 33. πότε ὁ μείζων κύκλος τᵦ ἐλάττονι κύκλῳ ἴσην ἐξελίττεται γραμμήν μχ24. 855 ᵃ29, ᵇ15, 17 (cf Poselger, Berl Akad 1829 p 71).
ἐξέλκειν τι τοῖς ῥύγχεσιν θ7. 831 ᵃ13.
ἐξελκᵤν. ἐξαίρεται διὰ τῆς σαρκὸς ⅄ ἐξελκοῖ (sc τὴν σάρκα) διὰ πικρότητα Ζμ7. 883 ᵇ31.
ἐξελκυσθείς. παρὰ τῆς γυναικὸς ἐξελκυσθείς Πε10. 1311 ᵇ30.
ἐξεμεῖν, opp καταπίνειν Ζιι10. 614 ᵇ29, 28. κοπῶδες ὅταν συμβῇ μὴ καλῶς ἐξεμέσαι πε7. 881 ᵃ31.
ἐξεπιπολῆς (Bsm, ἐπιπολῆς Bk) πθ9. 890 ᵇ13.
ἐξεπίστασθαι τι ἀπὸ στόματος τθ14. 163 ᵇ28, cf ᵇ18, ᵃ32.
ἐξεπίτηδες οβ1353 ᵇ2.
ἐξερᾶν. ὅταν ὥσπερ ἐξεράσωσι τὸν ἀέρα πλβ5. 960 ᵇ26.
ἐξεργάζεσθαι. pass νῆμα ἀτράκτῳ (Parcarum) τὸ μὲν ἐξ- ειργασμένον τὸ δ᾽ μέλλον κ7. 401 ᵇ17.
ἐξερεύγεσθαι. ᵤ ποταμὸς ἐξερεύγεται Ζιθ20. 603 ᵃ14. — ἐὰν πλείω ἀφιῶσι (τὰ καταμήνια) διὰ τὸ δεῦρο ἐξερεύγε- σθαι τὸ σῶμα Ζικ1. 634 ᵇ10.
ἐξέρπειν, ἐξέρπειν. ἐξέρπει φαλάγγια πολλὰ τὸ πλῆθος Ζιε18. 550 ᵃ5. — αἱ μέλιτται φωλᾶσιν· κἄν τις ἐξέρπῃσῃ, φαίνεται διαφανὴς Ζιθ14. 599 ᵃ26.

Kk 2

ἐξέρυθροι τὸ πρόσωπον γίνονται οἱ αἰσχυνόμενοι πβ27. 869
ᵃ8. ια32. 903 ᵃ3. 53. 905 ᵃ13.

ἐξέρχεσθαι. ὅταν ἐξέλθῃ τὴν χώραν Πγ4. 1285 ᵃ5. τὴν σε-
λήνην ἑωράκαμεν ὑπελθῦσαν τὸν ἀστέρα τὸν Ἄρεος, ἐξελ-
θόντα δὲ κατὰ τὸ φανόν Οβ12. 292 ᵃ6. — ἐν οἰκίᾳ δεῖ ἴσα
εἶναι τὰ εἰσερχόμενα τοῖς ἐξερχομένοις f178. 1507 ᵇ23. —
ἡ γλῶττα, ἡ κεφαλὴ ἐξέρχεται, τὸ αἰδοῖον ἐξέρχεται ϗ
εἰσέρχεται Ζιβ17. 508 ᵃ23. δ4. 528 ᵇ26. α13. 493 ᵃ30.
αἷμα, περίττωσις, σπέρμα ἐξέρχεται Ζια17. 496 ᵇ6. δ4.
529 ᵇ16. γ1. 509 ᵇ21. τὸ παιδίον, τὸ κύημα ἐξέρχεται
Ζιη4. 585 ᵃ25. 3. 583 ᵇ14. τὰ μὲν τετελειωμένα τὰ δὲ
ἀτελῆ ἐξέρχεται (int εἰς φῶς, i q γεννᾶται) πι46. 896 ᵃ18.
τῷ ἐξεληλυθέναι τὸ θερμόν, τὴν ἀναθυμίασιν μδ6. 382 ᵃ27.
β5. 361 ᵇ29. ἄνευ προαιρέσεως λέγομέν τι ἢ ᾄδομεν ϗ ὑ
δύναται ἐκ τῦ στόματος ἐξελθεῖν πια27. 902 ᵃ32. — ϗ
ἐξεληλυθότες (defuncti magistratu) ἄρχυσι ϗ μέλλοντες
Πβ11. 1273 ᵃ16. — Ὀρέστης ϗ Αἴγισθος φίλοι γενόμενοι
ἐπὶ τελευτῆς ἐξέρχονται πο13. 1453 ᵃ38.

ἐξεσθίειν τι, dist ἀπεσθίειν Ζιε22. 554 ᵇ4, 6.

ἐξετάζειν, opp ὑπέχειν λόγον Pα1. 1354 ᵃ5. ἐξετάζειν ἀλ-
λήλων τὰς εἰσφορὰς Πβ9. 1271 ᵇ14. ἐξετάζειν τὰς ἀδικῦν-
τας ρ39. 1446 ᵇ36. ἐξετάζειν πικρῶ, πραεῖ ἤθει ρ38. 1445
ᵇ17. τὸν πέλας ἐξετάζει ϗ κωλύει Ηι6. 1167 ᵇ13. ἐξετά-
ζειν τὰς δόξας Ηα2. 1095 ᵃ28. ηεα3. 1215 ᵃ6. δίκαιον αὐ-
τὸς ἐξετάζειν τι περὶ φύσεως Μν3. 1091 ᵃ19. — ὁ ἄν-
θρωπος μάλιστα τὰς ἡδονὰς ϗ τὴν εὐδαιμονίαν ἐξήτακεν
πκθ7. 950 ᵇ34 (?). — ἐὰν μηδὲν μᾶλλον δυνώμεθα ἐξετάσαι
(i e investigando invenire) πκθ13. 952 ᵃ1. — τὴν σωφρο-
σύνην ἐπὶ τῶν νέων ϗ πλησίων μάλιστα ἐξετάζομεν (pro-
bamus) πκη4. 949 ᵇ21.

ἐξέτασις. def ρ6. 1427 ᵇ12. ἐξέτασις ϗ σύνταξις τῶν πολι-
τῶν Πζ8.1322ᵃ36. ἐπιλογισμοὶ ϗ ἐξετάσεις Πζ8.1322ᵇ35.

ἐξετασταί, coni εὔθυνοι, λογισταὶ Πζ8. 1322 ᵇ11.

ἐξεταστικός. ἐξεταστικοὶ πο17. 1455 ᵃ34 Vhl Poet II 43.
ἡ διαλεκτικὴ ἐξεταστική τα2. 101 ᵇ3. ἐξεταστικὸν εἶδος τῶν
πολιτικῶν λόγων ρ6. 38. 2. 1421 ᵇ10.

ἐξέτης ἐλέφας βαίνει Ζιε14. 546 ᵇ9.

ἐξευρίσκειν. ὑδὲ τῦτο ἐξευρίσκυσιν Πθ4. 1338 ᵇ16. ὑδ' ἐν
τύτοις ἐξευρίσκει (v l, εὑρίσκει Bk) τὸ ὁμολογύμενον ΜΑ4.
985 ᵃ23.

ἐξέχειν. τὰ ἐξέχοντα, opp τὰ κοῖλα πλα25. 960 ᵃ5. αἱ φλέ-
βες ἐξέχυσιν πλ1. 954 ᵃ8.

ἐξέψειν. ἐκ τῦ ἐλαίῳ τὸ ὕδωρ ὑχ ἐξέψεται ὑπὸ πυρός μδ7.
384 ᵃ2.

ἐξήγησις. κατὰ τὴν τῆς ἐπιστήμης ἐξήγησιν ἐπιτελεῖν τὰς
πράξεις ρ39. 1446 ᵃ17. — αἱ ἐξηγήσεις (pars orationis)
ρ31. 1438 ᵃ25, cf διηγήσεις ρ32. 1438 ᵇ28.

ἐξηθεῖται τὸ θερμόν πλη5. 967 ᵃ15.

Ἐξήκεστος ὁ Φωκαιέων τύραννος f557. 1570 ᵃ17.

ἑξήκοντα Ζγ3. 783 ᵃ22 al.

ἑξῆς, sensu locali Ζγε τύτων ἐγκάρσιον τὸ Σικελικόν κ3.
393 ᵃ28. τὰ ἑξῆς Οδ3. 310 ᵇ12. — λέγωμεν ἑξῆς Ηθ1.
1119 ᵇ22.

ἐξιέναι (ἔξειμι). πῶς οἷόν τε κωλύειν ἐξιέναι τὰς τῶν ἀπό-
ρων Πζ15. 1300 ᵃ7. — ποταμοὶ εἰς τὴν θάλατταν ἐξιόντες
μβ2. 356 ᵃ29. ἐξιόντος τῦ θερμῦ, τῦ ὑγρῦ, ἐξιύσης τῆς
θερμότητος sim μβ3. 357 ᵇ6. δ1. 379 ᵃ23. 5. 382 ᵇ21. 7.
384 ᵇ9. 10. 388 ᵇ23, 29. ἐξιόντος τῦ σπέρματος, γάλακτος,
αἵματος, ὑδ Ζιη1. 581 ᵃ31. 11. 587 ᵇ20. γ2. 511 ᵇ15. ζ2.
559 ᵃ27. ἐξιόντων (τοῖς καταμηνίοις) τῶν ἐμποδιζόντων τὴν
ὑγίειαν Ζιη1. 582 ᵃ1. ἀθρόα, ἀθρωτέρα ἐξιῦσα ἡ ὄψις πλα15.

958 ᵇ37. 16. 959 ᵃ7. — ἐν οἰκίᾳ δεῖ σύμμετρα εἶναι τὰ
ἐξιόντα τοῖς εἰσιῦσιν f178. 1507 ᵇ38.

ἐξιέναι (ἐξίημι). ἐξίησι τὸν θορόν Ζιζ14. 568 ᵇ2. θύραζε
ἐξιέναι Ζιη2. 582 ᵇ17. ἐξιᾶσιν ἀέρα, opp εἰσδέχονται αν7.
474 ᵃ17. 16. 478 ᵇ15.

ἐξικμάζειν. 1. trans i q ἐξιέναι ἰκμάδα. a. obiecti loco is
ponitur (vel intelligitur) humor, qui emittitur vel exsor-
betur. ὑπὸ θερμότητος ἐξικμαζύσης τὸ ὑγρὸν ἐκ τῦ γεώδυς
Ζγα8. 718 ᵇ19. μήτ' ἐξικμασται πᾶν τὸ ὑγρόν μδ9. 385
ᵇ8. 10. 388 ᵇ18. ἐξικμαζόμενον ἐξ ἁλῶν ἔλαιον αι5. 443
ᵃ14. ἐξίκμασται τὸ πότιμον ἐξ αὐτῶν αι4. 442 ᵃ28. ἐξι-
κμαζειν τὸ σπέρμα Ζγα19. 727 ᵇ24. ἐν ταῖς ὁμιλίαις αἱ
λευκότεραι τὴν φύσιν ἐξικμάζυσι μᾶλλον Ζιη2. 583 ᵃ11.
τὸ θῆλυ γιγνομένων καταμηνίων ὅταν ἐξικμάζῃ Ζγα19.
727 ᵇ13 (cf θύραζε ἐξιέναι Ζιη2. 582 ᵇ17). — b. obiecti
loco id ponitur corpus, quod emisso humore exsiccatur.
ξηρὸν ϗ ἐξικμασμένον περίττωμα, τροφὴ ἐξικμασμένη Ζιθ5.
594 ᵇ23. Ζμγ14. 675 ᵇ20, 31, 674 ᵃ14. πα12. 860 ᵇ19.
δ26. 879 ᵇ3. ὄψεις ὅ τι ἂν λάβωσι ζῷον ἐξικμαζοντες Ζιθ4.
594 ᵃ13. χυμοὶ ἐξικμαζόμενοι αι4. 441 ᵃ14. τὰ λίαν πα-
λαιὰ σπέρματα ϗ χερσαῖα τὴν δύναμιν πιχ17. 924 ᵇ30. —
2. intr fere i q ἐξατμίζειν. ὅταν τὸ θερμὸν ἐξικμάσῃ ἐξιὸν
μδ7. 384 ᵇ9. τὸ ἀλλότριον ἀφίσταται ϗ ἔξω ἐξικμαζει
πβ3. 866 ᵇ23. διαπέπνευκε ϗ ἐξίκμακε τὸ γλυκύ πκβ9.
930 ᵇ34 (cf ἀτμίζειν ᵇ36). τὸ δέρμα ταύτῃ διαλείπει, ᾗ οἱ
κατὰ φύσιν πόροι ἐξικμάζεσιν Ζγι11. 518 ᵃ4.

ἐξικνεῖσθαι. τῦ νότυ τῆς ἀρχῆς πρὸς ἡμᾶς μικρὸν ἐξικνεῖται
πκς39. 944 ᵇ34. ἵνα ἐξικνῆται ἡ φωνή f139. 1501 ᵇ32.

ἐξίπτασθαι. ἐξαπατᾶ ὁ πέρδιξ ἕως ἂν ἀποπτῶσιν οἱ νεοττοί,
εἶτα ϗ αὐτὸς ἐξίπταται f270. 1527 ᵃ7.

ἕξις ποσαχῶς λέγεται Μδ20 Bz. — 1. ἕξις i q τὸ ἔχειν
transitive verbi vi. ἕξις λέγεται ἕνα μὲν τρόπον οἷον ἐνέρ-
γειά τις τῦ ἔχοντος ϗ ἐχομένυ, ὥσπερ πρᾶξίς τις ἢ κίνησις
Μδ20. 1022 ᵇ4. ἐκ τῦ εἴδυς ϗ τῆς τῦ εἴδυς ἕξεως ἢ ἐκ
στερήσεως τινος τῦ εἴδυς Μι5. 1055 ᵇ13. τὸ ζῆν ϗ ἡ τῆς
ψυχῆς ἕξις θερμότητος ἐστιν αν8. 474 ᵃ26. ἀχρηστος
αὐτοῖς ἡ τῶν πτερυγων ἕξις Ζπ11. 711 ᵃ6 (pleonastice
dictum falso iudicat Wz ad Κ8. 8 ᵇ35). — 2. ἕξις i q τὸ
ἔχειν intransitiva verbi vi. ἡ ἕξις εἶδός τι ποιότητος Κ8.
8 ᵇ27. (ἕξις, dist τῦ ζ9. 147 ᵃ12, sive ὁ κατὰ τὴν
ἕξιν Ηθ7. 1123 ᵇ1. ηεγ1. 1228 ᵃ30). quoniam ἡ ποιότης
inhaeret substrato, τῇ ἕξει opponitur τὸ ὑποκείμενον, ἡ
ὕλη, ἡ ὑσία, τὸ ὂν sim: ὁ Σωκράτης ϗ γίγνεται ἁπλῶς,
ὅταν ἀποβάλλῃ ταύτας τὰς ἕξεις, διὰ τὸ ὑπομένειν τὸ ὑπο-
κείμενον τὸν Σωκράτην αὐτὸν ΜΑ3. 983 ᵇ15. (paullo aliter
γνωρίζονται πολλάκις αἱ ἕξεις ἀπὸ τῶν ὑποκειμένων Ηε1.
1129 ᵃ17.) ϗ ταὐτὸν ἤ θ' ὕλη τῶν ζῴων ϗ αἱ ἕξεις ϗ
διαθέσεις αὐτῆς αν14. 477 ᵇ18, cf 478 ᵃ6. ϗ ὡς ὕλην τοῖς
ὑσι ϗ ὡς πάθη τε ϗ ἕξεις ΜΑ5. 986 ᵃ17 Schwegler. τῶν
μὲν ἕξεων ἡ ὑπερβολὴ ἔχοντας οἱ ἐναντίοι τόποι σώζυσιν, ϗ
ἡ δὲ φύσις ἐν τοῖς οἰκείοις τόποις σώζεται αν14. 477 ᵇ15,
478 ᵃ3. ἐν τοῖς σχήμασι ϗ ταῖς μορφαῖς ϗ ταῖς ἕξεσι ϗ
ταῖς τύτων ἀποβολαῖς ϗ λήψεσιν Φιγ3. 245 ᵇ8, 22. τῷ τῦ
ὄντος ἢ ὂν πάθος ἢ ἕξις ἢ διάθεσις ἢ κίνησις εἶναι λέγεται
ἕκαστον αὐτῶν ὂν Μκ3. 1061 ᵃ9. cf Φβ1. 193 ᵃ25. ὑδὲ
ὅλως τὰ πάθη καὶ ἕξεις οἷόν τε μίγνυσθαι τοῖς πράγμασιν
Γα10.327ᵇ16. inde saepe, ut quae inhaereant substrato, coni
syn πάθη ϗ ἕξεις Μδ6. 1015 ᵇ34 Bz. 13. 1020 ᵃ19. τι13.
173 ᵇ6. Φβ14. 223 ᵃ19. ε4. 228 ᵃ8. ψ8. 432 ᵃ6. μν2.
451 ᵃ27, ἕξεις ϗ διαθέσεις Κ8. 8 ᵇ27, 11 ᵃ22. τθ2. 121
ᵇ38. αν14. 477 ᵇ18, πάθη ϗ ἕξεις ϗ διαθέσεις Φβ1. 193

ᵃ25. Μκ3. 1061 ᵃ9. sed dist ἕξις et διάθεσις: ἕξις λέγεται διάθεσις καθ᾽ ἣν εὖ ἢ κακῶς διάκειται τὸ διακείμενον Μδ20. 1022 ᵇ10 Bz. εἰσὶν αἱ μὲν ἕξεις ἢ διαθέσεις, αἱ δὲ διαθέσεις ὐκ ἒξ ἀνάγκης ἕξεις· διαφέρει ἕξις διαθέσεως τῷ πολυχρονιώτερον εἶναι ἢ μονιμώτερον Κ8. 8 ᵇ28, 35 Wz, 9 ᵃ3, 9, 10. hanc alteram distinctionem servari videmus ab Aristotele: οἱ μὲν εἰκῇ ταῦτα δρῶσιν, οἱ δὲ διὰ συνήθειαν ἀπὸ ἕξεως Ρα1. 1354 ᵃ7. γεγυμνασμένοι τὰς ἕξεις ἢ χρήσιμοι τὰ σώματα ΠΖ4. 1319 ᵃ23. πεπονημένην ἔχειν δεῖ τὴν ἕξιν Πη16. 1335 ᵇ9. οἱ μὲν ἀθλητικὴν ἕξιν ἐμποιῶσιν Πθ4. 1338 10 ᵇ10. πιστεύοντες τῇ ἕξει (exercitationi et paratae inde facilitati disputandi) τθ1. 156 ᵇ39. τὴν ἕξιν προήσκησαν ἡμῶν Μα1. 993 ᵇ14. itaque ἕξεως exempla imprimis ἐπιστῆμαι et ἀρεταὶ sunt: ἐπιστήμη Κ8. 8 ᵇ29. Πδ1. 1288 ᵇ17. cf πλ2. 955 ᵇ1. ἡ ἐπιστήμη ἕξις ἀποδεικτικὴ ΗΖ3. 1139 ᵇ31. 15 ἕξις γνωρίζουσα Αδ19. 99 ᵇ18. ἕξεις ἐνῶσαι, ἐγγίγνονται, ἕξιν ἔχειν Αδ19. 99 ᵇ25, 32. περὶ πᾶσαν θεωρίαν δύο φαίνονται τρόποι τῆς ἕξεως εἶναι, ἐπιστήμη, παιδεία ημα7. Φη3. 246 ᵃ12, 30. Πα13. 1259 ᵇ25. β6. 1265 ᵃ35. Ρα6. 1362 ᵇ13. 20 β12. 1388 ᵇ34. γ7. 1408 ᵃ29. ἕξις προαιρετική, ποιητική, πρακτικὴ Ηβ6. 1106 ᵇ36. Ζ4. 1140 ᵃ4. ψυχῆς δύο μέρη, τό τε ἄλογον ἢ τὸ λόγον ἔχον, ἢς τε τύτων δύο τὸν ἀριθμὸν Πη15. 1334 ᵇ19. ἕξις et πάθη enumeratis exemplis distinguuntur Ηβ4. ηεβ2. ημα7. cf Γα7. 324 ᵇ17. 25 ἡ μὲν τῷ παθεῖν ἐστι δύναμις, ἡ δ᾽ ἕξις ἀπαθείας τῆς ἐπὶ τὸ χεῖρον Μθ1. 1046 ᵃ13. δ12. 1019 ᵃ26. ὐθ᾽ αἱ ἕξεις ἀθ᾽ αἱ τῷ σώματος ὐθ᾽ αἱ τῆς ψυχῆς ἀλλοιώσεις εἰσὶν Φη3. 246 ᵃ10. — ἕξις affirmativam significat qualitatem ac determinationem, opp στέρησις: τὰ κατὰ ἕξιν ἢ στέρησιν λεγόμενα τα15. 106 ᵇ21. β8. 114 ᵃ8. δ10. 1018 ᵃ34. ἕξις 30 et στέρησις unum et quatuor generibus τῶν ἀντικειμένων, quod quomodo a reliquis distinguatur Κ10. 12 ᵃ26 Wz, 13 ᵃ37. (τὰς ἕξεις ἢ τὰς διαθέσεις τῶν πρός τι εἶναι ἐλέγομεν Κ8. 11 ᵃ22. εἰ ἡ στέρησίς ἐστιν ἕξις πως Μδ12. 35 1019 ᵇ7.) τήν τε ἐπὶ τὰς στερητικὰς ἕξεις μεταβολὴν ἢ τὴν ἐπὶ τὰς ἕξεις ἢ τὴν φύσιν ψβ5. 417 ᵇ16. inde ἕξις et εἶδος syn (cf εἶδος 4), ἢ μὲν ὕλη, ἡ φύσις ἢ τόδε τι, εἰς ἣν, ἢ λέγεται τις Μλ3. 1070 ᵃ12 Bz. τῷ καθ᾽ ἕξιν ἢ κατὰ τὸ εἶδος Μη5. 1044 ᵇ32. τὰ εἴδη ἢ τὰ τέλη ἕξεις τινές, 40 δ᾽ ὕλη ἢ ὕλη παθητικὸν Γα7. 324 ᵇ18. ἔχειν ἕξιν τινὰ ἢ ἀρχὴν Μδ12. 1019 ᵇ8. ἔχειν τινὰ ἢ ἀρχὴν κινήσεως γεννητικὴν Ζγα19. 726 ᵇ21. ἕξις naturalis alicuius rei qualitas, ἐνέργεια ἀνεμπόδιστος τῆς κατὰ φύσιν ἕξεως, αἱ ἐνέργειαι αἱ καθιστᾶσαι εἰς τὴν φυσικὴν ἕξιν ἡδεῖαί εἰσιν Ηη13. 45 1153 ᵃ14, 1152 ᵇ14. τὰ κατὰ τὰς ἕξεις ηεη2. 1236 ᵃ6, 1237 ᵃ13, 15. οἱ ἄνδρες θερμοὶ ὄντες ἢ ξηροί· ἡ γὰρ τῷ ἀνδρὸς ἕξις τοιαύτη πη7. 872 ᵃ6. ποιεῖν ὑπερβολὴν τῆς καθεστώσης ἕξεως Ρα11. 1371 ᵃ27. (ἕξις κατακορὴς πλ1. 954 ᵇ27. ἕξις δεκτικὴ, dist πλήρωσις πκα14. 928 ᵇ25. ἕξις τῷ 50 σώματος εὐειμάτωσα ρ1. 1420 ᵃ16). — ἕξις, dist δύναμις, ἐνέργεια cf Trdlbg de an p 310sqq. δύναμις ἢ ἐπιστήμη τῶν ἐναντίων ἡ αὐτή, ἕξις δ᾽ ἡ ἐναντία (αὐτὴ ci Muretus?) τῶν ἐναντίων ὐ Ηε1. 1129 ᵃ14. ἐκ τῶν ὁμοίων ἐνεργειῶν αἱ ἕξεις γίνονται Ηβ1. 1103 ᵇ21. 2. 1103 ᵇ31. τέλος πάσης 55 ἐνεργείας ἐστὶ τὸ κατὰ τὴν ἕξιν Ηγ10. 1115 ᵇ21. σημεῖον τῆς ἕξεως δεῖ ποιεῖν τὴν ἐπιγινομένην ἡδονὴν τοῖς ἔργοις Ηβ2. 1104 ᵇ4. ἕξις et ἐνέργεια perinde inter se opponuntur ac κτῆσις et χρῆσις Ηα9. 1098 ᵃ33sqq. η13. 1152 ᵇ33. θ6. 1157 ᵇ6. κ6. 1176 ᵃ34. ημα3. 1184 ᵇ11, 15. 4. 1184 60 ᵇ32. β10. 1208 ᵃ34-ᵇ2. τδ5. 125 ᵇ15-21. ἡ ἕξις ταῖς ἐνερ-

γείαις ὁρίζεται [ἢ] ὧν ἐστιν Ηδ4. 1122 ᵇ1. αἱ ἕξεις ἢ αἱ πράξεις ὐχ ὁμοίως ἑκύσιοι Ηη7. 1114 ᵇ30-1115 ᵃ3. τὰ ἔργα σημεῖα τῆς ἕξεως ἐστιν Ρα9. 1367 ᵇ32. 10. 1369 ᵃ20. νεβ1. 1219 ᵃ7. βέλτιον τὸ ἔργον τῆς ἕξεως Ηβ1. 1219 ᵃ9. ἐξισῶσθαί τινι πκθ13. 951 ᵃ36. ἐξισωθῆναί τινι κ5. 397 ᵃ8. ἐξιστάναι, ἐκστῆσαι; ἐξίστασθαι, ἐκστῆναι, ἐξεστάναι. — sensu locali, ἐκστήσειε τοσῦτον ὕδωρ, ὅσος ὁ κύβος Φδ8. 216 ᵃ28. cf τὸ ἐξαίφνης ἐν ἀναισθήτῳ χρόνῳ ἐκστὰν Φδ13. 222 ᵇ15. ἐκστῆναί τινί τινος, veluti ἄλλῳ τῶν ἀγαθῶν ημβ13. 1212 ᵃ36, ᵇ5. 14. 1212 ᵇ11, 13, 14. — ἐξεστηκός, opp κοῖλον Ζια14. 493 ᵇ4. — metaph ἐξιστάναι ἢ φθείρειν τὴν φύσιν Ηγ15. 1119 ᵃ23, 29. πδ38. 920 ᵇ38. ιδ1. 909 ᵃ16. ἡ κίνησις ἐξίστησι τὸ ὑπάρχον Φδ12. 221 ᵇ3. cf ζ5. 235 ᵇ9. τὸ ἀσθενέστερον ὑπὸ πάντων ἐξίσταται πιβ13. 907 ᵇ15. ἐξιστάναι, ἐξίστασθαι τῆς φύσεως, τῆς ὐσίας ζζ6. 145 ᵃ4, 10. Γα7. 323 ᵇ28. Φθ7. 261 ᵃ20. μδ11. 389 ᵇ11 (opp ἔχειν τὴν φύσιν, εἶναι ἐν τῇ φύσει β9, 14). Ζια1.488 ᵇ19. Ζια18. 725 ᵃ17. Ρβ15. 1390 ᵇ23. Ηη7. 1149 ᵇ35. νεη5. 1239 ᵇ39. ἐξίσταται τὸ πάσχον Ζγδ3. 768 ᵇ25. ἐξίσταται πᾶν εἰς τὸ ἀντικείμενον Ζγδ3. 768 ᵃ2. δημοκρατία ἐξεστηκυῖα τῆς βελτίστης τάξεως Πε9. 1309 ᵇ32. ἐξίστασθαι ἐκ τῆς ὐσίας ψα3. 406 ᵇ13. αἱ δημοκρατίαι ἐξίστανται εἰς τὰς ἐναντίας πολιτείας Πε6. 1306 ᵇ18. ἐξίσταται τὰ εὐφυᾶ γένη εἰς μανικώτερα ἤθη Ρβ15. 1390 ᵇ28. τὰς νόσυς ὑγιάζυσι πολλάκις, ὅταν πολὺ ἐκστῇ τις πα2. 859 ᵃ5. ἐξίστασθαι (int τῆς δόξης), opp ἐμμένειν δόξῃ Ηη10. 1151 ᵇ4. ἐξίστασθαι τὸ λογισμῷ ρ8. 1429 ᵃ17. ὑπ᾽ ὀργῆς ἐξεστηκέναι φ6. 812 ᵃ37. cf ηεγ1. 1229 ᵃ3, 26. πχζ3. 948 ᵃ9. ἐξεστάναι, ᾧ μαίνεσθαι, ἐπίληπτον εἶναι Γα8. 325 ᵃ20. θ18. 831 ᵇ24. Ζιζ22. 577 ᵃ12. Ἕκτορα ὡς ἐξέστη ὑπὸ τῆς πληγῆς κεῖσθαι ἀλλοφρονέοντα Μγ5. 1009 ᵇ24. οἱ ἐξιστάμενοι (syn ὐκ ἔμμετροι) μν1. 451 ᵃ9. — τὸ ἔμμετρον ἀπίθανον ἢ ἐξιστῆσιν (i e avocat a re) Ργ8. 1408 ᵇ23. ἐὰν μὴ ἐξίσταται (i e a re egrediatur) Ργ17. 1418 ᵃ29 — πλέον ἐξέστηκε (i e recedit a vulgari et usitato) Ργ2. 1404 ᵇ32. διὸ σεμνότητα γενέσθαι ἢ ἐκστῆσαι Ργ8. 1408 ᵇ36. ἐξίτηλον σφοδρὰ μδ12. 390 ᵃ21.

ἔξοδος. ἡ Ἀρκαδία ὐκ ἔχει ἐξόδυς τοῖς ὕδασιν εἰς θάλατταν πκ̣ς58. 947 ᵃ19. πνεῦμα ἀποκλεισθὲν ἐξόδυ κ4. 395 ᵇ34. — ἐν ταῖς πολεμικαῖς ἐξόδοις Πη14. 1285 ᵃ10. cf πιθ48. 922 ᵇ13. — ἔξοδος. def μέρος ὅλον τραγῳδίας μεθ᾽ ὃ ὐκ ἔστιν χορῦ μέλος πο12. 1452 ᵇ21. — frequens nominis usus est in naturali historia, opp εἴσοδος: τὸ θύραθεν ἀέρος ἡ εἴσοδος ἢ ἡ ἔξοδος, ἡ εἴσοδος ἢ ἔξοδος τῦ πνεύματος sim Ζμα1. 642 ᵇ2. γ3. 664 ᵇ27. αν5. 472 ᵇ30, 32. 21. 480 ᵇ10. — 1. — b. περίττωμα i q actio τῦ προίεσθαι. περίττωμα ὑγρόν. καταχρῆται ἡ φύσις τῷ αὐτῷ μορίῳ ἐπί τε τὴν τῆς ὑγρᾶς ἔξοδον περιττώσεως ἢ περὶ τὴν ὀχείαν, ὁμοίως ἔν τε τοῖς θήλεσι ἢ τῶν ἀρρένων ἔξω τινῶν ὀλίγων πᾶσι τοῖς ἐναίμοις Ζμδ10. 689 ᵃ6 Langk. ἡ ἔξοδος τῦ σπέρματος, τῆς γονῆς Ζιη7. 586 ᵃ15, 16. πδ7. 877 ᵃ34. 16. 878 ᵇ5. ιδ1. 898 ᵃ15. τὰς ἐξόδυς τῆς σπερματικῆς περιττώσεως συνεκκρίνειν Ζγβ4. 737 ᵇ34. τοῖς ὄρνισι ἢ τοῖς ᾠοτόκοις βραδυτέρα ἐστὶν ἡ τῆς σπερματικῆς περιττώσεως ἔξοδος ἢ τοῖς ἰχθύσιν (διέξοδος v l Wimmer) Ζγα4. 717 ᵇ16. τοῖς θήλεσιν ἢ τῶν καταμηνίων κάθαρσις σπερματος ἔξοδός ἐστιν Ζγδ5. 774 ᵃ1. — b. περίττωμα ξηρόν. ὅπως ἐν φυλακῇ ἦ τὸ λειτουργῦν μόριον τὴν ἔξοδον τῦ περιττώματος τὴν καλυμένην ἕδραν ἢ κέρκον τοῖς τετράποσιν ἀπέδωκεν ἡ φύσις Ζμδ10. 689 ᵇ29. ὐκ ἀθρόος (v l ἀθρόως) ἐστὶν ἡ ἔξοδος τῦ περιττώματος Ζμγ14. 675 ᵇ21. — c. ἡ λεύκη ἐστὶ

πνεύματος ἔξοδος, syn ἔκκρισις πι4. 891 ᵃ28. 33. 894 ᵇ5.
cf πε21. 883 ᵃ9. ὑγρῷ ἔξοδος πνευματώδης ἐγκατακεκλεισμένη παρὰ φύσιν πδ15. 878 ᵇ5. — d. partus. συμβαίνει θύραζε ἡ τῦ ἐμβρύῳ ἔξοδος Ζγδ8. 777 ᵃ27. ἡ ἔξοδος τὐναντίον γίνεται τοῖς ψίοις ἢ τοῖς ζωοτοκμένοις· τοῖς μὲν 5 γὰρ ἐπὶ κεφαλὴν ϰ τὴν ἀρχήν, τῷ δ' ψῷ γίνεται ἡ ἔξοδος οἷον ἐπὶ πόδας Ζγγ2. 752 ᵇ12-14. — 2. ἡ ἔξοδος i q τὸ μόριον, ἥ ἢ τῶν περιττωμάτων ἔξοδός ἐστιν. — a. genitalia et anus. τέλος τῦ θώρακός ἐστι τὰ μόρια τὰ περὶ τὴν τῆς περιττώσεως ἔξοδον τῆς τε ξηρᾶς ϰ τῆς ὑγρᾶς Ζμδ10. 10 689 ᵃ4. cf 686 ᵇ6. Ζιβ1. 500 ᵇ29. — b. i q ἀρχός. τὸ τῦ ἐντέρυ ἔσχατον μόριον εὐθὺ πρὸς τὴν ἔξοδον διατείνει τῦ περιττώματος, ᾗ τοῖς μὲν τῦτο τὸ μόριον, ὁ καλύμενος ἀρχός, κνισώδης ἐστί, τοῖς δ' ἀπίμελος Ζμγ14. 675 ᵇ9. cf Ζιβ17. 507 ᵃ32. ὑπὸ τὸ στῆθος κοιλία μέχρι πρὸς τὴν ἔξοδον 15 τῦ περιττώματος τοῖς τε ὄρνισι ϰ τετράποσι ϰ ἀνθρώποις Ζμδ12. 693 ᵇ19. ἀφῃρημένοι οἱ κεστρεῖς τὴν κέρκον μέχρι τῆς ἐξόδυ τῆς περιττώσεως Ζιι2. 610 ᵇ15. τῶν σελαχωδῶν οἱ ἄρρενες ἔχυσιν ἀποκρεμάμενα ἄττα δύο περὶ τὴν ἔξοδον τῆς περιττώσεως (Η Π 46, Stn Π 278) Ζιε5. 540 ᵇ26. 20 καθάπερ τὰ ᾠοτόκα οἱ ἰχθύες ἔχυσι πόρυς δύο συνάπτοντας εἰς ἕνα πόρον ἄνωθεν τῆς τε περιττώματος ἐξόδυ Ζιγ1. 509 ᵇ18, 29. τοῖς πλείστοις τῶν ἐντόμων ἔντερον εὐθὺ μέχρι τῆς ἐξόδυ ἐστὶν Ζιδ7. 532 ᵇ6. Ζμδ5. 682 ᵃ14. τοῖς μαλακοστράκοις Ζιδ2. 527 ᵃ8, 12. Ζμδ5. 679 ᵇ1. τὰ μαλάκια 25 ἔχει τὸν καλύμενον θολὸν ἐν χιτῶνι ὑμενώδει τὴν ἔξοδον ἔχοντι ϰ τὸ πέρας (Mo 84, 85 et tab XXXI, XLI) Ζμδ5. 679 ᵃ2. ἔντερον ἁπλῶν μέχρι τῆς ἐξόδυ Ζμδ5. 678 ᵇ27. πάντα τὰ ὀστρακόδερμα στόμα τε ϰ κοιλίαν ϰ τῦ περιττώματος τὴν ἔξοδον ἔχει Ζμδ5. 679 ᵇ37. τοῖς μονοθύροις ἡ τῦ περιττώ- 30 ματος ἔξοδός ἐστιν ἐκ πλαγίν (sc in parte dextra) Ζιδ4. 529 ᵃ9, ᵇ9. τὸ ψῷ καλύμενον ἐν τοῖς δεξιοῖς, ἐν δὲ τοῖς ἐπὶ θάτερα ἡ ἔξοδος τῦ περιττώματος τοῖς διθύροις Ζμδ5. 680 ᵃ25. αἱ κοιλίαι κεχωρισμέναι τῦ ἐχίνυ τελευτῶσι πρὸς μίαν ἔξοδον τὴν τῦ περιττώματος Ζμδ5. 680 ᵃ11. Ζιδ5. 530 ᵇ28 cf Η 122, PCG 35 Π 497.—τοῖς τηθύοις Ζιδ6. 531ᵃ24. cf Leunis Synopsis § 744. — synonyma: πόρος Ζμδ4. 530ᵃ3. ἡ ἀφίησι τὸ περίττωμα Ζιδ5. 530 ᵇ20. — c. genitalia. ὑγρῦθρα, οἷοδος τῷ σπέρματι τῷ τῦ ἄρρενος, τῷ δ' ὑγρῷ περιττώματος τῦ τ' ἄρρενος ϰ τῦ θήλεος ἔξοδος Ζια14. 493 ᵇ5. — d. anterior pars 40 uteri Ζιη8. 586 ᵇ5. x5. 637 ᵃ31. γ1. 511 ᵃ27.

ἐξοκέλλειν. intr δελφῖνες ἐξοκέλλυσιν εἰς τὴν γῆν Ζιι48. 631 ᵇ2. δ8. 533 ᵇ12.

ἐξολισθαίνειν. διὰ τὴν τραχύτητα ὐκ ἐξολισθαίνυσιν Ζιθ2. 590 ᵇ17. ἐξολισθαίνει ὁ ὀδὺς διὰ τῆς χειρὸς μχ21. 854 ᵃ18. 45

ἐξόλλυσθαι (Emp 103) ξ2. 975 ᵇ2.

ἐξομηρεύειν τὰς δήλης ταῖς τεκνοποιίαις οα5. 1344 ᵇ17.

ἐξομνύυσθαι τὴν ἀρχὴν Πδ13. 1297 ᵃ20.

ἐξομοιῦσθαί τινι κατὰ τὸ χρῶμα θ164. 846 ᵇ15.

ἐξονειρωγμοὶ γίνονται ἄνευ ἐργασίας, μετὰ φαντασίας πδ5. 50 877 ᵃ9. ι16. 892 ᵇ18. μετὰ τὰς ἐξονειρωγμὰς Ζικ6. 637 ᵇ28, 27.

ἐξονειρωκτικοὶ οἱ θερμοί πε31. 884 ᵃ7.

ἐξονειρώττειν. γίνεται ϰ ταῖς γυναιξὶν νύκτωρ ὁ καλῦσιν ἐξονειρώττειν Ζγβ4. 739 ᵃ23. Ζικ2. 634 ᵇ30. 5. 636 ᵇ24. 55 τῦ ἐξονειρώττειν τί τὸ αἴτιον πλγ15. 963 ᵃ11. ι16. 892 ᵇ15. γ33. 876 ᵃ9.

ἐξοπίζειν. ὁπὸς εἰς ἔριον ἐξοπισθείς Ζιγ20. 522 ᵇ3.

ἐξόπιθεν (Hom Δ 298) f 13. 1476 ᵃ18.

ἐξόπισθεν. ἀπὸ τῦ ἐξόπισθεν τῆς κεφαλῆς Ζιγ3. 512 ᵇ14. 60 στῆσαι πεζὰς ἐξόπισθεν τῶν ἱππέων f 147. 1503 ᵃ27.

ἐξόπλισις πιθ48. 922 ᵇ14.

ἐξοργιάζειν. τὰ ἐξοργιάζοντα τὴν ψυχὴν μέλη, syn ἐνθυσιαστικά Πδ7. 1342 ᵃ9, 4.

ἐξορίζειν ὅλως τὰς ἀνιάτες Ηκ10. 1180 ᵃ10. ἐξορίζειν τὴν αἰσχρολογίαν Πη17. 1336 ᵇ5.

ἐξορμος. τὸ γεῶδες ἐν τῷ σώματι ϰ ἔξορμον Ζμδ12. 694 ᵃ23.

ἐξορυσσόμενοι τόποι θ44. 833 ᵇ4. f 248. 1523 ᵇ31.

ἐξευρεῖν τὴν γονήν ΖιΖ23. 577 ᵃ22. Ζγβ8. 748 ᵃ22.

ἐξευσίαν διδόναι Πβ9. 1270 ᵃ21. ε3. 1302 ᵇ9. μβ3. 359 ᵃ27. ποιεῖν Πδ6. 1293 ᵃ14. ὀφείλεταί τινι ἐξυσία Ηθ16. 1163 ᵇ22. κοινῇ ἔχυσιν οἱ θεσμοθέται ἐξυσίαν θανάτυ f 374. 1540 ᵃ5. ἐξυσία ἐστί (vel omisso ἐστί) saepe cum simplice inf sine genet τῦ coniungitur τοῖς μὲν ἐξυσία τυγχάνει, τοῖς δ' ὐ sim Πη13. 1331 ᵇ40. α7. 1255 ᵇ36. β7. 1266 ᵇ7. γ1. 1275 ᵇ18. δ4. 1291 ᵇ41. 6. 1293 ᵃ14. Ηθ16. 1163 ᵇ22. Ρβ17. 1391 ᵃ24 (ὅσα ἐξυσί' αὐτοῖς Bk, ὅσα ἐξυσία αὐτοῖς Bk³). ἀδέσποτοι οἰκήσεις, ἐν αἷς ἑκάστῳ ἐξυσία Ηθ12. 1161 ᵃ9. οἱ πλήσιοι διὰ τὴν ἐξυσίαν ἐπιθυμῦσι τῶν ἡδονῶν Ρα10. 1369 ᵃ13. ἀπαιδευσία μετ' ἐξυσίας ἄνοιαν τίκτει f 89. 1492 ᵃ11. — ἐξυσία, syn ἀρχή, δύναμις ημβ3. 1199 ᵇ2. Πε11. 1315 ᵃ14 (ἀφαιρεῖσθαι τὴν ἐξυσίαν). κατὰ νόμιμον ἐξυσίαν x6. 400 ᵇ24. οἱ ἐν ταῖς ἐξυσίαις Ηα3. 1095 ᵇ21. θ7. 1158 ᵃ28. 9. 1159 ᵃ19. οἱ ἐν ἐξυσίᾳ ὄντες Ρβ6. 1384 ᵃ1. οἱ ἐπ' ἐξυσίας τυγχάνοντες ηεα4. 1215 ᵃ35. cf δι' ἐξυσίαν ηεγ6. 1233 ᵇ5. μεγαλοψυχίας μὴ θαυμάζειν ἐξυσίαν αρ5. 1250 ᵇ37.

ἐξυσιάζειν ηεα5. 1216 ᵃ2.

ἐξόφθαλμος, opp κοιλόφθαλμος φ6. 811 ᵇ25, 23. τὰ ἐξόφθαλμα ὐκ εὐωπὰ πόρρωθεν Ζγε1. 780 ᵇ36. οἱ ἐξόφθαλμοι καπνίζονται μᾶλλον πλα6. 957 ᵇ33.

ἐξοχή. ὅσοις ἄχρηστος ἡ τῶν κεράτων ἐξοχή Ζμγ2. 663 ᵃ8. ἐξόχως τιμῆσαι x6. 400 ᵇ1.

ἐξυβρίζειν. ἀμπελίναι τραγῶσαι διὰ τὴν τροφὴν ἐξυβρίζυσιν Ζγα18. 725 ᵇ35.

ἐξυγραίνειν τὸ θερμὸν ἐξυγραῖνον τῇ θερμότητι πδ7. 877 ᵃ33. τὸ ψῦχος ἐξυγραίνει τὴν γλῶτταν πη14. 888 ᵇ11. ἐξυγραίνει (?) πλγ6. 962 ᵃ79. — pass ἐξυγραίνεσθαι Ζιχ3. 635 ᵃ39. ἐξυγρανθῆναι μᾶλλον τῦ δέοντος πι54. 897 ᵃ21. κίων ὅταν ἐξυγρανθεὶς φλεγμήνῃ Ζια11. 493 ᵃ3. αἵματος ἐξυγραινομένυ, ἐξυγρανθέντος Ζιγ19. 521 ᵃ12. Ζμγ5. 668 ᵇ8. ἡ κρᾶσις τῦ σώματος ἐξύγρανται πγ4. 871 ᵃ24. τῦ ὑπὲρ γῆς ἀέρος ἐξυγραινομένυ πκς33. 944 ᵃ21.

ἐξυδρίαι λέγονται ἄνεμοι μεθ' ὕδατος ἀθρόως ῥαγέντος πκ4. 394 ᵇ19.

ἐξυδρωπιῶντα ὄμματα Ζιε20. 553 ᵃ16.

ἐξυπτιάζοντα κέρατα Ζιβ1. 499 ᵃ7. — οἱ τὸν κρίθινον πεπωκότες ἐξυπτιάζονται τὴν κεφαλήν f 101. 1494 ᵇ6.

ἔξω. 1. ὁτὲ μὲν ἔξω ῥεῖ, ὁτὲ δ' εἴσω μβ8. 365ᵇ27. τὰς θύρας τὰς ἀνοιγομένας ἔξω οβ 1347 ᵃ6. ἔξω προίεσθαι Ζγα20. 728 ᵇ6. β4. 739 ᵇ17. γ7. 757 ᵃ34. ζωοτοκεῖν ἔξω Ζιε34. 558 ᵃ25. — 2. ἔξω (exterior) ἶρις, ἡ ἔσω μγ4. 375 ᵇ9. αἱ ἔξω (γωνίαι) τέτταρσιν ἴσαι Αγ24. 85 ᵇ39. δ17. 99 ᵃ19. τὰ ἔξω μόρια τῶν ζψων, τὰ ἔσω Ζιβ15. 505 ᵇ23. α14. 493 ᵇ10. Ζγβ4. 740 ᵃ14. cf α3. 716 ᵇ28, 29 al. — ἡ ἔξω Λιβύης θάλαττα, τὰ τῆς Ἰνδικῆς ἔξω μβ5. 363 ᵃ5, 362 ᵇ28. τὰ ὐξ ἔξω τόπων (i e ὁ ἔξω τῦ Πόντυ, coll ᵇ4) μα10. 347 ᵇ8. χωρισθέντα τῆς μήτρας ἔξω, ζῆν ἐπιτελεῖσθαι τελειύσθαι ἔξω Ζγβ7. 746 ᵃ28. α8. 718 ᵇ7. 13. 720 ᵃ3. Ζμδ13. 696 ᵇ21. ζῆν, γεννᾶν ἔξω (sc τῦ ὑγρῦ) Ζια1. 487 ᵃ21, ᵇ4. οἱ

ἔξω τόποι, opp ἡ οἰκεία χώρα Πβ5. 1265 ᵃ24. τὰ ἔξω
πελάγη μβ1. 354 ᵃ27. τὰ ἔξω ἀγαθά, opp τὰ ἐν αὐτῷ
Ρα5. 1360 ᵇ27. τὰ ἤδεα ἀναγκάζει ἔξω ὄντα Ηγ1. 1110
ᵇ10. τὰ ἔξω κωλύοντα Μθ5. 1048 ᵃ19, 17. ἡ ἔξω σωτηρία
Ζγγ3. 754 ᵃ34. λόγος ἔξω, opp ἔσω, ἐν τῇ ψυχῇ Αγ10.
76 ᵇ24. ἔξω ὂν κỳ χωριστόν, ἔστ τις φύσις τῦ ὄντος,
opp διανοίας τι πάθος Με4. 1028 ᵃ2. κ8. 1065 ᵃ24. —
τέλειον ὗ μὴ ἔστιν ἔξω τι λαβεῖν μηδὲ ἐν μορίῳ Μδ16.
1021 ᵇ12. τῦ μὲν ἔξω τὸ αἴτιον, τῦ δ' ἐντός Φβ6. 197
ᵇ36. τὰ ἔξω τῦ πράγματος Ρα1. 1354 ᵃ15. γ14. 1415 ᵇ6.
ἔξω τῦ πράγματος λέγειν Ρα1. 1354 ᵃ22, ᵇ27, 1355 ᵃ2.
ἔξω τῦ λόγυ Ργ14. 1415 ᵇ5. λίαν ἔξω λέγειν τι11. 172
ᵃ33. οἱ ἔξω τῆς πολιτείας, opp οἱ ἐν τῷ πολιτεύματι Πε8.
1308 ᵃ6. οἱ ἔξω τῆς φιλονεικίας ὄντες Πε8. 1308 ᵃ32. ὅταν
ἔξω τῦ θεωρεῖν γένηται Ηζ3. 1139 ᵇ21. — logice de θέσει
τῦ μέσυ in secunda et tertia figura ἔξω τιθέναι τὸ μέσον
Αγ13. 78 ᵇ13 Wz. ἔξω πίπτειν, βαδίζειν Αγ23. 85 ᵃ2,
4, 11. ἔξω πίπτει τῶν διῃρημένων γενῶν Ζμδ5. 681 ᵇ1.
ὅροι ἔξω, syn προσλαμβανόμενοι Αγ32. 88 ᵃ36, ᵇ5. — ἔξω
i q πλήν, praeter. ἅπαντες ἔξω ὀλίγων sim Ζγα1. 715 ᵃ20.
γ5. 755 ᵇ20. Ζια11. 492 ᵃ26. β13. 505 ᵃ28. γ21. 522 ᵇ19
al. ἔξω τῦ δεῖξαι τὸ πρᾶγμα Ρα1. 1354 ᵃ27. ἔξω τῆς τῶν
γυναικῶν κοινωνίας τὰ ἀλλὰ ταῦτά Πβ6. 1265 ᵃ4. —
ἐξωτέρω ἀποκάμπτειν τῦ τέρματος Ργ9. 1409 ᵇ3. τῶν
γένει διαφερόντων ὐκ ἔστιν ἐξωτέρω λαβεῖν Μι4. 1055 ᵃ25.
ἐξωτέρω πίπτειν Πδ11. 1295 ᵃ32. ἐξωτέρω πρότασις λαμ-
βάνεται Αγ23. 84 ᵇ33. — ἡ ἐξωτάτω φορά Οα9. 279
ᵃ20. ἡ ἐξωτάτω ὑμήν, ἡ ἐξωτάτω σάρξ Ζγγ2. 753 ᵇ35.
Ζιδ4. 528 ᵇ22.
ἐξωθεῖν. τοσόνδε ἐξέωσεν ἢ ἀφεῖλεν ὁ σταλαγμός Φθ3. 253
ᵇ16. θάλασσα ἐξωθυμένη ὑπὸ τῶν ποταμῶν μα14. 351
ᵇ5. τὸ συνιστάμενον ἐξωθεῖται πρὸς τὰς δύσεις πκς8. 941
ᵃ7. ἐξωθεῖς ὑπὸ χειμῶνος Μδ30. 1025 ᵃ27.
ἔξωθεν. 1. πολιτεῖαι σώζονται, λύονται ἔξωθεν, opp ἐξ αὐτῶν,
δι' αὐτῶν Πδ9. 1294 ᵇ36. ε7. 1307 ᵇ20. ὅταν ἔξωθέν τι
κινῇ, ὅταν ἔξωθεν ἡ ἀρχὴ ᾖ τῆς αἰτίας sim ηεβ8. 1224
ᵃ23. Ηε10. 1135 ᵇ19. Ζγβ1. 735 ᵃ13. 4. 740 ᵃ9. Ζμδ9.
684 ᵃ33. (cf ὅταν τι κίνησιν τῶν ἔξωθεν sim Ζγβ1. 734
ᵇ12, ᵃ2, 733 ᵇ32.) ἡ κίνησις γίνεται ἔξωθεν. ἔσωθεν πγ30.
875 ᵇ16. τὰ ἔξωθεν προσπίπτοντα Ζμβ13. 657 ᵃ33. μηδενὸς
ἔξωθεν ὂρ προσοῦ τὸν συλλογισμόν Αα1. 24 ᵇ21. οἱ
ἔξωθεν περιλαμβάνοντες κỳ ἐπὶ πλέον λέγοντες ηεη1. 1235
ᵃ5. 5. 1239 ᵇ7. cf Heitz p 124. τοῖς ἔξωθεν λόγοις πεπλή-
ρωκε (Plato in libris de republica) τὸν λόγον Πβ6. 1264
ᵇ39. — 2. ἔξωθεν i q ἔξω. τὰ ἔξωθεν μόρια τῶν ζῴων
Ζια15. 494 ᵃ22. δ4. 528 ᵇ10. 7. 532 ᵇ4. Ζμβ10. 656 ᵃ10.
cf α13. 493 ᵃ25. δ1. 525 ᵃ3. ε5. 541 ᵃ5. 10. 543 ᵃ27. —
μένει ἔξωθεν τὸ ὑγρὸ Ζμβ16. 659 ᵃ11. ἔστε τόπος ὗτε
κενόν ἔστιν ἔξωθεν (ἔξω τῦ ὐρανῦ ᵃ16) Οα9. 279 ᵃ18. οἱ
γειτνιῶντες κỳ οἱ ἔξωθεν πάντες Πβ7. 1267 ᵃ19. οἱ ἔξωθεν
ἀδικεῖν ἐπιχειρῦντες Πη8. 1328 ᵇ9. ὁ ἔξωθεν ἀὴρ πκε22.
940 ᵃ7. πορίζειν τὰ ἔξωθεν, σώζειν τὰ ἔνδον οα3. 1344 ᵃ2.
τῦ ἀναπνεῖν τὸ αἴτιον πότερον ἔσωθεν ἢ ἔξωθεν αν4. 472
ᵃ22. τὰ ποιητικὰ τῆς ἐνεργείας, ἡ αἰτία ἔξωθεν, opp ἐν
αὐτῇ τῇ ψυχῇ, ἐν αὐτῷ ψβ5. 417 ᵇ20. Ηγ1. 1110 ᵃ1, ᵇ16.
(cf ἔξω ᵇ10). ε10. 1135 ᵇ19. — ἔξωθεν fortasse i q εἰς
τὰ ἔξω. ἡ ἔξωθεν πλημμυρίς μβ8. 366 ᵃ20.
ἐξωνεῖσθαι. χρημάτων ἐξωνοῦντο τὰς συνειλημμένας οβ 1352
ᵃ13. — τὰς δοκούσας ἀτιμίας ἐξωνεῖσθαι μείζοσι τιμαῖς
Πε11. 1315 ᵃ24.
ἐξωτερικός. τὴν γλῶτταν δεῖ ὑπολαβεῖν ὥσπερ ἐν μορίῳ

τῶν ἐξωτερικῶν εἶναι, οἷον χεῖρα ἢ πόδα Ζγε6. 786 ᵃ26.
ὅτε γὰρ ἐξωτερικῆς ἀρχῆς κοινωνῦσιν οἱ Κρῆτες Πβ10. 1272
ᵇ19. ἐξωτερικαὶ πράξεις, opp οἰκεῖαι αὐτῶν Πη3. 1325
ᵇ22, 29. (τὸ ζῷον ὗ δεῖται ἐν τῇ οἰκείᾳ γενέσει πράγματός
τινος ἐξωτερικῦ φτα2. 817 ᵃ20.) μακάριος δι' ὐδὲν τῶν
ἐξωτερικῶν ἀγαθῶν ἀλλὰ δι' αὐτὸν αὐτός Πη1. 1323 ᵇ25.
ταῦτα μὲν ἴσως ἐξωτερικωτέρας ἐστὶ σκέψεως Πα5. 1254
ᵃ33. οἱ ἐξωτερικοὶ λόγοι cf 'Αριστοτέλης p 104 ᵇ44-105 ᵃ27.
ἔξωχρος Ζι50. 631 ᵇ28.
ἐοικέναι, c inf veluti ἐοίκασι τάττειν, οἴεσθαι, φαίνεσθαι,
λέγειν ΜΑ5. 986 ᵇ6. Πη2. 1324 ᵇ32. Γα7. 323 ᵇ16. μα3.
339 ᵇ26. β3. 356 ᵇ6. ἡ δικαιοσύνη ἔοικε πλεοναχῶς λέγεσθαι
Ηε2. 1129 ᵃ26. ὀρθῶς ἔοικεν ἡ φύσις ἐξεληλύθθαι Οα3. 270
ᵃ20. ἔοικε δεῖν βλέπειν Πε9. 1309 ᵇ3. τοσῦτον ἔοικεν ὁράσθαι
Ηζ13. 1144 ᵇ10. om inf εἶναι· κỳ τὸ ἤλεκτρον τύτυ τῦ
γένυς ἔοικε μδ10. 388 ᵇ21. cf αι5. 443 ᵃ29. ηεη4. 1239
ᵃ38. — c dat τέκνα ἔοικότα τοῖς γεννήσασι Ζγδ3. 767 ᵇ36.
Ζιη6. 586 ᵃ5, 585 ᵇ30. ἔοικε συμπτώμασιν, ἐκστίψι, πεπλα-
σμένῳ, ἀδυνάτῳ al μτ1. 463 ᵇ1. Ηγ15. 1119 ᵃ21. Γα8.
325 ᵃ10. ψα5. 411 ᵇ17. 3. 407 ᵃ33. ἔοικεν ἰδίῳ ψα1. 403
ᵃ8 Trdbg, ἴδιον Bk, Torstrik. inde ἔοικεν ἀρχή (cum codd
SU, ἀρχῇ Bk) μν2. 452 ᵃ17. ἔοικε φιλία (φιλίᾳ Bk) Ηθ7.
1158 ᵃ18 scribendum videtur; aliter Fritzsche ad h l.
ἔοικε φιλῦντι Ρβ4. 1381 ᵇ32. ἔοικε νομίζοντι, οἰομένῳ αι2.
437 ᵇ24. Μη2. 1042 ᵇ12. Ζγα18. 724 ᵇ35. ἐοίκασιν εἰδόσι
λέγειν ΜΑ4. 985 ᵃ16. — μάλιστα ἔοικεν, syn ὑμοίωται
μάλιστα Ηγ11. 1116 ᵃ17, 27. ὁ ἄφρων ὐδὲν ἔοικεν (sc
ἑαυτῷ) ἔσθεν ᾖ τῆς ἑσπέρας ηεη5. 1239 ᵇ14. — ὡς ἔοικε 'ut
fertur' admodum frequens in libro θ: 830 ᵇ9, 16, 20. 831 ᵃ6,
19. 832 ᵃ25. 833 ᵇ1, 30. 834 ᵃ8. 836 ᵃ31. 837 ᵇ2. 838 ᵃ6,
ᵇ20. 839 ᵃ13, ᵇ3. 840 ᵇ8, 17. 842 ᵇ12, 21. 844 ᵇ33. 845
ᵃ21, 29. f 248. 1523 ᵇ27.
ἑορτή, coni εὐημερία Ρβ3. 1380 ᵇ3.
ἐπαγγελία. ὑπερβολαὶ τῶν ἐπαγγελιῶν Η:1. 1164 ᵃ29.
ἐπαγγέλλεσθαι κỳ ὑπισχνεῖσθαι ρ30. 1437 ᵃ27. οἱ σοφισταὶ
ἐπαγγέλλονται διδάσκειν Ηκ10. 1180 ᵇ35. οἱ ἐπαγγελλόμενοι,
opp οἱ ἰδιῶται τι11. 172 ᵃ32, 30. ἐπηγγέλλοντο ὅσον εἰσοίσει
ἕκαστος οδ 1348 ᵃ8. ἐπαγγελλόμενος πάντα ὐδὲν ἐπιτελεῖ
Η.1. 1164 ᵃ5, 15.
ἐπάγγελμα τὸ Πρωταγόρυ Ρβ24. 1402 ᵃ25.
ἐπαγγελτικώτερον εἰπὼν Ρβ3. 1398 ᵇ30.
ἐπάγειν. 1. ἠρεμίσαντος τύτυ (τῦ μέρυς) ἐπάγει τὸ λοιπόν
Ζπ9. 709 ᵇ3. αἱ ὧραι θέρη κỳ χειμῶνας ἐπάγυσαι τεταγ-
μένως κ5. 397 ᵃ10. οἱ νόμοι τὰς τιμωρίας ἐπάγυσι ρ5. 1427
ᵇ3. φαύλη ἡ Μηδικὴ πόα, ὅπη ἂν ὕδωρ δυσῶδες ἐπάγηται
Ζιθ8. 595 ᵇ29. — διὰ τὸ τὴν φύσιν αὐτὴν ὕτως ἐπάγειν
ἀκολυθῦμεν Οα1. 268 ᵃ20. ἠκολύθησεν ὡς ἐξ ἀνάγκης τοῖς
ἐπάγυσιν αὐτόν ΜΑ8. 989 ᵃ33 Βz. — κοινῇ τὸ πλῆθος
ἐπάγειν (incitare adversus aliquem) Πε5. 1304 ᵇ24. —
med ἐπαγόμενοι ἐποίκυς Πε3. 1303 ᵃ37. βοηθὸν ἐπαγα-
γέσθαι τὸν δῆμον Πε6. 1305 ᵇ38. cf Ργ11. 1413 ᵃ16. μάρ-
τυρα ἐπαγόμενος ποιητὴν Μα3. 995 ᵃ8. λέγεται ἐπαγόμενος
κỳ τὸν Ὅμηρον Ζμγ10. 673 ᵃ15. — 2. logica inductionis
significatio fort repetenda est ab afferenda exemplorum
multitudine Trndlbg El § 20, Heyder p 218 n. ἐπάγειν
ἀπὸ τῶν καθ' ἕκαστα ἐπὶ τὸ καθόλυ τβ1. 156 ᵃ4. ἐπάγειν
ἀπὸ τῶν πολλῶν Ρβ20. 1394 ᵃ10. ἐπάγειν τὸ καθόλυ τα18. 108
ᵇ11. ι15. 179 ᵃ34. ἐπάγειν τὸν λόγον τθ4. 159 ᵃ18. ἐπάγειν
absol τα18. 108 ᵇ11. ἀνάγκη συλλογιζόμενον ἢ ἐπάγοντα
δεικνύναι ὅτιῶν Ρα2. 1356 ᵇ8. ὁ ἐπάγων, opp ὁ ἀποδεικνύς
Αθ5. 91 ᵇ15, 35. 7. 92 ᵃ37. — pass ἐπαγόμενος ἐγνωρίσεν

Αγ1. 71 ᵃ21 Wz (i e τὴν αἴσθησιν προσβάλλων Schol 197
ᵇ16). ἐπαχθῆναι Αγ1. 71 ᵃ24. μὴ ἔχοντας αἴσθησιν ἀδύνατον
ἐπαχθῆναι Αγ18. 81 ᵇ5.

ἔπαγρος ὁ πέλλος Ζυ18. 616 ᵇ34.

ἐπαγωγή, proprie, ἡ ἀναπνοὴ χ ἡ ἐπαγωγὴ πν4. 483 ᵃ9.
 — logice, def ἐπαγωγή ἡ ἀπὸ τῶν καθ' ἕκαστα ἐπὶ τὰ
καθόλυ ἔφοδος τα12. 105 ᵃ13. (ἡ ἐπαγωγὴ ἀρχή ἐστι τῦ
καθόλυ Ηζ3. 1139 ᵇ28. Ρβ20. 1393 ᵃ27 (?). τῶν ἀρχῶν αἱ
μὲν ἐπαγωγῇ θεωρῦνται αἱ δ' αἰσθήσει Ηα7. 1098 ᵇ3). ἡ
μὲν ἀπόδειξις ἐκ τῶν καθόλυ, ἡ δ' ἐπαγωγὴ ἐκ τῶν κατὰ
μέρος Αγ18. 81 ᵇ1. ἐπαγωγή ἐστι χ ὁ ἐξ ἐπαγωγῆς συλ-
λογισμὸς τὸ διὰ τῦ ἑτέρυ θατέρυ ἄκρον τῷ μέσῳ συλλο-
γίσασθαι Αβ23. 68 ᵇ15 Wz. cf Ρα2. 1356 ᵇ14. ad expli-
candum nomen ἐπαγωγῆς videntur adhiberi posse τῇ καθ'
ἕκαστα ἐπὶ τῶν ὁμοίων ἐπαγωγῇ τὸ καθόλυ ἀξιῶμεν ἐπά-
γειν τα16. 108 ᵇ10, διὰ τὴν τῆς ἐπαγωγῆς μνείαν, ubi
ἐπαγωγή exemplorum recensum videtur significare τι15.
174 ᵃ37. cf ἐπαγωγῇ ἢ κρύψις Αα25. 42 ᵃ23. Wz ad Αγ1.
71 ᵃ21. ἐπαγωγή, coni αἴσθησις Αγ13. 78 ᵃ34. 18. 81
ᵇ5 sqq. ἅμα τῇ ἐπαγωγῇ λαμβάνειν τὴν καθ' ἕκαστα ἐπι-
στήμην Αβ21. 67 ᵃ23. ἐπαγωγή, coni ὁμοιότης τθ1. 156
ᵇ10 sqq. 8. 160 ᵃ38. opp συλλογισμός Αα25. 42 ᵃ3. γι.
71 ᵃ5 sqq. ὁ συλλογισμος πρότερον, γνωριμώτερον, βιαστι-
κώτερον, ἡ ἐπαγωγὴ ἡμῖν ἐναργέστερον, πιθανώτερον χ
σαφέστερον χ κατὰ τὴν αἴσθησιν γνωριμώτερον χ τοῖς πολ-
λοῖς κοινόν Αβ23. 68 ᵇ36. γι. 72 ᵇ29. τα12. 105 ᵃ18. θ2.
157 ᵇ20. ἐπαγωγή, opp ἀπόδειξις Αγ18. 81 ᵇ1. ὁ 7. 92
ᵃ35 sqq. Φθ1. 252 ᵃ24. ΜΑ9. 992 ᵇ33. ε1. 1025 ᵇ15. x7.
1064 ᵃ9. φανερὸν ὁ μόνον ἐκ τῆς ἐπαγωγῆς ἀλλὰ χ κατὰ
τὸν λόγον Ζυβ1. 646 ᵃ30. ὅμοιον ἐπαγωγῇ τὸ παράδειγμα
Ρβ20. 1393 ᵃ26. α2. 1356 ᵇ3. Αγ1. 71 ᵃ10. τοῖς ῥητορικοῖς
ὑκ οἰκεῖον ἐπαγωγὴ Ρβ20. 1394 ᵃ13. δῆλον (φανερόν,
πιστόν) ἐκ τῆς ἐπαγωγῆς, διὰ τῆς ἐπαγωγῆς, τῇ ἐπαγωγῇ,
τῇ καθ' ἕκαστον ἐπαγωγῇ Κ11. 13 ᵇ37. Φα2. 185 ᵃ14.
Οα7. 276 ᵃ15. Μθ6. 1048 ᵃ36. ι3. 1054 ᵇ33. 4. 1055 ᵃ6,
ᵇ17. 8. 1058 ᵃ9. ηεβ1. 1219 ᵃ1. 3. 1220 ᵇ30 (opp διὰ τῦ
λόγυ). η15. 1248 ᵇ26. τύτυ πίστις ἐκ τῆς ἐπαγωγῆς μδ1.
378 ᵇ14, 20. Φε1. 224 ᵇ30. Μx11. 1067 ᵇ14. ἡ διὰ τῆς
ἐπαγωγῆς πίστις τα8. 103 ᵇ3. λαμβάνειν τι διὰ τῆς ἐπα-
γωγῆς Μδ29. 1025 ᵃ10. τόπος ἐξ ἐπαγωγῆς Ρβ23. 1398
ᵃ32.

ἐπᾴδειν. τὰς κόρας τῶν Βοττιαίων θυσίαν τινὰ τελέσας ἐπᾴ-
δειν 'ἴωμεν εἰς 'Αθήνας' f 443. 1550 ᵇ45.

ἐπαΐειν, coni εἰδέναι ΜΑ1. 981 ᵃ24. ημα1. 1182 ᵃ3, 2.
ἐπαΐειν περί τινος Μβ2. 996 ᵇ34. γ2. 1004 ᵇ10. Ρα4. 1360
ᵃ19. ἐπαΐειν τίς πολιτεία συμφέρει Ρα4. 1360 ᵃ31.

ἐπαινεῖν τι ἀπό τινος ρ36. 1440 ᵇ28. ἐπαινεῖσθαι εἴς τι Ηδ1.
1120 ᵃ20. οἱ ἐπαινύμενοι νόμοι Ρα15. 1375 ᵇ24. ἐπαινεῖν,
opp ἀναιρεῖν Πδ1. 1289 ᵃ1. ἐπαινέοντες (Alcaei fr 37 Bgk)
Πγ14. 1285 ᵇ1. ἐπαινεῖται ὅσων αὐτοὶ αἴτιοί ἐσμεν ηεβ6.
1223 ᵃ11. η15. 1248 ᵇ20. ἐπαινεῖν, dist εὐδαιμονίζειν, μα-
καρίζειν Ηα12. 1101 ᵇ26, 27. ρ36. 1440 ᵇ22. ἐπαινε-
τόν, def ηεη15. 1248 ᵇ20. opp ψεκτόν Ηβ7. 1108 ᵃ16.
αρ1. 1249 ᵃ26, 28. dist τίμιον Ηα12. ημα2. 1183 ᵇ19-37.
ἐπαινετά, coni σπυδαῖα, καλά f 83. 1490 ᵃ40. 110. 1496
ᵃ36. τὰ ἐπαινετά enumerantur ρ4. 1425 ᵇ39. εὐεργεσία,
μεσότης ἐπαινετωτάτη Ηf1. 1155 ᵃ9. ηεγ5. 1233 ᵃ8.

ἐπαινετικός. Ηδ8. 1125 ᵇ7.

ἔπαινοι χ ψόγοι ἐπὶ τοῖς ἑκυσίοις Ηγ1. 1109 ᵇ31, 1110 ᵃ33.
ἔπαινοι χ ἐγκώμια Ρβ11. 1388 ᵇ21. opp κακολογίαι ρ36.
1441 ᵃ13. def et dist ἐγκώμιον, εὐδαιμονισμός Ρα9. 1367

ᵇ27, 21. Ηα12. 1101 ᵇ20, 21, 31. ηεβ1. 1219 ᵇ15. ἐπι-
δεικτικὸν τὸ μὲν ἔπαινος τὸ δὲ ψόγος Ρα3. 1358 ᵇ12. ἔχει
κοινὸν εἶδος ὁ ἔπαινος χ αἱ συμβυλαί Ρα9. 1367 ᵇ36. —
ἐν ἐπαίνῳ τιθέναι Ρα3. 1359 ᵃ1.

ἐπαίρειν. ὁ βάτραχος ἐπαίρει τὰ τριχώδη Ζυ37. 620 ᵇ17. —
med ἐὰν ἐπάρηται τὴν χεῖρα ἢ πατάξῃ Ρα13. 1374 ᵃ35. —
pass ἐπαρθέντος τῦ ἡλίυ μγ5. 377 ᵃ9. κοιλίαι ἐπαιρόμεναι
Ζικ7. 638 ᵇ16. δέρμα ἕλκει ἐπαίρεται πθ1. 889 ᵇ13. ὠμο-
πλάται ἄνω ἐπηρμέναι φ3. 807 ᵇ30. — ὁ θυμὸς ἐπαιρόμενος
f 96. 1493 ᵇ31.

ἐπαΐσσω. ὁ λέων ἐὰν ἐπαΐξας συλλάβῃ Ζυ44. 629 ᵇ25.
ἐπαΐξειε (Emp 465) αν7. 474 ᵃ4.

ἐπακολυθεῖν. τὰς μελίττας ἐπακολυθεῖν τοῖς βασιλεῦσιν
Ζγγ10. 760 ᵇ15. ὅταν τὸ κινῦν ἐπακολυθῦν ὤδη Φη2. 243
ᵃ19, 20, syn μὴ ἀπολείπεσθαι 243 ᵃ27. — ἐπακολυθεῖν ταῖς
τύχαις Ηα11. 1100 ᵇ7, syn συνακολυθεῖν ᵇ4. ἀρεταὶ ἐπα-
κολυθῦσι τῇ φρονήσει ημβ3. 1200 ᵃ10. Σπεύσιππος Πυθα-
γορείοις ἐπακολυθήσας Μα6. 1096 ᵇ7.

ἐπακτικός. λόγοι ἐπακτικοί τα18. 108 ᵇ7. Μμ4. 1078 ᵇ28
Bz. ἐπακτικὴ πρότασις Αγ12. 77 ᵇ35. — ἐπακτικῶς
σκοπεῖν, opp τῷ λόγῳ Φδ3. 210 ᵇ8.

ἐπακτός. ὕδωρ εἴτ' ἐπακτὸν ἢ συμφυές μδ5. 382 ᵇ11. ἡ
ὑγρότης χ ἡ σύμφυτος χ ἡ ἐπακτὸς Ζγγ1. 750 ᵃ9.

ἐπακτροκέλης ε2. 16 ᵃ26.

ἐπαλείφειν χρόαν ἑτέραν αι3. 440 ᵃ9. ἐπαλήλιπται ὁ κύτ-
ταρος Ζιε23. 555 ᵃ6.

ἐπαλλαγή. τῦ συμμένειν τὰς ὑσίας μετ' ἀλλήλων μέχρι
τινὸς αἰτιᾶται Δημόκριτος τὰς ἐπαλλαγὰς χ τὰς ἀντιλήψεις
τῶν σωμάτων f 202. 1514 ᵇ26. cf ἐπαλλάττειν 1.

ἐπάλλαξις, cf ἐπαλλάττειν. τοιῦτον γίνεται τῇ ἐπαλλάξει,
ὅσα ὥσπερ αἱ ἀλύσεις σύγκειται τῶν σωμάτων μδ9. 387
ᵃ12. τῇ ἐπαλλάξει τῶν δακτύλων τὸ ἓν δύο φαίνεται εν2.
460 ᵇ20. Μγ7. 1011 ᵃ23 Bz. πλα11. 958 ᵇ14. 17. 959 ᵃ16.
(ἐπάλλαξις pro ἀπάλλαξις ci Mullach ξ1. 974 ᵃ26. cf Zeller
Gesch I, 606, 2). — συμβαίνει πολλὴ ἐπάλλαξις τοῖς γέ-
νεσιν Ζγβ1. 732 ᵇ15 (falso interpr Wimmer).

ἐπαλλάττειν. 1. trans. καρχαρόδοντά ἐστιν, ὅσα ἐπαλλάττει
τὺς ὀδόντας τὺς ὀξεῖς Ζιβ1. 501 ᵃ18 (quod explicatur coll
Ζμγ1. 661 ᵇ21 ἐναλλὰξ ἐμπίπτυσιν οἱ ὀδόντες, ὅπως μὴ
ἀμβλύνωνται τριβόμενοι πρὸς ἀλλήλυς). τὰ μαλακόστρακα
συνδυάζεται ὅταν τὸ μὲν ὕπτιον τὸ δὲ πρανὲς ἐπαλλάξῃ τὰ
ὑραῖα Ζγα14. 720 ᵇ10. — 2. intr. eadem vicissitudinis
significatione, ac trans. ἔχει ὀδόντας ὀξεῖς χ ἐπαλλάττοντας
Ζμγ1. 661 ᵇ18, 21. πτερύγια ἐπαλλάττοντα, ὑκ ἐπαλλάτ-
τοντα Ζιδ2. 526 ᵃ2, 3. τέρατα γίγνεσθαι τῷ συμφύεσθαι χ
ἐπαλλάττειν τὰ μόρια Ζγδ4. 769 ᵇ34, 36. τέρατα γίνεται
ἐπαλλαττόντων τῶν σπερμάτων ἀλλήλοις χ συγχεομένων
πι61. 898 ᵃ15. αἱ συστοιχίαι ἐπαλλάττυσιν ἀλλήλαις Αγ15.
79 ᵇ7, 11 Wz. ὁ διορᾷ ἡ ὄψις, ἐπαλλάττυσι γὰρ οἱ πόροι
πκε9. 939 ᵃ13 (opp κατ' εὐθυωρίαν). ἡ ἐπαλλάττυσιν αἱ
ἀκτῖνες χ ποιῦσι τὴν σκιὰν μγ4. 374 ᵇ4. — inde trans-
fertur ἐπαλλάττειν ad ea, quae inter duo genera ita sunt
interposita, ut cum utroque cohaereant (cf ἐπαμφοτερίζειν),
vel omnino cum alio genere artissima similitudine coniuncta
sunt. ἐπαλλάττυσιν ἀλλήλοις τά τ' ἔντομα χ τὰ ἀτελὲς
τίκτοντα τὸ ᾠόν Ζγβ1. 733 ᵃ27. ἐπαλλάττει (i e τὰ ἀμ-
φοτέρυ τῦ γένυς δὶς ἔχει) μόνον τῦτο Ζγδ6. 774 ᵇ11. αἴτιον
τῆς ἀμφισβητήσεως ἡ ὁ ποιεῖ τὺς λόγυς ἐπαλλάττειν Πα6.
1255 ᵃ13. ἐπαλλάττει ἡ χρῆσις τῦ αὐτῦ ὅσα ἑκατέρα τῆς
χρηματιστικῆς Πα9. 1257 ᵇ36. ταῦτα ποιεῖ τὰς πολιτείας
ἐπαλλάττειν ὥστε ἀριστοκρατίας τε ὀλιγαρχικὰς εἶναι χ πολι-

τείας ὀημοκρατικωτέρας Πζ1. 1317 ᵃ2 (Schneider p 368.
52). ἡ φωνὴ ἐπαλλάττσα τῷ γένει τῶν ἰχθύων Ζιβ1. 501
ᵇ22. cf Ζγδ4. 770 ᵇ6 (falso interpr Wimmer). τὰ νοσώδη
σώματα ἐπαλλάττει τοῖς βραχυβίοις, opp κεχώρισται μκ1.
464 ᵇ28, 27. ἡ τῆς τυραννίδος δύναμις ἐπαλλάττει πως πρὸς
τὴν βασιλείαν Πδ10. 1295 ᵃ9.

ἐπαμύνειν τινί ρ35. 1439 ᵇ18.

ἐπαμφοτερίζειν dicitur aliquod genus, quod inter duo ge-
nera ita est interpositum, ut utriusque naturam et habeat
quodammodo et quodammodo non habeat. αἱ φῶκαι ἢ αἱ
νυκτερίδες διὰ τὸ ἐπαμφοτερίζειν αἱ μὲν τοῖς ἐνύδροις ἢ
πεζοῖς, αἱ δὲ τοῖς πτηνοῖς ἢ πεζοῖς, διὰ τῦτο ἀμφοτέρων τε
μετέχυσι ἢ ὑδετέρων Ζμδ13. 697 ᵇ1. διὰ τὸ τὴν μορφὴν
ἐπαμφοτερίζειν ἢ μηδετέρων τ' εἶναι ἢ ἀμφοτέρων (τῶν δι-
πόδων ἢ τῶν τετραπόδων) Ζμδ10. 689 ᵇ32. ἅπερ ἔοικεν
ἐπαμφοτερίζειν μόνα τῶν ζώων· ἢ γὰρ ὡς πεζὰ ἢ ὡς
ἔνυδρά τις ἂν θείη Ζιβ2. 589 ᵃ21. cf Μ149. ea duo genera,
inter quae aliquod medium est, vel dativo significantur,
ἐπαμφοτερίζει τι τὴν φύσιν τῷ τ' ἀνθρώπῳ ἢ τοῖς τετρά-
ποσιν, ἐπαμφοτερίζει τι μονοφυεῖ ἢ διφυεῖ al Ζιβ8. 502 ᵃ16.
Ζμγ7. 669 ᵇ15. δ5. 681 ᵇ1. Ζγδ4. 772 ᵇ1. Φγ5. 205 ᵃ29;
vel absolute posito verbo ἐπαμφοτερίζειν e contextu sen-
tentiarum intelliguntur, ἐπαμφοτερίζειν τι. ἐπαμφοτερίζει τι
τὴν φύσιν, τὴν μορφήν Ζια1. 488 ᵃ1, 7. β1. 498 ᵃ18, 499
ᵇ12, 21. γ1. 511 ᵃ25. δ4. 529 ᵇ24. ζ12. 566 ᵇ27. η4. 584
ᵇ28. θ2. 590 ᵃ8. 13. 598 ᵃ15. 19. 602 ᵃ17. Ζμγ5. 669 ᵃ9.
δ10. 689 ᵇ32. Πθ3. 1337 ᵇ23. πκγ13. 941 ᵇ30. ἡ φύσις ἡ
δύναται πολυχοεῖν ὕτως ὥστ' ἐπαμφοτερίζειν Ζγδ8. 777
ᵃ16. ἐπαμφοτερίζειν ἐπὶ τὸ χεῖρον ἢ τὸ βέλτιον Πη13. 1332
ᵇ2. ἐπαμφοτερίζειν ἢ δύναμιν ἔχειν τῦ ὁτὲ μὲν κινεῖσθαι
ὁτὲ δ' ἠρεμεῖν Φθ6. 259 ᵃ25. ἐπαμφοτερίζειν πρὸς τὸ ἢ
εἶναι ἐκεῖνο ἢ μὴ εἶναι ημα5. 1197 ᵃ31. ἔνια ψελλίζειν
πρὸς ἄλληλα τῶν ὄντων ἢ ἐπαμφοτερίζειν Γα10. 328 ᵇ9.

ἐπαναβαίνειν. διὰ τὸ μικρὸν ἐπαναβαίνειν (τὸν τῦ Ἑρμῦ
ἀστέρα) πολλὰς ἐκλείπει φάσεις μα6. 342 ᵇ34 (cf ὑπερβολὴ
ἐπὶ μικρὸν ᵇ32). — ἀρχαὶ ἱκαναὶ ἐπαναβῆναι ἢ ἐπὶ τὰ ἀνώ-
τερω τῶν ὄντων ΜΑ8. 990 ᵃ6. cf Φθ5. 257 ᵃ22. — ἐπα-
ναβαίνειν i q ὀχεύειν. ὀχεύεται ἡ μὲν θήλεια (ἐλέφας) συγκα-
θεῖσα ἢ διαβαίνⳙσα, ὁ δ' ἄρρην ἐπαναβαίνων ὀχεύει Ζιε2.
540 ᵃ22. ὁ ὄνος ἐπαναβὰς διαφθείρει τὸ τῦ ἵππⳙ ὄχευμα
Ζιζ23. 577 ᵃ26. ὅτι ἐὰν ἐπαναβῇ, διαφθείρει τὴν τῦ ἵππⳙ
ὀχείαν Ζγβ8. 748 ᵃ34.

ἐπανάγειν. ὁ ὄφις λαβὼν τὸ διδόμενον ἐπανάγει Ζιθ4. 594
ᵃ18. — ἐπανάγεσθω (τὸ καταψηφιζόμενον) ἐπὶ τὰς ἄρ-
χοντας, ἐπανάγεται εἰς τὰς πλείστας Πδ14. 1298 ᵇ37, 40.

ἐπαναγκάζοντες ἀλλήλας τὰ δίκαια ποιεῖν Ηιδ. 1167 ᵇ5.

ἐπάναγκές ἐστί τινι c inf Πβ6. 1266 ᵃ10, 17, 18. c acc et
inf Πε1. 1301 ᵇ23. αἱρῦνται πάντες ἐπάναγκες Πβ6. 1266
ᵃ15. διὰ τὸ μὴ ἐπάναγκες Πβ6. 1266 ᵃ22.

ἐπαναδιπλῦν. τὸ ἐπαναδιπλύμενον ἐν ταῖς προτάσεσι Αα38.
49 ᵃ11 Wz, cf ἐπικατηγορεῖν ᵃ25. ὑχ ἕτερόν τι δηλοῖ
κατὰ τὴν λέξιν ἐπαναδιπλύμενον τὸ εἷς ἐστιν ἄνθρωπος ἢ
ἔστιν ἄνθρωπος (i e nihil differt si has duas confines inter
se notiones unitatis et essentiae coniunctas praedicaveris)
Μγ2. 1003 ᵃ9 Bz. — εἰς τὰ δέκα καταριθμῦσιν, εἶτα πά-
λιν ἐπαναδιπλῦσιν πιε3. 910 ᵇ25.

ἐπαναδίπλωμα. ἡ αἰμία παρὰ τὸ ἔντερον τὴν χολὴν παρα-
τεταμένη ἰσομήκη ἔχει, πολλάκις δὲ ἢ ἐπαναδίπλωμα Ζιβ
15. 506 ᵇ14.

ἐπαναδίπλωσις = ἐπιδιδυμίς sequiorum Graecorum. totus
meatuum applicatorum testibus flexus, S II 318. Ζγα4. 717

ᵃ33 (cf ἕλικες ᵃ28). 6. 718 ᵃ11, 16, cf Wz I 369. αἱ τῶν
ἐντέρων ἐπαναδιπλώσεις, intestinorum replicationes Ζιβ17.
507 ᵇ30. — logice, πρὸς τὸ ἄκρῳ τὴν ἐπαναναδίπλωσιν
θετέον Αα38. 49 ᵃ26, cf ἐπαναδιπλῦν.

ἐπανακάμπτοντες πόροι Ζιγ1. 510 ᵃ21, 25. φλὲψ ἐπανα-
κάμψασα Ζιγ3. 514 ᵃ11. ἐπανακάμπτειν ἐπὶ τὴν ἀρχὴν ἢ
συνεχὲς ποιεῖν πιζ3. 916 ᵃ32.

ἐπανακρεμαννύναι. τὸ ἐπανακρέμασθαι ἢ μὴ πᾶν ἐξεῖναι
ὅτι ἂν δόξη Πζ4. 1318 ᵇ38.

ἐπαναλαμβάνειν. ἔτι σαφέστερον εἴπωμεν ἐπαναλαβόντες
Μζ10. 1035 ᵇ4.

ἐπαναμιμνήσκεσθαι, def μν1. 451 ᵃ13. αἱ μελέται τὴν μνή-
μην σώζⳙσι τῷ ἐπαναμιμνήσκειν μν1. 451 ᵃ12.

ἐπαναποδιστέον πάλιν Γα3. 317 ᵇ19.

ἐπανάστασις. ὄφεις ἔχοντες ἐπανάστασιν (i e ἐξεστηκός τι.
κεράτιον) οἷον προφάσεως χάριν Ζιβ1. 500 ᵃ5. — ὁ δῆμος
πρὸ τῆς ἐπαναστάσεως Πε3. 1302 ᵇ33.

ἐπαναστέλλειν. αἱ γενέσεις ἐπαναστέλλⳙσι (compensant)
τὰς φθοράς κ5. 397 ᵇ3.

ἐπαναστρέφειν. intr ὅταν ἐπὶ τὸ πέρας ἔλθη ἢ πάλιν ἐπα-
ναστρέψη ἐπὶ τὴν ἀρχήν πιζ3. 916 ᵃ32. cf φτβ5. 826 ᵃ23.
8. 828 ᵃ1. — pass ἀναδύναι ὁ ναυτίλος ἐφ' ἑαυτὸν στρέψας
τὸ ὄστρακον· ἐπαναστραφεὶς ὁ' ἐπιπλεῖ f 316. 1531 ᵇ20.

ἐπανάτασις. ὁ ὅρκος ἦν τῷ σκήπτρῳ ἐπανάτασις Πγ14.
1285 ᵇ12.

ἐπανατέλλειν. ἐπανατεταλκέτω τὸ η μγ5. 376 ᵇ29.

ἐπαναφέρειν πρός τι Οβ2. 285 ᵃ2. Ρα3. 1358 ᵇ29. 8. 1366
ᵃ8. γεη6. 1240 ᵇ3. f 182. 1509 ᵃ8. ἐπαναφέρειν ἐπί τι Ρα 15.
1377 ᵃ6. ἔστιν ἐπανενεγκεῖν ἕκαστον ἐπί τι αἴτιον Φβ4.
196 ᵃ13.

ἐπαναφορά. ἡ ἐπαναφορὰ γίνεται ἐπί τινα μοχθηρίαν Ηε4.
1130 ᵃ29.

ἐπανερέσθαι. τοσῦτον ἐπανέροιτ' ἄν τις Ογ2. 300 ᵇ26.

ἐπανέρχεσθαι ἄνω μδ3. 381 ᵇ11. ἐπανελθεῖν εἰς τὸν ἀέρα,
opp κατελθεῖν ιζ. 348 ᵇ13, 15. τὸ τῦ κομήτⳙ φέγγος
ἐπανῆλθε μέχρι Ὠρίωνος μα6. 343 ᵇ24. φλὲψ πάλιν ἐπαν-
ελθῦσα Ζιγ4. 514 ᵃ37. ἐπανελθεῖν πάλιν, ἢ νῦν ΜΑ10.
993 ᵃ26. ζ13. 1038 ᵇ1. Ηα5. 1097 ᵃ15. μδ8. 385 ᵃ22.

ἐπανήκειν. τὰ σημεῖα ἐδήλⳙ μὴ ἐπανήξειν τὰς Ἀχαιὰς f 140.
1502 ᵃ7.

ἐπανθεῖν πλ1. 954 ᵃ39 (corr). ἐπανθεῖ ἄνω (τῆς θαλάττης)
ὁ τοιῦτος χυμός πκγ9. 932 ᵇ21.

ἐπανιέναι. ἐκ τῦ πελάγυς ἢ τῶν βαθέων ἐπανιόντα τὰ σε-
λάχη Ζιζ11. 566 ᵃ25. — ἐπεὶ ... εἴρηται, περὶ τῶν λοιπῶν
ἐπανιτέον Ζμδ5. 682 ᵃ31. ἐπανιτέον ψα1. 403 ᵇ16. Ηα11.
1100 ᵃ31. πάλιν ἐπανίωμεν ψβ1. 412 ᵃ4. ἐπανιύσης τῆς
φύσεως (?) πιδ15. 910 ᵃ29.

ἐπανισῦν εἰς τὸ μέτριον τὴν ὑπερβολήν αν14. 478 ᵃ3. ἡ τῆς
φύσεως θερμότης ἐπανισοῖ τὴν ψυχρότητα τῦ τόπⳙ Ζμβ2.
648 ᵃ26. ὁ δικαστὴς ἐπανισοῖ sim Ηε7. 1132 ᵃ25. Ε16.
1163 ᵇ11. δύναμις ἐπανισωμένη τῷ ἐναντίῳ πδ25. 879 ᵃ35.

ἐπανιστάναι. πληκτά τινα μικρὰ ἐπανέστη Ζιμ49. 631 ᵇ13.
ἡ ῥάχις ἐπανέστηκεν Ζιβ11. 503 ᵃ18. λόφος ἐπανεστηκὼς
Ζιβ12. 504 ᵇ10. ὦτα ἐπανεστηκότα Ζμδ11. 691 ᵃ13. Ζια11.
492 ᵃ34, ᵇ2. τύς κοιλίας τι ἐπανεστηκὸς Ζμγ14. 674 ᵇ26.
τὸ ἐπανεστηκός φ6. 811 ᵃ23. 5. 809 ᵇ22.

ἐπάνοδος ἢ ἀντιπαραβολὴ ἐν ταῖς δημηγορίαις πότε γίνεται
Ργ12. 1414 ᵇ2.

ἐπανοιδεῖ ἡ σὰρξ Ζιδ6. 531 ᵇ3. 4. 529 ᵇ12. τὰ ἕλκη ἐπα-
νοιδῦσι πι46. 896 ᵃ15.

ἐπανορθῦν τὸ ἐλλειφθέν Ηε14. 1137 ᵇ22. ἐπανορθῦν τὰς πλησίον ᾧ τὰ ἐλλιπῆ ἐπιτελεῖν Ρα11. 1371 ᵇ3. ἐπανορθῶσαι πολιτείαν, opp κατασκευάζειν ἐξ ἀρχῆς Πϑ1. 1289 ᵃ3. — med φοβερώτερα, ὅσα, ἂν ἁμάρτωσιν, ἐπανορθώσασθαι μὴ ἐνδέχεται Ρβ5. 1382 ᵇ23. πκϑ13. 951 ᵇ21. ἐπανορθῶσθαι ὅ τι ἂν δόξῃ ἄμεινον εἶναι τῶν κειμένων Πγ16. 1287 ᵃ27. μετὰ τῆς εἰρήνης ἐπανορθώσασθαι (τὰ κακά) Ρβ23. 1397 ᵃ12.

ἐπανόρθωμα τῦ ἀδικήματος, τῦ νομίμα (νομικῦ?) δίκαιν, τῦ νόμῳ Ηε10. 1135 ᵃ13. 14. 1137 ᵇ12, 26.

ἐπανόρθωσιν ἔχειν, opp ἀνίατον εἶναι Ηι3. 1165 ᵇ18. — ἐπανορθώσεις ᾧ βοήθειαι Ρβ5. 1383 ᵃ20.

ἐπανορθωτικὸν δίκαιον, dist διανεμητικόν Ηε7. 1132 ᵃ18.

ἐπάνω, de loco, ἡ ἐπάνω σφαῖρα, opp ἡ κάτω Οβ4. 287 ᵃ9. ἐπάνω εἰσὶν οἱ ὀφθαλμοὶ Ζιδ1. 524 ᵃ15. ἐπάνω τῶν μεγάλων ὀδόντων, τῶν ἰδίων φύλλων Ζιδ2. 526 ᵃ25. φτα4. 819 ᵃ8. huc videtur referendum esse ἐλέχθη ἐν τοῖς ἐπάνω, ἐπάνω, μικρὸν ἐπάνω Μγ8. 1012 ᵇ6. μχ5. 851 ᵃ30. ημα20. 1191 ᵃ30. 34. 1195 ᵃ16, 24. β6. 1203 ᵇ12, 1204 ᵃ4. 11. 1211 ᵃ17. — de tempore, οἱ πρὸ αὐτῶν ᾧ ἀεὶ οἱ ἐπάνω πρότεροί εἰσιν πιζ3. 916 ᵃ20. — logice τὰ ἐπάνω τῶν ὑπ' αὐτὰ γενῶν κατηγορεῖται Κ3. 1 ᵇ22. τὸ ἐπάνω γένος τζ5. 143 ᵃ21 (opp τὸ ἐγγυτάτω, syn ὑπερβαίνειν). δ2. 122. ᵃ4-21. 4. 124 ᵇ31. τὸ ἐπάνω τῦ γένᾳ ζ2. 122 ᵃ34, 36. τὰ ἐπάνω Αβ18. 66 ᵃ22. τὸ 4. 124 ᵇ38. ζ4. 142 ᵇ11.

ἐπαοιδὴ. τὰς ἀνθρώπας θηρεύοντας τὰς κόρακας ᾧ περικαθαίροντας ἐπαοιδαῖς ἀφιέναι ζῶντας f 454. 1552 ᵇ14.

ἐπάρατοι ἦσαν f 143. 1502 ᵇ11.

ἐπάργεμος ὁ ἄνθος, ἡ φήνη Ζιι1. 609 ᵇ16. 34. 620 ᵃ1.

ἐπαρήγειν f 317. 1531 ᵇ44.

ἐπαριστερότης παρακολυθεῖ τῇ ἀφροσύνῃ αρ6. 1251 ᵃ2.

ἐπαρκεῖν τινι Ηϑ15. 1163 ᵃ18. χ10. 1180 ᵇ20. ἐπαρκεῖν ἀλλήλοις Ηϑ14. 1162 ᵃ23. ἐπαρκεῖν τινι διά τινος Ηϑ2.1120 ᵇ3. ἐπαρκεῖν ἑαυτοῖς εἴς τι Ηι2. 1165 ᵃ24. ἐπαρκεῖν τροφῆς γονεῦσι Ηι2. 1165 ᵃ22. — ἢ δύναται ἐπαρκεῖν τοσαῦτα, ὅσων οἱ πάσχοντες δέονται Ηϑ15. 1162 ᵇ20.

ἔπαρξις ἵετο (scribendum ἐπαυξήσειε τὸ) ξ2. 975 ᵇ11.

ἔπαρσις μαστῶν Ζιη1. 581 ᵃ27, 32. ἔπαρσις τῆς σαρκὸς Ζιη4. 584 ᵃ16, τῶν μωλώπων πϑ1. 889 ᵇ12, τῶν αἰδοίων Ζιζ18. 572 ᵇ2, 26.

ἐπαρτᾶν. τὸ ἐπηρτημένον, syn τὸ ἀνεσπασμένον μόριον τῦ ζυγῦ μχ2. 850 ᵃ23, 10.

ἐπαυξάνειν. ἢδὲν ἐπαυξάνεται τὰ προϋπάρχοντα Ζιζ2. 560 ᵃ18. ὕες ἐπαυξανόμεναι Ζιζ18. 573 ᵇ12. ἐπαυξανομένοις διαρθρῦται Ζιη4. 584 ᵇ5. — ἐπαυξήσειε τὸ (Emp 94) scribendum pro ἔπαρξις ἵετο ξ2. 975 ᵇ11.

ἐπαύρασθαι. ἀποδοτέον αὐτῷ ὅσον ἐπηύρατο Ηϑ15. 1163 ᵃ20 Fritsche.

ἐπαφίησιν ὁ ἄρρην ὑγρότητα μυξώδη Ζιε18. 550 ᵃ13. ἐπαφίησι φωνήν ϑ175. 847 ᵇ2.

ἐπαχθής. ὁ νόμος ἐκ ἔστιν ἐπαχθὴς τάττων τὸ ἐπιεικές Ηκ 10. 1180 ᵃ24. ἐπαχθεῖς αἱ ὑπερβολαὶ Ηϑ13. 1127 ᵇ8.

ἐπεγείρεσθαι. ἐπεγειρομένοις φανερὸν μτ1. 463 ᵃ16. ἐπεγερθέντες εὐθὺς ἐγνωόρισαν ενϑ. 462 ᵃ23.

ἐπεγερτικὴ ἀρχή πς6. 886 ᵃ9.

ἐπεί in oratione obliqua c inf constructum Πγ11. 1281 ᵇ13. — ἐπεὶ concessive Ζιε4. 1541 ᵃ32. ηι1. 587 ᵇ31. ἐπεὶ . . γε concessive Ζγβ5. 741 ᵃ16. γ6. 756 ᵇ26. 7. 757 ᵃ35. — ἐπεὶ elliptice usurpatum ita ut e superioribus verbum repetendum sit, δοκεῖ τισιν ἀναγκαῖον εἶναι τηλικύτων φερομένων σωμάτων γίγνεσθαι ψόφον, ἐπεὶ ᾧ τῶν παρ' ἡμῖν ὔτε τὰς ὄγκας ἐχόντων ἴσας ὔτε τοιύτῳ τάχει φερομένων Οβ9. 290 ᵇ16. — ἐπεὶ γάρ non reddita ad eam protasin

apodosi Ρβ25. 1402 ᵇ26 (scribendum videtur ᾧ γὰρ Bz Ar Stud II 11). — ἐπεὶ . . γε μα4. 342 ᵃ15. — ἐπειδή et ἐπεὶ δὲ frequens var lect. ἐπειδὴ et ἐπειδήπερ frequentius in ημ usurpari quam apud Ar observavit Eucken I 68. — ἐπειδήπερ Οϑ2. 309 ᵃ3. μα6. 343 ᵃ29. — ἐπείπερ Ογ2. 301 ᵇ10. μγ5. 376 ᵃ12. αι5. 444 ᵇ5. φτα1.815 ᵃ34. omisso verbo ατ968 ᵃ8. — ἐπεὶ τοί γε ξ4. 977 ᵇ33.

ἐπείγεται ἐπὶ τῦτο (Eurip f 183) Ρα11. 1371 ᵇ32. πιη6. 917 ᵃ13.

ἐπειδή, cf ἐπεί.

ἐπεῖναι. ἐκ ἔπεστι πῶμα ἡ ἐπιγλωττίς αν11. 476 ᵇ1, cf ἐπιτιθέναι ᵇ3. — ἐὰν μὴ ἐπὶ τῷ εὐτελεῖ ὀνόματι ἐπῇ κόσμος Ργ7. 1408 ᵃ14.

Ἐπειός, Ἠλείω υἱός, ἀφ' ὗ Ἐπειοί f 595. 1575 ᵃ16. Ἐπειὼ ὄργανα ϑ108. 840 ᵃ29.

ἐπεισάγειν. τὸν ὐρανὸν εἶναι ἕνα, ἐπεισάγεσθαι δ' ἐκ τῦ ἀπείρυ χρόνον ᾧ τὸ κενὸν f 196. 1513 ᵃ31.

ἐπείσακτος. θύραθεν ἐπείσακτον, opp φύσει Ζμβ16. 659 ᵇ19. ἡ τροφὴ φανερῶς ἐπείσακτον Ζγα17. 724 ᵇ33. ἐπείσακτος θερμότης Ζμγ10, 672 ᵇ18. πς1. 885 ᵇ19. λ1. 955 ᵃ22. ἐπείσακτον μόριον Ζγα23. 731 ᵃ17. ἠδὲν δεῖσθαι ἐπεισάκτυ ἡδονῆς Ηι9. 1169 ᵇ26 (cf περίαπτος ἡδονῆ Ηα9. 1099 ᵃ16).

ἐπεισδύειν. λανθάνει ἐπεισδῦσα ἡ παρέκβασις Πε8. 1307 ᵇ32.

ἐπεισέρχεσθαι. τὸ ὕστερον ἐπεισελθὸν σπέρμα Ζγα21. 730 ᵃ16.

ἐπεισιέναι. λείπεται τὸν νῦν μόνον θύραθεν ἐπεισιέναι Ζγβ3. 736 ᵇ28. θύραθεν ἐπεισιέναι ἐν τῷ ἀναπνεῖν ψα2. 404 ᵃ13. cf Φδ6. 213 ᵇ23.

ἐπεισόδιον, μέρος ὅλον τραγῳδίας τὸ μεταξὺ ὅλων χορικῶν μελῶν πο12. 1452 ᵇ20, 16. ἐπεισόδιον πλήθη πο4. 1449 ᵃ28. ἐπεισοδίοις κεχρῆσθαι πολλοῖς πο23. 1459 ᵃ35. ἐπεισόδια σύντομα, οἰκεῖα, μὴ οἰκεῖα, ἀνόμοια πο17. 1455 ᵇ16, 13. 9. 1451 ᵇ34. 24. 1459 ᵇ30.

ἐπεισοδιῶν ἀνομοίως ἐπεισοδίοις πο24. 1459 ᵇ30. cf 17. 1455 ᵇ13. ἐπεισοδιῶν ᾧ παρατείνειν πο17. 1455 ᵇ1. ἐπεισοδιῶν τὸν λόγον ἐπαίνοις Ργ17. 1418 ᵃ33.

ἐπεισοδιώδης μῦθος, ἐν ᾧ τὰ ἐπεισόδια μετ' ἀλλήλα ὔτ' εἰκὸς ὔτ' ἀνάγκη εἶναι πο9. 1451 ᵇ34, 33. ἐκ ἔοικεν ἡ φύσις ἐπεισοδιώδης ὖσα ὥσπερ μοχθηρὰ τραγῳδία Μν3. 1090 ᵇ19. λ10. 1076 ᵃ1 Bz.

ἐπεισφέρειν. πλείονα ἐπεισφερομένα πυρὸς πβ11. 867 ᵃ29. 32. 869 ᵇ22, 28. ἐπεισενεχθεῖσα τροφὴ πλ14. 957 ᵃ21. — νόμον ἐπεισφέρειν· ἂν ᾖ βελτίων ὁ ἐπεισφερόμενος, λύσει τὸν ἔμπροσθεν τζ14. 151 ᵇ12.

ἔπειτα de tempore, πρῶτον . . . ἔπειτα Ζμα1. 639 ᵇ10. Πε5. 1304 ᵇ33 al. κἄπειτα Πδ15. 1299 ᵃ13. ε4. 1304 ᵃ3. — in enumerandis argumentis Πε9. 1309 ᵃ35 al. — fort complectitur quae antea dicta sunt Πδ8. 1293 ᵇ26.

ἐπέκεινα, opp ἐπὶ ταδὶ ατ7. 449 ᵃ26. — ἐπέκεινα Καρχηδόνος, Μαλέος ϑ134. 844 ᵃ8. Ζιε16. 548 ᵇ25. ἐπέκεινα τροπῆς θερινῆς μβ6. 364 ᵇ1. 5. 362 ᵇ6. τὸ ἐπέκεινα τῆς καθέτυ μχ2. 850 ᵃ7. ὁ θεὸς ἢ νῶς ἐστιν ἢ ἐπέκεινά τι τῦ νῶ f 46. 1483 ᵃ28.

ἐπέκτασις. εἰ ἔστι κενὸν ᾧ ἐπέκτασις Ογ7. 305 ᵇ18. τῶν ἅμα ὄντων ᾧ μὴ ἐχόντων ἐπέκτασιν ὁ αὐτὸς τόπος ατ 971 ᵇ1. — αἱ ἐπεκτάσεις ᾧ ἀποκοπαὶ τῶν ὀνομάτων πο22. 1458 ᵇ2. ξενικὸν λέγω γλῶτταν ᾧ μεταφορὰν ᾧ ἐπέκτασιν πο22. 1458 ᵃ22.

ἐπεκτείνειν. trans τὰ σώματα, τὸ μέγεθος ἐπεκτείνεται, ἐπὶ πολύ, ἐπὶ πλεῖον ἐπεκτείνεται Φϑ9. 217 ᵇ9. Ογ5. 303

b28. 7. 305 b16. αι4. 441 a24. φτβ7. 827 b14. ὁ πόρος ἐπεκτείνεται εἰς τὴν τῇ θήλεος χώραν κỳ ὑποδοχήν Ζιε5. 541 a2. πρὸς τὸ ἐπεκτείνεσθαι τὸ (τῆς ἐποποιίας) μέγεθος π024. 1459 b23. ἐπεκτείνοντι (τὸ αὔταρκες) ἐπὶ τὰς ἀπογόνας Ηα5. 1097 b12. τῦτον τὸν τρόπον ἐπεκτείνει τὰς ὀσίας 5 Μζ2. 1028 b4. ἐπεκτεταμένον ὄνομα τί π021. 1457 b35. εἴ τις ἐπεκτείνας λέγοι τὸ υ Μδ4. 1014 b17. π021. 1458 a12. — intrans logice ἐπεκτείνειν ἐπὶ πλέον def Αδ13. 96 a24-27.

ἐπεμβάλλειν. ὅταν γιγνώσκοντι ἐπεμβάλλῃ (i e cum obruat 10 copia verborum), διαλύει τὸ σαφὲς τῷ ἐπισκοτεῖν Ργ3. 1406 a34.

ἐπεμβολάδας ἀπίας ὀνομάζει Ἀριστοτέλης τὰς ἐγκεκεντρισμένας f 251. 1524 b28.

ἐπενθύμημα ρ33. 1438 b34 (ἐνθύμημα ci Spgl). 15
ἐπενσαλεύοντες τοῖς ὤμοις φ6. 813 a13.
ἐπεξέλεγχος, dist ἔλεγχος Ργ13. 1414 b15.
ἐπεξέρχεσθαι, i q κατηγορεῖν, διώκειν Ρα12. 1373 a20, b30, 32, cf ἐπεξιέναι. — πάντας τὰς οἰκείας ἐπεξελθεῖν λόγας Πη1. 1323 b39.
ἐπεξευρίσκω. ἐπεξευρημέναι χρεῖαι Πη11. 1331 a14. 20
ἐπεξιέναι. τὸ ψυχρὸν περιεστηκὸς ἀκ ἐᾷ τὸ ἐνὸν θερμὸν ἐπεξιέναι πκθ13. 937 a28. — ἐπεξῇεσαν αἱ μέλιτται κỳ ἠμύνοντο Ζι40. 626 b14. sensu iudiciali i q κατηγορεῖν, διώκειν Ρα12. 1373 a6, 36. ρ30. 1437 a18. 25
ἐπεργάζεσθαι δημόσια Ρα13. 1374 a5.
ἐπερέσθαι. Περικλῆς Λάμπωνα ἐπήρετο Ργ18. 1419 a2.
ἐπέρχεσθαι. εὑρήσομεν ἐπεληλυθυῖαν τὴν θάλασσαν (sc ὃ πρότερον χέρσος ἦν) μα14. 352 a24. πρὶν ἐπελθεῖν τὸ ὄμβριον πάλιν μα13. 349 b11, 14. τὸ μυριοστημόριον λανθάνει, 30 καίτοι ἡ ὄψις ἐπελήλυθεν αι6. 446 a1. ἐπέρχεται τινι (in mentem venit) νόημά τι, τὸ νεύμενον, ῥῆμα al μν1. 450 b29. 2. 453 a25. πιαζ7. 902 a30. ἐπέρχεταί τινι ἀπορῆσαι, ἀδεῖν αι2. 438 a11. μν2. 453 a30. — ὁ ἥλιος τύτας μόνας ἀκ ἐπέρχεται τὰς τόπας μβ4. 361 a7. ἃ χεῖρον κỳ τὰς 35 τοιαύτας (sc ἀρετάς, μεσότητας) ἐπελθεῖν Ηδ13. 1127 a15 (cf καθ' ἕκαστον διελθόντες a16). ἐπελθεῖν τι, τὸν αὐτὸν λόγον al Ηκ10. 1181 b17. Μμ2. 1077 a1. ν2. 1089 b2. Φθ5. 256 a22. Πγ4. 1276 a36. ἐπελθεῖν περί τινος Φα7. 189 b31. γ1. 200 b16. δ10. 217 b29. ψβ2. 413 a13. Μζ13. 40 1038 b8. η1. 1042 a25. Πε10. 1310 a30. ἐπελθεῖν c enunciatione interrogativa, veluti τί τὸ ἔν ἐστι ΜΑ7. 988 a18. ι2. 1053 b10. Πδ2. 1289 b24. ζ1. 1317 a15. υ3. 456 a30. non addito obiecto ΜΑ5. 986 a13. β1. 995 a24. ἐπελθεῖν συντόμως, κεφαλαιωδῶς Πζ1. 1317 a15. 45 ΜΑ7. 988 a18.
ἐπερωτᾶν, insuper quaerere, Ηκ2. 1172 b22. ἃ δεῖ τὸ συμπέρασμα ἐπερωτᾶν Ργ18. 1419 b1. — quaerere, ἐπηρώτα τὸν θεὸν Ρβ23. 1398 b32. f 66. 1487 a14. ἐπερωτῶσιν οἱ θεσμοθέται, εἰ δοκεῖ καλῶς ἄρχειν ἕκαστος f 374. 1540 b8. 50
ἐπερώτησις. ἐξ ἐπερωτήσεως ρα4. 1439 b14. ἐξ ἐπερωτήσεως πῶς ἀναμνήσομεν ρ21. 1434 a9-16.
ἐπέσθαι. φαύλοις πάθεσιν ἑπόμενος Ηι7. 1169 a15. τοῖς εἰρημένοις ἑπόμενον (consentaneum) Οβ7. 289 a13. — ἐν τοῖς ἑπομένοις ἔσται δῆλον Φζ4. 235 b5. Ηα3. 1096 a5. μχ 848 55 a19. ἐν τοῖς ἑπομένοις διορισθήσεται Αα13. 32 b22. 27. 43 b38. 29. 45 b12. 45. 50 b9. β2. 53 b10. ἔπεται, ἔποιτ' ἄν, ἑπόμενον ἂν εἴη, ἑπόμενον ἂν εἴη τοῖς εἰρημένοις διελθεῖν, εἰπεῖν sim Ηκ1. 1172 a19. γ4. 1111 b5. θ1. 1155 a3. ι12. 1172 a15. Οβ7. 289 a11. γ4. 302 b11. τα2. 101 a25. — 60 logice ἕπεσθαί τινι, syn ἀκολαθεῖν, ὑπάρχειν τινί, κατηγο-

ρεῖσθαί τινος (cf Steinthal p 222, Bz ad ΜΑ1. 981 a27) ε13. 22 a39, b30 sqq. Αα27. 43 b3, 17, 22, 30. 28. 44 a13 (cf a15). β2. 54 b31. 3. 56 a20, 27, 39 (cf a13, 26, 40). Ηδ1. 1120 a14. 2. 1120 b32, 34. ι7. 1168 a21. ηεγ5. 1232 a37 al. ἕπεσθαι ἀλλήλοις, i e ἀντιστρέφειν Αγ3. 73 a7. τθ13. 163 a11. τὸ ἑπόμενον ἃ ληπτέον ὅλον ἕπεσθαι Αα27. 43 b17. ἑπόμενον πᾶσι τὸ ὂν κỳ τὸ ἕν τθ6. 127 a27, 28. ἕπεται· κỳ πρότερον κỳ ὕστερον τγ2. 117 a11. ἕπεται ἢ τῷ ἅμα ἢ τῷ ἐφεξῆς ἢ τῇ δυνάμει Ρα7. 1363 b28. παραλογισμοὶ παρὰ τὸ ἑπόμενον τι5. 6. 28. ὁ τόπος ὁ παρὰ τὸ ἑπόμενον Ρβ24. 1401 b20. ἑπόμενον, dist συμβεβηκός τι6. 168 b28. τὰ ἑπόμενα (i e series notionum sese invicem sequentium) Μμ8. 1084 a33. — ἑπομένως. πρῶτον μὲν .., ἑπομένως δὲ λεκτέον Ζγβ3. 736 b13. ἑπομένως ὑπάρχειν τινί, opp πρώτως Μζ4. 1030 a22. — ἑπομένως τύτοις κỳ τὴν ψυχὴν ἀποδιδόασιν ψα2. 405 a3. cf φ4. 809 a23. ὁμοιοτρόπως κỳ ἑπομένως τινὶ λέγεσθαι Μδ23. 1023 a24, cf Πζ4. 1319 a40.
ἐπεσθίει, ὅταν ἔχεως φάγῃ, τὴν ὀρίγανον θ11. 831 a27. Ζιι6. 612 a24, 29. ἐπιφαγεῖν θ139. 844 b31.
ἐπέτειος. νέαι μέλιτταί εἰσιν αἱ ἐπέτειοι Ζιι40. 626 b4. καρπὸς ἐπέτειος Ζγα3. 723 b11. — τῶν φυτῶν τὰ μὲν ἐπέτειον τὰ δὲ πολυχρόνιον ἔχει τὴν ζωὴν μα1. 464 b25. ἐπέτεια πολλὰ τῶν ἐντόμων μχ4. 466 a2. σφὴξ ὁ ἐπέτειος Ζιι40. 623 b10. φυτὰ ἐπέτεια μχ4. 466 a3. Ζγγ1. 750 a24. πχ7. 923 a33.
ἐπέχειν. ὁ πολύπας τὴν πλεκτάνην ἐπέχων (τοῖς ῷοῖς) Ζιι8. 550 b6. — ἐπισχεθέντων τῶν ποταμῶν f 469. 1555 a42. ἐπέχειν χώραν, τόπον, πολὺν τόπον Οβ4. 287 a17. μβ1. 354 a10. 2. 355 b28. 8. 369 a1. κ6. 400 a20. Ζιι32. 619 a29. ατ 971 b8. θεὸς ὁ τὸν κόσμον ἐπέχων κ6. 399 b25. ὅσον ἐπέχει τὸ γένος Μγ3. 1005 a26. — ἐπέχοντες τὴν διάνοιαν μν2. 453 a17. — τῇ τῆς ἐπεχύσης (?) ἡλικίας ἐπιδόσει πθ11. 877 b16.
ἐπήβολος τῶν καλῶν γίνεται Ηα9. 1099 a6. 11. 1101 a13.
ἐπηλυγάζεσθαι. ἐπηλυγαζόμενα ὕλην Ζιζ1. 559 a1. ἐπηλυγασμένοι (v l ἐπηλυγισάμενοι) ἄκανθάν τινα ἢ ὕλην Ζιι8. 613 b9.
ἐπηλυγίζεσθαι. ὁ ἐπηλυγισάμενος (v l ἐπηλυγασάμενος) τὴν χεῖρα Ζγε1. 780 b19. τὸ ἀράχνιον ἐπηλυγισάμενον ὀπὴν μικρὰν Ζιι39. 623 a29. — sine obiecto οἱ ἐπηλυγισάμενοι (v l ἐπηλυγασάμενοι) πρὸ τῶν ὀμμάτων Ζγε2. 781 b12.
ἐπηρεάζειν. ὁ ἐπηρεάζων ὀλιγωρεῖ Ρβ2. 1378 b17. ἐπηρεάσαι Ἁρμόδιον Πε10. 1311 a37. ὡς ἐπηρεασθείς Πε4. 1304 a17.
ἐπηρεασμός def Ρβ2. 1378 b18, 14. ἐπηρεασμὸς ποιητικὸν ἔχθρας Ρβ4. 1382 a2.
ἐπήρεια. πολλὰ πρὸς ἐπήρειαν κỳ χάριν πράττειν Πγ16. 1278 a38.
ἐπί, cf Eucken II49-58. 1. c genetivo. a. locali vi. ἐπ' ἄκρῳ Ζιβ 8. 502 b9. γ9. 517 a22. ε32. 557 b15 al. ἐπ' ἄκρων Ζιδ1. 523 b30. φέρεσθαι, κινεῖσθαι ἐπ' εὐθείας, ἐπὶ τῆς εὐθείας (syn κατ' εὐθεῖαν, v εὐθύς), ἐπὶ κύκλα, ἐπὶ κύκλα γραμμῆς, ἐπὶ τῆς διαμέτρα Φθ8. 262 a14, 263 a3 (ubi κίνησιν εἶναι ἀΐδιον ἐπὶ τῆς εὐθείας scribendum est pro ἐπὶ ἀΐδιον τῆς εὐθείας), 264 b14. 9. 265 a14, 29, b12. Κ8. 10 a22. Οα4. 271 a18. μγ3. 373 a5. μχ8. 852 a12. 23. 854 b36 al. ἐπὶ τῆς γῆς φέρεσθαι μγ1. 371 a11. πκς52. 946 a30 (syn ἐπὶ τὴν γῆν a19, ὑπὸ τὴν γῆν 22. 942 b15). cum usu locali praep ἐπὶ proxime cohaerent talia: μένειν ἐπὶ τῶν ἴσων Πε4. 1304 a38. γενέσθαι ποτ' ἐπ' ἀρχῆς Πγ13. 1284 b2. ὅταν τὸ νοητικὸν ἐπὶ τῶν φαντασμάτων ᾖ ψγ7. 431 b4. οἱ ἐπιεικεῖς ὁμονοῦσιν ἀλλήλοις, ἐπὶ τῶν αὐτῶν ὄντες Ηι6. 1167 b6.

ὅταν ἐπὶ τῶν πράξεων γένη (i e quando ad enarrandas res perveneris) ρ39. 1446 ᵃ4. αἱ διαβολαὶ ἐπὶ τῶν δικαστηρίων ρ37. 1442 ᵇ26. ἐπὶ τελευτῆς ρ33. 1439 ᵃ5, 12 (eadem vi saepius ἐπὶ τελευτῇ legitur ρ34. 1439 ᵇ12 al, v infra). — b. temporali vi. ἐπὶ τῶν ἀρχαίων χρόνων 5 Πγ14. 1285 ᵇ13. δ3. 1289 ᵇ36. ἐπὶ γήρως Ηα10. 1100 ᵃ7. ἀφείσθω ἐπὶ τῷ παρόντος Ηι4. 1166 ᵃ34. huc talia referri possunt: ἐπὶ τῆς δημοκρατίας Πε5. 1305 ᵃ1. ἐπὶ τῆς φιλότητος, ἐπὶ τῷ νείκης (tempore, sub imperio φιλότητος) Ογ2. 300 ᵇ30, 301 ᵃ16. Γβ6. 334 ᵃ6, 7. ἐάσαντας 10 ἐπὶ τῆς νῦν μεθόδω διασκεπτέον ὕστερον Πη1. 1324 ᵃ2. ὑπισχνεῖσθαι δεῖ ὡς ἀληθῆ ἐπιδείξεις ἐπὶ τῷ λόγω ρ30. 1437 ᵇ32. — c. κατηγορεῖν τι ἐπί τινος Αδ12. 96 ᵃ14. Μβ3. 998 ᵇ16, 25, 999 ᵃ15. ζ15. 1440 ᵃ24, 26 (syn κατά τινος ν s κατηγορεῖν, ἐπί τινι v infra). λέγεσθαι ἐπί τινος Αα36. 15 48 ᵇ10 (syn κατά τινος ψ20). τα15. 107 ᵇ4. Φδ14. 224 ᵃ14. μδ3. 380 ᵇ15. κοινόν τι ἐπὶ πάσης ψυχῆς λέγειν ψβ1. 412 ᵇ4. λέγεσθαι ἐπ' ἴσων τδ1. 121 ᵇ4, 8. εἶναι ἐπὶ πλειόνων Αγ11. 77 ᵃ9 (syn κατὰ πλειόνων, dist παρὰ τὰ πολλά ᵃ6, 5). τὰ ἓν ἐπὶ πολλῶν (i e τὸ ἓν κατὰ πολλῶν κατηγορα- 20 μενον) ΜΑ9. 990 ᵇ7, 13. μ4. 1079 ᵃ9, 32. ζ16. 1040 ᵇ29, τὸ ἐπὶ τῷτων (i e τὸ κατηγορούμενον ἐπὶ τῷτων) Μβ3. 999 ᵃ7. 4. 1000 ᵃ1. τὸ ἐπὶ μέρας, ἡ ἐπὶ μέρας πρότασις, ἀντιστρέφειν, ὑπάρχειν ἐπὶ μέρας sim ψβ1. 412 ᵇ22. μβ4. 359 ᵇ30. Αα20. 39 ᵃ16. 45. 51 ᵃ5, 37. β5. 58 ᵇ2. 9. 60 ᵃ32. 25 10. 60 ᵇ39 al. ψβ1. 412 ᵇ22. μβ4. 359 ᵇ30. τῇ καθ' ἕκαστα ἐπὶ τῶν ὁμοίων ἐπαγωγῇ τα18. 108 ᵇ10. ὅταν ἅμα γένηται ἡ αἴσθησις ἐπὶ τῷ αὐτῷ ψγ1. 425 ᵇ1. τὸ ἐφ' ᾧ Β, Γ (sc κατηγορεῖται, sive σημεῖον κεῖται, syn τὸ ἐφ' ᾧ Β et τὸ Β, v infra) Αα28. 44 ᵃ13-16, 26. Φζ4. 234 ᵇ25. μχ1. 849 30 ᵃ2, 22, 24 et saepe. — cum hoc usu 'λέγεσθαι ἐπί τινος' conferri potest quod dicitur ὕτως. ἀνάπαλιν ἔχει ἐπί τινος, ὁ αὐτὸς λόγος ἐπί τινος, συμβαίνει τι ἐπί τινος, φανερόν, ἀληθές, ἀδύνατόν τι ἐπί τινος Αδ12. 96 ᵃ9, 15. ψα1. 402 ᵇ14. Ηε7. 1131 ᵇ20. Πβ6. 1265 ᵇ23. γ17. 1287 ᵇ36. ε5. 35 1304 ᵇ24. Ρα15. 1376 ᵇ2. 9. 1366 ᵇ32. Μζ14. 1039 ᵇ16. η6. 1045 ᵇ12. Ρβ24. 1401 ᵇ19. Πγ13. 1283 ᵇ21. ψβ2. 413 ᵃ32. Πα5. 1254 ᵇ37. Φθ3. 254 ᵃ6, ἔχυσι πλείας ὀδόντας οἱ ἄρρενες τῶν θηλειῶν ᾗ ἐν ἀνθρώποις ᾗ ἐπὶ προβάτων ᾗ αἰγῶν Ζιβ3. 501 ᵇ20. ὁ 11. 538 ᵃ26; ad eandem fere signi- 40 ficationem referenda sunt qualia leguntur Φβ3. 195 ᵇ7. Μδ2. 1014 ᵃ10. Φδ9. 217 ᵇ16. θ8. 262 ᵃ18. Οα11. 281 ᵃ24. Μδ14. 1020 ᵃ24. 16. 1021 ᵇ18. πο15. 1454 ᵇ13. ρ36. 1441 ᵃ11. — prope ad paraphrasin τὸ ἐπί τινος delitescit τὰ ἐπὶ τῶν ὐσιων αὐτὰ μεταβάλλοντα δεκτικὰ τῶν ἐναντίων 45 ἐστὶ Κ5. 4 ᵃ29.

2. c dativo. a. locali vi. ἐπ' ἄκρω Ζιβ1. 499 ᵃ26. ζ9. 564 ᵇ30. Ζγγ3. 754 ᵇ14. Μάγνητες οἱ ἐπὶ Μαιάνδρω Πδ3. 1289 ᵇ39. οἱ ἐπὶ Χύτρω Πε3. 1303 ᵇ9. huc referenda sunt talia: ἐπὶ τοῖς ποσὶ πορεύεσθαι, ποιεῖσθαι τὴν βάδισιν, βα- 50 δίζειν Ζιδ1. 524 ᵃ23. 4. 530 ᵃ10. Ζγ37. 581 ᵃ3, ἐπὶ τελευτῇ, ἐπὶ τῇ τελευτῇ, ἐπὶ τελευτῇ τῷ μέρας ρ33. 1439 ᵃ28. 34. 1439 ᵇ12. 35. 1440 ᵃ24. 36. 1441 ᵃ19, 39, ᵇ8. 38. 1445 ᵇ20 (cf Spgl p 222). οἱ πρότερον ἐφ' ἡγεμονίᾳ γενόμενοι Πδ11. 1296 ᵃ39 — b. de tempore. ἐπὶ κυνί, ἐπὶ τοῖς 55 ἄστροις Ζιθ15. 604 ᵃ4, 3. Μα2. 1026 ᵇ33. x8. 1064 ᵇ6. πκς12. 941 ᵃ37. — c. κατηγορεῖν ἐπί τινι τι22. 179 ᵃ8 (syn ἐπί τινος, κατά τινος, cf κατηγορεῖν). τὸ ἓν ἐπὶ πολλοῖς f 182. 1509 ᵃ35. εἴη ἂν ᾗ ἐπ' ἀμφοτέροις τὸ ζῷον, ὀχ ὡς ἐπὶ λόγω λεγόμενον Μη3. 1043 ᵃ36. τὸ ἐφ' ᾧ Β, 60 Γ (sc κατηγορεῖται vel σημεῖον κεῖται, syn τὸ ἐφ' ᾧ Β,

τὸ Β) Αα11. 31 ᵇ5 Wz, 28. 15. 34 ᵃ7, 6. 28. 44 ᵃ13-16. Φζ4. 235 ᵃ19 sqq. μχ1. 849 ᵃ6 al. ἐπὶ τῇ τῶν ἀψύχων φιλήσει ᾧ λέγεται φιλία Ηθ2. 1155 ᵇ27 Fr. ὕτως ἔχει ἐπὶ παντί (syn ἐπὶ παντός, cf ἐπί 1 c) Αδ12. 96 ᵃ15, 9. τὸ ἀγαθὸν σημαίνει τὸ ποιὸν ἐπὶ τῶν ἐμψύχων, ᾗ τύτων μάλιστα ἐπὶ τοῖς ἔχυσι προαίρεσιν Μδ14. 1020 ᵇ24. — d. αἱ ἀρχαὶ αἱ ἐφ' ἑκάστοις τεταγμέναι Πδ14. 1298 ᵃ23. ε7. 1307 ᵇ13. ἀρχαὶ ἐπὶ τύτοις καθεστᾶσιν Πγ9. 1280 ᵃ40. οἱ ἐπὶ τοῖς ἀναγκαίοις βοσκήμασιν Πδ4. 1291 ᵃ15. — e. ἐπαινεῖσθαι ἐπὶ ταῖς πράξεσι, δυσχεραίνειν ἐπὶ τῇ πράξει, κολάζειν ἐπὶ τῷ ἀγνοεῖν Ηγ1. 1110 ᵃ19, 23. 2. 1110 ᵇ20. 7. 1113 ᵇ30. δόξα ἐπὶ ποιητικὴ κεκτημένος f 66. 1487 ᵃ13. ἐπ' αἰτίᾳ μοιχείας Πε6. 1306 ᵃ38. — f. ὀδόντες ἐπὶ τῷ λεαίνειν, ἐπὶ τῷ διαιρεῖν Ζγε8. 788 ᵇ32. παῖσας (fort ποτίσας) ἐπὶ σωτηρίᾳ Ηγ2. 1111 ᵃ13. ἐπὶ τύτῳ ὅπως ηεη2. 1237 ᵃ3. ἐπὶ τύτῳ ὥστε οβ1352 ᵃ32. ἐξαπατῆσαι ἐπὶ ἀργυρίω, προδιδόναι ἐπὶ χρήμασιν Ρα15. 1376 ᵃ20. Ββ3. 1398 ᵃ6. τὰ αἴσχιστα ὑπομεῖναι ἐπὶ μηδενὶ καλῷ Ηγ1. 1110 ᵃ23. — οἱ φεύγοντες φόνε ἐπὶ καθόδῳ (i e ita ut reditus permissus sit) Πδ16. 1300 ᵇ28. νομικὴ φιλία ἡ ἐπὶ ῥητοῖς Ηθ15. 1162 ᵇ25. χρήματα προσίεντ' ἂν ἐφ' ᾧ πλείονα λήψονται οἱ φίλοι Ηι8. 1169 ᵃ27. ἐφ' ᾧ c infinitivo οβ 1348 ᵇ2. — g. ἐπί τινι, penes aliquem, in eius potestate. προαίρεσις, βυλευόμεθα περὶ τὰ ἐφ' ἡμῖν Ηγ4. 1111 ᵇ30, 32. 5. 1112 ᵃ31. 7. 1113 ᵇ5, 6, 20 (de var lect ἐφ' ἡμῖν et ἐν ἡμῖν cf Rassow 1862 p 15), 21 et saepe, Ρα4. 1359 ᵃ39. ἐπ' αὐτῷ, ἐπ' αὐτοῖς Ηε10. 1135 ᵇ28, 32. 11. 1136 ᵃ11, 12. 13. 1137 ᵃ8, 9. ἐφ' ἑαυτῷ Ηε13. 1137 ᵃ5. τὰς ἐνθυσιῶντας ᾧ φαμεν ἐφ' αὐτοῖς εἶναι ηεθ8. 1225 ᵃ29. τὸ ἐφ' αὐτῷ τί ἐστι ηεθ8. 1225 ᵃ25. ὅσον ἐφ' ἑαυτοῖς τὴν πόλιν ἀπώλεσαν Πβ9. 1270 ᵇ12. καταλείπειν ἐπὶ τοῖς κριταῖς Ρα1. 1354 ᵃ33, ᵇ14 (syn κύριον ποιεῖν τὸν κριτὴν ᵇ12). γίνεσθαι ἐπὶ τῷ κλέπτοντι πκθ14. 952 ᵃ26. ὐκ ἐπὶ τοῖς ἀνθρώποις μόνον ἀλλὰ ᾗ ἐπὶ ταῖς εὐπραγίαις ᾗ κακοπραγίαις ἐστὶ τὰ περὶ τὰς πολιτικὰς δαπάνας ρ3. 1423 ᵇ30. — h. ἐπὶ τύτοις, praeterea, Ρβ6. 1384 ᵃ9. ρ3. 1424 ᵇ24 (syn ἔπειτα). ἐπὶ τοῖς βασιλεῦσιν ᾗ ναυαρχία σχεδὸν ἑτέρα βασιλεία καθέστηκεν Πβ9. 1271 ᵃ39.

3. c accusativo. a. ad significandum finem, quo motus aliquis tendit. ἐφ' ὃ ἡ κίνησις ᾗ ἡ πρᾶξις ᾗ ἀφ' ᾧ Μδ17. 1022 ᵃ8. ἐπὶ τὴν περιφέρειαν φέρεσθαι μχ1. 849 ᵃ6. ἐπὶ τὴν γῆν μάλιστα πνεῖν πκς52. 946 ᵃ19 (cf ἐπὶ τῆς γῆς 946 ᵃ30, ὑπὸ τὴν γῆν 22. 942 ᵇ15). ἡ ἀχθεῖσα ἐπὶ τὴν βάσιν (i e perpendiculum) Οβ4. 287 ᵇ8. ἐπὶ τάδε, ἐπὶ ταδὶ Φζ3. 234 ᵃ1, 2. μχ9. 852 ᵃ1, opp ἐπ' ἐκεῖνα, ἐπέκεινα Οβ28. 605 ᵇ28. αι7. 449 ᵃ27, 26. ἐπὶ θάτερα Φζ2. 233 ᵇ12. Ζιβ8. 502 ᵃ31. 17. 508 ᵇ18. ἐπὶ ταυτόν Ζιθ4. 529 ᵇ12. ἐπ' ἀμφότερα Ζιβ1. 501 ᵃ26. 8. 502 ᵃ27 al. ἐφ' ἑκάτερα Ζιβ5. 501 ᵇ30. 13. 505 ᵃ11-13. ἐπὶ τὸ ἄνω, ἐπὶ τὸ κάτω, ἐπὶ τὰ δεξιά, ἐπὶ τὰ ἀριστερὰ cf ἄνω, ἀριστερός. ἐπὶ μῆκος Ζιβ12. 504 ᵃ15. συνεχὲς ἐφ' ἓν Φθ8. 262 ᵇ22. ἐπὶ τρία Φδ10. 218 ᵃ23. Μχ3. 1061 ᵃ33. 4. 1061 ᵇ24. προϊέναι ἐπὶ τὸ ἄπειρον ψα5. 411 ᵇ13. Μχ2. 994 ᵃ20 (usitatum εἰς ἄπειρον, cf ἄπειρος). cf Φζ6. 237 ᵇ8. Οβ13. 294 ᵃ22. — huic usui finitima sunt: ἐπὶ τὰ φαῦλα μεταφέρειν Μδ16. 1021 ᵇ26. ἐπὶ τὸ βέλτιον ἐκλαμβάνειν Ργ15. 1416 ᵇ10. βχ13. 1389 ᵇ20. ἀκριβοδίκαιος ἐπὶ τὸ χεῖρον Ηε14. 1138 ᵃ1. ἁμαρτάνειν ἐπὶ τὸ μᾶλλον, ἐπὶ τὸ πλεῖον Ρβ12. 1389 ᵇ2. Ηγ14. 1118 ᵇ16. — b. ἐπὶ vi finali. ἡ τῶν ὀδόντων φύσις ἐπὶ τὴν τῆς τροφῆς ἐργασίαν ὑπάρχει Ζμγ1. 661 ᵇ1. σῶμα συστὰν ἐπὶ τεκνοποιίαν Ζμγ10. 760 ᵇ8. ἐπὶ τῦτο (i e hunc

in finem, hoc consilio) διέλαβεν ἡ φύσις Ζμγ10. 672 b19. ἐφ᾽ ὅ Ζμγ4. 665 b13. δ8. 684 b1. Ηε8. 1133 a19. ȣχ ὅσον ἐπὶ πλέον ἀλλὰ κ̣ διὰ τὴν ἡδονὴν Πϑ5. 1339 b29. ἐπ᾽ ἄμφω χρῆσθαι τοῖς ποσί, κ̣ ὡς χερσὶ κ̣ ὡς ποσί Ζιβ8. 502 b10. κοινὰ ποιȣῦντες τὰ κτήματα τοῖς ἀπόροις ἐπὶ τὴν χρῆσιν 5 ΠΖ5. 1320 b10. οἱ λαχόντες ἐπὶ τὰς ψήφȣς f424 1548 b9. (κρατεῖν ἤσκησεν ἐπὶ τὸ τῶν πέλας ἄρχειν Πη14. 1330 b30, sed ἐπὶ τῷ τῶν corr Bkᶜ. ζητȣῦντες ἐπὶ τὸ σαφῶς εὑρεῖν ηεα7. 1217 a20, ζητȣῦντες κ̣ τὸ ci Bz.) — ⲅ. ἐπὶ ad significandum ambitum. ἐπὶ τοσȣῦτον εἰρήσθω, ἐπὶ τοσȣῦτον 10 χρῶνται sim Πδ15. 1300 a9. Ηγ12. 1117 b21. ϑ14. 1162 a20. 16. 1163 b27. ι12. 1172 a14. πρότασις ἐπί τι ψευδής, opp ὅλη ψευδής· ἐπί τι ἐναντία, opp ἁπλῶς ἐναντία Αβ2. 54 a1, b3, 19, 35, 55a et b. 21. 66 b39, 67 a5. ἐπὶ μικρόν τι μέρος τȣ εἴδȣς ἥψαντο Φβ2. 194 a20. ἐπὶ μικρὸν ἐν ταῖς 15 τυραννίσι τὸ δίκαιόν ἐστιν Ηϑ13. 1161 b8, a31. ἐπὶ μικρὸν θεωρήσωμεν κ̣ νῦν Ογ1. 299 a13. cf μικρόν. ἐπ᾽ ὀλίγον μα13. 350 b28. Πγ1. 1404 a14. ἐπὶ βραχύ Ζιβ11. 503 a25. ποα. 1448 b14. ἐπ᾽ ἴσον Αδ17. 99 a20. τὸ δ5. 126 a1. 6. 127 a35, 37. Ηϑ11. 1160 a8. ἐπ᾽ ἴσης ἢ ἐπὶ πλεῖον 20 λέγεσθαι τὸ2. 122 b38, 39. ἐπὶ πλεῖον εἴρηκε τὸν λόγον (τὸν ὁρισμὸν) τȣ δέοντος τΖ1. 139 b15. 2. 140 a24. ἐπὶ πολύ, ἐπὶ τὸ πολύ (de confusis inter se formulis ἐπὶ πολύ et ἐπὶ τὸ πολύ cf Eucken II 57), ὡς ἐπὶ τὸ πολύ, ὡς ἐπὶ τὸ πλεῖστον εἰπεῖν. ὡς ἐπὶ πᾶν εἰπεῖν, ἐπ᾽ ἔλαττον, cf πολύς 25 et ἐπιτελεῖν. ὡς ἐπὶ τὸ πολὺ γίνεται Ζγε6. 768 a35. ἐπὶ πολύ substantivi instar legitur τȣ συνεχȣῦς ἀέρος ἐπὶ τὸ πολὺ συμπεριάγεται μα7. 344 a11. sed pro ἐπὶ πολὺ cod F τὸ exhibet, Ideler ἔτι ci. — d. ἐπί i q adversȣs, contra. συνέστησαν οἱ γνώριμοι ἐπὶ τὸν δῆμον Πε3. 1302 b24. οἱ 30 τύραννοι ἐπὶ τȣς πολίτας ἔχȣσι τὴν φυλακὴν Πγ14.1285 a28.

ἐπιβαίνειν. αἱ καμπαὶ τῶν ὑπέρων κ̣ τῶν πηνίων κυμαίνȣσι τῇ πορείᾳ κ̣ προβάσαι τῷ ἑτέρῳ κάμψασαι ἐπιβαίνȣσιν Ζιε19. 551 b8. ὁ ἐλέφας τοῖς ποσὶν ἐπιβαίνων τὰς φοίνικας κατατείνει ἐπὶ τῆς γῆς Ζιι1. 610 a24. ἐπιβαίνειν τῆς γῆς 35 Πειο. 1312 a38. ἴχνη τε θεȣῦ, ἐφ᾽ ἃ ȣ̓δεὶς ἐπιβατέον θϑ7. 838 a84. — οἷς τὸ ἕτερον βλέφαρον ἐπιβέβηκε τοῖς ὀφθαλμοῖς φ6. 813 a22. — ἐπιβαίνειν de coitu. ποιȣῦνται συνδυασμὸν τά τε πλεῖστα τῶν τετραπόδων, ἐπιβαίνοντος ἐπὶ τὸ θῆλυ τȣ ἄρρενος, κ̣ τὸ τȣῦ αὐτȣῦ γένȣς Ζιε2. 40 539 b26, 29. ἐπιβάντες οἱ κύνες πληρȣῦσι ΖιΖ20. 574 a20. συνέβη ἤδη ταῦρον ἐκτμηθέντα κ̣ εὐθὺς ἐπιβάντα ὀχεῦσαι κ̣ γεννῆσαι Ζιγ3. 510 b3. θᾶττον πληροῖ ἐπιβαίνων ὄνος ἢ ἵππος ΖιΖ22. 575 b29. ȣ̓ γὰρ ὥσπερ τὰ τετράποδα ἐπὶ τὰ πρανῆ ἐπιβαίνει (ὁ ἐχῖνος), ἀλλ᾽ ὀρθοὶ μίγνυνται διὰ 45 τὰς ἀκάνθας Ζγα5. 717 b30. τὰ πλατέα κ̣ κερκοφόρα τῶν σελαχῶν (ποιȣῦνται τὸν συνδυασμὸν) ȣ̓ μόνον παραπίπτοντα ἀλλὰ κ̣ ἐπιβαίνοντα τοῖς ὑπτίοις ἐπὶ τὰ πρανῆ τῶν θηλειῶν. Ζιε5. 540 b6-13. τὰ ἔντομα συνέρχεται ὄπισθεν, εἶτ᾽ ἐπιβαίνει τὸ ἔλαττον ἐπὶ τὸ μεῖζον Ζιε8. 541 b34. 19. 550 50 b23. τὰ μαλακόστρακα τοῖς ὑπτίοις πρὸς τὰ πρανῆ ἐπιβαίνειν ἐμποδίζει τὰ ὠραῖα Ζγα14. 720 b11.

ἐπιβάλλειν. trans ἐπιβάλλειν τὸν πῆχυν τῷ μετρȣμένῳ Μι1. 1053 a35. cf f24. 1478 b22. ἐπιβάλλειν χαρακτῆρα Πα9. 1257 a40 (cf ἐπικόπτειν). τὰ ὀχεῖα ἐπιβάλλȣσι τοῖς ὄνοις 55 Ζγβ8. 748 a27. οἱ τὰ βλέφαρα ἐπιβεβληκότες (qui palpebras oculis iniectas habent) φ6. 813 a25. cf ἐπιβεβλῆσθαι φ6. 811 a19. — πλείȣς φόρȣς ἐπιβαλεῖν ἢ αὐτοὶ ἔταξαν, τέλος πολὺ τῶν σιτίων ἐπεβάλοντο δὶ 1353 a13, 1352 a21, 1349 b10. — ὀλίγȣ μισθωσάμενος ἀπ᾽ ȣ̓δενὸς ἐπιβάλλοντος, 60 (i e addere, augere pollicendo) Πα11. 1259 a14. huc

fortasse referendum καθ᾽ ἕνα μὲν μηδὲν ἢ μικρὸν ἐπιβάλλειν αὐτῇ (i e τῇ ἀληθείᾳ), ἐκ πάντων δὲ συναθροιζομένων γίνεσθαί τι μέγεθος Μα1. 993 b2. — ὅσον ἡ ἑτέρα ἐπιβάλλει τῆς ἑτέρας, opp ἀπολείεσθαι Οα5. 272 a25. — intrans ὅπȣ ἂν ὁ ἥλιος ἐπιβάλλῃ, πλείω φύεται Ζιϑ13. 598 a3. καταμαθεῖν πῶς (ἡ αὐγὴ) ἐπιβάλλει (i e incidit) ἐπὶ τὸ ὁρατὸν πλα25. 960 a7. ταῖς μικραῖς σαύραις ὁ ἀράχνης ἐπιβάλλει Ζιϑ9. 623 b1. ⟨ἐπιβάλλειν, syn ἐπιπτύσσεσθαι, opp ἀναπτύσσεσθαι Ζμγ3. 664 b26-28. — περὶ νόσȣ λεκτέον ὅσον ἐπιβάλλει (quantum pertinet ad) τῇ φυσικῇ φιλοσοφίᾳ μχ1. 464 b33. ὅσον (καθ᾽ ὅσον) ἐπιβάλλει ἑκάστῳ Πβ3. 1261 b35. ϑ7. 1342 a13. α13. 1260 a19. ηεη12. 1245 a20 (?). ἑκάστῳ τῆς εὐδαιμονίας ἐπιβάλλει τοσȣῦτον ὅσονπερ ἀρετῆς Πη1. 1323 b21. γ6. 1278 b22 (inde explicandum videtur Πα13. 1260 a14). ὅταν ἐπιβάλλῃ περὶ τῆς τοιαύτης πολιτείας ἡ σκέψις Πβ6. 1266 a25. λεκτέον κατὰ τῶν ἐπιβάλλοντα λόγων, καιρὸν Ζγα2. 716 a35. ηεα1. 1214 a13. huc fortasse referendum est σκεψαμένȣς τὸ ποῖον τίμημα ἐπιβάλλει μακρότατον Πδ13. 1297 b4 (Schneider p 261). — med πολλὰ πράττειν ἐπεβάλετο ⲅ4. 1426 a38. ὅσοι κ̣ τȣῦ εȣ̓ ζῆν ἀπολαύȣσιν Παϑ. 1258 a3. ταύτην ἐπιβαλέσθαι τὴν μέθοδον Πβ1. 1260 b36.

ἐπιβάπτει ὁ ἥλιος τὸ δέρμα πι66. 898 b18, 17.

ἐπιβάτης. ἵππος ἀγαθὸς ἐνεγκεῖν τὸν ἐπιβάτην Ηβ5.1106 a20.

ἐπιβατικός. τὸ ἐπιβατικόν, dist οἱ ναῦται Πη6. 1327 b9.

ἐπιβεβαιȣῦν. pass τὰ πρότερον εἰρημένα ἐπιβεβαιȣῦσθαι κ̣ φανερώτερα εἶναι Αα32. 47 a6.

ἐπιβεβαιώσεις ρ33. 1438 b29 (ἐστὶ βεβαίωσις e cod Spgl).

ἐπιβιβάσκειν. αἱ ὗες κυΐσκονται ἐκ μιᾶς ὀχείας, ἀλλὰ πολλάκις ἐπιβιβάζȣσιν ΖιΖ18. 573 b1.

ἐπιβλέπειν. ἐπιβλέψαι χαλεπὸν ἰδεῖν μβ2. 355 b24. cf μχ 847 b21. ἐξ ἁπάντων ἔστι λαβεῖν, ἐὰν τις ἐπιβλέψῃ Φα7. 190 a14. τὰς ἅμα λεγομένας γνώμας δήλας εἶναι δεῖ ἐπιβλέψαιν Ρβ 21. 1394 b15. ἐάν τις σφόδρα ἐπιβλέπῃ, ȣ̓ ἂν ἁπλῶς εἴποι ΜΖ7. 1033 a21. ὅτως ἐπιβλεπτέον Αα29. 45 b28. ἐπιβλέπειν τὸ κατ᾽ ἄλλον τινὰ τρόπον ὑπάρχον ὡς συμβεβηκὸς ἀποδέδωκεν τβ2. 109 a34, cf b14. ἐπιβλέπειν ἐν τοῖς γένεσιν τγ6. 120 a34. ἀπορήσειεν ἄν τις εἰς τὸ νῦν λεχθὲν ἐπιβλέψας Ζμα1. 641 a33. ἐπιβλέπειν ἐπί τι, ἐπὶ τὰ ὅμοια, τὰ διάφορα κ̣ καθ᾽ ἕκαστον al Αδ13. 97 b7. τβ4. 111 b24. ηγ6. 120 a32. δ1. 120 b15, 30. ε4. 132 a27. η4. 154 a16. Φθ6. 259 a21. ημβ8. 1206 b37 al. μὴ ἐπιβλέπειν ἐφ᾽ ἑαυτὸν ἐλευθερίȣ Ηδ2. 1120 b6. ἐπὶ τὸν φίλον ἐπιβλέψας, syn τὸν φίλον ἰδὼν ημβ15. 1213 a10, b7. — transit ὧδε φυσικȣῦς ἐπιβλέψει τὴν αἰτίαν Ηη5. 1147 a24, aliter εἴ τις καλοῖη ἄνθρωπον τόν τε Καλλίαν κ̣ τὸ ξύλον μηδεμίαν κοινωνίαν ἐπιβλέψας αὐτῶν ΜΑ9. 991 a8.

ἐπίβλεψις Αα29. 45 a26, b23. syn ἐπίσκεψις, ἐπισκέψασθαι Αα28. 44 b40. 29. 45 b19. ἐπιβλέψεις Αα28. 45 a17.

ἐπιβοσκίς. ἡ ἐξȣῦσα ἐπιβοσκὶς τȣ στόματος Ζμδ5. 678 b14, cf S I 207 et 230.

ἐπιβȣλεύειν τινί Πε3. 1303 a34 al. τȣῦτȣ ἕνεκα ἐπιβȣλεύειν ὅπως πράξȣσιν Ρα7. 1364 a23, μήτ᾽ ἐπιβȣλεύειν μήτ᾽ ἐπιβȣλεύεσθαι Πδ11. 1295 b22. ὁ ἐπιβȣλευθεὶς f 418. 1547 b38. ἡ ὕαινα ἐπιβȣλεύει κ̣ θηρεύει τὰς ἀνθρώπȣς Ζιϑ5. 594 b2. — ὁ ἐπιβȣλεύσας ȣ̓κ ἀγνοεῖ Ηειο. 1135 b33.

ἐπιβȣλή. ὅταν ἐξ ἐπιβȣλῆς τίς τινι κατασκευάσῃ θάνατον f 418. 1547 b37.

ἐπίβȣλος, opp φανερός Ηη7. 1149 b15. syn ἄδικος Ηη11. 1152 a18. 7. 1149 b13. ὁ θυμώδης ȣ̓κ ἐπίβȣλος Ηη7. 1149

ᵇ14. ληπτέον τὸν εὐλαβῆ ψυχρὸν ⱪ ἐπίβϩλον Ρα9. 1367
ᵃ34. ἐπίβϩλα τὸ φιλεῖν ὡς μὴ ἀεὶ φιλήσοντα Ρβ21. 1395
ᵃ29. ἐπίβϩλα σημεῖα φ6. 811 ᵃ7. ζῷα ἀνελεύθερα ⱪ ἐπί-
βϩλα, γενναῖα ⱪ ἄγρια ⱪ ἐπίβϩλα Ζια1. 488 ᵇ16, 18. τὰ
ἄρρενα ἧττον ἐπίβϩλα Ζιι1. 608 ᵇ4.

ἐπιγαμίαι Ρα14. 1357 ᵃ10. χρῆσθαι ἐπιγαμίαις Πγ9. 1280
ᵇ36. ποιεῖσθαι πρὸς ἀλλήλας ἐπιγαμίας Πγ9. 1280 ᵇ16.

ἐπίγαμοι (nubiles) θυγατέρες f 517. 1562 ᵇ25.

ἐπίγειος. τὰ ἐπίγεια φυτά, plantae terrestres Ζμδ5. 681
ᵃ21. — aves terrestres. τῶν βαρέων ⱪ μὴ πτητικῶν τοῖς μὲν
ὁ βίος ἐπίγειος ⱪ ἔστι καρποφάγα. τὰ δὲ πλωτὰ ⱪ περὶ
ὕδωρ βιοτεύουσιν Ζμδ12. 694 ᵃ7. ὅσοι μὴ πτητικοὶ ἀλλὰ
ἐπίγειοι. κονιστικοί, οἷον ἀλεκτορίς, πέρδιξ, ἀτταγήν, κορύ-
δαλος, φασιανός Ζιι49Β. 633 ᵇ1. τὰ ἐπίγεια ⱪ μὴ πτητικά,
οἷον ἀλεκτρυόνες ⱪ τὰ τοιαῦτα, ϩκ ὀξυωπᾶ Ζμβ13. 687
ᵇ28. κορύδαλος ἐπίγειος, Alauda cristata Ζιι25. 617 ᵇ20.
τὰ τετράποδα ⱪ ᾠοτόκα ἐπίγειά ἐστιν Ζμβ13. 657 ᵇ24.

ἐπιγίγνεσθαι, de tempore, μετὰ τὰς εἰρημένας φιλοσοφίας
ἡ Πλάτωνος ἐπεγένετο πραγματεία ΜΑ6. 987 ᵃ29. ημα1.
1182 ᵃ15. ἐπιγιγνόμενα, opp προγεγονότα θ62. 835 ᵃ13.
cf 105. 839 ᵇ28. τὰ μὲν φθείρεται, τὰ δ' ἐπιγίνεται Φθ6.
259 ᵃ2. Ζιζ15. 569 ᵇ1. — ἐπιγίγνεσθαι i q accedere. εἰ
πολλαπλάσιον βάρος ἐπιγένοιτο πρὸς θάτερον ἡμισφαίριον
Οβ14. 297 ᵃ32. μικρῶν παθημάτων ἐπιγινομένων ἐν τῷ γήρᾳ
τελευτῶσιν αν17. 479 ᵃ15. τῷ μὲν ἐπιγινομένῃ νάματος τῷ
δ' ὑπεξιόντος Πγ3. 1276 ᵃ33. σημεῖα ἐπιγινόμενα, opp
ἀπολείποντα φ1. 806 ᵃ8. τὰ ἐξ ἀρχῆς, opp τὰ ἐπιγινόμενα
(incrementa, usurae) Πγ9. 1280 ᵃ30. ἀρεταὶ ἐγγινόμεναι,
ἐπιγινόμεναι ημα35. 1198 ᵃ3, 1197 ᵇ38. τὴν μὲν ὕλην ὑπάρ-
χειν, τὴν δ' ἐπιγίνεσθαι Ζγα22. 730 ᵇ3. ϩχ ὡς ἡ ἕξις ἐνυπ-
άρχϩσα, ἀλλ' ὡς ἐπιγινόμενόν τι τέλος Ηκ4. 1174 ᵇ33.
ἡ ἐπιγιγνομένη ἡδονὴ τοῖς ἔργοις Ηβ2. 1104 ᵇ4. — ἔξωθεν
τῷ ὀστράκῳ τὸ ἄνθος ἐπιγίνεται Ζγε15. 548 ᵃ13. τρίχες ἐπι-
γίνονται τοῖς παιδίοις χ6. 797 ᵇ27. ἐπιγίγνεται τὸ εἶδος τῇ
ὕλῃ, ἡ μορφὴ τῷ σώματι Μζ11. 1036 ᵃ31, ᵇ6. φ4. 808
ᵇ29. — ἐπιγίγνεσθαι i q incidere, ὅταν ὄμβροι ἐπιγένωνται,
ἂν ἐπιγίνωνται εὐδίαι παράλογοι al Ζιζ37. 580 ᵇ28, 27. 19.
573 ᵇ18. θ15. 599 ᵇ14.

ἐπιγλωττίς (semel ἐπιγλωσσίς Ζμγ3. 664 ᵃ22). ἡ ἀρτηρία
ἔχει οἷον πῶμα τὴν ἐπιγλωττίδα, ⱪ μεταξὺ τῶν τρήσεων
αν11. 476 ᵃ34, ᵇ3. Ζια16. 495 ᵃ28. τῆς γλώττης τι μέρος
ἐπιγλωττίς (ὑπογλωττίς ci Pic) Ζια11. 492 ᵇ34. τίνα ζῷα
ⱪ διὰ τί ἔχει τὴν ἐπιγλωττίδα ⱪ ϩκ ἔχει Ζμγ3. 664 ᵇ21-
665 ᵃ9. Ζιβ12. 504 ᵇ4.

ἐπιγελᾷ τὰ κύματα ἐν τοῖς βραχέσιν πκγ1. 931 ᵃ35. 24.
934 ᵃ25.

ἐπιγινώσκειν. μὴ ῥᾳδίως ἂν ἐπιγνῶναι ὅτι θήλειαί εἰσιν
Ζιι49. 631 ᵇ11.

ἐπίγραμμα Δηλιακόν Ηα9. 1099 ᵃ25. τὸ ἐπίγραμμα τῷ
ὀλυμπιονίκῃ Ρα7. 1365 ᵃ24. τὸν Ἡσίοδον ἐπιγράμμασι τῷδε
τυχεῖν f 524. 1563 ᵇ37. ἐπίγραμμα ϩ βασιλέως ἀλλὰ βοὸς
f 77. 1489 ᵃ3. — ἐπίγραμμα (i e τὸ ἐπιγεγραμμένον τί-
μημα, Meier Schömann att Pr p 178) Ρα13. 1374 ᵃ1.

ἐπιγράφειν. τὰ τῶν ἀρχαίων γραφέων, εἰ μή τις ἐπιγράψαι,
ϩκ ἐγνωρίζετο τί ἐστιν ἕκαστον τζ2. 140 ᵃ22. ἐπιγραφῆναι
τὸ τῷ πριαμένῳ ὄνομα οβ1346 ᵇ11. τοῖς δήβοις ἐπιγράφετο
ὁ ἄρχων ἐφ' ϩ' ἐνεγράφησαν f 429. 1549 ᵃ17. — οἱ ἐπι-
γεγραμμένοι ἢ φυλάττοντες (ἐν συνθήκαις) Ρα15. 1376 ᵇ4.
— ἐπέγραψαν τοῖς δήλοις ἐκ πέντε στατήρων τὴν ἰσοπο-
λιτείαν f 537. 1567 ᵃ28. ἐπιγράφειν τοῖς πλησιαιτάτοις πλῆ-
θος ἀργυρίϩ· εἰσέφερον τὸ ἐπιγραφὲν οβ1351 ᵇ2, 1347 ᵃ23.

ἐπιγραφή. στήλη ἔχϩσα ἐπιγραφὴν ἀρχαίοις γράμμασιν
θ133. 843 ᵇ17.

ἐπίγρυπος ῥίς φ6. 811 ᵃ34. βόες ἄγριοι ἐπίγρυποι Ζιβ1.
499 ᵃ7.

ἐπιδάκνειν. ὁ καπνὸς ἐπιδάκνων τὰς ὄψεις f 96. 1493 ᵇ30.

Ἐπίδαμνος, eius res publicae Πβ7. 1267 ᵇ18. γ16. 1287
ᵃ7. ε1. 1301 ᵇ21. 4. 1304 ᵃ13.

ἐπιδανείζειν. ἐπιδεδανεικότες ἐπὶ κτήμασιν οβ1347 ᵃ1.

Ἐπίδαυρος ⱪ ἡ παραλία Ργ10. 1411 ᵃ11. ἡ Ἐπίδαυρος
ἐκαλεῖτο Ἐπίκαρος f 449. 1551 ᵇ34. Ἐπιδαυρίων πολιτεία
f 449.

ἐπιδεικνύναι ρ15. 1431 ᵇ11. ἐπιδεικνύειν ρ35. 1439 ᵇ30,
1440 ᵃ9. 37. 1443 ᵃ14. ἐπιδείκνυε ρ35. 1440 ᵃ20. ἐπιδει-
κνύντες ρ37. 1445 ᵃ3. ἐπιδεικνύοντας ρ37. 1444 ᵃ11. de for-
mis cf δεικνύναι. — ἐκ τῶν ἀρχῶν ἐπιδεικνύς Φα2. 185
ᵃ15. ἐξ ὧν ἐπιδεικνύϩσι, λύειν ϩ χαλεπόν Φα3. 186 ᵃ5. ἐπι-
δεικνύϩσιν ὅτι, ἐπιδεῖξαι ὅτι Φδ6. 213 ᵃ25. Πα11. 1259 ᵃ16.
τὰς πράξεις ἐπιδεικνύναι ὡς τοιαύτας Ρα9. 1367 ᵇ28. ἐπι-
δείκνυε τὸ αὐτὸ πεποιηκότα ρ8. 1428 ᵇ18. ἡ καθόλϩ ἀπό-
δειξις πῶς ἐπιδεικνυσιν Αγ24. 85 ᵃ27. — pass ἐπιδεικνύ-
ονται τοσαῦτα χρήματα λαμβάνειν (λαμβάνοντες Spgl) ρ21.
1434 ᵃ13. — ἐπιδέδεικται ὅτι Αα44. 50 ᵃ24 (Wz e cod B et
pr A, dubito num recte, δέδεικται Bk). — med ἐπιδει-
κνύμενος τὸν πλϩτον Ηδ6. 1123 ᵃ25. — πίστεις φέρϩσι ⱪ
συμβϩλεύοντες ⱪ ἐπιδεικνύμενοι ⱪ ἀμφισβητϩντες Ρβ18.
1391 ᵇ26.

ἐπιδεικτικός. ἀναγκαῖον τῷ συμβϩλεύοντι ⱪ τῷ δικαζομένῳ
ⱪ τῷ ἐπιδεικτικῷ Ρα3. 1359 ᵃ15. — ἐπιδεικτικὸν γένος τῶν
λόγων, dist συμβϩλευτικϩ, δικανικϩ Ρα3. 1358 ᵇ8. ἐπι-
δεικτικϩ ἔπαινος ⱪ ψόγος, τὸ καλὸν ⱪ τὸ αἰσχρόν Ρα3.
1358 ᵇ12. α9. ἡ ἐπιδεικτικὴ λέξις γραφικωτάτη Ργ12. 1414
ᵃ17.

ἐπίδειξιν ποιήσασθαι τῆς σοφίας Πα11. 1259 ᵃ19. (cf ἔνδει-
ξις τῆς εὐδαιμονίας Ρβ16. 1391 ᵃ4). — ϩκ ἀγῶνος, ἀλλ'
ἐπιδείξεως ἕνεκα λέγειν ρ36. 1440 ᵇ13.

ἐπιδέκατοι τόκοι Ργ10. 1411 ᵃ17. οβ1346 ᵇ32. διδόναι τὸ
ἐπιδέκατον οβ1346 ᵇ33.

ἐπιδέξιος. βορέας μεταβάλλει εἰς τϩς ἐπιδεξίϩς ἀνέμϩς πκς12.
941 ᵇ12. — metaph def, syn εὐτράπελος Ηδ14. 1128 ᵃ17,
33. παραμυθητικὸς ὁ φίλος ἐὰν ᾖ ἐπιδέξιος Ηι11. 1171 ᵇ3.
ἐπιδέξιοι τωθάσαι ϩ ὑπομείναι Ρβ34. 1381 ᵃ34.

ἐπιδεξιότης Ηδ14. 1128 ᵃ17.

ἐπίδεσμος. ἐκ τῶν ἐπιδέσμων ⱪ σπόγγων ἐκκλύζεσθαι Ζιι44.
630 ᵃ6.

ἐπιδέχεσθαι τὴν ὀχείαν Ζγδ5. 773 ᵇ25. μηδὲν ἐπιδέχεσθαι
πάθος τὴν καρδίαν Ζγα4. 667 ᵇ1. ἐπιδέχεσθαι τὸ μᾶλλον
ⱪ τὸ ἧττον Κ6. 6 ᵃ19, 25. 7. 6 ᵇ20. 8. 10 ᵇ26, 11 ᵃ3, 14.
9. 11 ᵇ1, 6. Ηθ2. 1155 ᵇ13. ἐπιδέχεσθαι τὴν μεσότητα Ηβ6.
1107 ᵃ8, ἐναντιότητα Κ9. 11 ᵇ1, 4, ἅμα τὰ ἐναντία Κ6. 5
ᵇ34, 6 ᵃ1. ἐπιδέχεσθαι τὸν τϩ εἴδϩς, τῷ γένϩς λόγον τζ6.
143 ᵇ21 (syn μετέχειν τϩ εἴδϩς ᵇ14). γ5. 119 ᵃ29. Κ5.3
ᵇ2. ⱪ τϩνομα ⱪ τὸν λόγον ἐπιδέχεται τῶν γενῶν τὰ εἴδη
τβ2. 109 ᵇ7. ἐπιδέχεσθαι τἀκριβὲς Ηα1. 1094 ᵇ25. — τὰ
πλοῖα ἐπιδέχεται πλείϩς ἁμαρτίας ΠΖ6. 1320 ᵇ35.

ἐπίδηλος (id quod evidens est et quasi in oculos incurrit;
non raro discriminis alicuius evidentia hoc voc significa-
tur). τῶν ὀρνίθων ἐν ταῖς ἀρρωστίαις ἐπίδηλος ἡ πτέρωσις
γίνεται· ταράττεται γὰρ ⱪ ϩ τὴν αὐτὴν ἔχει κατάστασιν
ἥπερ ὑγιαινόντων Ζιθ18. 601 ᵇ6. ἡ φωνὴ ὀξύτητι ⱪ βαρύ-
τητι μάλιστα ἐπίδηλος, τὸ δ' εἶδος ϩδὲν διαφέρει Ζιθ9. 536
ᵇ10. μὴ περιχαρὴς γίνηται Πηνελόπη ⱪ ἐπίδηλον ποιήσῃ

f 168. 1506 ᵃ27. ἐδὲν ἐδὲ νῦν ποιεῖ ἐπίδηλον τὴν ἡμίσειαν ἡμᾶς ἀπέχοντας διάμετρον Οβ 13. 293 ᵇ29. cf 14. 298 ᵃ8. ὁ προσὸν ἢ μὴ προσὸν μηδὲν ποιεῖ ἐπίδηλον, ἐδὲ μόριον τᾶ ὅλυ πο 8. 1451 ᵃ35, Vhl Poet I 53. ἐν πολλῷ πλήθει ἐπίδηλον ποιεῖν τὴν μίξιν, δι' ὀλιγότητα ἐχ ὁμοίως ἐπίδηλον μβ 3. 357 ᵃ20. 8. 367 ᵇ3. ἐπίδηλος, cf φανερός, διάδηλος Ζιζ 17. 571 ᵃ29, 31. ἡ πέρδιξ ὀσφρησιν δοκεῖ ἔχειν ἐπίδηλον Ζιζ 2. 560 ᵇ15. λαμβάνειν αὔξησιν ἐπίδηλον, ποιεῖν ἐπίδηλον τὴν μεταβολήν, τὴν αἴσθησιν sim Ζιε 15. 547 ᵇ30. 33. 555 ᵃ9. Ζμγ 10. 672 ᵇ32, 673 ᵃ2, 5. δ 9. 685 ᵇ24. Ζγα 20. 728 ᵃ8. φωνὴ μεταβάλλυσα ἐν ἐνίοις (τῶν ἡβώντων) ἐπίδηλός ἐστιν Ζιε 14. 544 ᵇ30. ἡ μεταβολὴ γίνεται ἐπίδηλος, ἡ κίνησις, ἡ κάθαρσίς ἐστιν ἐπίδηλος sim Ζγδ 8. 776 ᵇ14, 22. 6. 775 ᵃ34, ᵇ6. α18. 725 ᵇ7. ε3. 782 ᵃ7. Ζμδ 5. 681 ᵇ33. μβ4. 361 ᵃ27. πιε 11. 912 ᵇ22. ια6. 899 ᵇ11. 29. 902 ᵇ11. συμβαίνει ἐδὲν ἐπίδηλον Ζγγ 11. 763 ᵇ14. — ἐπίδηλος c partic μετριωτέρως ἐπίδηλά ἐστιν ἐνοχλημένα ὑπὸ τῆς ᾠδῖνος τἆλλα ζῷα Ζιη 9. 587 ᵃ1. — ἐπιδηλότεροι γίνονται οἱ μαστοὶ Ζιη 1. 581 ᵃ13. ἐπιδηλότατον Ζιζ 14. 568 ᵇ5. — (χρῆσθαι ὡς ἐδέσματι τοῖς ἐπιθέτοις, ὅτω πυκνοῖς χ̣ μείζοσι χ̣ ἐπιδήλοις Ργ 3. 1406 ᵃ20, ἐπὶ δήλοις corr Bernays). — ἐπιδήλως Οβ 14. 297 ᵇ34. μα 7. 344 ᵇ28. β1. 354 ᵃ15. 8. 368 ᵃ13. γ4. 374 ᵇ21. αν 3. 471 ᵃ25. Ζιδ 10. 537 ᵇ7. ζ 9. 564 ᵇ10, 11. 17. 571 ᵃ22. ι7. 613 ᵃ21. Ζμγ 3. 664 ᵃ22. 7. 669 ᵇ33. 10. 672 ᵇ29. Ζγβ 7. 747 ᵃ15. δ 8. 776 ᵇ19. ε 1. 778 ᵃ26, 779 ᵇ5. Ηη 5. 1147 ᵃ16. πδ 2. 876 ᵇ6. ι35. 894 ᵇ13. ἧττον ἐπιδήλως Ζγγ 1. 750 ᵇ11. ἐχ ἐπιδήλως σφόδρα Ζιγ 11. 518 ᵃ8. μᾶλλον ἐπιδήλως Ζιη 3. 583 ᵇ1. ἐπιδηλότερον Ζγα 20. 728 ᵇ29. ἐπιδηλοτέρως Ζιθ 21. 604 ᵃ2. ἐπιδηλότατα Ζιγ 1. 510 ᵃ5. Ζγα 19. 727 ᵃ22. πδ 2. 876 ᵃ36, 39, ᵇ21. ἐπιδηλοτάτως Ζγα 19. 727 ᵃ23.

ἐπιδηλῦν. μικρὰς πάμπαν ἐπιδηλῦσι τὰς συστάσεις μγ 3. 373 ᵃ31.

ἐπιδημεῖν Λοκρὸν ὄντα ἐν Κρήτῃ sim Πβ 12. 1284 ᵃ27. ε11. 1313 ᵇ6. παρέχυσα τοῖς ἐπιδημῦσι στέγην f 588. 1573 ᵇ45.

ἐπιδημητικὰ ζῷα, opp ἐκτοπιστικά Ζια 1. 488 ᵃ13.

ἐπιδιατρίβειν. κεραυνὸς πρὶν ἐπιδιατρίψας μελᾶναι μγ 1. 371 ᵃ23.

ἐπιδιδόναι, syn μείζω γίνεσθαι Μμ 8. 1083 ᵃ7. οἱ ἄνθρωποι μέχρι τριάκοντα ἐτῶν ἐπιδιδόασιν πκ 7. 923 ᵃ37. τὰ περὶ Μαιῶτιν λίμνην ἐπιδέδωκε τῇ προσχώσει τῦ ποταμῦ μα 14. 353 ᵃ2. τὰ πρότερον πεπονημένα ἐπιδέδωκεν ὑπὸ τῶν παραλαβόντων τι 34. 183 ᵇ19. αἱ ἐπιμέλειαι διηρημέναι μᾶλλον ἐπιδώσυσι Πβ 5. 1263 ᵃ8. ἐπιδέδωκεν ἐν τῇ πόλει τὸ ὁμολογεῖν πονηρὸς εἶναι Ρα 15. 1376 ᵃ11. τὸ μέγεθος εἰς αὔξησιν ἐπέδωκεν Ζγγ 11. 763 ᵇ4. ἐπιδοίη ἂν εἰς τὸ βέλτιων εἶναι Κ 10. 13 ᵃ24. ἐπιδιδόασιν εἰς τὸ οἰκεῖον ἔργον Ηκ 5. 1175 ᵃ35, εἰς τὰς ἕξεις πκθ 10. 951 ᵃ5, εἰς τὸ μὴ κρατεῖσθαι μχ 35. 858 ᵇ29. ἐπιδιδόναι ἐπί τι Ζιε 14. 545 ᵇ14. πρὸς ἃ μᾶλλον ἐπιδίδομεν ημα 9. 1186 ᵇ29, 30.

ἐπιδιήγησις, opp προδιήγησις Ργ 13. 1414 ᵇ14.

ἐπιδικάζονται αἱ ἄρισται τῶν ἀνθρώπων χώρας Ηβ 7. 1107 ᵇ31 (cf ἀμφισβητεῖν δ 10. 1125 ᵇ23).

ἐπιδικασίαι κλήρων χ̣ ἐπικλήρων f 381. 1541 ᵇ10, 18.

ἐπιδινῦντες αὐτὺς κηφῆνες Ζι 40. 624 ᵃ24.

ἐπιδιορίζειν. ἐδὲν ἐπιδιώρισαν Ογ 4. 303 ᵃ13. ἐπιδιοριστέον τ ζ 12. 149 ᵃ31.

ἐπίδοξος. πρὸς ὓς ἐπίδοξον πολεμεῖν Ρα 4. 1359 ᵇ39. ἂν ἐπίδοξος ἡ κρίσις ἢ γενέσθαι ρ 30. 1437 ᵃ14. τὰ ἐπίδοξα λέγεσθαι, ῥηθήσεσθαι ρ37. 1443 ᵃ7, 40. 19. 1433 ᵃ32, 36.

ἐπιδορπισμός τις ὁ τραγηματισμός ἐστιν f 100.1494 ᵃ32,36.

ἐπίδοσις τβ 10. 115 ᵃ3, 4. ἡ αὔξησίς ἐστι τᾶ ἐνυπάρχοντος μεγέθυς ἐπίδοσις, ἡ δὲ φθίσις μείωσις Γα 5. 320 ᵇ30. ἐπίδοσις βάρυς, ταχυτῆτος, ἡλικίας Οα 8. 277 ᵃ32. πδ 11. 877 ᵇ17. τῶν τεχνῶν αἱ ἐπιδόσεις Ηα 7. 1098 ᵃ24. ἡ τρίτη ἐπίδοσις τῆς ὀλιγαρχίας Πδ 6. 1293 ᵃ27. λαμβάνει ἐπίδοσιν· λευκὸν γὰρ ὂν ἐνδέχεται λευκότερον γενέσθαι Κ 8. 10 ᵇ28. cf 10. 13 ᵃ25, 27, 29. τζ 7. 146 ᵃ8. ι34. 183 ᵇ21. μεγάλην ἂν ἐπίδοσιν ἔχειν ρ 36. 1441 ᵃ34. κατὰ μικρὸν ἐν πολλῷ γίγνεται χρόνῳ ἡ ἐπίδοσις μα 14. 351 ᵇ26. ἡ γίγνεται αὐτῷ ἐπίδοσις ἐδὲ ῥώμη Ζιε 14. 546 ᵃ9. ἐπίδοσις ταχεῖα γίνεται εἰς τὸ μέγεθος Ζιζ 2. 560 ᵃ20. πρὸς ἃ ἡ ἐπίδοσις μᾶλλον γίνεται Ηβ 8. 1109 ᵃ17. ημα 9. 1186 ᵇ28. ἐπίδοσις εἴς τι ψβ 5. 417 ᵇ7. αὐξητικὸν τὸ εἰς μέγεθος ποιῶν τὴν ἐπίδοσιν Ζγβ 6. 744 ᵇ36. εἰς ἐπίδοσιν βαδίζυσα μεγέθυς ημβ 3. 1200 ᵃ21 (syn εἰς ὑπερβολὴν γίνεσθαι ᵃ14, 18). τὸ σύμμετρον συνεχῶς αἰσθητὸν εἰς ἐπίδοσιν πκα 14. 929 ᵃ4. (ἦθυς τὸ ὄνομα ἀπ' ἔθυς ἔχει τὴν ἐπίδοσιν ηεβ 2. 1220 ᵇ1, fort ἀπόδοσιν e cod Mᵇ).

ἐπιδρομαὶ κυμάτων, opp ἀναχωρήσεις κ6. 400 ᵃ26. 4. 396 ᵃ19.

ἐπιδυσφημεῖν. τὺς διὰ κακίαν ὑπερβάλλοντας ὅτως ἐπιδυσφημῦμεν Ηη1. 1145 ᵃ33.

ἐπιείκεια. περὶ ἐπιεικείας πῶς ἔχει πρὸς δικαιοσύνην Ηε 14. ημβ 1. 2. τζ 3. 141 ᵃ16. ἐπιεικείας τυχεῖν Ρα 12. 1373 ᵃ18. (ἐπιεικείας παράδειγμα πο 15. 1454 ᵇ13, ἐπιεικεῖς ποιεῖν e cod Aᵇ Vhl Poet II 77.) — universe (cf ἐπιεικής), opp φαυλότης, syn ἀρετή Ηκ 5. 1175 ᵇ24. Ρα 15. 1376 ᵃ29. Πε 9. 1309 ᵇ6. cf ξ4. 977 ᵇ34. Ηδ 3. 1121 ᵇ24. αρ 8. 1251 ᵇ33.

ἐπιεικής. ὁ ἐπιεικὴς ἐλαττωτικός, τὸ ἐπιεικὲς ἐπανόρθωμα νομίμυ δικαίυ Ηε 12. 1136 ᵇ20. 14. 1137 ᵇ12, 26, 34. ζ 11. 1143 ᵃ21 (ὁ ἐπ. συγγνωμονικός) ημβ 1. 2. Ρα 12. 1372 ᵇ19. 13. 1374 ᵃ25. — τὸ ἐπιεικὲς ἐπαινῦμεν χ̣ ἄνδρα τὸν τοιῦτον, ὥστε χ̣ ἐπὶ τὰ ἄλλα ἐπαινῦντες μεταφέρομεν ἀντὶ τῦ ἀγαθῦ, τὸ ἐπιεικέστερον ὅτι βέλτιον δηλῦντες Ηε 14. 1137 ᵇ1. ἐπιεικής, syn σπυδαῖος Ρβ 1. 1378 ᵃ13, 16. Ηθ 8. 1169 ᵃ16, 18, 1168 ᵃ33. 9. 1170 ᵃ8 (coll 1169 ᵇ35. 8.1169 ᵃ35. Fritzsche ad θ13. 1161 ᵃ29). Ρα 2. 1356 ᵃ6. β 8. 1385 ᵇ35 (coll 1386 ᵇ5). Πβ 9. 1270 ᵇ37. γ 10. 1281 ᵃ12, 28. syn χρηστός Ρα 5. 1361 ᵇ38. β 8. 1385 ᵇ35 (coll 12. 1389 ᵇ8). 9. 1386 ᵇ32 (coll ᵇ13). Vhl Poet II 77. opp φαῦλος Ηγ 7. 1113 ᵇ14. δ 15. 1128 ᵇ28. ε 7. 1132 ᵃ2, η5. 1157 ᵃ17. κ6. 1176 ᵇ24 (cf opp τῦ τυχόντος α13. 1102 ᵇ10). Πβ 7. 1267 ᵃ6. 11. 1273 ᵇ5. γ 11. 1282 ᵃ26. Ρβ 19. 1392 ᵇ24. 8. 1385 ᵇ35. πο 26. 1462 ᵃ2. opp πονηρός Ργ 10. 1411 ᵃ16. opp μοχθηρός Πζ 8. 1322 ᵃ23. πο 13. 1452 ᵇ34. ἐπιεικὴς χ̣ μακάριος Ηι 9. 1170 ᵃ27. ἐπιεικὴς χ̣ ἐλευθέριος Ηδ 14. 1128 ᵃ18. ὁ ἐπιεικὴς ἀνὰ μέσον τῦ ἀρέσκυ χ̣ τῦ δυσκόλυ, τῦ ἀλαζόνος χ̣ τῦ εἴρωνος Ηδ 12. 1126 ᵇ21. 13. 1127 ᵇ3. syn αἰδήμων Ηγ 9. 1115 ᵃ13. προαίρεσις ἐπιεικής Ηη 11. 1152 ᵃ17. ἕξις ἐπιεικής, ἐπιεικεστάτη ηεγ 3. 1231 ᵇ22. 7. 1234 ᵃ13. ἦθος ἐπιεικές, opp φαῦλον ι 3. 113 ᵃ13. Πβ 5. 1340 ᵃ17. μόνιμος χ̣ ἐπιεικὴς φιλία Ηθ 8. 1158 ᵇ23. πολιτεῖαι ἐπιεικεῖς, opp φαῦλαι Πδ 2. 1289 ᵇ7. ἡδοναὶ ἐπιεικεῖς, opp μοχθηραί, αἰσχραί Ηκ 5. 1176 ᵃ24, 23, 1175 ᵇ28. ἐπιτηδεύματα ἐπιεικῆ Ηκ 10. 1180 ᵃ16, 34. ὅσοι ἐπιεικεῖς (i e ὡς δεῖ, ὅσα δεῖ) Ηδ 2. 1120 ᵇ32. ἐλπὶς ἐπιεικής Ρβ 3. 1380 ᵇ5. λόγος ἐπιεικής, opp εὐήθης τι 33. 183 ᵃ20, 14. τὸ ἐπιεικές, syn ἀγαθόν ηεη 2. 1238 ᵇ12, 14. cf Ρβ 19. 1392 ᵇ24. 11. 1388 ᵃ33 (opp φαῦλον). τὰ ἐπιεικῆ κοινὰ τῶν ἀγαθῶν ἁπάντων ἐστὶν ἐν τῷ πρὸς ἄλλον Ηζ 12. 1143 ᵃ31. ἐξ ὑπο-

θέσεως ἐπιεικές Ηό15. 1128 ᵇ30, 33. ἐν πᾶσι τὸ αἱρετὸν
ἐπιεικές Ηκ2. 1172 ᵇ11. — οἱ ἐπιεικεῖς ꭓ γνώριμοι, opp
τὸ πλῆθος, ὁ δῆμος ΠΖ4. 1318 ᵇ35, 1319 ᵃ3. ε8. 1308 ᵇ27.
10. 1310 ᵇ10. — ꞷκ ἐπιεικὲς σημεῖον τὸ μὴ ἀεὶ τῷ πράγ-
ματι παρεπόμενον φ1. 806 ᵇ12. — ἐπιεικῶς. ὁ ἀὴρ ἐπι- 5
εικῶς ἀναίσθητον Γα4. 319 ᵇ20. ἐπιεικῶς πλατύ, ἐπιεικῶς
ἔχꞷσα μῆκος al Ζια16. 495 ᵇ27. 17. 496 ᵃ23. β1. 500 ᵇ13.
ι26. 617 ᵇ26. φ6. 809 ᵇ28.
ἐπιέναι. τὸ ἄνωθεν ἐπιὸν ὕδωρ μα13. 351 ᵃ6. τῆς θαλάττης
τὰ μὲν ἀπολειπꞷσης τὰ δ᾽ ἐπιꞷσης μα14. 353 ᵃ22. ἐὰν τὸ 10
δέρμα ἐφελκόμενον ταχὺ ἐπίη ΖιΖ25. 578 ᵃ8. σκαρδαμύτ-
τꞷσιν ἐκ τꞷ κανθꞷ δέρματι ἐπιόντι Ζιβ12. 504 ᵃ26. — οἱ
ἐπιόντες i q οἱ πολέμιοι. veluti ἀμύνειν τꞷς ἐπιόντας sim
ΠΒ7. 1267 ᵃ26. ό4. 1291 ᵃ8. η11. 1330 ᵇ38. — τὸ ἐπιὸν
i q τὸ μέλλον. ὁδοποιήσας τῷ ἐπιόντι· πρὶν ἐπερωτῆσαι τὸ 15
ἐπιὸν Ργ14. 1414 ᵇ21. 18. 1419 ᵃ22. ὥρα ἐπιꞷσα Ζιε33.
558 ᵃ3. τὰς ἐπιꞷσας δυσχερείας φυγεῖν, syn τὰ μέλλοντα
κακά ρ1. 1420 ᵇ10, 8. — τὸν τρόπον τꞷτον ἐπιꞷσιν (i q με-
τιꞷσιν) ἀδύνατον φαίνεται Φα3. 186 ᵃ4.
ἐπιζευγνύναι. τꞷς δακτύλꞷς τῆς ἑτέρας χειρὸς ἐπὶ τὴν ἑτέ- 20
ραν ἐπιζεύξας πιε11. 912 ᵇ14. τῶν αἰσθητηρίων ἕκαστον πρὸς
ἕκαστον ἐπιζευγνύσιν τῶν στοιχείων Ζμβ1. 647 ᵃ13. τꞷτο
ἐπέζευκται κοινὸν ὄνομα Φε2. 226 ᵃ27. Ζιδ7. 531 ᵇ22. —
rhet συμβάλλεται πρὸς ὄγκον μὴ ἐπιζευγνύναι, ἀλλ᾽ ἑκα-
τέρῳ ἑκάτερον Ργ6. 1407 ᵇ35. cf 9. 1410 ᵃ1. ποιεῖ σολοι- 25
κίζειν τὸ μὴ ἀποδιδόναι, ἐὰν μὴ ἐπιζευγνύῃς ἀμφοῖν ὃ ἁρ-
μόττει Ργ5. 1407 ᵇ19. — mathem ἐπιζευγνύναι γραμμὴν
ἀπό τινος ἐπί τι lineam ab aliquo puncto ad alterum
punctum, veluti ἀπὸ τꞷ π ἐπὶ τὸ μ ἐπεζεύχθω ἢ τὸ μπ
sim μγ5. 376 ᵃ17, 27, 375 ᵇ23. 3. 373 ᵃ10. Οβ4. 287 ᵇ8. 30
μχ1. 849 ᵇ16 Cappelle, α2. 391 ᵇ25.
ἐπιζεφύριοι Λοκροὶ ΠΒ12. 1274 ᵃ22.
ἐπιζήμιος. βλαβερὸν ἐχθροῖς ꭓ ἐπιζήμιον Ρβ23. 1399 ᵇ35.
ἐπιζήμιον εὐπόροις, syn ζημία ἐπίκειται Πό13. 1297 ᵃ31,
33, 26. ἀδικεῖν τὰ ἐπιζήμια, τὰ μὴ ἐπιζήμια Ρα14. 1375 35
ᵃ19. — τὰ ἐπιζήμια i q αἱ ζημίαι πκθ14. 952 ᵇ12.
ἐπιζητεῖν. οἱ βꞷκόλοι ἐὰν μίαν αἶγα μὴ εὕρωσιν, εὐθὺς πά-
σας ἐπιζητꞷσιν Ζυ4. 611 ᵃ9. καθ᾽ αὑτὰς αἱρετά, ἀφ᾽ ὧν
μηδὲν ἐπιζητεῖται Ηκ6. 1176 ᵇ6. ἐπιζητεῖν τὸ ἐνδεές, βοήθ-
ημα, ἄκος Ηα4. 1097 ᵃ5, 7. ΠΒ7. 1267 ᵃ11. ἐπιζητεῖν τὴν 40
ἀκρίβειαν, τἀκριβὲς ἐπὶ τοσꞷτον Ηα7. 1098 ᵃ27. 1. 1094 ᵇ24,13.
τὸ δυνατὸν ꭓ φιλία ἐπιζητεῖ Ηθ16. 1163 ᵇ15. ἐν εὐτυχίαις ꭓ ἐν
δυστυχίαις φίλοι ἐπιζητꞷνται Ηι11. 1171 ᵃ22. τὰ ἐπιζητꞷμενα
περὶ τὴν εὐδαιμονίαν (quae requiruntur ad beatitudinem) Ηα9.
1098 ᵇ22. ἐπιζητεῖν τι de resuscitanda recordatione μν2. 452 45
ᵃ16, 22. — quaerere, investigare μβ5. 362 ᵃ16. τὸ νῦν
ἐπιζητꞷμενον Ηα11. 1100 ᵃ32. ἡ ἐπιζητꞷμένη ἐπιστήμη Μβ1.
995 ᵃ24. ἐπιζητῆσαι (τὰς αἰτίας) ΜΑ6. 988 ᵃ16. πῶς ὁ γεω-
μέτρης ἐπιζητεῖ τὴν ὀρθήν Ηα7. 1098 ᵃ29. ἐπιζητꞷμεν θεω-
ρῆσαι ꭓ γνῶναι μ1. 402 ᵃ7. ἐπιζητεῖται πότερον sim Ν9. 50
1169 ᵇ13. 7. 1167 ᵇ19. κ2. 1172 ᵇ35. Σωκράτης ἐπεζήτει
τί ἐστιν ἡ ἀνδρία ηεα5. 1216 ᵇ4 (syn ζητεῖν ᵇ9). — ꞷδ᾽
αὐτοὶ ἐπιζητꞷσιν (syn ἀξιꞷν ᵃ19) ὡς δεῖ ἀντιφιλεῖσθαι ηεη4.
1239 ᵃ18. — ἐπιζητητέον Ηα1. 1094 ᵇ13.
ἐπίκρος χꞷῶν (Emp 211) ψα5. 410 ᵃ4. 55
ἐπιθεῖν. τὰ ἐν τοῖς ποταμοῖς πλατέα ζωάρια τὰ ἐπιθέοντα
Ζιε19. 551 ᵇ22.
ἐπίθεμα, θυρίδα πλατεῖαν ἔχοντες οἷον ἐπίθεμα (v l ἐπίθημα)
Ζιδ4. 529 ᵇ8.
ἐπιθερμαίνεται ὁ ἄρτος, syn χλιαίνεται. dist ὀπτᾶται πκα25. 60
929 ᵇ33, 31.

ἐπίθεσις. opp ἀφαίρεσις ζ5. 470 ᵃ11. — αἱ ἐπιθέσεις
γίγνονται ἐπὶ τὸ σῶμα τῶν ἀρχόντων, ἐπὶ τὴν ἀρχήν Πε10.
1311 ᵃ31. ποιεῖσθαι, συστῆσαι ἐπίθεσιν ἐπί τινα Πε10.
1312 ᵃ20. 7. 1306 ᵇ35. cf 10. 1311 ᵇ30. — ἐν τοῖς ἐπι-
θέτοις ἔστι τὰς ἐπιθέσεις ποιεῖσθαι ἀπὸ φαύλꞷ ἢ ἀπὸ βελ-
τίονος Ργ2. 1405 ᵇ22.
ἐπιθετικὸς φ6. 813 ᵃ7. ὁ θρασύς, ἦθος ἐπιθετικώτατον περὶ
πάσας τὰς πράξεις Πε11. 1315 ᵃ11.
ἐπίθετος. ἐπιθυμίαι ἴδιοι ꭓ ἐπίθετοι. opp κοιναί, φυσικαὶ
Ηγ13. 1118 ᵇ9. πίστεις ἐπίθετοι τοῖς λεγομένοις ꭓ πραττο-
μένοις ρ8. 1428 ᵃ18. — τοῖς ἐπιθέτοις πῶς ἁρμόττει χρῆσθα
Ργ2. 1405 ᵃ10, ᵇ21. 3. 1406 ᵃ19. 6. 1407 ᵇ31. 7. 1408
ᵇ11. ἐπίθετα μακρά, ἄκαιρα. πυκνά Ργ3. 1406 ᵃ11. cf
Vhl Poet III 255.
ἐπιθεωρεῖν τι ρ23. 1434 ᵇ29.
ἐπίθημα (cf ἐπίθεμα). χαλκꞷς ἀμφορεὺς ἔχων διερρινημένον
ἐπίθημα εἰς τὸ αὑτὴν μόνην τὴν ψῆφον καθίεσθαι f 426.
1548 ᵇ35, 41.
ἐπιθυμεῖν. τὸ ἐπιθυμεῖν πότερον ἴδιόν ἐστι τꞷ ἐπιθυμητικꞷ
τε8. 138 ᵃ34. τὸ ἐπιθυμεῖν ꞷκ ἔστιν ἄνευ σώματος ψα1.
403 ᵃ7. οἱ ἄνθρωποι ἀδικꞷσιν ὅπως χαίρωσι ꭓ μὴ ἐπιθυμꞷσιν
ΠΒ7. 1267 ᵃ5. ἐπιθυμεῖν, coni βꞷλεσθαι Μθ5. 1048 ᵃ21,
dist βꞷλεσθαι ηεη1. 1235 ᵇ20-22. ἐπιθυμεῖ α gen Πό1.
1288 ᵇ17. ꞷδεὶς τῶν ἀδυνάτων ἐρᾷ ꞷδ᾽ ἐπιθυμεῖ Ρβ19.
1392 ᵃ25. ἐπιθυμεῖν ἀλόγως ἐπιθυμίας Ρα11. 1370 ᵃ20. —
ἐπιθυμητὸν τινί τι Ηγ13. 1118 ᵃ16. ἐπιθυμητὸν τὸ φαι-
νόμενον καλόν, βꞷλητὸν δὲ πρῶτον τὸ ὂν καλὸν ΜΛ7. 1072
ᵃ27. τὸ θαυμαστὸν ἐπιθυμητὸν Ρα11. 1371 ᵃ33. ἡδὺ ꭓ
ἐπιθυμητὸν τὸ ἐναντίον ὡς χρήσιμον ηεη5. 1239 ᵇ26. ἀνα-
μνησις τῶν ἐπιθυμητῶν Ηγ13. 1118 ᵃ13.
ἐπιθυμητής πολέμꞷ φύσει Πα2. 1253 ᵃ6.
ἐπιθυμητικός. οἱ νέοι ὀργίλοι ꭓ ἐπιθυμητικοὶ Ρα10. 1369
ᵃ9. β12. 1389 ᵃ3. 13. 1390 ᵃ13. ὁ ἐπιθυμητικός, syn ἀκό-
λαστος ηεβ3. 1221 ᵃ20. ἐπιθυμητικώτεροι τῶν σιτίων πε40.
885 ᵃ23. — ἡ ἐπιθυμητικὴ ψυχή ψα3. 407 ᵃ5. τὸ ἐπι-
θυμητικὸν ꭓ ὅλως ὀρεκτικὸν ψαβ13. 1102 ᵇ30. τβ7. 113 ᵇ2.
δ5. 126 ᵃ9. 12. τὸ ἐπιθυμητικόν, dist λογιστικόν, θυμικὸν
(Plat) ψγ9. 432, ᵇ25. τε1. 129 ᵃ12, 14. τꞷ ἐπιθυμητικꞷ τ·
ἴδιον τε8. 138 ᵃ33 sqq. δεῖ τὸ ἐπιθυμητικὸν συμφωνεῖν τῷ
λόγῳ Ηγ15. 1119 ᵇ14, 15. ἐπιθυμητικꞷ ἀρετὴ σωφροσύνη
τε6. 136 ᵇ14. αρ1. 1249 ᵇ27, 31. 2. 1250 ᵃ8, 10. 3. 1250
ᵃ20, 23.
ἐπιθυμία. ἡ ἐπιθυμία ἔνδεια πκβ3. 930 ᵃ28. ἀναπλήρωσις
τῆς ἐνδείας ἐστὶν ἡ φυσικὴ ἐπιθυμία Ηγ13. 1118 ᵇ19. ἔχειν
πλήρη τὴν ἐπιθυμίαν ηεα15. 1215 ᵇ18. ἐπιθυμία ꭓ ὅλως
ὄρεξις al1. 436 ᵃ9. εἰ αἴσθησις ὑπάρχει, ꭓ ἐπιθυμία υ1.
454 ᵇ31· φαίνεται λύπη ꭓ ἡδονὴ ἐνꞷσα, εἰ δὲ ταῦτα, ꭓ
ἐπιθυμίαν ἀνάγκη ψγ11. 434 ᵃ3. μετὰ λύπης ἡ ἐπιθυμία
Ηγ14. 1119 ᵃ4. ἡ ἐπιθυμία ὄρεξις τꞷ ἡδέος τΖ3. 140 ᵇ27.
ψβ3. 414 ᵇ5, 2, 12. γ10. 433 ᵃ25. Ζμβ17. 661 ᵃ8. Ρα11.
1370 ᵃ17. 10. 1369 ᵇ15. Ηγ3. 1111 ᵃ32. 4. 1111 ᵇ16.
η10. 1151 ᵇ11. ηεβ7. 1223 ᵃ34. ρ2. 1235 ᵇ22. τῶν ἐπιθυ-
μιῶν αἱ μὲν ἄλογοί εἰσιν αἱ δὲ μετὰ λόγꞷ Ρα11. 1370 ᵃ18.
βꞷλησις ꭓ θυμὸς ꭓ ἐπιθυμία πάντα ὄρεξις Ζκ6. 700 ᵇ22,
18. cf ὄρεξις. τὸ κατ᾽ ἐπιθυμίαν ἑκάσιον ηεβ7. 1223 ᵃ29.
κατ᾽ ἐπιθυμίαν ζꞷσι ꭓ τὰ παιδία, opp κατὰ λογισμός Ηγ15.
1119 ᵇ5. Πη15. 1334 ᵇ23. ἐπιθυμία θυμꞷ χρῆται ꭓ τὰ
λοιπὰ ζῷα ρ1. 1421 ᵃ10. ἡ ἐπιθυμία τοιꞷτον (int θηρίον)
Πγ16. 1287 ᵃ31. ὅταν ὁ λόγος ꭓ ἡ ἐπιθυμία ἐναντίαι ὦσιν·
ἡ ἐπιθυμία κινεῖ παρὰ τὸν λογισμὸν ψγ10. 433 ᵇ6, ᵃ25. ἡ
ἐπιθυμία ꞷ μετέχει λόγꞷ ηεβ8. 1224 ᵇ2. κατέχειν τꞷ

λογισμῷ τὴν ἐπιθυμίαν αρ2. 1250 ᵃ11. 5. 1250 ᵇ13. ἐπι-
θυμία, dist θυμός Ηη7. 1149 ᵃ24 sqq. cf 5. 1147 ᵃ16. ἐπι-
θυμία ϰ ὀργή, dist βύλησις Ρβ19. 1393 ᵃ2. ἄλογοι ὀρέξεις
ὀργή ϰ ἐπιθυμία Ρα10. 1369 ᵃ4. ἄπειρος ἡ τῆς ἐπιθυμίας
φύσις Πβ7. 1267 ᵃ4. ἐπιθυμίαι κοιναί, ἴδιοι, ἐπίθετοι Ηγ13. 5
1118 ᵇ8. η7. 1149 ᵇ5. τῶν ἐπιθυμιῶν αἱ μέν εἰσι τῷ γένει
καλῶν Ηη6. 1148 ᵃ22. ἐπιθυμίαι ἀνθρωπικαί, θηριώδεις, διὰ
πηρώσεις ϰ νοσήματα Ηη7. 1149 ᵇ28 sqq. (ταῖς κυνάσαις
γίνονται ἐπιθυμίαι παντοδαπαί Ζιη4. 584 ᵃ18.) ἐπιθυμία
νεανική Ηη6. 1148 ᵃ21. δι' ὕβριν ϰ ἐρωτικὴν ἐπιθυμίαν 10
Πε10. 1311 ᵇ19. πρὸς παῖδας ἔρωτες ϰ ἐπιθυμίαι ὀελφίνων
Ζι48. 631 ᵃ10. — μᾶλλον ὀεῖ τὰς ἐπιθυμίας ὁμαλίζειν ἢ
τὰς ὐσίας (i e τὰς κτήσεις) Πβ7. 1266 ᵇ29. — ἀντίμιμον
τὴν τῆς ψυχῆς ἐπιθυμίαν (Alcidam.) Ργ3. 1406 ᵃ30.
ἐπικαθεύδειν (sc τοῖς ὠοῖς, i q ἐπωάζειν) Ζιε9. 542 ᵇ20. 15
ἐπικαθῆσθαι τοῖς ὠοῖς Ζιε33. 558 ᵃ19. ι33. 619 ᵇ14. αἱ
μέλιτται ἐπικάθηνται ἐπὶ τοῖς κηρίοις Ζι40. 625 ᵃ5.
ἐπικαθιστάναι. τὴν τῶν ἐφόρων ἀρχὴν ἐπικαταστήσας Πε11.
1313 ᵃ27.
ἐπικαίειν, ἐπικαίειν. ἀστραπὴ διέστηγεν, ἐπέκαυσε δ' ὒ 20
μγ1. 371 ᵇ14, ᵃ19. ἐὰν ἐπικαίσῃ τις ὀυσὶν ἢ τρισὶ σιδηρίοις
ὄρνιθας κατὰ τὸ ὑρομύγιον Ζιυ50. 631 ᵇ26. — ὁ βόνασος τῷ
προσαφοδεύειν ἐπικαίει ὥστε ἀποψήχεσθαι τὰς τρίχας τῶν
κυνῶν θ1. 830 ᵃ20. Ζιμ45. 630 ᵇ10, 13. — ὁ ἥλιος ἐπικάων
τὴν χρόαν μελαίνει πλη8. 967 ᵇ3. 7. 967 ᵃ24. 1. 966 ᵇ24. 25
inde ἐπικαυθῆναι de colore, αἱ μικραὶ μέλιτται ἐπικεκαυ-
μέναι Ζιμ40. 627 ᵃ14.
ἐπικαιρος. φυλακτήρια κατὰ τόπυς ἐπικαίρυς Πη12. 1331
ᵃ21. τόπος ἐπίκαιρος, μόριον ἐπίκαιρον Ζικ1. 633 ᵇ30. Ζγδ1.
766 ᵃ24. τόπος ἐπίκαιρος τῦ ζῆν Ζγα11. 719 ᵃ16. ἡ τῦ 30
ἥπατος φύσις ἐπίκαιρος Ζγδ2. 677 ᵃ36. ἐν Αἰγύπτῳ τῶν
παίδων τὴν τροφὴν μὴ εἶναι ἐπίκαιρον f 258. 1525 ᵃ40.
ἐναργέστατα (σημεῖα τῶν ἠθῶν) τὰ ἐν ἐπικαιροτάτοις τόποις
ἐγγινόμενα φ6. 814 ᵇ2. — πρὸς τὸ συλλογίζεσθαι περὶ ἑκάστον
ὀεῖ ἔχειν ἐξειλεμμένα περὶ τῶν ἐνὀεχομένων ϰ ἐπικαιροτάτων 35
Ρβ22. 1396 ᵇ5. τόποι ἐπίκαιροι, ἐπικαιρότατοι τὴν τῶν τόπων τγ6.
119 ᵃ36. η4. 154 ᵃ12. — ὕτω σφόδρα ἐπίκαιρον (i e magni
momenti) τὸ ἐξίον (σπέρμα) ἐστὶ πό21. 879 ᵃ9.
ἐπικαλεῖν. pass Σάτυρος ὁ φιλοπάτωρ ἐπικαλύμενος sim
Ηη6. 1148 ᵇ1. Ζιυ32. 618 ᵇ25. — med ἐπικαλέσασθαι τὐς 40
Διοσκύρυς ηεη12. 1245 ᵇ33.
ἐπικαλυμμα. velamen τὸ ὀσφραντικὸν αἰσθητήριον τοῖς μὲν
ἀκαλυφές ἐστιν, ὥσπερ τὸ ὄμμα, τοῖς δὲ τὸν ἀέρα δεχο-
μένοις ἔχει ἐπικάλυμμα ψβ9. 422 ᵃ2. — branchiarum
operculum, τὰ ἐπικαλύμματα τῶν βραγχίων, τοῖς βραγχίοις 45
Ζιβ13. 505 ᵃ1. Ζιμ 13. 696 ᵇ3-11. — operculum τῶν
στρομβωδῶν ϰ τῶν τοιύτων κδ4. 530 ᵃ21. ε15. 547 ᵇ3.
θ13. 599 ᵃ14. Ζιμ5. 679 ᵇ27. — ἐπικαλύμματα in cepha-
lothorace crustaceorum Ζιδ3. 527 ᵇ15, 17, 19, 21, 27, 31.
— postabdomen crustaceorum Ζιδ3. 527 ᵇ26. ε7. 541 ᵇ26, 50
30. 17. 549 ᵃ22. SI 199, II 353, K575, AZι ad hl, cf
ἐπίπτυγμα et κάλυμμα.
ἐπικαλύπτειν. ὐδέποτε τῷ δέρματι ἐπικαλύπτεται τῦτο
Ζιβ11. 503 ᵃ35. ἐπικαλύπτεται ἡ ὄψις πλα14. 958 ᵇ32.
ἐπικαλύπτεται ὁ νῦς πάθει ἢ ὕπνῳ ψγ3. 429 ᵃ7. — τῶν 55
βλεφάρων ἐπικεκαλυμμένων (i e τὰ βλέφαρα οἷον κάλυμμα
ἐπίκειται) αι2. 437 ᵃ25.
ἐπικαλυπτήριον. οἱ ὄνυχες τοῖς ἀνθρώποις ἐπικαλυπτήρια·
σκέπασμα γὰρ τῶν ἀκρωτηρίων εἰσίν Ζιμ10. 687 ᵇ24.
ἐπικάμπτειν. trans ἐπικάμπτει τὸν δάκτυλον ἐπ' ἄκρα Ζιε30. 60
556 ᵇ17. ὀφρὺς ἐπικεκαμμένη Ζμγ9. 671 ᵇ33. — intr τὸ
V.

ἔντερον ἐπικάμψαν ἄνω φέρεται Ζιθ4. 529 ᵃ12.
Ἐπίκαρος ἐκαλεῖτο ἡ Ἐπίδαυρος f 449. 1551 ᵇ35.
ἐπικαρπία. ἐν ταῖς μικραῖς κτήσεσιν ὁ Ἀττικὸς τρόπος τῆς
διαθέσεως τῶν ἐπικαρπιῶν χρήσιμος οα6. 1345 ᵃ18. — ἡ
ἀπὸ τῶν βοσκημάτων πρόσοδος, ἐπικαρπία τε ϰ δεκάτη
καλυμένη· πωλεῖν τὴν ἐπικαρπίαν οβ1346 ᵃ3, 1348 ᵃ23, 25.
τὰ τῆς ἐμπορίας μέρη διαφέρει τῷ τὰ μὲν ἀσφαλέστερα
εἶναι τὰ δὲ πλείω πορίζειν τὴν ἐπικαρπίαν Πα11. 1258
ᵇ24.
ἐπικάρπιος διὰ τί ὀνομάζεται ὁ θεός χ7. 401 ᵃ19.
ἐπικαταβαίνειν. ὅταν ἡ τρίγλη ἀπέλθῃ, ἐπικαταβὰς νέμεται
ὁ σάργος Ζιθ2. 591 ᵇ20.
ἐπικαταγνύμενα ὠά πθ1. 889 ᵇ11.
ἐπικαταλαμβάνειν. ὅταν ἄρκτοι ἐπικαταλαμβάνωνται, ἐπὶ
τὰ δένδρα ἀναπηδῶσιν Ζιυ6. 611 ᵇ33.
ἐπικατασπᾶν πια18. 901 ᵃ2.
ἐπικατηγορεῖν (cf ἐπαναδιπλῦν). ἐν τοῖς ἐπικατηγορημένοις
πρὸς τῷ ἄκρῳ τὴν ἐπαναδίπλωσιν θετέον Αα38. 49 ᵃ25.
ἐπικεῖσθαι. βάρη ἐπικείμενα Μθ23. 1023 ᵃ19. τὸ φορτίον
ἐπίκειται ἐπί τινι Ζπ4. 706 ᵃ3. ἐπικειμένης τῆς ῥοπῆς μχ2. 850
ᵃ15. — πάσῃ ἐπίκειται Κρήτῃ τῇ θαλάττῃ Πβ10. 1271
ᵇ34. — ἐπίκειται ζημία, τιμωρία Πθ13. 1297 ᵃ18, 26.
ρ3. 1424 ᵃ34, ᵇ3.
ἐπικενής ἐστιν φτβ3. 824 ᵇ40.
ἐπικεφάλαιον ϰ χειρωνάξιον οβ 1346 ᵃ4. ἐπικεφάλαιον τα-
κτόν οβ 1348 ᵃ32.
ἐπίκηρος ἡ φθαρτὴ φύσις χ2. 392 ᵃ34. τὰ τῶν ὀρνέων ὠὰ
ἐπικηρότερα ϰ δεῖται τῆς τεκύσης Ζγγ2. 753 ᵃ7.
ἐπικηρύττειν ἀργύριον (ἐπιτίμιον) οβ 1351 ᵇ31.
ἐπικίνδυνος. τὰ μὲν (μόρια τῦ σώματος) ἐπίπονα, τὰ δ'
ἐπικίνδυνα πα34. 863 ᵃ22. ἔχει δὲ αἱρετὸν ἀρετὰς ἐπι-
κίνδυνον Πβ6. 1266 ᵃ27. ἔχει δ' ἐπικίνδυνος ὕτως ἔχιτα
πόλις τῶν βυλομένων ἐπιτίθεσθαι ϰ δυναμένων Πβ10. 1272
ᵇ15. — impers ἐπικίνδυνον (sc ἐστίν) Ζιη12. 588 ᵃ10 et
fort θ9. 596 ᵃ4.
ἐπίκληρος. νόμοι περὶ τὰς ἐπικλήρυς Πβ12. 1274 ᵇ25. 9.
1270 ᵃ27, 24. κλήρων ϰ ἐπικλήρων ἐπιδικασίαι πρὸς τὸν
ἄρχοντα λαγχάνονται f 381. 1541 ᵇ10, 18. ὁ πολέμαρχος
εἰσάγει τὰς δίκας κλήρων ϰ ἐπικλήρων τοῖς μετοίκοις f 388.
1542 ᵇ17, 23, 25. στάσις ἐξ ἐπικλήρων γενομένη Πε4.
1304 ᵃ4, 10. ἐνίοτε ἄρχυσιν αἱ γυναῖκες ἐπίκληροι ὗσαι
Ηθ12. 1161 ᵃ1.
ἐπικληρῦν. οἱ θεσμοθέται ἐπικληρῦσι ταῖς ἀρχαῖς τὰ δικα-
στήρια f 378. 1541 ᵃ8. τοῖς διαιτηταῖς ἐπεκληρῦντο αἱ δικ.ται
f 414. 1547 ᵃ27.
ἐπικλίνειν τὸ στόμα (ἰχθύων) Ζιμ17. 660 ᵇ22.
ἐπικλίνται καλῦνται τῶν σεισμῶν οἱ εἰς πλάγια σείοντες
κατ' ὀξείας γωνίας χ4. 396 ᵃ1.
ἐπικλυζομένῃ πλημμυρίσιν ἡ γῆ χ5. 397 ᵃ29.
ἐπικοινωνεῖν. ἐπικοινωνῦσι ἀλλήλαις Αγ11.
77 ᵃ26. cf ρ6. 1427 ᵇ33. οβ 1345 ᵇ16. ἐπικοινωνῦσιν οἱ τόποι
τὸ 2. 123 ᵃ6. — ὁ πάσαις ἐπικοινωνεῖται (v l, ἐποικονομεῖται
Bk) ταῖς οἰκονομίαις οβ 1346 ᵃ14.
ἐπικοιτάζεσθαι. ἐν οἷς εἴωθε τόποις ἐπικοιτάζεσθαι τὰ ζῷα
Ζιθ14. 599 ᵃ30.
ἐπικόπτειν. ὁ βασιλεὺς τὰς πεφοονημάτισμένας ἐπέκοπτε
(i q κολάειν, ταπεινῦν) πολλάκις Πγ13. 1284 ᵇ2. — ἐπι-
κόψας χαρακτῆρα (τῷ ἀργυρίῳ) οβ 1349 ᵇ31.
ἐπικορίζειν. τῶν περδίκων οἱ τιθασοὶ τὰς ἀγρίας ὀχεύυσι
ϰ ἐπικορίζυσι ϰ ὑβρίζυσι Ζιυ8. 614 ᵃ10.
ἐπικοσμεῖν. ϰ τὰς κέρκας ἐπικόσμηκεν ἡ φύσις θριξὶν

Mm

Ζμβ14. 658 ᵃ32. — ἐπικοσμηθὲν ἤθεσι χ̣ τάξει νόμων ὀρθῶν Πβ5. 1263 ᵃ23.

ἐπικυρία. δεῖσθαι ἐπικυρίας Ηι11. 1171 ᵃ23. διωθεῖσθαι τὴν ἐπικυρίαν Ηθ16. 1163 ᵇ24. τῆς ἐνδείας ἐπικυρία τὸ κέρδος Ηθ16. 1163 ᵇ4. γίνεταί τις ἐπικυρία πρὸς τὸ μὴ λυπεῖσθαι Ηι11. 1171 ᵇ1. τοσαύτη γεγένηται ἡ ἐπικυρία ὅσον τις ὠφέληται Ηθ15. 1163 ᵃ19.

ἐπικυφίζει ἄλληλα τὰ ἄκρα μχ26. 857 ᵃ12.

ἐπικράτεια. κατὰ τὴν ἐπικράτειαν θ107. 840 ᵃ21. διὰ τὴν ἐπικράτειαν ἕπεται πέψις ἐν παντὶ ζῴῳ φτβ1. 822 ᵃ25. — ὅρος ἐν τῇ ἐπικρατείᾳ τῶν Καρχηδονίων θ113. 841 ᵃ9.

ἐπικρατεῖν. ἐπικρατῦσιν οἱ δῆμοι τῶν εὐπόρων Πζ7. 1321 ᵃ19. οβ 1347 ᵇ31. — ἐπικρατεῖ τὸ ψῦχος, τὸ ὑγρὸν μα11. 347 ᵇ26. ημβ 11. 1210 ᵃ20. τὸ ἐπικρατῦν λέγεται ἐν τῇ μίξει Γα5. 321 ᵃ35. ἀνάγκη κινεῖσθαι κατὰ τὸ ἐπικρατῦν Οα2. 269 ᵃ2, 5, 29. ἡ τῶν ἱπποβοτῶν ἐπεκράτει πολιτεία f 560. 1570 ᵇ4. ἐπικρατεῖν c partic ὐκ ἐπεκράτῦν διαιρῦντες Ζγδ4. 773 ᵃ29.

ἐπικρεμαννύναι. φόβον ἐπικεκρεμάσθαι μείζονα f 17. 1477 ᵃ18. — ἐπικρέμασθαι. αἱ ἐπικρεμάμεναι συστάσεις τῶν ὀρῶν μα14. 352 ᵇ9. οἷον σπόγγος πυκνὸς ἐπικρεμάμενος μα13. 350 ᵃ8. τοῖς δὲ ὕπνν ἀνεστηκόσιν ἐπικρέμαται τὰ ἐπὶ τοῖς ὀφθαλμοῖς φ6. 811 ᵇ17.

ἐπικρίνειν. τίνι ἐπικρίνει τί διαφέρει γλυκὺ χ̣ θερμὸν ψγ7. 431 ᵃ20. τὸ κύριον χ̣ τὸ ἐπικρῖνον εν3. 461 ᵇ25, 6.

ἐπίκροτος. ἡ χελώνη τὰ ᾠὰ κατορύττει χ̣ τὸ ἄνω ποιεῖ ἐπίκροτον Ζιε33. 558 ᵃ6.

ἐπικρύπτειν. ἐπικεκρυμμένον Πυ5. 1278 ᵃ39.

ἐπίκτησις. ἐμαντεύσατο ἐπίκτησιν ἔσεσθαι χρημάτων Ζιγ20. 522 ᵃ18.

ἐπίκτητος. τὰ ἐπίκτητα, opp τὰ σύμφυτα Ζγα17. 721 ᵇ30. πο16. 1454 ᵇ23. πε21. 883 ᵃ7. opp φυσικά φ2. 806 ᵃ24. opp φύσει τγ1. 116 ᵇ11. πε14. 882 ᵃ22. τὸ αὐτοφυὲς τῦ ἐπικτήτῳ αἱρετώτερον Ρα7. 1365 ᵃ29. σύστασις ἐξ ἀρχῆς, ὐκ ἐπικτητόν τι πάθος αν17. 478 ᵇ27. τὸ αἷμα ὐκ ἐπίκτητον ἀλλ' ὑπάρχει Ζιγ19. 520 ᵇ11. ἐπίκτητος τροφή, θερμότης Ζγβ6. 745 ᵃ3. 7. 747 ᵃ19. ἡ νόσος γῆρας ἐπίκτητον, τὸ γῆρας νόσος φυσικὴ Ζγε4. 784 ᵇ33. ἀγαθὰ ψυχῆς, σώματος, ἐπίκτητα ρ2. 1422 ᵃ8, 10 (Spengel ad h l p 108. cf τὰ ἐκτός).

ἐπικυεῖν. ἄνθρωπος, ἐὰν ἡ ἑτέρα ὀχεία τῆς ἑτέρας γένηται πάρεγγυς, ἐκτρέφει τὸ ἐπικυηθὲν Ζγδ5. 773 ᵇ9. συνέβη ἐκπεσεῖν ἡ ἐπικυηθέντα Ζιη4. 585 ᵃ11. ἤδη δίδυμα κύ̓ησα γυνή τις ἐπεκύησε τρίτον Ζιη4. 585 ᵃ17.

ἐπικύημα. τὰ πολυτόκα ἐπικυΐσκεται διὰ τὸ τὰ πλείονα τῦ ἑνὸς εἶναι θατέρῳ θάτερον ἐπικύημα Ζγδ5. 773 ᵇ7.

ἐπικύησις. γίνεταί τισιν ἐπισύλληψις χ̣ ἐπικύησις f 260. 1525 ᵇ39.

ἐπικυΐσκειν. τὰ πολυτόκα ἐπικυΐσκεται Ζγδ5. 773 ᵇ6, δασύτης Ζγδ5. 774 ᵃ31. Ζιε9. 542 ᵇ31. ζ33. 579 ᵇ32. η4. 585 ᵃ5, τὰ σελάχια Ζιζ11. 566 ᵃ15. (ἵππυ) τὸ τῆς ὑστέρας μέγεθος πλέον μὲν ἡ τῷ ἑνί, ἔλαττον δὲ ἡ ὥστε ἄλλο ἐπικυΐσκεσθαι τέλειον Ζγδ5. 773 ᵇ28. Ζιη4. 585 ᵃ6.

ἐπικύπτειν. ὀρθὸς ἕστηκε, μικρὸν ἐπικύπτων Ζιγ21. 522 ᵇ18.

ἐπιλαΐς (ἐπίλαΐς Aᵃ, ὑπολαΐς S I 588 Pic) refertur inter τὰ σκωληκοφάγα Ζιθ3. 592 ᵇ22. Epilis Thomae. K 866, Sylvia curruca; Su 111, 46 Sylvia curruca vel Saxicola oenanthe. sed cf Lnd 101-110 et ΑΖι I 91, 31.

ἐπιλαμβάνειν. ἐπὶ τοῖς πεντήκοντα ταλάντοις ἐπέλαβεν ἑκατὸν Πα11. 1259 ᵃ28. ἐπιληπτέον χ̣ ἀπὸ τῶν ἄλλων χρωμάτων τὴν ὁμοιότητα χ 2. 792 ᵇ25. — ἀεὶ πλείω τόπον ἐπιλαμβάνειν Ογ7. 305 ᵇ19. ἔνιαι γυναῖκες ἐπιλαμβάνυσι χ̣ τῦ

ἐνδεκάτῃ μηνός Ζιη4. 584 ᵃ37. 3. 583 ᵇ22. ἐπιλαμβάνυσι (?) γὰρ ἐνταῦθα πρεσβείων ηεη10. 1242 ᵃ5. — ἐάν τις ψήλας τὴν νήτην ἐπιλάβῃ πιθ24. 919 ᵇ15. 42. 921 ᵇ14. κᾂν κατασπάσῃ τις τὰς σύριγγας κᾂν δὲ ἐπιλάβῃ αχ 804 ᵃ15. — εἴωθε τὰ παιδία σπασμὸς ἐπιλαμβάνειν Ζιη12. 588 ᵃ3. — ὅταν τὰς κλεψύδρας πλήρεις ὔσας ἐπιλάβῃ (intercludat) τις, ἐπιλαβὼν τὸν αὐλόν, ἐπιληφθέντος τῦ αὐλῦ πβ1. 866 ᵇ13. ις8. 914 ᵇ12, 13, 27. τὰς πόρυς τῦ στόματος ἐπιλαμβάνων τοῖς ἐπικαλύμμασιν Ζιθ3. 527 ᵇ19, 21. cf 2. 526 ᵇ19. τῶν φλεβῶν ἐπιλαμβανομένων ἔξω Ζιγ3. 514 ᵃ6. — intrans ὅταν τῦ ἔαρος ὑγρῦ ὄντος εὐθὺς ἐπιλαμβάνῃ τὸ θέρος θερμὸν ὂν χ̣ ξηρὸν πα8. 860 ᵃ7. 9. 860 ᵃ26. — med οἱ δακρύειν ἀρχόμενοι ἐπιλαμβάνονται τῶν ὀφθαλμῶν Ργ16. 1417 ᵇ6. ὅτι ἂν ἐπιλάβηται, ἀπεσθίει Ζιθ2. 590 ᵇ5. ἐπιλαβόμενος στασιαζόντων ὁ δῆμος ἐκράτησεν Πε6. 1305 ᵇ13. — ἐὰν ὁ λέων ἐπιλάβηται δασέος, φεύγει Ζιι44. 629 ᵇ15. — ἐπιλήπτος θ18. 831 ᵇ25. 77. 835 ᵇ32. ἡ πέρδιξ προκυλινδεῖται ὥσπερ ἐπίληπτος ὔσα Ζιη8. 613 ᵇ18. οἱ ἐκ παίδων ἐπίληπτοι πλ1. 953 ᵇ6. ἐπίληπτοι ἐν τῷ γένει πλα27. 960 ᵃ17. 26. 960 ᵃ10.

ἐπιλανθάνεσθαι διὰ τὸν χρόνον Φδ12. 221 ᵃ32. ἐπιλαθόμενος ψγ3. 428 ᵇ6. εἰ ἐπιλέλησται, χ̣ ἔμαθέ ποτε τῦτο Ρβ19. 1392 ᵇ18. ἐπιλελῆσθαι διὰ χρόνν πλῆθος μα14. 351 ᵇ21.

ἐπιλέγειν, ἐπιπεῖν, opp προτιθέναι, προειπεῖν: ἐπιλεγόμενα ἔοικε μαρτυρίοις, προτιθέμενα ἐπαγωγῇ· ἐπιλέγοντι ἐν ἱκανόν, προτιθέντι ἀνάγκη πολλὰ λέγειν· ἐπιλέγειν τὴν αἰτίαν al Ρβ20. 1394 ᵃ13, 15. 21. 1394 ᵇ31, 1395 ᵃ27. γ16. 1417 ᵃ28. τθ1. 156 ᵇ20. pariter accipiendum videtur ἐν πᾶσι δεῖ τὴν τῶν δημιουργῦντων ἐπιλέγειν φωνήν Ηβ9. 1109 ᵇ11. cf πχ34. 926 ᵇ23. τὺς ἀνθρώπυς ἐπιλέγειν τῷ λοιμῷ φεύγειν ἐς κόρακας f 454. 1552 ᵇ15, 26. ἐπιλέγεταί τι (dictis additur) τῦτον θ88. 837 ᵇ4. ἐπιλέγειν τις χ̣ μῦθος Ζιι32. 619 ᵃ18. — ἐπιλέγειν τινί i q κατηγορεῖν τινός· ἐπιλέγειν τοῖς εὖ ἔχυσιν ἔργοις, ὅτι ὔτ' ἀφελεῖν ἔστιν ὔτε προσθεῖναι Ηβ5. 1106 ᵇ10. εἰ δεῖ τύτοις ἐπιλέγειν μὴ μόνον τὸ καλὸν ἀλλὰ χ̣ τὸ χρήσιμον Πηι. 1323 ᵇ12. — med Ἀθηνᾶ τὸν Πάνδαρον ἐπιλέξατο ὡς φιλοχρήματον f 146. 1503 ᵃ10.

ἐπιλείπειν trans. ταχὺ ἐπιλείψει αὐτὸς τὰ ὑπάρχοντα Ηθ3. 1121 ᵃ34, 17. — intrans ταχὺ ἐπιλείψει τὰ εἴδη Μμ8. 1084 ᵃ13. ὐκ ἐπιλείπει ἡ θάλασσα ὥσπερ οἱ ποταμοὶ μβ3. 358 ᵇ27. ἐπιλειπύσης τῆς δυνάμεως μβ8. 367 ᵇ4. ὐκ ἐπιλείπυσιν οἱ φιλοχρήματοι sim Γβ10. 336 ᵇ1 (cf ὑπολείπειν ᵇ26). Φγ6. 206 ᵇ3.

ἐπιλευκαίνειν intr Ζμδ1. 676 ᵃ32.

ἐπιληπτικός. νόσοι ἐπιληπτικαί (opp συνεχεῖς), νοσήματα ἐπιληπτικά Ηη6. 1149 ᵃ11. 9. 1150 ᵇ34. πλ1. 954 ᵇ30. ἐπιληπτικὰ γίνεται τὰ παιδία υ3. 457 ᵃ8. οἱ ἐπιληπτικοὶ θ66. 835 ᵃ29. τὰ ἀρρωστήματα τῶν ἐπιληπτικῶν διὰ τὸ καλεῖται ἱερὰ νόσος πλ1. 953 ᵃ16.

ἐπιληψία. γαλεώτῃ τὸ γῆρας ἐπιληψίας φάρμακον f 331. 1533 ᵇ30. — ἡ ἐπιληψία i q τὸ ἐπιλαμβάνεσθαι, κατέχεσθαι τὸ πνεῦμα πβ1. 866 ᵇ14, 10, 13.

ἐπίληψις. ὅμοιον τῷ νόσῳ ἐπιλήψει υ3. 457 ᵃ9. — ἡ ἐπίληψις διαστροφὴν ποιεῖ πλα27. 960 ᵃ18.

ἐπιλογίζεσθαι. προοιμιάσασθαι πρὸν εὔνοιαν, ἐπιλογίσασθαι πρὸς ὀργὴν ἢ ἔλεον f 123. 1499 ᵃ30.

ἐπιλογισμοὶ χ̣ ἐξετάσεις Πζ8. 1322 ᵇ35.

ἐπίλογος. περὶ ἐπιλόγν Ργ19. ὁ ἐπίλογος τὸ μὲν κεφάλαιον ἔχει προτρέψασθαι τὺς ἀκύοντας f 125 1499 ᵇ7. ὅπως ἐπίλογος ἀλλὰ μὴ λόγος ᾖ Ργ19. 1420 ᵇ5. χρὴ τὺς ἐπιλόγυς ἐκ τῶν ἀνὰ μέσον μερῶν μήτε παντελῶς ἐξαιρεῖν μήτε

πᾶσι τοῖς μέρεσιν ἐπιφέρειν ρ23. 1434 ᵇ22, ὅταν τὸ μαρτυ-
ρύμενον ᾖ πιθανόν, ὐδὲν δέονται αἱ μαρτυρίαι ἐπιλόγων ρ16.
1431 ᵇ25. γνώμῃ μετ᾽ ἐπιλόγυ, ἄνευ ἐπιλόγυ Ρβ21. 1394
ᵇ8. ἐπίλογος τοῖς ἐνθυμήμασιν Ρβ20. 1394 ᵃ11.
ἐπιλύειν. (ἀπορία τις) ἐκ τῦ μύθυ ἐπιλύεται f 164. 1505 ᵇ12.
ἐπίλυπον, syn λυπηρόν Ηγ4. 1111 ᵇ17. syn ἀηδές Ηκ5.
1175 ᵇ18. τὸ ἐπίλυπον κỳ ἐν μεταμελείᾳ Ηγ2. 1110 ᵇ19.
ἐπίλυπον ἡ ἀνδρεία Ηγ12. 1117 ᵃ34.
ἐπιμαχία Πγ9. 1280 ᵇ27.
ἐπιμέλεια. αἱ ἐπιμέλειαι κỳ αἱ σπυδαὶ κỳ αἱ συντονίαι λυπηραί
Ραll. 1370 ᵃ11. διὰ τέχνης κỳ ἐπιμελείας Ρβ19. 1392 ᵇ7.
cf Ζιη1. 581 ᵃ25. ἐν ταῖς ἄλλαις ἐπιμελείαις περὶ ὧν ἐστιν
ἐπιστήμη Ηζ1. 1138 ᵇ27. — ἐπιμέλεια περὶ τὰς θεὰς, περὶ
τὸ θεῖον, τῶν θεῶν Ρζ8. 1322 ᵇ18 (cf ἐπιμέλειαι περὶ τύτων
ᵇ30). Πη8. 1328 ᵇ12. ρ3. 1423 ᵃ39. ημβ8. 1207 ᵃ6. αἱ
πρὸς πόλεμον ἐπιμέλειαι Πη2. 1325 ᵃ6. ἡ τῶν κοινῶν, τῶν
ἰδίων ἐπιμέλεια Πγ5. 1278 ᵃ5. ὀ6. 1293 ᵃ7. ἐπιμέλειαι
πολιτικαί, οἰκονομικαί, ὑπηρετικαί Πδ15. 1299 ᵃ20. ἐπιμέ-
λειαι διηρημέναι Πβ5. 1263 ᵃ27. δήμαρχοι τὴν αὐτὴν ἔχοντες
ἐπιμέλειαν τοῖς πρότερον ναυκράροις Ϝ359. 1538 ᵇ36. τὸ
ἔργον βέλτιον τῆς ἐπιμελείας μονοπραγμονύσης ἢ πολυ-
πραγμονύσης Πδ15. 1299 ᵃ39. κύριος τῆς τοιαύτης ἐπι-
μελείας Πδ15. 1300 ᵃ5. — ποιεῖσθαι ἐπιμέλειαν, ἐπιμέλειαν
πολλήν, κοινήν, τινός, περί τι Ζιζ6. 563 ᵇ10. Πδ7. 1293
ᵇ13. ε8. 1309 ᵃ20. η12. 1331 ᵇ7. Ργ1. 1404 ᵃ3. ἔχειν ἐπι-
μέλειαν τινος μὴ παρέργως Πη11. 1330 ᵇ11. εἶχον ἐπιμέ-
λειαν ὅπως δίκαια εἴη τὰ μέτρα f 412. 1546 ᵇ27. ἐν ἐπι-
μελείᾳ εἶναι Ρβ17. 1391 ᵃ25. τυγχάνει τι ἐπιμελείας Πβ3.
1261 ᵇ33. πολλὰς ἐπιμελείας ἅμα προστάττειν Πδ15. 1299
ᵇ7. πάντα ταῦτα συμβαίνει κατὰ μίαν ἐπιμέλειαν Πη16.
1335 ᵃ7. τὰ πολλὰ ταῖς ἐπιμελείαις ἐδημαγώγουν Πε12.
1315 ᵇ17.
ἐπιμελεῖσθαι, ἐπιμέλεσθαι. ἐπιμέλονται τῆς σωτηρίας Ηι7.
1167 ᵇ22. καλῶς ἐπιμελομένων Πε6. 1305 ᵇ20. πολλῶν ἐπι-
μελεῖσθαι Πδ15.1299 ᵇ15. ὁ βασιλεὺς ἐπιμελεῖται τῶν μυστη-
ρίων f 385.1542 ᵃ29. 386.1542 ᵇ1. ὁ ἐπιμελόμενος τῶν σμη-
νῶν Ζιω40.626 ᵃ33. ἐπιμεληθῆναι Ηγ7. 1114 ᵃ3, 4. — ἐπι-
μελητέον τινός, περί τι Πη11. 1331 ᵃ12. 16. 1334 ᵇ31.
ἐπιμελής. act ὄρνιθες ἐπιμελεῖς τῶν τέκνων Ζιι11. 614 ᵇ33.
ἐπιμελὲς τὸ ἐπεξελθεῖν Ρα12. 1372 ᵇ30. ἀδύνατον μὴ ἐπι-
μελῶν δεσπότων τὰ δύλα ἐφεστῶτας εἶναι ρ6. 1345
ᵃ11. τίνες ἐπιμελεῖς φ6. 811 ᵇ6. — pass θεωρείτω ὅτῳ
ἐπιμελές Πα11. 1259 ᵃ3. ἐπιμελές ἐστί τινι περὶ τινος Ζιγ3.
513 ᵃ15. Πγ9. 1280 ᵇ7. Με2. 1026 ᵇ4. ἐπιμελές ἐστί τινι
c inf Πδ15. 1299 ᵇ33. η17. 1336 ᵃ6. cf τοῖς δ᾽ ὐκ ἐπιμελές
πκθ14. 952 ᵃ22. — ἐπιμελῶς θεραπεύειν ἵππον Ζιζ22.
576 ᵃ28. ἐπιμελῶς ἀκύειν τῶν ἰατρῶν Ηβ3. 1105 ᵇ15.
τιμᾶσθαι καθ᾽ ὑπερβολὴν ἐπιμελῶς θ103. 839 ᵃ32.
ἐπιμεληταί κρηνῶν, τειχῶν φυλακῆς, ἐμπορίας, τῶν περὶ τὰ
ἱερὰ Πζ8. 1321 ᵇ26, 1322 ᵃ36, ᵇ19. f 410. 1546 ᵇ5. 381.
1541 ᵇ7. 385. 1542 ᵃ17, 29. 386. 1542 ᵇ1. τῶν λοιπῶν
ἔργων κ6. 398 ᵃ26. ἐπιμεληταὶ τῶν ἱππέων οἱ φύλαρχοι
f 391. 1543 ᵃ7. ἐπιμελητὴς τῆς καμήλυ θ2. 830 ᵇ7. Ζιω47.
630 ᵇ33. — καταστῆσαι ἐπιμελητὴν ὡς νομῶν τινα, ἐὰν
τὰς ἐπιμελητὰς τὰς καθεστηκότας οβ 1353 ᵃ5, 1351 ᵃ34.
ἐπιμελητικός. ἡ τῶν τέκνων αἴσθησις ἐπιμελητική Ζγγ2.
753 ᵃ8.
ἐπιμένειν. τὰ ἔχοντα πλάτος ἐπιμένει, syn ἐπιπλεῖν Οδ6.
313 ᵇ12, ᵃ17, 20.

Ἐπιμενίδης ὁ Κρὴς ὁμοκάπυς καλεῖ Πα2. 1252 ᵇ14. τὸ
γεγονὸς ἐπιστητὸν κỳ τοῖς μάντεσι λέγει Ργ17. 1418 ᵃ23.
Epimenides postea Buzyges dictus est secundum Aristo-
telem f 348. 1536 ᵇ24.
ἐπιμήκης. τῷ ἐπιμήκει (ἰ q τῷ μήκει) τῷ χρόνῳ φτβ2.
823 ᵇ18.
ἐπιμηνίων (ἰ q καταμηνίων) σχέσις Ζικ7. 638 ᵇ17.
ἐπιμιμνήσκεσθαι. περὶ τῦ ἔνια κυφότερα εἶναι ὐδὲν ἐπε-
μνήσθησαν Οδ2. 309 ᵃ25.
ἐπιμίσγεσθαι πρὸς ἀλλήλυς Πγ6. 1327 ᵃ39.
ἐπιμόνως (scr ἐπεὶ μόνως) ξ4. 979 ᵃ7.
ἐπιμόριον, opp ὑπεπιμόριον Μδ15.1021 ᵃ2 Bz. πθ41.921 ᵇ5,
ἐπιμυθεύειν. τὰ ἐπιμυθευόμενα πέπλασται Ζιθ44. 605 ᵃ5.
ἐπίνεια κỳ λιμένες Πη6. 1327 ᵃ33.
ἐπινεῖν. ἡ νάρκη λαμβάνει τὰ ἐπινέοντα Ζιι37. 620 ᵇ22.
ἐπινέμειν παρὰ τὸν ποταμόν Πε5. 1305 ᵃ26. — ὁ σάργος
ἐπινέμεται τῇ τρίγλῃ, syn ἐπικαταβὰς νέμεται Ζιθ2. 591
ᵇ19, 20.
ἐπινεφεῖν. οἱ νότοι ἐπιψεφῦσιν, syn ἐπίνεψιν ποιῦσιν πκς38.
944 ᵇ26.
ἐπινέφελος. οἱ βορέαι ἐπινέφελοι πκς62. 947 ᵇ5. — τὰ
ἐπινέφελα ἀλεεινότερα τῶν αἰθρίων πκε21. 939 ᵇ33. ὅταν
ἐπινέφελον ᾖ, opp αἰθρίας ὔσης μβ9. 369 ᵇ23. πκε21. 939
ᵇ39. γίνεται ἐπινέφελα, ὅταν ἐπινέφελα ᾖ, ἐπινεφέλων ὄντων,
ἐν τοῖς ἐπινεφέλοις πκς 8. 941 ᵃ13. 58. 947 ᵃ17. 18. 939
ᵇ15, 18. 21. 940 ᵃ1.
ἐπινεφὴς ἀὴρ πκς8. 941 ᵃ5.
ἐπίνεψιν ποιεῖν πκς38. 944 ᵇ25.
ἐπινοεῖν. ἐπενόυν οἱ Ἀλωάδαι ἀφικέσθαι χ1. 391 ᵃ10. φιλο-
σοφίᾳ (φιλοσοφίας?) μηδὲ μικρὸν ἐπινοεῖν χ1. 391 ᵇ7.
ἐπίνοιαι τέχνης κ6. 399 ᵇ17.
ἐνίνοσος, opp εὖ διακείμενος Ηγ6. 1113 ᵃ28.
ἐπιξενῦσθαι τινας ἐν ἄλλοις τεθραμμένυς νόμοις ἀσύμφορον
Πη6. 1327 ᵃ13.
ἐπιξηραίνειν πκα11. 928 ᵃ9.
ἐπιξύειν. διδόασιν ἐπιξύοντες (τὸ τῦ ἴκτιδος αἰδοῖον) Ζιι6.
612 ᵇ17. θ12. 831 ᵇ4.
ἐπιορκεῖν Πβ8. 1268 ᵃ6, ᵇ17. f 143. 1502 ᵇ5. ῥᾳδίως ἐπιορ-
κεῖν, τὸ ἐπιορκεῖν ἀδικεῖν ἐστιν Ρα15. 1377 ᵃ12, ᵇ4, 6. opp
εὐορκεῖν τι25. 180 ᵃ35, cf Ργ3. 1406 ᵃ1.
ἐπιορκία, δι᾽ ἐπιορκίαν Ζιι5. 1377 ᵃ19, ᵇ4.
ἐπίορκος Πάνδαρος φύσει f 146. 1503 ᵃ12, 14. ἐπίορκον ὤμοσε
(Hom Κ 332) f 143. 1502 ᵇ6.
ἐπίπαν. τὸ ἐπίπαν ἐξ μεδίμνυς ἐσθίει Ζιθ9. 596 ᵃ5. ὡς ἐπίπαν
πι8. 891 ᵇ21. ὡς ἐπίπαν μὲν μβ3. 358 ᵇ15. Ζιβ15. 506
ᵇ6. Ζμδ2. 677 ᵃ23. γ6. 669 ᵇ3. πκη3. 949 ᵇ16, cf εἰπεῖν.
ἐπιπαρεξιὼν ὁ ἥλιος πιε7. 912 ᵃ11.
ἐπιπάττειν. κατακαύσαντες τὴν ὀσχέαν ἐπιπάττυσιν Ζιι50.
632 ᵃ19. τέφρα ἐπιπάττεται πκε8. 938 ᵇ39.
ἐπίπεδος, opp κοῖλος Ζμα1. 641 ᵃ12. βιβλίων τομὴ ἐπίπεδος
ὖσα κỳ εὐθεῖα πις6. 914 ᵃ25. μέτωπον ἐπίπεδον, ἐπιπεδώ-
τερον, opp περιφερέστερον φ6. 811 ᵇ32. 5. 810 ᵃ2. ὁ ἥλιος
κỳ ἡ σελήνη σφαιροειδῆ ὄντα ἐπίπεδα φαίνεται πιε8. 912
ᵃ28. τὸ ἐπίπεδον κỳ ὁμαλόν, opp τὸ κάταντες πκς36. 944
ᵇ9. σχήματα ἐπίπεδα Μδ28. 1024 ᵇ1. Οβδ4. 286 ᵇ13. —
τὸ ἐπίπεδον, subst. μεγέθυς τὸ ἐπὶ δύο ἐπίπεδον Οα1. 268
ᵃ8. τὸ διχῇ διαιρετὸν ἐπίπεδον Μδ6. 1016 ᵇ27. γραμμὴ
ἐπιπέδυ, ἐπίπεδον στερεῦ ἁπλῶς γνωριμώτερον τζ4. 141 ᵇ6.
ἐπίπεδον στερεῦ πέρας τζ4. 141 ᵇ22. τὰ φυσικὰ σώματα
ἔχει ἐπίπεδα Φβ2. 193 ᵇ24. τὰ ἐπίπεδα πότερον ὐσίαι Μβ5.
1001 ᵇ27. ἐπίπεδον ὐδὲν ἄτομον Φζ2. 233 ᵇ16. πῇ ἐνδέ-

Μm 2

χεται ἄπειρον εἶναι Οα5. 272 ᵇ18. ἐν ἐπιπέδοις ποῖον σχῆμα
πρῶτον Οβ4. 286 ᵇ13, τίνα σχήματα συμπληροῖ τὸν τόπον
Ογ8. 306 ᵇ5. ἐν ἑνὶ ἐπιπέδῳ μγ3. 373 ᵃ14. ἐκβεβλήσθω
τὸ ἐπίπεδον μγ5. 375 ᵇ31. εἰς βάθος τὸ ἐπιπέδου παραλ-
λάττοντος μδ9. 386 ᵃ31, cf ᵃ19. σκληρὸν τὸ μὴ ὑπεῖκον
εἰς αὐτὸ κατὰ τὸ ἐπίπεδον μδ4. 382 ᵃ12. — Platonis et
Platonicorum sententiae. τὸ ἐπίπεδον φύσις, ὑσία Μν3. 1090
ᵇ6. ϑ8. 1017 ᵇ19 Bz. ἡ εἰς ἐπίπεδα διαίρεσις Οβ4. 286 ᵇ30.
γ1. 299 ᵃ1, 3. Γβ1. 329 ᵃ22, 24. ἐπίπεδον ἐκ πλατέος κ̣
στενῷ ΜΑ9. 992 ᵃ12. μ9. 1085 ᵃ11. ν2. 1089 ᵇ13. ἐπίπε-
δον ἐκ τριάδος Μν3. 1090 ᵇ23. ὁ ἐπιπέδου ἀριθμὸς δόξα ψα2.
404 ᵇ23.

ἐπιπειθὲς λόγῳ Ηα6. 1098 ᵃ4.

ἐπιπέτεσθαι. ἐπιπετόμενος Ζιζ9. 564 ᵇ4. ι1. 609 ᵃ35, ᵇ6.
Ζμδ12. 694 ᵇ28. ἐπιπτέσθαι (Hom Δ 126) Ργ11.1411ᵇ35.

ἐπίπετρον τὸ ἐκ Παρνασῷ καλύμενον φυτὸν Ζμδ5. 681 ᵃ23.
(Sedum amplexicaule DC vel Sedum rupestre L Fraas
Synopsis 136. Wimmer Theophr cf M 170. F 310, 46.
ΚαΖμ 136.)

ἐπιπηδᾶν. 1. ὁ ἐλεφαντιστὴς ἐπιπηδήσας κατευθύνει τῷ ὀρε-
πάνῳ Ζυ1. 610 ᵃ28. — 2. de coitu. τῶν γεράνων ὁ ἄρρην
ἐπιπηδῶν ὀχεύει τὴν θήλειαν (ὑ συγκαθεῖσαν) Ζιε2. 539 ᵇ32.

ἐπιπίλναται χιὼν (Hom ζ 44) κ6. 400 ᵃ13.

ἐπιπίνειν ἄκρατον, ὕδωρ πκβ8. 930 ᵇ21. ἐὰν τις μεθύων ἤδη
ἐπιπίῃ γλυκύ πγ13. 872 ᵇ33. ὅταν τὸ ὕδωρ πνίγῃ, τί δεῖ
ἐπιπίνειν Ηγ3. 1146 ᵃ35.

ἐπιπίπτειν. εἰς τὐναντίον κ̣ ὄπισθεν ἐπιπίπτυσι πιε4. 913
ᵇ21. — λαθεῖν ἐπιπεσόντα τοῖς ἰχθύσι Ζιδ10. 537 ᵃ13. θ5.
594 ᵇ10. — ἐπιπίπτυσι τοῖς ἄλλοις ἀνέμοις κ̣ παύυσιν
ἀπαρκτίαι μβ6. 364 ᵇ3. ἐπὶ τῷ νότῳ ταχὺς ὁ βορέας ἐπι-
πίπτει πκς47. 945 ᵇ6. προησθενηκότι ἡ φλεγμασία ἐπιπίπτει
πα50. 865 ᵃ37. ἐπιπεσὸν τὸ θερμὸν ἔκνοιαν ποιεῖ υ3. 457
ᵇ25. — mathem λανθάνυσιν αἱ ὄψεις ἐπιπίπτυσαι πιε6.
911 ᵇ17.

ἔπιπλα. ἐπίπλων κτῆσις κ̣ βοσκημάτων κ̣ ἀνδραπόδων Ρα5.
1361 ᵃ13. τὰ καλύμενα ἔπιπλα, dist δῦλοι, βοσκήματα,
νόμισμα Πβ7. 1267 ᵇ12.

ἐπιπλάττειν. ἐπέπλασαν τὰ ὦτα—πγ27. 875 ᵃ36. τὰς αἰσθή-
σεις ἐπιπεπλασμένας εἶναι πγ27. 875 ᵃ31.

ἐπιπλατυνόμενος ὁ Ὠκεανός κ3. 393 ᵃ20.

ἐπιπλεῖν, syn κ̣ καταδύεσθαι μβ3. 359 ᵃ18. ἐπιπλεῖν ἐπὶ τῦ
ὕδατος, ἐπὶ τῆς θαλάττης μα12. 348 ᵃ9 (syn ὀχεῖσθαι ᵃ7).
Οδ6. 313 ᵃ17, 20. Ζυ37. 622 ᵇ6. ἐπιπλεῖν ἐπὶ τῷ ὕδατι
μδ7. 384 ᵇ17.

ἐπιπλέκειν. ἐπιπλέξας αὐτὰ τῷ τῆς παραλείψεως σχήματι
ρ31. 1438 ᵇ5.

ἐπιπλήττειν τινὶ ρ19. 1433 ᵃ19 (syn ἐπιτιμᾶν ᵃ20). 37.
1442 ᵇ4. διὸ κ̣ Ἐμπεδοκλῆς ὕτως (fort αὐτοῖς) ἐπέπληξεν
εἰπὼν Οβ13. 294 ᵃ25.

ἐπίπλοον et ἐπίπλυν (cf Lob Phryn 142). descr Ζμδ3.
677 ᵇ12-35. cf 1. 676 ᵇ10. Ζιγ14. 519 ᵇ7-12. 17. 520
ᵃ24 sq. τὸ ἐπίπλοον ἀπὸ μέσης τῆς κοιλίας ἤρτηται, ἔστι δὲ
τὴν φύσιν ὑμὴν πιμελώδης Ζια16. 495 ᵇ29. ἄλλαι ἀπὸ τῆς
μεγάλης φλεβὸς ἀποσχίζονται. ἡ μὲν ἐπὶ τὸ ἐπίπλοον, ἡ δ'
ἐπὶ τὸ καλύμενον πάγκρεας Ζιγ4. 514 ᵇ10. ὁ σπλὴν συνήρ-
τηται τῇ μὲν κοιλίᾳ κατὰ τὸ ἐπίπλοον Ζια17. 496 ᵇ20.

ἐπιπνεῖν. ὅταν τοιαύτης τῆς καταστάσεως ὕσης ἐπιπνεύσῃ ὁ
βορέας πκς46. 945 ᵇ1.

ἐπιπνοίᾳ δαιμονίᾳ ὥσπερ ἐνθυσιάζοντες ηεα1. 1214 ᵃ24.

ἐπιπολάζειν, opp ὑφίστασθαι: ἐναντίον τὸ μὲν μέσον τῷ
ἐσχάτῳ, τὸ δὲ ὑφιστάμενον ἀεὶ τῷ ἐπιπολάζοντι Οδ4. 312

ᵃ6. βαρύτατον τὸ πᾶσιν ὑφιστάμενον, κυφότατον τὸ πᾶσιν
ἐπιπολάζον Οα3. 269 ᵇ6. ϑ4. 311 ᵃ18, 28. μα2. 339 ᵃ17.
4. 341 ᵇ11. opp κάτω βιάζεσθαι Οδ6. 313 ᵇ21. opp κατι-
έναι μβ3. 358 ᵇ33. opp καταφέρεσθαι, μεταστρέφειν Ζιβ2.
590 ᵇ8. ι37. 622 ᵇ9. coni κυφότης Οα6. 273 ᵃ27. coni
ἀναβράττεσθαι μβ8. 368 ᵇ29. cf praeterea Οα8. 277 ᵇ18.
β13. 295 ᵇ6. μβ4. 360 ᵃ7. Ζιϑ8. 533 ᵇ30, 33. ε15. 547
ᵇ22. μ12. 476 ᵇ22. κ3. 392 ᵇ30. θ57. 834 ᵇ13. τὰ σιτία
ἐπιπολάζει Αϑ11. 94 ᵇ13-17. ἐπιπολάζει τὸ λιπαρὸν sim
Ζγβ2. 735 ᵇ25. 1. 733 ᵃ15. 6. 743 ᵇ8. Ζιζ15. 569 ᵃ28.
ἐχῖνοι ἐπιπολάζοντες Ζμ5. 680 ᵃ18 Fr (Langkavel Schol 34,
n 188). ἐπιπολάζειν vel absolute dicitur, vel additur da-
tivus, πᾶσιν, ὕδατι ἐπιπολάζειν sim Οα3. 269 ᵇ26. ϑ4. 311
ᵃ18, 28. μα2. 339 ᵃ17, vel ἐν. τὸ ἔλαιον ἐν τῷ ὕδατι ἐπι-
πολάζει μδ7. 383 ᵇ25. — γίγνονται τοῖς ὑστόκοις αἱ κα-
θάρσεις, ὑ μὴν ἐπιπολάζυσιν ὥσπερ ἀνθρώποις Ζγα20. 728
ᵇ11. ἡ τῶν ἐπιπολαζόντων γένεσις μυῶν ἐν ταῖς χώραις ἡ
φθορά Ζιζ37. 580 ᵇ14. γένος πολυπόδων τὸ μάλιστ' ἐπι-
πολάζον Ζιϑ1. 525 ᵃ14. κίνησίς τις ἐπιπολάζει, opp ἐκκρύε-
ται, ἀφανίζεται εν3. 461 ᵃ3, ᵇ14. ἐπιπολάζοντος τυ γελοίυ
κ̣ τῶν πλείστων χαιρόντων τῇ παιδιᾷ Ηϑ14. 1128 ᵃ12. αἱ
μάλιστα ἐπιπολάζυσαι δόξαι Ηα2. 1095 ᵃ30. ἐπιπολάζειν κ̣
τὰς παροιμίας ἐλθεῖν f 470. 1555 ᵇ14.

ἐπιπόλαιον κ̣ λεπτὸν δέρμα πϑ5. 890 ᵃ13. ἐπιπολαιότερον,
opp εἰς βάθος εἰσδύειν ευ2. 460 ᵃ23. — ἐνθυμήματα ἐπι-
πόλαια λέγομεν τὰ παντὶ δῆλα Ργ10. 1410 ᵇ21, 22. με-
ταφορὰ μήτ' ἀλλοτρία μήτ' ἐπιπόλαιος Ργ10. 1410 ᵇ33.
ἐπιπόλαιον ψεῦδος, πάθος Πιγ12. 1282 ᵇ30. ψγ2. 1230 ᵇ16.
ἐπιπόλαιος φαντασία τα1. 100 ᵇ27. ἐπιπολαιότερον τῦ ζητυ-
μένυ Ηα3. 1095 ᵇ24. ἐπιπολαιοτάτη τῆς ἀπορίας ζήτησις
Πγ3. 1276 ᵃ19. — ἐπιπολαίως. αἱ ῥίζαι εἰσὶν ἐπιπολαίως
ἐν τῇ γῇ φτβ4. 825 ᵇ35. ἐπιπολαίως ὁρίζεσθαι ΜΑ5. 987
ᵃ22, στέργειν Ηι5. 1167 ᵃ3. ἐπιπολαιοτέρως ἀποφαίνεσθαι
Μα1. 993 ᵇ13.

ἐπιπόλασις αι3. 440 ᵇ16.

ἐπιπολασμὸς τῆς ζέσεως πκβ8. 930 ᵇ31.

ἐπιπολαστικὸν κ̣ τρόφιμον τὸ γλυκύ αι4. 442 ᵃ11. πγ13.
872 ᵇ32. κα13. 928 ᵃ37, cf πγ18. 873 ᵇ26. ε6. 881 ᵃ7.

ἐπιπολῆς. τὰ ἐπιπολῆς χρώματα, opp τὰ ἐν βάθει αι3. 440
ᵃ14. cf εν2. 459 ᵇ7. πια27. 902 ᵃ27. opp ἐντὸς Ζιγ19. 521
ᵃ24. διερὸν τὸ ἔχον ἀλλοτρίαν ὑγρότητα ἐπιπολῆς Γβ2. 330
ᵃ17. τὸ ἐπιπολῆς δέρμα sim Ζγ1. 780 ᵇ5. 2. 781 ᵇ4,
782 ᵃ29. 4. 784 ᵇ18. περιττώματα ὅσα ἐξ ἐπιπολῆς ἐστι
πα43. 864 ᵇ25. ἐπιπολῆς κινεῖν τὸν ἀέρα πια13. 900 ᵃ25.
τὸ ἐπιπολῆς, c genet τῦ ἐνόπτρυ, τῆς σαρκὸς sim εν2. 459
ᵇ30. Ζιζ15. 569 ᵇ17. Ζγε3. 783 ᵃ8. πι27. 893 ᵇ30. μβ5.
362 ᵃ27. τρίχες ἐκ τῦ ἐπιπολῆς πεφύκασι πκ37. 893 ᵃ19.
τὰ βαρέα κάτω πέφυκε φέρεσθαι τὰ δὲ κῦφα ἐπιπολῆς
Φβ9. 200 ᵃ3. ἐξ ἐπιπολῆς, opp κάτωθεν μβ8. 368 ᵃ27. —
ἐπιπολῆς ἔστιν ἰδεῖν, συνιδεῖν Ζυ38. 622 ᵇ25. Ρα15. 1376
ᵇ14. βι6. 1390 ᵇ32. Ογ1. 299 ᵃ4. τϑ2. 158 ᵃ4. παρὰ τὰ
ἐπιπολῆς Γα2. 315 ᵃ34. ὅτι ἐνθυμήματα ἀρχόμενοι προ-
ορῶσι μὴ τῷ ἐπιπολῆς εἶναι Ρβ23. 1400 ᵇ31.

ἐπιπολιῦνται αἱ τρίχες Ζγε5. 785 ᵃ18.

ἐπίπολυ. ἄπαις ἐπίπολυ ὢν f 462. 1554 ᵃ11. cf πολύς.

ἐπίπονος. ἐπίπονος ἡ συνέχεια τῆς κινήσεως Μϑ8. 1050 ᵇ26.
λ9. 1074 ᵇ29. Οβ1. 284 ᵃ17 (opp ἄπονος ᵃ15). περίπατοι
ἐπιπονώτεροι κ̣ ἰσχναντικώτεροι πε40. 885 ᵃ28. τὰς παιδιὰς
δεῖ εἶναι μήτ' ἐπιπόνυς μήτ' ἀνειμένας Πη17. 1336 ᵃ29.
φεύγειν τὰ ἐπίπονα Ηγ11. 1116 ᵃ14. ἐπίπονα, dist ἐπικίν-
δυνα πα34. 863 ᵃ21. τόκος, ὠδὶς ἐπίπονος sim Ζγδ6. 775

b1. Ζιη9. 586 b35. ζ22. 575 b30. ἐπιπονωτέρα ἡ γέννησις Ηι7. 1168 a25. πολλοῖς ἀνθυπηρετεῖν ἐπίπονον Ηι10. 1170 b25. ἐπίπονον τὸ μεμῖχθαι τῷ σώματι ψα3. 407 b2. — αὐτۄργۄ̃ ᶜᵎ ἐπιπόνۄ ζῳη κάματος κ6. 397 b22. Δαίμονος ἐπιπόνۄ ᶜᵎ Τύχης χαλεπῆς ἐφήμερον σπέρμα f40. 1481 b9. μὴ ἐπίπονον εἶναι τὴν φύσιν αὐτῶν (τῶν πλευρῶν τοῖς μαστοῖς?) Ζμδ10. 688 a28 Fr. — ἐπιπόνως ζῆν. opp τρυφᾶν Πβ6. 1265 a34. τὰ ἐπιπόνως γενόμενα μᾶλλον στέργۄσιν Ηι7. 1168 a21.

ἐπιπορφυρίζειν. ἄνθος λευκὸν ἐπιπορφυρίζον χ5. 796 b14.

ἐπιπρέπεια videtur formae convenientiam significare φ4. 809 a13, 15 (cf πρέπον a18). 6. 814 b8. ἀναφέρεται ἐπὶ τὴν ἐπιπρέπειαν φ6. 810 a34, 35, b9, 30, 811 b13, 19, 24.

ἐπιπροιέμενοι (ἔτι προιέμενοι Wimmer e cod P corr) ἄγονον σπέρμα Ζγβ4. 739 a25.

ἐπιπροσθεῖν. γραμμὴ εὐθεῖα, ᶠ τὸ μέσον ἐπιπροσθεῖ τοῖς πέρασιν τζ10. 148 b27, 30.

ἐπιπροσθεῖν ἕτερα ἑτέρων φέρεσθαι ξ2. 977 a6.

ἐπιπρόσθεσις, ἐπιπρόσθησις. ἡ σελήνη ἐκλείπει διὰ τὴν τῆς γῆς ἐπιπρόσθησιν Οβ14. 297 b29. cf 13. 293 b22 (ἐπιπρόσθεσιν codd EL). τῶν χρωμάτων μιγνυμένων κατὰ τὰς ἐπιπροσθέσεις μα5. 342 b9 (ἐπιπροσθέσεις codd, praeter corr E) cf Ideler I 376. — ἐπιπρόσθεσις. coni σύνθεσις, dist μῖξις ξ2. 977 a4. 1. 974 a26, 28 (974 a26, 28 ἐπιπρόσθεσις codd Mullach, ἐπιπρόσθησις Bk).

ἐπίπτερον καλۄμενον φυτόν φτβ4. 825 b10. (i q ἐπίπετρον cf S Theophr V 371 s v ἐπίπετρον. fort Lemma minor L cf Langkavel Bot p 121. 240, 1.)

ἐπίπτυγμα, i q ἐπικάλυμμα. 1. τῶν στρομβωδῶν operculum Ζμδ5. 679 b18. Ζιδ4. 528 b8. cf K 579, 1. — 2. postabdomen τῶν καρκίνων. τελευτᾷ τὸ ἔντερον εὐθὺ τοῖς καρκίνοις, ᶠ τὸ ἐπίπτυγμα ἔχۄσι, κατὰ μέσον τὸ ἐπίπτυγμα (ᶠ — ἔχۄσι om S I 197, οἳ pro ᶠ Pic) Ζιδ2. 526 b29. τὰ ἐν τῷ ἐπιπτύγματι δασύτερα αἱ θήλειαι καρκίνοι τῶν ἀρρένων ἔχۄσιν Ζμδ8. 684 a22. cf S dissert üb die dem Arist bekannt Gatt u Art v Krebsen in Magazin naturforschender Freunde I s f, Milne Edwards hist nat des crustacées pl 3 fig 5, PCG 365. — 3. branchiarum operculum. τὰ μαλακόστρακα παρὰ τὰ δασέα ἀφίασι τὸ ὕδωρ διὰ τῶν ἐπιπτυγμάτων αν12. 477. cf Vogt Zool Briefe I 413, PCG 362.

ἐπιπτύσσεσθαι. ἐπιγλωττὶς ἐπιπτύσσεσθαι δυναμένη ἐπὶ τὸ τρῆμα, opp ἀναπτύσσεσθαι Ζια16. 495 a28. Ζμγ3. 664 b28.

ἐπιπυκνωθεὶς ἀὴρ χ3. 794 a14.

ἐπίπυρρος φδ3. 808 a20, 33 (v l ὑπόπυρρος, cf Rose Ar Ps 700). — ἐπίπυρρον τὸ σῶμα φδ3. 807 b32.

ἐπιπωματίζειν τὸν ἀέρα τὸν κάτωθεν Οβ 13. 294 b15. — pass αἱ ἐγχέλεις ὑπὸ τۄ θολۄ̃ τῆς πόρۄς ἐπιπωματίζονται f 294. 1529 a29.

ἐπιρραίνειν. ὁ ἄρρην ἐπιρραίνει τὸν θορόν Ζιζ14. 568 b31. Ζγα21. 730 a20. γ5. 755 b6. ὁ ἄρρην ἐπιρραίνει ἐπὶ τὰ ᾠὰ τὸν θορόν Ζιζ13. 567 b5. τοῖς θήλεσιν ἐπιρραίνει ὁ ἄρρην Ζγγ8. 758 a16. ὁ ἄρρην ἐπιρραίνει τὰ ᾠά (τῷ θορῷ) Ζιζ13. 567 b4, 9. Ζγγ5. 756 a19. τὰ ᾠὰ ἐπιρραινόμενα, ἐπιρραινθέντα Ζγγ5. 756 a24. Ζιζ13. 567 b6. λίθος ἐπιρραινόμενος ὕδατι θ41. 833 a26.

ἐπιρρεῖν. ὕδωρ ἐπιρρέον. opp ἀπορρέον Ζιθ2. 592 a4. ἀναθυμίασις ἐπιρρεῖ, opp ἐξελήλυθεν μβ5. 361 b30. ἐπιρρεῖ ὑγρόν, ὑγρότης, τροφή, φλέγμα αν20. 480 a5. Ζγε5. 785 a17. 8. 789 a3. γ1. 751 a7. 11. 762 b35. χ5. 795 a21. 6. 797 b29, 798 b32, 799 a13. πκ26. 926 a10. ια61. 906 a2. ἡ τέφρα

ۄ̓κ ἐπιρρεῖ πκ18. 925 a4.

ἐπιρρίπτειν. διώκων ὁ λέων ἐπιρρίπτει ἑαυτὸν Ζιι44. 629 b20. — ἀδιορίστως ἐπέρριψε περὶ τῶν λοιπῶν ΜΑ5. 986 a34.

ἐπιρροφۄ̃σι ᶜᵎ διακλύζονται πκζ3. 948 a2. ἐπίρρυσις τῶν ῥευμάτων μβ2. 356 a3, τۄ̃ αἵματος Ζμβ7. 653 a13. ταχὺ ἂν κατετρίβοντο οἱ ὀδόντες μὴ γινομένης τινὸς ἐπιρρύσεως Ζγβ6. 745 a28. μὴ ἔχειν ἐπίρρυσιν πκε1. 925 a23, 24.

ἐπισαλεύειν τοῖς ὤμοις φ6. 813 a11.

ἐπισήμανσις. ἀπὸ ἐπισημάνσεως κεραυνῶν πκδ18. 937 b26.

ἐπισημαίνειν. 1. trans ἕτερα σώματος μόρια ἐπισημαίνει τὴν ἀρχὴν τۄ̃ σπέρμα ἔχειν Ζιε14. 544 b31. — med ἐπισημαινομένۄς ἐν τοῖς ὅρκοις ὅτι ۄ̓κ ἀδικήσω τὸν δῆμον Πε9. 1310 a11. ἐπισημαινόμενος ὅτι τὸ μὲν ۄ δ' ۄ̓. ἐπισημαινόμενος ὅσα μὴ δοκεῖ τβ3. 110 b15. 5. 112 a13. — θεωρεῖν ὡς ὑποκρινομένων τινῶν ᶜᵎ ἐπισημαίνεσθαι (plaudere) θ31. 832 b19. — δεῖν εἰς Ἄμισον ἐλθόντας (ἐλθόντα ci Sylb) ἐπισημήνασθαι (?) οβ1350 b27. — ἐπισημαντέον τὸ μὴ δοκۄ̃ν πρὸς εὐλάβειαν εὐηθείας· ἐπισημαντέον ὅτι ἀναιρεῖται τὸ ἐν ἀρχῇ τθ6. 160 a3, 10. ἐπισημαντέον ὅτι ἐν ὑγιεία ὁ δρόσος γίνεται πκε21. 939 b35. — 2. intr α. ὕλας ἐχόντων τῶν γεννησάντων ἤδη τινὲς ἔσχον τۄς αὐτۄς τόπۄς τῶν ἐκγόνων τὸν τύπον τῆς ὕλης, ᶜᵎ στίγμα ἔχοντος ἐν τῷ βραχίονι ἐπεσήμηνε τῷ τέκνῳ συγκεχυμένον μέντοι ᶜᵎ ۄ̓ διηρθρωμένον τὸ γράμμα Ζγα17. 721 b33. ὁ σεισμὸς ἐπὶ δύο ἔτη ἐπισημαίνει μβ8. 368 a1. τοῖς θήλεσι τὰ καταμήνια ἐπισημαίνει ἐν τῇ αὐτῇ ἡλικία Ζγα20. 728 b24. ἐπισημαίνει τὰ περὶ τۄς μαστۄς Ζγα19. 727 a8. cf Ζιζ18. 573 a12. η2. 582 b31. 3. 583 a33. ι40. 624 a2. κ1. 634 a30. — ۄ̓κ ἐπισημαίνει (?) ۄ̃τος ὁ ὁρισμὸς τῆς φιλίας ηεη11. 1244 a23. — b. intr impers i q γίγνεται. ἐπισημαίνει ἡ ۄ̓ρα τۄ σχεύεσθαι. τοῖς προβάτοις ἐπειδὰν ۄ̓ρα ἐπισχεύεσθαι, ἐπισημαίνει· πρὸ τۄ ۄ̓χεύεσθαι· ᶜᵎ ἐπειδὰν ὀχευθῶσι, γίνεται τὰ σημεῖα, εἶτα διαλείπει, μέχρι ۄ ἂν μέλλωσι τίκτειν, τότε δ' ἐπισημαίνει Ζιζ18. 572 b32. ἐπισημαίνει περὶ τۄς μαστۄς Ζγα20. 728 b29. cf ε5. 785 a11. Ζιε14. 544 b23. ζ3. 561 a7. 18. 572 b32, 33, 573 a1. πδ12. 877 b38. γίνεται ἀπόκρισις τοσαύτη τὸ πλῆθος, ὥστε ὅσον γε ἐπισημαίνειν Ζγγ1. 750 b8 (cf ὅσον σημεῖۄ χάριν, ὥσπερ σημείۄ χάριν Ζιβ8. 502 b23. ιε. 611 a31. Ζμγ7. 669 b29, 670 b12). — ἐπισημαίνειν ἐστὶ μεταβολὴν τۄ̃ ἀέρος ποιεῖν πκς12. 941 b9.

ἐπίσιον. pubes. τۄ ἤτρۄ τὸ ἔσχατον ἐπίσιον (v l ἐπίσειον) Ζια 13. 493 a20. cf AZ II tab 2.

ἐπισιτισάμενοι τὸ Μιλτιάδۄ ψήφισμα Ργ10. 1411 a9.

ἐπισκεπής. καθίζει ᶜᵎ ἐλεᾷ χειμῶνος ἐν ἐπισκεπεῖ Ζιι16. 616 b14.

ἐπισκέπτεσθαι. ἐπισκέψασθαι ᶜᵎ διαπορῆσαι Ηα4. 1096 a11. syn θεωρεῖν Μγ3. 1005 b7, 6. ἐπισκέψασθαί τι Αα44. 50 a40. περί τινος Μγ3. 1005 b7. Ηη12. 1152 b4. περί τινος τἀληθές Μγ2. 1004 b16. περί τινος sequente enunciatione interrogativa Ηα1. 1101 b10. ὑπέρ τινος τα10. 104 a35, sequente enunciatione interrogativa Μγ2. 1004 b2. Ηα4. 1096 a11. absolute χαλεπὸν σφοδρῶς ἀποφαίνεσθαι μὴ πολλάκις ἐπεσκεμμένον Κ7. 8 b22. — ἐπισκεπτέον (τۄ̃το, περὶ τۄ̃τۄ, seq enunciatione interrog) Αβ21. 67 b26. 69 b38. τ1. 120 a13. Φβ4. 195 b16. ψα3. 405 b31. μγ7. 387 b6 (περὶ ἕκαστον γένος, sed περὶ ἑκάστۄ γένۄς cod N). Ζιι42. 629 a27. Ζμβ1. 646 a11. Ηα5. 1097 b14. 13. 1102 a6, 14. ε10. 1135 a15. η14. 1154 a8. θ15. 1163 a8. κ10. 1180 b28. Πγ5. 1326 b33. — pass ἐπέσκεπται πρότερον ὅτι ۄ̓κ

ἔστιν Ογ1. 299 ᵃ10. ἐπέσκεπται κοινῇ περὶ πάντων Ζμδ11.
692 ᵃ18. ἐπέσκεπται χ̣ ἐν τοῖς ἐξωτερικοῖς λόγοις ηεα8.
1217 ᵇ22. ἐπεσκέφθαι (med an pass?) τα18. 108 ᵃ18.
ἐπισκευάζειν τὴν διαλεκτικὴν εἰς ἐπιστήμην πραγμάτων, μὴ
μόνον λόγων Ρα4. 1359 ᵇ15 (cf dist κατασκευάζειν ᵇ14). 5
— φυλετικῶς φυσήσαντες χ̣ ἐπισκευάσαντες ἑαυτὰς τι1.
164 ᵃ27. ἐπισκευάσας τὰς ἡμιόνας ὡς ἀγύσας ἀργύριον
οβ1350 ᵇ23.
ἐπίσκεψις. τὰ κατὰ τὴν ἐπίσκεψιν (ἰ e σύνοψιν) Αα28. 44
ᵇ39. — οἱ εἰς ἐπίσκεψιν τῶν ὄντων ἐλθόντες χ̣ φιλοσοφή- 10
σαντες περὶ τῆς ἀληθείας ΜΑ3. 983 ᵇ2. ποιεῖσθαι ἐπίσκεψιν
περί τινος, syn ποιεῖσθαι τὴν θεωρίαν ΜΑ8. 989 ᵇ27, 25.
cf αι1. 436 ᵃ3. ημβ1. 1198 ᵇ24. 15. 1213 ᵃ8. οα6. 1345
ᵃ23. πρώτη μὲν (ἐστὶν) ἐπίσκεψις λόγῳ εἰ συμπεραίνεται
τθ12. 162 ᵇ25. ἔχει τι πολλὴν ἐπίσκεψιν ηεη6. 1240 ᵃ9. 15
εἴληφέ τι τὴν ἐπίσκεψιν αν14. 477 ᵇ12.
ἐπίσκηψιν (ἰ e κατηγορίαν) ποιεῖν Πβ12. 1274 ᵇ7.
ἐπισκιάζειν. ὅπως μὴ ἐπισκιάζῃ τὸ ἐπὶ τῇ κόρῃ δέρμα ῥυ-
τιδύμενον Ζγε1. 780 ᵃ30.
ἐπίσκιοι χ̣ ἑλώδεις τόποι Ζιζ15. 569 ᵇ10.　20
ἐπισκοπεῖν τὸ κοινὸν ἀγαθόν, opp ἀποσκοπεῖν πρὸς τὸ ἴδιον
Πγ13. 1284 ᵇ6. — ἐπισκοπεῖν τὴν ὑγίειαν ὕτως (ἰ e κα-
θόλυ) Ηα4. 1097 ᵃ11. ἐπισκοπεῖν τὸ τιμήματος τὸ πλῆθος
πρὸς τὸ παρελθὸν Πε8. 1308 ᵃ38. ὅλως τὸς λόγυς χ̣ κατὰ
μέρος τη3. 153 ᵃ28. ἐπισκοπεῖν περί τινος, syn θεωρεῖν περί 25
τινος Μγ1. 1003 ᵃ23. cf ζ12. 1037 ᵇ28. ψα3. 406 ᵃ11.
Ηγ1. 1109 ᵇ34. Πδ10. 1295 ᵃ8. ἐπισκοπεῖν περί τινος τὰ
ἀδύνατα Φδ10. 218 ᵇ9. ἐπισκοπεῖν εἰ ἔχει ἱκανῶς πο4.
1449 ᵃ7. ἐπισκοπεῖν διὰ τίνος ῥᾷστα γίνεται Ηγ5. 1112
ᵇ17. ἐπισκοπεῖν absolute, ἐπισκοπῦντι γένοιτ᾽ ἂν φανερὸν 30
Φα7. 190 ᵇ3. θ8. 214 ᵇ30. τβ7. 113 ᵃ17. ἐπισκοπεῖν λογι-
κῶς, φυσικώτερον, κατὰ μέρος, καθ᾽ ἕκαστα Φθ8. 264 ᵃ8.
Ηι9. 1170 ᵇ13. Μγ3. 1005 ᵃ29. Ηδ7.1123ᵇ33. ἐπισκοπεῖν
ἔκ τινος τη1. 152 ᵃ34. Φα6. 189 ᵇ17. θ7. 260 ᵇ15, κατά
τι τα14. 105 ᵇ29. Πα1. 1252 ᵃ17, διά τινος Πη17.1336ᵃ5. 35
ἐπισκοτεῖν. διαλύει τὸ σαφὲς τῷ ἐπισκοτεῖν Ργ3. 1406 ᵃ35.
ἐπισκοτεῖν τῇ κρίσει Ρα1. 1354 ᵇ11. ταῦτα πολλοῖς ἐπι-
σκοτεῖ πρὸς τὸ κρίνειν ημβ15. 1213 ᵃ19. ὁ θυμὸς ἐπαιρό-
μενος τῷ λογισμῷ ἐπισκοτεῖ f 96. 1493 ᵇ32.
ἐπισκύνιον. ἐπισκύνιον πρὸ τῶν ὀμμάτων Ζγε1. 780 ᵇ28. 40
ἐπισπᾶν. med οἱ νευροσπάσται μίαν μήρινθον ἐπισπασάμενοι
κ6. 398 ᵇ17. ἐπισπᾶται ἡ πέρδιξ τὸν θηρεύοντα ὡς ληψό-
μενον ἐφ᾽ ἑαυτήν Ζυ8. 613 ᵇ19. ἐπισπᾶσθαι νόσον, αἷμα,
τροφήν, ὑγρόν Ζικ7. 638 ᵇ24. πν2. 481 ᵇ15. χ6. 798 ᵃ19.
πβ25. 868 ᵇ30. ι22. 893 ᵃ25. — pass ἀὴρ ἐπισπασθείς 45
πκγ4. 931 ᵇ22.
ἐπίσπασις τροφῆς πν2. 482 ᵃ15.
ἐπισπαστικὸν τῷ ὑγρῷ τὸ θερμὸν πλζ3. 966 ᵃ4.
ἐπισπερχής. σημεῖον δειλῦ τὸ σῶμα συγκεκαθικός, ὐκ ἐπι-
σπερχές φ3. 807 ᵇ5. τῷ ἤθει τῷ ἐπὶ τὸ προσῶπν μὴ ἐπι- 50
σπερχὴς ἀλλ᾽ ἀγαθὸς φαινέσθω ὁ εὔθυμος φ3. 808 ᵃ7.
ἐπισπεύδειν. trans ἐπισπεύδυσι τὴν πεπειρότητα φτβ10. 829
ᵇ18. — intr (?) ἐπισπεύδει ἡ πέψις φτβ3. 825 ᵃ32.
ἐπισπάζειν. trans ἐπισπάζῃ πυ5. 871 ᵇ18.
ἐπίστασθαι. cf ἐπιστήμη. ἑκατέρῳ (τῇ ἐπιστήμῃ χ̣ τῇ ψυχῇ) 55
φαμὲν ἐπίστασθαι ψβ2. 414 ᵃ6. τῷ ἠρεμῆσαι χ̣ στῆναι τὴν
διάνοιαν ἐπίστασθαι χ̣ φρονεῖν λέγομεν Φη3. 247 ᵇ11. ἐπί-
στασθαι, dist ὑπολαμβάνειν Αβ21. 66 ᵇ31. dist δοξάζειν
Αγ33. 89 ᵃ11-ᵇ6. Μγ4. 1008 ᵇ27, 30. τὸν ἐπιστάμενον
ἁπλῶς δεῖ ἀμετάπειστον εἶναι Αγ2. 72 ᵇ3. ἐπίστασθαι, syn 60
εἰδέναι, v h v. ἐπίστασθαι def Ηζ3. 1139 ᵇ18-36. ἐπιστά-

μεθα τέτταρα, τὸ ὅτι, τὸ διότι, εἰ ἔστι, τί ἐστιν Αδ1. 89
ᵇ23sqq. γ13. 78 ᵃ22. ἐπίστασθαι ὐκ ἔστι τὰ ἄπειρα Μα2.
994 ᵇ20. τὸ ἐπίστασθαι πῶς ἔσται, εἰ μή τι ἔσται ἐν ἐπὶ
πάντων Μβ4. 999 ᵇ26. ἐπίστασθαί πως τῇ καθόλυ τὸ ἐν
μέρει Φη3. 247 ᵇ6. ἐπίστασθαι ἕκαστον τῦτό ἐστι τὸ τί ἢν 5
εἶναι ἐπίστασθαι Μζ6. 1031 ᵇ20. ἐπίσταται μᾶλλον ὁ τῷ
εἶναι γνωρίζων τί τὸ πρᾶγμα ἢ τῷ μὴ εἶναι Μβ2. 996 ᵇ15.
ἐπίστασθαι ἀποδεικτικῶς, ἰ e ἐξ ἀναγκαίων Αγ6. 75 ᵃ12.
δ3. 90 ᵇ9, 21. ἐπίστασθαι οἰόμεθ᾽ ἕκαστον ἁπλῶς, ὅταν τὴν
τ᾽ αἰτίαν οἰώμεθα γινώσκειν δι᾽ ἣν τὸ πρᾶγμά ἐστι, χ̣ μὴ 10
ἐνδέχεσθαι τὸτ᾽ ἄλλως ἔχειν Αγ2. 71 ᵇ9sqq Wz. δ11. 94
ᵃ20sqq. Φα1. 184 ᵃ10. ὁ ἐπίσταται (int τις), ὐ δυνατὸν
ἄλλως ἔχειν Αγ6. 74 ᵇ6. ἐπίστασθαι ἁπλῶς χ̣ κυρίως, opp
ἐξ ὑποθέσεως Αγ3. 72 ᵃ14. ἐπίστασθαι ἁπλῶς, ὡδὶ Αγ1.
71 ᵃ28 Wz. ἐπίστασθαι ἔστιν ὡς, ἔστι δ᾽ ὡς ἀγνοεῖν Αγ1. 15
71 ᵇ6. τὸ ἐπίστασθαι λέγεται τριχῶς, ἢ ὡς τῇ καθόλυ, ἢ
ὡς τῇ οἰκείᾳ, ἢ ὡς τῷ ἐνεργεῖν Αβ21. 67 ᵇ3 Wz. — ἐπί-
στασθαι λέγεται διχῶς, ἐπίστημην ἔχειν, ἐπιστήμῃ χρῆσθαι
(θεωρεῖν) τα2. 130 ᵃ20. Μδ7. 1017 ᵇ3 Ηη5. 1146 ᵇ31sqq.
ημβ6. 1201 ᵇ11. ηεβ9. 1225 ᵇ11. — ἐπιστάμενος. ἀρχαὶ 20
ὅσας ἄρχειν ἀναγκαῖον τὸς ἐπισταμένυς Πδ4. 1298 ᵃ28,
cf εἰδῶς. — ἐπίστασθαι, c inf ἄρχεσθαι ὅτε βύλονται ὅτε
ἐπίστανται sim Πδ11. 1295 ᵇ16. γ4. 1277 ᵃ25. Ρβ10.
1388 ᵃ7. — ἐπιστητόν, dist αἰσθητὸν τβ8. 114ᵃ21-25,
dist δοξαστὸν Αγ33. τὸ ἄπειρον ὐκ ἐπιστητὸν Αγ24. 86ᵃ6. 25
Φα6. 189 ᵃ13. Ρα2. 1356 ᵇ32. ἡ ὑποκειμένη φύσις ἐπιστητὴ
κατ᾽ ἀναλογίαν Φα7. 191 ᵃ8. τὸ ἐπιστητὸν πρότερον τῆς ἐπι-
στήμης Κ7. 7 ᵇ23. τὸ ἐπιστητὸν πῶς πρός τι Μδ15. 1021
ᵃ29. ι6. 1057 ᵃ9. τὸ ἐπιστητὸν μαθητόν, ἀποδεικτὸν Ηζ3.
1139 ᵇ25. 6. 1140 ᵇ35. ἀναγκαῖον τὸ ἐπιστητὸν τὸ κατὰ 30
τὴν ἀποδεικτικὴν ἐπιστήμην Αγ4. 73 ᵃ21. 6. 74 ᵇ6. Ηζ3.
1139 ᵇ23. ἐπιστητὰ τὰ καθόλυ, μάλιστα ἐπιστητὰ τὰ πρῶτα
χ̣ αἴτια Μβ6. 1003 ᵃ14. 2. 996 ᵇ13. Α2. 982 ᵃ31, ᵇ2. βελ-
τίων χ̣ χείρων ἑκάστη ἐπιστήμη κατὰ τὸ οἰκεῖον ἐπιστητὸν
Μκ7. 1064 ᵇ6. τῆς ἀρχῆς τῦ ἐπιστητῦ ὐκ ἔστιν ἐπιστήμην 35
Ηζ6. 1140 ᵇ34. ἡ ἐπιστήμη ἡ θεωρητικὴ χ̣ τὸ ὕτως ἐπι-
στητὸν τὸ αὐτό ἐστι ψγ4. 430 ᵃ5. τῆς ψυχῆς τὸ ἐπιστη-
μονικὸν δυνάμει ἐστὶ τὸ ἐπιστητὸν ψγ8. 431 ᵇ27. — ἐπι-
στητὸν τὸ ἄγνωστον ὅτι ἄγνωστον Ρβ24. 1402 ᵃ6.
ἐπίστασις. ἡ νόησις ἔοικεν ἠρεμήσει τινὶ χ̣ ἐπιστάσει μᾶλ- 40
λον ἢ κινήσει ψα3. 407 ᵃ33. cf μετὰ ἐπιστάσεως, opp
κινεῖσθαι ατ 969 ᵇ3. εἰ ἔτι ἐπίστασις ἐγίγνετο περὶ τὸς ὄρ-
χεις, ἐψύχετ᾽ ἂν ἡ γονή Ζγα7. 718 ᵃ21. — ἔχει τινὰ χ̣
ἄλλην ἐπίστασιν πῶς πολλά Μν2. 1089 ᵇ25 Bz. ηεη2. 1236
ᵇ33 Fr. ἄξιον ἐπιστάσεως εἰ ὕτως ἔχει Φβ4. 196 ᵃ36. 45
ἐπιστατεῖν. οἱ δικαίως τῶν κοινῶν ἐπιστατήσαντες ρ2. 1422
ᵇ17. — δἰς τὸν αὐτὸν ἐπιστατῆσαι ὐκ ἐξῆν f 397.1544ᵃ12.
ἐπιστάτης. πολλῶν ἐπιστατῶν ἡ πολιτικὴ κοινωνία δεῖται
Πδ15. 1299 ᵃ15. καλῦνται ἱερομνήμονες χ̣ ἐπιστάται Πζ8.
1321 ᵇ39. — δύο εἰσὶν οἱ καθιστάμενοι ἐπιστάται, ὁ μὲν 50
ἐκ πρυτάνεων κληρύμενος, ὁ δ᾽ ἐκ τῶν προέδρων f 394.
1543 ᵇ21. 397. 1544 ᵃ8, 11, 18, 32.
ἐπιστέλλειν. ἐπέστειλάς μοι ρ1. 1420 ᵃ6.
ἐπιστενωτέρα ἡ ἀορτὴ προϊῦσα Ζιγ4. 514 ᵇ23.
ἐπιστέφειν. ἐπεστέψαντο ποτοῖο (Hom Α480. Ι175 al) f 108. 55
1495 ᵇ10, 21.
ἐπιστήμη. 1. ἐπιστήμη distinguitur a notionibus confinibus.
dist αἴσθησις ψβ5. 417 ᵇ23. Αγ31. τβ8. 114 ᵃ21-25. Μβ4.
999 ᵇ3, sed ἐπιστήμην τινὰ ἐκλελοιπέναι ἀνάγκη, εἴ τις
αἴσθησις ἐκλέλοιπε Αγ18. 81 ᵃ39, nam ἀποβαίνει ἐπιστήμη 60
χ̣ τέχνη διὰ τῆς ἐμπειρίας τοῖς ἀνθρώποις ΜΑ1. 981 ᵃ3.

Φη3. 247 ᵇ20. Αδ19. 100 ᵃ8; latiore tamen sensu dicuntur ἐπιστῆμαι τῶν αἰσθητῶν ψβ5. 417ᵇ26, ac distinguuntur inter se ἐπιστῆμαι αἰσθητικαί et μαθηματικαί Αγ13. 79 ᵃ2. — ἐπιστήμη, dist δόξα Αγ33. Ηζ3. 1139 ᵇ17. dist ὑπόληψις Κ7. 8 ᵇ11. ἡ ἐπιστήμη εἶδός ὑπολήψεως Φε4. 227 ᵇ13. ἡ ἐπιστήμη ὑπόληψις πιστοτάτη, ἀμετάπειστος ὑπὸ λόγῳ τε2. 130 ᵇ16. 3. 131 ᵃ23. 4. 133 ᵇ29 sqq. 5. 134 ᵇ17. ζ8. 146 ᵇ2, 5. cf Ηζ6. 1140 ᵇ31. ἡ ἐπιστήμη ἀεὶ ἀληθής Αδ19. 100 ᵇ8. ἡ ἐπιστήμη ᴋ τὸ ἀληθές Ρα7. 1364 ᵇ9. ὡς ἂν ἡ ἐπιστήμη ᴋ ἡ φρόνησις εἴποι Ρα7. 1364 ᵇ16. Μμ4. 1078 ᵇ15. ἐπιστήμη, dist φρόνησις ημα35. 1196 ᵇ37. dist σύνεσις Ηζ11. 1143 ᵃ1. dist εὐβυλία Ηζ10. 1142 ᵃ34 sqq (cf γ5. 1112 ᵇ1). dist παιδεία Ζμα1. 639 ᵃ3, 4. — 2. ἐπιστήμης notio definitur. ἐπιστήμη, opp ἄγνοια Αβ21. 66 ᵇ26. ἡ λῆψις ἐπιστήμης ᴂκ ἔστι γένεσις ᴂδ' ἀλλοίωσις Φη3. 247 ᵇ10, 23. etym ἐπιστήμη, ὅτι τὴν ψυχὴν ἵστησιν πλ14. 956 ᵇ40 (cf Φα3. 247 ᵇ11). ἀεὶ ἄλλυ ἐπιστήμη, αὐτῆς δ' ἐν παρέργῳ Μλ9. 1074 ᵇ35. τὸ ἐπιστητὸν πρότερον τῆς ἐπιστήμης Κ7. 7 ᵇ24, 25. ἡ ἐπιστήμη τῶν πρός τι τὸ1. 121 ᵃ1. Μδ15. 1021 ᵇ6. μέτρον ἡ ἐπιστήμη, τὸ δ' ἐπιστητὸν τὸ μετρύμενον Μι6. 1057 ᵃ9. 1. 1053 ᵃ31-35. τί ἐστιν ἡ ἐπιστήμη describitur Ηζ3. 1139 ᵇ18-36. ἐπιστήμη τῶν καθόλυ Μx1. 1059 ᵇ26. 2. 1060ᵇ20. β6. 1003 ᵃ15 Bz. μ9. 1086 ᵇ5. 10. 1086 ᵇ33. Αγ31. 87 ᵇ38. ψβ5. 417 ᵇ23. Ηζ6. 1140 ᵇ31. x10. 1180 ᵇ15 (difficultates inde ortas quomodo solvere sibi videatur Arist cf Μμ10. 1087 ᵃ11-25 Bz). τῶν ὄντων λαβεῖν ἐπιστήμην δὲ τῶν τῶν εἰδῶν λαβεῖν καθ' ἃ λέγονται Μβ3. 998 ᵇ7. cf ι1. 1052 ᵃ33. εἴδη ἔσται πάντων ὅσων ἐπιστῆμαι εἰσι ΜΑ9. 990 ᵇ12. αἱ ἐπιστῆμαι ὡρισμένων τινῶν παρὰ τὰ καθ' ἕκαστα (Plat) f 182. 1509 ᵃ13. ἡ ψυχὴ ἐν ᾗ ᴋ τὸ εἶδος ᴋ ἡ ἐπιστήμη Ζγα22. 730 ᵇ16. ἐπιστήμην ἑκάστη ἐστὶν ὅταν τὸ τί ἦν ἐκείνῳ εἶναι γνῶμεν Μζ6. 1031 ᵇ6. ἐπιστήμη, coni syn λόγος Μx1. 1059 ᵇ26. μ3. 1077 ᵇ28. θ2. 1046 ᵇ7. ἐπιστήμη ἅπασα μετὰ λόγυ Αδ19. 100 ᵇ10. πᾶσα ἐπιστήμη περὶ αἰτίας ᴋ ἀρχάς τινάς ἐστι, περὶ τὰ πρότερα, τῷ πρώτῳ, τῷ διότι Με1. 1025 ᵇ6. x7. 1063 ᵇ36. μ2. 1076 ᵇ36. γ2. 1003 ᵇ16. Αγ13. 78 ᵃ25. ἐπιστήμη ἀποδεικτική, coni ἀπόδειξις Αα1. 24 ᵃ11. ἐπιστήμη ἀποδεικτικὴ ἐξ ἀληθῶν ᴋ πρώτων ᴋ ἀμέσων ᴋ γνωριμωτέρων ᴋ προτέρων τῦ συμπεράσματος Αγ2.71ᵇ20 sqq. ἐπιστήμη ἀποδεικτικὴ ἐξ ἀναγκαίων ἀρχῶν· ἃ ἔστιν ἐπιστήμη, τὅτ' ἀδύνατον ἄλλως ἔχειν Αγ. 71 ᵇ9, 12, 15 Wz. 4. 73 ᵃ21. 6. 74 ᵇ5, 33 (opp δόξα). ἐπιστῆμαι ἀποδεικτικαί Αγ22. 84 ᵃ10. Κ12. 14 ᵃ38. ἐπ' ἐνίων ἡ ἐπιστήμη τὸ πρᾶγμα Μλ9. 1075 ᵃ1. τὸ αὐτό ἐστιν ἡ κατ' ἐνέργειαν ἐπιστήμη τῷ πράγματι ψγ7. 431 ᵃ1. 5. 430 ᵃ20. 4. 430 ᵃ4. 8. 431 ᵇ22. — ἐπιστήμη πᾶσα ἢ τῦ ἀεὶ ἢ τῦ ὡς ἐπὶ τὸ πολύ, ᴂκ ἔστι τῶν συμβεβηκότων μὴ καθ' αὑτά, τῶν ἀπὸ τύχης Μx8. 1065 ᵃ5, 1064 ᵇ27. ε2. 1026 ᵇ2, 1027 ᵃ20. Αγ30. 6. 75 ᵃ19. 8. 75 ᵇ33. α13. 32 ᵇ18. (ἐπιστήμη τις ἐλπιστικὴ ἡ μαντικὴ μυ1. 449 ᵇ12. εἰ δεῖ καλεῖν ἐπιστήμην τὴν ἕξιν ἢ τὸ πάθος μν2. 451 ᵃ27.) ἐπιστήμη ἁπλῶς ᴂκ ἔστι τῶν φθαρτῶν Αγ8. 75 ᵇ24. cf ΜΑ6. 987 ᵃ34. μ4. 1078 ᵇ15. — 3. ἐπιστήμη, dist ἀρχὴ ἐπιστήμης. πότερον ἔστιν ἐπιστήμη ἢ ᴂ Αγ3. 72 ᵇ6. ἐπιστήμη ἀποδεικτική, ἐπιστήμη μετ' ἀποδείξεως, διδακτή Ηζ5. 1140 ᵃ10. 3. 1139 ᵇ25. διδασκαλίας ἐστὶν ὁ κατὰ τὴν ἐπιστήμην λόγος Ρα1. 1355 ᵃ26. ἀποδεικτικὴ ἐπιστήμη ἐστὶν ἣν ἔχομεν τῷ ἔχειν ἀπόδειξιν Αγ4. 73 ᵃ23. ἐν ταῖς ἀποδεικτικαῖς ἐπιστήμαις ὑπάρχει τὸ πρότερον ᴋ ὕστερον

τῇ τάξει Κ12. 14 ᵃ38. πᾶσα ἀποδεικτικὴ ἐπιστήμη περὶ τρία ἐστί, περὶ ὅ τε δείκνυσι ᴋ ἃ δείκνυσι ᴋ ἐξ ὧν Αγ10. 76 ᵇ11, 22 (cf Μβ2. 997 ᵃ8 Bz). ἡ τῶν κοινῶν ἀρχῶν ἐπιστήμη κυρία πάντων Αγ9. 76 ᵃ18. ἐπιστήμην ἀναπόδεικτος, syn ὑπόληψις τῆς ἀμέσυ προτάσεως Αγ33. 88 ᵇ36. 3. 72 ᵇ19. ἐπιστήμης ἀρχὴ νὅς, τῶν ἀρχῶν ᴂκ ἐπιστήμη ἀλλὰ νὅς Αγ3. 72 ᵇ24. 23. 85 ᵃ1. 33. 88 ᵇ35 sqq. δ19. 100ᵇ12. Ηζ6. 1140 ᵇ32-1141 ᵃ8. νὅς μὲν τὸ ἕν, ἐπιστήμη δὲ τὰ δύο (Plat) ψα2. 404 ᵇ22. νῷ ὄργανον ἐπιστήμη πλ5. 955 ᵇ37. — 4. ἐπιστήμης ἑνότης. ἑνὸς γένυς μία ἡ ἐπιστήμη Αγ28. Μγ2. 1003 ᵇ19. β2. 997 ᵃ21. ι4. 1055 ᵃ32. Ηα4. 1096 ᵃ29. Πδ1. 1288 ᵇ10. τῶν ἐναντίων μία, ᴋ αὐτὴ ἐπιστήμη Αα1. 24 ᵃ21. 36. 48 ᵇ5. β26. 69 ᵇ9 sqq. γ7. 75 ᵇ13. τα10. 104 ᵃ16. Φθ1. 251 ᵃ30. ψγ3. 427 ᵇ6. Μθ2. 1046 ᵇ11, 7. x3. 1061 ᵃ19. γ2. 1004 ᵃ9, 1005 ᵃ4. Ηε1. 1129 ᵃ12 sqq (cf ἐναντίον, ἀντικείμενον). ὃ μόνον τῶν καθ' ἓν ἐπιστήμης ἐστὶ θεωρῆσαι μιᾶς. ἀλλὰ ᴋ τῶν πρὸς μίαν λεγομένων φύσιν· μιᾶς ἐπιστήμης τὸ ὂν ᴑ ὂν θεωρῆσαι Μγ2. 1003 ᵇ13. 1. 1003 ᵃ21. πότερον μιᾶς ἢ πλειόνων ἐπιστημῶν θεωρῆσαι πάντα τὰ γένη τῶν αἰτίων Μβ2. 996 ᵃ19. πότερον μία πασῶν ἐπιστήμη ἢ πλείες Μβ2. 997 ᵃ15-25. x2. 1059 ᵃ26-29. — 5. ἐπιστήμη distinguitur actu ac potentia, dignitate, rerum cognitarum ambitu ac diversitate. ἡ ἐπιστήμη διττὸν, ὧν τὸ μὲν δυνάμει τὸ δ' ἐνεργείᾳ Μμ10. 1087 ᵃ15. διχῶς, τὸ μὲν ὡς ἐπιστήμη (i e ὡς δύναμις) τὸ δ' ὡς τὸ θεωρεῖν (i e ὡς ἐνέργεια) ψβ1. 412 ᵃ10, 22. — ἐπιστήμη ἀκριβεστέρα τίς Αγ27 (Wz ad 78 ᵇ32). Μμ3. 1078 ᵃ9 (cf ε1. 1025 ᵇ6 Bz). Α2. 982 ᵃ26. Ογ7. 306 ᵃ27. cf ἀκριβής. ἐπιστήμη μᾶλλον, μάλιστα Αγ9. 76 ᵃ21. ἐπιστήμη ἐπιστήμης βελτίων ἢ τῷ ἀκριβεστέρα εἶναι ἢ τῷ βελτιόνων τ9ι. 157 ᵃ9. ψα1. 402 ᵃ4. Ρα7. 1364 ᵇ7. ἐπιστήμη ἀρχικωτάτη, ὑπηρετῦσα, ἐλευθέρα, θεία, τιμιωτάτη, ἀνθρωπίνη, κατ' ἄνθρωπον Α2. 982 ᵃ15,17, ᵇ4, 27, 28, 31, 983 ᵃ5. ἡ ἐπιστήμη ἀγαθὸν τῷ γένει ημβ7. 1205 ᵃ33. πάντων τῶν ἐν ἡμῖν μονιμώτατον ἡμβ2. 1200 ᵇ36. — ἐπιστήμη ἡ καθόλυ, ᴋ κατὰ μέρος, ᴋ καθ' ἕκαστον, ἡ οἰκεία Αβ21. 66 ᵇ32, 67 ᵃ18, 27, 38, ᵇ3, 4. ἐπιστήμη ἀφωρισμένη Ρα1. 1354 ᵃ3. — ᴂδεμία τῶν ἐπιστημῶν παραδίδωσι τῷ μανθάνοντι τὴν χρῆσιν ἀλλὰ τὴν ἕξιν μόνον ημβ10. 1208 ᵃ33-ᵇ2. αἱ κατὰ φιλοσοφίαν ἐπιστῆμαι τα2. 101ᵃ27, 34. ἐπιστήμη θεωρητικὴ πρακτικὴ ποιητική, θεωρητικῆς μέρη φυσικὴ μαθηματικὴ θεολογικὴ Με1. 1025 ᵇ20 sqq. x7. 1064 ᵃ10, ᵇ2. τζ6. 145 ᵃ15. θ1. 157 ᵃ10. cf Α2. 982 ᵇ11. λ9. 1075 ᵃ1. Ογ7. 306 ᵃ16. Ζμα1. 640 ᵃ2. Ηα1. 1094 ᵇ4. ηεα5. 1216 ᵇ17. (ὥσπερ δ' ἐπὶ τῶν ἐπιστημῶν, i e θεωρητικῶν ἐπιστημῶν ημα1. 1182 ᵃ10.) ἡ ψυχὴ ᴋ ἡ ἐπιστήμη κινῦσι τὰς χεῖρας Ζγα22. 730 ᵇ16. ὡς ἑτέρυ τινὸς κυρίυ ὄντος τῦ ποιεῖν κατὰ τὴν ἐπιστήμην, ὃ τῆς ἐπιστήμης ψγ9. 433 ᵃ5, sed Σωκράτης ᾤετο ἐπιστήμην εἶναι τὴν ἀνδρείαν ᴋ ἐπιστήμης μηδὲν εἶναι κρεῖττον Ηγ11. 1116 ᵇ5. η3. 1145 ᵇ32. ἡ κατὰ φύσεως ἐπιστήμη Οα1. 268 ᵃ1. ἐπιστήμη ῥητορική, ἀναλυτική, πολιτική Ρα4. 1359 ᵇ10. ἡ πρώτη ἐπιστήμη, i e ἡ πρώτη φιλοσοφία Μx4. 1061 ᵇ30. cf 3. 1060 ᵇ3 (opp αἱ ἐν μέρει λεγόμεναι γι. 1003 ᵃ22). — latiore sensu dicitur ἐπιστήμη δεσποτική, δυλική, χειρισματική Πα7. 1255 ᵇ22, 23, 31. θ6. 1341 ᵇ1. ἐλευθέριαι ἐπιστῆμαι Πθ2. 1337 ᵇ15. — 6. ἐπιστήμη, τέχνη. ἐπιστήμη et τέχνη quomodo et distinguantur inter se et confundantur v s τέχνη. ἐπιστήμη ᴋ τέχνη, ἐπιστῆμαι ᴋ τέχναι Αδ19. 100 ᵃ8. ΜΑ1. 981 ᵃ3. Πγ12. 1282 ᵇ14. η13. 1331 ᵇ37. Ρβ19. 1392 ᵃ25. ἐπιστῆμαι ᴋ δυνά-

μεις Ηx10. 1180 ᵇ32. ημα1. 1182 ᵃ33, 34, ᵇ22, 28, 1183
ᵃ8, 21, 33, 35. artes etiam opificum interdum ἐπιστῆμαι
appellantur Ηα1. 1094 ᵃ18, 8. 4. 1097 ᵃ4, 7. β5. 1106 ᵇ8,
13. ημα3. 1184 ᵇ18. 18. 1190 ᵃ11, 15. β7. 1205 ᵃ32.
ἐπιστημονικὸς συλλογισμός Αγ2. 71 ᵇ18 sqq. τθ1. 155ᵇ16.
ἐπιστημονικὸν μάλιστα τὸ πρῶτον σχῆμα Αγ14. ἐπιστη-
μονικαὶ ἀποδείξεις Αγ6. 75 ᵃ30. ἐπιστημονικώτερόν ἐστι τὸ
διὰ προτέρων γνωρίζειν τζ4.141ᵇ16. ἐπιστημονικὸς ὁρισμός,
ὅρος Μζ15. 1039ᵇ32. Ηη5.1147ᵇ13. ἐπιστημονικὸν ἐρώτημα
Αγ12. 77 ᵃ39. ἐπιστημονικαὶ ἀρχαί ται. 100 ᵇ19. — ἐπι-
στημονικὴ πρᾶξις, opp ἀνεπιστημονική ηεβ3. 1220 ᵇ25. —
τὸ ἐπιστημονικὸν μέρος τῆς ψυχῆς Ηζ2. 1139 ᵃ12. ημα35.
1196 ᵇ17. τῆς ψυχῆς τὸ ἐπιστημονικόν ψγ8. 431 ᵇ27. 11.
434 ᵃ16. β2. 414 ᵃ10. θεὸς τὸ καθ' ἑαυτὸ ἔοικος τῇ ψυχῇ
ᾗ πάντων ἐπιστημονικώτατον f 12. 1476 ᵃ5. — ἐπιστη-
μονικῶς τβ9. 114 ᵇ10.
ἐπιστήμων. τὸ ἐπιστῆμον μάλιστα τῶν πρός τι λέγεται
Φη3. 247 ᵃ29, ᵇ2. τῷ ἠρεμίζεσθαι ᾗ καθίστασθαι τὴν ψυχὴν
ἐπιστήμων γίνεται ᾗ φρόνιμος Φη3. 247 ᵇ24, 18. ὐκ ἐπι-
στήμων ὁ μὴ ἔχων λόγον τῦ διὰ τί ὐσης ἀποδείξεως Αγ6.
74 ᵇ28. ἕκαστος ἐπιστήμων, ἱ ἐ ὁ καθ' ἑκάστην ἐπιστήμην
ἐπιστήμων Αγ12. 77 ᵇ7. πᾶς ἐπιστήμων τὸ μέσον ζητεῖ ᾗ
αἱρεῖται (syn ἀγαθὸ τεχνίται) Ηβ5. 1106 ᵇ6, 13. — ἐπι-
στήμονα λέγομεν (int δυνάμει) ᾗ τὸν μὴ θεωρῦντα Μθ6.
1048 ᵃ34 Bz. ψβ5. 417 ᵃ23. γ4. 429 ᵇ6. Φθ4. 255 ᵃ33,
ᵇ3. η3. 247 ᵇ4. cf ἐπίστασθαι. — ἐπιστημόνως τὸ 3.
124 ᵃ13.
ἐπιστηρίζεται ὁ νέων ἐν τῷ ὑδατι πκγ13. 933 ᵃ10 (cf
ἀποστηρίζεσθαι ᵃ11).
ἐπιστολῆς πέμψις πο11. 1452 ᵇ7.
ἐπιστολικός. τῦτο δὲ ὐ γράφω σοι· ὐ γὰρ ἦν ἐπιστολικὸν
f 620. 1582 ᵇ39.
ἐπιστρέφειν. trans. pass ὁ λέων κατὰ βραχὺ ἐπιστρεφόμενος
Ζμ44. 629 ᵇ15. ἀποθνμῄσκοντα μὴ ἐπιστρέφεσθαι, τυτέστι
(Pythag) μὴ ἔχεσθαι τῦ βίυ τῦτα ἀποθνήσκοντα f 192.
1512 ᵇ5. ἵνα θαυμάζων ὁ ὄχλος ἐπιστρέφηται f 139. 1501
ᵇ31. οἱ ὐλότριχες ᾗ οἷς ἐπέστραπται τὸ τρίχιον πλγ13.
963 ᵇ10. — intr ὁ κάρκινος πλάγιος ἐπιστρέφει Ζιε7. 541
ᵇ29. ἐπιστρέφει ᾗ κάτω στάζει τὸ ὕδωρ φτϑ3. 824 ᵇ32.
ἐπιστρεφὴς φωνὴ ἀηδόνος, opp ἁπλῆ Ζμ49 Β. 632 ᵇ24.
ἐπιστροφή. ἠμέλει ᾗ ὐδεμίαν ἐπιστροφὴν ἐποιεῖτο οβ 1351
ᵇ31.
ἐπισυλλαμβάνειν μετὰ τὴν πρωτὴν σύλληψιν f 260.1526 ᵃ1.
ἐπισύλληψις ᾗ ἐπικύησις f 260. 1525 ᵇ38.
ἐπισυμβαίνειν. ἐκ τύτυ ἐπισυμβαίνει τι ρ4. 1426 ᵃ6. —
τῦτο δὲ (τὸ ἐν ἀρχῇ αἰτεῖσθαι) ἐπισυμβαίνει πολλαχῶς
Αβ16. 64 ᵇ29.
ἐπισυρίττοντας ἐν τοῖς ἐσχάτοις ἔχυσιν αἱ γέρανοι Ζμ10.
614 ᵇ22.
ἐπισυστελλόμενον ᾗ αὐξανόμενον τὸ πρέπον Ργ2. 1404
ᵇ17.
ἐπισφάζειν. αἷμα ἀρτίως ἐπεσφαγμένον χ5. 796 ἁ15.
ἐπισφαλής. ἐπισφαλὲς τὸς ἄρχοντας ὡς καθίστησι Σωκράτης
Πβ5. 1264 ᵇ6. εὐετηρία ὅσῳ πλείων τοσύτῳ ἐπισφαλεστέρα
Ηθ1. 1155 ᵃ10.
ἐπίσχειν. trans ὅταν τὸ ἐπίσχον (ἱ ε τὸ κωλῦον) μὴ ᾖ Οδ3.
311 ᵃ9. — intr οἱ ἰσχνόφωνοι προσπταίοντες ἐπίσχυσιν
πια60. 905 ᵇ30.
ἐπίσχεσις πνεύματος πλγ5. 962 ᵃ1.
ἐπιτάγματα τυράννων Πδ4. 1292 ᵃ20. ἀκύσας, ὐκ ἐπί-
ταγμα δ' ἀκύσας Ηη7. 1149 ᵃ31.

ἐπιτακτικός. ἡ φρόνησις ἐπιτακτικὴ Ηζ11. 1143 ᵃ8. τὸ
λόγον ἔχον ἐπιτακτικόν ηεβ1. 1220 ᵃ9.
ἐπίταξις, def πο19. 1456 ᵇ17. ἄρχοντος ἔργον ἐπίταξις Πη4.
1326 ᵇ14. ἐπίταξις δεσπότυ Πη3. 1325 ᵃ26. α13. 1260 ᵇ6.
— ἐπίταξις modus imperativus πο20. 1457 ᵃ22.
ἐπίτασις. ἅπασα ἡ ἀνώμαλος φορὰ ᾗ ἄνεσιν ἔχει ᾗ ἐπίτασιν
ᾗ ἀκμὴν Οβ6. 289 ᵃ19, ᵇ21. ἐπίτασις τῶν σιαγόνων Ζιϑ9.
536 ᵃ18. ἐπίτασις ᾗ πίεσις τῆς φωνῆς πιϑ3. 917 ᵇ33. ἐν
τοῖς ψαλτηρίοις τῆς ἴσης ἐπιτάσεως γινομένης πιϑ23. 919
ᵇ13. ἀνωμαλία ᾗ ἐπίτασις ἐν σωματικοῖς τισι πάθεσι sim
πν4. 483 ᵃ3. αν17. 479 ᵃ14, 18.
ἐπιτάττειν, opp ποιεῖν Πα7. 1255 ᵇ35. ἐπιτάττειν πρός τὰ
προσπίπτοντα, opp τὸ καθόλυ λέγειν Πγ15. 1286 ᵃ11. ταῖς
ἀρχαῖς ἀποδέδοται ἐπιτάξαι Πδ15. 1299 ᵃ27. ὁ οἰκέτης
ποιεῖ ἐπιτάξαντος τῦ δεσπότυ Ηε12. 1136 ᵇ31. ὐ δεῖ ἐπι-
τάττεσθαι τὸν σοφὸν ἀλλ' ἐπιτάττειν ΜΑ2. 982 ᵃ18. —
τμηθῆναι τὸν ἐπιταχθέντα λόγον δύνατόν τὴν μὴ ἄτομον
ατ 969 ᵃ5. — ἐπιτάττειν usurpatur ad significandum modum
imperativum verborum πο19. 1456 ᵇ16, cf ἐπίταξις.
ἐπιτάφιος. ὁ πολέμαρχος διατίθησι τὸν ἐπιτάφιον ἀγῶνα τῶν
ἐν πολέμῳ ἀποθανόντων f 387. 1542 ᵇ6.
ἐπιτείνειν, trans νεῦρα ὕπω ἐπιτέταται τῆς νέοις, opp ἀνίεται
ἡ συντονία Ζγε7.787ᵇ13. χορδαὶ ἐπιτεινόμεναι ὀξύτερον φθέγ-
γονται πιϑ35. 920 ᵇ3. ἐπιτείνειν τὸν φθόγγον ᾗ ὀξὺ φθέγ-
γεσθαι, opp ἀνιέναι φ2. 807 ᵃ15, 17. λόγος ἐπιτεινόμενος,
opp ἀνιέμενος τι7. 169 ᵃ28. φωνὴ βαρεῖα ᾗ ἐπιτεινομένη
φ2. 806 ᵇ27. ἐπιτείνειν τὰς νόσης, opp παύειν πα3. 859
ᵃ14, 21. ὁ οἶνος τὰς μὲν βραδυτέρας ἐπιτείνει ᾗ θάττας
ποιεῖ, τὰς δὲ θάττυς ἐκλύει πγ16. 873 ᵇ30. τὸ βίᾳ φερό-
μενον ὕτε ἐπιτεῖναι ῥάδιον ὕτε ἀνιέναι αχ 802 ᵃ7. ἐπιτείνειν
ᾗ ἀνιέναι τὰ τιμήματα Πε8. 1308 ᵃ1. ἐπιτείνειν πολιτείαν
τινά, ἵνα ἐπιταθῶσιν ᾗ ἀνεθῶσιν αἱ πολιτεῖαι, αἱ πολιτεῖαι
ἀνίεμεναι ᾗ ἐπιτεινόμεναι φθείρονται Πε9. 1309 ᵇ33. 1. 1301
ᵇ17, 14. Ρα4. 1360 ᵃ25. — ἐπιτείνεται impers i q ἐπίτασις
γίγνεται Οβ6. 289 ᵃ3. — ἐπιτείνειν non addito obiecto
Ηζ1. 1138 ᵇ23 (opp ἀνιέναι, dist μεσότης). Πε9. 1309 ᵇ26.
ζ6. 1320 ᵇ30. ἰδεῖν ὐ χαλεπὸν μικρὸν ἐπιτείναντας (int τὸν
νῦν) Οβ14. 297 ᵇ2. — intr ἐάν τε ἐπιτείνῃ ἡ κίνησις ἐάν
τε ἀνίῃ ἐάν τε μένῃ Φζ7. 238 ᵃ5. Οβ6. 288 ᵇ27. cf Πδ6.
1293 ᵃ26. νυθετύμενοι ἐπιτείνυσι μᾶλλον οἱ ἐρῶντες f 145.
1502 ᵇ43, 41.
ἐπιτείχισμα νόμων ἡ φιλοσοφία (cf Ἀλκιδάμας) Ργ3.
1406 ᵇ11.
ἐπιτελεῖν. ἐπιτελεῖν θυσίας, γάμυς f 404. 1545 ᵇ33. 508.
1561 ᵃ41. ὐκ ἐπιτελῦσιν ἃ ὡμολόγησαν· ἐπαγγελλόμενος
πάντα ὐδὲν ἐπιτελεῖ Ηι1. 1164 ᵃ30, 6. τῳ ἀνδρείῳ συμβαίνως
δεήσει, εἴπερ ἐπιτελεῖ τι τῶν κατὰ τὴν ἀρετὴν Ηχ8. 1178
ᵃ32. ἡ τέχνη ἐπιτελεῖ, ἃ ἡ φύσις ἀδυνατεῖ ἀπεργάσασθαι
Φβ8. 199 ᵃ16. τὸ ἄρρεν ἐπιτελεῖ τὴν γένεσιν Ζγβ5. 741
ᵇ5. μέχρι τῦ ὐδ' γέννησιν δύναται ἡ φύσις ἐπιτελεῖν Ζιε1.
539 ᵃ33. τῇ χειρὶ χρώμεθα, ὅταν ἡ φύσις αὐτὴν ἐπιτελεῖν
πλ5. 955 ᵇ29. τὰ ἐλλιπῆ ἐπιτελεῖν Ρα11. 1371 ᵇ4, 25.
καλῶς τι ἐπιτελεῖν Μδ12. 1019 ᵃ23. κατὰ τὴν ἐπιστήμης
ἐξήγησιν ἐπιτελεῖν τὰς πράξεις ρ39. 1446 ᵃ17. — ἐπιτελεῖται
ὁ συλλογισμὸς διά τινος Αα5. 28 ᵃ5 (cf ἐπιτελεῖν 6. 29 ᵃ16).
7. 29 ᵇ6, 21. 36. 48 ᵃ40. 3. 25. 41 ᵇ6. ἐπιτελεῖται τὸ ἀναγκαῖον
Αα5. 27 ᵃ17. καλῶς ἐπιτελεσθῆναι τὸ ἔργον τθ11. 161 ᵃ20.
ῥᾴδια τὰ μετ' ἐλαχίστυ πόνυ ἐπιτελεῖμενα ρ2. 1422 ᵃ18.
cf 4. 1426 ᵃ7. ἐκ τῦ ἐπιτελεῖμένυ τὸ τετελεσμένον Μα2.
994 ᵃ26. ῥᾴστα διαφθείρεσθαι, χαλεπώτατα ἐπιτελεῖσθαι πα1.
898 ᵇ31. τὸ σχηματιζόμενον ὅταν ἐπιτελεσθῇ Φη3. 245 ᵇ9.

cf ζ5. 236 ᵃ8. μδ3. 381 ᵃ28. ἐξ ὧ8 ζῷον ἐπιτελεσθὲν ἐξέρ-
χεται sim Zγγ9. 758 ᵇ26. δ᾿6. 775 ᵃ13. α8. 718 ᵇ7.
ἐπιτέλεσις πι32. 894 ᵃ35.
ἐπιτελεστικός φ6. 813 ᵇ21, opp ἀτελής φ6. 813 ᵇ29.
ἐπιτέλλει ὁ δελφίς, ὁ Ὠρίων μα8. 345 ᵇ23. β5. 361 ᵇ31
(syn ἀνατολή ᵇ32). πρὸ τῦ ἐπιτεῖλαι τὴν σελήνην f 549.
1569 ᵃ1.
ἐπιτέμνειν. ἀφισταμένης τῦ λόγῳ δεῖ ἐπιτέμνειν τὰ λοιπὰ
τῶν ἐπιχειρημάτων τι15. 174 ᵇ29. cf f 176. 1507 ᵃ19.
ἐπιτερπεῖς αἱ τῶν πεπραγμένων μνῆμαι Ηι4. 1166 ᵃ25.
ἐπίτευγμα. Ἐμπεδοκλῆς μεταφορικός τ᾿ ὢν κ τοῖς ἄλλοις
τοῖς περὶ ποιητικὴν ἐπιτεύγμασι χρώμενος f 59. 1485 ᵇ10.
ἐπιτευκτικὴ ἕξις τῶν βελτίστων ημβ3. 1199 ᵃ8.
ἐπίτευξις τῶν ἀγαθῶν ημβ8. 1207 ᵇ16.
ἐπιτέχνησις. ὐδὲν ἐπιτεχνήσεως τῷ θεῷ δεῖ παρ᾿ ἑτέρων κ6.
398 ᵇ10. φυτὰ ἄγρια διὰ τῆς ἐπιτεχνήσεως γίνονται κηπαῖα
φτα7. 821 ᵃ40.
ἐπιτήδειος, coni χρηστός, opp ἀνεπιτήδειος Πα10. 1258
ᵃ27. εἴ τις μὴ ἐπιτήδειον νόμον γράψειεν f 379. 1541 ᵃ1.
ἡ αὔξησις ἐπιτηδειοτάτη τοῖς ἐπιδεικτικοῖς λόγοις Ρα9. 1368
ᵃ27. ὕλη ἐπιτηδεία ὑσα πρὸς τὴν ἐργασίαν Πη4. 1326 ᵃ1.
αἵματος κρᾶσις ἐπιτηδεία πρός τι Ζμδ10. 686 ᵃ10. — ὁ
φαῦλος ὕτως ἦν ἐπιτήδειος διαιτᾶσθαι ημβ3. 1199 ᵇ34, 35.
— ζῷα ἔχοντα τὰ ἐπιτήδεια Ζιγ21. 523 ᵃ4. τὰ ἐπιτήδεια,
σπάνις τῶν ἐπιτηδείων οβ 1350 ᵇ7. — ἐπιτηδείως ὑπάρ-
χυσα ὕλη Πη4. 1326 ᵃ3. τόπος ἐπιτηδείως ὑπάρχων πα16.
861 ᵃ13.
ἐπίτηδες. θαυμασιώτατα τὰ ἀπὸ τύχης, ὅσα ὥσπερ ἐπίτηδες
φαίνεται γεγονέναι πο9. 1452 ᵃ7. cf ὥσπερ ἐπίτηδες Οβ8.
290 ᵃ33. γι. 298 ᵇ35. χρήσθαι ἀπρεπῶς κ ἐπίτηδες ἐπὶ τὸ
γελοῖα πο22. 1458 ᵇ14. ἐπίτηδες παιδεύσας ὁ νόμος Πγ16.
1287 ᵃ25. ὑποβάλλυσιν ἐπίτηδες ἱπποθήλας al Ζιζ23. 577
ᵇ17. ε18. 550 ᵇ9.
ἐπιτηδεύειν. κ ἀνδρωθέντας δεῖ ἐπιτηδεύειν αὐτὰ κ ἐθίζεσθαι
Ηκ10. 1180 ᵃ2.
ἐπιτήδευμα. νόμοις δεῖ τετάχθαι τὴν τροφὴν κ τὰ ἐπιτηδεύ-
ματα Ηκ10. 1179 ᵇ35, 1180 ᵃ26, ᵇ3. ἐν ἐπιτηδεύμασιν
ἐπιεικέσι ζῆν Ηκ10. 1180 ᵃ16.
ἐπιτηρεῖν. διατρίβειν ἐπιτηρῦντα δίκην Ρα12. 1373 ᵃ8. ἐπι-
τηρῶν ἐκπετομένας κατεσθίει Ζιι40. 626 ᵃ32.
ἐπιτιθέναι βάρος, ῥοπὴν μχ2. 850 ᵃ13, 25. γραμμὴ γραμμῆ
κατὰ γραμμὴν ἐπιτιθεμένη Ογ1. 299 ᵇ28. ἐπιτιθέασι τὴν
ὀρίγανον (ἐπὶ τὰ ἕλκη) Ζιι6. 612 ᵃ23. ἐπιθεῖναι γράμματα
(i e addere epistolam) πο16. 1455 ᵃ19. ἐπιθεῖναι τέλος ζ3.
469 ᵃ5. Μηι. 1042 ᵃ4. τελευτὴν γνώμην τῷ λόγῳ ἐπιθή-
σομεν ρ36. 1441 ᵇ11. ἐπὶ τελευτῆ παλιλλογίαν ἐπιθεὶς ρ33.
1439 ᵃ29. — ἐπιτιθέναι τὰ τυχόντα ὀνόματα πο9. 1451
ᵇ13. ἡ ποίησις ὀνόματα ἐπιτιθεμένη πο9. 1451 ᵇ10. ἐπιτι-
θέναι κολάσεις, τιμωρίας Ηκ10. 1180 ᵃ9. — med ἐπιτί-
θεσθαί τινι, i e ἐγχειρεῖν. ἡ μέση φύσις τελεστικωτάτη οἷς
ἂν ἐπιθῆται φ6. 813 ᵇ31. ἐπιτίθεσθαι τυραννίδι (i e affectare
tyrannidem) Πε5. 1305 ᵃ21. 6. 1305 ᵇ41. 8. 1308 ᵃ22.
ἐπιτίθεσθαί τινι, aggredi aliquid, invadere in aliquid, φοβεροὶ
οἱ τοῖς ἥττοσιν ἐπιτιθέμενοι Ρβ5. 1382 ᵇ14. ἐπιτιθέμενος τῆ
Σικελίᾳ Πβ10. 1271 ᵇ39. οἰκήσεις δυσεξερεύνητος τοῖς ἐπι-
τιθεμένοις Πη11. 1330 ᵇ27. στασιάζειν κ ἐπιτίθεσθαι (moliri
res novas, invadere in rempublicam) Πβ7. 1267 ᵃ41. ε3.
1302 ᵇ25. cf β10. 1272 ᵇ16. γ15. 1286 ᵇ19. ε4. 1304 ᵃ32.
5. 1305 ᵃ14. 6. 1305 ᵇ17.
ἐπιτίκτειν. τινὲς μετὰ πλείονος χρόνον τῷ πρώτῳ ἕτερον ἐπι-
τίκτυσιν f 260. 1526 ᵃ5.

ἐπιτιμᾶν τοῖς πέλας, ἄλλοις, Ἡρακλείτῳ al Ρα11. 1371
ᵇ29. ημβ15. 1213 ᵃ17. Μγ5. 1010 ᵃ13. Γβ9. 335 ᵇ11.
Οβ3. 285 ᵃ26. Ηγ7. 1114 ᵃ23. ἐπιτιμᾶν τῷ νόμῳ Πβ9.
1271 ᵃ38, 1270 ᵃ16. ἐπιτιμᾶν non addito dativo Μι5.
1056 ᵃ31. Πγ13. 1284 ᵃ27. δ᾿4. 1292 ᵃ30. ἐπιτιμᾶ ἢ ἀφί-
σταται (a disputando) τθ2. 158 ᵃ30. ἐπιτιμᾶν ὅτι Πγ14.
1285 ᵃ38. ἐπιτιμᾶν ἐπιτίμησίν τινα Πθ6. 1340 ᵇ40. —
pass ὃ ἐπιτιμᾶτο Καρκίνῳ πο17. 1455 ᵃ26. ἐπιτιμῶνται αἱ
ἐφ᾿ ἡμῖν κακίαι Ηγ7. 1114 ᵃ29, 30. — ἐπιτιμητέον τινὶ
τγ2. 118 ᵃ24, 25. ρ19. 1433 ᵃ15. ἐπιτιμητέος, syn ψεκτός
ημβ6. 1202 ᵇ22.
ἐπιτίμημα. φέρειν ἐπιτιμήματα πο25. 1461 ᵇ22. 19. 1456
ᵇ14. dist πρόβλημα: δεῖ τὰ ἐπιτιμήματα ἐν τοῖς προβλή-
μασιν ἐκ τύτων ἐπισκοπῦντα λύειν πο25. 1460 ᵇ21 Vhl
Poet IV 356. προκαταλαμβάνει τὰ τῶν ἀκυόντων ἐπιτι-
μήματα ρ19. 1432 ᵇ12, cf ἐπιτίμησις ᵇ14.
ἐπιτίμησις, coni syn νυθέτησις, παράκλησις Ηα13. 1102
ᵇ34. ἄξιον ἐπιτιμήσεως Ρα1. 1355 ᵃ24. ἔχει ἀπορίαν κ
εὐπορήσαντι ἐπιτίμησιν Μν4. 1091 ᵃ30. ἐπιτίμησις ἔσται
τζ12. 149 ᵃ36. ὐ δοτέον ἐπιτιμήσεως σκηψίαν τε3. 131 ᵇ11.
περὶ ἐπιτιμήσεων κ λύσεων πο26. 1462 ᵇ18. περὶ τῆς ἐπι-
τιμήσεως, ἥν τινες ἐπιτιμῶσιν, ὐ χαλεπὸν λῦσαι Πθ6. 1340
ᵇ40. προκαταλαμβάνειν τὰς τῶν ἀκυόντων ἐπιτιμήσεις ρ19.
1432 ᵇ14. καθ᾿ αὐτὸν τῷ λόγῳ πέντε εἰσὶν ἐπιτιμήσεις
τθ11. 161 ᵇ19, 38 (cf s Dativus). ἐπιτιμήσεις λογυ (λόγῳ
cod C) τθ11. 161 ᵃ16. ὀρθὴ ἐπιτίμησις ἡ ἀλογία κ μοχθηρία
(ci ἀλογίας κ μοχθηρίας vel ἀλογία κ μοχθηρία) πο25.
1461 ᵇ19. Vhl Poet IV 428.
ἐπιτίμιον. τὰ ἐκ τῶν νόμων ἐπιτίμια κ τὰ ὀνείδη Ηγ11.
1116 ᵃ19. μεγάλοις ἐπιτιμίοις κωλύειν τὰς εἰκῆ γραφο-
μένως Πζ5. 1320 ᵃ13. μείζω, μεγάλα τὰ ἐπιτίμια Πε8.
1309 ᵃ23. πκθ14. 952 ᵇ29. τοῖς μεθύσι διπλᾶ τὰ ἐπιτίμια
Ηγ7. 1113 ᵇ31. θάνατον ἔταξε τὸ ἐπιτίμιον οβ 1349 ᵇ30,
1350 ᵃ2. μετ᾿ ἐπιτιμίων οβ 1348 ᵇ14.
ἐπίτοκος (Lob Phryn 333). γιγνώσκυσιν οἱ ποιμένες ὅτι ἐπί-
τοκοι (ἐπίτοκα v l S Aub) αἱ αἶγες Ζιζ18. 573 ᵃ2.
ἐπιτολὴ κυνός, Πλειάδος, τῶν ἄστρων μβ5. 361 ᵇ35 (syn
ἀνατολὴ ᵇ32). Ζιε22. 553 ᵇ30, 31. θι9. 602 ᵃ26. ι49Β.
633 ᵃ14. φτα7. 821 ᵇ5.
ἐπιτομὴ φυσικῶν πι 891 ᵃ6-898 ᵇ25.
ἐπιτραγίαι, οἱ Ζιδ᾿11. 538 ᵃ14 sq. Bonnet III 506: bre-
huignes; S I 258 II 384; K 618, 1.
ἐπιτρέπειν τι τῆ τύχῃ Ηα10. 1099 ᵇ24. ἐπιτρέπειν τοῖς διαι-
τηταῖς κ ἐγκλήματα f 414. 1547 ᵃ36. ἐπιτρέπειν δίαιταν
f 414. 1547 ᵃ31. — sine obiecto, εὐσεβὲς τὸ θέλειν τοῖς
θεοῖς ἐπιτρέπειν Ρα15. 1377 ᵃ26. ἐπιτρέπειν τινί, dist καθ᾿
ὁμολογίαν ηεη10. 1242 ᵇ36, 35. ᾧ ἐπετράφθη, τῦτον δικαιό-
τερον τάξαι τῦ ἐπιτρέψαντος Ηι1. 1164 ᵇ15, 16.
ἐπιτρέχειν. ἐπὶ περὶ τὴν Αἴτνην ῥεῦμα πολλάκις τὴν χώραν
ἐπιδεδραμηκός θ105. 840 ᵃ5. — θεωρήσας κ τὰς ἀπορίας
ἐπιδραμεῖν τὰς ἐνύσας Πγ15. 1286 ᵃ7. περὶ τύτων ἐχόμενόν
ἐστιν ἐπιδραμεῖν Ρα15. 1375 ᵃ23.
ἐπίτριτος λόγος τθ41. 921 ᵇ3. ἐπίτριτοι τόκοι Ργ10. 1411
ᵃ17. ἐπίτριτος πυθμὴν (Plat rep VIII 546 C) Πε12. 1316 ᵃ6.
ἐπιτροπεία Χαρίλλῳ Πβ10. 1271 ᵇ25. ἐπιτροπεία (τῶν οἰκε-
τῶν, τῆς οἰκονομίας) οαȳ. 1345 ᵃ8.
ἐπιτροπεύομεναι οἰκονομίαι, opp μικραὶ οαδ. 1345 ᵃ8.
ἐπιτροπὴ ὀρφανῶν f 381. 1541 ᵇ9. — ἡ δίαιτα ἐκαλεῖτο ἐπι-
τροπή f 414. 1547 ᵃ31.
ἐπιτροπία. ἀνάγκη ἢ φύσει ἢ νόῳ ἢ ἐπιτροπίᾳ (?) τινὶ κα-
τορθῦν ηεη14. 1247 ᵃ30.

V.   Nn

ἐπίτροπος. αἱρεῖσθαι ἐπίτροπον Ργ8. 1408 b25. ἐπιτρόπων
κατασστάσεις f 381. 1541 b9. δήλων εἴδη δύο, ἐπίτροπος καὶ
ἐργάτης οα5. 1344 a26. Πα7. 1255 b36. ἐπίτροπος, opp
τύραννος, σφετεριστής Πε11. 1314 b38, 1315 b2. ἡ φρόνησις
ὥσπερ ἐπίτροπός ἐστι ημα35. 1198 b12 sqq.
ἐπιτυγχάνειν, opp ἀποτυγχάνειν Ηβ5. 1106 b33. ρ31.
1438 a12, 10. — c gen ἐπιτυγχάνειν τῷ σκοπῷ, τῶν ἀγα-
θῶν, τῶν δοξῶν, ἐπιτευξόμεθα τῶν ἀγαθῶν sim Ηα4. 1097
a3. β5. 1106 b33. Πη13. 1331 b33. Ρβ21. 1395 b3. ρ37.
1445 a9. ημβ8. 1207 a37, b8. — c dat χαλεπὸν τὸ ἐπι-
τυχεῖν (usu cognoscere, videre) τύτοις Ζιζ 20. 575 a9.
ἐπιτυγχάνειν ἀκριβεστέραις ἀνάγκαις, ὁμοίοις θεωρήμασι Οβ5.
288 a1. μτ2. 463 b19. — absolute Οβ12. 292 a32. ΜΑ1.
981 a14. Ηη3. 1146 a23. Ρα1. 1354 a9. ρ31. 1438 a12.
ηεη14. 1247 a33, 36. ἐπιτετυχήκασιν ἔνιοι χρηματιζόμενοι
Πα11. 1259 a4.
ἐπιτυφλῶνται οἱ πόροι πθ13. 890 b39.
ἐπιτυχεῖς ὄντες ἔν τινι μτ2. 463 b19.
ἐπιφαγεῖν. ὅταν πίωσιν, ἧσσον ἱδρῶσιν ἐπιφαγόντες πβ25.
868 b29.
ἐπιφαίνεσθαι. ἐπὶ τῶν πυκνῶν ἐπιφαίνεταί τις ἀχλὺς χ3.
794 a4. δοκιμάζειν ἐκ τῶν ἠθῶν τῶν ἐπιφαινομένων φ1.
805 a29, syn ἐμφαίνεσθαι φ2. 806 a30. τεκμαίρεσθαι τοῖς
ἐπιφαινομένοις φ1. 805 b9.
ἐπιφάνεια. τοιοῦτος ὁ τόπος ὅστις ἐπιφάνειαν ἔχει Πη12. 1331
a28. — ἐπιφάνεια mathem superficies. ἡ ἐπιφάνεια συνεχὴς
Κ6. 5 a2, πλάτος πεπερασμένον Μδ13. 1020 a14, διαίρεσις,
πέρας σώματος Μκ2. 1060 b15. Φδ1. 209 a8. ἡ ἐπιφάνεια
πότερον ὑσία Μβ5. 1002 a4, 33. ἐπιφάνειαι πρῶται (Plat)
Μκ2. 1060 b13. τὸ χρῶμα ἐν τῇ ἐπιφανείᾳ πέφυκε πρώτῳ
γίγνεσθαι, ἐπιφανείας ἴδιον τὸ κεχρῶσθαι Μδ18. 1022 a17.
τε8. 138 a16 sqq. 3. 131 b33 sqq. 5. 134 a21. οἱ Πυθαγό-
ρειοι τὴν ἐπιφάνειαν χροιὰν ἐκάλυν αι3. 439 a31. — τὰ
ἔχοντα τὴν ἐπιφάνειαν λείαν μγ2. 372 a31. ἡ σφαῖρα ὑκ
ἔχει πλείω ἐπιφανείας ἢ μίαν Οβ4. 285 b30. τὸν σύμπαντα
κόσμον μιᾷ διαλαβῦσα (?) σφαίρας ἐπιφανείᾳ χ5. 396 b31.
εἶναι ἐπὶ τῆς αὐτῆς ἐπιφανείας αα 801 a36. τὰ μόρια τὰ
πρὸς τὴν ἔξω ἐπιφάνειαν Ζια16. 494 b19.
ἐπιφανής. ὁ δελφὶς ἔχει ἐπιφανεῖς θήλας Ζιβ13. 504 b18.
διὰ τὸ μὴ ἐπιφανὲς εἶναι (τὴν τῦ πικρῦ ὀργήν) Ηδ11. 1126
a23. δηλῶσαι περὶ τῶν ἐπιφανεστέρων σημείων φ2. 806 a21.
ὅσα ἐπιφανῆ [παρὰ] τῶν φυσιογνωμονιμένων φ2. 806 a37.
— ἄνδρες ἐπιφανεῖς πο13. 1453 a12. Ρα5. 1360 b33. ἐπι-
φανέστεροι ρ3. 1424 a17. — ἐπιφανῶς ἀγνοῦντες ἑαυτὺς
Ηθ9. 1125 a28. ἐπιφανέστατα φωλεῖν Ζιθ15. 599 b2.
ἐπιφέρειν. ἐφ' ἑκάστῳ τόπῳ ἐπιφέρεται τὸ σίγμα Μν6. 1093
a24. ἐπιφέρειν πίστεις ταῖς ἀκριβῶς γνωριζομένοις, ἐπιλόγως
πᾶσι τοῖς μέρεσι ρ1. 1421 a6. 23. 1434 b23. — ὄνομα
ἐπιφέρειν ἀπό τινος Ζιζ18. 572 a11. ὀνόματα ἐπιφέρειν ἐκ
τῶν στερήσεων Ργ6. 1408 a7. Ηδ1. 1119 b30. ἐπιφέρειν
θάνατον, λύπας Ηβ9. 1115 a34. α11. 1100 b29. ἐπιφέρειν
δίκην, αἰτίαν Πε3. 1302 b24. 5. 1304 b29. δ16. 1300 b28.
ρ30. 1437 a10. ἐπιφέρειν τινὶ ὀνειδ Ηδ6. 1123 a32. ἐπὶ
τὰς αὐτὰς ἐπιφέρομεν γνώμην ἔχειν καὶ νῦν Ηζ12. 1143 a27.
ἐπιφέρειν τὰς κοινὰς ἰδέας ἐφ' ἑκάσταις τῶν πράξεων ρ3.
1423 a18. ἐπιφέρειν τὸ εἶδος, τὸ ἐναντίον, ὁρισμὸν ΜΑ6.
988 a4. γ7. 1012 a9. Κ6. 6 a16. ἑκάστη τῶν διαφορῶν
ἐπιφέρει τὸ οἰκεῖον γένος τζ6. 144 b16, 27 (cf συνεπιφέρειν).
τὸν θυμὸν ἐπὶ τὴν ἀνδρείαν ἐπιφέρωσιν Ηγ11. 1116 b23.
τὰ προειρημένα ἐπὶ τὰ ἔργα καὶ τὸν βίον ἐπιφέροντας Ηκ9.
1179 a21. — pass ἐπιφέρεσθαι. ἐπιφέρεται φῦκος, ἀφρὸς

ἐπιπολῆς τῆς θαλάττης sim Ζιζ13. 568 a4. 15. 569 b16.
θι5. 600 a6. τῆς τροφῆς ἐπὶ τὸ γένειον ἐπιφερομένης χ6.
797 b34. ἐπιφερομένων ἐπὶ τὰ ὄμματα ὑκ αἰσθάνονται αι7.
447 a15. αἱ ἐπιφερόμεναι δυσχέρειαι ρ19. 1432 b13, 24.
τὸ ἐπιφερόμενον τθ2. 157 a31. — πάντες ἐπιφέρονται ἐπὶ
τῦτο περὶ ὀσμῆς αι5. 443 a22, cf a25.
ἐπίφθονος. ἔνια περὶ αὐτῦ λέγειν ἐπίφθονον Ργ17. 1418 b25.
ἐπιφθονώτερον εἰπεῖν ηεα3. 1215 a10.
ἐπίφλεβος κίων Ζια11. 493 a3.
ἐπιφλέγεται τοῖς ὀργιζομένοις τὰ περὶ τὰ στήθη φ6. 812 a27.
ἐπιφλεγὲς χρῶμα φ6. 812 a25.
ἐπιφλεγμαίνουσα ὑστέρα Ζικ7. 638 a33.
ἐπιφοινικίζειν. ἐκ τῦ ποιώδος μεταβάλλοντες μικρὸν ἐπιφοι-
νικίζεισι καὶ γίνονται πυρροὶ οἱ καρποὶ χ5. 796 a2.
ἐπιφοινίσσειν. 1. trans pass τοῖς αἰσχυνομένοις ἐπιφοινίσ-
σεται τὸ πρόσωπον, τὰ ὦτα φ6. 812 a32. πλβ8. 961 a8.
ἐπιφοινίσσονται τὰς ὀφθαλμύς φ6. 812 a37. — 2. intr αἱ
γνάθοι, οἱ ὀφθαλμοὶ ἐπιφοινίσσυσιν φ6. 812 a33, 34, 35. τὸ
πρόσωπον ἐπιφοινίσσον ἐστὶν φ6. 812 a31.
ἐπιφοιτῶν ὁ κόκκυξ κατεσθίει τὰ νεόττια Ζιι29. 618 a20.
ἐπιφορά. φύλλα πίπτει διὰ τὴν ἐπιφορὰν τῆς ὀξείας ἀραιό-
τητος φτβ9. 828 a32. — μεταφορά ἐστιν ὀνόματος ἀλλο-
τρίυ ἐπιφορά πο21. 1457 b7.
ἐπιφύεσθαι. ἐπιφύεται δέρμα, χολὴ Ζια9. 491 b34. β15.
506 b3. τὸ ἐπὶ τοῖς πώλοις ἐπιφυόμενον Ζιζ18. 572 a28.
22. 577 a8. θ24. 605 a3. ἐπὶ ταῖς μήτραις ἐπιπέφυκεν ἡ
καπρία Ζιι50. 632 a25. κισσὸς ἐπιπεφυκὼς ἐν τῷ τῶν κερά-
των (ἐλάφυ) τόπῳ θ5. 831 a2.
ἐπιχαίρειν ταῖς ἀτυχίαις Ρβ2. 1379 b17.
ἐπιχαιρεκακία, opp φθόνος (φθονερία), dist νέμεσις Ηβ6.
1107 a10. 7. 1108 b1. ημα28. 1192 b18, 26. (ἐπιχαιρε-
κακίας loco ἀνώνυμον ponitur ηεβ3. 1221 a3.)
ἐπιχαιρέκακος, def, opp φθονερός, dist νεμεσητικός Ηβ7.
1108 b5. ηεγ7. 1233 b18, 20. ημα28. 1192 b26. ὁ αὐτὸς
ἐστιν ἐπιχαιρέκακος καὶ φθονερὸς Ρβ9. 1386 b34.
ἐπιχαλκεύειν. ὕτω τὸ ἐπαινεῖν καὶ ψέγειν καὶ ἐπιχαλκεύειν
Ργ19. 1419 b15.
ἐπίχαλκος. ἡ πέλτη ἥτυν ὑκ ἔχει ὑδ᾽ ἔστιν ἐπίχαλκος f 456.
1553 a15, 2.
Ἐπίχαρμος ὁ ποιητής, πολλῷ πρότερος ὢν Χιωνίδυ καὶ
Μάγνητος πο3. 1448 a33 (cf Lorenz, Epicharmos p 53).
τὸ δὲ μύθυς ποιεῖν Ἐπίχαρμος καὶ Φόρμις (ἦρξαν) πο5. 1449
b6. Lz p 85, 190. — Epicharmi versus afferuntur vel
respiciuntur, ἐκ λοιδορίας μάχη, ἐποικοδόμησις Μδ1. 1013
a9 Bz. 24. 1023 a30. Ρα7. 1365 a16. Ζγα18. 724 a28. Lz
p 271, 45 et 46. ἀρτίως τε γὰρ κτλ Μμ9. 1086 a17. Lz
p 272, 47. Ηι7. 1167 b25. Lz 273, 48. Ργ9. 1410 b3, 5.
Lz 273, 49. πια3. 903 a20 Lz 255, 2. Ρβ21. 1394 b25
Lz 302, 2. ὕτω ἁρμόττει μᾶλλον εἰπεῖν ἢ ὥσπερ Ἐπίχαρμος
εἰς Ξενοφάνην Μγ5. 1010 a6. Lz p 122.
ἐπιχεῖν μύρον (cf Στράττις) αα5. 443 b31. οἴνῳ εἴ τις ἐπιχέοι
ὕδωρ Γα5. 322 a9. πλεῖον ἐπεχύθη ψυχρόν πκθ17. 937 b12.
ἐπιχειρεῖν. proprie. τοῖς Πυγμαίοις Ζιθ12. 597 a27. ἐπεχεί-
ρησαν καταλῦσαι τὸν δῆμον sim Πε4. 1304 a26. 7. 1307
b11, 19. μα14. 352 b27. ἐπιχειρήσομεν διδάσκειν ρ18. 1432
b9. τῷ περὶ τὴν ὑπόκρισιν ὕπω ἐπικεχείρηται Ργ1. 1403
b21. cf β2. 807 a4. — vocabulum artis dialecticae cf
Trdlbg El § 33. δῆλον ὃ ἐπιχειρῶ τιν ηεβ6. 1222 b37. ἐπι-
χειρεῖν πρός τι τγ6. 120 b7. ζ8. 146 b33. 14. 151 b3. η5.
155 b7, 11, 17, 38. θι1. 161 a22. ι15. 174 b30. ἐπιχειρεῖν
περί τινος τα2. 101 a30. ἐπιχειρεῖν ἔκ τινος τβ11. 115 a25.

ἐπιχειρεῖν ὅτι (ad refutandum adversarium demonstrare)
τε1. 128 ᵇ26, 31, 32. ζ13. 150 ᵃ15. θ14. 163 ᵃ2. πῶς τᵇτο
ἐνδέχεται εἶναι ᵇθὲν ἐπιχειρεῖται Μμ9. 1085 ᵇ6. ἐπιχειρεῖν
absolute Αβ19. 66 ᵃ34. τε5. 135 ᵃ6. λογικώτερον ἔστιν ἐπι-
χειρεῖν ὧδε Οα7. 275 ᵇ12.

ἐπιχείρημα (cf ἐπιχειρεῖν), def συλλογισμὸς διαλεκτικός
τθ11. 162 ᵃ16. πρὸς ἅπασαν θέσιν, κὶ ὅτι ᵇτως κὶ ὅτι ᵇχ
ᵇτως, τὸ ἐπιχείρημα σκεπτέον τθ14. 163 ᵃ37. εὐπορεῖν ἐπι-
χειρημάτων πρὸς τὴν θέσιν τβ4. 111 ᵇ12. 5. 111 ᵇ33. ζ14.
151 ᵇ23. ἐπιχειρήματα κατά τινος ρ5. 1426 ᵇ36. ἐπιχειρή-
ματα σοφισματώδη τθ3. 158 ᵃ35.

ἐπιχειρηματικοὶ λόγοι μν2. 451 ᵃ19. cf Ἀριστοτέλης p 99
ᵃ38.

ἐπιχείρησις (cf ἐπιχείρημα) τβ4. 111 ᵇ16. ζ1. 139 ᵇ10.

ἐπιχειροτονεῖν τὰς ἀρχὰς f 394. 1543 ᵇ13. 396. 1543 ᵇ43.

ἐπιχθόνιοι (Simonid fr 12) Ζιε8. 542 ᵇ9.

ἐπιχρίειν. ἐπικεχρισμένοι ἐλαίῳ πκθ1. 936 ᵃ13.

ἐπιχρονίζειν. ὅταν τὸ θερμὸν ἐπιχρονίζῃ πκθ2. 936 ᵃ20. —
ἀὴρ ἐπιχρονιζόμενος ψυχθεὶς συνίσταται πκς19. 942 ᵃ33.

ἐπιχρώζοντος τᵇ μέλανος τὸ ὕδωρ χ1. 791 ᵃ9.

ἐπίχυσις. μβ2. 356 ᵃ6, cf ἐπίρρυσις τῶν ῥευμάτων ᵃ3.

ἐπιχώννυσθαι τὸ ἔδαφος ἐπὶ τὴν λίμνην 889. 837 ᵇ11.

ἐπιχωρεῖν. τῷ ἐπιγράμματι ἐπεχώρησε (i e consentit) κὶ ὁ
τόπος Ἔρυθος καλᵇμενος θ133. 844 ᵃ1.

ἐπιχωριάζειν. περὶ Ἀθήνας ἐπεχωρίασεν ἡ αὐλητικὴ Πθ6.
1341 ᵃ34. ἐν ὅσαις τῶν πόλεων ἐπιχωριάζει (ἐπιχωριάζει
Βκ³) τὸ νέας συζευγνύναι κὶ νέας Πη16. 1335 ᵃ16.

ἐπιχώριος. ᵇ πολλαχᵇ ἐπιχώριος ὁ γύψ Ζυ11. 615 ᵃ14. κόρη
τις τῶν ἐπιχωρίων f 66. 1486 ᵇ40. καλεῖσθαι ἀπό τινος ἥρωος
ἐπιχωρίην f 403. 1545 ᵇ1.

ἐπιψαύειν. τὰ ψά, ὧν ἂν ἐπιψαύσῃ ὁ θορός Ζιζ14. 568 ᵇ21.

ἐπιψηφίζειν. δεῖ πρὸς τὸ καλὸν ὁρμᾷν τινα ἄλογον πρῶτον
ἐγγίνεσθαι, εἶθ' ᵇτως τὸν λόγον ὕστερον ἐπιψηφίζοντα εἶναι
κὶ διακρίνοντα ημβ7. 1206 ᵇ21 (cf ὁ λόγος ὕστερον ἐπιγι-
νόμενος κὶ σύμψηφος ὤν ᵇ25). — pass ὅταν ἐπιψηφίζηται
ἀρχή τις Πε1. 1301 ᵇ25.

ἐποικεῖν. ἔπλευσεν εἰς ἐκείνᵇς τᵇς τόπᵇς ἐποικήσων θ100.
838 ᵇ17.

ἐποικοδομεῖν. τᵇ στομίᵇ (τῶν μετάλλων) ἐποικοδομηθέντος
ἀπεπνίγησαν θ52. 834 ᵃ25. — rhet ἐποικοδομᵇντα τὸ ἕτε-
ρον ὡς ἐπὶ τὸ ἕτερον αὔξειν ρ4. 1426 ᵇ3. Ρα7. 1365 ᵃ16.

ἐποικοδόμησις. ὡς Ἐπίχαρμος ποιεῖ τὴν ἐποικοδόμησιν Ζγα
18. 724 ᵃ29. cf Ρα7. 1365 ᵃ16.

ἐποικοι Πε3. 1303 ᵃ33. 6. 1306 ᵃ3. δέχεσθαι, ἐπάγεσθαι
ἐποίκᵇς Πε3. 1303 ᵃ28, 37.

ἐποικονομεῖν. ὃ πάσαις ἐποικονομεῖται (v l ἐπικοινωνεῖται)
ταῖς οἰκονομίαις οβ1346 ᵃ14.

ἐποκέλλᵇσι θύννοι θ136. 844 ᵃ30.

ἐπομβρία. περὶ ἐπομβρίας μβ4. 360 ᵇ4 sqq. σημεῖον ἐπομ-
βρίας Ζιζ21. 575 ᵇ19. γίγνονται ἐπομβρίαι, γίγνεται ἐπομ-
βρία μβ4. 360 ᵇ6. Ζιε22. 553 ᵇ22. 30. 556 ᵇ6. ἐν ταῖς ἐπομ-
βρίαις, ἐν ταῖς ἐπομβρίαις μβ8. 366 ᵇ3. Ζγγ10. 760 ᵇ4.
τοῖς ἰχθύσιν αἱ ἐπομβρίαι συμφέρᵇσιν Ζιθ18. 601 ᵃ29.

ἐπόμβριος. ἔτη ἐπόμβρια Ζιθ19. 601 ᵇ10.

ἔπομβρος. ἐπόμβρον ἔτος, ἔαρ, θέρος, ἐπόμβρος χειμών, coni
ὑγρόν, νότιον, opp αὐχμᵇί μβ4. 360 ᵇ4. Ζιθ18. 601 ᵃ30.
19. 601 ᵇ26. 20. 603 ᵃ12, 24. πα8. 859 ᵇ21, 860 ᵃ9. 9.
860 ᵃ12. 20. 861 ᵇ21. 21. 862 ᵇ5. 22. 862 ᵃ13.

ἐπονείδιστος ἡ ἀκολασία Ηγ13. 1118 ᵇ2. αἱ ἐπονείδιστοι
τῶν ἡδονῶν Ηκ2.1173 ᵇ21. ἐπονειδιστότερον Ηγ15. 1119 ᵃ25.

ἐπονομάζειν. ἐξ Ἄβας Θράκας ὁρμηθέντας ἐποίκησαι τὴν

Εὔβοιαν κὶ ἐπονομάσαι Ἄβαντας τᵇς ἔχοντας αὐτήν f 559.
1570 ᵃ37.

ἐποποιία κὶ ἡ τῆς τραγῳδίας ποίησις μιμήσεις τὸ σύνολον
ποι. 1447 ᵃ13. ἐποποιία comparatur cum tragoedia πο26. 5.
1449 ᵇ9, 14. 17. 1455 ᵇ16. 24. 1459 ᵇ8. περὶ ἐποποιίας
πο23. 24. — latiore significatione voc ἐποποιία ποι. 1447
ᵃ29 usurpatum esse existimat Bernays Grundz p 186, sed
cf Vhl Poet I 5, 39. IV 412.

ἐποποιικὴ μίμησις πότερον βελτίων ἢ ἡ τραγικὴ πο26. μὴ
ποιεῖν ἐποποιικὸν σύστημα τραγῳδίαν, ἐποποιικὸν δὲ λέγω τὸ
πολύμυθον ποι8. 1456 ᵃ11, 12.

ἐποποιὸς ὀνομάζᵇσι, συνάπτοντες τῷ μέτρῳ τὸ ποιεῖν ποι.
1447 ᵃ14. αἱ γλῶτται τοῖς ἐποποιοῖς χρησιμώταται Ργ3.
1406 ᵇ2.

ἐποπτῆρες κ6. 398 ᵃ31.

ἐπόπτην ἔποπα (Aeschyl fr 297) Ζυ49Β. 633 ᵃ19.

ἐπορύειν (Hom fort resp Υ 164, cf Ὅμηρος extr) Ργ4.
1406 ᵇ21.

ἔπος. 1. vocabulum. ὁ τὰ στοιχεῖα ἐπιστάμενος τὸ ἔπος οἶδεν
Ρβ24. 1401 ᵃ29. — 2. hexameter heroicus. τι24. 180 ᵃ21.
Μν6. 1093 ᵃ30. δ´24. 1023 ᵃ33. Ργ16. 1417 ᵃ14. f 621.
1583 ᵃ2. cf πο26. 1462 ᵇ3. carmen epicum Αγ12. 77 ᵇ32.
τῶν ἐπῶν τὰ προοίμια Ργ14. 1415 ᵃ10. ἀντὶ τῶν ἐπῶν
τραγῳδοδιδάσκαλοι ἐγένοντο πο4. 1449 ᵃ5. ἐν τοῖς Ὀρφικοῖς
ἔπεσι καλᵇμένοις ψα5. 410 ᵇ28. Ὅμηρος ἐν τοῖς ἔπεσιν εἴ-
ρηκε Ζιγ3. 513 ᵇ27.

ἐπάρωσις. Λικύμνιος ἐν τῇ τέχνῃ ἐπάρωσιν ὀνομάζει κὶ ἀπο-
πλάνησιν κὶ ὄζᵇς Ργ13. 1414 ᵇ17.

ἐποχεῖσθαι. ἐντετυπῶσθαι Τάραντα δελφῖνι ἐποχᵇμενον f 548.
1538 ᵃ37.

ἐποχετεύειν. ἐκ τῆς καρδίας αἷμα ἐποχετεύεται εἰς τὰς
φλέβας Ζμγ4. 666 ᵃ6.

ἐποχεύειν. τὰ ὑπηνέμια γίνεται γόνιμα, ἐὰν ἔν τινι καιρῷ
τὸ ἄρρεν ἐποχεύσῃ Ζγβ5. 741 ᵃ31.

ἔποψ. refertur inter τὰ ἄγρια Ζιι15. 616 ᵇ2, τὰ ὄρεια Ζιαι.
488 ᵇ3. πετραῖος ὄρνις (Aeschyl fr 297) Ζυ49Β. 633 ᵃ19,
21, ἐν τοῖς ὄρεσι κὶ τῇ ὕλῃ κατοικεῖ Ζυ11. 615 ᵃ15. με-
ταβάλλει τὸ χρῶμα κὶ τὴν ἰδέαν Ζυ49Β. 633 ᵃ17. 15. 617
ᵃ2. de nido Ζιζ1. 559 ᵃ8. ι15. 616 ᵇ35. cf Troschel Ar-
chiv 1852 I 8 sq. ad upupam pertinent, quae librariorum
negligentia in descr τᵇ μελαγκορύφᵇ Ζιι15. 616 ᵇ9 legi-
mus: ἴδιον τᵇτῳ παρὰ τᵇς ἄλλᵇς ὄρνιθας τὸ μὴ ἔχειν τῆς
γλώττης τὸ ὀξὺ cf Gloger Naturgesch der Vögel Europas
I 469; Giebel Zeitschr f d gesammt Naturwiss X 236sq;
Su 110; 57. Upupa epops S II 109; K 413; KaΖι 16, 65;
AΖι I 91, 32; Lnd 46.

ἑπτά Πε2. 1302 ᵃ37. ἑπτὰ φωνήεντα κτλ (numeri septenarii
vis apud Pythagoreos) Μν6. 1093 ᵃ13. οἱ ἑπτὰ ἐπὶ Θήβας
f 594. 1574 ᵇ35.

ἑπτάγωνον, ὄργανον μυσικόν Πθ6. 1341 ᵃ41.

ἑπτακισμύριοι. μῆκος τῆς οἰκᵇμένης περὶ ἑπτακισμυρίᵇς
σταδίᵇς κ3. 393 ᵇ21.

ἑπτάκλινος. τὸ δέρμα κατέχει εἰς ἑπτάκλινον ἀποταθέν Ζιι45.
630 ᵃ22.

ἑπτάμηνα (παιδία) γίνεται Ζιη4. 584 ᵃ36, ᵇ2. Ζγδ4. 772
ᵇ8. 6. 774 ᵇ36. πι41. 895 ᵃ25. f 258. 1525 ᵇ16.

ἑπτάπλευρος. Λίγυες οἱ καλᵇμενοι ἑπτάπλευροι Ζια15. 493
ᵇ15. cf S I 43.

ἑπτάς. χρόνος γενέσεως ἑπτάσι μετρεῖται τρισὶν ἢ τέτταρσιν
Ζιε20. 553 ᵃ3, 5. 27. 555 ᵇ17.

ἑπτάχορδοι αἱ ἁρμονίαι ἦσαν τὸ παλαιόν πιϑ25. 919 ᵇ21. 44. 922 ᵃ22. 7. 918 ᵃ3. 47. 922 ᵇ3.

ἐπῳάζειν. τὸ ἐπῳάζειν ἕν τι τῶν συμφύτων Ζγγ2. 753 ᵃ17. ἡ γῆ συμπέττει τῇ θερμότητι, ὣ ἡ ἐπῳάζουσα ταὐτὸ τῦτο δρᾷ Ζγγ2. 753 ᵃ20, ᵇ2. — 1. aves. ἡ ὄρνις ἐπῳά- 5 ζουσα ὣ συμπέττουσα Ζγγ2. 752 ᵇ16, 28. Ζιζ2. 559 ᵃ30. ἐνίοτε ἐπῳάζουσῶν ὐϑὲν γίνεται ἔκγονον Ζιζ3. 562 ᵃ23. οἱ βαρεῖς τῶν ὀρνίθων Ζιι8. 613 ᵇ11. τῶν ἀγρίων ἔνιοι ὀρνίθων Ζιζ9. 564 ᵇ6. — ἐπῳάζει τὰ πολλὰ τῶν ὀρνέων, διαδεχό- μενα τὰ ἄρρενα τοῖς θήλεσι Ζιζ8. 564 ᵃ7, 19. 4. 562 ᵇ17. 10 ι7. 613 ᵃ15. οἱ πέρδικες δύο ποιῦνται τῶν ᾠῶν σηκὸς, ὣ ἐφ' ᾧ μὲν ἡ θήλεια, ἐπὶ δὲ θατέρῳ ὁ ἄρρην ἐπῳάζει Ζιζ8. 564 ᵃ22. cf ι8. 613 ᵇ16, 26. 33. 614 ᵃ23. — οἱ ὄρτυγες ὐκ ἐν τῷ αὐτῷ τίκτυσι ὣ ἐπῳάζυσιν Ζιι8. 613 ᵇ16. — τῶν χηνῶν ὣ τῶν κορωνῶν αἱ θήλειαι ἐπῳάζυσι μόναι Ζιζ8. 15 564 ᵃ10, 16. — incubandi tempus: ὁ κόραξ Ζιζ6. 563 ᵇ2, αἱ φάτται ὣ αἱ τρυγόνες Ζιζ4. 562 ᵇ30, ὁ ἀετὸς Ζιζ6. 563 ᵃ27. — ἡ θήλεια ἀηδὼν ὐκ ᾄδει ὅταν ἐπῳάζῃ Ζιϑ9. 536 ᵃ30. ὁ κόκκυξ ἐπῳάζει ὐκ αὐτὸς Ζιϑ29. 618 ᵃ12. ϑ3. 830 ᵇ13. de gallina: ἐκλέπεται ἐπῳαζυσῶν ἐν τῷ θέρει 20 θᾶττον ἢ ἐν τῷ χειμῶνι Ζιζ2. 559 ᵇ30. ἐὰν βροντήσῃ ἐπῳα- ζύσης, διαφθείρεται τὰ ᾠὰ Ζιζ2. 560 ᵃ4. αἱ ἀλεκτορίδες ἐπῳάζεσθαι χαλεπαὶ πι35. 894 ᵇ18. μὴ ἐπῳάζεσαι αἱ θή- λειαι ὅταν τέκωσι, διατίθενται χεῖρον Ζγγ2. 753 ᵃ15. cf Ζιζ2. 560 ᵇ6. ἀλεκτορίδι ὑποτιθέασι τὰ τῶν ταῶν ᾠὰ ἐπῳ- 25 άζειν οἱ τρέφοντες, δύο δύναται ἐπῳάζυσα ἐξάγειν Ζιζ9. 564 ᵇ3, 8. — 2. amphibia. ὅσα ἐπῳάζει φοιτῶντα τῶν ᾠοτόκων ὣ τετραπόδων, ταῦτα ποιεῖ μᾶλλον φυλακῆς χάριν Ζγγ2. 752 ᵇ34. ἡ χελώνη φοιτῶσα ἐπῳάζει ἄνωθεν, αἱ θα- λάττιαι χελῶναι κατορύξασαι ἐπῳάζυσι τὰς νύκτας Ζιε33. 30 558 ᵃ7, 13. ἔνιοι τῶν ὄφεων ἐπῳάζυσι ὅταν τέκωσιν εἰς τὴν γῆν Ζιε34. 558 ᵇ3. — 3. insecta. τὸν γόνον ὅταν ἀφῇ, ὣ μέλιττα ἐπῳάζει ὥσπερ ὄρνις Ζιε22. 554 ᵃ18. — 4. arach- noidea. οἱ σκορπίοι οἱ χερσαῖοι τίκτυσι σκωλήκια ᾠοειδῆ πολλὰ ὣ ἐπῳάζυσιν Ζιε26. 555 ᵃ23, cf PCG 329. τὰ ἀρά- 35 χνια· αἱ λειμώνιαι ἀράχναι ἐν ἀραχνίῳ ἐπῳάζυσαι ζῳοτο- κῦσιν Ζιε27. 555 ᵃ30, ᵇ9. — 5. crustacea. τὰ μαλακό- στρακα αὐτὰ ὑφ' αὑτὰ θέμενα τὰ ᾠὰ ἐπῳάζει Ζιε18. 550 ᵇ1, cf πρὸς τὰ χονδρώδη (pedes spurios) ἀποτίκτυσι Ζιε17. 549 ᵇ5. — 6. cephalopoda. ὁ πολύπυς Ζιε12. 544 40 ᵃ13. 18. 550 ᵇ2, 5, cf Kölliker Entwicklungsgesch der Ce- phalopoden 14. — locus admodum dubiae interpretationis Ζιε19. 553 ᵃ8.

ἐπῴασις. ὁ χρόνος τῆς ἐπῳάσεως Ζιζ6. 563 ᵃ29.

ἐπῳασμός. τίκτυσι ἔνιαι τῶν γενναίων ἀλεκτορίδων πρὸ ἐπῳ- 45 ασμὖ ὣ ἑξήκοντα ᾠὰ Ζιζ1. 558 ᵇ15. ἡ ἀλεκτορὶς κατα- βαίνυσα διαλείπει τὸν ἐπῳασμὸν Ζιζ9. 564 ᵇ9.

ἐπῳαστικός. διαφέρυσιν ὄρνιθες ὀρνίθων τῷ ἐπῳαστικώτεραι εἶναι ἕτεραι ἑτέρων Ζιζ2. 560 ᵃ3.

ἐπῳδή. πέπλασται ὑπὸ τῶν γυναικῶν ὣ τῶν περὶ τὰς ἐπῳ- 50 δάς Ζϑ24. 605 ᵃ6.

ἐπωθεῖν. τὸ δ' ὄπισθεν ἐπωθεῖ μγ1. 370 ᵇ23. ἴσον δυνάμει τῷ ἐπωθῦντι αὐτὸν ἀέρι πις8. 915 ᵃ2.

ἐπωμίς. τὸ ὀπίσθιον αὐχένος μόριον ἐπωμίς Ζια12. 493 ᵃ9. ἐπωμίδος διαφοραὶ τί σημαίνυσιν φϑ6. 810 ᵇ35-811 ᵃ5. ἐπω- 55 μίδες ἐξηρθρωμέναι φϑ6. 810 ᵇ35. cf AZι II tab 3.

ἐπωνυμία. τίθεταί τινι, λαμβάνει, ἔχει τὴν ἐπωνυμίαν ἀπό τινος Οα3. 270 ᵇ23. 9. 279 ᵃ25. Ζια5.490 ᵇ2. 16.495 ᵃ19. Ζγε3. 783 ᵇ16. ϑ58. 834 ᵇ19. ημα6. 1186 ᵃ2, 1185 ᵇ38. ἑτέραν ἐπωνυμίαν ἔχειν ψβ5. 417 ᵇ11. Πγ4. 1276 ᵇ24. τὴν 60 ἐπωνυμίαν ἔχει ὐκ ἠθικὴν ἀλλὰ πολιτικὴν ημα1. 1181 ᵇ27.

κατὰ τὴν ἐπωνυμίαν ηεα7. 1217 ᵃ27.

ἐπώνυμος συμφορᾶς (Chaerem fr 4 N) Ρβ23. 1400 ᵇ25. ἐπώνυμος πάσης φύσεως κ7.401 ᵃ26. τὸ καλὸν πᾶν ἐπώνυμόν ἐστι τῦ κόσμυ κ5. 397 ᵃ6. — ἄρχων ἐπώνυμος f 381. 1541 ᵇ12, 20. στρατεία ἐν τοῖς ἐπωνύμοις explic f 429. 1548 ᵃ12, 14, 18, 21, 22.

ἔπωσις, def ὡσεί τις, ὅταν τὸ ἀπ' αὐτῦ κινῦν ἐπακολυθῦν ὠθῇ Φη2. 243 ᵃ18, 26.

ἐρᾶν ὐκ ἐνδέχεται πλειόνων, τὸ ἐρᾶν ὑπερβολή τις εἶναι βύ- λεται φιλίας Ηι10. 1171 ᵃ11. ϑ7. 1158 ᵃ11. τὸ ἐρᾶν ἀπρε- πὲς πατρὶ πρὸς υἱόν Πβ4. 1262 ᵃ36. τὸν ἐρώμενον τῦ ἑταίρυ ὑπεποιήσατο Πε4. 1303 ᵇ23. χαρίσασθαι τοῖς ἐρωμένοις ρ4. 1426 ᵃ15. ἐρασθῆναί f 518. 1562 ᵇ37. ἐπὶ τῦ τάφυ τῦ Ἰόλεω τὰς καταπιστώσεις ποιεῖσθαι τὰς ἐρωμένας ὣ τὰς ἐραστάς f 92. 1492 ᵃ43. — ὐδεὶς τῶν ἀδυνάτων ἐρᾷ ὐδ' ἐπιθυμεῖ Ρβ19. 1392 ᵃ25. ὅ τις ἐρᾷ τὸ τυχεῖν (Theogn 256) Ηα9. 1099 ᵃ28. ηεα1. 1214 ᵃ6. κινεῖ (τὸ ὖ ἕνεκα) ὡς ἐρώμενον, κινύμενον δὲ τἆλλα κινεῖ Μλ7. 1072 ᵇ3.

ἐρανιστὰς ἑστιᾶν γαμικῶς Ηδ6. 1123 ᵃ22. ημα27.1192ᵇ2. ἐρανιστῶν κοινωνίαι δι' ἡδονὴν Ηθ11. 1160 ᵃ20.

ἔρανος. κομισόμενος τὸν ἔρανον Φβ5. 196 ᵇ34. — μέλλων ἀντιλαμβάνειν τῦτον τὸν ἔρανον Πη14. 1332 ᵇ40.

ἐραστὰς, opp ἐρώμενος Ηθ5. 1157 ᵃ6. 10. 1159 ᵇ15. ἐπὶ τῦ τάφυ τῦ Ἰόλεω τὰς καταπιστώσεις ποιεῖσθαι τὰς ἐρωμένας ὣ τὰς ἐραστάς f 92. 1492 ᵃ43. τὰς ἐραστὰς εἰς ὐδὲν ἄλλο τῦ σώματος τῶν ἐρωμένων ἀποβλέπειν ἢ τὰς ὀφθαλμὺς f 91. 1492 ᵃ35. ἐραστὴν γενέσθαι τινὸς Πβ12. 1274 ᵃ33. ὐδεὶς ἐραστὴς ὅστις ὐκ ἀεὶ φιλεῖ (Eur Tr 1051) ηεη2. 1235 ᵇ21.

ἐργάζεσθαι. non addito obiecto. ζῆν ἀπὸ τῦ ἐργάζεσθαι, ἥδιον τὸ ἐργάζεσθαι τῦ πολιτεύεσθαι Ρβ4. 1381 ᵃ23. Πὸ6. 1292 ᵇ27. ζ4. 1318 ᵇ15. ἐργάζεσθαι πρὸς τὸν λύχνον μγ4. 375 ᵃ27. ἐργάζονται αἱ μέλιτται, οἱ μύρμηκες, οἱ ἀετοὶ al Ζιι32. 619 ᵃ15. 38. 622 ᵇ27. 39. 623 ᵃ23. 40. 625 ᵇ22. οἱ ἐργαζόμενοι (quaestum facientes) θαυματοποιοὶ οβ1346 ᵇ21. τὴν τῦ πυρὸς φύσιν εἶναι τὸ ἐργαζόμενον (causam moven- tem) ψβ4. 416 ᵃ13. πν9. 485 ᵃ28. ἐργάζεσθαι τῇ δυνάμει τῇ ἐνύσῃ Ζγβ3. 736 ᵃ27. αἱ ὑστέραι ὑγραίνονται ἐργαζό- μεναι Ζικ3. 635 ᵇ24. ἐργαζομένων τῶν ποιητικῶν μὁ1. 379 ᵃ10, 378 ᵇ27. ὁ νῦς ἀπ' ἀρχῆς τινὸς ἐργάζεται νοήσας Φη4. 203 ᵃ31. πάντα τῇ κινήσει ἐργάζεται μχ19. 853 ᵇ19. — addito acc obiecti. τὰς ἀνελευθέρας ἐργασίας ἐργαζό- μενοι Ηδ3. 1121 ᵇ33 (cf τὰς ἐργασίας αὐτῶν, αἷς ἐργάζονται τὰ ποιητικά μὁ1. 378 ᵇ27, v l ἃς). οἱ μὴ μεγάλας γεωργίας ἐργαζόμενοι Ζιζ37. 580 ᵇ18. — ἐργάζεσθαί τι i q tractare aliquid. ἐργάζεσθαι τὴν χώραν, τὰ μέταλλα, τὴν θάλατταν, τὰ κοινά πβ3. 1424 ᵃ28 (cf ϑ58. 834 ᵇ19). ϑ52. 834 ᵃ24. πλη2. 966 ᵇ26. Πβ7. 1267 ᵇ17. ἐργάζεσθαι ὣ πέττειν τὴν τροφήν ζ4. 469 ᵇ11. ἐργάζεσθαι ὕλην ἐρυσιβώδη Ζιι40. 626 ᵇ23. — ἐργάζεσθαί τι i q efficere aliquid. τὸ θερμὸν ἐρ- γάζεται τὴν πέψιν sim ψβ4. 416 ᵇ28. α2. 379 ᵇ11. κ4. 394 ᵃ34. ὁ δ2. 876 ᵇ4. ἀνατρέπειν τὰς οἰκίας ὣ πολλὰ ἐρ- γάζεσθαι Ζιζ18. 572 ᵃ2. ἐργάζεσθαι κηρόν, τὰ κηρία ὁμαλά, σφηκία μικρὰ Ζιι40. 627 ᵃ6, 624 ᵇ30. 41. 628 ᵇ24. ἐργά- ζεσθαι τὸν γόνον, ἡγεμόνα Ζιι40. 627 ᵇ21. 42. 629 ᵃ21. ἐργάζεσθαι χαράν, δόξαν πιθανωτάτην, ὀργήν, φθόνον ρ2. 1422 ᵃ17. 13.1430 ᵇ37. 19.1433 ᵃ20. 37. 1445 ᵃ18. — passive. ὁ εἰργασμένος σίδηρος μὁ6. 383 ᵃ32. ἡ εἰργασμένη θερμότης Ζμγ4. 672 ᵃ7. πᾶσα πέψις ἐργάζεται θερμῷ al Ζγδ1. 765 ᵇ16. 4. 772 ᵃ32. ἀποτελεῖν τὸ τρίτον μέρος τῦ ἐργαζομένυ οβ1346 ᵇ23 (cf ἐργασία οβ1351 ᵃ11).

ἐργασία. χρήσιμος πρὸς ἐργασίαν sim Πη10. 1330 ᵃ27. οα3. 1344 ᵃ3. ρ3. 1424 ᵃ31. τοῖς δημιυργοῖς δεῖ τὴν ὕλην ὑπάρχειν ἐπιτηδείαν ὖσαν πρὸς τὴν ἐργασίαν Πη4. 1326 ᵃ1. ὀ̈λυ εἴδη πλείω· αἱ γὰρ ἐργασίαι πλείυς Πγ4. 1277 ᵃ37. ἐργασιῶν εἴδη. τίνες τεχνικώταται, βαναυσόταται, ὀ̈υλικώ- 5 ταται, μισθαρνικαί, ἀνελεύθεροι Πα11. 1258 ᵇ36 sqq. η8. 1328 ᵇ19. θ2. 1337 ᵇ14. Ηὀ̈3. 1121 ᵇ33. οα6. 1344 ᵇ29. οἰδάσκεσθαι τὰς κύφας ᾳ̈ ψιλὰς ἐργασίας (rei militaris) Πζ7. 1321 ᵃ25. ἐργασία αὐτόφυτος, opp ἀλλαγή, καπηλεία Πα8. 1256 ᵃ40. προεθί̈ζεσθαι πρὸς τὰς ἑκάστων ἐργα- 10 σίας Πθ1. 1337 ᵃ20. τὰ συνιστάμενα διὰ τῆς ἑψήσεως πρὸς τροφῆς ἀπόλαυσιν ἤ τινα ἄλλην ἐργασίαν Ζγβ6. 743 ᵃ32. — πᾶσα ἡ ἐργασία ᾳ̈ ἡ κίνησις ἡ ἐσχάτη πρὸς τῆ ὕλη Ζγα22. 730 ᵇ7. σπέρμα ὀ̈ καθαρὸν ἀλλὰ δεόμενον ἐργασίας Ζγα20. 728 ᵃ27, 28. δεῖται πρὸς πᾶσαν ἐργασίαν ὀργάνων 15 Ζγα2. 716 ᵃ24. ἐν τῷ σώματι διαδεχόμενα τὰ μέρη ταῖς ἐργασίαις Ζγδ1. 765 ᵇ32. ὀδόντες ἄχρηστοι πρὸς ἐργασίαν, γλῶττα χρήσιμος πρὸς ἀμφοτέρας τὰς ἐργασίας, μέλιτται χρήσιμοι πρὸς τὴν ἐργασίαν sim Ζγβ6. 745 ᵇ1. γ10. 760 ᵇ14. Ζμβ17. 660 ᵃ19. 16. 659 ᵇ35. μέρη συμβαλλόμενα 20 τὰ μὲν εἰς τὴν ὐσίαν τὰ δ' εἰς τὴν ἐργασίαν Ζμβ2. 647 ᵇ5. ἐγχειρεῖν τῇ ἐργασία, ποιεῖσθαι τὴν ἐργασίαν Ζυ40. 625 ᵇ24, 624 ᵇ8. ἡ τῷ βλεφάρῳ χρῆσις ταχεῖαν ἔχει τὴν ἐργασίαν Ζμβ13. 657 ᵇ33. ἡ διαίρεσις ῥᾴω ποιεῖ τῷ θερμῷ τὴν ἐργασίαν Ζμβ3. 650 ᵃ13. ἐλλείπειν τῆς ἐργασίας Ζμγ14. 25 674 ᵇ9. μίαν τινὰ ἐργασίαν ἡ τῷ στόματος λειτυργεῖ δύναμις ζ3. 469 ᵃ3. — ἐργασία c genet subiecti ἡ τῶν μελιττῶν ἐργασία ἡ ὁ βίος Ζυ43. 629 ᵇ4. 40. 623 ᵇ26. ἡ τῷ στόματος ἐργασία Ζμβ3. 650 ᵃ27. αἱ ἐργασίαι τῷ θερμῷ ᾳ̈ ψυχρῷ μδ1. 378 ᵇ27 (cf αἱ περὶ τὰς καρπὺς ἐργασίαι, 30 i e ἡ πέψις τὸ χυμῷ Ζγδ1. 765 ᵇ30). — ἐργασία c genet obiecti ἐργασία τῶν ἀλεύρων, τῶν σιτίων πα37. 863 ᵇ2. κα4. 929 ᵃ28. λη10. 967 ᵇ19. ἡ τῷ ἐλαίῳ ἐργασία ᾳ̈ μέλιτος f 468. 1555 ᵃ19. ἐργασία τῶν σωμάτων μδ8. 384 ᵇ26. ὡς πρὸς τὴν πρώτην ἐργασίαν τῷ σώματος πκα13. 35 928 ᵇ1. ἡ τῷ μέλιτος ἐργασία Ζυ40. 626 ᵃ29. ἡ τῆς τροφῆς ἐργασία αν11. 476 ᵃ21. Ζια4. 489 ᵃ27. Ζμβ3. 650 ᵃ8. 9. 655 ᵇ9. γ1. 661 ᵇ1. 14. 675 ᵃ19. Ζγε8. 788 ᵇ24. πρὸς τὴν τῆς φωνῆς ἐργασίαν Ζμβ17. 660 ᵇ4. πρὸς τὴν ἐργασίαν τῆς γενέσεως Ζγβ1. 732 ᵃ10 (cf ἐργασία absolute 40 i q συνυσία, ἀφροδισιάζειν πθ2. 876 ᵃ39, ᵇ5 et fort 5. 877 ᵃ8). — ἐργασία χρημάτων Ηθ11. 1160 ᵃ16, idem ἐργασία per se significat, πλεῖν πρὸς τὴν ἐργασίαν al μα14. 353 ᵃ4. οβ1351 ᵃ11.

ἐργάσιμα χωρία πκ12. 924 ᵃ1.   45

ἐργαστήριον οβ1346 ᵇ10.

ἐργαστικῆς τῆς τροφῆς Πὁ4. 1290 ᵇ27.

ἐργαστής, dist ἐπίτροπος οα5. 1344 ᵃ26. — εἰσὶ τῶν σφηκῶν οἱ μὲν μῆτραι οἱ δ' ἐργάται, ὥσπερ ᾳ̈ τῶν ἡμερωτέρων Ζυ41. 627 ᵇ2, 628 ᵃ2. τίς ἡ φύσις τῷ ἐργάτυ descr Ζυ41. 50 627 ᵇ33-628 ᵃ30. ὐ διετίζυσιν. τὴν τροφὴν εἰσφέρυσιν, μωροὶ γίνονται Ζυ41. 628 ᵃ3, 23, 6.

ἐργατικός. τῶν ἐντόμων ἐργατικώτατον ζῷόν ἐστι τὸ τῶν μυρμήκων γένος ᾳ̈ τὸ τῶν μελιττῶν Ζυ38. 622 ᵇ19. αἱ ἀπὸ τῶν ὑλονόμων μέλιτται ἐργατικώτεραι· ἐργατικωτέρας 55 ποιῦσι κηφῆνες τὰς μελίττας Ζυ40. 624 ᵇ29, 627 ᵇ19.

ἔργατις. εἰσὶν αἱ μικραὶ μέλιτται ἐργατίδες μᾶλλον τῶν μεγάλων (plus operis conficiunt) Ζυ40. 627 ᵃ12.

ἔργμα. χαρακώματα πρὸ τῶν ἐργμάτων Ζμβ15. 658 ᵇ18.

ἔργον λέγεται διχῶς· τῶν μὲν γὰρ ἕτερον τὸ ἔργον παρὰ τὴν 60 χρῆσιν, οἶον οἰκοδομικῆς οἰκία, τῶν δ' ἡ χρῆσις ἔργον, οἶον

ὄψεως ηεβ1. 1219 ᵃ13. hoc discrimen in usu voc ἔργον ita est conspicuum, ut modo operae et actionis notionem complectatur, modo ipsum opus effectum significet, nec tamen ubique alterum ab altero certis finibus disiungatur (cf πάθος, πρᾶξις). — 1. ἔργον, opera, negotium, actio. βέλτιον τὸ ἔργον τῆς ἕξεως ηβ1. 1219 ᵃ9. ἔργα ᾳ̈ πάθη, παθήματα, dist ὐσία Ογ1. 298 ᵃ28, 32. ψα1. 403 ᵃ10, ᵇ12, 402 ᵇ12. 5. 409 ᵇ15. τὰ μὲν πρὸς τὰ ἔργα ᾳ̈ τὴν ὐσίαν ἑκάστῳ τῶν ζῴων, τὰ δὲ πρὸς τὸ βέλτιον ἢ χεῖρον Ζμβ2. 648 ᵃ15. ἑκάστον ἐστιν, ὧν ἐστιν ἔργον, ἕνεκα τῷ ἔργυ Οββ. 286 ᵃ8. πάντα τῷ ἔργῳ ὥρισται ᾳ̈ τῇ δυνάμει Πα2. 1253 ᵃ23. μὁ12. 390 ᵃ10. τὰ ὄργανα πρὸς τὸ ἔργον ἡ φύσις ποιεῖ Ζμὁ12. 694 ᵇ13. cf α5. 645 ᵇ20. Μὁ2. 1013 ᵇ3. Πα3. 1253 ᵇ35. ὐχ ἡ αὐτὴ ἀρετὴ κτήματος ᾳ̈ ἔργυ Ηὁ4. 1122 ᵇ15. inde ἔργον τινός id dicitur, quod quis facit vel πέφυκε facere, τῆς τῶν φυτῶν ὐσίας ὐθέν ἐστιν ἄλλο ἔργον ὐδὲ πρᾶξις πλὴν ἡ τῷ σπέρματος γένεσις Ζγα23. 731 ᵃ25. ει ληφθείη τὸ ἀνθρώπυ· ὥσπερ γὰρ αὐλητῇ ᾳ̈ ἀγαλματοποιῷ ᾳ̈ παντὶ τεχνίτῃ, ᾳ̈ ὅλως ὧν ἐστιν ἔργον τι ᾳ̈ πρᾶξις, ἐν τῷ ἔργῳ δοκεῖ τἀγαθὸν εἶναι ᾳ̈ τὸ εὖ Ηα6. 1097 ᵇ24, 26, 29, 1098 ᵃ8. τὸν ἀγαθὸν ᾳ̈ τὴν ἀρετὴν ἐπαινῦμεν διὰ τὰς πράξεις ᾳ̈ τὰ ἔργα Ηα12. 1101 ᵇ15. ηεβ1. 1219 ᵇ9, 11, 3. ἔργα ᾳ̈ πράξεις ὀφθαλμῦ, μυκτῆρος, δακτύλυ Ζμβ1. 646 ᵇ12 (ubi ἔργον et πρᾶξις coniuncta leguntur, nec distingui ubivis ita possunt, ut ἔργον opus, πρᾶξις actionem significet, cf ἔργον αὐλητῦ. ὀφθαλμῦ l l l et syn ἔργον et πρᾶξις Ζμα5. 645 ᵇ15, 16, 20, 21; nec verum esse discrimen quod statuit Meyer Thierk p 90-92 apparet coll ἄστρων πράξεις ποῖαι Οβ12. 292 ᵇ1; haud scio an potius πρᾶξις agendi modum et rationem, ἔργον vero significet, in actione et in opere cerni alicuius rei naturam cf Vhl Rangfolge 165 n 25). ἔργον οὖν, ὕδατος, ἔργα τῷ φερομένων κατὰ τὸν ὑρανόν, ἔργα τῆς ἐκκρίσεως, ὅσα παρέχεται ἡ ἔκκρισις Γα5. 321 ᵇ1. ΜΑ8. 990 ᵃ11. μγ1. 370 ᵇ3. 6. 378 ᵃ12. ἔργον τῷ θερμοτέρυ Ζμβ2. 648 ᵇ12. ἔργον ἐγκεφάλυ, ὀφθαλμῦ, γλώττης, μυκτῆρος, σαρκὸς al Ζμβ7. 653 ᵇ4. 17. 661 ᵃ11. 16. 659 ᵇ3. Ζγβ1. 734 ᵇ31. 6. 745 ᵃ27. e8. 788 ᵇ31. μὁ12. 390 ᵃ11, 15. πλ5. 955 ᵇ31. ἔργα τῷ σπέρματος, τῷ γεννῶντος Ζγα18. 724 ᵃ16. β1. 734 ᵇ2. δυνάμει διώρισται ᾳ̈ ἔργῳ τινὶ (τὸ θῆλυ ᾳ̈ τὸ ἄρρεν) Ζγα2. 716 ᵃ23. τῷ ζῴῳ ὐ μόνον τὸ γεννῆσαι ἔργον Ζγα23. 731 ᵃ30. 4. 717 ᵃ21. β1. 735 ᵃ19. ἔργον ψυχῆς Ζμβ15. 652 ᵇ10, 12. Ζγβ3. 736 ᵇ12. ἔργον τῆς φύσεως Ζμβ15. 658 ᵇ24. ἔργον τῷ ἄρχοντος, τῶν ἀρχομένων, τῷ ποιητῷ, τῷ λέγοντος Πη4. 1326 ᵇ14. γ4. 1277 ᵇ3. πο9. 1451 ᵃ37. 19. 1456 ᵇ7. (ποιεῖν, ἀποτελεῖν τὸ αὐτὴ ἔργον Πη4. 1326 ᵃ13. Ργ2. 1404 ᵇ3. τὸ ἑκάστου τὸ καθ' αὐτὸ ἔργον εὖ ποιεῖν, ἡ ὑφ' ἑνὸς ἔργον ἄριστ' ἀποτελεῖται, ἀναγκαῖον βέλτιον ἀπεργάζεσθαι τὸ αὐτὸ τῦτο πεποιημένυς ἔργον ᾳ̈ τέχνην sim Πγ4. 1276 ᵇ39. ϑ5. 1339 ᵃ37. β11. 1273 ᵇ10. ὁ15. 1299 ᵃ39.) φιλοσοφίας τῆς πρώτης διορίσαι ἔργον Φβ2. 194 ᵇ15. τῦτο ἔργον τῆς διαλεκτικῆς τι34. 183 ᵃ39, ᵇ4. χαλεπὸν μὴ κοινωνήσαντας τῶν ἔργων (τῆς μυσικῆς) κριτὰς γενέσθαι σπυδαίυς Πθ6. 1340 ᵇ25. ἔργον τῆς ἀρχῆς, τῆς κοινωνίας, τῷ νόμυ, τῷ λόγυ. τῆς τραγῳδίας, τῆς ἀρετῆς· τῆς ἐλευθεριότητος, τύχης, ἐπιστήμης, προαιρέσεως, εὐχῆς Πε9. 1309 ᵃ35. γ4. 1276 ᵇ26, 29. Ρα15. 1375 ᵇ5. γ2. 1404 ᵇ2. πο13. 1452 ᵇ29. 6. 1450 ᵃ30. Πβ5. 1263 ᵇ8, 10, 13. η15. 1334 ᵃ17. ζ2. 1317 ᵇ12. η13. 1332 ᵃ32. 12. 1331 ᵇ21. f 85. 1491 ᵃ5. 182. 1509 ᵃ9. ἑτέρας σχολῆς ἔργον ταῦτα Πη1. 1323 ᵇ39. ἔργον, dist πάρεργον τῆς μεθόδυ

Πη2. 1324 ᵃ22. κατακέχρηται ἡ φύσις ὡς ἔργῳ, ὡς παρέργῳ αι5. 444 ᵃ26. — ἔργα ἐλεύθερα, ἐλευθέρια. ἐντιμότερα, ἀνελεύθερα, διακονικά, ἀναγκαῖα, ἀναγκαιότερα, βάναυσον ἔργον Πα7. 1255 ᵇ28. β6. 1265 ᵃ7. γ5. 1278 ᵃ10. η14. 1333 ᵃ8. θ2. 1337 ᵇ6, 8. οα5. 1344 ᵃ28. τὰ ἀναγκαῖα ἔργα (μελιττῶν) Ζγγ10. 760 ᵇ9. διατρίβειν πρὸς τοῖς ἔργοις Πε5. 1305 ᵃ20. 8. 1309 ᵃ9. ζ4. 1318 ᵇ13. ἔργα οἰκοδομικὰ μχ18. 853 ᵇ10. ἐν τοῖς ἔργοις (i e ἐν τοῖς ἀγροῖς γεωργημένοις) Ζιε19. 552 ᵃ13. — πρὸ ἔργυ τθ14. 163 ᵇ24. ι1. 165 ᵃ20, 29. Φθ1. 251 ᵃ5. Μγ2. 1003 ᵇ26. ζ4. 1029 ᵇ3. Ηγ7. 1113 ᵇ28. Ρα1. 1354 ᵇ27, 32. 4. 1359 ᵃ37, ᵇ17. πς7. 886 ᵃ20 al. — quoniam τὸ ἔργον τῷ χαλεπῷ διορίζυσιν ηεη8. 1241 ᵇ8, inde ἔργον (sc ἐστίν) i q difficile est, ἔργον ἀποδῦναι, σπηδαῖον εἶναι, τὸ μέσον λαβεῖν, διαστῆξαι, ἅμα πάντας ἁμαρτεῖν sim τε4. 133 ᵇ16. 5. 134 ᵃ19. Ζιβ6. 502 ᵃ4. ζ20. 574 ᵇ17. 30. 579 ᵃ30. Ηβ9. 1109 ᵃ24, 25. Ργ5. 1407 ᵇ14. Πβ7. 1266 ᵇ13. γ15. 1286 ᵃ35. ημα34. 1194 ᵃ20. ἔργον χαλεπόν Ηε3. 1130 ᵃ8. ἐκ ἔργον Ζγ3. 768 ᵃ23. πολύ, πλέον, μεῖζον, ἐκ ἔλαττον, τοσῦτον ρ3. 1424 ᵃ21. Ηε13. 1137 ᵃ13, 16. τθ3. 159 ᵃ5. μδ3. 381 ᵃ30. Πδ1. 1289 ᵃ3. πλείονος ἔργυ δεῖσθαι τθ11. 161 ᵇ2.

2. ἔργον, opus. τῶν τελῶν τὰ μέν εἰσιν ἐνέργειαι τὰ δὲ παρ' αὑτὰς ἔργα τινά Ηα1. 1094 ᵃ4. Μθ8. 1050 ᵃ25. (cf τὸ γὰρ ἔργον τέλος, ἡ δ' ἐνέργεια τὸ ἔργον Μθ8. 1050 ᵃ21. κατὰ δύναμιν καὶ ἐντελέχειαν καὶ τατὰ τὸ ἔργον Μθ1. 1045 ᵇ34.) τὰ τῶν τεχνιτῶν ἔργα Πβ3. 1338 ᵃ19. τὰ ἔργα τῶν ποιητῶν, τῆς μυσικῆς Πβ3. 1388 ᵃ18. γ11. 1281 ᵇ8. Αἴγυπτος ποταμῦ ἔργον μα14. 352 ᵇ22, 353 ᵃ6. ἐκ τῶν ὁμοιομερῶν τὰ ὅλα ἔργα τῆς φύσεως μδ12. 389 ᵇ27. τὰ τῆς φύσεως, τὰ τῆς τέχνης ἔργα Ζμα1. 639 ᵇ20. Ζγε1. 778 ᵇ4. πᾶς τεχνίτης τὸ οἰκεῖον ἔργον ἀγαπᾷ Ηι7. 1167 ᵇ34 (quod ut explicetur, τὸ ἔργον ad τὴν ἐνέργειαν refertur Ηι7. 1168 ᵃ7. ηεη8. 1241 ᵇ1). — νῦν γὰρ ἀμφισβητεῖται περὶ τῶν ἔργων τῆς παιδείας (i e de iis rebus, quas doceri iuvenes oportet, opp πῶς χρὴ παιδεύεσθαι) Πθ2. 1337 ᵃ36.

3. cum utroque usu cohaeret, quod saepe ἔργον et ἔργα id significat, quod in re ac veritate est (cf πρᾶγμα). εἴ τις τοῖς ἔργοις ἴδοι τὴν τοιαύτην πολιτείαν κατασκευαζομένην Πβ5. 1264 ᵃ5. ἐξελέγχεται ὑπὸ τῶν ἔργων Πε8. 1308 ᵃ2. δῆλον ἐκ τῶν ἔργων, ἐξ αὐτῶν τῶν ἔργων, ἐπὶ ἔργων, ἐπ' αὐτῶν τῶν ἔργων Πθ5. 1340 ᵃ22. β8. 1268 ᵇ39. μβ4. 360 ᵃ15, 361 ᵇ3. αι2. 438 ᵃ17. ἔχει ὕτως, φαίνεται, συμβαίνει ἐπὶ τῶν ἔργων Αθ12. 95 ᵇ32, 96 ᵃ2. Ηε7. 1131 ᵇ18. τὸ συμβαῖνον ἐπὶ τῶν ἔργων πο4. 1448 ᵇ10. δηλοῖ αὐτὸ τὸ ἔργον μα13. 349 ᵇ35. — opp λόγος. λόγῳ. ἔργῳ Μλ7. 1072 ᵃ22. οα5. 1344 ᵇ9. ὀνόματι, ἔργῳ μδ9. 387 ᵇ11. φανερὸν ἐκ τῶν ἔργων sim, opp πίστις διὰ τῶν λόγων sim Πη1. 1323 ᵃ40 (coll ᵇ6). 4. 1326 ᵃ26, 29. 14. 1333 ᵇ15. θ5. 1340 ᵇ7. Ζγα21. 729 ᵇ9, 22. τοῖς λόγοις τὰ ἔργα διαφωνεῖ Ηι8. 1168 ᵃ35. x9. 1179 ᵃ21.

Ἐργόφιλος Ρβ3. 1380 ᵇ12.

ἐργώδης Πβ9. 1269 ᵇ8. ρ35. 1440 ᵃ18. πι45. 895 ᵇ29. xθ14. 952 ᵇ24. opp ἄπονον Ηι7. 1168 ᵃ24. syn χαλεπόν Ηι11. 1171 ᵃ5, 6. ἐργῶδες καὶ ἐκ ἀναγκαῖον ρ2. 1421 ᵇ30. 35. 1440 ᵃ2. ἐργῶδες (sc ἐστί) c inf τῦτο δ' ἐργῶδες ἐν πολλοῖς ὑπάρχειν Ηι10. 1171 ᵃ4. ΖιΖ18. 572 ᵃ28. τὸ 'Αθήνησι διατρίβειν ἐργῶδες f 617. 1582 ᵃ22, 30. — ἐργωδέστερον τζ1. 139 ᵇ9. Ηα13. 1102 ᵃ25. Πβ7. 1266 ᵇ2. ἐργωδεστέρα ἡ κρίσις Ηι2. 1165 ᵃ34.

ἔρδειν. ἔεργεν (Hom Β 272) πο21. 1457 ᵇ12. ἐόργη (Hom

o 401) Ρα11. 1370 ᵇ6.

ἐρέβινθοι, ἄριστον πρὸς τὸ πιαίνειν Ζιθ21. 603 ᵇ27. λεπύρια ἐρεβίνθων λευκῶν Ζιε15. 546 ᵇ21. (Cicer arietinum L cf Fraas 55.)

ἐρεθίζειν θ72. 835 ᵇ12. τὸν ὄφιν ἐρεθίζεσθαι καὶ λυσσᾶν f 334. 1534 ᵃ20.

ἐρείδειν. ἐρείδη (Emp 104) ξ2. 975 ᵇ4. ἐρεῖσαι πρὸς τὴν γῆν τὴν κεφαλήν, τὸ ξύλον Ζιε6. 541 ᵇ5. μχ14. 852 ᵇ25. ἐρεῖσαι πρός τι τὴν διάνοιαν (ἐν τῇ διανοίᾳ?) πιη7. 917 ᵃ26. 1. 916 ᵇ9. — pass γῇ ἐρήρεισται x3. 392 ᵇ14. τὺς πόρυς ἐρηρεῖσθαι καὶ μὴ πλανᾶσθαι· ἐρηρεισμένοι εἰσὶν Ζγα13. 720 ᵃ12, 31.

ἐρείκειν. κύαμοι ἐρηριγμένοι Ζιθ7. 595 ᵇ7.

ἐρείπιον εἰκάσαι ῥάκει οἰκίας Ργ11. 1413 ᵃ6.

ἐρείσματα. τὰ πίπτοντα τῶν κηρίων ὀρθῦσιν αἱ μέλιτται καὶ ὑφιστᾶσιν ἐρείσματα Ζιι40. 625 ᵃ12. τὰ ἐρείσματα τῶν ὀστῶν πν7. 484 ᵇ14. τῶν ζῴων ὑπόκειται τέτταρα ἐρείσματα Ζμδ10. 689 ᵇ19. ἐρείσματα ἀντίστοιχα Ζπ8. 708 ᵇ15. ἔξω ἂν ἐγίγνοντο τῶν ἐρεισμάτων καὶ ἔπιπτον Ζπ14. 712 ᵇ2. σῶμα ἐντόμων ὃ προσδεῖται ἑτέρυ ἐρείσματος Ζιθ7. 532 ᵇ3. ἔρεισμα σελαχῶν μαλακώτερον Ζμβ9. 655 ᵃ25. ἐρείσματος χάριν Ζμβ16. 659 ᵃ28. γ4. 666 ᵇ19. ἔχειν ἀρχὴν καὶ ἔρεισμα πκς8. 941 ᵇ10.

ἐρέσθαι. πρὸς τὴν Ἱέρωνος γυναῖκα ἐρομένην Ρβ16. 1391 ᵃ10.

ἐρέτης Πγ4. 1276 ᵇ22.

Ἐρετρία. ἡ ἐν Ε. ὀλιγαρχία Πε6. 1306 ᵃ34. Ἐρετρίας ἄποικοι f 560. 1570 ᵃ40,42. — Ἐρετριεῖς Πδ3. 1289 ᵇ39. Αθ11. 94 ᵇ1. f 93. 1492 ᵇ25.

ἐρεύγεσθαι, coni ἀποψοφεῖν, πτάρνυσθαι πλγ15. 963 ᵃ16. ι44. 895 ᵇ12. ἐρυγεῖν ἢ ψοφῆσαι πι44. 895 ᵇ22.

ἐρευγμός πι44. 895 ᵇ15, cf ἐρυγμός.

ἔρευνα. ἐκ τῆς ἐξαίφνης ποιησάμενος τῶν οἰκιῶν οβ 1351 ᵇ34. — εὐαναλύτοις ἐρεύναις ἐνδιατρίβειν φτα1. 815 ᵃ31. διερευνῆσαι ἐρεύνῃ συνοπτικῇ φτα7. 821 ᵇ32.

ἐρευνᾶν. ἐρευνήσας ἃ εἶχον οβ1351 ᵇ27.

ἐρημία. κάμηλοι ὀχεύοντες ἀποχωρῦσιν εἰς ἐρημίας· ἕρπειν εἰς ἐρημίας sim Ζιε2. 540 ᵃ17, 20. ι3. 610 ᵇ24. 828. 607 ᵃ7. ἐν ἐρημίᾳ καθ' ἡσυχίαν βυλεύεσθαι περὶ τῶν τηλικύτων ἔθος f 154. 1504 ᵃ11. — ἐρημία καὶ ἀφιλία ηεη1. 1234 ᵇ33. ἐρημία τῶν λεγόντων, τῶν συμβυλευόντων ρ19. 1432 ᵇ22. 30. 1437 ᵃ40.

ἔρημος. διάνοια ὥσπερ ἔρημος καὶ κενὴ πάντων μτ2. 464 ᵃ23. — καταδικάζεσθαι ἐρήμην Οα10. 279 ᵇ10. ἀμφισβητεῖν ὡς ἐρήμης Ηδ10. 1125 ᵇ17.

ἐρημῦν. φύσις ἐρημωθεῖσα τῆς ἐκ τῦ θεῦ σωτηρίας x6. 397 ᵇ16.

ἐρίζειν (Hom Ι 389) Ργ11. 1413 ᵃ33.

ἐριθάκη. ἡ μέλιττα φέρει κηρὸν καὶ ἐριθάκην περὶ τοῖς σκέλεσιν Ζιε22. 554 ᵃ17. ι40. 627 ᵃ21, 22 (locus corr). θ16. 831 ᵇ20. Bienenbrot, cf Magerstedt Bienenzucht dr Völk ds Alterth p 36, 71, 83, 90.

ἐρίθακος. (ἐριθάκος nonnulli, cf Lob Prol 310, 311). refertur inter τὰ σκωληκοφάγα Ζιθ3. 592 ᵇ22. μεταβάλλυσιν οἱ ἐρίθακοι καὶ οἱ καλάμενοι φοινίκυροι ἐξ ἀλλήλων· ἔστι δ' ὁ μὲν ἐρίθακος χειμερινόν, οἱ δὲ φοινίκυροι θερινοί, διαφέρυσι δ' ἀλλήλων οὐδὲν εἰπεῖν ἀλλ' ἢ τῇ χρόᾳ μόνον Ζιθ49Β. 632 ᵇ28 sq. ἐς τὰ αὔλια καὶ τὰ οἰκήματα παριὼν δῆλός ἐστι χειμῶνος ἐπιδημίαν ἀποδιδράσκων f 241. 1522 ᵇ20. Sylvia et Rubecula Gazae, Rubecula Beloni et Gesnero, Sylvia erithacus St et K 866, 4; Luscinia phoenicurus Su 110, 41 et 42, cf AZι I 92, 33.

ἐριθεία. στασιάζειν δι' ἐριθείαν Πε2. 1302 ᵇ4. μεταβάλλωσιν αἱ πολιτεῖαι διὰ τὰς ἐριθείας Πε3. 1303 ᵃ14 sqq.

ἐριθεύεσθαι. ᾐρῦντο τὰς ἐριθευομένας Πε3. 1303 ᵃ16.

ἐρινεός. 1. arbor (Ficus carica silvestris L). ἐν φυτοῖς τὸ μὲν καρποφορεῖ τὸ δ' ἄκαρπόν ἐστιν, οἷον συκῆ ⁊ ἐρινεός Ζγγ5. 755 ᵇ11. φυτεύουσι πλησίον ταῖς συκαῖς ἐρινεὺς Ζιε32. 557 ᵇ31. Ζγαι. 715 ᵇ25. — 2. fructus. οἱ ἐρινεοὶ οἱ ἐν τοῖς ἐρινεοῖς ἔχουσι ψῆνας Ζιε32. 557 ᵇ25. — ἐρινεός adiect ἐρινεὸν σῦκον Ζιε22. 554 ᵃ15. εἰσδύεται εἰς τὰ τῶν συκῶν ἐρινὰ Ζιε32. 557 ᵇ28.

ἔριον. τὸ ἔριον ἑλκτόν, πιεστόν, καυστόν, τεγκτόν, ὐ τηκτόν, ὐ πλαστόν μθ9. 386 ᵇ16, 387 ᵃ28, 385 ᵇ14, 18, 386 ᵃ28. ὕδωρ ἐπακτικὸν ἐν ἐρίῳ μδ5. 382 ᵇ12. ὁπὸς εἰς ἔριον ἐξοπισθείς Ζιγ20. 522 ᵇ3. τὰ πορφυρᾶ ἐν λευκοῖς ⁊ μέλασιν ἐρίοις μγ4. 375 ᵃ25. τὰ ἔρια οὐκ ἔχει ψόφον ψβ8. 419 ᵇ6, 15. μόλιβδος ἐρίω θερμότερος πη19. 889 ᵃ12. λζ4. 966 ᵃ37. τὰ ἔρια ὕλη ὑφαντή Παꞷ8. 1256 ᵃ9. 10. 1258 ᵃ25. σπαργανῶσιν ἐρίοις τὰ ἑπτάμηνα Ζιη4. 584 ᵇ4. ἐρίω ἀποδεῖται ἀπὸ τῆ ὑστέρῃ ὁ ὀμφαλός Ζιη10. 587 ᵃ14. τὸ ἔριον πλῆθος τριχῶν ἐστιν Ζγε3. 783 ᵃ5. cf Ζιγ11. 518 ᵇ31. γίνεται ζωδάρια ἐν ἐρίοις ⁊ ὅσα ἐξ ἐρίων ἐστίν, οἷον οἱ σῆτες, οἳ ἐμφύονται μᾶλλον ὅταν κονιορτώδη ᾗ τὰ ἔρια Ζιε32. 557 ᵇ2. cf θ10. 596 ᵇ8. Ζγγ9. 758 ᵇ23. — ἔρια plantarum (?), τὰ κλήματα ⁊ τὰ ἔρια (ἔρνη ci Prtl) ⁊ τὰ φύλλα πάντων ἐστὶ τῶν τοιούτων μέλανα χ5. 796 ᵃ5.

ἔρις, πάθος τι Ργ19. 1419 ᵇ27.

ἐριστικός. ὁ ἐριστικὸς οὕτως ἔχει πρὸς τὸν διαλεκτικὸν ὡς ὁ ψευδόγραφος πρὸς τὸν γεωμετρικόν τι11. 171 ᵇ35, 26. οἱ ἐριστικοὶ Ργ14. 1414 ᵇ28. ἡ ἐριστική, coni ἡ δικανική, ἡ ῥητορική Ραꞷ1. 1371 ᵃ7. β24. 1402 ᵃ27. τὰ ἐριστικὰ Ρβ24. 1402 ᵃ3, 14. πιη8. 917 ᵇ4. παιδιαὶ μαχητικαὶ ⁊ ἐριστικαί Ραꞷ1. 1371 ᵃ1. ἐριστικοὶ λόγοι τι2. 165 ᵇ7 (syn ἀγωνιστικοί ᵇ11, opp συλλελογισμένοι 33. 182 ᵇ5). 11. 171 ᵇ19. εἰς ἐριστικὸν ἅμα ⁊ σοφιστικὸν ἐκκλίνειν λόγον ατ 969 ᵇ13. λύειν λόγον ἐριστικόν Φα2. 185 ᵃ8. Μγ7. 1012 ᵃ19. οἱ ἐριστικοὶ λόγοι γυμναστικοί πιη2. 916 ᵇ20. ἐριστικὸς συλλογισμός (syn σόφισμα) τθ11. 162 ᵃ17. 12. 162 ᵇ5. Πβ3. 1261 ᵇ30. — ἐριστικῶς, dist διαλεκτικῶς τθ11. 161 ᵃ34. ἐριστικῶς ἐρωτᾶν τθ11. 161 ᵇ2. συλλογίζεσθαι Φα3. 186 ᵃ6.

ἐρίφους τέτταρας τίκτειν θ128. 842 ᵇ29. ἄρνες ⁊ ἔριφοι f 241. 1542 ᵇ44.

Ἐριφύλη πο14. 1453 ᵇ24.

Ἐριχθόνιος f 594. 1574 ᵇ42, 1575 ᵃ1.

ἐριώδης κάτωθεν ἡ βονάσου θρὶξ Ζιι45. 630 ᵃ30.

ἔρκειος πόθεν ὀνομάζεται ὁ θεός κ7. 401 ᵃ20. Ζεὺς ἔρκειος f 374. 1540 ᵃ42. 375. 1540 ᵇ20.

ἔρκος. ἀσκαλώπας ἐν τοῖς κήποις ἁλίσκεται ἕρκεσιν Ζιι26. 617 ᵇ24.

Ἐρχύνια δρυμά θ105. 839 ᵇ9.

ἕρμα. γέρανοι, μέλιτται λίθον ἕρμα φέρουσιν Ζιθ12. 597 ᵇ1. ꞷ40. 626 ᵇ25.

Ἑρμαία τῆς Λιβύης θ134. 844 ᵃ7.

Ἑρμαῖον, μάχη ἐπὶ τῷ Ἑρμαίῳ Ηγ11. 1116 ᵇ19.

Ἑρμείας, amicus Aristotelis f 601. 1578 ᵇ21. 624. 1583 ᵃ24. 625. 1583 ᵇ33. — Ἑρμείας (?) οβ 1351 ᵃ33, 35.

ἑρμηνεία. χρῶνται οἱ ὄρνιθες τῇ γλώττῃ πρὸς ἑρμηνείαν ἀλλήλοις, πάντες μέν, ἕτεροι δὲ τῶν ἑτέρων μᾶλλον, ὥστ' ἐπ' ἐνίων ⁊ μάθησιν εἶναι δοκεῖν παρ' ἀλλήλων Ζμβ17. 660 ᵃ35. angustiore tamen sensu non ad quoslibet sonos, per quos cum aliis communicantur quae animum afficiunt,

sed ad διάλεκτον refertur, καταχρῆται ἡ φύσις τῇ γλώττῃ ἐπί τε τὴν γεῦσιν ⁊ τὴν διάλεκτον, ὦν ἡ μὲν γεῦσις ἀναγκαῖον, ἡ δ' ἑρμηνεία ἕνεκα τῦ εὖ ψβ8. 420 ᵇ19. τῇ γλώττῃ χρῆται ἡ φύσις πρός τε τὰς χυμὰς ⁊ πρὸς τὴν ἑρμηνείαν αυ11. 476 ᵃ19. λέγω λέξιν εἶναι τὴν διὰ τῆς ὀνομασίας ἑρμηνείαν πο6. 1450 ᵇ14. cf ρ7. 1428 ᵃ10. τῆς ἑρμηνείας τὴν σύνθεσιν ἴσμεν ρ29. 1436 ᵃ21. καλλίστην ποιεῖν τὴν ἑρμηνείαν ρ24. 1435 ᵃ3. ἑρμηνεία ἀσαφεῖ χρῆσθαι τζ1. 139 ᵇ13, 14. titulus libri Aristotelici περὶ ἑρμηνείας quid significet cf Wz I 323, Steinthal Gesch p 230-233.

ἑρμηνεύειν. ὅταν τὸ μὴ ταὐτὸ ὡσαύτως ἑρμηνεύηται, syn τῇ λέξει σημαίνεσθαι τι4. 166 ᵇ11, 15. αἰνιγματωδῶς ἑρμηνεύειν ρ36. 1441 ᵃ22. ἑρμηνεύειν εἰς δύο τί ἐστι, syn λέγειν εἰς δύο ρ25. 1435 ᵃ4, 5.

Ἑρμῆς. κοινὸς Ἑρμῆς (cf παροιμία) Ρβ24. 1401 ᵃ20. statua, ἐκ τῦ λίθῳ ὁ Ἑρμῆς Φα7. 190 ᵇ8. δυνάμει ἐν τῷ λίθῳ Ἑρμῆς Μβ5. 1002 ᵃ22. δ7. 1017 ᵇ7. θ6. 1048 ᵃ33. ὁ Παύσωνος Ἑρμῆς Μθ8. 1050 ᵃ20. — Ἑρμῦ ἀστὴρ μα6. 342 ᵇ33. Μλ8. 1073 ᵇ32. x2. 392 ᵃ26. 6. 399 ᵃ9. f 239. 1522 ᵃ13.

Ἑρμιόνην κατέσχον Κᾶρες f 449. 1551 ᵇ36.

Ἑρμοκαϊκόξανθος πο21. 1457 ᵃ35.

Ἑρμότιμος ὁ Κλαζομένιος ΜΑ3. 984 ᵇ19. cf Zeller Phil I 712, 3.

Ἕρμων ὁ ὑποκριτής f 579. 1573 ᵃ27.

ἔρνυξ, i q κέρας, exemplum ὀνόματος πεποιημένυ πο21. 1457 ᵇ35, cf M Schmidt ad Hesych s h v.

ἔρος (Hes 120) ξ1. 975 ᵃ13.

ἕρπειν. τὸ πρόβατον ἕρπει εἰς τὰς ἐρημίας πρὸς ὑδέν Ζιι3. 610 ᵇ24. — ἄνθρωπος παιδίον ὂν ἕρπει τετραποδίζων, dist βαδίζειν Ζιβ1. 501 ᵃ3. Ζμδ10. 686 ᵇ9, 10. τῦτον τὸν τρόπον οἱ ὄφεις νέουσιν, ὅνπερ ἐπὶ τῆς γῆς ἕρπουσιν Ζμδ13. 696 ᵃ9.

ἑρπετόν. cf Heitz 309. πᾶν ἑρπετὸν τὴν γὴν νέμεται (Heracl fr 41) χ6. 401 ᵃ10. ὥστε μηδὲν τῶν ἑρπετῶν ὑπομένειν θ115. 841 ᵇ1. 130. 843 ᵃ28. — τά τ' ἔνυδρα ⁊ τὰ ἑρπετὰ ⁊ τὰ κογχύλια χ6. 799 ᵇ17.

ἕρπυλλον φυτεύειν συμφέρει περὶ τὰ σμήνη Ζιι40. 627 ᵇ18. (Thymus serpyllum L cf Fraas 177).

ἑρπυστικὰ ζῷα, dist πορευτικά, ἰλυσπαστικά Ζιαι. 487 ᵇ21. Ζμδ10. 688 ᵃ9. cf Heitz 309.

ἐρυγμός, coni φῦσα, πταρμός, πιγ4. 908 ᵃ3. ις8. 915 ᵃ7. λγ1. 961 ᵇ9. 9. 962 ᵃ33, 36. 17. 963 ᵃ39.

ἐρύειν. ἐρύσαιτ' (Hom Θ 21) Ζχ4. 699 ᵇ37.

Ἐρύθεια μβ3. 359 ᵃ28. θ133. 843 ᵇ28, 844 ᵃ3, 5. f 253. 1524 ᵇ40.

Ἐρύθη, Ἔρυθος θ133. 843 ᵇ30, 31, 844 ᵃ2. cf Did praef III.

ἐρύθημα. θαρρητικοὶ ⁊ ἐν ἐρυθήματι ⁊ πνεύματος πλήρεις πκζ3. 947 ᵇ26. — τὸ ἐρύθημα συνδρομὴ αἵματος εἰς τὸν πληγέντα τόπον πκθ3. 889 ᵇ30. ὅταν ἀλλοίωσις γένηται περὶ τὴν καρδίαν, πολλὴν ποιεῖ τῇ σώματος διαφορὰν ἐρυθήμασι ⁊ ὠχρότησι Ζχ7. 701 ᵇ31.

Ἐρυθρὰ θάλαττα. ὁ Ὠκεανὸς τὴν ἐρυθρὰν θάλασσαν οἰειλῆφὼς χ3. 393 ᵇ4. ἡ ἐρυθρὰ θάλασσα κατὰ μικρὸν κοινωνῦσα πρὸς τὴν ἔξω τῶν στηλῶν θάλατταν μβ1. 354 ᵃ2. τὴν ἐρυθρὰν θάλατταν διὰ τί ἐπαύσαντο διορίττοντες μαι4. 352 ᵇ23, Ideler. — ὀστρακόδερμα, φυτά ἐν τῇ ἐρυθρᾷ θαλάττῃ Ζιθ28. 606 ᵇ12. μχ5. 466 ᵇ21. φτα4. 819 ᵇ41. cf Meyer Nicol Damasc p 81.

Ἐρυθραί Πε6. 1305 ᵇ18.

Ἐρυθραία Σίβυλλα θ95. 838 ᵃ8.

ἐρυθραίνειν, opp λευκαίνειν, intrans πθ4. 890 ᵃ8 (cf 889
ᵇ33). — ἐρυθραίνεσθαι. ἐρυθραίνονται οἱ αἰσχυνόμενοι, opp
ὠχριᾶν Hϑ15. 1128 ᵇ13. σκωληκία πρῶτον ἐρυθραίνεται
Ζιε19. 552 ᵃ25. τὰ ἐκθερμαινόμενα ἐρυθραίνεται φ6. 812
ᵃ22.

ἐρυθριᾶν πη20. 889 ᵃ20. ἐρυθριᾶν διὰ τὸ αἰσχυνθῆναι, opp
ὠχριᾶν Κ8. 9 ᵇ50. πια53. 905 ᵃ7. f 233. 1520 ᵃ11. τὰς
ὀφθαλμὰς, τὰ ὦτα ἐπιδιδόναι πρὸς τὸ ἐρυθριᾶν πλα3. 957
ᵇ10. λβ1. 960 ᵃ37. 12. 961 ᵃ32.

ἐρυθρίας, dist ὁ ἐρυθριῶν Κ8. 9 ᵇ31.

ἐρυθρῖνος. ἐρυθῖνος f 189. 1511 ᵇ37. de accentu cf Lob Prol
207, 208. τὸ τῶν ἐρυθρίνων γένος, Ζιϑ11. 538,ᵃ20, refertur
inter τὰ πελάγια Ζιϑ13. 598 ᵃ13, μόνιμα f 285. 1528 ᵇ1
cf 295. 1529 ᵃ39. ἄρρην μὲν ὠθεὶς ὦπταί πω, θήλειαι δὲ
ᶍ κυημάτων πλήρεις· ἀλλὰ τύτων ὕπω πεῖραν ἔχομεν ἀξιό-
πιστον Ζγβ5. 741 ᵃ36. τὸ ὀχεῦον ὀκ ἔστιν· πάντες ᾠὰ
φαίνονται ἔχοντες Ζιϑ11. 538 ᵃ19, 21. ζ13. 567 ᵃ27 (cf
A Siebld XII 400). ἄνευ ὀχείας γεννῶσιν Ζγγ10. 760 ᵃ8.
1. 750 ᵇ30 (sed fort περὶ τὰς ἐρυθρίνας c cod Z om, cf
S I 456. D 373, 19 et praef VII. AΖγ 220, 4). οἱ μὲν
ἔχυσι θορικὰ οἱ δ' ὑστέρας, ᶍ ἐν ἅπασιν ἔξω δυοῖν, ἐρυ-
θρῖνα ᶍ χάννης Ζγγ4. 755 ᵇ20. (Rubellio Gazae, Rubellus
Scaligero; St: Mullus barbatus L; Perca scriba K 618, 7;
Serranus anthias Cuv et Val hist des poissons VI 179;
S I 456 II 430; M 286; AΖγ 32 sq AΖι I 127, 18; Lewes
212; E 87; λυθρίνα Graecis hodiernis, sed λυθρίνιον i q
Pagrus vulgaris C.)

ἐρυθρόγραμμα ὡς σάλπη f 278. 1528 ᵃ4.

ἐρυθροδάκτυλος φαυλότερον λέγεται ἢ ῥοδοδάκτυλος Ργ2.
1405 ᵇ21.

ἐρυθρόπυν ἡ πελειάς Ζιε13. 544 ᵇ4.

ἐρυθρός. τὸ τῶν χλωρῶν ξύλων πῦρ ἐρυθρὰν ἔχει τὴν φλόγα
μγ4. 374 ᵃ5. φυκία ἐρυθρά Ζιε19. 552 ᵃ2. τοῖς ἔχυσι τὰς
σάρκας πολλὰς τὸ αἷμα ἐρυθρότερον Ζιγ16. 520 ᵃ1. σκολό-
πενδραι θαλάττιαι ἐρυθρότεραι τῶν χερσαίων Ζιβ14. 505
ᵇ15. — ἡ ἐρυθρὰ θάλαττα v h v.

ἐρυθρότης. φυτά τινα ἐκκλίνουσιν εἰς ἐρυθρότητα φτα5. 820
ᵇ21.

ἐρύκειν. ἐρύκει (Emp 360) αν7. 473 ᵇ26. ὁ γλάνις ἐρύκει
τὰ ἰχθύδια μὴ διαρπάσωσι τὸν γόνον Ζιω37. 621 ᵃ24, 28.

ἔρυμα. κρατεῖσθαι τείχεσι ᶍ τοιύτοις ἄλλοις ἐρύμασι Πη6.
1327 ᵃ35. ἔξω τῶν ἐρυμάτων οα2. 1343 ᵃ6.

ἐρυμνοὶ τόποι Πη11. 1330 ᵇ18. — ἐρυμνοτέρως ἔχειν
πρὸς τὰ γειτνιῶντα μέρη τῆς πόλεως Πη12. 1331 ᵃ30.

ἐρυμνότης τῶν τειχῶν ἀσφαλεστάτη Πη11. 1330 ᵇ37, 41.

Ἔρυξις. Φιλόξενος ὁ Ἐρυξίδος ηεγ2. 1231 ᵃ17.

ἐρυσίβη ᶍ αὐχμοὶ Ζιε22. 553 ᵇ20. ι40, 627 ᵇ21. ἐρυσίβαι
πῶς γίνονται πα23. 862 ᵃ25. πκς17. 942 ᵃ20 (robigo cf
Fraas p 35).

ἐρυσιβώδης ὕλη Ζιω40. 626 ᵇ23. ἄνθη ἐρυσιβώδη Ζιϑ27.
605 ᵇ18.

ἔρχεσθαι. πρὶν φανερῶς ἐληλυθέναι τὸν ἄνεμον μβ4. 361 ᵃ29.
ἢ χρηματιστικὴ διὰ τῦτ' ἐλήλυθεν Πα9. 1258 ᵃ6. ἐφ' ὃ
τὸ νόμισμα ἐλήλυθε Ηε8. 1133 ᵃ20. — ἔρχεσθαι εἰς μάχην
Πε3. 1303 ᵇ2. ὀδεμία δίκη πρὶν ἐπὶ διαιτητὰς ἐλθεῖν εἰσή-
γετο f 414. 1547 ᵃ30. τὰ περιττὰ, ἃ νῦν ἐλήλυθεν εἰς τὰς
ἀγῶνας Πϑ6. 1341 ᵃ12. ἐρχεσθαι εἰς πύκνωσιν ὑδατώδη,
εἰς ὕδωρ, εἰς τὸ καλῶς ἔχειν μγ3. 372 ᵇ31, 24. α14. 352
ᵃ6. ὅταν εἰς ἀναίσθητον ἔλθῃ Γα3. 319 ᵃ24. cf Φϑ5. 356 ᵇ2
(cf ἀπέρχεσθαι). ἔρχεσθαι εἰς ἄπειρον Αγ19. 82 ᵃ7, cf
ἄπειρος extr. εἰς παροιμίαν ἐλήλυθεν ηεη2. 1238 ᵃ2. εἰς

ὀλίγας αἱ ὀσίαι ἔρχονται Πε7. 1307 ᵃ36. μέχρι τύτυ ἡ
τῶν ζῴων φύσις ἐλήλυθεν Πα2. 1253 ᵃ12. — οἱ ἐλθόντες
ἐπὶ τὴν περὶ τύτων σκέψιν Οδ2. 308 ᵃ34. τὸ μὴ ἐλθεῖν τὰς
προγενεστέρας ἐπὶ τὸν τρόπον τῦτον Ζμα1. 642 ᵃ24. — τὸ
σπέρμα ἔρχεται ἀπὸ παντός Ζγα17. 721 ᵇ35. ἐντεῦθεν ἐλήλυθε
τὔνομα Ηζ11. 1143 ᵃ16. ε7. 1132 ᵇ11. Μϑ3. 1047 ᵃ30. ἐκ
ταύτης τῆς δόξης ἐλήλυθε sim Ηζ9. 1142 ᵃ8. ι4. 1166 ᵃ2.
ἔρψις, dist βάδισις, πτῆσις, νεῦσις Ζμα1. 639 ᵇ3.

ἐρωδιός. τῶν ἐρωδιῶν ἐστι τρία γένη, ὅ τε πέλλος ᶍ ὁ λευκὸς
ᶍ ὁ ἀστερίας καλύμενος Ζιι1. 609 ᵇ22. 18. 616 ᵇ33 sq (vide
s h v). περὶ πτήσεως Ζπ10. 710 ᵃ13. f 241. 1522 ᵃ40, 42.
περὶ τὰς λίμνας ᶍ τὰς ποταμὰς βιοτεύει Ζιϑ3. 593 ᵇ1
(locus mutilus, cf S I 594 II 461, D praef IV, P 286, 2).
πόλεμος πίπῳ, ἀετῷ ᶍ ἐρωδιῷ, κορώνῃ ᶍ ἐρωδιὸς φίλοι
Ζιι1. 609 ᵃ30, ᵇ7, 610 ᵃ8. (ardeola Gazae, cf Salmas exercit
Plin 64. Ardea Su 150, 132. AΖι I 92, 34. Lnd 148.)

ἐρωήσει (Hom Α 303), ἤτοι ὁρμήσει f 129. 1500 ᵃ20.

ἔρως Πβ12. 1274 ᵃ35. ὁ ἔρως πάθος, πάθος ἀλόγιστον εν2. 460
ᵇ5. ηεγ1. 1229 ᵃ21. syn ἐπιθυμία ηεη2. 1235 ᵇ21. ὁ ἔρως
πότερον ἐπιθυμία συνεσίας τζ7. 146 ᵃ9. η1. 152 ᵇ9. ὁ ἔρως
δοκεῖ φιλία ὅμοιον εἶναι ηεη12. 1245 ᵃ24. πρὸς παῖδας ἔρωτες
ᶍ ἐπιθυμίαι ὀελφίνων Ζιι48. 631 ᵃ10. ἔρωτος τίς ἀρχή Ρα11.
1370 ᵇ22. Καύνιος ἔρως, ἔρωτας πονηροί Ρβ25. 1402 ᵇ3. —
ἔρως πρώτιστος θεῶν, ἀρχή (Parm 132) ΜΑ4. 984 ᵇ27. 7.
988 ᵃ34. γράφυσι τὰς ἔρωτας ἔχοντας πτέρυγας Ζπ11. 711
ᵃ2. ὁ λυσιμελὴς Ἔρως f 93. 1492 ᵇ31.

ἐρωτᾶν, vocabulum artis dialecticae, 'quaerere ita, ut e
responsis adversarius convincatur' Wz. πλείω τῶν ἀναγ-
καίων ἠρώτηκε πρὸς τὴν θέσιν Αα25. 42 ᵃ39 Wz et ad
20 ᵇ22. cf Αα32. 47 ᵃ16, 18. γ6. 75 ᵃ23-26 et saepe in
libris logicis. opp λαμβάνειν Αα1. 24 ᵃ24. opp ἀποδει-
κνύναι Αα1. 24 ᵃ27. γ11. 77 ᵃ32, 33. ἕτερον τὸ διδάσκειν τῦ
διαλέγεσθαι ᶍ δεῖ τὸν μὲν διδάσκοντα μὴ ἐρωτᾶν ἀλλ'
αὐτὸν δῆλα ποιεῖν, τὸν δ' ἐρωτᾶν τι10. 171 ᵇ1. ἡ λύσις
πρὸς μὲν τὸν ἐρωτῶντα ἱκανῶς ἔχει, πρὸς δὲ τὸ πρᾶγμα
ᶍ τὴν ἀλήθειαν ὀχ ἱκανῶς Φϑ8. 263 ᵃ15. πῶς δεῖ ἐρωτᾶν τϑ.
καλῶς ἐρωτῶντος τί ἐστιν ἔργον τϑ4. — ἐρωτᾶν τὸν λόγον,
τὰ σύνεγγυς Αβ16. 64 ᵃ26, 37. οἱ ὕτως ἠρωτημένοι λόγοι
Αα32. 47 ᵃ21. τὰ ἠρωτημένα Αγ6. 75 ᵃ26. ἐρωτᾶν ἁπλῶς,
dist ἀποκρινόμενον προστιθέναι τὰς ἀντιφάσεις Μγ4. 1007
ᵃ10. ὀδὲν διαφέρει ὕτε ἐξ ὧν ἐρωτήσειεν ἄν τις, ὕτε ἐξ
ὧν λύων ἐπιτύχοι Μζ6. 1032 ᵃ9.

ἐρώτημα, cf ἐρωτᾶν. δι' ἄλλων ἐρωτημάτων συλλογίσασθαι
Αβ15. 64 ᵃ36. ἐρώτημα, opp συμπέρασμα τι19. 177 ᵃ10,
19. 33. 183 ᵃ4. θ2. 158 ᵃ7. πλείω ἐρωτήματα ἓν ποιεῖν τι5.
167 ᵇ38. 6. 169 ᵃ6. 17. 175 ᵇ39. 30. 181 ᵃ36. ἐρώτημα
διαλεκτικόν τι5. 158 ᵃ18, συλλογιστικόν Αγ12. 77 ᵃ36,
ἐπιστημονικόν Αγ12. 77 ᵃ38, γεωμετρικόν, ἀγεωμέτρητον,
ἰατρικόν Αγ12. 77 ᵃ40, 41, ᵇ16, 17. ὅ πᾶν ἕκαστον ἐπι-
στήμονα ἐρώτημα ἐρωτητέον, ὀδ' ἅπαν τὸ ἐρωτώμενον ἀπο-
κριτέον περὶ ἑκάστυ Αγ12. 77 ᵇ7.

ἐρωτηματίζειν (cf ἐρώτημα) τϑ1. 155 ᵇ4, 5, 18, 25, cf
ἐρωτᾶν ᵇ3.

ἐρώτησις, σχῆμα λέξεως πο19. 1456 ᵇ12. πτώσεις κατὰ τὸ
ὑποκριτικά, οἷον κατ' ἐρώτησιν ἢ ἐπίταξιν πο20. 1457 ᵃ22.
ἐξ ἐρωτήσεως λέγεσθαι Ργ19. 1420 ᵃ3. πῶς δεῖ χρῆσθαι
τῇ ἐρωτήσει Ργ18. — ἐρώτησις, vocabulum artis diale-
cticae, cf ἐρωτᾶν. non solum actionem ἐρωτᾶν significat,
sed etiam ea quae ex hac actione consequuntur, veluti
ἡ διαλεκτικὴ πρότασις ἐρώτησις ἀντιφάσεώς ἐστιν Αα1. 24
ᵃ25 Wz, cf ᵇ10. ἐρώτησις διαλεκτικὴ ε11. 20 ᵇ22 sqq Wz.

ἐρώτησις ἔνδοξος τα10. 104 ᵃ8. ἐρώτησις μία τίς τι30.
181 ᵃ37. πῶς δεῖ ταχθῆναι τὰ περὶ τὴν ἐρώτησιν τι15.
174 ᵃ17 sqq. κωλύειν τὴν ἐρώτησιν τθ1. 157 ᵇ9.
ἐρωτητικὸς λόγος τι34. 183 ᵇ38. ἡ διαλεκτικὴ ἐρωτητικὴ
τι11 172 ᵃ16-19.
ἐρωτικός. ὁ ἐρωτικὸς ἐν πάθει, ἐν ἔρωτι εν2. 460 ᵇ5. ἐρω-
τικοὶ οἱ νέοι Ηθ3. 1156 ᵇ1. ἐρωτικοὶ λόγοι (Plat Symp)
Πβ4. 1262 ᵇ11. ἐρωτικὴ ἐπιθυμία Πε10. 1311 ᵇ19. ἐρω-
τικὴ αἰτία, ἐρωτικαὶ αἰτίαι Πε4. 1303 ᵇ22. 11. 1315 ᵃ22.
— ἡ ἐρωτικὴ (i e ἡ ἐρωτικὴ κοινωνία, ὁμιλία) Ηι1. 1164
ᵃ3. θ3. 1156 ᵇ3. — ἐρωτικῶς διακεῖσθαι f 145. 1502 ᵇ40.
ἐσθὴς εὐτελής, ἀλεείνή, εὐπρεπεστάτη Πβ8. 1267 ᵇ26. ρ1.
1420 ᵃ12. λαμπρᾷ ἐσθῆτι κεκοσμῆσθαι f 89. 1491 ᵃ38.
ἐσθὴς ᾧ τροφή Πγ16. 1287 ᵃ15. δ9. 1294 ᵇ27. περὶ ναυ-
πηγίαν ᾧ ἐσθῆτα (i e ἐσθῆτος ποίησιν) ᾧ περὶ πᾶσαν ἄλλην
τέχνην Πδ1. 1288 ᵇ20.
ἔσθησις. ἐσθήσει (Bk¹, αἰσθήσει Aᵃ Vhl Poet II 79) Ρβ8.
1386 ᵃ32.
ἐσθίειν. πίνει ᾧ ἐσθίει ὁ ἐλέφας ὀρέγων τῷ μυκτῆρι εἰς τὸ
στόμα Ζιβ1. 497 ᵇ27. κύασι αἶγες ἐσθίεσι μᾶλλον Ζιζ18.
573 ᵃ26. ἐθηδόκοτες, opp νηστεύσαντες Ζμγ14. 676 ᵃ1, 2.
— c acc ἐσθίειν πόαν, βαλάνες ἡδέως Ζθ4. 594 ᵃ6. 21.
603 ᵇ32. — c gen τὰ ἰοβόλα ἐὰν τύχῃ ἀλλήλων ἐθηδο-
κότα Ζιθ9. 607 ᵃ29.
ἐσθλός Ηα2. 1095 ᵇ11 (ex Hes ε 295). πο21. 1457 ᵇ12
(Hom B 272). Ηι12. 1172 ᵃ13 (Theogn 35). Ρα9. 1367
ᵃ11 (Sapph fr 29). ἐσθλοὶ μὲν γὰρ ἁπλῶς, παντοδαπῶς
δὲ κακοί (ex poeta incerto) Ηβ5. 1160 ᵇ34.
ἔσμα: 'Αριστοτέλης, ὅπερ Θεόφραστος μίσχον· ἔστι δὲ ὁ
αὐχὴν τῷ καρπῷ τῶν ἀκροδρύων f 254. 1525 ᵃ1, 7.
ἐσμός. examen. ὅταν ἐσμὸς προκαθῆται Ζυ40. 625 ᵇ26. ὅλος
ὁ ἐσμός, πολλοὶ ἡγεμόνες διασπῶσι τὸν ἐσμόν Ζυ40. 624
ᵃ27, 625 ᵃ19. ὅταν ἐλαιῶν φορὰ γένηται, τότε ᾧ ἐσμοὶ
ἀφίενται πλείστοι Ζιε21. 553 ᵃ23, ᵇ23. ᾧ κεντῶσιν αἱ νέαι
μέλιτται· διὸ οἱ ἐσμοὶ φέρονται Ζυ40. 626 ᵇ5, quid sit,
incertum est, cf S II 212. ΑΖι II 297, 193.
ἑσπέρα. 1. tempus vespertinum. τὸ ἀφ' ἕω ψυχρότερον ἢ
τὸ ἀφ' ἑσπέρας πκε15. 939 ᵇ6. ὁ φαῦλος ᾐθὲν ἔοικεν ἔωθεν
ᾧ ἑσπέρας ημε5. 1239 ᵇ14. τὸ γῆρας ἑσπέρα πο21.
1457 ᵇ23, 24. 2. coeli regio. ἀστὴρ γενόμενος, τὴν
ἀνατολὴν ποιησάμενος ἀφ' ἑσπέρας μα4. 344 ᵇ34, 345 ᵃ3.
ἑσπέριος. ἄχρι ἑσπερίᾳ ᾧ περὶ ὄρθρον νυκτικόρακες θηρεύουσιν
Ζυ34. 619 ᵇ21.
ἕσπερος. ᾐθ' ἕσπερος ᾐθ' ἑῷος ᾐτω θαυμαστὸς Ηε3.1129ᵇ28.
ἐσπιφράναι τῇ πλεκτάνῃ εἰς τὸν μυκτῆρα τῆς θηλείας Ζιε6.
541 ᵇ11 Pic. Lob Par 11. Nauck Acad Petersb 1863, 434.
ἔστε. ἔστ' ἂν νύμφαι ὦσι Ζιε23. 555 ᵃ5. — ἔστ' ἂν πλη-
ρωθῇ φτβ1. 822 ᵃ20.
ἑστία. ἀπὸ τῆς κοινῆς ἑστίας ἔχειν τὴν τιμήν ΠΖ8. 1322 ᵇ28.
ὥσπερ ἱκέτην ᾧ ἀφ' ἑστίας ἠγμένην οα4. 1344 ᵃ11. ἡ καρδία
οἷον ἑστία, ἐν ᾗ κεῖται τῆς φύσεως τὸ ζωπυρὸν Ζμγ7. 670
ᵃ25. γῆ παντοδαπῶν ζῴων ἑστία τε ᾖσα ᾧ μήτηρ χ2.
391 ᵇ14.
Ἑστία γελᾷ μβ9. 369 ᵃ32.
Ἑστιαία Πε4. 1303 ᵇ33.
ἑστιᾶν τὴν πόλιν Ηδ5. 1122 ᵇ23, ἐρανιστὰς γαμικῶς Ηδ6.
1123 ᵃ22, γάμες ημα27. 1192 ᵇ2.
ἑστίασις συμφορητὸς καλλίων μιᾶς ᾧ ἁπλῆς Πγ15. 1286
ᵃ29. τῶν περὶ τὰς ἑστιάσεις μετέχων ὁ δῆμος ΠΖ7. 1321 ᵃ37.
ἐσχάρα. καίειν δεῖ, ὅπως ᾗ ἐσχάρα (τῶν ἑλκῶν) πέσῃ πα32.
863 ᵃ12.

V.

ἐσχάρωσις ᾧ σῆψις τῆς σαρκός πα33. 863 ᵃ14.
ἐσχατεύοντες τόποι Οβ14. 298 ᵃ14. μβ5. 362 ᵇ22.
ἐσχατιά. πρὸς τὰς ἐσχατιάς, opp πρὸς τὴν πόλιν Πη10.
1330 ᵃ14.
ἔσχατος. τὸ ἔσχατον, syn τελευταῖον, opp πρῶτον Ζγδ1.
765 ᵇ31, 33. — 1. ἔσχατον universe id quod ultimum est
loco, tempore, ordine, gradu. πέρατα ᾧ ἔσχατα στιγμή
γραμμῆς, αὕτη δ' ἐπίπεδ᾽ Μν3. 1090 ᵇ5. Ζκ3. 699 ᵃ21.
ἄπειρον τοῖς ἐσχάτοις, opp τῇ διαιρέσει Φζ2. 233 ᵃ18, 25.
ηι. 242 ᵃ31. τὸ τῶν ἐσχάτων διάστημα μέγιστον· τὸ ἑνὸς
διαστήματος ᾧ πλείω δυοῖν τὰ ἔσχατα Μι4. 1055 ᵃ9, 20.
τὸ τῷ παντὸς·ἔσχατον ἄνω λέγομεν Οδ1. 308 ᵃ21. cf 3.
310 ᵇ9. μεταξὺ τῆς γῆς ᾧ τῶν ἐσχάτων ἄστρων sim μα3.
339 ᵇ14. 8. 345 ᵇ32. β9. 369 ᵃ17. τὰ ἔσχατα λεπτότατα
τῆς τριχός Ζγε5. 785 ᵃ36. ξηραίνεσθαι τὰ ἔσχατα ἀναγ-
καῖον Ζγβ4. 739 ᵇ24. — ἀπὸ Πλειάδος ἀνατολῆς μέχρι
'Αρκτύρυ δύσεως τὸ ἔσχατον Ζιθ15. 599 ᵇ11. ὁ τῶν ἑβδο-
μήκοντα ἐτῶν ἀριθμὸς ἔσχατος Πη16. 1335 ᵃ9. — ἔσχατον
σχῆμα (syllogismi) Αα32. 47 ᵇ5. ἐν τοῖς μαθηματικοῖς ἔσχα-
τον τρίγωνον Ηζ9. 1142 ᵃ28. ἀνάγεται τὸ διὰ τί εἰς τὸν λόγον
ἔσχατον ΜΑ3. 983 ᵃ28 Bz. cf Φβ7. 198 ᵃ16, 18. τὸ τέλος
ᾧ πέρας ἔσχατον Αγ24. 85 ᵇ30. βέλεται ᾧ πᾶν εἶναι τὸ
ἔσχατον τέλος, ἀλλὰ τὸ βέλτιστον Φβ2. 194 ᵃ32. εἰς ταύτην
ἀνάγυσι τὴν ἐσχάτην δόξαν Μγ3. 1005 ᵇ33. τὸ ἔσχατον
κινᾶν (id quod plerumque vocatur τὸ πρῶτον κινᾶν ἀκίνη-
τον, cf πρῶτον 1 b) Φη2. 244 ᵃ5, 245 ᵃ4. φωνῆς στοιχεῖα
ἐξ ὧν σύγκειται ἡ φωνὴ ᾧ εἰς ἃ διαιρεῖται ἔσχατα Μδ3.
1014 ᵃ29, 33. οἷς ἕν τι ᾧ ταὐτὸν ὑπόκειται, εἰς ὃ ἀναλύον-
ται ἔσχατον μα3. 339 ᵃ2. τὸ ἔσχατον ὑποκείμενον τὸ
αὐτὸ Μδ6. 1016 ᵃ23 Bz (eadem vi usurpari πρῶτον
ὑποκείμενον, πρώτη ὕλη cf πρῶτος 1 a). τὸ ὑποκείμενον
ἔσχατον, ὃ μηκέτι κατ' ἄλλε λέγεται Μδ8. 1017 ᵇ24. ᾗ
γίγνεται ᾗτε ἡ ὕλη ᾗτε τὸ εἶδος, λέγω δὲ τὰ ἔσχατα Μλ3.
1069 ᵇ36. cf ηι2. 390 ᵃ5. — δημοκρατία ἐσχάτη, δῆμος
ἔσχατος, syn ἄκρατος, τελευταία Πγ4. 1277 ᵇ3. δ11. 1296
ᵃ2. ε10. 1312 ᵇ36. ἀπέχεσθαι μηδενὸς τῶν ἐσχάτων Πη1.
1323 ᵃ31. ἀνάγκη τὰ ᾠὰ ἔχειν ψυχὴν τὴν ἐσχάτην, αὕτη
δ' ἐστὶν ἡ θρεπτικὴ Ζγβ5. 741 ᵃ24 (eandem vocari ψυχὴν
πρώτην cf πρῶτος 1 a). — logice to ἔσχατον significat id
quod ultimum est descendenti a summis generibus ad res
individuas. τὰ γένη, πότερον τὰ πρῶτα ἢ τὰ ἔσχατα κα-
τηγορύμενα ἐπὶ τοῖς ἀτόμοις Μβ3. 998 ᵇ16. cf τδ4. 124
ᵃ38 Wz (quamquam hic locus rectius videtur ad ἔσχατος
2 referri). ᾧ ἐπὶ τοῖς ἀτόμοις ἔσχατος τοιαύτη κατηγορία
Αδ13. 96 ᵇ12. πᾶσα ἐπιστήμη τῶν καθόλε ᾧ ᾧ τῶν ἐσχά-
των Μκ1. 1059 ᵇ26. τὰ ἔσχατα τῶν ἐκ τῷ γένεσ ἁπλύστερα
τῶν γενῶν Μκ1. 1059 ᵇ35. ἐσχάτη διαφορά, ἔσχατα εἴδη
Ζμα3. 643 ᵃ18, 644 ᵃ2. 4. 644 ᵇ25. ᾧ καθόλυ μᾶλ' ἐπιστη-
μονικὸν ὁμοίως εἶναι δοκεῖ τῷ καθόλυ τὸ ἔσχατον ὅρον
Ηη5. 1147 ᵇ14. ἔσχατος ὅρος, terminus minor Αα24. 25
ᵇ33 Wz. τὸ ἔσχατον ἄτομον Μι9. 1058 ᵇ10. τὸ ἄτομον ᾧ
ἔσχατον μν2. 451 ᵃ26, Wz I 284. τὰ ἔσχατα, coni syn τὰ
καθ' ἕκαστον Ηζ12. 1143 ᵃ29, 32. τὸ ἐσχάτη ᾧ φρόνησις
Ηζ9. 1142 ᵃ24 Fr, cf. 9. 1146 ᵃ9. τὸ ἔσχατον ἀρχὴ τῆς
πράξεως Ψψ10. 433 ᵃ16 Trdlbg. — 2. ἔσχατον id quod
proxime accedit ad aliud, ad quod refertur. τὸ ἔσχατον
πρὸς τὸ κινύμενον ᾧ τὴν γένεσιν· τὸ ἔσχατον ἀεὶ κινεῖ
κινύμενον Γα7. 324 ᵃ28 (cf supra ἔσχατον κινᾶν Φη2.
244 ᵇ4). πάσχειν διά τινων πόρων εἰσιόντος τῷ ποιύντος
ἔσχατα ᾧ κυριωτάτῃ Γα8. 324 ᵇ24. ἡ ἐσχάτη τροφή υ3.
456 ᵃ34. ζ4. 469 ᵃ32. πν1. 481 ᵃ11. τὸ προσιὸν ἔσχατον

Ζγα18. 725 ᵃ25. καθ' ἕκαστον ἐκ τῆς ἐσχάτης ὕλης ὁ Σωκράτης ἤδη ἐστίν Μζ10. 1035 ᵇ30 Bz. η6.1045 ᵇ18 Bz. — ἔσχατος fem, ἔσχατος τοιαύτη κατηγορία Αδ13. 96 ᵇ12. — ἐσχατώτερον τῦ ἐσχάτῳ ὐκ ἔστιν Μι4. 1055 ᵃ20. — ἐσχάτως διαμάχεσθαι Ζιι7. 613 ᵃ11.   5

ἔσω, i q ἔνδον. οἱ πολύποδες ὐκ ἔχυσιν ἔσω στερεὸν τοιῦτον ὐδὲν Ζιδ1. 524 ᵇ29. cf 9. 535 ᵇ4. πγ30. 875 ᵇ10. ιγ2. 907 ᵇ32 al. τὰ ἔσω πιδ3. 909 ᵃ26. ἡ ἔσω θάλασσα κ3. 393 ᵃ19, ᵇ29. — ἡ ἔσω (interior) Ἴρις μγ4. 375 ᵇ9. — λόγος ἔσω, syn ἐν τῇ ψυχῇ Αγ10. 76 ᵇ24 sqq. ἄλλυ τινὸς 10 ἔσω (ἐν ᾧ ci Bz Ar St II 400) φθειρομένυ ψα4. 408 ᵇ25.

ἔσωθεν. ἡ κίνησις γίνεται ἔσωθεν, ἔξωθεν πγ30. 875 ᵇ17. τὸ σπέρμα ἔσωθεν ἐκ θερμῦ ἐξέρχεται Ζγβ2. 735 ᵃ33. cf sim Ζιε5. 541 ᵃ5. ιʹ39. 623 ᵃ31. τῦ ἀναπνεῖν τὸ αἴτιον πότερον ἔσωθεν ἢ ἔξωθεν αν4. 472 ᵃ22. ἔσωθεν ἡ ἀρχὴ τῦ ἱδρῶτος 15 πβ28. 369 ᵃ14. ἡ ἀρχή ἐστιν ἔσωθεν, ἔξωθεν νεβ8. 1224 ᵇ15, 11. — i q ἔνδον. τήθυα ἀνοιχθέντα ἔσωθεν ὑμένα ἔχει Ζιδ6. 531 ᵃ16. πάντα σπλάγχνα ἔχει τὰ ἔσωθεν Ζιδ3. 527 ᵇ2. σμύρος ὀδόντας ἔχει ἔσωθεν κ̣ ἔξωθεν Ζιε10. 543 ᵃ27. cf δ8. 533 ᵃ6. ὁ καῦσος ἔσωθέν ἐστι κ̣ ὐκ ἐπιπολῆς 20 πα29. 862 ᵇ33.

ἑταίραις κ̣ ξένοις ἀφθόνως διδόναι Πε11. 1314 ᵇ4.

ἑταιρεία οἰκειότης συγγένεια, εἴδη φιλίας Ρβ4. 1381 ᵇ34 (v l ἑταιρία). αἱ βόες νέμονται καθ' ἑταιρείας κ̣ συνηθείας Ζιι4. 611 ᵃ7 (v l ἑταιρίας). ὀλιγαρχίαι ἢ ἐξ ἑταιρείας ἢ ἀπὸ 25 τῶν τιμημάτων ρ39. 1446 ᵇ25.

ἑταιρεῖός κ̣ ξένιος διὰ τί ὀνομάζεται ὁ θεός κ7. 401 ᵃ22.

ἑταιρία. μήτε συσσίτια ἐὰν μήτε ἑταιρίαν Πε11.1313 ᵃ41. τὰ συσσίτια τῶν ἑταιριῶν Πβ11. 1272 ᵇ34. αἱ ἀρχαὶ ἐκ τιμημά-των μεγάλων ἢ ἑταιριῶν Πε6. 1305 ᵇ32. ἐν Ἀβύδῳ ἐπὶ τῶν 30 ἑταιριῶν (v l ἑταιρειῶν) ὧν ἦν μία ἡ Ἰφιάδυ Πε6. 1306 ᵃ31.

ἑταιρικὴ φιλία Ηθ6. 1157 ᵇ23. 14. 1161 ᵇ12. ιʹ10. 1171 ᵃ14. ηεη9. 1241 ᵇ35. 10. 1242 ᵃ1sqq. ἡ τῶν ἀδελφῶν φιλία τῇ ἑταιρικῇ ὁμοιῦται Ηδ13. 1161 ᵃ25. 14. 1161 ᵇ35, 1162 ᵃ10. — ἑταιρικῶς. ἂν μὴ νομικῶς κ̣ ἑταιρικῶς προσφέ- 35 ρωνται ηεη1β. 1243 ᵃ5.

ἑταῖρος, coni ξένοι, φίλοι Πβ5. 1263 ᵇ6. ε4. 1303 ᵇ23. ἑταῖ-ροι οἱ συνήθεις Ηδ14. 1161 ᵇ35. de necessitudine quae est inter discipulum et magistrum, syn ἀκροατής Πβ12. 1274 ᵃ28, 29. Λεύκιππος κ̣ ὁ ἑταῖρος αὐτῦ Δημόκριτος ΜΑ4. 40 985 ᵇ4 Bz, sed etiam Socratem Aristippus appellat ὁ ἑταῖρος ἡμῶν Ρβ23. 1398 ᵇ31.

ἐτελίς (v l ἔτελις, εὐτελεῖς). refertur inter τὰ ᾠοτόκα κ̣ λε-πιδωτά Ζιζ̄13. 567 ᵃ20. (cf S I 455. Cuv II 127. Κ 749, 5. Sparus rayi? cf ΑΖι I 128, 19.)   45

ἑτερογενής. ὅσα ἑτερογενῆ Ζια18. 723 ᵇ7. ὑγίειαι κ̣ νόσοι κατὰ τὰς ὥρας τοῖς ἑτερογενέσιν ἔτερα Ζιδ18. 601 ᵃ25. τῶν ἑτερογενῶν Κ3. 1 ᵇ16 (sed τῶν ἑτέρων γενιῶν ex interpr graecis Wz, cf τα15. 107 ᵇ19).

ἑτερόγλαυκοι ἄνθρωποι, ἵπποι Ζγε1. 779 ᵇ4, 6, 780 ᵇ2. cf 50 Lob Phryn 137.

ἑτεροῖος. τὰ ἄμικτα κ̣ ἑτεροῖα κ5.396 ᵇ29. ὁδὸς διάφορος κ̣ ἑτεροία κ6. 398 ᵇ25.

ἑτεροιῦσθαι ξ1. 974 ᵃ20. 2. 976 ᵇ38.

ἑτεροίωσις, dist φορά Φδ9. 217 ᵇ26. τὰ ἐπὶ γῆς εὔτρεπτα 55 ὄντα πολλὰς ἑτεροιώσεις κ̣ πάθη ἀναδέχεται κ6. 400 ᵃ24.

ἑτερομήκης. ἑτερόμηκες, opp ἰσόπλευρον, τετράγωνον ψβ2. 413 ᵃ17. Κ8. 11 ᵃ10. ΜΑ5. 986 ᵃ26. ἑτερόμηκες et ἰσό-πλευρον Αγ4. 73 ᵇ1 dubitatur utrum ad numeros an ad figuras referendum sit Schol 203 ᵇ33.

ἕτερος. 1. ἰσημερία ἡ ἑτέρα, ἡ ἑτέρα ἄρκτος, ἡ ἑτέρα ἀναθυμίασις

μγ5. 377 ᵃ14. β5. 362 ᵃ32. γ1. 370 ᵇ14. — τοιῦτον ἔτε-ρον, τοιαῦτα ἔτερα μβ3. 359 ᵃ35. Πγ15. 1286 ᵃ34. Ηε4. 1166 ᵇ16. τοιῦτον ἔτερον οἷον αὐτό μδ3. 380 ᵃ14. ἀεὶ ἔτερα, opp ἀεὶ τὸ αὐτό μα8. 345 ᵃ34. ἔτερον ἀεὶ γιγνόμενον μβ7. 365 ᵃ30. ὁ μοχθηρὸς τῆς αὐτῆς ἡμέρας ἔτερος κ̣ ἔμπληκτος ηεη6. 1240 ᵇ17. ἔτερος αὐτός ὁ φίλος Ηι9. 1170 ᵇ6, 1169 ᵇ6. θ14. 1161 ᵇ28. ἔτερος ἐγὼ ηιμβ15. 1213 ᵃ11, 24. ὁ δίκαιος ἑτέρῳ ποιεῖ Ηε10. 1134 ᵇ5. λαμβάνειν ἔτερα ἀνθ' ἑτέρων μγ4. 375 ᵃ28, sed pariter ἔτεροι et ἄλλοι inter se opponuntur, ὅταν ἄλλων ἐκπνεόντων ἀνέμων ἐμπίπτωσιν ἔτεροι μβ6. 365 ᵃ4, cf Ηε4. 1166 ᵇ7. Πδ11. 1296 ᵇ11. εἴρηται (διώρισται sim) ἐν ἑτέροις τη3. 153 ᵃ24. ιʹ2. 165 ᵇ6. Γα2. 316 ᵇ17. 5. 320 ᵇ28. β1. 329 ᵃ27. 10. 337 ᵃ18. μγ1. 371 ᵇ1. δ3. 381 ᵇ13. αν7. 473 ᵃ27 al (frequentior haec formula, sed non deest altera εἴρηται ἐν ἄλλοις Φα8. 191 ᵇ29. Γα2. 315 ᵇ31. 5. 320 ᵇ18. β10. 336 ᵇ29. μβ3. 359 ᵇ21). περὶ τύτων ἔτερος ἔστω λόγος Πγ11. 1281 ᵃ39. Ογ1. 299 ᵃ1. ψγ3. 427 ᵇ26 (cf υ3. 458 ᵃ20). ζ2. 468 ᵃ31 (aliter ἄλλος λόγος ψβ7. 419 ᵃ7. μν1. 450 ᵃ9). τῷ νόμῳ κ̣ ἔτεροί τινες ἐπιτετιμήκασι Πβ9. 1271 ᵃ38. — 2. notio τῦ ἑτέρῳ. ἀντικειμένως τῷ ταὐτῷ λέγεται τὸ ἔτε-ρον Μδ9. 1018 ᵃ11. ἐναντίον τὸ ἔτερον τῷ ταὐτῷ κ̣ τὸ ἄλλο αὐτῷ Μι1.1087 ᵇ29, cf ᵇ26. τὸ ἔτερον γένος ἐστὶ τὸ διάφορῳ κ̣ τῷ ἐναντίῳ τὸ4. 125 ᵃ3. τὸ ἔτερον πολλαχῶς λέγεται τε4.133 ᵇ15. Μδ10.1018 ᵃ37. ιʹ3.1054 ᵇ14. eius genera distinguuntur Μι3. 1054 ᵇ15-22 Bz (syn ἄλλο ᵇ14, 15). ἔτερα λέγομεν ὧν ἢ τὰ εἴδη πλείω ἢ ἡ ὕλη ἢ ὁ λό-γος τῆς ὐσίας Μδ9. 1018 ᵃ9 Bz. ἔτερα τῷ γένει Μδ28. 1024 ᵇ19 Bz. Ζιβ1. 497 ᵇ9, 10, 11. πο1. 1447 ᵃ17. ἔτερα τῷ εἴδει τίνα Μδ10. 1018 ᵃ38, 28. ιʹ8 Bz. 9. 1058 ᵃ35. Ζιβ1. 497 ᵇ12. ταὐτὰ κ̣ ἔτερα κατ' εἶδος, καθ' ὑπεροχήν, κατ' ἀναλογίαν, τῇ θέσει Ζια2. 488 ᵇ30. ἔτερον τῷ λόγῳ Φγ3. 202 ᵇ22. κ̣ λόγῳ κ̣ δυνάμει ἔτερον ψγ9. 432 ᵇ3. καθ' ἕτερον, opp καθ' αὐτό Φδ5. 257 ᵃ31. ζ6. 236 ᵇ21. — 3. constructio et formae. ἕτερόν τινος τὸ4. 125 ᵃ3. μα3. 340 ᵇ7. ψγ9. 432 ᵇ3. Ηγ2. 1110 ᵇ24. κ2. 1173 ᵇ28. ἕτε-ρον παρά τι Πδ15. 1299 ᵃ18. ὐδὲν ἕτερον ἢ τε5. 134 ᵃ35 Wz. — ἅτερος, ἅτεροι Αγ24. 85 ᵇ5. μβ6. 364 ᵃ29. Μγ4. 1008 ᵇ36. Πκ6. 1255 ᵃ20. γ9. 1280 ᵇ2. δ12. 1297 ᵃ2. ε4. 1304 ᵃ16. η14. 1332 ᵇ17. Ργ18. 1419 ᵃ32. μχ24. 856 ᵃ22, 26. 29. 857 ᵇ14, 19. θάτερον, θατέρυ, θατέρῳ Κ8. 10 ᵇ18. 11. 14 ᵃ7. Πγ2. 1275 ᵇ23. 10. 1281 ᵃ27. ιʹ2. 1296 ᵇ39. μχ29. 857 ᵇ19. ἐπὶ θάτερα, opp ἐπ' ἀμφότερα Οα5. 272 ᵃ12, 13. Φζ2. 233 ᵇ12. κατὰ θάτερον Πη6. 1327 ᵃ24. τὴν ἴσην ἀντίστασιν ἔχει τὰ βαρέα πρὸς τὰ κῦφα κ̣ τὰ θερμὰ πρὸς τὰ θάτερα κ5. 397 ᵃ2. — ἑτέρως Φθ3. 254 ᵃ29. Οβ2. 284 ᵇ9. Μθ6. 1048 ᵃ30. πο1. 1447 ᵃ17. κ2. 391 ᵇ10. πγ10. 872 ᵇ7. ποῖα ὡσαύτως κ̣ ποῖα ὡς ἑτέ-ρως λέγεται τι7. 169 ᵃ31.

ἑτερότης Φη4. 249 ᵇ23. ἡ διαφορὰ ἑτερότης Μγ2. 1004 ᵃ21. διαφορὰ κ̣ ἑτερότης ἄλλο Μι3. 1054 ᵇ23. λέγω γένει τὴν δια-φορὰν ἑτερότητα Μι8. 1058 ᵃ8. ὅσα ἔχει ἐν τῇ ὐσίᾳ τὴν ἑτε-ρότητα Μδ9. 1018 ᵃ15. ἑτερότητα κ̣ ἀνισότητα φάσκοντες εἶναι τὴν κίνησιν Φγ2. 201 ᵇ20.

ἑτερόφθαλμος (cf Lob Phryn 137). Ζπ17. 714 ᵃ7. πλα7. 958 ᵃ32. dist τυφλός Μδ22. 1023 ᵃ5. τὸ τυφλῶσαι ἑτε-ρόφθαλμον ζημία Ρα7. 1365 ᵇ18. — περιιδεῖν τὴν Ἑλλάδα ἑτερόφθαλμον γενομένην (cf Δεμτίνης) Ργ10. 1411 ᵃ5.

ἑτέρωθεν πορίζειν Ηδ3. 1121 ᵃ34.

ἑτέρωθι ψα2. 404 ᵇ2. ἑτέρωθί πυ τῦ σώματος Ζμγ2. 663 ᵇ3.

ἐτησίαι. περὶ ἐτησίων μβ5. 361 ᵇ35 sqq. 6. 365 ᵃ6. πκς51.

946 ᵃ10. ἐτησίαι ⳤ πρόδρομοι μβ5. 361 ᵇ24. πκε16. 939
ᵇ10. ἐτησίαι βορέαι πκς2. 940 ᵃ38.
ἐτήσιος (Lob Proleg 499). βορέαι ἐτήσιοι γίνονται, νότοι δ'
ⱶ πκς2. 840 ᵃ35. cf Heros de ventis 29. 30.
ἔτι. 1. usu temporali, μὴ μέντοι γ' ἔτι μένειν ἐν Συρακύ- 5
σαις Πα11. 1259 ᵃ29 al. — 2. usu cumulativo. τὸ τοσῦτον
ⳤ ἔτι Οα6. 273 ᵇ31. κινεῖσθαι τοσόνδε ὅσον τὸ πεπερα-
σμένον ⳤ ἔτι Οα6. 274 ᵃ5. — μᾶλλον ἔτι, ἔτι ἧττον μγ4.
373 ᵇ15. δ'12. 390 ᵃ3. — ⳤ πρὸς τύτοις ἔτι μα8. 346 ᵃ10.
ἐγγίνονται δύο ἥ τε πρὸς ἀλλήλυς στάσις ⳤ ἔτι ἡ πρὸς τὸν 10
δῆμον Πε1. 1302 ᵃ11. cf Ηη12. 1152 ᵇ21 et pariter usur-
patum ἔτι δὲ μα1. 388 ᵇ25. 5. 342 ᵇ22. Ηα1. 1094 ᵇ5 al.
— usitatissimum Aristoteli in enumerandis argumentis vel
dubitationibus singula membra ordiri a part ἔτι δὲ vel
ἔτι veluti intra idem caput Φδ1 ἔτι δὲ 208 ᵃ34, ᵇ8, 209 15
ᵃ18, 23, ἔτι 209 ᵃ7, 26.
ἔτνος ζέον ἐκπαφλάζει πκθ9. 936 ᵇ24.
ἕτοιμος. ἐξ ἑτοίμⱳ χρῆσθαί τισιν ρ39. 1445 ᵇ26. — ἑτοί-
μως. εἰ ⳤ πάνυ ἑτοίμως ἀποθνήσκει (ἀποθνήσκειν codd,
ἕτοιμος ἀποθνήσκειν Bk) ηεγ1. 1229 ᵇ39. ὕτως ἂν ἑτοιμό- 20
τατον λέγειν δυνηθείημεν ρ2. 1421 ᵇ14.
ἔτος ἐπόμβρον. ὑγρόν, ἔνυγρον, εὐδιεινόν, ἀνεμῶδες, λοιμῶδες
μβ4. 360 ᵇ4. Ζιζ15. 569 ᵇ22. πα21. 862 ᵃ5, 6. διὰ πέντε
ἐτῶν Πε7. 1307 ᵇ7. προσέχειν τῷ πολλῷ χρόνῳ ⳤ τοῖς
πολλοῖς ἔτεσιν Πβ5. 1264 ᵃ2. 25
Etruscorum praedonum crudelitas f36. 1480 ᵇ34.
Etymologica. Ar aliquoties ut explicatam alicuius nominis
vim ac notionem comprobet (τβ6. 112 ᵃ32), originem vocabuli
adhibet. ἀδελφός (δελφύς) Ζιγ1. 510 ᵇ14. αἰθήρ (ἀεὶ θεῖν)
Οα3. 270 ᵇ22. μα3. 339 ᵇ25. cf κ2. 392 ᵃ8 (Plat Cratyl 30
410 B). αἰών (ἀεὶ ὢν) Οα9. 279 ᵃ27. ἀορτή (καλῦσί τινες
ἀορτὴν ἐκ τὸ τεθεᾶθαι ⳤ ἐκ τοῦ τεθνεῶσι τὸ νευρῶδες αὐτῆς
μόριον?) Ζιγ3. 513 ᵃ20. ΚαΖι107, 2. αὐτόματον (ὅταν αὐτὸ
μάτην γένηται) Φβ6. 197 ᵇ29. Ἀφροδίτη (ὅτι ἀφρώδης ἡ
τῆ σπέρματος φύσις) Ζγβ2. 736 ᵃ20. γῆρας (γεηρόν) Ζγε3. 35
783 ᵇ6. ἦθος (ἔθος) Ηβ1. 1103 ᵃ3. ἰαμβεῖον (ἰαμβίζειν)
πο4. 1448 ᵇ31. μακάριος (χαίρειν) Ηζ12. 1152 ᵇ7. μετα-
βολή (μετ' ἄλλο) Φε1. 225 ᵃ1. οἰσοφάγος (ἀπὸ τῆ μήκ-
κυς ⳤ τῆς στενότητος? cf S et Aub) Ζια16. 495 ᵃ19. ὀσφὺς
(ἰσοφυές) Ζια13. 493 ᵃ22. πνεύμων (διὰ τὴν τῦ πνεύματος 40
ὑποδοχήν) αν10. 476 ᵃ9. πόδες (ἀπὸ τῦ πέδυ) Ζπ5. 706
ᵃ33. πρόσωπον (πρόσωθεν ὅπωπε) Ζμγ1. 662 ᵇ19. συνεχὲς
(συνέχεσθαι) Φε3. 227 ᵃ12. σωφροσύνη (σώζυσα τὴν φρό-
νησιν) Ηζ5. 1140 ᵇ11. τραγᾶν τὺς ἀμπέλυς (ἀπὸ τὸ πά-
θυς τῶν τράγων) Ζγα18. 726 ᵃ2. φαντασία (φάος) ψγ3. 45
429 ᵃ3. φρένες (μετέχυσαί τι τῦ φρονεῖν) Ζμγ10. 672 ᵇ31.
— haud pauca etymologicae specimina reperi-
untur in libris dubiae originis et pseudepigraphis: ἀμίαι
(ⱶ κατὰ μίαν φέρονται) f313. 1531 ᵃ27. Ἄμφισσα (διὰ
τὸ περιέχεσθαι τὸν τόπον ὄρεσιν) f 522. 1563 ᵇ17. ἀφύαι 50
(ἀφυεῖς ὗσαι, τυτέστι δυσφυεῖς) f 313. 1531 ᵃ29. ἐπιστήμη
(ἐφιστάναι τὴν διάνοιαν) πλ14. 956 ᵇ40, 957 ᵃ6. cf Φη3.
247 ᵇ11. Δῆλος (πρὶν ἀδηλόν ⳤ Ζεὺς δῆλον ἐποίησε) f446.
1551 ᵇ6, 10. ἥρως (ἀήρ) f 598. 1578 ᵃ16. θύννος (θύειν?)
f 313. 1531 ᵃ39. καλλικύριοι (ἀπὸ τῦ εἰς ταὐτὸ συνελθεῖν 55
πανθοδαποὶ ὄντες) f 544. 1568 ᵃ43. κρόμμυον (κόρην ποιῶν
συμμύειν) πκ22. 925 ᵃ28. ὀφέλλειν (ὀφελλειν) f 539. 1567
ᵇ5. προσέληνοι (πρὸ τὸ ἐπιτεῖλαι τὴν σελήνην) f 549. 1569
ᵃ2. σκάρος, χαρὶς (σκαίρειν) f 313. 1531 ᵃ28. στέφανος
(στέφειν) f 168. 1495 ᵇ9, 13. φυσιογνωμονία (περὶ τὰ φυ- 60
σικὰ παθήματα τῶν ἐν τῇ διανοίᾳ) φ2. 806 ᵃ23. — prae-

cipue auctor libri περὶ κόσμυ vocabulorum originem ad
comprobandas sententias suas adhibet. Ἀδράστεια (ἀναπό-
δραστος ὗσα) κ7. 401 ᵇ13. αἶσα (ἀεὶ ὗσα) κ7. 401 ᵇ14.
ἀνάγκη (ἀνίκητος ὗσία) κ7. 401 ᵇ8. Ἄτροπος (τὰ παρελ-
θόντα ἄτρεπτα) κ7. 401 ᵇ18. εἱμαρμένη (εἴρειν ⳤ χωρεῖν
ἀκωλύτως) κ7. 401 ᵇ9. Ζῆνα ⳤ Δία (δι' ὃν ζῶμεν) κ7.
401 ᵃ14. Κλωθώ (κλώθυσα ἑκάστῳ τὰ οἰκεῖα) κ7. 401 ᵇ21.
Κρόνος (Χρόνος) κ7. 401 ᵃ15. Λάχεσις (εἰς πάντα ἡ κατὰ
φύσιν μένει λῆξις) κ7. 401 ᵇ20. μοῖρα (ἀπὸ τῦ μεμερίσθαι)
κ7. 401 ᵇ12. Νέμεσις (ἀπὸ τῆς ἑκάστυ διανεμήσεως) κ7.
401 ᵇ12. Ὄλυμπος (ὁλολαμπής) κ6. 400 ᵃ5. ὑρανός (ὅρος
τῶν ἄνω) κ6. 400 ᵃ5. πεπρωμένη (διὰ τὸ πεπερατῶσθαι πάντα)
κ7. 401 ᵇ10.
ἐτύμως. κόσμον ἐτύμως (i e secundum originem ac vim
vocabuli) τὸ σύμπαν ἀλλ' ὐκ ἀκοσμίαν ὀνομάζυσιν κ6.
399 ᵃ14, 400 ᵃ6. 7. 401 ᵃ25.
εὖ. ἡ ἀορτὴ εὖ μάλα κοίλη Ζιγ4. 514 ᵇ22. — ὅταν τὸ θέρος
ἐνέγκῃ εὖ Ζιθ21. 603 ᵇ13. — εὖ ποιεῖν φίλον Η11. 1171
ᵇ21. διὰ τί μᾶλλον φιλῦσιν οἱ εὖ ποιήσαντες τὺς εὖ πα-
θόντας Ηι7. κεη8. εὖ ἔχειν τὴν ψυχήν Πα13. 1260 ᵃ26.
εὖ ζῆν, syn σωφρόνως ζῆν Πβ6. 1265 ᵃ31. εὖ ζῆν, syn
καλῶς ζῆν Η10. 1170 ᵇ27. τὸ γὰρ εὖ τῷ καλῶς ταυτόν
Ηζ11. 1143 ᵃ15. φοβηθῆναι ⳤ θαρρῆσαι μᾶλλον ⳤ ἧττον,
ἀμφότερα ὐκ εὖ Ηβ5. 1106 ᵇ21. ὁρίζονται, ὐκ εὖ δὲ Ηβ2.
1104 ᵇ25. — frequentissime legitur τὸ εὖ, vel ita, ut e
contextu orationis infinitivo verbi alicuius cogitatione ad-
datur, veluti κιθαριστῦ τὸ κιθαρίζειν. σπυδαῖα δὲ τὸ εὖ (sc
κιθαρίζειν) Ηα6. 1098 ᵃ12. cf Ηβ6. 1107 ᵃ15. 9. 1109
ᵃ29. Οβ12. 292 ᵃ23 al, vel ita, ut τὸ εὖ in substantivi
naturam abire videatur, syn τὸ ἀγαθόν, τὸ καλόν (neque
utriusque usus fines ubique accurate circumscribi possint)
Ηβ2. 1105 ᵃ10. 3. 1105 ᵃ27. 5. 1106 ᵇ12. 9. 1109 ᵃ29,
ᵇ18. Μδ16. 1021 ᵇ15. Ρη11. 1412 ᵇ13. ηπ26. 1462 ᵇ18.
τἀγαθὸν ⳤ τὸ εὖ Ηα6. 1097 ᵇ27. τὸ ἄριστον ⳤ τὸ εὖ Ηβ6.
1107 ᵃ8. τὸ μέσον ⳤ τὸ εὖ Ηβ9. 1109 ᵇ26. τὸ εὖ ἐστὶ
τὸ μετρίως Ργ16. 1416 ᵇ34. τὸ εὖ σπάνιον, ἐπαινετόν, κα-
λόν Ηβ9. 1109 ᵇ27 f 83. 1490 ᵃ14. τὸ εὖ ἀπὸ τῶν
ἀριθμῶν Μν6. 1092 ᵇ26. τὸ εὖ, opp τὸ ἀναγκαῖον ⳤ ββ8.
420 ᵇ22 (Trdbg p 392). opp. ἡ σωτηρία αι1. 437 ᵃ1. Πα2.
1252 ᵇ30. cf f 39. 1481 ᵃ13.
εὐαγής. τοῖς εἵλωσι καταγγέλλειν τὸν πόλεμον, ὅπως εὐαγὲς
ᾖ τὸ ἀνελεῖν f 495. 1558 ᵇ32.
Εὐαγόρας ὁ Κύπριος Πε10. 1311 ᵇ5.
εὐαγωγία ⳤ εὐφυΐα τῶν σωμάτων φ6. 814 ᵃ4. εὐαγωγία
ἀκολυθεῖ τῇ ἐλευθεριότητι αρ5. 1250 ᵇ32.
εὐαγωγοὶ τῷ νομοθέτῃ πρὸς ἀρετὴν Πη7. 1327 ᵇ38.
Εὐάθλον κατηγορηκέναι Πρωταγόρυ f 56. 1485 ᵃ8.
Εὐαίμονος υἱὸς Εὐρύπυλος f 596. 1576 ᵃ20.
Εὐαίσης Σύρος οβ 1352 ᵃ9.
εὐαισθησία (cf εὐαίσθητος 1) Ζμβ10. 656 ᵃ16.
εὐαίσθητος. 1. act ἐλέφας εὐαίσθητος Ζυ46. 630 ᵇ21. ὁ
ἄνθρωπος εὐαισθητότατος τῶν ἄλλων ζώων Ζμβ17. 660
ᵃ20. Ζγε2. 781 ᵇ19. πζ6. 887 ᵃ7. — 2. pass εὐαισθητό-
τερα τὰ παρ' ἄλληλα τιθέμενα Οβ6. 289 ᵃ7.
εὐαλαζόνευτα ⳤ ἐντιμότερα Ρβ15. 1390 ᵃ21.
εὐαλώγως διὰ τὴν παχύτητα Ζυ5. 611 ᵃ25.
εὐανάγνωστον τὸ δεῖ εἶναι τὸ γεγραμμένον Ργ5. 1407 ᵇ11.
εὐαναλώτοις περὶ τὰ καθ' ἕκαστον ἐρευνᾶις ἐνδιατρίβειν
φτα1. 815 ᵃ30.
εὐανάπνευστος ἡ ἐν κώλοις λέξις Ργ9. 1409 ᵇ14.
εὐανθής. τὸ ἀλυργὲς εὐανθὲς γίνεται ⳤ λαμπρόν χ2. 792 ᵃ15.

5. 797 ᵃ8. πτέρωμα εὐανθὲς ὂν ᛕ στίλβον χ2. 792 ᵃ28. τὸ ὄρφνιον εὐανθέστερον γίνεται τῶν μελάνων ἢ τῶν λευκῶν χ4. 794 ᵇ5.

εὐαπαλλακτότερον πάθος πε22. 883 ᵃ18.

εὐαπάτητοι ἐν ἐπιθυμίαις, διὰ πάθος εν2. 460 ᵇ9. 3. 461 ᵇ8. τὸ θῆλυ εὐαπατητότερον Ζιι1. 608 ᵇ12.

εὐαπόλυτος Ζιδ4. 530 ᵃ6.

εὐαπόσπαστα ἀλλήλων ἔκγονα Ζιε18. 550 ᵃ12.

εὐαρίθμητος. καρκίνων γένος ἐκ εὐαρίθμητον Ζιδ2. 525 ᵇ4.

εὐαρμοστία πεγ2. 1231 ᵃ1.

εὐάρμοστος. αἱ διὰ τῆς ἀκοῆς ἡδοναὶ τῶν εὐαρμόστων ᛕ ἀνορμόστων πεγ2. 1230 ᵇ28, 1231 ᵃ3. εὐαρμοστότερον ἀπὸ τῶ ὀξέος ἐπὶ τὸ βαρὺ πιθ33. 920 ᵃ19. — εὐαρμόστως ἡ μέση ἀν ἕξις ἔχοι φ6. 812 ᵃ2.

εὔαρχος. οἱ θυμοειδεῖς δῶλοι ἐκ εὔαρχοι οα5. 1344 ᵇ14.

Εὔαρχος τι33. 182 ᵇ20 (lusus etymologicus).

εὐαυγέστατος (v l εὐαγέστατος) λαμπρότητι ὁ κόσμος κ5. 397 ᵃ16.

εὐαυξής. μέρος αἰδοίω χονδρῶδες, εὐαυξές Ζια13. 493 ᵃ30. εὐαυξὴς ὁ περίδρομος τῶν τριχῶν φ3. 808 ᵃ23. εὐαυξέστερον κατὰ μῆκος Ζμγ12. 673 ᵇ34.

εὐβάστακτος. ἐκ εὐβίαστον ἕκαστον τῶν κατὰ φύσιν ἀναγκαίων Πα9. 1257 ᵃ34. τὰ εὐβάστακτα ᛕ ἐν μικροῖς τόποις ἀφανιζόμενα Ρα12. 1373 ᵃ32.

εὔβιος. φρυνολόγοι εὐβιώτατοι Ζυ36. 620 ᵃ21.

εὐβίοτος ὁ ἄνθος, ὁ κύκνος al Ζιι1. 609 ᵇ19 (coni χρόαν ἔχει καλήν). 11. 615 ᵃ18, 16 (coni ᾠδικός). 12. 615 ᵃ28 (coni τὴν χρόαν καλὴν ἔχει), 32. 15. 616 ᵇ10 (coni πολυτέκνος). 17. 616 ᵇ23. 34. 619 ᵇ23 (coni εὔτεκνος).

εὔβλαπτος ὁ ἐκτὸς τῶ σώματος τόπος Ζπα12. 719 ᵃ34.

εὐβοήθητος χώρα Πη5. 1327 ᵃ3. εὐβοηθήτως εἶναι δεῖ τᾶς κατὰ πόλεμον σωθησομένας Πη6. 1327 ᵃ21. εὐβοήθητοι νόσοι πα25. 862 ᵇ6.

Εὔβοια Ργ10. 1411 ᵃ9. σ973 ᵃ21,22,ᵇ21. f 238.1521ᵇ14, 15, 1522 ᵃ5. — σεισμοὶ ἐν Εὐβοίᾳ μβ8. 366 ᵃ27. μεγάλη νῆσος κ3. 393 ᵃ13. fluvii Κέρβης et Νηλεύς θ170. 846 ᵇ36. Χαλκὶς τῆς Εὐβοίας Ζμδ2. 677 ᵃ3. ἡ ἐν Εὐβοίᾳ Χαλκιδικὴ Ζια17. 496 ᵇ25. οἱ ἐν Εὐβοίᾳ Χαλκιδεῖς f 93. 1492 ᵇ27. οἱ Εὔβοιαν ἐποικήσαντες Ἄβαντες f 559. 1570 ᵃ34.

εὐβοσία. χώρα ἔχει πολλὴν εὐβοσίαν Ζιγ21. 522 ᵇ22. ὅταν εὐβοσία ᛕ ἀφθονία γένηται τροφῆς Ζιζ22. 575 ᵇ32. ζῶα χρώμενα εὐβοσίᾳ Ζιγ16. 519 ᵇ33. 10. 517 ᵇ15. ἡ εὐβοσίαν (διδυμοτοκεῖν al) Ζιζ19. 573 ᵇ31. γι7. 520 ᵃ33. Ζγα 18. 726 ᵃ6. ἐκτρέφει διὰ τὴν τῶ σώματος εὐβοσίαν Ζγδ6. 774 ᵇ25.

εὐβυλία, def Ηζ10. ᶠ142 ᵇ22,27. dist ἐπιστήμη, δόξα, εὐστοχία, ἀγχίνοια Ηζ10. dist φρόνησις Ηζ10. 1142 ᵇ32. ημβ3. 1199 ᵃ4-14. εὐβυλία ᛕ ἀγχίνοια, μέρη φρονήσεως αρ4. 1250 ᵃ39.

εὔβυλος, def Ηζ8. 1141 ᵇ13. opp εὐτυχής ημβ3. 1199 ᵃ12.

Eubulides, eius sophismata (cf Diog L II 108) afferuntur, auctore non nominato, ὁ ψευδόμενος Ρβ3. 1146 ᵃ22. τι25. 180ᵃ34, ᵇ2 Alex ad h l, ὁ ἐγκεκαλυμμένος τι24. 179 ᵃ33 Alex ad h l. Zeller Gesch II, 1. 188, 2.

Εὔβυλος orator κατὰ Χάρητος Ρα15. 1376 ᵃ9. — Εὔβυλος Atarnei tyrannus Πβ7. 1267 ᵃ31.

εὐγένεια. def Πγ13. 1283 ᵃ37. δ8. 1294 ᵃ21. Ρα5. 1360 ᵇ31-38. β15. 1390 ᵇ18. f 82. 1490 ᵃ5. 83. 1490 ᵇ6. 85. 1490 ᵇ43. coni ἀρετή. παιδεία, ἐλευθερία, πλῆτος, κάλλος Πγ12. 1282 ᵇ38. δ4.1291ᵇ28. 8.1293ᵇ37. 12.1296ᵇ18. ε1. 1301 ᵇ40. διαφέρειν τῇ εὐγενείᾳ Πγ13. 1283 ᵇ19. ἡ

εὐγένεια παρ' ἑκάστοις οἴκοι τίμιος Πγ13. 1283 ᵃ35, cf α6. 1255 ᵃ33. οἱ ὀλιγαρχικοὶ εὐγένειαν τὴν ἀξίαν λέγωσιν Ηε6. 1131 ᵃ28. — εὐγενείας ἦθος Ρβ15.

εὐγενής, def Πε1. 1301 ᵇ3. f 82. 1490 ᵃ6, 15. 83. 1490 ᵃ19. ζῶον εὐγενές, def Ζια1. 488 ᵇ17, 18. dist γενναῖος Ρβ15. 1390 ᵇ22. εὐγενεῖς, coni ἀγαθοί, ἐλεύθεροι, πλήσιοι Πγ12. 1283 ᵃ16. ε1. 1302 ᵃ1. Ηδ8. 1124 ᵃ21. coni ἔνδοξοι Ηδ5. 1122 ᵇ31. ἦθος εὐγενὲς ᛕ ὡς ἀληθῶς φιλόκαλον Ηκ10. 1179 ᵇ8. τὸν εὐγενῆ εὐτυχῆ λέγομεν ημβ8. 1207 ᵃ24. εὐγενεῖς παρ' αὑτοῖς, opp πανταχῇ, ἁπλῶς Πα6. 1255 ᵃ27, 33, 35, 40. τὸ εὐγενὲς ζῶον, ὃ τὸν ὠρανὸν περιοδεύει· διοίκησιν εὐγενεστέραν ἔχει ὁ ὠρανός φτα1. 816 ᵃ22, 32. — εὐγενέστεροι Πγ12. 1282 ᵇ32. οἱ πλήσιοι ᛕ εὐγενέστεροι ὀλίγοι ὄντες Πδ4. 1290 ᵇ19. — εὐγενέστατοι Πα6. 1255 ᵃ27. — (εὐγενεῖς, fort scribendum ἀγεννεῖς φ6. 811 ᵃ23.)

εὐγηρία, def Ρα5. 1361 ᵇ26-35.

εὔγηρως τίς Ρα5. 1361 ᵇ28. — οἱ κύκνοι εὔγηροι Ζυ12. 615 ᵃ33.

εὐγνωμονεῖν. βασιλικώτερον τὴν ψυχὴν ἔχειν εὐγνωμονῆσαν ρ1. 1420 ᵃ16.

εὐγνωμοσύνη, def, dist ἐπιείκεια ημβ2. ἀκολυθεῖ τῇ ἀρετῇ αρ8. 1251 ᵇ34.

εὐγνώμων, def, coni συγγνώμων, συνετός Ηζ11. 1143 ᵃ19. 12. 1143 ᵃ30. def, dist ἐπιεικής ημβ2.

εὐγώνιος ὀπή, dist στρογγύλον πιε11. 912 ᵇ15.

εὐδαιμονεῖν, i q εὐδαίμονα εἶναι Ηα10. 1099 ᵇ20. Ρβ24. 1401 ᵇ27, 28. Πβ5. 1264 ᵇ19, 21 al. syn εὖ ζῆν, εὖ πράττειν, μακαρίως ᛕ καλῶς ζῆν Ηα2. 1095 ᵃ20. ηεα1. 1214 ᵃ30. τὸ εὐδαιμονεῖν ἐξ ἀμφοτέρων τύτων (τῶ καλῶ ᛕ τῆς ἡδονῆς) ἐστὶ Πθ5. 1339 ᵇ19. εὐδαιμονήσειν Ηα5. 1097 ᵇ5. οἱ Ἀθηναῖοι εὐδαιμόνησαν Ρβ23. 1398 ᵇ17. τὸν εὐδαιμονήσαντα Ηκ9. 1179 ᵃ1. — ὅστις πάντ' ἀνὴρ εὐδαιμονεῖ (Eur fr 662) Ρβ21. 1394 ᵇ2.

εὐδαιμονία, opp κακοδαιμονία πο6. 1450 ᵃ17. περὶ εὐδαιμονίας Ηα. κ6-9. ηεα. ημβ6-7. Ρα5. — ἡ εὐδαιμονία ἀκρότατον τῶν πρακτῶν ἀγαθῶν, ἄριστον ᛕ κάλλιστον ᛕ ἥδιστον. τέλος τῶν ἀνθρωπίνων. τέλεον ἀγαθόν, καθ' αὑτὸ αἱρετόν (cf ἀγαθόν) Ηα2. 1095 ᵃ16. 9. 1099 ᵃ24. κ6. 1176 ᵃ31, ᵇ31. ηεα1. 1214 ᵃ7. 7. 1217 ᵃ40. β1. 1219 ᵃ28. Πη8. 1328 ᵃ37. 13. 1331 ᵇ39. Ρα6. 1362 ᵇ10. ἡ εὐδαιμονία πάντων αἱρετωτάτη μὴ συναριθμυμένη Ηα5. 1097 ᵇ16, τέλειον, αὔταρκες Ηα5. 1097 ᵇ1, 16. κ14. 1153 ᵇ16. κ6. 1176 ᵇ5. 7. 1177 ᵇ25. ηεα2. 1238 ᵃ12. Ρα6. 1362 ᵇ10, μόνιμον, ὀ εὐμετάβολον Ηα11. 1100 ᵇ2. ἡ εὐδαιμονία τῶν τιμίων, ᛕ τῶν ἐπαινετῶν Ηα12. μὴ μετέχειν τὰ λοιπὰ ζῶα εὐδαιμονίας Ηκ8. 1178 ᵇ23-28. ηεα7. 1217 ᵃ24. — variae de εὐδαιμονίας sententiae: utrum cernatur in φρονήσει, an ἀρετῇ an ἡδονῇ Ηα2. 1095 ᵃ20-3. 1096 ᵃ10. ηεα1. 1214 ᵃ30sqq. 4. 1215 ᵇ5-14. ἡ εὐδαιμονία πότερον μαθητὸν ἢ ἐθιστὸν ἢ ἄλλως πως ἀσκητὸν ἢ κατά τινα θείαν μοῖραν ἢ ᛕ διὰ τύχην παραγίνεται Ηα10. 1099 ᵇ9sqq. ηεα1. 1214 ᵃ14-30. — notio εὐδαιμονίας. ἡ εὐδαιμονία ἐκ ἔστιν ἕξις, ἀ ποιότης Ηκ6. 1176 ᵃ34. πο6. 1450 ᵃ18. ἡ εὐδαιμονία ἐνέργειά τις, πρᾶξίς τις, ζωῆς τελείας ἐνέργεια κατ' ἀρετὴν τελείαν, ψυχῆς ἀγαθῆς ἐνέργεια. ἐνέργεια ᛕ χρῆσις ἀρετῆς τελεία Ηκ6. 1176 ᵇ1, 4, 1177 ᵃ10. 7. 1177 ᵃ22. η14. 1153 ᵇ11. α6. 1098 ᵃ16. ι9. 1169 ᵇ29. ηεβ1. 1219 ᵃ39, 35. ημβ7. 1204 ᵃ28. Πη1. 1323 ᵇ21. 3. 1325 ᵃ32. 8. 1328 ᵃ37. 13. 1332 ᵃ9. πο6. 1450 ᵃ18. Φβ6. 197 ᵇ4. f 89. 1491 ᵇ36. εὐδαιμονία, syn εὐπραγία, εὖ πράττειν, εὖ ζῆν Πη3. 1325 ᵃ22, ᵇ14. 13. 1331 ᵇ39. ημα3. 1184 ᵇ9. 4. 1184 ᵇ27. ἡ εὐδαι-

μονία ἐν βίῳ τελείῳ. πότερον ὐδένα εὐδαιμονιστέον ἕως ἂν
ζῇ Ηα11. κ7. 1177 ᵇ25. ηεβ1. 1239 ᵇ5sqq. ημβ7. 1204
ᵃ28. πρώτως ᵡ κυριώτατα εὐδαιμονία ἡ θεωρητική Ηκ7. 8.
1178 ᵇ7-32. ζ13. 1144 ᵃ5. Μλ7. 1072 ᵇ24. cf Πηβ. 1325
ᵇ20. δοκεῖ ἡ εὐδαιμονία ἐν σχολῇ εἶναι Ηκ7. 1177 ᵇ4. δευ-
τέρως εὐδαιμονία ἡ κατὰ τὰς ἠθικὰς ἀρετάς Ηκ8. πότερον
ἡ εὐδαιμονία ἡ αὐτὴ ἑνὸς ἑκάστῳ ᵡ πόλεως Πη2. 1324 ᵃ5.
cf β5. 1264 ᵇ16. 9. 1269 ᵇ14. γ9. 1280 ᵃ33. ἡ εὐδαιμονία
ᵡ τὰ μόρια αὐτῆς Ηε3. 1129 ᵇ18. — distinguenda εὐδαι-
μονία et ὧν ἄνευ ὐχ οἷόν τε εὐδαιμονεῖν ηεα2. 1214 ᵇ26. 10
ἡ εὐδαιμονία, dist εὐτυχία Ηη14. 1153 ᵇ21-25. ηεα1. 1214
ᵃ25. Πη1. 1323 ᵇ26. sed ἡ εὐδαιμονία δεῖται τῶν τ' ἐν
σώματι ᵡ τῶν ἐκτὸς ἀγαθῶν. εὐτυχίας τινός, χορηγίας,
εὐετηρίας, εὐημερίας Ηα3. 1096 ᵃ1. 9. 1099 ᵃ31. 11. 1101
ᵃ6, 15, 22. η14. 1153 ᵇ17. κ8. 1178 ᵃ23. 9. 1178 ᵇ33. 15
ημβ8. 1206 ᵇ32sqq. Πη1. 1323 ᵃ26. 13. 1331 ᵇ41, 1332
ᵃ20. Ρα5. 1360 ᵇ19. ἡδονὴν δεῖν παραμεμῖχθαι τῇ εὐδαι-
μονίᾳ Ηκ7. 1177 ᵃ23. η12. 1152 ᵇ6. 14. 1153 ᵇ14. ημβ7.
1204 ᵃ20, 30.

εὐδαιμονίζειν Ηα3. 1096 ᵃ2. 10. 1100 ᵃ9. syn μακαρίζειν, 20
dist ἐπαινεῖν Ηα11. 1100 ᵃ16. 12. 1101 ᵇ24-26. τὸ Σόλω-
νος, μὴ ζῶντ' εὐδαιμονίζειν ηεβ1. 1219 ᵇ5. τῶν εὐδαιμονι-
ζομένων οἱ πολλοί Ηκ6. 1176 ᵇ12. εὐδαιμονιστέον Ηα11.
1100 ᵃ10.

εὐδαιμονικός. ὁ πάνυ εὐδαιμονικὸς ὁ τὴν ἰδέαν παναίσχης 25
Ηα9. 1099 ᵇ3. εὐδαιμονικὸν ᵡ καλὸν τὸ προσεπικτᾶσθαι
τιμήν Ρα9. 1367 ᵇ13. εὐδαιμονικὰ ταῦτα Ηκ6. 1176 ᵇ16.
εὐδαιμονικὴ ἀγωγή ηεα4. 1215 ᵃ32. εὐδαιμονικωτέρα, εὐδαι-
μονικωτάτη ἐνέργεια Ηκ6. 1177 ᵃ6. 8. 1178 ᵇ23.

εὐδαιμονισμός, syn μακαρισμός, dist ἔπαινος, ἐγκώμιον 30
Ρα9. 1367 ᵇ34. ηεβ1. 1219 ᵇ16. Ηο13. 1127 ᵇ18.

εὐδαίμων, opp ἄθλιος Ηα13. 1102 ᵇ7. syn μακάριος, αὐ-
τάρκης Ηα6. 1098 ᵃ19. ι9. 1169 ᵇ3, 4, 5, 17, 19, 24, 1170
ᵃ2, 4, 8. Πη1. 1323 ᵇ24. εὐδαίμων πότερον φύσει ἢ διὰ
μαθήσεως cf s εὐδαιμονία. — εὐδαίμων, def etymol τβ6. 35
112 ᵃ36. εὐδαίμων ὁ κατ' ἀρετὴν τελείαν ἐνεργῶν ᵡ τοῖς
ἐκτὸς ἀγαθοῖς ἱκανῶς κεχορηγημένος μὴ τὸν τυχόντα χρόνον
Ηα11. 1101 ᵃ14. εὐδαίμων ὁ βίος τῷ κατ' ἀρετὴν ἐνεργοῦν-
τος Ηκ9. 1179 ᵃ9. 6. 1177 ᵃ2. Π11. 1295 ᵃ36. ἀγαθός τε
ᵡ εὐδαίμων ἅμα γίνεται ἀνήρ f 623. 1583 ᵃ17. ὁ εὐδαίμων 40
προσδεῖται τῶν ἐν σώματι ἀγαθῶν ᵡ τῶν ἐκτὸς ᵡ τῆς
τύχης Ηη14. 1153 ᵇ17 cf εὐδαιμονία. ὁ θεὸς πῶς εὐδαίμων
ᵡ μακάριος Πη1. 1323 ᵇ24. cf Ηκ7. 1177 ᵇ28. ὁ εὐδαίμων
εἰ δεήσεται φίλων ᵡ μή Ηθ9. ηεη12. ημβ15. ὁ ἀληθῶς
εὐδαίμων ἥδιστα ζήσει ηεη15. 1249 ᵃ20. — εὐδαιμονέστε- 45
ρος Ηγ12. 1117 ᵇ10. ὁ αὐτὸς εὐδαιμονέστατος ᵡ θεοφιλέ-
στατος Ηκ9. 1179 ᵃ31. — εὐδαιμόνως ᵡ καλῶς ζῆν
Πγ9. 1281 ᵃ2. ηεα1. 1214 ᵇ6. εὐδαιμονέστερον βιῶντες ρ1.
1421 ᵃ13.

εὐδάπανος. ἡ ἐλευθεριότης ἀρετὴ εὐδάπανος εἰς τὰ καλὰ αρ2. 50
1250 ᵃ13.

εὔδηλος ἡ ἔλλειψις ημβ11. 1210 ᵃ31. ὐκ εὐδηλος ὁ ῥυθμὸς
γίνεται πε16. 882 ᵇ9. εὐδηλον σφόδρα γίνεσθαι πλα27. 960
ᵃ14.

Εὔδημος, Cyprius, familiaris Aristotelis f 32. 1479 ᵇ28. τὰ 55
ἐλεγεῖα τὰ πρὸς Εὐδήμον f 623. 1583 ᵃ10.

εὐδία. σημείῳ εὐδίας, εὐδιῶν μγ3. 372 ᵇ19, 29, 33. α9.
346 ᵇ31. εὐδιῶν ᵡ χειμώνων πα3. 859 ᵃ24. ἐὰν εὐδία ᵡ
βόρειον ᾖ Ζιθ12. 597 ᵇ10. εὐδία γίνεται πκε4. 938 ᵃ25.
χειμῶνος, ὅταν εὐδία ᵡ νοτία γένηται Ζιε19. 551 ᵃ3. ἂν 60
ἐπιγένωνται εὐδίαι παράλογοι Ζιθ15. 599 ᵇ15. ἐν ταῖς γα-

ληναις ᵡ εὐδίαις Ζιθ8. 533 ᵇ30. ἐν εὐδίᾳ, ἐν ταῖς εὐδίαις
μα10. 347 ᵃ22. Ζιθ4. 530 ᵃ16. πκς 56. 946 ᵇ39. 61. 947
ᵃ35. ταῖς εὐδίαις πκε22. 940 ᵃ4. ἐξ εὐδίας πκς8. 941 ᵃ18.
εὐδιῶν ὐσῶν Ζι40. 626 ᵃ4. εὐδίας (veluti εὐδίας ὐ πέτον-
ται) Ζιθ12. 597 ᵇ13. μα10. 347 ᵇ1. πκγ5. 931 ᵇ39.

εὐδιάβλητος ηεη2. 1237 ᵇ23, 25.

εὐδιάβολος Ρα12. 1372 ᵇ35.

εὐδιαίρετον τὸ εὐόριστον Οδ6. 313 ᵇ8, 6. Γα10. 328 ᵇ17,
ᵃ24. εὐδιαιρετώτερον Φδ8. 215 ᵇ11 (coni ἀσωματώτερον).
Οδ6. 313 ᵇ11, 15. τὸ μὴ εὐδιαίρετον Φδ8. 215 ᵃ31. ῥύγ-
χος περιφερὲς ὐκ εὐδιαίρετον Ζμδ13. 696 ᵇ33. τὸ γλίσχρον
ὐκ εὐδιαίρετον πκα8. 927 ᵇ30.

εὐδιάλυτοι φιλίαι Ηθ3. 1156 ᵃ19.

εὐδιάπνυν γίνεται τὸ ὑγρόν Ζμγ9. 671 ᵃ32.

εὐδιάφθορος. ἔντομα εὐδιάφθορα Ζμδ6. 682 ᵇ16. ὁμονοῦσα
ὀλιγαρχία ὐκ εὐδιάφθορος ἐξ αὑτῆς Πε6. 1306 ᵃ10.

εὐδιάχυτα τὰ φάρμακα ὑπὸ τῶν κοιλιῶν, ταῖς κοιλίαις πα42.
864 ᵃ29, 35.

εὐδιαχωρητότερος ὁ ἄρτος, opp δυσδιαχώρητον πκα8. 927
ᵇ22.

εὐδιεινός. ἐν τοῖς εὐδιεινοτέροις τόποις, opp ἐν τοῖς ψυχρο-
τέροις μα10. 347 ᵃ23. 12. 348 ᵃ3. ἐν τοῖς βάθεσι τοῖς εὐδι-
εινοῖς οἱ σπόγγοι μαλακώτατοι Ζιε16. 548 ᵇ21. ὅταν ἔνυγρον
ᵡ εὐδιεινὸν γένηται τὸ ἔτος Ζιζ15. 569 ᵇ21. ὅταν τὸ ἔαρ
ἔπομβρον, ὁ δὲ χειμὼν εὐδιεινὸς γένηται Ζιθ19. 601 ᵇ26.
τροπαὶ εὐδιειναί Ζιε8. 542 ᵇ5. ὁ ζέφυρος εὐδιεινὸς ᵡ ἥδιστος
τῶν ἀνέμων πκγ31. 943 ᵇ21. 55. 946 ᵇ21. αἱ καθαραὶ δύ-
σεις εὐδιεινὸν σημεῖον, αἱ δὲ τεταραγμέναι χειμερινὸν πκς8.
941 ᵃ1.

εὐδίνοδος ἕξις τῆς σαρκὸς πη4. 887 ᵇ24.

εὐδίοπτος ὁ ἀὴρ τοῖς πεζοῖς Ζιμβ3. 658 ᵃ5. μελανόμματα
οἷς τοῦ ὀμμάτων τὰ πολλὰ μὴ εὐδίοπτα· τὸ εὐδίοπτον τῆς
θαλάττης γλαυκὸν φαίνεται Ζγε1. 779 ᵇ29, 31. ἡ θάλαττα
εὐδιοπτοτέρα τῷ ποτίμῳ, εὐδιοπτοτέρα ἐν τοῖς βορείοις ἢ ἐν
τοῖς νοτίοις πγ8. 932 ᵇ8. 38. 935 ᵇ18, 21. 9. 932 ᵇ16.

εὐδιόριστον. ἡ τοῦ ὀσμῆς ἧττον εὐδιόριστόν ἐστι τῶν εἰρη-
μένων ψβ9. 421 ᵃ7.

εὐδοκιμεῖν, opp ἀδοξεῖν Ρα12. 1372 ᵇ21. Πε8. 1309 ᵃ14.
σκῶπες ἐδώδιμοι ᵡ σφόδρα εὐδοκιμῶσιν (i e caro earum
avium magni aestimatur) Ζι28. 618 ᵃ3. εὐδοκιμῆσαι, syn
αὐξηθῆναι Πε4. 1304 ᵃ19, 20, 25. οἱ εὐδοκιμοῦντές τε ᵡ δοκῶ-
ντες εἶναι ἐπιεικεῖς Πδ7. 1293 ᵇ13. ὁ μέλλων εὐδοκιμήσειν
κατὰ τὸ ἦθος ημα9. 1186 ᵇ34. Ὅμηρος τῷ ἐνέργειαν ποιεῖν
εὐδοκιμεῖ. οἱ ποιηταὶ εὐδοκιμῶσιν, opp ἐκπίπτωσιν Ργ11.
1411 ᵇ33, ᵃ11. μάρτυς εὐδοκιμῶν, opp ἀδοξῶν Ρα15. 1376
ᵃ30. ὁ εὐδοκιμοῦντες τῶν νόμων Ηκ10. 1181 ᵃ16. Πβ11.
1273 ᵇ9. τὰ ἐπιπόλαια τῶν ἐνθυμημάτων μᾶ εὐδοκιμεῖ
Ργ10. 1410 ᵇ22. ἂν εὐδοκιμηκότα ᾖ τὰ πρὸς τὸν ἐναντίον
λόγον Ργ17. 1418 ᵇ14. τὰ ἀστεῖα ᵡ τὰ εὐδοκιμῶντα πόθεν
λέγεται Ργ10.

εὐδοξία, def Ρα5. 1361 ᵃ25.

εὐδοξία. δύναμις λόγων εὐδοξοτάτη ρ1. 1420 ᵃ14.

Εὔδοξος. Platonicus περὶ ἰδεῶν ΜΑ9. 991 ᵃ17. μ5. 1079
ᵇ21. περὶ ἡδονῆς Ηα12. 1101 ᵇ28. κ2. 1172 ᵇ9. διαφερόν-
τως ἐδόκει σώφρων εἶναι Ηκ2. 1172 ᵇ16. — Εὔδοξος περὶ
τῆς θέσεως τῶν σφαιρῶν Μλ8. 1073 ᵇ17, 33. — ὡς Εὔ-
δοξός φησιν θ173. 847 ᵃ7.

εὐειδής. εὐειδεῖ χερί (Emp 352) αν7. 473 ᵇ18. τὸ εὐειδὲς οἱ
Κρῆτες εὐπρόσωπον καλῶσιν πο25. 1461 ᵃ14.

εὔειλος. ἐν εὐείλοις χωρίοις Ζιθ12. 597 ᵇ7.

εὐειματῦσα ἕξις τῷ σώματος ρ1. 1420 ᵃ17.

εὐεκτικός, opp ἀσθενής Ηx5. 1176 ᵃ15. εὐεκτικοὶ ὄντες κ̅
γινόμενοι πολύσαρκοι· εὐεκτικώτεροι Ζγα18. 725 ᵇ32. β7.
746 ᵇ27. πκα24. 929 ᵇ28. ἀκρωτήρια ἰσχυρότερα κ̅ εὐεκτι-
κώτερα, σάρξ σκληρὰ κ̅ εὐεκτική φ2. 806 ᵇ33, 22. εὐ-
εκτικά, syn ὑγιεινά Ηζ13. 1143 ᵇ25. ὑγιεινὸν ἐν ἰατρικῇ, 5
εὐεκτικὸν ἐν γυμναστικῇ Ηε15. 1138 ᵃ31. εὐεκτικὸν τὸ
ποιητικὸν εὐεξίας Ηε1. 1129 ᵃ20, 21, 23. τη3. 153 ᵇ37. α13.
105 ᵃ31. 15. 106 ᵃ5.

εὐέκφοροι (cf ἐκφέρειν) γυναῖκες Ζιη4. 584 ᵇ7.

εὐέλεγκτος. μάχεσθαι πρὸς τὰ εὐέλεγκτα Ργ17. 1418 ᵇ19. 10
κ̅ κατὰ τὸ λόγον ἐστὶν εὐέλεγκτα κ̅ τοῖς ἔργοις ἐξελή-
λεγκται νῦν Πη14. 1333 ᵇ15.

εὐέλπις τβ6. 112 ᵃ35. οἱ εὐέλπιδες, dist ἀνδρεῖοι Ηγ9. 1115
ᵇ3. 11. 1117 ᵃ9-22. εὐέλπιδος τὸ θαρρεῖν Ηγ10. 1116
ᵃ4. Ρβ12. 1389 ᵃ27. οἱ νέοι εὔπιστοι κ̅ εὐέλπιδες Ρβ12. 15
1389 ᵃ19. ἐπιθυμῶν κ̅ εὐέλπις, opp ἀπαθὴς κ̅ δυσχεραί-
νων Ρβ1. 1378 ᵃ4. εὐέλπιδας ποιεῖ ὁ οἶνος ηεγ1. 1229 ᵃ20.
πλ1. 955 ᵃ3.

εὐέμβολος χώρα Πη11. 1331 ᵃ4.

εὐεξαπάτητοι οἱ νέοι Ρβ12. 1389 ᵃ25. εὐεξαπατητότεροι οἱ 20
ἀγαθοί ηεη2. 1237 ᵇ29.

εὐεξέταστος (i e facilis ad refutandum) λίαν ἡ σύνθεσις
ψα4. 408 ᵃ10.

εὐεξία τα13. 105 ᵃ30. η3. 153 ᵇ37. opp καχεξία Ηε1. 1129
ᵃ19. syn ὑγίεια Ηγ14. 1119 ᵃ16. ὑγίειαν κ̅ εὐεξίαν ἐν 25
συμμετρίᾳ θερμῶν κ̅ ψυχρῶν τίθεμεν Φη3. 246 ᵇ5. dist
ὑγίεια τβ8. 113 ᵇ35. ε7. 137 ᵃ5. γυμναστικὴ ἴδιον ἀγαθὸν
ἡ εὐεξία ηεα8. 1218 ᵃ36. τε7. 137 ᵃ5. ἀλλήλων αἴτια κ̅
εὐεξία κ̅ τὸ πονεῖν Φβ3. 195 ᵃ9. Μδ2. 1013 ᵇ10. εὐεξία
πολιτικὴ Πη16. 1335 ᵇ6.　　　　　　　　　　　　　　　　30

εὐέξοδος πόλις (χώρα) αὐτοῖς, τοῖς δ᾽ ἐναντίοις δυσπρόσοδος
κ̅ δυσπερίληπτος, δυσέμβολος Πη11. 1330 ᵇ2, 3. 5. 1326
ᵇ41. τὸ ὕδωρ λεπτομερέστατον μέν, ἀλλ᾽ εὐέξοδον (?) πγ22.
874 ᵃ32.

εὐεπακολούθητος. τὸ ἐκ συλλελογισμένων συλλελογισμένον 35
οὐκ εὐεπακολούθητον Ρα2. 1357 ᵃ11.

εὐεπίθετος ὁ μεθύων Πε11. 1314 ᵇ34.

εὐεπιχείρητον πρόβλημα Αα26. 42 ᵇ29. εὐεπιχειρητοτέρα
θέσις τβ4. 111 ᵃ11.

εὐεργεσία, def Ρα5. 1361 ᵃ30-34. τί ὄφελος τῆς εὐετηρίας, 40
ἀφαιρεθείσης εὐεργεσίας Ηθ1. 1155 ᵃ8. ἐν ὑπεροχῇ εὐεργε-
σίας Ηθ13. 1161 ᵃ12. ἀπ᾽ εὐεργεσίας καθίστασαν τοὺς βα-
σιλεῖς Πγ15. 1286 ᵇ10.

εὐεργετεῖν et εὐεργετεῖσθαι Ηι7. 1167 ᵇ17, 23sqq. θ15.
1163 ᵃ1, 8. τὸ εὐεργετεῖν τῆς ἀρετῆς ἐστιν Ηι9. 1169 ᵇ11. 45
τιμῶνται οἱ εὐεργετηκότες Ρα5. 1361 ᵃ29, 30. εὐχερῶς
εὐεργετεῖσθαι Ηθ2. 1120 ᵃ34. εὐεργετηθείς Ηθ15. 1163 ᵃ5.
ι5. 1167 ᵃ14. 7. 1167 ᵇ17.

εὐεργέτημα. καλὰ τὰ εὐεργετήματα Ρα9. 1367 ᵃ6. opp
ἁμαρτήματα Ρβ4. 1381 ᵇ3. διαφέρειν τῷ μεγέθει τῶν εὐερ- 50
γετημάτων Ηθ13. 1161 ᵃ16.

εὐεργέτης. ἀνταποδοτέον χάριν Ηι2. 1164 ᵇ26. cf
1165 ᵃ17. οἱ εὐεργέται διὰ τί τοὺς εὐεργετηθέντας μᾶλλον
φιλοῦσιν ἢ οἱ παθόντες τοὺς δράσαντας Ηι7. τῷ πλήθους εὐερ-
γέται κατὰ τέχνας Πγ14. 1285 ᵇ6.　　　　　　　　　　　55

εὐεργετητικός Ηι11. 1171 ᵇ16.

εὐεργετικός. δύναμις εὐεργετικὴ πολλῶν Ρα9. 1366 ᵃ38.
δόξα εὐεργετικὴ Ρα5. 1361 ᵃ28. τοῖς ἄλλοις ὠφέλιμα κ̅
εὐεργετικά Ρβ11. 1388 ᵇ12.

εὐεργός. μόρια πρὸς τὴν χρῆσιν εὐεργά Ζμβ16. 660 ᵃ10. 60
ποιεῖν τὴν ὕλην εὐεργὸν Φβ2. 194 ᵃ34. — εὐεργῶς ὁ ἀὴρ

ἔχει πρὸς γένεσιν ὕδατος μγ6. 377 ᵇ25.

εὐετηρία. ἐν ταῖς εὐετηρίαις, opp ἐν ταῖς ἐπομβρίαις Ζγγ10.
760 ᵇ3. — σημεῖον εὐετηρίας τοῖς προβάτοις Ζιζ19. 574
ᵃ14. εὐετηρία, syn εὐημερεῖν, εὐθηνεῖν Ζιθ19. 601 ᵇ27, 28, 9,
opp ἀκαρπία θ122. 842 ᵃ20. — εὐετηρίας γιγνομένης δι᾽
εἰρήνην ἢ δι᾽ ἄλλην τιν᾽ εὐτυχίαν Πεθ. 1306 ᵇ11. ἡ ἐκτὸς
εὐετηρία Ηα9. 1098 ᵇ26 (syn τὰ ἐκτὸς ἀγαθὰ 8. 1098 ᵇ13,
εὐημερία 9. 1099 ᵇ7), cf Ηθ1. 1155 ᵃ8. στεφάνοις ἐχρῶντο
ἐν τοῖς συμποσίοις εὐετηρίαν κ̅ ἀφθονίαν αἰνιττόμενοι τροφῆς
f 108. 1495 ᵇ19.

εὐζωΐα τις κ̅ εὐπραξία ἡ εὐδαιμονία Ηα8. 1098 ᵇ21.

εὐήθεια, opp πανουργία, φρόνησις ηεβ3. 1121 ᵃ12. τὰ ζῷα
φαίνονται ἔχοντά τινα περὶ τε φρόνησιν κ̅ εὐήθειαν δύναμιν
Ζιι1. 608 ᵃ15. — σημεῖον ἢ πολλῆς εὐηθείας ἢ πολλῆς προ-
θυμίας Οβ5. 287 ᵃ31. πρὸς εὐλάβειαν εὐηθείας τθ6. 160 ᵃ3.

εὐήθης. οἱ νέοι ἢ κακοήθεις, ἀλλ᾽ εὐήθεις Ρβ12. 1389 ᵃ17.
κύκνοι εὐήθεις Ζιι12. 615 ᵃ33. τὸ τῶν προβάτων ἦθος εὐῆθες
Ζιι3. 610 ᵇ23. — εὐήθεις οἱ οἰόμενοι Αγ6. 74 ᵇ21. — οἱ
ποιηταὶ λέγοντες εὐήθη Ργ1. 1404 ᵃ24. λέγειν λόγον εὐήθη
Ζγγ5. 756 ᵇ5. τὸ ὁμοίως προσέχειν ταῖς δόξαις εὐῆθες sim
Μκ6. 1062 ᵇ34. τα11. 104 ᵇ14. Αγ32. 88 ᵇ17 (λίαν εὐῆθ-
θες). μβ7. 365 ᵃ29. ηεη12. 1245 ᵃ12. φ2. 807 ᵃ1. πιζ3.
916 ᵃ29. εὐῆθες τὸ τὰς εὐήθεις τῶν λόγων λίαν ἐξεταζειν
Ζμγ3. 664 ᵇ19. εἴ τις ἀξιοίη, εὐῆθες ατ969 ᵃ14. ἣν λέγειν
αἰτίαν εὐῆθης αν3. 471 ᵇ15. νόμιμα εὐήθη πάμπαν Πβ8.
1268 ᵇ42. εὐῆθες, coni ἄλογον αι2. 438 ᵃ29. κομιδῇ εὐῆθες
εἶναι τὸ δύο γενέσθαι ποτὲ ἕν f 202. 1514 ᵇ24. εὐήθη κ̅
ψευδῆ τθ12. 162 ᵇ3. συμπεραίνεσθαι ἐξ εὐήθων τθ11. 162
ᵃ5. τρόπος εὐηθέστατος τι33. 182 ᵇ14. ἥψατο τῶ εὐηθε-
στάτου Ργ17. 1418 ᵇ23. — εὐήθως οἴεσθαι Μδ29. 1024 ᵇ32.

εὐηθικός. εὐηθικώτερον τὸ εἰρημένον, ἢ ὥστε ἐπισκοπεῖν Φθ10.
218 ᵇ8. — εὐηθικῶς κ̅ λίαν διεψευσμένοι Ζγγ6. 757 ᵃ21.

εὐήκοος, active εὐηκοώτερον Ηα13. 1102 ᵃ37. — ὑστέραι
εὐήκοοι, opp κωφότεραι Ζικ1. 634 ᵃ10. — passive, φωνὴ
λευκὴ ἡ εὐήκοος, τὸ εὐήκοον τα15. 107 ᵇ2, ᵃ13. ἡ φωνὴ
μᾶλλον εὐήκοος ἄνωθεν κάτω πια45. 904 ᵃ24. εὐηκοωτέρα
τὰ τῆς νυκτός, εὐηκοωτέρα ἡ νὺξ πια5. 899 ᵃ19. 33. 903 ᵃ7.

εὐήλιος. οἰκία εὐήλιος τῷ χειμῶνος οα3. 1344 ᵇ32. καθίζει ᾧ
ἑλεᾷ χειμῶνος ἐν εὐηλίῳ κ̅ ἐπισκεπεῖ Ζιι16. 616 ᵇ14.

εὐημερεῖν, syn εὐθηνεῖν Ζιθ18. 601 ᵃ23, 19. 19. 601 ᵇ28,
29, 9. ε10. 543 ᵃ15. εὐημερεῖν κ̅ τροφὴν ἄφθονον ἔχειν
Ζιζ19. 573 ᵇ22. opp χαλεπῶς ἔχειν Ζιθ12. 597 ᵇ10, 11.
τὰ ζῷα πῶς εὐημερεῖ κ̅ πῶς νοσεῖ Ζιθ18-27. τὰ ζῷα
εὐημερεῖ τοῖς σώμασι μᾶλλον Ζγδ6. 775 ᵇ16. τῆς τροφῆς
ἁπάσης τὰ σώματ᾽ εὐημερεῖ μᾶλλον Ζγα18. 725 ᵇ12.
(διαφέρει τὰ ζῷα τῷ εὐημερεῖν ἢ τοὐναντίον κ̅ περὶ τὰς
κυήσεις Ζιθ30. 607 ᵇ1, i e eo quod ad edendum hominibus
meliora vel deteriora sunt.) — πόλεις εὐημερῶσαι ἢ σχο-
λαστικώτεραι Πζ8. 1322 ᵇ8. τὸ εὐημερῶν τῆς πόλεως Πε5.
1308 ᵇ24. εὐημεροῦντας ἀναγκαῖον εὔνας εἶναι ταῖς τυραν-
νίσι Πε11. 1313 ᵇ37.

εὐημερία. ὅταν εὐημερίαι γένωνται κ̅ νότια Ζιε9. 542 ᵇ28.
ζιθ. 572 ᵇ6. ὅταν εὐημερίας γενομένης ἀναθερμαίνηται ἡ
γῆ Ζιζ15. 569 ᵇ10, 14. — εὐημερία τῶ σώματος Ζιε11.
543 ᵇ26. ζ17. 571 ᵃ25. κατασκευάζειν τὴν οἰκίαν πρὸς εὐ-
ημερίαν κ̅ ὑγίειαν οα6. 1345 ᵃ26, 31. — πρᾷοί εἰσιν ἐν
ἑορτῇ, ἐν εὐημερίᾳ Ρβ3. 1380 ᵇ3. πρὸς εὐημερίαν κ̅ δια-
γωγὴν εὐελευθέριον Πθ5. 1339 ᵇ4. ἐμπόδιον τῇ περὶ αὐτὸν
εὐημερίᾳ Πη2. 1324 ᵃ28. ἐνίοτε τινὸς εὐημερίας ἐν τῷ ζῆν
κ̅ γλυκύτητος φυσικῆς Πγ6. 1278 ᵇ29. ἡ ἐκτὸς εὐημερία
Ηx9. 1178 ᵇ33-1179 ᵃ17 (syn τὰ ἐκτὸς ἀγαθά 1179 ᵃ2.

α8. 1098 ᵇ13, εὐετηρία Ηα9. 1099 ᵇ7, 1098 ᵇ26). εὐημερία ηεα4. 1215 ª26, cf εὐδαιμονία ª22.

Εὔηνος, eius versus afferuntur: (fr 8) Μδ 5. 1015 ª29. ηεβ7. 1223 ª31. Ρα11. 1370 ª10, (fr 9) Ηη11. 1152 ª31, (fr 7) αρ7. 1251 ª35.

εὐθαρσής. εὐθαρσῆ εἶναι ἐν τοῖς δεινοῖς αρ4. 1250 ª45. — εὐθαρσῶς ἔχειν πρὸς χρημάτων ἀποβολήν Ηγ9. 1115 ª21. εὐθενεῖν πα22. 862 ª11. x18. 925 ª3 (Bsm, εὐσθενεῖν utroque loco Bk).

εὐθέτως (fort corr) ηεη2. 1237 ª3.

εὐθεώρητος. ἐκ εὐθεώρητος ἡ ὀχεία τῶν ἐλεφάντων Ζιζ27. 578 ª20. — ταῦτα (τὰ συμφέροντα sim) εὐθεώρητα ὁμοίως Ρα15. 1376 ᵇ31. — εὐθεώρητόν ἐστι impers. ἤτω ᷒ περὶ τῶν συμβαινόντων ἔστα· μᾶλλον εὐθεώρητον Ζγα18. 724 ª17. ἐκ ἔστιν εὐθεώρητον, ποτέρως ἄν τις ἀποδοίη τι25. 180 ᵇ3.

εὐθέως. ἀφιᾶσιν εὐθέως ὀσμώμενοι Ζιδ8. 534 ᵇ29. ἀκύσαντες εὐθέως ἔδωκαν οβ1348 ᵇ5. ἐν ἀρχῇ εὐθέως ἐκθήσομεν ρ30. 1437 ᵇ35. τὸ πνεῦμα εὐθέως συνεκβαλλόμενον μετὰ τῶν φθόγγων ακ804 ᵇ9. εὐθέως φαίνεται ὑ καλῶς ἔχον (Epicharm 259) Μμ9. 1086 ª17. τὸ ἐν εὐθέως διαιρετέον Ζμα3. 643 ᵇ24. εὐθέως κατάδηλος (cf εὐθύς) τα15. 106 ª24, 27.

εὐθήκην ᷒ σίττη, coni εὐθέως τὴν διάνοιαν Ζι17. 616 ᵇ23, ὁ μελανάετος, coni ἄφθονος, ἄφοβος Ζι32. 618 ᵇ30.

εὐθηνεῖ ἄλλα ζῷα ἐν ἄλλαις χώραις, ἐν ἄλλαις ὥραις sim Πα11. 1258 ᵇ17. Ζιθ19. 601 ᵇ9. 27. 605 ᵇ7. ζ11. 566 ª22. 15. 569 ᵇ20. Ζμδ5. 680 ª27. opp δυσφορεῖν Ζγδ6. 775 ª29. τὰ εὐθηνοῦντα τῶν σμηνῶν Ζι40. 625 ᵇ28. εὐθηνεῖ τὸν μάλιστ᾽ εὐθηνοῦντα μεγάλαις συμφοραῖς περιπεσεῖν Ηα10. 1100 ª6. μεταβάλλει (χώρα τις) ᷒ πάλιν εὐθηνεῖ μα14. 30 352 ª6.

εὐθηνία κτημάτων ᷒ σωμάτων Ρα5. 1360 ᵇ16. συμφέρειν τοῖς ἰχθύσι πρὸς εὐθηνίαν Ζιθ19. 602 ª15.

εὐθήρατος ὑπὸ τῶν ἡδέων Ηγ1. 1110 ᵇ14.

εὐθικτος. ἡ σίττη τὴν διάνοιαν εὐθικτος ᷒ εὐθήμων Ζι17. 616 ᵇ22.

εὔθλαστον χειρί μδ9. 386 ª26.

εὔθραυστον (εὔφθαρτον v l Wimmer) τὸ νέον διὰ τὴν ἀσθένειαν Ζγδ6. 775 ª9.

εὔθρυπτος ὁ ἀήρ ψβ8. 420 ª8, αὐχήν Ζμδ12. 694 ᵇ29.

εὐθύγραμμος. σχῆμα εὐθύγραμμον, dist περιφερόγραμμον, κύκλος Οβ4. 286 ᵇ13, 25. γ4. 303 ª32. Αγ24. 86 ª1. Μι2. 1054 ª3. μχ8. 851 ᵇ25. τὸ εὐθύγραμμον (sc σχῆμα) Αβ25. 69 ª31, 33. πιε1. 910 ᵇ12. 6. 911 ᵇ3. ιζ4. 913 ᵇ18.

εὐθυέντερος. τὰ εὐθυέντερα λαβρότερα πρὸς τὴν τῆς τροφῆς 45 ἐπιθυμίαν Ζγα4. 717 ª23. Ζμγ14. 675 ª21. τὰ μὴ εὐθυέντερα Ζμγ14. 675 ᵇ6, 25. εὐθυέντερον ἠδὲν ἐστι μὴ ἀμφῳδὸν Ζι57 ᵇ34.

Εὐθυδήμη λόγος τι20. 177 ᵇ12. Ρβ24. 1401 ª27.

εὐθύθριξ ὁ πικρός φβ3. 808 ª19. εὐθύτριχες τίνες Ζγε3. 782 50 ᵇ34. εὐθύτριχα διὰ τί γίνεται Ζγε3. 782 ᵇ18, 31.

Εὐθυκράτης ὁ Ὀνομάρχω Πε4. 1304 ª12.

εὐθυμεῖσθαι ἐν ταῖς ἀτυχίαις Ρβ2. 1379 ᵇ18.

εὐθυμία. αἱ μετ᾽ ᷒δῆς εὐθυμίαι ᷒ ἐκστάσεις πλ1. 954 ª25.

εὔθυμος, opp δυσάνιος φ1. 805 ᵇ7. εὐθυμότεροι, opp δύσθυ- 55 μότεροι πλ1. 955 ª15. εὐθύμως σημεῖα φβ3. 808 ª2-7, 20. — εὐθύμως ἔχειν ἐπί τινι πλ1. 954 ᵇ18.

εὐθύνα, def βλάβη τις δικαία Ργ10. 1411 ᵇ20. εὐθύνας ὀῦναι, δεδωκέναι Πβ9. 1271 ª8. γ11. 1282 ª2. Ργ10. 1411 ª6, ᵇ20. ψα4. 407 ᵇ29 (Bernays Dial p 16sq). εὐθῦναι τῶν 60 ἀρχόντων, δικάζειν περὶ εὐθυνῶν, coni ἀρχαιρεσίαι sim, tam-

quam praecipua munera, in quibus cernatur populi potestas Πγ11. 1281 ᵇ33, 1282 ª14, 26. δ14. 1298 ª6, 22,25, ᵇ6. ζ2. 1317 ᵇ27. 8. 1322 ᵇ36. f 378. 1540 ᵇ2. 389. 1542 ᵇ33. 405. 1545 ᵇ41, 44. 406. 1546 ª6. — (forma εὐθῦνα exhibetur Ργ10. 1411 ᵇ20, v l εὐθύνη, ex reliquis locis omnibus de forma nominativi sing nihil potest colligi.)

εὐθύνειν. proprie. εὐθύνειν, opp κάμπτειν Ζπ9. 709 ᵇ10, 19. εὐθύνεσθαι τὸ εἰς εὐθύτητα μεθίστασθαι, opp κάμπτεσθαι μδ9. 385 ᵇ32. περὶ εὐθυντὖ μδ9. 385 ᵇ26-386 ª9, cf καμπτόν. — metaph εὐθύνειν τὰς ἀρχάς, τὰς ἀρχὰς αἱρεῖσθαι ᷒ εὐθύνειν Πβ9. 1271 ª6. 12. 1274 ª17. ζ4. 1318 ᵇ22. ὁ Λάκων εὐθυνόμενος τῆς ἐφορίας Ργ18. 1419 ª31.

εὐθύνειν. λογισταὶ διέφερον τῶν εὐθυνῶν (fort εὐθύνων ab εὔθυνος) f 406. 1546 ª10.

εὔθυνοι, coni λογισταί Πζ8. 1322 ᵇ11.

Εὔθυνος Ρβ19. 1392 ᵇ12.

εὔθυνσις, opp κάμψις μδ9. 386 ª7.Ζπ9. 708 ᵇ24.

εὐθυντικόν, εἶδός τι τῶν δικαστηρίων Πδ16. 1300 ᵇ19.

εὐθυονειρία μτ1. 463 ª25. ἡ κίνησις ἐκκόπτει τὴν εὐθυονειρίαν μτ2. 464 ᵇ16. κρίνειν τὰς εὐθυονειρίας μτ2. 464 ᵇ7.

εὐθυόνειροι ᷒ προορατικοί μτ2. 463 ᵇ16, 464 ª27.

εὐθύπνοοι ἄνεμοι, opp ἀνακαμψίπνοοι x4. 394 ᵇ35.

εὐθύπορεῖν. ἡ κίνησις εὐθύπορος μν2. 453 ª25, ᵇ4. Ζγε1. 780 ª29, opp διασπᾶσθαι, σκεδάννυσθαι Ζγε1. 781 ª2, ᵇ12. τὰ ὁλόπτερα ἐκ εὐθυπορῶσιν Ζπ10. 710 ª7. ὁ ἦχος, ἡ ὄψις, τὸ φῶς εὐθυπορεῖ sim αχ802 ª36. πβ38. 870 ᵇ2. ια58. 905 ᵇ6. κγ23. 934 ª17. κε9. 939 ª14 (syn κατ᾽ εὐθεῖαν φέρεσθαι ª11). εὐθυπορεῖ ἡ φορά sim β8. 1224 ᵇ33. αἱ ἀποδείξεις ἐκ ἀνακάμπτυσι, προσλαμβάνυσι δ᾽ ἀεὶ μέσον εὐθυπορῶσιν ψα3. 407 ª29.

εὐθύπορος. κέρας εὐθύπορον ᷒ λεῖον αχ802 ᵇ11.

εὐθύς, εῖα, ύ. τὸ εὐθὺ def τζ11. 148 ᵇ29. opp τὸ περιφερές Αγ4. 73. ª38. τὸ εὐθὺ τὸ ἐπὶ τῶν στίχων πῶς μάλιστα καθορῶμεν πλα20. 959 ª39. εὐθὺ τείνεσθαι πι46. 896 ª14. τὸ εὐθὺ κεκάμφθαι ἀδύνατον μδ7. 386 ª4. τρίχες εὐθεῖαι, dist κεκαμμέναι Ζιγ10. 517 ᵇ20. ῥύγχος εὐθύ, dist γαμψόν Ζμδ12. 693 ª12. προβαίνειν εὐθέσι τοῖς σκέλεσι Ζγα24. 604 ᵇ6. πόροι εὐθεῖς ᷒ ἁπλοῖ, εὐθεῖα ᷒ ἁπλῆ Ζγα6. 718 ª10. Ζιδ2. 526 ᵇ26. 7. 532 ᵇ6. κίνησις, φορὰ εἰς εὐθύ, opp κύκλῳ Φθ9. 217 ª20. Οα7. 275 ᵇ18. Γβ11. 338 ª6. ἡ εἰς τὸ εὐθὺ κάμψις μδ9. 386 ª3. εὐθεῖα γραμμή def τζ11. 148 ᵇ26. εὐθεῖα (int γραμμή) Αα41. 49 ᵇ35. πι56. 914 ª39. dist κεκαμμένη Μδ6. 1016 ª12. opp περιφερής, κύκλος Οα4. 270 ᵇ34. 2. 269 ª20. 4. 270 ᵇ34. β4. 285 ᵇ20. Φμ4. 248 ª13, 19, 20, ᵇ5 al. ἡ εὐθεῖα τῦ κύκλῳ κατὰ σημεῖον ἅπτεται πκγ4. 931 ᵇ27. ἕκαστον ἀπέχειν ἢ τὴν εὐθεῖαν τίθεμεν Οα4. 271 ª13. κινεῖται τὸ φερόμενον ἢ κύκλῳ ἢ εὐθεῖα ἢ μικτήν Φθ8. 261 ᵇ29. κινεῖσθαι, φέρεσθαι, ἰέναι, φορὰ ἐπ᾽ εὐθείας, opp κύκλῳ Φη4. 248 ª20. θ8. 262 ª12-263 ª3. 9. 265 ª15. Οα3. 270 ᵇ30 sqq. Γβ5. 332 ᵇ13. πιζ12. 915 ᵇ12. ἡ ἐπὶ τῆς εὐθείας κίνησις Φη4. 248 ª20. θ8. 262 ª14. λεῖον τῷ ἐπ᾽ εὐθείας πως τὰ μόρια κεῖσθαι K8. 10 ª22. ἡ κατ᾽ εὐθεῖαν κίνησις Φθ8. 264 ª28, ᵇ18. Οα2. 269 ᵇ13. κατ᾽ εὐθεῖαν φέρεται τὸ φῶς πια49. 904 ᵇ17. 58. 905 ª37. ὁ θεὸς εὐθεῖα περαίνει κατὰ φύσιν πορευόμενος κ7. 401 ᵇ26. φορὰ εὐθεῖα, opp κύκλῳ, μικτή Οα2. 268 ᵇ18, 21. Γβ10. 337 ª7. μχ1. 848 ᵇ27. οἱ ἀνώμαλοι περίπατοι εὐθεῖς ἀκοπώτεροι πε40. 885 ª15. ῥηγμίνες λεπταὶ ᷒ εὐθεῖαι μβ8. 367 ᵇ16, 18. — τὸ σῶμα ἡμῶν ἐστι περιφερέστερον ἢ εὐθύτερον πε11. 881 ᵇ33. εὐθυτέρα ἡ γραμμὴ γίνεται (i e

εὐθείᾳ ὁμοιοτέρα, κατὰ γωνίαν ἀμβλυτέραν) μχ 23. 855
ᵃ24. — κατ᾽ εὐθύ, i e casu nominativo πι 31. 182 ᵃ3.
εὐθύς adv. sensu locali εὐθὺς πρὸς τὸ στόμα, μετὰ τὸ
στόμα, ὑπὸ τῆς ὀφθαλμῆς Ζιβ17. 507 ᵃ28, 31. 1. 498
ᵃ32. δ3. 527 ᵇ20, 23. — sensu temporali Πε4. 1304 ᵃ30.
5. 1304 ᵇ32. μα6. 343 ᵇ22. β3. 357 ᵃ13. σβέννυσιν εὐθὺς
γιγνομένη μγ1. 371 ᵃ6. εὐθὺς ἔωθεν Πε11. 1314 ᵇ29.
εὐθὺς ἐξ ἀρχῆς Πε4. 1304 ᵇ9. γ16. 1287 ᵇ10. εὐθὺς ἐν
ἀρχῇ χ6. 798 ᵇ19. εὐθὺς οἴκοθεν ὑπάρχει παισὶν ὖσιν Πδ11.
1295 ᵇ16. ἔχομεν εὐθὺς ἐκ γενετῆς Ηζ13. 1144 ᵇ6. κατὰ 10
τὴν πρώτην γένεσιν εὐθύς, opp τελεωθεῖσιν ὑπάρχει Πα8.
1256 ᵇ9. φύσει εὐθὺς ὑπάρχει τθ11. 161 ᵇ35. ἐν τῇ φύσει
εὐθύς πλ 1. 954 ᵃ12. — inde εὐθύς etiam non addito v
φύσει translatum a temporali ratione ad causalem usur-
patur, ὑπάρχει εὐθὺς γένη ἔχοντα τὸ ὂν ᾧ τὸ ἓν Μγ2. 15
1004 ᵃ5 Bz, ad significandum id quod ὑπάρχει suapte na-
tura, non intercedente alia causa, cf Μζ6. 1031 ᵇ31. ε4.
1027 ᵇ27. η6. 1045 ᵇ36. Φζ4. 235 ᵇ3. 6. 237 ᵇ14. η4.
248 ᵇ19. τα15. 106 ᵃ12. Ηζ5. 1140 ᵇ17. ε14. 1137 ᵇ19.
Πθ5. 1340 ᵃ40. Ρα10. 1369 ᵃ21. πο10. 1452 ᵃ14. ηεβ5. 20
1222 ᵃ37. ρ2. 1422 ᵃ1. similiter εὐθύς in enumerandis
rationibus eam significat, quae statim (εὐθὺς πρῶτον) in
quaerenti sese offert, in adhibendis exemplis, quibus ali-
quid comprobetur, eius modi exemplum, quod statim in
promptu est, cf Αα16. 36 ᵃ6. 25. 42 ᵇ21. Οβ2. 284 ᵇ10. 25
μχ3. 465 ᵇ29. Πγ4. 1277 ᵃ6. α13. 1260 ᵃ4. η14. 1332
ᵇ18. ρ2. 1337 ᵇ2. Ρα10. 1369 ᵃ21. πο5. 1449 ᵃ36. ηεη2.
1237 ᵃ28. ρ36. 1440 ᵇ28. f 82. 1490 ᵃ8. cf Vhl Poet II 68.
— forma εὐθύ exhibetur μχ35. 858 ᵇ22. ὅ τι ἂν βΰλη-
ται εὐθὺ εἰπόντα ἐνδῦναι Ργ14. 1414 ᵇ26.   30
εὐθύτης, dist καμπυλότης Κ8. 10 ᵃ12. Ζμα3. 643 ᵃ33.
τριχῶν εὐθύτης, dist οὐλότης Ζγε3. 782 ᵃ3. εὐθύτης (τῶν
ἐντέρων) Ζμγ14. 675 ᵇ26. τὸ μῆκος δύναται εἰς εὐθύτητα
ἐκ περιφερείας μεταβάλλειν μθ9. 385 ᵇ30. γραμμῆς μῆ-
κος εὐθύτητι διηκριβωμένον μβ8. 367 ᵇ11. ῥὶς παρεκβε- 35
βηκυῖα τὴν εὐθύτητα πρὸς τὸ γρυπὸν ἢ τὸ σιμὸν Πε9.
1309 ᵇ24.
εὐθύτριχον γένος Ζιι44. 629 ᵇ35. cf εὐθύθριξ.
εὐθυφορία, opp κυκλοφορία Φε4. 227 ᵇ18.
εὐθυώνυχος, opp γαμψώνυχος Ζιθ17. 600 ᵃ19. ι49 Β. 633 40
ᵇ2. γ9. 517 ᵃ33.
εὐθυωρία. κατέκαμψε τὴν εὐθυωρίαν εἰς κύκλον ψα3. 406
ᵇ31. τὸ φῶς κατ᾽ εὐθεῖαν φέρεται, ὥστε ἂν ἀντιφράξῃ
τι τὴν εὐθυωρίαν ἀποκέκλεισται πια49. 904 ᵇ18. κατ᾽ εὐ-
θυωρίαν, opp κατὰ κύκλῳ, ἐκ τῦ πλαγίῳ, πάντοθεν, παντα- 45
χόθεν Ζμβ8. 654 ᵃ17. 10. 656 ᵇ29. Ζιδ2. 526 ᵇ27. πκς35.
944 ᵃ37. ια49. 904 ᵇ21. syn εἰς τὸ ἔμπροσθεν Ζμβ10.
656 ᵇ30. εἰσβλέπειν, φαίνεσθαι κατ᾽ εὐθυωρίαν μγ6. 377
ᵇ1. εν2. 459 ᵇ15. ἐκπνεῖν κατ᾽ εὐθυωρίαν μγ1. 371 ᵃ13.
οἱ κατ᾽ εὐθυωρίαν πόροι μδ9. 387 ᵃ20. εὐθυωρίαι τῶν πό- 50
ρων πκγ8. 932 ᵇ10. ἡ εὐθυωρία τῶν ἐντοσθιδίων μγ9.
684 ᵇ32. ἀνεσπάσθαι ἐκ τῆς εὐθυωρίας πιγ10. 908 ᵇ31.
— ἀντικρύσαι κατ᾽ εὐθυωρίαν Ρβ2. 1379 ᵃ11. ἐκ ἄπειρα
τὰ αἴτια ὖτ᾽ εἰς εὐθυωρίαν ὖτε κατ᾽ εἶδος Μα2. 994 ᵃ2
Bz (syn ἐπ᾽ εὐθείας, εἰς εὐθύ Γβ5. 332 ᵇ13. 11. 338 ᵃ7). 55
αἱ μὴ κατ᾽ εὐθυωρίαν φιλίαι ηεη10. 1243 ᵇ15, 17, 32 (cf
φιλίαι ἀνομοιοειδεῖς s v φιλία).
εὐίατος Ηδ3. 1121 ᵃ20. εὐίατος τύτων ἡ ἄγνοια Μγ5. 1009
ᵃ19. — εὐιατότερος ημβ6. 1203 ᵃ6, 8. εὐιατότερος διὰ τὸ
μεταπεισθῆναι ἂν Ηη3. 1146 ᵃ33. εὐιατότερα ἀκρασία Ηη11. 60
1152 ᵃ27.

εὐίδρωτα ὅσα ὕφυγρα πβ17. 867 ᵇ35. λς2. 965 ᵇ5.
εὐκαίρως χρῆσθαί τινι Ργ7. 1408 ᵃ36. συγκαταβήσεται
τοῖς χρόνοις εὐκαίρως Πη16. 1335 ᵃ32. εὐκαίρως ἔχειν μα4.
341 ᵇ22. εὐκαίρως ἔχειν πρός τι Ζιη1. 582 ᵃ28. 3. 583
ᵃ19.
εὔκαμπτος Ζμδ10. 690 ᵃ18. σπόνδυλοι εὔκαμπτοι Ζμδ11.
692 ᵃ2. θρὶξ εὔκαμπτος Ζγε3. 782 ᵇ22.
εὐκαμψία φωνῆς, opp ἀκαμψία Ζγε7. 786 ᵇ10, 788 ᵃ28.
εὐκαρπία f 240. 1522 ᵃ27.
εὐκατάλλακτος opp μνησίκακος Ρβ4. 1381 ᵇ5.
εὐκατάφορος πρός τι Ηβ8. 1109 ᵃ15, ᵇ2.
εὐκαταφρόνητος Ηδ13. 1127 ᵇ27. Πε10. 1312 ᵇ24, 1313
ᵃ12. 11. 1314 ᵇ21, 34. 12. 1315 ᵇ17. εὐκαταφρόνηται ᾗ
φαῦλοι ημα26. 1192 ᵃ29. λόγος εὐκαταφρόνητος τι33.
183 ᵃ19.
εὐκατέργαστα, ἃ πάντες κατώρθωσαν Ρα6. 1363 ᵃ31, 32.
εὐκίνητος. εὐκινητότατα τὰ σφαιροειδῆ, τὸ πῦρ, ὁ ἀὴρ ψα2.
405 ᵃ12. Ογ8. 306 ᵇ34, 307 ᵃ5. τε2. 130 ᵃ11, 13. μχ8.
851 ᵇ16. πια19. 901 ᵃ15. τὰ σφαιροειδῆ ᾗ τὴν τῦ πυρὸς
κίνησιν εὐκίνητα Ογ8. 307 ᵃ6. ἀσθενεῖς ᾧ εὐκίνητοι ῥίζαι
ὀδόντων Ζγε8. 789 ᵃ14. τὸ λῦτρον τὺς τὸ σῶμα σκληρὸς
ποιεῖ εὐκινήτυς πηγ16. 873 ᵃ34. οἷς μικρὸν τὸ πρόσωπον εὐ-
κίνητοι Ζια8. 491 ᵇ13. ὀφθαλμοὶ εὐκίνητοι φ6. 813 ᵃ13. τῶν
πκζ7. 948 ᵇ9. εὐκίνητος ὁ μυκτὴρ Ζία11. 492 ᵇ14. οἱ τῶν
θηλειῶν πόροι εὐκίνητοι Ζιζ11. 566 ᵃ12. — διαθέσεις λέ-
γονται ἅ ἐστιν εὐκίνητα ᾧ ταχὺ μεταβάλλοντα, syn εὐμετά-
βολα, opp δυσκίνητα Κ8. 8 ᵇ35, 34, 10. εὐκίνητα τὰ ἄκρα
πα15. 861 ᵃ2. εὐφθαρτον ᾧ εὐκίνητον τὸ μικρόν· syn εὐ-
κίνητον ἐπ᾽ ἀμφότερα Ζγε6. 786 ᵃ1, 785 ᵇ31. ἔντομα εὐ-
κίνητα, dist εὐδιάφθορα Ζμδ6. 682 ᵇ16. εὐκινητότερον ᾧ
εὐμεταβολώτερον ψυχὴ σώματος ημβ3. 1199 ᵇ32. εὐκινη-
τότερον ᾗ τὴν αἴσθησιν Ζμβ4. 650 ᵇ22. εὐκίνητοι πρὸς
ὀργήν sim Ρβ2. 1379 ᵃ26, 28. Κ10. 13 ᵃ27. πλ1. 954 ᵃ33.
αρ3. 1250 ᵃ18. 4. 1250 ᵃ42. 6. 1251 ᵃ6, ὑπὸ φόβων αρ6.
1251 ᵃ11. — λόγος εὐκίνητος (i e εὐέλεγκτος) ΜΑ9. 991
ᵃ16. μ5. 1079 ᵇ20.
Εὐκλείδης ὁ ἀρχαῖος, διακωμῳδῶν τὸν ποιητήν πο22. 1458 ᵇ7.
Εὐκλῆς ὁ Μόλωνος, ᾿Αθηναῖος μα6. 343 ᵇ4.
εὐκοινώνητος εἰς χρήματα Ηδ2. 1121 ᵃ4.
εὔκολος, opp ἐλεγκτικός, φιλόνεικος Ρβ4. 1381 ᵃ31. —
εὐκόλως φέρειν τὰς ἀτυχίας Ηα11. 1100 ᵇ31. εὐκόλως τὴν
κίνησιν τῶν αἰσθητῶν δέχεσθαι φ6. 811 ᵃ7.
εὐκοσμία. ἀρχὴ ἡ ἐφορωῖα περὶ τε τὰ συμβόλαια ᾧ τὴν
εὐκοσμίαν Πζ8. 1321 ᵇ14, cf ᵇ20. δ15. 1299 ᵇ16, 19.
εὐκραής. οἱ πρότερον εὐκραεῖς τόποι ὑπερξηρανόμενοι γίγνον-
ται χείρως μα14. 352 ᵃ7. ἐν τόπῳ μὴ εὐκραεῖ φτβ3.
824 ᵃ41.
εὐκρασία. εἰς τοὐναντίον ἡ ὥρα ἑλκύσασα καθίστησιν εἰς εὐ-
κρασίαν πα11. 860 ᵇ12. τὸ ἧπαρ συμβάλλεται πολὺ πρὸς
εὐκρασίαν τῦ σώματος ᾧ ὑγίειαν Ζμγ12. 673 ᵇ25. δηλοῖ
τὴν εὐκρασίαν ἡ διάνοια Ζγβ6. 744 ᵃ30 (cf ᾗ ἐν τῇ καρδίᾳ
θερμότης καθαρωτάτη ᵃ29). τὸ φυτὸν δεῖται ἡλίῳ ᾧ εὐ-
κρασίας ᾧ τῦ ἀέρος φτα2. 817 ᵃ22.
εὔκρατος οἶνος, opp ἄκρατος, syn ἀκρατέστερος πηγ22. 874
ᵃ28. 3. 871 ᵃ16. 14. 873 ᵃ4. εὔκρατος ἀναθυμίασις μα7.
344 ᵃ14, 20. ὥρα εὔκρατος Ζγγ2. 752 ᵇ30. δένδρα φυό-
μενα ἐν γῇ εὐκράτῳ, ἐν τόπῳ εὐκράτῳ φτβ10. 829 ᵇ18.
9. 829 ᵃ18. ζέφυρος εὔκρατος πκς31. 943 ᵇ28. 55. 946
ᵇ24. πνεῦμα εὔκρατον κ4. 395 ᵇ31. ὁ ἐγκέφαλος εὔκρατον
ποιεῖ τὴν ἐν τῇ καρδίᾳ θερμότητα, syn τυγχάνειν τῦ μετρίῳ
ᾧ τῦ μέσῳ Ζμβ7. 652 ᵇ26, 17. εὔκρατα (int ἐξ ὑγρῦ ᾧ

ξηρῦ) γίνεται τὰ σκόροδα ὕτω φυτευθέντα πκ27. 926 ᵃ14.
— ἡ εὔκρατος μαλίστα τῶν ὀλιγαρχιῶν κỳ πρώτη Πζ 6.
1320 ᵇ21. ἔστι κỳ εὔκρατον εἶναι τὴν ἀνωμαλίαν κỳ καλῶς
πως ἔχειν πλ 1. 955 ᵃ36.
εὐκρατῶς. ὅταν ξύλον μακρὸν μὴ εὐκρατῶς ἔχῃ τις πγ 26. ⁵
875 ᵃ22.
εὐκρινής. ἀκ εὐκρινές ἐστι (impers, i q ἀκ ἔστι ῥᾴδιον κρί-
νειν) πρὸς τὴν ἀκοὴν πια 33. 903 ᵃ17.
εὐκρυφής. ἀράχνιον ἀκ εὐκρυφὲς διὰ τὸ μέγεθος Ζι 39.
623 ᵃ28. 10
Εὐκτήμων Ρα 14. 1374 ᵇ36.
εὐκύκλυ σφαίρας (Parm 103) ξ4. 978 ᵇ9.
εὐλάβεια. διὰ τινα ἐπιείκειαν κỳ εὐλάβειαν τῶν αἰσχρῶν
Ηδ 3. 1121 ᵇ24. πολλῆς εὐλαβείας εἶναι, δεῖσθαι Πβ8. 1269
ᵃ14. ηεα 6. 1216 ᵇ40. εὐλάβεια παρέπεται τῇ σωφροσύνῃ, 15
τῇ δειλίᾳ αρ 4. 1250 ᵇ12. 6. 1251 ᵇ15.
εὐλαβεῖσθαί τι, opp στοχάζεσθαι πο 13. 1452 ᵇ28. syn
φυλάττεσθαι Ρα 12. 1372 ᵃ28. εὐλαβȣμενοι τὰς μυίας Ζι5.
611 ᵇ11. εὐλαβεῖσθαι τὸ ποιητικόν Ργ 6. 1407 ᵇ32. εἴ τι
μὴ καλῶς, τῦτ᾽ εὐλαβηθῶμεν ψα 2. 403 ᵇ24. εὐλαβεῖσθαι 20
δεῖ ἀρχομένων τῶν τοιȣτων Πε 4. 1303 ᵇ27. εὐλαβεῖσθαι
δεῖ κỳ παρατηρεῖν τὸ μέτριον Ργ 2. 1405 ᵇ32. ὡς αἰσχρὸν
τὸ ψεῦδος εὐλαβήσετο, ὃ κỳ καθ᾽ αὑτὸ ηὐλαβεῖτο Ηδ 13.
1127 ᵇ6. εὐλαβηθήσεται ημα 30. 1193 ᵃ9. εὐλαβῦνται ψό-
φον ποιεῖν Ζιθ 8. 533 ᵇ16. — εὐλαβητέον c acc τα 18. 25
108 ᵃ34. Ηι 11. 1171 ᵇ26. c inf τθ 9. 160 ᵇ17. Ηδ 12.
1127 ᵃ3.
εὐλαβής Πζ 5. 1320 ᵃ9. Ρα 9. 1367 ᵃ34. syn φυλακτικός,
opp πιστευτικός Ρα 12. 1372 ᵇ28.
εὐλέαντος τροφή Ζμγ 14. 674 ᵇ33. 30
εὐλή. οἱ σκώληκες οἱ ἐν τῇ τῦ ἐλάφυ κεφαλῇ τὸ μέγεθος
ἀκ ἐλάττȣς εἰσὶ τῶν μεγίστων εὐλῶν Ζιβ 15. 506 ᵃ30.
(vermes qui carnes putres edunt Gazae, Scalig, Constan-
tino; M 232; Su 193 d; Landois in Siebld Zeitschr XIV
34 adn; ΑΖι I 164; plenius Oken Isis 1821 II 1124 sq.) 35
εὐλίμενα χωρία Ζιθ 19. 601 ᵇ22.
εὐλογεῖν ρ4. 1426 ᵃ3, syn ἐγκωμιάζειν 1425 ᵇ36, opp
ψέγειν 1426 ᵃ8.
εὐλόγιστος act (i q εὖ λογιζόμενος) Ρβ 8. 1385 ᵇ27. —
pass ἐν ἀριθμῷ εὐλογίστῳ εἶναι τὴν μῖξιν Μν6. 1092 ᵇ27. 40
τὰ ἐν ἀριθμοῖς εὐλογίστοις χρώματα αι 3. 439 ᵇ32.
εὔλογος. εὐλόγον, coni syn εἰκὲς ημα 35. 1198 ᵇ3. syn ὁμο-
λογȣμενον τῇ νοήσει ΜΑ 9. 991 ᵇ26. syn ἔχει λόγον Ζγγ 11.
763 ᵃ4, 5. dist a syn ἀναγκαῖον Μλ 8. 1074 ᵃ16. μ 7.
1081 ᵇ4, 2. Φϑ 5. 256 ᵇ23. cf Μβ 4. 1000 ᵇ31. συμβαίνει 45
ὥσπερ εὔλογον Ζγα 20. 729 ᵃ9. κατὰ μὲν τὰς ἐκείνων ἀρ-
χὰς εὔλογον, opp κατὰ τὴν ἀλήθειαν ἀδύνατον Μμ 7. 1081
ᵃ37. ἅτ᾽ ὦπται τοιȣτον ἅτ᾽ εὔλογον Ζγγ 8. 758 ᵃ18. εὔλο-
γος πρόφασις ρ 38. 1445 ᵃ37. οβ 1347 ᵇ25. εὔλογος αἰτία
μγ 1. 462 ᵇ19, 23. Ζμβ 17. 660 ᵇ16. εὔλογοι ἀπορίαι Γα 2. 50
315 ᵇ19. ἄλλο τι εὔλογον Μμ 2. 1077 ᵃ22. — ἀκ εὔλογον
ὕτως ΜΑ 6. 988 ᵃ2. ἐκτὸς τῶν εὐλόγων, μάχεσθαι, ὑπε-
ναντία τοῖς εὐλόγοις Μκ 2. 1060 ᵃ18. ν 3. 1091 ᵃ7. μ 9.
1085 ᵃ15. — εὔλογον, ἀκ εὔλογον (sc ἐστί) c inf μα 3.
341 ᵃ24. 8. 346 ᵃ8. Ζγα 19. 726 ᵇ14. β 2. 735 ᵃ37. γ10. 55
760 ᵇ2. Μβ 2. 996 ᵇ33, 997 ᵃ18, ᵇ19, 998 ᵃ11. λ 8. 1074
ᵃ16, 24. 9. 1074 ᵇ28. ν 4. 1091 ᵇ20. Ηα 4. 1097 ᵃ8. 9.
1098 ᵇ28. 10. 1099 ᵇ12, 21. ε11. 1136 ᵃ19. Πβ11. 1273
ᵇ2. γ 15. 1286 ᵇ15. ὸ 8. 1293 ᵇ28. ε1. 1301 ᵇ1. η10. 1329
ᵇ29. ημα 4. 1185 ᵃ17. μχ 1. 849 ᵃ8 al (cf ἄν τις τιθῇ, 60
ὥσπερ εὔλογον, sc τιθέναι αι 4. 442 ᵃ21). ὸ᾽ ὕτως εὔλογον

ὥστε c inf Οβ 8. 289 ᵇ22. εὔλογον omisso per anacoluthiam
infinitivo μβ 2. 354 ᵇ5. μᾶλλον εὔλογον c inf μβ 3. 357 ᵃ2.
Μβ 4. 999 ᵇ13 — εὐλογώτερον πο 24. 1460 ᵃ34. c inf Οβ 7.
289 ᵃ22. Ζγα 18. 725 ᵃ24. Ηα 13. 1102 ᵇ2. ἔστιν ὕτω τιθεμέ-
νοις εὐλογώτατον Οβ 4. 286 ᵇ34. (συμφωνία εὔλογον ἐχόντων
φθόγγων πρὸς ἀλλήλȣς ἐστί πιθ 41. 921 ᵇ8, λόγον ἐχόντων
φθόγγων ci Bojesen.) — εὐλόγως, def Οα 10. 279 ᵇ18.
syn ἀκ ἀλόγως, κατὰ λόγον Φδ 5. 212 ᵇ30, 34. Γβ 3. 330
ᵇ6, 2, 7. coni ὀρθῶς Φβ 5. 197 ᵃ12. ΜΑ 8. 989 ᵃ26. —
εὐλόγως συμβαίνει, συμβέβηκε Φδ 12. 220 ᵇ24. θ 5. 256
ᵇ13. μα 3. 341 ᵃ27. αι 6. 446 ᵃ28. Ζγα 1. 715 ᵇ7. 11. 761
ᵃ15. Με 2. 1026 ᵇ13. μ 6. 1080 ᵇ10. Πγ 7. 1279 ᵃ39.
Ηη 13. 1153 ᵃ24. ηεη 12. 1245 ᵇ12, 36. πιθ 20. 919 ᵃ18
al. εὐλόγως λύεται, ζητεῖ, γίγνεται, ἀξιῶν al Φβ 5.
197 ᵃ31. Γα 8. 326 ᵃ26. μβ 4. 361 ᵃ20. Ζγα 1. 715 ᵇ11.
18. 723 ᵃ10. 20. 728 ᵃ25. 23. 731 ᵃ24. δ1. 764 ᵃ37.
Ζιδ 14. 8. Μλ 10. 1075 ᵃ31. μ 4. 1078 ᵇ23. 9. 1086
ᵃ12. ν 1. 1088 ᵃ6. 2. 1088 ᵇ30. Ηζ 12. 1143 ᵃ25. θ 4.
1156 ᵇ18. κ 4. 1175 ᵃ16. Πβ 8. 1268 ᵃ33. γ 12. 1283 ᵃ10.
δ 4. 1292 ᵇ30. 13. 1297 ᵇ25. Ρα 9. 1368 ᵃ23. ρ 9. 1429
ᵇ29 (opp παρὰ λόγον). ηεα 5. 1216 ᵃ36, ᵇ6. ν 2. 1235 ᵇ15.
12. 1244 ᵇ33 al. — εὐλόγως in fine enunciationis posi-
tum ita ut ante εὐλόγως commate distinguendum sit (cf
εἰκότως ita collocatum Krüger gr gr 66, 1, 8) Ηη 14. 1153
ᵇ15. Ζμγ 11. 673 ᵇ10. δ 10. 690 ᵃ28. pariter distinguen-
dum Ηθ 15. 1162 ᵇ6. Ζμ δ 10. 688 ᵃ14. Ζγβ 4. 738 ᵃ18.
γ 2. 753 ᵃ22 et fort ηεη 12. 1245 ᵃ38. κỳ τὸτ᾽ εὐλόγως
Ζμγ 4. 665 ᵇ34, 666 ᵃ5, ᵇ14, 667 ᵃ34, ᵇ9. — εὐλογώτερον
ἀπορήσειεν ἄν τις ψα 4. 408 ᵃ34. — εὐλογώτατα μισεῖσθαι
Πα 10. 1258 ᵇ2.
εὔλυτος. τὰ περὶ τὰς κλεῖδας εὐλυτώτερα μᾶλλον ἢ συμ-
πεφραγμένα φ5. 809 ᵇ26. cf 3. 807 ᵇ16. ὦμοι εὔλυτοι φ6.
811 ᵃ1. κοιλίαι εὔλυτοι πδ 3. 876 ᵇ31. — εὔλυτος ἡ ἀπο-
ρία Ζγγ 5. 755 ᵇ23.
εὐμάθεια (cf εὐμαθής 1), coni εὐφυΐα, ἀγχίνοια Ρα 6. 1362
ᵇ24. 14. 1415 ᵃ37. ημα 5. 1185 ᵇ6.
εὐμαθής. 1. act ἀναμνηστικώτεροι οἱ ταχεῖς κỳ εὐμαθεῖς
μν 1. 449 ᵇ8. — 2. pass εὐμαθὴς ἡ ἐν περιόδοις λέξις ὅτι
εὐμνημόνευτος Ργ 9. 1409 ᵇ4.
εὐμάρεια τῆς τοιαύτης ζητήσεως Πγ 3. 1276 ᵃ24. τῆς πρώ-
της αἰτίας πᾶσιν ἀποδȣσης τὴν οἰκείαν εὐμάρειαν κ 6. 398
ᵇ35.
εὐμαρής. εἰκάσαι περὶ αὐτῶν εὐμαρὲς ψα 1. 403 ᵃ1.
εὐμεγέθης κỳ σύμμετρος φ3. 808 ᵃ25. μέτωπον, στόμα εὐ-
μέγεθες φ3. 808 ᵃ2. 5. 809 ᵇ16. σαρξ εὐμεγέθης Ζικ 7. 638
ᵃ17. — ταῦτα ἦξει διαφοραῖς εὐμεγέθεσι ρ6. 1427 ᵇ33.
εὐμελεῖς μυσικῇ, dist εὔρυθμος Πθ 7. 1341 ᵇ26.
εὐμελιτεῖν. ἐὰν μὴ εὐμελιτῇ τὰ σμήνη Ζι 40. 625 ᵃ24.
εὐμένειαν πῶς δεῖ πορίζεσθαι ἐν τῷ κατηγορικῷ κỳ τῇ ἀπο-
λογητικῷ εἴδει ρ37. 1441 ᵇ36 - 1442 ᵇ27.
εὐμενής. εὐμενῶς ἀκȣσαι τὸ λόγȣ ρ19. 1433 ᵃ12. 30.
1437 ᵃ36 (syn μετ᾽ εὐνοίας ἀκȣειν 20. 1433 ᵇ20). εὐμενῶς
διατιθέναι τινά, opp κακῶς ρ37. 1445 ᵇ27.
Εὐμενίδες Aeschyli f 575. 1572 ᵇ22, 26.
εὐμενικός, coni ἵλεως, συγγνωμονικός, opp κολαστικός, τι-
μωρητικός αρ 8. 1251 ᵇ32.
εὐμετάβλητα σχήμασιν κỳ χρώμασιν Ρα 12. 1373 ᵃ30.
εὐμετάβολος, syn εὐκίνητος, opp μόνιμος, παραμόνιμος Κ8.
8 ᵇ34, 30. Ηα 11. 1100 ᵇ2. κμβ 3. 1199 ᵇ33. ποικίλος κỳ
εὐμετάβολος Ηα 11. 1101 ᵃ9. εὐμετάβολοι κỳ ἀφίκοροι πρὸς
τὰς ἐπιθυμίας Ρβ 12. 1389 ᵃ6. εὐμετάβολος ἡ τῶν νέων

φιλία ηεη2. 1236 ᵃ38. εὐμετάβολος ὁ πονηρός Ηη15. 1154
ᵇ30. δειλῦ τὸ ἦθος τὸ ἐπὶ τῦ προσώπῳ εὐμετάβολον φ3.
807 ᵇ11. τὸ παροξυντικὸν τῦ ἤθυς ϰ εὐμετάβολον αρ6.
1251 ᵃ8.

εὐμετακίνητα ἐπὶ τὸ χεῖρον Μδ12. 1019 ᵃ28.

εὐμετάπειστος, opp δύσπειστος Ηη10. 1151 ᵇ6. 9. 1151
ᵃ14.

εὐμεταχείριστον χρείαν ἔχειν Πα9. 1257 ᵃ37.

εὐμήκης Ζμβ8. 654 ᵃ23. ὀφιώδη ϰ εὐμηκέστερα Ζμδ13.
696 ᵃ17.

Εὔμηλος, υἱὸς Ἀδμήτυ f 596. 1576 ᵇ1, 2.

εὐμήχανος ὄρνις Ζιι18. 616 ᵇ34. ὄρνις εὐμήχανος πρὸς τὸν
βίον Ζιι11. 614 ᵇ34. 17. 616 ᵇ20.

εὐμνημόνευτά ἐστιν ὅσα τάξιν τινὰ ἔχει μν2. 452 ᵃ3. τὰ
εὐμνημόνευτα f 125. 1499 ᵇ13. πρᾶγμα εὐμνημόνευτον
Ργ13. 1414 ᵇ6. ἐπὶ τῶν μύθων ἔχειν μὲν μῆκος δεῖ, τῦτο
δ' εὐμνημόνευτον εἶναι πο7. 1451 ᵃ5. τὰ μόνῳ ὑπάρχοντα
εὐμνημονευτότερα Ρα9. 1367 ᵃ26. ἡ ἐν περιόδοις λέξις εὐ-
μνημόνευτος, εὐμνημονευτότατον Ργ9. 1409 ᵇ4, 6.

Εὐμολπίδαι. ἐπιμεληταὶ ἐξ Εὐμολπιδῶν f 386. 1542 ᵇ3.

εὐνάζειν. ὁ πελλὸς χαλεπῶς εὐνάζεται ϰ ὀχεύει Ζιι1. 609
ᵇ23. cf S Π 15, ΑΖι Π 212, 19.

εὐνή. εὐνῆς ἐπιθυμεῖ ὁ ἀκμάζων (Hom Ω 129) Ηγ13. 1118
ᵇ11.

εὐνοεῖν τινι ηεη7. 1241 ᵃ8 sqq. πρὸς τι ημβ12. 1211 ᵇ37. δ
εὐνοῦν, dist ὁ φίλος ηεη7. 1241 ᵃ11.

εὔνοια. περὶ εὐνοίας ηεη7. dist φιλία Ηθ2. 1155 ᵇ33. ι5.
ημβ12. 1212 ᵃ1-13. ἡ εὔνοια ἀρχὴ φιλίας Ηι5. 1167 ᵃ3.
ηεη7. 1241 ᵃ12. ἡ εὔνοια τῦ ἤθυς ϰ πρὸς τὸ ἦθος ημβ12.
1212 ᵃ11. εὔνοια, dist τὸ δίκαιον Πα6. 1255 ᵃ17. μετ' εὐ-
νοίας ἀκύειν, syn εὐμενῶς ἀκύειν ρ20. 1433 ᵇ20. 19. 1433
ᵃ22. τὴν εὔνοιαν πῶς δεῖ παρασκευάζεσθαι ρ30. 1436 ᵇ16-
1437 ᵇ32. 37. 1442 ᵃ21. — εὔνοιαι, coni βοήθειαι, συνερ-
γίαι οα3. 1343 ᵇ17.

εὐνοΐζεσθαι ηεη7. 1241 ᵃ8.

εὐνοϊκῶς ἢ δυσμενῶς ἔχειν πρός τινα ρ30. 1436 ᵇ18.

εὐνομεῖσθαι χαλεπὸν τὴν λίαν πολυάνθρωπον πόλιν Πη4.
1326 ᵃ26. εὐνομεῖσθαι, syn ἀριστοκρατεῖσθαι Πδ8. 1294 ᵃ1.
αἱ εὐνομύμεναι, αἱ εὐνομεῖσθαι λεγόμεναι πόλεις Πη6. 1327
ᵃ12. β1. 1260 ᵇ30. Ρα1. 1354 ᵃ20. Ζκ10. 703 ᵃ20.

εὐνομία, def Πη4. 1326 ᵃ30. δ8. 1294 ᵃ3, 4. ἡ εὐνομία
τέλος τῆς πολιτικῆς Ηγ5. 1112 ᵇ14. ηεα4. 1216 ᵇ18. φρον-
τίζειν εὐνομίας Πχ9. 1280 ᵇ6.

Εὐνομία, ἡ Τυρταίυ ποίησις Πε7. 1307 ᵃ1.

εὔνυς, def Ηθ2. 1155 ᵇ32. dist φίλος Ηθ7. 1158 ᵃ7. 6. 1157
ᵇ18. ηεη7. 1241 ᵃ13. ποιῆσαι εὔνυν, opp ὀργίσαι Ργ14.
1415 ᵃ34. — plur εὔνοι ημβ12. 1211 ᵇ36, sed εὖνοι, ut
alibi, 1212 ᵃ3. — εὐνύστερός τινι ρ3. 1423 ᵇ16.

εὐνυχίας. τὸ ἀποτυφλωθῆναι τὺς εἰς τὸ αἰδοῖον πόρυς, οἷον
συμβαίνει τοῖς εὐνύχοις ϰ εὐνυχίαις πδ26. 879 ᵇ8. εὐνυχίαι
διατελῦσιν ὄντες Ζγβ7. 746 ᵇ24. cf Lob Prol 493.

εὐνῦχος. 1. ἡ τὶ εὐνύχυ ἐπίθεσις τῷ Εὐαγόρᾳ Πε10.1311
ᵇ5. — ὁ εὐνῦχος πῶς λέγεται ἀδύνατος Μδ12. 1019 ᵇ19.
οἱ εὐνῦχοι πι36. 37. 894 ᵇ19-895 ᵃ3, γυναικικοὶ πι42.895
ᵃ32. εὐνῦχοι ϰ εὐνυχίαι πδ26. 879 ᵇ8. διὰ τί ἐξαλλάττυσι
τῆς ἀρχαίας μορφῆς Ζγδ1. 766 ᵃ26. τὸ μέγεθος μόνον
εἰς τὸ ἄρρεν μεταβάλλυσιν, εἰς μέγεθος τὸ μῆκος ἐπιδιδό-
ασιν (?) πι36. 894 ᵇ25, 37. ἑλκώδεις τὰς κνήμας ἴσχυσι ϰ
σαπράς· ὅτε οἱ εὐνῦχοι ὅτε γυναῖκες δασεῖς γίνονται πι42.
895 ᵃ31, 35, τὰς ὑστερογενεῖς τρίχας ἢ ὐ φύυσιν ἢ ἀπο-
βάλλυσιν, ἂν τύχωσιν ἔχοντες οἱ εὐνῦχοι, πλὴν τῆς ἥβης

Ζγε3. 784 ᵃ8. εὐνῦχος ὐ γίνεται φαλακρός 784 ᵃ6. Ζιι50.
632 ᵃ4. πι57. 897 ᵇ23. ὑκ ἴσχυσιν ἰξίας πι37. 894 ᵇ39,
λεπτὰς ἔχυσι φωνὰς ακ803 ᵇ20. βλάπτονται πρὸς ὀξυωπίαν
πδ3. 876 ᵇ24. — 2. φοινίκων ἀνόρχων, ὕς τινες εὐνύχυς
καλῦσιν, οἱ δὲ ἀπυρήνυς f 250. 1524 ᵇ24.

εὔνωτος φ5. 809 ᵇ28.

Εὔξεινος πόντος. πολλοὶ ποταμοὶ ῥέυσιν εἰς τὸν Ε. π. μβ1.
354 ᵃ17. αι3. 350 ᵇ3. Ἀπολλωνιᾶται οἱ ἐν τῷ Ε. π. Πε3.
1303 ᵃ37.

Εὔξενος. Θεοδάμας εἴκαζεν Ἀρχίδαμον Εὐξένῳ γεωμετρεῖν
ὑκ ἐπισταμένῳ Ργ4. 1406 ᵇ30 Spgl. — Εὔξενος ὁ Φωκαεύς
f 508. 1561 ᵃ39.

εὐξήραντος μκ5. 466 ᵃ23, 26, 31. 6. 467 ᵃ9. ὑκ εὐξήραντον
τὸ λιπαρόν Ζγε3. 782 ᵇ4, 13, 15.

εὐογκον τῷ πλήθει περίττωμα Ζγδ1. 766 ᵇ20. εὐογκότερον
ϰ παχύτερον τὸ πεττόμενον μδ2. 380 ᵃ5. — μήτε περὶ εὐ-
όγκων αὐτοκαβδάλως λέγειν μήτε περὶ εὐτελῶν σεμνῶς
Ργ7. 1408 ᵃ12.

εὐοδεῖν, intr ῥεῖ τὸ σύντηγμα, ὅπῃ ἂν εὐοδήσῃ τῦ σώματος·
γίγνεται ἀρρώστημα, ὅταν αὐτῶν μὴ εὐοδήσῃ ἡ ἀποκάθαρ-
σις Ζγα18. 725 ᵃ35, 726 ᵃ13. — pass εὐοδεῖται μᾶλλον τῷ
τῦ ἄρρενος σπέρματι Ζγβ4. 739 ᵃ35.

εὐοπλότερα τὰ ἄρρενα τῶν θηλέων Ζιδ11. 538 ᵇ4.

εὐόργητος ϰ πρᾶος ἐν μεσότητι ὀργῆς ϰ ἀναλγησίας ημα7.
1186 ᵃ23.

εὐόριστος. ὑγρὸν τὸ ἀόριστον οἰκείῳ ὅρῳ εὐόριστον ὄν, ξηρὸν
τὸ εὐόριστον οἰκείῳ ὅρῳ, δυσόριστον δὲ Γβ2. 329 ᵇ31. 8.
334 ᵇ35. αι0. 328 ᵇ3. μβ4. 360 ᵃ23. δ1. 378 ᵇ24 Ideler.
3. 381 ᵇ29. εὐδιαίρετον τὸ εὐόριστον, ϰ μᾶλλον τὸ μᾶλλον
Οδ6. 313 ᵇ9. Γα10. 328 ᵃ35, ᵇ2. ἐν συνεχεῖ εὐορίστῳ Μι6.
1056 ᵇ13 Βz.

εὐορκεῖν, opp ἐπιορκεῖν τι25. 180 ᵃ35sqq. θ57. 834 ᵇ13.
εὐόρκως θέσθαι τὴν ψῆφον ρ19. 1433 ᵃ1.

εὐόφθαλμον τὸ ἔχον ὀφθαλμῶ ἀρετήν f 83. 1490 ᵇ1. εὐ-
όφθαλμον ἀκῦσαι μόνον, dist ἀσφαλές Πβ8. 1268 ᵇ24.

εὐπάθεια. σημεῖον τῆς εὐπαθείας (i ε τῦ εὖ πείσεσθαι, τῦ
τεύξεσθαι ὧν ἂν δέωνται) ἢ τιμή Ηθ9. 1159 ᵃ21. — πρὸς
εὐπάθειαν σχολαίως ἰέναι, opp συνεργῦντα Ηι11. 1171 ᵇ24.

εὐπαθής. ἕξις εὐπαθεστάτη ὑπὸ τῦ ἀέρος πη4. 887 ᵇ23.

εὐπαρακολύθητος. σαφηνείας ἕνεκεν ϰ τῦ εὐπαρακολύθητυ
Ηβ7. 1108 ᵃ19.

εὐπαρακόμιστος χώρα τῆς περὶ ξύλα ὕλης Πη5. 1327 ᵃ10.
εὐπαρόρμητοι ϰ ὀργίλοι Ρβ2. 1379 ᵃ17.

εὐπατρίδαι, dist γεωμόροι, δημιυργοί f 346. 1536 ᵃ31, 35.

εὐπειθής Ηκ10. 1180 ᵇ7. εὐπειθές, syn κεκολασμένον, ὑπὸ
τὸ ἄρχον Ηγ15. 1119 ᵇ7, 12. διὰ τὴν συντονίαν ὑχ ὁμοίως
εἰσὶν εὐπειθεῖς αἱ φωναί ακ802 ᵃ6.

εὐπειστος ὁ ἐγκρατής, opp δύσπειστος Ηη10. 1151 ᵇ10, 6.
— εὔπειστον ατ969 ᵇ22.

εὔπεπτος τροφή Ζμγ14. 674 ᵃ29. εὔπεπτον αἷμα Ζμβ5.
651 ᵃ23. εὔπεπτος περίττωσις σπερματικὴ Ζγδ3. 767 ᵇ15.
ὑ πᾶν ὁμοίως εὔπεπτον Ζμγ5. 668 ᵇ15. εὔπεπτον τὸ θερ-
μότερον Ζγδ6. 775 ᵃ18. τὰ κύφα εὔπεπτα κρέα ϰ ὑγιεινά
Ηζ8. 1141 ᵇ18. ἄλλα ἄλλοις εὔπεπτα ϰ δύσπεπτα πα47.
865 ᵃ14. τὸ ψαθυρὸν εὐπεπτότερον πκα8. 927 ᵇ27.

εὐπετής. εὐπετῆ ποιεῖ τῷ θερμῷ τὴν ἀναφοράν πγ13. 872
ᵇ36. οἶνος εὐπετέστερος, syn ἀσθενέστερος πιβ13. 907 ᵇ16,
14. — ὑκ εὐπετὲς ἀποδῦναι sim, syn χαλεπὸν ται4. 105
ᵇ26. η5. 154 ᵃ26. — δι' εὐπετέος χαλκοῖο (Emped 351)
αν7. 473 ᵇ17, διπετέος Bergk, Mullach.

εὐπεψία. ἡ εἰς μικρὰ διαίρεσις τῆς τροφῆς ἐν τῷ στόματι

ϑδεμιᾶς αἰτία πέψεως, ἀλλ' εὐπεψίας μᾶλλον Ζμβ3. 650
ᵃ11. καταχρῆται ἡ φύσις τῷ ἐπιπλόῳ πρὸς τὴν εὐπεψίαν
τῆς τροφῆς, ὅπως ῥᾷον πέττῃ κ̀ θᾶττον τὰ ζῷα τὴν τρο-
φήν Ζμδ3. 677 ᵇ31. τέλος εὐπεψίας αἱματικῆς πιμελὴ κ̀
στέαρ ἐστὶν Ζμγ9. 672 ᵃ4. ῥαδίως ἐξατμίζεται ἡ ἐνυπάρ- 5
χυσα τροφὴ δι' εὐπεψίαν πι23. 893 ᵇ1.
εὔπηκτον μκ5. 466 ᵃ31, 467 ᵃ2. 6. 467 ᵃ8.
εὐπιλητότερον τὸ ὕδωρ τῦ ἀέρος αι2. 438 ᵃ15.
εὔπιστος. οἱ νέοι εὔπιστοι Ρβ12. 1389 ᵃ18.
εὔπλαστος. τὸ ὑγρὸν εὐπλαστοτέραν ἔχει τὴν φύσιν τῆς 10
γῆς Ζγγ11. 761 ᵃ34. — εὐφυὴς ἡ ποιητική ἐστιν ἢ μα-
νικῦ· τύτων γὰρ οἱ μὲν εὔπλαστοι οἱ δὲ ἐξεταστικοί πο17.
1455 ᵃ33. Vhl Poet II 43.
εὔπλευρος. ὅσαι γυναῖκες μὴ εὔπλευροι μηδὲ δύνανται τὸ
πνεῦμα κατέχειν Ζιη9. 587 ᵃ3. οἱ εὔπλευροι εὔρωστοι τὰς 15
ψυχάς φδ6. 810 ᵇ12-23. cf 3. 808 ᵃ20. 5. 809 ᵇ28.
εὐπνοεῖν. πι48. 896 ᵃ32.
εὔπνοια. διὰ τὴν εὔπνοιαν ὁ ἀὴρ ἐν κινήσει ἐστὶν πιδ7. 909
ᵇ5. — ἡ εὔπνοια εὔχροιαν ποιεῖ, ἡ δὲ κατάπνιξις τὐναντίον
πλη3. 966 ᵇ36. 4. 967 ᵃ8. β30. 869 ᵃ36. οἱ σπογγεῖς ἀνα- 20
τέμνυσι τὲς μυκτῆρας πρὸς εὔπνοιαν πλβ5. 960 ᵇ24.
εὔπνυς. εἰ ἐν τοῖς εὐπνυστέροις τόποις οἰκῦντες πβ30. 868 ᵃ35.
ιδ7. 909 ᵇ1 (syn ὑψηλός, opp κοῖλος, ἑλώδης ᵇ2). ἡ ὥρα
κ̀ τὸ εὔπνυν πιδ12. 910 ᵃ3. οἰκία εὔπνυς μὲν τῦ θέρυς,
εὐήλιος δὲ τῦ χειμῶνος οα6. 1345 ᵃ31. — ὥσπερ πόλις 25
ὑγιεινὴ κ̀ τόπος εὔπνυς, ὕτω κ̀ σῶμα τὸ εὔπνυν μᾶλλον
ὑγιεινὸν πλβ5. 865 ᵇ19. ε34. 884 ᵃ27. λζ3. 966 ᵃ7. ὁ περὶ
τὴν κεφαλὴν τόπος εὔπνυς Ζμβ7. 653 ᵇ2. πβ6. 867 ᵃ5 (ὅσα
μὴ εὔπνοα ᵃ7). τὰ τῶν ὀρνίθων σώματα εὐπνύστατα Ζμγ12.
673 ᵇ23. τῶν παίδων τὰ σώματα ὀκ εὔπνοα ἀλλὰ πυκνὰ 30
πι4. 894 ᵃ29. σὰρξ εὔπνυς κ̀ ἀραιὰ πλζ3. 966 ᵃ7, 11. κα-
θαρὰ κ̀ εὔπνυς ἕξις πη4. 887 ᵇ23. 16. 888 ᵃ25. οἱ σπογ-
γεῖς διατέμνονται τὲς μυκτῆρας, ὅπως εὐπνύστεροι ὦσιν
πλβ5. 960 ᵇ22.
εὐποιητικὸς τῶν ἄλλων Ρβ2. 1379 ᵇ32. οἱ εὐποιητικοὶ εἰς 35
χρήματα ἐπὶ σωτηρίαν Ρβ4. 1381 ᵃ20. ἐλευθεριότης περὶ
χρήματα εὐποιητικὴ (εὖ ποιητικὰ Bk¹) Ρα9. 1366 ᵇ16. ἡδὺ
τὸ εὐποιητικόν Ρα11. 1371 ᵇ3. εὐποιητικὸν εἶναι βέλτιον ἢ
μὴ ημβ11. 1210 ᵇ11, 12.
Εὔπολις, poeta comicus f 579. 1573 ᵃ25.   40
εὐπορεῖν c gen νομῆς, χρημάτων, νομίσματος Ζμδ5. 680
ᵇ2. Πα11. 1259 ᵃ12. 9. 1257 ᵇ15. οβ1347 ᵇ2, 1351 ᵃ22.
ὄχλυ Πγ5. 1278 ᵃ32. εὐπορεῖν λόγων, συλλογισμῶν, θεω-
ρημάτων, παραδειγμάτων, σημείων, πίστεων al Αα27. 43
ᵃ20, ᵇ10. τα4. 101 ᵇ13. 13. 105 ᵃ22. β5. 111 ᵇ33. Ηι4. 45
1166 ᵃ26. ρ2. 1421 ᵇ35. 4. 1426 ᵃ19. 8. 1428 ᵃ24. 1430
ᵃ10. 13. 1431 ᵃ5. 15. 1431 ᵇ6. εὐπορῆσαι τῆς ἀληθείας,
dist διαπορῆσαι τῷ λόγῳ Μβ1. 996 ᵃ16. — εὐπορεῖν c inf,
εὐπορήσομεν λέγειν, διαλέγεσθαι sim τα5. 102 ᵃ13. 18. 108
ᵇ14. β3. 110 ᵇ5. 5. 112 ᵃ25. αι2. 437 ᵃ21. ρ3. 1424 ᵇ26, 50
1425 ᵃ8. 18. 1432 ᵇ4. 35. 1439 ᵇ6. inde per dicendi quan-
dam brevitatem explicari videtur ὅταν εὐπορῇ τις (int λέ-
γειν, ἐλέγχειν) κ̀ ὅτι ὕτως κ̀ ὅτι ὀχ ὕτως τθ14. 163 ᵇ7. —
εὐπορεῖν περὶ τινος. διαπορῦντας περὶ ὧν εὐπορεῖν δεῖ ψα2.
403 ᵇ21. εὐπορῦμεν μᾶλλον περὶ τῶν φθαρτῶν ζῴων, opp 55
ἐλάττως ἡμῖν ὑπάρχει θεωρίας Ζμα5. 644 ᵇ28, 25. περὶ
τῦ συμφέροντος ὕτω μετιὼν εὐπορήσει ρ2. 1423 ᵃ10. —
εὐπορεῖν absolute, i e χρημάτων Πγ8. 1280 ᵃ4. δ15. 1299
ᵃ24. ε7. 1306 ᵇ36. i e λόγων sim ρ5. 1427 ᵇ10. τοῖς εὐ-
πορῆσαι βυλομένοις προὔργυ τὸ διαπορῆσαι καλῶς Μβ1. 60
995 ᵃ27. τάχ' ἂν ἐξ αὐτῶν εὐπορήσαιμέν τι πρὸς τὰς

ὕστερον ἀπορίας ΜΑ10. 993 ᵃ26. ἔχει ἀπορίαν κ̀ εὐπορή-
σαντι ἐπιτίμησιν Μν4. 1091 ᵃ30. — med εὐπορεῖσθαι χρη-
μάτων, τῶν ἐπιτηδείων οβ1347 ᵇ4, 1350 ᵇ14. absol
οβ1348 ᵃ7.
εὐπορία. αἰθέρι δ' εὐπορίην διόδοισι τετμῆσθαι (Emp 347)
αν7. 473 ᵇ13. — αἱ πράξεις τῶν ζῴων περὶ τὰς εὐπορίας
τῆς τροφῆς εἰσί Ζιδ12. 596 ᵇ21. εὐπορία προσόδων Πδ6.
1293 ᵃ3. ρ2. 1422 ᵃ13. περὶ κτήσεως κ̀ τῆς περὶ τὴν ὐσίαν
εὐπορίας Πι5. 1326 ᵇ34. εὐπορία, opp ἀπορία Πι8. 1279
ᵇ27. cf β11. 1273 ᵃ35. οἱ ἐν ταῖς εὐπορίαις Πε7. 1307 ᵃ19.
ὅταν εὐπορία τις ᾖ κ̀ μισθὸς τοῖς ἐκκλησιάζυσιν Πδ15.
1300 ᵃ2. ὅπως εὐπορία γένοιτο χρόνιος ΠΖ5. 1320 ᵃ35. ἐν-
δείκνυσθαι τὴν ἑαυτῦ εὐπορίαν ημα27. 1192 ᵇ4. τῶν ἀπό-
ρων εἰς εὐπορίαν ἂν καθίσταιτο πλείως Πε8. 1309 ᵃ26. —
πολλή τις εὐπορία ἀγαθῶν (εἴπερ αἱ μονάδες ὅπερ ἀγαθόν
τι) Μν4. 1091 ᵇ26. τριπλῆς ἡ τῶν δένδρων εὐπορία (i e τὸ
εὖ φύεσθαι τὰ δένδρα) ἀκολυθεῖ φτβ7. 827 ᵃ7. — ἡ ὕστε-
ρον εὐπορία λύσις τῶν πρότερον ἀπορυμένων ἐστί Μβ1. 995
ᵃ29. εἴ τις κ̀ μικρὰς εὐπορίας ἀγαπᾷ περὶ ὧν τὰς μεγί-
στας ἔχομεν ἀπορίας Οβ12. 291 ᵇ27. τῦτο πρὸς τὸ βιάζε-
σθαι μᾶλλον τὴν εὐπορίαν ποιεῖ κ̀ πρὸς τὸ ἐλέγχειν μεγάλων
ἔχει βοήθειαν τθ14. 163 ᵇ6. — (γέροντι προφασιστέον ἐκ τῆς
εὐπορίας ρ30. 1437 ᵇ9, fort ἐμπειρίας.)
εὔπορος. οἷς ὑπάρχει διάθεσις εὔπορος (τῶν χρημάτων) Ρα12.
1372 ᵃ33. — οἱ εὔποροι, def οἱ ταῖς ὐσίαις λειτυργῦντες
Πδ4. 1291 ᵃ34. opp οἱ πένητες Πδ4. 1290 ᵃ38. opp οἱ
ἄποροι Πγ7. 1279 ᵇ8. 8. 1279 ᵇ37. δ3. 1290 ᵃ10. 4. 1291
ᵇ8, 33. 9. 1294 ᵃ38. opp οἱ μέσοι et οἱ ἄποροι Πδ3. 1289
ᵇ30. 11. 1295 ᵇ2. ε8. 1308 ᵇ30. opp ὁ δῆμος Πδ11. 1296
ᵃ28. 12. 1297 ᵃ9. ε5. 1310 ᵃ6, opp τὸ πλῆθος Πε9. 1309
ᵇ39. 12. 1316 ᵇ13. η8. 1328 ᵇ22. syn οἱ γνώριμοι, οἱ καλοὶ
κἀγαθοί Πβ12. 1274 ᵃ19. δ8. 1293 ᵇ38, 1294 ᵃ18. 12.
1296 ᵇ31. ε8. 1309 ᵃ6, 9. τὸ εὔπορον (i q οἱ εὔποροι, col-
lective sicuti τὸ μάχιμον, τὸ ὁπλιτικόν) Πη8. 1328 ᵇ22.
ε12. 1316 ᵇ13. οἱ εὐπορώτεροι Πβ6. 1266 ᵇ9. δ8. 1293
ᵇ38. — εὔπορόν ἐστι c inf, ἢ πολλαχῶς ἀφανίσαι εὔπορον
Ρα12. 1373 ᵃ31. ὀκ εὔπορον τροφὴν πορίζεσθαι Ζιι32. 619
ᵃ21. ὀκ εὔπορον διελεῖν, διαλύειν, ἀποδῦναι αι7. 169 ᵃ24.
Γα2. 315 ᵇ21. Κ10. 12 ᵃ22. — εὐπορώτερον ἔχειν πρὸς τὸ
λεγόμενον τθ14. 163 ᵇ11. — εὐπόρως. ὀκ εὐπόρως δύναν-
ται διορίζειν οἱ φυσιολόγοι Ζγδ3. 769 ᵃ16.
εὔπυς κ̀ κακόπυς ὄρνις Ζιι22. 617 ᵇ4, 8.
εὐπραγεῖν Ηι5. 1167 ᵃ16. ἀναξίως εὐπ. Ρβ9. 1387 ᵃ9.
εὐπραγία κ̀ εὐδαιμονία ταὐτόν Πη3. 1325 ᵃ22, ᵇ15. εὐπρα-
γία φαινομένη τβ2. 109 ᵇ37. Ρβ10. 1387 ᵇ22. — εὐπρα-
γίαι Ρα9. 1367 ᵃ4. αἱ τῶν ἀγαθῶν εὐπραγίαι τβ2. 110
ᵃ2, 3. εὐπραγίαι κ̀ καιροί ρ3. 1423 ᵇ19. εὐπραγίαι ἀνάξιαι,
παρὰ τὴν ἀξίαν Ρβ9. 1386 ᵇ12. ηεγ7. 1233 ᵇ25.
εὐπραξία, syn εὐζωΐα Ηα8. 1098 ᵇ22. ὀκ ἔστιν ἄνευ δια-
νοίας κ̀ ἤθους ΗΖ2. 1139 ᵃ4. ἡ εὐπραξία τέλος ΗΖ2. 1139
ᵇ3. 5. 1140 ᵇ7. Πη3. 1325 ᵃ31. ἡ εὐδαιμονία εὐπραξία
μετ' ἀρετῆς Ρα5. 1360 ᵇ14. Φβ6. 197 ᵇ5. — εὐπραξίαι,
opp δυστυχίαι, δυσπραξίαι Ηα11. 1100 ᵃ21, 1101 ᵇ6.
εὐπρεπὴς τὸ εἶδος ὄρνις Ζιι16. 616 ᵇ18. ἐσθῆτα εὐπρεπεστά-
την ρ1. 1420 ᵃ13. — περὶ τῦ τὰ πάτρια κινεῖν ἀφορ-
μὰς ἕξομεν εὐπρεπεῖς ρ3. 1423 ᵇ19.
εὐπρόσωπος. εὐπρόσωπον τὸ ἔχον ἀρετὴν προσώπυ f 83. 1490
ᵃ43. τὸ εὐειδὲς οἱ Κρῆτες εὐπρόσωπον καλῦσιν πο25. 1461
ᵃ14. — εὐπρόσωπος ἡ τοιαύτη νομοθεσία κ̀ φιλάνθρωπος
δόξειεν ἄν Πβ8. 1263 ᵇ15.
εὔπτερος ὄρνις κ̀ κακόπυς Ζια1. 487 ᵇ25, 26.

εὐπώγων ὁ θυμώδης φ3. 808 ᵃ23.

εὕρεσις θησαυρῷ Ηγ5. 1112 ᵃ27. τὸ πρῶτον αἴτιον ὃ ἐν τῇ εὑρέσει ἔσχατόν ἐστιν Ηγ5. 1112 ᵇ19 (syn ἀνάλυσις ᵇ23). ὁ τετραγωνισμὸς μέσης εὕρεσις ψβ2. 413 ᵃ19. Μβ2. 996 ᵇ21. ἡ λύσις τῆς ἀπορίας εὕρεσις ἐστιν Ηη4. 1146 ᵇ7. εὕρεσιν ποιεῖσθαι τῶν ἐπιζητημένων θ133. 843 ᵇ25.

εὑρετὴς ἢ συνεργὸς ἀγαθὸς ὁ χρόνος Ηα7. 1098 ᵃ24.

εὑρετικοί πλ2. 955 ᵇ2.

εὕρημα pro ὄραμα Πα11. 1259 31 ci Camerar.

Εὐριπίδης. versus Euripidis afferuntur (ubi ipsum Euripidis nomen adhibetur, loco Aristotelico signum asterisci apposui) ex tragoediis quae adhuc exstant: Bacch 381. Πό5. 1339 ᵃ19*. Hec 864. Ρβ21. 1394 ᵇ4, 6. Hipp 612. Ργ15. 1416 ᵃ28*. Hipp 989. Ρβ22. 1395 ᵇ28. Iph A 80. Ργ11. 1411 ᵇ29. Iph A 1400. Πα2. 1252 ᵇ8. Iph T 733. Ργ6. 1407 ᵇ34. Med 296-299. Ρβ21. 1394 ᵃ29, 33, ᵇ18. Orest 234. Ηη15. 1154 ᵇ28. ηεη1. 1235 ᵃ16. Ρα11. 1371 ᵃ28. Orest 667. Η9. 1169 ᵇ7. ημβ15. 1212 ᵇ27. Orest 1588. Ργ2.1405ᵇ23. Troad 969. Ργ17.1418 ᵇ21. Troad 990. Ρβ23. 1400 ᵇ22*. Troad 1051. Ρβ21. 1394 ᵇ16. ηεη2. 1235 ᵇ21. Phoen 539. ηεη1. 1235 ᵃ22. ex fabulis deperditis, ex Aeolo fr 16. Πγ4. 1277 ᵃ19*. Alcmaeone fr 69. Ηε11. 1136 ᵃ11*. Andromeda fr 131. Ρα11. 1370 ᵇ4. Antiopa fr 183. Ρα11. 1371 ᵇ31. πιζ6. 917 ᵃ13. Bellerophonte fr 298. ημβ11. 1209 ᵇ36*. ηεη2. 1238 ᵃ34. 5. 1239 ᵇ22. Dictye fr 345 resp f 85. 1490 ᵇ39*. Thyeste fr 399 f 83. 1490 ᵃ25. fr 400. Ρβ23. 1397 ᵃ17. Melanippa fr 490. Ηε2. 1129 ᵇ28. Meleagro fr 519. Ργ9. 1409 ᵇ9 (ab Aristotele Sophoclis esse perhibetur). fr 534. f 64. 1486 ᵇ19*. Stheneboea fr 662. Ρβ21. 1394 ᵇ2. Telepho fr 700. Ργ2. 1405 ᵃ28*. Philocteta fr 785, 786. Ηζ8. 1142 ᵃ3-6*. fr 790. πο22. 1458 ᵇ20*. fr 794. ρ19.1433ᵇ11*. ex fabulis incertis fr 882. ηεη11. 1244 ᵃ11*. fr 883. Πε9. 1310 ᵃ34*. fr 887. πι47. 896 ᵃ24. fr 890. Ηθ2. 1155 ᵇ3*. ημβ11. 1210 ᵃ14*, 1208 ᵇ16. ηεη1. 1235 ᵃ16. fr 965. Πη7. 1328 ᵃ15. — tragoediae Euripidis commemorantur ac respiciuntur: Hecuba? πο18. 1456 ᵃ17* (ὥσπερ Εὐριπίδης Νιόβῃ, ci Ἑκάβῃ). Iph Taur πο14. 1454 ᵃ7. 16. 1454 ᵇ31, 1455 ᵃ18. 17. 1455 ᵇ9*. Medea πο14. 1453 ᵇ28*. 15. 1454 ᵇ1. τὴν Μήδειαν δοκεῖ ὑποβαλέσθαι παρὰ Νεόφρονος διασκευάσας f 592. 1574 ᵃ23. Orestes πο15. 1454 ᵃ29. 25. 1461 ᵇ20. Ῥῆσος πότερον δρᾶμα γνήσιον f 583. 1573 ᵇ5. Troades πο23. 1459 ᵇ7. Phoenissae Ηι6. 1167 ᵃ33. Aegeus πο25. 1461 ᵇ20*. Alcmaeon (cf fr 70) Ηγ1. 1110 ᵃ28*. Cresphontes (cf Nauck p 395) Ηγ2. 1111 ᵃ11. (cf fr 457) πο14. 1454 ᵃ5. Melanippa (cf fr 488) πο15. 1454 ᵃ31. Nioba? πο18. 1456 ᵃ17 (cf Vhl Poet II 87). Oeneus (cf fr 562) Ργ16. 1417 ᵃ15. — Εὐριπίδης ποιεῖ τὰς ἀνθρώπους οἷοί εἰσιν πο25. 1400 ᵇ34. εἰ χ̣ τὰ ἄλλα μὴ εὖ οἰκονομεῖ, ἀλλὰ τραγικώτατός γε πο13. 1453 ᵃ29. Εὐριπίδου πολλαὶ τραγῳδίαι εἰς δυστυχίαν τελευτῶσιν πο13. 1453 ᵃ24. χορὸς πο18. 1456 ᵃ27. πρόλογοι Ργ14. 1415 ᵃ19. λέξις Ργ2. 1404 ᵇ25. — Εὐριπίδης πόσας νίκας ἀνείλετο, τίνας Εὐριπίδου τραγῳδίας τελευτήσαντος ὁ υἱὸς ἐδίδαξεν f 584. 1573 ᵇ10 — Εὐριπίδου (Ὑπερείδου ci Ruhnken) ἀπόκρισις πρὸς τὰς Συρακοσίας Ρβ6. 1384 ᵇ16. Εὐριπίδην σκώπτων εἶπε Στρᾶττις αι5. 443 ᵇ30. Εὐριπίδου δυσωδία τοῦ στόματος Πε10. 1311 ᵇ33.

εὔριπος. κατὰ τὰς εὐρίπους χ̣ πορθμούς, dist ἐν μέσοις πελάγεσιν χ4. 396 ᵃ25. οἱ εὔριποι ῥέουσιν πκς4. 940 ᵇ17. τὰ ῥεύματα φερόμενα διὰ τῶν εὐρίπων ακ800 ᵇ29, 802 ᵇ35. εὔριπος ὁ ἐν Πύρρα, ὁ τῶν Πυρραίων, ὁ Πυρραῖος Ζιε12. 544 ᵃ21. 15. 548 ᵃ9. θ20. 603 ᵃ21. ι37. 621 ᵇ12. Ζμδ5. 680 ᵇ1. — τὸ ἀναθυμιώμενον μέχρι τοῦ ὠθεῖσθαι, εἶτ' ἀντιστρέφειν χ̣ μεταβάλλειν καθάπερ εὔριπον υ3. 456 ᵇ21. μένει τὰ βουλήματα χ̣ οὐ μεταρρεῖ ὥσπερ εὔριπος Ηι6. 1167 ᵇ7.

Εὔριπος μβ8. 366 ᵃ23. ἐν Εὐρίπῳ Ζιε15. 547 ᵃ6.

εὐριπώδεις τόποι τῆς θαλάττης Ζγγ11. 763ᵇ2. τὰ εὐριπώδη (ζῷα), dist τὰ πελάγια Ζι37. 621 ᵇ23.

εὑρίσκειν. εὗρε θησαυρόν Πε4. 1303 ᵇ36. — εὑρίσκειν πόρους, συμφέρον τι τῇ πόλει Πα11. 1259 ᵃ30. β8. 1268 ᵃ7. εὑρίσκειν (consequi, efficere) τὸ διπλάσιον οβ1350 ᵃ17. εὑρίσκειν χ̣ αἱρεῖσθαι τὸ μέσον Ηβ6. 1107 ᵃ5. — τὰ ἄλλα δεῖ νομίζειν εὑρῆσθαι πολλάκις ἐν τῷ πολλῷ χρόνῳ sim Πη10. 1329 ᵇ26. 11. 1331 ᵃ16. β5. 1264 ᵃ4.

εὔροια τῶν φλεβῶν υ3. 457 ᵃ26.

εὐρόνοτος ὁ μεταξὺ εὔρου χ̣ νότου χ4. 394 ᵇ33. μβ6. 363 ᵇ22.

εὖρος πόθεν πνεῖ μβ6. 363 ᵇ21, 364 ᵃ17, ᵇ3, 19, 20, 24. χ4. 394 ᵇ20, 22, 24. eius nomina varia σ973 ᵇ3, 4, 5, 7. f 238. 1521 ᵇ21. τῷ νότῳ εἶδος τιθέασι τὸν εὖρον Πό3. 1290 ᵃ19. ὁ εὖρος ἀπ' ἀρχῆς ξηρός, τελευτῶν δ' ὑδατώδης, καυματώδης μβ6. 364 ᵇ20, 24. πκς27. 943 ᵃ5. μείζω τὰ μεγέθη πάντων φαίνεται, ὅταν εὖροι πνεύσιν μγ4. 373 ᵇ11. πκς53. 946 ᵃ33.

εὖρῠς. ποιοῦσιν εὐρὺν τὸ σῶμα Ζιη1. 581 ᵇ19. σώματα εὔροα πδ11. 877 ᵇ18. πόρος εὐρὺς Ζικ5. 637 ᵃ32.

Εὐρύαλος. ἐπίγραμμα ἐπὶ Ε. f 596. 1576 ᵇ19.

Εὐρυβάτης, Εὐρύβατος κλέπτης f 73. 1488 ᵃ10, 23.

εὐρυθμία χ6. 398 ᵇ19.

εὔρυθμος μυσική, dist εὐμελής Πθ7. 1341 ᵇ26. εὔρυθμον δεῖ εἶναι τὴν λέξιν Ργ8. 1409 ᵃ21. — ὀρνίθιον εὔχαρι χ̣ εὔρυθμον Ζιθ3. 592 ᵇ24.

εὐρυμέδοντος (Emp 438) Ρα13. 1373 ᵇ16.

εὐρυνομένων τῶν ἀγγείων πν2. 482 ᵃ4.

Εὐρυπύλη, eius filius Ἡλεῖος f 595. 1575 ᵃ14.

Εὐρύπυλος incerti poetae tragoedia πο23. 1459 ᵇ6 (Nck fr trag p 651). ἐπίγραμμα ἐπὶ Εὐρυπύλῳ f 596. 1576 ᵃ19.

εὐρύς. ὅταν ἐξ εὐρέος εἰς στενὸν βιάζεται ὁ ἄνεμος μγ1. 370 ᵇ18. πόροι εὐρεῖς πι43. 895 ᵃ39.

Εὐρυσθεῖ θητεύειν ηεη12. 1245 ᵇ31.

εὐρύστερνος γαῖα (Hes θ117) Φδ1. 208 ᵇ31. ΜΑ4. 984 ᵇ28. ξ1. 975 ᵃ12.

εὐρυστήθης. τὰ εὐρυστήθη ἐμετικὰ μᾶλλον Ζυ50. 632 ᵇ11.

Εὐρυτᾶνες, ἔθνος Αἰτωλίας ὀνομασθὲν ἀπὸ Εὐρύτου f 465. 1554 ᵇ11.

Εὐρυτίων ἐν Ἡρακλείᾳ Πε6. 1306 ᵃ39.

Εὔρυτος ἔταττε τίς ἀριθμὸς τίνος Μν5. 1092 ᵇ19. — Εὔρυτος f 465. 1554 ᵇ12 cf Εὐρυτᾶνες.

Εὐρυφῶν Πβ8. 1267 ᵇ22.

εὐρυχωρής. ἔντερον εὐρυχωρέστερον Ζιβ17. 508 ᵃ28. φλέβες εὐρυχωρέστεραι, πόροι εὐρυχωρέστατοι Ζμγ4. 667 ᵃ28. 5. 668 ᵇ16. cf δ8. 684 ᵃ24.

εὐρυχωρία. ἡ εὐρυχωρία τοῦ ὀστοῦ, τῆς ὑστέρας Ζγε8. 789 ᵃ20. δ5. 774 ᵃ20. Ζιγ1. 511 ᵃ11. ἡ μὲν εὐρυχωρία (τῶν ἐντέρων) ποιεῖ πλήθους ἐπιθυμίαν, ἡ δ' εὐθύτης ταχυτῆτα ἐπιθυμίας Ζμγ14. 675 ᵇ25. προϊόντι χ̣ καταβαίνοντι τῷ περιττώματι εὐρυχωρία γίνεται ἐν τῇ κάτω κοιλίᾳ· τὰ σωφρονέστερα τῶν ζῴων εὐρυχωρίας οὐκ ἔχει μεγάλας κατὰ τὴν κάτω κοιλίαν Ζμγ14. 675 ᵇ14, 19, 23. (ὁ πλεύμων) ποιῶν εὐρυχωρίαν τῇ εἰσόδῳ τῦ πνεύματος Ζμγ6. 669 ᵃ15. ἐντὸς φερόμενον διαχεῖσθαι διὰ τὴν εὐρυχωρίαν αχ800 ᵇ35. τοῖς ἀνθρώποις διὰ τὴν εὐρυχωρίαν ᴋ τὸ σκεπάζεσθαι δεῖν τὰ περὶ τὴν καρδίαν Ζμδ10. 688 ᵇ19. — ἡ εὐρυχωρία τῶν τόπων μβ8. 367 ᵃ18. ὡσανεὶ εὐρυχωρίας τινὸς ὑπαρχύσης θ99. 838 ᵇ6. — ἐὰν πρῶτα (βρωθῇ τὰ σῦκα) διὰ βάρος κάτω πορευόμενα εὐρυχωρίαν ἄνω ποιεῖ πκβ1. 930 ᵃ10.

εὐρύχωρος πόρος Ζικ5. 637 ᵃ32, 34. εὐρύχωροι ὑποδοχαί Ζμγ14. 675 ᵇ27.

Εὐρώπη Φε1. 224 ᵇ21. μα13. 350 ᵇ3. eius fines κ3. 393 ᵇ22, 23. Ἰταλία ἀκτὴ τῆς Εὐρώπης Πη10. 1329 ᵇ11. populorum Europaeorum ingenia Πγ14. 1285 ᵃ21. η7. 1327 ᵇ24. animalia ἐν τῇ Εὐρώπῃ Ζιζ31. 579 ᵇ6. θ28. 606 ᵇ14, 15, 16, 18. — εἰς Εὐρώπην apud Choerilum Ργ14. 1415 ᵃ17.

εὐρώς πλη9. 967 ᵇ14. def σαπρότης γεωῶς ἀτμίδος, ἀντεστραμμένον τῇ πάχνῃ Ζγε4. 784 ᵇ10, 16. γήρως εὐρὼς αἱ πολιαί Ζγε4. 784 ᵇ20.

εὐρωστία ᴋ μέγεθος θ1. 830 ᵃ9.

εὔρωστος. στόμα εὔρωστον Ζιι22. 617 ᵇ3. ποιεῖσθαι τὴν τῦ πνεύματος πληγὴν ἰσχυρὰν ᴋ εὔρωστον αχ800 ᵃ33, ᵇ4. ἄνδρες ἀφροδισιάσαντες εὐρωστότεροι Ζικ5.636 ᵇ25. — εὔρωστοι τὰς ψυχὰς φ6. 810 ᵃ25. εὔρωστον αὐτὸν παρέχειν ἐν τοῖς πολέμοις ρ25. 1435 ᵃ20.

εὐσαρκία, opp ἀσαρκία Ζια15. 493 ᵇ22.

εὔσαρκος. εὔσαρκοι γυναῖκες, τίτθαι Ζιη2. 583 ᵃ9. 12. 588 ᵃ5. εὔσαρκος, coni ἰσχυρὸς τὸ εἶδος φ3. 808 ᵃ25. μεταφρενον εὔσαρκον ᴋ ἀρθρωδὲς φ6. 810 ᵇ25. εὔσαρκα τὴν εὐτροφίαν χ6. 798 ᵇ11. φλεβώδη ᴋ μὴ εὔσαρκα παλ34. 863 ᵃ23. cf λε7. 965 ᵃ22.

εὐσέβεια, μέρος δικαιοσύνης αρ5. 1250 ᵇ22. τὺς θεὺς χαίρειν ταῖς εὐσεβείαις τῶν εὐσεβῶν αρ23. 1423 ᵇ28.

εὐσεβεῖς. τὸ τῶν εὐσεβῶν γένος κ6. 400 ᵃ34. — ἐν τῷ προλόγῳ τῶν Εὐσεβῶν (comoedia Anaxandridis, Meineke III p 167) Ργ12. 1413 ᵇ27. — εὐσεβέως ἱδρύσατο βωμὸν f 623. 1583 ᵃ13.

εὔσημος χ2. 792 ᵇ1. ἀσαφὴς ἢ μὴ εὔσημος ἡ τοιαύτη διέξοδος φ2. 806 ᵃ35. εὔσημον τὴν ῥοπὴν ποιεῖ πκς26. 942 ᵇ38. μέρος εὐσημότατον πκς12. 941 ᵇ23. — εὐσήμως. γέγραπται τῦ μᾶλλον εὐσήμως ἔχειν ὁ τῦ ὁρίζοντος κύκλος μβ6. 363 ᵃ27.

εὔσηπτον. τὸ πολὺ ὐκ εὔσηπτον· πλέον τὸ ὑγρὸν ἢ ὥστε εὐσηπτότερον εἶναι Ζγε5. 785 ᵃ2, 25. περίττωσις εὔσηπτος πα18. 861 ᵃ38. ιδ6. 909 ᵃ40.

εὐσθενεῖν πα22. 862 ᵃ11. κ18. 925 ᵃ3 (utroque loco εὐθενεῖν Bsm).

εὔσκοπος τόπος Ζιι41. 628 ᵃ11.

εὐσταλὴς ὑστέρα ᴋ μὴ ἔχυσα αὔξησιν Ζικ7. 638 ᵇ31.

εὔστερος (Emp 211) ψα5. 410 ᵃ4.

εὐστοχία Αγ34. 89 ᵇ10. def, dist εὐβυλία Ηζ10. 1142 ᵇ2, ᵃ33.

εὔστοχος. τὸ ὅμοιον ἐν πολὺ διέχυσι θεωρεῖν εὔστοχα Ργ11. 1412 ᵃ12. οἱ μελαγχολικοὶ εὔστοχοι μτ2. 464 ᵃ33. — εὐστόχως ὁρίσασθαι τζ14.151 ᵇ19. κρῖναι εὐστόχως Ζμα1. 639 ᵃ5.

εὐσυλλογιστότερα ᴋ πιθανώτερα τἀληθῆ Ραl. 1355 ᵃ38.

εὐσυνάγωγος τόπος Πη12. 1331 ᵇ2.

εὐσυνάρμοστοι ὐκ εἰσὶν οἱ ὄφεις Ζγα7. 718 ᵃ29.

εὐσυνεσία, i q σύνεσις Ηζ11. 1143 ᵃ10.

εὐσύνετος, i q συνετός Ηζ11. 1143 ᵃ11. εὐσυνετώτεροι εἰς ταῦτα Ηκ10. 1181 ᵇ11.

εὐσύνθετος. τοῖς διπλοῖς (ὀνόμασι) χρῶνται, ὅταν ὁ λόγος εὐσύνθετος ᾖ Ργ3. 1406 ᵃ36.

εὐσύνοπτος. τάφοι ἀλλήλοις εὐσύνοπτοι, coni σύνοπτος, ὁ σύνοπτος Πβ12. 1274 ᵃ37. χώρα εὐσύνοπτος. πλῆθος ἀνθρώπων εὐσύνοπτον Πη5. 1327 ᵃ1, 2. 4. 1326 ᵇ24. σωμάτων, ζῴων μέγεθος εὐσύνοπτον πο7. 1451 ᵃ4. — περίοδος λέξις ἔχυσα ἀρχὴν ᴋ τελευτὴν ᴋ μέγεθος εὐσύνοπτον Ργ9. 1409 ᵇ1. ὁ μῦθος τῦ ὅλυ πολέμυ λίαν μέγας ᴋ ὐκ εὐσύνοπτος ἔμελλεν ἔσεσθαι πο23. 1459 ᵃ33. — λίαν εὐσύνοπτον τὸ ψεῦδος αι4. 441 ᵃ10. εὐσύνοπτον μᾶλλον τὸ οἰκεῖον τῦ πράγματος ᴋ τὸ ἀλλότριον Ργ12. 1414 ᵃ12. cf χ1. 791 ᵃ11. ᴋ κατὰ τὸν λόγον σκοπυμένοις εὐσύνοπτόν ἐστιν Πη1. 1323 ᵇ7. — εὐσυνόπτως τὰ λοιπὰ θεάσασθαι θ99. 838 ᵇ10.

εὐσχημοσύνη. τὰ εἰς εὐσχημοσύνην ᴋ περιυσίαν ὑπάρχοντα, opp τὰ ἀναγκαῖα Πη10. 1329 ᵇ28. διαφέρειν πρὸς εὐσχημοσύνην Ηδ14. 1128 ᵃ25.

εὐσχήμων ᴋ μαλακὴ βαρύτης Ρβ17. 1391 ᵃ28. ὐκ εὐσχήμον πάντως πειρᾶσθαι συλλογίσασθαι τθ14. 164 ᵇ11. λέγειν εὐσχήμονα Ηδ14. 1128 ᵃ7. εὐσχημονέστατος λόγος τι12. 172 ᵇ38. φοιτῶσα ἔνθα μὴ καλὸν μηδὲ εὔσχημον κ6. 398 ᵃ5. — εὐσχημόνως τὰς τύχας φέρειν Ηαl1. 1101 ᵃ1.

εὐσωματωδέστερος ὁ περὶ τὸ στῆθος τόπος πβ31. 869 ᵇ14.

εὔτακτος. ἡ εὔτακτος τῶν ἀστέρων κίνησις, χορεία f 12. 1476 ᵃ7. 13. 1476 ᵃ28.

εὐταμίευτον τὸ τῦ πνεύματος ἀγγεῖον Ζγε7. 787 ᵇ5.

εὐταξία. ἡ εὐνομία εὐταξία Πη4. 1326 ᵃ30. ἡ ὀλιγαρχία ὑπὸ τῆς εὐταξίας τυγχάνει τῆς σωτηρίας Πζ6. 1321 ᵃ4. αἱ πρὸς εὐταξίαν ᴋ κόσμον ἀρχαί Πζ8. 1321 ᵇ7. εὐταξία παρέπεται τῇ σωφροσύνῃ αρ4. 1250 ᵇ11. αἱ ἐν τῷ κόσμῳ εὐταξίαι, opp ἁμαρτία πκθ14. 952 ᵇ16, 13. θεός τις ὁ τῆς τοιαύτης κινήσεως (τῶν ἀστέρων) ᴋ εὐταξίας αἴτιος f 12. 1476 ᵃ9.

εὖτε (Emp 350, 352, 367) αν7. 473 ᵇ16, 18, 474 ᵃ6.

εὐτεκνία, def Ραl5. 1361 ᵃ1-12. coni εὐγένεια, κάλλος Ηα9. 1099 ᵇ3. πλεονεκτεῖν εἰς εὐτεκνίαν Ρβ17. 1391 ᵃ32.

εὔτεκνοι οἱ μέλανες ἀετοί, οἱ κύκνοι al Ζιζ6. 563 ᵇ6. ι11. 614 ᵇ33. 12. 615 ᵃ33. 17. 616 ᵇ24. f 268. 1526 ᵇ34.

εὐτέλεια. ἡ χαλκευτικὴ πρὸς εὐτέλειαν ποιεῖ ὀβελισκολύχνιον Ζμδ6. 683 ᵃ24. — εὐτέλεια τῆς διανοίας ΜΑ3. 984 ᵃ4 Βz.

εὐτελής. ἐσθὴς εὐτελὴς μὲν ἀλεεινὴ δέ Πβ8. 1267 ᵇ26. — οἱ βασιλεῖς μεγάλων κύριοι καθεστῶτες ἂν εὐτελεῖς ὦσι Πβ11. 1272 ᵇ41. πολλοὶ τῶν εὐγενῶν εὐτελεῖς Ρβ15. 1390 ᵇ24. πάνυ εὐτελεῖς ἄνθρωποι εὐθυόνειροι μτ2. 463 ᵇ15. ὑποκριταὶ εὐτελεῖς Πη17. 1336 ᵇ30. οἱ σεμνότεροι (ποιηταὶ) τὰς τῶν καλῶν ἐμιμῦντο πράξεις, οἱ δὲ εὐτελέστεροι τὰς τῶν φαύλων πο4. 1448 ᵇ26. τὸ αὐτὸ ἰαμβεῖον, ἓν ὄνομα μεταθέντος, τὸ μὲν καλὸν τὸ δ' εὐτελές πο22. 1458 ᵇ22. μήτε περὶ εὐόγκων αὐτοκαβδάλως λέγειν μήτε περὶ εὐτελῶν σεμνῶς, μήτε ἐπὶ τῷ εὐτελεῖ ὀνόματι ἐπεῖναι κόσμον Ργ7. 1408 ᵃ13.

εὔτηκτον τὸ ἁλμυρόν ψβ10. 422 ᵃ19. εὐτηκτότερα πα 50. 865 ᵇ1.

εὐτηξίας σημεῖον θ50. 834 ᵃ7. f 248. 1524 ᵃ23.

εὔτοκος. ἵπποι εὐτοκώταται Ζιζ21. 576 ᵃ22. ἵππος τῶν τετραπόδων εὐτοκώτατον Ζιζ18. 573 ᵃ9.

εὐτολμία παρέπεται τῇ ἀνδρείᾳ αρ4. 1250 ᵇ5. λυσιτελεῖν πρὸς εὐτολμίαν ρ3. 1423 ᵇ3.

εὔτολμος πρὸς τὰς κινδύνυς αρ4. 1250 ᵇ1. εὐτολμότεροι ρ3. 1423 ᵇ4.

εὔτομος τῶν ἰδίων οἰκήσεων διάθεσις, εὔτομος πόλις ὅλη Πη11. 1330 ᵇ23, 30.

εὔτονος. στῆθος ὀξὺ πρὸς τὸ εὔτονον εἶναι Ζπ10. 710 ᵃ31. πνεύμων μέγας κ̅ μαλακὸς κ̅ εὔτονος ακ800 ᵇ16. οἶνος ἐκ μέλιτος εὔτονος θ22. 832 ᵃ11. — τῶν ζῴων τὰ μὲν βαρύ- 5 φωνα, τὰ δ' ὀξύφωνα, τὰ δ' εὔτονα Ζγε7. 786 ᵇ8. — εὐτόνως θέοντες πε39. 885 ᵃ6.

εὐτραπελία, def Ηβ7. 1108 ᵃ24. ηεγ7. 1234 ᵃ4. ημα31. 1193 ᵃ11. ἡ εὐτραπελία πεπαιδευμένη ὕβρις ἐστίν Ρβ12. 1389 ᵇ11. ἡ εὐτραπελία διττή ηεγ7. 1234 ᵃ15. περὶ εὐτρα- 10 πελίας Ηδ14. ημα31. ηεγ7. 1234 ᵃ4-23.

εὐτράπελος Ηθ3. 1156 ᵃ13. 5. 1157 ᵃ6. 7. 1158 ᵃ31. οἱ ἐν ταῖς τοιαύταις διαγωγαῖς εὐτράπελοι Ηκ6. 1176 ᵇ14. opp αὐστηρός ηεη5. 1240 ᵃ2. coni φιλογέλωτες Ρβ2. 1389 ᵇ11. 13. 1390 ᵃ23. def Ηβ7. 1108 ᵃ24. δ14. 1128 ᵃ15. ηεγ7. 15 1234 ᵃ4. ημα31. 1193 ᵃ15. ὁ εὐτράπελος διττῶς πως λεγόμενος ημα31. 1193 ᵃ17.

εὐτραφής ὗς Ζιε14. 546 ᵃ15, 20. τοῖς εὐτραφέσι πεττόμενον τὸ περίττωμα γίνεσθαι πιμελὴν Ζγα18. 726 ᵃ4. cf Ζμβ5. 651 ᵃ23. ἰσχυροὶ κ̅ εὐτραφεῖς πδ29. 880 ᵃ23. ὑγιεινότερα 20 σώματα κ̅ εὐτραφέστερα Ζιη1. 581 ᵇ32. παιδία εὐτραφέστερα κ̅ γάλακτι χρωμένα Ζιη12. 588 ᵃ4. ζῷα μείζω κ̅ εὐτραφέστερα πι55. 897 ᵇ15.

εὐτρεπής. ποιῶσιν εὐτρεπεῖς τὴν κοιλίαν κ̅ τὴν κύστιν πκζ10.949 ᵃ2. — ἐπεὶ ἦν εὐτρεπῆ τὰ πρὸς τὴν οἰκοδομίαν οβ1352 ᵃ36. 25

εὐτρεπιζομένη πᾶσι τοῖς ἱστίοις ναῦς f 13. 1476 ᵃ24.

εὔτρεπτος. τὰ ἐπὶ γῆς εὔτρεπτα ὄντα πολλὰς ἑτεροιώσεις ἀναδέχεται κ6. 400 ᵃ23.

εὔτροπος. εὐτράπελοι προσαγορεύονται οἷον εὔτροποι Ηδ14. 1128 ᵃ10. 30

εὐτροφεῖν. αἷμα καθαρώτερον τοῖς εὐτροφῦσιν Ζγδ1.765ᵇ26.

εὐτροφία τῶν σωμάτων Ζγδ6. 775 ᵇ19. κατὰ μέγεθος κ̅ εὐτροφίαν Ζιε11. 543 ᵇ29. πᾶσαν ὥραν ποιῆσι τὴν ὀχείαν διὰ τὴν ἀλέαν κ̅ εὐτροφίαν Ζιε8. 542 ᵃ28. ἡ τῦ σώματος παχύτης κ̅ εὐτροφία Ζιη1. 581 ᵇ27. ἵπποι μεταβάλλυσιν εἰς 35 τὸ λευκὸν διὰ τὴν εὐτροφίαν χ6. 798ᵇ9. ἀγονία δι' εὐτροφίαν Ζγβ7. 746 ᵇ26. τὰ λεγόμενα ᾠὰ τῶν ὀστρέων σημεῖον εὐτροφίας Ζγγ11. 763 ᵇ6. Ζμδ5. 680 ᵇ7. δι' εὐτροφίαν Ζμβ5. 641 ᵃ22.

εὐτυχεῖν. τὸ εὐτυχῆσαι Φβ6. 197 ᵇ2. μικρὰ εὐτυχήσαντα 40 ὑπεξαίρεσθαι αρ7. 1251 ᵇ19.

εὐτύχημα, def ημβ8. 1207 ᵃ34, 35. dist κατόρθωμα ημβ3. 1199 ᵃ13. cf χρὴ δεικνύειν ὡς εὐτυχήματα ταῦτα συνέβη ρ9. 1429 ᵃ31. δι' εὐτύχημα ἀσθενήματος Ζικ7. 638 ᵃ36. εὐτυχήματα, εὐτυχία Ρα5. 1362 ᵃ11, coll 1361 ᵇ39. τὰ 45 εὐτυχήματα δοκεῖ συμβάλλεσθαι πρὸς μεγαλοψυχίαν Ηδ8. 1124 ᵃ20. φέρειν ἐμμελῶς τὰ εὐτυχήματα Ηδ8. 1124 ᵃ31. τῶν εὐτυχημάτων ἡ μέση κτῆσις βελτίστη Πδ11. 1295 ᵇ5. οἱ ἐν ὑπεροχαῖς εὐτυχημάτων, ἰσχύος κ̅ πλύτυ κ̅ φίλων κ̅ τῶν ἄλλων τῶν τοιούτων Πδ11. 1295 ᵇ14. πολλὴ 50 χορηγία τῶν εὐτυχημάτων Πη14. 1333 ᵇ18.

εὐτυχής πολλαχῶς λέγεται ημβ8. 1207 ᵃ27, 36. def ηεη4. 1248 ᵃ30, ᵇ4 et omnino ηεη4. dist εὔβυλος ημβ3. 1199 ᵃ12. οἱ ὡς ἀληθῶς εὐτυχεῖς διά τινας θείας αἰτίας Ηκ10. 1179 ᵇ23. — εὐτυχεῖς οἱ λίθοι ἐξ ὧν οἱ βωμοί (Protag) 55 Φβ6. 197ᵇ10.

εὐτυχία, opp δυστυχία, def Φβ5. 197 ᵃ26. Μκ8. 1065 ᵇ1. ημβ8. 1207 ᵃ19, 30, 35, ᵇ12. Ρα5. 1361 ᵇ39-1362 ᵃ12. ρ3. 1425 ᵃ21. εὐτυχίας δύο εἴδη ηεη14. 1248 ᵇ3. dist εὐδαιμονία Ηη14. 1153 ᵇ21-25. Πη1. 1323 ᵇ26. cf Φβ6. 197 60 ᵇ4. Ηα9. 1099 ᵇ8. ηεα1. 1214 ᵃ26. περὶ εὐτυχίας ηεη14.

ημβ8. — μεταβάλλειν εἰς εὐτυχίαν ἐκ δυστυχίας πο7. 1451 ᵃ13. 13. 1452 ᵇ35, 37, 1453 ᵃ2, 9, 14, 25 al. τῆς εὐτυχίας ποῖα τὰ ἤθη Ρβ7. 1391 ᵃ30-ᵇ7. περὶ πᾶσαν εὐτυχίαν κ̅ ἀτυχίαν μετρίως ἔχειν Ηδ7. 1124 ᵃ14. φέρειν ὑπὲρ παντὸς ἀνδρὸς εὐτυχίαν Πε8. 1308 ᵇ15. εὐτυχία ὑπερβάλλυσα ἐμπόδιός ἐστι Ηη14. 1153 ᵇ23. οἱ ἐν ἀξιώματι κ̅ εὐτυχίαις, οἱ ἐν εὐτυχίαις μεγάλαις ὄντες Ηδ8. 1124 ᵇ19. Ρβ5. 1383 ᵃ1. τίς εὐτυχία μεγίστη πολίταις Πδ11. 1295 ᵃ39. δι' εἰρήνην κ̅ δι' ἄλλην τιν' εὐτυχίαν Πε6. 1306 ᵇ12.

εὐυπέρβλητος. ἐκ εὐυπέρβλητον Ηδ5. 1123 ᵃ17.

εὔφημος ὁ μελανάετος, ἣ γὰρ μινυρίζει Ζιι32. 618 ᵇ31.

εὔφθαρτος. τὸ ῥᾳδίως φθειρόμενον, ὃ εἴποι ἄν τις εὔφθαρτον Οα11. 280 ᵇ25. διακρινόμενα κ̅ συγκρινόμενα εὔφθαρτα γίνεται Γα2. 317 ᵃ27. τί τὸ εὔφθαρτον ἐν τοῖς φύσει συνεστῶσιν μκ2. 465 ᵃ13. 5. 466 ᵇ4. τὸ ἔλαττον σῶμα τῦ μείζονος εὐφθαρτότερον Ογ6. 305 ᵃ6. Ζγε6. 785 ᵇ36. Ζμδ6. 683 ᵃ10. εὔφθαρτον (Wimmer, εὔθραυστον Bk) τὸ νέον Ζγδ6. 775 ᵃ9. οἱ ἰχθύες πότε εὔφθαρτοι Ζγα6. 718 ᵃ5. εὐφθαρτος ἡ ἀρχὴ τῆς διαλέκτυ πια1. 899 ᵃ1, 898 ᵇ34. πρὸς τὸ μὴ εὔφθαρτον εἶναι τὸ σῶμα Ζμβ8. 654 ᵃ14.

εὐφιλοτίμητα Ηδ5. 1122 ᵇ22.

εὔφορος. ἔνιοι τῶν βοῶν ζῶσι κ̅ εἴκοσιν ἔτη, ἐὰν εὔφορον ἔχωσι τὸ σῶμα Ζιζ21. 575 ᵃ33. — τῶν φυτῶν τὰ μὲν εὔφορα, τὰ δ' ἄφορα Ζιθ11. 538 ᵃ1. φτα6. 821 ᵃ13. 7. 821 ᵇ14. εὐφορωτέρα φυτὰ φτα7. 821 ᵇ18.

εὐφραίνειν, opp λυπεῖν Ργ1. 1404 ᵃ5. ἢ εὐφραίνειν ἢ ὠφελεῖν Ρα11. 1370 ᵇ8. ὡς εὐφρανῶν τὸν Οἰδίπυν κ̅ ἀπαλλάξων φόβυ πο11. 1452 ᵃ25. ὖ δεῖ τὸν εὐφραινόντων (codd εὖ φρονῦντων) ηεη12. 1244 ᵇ6. ὅσα παρόντα εὐφραίνει, ἐλπίζοντας κ̅ μεμνημένες Ρα11. 1370 ᵇ9. ὀσμαὶ εὐφραίνυσαι κατὰ συμβεβηκός, καθ' αὑτάς ηεγ2. 1231 ᵃ7. ὁ λιβανωτὸς ἀπολλύμενος εὐφραίνει Ργ4. 1407 ᵃ10. τὴν μυσικὴν εἰς τὰς διαγωγὰς παραλαμβάνουσιν ὡς δυναμένυ εὐφραίνειν Πθ5. 1339 ᵇ24. ὁ γραφεὺς πῶς μάλιστ' ἂν εὐφραίνειεν πο6. 1450 ᵇ2. ἡ τραγῳδία (int ἡ μὴ ἐκ παραδεδομένων μύθων) ὖδὲν ἧττον εὐφραίνει πο9. 1451 ᵇ23, 26. — εὐφραίνεσθαι, syn χαίρειν τβ6. 112 ᵇ25, cf Πθ3. 1338 ᵃ28. opp ἀνιᾶσθαι φ4. 808 ᵇ15.

εὔφραστος. δεῖ εὐανάγνωστον εἶναι τὸ γεγραμμένον κ̅ εὔφραστον Ργ5. 1407 ᵇ12.

Εὐφράτης θ150. 845 ᵇ10.

εὐφροσύνη, syn χαρά τβ6. 112 ᵇ23.

εὐφυής, opp ἀφυής ψ39. 421 ᵃ24, 26. ηεη2. 1237 ᵃ6. dist ὁ γεγυμνασμένος Ργ10. 1410 ᵇ8. εὐφυεῖς εἶναι. opp φιλοπονεῖν τγ2. 118 ᵃ22. Λάκαιναι κύνες εὐφυέστεραι αἱ θήλειαι Ζιι1. 608 ᵃ27. τῇ φύσει εὐφυῆ εἶναι κ̅ τῇ προαιρέσει φιλόπονον οβ1345 ᵇ9. εὐφυῆ εἶναι, syn δύνασθαι καλῶς ἐλέσθαι τἀληθές τθ14. 163 ᵇ13. εὐφυῆ πρὸς τὸ κρῖνον καλῶς πέφυκε Ηγ7. 1114 ᵇ8. ἐξίσταται τὰ εὐφυᾶ γένη εἰς μανικώτερα ἤθη Ρβ15. 1390 ᵇ28. ἡ ποιητικὴ εὐφυῦς ἢ μανικῦ πο17. 1455 ᵃ32 Vhl Poet II 43. cf πλ1. 954 ᵃ32. εὐφυεῖς κ̅ θερμοί, opp ψυχροὶ κ̅ μελαγχολικοὶ ημβ6. 1203 ᵇ1. σημεῖα εὐφυῆς σ3. 807 ᵇ12-19. 2. 806 ᵇ23. εὐφυὲς πρὸς ἀγονίαν, πρὸς σύλληψιν Ζγβ8. 748 ᵇ8, 12. Ζικ1. 634 ᵃ39. δέρμα εὐφυὲς πρὸς τι Ζγα12. 719 ᵇ16. καιρὸς εὐφυὴς πρὸς σύλληψιν f 259. 1525 ᵇ35. εὐφυὲς πρὸς ἰατρικήν Μγ2. 1003 ᵇ2. ἕξις εὐφυὴς πρὸς ἄσκησιν Πη17. 1336 ᵃ20. εὐφυέστατος πρὸς ἁπάσας ἀρετάς Ηζ13. 1144 ᵇ34. — μήτε χεῖρας ἔχων μήτε πόδας εὐφυεῖς Ζμδ11. 691 ᵇ15. πόδες εὐφυεῖς κ̅ μεγάλοι φ6. 810 ᵃ15. — εὐφυέστατος τῶν τόπων ὁ μέσος, ἐπὶ πᾶν ἐφικτὸν ὁμοίως Ζμγ4. 666 ᵃ14. τόπος (dialect) εὐφυέστατος ᾗ δημοσιώτατος τι1. 165 ᵃ5. — εὐφυῶς ἔχειν, κεῖσθαι πρός τι Πε3. 1303 ᵇ8. η6. 1327 ᵃ33. τὰς ἀριθμὰς εὐφυῶς γεννᾶσθαι ἐκ τῆς δυαδος ΜΑ6. 987 ᵇ34. εὐφυῶς ἔχει c inf Πζ7. 1321 ᵃ9.

εὐφυΐα τόπων ρ3. 1425 ᵃ24. 39. 1447 ᵃ4, ὑπεκκαύματος μα7. 344 ᵃ28. ἡ τῶν σωμάτων εὐαγωγία ᾗ εὐφυΐα φ6. 814 ᵃ4. εὐφυΐας σημεῖα φ2. 806 ᵇ4. 3. 807 ᵇ12-19. εὐφυΐα, coni εὐμάθεια, ἀγχίνοια Ρα6. 1362 ᵇ24. εὐφυΐας τὸ μεταφορικὸν εἶναι πο22. 1459 ᵃ7. ἡ κατ᾽ ἀλήθειαν εὐφυΐα (τὸ καλῶς ἑλέσθαι τἀληθές) τθ14. 163 ᵇ13. ἡ τελεία ᾗ ἀληθινὴ εὐφυΐα (τὸ καλῶς κρίνειν τἀγαθόν) Ηγ7. 1114 ᵇ12. κατ᾽ εὐφυΐαν ὀρέξεως ηεη14. 1247 ᵇ39.

εὐφύλακτος. 1. εὐφυλακτότερον τὸ ὕδωρ τῶ ἀέρος αι2. 438 ᵃ15. τὸ ὕδωρ εὐφυλακτότατον τῶν διαφανῶν Ζμβ10. 656 ᵇ2. εὐφύλακτον ἡ καρδία Ζμγ7. 670 ᵃ26. — 2. εὐφυλακτότερον (quod facilius caveri potest) τι15. 174 ᵇ35.

εὐφωνία. συμβάλλεσθαι, συμφέρειν πρὸς εὐφωνίαν ακ802 ᵇ2. πια39. 903 ᵇ27.

εὔφωνος. λύρα ἂν ᾖ μὴ εὔφωνος Μδ12. 1019 ᵇ15. τῶν ζευγῶν τὰ πεπωκότα σίαλον εὐφωνότερα γίγνεται ακ802 ᵇ22. τὸ βαρὺ ἀπὸ τῶ ὀξέος γενναιότερον ᾗ εὐφωνότερον πιθ33. 920 ᵃ23.

εὔχαρις τόπος Πη12. 1331 ᵃ36. ὀρνίθιον εὔχαρι ᾗ εὔρυθμον Ζι̅θ̅3. 592 ᵇ24.

εὐχείμεροι πόλεις τίνες Πη11. 1330 ᵃ41. τίνες οἷες εὐχειμερώτεραι Ζι̅θ̅10. 596 ᵇ4.

Εὔχειρ, Daedali cognatus f 344. 1536 ᵃ14.

εὐχείρωτοι μέλλοντες ἔσεσθαι τῶ νομοθέτῃ Πη13. 1332 ᵇ9.

εὐχέρεια. περὶ τὰς δυστοκίας τῇ εὐχερείᾳ (i q τῇ εὐχειρίᾳ) βοηθεῖ Ζιη10. 587 ᵃ11.

εὐχερής, opp δυσχερὴς ηεβ3. 1221 ᵇ2. ὗς εὐχερέστατον πρὸς πᾶσαν τροφήν ἐστιν Ζι̅θ̅6. 595 ᵃ18. ψευδὴς ᾗ εὐχερὴς ᾗ προαιρετικὸς τῶν τοιούτων λόγων Μδ29. 1025 ᵃ2. ἐπιζητήσειεν ἄν τις μὴ λίαν εὐχερὴς ὤν Μν3. 1090 ᵇ14. — εὐχερῶς ἔχειν πρός τι Πθ4. 1338 ᵇ21, ποιεῖν τι Ηδ3. 1121 ᵃ33, λύειν τὰς νόμας Πβ8. 1269 ᵃ15. εὐχερέστερον κινεῖν τὴν πολιτείαν Πε7. 1307 ᵇ5. εὐχερῶς προσίεσθαι, opp χαλεπῶς ηεγ7. 1234 ᵃ7. ὃ δεῖ εὐχερῶς συνεστάναι πρὸς τὰς τυχόντας τθ14. 164 ᵇ12. εὐχερῶς ἀναλίσκειν Ηδ3. 1121 ᵇ8, λέγειν αἰσχρά Πη17. 1336 ᵇ5, εὐεργετεῖσθαι, προπηλακίζεσθαι Ηδ2. 1120 ᵃ34. ηεγ3. 1231 ᵇ12.

εὔχεσθαί τι ᾗ βούλεσθαι Ηε2. 1129 ᵇ4. dist πτωχεύειν Ργ2. 1405 ᵃ18. dist ἐπιτάττειν (Protag) πο19. 1456 ᵇ16. κατ᾽ εὐχὴν εὔχεσθαι (v s εὐχή) Πη13. 1332 ᵃ29. δεῖ πολλὰ προϋποτεθεῖσθαι καθάπερ εὐχομένης Πη4. 1325 ᵇ39. ηὔξατό τις Ηγ13. 1118 ᵃ32. Πδ̅11. 1295 ᵇ33. — τί δεῖ εὔχεσθαι Ηε2. 1129 ᵇ5.

εὐχή, inter σχήματα λέξεως refertur πο19. 1456 ᵇ11, dist λόγος ἀποφαντικός ε4. 17 ᵃ4. — διὰ τὴν ἀπληστίαν τῆς εὐχῆς Πα9. 1257 ᵇ16. ἡ εὐχὴ τῶ Ἀγαμέμνονος (Hom B 372) Πγ16. 1287 ᵇ14. — ἀκολυθῦσιν οἱ ποιηταὶ κατ᾽ εὐχὴν ποιῦντες τοῖς θεαταῖς πο13. 1453 ᵃ35. — κατ᾽ εὐχὴν εὐχόμεθα τὴν τῆς πόλεως σύστασιν, ὧν ἡ τύχη κυρία Πη13. 1332 ᵃ29, cf 12. 1331 ᵇ21. ὑποτίθεσθαι κατ᾽ εὐχήν, τὴν τῆς πόλεως θέσιν ποιεῖν κατ᾽ εὐχήν, ἡ κατ᾽ εὐχὴν γιγνομένη πολιτεία sim Πβ6. 1265 ᵃ18. η5. 1327 ᵃ4. 4. 1325 ᵇ36. 10. 1330 ᵃ26. δ̅11. 1295 ᵃ29. 1. 1288 ᵇ23. ἔχει ὅτι μάλιστα κατ᾽ εὐχήν Πβ1. 1260 ᵇ29. — Κρῆτες εὐχὴν παλαιὰν ἀποδιδόντες f 443. 1550 ᵇ39.

εὔχιλος. τὰ εὐχιλότερα τῶν ζῴων Ζμγ14. 675 ᵇ15.

εὔχορτος. ὅπη ἂν τὸ ὑποζύγιον ἧττον δυσχεραίνῃ τὸ ποτόν,

τῦτο μᾶλλον εὔχορτόν ἐστιν Ζι̅θ̅8. 595 ᵇ26, cf πιαίνεται μάλιστα ᵇ23.

εὐχρηστία σκευῶν οα6. 1345 ᵇ1.

εὔχρηστον τοῖς ἐμπείροις, syn ὠφέλιμον Ηα10. 1181 ᵇ9, 6. πρὸς τὰς πολεμικὰς πράξεις εὐχρηστότατον Πη17. 1336 ᵃ15.

εὔχροια. μετ᾽ εὐχροίας διατελῦσιν αἱ γυναῖκες Ζιη4. 584 ᵃ14. ἡ εὔπνοια εὔχροιαν ποιεῖ πλη3. 966 ᵇ36.

εὔχρως. εὔχροοι πι22. 893 ᵃ35. ι̅δ̅12. 910 ᵃ1. λη5. 967 ᵃ12. ἡ εὔπνοια εὔχρως ποιεῖ πλη4. 967 ᵃ8. 3. 966 ᵇ35. εὔχροα πλβ1. 960 ᵇ4. εὐχρούστεροι πα37. 863 ᵇ1. β3. 869 ᵃ32, 35, 37 (opp ἄχρούστεροι ᵇ2). εὐχρούστατον πλβ1. 960 ᵇ5.

εὔχυλα. τὰ τῶν ἀχύλων ἥπατα εὔχρω ᾗ γλυκερά ἐστιν Ζμδ2. 677 ᵃ23.

εὔχυμα πρὸς τὴν ἐδωδήν Ζγγ11. 763 ᵇ7.

εὐχωλή (Hom B 160) Ρα6. 1363 ᵃ5.

εὔψυκτος αι5. 444 ᵃ12. τὸ μὴ εὔψυκτον μκ5. 466 ᵇ3. οἱ πόδες εὔψυκτοι πβ26. 868 ᵇ38. εὐψυκτότερος πη6. 887 ᵇ31.

εὐψυχία ᾗ εὐτολμία παρέπεται τῇ ἀνδρείᾳ αρ4. 1250 ᵇ5.

εὔψυχος 1. syn ἀνδρεῖος τβ6. 112 ᵃ34. τῶν ἀλεκτρυόνων οἱ εὔψυχοι φ2. 807 ᵃ20. ἐν τοῖς πολεμικοῖς τὰς εὐψυχοτάτας πρώτας τάττειν ρ2. 1422 ᵇ31. — 2. εὔψυχον ᾗ ψυχὴ πρὸς τὸ συγγενὲς φέρεται πν5. 483 ᵃ31.

εὐώδης. τὰ εὐώδη, opp δυσώδη ηεγ2. 1231 ᵃ4. ἡ τῦ ὀσφραντῦ αἴσθησις ᾗ δυσιώδης ᾗ εὐώδης ὄσφρησίς ἐστιν ψ39. 421 ᵇ23. cf μ̅δ̅8. 385 ᵃ2. ὀσμὴ καθ᾽ αὑτὴν εὐώδης αι5. 444 ᵃ18. ὀσμαὶ εὐώδεις, εὐωδέστεραι πιβ2. 906 ᵃ30. 9. 907 ᵃ24. δ̅12. 877 ᵇ25. εὐωδέστερα οβ1353. ᵇ26. εὐώδες ὄζειν πιβ3. 906 ᵇ14. ὅσα περὶ εὐώδη πιβ. τὰ εὐώδη ξηρητικά πα48. 865 ᵃ19. ι̅β̅12. 907 ᵇ4. χ16. 924 ᵇ18. σαρξ εὐώδης, opp θινὸς ὄζειν Ζι̅β̅35. 620 ᵃ15. εὐώδης κυπάρισσος (Hom ε 64) χ6. 401 ᵃ4. εὐωδέστερον γίνεται τὸ ἐν τοῖς ἀποκεκνημένοις ἀγγείοις ἔλαιον f 215. 1517 ᵇ24.

εὐωδία. ἐπιθυμίαι εὐωδίας Ρα11. 1370 ᵃ24. ἡδοναὶ ἀπὸ εὐωδίας ηεγ2. 1230 ᵇ29. μεταλαμβάνειν τῆς εὐωδίας θ113. 841 ᵃ13. τὴν συνεγγὺς χώραν πληρῶν θ82. 836 ᵇ17. εὐωδία τῦ ἄρρενος φοίνικος φτα6. 821 ᵃ19.

εὔωνος, opp τίμιος οβ1345 ᵇ23, 1352 ᵇ5.

εὐώνυμος. τὰ δεξιά, opp τὰ εὐώνυμα Ζι̅β̅1. 498 ᵃ11. δ̅1. 524 ᵃ12. ἡ καρδία τοῖς ἀνθρώποις μικρὸν εἰς τὰ εὐώνυμα παρεκκλίνουσα Ζμγ4. 666 ᵇ7.

εὐωπός. τὰ ἐξόφθαλμα ὐκ εὐωπὰ πόρρωθεν Ζγε1. 780 ᵇ36. εὐωχεῖν. εὐωχῦσι τὰς ὗς οἱ πιαίνοντες Ζι̅θ̅6. 595 ᵃ24. — pass οἱ κηφῆνες πάλιν εἰσελθόντες εὐωχῦνται Ζιι40. 624 ᵃ26. εὐωχημένης τῆς φρατρίας f 489 1558 ᵃ7.

εὐωχία. εὐωχίαις εἰκάζειν τὰς ἵππης ἐθίσαι πρὸς αὐλὸν ὀρχεῖσθαι f 541. 1567 ᵇ28. — τὰ παιδία δανείζειν ἀλλήλοις εἰς εὐωχίαν Ηη6. 1148 ᵇ23.

ἔφαλσις πιζ4. 913 ᵇ30.

ἐφάπτεσθαι. ἂν ἐφάψωνται, πᾶν τῦτο λυμαίνονται Ζι̅θ̅19. 602 ᵇ5. ὁ κύκλος ἐφάψεται ἁπασῶν τῶν γωνιῶν μγ5. 376 ᵇ9. τὸ ἀμερὲς τῦ ἀμερῦς ὅλον ὅλῳ ἐφάπτεται ατ971 ᵇ8. — metaph δυοῖν ἐφήψαντο αἰτίαιν ΜΑ4. 985 ᵃ11. τὰ μὲν ἀπορῦμεν, τῶν δ᾽ ἐφαπτόμεθά τινα τρόπον μα1. 339 ᵃ2 Ideler. κατὰ μικρὸν ἐφάπτεσθαι τινος Ζμα5. 644 ᵇ32. ἐφάπτεσθαι τῶν ἀπείρων τῇ διάνοιαν ατ969 ᵃ32.

ἐφαρμόζειν v ἐφαρμόττειν.

ἐφαρμόττειν (ἐφαρμόζειν ψα4. 408 ᵃ5). trans ἐφαρμόττεσαι τὰς πλεκτάνας ἀλλήλαις Ζιε6. 541 ᵇ13 (cf ᵇ6, ubi ἐφαρμόττει est i q ἐφαρμόττει ἑαυτόν). ὅσα εἶχον ὁμολο-

γύμενα δεικνύναι συνάγοντες ἐφήρμοττον ΜΑ5. 986 ᵃ6.
χαλεπὸν ἐφαρμόζειν ψα4. 408 ᵃ5. ἐκ ἔστι τὴν ἀριθμητι-
κὴν ἀπόδειξιν ἐφαρμόσαι ἐπὶ τὰ τοῖς μεγέθεσι συμβεβη-
κότα Αγ7. 75 ᵇ4. μὴ μόνον καθόλυ λέγειν ἀλλὰ ₓ τοῖς
καθ᾽ ἕκαστα ἐφαρμόττειν Ηβ7.1107 ᵃ29. οβ1346 ᵃ30. — 5
intrans ἀρχαὶ ἐφαρμόττυσαι τῷ γένει, opp ἕτεραι τῷ γέ-
νει Αγ32. 88 ᵃ32. ὁ λόγος ἐκ ἐφαρμόττει Οδ᾽1. 308 ᵇ2.
αν7. 474 ᵃ10. νεη2. 1236 ᵃ26, 28. ἐφαρμόττειν ἐπί τι,
veluti ὧν μὴ ἐφαρμόττει τὸ τυχὸν ἐπὶ τὸ τυχὸν μέρος, ὁ
ὅρος ἐκ ἐφαρμόσει ἐπὶ τὴν ἰδέαν Φε4. 228 ᵇ25. Αγ9. 76 10
ᵃ22. τ῀ζ10. 148ᵃ14, 17, 26, ᵇ1, 3 al Ηε8. 1132 ᵇ23. Πγ1.
1275 ᵃ34. ἐφαρμόττειν ἐπί τινος· ὁ αὐτὸς λόγος ἐφαρμόσει
ₓ ἐπὶ τῶν ἄλλων κινήσεων al Φγ1. 201ᵇ14. Αγ9. 75 ᵇ42.
τη4. 154 ᵃ18. Πγ2. 1275 ᵇ32. Ζκ1. 698 ᵃ14. ἐφαρμόττειν
τινί· ὁ κοινὸς λόγος ἐφαρμόσει πᾶσι τοῖς εἴδεσιν al Πγ4. 15
1276 ᵇ25. ψβ3. 414 ᵇ23. Μμ4. 1079 ᵇ4. Κ8. 10 ᵇ22.
ατ969ᵇ32.

ἐφέδρανον. οἷον ἐφέδρανον γλυτός Ζια13. 493 ᵃ23.

ἐφεδρεία, i q τὸ ἐπικαθῆσθαι. ἡ ἐπὶ τοῖς ᾠοῖς ἐφεδρεία
Ζπ15. 713 ᵃ21. ἡ ἐπὶ τοῖς δένδρεσιν ἐφεδρεία Ζιι9. 614 ᵇ6. 20

ἐφεδρεύειν, i q ἐπικαθῆσθαι. αἱ θήλειαι διαμένυσιν ἐφε-
δρεύυσαι (ἐπὶ τοῖς ᾠοῖς) Ζι῀ζ8. 564 ᵃ11. — ἐφεδρεύειν τοῖς
ἀτυχήμασί τινος Πβ9. 1269 ᵃ39.

ἐφέλκειν τὰ ὀπίσθια σκέλη, τὰ ἴσχια, τὸ ὀρροπύγιον Ζιθ24.
604 ᵇ1, 18. ζ2. 560 ᵇ10. ἀπὸ τῆς γνάθυ τὸ δέρμα ἐφελ- 25
κόμενον Ζι῀ζ25. 578 ᵃ8. — med δύναμις ἐκ τῆς γῆς ἐφελκο-
μένη τὸ ὑγρόν φτβ1. 822 ᵇ3.

ἐφέλκυσις. τοῖς φυτοῖς ἔνεστιν ἐφέλκυσις, ἥτις ἐστὶ δύναμις
ἐκ τῆς γῆς ἐφελκομένη τὸ ὑγρόν φτβ1. 822 ᵇ2.

ἔφελξις τῇ πεπηρωμένῃ μορίῳ τοῖς ἄλλοις, ἀλλ᾽ ἡ βάδισις 30
Ζπ8. 708ᵇ10.

ἐφεξῆς, def ὧν μηδὲν μεταξὺ συγγενές, dist ἁπτόμενον,
συνεχές Φ῀ζ1. 231 ᵃ23, ᵇ8. ε3. 226 ᵇ34, 227 ᵃ4, 18. θ6.
259 ᵃ17, 20. Μκ12. 1068 ᵇ31, 35, 1069 ᵃ10. ἐν ἀριθμοῖς
ἀφὴ ἐκ ἔστι, τὸ δ᾽ ἐφεξῆς Μμ9. 1085 ᵃ4. 6. 1080 ᵃ20. 35
Φε3. 227 ᵃ20. ὥστε μὴ τὸ ἐφεξῆς ἀλλ᾽ ἕν τι γίγνεσθαι
Με4. 1027 ᵇ24. ταυτό, dist τῷ ἐφεξῆς Μγ2. 1005 ᵃ11.
cf λ1. 1069 ᵃ20. ἐν τοῖς συνεχῶς κινυμένοις ὁρῶμεν τὸ
ἐφεξῆς ὂν ₓ γινόμενον τόδε μετὰ τόδε ὥστε μὴ διαλεί-
πειν Γβ11. 337 ᵃ35. αἱ στιγμαὶ ἐκ εἰσὶν ἐφεξῆς Γα2. 40
317 ᵃ9. τὸ πνεῦμα πλήττει τὸν ἐφεξῆς ἀέρα ακ800 ᵃ7,
κινήματα ἐφεξῆς κείμενα Ζγ᾽4. 771 ᵇ32. ἐφ᾽ ἁπάντων ἐν
εἶναι δοκεῖ διὰ τὸ ἐφεξῆς μγ3. 373 ᵃ21. ἐφεξῆς κατὰ τὸν
χρόνον Μὁ24. 1023 ᵇ9. ἐν τοῖς ἐφεξῆς χρόνοις, dist κατὰ
τὸς αὐτὸς χρόνυς πο23. 1459 ᵃ27. ἐ δεῖ ἐφεξῆς λέγειν τὰ 45
ἐνθυμήματα ἀλλ᾽ ἀναμιγνύναι Ργ17. 1418 ᵃ5. τὰ ἐφεξῆς
στοιχεῖα, opp τἀναντία Γβ4. 331 ᵇ4, 26, 34. τὸ ἐφεξῆς
θηρεύομεν (ἐν τῇ ἀναμνήσει) νοήσαντες ἀπὸ τῦ νῦν ἢ ἄλλυ
τινὸς ₓ ἀφ᾽ ὁμοίυ ἢ ἐναντίυ ἢ τῦ συνεγγὺς μν2. 451 ᵇ18,
27, 452 ᵃ2. τὸ ἐφεξῆς τῇ διαιρέσει ποιεῖν ₓ μηδὲν παραλεί- 50
πειν Γβ5. 91 ᵇ29. (οἱ ποιηταὶ) παρατείναντες μῦθον πολλά-
κις διαστρέφειν ἀναγκάζονται τὸ ἐφεξῆς πο9. 1452 ᵃ1. —
διωρισμένων τύτων λεκτέον τὸ ἐφεξῆς Οα12. 281 ᵃ28. ἵνα
περαίνηται τὸ ἐφεξῆς Ζια15.494ᵃ24. παραλιπεῖν τὸ ἐφεξῆς
Ζια6. 491 ᵃ24. λέγωμεν περὶ τῶν ἐφεξῆς, περὶ τῶν ἐφεξῆς 55
συμβαινόντων Πὁ14.1297ᵇ36. Ζγε1.778ᵇ20. ἐφεξῆς ἂν περὶ τῶν
εἰρημένων διελθεῖν Οβ6.288ᵃ14. σκεπτέον, λεκτέον ἐφεξῆς τοῖς
εἰρημένοις Πε1. 1301 ᵃ25. ὁ9. 1294 ᵃ32. πο13. 1452 ᵇ30.

ἐφέσιμος δίκη f 416. 1547 ᵇ20. 414. 1547 ᵃ16.

ἔφεσις τῦ τέλυς Ηγ7. 1114 ᵇ6. λύπης ἔφεσις Ρβ4. 1382 60
ᵃ8. ἔφεσις ἀπὸ διαιτητῶν ἐπὶ δικαστήν f 416. 1547 ᵇ17.

414. 1547 ᵃ32.

Ἔφεσος. ὁ ἐν Ἐφέσῳ ναὸς καόμενος μγ1. 371 ᵃ31. —
Ἐφεσίων inventum oeconomicum οβ1349 ᵃ9. Ἡράκλει-
τος ὁ Ἐφέσιος Οα10. 279 ᵇ17. γ1. 298 ᵇ33. ΜΑ3. 984
ᵃ8. ημβ6. 1201 ᵇ8.

ἐφέται τίνας δίκας δικάζυσιν f 417. 1547 ᵇ29, 31, 34.

ἐφήβων ἢ φρυρῶν τάξις Π῀ζ8. 1322 ᵃ28. οἱ ἔφηβοι εἰς λε-
λευκωμένα γραμματεῖα ἐνεγράφοντο f 429. 1549 ᵃ16.

ἐφήμερος σύστασις (opp πολὺς χρόνος ᵇ19) μα11. 347
ᵇ21. τὸ ἐφήμερον, opp τὸ πολυχρόνιον Ηα4. 1096 ᵇ5.
χρήσεως ἕνεκεν μὴ ἐφημέρυ Πα2. 1252 ᵇ16. τὸ κάτω ἐφη-
μέρων ζῴων, τὸ ἄνω θεῶν οἰκητήριον κ3. 393 ᵃ5. Τύχης
ἐφήμερα σπέρμα f 40. 1481 ᵇ9 — τὸ καλύμενον ζῷον
ἐφήμερον τέτταρσι κινεῖται ₓ ποσὶ ₓ πτεροῖς, πτηνὸν ₓ τε-
τράπυν ὂν Ζια5. 490 ᵃ34, ᵇ3. ortus et vita περὶ τὸν Ὕπα-
νιν ποταμόν Ζιε19. 552 ᵇ18-23, περὶ τὸν Πόντον Ζμὁ5.
682 ᵃ26 sq (Su 199, 13, fort Ephemera longicauda Oliv
— Bernays Theophr üb d Frömmigkeit 162. F 312, 53;
M 225; ΚαΖμ140, 52; ΑΖιί 164, 15?)

ἐφθός. ὕδωρ ἐφθὸν μὲν λέγεται, ὠμὸν δ᾽ ἔ μδ3. 380 ᵇ10.
ξηρότερα τὰ ἐφθὰ τῶν ὀπτῶν μδ3. 380 ᵇ21. πα52. 865
ᵇ32. ε34. 884 ᵇ1. λ῀ζ3. 966 ᵃ28. κριθαὶ ἐφθαί Ζι῀ζ18. 573
ᵇ11. ἄλευρα ἐφθὰ πι27. 893 ᵇ31. τὸ μέλι τὸ ἐφθὸν μὁ6.
383 ᵃ5.

Ἐφιάλτης ἐκόλυσε τὴν ἐν Ἀρείῳ πάγῳ βυλὴν Πβ12. 1274
ᵃ8. cf f 267. 1539 ᵇ34.

ἐφιέναι τὸ ἱστίον μχ7. 851 ᵇ9. ἐφιέναι τὸν πῶλον (πρὸς τὸ
ὀχεύειν) θ2. 830 ᵇ8. Ζιι47. 630 ᵇ33. τἄλλα τοῖς δήλοις
ἐφέντες Πβ5. 1264 ᵃ21. ἐφίησι τὴν ὑσίαν μείζω γενέσθαι
Πβ6. 1265 ᵇ22. — ἐφιέναι ἀπὸ τῶν διαιτητῶν ἐπὶ τὸ δι-
καστήριον f 416.1547 ᵇ17. — (ἐφίησι pro ἀφίησι f 96.
1492 ᵇ33 ci Meineke). — med ἐφίεσθαι τινος, syn ὀρέ-
γεσθαι, ὄρεξις, διώκειν Ηα1. 1094 ᵃ2 (coll ᵃ16. 2. 1095
ᵃ15). ηεα8. 1218 ᵃ26, 31 (coll ᵃ27). ἐφίεσθαι πότε, σαρ-
κοφαγίας Ηθ10. 1159 ᵇ14. Ζιθ5. 594 ᵇ4. ἐφίεσθαι ἰσότη-
τος, συμφέροντος, εὐδαιμονίας, τῦ βελτίονος Πε2. 1302
ᵃ25. η῀ι3. 1331 ᵇ39. Ηθ11. 1160 ᵃ15, 22. f 15. 1476 ᵇ28.
τἀγαθὸν δ᾽ πάντ᾽ ἐφίεται Ηα1. 1094 ᵃ2. φαινομένης ἀπο-
δείξεως ἐφίενται τι11. 171 ᵇ29. ὐδεὶς ἐφίεται τῶν φαινο-
μένων ἀδυνάτων αὐτῷ Ρβ2. 1378 ᵇ4. ἐκ αὐτὸ ἑαυτῦ ἐφίε-
ται τὸ εἶδος διὰ τὸ μὴ εἶναι ἐκεῖνος Φα9. 192 ᵃ20. cf Ηα4.
1097 ᵃ5. — ἐφίεσθαι c inf, ἐφίενται βεβαιῶσαι τὴν οἰκείαν
δόξαν Ηθ9. 1159 ᵃ23. πολλὰ τοιαῦτα ἡ φύσις ἐφίεται
ἀπεργάζεσθαι οα3. 1343 ᵇ10. — ἐφετός. θεῖόν τι ₓ ἀγα-
θὸν ₓ ἐφετόν Φα9. 191 ᵃ17.

ἐφικνεῖσθαι. μὴ δύνασθαι ἀν ἐφικέσθαι Ζιγ21. 522 ᵇ19. —
ἐφικτός. τὸ μέσον ἐπὶ πᾶν ἐφικτὸν ὁμοίως Ζμγ4. 666
ᵃ15. καθ᾽ ὅσον ἐφικτὸν θεολογῶμεν περὶ ἁπάντων κ1. 391 ᵇ3.

ἐφίπτασθαι. κολοιοὶ ἐφίπτασθαι μέλλοντες ἐπὶ τὰ μεθόρια
θ119. 841 ᵇ31. μυῶν γένος ἐφιπτάμενον θ148. 845 ᵇ6.

ἐφιστάναι, ἐφίστασθαι, ἐφίστησι, ἐφεστάναι. 1. locali sensu.
ἡ ἐκ μέσυ ἐπιστᾶσα ὀρθή Μθ9. 1051 ᵃ28. — διὰ τί ἐφί-
σταται (innatat) γεῶδες ὂν πκγ27. 934 ᵃ38. 26. 934 ᵃ37.
— ἐὰν ἐπιστᾶν (i e postquam constitit, ἠρεμῆσαν) πάλιν
ἄρξηται κινεῖσθαι Φθ8. 262 ᵃ24. πρὶν ἐπιστῆναι τὴν ἀναθυ-
μίασιν ζ5. 469 ᵇ31. (huc fortasse referendum est ἐνταῦθα
γὰρ ἐπιστατέον ₓ σκεπτέον νεη2. 1237 ᵃ19.) 2. tempo-
rali sensu. ὁ λόγος ἐφέστηκε περὶ τινος Μβ4. 999 ᵃ25.
Πβ16. 1287 ᵃ2. — 3. sensu translato. a. ἐπιστήσαντες τὸν
νόμον Πὁ6. 1292 ᵇ28. ὁ νόμος ἐφίστησι τὸς ἄρχοντας κρί-
νειν Πγ16. 1287 ᵃ26. οἱ ἐφεστῶτες οκ6. 1345 ᵃ11, 22. ρ36.

1441 ª17. ὐχ ἁρμόττει παντὶ ἃ τῷ τυχόντι ἐφίστασθαι
ἔργῳ χ6. 398 ª7. — b. ἐπιστῆσαι τὴν διάνοιαν, τὴν σκέψιν,
τὸν λόγον περί τινος ζ6. 470 b5. ΜΑ6. 987 b3. ν2. 1090
ª2. πλ14. 957 ª6 (cf 956 b40). ἐπὶ τὸ κατὰ μέρος λεγό-
μενον αὐτὸς αὑτὸν ἐπιστήσας, opp ἐπὶ τὸ σύμπαν βλέψας 5
τε5. 135 ª26. saepius non addito obiecto, ἄλογον φαίνεται
ἃ αὐτόθεν ἐπιστήσασιν Φθ1. 251 ª22. ἐπιστῆσαι περί τινος
Γα2. Ἰ315 ª34. ηεα2. 1214 b6 Fritzsche. τύτοις γνησίως
ἐπιστήσαντες χ1. 391 ª26. ἡ διάνοια ἐφιστᾶσα σκοπεῖ Ζχ7.
701 ª26. ὅταν ἡ διάνοια μὴ νοήσῃ ἐπιστήσασά τι πιη1. 10
916 b8. 7. 917 ª23. ἐπιστήσασι θεωρητέον Γα2. 315 b18.
Ογ2. 300 b21. περὶ ὔ ἐπιστήσας σκέψαιτό τις ἂν εν2. 459
b5. ἐπιστήσασι μᾶλλον λεκτέον ὕστερον, τύπῳ δὲ ἱκανόν
εἰπεῖν ἃ νῦν Πη16. 1335 b3. cf Ζια1. 487 ª13. Ζχ2. 698
b9. ὕστερον ἐπιστήσαντας δεῖ διορίσαι μᾶλλον Πη17. 1336 15
b25. λεκτέον δ' ἐπιστήσασι σαφέστερον περὶ αὐτῶν Ηζ13.
1144 ª22. cf ἐπίστασις.

ἐφόδιον. παρηρῆσθαι τὰ ἐφόδια τῷ πολέμῳ Ργ10. 411 ª12.
δεηθῆναι ἐφοδίων ἐν τοῖς ἀγροῖς Πβ5. 1263 ª37. — ὧν
θερμὸς ὁ οἶνος ἀναλίσκει τὰ ἐν τῷ σώματι ὑπάρχοντα 20
ἐφόδια τῷ οἰκείῳ θερμῷ πγ5. 871 b24.

ἔφοδος τῦ κύματος μα6. 343 b3. πολεμίων θ119. 842 ª3.—
σχεδὸν εἴρηται κατὰ τὴν παρῦσαν ἔφοδον ἱκανῶς ηεγ1.1230 ª35.

ἐφορᾶν. ὐ μόνον Αἰγυπτίοις πιστεῦσαι δεῖ, ἀλλὰ ἃ ἡμεῖς
ἐφεωράκαμεν μα6. 343 b11. — ὐ ῥάδιον ἐφορᾶν πολλὰ τὸν 25
ἕνα Πγ16. 1287 b8. ἀρχή τις ἡ ἐφορῶσα περὶ τὰ συμ-
βόλαια Πζ8. 1321 b13. ἀρχή τις ἡ ἐποψομένη τὰς ζωί-
τας ἀσυμφόρως Πε8. 1308 b21.

ἐφορεία (aliquoties v l ἐφορία). de ea iudicium Πβ9. 1270
b7 sqq. ἡ ἐφορεία πῶς δημοκρατικὸν Πβ9. 1270 b25. δ9. 30
1294 b31. ἡ ἐφορεία τυραννικὴ Πβ6. 1265 b40. πάσας εὐ-
θύνει τὰς ἀρχὰς Πβ9. 1271 ª7. πῶς αἱρεῖται Πβ9. 1270
b26. 10. 1272 ª31. Παυσανίας ἐπεχείρησε καταλῦσαι τὴν
ἐφορείαν Πε1. 1301 b21.

ἐφορία (v l ἐφορεία). ὁ Λάκων εὐθυνόμενος τῆς ἐφορίας Ργ18. 35
1419 ª31.

ἐφορμεῖν ναυσὶν ἐπὶ λιμέσι τισὶν ρ9. 1429 b20.

ἔφοροι. Θεοπόμπῳ τὴν τῶν ἐφόρων ἀρχὴν ἐπικαταστήσαντος
Πε11. 1313 b27. ἡ τῶν ἐφόρων ἀρχὴ πῶς δημοκρατικὴ
Πβ6. 1265 b39. οἱ ἔφοροι κύριοι κρίσεων μεγάλων Πβ9. 40
1270 b28. 10. 1272 ª30. γ1. 1275 b10. πάσας εὐθύνυσι
τὰς ἀρχάς Πβ9. 1271 ª6. 10. 1272 ª37. καταγγέλλυσι
πόλεμον τοῖς εἴλωσι f 495. 1558 b30. προκηρύττυσι τοῖς
πολίταις κείρεσθαι τὸν μύστακα ἃ προσέχειν τοῖς νό-
μοις f 496. 1558 b34. ἡ τῶν ἐφόρων δίαιτα ποία Πβ3. 45
1270 b31. ἐφόροις comparantur οἱ ἐν Κρήτῃ κόσμοι Πβ10.
1272 ª5, 28, 41. 9. 1270 b10, cf ἐν Καρχηδόνι ἑκατὸν ἃ
τέτταρες Πβ11. 1272 b35.

ἐφυγραίνεσθαι, opp ξηρὸν εἶναι Ζιχ2. 635 b35, 636 ª2.

ἔφυγρος πχγ34. 935 ª28. ἔφυγροι ἃ ἄναιμοι οἱ ὀμφαλοὶ 50
πι46. 896 ª17.

ἐφυδρ·ος τόπος πα8. 859 b25. κοῖλοι ἃ ἔφυδροι τόποι μα10.
347 ª31. πχ9. 923 b21. τὰ ἔφυδρα, opp ξηραίνεσθαι μα14.
352 b14.

ἔχειν, ποσαχῶς λέγεται Μδ23 Bz. Κ15 Wz. τὸ ἔχειν in 55
numerum categoriarum refertur Κ4. 2 ª3. 15. 15 b17 cf
κατηγορία 2. — 1. ἔχειν trans. a. ἔχειν τὰ ὅπλα Πβ8.
1267 b33, 1268 ª18 al. τὰ ἐπιτήδεια Ζιγ21. 523 ª4. τρο-
φήν Ζιγ21. 522 b32. γυναῖκα Κ15. 15 b30. ἔχειν μέγεθος,
πάχος, πλάτος Πβ16. 1300 b23. Ζια5. 490 ª17, 18. β1. 60
499 ª11. ε2. 540 ª4. 5. 540 b11. β17. 509 ª14. 12. 504

b6. θερμότητα, ὑγρότητα μβ3. 358 b8. 5. 362 ª10. δ9.
387 ª23. ἔχειν πέρας, τέλος, ἀρχήν μα14. 353 ª17. γ4.
374. b34. β8. 368 b19. ποτ.1450 b26. ἔχειν ἕξιν, διάθεσιν
Κ10.12 ª35. Μδ12. 1019 b5, 8. ἔχειν τάσιν πολλήν, τὴν ἐξάρ-
τησιν, ἀποκάθαρσιν ἐλάττω Ζιγ5. 515 b16. α16. 497 ª19.
μδ6. 383 b4. ἔχειν διαφοράν, διαφοράς μβ4. 360 b14. Ζιδ1.
524 ª20. 2. 525 ª32. Πε6. 1305 b1 (cfζ4. 1319 ª21). ρ15.
1431 ª29. 18. 1432 b6. ἔχειν τι δυνάμει μβ9. 369 ª14.
ἔχειν δύναμιν, φιλίαν, ἀρετήν Πε9. 1309 ª33-36. οἱ τὰς
μεγίστας ἔχοντες ἀρχάς Πε8. 1308 ª24. ἔχειν ἐπιμέλειάν
τινος Πη11. 1330 b11. ἔχειν ἐπιμέλειαν, ὅπως f 412. 1546
b21. ἔχειν ζωὴν Ζιδ7. 531 b30. αἴσθησιν Ζιγ 19. 520 b14,
17. αἴσθησιν ἀγαθήν, κακὴν Πα2. 1253 ª18. τὴν ἐναντίαν
ἔσχον δόξαν Ογ1. 298 b25. ἡ σοφία τῷ ἔχεσθαι ποιεῖ εὐ-
δαίμονα Ηζ13. 1144 ª6. ἔχειν τὴν ἐπιστήμην τα3. 101 b10.
ἔχειν ἐπιστήμην, ἡ ἐν ἡ κτῆσις opponitur τῷ θεωρεῖν sive
χρῆσθαι Ηη5. 1146 b33, 1147 ª10. Φθ4. 255 ª34. ψβ1.
412 ª26. 5. 417 b5. (Bz ad Μλ7. 1072 b23). — ἔχει τις
τὸν ψόγον, τὸν ἔπαινον (vituperari, laudari) ηεβ6. 1223 ª13.
ἔχειν συγγνώμην (veniam impetrare) ρ5. 1427 ª40. —
ἔχει τι ὠφελείας ὐ μικρᾶς μα14. 352 b25. ἡ ἀμφισβήτη-
σις (τὸ φάναι al) ἔχει τινὰ λόγον Πα6. 1255 b4. ἔχει β.
1224 b22. μτ1. 462 b17. τῦτο ἔχει ἀπορίαν Ηι2. 1164
b22 (cf τὰ τοιαῦτα παρέχει ἀπορίαν α11. 1100 ª22). Μλ9.
1074 b15. Φα3. 186 ª9, τοιαύτην ἀμφισβήτησιν Ζμβ2.
648 ª33, πολλὴν ἐπίσκεψιν ηεη6. 1240 ª8, προσήκυσαν
σκέψιν μα13. 349 ª31. ἔχει τᾶτ' ἀπορίαν ὃ φιλοσοφίαν
πολιτικὴν Πη12. 1282 b22. ὅσα ἔχει φιλοσοφίαν μόνον θεω-
ρητικὴν ηεα1. 1214 ª13. ἔχει φιλοσοφίαν ἡ σκέψις Φα2.
185 ª20. τῦτο ἔχει λύσιν πάντων τῶν ἀπορυμένων Φθ3.
253 ª31. eaedem formulae impers usurpantur, ἔχει ἀπορίαν
περὶ τὸ μέρος Φα2. 185 b11. ἔχει ἀπορίαν πότερον sim
Πιγ15. 1286 b27. ε9. 1309 ª39, Φβ8. 198 b16. ἔχει ἀμ-
φισβήτησιν, ἐπίσκεψιν, ἐπίστασιν, δυσκολίας seq enunciato
interrogativo vel praep περὶ Ηθ15. 1163 ª10. ηεη6. 1240
ª8. 2. 1236 b33. Μλ9. 1074 ª17. ad impersonalem
usum videntur referenda esse Ζιδ13. 696 b23. Πβ8.
1268 b32. Μβ2. 997 b5. — b. ἡ ἔχυσα i q ἡ μήτηρ. ἵνα
διαπλάττηται τὰ μόρια τὸ ἔμβρυον κατὰ τὰ μόρια τῆς
ἐχύσης Ζγβ4. 740 ª37. cf ª26. γ3. 754 b1. Πη16. 1335
b18. — c. ἔχειν ὑ κατέχειν. εἰς πνίγμα τὸν δῆμον ἔχειν
Ργ10. 1411 ª8. οἱ ἐν τοῖς πυρετοῖς ἐχόμενοι ταῖς δίψαις
Ρα11. 1370 b17. — τὸ τρίγωνον, ὅπερ ἔχεται ὑπό τε τῆς
πρώτης ἀκτῖνος ἃ τῦ ὁρωμένυ ἃ τῆς σκιᾶς πιε5. 911 ª18.
— ὅταν ἔχῃ ἤδη τὰς ἀκροατὰς ᾑ ποίησις ἐνθυσιάσαι Ργ7.
1408 b13. — d. ἔχειν i q cognitum habere c acc vel c
enunciato interrogativo Ρα8. 1366 ª12. 9. 1368 ª1. β22.
1396 ª5. Πδ1. 1289 ª21. μδ12. 389 b24, 390 b14. ἐνερ-
γεῖ ὁ νῦς ἔχων (int τὸ νοητόν) Μλ7. 1072 b23 Bz. (περὶ
ὧν ἔχειν ἔχει τὸ περὶ τῶν μελλόντων συμβαλεῖν Ρα4. 1360 ª38,
post δεῖ add προτάσεις Vahlen Rhet p 47). περὶ ἑκά-
στων τῶν εἰδῶν ἔχοντάς ἡμῖν οἱ τόποι Ρβ2. 1396 b30. cf
α9. 1368 ª36. Αδ13. 97 b5. — e. ἔχειν c inf i e δύ-
νασθαι. ἔχυσι ζῆν, λέγειν, δημεύειν Πδ6. 1292 b27. 15.
1299 b10. 3. 1304 b36. 5. 1305 b6. — 2. ἔχειν intr
πῶς ἔχοντες, ἔχειν πως Πε2. 1302 ª20, 23, 31. γ15. 1286
b23. πάντως ἔχων Μζ10. 1035 b24. θ8. 1048 ª18 (opp
ἔχων πως). εὐφυῶς ἔχει ἡ χώρα πρός τι Πε3. 1303 b5.
οἱ τόποι ἔρχονται εἰς τὸ καλῶς ἔχειν (de fertilitate) μα14.
352 ª7, 12. ἡ ὑπηργία ἔχει εἰς ταῦτά Ρβ7. 1385 ª29. ἐν
τῇ θαλάττῃ ἡ ναῦς μετρίως ἔχει ἃ πλευστικῶς μβ3. 359

ᵃ10. ὐδὲν ἀλλοιότερον πρὸς αὐτὸν ἐκτέον ἢ εἰ μὴ ἐγεγόνει φίλος Ηι3. 1165 ᵇ31. ὐδέποτ' ἀπολυθήσεται (ἡ γραμμὴ) τῆς ε, ἀλλ' ἀεὶ ἕξει ὥσπερ ἡ γε Οα5. 272 ᵇ27. — εὖ ἔχειν c gen, τῆς κράσεως, τῷ ἐπικαίρῳ τόπῳ x4. 395 ᵇ25. Ζιx1. 633 ᵇ20. εὖ ἔχειν c acc, εὖ ἔχειν τὴν ἕξιν μᾶλλον 5 βυλόμεθα ἢ γιγνώσκειν τί ἐστι τὸ εὖ ἔχειν ηεα15. 1216 ᵇ25. ἔχειν c dat, λανθάνοντες πῶς ἔχυσιν ἑαυτοῖς Ηθ2. 1156 ᵃ3. ἔχειν absol, ἔχειν (i e εἶναι ἐν ἕξει) βέλτιον ἢ γίνεσθαι Ηη15. 1154 ᵃ34. — ἔχειν c adverbio impersonaliter usurpatur, ἐναντίως ἔχει ἐπὶ τῆς γενέσεως Ζμβ1. 10 646 ᵃ25. ὁμοίως ἔχει περὶ τὰς ὀλιγαρχίας Πγ13. 1284 ᵃ35. περὶ πλήθυς τύτον ἔχει τὸν τρόπον Ζιβ13. 505 ᵃ20. ἱκανῶς ἂν εἴχεν Ηι1. 1164 ᵃ19. ζ13. 1143 ᵇ31 (personaliter α11. 1101 ᵃ28). fort impers ἔχει ὐκ ἀλόγως μβ5. 362 ᵃ13. γέγραπται τῷ μᾶλλον εὐσχήμως ἔχειν μβ6. 363 15 ᵃ27. — interdum in eiusmodi formulis ὀρθῶς, καλῶς, κακῶς ἔχει verbum ἔχει omittitur πρῶτον μὲν ὐ καλῶς (int ἔχει) τὸ λέγειν τὴν ψυχὴν μέγεθος ἔχειν ψα3. 407 ᵃ2. cf Ζμγ2. 663 ᵃ34. Ηθ11. 1159 ᵇ32. Πβ10. 1272 ᵃ25. πο25. 1460 ᵇ18. Vahlen Poet IV 411. — 3. med ἔχεσθαι. α. τῇ 20 ῥ' ἔσχετο χάλκεον ἔγχος (Hom Υ272) πο25. 1461 ᵃ33. — b. κυνοραϊστᾱι πολλοὶ ἔχονται τῆς ἀλωπέκος Πβ20. 1393 ᵇ27. ὁ δῆμος ἀνελὼν τὸν τύραννον εἴχετο τῆς πολιτείας Πε4. 1304 ᵃ31. ἔχονταί τινος δόξης Μν1. 1087 ᵇ31. ὐκ ἔστιν ἡ δι' ἡδονὴν φιλία ἀρετῆς ἐχομένη ημβ11. 1209 25 ᵇ31. παρεκβῆναι συμβέβηκεν ἐχομένοις τῆς περὶ τὰς βλεφαρίδας αἰτίας Ζμβ14. 658 ᵇ11. — c. εἰσπλέυσιν οἱ θύννοι ἐχόμενοι τῆς γῆς Ζιθ13. 598 ᵇ19. ἐπὶ μικρῷ ἔχεται τὸ ἄγονον εἶναι τὸ σῶμα τῶν ὄνων (prope abest a sterilitate) Ζγβ8. 748 ᵇ11. ἐχόμενον λέγεται ὃ ἂν ἐφεξῆς ὂν ἅπτηται 30 Φε3. 227 ᵃ6. Μx12. 1069 ᵃ1. cf Φζ5. 236 ᵇ12, 237 ᵇ8. Γα2. 317 ᵃ11, dist συνεχές Φε3. 227 ᵃ10. θ10. 267 ᵃ14. ita ἐχόμενος sensu locali, ἡ ἐχομένη χώρα, κινεῖν ἀεὶ τὸ ἐχόμενον al μβ4. 360 ᵇ18. γ1. 370 ᵇ25. 3. 373 ᵃ25. 4. 375 ᵃ4. Ζγβ1. 734 ᵃ12, ᵃ26. c gen ἐχόμενα ἀλλήλων Ζιε18. 35 550 ᵃ11. τὸ ἐχόμενον τῆς ἀρχῆς μβ6. 364 ᵇ16: α3. 340 ᵇ21. αx800 ᵃ8. sensu temporali τὴν ἐχομένην ταύτης ἡλικίαν Πη17. 1336 ᵃ23. ἐπὶ τῆς ἐχομένης ἡλικίας Πθ9. 1294 ᵇ24. de qualibet serie, τὸ μὲν αὐτῶν ἐστι πρῶτον τὸ δὲ δεύτερον τὸ δ' ἐχόμενον Πγ1. 1275 ᵃ37. τὸ πρῶτον ὐ 40 ζῷον, τὸ δ' ἐχόμενον ζῷον πρῶτον Μζ12. 1037 ᵇ32. πρώτη τις φιλοσοφία ᵈ ἐχομένη Μγ2. 1004 ᵃ4 (syn δευτέρα ᵃ8). εἰ γραμμᾶς ἢ τὰ τύτων ἐχόμενα θήσει τις ἀρχάς Μx2. 1060 ᵇ12. ζ3. 1028 ᵇ26. τὰ ἐχόμενα εἴδη μδ2. 379 ᵇ10. τὰς ἐχομένας δυνάμεις Ζγὸ3. 768 ᵃ9, 10. διὰ τὴν 45 πρότερον εἰρημένην ἀπορίαν ᵈ τῆς ἐχομένης αὐτῆς Πγ11. 1281 ᵇ23. cf ᵃ24. δ6. 1292 ᵇ35. 11. 1296 ᵇ6. 15. 1299 ᵇ3. β5. 1264 ᵃ37. μβ7. 365 ᵃ15. Μζ3. 1028 ᵇ26. τὸ ἐχόμενον i e id quod deinceps exponitur, ἐν τοῖς ἐχομένοις ἔσται φανερώτερον sim Ηι9. 1170 ᵃ25. Ζιε1. 539 ᵇ5. 50 Ζγα16. 721 ᵃ30. πρὸς τὸ ἐχόμενον Ρβ21. 1394 ᵇ5. ἐχόμενον τῶν εἰρημένων ἐστὶν ἐπισκέψασθαι, θεωρῆσαι, εἰπεῖν sim Ζγὸ3. 769 ᵇ10. Μμ9. 1086 ᵃ25. Πγ4. 1276 ᵇ16. 12. 1296 ᵇ13. Ρα15. 1375 ᵃ22. Β25. 1402 ᵃ30. ἐχόμενόν ἐστιν ἐπισκέψασθαι, εἰπεῖν sim Ζγα18. 724 ᵃ11. 21. 729 55 ᵃ35. β3. 736 ᵃ24. Ζμβ7. 652 ᵃ24. αι1. 436 ᵃ2. Ηε14. 1137 ᵃ33. Πβ5. 1262 ᵇ37. γ7. 1279 ᵃ22. ε8. 1307 ᵇ27. Ρα10. 1368 ᵇ2. γ1. 1403 ᵇ15.

ἐχενηΐς. ἰχθυδιόν τι, refertur inter τὰ πετραῖα ᵈ ἄβρωτα, descr Ζιβ14. 505 ᵇ19-22. (remora Gazae, itaque St et K 60 480 Echeneis remora L, sed animal ignotum cf Beckmann

de hist nat vett 135; M 115; KaΖι80, 5; AΖιI 128, 20.)
ἐχθαίρειν, opp φιλεῖν Ηδ12. 1126 ᵇ24. ἐχθαίρυσι τὸς ἐναντιωμένυς ταῖς ὁρμαῖς Ηx10. 1180 ᵃ22.
ἐχθές Κ4. 2 ᵃ2. νῦν γε κάχθές (Soph Ant 456) Ρα13. 1373 ᵇ12. 15. 1375 ᵇ1.
ἔχθρα, opp κολακεία, φιλία ηεγ7. 1233 ᵇ30 (cf ἀπέχθεια ηεβ3. 1221 ᵃ7). ημα32. 1193 ᵃ20. ἔχθρα τί ἐστι, διὰ τί, τίσιν ἐγγίνεται Ρβ4. 1381 ᵇ37-1382 ᵃ19. ἔχθραν πῶς δεῖ ἐμποιεῖν ρ35. 1440 ᵃ29-32. ἔχθρα πρὸς τὸν δῆμον Ρβ23. 1400 ᵃ35. διὰ τὴν ἔχθραν πιστευθείς Πε5. 1305 ᵃ27.
ἐχθρός Πβ9. 1271 ᵃ25. γ16. 1287 ᵃ39 al. ὐδὲ ὀδὴ βύλονται κοινωνεῖν τὸς ἐχθροῖς Πδ11. 1295 ᵇ25. συνάγει ᵈ τὸς ἐχθίστυς ὁ κοινὸς φόβος Πε5. 1304 ᵇ23.
ἐχίδιον (v l μικρὰ ἐχίδνια, μικρὸν ἐχίδνιον, cf Lob Prol 394). ὁ νεοττὸς τῶν ἔχεων Ζιε34. 558 ᵃ29.
ἔχιδνα. μόνον ζῳοτοκεῖ Ζια6. 490 ᵇ25. αἱ ἔχιδναι ὑπὸ τὰς πέτρας ἀποκρύπτυσιν ἑαυτὰς Ζιθ15. 599 ᵇ1. ὁ τῆς ἐχίδνης ἰχὼρ θ141. 845 ᵃ8. φασὶ τὸ Σκυθικὸν φάρμακον συντίθεσθαι ἐξ ἐχίδνης θ141. 845 ᵃ2. τῷ περκνῷ ἕχεως τῇ ἐχίδνῃ συγγινομένῃ, ἡ ἔχιδνα ἐν τῇ συνυσίᾳ τὴν κεφαλὴν ἀποκόπτει θ165. 846 ᵇ18. (St: Coluber vivipara fem; K 422 Coluber berus; Vipera ammodytes fem KaΖι28, 12. Su 183, 13ᵇ. AΖιI 116, 6. cf E 73.)
ἐχινομήτρα. αἱ ἐχινομήτραι καλύμεναι, μεγέθει πάντων μέγισται Ζιδ5. 530 ᵇ6. (Cidaris imperialis K 587, 6. Echinus esculentus L. Echinus Melo Lam AΖιI 176, 6d.)
ἐχῖνες. μυῶν τινες ἐχινώδεις, ὣς καλῶσιν ἐχῖνας 928. 832 ᵇ3.
ἐχῖνος. 1. ἐχῖνος ὁ χερσαῖος. ἐχῖνος πλανώμενος ὡς εἶδεν ἀλώπεκα Ρβ20. 1393 ᵇ27. αἱ τρίχες τῇ σκληρότητι ἐοίκασιν ἀκάνθαις Ζιγ11. 517 ᵇ24. cf α6. 490 ᵇ28. ζ37. 581 ᵃ2. Ζγα5. 717 ᵇ31. ε3. 781 ᵇ35. χρόνος ἐντὸς τῆς ὀσφύιʼ Ζιγ1. 509 ᵇ9. Ζγα5. 717 ᵇ27. 12. 719 ᵇ16. ποιύμενοι τὴν ὀχείαν ὀρθοὶ τὰ ὕπτια πρὸς ἄλληλα ἔχυσι Ζιε2. 540 ᵃ3. ταχὺς ὁ συνὸυασμός Ζγα5. 717 ᵇ29. οἱ μὲν ἐν τῇ γῇ (ἄγριοι), οἱ δ' ἐν ταῖς οἰκίαις Ζιδ6. 612 ᵇ6. latibuli aditus cum ventis mutant Ζιδ6. 612 ᵇ4. θ8. 831 ᵃ15. cf Rose Ar Ps 246. S ed Theophr IV 738. δόξα τινὸς ἐν Βυζαντίῳ Ζιδ6. 612 ᵇ8. θ8. 831 ᵃ15. φασὶ τὸν ἐχῖνον ἄσιτον διαμένειν ἄχρι ἐνιαυτῦ θ65. 835 ᵃ26. cf Rose Ar Ps 368, Beckmann 138. (Erinaceus europaeus L cf K 423; Su 57, 33; KaΖι 29, 13; AΖιI 68, 18; E 12.) — 2. ἐχῖνος ὁ θαλάττιος, ὁ πόντιος. Echinoidea Agass. τὸ τῶν ἐχίνων γένος Ζιδ4. 528 ᵃ2. Ζμδ7. 683 ᵇ14. refertur inter τὰ ὀστρακόδερμα, τὰ πορευτικά Ζιδ4. 527 ᵇ35. 8. 535 ᵃ23. Ζμδ5. 679 ᵇ30, 680 ᵃ4. f 287. 1528 ᵇ11. Ζγα5. 530 ᵃ32-531 ᵃ7. Ζμδ5. 680 ᵃ5-681 ᵃ9. σφαιροειδὴς Ζμδ7. 683 ᵇ14. μάλιστα πάντων ἀλεωρὰν ἔχει· κύκλῳ γὰρ τὸ ὄστρακον συνηρεφὲς ᵈ κεχαρακωμένον ταῖς ἀκάνθαις Ζμδ5. 679 ᵇ28. erinaceo hystricique τριχὸς χρείαν παρέχυσιν, ἀλλ' ὐ ποδῶν, ὥσπερ οἱ (αἱ Aub, ἐπὶ Pic) τῶν θαλαττίων Ζια6. 490 ᵇ30, ποντίων Ζγε3. 783 ᵃ20. cf H I 124. ὐδὲν ἔχει σαρκῶδες, ὐκ ἔχει σάρκα ὐδεμίαν Ζμδ5. 679 ᵇ33. Ζιδ4. 528 ᵃ6. ἥκιστα τὴν ὄσφρησιν φαίνεται ἔχειν Ζιδ8. 535 ᵃ23. cf M 174. γένος τι τῶν ἀκαληφῶν κατεσθίει ᵈ ἐχίνες Ζιδ6. 531 ᵇ9. — γένη πλείω· τὸ σπαταγγὸν ᵈ τὸ τῶν βρυσσῶν, αἱ ἐχινομήτραι (cf h v), τὸ ἐσθιόμενον, ἐχίνοι λευκοί, πρὸς τύτοις ἄλλο γένος μεγέθει μικρὸν Ζμδ5. 680 ᵃ15. Ζιδ5. 530 ᵇ1. — a. τὸ ἐσθιόμενον quando ova gerit Ζιδ5. 530 ᵇ2 sq. ε12. 544 ᵃ18 (cf Oribas I 594). οἱ ἐν τῷ Πυρραίῳ εὐρίπῳ Ζμδ5. 680 ᵇ1. Ζιε12. 544 ᵃ21. (Sphaerechinus esculentus Des KaΖμ 130, 29. AΖιI 176, 6a.) — b. ἐχῖνοι λευκοὶ π ᵇri

Τορώνην descr Ζιδ 5. 530 ᵇ10-13 (!). (Κ 587, 10 fort Echinus decadactylus, melius ΑΖι Ι 176, 6δ. Schizaster canaliferus Agass). — c. ἄλλο γένος μεγέθει μικρόν, ἀκάνθας δὲ μεγάλας ἔχει κ̔ σκληράς, γίνεται δ' ἐκ (κατὰ Pic) τῆς θαλάττης ἐν πολλαῖς ὀργυιαῖς, ὧ χρῶνται πρὸς τὰς στραγγυρίας τινές (Oribas III 93, 1 et 693 extr) Ζιδ 5. 530 ᵇ7. Ζγε3. 783 ᵃ20. (Echinus saxatilis Κ 587, 7 et ΑΖγ37, 84. Cidaris hystrix Lam ΑΖι Ι 176, 6c. cf de his omnibus Μ 180-182, Ritter Erdkunde XIX, 1196.) — 3. omasus, erinaceus. τὰ κερατοφόρα ἔχει πλείας κοιλίας· καλῦνται τὰ μόρια κοιλία κ̔ κεκρύφαλος κ̔ ἐχῖνος κ̔ ἤνιστρον Ζμγ14. 674 ᵇ15. 15. 676 ᵃ11. Αδ14. 98 ᵃ17 cf Schol ap Waitz Ι 65. ἐν τῷ ἐχίνῳ ἡ πυετία Ζμγ15. 676 ᵃ17. — 4. ἐχῖνος, ἄγγος τι f 415. 1547 ᵇ2. 414. 1547 ᵃ32.

ἐχινώδεις τῶν μυῶν τινές θ28. 832 ᵇ3.

ἔχις. γένος τι τῶν ὄφεων Ζιθ17. 600 ᵇ26. refertur inter τὰ ἰοβόλα Ζιθ29. 607 ᵃ28. ὐχ ἥμερος πι45. 895 ᵇ26. ἡ πληγή, τὸ δῆγμα θ140. 844 ᵇ5. Ζιθ29. 607 ᵃ28. ἐκδύνει τὸ γῆρας Ζιθ17. 600 ᵇ25. ζωοτοκεῖ μόνον, ὡοτοκήσας ἐν αὑτῷ πρῶτον Ζιγ1. 511 ᵃ16. ε34. 558 ᵃ25sq. φεύγει τὸν ἱερὸν ὄφιν θ151. 845 ᵇ19. σαῦρον, ὕσρον μεταβάλλεσθαι εἰς ἔχιν ξηραινομένων τῶν λιμνῶν f 318. 1532 ᵇ28, 33. ἡ χελώνη, ὅταν ἔχεως φάγη, ἐπεσθίει τὴν ὀρίγανον Ζυ6. 612 ᵃ24. θ11. 831 ᵃ27. cf S Naturgesch dr Schildkröten 198. ἐν Κρήτη τῆς ἔχεις ὐ φασι γίνεσθαι θ83. 836 ᵇ27. cf Rose Ar Ps 331. τὰς ἐν Νάξω σφήκας φασὶν ἐσθίειν τὰς ἔχεως θ140. 844 ᵇ32. cf Rose ib 342. (Vipera ammodytes ΑΖι Ι 116, 6. cf ἐχίδνα.)

ἐψανός. τῶν φυομένων τὰ μὲν ἑψανά, τὰ δὲ ὠμὰ βρωτά πκ4. 923 ᵃ17. τὰ μὲν ἑψανά, τὰ δὲ ὀπτανά πκ 5. 923 ᵃ21.

ἕψειν. τὸ ὑγρὸν ἢ ὀπτώμενον ἢ ἑψόμενον μδ2. 379 ᵇ28. ἕψεσθαι ὑπὸ τὰ πυρὸς μδ7. 384 ᵃ20. ἕψειν μαλακῶς κ̔ μὴ συντόνῳ τῷ πυρί Ζιζ2. 560 ᵇ1. cf Ζγγ1. 752 ᵃ5. συνίσταται ἑψόμενα οἷον τὸ γάλα Ζγβ2. 735 ᵇ1. ἐν τοῖς ἑψομένοις τὸ μολυνόμενον Ζγδ7. 776 ᵃ1. ὅταν ἑψηθῇ μέχρι ζέσεως f 208. 1515 ᵇ38. χύτραι ἑψημένα πε36. 884 ᵇ14. — ἑψητος. ὐ πᾶν σῶμα ἑψητόν μδ3. 380 ᵇ24. ἑψητοί (ἰχθύες) Ζιζ15. 569 ᵃ20. (versio Scoti: karoca vel caucata, Alberti: cayzata, Gazae: magnitudine naricarum. versio Thomae haec om vel scripta non reperit. Scaliger recte adnotavit: non est nomen piscis, sed artis in genere piscium coquendo ad epulas. comparavit ταγηνιστὰς, ἀνθρακιεῖς; itaque fere i q vernaculo: Backfische, Kochfische. C inepte: dont on fait des sauces. cf S I 462, II 434. ΑΖι II 54, 89. unde Κ 757: Atherina hepsetus, non intelligo.)

ἕψημα. ἐπὶ τοῖς ἑψήμασιν ἡ καλυμένη γραῦς Ζγβ6. 743 ᵇ7. ἐν τοῖς ἑψήμασι ψυχομένοις τὸ περίξηρον περιίσταται Ζγβ3. 737 ᵃ36. τὰ τῶν χεδρόπων ἑψήματα Ζμβ7. 653 ᵃ24.

ἕψησις. περὶ ἑψήσεως μὸ2. 379 ᵇ12. 3. 380 ᵇ11-381 ᵃ12. τὰ συνιστάμενα διὰ τῆς ἑψήσεως πρὸς τροφῆς ἀπόλαυσιν Ζγβ6. 743 ᵃ31. τὰ ἐν ἑψήσει πολὺν χρόνον διαμένει Ζικ7. 638 ᵇ5. ὁ τόπος ἕψησιν πάσχει μετὰ τῆς προσύσης ὑγρότητος αὐτῷ φτβ4. 825 ᵇ27.

ἔσωθεν (cf ἕσω 1) Φε4. 228 ᵃ10. Ζιζ37. 580 ᵇ19. πγ14. 873 ᵃ4. κγ16. 933 ᵃ27. κϛ30. 943 ᵇ4. 59. 947 ᵃ25. λ5. 956 ᵃ8. dist περὶ ὄψιν. ἑσπέρας, μέσων νυκτῶν μα8. 345 ᵇ23. γ2. 371 ᵇ25. γεη5. 1239 ᵇ14. ἔσωθεν κ̔ δείλης f 488. 1557 ᵇ26. εὐθὺς ἔσωθεν Πε11. 1314 ᵇ30. ἐσωθέν τε κ̔ νήστεις ὄντες πια22. 901 ᵇ2. τὸ γ' ἔσωθεν (i q ἔσωθεν) Ζιε14. 546 ᵃ22.

ἐσωθινὸν πνεῦμα πκϛ21. 942 ᵇ7.

ἔσωλοι ἄρτοι πκα5. 927 ᵇ3. ἔσωλον κ̔ παλαιὸν τὸ λιμναῖον ὕδωρ ἐστίν f 207. 1515 ᵇ25.

ἕσως. ἐκλείψεις ἕωαι μβ8. 367 ᵇ27. πκϛ18. 942 ᵃ24. ζέφυροι ἑῶοι. αὖραι ἑῶαι πκϛ54. 946 ᵇ19, 15. αὔρας ἐξ ἑῶας συμβαίνει πνεῖν (?) πκϛ54. 946 ᵇ14. ὐθ' ἕσπερος ὐθ' ἑῶος (sc ἀστήρ) ὅτω ἁγμαστὸς Ηε3. 1129 ᵇ28. — εἴ τι μὴ κατὰ τὰς ἑῶας ('in regionibus orientalibus' an 'tempore matutino?) ἐστὶν κ4. 394 ᵃ11. — ἑῶος sine ι subscr exhibetur 946 ᵇ14, 15, 19.

ἕως. 1. περιφερισκήσεως ἕως κ̔ ἤδη πρῶι πκε5. 938 ᵃ32. περὶ ἕω, opp περὶ δυσμὰς πκε4. 938 ᵃ28. ἀφ' ἕω, opp ἀφ' ἑσπέρας πκε15. 939 ᵇ5. εἰς ἕω Ηι1. 1164 ᵃ17. — 2. oriens, regio coeli. πρὸς τὴν ἕω τὴν χειμερινήν. τὴν θερινήν μα13. 350 ᵃ21, 29. αἱ πρὸς ἕω τὴν ἔγκλισιν ἔχωσαι πόλεις Πη11. 1330 ᵃ39 (syn ἀνατολή ᵃ40). τὰ ἀπὸ τῆς ἕω πνεύματα, opp τὰ ἀπὸ δυσμῆς μβ6. 364 ᵃ24. πκϛ21. 942 ᵇ3. 54. 946 ᵃ35. ἔστι τὰ πρὸς ἕω ὑψηλότερα τῶν πρὸς ἑσπέραν πκϛ1. 940 ᵃ20.

ἕως, quamdiu, c ind imperf Πθ4. 1338 ᵇ25. ἕως μέμνηται Ργ5. 1407 ᵃ23. ἕω, ἕωπερ δ' ἂν c ind praes Πγ3. 1276 ᵃ35. αν21. 480 ᵇ11. — donec, usque dum, usque ad ἕως c ind aor ψγ12. 435 ᵃ3. Πε5. 1304 ᵇ37. 6. 1305 ᵇ6. 7. 1307 ᵃ33. ἕως ἄν c coni aor Πδ14. 1298 ᵃ16. 15. 1300 ᵃ25. ε3. 1300 ᵃ25. 7. 1307 ᵇ5. (τὸ τέκνον, ἕως ἂν ᾖ πηλίκον κ̔ μὴ χωρισθῇ, μέρος τι codd Κᵇ Οᵇ, coll ημα34. 1194 ᵇ15 μὴ omittendum est.) ἕως c coni aor Αγ33. 89 ᵃ14. Ζιγ3. 513 ᵃ5. Πβ7. 1267 ᵇ3. πε30. 884 ᵃ2. οβ1351 ᵃ5. ἕως ἄν c opt aor οβ1348 ᵃ21. — ἕως c genet ἕως τῶν ἀτόμων, syn μέχρι τῶν ἀτόμων τβ2. 109 ᵇ16, 21. Ζμα3. 643 ᵃ22. ἕως τὰ γενέσθαι Ζμγ6. 668 ᵇ2. ἕως τύτω Ζιι46 630 ᵇ27. ἕως τινός, ἕως τίνος Ηκ2. 1173 ᵃ27. θ9. 1159 ᵃ4. ἕως τῆς τὰ ἀεὶ κινῶντος ἐνεργείας Μθ8. 1050 ᵇ5. κ8. 1065 ᵃ10. ἕως ἥβης ρ3. 1424 ᵃ37. ἕως τῆς νεμηνίας οβ1353 ᵇ4. ἕως Ἡρακλέως στηλῶν, τῆς Κελτικῆς al κ3. 393 ᵇ32, 394 ᵃ1. ἕ85. 837 ᵃ7. 130. 843 ᵃ20. φτβ2. 823 ᵃ37. ἕως εἰς τὴν κοιλίαν, τὴν ὥραν al Ζμβ3. 650 ᵃ17. φτα1. 816 ᵇ20. θ112. 841 ᵃ2. cf Eucken II 21.

Z

ζ. τὸ ξύζ συμφωνίας φασὶν εἶναι Μν6. 1093 ᵃ20. οἱ μὲν τὸ ζα ἐκ τῷ σ κ̔ δ κ̔ μ φασὶν εἶναι, οἱ δέ τινες ἕτερον φθόγγον κ̔ ὐδένα τῶν γνωρίμων ΜΑ9. 993 ᵃ5.

Ζαγκλαῖοι Πε3. 1303 ᵃ35.

Ζάλευκος νομοθέτης Πβ12. 1274 ᵃ22, 29. f 505. 1561 ᵃ8.

ζεῖν. τὸ ζέον ὕδωρ θερμαίνει μᾶλλον τῆς φλογός, ἀλλ' ὐ καίει ὐδὲ τήκει Ζμβ2. 648 ᵇ26, 28. μδ11. 389 ᵇ2. πκδ4.

936 ᵃ26. ζέει ἐν τοῖς κλάδοις τὰ φυτὰ ἡ θερμότης φτβ7. 827 ᵃ15. ζέσεων αἷμα (versus Homericus, qui hodie non exstat, cf Ὅμηρος extr) Ηγ11. 1116 ᵇ29. — fermentari (ὁ ἐκ μέλιτος οἶνος) ζεῖ πολὺν χρόνον θ22. 832 ᵃ10.

ζέσις, ὑπερβολὴ θερμότητος, opp πῆξις Γβ3. 330 ᵇ27. ὑπερβολὴ θερμὴ κ̔ οἷον ζέσις ἐστὶ τὸ πῦρ μα3. 340 ᵇ23. ἐστὶν ἡ φλὸξ πνεύματος ξηρὰ ζέσις μα4. 341 ᵇ22. ἡ ζέσις γί-

νεται πνευματυμένυ τῷ ὑγρῷ ὑπὸ τῦ θερμῦ αν 20. 479
ᵇ31. ἐψηθῆναι μέχρι ζέσεως f 208 1515 ᵇ39. ζέσιν ποιεῖν·
ἐστιν ἡ σίξις μικρὰ ζέσις μβ 9. 370 ᵃ6, 9. ὁ ἐγκέφαλος
εὔκρατον ποιεῖ τὴν ἐν τῇ καρδίᾳ θερμότητα κ̣ ζέσιν Ζμβ7.
652 ᵇ27. ἡ ὀργὴ ζέσις τῦ περὶ τὴν καρδίαν αἵματος κ̣ θερ-
μῦ ψα 1. 403 ᵃ31.

ζευγῖται, τέλος Ἀθηναίων Πβ 12. 1274 ᵃ20. f 350. 1537
ᵃ17.

ζευγνύναι. τὸν Ἑλλήσποντον ζεῦξαι (Isocr 4, 89) Ργ 9.
1410 ᵃ11. — συνδέσμως ὀλίγως ποιεῖν, τὰ πλεῖστα δὲ
ζευγνύναι ρ 23. 1434 ᵇ14 (Spgl p 189).

ζεῦγος. παρώξυνε τὰ ζεύγη (iumenta) πρὸς τὸ ἔργον Ζιζ 24.
577 ᵇ32. — ἓν ζεῦγος ἀετῶν ἐπέχει πολὺν τόπον Ζιι 32.
619 ᵃ30. ἐκ τῦ ζεύγυς τῶν ἀετῶν θάτερον τῶν ἐκγόνων
ἁλιαίετος γίνεται θ 60. 843 ᵇ35. οἱ πέρδικες ἐκκρίνονται κατὰ
ζεύγη μετὰ θηλείας Ζιι 8. 613 ᵇ24. — φλεβῶν τέτταρα
ζεύγη ἐστίν Ζιγ 3. 512 ᵇ13, 26. — ζεύγη αὐλῶν, τὰ βε-
βρεγμένα τῶν ζευγῶν εὐφωνότερα, πιέσαι τὰ ζεύγη ακ 802
ᵇ22, 26, 804 ᵃ13.

Ζεῦξις πο 25. 1461 ᵇ12. ἡ Ζεύξιδος γραφὴ ὐδὲν ἔχει ἦθος
πο 6. 1450 ᵃ27, 28.

Ζεύς. Ηδ 8. 1124 ᵇ16. οβ 1346 ᵃ34. θ 96. 838 ᵃ24. Ζεὺς
ὁπλόσμιος Ζμγ 10. 673 ᵃ19. Ζεὺς ὅρκιος θ 152. 845 ᵇ33.
Ζεὺς ἕρκειος f 374. 1540 ᵃ42. 375. 1540 ᵇ20. Διὸς ἱερὸν
θ 110. 840 ᵇ24. 137. 844 ᵇ6. τὸν Δία γενέσθαι ἐν Κρήτῃ
θ 83. 836 ᵇ29. διὰ τί Ἥρᾳ ὁμόσαι προσάγει τὸν Δία (Hom
T 108) f 157. 1504 ᵇ15, 23. Ζεὺς ἄρχει Μν 4. 1091 ᵇ6.
Πγ 13. 1284 ᵇ31. ὐκ αὐτὸς ᾄδει τοῖς ποιηταῖς Πθ 5. 1339
ᵇ8. ἄτοπον εἴ τις φαίη φιλεῖν τὸν Δία ημβ 11. 1208 ᵇ30.
Διῒ ὗ πάντα θύεται Ηι 2. 1165 ᵃ15. ηεη 11. 1244 ᵃ14. ὑει
ὁ Ζεὺς ὐχ ὅπως τὸν σῖτον αὐξήσῃ, ἀλλ' ἐξ ἀνάγκης Φβ 8.
198 ᵇ18. τῷ ἀγαθῷ δαίμονι ὄνομα εἶναι ζ ᾽Ωρο-
μάσδην f 8. 1475 ᵃ37. Διὸς φυλακή (Pythag) Οβ 13. 293
ᵇ3. Διὸς φυλακή, Ζανὸς πύργος f 199. 1513 ᵇ19. καλῦμεν
κ̣ Ζῆνα κ̣ Δία, ὡς ἂν εἰ λέγοιμεν δι' ὃν ζῶμεν κ 7. 401
ᵃ14. νὴ Δία Πγ 10. 1281 ᵃ16. 11. 1281 ᵇ8. πρὸς Διὸς
f 83. 1490 ᵃ27. Ζεύς, Διὸς al in versibus Homericis A544
Πα 12. 1259 ᵇ13. Ηθ 12. 1160 ᵇ26, Β 15 τι 4. 166 ᵇ7, Θ 21
Ζκ 4. 700 ᵃ1, Δ 543 Ρβ 9. 1387 ᵃ35, Ο 192 κ 6. 400 ᵃ19,
Υ 234 πο 25. 1461 ᵃ30; in hymno poetae incerti Ργ 8.
1409 ᵃ15; in fr 12 Simonidis Ζιε 8. 542 ᵇ8; in versibus
Aristotelicis f 625. 1583 ᵇ16, 24; in epitaphio f 596. 1575
ᵃ37 — Διὸς ἀστήρ, Διὸς κύκλος μα 6. 343 ᵇ30. Μλ 8.
1073 ᵇ34. κ 2. 392 ᵃ25. 6. 399 ᵃ10.

Ζεφυρία. Μῆλος, μία τῶν Κυκλάδων, ἐκλήθη κ̣ Ζεφυρία
f 514. 1562 ᵃ22.

ζεφυρικός. τὰ ζεφυρικὰ (int πνεύματα) προστίθεται τῷ
βορέᾳ μβ 6. 364 ᵃ20.

ζεφύριος. 1. ventus. ἕτεροι σκῶπες τοῖς ζεφυρίοις φαίνονται
Ζιι 28. 618 ᵃ7. — 2. τὰ ζεφύρια sc ᾠά, i q ὑπηνέμια. συν-
ίσταται κυήματα τοῖς ὄρνισι κ̣ αὐτόματα, ἃ καλῦσιν ὑπη-
νέμια κ̣ ζεφύρια τινές Ζγγ 1. 749 ᵇ1. ζεφύρια καλεῖται τὰ
ὑπηνέμια ὑπό τινων, ὅτι ὑπὸ τὴν ἐαρινὴν ὥραν φαίνονται δε-
χόμεναι τὰ πνεύματα αἱ ὄρνιθες Ζιζ 2. 560 ᵃ6. cf ᾠόν,
ὑπηνέμιος.

ζέφυρος, ὁ ἀπὸ τῆς ἰσημερινῆς δύσεως κ 4. 394 ᵇ25, 26, 20.
μβ 6. 363 ᵇ12, 364 ᵃ18, ᵇ3, 23, 365 ᵃ8. ὁ ζέφυρος πόθεν
ἔχει τὸ ὄνομα σ 973 ᵇ12. f 238. 1521 ᵇ34. τὸν ζέφυρον
εἶδος τιθέασι τῦ βορέα Πδ 3. 1290 ᵃ19. ὁ ζέφυρος καυμα-
τώδης μβ 6. 364 ᵇ23, εὐδιεινὸς κ̣ ἥδιστος πκς 31. 943 ᵇ21.
55. 946 ᵇ21, λειότατος τῷ ψυχρὸς πκς 52. 946 ᵃ17, μεγάλας

νεφέλας ἄγει πκς 24. 942 ᵇ20. ζεφύρυ πνέοντος οἱ κύνες
ἥκιστα τὰ ἴχνη εὑρίσκωσιν πκς 22. 942 ᵇ13. ζέφυρος πρὸς
τὴν δείλην πνεῖ, πρωὶ δ' ὗ πκς 33. 944 ᵃ10. 35. 944 ᵃ31.

Ζῆθος. ἐπίγραμμα ἐπὶ Ζήθυ f 596. 1576 ᵇ37.

ζῆλος, def Ρβ 11. 1388 ᵃ30. opp καταφρόνησις Ρβ 11. 1388
ᵇ23. περὶ ποῖα κ̣ ἐπὶ τίσιν ὁ ζῆλος Ρβ 11.

ζηλότυπος. οἱ ζηλότυποι τῶν ἀνδρῶν θ 158. 846 ᵃ29.

ζηλῶν, opp καταφρονεῖν Ρβ 11. 1388 ᵇ23. πῶς ἔχοντες ζηλῦσι
κ̣ τὰ ποῖα κ̣ ἐπὶ τίσιν Ρβ 11. τὰ ζηλύμενα, syn τὰ ζη-
μιμύμενα Ρα 5. 1360 ᵇ34, 37. — ζηλωτὰ τὰ ἔντιμα
ἀγαθά Ρβ 11. 1388 ᵇ10, 26. ζηλωτοὶ τίνες Ρβ 11. 1388
ᵇ15. — ζηλωτὸς πότιμος f 625. 1583 ᵇ11. ἀρχὴ καλλίων
κ̣ ζηλωτοτέρα τῷ βελτίωνων ἄρχειν Πε 11. 1315 ᵇ6.

ζηλωτής, syn θαυμαστής Ρβ 6. 1385 ᵃ1.

ζηλωτικοί τίνες Ρβ 11. 1388 ᵃ36. ζηλωτικοὶ περί τι Ρβ 11.
1388 ᵇ9.

ζημία quid proprie significet, quem latiorem usum habeat
Ηε 7. 1132 ᵇ12, ᶠ12. opp κέρδος ηεβ 3. 1221 ᵃ4. Πε 2.
1302 ᵃ33. Ρα 12. 1372 ᵃ8, ᵇ12. τάττειν ζημίαν τινί, ἐπί-
κειταί τινι ζημία, opp τάττειν, πορίζειν μισθόν, ἄδειαν
Πθ 9. 1294 ᵃ38. 13. 1297 ᵃ18, 22, 38, 40. 14. 1298 ᵇ17.
τιμᾶν ζημίας ρ 5. 1427 ᵇ3. τὸ τῆς ζημίας μέγεθος Πβ 12.
1274 ᵇ17.

ζημιῦν, damno afficere. ζημιῦσθαι, opp πλέον ἔχειν Ηε 7.
1132 ᵇ14, 18. cf 4. 1130 ᵃ25. ἐξημιώθησαν μβ 3. 359 ᵃ11.
— punire Πε 4. 1304 ᵃ15. ἢ ὅλως ἀφιᾶσιν ἢ μικροῖς ζη-
μιῦσιν Ρα 12. 1372 ᵃ21. — ζημιῦσθαι πεντήκοντα λίτρας
f 436. 1550 ᵃ14, 11. λεληθότες ἢ μὴ ἐζημιωμένοι Ρα 12.
1372 ᵃ8. ζημιώσονται (passive) Πζ 5. 1320 ᵃ10.

ζημιώδης ηεβ 3. 1221 ᵃ23.

ζημίωσις. περὶ ζημιώσεως ἀμφισβητεῖν Πδ 16. 1300 ᵇ22.

ζῆν, etymol ψα 2. 405 ᵇ27. πλεοναχῶς τῦ ζῆν λεγομένυ,
κἂν ἕν τι τύτων ἐνυπάρχῃ μόνον ζῆν αὐτό φαμεν ψβ 2.
413 ᵃ22. ἡ φύσις μεταβαίνει συνεχῶς ἀπὸ τῶν ἀψύχων
εἰς τὰ ζῷα διὰ τῶν ζώντων μὲν ὐκ ὄντων δὲ ζῴων Ζμδ 5.
681 ᵃ13. αἰσθήσει διαφέρει τὰ ζῷα τῶν ζώντων μόνον
Ζγα 23. 731 ᵇ4. itaque ζῆν usurpatur de animantibus et
plantis et animalibus, eorumque partibus. τὸ γεννῆσαι
κοινὸν ἔργον τῶν ζώντων πάντων, ἀποτελεῖν τὸ τῦ ζῶντος
ἔργον Ζγα 23. 731 ᵃ31, ᵇ6. φυτῷ βίον ζῆν Ζγβ 3. 736 ᵇ13.
γ 2. 753 ᵃ28. ει 1. 779 ᵃ2. ἔνια τῶν φυτῶν ζῶσιν ἐν τόποις
ξηροτάτοις φτα 4. 820 ᵃ3, 5, 6. ζῆν ἰχθύων βίον Ζγβ 1. 7
660 ᵇ32. τὰ ζῶντα τῷ προσπεφυκέναι Ζγα 1. 715 ᵃ17.
Ζμδ 5. 681 ᵃ16, 26. Ζια 1. 487 ᵇ8. σαρκὸς ζώσης χυμοὶ
Ζιε 31. 556 ᵇ22. ὐδὲν ἧττον τά τε σπέρματα κ̣ τὰ κυή-
ματα τῶν ζῴων ζῇ τῶν φυτῶν Ζγβ 3. 736 ᵃ34. τὸ ζῆν
τῇ ἁφῇ ὥρισται Ζιγ 13. 435 ᵇ16. τῷ αὐτῷ ζῇ, dist ζῇ
εἶναι ψα 5. 410 ᵇ23. β 413 ᵃ25, ᵇ1. ζ 1. 467 ᵇ23. 7. Φθ 7.
261 ᵃ16. διῃρημένον τὸ σῶμα τῶν ζώντων πάντων τὸ
ἄνω κ̣ κάτω ζ 1. 467 ᵇ13. τὰ φυτὰ κ̣ ἔνια τῶν ζῴων
διαιρύμενα ζῇ ψα 5. 411 ᵇ19. β 2. 413 ᵇ17. ζ 2. 468 ᵃ27,
30. αν 3. 471 ᵇ1. 17. 479 ᵃ3. Μζ 16. 1040 ᵇ13. — σύν-
δεσμος ψυχῆς σώματι τὸ ζῆν Μη 6. 1045 ᵇ12 Βz. τὸ
ζῷόν ἐστι φύσει ὑγρὸν κ̣ θερμὸν κ̣ τὸ ζῆν τοιῦτον μκ 5.
466 ᵃ19. ζ 4. 469 ᵇ8. αν 8. 474 ᵃ25. ΜΑ 3. 983 ᵇ24 τῦ
ζῆν ὅρον εἶναι τὴν ἀναπνοὴν ψα 2. 404 ᵃ9. αν 21. 480 ᵇ12.
ἐν τῷ πνεύματι ἐνίων ἐστὶ τὸ τέλος τῦ ζῆν Ζμγ 6. 669
ᵃ13. τὸ ζῆν ὁρίζονται τοῖς ζῴοις δυνάμει αἰσθήσεως, ἀνθρώ-
ποις δ' αἰσθήσεως ἢ νοήσεως Ηι 9. 1170 ᵃ16. ηεη 12. 1244
ᵇ23 sqq. Πη 16. 1335 ᵇ26. ζῆν, ἐγρηγορέναι πιη 1. 916 ᵇ18.
ζῆν αἰσθήσει μόνον, φαντασίαις, λογισμοῖς, μνήμῃ, ἐλπίσι,

ἤθει Ηη6. 1149 ᵃ10. ΜΑ1. 980 ᵇ26. Ρβ12. 1389 ᵃ21, 35.
13. 1390 ᵃ6. ζῆν ἐν ἐπιτηδεύμασιν ἐπιεικέσιν Ηκ10. 1180
ᵃ16. ζῆν κατὰ πάθος, κατὰ λογισμόν, κατὰ τὸ ἦθος Ηα1.
1095 ᵃ8. Ρβ13.1390 ᵃ16. ζῆν πρὸς τὸ καλόν, πρὸς τὸ δί-
καιον, πρὸς τὸ συμφέρον, πρὸς τὴν πολιτείαν Ηκ10. 1180 5
ᵃ10. ηεα4. 1215 ᵇ12. Ρβ13. 1389 ᵇ36. 14. 1390 ᵃ34.
Πε9. 1310 ᵃ35 (cf 8. 1308 ᵇ21). ζῆν πρὸς ἄλλον Ρα9.
1367 ᵃ32. ηεγ7/. 1233 ᵇ35. ζήσεται ἡγεμονικὸν καὶ πολιτι-
κὸν βίον Πη6. 1327 ᵇ5. β6. 1265 ᵃ21. — τὸ ζῆν τῶν καθ'
αὑτὸ ἀγαθῶν καὶ ἡδέων, καθ' αὑτὸ αἱρετόν Ηι9. 1170 ᵃ19. 10
(4. 1166 ᵃ5.) ×4. 1175 ᵃ11 sqq. Ρα6. 1362 ᵇ26. ηεη12.
1244 ᵇ27. βέλτιον τὸ ζῆν τῷ μὴ ζῆν Ζμβ1. 731 ᵇ30. (τὸ
τεθνάναι τῶ ζῆν ἐστι κρεῖττον f 40. 1481 ᵇ1.) τί τῶν ἐν τῶ
ζῆν αἱρετόν ηεα5. 1215 ᵇ17, 1216 ᵃ10. συνέρχονται καὶ τῶ
ζῆν ἕνεκεν αὐτῷ Πγ6. 1278 ᵇ24. καλῶς ζῆν ν s καλῶς. 15
ζῆν εὐδαιμόνως καὶ καλῶς Πγ9. 1281 ᵃ2. εὖ ζῆν Ζμβ2.
656 ᵃ6. ζῆν σωφρόνως, ἐλευθερίως, ταλαιπώρως, ἐπιπόνως,
ἀσελγῶς Πβ6. 1265 ᵃ30-34. ε6. 1305 ᵇ40. ζῆν ἀφ' ἑτέ-
ρων Ρβ4. 1381 ᵃ23. ζῆν ἀπὸ τῶν χειρῶν Πγ4. 1277 ᵃ39.
ἐργαζόμενοι ἔχωσι ζῆν, opp δύνανται σχολάζειν Πδ6. 1292 20
ᵇ27. — metaph οἱ νομάδες ὥσπερ γεωργίαν ζῶσαν γεωρ-
γῶσιν Πα8. 1256 ᵃ34. τὸ πῦρ ζῇ, ἕως ἂν τροφὴν ἔχῃ
μβ2. 355 ᵃ4.
Ζήνων. εἰ συνέβη ἅμα τιμωρήσασθαι ὑπὲρ πατρὸς ἢ μητρός,
ὥσπερ Ζήνων Ρα12. 1372 ᵇ5. — Ζήνων τῆς διαλεκτικῆς 25
εὑρετής f 54. 1484 ᵇ28, 30, 37. Zenonis doctrina, argu-
menta de entis unitate aut multitudine ξ2. 976 ᵃ25. 4.
979 ᵃ4. 5. 979 ᵃ23. 6. 979 ᵇ37. τι10. 170 ᵇ23. 33. 182
ᵇ26. resp τῷ ἐκ τῆς διχοτομίας λόγῳ Φα3. 187 ᵃ3 (cf
Schol 334 ᵃ16, 41, 47. Zeller I 427, 3). ὁ μήτε προστιθέ- 30
μενον μήτε ἀφαιρούμενον ποιεῖ μεῖζον μηδὲ ἔλαττον, ὅ φη-
σιν εἶναι τῦτο τῶν ὄντων Μβ4. 1001 ᵇ7. ὁ Ζήνωνος λόγος,
ὡς ψοφεῖ τῆς κέγχρω ὁτιῦν μέρος Φη5. 250 ᵃ20. Ζήνωνος
λόγος περὶ τόπω Φδ1. 209 ᵃ23. δ.1209 ᵇ2. ξ6. 979 ᵇ25. Ζήνω-
νος λόγοι περὶ κινήσεως τέτταρες Φζ9. 2. 239 ᵃ21. θ8. 263 35
ᵃ5. ατ968 ᵃ19, 969 ᵃ26, ᵇ17. Αβ17. 65 ᵇ18. τθ8. 160
ᵇ8. ι11. 172 ᵃ9. 24. 179 ᵇ20. — libri de Xenophane,
Zenone, Gorgia alteram partem ξ3. 4 ad Zenonem re-
ferri cf Zeller I 367 sqq.
ζητεῖν καὶ διαπορεῖν Πγ16. 1287 ᵇ20. coni φιλοσοφεῖν Π11. 40
1331 ᵃ16. ζητήσειεν ἄν τις βωλόμενος ὀρθῶς ζητεῖν Ζγγ11.
762 ᵃ35. ζητεῖν καὶ λογίζεσθαι Ηζ10. 1142 ᵇ2, 15. dist
βωλεύεσθαι Ηζ10. 1142 ᵃ31. cf γ5. 1112 ᵇ22. ζητεῖν τὸ
ἀρχαίαν ἀπορίαν μβ2. 355 ᵇ20. ἡ ἀπορία, ἣν ζητῦσι καὶ προ-
βάλλυσί τινες Πγ13. 1283 ᵇ35. ζητεῖν τὴν ἀλήθειαν μβ3. 45
356 ᵇ17. ζητεῖν τὴν πίστιν διὰ τῶν λόγων ηεα6. 1216 ᵇ26.
ὀθὲν ἄλλο ζητῦσιν ἢ τὸ φύσει δῆλον Πα1. 1255 ᵃ30. ζη-
τεῖν μέχρι τινὸς Οβ13. 294 ᵇ6, 9. — τὸ κενὸν ζητῦσιν ὡς
χωριστὸν Φδ7. 214 ᵃ15. ζητῦσιν ἕτερόν τι τὸν πλῦτον ἢ
τὴν χρηματιστικὴν Πα9. 1257 ᵇ18. — τῦτο ζητεῖ τινα λό- 50
γον Γα3. 318 ᵃ31. ὁ δῆμος ζητεῖ ἰσότητα Πδ14. 1298 ᵃ11.
ζητῦσι δικαστὴν μέσον Ηε7. 1132 ᵃ22. ἀντιφιλεῖσθαι καὶ ζη-
τῦσι Ηθ9. 1159 ᵃ30. ταῦτά ὅτε γίγνεται ἑκατέρῳ παρὰ
θατέρῳ ὅτε δεῖ ζητεῖν Ηθ8. 1158 ᵇ21. — τὰ ζητύμενα τέτ-
ταρα (ὅτι, διότι, εἰ, τί) Αδ1. — ἐπιπολαιότερον τῦ ζητύ- 55
μενον, τὸ ζητύμενον ἀγαθόν Ηα3.1095 ᵇ24, 1096 ᵃ6. ἡ βωλὴ
ζητητέα τί καὶ περὶ τί Ηζ10. 1142 ᵇ16.
ζήτημα κοινὸν πολλοῖς ἑτέροις Ψα1. 402 ᵃ12.
ζήτησις, dist βωλευσις Ηγ5. 1112 ᵇ22. dist δόξα Ηζ10.
1142 ᵇ14. ἡ ζήτησις ἡ ὅλη μέθοδος ΜΑ2. 983 ᵇ22. 60
ποιεῖσθαι τὴν προσήκυσαν ζήτησιν Πη1. 1323 ᵃ15. ποιεῖσθαι

τὴν ζήτησιν πρὸς τὸ πρᾶγμα, πρὸς τὸν τἀναντία λέγοντα
Οβ13. 294 ᵇ8. ἅπτεσθαι τῆς ζητήσεως ἐξ ἀρχῆς Γα5. 321
ᵃ1. ἄνευ, μετὰ ζητήσεως μαι3. 349 ᵃ27. ζήτησις προσάν-
της Ηα4. 1096 ᵃ12, ἐπιπολαιοτάτη Πγ3. 1276 ᵃ20. — ἡ
ζήτησις τῶ μέσω ἐστὶν Αδ2. 90 ᵇ24. 3. 90 ᵇ35.
ζητητικός πιδ15. 910 ᵃ30. τὸ ζητητικὸν ἔχωσι πάντες οἱ τῶ
Σωκράτως λόγοι Πβ6. 1265 ᵃ12.
ζιγνίς (v l ζίγνης, ζιγνύς, δίγνυς, δειμνύς, zignis versio Tho-
mae, dygnis Gazae, haldyz Alberto, cf Oken Isis 1829
p 623). ἡ καλωμένη χαλκὶς ὑπό τινων, ὑπὸ δ' ἐνίων ζιγνίς
Ζιθ24. 604 ᵇ24. (in Sardinia et Italia hodie cicigna ab
incolis vocatur S I 666, II 474. Lacerta chalcides K915, 6.
Su 176, 5. haec vel Ablepharus pannonicus vel Alepha-
rus Kitaibelii AZι I 116. cf E 83 B 69 tab XI, 4. M 308.
Salmas exercit Plin 65.)
ζοφερός. τὴν ὄψιν φθείρει τὸ σφόδρα λαμπρὸν ἢ ζοφερόν
ψγ2. 426 ᵇ2. νέφος ζοφερόν μγ4. 375 ᵃ19. χρῶμα ζοφε-
ρόν, ὃ καλῶσιν ὀρφνίον ζ2. 792 ᵃ27. θάλαττα διαφαίνεται
ζοφερά, dist κυανῆ, πορφυρίζωσα θ130. 843 ᵃ25.
ζόφος. Ὀλυμπία παντὸς ζόφω κεχωρισμένος κ6. 400 ᵃ8.
ζοφώδης. ἄνθη σκιερὰ καὶ ζοφώδη χ4. 794 ᵇ4. ἀὴρ ζοφώδης
καὶ παγετώδης τὴν φύσιν κ2. 392 ᵇ6. ὁ εὗρος ζοφωδέστατον
τὸν ἀέρα ποιεῖ πκς53. 946 ᵃ34. ἡ θάλαττα τῷ βορέῃ πνέον-
τος ζοφώδης γίνεται, τῷ νότῳ κυανέα πκς37. 944 ᵇ22.
ζύγαινα, refertur inter τὰ μακρά, ἔχει τὴν χολὴν πρὸς τῷ
ἥπατι Ζιβ15. 506 ᵇ10, 7. (Zygaena malleus K 483. ΚαΖι
84, 24. ΑΖι I 128, 22. hodie ζύγαινα E 94, 8.)
ζυγομαχῶν (ex poeta comico incerto Meineke IV 603, V
117) Ργ11. 1413 ᵃ12.
ζυγόν. τὰ μαλάκια βαδίζωσι κατὰ ζυγά Ζιε12. 544 ᵃ5. —
libra: ἀκριβέστερα τὰ ζυγὰ τὰ μείζω τῶν ἐλαττόνων μχ1.
849 ᵇ21-850 ᵃ2. — iugum librae: πάλιν ἀναφέρεται τὸ
ζυγόν μχ2. 850 ᵃ4. ἔστω ζυγὸν ἄρθον μχ2. 850 ᵃ11. ζυ-
γὸν μὴ ὑπερβαίνειν, τυτέστι (Pythag) μὴ πλεονεκτεῖν f 192.
1512 ᵃ41. τὰ ἰσάζοντα ζυγὰ πκς26. 943 ᵃ1. ἐν ζυγοῖς
ἠρτημένα Ζγδ9. 777 ᵃ30. — transtillum: μᾶλλον αὐτῶν
τὰ πρὸς αὑτῷ τῷ ζυγῷ καὶ τῷ χορδοτόνῳ κατατετάσθαι
ακ803 ᵃ40. — ergata: ῥᾷον κινεῖται περὶ τὸ αὐτὸ ζυγὸν
οἱ μείζως τῶν ἐλαττόνων κόλλοπες μχ13. 852ᵇ11 Cappelle.
ζυγός. libra: τὰ περὶ τὸν ζυγὸν γινόμενα εἰς τὸν κύκλον
ἀνάγεται μχ 848 ᵃ12. — transtillum: τῆς νεάτης μάλιστα
ἐντεταμένης συμβαίνει τὸν ζυγὸν κινεῖσθαι πιθ42. 921 ᵇ27.
ζύμη ἐκ μικρᾶς μεγάλη γίνεται Ζγγ4. 755 ᵃ18.
ζυμώδης περίττωμα Ζγγ4. 755 ᵃ23. cf v l ad Ζμβ9. 655
ᵃ30, 36 et Langkavel Scholien p 20, 111.
ζωγράφημα. οἷον ζωγράφημά τι τὸ διὰ τῆς αἰσθήσεως πά-
θος μνι. 450 ᵃ29.
ζωγραφία ἐγκεκασαμένη χρωμάτων φύσεις κ5. 396 ᵇ12.
ζωγράφος. μιμητὴς ὁ ποιητής, ὥσπερ ἂν εἰ ζωγράφος ἤ τις
ἄλλος εἰκονοποιὸς πο25. 1460 ᵇ8. ὥσπερ ἂν ὑπὸ ζωγράφω
τῆς φύσεως δημιωργύμενα Ζγβ6. 743 ᵇ23. οἱ ζωγράφοι τὰ
χρώματα κεραννύντες ζ2. 792 ᵇ17.
ζῳδάριον. γίνεται καὶ ἄλλα ζῳδάρια Ζιε32. 557 ᵇ1 (enume-
rantur insecta). σφονδύλαι καὶ τὰ τοιαῦτ' ἄλλα ζῳδάρια
Ζι34. 619 ᵇ22. αἱ λήψεις τῶν ζῳδαρίων Ζμγ1. 662 ᵇ9.
— τὰ ἐν τῷ ὑγρῷ ζῳδάρια Ζμδ12. 693 ᵃ22. ἐκ τῶν ἐν
τοῖς ποταμοῖς πλατέων ζῳδαρίων τῶν ἐπιδεόντων οἱ οἶστροι
Ζιε19. 551 ᵇ21. ζῳδάριον his locis ν l ἔντομον.
ζῴδιον ἡ τῶν ζῳδίων κύκλος μα6. 343 ᵃ24. 8. 345 ᵃ20,
346 ᵃ12. Μλ8. 1073 ᵇ20. ὁ ζωοφόρος κύκλος διῃρημένος
εἰς δώδεκα ζῳδίων χώρας × 2. 392 ᵃ13. — διείληπτο ζῳ-

δίοις ἐνυφασμένοις θ96. 838 ᵃ22. γλύφεσθαι ζῴδια ϰ̩ ἄλλα σκεύη θ134. 844 ᵃ16.

ζωή def ψβ1. 412 ᵃ13 Trndlbg, Lewes 234, Humboldt Kosmos IV 14. φτα1.815 ᵃ10. υ1. 454 ᵃ14. (ὁ τᵦ Διονυσίᵦ τῆς ζωῆς ὅρος, ἡ ζωὴ ᵦ καθ' ἓν εἶδος τζ̩ 10. 148 27, 29.) ἐνέργειά τίς ἐστι Ηκ4. 1175 ᵃ12. syn ψυχή: ἀφοριστέον ἄρα τὴν θρεπτικὴν ϰ̩ αὐξητικὴν ζωήν Ηα6. 1098 ᵃ1 (cf ψυχῆς ἐνέργεια ᵃ7). ζωή τις ᵦσα τοῖς φύσει συνεστῶσι πᾶσιν Φθ1. 250 ᵇ14. — 1. de plantis, τῶν φυτῶν ἕτερον πρὸς ἕτερον διαφέρει τῷ μᾶλλον δοκεῖν μετέχειν ζωῆς Ζιθ1. 588 ᵇ8 (cf M483. Br 1168). ἡ ζωὴ ἐν τοῖς ζῴοις ϰ̩ τοῖς φυτοῖς εὑρέθη φτα1. 815 ᵃ10. τῶν φυτῶν τὰ μὲν ἐπέτειον τὰ δὲ πολυχρόνιον ἔχει ζωὴν μκ1. 464 ᵇ26. ϰ̩ τὰ φυτὰ μετέχει τῆς ζωῆς Ζγβ1. 732 ᵃ12. — 2. de animalibus. ἡ τᵦ ζῴᵦ ζωή φτα1. 816 ᵃ7, 28, 30. τοῖς ζωῆς ἐστερημένοις, opp τὰ μετέχοντα ζωῆς. τὰ ἔχοντα ζωήν αι1. 436 ᵃ19, 12, 3. ἡ. τῶν ὀστρακοδέρμων φύσις κύκλῳ τὸ γεῶδες ἔχει σκληρυνόμενον ϰ̩ πηγνύμενον, ἐντὸς δὲ τὴν ζωήν Ζγγ11. 762 ᵃ32. τῶν ὀστρακοδέρμων ϰ̩ τῶν τοιούτων ἀεὶ κατὰ μικρὰν διαφορὰν ἕτερα πρὸ ἑτέρων ἤδη φαίνεται μᾶλλον ζωὴν ἔχοντα ϰ̩ κίνησιν Ζιθ1. 588 ᵇ22. ἐν ἐνίοις τῶν ζωὴν ἐχόντων ᵦ κεχώρισται τὸ θῆλυ ϰ̩ τὸ ἄρρεν Ζγα20. 728 ᵇ32. ᵦχ ὡς ἄψυχον ἂν θείη τις τὸ κύημα κατὰ πάντα τρόπον ἐστερημένον ζωῆς Ζγβ3. 736 ᵃ33 cf αι1. 436 ᵃ19. ϰ̩ τὰ ᵦὰ τὰ ὑπηνέμια μετέχει τρόπον τινὰ ζωῆς, ἔχει τινὰ δυνάμει ψυχήν, αὕτη ἐστὶν ἡ θρεπτικὴ Ζγβ5. 741 ᵃ23 sq. γένεσίς ἐστιν ἡ πρώτη μέθεξις ἐν τῷ θερμῷ τῆς θρεπτικῆς ψυχῆς, ζωὴ δ' ἡ μονὴ ταύτης αν18. 479 ᵃ30. τὰ μέλη ϰ̩ μεγάλα ὄντα ᵦτε μὴ ψυχὴν ἔχοντα ᵦτε μὴ ζωήν τινα δύναιτ' ἂν σώζεσθαι (διεσπάσμενα) Ζγα18. 722 ᵇ3. — 3. ἀρχὴ τῆς ζωῆς. ἐν τῇ καρδίᾳ τὴν ἀρχήν φαμεν τῆς ζωῆς ϰ̩ πάσης κινήσεώς τε ϰ̩ αἰσθήσεως Ζμγ3. 665 ᵃ12. cf β10. 655 ᵇ29, 36. τὸ κύριον τῆς ζωῆς Ζμδ5. 681 ᵃ35. ἡ καρδία ᵦ ὁ ἐγκέφαλος κύρια μάλιστα τῆς ζωῆς Ζμγ11. 673 ᵇ12, cf SI 159. — μέρη τῆς ζωῆς. ἓν μὲν μέρος τῆς ζωῆς αἱ περὶ τὴν τεκνοποιίαν εἰσὶ πράξεις αὐτοῖς, ἔτι δ' ἕτερον αἱ περὶ τὴν τροφήν Ζιθ1. 589 ᵃ3. — τὰ αἴτια ᵦ θανάτν ϰ̩ ζωῆς Ζμβ2. 648 ᵇ4. μκ6. 467 ᵇ10. cf Οβ13. 292 ᵇ29. ζωῆς μῆκος ϰ̩ βραχύτης μκ1. 464 ᵇ20. — τὸ αἰσθητικὸν ψυχῆς ϰ̩ τὸ τῆς ζωῆς αἴτιον ἀρχή τινι τῶν μορίων ϰ̩ τᵦ σώματος ὑπάρχει πᾶσι τοῖς ζῴοις Ζμδ5. 678 ᵇ3. ὁ τρόπος ὁ τῆς ζωῆς Ζμδ5. 680 ᵇ30. — 4. de vita hominum. περὶ τῆς ἀρίστης ζωῆς Πη1. 1323 ᵃ23. πόλις δὲ ἡ γενῶν ϰ̩ κωμῶν κοινωνία ζωῆς τελείας ϰ̩ αὐτάρκᵦς, ζωῆς τελείας χάριν ϰ̩ αὐτάρκης Πγ9. 1281 ᵃ1, 1280 ᵇ34. ἡ κοινωνία τῆς ζωῆς Πγ6. 1278 ᵇ17. ὁ ᵦᵦλος κοινωνὸς ζωῆς Πα13. 1260 ᵃ40. τῆς μὲν ἀγαθὴν ϰ̩ παιδεία ϰ̩ ἡ ἀρετή Πγ13. 1283 ᵃ24. τῶν μὲν ἀρχεσθαι δυναμένων τῶν δ' ἄρχειν πρὸς τὴν αἱρετωτάτην ζωήν Πγ18. 1288 ᵃ27. τῆς ἀνθρωπίνης ζωῆς μιμήματα Ζιι7. 612 ᵇ19. — 5. ζωὴ τᵦ θεῷ Μλ7. 1072 ᵇ26. ζωὴ ἀθάνατος ὁ θεός κ6. 399 ᵇ21. — 6. ζωή fere i q τροφή, quae pertinent ad vitam sustinendam. πολέμια, ὅσα ἀπ' τῶν αὐτῶν ποιεῖται τὴν ζωήν Ζιι1. 608 ᵇ21. cf ΑΖιΙ 11. γίνεται ἔντομα ἐν πᾶσιν, ὅσα ἔχει αὐτῶν ζωήν Ζιε32. 557 ᵇ12 Aub.

ζωικός. τῷ ἀπολύεσθαι ϰ̩ προσπίπτειν πρὸς τὴν τροφὴν ἐνίας (ἀκαλήφας) αὐτῶν ζωικόν ἐστι Ζμδ5. 681 ᵇ4. — ἡ ζωικὴ φύσις Ζμα5. 645 ᵃ6. ἡ ζωικὴ ἱστορία Ζ5. 668 ᵇ30. τὰ ζωικά cf 263. 1526 ᵃ31, 37 cf Ideler Met II 363, Rose Ar Ps 325.

ζωμός. τὸ στέαρ πήγνυται καθάπερ τὸ ἰνῶδες ϰ̩ αὐτὸ ϰ̩

οἱ ζωμοὶ οἱ τοιᾦτοι Ζμβ5. 651 ᵃ29. οἱ ζωμοὶ οἱ τῶν πιόνων ᵦ πήγνυνται Ζιγ17. 520 ᵃ8.

ζωνὴ Ὠρίωνος μα6. 343 ᵇ24.

ζώνιον. οἰνοπώλης τὸ κλειδίον τᵦ οἰκήματος πρὸς τῷ ζωνίῳ διεφύλαττε θ32. 832 ᵇ23.

ζωνός. οἱ ζωνοὶ φιλόθηροι φ6. 810 ᵇ4-7.

ζωογονεῖν. ὄφεις ζωογονηθῆναι θ23. 832 ᵃ14. αὐτῆς τῆς γῆς ζωογονούσης θ74. 835 ᵇ26. ἀφιᾶσι γλοιῶδες ἐξ αὐτῶν αἱ ἔγχελεις, ὃ γενόμενον ἐν τῇ ἰλύι ζωογονεῖται f 294. 1529 ᵃ32.

ζῷον. ἡ φύσις μεταβαίνει συνεχῶς ἀπὸ τῶν ἀψύχων εἰς τὰ ζῷα διὰ τῶν ζώντων μὲν ᵦκ ὄντων δὲ ζῴων Ζμδ5. 681 ᵃ13. ἡ φύσις ἐκ τῶν ἐνδεχομένων τῇ ᵦσίᾳ περὶ ἕκαστον γένος ζῴᵦ ποιεῖ τὸ ἄριστον Ζπ2. 704 ᵇ16. Ζμα1. 641 ᵃ15, ᵇ21. (τὸ εὐγενὲς ζῷον ὃ τὸν ᵦρανὸν περιοδεύει φτα1. 816 ᵃ22.) — 1. ἡ ὑποκειμένη ᵦσία τᵦ ζῴᵦ, ἡ ὕλη ἐν τοῖς ζῴοις πν4. 482 ᵇ35. φτβ1. 822 ᵇ7. ᵦ ταύτὸν ᵦ θ' ὕλη τῶν ζῴων ἐξ ἧς ἐστιν ἕκαστον, ϰ̩ αἱ ἕξεις ϰ̩ διαθέσεις αὐτῆς αν14. 477 ᵇ17. ὕλη τοῖς ζῴοις τὰ μέρη Ζγα1. 715 ᵃ9. — 2. ἐκ τίνων συνέστηκε τὰ τῶν ζῴων σώματα ψα5. 410 ᵃ30. μβ2. 355 ᵇ6. ᵦχ οἷόν τε ἁπλᾶν εἶναι τὸ τᵦ ζῴᵦ σῶμα ψγ13. 435 ᵃ11. ἡ σύστασις τῶν ζῴων Ζμγ7. 670 ᵃ19. ὅλη ἡ σύστασις Οβ6. 288 ᵇ16. Ζγδ1. 766 ᵃ25. δευτέρα σύστασις ἡ τῶν ὁμοιομερῶν φύσις ἐν τοῖς ζῴοις ἐστὶ Ζμβ1. 646 ᵃ21, ᵇ11. cf μδ10. 388 ᵇ16. ἐξ ὕδατος ϰ̩ γῆς μδ8. 384 ᵇ31. Ζιχ6. 638 ᵃ5. γῆ, παντοδαπῶν ζῴων ἑστία ϰ̩ μήτηρ κ2. 391 ᵇ14. ἐν γῇ ϰ̩ ὕδατι ζῷα μόνον ἐστίν, ἐν ἀέρι δὲ ᵦ πυρὶ ᵦκ ἔστιν, ὅτι τῶν σωμάτων ὕλη ταῦτα μδ4. 382 ᵃ6. Ζγγ11. 762 ᵃ19. cf Κ3. 1 ᵇ18. Παλ11. 1258 ᵇ19. πῦρ ᵦθὲν γεννᾷ ζῷον Ζγβ3. 737 ᵃ1. cf Ζιε19. 552 ᵇ12. αν13. 477 ᵃ30 (Brandis 1330, M 414). διὰ τίνα αἰτίαν ἐν μὲν τῷ ἀέρι ᵦ τῷ πυρὶ ᵦσα ᵦ ψυχὴν ᵦ ποιεῖ ζῷα, ἐν δὲ τοῖς μικτοῖς ψα5. 411 ᵃ9. cf Ζγγ11. 761 ᵇ12. — 3. πῶς ἔχει τὰ ζῷα τὰς διαστάσεις ϰ̩ συζυγίας Ζπ2. 704 ᵇ20. 4. 705 ᵃ26. Πᵦ4. 1290 ᵇ33. Οβ2. 285 ᵃ15, 17. ἓν ἐν τοῖς ζῴοις ὑπάρχοντα φαίνεται τοῖς μὲν πάντα τὰ τοιαῦτα μόρια, λέγω δ' ᵦν τὸ δεξιὸν ϰ̩ ἀριστερόν, τοῖς δ' ἔνια Οβ2. 284 ᵇ15. τοῖς δεξιοῖς πάντα πέφυκε τὰ ζῷα δρᾶν αλλ᾽ν Ζμδ8. 684 ᵃ28. — 4. πῶς τρέφεται τὰ ζῷα, πῶς λαμβάνει τὴν τροφήν Ζμγ5. 668 ᵃ7. β3. 650 ᵃ23. ἀναγκαῖον τροφὴν λαμβάνειν θύραθεν Ζμδ4.678 ᵃ6. υ3.456 ᵃ33. πάντα ἔχει ἐπιθυμίαν τροφῆς Ζμβ17. 661 ᵃ7. πᾶσιν ὑπάρχει τὸ θρεπτικὸν Ζγβ1. 735 ᵃ17. πάντων ἐστὶ κοινὰ μόρια, ῷ δέχεται τὴν τροφὴν ϰ̩ εἰς ὃ δέχεται Ζια2. 488 ᵇ29, τόπος δεκτικὸς τῆς τροφῆς αι5. 445 ᵃ24. μικρῷ αὐξάνεται τὰ ζῷα τὸ καθ' ἡμέραν πᾶν Ζγα18. 725 ᵃ19. ἡ τᵦ ζῴᵦ εὐτροφία Ζμδ5. 680 ᵇ7. λέγεταί τινες τῶν Πυθαγορείων τρέφεσθαι ἔνια ζῷα ταῖς ὀσμαῖς αι5. 445 ᵃ17. — 5. περὶ κινήσεως, πῶς μεταβάλλει τὰ ζῷα κατὰ τόπον Ζπ3. 705 ᵃ4. διῄρηνται κατὰ τὰς τόπᵦς Ζιθ2. 589 ᵃ10. τί τὸ κινᾦν κατὰ τόπον τὸ ζῷόν ἐστιν ψγ9. 432 ᵇ8. κινεῖ τὸ ζῷον ϰ̩ τὸ ἔμψυχον τὴν κατὰ τόπον ἑαυτᵦ κίνησιν· κινεῖται τὸ ζῷον αὐτὸ ὑφ' αὐτᵦ· ᵦτω ϰ̩ ἐν τοῖς ζῴοις εἶναι (ἔοικε) διῃρημένον τὸ κινᾦν ϰ̩ τὸ κινᵦμενον Φθ9. 265 ᵇ34. 4. 254 ᵇ15, 31. ὁρῶμεν ἀεί τι κινᵦμενον ἐν τῷ ζῴῳ τῶν συμφύτων, τᵦτᵦ δὲ τῆς κινήσεως ᵦκ αὐτὸ τὸ ζῷον αἴτιον ἀλλὰ τὸ περιέχον ἴσως, ᵦ τὸ ζῷον αὐτὸ φαμεν ἑαυτὸ κινεῖν Φθ2. 253 ᵃ12, 13, 252 ᵇ22. τὸ κινᵦμενον τὸ ζῷον ψγ10. 433 ᵇ18. πάντα τὰ ζῷα ϰ̩ κινεῖ ϰ̩ κινεῖται ἕνεκά τινος Ζχ6. 700 ᵇ15. τὰ ὄργανα τῆς κινήσεως Ζχ7. 701 ᵇ7. πάντα τὰ ζῷα ἀρτίᵦς τὰς πόδας ἔχει πι26. 893 ᵇ20. 30. 894 ᵃ17. Ζπ8. 708

a27. κινεῖται τὸ ζῷον ὑπὸ τῦ ἀριθμῦ ψα5. 409 b7, 11. —
6. ἡ τῶν ζῴων θερμότης Ζγβ3. 737 a3. τὰ ζῷα πάντα
ἀναγκαῖον ἔχειν ἀρχὴν θερμῦ φυσικὴν Ζμβ3. 650 a5. πάντα
τὰ μόρια ⁊ πᾶν τὸ σῶμα τῶν ζῴων ἔχει τινὰ σύμφυτον
θερμότητα φυσικὴν ζ4. 469 b7. δημιωργεῖ τὴν αὔξησιν ἡ τῦ
ψυχικῦ θερμῦ φύσις ἐν τοῖς ζῴοις Ζγγ4. 755 a20. τὸ ζῷον
ἐστι φύσει ὑγρὸν ⁊ θερμόν μχ5. 466 a18. τὰ τὴν φύσιν
θερμότερα τῶν ζῴων Ζγγ1. 751 b7. — 7. ζῴων γένεσις.
γένος ἀεὶ ἀνθρώπων ⁊ ζῴων ἐστὶ ⁊ φυτῶν Ζγβ1. 732 a1.
ἀρχὴ τῶν ζῴων ψα1. 402 a7. ἀρχή τις τῆς γενέσεως πᾶσι
τοῖς ζῴοις Ζγγ11. 763 a3. ὁ1. 763 b23. ἡ ἁπλῆ ⁊ φυσικὴ
γένεσις ὑπάρχει τοῖς ζῴοις μδ1. 378 b31. τὴν ἀρχὴν τῆς γε-
νέσεως πόθεν λαμβάνει τὰ ζῷα Ζγγ1. 751 b5. γένεσις ζῴων
Ζγβ1. 731 b31. Ζια3. 489 a10. καλῶς διώρισται τοῖς χρόνοις
⁊ ἡ γένεσις ἡ τῶν ζῴων Ζγδ8. 777 a22. 9. 777 a28. ζῷον
ποιεῖ ζῷον ψβ4. 415 a28. cf ἄνθρωπος p59 b40. ὁ γὰρ αὐτὸ
ποιεῖ τὸ ὕδωρ ζῷον ἐξ αὑτῦ Γβ9. 335 b32. ἐκ πονηρῦ γενέσθαι
ἀγαθόν, ⁊ τὸ ἐναντίον, ἐν τοῖς ζῴοις πολλάκις εὑρίσκεται
φτα6. 821 a10. ἄνθρωποι δὲ ἀς ζῷα ἀκ ἀνακάμπτωσιν εἰς
αὑτὰς ὥστε πάλιν γίνεσθαι τὸν αὐτὸν Γβ11. 338 b8. ἀδὲν
πώποτε ζῷον γεγένηται τοιῦτον ὃ τὸ μὲν εἶδος ἔσχεν ἑτέρα
ζῴα, τὴν δὲ διάνοιαν ἄλλα φ1. 805 a11. ἀδὲ ζῷον θῆλυ ⁊
ἄρρεν ἕτερον τῷ εἴδει Μιθ9. 1058 a31. γοναὶ ζῴων κ6. 399
a28. πῶς ἀποδίδωσι τὸ τέκνον Ζγβ1. 733 b1. τὸ πρῶτον
τὰ ζῷα φυτῦ βίον ζῆ Ζγε1. 779 a1. γ2. 753 b28, cf Hum-
boldt Kosmos II 241. ζῷα ἐγγίνεται τοῖς σηπομένοις, ἐν
τοῖς σαπροῖς μδ1. 379 b6. 11. 389 b5. ζῷα ἐν χιόνι τῇ πα-
λαιᾷ Ζιε19. 552 b7. cf Ideler Meteor I 435, II 409. Fro-
riep Notizen 1856 III 102. σπέρμα πάντα φέρει τὰ ζῷα
Ζγα13. 720 a10. ὅλως ἀθὲν τῶν τῦ ζῴῳ ζῷον γεννᾷ ἀλλ'
ἢ τὸ σπέρμα πὸ13. 878 a9. αἱ ἐν τοῖς ζῴοις ἀδυναμίαι
παρὰ φύσιν Οβ6. 288 b15. — ἐν τοῖς Ὀρφέως ἔπεσιν ὁμοίως
φησὶ γίνεσθαι τὸ ζῷον ὃ τῇ τῦ δικτύῳ πλοκῇ Ζγβ1. 734 a20. ἀκ
ὀρθῶς λέγει Δημόκριτος τὰ ἔξω πρῶτον διακρίνεσθαι τῶν ζῴων
Ζγβ4. 740 a14. — 8. ζῴων πνεῦμα, ἀναπνοή. διώρισται τὰ
μέρη τῶν ζῴων πνεύματι Ζγβ6. 741 b37. πάντα φαίνεται τὰ
ζῷα ⁊ ἔχοντα πνεῦμα σύμφυτον ⁊ ἰσχύοντα τύτῳ Ζχ10.
703 a9. τὰ ζῷα ἀναπνέοντα ⁊ ἐκπνέοντα, τὰ μὴ ἀναπνέ-
οντα Ζμγ3. 664 a19. β16. 659 b14. — 9. ζῴων ἀκμή,
γῆρας, θάνατος. ἀκμὴν ἔχει ⁊ γῆρας μα14. 351 a27. αν17.
478 b28. ἐστι μὲν πᾶσι κοινὸν γένεσις ⁊ θάνατος, οἱ δὲ
τρόποι διαφέρυσι τῷ εἴδει αν17. 478 b22. ἀεὶ γὰρ πονεῖ τὸ
ζῷον, ὥσπερ ⁊ τὸ ζῆν αἴσθησις λόγοι μαρτυρῦσιν Ηη15. 1154
b7. cf Spengel Stud I 28. — 10. ζῴων αἴσθησις. τὸ ζῷον
αἰσθήσεως κοινωνεῖ. locis cit s αἴσθησις p 19 b42-47 addas:
τῆς ζωῆς τῶν ζῴων κοινή ἐστιν αἰτία ἡ αἴσθησις φτα1.
816 a30. τῷ αἴσθησιν ἔχειν ὥρισται τὸ ζῷον υ1. 454 b25.
Ζμβ8. 653 b2. ψγ12. 434 a29, 30, b23. φύσει αἴσθησιν
ἔχοντα γίνεται τὰ ζῷα Μαι1 980 a28, cf K7. 8 a7. τὸ ζῷον
ὥρισται τῷ τὴν αἰσθητικὴν ἔχειν ψυχὴν ζ4. 469 b4. Ζμδ5.
678 b4. ψγ2. 427 a15. ζ1. 467 b22. 3. 469 a18. τὰ ζῷα
πάντα ἔχει αἴσθησιν τῆς ἡδονῆς τῆς γινομένης ἐκ τῆς τρο-
φῆς Ζμβ17. 661 a7. ψγ9. 432 a30. πολλὰ τῶν ζῴων ἀδ'
ὄψιν ἔχ' ἀκοὴν ἔχυσιν ἀτ' ὀσμῆς ὅλως αἴσθησιν ψβ3. 415
a5. τὰ ζῷα πάντα ἔχυσι μίαν γε τῶν αἰσθήσεων, τὴν ἁφήν
ψβ3. 414 b3. γ12. 434 b13, 24. 13. 435 b6, 17. Ζια3.
489 a17. δ8. 535 a5. τῷ ζῆν ⁊ μόνειν τὸ γεννῆσαι ἔργον,
ἀλλὰ ⁊ γνωσικῆς τινος πάντα μετέχυσι Ζγα23. 731 a31.
— 11. τῶν ζῴων διάνοια φαντασία προαίρεσις βύλησις ἐπι-
θυμία ὄρεξις πάθη ἦθος Ζκ6. 700 b17, 701 a4. Ζμβ4.
650 b14-651 a19, cf Brandis 1248 sq. 1291. εἴπερ ὖν

⁊ ψυχὴν ἄν τις θείη ζῴῳ μόριον μᾶλλον ἢ σῶμα· ὥσπερ
ζῷον εὐθὺς ἐκ ψυχῆς ⁊ σώματος Πὸ4. 1291 a24. γ4.
1277 a6. τὸ ζῷον πρῶτον συνέστηκεν ἐκ ψυχῆς ⁊ σώμα-
τος Πα5. 1254 a34. τὰ πάθη τῆς ψυχῆς ἀχώριστα τῆς
φυσικῆς ὕλης τῶν ζῴων, ᾗ δὴ τοιαῦθ' ὑπάρχει ψα1. 403
b18. ἐγρήγορσις ⁊ ὕπνος πᾶσιν υ2. 455 a27. 1. 454 a21,
b24. ὅσα μνημονεύει μν1. 449 b29. — 12. distinguuntur
τὰ ἀνάπηρα ζῷα Ζγδ4. 773 a13. τὰ ἀπολελυμένα, opp
προσπεφυκότα Ζμδ5. 681 b10. ἀτελῆ υ2. 455 a8. ἄτιμα,
ἀτιμότερα ψα2. 404 b4. Ζμα5. 645 a15. ἡμβ7. 1205 a30.
ἄτομα Ζμγ3.643 a7. εὐχιλότερα Ζμγ14. 675 b15. θνητά Ζμα
1. 641 b17 (τὰ τεθνεῶτα ψα3. 406 b5. Ζιγ2.511 b14). λίχνα
Ζμδ11. 691 a9. λογιστικά ψγ11. 434 a7. μέλλον Ζπ11.
710 b6. τὰ μὴ ὁμόφυλα ἐν Λιβύῃ Ζγβ7. 746 b9. συγγενῆ
Ζιε1. 539 a26. Ζγα1. 715 b3. συμπεφυκότα Ζ. 468 b10.
σύμφυλα Ζμδ6. 682 b10. συνιστάμενα Ζγγ2. 753 b3. συν-
ώνυμα Ζγα16. 721 a3. σωφρονέστερα Ζμγ14. 675 b22.
τέλεια ψγ9. 432 b23. ζ2. 468 a13. Ζμβ10.655 b29. Ζγβ4.
737 a26. τὸ τέλειον ⁊ ἠλαττωμένον φτα1. 816 a34. τελειό-
τερα Ζγδ10.777 b1. τελεώτερα Ζγβ1. 732 b28, 733 b1. τελεύ-
μενα Ζγδ4. 771 b33. τετελεσμένα Ζγδ4. 771 a10. cf γ7.
757 b15. τίμια ψα2. 404 b4. τιμιώτερα αν13. 477 a16.
ἔστι δὲ θηρευτὸν ὃ ἄν ἄγριον ἢ ἐδεστὸν ζῷον Πη2. 1324 b41.
— 13. διαφέρει τὰ ζῷα τοῖς σωματικοῖς πάθεσιν, οἷον με-
γέθει ⁊ μικρότητι κτλ cf Brandis 1297. ἔστι τι πᾶσι τοῖς
ζῴοις πέρας τῦ μεγέθυς Ζγβ6.745 a6. πο⁊. 1451 a4. ὁ ἐλέφας
μέγιστον τῶν ζῴων Ζγδ4. 771 b9. τὰ μέγιστα τῶν ζῴων μχ4.
466 a1. ζ. 468 a16. Ζιγ3. 513 a30. τὰ μεγάλα ψα2. 404
b4. μχ5. 466 a26. Ζιδ0. 626 a21. Ζμγ4. 666 b21. δ13.
697 a27. Ζγα18. 725 a29. δ4. 771 a35, 772 a30. τὰ
μείζω Ζια16. 495 b15. β17. 507 b24. ε20. 553 a13. ι39.
623 a34. Ζμγ2. 663 b25. δ10. 777 b1. τὰ μείζω τὰ με-
γέθει Ζιγ3. 513 a30. Ζγδ4. 771 a36. τὰ ἐλάττω Ζιβ17.
507 b24. θ2. 589 a28. Ζμγ4. 666 b22. Ζγδ4. 771 a36.
τὰ μικρά ψα2. 404 b4. μχ4. 466 a2. Ζιγ4. 515 a21.
Ζγα18. 725 a30. τὰ κολοβά Ζγβ7. 746 a9. τὰ σφόδρα
μικρά Ζιγ3. 513 a28. ἐλάχιστον τῶν ζῴων πάντων ἀκαρὶ
Ζε32. 557 b7. ἀκ ὀρθὰ τὰ ζῷα ἀλλὰ κύπτει Ζμβ11.
657 a15. ἐν τοῖς ζῴοις ἀ ταὐτὸν τῦ ζῷ ⁊ τῦ σώμα-
τος μέσον Οβ13. 293 b6. — τὰ χρώματα τῶν ζῴων
Ζγε4. 784 a23. 6. 785 b16. cf χ6. 798 b1, 799 b17. —
14. ζῷον, coni τέρας. ζῷον τι μόνον φαίνεται τὸ γιγνόμε-
νον, ⁊ λέγεται τέρατα· μένει τὸ καθόλυ μάλιστα Ζγδ3.
769 b9. — 15. ζῷον· γεγραμμένον Πγ13. 1284 b9. ξύ-
λινα ἢ λίθινα ζῷα Ζγβ4. 740 a15. ζῷον νευρόσπαστον κ6.
398 b18. ἡ τῆς τραγῳδίας πρᾶξις ἔχυσα ἀρχὴν ⁊ μέσα ⁊
τέλος, ἵν' ὥσπερ ζῷον ἓν ὅλον ποιῇ τὴν οἰκείαν ἡδονὴν πο23.
1459 a20. τὸ ζῷον ὥσπερ πόλις εὐνομυμένη Ζκ 10. 703
a30. ἡ καρδία καθαπερεὶ ζῷον Ζμγ4. 666 a21. — τὸ ζῷον
αὐτὸ Μιθ9. 1085 a26, cf αὐτόζῳον. — (pro ζῷον Ζγα18.
724 b18 ᾠόν ci Wimmer Did.)

ζῳοποιεῖν. αἱ λειμώνιαι ἀράχναι ἐν τῷ ἀραχνίῳ ἐπωάζυσαι
ζῳοποιῦσιν Ζιε27. 555 b9. τὸ ἄρρεν μόνον τῇ δυνάμει τῇ ἐν
τῇ γονῇ ζῳοποιεῖ Ζγα21. 730 a2.
ζῳοτοκεῖν. τὰ ζῳοτοκῦντα ἔχει πρὸς ἄλληλα διαφορὰν Ζγα9.
718 b28. ζῳοτοκεῖ τὰ τελεώτερα τὴν φύσιν τῶν ζῴων
Ζγβ1. 732 b28, 4. 737 b15. πάντα τὰ ζῳοτοκῦντα ἢ ᾠοτο-
κῦντα ἔναιμά ἐστι τὰ ἔναιμα ἢ ζῳοτοκεῖ ἢ ᾠοτοκεῖ
Ζγβ1. 732 b8. τὰ μὲν ἐν αὑτοῖς ᾠοτοκεῖ τῶν ζῳοτόκων,
τὰ δὲ ζῳοτοκεῖ ἐν αὑτοῖς Ζια5. 489 b11. πι43. 895 a39.
αν10. 475 b20. Πα8. 1256 b13. ὅσα ζῳοτοκεῖται Ζμδ12.

693 b23. Ζιη7. 586 a22. ἅπαντα τὰ ζωοτοκοῦντα Ζμγ3. 664 b23. Ζγδ1. 764 a35. α8. 718 a37. 19. 727 a20. τῶν πεζῶν ὅσα ζωοτοκεῖ, τὰ ζωοτοκοῦντα πεζά Ζιγ8. 517 a3. ζ18. 571 b6. τὰ ζωοτοκοῦντα τῶν τετραπόδων Ζγα8. 718 b3. τῶν ἰχθύων οἱ ζωοτοκοῦντες Ζγα3. 717 a3. γ4. 755 b2. ἢ τὰ δίποδα πάντα ζωοτοκεῖ, ἔνια τετράποδα ζωοτοκεῖ, χ ἄποδα ζωοτοκεῖ Ζγβ1. 732 b16, 18, 21. — τὰ ζωοτοκοῦντα μὴ μόνον θύραζε ἀλλὰ χ ἐν αὑτοῖς, ἐν αὑτοῖς χ ἐκτός, μὴ μόνον ἐκτὸς ἀλλὰ χ ἐντός, ἐν αὑτοῖς ἢ ἔξω, εἰς τὸ φανερὸν χ ἐν αὑτοῖς Ζγα3. 716 b35. 10. 718 b32. 12. 719 b24. β1. 732 a32, 733 b30. 4. 737 b18. αν10. 475 b20. Ζια17. 496 b2. γ1. 511 a3. 20. 521 b22. ε34. 558 a25. ζ12. 567 a15. — τὰ εὐθύς, ἐξ ἀρχῆς εὐθὺς ἐν αὑτοῖς ζωοτοκοῦντα· ὅσαπερ ζωοτοκεῖ ἐντὸς αὑτῶν, ἐν αὑτοῖς Ζγα11. 719 a13, 5. 12. 719 b18. β1. 732 b25. 4. 737 b15. γ9. 758 b2. δ8. 776 a15. ε3. 781 b33. Ζιζ12. 566 b31. τὰ ζωοτοκοῦντα μὴ τὸ πρῶτον. ὕστερον δὲ ἐν αὑτοῖς πι43. 895 a39. — ὅσα ζωοτοκεῖ εἰς τὸ ἐμφανές, εἰς τὸ ἐκτός, ἔξω μόνον Ζγβ1. 732 a26. Ζιβ9.502 b27. γ20.521 b25. τὰ μὴ ζωοτοκοῦντα Ζιη2. 582 b30. ἢδὲν τῶν μὴ ζωοτοκούντων ἐν αὑτοῖς Ζμδ11. 692 a13. — ὅσα ζωοτοκεῖ ἄνευ ᾠοτοκίας Ζιδ11. 538 a7. Ζγα20. 728 b7. — τὰ ζωοτοκούμενα Ζιη7. 586 a24. 917. 601 a4. Ζγβ7. 745 b24. γ2. 753 b32. — οἱ Σκύθαι τηρῶσι τὰς ἐχίδνας τὰς ἤδη ζωοτοκώσας θ141. 845 a3. cf ζωοτόκος.
ζωοτοκία Ζγγ3. 754 b29.
ζωοτόκος. τῶν ζώων τὰ μὲν ζωοτόκα τὰ δὲ ᾠοτόκα, τὰ δὲ σκωληκοτόκα Ζια5. 489 a34. τῶν ζωοτόκων τὰ μὲν ἀτελῆ προΐεται ζῷα, τὰ δὲ τετελειωμένα Ζγδ6. 774 b5. τὰ ζωοτόκα τῶν ζώων χ ἐν αὑτοῖς χ ἐκτὸς παραπλησίαν ἔχει τὴν τῶν ὀστῶν δύναμιν χ ἰσχυρὰν Ζμβ9. 655 a5. τῶν ζωοτόκων ἢδὲν ἢτ᾽ ἄπων ἢτε πεζεῦον Ζμγ6. 669 b7. descr Ζια6. 490 b20sq. τὰ ζωοτόκα Ζιγ19. 521 a4. Ζγα11. 719 a6. 13. 720 a15, 19. β4. 739 b33. γ1. 751 a7. Ζμγ6. 669 a26. 12. 673 b21. δ11. 690 b32, 692 a15. 12. 693 b26. — τὰ ζωοτόκα πάντα vel πάντα τὰ ζωοτόκα, ἔνια ζωοτόκα vel ἔνια τῶν ζωοτόκων Ζια8. 491 b28. 16. 495 b2. ε5. 540 b21. Ζγα3. 716 b25. 5. 717 b26. 19. 726 a30. Ζμδ10. 686 a2, 689 a9. γ7. 669 b33. 12. 673 b24. τὰ ἔναιμα ζῷα χ ζωοτόκα χ πεζά, τὰ ἔναιμα χ ζωοτόκα τῶν τετραπόδων, τὰ ζωοτόκα χ πεζὰ τῶν ἐναίμων, τὰ ζωοτόκα τῶν ἐναίμων χ πεζῶν, τὰ τετράποδα χ ἔναιμα χ ζωοτόκα Ζμδ10. 690 b11. β17. 660 a31. Ζιβ1. 499 b6, 501 a11. γ7. 516 b3. ε2. 539 b19. sed τὰ ζωοτόκα χ ἔναιμα χ ἀναπνέοντα Ζμβ16. 659 a6. — τὰ ἔναιμα χ ζωοτόκα vel τὰ ζωοτόκα τὰ ἔναιμα Ζιδ8. 533 a1. Ζμγ12. 673 b18. 14. 674 a24. δ10. 685 b30. Ζγγ1. 750 b6. — τῶν πεζῶν τὰ ζωοτόκα vel τὰ πεζὰ χ ζωοτόκα Ζιβ13. 505 a22. γ1. 510 a13. 10.

517 b5. δ8. 532 b33. 11. 538 b6. ε1. 539 a14. η2. 582 b35. θ17. 600 b17. ι50. 631 b23. Ζγα6. 718 a7. — πᾶν τὸ τῶν ζωοτόκων χ τετραπόδων γένος, τὰ ζωοτόκα χ τετράποδα ζῷα, τὰ τετράποδα χ ζωοτόκα, τὰ τετράποδα ζῷα τῶν ζωοτόκων, τὰ ζωοτόκα τῶν τετραπόδων, i q Mammalia hodiernorum auct Ζιβ13. 505 a32. 1. 497 b9, 498 a5. 15. 505 b32, 28. 10. 502 b32. 16. 505 b25. γ1. 509 b10. δ9. 536 a32. 10. 536 b29. ε14. 544 b17. 1. 539 a14. θ17. 600 a27. 20. 602 b14. 5. 594 a25. Ζπ12.711 b12. 15.713 a3. Ζμβ16. 658 b27. 9. 655 b14. 13. 657 a25. δ11. 690 b17, 691 a28. γ6. 669 b6. omisso τετράποδα, τὰ ζωοτόκα significant Mammalia Ζμγ2. 662 b27. δ10. 689 b3, 9. Ζγα4. 717 a31. cf M 142. — τὰ ζωοτόκα χ ἀμφώδοντα Ζιγ14. 519 b9. — τὰ ἄποδα χ ζωοτόκα Ζιγ1. 509 b10. — τὰ μεγάλα τῶν ζωοτόκων, τὰ ζωοτόκα χ μέγεθος ἔχοντα Ζμβ9. 655 a8. Ζιε2. 540 a4. — τὰ μὴ ζωοτόκα Ζιβ15. 506 a14. Ζγγ7. 757 a17. Ζμβ9. 655 a7. τὰ ἔναιμα μὴ ζωοτόκα Ζμβ9. 655 a17. κέρατα ἔχει ἢδὲν μὴ ζωοτόκον Ζμγ2. 662 b24. — τὰ χ ἐν αὑτοῖς χ ἔξω ζωοτόκον Ζιγ19. 520 b28. τὸ τῶν ἰχθύων γένος, τό τε ζωοτόκον χ τὸ ᾠοτόκον αὑτῶν Ζιε1. 539 a12. τῶν ἰχθύων οἱ ζωοτόκοι Ζιι37. 621 b20. δελφὶς ζωοτόκος ἐστίν Ζιγ9. 655 a17. φώκη, τετράπηιν ὂν χ ζωοτόκον Ζγε2. 781 b23.
ζωοφαγεῖν. τῶν ὀστρακοδέρμων τῶν κινητικῶν τὰ ζωοφαγοῦντα, τίσι τρέφεται Ζιθ2. 590 b1.
ζωοφαγία. οἱ σφῆκες τροφῆ χρῶνται χ ἀπ᾽ ἀνθῶν τινῶν χ καρπῶν, τὴν δὲ πλείστην ἀπὸ ζωοφαγίας Ζιι41. 628 b13.
ζωοφάγα θηρία, dist καρποφάγα, παμφάγα Πα8. 1256 a25, 28. τῶν ἐνύδρων ἔνια ἔχει τὸ στόμα ἐν τοῖς ὑπτίοις, πάντα τὰ τοιαῦτα ζωοφάγα ἐστίν Ζμδ13. 696 b29.
ζωοφορεῖν. ὅσα ζωοφορεῖ Ζιχ7. 638 a31.
ζωοφόρος κύκλος χ2. 392 a11.
ζωπυρεῖν. ἡ καρδία οἷον ἐστία, ἐν ἢ κεῖσεται τῆς φύσεως τὸ ζωπυρῶν Ζμγ7. 670 a25.
ζώπυρον. τὸ βαρὺ χ κῶφον οἷον ζώπυρ᾽ ἄττα κινήσεως Οδ1. 308 a2.
Zoroastres. eius aetas f 29. 1479 a24.
ζωρός. ζωρά (Bk², codd ζῶα, Emp 204) πο25. 1461 a25.
ζωρότερον (Hom I 203) πο25. 1461 a14.
ζωστῆρα ἢ κνημῖδας περιτίθεται χ6. 399 b4.
ζωτικός. τὸ ὑφ᾽ αὑτῶν κινεῖσθαι ζωτικὸν χ τῶν ἐμψύχων ἴδιον Φθ4. 255 a6. τὰ κύθια μικρὸν τῶν φυτῶν διαφέρει, ὅμως δὲ ζωτικώτερα τῶν σπόγγων Ζμδ5. 681 a10. τῶν ἐναίμων ὅσα μὴ ζωτικὰ λίαν εἰσί αν17. 479 a4. — ζωτικὴ ἀρχή Ζγβ3. 737 a5. τὸ ὑγρὸν ζωτικόν, ζωτικώτερον τῶ ξηρῶ Ζγβ1. 733 a11. γ11. 761 a27. ὑγρότης ζωτικὴ Ζχ11. 703 b23. θερμότης ζωτικὴ αν6. 473 a10. Ζγβ4. 739 b23.

Η

η. θήλεα ὅσα εἰς η τελευτᾶ πο21. 1458 a11.
ἢ πή γε δὴ Πβ5. 1264 b9 (ἤπωθεν δὴ Bk²). cf Eucken I 69.
ἤ comparativum, usurpatum aliquoties antecedente superlativo μάλιστα προσῆκον ἢ τβ6. 112 a33 Wz. πρῶτον ἀφικνεῖσθαι ἢ Φε3. 226 b23, Bz Ar St I 36. πρῶτον ἢ ρ1. 1420 b28 (Spgl ad h l 'sic posterioris aetatis scriptores saepius quam πρότερον ἢ dicunt'). πλεῖστ πι23. 893 b7. — ἢ post ἐναντίον sim, ληπτέαι ἐναντίως ἢ ὡς ἔχωσι αἱ προτάσεις Αγ17. 80 b35. διὰ τὸ ἄλλως ἔχειν ἢ ὡς τὸ κύριον πο22. 1458 b3. κατὰ τὴν καταντικρὺ ἢ ὡς Γλαύκων λέγει

πο25. 1461 a35. τἀναντίον ποιεῖν ἢ νῦν τινὲς ποιῶσιν Πε11. 1314 b29. Vhl Poet IV 422. ἢθὲν διαφέρει ἢ (i e ἢθὲν ἐστιν ἕτερον ἢ) ηεη12. 1244 b32. — ἢ ἢ abundante negatione τὸ οἰκεῖον ἢττον προίενται μᾶλλον ἢ ἢ λαμβάνωσι τὸ ἀλλότριον Ηδ1. 1120 a18. — ἢ inter duo comparativos positum, ὑγρότερον ἢ σωματωδέστερον sim τα37. 863 b9. φ5. 809 b10, 18, 810 a2, 18. — ἢπερ. οἰκειότερον ἀποδώσει τὸ εἶδος ἀποδιδὺς ἤπερ τὸ γένος Κ5. 2 b10.
ἢ disiunctivum. i q εἰ δὲ μή: τῦτο δεῖ ὑπάρχειν αὑτῷ, ἢ ταύτη ἐνδεὴς ἔσται Ηι9. 1170 b17. — quoniam ἢ solennis

est particula in altero membro interrogationum disiunctivarum idque alterum membrum plerumque ad affirmationem vergit, inde factum esse videtur, ut saepissime, ubi ἤ usurpatur non antecedente priore interrogationis membro a πότερον exordiendo, interrogationis natura fere delitescat eaque enunciatio respondentis potius et modeste affirmantis, quam quaerentis esse videatur. itaque exposita aliqua ἀπορίᾳ eius λύσις per particulam ἤ induci solet Αδ17. 99 ᵃ2. τι20. 177 ᵇ25. 22. 178 ᵃ31 Wz, 38, ᵇ32, 36. 23. 179 ᵃ21 ac saepissime. in problematis solennis est formula, qua solutio incipitur, ἢ ὅτι, adeo ut aliquoties per errorem vel auctoris vel scribarum legatur πκα17. 929 ᵃ18. λγ5. 962 ᵃ2 (Bz Ar St IV 420) ubi simplex ἤ requiratur. ac post simplicem quaestionem a part. ἤ responsio solet ordiri, veluti Αδ3. 90 ᵇ29. 6. 92 ᵃ9. Φε6. 230 ᵇ3. Μζ11. 1036 ᵇ5. Ηα5. 1097 ᵃ18. γ1. 1110 ᵇ1. 9. 1115 ᵃ25, 29. ψα1. 403 ᵇ8 Trdlbg. etiam non praecedente interrogatione enunciatio per ἤ exorsa saepe modeste ac dubitanter affirmantis est, quasi 'haud scio an', veluti Αβ17. 66 ᵃ2, 8 Wz. γ24. 85 ᵇ4. 33. 89 ᵃ16. δ12. 95 ᵇ3. 16. 98 ᵇ32. Φγ3. 202 ᵇ5 ac saepe. eaque enunciatio etiam adhibetur ad afferendam vel obiectionem, quam scriptor sibi ipse facit, veluti τδ4. 125 ᵃ23. ζ3. 140 ᵇ4, 12, 31. 6. 144 ᵃ11, ᵇ20, 34. 8. 146 ᵇ16. 11. 149 ᵃ20. Ηβ3. 1105 ᵃ21. γ3. 1111 ᵃ29 ac saepe (cf Bz ad Μζ4. 1029 ᵇ29), vel correctionem τθ3. 159 ᵃ11. Ηα11. 1100 ᵇ7. — ubi per part ἤ ad membrum inferius descenditur, verti potest 'aut certe', ut ἢ τῶν ἀδυνάτων ἢ χαλεπῶν Πθ6. 1340 ᵇ24. Αβ7. 59 ᵃ40 Wz. — in enunciatis correlativis pro simplice ἤ ... ἢ saepe ἤτοι ... ἢ usurpatur, veluti Κ4. 1 ᵇ25, 2 ᵃ8. 5. 2 ᵃ34, ᵇ4, 3 ᵃ35. 10. 12 ᵃ13. εβ. 18 ᵃ25. 10. 20 ᵇ7. Φθ3. 253 ᵃ24. Μζ14. 1039 ᵃ27. 17. 1041 ᵃ13. Πγ6. 1278 ᵇ39. δ14. 1298 ᵃ7. 16. 1300 ᵇ39. ποθ. 1451 ᵃ24. ἢ γάρ τοι ... ἢ Φθ3. 254 ᵃ18. Πγ10. 1281 ᵃ12. ἤτοι ... ἤτοι f 144. 1502 ᵇ27. cf Eucken I 72. — de part ἤτοι agitur πο20. 1457 ᵃ4.

ἤ. ἢ φανερὸν ὅτι Γα1. 314 ᵇ26. τὸ ἐπιεικὲς ἐπανόρθωμά ἐστι τῶ νόμῳ, ἢ ἐλλείπει διὰ τὸ καθόλυ Ηε14. 1137 ᵇ27, 21. μὴ κυρίας εἶναι ἢ παρεκβαίνυσαι Πγ15. 1286 ᵃ23. ἢ πέφυκεν Πγ6. 1279 ᵃ11. ἄτοπον υκ εἰ οἰδέ πως ὁ μανθάνων, ἀλλ᾿ εἰ ᾠδί, οἷον ἢ μανθάνει ᾐ ὡς Αγ1. 71 ᵇ8. ἐπιστήμη ἢ θεωρεῖ τὸ ὂν ᾐ ὄν, ἐπισκοπεῖν περὶ τῶ ὄντος ᾐ ὂν Μγ1. 1003 ᵃ21, 24 ac saepissime. τὸ ἄπειρον ᾐ ἄπειρον ἄγνωστον Φα4. 187 ᵇ7. τὸ καθ᾿ αὑτὸ ᾐ τὸ ᾐ αὑτὸ ταυτόν Αγ4. 73 ᵇ29.

ἡβᾶν. οἱ ταχὺ διὰ τροφὴν ἡβῶντες Φε6. 230 ᵇ2. χαῖρε δὶς ἡβήσας ᾐ δὶς τάφυ ἀντιβολήσας, 'Ησιόδ᾿ f 524. 1563 ᵇ38. — i q δασύνεσθαι τὸ αἰδοῖον: coni γενειᾶν Ζγβ7. 746 ᵇ23. χ6. 797 ᵇ31. πδ4. 876 ᵇ34, 37.

ἥβη. 1. pubes. ἡ τρίχωσις τῆς ἥβης Ζιε14. 544 ᵇ25. η1. 581 ᵃ15. Ζγα20. 728 ᵇ27. τοῖς ἄλλοις ζῴοις ἥβη ὑ γίνεται Ζιε14. 544 ᵇ27. ὁ ἄνθρωπος ἐν μασχάλαις ἔχει τρίχας ᾐ ἐπὶ τῆς ἥβης Ζιβ1. 498 ᵇ23. γ11. 518 ᵃ24. 518. 658 ᵃ27. χ6. 798 ᵃ3, 797 ᵇ30. ὑστερογενεῖς αἱ ἐπὶ τῆς ἥβης τρίχες Ζιγ11. 518 ᵃ21. Ζιε50. 632 ᵃ2. ἄγονοι, ὁσοιπερ ἂν ᾐ ἥβης στερηθῶσιν Ζιγ11. 518 ᵇ4. ᾐ οἱ εὐνῆχοι ᾐ αἱ γυναῖκες τὰς ἐπὶ τῇ ἥβῃ τρίχας ἔχυσιν Ζιγε3. 784 ᵃ10. τὸ γυναικεῖον αἰδοῖον κοῖλον τῆς ἥβης Ζια14. 493 ᵇ3. πρῶτον πολιᾶνται οἱ κρόταφοι τῶν ἀνθρώπων, τελευταῖοι ᾐ ἥβη Ζιγ11. 518 ᵃ18. — 2. pubertas. ἥβη, ἀκμή, γῆρας Ζγδ6. 775 ᵃ13. μετὰ τὴν ἥβην Ζιη1. 581 ᵇ27. πρὸς ἥβην Ζγε8. 788 ᵇ25. πρὸ ἥβης Ζιγ11. 518 ᵃ31. πδ12. 877 ᵇ21.

ἕως ἥβης ρ3. 1424 ᵃ37.

ἡγεῖσθαι. 1. σκέλη ἡγύμενα, opp ἑπόμενα Ζπ16. 713 ᵇ6, 14. πὺς ἡγύμενος. opp ἐμμένων f 64. 1486 ᵇ23. ἐξιόντος τῶ ᾠῶ ἡγεῖται τὸ πλατύ sim Ζιζ2. 559 ᵃ28. η7. 586 ᵃ15. ἀνάγειν αὐτὰ εἰς τὸ ἡγύμενον, τῦτο γὰρ τὸ προαιρύμενον Ηγ5. 1113 ᵃ6. τῶν καλῶν ἡγῦνται αἱ ἀρεταί, τῶν δ᾿ αἰσχρῶν αἱ κακίαι αρ1. 1249 ᵃ27. ἡγέομαι λόγον ἄλλον (Choerili fr) Ργ4. 1415 ᵃ16. — 2. opinari ἡγήσασθαι c inf μα3. 339 ᵇ22.

ἡγεμονία τῶν πολεμικῶν, ἡ κατὰ πόλεμον Πγ14. 1285 ᵇ18, 9. β10. 1272 ᵃ9. ἡγεμονία πολιτικὴ Πγ17. 1288 ᵃ9. εἰς ἀνὴρ τῶν πρότερον ἐφ᾿ ἡγεμονίᾳ γενομένων Πδ11. 1296 ᵃ36. οἱ ὑπὸ τὴν τῆς βασιλείας ἡγεμονίαν τεταγμένοι ρ1. 1420 ᵃ21. ἡ περὶ Σαλαμῖνα νίκη ᾐ διὰ ταύτης ἡ ἡγεμονία Πε4. 1304 ᵃ23. οἱ ἐν ἡγεμονίᾳ γενόμενοι τῆς Ἑλλάδος Πδ11. 1296 ᵃ32. — τὰ συμβαίνοντα περὶ τὴν ἡγεμονίαν (τῶν βασιλέων τῶν μελιττῶν) Ζγγ10. 760 ᵇ18.

ἡγεμονικός. τιμιώτερον ᾐ ἡγεμονικώτερον τὸ ἔμπροσθεν τῦ ὄπισθεν Ζμγ5. 667 ᵇ35. οἱ κατ᾿ ἀρετὴν ἡγεμονικοὶ πρὸς πολιτικὴν ἀρχήν Πγ17. 1288 ᵃ12. τὲς ἡγεμονικὲς εἰσάγειν εἰς τὴν πολιτείαν Πε8. 1308 ᵃ8. τὸ ἄρρεν φύσει τῦ θήλεος ἡγεμονικώτερον Π 12. 1259 ᵇ2. κτημάτων τὸ βέλτιστον ᾐ ἡγεμονικώτατον ἄνθρωπος οα5. 1344 ᵃ24. — ᾐ ἡγεμονικὸν ᾐ πολιτικὸν ζήσεται ἡ πόλις βίον Πη6. 1327 ᵇ5. — τίς ἐπιστήμη ἀρχικωτάτη ᾐ ἡγεμονικωτάτη Μβ2. 996 ᵇ10. — ἡγεμονικῶς χρῆσθαι τοῖς Ἕλλησι, τοῖς δὲ βαρβάροις δεσποτικῶς f 81. 1489 ᵇ29.

ἡγεμὼν τῶν πρὸς τὸν πόλεμον Πγ14. 1285 ᵃ5. σοὶ (Alexandro), ὄντι ἡγεμόνων ἀρίστῳ κ1. 391 ᵇ6. διαλύειν τὰς τῶν ἡγεμόνων ᾐ δυναμένων στάσεις Πε4. 1303 ᵇ28. ἡγεμὼν τῦ πλήθυς, syn προστάτης Πε6. 1305 ᵃ40, 39. τῶ ἔθνυς ἡγεμόνες οἱ πλείστοι Ρα5. 1360 ᵇ32. τῆς ἐπιθέσεως ἡγεμών Πε10. 1311 ᵇ1. — οἱ πολλοὶ ἄδοντες πρὸς ἕνα τε ᾐ ἡγεμόνα βλέπυσι πιθ22. 919 ᵃ37. 45. 922 ᵃ32. λόγος μετὰ παιδείας ἡγεμὼν ἐστι βίῳ ρ1. 1421 ᵃ24. ἡ ψυχὴ λαβῦσα ἡγεμόνα τὸν νῶν κ1. 391 ᵃ12. τῆς ἀρετῆς ἀρχὴ ᾐ ἡγεμὼν τίς ἐστιν ηιβ7. 1206 ᵇ18. — ἡγεμὼν de animalibus. τῶν ἀγελαίων τὰ μὲν ὑφ᾿ ἡγεμόνα τὰ δ᾿ ἄναρχα Ζια1. 488 ᵃ11. ὁ ἡγεμὼν τῶν βοῶν Ζιζ21. 575 ᵇ1. 22. 577 ᵃ16, τῶν προβάτων, vervex sectarius Ζιζ19. 573 ᵇ24. 21. 575 ᵇ2. ἵππων ἡγεμόνα ὑ καθιστᾶσιν οἱ ἱπποφορβοί Ζιζ22. 577 ᵃ15. τῶν ὀρτύγων Ζιθ12. 597 ᵇ15, τῶν περδίκων τῶν ἀγρίων Ζιθ9. 614 ᵃ11, 15, τῶν ἰχθύων τῶν ἀγελαίων Ζιθ13. 598 ᵃ29. οἱ ἡγεμόνες τῦ τῶν μελιττῶν γένυς Ζια1. 488 ᵃ11. regina apium Ζιε21. 553 ᵃ25. ι40. 624 ᵃ29, ᵇ13, 21, 625 ᵃ4, 626 ᵃ23, 29. Ζγγ10. 759 ᵇ19, 26, 760 ᵃ12, 13, 18, 20, 21, 24, 27. syn οἱ καλύμενοι βασιλεῖς Ζγγ10. 759 ᵇ21. τῶν ἀνθρηνῶν Ζιε23. 554 ᵇ23, 25. ι42. 629 ᵃ3. οἱ ἡγεμόνες τῶν σφηκῶν ὡς καλλίους μήτρας Ζιι41. 628 ᵃ2, 3, 7, 11, 17, 21, 22. ε23. 554 ᵇ23, 25. — πόδες ἡγεμόνες: τὰ ἄλλα ζῷα δύο τὲς ἡγεμόνας ἔχει πόδας, ὁ δὲ καρχίνος μόνος τῶν τιμῶν τέτταρας Ζια5. 490 ᵇ5. Ζπ17. 713 ᵇ32.

Ἡγήμων ὁ Θάσιος ὁ τὰς παρῳδίας ποιήσας πρῶτος πο2. 1448 ᵃ12.

Ἡγήσιππος ('Αγησίπολις Bk³) Ρβ23. 1398 ᵇ32.

ἤγυν explicative φτα2. 817 ᵃ1, ᵇ15. 3. 818 ᵃ9. β8. 827 ᵇ20, 828 ᵃ25.

ἠδέ. κύνας ἠδ᾿ οἰωνὲς (Hom B 393) Πγ14. 1285 ᵃ14.

ἥδεσθαι, def ψγ7. 431 ᵃ10. opp λυπεῖσθαι Ρβ10.1388ᵃ25. ρ8. 1428 ᵃ40 al. τὸ ἥδεσθαι τῶν ψυχικῶν Ηα9. 1099 ᵃ8. ἥδεται ὑδεὶς συνεχῶς Ηκ4. 1175 ᵃ4. ἥδεσθαι, dist ἡσθῆναι

V.   Rr

Ηκ2. 1173 ᵃ34, ᵇ1. ἡσθῆναι τὴν τῶν δικαίων ἡδονήν Ηκ2. 1173 ᵇ29. ἡσθήσονται Ρβ10. 1388 ᵃ25. Ηϑ7. 1124 ᵃ7.

ἤδη, def τὸ ἐγγὺς τοῦ παρόντος νῦν ἀτόμου μέρος τοῦ τε μέλλοντος χρόνου ᶍ τοῦ παρεληλυθότος Φδ13. 222 ᵇ7-12. τὸ ἤδη, opp τὸ μέλλον ψγ10. 433 ᵇ8. ἤδη, opp ὕστερος Ρα12. 1372 ᵇ14, 15. ἤδη c praeteritis, ὅσοι ἤδη ἐδέξαντο, ἤδη καθέστηκεν ἔθος Πε3. 1303 ᵃ27. ∂11. 1296 ᵃ40. c coniunctivo sim λέγωμεν ἤδη, ἤδη πειρατέον λέγειν μα8. 345 ᵃ12. ρ27. 1435 ᵇ26. Πγ18. 1288 ᵇ3. c praes ind προϊὼν ἤδη πνεῦμα γίνεται λαμπρὸν μβ4. 361 ᵇ8. — a tempore transfertur ἤδη ad causarum vel ratiocinandi seriem et consequentiam τὸ πάθος ἕνα μὲν τρόπον ποιότης, καθ᾽ ἣν ἀλλοιοῦσθαι ἐνδέχεται, ἕνα δὲ αἱ τούτων ἐνέργειαι ᶍ ἀλλοιώσεις ἤδη Μδ21. 1022 ᵇ19 Bz. ἡ δόξα ὑ ζήτησις, ἀλλὰ φάσις τις ἤδη Ηζ10. 1142 ᵇ14. cf Ηκ6. 1177 ᵃ6. ει10. 1136 ᵃ2. Ρβ2. 1379 ᵃ32. Πε8. 1308 ᵃ16. Αγ1. 71 ᵃ23. ει.16 ᵃ8. 9. 19 ᵃ39. — (ἤδη corr πιϑ29. 920 ᵃ5. pro ἤδη scribendum εἰ δὴ Φε226 ᵃ3. Bz Ar St I 214.)

ἡδονή. περὶ ἡδονῆς Ηη12-15. κ1-5. ημβ7. — 1. variae philosophorum sententiae de natura et dignitate voluptatis Ηη12.1152 ᵇ8-24. κ1.1172 ᵃ27-2.1174 ᵃ12. ἡ ἡδονὴ κίνησις ᶍ γένεσις, γένεσις αἰσθητή, γένεσις εἰς φύσιν αἰσθητή (Plat) Ηη12. 1152 ᵇ13. ημβ7. 1204 ᵃ33, refutatur Ηη13. 1153 ᵃ13. κ2. 1173 ᵃ30-ᵇ6. 3. 1174 ᵃ19sqq, ᵇ10. ημβ7. 1204 ᵇ4-1205 ᵃ7. cf Αα36. 48 ᵇ32. ἡ ἡδονὴ ἀόριστος, ὑ τῶν ποιοτήτων Ηκ2.1173 ᵃ16, 13. ἡ ἡδονὴ ἀναπλήρωσις τῆς κατὰ φύσιν Ηκ2. 1173 ᵇ8-20, ἀποκατάστασις εἰς φύσιν αἰσθητή ημβ7. 1204 ᵇ36-1205 ᵃ5 (sed ipse auctor Magnorum Moralium ἡδονὴν definit κατάστασιν ἐκ τοῦ παρὰ φύσιν εἰς φύσιν ἑκάστου τὴν αὑτοῦ ημβ7. 1205 ᵇ7). τέχνη οὐδεμία ἡδονῆς (Plat) Ηη12. 1152 ᵇ18, refutatur Ηη13. 1152 ᵃ23. ἐμπόδιον τῷ φρονεῖν αἱ ἡδοναί Ηη12. 1152 ᵇ6, refutatur Ηη13. 1153 ᵃ20-23. ημβ7. 1205 ᵇ37-1206 ᵃ25. ἡ ἡδονὴ οὐκ ἀγαθόν Ηκ2. 1174 ᵃ9, cf η14. 1154 ᵃ1, 1153 ᵇ7, 14. ημβ7. 1204 ᵃ31-ᵇ4, 1205 ᵇ1, 36, 1206 ᵃ30-35. Αα1. 24 ᵃ21. ἡ ἡδονὴ ᶍ ἡ λύπη κακά, ᶍ ἀλυπία ἀγαθόν (Speusipp) Ηη14. 1153 ᵇ1-7. κ2. 1173 ᵃ5. ἡδονὴ καθ᾽ αὑτὴν αἱρετή (Eudox), τὸ μέγιστον ἀγαθόν Ηκ2. 1172 ᵇ9-28. ηεα1.1214 ᵃ33. — 2. Aristotelis de ἡδονῆς natura sententia Ηη13-15. κ3-5. ὑποκείσθω εἶναι τὴν ἡδονὴν κίνησίν τινα τῆς ψυχῆς ᶍ κατάστασιν ἀθρόαν ᶍ αἰσθητὴν εἰς τὴν ὑπάρχουσαν φύσιν Ρα11. 1369 ᵇ33. (ημβ7. 1205 ᵇ7 non videtur Arist definitio esse Trdlbg de an p 177.) ἡ γένεσις τῶν ἡδονῶν μετ᾽ ἀλλοιώσεως, αὗται δ᾽ οὐκ ἀλλοιώσεις Φη3. 247 ᵃ19, 16. ἡ ἡδονὴ μᾶλλον ἐν ἠρεμίᾳ ἐστὶ ἢ ἐν κινήσει Ηη15. 1154 ᵇ27. ἡ ἡδονὴ ὅλον τι Ηκ3. 1174 ᵃ17. ἡ ἡδονὴ ἐνέργεια ἀνεμπόδιστος τῆς κατὰ φύσιν ἕξεως Ηη13. 1153 ᵃ14. 14. 1153 ᵇ12. τελειοῖ τὴν ἐνέργειαν ἡ ἡδονή Ηκ4. 1174 ᵇ23-5. 1175 ᵃ21. καθ᾽ ἑκάστην ἐνέργειαν οἰκεία ἡδονή ἐστιν Ηκ5. 1175 ᵇ27, 30sqq. συναύξει τὴν ἐνέργειαν ἡ οἰκεία ἡδονή, αἱ ἀλλότριαι ἐμποδίζουσιν Ηκ5. 1175 ᵃ31sqq. η13. 1153 ᵃ22. ἡ ἡδονὴ ἀγαθόν Ηη14. 1154 ᵃ1, 1153 ᵇ7, 14. κ2.1172ᵇ36. ημβ7. 1205 ᵇ1, 36. δεῖν ἡδονὴν παραμεμῖχθαι τῇ εὐδαιμονίᾳ Ηκ7. 1177 ᵃ23. τὴν ἡδονὴν πάντα διώκει, ἡ ἡδονὴ συνῳκείωται τῷ γένει ἡμῶν Ρα6. 1362 ᵇ6. 7. 1364 ᵇ23. Ηη14. 1153 ᵇ25-32. κ1. 1172 ᵃ20. ημβ7. 1205 ᵇ36. πλ7. 956 ᵃ27. περὶ ἡδονὰς ᶍ λύπας ἐστὶν ἡ ἠθικὴ ἀρετή Ηβ2. 1104 ᵇ9. (περὶ ἡδονῆς αἰτίας τοῦ ἀδικεῖν Ρα11. τῆς ἡδονῆς οὔσης τέλους ἀναιρεῖται ἡ δικαιοσύνη f 75. 1488 ᵇ8.) ἡδονὴ ἡ ἐνέργεια τοῦ θεοῦ Μλ7. 1072 ᵇ16 Bz. ὁ θεὸς ἀεὶ μίαν ᶍ ἁπλῆν χαίρει ἡδονήν Ηη15. 1154 ᵇ26. ἡ ἀνθρωπικὴ ἡδονὴ μεταβολῆς δεῖται Ηη15. 1154 ᵇ20-31. ἡ ἡδονὴ ἐκκρούει, ἐξελαύνει τὴν λύπην Ηη15. 1154 ᵃ27, ᵇ13. — 3. genera ἡδονῆς distinguuntur. αἱ ἡδοναὶ διαφέρουσιν εἴδει ὥσπερ αἱ ἐνέργειαι Ηκ5. 1175 ᵃ21-28, ᵇ24, 36-1176 ᵃ29. 7. 1177 ᵃ3. η14. 1153 ᵇ30. ημβ7. 1205 ᵃ16-25. τα15. 106 ᵇ1. ποιεῖ ἑκάστοις ἡδονὴν τὸ κατὰ φύσιν οἰκεῖον Πϑ7. 1342 ᵃ25. ἑκάστῳ ζῴῳ οἰκεία ἡδονή, τίνα φατέον τῇ ἀνθρώπῳ εἶναι Ηκ5. 1176 ᵃ3, 24-29. ἡδοναὶ ἄλυποι, ἀμιγεῖς, μικταί Ηκ2. 1173 ᵇ16, ᵃ23. Πβ7. 1267 ᵃ9. ἡδοναὶ φαινόμεναι, ἡδοναὶ κατὰ συμβεβηκός Ηη13. 1152 ᵇ31, 34. τῶν ποιούντων ἡδονὴν τὰ μὲν ἀναγκαῖα τὰ δ᾽ αἱρετά, ἡδοναὶ ἀναγκαῖαι Ηη6. 1147 ᵇ24. 8. 1150 ᵃ16. 14. 1154 ᵃ12. — κατὰ πᾶσαν αἴσθησίν ἐστιν ἡδονή, ὁμοίως δὲ ᶍ διάνοιαν ᶍ θεωρίαν, ἡδίστη δ᾽ ἡ τελειοτάτη Ηκ4. 1174 ᵇ21. κοινὰ τῆς ψυχῆς ᶍ τοῦ σώματος οἷον αἴσθησις ἡδονὴ λύπη αι1. 436 ᵃ10. ὅπου αἴσθησις, ᶍ λύπη ᶍ ἡδονή ψβ2. 413 ᵇ23. 3. 414 ᵇ4. ὅπου ἡδονὴ ᶍ λύπη, ἐνταῦθα ᶍ ἐπιθυμία ψγ11. 434 ᵃ3. τὸ ἥδεσθαι ἐστιν ἐνεργεῖν τῇ αἰσθητικῇ μεσότητι πρὸς τὸ ἀγαθόν ψγ7. 431 ᵃ10. ἡδοναὶ σωματικαί, opp ψυχικαί Ηγ13. 1117 ᵇ28. ἡδοναὶ σωματικαὶ Φη3. 247 ᵃ8, 14. Πβ9. 1270 ᵇ35. νεη12. 1245 ᵃ21. ἡ αἰσθητικὴ ἡδονὴ νεβ2. 1220 ᵇ14. ἡδοναὶ διὰ τῆς ὄψεως, ἐν τοῖς περὶ τὴν ἀκοήν, περὶ τὴν ὀσμήν, περὶ ἀφὴν ᶍ γεῦσιν Ηγ13. 1118 ᵃ3sqq, ᵇ5. η8. 1150 ᵃ9. κ2. 1173 ᵇ18. νεγ2. 1230 ᵇ24-1231 ᵃ17. ημα2. 1191 ᵇ7-10. αι4. 442 ᵃ10. ἡ ἐν τοῖς ἐδεστοῖς ἡδονὴ Ζμδ5. 678 ᵇ9. ἡ ἀπὸ τῆς ὀχείας, ἐν τῇ ὁμιλίᾳ ἡδονὴ Ζγα17. 721 ᵇ15. 18. 723 ᵇ23. 19. 727 ᵇ9. 20. 728 ᵃ9, 32. β4. 739 ᵃ20. περὶ τῶν σωματικῶν ἡδονῶν Ηη14. 1154 ᵃ8-21. αἱ σωματικαὶ ἡδοναὶ διὰ τί φαίνονται αἱρετώτεραι Ηη15. 1154 ᵃ26sqq. αἱ σωματικαὶ ἡδοναὶ ἐξ ἀναπληρώσεως, ψεκταί ημβ7. 1205 ᵇ28. 6. 1202 ᵇ8. βέλτισται ἀπὸ τῆς ὄψεως, τῆς ἀκοῆς, τοῦ διανοεῖσθαι ημβ7. 1205 ᵇ26. ἡδονὴ σώματος ᶍ παραμόνιμος f 77. 1489 ᵃ15. — ἡδοναὶ δι᾽ ἐλπίδα, διὰ μνήμης Ρα11. 1370 ᵃ31. Φη3. 247 ᵃ8. ἡδονὴ ἀπὸ ἐλέου ᶍ φόβου διὰ μιμήσεως πο14. 1453 ᵇ12. ἡδονὴ φιλική νεη2. 1237 ᵇ2. — ἡδοναὶ μαθηματικαὶ Ηκ2. 1173 ᵇ17. ἡ ἀπὸ τοῦ θεωρεῖν ἡδονὴ οὐκ ἐξ ἐνδείας, τελειοτάτη Ηη13. 1153 ᵃ1. κ4. 1174 ᵇ21. 7. 1177 ᵃ25, ᵇ20. ημβ7. 1204 ᵇ7. Μλ7. 1072 ᵇ24. — ἡδοναὶ σπουδαῖα Αα24. 41, ᵇ9, καλή Ηη10. 1151 ᵇ19, ἐπείσακτος Ηϑ9. 1169 ᵇ7. ἡδοναὶ ἰσχυραὶ ᶍ ὑπερβάλλουσαι Ηη8. 1150 ᵇ7. ἡδονὴ εἰλικρινής, ἐλευθέριος Ηκ6. 1176 ᵇ20. ἐπιεικής, opp αἰσχρά, μοχθηρά Ηκ5. 1176 ᵃ23, 25, ᵇ28. ἡδονὴ φορτικὴ τῶν ἀκολούντων Πϑ6. 1341 ᵇ12. ἡδοναὶ φαῦλαι, αἰσχραί, βλαβεραί, ὀνειδιζόμεναι, ἐπονείδιστοι Ηη13. 1153 ᵃ17. 12. 1152 ᵇ21. κ2. 1173 ᵇ21. νοσηματώδεις, ἀνδραποδώδεις, θηριώδεις Ηη6. 1148 ᵇ19, 27. γ13. 1118 ᵃ25. — 4. πρὸς ἡδονὴν πάντα ἐπαινεῖν Ηδ12. 1126 ᵇ13. καθ᾽ ἡδονὴν εἶναί τινι (i e ἡδεῖς εἶναι) Ηϑ4. 1156 ᵇ16. αἱ μὴ πρὸς ἡδονὴν μηδὲ πρὸς τἀναγκαῖα τῶν ἐπιστημῶν ΜΑ1. 981 ᵇ21.

ἡδύκρεως ᶍ πίων ὁ κόκκυξ Ζιζ7. 564 ᵃ3. ἡδύκρεων βόασος θι. 830 ᵃ18. Ζι45. 630 ᵇ7. οἱ νεοττοὶ ἡδύκρεων σφόδρα ᶍ πίονες Ζιζ7. 564 ᵃ5. θερμότερα ᶍ ἡδυκρεώτερα τὰ λευκὰ ζῶα Ζγε6. 786 ᵃ15.

ἡδύνειν. ἅλες ἀσθενέστεροι πλείως ἡδύνουσιν ἐμβληθέντες μβ3. 359 ᵃ34. — ὁ τῆς λύρας φθόγγος ἧττον ἡδύνει, καθάπερ ἐπὶ τῶν χυμῶν εἴρηται πιϑ43. 922 ᵃ13. ἡ μυσικὴ φύσει τῶν ἡδυσμένων φύσει, ὁ ἀνήδυντον Πϑ5. 1340 ᵇ17, 16. λόγος ἡδισμένος ὁ ἔχων ῥυθμὸν ᶍ ἁρμονίαν ᶍ μέλος πο6. 1449 ᵇ28, 25. ὁ ποιητὴς τοῖς ἄλλοις ἀγαθοῖς ἀφανίζει ἡδύνων τὸ ἄτοπον πο24. 1460 ᵇ2. τὸ ἔθος ὑ τῷ ἀεὶ ἡδύνειν ἡδύ ἐστι πκα14. 928 ᵇ34.

ἡδυντικός, def πκ6. 923 ᵃ29.

ἡδύοσμος φτα7. 821 ᵃ29. cf Meyer Nicol Damasc p 98. (fort Mentha piperita L vel tomentosa d'Urv cf Fraas Synopsis 176.)

ἡδυπορφύρα refertur inter ὄστρεα πορευτικά f 287. 1528 ᵇ11.

ἡδύς. ἡδὺ τὸ εἰς τὸ κατὰ φύσιν ἰέναι Ρα11. 1370 ᵃ3. πδ´15. 878 ᵇ11. ἡδέα, ὅταν εἰλικρινῆ κ᾿ ἀμιγῆ ἄγηται εἰς τὸν λόγον ψγ2. 426 ᵇ4. ἐχ ἅπασαν ὑπόληψιν διαφθείρει κ᾿ διαστρέφει τὸ ἡδὺ κ᾿ τὸ λυπηρὸν Ηζ5. 1140 ᵇ13. ἐ ταὐτὸ ἑκάστῳ ἡδὺ 10 κατὰ φύσιν ἀλλ᾿ ἕτερα ἑτέροις Πα8. 1256 ᵃ27. ἐχ ἀεὶ ἡδὲν ἡδὺ τὸ αὐτὸ διὰ τὸ μὴ ἁπλῆν ἡμῶν εἶναι τὴν φύσιν Ηη15. 1154 ᵇ20. διὰ τί τὰ αὐτὰ συνεθιζομένοις ἡδέα φαίνεται κ᾿ λίαν συνεχῶς προσφερομένοις ἐχ ἡδέα πκα14. 928 ᵇ23. ἡδέα φύσει, τὰ δ᾿ ἐ Ηη6. 1148 ᵇ15. 15. 1154 ᵇ20 sqq. 15 ἡδέα κατὰ συμβεβηκὸς τὰ ἰατρεύοντα Ηη5. 1154 ᵇ17. μάλιστα ἡ φύσις φαίνεται τὸ μὲν λυπηρὸν φεύγειν, ἐφίεσθαι δὲ τῷ ἡδέος Ηθ6. 1157 ᵇ17. τῶν ἡδέων ἔνια φύσει αἱρετά, τὰ δ᾿ ἐναντία τέτων, τὰ δὲ μεταξύ Ηη6. 1148 ᵃ24. ὅσα ἀβλαβῆ τῶν ἡδέων Πθ5. 1339 ᵇ26. ἡδέα τὰ χα- 20 ρὰν ἐργαζόμενα pp. 1422 ᵃ17. ἐ τῇ ἐπιθυμία ἐνῆ, ἅπαν ἡδύ· ἡ γὰρ ἐπιθυμία τῇ ἡδέος ἐστὶν ὄρεξις Ρα11. 1370 ᵃ17. Ηα9. 1099 ᵃ8. syn φιλητόν, ἐπιθυμητὸν Ηκ5. 1176 ᵃ12. ηεη5. 1239 ᵇ25. dist ἄλυπον Ηη12. 1152 ᵇ16. ἕκαστον αὐτὸ αὐτῷ ἡδὺ ηεη5. 1239 ᵇ18. — τὸ ἡδὺ διχῶς 25 λέγεται, ἁπλῶς. τινὶ ηεγ1. 1228 ᵇ18. cf πι52. 896 ᵇ23. φαίνεται τὸ ἡδὺ ἡδὺ κ᾿ ἁπλῶς ἡδὺ ψγ10. 433 ᵇ9. τὸ ἁπλῶς ἡδὺ def ηεη2. 1238 ᵃ26. τὸ ἡδὺ φαινόμενόν τι ἀγαθὸν ηεη2. 1235 ᵇ27. κ᾿ τὸ καλὸν κ᾿ τὸ συμφέρον ἡδὺ φαίνεται Ηβ2. 1105 ᵃ1. τὰ αὐτὰ ἁπλῶς ἀγαθὰ κ᾿ ἁπλῶς ἡδέα ηεη2. 1235 30 ᵇ32, 1236 ᵇ26, 1237 ᵃ27. καθ᾿ αὑτὰς ἡδεῖαι κ᾿ κατ᾿ ἀρετὴν πράξεις Ηα9. 1099 ᵃ21. — πάντα τὰ ἡδέα κ᾿ ἐν τῷ αἰσθάνεσθαι παρόντα ἢ ἐν τῷ μεμνῆσθαι γεγενημένα ἢ ἐν τῷ ἐλπίζειν μέλλοντα Ρα11. 1370 ᵃ32. διώκειν τὰ σωματικὰ ἡδέα Ηη11. 1152 ᵃ5. ἥδιον ὄζειν πιβ8. 907 ᵃ20. ἡδὺς 35 ὢν ἰδεῖν πρὸς ἀπόλαυσιν Ρα5. 1361 ᵇ9, cf ᵇ12. ἡδὺν συνδιαγαγεῖν κ᾿ συνοιμερεῦσαι Ρβ4. 1381 ᵃ30. οἱ ἡδεῖς, i e οἱ δι᾿ ἡδονὴν φίλοι ηεη10. 1243 ᵃ4. τίνα μνημονευτὰ ἡδέα ἐστιν Ρα11. 1370 ᵇ1-7. ἡ μεταφορὰ τὸ ἡδὺ ἔχει Ργ2. 1405 ᵃ8. ἡδεῖα ἡ ἐν περιόδοις λέξις διὰ τὸ ἐναντίως ἔχειν 40 τῷ ἀπεράντῳ Ργ9. 1409 ᵇ1. — ἡδὺ τὰς βαλανείς ἡδέως ἐσθίειν ἢ κάμηλος πίνει ἥδιον θολερὸν ὕδωρ Ζιθ21. 603 ᵇ31. 8. 595 ᵇ31. ἡδέως ποιεῖν τι (ad virtutem requiritur), opp λυπηρῶς Ηδ4. 1122 ᵇ7. 2. 1120 ᵃ26. ἡδέως ἀκέειν τι, opp ἀηδῶς Ηδ8. 1124 ᵇ15. — ἡδέως ὀσμᾶσθαι 45 πιγ4. 907 ᵇ37. — (ὁ ἡδέως ἔχων ὁμοίως τῷ ἡδυμένῳ ἔχει πγ19. 874 ᵃ3, pro ἡδέως scr ἐνδεῶς Bz Ar St IV 409.)

ἥδυσμα. ὁ χυμὸς οἷον ἥδυσμά τι τὸ ξηρῷ κ᾿ ὑγρῷ ψβ33. 414 ᵇ13. cf αι4. 442 ᵃ10. ἥδυσμα, opp ὄψον μδ4. 381 ᵇ30. ἀρκεῖ ὀλίγον ἐν τροφῇ τὸ ἥδυσμα Ηι10. 1170 ᵇ29. ἥδυσμα, 50 def βρωτὸς χυμός, ἰσχυρότερος δέ πκ6. 923 ᵃ28. — χρῆσθαι τοῖς ἐπιθέτοις ὡς ἡδύσματι. ἀλλ᾿ ὡς ἐδέσματι Ργ3. 1406 ᵃ19. ἡ μελοποιία μέγιστον τῶν ἡδυσμάτων πο6. 1450 ᵇ16, cf ἡ μητικὴ φύσει τῶν ἡδυσμένων ἐστί Πθ5. 1340 ᵇ16. Vhl Rangfolge 183 n 6ð.

Ἡδωνίς, Ἡδωνοί. τὴν Ἀντανδρον ὠνομάσθαι Ἡδωνίδα διὰ τὸ Θρᾶκας Ἡδωνὸς ὄντας οἰκῆσαι f 438. 1550 ᵃ32.

ἠεροειδεῖς αὐγαί χ2. 792 ᵇ8.

ἠθεῖν. τὸ διὰ τῆς τέφρας ἠθέμενον (ἠθημένον) ὕδωρ ἁλμυρὸν γίνεται μβ1. 353 ᵇ15. cf 3. 357 ᵃ31, ᵇ1. δ11. 389 ᵇ2. 60 πκθ17. 937 ᵇ16. ἠθμένων ὑφίσταται τὸ παχύτατον πκγ20.

933 ᵇ26. βάπτεται πρῶτον δι᾿ ὃ πρῶτον ἠθεῖται πλδ´4. 963 ᵇ38.

ἠθικός, derivatum ab ἔθος Ηβ1. 1103 ᵃ17. ημα6. 1185 ᵇ38. — τὸ ἠθικόν, opp τὸ δοξαστικὸν Ηζ13. 1144 ᵇ15. ὀργῆς κ᾿ πραότητος, ἔτι δ᾿ ἀνδρίας κ᾿ σωφροσύνης κ᾿ πάντων τῶν ἐναντίων τέτοις κ᾿ τῶν ἄλλων ἠθικῶν Πθ5. 1340 ᵃ21. Σωκράτης περὶ τὰ ἠθικὰ πραγματευομένε ΜΑ6. 987 ᵇ1. λέγειν ὑπὲρ ἠθικῶν ημα1. 1181 ᵃ24. ἠθικὴ θεωρία Αγ33. 89 ᵇ9. προτάσεις ἠθικαί, φυσικαί, λογικαί τα14. 105 ᵇ20. cf Ρα2. 1358 ᵃ19. πραγματεία ἠθική, πολιτική ημα1. 1181 ᵇ28. suos de doctrina morali libros (Eth N) Ar adhibet: εἴρηται, εἴρηται πρότερον, φαμὲν ἐν τοῖς ἠθικοῖς Πβ1. 1261 ᵃ31. γ9. 1280 ᵃ18. δ11. 1295 ᵃ36. η13. 1332 ᵃ8. διώρισται κατὰ τὰς ἠθικὰς λόγες Πη13. 1332 ᵃ22. οἱ κατὰ φιλοσοφίαν λόγοι ἐν οἷς διώρισται περὶ τῶν ἠθικῶν Πγ12. 1282 ᵇ20. — ἠθικαὶ ἀρεταί Πα13. 1260 ᵃ15, 17. Μμ4. 1078 ᵇ18. ἡ ἠθικὴ ἀρετὴ περὶ ἡδονὰς κ᾿ λύπας Φη3. 247 ᵃ7, 24. Ηβ2. 1104 ᵇ9. η12. 1152 ᵇ9, dist διανοητικὴ ἀρετὴ Ηα13. 1103 ᵃ5. β1. 1103 ᵃ15 (cf ἀρετή). ἠθικὴ φιλία, ἐχ ἐπὶ ῥητοῖς, dist νομικὴ Ηθ15. 1162 ᵇ23, 31. ηεη7. 1241 ᵃ10. 10. 1242 ᵇ32, 37, 1243 ᵃ8 (cf φιλία). — τὸ ἠθικὸν in artibus conspicuum. ἠθικὰ τὰ ἑπόμενα ἑκάστῳ ἤθει Ργ16. 1417 ᵃ21. ἠθικὸν κ᾿ ποιεῖ ἦθος πιθ29. 920 ᵃ6. πίστεις γίνονται κ᾿ δι᾿ ἠθικῶ λόγω· τῷ γὰρ ποιόν τινα φαίνεσθαι τὸν λέγοντα πιστεύομεν Ρα8. 1366 ᵃ10. πῶς κ᾿ διὰ τίνων τὰς λόγες ἠθικὰς ποιητέον Ρβ18. 1391 ᵇ22. τὸ πρέπον ἕξει ἡ λέξις, ἐὰν ἦ παθητικὴ τε κ᾿ ἠθικὴ Ργ7. 1408 ᵃ11. ἠθικὴ ἡ ἐκ τῶν σημείων δεῖξις Ργ7. 1408 ᵃ26. ῥήσεις ἠθικαὶ πο6. 1450 ᵃ29. Vhl Rangfolge 163. διήγησις ἠθική, opp παθητικὴ Ργ16. 1417 ᵃ15, 36, 1418 ᵃ15, 12. Vhl l l 173. γνώμη ἠθική, opp παθητικὴ Ρβ1. 1395 ᵃ21, 22. παραγωγὴ ἠθική, παθητικὴ πο18. 1456 ᵃ1. 24. 1459 ᵇ9. Vhl Poet II 51. λέξις ὑποκριτική, ἡ μὲν ἠθικὴ ἡ δὲ παθητικὴ Ργ12. 1413 ᵇ10. τὰ ἀρχᾶα τραγῳδίας μέρη κ᾿ μήτε ἠθικὰ μήτε διανοητικά πο24. 1460 ᵇ3. ἐχ ἔστιν ὁ αὐλὸς ἠθικὸν ἀλλὰ μᾶλλον ὀργιαστικὸν Πθ6. 1341 ᵃ21. μέλη ἠθικά, dist πρακτικά, ἐνθουσιαστικὰ Πθ7. 1341 ᵇ34, 1342 ᵃ28. πρὸς τὴν παιδείαν χρηστέον τῶν ἁρμονιῶν ταῖς ἠθικωτάταις Πθ7. 1342 ᵃ3. εἴ τις ἄλλος τῶν γραφέων ἢ τῶν ἀγαλματοποιῶν ἐστιν ἠθικός Πθ5. 1340 ᵃ38. — ἠθικῶς πιστεύειν, opp νομικῶς ηεη10. 1243 ᵃ13. ἠθικῶς λέγειν, dist ἀποδεικτικῶς (cf ἠθικός, διανοητικός) Ργ18. 1418 ᵃ38, 39.

ἤθισις. τῇ τῇ θερμῇ ἠθίσει μηδεμίαν ἔμφραξιν γίνεσθαι πβ41. 870 ᵇ18.

ἠθμός. ὥσπερ δι᾿ ἠθμῷ τὸ γεῶδες ἀποκρίνεται μβ3. 359 ᵃ4. (ἐν τῇ κλεψύδρᾳ) ῥεῖ διὰ τῷ ἠθμῷ τὸ ὕδωρ πιςᾱ8. 914 ᵇ33. ἠθμῷ ἀντλεῖν (cf παροιμία) οα6. 1344 ᵇ25 — θηρεύοντες τὰς ἐγχέλεις τιθέασι τῶν ταριχηρῶν τι κεραμίων, ἐνθέντες εἰς τὸ στόμα τῷ κεραμίῳ τὸν καλέμενον ἠθμὸν Ζιθ´8. 534 ᵃ22.

ἠθογράφος ἀγαθὸς Πολύγνωτος, ἡ δὲ Ζεύξιδος γραφὴ ἐδὲν ἔχει ἦθος πο6. 1450 ᵃ28. Vhl Rangfolge 160.

ἠθοποιὸν τὸ θερμὸν κ᾿ ψυχρὸν μάλιστα τῶν ἐν ἡμῖν πλ1. 955 ᵃ32.

ἦθος. 1. sedes. τὸ χερσαῖον εἰς τὰ σφέτερα ἤθη κ᾿ νομὰς διεξέρπυσιν κ6. 398 ᵇ33. — 2. mores, ingenium, indoles. derivatum ab ἔθος ηεβ2. 1220 ᵃ39 (cf Ηβ1. 1103 ᵃ17. ημα6. 1185 ᵇ38). syn ἔθη: τὴν κατὰ τὰς νόμας πολιτείαν μὴ δημοτικὴν εἶναι, διὰ δὲ τὸ ἦθος κ᾿ τὴν ἀγωγὴν πολιτεύεσθαι δημοτικῶς Πδ5. 1292 ᵇ14, coll τῇ ἀγωγῇ κ᾿ τοῖς ἔθεσι ᵇ16. (εἰ ἐναντιῦται τὰ πεπραγμένα ἢ τῷ ἤθει τῷ λέγοντος |ἦ τῷ ἤθει τῦ πράγματος ρ11. 1430 ᵃ28, Spgl ἔθει τῦ πράγματος.) — ἤθη λέγω καθ' ἃ ποιύς τινας εἶναί φαμεν τὺς πράττοντας πο6. 1450 ᵃ5. quoniam πράξεις etiam animalibus quodammodo tribuuntur, ea et ipsa κατὰ τὸ ἦθος distinguuntur, αἱ διαφοραὶ τῶν ζῴων εἰσὶ κατά τε τὺς βίυς κ̀ τὰς πράξεις κ̀ τὰ ἤθη κ̀ τὰ μόρια Ζια1. 487ᵃ12, 14, 488ᵇ12. ι3. 610ᵇ20. 44. 629ᵇ5. οἱ βίοι κατὰ τὰ ἤθη διαφέρυσιν Ζιθ1. 588ᵃ18. τὰ ζῷα μεταβάλλυσι τὰ ἤθη κατὰ τὰς πράξεις Ζιι49. 631ᵇ6. τῶν βραχυβιωτέρων τὰ ἤθη ἧττον ἡμῖν ἔνδηλα Ζιι1. 608ᵃ11, ᵇ6. αἱ διαφοραὶ τῆς καρδίας γείνυσί πῃ κ̀ πρὸς τὰ ἤθη Ζμγ4. 667ᵃ13. ὀλιγαιμότατόν ἐστι πάντων (τῶν ψοτόκων ὁ χαμαιλέων)· τύτυ δ' αἴτιον τὸ ἦθος τῦ ζῴυ τῆς ψυχῆς· πολύμορφον γὰρ γίνεται διὰ τὸν φόβον, ὁ δὲ φόβος κατάψυξις δι' ὀλιγαιμότητα Ζμδ11. 692ᵃ22. σημεῖον ἤθυς μαλακῦ, βελτίστυ Ζια9. 491ᵇ15. 10. 492ᵃ4. 11. 492ᵃ33, ᵇ1. τὸ τῶν προβάτων ἦθος εὐήθες Ζια3. 610ᵇ22. τὸ ἦθος ἀσθενής, μαχικός, βλακικὸς Ζιι11. 615ᵃ18. 17. 616ᵇ20. 30. 618ᵇ5. τῦ ἤθυς πανυργία τῶν περδίκων Ζιι8. 614ᵃ30. — sed proprium usum ἦθος habet ad distinguendos hominum mores; ad cognoscendam notionem τῦ ἤθυς adhibendae sunt eae notiones, ad quas refertur, syn ἠθικὴ ἕξις, dist διάνοια, λογισμός: εὐπραξία κ̀ τὸ ἐναντίον ἐν πράξει ἄνευ διανοίας κ̀ ἤθυς ὐκ ἔστιν Ηζ2. 1139ᵃ35, cf ὔτ' ἄνευ νῦ κ̀ διανοίας ὔτ' ἄνευ ἠθικῆς ἐστιν ἕξεως ἡ προαίρεσις ᵃ34. (cf Ργ7. 1408 ᵃ31.) πότερον πρὸς τὴν διάνοιαν πρέπει μᾶλλον παιδεύειν ἢ πρὸς τὸ τῆς ψυχῆς ἦθος Πβ2.1337ᵃ39. cf Ρβ13.1390ᵃ18. 12.1389ᵃ36. περὶ τὰ ἤθη κ̀ τὴν διάνοιαν Πγ11. 1281ᵇ7. ηι. 1323ᵇ3. αἴτια δυο τῶν πράξεων διάνοια κ̀ ἦθος πο6. 1450 ᵃ1, 1449ᵇ38. Vhl Rangfolge 158 n 9. 172 n 43. πρᾶξις: αἱ πράξεις ἤθυς σημασία ἐστὶ πιβ27. 919ᵇ36. χαίρειν τοῖς ἐπιεικέσιν ἤθεσι κ̀ ταῖς καλαῖς πράξεσιν Πθ5. 1340 ᵃ17. ἀνάγκη φαῦλον τὸ ἦθος κ̀ σπυδαῖον εἶναι τῷ διώκειν κ̀ φεύγειν ἡδονάς τινας κ̀ λύπας ηβ4. 1221ᵇ32. μιμῦνται κ̀ ἤθη κ̀ πάθη κ̀ πράξεις πο1. 1447ᵃ28. προαίρεσις: ἡ προαίρεσις μᾶλλον τὰ ἤθη κρίνει τῶν πράξεων Ηγ4. 1111ᵇ6. ἕξει δὲ ἦθος ἐὰν ποιῇ φανερὰν ὁ λόγος ἢ ἡ πρᾶξις προαίρεσίν τινα πο15. 1454ᵃ17. 6. 1450ᵇ8. Ρβ21. 1395ᵇ13. γ16. 1417ᵃ18. α8. 1366ᵃ15. ψυχή: εἰ πῃ ἡ μυσικὴ πρὸς τὸ ἦθος συντείνει κ̀ πρὸς τὴν ψυχὴν Πθ5. 1340ᵃ6, 22. τὸ τῆς ψυχῆς ἦθος Πβ2. 1337ᵃ39. ὁ ἐνθυσιασμὸς τῦ περὶ τὴν ψυχὴν ἦθος πάθος ἐστὶν Πθ5. 1340ᵃ11. ἀρετή: σώφρων κ̀ ἐλεύθερος κ̀ εἴ τις ἄλλη ἦθος ἀρετὴ Ργ12. 1414ᵃ21. τῶν τῦ ἤθυς κακιῶν τὰ ἔργα αἰσχρὰ Ρβ6. 1384ᵃ7. τῷ ἤθει ζῶσι μᾶλλον οἱ νέοι ἢ τῷ λογισμῷ· ἔστι δ' ὁ μὲν λογισμὸς τῦ συμφέροντος, ἡ δ' ἀρετὴ τῦ καλῦ Ρβ12. 1389 ᵃ36. 13. 1390ᵃ18. τρόποι al: οἱ λόγοι τῶν ἠθῶν κ̀ τῶν τρόπων εἰσὶν οἷον εἰκόνες ρ36. 1441ᵇ19. ἐπικοσμεῖσθαι ἤθεσι κ̀ τάξει νόμων ὀρθῶν Πβ5. 1263ᵃ23. μὴ ὡς ἐν λέγοντα τῷ αὐτῷ ἤθει κ̀ τόνῳ εἰπεῖν Ργ12. 1413ᵇ31. — ἦθος εὐγενές, φιλόκαλον Ηκ10. 1179ᵇ8, 9. ἤθη ἡμερώτερα κ̀ λεοντώδη Πθ4. 1338ᵇ18. ἦθος ὁμαλὸν πο15. 1454ᵃ26, ἀνώμαλον f 160. 1505ᵃ6 (cf πο15. 1454ᵃ26, 28). ἤθη πικρότερα f 225. 1519ᵃ6. ὁ οἶνος πλεῖστα ἤθη ποιεῖ πινόμενος πλ1. 953ᵃ5. ἐξετάζειν πικρῷ, πραεῖ τῷ ἤθει ρ38. 1445ᵇ16. ἐπιθεωρεῖν τὰ μεγάλα τῶν ἠθῶν κ̀ τὰ ἀκριβῆ κ̀ τὰ μέτρια ρ23. 1434ᵇ29. τὰ ἤθη ποῖοί τινές εἰσιν οἱ ἄνθρωποι κατὰ τὰ πάθη κ̀ τὰς ἕξεις κ̀ τὰς ἡλικίας κ̀ τὰς τύχας Ρβ12-17 coll 2-11. σπυδαῖοι ἢ φαῦλοι κατὰ τὰ ἤθη πο2. 1448ᵃ2. 6. 1449ᵇ37. χαριέστεροι τὰ ἤθη Ηδ 13. 1127ᵇ23. ἁπλῶς τῷ ἤθει κ̀ γενναῖος, ἐλευθεριότης τῦ ἤθυς αρ5. 1250

ᵇ40, 32. ἡ τῶν ἠθῶν καθ' αὐτὴν ὖσα φιλία μένει Ηι1. 1164ᵃ12. παρὰ τὸ αὐτῦ ἦθος πράττειν ρ39. 1446ᵃ14. τὸ ἦθος τῆς πολιτείας ἑκάστης τὸ οἰκεῖον, τὸ βέλτιστον ἦθος βελτίονος αἴτιον πολιτείας Πθ1. 1337ᵃ14, 18. τὰ ἤθη τῶν πολιτευῶν ἑκάστης Ρα8. 1366ᵃ12, 13. ἦθος δημοκρατικόν, ὀλιγαρχικόν, τυραννικὸν Πθ1. 1337ᵃ16, 17. δ'4. 1292ᵃ18. δυλικώτεροι τὰ ἤθη φύσει Πγ14. 1285ᵃ20. — ἡ περὶ τὰ ἤθη πραγματεία, ἣν δίκαιόν ἐστι προσαγορεύειν πολιτικὴν Ρα2. 1356ᵃ26. ἡ περὶ τὰ ἤθη πολιτικὴ Ρα4. 1359ᵇ10. ἀρχὴ ἡ περὶ τὰ ἤθη πραγματεία τῆς πολιτικῆς ημα1. 1181 ᵇ26. τὸ ἦθος i q ἡ περὶ τῶν ἠθῶν πραγματεία ημα1. 1181 ᵃ25. — (ἦθος ipsum τὸν ἔχοντα τὸ ἦθος significare videtur, Ὅμηρος ὀλίγα φροιμιασάμενος εὐθὺς εἰσάγει ἄνδρα ἢ γυναῖκα ἢ ἄλλο τι ἦθος πο24. 1460ᵃ11, Vahlen Poet III 337.) — 3. ἦθος in artibus conspicuum, cf Vhl Rangfolge 159 sqq. ἦθος ἔχυσιν οἱ λόγοι, ἐν ὅσοις δῆλη ἡ προαίρεσις Ρβ21. 1395ᵇ13. α8. 1366ᵃ15. γ16. 1417ᵃ18. πο15. 1454ᵃ17. 6. 1450ᵇ8. ὐκ ἔχυσι οἱ μαθηματικοὶ λόγοι ἤθη Ργ16. 1417ᵃ19. ἐὰν κ̀ τὰ ὀνόματα οἰκεῖα λέγῃ τῇ ἕξει, ποιήσει τὸ ἦθος Ργ7. 1408ᵃ31. περὶ τῶν ἠθῶν τίνων δεῖ στοχάζεσθαι ἐν ταῖς τραγῳδίαις πο15. — ἡ Ζεύξιδος γραφὴ ὐδὲν ἔχει ἦθος πο6. 1450ᵃ29. — διὰ τί τὸ ψυχρόν μόνον ἦθος ἔχει τῶν αἰσθητῶν πιβ27. 919ᵇ26. 29. 920ᵃ3. cf Πθ5-7. (ἡ συμφωνία ὐκ ἔχει ἦθος πιβ27. 919ᵇ34. ἡ ἐνέργεια ἠθικὸν κ̀ ποιεῖ ἦθος πιθ29. 920ᵃ6.) τὴν μυσικὴν τὸ ἦθος ποιόν τι ποιεῖν, ἐθίζυσαν χαίρειν ὀρθῶς Πθ5. 1339 ᵃ23. ἐν τοῖς μέλεσιν αὐτοῖς ἐστι μιμήματα τῶν ἠθῶν Πθ5. 1340ᵃ39. τῶν ῥυθμῶν οἱ μὲν ἦθος ἔχυσι στασιμώτερον οἱ δὲ κινητικόν Πθ5. 1340ᵇ8 (cf ὁ ἐνθυσιασμὸς τῦ περὶ τὴν ψυχὴν ἦθος πάθος ἐστὶν Πθ5. 1340ᵃ11). γοερὸν κ̀ ἡσύχιον ἦθος κ̀ μέλος πιθ48. 922ᵇ20. — 4. in libro Φυσιογνωμονικῶν voc τὸ ἦθος et ingenium significat et ea signa ingenii ac naturae, quae e facie hominis colligas; veluti illo sensu legitur τὰ ἔθη, ὅσα διέφερε τὰς ὄψεις κ̀ τὰ ἤθη φ1. 805ᵃ27. περὶ τὰ ἤθη ἐρωτικοὶ φ3. 808ᵃ36, al, hoc sensu ἔνιοι ὐχ οἱ αὐτοὶ ὄντες τὰ ἐπὶ τῶν προσώπων τὰ αὐτὰ ἔχυσιν φ1. 805ᵇ2. τὰ ἐπὶ τῶν προσώπων ἤθη, τὰ ἐπὶ τῶν προσώπων ἐμφαινόμενα ἤθη sim φ1. 805 ᵇ8. 2. 806ᵃ30, ᵇ35. 3. 807ᵇ11, 27, 808ᵃ6, 29. μικρὸς τὸ ἦθος φ2. 807ᵃ6.

ἠϊόνες βοόωσιν (Hom Ρ 265) πο22. 1458ᵇ31.

ἥκειν. εἴπερ κ̀ διὰ πλειόνων ἥξει ποτὲ (τὸ κινῦν) εἰς τὸ γ (τὸ κινύμενον) Φθ5. 258ᵃ11. — εἰς ὀλίγυς ἧκεν ἡ χώρα Πβ9. 1270ᵃ18. — πάλιν ὁ αὐτὸς ἥξει λόγος Οα9. 279ᵃ4. γ5. 304ᵃ23. cf Φθ7. 214ᵃ22.

Ἥλιος ὁ κτίσας Ἤλιδα, Ἠλεία παῖς Ἐπειός f 595. 1575 ᵃ15. Ἠλεῖοι v Ἦλις.

Ἠλέκτρα (Sophoclis) πο24. 1460ᵃ31, cf Σοφοκλῆς.

Ἠλεκτρίδες νῆσοι θ81. 836ᵃ24, cf Ἠριδανός.

ἤλεκτρον ἄτηκτον, ἀμάλακτον, ἤλεκτρον κ̀ ὅσα λέγεται ὡς δάκρυα μδ10. 388ᵇ19, 25, 389ᵃ13. αἴγειροι, ἐξ ὧν ἐκπίπτειν τὸ καλύμενον ἤλεκτρον θ81. 836ᵇ4. τὸ τῶν ἐλεφάντων σπέρμα σκληρύνεσθαι ξηραινόμενον ὥστε γίνεσθαι ἠλέκτρῳ ὅμοιον Ζγβ2. 736ᵃ5. ἀστράπτειν χρυσῷ κ̀ ἠλέκτρῳ κ̀ ἐλέφαντι κ6. 398ᵃ15.

Ἠλιαία Πε1. 1301ᵇ23.

ἡλιᾶν. ὅταν ποιῶσι γλυκύ, ἡλιῶσι τὰς σταφυλάς πκ35. 926 ᵇ38.

ἡλιάζεσθαι Ζιι5. 611ᵇ14.

ἠλίθιος Ηδ5. 1122ᵇ28. 9. 1125ᵃ23, 28. 11. 1126ᵃ5. Ρα9. 1367ᵃ35. syn ἄνοητος Ηδ7. 1123ᵇ3. syn μαινόμενος, opp ὁ νῦν ἔχων Ηγ5. 1112 ᵃ20. cf 4. 1111 ᵇ22. syn ὁ ἀγνοῶν ἑαυτόν Ηθ9. 1125 ᵃ28. dist μοχθηρός, ἀγεννής Ηδ3. 1121 ᵃ27. — ὁ λογισμὸς ἦν ἠλίθιος ηεη14. 1247 ᵇ35. ἠλίθιον Πγ15. 1286 ᵃ12. syn ἀπαίδευτον, παιδικόν Ρβ21. 1395 ᵃ6. Ηκ6. 1176 ᵇ32. — ἠλιθιώτερον Ρβ21. 1395 ᵇ9.

ἡλικία. 1. vitae aetas. ἡλικίαι εἰσὶ νεότης κ̣ ἀκμὴ κ̣ γῆρας Ρβ12. 1388 ᵇ36. ἡ τῶν γερόντων ἡλικία ἐναντία τῇ τῶν νέων Ζγε7. 787 ᵃ28. οἱ ἄνθρωποι ταῖς ἡλικίαις χειμῶνα κ̣ θέρος ἄγουσιν Ζγε3. 783 ᵇ26, 784 ᵃ18. τὰ τριχώματα διαφέρουσι κατὰ τὰς ἡλικίας Ζγε1. 781 ᵇ31. ἡ κατὰ τὴν ἡλι- 10 κίαν τροπή Ζγε6. 786 ᵃ34. αἱ τῆς ἡλικίας (v 1 τῶν ἡλικιῶν, cf 3. 784 ᵃ19) μεταβολαί Ζγε1. 778 ᵃ23. αἱ τῶν πνευμάτων μεταβολαὶ κ̣ τῶν ἡλικιῶν κ̣ τόπων πα3. 859 ᵃ20, 17. πᾶσα ἡλικία ῥέπει ἀποκλίνοντος τῦ σώματος ἐπὶ ψῦξιν Ζγε4. 784 ᵃ32. ποῖαι ἡλικίαι εὐκίνητοι πρὸς ὀργήν 15 Ρβ2. 1319 ᵃ26. κακῶς διακεῖσθαι δι' ἡλικίαν ἢ νόσον Ζγα18. 725 ᵃ8. cf β6. 745 ᵃ15. ε5. 785 ᵃ7. μετρεῖν τὴν ἡλικίαν, διαιρεῖν τὰς ἡλικίας ἑβδομάσιν Πη16. 1335 ᵇ39. 17. 1336 ᵇ41. προϊούσης τῆς ἡλικίας Ζγβ7. 746 ᵇ25. ε7. 787 ᵇ6. χ6. 798 ᵇ31. γενόμενος ἐν ἡλικίᾳ κ̣ δόξαν ἐπὶ ποιητικῇ κεκτη- 20 μένος f 66. 1487 ᵃ13. ταῖς ἡλικίαις ἀκολουθεῖν Ηζ12. 1143 ᵇ8. συγκαταβαίνειν ταῖς ἡλικίαις ἐπὶ τὸν αὐτὸν καιρόν Πη16. 1334 ᵇ34. τὸ σύντροφον κ̣ τὸ καθ' ἡλικίαν Ηθ14. 1161 ᵇ34. κατὰ τὴν αὐτὴν ἡλικίαν, ἐν τῇ αὐτῇ ἡλικίᾳ Ζγα19. 727 ᵃ5. 20. 728 ᵇ24. ἡ πρώτη ἡλικία, opp τὸ γῆρας Ζγα19. 25 725 ᵇ19. ἡλικία τυχῦσα, ἐχομένη, ἱκνευμένη, προσήκυσα, καταλελυμένη Πγ11. 1282 ᵃ31. ὂ9. 1294 ᵇ25. η14. 1332 ᵇ41. 16. 1335 ᵃ34. 17. 1336 ᵃ18. νίὸς νεώτερος τῆς ἡλικίας (int τῦ λειτουργεῖν) Ρβ23. 1399 ᵃ34. ἡλικίαι τῆς ὀχείας Ζιε8. 542 ᵃ19. 14. 544 ᵇ12. — pubertas. ὅταν εἰς 30 ἡλικίαν ἔλθωσιν Ζιζ18. 572 ᵇ22. ἐγγὺς τῆς ἡλικίας εἶναι Ζγα20. 728 ᵃ12. κατὰ τὰς ἡλικίας Ζγα18. 725 ᵇ9. τῆς ἡλικίας ληγύσης Ζγα19. 727 ᵃ1. γ1. 750 ᵃ35. χρῶνται τοῖς ἐπωνύμοις κ̣ πρὸς τὰς στρατείας κ̣ ὅταν ἡλικίαν ἐκ- πέμπωσιν· δύο κ̣ τετταράκοντα ἐπώνυμοι τῶν ἡλικιῶν f 429. 35 1549 ᵃ21, 16. flos inventutis: χρῆσθαι τῇ ἡλικίᾳ, αἱ πρὸς τὴν ἡλικίαν ὁμιλίαι, καυχήσασθαι εἰς τὴν ἡλικίαν Πε10. 1311 ᵇ18, 4. 11. 1315 ᵃ22. — 2. aetas ἀρχαιότεροι τῆς νῦν ἡλικίας Οδ2. 308 ᵇ31. ἐγένετο τὴν ἡλικίαν ἐπὶ γέροντι Πυθαγόρα ΜΑ5. 986 ᵃ29. τῇ μὲν ἡλικίᾳ πρότερος, τοῖς δ' 40 ἔργοις ὕστερος ΜΑ3. 984 ᵃ12 Bz.

ἡλικιῶται Πη16. 1335 ᵃ3. οἱ ἡλικιῶται ὁμοήθεις Ηθ13. 1161 ᵃ26.

ἧλιξ ἥλικα τέρπει Ρα11. 1371 ᵇ15. Ηθ14. 1161 ᵇ34. ηεη2. 1238 ᵃ34 (cf παροιμία). 45

ἡλιοειδής. ἄνθρωπός τις μόνῳ τῷ ἡλιοειδεῖ τρεφόμενος ἀέρι f 37. 1481 ᵃ2. cf ἡλιώδης.

ἥλιος. ὐρανὸν καλῦμεν τὸ συνεχὲς σῶμα τῇ ἐσχάτῃ περιφορᾷ τῦ παντός, ἐν ᾧ σελήνη κ̣ ἥλιος κ̣ ἔνια τῶν ἄστρων Οα9. 278 ᵇ17. τῦ ἡλίῳ τί τὸ ἴδιον τε3. 131 ᵇ25. ἡ σελήνη ὥσ- 50 περ ἄλλος ἥλιος ἐλάττων Ζγδ10. 777 ᵇ26. ὁ ἥλιος κ̣ ὁ λοξὸς κύκλος πῶς αἴτια Ζγβ10. 777 ᵇ26. αἱ τοῦ ἡλίου πῶς αἴτια τῆς διὰ πατὴρ Μλ5. 1071 ᵃ15. Ζγα2.716 ᵃ16. Γβ11.338 ᵇ3. πκϛ34.944 ᵃ30. φτα2.817 ᵃ28. ὁ ἥλιος τὺς ἀπὸ ἀνατολῆς μέχρι δύσεως ὁρῶμας στασειῶν f 13. 1476 ᵃ27. τὸν ἥλιον μὴ τρέφεσθαι τῷ ὑγρῷ μβ2. 354 55 ᵇ34 sqq. cf πκγ30. 934 ᵇ36. τὸν ἥλιον φέρεσθαι ὑπὸ γῆν, περὶ τὴν γῆν μβ1. 354 ᵃ29. τὸ τῦ ἡλίου πυρ ε6. 938 ᵃ12. τῦ ἡλίυ αἰρομένυ, κρατῦντος πκε7. 938 ᵇ9. κϛ34. 944 ᵃ25. 52. 946 ᵃ23. ὅπῃ ἂν ὁ ἥλιος ἐπιβάλλῃ Ζιθ13. 598 ᵃ3. 60 ὅταν ὁ ἥλιος τραπῇ Ζιι3. 611 ᵃ4. ὁ ἥλιος ἀνατέλλων ἢ δύ-

νων δοκεῖ δινεῖσθαι Οβ8. 290 ᵇ15. νύκτες διὰ τὴν ἀπυσίαν τῦ ἡλίυ μβ8. 366 ᵃ18. ὁ ἥλιος ἄστρον ἡμεροφανές τζ4. 142 ᵇ1. ὁ ἥλιος ἐν ὅλῳ τῷ ἐνιαυτῷ ποιεῖ χειμῶνα κ̣ θέρος Ζγδ2. 767 ᵃ5. τῆς σελήνης ἐκλείψεις πλείυς ἢ τῦ ἡλίυ Οβ13. 293 ᵇ24. αἱ τῦ ἡλίυ ἐκλείψεις μηνοειδεῖς Οβ11. 291 ᵇ22. ὁ ἥλιος ἐκλείπει σελήνης ἀντιφράξει f 203. 1515 ᵃ23. ὁ. ἥλιος σκιὰς ποιεῖ μακράς, τῆς σκιᾶς τὸ ἄκρον τρέμειν φαίνεται πιε9. 912 ᵃ34. 10. 912 ᵇ5. 13. 913 ᵃ5. — τῦ ἡλίυ τίς ἐν ὐρανῷ ἡ τάξις Μλ8. 1073 ᵇ35. τὸ ἡλίυ πρὸς τὴν γὴν διάστημα μεῖζον ἢ τὸ τῆς σελήνης μα8. 345 ᵇ5. ὁ ἥλιος πόρρω ὢν ἐνισχύει ἧττον, ἡ τῦ ἡλίυ γειτνίασις, μετάστασις μβ5. 362 ᵃ25, 363 ᵃ14. 6. 364 ᵇ15. πκε15. 939 ᵇ8. περὶ τῆς γιγνομένης θερμότητος, ἣν παρέχεται ὁ ἥλιος μα3. 341 ᵃ12 sqq. τὸ δέρμα γίνεται ὑπὸ ἡλίυ μελάντερον, ὁ ἥλιος ἐπικάει sim Ζγγ5. 785 ᵇ11. πλη1. 966 ᵇ21. 11. 967 ᵇ23. 7. 967 ᵃ24. 8. 967 ᵇ1. 6. 967 ᵃ20. ὁ ἥλιος φαίνεται λευκὸς ἀλλ' ὁ πυρώδης μα3. 341 ᵃ35. γ6. 377 ᵇ22. τὸ πῦρ κ̣ ὁ ἥλιος ξανθὰ καθ' ἑαυτὰ τῇ φύσει χ1. 791 ᵃ4. οἱ περὶ τὸν ἥλιον ἅλω μα7. 344 ᵇ3. φαίνεται ὁ ἥλιος ποδιαῖος, τὸ δὲ τῦ ἡλίυ μέγεθος μεῖζόν ἐστιν ἢ τὸ τῆς γῆς ψγ3. 428 ᵇ3. εν1. 458 ᵇ29. 2. 460 ᵇ18. μα8. 345 ᵇ2. — ἐκ τῦ ἡλίυ εἰς τὸ σκότος ἰέναι Ζγε1. 780 ᵃ10. τιθέναι τι εἰς τὸν ἥλιον, ἐν τῷ ἡλίῳ, ἑστηκέναι ἐν τῷ ἡλίῳ sim μα12. 348 ᵇ33. πε36. 884 ᵇ11. ιϛ1. 913 ᵃ20. κθ13. 937 ᵃ25. 14. 937 ᵃ34. πρὸς τὸν λύχνον κ̣ πρὸς τὸν ἥλιον προστήσασθαι τὴν χεῖρα πλα28. 960 ᵃ21. ἀνακύπτομεν πρὸς τὸν ἥλιον ὅταν βυλώμεθα πταρεῖν πλγ15. 963 ᵃ8. — οἱ ἥλιος κ̣ τὰ λυτρὰ τὰ θερμὰ πιαίνυσι τὺς βῦς Ζιθ7. 595 ᵇ11. — ἡ τραγῳδία πειρᾶται ὑπὸ μίαν περίοδον ἡλίυ εἶναι ἢ μικρὸν ἐξαλλάττειν πο5. 1449 ᵇ13.

Ἥλιος. Ἀμβρακία θυγάτηρ Φόρβαντος τῦ Ἡλίυ f 437. 1550 ᵃ23. βόες Ἡλίυ, φυσικῶς ἀλληγορεῖ Ἀριστοτέλης f 167. 1506 ᵃ3, 10. ἡ Ἡλίυ νομιζομένη κρήνη ἐν Ἄμμωνι f 488. 1557 ᵇ25.

ἡλιοσκόπιον. τὸ φυτὸν τὸ λεγόμενον ἡλιοσκόπον φτα4. 819 ᵇ21. cf Meyer Nicol Damasc p 18, 17 (fort Euphorbia helioscopia L Diosc I 655 II 639. Fraas 88).

ἡλιῦσθαι. σκότος ἐγίνετο ἂν ἔξω τῦ ἡλιωμένυ ψβ8. 419 ᵇ31. τὰ ἄκρα ἡλιῦται τῆς νυκτὸς μέχρι τῦ τρίτυ μέρυς μα13. 350 ᵃ31. ὅσον τῦ ὑγρῦ ἀπαντλῦμενον ἡλιῦται, πωῶδες γίνεται χ5. 795 ᵃ1, ἡ τῆς πομφόλυγος βάσις ἡλιῦται κύκλῳ πιϛ1. 913 ᵃ22.

Ἦλις θ58. 834 ᵇ26. ἐν Ἤλιδι θ123. 842 ᵃ25. Ζγα18. 722 ᵃ9. f 596. 1576 ᵇ22. περὶ Ἤλιν f 451. 1552 ᵃ20. Ἠλεῖος ὁ κτίσας Ἤλιδα f 595. 1575 ᵃ15. Ἦλις πόλις εὐδαίμων (Gorg) Ργ14. 1416 ᵃ3. eius res publicae Πε6. 1306 ᵇ16. — Ἠλεῖοι θ51. 834 ᵃ21. Γοργίυ ἐγκώμιυ εἰς Ἠλείυς Ργ14. 1416 ᵃ2. Ἠλείων πολιτεία f 450. 451.

ἡλιώδης. τὸ χρυσειδὲς γίνεται ὅταν τὸ ξανθὸν κ̣ τὸ ἡλιῶδες πυκνωθὲν ἰσχυρῶς στίλβῃ χ3. 793 ᵃ14. cf ἡλιοειδής.

ἧλος ὁ ἐν τῷ πλοίῳ μαλεινῖ κατὰ συμβεβηκός Φδ4. 211 ᵃ21. ἀμυγδαλαῖ ἧλων ἐμπηγνυμένων βελτιῦνται φτα7. 821 ᵃ38. ἡ τῶν σπλάγχνων φύσις οἷον ἧλοι πρὸς τὸ σῶμα προσαμβάνυσι τὴν μεγάλην φλέβα Ζμγ7. 670 ᵃ13. — ἧλῳ ὁ ἧλος ὥσπερ ἡ παροιμία (cf παροιμία) Πε11. 1314 ᵃ5.

Ἠλύσιον πεδίον (resp Hom δ563) πκϛ31. 943 ᵇ22. Ἠμαθιωτῶν χώρα θ68. 835 ᵃ34.

ἤματα τεσσαρακαίδεκα (Simonid fr 12) Ζιε8. 542 ᵇ8.

ἡμεῖς. τιμιώτερον κ̣ ἁπλῶς κ̣ ἡμῖν Πη1. 1323 ᵇ17. cf ἁπλῶς. γνωριμώτερον ἡμῖν, opp τῇ φύσει Φα1. 184 ᵃ16. ἡ μεσότης

ἡ πρὸς ἡμᾶς, dist ἡ κατ᾽ αὐτὸ τὸ πρᾶγμα Ηβ5. 1106
ᵃ28. 6. 1107 ᵃ1.

ἡμέρα, def ἡλίυ φορὰ ὑπὲρ γῆς τζ4. 142 ᵇ3. ἡ ἡμέρα ἐστὶ
ᾗ ὁ ἀγὼν τῷ ἀεὶ ἄλλο ᾗ ἄλλο γίνεσθαι Φγ6. 206 ᵃ22,
31. — ἡμέραι ἐλάττονες, μακρότεραι μγ5. 377 ᵃ12. ἡμέ- 5
ραι αἴδιοι πκς13. 941 ᵇ24. ἡμέραι κρίσιμοι Φε6. 230 ᵇ5.
ἡμέραι κύριαι ρ37. 1443 ᵃ20. διαμεμετρημένη ἡμέρα f 423.
1548 ᵃ39. — ἡμέρας (opp νύκτωρ) Ζιδ10. 537 ᵃ28. μεθ᾽
ἡμέραν, opp νύκτωρ μβ4. 360 ᵃ3. Ζιε14. 546 ᵃ21. πκε7.
938 ᵇ5. καθ᾽ ἡμέραν, opp νύκτωρ μα10. 347 ᵃ13, 15. 10
καθ᾽ ἡμέραν quotidie: ὁ ἄλλος βίος ὁ καθ᾽ ἡμέραν Πβ6.
1266 ᵃ1. πρὸς τῷ καθ᾽ ἡμέραν ὄντες ἄσχολοί εἰσιν ἐπι-
βυλεύειν Πε11. 1313 ᵇ20. ἡ εἰς πᾶσαν ἡμέραν συνεστη-
κυῖα κοινωνία οἰκία. dist χρῆσις μὴ ἐφήμερος, κώμη Πα2.
1252 ᵇ13, 16. — ἡ ἑσπέρα γῆρας ἡμέρας πο21. 1457 ᵇ24. 15

ἡμεροδρόμοι κ6. 398 ᵃ30.

ἡμερολεγδόν. δέκα μῆνας κύειν ἡμερολεγδὸν τὰς βῦς Ζιζ 21.
575 ᵃ27.

ἥμερος. (fem ἥμερος, sed ἥμεραι v1 Ζιζ18. 573 ᵃ31) cf
ἄγριος. τὰ ἥμερα τῶν ζῴων πάντως ᾗ ἄγρια. τὰ ἄγρια ᾗ 20
πάντως ἥμερα πι45. 895 ᵇ23. syn τὰ κατ᾽ οἰκίαν τρεφό-
μενα Ζυ50. 632 ᵇ3, 6. ἡ ἀπὸ τῶν ἡμέρων ζῴων τροφή
Πα8. 1256 ᵃ31. τὰ ἥμερα ᾗ διὰ τὴν χρῆσιν ᾗ διὰ τὴν
τροφήν Πα8. 1256 ᵇ17. βοήθεια παρὰ τῶν δύλων ᾗ παρὰ
τῶν ἡμέρων ζῴων Πα5. 1254 ᵇ26. τὰ ἥμερα τῶν ἀγρίων 25
βελτίω τὴν φύσιν Πα5. 1254 ᵇ11. τὰ ἥμερα ᾗ φρονιμώ-
τερα οα3. 1343 ᵇ15. τὰ ἡμερώτερα ᾗ λεοντώδη πι9 Πθ4.
1338 ᵇ19. exempla ζῴων ἡμέρων: αἱ ἥμεραι ὕες Ζιζ18.
573 ᵃ31. 28. 578 ᵃ30, 31. ὅ28. 606 ᵃ9. οἱ ὄρνεις οἱ ἥμε-
ροι Ζιε33. 558 ᵃ12 et τῶν ὀρνέων τὰ μὲν ἄγρια, ὅσα δὲ 30
ἥμερα ᾗ ἡμερῦσθαι δύναται Ζιε13. 544 ᵃ29. τῶν ἡμέρων
σφηκῶν δύο γένη Ζυ41. 628 ᵃ1. — φυτὰ ἥμερα, ἡμερώ-
τερα, opp ἄγρια, διὰ τί καλεῖται πι45. 896 ᵃ7, 10. κ12.
924 ᵃ19. καρποὶ ἥμεροι Πε8. 1256 ᵃ39. πκ12. 924 ᵃ18. —
τὰ ἥμερα i q locus cultus, opp τὰ ὀρεινά. Ζυ40. 624 ᵇ28. 35

ἡμερότης ζῴων, opp ἀγριότης Ζιθ1. 588 ᵃ21. cf ἰ3. 610
ᵇ21 Aub. ἡμερότης φυτῶν πκ12. 924 ᵃ19.

ἡμερῶν. τῶν ζῴων τινὰ ἡμερῦσθαι δύναται Ζια1. 488 ᵃ29.
ε13. 544 ᵃ29. ιι. 608 ᵇ35. ᾗ πάντα φυτὰ ἡμερῦσθαι δύ-
ναται πι45. 896 ᵃ8. 40

ἡμεροφανὲς ἄστρον τζ4. 142 ᵇ1.

ἡμιαστραγάλιον Ζιβ1. 499 ᵇ25 (v1 ἡμιαστράγαλος).

ἡμίεργα ἀναθήματα οβ1346 ᵇ10.

ἡμιζύγιος. τῦ ὅλυ (int τῆς ὅλης φάλαγγος) ἡμιζυγίυ ὄντος
μχ20. 853 ᵇ26. (cf Cappelle p 243 sqq) 45

ἡμίθεος. Ἀχιλλεὺς τῶν ἡμιθέων Ρβ22. 1396 ᵇ12

ἡμιχοτύλιον ᾗ μικρῷ πλέον Ζιζ18. 573 ᵃ7.

ἡμικύκλιον. ἐν ἡμικυκλίῳ ὑκ ἐνδέχεται συνεχῶς κινεῖσθαι
Φθ8. 264 ᵇ24. πότερον ἐναντία ἡ ἐν θατέρῳ ἡμικυκλίῳ κί-
νησις τῇ ἐν θατέρῳ Οα4. 271 ᵃ11, 14. ἡμικύκλιον zodiaci, 50
θατέρον ἡμικύκλιον τὸ τὸ διπλωμα ἔχον μα8. 345 ᵃ23,
346 ᵃ24. — τμῆμα μεῖζον, ἔλαττον ἡμικυκλίυ μγ2. 371
ᵇ27. 5. 375 ᵇ17, 28, 377 ᵃ6. αἱ τῶν ἡμικυκλίων γωνίαι
Αα24. 41 ᵇ17. ὀρθὴ ἡ ἐν ἡμικυκλίῳ Αδ11. 94 ᵃ28. Μθ9.
1051 ᵃ27. τὸ ἐν τῷ ἡμικυκλίῳ τρίγωνον Αγ1. 71 ᵃ21. — 55
ἡ νάρκη ὡς δυσὶ πτερυγίοις χρῆται ἑκατέρῳ τῷ ἡμικυκλίῳ
Ζμδ13. 696 ᵃ32.

ἡμίλιτρον, ὅπερ ἐξ χαλκοῦ ἐστιν f 467. 1544 ᵇ44, 1545 ᵃ7.

ἡμιόδιος γενόμενος Ἀλεξάνδρυ Ἀντιμένης οβ1352 ᵇ26.

ἡμιόλιος. ὁ γνήσιος ἀετὸς ἡμιόλιος τῶν ἀετῶν Ζιι32. 619 60
ᵃ13. ἡμιόλιον τῷ μεγέθει Ζιε21. 553 ᵃ28. διπλάσιον ᾗ

ἡμιόλιον διέναι μῆκος Φζ2. 233 ᵇ21. ᾗ μόνον ἡμιόλια τὰ
ὄντα ἔσται ἀλλὰ πλείω Μγ7. 1012 ᵃ12. τὸ ἡμιόλιον πρὸς
τὸ ὑφημιόλιον Μδ15. 1021 ᵃ1. τὸ διὰ πέντε ἐστὶν ἐν ἡμιο-
λίῳ λόγῳ πιθ41. 921 ᵇ3. ἡμιόλιος λόγος ὁ παιάν Ργ8.
1409 ᵃ6.

ἡμίονος. refertur inter τὰ λόφυρα Ζγγ5. 755 ᵃ18. Ζια6.
491 ᵃ1. τὸ γένος ὅλον ἄγονόν ἐστι τὸ τῶν ἡμιόνων Ζγβ7.
746 ᵇ20. 8. 747 ᵃ25. ἡ ἀτεκνία Ζγγ1. 749 ᵃ10. 5. 755
ᵇ19. Δημόκριτος φησὶ διεφθάρθαι τὺς πόρυς (σπόρυς v1
Philop comm) τῶν ἡμιόνων ἐν ταῖς ὑττέραις Ζγβ8. 747
ᵃ30. ἐπειδὴ γίνεται ἡμίονος ἄρρην ᾗ θῆλυς ἀδιαφόρων ὄντων
τῷ εἴδει ἀλλήλοις, γίνεται δ᾽ ἐξ ἵππυ ᾗ ὄνυ ἡμίονος, ἕτερα
δ᾽ ἐστὶ τῷ εἴδει ταῦτα ᾗ οἱ ἡμίονοι. ἀδύνατον γενέσθαι ἐξ
ἡμιόνων Ζγβ8. 748 ᵃ1, 5. γεννᾷ ἵππος ἡμίονον παρὰ φύσιν Μζ8.
1033 ᵇ33. Ζγβ8. 747 ᵇ11. θηλάζει ἐξάμηνος, ἀκμάζει μετὰ
τὺς βόλυς Ζιζ22. 576 ᵇ11, 13. vita Ζιζ24. 577 ᵇ29 sq. τὰ
σώματα τὰ τῶν ἡμιόνων μεγάλα γίνονται διὰ τὸ τὴν ἀπό-
κρισιν τὴν εἰς τὰ καταμήνια τρέπεσθαι εἰς τὴν αὔξησιν
Ζγβ8. 748 ᵇ20. ἡμίονος μακροβιώτερος ἵππυ ᾗ ὄνυ, ἐξ ὧν
ἐγένετο μχ5. 466 ᵇ9. τῶν ἡμιόνων αἱ θήλειαι μακροβιώτεραι
ᾗ μείζυς Ζιθ11. 538 ᵃ34. ἡμιόνων δὲ Ἤλιν μητέρα ὐκ
ἐρεῖς, ἢ τὸ λεχθὲν ψεῦδός ἐστιν f 324. 1532 ᵇ7. — ᾗ
ἡμίονος ἤδη ἔτεκεν ἵππος τις δύο Ζιζ22. 576 ᵃ2. (mulus
vel hinnus) cf ὀρεύς. — αἱ ἐν Συρία καλύμεναι ἡμίονοι αἳ κα-
λῦνται ἡμίονοι δι᾽ ὁμοιότητα, ὑκ ὖσαι ἁπλῶς τὸ αὐτὸ εἶδος·
ᾗ γὰρ ὀχεύονται ᾗ γεννῶνται (γεννῶσιν αὐταὶ Pic) ἐξ ἀλ-
λήλων Ζια6. 491 ᵃ2. ᾗ ὀχεύονται ᾗ τίκτεται Ζιζ24. 577
ᵇ23. descr Ζιζ36. 580 ᵃ1-9 — ἐν Καππαδοκία φασὶν ἡμιό-
νυς εἶναι γονίμυς θ69. 835 ᵇ1. ὑρͅᾶς (Hom Α 50) πότερον
τὺς φύλακας λέγει ἢ τὺς ἡμιόνυς πο25. 1461 ᵇ11. ἡμίονοι
ἄγυσαι ἀργύριον οβ1350 ᵇ24. (Equus onager Pall ΚαΖι29,
21. Su 77, 59ᵇ Equus hemionus Pall nord Beitr II 22 sq
Cr, Κ423. ΑΖγ26, ΑΖι I 68, 19ᵇ in incerto reliquit,
Lewysohn Zool ds Talmud 370, A Schlieben Pferde ds
Althums 73. cf Blyth in Journal of the Asiat soc of Bengal
1859 p 229-253.)

ἡμίπαγυς δρόσος ᾗ δροσοπάχνη κ4. 394 ᵃ26. cf Epicuri
phys ed Schneid 124.

ἡμιπόνηρος Πε11. 1315 ᵃ10 (cf ἡμίχρηστος). def Ηη11.
1152 ᵃ17.

ἡμίπυρον ὂν τὸ ἀστράψαν κ4. 395 ᵃ23.

ἡμιστάτηρον, νόμισμα χρυσῶν f 486. 1557 ᵇ19.

ἥμισυς. ἥμισυ def τὸ ἴσῳ ὑπερεχόμενον τζ9. 147 ᵃ31. ἡμί-
σεες ἴδιον τὸ ὡς ἓν πρὸς δύο τε6. 135 ᵇ26. διπλάσιον πρὸς
ἥμισυ Μδ15. 1020 ᵇ26. — ἐν ἡμίσει χρόνῳ Φθ10. 266
ᵇ11. τὸν ἥμισυν τῦ βίυ ηεβ1. 1219 ᵇ18. ὁδὸς ἡμισείας
ἡμέρας Πη10. 1329 ᵇ13. ἀπέχειν τὴν ἡμίσειαν διάμετρον
Οβ13. 293 ᵇ23. ἥμισυ μέρος Πα13. 1260 ᵇ19. — ἐν τῇ
ὅλῃ δυνάμει ἡ ἡμίσεια, τὸ ἥμισυ τῆς γραμμῆς Μθ6. 1048
ᵃ33. δ7. 1017 ᵇ7. ἀριθμεῖν μὴ μίαν τὴν συνεχῆ, ἀλλὰ δύο
ἡμισείας Φθ8. 263 ᵇ3. — ἀεὶ τὸ ἥμισυ διιέναι δεῖ Φθ8.
263 ᵃ5. δύο ἡμίση, ἄπειρα ἡμίση Φθ8. 263 ᵃ23, 26, 28.
Μζ10. 1035 ᵃ18. Πε1. 1301 ᵇ35. ἄπειρα ἡμίσεα Φθ8.
263 ᵇ8. — ἡ ἀρχὴ ἥμισυ παντός Πε4. 1303 ᵃ29. Ηα7.
1098 ᵇ7. τι34. 183 ᵇ22. πι13. 892 ᵃ30 (cf παροιμία).

ἡμισφαίριον. τὸ ἄνω ἡμισφαίριον ᾗ πρὸς τοῖς δεξιοῖς, τὸ
κάτω ᾗ πρὸς τοῖς ἀριστεροῖς Οβ2. 285 ᵇ23, 24. πκς21.
942 ᵇ7. 54. 946 ᵇ7, 18. οἱ τὸ ἐναντίον ἡμισφαίριον οἰκῦντες
πκς54. 946 ᵃ38. ἅμα ἐν ἀμφοτέροις τοῖς ἡμισφαιρίοις πιε5.
911 ᵇ1. ἓν εἶναι μόνον τὸ ὑπὲρ ἡμᾶς ἡμισφαίριον Οδ1.
308 ᵃ26. ἡμισφαίριον ἐπὶ τῦ ὁρίζοντος κύκλυ μγ5. 375 ᵇ19.

ἀπέχει τὸ ἡμισφαίριον αὐτῆς (τῆς γῆς) ὅλον Οβ13. 293 ᵇ26. διαφορὰ τῶν ἡμισφαιρίων Οβ2. 285 ᵇ10. — αἱ πομφόλυγες ἡμισφαίρια πιϛ2. 913 ᵃ31.

ἡμίφωνον τὸ μετὰ προσβολῆς ἔχον φωνὴν ἀκυστήν πο20. 1456 ᵇ27, 25.

ἡμίχοος. χωρεῖν ἡμιχόν πλεῖον θ1. 830 ᵃ14. χωρῆσαι μὴ πολλῷ ἔλαττον ἡμίχυν (v l ἡμίχυ) Ζιι45. 630 ᵃ34. — plur βλίττεσθαι τρία, πέντε ἡμίχοα Ζιι40. 627 ᵇ3, 4. γάλακτος ἀφιέναι τρία ἡμίχοα θ128. 842 ᵇ30.

ἡμίχρηστος, coni ἡμιπόνηρος Πε11. 1315 ᵇ9.

ἡμιωβέλια ἱερὰ τρία Ρα14. 1374 ᵇ26, 28.

ἡμιωβόλια τρία δύναται ὁ νῦμμος f 547. 1568 ᵇ30.

ἠνεκέως (Emp 439) Ρα14. 1374 ᵇ17.

ἠνεμόεις λόφος (ex versu Antimachi) Ργ6. 1408 ᵃ3.

ἡνίοχος κ6. 400 ᵇ7.

Ἡνίοχοι, ἔθνος ἠπειρωτικόν Πθ4. 1338 ᵇ22.

ἤνυστρον. τὸ καλύμενον ἤνυστρον Ζιβ17. 507 ᵇ9. δ1. 524 ᵇ11. Ζμγ14. 674 ᵇ15. 15. 676 ᵃ9. Ruminantium abomasus cf F 300, 78, 4.

ἧπαρ. refertur inter τὰ σπλάγχνα Ζιγ17. 520 ᵃ16. Ζμγ12. 673 ᵇ27. descr Ζια 17. 496 ᵇ16 sq. Ζμγ12. ἡ τῷ ἥπατος φύσις, σύστασις Ζμγ7. 669 ᵇ16–670 ᵃ28. δ2. 677 ᵃ36, 677 ᵃ19. ἧπαρ ὐκ ἔχον ὐθὲν γίνεται ζῷον Ζγδ4. 771 ᵃ4. ὑπάρχει πᾶσι τοῖς ἐναίμοις Ζμγ4. 666 ᵃ24. 7. 670 ᵃ23. δ2. 677 ᵇ6. συνισταμένων τῶν ἐναίμων ἔνδηλα γίνεται καρδία τε κ̣ ἧπαρ Ζμγ4. 665 ᵃ34. — ἥπατος τόπος Ζμγ4. 666 ᵃ25 sq. δ3. 677 ᵇ35. ἄπτεται τῷ δεξιῷ νεφρῷ ἐν πᾶσιν Ζμγ9. 671 ᵇ35. ἐν τοῖς δεξιοῖς Ζια17. 496 ᵇ16. ἐν τοῖς ἀριστεροῖς ἤδη ὤφθη Ζιβ 17. 507 ᵃ23. Ζγδ4. 771 ᵃ8. τῶ καλλιωνύμῳ τὸ ἧπαρ κατὰ τὴν λαιὰν φορεῖται πλευράν f 298. 1529 ᵇ12. μακρὸς ὢν ὁ ὀμφαλὸς τῷ ἐμβρύῳ κατὰ τὸ μέσον, ἡ τὸ ἧπαρ Ζιζ10. 565 ᵇ9. — φλέβες διὰ τῷ ἥπατος, εἰς, ἐπὶ τὸ ἧπαρ Ζιγ2. 511 ᵇ28. 512 ᵃ10. 3. 512 ᵇ31, 513 ᵃ6. 4. 514 ᵃ33, 35, ᵇ8. Ζιη8. 586 ᵇ18. αἱ καλύμεναι πύλαι τῷ ἥπατος Ζια17. 496 ᵇ32. χολὴ ἐπὶ τῷ ἥπατος Ζμδ2. 676 ᵇ32, 677 ᵃ21, ἐπὶ τῷ ἥπατι Ζιβ15. 506 ᵇ10. 17. 508 ᵇ1. Ζμδ2. 676 ᵇ17, 677 ᵃ14, πρὸς τῷ ἥπατι Ζιβ15. 506 ᵇ7, 18, 22, 23. τὰ ἥπατα τὰ τῶν ἀχόλων εὔχρω κ̣ γλυκερά ἐστιν, κ̣ τῶν ἐχόντων χολὴν τὸ ὑπὸ τῇ χολῇ τῷ ἥπατος γλυκύτατόν ἐστιν Ζμδ2. 677 ᵃ23 cf F 305, 13. ἀχόλων τὸ ᾗ ἐλείφαντος Ζιβ15. 506 ᵇ1. ἀσπίδες, ἐσχισμέναι, πολυσχιδές, μονοφυέστερον Ζιβ17. 507 ᵃ12, 13. Ζμγ12. 673 ᵇ17. στρογγύλον τὸ τῷ ἀνθρώπῳ Ζια17. 496 ᵇ23. μακρὸν κ̣ ἁπλῶν Ζιβ17. 508 ᵃ34. αἱματικώτατον μετὰ τὴν καρδίαν τῶν σπλάγχνων Ζμγ12. 673 ᵃ27. τιμελωδέος Ζιγ17. 520 ᵃ17. λευκόν f 311. 1531 ᵃ13. ὐκ ἔχει ὐδεμίαν ἀρτηρίαν πν5. 484 ᵃ12. — τῆς πέψεως χάριν Ζμγ7. 670 ᵃ20, 27, συμβάλλεται πολὺ μέρος πρὸς εὐκρασίαν τῷ σώματος κ̣ ὑγίειαν Ζμδ12. 673 ᵇ25. φαίνεται πολλάκις λίθων μεστὸν κ̣ φυματίων ἡ δοθιήνων Ζμγ4. 667 ᵇ5, 7. πόνοι περὶ τὸ ἧπαρ Ζιγ4. 514 ᵇ3. — τῆς ψυχῆς τὸ περὶ τὸ ἧπαρ μόριον (Plat Tim 71 C) Ζμδ2. 676 ᵇ24. οἱ δασύποδες (Λαγώς) δύο δοκῦσιν ἧπατ' ἔχειν Ζμγ7. 669 ᵇ35. Ζιβ17. 507 ᵃ18. θ122 842 ᵃ16. (de iecinore ap Arist cf Philippson ὕλη ἀνθρ. p41 et Putsche Zeitschr f Alterthumswissenschft 1857 no 53)

ἥπατος ἔχει ὀλίγας ἀποφυάδας Ζιβ 17. 508 ᵇ19. f 295. 1529 ᵃ41. 296. 1529 ᵃ43 sq. Rose Ar Ps 306 — (Jecorinus Gazae. Gadus Aeglefinus Cuv II 232. Stromateus fiatola L K 492, Cr. Teuthis hepatus R 147, KaΖι 92, 29; in incerto relinquunt ceteri.)

ἡπατικός. πάθος ἡπατικόν f 337. 1534 ᵇ2.

ἡπατῖτις. φλέβες εἰσὶ δύο μέγισται· κ̣ καλεῖται ἡ μὲν σπληνῖτις, ἡ δὲ ἡπατῖτις. κ̣ φαίνονται παρά τε τὴν σπληνῖτιν κ̣ τὴν ἡπατῖτιν ἕτεραι ὀλίγον ἐλάττες, ἃς ἀποσχῶσιν ὅταν τι ὑπὸ τὸ δέρμα λυπῇ· ἂν δέ τι περὶ τὴν κοιλίαν, τὴν ἡπατῖτιν κ̣ τὴν σπληνῖτιν Ζιγ2. 512 ᵃ6, 30, 32. cf ΑΖι II tab IV et VI.

ἤπειρος. τὰ περὶ τὴν ἤπειρον μεταβάλλει κ̣ τὴν θάλατταν μα14. 351 ᵃ21 (cf ἤπειρὼν). αἱ ἐγγὺς τῆς ἠπείρω νῆσοι μόριόν ἐστι τῆς ἠπείρω μβ8. 369 ᵃ4. τὴν πόλιν δεῖ κοινὴν εἶναι τῆς ἠπείρω τε κ̣ τῆς θαλάσσης Πη11. 1330 ᵃ34 φοβυμένων μὴ οἱ ἐκ τῆς ἠπείρω ἐρχόμενοι ποταμοὶ ἤπειρον τὴν Κέρκυραν ποιήσωσι f 469. 1555 ᵃ40. — μή ποτ' ἀπ' ἠπείρω δείσης νέφος πκς 57. 947 ᵃ7.

Ἤπειρος. ἔλαφοι, βόες, ὄνοι ἐν τῇ Ἤπ. θ75. 835 ᵇ27. Ζιγ21. 522 ᵇ20. ζ18. 572 ᵇ19. 97. 595 ᵇ17. 28. 606 ᵇ4. Ἀχιλλεὺς ἐν Ἠπείρῳ f 522. 1563 ᵇ20. — Ἠπειρωτῶν πολιτεία f 452. — Ἠπειρωτικαὶ βόες Ζιγ21. 522 ᵇ16.

ἠπειρωτικὰ ἔθνη Πθ4. 1338 ᵇ22.

ἠπειρὼν. ἠπείρως ἐθαλάττωσαν κ̣ θαλάττας ἠπείρωσαν κ6. 400 ᵃ28.

ἠπιαλεῖν. οἱ ἠπιαλῶντες πκζ2. 947 ᵇ21.

ἠπίολος v Lob Prol 129. λυμαίνεται τὰ κηρία κ̣ ἄλλο θηρίον, οἷον ὁ ἠπίολος ὁ περὶ τὸν λύχνον πετόμενος· ὗτος ἐντίκτει τι χνῷ ἀνάπλεων, κ̣ κεντεῖται ὑπὸ τῶν μελιττῶν, ἀλλὰ μόνον φεύγει καπνιζόμενος Ζιθ27. 605 ᵇ14. Galleria cereana (Tinea mellonella L) Cr; Su 206, 22; ΑΖι I 164, 16 et generatim i q Nocturna.

ἤπιος. ἡ φήνη ἤπιος Ζιι34. 619 ᵇ24. ἡ τῷ νέφυς θλῖψις ἠπία ὗσα, opp σφοδρά κ4. 394 ᵃ30, 31.

Ἥρα θ96. 838 ᵃ24. Ζιζ35. 580 ᵃ19. ἐπὶ Λακινίῳ πανήγυρις τῆς Ἥρας θ96. 838 ᵃ17. Ἥρα (Hom Γ276. Τ108) f 143 1502 ᵇ12. 157. 1504 ᵇ15, 23. πρόβατον ἀνάθημα τῇ Ἥρα f 532. 1566 ᵇ26. ἐγὼ γὰρ Ἥραν (Eur Troad 971) Ργ17. 1418 ᵇ22. ὁ Φωσφόρω κύκλος, ὃν Ἀφροδίτης, οἱ δὲ Ἥρας προσαγορεύυσι 2. 392 ᵃ28.

Ἡραία μετέβαλε τὴν πολιτείαν Πε3. 1303 ᵃ15.

Ἡράκλεια ἡ ἐν τῷ Πόντῳ μβ8. 367 ᵃ1. Πε6. 1305 ᵇ36. θ73. 835 ᵇ15. de eius rebus publicis Πε5. 1304 ᵇ31. 6. 1305 ᵇ5, 11, 36, 1306 ᵃ37. — Ἡράκλειαν οἱ Ταραντῖνοι παρέλαβον θ106. 840 ᵃ12. — Ἡρακλεωτῶν πόλις Πη6. 1327 ᵇ14. σόφισμα οἰκονομικόν οβ1347 ᵇ3. Ἡρόδωρος ὁ Ἡρακλεώτης Ζγγ6. 757 ᵃ4. — Ἡρακλεωτικοὶ καρκίνοι Ζιδ2. 525 ᵇ5. 3. 527 ᵇ12. Ζμδ8. 684 ᵃ7, 10.

Ἡρακλεῖδαι Μι8. 1058 ᵃ24. τὰ ὑπὲρ Ἡρακλειδῶν πραχθέντα Ρβ22. 1396 ᵃ14. τῶν Ἡρακλειδῶν κατελθόντων f 449. 1551 ᵇ36.

Ἡρακλείδης ὁ Αἴνιος Πε10. 1311 ᵇ21.

ἡρακλειτίζειν Μγ5. 1010 ᵃ10. πιγ6. 908 ᵃ30. τῶν ἡρακλειτιζόντων τινές Μγ30. 934 ᵇ34.

Ἡράκλειτος ὁ Ἐφέσιος ΜΑ8. 984 ᵃ7. ὁ σκοτεινός κ5. 396 ᵇ20. πιστεύει ὐδὲν ἧττον οἷς δοξάζει ἡ ἕτεροι οἷς ἐπίστανται Ηη5. 1146 ᵇ30. η" 6. 1201 ᵇ8. eius θέσις Aristoteli videtur λόγυ ἕνεκα λεγομένη Φα2. 185 ᵃ7. χαλεπὸν διαστῆξαι τὰ Ἡρακλείτυ Ργ5. 1407 ᵇ14. — ipsa verba ex Heracliti libro afferuntur fr 1 Ργ5. 1407 ᵇ16. fr 21 Μγ5. 1010 ᵃ13. fr 26 αι5. 443 ᵃ25. fr 33 μβ2. 355 ᵃ14. fr 37 Ηθ2. 1155 ᵇ5. ηεη1. 1235 ᵃ25. fr 41 κ6. 401 ᵃ11. fr 45 κ3. 396 ᵇ20. fr 69 Ηβ2. 1105 ᵃ8. ηεβ7. 1223 ᵇ22. Πε11. 1315 ᵃ30. fr 85 Ηκ5. 1176 ᵃ6. apophthegma Ζμα5. 645 ᵃ17. — Heracliti doctrina exponitur et examinatur:

πάντα κινεῖσθαι τα 11. 104 ᵇ22. Ογ 1. 298 ᵇ33. ψα 2. 495
ᵃ28. ΜΑ 6. 987 ᵃ33. μ 4. 1078 ᵇ14. resp Φθ 3. 253 ᵇ10.
8. 265 ᵃ3. ἐνδέχεσθαι τὸ αὐτὸ εἶναι κ̣ μὴ εἶναι, τὰ ἐναν-
τία ἅμα ἀληθῆ εἶναι τθ 5. 159 ᵇ31. Φα 2. 185 ᵇ20. Μγ 3.
1005 ᵇ25. 5. 1010 ᵃ13. 7. 1012 ᵃ24. 8. 1012 ᵃ34. × 5.
1062 ᵃ32. 6. 1063 ᵇ24. resp Μγ 4. 1005 ᵇ35. τὸ πῦρ ἀρ-
χὴν εἶναι ΜΑ 3. 984 ᵃ7. cf Ογ 1. 298 ᵇ33. resp Φβ 4. 196
ᵃ18. Ογ 5. 303 ᵇ11. Γβ 1. 328 ᵇ35. ΜΑ 7. 988 ᵃ30. 8. 989
ᵃ2. β 1. 996 ᵃ9. 4. 1001 ᵃ15. τὰ ἄστρα πύρινά τινες φασιν
εἶναι resp Οβ 7. 289 ᵃ16 (cf Alex Aphr ad μα 3. 340 ᵃ13.)
ἀρχὴν τὴν ἀναθυμίασιν ψα 2. 405 ᵃ25. τὸν ἥλιον τρέφεσθαι
τῷ ὑγρῷ resp μβ 2. 354 ᵇ33, cf πκγ 30. 934 ᵇ34, videtur
resp Γβ 8. 335 ᵃ18. τοῖς ἐναντίοις σχηματίζει τὸ ἕν vide-
tur resp Φα 6. 189 ᵇ8. τῶν ἐναντίων ἡ φύσις γλίχεται fort
resp × 3. 396 ᵇ7 sqq. mundi orientis et intereuntis vicissi-
tudo Οα 10. 279 ᵇ16. ἅπαντα γίνεσθαί ποτε πῦρ Φγ 5. 205
ᵃ3. Μ× 10. 1067 ᵃ4. — Ἡρακλείτειος θέσις Φα 2. 185 ᵃ7.
Ἡρακλείτειοι λόγοι, δόξαι ΜΑ 6. 987 ᵃ33. μ 4. 1078 ᵇ14.
Ἡρακλεόδωρος ἐν Ὠρείῳ Πε 3. 1303 ᵃ19.
Ἡρακλῆς πο 8. 1451 ᵃ22. Ζιη 4. 585 ᵃ14. νεη 12. 1245 ᵇ39.
μελαγχολικὸς πλ 1. 953 ᵃ14. ἀρρενογόνος Ζιη 6. 585 ᵇ22.
fabulae de Hercule narrantur μβ 3. 359 ᵃ28. Πγ 13. 1184
ᵃ23. θ 51. 834 ᵃ16. 5. 834 ᵇ25. 8. 837 ᵇ6. 97. 838 ᵃ28,
31. 100. 838 ᵇ16, 18, 19. f 175. 1504 ᵃ21. 475. 1556
ᵃ28. — Ἡρακλέης (in versu epigrammatis antiqui) θ 133.
843 ᵇ27. οὐκ Διὸς Ἡρακλέης f 625. 1583 ᵇ16. — ἄλλος
Ἡρακλῆς ἄλλος αὐτὸς proverbium cf paroimia. ὁ Ὀλυμπια-
κὸς ἀγὼν Ἡρακλέυς f 594. 1574 ᵇ34. στῆλαι Ἡρακλέυς ×3.
393 ᵇ10, 23, 32. ὁ Πυρόεις (κύκλος) Ἡρακλέυς τε κ̣ Ἄρεος
προσαγορευόμενος × 2. 392 ᵃ25 — Ἡράκλειος. τὰ Ἡρά-
κλεια f 404. 1545 ᵇ34. αἱ νῦν Ἡράκλειοι στῆλαι καλύμεναι
f 628. 1584 ᵇ6. οἱ ἐφ᾽ Ἡρακλείαις στήλαις μτ 1. 462 ᵇ24.
Ρβ 10. 1388 ᵃ10. ἀπὸ ἔξω. ἐντὸς Ἡρακλείων στηλῶν μβ 1.
354 ᵃ12. 5. 362 ᵇ21, 28. θ 37. 833 ᵃ10. 84. 836 ᵇ30. 136.
844 ᵃ25. τὰς Ἡρακλείας στήλας Οβ 14. 298 ᵃ10 (v l
Ἡρακλείας). × 3. 393 ᵃ18, 24. ὁδὸς Ἡράκλεια καλυμένη
θ 85. 837 ᵃ8 (Petersen, Gött G A 1868 p 91). τόξα τὰ
Ἡράκλεια θ 107. 840 ᵃ19. — Ἡρακλῆς κ̣ τὰ τοιαῦτα
ποιήματα πο 8. 1451 ᵇ20.
ἤρεμα, opp σφόδρα Ηγ 2. 1111 ᵃ6. ἀντικείμενον τῷ ἤρεμα
τὸ σφόδρα νεγ 3. 1231 ᵇ14. ἤρεμα κινεῖν, ῥιπτεῖν Ζιθ 10.
537 ᵃ16. Ζ× 2. 698 ᵇ27. ἤρεμα ἐπιθυμεῖν, ἠσθῆναι, ἀρέ-
σκεσθαι, opp σφόδρα Ηη 6. 1148 ᵃ18, 20. 8. 1150 ᵃ28. 18.
1169 ᵃ23. × 5. 1175 ᵇ11. Ρα 11. 1370 ᵇ34. μόλις κ̣ ἤρεμα
πάσχειν Μθ 12. 1019 ᵃ31. ἤρεμα, σφόδρα παθητικόν Γα 10.
328 ᵇ7. ἤρεμα. σφόδρα φοβερόν νεγ 1. 1229 ᵇ23, 25. ἤρεμα,
μᾶλλον, σφόδρα ψεκτός Ηγ 11. 1126 ᵇ8. ἤρεμα βλέπειν,
opp ὀξύ, ἀτενίζειν μγ 4. 373 ᵇ4. α 6. 343 ᵇ14. ἤρεμα ὁρᾶν,
ἀκύειν, opp σαφῶς γνωρίζειν εν 3. 462 ᵃ22-25. ἤρεμα πι-
στεύειν Ηη 5. 1146 ᵇ27. ἤρεμα γνώριμος ΜΖ 4. 1029 ᵇ9.
ἤρεμα ὑπάρχει ὁμοίως Πθ 5. 1340 ᵃ30. ἤρεμα λευκόν,
opp παντελῶς μγ 4. 375 ᵃ21. ἤρεμα θερμόν, opp ὑπερ-
βάλλον Γα 8. 326 ᵃ12. ἤρεμα, σφόδρα ὅμοιος τγ 2. 117
ᵇ23. δάκτυλοι ἄσχιστοι κ̣ ἤρεμα διηρθρωμένοι Ζιγ 9. 517 ᵃ32.
ἠρεμαῖος. ὑπὸ δυνάμεως ἠρεμαίας μεγάλα κινεῖσθαι μεγέθη
μχ 5. 850 ᵇ30. ψυχὴ ἠρεμαίαις κ̣ τεταγμέναις κινήσεσι
χρωμένη αρ 8. 1251 ᵇ27. ἔχειν τὸ ἠρεμαῖον ἐν τῇ ψυχῇ κ̣
στάσιμον αρ 4. 1250 ᵃ43. μέλος μαλακὸν κ̣ ἠρεμαῖον πιθ 49.
922 ᵇ30, 32 ἠρεμαία ὑπόληψις, opp ἰσχυρά Ηη 3. 1146
ᵃ1. — ἠρεμαίτερον σείειν μβ 8. 368 ᵃ12.
ἠρεμεῖν. ἀπορίαι περὶ τῷ ἠρεμεῖν Φζ 8. opp κινεῖσθαι εν 2.

459 ᵇ20. πᾶν ἢ κινεῖται ἢ ἠρεμεῖ τὸ πεφυκὸς ὅτε πέφυκε
κ̣ οὖ κ̣ ὡς Φζ 8. 238 ᵇ23. 1. 232 ᵃ12. ἠρεμεῖν λέγομεν τὸ
πεφυκὸς κινεῖσθαι μὴ κινύμενον ὅτε πέφυκε κ̣ οὖ κ̣ ὡς
Φζ 3. 234 ᵃ32. 8. 239 ᵃ13. ε 2. 226 ᵇ14. δ 12. 221 ᵇ12.
Μ× 12. 1086 ᵇ24. cf ε 4. 978 ᵇ24. ὐκ ἐνδέχεται ἠρεμίζε-
σθαι τὸ ἠρεμῦν Φζ 8. 238 ᵇ26. ἠρεμεῖν λέγομεν τὸ ὁμοίως
ἔχον κ̣ αὐτὸ κ̣ τὰ μέρη νῦν κ̣ πρότερον· ὐκ ἔστιν ἠρεμεῖν
ἐν τῷ νῦν, ἀλλὰ χρόνον τινὰ Φζ 3. 234 ᵇ5, 8. 239 ᵃ15,
26, ᵇ1. 10. 240 ᵇ30. ἠρεμεῖν ἢ βίᾳ ἢ κατὰ φύσιν Ογ 2.
300 ᵃ28. εἰ ἠρεμεῖ τινα τῶν ἀντικειμένων ἠρεμιῶν Φθ 8.
264 ᵃ23. ὁρῶμεν ἠρεμύσης τῆς ὐσίας ἐν αὐτῇ μεταβολὴν
κατὰ μέγεθος Γα 1. 314 ᵇ13. οἱ πάντα ἠρεμεῖν, πάντα κι-
νεῖσθαι λέγοντες Μγ 8. 1012 ᵇ23. 5. 1010 ᵃ36. παντὸς κι-
νυμένη ἀνάγκη τι ἠρεμεῖν πι 30. 894 ᵃ18. ἀντιτείνει κ̣ τὸ
ἠρεμῦν μχ 30. 858 ᵃ9. κατείχετο ὁ ἀὴρ κ̣ ἠρέμει μβ8.
367 ᵇ30. ἠρεμῦσι σφόδρα (οἱ ἰχθύς) κ̣ κίνυσιν ὐδὲν πλὴν
ἠρέμα τὸ ὐραῖον Ζιδ 10. 537 ᵃ15. ἠρεμεῖν ἐν ταῖς μήτραις
τὰ ἔμβρυα υ 3. 457 ᵃ21. — ταῖς αἰσθήσεσι ἠρεμεῖν, syn
ἀργεῖν, ἀκινητίζειν, opp ἐνεργεῖν υ 2. 455 ᵃ32. τῷ ἠρεμῆσαι
κ̣ στῆναι τὴν διάνοιαν ἐπίστασθαι κ̣ φρονεῖν λέγομεν Φη 3.
247 ᵇ10 (sed aliter ἐπικρατήσαν τὸ πάθος ἠρεμεῖν ἐποίησε
τὸν λογισμὸν νεμ 6. 1202 ᵃ6). ἵστημι ὃ λέγειν τὴν διά-
νοιαν κ̣ ὃ ἀκύσας ἠρεμῆσεν ε 3. 16 ᵇ21. ἠρεμήσαντος τῷ
καθόλυ ἐν τῇ ψυχῇ, syn στάντος Αθ 19. 100 ᵃ6, 15.
ἠρέμησις. ἡ εἰς αὐτὸ κίνησις ἐν ᾧ ἕστηκεν ἠρέμησις μᾶλλόν
ἐστι Φε 6. 230 ᵃ4. μᾶλλον κίνησις κινήσει ἐναντίον ἢ ἠρέ-
μησις Φε 6. 231 ᵃ2. cf 2. 226 ᵃ7. ἡ ἠρέμησις στέρησις τῆς
κινήσεως Φθ 1. 251 ᵃ26. ἡ πρώτη ἀρχὴ τῆς ἠρεμήσεως,
opp τῆς μεταβολῆς Μθ 2. 1013 ᵃ30. ποιεῖν ἠρέμησιν, ·opp
κινεῖν ψα 3. 406 ᵇ22. — ἡ νόησις ἔοικεν ἠρεμήσει τινὶ κ̣
ἐπιστάσει μᾶλλον ἢ κινήσει ψα 3. 407 ᵃ32. ἡ πραΰνσις κα-
τάστασις κ̣ ἠρέμησις ὀργῆς Ρβ 3. 1380 ᵃ8.
ἠρεμία. ᾧ ἡ κίνησις ὑπάρχει, τύτῳ ἡ ἀκινησία ἠρεμία Φγ 2.
202 ᵃ5. ἡ ἠρεμία στέρησις τῷ δεκτικῷ, στέρησις τῆς κινή-
σεως Φε 2. 226 ᵇ15. θ 8. 264 ᵃ27. Μ× 12. 108 ᵇ24. Οβ 3.
286 ᵃ26. ποία ἠρεμία κινήσει ἐναντία Φε 6. ἁπλῶς ἐναντίον
κίνησις κινήσει, ἀντίκειται δὲ ἡ ἠρεμία· στέρησις γὰρ Φε 6.
229 ᵇ25. Κ14. 15 ᵇ1. ἠρεμίας μέτρον κατὰ συμβεβηκὸς ὁ
χρόνος Φδ 12. 221 ᵇ8. ἠρεμία ἢ βίᾳ ἢ φύσει Οβ 13. 295
ᵃ7. plur ἠρεμίαι Φε 6. 230 ᵃ1, ᵇ10. ἠρεμεῖν τινα τῶν ἀντι-
κειμένων ἠρεμιῶν Φθ 8. 264 ᵃ24. — τῆς ταραχῆς ἠρεμία τις
κ̣ κατάστασις ἡ τῆς ἐπιστήμης ὕπαρξη Φη 3. 247 ᵇ30.
ἡδονὴ μᾶλλον ἐν ἠρεμίᾳ ἢ ἐν κινήσει Ηη 15. 1154 ᵇ28. εὑ-
ίζονται τὰς ἀρετὰς ἀπαθείας τινὰς κ̣ ἠρεμίας Ηβ 2. 1104
ᵇ25. βίαιοι τῆς ψυχῆς κινήσεις κ̣ ἠρεμίαι ψα 3. 406 ᵃ27.
ἠρεμίζειν, opp κινεῖν νεβ 8. 1224 ᵇ8. ἠρεμίζεσθαι, opp κι-
νεῖσθαι Φζ 7. 238 ᵃ21. ὃ ἠδύμενος ἠρεμίζεται. ἠρεμίζεται
Αγ 29. 87 ᵇ9, 12, 13. ὐκ ἐνδέχεται ἠρεμίζεσθαι τὸ ἠρε-
μῦν Φζ 8. 238 ᵇ25. — τῷ ἠρεμίζεσθαι κ̣ καθίστασθαι
τὴν ψυχὴν ἐπιστήμων γίνεται κ̣ φρόνιμος Φη 3. 247 ᵇ23,
248 ᵃ2.
Ἡριδανὸς προκέχωκε τὰς Ἠλεκτρίδας θ 81. 836 ᵃ30.
Ἡρόδικος πῶς ὑγίαινε Ρα 5. 1361 ᵇ5. eius σκώμματα ἀπὸ
τῷ ὀνόματος Ρβ 23. 1400 ᵇ19. — fort Ἡρόδικος scriben-
dum νεη 10. 1243 ᵇ23 (codd Πρόδικος).
Ἡρόδοτος. τὰ Ἡρόδότυ ἱστορία, ὃ ποίησις πο 9. 1451 ᵇ2.
operis Herodotei ipsum initium adhibetur Ργ 9. 1409 ᵃ27.
Ἡρόδοτος citatur Ργ 16. 1417 ᵃ7 (Her 2, 30). νεη 2.
1236 ᵇ9 (Her 2, 68). Ζιγ 22. 523 ᵃ17. Ζγβ 2. 736 ᵃ10
(Her 3, 101), ὁ μυθολόγος (i e Her 2, 93) Ζγγ 5. 756
ᵃ6, resp Ζιζ 31. 579 ᵇ2 (Her 3, 108).

Ἡρόδωρος, ὁ Βρύσωνος τῦ σοφιστῦ πατήρ Ζιζ5. 563 ᵃ7. ι11. 615 ᵃ9. ὁ Ἡρακλεώτης Ζγγ6. 757 ᵃ4.

ἤρυγγος. Lob Prol 306. τῶν αἰγῶν ὅταν τις μιᾶς λάβη τὸ ἄκρον τῦ ἠρύγγῳ Ζιι3. 610 ᵇ29 cf S II 25, S Theophr IV 817, Rose Ar Ps 356, ΑΖι II 217.

ἡρωικός. ἡρωική τις ϰ θεία ἀρετή Ηη1. 1145 ᵃ20. ημβ5. 1200 ᵇ12. κατά, περὶ τᾶς ἡρωικᾶς χρόνᾶς Πγ14. 1285 ᵇ4, 21. ἡ χλαῖνα ἡρωικὸν φόρημα f 458. 1553 ᵃ27. τὰ ἡρωικὰ πλ1. 953 ᵃ14. ἐν τοῖς ἡρωικοῖς (v l Τρωικοῖς) μυθεύεται Ηα10. 1100 ᵃ8. — τὸ ἡρωικὸν μέτρον στασιμώτατον πο24. 1459 ᵇ32, 34. γλῶτται τοῖς ἡρωικοῖς ἁρμόττᾶσιν πο22. 1459 ᵃ10 (cf 4. 1449 ᵃ27. Ργ8. 1406 ᵇ32. Vhl Poet III 337). ἡρωικὴ ποιητὰί πο4. 1448 ᵇ19.

ἥρωος ῥυθμὸς σεμνὸς Ργ8. 1408 ᵇ32. ἡρῷον μέτρον πο24. 1460 ᵃ3. de formis ἡρῷων et ἡρωικῶν cf Vhl Poet III 337.

ἥρωες πλ1. 953 ᵃ26. οἱ θεοὶ ϰ οἱ ἥρωες Πη14. 1332 ᵇ18. 12. 1331 ᵇ18. οἱ μυθολογᾶμενοι καθεύδειν παρὰ τοῖς ἥρωσιν Φδ11. 218 ᵇ24. ἀνδρῶν ἡρώων κοσμήτορα f 66. 1487 ᵃ32. ἡ Πάραλος ἀπό τινος ἥρωος ἐπιχωρίᾳ ἐκλήθη f 403. 1545 ᵇ1. τί ᾿ᾶκ ἀπήγξω ἵνα Θηβῆσιν ἥρως γένῃ f 460. 1553 ᵇ29. ἥρωας καλεῖσθαι ἀπὸ τῦ ἀέρος f 598. 1578 ᵃ16.

Ἥσαινον. ἐν τῇ Παιονίᾳ ἐν τῷ ὄρει τῷ Ἡσαίνῳ καλᾶμένῳ θι. 830 ᵃ5. cf Beckm p 4, 6.

Ἡσίοδος, eius versus afferuntur addito poetae nomine Th 116 ξ2. 976 ᵇ16. Th 116, 117 Φδ1. 208 ᵇ29. Th 116, 117, 120 ΜΑ4. 984 ᵇ7. ξ1. 975 ᵃ11. Op 25 Πε10. 1312 ᵇ4. Op 293, 295-297 Ηα2. 1095 ᵇ10. Op 405 Πα2. 1252 ᵇ10. οα2. 1343 ᵃ20. Op 699 οα4. 1344 ᵃ16. non addito poetae nomine Op 25 Ηθ2. 1155 ᵃ35. ηεη1. 1235 ᵃ18. Ρβ4. 1381 ᵇ16. 10. 1388 ᵃ16. Op 265, 266 (alter iocose immutatus a Democrito Chio) Ργ9. 1409 ᵃ25. Op 370 Ηι1. 1164 ᵃ27. ηεη10. 1242 ᵇ34. Op 586 (καθάπερ ὁ ποιητής λέγει) πδ25. 879 ᵃ28. Op 715 Ηι10. 1170 ᵇ21. Op 763. Ηη14. 1153 ᵇ27. fr 217 Gtlg Ηε8. 1132 ᵇ27. fr 231 Gtlg Ζιθ18. 601 ᵇ1. — Ἡσίοδος ϰ πάντες ὅσοι θεολόγοι ᾿ᾶκ ἐφρόντισαν τῶ πιθανῶ ΜΒ4. 1000 ᵃ9. πάντα γενέσθαι φησί Ογ1. 298 ᵇ28. τὴν γῆν πρώτην γενέσθαι ΜΑ8. 989 ᵃ10. cf Bz ad 3. 983 ᵇ28. πρῶτος ἐζήτησε τὴν ἀρχὴν ὅθεν ἡ κίνησις ΜΑ4. 984 ᵇ23. Hesiodus respici videtur Μλ6. 1071 ᵇ27. ν4. 1091 ᵃ34. Ἡσιόδῳ ζῶντι Κέρκωψ, τελευτήσαντι δὲ Ξενοφάνης ἐφιλονείκει f 65. 1486 ᵇ31. Hesiodi mors f 524. — Ἡσιόδειον γῆρας f 524. 1563 ᵇ35.

Ἡσιόνη ἐν τῷ Τεύκρῳ Sophoclis (Nck fr trg p 204) Ργ15. 1416 ᵇ2.

ἡσυχάζειν, opp κινεῖσθαι Φθ2. 252 ᵇ19. Οδ4. 311 ᵇ23. πιβ5. 907 ᵃ6. ᾿ᾶ δύναται τὸ νέον ἡσυχάζειν Πθ6. 1340 ᵇ29. τὰ ἔντομα (καθεύδοντα) ἡσυχάζᾶσι ϰ ἀκινητίζᾶσιν ἐπιδήλως Ζιδ10. 537 ᵇ7. — ἀδυνατεῖν ἡσυχάζειν, opp ἱκανῶς ἔχειν οα4. 1344 ᵃ14. ὁ δῆμος πότε ἡσυχάζει Πβ9. 1270 ᵇ18. 10. 1272 ᵃ39, 32.

ἡσυχία. ἡσυχίαι, opp κινήσεις οα3. 1344 ᵃ5. — ἡσυχίαν ἄγειν μὴ μετέχοντα τῶν τιμῶν Πδ13. 1297 ᵇ7. ἐν ἐρημίᾳ καθ᾿ ἡσυχίαν βᾶλεύεσθαι περὶ τῶν τοιᾶτων ἔθος f 154. 1504 ᵃ11.

ἡσύχιος, opp ὀξύς Ηγ10. 1116 ᵃ9. τὸ γοερὸν ϰ ἡσύχιον Φθος πιθ48. 922 ᵇ20.

ἠτίχαριν πο22. 1458 ᵇ9 (fort Ἠπιχάρην i e Ἐπιχάρην, cf Vhl Poet III 321).

ἤτοι v ἤ.

ἦτρον. τὸ μονοφυὲς τὸ ὑπὸ τὸν ὀμφαλὸν ἦτρον Ζιια13. 493 ᵃ19. κοινὸν μέρος μηρῷ ϰ ἤτρᾳ βᾶβῶνι Ζιια14. 493 ᵇ8. τὰ

V.

κάτω τῦ ἤτρᾳ Ζιια15. 493 ᵇ22. ὅσαι γυναῖκες τὸ ἦτρον προαλγᾶσι, ταχὺ τίκτᾶσιν Ζιη9. 586 ᵇ32. τέμνειν τὸ ἦτρον Ζιι50. 632 ᵃ24 (cf v l Aub). ἔχει ἡ βελόνη διαφύσιν τινα ὑπὸ τὴν γαστέρα ϰ τὸ ἦτρον Ζιζ13. 567 ᵇ25. cf ΑΖι II tab 2.

ἦττα. φεύγων τὰς λύπας μὴ δι᾿ ἧτταν ἀλλὰ διὰ προαίρεσιν Ηη8. 1150 ᵃ24. ἡδέων ἧττα ϰ αἴσθησις ηεη2. 1230 ᵇ18.

ἡττᾶσθαι. ἡττηθέντων ϰ ἀπολομένων πολλῶν Πε3. 1303 ᵃ4, 1302 ᵇ31. ὅταν ἡ ἀρχὴ μὴ κρατῇ ταύτῃ ἀλλ᾿ ἡττηθῇ Ζγδ1. 766 ᵃ20. ἡττηθέντος τάτᾳ τῦ πνεύματος μβ8. 368 ᵇ4. ἡττᾶσθαι ἡδονῶν, opp κρατεῖν Ηη8. 1150 ᵃ12. ὥσπερ ἡττηθέντες ὑπὸ ταύτης τῆς ζητήσεως ΜΑ3. 984 ᵃ30.

ἥττων. τὸν ἥττω λόγον κρείττω ποιεῖν Ρβ24. 1402 ᵃ24. ἥττων τῶν ἡδονῶν Ηη8. 1150 ᵃ13. ἑκάστῳ μὲν κρείττων, τῷ δὲ πλήθει ἥττων Πγ15. 1286 ᵇ37. μηδενὸς ἥττων κατ᾿ ἀρετὴν Πε7. 1306 ᵇ32. logice ἧττον i q subordinatum Αα31. 46 ᵇ1. — ἧττον c adiectivis, ἧττον εἰλικρινές, λεπτόν, μόνιμον μα3. 340 ᵇ8. γι. 370 ᵇ8. Πε7. 1307 ᵃ14 al. c verbis ἧττον ἁρμόττειν, σήπεσθαι μβ3. 356 ᵇ17. δ1.379 ᵇ2 al. ἧττον προΐενται Ηδ2. 1120 ᵃ17. τὸ μᾶλλον ϰ ἧττον, δέχεσθαι τὸ, διαφέρειν τῷ, τόπος ἐκ τῦ μᾶλλον ϰ ἧττον Πα13. 1259 ᵇ38. ε1. 1301 ᵃ14. Ηκ2. 1173 ᵃ25, 27. αα4. 341 ᵇ5. 11. 347 ᵇ16. Ρβ23. 1397 ᵇ12-27 al. ἰέναι ἐπὶ τὸ ἧττον, ἐπὶ τὸ μᾶλλον Φε2. 226 ᵇ4. τὸ μᾶλλον ϰ ἧττον ἐστι τῷ πλέον ἢ ἔλαττον ἐνυπάρχειν τᾶναντία ϰ μὴ Φε2. 226 ᵇ7. 4. 229 ᵃ2. — ᾿ᾶδὲν ἧττον. nihilo minus Πδ1. 1288 ᵇ18. μβ3. 358 ᵇ33. Ζια5. 490 ᵃ31. ᾿ᾶχ ἧττον i q μᾶλλον Ηδ1. 1120 ᵃ20. πιθ3. 917 ᵇ31. — ἧττον cum comparativis coniunctum, v s Comparationis gradus. — ἥκιστα φιλολόγοι al Ρβ23. 1398 ᵇ14. Ηδ8. 1125 ᵃ9. ἥκιστα αὕτη πολιτεία ἐστί sim Πδ8. 1293 ᵇ29. ε1. 1301 ᵃ40. ὅσα ἥκιστα κάεται μόνα μδ9. 388 ᵃ5. ᾿ᾶχ ἥκιστα i q μᾶλιστα Πθ5. 1340 ᵃ9.

Ἥφαιστος γελᾷ μβ9. 369 ᵃ32. οἱ τᾶ Ἡφαίστᾳ τρίποδες (cf Hom Σ 376) Πα4. 1253 ᵇ36. τέσσαρα δ᾿ Ἡφαίστοιο (Emped 215) ψα5. 410 ᵃ6.

ἠχεῖν. τὸ ἠχεῖν ἐστι τὸ ὣς ὥσπερ τὸ κέρας ψβ8. 420 ᵃ16. — ἠχᾶσιν οἱ τόποι ἐξ ὧν γίνεται τὰ ἀναφυσήματα μβ8. 367 ᵃ14. τὰ κοῖλα μᾶλλον ἠχεῖ sim πια8. 899 ᵇ33, 26. 7. 899 ᵇ18. ἐὰν ἡ μέση κινηθῇ, ϰ αἱ ἄλλαι χορδαὶ ἠχᾶσι φθεγγόμεναι πιθ36. 920 ᵇ8. — ἠχεῖν de ἀνακλάσει soni Αδ15. 98 ᵃ27, 29.

ἦχος. οἴονται κατὰ τὰς ὕπνᾶς βροντᾶσθαι μικρῶν ἤχων ἐν τοῖς ὠσὶ γινομένων μτ1. 463 ᵃ13. ὁ ἦχος ὁ ἐν τοῖς ὠσὶν πλβ9. 961 ᵃ16. — ὁ ἀπὸ τῶν ὑδάτων ἦχος συνέχει τὴν ἀκρίβειαν τὴν τῶν φθόγγων ακ804 ᵃ30. καθ᾿ ὅ τι ἂν προσκόψῃ φερομένως ὁ ἦχος πια8. 899 ᵃ27. τὰς ἠχὰς διασπᾶσθαι ϰ μὴ συνεχεῖς ἐκπίπτειν ακ802 ᵃ22. ἀποκρύπτεσθαι τὰς ἠχὰς συμβαίνει ὑπ᾿ ἀλλήλων, syn συγκεῖσθαι τὰς φωνὰς ακ801 ᵇ21, 19. πιθ43. 922 ᵃ14. — οἱ τῶν κεράτων ἦχοι ακ802 ᵃ18. τὰς χορδὰς συγκινεῖσθαι καί τιν᾿ ἦχον ποιεῖν πιθ42. 921 ᵇ29. συμφωνὰς μάλιστα γίνεσθαι τῇ τῆς νήτης φθόγγῳ ὁ ἀπὸ τῆς ὑπάτης ἦχος διὰ τὸ σύμφωνος εἶναι πιθ24. 919 ᵇ17. 42. 921 ᵇ19. ὁ γλαύκις ἐρύκων τὰ ἰχθύδια ἄττει ϰ ἦχον ποιεῖ Ζιι37. 621 ᵃ29. — ἦχοι πυκνοὶ ϰ συνεχεῖς προσπίπτοντες ακ802 ᵃ18, κωφοὶ ϰ ἀνώμαλοι 802 ᵃ29, πυκνοὶ ϰ λεῖοι ϰ ὁμαλοὶ 802 ᵇ12, ἦχος ἁπαλώτερος 802 ᵇ5, μαλακώτατος 803 ᵃ26, σαθρὸς 804 ᵃ35. — ἦχος i q repercussus soni πια8. 899 ᵇ30 (ἤχω Bussem).

ἠχώ. 1. i q ἦχος πιθ42. 921 ᵇ18. 50. 922 ᵇ37. — 2. repercussus soni. πῶς γίνεται ἠχώ ψβ8. 419 ᵃ25, 28. ἡ ἠχὼ ἀνάκλασίς πια8. 899 ᵇ27, 30 (ἤχω Bsm, ἦχος Bk). 45. 904

ᵃ38. 23. 901 ᵇ17. 51. 904 ᵇ28 (cf Aδ15.98ᵃ29). τῆς ἠχῆς
ὀξύτερος φαίνεται ὁ ψόφος πια6. 899 ᵃ24.

ἠών. ὅτε ἀπὸ τῆς Ἀσίας ἠόνα ποιήσειεν ὁ ῥῦς μα14. 353

ᵃ10, 11.

ἠὼς ῥοδοδάκτυλος, ἡ φοινικοδάκτυλος ὅσ᾽ ἐρυθροδάκτυλος Pγ2.
1405 ᵇ20.

Θ

θαλάμη. 1. cavum. τῶν σπόγγων ἐν ταῖς θαλάμαις γίνονται
πιννοφύλακες Ζιε16. 548 ᵃ28, 29. τῶν δὲ ἐν τῇ καρδίᾳ ἑκα-
τέρας τῆς θαλάμης κοινὴ ἡ μέση υ3. 458 ᵃ17. — 2. lati-
bulum aquatilium quorundam. ἀπὸ τῆς θαλάμης προέρχονται
μικρὸν οἱ ἰχθύες ἐπὶ νομὴν Ζιθ15. 599 ᵇ15. δ᾽8. 533 ᵇ7.
θαλάμαι καράβων, πολυπόδων, σωλήνων Ζιθ2. 590 ᵇ21, 24,
591 ᵃ3. ε18. 549 ᵇ32, 34. δ8. 535 ᵃ17 (cf Lewes Natur-
studien am Seestrande p 355). — 3. τῇ φωλίδι ἡ μύξα
περιπλάττεται περὶ αὐτὴν ὃ γίνεται καθάπερ θαλάμη (?)
Ζυ37. 621 ᵇ9.

θάλαττα. περὶ θαλάττης μβ1-3. πκγ. θαλάττης τὸ ἴδιον
τε5. 135 ᵃ28. ἡ θάλαττα πότερον ἀρχὴ παντὸς τῦ ὕδατος
μβ2. 354 ᵇ4sqq, 356 ᵇ1. ἡ θάλαττά ἐστιν ἅπαν τὸ ποτά-
μιον ὕδωρ μβ8. 357 ᵃ21. τῆς θαλάττης αἱ μεταβολαί μα13.
14. Ζγδ10. 777 ᵇ31. τὴν θάλατταν μὴ ἐλάττω γίγνεσθαι
τὸ πλῆθος μβ3. 356 ᵇ9sqq. θαλάττης μὴ εἶναι πηγάς μβ1.
353 ᵇ17-35. ἡ θάλαττα ῥέουσα φαίνεται κατὰ τὰς στενό-
τητας, τῆς θαλάττης ταλάντωσις (num fluxus et refluxus
Ideler I 501) μβ1. 354 ᵃ5, 11. θαλάττης βάθος διάφορον
μβ1. 354 ᵃ19sqq. α14. 352 ᵇ23 (Ideler I 489). ἡ θάλαττα
διὰ τί θερμή ἐστιν μβ3. 358 ᵇ7sqq. Ζγγ11. 761 ᵇ9. πκγ7.
932 ᵃ39. 16. 933 ᵃ34. κϛ30. 943 ᵇ11. ἡ θάλαττα ὑγρὰ ὃ
σωματώδης, πολὺ ἔχει τὸ γεῶδες Ζγγ11. 761 ᵇ9, 762 ᵃ23.
θαλάττης σωματώδης μβ3. πκγ30. 934 ᵇ23. 31. 934 ᵇ37.
35. 935 ᵃ34. f 209. 1516 ᵃ14. πῶς πότιμον ὕδωρ ἐκ θα-
λάττης γίνεται μβ3. 359 ᵃ1. Ζιθ2. 590 ᵃ22. ἡ θάλαττα
ἅπασα ἡ σήπεται μδ1. 379 ᵇ4. τὴν θάλατταν μὴ εἶναι
ἱδρῶτα τῆς γῆς μβ3. 357 ᵃ25sqq. ἡ θάλαττα σωματώδης
μᾶλλον τὸ πότιμον, πολὺ ἐν αὐτῇ τὸ γεῶδες Ζγγ11. 761
ᵇ9, 762 ᵃ27. ἡ θάλαττα ποιεῖ καθ᾽ ἑαυτὴν ψάμμον φτβ2.
823 ᵇ19, ἔχει ὀσμὴν αι5. 443 ᵃ12. θαλάττης χρῶμα Ζγε1.
779 ᵇ30. χ2. 792 ᵃ20. πκγ6. 932 ᵃ31. 23. 934 ᵃ20. κϛ37.
944 ᵇ21. ἔδαφος τῆς θαλάττης Ζιδ8. 534 ᵃ11. κυανόχρων
τὸ τῆς θαλάττης ἔδαφος (Alcidam) Pγ3. 1406 ᵃ5. ἡ θά-
λαττα εὐδιοπτοτέρα τῦ ποτίμυ πκγ8. 932 ᵇ8. 38. 935 ᵇ17.
cf 9. 932 ᵇ16. ἀπὸ θαλάττης ἠκ ἀποπνεῖ ἔωθεν ψυχρόν
πκγ16. 933 ᵃ27. κϛ30. 943 ᵇ4. ἡ θάλαττα ἀνατρέπεται
Ζιθ15. 606 ᵃ4, κάεται πκγ15. 933 ᵃ17. 32. 935 ᵃ5. ὅταν
εἰς θάλασσαν ἐμπέσῃ κεραυνός, ἄλες ἐξανθῦσιν f 210. 1516
ᵃ24. τὰ ὦτα ἐν τῇ θαλάττῃ ῥήγνυται τοῖς κολυμβῶσιν πλβ2.
960 ᵇ8. αἱ περὶ θάλατταν πέτραι Ζιε9. 542 ᵇ18 (cf περί).
— πρὸς θάλατταν προσήκει τὴν ἀρίστην πόλιν κεῖσθαι Πη6.
5. 1327 ᵃ4. 11. 1330 ᵃ35. 12. 1331 ᵇ3. ἡ τῆς θαλάσσης
ἀρχή Πβ3. 1270. 1271 ᵃ27. ἡ κατὰ θάλατταν δύναμις Πε4.
1304 ᵃ24. τὸ περὶ θάλατταν (int εἶδος δήμυ) Πδ4. 1291
ᵇ20. — θάλατται πλείους enumerantur μβ1. 354 ᵃ2sqq. ἤδε
ἡ θάλασσα μβ2. 356 ᵃ29, Ideler I 519. ἡ ἔσω θάλασσα
κ3. 393 ᵇ29, ᵃ19. ἡ ἔξω θάλαττα μα13. 350 ᵃ22, ᵇ13, Ide-
ler I 456. ἡ ἔξω Λιβύην θάλαττα ἡ νοτία μβ5. 363 ᵃ5. ἡ
ἀπὸ Κυρήνης πρὸς Αἴγυπτον Ζιε31. 557 ᵃ29. ἡ θάλαττα ἡ
ἐρυθρά μκ5. 466 ᵇ21. Ζιθ28. 606 ᵃ12. φτα4. 819 ᵇ41. ἡ
θάλαττα ἡ ἐν τῷ Πόντῳ, ἡ ἐν τῷ Αἰγαίῳ πκγ6. 932 ᵃ31.
ἡ θάλαττα ἐν τοῖς βορείοις, ἐν τοῖς νοτίοις πκγ9. 932 ᵇ16.
ἡ νεκρὰ θάλασσα φτβ2. 824 ᵃ26.

θαλάττιος (θαλάσσια Ζιι48. 631 ᵃ8. f 189. 1511ᵇ35).1. ani-
malia marina. τῶν ἐνύδρων τὰ μέν ἐστι θαλάττια, τὰ δὲ
ποτάμια, τὰ δὲ λιμναῖα, τὰ δὲ τελματιαῖα· τῶν δὲ θαλατ-
τίων τὰ μὲν πελάγια, τὰ δὲ αἰγιαλώδη, τὰ δὲ πετραῖα
Ζιa1. 487 ᵃ26, 488 ᵇ7. cf 4. 489 ᵃ33. τὰ θαλάττια ζῷα
vel τὰ θαλάττια Ζιι37. 620 ᵇ10. 48. 631 ᵃ8. 817. 601 ᵃ10.
Ζμδ2. 676 ᵇ29. Ζγβ1. 732 ᵃ34. 7. 746 ᵇ5. πι55. 897ᵇ14.
f 189. 1511 ᵇ35. τὰ τριχώματα τῶν θαλαττίων χ4. 794
ᵃ23. enumerantur αἱ σφαῖραι αἱ θαλάττιαι. οἱ φθεῖρες οἱ
θαλάττιοι sim Ζιι14. 616 ᵃ20. ε31. 557 ᵃ25. θαλάττιος, opp
χερσαῖος· χελώνη Ζιβ16. 506 ᵇ27, 29. 17. 508 ᵃ5. ε33.
558 ᵃ11. θ2. 589 ᵃ26, 590 ᵇ4. Ζμγ8. 671 ᵃ17, 25. 9. 671
ᵃ28, ὄφεις Ζιβ14. 505 ᵇ8, 10. ι37. 621 ᵃ2, βάτραχος θ72.
835 ᵇ13, σκολόπενδραι Ζιβ14. 505 ᵇ13. ἰχθύες θαλάττιοι,
opp ποτάμιοι, λιμναῖοι Ζιζ14. 568 ᵃ14, ᵇ7. 819. 602 ᵇ19.
ι2. 610 ᵇ19. — 2. τὸ θαλάττιον ὕδωρ σωματωδέστερον
τῦ ποταμίυ πκγ13. 933 ᵃ12. τὸ θαλάττιον (sc ὕδωρ): τὸ
γλυκὺ τῦ θαλαττίυ ὑπερκεῖσθαι φτβ2. 824 ᵃ35. — 3. οἱ
θαλάττιοι Ηγ9. 1115 ᵇ1. πγ32. 875 ᵇ34, 38. Ζιζ13. 558
ᵃ9. Γλαῦκος ὁ θαλάσσιος δαίμων f 448. 1551 ᵇ28.

θαλαττῦν. ἐπιδρομαὶ κυμάτων ἠπείρυς ἐθαλάττωσαν ὃ θα-
λάττας ἠπείρωσαν κ6. 400 ᵃ27.

θάλειαν δαῖτα (cf Ὅμηρος extr) Πβ3. 1338 ᵃ25.

Θαλῆς ὁ τῆς τοιαύτης ἀρχηγὸς φιλοσοφίας ὕδωρ φησὶν εἶναι
(int τὴν ἐν ὕλης εἴδει ἀρχήν), διὸ ὃ τὴν γῆν ἐφ᾽ ὕδατος
ἀπεφήνατο εἶναι ΜΑ3. 983 ᵇ20 Bz, 984 ᵃ2. Οβ13. 294ᵃ29.
resp Φα2. 184 ᵇ13. γ4. 203 ᵃ18. Ου5. 303 ᵇ11. Μβ1.
996 ᵃ9. Θαλῆς τὸν λίθον ἔφη ψυχὴν ἔχειν ψα2. 405 ᵃ19.
Θαλῆς ᾠήθη πάντα πλήρη θεῶν εἶναι ψα5. 411 ᵃ8. resp
κ6. 397 ᵇ16. — Θαλῆς σοφός, φρόνιμος δ᾽ ἤ Ηζ7. 1141
ᵇ4. Θαλέω τῦ Μιλησίυ κατανόημα περὶ τῶν ἐλαιυργίων
Πα11. 1259 ᵃ6, 18, 31. Ὀνομακρίτυ τῦ Λοκρῦ γενέσθαι
Θάλητα ἑταῖρον, Θάλητος δ᾽ ἀκροατὴν Λυκῦργον ὃ Ζά-
λευκον Πβ12. 1274 ᵃ28. Θάλητι Φερεκύδης ἐφιλονείκει f 65.
1486 ᵇ33.

θαλλὸς πιαίνει τὰ πρόβατα Ζιθ10. 596 ᵃ25. (olea Gazae cf
Ruhnk ad Tim lex 136.)

θάλπειν. αἱ θερμαὶ φύσεις ἐν τῷ θέρει συμπίπτυσιν, αἱ δὲ
ψυχραὶ θαλπυσιν πδ25. 879 ᵃ33.

Θάλπιος. ἐπίγραμμα ἐπὶ Θαλπίυ f 596. 1576 ᵇ22.

θαμβεῖν. ὁ δειλὸς ἠκ ἰταμὸς ἀλλ᾽ ὕπτιος ὃ τεθαμβηκώς
φ3. 807 ᵇ11.

θάμνοι, μέσον δένδρων ὃ βοτανῶν φτα4. 819 ᵇ1. cf Meyer,
Nicol Damasc 18, 1. ὅσα περὶ θάμνυς ὃ λαχανώδη πκ923
ᵃ4-927 ᵃ8.

θανάσιμα δήγματα Ζιθ29. 607 ᵃ27, νοσήματα Ζιθ20. 605
ᵃ20. πα28. 862 ᵇ17.

θανατηφόρος. ὀδύναι θανατηφόροι Ζμγ9. 672 ᵃ36. θανατη-
φόρα def, dist φάρμακα πα47. 865 ᵃ9.

θάνατος. ὁ θάνατος πέρας Ηγ9.1115 ᵃ26. πᾶσι τοῖς ζῴοις κοινὴ
γένεσις ὃ θάνατος αν17. 478 ᵇ22. τοῖς φυτοῖς αὔανσις, ἐν
τοῖς ζῴοις καλεῖται θάνατος αν18. 479 ᵇ4. ὁ θάνατος ψύξις,
σῆψίς τις πιθ9. 909 ᵇ28. ἄλυπος ὁ ἐν τῷ γήρᾳ θάνατος
αν17. 479 ᵃ21. θάνατος κατὰ φύσιν, opp βίαιος αν17. 478

[b]24. ὁ ἐγκέφαλος ξηραινόμενος ποιεῖ νόσης ἢ θανάτης Ζμβ7. 653 [b]5. — θάνατος, caedes, Ηε5. 1131 [a]8. Πβ8. 1267 [b]39. οἱ ἐν τῷ φανερῷ θάνατοι πο11. 1452 [b]12. κύριοι θανάτη ἢ φυγῆς Πδ9. 1294 [b]34. 14. 1298 [a]5. πὰρ γὰρ ἐμοὶ θάνατος (cf Hom B 393) Πγ14. 1285 [a]14.

θανατᾶν. θανατῶσαι, dist φυγαδεῦσαι οβ1347 [b]33. θανατω-θῆναι θ78. 836 [a]6.

θανατῶδες μετόπωρον παι9. 861 [b]3.

Θαργήλια μετὰ τὰ Διονύσια Μδ24. 1023 [b]11. ὁ ἄρχων διατίθησι τὰ Θαργήλια f 381. 1541 [b]7, 22.

Θαργηλιῶν. ἐν Θαργηλιῶνι Ζιε11. 543 [b]7. περὶ τὸν Θαρ-γηλιῶνα μῆνα Ζιζ21. 575 [b]15. ι5. 611 [b]9.

θαρραλέος. περὶ ποῖα θαρραλέοι εἰσὶ ἢ πῶς διακείμενοι Ρβ5. 1383 [a]14-[b]11. ὁ θρασὺς ὅμοιόν τι ἔχει τῷ θαρραλέῳ Ηη10. 1151 [b]7. διάθερμοι ἢ θαρραλέοι πκζ3. 947 [b]24. — τὸ θαρ-ραλέον, opp τὸ φοβερόν, τὸ δεινὸν Ηγ10. 1115 [b]10. ηεγ1. 1229 [b]24. Ρβ5. 1383 [a]16, 19. ψγ3. 427 [b]22. — θαρρα-λεώτερον ἀγωνίζεσθαι ηεγ1. 1230 [a]10. τὰ ἐλάττης ἢ μέσας ἔχοντα τὰς καρδίας θαρραλεώτερα, opp δειλά Ζμγ4. 667 [a]16.

θαρρεῖν. θαρρῆσαι, opp φοβηθῆναι (exemplum πάθης) Ηβ5. 1106 [b]18. περὶ ποῖα θαρρῶσιν Ρβ5. 1383 [a]14-[b]11. τὸ σφό-δρα θαρρεῖν θρασύτης Ρβ14. 1390 [a]31. τὸ θαρρεῖν πάθος ὀκ ἄνευ σώματος ψα1. 403 [a]7. — θαρρεῖν περί τι Ρβ5. 1383 [a]14. ημα20. 1190 [b]12. θαρρεῖν c acc obiecti, οἱ ἄπειροι θαρ-ρῦσι τὰ μέλλοντα Ρβ5. 1383 [a]31. φιλῦμεν τὰς μὴ φοβερὰς ἢ ἃς (cod Α[c], οἷς Bk) θαρρῶμεν Ρβ4. 1381 [b]33. εἴ τις φοβεῖται νόσον (μόνον codd Bk) ἢ θαρρεῖ ημα20. 1190 [b]13.

θαρρητικός. πκζ3. 947 [b]26.

θάρρος, θάρσος. φόβοι ἢ θάρρη Ζιθ1. 588 [a]22. ἡ ἀνδρεία μεσότης περὶ φόβης ἢ θάρρη Ηβ7. 1107 [a]33. γ9. 1115 [a]6. 12. 1117 [a]29. τὸ θάρσος πάθος μετὰ σώματος ψα1. 403 [a]17. ἐναντίον τῷ φόβῳ Ρβ5. 1383 [a]16. ἀνδρίας ἢ χρήματα ποιεῖν ἐστὶ ἀλλὰ θάρσος Πα9. 1258 [a]11. — θάρσος et θράσος dist ηεγ7. 1234 [b]2. cf Πα9. 1258 [a]10. ε10. 1312 [a]19, sed cf Bz ad ηεγ7. 1234 [b]2. παρέπεται τῇ ἀνδρείᾳ τὸ θάρσος μα4. 1250 [b]5.

Θάσιος. Ἡγήμων ὁ Θάσιος πο2. 1448 [a]12. Ἱππίας ὁ Θάσιος πο25. 1461 [a]22. — τὰ Θάσια θ104. 839 [b]7.

Θάσος. περὶ Θάσον Ζιε17. 549 [b]16.

θαῦμα μχ848 [a]11. τῶν θαυμάτων ταὐτόματα ΜΑ2. 983 [a]14 Βz. Ζγβ1. 734 [b]10. ὥσπερ ἐν τοῖς αὐτομάτοις θαύ-μασι Ζγβ5. 741 [b]9. δημηγορῦντες ἐν τοῖς ὄχλοις καταρρί-βησιν ὅλην τὴν ἡμέραν ἐν τοῖς θαύμασιν f 72. 1488 [a]3.

θαυμάζειν. διὰ τὸ θαυμάζειν οἱ ἄνθρωποι ἤρξαντο φιλοσο-φεῖν ΜΑ2. 982 [b]12. ἐν τῷ θαυμάζειν τὸ ἐπιθυμεῖς μαθεῖν ἐστὶν Ρα11. 1371 [a]32. θαυμάζεται τῶν κατὰ φύσιν συμ-βαινόντων ὅσων ἀγνοεῖται τὸ αἴτιον μχ847 [a]11. τίνας θαυ-μάζομεν ἢ ὑπὸ τίνων βηλόμεθα θαυμάζεσθαι Ρβ6. 1384 [a]29, cf Ηα2. 1095 [a]26. τὸ θαυμάζεσθαι ἐν ὑπεροχῇ ἐστὶν ηεη4. 1239 [a]26, 30. — τὴν ἡμέραν τὰ ὀρνίθια τὴν γλαύκην περιπέτεται, ἣ καλεῖται θαυμάζειν Ζιι1. 609 [a]15. — θαυ-μαστόν τι συμβαίνει μχ 847 [b]18. θαυμαστὴ ταχυτής, διαφορά, ἀπορία μα4. 342 [a]5. Οα4. 271 [b]15. Γα3. 317 [b]18. οἱ ὕες ποιῦνται πρὸς ἀλλήλης μάχας θαυμαστάς Ζιζ 18. 571 [b]16. θαυμαστόν εἰ Μκ6. 1063 [a]36. μ7. 1082 [b]21. θαυμαστὸν ἐπιθυμητὸν Ρα11. 1371 [a]33, ἡδὺ Ργ2. 1404 [b]12. πο24. 1460 [a]17. δεῖ ἐν ταῖς τραγῳδίαις ποιεῖν τὸ θαυ-μαστόν πο24. 1460 [a]12.

θαυμάσιον ἂν εἴη ξ6. 979 [b]7. τὰ θαυμάσια ἢ περιττὰ τῶν ἔργων Πθ6. 1341 [a]11. — θαυμασιώτερον μχ 847 [b]17. ἡ

βελτιόνων ἢ θαυμασιωτέρων εἴδησις τιμιωτέρα ψα1. 402 [a]3. τὸ δὲ ἔτι θαυμασιώτερον, ὅτι πις1. 913 [a]22.

θαυμασιότης τὸ5. 126 [b]15.

θαυμαστὴς τῶν ἀπόντων Ργ2. 1404 [b]11. θαυμασταὶ οἱ ζη-λωταὶ Ρβ6.1384 [b]37. φαινόμενος θαυμαστὴς Ρα11.1371 [a]23.

θαυμαστικός. ὁ θαυμαστικὸς ὁ μεγαλόψυχος Ηδ8.1125 [a]2.

θαυμαστή. ἡ φάττα ἐφθέγξατό ποτε χειμῶνος ἢ ἐθαυμα-στώθη ὑπὸ τῶν ἐμπείρων Ζιι49Β. 633 [a]8.

θαυματοποιός πιη6. 917 [a]8. θαυματοποιοὶ ἐργαζόμενοι οβ1346 [b]21.

θαψία παύει τὰ ὑπώπια πθ9. 890 [b]7. θαψίας ὀπὸς κινεῖ τὴν κοιλίαν πα41. 864 [a]5. (Thapsia garganica L cf Fraas 145.)

θεά. αἱ σεμναὶ θεαὶ Ρβ23. 1398 [b]6.

θέα. πορρωτέρω ἡ θέα Ργ12. 1414 [a]9. ἀκροτάτην ἔχει θέαν (τί ἐστιν ὁ τόπος) Φδ2. 209 [b]20. διάρασθαι πρὸς τὴν τῶν ὅλων θέαν χ1. 391 [a]3.

Θεαγένης ἐν Μεγάροις Πε5. 1305 [a]24. Ρα2. 1357 [b]33.

θέαιναι (Hom Θ 20) Ζχ4. 700 [a]2.

θέαμα Ηα9. 1099 [a]9.

θεᾶσθαι. ἐν τοῖς ζῴοισιν ἀδύνατον θεάσασθαι πῶς ἔχυσιν αἱ φλέβες Ζιγ2. 511 [b]19. ἀνόστεος ἡ καρδία πάντων ὅσα ἢ ἡμεῖς τεθεάμεθα Ζιγ4. 660 [b]18. θεασάμενοι μεθ᾽ ἡμέραν ἥλιον περιπολῶντα f 12. 1476 [a]6. εἰκόνα, syn θεωρεῖν Πθ5. 1340 [a]25, 27. θεώμενοι ὅτι τὸ τρίγωνον δύο ὀρθαῖς κτλ πλ7. 956 [a]15. ὥσπερ πρὸς παράδειγμα, ὥσπερ τὸ διά-γραμμα γιγνόμενον θεᾶσθαι τζ14. 151 [b]21. Οα10.280 [a]2. ἐκ πονηρῶ θεᾶσθαι Ηι7. 1167 [b]26 (cf ᾽Επίχαρμος). τί ἔστα-ται ὁ θεὸς ημβ10. 1213 [a]1-7. νομοθέτη τὸ θεάσασθαι πόλιν ἢ γένος ἀνθρώπων Πη2. 1325 [a]8. τῶν τὰς ἰδέας λεγόντων θεάσαιτ᾽ ἄν τις τὸν τρόπον Μμ10. 1086 [a]31. ὁ τεθεαμένος τὴν ἰδέαν, ἀκριβῶς τὰ συμβαίνοντα Ηα4. 1097 [a]10. κ10. 1180 [b]7. τεθεαμένα τὰ βέλτιστα Ρβ6. 1384 [b]15.

θεατὴς πεπαιδευμένος, φορτικός Πθ7. 1342 [a]19, 27. 6.1341 [b]16. θεαταὶ ἰάμβων, κωμῳδίας Πη17. 1336 [b]20. οἱ θεαταὶ οἰκειῶνται ταῖς πρώταις ἀκοαῖς Πη7. 1336 [b]30. ποιεῖν κατ᾽ εὐχὴν τοῖς θεαταῖς πο13. 1453 [a]35. — ὁ γεωμέτρης θεατὴς τἀληθῶς Ηα7. 1098 [a]31.

θεατρικός. οἱ τὴν θεατρικὴν μυσικὴν μεταχειριζόμενοι ἀγω-νισταί Πθ7. 1342 [a]18.

θέατρον. τραγῳδία ἔχει τοῖς εἴδεσιν ἱκανῶς αὐτό τε καθ᾽ αὑτὸ κρινόμενα ἢ πρὸς τὰ θέατρα πο4. 1449 [a]9, Vhl Poet I 43. — θέατρον i q οἱ θεαταί. διὰ τὴν ἀσθένειαν τῶν θεάτρων, syn κατ᾽ εὐχὴν ποιεῖν τοῖς θεαταῖς πο13. 1453 [a]34. παραλογισμὸς τῶ θεάτρω πο16. 1455 [a]13.

θεαφώδεις τόποι φτβ4. 826 [a]2.

θεῖν. οἱ θέοντες θᾶττον θέησι παρασείοντες τὰς χεῖρας Ζπ3. 705 [a]17. θεῖν, dist βαδίζειν πε18. 822 [b]22. 29. 883 [a]31. ταχέως θεῖν, θέησι θᾶττον τῶν Νυσαίων ἵππων, αἱ ἵπποι θέησιν ἐκ τῶν ἄλλων ἵππων Ζιδ2. 525 [b]8. ι50. 632 [a]30. ζ 18. 572 [a]15, 16. ὁ Ζήνωνος λόγος. ὅτι τὸ βραδύτερον ηδέποτε καταληφθήσεται θέον ὑπὸ τὸ ταχίστη Φζ9. 239 [b]15. τὸ ἀὶ θέον μᾶσα θέον Φζ9. 240 [b]25. τῷ πλοίω θέοντος Φζ10. 240 [b]19. — συνέκυρσε θέων (Emp 260) Γβ6. 334 [a]3. — φλὲψ ἀνὰ νῶτα θέησα (Hom N 547) Ζιγ3. 513 [b]28. — forma θέειν πε18. 882 [b]23.

θεῖον, sulphur, τὸ θεῖον ἢ τὰ ἀσφαλτώδη φθαρτικὰ τῶν ζῴων μ5. 444 [b]33. ᾽βθ9. 421 [b]25. cf Ζιθ8. 534 [b]22. θεῖον ὀρυκτὸν μγ7. 378 [a]33. θεῖν ὀσμὴ Ζιθ8. 534 [b]21. θείη ὄζειν πκδ18. 937 [b]25. θεῖν χρῶμα χ2. 792 [b]27. θεῖον ἢ κεραυνὸς ἱερώτατα πκδ19. 937 [b]28.

θεῖος (cf τὸ θεῖον s v θεός) i q θεῦ vel θεῶν. θείας δυνάμεως ἔργον Πη 4. 1326 a32. cf κ 6. 397 b19. ὅρκος ἐστὶ μετὰ θείας παραλήψεως φάσις ἀναπόδεικτος ρ 18. 1432 a33. τȣ̃ ἀεὶ ϗ τȣ̃ θείȣ μετέχειν ψβ 4. 415 a29. — τὰ θεῖα σώματα (i e τὰ ἐν τῷ ȣ̓ρανῷ) Οβ 12. 292 b32. Mλ 8. 1074 a30. ψα 2. 405 a32. Ηζ 7. 1141 b1. κ 2. 391 b16. τὰ φανερὰ τῶν θείων Με 1. 1026 a18 Bz, 20. τὰ θειότατα τῶν φανερῶν Φβ 4. 196 a33. ȣ̓σίαι τίμιαι ϗ θεῖαι, ἡ περὶ τὰ θεῖα φιλοσοφία Ζμα 5. 644 b25, 645 a4. ȣ̓σία σώματος θειοτέρα ϗ προτέρα ἁπάντων Οα 2. 269 a31. στοιχεῖον ἀκήρατόν τι ϗ θεῖον κ 2. 392 a9. ἡ αἰθερία ϗ θεία φύσις κ 2. 392 a31, cf τὸ ἀεὶ σῶμα θέον ἅμα θεῖόν τι τὴν φύσιν ἐοίκασιν ὑπολαβεῖν μα 3. 339 b25. θειότερος ὁ ἄνω τόπος τȣ̃ κάτω Οβ 5. 288 a4. (ὑψȣ̃ πέτεται ὁ ἀετός, διόπερ θεῖον οἱ ἄνθρωποί φασιν εἶναι μόνον Ζι 32. 619 b6.) θειοτάτη ἀρχή Οβ 12. 292 b22. πάντα φύσει ἔχει τι θεῖον Ηη 14. 1153 b32. — τῶν ζῴων μόνον ἢ μάλιστα τȣ̃ θείȣ μετέχει ἄνθρωπος Ζμβ 10. 656 a8 (cf θεός). homo quasi mortalis deus f 48. 1483 b17. τῶν ἄλλων ζῴων δαιμονία ἡ φύσις, ἀλλ' ȣ̓ θεία μτ 2. 463 b15. ἡ φύσις ἀνθρώπȣ ϗ ἡ ȣ̓σία θεία· ἔργον τȣ̃ θειοτάτȣ τὸ νοεῖν ϗ φρονεῖν Ζμδ 10. 686 a28, 29. ὁ νȣ̃ς θειότερόν τι ϗ ἀπαθές ψα 4. 408 b29. Ηκ 7. 1177 a15. cf πλγ 7. 962 a22. 9. 962 a35. ὁ νȣ̃ς μόνος θεῖος Ζγβ 3. 736 b28, 737 a10. θείῳ ψυχῆς ὄμματι καταλαβεῖν τὰ θεῖα κ 1. 391 a15. πάντα κινεῖ τὸ ἐν ἡμῖν θεῖον ηεη 14. 1248 a27. ȣ̓κ ἔχȣσι τὰ ταῖς μελίτταις συγγενῆ ζῷα ȣ̓δὲν θεῖον, ὥσπερ τὸ γένος τὸ τῶν μελιττῶν Ζγγ 10. 761 a5. — διά τινας θείας αἰτίας Ηκ 10. 1179 b22. ἐξ ἀνάγκης θείας ἢ ἀνθρωπίνης ρ 2. 1422 a20. ἡ τύχη θεῖόν τι ȣ̓̃σα ϗ δαιμονιώτερον Φβ 4. 196 b6. — τὰ μὲν ἀίδια ϗ θεῖα τῶν ὄντων, τὰ δ' ἐνδεχόμενα ϗ εἶναι ϗ μὴ εἶναι· τὸ καλὸν ϗ τὸ θεῖον αἴτιον ἀεὶ κατὰ τὴν αὑτȣ̃ φύσιν τȣ̃ βελτίονος ἐν τοῖς ἐνδεχομένοις· βέλτιον ϗ θειότερον ἡ ἀρχὴ τῆς κινήσεως Ζγβ 1. 731 b24, 26, 732 a3, 8. Ζκ 6. 700 b34. ὄντος τινὸς θείȣ ϗ ἀγαθȣ̃ ϗ ἐφετȣ̃ Φα 9. 192 a17. ἐπιστήμη θειοτάτη ΜΑ 2. 983 a5. ἡ φιλοσοφία θεῖόν τι ϗ δαιμόνιον κ 1. 391 a1. ἡ ἁρμονία ἐστὶν ȣ̓ρανία τὴν φύσιν ἔχȣσα θείαν ϗ καλὴν ϗ δαιμονίαν f 43. 1483 a5. ἀρετὴ ἡρωικὴ ϗ θεία Ηη 1. 1145 a20. ημβ 5. 1200 b13. ἡ πρώτη ϗ θειοτάτη πολιτεία Πδ 2. 1289 a40. θεῖος ἀνήρ, οἱ θειότατοι τῶν ἀνδρῶν Ηη 1. 1145 a27. α 12. 1101 b24. — θείως εἰρῆσθαι Μλ 8. 1074 b9. θείως ἔφθεγκται παρὰ τῶν ἀρχαίων Οα 9. 279 a23. ὁσίως [ϗ θείως] ρ 3. 1423 b37.

θέλειν, cf ἐθέλειν. δίδωσιν ᾧ ἂν θέλῃ, syn ᾧ ἂν βȣ́ληται Πβ 9. 1270 a29, 27. εἴ τινες συστῆναι θέλȣσι, κατὰ τὴν τȣ́των αἱρεθήσονται βȣ́λησιν Πβ 6. 1266 a27. ἔξεστι ποιεῖν ὅ τι ἂν θέλωσιν Πε 7. 1307 a37, 38. ȣ̓ θέλȣσι μένειν ἐπὶ τῶν ἴσων Πε 4. 1304 a38, b3. μέσος θέλω ἐν πόλει εἶναι (Phocyl fr 12) Πδ 11. 1295 b34. — θέλειν fere i q πεφυκέναι. θέλει ὅτι μάλιστα συνεχῶς ἐντεῦθεν ἀεὶ πνεῖν ἄνεμος μβ 5. 362 a30. ἐκβόλιμόν ἐστι ϗ ȣ̓ θέλει ζῆν sim Ζιζ 21. 575 a28. α 16. 495 a32. η 3. 583 a16. Ζγβ 8. 748 a23. γ 1. 750 b33. θέλει τῇ θηριότητι ἀντικεῖσθαι ἡ θεία ϗ ὑπὲρ ἄνθρωπον ἀρετή ημβ 5. 1200 b16.

θέλημα. τὸ τȣ̃ ἡμετέρȣ θελήματος τέλος φτα 1. 815 b21.

θεμέλιον Αδ 12. 95 b37 (sed θεμέλιος cod D, et b33, 34 θεμέλιον vel masc gen vel neutrius accusativus esse potest). λίθοι ϗ τὰ θεμέλια Φβ 9. 200 a4.

θεμέλιος, οἰκία, frequens exemplum τȣ̃ πρότερον ϗ ὕστερον Αδ 12. 95 b33-37 (cf θεμέλιον). Φζ 6. 237 b13. Γβ 11. 337 b15, 31. Μδ 1. 1013 a5. Ρβ 19. 1393 a8. θεμέλιοι ἐκ λίθων, ἡ τῶν θεμελίων ὑπογραφή Ζμγ 5. 668 a19, 17.

θέμις. παραβὰς μακάρων θέμιν ἁγνήν f 624. 1583 a26. ȣ̓́τε ὑπὸ χείρονος τὸ κρεῖττον πάσχειν θέμις ἐστί f 15. 1476 b30. ἀνδρὸς ὃν ȣ̓δ' αἰνεῖν τοῖσι κακοῖσι θέμις f 623. 1583 a14.

Θέμις θ 96. 838 a24.

Θεμίσκυρα περὶ τὸν Θερμώδοντα ποταμόν Ζιε 22. 554 b9.

θεμιστεύων (Hom ι 114) Ηκ 10. 1180 a28.

Θεμιστοκλεῖον. πρὸς τῷ Θεμιστοκλείῳ ϗ ἐν Μαραθῶνι Ζιζ 15. 569 b12.

Θεμιστοκλῆς τι 17. 176 a1. ηεγ 6. 1233 b11. τὸ ξύλινον τεῖχος Ρα 15. 1376 a1. Θεμιστοκλῆς αἴτιος ἦν μὴ πάντα δικάζειν τȣ̀ς Ἀρεοπαγίτας f 366. 1539 b31.

Θεμίσων. ἔγραψε προτρεπτικὸν Ἀριστοτέλης πρὸς Θεμίσωνα τὸν Κυπρίων βασιλέα f 47. 1483 a43.

θέναρ. χειρὸς τὸ ἐντὸς θέναρ Ζια 15. 493 b27, 32. β 8. 502 b8, 20, vola Bimanorum et Quadrumanorum, cf AZι II tab 2.

Θέογνις, poeta elegiacus. eius versus afferuntur addito Theognidis nomine v 434 Ηκ 10. 1179 b6. v 14 ηεη 10. 1243 a18. v 125, 126 ηεη 2. 1237 b14. v 177 ηεγ 1. 1230 a12; non addito poetae nomine v 255, 256 (ἐπίγραμμα Δηλιακόν) Ηα 9. 1099 a27. ηεα 1. 1214 a5. v 35 Ηι 12. 1172 a13; idem versus 35 respicitur addito Theognidis nomine Ηι 9. 1170 a12. Theognidis v 1112 resp f 83. 1490 a25.

Theognidis tragici metaphora affertur Ργ 11. 1413 a1 (Nck fr tr. p 597).

Θεοδάμας εἴκαζεν Ἀρχίδαμον Εὐξένῳ Ργ 4. 1406 b30.

Θεοδέκτȣ Αἴας Ρβ 23. 1399 b28, 1400 a27 (Nck fr tr p 622), Ἀλκμαίων Ρβ 23. 1397 b3 (Nck p 622 sq), Ἑλένη (fr 3) Πα 6. 1255 a36, fort resp Ρβ 24. 1401 b35 (Nck p 623), Λυγκεύς πο 18. 1455 b29, cf 11. 1452 a27 (Nck ibid), νόμος Ρβ 23. 1398 b5, 1399 b1, Ὀρέστης Ρβ 24. 1401 a35 (Nck p 624), Σωκράτης Ρβ 23. 1399 a8, Τυδεύς πο 16. 1455 a9 (Nck ll), Φιλοκτήτης Ηη 8. 1150 b9 (Nck ll). — ἐν ταῖς ὑπ' ἐμȣ̃ τέχναις Θεοδέκτῃ γραφείσαις ρ 1. 1421 b2. — αἱ ἀρχαὶ τῶν περιόδων ἐν τοῖς Θεοδεκτείοις ἐξηρίθμηνται Ργ 9. 1410 b2.

Θεόδωρος τι 34. 183 b32 Wz. Ργ 11. 1412 a25. f 131. 1500 b25. Spgl art scr 98-104. εἰς Νίκωνα Ργ 11. 1412 a33. ἡ πρότερον Θεοδώρȣ τέχνη Ρβ 23. 1400 b16. οἱ περὶ Θεόδωρον Ργ 13. 1414 b13. Θεόδωροι γεγόνασιν εἴκοσιν, ἔνατος Βυζάντιος f 132. 1500 b35.

Θεόδωρος ὁ τῆς τραγῳδίας ὑποκριτής Πη 17. 1336 b28. Ργ 2. 1404 b22

Θεόδωρος Κολοφώνιος, eius carmen ἀλῆτις, θάνατος βίαιος f 472. 1555 b43, 1556 a4.

Θεόδωρος ποταμὸς Ἰβηρίας θ 46. 833 b15. f 248. 1523 b44.

Θεόδωρος nomen. ἐν τῷ Θεοδώρῳ τὸ δῶρον ȣ̓ σημαίνει πο 20. 1457 a13.

θεοκτίσταν φλόγα σπείρων (fr trag adesp 60) πο 21. 1457 b29.

θεόληπτοι ϗ νυμφόληπτοι ηεα 1. 1214 a23.

θεολογεῖν. οἱ παμπάλαιοι ϗ πρῶτοι θεολογήσαντες ΜΑ 3. 983 b29 Bz. λέγωμεν ϗ θεολογῶμεν περὶ τȣ́των συμπάντων κ 1. 391 b4.

θεολογία. οἱ ἀρχαῖοι ϗ διατρίβοντες περὶ τὰς θεολογίας μβ 1. 353 a35.

θεολογική. φιλοσοφίαι θεωρητικαὶ τρεῖς, μαθηματική, φυσική, θεολογική Με 1. 1026 a19 Bz. κ 7. 1064 b3. ἡ θεολογικὴ περὶ τὸ χωριστὸν ὂν ϗ ἀκίνητον Μκ 7. 1064 a33 sqq. ε 1. 1026 a10.

θεολόγος. οἱ περὶ Ἡσίοδον χ̀ πάντες ὅσοι θεολόγοι Μβ4. 1000 ᵃ9 Bz. cf λ6. 1071 ᵇ27. 10. 1075 ᵇ26. ν4. 1091 ᵃ34.
θεόπεμπτος Ηα10. 1099 ᵇ15 (syn θεόσδοτος ᵇ12). τὰ ἐνύπνια ὃ θεόπεμπτα μτ2. 463 ᵇ13.
Θεόπομπος τὰς ἐφόρας ἐπικατέστησε Πε11. 1313 ᵃ26.
θεός, θεοί, τὸ θεῖον. 1. Aristotelis de deo sententia. ὁ θεὸς ἀρχή τις ΜΑ2. 983 ᵃ8. τὸ θεῖον φύσις χωριστὴ χ̀ ἀκίνητος, πρώτη χ̀ κυριωτάτη ἀρχή Μκ7. 1064 ᵃ37 (τίμια τῶν ἀγαθῶν τὰ ἀρχικώτερα, ὡς θεὸς γονεῖς εὐδαιμονίαν f 110. 1496 ᵃ35). ὁ θεὸς τὸ πρῶτον κινῶν ἀκίνητον, αἴδιον χ̀ ὑσία χ̀ ἐνέργεια Μλ7. 1072 ᵃ26. Οα9. 279 ᵃ32. ἀνάγκη εἶναί τι ἐν χ̀ αἴδιον τὸ πρῶτον κινῶν Φθ6. 259 ᵃ14. ὁ θεὸς ζῷον αἴδιον ἄριστον Μλ7. 1072 ᵇ29. τε1. 128 ᵇ19. ἔστι τι ἄριστον, ὅπερ εἴη ἂν τὸ θεῖον f 15. 1476 ᵇ24, 28, 29. θεῦ ἐνέργεια ἀθανασία· τῦτο δ᾽ ἐστὶ ζωὴ αἴδιος Οβ3. 286 ᵃ9, cf α9. 279 ᵃ28. ὁ θεὸς κρείττων χ̀ ἄφθαρτος φύσις f 13. 1476 ᵃ32. θεῦ ἐνέργεια νόησις. θεὸς νοεῖ αὐτὸς αὐτόν Μλ7. 1072 ᵇ18. 9. 1074 ᵇ21. κεη12. 1245 ᵇ17. ημβ15. 1212 ᵇ39-1213 ᵃ7. cf Πγ16. 1287 ᵃ29. τε4. 132 ᵇ11. ὁ θεὸς ζῷον νοητόν τε6. 136 ᵇ7. ὁ θεὸς ἢ νῦς ἐστιν ἢ ἐπέκεινά τι τῦ νῦ f 46. 1483 ᵃ27. deus sine corpore f 21. 1477 ᵇ30. ὐκ εἰσὶν αὐτῷ πράξεις ἐξωτερικαί Πη3. 1325 ᵇ28. ὁ θεὸς αὐτάρκης, ὐδενὸς δεῖται κεη12. 1244 ᵇ8. 15. 1249 ᵇ16. ημβ15. 1212 ᵇ35. ὐκ ἔστι φιλία πρὸς τὰς θεὰς sive πρὸς τὸν θεόν Ηθ9. 1158 ᵇ35, 1159 ᵃ4. ημβ11. 1208 ᵇ29 sqq. κεη3. 1238 ᵇ27. ὁ θεὸς ὐ προαιρεῖται δρᾶν τὰ φαῦλα τὸ 5. 126 ᵃ35, 38. ὁ θεὸς βελτίων ἀρετῆς, κρεῖττον ἐπιστήμης ημβ5. 1200 ᵇ13. κεη14. 1248 ᵃ28. τὸ θεῖον εὐδαίμον ΜΑ2. 983 ᵃ1, 2. τῦ θεῦ εὐδαιμονία θεωρητική τις ἐνέργεια Μλ7. 1072 ᵇ14, 25. Ηκ8. 1178 ᵇ7-32. Πη1. 1323 ᵇ23. ὁ θεὸς ἀεὶ μίαν χ̀ ἁπλῆν χαίρει ἡδονήν Ηη15. 1154 ᵇ26. ὁ θεὸς κινεῖ τὸν πρῶτον ὐρανόν, τὴν κύκλω φορὰν Μλ7. 1072 ᵃ25, 23. Γβ10. 336 ᵇ32 sqq. coelum eiusque corpora divinae sunt naturae cf θεῖος. ὁ θεὸς χ̀ ἡ φύσις ὐδὲν μάτην ποιῦσιν Οα4. 271 ᵃ33 (cf φύσις). ὁ θεὸς πῶς ἄρχει κεη15. 1249 ᵇ14. τῶν ζῴων μόνον ἢ μάλιστα μετέχει τῦ θείυ ὁ ἄνθρωπος Ζμβ10. 656 ᵃ8. δ᾽10. 686 ᵃ28. Ηκ7. 1177 ᵃ15. 10. 1179 ᵇ22 (cf θεῖος). homo quasi mortalis deus f 48. 1483 ᵇ17. (τῦ λογικῦ ζῴυ τὸ μέν ἐστι θεός, τὸ δ᾽ ἄνθρωπος, τὸ δὲ οἷον Πυθαγόρας f 187. 1511 ᵃ44.) θεὸς ἀρχὴ τῆς κινήσεως ἐν τῇ ψυχῇ κεη14. 1248 ᵃ26. θεὸν θεραπεύειν χ̀ θεωρεῖν κεη15. 1249 ᵇ20, 17. θεῷ τιμὴν ἀπονεμητέον κεη10. 1242 ᵇ20, ᵃ33. (ἐκ θεῦ πάντα χ̀ διὰ θεὸν ἡμῖν συνέστηκεν κ6. 397 ᵇ14. 2. 391 ᵇ11. ὅπερ ἐν νηὶ κυβερνήτης, τῦτο θεὸς ἐν κόσμω κ6. 400 ᵇ8.) — 2. Ar aliorum philosophorum de deo sententias respicit: Thaletis ψα5. 411 ᵃ8. Xenophanis τὸ ἓν ὁ θεός ΜΑ5. 986 ᵇ24. Pythagoreorum, θεῶν εἰκόνας ἐν δακτυλίοις μὴ φορεῖν quid significet Pythagoreis f 192. 1512 ᵇ14. Heracliti Ζμα5. 645 ᵃ21. Zenonis (?) ξ3. 977 ᵃ15, 23, 27. Empedoclis ψα5. 410 ᵇ5. Γβ6. 333 ᵇ21. Platonis Πβ5. 1264 ᵇ12. Σωκράτης θεὸς νομίζει εἶπερ δαιμόνια νομίζει Ργ18. 1419 ᵃ9. — 3. Aristoteles vulgatas de diis opiniones respicit et diiudicat. περὶ θεῶν ἂ δεῖ δοξάζειν f 614. 1581 ᵇ21, 25, 29. πάντες ἄνθρωποι περὶ θεῶν ἔχυσιν ὑπόληψιν Οα3. 270 ᵇ6. πλ6. 956 ᵃ13. ἀπὸ δυοῖν ἀρχῶν ἔννοιαν θεῶν γεγονέναι f 12. 1475 ᵇ37, 1476 ᵃ8. 14. 1476 ᵇ9. 20. 1477 ᵇ12. τὸν ὐρανὸν χ̀ τὸν αὐτὸν τόπον οἱ ἀρχαῖοι τοῖς θεοῖς ἀπένειμαν ὡς ὄντα μόνον ἀθάνατον Οβ1. 284 ᵃ12. ᵃ3. 270 ᵇ7, 10 (κ3. 393 ᵃ4). f 19. 1477 ᵃ42. 17. 1477 ᵃ12. εἴ τις χωρίσειεν αὐτὸ λάβοι μόνον, ὅτι θεὸς ᾤοντο τὰς πρώτας ὐσίας εἶναι,

θείως ἂν εἰρῆσθαι νομίσειεν Μλ8. 1074 ᵇ9. Οα9. 278 ᵇ15, 279 ᵃ23. β1. 284 ᵃ4. 3. 286 ᵃ10, 11. τὰ δὲ λοιπὰ μυθικῶς ἤδη προσῆκται πρὸς τὴν πειθὼ τῶν πολλῶν χ̀ πρὸς τὴν εἰς τὰς νόμυς χ̀ τὸ συμφέρον χρῆσιν Μλ8. 1074 ᵇ3. ἀφομοιῦσιν ἑαυτοῖς οἱ ἄνθρωποι τὰς βίας τῶν θεῶν Πα2. 1252 ᵇ26. Μβ2. 997 ᵇ10. cf πο25. 1460 ᵇ35. εἴ τις ἐπιμέλεια τῶν ἀνθρωπίνων ὑπὸ θεῶ γίνεται, ὥσπερ δοκεῖ, ποιῶν ἀνθρώπων εὔλογον αὐτὸς ἐπιμελεῖσθαι Ηκ9. 1179 ᵃ24. Ρβ5. 1383 ᵇ8. ημβ8. 1207 ᵃ17. εἴ τι ἢ ἄλλο θεῶν δώρημα ἀνθρώποις, εὔλογον τὴν εὐδαιμονίαν θεόσδοτον εἶναι Ηα10. 1099 ᵇ11. διὰ τί πρὸς τὰς ἁγιστείας τῶν θεῶν χρώμεθα τῇ τριάδι Οα1. 268 ᵃ15. ὃ θεὸς πέμπει τὰ ἐνύπνια μτ1. 462 ᵇ20-22. 2. 463 ᵇ13, 464 ᵇ21, cf 463 ᵇ14. (τὸν πταρμὸν θεὸν ἡγύμεθα, syn φήμην ἀγαθήν. ἱερὸν πλγ7. 962 ᵃ21. 9. 962 ᵇ7. περὶ τῶν βρυκύλων τί μυθολογῦσιν πκε2. 938 ᵃ1.) ἀνεῖλεν ὁ θεὸς μαντευσαμένω Ζιγ20. 522 ᵃ18. f 462. 1554 ᵃ11. ὡς κατὰ θεὸν γενομένης τῆς δόσεως f 508. 1561 ᵇ3. θεοὶ τοιῦτοι οἷς χ̀ τὸν τωθασμὸν ἀποδίδωσιν ὁ νόμος Πη17. 1336 ᵇ16. ὅσον τὰς θεὰς χ̀ τὰς ἥρωας ἡγύμεθα τῶν ἀνθρώπων διαφέρειν Πη14. 1332 ᵇ17. ὥσπερ θεὸς ἐν ἀνθρώποις Πγ13. 1284 ᵃ10. εἰ, καθάπερ φασίν, ἐξ ἀνθρώπων γίνονται θεοὶ δι᾽ ἀρετῆς ὑπερβολήν Ηη1. 1145 ᵃ23. — οἱ ἀποροῦντες πότερον τὰς θεὰς τιμᾶν ἢ ὐ κολάσεως δέονται τα11. 105 ᵃ6. Πη9. 1329 ᵃ30. Ηθ16. 1163 ᵇ16. ι1. 1164 ᵇ5. ἡ περὶ τὸ θεῖον ἐπιμέλεια, ἣν καλῦσιν ἱερατείαν Πη8. 1328 ᵇ12. ἡ περὶ θεὰς πλημμέλεια, ἡ πρὸς θεὰς δικαιοσύνη αρ7. 1251 ᵃ31. 5. 1250 ᵇ20. τὰ πρὸς τὰς θεὰς Πγ14. 1285 ᵃ6, ᵇ23. αἱ πρὸς τὰς θεὰς λειτυργίαι Πη10. 1330 ᵃ13. ὐδὲν κολοβὸν προσφέρομεν πρὸς τὰς θεὰς f 108. 1495 ᵇ8. αἱ τοῖς θεοῖς ἀποδεδομέναι οἰκήσεις Πη12. 1331 ᵃ24. ποιεῖσθαι πορείαν πρὸς θεῶν ἀποθεραπείαν Πη16. 1335 ᵇ15. ἀποδίδωμεν τοῖς θεοῖς νεμεσᾶν, ἅπαντα ὁρᾶν Ρβ9. 1386 ᵇ15. το15. 1454 ᵇ6. ἡ τῶν θεῶν εὔνοια ρ3. 1425 ᵃ21. θαρραλέοι οἷς ἂν τὰ πρὸς θεὰς καλῶς ἔχῃ Ρβ5. 1383 ᵇ5. — ἡ κυρία θεὸς τῆς μίξεως διὰ τί καλεῖται Ἀφροδίτη Ζγβ2. 736 ᵃ20. ἁγνὲ θεῶν πρέσβισθ᾽ ἑκατηβόλε f 621. 1583 ᵃ3. — θεοί (Hom Θ20. Ξ291) Ζκ4. 700 ᵃ2. Ζιι12. 615 ᵇ10.
θεόσδοτος Ηα10. 1099 ᵇ12 (syn θεόπεμπτος ᵇ15).
θεοφιλέστατος Ηκ9. 1179 ᵃ22-32.
θεραπεία. τὴν θεραπείαν ἀποδιδόναι τοῖς θεοῖς Πη9. 1329 ᵃ32. θεραπεία, coni τρυφή, ἐξυσία αρ5. 1250 ᵇ36. — οἱ περὶ τὴν θεραπείαν (τὰς θεραπείας) τῶν ζῴων ὄντες Ζγγ10. 760 ᵃ3. Ζιζ25. 578 ᵃ7. περὶ τὴν ὠδῖνα δεινὴ χ̀ τῦ ἄρρενος περιστερᾶς θεραπεία χ̀ συναγανάκτησις Ζιι7. 612 ᵇ35. δεῖ τὸ σῶμα ὑγιαίνειν χ̀ τροφὴν χ̀ τὴν ἄλλην θεραπείαν ὑπάρχειν Ηκ9. 1178 ᵃ35. αἱ τῦ σώματος θεραπεῖαι, syn φάρμακα, δίαιται φ4. 808 ᵇ24, 22, 23. ἡ ἐκ τῶν γραμμάτων (secundum scripta artis praecepta) θεραπεία Πγ16. 1287 ᵃ40. διὰ θεραπείαν συλλαβεῖν, ἡ ὑστέρα δεῖται θεραπείας Ζιη6. 585 ᵇ25. κ1. 634 ᵃ34. 2. 634 ᵇ31. 3. 635 ᵇ26.
θεραπεύειν τὸν θεὸν κεη15. 1249 ᵇ20. — θεραπευτέον τὰς ἄνυοντας ἔπαινω ρ30. 1436 ᵇ32. 37. 1442 ᵃ14. θεραπεύειν τινὰ διὰ τὴν χρῆσιν Ηί5. 1167 ᵃ18. θεραπευόμενος ὑπὸ τῦ ἐραστῦ Ηθ5. 1157 ᵃ8. — πρόβατον ἐὰν θεραπεύηται καλῶς μέχρι ἕνδεκα ἐτῶν τίκτει Ζιε14. 545 ᵇ32. θεραπεύειν τὰς ὀφθαλμὰς χ̀ πᾶν σῶμα, ὡς δεῖ θεραπεύειν ἑκάστε Ηα13. 1102 ᵃ19. κ10. 1181 ᵇ4. θεραπεῦσαι καλῶς τὰς νοσῦντας Ρα1. 1355 ᵇ14. οἱ πλησιάζοντες τοῖς θεραπευομένοις πα7. 859 ᵃ16. — θεραπευτὸν, ἐὰν μὴ φύσει τοιαύτη ᾖ Ζικ3. 636 ᵃ25.

θεραπεύματα Ηκ10.1181 b3.

θεραπευτικὴ ἢ κακοπονητικὴ λίαν ἕξις Πη16. 1335 b7.

θεραπόντων ὄχλος Πβ6. 1265 a16. οἱ πολλοὶ θεράποντες ἐνίοτε χεῖρον ὑπηρετῶσι τῶν ἐλαττόνων Πβ3. 1261 b37. τίσι τῶν θεραπόντων μάλιστα προσκρύομεν Πβ5. 1263 a19. 5

θέρειν. εἶδον Ἡράκλειτον θερόμενον πρὸς τῷ ἰπνῷ Ζμα5. 645 a19.

θέρειος. ἡ θερεία. τὴν θερείαν ὅλην, opp πάντα τὸν χειμῶνα θ114. 841 a25.

θερίζειν 1. trans ταῦτα αἰσχρῶς μὲν ἔσπειρας, κακῶς δὲ 10 ἐθέρισας (Gorg) Ργ3. 1406 b10. ἰδόντες ὅτι θερίζειν ὥρα Ζιζ37. 580 b19. — 2. intr θερίζωσιν ἐν τοῖς ψυχροῖς, χειμάζωσιν ἐν τοῖς ἀλεεινοῖς Ζιθ12. 596 b26. 13. 598 a25. ἐκτοπίζωσιν εἰς τὸν Πόντον θερίωντες Ζιθ19. 601 b17.

θερινός. περὶ τὰς θερινὰς χρόνας Πβ8. 1267 b27. ὄμβροι θε- 15 ρινοί Ζιθ19. 601 b24. θερινὴ ἀνατολή, θεριναὶ ἀνατολαὶ μβ6. 363 b4. κ4. 394 b22. θερινὴ δυσμή, δύσις, dist ἰσημερινή, χειμερινὴ μβ6. 363 b5. κ4. 394 b25. θεριναὶ τροπαί, θερινὴ τροπὴ μα6. 343 a15, b1. β6. 364 b2, 3. γ5. 377 a20. τὰ θερινὰ ἔκγονα χείριστα Ζιε14. 546 a19. 20

θεριστής Ζιζ37. 580 b20.

θερμαίνειν. τὸ θερμαῖνον ψύχεται ὑπὸ τῦ θερμαινομένῳ Ζγδ3. 768 b17 sqq. opp ψύχειν Ζγβ6. 743 b2. θερμᾶναι ἢ πέψαι Ζγα21. 730 a16. ὁ ἥλιος ξηραίνει θερμαίνων μβ4. 360 a8. θερμαίνει τι τὴν αἴσθησιν, τὴν ἁφήν, 25 κατὰ τὴν ἁφήν Ζμβ2. 649 a7, 10, b4. — pass θερμαίνεται ἡ γῆ ὑπὸ τῦ ἡλίῳ μα4. 341 b6. ξηραίνεται πάντα ἢ θερμαινόμενα ἢ ψυχόμενα μδ5. 382 b16. ὕδωρ θερμαινόμενον, θερμανθέν πκδ14. 937 a34. μβ4. 360 a25. ὑπερψυχθέντες ἐὰν θερμανθῶσιν νεη5.1239b35. ἡ ὑστέρα θερμανθεῖσα Ζγγ1. 30 751 a1. θερμαινομένων τῶν σωματικῶν ὑγρῶν Ζγγ11. 762 a23. — θερμαντός, τὸ θερμαντόν Φε1. 224 a30, opp θερμαντικόν Μδ1. 1020 b29.

θερμαντικός. τὸ θερμαντικὸν πρὸς τὸ θερμαντόν Μδ15. 1020 b29. θερμαντικώτατα ἢ καυστικώτατα Ογ8. 307 a18. ὁ 35 οἶνος θερμαντικόν, θερμαντικώτατος πγ5. 871 a28. 33. 874 b35 (cf ὁ οἶνος θερμός πγ1. 871 a2 al).

θερμασία, opp ψύξις Ζγδ1. 764 b7. ὑπὸ τῆς ἐν τῷ ἔξω ὑγρῷ θερμασίας μδ3. 380 b21. αἱ ἐν τοῖς γυμνασίοις διὰ τρίψεως ἢ θερμασίας γινόμεναι ἡδοναὶ Ηγ13. 1118 b6. 40 σφόδρα μικρᾶς θερμασίας περί τινα μέρη γιγνομένης μτ1. 463 a16. τὴν ἁρμόττουσαν πᾶσιν ἀποδιδόναι θερμασίαν Ζγγ2. 753 a29. ἡ ἐντός, ἡ ἐκτὸς θερμασία πβ34. 870 a6. πνεύμων θερμὸς διὰ τὴν θερμασίαν, dist διὰ τὴν ταραχήν πκζ1. 948 a25. διὰ τὴν θερμασίαν ἢ τὸν σφακελισμόν πα9. 860 a45 a19.

θερμαστρίς. ἡ σύναψις τῆς θερμαστρίδος μχ21. 854 a24.

θέρμη, ἡ θέρμη i q ἡ θερμότης πα23. 862 a18. 39. 863 b21. γ25. 874 b17. ε31. 884 a14.

θερμημερίαι Ζιε13. 544 b11. 50

θερμολυτρεῖν πα29. 863 a4.

θερμός. θερμὸν ποσαχῶς λέγεται Ζμβ2. 648 a36-649 b8 (cf θερμὸν δυνάμει, ἐνεργείᾳ Φθ4. 255 a23, θερμὸν φύσει Κ10. 12 b38). ποιητικὸν τὸ θερμὸν ἢ τὸ ψυχρόν μδ1. 378 b12. ὕλη μὲν τὸ ξηρὸν ἢ ὑγρόν, τὰ δὲ ποιῦντα τὸ θερμὸν 55 ἢ τὸ ψυχρόν μδ10. 388 a24. 8. 384 b28. Γβ2. 329 b24. θερμόν ἐστι τὸ συγκρῖνον τὰ ὁμογενῆ Γβ2. 329 b26. ἢ τῷ θερμῷ δύναμις μα9. 347 a8. πάθος τι τὸ θερμὸν αἰσθήσεώς ἐστιν μα3. 341 a15. τὸ θερμὸν ἢ ψυχρὸν πυκνότητες δοκῦσι ἢ ἀραιότητες εἶναί τινες Φθ7. 260 b9. ὡς μὲν εἶδος 60 τὸ θερμὸν ἢ ἄλλον τρόπον τὸ ψυχρὸν ἡ στέρησις Μλ4.

1070 b12. τὸ μὲν κατὰ τὸ ὂν τὸ θερμὸν τάττει (Parmenides) ΜΑ5. 987 a1. — τὸ θερμὸν ἄνω πέφυκε φέρεσθαι μχ4. 342 a16. ὑπερβολὴ θερμῦ ἢ οἷον ζέσις τὸ πῦρ μα3. 340 b23. ἄτοπον τὸ μόνον ἀποδῦναι τῷ περιφερεῖ σχήματι τὸ θερμὸν Γα8. 326 a5. ὑγρῷ τρέφεται τὸ θερμὸν πγ5. 871 b12. 26. 875 a14. τῷ θερμῷ ὑπὸ ψυχρῦ ἐκθλιβομένῳ συνεξατμίζει τὸ ὑγρὸν Ζμβ4. 651 a8. τὸ θερμὸν φθείρεται ἢ μαράνσει ἢ σβέσει ἢ ὑπὸ θερμῦ ἀλλοτρίῳ πγ33. 875 b4-7. — τὰ ἐν τοῖς θερμοῖς ἔθνη μκ1. 465 a9. περὶ τὰ θερμὰ ὕδατα πκδ. τὰ ὅλα τῶν θερμῶν ὑδάτων ἁλμυρὰ πκδ18. 937 b22. τὰ θερμὰ τὰ περὶ Αἴδεψον μβ8. 366 a28. ποῖα θερμὰ ἢ ψυχρὰ τῶν πεπηγότων ἢ τῶν ὑγρῶν μδ11. ὁ οἶνος θερμός πγ1. 871 a2. 5. 871 a39. 6. 871 b32 (cf ὁ οἶνος θερμαντικός πγ5. 871 a28. 33. 874 b35). — τὸ θερμὸν τὴν πέψιν ἐργάζεται ψβ4. 416 b29. ζ4. 469 b12. Ζμδ3. 677 b32. 5. 681 a4. Ζγδ1. 765 b16. ε6. 786 a17. πκδ14. 937 a38. τὸ θερμὸν ἢ δεῖται τροφῆς ἢ πέττει τὴν τροφὴν ταχέως Ζμδ5. 682 a23. εὐπεπτον τὸ θερμότερον Ζγδ6. 775 a18. τὸ θερμὸν αὐξητικόν Ζμγ6. 669 b3. Ζγε8. 789 a8. τὸ θερμὸν κινητικόν Ζγβ1. 732 a20. πιγ5. 908 a23. τὸ θερμὸν σκληρύνει, μανότερον ποιεῖ Ζγε3. 783 a33, b1. πάντων ἐν τῷ σπέρματι ἐνυπάρχει, ὅπερ ποιεῖ γόνιμα εἶναι τὰ σπέρματα, τὸ καλῦμενον θερμὸν Ζγβ3. 736 b35. ἐν τῷ θερμῷ ἢ ψυχικὴ ἀρχὴ Ζγγ1. 751 b6. ἢ τῦ ψυχικῦ θερμῦ φύσις ἐν τοῖς ζῴοις Ζγγ4. 755 a20. τὸ φυσικὸν θερμόν ζ4. 469 b12. τὸ σύμφυτον θερμόν υ3. 458 a27. πα9. 860 a34. τὸ οἰκεῖον θερμόν μδ1. 379 a24. τὸ οἰκεῖον ἢ τὸ σύμφυτον θερμόν f 222. 1518 b30. παλίρροια τῦ θερμῦ ἐκ τῶν ἔξω εἰς τὸ ἐντὸς ζ3. 461 a6. ἱδρῶτες θερμοί, ψυχροί πβ35. 870 a15. — τῶν ζῴων τὰ ἄρρενα τῶν θηλέων θερμότερα Ζγδ1. 765 b17. τελεώτερα ζῷα τὰ θερμότερα τὴν φύσιν ἢ ὑγρότερα ἢ μὴ γεώδη Ζγβ1. 732 b31. cf α10. 718 b36. γ11. 761 b3. τὰ ἔναιμα θερμὴν ἔχει τὴν φύσιν Ζμγ7. 670 a21. θερμὴ ἡ φύσις ἡ τῶν νεφρῶν Ζμγ9. 672 a15. — metaph θερμός, syn εὐφυής, opp ψυχροὶ ἢ μελαγχολικοὶ ημβ6. 1203 a36. αἱ ὀξεῖαι χροιαὶ θερμὸν ἢ ὕφαιμον σημαίνωσιν φ2. 806 b4.

θερμότης. ἡ θερμότης ἢ ψυχρότης φαίνονται ὁρίζωσαι ἢ συμφύωσαι ἢ μεταβάλλωσαι τὰ ὁμογενῆ ἢ τὰ μὴ ὁμογενῆ μδ1. 378 b15. ἡ δύναμις τῦ πάσχοντος ἢ τῆς θερμότητος τῆς ποιύσης Ζγδ4. 772 a29. ἡ μεταβάλλει ἡ θερμότης ἢ ἡ ψυχρότης εἰς ἄλληλα, ἀλλὰ τὸ ὑποκείμενον Γα6. 322 b16. ἡ θερμότης τὸ ὕδωρ μᾶλλον, ὥσπερ ἂν ἦ πλέον, ἀλλ' ἔστιν ὅρος θερμότητος Ζγδ4. 772 a14. σβεννύναι τὴν θερμότητα, θερμότης ἀπολείπει, διασκεδάννυται, σβέννυται μα10. 347 b4. 9. 346 b26-28. — περὶ τῆς γιγνομένης θερμότητος, ἣν παρέχεται ὁ ἥλιος μα3. 341 a12 sqq. ἡ ἀλέα ἡ ἀπὸ θερμότητος μα3. 341 a19. ἡ θερμότης τῦ τόπυ, τῆς ὥρας Ζγε7. 788 a17. β6. 743 a36. γ11. 762 b15. διαπέμπεσθαι τὸ φῶς ἢ τὰς θερμότητας ακ802 a13. ὅσα πεπύρωται, ἔχει δυνάμει θερμότητα ἐν αὐτοῖς μβ3. 358 b8. Ζμγ9. 672 a5. — πέττει ἡ θερμότης Ζγδ6. 775 a18. Ζμγ9. 672 a22. β3. 650 a14. μδ11. 389 b8. ἡ ἐν τῷ ζῴῳ θερμότης ἀποκρίνασα ἢ συμπέττουσα Ζγγ11. 762 b7, 13. συμπέττονται ὑπὸ τῆς ἐν τῇ γῇ θερμότητος Ζγγ2. 752 b33. ἡ δύναται πέψαι διὰ θερμότητος ἔνδειαν Ζγδ1. 766 a19. θερμότης σύμμετρος, ἡ τῆς θερμότητος συμμετρία μβ5. 362 a4. Ζγδ3. 677 a33. θερμότητος ἀσθένεια, ἔνδεια Ζγδ1. 766 a19. 7. 776 a3. ε4. 784 a32, b2. θερμότητος νοηματικῆς ὑπερβολὴ αν17. 479 a24. — τῆς θρεπτικῆς ζωῆς δύναμις χρωμένη οἷον ὀργάνοις θερμῷ

τητι χ̀ ψυχρότητι Ζγ 4. 740 ᵇ31. τὸ ζῆν χ̀ ἡ τῆς ψυχῆς
ἕξις μετὰ θερμότητος τινός ἐστιν αν 8. 474 ᵃ25 sqq. πᾶν
ἔμψυχον ἔχει θερμότητα ψ 3 4. 416 ᵇ29. θερμότητες χ̀
ψύξεις μέχρι συμμετρίας τινὸς ποιοῦσι τὰς γενέσεις, μετὰ
δὲ ταῦτα τὰς φθορὰς Ζγδ 10. 777 ᵇ27. ἠδὲν ἄνευ θερμότητος 5
αἰσθητικὸν ψγ 1.425 ᵃ6. ἡ θερμότης τῆς καρδίας, ἡ ἐν τῇ καρδίᾳ
θερμότης χ̀ ζέσις sim Ζγβ 6. 743 ᵇ27, 744 ᵃ29. Ζμβ 7. 652
ᵇ27. γ 7. 670 ᵃ24. παρασκευάζει κινητικωτέρᾳ ἡ τῆς φύ-
σεως θερμότης Ζμδ 5. 681 ᵃ7. ἐγκαταλείπεταί τι ἐν τοῖς
πεπεμμένοις ὑγροῖς τῆς εἰργασμένης θερμότητος Ζμγ 9. 672 10
ᵃ8. τὸ ὄστρακον γίνεται ὑπὸ θερμότητος ἐξικμαζούσης τὸ
ὑγρὸν ἐκ τῇ γεώδος Ζγα 8. 718 ᵇ19. ὀστᾶ ὠπτημένα ὑπὸ
τῆς ἐν τῇ γενέσει θερμότητος Ζγβ 6. 743 ᵃ20. — θερμότης
οἰκεία μβ 5. 362 ᵃ6. δ 11. 389 ᵇ6. Ζμβ 2. 648 ᵇ36. Ζγ 4.
784 ᵃ35. θερμότης ὑπάρχουσα θερμότητα 15
Ζγβ 2. 735 ᵇ33. γ 1. 750 ᵃ9. θερμότης ἀλλοτρία μδ 11.
389 ᵃ26, ᵇ2, 19. Ζμβ 2. 648 ᵇ36. Ζγε 6. 786 ᵃ11. ἡ ἐν
τῷ περιέχοντι θερμότης Ζγγ 11. 762 ᵇ15. ε 4. 784 ᵇ5. θερ-
μότης ἐπείσακτος Ζμγ 10. 672 ᵇ18, ἐπίκτητος Ζγβ 7. 747
ᵃ18. θερμότης σύμφυτος Ζγε 4. 784 ᵇ7, σύμφυτος φυσικὴ 20
ζ 4. 469 ᵇ8, φυσικὴ αν 6. 470 ᵃ20. Ζμβ 3. 650 ᵃ14. Ζγβ 1.
732 ᵇ32. ε 4. 784 ᵇ26. 6. 786 ᵃ11. (ἡ ἐν τῇ φύσει θερ-
μότης μδ 2. 379 ᵇ34.) ἡ τῆς φυσικῆς θερμότητος ἀρχή Ζγδ 1.
766 ᵃ35. θερμότης ψυχικὴ Ζγβ 1. 732 ᵃ18. 4. 739 ᵃ1.
γ 1. 752 ᵃ2. 11. 762 ᵃ20, ζωτικὴ αε 6. 473 ᵃ9. Ζγβ 4. 739 25
ᵇ23. ἡ τῇ ἡλίῳ θερμότης χ̀ ἡ τῶν ζῴων ἔχει ζωτικὴν ἀρ-
χήν Ζγβ 3. 737 ᵃ3. ἡ ἐν τῷ ζῴῳ αὐτῷ θερμότης (cod Z,
ὑγρότης Bk) χ̀ δύναμις Ζγα 21. 729 ᵇ27. ἡ ἐν τοῖς ζῴοις
θερμότης ὅτε πῦρ ὅτε ἀπὸ πυρὸς ἔχει τὴν ἀρχὴν Ζγβ 3.
737 ᵃ4. ἡ τῇ γάλακτος θερμότης Ζγε 8. 789 ᵃ5. ἡ τῇ 30
σπέρματος θερμότης Ζγδ 4. 772 ᵃ23. β 6. 743 ᵃ26. α 18.
724 ᵇ36. τὸ προϊέναι τὸ σπέρμα ὀκ ἄνευ θερμότητος ψυ-
χικῆς Ζγβ 1. 732 ᵃ18. ὁ ἀφροδισιασμὸς καθαρᾶς χ̀ φυσι-
κῆς θερμότητος ἀπόκρισίς ἐστιν Ζγε 3. 783 ᵇ30. διαφωνία
δι᾽ ἔνδειαν θερμότητος φυσικῆς Ζγδ 2. 766 ᵇ34. πολὺ δια- 35
φέρει τὸ ἄρρεν τῇ θήλεος τῇ θερμότητι τῆς φύσεως Ζγδ 6.
775 ᵃ7. τὰ μεγάλα τῶν ζῴων πλείονος δεῖται θερμότητος
ἵνα κινῆται Ζμδ 13. 697 ᵃ27. cf 10. 686 ᵇ29.

Θερμώδων. περὶ τὸν Θερμώδοντα ποταμόν Ζιε 22. 554 ᵇ10.
ζ 13. 567 ᵇ16. 40

θέρος ἔπομβρον, νότιον, αὐχμηρόν, αὐχμῶδες, νοσερόν πα 8.
860 ᵃ9. 10. 860 ᵃ35. 11. 860 ᵇ8. 12. 860 ᵇ15. 19. 861
ᵇ14. 20. 861 ᵇ21. — τῇ θέρους, θέρος, opp χειμῶνος μα 12.
348 ᵇ28. πα 6. 905 ᵃ24.

Θερσίτης f 41. 1482 ᵃ16. 172. 1506 ᵇ30, 45

θέσις. 1. πᾶσα πορεία ἐξ ἄρσεως χ̀ θέσεως συντελεῖται πε 41.
885 ᵇ6. cf 10. 881 ᵇ24. — 2. τῇ ποσῇ τὸ μὲν ἐκ θέσιν
ἐχόντων πρὸς ἄλληλα τῶν μορίων συνέστηκε, τὸ δὲ ὀκ ἐξ
ἐχόντων θέσιν Κ 6. 4 ᵇ21, 5 ᵃ15 Wz, 28 (dist ὃ ἀριθμὸς τάξιν
ἔχει ᵃ32.) cf Μδ 6. 1016 ᵇ26. Γα 6. 322 ᵇ33. θέσις, dist 50
τάξις, σχῆμα ΜΑ 4. 985 ᵇ15, 17. χ 2. 1042 ᵇ14. Φα 5. 188
ᵃ23. dist εἶδος ξ 1. 974 ᵃ20. ἡ θέσις τῶν πρὸς τι Κ 7. 6 ᵇ6,
12. θέσεως τίνες διαφοραί Φα 5. 188 ᵃ24. θέσις, dist ἁφή,
μίξει Μμ 7. 1082 ᵃ21. διαφέρει θέσει Μη 2. 1042 ᵇ19. ἁφὴ
τῷ θέσιν τὰ τέλη ἔχειν φανερὰν ἑκάστου ἄστρον θέσιν μα 8. 55
346 ᵃ34. ἡ θέσις τῶν μερῶν πρὸς τὸ ἄνω χ̀ κάτω χ̀ πρόσθιον χ̀
ὀπίσθιον Ζια 15. 494 ᵃ20. ἔχειν τὴν θέσιν ἐν τῷ πρόσθεν Ζια 16.
494 ᵇ25. ἡ θέσις τῇ στομάχου sim Ζιβ 15. 506 ᵃ3. 17. 506
ᵇ32. 1. 499 ᵇ30. Ζγ 1. 780 ᵇ35. cf μα 3. 340 ᵃ20. 4. 342
ᵃ22. κεῖσθαι πρὸς ἀρχοειδῆ θέσιν Ζμγ 4. 666 ᵃ27. ἡ παρ᾽ 60
ἄλληλα θέσις αι 3. 440 ᵇ16. ἡ θέσις τῶν σφαιρῶν Μλ 8.

1073 ᵇ32. αἱ θέσεις χ̀ οἱ τρόποι τῆς κινήσεως Φθ 4. 254 ᵇ24.
κατὰ τὴν θέσιν τῶν τόπων μβ 6. 363 ᵇ11. ἐξ ἐναντίας κεῖ-
σθαι τῇ θέσει, κατὰ τὴν θέσιν μγ 2. 372 ᵃ3. 4. 375 ᵃ31. cf
α 8. 346 ᵃ18. β 2. 356 ᵃ10. περὶ θέσεως ἀνέμων μβ 6. 363
ᵃ21. πόλεως θέσιν ποίαν δεῖ εἶναι Πη 11. (ἐπιτήδειος ταῖς
τῶν θεῶν οἰκήσεσι) τοιοῦτος ὁ τόπος ὅστις ἐπαφαίνειαν ἔχει
πρὸς τὴν τῆς ἀρετῆς θέσιν ἱκανῶς Πη 11. 1331 ᵃ29. ex v
θέσις explicatur vis v διάθεσις Μδ 19. 1022 ᵇ2. — ad lo-
calem vim v θέσις referendum est quod in figuris syllo-
gismorum τὸ μέσον dicitur τῇ θέσει μέσον, πρῶτον, ἔσχα-
τον Αα 4. 25 ᵇ36. 5. 26 ᵇ39. 6. 28 ᵃ15 (Wz I p 387, aliter
Trdlbg El § 25). — 3. νόμων θέσις Πδ 1. 1289 ᵃ22. 14.
1298 ᵃ18. ταμιεία θέσις (?) οα 6. 1344 ᵇ33. ad hanc signi-
ficationem v θέσις referendum videtur, quod τὸ δεξιὸν χ̀
ἀριστερὸν cet Ar dicit ἢ μόνον πρὸς ἡμᾶς χ̀ θέσει, ἀλλὰ
χ̀ ἐν αὐτῷ τῷ ὅλῳ διωρίσθαι Φγ 5. 205 ᵇ34 (Simpl f 113ᵇ
θέσει explicat opp κατὰ φύσιν, alii θέσει locali sensu di-
ctum putant). — 4. cf τιθέναι 3. eadem varietas signi-
ficationis atque in v τιθέναι cernitur in nomine θέσις. est
enim θέσις vel id quod non demonstratum ponitur funda-
mentum demonstrationis, syn κείμενον, ὑπόθεσις Αβ 15. 65
ᵇ8, 14. 17. 66 ᵃ2. γ 3. 73 ᵃ9, 10. τθ 5. 159 ᵇ10, 12, 37, 160
ᵃ6 (sed θέσις, dist ἀξίωμα, ὑπόθεσις Αγ 2. 72 ᵃ15 Wz).
θέσεις ὁμολογούμεναι, δοκοῦσαι Αβ 14. 62 ᵇ31. τα 14. 105
ᵇ11. θέσις ἀναπόδεικτος τῇ τί ἐστιν Αδ 10. 94 ᵃ9. ὁ ὁρισμὸς
ἀπόδειξις θέσει διαφέρουσα Αγ 8. 75 ᵇ32. δ 10. 94 ᵃ2 ('a de-
monstratione non nisi eo differt, quod ipsa ponit quod haec
syllogismo facto probat' Wz. cf πτώσει διαφέρειν 94 ᵃ12);
vel omnino id quod statuitur ac contenditur τη 1. 152 ᵇ18.
θ 1. 156 ᵇ5. ι 12. 172 ᵇ32. θέσις ἐστὶν ὑπόληψις παράδοξος
τῶν γνωρίμων τινὸς κατὰ φιλοσοφίαν τα 11. 104 ᵇ19-28.
θέσις, dist et syn πρόβλημα διαλεκτικόν τα 11. 104 ᵇ29, 35.
θέσθαι, κομίζειν θέσιν τθ 5. 159 ᵃ38. β 1. 109 ᵃ9. δ 2. 123
ᵃ4. θέσιν διαφυλάττειν Ογ 7. 306 ᵃ12. Ηα 3. 1096 ᵃ2. πλείω
τῶν ἀναγκαίων ἠρώτηκε πρὸς τὴν θέσιν Αα 25. 42 ᵃ40. δια-
λέγεσθαι πρὸς θέσιν τινά Φα 2. 185 ᵃ5. ἔλεγχοι πρὸς τὴν
θέσιν Μζ 6. 1032 ᵃ7 Bz. ὁμολογημένως πρὸς τὰς θέσεις
Γα 8. 325 ᵇ14. κατὰ τὴν θέσιν Μμ 8. 1084 ᵃ9. διὰ τὴν θέσιν
Μχ 6. 1063 ᵇ32. ηεβ 4. 1221 ᵇ38. ἀναλαβόντες τὰς ἐξ ἀρ-
χῆς θέσεις χ̀ τὰς εἰρημένας πρότερον διορισμὰς μα 3. 339
ᵃ33.

θεσμοθέται ἐξίασιν εἰς τὰ οἰκεῖα δικαστήρια κ 6. 400 ᵇ16.
οἱ θεσμοθέται ὅσα πράττουσιν f 374. 1540 ᵃ38. 378. 1540
ᵇ42, 1541 ᵃ17. 379. 1541 ᵃ39. θεσμοθετῶν ἀνάκρισις f 374.
1540 ᵃ40. 375. 1540 ᵇ14. θεσμοθετῶν ὅρκος f 377. 1540 ᵇ34.

θεσμός. τὰ ζῷα ἀκμάζει χ̀ φθείρεται τοῖς τῇ θεῷ πειθόμενα
θεσμοῖς κ 6. 401 ᵃ10.

θεσπέσιος ἂν φανείη χ̀ ταύτῃ Ὅμηρος παρὰ τὰς ἄλλας
πο 23. 1459 ᵃ30.

Θεσπιάδες οἱ ἐξ Ἡρακλέους θ 100. 838 ᵇ16.

Θεσπρωτικὸν ἔθνος Ἀμύνται f 452. 1552 ᵃ25.

Θεστίῳ κόροι τὸν ἀριστερὸν πόδα εἶχον ἀνυπόδετον (Eur fr
534) f 64. 1486 ᵇ18.

θετικοὶ νόμοι Φιλολάῳ περὶ τῆς παιδοποιίας Πβ 12. 1274 ᵇ4.

Θέτις Ηδ 8. 1124 ᵇ15. f 596. 1575 ᵇ2.

Θετταλία. Θετταλίας ἀγορὰ ἐλευθέρα Πη 12. 1331 ᵃ32. χ̀
νῦν ἐν Θετταλίᾳ περιέλκουσι περὶ τὰς τάφας f 158. 1504
ᵇ37. — memorabiles res physicae θ 23. 832 ᵃ14. 117. 841
ᵇ9. 126. 842 ᵇ10. 151. 846 ᵇ16, 21. 164. 846 ᵇ10.

Θετταλίσκος Ἰσμηνίν Ρβ 23. 1398 ᵇ4.

Θετταλός, Θεσσαλός Ργ 7. 1408 ᵃ29. f 357. 1538 ᵇ22.

Θετταλῶν πενεστεία Πβ9. 1269 ᵃ37, ᵇ5. f 544. 1568 ᵇ2.
Θετταλῶν πολιτεία f 453-458. Ἰάσων ὁ Θετταλός Ρα12.
1373 ᵃ26. Θεσσαλὸς ὅτος ἀνὴρ Ἀχιλεύς f 596. 1575 ᵇ5.
θεωρεῖν. 1. oculis contemplari. θεωρεῖν γραφάς, εἰκόνας, ἀν-
δριάντας Πη17. 1336 ᵇ13. θ5. 1340 ᵃ27, 36. πο9. 1452 ᵃ9. 5
7. 1451 ᵃ1. Ζμα5. 645 ᵃ12. ημα22.1191 ᵇ7. φαίνεται θεω-
ρῆσιν ἡμῖν ἐντεῦθεν ὕτως μα3. 339 ᵇ35. νύκτωρ ἐν ὕδατι
τὸ γάλα ἐμφαίνεται θεωρῆσιν μα8. 345 ᵇ27. ἔστιν ἐνίοτε κ̀
τοῖς ὄμμασι θεωρεῖν μγ1. 371 ᵃ30. τ4των ἡ ὄψις θεωρείσθω
ἐκ τῆς διαγραφῆς τῆς ἐν ταῖς ἀνατομαῖς Ζια17. 497 ᵃ32. 10
θεωρείσθω τὰ εἰρημένα (ὁ κύκλος al) ἐκ τῆς ὑπογραφῆς
τῆσδε Ζιγ1. 510 ᵃ29. μα8. 346 ᵃ31. β6. 363 ᵃ26. ἐκ τ4
διαγράμματος ἔσται θεωρῆσι δῆλον μγ5. 375 ᵇ18. τὸ σχῆμα
θεωρείσθω ἐκ τῶν ἀνατομῶν, ἐκ τῶν ἐν ταῖς ἀνατομαῖς
διαγεγραμμένων sim Ζιζ10. 565 ᵃ13. 11. 566 ᵃ13. γ1. 511 15
ᵃ13. 2. 511 ᵇ21. α17. 496 ᵇ5. Ζγγ8. 758 ᵃ24. — inde
θεωρεῖν omnino refertur ad ea quae sensibus, usu, expe-
rientia cognita et observata sunt. τεθεώρηται τ4το μά-
λιστα ἐπὶ τῶν περιστερῶν sim Ζιζ3. 562 ᵃ23. β3. 501 ᵇ21.
Ζγα18. 723 ᵇ19. Πε5. 1305 ᵃ2. τὰ φαινόμενα πρῶτον θεω- 20
ρήσαντα εἶθ' ὕτω λέγειν τὸ διὰ τί Ζμα1. 639 ᵇ9. ἔστιν ἐν
τοῖς θαλαττίοις ζῴοις πολλὰ τεχνικὰ θεωρῆσαι sim Ζυ37.
620 ᵇ10. 7. 612 ᵇ18. 6. 612 ᵇ5. τὰ σελάχη πάντα τεθεώ-
ρηται τύτες τὰς τρόπες ποι4μενα τὴν ὀχείαν Ζιε5. 540 ᵇ19.
cf 18. 550 ᵇ18. τ4θ' ἱκανῶς τεθεωρήκαμεν ἐκ τῶν ἀνατο- 25
μῶν Ζγδ1. 764 ᵃ34. μόνον τῶν τεθεωρημένων ὁ κορδύλος
βράγχιον ἔχει αν10. 476 ᵃ6. ἐξ ὀλίγε θεωρῦντας οἴεσθαι δεῖ
ἔχειν ὁμοίως ἐπὶ πάντων Ζγ3. 756 ᵃ5. cf ζ3. 468 ᵇ30.
ἴδοι ἄν τις θεωρῶν ὡς μεταβάλλει τὸ οἶνος τὸς πίνοντας πλ1.
953 ᵃ39. φαίνεται τοῖς ἐκ παρόδε θεωρῦσιν Ζγγ6. 757 ᵃ12. 30
τὰ ἐνδεχόμενα ἄλλως, ὅταν ἔξω τ4 θεωρεῖν γένηται, λαν-
θάνει εἰ ἔστιν ἢ μή Ηζ3. 1139 ᵇ22. θεωρεῖν μᾶλλον τὸς
πέλας δυνάμεθα ἢ ἑαυτὸς Η9. 1169 ᵇ33, 1170 ᵃ2. οἱ νέοι
εὐήθεις διὰ τὸ μήπω τεθεωρηκέναι πολλὰς πονηρίας Ρβ12.
1389 ᵃ17. θεωρῶμεν ὀλίγες τὸς ἐκ τῶν κοινωνιῶν διαφερομένες 35
πρὸς πολλὸς τὸς κεκτημένες ἰδίᾳ, syn ὁρᾶν Πβ5. 1263 ᵇ25,
24. — ἥτις κτῆσις κωλύει τὸν θεὸν θεραπεύειν κ̀ θεωρεῖν (?)
νεη15. 1249 ᵇ20 Fr. — τῶν ἄλλων ζῴων οἱ περὶ ἕκαστον
ἐπιστήμονες ἐκ τῆς ἰδέας δύνανται θεωρεῖν (cognoscere),
ἱππικοὶ τε ἵππες κ̀ κυνηγέται κύνας φ1. 805 ᵃ16. — 2. apud 40
animum contemplari. α. notio. ὅταν θεωρῇ (μὴ αἰσθανόμε-
νος) ἀνάγκη ἅμα φάντασμά τι θεωρεῖν ψ8. 432 ᵃ8. ἐν
φιλοσοφίᾳ τὸ ὅμοιον κ̀ ἐν πολὺ διέχεσι θεωρεῖν εὐστόχε
Ργ11. 1412 ᵃ12. τῷ λόγῳ θεωρῆται, opp ἐκ τῶν γινομέ-
νων καταμαθεῖν Πα5. 1254 ᵃ20. θεωρεῖν, syn σκέπτεσθαι 45
τε4. 132 ᵃ24, syn σκοπεῖσθαι Φγ5. 204 ᵇ10, 4. Οα6. 274
ᵃ20, syn ἐπισκοπεῖν Μγ1. 1003 ᵃ21, 23. ἐπιζητῦμεν θεω-
ρῆσαι κ̀ γνῶναι τὴν φύσιν τῆς ψυχῆς ψα1. 402 ᵃ7. αἱ ἀπὸ
τ4 θεωρεῖν κ̀ μανθάνειν ἡδοναὶ μᾶλλον ποιήσεσι θεωρεῖν κ̀
μανθάνειν Ηη13. 1153 ᵃ22. ἔστι δυνάμει ἄλλως ὁ μανθά- 50
νων ἐπιστήμων κ̀ ὁ ἔχων ἤδη κ̀ μὴ θεωρῶν· ὁ γὰρ ἐπι-
στήμων μὴ θεωρῶν δὲ δυνάμει ἐστὶν ἐπιστήμων πως Φθ4.
255 ᵃ34, ᵇ2. θεωρῶν, dist μανθάνων αι4. 441 ᵇ23. πιθ5.
918 ᵃ7. 40. 921 ᵃ35. θεωρεῖν ab ἐπιστήμη perinde distin-
guitur atque ἐνέργεια a δυνάμει ψβ1. 412 ᵃ11, 23 Trdlbg. 55
5. 417 ᵃ29sqq. Μθ6. 1048 ᵃ34 Bz (cf 8. 1050 ᵃ12-14).
Ηη5. 1146 ᵇ31-35. Ζγβ1. 735 ᵃ11. τὸ παρὸν ὅτε πάρεστιν
ὀδεὶς μὴ φαίη μνημονεύειν, ἀλλὰ θεωρεῖν· ὅτε θεω-
ρῶν τυγχάνει κ̀ ἐννοῶν μν1. 449 ᵇ17. 4 τῷ θεωρῆσαι ἕνεκα
ποι4σι τὴν γένεσιν τῶν ἀριθμῶν Μν4. 1091 ᵃ28 (i e 4 τῷ 60
θεωρῆσαι κ̀ διδασκαλίας χάριν, ἀλλ' ὡς πεπιστευκότες ὅτι

γεγόνασι Ps Alex). — αἱ τ4 θεωρεῖν ἐνέργειαι ἡδοναί εἰσιν
ἄνευ λύπης Ηη13. 1153 ᵃ1. — opp πράττειν: θεωρεῖν δυ-
νάμεθα συνεχῶς μᾶλλον ἢ πράττειν ὁτι4ν Ηκ7. 1177 ᵃ21.
θεωρεῖν τὴν γένεσιν τῶν συλλογισμῶν, opp ἔχειν τὴν δύνα-
μιν τ4 ποιεῖν Αγ27. 43 ᵃ23. 32. 47 ᵃ3. sed refertur τὸ
θεωρεῖν etiam ad τῶν πρακτῶν cognitionem, veluti θεωρεῖν
ὅπως ἂν γένηταί τι τῶν ἐνδεχομένων κ̀ εἶναι κ̀ μὴ εἶναι
Ηζ4. 1140 ᵃ11. φρονίμως οἰόμεθα εἶναι, ὅτι τὰ αὑτοῖς
ἀγαθὰ κ̀ τὰ τοῖς ἀνθρώποις δύνανται θεωρεῖν Ηζ5. 1140 ᵇ9.
— b. constructio grammatica. θεωρεῖν c acc θεωρεῖν τὸ ὂν
ᾗ ὂν Μγ2. 1003 ᵇ15, 1005 ᵃ3, τὰς ἀρχάς, τὰ αἴτια, τὴν
φύσιν τινός, τὸ τί ἐστι Μκ4. 1061 ᵇ19. 1. 1059 ᵃ21. β2.
996 ᵇ25. γ2. 1003 ᵇ35. ψα1. 402 ᵇ17. Ζια6.491 ᵃ5. Ζμγ2.
663 ᵇ27, τὸ καθόλυ, τὰ κοινὰ κατὰ τὸ πρᾶγμα Αγ13. 79
ᵃ5. 18. 81 ᵇ2. τι11. 171 ᵇ6, τὰ καθ' αὑτὰ συμβεβηκότα
(συμβαίνοντα) Μβ2. 997 ᵃ20, 22, 24, 32. γ1. 1003 ᵃ25.
2. 1004 ᵃ9. Γα8. 325 ᵇ35, τἀληθές τι7. 169 ᵃ32. Ρα1.
1354 ᵇ10. Μβ2. 997 ᵃ15, τὰς ὁμοιότητας, τὸ περὶ ἕκαστον
γένος ἁρμόττον αρ2. 464 ᵇ7. Πὸ1. 1288 ᵇ12. θεωρεῖν τὰ
παρὰ τῶν ἄλλων λεγόμενα, τεθεωρηκέναι τὰς δυσχερείας
πρότερον Μμ1. 1076 ᵃ13. 9. 1086 ᵃ26. β1.995 ᵃ33. ἀπορία
χαλεπωτάτη κ̀ ἀναγκαιοτάτη θεωρῆσαι Μβ4. 999 ᵃ25. cf
praeterea θεωρεῖν τι Αγ10. 76 ᵇ4. 13. 78 ᵇ35. τα16. 108
ᵃ1. ζ12. 149 ᵇ27. ιι5. 174 ᵇ20. μα3. 339 ᵇ32.*Μβ2. 998
ᵃ10. ἐκ τ4 θεωρεῖν τ4το πολλάκις συμβαίνον Αγ31. 88 ᵃ3.
pass αἱ ἀρχαὶ θεωρῦνται ἐπαγωγῇ Ηα7. 1098 ᵇ3. ἄριστα
ἂν ὕτω θεωρηθείη ἕκαστον sim Μμ3. 1078 ᵃ21. κ7. 1064
ᵃ26. Ηα1. 1100 ᵃ32. τε8. 138 ᵇ25. οα2. 1343 ᵃ19. πρὸς
ἕτερον θεωρεῖται τὸ μέγα κ̀ τὸ μικρὸν Κ6. 5 ᵇ28. — θεω-
ρεῖν περί τινος ΜΑ3. 983 ᵃ13. γ2. 1004 ᵇ1. 3. 1005 ᵇ6. ει.
1026 ᵃ5, 31. ζ4. 1029 ᵇ2. Γα2. 315 ᵇ19. Ηα12. 1102 ᵃ7.
η12. 1152 ᵇ1. Πδ14. 1297 ᵇ37. Ζια6. 491 ᵃ8. θεωρεῖν περί
τι Μα4. 1027 ᵇ28. Πη4. 1325 ᵇ34. — θεωρεῖν c enunciatione
interrogativa, θεωρεῖν πόσας ἔχει διαφοράς, πότερον sim
Ζγγ10. 761 ᵃ11. τε4. 132 ᵃ24. ι5. 167 ᵃ16. μβ8. 366 ᵇ23.
εν2. 459 ᵃ24. Μγ2. 1005 ᵃ11. ζ1. 1028 ᵇ7. Ηζ5. 1140
ᵃ24. Πα8. 1256 ᵃ15. 9. 1257 ᵇ6. Ρα1. 1355 ᵃ10. θεωρή-
σωμεν εἴ τι δυνάμεθα ἀποδῦναι μα1. 339 ᵃ6. θεωρεῖν ὅτι
τα15. 106 ᵃ38. — θεωρεῖν sine obiecto, θεωρεῖν λογικῶς
Αγ32. 88 ᵃ19, φυσικῶς Ογ5. 304 ᵃ25, ἀκριβῶς, ὕτως
Πγ9. 1280 ᵇ28. α2. 1252 ᵃ26, φορτικῶς Μβ4. 1001 ᵇ14.
θεωρεῖν ἐπὶ πασῶν Αγ1. 71 ᵃ2. ἐάν τις βελήται θεωρεῖν
ἐπιστήσας Ογ2. 300 ᵇ20 (cf Γα2. 315 ᵇ19). θεωρεῖν ἔκ
τινος Φθ1. 208 ᵃ33. Οα8. 277 ᵇ8. Ζγβ8. 748 ᵃ16. Μζ3.
1029 ᵃ26. 13. 1038 ᵇ34 (cf τε4. 132 ᵃ24. μβ8. 366 ᵇ23.
εν2. 459 ᵃ24. Ζγγ10. 761 ᵃ11. Μβ2. 997 ᵃ20, 22. Πα11.
1259 ᵃ3. Ηα11. 1100 ᵃ32). θεωρεῖν διά τινος μβ1. 353
ᵇ18. — τεθεώρηται πρότερον, infra Πη4. 1325 ᵇ34. ΜΑ3.
983 ᵃ15. τεθεώρησθω, ἔστω τεθεωρημένον Μγ2.1004 ᵃ2. α3.
1061 ᵃ15. μγ2. 372 ᵇ9. Πβ12. 1274 ᵇ27. cf Vhl Poet
I 17. τὰ τεθεωρημένα Μμ5. 1080 ᵃ11. — θεωρητέον.
λοιπόν ἐστι μέρος ἔτι θεωρητέον μα1. 338 ᵃ25. τ4το θεω-
ρητέον ὅτι Ηβ2. 1104 ᵃ11. θεωρητέον τὰς αἰτίας Ζμβ2. 648
ᵇ22. Ζγα18. 724 ᵃ6. θεωρητέον περὶ ψυχῆς Ηα13. 1102
ᵃ23. θεωρητέον τίνι διαφέρει Φβ2. 193 ᵇ23. ὕτω θεωρητέον
Φβ2. 194 ᵃ14.

θεώρημα. 1. cf θεωρεῖν 1. τὸ ἐν ἡμῖν φάντασμα δεῖ ὑπολα-
βεῖν κ̀ αὐτό τι καθ' αὑτὸ εἶναι θεώρημα κ̀ ἄλλυ φάντασμα
μν1. 450 ᵇ25. παντοδαπὰς ὄψεις ὁρῶσιν· διὰ γὰρ τὸ πολλὰ
κ̀ παντοδαπὰ κινεῖσθαι ἐπιτυγχάνυσιν ὁμοίοις θεωρήμασιν
μτ2. 463 ᵇ19. — 2. cf θεωρεῖν 2. τὰ περὶ τὸν ἄνω τόπον,

περὶ ἀστρολογίαν θεωρήματα μα 3. 339 b37. 8. 345 b2. εἴρηται ἐν τοῖς περὶ ψυχῆς θεωρήμασιν υ 2. 455 a25. τὰ ἀστρολογικά, μαθηματικὰ θεωρήματα μα 3. 339 b8. Μν6. 1093 b15. παρείσθω ὡς ἄλλης ϗ ου τῆς ποιητικῆς ὂν θεώρημα πο 19. 1456 b19. θεωρήματα οἰκεῖα al Ρα4. 1359 b8. τα11. 104 b1. Μμ8. 1083 b18. ν2. 1090 a13. 3. 1090 b28. θεωρημάτων εὐπορεῖ ὁ χρηστὸς τῇ διανοίᾳ Ηι4. 1166 a26. — ἐκεῖ θεώρημα τὸ τέλος, ἐνταῦθα δὲ πρᾶξις Ζκ7. 701 a10. πολλῶν ὄντων θεωρημάτων, ἃ περὶ ἕκαστον πρᾶγμα δεῖται σκέψεως, τὰ μὲν συντείνει πρὸς τὸ γνῶναι μόνον, τὰ δὲ ϗ περὶ τὰς πράξεις ηεα 1. 1214 a9.

θεωρητικός. 1. cf θεωρεῖν 1. θεωρητικὸς τοῦ περὶ τὰ σώματα κάλλους Πθ3. 1338 a1. — 2. cf θεωρεῖν 2. ἐπιστήμη θεωρητικὴ τῶν αἰτιῶν, τῶν οὐσιῶν, τῶν ὑπαρχόντων, τῶν καθ' αὑτὰ παθημάτων ΜΑ2. 982 a29, b9. γ2. 1005 a16. Αγ10. 76 b13. ὁ περὶ φύσεως θεωρητικὸς Ζμα1. 641 a29. — ὁ περὶ τὴν πρώτην οὐσίαν θεωρητικὸς Μγ3. 1005 a35. κ3. 1061 b11. τῷ βουλομένῳ τεχνικῷ γενέσθαι ϗ θεωρητικῷ ἐπὶ τὸ καθόλου βαδιστέον Ηκ10. 1180 b21. — ἐπιστήμη θεωρητική, dist πρακτική, ποιητική Με1. 1025 b25-1026 a23 Bz. κ7. 1064 a17-b5. Α1. 982 a1. τζ6. 145 a15. Ζμα1. 640 a2. ψγ4. 430 a4. θεωρητικῆς φιλοσοφίας τέλος ἀλήθεια Μα1. 993 b20. λόγος θεωρητικός, πρακτικὸς Πη14. 1333 a25. διάνοια θεωρητική, πρακτική, ποιητική Με1. 1025 b25. Ηζ2. 1139 a27, περὶ τοῦ νοῦ ϗ τῆς θεωρητικῆς δυνάμεως ψβ2. 413 b25. νοήσεις θεωρητικαί, πρακτικαὶ ψα3. 407 a25. νοῦς θεωρητικός πρακτικὸς ψβ3. 415 a11. γ9. 432 b27. 10. 435 a15. βίος θεωρητικός, dist ἀπολαυστικός, πολιτικός, πρακτικὸς Ηα3. 1095 b19. Πη2. 1324 a28. εὐδαιμονία θεωρητικὴ Ηκ7. 1178 b7-32.

θεωρία. 1. a. cf θεωρεῖν 1. ὦπται ἡ ὕαινα, ἐν ἐνίοις γὰρ τόποις ου σπάνις τῆς θεωρίας Ζγγ6. 757 a8. χαλεπῆς ουσης τῆς θεωρίας (τῶν φλεβῶν) Ζιγ3. 513 a13. τοῖς γαμψώνυχοις ἄνωθεν ἡ θεωρία τῆς τροφῆς Ζμβ13. 657 b26. τοῦ παμμεγέθους ουχ ἅμα ἡ θεωρία γίγνεται πο7. 1451 a1. τὸ ἀσύμμετρον ὡς πολλὰ ὂν θεωρίαν ποιεῖ πλείω πιζ1. 916 a7. θεωρία μικρὰ κ1. 391 a24. τὰ μὴ κεχαρισμένα πρὸς τὴν αἴσθησιν κατὰ τὴν θεωρίαν Ζμα5. 645 a8. ἡ θεωρία τῶν καλῶν ηεγ2. 1231 a3. cf Ηθ4. 1122 b17. Πθ5. 1340 a27, 36. κοινωνεῖν θεωρίας τινὸς θείας ηεα4. 1215 b13. 5. 1216 a11. πρὸς τὰς θεωρίας λαμπρῶς ρ3. 1423 b38. — b. ἀγῶνες ϗ θεωρίαι Πθ7. 1342 a21. ζ8. 1323 a3. θεωρίαι πολυχρόνιοι Πε10. 1310 b22. καιροὶ ἐν οἷς ἡ θεωρία κάθαρσιν μᾶλλον δύναται ἢ μάθησιν Πθ6. 1341 a23. θεωρία μουσική (?) ηεη12. 1245 a22. — θεωρία ἣν ἐποιήσατο Ὀλυμπιάζε ηεγ6. 1233 b11. — 2. cf θεωρεῖν 2. θεωρία ipsam contemplandi atque investigandi actionem significat (interdum doctrinam quae inde efficitur, pariter ac μέθοδος, simul potest comprehendere, εἴρηται ἐν τῇ θεωρίᾳ περὶ φυτῶν Ζιε1. 539 a20), syn σκέψις, ἐπίσκεψις: περὶ τὴν τῆς τροφῆς σκέψιν ϗ θεωρίαν οἰκείους ἔχει τοὺς λόγους Ζμβ7. 653 b14. ἡ τοῦ ὁμοίου θεωρία τα18. 108 b7 (cf ἡ τοῦ ὁμοίου σκέψις 13. 105 a25, τὴν ὁμοιότητα σκεπτέον 17. 108 a7). περὶ τῶν ἄλλων ῥητορικῆς οἰκειοτέρα ἡ σκέψις, ὁ δὲ ἀποφαντικὸς τῆς νῦν θεωρίας ε4. 17 a7. ὅσοι περὶ ἁπάντων τῶν ὄντων ποιοῦνται θεωρίαν, περὶ ἀμφοτέρων τῶν γενῶν ποιοῦνται τὴν ἐπίσκεψιν ΜΑ8. 989 b25. γ3. 1005 a29, 22. περὶ πᾶσαν θεωρίαν ϗ μέθοδον Ζμα1. 639 a1. ἐπὶ τῆς ἐπιστήμης αἱ πρόσφατοι θεωρίαι ϗ μαθήσεις αἴσθηταὶ μάλιστα ηεη2. 1237 a24. τῆς πολιτικῆς διανοίας ϗ θεωρίας τοῦτ' ἐστὶν ἔργον Πη2. 1324 a10. τὰς αὑτῶν ἕνεκεν θεωρίας ϗ διανοήσεις Πη3. 1325 b20. θεωρία ου μόνον ἐπὶ τὰ ζῷα συντείνουσα, ἀλλὰ ϗ πρὸς τὴν τοῦ παντὸς κίνησιν Ζκ2. 698 b11. περὶ τὰς ἀιδίους οὐσίας ἐλάττους ἡμῖν ὑπάρχουσι θεωρίαι Ζμα5. 644 b25. ἔκ τε τοῦ διωρίσθαι ϗ ἐκ τῆς καθ' ἕκαστα θεωρίας Ογ1. 298 b5. ὅσα συγγενῆ τῆς θεωρίας ἐστὶ ταύτης Ηη4. 1146 b14. ἑτέρας ἔργον ἐστὶ θεωρίας Γβ7. 334 a15. ἡ αὐτὴ θεωρία περὶ τῆς αἰτίας ἐστὶ πάντων Ζγγ2. 753 a5. θεωρία ἠθική, φυσικὴ Αγ33. 89 b9. ὁ λόγος οὗτος ουκ ἀφαιρεῖται τοὺς μαθηματικοὺς τὴν θεωρίαν Φγ7. 207 b28. ὅσα μετέχει μαθηματικῆς θεωρίας πιε. θεωρία, opp ἐμπειρία Πα11. 1258 b11. — ποιεῖσθαι τὴν θεωρίαν περί τινος Μλ8. 1073 b6, περί τι Μκ3. 1061 a29 (syn θεωρεῖν a30). 4. 1061 b22. οὕτω ποιεῖσθαι τὴν θεωρίαν Ζιε1. 539 a6. Ζμα1. 640 a11. τὸ τὴν φιλόσοφον θεωρίαν μετιέναι f 50. 1483 b33. ἡ περί τινος θεωρία Φγ1. 200 b24. θ1. 250 b17. Οα5. 271 b6. Ζμα5. 645 a26. Μα1. 993 a30 Bz. λ1. 1069 a18. θεωρία περί τι Με2. 1026 b4. β1. 995 b19. 2. 997 a26. ἡ διὰ τοῦ λόγου γινομένη τοῦ συμφέροντος θεωρία ρ1. 1421 a2. περὶ τὴν λέξιν ἓν μέν ἐστιν εἶδος θεωρίας τὰ σχήματα τῆς λέξεως πο19. 1456 b9. — τοῦ πράττειν ἀφαιρουμένου, ἔτι δὲ μᾶλλον τοῦ ποιεῖν, τί λείπεται πλὴν θεωρία Ηκ8. 1178 b21. ἡ θεωρία τὸ ἥδιστον ϗ ἄριστον Μλ7. 1072 b24 (cf Ηη13. 1153 a1 Fr). ἡ εὐδαιμονία θεωρία τις Ηκ8. 1178 b5, 29-32.

θεωρός. δεῖ θεωροὺς ἤδη γίγνεσθαι τῶν μαθήσεων, ἃς δεήσει μανθάνειν αὐτούς Πη17. 1336 b36. ἀνάγκη τὸν ἀκροατὴν ἢ θεωρὸν εἶναι ἢ κριτήν Ρα3. 1358 b2, 6. β18. 1391 b17.

Θῆβαι f 596. 1576 b37, 1577 a15. 489. 1558 a7. earum res publicae Πγ5. 1278 a25. ε3. 1302 b29. 6. 1306 a38. ἑπτὰ οἱ ἐπὶ Θήβας Μν6. 1093 a16. f 594. 1574 b35. τὸ καλούμενον Ἰσμήνιον ἐν Θήβαις θ133. 843 b21. Φιλόλαος ἀπῆλθεν εἰς Θήβας Πβ12. 1274 a35. πλέων εἰς Θήβας f 66. 1487 a19. Θήβησι Ρβ23. 1398 b2. ὁ Θήβησιν ἀποθανὼν Ρβ23. 1397 b9. Θήβησιν οἱ προστάται φιλόσοφοι Ρβ23. 1398 b18. ἵνα Θήβησιν ἥρως γένη f 460. 1553 b28. Θήβηθεν Φγ3. 202 b13. Θήβαζε Φζ1. 231 b30, 232 a1.

Θῆβαι Aegyptiacae Ζιβ1. 500 a4. τὸ ἀρχαῖον ἡ Αἴγυπτος Θῆβαι καλούμεναι μα14. 351 b34.

Θηβαῖοι, eorum res publicae Πβ9. 1269 b37. ζ7. 1321 a28. Ρβ23. 1397 b31. ρ2. 1422 b41. 9. 1429 b12. πόλεμος πρὸς Φωκεῖς Αβ24. 69 a1 sqq. eorum νομοθέτης Φιλόλαος ὁ Κορίνθιος Πβ12. 1274 a32, b2. Θηβαίων πολιτεία f 459. 460. Αἰγεῖδαι φρατρία Θηβαίων f 489. 1557 b40. τὸν χαλκοῦν θώρακα Θηβαῖοι ὅπλον ἐκάλουν f 489. 1558 a2.

Θηβάνας ventus σ973 a9, b2. f 238. 1521 b1, 20.

Θήβη πεδίον τῆς Μυσίας σ973 a9. f 238. 1521 b2.

θήγειν. ἀκράτῳ τῆς διανοίας ὀργῇ τεθηγμένος (Alcidam) Ργ3. 1406 a10.

θήκη. τὰ τῶν παλαιουμένων νεκρῶν σώματα ἐξαίφνης τέφρα γίνεται ἐν ταῖς θήκαις μδ12. 390 a23. — τῶν καρπῶν τινές εἰσιν ἐν θήκαις φτα5. 820 b7.

θηλάζειν, sugere, lactere Ζγβ1. 733 b29. ε8. 788 b14, 15 16. Ζιγ20. 522 b5. ἐλέφαντος ὁ σκυμνὸς θηλάζει τῷ μυκτῆρι Ζιζ27. 578 a22. ἐὰν μὴ τύχῃ τεθηλακὼς ὁ ὄνος ἵππον Ζιζ23. 577 b16. ὁ αἰγοθήλας θηλάζει τὰς αἶγας Ζιι30. 618 b5, 7. — pass δελφίς, φώκη θηλάζεται ὑπὸ τῶν τέκνων Ζιβ13. 504 b25. ζ12. 567 a2. — inde pass vel med θηλάζεσθαι i q lactare ἔχει ὁ δελφὶς γάλα ϗ θηλάζεται Ζιζ12. 566 b17. ου συλλαμβάνουσι θηλαζόμεναι Ζγδ8. 777 a12, 13. Ζιζ33. 580 a3. η11. 587 b31. τοῖς θηλαζομένοις πρὸς τὴν τοιαύτην λειτουργίαν βέλτιον οὕτω κεκάμφθαι τὰ σκέλη Ζπ12.

V. Tt

711 ᵇ29. — θηλάζειν lactare (i q θηλάζεσθαι) Ζιζ22. 576 ᵇ10. — aliter de ambiguo huius verbi usu iudicant grammatici apud Lob ad Phryn p 468.

θηλή, papilla. τῶν μαστῶν ἡ θηλὴ διφυής, δι' ἧς τοῖς θήλεσι τὸ γάλα διηθεῖται Ζια12. 493 ᵃ13. ἐνίαις τῶν γυναικῶν ῥεῖ τὸ γάλα ὐ μόνον κατὰ τὰς θηλὰς ἀλλὰ πολλαχῇ τῇ μαστῷ, ἐνίαις δὲ κατὰ τὰς μασχάλας Ζιη11. 587 ᵇ20. cf Rokitansky Pathol Anat III 524, Förster Pathol Anat 460. ταῖς κυσὶν ὥσπερ τοῖς ἀνθρώποις ἐπὶ ταῖς θηλαῖς τῶν μαστῶν ἐπιγίνεται ἀνοίδησίς τις χ̔ χόνδρον ἴσχυσιν Ζιζ20. 574 ᵇ15. δύο μὲν θηλὰς ἔχυσιν ἄνθρωπος, ἐλέφας, ἄρκτος, πρόβατον, πίθηκος Ζιβ1. 500 ᵃ17, 24. 8. 502 ᵃ34, τέτταρας δὲ κάμηλος, βῦς, ἔλαφος Ζιβ1. 499 ᵃ18, 500 ᵃ25, 30. ζ29. 578 ᵇ31. ὁ δελφὶς ἔχει ὐχ, ὥσπερ τὰ τετράποδα ἐπιφανεῖς θηλάς, ἀλλ' οἷον ῥύακας δύο Ζιβ13. 504 ᵇ23.

θηλυγονία. περὶ ἀρρενογονίας χ̔ θηλυγονίας Ζιη6. 585 ᵇ11. Ζγδ1. 765 ᵃ30. 2. 767 ᵃ9.

θηλυγόνοι ἄνδρες, γυναῖκες Ζιη6. 585 ᵇ22, 13. τὰ λεπτὰ χ̔ μὴ θρομβώδη τῶν σπερμάτων θηλυγόνα Ζιη1. 582 ᵃ32. θηλυγόνα ἡ ἀρρενογονία γίνεται διὰ τὰ ὕδατα Ζιζ19. 573 ᵇ32. τὰ ὑγρότερα τῶν σωμάτων χ̔ γυναικικώτερα θηλυγόνα μᾶλλον Ζγδ2. 766 ᵇ32. θηλυγόνοι χ̔ φιλογύναιοι φ3. 808 ᵃ36.

θηλυδρίαι. γίνονται ἡ θηλυδρίαι ἐκ γενετῆς τῶν ὀρνίθων τινὲς ὕτως ὥστε χ̔ ὑπομένειν τὸς ἐπιχειρῦντας ὀχεύειν Ζιι49.631 ᵇ17. φύσει θηλυδρίαι πῶς συνεστᾶσιν πδ26. 879 ᵇ21.

θηλυκός. αἱ γυναῖκες αἱ λευκόχροοι χ̔ θηλυκαί, opp αἱ μέλαιναι χ̔ ἀρρενωποί Ζγα20. 728 ᵃ3. γίνονται γυναικές τε ἀρρενωποὶ χ̔ ἄνδρες θηλυκοί Ζγβ7. 747 ᵃ1. τῶν ἀρρένων ἔνια γίνεται θηλυκά Ζιβ2. 589 ᵇ30. φωνὴν θηλυκὴν ἴσχυσιν οἱ εὐνῦχοι πι36. 894 ᵇ20. ὑγρὰ μᾶλλον χ̔ θηλυκώτερα τὰ ἀριστερὰ πλβ7. 961 ᵃ6. — ἀντὶ ἑνὸς σώματος θηλυκῦ διδόναι πέντε σώματα ἄρρενα θ88. 837 ᵃ35.

θηλυμορφότερον φ5. 809 ᵇ37.

θῆλυς. locis s v ἄρρην collatis adde: ὁμοίως ἔχει τὸ ἄρρεν πρὸς τὸ θῆλυ ὡς εἶδος πρὸς ὕλην ΜΑ6. 988 ᵃ5. τὸ θῆλυ διαφέρει ὐθενὶ τῶν ἔσω πλὴν ταῖς ὑστέραις Ζια17. 497 ᵃ31. τῷ θήλεος ἴδιον μέρος ὑστέρα Ζια13. 493 ᵃ25. ἡ τῷ θήλεος χώρα χ̔ ὑποδοχή Ζιε5. 541 ᵃ2. cf Ζγα18. 722 ᵇ14. τὰ εἰς τὴν γένεσιν συντελῦντα μόρια τοῖς θήλεσι πᾶσιν ἐντός ἐστιν Ζιγ1. 509 ᵃ30. τὰ λευκὰ μικροῖς ἔτι χ̔ παιδίοις ὖσι τοῖς θήλεσι γίνεται Ζγβ4. 738 ᵃ26. διὰ τῆς θηλῆς διφυῦς τοῖς θήλεσι τὸ γάλα διηθεῖται Ζια12. 493 ᵃ13. cf Philippson ὕλη ἀνθρ. p 62 sq. — θῆλυ ἡ ὁῦλον φύσει διώρισται, ἐν τοῖς βαρβάροις τὴν αὐτὴν ἔχει τάξιν Πα2. 1252 ᵇ1, 5. τῶν θηλειῶν τίς ἀρετή Ρα5. 1361 ᵃ6. — grammat τὰ θήλεα εἰς τίνα τελευτᾷ πο21. 1458 ᵃ10.

θηλύτης. ὥσπερ ἀναπηρία ἡ θηλύτης φυσική Ζγδ6. 775 ᵃ16. ἡ φύσις τῆς θηλύτητος Ζγε7. 787 ᵃ32. θηλύτης τῶν φυτῶν, opp ἀρρενότης φτα2. 817 ᵃ18.

θηλυτοκεῖν, opp ἀρρενοτοκεῖν Ζιη6. 585 ᵇ26. Ζγδ1.765 ᵃ24. πολλαῖς θηλυτοκύσαις ἡ κίνησις ἐν τῷ δεξιῷ γίνεται βυβῶνι Ζιη3. 583 ᵇ6. ἐὰν θηλυτοκῇ, προέρχονται οἱ ἰχῶρες αἱματώδεις Ζιη9. 586 ᵇ33. νοτίοις ὀχευόμενα θηλυτοκεῖ Ζιζ19. 574 ᵃ1. πιθ5. 909 ᵃ32.

θηλυτοκία χ̔ ἀτεκνία διὰ ὕδατά τινα Ζγδ2. 767 ᵃ35. ἐνδεχομένου μὴ κρατεῖν ποτε τῦ ἄρρενος ἀνάγκη γίνεσθαι θηλυτοκίαν Ζγδ3. 767 ᵇ12.

θηλυτόκος. τὰ νέα θηλυτόκα μᾶλλον τῶν ἀκμαζόντων Ζγδ2. 766 ᵇ29. Πη16. 1335 ᵃ13. γίνονταί τινες ἐκ θηλυτόκων ἀρρενοτόκοι Ζγα18. 723 ᵃ27.

θημών. ἀχύρων θημὼν χ̔ πλῆθος μα7. 344 ᵃ26.

θήρ. ἔγνω θὴρ θῆρα (cf παροιμία) Ρα11. 1371 ᵇ16. οἱ ἄγριοι θῆρες ἀνδρεῖοι δοκῦσιν εἶναι, ὐκ ὄντες ηεγ1. 1229 25. θηρί γε σιτοφάγῳ (Hom ι191, cf Ὅμηρος) Ζιζ28. 578 ᵇ2.

θήρα. ζῆν ἀπὸ θήρας, εἴδη θήρας Πα8. 1256 ᵃ35 sqq. οἱ ἀράχναι ἀπὸ τῆς τῶν μυιῶν θήρας ζῶσιν Ζια1. 488 ᵃ18. αἱ τῶν ἰχθύων θήραι μα12. 348 ᵇ35. ἐν ταῖς θήραις μὴ πνευστιᾶν πια41. 903 ᵇ35. ποιεῖσθαι θήραν, τὴν θήραν Ζιε5. 541 ᵃ20. θ20. 603 ᵃ2. ι32. 619 ᵃ31. αἱ πέρδικες εἰς τὰς θήρας ἀγόμεναι Ζγγ1. 751 ᵃ14. — μετὰ τὴν θήραν ὡς ἔλαβε τὸν Σειληνόν f 40. 1481 ᵇ3.

Θήρα. eius res publicae Πδ4. 1290 ᵇ11. Βάττος Κυρήνην ἔκτισεν ἐλθὼν ἀπὸ Θήρας f 485. 1557 ᵃ33.

θήραμα κάλλιστον βίῳ ἀρετά f 625. 1583 ᵇ9.

Θηραμένης ὁ Ἅγνωνος f 370. 1540 ᵃ5.

θήραν. οἱ ἁλιεῖς ἐπὶ τῷ θηρᾶσαι (θηρᾶσαι Rose) μηδέν f 66. 1487 ᵃ22.

θηρεύειν. κύρτῳ θηρεύυσι τὸς ἰχθῦς· ὄργανον ᾧ θηρεύονται Ζιθ20. 603 ᵃ7. 2. 591 ᵃ16. δ4. 528 ᵃ34. θηρεύυσι τὸς ἰχθῦς διακόπτοντες τὸν κρύσταλλον μα12. 348 ᵇ35. θηρεύυσι τὸς νηρείτας εἰς τὸ δέλεαρ Ζιθ8. 535 ᵃ20. θηρεύοντος (i e θήραν ποιημένυ) τῦ δελφῖνος Ζιε31. 557 ᵃ32. θηρεύειν ἐπὶ θοίνην ἢ θυσίαν Πη2. 1324 ᵇ39. θηρευτὸν ὃ ἂν ἄγριον χ̔ ἐδεστὸν ζῷον Πη2. 1324 ᵇ40. — θηρεύειν κέρδος πκθ2. 950 ᵃ38. θηρεύειν εὐδαιμονίαν ἄλλον τρόπον χ̔ δι' ἄλλων Πη8. 1328 ᵇ1. πῶς δεῖ γνώμας θηρεύειν Ρβ21. 1395 ᵇ4. θηρεύειν ἀπό τινος τἀληθές, τὰς ἀρχάς Μκ6. 1063 ᵃ14. μ8. 1084 ᵇ24. θηρεύειν τὰς ἀρχὰς τῶν συλλογισμῶν, τὸ καθόλυ, τὰ ἐν τῷ τί ἐστι κατηγορύμενα Αα30. 46 ᵃ1. γ31. 88 ᵃ3. δ13. 96 ᵃ22. τὴν τῦ τί ἐστιν ἐπιστήμην διὰ μόνυ τῦ πρώτυ σχήματος θηρεῦσαι δυνατόν Αγ14. 79 ᵃ25.

θηρευτής Ζιθ12. 597 ᵇ25. ι8. 614 ᵃ10.

θηρευτικός βίος Πα8. 1256 ᵇ2, 5. ζῷα θηρευτικά Ζια1. 488 ᵃ19. ἡ θηρευτικὴ μέρος τῆς πολεμικῆς Πα8. 1256 ᵇ24. 7. 1255 ᵇ38. κυνηγία χ̔ πᾶσα θηρευτικὴ Ρα11. 1371 ᵃ5. — metaph τὸ μὴ ὁρίσαντα ἐρωτᾶν θηρευτικόν ἐστι τύτων τι12. 172 ᵇ14.

θηρίον. 1. i q ζῷον universe. ἐν τῇ ἡλικίᾳ διαφέρει ὐθὲν ὡς εἰπεῖν ἡ τῶν παίδων ψυχὴ τῆς τῶν θηρίων ψυχῆς Ζιθ1. 588 ᵇ1. τὰ θηρία ὐκ ἔχει νῦν ψγ3. 429 ᵃ6. (ὁ νῦν κελεύων ἄρχειν κελεύει ἄρχειν τὸν θεόν, ὁ δ' ἄνθρωπον προστίθησι χ̔ θηρίον Πγ16. 1287 ᵃ30. ἢ θηρίον ἢ θεός Πα2. 1253 ᵃ29.) τῶν θηρίων ὐθενὶ ὑπάρχει πίστις, φαντασία δὲ πολλοῖς ψγ3. 428 ᵃ21. τὰ θηρία αἴσθησιν ἔχει, πρᾶξεως δ' ὐ κοινωνεῖ Ηζ2. 1139 ᵃ20. τῶν θηρίων ἔνια φρόνιμα Ηζ7. 1141 ᵃ27. χ̔ ἐν τοῖς θηρίοις ἔνεστι φιλία ηεγ1. 1235 ᵃ34. τοῖς θηρίοις αἱ φυσικαὶ ὑπάρχυσιν ἕξεις Ηζ13. 1144 ᵇ8. θηρὶς ὐ κακία ὐδ' ἀρετὴ Ηη1. 1145 ᵃ25. τὰ θηρία ὐκ ἀκρατῆ, ὅτε σώφρονα ὐτ' ἀκόλαστα ἀλλ' ἡ κατὰ μεταφορὰν Ηη5. 1147 ᵇ4. 7. 1149 ᵇ31. τί διαφέρυσιν ἔνια τῶν θηρίων Ργ11. 1281 ᵇ20. μυριοπλάσια ἂν κακὰ ποιήσειεν ἄνθρωπος κακὸς θηρίῳ Ηη7. 1150 ᵃ3-8. θηρία τὰ ἀτιμότατα πο4. 1448 ᵇ12. — 2. i q fera. ἀπόλλυνται χ̔ οἱ ταῦροι ὑπὸ θηρίων sim Ζυ3. 611 ᵃ3. ζ29.578 ᵇ17. ι5.611 ᵃ17. 37.620 ᵇ33. 6. 612 ᵃ14, 11.30. 618 ᵇ1. Πθ4. 1338 ᵇ30. ἐν τῷ Πόντῳ τὰ θηρία τὰ μεγάλα ἐλάττω ἐστὶν Ζιθ13. 589 ᵇ1. τὸν γόνον τῶν κεστρέων ὐδεὶν τῶν θηρίων κατεσθίει f 299. 1529 ᵇ21. — 3. de insectis. (ἡ ἀράχνη) κάτωθεν κρεμαμένη τηρεῖ, ὅπως ἂν μὴ φοβάμενα τῷ ὀράσθαι ἀλλ' ἐμπίπτῃ ἄνω Ζιθ3. 623 ᵃ27, 23. τὰ γινόμενα θηρία ἐν τοῖς σμήνεσιν Ζιι40. 625 ᵇ32. θηρία ἐν τῷ πυρί (de v l cf Lewysohn Zoolog d Talmud p 228) Ζιε19. 552 ᵇ11.

θηριότης Ηη6. 1149 ᵃ1. dist κακία, ἀκρασία, opp ἡρωικὴ
ἀρετή Ηη1. 1145 ᵃ17sqq. 7.1150ᵃ1. ημβ4. 5.1200ᵇ6-19.
θηριώδης. βάρβαλοι ᛲ δορκάδες τὰ θηριώδη ᛲ μάχιμα ἀπο-
φεύγυσιν Ζμγ2. 663 ᵃ13. οἱ πίθηκοι χεῖρας ᛲ δακτύλυς ᛲ
ὄνυχας ὁμοίως ἀνθρώπῳ ἔχυσι, πλὴν πάντα ταῦτα ἐπὶ τὸ
θηριωδέστερον Ζιβ8. 502 ᵇ4. φασὶν ἐκ τῦ τίγριος ᛲ κυνὸς
γίνεσθαι τὺς Ἰνδικὺς κύνας, ὐκ εὐθὺς δὲ ἀλλ᾽ ἐπὶ τῆς τρίτης
μίξεως· τὸ γὰρ πρῶτον γεννηθὲν θηριῶδες γίνεσθαί φασιν
Ζιθ28. 607 ᵃ6. — ὁ θηριώδης ἐν τοῖς ἀνθρώποις σπάνιος
Ηη1. 1145 ᵃ30. ὡς ὄντας ὠμὺς ᛲ θηριώδεις ρ1. 1420 ᵇ5.
οἱ Λάκωνες θηριώδεις ἀπεργάζονται τὺς παῖδας τοῖς πόνοις
Πθ4. 1338 ᵇ12, cf ᵇ29. θηριώδεις τὰ ἔθη ᛲ τὰς ὄψεις πιθ1.
909 ᵃ13. ἀνδραποδώδεις ᛲ θηριώδεις ἡδοναὶ Ηγ13.1118ᵃ25.
ἕξις θηριώδης Ηη1. 1145 ᵃ24. 6. 1148 ᵇ19. θηριώδης ἀφρο-
σύνη, δειλία, ἀκολασία al, dist νοσηματώδης Ηη6. 1149 ᵃ6.
τὸ τοιούτοις χαίρειν θηριῶδες Ηγ13. 1118 ᵇ4. τὸ θηριωδέστε-
ρον ἀδίκημα μεῖζον Ρα14. 1375 ᵃ6.
Θήρων μόνος πυθιονίκης ἀναγέγραπται f 574. 1572 ᵇ3.
θής. βάναυσοι ᛲ θῆτες def Πγ5. 1278 ᵃ13. f 350. 1537 ᵃ17,
20. θῆτες οἱ αὐτοὶ ᛲ ἑκτήμοροι f 351. 1537 ᵇ6. οἱ θῆτες
πότερον πολῖται Πγ5. 1278 ᵃ18.
θησαυρίζοντες οἱ ἰχθῦς τὴν τροφὴν ὥσπερ ἐν προλακκίοις
πέττυσιν Ζμγ14. 675 ᵃ13, 674 ᵇ27.
θησαυρισμὸς χρημάτων ἀναγκαίων Πα8. 1256 ᵇ28.
θησαυριστικὰ ζῷα Ζια1. 488 ᵃ20.
θησαυρον εὑρεῖν Πε4. 1303 ᵇ35. Ρα5. 1362 ᵃ9. θησαυρῦ εὕ-
ρεσις Ηγ5. 1112 ᵃ27.
Θησεύς Ρα6. 1363 ᵃ18. Β23. 1397 ᵇ20, 1399 ᵃ2. Θησέως
κήρυγμα f 346. 1536 ᵃ27, 30, 37.
Θησηῒς πο8. 1451 ᵃ20.
θητεύειν τῦ Εὐρυσθεῖ ηεη12. 1245 ᵇ31. θητεύοντας ἐν Κρήτῃ
καταγιγνώσκειν f 443. 1550 ᵇ38.
θητικός. τὸ θητικὸν πλῆθος Πζ1. 1317 ᵃ25. 4. 1319 ᵃ28. 7.
1321 ᵃ6. τὸ θητικόν Πη9. 1329 ᵃ36. δ4. 1291 ᵃ6. β12.
1274 ᵃ21. οἱ ἀπορώτατοι ἐλέγοντο θῆτες ᛲ θητικὸν τελεῖν
f 350. 1537 ᵃ20. ζῆν βίον βάναυσον ᛲ θητικὸν Πγ5.
1278 ᵃ21. αρ7. 1251 ᵇ12. ποιεῖν ἔργον θητικὸν Ρα9. 1367
ᵃ31. ἐργασία θητικωτέρα Πθ6. 1341 ᵇ14. θητικὸν ᛲ δυλι-
κὸν πράττειν Πβ2. 1337 ᵇ21. — πάντες οἱ κόλακες θητικοὶ
Ηδ8. 1125 ᵃ1.
θιασώτης. τοῖς θιασώταις ἕτερα χωρία τὰ δημόσια οβ1346
ᵇ17. — θιασωτῶν κοινωνίαι δι᾽ ἡδονὴν γίγνονται Ηθ11.
1160 ᵃ19.
θιασωτικὰ (τεμένη) οβ1346 ᵇ15.
Θίβρων Πη14. 1333 ᵇ18.
θιγγάνειν, syn ἅπτεσθαι. διὰ τί ὐ γίγνεται ἀψάμενα ἕν,
ὥσπερ ὕδωρ ὕδατος ὅταν θίγῃ Γα8. 326 ᵃ33. ὅταν οἱ πλά-
νητες διὰ τὸ πλησίον εἶναι δόξωσι θιγγάνειν ἀλλήλων μα6.
342 ᵇ29. γίνεσθαι τὴν αἴσθησιν (int τὴν ἀφὴν) ἅμα θιγγα-
νομένων ψβ11. 423 ᵃ2. δῆλον τῦτο γίνεται θιγγανόντων
Ζμδ6. 682 ᵇ25. ἐγκέφαλος θιγγανόμενος κατὰ φύσιν ψυ-
χρός Ζια16. 495 ᵃ6. μᾶλλον φρίττομεν ἑτέρυ θιγόντος πως
ἢ αὐτοὶ ἡμῶν πλε1. 964 ᵇ22. κἂν ποιῇ κἂν πάσχῃ θιγγά-
νοντα ἀλλήλων Γα8. 326 ᵇ2, cf 9. 327 ᵃ2. Ζγβ4. 740 ᵇ22.
ὐ δι᾽ ἑτέρυ θιγγάνυσα ἡ φύσις δημιυργεῖ τὸ συνιστάμενον
Ζγα22. 730 ᵇ30. ὅσων ἂν ὠῶν ὁ φυσὴς μὴ θίγῃ Ζιζ14.
568 ᵇ7. αἱ μυῖαι τὲτῳ θιγγάνυσαι αἱματίζυσιν Ζιδ7. 532
ᵃ13. θρὶξ ἕλκει τὰ κῦφα θιγγάνυσα Ζιγ11. 518 ᵇ15. ᛲ
ἐπὶ τῶν φερομένων τῦ κινήσαντος ὑκέτι θιγγάνοντος κινεῖται
εν2. 459 ᵃ30. ὁ ἐκ νεφέλης ἥλιος παρὰ τὸ ἐκ τῆς σκιᾶς
θιγγάνεσθαι πιθ13. 910 ᵃ11. — νοητὸς γίγνεται (ὁ νῦς)

θιγγάνων ᛲ νοῶν Μλ7. 1072 ᵇ21. τὸ θιγεῖν ᛲ φάναι ἀλη-
θές Μθ10. 1051 ᵇ24 Bz. — ὔτε μὴ θιγγάνειν αὐτῶν δυ-
νατὸν ὔτε πάντας τὺς οἰκείυς ἐπεξελθεῖν λόγυς Πη1. 1323
ᵇ28. θιγεῖν πως αἰτίας τινός, τῆς φύσεως ΜΑ7. 988 ᵃ23,
ᵇ18. 5. 986 ᵇ23.
θίξις. τὸ κινεῖν συμβαίνει θίξει τῦ κινητικῦ Φγ2. 202 ᵃ7, 8.
τίς ἐστιν ἡ τοῖς μορίοις θίξις ψα3. 407 ᵃ18. θερμαίνει ἡ
τῦ αἵματος θίξις αν16. 478 ᵇ18. μικρᾶς γενομένης θίξεως
προῖεται σπέρμα Ζγγ1. 751 ᵃ19. διόδῳ ᛲ θίξει γίνεται μόνον
ἡ πέψις πν2. 841 ᵇ26. ἡ τῦ ἐγκεφάλυ ψυχρότης φανερὰ
γίγνεται κατὰ τὴν θίξιν Ζμβ7. 652 ᵃ35. — τὴν τῦ ἀνομοίυ
θίξιν ἀπάτην εἶναι ψγ3. 427 ᵇ1.
θίς. φύονται ἢ πρὸς πέτρᾳ ἢ ἐν ταῖς θισὶν Ζιε16. 548 ᵇ6.
ἰχθύες ἀποκρύψαντες ὑπὸ θῖνα ἑαυτὺς Ζιδ10. 537 ᵃ25. ὁ
κέφυος θινὸς ὄζει Ζιι35. 620 ᵃ15. ὁ θὶς ὁ μέλας φύεται
πρὸς τῇ γῇ Ζιθ13. 598 ᵃ15.
θλᾶν. περὶ θλαστῦ μδ8. 385 ᵃ15. 9. 386 ᵃ17-25. dist ἐλατόν
μδ9. 386 ᵇ22. τῶν θλαστῶν ὅσα μένει θλασθέντα ᛲ εὔ-
θλαστα χερί, πλαστά μδ9. 386 ᵃ26. κόπος γίνεται ὀστῶν
θλωμένων πε7. 881 ᵃ13. αἱ πληγαὶ θλίψιν ᛲ θλάσιν ποιῦσιν·
θλιβόμενον μὲν κοῖλον γίνεται, θλώμενον δὲ ἀραιὸν πθ4. 890
ᵃ3. τὸ σκληρὸν τῶν μαλακίων ὐ θραυστὸν ἀλλὰ θλαστόν
Ζιδ1. 523 ᵇ7.
θλάσις, def ἐπιπέδυ κατὰ μέρος εἰς βάθος μετάστασις ὥσει
ἢ πληγῇ μδ9. 386 ᵃ18. cf πθ4. 890 ᵃ2, 4.
θλάσμα. ὕδωρ τι, ᛲ τὰ ἕλκη ᛲ θλάσματα ταχέως ὑγιεινὰ
ποιεῖ θ117. 841 ᵇ11.
θλαστικὸν ἢ διαιρετικὸν πᾶσα πληγή πε37. 884 ᵇ35.
θλίβειν. ἀντιθλίβεται τὸ θλῖβον Ζγδ3. 768 ᵇ20. θλιβομένῃ ᛲ
κινυμένῃ τῦ ὀφθαλμῦ αι2. 437 ᵃ23. θλιβομένων τῶν πόρων
ἐξέρχεται σπέρμα Ζιγ1. 509 ᵇ21. τὸ ψυχρὸν περιεστηκὸς
θλίβει τὸ ἐνὸν θερμὸν πχθ13. 937 ᵃ28. θλιβόμενον διαχεῖται
τὸ αἷμα πβ15. 867 ᵇ27. μύρτα θλιβέντα, τεθλιμμένα, ὅταν
θλιφθῇ πκ23. 925 ᵇ13, 14, 20. θλιβόμενόν τι κοῖλον γίνεται,
θλωμένων δὲ ἀραιόν πθ4. 890 ᵃ3. δύο ἴσον βάρος φέροντες
ὑχ ὁμοίως θλίβονται μχ29. 857 ᵇ10. — θλιβόμενοι διὰ τὸν
πόλεμον Πε7. 1307 ᵃ1. θλίβει ᛲ λυμαίνεται τὸ μακάριον
Ηα11. 1100 ᵇ28.
θλῖψις. ὑχ ὑπείκει τῇ θλίψει τὸ τῦ ὕδατος ἐπίπεδον μδ4.
382 ᵃ13. τῷ σφηκὶ θλίψις ἰσχυρὰ γίνεται μχ17. 853 ᵃ20.
αἱ πληγαὶ θλίψιν ᛲ θλάσιν ποιῦσιν πθ4. 890 ᵃ2. εὔτηκτον
διὰ τὴν θλῖψιν πδ2. 876 ᵇ2. ἢ τῦ νέφυς θλῖψις x4. 394
ᵃ30. ἀνείργειν τὴν θλῖψιν αν4. 472 ᵃ9 (alicubi Bk θλίψις
paroxyton scripsit).
θνατὰ χρὴ τὸν θνατὸν φρονεῖν (fort Epicharm, cf Lorenz Epich
302, 2) Ρβ21. 1394 ᵇ24.
θνήσκειν. μέλιττα ὅταν ἀποβάλλῃ τὸ κέντρον θνήσκει Ζιγ12.
519 ᵃ29. κηφῆνες θνήσκυσιν ὑπὸ τῶν μελιττῶν Ζιι40. 625
ᵃ16. οἱ θνήσκοντες πκδ13. 937 ᵃ29. τεθνᾶσιν Ηα9. 1099 ᵇ6.
οἱ τεθνεῶτες Ηα11. 1100 ᵃ28. Ρβ4. 1381 ᵇ26. ὁ τεθνεὼς
ὀφθαλμὸς (δάκτυλος) ὁμωνύμως μδ12. 390 ᵃ12. Μζ10.
1035 ᵇ25. τὸ τεθνηκὸς μχ5. 466 ᵃ20. πολλάκις ἔδοξε τε-
θνεὸς τίκτεσθαι τὸ παιδίον Ζιη10. 587 ᵃ19. τὸ τεθνάναι τῦ
ζῆν ἐστι κρεῖττον f 40. 1481 ᵃ44.
θνητός, ἀπαθὴς θνητῆς δυσχερείας ὁ ὑρανός Οβ1. 284 ᵃ14.
Θόας, Ἀνδραίμονος υἱὸς f 596. 1576 ᵃ22, 23. — Θόας ὁ
Ἰθάκησιος ἱστορεῖ παρὰ Φρυξὶ πικέριον καλεῖσθαι τὸ βύτυρον
f 593. 1574 ᵃ29.
θοινᾶται ἀντὶ τῦ ἐσθίει μετέθηκεν Εὐριπίδης (Eur fr 790)
πο22. 1458 ᵇ24.
θοίνη. θηρεύειν ἐπὶ θοίνην ἢ θυσίαν Πη2. 1324 ᵇ39. θοίνην ὁ

δαιτυμῶν κρινεῖ Πγ11. 1282 ᵃ22. παρακαλεῖν ἐπὶ τὴν θοίνην f 508. 1561 ᵃ42.

θολερός. ὕδωρ θολερόν Ζιθ8. 595 ᵇ31. 24. 605 ᵃ10. θ112. 840 ᵇ35. αἷμα θολερώτερον χ παχύτερον, opp καθαρώτερον χ λεπτότερον υ3. 458 ᵃ14. Ζμβ2. 647 ᵇ32. ἡ γῆ χ ὁ θο- 5 λερὸς τόπος ὗτος κ6. 400 ᵃ5.

θολός et θολός. 1. atramentum τῶν μαλακίων. γίνεται ὁ θολός, καθάπερ τοῖς ὄρνισιν ὑπόστημα τὸ λευκόν, ὗτω χ τότοις ὁ θολός διὰ τὸ μηδὲ ταῦτ' ἔχειν κύστιν Ζμδ5. 679 ᵃ17. ἀφίησι πάντα ὐδέποτε ἀθρόον τὸν θολόν Ζμ37. 621 ᵇ32. 10 ἀφίησι τόν τε θολὸν (v l θόλον, θορόν) χ τὸ περίττωμα Ζιδ1. 524 ᵇ21. πρὸς βοήθειαν χ σωτηρίαν ἔχει ταῦτα τὸν καλύμενον θολόν Ζμδ5. 679 ᵃ1. οἱ πολύποδες ἀφιᾶσι χ τὸν θολον (v l θορόν) ταύτη ι ε τῷ κοίλῳ αὐλῷ ὑπὲρ τῶν πλεκτανῶν Ζιδ1. 524 ᵃ13. ὁ πολύπης ἔχει τὸν λεγόμενον 15 θολὸν ἐν τῷ λεγομένῳ μήκωνι f 315. 1531 ᵇ5. ὁ πολύπης χ ἡ τευθὶς διὰ φόβον ἀφίησι τὸν θολόν (v l θορόν) Ζμ37. 621 ᵇ31. Ζμδ5. 679 ᵃ14. ἡ τευθὶς ἔχει τὸν θολὸν ἐν τῇ μύτιδι f 318. 1532 ᵃ10. 317. 1521 ᵇ34. ἡ σηπία χρῆται τῷ θολῷ (v l θορῷ) κρύψεως χάριν Ζμ37. 621 ᵇ29, 33, 20 622 ᵃ1. cf f 317. 1531 ᵇ41. αι2.437 ᵇ7. — 2. vesica atramenti, χιτὼν ὑμενώδης προσπεφυκώς Ζμδ5. 679 ᵃ1. σπλάγχνον ὐδὲν ἔχει τῶν μαλακίων, ἀλλ' ἢν καλῶσι μύτιν ἔχει ταύτῃ θολόν (v l θόλον, θορόν) Ζιδ1. 524 ᵇ15, 19 et 20 ubi pro πόρον (v l θορόν) leg θολόν. αἱ μὲν τευθίδες χ 25 πολύποδες ἔχυσιν ἄνωθεν τὸν θολὸν ἐπὶ τῇ μύτιδι μᾶλλον, ἡ δὲ σηπία πρὸς τῇ κοιλίᾳ κάτω Ζμδ5. 679 ᵃ8, πρὸς τῷ ἐντέρῳ δ5. 681 ᵇ26, πλείω ἔχει ἡ σηπία τὸν θολὸν δ5. 679 ᵃ15. — 3. αἱ ἐγχέλεις λεπτὰ ἔχυσαι τὰ βράγχια αὐτίκα ὑπὸ τῦ θολῦ τῆς πόρης ἐπιπωματίζονται f 294. 30 1529 ᵃ29. — 4. ἐν τῇ Σαρδοῖ τῇ νήσῳ εἶναι ἄλλα τε πολλὰ χ καλὰ χ θολὸς περισσοὺς τοῖς ῥυθμοῖς κατεξεσμένας θ100. 838 ᵇ14 Beckmann. testudines hemisphaericae, quae Italis cupolae, nostratibus Kugelgewölbe dicuntur. — inconstante scriptura vocabulorum θόλος, θολός - θόρος, θορός 35 factum est, ut bis pro θόρος textui insertum sit θολός. ὅταν ἡ σηπία ἀφῇ τὸν θολὸν (v l θόλον, θόρον), semen Ζιε18. 550 ᵃ15. ὁ ἄρρην τῶν μαλακίων καταφυσᾷ τὸν θολὸν (v l θορόν), semen Ζιε12. 544 ᵃ4. cf AΖι I 470 et θορός.

θολῦν. οἱ θηρεύοντες θολῦσι τὸ ὕδωρ f 294. 1529 ᵃ27. 40

θολώδης. ἐν τοῖς θολώδεσιν ἀναταράξας κρύπτει ἑαυτὸν ὁ βάτραχος Ζμ37. 620 ᵇ16.

θόλωσις. τὰ μαλάκια οἷον φράγμα ποιῦνται τὴν τῶν ὑγρῶν μελανίαν χ θόλωσιν Ζμδ5. 679 ᵃ7.

θορικός. τὰ θορικά, vasa seminalia. τῶν ἰχθύων οἱ μὲν ἔχυσι 45 θορικὰ οἱ δὲ ὑστέρας Ζγγ5. 755 ᵃ20, 22 (om Aub, sed cf Vhl Poet II 72). δύο ἄττα ψαθυρὰ προσηρτημένα τῷ ἐντέρῳ θορικὰ Ζιδ2. 527 ᵃ30. ὡσαύτως τε διάκεινται οἱ ἄρρενες περὶ τὰ θορικὰ οἵ τε σελαχώδεις χ οἱ ἐν τῷ γένει τῷ τῶν ᾠοτόκων, χ σπέρμα κατὰ τὴν ὥραν φαίνεται ἀμ- 50 φοῖν ἐκθλιβόμενον Ζγγ5. 755 ᵇ13. — πόροι θορικοί. 1. testes. τῶν σελαχῶν οἱ θορικοὶ πόροι προσπεφύκασι τῇ ὀσφύϊ Ζιζ11. 566 ᵃ11. cf Stn I 271 et 273. — 2. pori genitales. (τῶν ἰχθύων) ἔχυσι διαφορὰς χ ἄλλας πρὸς ἄλληλα οἵ τε θορικοὶ πόροι χ οἱ ὑστερικοὶ Ζιζ11. 566 ᵃ11. αἱ ἐγχέλυς θορικὰς 55 πόρυς ὐκ ἔχυσιν Ζιζ16. 570 ᵃ5. (ὀρφῶς) ἴδιον ἐν αὐτῷ ἐστι τὸ τὸς θορικὸς πόρυς μὴ εὑρίσκεσθαι f 308. 1530 ᵇ30. πόρυς τὰ ἄρρενα (τῶν ἐντόμων) θορικὸς ὐ φαίνεται ἔχοντα Ζγα16. 721 ᵃ12. ἔχυσιν οἱ ἄρρενες λεπτὰς πόρυς θορικὸς Ζγα14. 720 ᵇ13. πόροι θορικοὶ τῶν καράβων Ζιδ2. 527 ᵃ13. 60

θορός, semen genitale τῶν ἰχθύων, τῶν ὄφεων, τῶν μαλα-

κίων. 1. piscium, descr Ζιζ14. ἡ γονὴ ὐ πᾶσιν ἀλλ' ἐνίοις (οἷον) οἱ καλύμενοι θοροὶ τοῖς ἰχθύσιν Ζιγ20. 521 ᵇ20. τὰ μὴ ζῳοτόκα πλείω ἔχυσι θορὸν ἢ ὅσον πρὸς τὴν ὀχείαν ἱκανόν· μᾶλλον γὰρ βύλεται ἡ φύσις δαπανᾶν τὸν θορὸν πρὸς τὸ συναύξειν τὰ ᾠά, ὅταν ἀποτέκη ἡ θήλεια, ἢ πρὸς τὴν ἐξ ἀρχῆς σύστασιν Ζγγ7. 757 ᵃ24. πότε χ πῶς ἀφιᾶσι τὸν θορὸν οἱ ἄρρενες Ζγγ5. 756 ᵃ8 sqq. cf Ζιζ14. 568 ᵃ15. οἱ πόροι πλήρεις θορῦ Ζγα4. 717 ᵃ20. Ζιγ1. 509 ᵇ20. ε5. 540 ᵇ31. θ15. 599 ᵇ24 quod refutat de Graaf de mulierum organis 23. θορὸς φαίνεται ἐνὼν χ οἱ πόροι σφόδρα δῆλοι Ζιγ1. 510 ᵃ1. (οἱ ἄρρενες) ἐπακολυθῦντες ἐπιρραίνυσι τὸν θορόν, παρεπόμενος ἐπιρραίνει ἐπὶ τὰ ᾠὰ τὸν θορόν, τέλος ὐδὲν λαμβάνει τῶν ᾠῶν, ἐὰν μὴ ἐπιρραίνῃ ὁ ἄρρην τὸν θορόν Ζιζ14. 568 ᵇ31, 21, 11, 7, 2. 13. 567 ᵇ6, 4. Ζγα21. 730 ᵃ20. 5. 755 ᵇ6, 756 ᵃ19, 25, 7. 757 ᵃ15. ὁ πόρος τὸν θορὸν ἐξίησιν Ζιζ14. 568 ᵇ1, ἡ ἄφεσις τῦ κυήματος χ τῦ θορῦ Ζιδ30. 608 ᵃ1. οἱ ἐπιτραγίαι ὐκ ἔχυσιν ὐτε ᾠὸν ὐτε θορὸν ὐδέποτε, ἡ ἐγχέλυς ὐδέτερον ὐτ' ᾠὸν ὐτε θορὸν ἔχει Ζιζ14. 538 ᵃ16. ζ14. 569 ᵃ5. — οἱ πλεῖστοι νομίζυσι πληρῦσθαι τὰ θήλεα τῶν ἀρρένων ἀνακάπτοντα τὸν θορόν, αἱ ἀνακάψεις τῦ θορῦ χ τῶν ᾠῶν, ἀνακάπτειν τὸν θορὸν Ζιε5. 541 ᵃ13. Ζγγ5. 756 ᵇ4, 7. — 2. serpentum. Ζιγ1. 509 ᵇ20. ε5. 540 ᵇ31. Ζγα4. 717 ᵃ20. — 3. τῶν μαλακίων. ὁ πόρος τῦ περιττώματός ἐστιν ὁ τὸν θορὸν ἀφίησι διὰ τῦ πόρυ Ζγα15. 750 ᵇ26 Aub. ὁ ἄρρην ἐπιρραίνει ἐπὶ τὰ ᾠὰ τὸν θορόν Ζιζ13. 567 ᵃ6. — θορός pro θολός scribendum Ζιε 12. 544 ᵃ4. 18. 550 ᵃ15, cf θολός p 332 ᵃ36. — v l θόρος Bk exhibuit ad Ζιγ1. 509 ᵃ20. ε5. 540 ᵇ31. ζ13. 567 ᵇ4.

θορυβεῖν. πολλοὶ καταπλήττυσι τὸς ἀκροατὰς θορυβῦντες Ργ7. 1408 ᵃ25 (cf παθητικῶς λέγειν ᵃ24). — οἱ ἀκροαταὶ θορυβῦσιν (obstrepunt) Ργ18. 1419 ᵃ16. ρ19. 1433 ᵃ14. ἐθορύβησαν αὐτῷ εἰπόντι Ρβ23. 1400 ᵃ10. — pass ἐθορυβῦντο (i e turbabantur, ἐξ ἀπορίαν καθίσταντο) οἱ ἀρχαῖοι Φα2. 185 ᵇ25. cf Οβ13. 293 ᵇ9. — θορυβῦνται (strepitu plaudentium approbantur) μᾶλλον οἱ ἐνθυμηματικοὶ λόγοι Ρα2. 1356 ᵇ23. β23. 1400 ᵇ29.

θόρυβος. ἐν ταῖς δημηγορίαις πῶς τοῖς θορύβοις ἀπαντητέον ρ19. 1432 ᵇ33, 1433 ᵃ13. φυλάσσεσθαι τὸς νυκτερινὸς θορύβυς f 154. 1504 ᵃ15.

θορυβώδης. ἐν τῷ θέρει ᾄδει κόττυφος, τῦ χειμῶνος φθέγγεται θορυβῶδες Ζι49 B. 632 ᵇ18.

Θούριοι. eorum res publicae Πε3. 1303 ᵃ31. 7. 1307 ᵃ27, 30, ᵇ6. Ἡρόδοτος Θύριος Ργ9. 1409 ᵃ28.

Θύριος πόλις θ169. 846 ᵇ33.

Θράκη. κατὰ Θράκην σ973 ᵇ17. f 238. 1522 ᵃ1. ἐν τῇ Θ., περὶ τὴν Θ. θ19.831 ᵇ29. 41.833 ᵃ24. 115. 841 ᵃ28. 118. 841 ᵇ15. Ζγβ8. 606 ᵃ3. ι36. 620 ᵃ33. εἰς Θράκην f 443. 1550 ᵇ44 ἐν Βιθυνίᾳ τῆς Θράκης θ133. 832 ᵇ28. Χαλκιδεῖς οἱ (Χαλκιδικὴ ἡ) ἐπὶ Θράκης Πβ12. 1274 ᵇ24. θ120. 842 ᵃ5. Ζιγ12. 519 ᵃ15. οἱ ἀπὸ Θράκης Χαλκιδεῖς f 93. 1492 ᵇ27.

Θρακίας ventus σ973 ᵇ17.

Θρᾷξ. οἱ ἐν τῷ Πόντῳ Θράκες εὐθύτριχες Ζγε3. 782 ᵇ33. οἱ Θράκες παίνυσι τὰς ὗς Ζιθ6. 595 ᵃ25. Θράκας ἐποικῆσαι τὴν Εὔβοιαν f 559. 1570 ᵃ37. Θράκας Ἠωνὼς ὄντας οἰκῆσαι Ἠωνίδα f 438. 1550 ᵃ32. eorum mores et ingenia Πη2. 1324 ᵇ11. Ργ11. 1412 ᵇ1. φ1. 805 ᵃ27. πιε3. 911 ᵃ2. Σεύθης ὁ Θρᾷξ θ110. 1312 ᵃ14. Κότυς Θρᾷξ οβ1351 ᵃ24. ἐν Κύκλωπι τοῖς Θραξὶ θ121. 842 ᵃ11.

Θράσιππος Πβ6. 1341 ᵃ36.

θρασκίας, μέσος ἀργέστυ χ ἀπαρκτίυ, πόθεν πνεῖ μβ6. 363

ᵇ29, 33, 364 ᵃ1, 14, ᵇ4, 365 ᵃ3, 7. ×4. 394 ᵇ30. ὁ θρα-
σκίας χαλαζώδης, αἴθριος μβ6. 364 ᵇ22, 29.
θράσος, opp αἰδώς Οβ12. 291 ᵇ26. ἀνδρία δύναμιν ἔχυσα
θράσος ἐστίν Πε10. 1312 ᵃ19. — dist θάρσος v h v.
θρασύβυλος Θρασύβυλος Ρβ23. 1400 ᵇ19.
Θρασύβυλος Mileti tyrannus, ἡ Περιάνδρυ Θρασυβύλῳ
συμβυλία Πγ13. 1284 ᵃ27, 32. ε10. 1311 ᵃ20. — ὁ Ἱέ-
ρωνος ἀδελφός Πε10. 1312 ᵇ11. 12. 1315 ᵇ38. — ὁ κα-
ταλύσας τὴς τριάκοντα τυράννυς Ρβ24. 1401 ᵃ34. 23.
1400 ᵃ32. Θρασύβυλος θρασύβυλος Ρβ23. 1400 ᵇ19.
θρασύδειλοι Ηγ10. 1115 ᵇ32. ηεγ7. 1234 ᵇ3.
θρασύμαχος Θρασύμαχος Ρβ23. 1400 ᵇ20.
Θρασύμαχος κατέλυσε τὴν περὶ Κύμην δημοκρατίαν Πε5.
1305 ᵃ1. — Θρασύμαχος rhetor Ργ8. 1409 ᵃ2. 11. 1413
ᵃ8. τι34. 183 ᵇ32. Θ. ἐν τοῖς ἐλέοις Ργ1. 1404 ᵃ14.
Ἡρόδικος Θρασύμαχον 'ἀεὶ θρασύμαχος εἶ' Ρβ23. 1400
ᵇ19.
θρασύνεσθαι, opp ὑπομένειν Ηγ10. 1115 ᵇ33.
θρασύς ὁ τῷ θαρρεῖν ὑπερβάλλων περὶ τὰ φοβερά Ηβ7.
1107 ᵇ3. γ10. 1115 ᵇ29. ηεβ3. 1221 ᵃ17. γ1. 1228 ᵃ33.
ὁ θρασὺς ἀλαζὼν χ̣ προσποιητικὸς ἀνδρείας Ηγ10. 1115 ᵇ30.
ὁ θρασὺς ὅμοιόν τι ἔχει τῷ θαρραλέῳ Ηγ10. 1151 ᵇ7.
θρασύτης, opp δειλία, dist ἀνδρεία ηεβ3.1220 ᵇ39. θρασύ-
της τὸ σφόδρα θαρρεῖν Ρβ14. 1390 ᵃ31. ἡ θρασύτης ὅμοιον
ἀνδρείᾳ Ηβ8. 1108 ᵃ31, 1109 ᵃ2, 9. χρήσιμον μόνον πρὸς
τὸν πόλεμον Πβ9. 1269 ᵇ35.
θράτται, αἱ καλύμεναι Ζγε6. 785 ᵇ23.
θράττει Ργ11. 1412 ᵃ34 (luditur in sono vocabulorum
θράττει, Θράττη) Spgl.
θραύειν (cf θραῦσις). θραύεσθαι, dist τέμνεσθαι μδ9. 387
ᵃ5. θραυστόν, dist κατακτόν, opp ἄθραυστον μδ9. 386 ᵃ9,
10. 8. 385 ᵃ14. opp ὑγρόν Ζμβ6. 651 ᵇ36. θραύεται τὰ
κραῦρα ταχέως, dist μαλακόν, χονδρῶδες Ζμβ9. 655 ᵃ31.
ὅστῳν ὑδὲν καμπτὸν ὑδὲ σχιστόν, ἀλλὰ θραυστόν Ζιγ9. 517
ᵃ11. τὸ σκληρὸν τῶν μαλακοστράκων ἐστὶν ὐ θραυστὸν ἀλλὰ
θλαστόν Ζιδ1. 523 ᵇ7. cf M164. τὸ στέαρ ἐστὶ θραυστὸν
πάντη χ̣ πήγνυται ψυχόμενον, ἡ δὲ πιμελὴ χυτὸν χ̣ ἄπηκ-
τον Ζιγ17. 520 ᵃ7. εὐλόγως τὰ μείζω θραύεται μᾶλλον
τῶν μικρῶν Γα8. 326 ᵃ26. ἀνάγκη θραύεσθαι τὰ πλέον
ἀπέχοντα τῷ μέσῳ μχ15. 852 ᵇ38. ἐν ταῖς λίμναις αἱ πέ-
τραι ὐ θραύονται ὁμοίως διὰ τὸ μὴ γίνεσθαι κύματα ὁμοίως
πκγ33. 935 ᵃ14. ἅμα κόπτοντι σιδηρίῳ χ̣ ταῖς χερσὶ θραύ-
οντι ταχὺ διαθραύεται ἡ νεοττιὰ ἀλκυόνος Ζιι14. 616 ᵃ27.
διὰ τὸ κινεῖσθαι μᾶλλον θραύεται (τὰ κύμενα ἄρρενα τῶν
θηλέων) Ζγδ6. 775 ᵃ8.
θραυπίς. refertur inter τὰ ἀκανθοφάγα Ζιθ3. 592 ᵇ30 (v1
θλυπίς). avis quaedam cf Su 121, 69.
θραῦσις, def ἡ εἰς τὰ τυχόντα μέρη χ̣ πλείω δυοῖν διαίρε-
σις χ̣ χωρισμός, dist κάταξις μδ9. 386 ᵃ13, 12. cf 12.
390 ᵃ4.
θραῦσμα. τὰ μεγέθη τῶν ἀπορρηγνυμένων θραυσμάτων τῆς
χαλάζης ×4. 394 ᵇ4.
θρεπτικός ὁ ἐλευθερίως θρεπτικὸς τῶν ζῴων τῶν ἴδιον ἐχόν-
των τι αρ5. 1250 ᵇ30. — τῆς τροφῆς τὸ μὲν θρεπτικὸν
τὸ δ' αὐξητικόν Ζγβ6. 744 ᵇ33. συνίστασθαι ἐκ τῆς σπερ-
ματικῆς περιττώσεως χ̣ τῆς θρεπτικῆς Ζγβ6. 744 ᵇ38. τὸ
ὀσφραντὸν τῶν θρεπτικῶν ἐστὶ πάθος τι αι5. 445 ᵃ9. θρε-
πτικὴ ὕλη φτβ1. 822 ᵃ18. — τὸ θρεπτικόν, pars sive fa-
cultas vegetativa animae, ἡ θρεπτικὴ δύναμις τῆς ψυχῆς
ψβ4. 416 ᵃ19. γ12. 434 ᵃ26. αν8. 474 ᵇ11. Ζγβ7. 745
ᵇ24. γ7. 757 ᵇ16. θρεπτικὴ ἀρχή ζ1. 467 ᵇ34. θρεπτικὴ

ψυχή ψβ4. 415 ᵃ23. γ12. 434 ᵃ22. ζ2. 468 ᵇ2. αν8. 474
ᵃ31. 18. 479 ᵃ30. Ζγβ3. 736 ᵃ35. 4. 740 ᵇ36. ἡ τῆς θρε-
πτικῆς ψυχῆς δύναμις Ζγβ4. 740 ᵇ29. θρεπτικὴ χ̣ αὐξη-
τικὴ ζωή Ηα6. 1098 ᵃ1. τὸ θρεπτικὸν ψβ2. 413 ᵃ31, ᵇ5,
7, 12. 3. 414 ᵃ31, ᵇ31. γ9. 432 ᵃ29. υ1. 454 ᵃ13. ζ2.
468 ᵃ28. Ηα13. 1102 ᵇ11. ζ13. 1144 ᵃ10. ὁ θρεπτικὸς
τόπος υ3. 457 ᵃ32. τὸ θρεπτικὸν μόριον υ1. 454 ᵇ32. αι1.
436 ᵇ17. — τὸ θρεπτικὸν πρώτη χ̣ κοινοτάτη δύναμις τῆς
ψυχῆς, τῇ θρεπτικῇ χ̣ τὰ φυτὰ μετέχει ψβ2. 413 ᵇ7.
4. 415 ᵃ23. γ9. 432 ᵃ29. 12. 434 ᵃ22, 26. τὴν θρεπτικὴν
ψυχὴν ἔχυσι τὰ σπέρματα χ̣ κυήματα Ζγβ3. 736 ᵃ35.
τὸ θρεπτικὸν χωρίζεσθαι τῶν ἄλλων δυνατόν, τὰ δ' ἄλλα
τύτυ ἀδύνατον ψβ2. 413 ᵃ31, ᵇ5. 3. 414 ᵇ31. υ1. 454 ᵃ13.
αν8. 474 ᵇ11. ἡ θρεπτικὴ ψυχὴ ἐνεργείᾳ μία ζ2. 468 ᵇ2,
ᵃ28. ἐν τίνι τόπῳ πρώτῳ ὑπάρχειν πέφυκεν ἡ θρεπτικὴ
ψυχή αν8. 474 ᵃ31. ζ1. 467 ᵇ34. υ1. 454 ᵇ32. ἡ αὐτὴ
δύναμις τῆς ψυχῆς θρεπτικὴ χ̣ γεννητική ψβ4. 416 ᵃ19.
Ζγβ4. 740 ᵇ36. γένεσις ἡ πρώτη μέθεξις ἐν τῷ θερμῷ τῆς
θρεπτικῆς ψυχῆς αν18. 479 ᵃ30. τὸ θρεπτικὸν ἄμοιρον ἀν-
θρωπίνης ἀρετῆς Ηα13. 1102 ᵇ11. ηεβ1. 1219 ᵇ21.
θρηνεῖν. θύειν τῇ Λευκοθέᾳ χ̣ θρηνεῖν Ρβ23. 1400 ᵇ6.
θρηνητικὸς ὐκ ἔστιν ὁ ἀνδρώδης Η11. 1171 ᵇ10.
θρῆνος. ἐν τοῖς πένθεσι χ̣ θρήνοις ἐγγίνεταί τις ἡδονή Ρα11.
1370 ᵇ25. — κόμμος θρῆνος κοινὸς χορῷ χ̣ ἀπὸ σκηνῆς
πο12. 1452 ᵇ24. ὁ θρῆνος Ὀδυσσέως ἐν τῇ Σκύλλῃ πο15.
1454 ᵃ30.
θρηνῳδοὶ μυσικαί, Καρῖναι f 561. 1570 ᵇ16.
Θριάσιον πεδίον πκϛ17. 942 ᵃ19.
θριγκὸς οἰκίας Φη3. 246 ᵃ18, 27.
θριγκῦν. οἰκία θριγκυμένη Φη3. 246 ᵃ19, 27.
θρίξ. 1. universe. τὸ τῶν τριχῶν γένος Ζγε3. 782 ᵃ20.
(αἱ ἀκανθώδεις τριχῶν εἶδός τι Ζγε3. 781 ᵇ34). refertur
ad τὰ ξηρὰ χ̣ γεηρά, τὰ ἁπλῶς γῆς, τὰ ἑλκτά Ζια1.
487 ᵃ7. ψ4. 410 ᵇ1. γ13. 435 ᵃ25. μδ9. 386 ᵇ14. 10.
389 ᵃ12 (τῶν τετραπόδων χ̣ ᾠοτόκων σκληρότερα πάντα
τριχός Ζμβ13. 657 ᵇ12), ad τὰ ὁμοιομερῆ Ζιγ2. 511 ᵇ7.
μδ10. 388 ᵃ17. λέγω δὲ χ̣ τὰ ὀστᾶ χ̣ τρίχας χ̣ πᾶν τὸ
τοιῦτον ἐν ταυτῷ, sc τῷ ξυλώδει μδ10. 389 ᵇ7 cf M407.
ἡ τῶν τριχῶν φύσις Ζγε4. 784 ᵇ4. 6. 786 ᵃ19. αἱ τρίχες
χ̣ τὸ ἀνάλογον (πτερά, λεπίδες), χ̣ τὰ συγγενῆ Ζγε3. 782
ᵃ17, 30. β6. 745 ᵃ10. ὁ περὶ τῆς τριχὸς λόγος τῆς ἰσχυ-
ρῶς μὲν ὁμοίως δὲ πάντη τεινομένης, ὅτι ὐ διαρραγήσεται
Οβ13. 295 ᵇ31. δοκεῖ παντὶ χ̣ κεφαλὴ χ̣ θρὶξ ὑγρόν· διὸ
χ̣ αἱ τρίχες, διὰ τὸ πολὺ ὑγρόν· ἔχει πᾶσα θρὶξ ὑγρότητα
πρὸς τῇ ῥίζῃ γλίσχραν πβ10. 867 ᵃ25. Ζιγ11. 518 ᵇ13.
ἡ οἰκεία τῆς τριχὸς ὑγρότης f 226. 1519 ᵃ15, 22. τὰ με-
ταξὺ διαστήματα τῆς τριχὸς μηδεμίαν λαμβάνει βαφὴν
χ4. 794 ᵇ1. ἡ φύσις τῆς τριχός ἐστι σχιστή Ζιγ10.
517 ᵇ21. ἡ ἐν ταῖς θριξὶ τροφή, ἀναθυμίασις Ζγε4. 784
ᵇ11. 3. 782 ᵇ19. τῶν τριχῶν μεταβολή, ἔκφυσις, περί-
δρομος, βάθος, λίσσωσις Ζγε5. 785 ᵇ9. πβ6. 867 ᵃ6. φ3.
808 ᵃ23, 26. πη21. 889 ᵃ28. Ζια7. 491 ᵇ7. ἄκρα, κορυφή,
ῥίζα τῆς τριχός πζ5. 886 ᵇ25. Ζιγ11. 518 ᵃ9, ᵇ13. τίνος
ἕνεκα τὸ τῶν τριχῶν ἡ φύσις ἐποίησε γένος τοῖς ζῴοις
Ζγε3. 782 ᵃ20. τῇ ἁπτικῇ χάριν, σκέπης χάριν Ζμβ8. 653
ᵇ32. 14. 658 ᵃ19.
2. τῶν τριχῶν γένεσις, αὔξησις, φθίσις. αἱ τρίχες γί-
νονται ἐκ τῶν τῆς τροφῆς περιττωμάτων, ἐκ τῆς ἐπικτήτου
τροφῆς Ζγε6. 786 ᵇ14. 4. 783 ᵃ27. β6. 744 ᵇ25, 745 ᵃ1.
πλα5. 957 ᵇ31. Ζιη2. 582 ᵇ35, ἐκ τῦ ὑγρῦ πεφύκασιν
πη21. 889 ᵇ30. ἐκ τῦ δέρματος γίνονται Ζγβ6. 745 ᵃ20.

ε 3. 782 ᵃ30, φύονται Ζγε 4. 7·84 ᵃ28. πι 27. 894 ᵃ4, εἰσίν
πι 34. 894 ᵇ8. αἱ τρίχες τῶν δερμάτων πι 33. 894 ᵃ1. τρι-
χὸς παχύτητος ᾗ λεπτότητος αἴτιον μάλιστα τὸ δέρμα
Ζγε 3. 782 ᵃ24. ἐν τοῖς παχυτέροις δέρμασι σκληρότεραι
αἱ τρίχες ᾗ παχύτεραι, πλείς δὲ ᾗ μακρότεραι ἐν τοῖς ⁵
κοιλοτέροις ᾗ ὑγροτέροις, ἄνπερ ὁ τόπος ᾗ τοιῶτος οἷς ἔχειν
τρίχας Ζιγ 10. 517 ᵇ11. αἱ τρίχες ἐκ τῶν πόρων πθ 13.
890 ᵇ39. λς 2. 965 ᵇ9. — αἱ τρίχες λαμβάνυσι μέγεθος,
τροφήν Ζγε 3. 782 ᵇ3. πδ 18. 878 ᵇ32. ἐκ αὐξάνονται ἀπο-
τμηθεῖσαι Ζιγ 11. 518 ᵇ27. μεταβάλλυσι κατὰ τὰ δέρματα ¹⁰
Ζγε 5. 785 ᵇ14. θ 30. 832 ᵇ9, 13. πη 21. 889 ᵃ31. ἐδὲν
συμμεταβάλλυσιν Ζγε 5. 785 ᵇ12. ἀλλοιῶνται f 332. 1534
ᵃ6. φύονται, ἀναφύονται, παραφύονται πδ 4. 877 ᵃ1. Ζιγ 11.
518 ᵇ12. Ζμβ 14. 658 ᵃ26. περαίνυσιν ἔξω πβ 17. 867 ᵇ39.
λείπυσιν, ὑπολείπυσιν Ζγβ 6. 745 ᴵ15. Ζιγ 11. 518 ᵃ25. ¹⁵
ῥέυσιν Ζιγ 11. 518 ᵃ25, ᵇ24. ἐκρέυσιν πδ 18. 878 ᵇ32. πίπτυ-
σιν ἐξ ἀνθρώπων φτα 3. 818 ᵇ14. ἀπομαδῶσιν θ 78. 836 ᵃ1.
ἀποβάλλειν, ἀποψήχεσθαι τὰς τρίχας πι 21. 893 ᵃ5. Ζιι 45.
630 ᵇ11. τὸν πτυελον ᾗ τὰς τρίχας ᾗ τὰς ὄνυχας παρα-
βάλλων ηεη 1. 1235 ᵃ38 Fritzsche. ἐκδιδόναι εἰς τρίχας ²⁰
πι 62. 898 ᵇ24 — βάπτειν, μυρίζειν τὰς τρίχας f 226. 1519
ᵃ17.

3. διαφοραὶ τῶν τριχῶν Ζγε 3. 781 ᵃ30 sq, 782 ᵃ1. 1.
778 ᵃ20. κατὰ σκληρότητα ᾗ μαλακότητα. σκληραί Ζιγ 10.
517 ᵇ18, 20. ζ 37. 581 ᵃ2. Ζγε 3. 783 ᵃ18. πι 22. 893 ᵃ32. ²⁵
σκληρότεραι Ζιγ 10. 517 ᵇ11. 11. 518 ᵇ21. θ 5. 594 ᵇ1.
Ζγε 3. 782 ᵇ30, 783 ᵇ3. πι 23. 893 ᵃ36. σκληροτάτη φ 2.
806 ᵇ9. μαλακαί Ζιγ 10. 517 ᵇ15, 18, 20. 11. 518 ᵇ21.
Ζγε 3. 783 ᵃ6. μαλακωτέρα Ζιι 45. 630 ᵃ26. πι 23. 893 ᵃ36.
μαλακωτάτη φ 2. 806 ᵇ9. — κατὰ μῆκος ᾗ βραχύτητα. ³⁰
λαμβάνει μέγεθος Ζγε 3. 782 ᵇ3. μῆκος ἐκ ἴσχει Ζγε 3.
783 ᵃ9. μακραί Ζμβ 14. 658 ᵃ33. Ζγε 3. 782 ᵇ12. μα-
κρότεραι πι 23. 893 ᵃ36. Ζγε 3. 782 ᵇ16. Ζιγ 10. 517 ᵇ11.
βραχεῖαι Ζγε 3. 782 ᵇ12. Ζμβ 14. 658 ᵇ34. χ 6. 797 ᵇ26. —
κατὰ εὐθύτητα ᾗ ὑλότητα. ὀρθαί, ὀρθότεραι πη 15. 888 ᵇ16, ³⁵
19. 21. 889 ᵃ39, 26. φριξαί φ 6. 812 ᵇ28. εὐθεῖαι Ζιγ 10.
517 ᵇ20. Ζγε 3. 782 ᵇ30. φ 3. 808 ᵇ5, 6. ὑλαι Ζγε 3. 782
ᵇ20, 30. ἡ ὑλότης ἐστὶν ὥσπερ βλαισότης τῶν τριχῶν, τῆς
ὑλότητος σύστασις Ζγε 3. 782 ᵇ23, 28. πιδ 4. 909 ᵃ30.
συντρέχει ἐπὶ τῶ πυρὸς καομένη ἡ θρίξ Ζγε 3. 782 ᵇ28. οὐ ⁴⁰
κεκαμμέναι Ζιγ 10. 517 ᵇ20. ὑλότεραι πιδ 4. 909 ᵃ30. ἐκ-
κλινεῖς φ 5. 809 ᵇ23. — κατὰ τὸ πλῆθος ᾗ ὀλιγότητα.
τριχῶν πλῆθος Ζγα 20. 728 ᵇ20, τὸ ἔριον τριχῶν πλῆθός
ἐστιν Ζγε 3. 783 ᵃ6. δοκεῖν ἐνίοις ζῆν περιεργότερον τριχῶν
τε πλήθει ᾗ κόσμω πολυτελεῖ Πβ 8. 1267 ᵇ25. πλείης ⁴⁵
Ζιγ 10. 517 ᵇ11. μαναί Ζμβ 14. 658 ᵃ26. — κατὰ πα-
χύτητα ᾗ λεπτότητα Ζγε 3. 782 ᵃ24. ἀκανθώδεις Ζγε 3.
781 ᵇ34. παχεῖαι Ζγε 3. 782 ᵃ33, 35, ᵇ1. Ζιβ 8. 502 ᵃ26.
φ 3. 808 ᵇ5, 6. παχύτεραι Ζιγ 10. 517 ᵇ11. παχύταται ⁵⁰
Ζγε 3. 782 ᵇ9. λεπταί Ζιβ 17. 508 ᵃ26. Ζγε 3. 782 ᵃ33,
35, ᵇ1, 783 ᵃ4, 7. λεπτότεραι Ζγε 3. 783 ᵃ4. — κατὰ τὰς
χρόας Ζιγ 9. 517 ᵃ13. ματαβάλλειν τὰς χρόας Ζιγ 11. 518
ᵃ7. 12. 519 ᵃ10. θ 30. 832 ᵇ9, 13. συμμεταβάλλειν τῶ δέρ-
ματι τὰς χρόας Ζγβ 6. 745 ᵃ21. τὰ ποικίλα τῶν ζώων ⁵⁵
κατὰ τὰς χρόας Ζιγ 11. 518 ᵇ16. λευκαί Ζγε 4. 784 ᵃ26.
5. 785 ᵇ1. 6. 786 ᵃ4, 10. Ζιγ 11. 518 ᵃ10. χ 6. 797 ᵇ15.
πι 27. 894 ᵇ4. λευκαίνεται ᾗ ἀπ' ἄκρας ἡ θρίξ Ζιγ 11. 518
ᵃ9. Ζγε 1. 780 ᵇ6. πολιαί Ζγε 5. 785 ᵃ34. Ζιγ 11. 518 ᵃ10.
πι 5. 891 ᵇ2. πολιότης Ζγε 4. 784 ᵃ31. πολιά πι 34 894 ᵇ9. ⁶⁰
πολιῶνται, ἐπιπολιῶνται Ζγε 5. 785 ᵃ19, 18. μέλαιναι Ζγε 5.

785 ᵃ19, ᵇ7. 6. 786 ᵃ4. φ 3. 808 ᵇ6. πυρραί Ζγε 5. 785
ᵃ19. τί πυρρὰς ποιεῖ τὰς τρίχας πλη 2. 966 ᵇ28. ξανθαί
φ 5. 809 ᵇ25. — κατὰ τὰς ἡλικίας. συγγενεῖς Ζιγ 11 518
ᵃ18, ᵇ24. η 4. 584 ᵃ23. συγγενικαί πδ 18. 878 ᵇ27, 25.
ὑστερογενεῖς Ζιγ 11. 518 ᵃ21, 32, ᵇ3, 25. ι 50. 631 ᵇ32.
Ζγε 3. 784 ᵃ7. — ἡ δι' ἡλικίαν τῶν τριχῶν πολιότης Ζγε 4.
784 ᵃ31, κατὰ τὴν ἡλικίαν Ζιγ 11. 518 ᵃ25, — ἄλλαι δια-
φοραί. ἀσθενεῖς, ἀσθενέστεραι, ἀσθενεστάτη, ἀσθένεια τῆς
τριχός χ 6. 797 ᵇ26. πζ 5. 886 ᵇ31. ι 27. 894 ᵃ6. 29.
894 ᵃ15. ῥυάδες πι 63. 898 ᵃ32, 36. τριχῶν τίλσεις Ηη 6.
1148 ᵇ27. εἰσὶν οἱ τίλλοντες τὰς τρίχας διατρώγυσιν ημβ 6.
1202 ᵃ21. ἀραιαί χ 6. 797 ᵇ26. χειμεριναὶ πι 21. 893 ᵃ5.
ἡ δυσώδεις εἰσὶν πιγ 4. 908 ᵃ9. βαθύτεραι, γεωδεις Ζιθ 5.
594 ᵇ1. Ζγε 3. 783 ᵃ18.

4. pathologica. τὰ θερμὰ λευκὴν ποιεῖ τὴν τρίχα, τὰ δὲ
ψυχρὰ μέλαιναν· ἐν τοῖς ψυχροῖς αἱ τρίχες γίνονται γεωδεις
ᾗ σκληραὶ Ζγε 6. 786 ᵃ4. 3. 783 ᵃ18. cf Ζιγ 10. 517 ᵇ18.
φύονται εὐθέως ἔνιαι πολιαὶ Ζγε 5. 785 ᵃ34. cf Ζιγ 11. 518
ᵃ10. διὰ τί φρίττυσιν αἱ τρίχες ἐν τῶ δέρματι πη 12. 888
ᵃ38. λε 5. 965 ᵃ8. τῶν ῥιγώντων αἱ ἐν τῶ σώματι τρίχες
γίνονται ὀρθαί, ὀρθότεραι, ὀρθαὶ ἵστανται πη 15. 888 ᵇ16, 19.
21. 889 ᵃ39, 26. ῥέυσι μᾶλλον αἱ τρίχες τοῖς ἀφροδισιαστι-
κοῖς αἱ συγγενεῖς Ζιγ 11. 518 ᵇ24. τρίχες ᾗ τὰ συγγενῆ
αὐξάνονται ᾗ μᾶλλον ἐν νόσοις ᾗ τῶν σωμάτων γηρασκόν-
των ᾗ φθινόντων Ζγβ 6. 745 ᵃ10, 17. cf Ζιγ 11. 518 ᵇ21.
ἐν ταῖς λευκαις πολιαὶ γίνονται αἱ τρίχες Ζγε 784 ᵃ26. πι 5.
891 ᵇ2. ἡ πολιὰ ὥσπερ σαπρότης τις τῶν τριχῶν πι 34. 894
ᵇ9. εἴτε αὔανσις τριχός ἡ πολιά ἐστ' ἔνδεια θερμῶ f 226.
1519 ᵃ12, 21. ἐν ταῖς ὑλαῖς ἡ γίνονται, φύονται, τρίχες
πδ 13. 890 ᵇ38. δ 4. 877 ᵃ2. ι 27. 893 ᵇ28. 29. 894 ᵃ12. —
ἔνια ἐξ ἄλλων φθορᾶς ᾗ [ἐξ ἀρχῆς] γίνεται ᾗ αὐξάνεται,
οἷον οἱ φθεῖρες ᾗ αἱ τρίχες ἐν τῶ σώματι διαφθειρομένης
τῆς τροφῆς πι 12. 924 ᵃ9.

5. αἱ τῶν ἀνθρώπων τρίχες. ἐν μὲν τοῖς θερμοῖς σκληραί,
ἐν δὲ τοῖς ψυχροῖς μαλακαὶ Ζιγ 10. 517 ᵇ18. αἱ ἐνταῦθα (ἐν τῷ
ἄλλω σώματι) τρίχες ἀσθενέστεραι (ἤ ἐν τῇ κεφαλῇ) πζ 5. 886
ᵇ31. αἱ τρίχες ἔνεισι μάλιστα (παχύταται, μακρόταται) ἐν
τῇ κεφαλῇ πα 16. 861 ᵃ15. Ζγε 3. 782 ᵇ9, 16. λείπυσι ᾗ
ῥέυσι κατὰ τὴν ἡλικίαν αἱ ἐκ τῆς κεφαλῆς ᾗ μάλιστα αἱ
πρῶται Ζιγ 11. 518 ᵃ25. αἱ ἐν τοῖς κροτάφοις τρίχες Ζγε 4.
785 ᵃ3. οἱ ἄνθρωποι ἔχυσι τρίχας ἐν ταῖς μασχάλαις ᾗ ἐπὶ
τῆς ἥβης Ζμβ 14. 658 ᵃ27. ὅταν ἄρχωνται τὰ παιδία τρίχας
ποιεῖν Ζιγ 4. 584 ᵃ23. ἀσθενεῖς αἱ τρίχες ᾗ ἀραιαὶ ᾗ βρα-
χεῖαι τὸ πρῶτον ἅπασιν ἐπιγίνονται τοῖς παιδίοις χ 6. 797
ᵇ26. (γονεῖς ᾗ παῖδες) τρίχας ὅμοιοι γίνονται Ζγα 18. 722
ᵃ5. αἱ τρίχες ταῖς κυούσαις αἱ μὲν συγγενεῖς γίνονται ἐλάτ-
τυς ᾗ ῥέυσιν, ἐν οἷς δὲ μὴ εἰώθασιν ἔχειν τρίχας, ταῦτα
δασύνεται μᾶλλον Ζγε 4. 784 ᵃ23.

6. αἱ τῶν ἄλλων ζώων τρίχες. τὰ μὲν ὅλως ἐκ ἔχει
τρίχας, τὰ δ' ἐκ ἔχει ἐν τοῖς ὑπτίοις, ἢ ἐλάττυς τῶν ἐν
τοῖς πρανέσιν Ζιε 14. 544 ᵇ28. τίνα τῶν ζώων τρίχας ἔχει
Ζιγ 10. 517 ᵇ4. πάντα τὰ τρίχας ἔχοντα Ζγα 9. 718 ᵇ30.
ὅσα τρίχας ἔχει Ζιε 5. 489 ᵇ1. 6. 490 ᵇ21, 27. β 1. 498 ᵇ19.
13. 505 ᵃ22. γ 20. 521 ᵇ22. 22. 523 ᵃ16. δ 11. 538 ᵇ8. ε 31.
557 ᵃ14. Ζμβ 14. 658 ᵃ11. πδ 4. 876 ᵇ34. τὰ μὲν πλεῖστα
τῶν ζώων ῥυάδα τὴν τρίχα ἀνὰ πᾶν ἔτος ἔχει, ἔνια δὲ
ῥυάδα ἐκ ἔχει πι 63. 898 ᵇ32, 36. τίνα τῶν ζώων ἀποβάλ-
λει τὰς χειμεριας πι 21. 893 ᵃ5. — τῶν τετραπόδων
ἔνια καθ' ὅλον τὸ σῶμα πρανὲς δεδάσυνται ταῖς θριξίν,
τῶν τετραπόδων ἐδὲν ἔχει τρίχας ἐτ' ἐν ταῖς μασχάλαις
ἐτ' ἐπὶ τῆς ἥβης· ὑπὸ τὸ βλέφαρον ἔνιοις τῶν τετραπόδων

παραφύονται μαναὶ τρίχες· τὰς κέρκας ἐπικεκόσμηκεν ἡ φύσις θριξὶν Ζμβ14. 658 ᵃ29, 27, 26, 32. ἡ καλαμένη χλωρὶς τὴν νεοττιὰν μὲν ποιεῖται, στρώματα δ' ὑποβάλλει τρίχας κỳ ἔρια Ζιι13. 616 ᵃ2. — ἡ τῶν πιθήκων θρὶξ παχεῖα Ζιβ8. 502 ᵃ26. — ἀποψήχεσθαι τὰς τρίχας τῶν κυνῶν Ζιι45. 630 ᵇ11. θι. 830 ᵃ20. — λέων ἔχει σκληροτάτην φ2. 806 ᵇ10. — (ὗς) ὅσον ἕλκει ζῶσα, τὸ ἐκτὸν μέρος εἰς τρίχας κỳ αἷμα κỳ τὰ τοιαῦτα· ἐὰν τις τρίχας ἐκτίλῃ ἐκ τῆς λοφιᾶς· ὗς ἄγριος σκληροτάτην ἔχει Ζιθ6. 595 ᵇ2. 21. 603 ᵇ22. φ2. 806 ᵇ10. — ἵππος μόνον ἐπιδήλως γηράσκων λευκαίνεται τὰς τρίχας Ζγε1. 780 ᵇ6. τοῖς μὲν ἵπποις κỳ τοῖς ὄνοις ἐκ τῶν ὑλῶν φύονται τρίχες, τοῖς δ' ἀνθρώποις ὗ πι27. 893 ᵇ28. 29. 894 ᵃ12. — οἱ ἐν Αἰγύπτῳ μύες σκληρὰν τὴν τρίχα ἔχωσιν ὥσπερ οἱ χερσαῖοι ἐχῖνοι Ζιζ37. 581 ᵃ2. τὰ βάλλοντα ταῖς θριξὶν, οἷον αἱ ὕστριχες Ζιι39. 623 ᵃ33. τὰ ζῷα ὑκ ἐντὸς ἔχει τρίχας· ὁ δασύπες μόνος κỳ ἐντὸς ἔχει τῶν γναθῶν κỳ ὑπὸ τοῖς ποσὶν Ζιγ12. 519 ᵃ20, 22. Ζγδ5. 774 ᵃ36. λαγωὸς φ2. 806 ᵇ9. — ἔλαφος ἔχει τὴν τρίχα μαλακωτάτην φ2. 806 ᵇ9. — τάρανδος λέγεται μεταβάλλειν τὰς χρόας τῆς τριχὸς καθ' ὃν ἂν κỳ τόπον ᾖ· θαυμαστὸν πῶς αἱ τρίχες ὕτως ὀξέως ἀλλοιῶνται θ30. 832 ᵇ9, 13. f 332. 1534 ᵃ6. μαλακωτέρα ἡ τῶ βονάσω θρὶξ τῆς τῶ ἵππω Ζιι45. 630 ᵃ25. — τῶν αἰγῶν τὸ ἄκρον τῶ ἠρύγγω (ἔστι δ' οἷον θρὶξ) Ζιι3. 610 ᵇ30. πρόβατα ἔχει τὴν τρίχα μαλακωτάτην· τὸ τῶν προβάτων γένος ἔχει τρίχας λεπτὰς· διὰ τί αἱ μὲν τῶν προβάτων τρίχες, ὅσῳ ἂν μακρότεραι ὦσι, σκληρότεραι γίνονται φ2. 806 ᵇ9. Ζγε3. 783 ᵃ4. πι23. 893 ᵃ36. — οἱ ὄρνιθες ἐν θριξὶ τρίχας Ζμβ12. 657 ᵃ19. — ζῷα ἐν θριξὶ ζῶων Ζιε19. 551 ᵃ6. — ὁ βάτραχος (ἰχθῦς) ἁλίσκεται λεπτότερος, ὅταν μηκέτ' ἔχῃ τὰ ἐπὶ ταῖς θριξὶν sc στρογγύλα, quae Aelianus σφαιρία dixit Ζιι37. 620 ᵇ28. — ἡ θρὶξ ἡ μαλακωτάτη σημεῖον δειλοτάτε, σκληροτάτη ἀνδρειοτάτε φ2. 806 ᵇ9. — τὰ ἄκρα τῆς τῶν ὀλίγων γλωττης ἐστὶ λεπτὰ ὥσπερ τρίχες Ζιβ17. 508 ᵃ26. cf ι3. 610 ᵇ30. cf βλέφαρον, γένειον, ἥβη, μασχάλη, ὀφρὺς, πώγων, φαλακρός.

θριποφάγος ὁ κέρθιος Ζιι17. 616 ᵇ29.

θρίττα. refertur inter τὰ μόνιμα f 285. 1528 ᵃ40. ὗ γίνεται ἐν τῷ εὐρίπῳ ὗτε σκάρος ὗτε θρίττα (v l θρίσσα) Ζιι37. 621 ᵇ16. (fort Alausa vulgaris Cuv XX, 24. cf Lewysohn Zool des Talmud p 256.)

θρομβώδης. σπέρματα λεπτὰ κỳ μὴ θρομβώδη Ζιη1. 582 ᵃ31.

θρυαλλίς f 248. 1524 ᵇ36. (Plantago albicans L? Sprengel. Verbascum limnense Fraas 191).

θρυλεῖν, θρυλλεῖν. θρυλεῖται παρὰ πολλοῖς Ζιι13. 615 ᵇ24. τὰ θρυλόμενα περὶ τὸν βάτραχον Ζιι37. 620 ᵇ11. ἄκος ἐπὶ πάσῃ ὑπερβολῇ τὸ θρυλάμενον Ργ7. 1408 ᵇ21. συμβαίνει τὸ θρυλλώμενον Μγ8. 1012 ᵇ14. ἐκ παλαιᾶ χρόνε περιφέρεται θρυλώμενον f 40. 1481 ᵃ42. τεθρύλληται τὰ πολλὰ κỳ ὑπὸ τῶν ἐξωτερικῶν λόγων Μμ1. 1076 ᵃ28. τεθρυλημένον πολλοῖς Ργ14. 1415 ᵃ3. αἱ τεθρυλημέναι κỳ κοιναὶ γνῶμαι Ρβ21. 1395 ᵃ10. λέγειν τὸν εὐήθη κỳ τεθρυλημένον λόγον Ζγγ5. 756 ᵇ6.

θρύον. τόποι θρύε κỳ φύκες πλήρεις θ136. 844 ᵃ27. cf Humboldt krit Unters I 180, Ansicht der Natur I 80. S Theophr III 320.

θρύπτεσθαι. πιμελή, ἣ ὗ πήγνυται ὐδὲ θρύπτεται ξηραινομένη Ζμβ5. 651 ᵃ35. ἡ φωνὴ πανταχῇ, ὥσπερ ἂν εἰ τὸ ῥιφθὲν ἅμα φερόμενον ἀπείρως θρυφθείη πια6. 899 ᵇ17. τὸ ἀγγεῖον τὸ κωλῦσαν θρυφθῆναι τὸν ἀέρα ψβ8. 419 ᵇ26.

θρύψις. διαιρῶντι ὑκ ἄπειρος ἡ θρύψις Γα2. 316 ᵇ30. ἡ θρύψις τῶ ἀέρος ψβ8. 419 ᵇ23.

θυᾶν. ὗς θυῶσα Ζιε14. 546 ᵃ27. ζ18. 573 ᵇ7.

θυγάτηρ. Ζγα18. 722 ᵃ10. Πε4. 1304 ᵃ8. equa Ζιζ22. 576 ᵃ19.

θυγατριδῆς f 433. 1549 ᵇ37. 503. 1560 ᵃ34.

θύειν αἶγα, πρόβατα, θύειν Βρασίδα al Ηε10. 1134 ᵇ22. Πε4. 1304 ᵃ3. θύειν Ἀρτέμιδι, Ἐνυαλίῳ f 387. 1542 ᵇ5. — med παρακαλεῖ ἐπὶ τὸ κινδυνεύειν μὴ θυσαμένες Ρβ21. 1395 ᵃ13. — pass τὰ θυόμενα ἱερεῖα Ζμγ4. 667 ᵇ2. τυθείσης κόρης πο17. 1455 ᵇ3, 11.

θύειν, intr οἰδ'ματι θύων (Emp 366) αν7. 474 ᵃ5.

θύειν, def βίαιον πνεῦμα κỳ ἄφνω προσαλλόμενον κ4. 395 ᵃ6. πυρὸς θύελλα (Hom μ 68) θ105. 839 ᵇ34.

Θυέστης aptum tragoediae argumentum πο13. 1453 ᵃ11, 21. — tragoedia Carcini πο16. 1454 ᵇ23 (Nauck fr tr p 619.)

θυλακοειδὴς τίκτει θυννὶς Ζιε11. 543 ᵇ13.

θύλακος. οἱ θύννοι τίκτωσιν οἷον ἐν θυλάκῳ τὰ ᾠὰ Ζιζ17. 571 ᵃ14. θύλακοι μείζες ῥαγῶν, ἐξ ὧν ῥηγνυμένων ἐξέρχεται ζῷον Ζιε19. 552 ᵇ19.

θυμίαμα. τινὰ τῶν φυτῶν ἔχυσί τι ὑγρὸν ὡς σμυρνάν, ὡς θυμίαμα φτα3. 818 ᵃ5. θυμιαμάτων ὀσμαὶ Ηγ13. 1118 ᵃ20. διὰ τί τῶν θυμιαμάτων ἧττον αἰσθάνονται πλησίον ὄντες πιβ1. 906 ᵃ23. 2. 906 ᵃ30. 9. 907 ᵃ24. πόλις θυμιαμάτων γέμει (Soph OR 4) κ6. 400 ᵇ25.

θυμιᾶσθαι. πότε θυμιᾶται τι μβ5. 362 ᵃ9. ἡ πιμελὴ θυμιᾶται κỳ τήκεται Ζιζ17. 571 ᵃ31. ἐλαφείε κέρατος θυμιωμένε Ζιθ8. 534 ᵇ23. τύφεσθαι κỳ θυμιᾶσθαι μβ5. 362 ᵃ7. θυμιώμεναι κỳ σφόδρα πονῶσαι ὑπὸ τῶ καπνῶ μέλισσαι Ζιι40. 623 ᵇ20. ὁ γλυκὺς οἶνος θυμιᾶται μδ9. 387 ᵇ9. τὰ ἄνθη κỳ τὰ θυμιώμενα πόρρωθεν ἥδιον ὄζει πιβ4. 906 ᵇ35. ἡ ὀσμὴ θυμιωμένων πιβ1. 906 ᵃ27. — θυμιατόν, dist ἀτμιστόν μδ9. 387 ᵇ7. dist φλογιστόν μδ9. 387 ᵇ31. dist μαλακτόν μδ10. 389 ᵃ17. περὶ θυμιατῶν μδ8. 385 ᵃ18. 9. 387 ᵃ23–388 ᵃ9.

θυμίασις, def μδ9. 387 ᵃ30.

θυμικός (cf θυμοειδής). μόρια ψυχῆς λογιστικὸν κỳ θυμικὸν κỳ ἐπιθυμητικὸν (Plat) ψγ9. 432 ᵇ25. τε1. 129 ᵃ12, 14. ημα4. 1185 ᵃ21. — θυμικοὶ κỳ ὀξύθυμοι οἱ νέοι κỳ οἶοι ἀκολαθεῖν τῇ ὁρμῇ Ρβ12. 1389 ᵃ9. τὸ ἄρρεν ἰσχυρότερον κỳ θυμικώτερον Ζμγ1. 661 ᵇ33. εἰ μὴ (ὁ ἡγεμὼν ζῇ), γίγνεσθαι τὰς κηφῆνας θυμικωτέρας Ζιι40. 624 ᵇ15. — aliam vim videtur θυμικός habere his locis: οἷς μὲν πλατὺ τὸ μέτωπον, ἐκστατικοί, οἷς δὲ περιφερές, θυμικοὶ Ζια8. 491 ᵇ14. τὰ μὲν (ζῷα) πανῦργα κỳ κακῦργα, οἷον ἀλώπηξ, τὰ δὲ θυμικὰ κỳ φιλητικὰ κỳ θωπευτικά, οἷον κύων Ζια1. 488 ᵇ21.

θυμοειδής. τὸ θυμοειδές, dist τὸ ἐπιθυμητικόν, τὸ λογιστικόν τβ7. 113 ᵃ36, ᵇ1. δ5. 126 ᵃ8, 10. αρ1. 1249 ᵇ26, 30. 2. 1250 ᵃ5, 6. 3. 1250 ᵃ17, 19. — οἱ ἀνδρεῖοι θυμοειδεῖς Ηγ11. 1116 ᵇ26. θυμοειδεῖς οἱ πολεμικοὶ ἄνδρες Πβ5. 1264 ᵇ9. διανοητικὼς δεῖ εἶναι κỳ θυμοειδεῖς τὴν φύσιν τὰς μέλλοντας εὐαγωγὼς ἔσεσθαι πρὸς ἀρετὴν Πη7. 1327 ᵇ37 (syn ἔνθυμος ᵇ30). οἱ θυμοειδεῖς δῦλοι ὑκ εὔαρχοι ο5. 1344 ᵇ14. δύλες δεῖ εἶναι μήτε ὁμοφύλας πάντας μήτε θυμοειδεῖς Πη10. 1330 ᵃ26. θυμοειδῦς σημεῖα φ2. 807 ᵃ14. 6. 811 ᵃ13. cf θυμώδης.

θύμον, λευκόν, ἐρυθρόν, νομὴ μελιττῶν, ὅταν τὸ θύμον ἀνθῇ Ζιι40. 626 ᵇ21, 627 ᵃ1. θύμα ὀσμὴ δριμεῖα ψθ9. 421 ᵇ2. θύμον τὸ ἐν τῇ Ἀττικῇ δριμύτατον πκ20. 925 ᵃ9 (Satureja capitata L).

θυμός. ἐν θυμῷ βάλληται (Hes ε 297) Ηα2. 1095 ᵇ13. — θυμός, coni ἐπιθυμία, βήλησις Ηγ3. 1111 ᵃ25. 4. 1111 ᵇ11. θυμός χ̣ βήλησις, ἔτι δὲ ἐπιθυμία χ̣ γενομένοις εὐθὺς ὑπάρχει τοῖς παιδίοις Πη15. 1334 ᵇ22. ἐπιθυμία χ̣ θυμῷ χ̣ τοῖς τοιούτοις χρῆται χ̣ τὰ λοιπὰ ζῷα ρ1. 1421 ᵃ10. βήλησις χ̣ θυμὸς χ̣ ἐπιθυμία πάντα ὄρεξις Ζκ6. 700 ᵇ22. opp λόγος, λογισμός, νῆς, διάνοια Πη7. 1327 ᵇ24. 15. 1334 ᵇ22, 24. ρ1. 1421 ᵃ10. f 96. 1493 ᵇ31, 37. ὁ θυμὸς διαστρέφει χ̣ τὴς ἀρίστης ἄνδρας Πγ16. 1287 ᵃ31. καλῶς τὰ ἐκ θυμῆ ἦκ ἐκ προνοίας κρίνεται· ἦ γὰρ ἄρχει ὁ θυμῷ ποιῶν, ἀλλ' ὁ ὀργίσας Ηε10. 1135 ᵇ26. sed dist θυμός ab ἐπιθυμία (Haecker Eintheilungsprincip p 7 sqq): ὁ θυμὸς ἀκήει μέν τι τῆ λόγῳ, παρακήει δ' ὁ θυμὸς ἀκολῃθεῖ τῷ λόγῳ πως, ἡ δ' ἐπιθυμία ἦ· ἧττον αἰσχρὰ ἀκρασία ἡ τῆ θυμῆ ἢ ἡ τῶν ἐπιθυμιῶν Ηη7. 1149 ᵃ24, 25, ᵇ1, 6. ὁ θυμὸς ὁ γενναῖος Ζγγ1. 749 ᵇ33. ἀκρασία θυμῆ καθ' ὁμοιότητα λέγεται, ἦχ ἁπλῶς Ηη6. 1148 ᵇ13, 14, 1149 ᵃ3. ad ἀνδρείαν requiritur θυμός, sed ἀνδρεία ἡ διὰ θυμὸν μάλιστα φυσική nondum vera est ἀνδρεία Ηγ11. 1116 ᵇ23·-1117 ᵃ9. ηεγ1. 1229 ᵃ28. ὅσα ὀπισθόκεντρά ἐστι, διὰ τὸ θυμὸν ἔχειν ὅπλον ἔχει τὸ κέντρον Ζμδ6. 683 ᵃ7. ὁ θυμός ἐστιν ὁ ποιῶν τὸ φιλητικόν Πη7. 1327 ᵇ40 sqq. ἀρχικόν χ̣ ἀήττητον ὁ θυμός Πη7. 1328 ᵃ7. ηεγ1. 1229 ᵃ28. χαλεπὸν θυμῷ μάχεσθαι· ψυχῆς γὰρ ὠνεῖται (Heraclit fr 69) Πε11. 1315 ᵃ31. ηεβ7. 1223 ᵇ24. Ηβ2. 1105 ᵃ8. θυμός, syn ὀργῇ Ρα10. 1369 ᵃ7, 4, 11, ᵇ11. ημβ6. 1202 ᵇ12-19, coll Ηη7. 1149 ᵃ26. f 95. 1493 ᵇ15. πρὸς τὴς συνήθεις ἡ φίλης ὁ θυμὸς αἴρεται μᾶλλον ἢ πρὸς τὴς ἀγνῶτας ὀλιγωρεῖσθαι νομίζων Πη7. 1328 ᵃ2. λυπεῖσθαι ταυτην τὴν λύπην ἣν καλῆμεν θυμὸν ηεγ3. 1231 ᵇ15. ὁ θυμὸς ἡδονήν τινα ἔχει· μετ' ἐλπίδος γάρ ἐστι τιμωρίας ηεγ1. 1229 ᵇ31. — θυμός inter ea πάθη refertur quae sunt μετὰ σώματος τι. 403 ᵃ17. αι1. 436 ᵃ9. Ηη5. 1147 ᵃ16. ἐκστατικὸν ὁ θυμός ηεγ1. 1229 ᵃ25. ὁ θυμὸς θερμότητος ποιητικόν, μετὰ θερμότητος Ζμβ4. 650 ᵇ35, ᵃ2. πι60. 898 ᵃ5. χζ3. 947 ᵇ13. — plur θυμοὶ χ̣ πανυργίαι Ζιθ1. 588 ᵃ23. τῶν πρεσβυτέρων οἱ θυμοὶ ὀξεῖς μέν, ἀσθενεῖς δέ Ρβ13. 1390 ᵃ11. ζέσιν ποιεῖν ἐν τοῖς θυμοῖς Ζμβ4. 650 ᵃ2. cf πχζ3. 947 ᵇ23.

θυμῆσθαι. παυόμεθα θυμώμενοι, syn παυόμεθα ὀργῆς Ρβ3. 1380 ᵃ18, 15.

θυμώδης. οἱ νέοι ἀνδρειότεροι· θυμώδεις γὰρ χ̣ εὐέλπιδες Ρβ12. 1389 ᵃ26. ὁ θυμώδης ἦκ ἐπίβυλος Ηη7. 1149 ᵇ14. χαλεπὸς χ̣ θυμώδης τῷ μᾶλλον ὀργίζεσθαι ηεβ3. 1221 ᵇ13. ποῖα ζῷα θυμώδη τὸ ἦθος χ̣ ἐκστατικά (leg ἐνστατικά) Ζμβ4. 650 ᵇ34, 651 ᵃ2. τῶν ζῴων τὰ μὲν θυμώδη χ̣ ἐνστατικὰ χ̣ ἀμαθῆ Ζια1. 488 ᵇ14. τὰ ἄρρενα θυμωδέστερα χ̣ ἀγριώτερα Ζιι1. 608 ᵇ3. θυμωδὸς σημεῖα φ3. 808 ᵃ19-24. cf θυμοειδής.

θυννίς. refertur inter τὰ σαρκοφάγα, ἀγελαῖα, ἐκτοπιστικά Ζιζ2. 591 ᵇ17 Aub. ι2. 610 ᵇ4 Aub. f 286. 1528 ᵇ6. θυννὶς ἅπαξ τίκτει, θέρης περὶ τροπὰς θερινάς Ζιε9. 543 ᵃ9. 11. 543 ᵇ12. εἰς τὸν Πόντον ἐμβάλλουσι Ζιθ13. 598 ᵃ26 Aub. ἡ αὔξησίς ἐςι τῶν θυννίδων ταχεῖα Ζιζ17. 571 ᵃ15, 10. (Thynnus vulgaris C, fort femina. cf Daremberg Oribas I 592. contradicit AZι I 128, 25.)

θύννος. refertur inter τὰ ἀγελαῖα, λεῖα, σαρκοφάγα Ζια1. 488 ᵃ6. β13. 505 ᵃ27. θ2. 591 ᵃ11. τὰ λευκά, sc τὰ κάτω Ζιθ10. 537 ᵃ21 (cf Cuv et Val VIII 63 tout le ventre est grisâtre). διαφέρει ὁ θύννος ὁ ἄρρην τῆ θήλεος Ζιε9. 543 ᵃ12 Aub. coitus, vita, pondus Ζιζ17. 571 ᵃ12, 8. θ30. 607 ᵇ32. οἱ θύννοι χ̣ εἰς ταριχείας φαῦλοι οἱ γέροντες Ζιθ30.

607 ᵇ28. διαρρήγνυνται ὑπὸ τῆς πιμελῆς, φωλῆσι τῆ χειμῶνος. χαίρησι τῆ ἀλέα, καθεύδησι Ζιζ17. 571 ᵇ7. θ15. 599 ᵇ9 sq. 19. 602 ᵃ31. δ10. 537 ᵃ23. τίκτησιν ἅπαξ, ἐν τῷ Πόντῳ ἄλλοθι δ' ἦ, οἷον ἐν θυλάκῳ τὰ ᾠά Ζιε9. 543 ᵃ1. 10. 543 ᵇ3. ζ17. 571 ᵃ15, 14. quomodo immigrent in Pontum et remigrent inde Ζιθ13. 598ᵇ. migrant post scombros Ζιθ12. 597 ᵃ22. θηρεύονται Ζιθ15. 599 ᵇ10. οἴστρῶσι Ζιε31. 557 ᵃ27. θ12. 598 ᵃ18. 19. 602 ᵃ26. f 313. 1531 ᵃ30. ἔξω πλέοντες Ἡρακλείων στηλῶν εὑρίσκησιν ὑπερβάλλον θύννων πλῆθος θ136. 844 ᵃ29. cf Humboldt krit Unters I 51 adn. (Thynnus vulgaris AZι I 128, 25.) cf θυννίς, πηλαμύς, αὐξίς, σκορδύλη, πριμάδες.

θυννοσκόπας Ζιθ10. 537 ᵃ19.

θύρα. θύραις χαλκαῖς ὠχυρῶσθαι κ6. 398 ᵃ18. τὰς θύρας τὰς ἀνοιγομένας ἔξω ἐπώλησεν οβ1347 ᵃ6. διατρίβειν περὶ θύρας Πε11. 1313 ᵇ7. ἐπὶ ταῖς τῶν πλησίων θύραις διατρίβειν Ρβ16. 1391 ᵃ12. — ἐπὶ θύραις τὴν ὑδρίαν Ρα6. 1363 ᵃ7. ἦ κατὰ θύρας ἀπαντᾶν πρός τι Φδ6. 213 ᵇ2. τίς ἂν θύρας ἁμάρτοι Μα1. 993 ᵇ5 cf παροιμία.

θύραζε. ἀδικία ἀνδρὸς αἱ θύραζε συνεσίαι γινόμεναι οα4. 1344 ᵃ12. — ἐκπίπτειν θύραζε τὸν ἀέρα χ̣ γίνεσθαι τὴν ἐκπνοὴν αν7. 473 ᵇ7. τὰ ἔντομα ψοφεῖ τῷ ἔσω πνεύματι, ἦ τῷ θύραζε Ζιθ9. 535 ᵇ5. περίπτωσις, κάθαρσις, σπέρμα ἐξέρχεται θύραζε Ζιγ22. 523 ᵃ20. η2. 582 ᵇ17. Ζγα19. 727 ᵃ21, ᵇ22. ζῳοτοκεῖν (ὠοτοκεῖν) θύραζε, syn εἰς τὸ φανερόν, ἐκπέμπειν θύραζε Ζγα12. 719 ᵇ19, 23, 24. 9. 718 ᵇ29. 10. 718 ᵇ32, 34. 11. 719 ᵃ1. β4. 737 ᵇ17. αν10. 475 ᵇ20. — θύραζε i q ἔξω. τὰ ᵃβ θύραζε λαμβάνει τὴν ἐπαύξησιν Ζγγ5. 755 ᵇ32, 756 ᵃ22. β1. 733 ᵃ30.

θύραθεν. βλάπτεσθαι ὑπὸ τῶν θύραθεν προσπιπτόντων Ζμδ5. 679 ᵇ22. εἰσφέρειν τὸν ἀέρα τὸν θύραθεν sim αν21. 480 ᵃ30. 3. 471 ᵇ5. 4. 472 ᵃ12. Ζμα1. 642 ᵇ1. πε9. 881 ᵇ15. λδ7. 964 ᵃ15. ἡ τῆ πνεύματος κάθεξις, τοῖς μὲν εἰσφερομένοις ἡ θύραθεν, τοῖς δὲ μὴ ἀναπνέησιν ἡ σύμφυτος υ2. 456 ᵃ17. θύραθεν ἐπείσακτον, opp φύσει ὑπάρχον Ζμβ16. 659 ᵇ19. θύραθεν ἐπεισιόντων ἄλλων τοιήτων σχημάτων ἐν τῷ ἀναπνεῖν (Democr) ψα2. 404 ᵃ13. ἡ θύραθεν τροφὴ υ3. 456 ᵇ2. ἀπελθόντος τῆ θύραθεν αἰσθητῆ ἐμμένει τὰ αἰσθήματα αἰσθητὰ ὄντα εν2. 460 ᵇ2. τὸν νῆν μόνον θύραθεν ἐπεισιέναι Ζγβ3. 736 ᵃ28. cf 6. 744 ᵇ22.

θυραυλεῖν. σώματα δυνάμενα θυραυλεῖν χ̣ πονεῖν οα2. 1343 ᵇ4. Πζ4. 1319 ᵃ24.

θυραυλία. ἡ θυραυλία τῶν ἀγρίων ζῴων Ζγε3. 783 ᵃ19. τὸ θῆλυ πρὸς τὰς ἔξωθεν θυραυλίας ἀσθενές οα3. 1344 ᵃ4.

θυρίς. 1. αἱ διὰ τῶν θυρίδων ἀκτῖνες ψα2. 404 ᵃ4. πιε13. 913 ᵃ10. — 2. ἡ ἑτέρα θυρὶς τῶν κτενῶν, ἐν διθύροις Ζιδ4. 529 ᵇ7. — 3. αἱ θυρίδες αἱ τῆ μέλιτος χ̣ τῶν σχαδόνων ἀμφίστομοι· οἱ βομβύλιοι τίκτησιν ἐν θυρίσι θύο ἢ μικρῷ πλείοσιν Ζιι40. 624 ᵃ7. 43. 629 ᵃ30. — 4. σκώληκες ἐν θυρίσι συνεχέσι τέτταρσιν ἢ μικρῷ πλείοσιν, Bruttafeln, gâteaux Ζιι41. 628 ᵃ20 Aub.

θυρωρός. χρήσιμοι ἐν μεγάλαις οἰκονομίαις οα6. 1345 ᵃ34. θυσίαι χ̣ διαγωγαὶ τῆ ζῆν Πγ9. 1280 ᵇ37. ποιεῖν θυσίας, αἱ ἀρχαῖαι θυσίαι χ̣ σύνοδοι ἐγένοντο ἐν οἷς καιροῖς μάλιστα ἐσχόλαζον Ηθ11. 1160 ᵃ20, 23, 25. αἱ περὶ θεὺς κατασκευαὶ χ̣ θυσίαι Ηδ5. 1122 ᵃ20. θυσίαι μέρος τιμῆς Ρα5. 1361 ᵃ34. θυσίαι τῶν βασιλέων, ἱερατικαὶ Πγ14. 1285 ᵇ16, 10. πῶς δεῖ ποιεῖν τὰς θυσίας ρ39. 1446 ᵃ36·5. κατὰ τὰ πάτρια ποιεῖσθαι τὰς θυσίας ρ3. 1423 ᵃ36. θυσίαι πάτριοι, νομιζόμεναι f 385. 1542 ᵃ18. 404. 1545 ᵇ32.

θωπεύειν. οἱ κύνες ἐπειδὰν θωπεύωσιν φ6. 811 ᵇ38.

θωπευτικὰ κỳ φιλητικὰ ζῷα, οἷον κυών Ζια1. 488 ᵇ21.

θωρακίζειν. οἱ ὕες μάχονται ἀλλήλοις θωρακίζοντες ἑαυτὰς (τῷ πηλῷ μολύνοντες) Ζιζ 18. 571 ᵇ16.

θώραξ. 1. lorica. θώραξ σκληρός Ζιι37. 622 ᵇ3. κỳ τοῖς Ὑακινθίοις ὁ χάλκεος αὐτῷ θώραξ προτίθεται f 489. 1558 ᵃ1. ὁ δὲ τῆς φωνῆς ἀκύσας θώρακα ἐνδύεται κ6. 399 ᵇ4. — 2. truncus. refertur inter τὰ σύνθετα, τὰ ἀνομοιομερῆ, τὰ μόρια κỳ ὀργανικά Ζια1. 486 ᵃ7, 11. πιç 9. 915 ᵃ26. (τοῖς ἐναίμοις) ἡ κεφαλὴ κỳ ὁ θώραξ καλύμενος Ζιδ9. 684 ᵇ28. τὰ πρανῆ τῦ σώματος κỳ τὰ ὕπτια, κỳ τὰ τῦ καλυμένα θώρακος ἐπὶ τῶν τετραπόδων, ὁλοφυὴς ὁ τόπος ἐπὶ τῶν ὀρνίθων ἐστὶν Ζιδ12. 693 ᵃ25. ἐχόμενα τῦ αὐχένος κỳ τῆς κεφαλῆς τὰ πρόσθια κῶλα τοῖς ζῷοις κỳ θώραξ Ζιδ10. 686 ᵃ25. τὰ μόρια τῶν ζῴων τὰ μὴ ὀργανικὰ κỳ περιφερῆ ἐστι κνήμαι μηροὶ βραχίονες θώραξ πιç9. 915 ᵃ27. ὑγιάζεται τὸ σῶμα, ὅτι ὁ ὀφθαλμὸς ἢ ὁ θώραξ, ταῦτα δὲ μέρη τῦ ὅλυ σώματος Φηι. 224 ᵃ26. — hominis truncus. anatom μέγιστά ἐστι τάδε τῶν μερῶν (ν l μελῶν) εἰς ἃ διαιρεῖται τὸ σῶμα τὸ σύνολον, κεφαλή, αὐχήν, θώραξ, βραχίονες δύο. σκέλη δύο Ζια7. 491 ᵃ28 Aub. μέλη εἰσὶ κεφαλὴ κỳ σκέλος κỳ χεὶρ κỳ ὅλος ὁ βραχίων κỳ ὁ θώραξ Ζια1. 486 ᵃ11. τὸ ἀπ' αὐχένος μέχρι αἰδοίων κύτος, ὃ καλεῖται θώραξ· αὐχὴν τὸ μεταξὺ προσώπυ κỳ θώρακος Ζια7. 491 ᵃ30. 12. 493 ᵃ5, 10. ἄνω ἐστὶν ὁ καλύμενος θώραξ, ἀπὸ τῆς κεφαλῆς μέχρι τῆς ἐξόδυ τῦ περιττώματος· τέλος τῦ καλυμένα θώρακός ἐστι τὰ μόρια τὰ περὶ τὴν τῆς περιττώσεως ἔξοδον· τῦ ἄρρενος αἰδοῖυ ἔξωθεν ἐπὶ τῷ τέλει τῦ θώρακος Ζιδ10. 686 ᵇ5, 689 ᵃ3. Ζια13. 493 ᵃ26. θώρακος τὰ μὲν πρόσθια στῆθος κỳ γαστήρ, τὰ δ' ὀπίσθια

νῶτον κỳ ὀσφύς Ζια12. 493 ᵃ11, 12, 17, ᵇ11, 12, 13. τὸ διάζωμα τὸ τῦ θώρακος Ζια17. 496 ᵇ11, 497 ᵃ23. δύο φλέβες ἐν τῷ θώρακι Ζιγ3. 513 ᵃ16. — physiolog διικνεῖσθαι πρὸς τὸν θώρακα τὰς κινήσεις ἀπὸ τῶν ἄρθρων· αἱ δ' ἐκ τῦ θώρακος ὀσμαὶ ποιῦσιν αἴσθησιν διὰ τῆς ἀναπνοῆς Ζγβ 7. 747 ᵃ21. ἡ εἰς τὸν θώρακα τῦ πνεύματος εἴσοδος ανδ. 472 ᵇ31. οἱ ἀναπνέοντες αἴρυσι τὸν θώρακ· τοῖς ἀναπνέυσιν ὁ θώραξ ἄνω κỳ κάτω κινεῖται αν21. 480 ᵃ27. ιᵇ6. 478 ᵇ14. κατακέχρηται ἡ φύσις τῇ ἀναπνοῇ ἐπὶ δύο. ὡς ἔργῳ μὲν ἐπὶ τὴν εἰς τὸν θώρακα βοήθειαν, ὡς παρέργῳ δ' ἐπὶ τὴν ὀσμήν αιδ. 444 ᵃ26. διὰ τί οἱ ἀνιστάμενοι ἀνίστανται κτλ μχ30. 857 ᵇ22 sq. πεθ. 881 ᵇ16. 24. 883 ᵃ40, ᵇ1. — 3. thorax. μετὰ τὸν θώρακα ἐν τοῖς προσθίοις γαστήρ Ζια13. 493 ᵃ17. τριῶν τόπων ὄντων, κεφαλῆς κỳ θώρακος κỳ τῆς κάτω κοιλίας, ἡ κεφαλὴ θειότατον πλγ9. 962 ᵃ34. — 4. crustaceorum cephalothorax. κάραβων Ζιθ17. 601 ᵃ13. ε17. 549 ᵃ31 Aub, τὰ καλυμένα καρκινία Ζιθ4. 530 ᵃ1, 3, 529 ᵇ26, τῦ ἀστάκυ Ζιδ2. 526 ᵇ5, 12.

θώς. refertur inter τὰ ὠμοφάγα, τὰ πολυσχιδῆ τῶν τετραπόδων Ζιι1. 610 ᵃ14. Ζγβ6. 742 ᵃ9. δ6. 774 ᵇ10, 16. ὃ δοκεῖ πλείω γένη εἶναι, οἱ μικροί, οἱ ἄριστοι Ζιι44. 630 ᵃ13, 12, 11. ἔχει πάντα τὰ ἐντὸς ὅμοια λύκῳ Ζιβ17. 507 ᵇ17. gestatio, partus, forma, pedes breves Ζιζ 35. 580 ᵃ26-31 Aub. Ζγδ6. 774 ᵇ15. πολέμιοι ὁ λέων κỳ ὁ θὼς ἀλλήλοις, φιλάνθρωποι Ζιι1. 610 ᵃ14. 44. 630 ᵃ9. μεταβάλλυσι κατὰ τὰς ὥρας Ζιι44. 630 ᵃ15. (Felis onca L St. Viverrae sp ΑΖι I 69, 20 cf ΑΖγ 27, 12. Canis aureus K 488, Cr, M 323, Su 43, 9. ΚαΖι 88, 8. Lenz Zool d Gr u Röm 116, E 15.)

I

ι. εἰς τὸ ι τρία μόνα ὀνόματα τελευτᾷ πο21. 1458 ᵃ15.

Ἰάλμενος. ἐπίγραμμα ἐπὶ Ἰαλμένυ f 596. 1576 ᵃ10.

ἰαμβεῖον, πόθεν καλεῖται πο4. 1448 ᵇ31. μάλιστα λεκτικὸν τῶν μέτρων πο4. 1449 ᵃ25, 26. Ργ8. 1408 ᵇ35. 1. 1404 ᵃ31. τὸ μέτρον τῆς τραγῳδίας ἐκ τετραμέτρυ ἰαμβεῖον ἐγένετο πο4. 1449 ᵃ21. Ργ1. 1404 ᵃ31. αἱ μεταφοραὶ ἁρμόττυσι τοῖς ἰαμβείοις πο22. 1459 ᵃ10. Ργ3. 1406 ᵇ3. ποῖα ὀνόματα ἁρμόττει τοῖς ἰαμβείοις πο22. 1459 ᵃ12, cf 1458 ᵇ19. δεῖ τὴν περίοδον μὴ διακόπτεσθαι ὥσπερ Σοφοκλέυς ἰαμβεῖα Ργ9. 1409 ᵇ9 (cf Eur fr 519). ἰαμβεῖα ubique apud Ar trimetros iambicos significant, Vahlen Poet III 271.

ἰαμβίζειν. διὰ τὸ ἰαμβίζειν ἀλλήλυς ἐν τῷ μέτρῳ τύτῳ καλεῖται ἰαμβεῖον πο4. 1448 ᵇ32.

ἰαμβικός. Κράτης ἦρξεν ἀφέμενος τῆς ἰαμβικῆς ἰδέας καθόλυ ποιεῖν λόγυς κỳ μύθυς πο5. 1449 ᵇ8 (cf Bernays Rh Mus 8. 570). τὸ ἰαμβικὸν κỳ τετράμετρον κινητικά, τὸ μὲν ὀρχηστικόν, τὸ δὲ πρακτικόν πο24. 1459 ᵇ37 (ἰαμβεῖον cum codd ex constanti usu Arist scribendum esse docet Vahlen Poet III 336).

ἰαμβοποιήσας ἐν αὐτῇ τῇ λέξει πο22. 1458 ᵇ9.

ἰαμβοποιοὶ περὶ τῶν καθ' ἕκαστον ποιῦσιν πο9. 1451 ᵇ14.

ἴαμβος. ὁ ἴαμβος αὐτή ἐστιν ἡ λέξις ἡ τῶν πολλῶν Ργ8. 1408 ᵇ33. ὁ Ἀρχίλοχος ποιεῖ τὸν πατέρα λέγοντα τῇ θυγατρὸς ἐν τῷ ἰάμβῳ Ργ17. 1418 ᵇ29. τῶν παλαιῶν οἱ μὲν ἡρωικῶν οἱ δὲ ἰάμβων ποιηταί· ἀντὶ τῶν ἰάμβων κωμῳδοποιοὶ ἐγένοντο, ἀντὶ τῶν ἐπῶν τραγῳδοδιδάσκαλοι πο4. 1448 ᵇ33, 1449 ᵃ4. Vhl Poet I 13. τὰς νεωτέρυς ὕτ' v.

ἰάμβων ὕτε κωμῳδίας θεατὰς νομοθετητέον Πη17. 1336 ᵇ20.

Ἰάπυγες Πε3. 1303 ᵃ5.

Ἰαπυγία Πη10. 1329 ᵇ20. Herculis illic iter θ97. 838 ᵃ27, 33. 98. 838 ᵃ34. κατοικεῖν περὶ τὴν Ἰαπυγίαν f 443. 1550 ᵇ43.

Ἰάπυξ ventus κ4. 394 ᵇ26. eius varia nomina σ973 ᵇ14. f 238. 1521 ᵇ36.

Ἰασεὺν πολιτεία f 461.

ἰᾶσθαι. proprie ἰῶνται οἱ ὑοβοσκοὶ τὸ πάθος Ζιθ21. 603 ᵇ5. ἰῶνται ὑπερβολαῖς ὕδατος πα2. 859 ᵃ6. pass βραδέως ἰαθῆναι Φη4. 249 ᵃ31. — metaph ἐάσαντας γενέσθαι ἰᾶσθαι ὕστερον Πε3. 1302 ᵇ20. β11. 1273 ᵇ20. ὡς ῥαδίως ἰασόμενοι Ρα12. 1373 ᵃ25. ὕτω τᾶς ἀπιστίας ἰασόμεθα ρ31. 1438 ᵇ10. pass ἰαθεῖν ἄν Ηχ10. 1181 ᵇ4. — ἰατός: πάθος ἰατόν, ἀνίατον Ζικ4. 636 ᵇ2. metaph ἰατὸς ὁ ἀκρατής, opp ἀνίατος Ηη9. 1150 ᵇ32. μῖσος ἰατὸν χρόνῳ, opp ἀνίατον Ρβ4. 1382 ᵃ7.

ἴασις. χαλεπωτέρα ἡ ἴασις τῶν πολλὰς νεφρὰς νοσύντων Ζιγ9. 671 ᵇ11. — metaph ἀδίκημα μεῖζον ὅ ἐκ ἐστιν ἴασις, ἡ δίκη κỳ ἡ κόλασις ἴασις Ρα14. 1374 ᵇ31, 33. ὁ ἔλεγχος ἴασις τῦ λόγυ Μγ5. 1009 ᵃ21.

Ἰάσων, heros Ρβ23. 1400 ᵇ13. iter et arae ϑ105. 839 ᵇ13, 17. — Ἰάσων, tyrannus Thessalus. eius ingenium Πγ4. 1277 ᵃ24. Ρα12. 1373 ᵃ26.

ἰατρεία. φυτὸν προχειρότερον εἰς ἰατρείαν φτβ6. 826 ᵇ4. — ἰατρεία ἐπιθυμίας, ἁμαρτίας, λύπης Πβ7. 1267 ᵃ7 (syn ἄκος ᵃ3). 10. 1272 ᵇ2. β5. 1339 ᵇ17. γ13. 1284 ᵇ19. Ηη15.

1154 ᵃ28. ἰατρείας ἕνεκεν Ηη13. 1152 ᵇ32. — ἰατρεῖαι Ηη15. 1154 ᵃ30, 34. αἱ ἰατρεῖαι διὰ τῶν ἐναντίων γίνονται Ηβ2. 1104 ᵇ17. αἱ κολάσεις ἰατρεῖαι Ηβ2. 1104 ᵇ17. ηεβ1. 1220 ᵃ35.

ἰατρεύει καθ᾽ ἕκαστον Ηα4. 1097 ᵃ13. ἅμα ἔστιν ὅδε ὁ 5 ἰατρεύει τῷδε τῷ ὑγιαζομένῳ Φβ3. 195 ᵇ18. Μδ2. 1014 ᵃ22. ἰατρεύει κ̱ ἄνιατρος γίνεται Φα8. 191 ᵇ6. κατὰ συμβεβηκὸς ἤδεα τὰ ἰατρεύοντα Ηη15. 1154 ᵇ18. κρῖναι τίς ὀρθῶς ἰάτρευκεν Πγ11. 1281 ᵇ40. ἰατρεύυσι (τὴν διάρροιαν) Ζιθ26. 605 ᵃ28. — τῆς ἀρτηρίας τὴν φαυλότητα τῆς θέσεως 10 ἰάτρευκεν ἡ φύσις Ζμγ3. 665 ᵃ8. — pass ἰατρεύεσθαι Ηη15. 1154 ᵇ18. ἰατρεύεσθαι κατὰ γράμματα Πγ16. 1287 ᵃ34. ἡ ἰατρικὴ δύναμις ὑπάρχοι ἂν ἐν τῷ ἰατρευομένῳ Μδ12. 1019 ᵃ18. οἱ νόσοι πῶς ἰατρεύονται πα57. 866 ᵇ4. ἰατρευόμενος (fort ἰατρευμένος, coni syn κεκολασμένος) ηεγ2. 15 1230 ᵃ39.

ἰατρεύματα metaph Ργ14. 1415 ᵃ25.

ἰατρευσις, ὁδὸς εἰς ὑγίειαν Φβ1. 193 ᵇ14, 15. exemplum ἐντελεχείας τῦ κινητῦ Φγ1. 201 ᵃ18. 3. 202 ᵇ28. Μκ9. 1065 ᵇ19. 20

ἰατρικοὶ ᾗ γίνονται ἐκ τῶν συγγραμμάτων Ηκ10. 1181 ᵇ2. ἰατρικόν exemplum τῶν ἀφ᾽ ἑνὸς κ̱ πρὸς ἓν λεγομένων Μγ2. 1003 ᵇ1. κ3. 1061 ᵃ3. ηεη2. 1236 ᵃ18. ημβ11. 1209 ᵃ23. ἰατρικαὶ ἀρχαὶ αν21. 480 ᵇ30. ἰατρικὸν ἐρώτημα Αγ12. 77 ᵃ41. ἰατρικὴ δύναμις Μδ12. 1019 ᵃ17. βοτάναι ἰατρι- 25 καί, opp φθοροποιοὶ φτα7. 821 ᵇ34. cf β4.825 ᵇ33. — τῆς ἰατρικῆς τέλος ὑγίεια, ἡ ἰατρικὴ τέχνη ὁ λόγος τῆς ὑγιείας ἐστί Ηα1. 1094 ᵃ8. Πα9. 1258 ᵃ12, 1257 ᵇ25. Μλ3. 1070 ᵃ30. 4. 1070 ᵇ33. 10. 1075 ᵇ10. Ζγα21. 729 ᵇ21. τζ 5. 143 ᵃ3. ἐπὶ ῥητορικῆς κ̱ ἰατρικῆς κ̱ τῶν τοιούτων δυνάμεων 30 (τὸ τελέως ἔχειν τὴν μέθοδον) τῦτό ἐστι τὸ ἐκ τῶν ἐνδεχομένων ποιεῖν ἃ προαιρύμεθα τα3. 101 ᵇ6. ἡ ἰατρικὴ κατὰ συμβεβηκὸς κἂν αὑτὴν εἴη Πγ6. 1279 ᵃ1. Μδ12. 1019 ᵃ17. ἡ ἰατρικὴ ᾗ μόριον τῆς οἰκονομίας Πα10. 1258 ᵇ28. ἡ ἰατρικὴ κινηθεῖσα παρὰ τὰ πάτρια Πβ8. 1268 ᵇ35. ἰατρικὴ καθ᾽ 35 ἕκαστον, κοινῇ Ηκ10. 1180 ᵇ8. — ὅσα ἰατρικά πα1. 859 ᵃ1-57. 866 ᵇ6. — ἰατρικώτερος Ηα4. 1097 ᵃ10.

ἰατρός Ηε8. 1133 ᵃ17. πς3. 885 ᵇ27. ὁ ἰατρὸς τί πραγματεύεται Πα10. 1258 ᵃ32. Ζμα1. 639 ᵇ17. τε7. 136 ᵇ36. πλ8. 956 ᵃ28. ὁ γεγραμμένος ἰατρὸς ὁμωνύμως ἰατρός 40 Ζμα1. 641 ᵃ3. ἰατρὸς ὅ τε δημιουργὸς κ̱ ὁ ἀρχιτεκτονικὸς κ̱ ὁ πεπαιδευμένος περὶ τὴν τέχνην Πγ11. 1282 ᵃ3. ἰατρός, dist φυσικός αι1. 436 ᵃ17 - ᵇ1. αν21. 436 ᵇ23 - 30. τῶν ἰατρῶν οἱ φιλοσοφωτέρως μετιόντες τὴν τέχνην, οἱ κομψοί, οἱ χαρίεντες αι1. 436 ᵃ20. αν21. 480 ᵇ23. Ηα13. 1102 ᵃ21. 45 οἱ ἰατροὶ οἱ ἀρχαῖοι Ζμθ9. 685 ᵇ5. γένοιτ᾽ ἂν αὐτὸς αὐτῷ τις αἴτιος ὑγιείας ὣν ἰατρός Φβ1. 192 ᵇ24. ἔνιοι αὑτῶν ἄριστοι ἰατροὶ Ηκ10. 1180 ᵇ19. οἱ ἰατροὶ εἰσάγοντες ἐφ᾽ ἑαυτὺς κάμνοντας ἄλλυς ἰατρὺς Πγ16. 1287 ᵇ1. οἱ ἰατροὶ κρίνυσι τίς ὀρθῶς ἰάτρευκεν Πγ11. 1281 ᵇ42, ᵃ1. οἱ ἐν Αἰ- 50 γύπτῳ ἰατροὶ Πγ15. 1286 ᵃ13. οἱ ἰατροὶ πιστευθέντες τοῖς ἐχθροῖς Πγ16. 1287 ᵃ39. οἱ ἰατροὶ ὀπίζοντες μδ7. 384 ᵃ21. οἱ ἰατροὶ ῥᾷον ἐξαιρῦσι τὺς ὀδόντας μχ21. 854 ᵃ16.

Ἴβηρες ϑ85. 837 ᵃ8. 88. 837 ᵃ34. Ἴβηρες ἔθνος πολεμικόν Πη2. 1324 ᵇ19. 55

Ἰβηρία κ3. 393 ᵇ17. ϑ46. 833 ᵇ15. f 248. 1523 ᵇ44. ϑ87. 837 ᵃ24. 88. 837 ᵃ31, ᵇ6. 133. 844 ᵃ4. Κελτοὶ οἱ ὑπὲρ τῆς Ἰβηρίας Ζγβ8. 748 ᵃ26.

ἴβις. αἱ ἴβιες αἱ ἐν Αἰγύπτῳ εἰσὶ διτταί Ζυ27. 617 ᵇ27. αἱ λευκαί, Ibis religiosa Cuv, αἱ μέλαιναι, Falcinellus igneus. 60 cf Cuvier, Annales du Museum IV 103; Su 148, 129;

Cr St ΑΖι I 92, 36.

ἰγνύα, ἰγνύς, poples. cf Lob Phryn 302. τὸ μόριον τὸ τῆς ἄλσεως κύριον, καλεῖται δὲ τῦτο ἰγνύα Ζιγ5. 515 ᵇ8. ἄνω πρὸς τὴν ἰγνύιν (v l ἰγνύην) Ζια15. 494 ᵃ8. αἱ σφαγίτιδες φέρυσι κ̱ διὰ τῶν ἰγνύων· τείνυσιν ἀπὸ τῆς ἀορτῆς τῆς μεγάλης κ̱ ἄλλαι, αἱ συνάπτυσι περὶ τὰς ἰγνύας ταῖς ἑτέραις φλεψίν Ζιγ3. 512 ᵇ22. 4. 515 ᵃ13. τὰς φλεβοτομίας ποιῦνται ἀπὸ τῶν ἰγνύων Ζιγ3. 512 ᵇ18, 25. cf ΑΖι II tab IV, VI.

Ἴδα Ρβ24. 1401 ᵇ22. ἐπὶ τῆς Τρωικῆς καθεζόμενος Ἴδης f 13. 1476 ᵃ15.

ἰδέα. 1. forma, figura, species, quae sensibus percipitur. syn μορφή: οἱ εὐνῦχοι τοσῦτον ἐξαλλάττυσι τῆς ἀρχαίας μορφῆς κ̱ μικρὸν λείπυσι τῦ θήλεος τὴν ἰδέαν Ζγδ1. 766 ᵃ28. ἡ μορφὴ στρογγύλη ὖσα τὴν ἰδέαν Ζγγ8. 758 ᵃ5. τὰ πρὸς τῷ ζῆν αἴσθησιν ἔχοντα πολυμορφοτέραν ἔχει τὴν ἰδέαν Ζμβ10. 656 ᵃ4. dist μέγεθος: ὁ βρύας τὴν μὲν ἰδέαν ὅμοιος γλαυκί, τὸ δὲ μέγεθος ἀετῦ ὑδὲν ἐλάττων Ζιθ3. 592 ᵇ10. ἡ ἰδέα τῦ θηρίυ τοιαύτη Ζυ45. 630 ᵇ13. τὴν ἰδέαν μεταβάλλει ὁ ἔπωψ Ζυ15. 616 ᵇ1. τὴν ἰδέαν μακρός, λεπτός, οἷος sim Ζιζ35. 580 ᵃ28. 22. 577 ᵃ10. ι12. 615 ᵇ8. ϑ4.530 ᵃ30. θ3. 592 ᵇ10. Ζμα1. 640 ᵇ28. Ζγδ3. 767 ᵇ5. σφαιροειδής, ἀλλ᾽ ὐχ ἑτέραν τινὰ μᾶλλον ἔχων ἰδέαν ξ4. 978 ᵃ8. (τῆς ὑπὸ τὸν αὐχένα κλειδὸς κ̱ τῆς τὰς θύρας κλειύσης) πολλὴ ἡ διαφορὰ ἡ κατὰ τὴν ἰδέαν Ηε2. 1129 ᵃ2. ἡ φύσις μυρίας ἀναφαίνει, ἀποτελεῖ ἰδέας sim κ6. 399 ᵃ34, 398 ᵇ14, 400 ᵇ13. 5. 397 ᵃ27. πολλαὶ φαντασμάτων (coelestium) ἰδέαι, παίγων ἰδέαι κ4. 395 ᵇ11, 394 ᵃ16. ἡ τῦ ἄρρενος ἰδέα κ̱ ἡ τῦ θήλεος, ἑκάστη τῶν ζῴων ἰδία φ5. 809 ᵇ15, 810 ᵃ10. 6. 814 ᵃ5. 1. 805 ᵃ16, ᵇ12. 4. 809 ᵃ6. 5. 810 ᵃ7. τὴν ἰδέαν πανάισχης Ηα9. 1099 ᵇ4. τὰ σκώμματα στοχάζεται τῆς ἰδέας ρ36. 1441 ᵇ18. προησθεὶς τῇ ἰδέᾳ Ηι5. 1167 ᵃ5. φιλοτιμεῖσθαι ἐπὶ τῇ ἰδέᾳ Ρβ2. 1379 ᵃ35. — 2. logice i q species generis, εἶδος. κοινόν τι κατὰ μίαν ἰδέαν Ηα4. 1096 ᵇ25, 16 cf IV5. ᾗ κατὰ τὴν ἰδέαν διαφέρυσιν ἀλλήλων Οα1. 268 ᵃ21. μὴ κατὰ τὴν αὐτὴν ἰδέαν λέγεσθαι, syn ὁμωνύμως Οα8. 276 ᵇ2. λέγεται κατὰ μὲν τὴν αὐτὴν ἰδέαν, μεταφορᾷ δέ μδ3. 380 ᵃ17. κατὰ τὴν ἰδέαν ᾗ (ᾗ om cum pr E) τὴν αὐτήν, μεταφορᾷ δέ μδ3. 380 ᵇ30. ἀναγκαῖον τὰς ἰδέας τῶν ἁπλῶν σωμάτων εἶναι πεπερασμένας Οα7. 274 ᵇ2 (syn εἶδος ᵃ32). τὸ ἄνω ἔχει δύναμιν ἀρχῆς πρὸς τὰς ἄλλας ἰδέας Οβ2. 285 ᵃ24. τὸ ἰχθύων γένος πολλὰς περιέχον ἰδέας Ζιβ13. 504 ᵇ14. κ̱ ἐπὶ τῆς γλώττης κ̱ ἐπὶ τῶν μεταφορῶν κ̱ ἐπὶ τῶν ἄλλων ἰδεῶν (i e τῶν ἄλλων εἰδῶν τῶν μὴ κυρίων ὀνομάτων) πο22. 1458 ᵇ18. θεωρητέον περὶ τῆς ἰδέας (i e εἶδος, fere i q ὐσίας, φύσεως) τῶν φυτῶν Ζμβ10. 656 ᵃ3. αἰνίγματος ἰδέα, ἰαμβικὴ ἰδέα πο22. 5. 1449 ᵇ8, cf Wz II 406. — rhetorice ἰδέα fere i q τόπος, εἶδος. κεχρήσθαι ταῖς εἰρημέναις ἰδέαις πο7. 1450 ᵇ34. ἀπὸ τῶν αὐτῶν ἰδεῶν δεῖ χρῆσθαι πο19. 1456 ᵇ3. Vhl Poet III 301. περὶ πολέμυ κ̱ εἰρήνης τὰς μεγίστας ἰδέας ἐκλάβωμεν ρ3. 1425 ᵃ9. cf 1423 ᵃ17 (τὰς κοινὰς ἰδέας, opp τὺς ἰδίυς λόγυς). 4. 1426 ᵃ29. 8. 1428 ᵃ36. 15. 1431 ᵃ31. 39. 1445 ᵇ31. — 3. idea sensu Platonico τε7. 137 ᵇ3. ζ10. 148 ᵃ14. ἰδέα γραμμῆς, ἡ ἰδέα πρώτη τῶν συνωνύμων ατ968 ᵃ9, 10. ἡ ἰδέα τἀγαθῦ ηεα8. 1217 ᵇ6 (cf Ηα4. 1096 ᵃ19). τὸ κατὰ τὴν ἰδέαν ἀγαθὸν ημα1. 1183 ᵃ37, 7. — οἱ τιθέμενοι, λέγοντες ἰδέας εἶναι τβ7. 113 ᵃ28. ζ6. 143 ᵇ24. 8. 147 ᵃ6. 10. 148 ᵃ20. η4.154 ᵃ19. Μν3. 1090 ᵃ16, ᵇ20. οἱ τὰς ἰδέας αἰτίας τιθέμενοι ΜΑ9. 990 ᵃ34. οἱ τὰς ἰδέας τιθέμενοι f 183. 1509 ᵇ19.

οἱ τὰς ἰδέας λέγοντες Φβ2. 193 ᵇ36. Μζ11. 1036 ᵇ14. λ8.
1073 ᵃ19. μ10. 1086 ᵃ31. 10. 1086 ᵇ14. οἱ πρῶτοι τὰς
ἰδέας φήσαντες εἶναι Μμ4. 1078 ᵇ12. ἡ περὶ τὰς ἰδέας ὑπό-
ληψις Μλ8. 1073 ᵃ17. ἡ κατὰ τὴν ἰδέαν δόξα Μμ4. 1078
ᵇ10. reliqua quae ad doctrinam de ideis pertinent v s
Πλάτων 2.
ἰδιαζόμενος, opp ἡγεμών πιθ45. 922 ᵃ35.
ἰδίειν. ἴδισάν τινες αἱματώδη ἰδρῶτα Ζιγ19. 521 ᵃ14. ἰδίυσι
μάλιστα τὸ πρόσωπον πλς2. 965 ᵇ4, 11. ὥσπερ ἰδιώσης τῆς
γῆς μα13. 350 ᵃ1. β3. 357 ᵇ14.
ἰδιογνώμονες, coni ἀμαθεῖς, ἄγροικοι Ηη10. 1151 ᵇ12.
ἴδιος, ἰδίᾳ (κατ᾽ ἰδίαν), ubique opp notionibus κοινός, κοινῇ.
1. ubi de civitate agitur, vocabulo ἴδιον privatum a pu-
blico distinguitur, νομίζειν ἴδιόν τι, ἀναλίσκειν τὰ ἴδια al
Πβ5. 1263 ᵃ41. 4. 1262 ᵇ23. εϛ. 1305 ᵇ40. 3. 1302 ᵇ10.
δῆλοι ἴδιοι, γῇ ἰδίᾳ (opp ἱερά, δημοσία) Πη10. 1330 ᵃ30.
β8. 1267 ᵇ34, 1268 ᵃ34, 41. εἶναι, σχολάζειν πρὸς τοῖς ἰδίοις,
ἀπεῖναι ἀπὸ τῶν ἰδίων Πε8. 1309 ᵃ6, 1308 ᵇ36. ζ5. 1320
ᵃ28. οβ1352 ᵃ6. ἡ τῶν ἰδίων ἐπιμέλεια sim Πδ6. 1293 ᵃ7.
β3. 1261 ᵇ34. ἴδια συναλλάγματα, συμβόλαια Πδ6. 1300
ᵇ22. ζ8. 1321 ᵇ34. δικαστήρια ἴδια, opp δημόσια f 378.
1541 ᵃ9. δίκαι ἴδιαι f 413. 1547 ᵃ7. ἀποσκοπεῖν πρὸς τὸ
ἴδιον, ἕνεκά τινος ἰδίᾳ δημηγορεῖν Πγ13. 1284 ᵇ5. Ρα1.
1354 ᵇ11. ρ30. 1437 ᵃ37. ἴδιαι ὁμιλίαι, opp κοιναὶ δημη-
γορίαι ρ2. 1421 ᵇ14, 18. βίος ἴδιος, opp κοινὸς τῆς πόλεως
Πβ6. 1265 ᵃ25. ε8. 1308 ᵇ20. τὸ ἰδιαίτερον τῦ κοινοτέρυ
αἱρετώτερον τγ2. 117 ᵇ30. τῆς παιδείας τὴν ἐπιμέλειαν δεῖ
εἶναι κοινὴν ᾗ μὴ κατ᾽ ἰδίαν Πθ1. 1337 ᵃ24. ἴδια συκοφαν-
τεῖν τῆς πληθύος, κοινῇ τὸ πλῆθος ἐπάγειν Πε5. 1304 ᵇ22.
— his comparari potest φανερῶς τὰ καλὰ ἐπαινῦσι, ἰδίᾳ
τὰ συμφέροντα μᾶλλον βύλονται Ρβ23. 1399 ᵃ30. —
2. omnino voce ἴδιος, ἰδία ea, quae ad unum pertinent
hominem res genus, ab iis distinguuntur, quae latius pa-
tent. τὰ ἴδια ὀνόματα, opp τὰ περιέχοντα Ργ5. 1407 ᵃ31.
τόπος κοινός, ἐν ᾧ ἅπαντα τὰ σώματά ἐστιν, ἴδιος, ἐν ᾧ
πρώτῳ Φδ2. 209 ᵃ33. τὰ κοινὰ πρῶτον εἰπόντας ὕτω τὰ
περὶ ἕκαστον ἴδια θεωρεῖν Φα7. 189 ᵇ32. cf sim γ1. 200
ᵇ24. μγ7. 378 ᵇ5. Ργ12. 1414 ᵃ29. ἡ ῥητορικὴ ἐξ ἰδίων
γένος ἴδιον ἀφωρισμένον, opp περὶ τὸ δοθὲν εἰπεῖν Ρα2.
1355 ᵇ34. ὅσα μὴ τῆς φύσεως ἔργα κοινὴ μηδ᾽ ἴδια τῦ
γένυς ἑκάστυ Ζμε1. 778 ᵃ31. cf αι1. 436 ᵃ4, 7. ὑσίαι ὁμο-
λογύμεναι ὑπὸ πάντων, περὶ δ᾽ ἐνίων ἰδίᾳ τινὲς ἀπεφήναντο
ἰδίας δόξας, ὑποθέσεις Μη1. 1042 ᵃ7. νϑ.1090 ᵇ29. μ9.1086
ᵃ10. δόγμα ἴδιον καθ᾽ ὅλων τῶν πραγμάτων ρ12. 1430 ᵇ1.
νόμος ἴδιος, γεγραμμένος, opp κοινός, ἄγραφος Ρα10. 1368
ᵇ8. ἐπιθυμίαι ἴδιαι ᾗ ἐπίθετοι, opp κοιναί, φυσικαὶ Ηγ3.
1118 ᵇ9, 21. ἀριθμὸς ᾗ ἀριθμὸς ἴδια πάθη, ἴδια πάθη τῆς
ψυχῆς sim Μγ2. 1004 ᵇ11, 15. μ3. 1078 ᵃ7. Ψα1. 402 ᵃ9,
403 ᵃ4. λέγω δ᾽ ἴδιον (αἰσθητὸν) ὃ μὴ ἐνδέχεται ἑτέρᾳ
αἰσθήσει αἰσθάνεσθαι ᾗ περὶ ὃ μὴ ἐνδέχεται ἀπατηθῆναι
Ψβ6. 418 ᵃ11, 24. γ3. 428 ᵇ18. 6. 430 ᵇ29. αι4. 442 ᵇ8.
υ2. 455 ᵃ13. εν1. 458 ᵇ6. μδ8. 385 ᵃ1. αἰσθήσεις πέντε,
παρ᾽ ἃς ὑδεμία φαίνεται ἴδια ἑτέρα Ψγ3. 8. 532 ᵇ32. ἴδια
ἐνθυμήματα, ἴδιαι πίστεις sim Ρα2. 1358 ᵃ17. β20. 1393
ᵃ23. ρ3. 1423 ᵃ16. ἴδιος λόγος (notio), opp κοινὸς ψβ3. 55
414 ᵇ24. Κι1. 1 ᵃ5. 5. 2 ᵇ12. μγ4. 374 ᵇ16. Ηη6. 1148ᵃ1.
Πγ4. 1276 ᵇ24. ἔχειν διαφορὰν ἴδιον μβ4. 360 ᵇ15. ἴδια ἃ
μηδ᾽ ἄλλῳ συμβέβηκεν Ρβ22. 1396 ᵇ15. ἴδιον ἔργον νο-
μοθέτῃ, προοιμίῳ Πβ5. 1263 ᵃ40. Ργ14. 1415 ᵃ22 (cf 13.
1414 ᵇ7). ἀεὶ ἰσχύει πρὸς τὴν γένεσιν μᾶλλον τὸ ἴδιον ᾗ
τὸ καθ᾽ ἕκαστον Ζμδ3. 767 ᵇ30. cf β3. 736 ᵇ4. — additur

interdum per genet, a quibus aliquid seiungatur, ἅπασιν
ὑπάρχει τοῖς ὖσιν, ἀλλ᾽ ὃ γένει τινὶ χωρὶς ἴδια τῶν ἄλλων
Μγ3. 1005 ᵃ23. — prope ad significationem pronominis
possessivi tertiae personae ἴδιος delitescit οἱ φυγάδες κατ-
ῆλθον εἰς τὴν ἰδίαν πόλιν p 9. 1429 ᵇ12. — eadem signifi-
catione, cuius exempla sub 2 attulimus, ἴδιος in logica
doctrina usurpatur (ac coniungitur vel cum gen ὅσα ἴδια
τῦ πράγματός ἐστι Αα27. 43 ᵇ2, vel cum dat ἔστιν ἄττα
τῷ εἴδει ἴδια Αα27. 43 ᵇ27, Wz ad 5 ᵇ14, 174 ᵇ31, saepis-
sime absolute ponitur). ἴδιαι ἀρχαί, syn οἰκεῖαι Αγ7. 75
ᵇ18. 9. 76 ᵃ17. 32. 88 ᵇ28. τι11. 172 ᵃ5. τὰ ἴδια ἑκάστης
ἐπιστήμης, opp κοινὰ Αγ10. 76 ᵃ38, 40, ᵇ3. ἴδιον γένος Αγ7.
75 ᵇ20. 19 ᵃ15. ἔστιν ἄττα Αϑ. 4. 91 ᵃ15. ἔστιν ἄττα ἴδια
ἴδια παρὰ τὸ γένος Αα27. 43 ᵇ27. ἴδιος ὑσία Αα38. 49 ᵃ36.
ὁ ἴδιος τῆς ὑσίας λόγος τα18. 108 ᵇ4. sed praeterea Ar
τὸ ἴδιον tamquam artis vocabulum angustioribus finibus
circumscribit, quos se primum posuisse ipse significat τα4.
101 ᵇ23. dicit enim Ar ἴδιον ᵕ μὴ δηλοῖ μὲν τὸ τί ἦν εἶναι,
μόνῳ δ᾽ ὑπάρχει ᾗ ἀντικατηγορεῖται τῦ πράγματος (i e
eius notionis, cui tamquam ἴδιον tribuitur) τα5. 102 ᵃ18.
dist ὅρος, γένος, τί ἐστι, διαφορά, συμβεβηκὸς Αα27. 43
ᵇ2, 7. 31. 46 ᵇ27. τα4. 101 ᵇ17, 25. 8. 103 ᵇ5-19. 9. 103
ᵇ24. β1. 109 ᵃ13 sqq. 2. 109 ᵇ8. ε3. 131 ᵇ7, 38, 132 ᵃ1, 9.
ε4. 133 ᵃ1, 2, 19, 21. 5. 135 ᵃ11 al. τὸ ἴδιον ἀντιστρέφει,
ἀντικατηγορεῖται, τὰ ἴδια ἀλλήλοις ἕπεται Αδ4. 91 ᵃ16.
τε3. 132 ᵃ4, 6. 4. 133 ᵃ6, 9. 5. 133 ᵃ15. η5.155 ᵃ26. Αγ3.
73 ᵃ7. τὸ ἴδιον. τῦ μαθεῖν χάριν ἀποδίδοται τε2. 130 ᵃ5,
131 ᵃ1. τὸ ἐν τοῖς ἰδίοις λεγόμενον χωρίζειν δεῖ τε2. 130
ᵇ13 (cf χωρίζειν). ἴδιον ὅλυ γένος, ἴδιον μόνα Αβ 27. 70
ᵇ19, 13, 14, 24. ἴδιον καθ᾽ αὑτὸ ᾗ ἀεὶ ᾗ πρὸς ἕτερον ᾗ
ποτέ τε1. 128 ᵇ16, 34. 3. 131 ᵃ27, ᵇ5. (cf τῶν κατὰ συμ-
βεβηκὸς ἰδίων ἀπόδειξις ψα1. 402 ᵃ15.) ἴδιον πρὸς ἄλλο,
syn διαφορά τε1. 129 ᵃ6. φάσις ἀποφάσεως ᾗ ἀπόφασις
φάσεως ὐκ ἔστιν ἴδιον τε6. 136 ᵃ36. — 3. ἴδιον dicitur
quod peculiari quodam et insigni discrimine ab aliis di-
stinguitur vel eminet, περιττὸν ᾗ ἴδιον τὸ τῶν μελιττῶν
γένος ᾗ ἡ γένεσις αὐτῶν ἴδιος εἶναι φαίνεται Ζμγ10. 760
ᵃ4, 5. φωνὴ μονωτὶς ᾗ ἴδιος Ζμδ10. 625 ᵇ9. ἴδιος ᾗ φύσις
τῦ ἐγκεφάλυ Ζμβ7. 652 ᵇ2. μόριον ἰδιαίτερον. ἰδιαίτατον
Ζμβ10. 656 ᵃ26. 16. 658 ᵇ33. ἰδιαίτάτη γένεσις σιδήρυ τῦ
χαλυβικῦ θ48. 833 ᵇ21. f 248. 1524 ᵃ5. — κατ᾽ ἰδίαν.
εὐκίνητος ὁ μυκτὴρ ᾗ ὐχ ὥσπερ τὸ ὖς ἀκίνητον κατ᾽ ἰδίαν
Ζια11. 492 ᵇ15. ὃ κατ᾽ ἰδίαν ὑφέστυ, syn ὃ καθ᾽ ἕκαστον
ἄνθρωπος f 183. 1509 ᵇ24. — ἰδίως λέγεσθαι υ1. 379
ᵃ12. κ4. 394 ᵇ28. ἰδιαίτατα λέγεσθαι μδ4. 382 ᵃ3. Δημό-
κριτος παρὰ τῆς ἄλλης ἰδίως ἔλεξε μόνος Γα7. 323 ᵇ10.
cf Πε12. 1316 ᵃ4. ἰδίως ἔχυσι τῶν ὀστρακοδέρμων οἱ ἐχῖνοι
Ζιδ5. 680 ᵃ4. τὰ ἀπιόντα τοῖς ἀνθρώποις ἰδίως ἔχει πρὸς τὰ
τετράποδα Ζμδ10. 689 ᵇ2. χώρα πρὸς πολλὰ ἰδίως ἔχυσα
π45. 896 ᵃ9. χρῆσθαι τοῖς κοινοῖς ἰδίως Μκ4. 1061 ᵇ18.
ἰδίως νενομοθετημένον Πβ12. 1274 ᵇ4. μάλιστα μέμικται
ἰδίως ψγ1. 425 ᵃ7. ἔνια ἰδίως πρὸς εὐμένειαν ποριστέον ρ37.
1442 ᵃ5.

ἰδιότητα μεγάλην ἔχειν θ82. 836 ᵇ23. ἐρευνῆσαι τὰς ἰδιότη-
τας τῶν φυτῶν φτα7. 822 ᵃ4.

ἰδιότροφα ζῷα, dist παμφάγα Ζια1. 488 ᵃ15.

ἴδισις, coni ἰδιωτικὰ με4. 965 ᵃ2. ἡ ἐν τῷ ἱματίῳ ἴδισις πλη3.
966 ᵇ39. cf S Theophr IV 797.

ἰδιωτικά. τὰ φυτὰ γνωρίζει τῶν ἰδιωμάτων φτα7. 821ᵇ22.

ἰδιωτεύειν, opp ἄρχειν, κοινωνεῖν πράξεων πολιτικῶν Πβ11.
1273 ᵃ35. 12. 1273 ᵇ29.

ἰδιώτης, opp ἡ πόλις Πβ9. 1271 b17. οβ1347 b1 (cf χώρα ἡ μὲν κοινὴ ἡ δὲ τῶν ἰδιωτῶν Πη10. 1330 a11). opp ἄρχοντες, οἱ τὰ κοινὰ πράττοντες, δυνασταί sim Πβ10. 1272 b4. γ4. 1277 a25. δ16. 1300 b21. ε4. 1304 a35. η2. 1324 a41. Hκ9. 1179 a6. opp ἡγεμών οβ1353 b9, 17. opp ἀθληταί Hγ11. 1116 b13. πλη5. 967 a19. opp τέχναι τι11. 172 a30. opp οἱ εἰδότες Πγ11. 1282 a11. opp φιλόσοφοι ϗ πολιτικοί Πβ7. 1266 a31. συγκρίνειν πρὸς ἀρετὴν τὴν ὑπὲρ τοὺς ἰδιώτας Πδ11. 1295 a27.

ἰδιωτικός. χωρία ἰδιωτικά οβ1346 b16. οἰκονομία ἰδιωτική, dist βασιλική, πολιτική οβ1345 b14, 1346 a8-13. — τὸ ἰδιωτικὸν ἐν τῇ λέξει πόθεν γίγνεται πο22. 1458 a21, 32, b4. — ῥήτορες ἰδιωτικοί Ργ12. 1413 b16.

Ἰδομενεύς. ἐπίγραμμα ἐπὶ Ἰδ. f 596. 1575 b36.

Ἰδριεύς Ργ4. 1406 b27, 29.

ἱδροῦν. ἱδροῦσι τὰ ἄνω μᾶλλον τῶν κάτω, μάλιστα τὰ πρόσωπα πβ4. 866 b28. 10. 867 a23. 17. 867 b34, 868 a2. ἱδρῶσαι συνέβη αἱματώδει περιττώματι Ζμγ5. 668 b6. πῶς παύονται ἱδροῦντες f 227. 1519 a35. — transitive usurpatum esse videtur, τὰ πυριατήρια μᾶλλον ἱδροῦσιν πβ32. 869 b22.

ἱδρύειν. med σεμνῆς φιλίης ἱδρύσατο βωμόν f 623. 1583 a13. — pass τὸ περὶ τὴν γῆν ἱδρυμένον σῶμα, τὰ περὶ τὸ μέσον ἱδρυμένα σώματα, τὸ ἐπὶ τοῦ μέσου ἱδρυμένον μα3. 339 b11. Οβ4. 287 a31. 13. 295 b14. ἐν οὐρανῷ τὸ θεῖον πᾶν ἱδρῦσθαι Οα9. 278 b15. κ6. 398 a3. 6. 400 b11. αὐτὸς Ξέρξης ἵδρυτο ἐν Σούσοις κ6. 398 a13. αἱ καθ' αὑτὰς πόλεις ἱδρυμέναι Πη3. 1325 b24. ἀποφαίνοντες τὸν εὐδαίμονα σαθρῶς ἱδρυμένον Hα11. 1100 b7. — κόρης ἱδρυνθείσης εἰς ἄλλην χώραν πο17. 1455 b4.

ἵδρωμα. οἷον ἵδρωμα τοῦ τόπου (int τῆς ὑστέρας) Ζικ3. 635 b19.

ἱδρώς. ὅσα περὶ ἱδρῶτα πβ866 b9-870 b38. — ἔσωθεν ἡ ἀρχὴ τοῦ ἱδρῶτος πβ28. 869 a14. 29. 869 a22. ἐκ τοῦ πνεύματος πυκνουμένου ὑγρότης γίνεται, ὁ καλούμενος ἱδρώς πβ20. 868 a24. περίττωμα τῆς ὑγρᾶς ἰκμάδος, ὃν καλοῦμεν ἱδρῶτα Ζμγ5. 668 b4. ὁ ἱδρὼς τὸ κακῶς προσῳκοδομημένον ἐστὶν ἐν τῇ σαρκί πβ2. 866 b16. πᾶς ἱδρὼς περιττώματός τινος ἔκκρισίς ἐστιν πβ35. 870 a16. ἄπεπτον ὑγρόν ἐστιν, ἁλυκόν πβ4. 866 b31. ε37. 884 b29. ἡ ὑπόστασις τοῦ ἱδρῶτος πδ12. 877 b37. — ἐκ τῆς κεφαλῆς γίνεται πλς2. 965 b10. cf πβ6. 867 a4. διὰ τῶν ἀραιῶν ϗ ὑγρῶν (inter haec πρόσωπα) ὁ ἱδρὼς διαπορεύεται πβ10. 867 a14. cf 17. 868 a1. 19. 868 a10. — τίσι γίνεται ἱδρώς πβ1. 866 b10. 5. 866 b33. 12. 867 b4. — διὰ τί γίνονται οἱ ἱδρῶτες πβ8. 867 a13. — ὁ ἔξω, ἔσωθεν, ἱδρώς πβ12. 867 b6, 7. οἱ ἱδρῶτες γινόμενοι ὑπὸ τῆς ἐντὸς θερμασίας, διὰ θερμασίαν πβ34. 870 a6. ε37. 884 b28. β36. 870 a21. θερμοί, ψυχροί πβ35. 870 a15, 18. λα23. 959 b26. ὁ πλείων, βελτίων, ἧττον βελτίων, οἱ φαυλότεροι πβ24. 868 b18. 30. 869 a27, 28. 35. 870 a15. 41. 870 b15. ιγ4. 908 a1. ὠφελιμώτερός ἐστιν ὁ γυμνοῦ τροχάζοντος γενόμενος ἢ ὁ ἐν ἱματίῳ πβ30. 869 a24, 29. τινὲς ἴδισαν αἱματώδη ἱδρῶτα Ζιγ19. 521 a14. σαπρός πλβ4. 960 b18. ἁλμυρός πβ3. 866 b19. μβ1. 353 b13 (cf 2. 355 b6-9). πδ12. 877 b29, 35. 24. 879 a24. πικρός μβ3. 357 b14. δυσώδεις τοὺς ἱδρῶτας ποιεῖ τὸ πήγανον ϗ ἔνια τῶν μύρων πβ13. 867 b8. ιγ9. 908 b28. κ33. 926 b16. δυσωδέστεροι τῶν παίδων πδ12. 877 b35. 24. 879 a24. ἐκ τῆς κεφαλῆς ἢ οὐκ ὄζει ἢ ἧττον τοῦ ἐκ τοῦ σώματος πβ6. 867 a4. οἱ ἀπὸ ταὐτομάτου γινόμενοι, οἱ αὐτόματοι μὲν προσαγορευόμενοι ἱδρῶτες, γινόμενοι δ' ἐξ ἀνάγκης πβ41. 870 b14, 19. — ἡ κίνησις θερμαίνουσα ϗ ἄλλα περιττώματα συνεξικμάζει μετὰ τοῦ ἱδρῶτος πε27. 883 b28. πνεῦμα ποιεῖ ἱδρῶτα· τὸ θερμὸν ποιεῖ ἱδρῶτας, ἐξηθεῖται μετὰ τοῦ ἱδρῶτος ϗ τοῦ πνεύματος πβ4. 866 b30. ε37. 884 b27. λη5. 967 a15. τίς καταπλάσματος ἀρετή; ἢ διὰ τὸ χυτικὸν εἶναι κἂν ἱδρῶτα ποιοῖ ϗ ἀναπνοήν πα30. 863 a7. τὸν ἱδρῶτα ἐξάγει ἡ πάλη πβ7. 867 a10. ὁ ἱδρὼς ϗ ἡ ἴδισις καταψύχει τὰ σώματα πλε4. 965 a2. διὰ τί πρὸς ἐνίων ἱδρώτων φρίττομεν πβ34. 870 a6. μᾶλλον διαφυλακτικόν ἐστι τοῦ ἱδρῶτος τὰ νῶτα πβ14. 867 b17. οἱ ἔμετοι τῶν ἱδρώτων κουφίζουσι μᾶλλον πβ22. 868 b6. λζ2. 965 b30. — ἱδρῶτα ἄγειν, ἐμποιεῖν, διεξιέναι πλζ4. 966 a33. α52. 865 b36. β42. 870 b33. ε40. 885 a21, 32. β15. 867 b26. ἀπρεπὲς ἥκειν εἰς τὸ συμπόσιον σὺν ἱδρῶτι πολλῷ ϗ κονιορτῷ f 175. 1507 b12. οὐχ ἱδρῶτα ἀλλὰ τὸν ὑγρὸν ἱδρῶτα (Alcidamas dixit ψυχρῶς) Ργ3. 1406 a21. — ἱδρώς, οὖρον πβ3. 866 b26. τὸ δάκρυον ἱδρώς τίς ἐστιν πε37. 884 b28. — ἐκ τῶν λίθων ϗ τῶν μετάλλων οὐκ ἔξεστι καταρροὴ ἤ τις ἱδρώς φτβ1. 822 a32. εἰ ϗ τὸ γένος τοῦτο ἐξ ὕδατός ἐστιν, ὃ ἐξέρχεται ἐξ αὐτῆς τῆς γῆς ὡς ἱδρώς φτβ2. 824 b2. cf E Meyer Nicol Damasc p 115.

ἱδρωτικωτέρως διακείμεθα τοῦ θέρους πβ40. 870 b7.

ἱδρωτοποιεῖσθαι οὐ δεῖ τοῦ χειμῶνος πβ42. 870 b31.

ἱδρωτοποιίαι πβ42. 870 b38.

Ἰδυρεύς, Ἰδυρίς. Ἰδυρεὺς καλεῖται ὁ βορρᾶς· πνεῖ γὰρ ἀπὸ νήσου ἣ καλεῖται Ἰδυρίς f 238. 1521 a38, 39. cf Γαυρεύς.

ἰέναι. τὸ ἐπὶ τὸν δικαστὴν ἰέναι ἰέναι ἐστὶν ἐπὶ τὸ δίκαιον Hε7. 1132 a20, 21. εἰς τὰ ἔντιμα μὴ ἰέναι ϗ οὗ πρωτεύουσιν ἄλλοι Hδ8. 1124 b23. ἰέναι εἰς ἄπειρον v ἄπειρον et ἵστασθαι. οὐ δεῖ τὸ αὐτὸ ϗ ἄτομον εἰς ἑτέραν ϗ ἑτέραν ἰέναι διαφοράν Ζμα3. 643 a14.

ἱέναι. ὁ λέων ἵεται ἐπὶ τὸν βαλόντα Ζι44. 629 b24.

Ἱερὰ νῆσος μία τῶν Αἰόλου καλουμένων μβ8. 367 a2.

ἱέραξ. refertur inter τὰ πτερωτὰ τῶν πτηνῶν Ζια5. 490 a6. Ζμγ7. 670 b33, γαμψώνυχα Ζγβ7. 746 b2. Ζιζ7. 563 b19. θ3. 592 a29, σαρκοφάγα Ζιθ3. 592 a29. 28. 606 a27, ὠμοφάγα Ζι11. 615 a4, τὰ μέσα Ζιζ6. 563 a30. rapaces diurnae minores. γένη τῶν ἱεράκων φασί τινες εἶναι οὐκ ἐλάττω τῶν δέκα, διαφέρουσι δ' ἀλλήλων Ζι36. 620 a22 sq. enumerantur 1. ὁ τριόρχης 2. ὁ αἰσάλων 3. ὁ κίρκος Ζι36. 620 a17. 4. ὁ ἀστερίας ϗ ὁ φασσοφόνος ϗ ὁ πτέρνις Ζι36. 620 a18. 12. 615 b7. 5. οἱ ὑποτριόρχαι 7. πέρκοι ϗ σπιζίαι 8. οἱ λεῖοι ϗ οἱ φρυνολόγοι Ζι36. 620 a20. 9. ⟨μικρὸς⟩ ἱέραξ, ᾧ ὅμοιός ἐστιν ὁ κόκκυξ Ζιζ7. 563 b15. 10. ὁ ἐλάχιστος τῶν ἱεράκων Ζιζ7. 563 b25 Aub. Falco Aesalon vel Lithofalco, Lnd 13. 11. ἱέρακες δύο, ὅ τε φαβοτύπος ϗ ὁ σπιζίας Ζιθ3. 592 b1. 12. γένος τι, νεοττεύει πόρρω ϗ ἐν ἀποτόμοις πέτραις Ζιζ7. 564 a5 Aub. cf ι11. 615 a3. fort Cuculus glandarius, Lnd 39. 13. excepto parvulo, σχεδὸν ϗ τοὺς ἄλλους ἱέρακας οὐκ ἔστιν ἰδεῖν, ὅτε θᾶττον φθέγγεται ὁ κόκκυξ Ζιζ7. 563 b16. οἱ ἱέρακες δοκοῦσιν οἱ διαφέροντες τῷ εἴδει μίγνυσθαι πρὸς ἀλλήλους Ζγβ7. 746 b2. Ζι32. 619 a11. — comparantur cum cuculo Ζιζ7. 563 b15-24. χολὴν ἅμα πρὸς τῷ ἥπατι ϗ τοῖς ἐντέροις ἔχουσι, θερμὴν τὴν κοιλίαν, μικρὸν τὸν σπλῆνα Ζιβ16. 506 b24. Ζμγ7. 670 a34. Ζιβ15. 506 a16. tempus incubationis Ζιζ6. 563 a30. ἐν ἀποτόμοις ὁ ἱέραξ νεοττεύει Ζι11. 615 a4. cf ζ7. 564 a5. γίνονται τῶν ἱεράκων οἱ νεοττοὶ ἡδύκρεω σφόδρα ϗ πίονες Ζιζ7. 564 a4. τίνες οἱ κράτιστοι, πλατύτεροι (πλατύπτεροι Schn Did Pic), εὐβιώτατοι ϗ χθαμαλοπτῆται Ζι36. 620 a17, 19, 21. ἐλάττους οἱ ἐν Αἰγύπτῳ Ζιθ28. 606 a24, 27 Aub. μεταβάλλουσι περὶ τὸ θηρεύειν Ζι11. 615 a7. σῖτον οὐ δύνανται καταπιεῖν ἱέρα-

κες ἄμφω Ζιθ3. 592 ᵇ1. ὧν ἂν κρατήσῃ ὀρνέων. τὴν καρ-
δίαν ἢ κατεσθίει Ζιι11. 615 ᵃ4. κατεσθιόμενος ὦπται κόκ-
κυξ ὑπὸ ἱέρακος Ζιζ7. 563 ᵇ28. ὁ ὄρτυξ κονίστραν σκεπά-
ζει φρυγάνοις διὰ τὸς ἱέρακας, ἐν ᾧ ἐπιψᾷζει f 269. 1526
ᵇ43. — οἱ εὐκίνητες τὸς ὀφθαλμὸς ἔχοντες ὀξεῖς, ἁρπασ- 5
τικοί· ἀναφέρεται ἐπὶ τὸς ἱέρακας φ6. 813 ᵃ20. — ἐν Θρᾴκῃ
τῇ καλυμένῃ ποτὲ Κεδρειπόλει ἐν τῷ ἕλει θηρεύυσιν οἱ ἄν-
θρωποι τὰ ὀρνίθια κοινῇ μετὰ τῶν ἱεράκων Ζιι36. 620 ᵃ34
Aub. cf θ118. 841 ᵇ19 (fort Nisus communis. M 298.
ΑΖγ p 28. ΑΖι I 93. Su 99. ΚαΖι25, 23.)   10
ἱερατεία, def Πη8. 1328 ᵇ13.
ἱερατικαὶ θυσίαι Πγ14. 1285 ᵇ10.
ἱέρεια πο17. 1455 ᵇ7. Ρβ 23. 1399 ᵃ21. Ζιγ11. 518 ᵃ35.
ἡ τῆς Ἀθηνᾶς ἱέρεια σβ1347 ᵃ15.
ἱερεῖον. τὰ θυόμενα ἱερεῖα Ζμγ4. 667 ᵇ2. cf Ζια17. 496 ᵇ25. 15
f 447. 1551 ᵇ16. τῶν ἱερείων τὸ πλῆθος οβ1350 ᵇ35 (sed
leg ἱερέων, v s ἱερεύς).
ἱερεύς. ἱερεῖς τε ἢ ἐπιμεληταὶ τῶν περὶ τὰ ἱερὰ ΠΖ8. 1322
ᵇ19. τὸς ἱερεῖς ὸ θετέον ἄρχοντας Πὸ15. 1299 ᵃ17. τοῖς
ἱερεῦσι τὰς ἀμφισβητήσεις τὰς ἀμφὶ τῶν γερῶν διαδικάζει 20
ὁ βασιλεύς f 385. 1542 ᵃ20, 32. ὔτε γεωργὸν ὔτε βάναυ-
σον ἱερέα καταστατέον Πη9. 1329 ᵃ29. τὸ τῶν ἱερέων γέ-
νος, Πη9. 1329 ᵃ27. ΜΑ1. 981 ᵇ25. τῶν ἱερέων
(ἱερεὺν Bk, sed cf 1352 ᵇ22) τὸ πλῆθος οβ1350 ᵇ35. ὁ
ἱερεὺς τῦ Διὸς Ζμγ7. 673 ᵃ19.   25
Ἰέρην νῆσος κ3. 393 ᵇ13.
ἱεροθετεῖν. τὰ μαντεύματα ἱεροθετῦσιν οἱ ἱεροποιοί f 404.
1545 ᵇ31.
ἱερόθυτος οβ1349 ᵇ13. θ123. 842 ᵇ1.
ἱερομνήμονες ΠΖ8. 1321 ᵇ38.   30
ἱεροποιίαι p3. 1423 ᵇ13.
ἱεροποιοί f 404. 1545 ᵇ30.
ἱερός. ὥρα ἱερὰ παιδοτρόφος ἀλκυόνος (Simon fr 12) Ζιε8.
542 ᵇ9. πταρμὸς σημεῖον οἰωνιστικὸν ἢ ἱερόν Ζια11. 492
ᵇ8. — ἱερός, dist δημόσιος, ἴδιος ΠΖ5. 1320 ᵃ9. β8. 1267 35
ᵇ34 sqq. περὶ ἱερῶν πῶς ἐνδέχεται λόγῳ χρήσασθαι p3. 1423
ᵃ29-1424 ᵃ8. ἐκκλησία περὶ ἱερῶν ἢ ὁσίων f 394. 1543 ᵇ21.
ἱερὰ χρήματα Πε4. 1304 ᵃ3. ζ8. 1322 ᵇ24, dist δημόσια
f 402. 1545 ᵃ32. ἱεραὶ ἢ δημόσιαι τριήρεις f 402. 1545 ᵃ34.
τρία ἡμιωβόλια ἱερὰ Ρα14. 1374 ᵇ27, 29. ἱερὰ χώρα ΠΒ8. 40
1267 ᵇ34. Μάγνητες ἱεροὶ τῦ θεῦ f 588. 1573 ᵇ44. ἱερώ-
τατος τόπος, syn θειότατος πλγ9. 962 ᵃ37, 35. ἱερὰ μέλη
Πὸ7. 1342 ᵃ9. ἱερὸς πόλεμος Πε4. 1304 ᵇ12. διὰ τί τὰ
θερμὰ λυτρὰ ἱερὰ πκὸ19. 973 ᵇ27. ἱερὰ νόσος πλ1. 953
ᵃ16. — τὸ ἱερόν, dist τάφος Ηὸ5. 1123 ᵃ10. χαριτίσιν ἱερὸν 45
Ηε8. 1133 ᵃ3. τὰ τῆς σωτείρας ἱερὰ Ργ18. 1419 ᵃ3. τὰ
ἴδια ἱερὰ ΠΖ4. 1319 ᵇ24. ἱερὰ συλᾶν Ηὸ3. 1122 ᵃ6. ἐν
τοῖς ἱεροῖς Ηα8. 614 ᵃ7. — ἱερὸς ἰχθύς cf ἰχθύς 14.
ἱεροσυλεῖν Ρα7. 1363 ᵇ32. ἱεροσυλῆσαι Ρα13. 1374 ᵃ4.
ἱεροσυλία οβ1349 ᵃ20.   50
ἱερόσυλος Πε4. 1304 ᵃ3.
Ἱέρων τύραννος Πε10. 1312 ᵇ11. 11. 1313 ᵇ14. 12. 1315
ᵇ34, 37. Σιμωνίδης πρὸς τὴν Ἱέρωνος γυναῖκα Ρβ16. 1391
ᵃ10. τὸν Ἱέρωνα δυσρία δυστυχῆσαι f 444. 1551 ᵃ21.
545. 1568 ᵇ15. Γέλων, Ἱέρωνος ἀδελφός f 444. 1551 ᵃ20. 55
ἱερωσύνη ΠΖ8. 1322 ᵇ24. ταύτην ἔσχε τὴν ἱερωσύνην πο17.
1455 ᵇ5. θ137. 844 ᵇ5. ἀμφισβητεῖν ἱερωσύνης f 385. 1542
19, 31, 37. ἱερωσῦναι Πη9. 1329 ᵃ34.
ἱήτης Ὅμηρος f 66. 1487 ᵃ36, 29.
θαγενὴς νότος, ζέφυρος μβ6. 364 ᵃ16, 18.   60
θάκη. ἐν Ἰθάκῃ δασύποδες ὸ δύνανται ζῆν Ζιθ28. 606 ᵃ2.

— Ἰθακησίων πολιτεία f 462-466. Θόας ὁ Ἰθακήσιος
f 593. 1574 ᵃ29.
ἰθεῖα δίκη (Hes fr 217 Gtlg) Ηε8. 1132 ᵇ27.
Ἰκάδιος an Ἰκάριος πο25. 1461 ᵇ8.
Ἰκάριος πο25. 1461 ᵇ4. Ἰκάριος an Ἰκάδιος πο25. 1461 ᵇ8.
ἱκανός. ὀσίαν ἔχειν μέσην ἢ ἱκανὴν Πὸ11. 1295 ᵇ40. τόπος
ἱκανός μα13. 350 ᵇ24. σημεῖον, τεκμήριον ἱκανόν μα3. 341
ᵃ32. 14. 352 ᵇ24. εἶναι πᾶσιν ἱκανὴν αἰτίαν Γα3. 318 ᵃ27.
ἔχει ἀπορίαν ἱκανὴν Γα3. 318 ᵃ13. πᾶς ἱκανὸς γίνεται
προστάτης Πε6. 1305 ᵃ39. ἱκανός c inf, ἡ ἡλίυ φορὰ ἱκανή
ἔστι παρασκευάζειν sim μα3. 341 ᵃ20. Ζμγ2. 662 ᵇ34,
663 ᵃ5. c partic, ἱκανοὶ αὐτοὶ κακοπαθῦντες ηεη12. 1245
ᵇ38. ἱκανὸν ἡμῖν ἀτυχήσασι τότε ρ30. 1437 ᵃ12. — ἱκα-
νῶς εἴρηται περὶ τύτων ἔν τοῖς ἐξωτερικοῖς λόγοις, ἐν τοῖς
ἐγκυκλίοις sim Ηα3. 1096 ᵃ3 (syn ἀρχύντως 13. 1102 ᵃ27).
Πη1. 1323 ᵃ22. πο15. 1454 ᵇ18 (Bernays Dial p 86).
εἴρηται σχεδὸν ἱκανῶς Αα13. 32 ᵃ16. ἱκανῶς, ὐχ ἱκανῶς
εἰπεῖν μβ3. 357 ᵃ27, 28. λέγοιτο ἂν ἱκανῶς Ηα1. 1094
ᵃ12. κομψῶς, ὐχ ἱκανῶς ὸ εἴρηται Πὸ4. 1291 ᵃ11. ἱκανῶς
ὡς πρὸς τὴν παρῦσαν χρείαν, ἀκριβέστερον δὲ πάλιν Οα3.
269 ᵇ21. cf Ηε8. 1133 ᵇ20. ἡ λύσις ἱκανῶς ἔχει πρὸς τὸν
ἐρωτῶντα, ὐχ ἱκανῶς πρὸς τὸ πρᾶγμα Φθ8. 263 ᵃ16. ἱκα-
νῶς λύειν τὴν ἀπορίαν Πιγ11. 1282 ᵃ24. δείκνυσθαι, ἀποδε-
δεῖχθαι ἱκανῶς μα3. 339 ᵇ33. 7. 344 ᵃ5. ἱκανῶς ἔχειν, opp
δεῖσθαι οα4. 1344 ᵃ14. ἱκανῶς ἂν εἴχεν Ηι1. 1164 ᵃ18.
ζ13. 1143 ᵇ31. τύπῳ λεχθὲν ἱκανῶς ἂν ἔχοι Ηα11. 1101
ᵃ28. ἱκανῶς ἔχει διωρίσθαι Πὸ4. 1290 ᵇ7. ἱκανῶς ἔχει τοῖς
πολλοῖς sim Πζ4. 1318 ᵇ25. εἰ ἔχει ἤδη ἡ τραγῳδία τοῖς
εἴδεσιν ἱκανῶς πο4. 1449 ᵃ8. — πρόσωπον σαρκῶδες, ὑπό-
μακρον ἱκανῶς φ3. 807 ᵇ26.
Ἴκαρος Δαιδάλυ θ81. 836 ᵇ9. Ἴκαρος νῆσος θ81. 836 ᵇ11.
ἱκέσιος διὰ τί καλεῖται ὁ θεός κ7. 401 ᵃ23.
ἱκετεύειν Ργ10. 1411 ᵇ9.
ἱκετηρία Ργ10. 1411 ᵇ7. ἱκετηρίαν θέμενοι f 394. 1543 ᵇ18.
ἱκέτις. ὥσπερ ἱκέτις ἢ ἀφ’ ἑστίας ἡγμένη οα4. 1344 ᵃ11.
ἱκμάς. πλείστη ἐν τῇ ἴριδι ἱκμὰς ἐνέμεινεν μγ5. 376 ᵇ28.
— (Ascidia) δέχεται τὴν ὑγρότητα τὴν εἰς τροφὴν ἢ πάλιν
διαπέμπει τὴν ὑπολειπομένην ἱκμάδα Ζμὸ5. 681 ᵃ30. —
ὁ σπλὴν ἀντισπᾷ ἐκ τῆς κοιλίας τὰς ἱκμάδας τὰς περιτ-
τευσάσας Ζμγ7. 670 ᵇ5. τὸ περίττωμα τῆς ὑγρᾶς ἱκμάδος,
ὃν καλῦμεν ἱδρῶτα Ζμγ5. 668 ᵇ4. ἔχειν ἢ ἕλκειν μᾶλλον
ἱκμάδα πολλήν, ὀλιγίστης μετέχειν ἱκμάδος Ζμγ10. 672
ᵇ36, 673 ᵃ1. 11. 673 ᵇ7. μεταξὺ τῦ δέρματος ἢ τῆς σαρ-
κὸς συστέλλεται ἡ ἱκμὰς πιὸ3. 891 ᵃ22. ἡ ἱκμὰς ὑδατώδης
ἐν ταῖς θριξὶν Ζγε3. 782 ᵇ2. ἐκ τῆς αἱματικῆς ἱκμάδος
συνισταμένης ἢ πηγνυμένης γίνεται τὸ σῶμα τῶν σπλάγ-
χνων Ζμγ10. 673 ᵇ1. — ἡ τῶν καταμηνίων ἱκμὰς Ζγα19.
727 ᵇ11, 22. cf Rose Ar Ps 382. τὸ θῆλυ προίεται τὴν ἐν
ἑνίαις αὐτῶν ἱκμάδα γεινομένην Ζγβ4. 739 ᵇ1. α20. 728
ᵃ33 cf S II 453. συναθροίζεται ἱκμὰς τοσαύτη ὅση ταῖς
γεινομέναις ὑπολείπεται μετὰ τὴν κάθαρσιν Ζιη2. 582 ᵇ15.
εἰς τὴν ἕδραν συρρεῖ ἡ τοιαύτη ἱκμὰς πιὸ26. 879 ᵇ9. —
ὅταν ἐκ δυσπέπτυ ἱκμάδος συστῇ τὸ κύημα, τότε γίνεται
ἡ μύλη Ζγὸ7. 776 ᵃ12. αἱ κόρεις γίνονται ἐκ τῆς ἱκμάδος
τῆς ἀπὸ τῶν ζῴων συνισταμένης ἐκτὸς Ζιε31. 556 ᵇ27.
ἰχνεύμενος (ι ε προσήκων). ἰχνεύμένη ἕξις, ἐπιστήμη Πε1.
1288 ᵇ16. ἰχνεύμένης ἡλικίας τυχεῖν Πη14. 1332 ᵇ41. ὅσα
τοῖς μεγέθεσιν ὥρισται τοῖς ἰχνευμένοις Ζγὸ4. 772 ᵃ8. κατὰ
τὴν ἰχνεύμενην χρόνοις Ζγγ1. 750 ᵇ13. εἰς τὴν ἰχνεύμενην
ὥραν πκ14. 924 ᵇ14.
ἰκτῖνος (ἴκτινος; v 1 Ζμγ7. 670 ᵃ34 cf Lob Par 170, 171,

544). refertur inter τὰ πτερωτά, γαμψώνυχα, σαρκοφάγα, μέσα Ζμγ7. 670 ^{a}33. Ζιθ3. 592 ^{b}1. 6. 600 ^{a}27. ζ 6. 563 ^{a}29. ἔστιν ὁ τριόρχης τὸ μέγεθος ὅσον ἰκτῖνος Ζιθ3. 592 ^{b}4. χολὴν ἅμα πρὸς τῷ ἥπατι κ τοῖς ἐντέροις ἔχει, μικρὸν τὸν σπλῆνα, θερμὴν τὴν κοιλίαν Ζιβ15. 506 ^{b}24, ^{a}16. Ζμγ7. 670 ^{a}34. σῖτον ὃ δύναται καταπιεῖν Ζιθ3. 592 ^{b}1. φωλεῖ Ζιθ16. 600 ^{a}13, 17, 27 Aub. ὀλιγάκις μέν, ὦπται δὲ πίνων Ζιθ3. 594 ^{a}2. tempus incubationis, ova duo parit Ζιζ6. 563 ^{a}30. πολέμιοι ἰκτῖνος κ κόραξ, φίλοι πίφιγξ κ ἄρπη κ ἰκτῖνος Ζιι1. 609 ^{a}20, 21, 610 ^{a}11. ἐν Ἡλιόι οἱ ἰκτῖνοι διὰ τῆς ἀγορᾶς τὰ κρέα φερόντων ἁρπάζωσι, τῶν δὲ ἱεροθύτων ὑχ ἅπτονται θ123. 842 ^{a}35. (Falco milvus Cr. Milvus regalis KaΖι84, 4. Su 102, 24. Milvus regalis vel niger AΖι I 94. E. 44. 57. Lnd 22. 23.)

ἰκτίς (v l ἔκτις, τῆς ἴκτιδος) descr Ζιι6 612 ^{b}10-17, eiusque αἰδοῖον ὀστῶδες Ζιβ1 500 ^{b}24. θ12. 831 ^{b}1. (Mustela furo Cr K 462, Blasius Säugethiere 226. Mustela foina AΖγ25, AΖι I 65 cf E 13, 17. Mustela boccamela Fr Cetti hist nat Sardiniae Lpz 1783 p 224, v Martens in Troschels Archiv B 24, 1858, I 121. Su 49, 21. in incerto rel Ka Ζι64, 9.)

ἱλαρός, opp σκυθρωπός φ4. 808 ^{b}16.

Ἰλεύς ἡμβ7. 1205 ^{a}23.

ἵλεων εἶναι, syn καταλλακτικὸν εἶναι, μὴ ὀργίζεσθαι ηεβ5. 1222 ^{b}1. cf αρ8. 1251 ^{b}32. ποιεῖν τὴν ψυχὴν ἵλεων, opp συνιστάναι Ζμδ2. 676 ^{b}25.

ἰλιάς (ἰλιάς Athen 2 p 65a, S II 120 P Cr M 302). κιχλῶν εἴδη τρία, ἰξοβόρος, τριχάς, ἄλλη δ᾽ ἣν καλῦσί τινες ἰλιάδα, ἐλαχίστη τε τύτων κ ἧττον ποικίλη Ζιι20. 617 ^{a}21 Aub (Turdus iliacus ap Gesn et Belon St 248. G 5. dubitant Cr, Su 108, 38, AΖι I 96c, S, Lnd 84).

Ἰλιάς πο4. 1448 ^{b}38. 8. 1451 ^{a}29. 15. 1454 ^{b}2. 18. 1456 ^{a}13. 23. 1459 ^{b}3. 24. 1459 ^{b}4. 26. 1462 ^{b}3, 8. Ζιι12. 615 ^{b}9. f 172. 1506 ^{b}20. ἡ Ἰλιὰς συνδέσμῳ ἓν πο20. 1457 ^{a}29. ΜΖ4. 1030 ^{b}9. γ6. 1045 ^{a}13. (cf δ24. 1023 ^{a}33). Αθ10. 93 ^{b}26. ἡ Ἰλιὰς ὁρισμὸς ἂν εἴη Αθ7. 92 ^{b}32. ΜΖ4. 1030 ^{a}9 Bz. Ilias significatur verbis μῆνιν ἄειδε θεά τι24. 180 ^{a}21. — ἡ μικρὰ Ἰλιάς πο23. 1459 ^{b}2, 5.

Ἴλιον Φδ13.222 ^{a}23, ^{b}11. Ηζ2. 1139 ^{b}7. Ρβ2. 1396 ^{b}13. — Ἰλίω πέρσις, tragoedia Agathonis, πο18. 1456 ^{a}16. 23. 1459 ^{b}6 (cf Nauck fr trag p 592). — Κορινθίοις ὃ μέμφεται τὸ Ἴλιον Ρα6. 1363 ^{a}16 (cf Σιμωνίδης).

ἰλίγγος ἀνισταμένοις μᾶλλον γίνεται ἢ καθήζυσιν πϛ4. 885 ^{b}35.

Ἰλισσὸς ποταμός θ51. 834 ^{a}18.

ἰλλεσθαι κ κινεῖσθαι περὶ τὸν πόλον μέσον Οβ14. 296 ^{a}26. 13. 293 ^{b}31. cf Zeller Gesch II, 1. 520 n 1.

Ἰλλυριοί quomodo hastas figant πο25. 1461 ^{a}4. memorabiles res physicae θ22. 832 ^{a}5. 128. 842 ^{b}27. 138. 844 ^{b}9. ἐν Ἰλλυρίοις κ ἐν Παιονία Ζιβ1. 499 ^{b}12.

Ἰλλυρίς. ἐν τῇ Ἰλλυρίδι Ζιθ28. 606 ^{b}3.

ἰλὺς ὕδατος ῥέοντος· τὰ μὴ καθαρὰ ῥεύματα συγκατάγει τὴν γῆν κ ἰλὺν Ζμβ1. 647 ^{b}3. πκγ38. 935 ^{b}26. ὀχετοὶ συγκεχυμένοι ὑπὸ πολλῆς ἰλύος Ζιγ4. 515 ^{a}24. Ζμγ5. 668 ^{a}29, 35. ἰλὺς σηπομένη χρῶμα λαμβάνει λευκὸν Ζιε19. 551 ^{b}30. ἔνια τῶν ζώων φύονται ἐκ τῆς ἰλύος κ τῆς ἄμμυ, ἐκ τῆς ἰλύος κ συσσήψεως, ἐν τῇ βορβορώδει, τῇ ἀμμώδει ἰλύι Ζιε14. 543 ^{b}18. 15. 546 ^{a}24, 547. ^{b}19, 20. ζ15. 569 ^{a}11. Ζγγ11. 763 ^{a}28. — ἡ ἰλὺς τῦ οἴνα, τῦ μέλανος οἴνα, ἡ περὶ τὸ ὄξος ἰλὺς Ζγγ2. 753 ^{a}24, 26. Ζμγ3. 664 ^{b}17. Ζιε19. 552 ^{b}5. μδ10. 388 ^{b}7.

ἰλύσπασις. τὰ ἰλύσπάσει χρώμενα ζῷα Ζπ9. 709 ^{a}28.

ἰλυσπαστικὰ ζῷα, dist πορευτικά, ἑρπυστικά Ζια1.487 ^{b}22.

ἱμάντα κεστόν (Hom Ξ214) Ηη7. 1149 ^{b}16. ἱμὰς ἑλκτόν μθ9. 386 ^{b}14. κέρκος συνελιττομένη ἐπὶ πολύ, καθάπερ ἱμὰς Ζιβ11. 503 ^{a}21.

ἱμᾶσθαι γάλα πλέον ἢ ἔλαττον, syn βϑάλλεσθαι γάλα Ζιγ21. 522 ^{b}12, 15. Ζμδ10. 688 ^{b}10

ἱματίδάριον (Aristoph fr Babylon 30) Ργ2. 1405 ^{b}31.

ἱμάτιον Ργ2. 1405 ^{b}31. i q λώπιον v λώπιον. ζῳδάρια γιγνόμενα ἐν ἱματίοις Ζιε32. 557 ^{b}9. ἱμάτιον καθαρόν Ζγε1. 780 ^{b}31. ποῖον ὕδωρ πλύνει κ ῥύπτει τὰ ἱμάτια θ53. 834 ^{a}32. πκγ40. 935 ^{b}35. κεραυνὸς δι᾽ ἱματίυ ὃ κατέκαυσε μγ1. 371 ^{a}28. τὸ ἱματίυ δακνομένυ φρίττυσιν πλε3. 964 ^{b}36. — οἱ Τυρρηνοὶ δεῖπνῦσι μετὰ τῶν γυναικῶν ἀνακείμενοι ὑπὸ τῷ αὐτῷ ἱματίῳ f 565. 1571 ^{a}4. — ἱματίον, nomen pro exemplo fictum ε8. 18 ^{a}19. ΜΖ4. 1029 ^{b}28.

Ἱμεραίων τύραννος Φάλαρις Ρβ20. 1393 ^{b}11. Ἱμεραίων πολιτεία f 467.

ἵμερος γόοιο (Hom Ψ108) Ρα11. 1370 ^{b}29. ἵμερος ἐσθλῶν (Sappho fr 29) Ρα9. 1367 ^{a}11.

Impersonalem verborum usum aliquanto latius patere quam plerumque opinantur demonstravit Miklosich, die verba impersonalia in slavischen, 1865, cf Bz Ztsch f d öst Gym 1866 p 744-748. ex Aristotelica dictione talia videntur notatu digna esse. cum verbis ὕει. βροντᾷ sim conferri potest impersonalis usus verborum ἀποπνεῖ v h v p 85 ^{a}1, ἀποχειμάζει 89 ^{a}5, ἀναθυμιᾶσθαι 44 ^{a}6, ἀνακλᾶσθαι 46 ^{b}10, ἐπισημαίνει 277 ^{b}32-42. cum verbo τυγχάνειν (ὁποτέρως ἔτυχε sim cf τυγχάνειν) conferri potest usus impersonalis verborum ἵσταται, εἶσιν εἰς ἄπειρον (74 ^{b}42 et cf ἵστασθαι), ἀνάγεσται Αγ3. 72 ^{b}9, ἀποδίδωσι 80 ^{a}36, ἀντιστρέφειν 66 ^{a}18, διημερεύειν 195 ^{b}12, διατελεῖν 190 ^{a}45, (qnamquam ibi εν3. 462 ^{b}i participium συμβαῖνον ex antecedente συμβαίνει suppleri potest). — δηλοῖ174 ^{a}13-18. φανερὸν ποιεῖ Ζμβ2. 649 ^{a}17. — cum verbis δεῖ, ἐνδέχεται et formulis ὁμοίως ἔχει, εὖ ἔχει sim (cf ἔχειν) comparari possunt πέφυκεν: ὃ πέφυκε μίαν εἶναι πολιτείαν Πβ2. 1261 ^{b}7. cf δ12. 1296 ^{a}26. πε6. 1450 ^{a}2 (Vhl Poet I 22). Φδ1. 252 ^{a}6. Πγ6. 1279 ^{a}11. Ργ1. 1404 ^{a}20. μδ4. 360 ^{b}2. Ζγδ4. 772 ^{a}9; ἁρμόττει 106 ^{a}45-55, διαφωνεῖ 193 ^{a}25-28, εὐθεωρήτόν ἐστιν 295 ^{a}13, εὐκρινές ἐστιν 297 ^{a}7. ἔχει τινὰ λύσιν 305 ^{b}31. — formae passivae impersonaliter usurpatae δεδήλωται 173 ^{b}55, 56, ἐγκαλεῖται 213 ^{a}7, εἰσαχθεται 224 ^{a}32, ἐπιτείνεται 280 ^{a}34, διέσχισται 189 ^{b}50. — cf Addenda.

ἵνα, vi locali, ἄνωθεν τὸ θερμὸν ἐξιὸν ἀναστρέφει ἵνα περ ὁρμᾷ πό1. 876 ^{a}33. in versu Euripideo (fr 183) Ρα11. 1371 ^{b}32. πιη6. 917 ^{a}14. — ἵνα vi finali etiam post tempora praeterita apud Ar plerumque cum coniunctivo poni cf Eucken I 52. — in libris de plantis interdum ἵνα usurpatur, ubi ex lege linguae graecae infinitivus requiritur φτα1. 816 ^{a}8, 34, 36. 2. 817 ^{b}30. β7. 827 ^{a}16, 36. 8. 827 ^{b}21. 3. 825 ^{a}36. 6. 826 ^{b}12.

Ἴναχος fluvius μα13. 350 ^{a}25.

ἰνδάλλεσθαι. τὰ δι᾽ ὀφθαλμῶν ἰνδαλλόμενα ἡμῖν κ δι᾽ ἀκοῆς κ πάσης αἰσθήσεως x6. 397 ^{b}18.

Ἰνδικὸς κόλπος x3.393 ^{b}3. ἡ Ἰνδικὴ μβ5.362 ^{b}21,28. ἐν τῇ Ἰνδικῇ Ζιθ28. 606 ^{a}8. 29. 607 ^{a}34. Ζμα3. 643 ^{b}6. περὶ τὴν Ἰνδικὴν Οβ14. 298 ^{a}11. ὁ Ἰνδικὸς καλόμενος ὄνος Ζμγ2. 663 ^{a}19, 23. Ζιβ1. 499 ^{b}19, 20. οἱ Ἰνδικοὶ κύνες Ζιθ28. 607 ^{a}4. Ζμβ7. 746 ^{a}34. τὸ Ἰνδικὸν ὄρνεον ἡ ψιττάκη Ζιθ12. 597 ^{b}27.

Ἰνδός flumen μα13. 350 ^{a}25. x6. 398 ^{a}28. — Ἰνδοὶ ποpulus κ 3. 393 ᵇ15. ἐν Ἰνδοῖς οἱ βασιλεῖς διαφέροντες τῶν ἀρχομένων Πη 14. 1332 ᵇ24. γυμνοσοφισταὶ παρ' Ἰνδοῖς f 30. 1479 ᵃ31. οἱ Ἰνδοὶ χρῶνται ἐλέφασι πολεμιστηρίοις Ζυ 1. 610 ᵃ19. κἂν ἐν Ἰνδοῖς ὦσιν τγ1. 116 ᵃ38. ᾗ βᾳλευόμεθα περὶ τῶν ἐν Ἰνδοῖς ηεβ 10. 1226 ᵃ29. ημα 17. 1189 ᵃ20. ὁ Ἰνδὸς μέλας τι 5. 167 ᵃ8. memorabiles res physicae f 248. 1524 ᵃ16, 29. θ 49. 834 ᵃ1. 61. 835 ᵃ6. 71. 835 ᵇ5. πι 45. 895 ᵇ25. ἐν Ἰνδοῖς, ἐν τοῖς Ἰνδοῖς Ζιβ 1. 501 ᵃ26. ζ 18. 571 ᵇ33.

Infinitivus. apud infinitivum subiectum omittitur, quamquam diversum est a subiecto enunciati unde pendet infinitivus, ᴋ ἐνιαυσία ὄνος ἐκύησεν ὥστε ᴋ ἐκτραφῆναι (int τὸ ἔμβρυον) Ζιε 14. 545 ᵇ23, 24. ζ 23. 577 ᵃ22; contra ad infinitivum praedicatum casu accusativo ponitur, quamquam idem est subiectum atque enunciati unde pendet infinitivi, μεῖζον ἡ κτῆσις διὰ τὸ χαλεπωτέραν εἶναι Ρα 7. 1364 ᵃ25. οἱ ἄνθρωποι ὑπὲρ τᾶ φρονιμωτέρᾱς ἢ μοχθηροτέρᾱς εἶναι τοῖς κρίνᾱσι μάλιστα ὀργίζονται πλ 11. 956 ᵇ27. — infinitivus in enunciato relativo, τὴν κέρκον, ἐν ᾗ κέντρον ἔχειν Ζιβ 1. 501 ᵃ31. — infinitivus relativus, τῶν ἐντόμων ἐργατικώτατον ζῷων ἐστί, σχεδὸν δὲ ᴋ πρὸς τἆλλα συγκρίνεσθαι πάντα Ζυ 38. 622 ᵇ20. — infinitivus vi imperativa, ἐὰν δὲ βύλῃ μέσως λέγειν. τὰ μέγιστα τῶν μερῶν ἐκλέγειν περὶ τύτων ποιεῖσθαι τᾱς λόγᾱς ρ 23. 1434 ᵇ18. cum hoc usu comparari potest, quod saepe apud Ar infinitivus quorundam verborum idem valet atque adiectivum verbale in τέον. veluti τα 15. 106 ᵃ1-107 ᵇ32: πραγματευτέον 106 ᵃ2, θεωρητέον ᵃ10, σκοπεῖν ᵃ10, ᵇ13, ἐπισκοπεῖν ᵇ21, ἐπισκεπτέον ᵇ29, σκοπεῖν 107 ᵃ3, 18, 32, χρήσιμον ἐπιβλέπειν ᵃ36, σκοπεῖν ᵇ22, 33. τβ 4. 111 ᵃ14. ἐνίστασθαι τβ 2. 110 ᵃ10. δεικνύναι τβ 4. 110 ᵃ24. cf ἐπισκέψασθαι Αγ 20. 87 ᵇ16. μηχανὴ χρηστέον ἐπὶ τὰ ἔξω τᾶ δράματος ... ἄλογον δὲ μηδὲν εἶναι ἐν τοῖς πράγμασιν πο 15. 1454 ᵇ6. τὸ ἐπιχειρεῖν τβ 6. 112 ᵃ32.

ἰνίον. τᾶ τριχωτᾶ κρανίᾱ τὸ μὲν πρόσθιον βρέγμα, τὸ δ' ὀπίσθιον ἰνίον, μέσον δ' ἰνίν ᴋ βρέγματος κορυφή· τὸ ἰνίον κενόν Ζια 7. 491 ᵃ33, ᵇ1. occiput cf ΚαΖι 31, 3 et 5; ΑΖι I 215; Lewes 168; Cr 12. superior pars cervicis Sonnenburg 12. ventriculi cerebri Sprengel Gesch d Arzneikunde 1792 I 325.

ἴνος (v l ἰννᾱ, ἴνω) Ζια 6. 491 ᵃ2 S, Aub et I 68, 19. Ka Ζι 29, 20. vox dubia.

Ἰνὼ αὐδήεσσα an ᾳδήεσσα f 163. 1505 ᵃ40, 44.

ἰνώδης. ὑμένια λεπτὰ ᴋ ἰνώδη Ζια 17. 497 ᵃ21. λεπτοὶ ᴋ ἰνώδεις δεσμοί Ζμβ 9. 654 ᵇ28. Ζια 16. 495 ᵇ13. ἰνώδης πόρος Ζιβ 17. 508 ᵃ32. φλέβες ἰνώδεις Ζιγ 4. 514 ᵇ26, 27. αἷμα ἰνωδέστατον Ζμβ 4. 651 ᵃ3. τὸ ἰνῶδες Ζμβ 5. 651 ᵃ28.

ἰξία γίνεται αἵματος νενοσηκότος Ζιγ 19. 521 ᵃ20, 29. cf πϑ 20. 878 ᵇ37. οἱ ἰξίαν ἔχοντες ἧττον φαλακρᾶνται Ζιγ 11. 518 ᵇ25. αἱ ἰξίαι τᾱς ἔχοντας κωλύᾱσι γεννᾶν πϑ 20. 878 ᵇ36. οἱ εὐνᾶχοι ᾱκ ἔχᾱσιν ἰξίας πι 37. 894 ᵇ39. ἰξίαι ᴋ τὰ ἄλλα ἀποστήματα ὑγιεινόν πς 3. 885 ᵇ30.

Ἰξία Οβ 1. 284 ᵃ34. οἱ Ἰξίονες, patheticae tragoediae, πο 18. 1456 ᵃ1.

ἰξοβόρος. κιχλῶν εἶδος· αὕτη δ' ᾱκ ἐσθίει ἀλλ' ἢ ἰξὸν ᴋ ῥητίνην, τὸ δὲ μέγεθος ὅσον κίττα ἐστίν Ζυ 20. 617 ᵃ18. (Turdus viscivorus G 4. St 248. Cr, Su 108, 36. ΑΖι I 96, 51ᵃ.)

ἰξὸς ἐγγίνεται ἐν ἑτέροις δένδρεσιν Ζγα 1. 715 ᵇ30. — ἰξοβόρος χίχλη ἐσθίει ἰξὸν ᴋ ῥητίνην Ζυ 20. 617 ᵃ19. — ἰξὸς γλίσχρον, ἑλκτόν μδ 8. 385 ᵇ5. 9. 386 ᵇ14 (Viscum

album L vel Loranthus europaeus L).

ἰοβόλος. χαλεπώτατα τὰ δήγματα τῶν ἰοβόλων Ζιθ 29. 607 ᵃ28.

Ἰοκάστη ἡ Καρκίνᾳ ἐν τῷ Οἰδίποδι Ργ 16. 1417 ᵇ18 (Nauck fr tr p 620).

Ἰόλαος Ἰφικλέᾱς θ 100. 838 ᵇ15. ἐπὶ τᾶ τάφᾳ τᾶ Ἰόλεω τὰς καταπιστώσεις ποιεῖσθαι τᾱς ἐρωμένᾱς ᴋ τᾱς ἐραστάς f 92. 1492 ᵃ42.

ἴον. ἡ μέλιττα βαδίζει ἀπὸ ἴᾱ ἐπὶ ἴον Ζυ 40. 624 ᵇ4, 5 (planta dubia). τῶν ἴων ἀπέραντόν τινα τόπον συμπεπληρῶσθαι θ 82. 836 ᵇ16. fort Viola odorata vel Matthiola incana.

ἴονθος. οἷον ἴονθοι μικροί Ζιε 31. 556 ᵇ29. ἴονθοι ἐν τῷ προσώπῳ μάλιστα, ἐξάνθημα ὑγρότητος ἀπέπτᾳ πλς 3. 965 ᵇ14, 16. ἡ χάλαζα οἱονεὶ ἴονθος ἄπεπτος ἐν τοῖς ἐντός πλδ 4. 963 ᵇ40.

Ἰόνιος. ὁ Ἰόνιος (i e κόλπος) Πδ 4. 1290 ᵇ11. η 10. 1329 ᵇ20.

ἰός, rubigo, ἰᾱ χρῶμα χ 2. 792 ᵇ27. — venenum, τὸν ὄφιν μετὰ τὴν φωλευσιν ἰᾱ πληρᾱσθαι πλείονος τᾱ ἐμφύτᾱ f 334. 1534 ᵃ19.

Ἴος insula, patria Homeri f 66. 1486 ᵇ39, 1487 ᵃ16, 20, 34. ἰᾱλίς. refertur inter τὰ ἀγελαῖα Ζυ 2. 610. ᵇ6. cf S II 24. ΑΖι I 129, 26. (Labrus Julis St 234. Cr fort Julis julis Bloch, turcica Risso, Giofredi Risso, qui hodie ἰᾱλοι nominantur cf E 90, 105-107.)

ἰᾱλος. refertur inter τὰ ἔντομα ᴋ ἄπτερα Ζιδ 1. 523 ᵇ18. μάλιστα πολύποδα τὰ μάλιστα κατεψυγμένα διὰ τὸ μῆκος, οἷον τὸ τῶν ἰᾱλων γένος Ζμδ 6. 682 ᵇ3 (Juli et Scolopendrae sp Cr ΑΖι I 164 17. Su 235, 55.) cf ἰᾱλώδης.

ἰᾱλώδης. τὸ τῆς ἀρχῆς μόριον τοῖς μὲν πολλοῖς τῶν ἐντόμων ἐστὶν ἕν, τοῖς δὲ πλείω, καθάπερ τοῖς ἰᾱλώδεσι ᴋ μακροῖς· διόπερ διατεμνόμενα ζῇ Ζμδ 5. 682 ᵃ5, cf ᵇ22. F 311, 51. M 224.

ἴπνος. θερόμενος πρὸς τῷ ἴπνῳ Ζμα 5. 645 ᵃ20.

Ἱππαρῖνος Πε 6. 1306 ᵃ1.

ἱππαρχεῖν ἱππαρχηθέντα Πγ 4. 1277 ᵇ10.

ἱππαρχίαι ᴋ ταξιαρχίαι Πζ 8. 1322 ᵇ3.

ἵππαρχοι δύο ἐξ ἁπάντων Ἀθηναίων αἱρεθέντες f 374. 1540 ᵇ9. 391. 1543 ᵃ3, 6. 392. 1543 ᵃ14, 16.

Ἵππαρχος τύραννος Ρβ 24. 1401 ᵇ12. f 357. 1538 ᵇ15.

ἱππὰς ἡ καλᾱμένη, τέλος τῶν Ἀθηναίων Πβ 12. 1274 ᵃ21.

ἱππάσιμος χώρα Πζ 7. 1321 ᵃ8.

Ἵππασος ὁ Μεταπόντινος τὸ πῦρ ἀρχὴν τίθησιν ΜΑ 3. 984 ᵃ7.

ἱππαστός. τῶν ἱππαστῶν (ἵππων ὃ κυνόδᾱς γίνεται) μικρός, τῶν μὴ ἱππαστῶν μέγας Ζιζ 22. 576 ᵇ17. cf ἵππος 2.

ἵππειος. τὸ ἵππειον γάλα Ζιγ 20. 522 ᵃ28.

ἱππέλαφος. descr Ζιβ 1. 498 ᵇ31-499 ᵃ9 ('nullum animal tam varias excitavit sententias'. alter brandhirsch Pall spicileg XI, 51. Buff hist nat XI, 402. Zimmermann spec zool geogr 200. Cuvier regn an I 255. fort S I 66. St Antilope gnu Allamand in Desmarest Mammalogie 472. Lichtenstein prolus philol Hamb 1782, 6 adn. Antilope strepsiceros Pall S eclog phys II 19. Gauri Gau Hodyson in Journal of Asiat Soc of Bengal VI 1, 499. VII 2, 795. Wiegmann, Archiv 1840 I 263. Antilope picta Pall Wiegmann observat zool 26. fort ΚαΖι 57, 6. Cr K 455. ΑΖι I 67, 13. Cervus hippelaphus C Cuvier recherches s l oss foss IV 40. Sommerville phys Geogr II 371. Cervus Aristotelis C Cuvier recherch additam 503. Su 68, 49. Humboldt Kosmos II 429).

ἱππεύειν. οἱ ἱππεύοντες συνεχῶς ἀφροδισιαστικώτεροι γίνονται πδ 11. 877 b14. Σκύθαι ἱππεύυσι ταῖς κυύσαις ἵπποις Ζιζ 22. 576 a21.

ἱππεύς. ὁ ἱππεὺς ἐπὶ κέρας ἐκτρέχει κ 6. 399 b7. ὁ πόλεμος τὴν ὑπεροχὴν ἐν τοῖς ἱππεῦσιν εἶχεν Πδ 13. 1297 b19, 22. πολιτεία ἐκ τῶν ἱππέων, ὀλιγαρχία τῶν ἱππέων Πδ 13. 1297 b18. ε 6. 1306 a35. χώρα δυναμένη τρέφειν χιλίυς ἱππεῖς Πβ 9. 1270 a29. — οἱ ἱππεῖς, τέλος τῶν Ἀθηναίων f 350. 1537 a17.

ἱππεύς. περὶ τὴν Φοινίκην γίνονται ἐν τῷ αἰγιαλῷ ἃς καλῦσιν ἱππεῖς διὰ τὸ ὕτως ταχέως θεῖν ὥστε μὴ ῥάδιον εἶναι κατα- λαβεῖν Ζιδ 2. 525 b7. (Ocypode ippeus, Cancer cursor L cf AZι I 152, 3. K 566, 8. Cr. Beckmann de hist nat vett 233).

Ἱππίας tyrannus Athen οβ 1347 a4. f 357. 1538 b23. — Ἱππίας ὁ Θάσιος πο 25. 1461 a22. — Ἱππίας dialogus Platonis Μδ 29. 1025 a6. — indefinite (fort sophista Eleus intelligitur) τὸ καθ' ἕκαστον ἔνδοξον, οἷον Σωκράτει ἢ Ἱππίᾳ Ρα 2. 1356 b33.

ἱππικός. οἱ ἱππικοὶ δύνανται θεωρεῖν ἵππυς φ 1. 805 a16. ἡ ἱππική, παιδεύεσθαι ἱππικήν Ηα 1. 1094 a11. Πγ 4. 1277 a18. ἱππικὰ ὄργανα Ηα 1. 1094 a11. τὸ ἱππικὸν χρήσιμον πρὸς πόλεμον, coni ὁπλιτικὸν ψιλὸν ναυτικὸν Πζ 7. 1321 a7. φύλαρχός ἐστιν ὁ κατὰ φυλὴν ἑκάστην τῦ ἱππικῦ ἄρχων f 392. 1543 a15.

ἱπποβότης, ἡνίκα ἡ τῶν ἱπποβοτῶν ἐπεκράτει πολιτεία (παρὰ τοῖς Χαλκιδεῦσιν) f 560. 1570 b3.

Ἱππόδαμος Εὐρυφῶντος Μιλήσιος. eius πολιτεία examinatur Πβ 8. 1267 b22 sqq. — Ἱπποδάμειος τρόπος Πη 11. 1330 b24.

ἱπποθήλης. ὄνοι, ἃς καλῦσιν ἱπποθήλας (v l ἱπποθήρας) Ζιζ 23. 577 b17 cf S script rei rust I, 2, 468 et S I 501.

Ἱπποκράτης ἰατρὸς Πη 4. 1326 a15. — Ἱπποκράτης ὁ Χῖος, mathematicus, eius quadratura circuli τι 11. 171 b15 (Wz ad 69 a32. Schol. 327 a30). de cometis sententia μα 6. 342 b36, 343 a28. 7. 344 b15. περὶ τὰ ἄλλα βλὰξ ἀ ἄφρων ηεη 14. 1247 a17.

Ἱππόλοχος Ρα 9. 1368 a17.

ἱππομανεῖν. αἱ ἵπποι αἱ θήλειαι ἱππομανῦσιν Ζιζ 18. 572 a10.

ἱππομανές. 1. ὁ ἐπιφύεται ἐπὶ τῦ μετώπῳ τῶν πώλων Ζιζ 18. 572 a20, 28. 22. 577 a9. θ 24. 605 a2. f 331. 1533 b34. cf Rose Ar Ps 354 (hippomanes, Bechstein Naturgesch I 728) — 2. αἱ ἵπποι αἱ ἱππομανῦσαι ἐκβάλλυσί τι, ὁ καλεῖται, ὥσπερ ἐπὶ τῦ τικτομένυ, ἱππομανές Ζιζ 18. 572 a21 Aub (fort hippolithos, Pferdebezoar cf Bechstein I 739. Lehmann physiol Chemie I 117, II 124. Schlieben 90). — 3. περὶ τὴν ὥραν τῆς ὀχείας ῥεῖ ταῖς ἵπποις ἐκ τῦ αἰδοίυ ὅμοιον γονῇ, λεπτότερον δὲ πολὺ ἢ τὸ τῦ ἄρρενος· ἀ καλῦσι τῦτό τινες ἱππομανές Ζιζ 18. 572 a27 (humor mucosus quidam cf Nüsken Kollerkrankheiten 35 et 57).

ἱππομύρμηκες (v l ἵπποις μύρμηκες, ἵππης μύρμηκες, οἱ ἱππεῖς μύρμηκες) ἐν Σικελίᾳ ὐκ εἰσίν Ζιθ 28. 606 a5 (fort Formica herculeana Su 222, 35. AZι I 168. M 217).

ἵππος. ἓν εἶδος τῶν τετραπόδων ἀ ζωοτόκων Ζια 6. 490 b33. τὸ τῶν ἵππων γένος μκ 1. 465 a5. Ζιυ 4. 611 a11. Ζγβ 8. 748 a15. refertur inter τὰ πεζὰ ἀ ἔναιμα, τὰ ἔναιμα ἀ ζωοτόκα Ζιδ 10. 536 b25. α 4. 489 a31, 35, τὰ ζωοτόκα ἀ τετράποδα Ζια 6. 490 b33. γι 1. 510 b15. Ζγα 4. 717 a31. βι 1. 732 b18, τὰ ζωοτοκῦντα ἐν αὑτοῖς Ζια 5. 489 b12. γ 20. 521 b22. Ζγα 9. 718 b30. βι 1. 732 a34. γι 1. 749 a31, τὰ ὑπέργεια Ζια 1. 488 a24, τὰ ἀσχιδῆ Ζια 1. 499

b11, τὰ μώνυχα Ζιβ 1. 499 b11, 500 a30. Ζμγ 12. 674 a2. 14. 674 a26. ὁ 10. 688 b24, τὰ λόφυρα Ζια 6. 491 a1, τὰ μονοτόκα Ζιζ 22. 576 a1. Ζμδ 10. 688 b23. Ζγβ 8. 748 a17. δ 4. 771 a20, τὰ ἀνεπάλλακτα, συνόδοντα Ζιβ 1. 501 a17. θ 6. 595 a9, τὰ καρποφάγα, ποηφάγα Ζιθ 8. 595 b22, ὅσα ἄγρια ἀ ἥμερα Ζια 1. 488 a30. Ζμα 3. 643 b6. πι 45. 895 b23 (ἄγριοι ἵπποι θ 10. 831 a22 v l. πι 45. 895 b25), τὰ μεγάλα, τὰ μέγιστα τῶν ζώων πι 61. 898 a10. Ζγδ 4. 771 a20, τὰ ὑποζύγια Ζιθ 24. 604 b20, 28.

1. nomina equorum. equus: ἵππος (sine articulo) Ζιζ 22. 577 a14. Ζγβ 8. 748 a33, οἱ ἵπποι Ζιζ 18. 571 b12. θ 24. 605 a8. Ζγβ 8. 748 a19, ὁ ἄρρην ἵππος Ζιζ 18. 572 b9. Ζγβ 8. 747 b14, 15, ὁ ἵππος ὁ ἄρρην Ζιε 14. 545 b15, 18. ζ 22. 575 b21, οἱ ἄρρενες Ζιζ 22. 576 a17, b2. Ζμδ 10. 688 b32, τὰ ὀχεῖα (beschäler) Ζιζ 18. 572 a14. — ὁ ἀγαθός, ἄριστος ἵππος, οἱ ἰδίᾳ τρεφόμενοι Ζιυ 47. 631 a2, 3. ζ 22. 576 b3. equa: ἵππος (sine art) Ζιζ 22. 577 a13, ἡ ἵππος Ζιζ 22. 575 b24, 576 b28, 577 a7, 11. θ 24. 605 a4, 7. Ζγβ 8. 748 a20. f 331. 1533 b14. ἡ ἵππος ἡ θήλεια Ζιζ 22. 576 a9, 24, ὁ θῆλυς ἵππος Ζγβ 8. 747 b14, 16, ἡ θήλεια Ζιε 14. 545 b16, 19. ζ 18. 572 a14. 22. 575 b22, 576 a18, 30, b2, 4. — ἵππος γενναία Ζιυ 47. 631 a2 (Schlieben 117). αἱ παρωαι ἵπποι καλύμεναι Ζιυ 45. 630 a29. αἱ στέριφαι Ζιυ 4. 611 a12, αἱ σύννομοι Ζιυ 4. 611 a10, μήτηρ Ζιβ 1. 500 b31. ζ 22. 576 a18. ιδ. 611 a13. 47. 631 a3. Ζμδ 10. 688 b33. — τὸ ἔμβρυον Ζιζ 22. 576 a22, 577 a5, 14. — αἱ εὐθὺς γενόμεναι, τὸ τικτόμενον Ζιε 14. 545 a7. ζ 18. 572 a20. 22. 576 b25. τὰ ἔκγονα Ζιε 14. 545 b11, 14. ζ 22. 575 b23, 25, 576 a20, 25. οἱ νέοι Ζιζ 22. 576 b19. Ζμδ 10. 686 b15, πῶλοι Ζιζ 22. 572 a28. 22. 577 a8. θ 24. 605 a3, 7. Ζμδ 10. 686 b15, τὸ πωλίον Ζιυ 4. 611 a11, 13. θυγατέρες Ζιζ 22. 576 a19. τέρατα πι 61. 898 a11.

2. partes exteriores. τὸ πλῆθος τῦ σώματος, μῆκος ἀ ὕψος Ζιζ 22. 576 b4. Ζμδ 10. 686 b15. Schlieben 171. δορά, δέρμα f 275. 1527 b21. χ 6. 797 a34. θρὶξ ejusque color Ζιγ 20. 521 b23. χ 6. 797 a34, 798 a6, προσεσταλμένη Ζιυ 45. 630 a25, ῥυὰς ἀνὰ πᾶν ἔτος πι 63. 898 a33. τρίχες ἐκ τῶν ὑλῶν φύονται πι 27. 893 b27. 29. 894 a12, 16. ἀποκείρονται Ζιγ 7. 579 b8. λευκαίνονται Ζιγ 11. 518 a9. Ζγε 1. 780 b5. 3. 782 a13. χ 6. 798 b7. — πρόσωπον, μέτωπον, μετάφρενον Ζιυ 47. 631 a6. ζ 22. 577 a8. φ 6. 810 b32. oculi. μάλιστα τῶν ἄλλων ζώων πολύχρων Ζγε 1. 779 b3. ἔνιοι γίνονται γλαυκοὶ (ἑτερόγλαυκοι coni S), οἱ λευκοὶ ἵπποι ὡς ἐπὶ τὸ πολὺ γλαυκοί, ἑτερόγλαυκοι Ζιυ 10. 492 a6. πι 11. 892 a1. Ζγε 1. 779 b4, 780 b3. — dentes Ζιζ 22. 576 a6. κυνόδυς μικρός, μέγας ἀ ἀπηρτημένος, ὀξύς Ζιζ 22. 576 b17. πρεσβύτερος γινόμενος λευκοτέρυς ἔχει τὺς ὀδόντας Ζιβ 3. 501 b16. βόλος, ἄβολος Ζιβ 1. 578 b13, 16, 15, βάλλειν, εὐθὺς ἅμα πάντας ἐκβάλλειν Ζιβ 1. 501 b3. ζ 22. 576 a4, 6, 8, 12, b13, a13, παύεται βάλλων Ζιζ 22. 576 a4. — χαίτη Ζιβ 7. 502 a10. θ 5. 594 a32. 24. 604 b14. ιδ 5. 630 a24. θ 1. 830 a10. — αἱ λαπάραι Ζιυ 4. 604 b16. — τὰ αἰδοῖα ἔξω, ὐκ ἀπολελυμένα, ὄρχεις Ζιβ 1. 500 a33, b6. Ζγα 4. 717 a31. — μαστοὶ ἐν τοῖς μηροῖς Ζιγ 20. 521 b21. Ζμδ 10. 688 b23. τῶν μωνύχων τὰ ἄρρενα ὐκ ἔχυσι μαστύς, πλὴν ὅσα ἐοίκασι τῇ μητρί. ὅπερ συμβαίνει ἐπὶ τῶν ἵππων Ζιβ 1. 500 a31. Ζμδ 10. 688 b32. — τὰ πρόσθια σκέλη, τὸ ὀπισθεν Ζιζ 22. 576 b27. Ζμδ 10. 686 b16. cf AZι II tab 1. τὰ ἰσχία ἀ τὰς ὁπλὰς ἐφελκειν Ζιθ 24. 604 b17. — τὴν κέρκον κινῦσι πυκνά, μικρὸν ἔχυσι τὸν στόλον μακραῖς θριξίν, λοφιαῖς Ζιζ 18. 572 a24. Ζμβ 14. 658 a33, 30. Ζιβ 1. 498 b30.

3. partes interiores. hippopotamus τὰ ἐντὸς ἔχει ὅμοια ἵππῳ Ζι β7. 502 ᵃ15. ἡ τῶν ἵππων καρδία ἔχει ὀστῶν Ζι β15. 506 ᵃ10. Ζμγ4. 666 ᵇ18. σπλήν Ζμγ12. 674 ᵃ4. renes succenturiati Ζι ζ22. 577 ᵃ6. ἔχυσι μίαν κοιλίαν, πλείω τὴν ὑποχώρησιν ποιῦνται τὴν ξηρὰν τῆς ὑγρᾶς Ζμγ14. 674 ᵃ26. πι 59. 897 ᵇ34. τὸ μέγεθος, ἡ σκληρότης τῆς ὑστέρας Ζγ δ5. 773 ᵇ27. πι 9. 891 ᵇ29, 31. ἡ ὑστέρα ἐστὶ κάτω πρὸς τοῖς ἄρθροις, κάτω τῶ ὑποζώματος Ζγγ1. 749 ᵃ32. Ζιγ1. 510 ᵇ17. οἱ ζωμοὶ ὗ πήγνυνται Ζιγ17. 520 ᵃ9. ὅλως ὗκ ἔχυσι χολήν Ζι β15. 506 ᵃ22. Ζμ δ2. 676 ᵇ26.

4. περὶ γενέσεως κτλ. ἡ ἵππος ἐστὶ φύσει ἀφροδισιαστικόν, λαγνίστατον μετ᾽ ἄνθρωπον ἵππος, τῶν θηλειῶν ὁρμητικῶς ἔχυσι πρὸς τὸν συνδυασμὸν μάλιστα ἡ ἵππος Ζγ δ5. 773 ᵇ29. Ζι ζ22. 575 ᵇ30. 18. 572 ᵃ9 (ἵππη nomen transfertur ad feminas libidinosas ᵃ11.) Ηε ζ7. 1149 ᵇ33. αἱ στέριφαι, ἄτεκνοι ὅλως, opp αἱ συλλαμβάνυσαι, φύσει ἄγονοί τινες. ἄγονοι, εὐφυῆς πρὸς τὴν ἀγονίαν Ζιι4. 611 ᵃ12. Ζ22.577 ᵃ3, 576 ᵃ5. Ζγ β7. 746 ᵇ19. 8. 748 ᵇ12. καταμηνιώδης, ἀλλ᾽ ἐλάχιστον προΐεται τῶν τετραπόδων ἵπποι αἱ θήλειαι ἥκιστα προΐενται κάθαρσιν Ζι ζ18. 573 ᵃ4, 11. Ζγ β8. 748 ᵃ20. ὁ 5. 773 ᵇ32. — marium pugnae ante coitum, ἡ τῶ ἵππω γονὴ θερμοτέρα (τῶ ὄνω), οἱ πρεσβύτεροι γονιμώτεροι Ζι ζ22. 576 ᵃ16. 18. 572 ᵇ9. Ζγ β8. 748 ᵇ4. — ὗκ αὐτόματα γίνονται πι 65. 898 ᵇ6. — de tempore coitus Ζι ζ22. 576 ᵃ16. Ζγ β8. 748 ᵃ28. γεννᾷ, ἀναβαίνει, πληροῖ, πληροῖ ἐπιβαίνων, προσδέχεται, μιχθεὶς ὄνῳ Ζι ζ22. 576 ᵃ3, 18. ι47.631 ᵃ5. Ζγ β8. 748 ᵃ33. Ζι ζ22.576 ᵃ5, 575 ᵇ22, 29. 23. 577 ᵇ5, 15. Ζγ β8. 747 ᵇ, 748. (παρὰ φύσιν γεννᾷ ἵππος ἡμίονον Μ ζ8. 1033 ᵇ33.) τῆς ἵππης διαλείπουσαι ὀχεύυσι διὰ τὸ μὴ δύνασθαι συνεχῶς φέρειν Ζγ β8. 748 ᵃ19. ὀχεία Ζιε14. 545 ᵇ10, 15. ζ18. 572 ᵃ23, ᵇ11. 22. 575 ᵇ21, 576 ᵇ3, 20. πότε ὀργᾷ πρὸς τὴν ὀχείαν, ἡ ὀχεία ὗκ ἐπίπονος, συμβαίνει σχεδὸν διὰ βίᾳ γίνεσθαι τὴν ὀχείαν, μόνα τῶν ζῴων ὀχείαν ἐπιδέχονται κυῦντα γυνὴ κ ἵππος Ζι ζ18. 572 ᵇ5. 22. 575 ᵇ30. ι4. 545 ᵇ17. η4. 585 ᵃ3. Ζγ δ5. 773 ᵇ35. — κύει πλείω χρόνον, ἐνιαυτόν Ζι ζ22. 575 ᵇ26, 576 ᵃ21. Ζγ δ10. 777 ᵇ12. β8. 748 ᵃ30. — ὗκ ἐπικυΐσκεται, εὐθὺς πίμπλαται, opp διαλείπει χρόνον, ποιεῖ ὥσπερ νειόν, ὗ συλληπτικὰ τὰ θήλεα ἀεὶ Ζιι4. 585 ᵃ6. ζ22. 576 ᵇ29, 577 ᵃ1, 2. Ζγ β8. 748 ᵃ18. — ἐκφέρει, τίκτει Ζι ζ22. 575 ᵇ26, 576 ᵃ4, 40 ᵇ28, 29. πι61. 898 ᵃ11. ὗ μόνον ὡς ἐπὶ τὸ πολύ, ποτὲ κ ὄνο τὰ πλεῖστα Ζιι4. 585 ᵃ7. ζ22. 576 ᵃ1. ἵππος ἀνθρώπω βραδυτοκώτερον μέν, ὀλιγοχρονιώτερον δέ· εὐτοκώτεραί τινες· εὐτοκώτατον κ λοχίων καθαρώτατον πι 9. 891 ᵇ28. Ζι ζ22. 576 ᵃ22. 18. 573 ᵃ9. τόκος, ἄφεσις, ἐκ τῆς ἵππω γίνεσθαι, προΐεσθαι τὰ ἔκγονα, ἐκβάλλει κύησα, ἐκδιδόναι, τὸ καλύμενον πωλίον προεκβάλλυσι πρὸ τῶ πώλω Ζι ζ22. 576 ᵇ30, ᵃ25. ι47. 631 ᵃ2. ζ22. 576 ᵃ25. θ24. 604 ᵇ30. ε14. 545 ᵇ14. ζ22. 575 ᵇ25. θ24. 605 ᵃ5. τὸ χόριον εὐθὺς κατεσθίει ἡ ἵππος, ὃ ἂν γεννήσωσιν ἐκτρέφει, ἀποτρώγει, στέργει, θηλάζει, λεπτότατον μὲν γάλα καμήλω, δεύτερον δ᾽ ἵππω, αἱ ἵπποι τέρατα τίκτυσιν ἥττον ἢ τὰ πολύγονα Ζι ζ22. 577 ᵃ7, 576 ᵇ25, 10, 12. θ24. 605 ᵃ4. ι4. 611 ᵃ13. γ20. 521 ᵇ23. πι61. 898 ᵃ11.

5. vita Ζιε14. 545 ᵇ18. ζ22. 576 ᵃ26. πῶς γνωρίζεται ἡ ἡλικία· γνῶναι τὴν ἡλικίαν, γνώμην ἔχει ν Ζι ζ22. 576 ᵇ16, 15, 14. διετής (διετὴς ν1 et P 468), διέτης Ζιε14. 545 ᵃ9. ζ22. 575 ᵇ21, 22. τριετής Ζιε14. 545 ᵇ13. ζ22. 575 ᵇ24. ἀκμάζει πότε Ζι ζ22. 576 ᵇ12. ὁ πρεσβύτερος Ζι β3. 501 ᵇ16. ζ22. 576 ᵃ16. Ζμ δ10. 686 ᵇ16. μακροβιώτερον τὸ τῶν ἀνθρώπων γένος ἢ τὸ τῶν ἵππων μχ1. 465 ᵃ5. 4. 466 ᵃ1.

ἡμίονος μακροβιώτερος ἵππω μχ5. 466 ᵇ10.

6. victus. χαίρυσι τοῖς λειμῶσι κ τοῖς ἕλεσιν, εὐβοσία κ ἀφθονία τροφῆς Ζι θ8. 595 ᵇ22. 24. 605 ᵃ9. ζ22. 575 ᵇ33. φιλόλιτρον κ φίλυδρον, πίνει ἥδιον τὸ ὕδωρ θολερὸν κ παχύ, σπάσει πίνει Ζι θ24. 605 ᵃ12, 10. 8. 595 ᵇ30. 6. 595 ᵃ9. — φορβάδες ἄνοσοι, αἱ σύννομοι, οἱ ἵπποι νέμονται χωρίς, πότε Ζι θ24. 604 ᵃ22. ζ18. 572 ᵇ10, 12.

7. κίνησις πε1. 880 ᵇ20. Ζπ14. 712 ᵇ7. (καθάπερ ἐργάζονται τῆς ἵππης τῆς χαλκῆς τῆς τὰ πρόσθια ἠρκότας τῶν σκελῶν Ζπ11. 710 ᵇ19. cf πο25. 1460 ᵃ18. Vhl Poet IV 411.) ταχυτῆτα δέδωκεν ἡ φύσις Ζμγ2. 663 ᵃ2. ὗ μόνιμός ἐστιν ἡ φύσις τῶν ἵππων ἀλλ᾽ ὀξεῖα κ εὐκίνητος Ζι ζ22.577 ᵃ16. θε1. 882 ᵃ4. πνεῖ Ζι θ24.604 ᵇ15.

8. mores. ἵππος ἵππῳ χαίρει κ ἐπιθυμεῖ πι52. 896 ᵇ10. πρὸς αὐτὰς παίζυσι, φύσει φιλόστοργον Ζι ζ18. 572 ᵃ30. ι4. 611 ᵃ12. ὗ θέλει (δέχεσθαι τὸν ἐξ αὑτῆς ἵππον) Ζιι47. 631 ᵃ4. τὰ ὦτα καταβάλλει κ προτείνει, κατωπιᾷ, κατηφεῖ, συγκύπτει Ζι θ24. 604 ᵇ13, 21, 12. ζ18. 572 ᵃ23. ἐννοιάζειν φαίνονται Ζι θ10. 536 ᵇ28. οἱ τοῖς ὤμοις ἐπισαλεύοντες ὀρθοῖς ἐκτεταμένοις γαλεαγχῶνες· ἀναφέρεται ἐπὶ τῆς ἵππης θ6. 813 ᵃ12. μάχαι Ζι θ24. 605 ᵃ8. ἐξίσταται κ μαίνεται, δάκνει, καταβάλλει, διώκει Ζι ζ22. 577 ᵃ12. 18. 571 ᵇ13, 572 ᵇ12. — κάμηλος ἵππῳ ὅλως ἀεὶ πολεμεῖ Ζι ζ18. 571 ᵇ25. φίλοι ὠτίδες κ ἵπποι f 275. 1527 ᵇ21, 26.

9. φωνή Ζιε14. 545 ᵃ6. ζ18. 572 ᵃ24. θ24. 605 ᵃ8. ακ800 ᵃ25.

10. morbi. σχεδὸν ὅσαπερ ἀρρωστεῖ ἄνθρωπος ἀρρωστήματα, κ ἵππος ἀρρωστεῖ Ζι θ24. 604 ᵇ26. ζ18. 572 ᵃ15. ἱππομανῦσι, σκυζῶσι, κριθιῶσι, νυμφιῶσι, λυττῶσιν, ἐκλείπυσιν Ζι ζ18. 572 ᵃ10, 29. θ24. 604 ᵇ8, 10, 13, 14. ἀποβάλλυσι τὰς ὁπλάς, καρδίαν ἀλγῦσιν, λέγονται κ ἐξανεμῦσθαι περὶ τὸν καιρὸν τῦτον (συνδυασμὸν) Ζι θ24. 604 ᵃ24, ᵇ15. ζ18. 572 ᵃ13. ποδάγρα (paronychia equi), εἰλεός, τέτανος. ἔμπυοι, ὗλαί Ζι θ24. 604 ᵃ23, 30, 4, 6. πι27. 893 ᵇ27. 29. 894 ᵃ12, 16. — φορβάδες ἄνοσοι Ζι θ24. 604 ᵃ22.

11. subspecies. ἐν Κρήτῃ, τῶν Σκυθῶν, ἐν Ὀπῦντι, ἡ ἐν Φαρσάλῳ ἵππος ἡ Δικαία καλυμένη (cf h v), οἱ Νισαῖοι Ζι ζ18. 572 ᵃ14. 22. 576 ᵃ21. ι47. 631 ᵃ1. ζ22. 576 ᵇ25. η6. 586 ᵃ13. Πβ3. 1262 ᵃ24. Ζιι50. 632 ᵃ30. μικροὶ κ οἱ τῶν Πυγμαίων ἵπποι Ζι θ12. 597 ᵃ5.

12. hippiatrica. ἵππος ἡγεμών, ἱππαστὸς κ μὴ ἱππαστός, οἱ τροφίαι ἵπποι, οἱ πομπεύοντες (abgerichtet zur Courbette Schlieben 182. 184) Ζι ζ22. 577 ᵃ15, 576 ᵇ17, 19. θ24. 604 ᵃ29. Ζπ14. 712 ᵃ34, ᵇ7. κατηφέστεραι Ζι ζ18. 572 ᵇ9. τροχάζυσι Ζι θ24. 604 ᵇ12. ἐμβάλλεται ὁ χαλινός, ἵππον χαλινῦ τις, ἀναβαίνει, οἱ ἐπὶ τῶν ἵππων θέλγυσι Ζι ζ22. 576 ᵇ18. κ6. 399 ᵇ5. Ζι θ24. 604 ᵇ11. πε13. 882 ᵃ3. 37. 884 ᵇ22. παρὰ τὰς εὐωχίας τῆς ἵππης ἐθίσαι πρὸς αὐλὸν ὀρχεῖσθαι f 541. 1567 ᵇ29, 34, 39. (Equus caballus L. Su 72, 54. ΑΖι I 69, 22. A Schlieben die Pferde des Alterthums 1867 p 74, 86, 88, 93, 116, 117, 131). cf ἱππομανές, ἱππότης.

13. varia. ἵππος κατεῖχε λειμῶνα μόνος (fabula Aesop) Ρβ20. 1393 ᵇ13. ἵππος ὄρειος θ108. 840 ᵃ30. — ὀλιγαρχικαὶ αἱ πόλεις ὅσαις ἐν τοῖς ἵπποις ἡ δύναμις Πβ3. 1289 ᵇ37, 38. ἐν Λακεδαίμονι τοῖς ἀλλήλων ἵπποις ὡς ἰδίοις χρῶνται Πβ5. 1263 ᵃ36.

14. ἵππος ποτάμιος, ἵππος ποτάμιος, ὁ ποτάμιος ἵππος descr Ζι β7. 502 ᵃ9-15. cf Herodot II 71. διαχιδὴς Ζι β1. 499 ᵇ10. ὗ δύναται ζῆν χωριζόμενος τῆς τῶ ὕδατος φύσεως Ζι β2. 589 ᵃ27. 24. 605 ᵃ13. (Hippopotamus am-

phibius L. Wiegmann obs zool 4. Cuvier discours s l révolut du globe p 47. Su 80, 63. AZι I 70, 23. KaZι 60, 17.)

Ἵππος ἄκρα θ134. 844 ᵃ8.

ἱπποσέλινον τῷ ὑστέρῳ ἔτει φέρει καρπόν πκ7. 923 ᵃ34. (Smyrnium olus atrum L cf Sprengel hist rei herb I 59. Fraas 148.)

Ἱππότης Μήλιος f 513. 1562 ᵃ5.

ἱπποτροφίαι τῶν μακρὰς ὑσίας κεκτημένων εἰσίν Πζ7. 1321 ᵃ11. δ3. 1289 ᵇ35.

Ἵππυρος. ἔαρος τίκτει, τὰ γενόμενα ἐκ μικρῷ ταχεῖαν τὴν αὔξησιν λαμβάνυσι, φωλεῖ χειμῶνος Ζιε10. 543 ᵃ23, 21. θ15. 599 ᵇ3. (fort Muraenoides sp AZι I 129, 37. Balaenae sp St Coryphaena hippurus Cr, 'quis sit, ignoramus adhuc' S I 283.)

ἱπποφόρβιον. τρέφεσθαι ἐν τοῖς ἱπποφορβίοις Ζιζ22. 576 ᵇ3, 25. τὸ ἱπποφόρβιον δοκεῖ τέλεον εἶναι, ὅταν ὀχεύωσι τὰ ἑαυτῶν ἔκγονα Ζιζ22. 576 ᵃ20.

ἱπποφορβοί Ζιζ22. 577 ᵃ15.

Ἵππων φορτικώτερος, ὕδωρ ἀπεφήνατο τὴν ψυχήν ψα2. 405 ᵇ2. eius εὐτέλεια τῆς διανοίας ΜΑ3. 984 ᵃ3.

Ἶρις. 1. arcus pluvius. τὸ περὶ τῆς ἴριδος εἰδέναι ὀπτικῆ, ἡ Ἶρις δι' ἀνάκλασιν γίγνεται Αγ13. 79 ᵃ11. δ15. 98 ᵃ28. ἡ Ἶρις πάθος ὄψεως ἀνακλωμένης πιβ3. 906 ᵇ5. Ἶρις, def κ4. 395 ᵃ32, 30. περὶ τῆς ἴριδος μγ2. 4. 5. Ἶρις τίνα χρώματα ἔχει μγ2. 372 ᵃ8. διὰ τί τρίχρως μγ4. 375 ᵃ1-30. ἡ ἔξω, ἡ ἔσω Ἶρις μγ4. 375 ᵇ9. ἐν τῷ μελανάτῳ νέφει μάλιστα ἄκρατος γίγνεται ἡ Ἶρις μγ4. 375 ᵃ10. ἀπὸ σελήνης διὰ τί σπάνια γίγνεται ἡ Ἶρις μγ2. 372 ᵃ26sqq. τῆς ἴριδος ὑδέποτε γίγνεται κύκλος ὑδὲ μεῖζον ἡμικυκλίυ τμῆμα μγ2. 371 ᵇ26. ὅταν κατασκήψῃ ἡ Ἶρις Ζιε22. 553 ᵇ30. πιβ3. 906 ᵃ37. — ἡ ἀπὸ τῶν κωπῶν τῶν ἀναφερομένων ἐκ τῆς θαλάττης Ἶρις μγ4. 374 ᵃ30. — 2. Ἶρις ἄνθος (Iridis sp) χ5. 796 ᵇ26.

ἰριώδης. τὸ τῦ λύχνυ φῶς πορφυρῦν φαίνεται κύκλῳ ὂ ἰριῶδες, φοινικὺν δ' ὃ ὃ μγ4. 374 ᵃ28.

ἷς. αἱ ἶνες γῆς εἰσίν, στερεὸν ὂ γεῶδες Ζμβ4. 650 ᵇ18, 36, 651 ᵃ7. τὰ πολλὰς ἔχοντα λίαν ἶνας ὂ παχείας γεωδέστερα τὴν φύσιν ἐστὶ ὂ θυμωῦη τὸ ἦθος ὂ ἐκστατικὰ διὰ τὸν θυμὸν Ζμβ4. 650 ᵇ33. cf μὸ10. 389 ᵃ20, 21. 7. 384 ᵃ28. — 1. fibra. λεπτυνομένων τῶν ζῳῶν ἀφανίζονται αἱ σάρκες ὂ γίγνονται φλεβία ὂ ἶνες Ζιγ16. 519 ᵇ33. ἔνιαι τῶν ἰνῶν ἔχυσιν ὑγρότητα τὴν τῦ ἰχῶρος Ζιγ6. 515 ᵇ28. — 2. fort telae compositae. αἱ ἶνές εἰσι μεταξὺ νεύρυ ὂ φλεβός Ζιγ6. 515 ᵇ27 Aub (nervi St et Hecker Gesch d Heilkunde I 246, fibra KaZ 115, 1). — 3. vasa evertebratorum. τὰ μικρὰ τῶν ζῳῶν ὀλίγας ἶνας ἀντὶ φλεβῶν ἔχυσιν Ζιγ4. 515 ᵃ25. τὰ ἀτελῆ, οἷον τὸ μὲν ἷς τὸ δ' ἰχώρ, opp αἷμα ὂ φλέψ Ζια4. 489 ᵃ23. γ2. 511 ᵇ4. — 4. fibrin. ἔστι ὂ ἄλλο γένος ἰνῶν, ὃ γίνεται ἐν αἵματι, ἐκ ὀκ ἅπαντος δὲ ζῳυ αἵματι Ζιγ6. 515 ᵇ30, 35. τὰς καλυμένας ἶνας τὸ μὲν ἔχει αἷμα τὸ δ' ὀκ ἔχει Ζμβ4. 650 ᵇ14. τὸ ἄλλο αἷμα πήγνυται, ἐκ μὴ ἐξαιρεθῶσιν αἱ ἶνες Ζιγ19. 520 ᵇ26. — 5. ὑμὴν αἱματικὰς ἶνας ἔχων Ζιζ2. 561 ᵃ15. cf Harvei exercitat 268. — 6. αἱ τῶν πολυπόδων πλεκτάναι ἐκ τῶν τὸ ἰνῶν πεπλεγμέναι εἰσίν, αἷς ἕλκυσι τὰ σαρκία ὂ τὰ ἐνδιδόντα Ζμδ9. 685 ᵇ6. cf de h v Philippson ὕλη 21, E Meyer Gesch d Bot I 160, Lewes 290, KaZ 33, 1.

ἰσάζειν. 1. trans ἰσάζειν τὰς κτήσεις Πβ6. 1265 ᵃ38. cf 7. 1267 ᵇ10. τὸ ἀνάλογον ἰσάζει Ηι1. 1163 ᵇ33. ὁ δικαστὴς πειρᾶται ἰσάζειν τὸ ἄνισον Ηε7. 1132 ᵃ7, 10. pass ἰσασθῆναι

Ηε8. 1133 ᵃ18, 14, 32, ᵇ10. Οβ4. 287 ᵇ10. δεῖ ἰσασθῆναι τὸ κέρδος πρὸς τὴν τιμήν ηεη10. 1242 ᵇ20. ἐξ ἀνίσων ἰσασθέντων Μμ7. 1081 ᵃ25. 8. 1083 ᵇ24. ν4. 1091 ᵃ25. ἰσασθεισῶν τῶν ψήφων πκθ13. 951 ᵇ17. τὸ ἔργον τὸ ἰσασμένον Ηε8. 1133 ᵇ5. — 2. intr Ηη15. 1154 ᵇ24. θ7. 1158 ᵃ35. μβ3. 358 ᵇ15. Ζκ3. 699 ᵃ33. ἀνάγκη ἀεὶ ἰσάζειν τἀναντία Φγ5. 204 ᵇ13. Μκ10. 1066 ᵇ29. cf Πε4. 1304 ᵃ39. ἵνα ἰσάζῃ εἰς ὢν πολλοῖς Ζμὸ10. 687 ᵇ16. ἰσάζοντες ταῖς ὠφελείαις, dist διαφέροντες Ηθ15. 1162 ᵇ2, 3. ἰσάζειν ταῖς δυνάμεσιν Γα10. 328 ᵃ29. cf β7. 334 ᵇ23. ζυγὰ ἰσάζοντα πκς26. 943 ᵃ1. ὅταν ἰσάζῃ τὸ πλῆθος τῶν τε φασκόντων ὂ τῶν μὴ ὁμολογύντων πκθ13. 951 ᵇ12. ἰσάζειν τὴν κάθετον (?) πις4. 913 ᵇ22.

ἰσάκις ἴσος ἀριθμός ημα1. 1182 ᵃ14.

ἰσάριθμός τινι Μν6. 1093 ᵃ30. Ηθ3. 1156 ᵃ7.

Ἴσαρχος. ἐπὶ ἄρχοντος Ἰσάρχυ f 578. 1573 ᵃ11.

ἰσαχῶς λέγεται τὸ ὂν ὂ τὸ ἓν sim Μι2. 1053 ᵇ25. δ1. 1013 ᵃ16. τὸ4. 125 ᵃ15. τἀγαθὸν ἰσαχῶς λέγεται τῷ ὄντι, ἰσαχῶς αἰτῦνται τἀναντία τῷ ἐξ ἀρχῆς Ηα4. 1096 ᵃ23. ηεα8. 1217 ᵇ26. τθ13. 163 ᵃ14. παρακολυθεῖ ἰσαχῶς ταῖς κατηγορίαις Μι2. 1054 ᵃ14.

ἰσημερία ἐαρινή, dist ὀπωρινή, μετοπωρινή, φθινοπωρινή μβ6. 364 ᵇ1, 2. γ2. 371 ᵇ30. 5. 377 ᵃ12. Ζιε11. 543 ᵇ9. ζ17. 570 ᵇ12, 14. θ12. 596 ᵇ30, 597 ᵃ1. ἡ ἰσημερία μεθόριόν ἐστι χειμῶνος ὂ θέρους πκς26. 942 ᵇ28, 36. κατ' ἰσημερίαν, opp περὶ τροπὰς θερινάς Ζγβ8. 748 ᵃ28. μετ' ἰσημερίαν ἐγένετο ὁ πλῦς Μὸ24. 1023 ᵇ9.

ἰσημερινὸς κύκλος μα7. 345 ᵃ3. ἰσημερινὴ δυσμή (δύσις), ἰσημεριναὶ δυσμαί, ἰσημερινὴ ἀνατολή, ἰσημεριναὶ ἀνατολαί μα6. 343 ᵇ3. β6. 363 ᵃ34, ᵇ1. κ4. 394 ᵇ24, 27.

Ἴσθμια Μα2. 994 ᵃ23. ἡ τῶν Ἰσθμίων πανήγυρις Ργ3. 1406 ᵃ22. Ἴσθμια νενίκηκεν ἵπποις f 574. 1572 ᵃ42.

ἰσθμός στενώτατος εἰς τὸν Πόντον διήκει κ3. 393 ᵇ25. — ἀμφὶ πύλας ἰσθμοῖο δυσηχέος (Emp 361) αν7. 473 ᵇ27.

Ἰσθμός. ὁ ἐν Ἰσθμῷ ἀγὼν Σισύφυ νομοθετήσαντος f 594. 1574 ᵃ32.

Ἰσμηνίας Ρβ23. 1398 ᵇ2.

Ἰσμήνιον ἐν Θήβαις θ133. 843 ᵇ21.

ἰσοβαρής. ἰσοβαρῆ σώματα Οα6. 273 ᵇ24. δ2. 308 ᵇ34.

ἰσογώνιος. τὰ ἴσα ὂ [τὰ] ἰσογώνια τρίγωνα τὰ αὐτά Μι3. 1054 ᵇ2.

ἰσοδρομεῖν. proprie τὸ βαρύτερον ἀδύνατον ἰσοδρομεῖν τῷ κυφοτέρῳ ἀπὸ τῆς αὐτῆς ἰσχύος πις3. 913 ᵃ38. 12. 915 ᵇ10. inde translatum ἰσοδρομεῖν i q δύο κινήσεις καθάπερ τὸν ἴσον δρόμον ἔχειν, εἰς τὸν αὐτὸν χρόνον συμπίπτειν Ζγα19. 727 ᵇ10. δ6. 775 ᵃ25. Ζικ5. 636 ᵇ17, 20, 23.

ἰσόδρομος. ἥλιος ἐν ἐνιαυτῷ διαπεραίνεται τὸν κύκλον ὂ οἱ τύτῳ ἰσόδρομοι ὅ τε Φωσφόρος ὂ ὁ Ἑρμῆς κ6. 399 ᵃ8.

ἰσοκινῆς νόμος ἡμῖν ὁ θεός κ6. 400 ᵇ28.

ἰσοκρατής. ἡ ἰσημερία ἰσοκρατὴς καθάπερ χειμὼν ὂ θέρος ἰσοκρατής πκς26. 942 ᵇ37.

Ἰσοκράτης. ex orationibus Isocratis (ac praecipue quidem vel unice ex sex orationibus: 4 Paneg, 5 Phil, 8 de pace, 9 Euag, 10 Hel, 15 ἀντιδ) saepe Ar vel ipsa verba affert vel omnino sententias comparat (ubi ipsum Isocratis nomen adhibetur, loco Aristotelico signum asterisci * apposui): 4, 1. Ργ14. 1414 ᵇ33*. 9. 1409 ᵇ33. 4, 35sq. Ργ9. 1410 ᵃ1. 4, 41. Ργ9. 1410 ᵃ5. 4, 48. Ργ9. 1410 ᵃ6. 4, 72. Ργ9. 1410 ᵃ4. 4, 89. Ργ9. 1410 ᵃ10. 4, 96. Ργ7. 1408 ᵇ15* ἐν τῷ πανηγυρικῷ. 4, 105. Ργ9. 1410 ᵃ12. 4, 149. Ργ9. 1410 ᵃ13. 4, 151. Ργ10. 1411 ᵇ11. 4, 172. Ργ10. 1411 ᵇ13.

4, 180. Ργ10. 1411 ᵇ16. 4, 181. Ργ9. 1410 ᵃ14. 4, 186.
Ργ9. 1410 ᵃ15. 7. 1408 ᵇ15* ἐν τῷ πανηγυρικῷ. 5, 7.
Ργ17. 1418 ᵇ27* ἐν τῷ Φιλίππῳ. 5, 10. Ργ11. 1411 ᵇ28.
5, 12. Ργ10. 1411 ᵃ30*. 5, 40. Ργ11. 1412 ᵃ16. 5, 61.
Ργ11. 1412 ᵇ6*, 5 (?). 5, 73. Ργ10. 1410 ᵇ29. 5, 127. 5
Ργ11. 1411 ᵇ29. 8, 101. Ργ11. 1412 ᵇ6*, 5 (?). 9, 51-57.
Ρβ23. 1399 ᵃ4*. 10, 1-13. Ργ14. 1414 ᵇ26* Ἑλένῃ. 10,
18-38. Ρβ23. 1399 ᵃ2*. 10, 41-48. Ρβ23. 1399 ᵃ3*. cf α6.
1363 ᵃ18. (10, 18-48. Ρβ23. 1397 ᵇ21?) 15, 83. Ηχ10.
1181 ᵃ12. 15, 131-138, 141-149. Ργ14. 1418 ᵇ27* ἐν τῇ 10
ἀντιδόσει. 15, 173. Ρβ23. 1399 ᵇ10*. 15, 209-214. Ρβ23.
1397 ᵇ23. (15, 217-220 respici Ρβ23. 1398 ᵃ29 Spgl existimat; sed argumentatio Isocratis non est talis, qualem
Ar describit.) — Ἰσοκράτης συμβαλεύων κατηγορεῖ, οἷον
Λακεδαιμονίων μὲν ἐν τῷ πανηγυρικῷ, Χάρητος δ' ἐν τῷ 15
συμμαχικῷ Ργ17. 1418 ᵃ30 (non exstat locus, qui Charetis nomen habeat; conferri tamen omnino possunt 8, 27,
61; 4, 110-128, 129-132). ἐν τοῖς ἐπιδεικτικοῖς δεῖ τὸν λόγον ἐπεισοδιῶν ἐπαίνοις. οἷον Ἰσοκράτης ποιεῖ· ἀεὶ γάρ τινα
εἰσάγει Ργ17. 1418 ᵃ33 (respici possunt tales loci 10, 18-38, 20
41-48. 11, 21-29. 12, 72-84, cf Spgl). Ἰσοκράτης ἔφη
δεινὸν εἶναι εἰ ὁ μὲν Εὔθυνος ἔμαθεν, αὐτὸς δὲ μὴ δυνήσεται
εὑρεῖν Ρβ19. 1392 ᵇ11. — ὅπερ Ἰσοκράτης ἐποίει διὰ τὴν
ἀσυνήθειαν τῷ δικολογεῖν Ρα9. 1368 ᵃ20. scribere aliis solitus orationes, quibus in iudiciis uterentur f 131. 1500 25
ᵇ27. scripsit τέχνην f 135. 1501 ᵃ22. clarissimus auditor
Gorgiae f 133. 1500 ᵇ41. — Ἰσοκρατείων λόγων δέσμας
πάνυ πολλὰς περιφέρεσθαι f 134. 1501 ᵃ5.
ἰσόκωλος ὁ λόγος ἀποδίδοται τῷ ὁριζομένῳ τζ11. 148 ᵇ33,
34.   30
ἰσομέτρητος ἀνδριὰς χρυσῆς f 377. 1540 ᵇ35.
ἰσομετρία. φαίνεται τὰ μέρη τῆς ἁρμονίας κατ' ἀριθμὸν καὶ
ἰσομετρίαν f 43. 1483 ᵃ8.
ἰσομήκης χολὴ παρατεταμένη παρὰ τὸ ἔντερον Ζιβ15. 506
ᵇ14. χολὴ ἰσομήκης τῷ ἐντέρῳ f 291. 1528 ᵇ34.   35
ἰσομοιρία τῶν στοιχείων. ς5. 396 ᵇ35.
ἰσοπαλὲς (Parm v 104) Φγ6. 207 ᵃ17. ξ2. 976 ᵃ9. 4. 978 ᵇ9.
ἰσοπαχής. ἔντερον ἰσοπαχὲς δι' ὅλου Ζιδ2. 527 ᵃ7. cf 7. 532
ᵇ21.
ἰσοπλατής οα6. 1345 ᵃ33.   40
ἰσόπλευρον τρίγωνον, dist ἰσοσκελές, σκαληνές Μδ6. 1016
ᵃ31. Φδ14. 224 ᵃ5. Αγ5. 74 ᵃ27. ἰσόπλευρον (sc τρίγωνον)
ατ970 ᵃ10. ἰσόπλευρον (sc τετράγωνον), dist ἑτερόμηκες
ψβ2. 413 ᵃ18. ἰσόπλευρον, ἑτερόμηκες fortasse ad ἀριθμὸς
refertur Αγ4. 73 ᵃ40 cf Schol.   45
ἰσοπολιτεία. οἱ Σάμιοι ἐπέγραψαν τοῖς δήλοις ἐκ πέντε στατήρων τὴν ἰσοπολιτείαν f 537. 1567 ᵃ29.
ἰσορροπεῖν. τὴν ἄνω γένυν ἢ προεξεστηκυῖαν ἀλλὰ ἰσορροπῆσαν τῇ κάτω φ5. 809 ᵇ18.
ἰσόρροπος ὄντος τῷ βάρει δύνανται πορεύεσθαι 50
Ζμδ12. 695 ᵃ12. — ἰσόρροπος τιμή Ηι1. 1164 ᵇ4.
ἴσος. τὸ ἴσον ἴδιον τῷ ποσῷ Κ6. 6 ᵃ26. Μδ15. 1021 ᵃ12. ἀπὸ
τῶν ἴσων ἴσων ἀφαιρεθέντων ἴσα τὰ λειπόμενα Μχ4. 1061 ᵇ20.
Αα24. 41 ᵇ21. γ10. 76 ᵃ41, ᵇ20. 11. 77 ᵃ31. εἶναι μὴ ἴσον,
dist μὴ εἶναι ἴσον Αα46. 51 ᵇ25. τὸ ἴσον τῷ ἀντίκειται οὐ τῷ 55
μείζονι καὶ τῷ ἐλάττονι Μι5 Βz. ταὐτὸ καὶ ἴσον Πε1. 1301
ᵇ31. ἴσοι καὶ ὅμοιοι Πγ16. 1287 ᵇ33. 17. 1288 ᵃ1. δ11.
1295 ᵇ25. 15. 1299 ᵇ24. — ἴσον κατ' ἀριθμόν, ἀριθμῷ,
κατὰ ποσόν, opp κατ' ἀναλογίαν, λόγῳ, κατ' ἀξίαν Ηε10.
1134 ᵃ26. θ9. 1158 ᵇ30. ηεη3. 1238 ᵇ21. 9. 1241 ᵇ30. 10. 60
1242 ᵇ12. Πε1. 1301 ᵇ29. 7. 1307 ᵃ26. ζ2. 1317 ᵇ4. βράγ-

χια ἔχουσιν ἴσα ἐφ' ἑκάτερα Ζιβ13. 505 ᵃ11. ἴσοι τι, κατά
τι, ὁτιῶν, opp ἁπλῶς, ὅλως Πγ13. 1283 ᵃ27. 9. 1280 ᵃ24,
ᵇ6. ε1. 1301 ᵃ29. ἴσοι πάντες τὴν φύσιν Πβ2. 1261 ᵇ1. —
ἐν ὁποίᾳ πράξει ἐστὶ τὸ πλίον καὶ τὸ ἔλαττον, ἔστι καὶ τὸ
ἴσον Ηε6. 1131 ᵃ12. τὸ ἴσον (καὶ τὸ μέτριον) μέσον τι ὑπερβολῆς καὶ ἐλλείψεως Ηβ5. 1106 ᵃ28. ε7. 1132 ᵃ14. ηεβ3.
1220 ᵇ33. Φθ7. 261 ᵇ19. τὸ δίκαιόν ἐστι τὸ ἴσον Ηε2. 1129
ᵃ34. Πγ9. 1280 ᵃ11. 12. 1282 ᵇ18, 21. ε1. 1301 ᵃ27. τὸ
ἴσον πλείονος καὶ ἐλάττονος δίκαιον ηϊα34. 1193 ᵇ29. τὸ ἴσον
τὸ ἀντιπεπονθὸς σώζει τὰς πόλεις Πβ2. 1261 ᵃ30. τὸ ἴσον
σωστικὸν ὁμονοίας κ5. 397 ᵃ3. οὐχ ὁμοίως ἔχει τὸ ἴσον ἐν
τοῖς δικαίοις καὶ ἐν τῇ φιλίᾳ Ηθ9. 1158 ᵇ29 sqq. οἱ δημοτικοὶ
πῶς ζητῶσι τὸ ἴσον Πε8. 1308 ᵃ12. cf 2. 1302 ᵃ30. δ4.
1291 ᵇ31. 11. 1296 ᵇ1. δημοκρατία πρώτη ἡ λεγομένη κατὰ
τὸ ἴσον Πδ4. 1291 ᵇ31. καθιστάναι πολιτείαν κοινὴν καὶ ἴσην
Πδ11. 1296 ᵃ30. ἐλεύθεροι καὶ ἴσοι Πδ7. 1255 ᵇ20. β2.
1261 ᵃ32. νόμος ἴσος τοῖς πολίταις ρ3. 1424 ᵇ16. ἴσοι τοῖς
ἤθεσι, opp δεσποτικοὶ Πε11. 1313 ᵃ22. — ἀνταποδιδόναι τὴν
ἴσην Ρβ2. 1379 ᵇ7. ἴσαι ψῆφοι ρ19. 1433 ᵃ5. πχθ13. 951
ᵃ21. 15. 952 ᵇ36. — ἐπ' ἴσον, ἐπ' ἴσων, ἐπ' ἴσης λέγεσθαι,
ἴσον εἶναι, eundem ambitum habere τὸ 1. 121 ᵇ4, 8. 2. 122
ᵇ38, 39. 5. 126 ᵃ1. Αθ16. 98 ᵇ35. 17. 99 ᵃ20, syn ἀντιστρέφειν Αθ16. 98 ᵇ36, opp ἐπὶ πλέον λέγεσθαι, ὑπερέχειν
τὸ 1. 121 ᵇ1, 3. Αθ17. 99 ᵃ25. ἐξ ἴσου εἶναι καὶ διαφέρειν
ηθέν Πα12. 1259 ᵇ5. cf Ηφ12. 1161 ᵃ8. κ8. 1178 ᵃ26.
ἐξ ἴσου ποιεῖν τὴν ἐρώτησιν τι15. 174 ᵃ32 Wz. ἥλικες, συγγενεῖς, ὅλως οἱ ἐξ ἴσου Ρβ6. 1384 ᵃ12. δι' ἴσου γίνεσθαι
πε16. 882 ᵇ5. — τὸ ἴσον (Plat) Μν1. 1087 ᵇ5. — ἡ ἴση
fort i q ἡ κάθετος μχ30. 858 ᵃ1. — ἴσως καὶ κοινῶς προσφέρεσθαι τινα ρ9. 1430 ᵃ1. συμφέρει κληρωτὰς εἶναι
ἴσως ἐκ τῶν μορίων Πδ14. 1298 ᵇ3. — ἀμφισβητήτεα
προστιθέασι τὸ ἴσως ἢ τάχα Ρβ13. 1389 ᵃ25. sed saepe
ἴσως non dubitantis est, sed cum modestia quadam asseverantis, veluti ΜΑ5. 987 ᵃ26 Bz. α3. 995 ᵃ17. γ2. 1005
ᵃ6, 10. δ6. 1015 ᵇ33. ε1. 1026 ᵃ15. ε14. 23 ᵇ5. Αβ17. 66
ᵃ12. γ1. 71 ᵃ25. δ5. 91 ᵇ5 (coll ᵇ15). τι9. 170 ᵃ22. Φδ5.
212 ᵇ18. ε5. 229 ᵃ29. 6. 231 ᵃ16. ζ7. 238 ᵇ9. Ηι7. 1168
ᵃ1. 9. 1169 ᵇ28. κ1. 1172 ᵃ19. 6. 1176 ᵇ17. Ρα10. 1369
ᵃ21. β24. 1401 ᵇ37. η...α28. 1192 ᵇ24 (?). ἀνάγκη, ἀναγκαῖον, δ4. 1427 ᵃ43 ᵃ22. Φγ3. 202 ᵃ22. 4. 202 ᵇ33.
θ2. 253 ᵃ15. Ογ1. 299 ᵇ1. μβ7. 365 ᵃ26. ψα1. 402 ᵃ23.
ζ1. 467 ᵇ11. Πη4. 1326 ᵃ19 al. — τάχα δὲ ἴσως πλα19.
959 ᵃ30. (Wz ad Αα12. 32 ᵃ16.)
ἰσοσκελὲς τρίγωνον Αα24. 41 ᵇ14. γ5. 74 ᵃ17, 27. Μδ6.
1016 ᵃ31.
ἰσοταχής, def Φη4. 249 ᵃ13, 19 (cf ὁμοταχής ᵃ8), ᵇ4. ζ1.
232 ᵃ20. 2. 232 ᵇ16. ἀλλοίωσις, γένεσις ἰσοταχὴς ἑτέρα
ἑτέρᾳ Φη4. 249 ᵃ29, ᵇ20. ἰσοταχεῖς τοῖς β Φζ9. 240 ᵃ8.
ἰσοταχῆ πάντα Φθ8. 216 ᵃ20. — ἰσοταχῶς ΦΖ7. 237
ᵇ27, 34, 238 ᵃ4. αβ. 345 ᵇ17. μχ848 ᵃ16.
ἰσοτελῶν δίκαι λαγχάνονται πρὸς τὸν πολέμαρχον f 387.
1542 ᵇ9.
ἰσότης πάθος ἴδιον ἀριθμῷ ἢ ἀριθμός Μγ2. 1004 ᵇ11. ἄνισον
λέγεται τῷ μὴ ἔχειν ἰσότητα πεφυκὸς Μδ22. 1022 ᵇ34.
ἐν τίσιν ἡ ἰσότης ἐνότης Μι3. 1054 ᵇ3. — ἰσότης κτήσεως,
οὐσίας, παιδείας, δυνάμεως Πβ7. 1266 ᵇ24, 32, 1267 ᵇ9.
μα3. 340 ᵃ15. — ἰσότης οὐκ ἔστι μὴ οὔσης συμμετρίας
Ηε8. 1133 ᵇ18. ὑπερβάλλειν τὴν ἰσότητα τῆς κοινῆς ἀναλογίας μα3. 340 ᵃ4. ἰσότης ἀριθμητική, dist κατ' ἀξίαν
Πε1. 1302 ᵃ7. ἰσότης ἀριθμῷ καὶ δυνάμει ἀγαθῷ, dist τῷ
λόγῳ ημβ11. 1211 ᵇ5, 7, 15. ἰσότητος ποιητικὴ ἡ δικαιοσύνη

Xx 2

τζ5. 143 ᵃ16. ἰσότης τῦ πράγματος, dist οἷς Πγ9. 1280
ᵃ19. ἡ αὐτὴ ἰσότης (ι ε ἡ αὐτὴ ἀναλογία) οἷς χ̕ ἐν οἷς
Hε6. 1131 ᵃ21. — ἰσότης φιλότης (cf παροιμία) Hι8. 1168
ᵇ8. θ7. 1157 ᵇ36 (cf 8. 1158 ᵇ28). 10. 1159 ᵇ2. ηεη6. 1240
ᵇ2. 9. 1241 ᵇ13. φιλίαι ἐν ἰσότητι, κατ' ἰσότητα, opp καθ' 5
ὑπεροχήν, ἐν ἀνισότητι Hθ15. 1162 ᵃ35. ηεη3. 4. ημβ11.
1210 ᵃ6. — ἰσότης τῆς πολιτείας Πδ8. 1294 ᵃ19. πολιτεία
συνεστηκυῖα κατ' ἰσότητα τῶν πολιτῶν Πγ6. 1279 ᵃ9. ἰσό-
της κοινή Πδ3. 1290 ᵃ9. ἐλευθερία χ̕ ἰσότης Πδ4. 1291 ᵇ35.
ποίαν ἰσότητα ζητεῖ. ὁ δῆμος Πδ14. 1298 ᵃ11. γ13. 1284 10
ᵃ19. cf γ12. 1282 ᵇ21. ε2. 1302 ᵃ25. 8. 1309 ᵃ28.

ἰσοτύραννος. ἀρχὴ λίαν μεγάλη χ̕ ἰσοτύραννος Πβ9. 1270
ᵇ14.

ἰσοχειλῆ τὴν κάτω σιαγόνα ποιήσας ὁ βάτραχος Ζιθ9. 536
ᵃ16.   15

Ἰσσικὸς κόλπος σ973 ᵃ17. f 238. 1521 ᵇ10.

ἱστάναι. κάλαμοι, ἐν οἷς ἱττᾶσι τὰς ἀμπέλυς Ζιε30. 556 ᵇ3.
— ἱστᾶσι χ̕ παύυσιν ἀλλήλας αἱ ἐναντίαι κινήσεις Φθ8.
262 ᵃ8. τὸ ὡς κινῦν ἢ ἱστὰν ἀρχή τις Μλ4. 1070 ᵇ25.
ἱστάναι τὴν διάρροιαν Ζιθ26. 605 ᵃ29, τὰς μέθας f 105. 20
106. 1494 ᵇ45. ἵστησιν ὁ λέγων τὴν διάνοιαν 3. 16 ᵇ20 Wz.
νοῆσαι ὐκ ἔστι μὴ στήσαντα Μα2. 994 ᵇ24. ὁ χ̕ ἡ ἐπι-
στήμη δοκεῖ εἶναι, ὅτι τὴν ψυχὴν ἵστησιν πλ14. 956 ᵇ40. —
ἱστάναι (pendere) μεγάλα βάρη, παρακρύεσθαι ἱστάντας
μχ1. 849 ᵇ35. 20. 853 ᵇ25. Ζιθ6. 595 ᵃ22. haec vocabuli 25
significatio explicatur μχ20. 854 ᵃ14. — med ἑστάσαντο
τύραννον (Alcaei fr 37) Πγ14. 1285 ᵇ1. — pass σταθῆναι
ἐν ἀγορᾷ, σταθῆναι χαλκῦν Pα9. 1368 ᵃ18. γ9. 1410 ᵃ33.
— intr ἵστασθαι, opp κινεῖσθαι, μεταβάλλειν. ἐπεὶ προσι-
όντες εἶδον, ἔστησαν Ζμα5. 645 ᵃ20. αἱ αἶγες ἑστᾶσιν ὥσπερ 30
μεμωρωμέναι Ζιι3. 610 ᵇ30. ἵστασϑαι χ̕ μεταβάλλει ἡ θά-
λαττα, coni στάσις χ̕ κίνησις Ζγδ10. 777 ᵇ32. ἵσταται χ̕
παύεται κινύμενον Φη1. 242 ᵃ12, 1. τὸ ἵστασθαι τί ἐστι χ̕
πῶς ἔχει πρὸς τὸ κινεῖσθαι χ̕ τὸ ἠρεμεῖν Φζ8. ε6. 230 ᵇ26.
τῶν καταμηνίων ἱσταμένων (ι ε παυομένων) Ζγα19. 727 35
ᵃ13. Ζιγ11. 518 ᵃ35. η4. 584 ᵃ8. ἐὰν ἡ κοιλία στῇ Ζιη12.
588 ᵃ8. τῷ ἠρεμῆσαι χ̕ στῆναι τὴν διάνοιαν ἐπίστασθαι λέ-
γομεν Φη3. 247 ᵇ11. στάντος τῶν ἀδιαφόρων ἑνός, syn ἠρε-
μήσαντος Αδ19. 100 ᵇ2, ᵃ15, 6. — τὰ συμφέροντα ὐδὲν
ἑστηκὸς (firmum) ἔχει Hβ2. 1104 ᵃ4. ὥσπερ ἑστηκὸς ἤδη 40
διὰ τὸ τέλος ἔχειν τὸ ἔμβρυον Ζγδ8. 776 ᵃ35. τὸ ἑστηκὸς
ἑστήξεται ἀεὶ Μθ3. 1047 ᵃ15. — ἵστασθαι, opp εἰς ἄπει-
ρον ἰέναι. αἱ κατηγορίαι ἵστανται Αγ20. 82 ᵃ22. 22. 83 ᵇ39,
84 ᵃ39. ἡ ἐπὶ τὸ ἄνω ὁδός, τὰ ἐπὶ τὸ ἄνω ἵσταται Αγ21.
82 ᵇ11. 22. 84 ᵃ28. ἵσταταί ποτε τὰ ἄμεσα Αγ3. 72 ᵇ22. 45
στήσεται ἡ ἔκκρισις Φα4. 187 ᵇ1. ἀνάγκη ἢ ἄπειρον εἶναι
ἢ ἵστασθαι τὴν διάλυσιν Ογ6. 304 ᵇ27. ἵσταταί ποτε χ̕
ὐκ εἰς ἄπειρον πρόεισι τὸ ἀεὶ ὑφ' ἑτέρυ Φη1. 242 ᵇ32.
τῦτο ἵσταται Αγ19. 81 ᵇ33, 36. Γβ5. 332 ᵇ12. Μα2. 994
ᵃ5, ᵇ24. ἵσταται τὸ κινύμενον εἰς ἀκίνητον τὸ πρῶτον Φθ5. 50
258 ᵇ5. non raro ἵστασθαι, στῆναι, opp εἰς ἄπειρον ἰέναι
sine subiecto ponitur ut in usum impersonalem abire vi-
deatur Αα27. 43 ᵃ37 Wz. γ3. 72 ᵇ11. 19. 82 ᵃ15. δ12.
95 ᵇ22 (στήσεταί πυ εἰς ἄμεσον). Φη1. 242 ᵃ19. θ5. 256
ᵃ29. Μβ4. 999 ᵇ8 Bz, 1000 ᵇ28. λ3. 1070 ᵃ4, 2. Hζ9. 55
1142 ᵃ29. — (χρόνυ δὲ ἱσταμένυ οβ 1347 ᵇ7, ἐνιστα-
μένη?).

ἱστίον μχ7. 851 ᵇ7. ναῦς πᾶσι τοῖς ἱστίοις εὐτρεπιζομένη f 13.
1476 ᵃ24.

ἱστορεῖν. ὡς ὁ Ἄννωνος περίπλυς ἱστορεῖ θ37. 833 ᵃ12. ὥσπερ 60
ἱστορεῖται περὶ Ἑλίκην χ̕ Βῦραν κ4. 396 ᵃ20. ὐδέποτε ἱστό-

ρηταί τι κατεστηριγμένον κ4. 395 ᵇ16. — ὀφείλομεν εἰπεῖν
περὶ τῶν πραγμάτων, ὧν πρότερον ἱστορήσαμεν (ι q ἐμνή-
σθημεν) φτα3. 818 ᵇ28.

ἱστορία. αἱ τῶν περὶ τὰς πράξεις γραφόντων ἱστορίαι Pα4.
1360 ᵃ37. Ἡροδότυ ἥδ' ἱστορίης ἀπόδειξις (Her a1) Pγ9.
1409 ᵃ28. ἱστορία, dist ποίησις πο9. 1451 ᵇ3, 6. 23. 1459
ᵃ21. cf πιη9. 917 ᵇ8. — ὐδὲ ταύτην τὴν ἱστορίαν (ι e
narrationem τῶν ὑπ' ἄλλων διῳκημένων) ἀγρεῖον ὑπολαμ-
βάνομεν οβ1346 ᵃ29. — libros suos de historia naturali
saepe Ar respicit: αἱ περὶ τὰ ζῷα ἱστορίαι, αἱ περὶ τῶν ζῴων
ἱστορίαι, veluti γέγραπται ἐν, θεωρεῖν ἐκ al Ζγα3. 716 ᵇ31.
4. 717 ᵃ33. 20. 728 ᵇ14. αν12. 477 ᵃ7. 16. 478 ᵃ28, vel
simpliciter αἱ ἱστορίαι, ἡ ἱστορία, τὰ ἐν ταῖς ἱστορίαις
γεγραμμένα, τὰ περὶ τὰς ἱστορίας ἀναγεγραμμένα veluti
δῆλον τῦτο, θεωρεῖν δεῖ ἐκ τῶν ἀνατομῶν χ̕ τῶν ἱστοριῶν,
θεωρείσθω ἐκ τῆς ἱστορίας sim Ζγα11. 719 ᵃ10. β4. 740
ᵃ23. 7. 746 ᵃ15. γ1. 750 ᵇ31. 2. 753 ᵇ17. 10. 761 ᵃ10.
11. 763 ᵇ16. αν16. 478 ᵇ1. cf Ἀριστοτέλης p 103 ᵃ43-52.
— ἱστορία τῶν ἀληθῶς ὑπαρχόντων τοῖς πράγμασι, syn
ἐμπειρία Αα30. 46 ᵃ24, 18 Wz. κατὰ φύσιν ἐστὶ ποιεῖσθαι
τὴν μέθοδον, ὑπαρχύσης τῆς ἱστορίας τῆς περὶ ἕκαστον Ζια6.
491 ᵃ12. — ἡ περὶ ψυχῆς ἱστορία, syn εἴδησις ψα1.
402 ᵃ4, 1 (Trdlbg p 187). ἡ περὶ φύσεως ἱστορία Ογ1.
298 ᵇ2. τὴν τῶν μεγίστων ἱστορίαν μετιέναι κ1. 391 ᵇ6.

ἱστορικός, dist ποιητής πο9. 1451 ᵇ1. τῶν παρὰ τοῖς ἄλλοις
εὑρημένων ἱστορικὸν εἶναι, opp ἐκ τῆς περὶ τὰ ἴδια ἐμπει-
ρίας συνορᾶν Pα4. 1359 ᵇ2. — ἱστορικῶς. ὐδ' ἱστορι-
κῶς ὐδὲ ταύτῃ φαίνονται λέγοντες Ζγγ8. 757 ᵇ35.

ἱστός. 1. malus μχ6. 851 ᵃ40. ακ802 ᵃ31. ηεη1. 1230 ᵃ9.
Ζκ2. 698 ᵇ22. Ζιι48. 631 ᵃ23, 30. — 2. αἱ τὸς ἱστὸς
ὑφαίνυσαι Ζγε7. 787 ᵇ24. τὰς λαιὰς προσάπτυσιν αἱ ὑφαί-
νυσαι τοῖς ἱστοῖς Ζγα4. 717 ᵃ36. — 3. αἱ μελίτται ἄρ-
χονται τῶν ἱστῶν ἄνωθεν ἀπὸ τῆς ὀροφῆς τῦ σμήνυς, χ̕
κάτω συνυφεῖς ποιῦσιν ἕως τῦ ἐδάφυς ἱστὸς πολλὰς Ζιι40.
624 ᵃ5, 7.

Ἰστριανὴ θ104. 839 ᵃ34.

Ἴστρος flumen μα13. 350 ᵇ2, 3, 9. β2. 356 ᵃ28. θ105. 839
ᵇ9, 15. 168. 846 ᵇ29. Ζιθ12. 597 ᵃ11. 13. 598 ᵇ16. —
Ἴστρος urbs Πε6. 1305 ᵇ5, 11.

Ἴστρυς θ149. 845 ᵇ8.

ἰσχάς Ζιζ22. 577 ᵃ10. διὰ τί τῶν ἰσχάδων γλυκύταται αἱ
δίχα ἐσχισμέναι πκβ9. 930 ᵇ2. ficus fructus.

ἴσχειν. 1. trans. retinere οἱ ἰσχνόφωνοι ἴσχονται τῦ φωνεῖ
πια35. 903 ᵇ1. — plerumque ἴσχειν i q ἔχειν significat,
ita quidem ut vel accipiendi et adsumendi vim habeat
τὸς χυμὸς ἴσχειν τὸ ὕδωρ, δι' οἵας ἂν τύχωσι ῥέοντα γῆς
μβ2. 356 ᵃ13. γίνεται μαστῶν ἀνοίδησις χ̕ χόνδρον ἴσχυσιν
Ζιζ20. 574 ᵃ16. τὰ μαλάκια ἐκ τῆς ὀχείας ᾠὸν ἴσχει μι-
κρὸν Ζιε18. 549 ᵇ30. τῷ ὑστέρῳ τὰ ἔσω ἐκτὸς ἰσχοντος
Ζιη9. 587 ᵃ8, et ubi cum v ἔχειν coniungitur, ἔχειν ha-
bere, ἴσχειν adsumere significet, μικρὰς τὰς ὄρχεις ἔχυσιν,
ὅταν δὲ ὀχεύωσι, σφόδρα μεγάλας ἴσχυσιν Ζιγ1. 510 ᵃ4, 5.
cf 10. 517 ᵇ15, 16. ι7. 613 ᵃ31; vel simpliciter habendi
vi usurpetur, συνίσταται χ̕ ὀχευομένων ᾠὰ τοῖς συνδυαζο-
μένοις τῶν ἰχθύων, ἴσχυσι δὲ χ̕ ἄνευ ὀχείας· οἱ γὰρ φωκί-
νοι εὐθὺς γεννώμενοι κυήματ' ἔχυσιν Ζιζ13. 567 ᵃ29, 31.
ἴσχειν ᾠά, κυήματα Ζιε17. 549 ᵃ5. ζ13. 567 ᵃ21. 17.
571 ᵃ4, 27. ἴσχειν γάλα, τὸ γάλα ἔλαττον ἴσχυσι Ζιζ23. 577 ᵃ28.
33. 580 ᵃ1. ε14. 546 ᵃ17. τέττιξ ὐκ ἴσχει περίττωμα
Ζιδ7. 532 ᵇ14. ἴσχειν πτερά, μέλι, σκώληκας Ζιγ12. 619
ᵃ3. ε19. 551 ᵃ20. 22. 554 ᵇ19. οἱ κομῆται διὰ τὴν ἀνά-

κλάσιν τὴν κόμην ἔχουσιν μα6. 343 ᵃ27. ἴσχειν τὰς ὄρχεις
μεγάλας, τὸ αἰδοῖον μέγα sim Ζιζ9. 564 ᵇ10. 24. 577
ᵇ27. η1.582 ᵃ7. ἴσχειν τὴν φωνὴν ἀλλοίαν Ζω49 Β. 622 ᵇ16.
ἴσχειν τὸ χρῶμα μέλαν sim Ζθ30. 607 ᵃ13. ι44. 630 ᵃ16.
49 Β. 632 ᵇ20. χ6. 799 ᵇ18, 29. ἴσχειν λήθην ᾧ αὐτῶν τῶν 5
γραμμάτων f 35. 1480 ᵇ12. — 2. intr βέλτιον ἴσχειν Ζιθ23.
604 ᵃ16. φαύλως ἴσχειν πκη1. 949 ᵃ30.

ἰσχίον. nates, ossa innominata. 1. hominis nates. ἄνθρωπος
ἰσχία ἔχει, τῶν τετραπόδων οὐδέν Ζμδ10. 689 ᵇ6. γαστὴρ 10
ᾧ ὀσφὺς ᾧ αἰδοῖον ᾧ ἰσχίον Ζια15. 464 ᵇ6. διὰ τὸ ἔχειν
ἰσχία ἀφήρηται ἡ τῆς ἕδρας ἀναγκαία χρῆσις Ζμδ10. 689
ᵇ24. σαρκώδη ἔχει τὰ ἰσχία ᾧ τὰς μηρὰς ᾧ τὰς κνήμας,
τὰ ἰσχία ᾧ μηρὰς ᾧ γαστροκνημίας, τὰ ἰσχία ᾧ τὰ σκέλη
Ζιβ1. 499 ᵇ4. Ζμδ10. 689 ᵇ14, 21. ὅσοι μεγάλα τὰ ἰσχία 15
ἔχουσιν Ζια15. 494 ᵃ8. τὴν τῶν ἰσχίων φύσιν ᾧ πρὸς τὰς
ἀναπαύσεις ἀπέδωκε χρήσιμον ἡ φύσις Ζμδ10. 689 ᵇ15.
ἀνδρείας σημεῖον ἰσχίον προσεσταλμένον φ3. 807 ᵃ37. τῶν
πλείστων ἀφροδισίοις χρωμένων ἐνδιδοῦσι τὰ ὄμματα ᾧ τὰ
ἰσχία πδ2. 876 ᵃ37 (syn τὰ περὶ τὴν ἕδραν, ἀρχὸς 876
ᵇ6, 15). ἐὰν μὴ εἰς ὀρθὸν βλέπωσιν αἱ ὑστέραι, ἀλλ᾽ ἢ πρὸς
τὰ ἰσχία ἢ πρὸς τὴν ὀσφὺν ἢ πρὸς τὸ ὑπογάστριον Ζικ2.
634 ᵃ40. ἐκ μέσου τῶν νεφρῶν ἑκατέρα φλέψ κοίλη ᾧ νευ-
ρώδης εἰς ἑκάτερον τὸ ἰσχίον ἀφανίζονται ᾧ πάλιν δῆλαι
γίνονται τεταμέναι πρὸς τὸ ἰσχίον Ζια17. 497 ᵃ16. γ4.
515 ᵃ1. αἱ σχίσεις ἑκατέρας τῆς φλεβὸς (arteriae iliacae) 25
τείνουσιν εἰς τὸ ἰσχίον ἑκάτερον Ζιγ4. 514 ᵇ29. ἐν ζεῦγός
τῶν φλεβῶν διὰ τὸ αὐχένος ἔξωθεν παρὰ τὴν ῥάχιν μέχρι
τῶν ἰσχίων εἰς τὰ σκέλη· διὸ ᾧ τὰς φλεβοτομίας ποιοῦνται
τῶν περὶ τὸν νῶτον ἀλγημάτων ᾧ ἰσχίων ἀπὸ τῶν ἰγνύων
Ζιγ3. 512 ᵃ15. — ossa innominata. ἡ τῶν ἰσχίων κάμψις 30
Ζιβ2. 498 ᵃ27. κάτω ᾗ περιλίνει ἡ ῥάχις μετὰ τὸ ἰσχίον
ἡ κοτυληδὼν ἐστι Ζιη7. 516 ᵃ35 cf ΚαΖι 117, 9. ἀεὶ ἡ
ἀρχὴ ἠρεμεῖ κινουμένη τοῦ μορίου κάτωθεν, οἷον ὅλου τοῦ σκέ-
λους τὸ ἰσχίον Ζικ1. 699 ᵇ4. τὸ δεξιὸν ὦμον εἰς τὸ πρόσθεν
ἠγμένα τὸ ἀρίστερον ἰσχίον εἰς τοὖπισθεν μᾶλλον ἀποκλίνει 35
Ζπ7. 707 ᵇ19. — 2. animalium. ἡ ῥάχις τείνει ἀπὸ τῆς
κεφαλῆς μέχρι πρὸς τὰ ἰσχία Ζιγ7. 516 ᵃ12. ἐν ἑκάστῳ
γένει τὸ θῆλυ τά τε ἰσχία ᾧ τὰς μηρὰς περισαρκότερα ἔχει
τοῦ ἄρρενος φ5. 809 ᵇ7. εἰ μὴ καμψείας ἦν ἐν τοῖς σκέλεσιν
ᾧ ἐν ταῖς ὠμοπλάταις ᾧ ἰσχίοις οὐδὲν οἷόν τ᾽ ἦν ἂν τῶν 40
ἐναίμων ᾧ ὑποπόλων προβαίνειν Ζπ12. 711 ᵃ9. ἀπὸ τῆς
ἕδρας βραχὺ τὸ ἰσχίον ᾧ τὸ σκέλος εὐθὺς ἐχόμενον· ἀπὸ
βραχέος ὄντος τοῦ ἰσχίου ὁ μηρὸς ᾧ τὸ ἄλλο σκέλος Ζμδ12.
695 ᵃ5. Ζπ11. 710 ᵇ27 — ὁ πίθηκος οὔτ᾽ ἰσχία ἔχει κα τέ-
τραπον ὂν οὔτε κέρκον ὡς δίπον Ζιβ8. 502 ᵇ21. Ζμδ10. 45
689 ᵇ33. λέων, ζῷον ἀσαρκότερον τὰ ἰσχία ᾧ τὰς μηρὰς
φ5. 809 ᵇ29. ἐλέφας κινεῖται κάμψεως γινομένης ἐν τοῖς
ὠμοπλάταις ᾧ ἐν τοῖς ἰσχίοις Ζπ9. 709 ᵃ11. κολφῶν οὐδὲν
γίνεται μεῖζον σφίζον τὸ ἀπὸ τῆς ὁπλῆς μέχρι τὸ ἰσχίον
Ζιβ1. 501 ᵃ7. ἐὰν ἡ κύστις μεταστῇ, ᾧ τὰς ὁπλὰς ᾧ τὰ 50
ἰσχία ἐφέλκει ὁ ἵππος. Ζθ24. 604 ᵇ18. — avium. τὸ ἰσχίον
ὅμοιον μηρῷ, μακρὸν ᾧ προσπεφυκὸς μέχρι ὑπὸ μέσην τὴν
γαστέρα, ὥστε δοκεῖν διῃρημένον μηρὸν εἶναι, τὸ δὲ μηρὸν
μεταξὺ τῆς κνήμης, τὸ μέρος Ζιβ12. 504 ᵃ1. ἰσχία
ἔχουσι πάντες ᾗ οὐκ ἂν δόξειεν ἔχειν, ἀλλὰ δύο μηρὰς διὰ 55
τὸ τοῦ ἰσχίου μῆκος Ζμδ12. 694 ᵇ29. cf ΚαΖι 136. μακρὸν
ἡ φύσις τὸ ἰσχίον ποιήσασα εἰς μέσον προσήρεισεν Ζμδ12.
695 ᵃ10. ἔχουσι τὸ ἰσχίον οἱ ὄρνιθες ὅμοιον μηρῷ ᾧ τηλικοῦτον ὥστε
δοκεῖν δύο μηρὰς ἔχειν Ζπ11. 710 ᵇ21 24. cf Wiegmann
obs zool 12, 32, 34, S II 304 sq., ΑΖι I 243. — τῶν γὰρ 60
ἐν τῷ ἰσχίῳ τοῦ κυνὸς ἀστήρ τις ἔσχε κόμην μα6. 343

ᵇ12. — pro διὰ τῶν ἰσχίων Ζιη11. 587 ᵇ34 διὰ τῶν
ἰξίων ci Scal Schn Did Aub, διὰ τὸ ἴσχειν ἰξίας ci Pic.

ἰσχναίνειν. τὰ καταμήνια ἰσχναίνει, τὰ σώματα τῶν παι-
δίων Ζιη1. 581 ᵇ4. τῷ ἰσχναίνειν ἡ ἰσχνασία τέλος Μθ6.
1048 ᵇ19. opp παχύνειν πς1. 885 ᵇ16. αἱ ἀλέαι ἰσχναί-
νουσιν πε40. 885 ᵃ21, 33. τὸ ὑγρὸν ἰσχναίνει τὰ ἄκρα φτβ10.
829 ᵇ17. ἰσχναθὲν Οβ12. 292 ᵇ14.

ἰσχναντικώτεροι ᾧ ἐπιπονώτεροι περίπατοι πε40. 885 ᵃ28.

ἰσχνασία Μθ6. 1048 ᵇ19. τῆς ὑγιείας ἕνεκα Μθ2. 1013
ᵇ1. Φβ3. 194 ᵇ36.

ἰσχνός. σώματα ἰσχνότερα ᾧ ξηρότερα, opp ὑγρότερα ᾧ
ὀγκωδέστερα Ζγγ1. 749 ᵇ32. σώματα ἰσχνότερα ᾧ νοσε-
ρώτερα Ζιη1. 582 ᵃ2. ζῷα ἰσχνὰ Ζμδ11. 691 ᵃ9 (λιχνὰ
recte ci Karsch), 692 ᵃ20. αἱ ἰσχναὶ γυναῖκες Ζιβ3. 583
ᵇ2. ἀστράγαλον ἰσχνὸν ᾧ λεπτὸν Ζιβ1. 499 ᵃ22. μέτωπον
ἰσχνὸν φ3. 807 ᵇ3. τὰ περὶ τὰς ὠμοπλάτας ἰσχνότερα φ3.
807 ᵇ14.

ἰσχνότης τοῦ σώματος, opp παχύτης Ζιη1. 581 ᵇ26.

ἰσχνοῦν (i q ἰσχναίνειν). αἱ ἀλέαι μᾶλλον ἰσχνοῦσι πε40. 885
ᵃ19.

ἰσχνοφωνία, haesitantia linguae, ἀπὸ τοῦ μὴ δύνασθαι ταχὺ
συνάψαι τὴν ἑτέραν συλλαβὴν πρὸς τὴν ἑτέραν πια30. 902
ᵇ25. ι40. 895 ᵃ16.

ἰσχνόφωνος, is qui lingua haesitat. τῶν ἰσχνοφώνων τὸ
πάθος διὰ τί γίνεται ακ804 ᵇ26. οἱ ἰσχνόφωνοι (ἰσχόφωνοι
ci Sylburg) ἴσχονται τῶν φωνῶν πια35. 903 ᵃ38. περὶ
ἰσχνοφώνων πια30. 35. 36. 38. 54. 55. 60. ι40. 895 ᵃ15.

ἰσχύειν. absolute Πβ12. 1274 ᵃ5. ε6. 1305 ᵇ26. Ρα13.
1374 ᵇ22. Ηκ10. 1079 ᵇ24 al. μᾶλλον, μεῖζον, πλέον, μά-
λιστα, μικρόν, οὐδὲν ἰσχύειν μβ4. 360 ᵃ35. 8. 367 ᵃ31. δ1.
379 ᵃ28, 29. Ργ1. 1404 ᵃ19. Πδ6. 1293 ᵃ23. ε4. 1303
ᵇ19. Ηβ3. 1105 ᵇ3. γ11. 1116 ᵇ15 al. ἰσχύειν παρά τινι
Πδ4. 1292 ᵃ22. τὸ δέρμα ἰσχύει πρὸς τὴν τῶν τρι-
χῶν μεταβολὴν Ζγγ5. 785 ᵇ9. ἰσχύειν πρὸς πίστιν ατ971
ᵃ5. cf Ηβ3. 1105 ᵇ3. οἱ λόγοι ἰσχύουσι προτρέψασθαι τὰς
νέας Ηκ10. 1179 ᵇ8. ἡ βαρεῖα ᾧ τὸν τῆς ὀξείας ἰσχύει
φθόγγον πιθ8. 918 ᵃ19. 7. 918 ᵃ16. — ceterum v ἰσχύειν
eandem habet varietatem usus ac nomina ἰσχύς, ἰσχυρός
(cf h v) de vi movente in rerum natura, πᾶν ἰσχύει μᾶλ-
λον ἐγγὺς sim μβ4. 360 ᵃ35. 8. 367 ᵃ31. δ1. 379 ᵃ28,
29 al. ἡ ἀλέα ἰσχύσασα σήπει Ζιζ16. 570 ᵃ23, de robore
corporis οἱ μάλιστα ἰσχύοντες ᾧ τὰ σώματα ἄριστα ἔχον-
τες Ηγ11. 1116 ᵇ15. ὑγιαίνοντες ᾧ ἰσχύοντες πάλιν Ζγ4.
784 ᵇ30. de auctoritate et potentia in rebus publicis οἱ
περὶ Χαρικλέα ἴσχυσαν Πε6. 1305 ᵇ26. τοῦτο τὸ δικαστή-
ριον ἴσχυεν Πβ12. 1274 ᵃ5. cf δ6. 1293 ᵃ23. 13. 1297
ᵇ23. ε4. 1303 ᵇ19 al. de cogitationum orationisque vi et
auctoritate, ὁ τῶν ὀλιγαρχικῶν λόγος δόξειεν ἂν ἰσχύειν
Πγ9. 1280 ᵃ7. ὅπως τὸ ἐπιεικὲς ἰσχύῃ Ρα13. 1374 ᵇ22.
ἡ διδαχὴ οὐκ ἐν ἅπασιν ἰσχύει Ηκ10. 1179 ᵇ24 cf β3.
1105 ᵇ3. οἱ γραφόμενοι λόγοι μεῖζον ἰσχύουσι διὰ τὴν λέξιν
ἢ διὰ τὴν διάνοιαν Ργ1. 1404 ᵃ19.

ἰσχυρίζεσθαι εἰς τὰς ἀσθενεῖς Ηδ8. 1124 ᵇ23. πρὸς τὸ
πολὺ ἧττον πκθ11. 951 ᵃ13. — φασί τινες ᾧ ἰσχυρίζονται
ὅτι Ζιζ37. 580 ᵇ31.

ἰσχυρογνώμονες, dist ἐγκρατεῖς Ηη10. 1151 ᵇ5, 12.

ἰσχυροποιεῖν. ὅτε ἰσχυροποιηθῇ τὸ θερμὸν φτβ9. 828 ᵇ11.

ἰσχυρὸς πάγος, ἰσχυρὸν ψῦχος, ἰσχυραὶ ἄνεμοι, ἰσχυρὰ καύ-
ματα, ἰσχυρὸς ἰσχυρότερος ἰσχυρότατος σεισμός, ἰσχυρότερα
ὑγρότης (opp ἀσθενεστέρα) μβ5. 361 ᵇ27. 6. 364 ᵇ6. 8.
366 ᵃ23, 24, 367 ᵇ32. δ9. 387 ᵃ21. ζ6. 470 ᵃ28, 29.

Ζιθ19. 602 ᵃ9. τὰς ὐσίας συμμένειν νομίζει Δημόκριτος, ἕως ἰσχυροτέρα τις ἀνάγκη διασείσῃ αὐτάς f 202. 1540 ᵇ30. ἰσχυρὸς ὁ ἀήρ, ἰσχυρὰ ἡ σύστασις Φϑ6. 213 ᵃ26. πκς 59. 947 ᵃ27. ἰσχυρὰ στρυφνότης φτβ10. 830 ᵃ4. ἰσχυρὰ χρώματα Ζγε1. 780 ᵃ9. — ἰσχυρός 'robustus', opp ἀσθε- 5 νής ηεγ1. 1228 ᵇ31, 35. Ηα9. 1099 ᵃ4. cf 12. 1101 ᵇ16. ὕες ἄγριοι ἰσχυροὶ τῷ εἴδει Ζιβ1. 499 ᵃ6. ὑμένες, πόροι ἰσχυροί Ζια16. 494 ᵇ30. 17. 497 ᵃ13. β11. 503 ᵇ22. δ8. 533 ᵃ13. — ἐκκρύει ἡ ἰσχυροτέρα κίνησις τὴν ἀσθενεστέραν Ζγε1. 780 ᵃ8. ἡδοναὶ ἰσχυραὶ ᾗ ὑπερβάλλυσαι Ηη8. 1150 10 ᵇ7. ἐπιθυμία ἰσχυρά Ηη3. 1146 ᵃ3. ηεγ13. 1246 ᵇ14. φόβος ἰσχυρός, opp ἀσθενής ηεγ1. 1228 ᵇ13. ἰσχυρὰ ᾗ ἐναργῆ παθήματα ψα1. 403 ᵃ19. ὑπόληψις ἰσχυρά. opp ἠρεμαία, ἡ φρόνησις ἰσχυρότατον Ηη3. 1145 ᵇ36, 1146 ᵃ5. (cf τὸ ἀναγκαῖον ἀφεῖσθω τοῖς ἰσχυροτέροις λέγειν Μλ8. 15 1074 ᵃ17.) σημεῖον ἰσχυρόν. βάσανος ἰσχυρά, opp ἄπιστος φ2. 806 ᵇ34. πκς8. 941 ᵃ15. ρ17. 1432 ᵃ13. — ἡ πατρικὴ παρακέλευσις ὐκ ἔχει τὸ ἰσχυρὸν ᾗ τὸ ἀναγκαῖον Ηκ10. 1180 ᵃ19 (cf ἰσχὺς ᵃ18, ἀναγκαστικὴ δύναμις ᵃ21). — τόποι ἰσχυροί, syn ἐρυμνοὶ Πη11. 1330 ᵇ21, 18. — 20 καθιστάναι τὴν δημοκρατίαν ἰσχυροτέραν sim Πε4. 1304 ᵃ24. γ15. 1286 ᵇ18. δ6. 1293 ᵃ25. — ἰσχυρῶς κινεῖν μβ8. 366 ᵇ14. ὁ ἡττηθεὶς ἐλέφας ὀυλῦται ἰσχυρῶς Ζυ1. 610 ᵃ17. μὴ ἰσχυρῶς ὑπάρχειν, opp σφόδρα ὑπάρχειν Ρβ1. 1379 ᵃ37, ᵇ1. haud raro ἰσχυρῶς i q σφόδρα ad- 25 iectivis postponitur χώρα ἀλεεινὴ ἰσχυρῶς μα12. 349 ᵃ9. κίνησις νωθὴς ἰσχυρῶς, βραχεῖα ἰσχυρῶς Ζιβ11. 503 ᵇ9, 24. φῶς ὀλίγον ἰσχυρῶς sim χ1. 791 ᵃ19, 24. 3. 793 ᵃ14. 5. 795 ᵃ3, 8, 796 ᵃ17.

ἰσχύς, vis motrix, syn δύναμις. ἰσχὺς ἡ κινῦσα, ἀφεῖσα, ἕλ- 30 κυσα, ὠθῦσα Οα7. 275 ᵇ20. μχ18. 853 ᵃ37. 32. 858 ᵃ14. 34. 858 ᵃ28. ἰσχὺς ἡμίσεια, ἀσθενεστέρα, ἄπειρος, ἀμήχανος Φη5. 250 ᵇ6 (cf δύναμις ᵃ2, 4). Οδ6. 313 ᵇ19, 16.ᵉ ᵃ7. 275 ᵇ20, 21 (cf δύναμις ᵇ22). β14. 297 ᵃ1. ἀνάλογον ἔχει ἡ ἰσχὺς πρὸς τὸ βάρος Φη5. 250 ᵃ8. ἡ τῶν νεωλκῶν τέ- 35 μνεται ἰσχὺς εἰς τὸν ἀριθμὸν ᾗ τὸ μῆκος Φη5. 250 ᵃ18. τὸ τάχος τῆς ἐκκρίσεως ποιεῖ τὴν ἰσχύν μγ1. 370 ᵇ10. ἀπὸ τῆς αὐτῆς, ἀπ' ἐλάττονος, ὑπὸ κρείττονος ἰσχύος μχ13. 852 ᵇ16. 18. 853 ᵃ30. 22. 854 ᵇ12. πις3. 913 ᵃ39. 12. 915 ᵇ11. Οβ14. 297 ᵃ1. πλῆθος ἰσχύος ᾗ δυνάμεως· ἡ 40 ἰσχὺς ἀφ' ἧς αὕτη ἡ δύναμις Σκ3. 699 ᵃ34. 4. 699 ᵇ16. — robur corporis ηεγ1. 1230 ᵃ11. def Ρα5. 1361 ᵇ15-18. coni ὑγίεια Ηβ2. 1104 ᵃ14. ἡ ἰσχὺς ἐν τοῖς νεύροις ᾗ ὀστοῖς, dist τὸ κάλλος συμμετρία τις τγ1. 116 ᵇ21. διὰ τὸ ἀνίεσθαι τὴν ἰσχὺν τὴν νευρώδη Ζγε7. 787 ᵇ21. διὰ 45 τῦ τὸ πνεῦμα κατασχεῖν ἡ ἰσχὺς ἐγγίγνεται Ζγβ4. 738 ᵃ1. ἰσχὺς τῶν ᾠῶν τῶν τετραπόδων, opp ᾠὰ ἐπικηρότερα τῶν ὀρνέων Ζγγ2. 753 ᵃ6. — ἰσχὺς πολεμική, ἐν τοῖς ἱππεῦσιν ἡ ἰσχύς sim Πβ7. 1267 ᵃ21. δ13. 1297 ᵇ18, 22. πότερον τὸν μέλλοντα βασιλεύειν ἔχειν δεῖ περὶ αὑτὸν ἰσχύν 50 τινα, ᾗ δυνήσεται βιάζεσθαι Πγ15. 1286 ᵇ29, 35 (syn δύναμις ᵇ33). ἰσχὺς πολιτική, coni πλῦτος, πολυφιλία Πγ13. 1284 ᵃ21, ᵇ27. δ11. 1295 ᵇ14. ὁ νόμος ἰσχὺν ὐδεμίαν ἔχει πρὸς τὸ πείθεσθαι Πβ8. 1269 ᵃ20. — ἰσχὺς διαλεκτική Μμ4. 1078 ᵇ25. 55

Ἰταλία. ἐν Ἰταλίᾳ μβ8. 367 ᵃ7. σ973 ᵇ19. f 238. 1522 ᵃ3. Ζυ49Β. 632 ᵇ25. εἰς Ἰταλίαν f 443. 1550 ᵇ42. περὶ τὴν Ἰταλίαν Πγ10. 1329 ᵇ7. β12. 1274 ᵃ4. f 567. 1571 ᵃ39. τῆς Ἰταλίας πολλὰ χωρία Χαλκιδέων ἐστὶν f 560. 1570 ᵇ1. οἱ περὶ τὴν Ἰταλίαν, i e οἱ Πυθαγόρειοι Οβ13. 293 ᵃ20. 60 nomen ab Italo Πη10. 1329 ᵇ11. memorabiles res phy-

sicae θ55. 834 ᵇ3. 78. 835 ᵇ33. 85. 837 ᵃ7. 95. 838 ᵃ5, 8. 97. 838 ᵃ31. 102. 839 ᵃ12. 103. 839 ᵃ26. 108. 840 ᵃ27. 130. 843 ᵃ5. 148. 845 ᵇ4. Ζιθ29. 607 ᵃ26.

Ἰταλικός. οἱ Ἰταλικοί, i e οἱ Πυθαγόρειοι ΜΑ5. 987 ᵃ10. 6. 987 ᵃ31. 7. 988 ᵃ26. μα6. 342 ᵇ30.

Ἰταλιῶται Πυθαγόραν τετιμήκασιν Ρβ23. 1398 ᵇ14.

Ἰταλός rex, Ἰταλοί populus Πη10. 1329 ᵇ8, 10, 14.

ἰταμός. ὐκ ἰταμὸς ἀλλ' ὕπτιος ᾗ τεθαμβηκὼς ὁ δειλός φ3. 807 ᵇ10.

ἰτέα ᾗ φέρει σπέρμα Ζγα18. 726 ᵃ7. τὰ δάκρυα ἰτέας Ζυ40. 623 ᵇ29. ῥίζαι ἰτέας Ζιζ14. 568 ᵃ28. λύγοι ἐπὶ τῶν ἰτεῶν εἰσὶν φτα4. 819 ᵃ38 (Salicis sp).

ἰτητικώτατον ὁ θυμὸς πρὸς τὰς κινδύνους Ηγ11. 1116 ᵇ26.

Ἴτυκη τῆς Λιβύης θ134. 844 ᵃ6.

ἴτυς. ἣν ἡ πέλτη ἀσπὶς ἴτυν ὐκ ἔχυσα f 456. 1553 ᵃ1, 14.

ἴυγξ descr Ζιβ12. 504 ᵃ12-19. Ζμδ12. 695 ᵃ23. cf ΚαΖμ 173, 16 (Jynx torquilla L ΑΖι I 94, 39. Su 128, 89).

Ἰφιάδου ἑταιρία ἐν Ἀβύδῳ Πε6. 1306 ᵃ31.

Ἰφίτῳ συνακμάσαι Λυκῦργον f 490. 1558 ᵃ15.

Ἰφιγένεια πο17. 1455 ᵇ7. Iphigeniae Euripideae ἀναγνώρισις πο11. 1452 ᵇ6. 14. 1454 ᵃ7. 16. 1454 ᵇ32, 1455 ᵃ18. 17. 1455 ᵇ9. ἡ ἐν Αὐλίδι Ἰφιγένεια (Euripidis) πο15. 1454 ᵃ32. f 584. 1573 ᵇ1. Ἰφιγένεια ἡ Πολυείδυ πο16. 1455 ᵃ6, ᵇ10 (Nauck fr tr p. 606).

Ἰφικλῆς θ100. 838 ᵃ15. Ζιη4. 585 ᵃ14.

Ἰφικράτης Ρα7. 1365 ᵃ28. 9. 1367 ᵇ18. β21. 1394 ᵃ23. 23. 1399 ᵃ33. γ2. 1405 ᵃ20. 10. 1411 ᵃ10, ᵇ2. Ἰφικράτης ἐν τῇ πρὸς Ἀρμόδιον Ρβ23. 1397 ᵇ27, 1398 ᵃ17. πρὸς Ἀριστοφῶντα Ρβ23. 1398 ᵃ5. πρὸς Ναυσικράτην Ργ15. 1416 ᵃ10. eius inventum oeconomicum οβ1351 ᵃ18.

ἰχθύδιον. ἰχθύδια Ζυ37. 620 ᵇ18. 621 ᵃ25, 29, 34. f 305. 1530 ᵃ14. πῶς γίνεται, τίς τροφή, Ζιζ13. 567 ᵇ6, 568 ᵃ8. ἐν Ἰνδοῖς ἰχθύδια φασι γίνεσθαι ἃ ἐν τῷ ξηρῷ πλανᾶται ᾗ πάλιν ἀποτρέχει εἰς τὸν ποταμόν (ut inter Chersobatas Anabas scandens C) θ71. 835 ᵇ5. ἡ τροφὴ ὁμοία γίνεται τοῖς ἰχθυδίοις (v l ἰχθύσιν) ἐν τῇ κοιλίᾳ ὥσπερ τοῖς τῶν ὀρνίθων νεοττοῖς Ζιζ10. 565 ᵃ10. ἰχθύδια τὰ πετραῖα. τὰ παρατυγχάνοντα ἰχθύδια (v l ἰχθύων) Ζιε16. 548 ᵇ16. ζ14. 568 ᵇ17, 20. ἰχθύδια μικρὰ Ζιε16. 548 ᵃ30. ζ15. 569 ᵃ16, 20. Ζγα8. 718 ᵇ12. f 292. 1529 ᵃ11. μικρὰ ἰχθύδια (v l ἰχθύων), τὰ μικρὰ τῶν ἰχθυδίων (v l ἰχθύων) Ζιδ6. 531 ᵇ5. θ19. 602 ᵇ2. ἰχθύδια ἄττα. ἃ καλῦσί τινες κόττυς Ζιδ8. 534 ᵃ1. ἰχθύδιόν τι. ἐχενηὶς Ζιλ4. 505 ᵇ18. αἱ ἀναλήφαι τρέφονται ὅ τι ἂν προσπέσῃ ἰχθύδιον, ἡ πορφύρα τοῖς μικροῖς ἰχθυδίοις, λεπτοῖς ἰχθυδίοις τρέφονται αἱ μικραὶ σηπίαι Ζιθ2. 590 ᵃ28, ᵇ1. f 317. 1531 ᵃ37 — inter τὰ νευστικὰ referuntur ἰχθύες (v l ἰχθύδια) Ζια1. 487 ᵇ15.

ἰχθυοφάγυσα ζῇ ἡ ἀλκυὼν Ζυ14. 616 ᵃ32.

ἰχθύς. οἱ ἰχθύες f 333. 1534 ᵃ10. ἰχθύες (v l ἰχθύς, ἰχθῦς) Ζιζ10. 564 ᵇ19. 566 ᵃ32 (v l ἰχθύδια) Ζια1. 487 ᵇ15. οἱ ἰχθῦς (v l ἰχθύες) αν1. 470 ᵇ24. Ζιθ30. 607 ᵇ8 et in vers Empedocl ν6. 399 ᵇ28. τὰς ἰχθύας Ζυ43. 629 ᵃ34. ἰχθύας τινὰς (v l ἰχθύδια) θ71. 835 ᵇ7. ἰχθῦς αν2. 471 ᵃ2. Ζιγ1. 511 ᵃ12. θ15. 600 ᵃ2. 19. 602 ᵃ13. 20. 603 ᵃ8. ι37. 620 ᵇ35. θ73. 835 ᵇ24. 89. 837 ᵇ10. ἰχθῦς (v l ἰχθύας) Ζμα4. 644 ᵃ21. θ73. 835 ᵇ16. (v l τοῖς ἰχθύοις, ἰχθύσι) Ζιθ19. 602 ᵇ12.

1. universe descr. Ζιβ13. Ζμδ13 al. ἡ τῶν ἰχθύων φύσις, ἐν τῷ ὑγρῷ ὁ βίος, ζῆν ἰχθύων βίον Ζγα5. 717 ᵇ36. Ζπ18. 714 ᵃ23. Ζμβ17. 660 ᵇ33. ταύτῃ μὲν ὁμοιότητι ὄρνις ὄνομα κεῖται, ἑτέρᾳ δ' ἰχθύς Ζμα2. 642 ᵇ16.

ἰχθὺς ἔχει διαφορὰν κατὰ τὸ γένος χ̔ ἔστιν εἴδη πλείω ἰχθύων Ζια1.486ᵃ23, 25. τῶν ἐνύδρων ζῴων τὸ τῶν ἰχθύων γένος ἓν ἀπὸ τῶν ἄλλων ἀφώρισται. πολλὰς περιέχον ἰδέας Ζιβ13. 504 ᵇ13. ἔναιμον ἅπαν τὸ τῶν ἰχθύων γένος Ζιβ13. 505 ᵇ1. τὸ τῶν ἰχθύων γένος (Ζιβ1. 501 ᵃ23. 14. 505 ᵇ12. 5 ε1. 539 ᵃ12, 28. Ζμα4. 644 ᵇ10. γ3. 664 ᵃ20. δ13. 697 ᵃ14. Ζγα21. 729 ᵇ34. β1. 732 ᵇ22. 5. 741 ᵃ35, 38. δ1. 765 ᵃ35. ε3. 782 ᵃ18) ἴδιον ἔχει πρὸς τἆλλα τὰ ἔναιμα ζῷα τὴν τῶν βραγχίων φύσιν, ἔχει ὀδόντας, λαίμαργόν ἐστι πρὸς τὴν τροφήν Ζμδ13. 696 ᵃ34. γ14. 674 ᵃ1, 675 10 ᵃ18, κεκολόβωται τῶν ἐκτὸς μορίων, ἐστὶ νανῶδες, ψυχρὸν τὴν φύσιν, ᾠοτόκον, πολύγονον Ζμδ13. 695 ᵇ2. 10. 686 ᵇ21. Ζγγ1. 751 ᵇ17. 3. 754 ᵃ21. 1. 750 ᵃ27. 4. 755 ᵃ31. τὰ τῶν ἰχθύων γένη πάντα ὗπται καθεύδοντα υ1. 454 ᵇ16. τὸ γένος τῶν σελαχωδῶν, λεπιδωτῶν, ψηττῶν, ἐρυθρίνων 15 Ζγγ7. 757 ᵃ18. β1. 733 ᵇ9. Ζιθ11. 538 ᵃ20. τῶν πλωτῶν πολλὰ γένη τῶν ἰχθύων Ζια1. 488 ᵃ5. γένος τι ἰχθύων Ζιη7. 586 ᵃ25. — τῶν ἰχθύων τὸ πλεῖστον γένος (syn οἱ πλεῖστοι) εὐθηνεῖ Ζιθ19. 601 ᵇ9. — refertur inter τὰ ἔναιμα ψβ8. 420 ᵇ10. αν9. 475 ᵇ6. Ζιβ15. 505 ᵇ9. γ5. 515 ᵇ23. 20 Ζμδ1. 676 ᵇ13. 2. 676 ᵇ19. 10. 686 ᵇ21. 13. 695 ᵇ24, inter τὰ ἔνυδρα Ζιδ10. 536 ᵇ32. 8. 323 ᵃ25. Ζπ15. 713 ᵃ10, 11, ἔνυδρος αὐτῶν ἡ φύσις αν16. 478 ᵃ33, inter τὰ μὴ ἔχοντα πόδας, ἐν οἷς μή εἰσι καμπαὶ ἀλλ᾿ ἄποδα χ̔ ἄχειρα Ζγδ1. 765 ᵃ33. γ5. 515 ᵇ24. α5. 489 ᵇ23. β14. 25 505 ᵇ12. ε5. 540 ᵇ29. η8. 586 ᵃ35. αν10. 476 ᵃ3. Ζπ18. 714 ᵃ21. Ζγβ1. 732 ᵇ22, inter τὰ νευστικά Ζια1. 487 ᵇ15. 5. 489 ᵇ23. Ζμδ15. 695 ᵇ17. νευστικὸν μόνον ἰχθύς Ζια1. 487 ᵇ22, inter τὰ δεχόμενα τὴν θάλατταν, ἃ μὴ ἀναπνέοντα, τὰ μὴ ἔχοντα πλεύμονα μηδ᾿ αὐχένα αν9. 30 475 ᵇ7. αι5. 444 ᵇ7. Ζμγ3. 664 ᵃ20. χ̔ οἱ ἰχθύες ἁλὸς δέονται Ρβ23. 1400 ᵃ11.

2. ἰχθύων διαφοραί. τῶν ἰχθύων οἱ μὲν ζῳοτόκοι οἱ δὲ ᾠοτόκοι Ζγβ1. 732 ᵇ22. γ1. 749 ᵃ20-34. 3. 754 ᵃ22. 5. 755 ᵇ1. Ζιε1. 539 ᵃ12. ᾠοτοκοῦντες, ᾠοτοκούμενοι Ζιε5. 541 ᵃ11. 17. 35 549 ᵃ19. ζ13. 567 ᵃ17. Ζγα3. 713 ᵃ1. 13. 719 ᵇ35. 14. 720 ᵇ24. 16. 721 ᵃ17. 21. 730 ᵃ18. γ4. 755 ᵃ8. 5. 755 ᵇ26. ᾠοφόροι Ζιι37. 621 ᵇ20. ζῳοτοκοῦσιν Ζιβ17. 660 ᵇ20. Ζγβ4. 739 ᵇ7. δ1. 764 ᵃ36. π143. 895 ᵇ1. ᾠοτόκοι εἰσὶ πάντες οἴ τε λεπιδωτοὶ, χ̔ οἱ λευκοὶ καλύμενοι πάντες, χ̔ οἱ λεῖοι πλὴν 40 τῦ ἐγχέλυος Ζιζ13. 567 ᵃ19. τὰ σελάχη ζῳοτοκοῦντα· τὰ δ᾿ ἄλλα, τὸ τῶν ἄλλων ἰχθύων γένος, οἱ λεπιδωτοὶ πάντες, καρχαρόδοντα Ζμδ1. 676 ᵇ1. Ζιζ10. 564 ᵇ16. β13. 505 ᵇ8. τοῖς ᾠοτόκοις ἄκανθα. τὰ δὲ σελάχη χονδράκανθα Ζμβ9. 655 ᵃ13. Ζιγ7. 516 ᵇ16. — τῶν ἰχθύων ἔνιοι 45 λιμναῖοι Ζιζ14. 568 ᵃ11. θ20. 602 ᵇ20. 30. 607 ᵇ34, ποτάμιοι Ζιδ8. 533 ᵃ29. ζ14. 568 ᵃ11. θ2. 592 ᵃ24. 20. 602 ᵇ20. 30. 607 ᵇ34. ι37. 621 ᵃ20. Ζμβ17. 660 ᵇ35. Ζγγ1. 750 ᵇ29. 11. 762 ᵇ23, πελάγιοι, θαλάττιοι Ζιθ13. 598 ᵃ9. 20. 602 ᵇ20. 30. 607 ᵇ20. ζ14. 568 ᵃ14, ᵇ7. ι2. 50 610 ᵇ19. 37. 620 ᵇ10, πετραῖοι Ζιδ11. 538 ᵃ30. θ2. 591 ᵇ13. 15. 599 ᵇ29, πρόσγειοι Ζιθ13. 598 ᵃ9, πλωτοὶ Ζια1. 488 ᵃ5. — πλατεῖς, πάμπαν πλατεῖς Ζιπ9. 709 ᵇ15, 17. Ζιζ11. 566 ᵃ32. Ζμδ13. 695 ᵇ7, προμήκεις Ζια5. 489 ᵇ27. β13. 504 ᵇ30, 33, εὐμηκέστεροι Ζμδ13. 696 ᵃ17, 55 μακροὶ Ζμδ13. 696 ᵃ3. Ζιγ10. 517 ᵇ7, ὀφιώδεις Ζμδ13. 696 ᵃ17, ᵇ23, μακροφυέστεροι Ζμδ13. 696 ᵃ6, πάχος ἔχοντ- ες Ζμδ13. 696 ᵃ3. — ἀλεπίδωτοὶ Ζμδ13. 697 ᵃ7, λεπιδωτοὶ Ζιβ13. 505 ᵃ25. ζ13. 567 ᵃ19. Ζγβ1. 733 ᵃ20, 28, ᵇ9, ὀλίγοι τραχεῖς, ἐλάχιστον πλῆθος αὐτῶν λεῖοι Ζιβ13. 60 505 ᵃ25. α5. 489 ᵇ27. ζ13. 567 ᵃ19. — ἀγελαῖοι Ζιδ11.

538 ᵃ29. ι2. 610 ᵇ8, συναγελαζόμενοι, μὴ συναγελαζόμενοι Ζιι2. 610 ᵇ1, σύζυγα Ζιι2. 610 ᵇ8. — σαρκοφάγοι, δηκτικοὶ Ζιθ2. 591 ᵃ9. ι37. 621 ᵇ5. Ζμγ1. 662 ᵃ31. δ13. 697 ᵃ1, καρχαρόδοντες, πάντες (πάντες σχεδὸν) καρχαρόδοντες Ζιβ13. 505 ᵃ28. Ζμδ11. 691 ᵃ10. γ1. 662 ᵃ6. Ζιβ1. 501 ᵃ23. — ἀκανθώδεις, opp χονδράκανθα Ζμδ13. 696 ᵇ5. β9. 655 ᵃ19. Ζιγ7. 516 ᵇ16, — σελαχώδεις, ψηττοειδεῖς Ζμγ7. 669 ᵇ35. Ζγβ4. 737 ᵇ24. γ1. 749 ᵃ19. 7. 757 ᵃ18. Ζπ17. 714 ᵃ6. — ἐπιτραγίαι, λευκοὶ καλύμενοι Ζιδ11.538 ᵃ14. ζ13. 567 ᵃ19. — ὁμόγονα Ζιι2. 610 ᵇ13. μεγάλοι Ζιθ2. 591 ᵃ1.

3. piscium classis cum aliis comparata. ὁμοίως ἔχυσιν οἱ ὄρνιθες τρόπον τινὰ τοῖς ἰχθύσιν Ζπ18. 714 ᵇ3. 10. 709 ᵇ32. Ζια1. 486 ᵃ23, ᵇ21. β15. 506 ᵇ5. Ζμα4. 644 ᵃ21, ᵇ4. γ7. 670 ᵇ11. 14. 675 ᵃ14. δ11. 692 ᵃ10. Ζγα21. 729 ᵇ34. γ1. 750 ᵇ9, 26. 3. 754 ᵇ20. ε3. 782 ᵃ18. Ζπ15. 713 ᵃ10, πτηνὰ ἰχθύσιν Ζμδ9. 685 ᵇ23. comparantur vel opp τὰ πεζὰ τῶν ζῴων, ἰχθύες αν16. 478 ᵇ4, ὁ, ὄφεις, ἰχθύες Ζγα5. 717 ᵇ36. Ζμδ1. 676 ᵃ26, ὄρνιθες, ἰχθύες, ἔντομα Ζγβ6. 742 ᵃ1, ἰχθύες, ὄρνιθες, χ̔ τὰ ᾠοτόκα τῶν τετραπόδων· ὄρνιθες, ὄφεις, ἰχθύες, ὅλως τὰ ᾠοτόκα Ζμδ11. 691 ᵃ30. Ζιι44. 630 ᵃ14. πν6. 484 ᵃ36.

4. τὰ ἔξω τῶν ἰχθύων. ὅλον ἀπὸ τῆς κεφαλῆς τὸ κύτος συνεχές ἐστι μέχρι τῆς ὡρᾶς Ζμδ13. 695 ᵇ5. τὸ δέρμα ἰχθυῶδες Ζμδ13. 697 ᵃ4. Ζγα12. 719 ᵇ8. — διαφέρυσι ἰχθύες ὄρνιθος τῷ ἀνάλογον· ὃ γὰρ ἐκείνῳ πτερόν, θατέρῳ λεπίς Ζμα4. 644 ᵃ21. Ζια1.486 ᵇ21. Ζγε3. 782 ᵃ18. λεπίδας μόνοι ἰχθύες ἔχυσι Ζιγ10. 517 ᵇ6. 11. 518 ᵇ29. Ζμδ13. 697 ᵃ4. — κεφαλή Ζιδ13. 695 ᵇ6. ὀφθαλμοί, ὑγρόφθαλμοι, ὄμματα Ζιβ13. 505 ᵃ35. Ζμβ13. 658 ᵃ3, 657 ᵇ30. δεξάμενοι τὸ ὕδωρ κατὰ τὰ βράγχια αν1. 470 ᵇ24. 12. 476 ᵇ26. 9. 475 ᵃ11. Ζιβ13. 504 ᵇ28. Ζμδ1. 676 ᵃ28. 13. 696 ᵇ13. γ6. 669 ᵃ3. λέγυσι (Anaxag et Diog) περὶ τῶν ἰχθύων τίνα τρόπον ἀναπνέυσιν αν2. 470 ᵇ32, 471 ᵃ2, 28, ᵇ3, 7. διὰ τῶν κεφαλῶν δέχεσθαι τὴν τροφὴν τὰς ἰχθύας χ̔ ἀναπνεῖν πν5. 483 ᵇ34. — ὑκ ἔχυσιν ἀπηρτημένα κῶλα διὰ τὸ νευστικὴν εἶναι τὴν φύσιν αὐτῶν Ζμδ13. 695 ᵇ17. τοῖς μὲν ὄρνισιν αἱ πτέρυγες, τοῖς ἰχθύσι τὰ πτερύγια, τὸ ἀνάλογον μόριον Ζπ15. 713 ᵃ10. 10. 709 ᵇ32. 18. 714 ᵇ1, 4. Ζια5. 489 ᵇ24, 490 ᵃ29. Ζμδ12. 694 ᵇ10. 13. 695 ᵇ23. ἔνιοι βαδίζυσιν ἐπὶ τῶν πτερυγίων θ71. 835 ᵇ7. — οἱ ἰχθύες ἔχυσι τὸ ὑραῖον ὅπως νέωσι Ζμδ9. 685 ᵇ23. 13. 695 ᵇ10. Ζιε5. 540 ᵇ11. Ζπ18. 714 ᵇ4. Ζγγ5. 756 ᵇ2. αἱ τῶν ἰχθύων ὑραὶ Ζιβ1. 498 ᵇ4. Ζμδ13. 695 ᵇ5, 696 ᵃ31. θ71. 835 ᵇ8. οἱ μακροφυέστεροι χ̔ οἱ ὀφιώδεις μᾶλλον ταῖς καμπαῖς κινῦνται Ζμδ13. 696 ᵃ6, 18. ὅσα χρῆται τῇ θαλάττῃ, ὥσπερ οἱ ὄφεις τῇ γῇ, χ̔ ἐν ὑγρῷ ὁμοίως νέυσιν Ζιαδ. 489 ᵇ28. οἱ τρυγόνες βραδύτατοι, ὁ κεστρεὺς τάχιστος Ζιι37. 620 ᵇ26.

5. τὰ ἐντὸς μόρια. ὑδεὶς αὐχένα ἔχει Ζιβ13. 504 ᵇ17. Ζμγ3. 664 ᵃ20, ἀρτηρίαν Ζμδ1. 676 ᵇ13. Ζιδ9. 535 ᵇ15. πλεύμονα ὑκ ἔχυσι αν16. 478 ᵃ32. Ζιβ15. 506 ᵃ11. δ9. 535 ᵇ15. Ζμγ6. 669 ᵃ3. δ1. 676 ᵃ26, ᵇ13, ὑδὲ φάρυγγα Ζιδ9. 535 ᵇ15. ὔτε μαστὺς ὔτε γάλα ὔτε κύστιν ἔχυσιν Ζιγ20. 521 ᵇ21. Ζμδ11. 692 ᵃ10. 1. 676 ᵃ29. π143. 895 ᵇ1. ὑδεὶς ὄρχεις ἔχει Ζιγ1. 509 ᵇ3. ε5. 540 ᵇ29. Ζμδ13. 697 ᵃ9. Ζγα3. 716 ᵇ16. 4. 717 ᵃ19. δ1. 765 ᵃ34. — de situ oris Ζμδ13. 696 ᵇ24. ἔχυσι τῶν ἰχθύων οἱ δηκτικοὶ χ̔ σαρκοφάγοι μέγα τὸ στόμα, οἱ δὲ μὴ σαρκοφάγοι μύρων Ζμγ1. 662 ᵃ31 (cf ΚαΖμ 72, 4). κινῦσι τὰς σιαγόνας εἰς τὸ ἄνω χ̔ κάτω μόνον Ζμδ11. 691 ᵃ30. ὑρανός Ζιδ8. 533

ᵃ28. Ζμβ17. 660 ᵇ34. γλῶττα Ζιδ8. 533 ᵃ26. τῶν ἰχθύων οἱ μὲν ὃ δοκᾶσιν ἔχειν τὴν γλῶτταν, ἂν μὴ σφόδρα ἀνακλίνῃ τις, οἱ δ᾽ ἀδιάρθρωτον ἔχυσιν Ζμδ11. 690 ᵇ24. οἱ ἰχθύες ἔχυσι μὲν ὃ σαφῆ δ᾽ ἔχυσι τὴν διάρθρωσιν τῆς γλύττης Ζμβ17. 661 ᵃ2. τοῖς ἰχθύσι τῦτ᾽ ἀφώρισται μόνον 5 Ζμβ17. 661 ᵃ6. ὅλως ἀκανθώδη χ̣ ὃκ ἀπολελυμένην τὴν γλῶτταν ἔχυσιν, ἔνιοι τρόπον τινὰ γλίσχραν Ζιβ10 503 ᵃ2. Ζμβ17. 660 ᵇ14. στόμαχον ὀλίγοι ἔχυσι Ζιβ17. 507 ᵃ10. de corde eiusque situ αν16. 478 ᵇ3. Ζμγ4. 666 ᵇ10. ἢ νεύυσι τὰς κεφαλάς, ἐνταῦθ᾽ ἡ καρδία τὸ ὀξὺ ἔχει· ὃ πρὸς 10 τὸ στῆθος ἔχει τὸ ὀξὺ τῆς καρδίας ἀλλὰ πρὸς τὴν κεφαλὴν χ̣ τὸ στόμα αν16. 478 ᵇ5. Ζιβ17. 507 ᵃ4. de hepate Ζιβ17. 507 ᵃ12. Ζμγ10. 673 ᵇ19, 29. ἧπαρ πιμελῶδες Ζμγ17. 520 ᵃ17. τῶν ἰχθύων ἕτεροί τέ τινες χ̣ οἱ σελαχώδεις δύο δοκῦσιν ἧπατ᾽ ἔχειν Ζμγ7. 669 ᵇ35. Ζιβ17. 507 ᵃ18 (S II 15 312). χολή Ζιβ15. 506 ᵇ5. Ζμδ2. 676 ᵇ19, 677 ᵃ4. ἔχυσιν ἐναντίως οἱ ἰχθύες τοῖς ὄρνισιν τὰς ἀποφυάδας Ζμγ14. 675 ᵃ14. Ζιβ17. 509 ᵃ19. σπλήν Ζμγ7. 670 ᵇ11. φλέβες Ζιγ3. 514 ᵃ2. τοῖς ἰχθύσιν ὀλίγη περίττωσις γίνεται Ζμγ7. 670 ᵇ11. de utero eiusque situ Ζιγ1. 511 ᵃ12. ζ10. 564 ᵇ19. 20 Ζγα8. 718 ᵇ2. β4. 739 ᵇ7. γ1. 749 ᵃ34. νεῦρα Ζιγ5. 515 ᵇ25. οἱ μέσοι πόροι (τῦ ἐγκεφάλυ) συμπίπτυσιν Ζια16. 495 ᵃ15. vasa deferentia, ἡ τῆς σπερματικῆς περιττώσεως ἔξοδος Ζγα4. 717 ᵇ7, 26. 7. 718 ᵃ32. τοῖς ἰχθύσι τοιῦτος ὁ πόρος πᾶς ἐστιν οἷος ἐπὶ τῶν ἀνθρώπων· κατὰ τὸ ἕτερον 25 μέρος τῆς ἐπαναδιπλώσεως Ζγα6. 718 ᵃ15, 20. δύο πόροι εἰς ἓν συνάπτοντες Ζιβ17. 508 ᵃ13. τὸ τῶν ἰχθύων στέαρ πιμελῶδες χ̣ ὃ πήγνυται Ζιγ17. 520 ᵃ20. ossa. ἡ ἄκανθα, ἣ τοιαύτη ὥσπερ τοῖς τετραπόσιν ἡ ῥάχις Ζμβ8. 654 ᵃ20. Ζιγ7. 516 ᵇ16. β11. 503 ᵃ17. οἷον ἐν ἀνθρώπῳ χ̣ ἰχθύι πέ- 30 πονθεν ὀστῦν πρὸς ἄκανθαν Ζμα4. 644 ᵇ12. ἐν τοῖς μὴ ἔχυσιν (ὀστᾶ) τὸ ἀνάλογον (σκληρὸν τὴν φύσιν ἐστίν), οἷον ἐν τοῖς ἰχθύσι τοῖς μὲν ἄκανθα τοῖς δὲ χόνδρος Ζμβ8. 653 ᵇ36. 9. 655 ᵃ19. ἴδιον, ὅτι ἐν ἐνίοις εἰσὶ κατὰ τὴν σάρκα κεχωρισμένα ἀκάνθια λεπτά Ζιγ7. 516 ᵇ18. 35

6. de sexu Ζιδ11. 538 ᵃ2. Ζγβ5. 741 ᵃ35 sq. οἱ ἄρρενες, οἱ θήλεις Ζγγ8. 758 ᵃ16. 5. 756 ᵃ7. ἔνιοί φασι τὰς ἰχθῦς πάντας εἶναι θήλεις χ̣ τίκτειν ὃκ ἐξ ὀχείας Ζγγ8. 758 ᵃ1. ἔνια ὃτε ἄρρενα ὃτε θήλεα Ζιε1. 539 ᵃ28.

7. de ovis, coitu, graviditate, partu Ζγα8. 718 ᵇ8. γ1. 40 751 ᵇ17. 7. 757 ᵃ33, 34. οἱ ἰχθύες ἀποτίκτυσι τὰ ᾠὰ ἀποθεν Ζμδ8. 684 ᵃ24, ἀτελῆ Ζγβ1. 733 ᵃ28. γ1. 750 ᵇ16, 751 ᵃ25. 5. 755 ᵇ31, 756 ᵃ22. 9. 758 ᵇ4, μονόχροα Ζιε34. 558 ᵃ26. Ζγγ1. 751 ᵃ31. 3. 754 ᵇ23, αὐτόματα Ζιε1. 539 ᵇ3. εἰς τὰ ᾠὰ ἀπορραίνυσιν οἱ ἄρρενες Ζγγ7. 757 ᵇ9. ὃ πο- 45 λύσπερμον ὅλως τὸ τῶν σελαχωδῶν Ζγγ7. 757 ᵃ18. περὶ ὀχείας. οἱ πλεῖστοι γίνονται ἐξ ὀχείας, πῶς ὀχεύυσιν, ὃ τρίψει, ταχεῖα ἡ ὀχεία Ζιε5. 541 ᵃ12. Ζγγ9. 759 ᵃ6. ε6. 718 ᵃ1. πδ14. 878 ᵇ39. Ζγα5. 717 ᵇ35. συνδυασμὸς Ζιε5. 540 ᵇ6. ζ11. 566 ᵃ26. Ζγγ5. 756 ᵃ22 sq. πῶ, ποσάκις τίκτυσι 50 Ζιζ14. ε9. 10. 11. πότε ποιῦσι τὰς τόκυς Ζιζ17. περὶ γενέσεως Ζγγ7. 756 ᵃ14. διὰ τί διαφέρυσιν αἱ γενέσεις τοῖς ὄρνισι χ̣ τοῖς ἰχθύσιν Ζγγ3. 754 ᵇ20, 34. οἱ πλεῖστοι ἐξ ᾠῶν, ἔνιοι χ̣ ἐκ τῆς ἰλύος χ̣ ἐκ τῆς ἄμμυ Ζιζ5. 569 ᵃ10. fabulae περὶ τῆς κυήσεως Ζγγ5. 756 ᵇ5. κυήματα Ζιζ14. 55 568 ᵃ11. Ζγγ1. 750 ᵇ28. γόνος (Brut) Ζιζ37. 621 ᵃ25, 26, 32, ᵇ1. ἀφίη γόνος ἰχθύων Ζιζ15. 569 ᵇ22. ἐνίοις τῶν πνευματικῶν (excrementis abundantium Gaza, legit igitur περιττωματικῶν) ἰχθύων πλύϊπται ἡ γονή πδ29. 880 ᵃ27. οἱ καλύμενοι θοροὶ Ζιγ20. 521 ᵇ20. 60

8. de sensibus, sonis, somno, vita. περὶ τῶν ὅσα σκότυς

ὁρᾶται. τῶν αἰσθητηρίων τῶν ἄλλων ὅθεν ἔχυσι φανερὸν ὅτ᾽ ἀκοῆς ὅτ᾽ ὀσφρήσεως Ζιβ13. 505 ᵃ33. cf Ζμβ10. 656 ᵃ34. ἔχυσιν αἴσθησιν τῦ ὀσφραντῦ αι5. 444 ᵇ8, 443 ᵃ4. πολλὰς χ̣ τὰς ἰχθύας λέγυσι περικοπέντας χ̣ περιτμηθέντας μὴ αἰσθάνεσθαι, ἀλλ᾽ ὅταν ὑπὸ τῦ πυρὸς διαθερμανθῶσιν θε3. 835 ᵃ19. — ἄφωνοι ψβ8. 421 ᵃ4. Ζιθ9. 535 ᵇ14. φωνὴν ὃκ ἔχυσιν, ἀλλ᾽ οἱ λεγόμενοι φωνεῖν, οἷον ἐν τῷ Ἀχελῴῳ, ψοφῦσι τοῖς βραγχίοις ἤ τινι ἑτέρῳ τοιούτῳ ψβ8. 420 ᵇ12 (Torstrik 154. 162. Rose Ar Ps 298). ψόφυς χ̣ στριγμὰς ἀφιᾶσι, ἦχον ποιῦσι χ̣ μυγμὸν Ζιδ9. 535 ᵇ16. ι37. 621 ᵃ29. — τὰ τῶν ἰχθύων γένη ὧπται καθεύδοντα υ1. 454 ᵇ16. Ζιδ10. 537 ᵃ2-ᵇ5. — vita. ταχεῖα ἡ αὔξησις τοῖς ἰχθύσι f 308. 1530 ᵇ27. μείζω χ̣ μακροβιώτερα τὰ θήλεα τῶν ἀρρένων Ζιδ11. 538 ᵃ26, 30. ε5. 540 ᵇ16. οἱ γέροντες Ζιθ30. 607 ᵇ31. — τεχνικά Ζιι37. 620 ᵇ10 sq. τίς περὶ τὰ τέκνα ποιεῖται ἐπιμέλειαν. στιβαδοποιεῖται χ̣ τίκτει ἐν τῇ στιβάδι Ζιι37. 621 ᵃ21. θ30. 607 ᵇ20. ἔνια ἐν τῷ σκότει ποιεῖ αἴσθησιν, οἷον κεφαλαὶ· ἰχθύων χ̣ λεπίδες χ̣ ὀφθαλμοὶ ψβ7. 419 ᵃ5. αι2. 437 ᵇ6. cf Rose Ar Ps 373.

9. διαφοραὶ κατὰ τὰς τόπυς. τὰς ὥρας, τὴν χρόαν. διαφοραὶ κατὰ τὰς τόπυς Ζιθ13. 19. 601 ᵇ19. f 333. 1534 ᵃ10. Ζιζ17. 571 ᵃ23. τίνες μεταβάλλυσι πρὸς τὴν γῆν ἐκ τῦ πελάγυς χ̣ εἰς τὸ πέλαγος ἀπὸ τῆς γῆς Ζιθ13. 597 ᵇ31. φασὶ περὶ Βαβυλῶνα ἰχθύας τινὰς μένειν ἐν ταῖς τριγλαις ταῖς ἐχύσαις ὑγρότητα, ξηραινομένυ τῦ ποταμῦ, βαδίζειν ἐπὶ τῶν πτερυγίων χ̣ ἀνακινεῖν τὴν ἀρὰν θ71. 835 ᵇ7. τίνες φωλῦσι Ζιθ15. 599 ᵇ2. μεταβάλλυσι κατὰ τὰς ὥρας Ζιι44. 630 ᵃ14. τῦ χειμῶνος ἀπολείπυσιν οἱ ἰχθύες τὸν Πυρραῖον εὔρινον Ζμδ5. 680 ᵇ2. τίνες μεταβάλλυσι τὴν χρόαν Ζιθ30. 607 ᵇ18. Ζιγ6. 785 ᵇ18.

10. ἡ τῶν ἰχθύων τροφή, νομὴ Ζιθ2. 591 ᵃ7, 592 ᵃ24. ι2. 610 ᵇ14. τὸ ὑγρὸν προσφέρεται ὃ ποτῦ χάριν ἀλλὰ τροφῆς Ζμγ8. 671 ᵃ10. ὑδατοθρέμμονες ἰχθῦς (Emped 130) κ6. 399 ᵇ28. οἱ ἰχθύες ἅπτονται πολλάκις χ̣ ἑαυτῶν, διώκυσι τὰ μείζω οἱ μεγάλοι Ζιθ3. 593 ᵇ28. 19. 602 ᵇ3. ἀλληλοφαγῦσι Ζιθ2. 591 ᵃ17. — σκάρος δοκεῖ μόνος ἰχθὺς μηρυκάζειν Ζιβ17. 508 ᵇ12. θ2. 591 ᵇ22, cf Lewes 288.

11. morbi Ζιθ19. 20. νοσεῖν δοκῦσι Ζιθ19. 602 ᵇ15. μάλιστα πονῦσιν ἐν τοῖς χειμῶσιν οἱ ἔχοντες λίθον ἐν τῇ κεφαλῇ· ἀποπνίγονται ἐν τῷ αὐτῷ ὕδατι χ̣ ὀλίγῳ μὲν ὄντες, ἐν τῷ ἀέρι· ἀποθανόντες οἱ πλεῖστοι ὃκ ἐπιπολάζυσιν ὃδὲ φέρονται ἄνω Ζιθ19. 601 ᵇ29. αν19. 479 ᵇ10. Ζιθ2. 592 ᵃ21, 19. ἰχθὺς ἐν ἀέρι διατελῶν φαύλως ἂν ἴσχοι, τῦ ὑγρῦ στεριισκόμενος ὃ δύναιτ᾽ ἂν πολλοῖ τῶν ἰχθύων πκη1. 949 ᵃ29. Ζιια1. 487 ᵃ18. φασὶν ἐν τῇ τῶν Μασσαλιωτῶν χώρα λίμνην τινὰ χ̣ τοσαύτυς ἰχθῦς ἐκβάλλειν τὸ πλῆθος ὥστε μὴ πιστεύειν θ89. 837 ᵇ10, 15. νόσημα λοιμῶδες ὃδὲν εἰς τὰς ἰχθῦς φαίνεται ἐμπῖπτον Ζιθ19. 602 ᵇ12. ἐν τοῖς ψυχροῖς τόποις εὐ εὐθηνῦσιν Ζιθ19. 601 ᵇ28. (εὐθηνῦσι μᾶλλον ἐν τοῖς ἐπομβρίοις ἔτεσιν Ζιθ19. 601 ᵇ9. 18. 601 ᵃ28, 31. εὐετηρία Ζιθ19. 601 ᵇ28.)

12. αἱ θῆραι τῶν ἰχθύων Ζιδ8. 533 ᵇ15. ε5. 541 ᵃ20. θ20. 603 ᵃ2. οἱ περὶ τὸν Πόντον θηρεύυσι τὰς ἰχθῦς διακόπτοντες τὸν κρύσταλλον μα12. 348 ᵇ35 Ideler. ἁλίσκονται Ζιδ10. 537 ᵃ5. θ19. 602 ᵇ6. ἔνια ἰχθύσι χρῶνται τροφῇ Ζια1. 488 ᵃ19. τὸ τῶν πιόνων ἰχθύων δέλεαρ Ζιδ8. 533 ᵃ33. — πότε ἀγαθοί, φαῦλοι. ἀκμάζει Ζιθ30. 607 ᵇ8, 26. ι37. 621 ᵇ19. ἡ τενθηδὼν χ̣ πρὸς τὰ μαγειρεῖα χ̣ τὰς ἰχθῦς προσπέταται Ζιι43. 629 ᵃ34. τῶν ἰχθύων μὴ ἅπτεσθαι ὅσοι ἱεροί f 190. 1512 ᵃ15. ἐναιχθ̣ ἐξ ἰχθύων ποιῦσι κόλλαν Ζιιγ11. 517 ᵇ1.

13. Epizoa. φθεῖρες ϗ ψύλλοι ἐν ἰχθύσιν Ζιδ10. 537 ᵃ5. ε31. 557 ᵃ22.

14. ἱερὸς ἰχθύς, ἀνθίας Ζιι37. 620 ᵇ35.

15. ὀρυκτοὶ ἰχθῦς θ73. 835 ᵇ16, 24. τῶν ἰχθύων οἱ πολλοὶ ζῶσιν ἐν τῇ γῇ, ἀκινητίζοντες μέντοι ϗ εὑρίσκονται ὀρυττόμενοι αν9. 475 ᵇ11, cf S Theophr IV 810. Lasaulx Geologie der Griech u Röm 1851 p 7.

ἰχθυώδης. τὸ δέρμα ἰχθυῶδες Ζγα12. 719 ᵇ8. αἱ φῶκαι τὰς ὄπισθεν πόδας ἰχθυώδεις ἔχυσι πάμπαν Ζμδ13. 697 ᵇ5. — ἰχθυωδῶς. τὸ ἔμπροσθεν τῆς τῦ βατράχυ γλώττης προσπέφυκεν ἰχθυωδῶς Ζιδ9. 536 ᵃ9.

ἰχνεύμων. 1. οἱ ἰχνεύμονες τίκτυσιν ὅσαπερ ϗ οἱ κύνες, ϗ τρέφονται τοῖς αὐτοῖς· ζῶσι δὲ περὶ ἔτη ἓξ Ζιζ35. 580 ᵃ23.- ὁ ἐν Αἰγύπτῳ quomodo aspidem aggrediatur Ζιι6. 612 ᵃ16. (Herpestes Ichneumon C II 447. Su 48, 19. ΑΖι I 70, 24.) — 2. οἱ σφῆκες οἱ ἰχνεύμονες καλύμενοι. eorum ortus Ζιε20. 552 ᵃ26. πολέμια ἰχνεύμων ϗ φάλαγξ Ζιι1. 609 ᵃ5. cf S II 4 et ΑΖι II 209 (guêpe-Ichneumon C II 449. Sphex Cr. Sphegidae ΑΖι I 165, 19. Su 221, 32).

ἴχνος ἀνθρώπινον θ100. 838 ᵇ22. τὸ λαιὸν ἴχνος ἀνάρβυλοι ποδὸς (Eur f 534) f 64. 1486 ᵇ20. ἀφανῆ τῶν περιστερῶν τὰ ἴχνη f 149. 1503 ᵇ3. οἱ κύνες τὰ ἴχνη εὑρίσκυσι πκς22. 942 ᵇ13. ἴχνη τῦ θεῦ θ97. 838 ᵃ33. κόπρος ἀρίστη τὰ τῦ δεσπότυ ἴχνη οα6. 1345 ᵃ5, cf παροιμία. — metaph ἐν τοῖς παισὶ τῦ ὑστέρυ ϗ ἐσομένυ ἐστὶν ἰδεῖν οἷον ἴχνη ϗ σπέρματα Ζιθ1. 588 ᵃ33. cf ᵃ19. ιιι608 ᵇ4.

Ἰχνῦσσα πρότερον ϗ Σαρδὼ ἐκαλεῖτο θ100. 838 ᵇ20.

ἰχώρ, refertur inter τὰ ὑγρὰ ὁμοιομερῆ μόρια Ζμβ2. 647 ᵇ12. Ζιι1. 487 ᵃ3. — 1. serum (F 272, 14. ΚαΖιι 35, 7. ΑΖι I 194. Sprengel Beitr z Gesch d Medicin I, 3, 196). ἰχώρ δ' ἐστὶ τὸ ὑδατῶδες τῦ αἵματος διὰ τὸ μήπω πεπέφθαι ἢ διεφθάρθαι, ὥστε ὁ μὲν ἐξ ἀνάγκης ἰχώρ, ὁ δ' αἵματος χάριν ἐστίν Ζμβ4. 651 ᵃ17. γίνεται πεττόμενον ἐξ ἰχῶρος μὲν αἷμα, ἐξ αἵματος δὲ πιμελή· ἰχώρ δέ ἐστιν ἄπεπτον αἷμα, ϗ τῷ μήπω πεπέφθαι ἢ τῷ διωρρῦσθαι Ζιδ. 521 ᵃ18, ᵇ2. μδ10. 389 ᵃ10. ἀτελὲς τὸ μέν ἐς τὸ δ' ἰχώρ Ζια4. 489 ᵃ23. τὸ αἷμα νοσερόν ἐστι τὸ μιχθὲν τοῖς τῦ ἐγκεφάλυ περιττώμασι, ϗ ἔστι καθάπερ ἰχώρ πι2. 891 ᵃ18. cf Plat Tim 82 E. τῶν ὀρνιθίων γε ϗ τεμνομένων τὸ στῆθος ἰχώρ, ἐχ αἷμα· ἡ πρὸς ἄλληλα κόλλησις ἰχώρ ἐστι ϗ ὑγρότης μυξώδης· ὁλκὸν εἶναι τὸν ἰχῶρα τὸν σηπόμενον πν6. 484 ᵃ38. 7. 485 ᵃ1. πκβ13. 931 ᵃ26. — 2. fort sanguis evertebratorum cf ΚαΖι 5, 5. τὸ ἀνάλογον αἵματι ϗ φλεψίν, ἰχώρ ϗ ἶνες Ζιγ2. 511 ᵇ4. — 3. liquor amnii. προέρχονται οἱ ἰχῶρες ὑδαρεῖς ὕπωχροι, αἱματώδεις ϗ ὑγροί Ζιη9. 586 ᵇ32. — 4. serum lactis. πᾶν τὸ γάλα ἔχει ἰχῶρα ὑδατώδη, ὃ καλεῖται ὀρρός Ζιγ20. 521 ᵇ27. — 5. sanies. τὸ περίττωμα ῥεύματα ποιεῖ φλέγματος ϗ ἰχῶρος Ζμβ7. 653 ᵃ2. ἐκ τῶν ἑλκῶν ἰχῶρες ῥέυσιν ὠχροὶ σφόδρα· τὴν τομὴν θριξὶ βύσιν, ὅπως ὁ ἰχώρ ῥέῃ ἔξω Ζιι44. 630 ᵃ6. 50. 632 ᵃ18. cf Lewysohn Zool des Talmud 50. — 6. virus echidnae. οἱ Σκύθαι μιγνύυσι τῦ τῆς ἐχίδνης ἰχῶρι τὸ τῶν αἵματος ὑδατῶδες θ141. 845 ᵃ8. cf Neumann Hellenen im Scythenlande I 292. Rose Ar Ps 342. — 7. ἔνιαι τῶν ἰνῶν ἔχυσιν ὑγρότητα τὴν τῦ ἰχῶρος (?) Ζιγ6. 515 ᵇ28 cf ΚαΖι 5, 5. — naphtha. περὶ τὴν ἄκραν τὴν Ἰαπυγίαν φασὶν ἔκ τινος τόπυ ῥεῖν ἰχῶρα πολὺν ϗ τοιῦτον ὥστε διὰ τὸ βάρος τῆς ὀσμῆς ἅπλυν εἶναι τὴν κατὰ τὸν τόπον θάλασσαν θ97. 838 ᵃ29. syn ϗ πηγὴ δυσώδες ὕδατος Strab VI 3, 5 p281 cf Oribas I 630.

ἰχωροειδές. αἷμα ἰχωροειδές Ζιγ19. 521 ᵃ13, 33. μδ7. 384 ᵃ32. ὑγρότης ἰχωροειδής Ζιζ3. 562 ᵇ22.

ἰωχὴ κρυόεσσα (Hom E 740) f 148. 1503 ᵃ42.

Ἰωλκός. ὁ ἐν Ἰωλκῷ ἀγών f 594. 1574 ᵇ31.

ἰώμενος. ὁ ἀπὸ τῦ θείυ ϗ τῶν ἰωμένων χαλκείων καπνός Ζι3. 793 ᵇ6.

Ἴων Μδ28. 1024 ᵃ34. f 343. 1535 ᵇ38.

Ἴωνες Μδ28. 1024 ᵃ33. θ106. 840 ᵃ13. Ζιι12. 615 ᵇ8. οἱ Ἀθηναῖοι Ἴωνες ἐκλήθησαν f 343. 1535 ᵇ39. Ἴωνες ἐκ τῆς Ἀττικῆς τετραπόλεως f 449. 1551 ᵇ37.

Ἰωνία. οἱ τύραννοι περὶ τὴν Ἰωνίαν Πε10. 1310 ᵇ28. Φωκαεῖς οἱ ἐν Ἰωνίᾳ f 508. 1561 ᵃ38.

Ἰωνικῆς ἀποικίας Νηλεὺς ἡγεῖτο f 66. 1486 ᵇ40.

K

K ad significandum τὸ καθόλυ adhibetur veluti ΚΖ, ΚΓ Αα 28. 44 ᵃ40, ᵇ1. Wz.

Καβύη, mater Opuntis f 520. 1563 ᵃ33.

καδίσκος. οἱ διαιτηταὶ ἐμβαλόντες τὰς πίστεις ἑκατέρων εἰς καδίσκυς f 414. 1547 ᵃ22.

Κάδμος εὗρε τὰ στοιχεῖα ϗ ἤγαγεν εἰς τὴν Ἑλλάδα, λιθοτομίαν ἐξεῦρε ϗ μέταλλα χρυσᾶ τὰ περὶ τὸ Παγγαῖον ἐπενόησεν cf 459. 1553 ᵇ2, 4, 6, 24.

κάδος. ἐν τῷ κάδῳ τὸ ὕδωρ Φδ4. 211 ᵇ3, 5. ἐν τοῖς φρέασι πῶς κατάγυσι ϗ ἀνάγυσι τὰς κάδυς μχ28. 857 ᵃ36, ᵇ4. — κάδος ᾧ κημὸς ἐπέκειτο δι' ὃ καθίετο ἡ ψῆφος f 426. 1548 ᵇ38.

κάειν, κάιειν (promiscue scriptum exhibet Bk, veluti κάειν Φθ1. 251 ᵃ15, 16, ᵇ32, 33, sed v l κάιειν). αἱ φλόγες αἱ καιόμεναι περὶ τὸν ἐρανὸν μα4. 341 ᵇ2. 5. 342 ᵇ3. κεραυνὸς ἔχρωσε μέν, ἔκαυσε δ' ὃ μγ1. 371 ᵃ25. τὰ μὲν ἐκθυμιώμενα τῶν ὑγρῶν ὑγρὰ μᾶλλον, τὰ δὲ καιόμενα ξηρὰ μδ9. 388 ᵃ9. εἰ τὸ καιόμενον πυρῦται Ογ8. 307 ᵃ24. ὅσα δὲ μάλιστα πέπηγε, ταῦτα ψυχρά τε μάλιστα ἐὰν στερηθῇ θερμότητος, ϗ κάει μάλιστα ἐὰν πυρωθῇ, οἷον ὕδωρ καπνὸ ϗ λίθος ὕδατος κάει μᾶλλον μδ11. 389 ᵇ21, 22. κάεσθαι, comparatur πέττεσθαι μβ3. 358 ᵃ12. κεκαῦσθαι ὑπὸ τῆς τῦ ἡλίυ φορᾶς μα6. 343 ᵃ9. καομένη ἡ γῆ αἰτία τῶν χυμῶν μβ3. 359 ᵇ10. πκδ18. 937 ᵇ24. μᾶλλον καίονται ὑπὸ τῦ ἡλίυ οἱ καθεζόμενοι τῶν γυμναζομένων πλη6. 967 ᵃ20. πῶς ἐνίοτε ὁ κάειν λέγεται ϗ θερμαίνειν τὸ ψυχρόν μδ5. 382 ᵇ8 Ideler. — ἐν Κύπρῳ, ἡ ἡ χαλκῖτις λίθος καίεται (i e funditur) Ζιε19. 552 ᵇ10. cf θ48. 833 ᵇ30. — διὰ τί ἡ μὲν θάλαττα κάεται, ὁ δὲ ὕδωρ ὔ πκγ15. 933 ᵃ17. 32. 935 ᵃ5. — ποῖα δεῖ κάειν ἢ ποῖα δεῖ τέμνειν πα32. 863 ᵃ10. 34. 863 ᵃ19. λα5. 957 ᵇ26. — καυστόν Φθ1. 251 ᵃ15. Ζμβ2. 648 ᵇ17. καυστὰ δοκεῖ εἶναι ὅσα ἐς τέφραν διαλύεται μδ9. 387 ᵇ13, dist τηκτὰ, μαλακτὰ μδ7. 384 ᵇ16. περὶ καυστῦ μδ8. 385 ᵃ18. 9. 387 ᵃ17-22.

καθαιρεῖν. τοσαύτη τῦ λόγυ χρῆσίς ἐστιν ὅσον αὔξειν ἢ καθαιρεῖν ἢ πιστὰς ποιεῖν ἢ ἀπιστυς (τὰς συνθήκας) Ρα15. 1376 ᵃ34. οἱ τὸν ἅπαντα κόσμον λέγοντες τὸν κόσμον εἶναι (opp ἄφθαρτον λέγοντες τὸν κόσμον εἶναι) f 17. 1477 ᵃ19, 9. ἐπ' ἄπειρον ἡ διαίρεσις, καθάπερ ἐπὶ τῶν αὐξανομένων ϗ καθαιρυμένων γραμμῶν Φζ6. 237 ᵇ9, cf καθαίρεσις.

καθαίρειν. τῷ Πόντῳ καθαιρομένῳ ἐπιφέρεταί τι κατὰ τὸν Ἑλλήσποντον ὃ καλῦσι φῦκος Ζιζ 13. 568 ᵃ4. ἡ γῆ καθαιρομένη ὄμβροις ἀποκλύζεται τὰ νοσώδη κ 5. 397 ᵃ33. τὸ ἀργύριον καθαιρόμενον ἐκπαφλάζει πκδ 9. 936 ᵇ26. — οἱ ἰατροὶ φαρμάκοις τὸ σῶμα καθαίροντες φ 4. 808 ᵇ22. τίνα καθαίρει πα 42. 47. pass αἱ κύνες πᾶν ἐσθίυσαι ἀνεμῦσι ἢ καθαίρονται Ζιθ 5. 594 ᵃ29. ὁ θῆλυς ὄρεὺς καθαίρεται ὕρῦσα, ἡ βῦς καθαίρεται κάθαρσιν βραχεῖαν Ζιζ 24. 578 ᵃ3. 18. 573 ᵃ6.

καθαίρεσις. ἄπειρον ἐπὶ τὴν καθαίρεσιν, καθαιρέσει, ἐπὶ καθαιρέσει, syn ἀφαίρεσις, opp αὔξη, αὔξησις, πρόσθεσις Φγ 6. 206 ᵇ13, 29, 31, 207 ᵃ23. 8. 208 ᵃ21 (τὰ λευκὰ καταμήνια) ποιεῖ ἢ νόσῳς ἢ τῶν σωμάτων καθαίρεσιν Ζγβ 4. 738 ᵃ31.

καθαμμίζῃσιν ἑαυτῳ ᾧ ὄνος ᾧ βάτος Ζιι 37. 620 ᵇ29.

καθάπαξ. ἀεὶ τῦς αὐτῦς τῦς μὲν ἄρχειν τῦς δ᾽ ἄρχεσθαι καθάπαξ Πη 14. 1332 ᵇ23. α 13. 1259 ᵇ36.

καθάπερ vi et usu ab ὥσπερ non videtur discerni posse, καθάπερ . . . τὸν αὐτὸν τρόπον μβ 1. 353 ᵇ14. καθάπερ εἴρηται πρότερον sim Πε 3. 1303 ᵃ5. μδ 3. 380 ᵃ14. β 4. 360 ᵃ19, 21 (cf ὥσπερ εἴρηται πρότερον ᵃ12). 8. 345 ᵇ1. καθάπερ ᾧ μγ 7. 387 ᵃ17. δ 12. 389 ᵇ32. ad afferenda exempla perinde atque οἷον usurpatur τὸ 4. 124 ᵇ16. verbum enunciationis a καθάπερ exorsae interdum omittitur, διὸ δεῖ μὴ καθάπερ ἡ Λακεδαιμονίων πόλις (sc ἀσκεῖ) τὴν ἀρετὴν τὴν ἀσκεῖν Πη 15. 1334 ᵃ40. θ 3. 1338 ᵃ19. omittitur etiam aliquoties ea enunciatio demonstrativa, ad quam enunciatio a καθάπερ incipiens referatur, veluti ψα 1. 403 ᵃ12. πγ 17. 873 ᵇ20. — καθάπερ i q quasi: δεῖ πολλὰ προϋποτεθεῖσθαι καθάπερ εὐχομένοις Πη 4. 1325 ᵇ38. cf μβ 4. 360 ᵃ26. πκς 26. 942 ᵇ37. — καθάπερ ἄν i omisso eo verbo, ad quod ἄν referatur, τὸ ἀμερὲς ὐκ ἐνδέχεται κινεῖσθαι πλὴν κατὰ συμβεβηκός, καθάπερ ἄν εἰ τὸ ἐν τῷ πλοίῳ κινοῖτο Φζ 10. 240 ᵇ10, omisso praeterea verbo, quod ad particulam et pertineat, ποιεῖ τὴν κίνησιν ἐξ ἀμερῶν, καθάπερ ἄν εἰ τὸν χρόνον ἐκ τῶν νῦν Φζ 10. 241 ᵃ5. Ζμβ 16. 659 ᵃ2. Ζπ 10. 710 ᵃ31 coniunctim scriptum exhibetur καθαπερανεί Ζιδ 2. 526 ᵇ3. Wz Ι 410. Vhl Poet I 37. eadem ellipsi καθάπερ ἄν usurpatur, ὅσῳ ἄν τις τὴν διαλεκτικὴν μὴ καθάπερ ἄν δύναμιν ἀλλ᾽ ἐπιστήμην πειρᾶται κατασκευάζειν Ρα 4. 1359 ᵇ13, cf καθάπερ ἄν c partic μν 1. 450 ᵇ2. — καθάπερ εἰ vel καθαπερεί i q καθάπερ (cf ὥσπερεί s v ὥσπερ) Ζμγ 4. 666 ᵃ21. coniunctim scriptum exhibetur καθαπερεί Ζμδ 5. 682 ᵃ20. Ζμδ 4. 529 ᵇ30. α 28. 555 ᵇ22. f 488. 1557 ᵇ26. — (καθάπερ post comparativum pro part ἤ πια 33. 903 ᵃ33 videtur e corruptela ortum esse.)

καθάπτειν, intr σχίσεις καθάπτῃσιν εἰς τὸ ὀστῦν, φλέβες καθάπτῃσι πρὸς τὴν κύστιν Ζιγ 4. 514 ᵇ30, 515 ᵃ3. — trans τὰ ὀστέα καθάπτειν τὰ νεῦρα ᾧ τὰς φλέβας πν 5. 483 ᵇ31. 6. 484 ᵃ17.

καθάριος περὶ ὄψιν, περὶ ἀμπεχόνην, περὶ ὅλον τὸν βίον Ρβ 4. 1381 ᵇ1. (καθάριος ci Bkᵌ Ργ 15. 1416 ᵃ23, καθαρὸς Bk¹) ᾧ τἆλλα καθαριώτατόν ἐστι τὸ ζῷον (ἡ μέλιττα) Ζιι 40. 626 ᵃ24.

καθαριότης. διαφέρει ἡ ὄψις ἁφῆς καθαριότητι Ηκ 5. 1176 ᵃ1. ἡ φιλοσοφία θαυμαστὰς ἔχει ἡδονὰς καθαριότητι ᾧ τῷ βεβαίῳ Ηκ 7. 1177 ᵃ25.

καθαρμός. ὅσαις δ᾽ ἄν ἐν ταῖς ἀποκαθάρσεσι (fort ἀποκυήσεσι Pic) προεξορμήσωσιν οἱ καθαρμοὶ Ζιι 10. 587 ᵇ1. cf ἡ κάθαρσις τῶν περιττωμάτων Ζγβ 4. 738 ᵃ27.

καθαρός. ἐν δ᾽ ἐχύθη καθαρῦσι (Emp 329) Ζγα 18. 723 ᵃ25. — σῶμα καθαρώτερον, opp ἧττον εἰλικρινὲς μα 3. 340 ᵇ8. πῦρ καθαρόν μα 3. 339 ᵇ30. ἐν ὑπεκκαύματι καθαρῷ μα 7. 344 ᵇ14. ὕταν καθαρὸς γένηται ὁ σίδηρος μδ 6. 383 ᵇ1. πέτραι καθαραὶ πκγ 33. 935 ᵃ14. αἷμα καθαρώτατον, opp σωματωδέστερον υ 3. 458 ᵃ12. ὑγρότης λεπτοτέρα ᾧ καθαρωτέρα Ζμβ 4. 650 ᵇ23. τροφὴ καθαρά, μὴ καθαρά Πγ 11. 1281 ᵇ37. χρόαι καθαραὶ αι 3. 440 ᵃ5. σῶμα (scribendum χρῶμα) λευκέρυθρον ᾧ καθαρόν φ 3. 807 ᵇ17. ἱμάτιον καθαρὸν Ζγε 1. 780 ᵇ31. δύσεις καθαραί, opp τεταραγμέναι πκς 8. 941 ᵃ1. καθαρὸς ὁ βορέας (ambigue dictum) τι 33. 182 ᵇ19. φωναὶ καθαραὶ ακ 801 ᵇ28. καθαρὰ ᾧ κρίσις Ργ 12. 1414 ᵃ13. νῦς ἀμιγὴς ᾧ καθαρός (Anaxag) ψα 2. 405 ᵃ17. — καθαρὸς c gen ἀγορὰ καθαρὰ τῶν ὠνίων πάντων Πη 12. 1313 ᵃ33. ὁ ἵππος τῶν λοχίων καθαρώτατον Ζιζ 18. 573 ᵃ10. — καθαρὸς i q καθάριος: περὶ ἐσθῆτα καθαρὸς ᾧ περὶ οἴκησιν αρ 5. 1250 ᵇ28. καθαρὸς ὁ μοιχὸς Ργ 15. 1416 ᵃ23 (καθάριος ci Sp Bkᵌ). — καθαρῶς διορίζειν, διεξελθεῖν, διασημῆναι Ρα 2. 1356 ᵃ26. ρ 31. 1438 ᵃ7. Αα 44. 50 ᵃ40. ζῆν ἀλύπως ᾧ καθαρῶς με 4. 1215 ᵇ12.

καθαρσίου διὰ τί ὀνομάζεται ὁ θεὸς κ 7. 401 ᵃ23.

κάθαρσις. 1. vocabulum artis medicae (cf Bernays Grundz p 191). ἡ κάθαρσις τῶν περιττωμάτων, ἃ τῷ νοσεῖν αἴτια τοῖς σώμασιν Ζγβ 4. 738 ᵃ27. κάθαρσις διὰ φαρμάκων πῶς γίνεται πα 42. 864 ᵃ34. κάθαρσις, coni ἰσχνασία Φβ 3. 194 ᵇ36. Μδ 2. 1013 ᵇ1. — syn ἡ τῦ σπέρματος πρόεσις. αἱ σπερματικαὶ καθάρσεις ἀπὸ τῦ ὑποζώματός εἰσιν Ζγβ 7. 747 ᵃ19. — syn τὰ καταμήνια. γίνεται κάθαρσις i q τὰ καταμήνια φοιτᾷ Ζγα 20. 728 ᵇ3, 14. δ 6. 775 ᵇ5. Ζιζ 18. 573 ᵃ2. η 2. 582 ᵇ7, 30. 10. 587 ᵇ2. 11. 587 ᵇ30. ᾧ γίνεται Ζιη 11. 587 ᵇ30, 588 ᵃ1. Ζγδ 5. 773 ᵇ31. syn ὅταν αἱ καθάρσεις στῶσι Ζιη 4. 584 ᵃ8. ᾧ συμβαίνει Ζιζ 29. 578 ᵇ18. ἐπιγίνεται Ζιη 11. 587 ᵇ33. προϊέμενα κάθαρσιν Ζιζ 18. 573 ᵃ23. καθαίρεται κάθαρσιν Ζιζ 18. 573 ᵃ7. αἱ καθάρσεις ἐπιπολάζυσι Ζγα 20. 728 ᵇ11. — τί ἐστιν ἡ κάθαρσις. φλεγματώδης Ζιζ 20. 574 ᵇ4. 29. 578 ᵇ18. ᾧ σφόδρα αἱματώδης Ζιζ 18. 573 ᵃ2. βραχεῖα, παχεῖα Ζιζ 18. 573 ᵃ7. 20. 574 ᵇ4. φαῦλαι ᾧ πλήρεις Ζγβ 7. 746 ᵇ30. πολλή, ἀθρόα, πλείστη Ζιζ 18. 573 ᵃ2. η 2. 582 ᵇ7, 30. Ζγα 20. 728 ᵇ14. δ 6. 775 ᵇ5. ὐκ ἐπίδηλος ὅλως, ὀλίγη, κατ᾽ ὀλίγον, ἐλάττων Ζιζ 18. 573 ᵃ23. η 2. 582 ᵇ7. 10. 587 ᵇ2. Ζγδ 6. 775 ᵇ5. χείρως Ζιη 11. 587 ᵇ33 (sunt deteriores, quod recte Scalig monuit, tempore et quantitate non qualitate, cf Ζγα 19. 727 ᵃ14). τοῖς μὲν τῶν ζῴων ὀλίγη γίνεται καθαρσις, τοῖς δ᾽ ὐκ ἐπίδηλος ὅλως, ταῖς δὲ γυναιξὶν πλείστη τῶν ζῴων· καθάρσεις γίνονται καταμηνίων, ὐ μὴν ὅσαι γε ταῖς γυναιξὶν ὐθενὶ τῶν ἄλλων ζῴων Ζγδ 6. 775 ᵇ5. Ζιζ 18. 572 ᵇ29. αἱ καθάρσεις ὐκ ἐξακριβῦσι πάσαις ὁμοίως, τοῖς θήλεσιν ἡ τῶν καταμηνίων καθάρσις σπέρματος ἔξοδός ἐστιν Ζιη 3. 583 ᵃ30. Ζγδ 5. 774 ᵃ1. θερμὴ διὰ τὴν κάθαρσιν ἡ ὑστέρα, μετὰ τὴν κάθαρσιν συμμύει τὸ στόμα τῶν ὑστερῶν, γεννᾷ τὸ θῆλυ, ὐ γίνονται καθάρσεις κυϊσαις Ζγβ 4. 739 ᵇ4. α 19. 727 ᵇ22, 14. δ 6. 775 ᵃ37. τὰ τετράποδα τὰ ἐλάττω προϊέμενα κάθαρσιν, ᾧ βῦς καθαίρεται κάθαρσιν βραχεῖαν· ἐπειδὰν τέκωσι (πρόβατα, αἶγες,) κάθαρσις γίνεται πολλή, τὸ μὲν πρῶτον ὐ σφόδρα αἱματώδης, ὕστερον σφόδρα· ἡ ἐν τοῖς τόκοις κάθαρσις γίνεται ἅμα τοῖς σκυλακίοις τικτομένοις, ὕστερον δ᾽ αὕτη παχεῖα ᾧ φλεγματώδης· κάθαρσις κατ᾽ ἄλλας χρόνους ὐ συμβαίνει ταῖς σκύλαξιν, ὅταν δὲ τίκτωσι, γίνεται φλεγματώδης αὐταῖς κάθαρσις· ὐ μὴν ἐπιπολάζυσί γε αἱ καθάρσεις τῷ ὀρεῖ ὥσπερ ἀνθρώποις Ζιζ 18. 573 ᵃ23, 7, 2. 20. 574 ᵇ4. 29. 578 ᵇ18. Ζγα 20. 728 ᵇ11. κάθαρσις translata ad plantas: ἔστι τὰ καταμήνια σπέρμα ὖ καθαρὸν ἀλλὰ δεόμενον ἐργασίας ὥσπερ ἐν τῇ περὶ τὰς καρπὰς γενέσει, ὅταν ᾖ μήπω διηττη-μένη (διητημένη Bk), ἔνεστι μὲν ἡ τροφὴ δεῖται δ' ἐργα-σίας πρὸς τὴν κάθαρσιν Ζγα 20. 728 ᵃ29. — de menstruis mulierum. ἡ γυνὴ περὶ τὰς καθάρσεις πλεονάζει, πλείστη γίνεται κάθαρσις τῶν ζώων ταῖς γυναιξίν (opp πλείστη τὰ σπέρματος πρόεσις), ταῖς γυναιξὶν μᾶλλον τῶν ἄλλων θη-λειῶν ἡ κάθαρσις γίνεται πλείστη Ζγδ 7. 776 ᵃ11. ἀ 20. 728 ᵇ14. Ζιη 2. 582 ᵇ30. ταῖς μὲν ἀθρόα ἡ κάθαρσις γί-νεται ταῖς δὲ κατ' ὀλίγον Ζιη 2. 582 ᵇ7. ἔμετοι λαμβάνεσι τὰς πλείστας, ὅταν αἵ τε καθάρσεις στῶσι ϰ μήπω εἰς τὰς μαστὰς τετραμμέναι ὦσιν Ζιη 4. 584 ᵃ8. ὅσαις δ' ἂν μὴ γινομένων τῶν καθάρσεων αἷμα συμπέσῃ ἐμέσαι, ὐδὲν βλάπτονται Ζιη 11. 588 ᵃ1. ἔνιαι συλλαμβάνωσιν, ὅσαις συναθροίζεται ἰκμὰς τοσαύτη, ὅση ταῖς γειναμέναις ὑπο-λείπεται μετὰ τὴν κάθαρσιν Ζιη 2. 582 ᵇ16. Ζγα 19. 727 ᵇ20, 24. μετὰ τὰς τόκας ϰ τὰς καθάρσεις ταῖς γυναιξὶν τὸ γάλα πληθύνεται· ἐὰν καθάρσεις μετὰ τὸν τόκον ἐλάτ-τας γένωνται, ἰσχύωσι μᾶλλον αἱ γυναῖκες Ζιη 11. 587 ᵇ19. 10. 587 ᵇ2. τῷ ϑηλάζωσις ἐξιοντος ἡ γίνονται αἱ καθάρσεις, ἐπεὶ ἤδη τισὶ θηλαζομέναις ἐγένετο καθάρσεις Ζιη 11. 587 ᵇ30. ὀτὲ διὰ νόσον ταῖς γυναιξὶν αἱ καθάρσεις φαῦλαι ϰ πλήρεις νοσηματικῶν περιττωμάτων Ζγβ 7. 746 ᵇ30. ταῖς ἐχέσαις αἱμορροίδας χεῖρας αἱ καθάρσεις ἐπιγίνονται Ζιη 11. 587 ᵇ33. Ζγα 19. 727 ᵃ14. φασί τινες τῶν σοφιζομένων ϰ τὴν σελήνην εἶναι θῆλυ, ὅτι ἅμα συμβαίνει ταῖς γυναιξὶ ϰ κά-θαρσις τῇ δ' ἡ φθίσις ϰ μετὰ τὴν κάθαρσιν ϰ τὴν φθίσιν ἡ πλήρωσις ἀμφοῖν Ζιη 2. 582 ᵇ1. cf ἡ σελήνη τὰς τῶν καταμηνίων ταῖς γυναιξὶν προθεσμίας διαφυλάττει Galen IX 903. Coste hist du développement I 294.

2. κάθαρσις i q expiatio, lustratio. ἐν Ὀρέστῃ ἡ μανία δι' ἧς ἐλήφθη ϰ ἡ σωτηρία διὰ τῆς καθάρσεως πο 17. 1455 ᵇ15.

3. κάθαρσις τῶν παθημάτων, Bernays Grundz p 139 sqq, 191. χρῆσθαι τῇ μυσικῇ παιδείας ἕνεκεν ϰ καθάρσεως Πθ 7. 1341 ᵇ38. καιροὶ ἐν οἷς ἡ θεωρία κάθαρσιν μᾶλλον δύναται ἢ μάθησιν Πθ 6. 1341 ᵃ23. πᾶσι γίγνεσθαί τινα κάθαρσιν ϰ κυφίζεσθαι μεθ' ἡδονῆς Πθ 7. 1342 ᵃ14. ὁρῶμεν τύτης, ὅταν χρήσωνται τοῖς ἐξοργιάζυσι τὴν ψυχὴν μέλεσι, κα-θιστασμένας ὥσπερ ἰατρείας τυχόντας ϰ καθάρσεως Πθ 7. 1342 ᵃ11. τί λέγομεν τὴν κάθαρσιν, ἐν τοῖς περὶ ποιητικῆς ἐρῶμεν σαφέστερον Πθ 7. 1341 ᵇ39 (Bernays Grundzüge p 139 sqq). cf f 63. 1486 ᵃ39. ἡ τραγῳδία δι' ἐλέα ϰ φόβα περαίνασα τὴν τῶν τοιύτων παθημάτων κάθαρσιν πο 6. 1449 ᵇ28.

καθαρτικόν, dist ὑρητικόν πα 43. 864 ᵇ16. — μέλη καθαρ-τικά Πθ 7. 1342 ᵃ15, cf κάθαρσις.

καθέδρα, θέσις τις, dist ἀνάκλισις, στάσις Κ 7. 6 ᵇ11. δεῖται τὸ (τῶν ἀθρώπων) σῶμα ἀναπαύσεως ϰ καθέδρας Ζμδ 10. 689 ᵇ21. ἡ καθέδρα τὰς μὲν παχύνει, τὰς δὲ ἰσχναίνει πς 1. 885 ᵇ15. ε11. 881 ᵇ30. 14. 882 ᵃ26.

καθέζομαι. καθεδεῖται Μθ 3. 1047 ᵃ15. καθεζόμενοι, dist γυμναζόμενοι πλη 6. 967 ᵃ20.

καθεκτικός. ἡ μνήμη ἕξις καθεκτικὴ τῆς ὑπολήψεως τὸ δ 5. 125 ᵇ18. κοτυληφύσεις (τῆς ὑστέρας) καθεκτικαὶ ὧν λαμ-βάνωσιν Ζικ 3. 635 ᵇ3. καθεκτικώτερος τὰ πνεύματος, opp προετικώτερος πλγ 15. 963 ᵃ21.

καθελκὖν. ὦπται λάμια ἐμπεσᾶσα ϰ καθελκωθεῖσα Ζιι 37. 621 ᵃ20.

κάθεξις τὰ πνεύματος ἰσχὺν ποιεῖ υ 2. 456 ᵃ16. Πη 17. 1336 ᵃ38. βίαιον ἡ κάθεξις τὰ θυμᾶ ηεβ 7. 1223 ᵇ20.

κάθεσις. μέχρι τᾶ μέσα ἡ κάθεσις (descensus), opp πρὸς ἄναντες μβ 2. 356 ᵃ11. cf πλβ 5. 960 ᵇ33.

καθεστηκότως. μέσως ϰ καθεστηκότως μάλιστα ἔχειν πρὸς τὴν ὡρισμένην ἁρμονίαν Πθ 5. 1340 ᵇ3.

κάθετος. ἤχθωσαν κάθετοι ἐπὶ τὴν αεβ μγ 3. 373 ᵃ11. αἱ κάθετοι ἐπὶ τὸ αὐτὸ πεσᾶνται μγ 5. 376 ᵇ19. ἀπὸ τῆς αὐ-τῆς εἶναι κάθετοι πιε 10. 912 ᵇ5. cf πις 4. 913 ᵇ9, 27, 28. ἐν ἅπαντι ἰσοπλεύρῳ· ἡ κάθετος ἐπὶ μέσον πίπτει ατ 970 ᵃ10. ὁ ἑστὼς κάθετός ἐστι πρὸς τὴν γῆν μχ 30. 857 ᵇ28. cf Ζπ 9. 708 ᵇ32, 709 ᵃ24.

καθεύδειν. οἱ ἐν Σαρδοῖ μυθολογύμενοι καθεύδειν παρὰ τοῖς ἥρωσιν Φδ 11. 218 ᵇ24. — cf ὕπνος. τὰ καθεύδειν τί τὸ αἴτιον υ 3. 458 ᵃ26. Φθ 6. 259 ᵇ12. πλγ 15. 963 ᵃ32. τίνα ζῷα καθεύδει ϰ ἐγρήγορεν Ζιδ 10. καθεύδειν ὐδὲν ἀεὶ ἐν-δέχεται υ 1. 454 ᵇ9. τὰ ἔμβρυα, ὅταν λάβῃ πρῶτον αἴ-σθησιν, καθεύδοντα διατελεῖ· τὰ παιδία ὅταν γένωνται πάν-των μάλιστα τῶν ἀτελῶν καθεύδειν εἴωθεν Ζγε 1. 778 ᵇ23, 21. τὰ ζῷα ἐλάττω χρόνον καθεύδει ἢ ἐγρήγορεν, ὖ συνε-χῶς δέ πι 31. 894 ᵃ21. μᾶλλον ἐκπνέυσι καθεύδοντες ἢ εἰσπνέυσιν πια 41. 903 ᵇ38. ἐν πλείστῃ κινήσει ἐστὶν ὅταν ἥδιστα καθεύδῃ πλ 14. 957 ᵃ15. ἐὰν τὰς ἐπὶ τᾶ τραχήλα πιέσῃ τις φλέβας, καθεύδυσιν πλε 8. 965 ᵃ28. — ἐνδέχεται τῷ ἐγρηγορέναι ϰ καθεύδειν ἁπλῶς θατέρα ὑπάρχοντος θά-τερόν πῃ ὑπάρχειν εν 3. 462 ᵃ26. εἰσί τινες οἳ καθεύδοντες ἀνίστανται ϰ πορεύονται ὥσπερ οἱ ἐγρηγορότες Ζγε 1. 779 ᵃ16. ὅτε μὴ εἶναι παντελῶς ϰ καθεύδειν ὔτ' εἶναι δοκεῖ Ζγε 1. 778 ᵇ13. καθεύδειν, opp ἐνεργεῖν Ηθ 6. 1157 ᵇ8. αϑ. 1095 ᵇ32. Μθ 6. 1048 ᵇ1 Bz. Ζγβ 1. 735 ᵃ10.

καθηγεῖσθαι. πέμπτος ἀγὼν ὁ ἐν Ἰωλκῷ Ἀκάστα καθη-γησαμένα f 594. 1574 ᵇ32.

καθήκειν. φλέβες καθήκυσιν εἰς τὴν κύστιν, ἐπὶ τὸν ταρσὸν Ζια 17. 497 ᵃ18. γ 2. 512 ᵃ17. cf γ1. 510 ᵃ31. τὰ πλεῦρα κάτω καθήκει συνάπτοντα πρὸς τὸ ὑπογάστριον Ζιβ 11. 503 ᵃ16. κέρκοια μακρὰ σφόδρα, εἰς λεπτὸν καθήκυσα Ζιβ 11. 503 ᵃ20. — ὅταν οἱ χρόνοι καθήκωσιν ὗτοι Ζιϑ 2. 591 ᵃ8, ἐν τῇ καθηκύσῃ ὥρᾳ, ἐν τοῖς καθήκυσι καιροῖς, γινομένα τᾶ χρόνυ τᾶ καθήκοντος Ζιζ 14. 568 ᵃ17. 18. 573 ᵇ30. η4. 585 ᵃ18. ποῖα πρὸς ποίας ἀσκητέον ϰ πῶς τοῖς καθήκυσι πρὸς ἕκαστα χρηστέον Πη 2. 1325 ᵃ13.

καθῆσθαι. ἀνδρὸς καθημένυ Πε 12. 1315 ᵇ21. — ἕτοιμος ἐν τοῖς καθημένοις ἤδη κρίνεσθαι ρ30. 1437 ᵃ16. — τὴν ἴσην γωνίαν ἐπὶ μείζονα (int supra maiorem basin) κα-θῆσθαι μχ 5. 851 ᵃ13. τὸ πηδάλιον κάθηται πλάγιον μχ 5. 851 ᵃ4 (cf Poselger ad h l).

καθιδρύειν. καθιστάντος τὸ τιμιώτερον (i e τὴν καρ-δίαν) καθίδρυκεν ἡ φύσις Ζμγ 4. 665 ᵇ20.

καθιέναι. ὅταν καθῇ αὑτὸν εἰς τὸ βαθὺ Ζιι 12. 615 ᵃ29. καθιᾶσι τὰ δίκτυα Ζιδ 8. 533 ᵇ18. ἐὰν ἀγγεῖον καθῇ εἰς τὴν θάλατταν Ζιβ 2. 590 ᵃ25. ὐδεὶς καθεὶς (sc μόλιβδον εἰς τὸ βαθὺ) ἐφεύρηκεν πέρας εὑρεῖν μα 13. 351 ᵃ13. καθεὶς κα-θεῖναι τῶν ἐχόντων βάρος ἐπὶ τὸν πλεύμονα Ζιβ 12. 504 ᵇ5. ὅταν καθιῶσι τὰς αἱματίδας χ 5. 797 ᵃ5. — μείζω τὰ ὕδατα καθιᾶσι αἱ οἶες Ζιϑ 10. 596 ᵃ24.

καθιερεύσας τὴν μητέρα ϰ φαγὼν Ηη 6. 1148 ᵇ26.

καθιζάνειν, opp ἀνίστασθαι πδ4. 886 ᵃ1. καθιζάνειν ἐπὶ τινος Ζιϑ 8. 593 ᵇ10, ἐπί τινι Ζιϑ 2. 619 ᵇ8, ἐπί τι Ζιϑ 17. 601 ᵃ7. ι8. 614 ᵃ28. 22. 617 ᵃ32.

καθίζειν, trans δικαστήριον καθίσας οβ 1348 ᵇ11. — intr καθίζειν ἐπὶ τινος Ζιι 9. 614 ᵃ34, 35. 32. 619 ᵇ5. med ὅταν καθίζωνται Ζιι10. 614 b23.

καθιμᾶν, syn κατάγειν τὸν κάδον μχ 28. 857 b4.

καθιππεύειν. ποταμοὶ ὑπὸ κρύυς παγέντες καθιππεύονται θ168. 846 b32.

καθιστάναι πολιτείας, νόμυς, ἀρχάς, ὀλιγαρχίαν, ἀκοσμίαν Πβ12. 1273 b34. γ17. 1288 a21. δ9. 1294 a31. 10. 1295 a7. 15. 1300 a13, 15. ε5. 1304 b39. β10. 1272 b8. ὺ καθιστᾶσι κοινὴν πολιτείαν ὺδ᾽ ἴσην Πδ11. 1296 a29. καταστῆσαι χορηγὺς εἰς Διονύσια f 381. 1541 b21. κινῆσαι μέρος τι τῆς πολιτείας οἷον ἀρχήν τινα καταστῆσαι ἢ ἀνελεῖν Πε1. 1301 b18. τὸ ἦθος οἰκεῖον τῆς πολιτείας ὺ φυλάττειν εἴωθε τὴν πολιτείαν ὺ καθίστησιν ἐξ ἀρχῆς Πθ1. 1337 a16. ὺ καλῶς νενομοθέτηται τῷ πρῶτον καταστήσαντι Πβ9. 1271 a27. ἡ ἀρίστη πολιτεία τίνα τρόπον πέφυκε γίνεσθαι ὺ καθίστασθαι Πγ18. 1288 b4. καθιστάναι τινὰ ἱερέα, βασιλέα Πη9. 1329 a29. γ15. 1286 b10. τύτης καταστατέον νομοφύλακας Πγ16. 1287 a21. πολιτοφύλακες καθίστανται ἐκ τῶν τὰ ὅπλα ἐχόντων Πβ8. 1268 a22. οἱ ὑπ᾽ αὐτὲ καθιστάμενοι ἄρχοντες Πγ16. 1287 b9. οἱ ἐπιμεληταὶ οἱ ὑπὸ τὲ Ἑρμείω καθεστηκότες οβ1351 a35. καθιστάναι ταλαιπίας τῆς ἐγγύυς οβ1350 a19. καταστήσομεν τὰς βασάνυς πιθανὰς ὺ ἀπιθάνυς sim ρ17. 1432 a32. 37. 1444 a5. τὰ ἡμέτερα ταῖς αὐξήσεσι μεγάλα καθιστῶντες ρ3. 1425 a27. ἐλεεινὺς ἡμᾶς αὐτὺς καθιστάντες ρ37. 1445 a2. καταστῆσαι τὸν ἀκροατὴν εἰς τὰ πάθη Ργ19. 1419 b13. ἡδεῖαί εἰσιν αἱ καθιστᾶσαι εἰς τὴν φυσικὴν ἕξιν ἐνέργειαι Ηη13. 1152 b34. καθίστασθαι εἰς τὸ κατὰ φύσιν Ρα11. 1371 a34. πάλιν καθίστασθαι εἰς τὸ δύνασθαι γεννᾶν Ζη6. 585 b28. πάλιν καταστῆναι εἰς τὴν φύσιν πια27. 902 a34 cf 62. 906 a19. νοσήματα κατέστη αὐτόματα, ἄνευ θεραπείας Ζιθ24. 604 b10. x1.634 a40. ὅταν νοσῶν καταστῇ Φη3. 247 b25. (καταστῆναι τῆς παρακοπῆς θ31. 832 b19.) καθίστασθαι εἰς τὸ μέσον γεη5. 1239 b35, 1240 a3. οἱ Νάξιοι πάλιν εἰς ἴσον καταστάντες f 518. 1562 b45. εἰς εὐπορίαν καθίστασθαι Πε8. 1309 a26. εἰς πόλεμον καταστῆναι Πδ4. 1291 a21. — καθίστασθαι, syn ἠρεμίζεσθαι. ἡ ψυχὴ (τὰ παιδία) ἠρεμίζεται ὺ καθίσταται ἐκ τῆς φυσικῆς ταραχῆς, παύεται τῆς ταραχῆς Φη3. 247 b17, 23, 248 a2, 7. cf ε7. καθισταμένης τῆς ταραχῆς εν3. 461 a7. καθίστανται ὺ σωφρονίζονται τῶν γυναικῶν αἱ ἀκόλασται πρὸς ὁμιλίαν Ζιη1. 582 a25. ὁρῶμεν τὺς ἐνθυσιαστικὺς ἐκ τῶν ἱερῶν μελῶν καθισταμένυς ὥσπερ ἰατρείας τυχόντας ὺ καθάρσεως Πθ7. 1342 a10. τίνα κύματα βραδύτερον καθίσταται πκγ17. 933 b5, 7, 10. φύσις καθεστηκυῖα, opp ἀναπληρυμένη Ηη13. 1153 a2-4, dist καθισταμένη ημβ7. 1205 b21-24. καθεστηκώς, καθεστώς, opp παιδίον Ζιι50. 632 a9. ηεη2. 1236 a2, 4. καθεστηκότος τὲ ἀέρος πκς2. 940 a38. διὸ μήπω καθεστάναι μίαν ὥραν πκς13. 941 b27. — διαφυλακτέον τὰ καθεστῶτα ρ3.1423 a30. ἔθος καθέστηκεν Πὸ 11. 1296 b1. ἐκ τῆς καθεστηκυίας ἄλλην πολιτείαν μεταστῆσαι Πε1. 1301 b7, 10. ἡ στάσις ᾗ αὐτὴ ἀρχὴ πολέμυ κατέστη Πε4. 1304 a13. αἱ τιμήσεις κατέστησαν Πε8. 1308 b3. ἀρχαὶ καθεστᾶσιν ἐπί τινι Πγ9. 1280 b1. δ15. 1299 b37. εἰ ὑπὸ τὴν σὴν βασιλείαν καθεστῶτες ρ1. 1420 a24. τὸ γίγνεσθαι ὺ ἀπόλλυσθαι ταυτὸν καθέστηκε τῷ ἀλλοιῶσθαι Γα1. 314 a14. Φα4. 187 a30. — med τὰς δημηγορίας ἐκ τύτων καταστησόμεθα ρ30. 1437 b33.

καθό. τὸ καθὸ τὸ κατὰ θέσιν λέγεται, τὸ καθὸ ἰσαχῶς ὺ τὸ αἴτιον ὑπάρξει Μδ18. 1022 a23, 19 Bz.

καθοδος. τῶν ἐδεστῶν ἐν τῇ καθόδῳ ἡ ἡδονὴ Ζιδ11. 690 b30. — χρήματα ὸῦναι εἰς τὴν κάθοδον οβ1347 b17. φεύ-

γειν φόνυ ἐπὶ καθόδῳ Πδ16. 1300 b28.

καθολικός. καθολικῷ λόγῳ (i e ὡς καθόλυ εἰπεῖν) φτβ6. 826 a38. — καθολικῶς φτβ8. 828 a19.

καθόλυ. λέγω δὲ καθόλυ μὲν ὃ ἐπὶ πλειόνων πέφυκε κατηγορεῖσθαι. καθ᾽ ἕκαστον δὲ ὃ μή ε7. 17 a39. καθόλυ ὃ πλείοσιν ὑπάρχειν πέφυκεν Μζ13. 1038 b11. β4. 1000 a1. Ζμα4. 644 a27. πολλὰ περιέχον τῷ κατηγορεῖσθαι καθ᾽ ἕκαστυ Μδ26. 1023 b30. λέγω δὲ καθόλυ τὸ παντὶ ὺ μηδενὶ ὑπάρχειν Αα1. 24 a18. τὸ καθόλυ ὺ [τὸ] πάντα περιέχον Γα3. 317 b7. καθόλυ ὃ ἂν κατὰ παντός τε ὑπάρχῃ ὺ καθ᾽ αὐτὸ ὺ ᾗ αὐτὸ Αγ4. 73 b26-74 a3 Wz. (inde saepe coni καθόλυ ἐπὶ πάντων, κατὰ πάντων sim Μβ3. 999 a20. ταδ. 102 b5. Φθ8. 264 a21, 265 a8. ψα5. 410 b26. β12. 424 a17. ὺκ ἐπὶ πάντων σκεψάμενος καθόλυ λέγει τὴν αἰτίαν Ζγδ8. 788 b11, 18. cf ε8. 788 b19.) τὰ καθόλυ καθ᾽ αὐτὰ ὑπάρχει Μδ9. 1017 b35. τὸ ἀεὶ ὺ πανταχῆ καθόλυ φαμὲν εἶναι Αγ31. 87 b32. τὸ καθόλυ ἀεὶ ὺ ἐπὶ παντὸς Αδ12. 96 a8, 15. τὖτο γὰρ λέγω καθόλυ ὃ μὴ ἀντιστρέφει, πρῶτον δὲ καθόλυ, ᾧ ἕκαστον μὲν μὴ ἀντιστρέφει, ἅπαντα δὲ ἀντιστρέφει Αδ17. 99 a33. — propterea coni καθόλυ et κοινόν Μζ13. 1038 b11. Φγ1. 200 b22. ψα1. 402 b7. Γα5. 322 a16 (coll 320 b23). Ζμα4. 644 a27, 28. Ρβ22. 1395 b30 et promiscue usurpatur καθόλυ et κοινόν vel κοινῇ κατηγορύμενον Μζ16. 1040 b23, 25, 26, 1041 a3. 13. b35, 1039 a1. β6. 1003 a8. coni αἴδιον. ἄφθαρτον Αγ7. 75 b21, 22, 27. 24. 85 b18, πρῶτον. αἴτιον Αα28. 44 a39. γ24. 85 b24 (τὸ καθόλυ ἐμπίπτει εἰς τὸ ἁπλὺν ὺ τὸ πέρας Αγ24. 86 a5), ὅλως, κατὰ πάντων καθόλυ Μδ26. 1023 b29. β3. 999 a20. — coni γένος Μδ3. 1014 b12. x1. 1059 b26 (sed dist γένος ΜΑ9. 992 b12, cf γένος p 150 b33). τὸ καθόλυ οἷον ἄνθρωπος ᾧ ζῷον, ὁ δὲ Σωκράτης τῶν καθ᾽ ἕκαστον Ζγδ3. 768 a13, b13, 769 a13. opp καθ᾽ ἕκαστον, κατὰ μέρος, κατὰ μέρη, ἐν μέρει, ἐπὶ μέρυς, ἔσχατα α7. 17 a39. Αα1. 24 a18. Φγ3. 202 b23. η3. 247 b6, 20. Οα6. 274 a20. μβ4. 359 b31. Μλ5. 1071 a21. δ11. 1018 b33. β4. 1000 a1. x3. 1060 b32. 1. 1059 b26. Ηγ2. 1110 b32. η4. 1147 a3. ηεγ1. 1228 a25. Πβ8. 1269 a11. Ρβ19. 1393 a18. ρ4. 1426 b10. φ2. 806 b11, 13. καθόλυ, opp περί τι γένος ᾗ φύσιν τινα μίαν Με1. 1026 a24, opp ὡρισμένον Μμ10. 1087 a17. δοκὖσι τὸ καθόλυ μόνον οἱ νόμοι λέγειν ἀλλ᾽ ὺ πρὸς τὰ προσπίπτοντα ἐπιτάττει Πγ15. 1286 a10. Ηε14. 1137 b13 (opp ψήφισμα Πδ4. 1292 a37). καθόλυ σκοπεῖν, opp φυσικῶς σκοπεῖν Οα12. 283 b18. 10. 280 a33. cf Ζγα20. 729 a24. 21. 729 b9, et quia τὸ καθόλυ ὑπάρχει ᾗ αὐτό (cf supra b10). opp καθόλυ ὑπάρχειν et ἐπὶ πλέον ὑπάρχειν Αγ4. 74 a3. quia τὸ καθόλυ καθ᾽ αὐτό ὺ ἀεί (cf b15, 16), opp τὰ συμβεβηκότα Μγ4. 1077 b35. — τὸ καθόλυ τύτων, καθόλυ τᾶτων, καθόλυ πρὸς ταῦτα, et e cui haec subiecta sunt Αβ26. 83 b20, 26. — πράγματα καθόλυ, dist ἀποφαίνεσθαι καθόλυ ε7. 17 a39. καθόλυ συλλογίσασθαι, ἀνασκευάσαι, ἐνίστασθαι Αα6. 29 a17. β8. 59 b17. 26. 69 b19. πρότασις, συλλογισμός. ἀπόδειξις, πρότασις καθόλυ ἐστίν, ὺ καθόλυ πρότασις sim Αα2. 25 a4 al. β8. 59 b26. γ24. 85 b13. β26. 69 b7. ὁ λόγος ὁ καθόλυ Πγ15. 1286 a17. τὸ καθόλυ ἔστι (τίθεται, κεῖται) πρὸς τὸ μεῖζον (ἔλαττον) ἄκρον Αα4. 26 a18, 30. 5. 27 b13, 29 al. ἐὰν πρὸς τὸ ἕτερον καθόλυ ᾗ τὸ μέσον Αα5. 27 a6 al. ἐὰν ἐπί τι μὴ καθόλυ πρὸς τὸ μέσον Αα6. 28 a17, b5, 29 a1, 11 al, inde brevius ὺ καθόλυ ᾗ μὴ καθόλυ τῶν ὅρων ὄντων Αα5. 27 a2, 23. 6. 28 a17, 37 al. — τὸ καθόλυ πορρωτάτω τῆς αἰσθήσεως Αγ2. 72 a4. ΜΑ2. 982 a25, πορρωτέρω τῶν οἰκείων ἐστὶν ἀρχῶν Ζγβ7. 747

ᵇ29. ἀδύνατον τὸ καθόλᵃ θεωρῆσαι μὴ δι᾽ ἐπαγωγῆς Αγ18. 81 ᵇ2. Ηζ3. 1139 ᵇ29. ἐκ τῶν καθ᾽ ἕκαστα τὸ καθόλᵃ Ηζ12. 1143 ᵇ5. τῶν καθ᾽ ἕκαστον ἡ κατ᾽ ἐνέργειαν αἴσθησις. ἡ δ᾽ ἐπιστήμη τῶν καθόλᵃ ψβ5. 417 ᵇ23. Μβ6. 1003 ᵃ15. κ1. 1059 ᵇ26. 2. 1060 ᵇ20 (cf ΜΑ1. 981 ᵃ6). τᵃ κα- 5 θόλᵃ κ̄ τᵃ εἴδᵃς ὁ ὁρισμός Μζ11. 1036 ᵃ28. 10. 1036 ᵃ1. ὁ τὴν καθόλᵃ ἔχων οἶδε κ̄ τὸ κατὰ μέρος Αγ24. 86 ᵃ12. cf ᵃ24 (sed οἱ τὸ καθόλᵃ θεωρᾶντες πολλάκις ἔνια τῶν καθ᾽ ἕκαστον ᵃκ ἴσασιν Αγ13. 79 ᵃ5). ἐὰν τὸ καθόλᵃ μὴ ἦ. ᾔδ᾽ ἀπόδειξις ἔσται Αγ11. 77 ᵃ8. τᵃ14. 164 ᵃ10. ἡ καθόλᵃ 10 ἀπόδειξις βελτίων τῆς κατὰ μέρος Αγ24. ἡ καθόλᵃ πρότασις νοητή Αγ24. 86 ᵃ29. γράφεται ἔνια καθόλᵃ ὑπὸ τῶν μαθηματικῶν (i e τὰ ἀξιώματα) Μμ2. 1077 ᵃ9. cf 3. 1077 ᵇ17. τὸ καθόλᵃ κατὰ τὸν λόγον γνώριμον (πρότερον), τὸ καθ᾽ ἕκαστον κατὰ τὴν αἴσθησιν Φα5. 189 ᵃ5. Μᵃ11. 1018 15 ᵇ33. μ8. 1084 ᵇ5. κ7. 1060 ᵇ13 (alio sensu ἐκ τῶν καθόλᵃ ἐπὶ τὰ καθ᾽ ἕκαστα δεῖ προϊέναι· τὸ γὰρ ὅλον κατὰ τὴν αἴσθησιν γνωριμώτερον· τὸ δὲ καθόλᵃ ὅλον τί ἐστιν Φα1. 184 ᵃ23). χαλεπώτατα γνωρίζειν ἀνθρώποις τὰ μάλιστα καθόλᵃ ΜΑ2. 982 ᵃ25. ἐν τοῖς περὶ τὰς πράξεις λόγοις οἱ 20 μὲν καθόλᵃ κενώτεροί εἰσιν, οἱ δ᾽ ἐπὶ μέρᵃς ἀληθινώτεροι Ηβ7. 1107 ᵃ30. ᵃτος ὁ λόγος καθόλᵃ λίαν κ̄ κενός Ζγβ8. 748 ᵃ8. — πότερον καθόλᵃ εἰσὶν αἱ ἀρχαί Μβ6. 1003 ᵃ6-17. κ2. 1060 ᵇ19-23. τὸ καθόλᵃ ᵃκ ἔστιν ᵃσία, ᵃχ ὑπάρχει παρὰ τὰ καθ᾽ ἕκαστα χωρίς, καθ᾽ ὑποκειμένᵃ τινὸς λέγεται 25 ἀεὶ Μζ13 (cf 3. 1028 ᵇ34). 16. 1040 ᵇ26, 1041 ᵃ4. θ7. 1049 ᵃ28. ι2. 1053 ᵇ16. κ2. 1060 ᵇ20. Γα5. 322 ᵃ16. ψα1. 402 ᵇ7. Αγ24. 85 ᵃ31. τὰ καθόλᵃ ἐν τοῖς μαθήμασιν ᵃ περὶ κεχωρισμένων ἐστὶ παρὰ τὰ μεγέθη κ̄ τᾱς ἀριθμᾱς Μμ3. 1077 ᵇ17. — τῷ καθόλᵃ κ̄ τῷ γένει κ̄ αἱ ἰδέαι 30 συνάπτυσιν Μη1. 1042 ᵃ15. cf Ηα4. 1096 ᵃ11, 13. ὁ Σωκράτης τὰ καθόλᵃ ᵃ χωριστὰ ἐποίει ᵃδὲ τᾱς ὁρισμᾱς Μμ4. 1078 ᵇ30. ἅμα καθόλᵃ τε ᵃς ᵃσίας ποιᾶσι τᾱς ᾽ἰδέας, πάλιν ὡς χωριστὰς κ̄ τῶν καθ᾽ ἕκαστον Μμ9. 1086 ᵃ32. — καθόλᵃ δ᾽ εἰπεῖν Κ10. 12 ᵃ27. τᵃ1. 121 ᵃ5. ζ5. 142 35 ᵇ20. 9. 147 ᵃ15. ᵃ1. 152 ᵇ25. 3. 153 ᵇ14. θ1. 156 ᵃ3. ρ30. 1436 ᵃ33. καθόλᵃ εἴπωμεν, ἂν καθόλᵃ λέγῃ τις, ληπτέον καθόλᵃ, καθόλᵃ δηλῶσαι, εἴρηται καθόλᵃ πρότερον μᵃ 8. 385 ᵃ21. Ρβ22. 1395 ᵇ20. Μλ4. 1070 ᵃ32. Πᵃ12. 1296 ᵇ15. ε2. 1302 ᵃ17. γ11. 1282 ᵇ5 al. — τᵃτο γάρ ἐστι καθόλᵃ 40 μᾶλλον Πβ6. 1265 ᵃ31.

καθομιλεῖν τὰς γνωρίμᵃς, τὰς δὲ πολλὰς δημαγωγεῖν (δεῖ τὸν ἄρχοντα) Πε11. 1315 ᵇ4.

καθορᾶν τὸ μικρόν, τὸ εὐθύ πλα15. 958 ᵇ35. 20. 959 ᵃ40. καθορᾶν τὰ πόρρω Ζμ40. 614 ᵇ20. τῶν ἐρωμένων τὸ τυχὸν 45 κ̄ μικρὸν μόριον κατιδεῖν ἥδιόν ἐστιν ἢ πολλὰ ἕτερα κ̄ μεγάλα δι᾽ ἀκριβείας ἰδεῖν Ζμα5. 644 ᵇ34. τὸ τέλος πάντες βᵃλονται καθορᾶν Ργ9. 1409 ᵃ32 (cf προσρά ᵃ33). ῥᾶν κατοψόμεθα τἀληθῆ κ̄ τὸ ψεῦδος τα2. 101 ᵃ35. δυνάμενοί γε τὰς αἰτίας καθορᾶν Ζμα5. 645 ᵃ15. λόγοι ῥᾴᵃς, 50 χαλεπώτεροι κατιδεῖν τι33. 182 ᵇ7. τᾱντεῦθεν ἂν κατίδοι τις Πγ4. 1277 ᵃ32. ἵνα μᾶλλον κατίδωμεν ὅτι ἡ μεσότης ἐπαινετόν Ηβ7. 1108 ᵃ18. κατιδεῖν πόσαις ὀρθαῖς αἱ τᵃ τριγώνᵃ γωνίαι ἴσαι ψα1. 402 ᵇ20.

καθορμίζειν. καθώρμισται ἡ κύστις ἐκ τῶν νεφρῶν Ζμγ9. 55 671 ᵇ25.

καθυγραίνειν δεῖ ἐν τῷ θέρει, ἡ γὰρ ὥρα ξηρά πα39. 863 ᵇ23 (cf ξηρόν ᵇ19). 38. 884 ᵇ39.

καθύγρος ἀήρ πκς54. 946 ᵃ39.

καθύπνος. τᾱς νέᵃς καθύπνᵃς ὄντας λανθάνει ἡ ὁρμὴ τᾱ ᵃρᵃ 60 πγ34. 876 ᵃ21.

καθυπνῦν. ἐὰν καθυπνώσῃ θ151. 845 ᵇ29. μετὰ τὴν τροφὴν καθυπνώσασιν ᵃ γίνεται ἐνύπνιον εν3. 462 ᵇ4.

καθύπνωσις πιᵃ17. 900 ᵇ37.

καθυποπτεύειν. ἀδικημάτων κατηγορηθέντων ἢ καθυποπτευθέντων διάλυσις ρ5. 1426 ᵇ28.

καθώς i q καθάπερ κ5. 397 ᵃ33. πι10. 891 ᵇ34. φτα1. 815 ᵇ26. 3. 818 ᵃ16, 819 ᵃ7. β2. 823 ᵃ35. 4. 826 ᵃ9.

καί. interdum duo adiectiva coniungit, quorum alterum definiendo alteri inserviat, non solum ubi prius adiectivum πολύς est (πολλοὶ κ̄ παλαιοὶ λέγᵃσιν Ηα8. 1098 ᵇ27 al), sed etiam in aliis, μεγάλων κ̄ καλῶν γενόμενος ἐπήβολος Ηα11. 1101 ᵃ13, καθάπερ τινὲς ᾠήθησαν τῶν σοφῶν κ̄ πρεσβυτέρων ηεα4. 1215 ᵃ23. — per part κ̄ duo vocabula coniunguntur eiusdem fere significationis, ut κ̄ explicandi magis quam copulandi vim habere videatur, τὰ ἀκίνητα κ̄ τὰ μαθηματικά (τὰ ἀκίνητα, i e τὰ μαθηματικά) Μᵃ14. 1020 ᵇ3. cf 1. 1013 ᵃ7 Bz. ζ12. 1038 ᵃ7. θ7. 1049 ᵃ9. λ7. 1072 ᵇ22. Αᵃ9. 93 ᵇ25 Wz. γ8. 75 ᵇ23 al. χ̄ ᵃτος, ꞌet is quidemꞌ: ἄρχοντες, χ̄ ᵃτοι αἱρετοὶ ἢ κληρωτοὶ Πᵃ14. 1298 ᵇ7. — καί vi non multum ab ἢ distans, διχιλίων κ̄ μυρίων Πβ3. 1262 ᵃ8. τὸ αὐτὸ κ̄ τὸ ἀνάλογον Μν2. 1089 ᵇ3. οἱ αὐτοὶ κ̄ ἀνάλογον Πᵃ4. 1292 ᵃ21. μᾶλλον κ̄ ἧττον, ἀπολαμβάνειν κ̄ λαμβάνειν Ηγ3. 247 ᵃ18. Οβ14. 297 ᵇ33. Γα9. 326 ᵇ33. cf Αα1. 24 ᵇ17 v l Alex. — in enunciatis comparativis vel utrique membro καί additur, καθάπερ κ̄ (ὥσπερ κ̄). . ᵃτω κ̄ sim Ηε9. 1309 ᵇ12. Ρα13. 1374 ᵃ17. πο4. 1448 ᵇ34. αν21. 480 ᵃ17. 3. 471 ᵇ7, 10; vel membro postposito, sive id est relativum, τὸν αὐτὸν τρόπον ᵃν κ̄ ἐπὶ τῶν προτέρων sim Φζ8. 239 ᵃ19. ὁ6. 213 ᵃ4, sive demonstrativum, ὡς ἡ τᵃ πρὸς τὴν τᵃ β, ᵃτως κ̄ ἡ τᵃ β πρὸς τὴν τᵃ γ sim Ηε6. 1131 ᵇ2. τὸ4. 124 ᵃ22. — καί ... καί ubi semel positam particulam requiras, τέταρτον εἶδος δικαστηρίᵃ κ̄ ἄρχαιστ κ̄ ἰδιωταις ᵃτοι περὶ ζημιώσεων κ̄ ἀφισβητῶσιν Πᵃ16. 1300 ᵇ22. — ad καί praeparativum post aliquod intervallum ἔτι referri videtur Πᵃ3. 1289 ᵇ34, 40. — καί i q etiam, ἀσυλλόγιστος μὲν ᵃν κ̄ ἡ χρῆσις γίνεται τοῖς ᵃτω μετιᾱσι κ̄ τῶν ἐνδεχομένων συλλογισθῆναι Αᵃ5. 91 ᵇ23, cf Wz ad τα10. 104 ᵃ28. καί, i q etiam, vel, deminuendi vi usurpatum (ꞌauch nurꞌ), ὅ τι κ̄ μνείας ἄξιον, ὅ τι κ̄ ἄξιον εἰπεῖν sim Πβ12. 1274 ᵇ11. 11. 1272 ᵇ32. Ρα5. 1361 ᵃ19. πο19. 1456 ᵇ14. εὐλαβᾱμενος κ̄ λέγων Ργ7. 1408 ᵃ18. Vhl O Gym Z 1868 p 11. — καί γὰρ καὶ μβ3. 358 ᵇ31. — καὶ καὶ μβ3. 357 ᵇ26, 358 ᵃ19. Μζ1.1028 ᵇ2. Πᵃ15.1299 ᵃ34. πο24.1460 ᵃ5. — καὶ ... δέ Κ1.1 ᵃ9 Wz. 10. 11 ᵇ27, 12 ᵃ6. 13. 14 ᵇ33. ε13. 22 ᵃ14. Αα45. 51 ᵃ34. β3. 55 ᵇ30. αι3. 439 ᵇ12. Ζιζ17. 571 ᵃ5. Πα1. 1252 ᵃ13. γ16. 1287 ᵃ8. ὁ13. 1297 ᵇ16 ac saepe. — καί et κατὰ a librariis interdum confusa mᵃ4. 11448 ᵇ30. Φδ4. 255 ᵃ27. 8. 262 ᵃ29. ν3. 457 ᵇ23. εν1. 459 ᵃ3 al, inde κατὰ pro καί scribendum Οα6. 273 ᵇ32.

καίαρ. ἀπαρτήσας τὸ καίαρ (Cappelle Bsm, βάρος e codd Bk) μχ12. 852 ᵇ1.

καικίας, πόθεν πνεῖ μβ6. 363 ᵇ17, 30, 364 ᵃ15, ᵇ1, 12. κ4. 394 ᵇ22, 31. eius nomina varia σ973 ᵃ9. f 238. 1521 ᵇ1, 20. ὁ καικίας ὑγρόᵃ νέφεσι πυκνοῖ τὸν ᵃρανόν μβ6. 364 ᵇ18, 24. ἡ παροιμία, ἕλκων ἐφ᾽ αὑτὸν ὥσπερ καικίας νέφος μβ6. 364 ᵇ14. κχ29. 943 ᵃ32, al 3. 1. 940 ᵃ18.

Καινεύς Αγ12. 77 ᵇ41 (σοφιστής Schol 218 ᵃ5).

καινοπρεπεστέρως λέγων φαίνεται ΜΑ8. 989 ᵇ6 Bz.

καινὸν κάτοπτρον εν2. 459 ᵇ31, 460 ᵃ18. — ὁ λέγει Θεόδωρος, τὸ καινὰ λέγειν Ργ11. 1412 ᵃ25. καίπερ ὄντες ἀρχαιότεροι καινοτέρως ἐνόησαν περὶ τῶν λεχθέντων Οδ2. 308 ᵇ31.

καινότης τῶν κινδύνων ρ30. 1437 ᵇ10.

καινοτομεῖν τὴν περὶ τὰς γυναῖκας κοινότητα Πβ7. 1266 ᵃ35. — absol ὅταν ἀπολέσωσι τὰς ὐσίας, καινοτομῶσιν Πε12. 1316 ᵇ19. οἱ τοιῦτοι καινοτομεῖν ζητῦσιν Πε6. 1305 ᵇ41.

καινοτόμος. οἱ Σωκράτυς λόγοι ἔχυσι τὸ κομψὸν χ̩ τὸ καινοτόμον χ̩ τὸ ζητητικόν Πβ6. 1265 ᵃ12.

καινυργεῖν. ὁ βασιλεὺς γινώσκει αὐθήμερον πάντα τὰ ἐν τῇ Ἀσίᾳ καινυργύμενα κ6. 398 ᵃ35.

καίριος πληγή Ζγε5. 785 ᵃ14. μάλιστα δὲ καίριόν ἐστι (Hom Θ 84) Ζγε5. 785 ᵃ16.

καιρός, τἀγαθὸν ἐν χρόνῳ Ηα4. 1096 ᵃ26, 32. ηεα8. 1217 ᵇ32, 37, 38. def ὐ χρόνος δέων Αα36. 48 ᵇ35. καιρός Pythag ΜΑ5. 985 ᵇ30. 9. 990 ᵃ23. μ4. 1078 ᵇ22. — κατὰ τὰς τότε καιρὰς ρ14. 1431 ᵃ18, cf ἐν χρόνοις τισὶν α16. πάσχειν τι ταχέως χ̩ παρὰ βραχὺν καιρον αρ6. 1251 ᵃ10. κατὰ τὸν ὑπάρχοντα καιρόν, πρὸς τὰς παρόντας καιρὰς ρ1. 1421 ᵃ26. Πε6. 1306 ᵇ10. ἐν παντὶ καιρῷ ημβ11. 1208 ᵇ5. ἐπειδὴ ὁ καιρὸς ἧκε Πα11. 1259 ᵃ14. τὸ τέλος τῆς πράξεως κατὰ τὸν καιρόν ἐστιν Ηγ1. 1110 ᵃ14. καιρων παραπεσόντων ρ6. 1427 ᵇ26, 20. χρῆσθαι πρὸς τὰς πολεμικὰς καιρὰς Πε11. 1314 ᵇ16. καιρὸς παραδιδόναι τοῖς ἐπιθεμένοις Πε10. 1312 ᵇ25. καιρὸς εὐφυὴς πρὸς σύλληψιν f 259. 1525 ᵇ35 καιρὸς τῶν σωμάτων πρὸς τεκνοποιίαν, συγκαταβαίνειν ταῖς ἡλικίαις ἐπὶ τὸν αὐτὸν καιρόν Πη16. 1335 ᵃ41, 1334 ᵇ35. τῇ τῦ μέλιτος ἐργασίᾳ καιροὶ διττοί εἰσιν Ζυ40. 626 ᵇ29. — ἕτερος ἔσται τῦ διασκέψασθαι καιρός, χ̩ ἄλλοθι καιρὸς ἔσται, ἡ σκέψις ἄλλων ἐστὶ καιρῶν, ἐν ἄλλοις καιροῖς οἰκειοτέροις ποιητέον τὴν σκέψιν, ἐρῦμεν ὅταν λέγειν ἦ καιρός sim Πβ10. 1272 ᵃ26. 8. 1269 ᵃ28. γ3. 1276 ᵃ31. Ηβ7. 1108 ᵇ7. μβ3. 358 ᵇ23. α7. 344 ᵇ26. Ζμβ14. 658 ᵇ13. Ζγβ4. 740 ᵇ12. ἡ ἀπορία ἔχει τινὰ καιρὸν Μη3. 1043 ᵇ25. — ψυχρότερα ὅσα τῦ καιρῦ ('ultra modum') πλ1. 954 ᵃ35.

καιροφυλακτεῖν τὴν χρῆσιν Πθ3. 1337 ᵇ41.

καίτοι, c verbo finito καίτοι ἔδει, καίτοι ὐκ ἔδει al μα12. 348 ᵃ22. 8. 345 ᵇ24. 3. 341 ᵃ34. β7. 365 ᵇ15. 9. 369 ᵇ11. Φθ7. 261 ᵃ25. Πε3. 1302 ᵇ19. κ5. 396 ᵃ33. al. καίτοι-γε Φδ14. 225 ᵃ5. ε2. 226 ᵃ34. ψα5. 410 ᵇ20. ΜΑ1. 981 ᵇ10. 6. 988 ᵃ1. γ5. 1010 ᵃ17, 35 al. καίτοι γε μβ9. 370 ᵃ5. Μγ4. 1008 ᵇ23 (vl καίτοι-γε). κ3. 1061 ᵃ20. ν6. 1092 ᵇ7 (γε om Bk). πο15. 1454 ᵃ21. κ5. 396 ᵃ33. χ6. 798 ᵇ22. cf Eucken I 35sq. — καίτοι c partic θήλεια ἕνα πόρον ἔχει, καίτοι κύστιν ἔχυσα Ζιε5. 541 ᵃ10. καίτοι πεφυκότος ἄνω τῦ θερμῦ φέρεσθαι μβ9. 369 ᵃ20. cf κ5. 397 ᵃ28. 6. 398 ᵇ26, 399 ᵃ3. πκα16. 929 ᵃ16.

κακηγορεῖν lege prohibetur Ηε3. 1129 ᵇ23.

κακηγορία, συνάλλαγμα ἀκύσιον βίαιον Ηε5. 1131 ᵃ9.

κακία χ̩ ἀρετὴ περὶ τί λέγεται, τί ποιεῖ Φη3. 246 ᵇ18, 20, 247 ᵃ23. κακία αδια τῶν πρός τι, ἕξις Φη3. 246 ᵃ30, 11. ἡ κακία ἔκστασις χ̩ φθορά, opp ἡ ἀρετὴ τελείωσις Φη3. 246 ᵃ16, ᵇ30, 247 ᵃ3. διαφορὰ φυτῶν ἐν χρηστότητι καρπῶν χ̩ κακία φτα4. 819 ᵇ36. κακία def et eius εἰδη describuntur Ρβ6. 1383 ᵇ19-1384 ᵃ9. κακία τῦ λογιστικῦ, τῦ θυμοειδῦς, τῦ ἐπιθυμητικῦ def αρ1. 1249 ᵇ29. ἡ κωμῳδία μίμησις φαυλοτέρων, ὐ μέντοι κατὰ πᾶσαν κακίαν πο5. 1449 ᵃ32. ἀρετὴ χ̩ κακία διορίζυσι τὸ δῦλον χ̩ ἐλεύθερον Πα6. 1255 ᵃ39. ἀρετὴ χ̩ κακία πολιτικὴ Πγ9. 1280 ᵇ5. αἱ τῦ ἤθυς κακίαι Ρβ6. 1384 ᵃ8. ἡ ἀρετὴ χ̩ ἡ κακία ἡ ἠθικὴ περὶ ἡδονὰς χ̩ λύπας Ηη12. 1152 ᵇ5. κακία, opp ἀρετή, dist ἀκρασία, θηριότης Ηε5. 1130 ᵇ20. η1. 1145 ᵃ16sqq.

9. 1150 ᵇ35, 1151 ᵃ5-7. Ρα10. 1368 ᵇ14. dist ἁμαρτία Ηε6. 1148 ᵃ3. syn μοχθηρία Ηε10. 1135 ᵇ18, 24. μετὰ κακίας χ̩ ψεκτὸν Ηε15. 1138 ᵃ32. περὶ ἀρετῆς χ̩ κακίας· ὗτοι γὰρ σκοποὶ τῷ ἐπαινῦντι χ̩ ψέγοντι Ρα9. κακίαν εἶναι, dist ὀνείδη ἐπιφέρειν Ηδ6. 1123 ᵃ32.

κακίζει αὐτὸς αὑτόν, syn μεταμελεῖται ημβ11. 1211 ᵇ1.

κακκαβίζειν. τῶν περδίκων οἱ μὲν κακκαβίζυσιν, οἱ δὲ τρίζυσιν Ζιθ9. 536 ᵇ14. cf de Lagarde ges Abh p 50.

κακόβιος χ̩ βαρὺς ὁ ὑπάετος Ζυ32. 619 ᵃ2. κακόβιοι αἱ ἀκανθίδες Ζυ17. 616 ᵇ31.

κακοδαιμονία, opp εὐδαιμονία πο6. 1450 ᵃ17.

κακοήθεια τὸ ἐπὶ τὸ χεῖρον ὑπολαμβάνειν πάντα Ρβ13. 1389 ᵇ20. κακοηθείας σημεῖα Ζια9. 491 ᵇ24. ἀκολυθεῖ τῇ ἀδικίᾳ κακοήθεια αρ7. 1251 ᵇ3.

κακοήθης, opp εὐήθης Ρβ12. 1389 ᵃ17. κακοηθέστερον ρ37. 1443 ᵇ2. κακόηθες ἡ πέρδιξ ἐστὶ χ̩ πανῦργον Ζυ8. 613 ᵇ25. f 270. 1527 ᵃ7. — δῆγμα σηπῶν κακόηθες θ164. 846 ᵇ17.

κακοηθίζεσθαι. τῷ διαβάλλοντι κακοηθιστέον ἐπὶ τὸ χεῖρον ἐκλαμβάνοντι Ργ15. 1416 ᵇ10.

κακοθηνεῖν τὰ πρόβατα, opp εὐετηρία Ζιζ19. 574 ᵃ15.

κακολογεῖν ρ36. 1441 ᵃ11. δεῖ μὴ σκώπτειν ὃν ἂν κακολογῶμεν ρ36. 1441 ᵇ15.

κακολογίαι, opp ἔπαινοι, ἐγκώμια ρ36. 1441 ᵃ13. 37. 1444 ᵇ24, 28.

κακολογικὸν εἶδος, eius leges ρ36.

κακόλογος Ηδ8. 1125 ᵃ8. Ρβ4. 1381 ᵇ7. syn ἐξαγγελτικός Ρβ6. 1384 ᵇ11, 8.

κακομιμήτως γράφειν πο25. 1460 ᵇ32 (ἀμιμήτως e cod Aᶜ Vhl. cf Mus Rh 22, 148).

κακόνυς τῷ δήμῳ Ρβ9. 1310 ᵃ9.

κακοπάθεια, opp τρυφερότης et καρτερία ηεβ3. 1221 ᵃ9 Fr. καρτερεῖν πολλὴν κακοπάθειαν Πγ6. 1278 ᵇ28. παύεσθαι τῆς κακοπαθείας ρ17. 1432 ᵃ19.

κακοπαθεῖν χ̩ ἀτυχεῖν τὰ μέγιστα Ηα3. 1096 ᵃ1. cf ηεη12. 1245 ᵇ39. πολὺν χρόνον κακοπαθεῖν Ρβ20. 1393 ᵇ6. πραγματεύεσθαι χ̩ κακοπαθεῖν τὸν βίον ἅπαντα Ηκ6. 1176 ᵇ29. ὅσοις ἐξυσία μὴ αὐτὰς κακοπαθεῖν Πα7. 1255 ᵇ36. — πολλὰ κακοπαθεῖν περὶ τὴν γένεσιν τῶν ἀριθμῶν Μν6. 1093 ᵇ26.

κακοπαθητικός, syn σκληρός, ταλαίπωρος ηεβ3. 1221 ᵃ31.

κακοπαθῶς ζῶντες, opp ἀνειμένοι Πβ9. 1269 ᵇ10.

κακόπατρις Πιττακὸς (Alcaei fr 37) Πγ14. 1285 ᵃ39.

κακοπέτης ὁ χλωρίων Ζυ15. 616 ᵇ11.

κακοποιία. ἐμφανίζει τὴν τῶν ἐναντίων κακοποιίαν ρ16. 1432 ᵃ9.

κακοποιὸς Ηδ9. 1125 ᵃ18. — πρὸς τὸ κακοποιὸν τῆς ὕλης ἀτενίζειν τὴν διάνοιαν Φα9. 192 ᵃ15.

κακοπονητικὴ ἕξις Πη16. 1335 ᵇ7.

κακότμος ὄρνις ἡ κρὲξ Ζυ17. 616 ᵇ21.

κακόπους. τῶν ὀρνίθων εἰσί τινες κακόποδες, εὔπτεροι δέ Ζια1. 487 ᵇ24, 26.

κακοπραγεῖν ἀναξίως Ρβ9. 1386 ᵇ26.

κακοπραγία Πδ11. 1296 ᵃ17. αἱ ἀναξίαι, παρὰ τὴν ἀξίαν κακοπραγίαι Ρβ9. 1386 ᵇ10. ηεγ7. 1233 ᵇ22, 25.

κακόπτερος ἡ εὐῆυς ὁ μαλακοκρανεύς Ζυ22. 617 ᵇ4.

κακός. ἀγαθὸν χ̩ κακὸν ὐκ ἔστιν ἐν γένει, ἀλλ' αὐτὰ γένη Κ11. 14 ᵃ24. τῶν μήτε ἀγαθῶν μήτε κακῶν ἀντίθεσίς τις πρὸς τὰ μήτε ἀγαθὰ μήτε κακά f 121. 1498 ᵇ32, 40. τὸ ψεῦδος τὸ αὐτῦ ἑαυτῷ κακὸν ψυγ7. 431 ᵇ11. τὸ κακὸν ὐκ ἔστι παρὰ τὰ πράγματα Μθ9. 1051 ᵃ18. τὸ κακὸν τῦ ἀπείρυ (Pythag) Ηβ5. 1106 ᵇ29. τὸ ἀριστερὸν χ̩ κάτω

χ̣ ὄπισθεν κακὸν ἔλεγον οἱ Πυθαγόρειοι f 195. 1531 ᵃ25. τὰ
ἁπλῶς κακά, opp τὰ ἁπλῶς ἀγαθά Ηε10. 1134 ᵃ34. ἀλη-
θὲς κακὸν συμβαίνει ἐκ ψευδῶν ἀγαθῶν Πδ̄12. 1297 ᵃ11.
τὸ μεῖον κακὸν ἀγαθόν πως Ηε2. 1129 ᵇ8. τὸ κακὸν πολύ-
μορφον ηεη5. 1239 ᵇ12. τὸ κακὸν χ̣ ἑαυτὸ ἀπόλλυσι Ηδ̄11. 5
1126 ᵃ12. κακὸν φθαρτικὸν χ̣ λυπηρόν Ρβ8. 1385 ᵇ13. πο-
λιτικῷ γνῶναι τὸ ἐν ἀρχῇ γινόμενον κακόν Πε8. 1308 ᵃ34.
τὰ κακὰ συνάγει τὸς ἀνθρώπος Ρα6. 1362 ᵇ38. — κακὴ
τύχη, def Μκ8. 1065 ᵃ35 (cf φαῦλος). — κακός, syn κα-
κοποιός Ηδ̄9. 1125 ᵃ18. — κακῶς ἀκύειν, πολιτεύεσθαι 10
Πγ14. 1285 ᵃ11. εᾶ. 1302 ᵇ30. — χείρων Η8. 1150 ᵃ27.
opp βελτίων Πδ̄11. 1296 ᵇ6, 8. τίνων τετραπόδων χείρω
τὰ κρέα Ζιθ10. 596 ᵇ3. — χειρίστη παρέκβασις, τυραν-
νίς, δημοκρατία Πδ̄2. 1289 ᵃ39, 40, ᵇ2, 8.
κακὖν τὸν λέοντα θ146. 845 ᵃ33. τὸν ὄχλον Πε10. 1311 ᵃ13. 15
ἄχρηστος τροφή, ᾗ ἀναλισκομένη πλέονος μάλιστα κακῦται
ἡ φύσις Ζγα18. 725 ᵃ6.
κακῦργεῖν. ᾧ ῥάδιον κακυργῆσαι ὀλίγον χρόνον ἄρχοντας Πε8.
1308 ᵃ19. κακυργῶν p18. 1432 ᵇ1. ὖκ ἐπιώρκησαν μέν,
ἐκακύργησαν δὲ χ̣ ἔβλαψαν τὸς ὅρκυς f 143. 1502 ᵇ11. 20
κεκακυργηκότες τὴν πόλιν p22. 1434 ᵃ22. ἡ ἴκτις τὰ σμήνη
κακυργεῖ Ζιι6. 612 ᵇ13. — κακυργεῖν in disputando Ργ2.
1404 ᵇ39. τι12. 172 ᵇ20.
κακυργία Ηι3. 1165 ᵇ21. Πβ6. 1265 ᵇ12. dist ὕβρις Πδ̄11.
1295 ᵇ11. 25
κακυργικὰ ἀδικήματα, dist ὑβριστικά, ἀκρατευτικά Ρβ16.
1391 ᵃ18.
κακῦργοι χ̣ μικροπόνηροι, dist ὑβρισταὶ χ̣ μεγαλοπόνηροι
Πδ̄11. 1295 ᵇ10. τῶν ζῴων ἔνια πανῦργα χ̣ κακῦργα, κα-
κυργότερα Ζια1. 488 ᵇ20. ιι. 608 ᵇ1. — ἡ δημηγορία ἦτ- 30
τον κακῦργον δικολογίας Ρα1. 1354 ᵇ28.
κακόφωνος. τὰ ξηρὰ κακόφωνα ακ802 ᵇ23.
κακόχροοι αἱ ἀκανθίδες Ζιι17. 616 ᵇ31.
κακόχυμος πλ1. 954 ᵃ10.
κακώδης. ποιεῖ κακωδεστέραν τὴν ὀσμήν πβ13. 867 ᵇ10. 35
κ33. 926 ᵇ19.
κάκωσις. αἰκίαι σωμάτων χ̣ κακώσεις Ρβ8. 1386 ᵃ8. 7.
1385 ᵃ24. δίκαι (γραφαὶ) κακώσεως f 381. 1541 ᵇ8, 15.
κάλαθος συκαμίνων Ργ11. 1413 ᵃ21.
κάλαιον. ὕστερον λαμβάνει τὰ ὄρνεα τὰς ποικιλίας ἔν τε τοῖς 40
πτερώμασι χ̣ τοῖς καλαίοις χ6. 799 ᵇ14 (καλχαίοις scr
S Theophr II 578 Did, cf καλλαιον).
καλάμη. ἐν ἀρύρα καιομένης καλάμης μα4. 341 ᵇ27. —
metaph τὸ γῆρας καλάμη Ργ10. 1410 ᵇ14.
καλαμίνθη μεταβάλλεται εἰς ἡδύοσμον φτα7. 821 ᵃ29. fort 45
Melissa altissima Sibth. cf Fraas 182.
καλαμίνον πῦρ πγ5. 871 ᵇ29.
κάλαμος. τόπος ἐν ᾧ πεφύκασι κάλαμος χ̣ σχοῖνος μβ3.
389 ᵇ1. οἱ κάλαμοι οἱ πεφυκότες ἐν ταῖς λίμναις Ζιθ19.
601 ᵇ14. ζ14. 568 ᵃ25. ἐκτίκτειν πρὸς τῷ καλάμῳ χ̣ πρὸς 50
τῷ βρύῳ Ζιζ14. 568 ᵃ29. κάλαμος, coni ὄροφος, θρυαλλίς,
στρόβιλος, πίτυς f 252. 1524 ᵇ36. κάλαμος οὐκ ἔχει καλαμον χ̣
τὴν ὕλην Πδ̄36. 620 ᵃ35. ὕδωρ θερμὸν περιχέυσι τοῖς κα-
λάμοις διὰ τὸ θᾶττον πήγνυσθαι μα12. 349 ᵃ1. καμπτὰ χ̣
εὐθυντά, οἷον κάλαμος χ̣ λύγος μθ9. 385 ᵇ27. ἄνθος τῦ 55
καλάμυ Ζιε21. 553 ᵃ21. οἱ κάλαμοι ἔχυσι δεσμύς φτα5.
820 ᵃ19. — κάλαμος ἁλιευτικὸς Ζμ12. 693 ᵃ23. κάλα-
μοι, ἐν οἷς ἱστᾶσι τὰς ἀμπέλυς Ζιε30. 556 ᵇ3. ποιῦσι βόμ-
βον, οἷον διὰ τῶν καλάμων τῶν τετρυπημένων τὰ παιδία
αν9. 475 ᵃ17. Arundinis sp var. 60
καλαμώδης. σηπία ἐκτίκτει περὶ τὰ καλαμώδη Ζιε18. 550

ᵇ7. ἐν τοῖς προλιμνάσι τῶν λιμνῶν πρὸς τὰ καλαμώδη
Ζιζ14. 568 ᵃ21.
κάλαρις (v l κόλαρις). τὸν κάλαριν οἱ γαμψώνυχες κατεσθί-
υσιν Ζιι1. 609 ᵃ27. (Scaliger monet calarim avem esse
nocturnam, J Billerbeck motacillam albam L interpretatur,
quae alibi κίλλυρος nominetur. Fringilla petronia Cr. du-
bitant S II 10. Su 161, 162. ΑΖι Ι 94, 40.)
Καλαυρία. τὴν Καλαυρίαν Εἰρήνην τὸ παλαιὸν ὠνόμαζον
f 555. 1569 ᵇ41.
καλεῖν τὸς φίλυς εἰς τὰς εὐτυχίας προθύμως, εἰς τὰς ἀτυ-
χίας ὀκνῦντα Ηι11. 1171 ᵇ15. cf f 489. 1558 ᵃ8. sensu iu-
diciali i q κλητεύειν. ἤδη κεκληκώς πκθ13. 951 ᵃ28. —
καλεῖν ὄνομα ἕτερον ἢ ταὐτόν Πγ3. 1276 ᵇ11. πεποιημένον
ὄνομά ἐστιν ὃ ὅλως μὴ καλύμενον ὑπό τινων αὐτὸς τίθεται
ὁ ποιητής πο21. 1457 ᵇ33 (syn τὸ ὀνομαζόμενον 1458 ᵃ6.
Vhl Poet III 316). ἣν ἀντίχθονα ὄνομα καλῦσιν Οβ13. 293
ᵃ24. ταῦτα μάλιστα καλῦσι τὸς μὴ κινυμένυς ηεγ3. 1231
ᵇ11. καλῦσιν ἐπιστάται ᾗ τύτοις ἄλλα ὀνόματα συνεγγυς
Πζ8. 1321 ᵇ38. ἀφ᾽ ὧν χ̣ τὰς ἀμπέλυς τραγᾶν καλῦσιν
Ζιε14. 546 ᵃ3. καλεῖται τὸ κοινὸν ὄνομα πολιτεία Πγ7.
1279 ᵃ38. ὀκέτι ὡς οἱ πολλοὶ κλητέον ἀλλ᾽ ὡς ὁ ἰατρός
τβ2. 110 ᵃ21 (cf προσαγορευτέον ταῖς ὀνομασίαις καθάπερ
οἱ πολλοί ᵃ17). καλῦσιν αὐτὸ κεφαλήν τινες, ὡς ὀρθῶς κα-
λῦντες Ζιδ1. 523 ᵇ25. ἐν ταῖς πλείσταις πόλεσι τὸ τῆς
πολιτείας εἶδος καλεῖται Πδ̄8. 1294 ᵃ15. αἰθέρα καλεῖν ὠνό-
μισεν μα3. 339 ᵇ24. καλεῖν εἰώθαμεν βασιλείαν Πγ7. 1279
ᵃ32. ἣν καλῦμεν ἀστραπήν μβ9. 369 ᵇ6. ὡς καλῦσιν ἰσχυ-
ρογνώμονας Ηη10. 1151 ᵇ5. ὃν ἔκαλυν ἀκρόγηται ᾗ τύ-
ραννον Πγ15. 1286 ᵇ38. ἡ Τυρταίυ ποίησις ἡ καλυμένη
Εὐνομία Πε7. 1306 ᵇ39. ὁ καλύμενος ἀήρ, ἄνθραξ, τὸ κα-
λύμενον γάλα, τὰ καλύμενα ἄστρα μα3. 339 ᵇ3. δ9. 387
ᵇ17. α6. 342 ᵇ25. Οβ7. 289 ᵃ11. οἱ περὶ τὴν Ἰταλίαν,
καλύμενοι δὲ Πυθαγόρειοι Οβ13. 293 ᵃ20. οἱ καλύμενοι Πυ-
θαγόρειοι μα6. 342 ᵇ30. 8. 345 ᵃ13. Οβ2. 284 ᵇ7. ΜΑ5.
985 ᵇ23 Βz. 8. 989 ᵇ29. τὸ περὶ τὴν τροφὴν πλῆθος οἱ κα-
λύμενοι γεωργοί, τὸ καλύμενον βάναυσον Πδ̄4. 1290 ᵇ40,
1291 ᵃ1. ἡ καλυμένη πόλις Πδ̄3. 1290 ᵃ17. αἱ πολλαὶ
τῶν καλυμένων ἀριστοκρατιῶν Πε7. 1307 ᵃ12 (cf τῶν ὀνο-
μαζομένων πολιτειῶν ᵃ13). οἱ καλύμενοι σύμβολοι Πε7.
1307 ᵇ14. ἡ ἐν Φαρσάλῳ ἵππος ἡ Δικαία καλυμένη Ζιη6.
586 ᵃ14. ἡ ἐν Φαρσάλῳ κληθεῖσα Δικαία ἵππος Πβ3. 1262
ᵃ24. — κλητός. πρέσβεις ᾗ τεχνίτας κλητύς οβ1352 ᵇ31.
κάλη. οἱ βόες, ὥσπερ αἱ κάμηλοι, κάλας (Pic Aub c codd,
χαίτας Βk, κάμπας Ald) ἔχυσιν ἐπὶ τῶν ἀκρωμίων Ζιδ28.
606 ᵃ16. cf Plin VIII 70 Syriacis non palearia sed gibber
in dorso.
καλινδεῖσθαι. βρέξαντες ὕδατι ὕτω καλινδῦνται ἐν τῇ γῇ,
τοῖς πτεροῖς πρὸς τὴν κόνιν Ζιι6. 612 ᵃ20. 7. 612 ᵇ24.
κάλλαιον. τὸ κάλλαιον (v l κάλλιον) ἐξαίρεται ταῖς ἀλεκτο-
ρίσιν Ζιι49. 631 ᵇ10. τὸ τῶν ὀρνίθων ἔξωχρον πότε Ζιι49.
631 ᵇ28. λαμβάνει πάσας τὰς τοιαύτας ποικιλίας ἔν τε τοῖς
πτερώμασι χ̣ τοῖς καλαίοις (v l κάλοις, καυλοῖς, λόφοις καλ-
λαίοις Did praef XIV, S Theophr II 578) χ6. 799 ᵇ14.
Καλλίας μητραγύρτης, ᾗ δαδῦχος Ργ2. 1405 ᵃ20. ἐπὶ τῦ
Καλλίυ (Ol 93, 6) f 370. 1540 ᵃ12. 587. 1573 ᵇ31. —
Καλλίυ nomen usitatum ad significandum quemlibet ho-
minem, veluti ΜΑ1. 981 ᵃ8, 19. 9. 991 ᵃ7, ᵇ11, 16. δ18.
1022 ᵃ26 sqq. ζ5. 1030 ᵇ20. 8. 1033 ᵇ24, 1034 ᵃ6. 10.
1035 ᵃ32. 11. 1037 ᵃ33. ιθ. 1058 ᵇ10. Ρα2. 1356 ᵇ30.
β4. 1381 ᵃ5. Αα27. 43 ᵃ27, 31, 36. δ19. 100 ᵇ1. τι17.176
ᵃ1, 7. 22. 179 ᵃ5 al.

καλλιαστράγαλος ᾰκ ἔστιν ἡ ῦς Ζιβ1. 499 ᵇ22.

καλλιγραφύμενοι τὴν ἀπομίμησιν ρ1. 1420 ᵇ17. Lob ad Phryn p 123.

καλλιέλαιος, dist ἀγριέλαιος φτα 6. 820 ᵇ40. cf Meyer Nic Damasc p 94.

καλλιεπεῖσθαι, med εἰ δᾰλος καλλιεποῖτο, ἀπρεπέστερον Ργ2. 1404 ᵇ16.

καλλιερεῖν. καλλιερῆσαι f 404. 1545 ᵇ31.

Καλλικλῆς ἐν τῷ Γοργίᾳ (Platonis) τι 12. 173 ᵃ8. — ῶ Καλλίκλεις (coni Spgl pro ῶ Λυσικλῆς) pro exemplo positum ρ16. 1432 ᵃ4.

Καλλικράτης τις πρῶτος τῶν δικαστῶν τᾰς μισθᾰς εἰς ὑπερβολὴν ηὔξησε f 422. 1548 ᵃ33, 35.

καλλικύριοι, οἳ ἀντὶ τῶν γεωμόρων ἐν Συρακύσαις γενόμενοι f 544. 1568 ᵃ40.

Καλλιόπης κραυγή (Dionys Chal fr 7) Ργ2. 1405 ᵃ33. Καλλιόπη exemplum nominis feminini τι 14. 173 ᵇ30.

Καλλιππίδης πο 26. 1462 ᵃ9. πίθηκος πο 26. 1461 ᵇ35.

Κάλλιππος ἐποίει τὰ περὶ Δίωνα Ρα12. 1373 ᵃ19. — ἡ Καλλίππη τέχνη Ρβ23. 1399 ᵃ16, 1400 ᵃ4. — Κάλλιππος τίνα θέσιν τῶν σφαιρῶν ἐτίθετο Μλ8. 1073 ᵇ32 Bz. Κάλλιππος exemplum nominis compositi ε 2. 16 ᵃ21.

Καλλισθένης Ρβ3. 1380 ᵇ12. θ132. 843 ᵇ8.

καλλιστέφανος καλεῖται ἡ ἐν τῷ Πανθείῳ ἐλαία θ 51. 834 ᵃ12.

Καλλίστρατος οβ1350 ᵃ16. κατὰ Μελανώπη Ρα14. 1374 ᵇ26, ἐν τῇ Μεσσηνιακῇ ἐκκλησίᾳ Ργ17. 1418 ᵇ10. Λεωδάμας κατὰ Καλλιστράτᾰ Ρα7. 1364 ᵃ19.

καλλιτέκνᾰ μητρὸς θύγατερ (ex carmine elegiaco Aristotelis) f 622. 1583 ᵃ3.

καλλιχθυς, σαρκοφάγος, συναγελαζόμενος f 297. 1529 ᵇ5.

καλλίχοιρος. τῶν ὑῶν αἱ μὲν εὐθὺς καλλίχοιροι, αἱ δὲ ἐπαυξανόμεναι Ζιζ18. 573 ᵇ12.

καλλιώνυμος refertur inter τὰ πρόσγεια Ζιθ14. 598 ᵃ11. χολὴν ἔχει ἐπὶ τῷ ἥπατι, ὥσπερ ἔχει μεγίστην τῶν ἰχθύων ὡς κατὰ μέγεθος Ζιβ15. 506 ᵇ10. ἐπὶ τᾰ λοβᾰ τᾰ δεξιᾰ καθημένην ἔχει χολὴν πολλὴν, αὐτῷ δὲ τὸ ἧπαρ κατὰ τὴν λαιὰν φορεῖται πλευράν f 298. 1529 ᵇ9 (Pulcher Gazae. Uranoscopus (scaber?) Cuvier III 296. C II 153. St Cr KaZι 84, 25. AZι I 129, 28. E 87. 18).

κάλλος def Ρα5. 1361 ᵇ7-18. ἡ εὐγένεια κᾳ τὸ κάλλος Πγ12. 1282 ᵇ39. τὸ κάλλος τῆς ψυχῆς, τᾰ σώματος Πα5. 1254 ᵇ39. τὸ κάλλος τῶν μελῶν τις συμμετρία τγ1. 116 ᵇ21. τὸ κάλλος ἐν μεγάλῳ σώματι, οἱ μικροὶ δ' ἀστεῖοι κᾳ σύμμετροι, καλοὶ δ' ᾰ Ηδ7. 1123 ᵇ7. κάλλος ὀνόματος Ργ2. 1405 ᵇ6.

καλλύνειν. οἱ ἐν τῷ ἀργυροκοπείῳ καλλύνοντες κερδαίνᾰσιν πκδ9. 936 ᵇ27.

καλλύντρᾰ ἄνθος Ζιε21. 553 ᵃ20. planta ignota.

καλλωπίζονται κᾳ σεμνύνονται ἐπὶ τοῖς τοιούτοις ημα34. 1195 ᵇ19. ὁρῶντες ἐλεγχομένας ἔργῳ τὰς ἐκείνως καλλωπισαμένας πόλεις Πη11. 1330 ᵇ34. μή ποτε καλλωπίζεσθαι δόξω ρ1. 1421 ᵃ4.

καλλωπιστής. ἐπεὶ καλλωπιστὴς κᾳ νύκτωρ πλανᾶται, μοιχός Ρβ24. 1401 ᵇ24. τι 5. 167 ᵇ10.

καλοκαγαθία def ηεν15. 1248 ᵇ10, 34, 1249 ᵃ17. περὶ καλοκαγαθίας ηεν15. ημβ9. μεγαλόψυχον εἶναι ᾰχ οἷόν τε ἄνευ καλοκαγαθίας Ηδ7. 1124 ᵃ4. οἱ ἐπιφανέστεροι μᾶλλον τὴν καλοκαγαθίαν ἀσκήσουσιν ρ3. 1424 ᵃ17. προτρέψασθαι πρὸς καλοκαγαθίαν Ηκ9. το 10. 1179 ᵇ10. τᾰς ἄρχοντας κᾳ τᾰς ἀρχομένᾰς μετέχειν δεῖ καλοκαγαθίας Πα13. 1259 ᵇ34.

καλός. τὸ καλὸν ὁμώνυμον τα 15. 106 ᵃ22. dist τὸ ἀγαθόν Μμ3. 1078 ᵃ31, cf Ρβ13. 1390 ᵃ1. ηεη15. 1248 ᵇ19. ημβ9. 1207 ᵇ29. τὸ κάλλιστον ἡ φύσει πρέπον ἐν ἀρχῇ Μλ7. 1072 ᵇ32. τὸ καλὸν κᾳ τὸ θεῖον αἴτιον ἀεὶ κατὰ τὴν αὑτᾰ φύσιν τᾰ βελτίονος Ζγβ1. 731 ᵇ25. τὸ ἁπλῶς καλὸν Ηε12. 1136 ᵇ22. τὸ καθ' αὑτὸ καλὸν, opp τὸ πρὸς χρείαν τινὰ καλὸν πι 52. 896 ᵇ22. τὸ καλὸν def Ρα6. 1362 ᵇ8. 7. 1364 ᵇ27. 9. 1366 ᵃ33-1367 ᵇ20. ρ2. 1422 ᵃ15. περὶ καλᾰ κᾳ αἰσχρᾰ Ρα9. ταύτον τὸ καλὸν κᾳ πρέπον τε 5. 135 ᵃ13. τᾰ καλᾰ εἴδη μέγιστα τάξις κᾳ συμμετρία κᾳ τὸ ὡρισμένον Μμ3. 1078 ᵃ36. τὸ καλὸν ἐν πλήθει, μεγέθει, τάξει Πη4. 1326 ᵃ33. πο 7. 1450 ᵇ37. τὸ καλὸν ἐν τοῖς τῆς φύσεως ἔργοις κᾳ ἐν τοῖς τῆς τέχνης Ζμα1. 639 ᵇ20. ᾰ ἕνεκα συνέστηκε τέλος, τὴν τᾰ καλᾰ χώραν εἴληφεν Ζμα5. 645 ᵃ25. τὸ καλὸν τέλος τῆς ἀρετῆς Ηγ10. 1115 ᵇ13. δ2. 1120 ᵃ23 (sed ᾰ πᾶν τὸ καλὸν κινᾰν ἐστί Ζκ6. 700 ᵇ26), inde in describendis virtutibus solennis formula τᾰ καλᾰ ἕνεκα, syn ὡς δεῖ. ὡς ὁ λόγος, ὀρθῶς Ηδ4. 1122 ᵇ7. 2. 1120 ᵃ24 sqq. 3. 1121 ᵇ4. 6. 1123 ᵃ25. τγ10. 1115 ᵇ12. ημα22. 1191 ᵇ15-20. καλὸν (sc ἐστι), syn δεῖ Ηη9. 1115 ᵃ12. πρὸς τὸ καλὸν ζῆν Ηδ3. 1121 ᵇ10. ἀναφέρων πρὸς τὸ καλόν Ηδ12. 1126 ᵇ29. πράξεις καλαί Πη9. 1281 ᵃ2. πο 4. 1448 ᵇ25 (cf σπᾰδαῖος 2. 1448 ᵃ2). τὰ καλά, opp τὰ φαῦλα ΜΑ4. 985 ᵃ2. τὰ καλᾰ κᾳ ἐπαινετά, dist τὰ τίμια, τὰ ὠφέλιμα f 110. 1496 ᵃ35. καλά, dist ἀναγκαῖα, χρήσιμα Πη14. 1333 ᵃ33, 36. δ4. 1291 ᵃ18. Ηδ8. 1125 ᵃ11. παιδεία ἐλευθέριος κᾳ καλή, opp χρησίμη, ἀναγκαία Πθ3. 1338 ᵃ32. — καλὸς κἀγαθὸς def ημβ9. 1207 ᵇ32. οἱ καλοὶ κἀγαθοί, i q οἱ γνώριμοι in rebus publicis Πβ9. 1270 ᵇ24, 1271 ᵃ23. δ8. 1293 ᵇ39, 42, 1294 ᵃ18. — χωρίον δημόσιον ἐν καλῷ πρὸ τῆς πόλεως ρ3. 1424 ᵃ36. — τᾰ κόκκυγος ὁ νεοττὸς μέγας κᾳ καλός θ3. 830 ᵇ16. Ζιι19. 618 ᵃ17. — καλῶς. τὸ εὖ τῷ καλῶς ταύτον Ηζ 11. 1143 ᵃ16. τὸ αἴτιον τᾰ καλῶς εἶναι ρ1. 1421 ᵃ14. καλῶς γίνεσθαι κᾳ δικαίως Πδ4. 1291 ᵃ41. καλῶς ζῆν i q εὐδαιμονεῖν ηεα1. 1214 ᵃ31. 2. 1214 ᵇ8, 16, 17. 3. 1215 ᵃ10, 13. Πη6. 1278 ᵇ23. 9. 1281 ᵃ2. Ηι10. 1170 ᵇ27. εἰς τρυφὴν ἢ τὸ καλῶς ζῆν Πδ4. 1291 ᵃ4. καλῶς ἔχειν de regionibus fertilibus μα 14. 352 ᵃ7, 11. ὁ ἐρωδιὸς κᾳ νεοττεύει κᾳ τίκτει καλῶς ἐπὶ τῶν δένδρων Ζιι18. 617 ᵃ3. ἡ πολιτεία καλῶς ἔχει Πδ14. 1297 ᵇ38. καλῶς ἔχει πάλιν θεωρῆσαι Μμ6. 1080 ᵃ12. cf ρ1. 1421 ᵃ25. καλῶς λέγειν, εἰρῆσθαι, ἀποφήνασθαι, ὑπολαμβάνειν sim, i e ὀρθῶς Ηα1. 1094 ᵃ2. 8. 1098 ᵇ16. γ3. 1111 ᵃ24. θ9. 1159 ᵃ9. Πβ6. 1256 ᵃ12. μβ2. 355 ᵇ14. γ4. 375 ᵃ5. ᾰ καλῶς ἔχει φάναι Ηη13. 1153 ᵃ13. περὶ τῆς ᾰσίας λέγειν κάλλιστα ψα1. 402 ᵇ25. καλῶς ἐπιμελεῖσθαι Πε6. 1305 ᵇ20.

Καλυδών (Eurip fr 519) Ργ9. 1409 ᵇ10.

κάλυμμα. αἱ σκεπαζόμεναι τρίχες πίλοις ἢ καλύμμασι πολιῶνται θᾶττον Ζγε5. 785 ᵃ28. διὰ τὸ δεῖσθαι τύτοις (ὄρχεσι) σκέπης κᾳ καλύμματος Ζγα12. 719 ᵇ1. — operculum a. branchiarum. τὰ ἔχοντα καλύμματα πάντα ἐκ πλαγίου ἔχει τὰ βράγχια, κάλυμμα ἀκανθῶδες τῶν μὴ σελαχωδῶν, δερματῶδες βατράχῳ Ζιβ13. 505 ᵃ2, 7. ▼ βράγχιον p 142 ᵇ4. — b. κήρυκος ἡ καλυμμένη γλῶττα ὑπὸ τὸ κάλυμμα Ζιε15. 547 ᵇ5. — 3. αἱ χρησταὶ μέλιτται ἐργάζονται τὰ τε κηρία ὁμαλὰ κᾳ τὸ ἐπιπολῆς κάλυμμα πᾶν λεῖον· αἱ μακραὶ τά τε κηρία ποιᾰσιν ἀνώμαλα κᾳ τὸ κάλυμμα ἀνώδηκος, ὅμοιον τῷ τῆς ἀνθρήνης· ὁ γόνος τῶν μελιττῶν διελὼν τὸ κάλυμμα ἐξέρχεται Ζιι40. 624 ᵇ31, 625 ᵃ2, ᵇ32. cf ἐπικάλυμμα.

κάλυξ. ὄσα ἐν κάλυκι ἀνθεῖ Ζιε22. 554 ᵃ12.
καλύπτειν. βράγχια καλυπτόμενα καλύμματί τινι Ζιβ13.
505 ᵃ6. — καλυπτός. τὰς ἀμίας τὰ βράγχια ἔχειν καλυπτά f 291. 1528 ᵇ32.
καλυπτήρ. σίκυα τιθέμενα εἰς νάρθηκας κοίλας ἢ καλυπτῆρας 5 πκ9. 923 ᵇ25.
Καλυψώ Η3 9. 1109 ᵃ31. διὰ τί λέγεται αὐθήεσσα f 163. 1505 ᵃ39.
Κάλχας (ad Hom Β 305 sqq) f 140. 1501 ᵇ40.
Καλχηδόνιος v Καρχηδόνιος.
καλώδιον περιβάλλειν μχ18. 853 ᵃ34. 10
καματηρὸν τὸ ἄρχειν κ6. 400 ᵇ9.
κάματον ἐπίπονα ζῷα ᵘχ ὑπομένει ὁ θεός κ6. 397 ᵇ23.
Καμβύση. Ὀπῦντος ἦν θυγάτηρ ἡ Πρωτογένεια, ἣν Ἀριστοτέλης Καμβύσην καλεῖ f 520. 1563 ᵃ29. 15
Καμβύσης κ6. 398 ᵃ11.
καμηλίτης θ2. 830 ᵇ9. Ζιι47. 630 ᵇ35.
κάμηλος. descr Ζιβ1. 499 ᵃ13-30 Aub. ζ26. θ2. 830 ᵇ5-10.
refertur inter τὰ μέγιστα τῶν ζῴων Ζγὸ4. 770 ᵃ19, ᵇ9.
Ζμγ2. 663 ᵃ4, 6. 14. 674 ᵃ28, τὰ διχαλά Ζμὸ10. 688 20
ᵇ24. Ζγὸ4. 771 ᵇ9. Ζιβ1. 499 ᵃ23 Aub Ka, τὰ μὴ ἀμφώδοντα ᵔ ἀκέρατα Ζιβ1. 499 ᵃ23, 501 ᵃ14 Aub. Ζμγ14.
674 ᵃ32, τὰ ὀπισθ οὐρητικά Ζιβ1. 500 ᵇ15. ε14. 546 ᵇ1.
Ζμὸ10. 689 ᵃ34, τὰ μονοτόκα Ζιζ26. 578 ᵃ11. Ζμὸ10.
688 ᵇ23. Ζγὸ4. 771 ᵃ19, τὰ μακρόβια Ζμὸ2. 677 ᵃ35. — 25
mas, femina. ὁ κάμηλος ὁ ἄρρην, ὁ κάμηλος, ὀχεῖον Ζιε2.
540 ᵃ18. ζ18. 571 ᵇ24. ι47. 630 ᵇ31, 33. ἡ μήτηρ Ζιι47.
630 ᵇ31. ἔκγονον, πῶλος Ζιζ26. 578 ᵃ12. ι47. 630 ᵇ34.
— partes corporis. ἴδιον ἔχει τὸ καλούμενον ὗβον, ἄλλο
ὗβον ἐν τοῖς κάτω, (Brustschwiele) Ζιβ1.499 ᵃ14,16, χαίτας 30
(χάλας ci Aub) ἐπὶ τῶν ἀκρωμίων Ζιθ28. 606 ᵃ16, ὑπόστασιν (ὑπόσταλσιν) τῆς κοιλίας Ζιβ1. 499 ᵃ21 cf κοιλία,
κέρκον ὁμοίαν ὄνῳ Ζιβ1. 499 ᵃ9. γόνυ ἔχει ἐν ἑκάστῳ τῷ
σκέλει ἕν, ᵔ τὰς καμπὰς ᵘ πλείος, ὥσπερ λέγουσί τινες
(Herod III, 103), ἀστράγαλον ὅμοιον βοΐ, πόδα κάτωθεν 35
σαρκώδη Ζιβ1. 499 ᵃ20, 22, 28. τὸ αἰδοῖον ὄπισθεν, νευρῶδες, Ζιβ1. 499 ᵃ19, ᵇ23. ε2. 540 ᵃ18 Aub. ἔχει ἐν τοῖς
μηροῖς τὰς μαστάς, μαστὰς δύο ᵔ θηλὰς τέτταρας Ζμὸ10.
688 ᵇ22. Ζιβ1. 499 ᵃ18, 500 ᵃ29. σκληρότης τῷ ᵘρανῷ,
κοιλίαι πλείος Ζμγ14. 674 ᵇ4, 6, ᵃ30. ᵘχ ἔχει τὴν χολὴν 40
ἀποκεκριμένην ἀλλὰ φλέβια χολώδη μᾶλλον Ζμὸ2. 676 ᵇ27,
677 ᵃ34. — coitus gestatio partus. ὀχεία. ὀχείας χρόνος
Ζιε2. 540 ᵃ13 sq. ζ18. 571 ᵇ24. ι47. 630 ᵇ31. ε14. 546
ᵇ2 Aub, 5. ἐφιέναι, ἀποτελεῖν τὴν συνυσίαν, ἀναβαίνειν Ζιι47.
630 ᵇ33, 34, 31. ἐν γαστρὶ λαμβάνει Ζιζ26. 578 ᵃ13. ι50. 45
632 ᵃ28. κύει δώδεκα, δέκα μῆνας Ζιε14. 546 ᵇ3. ζ26.
578 ᵃ10. singulos gignunt, a trimatu pariunt vere iterumque post annum implentur a partu Ζιε14. 546 ᵇ4. ζ26.
578 ᵃ10, 13. — vita τροφή potus lac caro morbus Ζιζ26.
578 ᵃ12. θ9. 596 ᵃ9. τροφὴ ἀκαιθώδης ᵔ ξυλική, μηρυ- 50
κάζει Ζμγ14. 674 ᵃ29, ᵇ3, 5. πίνει ἴδιον θολερόν ᵔ παχὺ
ὕδωρ, δύναται ἄποτος ἀνέχεσθαι ᵔ τέτταρας ἡμέρας Ζιθ8.
595 ᵇ31, 30, 596 ᵃ2. λεπτότατον γάλα καμήλυ, γάλα
ἔχει μέχρι ᵘ ἂν ἐν γαστρὶ λάβῃ, ἔχει ᵔ τὰ κρέα ᵔ τὸ
γάλα ἥδιστα Ζιγ20. 521 ᵇ32. ζ26. 578 ᵃ13, 14, cf Ori- 55
bas I 585. λαμβάνει ἡ λύττα ᵔ τὰς καμήλυς Ζιθ22. 604
ᵃ10. — velocitas. ἡ φύσις δέδωκε ταῖς καμήλοις πρὸς
σωτηρίαν τὴν τῷ μεγέθυς ὑπερβολήν, τὸ μέγεθος τῷ ὀρέγματος, κατὰ σκέλος βαδίζει, θέει θᾶσσον τῶν Νισαίων
ἵππων πολύ, κατακλίνεται εἰς γόνατα Ζμγ2. 663 ᵃ4, 6. 60
14. 674 ᵃ28. Ζιι50. 632 ᵃ30, 31. β1. 498 ᵇ8 Aub, 499

ᵃ17. — mores. πότε χαλεπὸς ὁ κάμηλος ὁ ἄρρην, ἵππῳ
ὅλως ἀεὶ πολεμεῖ. ἐκκρίνυσιν ἐκ τῶν καμήλων ἐνιαυσίων
ἔκγονον, οἱ κάμηλοι ᵘκ ἀναβαίνυσιν ἐπὶ τὰς μητέρας Ζιζ18.
571 ᵇ24, 25. 26. 578 ᵃ11. ι47. 630 ᵇ31, 35. θ2. 830 ᵇ5.
— dist αἱ Βακτριαναὶ ᵔ αἱ Ἀράβιαι Ζιβ1. 498 ᵇ8 Aub,
499 ᵃ14. — πίνυσι τὸ γάλα, ἐκτέμνονται αἱ κάμηλοι αἱ
θήλειαι, ἐκ τῆς αἰδοίυ νευρῶν ποιῦνται τοῖς τόξοις Ζιζ26.
578 ᵃ15. ι50. 632 ᵃ27. ε2. 540 ᵃ19. τὰς εἰς πόλεμον ἰύσας
ὑποδῦσι καρβατίναις Ζιβ1. 499 ᵃ29, cf ι50. 632 ᵃ27. κέκτηνται ἔνιοι τῶν ἄνω καμήλυς ᵔ τρισχιλίας Ζιι50. 632
ᵃ29. ὁ βόσκων. ἐπιμελητής, καμηλίτης Ζιι2. 540 ᵃ18. ι47.
630 ᵃ33. 35. θ2. 830 ᵇ7. (Camelus bactrianus et dromedarius L cf C II 185. S eclog phys II 26-29. Cuv discours
s l révol du globe 46. St Cr Su 70, 53. AΖι I 70, 25.
Wiegmann observ zool 32. 35).

Κάμικος Πβ10. 1271 ᵇ40.
καμινεύειν τὴν ἄμμον θ48. 833 ᵇ25. f 248. 1524 ᵃ9.
κάμινος. ἐν καμίνῳ καίεται ὁ σίδηρος θ48. 833 ᵇ30. f 248.
1524 ᵃ13. διαστρέφεται ὁ κέραμος ἐν ταῖς καμίνοις μὸ6.
382 ᵃ25. τὰ ὀστᾶ οἷον ἐν καμίνῳ ὑπτημένα Ζγβ6. 743
ᵃ20. καθάπερ εἰς κάμινον εἰς τὴν ὑστέραν Ζγὸ1. 764 ᵃ17.
σῦκα ξηραινόμενα ταῖς καμίνοις πκβ10. 930 ᵇ39.
κάμνειν. πολλὰ κάμνυσι (Hom Θ 22) Ζκ4. 700 ᵃ1. κάμνειν
τῷ πολέμῳ ρ3. 1425 ᵇ14. προσρῖψαι τὸ πέρας ᵘ κάμνυσι
πρότερον Ργ9. 1409 ᵃ33. — οἱ κάμνοντες, aegroti, τι4.
165 ᵇ39 (opp ὑγιαίνοντες). Ζγε7. 787 ᵃ25 (opp οἱ εὖ τὸ
σῶμα ἔχοντες). ψβ10. 422 ᵇ8. Ρβ12. 1389 ᵃ8. Πγ11.
1281 ᵇ41. 16. 1287 ᵃ37. Ζιγ15. 519 ᵇ19. ε2. 883 ᵃ11.
πολλὰ φαίνεται τοῖς κάμνυσι ᵔ παραφρονῦσι ηεα3. 1214
ᵇ30. κάμνειν νοσήματί τινι Ζιθ21. 603 ᵃ30. 22. 604 ᵃ4.
24. 604 ᵃ29. κάμνυσι ποδάγραν Ζιθ24. 604 ᵃ23. — οἱ
κεκμηκότες, mortui, Ηα11. 1101 ᵃ35, ᵇ6. 400 ᵇ22.
κάμπη. τὸ τῶν καμπῶν γένος Ζπ4. 705 ᵇ27. αἱ κάμπαι
μικραί, λαμβάνυσι τὸ πρῶτον τροφήν, θύραθεν, τρέφονται
ᵔ περίττωμα ἀφιᾶσι Ζιε19. 551 ᵃ17, 25. Ζγγ9. 758 ᵇ29,
759 ᵃ2. μετὰ ταῦτα ᵘκέτι λαμβάνυσι, αὐξηθεῖσαι μεταβάλλυσι τὴν μορφὴν Ζγγ9. 758 ᵇ30. Ζιε5. 551 ᵃ18, 19.
δεῖ ᵔ τὰς κάμπας εἶδος τιθέναι σκώληκος Ζγγ9. 758 ᵇ9,
19. αὐτῷ τῷ σώματι διαλήψεις ποιύμεναι προερχονται Ζπ4.
705 ᵇ27. τὰ πλεῖστα τῶν γινομένων ἔκ τε καμπῶν ᵔ σκωλήκων ὑπὸ ἀραχνίων κατέχεται τὸ πρῶτον. ἕκαστον τῶν
γιγνομένων τὸ οἰκεῖον χῶμα λαμβάνει ἀπὸ τῆς κάμπης
Ζιε19. 552 ᵇ24, 9. — 1. αἱ κάμπαι τῶν ψυχῶν Ζιε19.
551 ᵃ14. f 328. 1532 ᵇ31. — 2. αἱ κάμπαι τῶν ὑπέρων
ᵔ τῶν πηνίων κυμαίνυσι τῇ πορείᾳ ᵔ προβᾶσαι τῷ ἑτέρῳ
κάμψασαι ἐπιβαίνυσιν Ζιε19. 551 ᵇ7. — 3. ἐκ μελαινῶν
τινῶν ᵔ δασειῶν ᵔ μεγάλων κάμπαι γίνονται πυγμαλιπίδες Ζιε19. 551 ᵇ24. — 4. ἐγγίνονται ᵔ κάμπαι ἐν τοῖς
σμήνεσιν, ἃς καλῦσι τερηδόνας Ζιθ27. 605 ᵇ16. — 5. αἱ
κανθαρίδες ἐκ τῶν καμπῶν Ζιε19. 552 ᵇ1. f 328. 1532
ᵇ33. — 6. γίνεται ὕτος, ὁ σκώληξ χρυσαλλὶς ὥσπερ αἱ
κάμπαι Ζιε32. 557 ᵇ23. — 7. γίνεται πρῶτον κάμπη μεταβαλόντος τῷ σκώληκος κάμπη Ζιε19. 551 ᵇ11 (eruca Gazae.
caterpillar Cr cf Su 193ᵇ AΖι I 165, 20. M 202. 221).
καμπή. δεῖ, ἂν κινῆται τι τῶν μορίων, ἠρεμεῖν τι· ᵔ διὰ
τᵘτο αἱ καμπαὶ τῶν ζῴων εἰσίν· ὥσπερ γὰρ κέντρῳ χρῶνται ταῖς καμπαῖς, ᵔ γίνεται τὸ ὅλον μέρος, ᵔ ᵔ ᵔ ᾗ μὲν ᵔν
ᵔ ᾗ δύο, ᵔ εὐθὺ ᵔ κεκαμμένον, μεταβάλλον δυνάμει
ᵔ ἐνεργείᾳ διὰ τὴν καμπήν Ζκ1. 698 ᵃ17, 22, 27. ἡ καμπὴ
τὸ μὲν ἀρχὴ τῷ δὲ τελευτή· τὸ ἐν ταῖς καμπαῖς σημεῖον,
τὸ κινῦν ᵔ κινύμενον· ἔχει τινὰ ἀντέρεισιν πρὸς ἄλληλα τὰ

V.　　　　　　　　　　　　　　　　　　　　Ζz

μόρια ἐν ταῖς καμπαῖς Ζκ8. 702 ᵃ22. 10. 703 ᵃ13. Ζπ3.
705 ᵃ15. ἀρχὰς ἔχειν κινήσεως ἀπό τινος ἐν ταῖς καμπαῖς
Μζ16. 1040 ᵇ13. — 1. flexiones. τὰ τῶν ἐναίμων ἄποδα
δυσὶ χρώμενα προέρχεται καμπαῖς· τοῖς ὄφεσιν ἐν ταῖς
καμπαῖς τῦ σώματός ἐστιν ἡ ἀρχὴ τῆς κάμψεως· αἱ τῶν
τοιούτων καμπαὶ τέτταρες ἢ δύο Ζπ7. 707 ᵇ9. 10. 710 ᵃ1.
Ζια5. 490 ᵃ31 — τὰ μακροφυέστερα ᶄ ὀφιώδη μᾶλλον,
οἷον σμύραινα, ᶂδὲν ἔχϙσι πτερύγιον ἁπλῶς, ἀλλὰ ταῖς
καμπαῖς κινῦνται· ταῖς καμπαῖς ἐλάττοσι κινῦνται ἐν τῷ
ὑγρῷ ἢ ἐν τῇ γῇ τὰ ζῆν εἰωθότα ἐν τῇ γῇ, καθάπερ τὸ 10
τῶν ἐγχελέων γένος Ζμδ13. 696 ᵃ6, 18. Ζπ7. 708 ᵃ5. —
2. plicatura. αἱ καμπαὶ τῶν ὀστῦν· ἄσαρκοι αἱ καμπαὶ
πάντων Ζιγ5. 515 ᵃ32. Ζμγ9. 672 ᵃ19. πε5. 881 ᵃ3. 35.
884 ᵇ10. imprimis de articulationibus extremitatum ἡ
καμπὴ τῶν ὤμων, τῶν ἰσχίων Ζιβ1. 498 ᵃ25,.26. digito- 15
rum αἱ καμπαὶ τῶν δακτύλων καλῶς ἔχϙσι πρὸς τὰς λή-
ψεις ᶄ πιέσεις· δακτύλϙ τὸ μὲν ἔνϙξ, τὸ δὲ καμπή Ζμδ10.
687 ᵇ10. Ζια15. 494 ᵃ15. ἕκαστος τῶν δακτύλων (τῆς
φώκης) καμπὰς ἔχει τρεῖς· ἡ πρώτη, δευτέρα καμπὴ τῶν
δακτύλων τῆς καμπϟ Ζιβ1. 498 ᵇ1, 2. 499 ᵃ25, 26. καμ- 20
παὶ ἐν τοῖς δακτύλοις (avium)· ἡ πρώτη καμπὴ τῶν δα-
κτύλων (τῶν σαυρῶν) Ζμδ12. 694 ᵇ17. Ζϑ28. 606 ᵇ8. —
καμπαὶ i q extremitates. (ζῷα) ἐν οἷς μή εἰσι καμπαὶ
ἀλλ᾽ ἄποδα ᶄ ἄχειρά ἐστι Ζιγ5. 515 ᵇ24. — articulatio
cubiti, genu hominis. αἱ καμπαὶ τῦ ἀνθρώπϙ, ὁ ἄνθρωπος 25
ἄμφω τὰς καμπὰς τῶν κώλων ἐπὶ ταυτὸ ἔχει ᶄ ἐξ ἐναν-
τίας Ζιβ1. 498 ᵃ5, 19 — αἱ καμπαὶ τῶν βραχιόνων, ἡ
ἐντὸς καμπή, φλέβες τείνϙσι διὰ τῶν βραχιόνων ἄνωθεν εἰς
τὰς καμπὰς Ζμδ10. 687 ᵇ25. Ζιγ4. 514 ᵇ2. 3. 513 ᵃ2. —
κοινὸν μηρϟ ᶄ κνήμης γόνυ καμπή Ζια15. 494 ᵃ18 (κϟμπή 30
om Aub, γόνυ [ᶄ] καμπή P S KaZi). — articulatio pedum
animalium. ὁ χαμαιλέων τὰς καμπὰς τῶν σκελῶν καθάπερ
οἱ σαῦροι ἔχει Ζβ1. 503 ᵃ22. (τῶν ἀναίμων ᶄ ὑποπόδων)
τὰ σκέλη εἰς τὸ ἄνω τὰς καμπὰς ἔχει Ζπ16. 713 ᵃ29,
ᵇ1, 5 cf Wiegmann obs zool 15. pedes saltatorios acri- 35
diorum τὴν καμπὴν ἀναγκαῖον εἰς ἓν κεκλάσθαι Ζμδ6. 683
ᵇ1. — suffrago. ἡ κάμηλος γόνυ ἔχει ἐν ἑκάστῳ τῷ σκέ-
λει ἕν, ᶄ τὰς καμπὰς ᶄ πλείϙς, ὥσπερ λέγϙσί τινες (He-
rodot III 105) Ζιβ1. 499 ᵃ20 cf Ahrens, ὀρύς u seine
Sippe 1866 p 7. ἡ καμπὴ τῦ ὄπισθεν σκέλϙς Ζμδ10. 690 40
ᵃ11. Ζιβ1. 498 ᵃ25, 26. παραπλησίϟς τὰς καμπὰς ἔχει ᶄ
ὁ ὄρνις τοῖς τετράποσι ζῴοις Ζιβ1. 498 ᵃ28. Ζμδ12. 693
ᵇ20.

κάμπτειν. ἡ εὐθεῖα τῆς κεκαμμένης μᾶλλον ἕν Μδ6. 1016
ᵃ12 Bz. τὸ κάμπτεσθαι ᶄ τὸ εὐθύνεσθαί ἐστι τὸ εἰς εὐθύ- 45
τητα ἢ περιφέρειαν μεθίστασθαι ἢ κινεῖσθαι· κάμπτεταί τι
ἢ ἀνακάμψει ἢ κατακλίψει μδ9. 385 ᵇ31, 386 ᵃ4, 1. cf
μχ16. 853 ᵃ6. Μδ12. 1019 ᵃ29. πέτεται τὰ πετόμενα τὰς
πτέρυγας εὐθύνοντα ᶄ κάμποντα Ζπ9. 709 ᵇ10, 19. κάμ-
πτειν (τὰ σκέλη, τὰ γόνατα al) ἐπὶ τὴν περιφέρειαν Ζπ1. 50
704 ᵃ19, 22. 12. 711 ᵇ14, ἐπὶ τὸ περιφερὲς Ζμδ8. 683
ᵇ35, ἐπὶ τὸ κυρτὸν τῆς περιφερείας Ζπ1. 704 ᵇ4, ἐπὶ τὸ
κυρτὸν Ζπ12. 711 ᵃ15, 16. 13. 712 ᵃ2-22, εἰς τὸ ἔμπροσθεν
Ζπ12. 711 ᵇ9, 23, εἰς τὸ πρόσθεν Ζπ12. 711 ᵇ17. Ζιβ1.
498 ᵃ6, opp ἐπὶ τὸ κοῖλον Ζπ1. 704 ᵃ20, 22, ᵇ5. 12. 711 55
ᵃ17, ᵇ9. 13. 712 ᵃ2-22. 15. 713 ᵃ1. Ζμδ8. 683 ᵇ35, ἐπὶ
τὰ κοῖλα Ζπ12. 711 ᵃ15, εἰς τὸ ὄπισθεν Ζπ12. 711 ᵇ27.
ὅσα κάμπτει τὰ ὀπίσθια σκέλη ἐντὸς Ζγα20. 728 ᵇ8. ἰδίως
ᶄ εἰς τὸ πλάγιον κάμπτει τὰ σκέλη Ζπ1. 704 ᵇ6, εἰς τὸ
ὄπισθεν τὰ πρόσθια ᶄ τὰ ὀπίσθια ᶂδὲν κάμπτει τῶν ζῴων 60
Ζιβ1. 498 ᵃ23. κάμπτεται ὁ βραχίων κατὰ τὸ ὠλέκρανον

Ζια15. 493 ᵇ31. ὁ ἄνθρωπος τοῖς πολλοῖς ἐναντίως κάμ-
πτει Ζιβ1. 498 ᵃ27. κεκάμφθαι τὸ σκέλος, σκέλη κεκαμ-
μένα εἴσω Ζπ12. 711 ᵃ25. Ζμδ12. 693 ᵇ3. μυκτὴρ τῷ
ἄκρῳ ἐγκλίνει, ᶂ κάμπτεται δέ Ζιβ1. 497 ᵇ30. κάραβος
κεκαμμένη ἀποτίκτει Ζιε17. 549 ᵇ3. κέρατα δύο κεκαμμένα
εἰς αὑτὰ Ζιβ1. 499 ᵇ32. τρίχες κεκαμμέναι σκληραί Ζιγ10.
517 ᵇ20. — ἡ διάμετρος κατὰ μέλη ἢ κέκαμπται μόνη
διαιρεῖ (?) πιε2. 910 ᵇ21. — καμπτόν. περὶ καμπτῷ μδ8.
385 ᵃ13, 385 ᵇ26-386 ᵃ9. μόρια καμπτὰ ᶄ σχιστὰ Ζιγ9.
517 ᵃ10.

καμπτήρ. ἐπὶ τοῖς καμπτῆρσιν ἐκπνέϙσι ᶄ ἐκλύονται Ργ9.
1409 ᵃ32.

καμπτικός. δακτύλϟ τὸ καμπτικὸν κόνδυλος Ζια15. 493
ᵇ28. κίνησις ἥ τε καμπτικὴ ᶄ ἡ κατὰ τόπον πν7. 484 ᵇ13.

κάμπυλος. τὸ καμπύλον, opp ῥὶς σιμή (exemplum discri-
minis inter mathematicam formam et corpus physicum)
Φβ2. 194 ᵃ7. περὶ τῆς τῶν καμπύλων κάμψεως Ζμδ11.
692 ᵃ17.

καμπυλότης, opp εὐθύτης Κ8. 10 ᵃ13. Ζμα3. 643 ᵃ33.
πρὸς τὴν ῥῖνα τὴν καμπυλότητα ἔχειν Ζια9. 491 ᵇ16. ἡ
γρυπότης ἐστὶ καμπυλότης ἐν ῥινί Οα9. 278 ᵃ29.

κάμψις ἐστὶν ἡ ἐξ εὐθέος ἢ εἰς περιφερὲς ἢ εἰς γωνίαν με-
ταβολή Ζπ9. 708 ᵇ22. μδ9. 386 ᵃ2. τὸ ὅλως συνεχὲς ἐν
λέγεται κἂν ἔχῃ κάμψιν Μδ6. 1016 ᵃ10. χρῆται ἡ φύσις
ᶄ ὡς ἐπὶ ᶄ συνεχεῖ ᶄ ὡς δυσὶ ᶄ διῃρημένοις πρὸς τὴν
κάμψιν Ζιβ9. 654 ᵇ2. πάντα κάμψει ᶄ ἐκτάσει ποιεῖται
τὴν μεταβολήν (i e τὴν πορείαν, πτῆσιν, νεῦσιν) Ζπ10.
709 ᵇ26. 9. 708 ᵇ26. 12. 711 ᵃ8. cf 6. 707 ᵇ17. χονδρώδη
μόρια μεταξὺ τῶν κάμψεών ἐστιν (significat enim κάμψις
et actionem τῦ κάμπτεσθαι et eam partem, in qua ea
fit), οἷον στοιβή, πρὸς τὸ ἄλληλα μὴ τρίβειν Ζμβ9. 654
ᵇ26, 22. cf 14. 658 ᵃ21. ᵈ10. 690 ᵃ24. πν7. 484 ᵇ24. τὰ
νεῦρα διεσπασμένα περὶ τὰ ἄρθρα ᶄ τὰς τῶν ὀστῶν ἐστι
κάμψεις Ζιγ5. 515 ᵇ5. τῶν ποδῶν τὸ κινητικώτερον μέρος
ᶄ ἡ κάμψις Ζια15. 494 ᵇ6. ἀφυΐα τῆς κάμψεως (τῦ ἐλέ-
φαντος) Ζιβ16. 659 ᵃ29. περὶ τῆς τῶν καμπύλων κάμ-
ψεων ᶄ τοῖς περὶ πορείας ἐπέσκεπται Ζμδ11. 692 ᵃ17.
ἔχειν κάμψιν, τάσιν Ζιβ1. 646 ᵇ19. ποιῆνται τὴν τῶν σκε-
λῶν κάμψιν Ζπ12. 711 ᵃ13. κωλύειν τὴν κάμψιν Ζγγ2.
663 ᵇ9. κάμψεις τῶν κώλων Ζιβ1. 498 ᵃ3. ἡ κάμψις ῥυτὶς
ἐστιν πκδ7. 936 ᵇ12. κάμψις εἰς τὸ πρόσθεν Ζιβ1. 498
ᵃ31. α15. 494 ᵇ5, εἰς τὸ ἐντὸς Ζια15. 494 ᵇ9, εἴσω Ζια15.
493 ᵇ30, εἰς τὸ πλάγιον Ζπ17. 714 ᵃ5. Ζιβ1. 498 ᵃ18.
ἐναλλὰξ ἐναντίως ἔχει τὰ κῶλα τὰς κάμψεις τοῖς ἀνθρώ-
ποις Ζπ13. 712 ᵃ14. 1. 704 ᵃ17. ἴσα ἐστὶ τὰ σπαρτία κατὰ
τὰς κάμψεις μχ25. 856 ᵇ18, 31.

κάναβος. οἱ τϙς κανάβϙς γράφϙσιν ἐν τοῖς τοίχοις Ζγβ6.
743 ᵃ2. Ζιγ5. 515 ᵃ35, cf Ζμβ9. 654 ᵇ29 et S I 137.
Jahn, Berichte d sächs G hist-phil Abth. 1854 p 35.

κανθαρίς. refertur inter τὰ ἔντομα, ὅσα τὸ πτερὸν ἔχει ἐν
κολεῷ (v l κάνθαρος)· τὰ ἐν ποσὶν Ζιδ7. 531 ᵇ25. ε8. 542
ᵃ8. de coitu Ζιε8. 542 ᵃ9 (v l ἀκανθαρίδων). γίνονται ἐκ
τῶν πρὸς ταῖς συκαῖς καμπῶν ᶄ ταῖς ἀπίοις ᶄ ταῖς πεύ-
καις ᶄ ἐκ τῶν ἐν τῇ κυνακάνθῃ· ὁρμῶσι δὲ ᶄ πρὸς τὰ
δυσώδη διὰ τὸ ἐκ τοιαύτης γεγονέναι ὕλης Ζιε19. 552 ᵇ1.
f 328. 1532 ᵇ33. 334. 1534 ᵃ19. Ael IX, 39. γίνονται ἐκ
σηπϙμένϙ ξηρϙ͂ν (v l κανθίδος) Ζγα16. 721 ᵃ8 (Mouche
cantharide C II 166. several kinds of beetles, a kind of
fly Cr. Cantharis vel Mylabris Su 193, 3. St AZγ36.
AZι I 165, 21. cf M 205. S I 353).

κάνθαρος. 1. piscis. refertur inter τὰ πρόσγεια Ζιβ13. 598

ᵃ10 (hodiernis σκάθαρος, σκαθαρῦ, ἀσκάραθος scatari,
Scarabaeus Gazae. St. un poisson du genre des spares
C II 748. Sparus cantharus Cr. cf AZι I 129, 29. E 88,
46-48. Cuv VI 375). — 2. refertur inter τὰ ἔντομα ὅσα
ἐκδύνει τὸ γῆρας, τὰ κολεόπτερα, τὰ μὴ ἑλικτά Ζιθ17.
601 ᵃ2, 3. α5. 490 ᵃ15. Ζπ10. 710 ᵃ10. Ζμθ6. 682 ᵇ24.
φύσις φαύλη, οἱ κάνθαροι ἢ κυλίωσι κόπρον, ἐν ταύτῃ φω-
λεύωσί τε τὸν χειμῶνα ἢ ἐντίκτηση σκωλήκια, ἐξ ὧν γί-
νονται κάνθαροι· οἱ καλάμενοι κάνθαροι φοβηθέντες ἀκινη-
τίζωσι ἢ τὸ σῶμα γίνεται σκληρὸν αὐτῶν ημβ7. 1205 ᵃ30.
Ζιε19. 552 ᵃ17. Ζμθ6. 682 ᵇ26. ἀποθνήσκωσιν ὑπὸ τῆς τῶν
ῥόδων ὀσμῆς, ἐν Καθαρωλέθρῳ θ147. 845 ᵇ2. 120. 842 ᵃ8
(Scarabaeus pilularius C II 644. S I 353. St Cr. Scara-
baei sp KaZμ142, 8. Ateuchus sacer F 312, 58. Su 194,
2. fort Aphodii sp AZι I 165, 22).
Κανθαρώλεθρος ἐν Χαλκιδικῇ θ120. 842 ᵃ6.
κανθός, angulus oculi externus et internus. κοινὸν τῆς βλε-
φαρίδος μέρος τῆς ἄνω ἢ κάτω κανθοὶ δύο, ὁ μὲν πρὸς τῇ
ῥινί, ὁ δὲ πρὸς τοῖς κροτάφοις, produnt mores Ζια8. 491
ᵇ23, 25. οἱ βαρεῖς ὄρνιθες σκαρδαμύττωσιν ἐκ τῷ κανθῷ
παρὰ τὰς μυκτῆρας, ἐκ τῶν κανθῶν ὑιέναι, ἐκ τῷ κανθῷ
δέρματι ἐπιόντι Ζμβ13. 657 ᵇ18, ᵃ30. δ11. 691 ᵃ23. Ζιβ12.
504 ᵃ25.
κανονίζειν τὰς πράξεις ἡδονῇ ἢ λύπῃ Ηθ2. 1105 ᵃ3.
Κανωβικὸν στόμα μα14. 351 ᵇ33.
Κάνωβος. τὸ πρότερον ὂν ἐπὶ τῷ Κανώβῳ ἐμπόριον οβ1352
ᵃ30.
κανών, κριτὴς τῷ εὐθέος ἢ τῷ καμπύλῳ ψα5. 411 ᵃ6. ποιεῖν
τὸν κανόνα στρεβλὸν Ρα1. 1354 ᵃ26. ἅπτεσθαι τῷ κανόνος
κατὰ στιγμὴν Μβ2. 998 ᵃ3. πρὸς εὐθεῖαν, ὥσπερ πρὸς κα-
νόνα πλα20. 959 ᵇ3. μολίβδινος κανών Ηε14. 1137 ᵇ31. —
οἱ λύρας φθόγγοι καθάπερ κανόνες ὄντες πιθ43. 922 ᵃ18.
κανὼν ἢ μέτρον ὁ σπνδαῖος Πγ6. 1113 ᵃ33. cf ηεη6. 1240
ᵃ10. ἐκ ἀσφαλὴς ὁ κανών Πβ10. 1272 ᵇ7. τῷ ἀορίστῳ
ἀόριστος ἢ κανών Ηε14. 1137 ᵇ30.
καπηλεία Πα8. 1256 ᵃ41. οα2. 1343 ᵃ29. περὶ τὰς ἐμπο-
ρίας ἢ καπηλείας διατρίβειν Πδ4. 1291 ᵃ6.
καπηλεῖον. τὰ καπηλεῖα τὰ Ἀττικὰ φιδίτια Ργ10. 1411
ᵃ24. οἱ ἐπὶ τῶν καπηλείων γραφόμενοι πι12. 892 ᵃ16.
καπηλική. ὁ καπηλικὸν εἶδος τῆς χρηματιστικῆς, eius na-
tura et origo Πα9. 1257 ᵃ17, 20, ᵇ1, 2, 10, 20. καπηλικαὶ
πράξεις ηεα4. 1215 ᵃ32.
κάπνεος, ἄμπελός τις Ζγδ4. 770 ᵇ20. (capneya Guilel ver-
sio. Romanis helvolam vocatam fuisse autumabat Bodaeus
cum Scalig cf S Theophr III 107. Prantl de color 129.)
καπνίζειν. ὁ ἥπιλος φεύγει καπνιζόμενος Ζιβ27. 605 ᵇ16.
τῶν ζῴων ἄνθρωπος μάλιστα καπνίζεται πι51. 896 ᵇ8. οἱ
ἐξόφθαλμοι καπνίζονται μᾶλλον πλα6. 957 ᵇ33.
κάπνισις. ἢ κάπνισις μετὰ δακρύων πι51. 896 ᵇ9.
καπνός. τὰ τῷ μὲν καπνῷ (Hom μ 219) Ηβ9. 1109 ᵃ32. —
ἢ ἀὴρ ἢ καπνὸς ἢ γῆ φαίνεται τὸ πεπυρωμένον Ζγγ11. 761
ᵇ20. ἢ φλὸξ πνεῦμα ἢ καπνὸς καόμενός ἐστι μο9. 388
ᵃ2. Γβ4. 331 ᵇ26. ὁ καπνὸς πνεῦμα ἢ κλέεται μο9. 388
μγ1. 371 ᵃ33. ἀναθυμίασις ἢ καπνὸς Ζμβ2. 649 ᵃ22. ἢ
ξυλώδης σώματος θυμίασις καπνός μδ9. 387 ᵇ1, 388 ᵃ3.
ὁ ἐκ χλωρῶν ξύλων καπνὸς μβ4. 361 ᵃ19. ἢ ξηρὰ ἀναθυ-
μίασις τὸ μὲν ὅλον ἀνώνυμος, τῷ δ᾿ ἐπὶ μέρως ἀνάγκη
χρωμένης καθόλυ προσαγορεύειν αὐτὴν τῷ καπνῷ μβ4.
359 ᵇ32. ἢ ἀτμὶς ὑγρὸν ἢ ψυχρόν, ὁ καπνὸς θερμὸν ἢ ξη-
ρόν μβ4. 360 ᵃ25. ὁ καπνὸς ἐξ ἀέρος ἢ γῆς Γβ4. 331 ᵇ26.
ἀναλίσκει τὸν καπνόν μχ3. 465 ᵇ25. τῷ καπνῷ μελάντατος

ὁ ἀπὸ τῶν πιόνων ἢ λιπαρῶν χ1. 791 ᵇ22. ὁ καπνὸς ἐπι-
δάκνει τὰς ὄψεις f 96. 1493 ᵇ30. διὰ τί ὁ καπνὸς τὰς
ὀφθαλμὸς δάκνει πλα21. 959 ᵇ5. πότερον αἱ ὀσμαὶ καπνὸς
ἢ ἀὴρ ἢ ἀτμὶς πιβ10. 907 ᵃ29.
καπνώδης. ἢ ἀναθυμίασις διττή, ἢ μὲν ἀτμιδώδης, ἢ δὲ
καπνώδης (cf καπνός) μβ4. 360 ᵃ10. γ6. 378 ᵃ19. α4. 341
ᵇ10. Ζγε3. 782 ᵇ20. τῶν ἀναθυμιάσεων ἢ μέν ἐστι ξηρὰ
ἢ καπνώδης κ4. 394 ᵃ13. ἀνώνυμον τὸ κοινὸν ἐπὶ πάσης
τῆς καπνώδης διακρίσεως μα4. 341 ᵇ15. ἢ καπνώδης ἀναθυ-
μίασις κοινὸν ἀέρος ἢ γῆς αι5. 443 ᵃ27. αἱ καπνώδεις φλό-
γες χ2. 792 ᵃ13. καπνώδης ἢ λιγνύς μγ4. 374 ᵃ26 (Ideler
II 518). ἢ ὀσμὴ καπνώδης τίς ἐστιν ἀναθυμίασις αι2. 438
ᵇ24. ἐγγύθεν τὰ μὲν πουώδεστερον ὄζει τὰ δὲ καπνωδέστερον
πιβ4. 906 ᵇ36.
Καππαδοκία θ17. 831 ᵇ21. 69. 835 ᵇ1.
κάππαρις ἐκ ἐθέλει ἐν τοῖς ἐργασίμοις γίνεσθαι χωρίοις πκ12.
924 ᵃ1. (Capparis spinosa L. Fraas 116. Meyer Gesch der
Bot I 124.)
καππεδίον (Hom Ζ 210) πλ1. 953 ᵃ24.
καπρᾶν λέγονται αἱ ὕες, ὅταν ἔχωσι πρὸς τὴν ὀχείαν ὁρμη-
τικῶς Ζιβ18. 572 ᵇ24.
καπρία. 1. mucus vaginae. τὸ ἱππομανές ἐστιν οἷον ἢ καπρία·
ὕες κυΐσκονται ἐκ μιᾶς ὀχείας, ἀλλὰ πολλάκις ἐπιβιβάζωσι
διὰ τὸ ἐκβάλλειν μετὰ τὴν ὀχείαν τὴν καλυμένην ὑπό τινων
καπρίαν Ζιζ18. 572 ᵃ21, 573 ᵇ2. — 2. fort ovaria τῶν
θηλειῶν ὑῶν. ἐκτέμνεται ἢ καπρία τῶν θηλειῶν ὑῶν, ἐν ταῖς
μήτραις ἐπιπέφυκεν ἢ καπρία Ζιυ50. 632 ᵃ21, 26 Aub. cf
S II 521.
καπρίζειν i q καπρᾶν Ζιζ18. 572 ᵃ16.
κάπρος. 1. cf ὗς. τὰ αἰδοῖα τῶν ἀπηρτημένα, ἐνιαχῇ δε-
κάμηναι ἄρχονται ὀχεύειν, ἀγαθοὶ μὲν ὀχεύειν μέχρι ἐπὶ
τριετές, συμφέρει ὀχεύοντι παρέχειν κριθάς, castratio Ζιβ1.
500 ᵇ6. ε14. 545 ᵇ2, 546 ᵇ7. ζ18. 573 ᵇ10. ι50. 632 ᵃ7.
θυμώσης ἢ ἐκστατικός, τὸ αἷμα ἰνωδέστατον Ζιβ4. 651
ᵃ2, 3. — 2. piscis. α. refertur inter τὰ σκληρόδερμα f 278.
1528 ᵃ2. ἔχει ἐλάχιστα ἔχων ἐν ἐφ᾿ ἑκάτερα βράγχιον,
διπλῆν δὲ τῷτο Ζιβ13. 505 ᵃ13. (aper Gazae, Scal. sanglier
de mer C II 742. Squalus centrina K 477. fort Capros aper
R, Cuv X 37, E 89, 74. cf KaZι 77, 14 et AZι I 130, 30.)
— b. ψόφες τινὰς ἀφίησι ἢ τριγωνὸς ὁ κόπτος ὁ ἐν ταῖς
Ἀχελῴῳ Ζιθ9. 535 ᵇ18 (cf Röper in Philol 1854, 239
adn. Cottus cataphractus vel Squalus centrina St, Cr. sed
physicis animal ignotum cf Joh Müller Archiv f Anat Phys
1857, 259. AZι I 130, 30).
κάπτειν τὸ ὕδωρ, τὸν ἀφρὸν Ζιθ3. 593 ᵃ21. ι35. 620 ᵃ13.
ὁ πορφυρίων κάπτων πίνει f 272. 1527 ᵃ40.
καπυρός, opp μαλακός πκα3. 927 ᵃ24. 7. 927 ᵇ17.
καραβοειδής. τελευτᾷ τὸ ἔντερον εὐθὺ τοῖς καραβοειδέσι ἢ
καρίσι καὶ ἐπιθυμίαν πρὸς τὴν ἄρανː τὸ καλύμενον κάρ-
κίνον τὴν φύσιν ὅμοιον τοῖς καραβοειδέσι Ζιδ2. 526 ᵇ26.
4. 529 ᵇ22. ἔχυσι ἢ τὰ μαλακόστρακα, τά τε καραβοειδῆ
ἢ οἱ καρκίνοι. δύο ὀδόντας τὰς πρώτας· αἱ καρίδες τῶν κα-
ραβοειδῶν διαφέρουσι διὰ τὸ ἔχειν χηλὰς Ζμδ5. 679
ᵃ31. 8. 684 ᵃ15. (non solum Palinurus vulgaris sed etiam
alia ejusd gen ut Galathea cf Cuv, mém sur les mollusques,
dissert critique 5. Young 261. Meyer 240 sq.) cf κιρα-
βώδης.
κάραβος. 1. τὸ τῶν καράβων γένος Ζμβ8. 654 ᵇ2. Ζιδ1.
523 ᵇ8. 2. 525 ᵃ30, ἔχει πλείω γένη Ζμδ8. 683 ᵇ28. re-
fertur inter τὰ ἄναιμα θαλάττια Ζμβ8. 654 ᵃ1. Ζια4. 489
ᵃ33. θ17. 601 ᵃ10, νευστικὰ Ζια1. 487 ᵇ16, μαλακόστρακα

σκληρόδερμα Ζια6. 490 ᵇ11. 5. 490ᵃ2, παμφάγα Ζιθ2. 590
ᵇ10. ὁ καλύμενος κάραβος αν12. 476 ᵇ32. Ζμδ8. 683 ᵇ27.
διαφέρει ὁ ἄρρην τῆς θηλείας Ζιδ2. 525 ᵇ34. Ζμδ8. 684
ᵃ21. — partes externae descr. τὸ σῶμα πρόμηκες, τὸ
ὅλον σῶμα ἡ τὰ περὶ τὸν θώρακα τραχύς, τὸ σκληρὸν ἡ 5
θραυστὸν ἀλλὰ θλαστόν, ἐκτὸς τὴν βοήθειαν ἔχει, θώραξ
Ζιδ2. 525 ᵇ32, 13. 1. 523 ᵇ7. Ζμβ8. 654 ᵃ1, 5. Ζιδ2.526
ᵇ5. ε17. 549 ᵃ31. θ17. 601 ᵃ13. μέτωπον, ὄμματα, ὀφθαλ-
μοί Ζιδ2. 526 ᵇ4, 2, ᵃ8. ἔχει κεραίας δύο ἡ ἄλλα κεράτια
μικρά, κέρατα Ζιδ2. 526 ᵃ6, 32. θ2. 590 ᵇ27, 29, ὀδόντας 10
Ζιδ2. 526 ᵃ30, ᵇ22, 527 ᵃ1, τὰ δασέα αν12. 477 ᵃ3. πόδας
ἐφ' ἑκάτερα ἔχει πέντε σὺν ταῖς ἐσχάταις χηλαῖς, οἱ ἄστακοι
διαφέρησι τῶν καράβων τῷ (μὴ) ἔχειν χηλάς, τὴν χηλὴν
δίχροαν, τὴν δεξιὰν χηλὴν μείζω Ζπ17. 713 ᵇ23. Ζιδ2. 525
ᵇ15, ᵃ32 (Scalig S P St Aub), 526 ᵃ15. θ2. 590 ᵇ25. Ζμδ8. 15
684 ᵃ26. νεῖ τοῖς ὑραίοις, τάχιστα ἐπὶ τὴν κέρκον τοῖς ἐν
ἐκείνῃ πτερυγίοις· ἔχει ἡ κέρκον, πτερύγια δὲ πέντε, ἔχει
ὑρά, ὑροπύγιον Ζια5. 490 ᵃ2. δ2. 525 ᵇ27. ε17. 549 ᵃ30.
Ζμδ8. 684 ᵃ1. Ζπ17. 713 ᵇ29, δύο διαστήματα, ἐπικα-
λύμματα, ἐπιπτύγματα Ζιε17. 549 ᵃ31, 22, 32. αν12.477 20
ᵃ4. — partes internae descr. ἔχει τὸ σαρκῶδες ἐντός, σαρ-
κίον γλωτινοειδές, οἰσοφάγον βραχύν, μικρὸν στόμαχον πρὸ
τῆς κοιλίας Ζμβ8. 654 ᵃ4. 17. 661 ᵃ13. Ζιδ2. 527 ᵃ3, 4,
526 ᵇ25, κοιλίαν ὑμενώδη, πρὸς τῷ στόματι τῆς κοιλίας
ὀδόντας, ἔντερον ἁπλῆν Ζιδ2. 527 ᵃ4, 5, 7. Ζμδ5. 679 ᵃ36, 25
χυμὸν ὅμοιον τῇ μυτίδι· πόρον ὑστερικόν, θορικόν· ὑστέραν
δίχροαν Ζιδ2. 527 ᵃ2, 11. Ζγβ. 758 ᵃ10. — ova coitus
gestatio partus. τὸ ᾠὸν Ζιε17. 549 ᵃ20, ᵇ1, ἔχει ἐντομὰς
Ζιδ4. 529 ᵃ29. ἴσχησι τὰ ᾠὰ περὶ τρεῖς μῆνας Ζιε17. 549
ᵃ15. κύησις ὀχεία τόκος Ζιε17. 549 ᵃ15, ᵇ11. 7. 541 ᵇ19. 30
Ζγγ8. 757 ᵇ33. — βίος βάδισις φωλεία. μακρόβιοι, ἀπο-
θνήσκησι διὰ φόβον Ζιε17. 549 ᵇ28. θ2. 591 ᵇ16. βαδίζει
κατὰ φύσιν εἰς ἔμπροσθεν, φωλᾶσι περὶ πέντε μῆνας, θα-
λάμαι Ζιδ2. 590 ᵇ26, 23. 17. 601 ᵃ16. ἔκδυσις Ζιε17. 549
ᵇ25. θ17. 601 ᵃ11, 15. θάλατταν δέχονται παρὰ τὸ στόμα, 35
ἀφιᾶσι παρὰ τὰ βραγχιοειδῆ πολλὰ Ζιδ2. 526 ᵇ20. αν12.
476 ᵇ31, 477 ᵃ3. — περιπέτεια, μάχονται πρὸς ἀλλήλους,
κρατεῖ ἡ τῶν μεγάλων ἰχθύων, νέμονται τὰ ἰχθύδια, τὺς
καράβυς οἱ πολύποδες κρατῦσιν Ζιθ2. 590 ᵇ13, 28, 17, 21,
14. θήρα, τοῖς δελέασιν ἁλίσκονται Ζιε17. 549 ᵇ20. δ8. 40
534 ᵇ26. — habitatio. γίνονται ἐν τοῖς πελάγεσιν, ἐν τρα-
χέσι ἡ λιθώδεσι, ἐν τοῖς τραχέσι ἡ πετρώδεσι, περὶ τὸ
Σίγειον ἡ τὸν Ἄθων, ὗ γίνονται ἐν τῷ εὐρίπῳ Ζιθ2. 590
ᵇ22. ε17. 549 ᵇ14, 16. ι37. 621 ᵇ17. (Palinurus vulgaris
C II 461. S I 25. 194. 196 et in Magazin d Ges naturf 45
Freunde 1807, I 3, 168. Cuv Mus d'hist nat II, mémoire
s les Mollusques 1817. dissert critique p 5. F 8. M 237-
255. Young on the Malacostraca of Arist in Ann et Ma-
gaz of nat hist 1865, 261. Spiny lobster Cr. ΚαΖμ 128,
23. ΑΖι I 152, 4).   50
   2. Hammatochaeri sp. refertur inter τὰ ἔντομα ὅσα τὸ
πτερὸν ἔχει ἐν κολεῷ Ζιδ7. 531 ᵇ25. κεραίας πρὸ τῶν ὀμ-
μάτων ἔχει Ζιδ7. 532 ᵃ27. ἐν τοῖς ξύλοις τοῖς αὔοις οἱ
κάραβοι (v l κάραβιοι, κάραμβιοι, carabi, carambii versio
Thomae) γίνονται τὸν αὐτὸν τρόπον· πρῶτον μὲν ἀκινητί- 55
ζαντα τῶν σκωλήκων, εἶτα περιραγέντος ἡ κελύφης ἐξέρ-
χονται οἱ κάραβοι Ζιε19. 551 ᵇ17. (fort Cerambyx sp. stag-
beetle Cr. ΑΖι.I 165, 23. Su 196 ᵇ7.)
   3. syn κραμβίς? ἐκ τῶν καράβων γίνονται αἱ πρασοκυ-
ρίδες Ζιε19. 551 ᵇ20 (v l σίμβλων, σίμδων, κραμβῶν 60
Scalig; lacunam significarunt plerique cf S I 347, D praef IV,

ΑΖι I 511; hic locus excerptus ab Ael IX 39, om in fragm
Ar). (Clerus apiarius K 681, 2. animal ignotum Su 236, 56.)
καραβώδης. τὰ καραβώδη i q καραβοειδῆ. τὰ μαλακό-
στρακα ἄριστά ἐστιν ὅταν κύῃ, οἷον τὰ καραβώδη Ζιθ30.
607 ᵇ4. τὰ καρκινώδη ἡ καραβώδη παρόμοί ἐστι τῷ χηλὰς
ἔχειν ἀμφότερα Ζμδ8. 683 ᵇ31. τὰ καραβώδη τὰ θήλεα
πρὸς αὑτὰ ποιεῖται τὸν τόκον Ζγγ8. 758 ᵃ12.
καράμβιος cf κάραβος 2.
Κάρβανοι οἱ κατὰ Φοινίκην σ973 ᵇ4. f 231. 1521 ᵇ23.
Κάρβας (Lob Par 190, 1) καλεῖται ὁ εὗρος σ973 ᵇ4. f 231.
1521 ᵇ23.
καρβατίναις τὰς καμήλυς ὑποδῦσιν, ὅταν ἀλγήσωσι Ζιβ1.
499 ᵃ30. cf Schlieben Pferde des Alterth 137.
καρδία. 1. cor. refertur inter τὰ σπλάγχνα Ζιγ3. 513 ᵃ22.
Ζμβ9. 655 ᵃ1. γ9. 672 ᵃ18. 12. 673 ᵇ28. πάντα τὰ ἔναιμα
καρδίαν ἔχει υ2. 456 ᵃ5. τὰ ἔναιμα ἡ τὰ ἔχοντα καρδίαν
αν10. 475 ᵇ17. καρδίαν ὐθὲν πώποτε ἐγένετο ζῷον ἀν ἔχον,
μίαν ἔχον καρδίαν ἐν ζῷον Ζγδ4. 771 ᵃ3, 773 ᵃ10. ὥσπερ
ἀκρόπολις τῦ σώματος Ζμγ7. 670 ᵃ26. κυριωτάτη ζ3. 469
ᵃ4. ἐν τοῖς ἐναίμοις ἡ καρδία, ἐν τοῖς ἀναίμοις ζῴοις τὸ
ἀνάλογον Ζμβ1. 647 ᵃ31. ζ3. 468 ᵇ31. 4. 469 ᵇ6, 11, 17.
αι17. 479 ᵃ1. Ζμδ5. 678 ᵇ2, 681 ᵇ29. Ζκ10. 703 ᵃ14.
Ζγβ1. 735 ᵃ24, 26. 4. 738 ᵇ17. 5. 741 ᵇ16. 6. 742 ᵇ37. ε2.
781 ᵃ23 (cf ἀνάλογον p 48 ᵃ33). τοῖς μὲν ἀναίμοις ἀνώ-
νυμον, τοῖς δ' ἐναίμοις ἡ καρδία τῦτο τὸ μόριόν ἐστιν αν8.
474 ᵇ3. — α. τὸ τῆς καρδίας σῶμα. πυκνὸν ἡ κοῖλον
Ζμγ4. 665 ᵇ34. ἡ καρδία, διὰ τὸ τῶν φλεβῶν ἀρχὴ εἶναι
ἡ ἔχειν ἐν αὐτῇ τὴν δύναμιν τὴν δημιυργῦσαν τὸ αἷμα
πρώτην, εὔλογον, ἐξ οἵας δέχεται τροφῆς, ἐκ τοιαύτης συνε-
στάναι ἡ αὐτήν Ζμβ1. 647 ᵇ4. αἱ διαφοραὶ τῆς καρδίας
κατὰ μέγεθός τε ἡ μικρότητα ἡ σκληρότητα ἡ μαλακό-
τητα Ζμγ4. 666 ᵇ32, 667 ᵃ11. cordis forma. ἥπατος, λά-
βρακες, σκάρος, φάγρος ἔχυσι καρδίαν τρίγωνον f 296.
1529 ᵇ2. 303. 1530 ᵃ4. 311. 1531 ᵃ13. 314. 1531 ᵃ18.
ἰδίως ὁ ἀκανθίας τὴν καρδίαν ἔχει πεντάγωνον f 293. 1529
ᵃ18, ὁ κίθαρος τὴν καρδίαν λευκὴν ἡ πλατεῖαν f 300. 1529
ᵇ27. — τὸ κυρτὸν ἔστιν ἄνω Ζια17. 496 ᵃ12. ἄκρα ἡ καρ-
δία Ζιβ17. 507 ᵃ9. τὸ ἄκρον τῆς καρδίας αι16. 478 ᵇ8.
Ζιβ17. 507 ᵃ5. Ζμγ4. 666 ᵇ2. τὸ ἄκρον εἰς ὀξὺ συνήκται
Ζια17. 496 ᵃ19. τὸ ὀξὺ αι16. 478 ᵇ5, 7. Ζια17. 496 ᵃ11.
β17. 507 ᵃ2, 4, 508 ᵃ32. γ3. 513 ᵃ31. Ζμγ4. 666 ᵇ12. τὰ
ὀξέα Ζια17. 496 ᵃ7, 8. — ὁ ἔσχατος χιτὼν τῆς καρδία
αν20. 480 ᵃ4 (ex Hippocr ed Kühn I 485: περιβεβλέαται
χιτών). ὁ περὶ τὴν καρδίαν ὑμὴν πιμελώδης ἡ παχύς
Ζια17. 496 ᵃ6. γ13. 519 ᵇ4. Ζμγ11. 673 ᵇ9. ἡ καρδία ἔχει
διάρθρωσιν τῇ ἀρτηρίᾳ πιμελώδεσι ἡ χονδρώδεσι ἡ ἰνώδεσι
δεσμοῖς Ζια16. 495 ᵇ12. αἱ τῆς καρδίας κοιλίαι τρεῖς, δύο,
μία descr Ζια17. 496 ᵃ4, 20, 24, 25, ᵇ9. γ3. 513 ᵃ27, 32,
ᵇ2, 3. 5. 515 ᵃ29. Ζμγ4. 666 ᵇ21, 22, 32, 35, 667 ᵃ23, 24,
27. 7. 669 ᵇ23. ἐν τοῖς κοίλοις νεῦρα ἔνεστιν Ζια17. 496
ᵃ13. — b. de situ cordis Ζια17. 496 ᵃ4, 7. β17. 506 ᵇ33.
Ζμβ7. 652 ᵇ20. δ10. 686 ᵃ14. ὁ περὶ τὴν καρδίαν τόπος
ψβ8. 420 ᵇ26. Ζμβ7. 653 ᵃ29. 10. 656 ᵃ28. γ4. 665 ᵇ30.
10. 672 ᵇ16. ἡ καρδία ἐν τοῖς ἔμπροσθεν ἡ τῷ μέσῳ κεῖται
Ζμγ3. 665 ᵃ11, 18. ἔστι δ' ἡ καρδία τοῖς μὲν ἄλλοις ζῴοις
κατὰ μέσον τῦ στηθικῦ τόπυ, τοῖς δ' ἀνθρώποις μικρὸν εἰς
τὰ εὐώνυμα παρεκκλίνασα Ζμγ4. 666 ᵇ6. ἔχει ἡ τῆς καρ-
δίας θέσις ἀρχικὴν χώραν Ζμγ4. 665 ᵇ18. ἔχει τὸ ὀξὺ ἡ
καρδία πάντων εἰς τὸ πρόσθεν Ζια17. 496 ᵃ10. β17. 507 ᵃ2.
γ3. 513 ᵃ31. ὁ πλεύμων κεῖται ὗ ἡ καρδία ἡ περὶ ταύτην,

ὁ ἐγκέφαλος ἐν ἀντικειμένῳ τόπῳ τῆς καρδίας Ζμγ3. 665
ᵃ15. δ10. 686 ᵃ7. ἡ καρδία ὡσαύτως τὴν θέσιν ἔχει τοῖς
τε πεζοῖς κ τοῖς ἰχθύσιν αν16. ὁ ὄνος μόνος τῶν ἰχθύων
τὴν καρδίαν ἐν τῇ κοιλίᾳ ἔχει f 307. 1530 ᵃ26 sq. — c. vasa
cordi connexa, sanguis. ἡ τῆς καρδίας φύσις φλεβώδης 5
Ζμγ4. 665 ᵇ17. ἡ καρδία ὥσπερ μόριον τῶν φλεβῶν, μό-
ριον κ ἀρχὴ τῶν φλεβῶν Ζιγ3. 513 ᵃ24. Ζμγ4. 665 ᵇ33.
αἱ φλέβες ἄνωθεν, ὑποκάτω τῆς καρδίας Ζιγ4. 514 ᵃ28.
ἀρχὴ τῶν φλεβῶν ἡ καρδία υ3. 456 ᵇ1. ζ3. 468 ᵇ32. αν8.
474 ᵇ7. Ζμβ1. 647 ᵇ4. 9. 654 ᵇ11. γ4. 665 ᵇ17. Ζγβ4. 10
740 ᵃ22, 28. δ8. 776 ᵇ12. ε7. 787 ᵇ28. ἐκ τῆς καρδίας αἱ
φλέβες Ζμγ4. 666 ᵃ31. 5. 667 ᵃ16. Ζγβ4. 740 ᵃ28. 6. 743
ᵃ1. φλέβες ἔχυσι τὰς ἀρχὰς ἀπὸ τῆς καρδίας· φλέβια
τείνοντα ἀπὸ τῆς καρδίας· ἡ ἀορτὴ ἀπὸ τῆς καρδίας ἀγο-
μένη Ζιγ3. 513 ᵃ22. 4. 514 ᵃ22. Ζγβ6. 744 ᵃ5. ἡ φλὲψ 15
διὰ τῆς καρδίας, εἰς δὲ τὴν ἀορτὴν ἀπὸ τῆς καρδίας τείνει
Ζιγ3. 513 ᵇ6. διὰ τῆς καρδίας ὐ διατείνει φλέψ, ἐκ τῆς
καρδίας ὐδεμία φλέψ Ζμγ4. 665 ᵇ32, 666 ᵃ30. παντὸς τῇ
αἵματος ἀρχὴ ἡ καρδία δ3. 458 ᵃ15. Ζμγ4. 666 ᵃ33, ᵇ1.
πρῶτον γίνεται τὸ αἷμα ἐν τῇ καρδίᾳ Ζιγ19. 521 ᵃ9. Ζμγ4. 20
666 ᵇ24. καθ᾽ αὑτὸ ὐδὲν ἔχει αἷμα, πλὴν ὀλίγον ἐν τῇ
καρδίᾳ, ἀλλὰ πᾶν ἐστιν ἐν ταῖς φλεψίν· πᾶν αἷμά ἐστιν
ἐν ἀγγείοις, ἢ ἐν ταῖς φλεψὶ ἢ ἐν ἄλλῳ δὲ ὐδενὶ
πλὴν ἐν τῇ καρδίᾳ μόνον Ζιγ2. 511 ᵇ18. 19. 520 ᵇ14. ἔχει
αἷμα, πλήρης αἵματος, καρδία ἡ ἀρχὴ ἡ τῶν μορίων αἵμα- 25
τική Ζια17. 496 ᵇ9. Ζμγ4. 665 ᵇ34. Ζγγ11. 762 ᵇ25. ἀρχὴ
κ πηγὴ τῇ αἵματος ἢ ὑποδοχὴ πρώτη, τὸ αἷμα ἐκ τῆς
καρδίας εἰς πάντα τὰ μέρη τῇ σώματος Ζμγ4. 666 ᵃ8.
f 233. 1520 ᵃ13. τὸ ἧπαρ αἱματικώτατον μετὰ τὴν καρδίαν
τῶν σπλάγχνων Ζμγ12. 673 ᵇ28. ἡ καρδία τὴν σύντρησιν 30
ἔχει πρὸς τὸν πλεύμονα αι16. 478 ᵃ26. — ἐν αὐτῇ ἡ καρδία
ἔχει νεῦρα, ἀρχὴ τῶν νεύρων ἐκ τῆς καρδίας, ἔχει νεύρων
πλῆθος πν6. 486 ᵃ18. Ζια17. 496 ᵃ13. γ5. 515 ᵃ29. — τὸ
ἀπὸ τῆς καρδίας πόροι Ζια17. 496 ᵃ28, 31. β17. 507 ᵃ7.
πι54. 897 ᵃ21. — d. de corde animalium vertebratorum. 35
ὐ γὰρ ὁμοίας ὕτε τὰς καρδίας ἔχυσι πάντα τὰ ἔχοντα καρ-
δίαν Ζμγ12. 673 ᵇ15. καρδίαν ἅπαντ᾽ ἔχει ὅσα αἷμα ἔχει,
τὰ ἔναιμα Ζιβ15. 506 ᵃ5. Ζμγ4. 665 ᵇ26, 666 ᵃ23. δ1.
676 ᵇ12. διὰ τί πᾶσιν ἀναγκαῖον Ζμγ7. 670 ᵃ23. hominis
cor Ζμδ10. 688 ᵃ20. τῶν θυμουμένων ἱερείων Ζμγ4. 667 ᵇ2. 40
ἡ τῶν ἵππων ἔχει ὀστῦν Ζιβ15. 506 ᵃ10. Ζμγ4. 666 ᵇ18,
ἀνόστεος πάντων πλὴν γένυς τινὸς βοῶν Ζιβ15. 506 ᵃ8.
Ζμγ4. 666 ᵇ18. Ζμδ10. ᵇ. τῶν ταύρων κεινωνιώδης Ζμγ7.
787 ᵇ15. quibus animalibus cor maximum sit Ζμγ4. 667
ᵃ20. τῶν ἐναίμων ὅσα μὴ ζωτικὰ λίαν εἰσί, πολὺν χρόνον 45
ζῶσιν ἐξῃρημένης τῆς καρδίας οἷον αἱ χελῶναι αι17. 479 ᵃ4.
ζ2. 468 ᵇ15. χαμαιλέων αἷμα ἔχει περί τε τὴν καρδίαν
μόνον ἢ τὰ ὄμματα κ τὸν ἄλλα τὸν τόπον τῆς καρδίας Ζιβ11.
503 ᵇ15. τῷ ὄφεως μικρὰ κ νεφροειδὴς, δοξειεν ἂν ἐνίοτε
ὐ πρὸς τὸ στῆθος ἔχειν τὸ ὀξὺ Ζιβ17. 508 ᵃ30, 31. ἡ θέσις, 50
οἱ πόροι τῆς καρδίας ἐν τοῖς ἰχθύσιν αι16. 478 ᵃ34, ᵇ5, 7,
12. αι21. 480 ᵇ16. Ζιβ17. 507 ᵃ3, 7. Ζμγ4. 666 ᵇ11. —
e. cor in utero, in nascentibus. ἐν τῇ καρδίᾳ ἀρχὴ
τῶν ζωῆς αν17. 479 ᵃ1. cf ΜΖ10. 1035 ᵇ26. ἡ καρδία ἀρχὴ
τῶν ὁμοιομερῶν κ τῶν ἀνομοιομερῶν, εὐθέως ἔναιμος πρώτη 55
γινομένη τῶν μορίων ἅπαντων, ἀρχὴ τῆς φύσεως τοῖς ἐναί-
μοις ὖσα, ἀπὸ τῆς καρδίας κ ὕστερον ἡ διακόσμησις τῇ
σώματος γίνεται τοῖς ζῴοις, διὰ τῆς καρδίας κ ἡ ἀρχὴ τῆς
φύσεως, πρῶτον φαίνεται διωρισμένη, ἀποκρίνεται, γίνεται,
συστάσης πρώτης τῆς καρδίας Ζγβ4. 740 ᵃ13. Ζμγ4. 666 60
ᵃ10, 21. Ζγβ4. 740 ᵃ8. 5. 741 ᵇ16. 1. 735 ᵃ24. 4. 738 ᵇ16,

740 ᵃ17, 4, ᵇ3. ζ3. 468 ᵇ29. Ζγβ6. 743 ᵇ26. γ2. 753 ᵇ19.
cf δ1. 766 ᵇ2. Μδ1. 1013 ᵃ5. ἐν τοῖς ἐμβρύοις πάμμικρος
Ζμγ4. 665 ᵃ33, ᵇ1, 666 ᵃ20. cf Ζγβ6. 742 ᵇ36. ἐν τοῖς
ᾠοῖς τριταίοις στιγμῆς μέγεθος ἔχει, ὅσον στιγμὴ αἱματίνη
Ζμγ4. 665 ᵃ35. ΖιΖ3. 561 ᵃ11. ἐν τῷ ᾠῷ πόροι ἐκ τῆς
καρδίας, φλέβες ἀπὸ τῆς καρδίας ΖιΖ3. 561 ᵃ23, ᵇ4, 562 ᵃ4,
in ovo piscium ΖιΖ10. 564 ᵇ32. μείζων τὸ μέγεθος ὢν τὸ
πνεύματος τῆς καρδίας ὕστερον φαίνεται τῆς καρδίας ἐν τῇ
ἐξ ἀρχῆς γενέσει· τὰ περὶ τὴν κεφαλὴν λαμβάνει τὴν γένε-
σιν μετὰ τὴν καρδίαν Ζγβ1. 734 ᵃ24. 6. 743 ᵇ30. —
f. cordis motus. ἡ καρδία κινεῖται, ἀκυσία ἡ κίνησις αὐτῆς,
σείεται τῇ θερμῷ ἐξιόντος, οἷον ζῷόν τι πέφυκεν ἐν τοῖς
ἔχυσιν ψγ9. 432 ᵇ31. Ζχ11. 703 ᵇ5. Ζμγ4. 666 ᵇ17. πια31.
902 ᵇ31. ε15. 882 ᵃ35. τρία ἐστὶ τὰ συμβαίνοντα περὶ τὴν
καρδίαν, ἃ δοκεῖ τὴν αὐτὴν φύσιν ἔχειν, ἔχει δ᾽ ὐ τὴν αὐ-
τὴν, πήδησις κ σφυγμὸς κ ἀναπνοὴ αν20. 21. σφύξις,
σφυγμός, ἅλσις, πήδησις αν20. 479 ᵇ27. πν4. 482 ᵇ33.
Ζμγ6. 669 ᵃ18, 23. πκζ3. 947 ᵇ26, 29. ὁ πλεύμων ἔχει
τὴν ἀρχὴν τῆς κινήσεως ἀπὸ τῆς καρδίας Ζμγ6. 669 ᵃ15.
cf πν3. 482 ᵇ6. — g. τὰ τῆς καρδίας πάθη. ὐδὲν δέχεται
βίαιον πάθος, τῶν ἐν τῷ σώματι μορίων ἡ καρδία χαλεπὸν
πάθος ὐδὲν ὑποφέρει Ζμδ2. 677 ᵃ4. γ4. 667 ᵃ33, ᵇ1, 12.
διὰ τῆς ἀορτῆς κ τῶν φλεβῶν εὐθὺς ἀπαντᾷ τὸ πάθος πρὸς
τὴν καρδίαν Ζμγ9. 672 ᵇ6. τῇ καρδίᾳ τοιῶτον ὐδένα πλη-
σιάζειν οἷόν τε χυμὸν Ζμδ2. 677 ᵇ4. ἀλλοίωσις περὶ τὴν
καρδίαν Ζχ7. 701 ᵇ29. λαπαρὸς ὢν ἀλγεῖ τὴν καρδίαν Ζιθ24.
604 ᵇ16. — h. cor caloris animalis fons. οἷον ἑστία τις
Ζμγ7. 670 ᵃ25. ἡ ἀρχὴ τῆς θερμότητος ἐν τῇ καρδίᾳ ζ4.
469 ᵇ10, 17. αν15. 478 ᵃ24. Ζμβ7. 652 ᵇ27. γ7. 670 ᵃ24.
τὸ ἐν τῇ καρδίᾳ θερμὸν Ζμβ7. 653 ᵇ5. δ13. 696 ᵇ17. ἡ
θερμότης, τὸ θερμὸν περὶ τὴν καρδίαν Ζγβ6. 743 ᵇ28. πι54.
897 ᵃ3. συνθεῖ εἰς τὴν καρδίαν τὸ θερμὸν πκζ6. 948 ᵇ5.
ζέσις τῇ περὶ καρδίαν αἵματος ἢ θερμῷ ψα1. 403 ᵃ31. —
i. animae facultates, quae in corde sedem habent. ἐν τῇ
καρδίᾳ ἡ ἀρχὴ τῆς ζωῆς κ πάσης κινήσεώς τε κ αἰσθή-
σεως, ἡ ἀρχὴ τῆς κινήσεως κ τῆς αἰσθήσεως τῆς κυρίας
ἐντεῦθέν ἐστιν Ζμγ3. 665 ᵃ12, 17. 4. 666 ᵇ14. υ2. 456 ᵃ6. τὸ
κύριον, ἡ ἀρχὴ τῶν αἰσθήσεων Ζχ1. 703 ᵇ24.
Ζγβ6. 743 ᵇ25. cf Ζμδ5. 681 ᵇ15, 32. αἱ κινήσεις πάσης
αἰσθήσεως ἐντεῦθεν ἀρχόμεναι φαίνονται κ πρὸς ταύτην πε-
ραίνεσαι Ζμγ4. 666 ᵃ12. ὁ περὶ τὴν καρδίαν τόπος ἀρχὴ
τῶν αἰσθήσεων Ζμβ10. 656 ᵃ28. αἱ μὲν τῶν αἰσθήσεων
φανερῶς συντείνουσι πρὸς τὴν καρδίαν, αἱ δ᾽ αἰσθή τε κ κε-
φαλὴ ζ3. 469 ᵃ21. ἡ τῆς αἰσθητικῆς κ τῆς θρεπτικῆς ψυ-
χῆς ἐν τῇ καρδίᾳ ἡ ἀρχή ζ3. 469 ᵃ6. 4. 469 ᵇ5. cf Trndlbg
de an 154 sq. οἱ πόροι τῶν αἰσθητηρίων πάντων τείνουσι πρὸς
τὴν καρδίαν, τὸ αἰσθητήριον τῆς τε γεύσεως κ τῆς ἀφῆς
Ζγε2. 781 ᵃ22. αι2. 439 ᵃ1. ἡ τῆς καρδίας ψυχῆς
ἐμπύρωσις αι16. 478 ᵃ29. ὁ θυμὸς ζέσις τῇ θερμῷ αἵτιον
τῇ περὶ τὴν καρδίαν πβ26. 869 ᵃ6. αἴτιον τῇ πταρνυσθαι κ
κορυζᾶν πι54. 897 ᵃ3. τοῖς φοβυμένοις καταψύχεται ὁ τό-
πος ὁ περὶ τὴν καρδίαν πια32. 902 ᵇ38. ἡ ἐν τῇ καρδίᾳ
κρᾶσις Ζμβ4. 650 ᵇ27. αἱ διαφοραὶ τῆς καρδίας τείνυσί
πη κ πρὸς τὰ ἤθη Ζμγ4. 667 ᵃ12. — k. varia. καρ-
δίας κ μήτρας κ κυάμων ἀπέχεσθαι τῆς Πυθαγορικῆς·
μὴ καρδίαν ἐσθίειν, οἷον μὴ λυπεῖν ἑαυτὸν ἀνίαις f 192.
1512 ᵇ3. 189. 1511 ᵇ29, 37. ὁ ἱέραξ τὴν τῶν ὀρνέων καρ-
δίαν ὐ κατεσθίει Ζυ11. 615 ᵃ5. — καρδία ἱ q ventriculi
os ap Ar non invenitur (cf Philippson ὕλη 23-27. Μ 425-
429).

2. καί τινες καλῦσιν αὐτὸν τὸν μυελὸν τὸν ἐν τοῖς δέν-

δροις μήτραν, ἄλλοι σπλάγχνα, ἕτεροι δὲ καρδίαν φτα4. 819
ᵃ34. cf Theophr h pl I 2, 6.
καρδιώττειν πγ18. 873 ᵇ29.
Κᾶρες κατέσχον τὴν Ἐπίδαυρον f 449. 1551 ᵇ36.
κάρη (Hom K 457) Ζμγ10. 673 ᵃ16.
καρηβαρεῖν. τὴν κεφαλὴν καρηβαρῦσιν οἱ ὑπνώσσοντες Ζμβ7.
653 ᵃ14. οἱ ἄνθρωποι ὑπὸ τῆς τῶν ἀνθράκων ἀτμίδος καρη-
βαρῦσι ᴋ φθείρονται αι5. 444 ᵇ32. ἰχθύες καρηβαρῦσιν ὑπὸ
ψόφυ Ζιϑ8. 534 ᵃ4, ᵇ8, 533 ᵇ13.
καρηβαρία. τὰ ὑπνωτικὰ καρηβαρίαν ποιεῖ υ8. 456 ᵇ29.
καρηβαρικὸς ὁ οἶνος, ὁ δὲ κρίθινος καρωτικός f 101.
1494 ᵇ7.
Καρία ϑ137. 844 ᵃ35. οβ1348 ᵃ4, 1351ᵇ36. ἐν Καρίᾳ Ζιγ11.
518 ᵃ35. ἐν τῇ Καρίᾳ Ζιϑ29. 607 ᵃ16. περὶ Καρίαν Ζιε15.
548 ᵃ14. ι48. 631 ᵃ10, 11. Ζμγ10. 637 ᵃ17. περὶ τὴν Κα-
ρίαν Ζιε15. 547 ᵃ6. αἱ ἀπὸ Καρίας γυναῖκες f 561. 1570
ᵇ18.
καρίδιον. αἱ πίνναι ἔχυσιν ἐν αὐταῖς πιννοφύλακα, αἱ μὲν
κκρίδιον αἱ δὲ καρκίνιον Ζιε15. 547 ᵇ17 Aub. (Pinnotheres
veterum Cr. fort Pontonia Tyrrhena Peters in Wiegmann
Archiv 1852 p 209. Johnston Cochyliol 464 AZι I 156.
Bory de St Vincent 34.)
Καρῖναι. θρηνῳτοὶ μυσικαί f 561. 1570 ᵇ16.
καρίς. refertur inter τὰ μαλακόστρακα Ζιδ2. 525 ᵃ30. τὸ
τῶν καρίδων γένος Ζμδ8. 683 ᵇ27. Ζιδ2. 525 ᵃ33, ἔχει
πλείω γένη. αἵ τε κυφαὶ ᴋ αἱ κράγγονες ᴋ τὸ μικρὸν
γένος Ζιδ2. 525 ᵇ1. τὸ σῶμα πρόμηκες, ἔντερον, ὀχεία,
ἡ φυσὶς τῶν καρίδων ἅπτεται Ζιδ2. 525 ᵇ32, 526 ᵇ7.
ε7. 541 ᵇ20. θ2. 591 ᵇ14. αἱ καρίδες τῶν μὲν καρκινοει-
δῶν διαφέρυσι τῷ ἔχειν κέρκον, τῶν δὲ καραβοειδῶν διὰ
τὸ μὴ ἔχειν χηλάς Ζμδ8. 684 ᵃ14. — ᴋ ἡ καρὶς τὸ
χρῶμα κατὰ τὰς ὥρας μεταβάλλει Ζιϑ30. 607 ᵇ15 Aub.
(Aelianus καρίδος mentionem omisit, Albertus meryz no-
minat, quasi μαινίδα scriptum legisset interpres Arabs.)
cf κυφή et κράγγων.
καρκίνιον. 1. deminut voc καρκίνος. αἱ πίνναι ἔχυσι ἐν αὐταῖς
πιννοφύλακα, αἱ μὲν κκρίδιον αἱ δὲ καρκίνιον Ζιε15. 547
ᵇ17 Aub. (Pinnotheres veterum Bosc cf AZι I 155, 9. K
664, 3. S I 320. Peters Berl Akad Monatsber 1852, 590.
Desmarets Crust 118.) — 2. τὸ καλύμενον καρκίνιον τρόπον
τινὰ κοινόν ἐστι τῶν τε μαλακοστράκων ᴋ τῶν ὀστρακο-
δέρμων Ζιδ4. 529 ᵇ20. descr, eius ortus et habitatio Ζιδ4.
529 ᵇ20-530 ᵃ10. ε15. 548 ᵃ14-21. cf Μ 1119. 157. 250.
Κ 585. Cr St Ritter Erdkunde XIX 1196. C II 162. S I
192. dist a. τὰ ἐν τοῖς στρόμβοις (Pagurus Bernhardus
vel angulatus Risso). — b. τὰ ἐν τοῖς νηρείταις Ζιδ4.530
ᵃ6 (Pagurus striatus Latr Bory de St Vincent p 32. AZι
I 154, 6. Pagurus Diogenes Risso Young 261).
καρκινοειδής. αἱ καρίδες τῶν καρκινοειδῶν διαφέρυσι τῷ
ἔχειν κέρκον Ζμδ8. 684 ᵃ14. Decapoda brachyura. v καρ-
κινώδης.
καρκίνος. τὸ τῶν καρκίνων γένος Ζιδ1. 523 ᵇ8. 2. 525 ᵃ34.
Ζμδ8. 683 ᵇ28, παντοδαπώτερον ᴋ ὑκ εὐαρίθμητον Ζιδ2.
525 ᵇ3, refertur inter τὰ ὀλιγόδερμα ᴋ ἄναιμα, νευστικά,
πολύποδα, τῶν πολυπόδων περιττότατα, πεζεύοντα, ὗ νευ-
στικά αν12. 476 ᵇ32. Ζια1. 487 ᵇ16. Ζν14. 712 ᵇ14. 16.
713 ᵇ12, 16. 17. 713 ᵇ27. — 1. partes externae. τὸ κύτος
τῦ σώματος σκληρον, τὸ κελύφια, σῶμα στρογγύλον, στρογ-
γύλος τὴν μορφήν, Ζιϑ3. 527 ᵇ9. 1. 523 ᵇ7. ι37. 622 ᵃ7.
ο2. 525 ᵇ33. Ζπ17. 713 ᵇ28. κεφαλή, ὄμματα, ὀφθαλμοὶ
Ζιο3. 527 ᵇ9. Ζμϑ10. 686 ᵃ1. Ζιϑ2. 526 ᵃ10. 3. 527 ᵇ,

10, 13. 4. 529 ᵇ27. Ζπ14. 712 ᵇ19. τὰ δασέα αν12. 477
ᵃ3. σκληρόδερμα τὰ κῶλα ᴋ ὀστρακώδη, ἡ κάμψις εἰς τὸ
πλάγιον, πόδες, σκληρότης αὐτῶν, πολλὺς ἔχει τὺς ἡγεμό-
νας πόδας, μόνος τῶν ζῴων τέτταρας τὺς ἡγεμόνας ἔχει
πόδας Ζπ17. 713 ᵇ27, 24, 32. 16. 713 ᵇ15. Ζια5. 490 ᵇ6.
δ2. 525 ᵇ16. 3. 527 ᵇ5. χηλαί, τὴν δεξιὰν ἔχει μείζω, ὅτι
ἂν λάβη προσάγεται πρὸς τὸ στόμα τῇ δικρόᾳ χηλῇ Ζμδ11.
691 ᵇ16. 8. 684 ᵃ26. Ζπ19. 714 ᵇ17. Ζιϑ2. 590 ᵇ25. δ3.
527 ᵇ5. ἐπικαλύμματα, ἐπίπτυγμα Ζιδ3. 527 ᵇ15, 27. 2.
526 ᵇ29. ὐκ ἔχυσιν ὐράν, ὐροπύγιον, μόνος ἀνορροπύγιον
Ζμδ8. 684 ᵃ2, 4. Ζπ17. 713 ᵇ29. Ζιδ2. 525 ᵇ31. — 2. par-
tes internae. τὸ σαρκῶδες ἐντός, στόμα, ὀδόντες Ζμβ8.
654 ᵃ4. δ5. 679 ᵃ31. Ζιδ3. 527 ᵇ13, 14. στόμαχος, κοιλία,
ὀδόντες ἐν τῇ κοιλίᾳ, ἔντερον Ζιδ3. 527 ᵇ23, 24. 2. 527 ᵃ10.
Ζμδ5. 679 ᵃ36. Ζιδ2. 526 ᵇ28. 3. 527 ᵇ25. χυμὸς ὠχρός,
μίκρ' ἄττα προμήκη λευκὰ ᴋ ἄλλα πυρρὰ διαπεπασμένα
(i e ὄχρεις, βράγχια) Ζιδ3. 527 ᵇ29. — 3. physiolog. δέ-
χονται τὸ ὕδωρ ᴋ ἀφιᾶσιν αν12. 476 ᵇ31, 477 ᵃ3. Ζιδ2.
526 ᵇ20. 3. 527 ᵇ17. ἔκδυσις τῦ κελύφυς Ζπ17. 549 ᵇ27.
θ17. 601 ᵃ16, 20. πορεία, victus Ζπ14. 712 ᵇ13. 16. 713
ᵇ13. Ζιϑ2. 590 ᵇ11. Ζμδ11. 691 ᵇ20. βίος πρὸς τῇ γῇ,
πρόσγειος, τρωγλοδύτης Ζμδ8. 684 ᵃ5. Ζπ17. 713 ᵇ28.
ὀχεία Ζιε7. 541 ᵇ25. ursus comedit Ζιϑ5. 594 ᵇ8. sexus
Ζιδ3. 527 ᵇ31 (Decapoda brachyura F 8. Cr. C II 156.
AZι I 155, 7. KaZμ 128, 23). dist γένη τινά, πλείω τῶν
καρκίνων, ἔνιοι τῶν καρκίνων Ζια6. 490 ᵇ12. δ2. 525 ᵇ1.
Ζμδ5. 679 ᵃ36. — a. οἱ μαλακόστρακοι ᴋ οἱ ὀστρακό-
δερμοι Ζιθ17. 601 ᵃ17. — b. οἱ πετραῖοι Ζιθ2. 590 ᵇ11. —
c. οἱ πάμπαν μικροὶ καρκίνοι οἱ ἐν τοῖς μικροῖς ἰχθυδίοις
Ζμδ8. 684 ᵃ11 (Portunus depurator Leach vel plicatus Risso
cf R de pisc 565. S Abh üb Krebse des Ar p 177. F 313,
67. M 250. Young 261. AZι I 155, 7e). — d. καρκίνοι
λευκοί, τὸ μέγεθος μικροὶ πάμπαν, ἐν τοῖς μυσὶ Ζιε15. 547
ᵇ26 (Pinnotheres mytilorum AZι I 155, 9). — e. οἱ πο-
τάμιοι Ζιδ2. 525 ᵇ5 (Thelphusa fluviatilis Edw). — f. ἄλλοι
ἐλάττυς ᴋ ἀνωνυμώτεροι Ζιδ2. 525 ᵇ5 (fort i q c). —
g. καρκίνοι Ἡρακλεωτικοί Ζιδ2. 525 ᵇ5. 3. 527 ᵇ12. Ζμδ8.
684 ᵃ7 (hodie Heraclei. fort Platycarcinus Pagurus Milne-
Edw. F 212. S. AZι I 155c). — h. μαῖαι ᴋ πάγυροι cf h v.
Καρκίνε Ἀλόπη Ηη8. 1150 ᵇ10. Οἰδίπυς Ργ16. 1417 ᵇ18.
Μήδεια Ρβ23. 1400 ᵇ9. Θυέστης πο16. 1454 ᵇ23. Ἀμφιά-
ραος πο17. 1455 ᵃ26 (Nauck fr tr p 619).
καρκινώδης. τὰ καρκινώδη ᴋ καραβώδη παρόμοι' ἐστὶ τῷ
χηλὰς ἔχειν ἀμφότερα Ζμδ8. 683 ᵇ31. v καρκινοειδής.
κάρος, coni κραιπάλη πγ17. 873 ᵇ14.
καρῦται γλάνις ὑπὸ βροντῆς Ζιϑ20. 602 ᵇ23. καρῦνται αἱ
μέλιτται ὑπὸ μύρυ θ21. 832 ᵃ3.
Κάρπαθος Ργ11. 1413 ᵃ16.
κάρπιμος. τὰ κάρπιμα, opp τὰ ἄκαρπα Ηδ8. 1125 ᵃ12.
οα6. 1344 ᵇ28. β1346 ᵇ14. κάρπιμα λέγω ἀφ' ὧν αἱ πρό-
σοδοι, opp τὰ πρὸς ἀπόλαυσιν Ρα5. 1361 ᵃ17.
καρπισμός πκθ14. 952 ᵇ6.
καρπός. 1. carpus. ἄρθρα χειρὸς ᴋ βραχιόνων καρπὸς Ζια15.
494 ᵃ2 Aub. Ζκ8. 702 ᵇ4, 9. γίνεταί τις ἀπέρεισις ἐν τῇ
διατάσει πρὸς τὰς χεῖρας ᴋ τὺς καρπύς, ἀεὶ ἐναλλὰξ ἐναν-
τίως ἔχει τὰ κῶλα τὰς κάμψεις τοῖς ἀνθρώποις, οἷον ὁ
καρπὸς τῆς χειρὸς ἐπὶ τὸ κυρτὸν Ζκ3. 705 ᵃ19. 13. 712
ᵃ15. φλέβες τείνυσι διὰ τῶν πήχεων ἐπὶ τὺς καρπὺς ᴋ τὰς
συγκαμπάς Ζιγ3. 513 ᵃ3.
    2. fructus. ἡ γῆ προίεται τὰ σπέρματα ᴋ τὺς καρπύς,
τὸ φυτὸν καρπὸν φέρει, ἔστι δὲ τῶν πλείστων ζῴων ἔργον

σχεδὸν ὐθὲν ἄλλο πλὴν ὥσπερ τῶν φυτῶν σπέρμα ϰ καρπὸς Ζμβ10. 655 ᵇ36. Ζγα23. 731 ᵇ12. 4. 717 ᵃ22. σπέρμα ϰ καρπὸς διαφέρει τῷ ὕστερον ϰ πρότερον· καρπὸς μὲν γὰρ τῷ ἐξ ἄλλυ εἶναι, σπέρμα δὲ τῷ ἐκ τύτυ ἄλλο, ἐπεὶ ἄμφω γε ταὐτόν ἐστιν· τὸ δὲ σπέρμα ϰ καρπὸς τὸ δυ- 5 νάμει τοιονδὶ σῶμα Ζγα18. 724 ᵇ19. ψβ1. 412 ᵇ27. ἔνια τεγϰτὰ ὄντα ὐ τηϰτά ἐστιν, οἷον ἔριον ϰ οἱ καρποί μδ9. 385 ᵇ19. τῶν καρπῶν οἱ μέν εἰσι σύνθεσει ἐκ σαρκῶν ϰ κόκκων ϰ λεμμάτων, τινῶν δένδρων ὁ καρπὸς ἐντὸς τῦ φλοιῦ ϰ τῦ φιτρῦ φτα5. 820 ᵃ37. 3. 818 ᵃ8. ἐν τῇ περὶ 10 τὑς καρπὑς γενέσει, ὅταν ᾖ μήπω διηγημένη (cf p 181 ᵃ22), ἔνεστι μὲν ἡ τροφή, δεῖται δ' ἐργασίας πρὸς τὴν κάθαρσιν Ζγα20. 728 ᵃ27. εἴ τις φαίη τοῖς φυτοῖς ὑπὸ τῦ πνεύματος ἑκάστοτε τὰ σπέρματα ἀποκρίνεσθαι πρὸς τὑς τόπυς πρὸς ὑς εἴωθε φέρειν τὸν καρπὸν Ζγβ4. 738 ᵃ5. 15 ἐκ τῆς πρώτης τροφῆς ἐκ πολλῆς ὀλίγον ἀποκρίνεται τὸ χρήσιμον ἐν ταῖς περὶ τὑς καρπὑς ἐργασίαις ϰ τέλος ὑθὲν μέρος τὸ ἔσχατον πρὸς τὸ πρῶτον πλῆθός ἐστι Ζγδ1. 765 ᵇ30. ἀπὸ μιᾶς κινήσεως τὸν ἐπέτειον πάντα (φυτὰ) φέρει καρπὸν Ζγα18. 723 ᵃ12. — τὸ φύλλον περικαρπίυ σκέπασμα, 20 τὸ δὲ περικάρπιον καρπῦ ψβ1. 412 ᵇ3. Φβ8. 199 ᵃ25. καρπὸς λευκῆς, ἀμπέλυ Ζι8. 549 ᵇ13 Aub. f 530. 1566 ᵃ18. τὰ τῶν χεδρόπων ἑψήματα ϰ τῶν ἄλλων καρποὶ Ζμβ7. 653 ᵃ24. ϰ οἱ καρποί, οἷον τὰ χέδροπα, γῆς μδ10. 389 ᵃ15. ϰ τῶν φυτῶν ὑ τὰ μέγιστα φέρει πλεῖστον καρπὸν 25 Ζγδ4. 771 ᵇ14. αἵ τε καρπῶ ὀπώρης ἡδὺν ϰ ἄλλως δὲ δυσθησαύριστον φέρυσαι κ6. 401 ᵃ5. οἱ νέοι καρποί πκ25. 862 ᵇ5. τὰ ἀποφυτευόμενα ἀπ' αὐτῦ φέρει σπέρμα· δῆ λον ὅτι ϰ πρὶν ἀποφυτευθῆναι ἀπὸ τῦ αὐτῦ μεγέθυς (μέ- ρυς Bz Ar St IV 413) ἔφερε τὸν καρπόν, ϰ ὑκ ἀπὸ παν- 30 τὸς τῦ φυτῦ ἀπήει τὸ σπέρμα Ζγα18. 723 ᵃ18. καρπῦ πεπάνσεις κ6. 399 ᵃ28. πικρὸς γίνεται καρπός, ὅτε ἡ θερ- μότης ϰ ὑγρότης ὑ εἰσι πλήρεις ἐν τῇ πέψει φτβ10. 829 ᵃ36. καρποὶ μόνον τῷ σχήματι τὴν δ' αἴσθησιν ὑ φαί- νονται παλαιύμενοι σφόδρα μδ12. 390 ᵃ23. τῶν καρπῶν 35 τὰ χρώματα οἷα γίνεται χ5. τῶν ἀπορρεόντων καρπῶν ἔνιοι γίνονται τῷ χρώματι ξανθοὶ χ5. 797 ᵃ17. — ἡ μέ- λιττα ὑδένα βλάπτει καρπὸν Ζιε22. 554 ᵃ13. ἡ ἄρκτος ἐσθίει καρπόν, ἀναβαίνων ἐπὶ τὰ δένδρα, ϰ καρπὑς τὑς χεδρόπας Ζιθ5. 594 ᵇ5, 7. μηδενὶ τρέφεσθαι καρπῷ, ἢ συλ- 40 λογὴν τῶν καρπῶν Ζμγ1. 662 ᵇ2, 9. καρπῶν παραπομπαί, κομιδὴ Πβ5. 1263 ᵃ3. ᵇ5. 1327 ᵃ7. 16. 1335 ᵃ21. ταῖς τε ραξὶ ϰ τοῖς ἄλλοις καρποῖς, ὁ καρπὸς τῦ καρπῦ δια- φέρει θερμότητος f 217. 1518 ᵃ11, 17. ὅσμα, ὁ αὐχὴν τῦ καρπῦ τῶν ἀκροδρύων f 254. 1525 ᵃ3, 6, 8. — ἐπικάρπιος 45 καρπὸς τῶν καρπῶν ὀνομάζεται ὁ θεὸς κ7. 401 ᵃ19. — me- taph ἐπὶ φρένα βάλλεις καρπόν τ' ἀθάνατον χρυσῷ τε κρείσσω f 625. 1583 ᵇ14.

καρποφαγεῖν Ζιθ3. 593 ᵃ15.

καρποφάγος. ζῷα καρποφάγα, dist ζωοφάγα, παμφάγα 50 Ζια1. 488 ᵃ15. θ6. 595 ᵃ14. 7. 595 ᵇ5. Ζμδ12. 694 ᵃ7. Πα8. 1256 ᵃ25, 28.

καρποφορεῖν f 530. 1566 ᵃ20. φτα2. 817 ᵇ18. πκ14. 924 ᵇ3. τῶν φυτῶν ἐν ὅσοις τὸ μὲν καρποφορεῖ τὸ δ' ἄκαρπόν ἐστιν Ζγγ5. 755 ᵇ10. cf α1. 715 ᵇ22. 55

καρποφορία φτβ9. 828 ᵇ5.

καρποφόρος φτα2. 817 ᵃ8. ϰ ἐν τοῖς φυτοῖς ὑπάρχει τὰ μὲν καρποφόρα δένδρα τῦ αὐτῦ γένυς, τὰ δ' αὐτὰ μὲν ὑ φέρει καρπόν, συμβάλλεται δὲ τοῖς φέρυσιν Ζγα1. 715 ᵇ22. αἴγειροι καρποφόροι θ69. 835 ᵇ2. 60

καρτερεῖν. τὸ καρτερεῖν ἐστιν ἐν τῷ ἀντέχειν Ηη8.1150 ᵃ34.

ἐν τοῖς πάθεσιν ὄντες ὑ προαιρῦνται ἀλλὰ καρτερῦσιν ηεβ10. 1225 ᵇ30. ὑ δύνανται καρτερεῖν ἀλλὰ λάθρα ἀπολαύυσι Πβ9. 1270 ᵇ34. καρτερῦσι πολλὴν κακοπάθειαν Πγ6. 1278 ᵇ27. ἧττον καρτερῦμεν διψῶντες ἢ πεινῶντες πκη6. 949 ᵇ32.

καρτερία, coni syn ἐγκράτεια Ηη1. 1145 ᵃ36. 2. 1145 ᵇ8. dist ἐγκράτεια Ηη8. 1150 ᵇ1. ημβ6. 1202 ᵇ29. καρτερία μεσότης τρυφερότητος ϰ κακοπαθείας ηεβ3. 1221 ᵃ9. πα- ρέπεται τῇ ἀνδρείᾳ αρ4. 1250 ᵇ6.

καρτερικός, coni syn ἐγκρατής Ηη2. 1145 ᵇ15. 4. 1146 ᵇ12. 6. 1147 ᵇ22. coni syn σκληρός ηεγ1. 1229 ᵇ2. dist ἐγκρατής, opp μαλακός Ηη8. 1150 ᵃ14, 33. ημβ6. 1202 ᵇ33. βυλόμενος ὅλην τὴν πόλιν εἶναι καρτερικήν Πβ9. 1269 ᵇ20. — σωφρόνως ϰ καρτερικῶς ζῆν Ηκ10. 1179 ᵇ33. πιστεύειν ἀνθρωπίνως ἢ καρτερικώτερον Οβ5. 287 ᵇ34.

καρτερός. διίστησι λίθυς ϰ τὰ καρτερώτατα τῶν σωμάτων Οβ9. 291 ᵃ1.

καρύα. ἡ καρύα ὅταν γηράσῃ εἰς ἄλλο εἶδος μεταλλάττεται φτα7. 821 ᵃ28 (loc corr cf Meyer Nicol Damasc 97. Jessen, Albert Magnus de vegetab 94). οἱ τῆς καρύας χυ- λοὶ λιπαροὶ φτα5. 820 ᵃ33. (definiri non potest cf Lang- kavel Bot d sp Griechen 169.)

κάρυον. τὰ κάρυα ἐν οἰκίσκοις ϰ ὀστράκοις φτα5. 820 ᵇ12. καταγνύυσι τὰ κάρυα ἐν τοῖς ὀργάνοις μχ22. 854 ᵃ32. κάρυα ὀπτὰ πκβ7. 930 ᵇ15. (fort Juglans regia L cf Meyer, Nic Damasc p 89.)

κάρφος Ζιζ2. 560 ᵇ8. πη21. 889 ᵇ1. συγκαταπλέκει χελι- δὼν τοῖς κάρφεσι πηλόν Ζιι7. 612 ᵇ12. κάρφη σύμφυτα τῷ χιτῶνι τῦ ξυλοφθόρυ σκώληκος Ζιε32. 557 ᵇ17.

καρχαρόδυς (Lob Paralip 248). 1. de dentibus animalium. ὅσα πρὸς ἀλλήλα τε ϰ πρὸς βοήθειαν ἔχει τὑς ὀδόντας, τὰ μὲν χαυλιόδοντας ἔχει, καθάπερ ὗς, τὰ δ' ὀξεῖς ϰ ἐπαλ- λάττοντας, ὅθεν καρχαρόδοντα καλεῖται Ζμγ1. 661 ᵇ19. β9. 655 ᵇ10. καρχαρόδοντά ἐστιν ὅσα ἐπαλλάττει τὑς ὀδόν- τας τὑς ὀξεῖς, οἷον λέων, πάρδαλις, κύων Ζιβ1. 501 ᵃ18, 16. τῶν τετραπόδων ϰ ζωοτόκων τὰ μὲν ἄγρια ϰ καρχα- ρόδοντα πάντα σαρκοφάγα Ζιθ5. 594 ᵃ26, b18. σαρκο- φάγα τὰ καρχαρόδοντα ἔχει τὸ στόμα ἀνερρωγὸς Ζιβ7.502ᵃ7. Ζμγ1. 662 ᵃ27. ᵈ13. 697 ᵃ2. θηλάζει μὲν πάντα, ὑκ ἐκβάλλει δ' ἔνια αὐτῶν πλὴν τὑς κυνόδοντας, οἷον οἱ λέοντες Ζγε8. 788 ᵇ16. πίνει τῶν ζῴων τὰ μὲν καρχαρόδοντα λάπτοντα Ζιθ6. 595 ᵇ7. ὑδὲν τῶν ζῴων ἐστὶν ἅμα καρχαρόδον (v l καρχαρόδον) χαυλιόδον, ἅμα χαυλιόδοντα ϰ κέρας ὑδὲν ἔχει ζῷον, ὑδὲ καρχαρόδυν (v l καρχαρόδον) ϰ τύτων θά- τερον Ζμγ1. 661 ᵇ23. Ζιβ1. 501 ᵃ20. ἡ φώκη καρχαρόδον (v l καρχαρόδον) ἐστὶ πᾶσι τοῖς ὀδῦσιν Ζιβ1. 501 ᵃ22. Ζμδ13. 697 ᵇ6. ἔστι δὲ καρχαρόδοντα τὰ τετράποδα τῶν ᾠοτόκων Ζμδ11. 691 ᵃ9. αν11. 476 ᵇ11. Ζιβ10. 503 ᵃ8. οἱ ὄφεις καρχαρόδοντες πάντες Ζιβ17. 508 ᵇ2. καρχα- ρόδοντες πάντες οἱ ἰχθύες πλὴν τῦ σκάρυ Ζμγ14. 675 ᵃ1 (v l καρχαριώδοντες). Ζιβ1. 501 ᵃ23. Ζμδ11. 691 ᵃ9. γ1. 662 ᵃ6. Ζιβ13. 505 ᵃ28 (sed σκάρος καρχαρόδυς f 311. 1531 ᵃ11). καρχαρόδοντες· ἀμία, ἥπατος, ἀνθίας, κάλλι- χθυς, κεστρεύς, κίθαρος, μύραινα, σάλπη, τρίγλη f 291.1528 ᵇ33. 296. 1529 ᵃ44. 297. 1529 ᵇ5. 299. 1529 ᵇ15. 300. 1529 ᵇ25. 304. 1530 ᵃ30. 309. 1531 ᵃ8. 313. 1531 ᵃ32. — ὅσα μὴ καρχαρόδοντα Ζιθ6. 595 ᵃ7, 14. cf M55. 319. — 2. de dentibus chelarum Homari. ὁ μὲν δεξιὸς μικρὸς ἅπαντας ϰ καρχαρόδοντας, ὁ δ' ἀριστερὸς ἐξ ἄκρυ μὲν καρχαρόδοντας, τὸ δ' ἐντὸς ὥσπερ γομφίυς ἔχει Ζιδ2. 526 ᵃ19.

Καρχηδόνιοι Ρα12. 1372 ᵇ28. ρ9. 1429 ᵇ19. θ58. 834 ᵇ18
(sed Καλχηδονίων 'jam olim emendaverunt multi' cf Did
praef III et Beckm p 121. Göltling ad Pol p 323). 96.
838 ᵃ20. 100. 838 ᵇ27. 113. 841 ᵃ10. instituta publica
Πγ9. 1280 ᵃ36. ζ5. 1320 ᵇ4. οα5. 1344 ᵃ33. θ84. 836
ᵇ31, 34, 837 ᵃ2, 5. 88. 837 ᵇ1. 136. 844 ᵃ32. eorum πο-
λιτεία examinatur Πβ11. οἱ Καρχηδόνιοι πρῶτοι τετηρήρη
κατεσκεύασαν f 558. 1570ᵃ28. ἡ ἐν Σικελίᾳ Καρχηδονίων
μάχη πο23. 1459 ᵃ26. Μάγων ὁ Καρχηδόνιος f 99. 1494
ᵃ11.

Καρχηδών θ136. 844 ᵃ32. urbis κτίσις θ134. 844 ᵃ8, 10.
instituta publica Πγ1. 1275 ᵇ12. δ7. 1293 ᵇ18. ε7. 1307
ᵃ5. 12. 1316 ᵃ34, ᵇ5. η2. 1324 ᵇ13.

καρωτικός ὁ κρίθινος, ὁ δ' οἶνος καρηβαρικός f 101. 1494 ᵇ7.

Κασπία, ἡ Κασπία μβ1. 354 ᵃ3. x3. 393 ᵇ6.

κάστωρ, ὁ καλούμενος, refertur inter τὰ τετράποδα χ ἄγρια
ζῷα et ποιεῖται τὴν τροφὴν περὶ λίμνας χ ποταμὲς Ζιθ5.
594 ᵇ31 Aub. (Castor fiber C II 169. Pallas spicileg zool
XIV 42. S I 607. K 874. beaver Cr St Troschel Archiv
1856, II, 51, 52. Su 54, 29. ΑΖι I 70, 26). cf λάταξ
σαθέριον σατύριον.

κατά, cf Eucken II p 39-46. 1. c gen. *a.* sensu locali, et
de metu ῥῖψαι κατὰ τῶν κρημνῶν Ζυ47. 631 ᵃ7. φέρεσθαι
κατὰ κλίμακος τι33. 182 ᵇ16. πέτεσθαι κατά τινος Ργ3.
1406 ᵇ15. καταδύεσθαι κατὰ τῶ ὕδατος μβ3. 359 ᵃ19; 25
et de statu εἴ τι κατὰ βάθος ἄδηλον ἡμῖν ἐστιν μα3. 339
ᵇ12. οἱ καθ' ὕδατος λίθοι sim χ1. 792 ᵃ1. 3. 793 ᵇ30. 5.
794 ᵇ32. κατὰ γῆς φωλεύειν sim Ζυ41. 627 ᵇ24, 628 ᵃ8.
43. 629 ᵃ35. κατ' ὀργυιὰς τὸ βάθος ΖιΖ14. 568 ᵃ26. καθ'
ἑξήκοντα χ ἔτι πλειόνων γίγνονται (οἱ πόντιοι ἐχῖνοι) ὀργυιῶν 30
Ζγε3. 783 ᵃ22. — *b.* κατὰ i q contra. ποιεῖσθαι τὴν κό-
λασιν κατά τινος Πε6. 1306 ᵃ39. Εὔβυλος ἐν τοῖς δικαστη-
ρίοις ἐχρήσατο κατὰ Χάρητος λόγῳ τινί Ρα15. 1376 ᵃ10,
1375 ᵇ32. sed saepissime per κατά τινος ea res signi-
ficatur de qua aliquid dicitur vel cogitatur, κατηγορεῖν τι 35
κατά τινος v κατηγορεῖν, λέγειν τι κατά τινος Αα36. 48
ᵇ20 (syn ἐπί τινος ᵇ10, opp ἀπό τινος v s ἀπό et Wz ad
24 ᵇ17) et saepe, ψα4. 408 ᵃ2. Πε7. 1307 ᵇ2. ηεα8. 1217
ᵇ9. λαβεῖν, συλλογίσασθαι, συμπεραίνεσθαί τι κατά τινος,
τὸν συλλογισμὸν ποιεῖν κατά τινος Αα8. 30 ᵃ10. 23. 40 40
ᵇ30, 31. β19. 66 ᵃ38 al. ὑπάρχειν κατά τινος ε3. 16 ᵇ13
Wz. Αβ22. 67 ᵇ28 cf ὑπάρχειν. κατὰ πάντων τὰς αἰτίας
διαιρετέον Γα1. 314 ᵃ2. ἔλαβον ταύτην τὴν διάνοιαν κατὰ
τῆς θαλάττης μβ3. 356 ᵇ31. τὴν αὐτὴν διάνοιαν ἐμφανίζειν
κατὰ τῶν πραγμάτων ρ15. 1431 ᵇ10. κατὰ τῶν τοιούτων 45
ἐκ ἐστι νόμος Πγ13. 1284 ᵃ13. — κατὰ παντός, μηδενός
Αα1. 24 ᵃ14. γ4 al. καθόλυ v h v. κατὰ πολλῶν Αγ11.
77 ᵃ6 (syn ἐπὶ πλειόνων ᵃ9, dist παρὰ τὰ πολλὰ ᵃ5).
καθ' ὅ. dist καθ' ὅτι Αα41. 49 ᵇ20 Wz. — τὰ καθ' ἑτέρυ
λεγόμενα, οἷον τὰ καθ' ὑποκειμένα ἢ ἐν ὑποκειμένῳ ε3. 16 50
ᵇ10. ἡ τῶν καθ' ὑποκειμένε τὸ σῶμα, μᾶλλον δ' ὡς ὑπο-
κείμενον χ ὕλη ψβ1. 412 ᵃ19. καθ' ὑποκειμένα, dist ἐν
ὑποκειμένῳ Κ2. 1 ᵃ20. ἐσία τὸ μὴ καθ' ὑποκειμένε ἀλλὰ
καθ' ᾗ τὰ ἄλλα ΜΖ3. 1029 ᵃ8. ἐκ ἀξιῶμεν τὸ ἐν σημαί-
νειν τὸ καθ' ἑνός Μγ4. 1006 ᵇ16. 55

2. c accus. *a.* locali ac temporali vi. κατὰ μέσον Ζμγ4.
666 ᵇ6. 10. 672 ᵇ25, 33. δ10. 687 ᵇ20 al. κατ' εὐθεῖαν
Φε3. 226 ᵇ32. θ8. 264 ᵃ18, 28, ᵇ19, 20 al. κατ' εὐθυωρίαν
v h v. κατὰ τὴν εὐθυπορίαν ακ802 ᵃ30. κατ' εὐθύ τι31.
182 ᵃ3 (Ζμδ3. 679 ᵇ1 χ εὐθὺ pro κατ' εὐθύ ci Eucken 60
II 41 coll δ5. 682 ᵃ14). τὸ τὴν κεφαλὴν ἔχειν κατὰ τὰς

πόδας (i e in perpendiculo supra pedes) μχ30. 857 ᵇ30.
κατὰ διάμετρον v h v. κατ' ἀλλήλυς ΖιΘ2. 527 ᵃ6. πια58.
905 ᵃ40, ᵇ5, cf κατάλληλος. κατὰ τὴν ὄψιν γίνεσθαι πιε7.
912 ᵃ6. κάμπτεται ὁ βραχίων κατὰ τὸ ὠλέκρανον Ζια15.
493 ᵇ32. ἀφιᾶσι τὸ ὕδωρ κατὰ τὸ στόμα sim ΖιΒ13. 504
ᵇ29. α11. 492 ᵃ15. δ1. 524 ᵇ20. 3. 527 ᵇ18. Ζμδ13. 697
ᵃ18 al. προσπεφυκέναι κατὰ τὴν ἀρχὴν Ζγγ2. 752 ᵇ15.
δ4. 773 ᵃ9. (ad localem vim praep κατά referendum vi-
detur οἱ τὸ μέσον ἐκβαίνοντες καθ' αὑτὰς ἄγυσι τὴν πο-
λιτείαν Πδ11. 1296 ᵃ26.) — στρατηγήσας κατὰ τὸν Μη-
δικὸν πόλεμον, ἡ κατὰ πόλεμον ἡγεμονία Πε7. 1307 ᵃ4.
γ14. 1285 ᵇ9. κατ' ἀρχάς v ἀρχή p 111 ᵇ29, cf εἴρηται
κατὰ τὰς πρώτας λόγυς Πγ6. 1278 ᵇ17. (paullo aliter
κατὰ τὴν ἀρχὴν μγ1. 370 ᵇ28.) κατὰ τὸν καιρὸν ρ20.
1433 ᵇ26. κατὰ καιρὸν x5. 397 ᵃ25. 6. 399 ᵃ24. αρ7. 1251
ᵇ10. — *b.* κατὰ distributive. κατὰ μῆνα τίκτει χ ὀχεύ-
εσθαι ΖιΖ10. 565 ᵇ20. τιμᾶσθαι κατ' ἐνιαυτόν, dist διὰ
τριετηρίδος Πε8. 1308 ᵃ40. — κατὰ μικρὸν i q ἐκ προσα-
γωγῆς, opp ἀθρόον Ζγγ5. 756 ᵃ14. πο4. 1448 ᵇ22, 1449
ᵃ13 (aliter κατὰ μικρὸν διικνῦνταί τινες τῶν αἰσθήσεων
Ηα13. 1102 ᵇ9. cf Ζμα5. 644 ᵇ32). κατ' ὀλίγον, opp
ἀθρόον Ζιη2. 582 ᵇ8. πα55. 866 ᵃ9, 12, 13. κατὰ βραχὺ
ἐπιστρεφόμενος Ζυ44. 629 ᵇ14. — κατὰ φρατρίας, λόχυς,
φύλας Πε8. 1309 ᵃ12. κατὰ ζυγά, ζεύγη, συζυγίας Ζιε12.
544 ᵃ5. ι8. 613 ᵇ24. θ15. 599 ᵇ6. κατὰ πολλάς Ζμβ1.
646 ᵇ23. κατὰ μέρος, κατὰ μέρη i q vicissim Πγ6. 1279
ᵃ10. 17. 1288 ᵃ29. ζ2. 1317 ᵇ16. 8. 1322 ᵃ28. κατ' ὀλί-
γυς, καθ' ἕνα, κατὰ μόνας Πγ11. 1281 ᵇ34, 1282 ᵃ40.
Ζυ43. 629 ᵃ34. κατ' ἰδίαν Ζια11. 492 ᵇ15. Πθ1. 1337
ᵃ24 (opp κοινόν). ἐχ ὡς καθ' ἕκαστον ἀλλ' ὡς ἀθρούς
Πγ13. 1283 ᵇ34. τὸ καθ' ἕκαστον v ἕκαστος. καθ' ἓν
ἕκαστον ρ2. 1421 ᵇ15. 3. 1424 ᵃ21. 13. 1430 ᵇ40. 23.
1434 ᵇ8. 35. 1440 ᵃ8. 38. 1445 ᵇ13. — *c.* κατὰ i q pro,
secundum. μείζων ἢ κατὰ τὴν πόλιν ἢ τὴν δύναμιν τῶ
πολιτεύματος Πε3. 1302 ᵇ16. κατὰ δύναμιν χ καθ' ὅσον
ἐνδέχεται Ζγβ3. 736 ᵇ7. cf ΡΒ4. 1381 ᵃ1. ηεη10. 1243
ᵇ12. βελτίονες ἢ καθ' ἡμᾶς, μείζονος ἀρετῆς ἢ κατ' ἀν-
θρωπίνην φύσιν, βίος κρείττων ἢ κατ' ἄνθρωπον πο2. 1448
ᵃ4. Πγ15. 1286 ᵇ27. Ηκ7. 1177 ᵇ27. ἐλάχιστον τὸ ἔμ-
βρυον τίκτει μεγέθει ὡς κατὰ τὸ σῶμα τὸ ἑαυτῆς sim
ΖιΖ30. 579 ᵃ22. 18. 573 ᵃ11. γ22. 523 ᵃ15. κατὰ φύσιν,
opp παρὰ φύσιν Φε6. 230 ᵃ19. Οα2. 269 ᵃ10. 7. 276
ᵃ11 al. οἱ ὀδόντες κατὰ τὴν τῶν ὀστῶν εἰσὶ φύσιν Ζιγ9.
517 ᵃ17. κατὰ τὸν ὕστερον ὀχεύσαντα τὸ γένος ἀποβαίνει
πᾶν τὸ τῶν νεοττῶν sim Ζγα21. 730 ᵃ8. 2. 716 ᵇ8. β3.
736 ᵃ30, ᵇ1. α20. 729 ᵃ32. μδ4. 882 ᵃ5. καθ' ἑαυτὸς
ἕκαστος ᾗ τὴν ἕξιν τὴν αὑτῶν τιθέασι τὴν ἡδονὴν Πθ3.
1338 ᵃ8. κατὰ προαίρεσιν, opp παρὰ προαίρεσιν ΗΖ9. 1151
ᵃ7. κατὰ τὸν ὀρθὸν λόγον, dist μετὰ τῶ ὀρθῶ λόγυ ΗΖ13.
1144 ᵇ26. κατὰ λόγον, syn εὔλογον Ζμδ2. 677 ᵇ3, ᵃ36.
ΜΑ8. 989 ᵃ30 Bz. v1. 1088 ᵃ4. Φγ7. 207 ᵃ33. Ογ8. 306
ᵇ16. ρ9. 1429 ᵃ29 al. κατὰ λόγον i e κατὰ τὸ ἀνάλογον
μγ4. 375 ᵇ9. ΖιΖ18. 573 ᵃ5. πκα22. 929 ᵇ9. κατὰ τὸ
ἀνάλογον Αδ14. 98 ᵃ20. Ζμβ7. 652 ᵇ24. κατὰ τὸ προσῆ-
κον Ρα1. 1355 ᵃ22. 9. 1367 ᵇ12. κατὰ τὸ ἁρμόττον πο4.
1448 ᵇ30 (cod Αᶜ Vhl, χ τὸ ἁρμόττον Bk). κατ' ἀξίαν
v ἀξία p 69 ᵇ43. πολλῶν γινομένων κατὰ τύχην (quod
plerumque dicitur ἀπὸ τύχης, cf τύχη) Ηα11. 1100 ᵇ22.
τὸ ἀκέσιον ἐστὶ τό τε κατ' ἀνάγκην χ κατὰ βίαν (plerum-
que ἐξ ἀνάγκης, βίᾳ, πρὸς βίαν) γιγνόμενον ημα16. 1188
ᵇ27. ὡς κατὰ θεὸν γενομένης τῆς ὁράσεως f 508. 1561 ᵇ3.

κατὰ τὴν τέχνην, i e κατὰ τὰς τῆς τέχνης ἀρχάς τι9.
170 ᵃ33. 11. 171 ᵇ12. ὅσαι δόξαι κατὰ τέχνας εἰσί ται4.
105 ᵇ1. κατὰ γεωμετρίαν Αγ12. 77 ᵇ20. κατὰ τὴν ἑκάστῃ
μεθόδον τι11. 171 ᵇ11. ἐλέγχειν, θεωρεῖν κατὰ τὸ πρᾶγμα,
opp σοφιστικῶς τι8. 169 ᵇ23. 11. 171 ᵇ6, 17. ὁ κατὰ τὴ- 5
νομα λόγος Κ1. 1 ᵃ1. ἔστιν ἔντομα ὅσα κατὰ τὔνομα ἐστὶν
ἐντομὰς ἔχοντα Ζιδ1. 523 ᵇ13. ἀδύνατον κατὰ τὰ ὑπ'
ἐκείνων λεγόμενα Γα1. 314 ᵇ12. ἡ βασιλεία κατὰ τὴν ἀριστο-
κρατίαν ἐστί, τέτακται κατὰ τὴν ἀριστοκρατίαν Πε10.
1310 ᵇ3, 32. — sed multo latius hic usus praepositionis 10
extenditur, ὁ κατὰ τὴν ἕξιν, κατὰ τὴν μέσην ἕξιν Ηδ7.
1123 ᵇ1. 12. 1126 ᵇ20. οἱ κατ' ἀρετήν Ηδ7. 1123 ᵇ5. ὁ
κατ' ἄλλην ἀρετήν Ηκ8. 1178 ᵃ9, 11. οἱ κατ' ἀρετὴν ἡγε-
μονικοί Πγ17. 1288 ᵃ12. τὰ κατὰ πᾶσαν ἀρετὴν ὑπὸ τῷ
νόμῳ τεταγμένα Ηε15. 1138 ᵃ5. cf ημα34. 1193 ᵇ8. πο5. 15
1449 ᵃ32. ἡ διαφορὰ ἡ κατὰ τὴν οὐσίαν Μδ14. 1020 ᵇ1.
διαφέρειν κατ' εἶδος Ηκ5. 1175 ᵃ28. κατὰ δύναμιν, κατ'
ἐνέργειαν v h v. ἡ κατὰ τόπον μεταβολὴ Φε6. 230 ᵃ19.
ἔστι καθ' αὑτὸν ὄντα δίκαιον εἶναι, opp πρὸς ἕτερον ημα34.
1193 ᵇ13, 17. καθ' ἑαυτὸς ὄντες, opp μεθ' ἑτέρων Ηι4. 20
1166 ᵇ16. ζητεῖν καθ' ἑαυτόν (i e apud animum) τθ1.
155 ᵇ11. ι16. 175 ᵃ10. τοιαῦτα, καθ' ἃ λέγεται ᾗ ἀλ-
λοιοῦσθαι τὰ σώματα Μδ14. 1020 ᵇ11. κατ' ἄλλον τρόπον
Πγ4. 1276 ᵇ36. κατὰ τὸν ἀριθμὸν τὴν τάξιν ἀποδιδόναι,
τίθεσθαι τὸν κύκλον κατὰ τὸ ἓν Οβ4. 286 ᵇ34. κατ' ἀκρί- 25
βειαν (i q ἀκριβῶς) Οα4. 287 ᵇ15. ημα2. 1236 ᵇ18. al
κατὰ φιλοσοφίαν ἐπιστῆμαι τα2. 101 ᵃ27, 34. οἱ κατὰ φι-
λοσοφίαν λόγοι Πγ12. 1282 ᵇ19. ἔστι κατὰ τὴν διάνοιαν
(i e ἔστι διανοητικά) ταῦτα πο19. 1456 ᵃ36. τὸ δυνατὸν
κατὰ λόγον Μθ5. 1048 ᵃ13. τὰ κατὰ τὸ σῶμα ἀγαθὰ 30
Ρβ17. 1391 ᵃ32 (cf τὰ περὶ τὴν ψυχὴν ἀγαθὰ Ρα5. 1360
ᵇ27). ὅσοις τὰ κατὰ γυναῖκας φαῦλα Ρα5. 1361 ᵃ11 (cf
ὅσαις πολιτείαις φαύλως ἔχει τὰ περὶ τὰς γυναῖκας Πβ9.
1269 ᵇ18) Vhl Poet III 300. τὸ σῶμα διαιρεῖται κατ'
ἐπίπεδον Μμ2. 1076 ᵇ5. τὰ κατὰ δύο αἰσθήσεις ἅμα αἰσθά- 35
νεσθαι αι7. 447 ᵇ22. τὸ αὐτὸ συμβαίνει κατὰ τὴν Φθ2.
252 ᵇ26. τῦτο ἐνδέχεται κατὰ τινας τῶν δευτέρων ὑσίων
Κ7. 8 ᵃ14. τῶν περὶ τὰς ἀνθρώπυς ἢ κατὰ γυναῖκα πρώτη
ἐπιμέλεια οα3. 1343 ᵇ7. κατὰ μέθεξιν ὑπάρχειν, κατὰ σχο-
λὴν ἰδεῖν, κατὰ τρόπον v h v. τὸ κατὰ μέρος (syn τὸ κατὰ 40
μέρει, opp τὸ καθόλυ) Φη3. 247 ᵇ6 al. κατά τι, opp ἁπλῶς,
ὅλως τθ1. 109 ᵃ19. 11. 115 ᵇ12. Μθ8. 1050 ᵇ17. Πε1.
1301 ᵇ37. ab hoc usu profectus Aristoteles praep κατὰ
c acc usurpat ad significandam eam rationem, qua uni-
versale refertur ad speciale (Alex ad Met 199, 20 καθ' 45
ἓν μὲν λεγόμενα λέγει τὰ συνώνυμα ἢ τὸ κοινὸν
τεταγμένα γένος). καθ' ἓν λεγόμενα, dist πρὸς ἓν et ὁμω-
νύμως Μγ2. 1003 ᵇ12. ζ4. 1030 ᵇ3. ×3. 1060 ᵇ33. ηεη2.
1236 ᵃ16, ᵇ26. 11. 1244 ᵃ25. λέγεσθαι κατὰ τι ΜΑ6.
987 ᵇ2. α1. 993 ᵇ24. β3. 998 ᵇ8. γ2. 1004 ᵃ19. δ5. 50
1015 ᵃ35. 10. 1018 ᵃ36. 11. 1019 ᵃ12. 12. 1019 ᵇ21. θ1.
1045 ᵇ29. ι4. 1055 ᵃ35. 6. 1056 ᵇ7. τὸ δ. 127 ᵇ20, 24.
ζ6. 145 ᵃ31. 7. 145 ᵇ34. λέγεσθαι κατ' ἄλλο τι πρῶτον
(opp πρῶτον αὐτό), καθ' ἕτερον τι, opp ᾗ αὐτό τε5. 134
ᵃ18-25. Μδ2. 1013 ᵇ7. ζ14. 1039 ᵇ10. θ7. 1049 ᵃ25. 55
ὑπάρχειν κατ' ἄλλο, κατ' ἄλλο πρῶτον (opp πρώτως, ἀτό-
μως v s hh vv) Αγ5. 74 ᵃ36, ᵇ2. 15. 79 ᵃ36. δ13. 96 ᵇ24.
ὑπάρχειν κατὰ κοινόν τι Αγ3. 84 ᵇ6. εἰδέναι κατ' ἄλλο,
καθ' αὑτὸ Αγ24. 85 ᵃ24. γιγνώσκομέν τι κατ' ἐκεῖνο, καθ'
ὃ ὑπάρχει Αγ9. 76 ᵃ5. τὸ καθ' ὃ ποσαχῶς Μδ18 Bz. καθ' 60
αὑτό v s ἑαυτῷ. κατὰ συμβεβηκός v h v.

v.

κατάβαινειν. καταβαίνει τὸ ὕδμενον ὕδωρ μα13. 349 ᵇ32.
β4. 361 ᵃ15. καταβαίνυσιν αἱ ὑστέραι κάτω Ζιη2. 582 ᵇ24.
Ζγδ5. 774 ᵃ11. β4. 739 ᵃ31. καταβαίνει κάτω τὰ ἔμβρυα,
τὰ ᾠά Ζγα11. 719 ᵃ3. Ζιζ10. 565 ᵃ30, ᵇ4. τὸ περίττωμα
καταβαῖνον Ζμγ14. 675 ᵇ14. — ἐπιμελῦνται ὅπως μὴ κατα-
βαίνυσα (?) ἡ ἀλεκτορὶς διαλίπῃ τὸν ἐπῳασμόν Ζιζ9. 564
ᵇ9. — δεῖ τὴν ἀρχὴν τῆς συζεύξεως κατὰ τὴν ἡλικίαν εἰς
τὸς χρόνος καταβαίνειν τότας Πη16. 1335 ᵃ11.
κατάβαλλειν τοίχος, δένδρα Ζιι1. 610 ᵃ21. 9. 614 ᵇ14. —
καταβάλλειν τὰ ὦτα, opp ὀρθὰ τὰ ὦτα ἔχειν Ζιι5. 611 ᵇ31.
ζ18. 573 ᵇ8. θ23. 604 ᵃ20. 24. 604 ᵇ13. ὁ κάραβος βα-
δίζει καταβαλὼν τὰ κέρατα πλάγια Ζιθ2. 590 ᵇ26. κατα-
βάλλειν τὰ ὄμματα, opp ἀναβάλλειν πο1. 876 ᵃ32. —
καταβάλλειν σπέρματα, καρπὸς πκ12. 934 ᵃ3. θ80. 836
ᵃ21. — καταβάλλειν τιμήν οβ1346 ᵇ29, 1349 ᵇ5. — ἀπα-
λείφυσι τὰ καταβαλλόμενα χρήματα οἱ ἀποδέκται f400.
1544 ᵇ26. 399. 1544 ᵇ14. — med καταβαλλόμενον λόγον
πρέποντα κ6. 397 ᵇ19. — pass πολλοὶ λόγοι πρὸς αὐτὰ (τὰ
τέλη) καταβέβληνται Ηα3. 1096 ᵃ10. Bernays Herakl Br
p 121. cf ὅρα παλαιᾷ περὶ τῶν ἐναντίων καταβεβλημένα
f 115. 1497 ᵇ3. al καταβεβλήκεναι νῦν μαθήσεις, τὰ κατα-
βεβλημένα παιδεύματα (usitatae disciplinae, cf ἡ ἐμποδὼν
παιδεία 1337 ᵃ39) Πθ2. 1337 ᵇ21. 3. 1338 ᵃ36.
κατάβιβρώσκειν. καταβρωθῆναι ὑπό τινος τῶν ἄλλων θη-
ρίων Ζιι48. 631 ᵃ19. καταβεβρωμένα ἅπαντα ὑπὸ μυῶν
Ζιζ37. 580 ᵇ20.
κατάβλαπτειν ἄλληλα τὰ ἐνθυμήματα Ργ17. 1418 ᵃ6. ὃς
ἂν καταβλάπτηται ἀντικαταλλαττόμενός τι ἄλλο μεῖζον
ημα15. 1188 ᵇ20.
κατάβολή. αἱ καταβολαὶ τῶν προσόδων οβ1351 ᵃ9. — ἕως
ἂν ἔλθῃ πάλιν ἡ καταβολὴ τῆς περιόδυ τῆς αὑτῆς (i e
τῆς ὑπερβολῆς τῦ ὕδατος) μα14. 352 ᵇ15.
κατάβορρος οἰκία οα6. 1345 ᵃ33.
κατάγειν ἢ ἀνάγειν τὸν κάδον μχ28. 857 ᵇ2. — κατήγαγον
τὰ πλοῖα τὰ ἐκ Πόντυ οβ1346 ᵇ30. — καταγαγὼν (int
τὸν σῖτον, i e κατακομίσας) (εἰς) τὰ ἐμπόρια ἀπέδοτο
οβ1351 ᵃ22. — ὁ κατήγει (ex exsilio) ὑποσχόμενος Πε10.
1311 ᵇ19. cf f 615. 1582 ᵃ5.
κατάγελαν. ὀργίζονται τοῖς καταγελῶσι ἢ χλευάζυσι ἢ
σκώπτυσιν, ὑβρίζυσι γὰρ Ρβ2. 1379 ᵃ29. χρὴ ἐν ταῖς κα-
κολογίαις εἰρωνεύεσθαι ἢ καταγελᾶν τῦ ἐναντίῳ ρ36. 1441
ᵇ24.
κατάγηράσκειν ἢ ἀσθενεῖς γίνεσθαι Ζιι37. 622 ᵃ26. τὰ φυτὰ
αὐαίνεται ἢ καταγηράσκει πκ7. 923 ᵇ1.
κατάγιγνώσκειν. καταγνῶναί τινος θανάτου Ρβ3. 1380 ᵇ13.
— μάγον τινὰ ἢ τε ἄλλα καταγνῶναι τῦ Σωκράτυς ἢ
δὴ ἢ βίαιον ἔσεσθαι τὴν τελευτὴν αὐτῷ f27. 1479 ᵃ14.
κατάγνυναι ᾠά al Ζιι1. 609 ᵇ12. θ2. 590 ᵇ6. ἄρκτος κατ-
αγνῦσα τὰ σμήνη Ζιθ5. 594 ᵇ8. ὅπως τὰ παιδία μηθὲν
καταγνύωσιν τῶν περὶ τὴν οἰκίαν Πθ6. 1340 ᵇ28. ἐὰν ἴσον
ἀποστήσας τῶν ἄκρων ἐχόμενος καταγνύῃ τὸ ξύλον μχ14.
852 ᵇ23. ὁ μηρὸς μάλιστα μέσος καταγνύται πε20. 882
ᵇ39. καταχθῆναι Ζμα1. 640 ᵃ22. ὀδόντες κατεαγότες Ζιι44.
629 ᵇ31. τὸς κατεαγότας ὀπώρας πις8. 915 ᵃ11. — κατέ-
αξας μυ τὴν κεφαλήν ρ37. 1444 ᵇ13. — κατακτόν, opp
ἀκάτακτον, dist θραυστόν μδ8. 385 ᵃ14. 9. 386 ᵃ9-17. cf
Ζιδ1. 523 ᵇ10.
κατάγνωσις. τὰς ἐκ τῆς βυλῆς καταγνώσεις εἰσάγειν οἱ
θεσμοθέται f378. 1541 ᵃ6.
κατάγορεύειν ἑαυτῶν, τῶν ἄλλων Πε11. 1314 ᵃ22.
κατάγραφειν τινὰς χορηγὸς οβ1352 ᵃ7, cf προγράφειν ᵃ1.

Ααα

κατάγυνος θ 88. 837 ᵃ34.

καταδαπανῆσαι τὴν ὑσίαν Πε 12. 1316 ᵇ23. ὁ ἥλιος καταδαπανῶν τὰ περιέχοντα τὴν γῆν πι 55. 897 ᵇ15.

καταδαρθεῖν θ 151. 845 ᵇ26. εἰ ἐνδέχεται καταδαρθεῖν τὸν λιποψυχήσαντα υ 3. 456 ᵇ13.

καταδεής. ὑκ ἀξιῶσιν εἶναι φίλοι οἱ πολὺ καταδεέστεροι Ηθ 9. 1159 ᵃ2. τραγῳδία πολὺ καταδεεστέροις (i e multo imperfectioribus, Vhl Rgfolge 165, 26) τύτοις (i e λέξει, διανοίαις) κεχρημένη, ἔχυσα δὲ μῦθον πο 6. 1450 ᵃ31. ὀπτῆσαί τι καταδεέστερον αχ 802 ᵇ4. — καταδεεστέρως ἔχειν τῶν ἀντιδίκων πρὸς τὸ λέγειν ρ 37. 1442 ᵃ16.

καταδεικνύναι. κατέδειξεν ἐναργῶς in epigrammate Aristotelis f 623. 1583 ᵃ15.

καταδεῖν. γλῶττα ἢ λελυμένη ἢ καταδεδεμένη Ζια 11. 492 ᵇ32. — med οἱ κολυμβηταὶ σπόγγυς περὶ τὰ ὦτα καταδῦνται πλβ 3. 960 ᵇ15.

καταδέχεσθαι τὴν τροφήν αν 11. 476 ᵃ29.

κατάδηλος. ἡ τῶν ἰχθύων ὀχεία ἧττον γίνεται κατάδηλος Ζιε 5. 541 ᵃ12. ἐφ᾽ ὅσων κατάδηλός ἐστιν ἡ τῶν μορίων σύνθεσις, καθάπερ ἐπ᾽ οἰκίας τζ 13. 150 ᵃ18. παραχρῆμα, εὐθέως, παντελῶς κατάδηλος ἡ διαφορά sim τα 1. 100 ᵇ30. 15. 106 ᵃ24, 27. 16. 108 ᵃ5. ἡ κατάδηλον ποιεῖ, opp δῆλον Ζια 16. 495 ᵇ15. κατάδηλον γίνεται, opp ὕπω δῆλον τβ 2. 110 ᵃ8. γίγνεται κατάδηλον ἐν τοῖς μάλιστα καταλελεπτυσμένοις Ζμγ 5. 668 ᵃ21. κατάδηλον (sc ἐστὶ) κατὰ μίαν τῶν κοιλιῶν Ζια 17. 496 ᵃ24. κατάδηλον (sc ἐστὶ) ἢ μὴ διορίσαντι ὅτι τβ 2. 109 ᵇ2.

κατάδημα ἀμφορέως πκε 2. 938 ᵃ14 ('intercapedo' Gaza).

καταδιαχεῖσθαι τὸ αἷμα ὥσπερ τὰ τηκτά πν 5. 483 ᵇ21.

καταδικάζειν, opp ἀποδικάζειν Πβ 8. 1268 ᵇ18, 21. καταδικάζειν πάντα, ὑθὲν Πβ 8. 1268 ᵇ16. καταδικάζειν ἁπλῶς τὴν δίκην, opp ἀπολύειν ἁπλῶς Πβ 8. 1268 ᵃ3, cf ᵇ18. καταδικάζειν τινός Ρα 15. 1377 ᵃ13. οἱ καταδικαζόμενοι, οἱ καταδικασθέντες Πζ 5. 1320 ᵃ8. 8. 1321 ᵇ42. καταδικάζεσθαι ἐρήμην Οα 10. 279 ᵇ10.

καταδιώκειν. ἱέρακες ἄνωθεν ὑπερφαινόμενοι καταδιώκυσιν Ζιυ 36. 620 ᵇ2.

καταδυλῦσθαι τὺς ἀστυγείτονας, κατεδυλώσαντο τὺς Ἕλληνας, τὺς ἀναξίυς Ρα 3. 1358 ᵇ36. β 22. 1396 ᵃ18. Πη 14. 1333 ᵇ39.

καταδύεσθαι, καταδύνειν. πλοῖον, ζῶον καταδύεται (καταδύνει) κατὰ τῦ ὕδατος, opp ἐπιπλεῖ μβ 3. 359 ᵃ9, 19. Ζιυ 37. 622 ᵇ14. — κωβιοὶ καταδύνυσιν εἰς τὴν γῆν Ζιζ 15. 569 ᵇ24.

καταδωροδοκύμενοι Πβ 9. 1271 ᵃ3.

καταζ̣ῆν συνεχέστατα ἐν ἐνεργείαις τισίν Ηα 11. 1100 ᵇ16.

καταιγίς, πνεῦμα ἄνωθεν τύπτον ἐξαίφνης χ 4. 395 ᵃ5.

καταισχύνειν. ὅταν ἔχωσιν ἃ καταισχυνῶσιν (καταισχύνωσιν cod Aᶜ, καταισχύνυσιν Spgl) ἔργα ἢ πράγματα Ρβ 6. 1385 ᵃ1.

κατακαειν, κατακαίειν (cf καίειν). τὸ (Ἐμπεδοκλέης προοίμιον εἰς Ἀπόλλωνα) ὕστερον κατέκαυσεν ἀδελφή τις αὐτὸ f 59. 1485 ᵇ12. ἔστι ἢ σάρκα ἢ ὀστῦν κατακαῦσαι μδ 1. 379 ᵃ7. γῆ κατακεκαυμένη, ὁ ἀπὸ τῦ κατακεκαυμένυ τόπυ πνέων ἄνεμος μβ 3. 358 ᵃ14. 5. 363 ᵃ13. φθάνει κατακαυθέν μβ 5. 361 ᵇ20. πια 43. 904 ᵃ13. ἡ τέφρα τῶν κατακαιομένων αι 4. 442 ᵃ28. τὸ ὠχρὸν τῦ ᾠῦ μαλακὸν διατελεῖ ἂν μὴ κατακαυθῇ Ζιζ 2. 560 ᵃ25. κατακαύσαντες τὴν ὀσχέαν ἐπιπάττυσιν Ζιυ 50. 632 ᵃ19.

κατακαλύπτειν θ 76. 835 ᵇ29.

κατακάμπτειν. τὴν εὐθυωρίαν εἰς κύκλον κατέκαμψεν (Plat Tim 36 B) ψα 3. 406 ᵇ31. opp ἀνακάμπτειν μδ 9. 386 ᵃ1.

κατάκαμψις. κάμπτεται πᾶν ἢ ἀνακάμψει ἢ κατακάμψει,

τύτων δὲ τὸ μὲν εἰς τὸ κυρτὸν τὸ δ᾽ εἰς τὸ κοῖλον μετάβασις μδ 9. 386 ᵃ5.

κατακεῖσθαι. κατάκεινται αἱ αἶγες ἀθρόαι Ζιυ 3. 611 ᵃ3, 5. τὰ ἄλλα τετράποδα κατακείμενα τίκτει Ζιζ 22. 576 ᵃ23. κατακεῖσθαι ἐπὶ τὰ δεξιά, ἐπὶ τὰ ἀριστερά πς 5. 886 ᵃ3. 7. 886 ᵃ15.

κατακεραννύμενα τὰ περιττώματα ὑδαρῆ γίνεται ἢ ἀβλαβῆ πκη 1. 949 ᵃ38.

κατακεράσαι. ὁ οἶνος κατακεράσει αὐξάνεται ὕδατος προσεγχυθέντος Ζγα 18. 723 ᵃ18.

κατακλᾶν. ἰσχνὰ ὄμματα κατακεκλασμένα φ 3. 808 ᵃ8.

κατάκλασις φωνῆς, opp ἀνάκλασις πια 23. 901 ᵇ20. 51. 904 ᵇ30.

κατακλείειν. ὁ ἥλιος ὅταν κρατῇ κατακλείει τὴν ἀναθυμίασιν εἰς τὴν γῆν μβ 8. 366 ᵃ16. — τὰ κατακεκλειμένα (v l κατακεκλεισμένα) ζῷα εὐτραφέστερα πι 55. 897 ᵇ16. — pro κατακεκλεῖσθαι πη 21. 889 ᵃ27 scribendum κατακεκλίσθαι Bz Ar St IV 411.

κατακλίνειν. ἕως ἂν κατακλίνῃ ὁ ἐλέφας τὰς φοίνικας Ζιυ 1. 610 ᵃ23. δένδρων τινῶν ἐν τῇ λίμνῃ κατακεκλιμένων θ 102. 839 ᵃ18. κατακεκλίσθαι τὰς τρίχας πη 21. 889 ᵃ27. (ci Bz, κατακεκλεῖσθαι Bk). ἄρκτοι κατακεκλιμένοι ἐπὶ τῆς γῆς Ζιζ 30. 579 ᵃ19. ὅταν κατακλιθῇ εἰς γόνατα κάμηλος Ζιβ 1. 499 ᵃ17. κατακλίνεται ὁ ἔλαφος, ἡ ὗς Ζιυ 5. 611 ᵇ27. ε 14. 546 ᵃ25. — ὀφθαλμοὶ τῦ καρκίνυ ὑκ εἰσδυόμενοι ὑδὲ κατακλινόμενοι, ἀλλ᾽ ὀρθοί Ζιδ 4. 529 ᵇ28.

κατάκλισις. μήπυ κατακλίσεως ἠξιωσθαι ἐν τοῖς συσσιτίοις, κοινωνεῖν κατακλίσεως Πη 17. 1336 ᵇ9, 21. τιμᾶν τὺς πρεσβυτέρυς ὑπαναστάσει ἢ κατακλίσει Ηι 2. 1165 ᵃ28. ἐν τῇ καθέδρᾳ ἢ κατακλίσει πε 11. 881 ᵇ31.

κατακλύζειν. κατακλυσθήσεσθαι τὸ πεδίον θ 57. 834 ᵇ10.

κατακλυσμός Φδ 13. 222 ᵃ23, 26. ἀπόλεσθαι ὑπὸ τῦ κατακλυσμῦ πιδ 15. 910 ᵃ35. ποιεῖν τὸν κατακλυσμόν μβ 8. 368 ᵇ5. ὁ καλύμενος ἐπὶ Δευκαλίωνος κατακλυσμός μα 14. 352 ᵃ33.

κατακολλᾶν διὰ τὴν γλισχρότητα πθ 1. 889 ᵇ14.

κατακολυμβῶσιν οἱ σπόγγεις Ζιυ 37. 620 ᵇ34, cf 622 ᵃ19, χῆνες Ζιζ 2. 560 ᵇ10.

κατακολυμβητής Ζιυ 48. 631 ᵃ31.

κατακομίζειν ἁμάξας μεγάλας κρόκυ θ 111. 840 ᵇ29.

κατακόπτειν. κατακόψαντες τὸν χαλκὸν εἰς μικρὰ θ 43. 833 ᵇ1. f 248. 1523 ᵇ26. τὺς πρίνυς ὑφ᾽ αὑτῶν κατακόπτεσθαι Ργ 4. 1407 ᵃ4 (cf Περικλῆς).

κατακορής. ἂν ᾖ κατακορὴ (τὰ ἐπίθετα), ποιεῖ φανερὸν ὅτι ποίησίς ἐστιν ὁ λόγος Ργ 3. 1406 ᵃ13. ἐὰν σφόδρα κατακορὴς ᾖ ἡ ἕξις πλ 1. 954 ᵇ27. τὸ ποιῶδες γίνεται κατακορὲς ἰσχυρῶς ἢ πρασοειδές χ 5. 795 ᵃ3.

κατακόρως. ᾧ κατακόρως χρῶνται οἱ λογογράφοι Ργ 7. 1408 ᵃ33.

κατακύειν. ἀδυνατῦσι προσέχειν, ἐὰν κατακύσωσιν αὐλῦντος Ηχ 5. 1175 ᵇ4. ἔχοντες (αἱ γέρανοι) ἐπισυρίττοντας ἐν τοῖς ἐσχάτοις ὥστε κατακύεσθαι τὴν φωνήν Ζιυ 10. 614 ᵇ23.

κατακρατεῖν τινός θ 3. 830 ᵇ17. ὁ οἶνος κατακρατεῖ τὸν τῆς ζέσεως ἐπιπολασμόν πκβ 8. 930 ᵇ31.

κατακρίνειν ἐξ ὑποψίας ρ 37. 1442 ᵇ19. κατακρίνειν τινὸς πολλὴν ἄνοιαν ρ 3. 1423 ᵇ29.

κατάκρυσις πγ 25. 874 ᵇ12. ἡ ἄνωθεν κατάκρυσις λύει τὸ πάθος πλγ 17. 963 ᵇ9.

κατακρυστικὸς ὁ οἶνος, τὸ δὲ ὕδωρ λεπτόν πγ 18. 873 ᵇ26.

κατακρύπτειν. ἡ νάρκη κατακρύπτεται εἰς τὴν ἄμμον Ζιυ 37. 620 ᵇ21. ὁ πόλυ ὑπὸ γῆν ἀεὶ κατακέκρυπται χ 2. 392 ᵃ4. τὸ θερμὸν κατακρυπτόμενον ἐντός f 222. 1518 ᵇ32.

κατακτησάμενοι τὴν ἀρχὴν ἀπόλλυνται, opp πολεμῶντες σώζονται Πη14. 1334 ᵃ7.

κατακυριεύειν φτβ2. 823 ᵃ7, τινός φτβ6. 826 ᵇ8.

κατακώχιμοι ὑπὸ ταύτης τῆς κινήσεως Πθ7. 1342ᵃ8. ἦθος κατοκώχιμον ἐκ τῆς ἀρετῆς Ηκ10. 1179 ᵇ9. ὗτω σφόδρα κατακώχιμοι τῷ (τῇ ταυρᾷν) πάθει γίνονται αἱ βόες Ζιζ18. 572 ᵃ32. κατακώχιμοι πρὸς τὴν τῶν γυναικῶν ὁμιλίαν ΠΒ9. 1269 ᵇ30. (forma κατακώχιμος in duobus Pol locis exhibetur sine v l, Eth l l κατοκώχιμον Bk, sed κατακώχιμον codd Lᵇ Mᵇ Oᵇ.)

καταλαμβάνειν. τὸ βραδύτερον ὐδέποτε καταληφθήσεται θέον ὑπὸ τῷ ταχίστῳ ΦΖ9. 239 ᵇ15. πτερῶται ὗτως ὥστε μὴ ῥαδίως καταλαμβάνεσθαι Ζιζ4. 563 ᵃ1. — ἐλθεῖν εἰς τὴν ἀγορὰν ᾗ καταλαβεῖν ὃν ἐβέλετο ΦΒ4. 196 ᵃ4. — ἐφ' ᾧ καταλαμβάνομεν ὑπάρχον αὐτό, ἐφ' ᾧ καταλαμβάνεται μὴ ὑπάρχον τε3. 131 ᵃ29, 31. οἱ τὰς ἐν τῷ αὐχένι φλέβας κατειλημμένοι ἀναίσθητοι γίνονται υ2. 455 ᵇ7. ὅπως ἀπαθὴς ᾖ χ μὴ ταχὺ καταλαμβάνηται ψυχὴ αἰσθητικὴ Ζμγ10. 672 ᵇ17. θατέρῳ καταληφθέντος ὀφθαλμῷ ὁ ἕτερος ἀτενίζει μᾶλλον πλα4. 957 ᵇ18. ἀέρα χ ἐκτεινόμενον χ καταλαμβανόμενον αχ800 ᵃ5. πολὺ κατειλημμένον τὸ τῆς φύσεως θερμόν· ὅταν τὰ θερμὰ μὴ κατελῶς καταλαμβάνηται, syn κατέχεσθαι (cf ἔμφραξις ᵇ19) πβ40. 870 ᵇ11, 9. 41. 870 ᵇ22. τῇ ἀκροτάτῃ ἀνάγκῃ κατέλαβε τὸν Δία ἡ Ἥρα f 157. 1504 ᵇ28. — ἁρμόττει τοῖς πόνοις χ ταῖς ἀναγκοφαγίαις καταλαμβάνειν τὰς ἐχομένην ἡλικίαν Πθ4. 1339 ᵃ6. τὰ ἐκ παλαιῷ τοῖς ἤθεσι κατειλημμένα λόγῳ μεταστῆσαι ὐ ῥάδιον Ηκ10. 1179 ᵇ17. τὰ μὲν νόμοις κατειλημμένα τὰ δὲ ἔθεσιν Πη2. 1324 ᵇ22. τέχνας, τὰς μὲν ὔσας τὰς δ' ὔπω κατειλημμένας Ρα2. 1358 ᵃ7. — ἡ ψυχὴ θείῳ ψυχῆς ὄμματι τὰ θεῖα καταλαμβάνει κ1. 391 ᵃ15.

καταλέγειν. χρὴ καταλέγειν ὡς αὐτὸ μᾶλλον εἴωθε γίνεσθαι ρ9. 1429 ᵇ35. — πληρωμάτων κατειλεγμένων ἑκατὸν ναῦς οβ1353 ᵃ19.

καταλειβομένοιο μέλιτος (Hom Σ 109) Ρα11. 1370 ᵇ12. β2. 1378 ᵇ6.

καταλείπειν. περιαιρεμένων τῶν ἄλλων, καταλειπομένη δὲ μόνη Κ7. 7 ᵃ33, ᵇ2. τῶν δύο μερῶν θάτερον πλέον γενόμενον καταλέλοιπε τριτάτην μοῖραν· δηλῶσαι ὅσον ἐστὶ τὸ καταλειφθόν f 156. 1504 ᵇ1, ᵃ38. διαλαβεῖν εἰς δύο φάτνας ᾗ ὥστε μηθὲν καταλιπεῖν μέσον ΠΘ11. 1296 ᵃ12. ἐὰν λύηται τὰ δυσχερῆ χ καταλείπηται τὰ ἔνδοξα Ηη1. 1145 ᵇ6. μὴ παρορᾶν μηδέ τι καταλείπειν Πη8. 1279 ᵇ15. καταλείπειν ἑαυτῷ ἐλάττω Ηδ2. 1120 ᵇ5. οἱ νόμοι καταλείπυσιν ἐπὶ τοῖς κριταῖς, opp αὐτοὶ ὁρίζωσι Ρα1. 1354 ᵃ33, ᵇ15. θυσίαι χ τελεσιφθησαν τοῖς βασιλεῦσι μόνον Πγ14. 1285 ᵇ17. καταλιπεῖν δύο θυγατέρας Πε4. 1304 ᵃ7. διδόναι χ καταλείπειν, dist ὠνεῖσθαι χ πωλεῖν ΠΒ9. 1270 ᵃ21. καταλελειμμένα τοῖς ὕστερον Μλ8. 1074 ᵇ2.

καταλείφειν. ᾗ καταλήλειπται (καταλήλιπται ci Did Pic) ὁ κύτταρος Ζιε19. 551 ᵇ5. φύει ἢ σχάδων πόδας ὅταν καταλειφθῇ (καταλιφθῇ Aub) Ζιε22. 554 ᵃ30. — ὕδωρ μιγνύυσιν (αἱ μέλιτται) πρὶν τὸ κηρίον καταλείφειν Ζιι40. 627 ᵃ10. — ὥσπερ οἱ ἅλες (corr, cf Aub) καταλείφονται (?) Ζιε24. 555 ᵃ14.

καταλείψις. σημεῖον φιλοχρηματίας Πανδάρῳ ᾗ ἐν οἴκῳ αὐτῷ τῶν ἵππων καταλείψις f 146. 1503 ᵃ12.

καταλεπτύνειν. ἐν τοῖς μάλιστα καταλελεπτυσμένοις ὐδὲν ἄλλο φαίνεται παρὰ τὰς φλέβας Ζμγ5. 668 ᵃ22.

καταλήγειν. ᾗ καταλήγει (τὸ ἄνω σῶμα) πρὸς τὸν ἀέρα μα3. 340 ᵇ9.

κατάληψις. ὁ ὕπνος τῷ πρώτῳ αἰσθητηρίῳ κατάληψις πρὸς τὸ μὴ δύνασθαι ἐνεργεῖν υ3. 458 ᵃ29.

καταλλαγὴ νομισμάτων οβ1346 ᵇ24.

καταλλακτικός, syn ἵλεως, μὴ ὀργιζόμενος ηεβ5. 1222 ᵇ2. καταλλακτικώτερος Ρα9. 1367 ᵇ17.

καταλλάττεσθαι τὰ χρήσιμα πρὸς αὐτά Πα9. 1257 ᵃ16. τὸν βίον πρὸς μικρὰ κέρδη Ηγ12. 1117 ᵇ20. — opp τιμωρεῖσθαι Ρα9. 1367 ᵃ20. 12. 1373 ᵃ6.

κατάλληλος. πόροι κατάλληλοι, dist παραλλάττοντες πια58. 905 ᵇ8. φύσει ἅμα κατάλληλα τελεῖται, διὸ χ ἀκύει ἅμα χ φωνεῖ πια27. 902 ᵃ11. ἐν κύκλῳ ταῦτά ἀεὶ κατάλληλα ὄντα σημεῖα (?) πιγ3. 913 ᵇ4. — καταλλήλως. λανθάνει τὸ ζητύμενον ἐν τοῖς μὴ καταλλήλως λεγομένοις (i e μὴ λεγομένοις κατ' ἀλλήλων, si non alterum dicitur de altero, praedicatum de subiecto, κατ' ἀλλήλων ci Eucken II 45) ΜΖ17. 1041 ᵃ33 Bz.

κατάλογος νεῶν πο23. 1459 ᵃ36. f 346. 1536 ᵃ39. — στρατεύεσθαι ἐκ καταλόγυ Πε8. 1303 ᵃ9. ἀποστέλλειν τὰς αὐτῶν καταλόγυς (i e τὰς αὐτῶν στρατιώτας) οβ1353 ᵇ13.

κατάλειπος. σπόγγος φύεται πάλιν ἐκ τῷ καταλοίπῳ Ζιε16. 548 ᵇ18. ἀνενέγκαντες τὰ ἡμίσεα τὰ κατάλοιπα ἕξειν ἀδεῶς οβ1350 ᵃ4.

καταλύειν. Κροῖσος μεγάλην ἀρχὴν καταλύσει Ργ5. 1407 ᵃ38. καταλῦσαι τὴν βασιλείαν, τὴν ὀλιγαρχίαν, τὸν δῆμον, τὴν δημοκρατίαν, τὰς δήμυς Πε1. 1301 ᵇ20. 3. 1303 ᵃ18. 4. 1304 ᵃ27. 5. 1304 ᵃ30, 31, 34, 35, 1304 ᵇ7. 1307 ᵇ24. β12. 1273 ᵇ37 al. Ἁρμόδιυ ᾗ Ἀριστογείτονος ἔρως κατέλυσε τὸν τύραννον ΡΒ24. 1401 ᵇ11. ἵνα φυλάττωσι χ μὴ καταλύσωσιν ὥσπερ νυκτερινὴν φυλακὴν τὴν τῆς πόλεως τύρησιν Πε8. 1308 ᵃ29. καταλύονται πᾶσαι αἱ ἀρχαί, καταλύεται τὴν βελὴς χ δύναμις πΔ4. 1292 ᵃ29. 15. 1299 ᵇ38. δεῖν τῶν ἱερῶν τινα-χ τῶν ἱερέων τὸ πλῆθος καταλυθῆναι οβ1352 ᵇ22 (cf παραλυθῆναι 1350 ᵇ26). — ἤδη καταλυμένης τῆς ἡλικίας Πη16. 1335 ᵃ34. — καταλύειν intr, ἐν τοῖς χοροῖς ἐν τῷ καταλύειν πιθ39. 921 ᵃ20.

κατάλυσις τῆς ὀλιγαρχίας Πε6. 1305 ᵃ3. καταλύσεις τυραννίδων Πε10. 1312 ᵇ21.

καταμαλακίζεσθαι, syn ἐνδιδόναι, ἐξασθενεῖν ημβ6. 1203 ᵇ7, 11, 1202 ᵇ37.

καταμανθάνειν, de sensu videndi. πόρρωθεν ὐ δύναται ὁ μύωψ τῇ αὐγῇ (fort τὴν αὐγήν?) καταμαθεῖν πῶς ἐπιβάλλει ἐπὶ τὸ ὁρατόν πλα25. 960 ᵃ7. — ἐν τοῖς μικροῖς ὐχ ὁμοίως ἔστι καταμαθεῖν, opp φανερόν, μάλιστα διάδηλόν ἐστι Ζιγ4. 515 ᵃ22, 20, 26. ἱκανῶς καταμαθεῖν Ζιγ3. 513 ᵃ14. καταμαθεῖν ἐκ τῶν γινομένων, opp τῷ λόγῳ θεωρῆσαι Πα5. 1254 ᵃ21. ῥάδιον τῦτό γε καταμαθεῖν, cf Πγ14. 1285 ᵃ1. χ1. 791 ᵇ4. καταμαθόντες πρᾶξιν ὁμοίαν ὗτω πεπραγμένην ρ9. 1429 ᵃ25.

καταμαντευόμενοι ἐκ τῶν προγεγονότων τὰ μέλλοντα κρίνομεν Ρα9. 1368 ᵃ31.

καταμαραίνειν. τῷ πάθυς (i e τῷ σεισμῷ) καταμαραινομένυ μβ8. 368 ᵃ7. ᾗ διὰ ψύχος ἀποσβεννυμένης τῆς ἀναθυμιάσεως ἢ καταμαραινομένης ὑπὸ τῷ πνίγυς μβ5. 361 ᵇ27. ἐὰν μήτε καταμαρανθῇ μήτε διασπασθῇ ἡ τῷ νέφυς σύστασις μγ3. 372 ᵇ20. cf α7. 344 ᵃ30. τὸ πῦρ καταμαραίνεται αν17. 479 ᵃ14. πα55. 866 ᵃ17.

καταμαρτυρεῖν τινός ρ16. 1431 ᵇ39.

καταμένειν. αἱ περιστεραὶ καταμένυσιν, opp ἀπαίρειν Ζιθ12. 597 ᵇ5, 19. προφασιζόμενοι τὰ πλοῖα ῥεῖν κατέμενον f 513. 1562 ᵃ8.

καταμετρεῖν. ληφθέντος μορίυ ὃ καταμετρήσει τὴν ὅλην

Aaa 2

Φζ7. 237 ᵇ28 (syn ἀναμετρεῖν 238 ᵃ22, cf ἀναμετρεῖν).
cf 2. 233 ᵇ3. 10. 241 ᵃ13. δ12. 221 ᵃ2 (ἀναμετρεῖν ᵃ3).
Μδ25. 1023 ᵇ15. τῷ ἀπείρῳ ϑδὲν ἐστι μόριον ὁ καταμε-
τρήσει Φζ7. 238 ᵃ12, 14. καταμετρείτω τὸ ἔλαττον ὁπο-
σακισϑῶν Οα6. 273 ᵃ32. ὁ λόγος καταμετρεῖται συλλαβῇ 5
βραχείᾳ ϰ μακρᾷ Κ6. 4 ᵇ33.
καταμήνια, τὰ (τὸ καταμήνιον Ζιζ18. 573 ᵃ16). 1. menstrua
et annua. τίς ἐστιν ἡ τῶν καλϑμένων καταμηνίων φύσις,
πῶς ἔχει πρὸς τὰ ἄλλα περιττώματα Ζγα17. 721 ᵇ4. ἡ
αὐτὴ φύσις ἐστὶ γάλακτος ϰ καταμηνίων Ζγ4. 739 ᵇ25. 10
δ8. 777 ᵃ15, σπέρματος ϰ καταμηνίων εν2. 460 ᵃ8. κατὰ
τὴν πρώτην ὕλην ἐστὶ ἡ τῶν καταμηνίων φύσις Ζγα20.
729 ᵃ32. ὑγρὰ τὴν φύσιν τὰ καταμήνια Ζμδ10. 689 ᵃ14.
ἔστι τό τε τῶν ἀρρένων περίττωμα ϰ τὰ καταμήνια τοῖς
θήλεσιν αἱματικῆς φύσεως Ζγδ8. 776 ᵇ11. ὡς τοῖς ἄρρεσιν 15
ἡ γονὴ ϑτω τοῖς θήλεσι τὰ καταμήνια Ζγα18. 727 ᵃ3.
Ζμδ10. 689 ᵃ11. ἡ γονὴ πρὸς τὴν τῶν καταμηνίων φύσιν
τϑτο πέπονθεν (τὸ ὅμοιον εἰς ἓν ἄγει ϰ συνίστησι)· εἰ μὲν
γὰρ σπέρμα ἦν, τὰ καταμήνια ϑκ ἂν ἦν Ζγβ4. 739 ᵇ24.
α19. 727 ᵃ29. ὥσπερ τὸ σπέρμα ϰ τὰ καταμήνια περίτ- 20
τωμά ἐστι Ζγα20. 727 ᵃ31, ᵇ33. 19. 727 ᵃ2. Ζμδ10. 689
ᵃ13. αἱμορροῒς φυσική ἐστιν· εὔπεπτος ἡ περίττωσις ἐν τοῖς
καταμηνίοις ἢ σπερματικὴ Ζγα20. 728 ᵃ24. δ3. 767 ᵇ16.
σπέρμα, ϑ καθαρὸν ἀλλὰ δεόμενον ἐργασίας, ἄπεπτον Ζγβ3.
737 ᵃ28. α20. 728 ᵃ26. δ5. 774 ᵃ2 (cf ἐν τοῖς καταμη- 25
νίοις τὸ σπέρμα ἐστὶν Ζγα20. 728 ᵇ22). τὸ πλεῖστον ἄχρη-
στον ϰ ἐν τοῖς καταμηνίοις ἐστὶν ὑγρόν· τοῖς μὲν ἐν τῷ
σπέρματι, ταῖς δ' ἐν τοῖς καταμηνίοις ὑγιενότερα τὰ σώ-
ματα γίνεται ϰ εὐτραφέστερα Ζγβ4. 739 ᵃ8. Ζιη1. 581
ᵇ32. συνεκκρίνεσθαι τὴν περίττωσιν ϑ τοῖς καταμηνίοις 30
Ζγα19. 727 ᵃ18. — καταμηνίων γένεσις. ὥσπερ ἐν ταῖς
κοιλίαις γίνεται διάρροια, ϑτως ἐν ταῖς φλεψὶν αἵ τ' ἄλλαι
αἱμορροῒδες ϰ αἱ τῶν καταμηνίων Ζγα20. 728 ᵃ23. ἐν τοῖς
ζῳοτόκοις ἡ τῶν καταμηνίων ῥύσις θύραζε μόνοις ϰ τϑτων
ἐπιδηλότατα ἡ τῶν γυναιξὶν Ζγα19. 727 ᵃ21. (ἡ τῶν κα- 35
ταμηνίων ῥύσις sec Empedocl Ζγδ1. 764 ᵃ5.) τὰ καλϑμενα
καταμήνια γίνεται πλεῖστα τῶν ζῴων ἐν ταῖς γυναιξὶν
Ζιη19. 521 ᵃ26. ἡ ἀπόκρισις γίνεται τοῖς μὲν ἐν τῷ σπέρ-
ματι ταῖς δ' ἐν τοῖς καταμηνίοις Ζιη1. 582 ᵃ5. ἡ γινομένη
τοῖς ζῳοτόκοις ἀπόκρισις τῶν καταμηνῶν Ζγγ1. 750 ᵇ12. 40
τοῖς ὀρνέοις ϑ γίνεται ἡ τῶν καταμηνίων ἀπόκρισις ὥσπερ
τοῖς ζῳοτόκοις τοῖς ἐναίμοις Ζγγ1. 750 ᵇ5. — ἡ τῶν κατα-
μηνίων ἔκκρισις ϰ συνάθροισις ἐμπυρεύει θερμότητα Ζγβ4.
739 ᵇ10. δ2. 767 ᵃ1. α19. 727 ᵃ2. τοῖς θήλεσιν ἡ τῶν κα-
ταμηνίων κάθαρσις σπέρματος ἔξοδός ἐστιν Ζγδ5. 774 ᵃ1. 45
καθάρσεις δὲ γίνονται μὲν καταμηνίων, ϑ μὴν ὅσαι γε ταῖς
γυναιξὶν ϑθενὶ τῶν ἄλλων ζῴων Ζιζ18. 572 ᵇ29 Aub. ἰκμάς,
πρόεσις Ζγα19. 727 ᵇ11. δ1. 765 ᵇ20. 8. 776 ᵇ27. Ζιη5.
585 ᵃ36. ἀπόλειψις, σύστασις Ζικ7. 638 ᵇ26. Ζγα20.727
ᵇ32, 729 ᵃ22. — μεταβεβληκότος εἰς αἷμα τϑ περιττώμα- 50
τος βϑλεται γίγνεσθαι τὰ καταμήνια Ζγβ4. 738 ᵃ23. ὅταν
ὁρμᾷ ϰ μέλλῃ ῥήγνυσθαι Ζιη2. 582 ᵇ10. ῥήγνυται Ζγα19.
727 ᵃ7. γίνεται καλῶς, ἱ ε δι' ἴσων χρόνων ϰ μὴ πεπλανη-
μένως Ζικ1. 634 ᵃ12. διὰ τίν' αἰτίαν χεῖρω γίνεται Ζιγ19.
521 ᵃ30. ϑ γίνεται Ζγα17. 727 ᵇ18. β7. 746 ᵇ28. φοιτᾷ 55
Ζγα19. 727 ᵇ27. Ζιη2. 582 ᵇ4. συνεκκρίνεται Ζγα19. 727
ᵃ18. παύεται Ζιη5. 585 ᵇ3. Ζγα19. 727 ᵃ10. τῶν καταμη-
νίων ἱσταμένων, ληγόντων Ζγα19. 727 ᵃ13. Ζιγ11. 528 ᵃ34.
κ1. 634 ᵃ32. — 2. menstrua. ἐν τοῖς ζῳοτόκοις ϑ τῶν
καταμηνίων γίνεται ῥύσις θύραζε μόνοις ϰ τϑτων ἐπιδηλό- 60
τατα ἐν ταῖς γυναιξὶν· τοῖς ἄρρεσιν τὸ σπέρμα, ταῖς γυ-

ναιξὶν ἡ τῶν καταμηνίων ἔκκρισις· τὰ καλϑμενα καταμήνια
γίνεται πλεῖστα τῶν ζῴων ἐν ταῖς γυναιξὶν Ζγα19. 727
ᵃ21. δ2. 767 ᵃ1. Ζιγ19. 521 ᵃ26. — ὥρα ϰ σημεῖα τῶν
καταμηνίων Ζγδ4. 773 ᵃ17. τοῖς θήλεσι ἐπισημαίνει ἐν τῇ
αὐτῇ ἡλικίᾳ Ζγα20. 728 ᵇ24. ταῖς μὲν συνεχῶς καθ' ἕκα-
στον ὀλιγάκις φοιτᾷ, παρὰ δὲ μῆνα τρίτον ταῖς πλείσταις
Ζιη2. 582 ᵇ4 Aub. cf J Müller Physiol II 640. τὰ κατα-
μήνια τὰ γινόμενα κατὰ φύσιν φθινόντων τῶν μηνῶν παύε-
ται ταῖς γυναιξὶν ταῖς πλείσταις περὶ τετταράκοντα ἔτη
Ζγδ2. 767 ᵃ2. Ζιη5. 585 ᵇ3. — τοῖς θήλεσιν ἡ τ' ἔπαρσις
γίνεται τῶν μαστῶν ϰ τὰ καταμήνια καλϑμενα καταρ-
ρήγνυται, τῶν μαστῶν ἐπὶ δύο δακτύλης ἠρμένων, ὅταν
δύο δακτύλης ἀρθῶσι Ζιη1. 581 ᵇ1, 5. Ζγα20. 728 ᵇ31. —
ταῖς πιστέραις γινομέναις ϑ γίνεται· τὰ τῶν γυναικῶν σώ-
ματα ἥττον πυκνά, εἰς τὰ καταμήνια γὰρ τρέπεται Ζγβ7.
746 ᵇ28. πι4. 891 ᵃ30. ταῖς γυναιξὶν ἀρρενώπϑς ϑ γίνεται,
ἐνίαις γίγνονται τρίχες ὀλίγαι ἐπὶ τῷ γενείῳ, ὅταν τὰ κα-
ταμήνια στῇ Ζγβ7. 747 ᵃ2. Ζιγ11. 528 ᵃ34. — ἐν τοῖς
ἐνόπτροις, ὅταν τῶν καταμηνίων ταῖς γυναιξὶν γινομένων
ἐμβλέψωσιν εἰς τὸ κάτοπτρον, γίνεται ἐν ἐπιπολῆς τϑ
ἐνόπτρϑ οἷον νεφέλη αἱματώδης εν2. 459 ᵇ28, 460 ᵃ4, 6. cf
Prantl de coloribus 159, Humboldt Kosmos III 28. —
3. annua. γίγνεταί τισι καταμήνια τῶν ζῳοτόκων Ζγα19.
726 ᵃ30. συμβαίνει τὰ σώματα τὰ τῶν ἡμιόνων μεγάλα
γίνεσθαι διὰ τὸ τὴν ἀπόκρισιν τὴν εἰς τὰ καταμήνια τρέπε-
σθαι εἰς τὴν αὔξησιν Ζγβ8. 748 ᵇ21. μάλιστα ϰ ταῖς βϑσὶ
ϰ ταῖς ἵπποις τὰ καταμήνια ἐπισημαίνει διαλείποντα δίμη-
νον ϰ τετράμηνον ϰ ἑξάμηνον· τὰ καταμήνια ταῖς κυσὶν
ἑπτὰ ἡμέρας γίνεται Ζιζ18. 573 ᵃ12. 20. 574 ᵃ31. — κα-
θάρσεις δὲ γίγνονται μὲν καταμηνίων, ϑ μὴν ὅσαι γε ταῖς
γυναιξὶν ϑθενὶ τῶν ἄλλων ζῴων Ζιζ18. 572 ᵇ29. τοῖς ὀρεϑσι
τοῖς θήλεσιν ϑθὲν γίνεται καταμήνιον Ζιζ18. 573 ᵃ16 (cf
περίοδος, γυναικεῖα. S I 479. ΑΖι II 338 adn).
καταμηνιώδης ἀπόκρισις, καταμηνιώδες περίττωμα Ζγγ1.
749 ᵇ6, 751 ᵃ3. — ἡ ἵππος ϑ καταμηνιώδης, ἀλλ' ἐλάχι-
στον προίεται Ζγβ8. 748 ᵃ20.
καταμιγνύναι. τϑτοις καταμεμῖχθαι τοιαύτην δύναμιν πν9.
485 ᵇ10.
καταμιξις. τὸ κολλῶδες μετὰ τϑ ὑγρϑ ἐκκρίνεται διὰ τὴν
κατάμιξιν πβ22. 868 ᵇ4. λζ2. 965 ᵇ28.
Καταναῖος. Χαρώνδας ὁ Κ. Πβ12. 1274 ᵃ23.
καταναλίσκειν. ταχὺ καταναλίσκει τὴν τροφὴν sim ζ5.469
ᵇ29, 31. Ζγγ11. 763 ᵃ13. ϑ ποιϑνται ἐξαγωγήν, ἀλλὰ κα-
ταναλίσκϑσιν θ136. 844 ᵃ34. τῇ ϑ προστεθείς καταναλώσω
τὸ α Φθ10. 266 ᵃ19. ἐὰν μὴ πάντα τὰ πεμπόμενα κατα-
ναλίσκηται ρ3. 1424 ᵃ2. καταναλίσκεται ἡ τϑ ᾠϑ τροφὴ
sim Ζγβ4. 737 ᵇ21. γ3. 754 ᵇ15, 755 ᵃ4. α18. 725 ᵃ17.
ἡ τροφὴ καταναλίσκεται εἰς τὴν αὔξησιν, εἰς τὸ σῶμα sim
Ζγδ4. 771 ᵃ28. α18. 725 ᵇ31. Ζμβ5. 651 ᵃ22. δ12. 694
ᵇ19. Ζια17. 497 ᵃ9. γ4. 514 ᵇ33. — metaph τὴν σπϑδὴν
ἐστί σοι καταναλωτέον ρ1. 1420 ᵇ22. τὰς ἀρχὰς εἰς ταῦτα
(int τὰ φυσικά) καταναλίσκϑσιν ΜΑ8. 990 ᵃ3.
καταναμειν. δεῖ τὸ πλῆθος ἐν συσσιτίοις καταναμῖσθαι
Πη12. 1331 ᵃ20.
καταναύειν. διὰ τί Ἥρα ϑ κατανεῦσαι ἀλλὰ ϰ ὀμόσαι τὸν
Δία ἠξίωσεν f 157. 1504 ᵇ16.
κατανοεῖν, c acc σχεδὸν δὴ κατανοήσειεν ἄν τις τϑτο Πη7.
1327 ᵇ20. ϑ κατανενοήκασι ἔνια Ζγγ5. 756 ᵃ7. κατανοεῖν
τὰς διαφορὰς τῶν φυτῶν φτα4. 820 ᵃ9. ϑτως ἔσται κατα-
νοεῖν ἱκανῶς μᾶλλον (int τϑτο ϑ τὸ ἴδιον ἀποδέδοται) τε2.
129 ᵇ9, opp ἀσαφὲς γίνεται ᵇ17. ἅπερ ἂν μάλιστα βϑλῃ

κατανοῆσαι τὰς ἀκύοντας ρ23. 1434 ᵇ24. ἐκ τῦ κατανενοη-
κέναι ποιῦντα ταῦτα τὸν ἐχῖνον Ζιι6. 612 ᵇ9. — εἰ κατα-
νοήσαιμεν αὐτοὶ ποίοις μάλιστα λόγοις προσέχομεν ρ30.
1436 ᵇ5. — δεῖ δὲ κατανοεῖν (κατανοῆσαι) ὅτι Αβ15. 64
ᵃ33, ᵇ17. τι33. 182 ᵇ6. Φδ4. 211 ᵃ12. Μι1. 1052 ᵇ1. Ζιι6.
612 ᵃ13. — καλῦσι κοράκιον, διὰ τὸ κατανοηθῆναι ὑπ᾽ αὐ-
τῶν κόρακα παύσασθαι τῆς ἀλγηδόνος θ86. 837 ᵃ20.
κατανόημά τι χρηματιστικόν Πα11. 1259 ᵃ7.
κατανταν εἰς τὰς προκειμένας λιμένας f 13. 1476 ᵃ26.
κατάντης, opp ἀνάντης Φγ3. 202 ᵃ20. Μκ9. 1066 ᵃ33. κι-
νεῖσθαι κάταντες, ἄναντες Φη4. 248 ᵃ22. κατάντεις πορεῖαι
πβ38. 870 ᵃ32, 35. φέρεσθαι εἰς τὸ κάταντες πκς36. 944
ᵇ8. τὰ κατάντη φέρεται, ἀλλ᾽ ὃ βαδίζει Ζιζ12. 567 ᵃ7.
ἀποστηρίζεσθαι ἐν τοῖς κατάντεσιν πε19. 882 ᵇ35.
καταντικρύ, vi locali, τὰ ὀστρακόδερμα κινεῖται ὀκ ἐπὶ τὴν
ἑλίκην, ἀλλ᾽ ἐπὶ τὸ καταντικρύ Ζιθ4. 528 ᵇ10. cf ε6. 541
ᵇ14. 23. 555 ᵃ6. θ2. 591 ᵇ24. Ζμδ13. 696 ᵇ24 (κατ᾽ ἀν-
τικρύ Bk). Ζπ4. 706 ᵃ15. Ζγγ3. 754 ᵇ25. καταντικρὺ ἀλ-
λήλων κ2. 391 ᵇ21. καταντικρὺ τῇ θέσει τῆς ἐκροῆς μβ2.
356 ᵃ10. ἡ θύρα καταντικρυ γίνεται τοῖς στόμασιν, ὅπερ καὶ
πεφύκασι τρόπον νεῖν Ζιθ2. 591 ᵇ24. — metaph καταν-
τικρύ (aperte), opp ἐξ εἰρωνείας Ργ19. 1419 ᵇ36. — κατὰ
τὴν καταντικρὺ ᾗ ὡς Γλαύκων λέγει πο25. 1461 ᵃ35, i q
ἐναντίως ᾗ, secus, aliter ac Vhl Poet IV 422.
καταξεῖν. θόλοι περισσοῖς τοῖς ῥυθμοῖς κατεξεσμένοι θ100.
838 ᵇ15.
καταξηραίνω. τὸ πλεῖον σπέρμα διαφθερεῖ καταξηραῖνον
Ζγδ4. 772 ᵃ12. τὸ ὑγρὸν χρονιζόμενον καὶ καταξηραινόμενον
χ5. 795 ᵃ12, 794 ᵇ30. κατεξηράνθη τἆλλα πάντα μα3.
340 ᵇ1.
κατάξηρος γλῶττα, opp λίαν ὑγρά ψβ10. 422 ᵇ5.
κάταξις, ἡ εἰς μεγάλα μέρη διαίρεσις καὶ χωρισμός, dist
θραῦσις μθ9. 386 ᵃ12, 13.
καταπατεῖν τὴν περὶ τὰς ῥαφανίδας γῆν πκ13. 924 ᵃ26.
οἱ (περὶ τὰς βωμὰς) λίθοι καταπατῦνται Φβ6. 197 ᵇ11.
καταπάττειν. καταπάσαντες ἄλευρα Ζιι40. 627 ᵇ20.
καταπαύειν. ὁ ἥλιος καταπαύει τὰ πνεύματα μβ5. 361
ᵇ20, 22. — οἱ ξένοι ἐπὶ μικρῷ διαλύονται καὶ καταπαύονται
Ρα12. 1373 ᵃ9.
κατάπαυσις τῶν ἤχων αχ803 ᵇ42. λαμβάνειν κατάπαυσιν,
ποιεῖσθαι τὴν κατάπαυσιν αχ802 ᵃ28, ᵇ1.
καταπέλτης πότε ὃ δύναται βάλλειν μακράν αχ800 ᵇ13.
ἀφεῖναι τὸν καταπέλτην Ηγ2. 1111 ᵃ11.
καταπέμπειν. Διοπείθει τὰ παρὰ βασιλέως τεθνεῶτι κατε-
πέμφθη Ρβ8. 1386 ᵃ14.
καταπέτεσθαι. καταπτᾶσαι αἱ γέρανοι ἡσυχάζωσιν Ζιι10.
614 ᵇ21.
καταπέττεται ἡ τροφή, ὁ οἶνος Ζγγ5. 756 ᵇ11. πγ13. 875
ᵇ33. ἕως ἂν καταπεφθῇ ἡ τροφή υ3. 457 ᵇ19.
καταπηγνύναι. καταπηγνύσιν ὀβελίσκας περὶ τὸν τάφον
Πη2. 1324 ᵇ20. ἀκρίδες τίκτωσιν εἰς τὴν γῆν καταπήξασαι
τὸν καυλόν Ζιε28. 555 ᵇ20. — ἰχθύες ὑπὸ τῦ ψύχας κα-
ταπήγνυνται Ζιθ19. 601 ᵇ31.
καταπιέζεται ὁ ὄροφος φτβ3. 824 ᵇ31.
καταπίνειν ψώμισμα, ψωμὸν μεῖζω Ργ4. 1407 ᵃ8. πλθ9.
964 ᵃ26, σῖτον, ᾠά, λίθὰς, κόγχας, ἄγκιστρον Ζιθ3. 592
ᵃ30. θ4. 594 ᵃ17. 26. 605 ᵃ26. ιι0. 614 ᵇ27. 37. 621 ᵃ7,
13. ὁ λέων καταπίνει πολλὰ ὅλα ὃ διαιρῶν Ζιθ5. 594 ᵇ19.
καταπίνειν τὸ δέρμα, φύλλον, κόγχας θ66. 835 ᵃ28. 86. 837
ᵃ22. 14. 831 ᵇ11. f 331. 1533 ᵇ30. καταπινομένων αἰσθά-
νονται (οἱ ἰχθύες) τῶν λιπαρῶν Ζμδ11. 690 ᵇ30. cf κατά-

ποσις. τὸ καταποθέν Ζιθ4. 594 ᵃ20. — ποταμοὶ καταπινό-
μενοι μα13. 351 ᵃ1, 16. πλοῖα εὐδίας καταπίνεται καὶ ἀφανῆ
γίνεται πκγ5. 931 ᵇ39.
καταπίπτει τὰ βλέφαρα διὰ ψύξιν υ3. 457 ᵇ4. ἐπιλαμβα-
νομένων τῶν φλεβῶν καταπίπτυσιν οἱ ἄνθρωποι μετ᾽ ἀναι-
σθησίας Ζιγ3. 514 ᵃ7. καταπίπτει ἀὴρ ἐντεῦθεν φτβ3. 824
ᵇ8. — ἄρκτος ὁμόσε χωρήσασα τῷ ταύρῳ κατὰ πρόσωπον
ὑπτία καταπίπτει Ζιθ5. 594 ᵇ12.
καταπιστωσις. ἐπὶ τῷ τάφῳ τῷ Ἰόλεω τὰς καταπιστώσεις
ποιῦνται οἱ ἐρώμενοι καὶ οἱ ἐρασταί f 92. 1492 ᵃ42.
κατάπλασμα. τίς καταπλάσματος ἀρετή πα30. 863 ᵃ6. 45.
864 ᵇ32.
καταπλάττυσιν ἑαυτὰς πηλῷ Ζιι6. 612 ᵃ18. τῶν κηρίων τὰ
μάλιστα τῷ κηρῷ καταπεπλασμένα Ζιι40. 624 ᵃ13.
καταπλεῖν. τροχίαι ἀναπλέυσιν εἰς τὸν Ἴστρον, καταπλέυσιν
εἰς τὸν Ἀδρίαν Ζιθ13. 598 ᵇ16. οἱ καταπλέοντες εἰς τὸ
Ἀττικὸν ἐμπόριον, ἐκ τῦ Φάσιδος f 410. 1546 ᵇ7. 72.
1488 ᵃ4.
καταπλέκειν. πόλεμος τῷ μεγέθει μετριάζων καταπεπλεγ-
μένος τῇ ποικιλίᾳ πο23. 1459 ᵃ34.
καταπληκτικός. τὸ ἐκ τῆς Γοργόνος γιγνόμενον τοῖς ἐνο-
ρῶσι πάθος καταπληκτικόν f 148. 1503 ᵃ43.
κατάπληξ, def, opp ἀναίσχυντος, αἰδήμων Ηβ7. 1108 ᵃ34.
ηεγ7. 1233 ᵇ28. ημα30. 1193 ᵃ4, 9.
κατάπληξις, opp ἀναισχυντία, αἰδὼς ηεβ3. 1221 ᵃ1. γ7.
1233 ᵇ27. ημα30. 1193 ᵃ1.
καταπλήττυσι τὰς ἀκροατὰς θορυβῦντες Ργ7. 1408 ᵃ25.
καταπληττόμενος, καταπεπληγμένος, syn κατάπληξ ημα30.
1193 ᵃ6, 4, 9.
καταπλύνει (i e abluendo extrahit) τὸ τοιῦτον ἐκ τῦ σώ-
ματος τὸ ἐξιὸν ὑγρόν μβ3. 357 ᵇ5.
καταπνεῖν. (αἱ πέρδικες ἔγκυοι γίνονται) καὶ ὑπερπετομένων
ἐκ τῦ καταπνεύσαι τὸν ἄρρενα (concipiunt etiam supervolan-
tium afflatu) Ζιε5. 541 ᵃ29. ὁ λέων ἐμπνεῖ ὃ βαρείαν ὀσμὴν βα-
ρεῖαν ἐν τοῖς ἐσθιομένοις καταπνέων Ζιθ5. 594 ᵇ27. ὁ νότος
τοῖς πρὸς τὸν ἄρκτον οἰκῦσι λαμπρὸς καταπνεῖ πκς45. 945
ᵃ36. ἐὰν καταπνευσθῇ v 1 Ζιζ5. 560 ᵇ13 (κατὰ πνεῦμα
στῇ Bk).
καταπνίγειν. συνιζάνοντες καὶ καταπνίγοντες, ὥσπερ τὰς φύ-
σας, ἐκπνέυσιν αν7. 474 ᵃ15. cf κατένιξε πλγ5. 962 ᵃ7.
καταπνιγόμενοι ἄνθρακες, καταπνιγόμενον πῦρ ζ5. 470 ᵃ8,
16. τῶν δεδειπνηκότων ὁ ὕπνος ἂν εὐθὺς καθεύδωσι κα-
ταπνίγει τὸ θερμόν, opp ἀναρριπίζειν f224. 1518 ᵇ45. κα-
ταπνιγόμενα ἐν τῷ σώματι ὑγρὰ περιττώματα πλη3. 967
ᵃ6. φωναὶ καταπεπνιγμέναι, τυφλαί, νεφώδεις αχ800 ᵃ15.
τόποι καταπεπνιγμένοι, opp εὐπνύστεροι· καταπέπνικται ὁ
καθεύδων πβ30. 869 ᵃ35, ᵇ3.
κατάπνιξις, opp εὔπνοια πλη3. 966 ᵇ36.
καταπολεμῆσαι τὰς ἐναντίας ρ9. 1429 ᵇ2. 2. 1423 ᵃ5.
καταπονεῖν. τῶν Λυδῶν καταπονυμένων ὑπὸ τῶν Αἰολέων
f 66. 1487 ᵃ8. οἱ Σάμιοι καταπονηθέντες ὑπὸ τῶν τυράννων
f 537. 1567 ᵃ27.
καταπορθμίας καλεῖται ἐν Σικελίᾳ ὁ ἀπηλιώτης σ973 ᵃ25.
f 238. 1521 ᵇ19.
κατάποσις. ἐν τῇ καταπόσει γίνεται ἡ αἴσθησις τῆς τροφῆς
τοῖς ἰχθύσι Ζμδ11. 690 ᵇ28.
καταπραΰνειν βυλόμενος Ρβ3. 1380 ᵇ30.
καταπραΰνεται (Hom Ψ 328) πο25. 1461 ᵃ23.
καταπυκνῦσθαι. τῷ κύκλῳ ἐν ᾧ μάλλον φαίνεται καταπε-
πυκνῦσθαι καὶ μεγέθει καὶ πλήθει ἀστέρων μα8. 346 ᵃ29. —
συλλογισμὸς καταπυκνῦται (interpositis terminis mediis)

Aγ14. 79 ᵃ30 Wz.

καταρᾶσθαι. αὐτοὶ ἑαυτοῖς κατηράσαντο f 143. 1502 ᵇ7. καταράσασθαι τοῖς μὴ βυληθεῖσι συμπλεῖν f 513. 1562 ᵃ6. πειρᾶται ἐξ αὑτῶν ὧν κατηράσαντο γενέσθαι αὐτοῖς τὴν βλάβην f 143. 1502 ᵇ13. κατηράσατο μὴ γενέσθαι τὰ πλοῖα 5 στεγανά f 513. 1562 ᵃ8. — κατάρατος. ἐκ ἐπιώκησαν, ἀλλὰ κατάρατοι ἦσαν f 143. 1502 ᵇ7.

καταρράκτης. refertur inter τὰ σχιζόποδα Ζιι12. 615 ᵃ26. ἔχει τὸν στόμαχον εὐρὺν ⁊ πλατὺν ὅλον Ζιβ17. 509 ᵃ4. ζῇ μὲν περὶ θάλατταν, ὅταν δὲ καθῇ αὑτὸν εἰς τὸ βαθύ, 10 μένει χρόνον ἐκ ἐλάττονα ἢ ὅσον πλέθρον διέλθοι τις· ἔστι δ' ἔλαττον ἱέρακος τὸ ὄρνεον Ζιι12. 615 ᵃ29. (Catarracta Gazae, Mergula Scaligero. Skua Hoieri C II 170. Pelecanus bassanus L Oedmann in act Acad Stockholm 1786 VII. S II 88. K 494. St. Cr. fort Podiceps auritus vel Fu- 15 lica atra AΖι I 94, 42. Graculus pygmaeus Su 157, 148. non def KaΖι 94, 43. cf Salmas exerc Plin 64).

καταράσσειν, καταρράσσειν. trans ὄρνιθες καταράσσωσιν αὑτὰς εἰς τὰς κεφαλὰς αὐτῶν θ79. 836 ᵃ13. — intr ὄμβροι καταρράσσυσι (v l καταράσσυσι) κ2. 392 ᵇ10. 20

καταριθμεῖν. πάντες ἄνθρωποι εἰς τὰ δέκα καταριθμῦσι πιε3. 910 ᵇ24. — med ἐν ἀμφοτέροις τοῖς γένεσιν αὐτὸ καταριθμεῖσθαι K8. 11 ᵃ38 (cf συγκαταριθμεῖσθαι ᵃ22). μεσότητάς τινας κατηριθμησάμεθα ημα19. 1190 ᵇ7. κατηριθμημένοι δόξας τα2. 101 ᵃ31. — pass πολιτεῖαί τινες καταριθ- 25 μῦνται μετὰ τύτων Πδ8. 1293 ᵇ26. λοιπὸν ἐκ τῶν καταριθμηθέντων Πη9. 1329 ᵃ27. οἱ εἰωθότες λέγεσθαι τρόποι σχεδὸν ἅπαντες κατηρίθμηνται K15. 15 ᵇ32. cf ρ3. 1425 ᵃ34. καταριθμωμένων Ζιι15. 494 ᵃ24. τὰ κατηριθμημένα τα6. 102 ᵇ34. 30

καταρρεῖν. ἀκαριαίῳ φλέγματος καταρρέοντος μτ1. 463 ᵃ15. κυήματα καταρρεῖ εἰς τὴν γῆν Ζιε30. 556 ᵇ5. κόμι καταρρεῖ φτβ9. 829 ᵃ17, 23. — κατερρύη τὸ τῆς πόλεως ἀνδρεῖον f 516. 1562 ᵇ3.

καταρρήγνυσθαι. ἀκρὶς γίνεται ἐν πεδιάδι ⁊ κατερρωγυίᾳ 35 Ζιε28. 556 ᵃ5. — τοῖς θήλεσι τὰ καλύμενα καταμήνια καταρρήγνυται Ζιη1. 581 ᵇ1, 582 ᵃ11. ὄμβροι ἐξαίσιοι καταρραγέντες κ6. 400 ᵃ26.

καταρροή τις ἢ ἱδρὼς προβαίνει ἐκ τῶν ζῴων ⁊ τῶν φυτῶν φτβ1. 822 ᵃ30, 32. 40

καταρροϊκοὶ οἱ περὶ τὰς κριθὰς ἐργαζόμενοι πκα24. 929 ᵇ27. λη10. 967 ᵇ20.

κατάρρυς. κάταρροι γίγνονται ἐκ τῆς κεφαλῆς υ3. 458 ᵃ3. πβ17. 867 ᵇ37. λς2. 965 ᵇ7. ὥρα ⁊ ὑποχωρήσεις ⁊ κατάρροι ὠμοὶ λέγονται μδ3. 380 ᵇ5. περὶ τὺς κατάρρυς ⁊ 45 τὰς μέθας ακ801 ᵃ16. πταρμὸς πρὸ τῶν κατάρρων γίνεται πι54. 897 ᵃ13. κατάρρου τῶν φθισικῶν, τῶν φλεγματωδῶν πε31. 884 ᵃ14. α9. 860 ᵃ31.

καταρροφεῖν πυγ35. 876 ᵃ27.

καταρτᾶν. κατήρτηται ἡ πλάστιγξ μχ20. 853 ᵇ27. πάντα 50 ἀποτεινόμενα κύκλῳ φέρεται, οἷον οἱ ὀιστοὶ ⁊ τὰ καταρτώμενα μγ20. 874 ᵃ18.

κατάρχειν. ἐν χορῷ κορυφαῖς κατάρξαντος κ6. 399 ᵃ15.

κατασβέννυσι σαλαμάνδρα τὸ πῦρ Ζιε19. 552 ᵇ17.

κατασιγάζει ὁ ἄρρην πέρδιξ προσιὼν τὴν θήλειαν Ζιθ8. 614 55 ᵃ20.

κατασιωπᾶν. μὴ ἀναγκάζεσθαι κατασιωπᾶν, ἄν τι βύληται μεταδῦναι τοῖς ἄλλοις Ργ12. 1413 ᵇ7.

κατασκελετεύεται τὸ σπέρμα Ζικ3. 636 ᵃ14.

κατασκευάζειν ἐξ ἀρχῆς πολιτείαν, dist ἐπανορθῶσαι Πδ1. 60 1289 ᵃ4. κατασκευάσαι ἀρχεῖον, δημοκρατίαν, τύραννον

Πδ14. 1298 ᵇ27. ε3. 1303 ᵃ20. 6. 1306 ᵃ1. ἐν ἑκάστῃ ποίμνῃ κατασκευάζωσιν ἡγεμόνα Ζιζ19. 573 ᵇ20. c acc obiecti et praedicati τὸ τῦ ἄρρενος σπέρμα τὴν ἐν τῷ θήλει ὕλην ποιῦν τινα κατασκευάζει Ζγα21. 730 ᵃ15. med κατασκευάσασθαι οἶκον πρεπόντως Ηδ6. 1123 ᵃ6. — πρὸς ἑαυτὸν κατασκευάσαι εὖ τὸν ἀκροατήν, πόθεν σπυδαίως δεῖ κατασκευάζειν ἢ φαύλως Ργ19. 1419ᵇ11, 18. — κατασκευάζειν, opp ἀνασκευάζειν τα5. 102 ᵃ15. β2. 109 ᵇ26, 110 ᵃ15 al. Ρβ24. 1401 ᵇ3. opp ἀναιρεῖν τβ3. 110 ᵇ9, 11. 7. 112 ᵇ29. 8. 113 ᵇ17. 9. 114 ᵃ25, ᵇ17. γ6. 119 ᵃ34, ᵇ22. δ3. 124 ᵃ11 al. Ρβ23. 1397 ᵃ9. opp ἀποστερεῖν Αα28. 44 ᵇ22. τὸ κατασκευαζόμενον ('praedicatum problematis') Αα28. 43 ᵇ40. κατασκευάζειν et ἀνασκευάζειν ὅρον, ἴδιον, γένος, συμβεβηκός, utrum sit facilius τη5. quae sit κατασκευάζειν, quae ἀνασκευάζειν facilius Αα26. 43 ᵃ1-15. τὸ ἀνασκευάζειν τῦ κατασκευάζειν ῥᾷον Αα26. 43 ᵃ15. τη5. 154 ᵇ31. inde de placitis philosophicis (cf ποιεῖν, τίθεσθαι) dicitur κατασκευάζειν ἰδέας, ἀριθμύς, ἕτερόν τι γένος ἀριθμῶν, φύσιν, γένεσιν sim Ηα4. 1096 ᵃ19. ΜΑ4. 984 ᵇ25. 9. 991 ᵇ28. ζ8. 1034 ᵃ3. κ2. 1060 ᵃ18. μ6. 1080 ᵇ18. 8. 1083 ᵇ22. Φα6. 189 ᵃ26. δ8. 216 ᵃ22. θ9. 265ᵇ31. Οβ13. 293 ᵃ24. γ2. 301 ᵃ17 (syn ποιεῖν). δ2. 309 ᵇ31 (syn ποιεῖν). Γα1. 314 ᵇ1. 8. 325 ᵃ26. Πβ6. 1265 ᵃ39. ατ969 ᵃ17. — κατασκευαστέον τβ3. 110 ᵇ34. — κατασκευαστοὶ ἄνδρες οβ1348 ᵃ7.

κατασκεύασμα τῶν συσσιτίων Πβ9. 1271 ᵃ33. τὰ τοιαῦτα κατασκευάσματα Πζ4. 1319 ᵇ20. θ100. 838 ᵇ12.

κατασκευαστικὸς τῶν περιττῶν ὁ ἐλευθέριος αρ5. 1250 ᵇ29. — προβλήματα κατασκευαστικά τβ1. 109 ᵃ3. κατασκευαστικοὶ τόποι τιγ6. 119 ᵃ33. η2. 153 ᵃ2. κατασκευαστικὰ ἐνθυμήματα Ρβ26. 1403 ᵃ25. — κατασκευαστικῶς δείκνυσθαι διὰ σχήματός τινος Αα46. 52 ᵃ31.

κατασκευὴ ἑκάστη κ6. 399 ᵃ30. κατασκευὴ πολλὴ τῶν καλυμένων ἐπίπλων Πβ7. 1267 ᵇ12. περὶ θεὼς κατασκευαὶ ⁊ θυσίαι Ηδ5. 1122 ᵇ20. κατασκευαὶ ἀγαθῶν ⁊ γεννήσεις Πη13. 1332 ᵃ18. περὶ νόμων ⁊ τῆς πολιτικῆς (τῆς κοινῆς) κατασκευῆς ρ3. 1424 ᵃ3-26. — δρώντων πάντων οἰκείως ταῖς σφετέραις κατασκευαῖς κ6. 399 ᵃ24, 399 ᵃ6.

κατασκήπτειν. σκηπτός, κατασκήψας εἰς τὴν γῆν κ4. 395 ᵃ25. ὅταν κατασκήψῃ ἡ ἶρις Ζιε22. 553 ᵇ30. εὐώδη τὰ δένδρα εἰς ἅπερ ἂν ἡ ἶρις κατασκήψῃ πιβ3. 906 ᵃ37.

κατασκοπεῖσθαι, med ἄνθρωπος ὃς ἂν αὐτὸς ἑαυτὸν κατασκοπῆται, syn θεᾶσθαι ημβ15. 1213 ᵃ5, 4, 7.

κατάσκοπος. μὴ λανθάνειν ὅσα πράττει τις, ἀλλ' εἶναι κατασκόπας Πε11. 1313 ᵇ12. ὃ κατεῖπε τῶν κατασκόπων Ργ15. 1416 ᵇ1.

κατασμικρίζειν (τὰ εὐεργετήματα) Ηθ15. 1163 ᵃ14.

κατασμῦσιν οἱ ἱέρακες τὺς ὄρνιθας θ118. 841 ᵇ22, cf καταδιώκειν Ζιι36. 620 ᵇ2.

κατασπᾶν. κινεῖσθαι κατασπώμενον κάτω Οα3. 270 ᵃ9. ὅταν κατασπώμενον ἐκπυρωθῇ τὸ νέφος μγ1. 371 ᵃ15. ὁ δρόμος κατασπᾷ κάτω τὰ περιττώματα πιγ9. 881 ᵇ9. τὸ πλησιάζειν τοῖς ἄρρεσι κατασπᾷ τὴν τῶν γυναικῶν ἀπόκρισιν Ζγγ1. 750 ᵇ35. — κἂν κατασπάσῃ τις τὰς σύριγγας κἂν ἐπιλάβῃ ακ804 ᵃ14. — ὀφρύες κατεσπασμέναι, γαστροκνημία κατεσπασμένη, opp ἀνεσπασμένη Ζια9. 491 ᵇ17. 15. 494 ᵃ9.

κατάσπασις τῦ ἄνωθεν αἰθέρος μβ9. 369 ᵇ20.

κατασπείρειν τὴν γῆν οβ1351 ᵃ20.

καταστασιάζεσθαι κατὰ γάμυς ἢ δίκας Πε6. 1306 ᵃ33. καταστασιασθῆναι ὑπὸ τῶν ἐχθρῶν ρ30. 1437 ᵃ11.

κατάστασις τῶν ἀρχόντων, τῶν ἀρχῶν Πβ6. 1266 ᵃ8. 8. 1268 ᵃ28. δ15. 1299 ᵃ11, 1300 ᵃ7, 9, 32. ημβ12. 1212 ᵃ25. καταστάσεις ἐπιτρόπων f 381. 1541 ᵇ9. εἰς ἐμφανῶν κατάστασιν f 382. 1541 ᵇ27. ἡ ἡδονὴ κατάστασις ἁθρόα χ αἰσθητὴ εἰς τὴν ὑπάρχησαν φύσιν Ρα11. 1369 ᵇ34. ημβ7. 1205 ᵇ6 (syn ἀποκατάστασις ᵇ12). εἰς τὰ εἰωθότα ἐλθεῖν σωτηρία γίνεται ὥσπερ εἰς φύσεως κατάστασιν πκη1. 949 ᵃ32. — ἡ πράυνσις κατάστασις χ ἠρέμησις ὀργῆς ΡΒ3. 1380 ᵃ8. ἠρεμία χ κατάστασις, ἀπαλλαγῆναι τῆς ταραχῆς χ εἰς κατάστασιν ἐλθεῖν Φη3. 247 ᵇ30, 27. μετὰ συννοίας χ καταστάσεως πιθ4. 917 ᵇ39. — κατάστασις i q διάθεσις. προβαίνει ἐναλλὰξ τὸ πορευόμενον, ὅτω γὰρ εἰς ταὐτὸ τῷ ἐξ ἀρχῆς σχήματι γίνεται ἡ κατάστασις Ζπ8. 708 ᵇ19. ἡ πτέρωσις ἐν ταῖς ἀρρωστίαις ὔ τὴν αὐτὴν ἔχει κατάστασιν ἥνπερ ὑγιαινόντων Ζιθ18. 601 ᵇ7. φθαρτικὸν τῆς ἐναντίας καταστάσεως, opp ποιητικὸν τῆς εἰρημένης διαθέσεως Ρα11. 1370 ᵃ2, 1. ἡ τοιαύτη κατάστασις (i e πολιτεία) ὐδὲ δημοκρατία κυρίως Πδ4. 1292 ᵃ35. ἡ αὐτὴ κατάστασις, syn ἡ καθεστηκυῖα πολιτεία Πε1. 1301 ᵇ11, 10. ὅταν τοιαύτης τῆς καταστάσεως ὔσης ἐπιπνεύσῃ ὁ βορέας πκς46. 945 ᵃ39. — ὕτω τὰς καταστάσεις τῶν δημηγοριῶν ποιητέον ρ30. 1438 ᵃ2, cf 1437 ᵇ33.

καταστεγάζειν χόρτῳ τὴν τάφρον Ζιθ20. 603 ᵃ5.

καταστεγοι (κατάστεγνοι ci S Pic) νεοττιαὶ ἀλκυόνος Ζιι14. 616 ᵃ25.

καταστηρίζειν, κατεστηριγμένον, opp ἀβέβαιον χ4. 395 ᵇ16.

καταστίζειν. ᾠὰ κατεστιγμένα Ζιζ2. 559 ᵃ24.

καταστικτος ὁ κνιπολόγος Ζιθ3. 593 ᵃ13.

καταστρέφειν, trans ἀναφέρεται (ὁ πολύπης) κατεστραμμένῳ τῷ ὀστράκῳ Ζιι37. 622 ᵇ8. κέρατα κατεστραμμένα θ1. 830 ᵃ31. metaph λέξις κατεστραμμένη Ργ9, syn ἡ ἐν περιόδοις Ργ9. 1409 ᵃ35, opp εἰρομένη ᵃ23-25. — αἱ κατεστραμμέναι χορδαὶ τὰς φωνὰς ποιῶσι σκληροτέρας, syn κατάτασις τῶν χορδῶν αχ 803 ᵃ28, 32, 37, 47. — intr καταστρέφειν εἰς ταὐτόν πιθ39. 921 ᵃ26. ἕως ἂν εἰς γωνίαν καταστρέψωσιν ἄλλην μχ25. 856 ᵇ17.

καταστροφαί τῶν συμφωνιῶν πιθ39. 921 ᵃ17.

κατασυλλογίζεσθαι, passive, πρὸς τὸ μὴ κατασυλλογίζεσθαι παρατηρητέον Αβ19. 66 ᵃ25.

κατασφραγίζεσθαι τὰς θύρας θ123. 842 ᵃ29.

κατάτασις (κατάστασις codd, cf Did praef XV) τῶν χορδῶν αχ 803 ᵃ37.

κατατείνειν, trans ὁ ἐλέφας τοῖς ποσὶν ἐπιβαίνων κατατείνει ἐπὶ τῆς γῆς τὰς φοίνικας Ζιι1. 610 ᵃ24. — κατατεῖναι χορδήν, στήμονα Ζγε7. 787 ᵇ23, 25. δρόμημα συνεχῶς κατατεταμένον Ζιι44. 629 ᵇ19. φεύγυσι κατατείναντες τὴν κέρκον Ζιι44. 629 ᵇ35. — φλέβες κατατείνονται διὰ τῦ μεσεντερίυ, φλέβες κατατεταμέναι Ζμβ3. 650 ᵃ26. φ6. 812 ᵃ29. (τῶν τρωγλοδυτικῶν) τὰ σκέλη ἐκ τῦ πλαγίυ προσπεφυκότα χ ἐπὶ τῇ γῇ κατατεταμένα Ζπ15. 713 ᵃ19. — intr ὁ λέων τρέχει κατατείνας Ζιι44. 629 ᵃ18. — φλέβες κατατείνουσι πρὸς τὴν τῶν ἐντέρων θέσιν Ζια16. 496 ᵃ1. χαίτη κατατείνυσα βαθεῖα σφόδρα θ1. 830 ᵃ11.

κατατελευτᾶν. ὁ πόρος κατατελευτᾷ εἰς τὰς νεφρὰς Ζμγ9. 671 ᵇ13.

κατατέμνειν. Ἱππόδαμος ὃς τὸν Πειραιᾶ κατέτεμεν Πβ8. 1267 ᵇ23.

κατατεφρῦν. (φέψαλος) τὴν Λιπαραίαν πόλιν κατετέφρωσε μβ8. 367 ᵃ7.

κατατήκει ὁ χρόνος Φδ12. 221 ᵃ31.

κατατοκιζόμενοι γίγνονται πένητες Πε12. 1316 ᵇ16.

κατατρέχειν. λῃσταὶ καταδραμόντες εἰς τὸ χωρίον f 66. 1486 ᵇ44.

κατατρίβειν. ὁ σταλαγμὸς κατατρίβει Φθ3. 253 ᵇ15. ταχὺ ἂν κατετρίβοντο οἱ ὀδόντες Ζγβ6. 745 ᵃ28. — κατατρίβειν τὰς ἡμέρας περὶ τῶν τυχόντων Ηγ13. 1117 ᵇ35. cf f 72. 1488 ᵃ3.

κατατρώγειν. προσφερόμενον χ κατατρωγόμενον τὸ ἀνάρρινον δακρύειν ποιεῖ πκ22. 925 ᵃ31.

κατατυγχάνειν Πη11. 1330 ᵃ37 (?).

καταφάναι. οἷς ἀληθεύει ἡ ψυχὴ τῷ καταφάναι ἢ ἀποφάναι Ηζ3. 1139 ᵇ15. εἰ κατὰ παντός τι ἢ καταφήσει ἢ ἀποφήσαι ἐνδέχεται, εἰ μηθὲν ἔστιν ἀληθῶς καταφῆσαι Μγ4. 1007 ᵇ21. x5. 1062 ᵇ7. ἀδύνατον ἅμα καταφάναι χ ἀποφάναι ἀληθῶς Μγ6. 1011 ᵇ20. β1. 995 ᵇ10. ὂ διὰ τὸ καταφαθῆναι ἢ ἀποφαθῆναι ἔσται ἢ ὐκ ἔσται ε9. 18 ᵇ39. — οἷον καταφᾶσα ἢ ἀποφᾶσα ἡ ψυχὴ διώκει χ φεύγει ψγ7. 431 ᵃ9.

καταφανής. γίγνεταί τι καταφανές, ποιεῖν τι καταφανὲς μγ4. 375 ᵃ22. ρ2. 1422 ᵇ19, ᵃ35. πκθ14. 952 ᵇ5. καταφανὲς ἔσται πότερον ... ἤ τβ2. 109 ᵇ39 (cf κατάδηλον ᵇ2). ἐξ αὐτῶν καταφανές ἐστι ὅτι τα2. 101 ᵃ29. ὑπερβάλλων μᾶλλον καταφανής ἐστι Ηγ10. 1116 ᵃ2. τί ἐστι, καταφανέστερον ἂν γένοιτ' ἀπ' ἀρχῆς ἀναλαβῶσιν Ηx3. 1174 ᵃ13. μάλιστα καταφανὲς τὸ νῦν ῥηθὲν ἐπὶ τῶν ὑγιεινῶν τζ13. 150 ᵇ10. καταφανὲς (sc ἐστὶν) ὅτι φ4. 808 ᵇ15, 20.

κατάφασις. τῇ πρὸς ἄλληλα συμπλοκῇ κατάφασις ἢ ἀπόφασις γίνεται Κ4. 2 ᵃ5 (κατάφασις, dist et syn φάσις, ν φάσις). ἄνευ ῥήματος ὐδεμία κατάφασις ε10. 19 ᵇ12. ἡ κατάφασις λόγος ἐστὶ καταφατικὸς Κ10. 12 ᵇ7. ἡ κατάφασις ἀπόφανσις τινος κατὰ τινος ε6. 17 ᵃ25. 10. 19 ᵇ5. Αγ2. 72 ᵃ13. ἐν δεῖ εἶναι χ καθ' ἑνὸς τὸ ἐν τῇ καταφάσει ε10. 19 ᵇ6. μία ἀπόφασις μιᾶς καταφάσεως ε7. 17 ᵇ38. κατάφασις προτέρα ἀποφάσεως ἢ ἀπόφασις ἢ κατάφασις γνωρίμω ε5. 17 ᵃ8, 9 Wz. Αα5. 86 ᵇ35. Οβ3. 286 ᵃ26. ἀντίκεισθαι ὡς κατάφασις χ ἀπόφασις Κ10. 11 ᵇ19. ἀποφάσεις χ καταφάσεις αἱ ἀντικείμεναι Αα13. 32 ᵃ22. ὅσα ὡς κατάφασις χ ἀπόφασις ἀντίκειται, ἀεὶ θάτερον αὐτῶν ἀληθὲς ἢ ψεῦδος Κ10. 13 ᵃ37-ᵇ35. 4. 2 ᵃ8. Μγ4. 1008 ᵃ34, 9. — ὅπερ ἐν διανοίᾳ κατάφασις χ ἀπόφασις, τῦτ' ἐν ὀρέξει δίωξις χ φυγὴ Ηζ2. 1139 ᵇ21.

καταφατικὸς λόγος, opp ἀποφατικὸς Κ10. 12 ᵇ8. Αα1. 24 ᵃ16. πρότασις καταφατική, opp ἀποφατικὴ, στερητικὴ Αα2. 25 ᵃ3. 5. 27 ᵇ12. γ25. 86 ᵇ33 al. et (quia ὅρος deflectitur ad significationem προτάσεως, ν 8 ὅρος) ὅροι καταφατικοί, opp ἀποφατικοί, στερητικοὶ Αα26. 28 ᵇ1, 2, ᵃ39 al. σχῆμα καταφατικόν (earum προτάσεων, quarum forma affirmativa, vis negativa) Αα3. 25 ᵇ20. 13. 32 ᵃ32. — καταφατικῶς λέγεσθαι Αβ15. 64 ᵇ15.

καταφέρειν. καταφέρωσιν οἱ ποταμοὶ χρυσίον, γῆν, τροφὴν πολλὴν θ46. 833 ᵇ17. πκγ33. 935 ᵃ16. Ζιθ19. 601 ᵇ19. — καταφέρειν τὰς τόκας ο1348 ᵃ2, ᵇ31. — τὴν διαβολὴν ψευδῶς ἡμῶν κατήνεγκεν ρ30. 1447 ᵃ2. — pass καταφέρονται μεγάλαι ψακάδες, καταφέρεται ὕδωρ, ἀτμίς, ἀναθυμίασις sim μα12. 348 ᵃ11. 10. 347 ᵃ15. β3. 358 ᵇ3. 9. 369 ᵇ15. ιν3. 462 ᵇ7. φάρμακον ταχὺ πρὶν ταράξαι καταφέρεται εἰς τὴν κύστιν πα43. 864 ᵇ23. ἁλίεται ὔ δυνάμενοι ὑπὸ τῶν βυθῶν Ζιι32. 619 ᵃ7. χελῶναι καταφέρονται (εἰς τὴν θάλατταν), opp ἐπιπολάζυσιν Ζιθ2. 590 ᵇ8. ἡλίυ καταφερομένυ, opp αἰρομένυ, ἀνατέλλοντος μγ2. 372 ᵃ13. Ζιι39. 623 ᵃ21. ε19. 552 ᵇ21. — διὰ τὰ ἀπὸ τῆς ὄψεως καταφερόμενα ὁρᾶν (ποιεῖ ἡ σωζομένη ἐν τῷ ὕπνῳ τῦ αἰσθητηρίυ κίνησις) εν3. 461 ᵃ28. —

καταφέρεσθαι, syn καθεύδειν, νυστάζειν, opp ἐγείρεσθαι υ 3. 456ᵇ31. εν 3. 462ᵃ10. Ζγ ε 1. 779 ᵃ9.

καταφεύγειν ἐπὶ τὸν δικαστήν, ἐπὶ τὰς τοιαύτας διαγωγάς Ηε 7. 1132 ᵃ20. κ 6. 1176 ᵇ12. ἐπὶ τὸν λόγον καταφεύγοντες οἴονται φιλοσοφεῖν Ηβ 3. 1105 ᵇ13. καταφεύγειν εἰς ὅρ- 5 κον, εἰς ἀτύχημα, καταφευκτέον ἐπὶ τὰς ἀτυχίας ρ 18. 1432 ᵃ38. 37. 1444 ᵃ8. 8. 1429 ᵃ14.

καταφιέναι. λέβητα καταφέντες (εἰς τὴν θάλατταν) πλβ 5. 960 ᵇ32.

καταφιλεῖν τὰς παῖδας ἐν τοῖς συμποσίοις f 512. 1561 ᵇ40. 10

καταφλέγειν. πυρκαϊαὶ ἐπὶ Φαέθοντος τὰ πρὸς ἔω μέρη κατέφλεξαν κ 6. 400 ᵃ31.

καταφορά. νιφετὸς βρῖθος εἰς καταφορὰν ταχυτέραν λαβών κ 4. 394 ᵇ3.

κατάφορος. τὸ κατάφορον τῆς θαλάττης, opp τὸ γαληνίζον 15 πκγ 41. 936 ᵃ6.

καταφρονεῖν, opp φθονεῖν, ζηλῶν Πδ 11. 1295 ᵇ23. Ρβ 11. 1388 ᵇ24. — καταφρονεῖν τινός, τῶν φοβερῶν, τῆς ἀταξίας al Ηβ 2. 1104 ᵇ1. Πε 3. 1302 ᵇ28. 7. 1307 ᵇ9 al. καταφρονεῖν absolute, περὶ τῆς μαντικῆς ὔτε καταφρονῆσαι 20 ῥᾴδιον ὔτε πεισθῆναι μτ 1. 462 ᵇ13.

καταφρόνησις, εἶδός τι ὀλιγωρίας Ρβ 2. 1378 ᵇ14. opp ζῆλος Ρβ 11. 1388 ᵇ23. διὰ καταφρόνησιν στασιάζυσι χ̀ ἐπιτίθενται Πε 2. 1302 ᵇ2. 3. 1302 ᵇ25-33. 10. 1312 ᵃ1-14.

καταφρονητικός Ρβ 11. 1388 ᵇ25. δόξης ηεγ 5. 1232 ᵃ39, 25 ᵇ16. ἦθος καταφρονητικόν Ρβ 15. 1390 ᵇ19. καταφρονητικὸν ἡ εἰρωνεία Ρβ 2. 1379 ᵇ31.

καταφυγὴ τῦτο τὸ χωρίον ἐλάφοις Ζιζ 29. 578 ᵇ21. καταφυγὴ μόνη οἱ φίλοι Ηθ 1. 1155 ᵃ12.

καταφυσᾶν. ὁ ἄρρην (τῇ θηλείᾳ σηπίᾳ) καταφυσᾷ τὸν θο- 30 λόν Ζιε 12. 544 ᵃ4. — καταφυσῶσι τὸ σμῆνος οἴνῳ γλυκεῖ οἱ μελιττυργοί Ζυ 40. 627 ᵇ15.

καταχαρίζεσθαι πολλὰ τῶν κοινῶν Πβ 9. 1271 ᵇ3.

καταχεῖν. καταχεόμενος ἀὴρ κάτω πια 5. 904 ᵃ36. ὅταν τακεὶς ὁ μόλυβδος εἰς ὕδωρ καταχυθῇ f 248. 1524 ᵃ31. — 35 λήθην καταχεῖσθαι τῷ πληγέντος ὑπὸ ὕδρυ χ̀ ἀχλὺν κατὰ τῶν ὀμμάτων πολλήν f 327. 1532 ᵇ20.

καταχρῆσθαι. Ἀναξαγόρας κατακέχρηται τῷ ὀνόματι τύτῳ (αἰθήρ) ἒ καλῶς Οα 3. 270 ᵇ24. καταχρῆται ἡ φύσις ἐν παρέργῳ τῇ διὰ τῶν μυκτήρων ἀναπνοῇ πρὸς τὴν ὄσφρησιν 40 sim αν 7. 473 ᵃ23. Ζμγ 2. 663 ᵇ23 (κατακέχρηται). 14. 674 ᵇ3. 2. 677 ᵃ15. cf Ζγβ 4. 738 ᵇ1, ᵃ33. κατακέχρηται ἡ φύσις τῇ ἀναπνοῇ ἐπὶ δύο sim αι 5. 444 ᵃ25. ψβ 8. 420 ᵇ17. Ζμβ 16. 659 ᵇ35, ᵃ34. γ 9. 671 ᵇ1. δ 10. 689 ᵃ5. ἡ φύσις καταχρῆται (sc τῇ περιττώσει) πρὸς τὸν τόπον τῦτον 45 τῆς γενέσεως χάριν Ζγβ 4. 738 ᵇ1. c acc τὴν περιττωματικὴν ὑπερβολὴν ἐπὶ βοήθειαν χ̀ τὸ συμφέρον καταχρῆται ἡ φύσις Ζμγ 2. 663 ᵇ33.

καταχρίειν. αἱ μέλιτται τροφὴν τοῖς νεοττοῖς πάραθεῖσαι καταχρίνσιν Ζυ 40. 625 ᵇ31. 50

καταψεύδεσθαι ῥᾳδίως Ρα 15. 1377 ᵃ5. c gen personae ρ 17. 1432 ᵃ22. 19. 1433 ᵇ3. c gen rei πκθ 3. 950 ᵇ6.

καταψηφίσασθαι τῦ μὴ ἀδικῦντος ὡς ἀδικεῖ πκθ 13. 951 ᵇ2. καταψηφίσασθαι ἐκείνων (i e τῦ παντός, τῦ διόλυ) διὰ ταῦτα (i e διὰ τὸν περὶ ἡμᾶς αἰσθητὸν τόπον), opp ἀπο- 55 ψηφίσασθαι Μγ 5. 1010 ᵃ32. — decernere. ἀπουηφιζόμενον κύριον δεῖ ποιεῖν τὸ πλῆθος, καταψηφιζόμενον δὲ μὴ κύριον Πδ 14. 1298 ᵇ39. αὐτοὶ καταψηφισάμενοι (apud animum statuentes) συλλογίζονται χ̀ ὡς εἰρηκότος (sc τῦ ποιητῦ) ὅ τι (εἰρηκότες ὅτι Bk) δοκεῖ ἐπιτιμῶσιν πο 25. 60 1461 ᵇ2, Vhl Poet IV 423.

καταψυκτικός. τὸ πρῶτον καταψυκτικὸν μόριον αν 18. 479 ᵃ31.

κατάψυξις, διάθεσίς τις Κ 8. 8 ᵇ36, στέρησις θερμότητος τζ 3. 141 ᵃ10. ἀνάγκη γίνεσθαι κατάψυξιν, εἰ μέλλει τεύξεσθαι σωτηρίας τὸ ζῷον αν 8. 474 ᵇ23. τὰ ἀναπνέοντα τὸν ἀέρα καταψύξεως χάριν Ζιβ 2. 589 ᵇ15. διὰ τὴν ἀναπνοὴν χ̀ τὴν κατάψυξιν καλεῖσθαι ψυχὴν ψα 2. 405 ᵇ29. τῆς τῦ πνεύματος ἀρχὴ χ̀ ὅλως ἡ τῆς καταψύξεώς ἐστιν ἐνταῦθα (ἐν τῇ καρδίᾳ) υ 2. 456 ᵃ7. ἡ τροφὴ εἰσιῦσα ποιεῖ κατάψυξιν ζ 6. 470 ᵃ23. κατάψυξις περιττωματικὴ χ̀ συντηκτική αν 20. 479 ᵇ20. καταψύξις τις ὁ φόβος, τὸ γῆρας Ζμδ 11. 692 ᵃ23. Ρβ 13. 1389 ᵇ32. πλ 1. 955 ᵃ18.

καταψύχειν, trans ὕδωρ καταψύχει τὴν ξηρὰν ἀναθυμίασιν μβ 4. 361 ᵃ2. cf 8. 368 ᵇ34. καταψυγμένος χ̀ σκληρὸς ἤδη σίδηρος ακ 803 ᵃ1. — ὁ ἐγκέφαλος καταψύχει Ζμβ 7. 653 12. 10. 656 ᵃ22. τὸ ἀναπνεῖν τε χ̀ τῷ ὑγρῷ καταψύχεσθαι πρὸς σωτηρίαν υ 2. 456 ᵃ9. μάλιστα τῶν ἄλλων ζῴων ἄνθρωπος ἔχει καταψυγμένα τὰ ἀριστερά Ζμγ 4. 666 ᵇ9. καταψυγῆναι ἔξωθεν, τὰ ἔξω κατεψυγμένα πι 54. 897 ᵃ22. ιδ 3. 909 ᵃ20. κγ 34. 935 ᵃ28. τὰ ἔντομα, πλὴν ὅσα λίαν κατέψυκται ἢ διὰ μικρότητα ταχὺ καταψύχεται Ζιδ 7. 531 ᵇ31, 32. τῆς μήτρας κατεψυγμένης ἒ γίνεται σύλληψις f 259. 1525 ᵇ32. κατεψυγμένοι εἰσὶν οἱ πρεσβύτεροι, ὑπὸ θερμός, διάθερμος Ρβ 13. 1389 ᵇ30. 12. 1389 ᵃ19. προλελυπημένος χ̀ κατεψυγμένος, opp ὀργᾶν Ζικ 5. 636 ᵇ22. νήφυσι διὰ τὸ κατεψῦχθαι πιδ 15. 909 ᵃ32. καταψύχει ὁ ἀφροδισιασμὸς Ζγε 3. 783 ᵇ29. ὁ φόβος καταψύχει Ζμβ 4. 650 ᵇ28. πλ 1. 954 ᵇ13. κζ 9. 948 ᵇ23. ιδ 8. 909 ᵇ13, 12. 10. 909 ᵇ38. — intr τὸν κύνα ἀναγνωρίσαντα χ̀ ἡσθέντα καταψῦξαι f 169. 1506 ᵃ40.

κατεάσσεται ξύλον ῥᾷον περὶ τὸ γόνυ μχ 14. 852 ᵇ22.

κατέδον. κατέδον (Hom Ζ 202) πλ 1. 953 ᵃ25. τί γὰρ ἄτοπον ὑπὸ ὄφεως στρωθὲν κατέδεσθαι f 140. 1501 ᵇ41.

κατειλημένον ἐντὸς τὸ θερμόν πβ 29. 869 ᵃ21.

κατειπεῖν Ρβ 5. 1382 ᵇ7, τινὸς Ργ 15. 1416 ᵇ3.

κατελεῦντες Ζυ 48. 631 ᵃ19.

κατεπείγειν τινὰ Ζμβ 13. 657 ᵇ29. c inf ὁ ἥλιος κατεπείγει ξηραίνεσθαι τὰς σήψεις φτβ 4. 825 ᵇ16.

κατεπιορκήσαντας (Gorg f 15) Ργ 3. 1406 ᵃ1 ci Lob ad Phryn p 361, κατευορκήσαντας Bk.

κατεργάζεσθαι ῥᾳδίως (perficere aliquid in re publica), εἰ μόνον βυληθεῖεν Πε 10. 1310 ᵇ24. — κατεργάζεσθαι τὴν τροφήν ζ 4. 469 ᵃ31. Ζιβ 5. 501 ᵇ30. πν 4. 482 ᵇ16. — pass ὑπάρχει τι ὑπ' αὐτῦ κατεργασθέν ρ 4. 1426 ᵃ5. τροφὴ κατειργασμένη, opp ἀκατέργαστος Ζμγ 14. 674 ᵇ12. β 3. 650 ᵃ21. κατειργασθαι τὸν κόπρον Ζιε 19. 552 ᵃ24.

κατεργασία. βέλτισται τῶν χορδῶν αἱ τὴν κατεργασίαν ἔχυσι πάντοθεν ὁμοίαν ακ 802 ᵇ15. ἐν τῇ τῶν κεγχραμίδων κατεργασίᾳ πονῦσι ταχέως οἱ ὀδόντες πκβ 14. 931 ᵃ32. ἡ κατεργασία τῆς τροφῆς Ζμγ 14. 675 ᵇ5. cf ἐργασία.

κατέρχεσθαι ἄνωθεν ὕδωρ μβ 3. 358 ᵇ26. ἕως ἂν ἐκβήξῃ τὸ κατελθὸν Ζιαα 16. 495 ᵇ19. εὐανξής ὁ περίδρομος τῶν ταρσῶν χ̀ κάτω κατεληλυθὼς φ 3. 808 ᵃ24. — οἱ ἐκπίπτοντες χ̀ κατελθόντες (ex exilio) Πε 5. 1304 ᵇ34.

κατεσθίειν. οἱ γόγγροι κατεσθίυσι τὰς πολυπόδας Ζιβ 2. 590 ᵇ28. κόκκυξ καταφαγὼν τὰ ᾠὰ Ζιζ 7. 563 ᵇ31, 32. κατεσθίεσθαι ὑπὸ ἱέρακος, ἰχθύων al Ζιζ 7. 563 ᵇ28. 14. 568 ᵇ17. θ 28. 607 ᵃ7. ὀστᾶ ὑπ' ὄφεων κατεδηδεσμένα Ζιθ 28. 606 ᵇ12.

κατευθύνειν τὴν πτῆσιν Ζπ 10. 710 ᵃ2, 15. ὁ ἐλεφαντιστὴς ἐπιπηδήσας κατευθύνει (τὸν ἐλέφαντα) τῷ δρεπάνῳ Ζιι 1. 610 ᵃ28. ὁ κατευθύνων ταύτην τὴν ναῦν f 13. 1476 ᵃ25.

κατευορκήσαντας (Gorg fr 15) Ργ3. 1406 ᵃ1, κατεπιορκήσαντας ci Lob ad Phryn p 361.

κατευτυχῆσαι ηεη14. 1247 ᵇ31. οἱ κατευτυχηκότες πολλάκις ηεη1. 1229 ᵃ19.

κατέχειν. 1. trans. obtinere. ὃν τόπον κατέχει ἡ θάλασσα 5 μβ2. 355 ᵇ2. καθέξει χώραν στιγμῆς ψα4. 409 ᵃ23. κατέχειν χώραν καλῶν κἀγαθῶν, μέρος ἐν τῶν ἐργασιῶν Πδ8. 1294 ᵃ18. γ4. 1277 ᵃ38. πρῶτοι κατασχόντες τὰς οἰκίας Πδ4. 1290 ᵇ13. νομίζοντες ῥᾳδίως κατασχήσειν (fore ut obtinerent, perficerent id quod susceperant) Πε7. 1307 ᵇ10. 10 ἂν μὴ μέλλῃ κατασχήσειν τὴν πρᾶξιν Πε10. 1312 ᵃ33. κατέχειν τὴν πολιτείαν Πε4. 1304 ᵇ12, 15. κατέχεσθαι ὑπὸ τῶν ἀραχνίων Ζιε19. 552 ᵇ25. κατέχεσθαι τῷ πεινῆν, ἐπιθυμίᾳ Ζιθ6. 595 ᵃ15. φτα1. 815 ᵃ36. — δεῖ μάλιστα κατέχειν ϰ προχείρως ἔχειν τὰς ἐπικαιροτάτας τῶν τόπων τη4. 15 154 ᵃ14. θ14. 163 ᵇ23.— retinere, κατέχειν τὸ πνεῦμα, opp ἀναπνεῖν, ἐκπνεῖν ψβ8. 421 ᵃ3. 9. 421 ᵇ15. αν4. 472 ᵃ34. πβ1. 866 ᵇ9. Ζιη9. 587 ᵃ3. ι48. 631 ᵃ26. Ζγα6. 718 ᵃ3. β4. 737 ᵇ36. κατασχὼν τὸ στόμα αν9. 475 ᵃ13. κατέχει τὸ ᾠὸν ϰ ὃ τίκτει Ζιζ2. 560 ᵇ22, 24. κατέχειν τὴν ὀργήν, 20 τὸν θυμὸν Ηδ11. 1126 ᵃ16, 20. κατέχουσι λογισμῷ τὴν ἐπιθυμίαν αρ2. 1250 ᵃ10. 5. 1250 ᵇ12. τὰς τῶν ἐπιστημῶν μὴ πάνυ κατέχοντας ἀλλ' εὐκινήτως ὄντας Κ8. 9 ᵃ6. pass κατείχετο ὁ ἀὴρ ϰ ἠρέμει μβ8. 367 ᵇ30. κατέχεσθαι ἵππους νυμφιῶντας Ζιθ24. 604 ᵇ10. κατεχόμενος ὑπὸ πολέμου Πε10. 25 1311 ᵇ12. ἡ δόξα, τὸ ἐπικρίνον κατέχεται εν1. 459 ᵃ7. 3. 461 ᵇ6. — 2. intr κατείχεν (i q κατεῖχεν ἑαυτὸν) ἐπιθυμῶν Ηη6. 1149 ᵃ14. ἐὰν τὸ λοιπὸν δύνωνται κατέχειν (i e διάγειν, διατελεῖν) ἐπικαθήμεναι Ζιι40. 625 ᵃ8. — ἐν τῷ κόλπῳ ὁ βορέας κατεῖχεν, ἔξω δὲ νότος ἔπνευσε μέγας μα7. 30 345 ᵃ1. β4. 360 ᵇ33. λαιμὸν κατασχόντος f 454. 1552 ᵇ13, 24. — τὸ δέρμα κατέχει εἰς ἑπτάκλινον ἀποτάθεν Ζιι45. 630 ᵃ22. — med κατέσχετο πρόσωπα (Hom τ 361) Ργ16. 1417 ᵇ5.

κατηγορεῖν. 1. accusare. ὅπως μὴ δοκῶμεν ἀπόντων κενὴν κατηγορεῖν αν1. 470 ᵇ12. ὅταν κατηγορῇ τις τῶν νῦν ὑπαρ- 35 χόντων ἐν ταῖς πολιτείαις κακῶν Πβ5. 1263 ᵇ18. ὅταν εἰς πονηρίαν κατηγορῇ ρ5. 1426 ᵇ10. τὸ πρᾶγμα περὶ οὗ κατηγορήσομεν ἢ ἀπολογησόμεθα ρ37. 1441 ᵇ33. ἀδικημάτων κατηγορηθέντων ἢ καθυποπτευθέντων διάλυσις ρ5. 1426 ᵇ27. — 2. praedicare, sensu logico. a. constructio verbi. fre- 40 quentissime dicitur κατηγορεῖν, κατηγορεῖσθαί τινος veluti Κ5. 2 ᵃ19 Wz, 32, 3 ᵃ16, 28. vel κατὰ τινος veluti Κ5. 2 ᵃ37, ᵇ16, 20, 3 ᵃ3, 18. Μβ3. 999 ᵃ21. δ26. 1023 ᵇ31, rarius περὶ τινος τζ3. 140 ᵇ37 (cf κατὰ τινος 141 ᵃ2), ἐπί τινος Μβ3. 998 ᵇ16, 25, 999 ᵃ15. ζ1. 1040 ᵃ24, 26, ἐπί 45 τινι τιζ2. 179 ᵃ8. τὸ κοινῇ κατηγορούμενον τζ3. 179 ᵇ8. ηεα8. 1218 ᵃ7. cf εἴ τι κοινῶς κατηγοροῖτο (syn καθόλε) ψα1. 402 ᵇ8. κατηγορεῖν intransitive i q κατηγόρημα εἶναι, unde κατηγορεῖσθαι i q ὑποκείμενον εἶναι Αα32. 47 ᵇ1 (Wz ad h l) et fort Αγ22. 83 ᵇ1. 4. 73 ᵇ17 (aliter Wz). — 50 b. notio logica. κατηγορεῖν παντὸς (κατὰ πάντων), κατὰ μηδενὸς def Αα1. 24 ᵇ28. κατηγορεῖσθαι κατὰ παντός, syn ἐν ὅλῳ εἶναι Αα4. 25 ᵇ33, coll 38 (Steinthal Gesch p 197 sq). κατηγορεῖσθαι κατὰ τινος, syn λέγεσθαι κατὰ τινος Αα1. 24 ᵇ28, coll 30, syn καθ' ὑποκειμένου λέγεται Αα27. 43 ᵃ26, 55 coll Κ2. 1 ᵇ3 (minus accurate τὸ κατηγορούμενον i q τὸ ἐν ὑποκειμένῳ τε4. 132 ᵇ22 Wz), syn ἕπεσθαί τινι Αβ3. 56 ᵃ20, 27, 39, coll 13, 26, 40. α27. 43 ᵇ17, coll γ12. 77 ᵇ30. syn ἀκολουθεῖν Αα27. 43 ᵇ4, coll 5, syn ὑπάρχειν τινί Αα4. 26 ᵃ23, coll ᵃ24. κατηγορεῖσθαι, coni περιέχειν Μδ26. 1023 ᵇ31. — τὸ 60 κατηγορούμενον, opp τὸ καθ' οὗ κατηγορεῖται sive τὸ ὑποκεί
V.

μενον Αα1. 24 ᵇ17. Κ3. 1 ᵇ10. — ὅσα κατὰ τῇ κατηγορεμένῃ λέγεται, πάντα ϰ κατὰ τῇ ὑποκειμένῳ ῥηθήσεται Κ3. 1 ᵇ10, 23. 5. 3 ᵇ4. in propositionibus universalibus affirmativis τὸ κατηγορούμενον ᾧ λέγεται πᾶν Αγ12. 77 ᵇ30. — κατηγορεῖν i q καταφατικῶς κατηγορεῖν, opp ἀπαρνεῖσθαι Αα23. 41 ᵃ8, 10. — c. distinctiones metaphysicae. τὸ κατηγορούμενον τινῶν πλειόνων ἀληθῶς ϰ ἐστιν ἄλλο παρὰ τὰ ὧν κατηγορεῖται κεχωρισμένον αὐτῶν (Plat) f 183. 1509 ᵇ16. — κατηγορεῖσθαι ἐν τῷ τί ἐστι τα5. 102 ᵃ32 (cf syn λέγεσθαι, λαμβάνεσθαι, τίθεσθαι, ὑπάρχειν, ἐνυπάρχειν ἐν τῷ τί ἐστι Αδ4. 91 ᵃ19. 5. 91 ᵇ28. τε3. 132 ᵃ10. Αγ4. 73 ᵃ34. 22. 84 ᵃ13, cf τί ἐστι et Steinthal Gesch p 217 sq, 228). συνωνύμως τὰ γένη τῶν εἰδῶν κατηγορεῖται, dist παρωνύμως τβ2. 109 ᵇ6, 5. ὁ λόγος ὁ τῇ ἀνθρώπῳ κατὰ τῇ τινος ἀνθρώπῳ κατηγορηθήσεται Κ5. 2 ᵃ25. inde distinguuntur ὅσα κατὰ μηδενὸς ἄλλε κατηγορεῖται ἀληθῶς καθόλε, καθ' ὧν ἄλλα πρότερον ϰ κατηγορεῖται, ὅσα κατ' ἄλλων ϰ ἄλλα κατ' αὐτῶν κατηγορεῖται Αα27. 43 ᵃ25. cf Κ2. 1 ᵃ20. πρότερον κατηγορεῖσθαί τινος (i e κατηγορεῖσθαι ὡς πρότερον τῷ λόγῳ ὄν?) Αα27. 43 ᵃ30 (Wz?). γ22. 83 ᵇ31. ὃ πρῶτόν (i q πρῶτε sive πρώτως) τι κατηγορεῖται, ὃ ἀκέτι κατ' ἄλλα πρότερα κατηγορεῖται Αγ22. 83 ᵇ29, 31. aliter ληπτέον ὃ τῇ Β πρῶτον (i e ut μέσον non intercedat) κατηγορεῖται Αγ23. 84 ᵇ32. — κατηγορεῖσθαι ὡς συμβεβηκός, opp κ. ἐν τῷ τί ἐστι τὸ 1. 120 ᵇ21. (κατηγορεῖν etiam tum usurpatur ubi non et subiectum et praedicatum casu nominativo pronunciatur Αα38. 49 ᵃ16, 33 Wz.) — κατηγορεῖσθαι κατὰ συμβεβηκός substantia de accidentibus Αα27. 43 ᵃ34. γ19. 81 ᵇ24 (Alex ad h l). 22. 83 ᵃ15. (quid sit κατηγορεῖσθαι κατὰ δόξαν Αα27. 43 ᵃ39 dubium est, cf Schol.) τὸ κατὰ συμβεβηκὸς κατηγορεῖν non est κατηγορεῖν proprio sensu, ἁπλῶς Αγ22. 83 ᵃ15. inde fit ut κατηγορούμενον idem sit ac τὸ ἐν ὑποκειμένῳ ὄν τε4. 132 ᵇ22 Wz. τὰ μὲν ἄλλα τῆς ἐσίας κατηγορεῖται, αὕτη δὲ τῆς ὕλης Μζ3. 1029 ᵃ23. τὸ εἶδος, τὸ τόδε τι, ἡ ἐνέργεια κατηγορεῖται τῆς ὕλης Μθ7. 1049 ᵃ35. χρ2. 1043 ᵃ6. κατηγορεῖσθαι ϰ διαφορὰν εἶναι τῆς ὐσίας ϰ τῆς ὕλης ΜΑ9. 992 ᵇ3. διὰ τὸ μηδενὸς ὑποκειμένῳ κατηγορεῖσθαι τὴν ἐσίαν μκ3. 465 ᵇ7. τὰ κατηγορούμενα i e categoriae τί ἐστι, ποσὸν etc. Μδ7. 1017 ᵃ25. ζ1. 1028 ᵃ13. 4. 1030 ᵃ20. λ4. 1070 ᵇ1.

κατηγόρημα, praedicatum ε11. 20 ᵇ32. τιζ.169 ᵇ5 (cf Simpl in Cat f 36 ἢ μὲν λέξις κατηγορία λέγεται, ὡς κατὰ τῇ πράγματος ἀγορευμένη, τὸ δὲ πρᾶγμα κατηγόρημα). ἐδ' αὐτὸ τῇτο ἐσίαν ὡς ἕν τι παρὰ τὰ πολλὰ δυνατὸν εἶναι, ἀλλ' ἢ κατηγόρημα μόνον Μι2. 1053 ᵇ19. — i q categoria Φγ1. 201 ᵃ1. Μζ1. 1028 ᵃ33.

κατηγορητικὸν εἴδος τῶν πολιτικῶν λόγων, opp ἀπολογητικόν ρ2. 1421 ᵇ10 (κατηγορικὸν Spgl).

κατηγορία. 1. accusatio, opp ἀπολογία. δίκης τὸ μὲν κατηγορία τὸ δ' ἀπολογία Ρα3. 1358 ᵇ11. περὶ κατηγορίας ϰ ἀπολογίας Ρα10-14. — 2. categoria sensu philosophico, praedicatum propositionis. τὸ συμβεβηκὸς καθ' ὑποκειμένε σημαίνει τὴν κατηγορίαν Μγ4. 1007 ᵃ35. ἀπ' ὐδενὸς γένες παρωνύμως ἡ κατηγορία κατὰ τῇ εἴδει λέγεται τβ2. 109 ᵇ5. τὸ μέσον πρὸς ἑκάτερον ἔχει πως τὰς κατηγορίας, συναλφεῖ τὴν κατηγορίαν Αα23. 41 ᵃ4, 12. ἀνάγκη ἵστασθαι τὰς κατηγορίας Αγ22. 84 ᵃ1. κατηγορίαι ε11. 21 ᵃ29. ἐσία ἑκάστε ἐπὶ ταῖς ἀτόμοις ἔσχατος τοιαύτη κατηγορία Αδ13. 96 ᵇ12. κατηγορία, dist συμβεβηκὸς Αγ19. 82 ᵃ20. ἡ καθ' ϰ κατὰ μέρος κατηγορία Αα28. 44 ᵃ34. — actio praedicandi ἡ κατηγορία γίνεται ἅπαξ τζ3. 141 ᵃ4. —

ratio praedicandi, ἐπισκέψασθαι δεῖ ⰍⰍ τὰς ἄλλας κατηγορίας Αα24. 41 ᵇ31. 29. 45 ᵇ34. τὸ ἀνάπαλιν τῇ κατηγορίᾳ Αβ5. 57 ᵇ19. κατηγορία i q καταφατικὴ κατηγορία, opp στέρησις Αα46. 52 ᵃ15. τὸ θερμὸν κατηγορία τις ⰍⰍ εἶδος, ἡ δὲ ψυχρότης στέρησις Γα3. 318 ᵇ17. — extra proposi- 5 tionem logicam κατηγορία est notio vel significatio quae cogitatur nomine aliquo usurpato (Bz Kateg p 621. Steinthal Gesch p 202) τι31. 181 ᵇ27. Φβ1. 192 ᵇ17. Ζμα1. 639 ᵃ30. Μγ2. 1004 ᵃ29 Bz (cf Prantl Log I 194). ζ1. 1028 ᵃ28. θ3. 1047 ᵃ34. τὰ γένη τῶν κατὰ τὔνομα κατηγο- 10 ριῶν τα15. 107 ᵃ3 (cf ᵃ18). ἐν τῇ αὐτῇ συστοιχίᾳ τῆς κατηγορίας, τὸ αὐτὸ σχῆμα τῆς κατηγορίας Μι3. 1055 ᵃ1 Bz. 8. 1058 ᵃ14. δ6. 1016 ᵇ34. — inde κατηγορίαι τῦ ὄντος sunt diversae notiones, quibus nomen τῦ ὄντος enunciamus, ὁσαχῶς λέγεται sive σημαίνει τὸ ὄν, summa entis 15 genera, categoriae. a. nomina, quae συνωνύμως ad significandas categorias usurpantur. πολλαχῶς λέγεται τὸ ὄν, ποσαχῶς τὸ ὂν σημαίνει, οἷς ὥρισται τὸ ὂν ψα5. 410 ᵃ13. Μδ7. 1017 ᵃ24. ε2. 1026 ᵃ34. ζ1. 1028 ᵃ10. 4. 1030 ᵇ11. θ1. 1045 ᵇ33. ν2. 1089 ᵃ7. Ηα4. 1096 ᵃ25 (coll ᵃ28). 20 ηεα8. 1217 ᵇ27. Μζ3. 1029 ᵃ21. κατηγορίαι τῦ ὄντος Φγ1. 200 ᵇ28. Μκ9. 1065 ᵇ8. Γα3. 317 ᵇ6. Μδ28. 1024 ᵇ13. θ1. 1045 ᵇ28. ν6. 1093 ᵇ19. (κατηγορία τῆς ὐσίας Φη1. 242 ᵇ5?) κατηγορίαι Κ8. 10 ᵇ19, 21. Αα37. 49 ᵃ7. Φγ2. 201 ᵇ27. Μκ9. 1066 ᵃ17. Φε1. 225 ᵇ5. Μκ12. 1068 ᵃ8. 25 Οα12. 281 ᵃ32. Γα3. 317 ᵇ9, 319 ᵃ11. ψα1. 402 ᵃ25. 5. 410 ᵃ15. Μδ10. 1018 ᵃ38. ζ7. 1032 ᵃ15. 9. 1034 ᵇ10, 14. θ3. 1047 ᵃ22. ι2. 1054 ᵃ14. κ9. 1065 ᵇ9. λ4. 1070 ᵃ35. ν1. 1088 ᵃ23, ᵇ4. 2. 1089 ᵃ9, 27, ᵇ22, 24. Ηα4. 1096 ᵃ28, 32. ημβ7. 1205 ᵇ11. Ρβ7. 1385 ᵇ5. κατηγορήματα Φβ1. 30 201 ᵃ1. Μζ1. 1028 ᵃ33. τὰ κατηγορύμενα Μδ7. 1017 ᵃ25. ζ1. 1028 ᵃ13. 4. 1030 ᵃ20. κ1. 1070 ᵇ1. σχήματα τῆς κατηγορίας, τῶν κατηγοριῶν Φε4. 227 ᵇ5. Μδ17.1017 ᵃ23. 28. 1024 ᵇ13. ε2. 1026 ᵃ36. θ10. 1051 ᵃ35. ι3.1054 ᵇ29. γένη τῶν κατηγοριῶν Αγ22. 83 ᵇ15. τα9. 103 ᵇ20. η1.152 35 ᵃ38. ι22. 178 ᵃ5. γένη τῶν ὄντων ψβ1. 412 ᵃ6. γένη Κ8.11 ᵃ37, ᵇ5. Αδ13. 96 ᵇ19. ψα1. 402 ᵃ23. 5.410 ᵃ18. Φγ1.201 ᵃ10. Μκ9. 1065 ᵇ15. ν2. 1089 ᵇ27. τὰ πρῶτα, τὰ κοινὰ πρῶτα Μζ9. 1034 ᵇ9. Αδ13. 96 ᵇ20. ἐν τῇ αὐτῇ διαιρέσει, ὑπὸ τὴν αὐτὴν διαίρεσιν τὸ1. 120 ᵇ36, 121 ᵃ6 (cf αἱ κατηγορίαι διήρην- 40 ται, αἱ διαιρεθεῖσαι κατηγορίαι Αα37. 49 ᵃ7. Φε1. 225 ᵇ5. Μκ 12. 1068 ᵃ8. ψα1. 402 ᵃ25. 5. 410 ᵃ15). κατὰ τὰς πτώσεις ὄν, αἱ πτώσεις Μν2. 1089 ᵃ27. ηεα1217 ᵇ29. (πόσῳ ἢ ποιῷ ἢ πῦ ἢ κατὰ τὰς ἄλλας διαφορὰς τζ8. 146 ᵇ2, διαφοραί coll ᵇ31 dubium est num ad categorias referendum sit.) — b. ca- 45 tegoriarum numerus. definitum esse categoriarum numerum, τὰ γένη τῶν κατηγοριῶν πεπέρανται Αγ22. 83 ᵇ15. ἔχομεν τὰ γένη τῶν κατηγοριῶν τι22. 178 ᵃ5, cf supra p 378 ᵃ40. αἱ διαιρεθεῖσαι κατηγορίαι, αἱ κατηγορίαι διήρηνται. enumerantur decem categoriae Κ4. 1 ᵇ25. τα9. 103 ᵇ20. enume- 50 rantur octo (om ἔχειν et κεῖσθαι) et ita quidem ut plenus numerus afferri videatur Αγ22. 83 ᵃ21, ᵇ16. Φε1. 225 ᵇ5 (cf 2. 226 ᵃ23) Μκ12. 1068 ᵃ8 (cf ᵇ15. λ2. 1069 ᵇ9). δ7. 1017 ᵃ25. sex, ὐσία, ποιόν, ποσόν, ποτέ, πῦ, κίνησις Μζ4. 1029 ᵇ24. ὐσία, ποιόν, ποσόν, πρός τι, ποτέ, πῦ Φα7. 190 55 ᵃ34. Ηα4. 1096 ᵃ23. ὐσία, ποιόν, ποσόν, ποτέ, κινεῖσθαι, κινεῖν ηεα8. 1217 ᵇ28. quinque τί, ποιόν, ποσόν, πῦ, ποτέ ⰍⰍ εἴ τι ἄλλο Με2. 1026 ᵃ36. Ρβ7. 1385 ᵇ5. quatuor οἷον ὐσία, ποιόν, ποσόν, πῦ Γα3. 317 ᵇ9. Μζ7. 1032 ᵃ15. ὐσία, πρός τι, ποσόν, ποτέ ἢ ὅλως κτλ ημβ7. 1205 ᵇ11. saepis- 60 sime tres categoriae afferuntur ὐσία ποιόν ποσόν, plerumque

ita ut addatur ⰍⰍ αἱ ἄλλαι κατηγορίαι Φα2. 185 ᵃ31. γ1. 200 ᵇ27, 35. Μκ9. 1065 ᵇ8. Γα3. 319 ᵃ11. ψα1. 402 ᵃ25. 5. 410 ᵃ15. Με4. 1027 ᵇ32. ζ1. 1028 ᵃ13. 4. 1030 ᵃ20, ᵇ11. 9. 1034 ᵇ9, 13. θ1. 1045 ᵇ30, 33. ν2. 1089 ᵃ9. ὐσία, πρός τι, ποιόν Μλ5. 1071 ᵃ30. pro exemplo adhibentur ὐσία, ποιόν, πρός τι τὸ 1. 120 ᵇ36. ὐσία, πρός τι, ποσόν τι22. 178 ᵃ5. ποιόν, ποσόν, πρός τι τη1. 152 ᵃ38. ὐσία, ποιόν, πρός τι, ποιεῖν Αα24. 85 ᵇ20. ὐσία, ποιόν Φγ2. 201 ᵇ27. Μκ9. 1066 ᵃ17. δ28. 1024 ᵇ13. ι2. 1054 ᵃ14. ὐσία, ποσόν Μζ3. 1029 ᵃ21. ὐσία, πρός τι Μλ4. 1070 ᵃ35. ποσόν, ποιόν Αδ13. 96 ᵇ20. — aliter distinguuntur τὰ μὲν γὰρ ὐσίαι, τὰ δὲ πάθη, τὰ δὲ πρός τι Μν2. 1089 ᵇ23. τὰ δ' ἄλλα λέγεται ὄντα τῷ τῦ ὄτως ὄντος τὰ μὲν ποσότητας εἶναι, τὰ δὲ ποιότητας, τὰ δὲ πάθη, τὰ δὲ ἄλλο τι τοιῦτον Μζ1. 1028 ᵃ18. — c. categoriarum ordo ac series. ὐσία ubique (praeter ψα5. 410 ᵃ20) primum in enumerando locum habet; eam excipere solent ποιόν et ποσόν, sed praepositum est πρός τι Μλ5. 1071 ᵃ30. ημβ7. 1205 ᵇ11, interpositum Φε1. 225 ᵇ5. Μκ12. 1068 ᵃ8. ποιόν et ποσόν inter se promiscue collocantur, modo ποιόν, ποσόν Αγ22. 83 ᵃ21, ᵇ15. τη1. 152 ᵃ38. Φα2. 185 ᵃ29. Γα3. 317 ᵇ10, 319 ᵃ11. ψα1. 402 ᵃ23. Μδ7. 1017 ᵃ25. ε2. 1026 ᵃ36. 4. 1027 ᵇ32. ζ1. 1028 ᵃ12..4. 1029 ᵇ24, 1030 ᵇ11. 9. 1034 ᵇ13. θ1. 1045 ᵇ33. ν2. 1089 ᵃ9. Ηα4. 1096 ᵃ23. ηεα8. 1217 ᵇ28, modo ποσόν, ποιόν Κ4. 1 ᵇ25. τα9. 103 ᵇ20. Φα2. 185 ᵃ27. 7. 190 ᵃ34. γ1. 200 ᵇ27, 35. ψα5. 410 ᵃ14, 20. Μζ4. 1030 ᵃ20. 7. 1032 ᵃ15. 9. 1034 ᵇ10, 30, 33. Ρβ7. 1385 ᵇ5. ubi πῦ et ποτέ coniunguntur, saepius habemus πῦ, ποτέ Κ4. 1 ᵇ25. Αγ22. 83 ᵃ21, ᵇ15. τα9. 103 ᵇ20. Φε1. 225 ᵇ5. Μδ7. 1017 ᵃ25. ε2. 1026 ᵃ36, rarius ποτέ, πῦ Φα7. 190 ᵃ34. Μζ4. 1029 ᵇ24. Ηα4. 1096 ᵃ26. Ρβ7.1385 ᵇ5. ubi ποιεῖν et πάσχειν recensentur, ubique ποιεῖν praepositum est. — d. quae intercedat inter categorias ratio. κοινὸν ἐπὶ τύτων ὐδὲν ἐστι λαβεῖν, ὃ ὐδ' ἐν μιᾷ κατηγορίᾳ Φγ1. 200 ᵇ34. Μκ9. 1065 ᵇ9. ὐκ ἀναλύεται ὐτ' εἰς ἄλληλα ὐτ' εἰς ἓν τι Μδ28. 1024 ᵇ13 (cf τὰ δ' αὐτὰ μὲν κατ' ἄλλων κατηγορεῖται, κατὰ δὲ τύτων ἄλλα πρότερον ⰍⰍ κατηγορεῖται Αα27. 43 ᵃ29). λέγονται ὐθ' ὁμωνύμως ὔτε καθ' ἕν, ἀλλὰ πρὸς ἕν Μλ4. 1030 ᵃ32. reliquae categoriae omnes sunt ὕστεραι τῆς ὐσίας, ⰍⰍ χωρισταί, λέγονται κατὰ τῆς ὐσίας, κατὰ τὸν τῆς ὐσίας λόγον Φα2. 185 ᵃ31. 7. 190 ᵃ34. Μζ1. 1028 ᵃ18, 33. θ1. 1045 ᵇ28. λ1. 1069 ᵃ21. ν1. 1088 ᵇ4. τὸ πρός τι πάντων ἥκιστα φύσις τις ἢ ὐσία τῶν κατηγοριῶν ἐστί Μν1. 1088 ᵃ23.

κατηγορικός, sensu iudiciali, κατηγορικὸν εἶδος, def, opp ἀπολογητικὸν p5. 1426 ᵇ25, 27. περὶ κατηγορικῦ εἴδης p5. 37. — sensu logico, κατηγορικὴ πρότασις, κατηγορικὸν διάστημα, syn καταφατικός, opp ἀποφατικός, στερητικός Αα2. 25 ᵃ7. 4. 26 ᵃ18, 31. β6. 58 ᵇ15, 13. 10. 60 ᵇ27. γ21. 82 ᵃ37, ᵇ7 et saepe. — κατηγορικῶς, opp ἀποφατικῶς, στερητικῶς Αα4. 26 ᵇ22. 5. 27 ᵃ27 et saepe.

κατήκοον τῦ λόγῳ ⰍⰍ πειθαρχικὸν Ηα13. 1102 ᵇ31.

κατηφεῖ ὁ ἵππος Ζθ24. 604 ᵇ12.

κατηφής. τὸ κατηφὲς ⰍⰍ ἄθυμον φ3. 806 ᵃ10. cf 3. 807 ᵇ12. οἱ κατηφεῖς ὀδύρται φ6. 812 ᵃ4. αἱ ἵπποι ὅταν ἀποκείρωνται, γίνονται κατηφέστεραι Ζιζ18. 572 ᵇ9.

κατιέναι. τὸ κατιὸν ὕδωρ μα 13. 350 ᵃ9. β 3. 360 ᵃ5. τὰ τ' ἐπιπολάζοντα ⰍⰍ τὰ κατιόντα πάλιν μβ 3. 358 ᵇ33. — οἱ κατιόντες, syn κατελθόντες (ex exsilio) Πε5. 1304 ᵇ38, 34. ἐάν τις κατίῃ ὅποι μὴ ἔξεστι f 374. 1540 ᵇ5.

κατιλλαντωρίαν φ6. 813 ᵃ21. corr, κατιλλαίνοντες ώραῖοι ci Bsm.

κατίσχειν. ἀράχνια κατίσχει ὅλον τὸ σμῆνος Ζμ40. 626 ᵇ18.

κατισχναίνειν φτϑ9. 828 ᵃ34.

κατοικεῖν. trans πόλεις ἤδη κατοικήμεναι, dist εὐθὺς κατοικι- ζόμεναι Πβ7. 1266 ᵇ2. — intr κατοικεῖν ἐπὶ τῷ κέντρῳ Οβ13. 293 ᵇ28. κατοικεῖν πλησίον τοῖς τόποις, περὶ τὴν Ἰαπυγίαν ρ3. 1424 ᵇ40. f 443. 1550 ᵇ43. μὴ περιβάλλειν τοίχῳς ὡς ἀνάνδρων ἐσομένων τῶν κατοικάντων Πη11. 1331 ᵃ6. ὁ πολύτης συλλέγει πάντα εἰς τὴν θαλάμην, ὃ τυγχάνει κατοικῶν Ζμ37. 622 ᵃ6. — ἐν τοῖς ὀφθαλμοῖς τὴν αἰδῶ κατοικεῖν f 91. 1492 ᵃ36.

κατοικίδια φυτά, dist κηπαῖα, ἄγρια φτα4. 819 ᵇ27.

κατοικίζειν. Δρύοπας αὐτὸς κατοικίσαντος ἐνταῦθα f 441. 1550 ᵇ1. κατοικιζόμεναι εὐθὺς πόλεις, dist ἤδη κατοικήμεναι Πβ7. 1266 ᵇ1. ὁ ἡγεμὼν τῶν ἀνθρηνῶν ἀπάγει λαβὼν ᚼ κατοικίζει μεθ' αὑτῦ εἰς σμῆνος Ζμ42. 629 ᵃ22.

κατοικισμός. τὴς κατοικισμὴς λανθάνει πότε πρῶτον ἐγένοντο μα14. 351 ᵇ22.

κάτοικος. οἱ κάτοικοι οβ1352 ᵃ33.

κατοικτείρας Ρβ20. 1393 ᵇ28.

κατοίχεσθαι. οἱ κατοιχόμενοι, i e mortui αρ5. 1250 ᵇ21. 7. 1251 ᵃ32. f 33. 1480 ᵃ12.

κατοκώχιμος Ηκ10. 1179 ᵇ9 v κατακώχιμος.

κατολιγωρήσαντες ἀφῶμεν ρ1. 1421 ᵃ15.

κάτομβρος ὁ νότος ϛ973 ᵇ9. f 238. 1521 ᵇ29.

κατόμνυσθαι. κατωμόσατο Ρα15. 1377 ᵃ16.

κατονομάζειν. εἴδη κατονομάζεται τῶν παθημάτων ηεβ3. 1221 ᵇ10. εἷς ὢν ὁ θεὸς πολυώνυμος, κατονομαζόμενος τοῖς πάθεσι πᾶσιν κ7. 401 ᵃ12. πρὸ τῦ ἐπιτεῖλαι τὴν σελήνην, διὸ κατωνομάσθησαν προσέληνοι f 549. 1569 ᵃ1.

κατοπτᾶν. κέρατα κατοπτηθέντα, κατωπτημένα ακ802 ᵇ2, 803 ᵃ29.

κατοπτεῦσαι τὸν ὑράνιον χῶρον κ1. 391 ᵃ10.

κάτοπτρον, syn ἔνοπτρον εν2. 459 ᵇ29. 3. 460 ᵃ10, 11. coll 459 ᵇ25, 28, 30. εἰς τὸ κάτοπτρον ἐμβλέψαντες εἴδωμεν τὸ πρόσωπον ημβ15. 1213 ᵃ21. ἐν τοῖς κατόπτροις τί ὃ φαίνεται πιϛ13. 915 ᵇ30. metaph ἡ Ὀδύσσεια καλὸν ἀνθρωπίνε βίᾳ κάτοπτρον (Alcid fr 27) Ργ3. 1406 ᵇ13.

κατορθῦν. αἱ μέλιτται λεαίνυσι ᚼ κατορθῦσι τὰ κηρία Ζμ40. 625 ᵇ19. — τηλικῦτον. τὰ πλεῖστα, τὸ αὐτὸ πολλάκις κατώρθωκε Πη3. 1325 ᵇ6. Ρα9. 1368 ᵃ14. 6. 1363 ᵃ33. 9. 1098 ᵇ29 (opp διαμαρτάνειν). — κατορθῦν, opp ἁμαρτάνειν, ἀποτυγχάνειν, ἀτυχεῖν Ηϑ6. 1107 ᵃ14. Ργ9. 1410 ᵃ8. β2. 1379 ᵃ16. ρ5. 1427 ᵃ16. 30. 1437 ᵇ6. εὐβυλία πρὸς τὸ τέλος κατορθῦσα Ηζ10. 1142 ᵇ30. κατορθῦν μοναχῶς ἐστὶ Ηβ5. 1106 ᵇ31. τὸ κατορθῦν χαλεπὸν Οβ12. 292 ᵃ28. κατορθῦν φρονήσει, νόῳ, φύσει, ἐπιτροπίᾳ τινὶ ηεη14. 1247 ᵃ4, 13, 15, 30. — τὸ μέσον κατορθῦται, ἡ ὑπερβολὴ ἁμαρτάνεται Ηβ5. 1106 ᵇ26. τραγῳδίαι, ἂν κατορθωθῶσι πο13. 1453 ᵃ28. Vhl Poet II 16. τὸ μὴ κατωρθωμένον πλα27. 960 ᵃ15.

κατόρθωμα, dist εὐτύχημα ημβ3. 1199 ᵃ13.

κατόρθωσις Ρβ3. 1380 ᵇ4.

κατορθωτικός, opp ἁμαρτητικὸς Ηβ2. 1104 ᵇ33.

κατορύττειν τὰ ᾠά, τὰ ᾠὰ εἰς τὴν κόπρον Ζιε33. 558 ᵃ5, 12. ζ2. 559 ᵇ2. κατορύξαι κλίνην, πίθον Φβ1. 193 ᵃ13. πια8. 899 ᵇ25. χρυσίον κατορωρυγμένον ὑπὸ τῶν ἀρχαίων βασιλέων f 248. 1524 ᵃ2.

κατορεῖν. ὡς κατωρώντων τῶν τεττίγων Ζιε30. 556 ᵇ15.

κάτοχοι δαίμονι θ166. 846 ᵇ24.

κάττιτέρινος. τὰ καττιτέρινα φαίνεται ἀργυρᾶ τι1. 164 ᵇ24. οβ1349 ᵃ36.

κάττιτερος, κασσίτερος. νεοτεύκτῳ κασσιτέροιο (Hom Φ 592) πο25. 1461 ᵃ28. ὁ καττίτερος ὕδατος, ὑδατώδης μϑ10. 389 ᵃ8, 388 ᵃ14. αιϑ. 443 ᵃ20. κασσίτερος Κελτικὸς τήκεται τάχιον μολύβδω θ50. 834 ᵃ6. f 248. 1524 ᵃ22. καττίτερος πῶς μίγνυται χαλκῷ Γα10. 328 ᵇ8, 12. Ζγβ8. 747 ᵇ3, 4. ὁ ἄργυρος οἷον καττίτερος Μη3. 1043 ᵇ28. νόμισμα ἔκοψε καττίτερα οβ1349 ᵃ33.

κάτω, κατώτερος, κατώτερω, κατωτέρω. κατωτάτω (cf ἄνω). 1. sensu locali vel infra significat vel deorsum. α. infra. τόπη (θέσεως) εἴη ᚼ διαφοραὶ ἄνω κάτω, πρόσθεν ὄπισθεν, δεξιὸν ἀριστερὸν Φα5. 188 ᵃ26. γ2. 205 ᵇ32. Οβ2.284ᵇ21. Κ6. 6 ᵃ13. κάτω φύσει, opp κάτω πρὸς ἡμᾶς Φϑ1. 208 ᵇ15, 20. Οϑ1. 308 ᵃ18. τὸ κάτω κακὸν (Pythag) f 195. 1513 ᵃ25. κάτω τὸ μέσον Φϑ4. 212 ᵃ26. Κ6. 6 ᵃ14 Wz. κάτω ὅποι τὸ βαρὺ φέρεται Φγ1. 201 ᵃ7. Μκ9. 1065 ᵇ13. ὁ κάτω πόλος μβ5. 362 ᵇ4. κατώτερος ὁ πόλος ἔσται μγ5. 377 ᵃ10. τὰ κάτω τῆς γῆς μβ7. 365 ᵃ20. τὰ κάτω τῆς ὅλης σφαίρας μβ7. 365 ᵃ23. τὸ κάτω ἡμισφαίριον πκϛ21. 942 ᵇ7. 54. 946 ᵇ7, 18. ὁ κάτω κόσμος μα3. 340 ᵇ12. τὸ κατωτάτω τεταγμένον ἄστρον, τὸ κάτω Μλ8. 1074 ᵃ8. Οα8. 277 ᵃ31. τὸ ἄνω τῷ ὡρισμένα, τὸ κάτω τῆς ὕλης Οϑ4. 312 ᵃ16. — τὸ κάτω ἐν τοῖς φυτοῖς ᚼ τοῖς ζῴοις τί ἐστιν Οβ2. 284 ᵇ17, 285 ᵃ17. ψβ4. 416 ᵃ3. ζ1. 467 ᵇ33, 468 ᵃ3. ἡ κάτω κοιλία μβ6. 360 ᵇ24. ϑ3. 381 ᵇ11. πα1. 864 ᵃ3. κατώτερον τῷ στόματος sim Ζιζ10. 565 ᵃ4. Ζηϑ. 709 ᵃ23. τὰ κατώτερα, opp τὰ ἀνώτερα φτβ1.822ᵇ23. — b. deorsum. κάτω φέρεσθαι μα3. 341 ᵃ6, 31. β9. 369 ᵇ21. Οϑ6. 313 ᵃ15. syn πρὸς τὸ μέσον, ἐπὶ τὸ μέσον, πρὸς τὴν γὴν Φϑ8. 214 ᵇ14. Οϑ1. 308 ᵃ16. α2. 268 ᵇ22. μβ7.365 ᵃ27. κάτω ῥιπτεῖσθαι, κατενεχθέν α4. 342 ᵃ12. β9. 369 ᵇ15. κάτω ἀποκαθαίρεσθαι μϑ6. 382 ᵃ34. κάτω χωρεῖν Ζιγ2 2. 523 ᵃ25. ἡ κάτω φορά, κίνησις Φε5. 229 ᵇ7. ϑ8. 261 ᵇ34. ἡ κάτω μεταβολὴ Κ14. 15 ᵇ6. — 2. translatum ad quamlibet seriem κάτω id significat, quod ordine posterius est, veluti de serie causarum, ᾧὸ ἐπὶ τὸ κάτω οἶον τ' ἐπ' ἄπειρον ἰέναι Μα2. 994 ᵃ19. γένεσις κάτω Γᶜβ11. 338 ᵃ8. in serie notionum κάτω eae dicuntur, quae minus sunt universales, ἐπὶ τὸ κάτω Αβ17. 65 ᵇ23. γ19. 82 ᵃ2 (syn ἐπὶ τὸ κάτω μέρος ᵃ23) cf Wz ad 43 ᵃ36. ἐπὶ τὸ κάτω Αϑ13. 97 ᵃ31. ᚼδ' ἄλλο ὑϑὲν τῶν ἄνω ὑπάρξει τοῖς κάτω ΜΑ9. 992 ᵃ18 Bz. τὰ κάτω πάντα ἐκ τῶν πρώτων ἔσονται Μι7. 1057 ᵇ31.

κάτωθεν, ex loco inferiore. εἰ ῥέιν ἤρξατο κάτωθεν μβ2. 356 ᵃ10. τὴν ἀναφορὰν ποιησάμενος κάτωθεν ἐκ τῷ βυθῷ Ζυ37. 622 ᵇ7. τρίχες ἀποτμηθεῖσαι κάτωθεν αὐξάνονται Ζιγ12. 519 ᵃ25. κάτωθεν πιέζειν τὴν ὄψιν πγ30. 875 ᵇ14. — i q κάτω 1. ἡ κάτωθεν χώρα μα14. 352 ᵇ33. κάτωθεν, dist κάτωθεν, ἐκ τῶν πλαγίων μγ6. 377 ᵇ29. ὀλίγον κάτωθεν τῶν μυκτήρων Ζιϑ24. 604 ᵃ28. τελευτᾷ κάτωθεν, ἀρχὴ δὲ ἄνωθεν Φϑ8. 262 ᵇ2. ἡ κάτωθεν γένυς, σιαγὼν sim Ζια11. 492 ᵇ23. γ7. 516 ᵃ24. 3. 513 ᵃ4. — i q κάτω 2. μικρὸν δὲ ἄνωθεν ᚼ κάτωθεν ἀδικία (Pythag) ΜΑ8. 990 ᵃ23. τῶν κάτωθεν τις διαιρέσεων Αϑ13. 96 ᵇ37. τῶν κάτωθεν τι τῷ εἴδης τζ6. 144 ᵃ29. — i q εἰς τὸ κάτω: τῇ κάτωθεν μεταβολῇ ᚼ τὸ ἄνωθεν ἡ κάτω ἀντίκειται Κ14. 15 ᵇ5 (?).

κατωπιᾶν, νόσος ἵππων Ζιϑ24. 604 ᵇ11.

Καύκασος μα13. 351 ᵃ8. eius altitudo μα13. 350 ᵃ26-36.

Καύκωνες ἱδρυμένοι μάλιστα περὶ τὸν Καύκωνα f 451.1552 ᵃ16, 20.

καυλίον ἰχθύες νέμονται Ζιθ2. 591 ᵇ12 (planta incerta).

καυλός. 1. partes quaedam animalium. *a.* collum vesicae. ὁ καυλὸς ὁ ἐπὶ τὴν ὀρήθραν τείνων, ὁ τῆς κύστεως Ζια17. 497 ᵃ20, 24. στενὸς ὡς κατὰ μέγεθος πι43. 895 ᵇ5. — *b.* radix penis. ὁ ἐν τῷ αἰδοίῳ Ζιγ1. 510 ᵃ26, 28. — *c.* cervix uteri Ζιγ1. 510 ᵇ11, 14. ×4. 637 ᵃ22, 26. — *d.* rhachis pennae. τὰ πτερὰ ἔχει καυλὸν ἅπαντα Ζιβ12. 504 ᵃ31. Ζμδ12. 692 ᵇ15. ala, τῶν ἐντόμων τὸ πτερὸν ὐκ ἔχει καυλὸν ὐδὲ σχίσιν Ζιθ7. 532 ᵃ25. — *e.* terebra, vagina. αἱ ἀκρίδες τίκτωσιν εἰς τὴν γῆν καταπήξασαι τὸν πρὸς τῷ κέρκῳ καυλὸν Ζιε28. 555 ᵇ21. — 2. plantarum caulis. ὁ καυλὸς τῆς κράμβης, σκίλλης, κρίνων Ζιε19. 552 ᵃ31. 30. 556 ᵇ4. πκ26. 926 ᵃ2. καυλός et ῥίζα ζ3. 468 ᵇ21. μκ6. 467 ᵃ23. τὰ κατὰ γῆς καυλοὶ ᾗ ῥίζαι λευκαί χ5. 795 ᵃ14. διὰ τί ἔνια τῶν φυτῶν ἀεὶ κενὸν φέρει τὸν καυλόν, ἐκ τῦ καυλῦ τὸ σπέρμα πκ19. 925 ᵃ6. 17. 924 ᵇ34.

καῦμα. ὠχρότης διὰ νόσον ἢ καῦμα Κ8. 9 ᵇ24. ἀνίσχοντα τὰ ἄστρα, ἐὰν ᾖ καῦμα, φοινικὰ φαίνεται μα5. 342 ᵇ10. φεύγωσι διὰ τὸ καῦμα ἐς τὸ ἄσθμα εἰς τὸ ὕδωρ Ζιζ29. 579 ᵃ8. φοβεῖσθαι τὰ καύματα Ζιθ12. 597 ᵃ2, 20. καύματα ἰσχυρά, opp πάγοι ἰσχυροί ζ6. 470 ᵃ29. πα29. 862 ᵇ27. ὑπερβάλλει τὰ καύματα μβ5. 362 ᵇ17. — τὰ διὰ χαλκῦ καύματα θᾶττον ὑγιάζεται πα36. 863 ᵃ31.

καυματώδης νότος μβ6. 364 ᵇ23.

Καυνίας ὁ βορρᾶς καλεῖται σ973 ᵃ4. f 238. 1521 ᵃ36, ᵇ4.

Καύνιος ἔρως Ρβ25. 1402 ᵇ3.

Καῦνος σ973 ᵃ3. f 238. 1521 ᵃ35, 36.

καῦσις ᾗ τομή, ὑγιεινά Ηε13. 1137 ᵃ15. ημβ3. 1199 ᵃ33.

καῦσος, εἶδός τι πυρετῦ πα20. 861 ᵇ34. 20. 862 ᵃ2. 29. 862 ᵇ25. ιδ3. 909 ᵃ22. ὁ καῦσος πυρετὸς τῶν ἔξω κατεψυγμένων τὰ ἔσω θερμότητι ὑπερβάλλει πιδ3. 909 ᵃ25. οἱ πυρέττοντες καύσῳ ΜΑ1. 981 ᵃ12.

καυστικός. τὸ καυστὸν ᾗ καίεται ἄνευ τῦ καυστικῦ ψβ5. 417 ᵃ8. δεῖ πρότερον εἶναι καυστικὸν πρὶν κάειν Φθ1. 251 ᵃ16. θερμὸν καυστικὸν μθ9. 387 ᵃ25. καυστικώτερον Ζμβ2. 648 ᵇ18. θερμαντικώτατα ᾗ καυστικώτατα Ογ8. 307 ᵃ1.

καυχήσασθαι εἰς τὴν ἡλικίαν τινός Πε10. 1311 ᵇ4.

Καφηρεὺς τῆς Εὐβοίας σ973 ᵃ22. f 238. 1521 ᵇ16.

καχεξία, μανότης σαρκός, opp εὐεξία Ηε1. 1129 ᵃ20 sqq. ἡ καχεξία νόσῳ ἀκολωθεῖ τβ8. 113 ᵇ36. νόσος μεῖζον κακὸν καχεξίας τθ2. 157 ᵇ20. ἱδρῶσαι αἱματώδει περιττώματι διὰ καχεξίαν Ζιγ5. 668 ᵇ7.

καχρύδια περιβάλλει πρὸς τὰς ῥίζας πκ8. 923 ᵇ11, 13. cf Sprengel hist rei herb I 59. S Theophr IV 394.

καχύποπτοι οἱ πρεσβύτεροι Ρβ13. 1389 ᵇ21.

κάψις. κάψει πίνειν, dist σπάσει, λάψει Ζιθ6. 595 ᵃ10, 12.

κεγχραμίδες σύκων πκβ14. 931 ᵃ31. ᾠὸν ἡλίκον κεγχραμίς Ζιε17. 549 ᵃ29. (ficus granum.)

κεγχρηίς, κεγχρίς Lob Proleg 476. refertur inter τὰ γαμψώνυχα Ζιζ1. 558 ᵇ28, 29. Ζιγγ1. 750 ᵃ8. τῆς κοιλίας αὐτῆς τι ἔχει ὅμοιον προλόβῳ Ζιβ17. 509 ᵃ6. πλεῖστα τίκτει τῶν γαμψωνύχων, τὰ τῆς κεγχρίδος ᾠὰ ἐρυθρά ἐστιν ὥσπερ μίλτος Ζιζ1. 558 ᵇ29, 30. 2. 559 ᵃ26. Ζιγγ1. 750 ᵃ10. πίνει Ζιθ3. 594 ᵃ2 Aub. Ζιγγ1. 750 ᵃ7. (tinnunculus Gazae, cardus Thomae, caboriz et antytonyz Alberto. Falco tinnunculus L S I 398. 602. K 494. St Cr ΚαΖι 94, 45. Su 102, 23. ΑΖγ28, 34. ΑΖι I 95, 43. Lnd 13. 14.)

κέγχρος. ὗς πιαίνεται κέγχροις Ζιθ6. 595 ᵃ28. ἀγγεῖον κέγχρυ Ζιζ37. 580 ᵇ12. κέγχρος exiguae magnitudinis exemplum, ὅσον κέγχρος, ἔλαττον κέγχρυ al Ζιζ14. 568 ᵇ23. ε19. 551 ᵃ16. αι6. 446 ᵃ1. Κ6. 5 ᵇ18. Φδ12. 221 ᵃ22. ψ5. 250 ᵃ20. (Panicum italicum L vel P miliaceum L cf Fraas 310. ΑΖι I 185.)

κεδνὰ ἤθεα (Hes ε699) οα4. 1344 ᵃ17.

Κεδρείπολις. ἐν Θράκῃ τῇ καλυμένῃ ποτὲ Κεδρειπόλει Ζιι36. 620 ᵃ33. cf S Theoph IV 642.

κέδρινον ἔλαιον Ζιη3. 583 ᵃ23.

κέδρος. τῶν τῆς κέδρυ ἀποπτισμάτων ὀσμή θ113. 841 ᵃ15. cf Oribas I 630.

κεῖθεν (cod E, ἐκεῖθεν Bk) μα11. 347 ᵇ12.

Κεῖος. Κείων πολιτεία f 468.

κείρειν. ἔκερσεν (Hom Ν 546) Ζιγ3. 513 ᵇ27. — ἄξιον ἦν ἐπὶ τῷ τάφῳ κείρασθαι τὴν Ἑλλάδα (Lys 2, 60) Ργ10. 1411 ᵃ32. προεκηρύττον οἱ ἔφοροι τοῖς πολίταις κείρεσθαι τὸν μύστακα ᾗ προσέχειν τοῖς νόμοις f 496. 1558 ᵇ36.

κεῖσθαι, sensu locali Κ4. 2 ᵃ2. τὸ κεῖσθαι παρωνύμως ἀπὸ τῶν θέσεων λέγεται Κ9. 11 ᵇ9. κεῖται τὴν θέσιν ἡ καρδία κατὰ μέσον τὸ στῆθος Ζια17. 496 ᵃ14. κεῖσθαι πρὸς τὸν ἥλιον, πρὸς ἄρκτον μβ4. 360 ᵇ14. 5. 363 ᵃ3. κεῖσθαι κατὰ διάμετρον, ἐξ ἐναντίας, πρὸς ἀλλήλας μβ6. 363 ᵇ27, 364 ᵃ30. γ2. 372 ᵃ2. ὅσα ἐκ τῦ πῶς κεῖσθαι ᾗ ἐσχηματίσθαι συμβαίνει πς. — metaph νόμυς κεῖσθαι, τὰς νόμυς εὖ, κακῶς κεῖσθαι, νόμοι κείμενοι ὀρθῶς, κακῶς Πγ15. 1286 ᵃ22. 16. 1287 ᵃ28. 11. 1282 ᵇ3, 7, 11. β4. 1262 ᵇ5. δ8. 1294 ᵃ4 sqq. νόμοι κείμενοι ὀρθῶς, opp ἀπεσχεδιασμένοι Ηε3. 1129 ᵇ25. τὸν σκοπὸν ᾗ τὸ τέλος κεῖσθαι ὀρθῶς Πη13. 1331 ᵇ28. πλήτυ ὐδὲν τέρμα κεῖται (Solon fr 13, 71) Πα8. 1256 ᵇ34. κεῖται, ὃ κεῖται ὄνομά τινι, ὀνόματα κείμενα Κ7. 7 ᵃ13. 8. 10 ᵃ33, 11. 20 ᵇ16. Αα35. 48 ᵃ30. τβ1. 109 ᵃ29, 32. 6. 112 ᵃ33. ζ2. 140 ᵃ3. μδ2. 379 ᵇ15. 3. 380 ᵃ18, ᵇ30. 9. 387 ᵇ2. ΜΖ15. 1040 ᵃ11 Bz. κεῖται καλῶς τὸ ἴδιον τε2. 129 ᵇ7, 12, 24, 32 al (syn καλῶς ἀποδέδοται, εἴρηται τε2. 129 ᵇ1, 28, 130 ᵃ17, 23. 3. 131 ᵃ29. cf τιθέναι ἴδιον τε2. 130 ᵃ17, 24, 25). τὸ ἴδιον κεῖται (i e ἀποδέδοται) διά τινος τε2. 129 ᵇ3, 22. τὸ κείμενον εἶναι (vel μὴ εἶναι) ἴδιον (id quod contenditur esse ἴδιον) τε4. 132 ᵃ31, 36, ᵇ10, 15 al. τὸ κείμενον, id quod propositum est ad demonstrandum, ᾗ πρὸς τὸ κείμενον Αα24. 41 ᵇ8, 12 (Trdlbg Elem § 29). τὸ ἐξ ἀρχῆς κείμενον Μγ4. 1008 ᵇ2. sed plerumque logice κεῖσθαι usurpatur de propositionibus ac definitionibus, quae pro fundamento ratiocinationis positae sunt. κεῖται ἡμῖν τὴν τραγῳδίαν εἶναι μίμησιν sim πο7. 1450 ᵇ23. Φε4. 228 ᵃ29. μβ3. 357 ᵇ24. ηεα3. 1215 ᵃ18. κειμένη ξ2. 975 ᵃ27. τὰ κείμενα, syn τὰ τεθέντα Αα1. 24 ᵇ19. τὸ κείμενον, syn θέσις τθ5. 159 ᵇ7, 23, 26, 37. σκοπεῖν, συμβαίνειν ἐκ τῶν κειμένων, ἐξ αὐτῶν τῶν κειμένων (syn δι' αὐτῶν τῶν εἰλημμένων) Αα21. 39 ᵇ24 (cf 20. 39 ᵃ39). 32. 47 ᵃ24, 32. γ32. 88 ᵃ30. τι1. 165 ᵃ2. ἀνάγκη ἐκ τῶν κειμένων Μθ4. 1047 ᵇ10. ἐκ τῶν κειμένων, i e secundum ea, quae antea exposita sunt, ε10. 19 ᵇ14 Wz. χωρὶς τῶν κειμένων Αδ6. 92 ᵃ14. κείσθω, i e positum esto, imprimis saepe in principio demonstrationum indirectarum, Αα15. 34 ᵇ23. 16. 36 ᵃ10. 17. 37 ᵇ32. 19. 38 ᵃ16. 22. 40 ᵃ27. 29. 45 ᵃ29. (aliter τὰ μὲν ἢν περὶ τὴν διάνοιαν ἐν τοῖς περὶ ῥητορικῆς κείσθω πο19. 1456 ᵃ35, i e exposita sunto et inde petantur Vhl Poet III 213.) κείμενον ἔστω Αα27. 43 ᵃ37. τὸ καθόλυ κείσθω πρὸς τὸ μεῖζον ἄκρον Αα5. 27 ᵇ13. ἔκειτο Αβ10. 61 ᵃ1.

δ 6. 92 ᵃ17. κεῖσθαι et ὑποκεῖσθαι dist in demonstrationibus indirectis Aα 16. 36 ᵃ10-15. 17. 36 ᵇ37, 38 ᵃ22, 24, sed hoc discrimen non observatur Aα 16. 36 ᵃ23.

Κεκροπίης δάπεδον f 623. 1583 ᵃ12.

Cecrops. Orphicum carmen Pythagorei ferunt cuiusdam 5 fuisse Cecropis f 9. 1475 ᵇ2.

κεκρύφαλος. ruminantium ventriculus ἔχει πλείως τόπως χ̣ μόρια· καλῶνται ταῦτα κοιλία χ̣ κεκρύφαλος χ̣ ἐχῖνος χ̣ ἤνυστρον Ζμγ 14. 674 ᵇ14. 15. 676 ᵃ9. ὁ καλώμενος κεκρύφαλος τὰ μὲν ἔξωθεν ὅμοιος τῇ κοιλίᾳ, τὰ δ' ἐντὸς ὅμοιος 10 τοῖς πλεκτοῖς κεκρυφάλοις· μεγέθει δὲ πολὺ ἐλάττων τῆς κοιλίας· ὁ ἐχῖνος τὸ μέγεθος παραπλήσιος τῷ κεκρυφάλῳ Ζιβ 17. 507 ᵇ4-8. ὑδὲ ἐρεύγονται ὅσα μηρυκάζει, διὰ τὸ πολλὰς ἔχειν κοιλίας χ̣ τὸν καλώμενον κεκρύφαλον πι 44. 895 ᵇ19 (ollula. cf F 300, 78). 15

κελεός. τὸ μέγεθος ὅσον τρυγών, τὸ δὲ χρῶμα χλωρὸς ὅλος· ἔστι δὲ ξυλοκόπος σφόδρα, χ̣ νέμεται ἐπὶ τῶν ξύλων τὰ πολλά, φωνήν τε μεγάλην ἔχει· γίνεται δὲ μάλιστα περὶ Πελοπόννησον (v l κελιός, καλιός, κολιός) Ζιθ 3. 593 ᵃ8. φίλοι λαεῶς χ̣ κελεός· ὁ μὲν γὰρ κελεὸς παρὰ ποταμὸν 20 οἰκεῖ χ̣ λόχμας Ζιι 1. 610 ᵃ9. πολέμιοι κελεὸς χ̣ λιβυὸς Ζιι 1. 609 ᵃ19. (Galgulus Gazae, keleus Thomae, skeleus C, Picus viridis Gesner 681. S I 592, II 7. St Cr K 867, 4. Su 128, 88. AΖι I 90, 28 c et 95, 44. Lnd 41.)

κελεύειν, opp ἀπαγορεύειν Ηε 3. 1129 ᵇ24. ὃ κελεύει, μὴ 25 κελεύει Ηε 15. 1138 ᵃ6, 7. ὁ τὸν νῦν κελεύων ἄρχειν Πγ 16. 1287 ᵃ29. — ἕκαστον τῶν ὀργάνων κελευσθέν Πα 4. 1253 ᵇ34.

Κελτική μα 13. 350 ᵇ2. × 3. 393 ᵇ9. θ 85. 837 ᵃ7. Ζιθ 28. 606 ᵇ4. Γέρμαρα, Κελτικῆς ἔθνος f 564. 1570 ᵇ42. Κελ- 30 τικὸς κασσίτερος θ 50. 834 ᵃ6. f 248. 1524 ᵃ22.

Κελτοί. περὶ Κελτὰς τὰς ὑπὲρ Ἰβηρίας Ζγβ 8. 748 ᵃ25. eorum mores Πβ 9. 1269 ᵇ21. η 2. 1324 ᵇ12. 17. 1336 ᵃ18. audacia Ηγ 10. 1115 ᵇ28. μεγ 1. 1229 ᵇ28. τοξικὸν θ 86. 837 ᵃ12, 14. Ῥωμην ἁλῶναι ὑπὸ Κελτῶν f 568. 1571 35 ᵇ16. παρὰ Κελτοῖς χ̣ Γαλάταις τὰς καλωμένας δρυίδας γενέσθαι f 30. 1479 ᵃ32.

Κελτολίγυες θ 85. 837 ᵃ7.

κελυφή v l Ζιθ 17. 600 ᵇ30 (χ̣ λευκὴ Bk).

κελύφιον. τὰ ὄστρακα χ̣ τὰ κελύφια τῶν καρκίνων χ̣ κογχυ- 40 λίων Ζιι 37. 622 ᵃ7.

κέλυφος. 1. in animalibus. a. φέρει ἀπὸ κύστεως πόρος χ̣ συνάπτει ἄνωθεν εἰς τὸν καυλόν· περὶ τῦτο δὲ οἷον κέλυφός ἐστι τὸ καλώμενον αἰδοῖον Ζιγ 1. 510 ᵃ28. περὶ τὰς φλέβας κελύφους δερματικὸς ὁ κεκαλυμμένος ὀμφαλός, χ̣ αὐτὸς 45 ὁ ὀμφαλὸς ἐν κελύφει φλέβες Ζιη 8. 586 ᵇ13. Ζγβ 4. 740 ᵃ31. 7. 745 ᵇ26. — b. putamen ovi, τὰ κελύφη τῶν ῳῶν Ζγβ 6. 743 ᵃ17. ἀπὸ τῶν γονίμων ῳῶν αὐξανομένων τῶν ἰχθυδίων ἀποκαθαίρεται οἷον κελύφους· τῦτο δ' ἐστὶν ὑμὴν χ̣ τῦ ἰχθυδίου κέλυφος Ζιζ 14. 568 ᵇ9. — c. τῶν 50 φωλεύντων ἔνιοι τὸ καλώμενον γήρας ἐκδύνυσιν· ἔστι δὲ τῦτο τὸ ἔσχατον δέρμα χ̣ τὸ περὶ τὰς γενέσεις κέλυφος Ζιθ 17. 600 ᵇ17. — insectorum pupae coarctatae, liberae, obiectae. ὥσπερ τοῖς ζῳοτοκωμένοις τὸ χόριον χ̣ τοῖς σκωληκοτοκωμένοις περιρρήγνυται τὸ κελύφους· περιαραχέντος τῦ 55 κελύφης ἐξέρχονται Ζιθ 17. 601 ᵃ6, 8. σκληρύνεται περὶ αὑτὰ τὸ κέλυφος· πάντα μετὰ τὴν τῦ σκώληκος φύσιν ἀκινητίσαντα, χ̣ τῦ κελύφυς περιξηρανθέντος, μετὰ ταῦτα τῶτον ῥαγέντος ἐξέρχεται Ζγγ 9. 758 ᵇ17, 25. — speciatim. κέλυφος χρυσαλλίδων, καράβων, τεττιγομήτρων, ξυλοφθόρων 60 Ζιε 19. 551 ᵃ20, 23, ᵇ19, 552 ᵃ7. 30. 556 ᵇ7, 9. 32. 557

ᵇ14, καράβων χ̣ καρκίνων Ζιε 17. 549 ᵇ25, μαλακίων Ζγα 15. 720 ᵇ28, cf κεφαλὴ Ζμδ 9. 685 ᵃ4. — 2. in plantis. προσπέφυκεν ἡ ἀρχὴ τῦ σπέρματος τὰ μὲν ἐν τοῖς κλάδοις, τὰ δ' ἐν τοῖς κελύφεσι, τὰ δ' ἐν τοῖς περικαρπίοις (putamen S Theophr V 257, calyx Meyer Gesch der Bot I 141) Ζγγ 2. 752 ᵃ20.

κενολογεῖν Ρβ 19. 1393 ᵃ17. κενολογεῖν χ̣ μεταφορὰς λέγειν ποιητικὰς ΜΑ 9. 991 ᵃ21. μ 5. 1079 ᵇ26.

κενός. κενὸν χ̣ κοῖλον Ζια 16. 494 ᵇ34. cf 7. 491 ᵇ1. τὸ κενόν, i e τόπος ἐστερημένος σώματος, sive ἐν ᾧ μὴ ἐνυπάρχει σῶμα, δυνατὸν δ' ἐστὶ γενέσθαι, sive χώρα σώματος Φδ 1. 208 ᵇ26. Οα 9. 279 ᵃ13. Γα 8. 326 ᵇ19. de natura τὸ κενῦ ἀπορίας persequitur et non esse τὸ κενὸν χωριστὸν demonstrat Ar Φδ 6-9. ad eam doctrinam saepe respiciunt veluti Γα 5. 320 ᵇ27, 321 ᵃ6, ᵇ15. Οα 9. 279 ᵃ12. γ 2. 302 ᵃ1, 8. 6. 305 ᵃ21. δ 2. 309 ᵃ6, 11. ψβ 8. 419 ᵇ34. αν 5. 472 ᵇ16. πη 13. 888 ᵇ4 (cf ξ 2. 976 ᵇ13, 18). τὸ κενὸν δοκεῖ μὲν εἶναί τι, ἔστι δ' ὑθέν Ζγβ 8. 748 ᵃ11. de vacuo sententia atomistarum Φα 5. 188 ᵃ23 (cf θ 9. 265 ᵇ24). ΜΑ 4. 985 ᵇ5. γ 5. 1009 ᵃ28. f 202. 1514 ᵇ11. Pythagoreorum Φδ 6. 213 ᵇ26. f 196. 1513 ᵃ32. — τὸ κενὸν ὀρθῶς λέγεται κύριον τὸ ἀκνέειν· δοκεῖ γὰρ εἶναι κενὸν ὁ ἀήρ, διὰ τῦτό φασιν ἀκνέειν τῷ κενῷ ψβ 8. 419 ᵇ33, 420 ᵃ18 Trdlbg Torstr, cf Φδ 6. 213ᵃ28-31. Ζμβ 10. 616 ᵇ15 Ka. — τὸ διὰ κενῆς ῥίπτειν πε 8. 881 ᵇ39. — metaphor φωνὴ κενὴ χ̣ μὴ συνεστῶσα αχ 800 ᵇ36. κενὸν χ̣ ληρώδης Ργ 13. 1414 ᵇ16. κενῇ χ̣ ματαία ὄρεξις Ηα 1. 1094 ᵃ21. κενόν τι πάμπαν, opp τίμιον χ̣ σπυδαῖον f 82. 1490 ᵃ10. κενὸν χ̣ ἀδύνατον Αγ 3. 73 ᵃ8. λόγοι ἀλλότριοι χ̣ κενοί ηεα 6. 1217 ᵃ3. κενὸν παντελῶς Μμ 4. 1079 ᵇ6. αι 2. 437 ᵇ15. πολλὰ κενὰ τῦ πολεμίου Ηγ 11. 1116 ᵇ7. διὰ κενῆς λέγειν ΜΑ 9. 992 ᵃ28. ἀπόντων κενὴν κατηγορεῖν αν 1. 470 ᵇ12. — ἐν τοῖς περὶ τὰς πράξεις λόγοις οἱ καθόλυ κενώτεροί εἰσιν Ηβ 7. 1107 ᵃ30. — διαλεκτικῶς εἰρῆσθαι χ̣ κενῶς ψα 1. 403 ᵃ2. λογικῶς χ̣ κενῶς ηεα 8. 1217 ᵇ21.

κενῦσθαι. ἕως ἂν κενωθῇ τὸ ἀγγεῖον μα 13. 349 ᵃ35. — κενώμενος (coni Spgl pro τεμνόμενος, opp ἀναπλήρωσις) λυποῖτο Ηκ 2. 1173 ᵇ12.

κενταυρέας χυλοὶ πικροὶ φτα 5. 820 ᵃ36 (fort Erythraea centaurium Pers Fraas 160).

Κένταυρος. Κένταυρον Χαιρήμων ἐποίησε μικτὴν ῥαψῳδίαν πο 1. 1447 ᵇ21 (Nauck fr tr p 608). — εἰ ἔστιν ἢ μὴ ἔστι κένταυρος Αδ 1. 89 ᵇ32. νέφη εἰκάζεται κενταύροις εν 3. 461 ᵇ20.

κεντεῖν. τὸ ὀξὺ οἷον κεντεῖ, τὸ δ' ἀμβλὺ οἷον ὠθεῖ ψβ 8. 420 ᵇ2. κώνωπες γλώττῃ κεντῶσιν Ζιδ 7. 532 ᵃ14. — τὰς ἰόνθας ἄν τις κεντήσῃ ἐξέρχονται φθεῖρες Ζιε 31. 556 ᵇ29. — κεντηθὲν τὸ δέρμα αἷμα ἀναδίδωσιν πν 5. 483 ᵇ16. κεντυμένων τῶν καθευδόντων αἷμα ὃ ῥεῖ ὠχιόν Ζιγ 19. 521 ᵃ17. — ὑχ ἵνα τρώῃ, ἀλλ' ἵνα κεντήσῃ Ηε 10. 1135 ᵇ16.

κέντησις. πανταχόθεν αἷμα τῇ κεντήσει πν 6. 484 ᵃ34.

κεντρίνης κεντρίνην τινὰ γαλεὸν εἶναι χ̣ νωτιδανόν f 293. 1529 ᵃ17.

κέντρον. 1. κέντρον κύκλω Αα 24. 41 ᵇ15. τὸ κέντρον χ̣ ἀρχὴ χ̣ μέσον τῦ μεγέθους χ̣ τέλος Φθ 9. 265 ᵇ3. αἱ ἐκ τῦ κέντρου ἀγόμεναι γραμμαὶ μβ 5. 362 ᵃ1. τὰ πρὸς τῷ κέντρῳ, opp τὰ ἐκτὸς Φζ 10. 240 ᵇ16. ἡ γῆ κέντρον πιε 4. 911 ᵃ5. τὰ ζῷα ὥσπερ κέντρῳ χρῶνται ταῖς καμπαῖς Ζκ 1. 698 ᵃ18. — 2. κέντρον animalium quorundam. τῶν πρὸς ἀλκὴν τε χ̣ βοήθειαν ὀργανικῶν μορίων ἕκαστα ἀποδίδωσιν ἡ φύσις τοῖς δυναμένοις χρῆσθαι μόνοις ἢ μᾶλλον, μάλιστα δὲ τῷ μάλιστα, οἶον κέντρον, πλῆκτρον, κέρατα, χαυλιόδοντας ἢ εἴ τι τοιῦτον ἕτερον Ζμγ3. 661 b31. — a. ἐντόμων κέντρον. ἔχει ἔνια τῶν ἐντόμων ἢ κέντρα πρὸς βοήθειαν τῶν βλαπτόντων Ζμδ6. 682 b33. Ζιθ7. 532 a15. τὸ κέντρον τοῖς μὲν ἔμπροσθέν ἐστι τοῖς δ' ὄπισθεν Ζμδ6. 682 b34. τὰ μὲν ἐν αὐτοῖς, τὰ δ' ἐκτὸς ἔχει Ζιθ7. 532 a15. Ζμδ5. 682 a10. 6. 683 a8. β17. 661 a18. τῶν ἐντόμων ἔνια αἰσθάνονταί τε (τῷ κατὰ τὴν γλῶτταν τεταγμένῳ κέντρῳ) τῆς τροφῆς ἢ ἀναλαμβάνυσι ἢ προσάγονται αὐτὴν Ζμδ6. 683 a2. — τὰ δίπτερα ἔμπροσθεν ἔχει τὰ κέντρα Ζια5. 490 a20. Ζμδ6. 683 a16. τοῖς οἴστροις ἢ μύωψιν ἡ γλῶττα ἀντὶ κέντρου ἐστίν Ζμβ17. 661 a29. — αἱ μέλιτται πᾶσαι κέντρον ἔχυσι, τύπτεται ἀπόλλυνται διὰ τὸ μὴ δύνασθαι τὸ κέντρον ἄνευ τῦ ἐντέρυ ἐξαιρεῖσθαι, τὸ κέντρον ἀποβαλῦσα ἡ μέλιττα ἀποθνήσκει, ὐκ ἀναφύεται τὸ τῆς μελίττης κέντρον Ζγγ10. 759 b4. Ζιε21. 553 b4. ι40. 626 a18, 20. γ12. 519 a28. οἱ ἡγεμόνες ὅμοιοί εἰσι ταῖς μελίτταις τῷ κέντρον ἔχειν, κέντρῳ ὐ τύπτυσιν, ἐπισκεπτέον εἰ κέντρον ἔχυσιν ἢ μὴ Ζγγ10. 760 a14, 20. Ζιε21. 553 b6. ι42. 629 a28. τῶν κηφήνων ἔνιοι γινόμενοι θυμικώτεροι καλῦνται κεντρωτοί, ὐκ ἔχοντες κέντρον Ζιι40. 624 b16. αἱ ἀνθρῆναι πᾶσαι φαίνονται κέντρον ἔχυσαι Ζιι42. 629 a27. τῶν σφηκῶν οἱ μὲν ἄκεντροι, οἱ δ' ἔχυσι κέντρον, ἱ q ἔγκεντροι Ζιι41. 627 b28, 628 b4, 1. — τὰ μὴ ἔχοντα ἔμπροσθεν τὸ κέντρον· ὅσα ὀπισθόκεντρά ἐστι διὰ τὸ θυμὸν ἔχειν ὅπλον ἐξ αὐτὸ τὸ κέντρον Ζμδ5. 682 a12. τῶν κολεοπτέρων ὐδὲν ἔχει κέντρον Ζια5. 490 a19. — b. τὰ τῶν σκορπίων κέντρα Ζμδ6. 683 a12. θ139. 844 b26, 28. — c. οἱ κόχλοι ἔχυσι ἢ τὴν προβοσκίδα μεταξὺ κέντρυ ἢ γλώττης Ζμδ5. 679 b8. — d. μαρτιχόραν φασὶν ἐν τῇ κέρκῳ κέντρον ἔχειν ἢ τὰς ἀποφυάδας ἀπακοντίζειν Ζιβ1. 501 a31. — e. κέντρον βάλλειν Ζιι40. 624 b17, 626 a21, 22. 41. 628 b2, ἀποβάλλειν Ζιι40. 626 a20, τύπτειν Ζιε21. 553 b6. ι40. 626 a17, ἐκθλίβειν, ἐξαιρεῖσθαι Ζιι40. 626 a18, 20. ὁ πληγείς, πλήγμα Ζιι40. 626 a19. 41. 627 b27. cf ἄκεντρος, ἔγκεντρος, ἐμπροσθόκεντρος, ὀπισθόκεντρος.

κεντρωτοὶ κηφῆνες Ζιι40. 624 b16.

κένωσιν πολλὴν ποιεῖ πις8. 914 b37.

κέπφος (v l κίπφος, γείφος) περὶ τὴν θάλατταν Ζιθ3. 593 b14. ὁ κέπφοι (v l κέμφοι) ἁλίσκονται τῷ ἀφρῷ· κάπτυσι γὰρ αὐτόν, διὸ προσραίνοντες θηρεύυσιν. ἔχει δὲ τὴν μὲν ἄλλην σάρκα εὐώδη, τὸ δὲ πυγαῖον μόνον θινὸς ὄζει, γίνονται δὲ πίονες Ζιι35. 620 a13 Aub. (Procellaria pelagica S II 161, 462. K 869, 9. Cr Su 159, 152. Thalassidroma quaedam St, ignota avis ΑΖι I 95, 45.)

κεραία. 1. animalium. κεραίαι πρὸ τῶν ὀμμάτων ἔχει ἔνια, οἶον αἴ τε ψύλλαι ἢ οἱ κάραβοι Ζιθ7. 532 a26. crustacea ὁμοίως ἔχυσιν ἀμφότερα κεραίας δύο πρὸ τῶν ὀφθαλμῶν μεγάλας ἢ τραχείας (antennae superiores), ἢ ἄλλα κεραίτια μικρὰ ὑπ' αὐτῶν λεῖα (antennae inferiores) Ζιδ2. 526 a6. — τὰς κεραίας (in astragalo) ἄνω τὰ ζῷα ἔχει Ζιβ1. 499 b30. — 2. navium antenna. ἡ κεραία διὰ τί ἀνώτερον ἄγεται μχ6. 851 b4, a38. στέλλεσθαι πρὸς τὴν κεραίαν (ambigue dicitur) τι33. 182 b17 cf Schol.

κέραια ζῳότερον (Hom I 203) πο25. 1461 a15.

κεραμεικὸς τροχός μχ8. 851 b20.

κεραμεύς. πρὸς τῷ πηλῷ ὁ κεραμεὺς ἢ ὅλως πᾶσα ἡ ἐργασία ἡ ἐσχάτη πρὸς τῇ ὕλῃ Ζγα22. 730 b6. ἐναντίαι καθ' Ἡσίοδον (ε 25) ὡς κεραμεῖ κεραμεύς Πε10. 1312 b5. κεραμεὺς κεραμεῖ κοτέει ηεη1. 1235 a18. γίγνεται ὅτω τὸ κεραμεὺς κεραμεῖ Ρβ4. 1381 b16. 10. 1388 a16. κεραμεῖς πάντας τὸς τοιῦτυς ἀλλήλοις φασὶν εἶναι Ηθ2. 1155 a35.

κεραμιδύμμένη ἢ θριγκυμένη ἡ οἰκία Φη3. 246 a28 (cf κεραμῦσθαι).

κεράμιον ἔχει τὸν οἶνον Κ15. 15 b24. ὁ ἐν τῷ κεραμίῳ οἶνος Φδ4. 211 b4. κεράμιον ταριχηρὸν Ζιθ8. 534 a21. διαπιδύει ἐν τοῖς ὠμοῖς κεραμίοις τὸ ὕδωρ Ζγβ6. 743 a9. πολύπυς ἀποτίκτει εἰς κεράμιον Ζιε18. 549 b32. ἐκβληθέντων κεραμίων εἰς τὴν θάλατταν Ζγγ11. 763 a31. πίθον ἢ κεράμια κενὰ κατορύξαι πια8. 899 b25.

κεραμὶς ἢ θριγκός, τελείωσις τῆς οἰκίας Φη3. 246 a27. τὴν κύνα καθῆσθαι ἐπὶ τῆς κεραμίδος, κύων καθευδύσα ἐπὶ τῆς αὐτῆς κεραμίδος ηεη1. 1235 a12. ημβ11. 1208 b11.

κέραμος ὠμὸς μδ3. 380 b8. ὁ κέραμος ὀπτώμενος πήγνυται (συνέστηκεν) ὑπὸ τῦ θερμῦ ἐξιόντος τῦ ὑγρῦ μδ6. 383 a21, 24. 10. 388 b12. χ1. 791 b20. ὁ κέραμος γῆς μόνης ἐστὶ μδ7. 384 b19, 383 b20. 8. 385 a30, ὁ κέραμος ἄλυτον, ἀμάλακτον, ἄκαμπτον, ἄσχιστον, ἄθλαστον, θραυστὸν ἢ κατακτὸν μδ6. 383 b11. 9. 385 b9, 28, 386 b26, a18, 11. Ζγβ6. 743 a19. ἦχον παραπλήσιον ἔχειν τῷ κεράμῳ ακ802 b3. ὁ κέραμος ἐκ πληγῆς ῥαγεὶς σαθρὸν ποιεῖ τὸν ἦχον ακ804 a34. ὁ θριγκὸς ἢ ὁ κέραμος Φη3. 246 a18 (cf κέραμος). ὁ λαιὸς ἐπὶ τῶν πέτρων ἢ τῶν κεράμων τὰς διατριβὰς ποιεῖται Ζιι19. 617 a16. — (λαβὼν κέραμον ἢ αὐλόν, fort κέρας ακ801 a28.)

κεραμμμένη ἢ θριγκυμένη ἡ οἰκία τελειῦται Φη3. 246 a19 (cf κεραμιδῦσθαι.

κεραννύναι (cf κρᾶσις), syn μιγνύναι: φαμέν, εἴπερ δεῖ μεμῖχθαί τι, τὸ μιχθὲν ὁμοιομερὲς εἶναι, ἢ ὥσπερ τῦ ὕδατος τὸ μέρος ὕδωρ, ὕτω ἢ τῦ κραθέντος Γα10. 328 a12. ἐνίων τὸ εἶναι ὁρισθήσεται τῷ τὰ μέν ⟨τι⟩ μεμῖχθαι, τὰ δὲ κεκρᾶσθαι Μη2. 1042 b29. ἑκάστῳ μᾶλλον ἔστιν αἰσθάνεσθαι ἁπλῦ ὄντος ἢ κεκραμένα αι7. 447 a18. τὸ κεκραμένον τῦ ἀκράτυ πᾶν ἥδιον πιθ38. 921 a4. κεράσαι γάλα ἢ ὕδωρ Ζιζ26. 578 a16. κεκραμένος (οἶνος), opp ἄκρατος πγ3. 871 a17. πβ13. 907 b13. φιάλη κεκραμμένη f 508. 1561 a44. τὸ κεράσαι (Hom ε93) ἤτοι τὸ μῖξαι δηλοῖ ἢ τὸ ἐγχέαι f 162. 1505 a24, 33. (ex eiusmodi exemplis, ubi τὸ κεκραμένον imbecillius est ac levius, repetendum videtur, quod ipsum κεράννυσθαι alternandi ac debilitandi significationem adsciscit, τὸ ἀθρωότερον ἥδιον ἢ πολλῷ κεκραμένον τῷ χρόνῳ πο26. 1462 b1 Vahlen Poet IV 401. ἐὰν σφόδρα καταχορὴς ᾖ ἡ ἕξις, μελαγχολικοί εἰσι λίαν, ἐὰν δέ πως κραθῶσι, περιττοὶ πλ1. 954 b28.) κεραννύναι τὰ χρώματα μγ2. 372 a7, 8. γένος κεκραμένον τῶν φυτῶν φτα1. 815 a21. ἀὴρ ὕτω κεκραμένος μα8. 346 a6. τόποι κεκραμένοι καλῦς τῷ θερμῷ ἢ τῷ ψυχρῷ Ζιθ13. 598 a6. κεκρᾶσθαι παραπλησίως πρὸς τὸν περιέχοντα ἀέρα Ζγδ10. 777 b7, cf κρᾶσις σώματος s v κρᾶσις. τὰ τῶν Ἑλλήνων ἔθνη εὖ κέκραται πρὸς ἀμφοτέρας τὰς δυνάμεις Πη7. 1327 b35. ὁ οἶνος τῶν χρωμένων τοῖς τρόποις κεράννυσι (Chaeremon fr 16) πγ16. 873 a26. δεῖ κεκρᾶσθαι πως τὴν λέξιν τύτοις (γλώτταις, μεταφοραῖς κτλ) πο22. 1458 a31. πολιτεῖαι, ἁρμονίαι εὖ κεκραμέναι Πε8. 1307 b30. δ3. 1290 a26. χορὸς ἀνδρῶν μίαν ἁρμονίαν ἐμμελῆ κεράννυσιν κ6. 399 a17.

κέρας. περὶ κεράτων Ζμγ2. ὁμώνυμον πρὸς τὸ γένος, ὅταν τῷ σχήματι ἢ τὸ ὅλον λέγηται κέρας Ζια1. 487 a9. refertur inter τὰ ξηρὰ ἢ στερεὰ Ζια1. 487 a8. τὰ γεηρὰ λίαν ἐξατμίζοντος τῦ ὑγρῦ μετὰ τῦ θερμῦ γίνεται σκληρὰ ἢ γεώδη τὴν μορφήν, οἶον ὄνυχες ἢ κέρατα ἢ ὁπλαὶ ἢ ῥύγχη Ζμβ6. 743 a15. τὸ κέρας γῆς μᾶλλον, μαλατ-

τεται μδ̅ 10. 388 b̄31, 389 a̅11. 6. 383 a̅32. 9. 385 b̄11.
— 1. τί ἐστι, τίνος ἕνεκεν ἡ τῶν κεράτων φύσις κ̣ πῶς
ἔχει πρὸς τὰ ἄλλα μόρια Ζμγ 2. 663 b̄20. Ζμδ̅ 8. 684 a̅30.
γ 1. 661 b̄31. ὀπλὴ κ̣ χηλὴ τὴν αὐτὴν ἔχει κέρατι φύσιν,
ὥσθ᾽ ἅμα κ̣ τοῖς αὐτοῖς ἡ σχίσις γίνεται τῶν ὁπλῶν κ̣ 5
τῶν κεράτων Ζμγ 2. 663 a̅29. συνεγγὺς κατὰ τὴν ἀφὴν
ἐστι τοῖς ὀστοῖς κ̣ τὰ τοιάδε τῶν μορίων οἷον ὄνυχές τε κ̣
ὁπλαὶ κ̣ χηλαὶ κ̣ κέρατα κ̣ ῥύγχη τὰ τῶν ὀρνίθων Ζμβ 9.
655 b̄4. Ζγβ 6. 743 a̅15. γ 11. 762 a̅30. ὄνυχες κ̣ τρίχες
κ̣ ὁπλαὶ κ̣ κέρατα κ̣ ῥύγχη κ̣ τὰ πλῆκτρα συνίσταται 10
ἐκ τῆς ἐπικτήτου τροφῆς κ̣ τῆς αὐξητικῆς Ζγβ 6. 754 a̅1.
πι 62. 898 a̅23. ὄνυχες κ̣ τρίχες κ̣ κέρατα κ̣ τὰ τοιαῦτα
γίνεται ἐκ τοῦ δέρματος Ζγβ 6. 745 a̅20. ὁμοίως τοῖς δέρ-
μασι συνακολυθῦσιν ὁπλαὶ κ̣ χηλαὶ κ̣ ῥύγχη κ̣ κέρατα χ̅6.
797 b̄19. — τὸ ἔργον τῦ κέρατος Ζμγ 2. 662 b̄26. τὸ κέ- 15
ρας βοηθείας αἴτιον. βοηθείας κ̣ ἀλκῆς χάριν ἔχυσι τὰ ζωο-
τόκα, ὁ τῶν ἄλλων τῶν λεγομένων ἔχειν κέρας ὑδενὶ συμ-
βέβηκεν· ὐδὲν γὰρ χρῆται τοῖς κέρασιν ὔτ᾽ ἀμυνόμενον ὔτε
πρὸς τὸ κρατεῖν, ἅπερ ἰσχύος ἐστιν ἔργα Ζμγ 2. 662 b̄32,
27. β 9. 655 b̄7. τὰ πρὸς ἀλκὴν ἐν τῇ φύσει ὑπάρχοντα 20
μόρια, οἷον ὀδόντες κ̣ χαυλιόδοντες κ̣ κέρατα κ̣ πλῆκτρα
Ζιδ̅ 11. 538 b̄15. τοῖς κέρασιν ἀμύνεσθαι Ζμγ 2. 663 a̅12.
πκζ̅ 9. 948 a̅31. τὰ κέρατα πρὸς ἀλκὴν χρησιμώτατα, πρὸς
τὸν ἄλλον βίον ἀνοχλότατα Ζμγ 2. 663 b̄19. — 2. quibus
animalibus cornua data sint, cornus partes, cornua cava 25
solida. κέρας ἔχει ὐδὲν μὴ ζωοτόκον, καθ᾽ ὁμοιότητα δὲ
κ̣ μεταφορὰν λέγεται κ̣ ἑτέρων τινῶν κέρατα· ἀλλ᾽ ὐδενὶ
αὐτῶν τὸ ἔργον τῦ κέρατος ὑπάρχει Ζμγ 2. 662 a̅24. τῶν
ἐχόντων κέρας δι᾽ ὅλυ μὲν ἔχει στερεὸν μόνον ἔλαφος, τὰ
δ᾽ ἄλλα κοῖλα μέχρι τινός, τὸ δ᾽ ἔσχατον στερεὸν Ζιβ 1. 30
500 a̅6. Ζμγ 2. 663 b̄15, 12. τὸ κοῖλον (κέρας) ἐκ τῦ δέρ-
ματος πέφυκε μᾶλλον· περὶ δὲ τῦτο περιήρμοσται τὸ στε-
ρεὸν ἐκ τῶν ὀστῶν, οἷον τὰ κέρατα τῶν βοῶν Ζιβ 1. 500
a̅8. γ 9. 517 a̅21. τὰ κοῖλα συνεχῶς ἔχει, ἐὰν μή τι βία
πηρωθῇ Ζιβ 1. 500 a̅12. τῶν διχαλῶν τὰ μὲν πολλὰ κέρατα 35
ἔχει πρὸς ἀλκὴν Ζμγ 2. 662 b̄35, 663 a̅21. Ζιβ 1. 499 b̄16.
ὀρθῶς τὸ ἐπὶ τῆς κεφαλῆς ποιῆσαι τὴν τῶν κεράτων φύσιν.
ὅσα εἰς κέρατα ἐκκλῦουσι καθ᾽ ὑπερβολὴν τῆς τροφῆς ἧττον
τὴν κεφαλὴν ἔχει δασεῖαν· τὴν περισσωματικὴν ὑπερβολὴν
τὴν ῥεῦσαν ἐξ ἀνάγκης εἰς τὸν ἄνω τόπον τοῖς μὲν εἰς 40
ὀδόντας κ̣ χαυλιόδοντας ἡ φύσις ἀπένειμε, τοῖς δ᾽ εἰς κέ-
ρατα Ζμγ 2. 663 a̅34, 662 b̄24. πι 62. 898 a̅24. Ζμγ 2.
663 b̄34, 664 a̅1, 3, 8. — τῶν πολυσχιδῶν ὐδὲν ἔχει κέ-
ρας, ἅμα χαυλιόδοντα κ̣ κέρας ὐδὲν ἔχει ζῷον Ζμγ 2. 662
b̄31. Ζιβ 1. 501 a̅19. — 3. cornua cervi. ὁ ἔλαφος αὐτὸς τῶν 45
ἀρρένων ἔχυσι κέρατα αἱ δὲ θήλειαι ὐκ ἔχυσι Ζμγ 1. 662
a̅1. 2. 663 b̄12, 664 a̅6. Ζιβ 1. 500 a̅6. δ 11. 538 b̄19. πο 25.
1460 b̄31. γνῶναι τὴν ἡλικίαν τοῖς κέρασι Ζιυ 5. 611 b̄2.
οἱ ἐνιαύσιοι ὐ φύυσι κέρατα, πλὴν ὥσπερ σημεῖα χάριν
ἀρχήν τινα, φύυσι διετεῖς πρῶτον τὰ κέρατα εὐθέα, καθάπερ 50
παττάλυς Ζιυ 5. 611 a̅31, 33. ἀποβάλλειν τὰ κέρατα Ζμγ 2.
663 b̄12. θ 5. 830 b̄28, a̅1. Ζιβ 1. 500 a̅10. περὶ τὸν Θαρ-
γηλιῶνα μῆνα Ζιυ 5. 611 b̄8. οἱ ἔλαφοι ἀποβάλλυσι τὰ κέ-
ρατα ἐν τόποις χαλεποῖς κ̣ δυσεξευρετοῖς· ὅθεν κ̣ ἡ παροιμία
γέγονεν ᾗ αἱ ἔλαφοι τὰ κέρατα ἀποβάλλυσιν Ζιυ 5. 611 a̅26, 55
cf παροιμία. πονεῖ ὁ τόπος ὅθεν τὰ κέρατα ἀπέβαλον θ 5.
831 a̅1. νέμονται νύκτωρ· μέχριπερ ἂν ἐκφύσωσι τὰ κέρατα,
ἡλιάζονται, ἵν᾽ ἐκπέψωσι κ̣ ξηρανῶσι τὸ κέρας Ζιυ 5. 611
b̄13, 15. καλῦνται ἀμυντῆρες (Wehrzinken) τὰ προνενευ-
κότα τῶν φυομένων κεράτων εἰς τὸ πρόσθεν, οἷς ἀμύνονται 60
Ζιυ 5. 611 b̄5. ἡ τῶν κεράτων ἐξοχή, σχίσις, αὔξησις, ἔκ-

κρισις Ζμγ 2. 663 a̅8, 29, 664 a̅3. Ζγα 20. 728 b̄21. εἰς τὸ
ὀρθὸν γίνεται ἡ αὔξησις τῷ γέροντι τῶν κεράτων, τίνες ὐκέτι
φύυσι κέρατα Ζιυ 5. 611 b̄7. 50. 632 a̅11. τὸ ἀριστερὸν ὐδεὶς
πω ἑώρακεν, τὸ δεξιὸν κέρας, ἀχαιῆς ἔλαφος ἐπὶ τῶν κε-
ράτων ἔχων κιττὸν Ζιυ 5. 611 a̅29, b̄18 Aub. f 331. 1533
b̄36. θ 5. 831 a̅2. — 4. τὰ μονοκέρατα ἔχει τὸ κέρας ἐν
τῷ μέσῳ τῆς κεφαλῆς Ζμγ 2. 663 a̅25. — 5. κέρατα ἐπ-
πελάφων Ζιβ 1. 499 a̅2, 8. — 6. cavicorniorum cornua.
τοῖς βονάσοις τὰ κέρατα γαμψά, κατεστραμμένα κ̣ τὸ ὀξὺ
κάτω παρὰ τὰ ὦτα, κεκαμμένα εἰς αὑτά, τῷ μεγέθει σπι-
θαμιαῖα ἢ μικρῷ μεῖζω, ἡ μελανία καλὴ κ̣ λιπαρά Ζμγ 2.
663 a̅14. θ 1. 830 a̅13. Ζιβ 1. 499 b̄32. ι 45. 630 a̅31, 35. —
οἱ βόες οἱ ἄγριοι τὰ κέρατα ἐξυπτιάζοντα ἔχυσι μᾶλλον
Ζιβ 1. 499 a̅7. — ὀπισθονόμων βοῶν κέρατα Ζμβ 16. 659
a̅19, τῶν ἐν Νευροῖς f 321. 1532 a̅39. 323. 1532 b̄2. —
κέρατα ταύρων κ̣ θηλειῶν βοῶν Ζιδ̅ 11. 538 b̄23. Ζμγ 1.
662 a̅3. πι 36. 894 b̄23. 57. 897 b̄27. οἱ νέοι τὸς πόδας ἥτ-
τον ἀλγῦσιν, ἐάν τις ἀλείφῃ κηρῷ ἢ πίττῃ ἢ ἐλαίῳ τὰ
κέρατα (κεράτια ci C S Pic) Ζιθ 6. 595 b̄14. 23. 604 a̅16.
διὰ τί ὁ Αἰσώπυ Μῶμος διαμέμφεται τὸν ταῦρον Ζμγ 2.
663 a̅35. — κέρατα προβάτων, κριῶν Ζμγ 1. 662 a̅3. Ζιβ 2.
590 b̄29. πι 36. 894 b̄23. ἐν Λιβύῃ εὐθὺς γίνεται κέρατα
ἔχοντα τὰ κερατώδη τῶν κριῶν, ὐ μόνον οἱ ἄρνες, ὥσπερ
Ὅμηρός φησιν (δ 85), ἀλλὰ κ̣ τἆλλα· ἐν δὲ τῷ Πόντῳ
τὐναντίον· ἀκέρατα γὰρ γίνονται Ζιθ 28. 606 a̅18. — τὰ μώνυχα
ἀντὶ κεράτων κ̣ ὀδόντων τὴν τῦ ὄνυχος φύσιν Ζμβ 10. 690
a̅7. — 7. πάντα ὅσα κεφατοφόρα, τετράποδά ἐστιν, εἰ μή τι
κατὰ μεταφορὰν λέγεται ἔχειν κέρας κ̣ λόγυ χάριν, ὥσπερ τὸς
περὶ Θήβας ὄφεις οἱ Αἰγύπτιοι φάσιν (Herod II 74), ἔχον-
τας ἐπανάστασιν ὅσον προφάσεως χάριν Ζιβ 1. 500 a̅3. —
8. crustaceorum antennae. ὁ ἀστακὸς ἔχει ἐπάνω τῶν ὀδόν-
των τὰ κέρατα μακρά, βραχύτερα κ̣ λεπτότερα πολὺ
ἢ ὁ κάραβος, κ̣ ἄλλα τέτταρα τὴν μὲν μορφὴν ὅμοια τύ-
τοις, βραχύτερα δὲ κ̣ λεπτότερα Ζιδ̅ 2. 526 a̅31 Aub. οἱ
κάραβοι καταβαλόντες τὰ κέρατα πλάγια· μάχονται πρὸς
ἀλλήλυς τοῖς κέρασι κ̣ τύπτοντες Ζιβ 2. 591 b̄27,
29. — 9. μέγας τις σκώληξ κέρας οἷον κέρατα Ζιε 19. 551
b̄10. — 10. ἔνια ἐν τῷ σκότει ποιεῖ αἴσθησιν οἷον μύκης,
κέρας, κεφαλαὶ ἰχθύων κ̣ λεπίδες κ̣ ὀφθαλμοὶ ψβ 7. 419
a̅5. ἐλάφου κέρατος θυμιωμένου τὰ πλεῖστα τῶν ἐντόμων
φεύγει Ζιθ 8. 534 b̄23. τὰ κέρατα τῶν νέων ἐλάφων ἐν
τῇ κηρῷ ἄγεται ῥᾳδίως ὅπη ἄν τις ἐθέλῃ Ζιθ 6. 595 b̄12
Aub. ἤδη δὲ κ̣ κέρας αἲξ ἔχυσα ἐγένετο πρὸς τῷ σκέλει
Ζιγδ̅ 4. 770 b̄37. ἡ τῦ ἀνθρώπυ χεὶρ κ̣ ὄνυξ κ̣ χηλὴ κ̣ κέ-
ρας γίνεται κ̣ δόρυ κ̣ ξίφος κ̣ ἄλλο ὁποιονῦν ὅπλον κ̣ ὄρ-
γανον Ζμδ̅ 10. 687 b̄3. — κέρας, instrumentum musicum.
unde soni varietas efficiatur αχ 802 a̅17-b̄14. σημεῖον τῦ
ἀκύειν ἢ μὴ τὸ ἠχεῖν αἰεὶ τὸ ὖς ὥσπερ τὸ κέρας ψβ 8.
420 a̅16. — κέρας voc militare. οἱ ἱππεῖς ἐπὶ τοῖς κέρασιν
f 147. 1503 a̅24. ὁ ἱππεὺς ἐπὶ κέρας ἐκτρέχει κ 6. 399 b̄8.
ὑπὸ θάτερον κέρας μιᾷ στενὸν διῆκεν αὐχένα 5 Ὠκε-
ανός κ 3. 393 b̄5. — (κέρας fort scribendum pro κέραμον
αχ 801 a̅28.)

Κέρας ἐν Ἰνδοῖς θ 71. 835 b̄5.

κερασῦ τῆ ἐπὶ καρποῦ τῆς κεράσυ φτα 5. 820 b̄13. (Prunus ce-
rasus vel avium L.)

κερατίνος. Ἀπόλλωνος τῦ γενέτορος βωμός, ὅς ἐστιν ὄπισθεν
τῦ κερατίνυ f 447. 1551 b̄14.

κεράτιον. 1. tubae Fallopii. ἐπ᾽ ἄκρων αἱ ὑστέραι τῶν κα-
λυμένων κερατίων εἱλιγμὸν ἔχυσιν αἱ τῶν πλείστων Ζιγ
1. 510 b̄19. — 2. antennae. τῦ καράβυ κεράτια μικρὰ

ὑποκάτω λεῖα, τῷ καρκινίῳ κεράτια δύο λεπτὰ πυρρά Ζιδ2. 526 ᵃ7. 4. 529 ᵃ27. — 3. tentacula. τῶν στρομβοειδῶν, τῶν μονοθύρων κ̣ διθύρων Ζιδ4. 528 ᵇ24, 529 ᵃ27.

κερατοφόρος. τῶν ζῴων τὰ μὲν κερατοφόρα τὰ δ' ἄκερα Ζιβ1. 499 ᵇ15. τοῖς κερατοφόροις τίνα ὁμοίως ἔχει πᾶσι 5 Ζιγ1. 510 ᵇ18. τὰ κερατοφόρα τετράποδα Ζιβ1. 500 ᵃ2, ϰ̓κ ἀμφώδοντα Ζιβ1. 501 ᵃ12. 17. 507 ᵃ35, ᵇ12. Ζμγ2. 663 ᵇ35. 14. 674 ᵃ31. β6. 651 ᵇ30, πλείως ἔχει κοιλίας, μηρυκάζει Ζμγ14. 674 ᵇ7, 675 ᵃ5. πάμπαν μικρὸν ϒϛδέν ἐστι κερατοφόρον Ζιβ17. 507 ᵇ33. Ζμγ2. 663 ᵇ25. 14. 675 ᵇ5. 10 τὰ πλεῖστα τῶν κερατοφόρων διχαλὰ Ζμγ2. 663 ᵃ18. Ζιβ1. 499 ᵃ1. τὰ κερατοφόρα ἔχει κοτυληδόνας ἐν τῇ ὑστέρᾳ Ζιγ1. 511 ᵃ29, σπλῆνα στρογγύλον Ζμγ12. 673 ᵇ32, μαστὸς ἐν τοῖς μηροῖς Ζμδ10. 688 ᵃ33. τῶν κερατοφόρων τὸ γάλα πήγνυται Ζμγ15. 676 ᵃ13. cf praeterea Ζιβ1. 498 15 ᵇ31. π44. 895 ᵇ13. Wz ad Ζιβ14. 98 ᵃ13.

κερατώδης. τὰ κερατώδη τῶν ζῴων καρποφάγα ἐστι Ζιθ6. 595 ᵃ13, στέαρ ἔχει Ζμβ5. 651 ᵃ32. τὰ κερατώδη τῶν κριῶν Ζιθ28. 606 ᵃ19.

κεραύνιος διὰ τί καλεῖται ὁ θεός κ7. 401 ᵃ17. 20

κεραυνός. περὶ κεραυνῶ μβ9. γ1. def μγ1. 371 ᵃ19. κ4. 395 ᵃ22. οἱ κεραυνοὶ κάτω πίπτωσιν, κεραυνῶν πτώσεις μα4. 342 ᵃ13. 1. 339 ᵃ4. θερμὰ ἀπὸ ἐπισημάνσεως κεραυνῶν πκδ18. 937 ᵇ26. ὅταν κεραυνὸς εἰς θάλασσαν ἐμπέσῃ, ἅλες ἐξανθῶσιν f 210. 1516 ᵃ24. τὰς κεραυνὰς ὑπομένειν φερο- 25 μένας διὰ μανίαν ηεγ1. 1229 ᵇ27.

κεραυνῶσθαι οἴονται (οἱ καθεύδοντες) μικρῶν ἤχων ἐν τοῖς ὠσὶ γινομένων μτ1. 463 ᵃ12. Φαέθοντα κεραυνωθέντα πεσεῖν εἰς τὴν λίμνην θ81. 836 ᵇ2.

Κέρβης ποταμὸς ἐν Εὐβοίᾳ θ170. 846 ᵇ38. 30

κερδαίνειν, def Ηε7. 1132 ᵇ14. opp ζημίαν λαβεῖν ημβ8. 1207 ᵃ30. μηδὲν κερδαίνειν Πε8. 1308 ᵇ5. κερδαίνειν ἀπό τινος Ηδ3. 1122 ᵃ11, 12. κερδαίνειν ἀπὸ τῶν ἀρχῶν Πε8. 1309 ᵃ4. μὴ εἶναι τὰς ἀρχὰς κερδαίνειν Πε8. 1308 ᵇ33.

κερδαλέος, def ηεβ3. 1221 ᵃ33. 35

κέρδος latiore sensu Ηε7. 1132 ᵃ12, proprie dictum Ηε7. 1132 ᵇ12. opp ζημία, δίκαιον ηεβ3. 1221 ᵃ4. opp ζημία Ραΐ2. 1372 ᵃ8, ᵇ12. Πε2. 1302 ᵃ32. dist τιμή Πε8. 1308 ᵃ10, ᵇ38. 2. 1302 ᵃ32, 38. διαφθείρειν διὰ κέρδος Πγ16. 1287 ᵃ40. πλεῖστον ποιεῖν κέρδος Παϑ. 1257 ᵇ5. τῆς ἐνδείας 40 ἐπικυρία τὸ κέρδος Ηθ16. 1163 ᵇ5, 3.

κέρθιος. ὀρνίθιόν τι μικρὸν, descr Ζιι17. 616 ᵇ28. (Certhia familiaris Su 121, 71. K 979 Cr St. Lanius rufipes vel Collurio G 30. avis ignota S II 116. ΑΖι I 95, 46.)

Κερκιδᾶς (?) Ζμγ10. 673 ᵃ21. 45

κερκιδοποιική, ὑπηρετικὴ τῇ ὑφαντικῇ Πα8. 1256 ᵃ6.

κερκίζειν. εἰ αἱ κερκίδες ἐκέρκιζον αὐταὶ Πα4. 1253 ᵇ21.

κερκίς. εἰ αἱ κερκίδες ἐκέρκιζον αὐταὶ Πα4. 1253 ᵇ37. ἡ τῆς κερκίδος φωνὴ ἐν τῷ Σοφοκλέες Τηρεῖ (ἀναγνώρισις) πο16. 1454 ᵇ37. — ἥ ἐν τῷ ἀγκῶνι κερκὶς πν7. 484 ᵇ28. διὸ 50 τὰς πόδας κάμπτειν ἐδυνάμεθα, εἰ μὴ δύο αἱ ἐν τῇ κινήσει κερκίδες πν7. 484 ᵇ31. — ἡ λάταξ ὀδόντας ἔχει ἰσχυρὰς, νύκτωρ πολλάκις τὰς περὶ τὸν ποταμὸν κερκίδας ἐκτέμνει τοῖς ὀδῶσιν Ζιϑ5. 595 ᵃ2. (Populus alba vel tremula L, cf S I 609.) 55

κέρκισις, dist σπάθησις Φη2. 243 ᵇ7, 28.

κέρκος (vl κέρκη Ζιβ1. 500 ᵇ31). κέρκον ἔχει πάντα σχεδόν, ϒ μόνον τὰ ζωοτόκα ἀλλὰ κ̣ τὰ ϒωοτόκα· κ̣ γὰρ ἂν μὴ μέγεθος αὐτοῖς ἔχον ᾖ τϒτο τὸ μόριον, ἀλλὰ σμικρὸν (leg σημεῖϛ) γ' ἕνεκεν ἔχϒσί τινα στόλον. ὅπως ἐν φυλακῇ κ̣ 60 σκέπῃ ᾖ τὸ λειτϒργϒν μόριον τὴν ἔξοδον τϒ περιττώματος,

τὴν καλϒμένην ϒρὰν κ̣ κέρκον αὐτοῖς (τοῖς τετραπόσι κ̣ τοῖς ἄλλοις) ἀπέδωκεν ἡ φύσις Ζμδ10. 689 ᵇ2, 30. τῶν τετραπόδων ϒοτόκων κ̣ ἐναίμων κέρκον τὰ μὲν πλεῖστα ἔχει μείζω, ὀλίγα δ' ἐλάττω· τοῖς μὲν ἔχϒσι πόδας τὸ ὀπίσθιόν ἐστι σκέλος τὸ κάτωθεν μέρος πρὸς τὸ μέγεθος, τοῖς δὲ μὴ ἔχϒσιν ϒραὶ κ̣ κέρκοι κ̣ τὰ τοιαῦτα Ζιβ10. 502 ᵇ33. 1. 500 ᵇ31. ὅσα κέρκϛς ἔχει μῆκος ἐχϒσας κ̣ ταύτας ἐπικεκόσμηκεν ἡ φύσις θριξί, τοῖς μὲν μικρὸν ἔχϒσι τὸν στόλον μακραῖς, ὥσπερ τοῖς ἵπποις, τοῖς δὲ μακρὸν βραχείαις. ἀκολϒθϒσι κατὰ τὸ σῶμα κ̣ αἱ κέρκοι δασύτητι κ̣ ψιλότητι ὅσων αἱ κέρκοι μέγεθος ἔχϒσιν· ἔνια γὰρ μικρὰν ἔχει πάμπαν. ὅσοις τὸ σῶμα δασὺ λίαν πεποίηκε ἡ φύσις, τϒτοις ἐνδεῶς ἔχει τὰ περὶ τὴν κέρκον Ζμβ14. 658 ᵃ32, ᵇ1. Ζιβ1. 499 ᵃ10 (cf Lewes 185). — 1. τῶν κέρκων διαφοραί τ' εἰσὶ πλείϛς κ̣ ἡ φύσις παρακαταχρϒται κ̣ ἐπὶ τϒτων, ϒ μόνον πρὸς φυλακὴν κ̣ σκέπην τῆς ἕδρας, ἀλλὰ κ̣ πρὸς ὠφέλειαν κ̣ χρῆσιν τοῖς ἔχϒσιν Ζμδ10. 690 ᵃ1, 689 ᵇ30. κέρκϛ δασύτης τραχύτης, ψιλότης Ζιβ1. 499 ᵃ10. ζι10. 565 ᵇ29. Ζμβ14. 658 ᵇ1. κέρκϛς μακρὰ, μικρὰ, μείζων, ἐλάττων, ἔχϒσα μέγεθος μήκϛς, σημείϛ χάριν Ζιβ1. 498 ᵇ13, 499 ᵃ10. 8. 502 ᵇ22. 10. 502 ᵇ33. 11. 503 ᵃ19. ζι10. 565 ᵇ29. Ζμβ14. 658 ᵃ32. δ'10. 689 ᵇ2, 30. 11. 692 ᵃ18. τὴν κέρκον κινεῖν, κατατείνειν, προσαναπύττεσθαι ΖιΖ18. 572 ᵃ24. ι44. 630 ᵃ1. ει7. 549 ᵇ2. ἄκρα ἡ τῆς κέρκϛ σύμφϒσις Ζιβ11. 503 ᵇ14. — 2. cauda praeter hominem omnibus fere animalibus et ova gignentibus, veluti πιθήκϛ σημείϛ χάριν, κήβϛ Ζιβ8. 502 ᵇ22 (cf ϒρά 1 et Μ 465). 9. 502 ᵇ25, λέοντος, κυνός, ἄρκτϛ, ὑαίνης Ζιδ4. 630 ᵃ1. ζι2. 579 ᵇ20, 25. Ζμβ14. 658 ᵇ1. Ζγγ6. 757 ᵃ9, καμήλϛ, βονάσϛ, βοός, ἐλάφϛ, φώκης (cf ϒρά 1), ἵππϛ τϒ ποταμίϛ, ϒός Ζιβ1. 499 ᵃ19, 498 ᵇ13. 7. 502 ᵃ12. 15. 506 ᵃ24, ι45. 630 ᵇ4. περὶ τὴν ὥραν τῆς ὀχείας αἱ ἵπποι τὴν κέρκον κινϒσι πυκνὰ ΖιΖ18. 572 ᵃ24. — αἱ νυκτερίδες ϒτε κέρκον ἔχϒσιν ϒτ' ϒροπύγιον, διὰ μὲν τὸ πτηνὰ εἶναι κέρκον, διὰ δὲ τὸ πεζὰ ϒροπύγιον· ἡ κέρκος κ̣ ἐμπόδιος ἂν ἦν ὑπάρχϒσα ἐν τοῖς πτεροῖς Ζμδ13. 697 ᵇ5, 12. — 3. amphibiorum. αἱ κέρκοι ἀποτεμνόμεναι τῶν τε σαύρων κ̣ τῶν ὄφεων φύονται· ἀποδύεται τὸ γῆρας, ἀπὸ τῆς κεφαλῆς ἀρξάμενον μέχρι τῆς κέρκϛ Ζιβ17. 508 ᵇ7. θι7. 600 ᵇ32. ὁ χαμαιλέων ἔχει κέρκον μακρὰν σφόδρα, εἰς λεπτὸν καθήκϛσαν κ̣ συνελιττομένην ἐπὶ πολύ, καθάπερ ἱμάντα, συμμεταβάλλϒσαν ὁμοίως τῷ λοιπῷ σώματι, σάρκα ἔχει περὶ ἄκραν τὴν τῆς κέρκϛ σύμφϒσιν Ζιβ11. 503 ᵃ19, ᵇ8, 14. — 4. piscium. τρυγόνος, βάτϛ, κεστρέως κέρκοι ΖιΖ10. 565 ᵇ29. ι2. 610 ᵇ15 (vsv ϒρά 3, ϒραῖον 1). — 5. crustaceorum, τὰ μαλακόστρακα ὀχεύεται ὅταν ϒ μὲν ὑπτίαν ἡ δ' ἐπὶ ταύτης ποιήσῃ τὴν κέρκον Ζιε7. 541 ᵇ22 Aub. κέρκον ἔχϒσι καρίδες ἄστακοι καρκίνοι Ζμδ8. 684 ᵃ15. Ζιε7. 541 ᵇ20. Ζμδ11. 692 ᵃ18, κάραβοι Ζιδ2. 525 ᵇ27. ε7. 541 ᵇ19 (cf ϒρά 6, ϒραῖον 5). κάραβος τοῖς ϒραίοις νεῖ, μάλιστα δ' ἐπὶ τὴν κέρκον τοῖς ἐν ἐκείνῃ πτερυγίοις Ζιε5. 490 ᵃ3. τῶν καράβων ϒ θήλεια τὰ ϒὰ τίκτϒσα ἔοικε προσάγειν πρὸς τὰ χονδρώδη τῷ πλάτει τῆς κέρκϛ προσαναπυττομένης (Schwanzspitze) Ζιε17. 549 ᵇ2 Aub. ἑκάτερωθεν ἀπὸ τῆς κέρκϛ κ̣ ἀπὸ τϒ θώρακος δύο διαστήματα μάλιστα ἀπέχει Ζιε17. 549 ᵃ30 cf P et Aub (fort Schwanzplatten). — 6. μαρτιχόρας ἔχει τὴν κέρκον ὁμοίαν τῇ τϒ σκορπίϛ τϒ χερσαίϛ Ζιβ1. 501 ᵃ30. — 7. αἱ ἀκρίδες τίκτϒσιν εἰς τὴν γῆν καταπήξασαι τὸν πρὸς τῇ κέρκῳ καυλόν (aculeo defodiendis ovis inserviente) Ζιε28. 555 ᵇ21. cf S I 387. (κέρκος et ϒρά quomodo differant S I 74, 81, II 300, 305. ΚαΖι 64: Wirbelschwanz.)

κερκοφόρος. τῶν σελαχίων τὰ πλατέα ἢ κερκοφόρα Ζια5. 489 ᵇ31. ε5. 540 ᵇ8. cf S I 35.

Κέρκυρα οβ1350 ᵃ30. — Κερκυραϊκοὶ ἀμφορεῖς θ104. 839 ᵇ8. — Κερκυραίων πολιτεία f 469. 470. ὑπερήφανοι ἐγένοντο οἱ Κερκυραῖοι εὐπραγῆντες f 470. 1555 ᵇ21. αἱ μάστιγες αἱ Κερκυραῖαι διάφοροι παρὰ τὰς ἄλλας f 470. 1555 ᵇ25.

Κερκύων Καρκίνᾳ ἐν τῇ Ἀλόπῃ Ηη8. 1150 ᵇ10 (Nauck fr tr p 619).

Κέρκωψ Ἡσιόδῳ ζῶντι ἐφιλονείκει f 65. 1486 ᵇ31.

κερματίζειν (τὴν τροφὴν) εἰς πολλά Ζμγ1. 662 ᵃ13. ἀὴρ εἰς μικρὰ κερματισθεὶς μβ8. 367 ᵃ11.

κεστὸν ἱμάντα (Hom Ξ 214) Ηη7. 1149 ᵇ16.

κεστρεύς. 1. Mugiloidei. nom générique C II 526. refertur inter τὰς προμήκεις, τὰ μακρὰ ἢ πάχος ἔχοντα Ζιβ13. 504 ᵇ32. Ζμδ13. 696 ᵃ3, τὰς λεπιδωτὰς, προσγείως, χυτὰς Ζιζ13. 567 ᵃ19. θ13. 598 ᵃ10. ε9. 543 ᵃ2, ὰ σαρκοφάγως, ὅσα ὐκ ἀλληλοφαγεῖ Ζιθ2. 591 ᵃ17. ι37. 621 ᵇ6. f 299. 1529 ᵇ16. καρχαρόδὰς ὧν f 299. 1529 ᵇ15. refertur etiam inter τὰς μάλιστα ὀξυγχὰς τῶν ἰχθύων Ζιθ8. 534 ᵃ8. — 20 ὁ κεστρεὺς ἔχει ἐπὶ μὲν θάτερα τῆς κοιλίας πολλὰς ἀπο-φυάδας, ἐπὶ δὲ θάτερα μίαν· ἔχει ὀρνιθώδεις τὰς κοιλίας ἢ σαρκώδεις Ζιβ17. 508 ᵇ18. Ζμγ14. 675 ᵃ11. cf F 301, 81. — sexus Ζιε5. 541 ᵃ20. ζ15. 569 ᵃ23, 21. κύὰσι τριάκοντα ἡμέρας. μάλιστα πονῦσι τῇ κυήσει, κεστρεὺς φαῦλος κύων 25 ἐστὶν Ζιε11. 543 ᵇ14, 16. ζ17. 570 ᵇ7, 2. θ30. 607 ᵇ25. τίκτωσιν ἅπαξ. χειμῶνος, μάλιστα ὅ ἂν ποταμὸὶ ῥέωσιν Ζιε9. 543 ᵃ2. 11. 543 ᵇ11. 10. 543 ᵇ3. ἔστι ἢ ἄλλη ἀφύη, ἢ γόνος ἐστὶ κεστρέων· τῦτον τὸν γόνον ὐδὲν τῶν θηρίων κατεσθίει. ἐπεὶ οἱ κεστρεῖς ὐδένα τῶν ἰχθύων Ζιε15. 569 30 ᵇ33. f 299. 1529 ᵇ21. — τάχιστος τῶν ἰχθύων· ἐκ τῆς θαλάττης ἀναβαίνει εἴς τε τὰς λίμνας ἢ τὰς ποταμὰς· εἰς τὰς ποταμὰς ἀναπλεῖ ἢ εὐθηνεῖ ἐν τοῖς ποταμοῖς ἢ ἐν ταῖς λίμναις Ζω37. 620 ᵇ26. ζ14. 569 ᵃ7 Aub. θ19. 601 ᵇ20. τρέφεται πᾶς κεστρεὺς φυκίοις ἢ ἄμμῳ· λαίμαργος μά- 35 λιστα τῶν ἰχθύων ὁ κεστρεὺς ἐστι ἢ ἄπληστος, διὸ ἡ κοιλία περιτείνεται ἢ ὅταν ᾖ μὴ νῆστις, φαῦλος Ζιθ2. 591 ᵃ22, ᵇ1 (cf Nauck in Bullet Petersburg Acad 1861 p 321. Scalig ad h l. S I 578). ὅταν φοβηθῇ, κρύπτει τὴν κεφαλὴν ὡς ὅλον τὸ σῶμα κρύπτων· ζῷσι πολλάκις ἀφῃρημένοι τὴν 40 κέρκον· ἀκμάζυσι τῷ μετοπώρῳ. πολλάκις ἡμέρας καθεύδει Ζιβ2. 591 ᵇ3. ι2. 610 ᵇ15. 37. 621 ᵇ21. δ10. 537 ᵃ33. λά-βραξ ἢ κεστρεὺς πολεμιώτατοι ὄντες κατ᾽ ἐνίυς καιρὺς συναγελάζονται ἀλλήλοις· ὑπὸ λαβράκος, πολύποδος ἀπε-σθίεται Ζω2. 610 ᵇ11, 16. 37. 620 ᵃ25, 2. λαμβάνεται τριώ- 45 δοντι, δελεάζεται μάζῃ Ζιε5. 541 ᵃ20. δ10. 537 ᵃ33. θ2. 591 ᵃ21. (Mugil capito vel cephalus S I 100. 467. F 301, 81. Rose Ar Ps 307. ΚαΖμ 111, 15. ΚαΖι 76, 5. M 286. ΑΖι I 130, 31. ΑΖγ 34. E 89. St Cr.) — enumerantur τῶν κεστρέων (πᾶς κεστρεύς, πάντες οἱ κεστρεῖς, nusquam 50 τὸ τῶν κεστρέων γένος Ζιθ2. 591 ᵃ22. ζ15. 569 ᵃ21) a. ὁ περαίας Ζιθ2. 591 ᵃ24. — b. ὁ σάργος Ζιε11. 543 ᵇ14. ζ17. 570 ᵇ2. — c. ὁ χεραῖος f 299. 1529 ᵇ17. — d. ὁ μύξων, σμύξων Ζιε11. 543 ᵇ14. ζ17. 570 ᵇ2. — e. χελλὼν, χελ-λὶν f 299. 1529 ᵇ17. Ζιε11. 543 ᵇ14. ζ17. 570 ᵇ2 (sed ὁ 55 κέφαλος, ὃν καλῦσί τινες χελῶνα Ζιθ2. 591 ᵃ23). — f. κέ-φαλος ibid. — g. γένος τι κεστρέων ὐκ ἀπὸ ζῴων γίνε-ται, περὶ τὰς τελματιαίας ποταμὰς ἔχει τὰ θήλεα ὗτε ἄρ-ρενα. ὁ φύεται ἐκ τῆς ἰλύος ἢ τῆς ἄμμ Ζγγ11. 762 ᵇ2. β5. 741 ᵇ1. Ζιζ15. 569 ᵃ14 (cf S Theophr IV 807). ε5. θ10. 60 543 ᵇ17. 15. 569 ᵃ17, 11 Aub. f 292. 1529 ᵃ8, τὸ ἐν τῇ

λίμνῃ τῇ ἐν Σιφαῖς Ζμδ13. 696 ᵃ5. Ζιβ13. 504 ᵇ32. Ζπ7. 708 ᵃ4, ὅσα ἔχει τὴν μορφὴν ὀφιωδεστέραν Ζπ7. 707 ᵇ29, 708 ᵃ3. ἢ δύο πτερύγια μόνον Ζιβ13. 504 ᵇ32. Ζπ7. 708 ᵃ4, 8. (anguilla, Wotton de diff anim 179. Forchhammer Halcyonia 1857 p 23. piscis ignotus F 320, 111. ΚαΖμ 176. S I 100. E 86.) — 2. mugilis sp ignota. τίκτει ἢ κεστρεὺς ἐν τοῖς πρώτοις Ζιζ17. 570 ᵇ17 (opp κέφαλος ᵇ15). κεστρεὺς ἢ κέφαλος λεπιδωτοὶ Ζιζ13. 567 ᵃ19. κεστρεῖ ἢ κεφαλῇ ὁ ὄμβρος ὰ συμφέρει Ζιθ19. 602 ᵃ1. eodem fort referendum ὁ κέφαλος ἢ ὁ κεστρεὺς ὅλως μόνα ὰ σαρκο-φαγῦσι Ζιθ2. 591 ᵃ19.

Κῆτος ποταμος περὶ τὴν Κύμην θ95. 838 ᵃ12.

κεύθειν φόνον (Emp 347) αν7. 473 ᵇ13.

κεφάλαιον. συλλογισμῶν πολλῶν κεφάλαια λέγειν Ρβ24. 1401 ᵃ9. συναγαγόντας τὸ κεφάλαιον τέλος ἐπιθεῖναι Μη1. 1042 ᵃ4. ὁ ἐπίλογος τὸ κεφάλαιον ἔχει προτρέψασθαι τᾶς ἀκύοντας f 125. 1499 ᵇ8. τύπῳ ἢ ἐπὶ κεφαλαίῳ (κεφαλαίῳ c codd Κᵇ Νᵇ Eucken II 51) λέγομεν, opp ἀκριβέστερον Ηβ7. 1107 ᵇ14, 15. ὡς ἐν κεφαλαίῳ εἰπεῖν, ἐν κεφαλαίῳ εἰπεῖν, ὡς ἐν κεφαλαίῳ Φδ8. 216 ᵃ8. ψγ10. 433 ᵇ21. Ηβ9. 1109 ᵇ12. πλ1. 955 ᵃ29. ργ5. 1360 ᵇ6. β16. 1391 ᵃ14. ρ6. 1427 ᵇ12. ὡς ἐν κεφαλαίοις εἰπεῖν Πε10. 1312 ᵇ34. αν17. 478 ᵇ2. παλιλλογήσαντες ἐν κεφαλαίῳ sive κεφα-λαίοις, ἀπολογιζόμενοι, δήλωσις ἐν κεφαλαίῳ al ρ36.1441 ᵇ10. 21. 1433 ᵇ31. 37. 1444 ᵇ31. 30. 1436 ᵇ4, ᵃ34. 12. 1430 ᵃ40. Eucken II 26.

κεφαλαιῦσθαι. συνθέντας ἢ κεφαλαιωσαμένυς εἰπεῖν ημβ9. 1207 ᵇ22. αὐτὰ τὰ ἀναγκαῖα κεφαλαιώμενοι κ4. 394 ᵃ8. — pass τρόποι πολλοί, κεφαλαιώμενοι δὲ ἢ ὗτοι ἐλάττης Φβ8. 195 ᵃ28. Μδ2. 1013 ᵇ30. τὸ τῶν πλανήτων πλῆθος εἰς ἑπτὰ μέρη κεφαλαιῦται κ2. 392 ᵃ19.

κεφαλαιωδῶς. συντόμως ἢ κεφαλαιωδῶς ἐπεληλύθαμεν ΜΑ7. 988 ᵃ18. δέδεικται, εἰπεῖν κεφαλαιωδῶς Ργ19. 1419 ᵇ32. 14. 1415 ᵇ8. κ6. 397 ᵇ9. κεφαλαιωδῶς ἀπολογητέον, ἀπαντήσομεν al ρ30. 1437 ᵃ5. 19. 1433 ᵃ25. 33. 1439 ᵃ33. 37. 1444 ᵇ37. 38. 1445 ᵃ35.

κεφαλαλγίαι πα10. 860 ᵃ37. οἱ περὶ τὸν οἶνον πόνοι τῶν κεφαλαλγιῶν f 90. 1492 ᵃ25.

κεφαλή. 1. anatom. τὸ σῶμα τὸ σύνολον διαιρεῖται εἰς τάδε, κεφαλήν, θώρακα, βραχίονας, σκέλη· τρεῖς τόποι, κεφαλή, θώραξ, ἡ κάτω κοιλία· τὸ πρὸς τὴν κεφαλὴν μέ-ρος Ζια7. 491 ᵃ28. πλγ9. 962 ᵃ34. Ζπ6. 707 ᵇ12. υ2. 456 ᵃ3. τῆς κεφαλῆς κεῖται τὴν θέσιν ἐν τῷ πρόσθεν ἔχων ὁ ἐγκέφαλος Ζια16. 494 ᵇ24. ὁ ἄνθρωπος μόνος πρὸς τὸ τῆς ὅλυ τελειωθεὶς ἔχει τὴν κεφαλήν, ἡ κεφαλὴ πᾶσιν ἄνω πρὸς τὸ σῶμα τὸ ἑαυτῶν, ἡ ὀρθότης τῆς κεφαλῆς Ζια15. 494 ᵃ34, 33. Ζμβ7. 653 ᵃ19 (τὰ ὑπὲρ κεφαλῆς ἄστρα Οβ14. 298 ᵃ1). τὰ παιδία μέχρι τὸ ἀκρατῆ τῆς κεφαλῆς Ζγβ6. animalium τὰ πολλὰ κάτω τὴν κεφαλὴν διὰ τὸ τὴν νομὴν ἀπὸ τῆς γῆς εἶναι πι54. 897 ᵇ12. (αἱ ῥίζαι τοῖς φυτοῖς στόματος ἢ κεφαλῆς ἔχυσι δύναμιν Ζμδ10. 686 ᵇ35. ψ34. 416 ᵃ4.) refertur inter τὰ μέρη ὅσα ὅλα ὄντα ἕτερα μέρη ἔχει ἐν αὑτοῖς Ζια1. 486 ᵃ10. ὰ μόνον μέρος ἀλλὰ ἢ μέλος ἐστὶν Ζια1. 486 ᵃ9. κεφαλῆς μόρια, frons ἀσθενέστατον μέρος Ζια7. 491 ᵃ31. Ζμγ2. 663 ᵇ2. τὰ μόρια τὰ ἐν τῇ κεφαλῇ, ἢ περὶ τὴν κεφαλὴν Ζιβ1. 497 ᵇ14. Ζμγ1. 662 ᵇ17. δ10. 685 ᵇ33. κεφαλῆς μόριον τὸ ὖς Ζια11. 492 ᵃ13. τὸ δίο διῃρημένη τῆς κεφαλῆς, τὸ τὸ ἄνω μόριν ἢ τῆς σιαγόνος τῆς κάτω Ζμδ10. 691 ᵃ27. itaque κεφαλὴ opp αἱ σιαγόνες Ζια16. 495 ᵃ1-4. βι11. 503 ᵇ13, ἀπὸ τῆς κεφαλῆς αἱ σιαγόνες τείνωσιν ὀστᾶ

V.   Ccc

Ζ,γ7. 516 ᵃ22 (cf sim κεφαλὴ κỳ στόμα, κεφαλὴ κỳ ὀφθαλ-
μοῖ Ζιβ17. 507 ᵃ4. δ4. 529 ᵃ26. ζ15. 569 ᵇ30) et ἢ συμ-
βάλλωσιν αἱ γένυες τῆς κεφαλῆς (τῇ κεφαλῇ ci C S D P
Aub) Ζιγ3. 514 ᵃ10. τὸ περὶ τὴν κεφαλὴν ὀστῶν, τὸ τῆς
κεφαλῆς ὀστῶν συνεχές ἐστι τοῖς ἐσχάτοις σφονδύλοις, ὃ 5
καλεῖται κρανίον Ζμβ7. 653 ᵃ34. Ζιγ7. 516 ᵃ13. σύγκειται
ἡ κεφαλὴ ὐκ ἐκ τεττάρων ὀστῶν ἀλλ' ἐξ ἕξ, ἐν τῇ κεφαλῇ
ὐκ ἔστιν ὀστῶν, τὰ ἐν τῇ κεφαλῇ ἐρείσματα Ζιγ7. 516 ᵃ21.
5. 515 ᵇ13. πν7. 484 ᵇ15. αἱ ῥαφαὶ αὐταὶ τῶν ὀστῶν
συνέχυσι τὴν κεφαλήν, ῥαφαὶ περὶ τὴν κεφαλήν Ζιγ5. 515 10
ᵇ14. Ζμβ7. 653 ᵃ37. ἤδη ὤφθη κỳ ἀνδρὸς κεφαλὴ ὐκ ἔχυσα
ῥαφάς Ζια7. 491 ᵇ4. γ7. 516 ᵃ20. τῆς κεφαλῆς τὸ ἔμ-
προσθεν Ζμβ10. 656 ᵇ7. Ζιγ3. 512 ᵇ32, τὸ ὄπισθεν κενὸν
κỳ κοῖλον πᾶσιν Ζμβ10. 656 ᵇ7. Ζια16. 494 ᵇ34 (cf Lewes
168), τὸ ἐξόπισθεν Ζιγ3. 512 ᵇ14, τὸ μέσον, τὸ μεταξὺ 15
τῆς κεφαλῆς κỳ τῦ αὐχένος πρόσωπον καλεῖται, ὁ περὶ τὴ
ὀφθαλμὸς τόπος Ζμγ2. 663 ᵃ25. 1. 662 ᵇ19. Ζγβ7. 747
ᵃ13. — φλέβες ἐν τῇ κεφαλῇ πε9. 881 ᵇ14. Ζμγ4. 665
ᵇ27, ἐκ τῆς κεφαλῆς Ζιγ3. 513 ᵃ11, ᵇ10, 514 ᵃ21. πλς2.
965 ᵇ7, εἰς τὴν κεφαλὴν τείνυσι Ζιγ2. 511 ᵇ34, 512 ᵃ20, 20
22, 26, ᵇ14, 19, 32. οἱ πόροι ὐχ τόποι ἐν τῇ κεφαλῇ ὐν.
457 ᵇ13. πι54. 897 ᵃ19, 24. αἱ συμβολαὶ τῶν κεφαλῶν
πν5. 483 ᵇ33. — τὸ ἐν τῇ κεφαλῇ δέρμα ἀσαρκότατον
πλα5. 957 ᵇ28. Ζιγ11. 517 ᵇ32 (κεφαλὴ ἄσαρκος Ζμβ10.
656 ᵃ14, ᵇ12, 8). τῶν παιδίων αἱ κεφαλαὶ κατ' ἀρχὰς γί- 25
νονται πυρραί χ6. 797 ᵇ24. — ἡ κεφαλὴ δασεῖα μᾶλλον
τῦ ἄλλυ σώματος, ἄνθρωπος ὀλιγότριχον κỳ μικρότριχον πλὴν
τῆς κεφαλῆς, τὴν κεφαλὴν δασύτατον πι62. 898 ᵃ20. Ζιβ1.
498 ᵇ18. Ζμβ14. 658 ᵇ2. πι48. 896 ᵃ35. τρίχες συγγενεῖς
αἱ ἐν τῇ κεφαλῇ κỳ ταῖς βλεφαρίσι κỳ ταῖς ὀφρύσιν, συγ- 30
γενικαὶ τρίχες Ζιγ11. 518 ᵃ20, ᵇ5. cf πλα5. 957 ᵇ31. χ6.
798 ᵃ31, 30. (κεφαλῇ i q αἱ ἐν τῇ κεφαλῇ τρίχες πδ18.
878 ᵇ26.) οἱ ἐπὶ τῆς κεφαλῆς προσπεφυκυίας ἔχοντες τὰς
τρίχας ἐπὶ τῦ μετώπυ παρὰ τὴν ῥῖνα ἀνελεύθεροι φ6. 812
ᵇ36. φαλακρῦνται τῆς κεφαλῆς ἔνιοι τὰ πρόσθεν, ὐθεὶς τὰ 35
ὄπισθεν Ζιγ11. 518 ᵃ25. Ζιγ3. 782 ᵃ9, 14, 16. πολιῶνται
τὰς κεφαλὰς οἱ ἄνθρωποι Ζγε3. 782 ᵃ11. — caput con-
iunctum cum aliis corporis partibus. τὸ πρὸς τὴν κεφαλὴν
μέρος Ζπ6. 707 ᵇ12. ὁ θώραξ ἀπὸ τῆς κεφαλῆς μέχρι τῆς
ἐξόδυ τῦ περιττώματος Ζμδ10. 686 ᵇ5. μετά, ὑπὸ τὴν 40
κεφαλὴν ὁ αὐχήν, τὸ μεταξὺ κεφαλῆς κỳ ὤμων κέκληται
αὐχήν Ζια15. 494 ᵇ1. Ζμγ3. 664 ᵃ13. δ11. 691 ᵇ28. ἡ
ῥάχις τείνει ἀπὸ τῆς κεφαλῆς μέχρι πρὸς τὰ ἰσχία Ζιγ7.
516 ᵃ12. — 2. τῆς κεφαλῆς ὑγρότης, θερμότης. ἡ κεφαλὴ
ὑγρότητα οἰκείαν ἔχει πλείστην, ὑγρότης ἐν τῷ περὶ τὴν 45
κεφαλὴν τόπῳ, ἡ κεφαλὴ μάλιστα ὑγρά, τὸ ὑγρὸν κỳ ψυ-
χρὸν ἐν τῇ κεφαλῇ, ἐκ τῆς κεφαλῆς ὁ ἱδρὼς γίνεται πλς2.
965 ᵇ6, 11. λα5. 957 ᵇ25. α16. 861 ᵃ15. Ζγβ6. 744 ᵃ12.
τὸ θερμὸν φέρεται ἐπὶ τὴν κεφαλήν, ἀπαλλαγέντος τῦ θερμῦ
τῦ ἐκ τῆς κεφαλῆς πι54. 897 ᵃ6, 17. λγ15. 963 ᵃ13. — 50
3. πᾶσαι αἱ αἰσθήσεις, ἔνιαι τῶν αἰσθήσεων ἐν τῇ κεφαλῇ
f 90. 1492 ᵃ30. Ζμβ10. 656 ᵃ25, ᵇ6. δ10. 686 ᵃ18. ζ3.
469 ᵃ21. ἀκοὴ κỳ ὄψις μάλιστ' ἐν τῇ κεφαλῇ, τῦ ὀσφραντῦ
ἐν τῇ κεφαλῇ τὸ αἰσθητήριον· αἰσθητήριον ὐδὲν ἔχυσι φα-
νερὸν οἱ ἰχθύες ἐν τῇ κεφαλῇ Ζμβ10. 656 ᵃ32, 36. α15. 55
445 ᵃ25. — ἐκ τῦ στήθυς ἐστὶν ἡ ἀναπνοὴ κỳ ἐκπνοὴ κỳ
ὐκ ἐκ τῆς κεφαλῆς τινὶ μέρει Ζια11. 492 ᵇ12. κεφαλὴ ἀπο-
κοπεῖσα φθέγγεται Ζμγ10. 673 ᵃ14, 20. — 4. ἄνω τὰ
σωματώδη πρὸς τὴν κεφαλὴν ἰόντα ποιεῖ τὸν ὕπνον, βαρύνει
τὴν κεφαλὴν (ὁ νῦς) ὢν ἐν αὐτῇ, βάρος περὶ τὴν κεφαλὴν 60
δι' ὕπνον ἢ μέθην ἢ ἄλλο τι, τὴν κεφαλὴν καρηβαρῦσιν οἱ

ὑπνώσσοντες πιη7. 917 ᵃ36. 1. 916 ᵇ16. Ζγβ6. 744 ᵇ7.
Ζμβ7. 653 ᵃ14. — τῦ ἐγκεφάλυ, τῶν αἰσθήσεων χάριν
Ζμδ10. 686 ᵃ5, 18. διὰ τὸν ἐγκέφαλον μεγίστη Ζγβ6.
744 ᵃ19. οἱ τῦ μετώπυ τὸ πρὸς τῇ κεφαλῇ ἀναστείλον
ἔχοντες ἐλεύθεροι, ἀναιδεῖς οἱ φοξοὶ τὰς κεφαλάς, αἰσθητικοὶ
κεφαλὴν μεγάλην, ἀναίσθητοι μικρὰν ἔχυσιν φ6. 812 ᵇ34,
ᵃ6. — 5. κεφαλῆς διαφοραὶ τί σημαίνυσιν φ6. 812 ᵃ6-9.
ἡ κεφαλή ἐστιν ἀκανθώδης, ἀκίνητος, ἀναίσθητος, ἄσαρκος
Ζιγγ3. 754 ᵃ27. Ζμδ10. 686 ᵇ33. β10. 656 ᵃ14, ᵇ8, 12.
ἰσχυρά Ζιι44. 630 ᵃ4. μεγάλη, μεγίστη, μετρία, μικρά φ6.
812 ᵃ6. Ζια16. 495 ᵃ1, 3. ι22. 617 ᵇ1. Ζγβ6. 744 ᵃ19.
φ5. 809 ᵇ24. Ζπ10. 710 ᵇ29. Ζμβ16. 659 ᵇ9. πυρρά, προ-
μηκεστέρα χ6. 797 ᵇ24. Ζιε12. 544 ᵃ11. σφόδρα τραχεῖα,
ὑγρά, φθειριώδης, φοξή, χονδρότυπος, ψιλή Ζιγγ3. 754 ᵃ27.
πα16. 861 ᵃ15. Ζιε31. 557 ᵃ7. φ6. 812 ᵃ6. Ζμδ14. 697
ᵇ19. Ζι22. 617 ᵇ1. — τὴν κεφαλὴν ἀποκόπτειν, ἀποτέμνειν,
ἀφαιρεῖν Ζμγ10. 673 ᵃ14, 20, 25, 29. Ζιε22. 554 ᵇ3. ζ2.
468 ᵃ24. πι67. 898 ᵇ20. ἐρείδειν, ἐξεσθίειν, κρύπτειν, νεύειν,
στρέφειν, συσπᾶν (opp ἐξέρχεσθαι) Ζιε6. 541 ᵇ5. 22. 554
ᵇ3. θ2. 591 ᵇ4. Ζμδ11. 692 ᵃ1, 8. αν16. 478 ᵇ5, 6. Ζιδ4.
528 ᵇ26. ἡ κεφαλὴ γίνεται κατώτερον Ζπ9. 709 ᵃ23. τὴν
κεφαλὴν ἔχειν κατὰ τῆς πόδας, ποιεῖν τὼ πόδας ὑπὸ τὴν
κεφαλὴν μχ30. 857 ᵇ29, 31, 36. — 6. caput. anatom com-
parat. ἔχει κεφαλὴν πάντα τὰ ἔναιμα Ζμδ10. 685 ᵇ35. 11.
690 ᵇ18. 9. 684 ᵇ28. υ2. 456 ᵃ3. τῶν ἀναίμων ἔνιοις ἀδιό-
ριστον τῦτο τὸ μόριον Ζμδ10. 686 ᵃ1. τῶν ζῴων τὰ μὲν
κινεῖ τὴν κεφαλὴν τὰ δ' ὐ κινεῖ πι17. 892 ᵇ19. Ζκ9. 702
ᵇ19. τὰ τετράποδα κỳ ζῳοτόκα κεφαλὴν ἔχει κỳ αὐχένα κỳ
τὰ ἐν τῇ κεφαλῇ μόρια ἅπαντα Ζιβ1. 497 ᵇ14, 498 ᵇ29,
33. Ζμδ10. 686 ᵇ14. ἀσπάλακος δέρμα παχὺ ἐν τῇ κε-
φαλῇ, λέων ἔχει κεφαλὴν ἰσχυράν Ζιδ8. 533 ᵃ5. 144. 630
ᵃ4. ὗός, ἵππυ, ὄνυ κεφαλὴ Ζιθ21. 603 ᵇ8. 24. 604 ᵇ5. 25.
605 ᵃ17. ἔλαφος ἔχων κέρατα ἐπὶ τῆς κεφαλῆς, τὸ ἐντὸς
ἐκπεφυκὸς ἐκ τῆς κεφαλῆς ὀστῶν, σκώληκας ἐν τῇ κεφαλῇ
Ζμγ2. 662 ᵇ23, 663 ᵃ34, ᵇ10. Ζιγ9. 517 ᵃ22. β15. 506
ᵃ27, 29. — aves κεφαλὴν κỳ αὐχένα κỳ νῶτον κỳ τὰ ὕπτια
τῦ σώματος κỳ τὸ ἀνάλογον τῷ στήθει ἔχυσιν· κεφαλὴ ἁπάν-
των μικρά· μικρὸν τὸ βάρος τὸ τῆς κεφαλῆς· σκληρότης
τῦ δέρματος τῦ περὶ τὴν κεφαλήν· ἔχυσιν ἐν τῇ κεφαλῇ
περιττὴν κỳ ἴδιον τὴν τῦ ῥύγχυς φύσιν πρὸς τἆλλα Ζιβ12.
503 ᵇ30. Ζπ10. 710 ᵇ29. Ζμβ16. 659 ᵇ9. 13. 657 ᵇ7, 13.
δ12. 692 ᵇ15. — τὴν κεφαλὴν ποίαν ἔχει ὁ μαλακοκρανεύς,
ὁ κόκκυξ, ὁ στρυθὸς ὁ Λιβυκός Ζιι22. 617 ᵇ1. ζ7. 563
ᵇ21. Ζμδ14. 697 ᵇ19. — τὰ τετράποδα ᾠοτόκα κỳ ἔναιμα
ἔχει κεφαλὴν κτλ Ζιβ10. 502 ᵇ30. — κεφαλὴ χαμαιλέον-
τος Ζιβ11. 503 ᵇ13, ὄφεων Ζμδ11. 692 ᵃ1, 8. Ζιθ17. 600
ᵇ29, 31. κεφαλὴ ἰχθύων Ζμδ13. 695 ᵇ5. θ71. 835 ᵇ13.
Ζιβ13. 504 ᵇ14. τὸ ὀξὺ τῆς καρδίας πρὸς τὴν κεφαλὴν κỳ
τὸ στόμα Ζιβ17. 507 ᵃ4. Ζμγ4. 666 ᵇ12. ἔνιοι ἔχυσι λίθον
ἐν τῇ κεφαλῇ, πρὸς τῇ κεφαλῇ πτερύγια Ζιθ19. 601 ᵇ30.
Ζμδ13. 696 ᵃ23, 29, αἰσθητήριον ὐδὲν φανερὸν ἐν τῇ κε-
φαλῇ· κεφαλαὶ ἰχθύων τινῶν λάμπυσι Ζμβ10. 656 ᵃ36.
ψβ7. 419 ᵃ5. αι2. 437 ᵇ6. — βατράχυ ἡ κεφαλὴ ποία
Ζγγ3. 754 ᵃ27, 30. ὅταν φοβηθῇ, κεστρεὺς κρύπτει τὴν
κεφαλὴν Ζιθ2. 591 ᵇ4. κεφαλὴ τῦ ἀφρῦ τὸ ἄθρυν Ζιζ15.
569 ᵇ30, τῶν θύννων f 313. 1531 ᵃ31. — τῶν μαλακίων
ἡ καλυμένη κεφαλή Ζιδ1. 523 ᵇ24, 27, 524 ᵃ13, 16, 33.
Ζμδ9. 684 ᵇ9. τῷ πλήθει τῶν ᾠῶν ἐμπίμπλαται ἀγγεῖον
πολλῷ μεῖζον τῆς κεφαλῆς Ζιε18. 550
ᵃ2 Aub. — τῆς σηπίας ἡ καλυμένη κεφαλὴ αν12. 477 ᵃ5,
τῶν πολυπόδων Ζιδ1. 524 ᵇ29, 525 ᵃ6. Ζμβ8. 654 ᵃ23. δ9.

685 ᵃ4. αν12. 477 ᵃ5. f 232. 1520 ᵃ5. ὁ πολύπες ὅταν τὴν λεγομένην κεφαλὴν ἐρείσῃ πρὸς τὴν γῆν· διαφέρει ὁ ἄρρην τῆς θηλείας τῷ τὴν κεφαλὴν προμηκεστέραν ἔχειν Ζιε6. 541 ᵇ5. 12. 544 ᵃ11 (cf κύτος 8a). — μαλακοστράκων κεφαλαὶ Ζμδ̅ 8. 684 ᵃ19, καρκίνων, κυφῶν Ζιδ̅ 3. 527 ᵇ9. 2. 525ᵇ18. 5 — κεφαλὴ ἐντόμων Ζιδ̅ 7. 531 ᵇ26. Ζμδ̅ 5. 682 ᵃ3. πολλὰ ζῇ τῆς καλεμένης κεφαλῆς ἀφαιρημένης· μετὰ τε μέσε κ̣ ἡ κεφαλὴ κ̣ ἡ κοιλία ζῇ, ἄνευ δὲ τέτε ἡ κεφαλὴ ε̣ ζῇ ζ2. 468 ᵃ24. Ζιδ̅ 7. 532 ᵃ1. α11.492 ᵇ13. πι67.898ᵇ20. ἡ κεφαλὴ τῆς σχάδονος Ζιε22.554ᵇ3. — τὰ ὀστρακόδερμα κάτω 10 ἔχει τὴν κεφαλὴν Ζμδ̅7.683ᵇ14,23. τὰ μονόθυρα κ̣ τὰ δίθυρα κεφαλὴν κ̣ κεράτια κ̣ στόμα ἔχει, ἐν τοῖς ἐλάττοσι διὰ μικρότητα αὐτῶν ἄδηλα Ζιδ̅ 4. 529ᵃ26. ἡ καλεμένη κεφαλὴ τῶν στρομβωδῶν Ζιδ̅ 5. 530 ᵇ21. 4. 529 ᵃ13. Ζγγ11. 763 ᵃ23, ἐξέρχεται, κἄν τι φοβηθῇ συσπᾶται πάλιν εἰς τὸ ἐντός Ζιδ̅ 4. 15 528 ᵇ7, 24, 26. τε ἐχίνε ἡ λεγομένη κεφαλή Ζιδ̅ 5. 530 ᵇ19. Ζμδ̅ 5. 680 ᵇ14. ἐχίνος ἐντὸς ἔχει τὴν σάρκα ἀφανῆ πᾶσαν πλὴν τῆς κεφαλῆς Ζιδ̅ 4. 528 ᵃ8. — Zoophyta ἔχει τὸ κατὰ τὴν κεφαλὴν μόριον τέλος ἀκίνητον κ̣ ἀναίσθητον Ζμδ̅ 10. 686 ᵇ33. — 7. embryolog. πάντα τὰ ζῷα τὴν 20 κεφαλὴν ἄνω ἔχει τὸ πρῶτον, ἡ γένεσις ἡ κατὰ φύσιν πᾶσιν ἐπὶ κεφαλὴν Ζιη8. 586 ᵇ4, 6. Ζγ̅9. 777 ᵃ28. γ2. 752ᵇ13. τὰ περὶ τὴν κεφαλὴν μέγιστα κατ' ἀρχὰς φαίνεται, λαμβάνει συνεχῆ τὴν γένεσιν μετὰ τὴν καρδίαν Ζγ̅β6. 742 ᵇ14, 743 ᵇ29. in ovo avium δήλη ἡ κεφαλὴ κ̣ ταύτῃ οἱ ὀφθαλ- 25 μοὶ μάλιστ' ἐμπεφυσημένοι, δεκαταῖοι ἤδη ὄντος ὁ νεοττὸς ἔχει τὴν κεφαλὴν μείζω τῷ ἄλλε σώματος κ̣ τὸς ὀφθαλμὸς τῆς κεφαλῆς Ζιζ̅3. 561 ᵃ18, 27. in ovo piscium ἡ κεφαλὴ κ̣ τὰ ὄμματα κ̣ τὰ ἄνω μέγιστα ὁμοίως τὸ πρῶτον, ἔχει τὰ ἔμβρυα γαλεῶ τὴν κεφαλὴν νέα ὄντα ἄνω, ἀδρυ- 30 νόμενα τῷ τέλεα ὄντα κάτω Ζιζ̅10. 564 ᵇ32, 12. — τοῖς ἐκ σκωλήκων γινομένοις τὰ κάτω μείζω πρῶτον, ἡ τῷ ὀφθαλμοὶ κ̣ ἡ κεφαλὴ ὕστερον Ζιζ̅13. 567 ᵇ33. — 8. capitis dolores, morbi, affectus. homines πονῦσι τὴν κεφαλὴν ἀπὸ τε οἴνε πγ14. 873 ᵃ5. πόνοι ἐν τῇ κεφαλῇ Ζιη4. 584 35 ᵃ4. οἱ κατάρροι γινόμενοι ἐκ τῆς κεφαλῆς, τὰ ῥεύματα τὸς σώμασιν ἐκ τῆς κεφαλῆς τὴν ἀρχὴν ἐστιν υ3. 458 ᵃ4. πλ2. 965 ᵇ8. Ζμβ̅7. 652 ᵇ34. ἡ ταχυρροία νο- σηματικὸς ποιεῖ τὰ περὶ τὴν κεφαλήν, ἐν τοῖς ἐλώδεσι τὰ ἐν τῇ κεφαλῇ ἕλκη ταχὺ ὑγιάζεται πε9. 881 ᵇ8. α18. 861 40 ᵃ33. ιδ6. 909 ᵃ35. ὁ πταρμὸς γίνεται ἐκ τε θειοτάτε τῶν περὶ ἡμᾶς τῆς κεφαλῆς, ὅθεν ὁ λογισμὸς πλγ7. 962 ᵃ23. παισὶν αἱ κεφαλαὶ γίνονται φθειρώδεις, τοῖς ἀνδράσιν ἧττον· ὅσοις ἐγγίνονται ἐν τῇ κεφαλῇ φθεῖρες, ἧττον πονῦσι τὰς κεφαλάς Ζιε31. 557 ᵃ7, 9. — animalium. ὑὸς κεφαλῆς πόνος 45 κ̣ ἀσης, equi φθεῖρες τέταννται κατὰ τὴν κεφαλὴν κ̣ αὐχήν, asini νόσος γίνεται περὶ τὴν κεφαλὴν πρῶτον, σκώληκες ἐν τῇ κεφαλῇ τῶν ἐλάφων Ζιθ̅21. 603 ᵇ8. 24. 604 ᵇ5. 25. 605 ᵃ17. β15. 506 ᵃ27, 29. θύννος ὁ ὀρμηικὸς ὑπὸ τε ἐπὶ τῆς κεφαλῆς οἴστρε ἐξελαύνεται f 313. 1531 ᵃ31. — 9. me- 50 taphor. ἡ τῶν ὄργανος κεφαλὴ (i q epididymis) Ζιγ̅1. 510 ᵃ14, 19. — Ζεὺς κεφαλή (ἐν τοῖς Ὀρφικοῖς) κ7. 401 ᵃ29. ὥστ' εἴη ἂν ἡ σοφία νε̅ς κ̣ ἐπιστήμη, ὥσπερ κεφαλὴν ἔχεσα ἐπιστήμην τῶν τιμιωτάτων Ηε7. 1141 ᵃ19 Zell. ἵνα ἔχῃ ὥσπερ σῶμα κεφαλὴν (ὁ λόγος) Ργ14. 1415 ᵇ8. — 55 κατὰ κεφαλὴν ἕκαστος εἰσφέρει Πβ10. 1272 ᵃ14.

κεφαλίς Ρβ19. 1392 ᵃ31, 33.

κεφαλισμοὶ τθ14. 163 ᵇ25, i e τῶν πρώτων ἀριθμῶν τῶν μέχρι δεκάδος πολλαπλασιασμοὶ Schol 296 ᵃ4.

Κεφαλλῆνες πο25. 1461 ᵇ6. — Κεφαλληνία θ9. 831 ᵃ19. 60 Ζιθ̅28. 605 ᵇ28. Κεφαλλήνιαι νῆσοι, κληθεῖσαι ἀπὸ Κεφάλε

—

f 462. 1554 ᵃ10.

κεφαλοβαρής (Lob Phryn 535). τῶν φυτῶν τὰ κεφαλοβαρῆ μακροβιώτερα μκ6. 467 ᵃ34.

κέφαλος, ὃν καλῦσί τινες χελῶνα, πρόσγειος, βαρὺς κ̣ βλεν- νώδης, λεπιδωτὸς Ζιθ̅2. 591 ᵃ23, 26. ζ13. 567 ᵃ19. f 299. 1529 ᵇ17. ε̣ σαρκοφαγεῖ, τε Ποσειδῶνος ἄρχεται κύειν, τίκτει ὕστατος Ζιθ̅2. 591 ᵃ19. ε11. 543 ᵇ15. ζ17. 570ᵇ15. ἡ διατριβὴ ἐν τῇ ἰλύι, νέμονται τὴν ἰλύν, τρέφονται τῷ βορβόρῳ Ζιθ̅2. 591 ᵃ27, 26, 13. ἐξανακολυμβῶσι πολλάκις ἵνα περιπλύνωνται τὸ βλέννος· τὸν γόνον τῶν κεφάλων ἀδεῖς ἐσθίει τῶν θηρίων, διὸ γίγνονται πολλοί· αὐξηθέντες κατε- σθίονται ὑπὸ τῶν ἄλλων ἰχθύων· οἱ κέφαλοι ἀποτυφλῶνται ἐν τοῖς χειμῶσι μᾶλλον Ζιθ̅2. 591 ᵃ27, 28, 30. 19. 602 ᵃ4 (capito Gazae. Mugil cephalus Cuvier et Val VIII 123. St Cr AZ Ι 130, 31. Mullus surmuletus Ritter Erdkunde XIX 1194). cf κεστρεύς p 385 ᵃ56.

Κέφαλος, ἀφ' ε̅ αἱ Κεφαλληνίαι νῆσοι ἐκλήθησαν, ἄπαις ἐπίπολύ f 462. 1554 ᵃ9, 20.

κεφαλωτόν (i e τὸ κεφαλὴν ἔχον) Κ7. 7 ᵃ16.

κεχωρισμένως. εἴτε κεχωρισμένως ὑπάρχει τισὶν εἴτε τοῖς αὐτοῖς Πδ̅4. 1291 ᵃ29. cf χωρίζειν.

Κέως θ143. 845 ᵃ15.

κῆβος. ἐπαμφοτερίζει τὴν φύσιν τῷ τ' ἀνθρώπῳ κ̣ τοῖς τε- τράποσιν· ἔστι πίθηκος ἔχων θράν· οἱ κῆβοι ἔχεσι κέρκον Ζιβ̅8. 502 ᵃ16, 17, ᵇ24. (κῆβος, syn κερκοπίθηκος recentio- rum C II 458. Ehrenberg üb Cynocephalus der Aegypt Abh der Akad 1832. S I 75. KaZι 68, 2. AZι I 71, 27. M 322. 146. Su 39, 2. Simia cynomolgus K 467. Simia mora vel diona St Cr.)

κηδεῖαι ἐγένοντο κατὰ πόλεις κ̣ φρατρίαι Πγ9. 1280 ᵇ36. ἡ πρὸς αἵματος κ̣ κατ' οἰκειότητα κ̣ κηδείαν Πβ3. 1262 ᵃ11. διαφορὰ δὲ κηδείας γενομένη Πε4. 1303 ᵇ37. ἡ πρὸς Διονύσιον κηδεία Πε7. 1307 ᵃ38.

κήδεσθαι. οἱ κηδόμενοι τῆς πολιτείας Πζ̅5. 1320 ᵃ6. Ἀντι- γόνη μᾶλλον τε ἀδελφε ἐκήδετο ἢ ἀνδρός Ργ16. 1417 ᵃ30. ε̅ε μάλιστα ποιεῖ κήδεσθαι τὰς ἀνθρώπες κ̣ φιλεῖν, τό τε ἴδιον κ̣ τὸ ἀγαπητόν Πβ4. 1262 ᵇ22. ἡ αὐτοὶ ἢ ὧν κήδονται Ρα12. 1372 ᵃ9, 1373 ᵃ2. β4. 1381 ᵃ12. ἢ αὐτοὶ ἢ ὧν κη- δόμενοι τυγχάνυσι p35. 1439 ᵇ21, 24, 1440 ᵃ31, 34. 37. 1444 ᵇ39, 40.

κηδεύεσθαι ὧν (Δίων Διονυσίῳ) Πε10. 1312 ᵇ16.

κηδεύειν ἔξεστι ὅτῳ θέλυσι Πε7. 1307 ᵃ37. κηδεύειν τοῖς πλησίοις μᾶλλον ἢ τοῖς εὐγενέσιν f 83. 1490 ᵃ29, 26. τῶν βασιλέων κηδευομένων f 476. 1556 ᵃ38.

κηδευτὴς ἄπρακτος ὁ χορός πι θ48. 922 ᵇ26.

κῆδος, ἐπὶ τῷ κήδη (funera) μάλιστα οἱ συγγενεῖς ἀπαντῶσι Ηι2. 1165 ᵃ20.

κηλεῖν. οἱ κηλέμενοι παρὰ ταῖς Σειρῆσιν ηεγ2. 1230 ᵇ35.

κηλιδῦται τάχιστα τῶν ἱματίων τὰ μάλιστα καθαρά εν2. 460 ᵃ12.

κηλίς. κηλίδες μικραὶ ἔνδηλοι ἐν ἱματίῳ καθαρῷ Ζγε1. 780 ᵇ32. κηλίδες τινὲς ἐν καινοῖς κατόπτροις, ἃς ε̣ ῥάδιον ἐκ- μάξαι εν2. 459 ᵇ32. τὸ ποτάμιον ὕδωρ μᾶλλον τε θαλαττίε ἐκτήκει τὰς κηλίδας f 209. 1516 ᵃ20.

κηλώνειον. τὰ κηλώνεια ἐπὶ τοῖς φρέασι πῶς ποιῦσιν μχ28. 857 ᵃ34.

κημὸς ὁ ἐπὶ τε καδίσκε εἰς ὃν τὰς ψήφες καθίεσαν ἐν τοῖς δικαστηρίοις f 426. 1548 ᵇ27, 36, 38.

κηπαῖα φυτά, dist κατοικίδια, ἄγρια πκ32. 926 ᵇ7. φτα4. 819 ᵇ28, 38.

κηπεύειν. τὰ κηπευόμενα φύεσθαι ἐκ τε ὕδατος Ζμγ5.668ᵃ18.

κῆπος. ἐν τοῖς κήποις Ζιθ13. 598 ᵃ4. ι26. 617 ᵇ24. ὑδραγω-
γίαι παρασκευάζονται ἐν τοῖς κήποις Ζμγ5. 668 ᵃ14.

κηριάζειν. κηριάζουσιν οἱ κήρυκες· γίνονται μὲν ὖν ᐊ τὰ κη-
ριάζοντα τῶν ὀστρακοδέρμων τὸν αὐτὸν τρόπον τοῖς ἄλλοις
ὀστρακοδέρμοις, ἁλίσκονται αἱ πορφύραι τῷ ἔαρος, ὅταν κη-
ριάζωσιν, κηριάζουσι ᐊ οἱ μύες Ζιε15. 546 ᵇ25 Aub, 547
ᵃ13, 20, ᵇ11 Aub. Ζγγ11. 761 ᵇ32. de testaceis favifican-
tibus cf S I 315, II 360-363. M 175.

κήρινθος (v l κύρινθον, κόρινθον cf Hermolaus Barbarus co-
rollar in Diosc lib V p 50, 3, 4). ταῖς μελίτταις τὸ μέλι
τροφή. ἔστι δ᾽ αὐταῖς ᐊ ἄλλη τροφή, ἥν καλῦσί τινες κή-
ρινθον Ζιι40. 623 ᵇ23, cf S II 195.

κήρινον ἀγγεῖον θεῖναι εἰς τὴν θάλατταν μβ3. 359 ᵃ1, 3. Ζιθ2.
590 ᵃ24. στοιχεῖα κήρινα ΜΖ10. 1035 ᵃ15.

κηρίον. 'dicitur, dum est in alveari et melle repletum' S II
409. 1. favi et cellae τῶν μελιττῶν. εἶδος τῶ κηρίω, τὰ
κοῖλα, τὸ ἐπιπολῆς κάλυμμα Ζιι40. 624 ᵇ32, 34, 31. ε21.
553 ᵇ2. αἱ ἀρχαί, τὰ κυττάρια τῶν κηρίων Ζιι40. 624 ᵃ10.
Ζγγ10. 760 ᵇ34. κηρία γλαφυρά, λεῖα, ὁμαλά, ἀνώμαλα,
τριπλᾶ, ἐξάγωνα, πληρέστερα, πίπτοντα, τραχέα Ζιε15. 546
ᵇ20. 22. 554 ᵇ12, 19, 20 Aub, 26. ι40. 624 ᵃ12, ᵇ31, 625
ᵃ1, 11, 626 ᵇ2. κηρία ὑκ ἔχοντα μέλι Ζιε22. 554 ᵇ11. —
ποιεῖν τὰ κηρία Ζιε22. 554 ᵇ11, 19, 20. ι40. 624 ᵇ33, 625
ᵃ1. ἐργάζεσθαι Ζιε21. 553 ᵇ24. ι40. 624 ᵇ31, 626 ᵇ2, 627
ᵃ21 (Bk, κηρόν S Pic Aub). πλάττειν, οἰκοδομεῖν Ζιι40. 623
ᵇ28, 33, 627 ᵃ22. ἐξαιρεῖν, λυμαίνειν Ζιι40. 623 ᵇ19, 626
ᵃ1. 625 ᵇ33. 27. 605 ᵇ10, 11. καταπλάττειν, καταλείπειν,
καταλείφειν, λεαίνειν, διαφθείρειν, κατορθῦν, ὀρθῦν, ἐργάζε-
σθαι Ζυ40. 624 ᵃ13, 627 ᵃ33, 10, 625 ᵃ21, 23, ᵇ20, ᵃ11.
θ17. 831 ᵇ21. ἀφοδεύειν εἰς ἓν κηρίον Ζιι40. 627 ᵃ11 μέλι
ποιεῖν ἄνευ κηρίων Ζιε22. 554 ᵇ17. ὅταν τὰ κηρία ἐκθλίψω-
σιν θ22. 832 ᵃ6. — γίνεται τὸ κηρίον ἐξ ἀνθέων, opp κή-
ρωσις Ζιε21. 553 ᵇ27. σύγκειται ἐκ κηρῶ Ζιε23. 554 ᵇ27.
φθείρεται ᐊ ἀραχνιῶται Ζιι40. 625 ᵃ7, 14. — ἡ τῶν ἄλλων
μελιττῶν γένεσις ἐν τοῖς κοίλοις τῶ κηρίω, οἱ δέ γ᾽ ἡγεμόνες
γίνονται κάτω πρὸς τῶ κηρίω, ἐν τῷ κηρίῳ τὸ σκωλήκιον
κεῖται, τίκτειν ἐν τῷ κηρίῳ, ἐπικαθηνται ἐπὶ τοῖς κηρίοις αἱ
μέλιτται ᐊ συμπέττωσιν Ζιε21. 553 ᵇ2. 22. 554 ᵃ19, 21,
28. ι40. 625 ᵃ6. τὸ πυρρὸν μέλι αἴσχιον διὰ τὸ κηρίον Ζιι40.
626 ᵇ32. — αἱ χρησταὶ μέλιτται ἐργάζονται τὰ κηρία
ὁμαλά, αἱ μακραὶ τὰ κηρία ποιῦσιν ἀνώμαλα Ζιι40. 624
ᵇ31, 625 ᵃ1. — 2. favi τῶν ἀνθρηνῶν ᐊ τῶν σφηκῶν.
σύγκειται ἐκ φλοιώδης ᐊ ἀραχνιώδης ὕλης, ἐξάγωνα, γλα-
φυρώτερον πολλῷ τὸ τῶν ἀνθρηνῶν ἐστιν ἢ τὸ τῶν σφηκῶν
κηρίον Ζιε23. 554 ᵇ22, 27, 26, 29. — πρός τινα ὕλην ποιῦσι
κηρία, ἤδη κηρίον τρεῖς ᐊ τέτταρες ἐξήρηνται κηρίων Ζιι42.
629 ᵃ19, 13. σφῆκες πλάττονται τὰ κηρία Ζιι40. 628 ᵃ12.
αἱ μῆτραι τὰ πρῶτα συμπλάττυσι τῶν κηρίων Ζγγ10. 761
ᵃ7. — 3. favi τῶν κηφήνων Ζιι40. 624 ᵃ19, ᵇ19. — 4. οἱ
φῶρες κακυργῦσι τὰ παρ᾽ αὐτοῖς κηρία Ζιι40. 625 ᵇ1. —
5. αἱ ἀκρίδες τίκτυσιν ἄθροα ὥστε εἶναι καθαπερεὶ κηρίον
Ζιε28. 555 ᵇ23. de favis cf S II 220, 510-514.

κηριοποιός. τὰ κηριοποιά, οἶον μέλιτται ᐊ τὰ παραπλήσια
τὴν μορφήν Ζιι40. 623 ᵇ7 Aub. cf M 215.

κηρός 'dicitur exemtum et ad usus humanos accommodatum'
S II 409. 1. τῶν μελιττῶν. τὸν κηρὸν ἀναλαμβάνυσιν αἱ
μέλιτται τοῖς ἔμπροσθεν ποσί, φέρυσι κηρὸν περὶ τοῖς σκέ-
λεσι Ζιι40. 624 ᵃ33, ᵇ9, 623 ᵇ25 Aub. ε22. 554 ᵃ17. μέλι
κάλλιον γίνεται ἐκ νέυ κηρῶ (κηρίυ ci Aub), πληρέστερα
τῶν κηρίων τὰ μάλιστα τῷ κηρῷ καταπεπλασμένα Ζιι40.
626 ᵇ31, 624 ᵃ12 Aub. ὅταν ἡ ὕλη ἀνθῇ, κηρὸν ἐργάζονται·

διὸ ἐκ τῶ σίμβλυ τότ᾽ ἐξαιρετέον τὸν κηρόν (κηρίον ci Aub)
Ζιι40. 627 ᵃ6. τὸν κηρὸν ποιεῖν, ὥσπερ εἴρηται ἐκ τῶν ἀν-
θέων (τὸ κηρίον ἐξ ἀνθέων v l Did Pic) Ζιε22. 553 ᵇ31. ἐν
κηρῷ (?) γίνεται παλαιωμένῳ ζῷόν τι Ζιε32. 557 ᵇ6 Aub.
cf S script rei rust II, 2, 498. ἀποκάθαρμα τῷ κηρῷ Ζιι40.
624 ᵃ15. τὰ κέρατα τῶν νέων χλιαινόμενα τῷ κηρῷ, ἐάν
τις τὰ κέρατα ἀλείφῃ κηρῷ Ζιθ7. 595 ᵇ13, 14. τῷ ᵂῷ τὸ
ὠχρὸν τὴν φύσιν γεῶδές ἐστιν ὥσπερ κηρὸς Ζγγ2. 753 ᵇ5.
ὁ κηρὸς θλαστόν, μαλακτόν, πιεστόν, ἐλατόν, φλο-
γιστὸν μᾶλλον μετ᾽ ἄλλων ἢ καθ᾽ αὑτό· ὅσα τήκεται ὑπὸ
πυρὸς ταῦτ᾽ ἐστὶν ὑδατωδέστερα, ἔνια δὲ ᐊ κοινὰ οἶον κη-
ρός μδθ9. 386 ᵃ17, 21, ᵇ8, 25, 387 ᵇ22. 10. 389 ᵃ1. — ἐκ
τῷ κηρῷ ᐊ τῇ εἴδης ἡ σφαῖρα (κηρός exemplum ὕλης)
Ζγα21. 729 ᵇ17. cf Φη3. 245 ᵇ11. Ογ7. 305 ᵇ30. ψβ1.
412 ᵇ7. 12. 424 ᵃ19. γ12. 435 ᵃ2. — αἱ μὲν ἐργάζονται
κηρία (κηρόν ci S Pic Aub) Ζιι40. 627 ᵃ21. — 2. ὁ τῶν
βομβυκίων κηρὸς πολύ ἐστιν ὠχρότερος τῷ τῶν μελιττῶν,
τὰ τῶν ἀνθρηνῶν κηρία σύγκειται ὐκ ἐκ κηρῷ Ζιε24. 555
ᵃ17. 23. 554 ᵇ27.

κήρυγμα ἐποιήσατο, c inf ἀναφέρειν τὰ ἡμίσεα sim οβ1349
ᵇ36, 1351 ᵇ28. κήρυγμα Θησέως f 346. 1536 ᵃ27.

κήρυλος (κηρύλος Göttling Accentlehre 185. Jacobs ad Ael
h an 269, 23) ᐊ ἀλκυών περὶ τὴν θάλατταν Ζιθ3. 593 ᵇ12
(Carulus Gazae, Cerulus Scalig. mas halcyonis Wotton de
diff an VII 143. C II 177. St. Tringa variabilis 869, 6. Cr.
fort Alcedo rudis Su 133, 99. avis ignota S I 598. AZι
I 95, 47).

κῆρυξ. εἰπεῖν ὐθὲν πρὸς τὸν πεμφθέντα κήρυκα, τῶ κήρυκος
ἀπαγγείλαντος Πγ13. 1284 ᵃ29, 31. — οἱ κήρυκες ὐκ ἄρ-
χοντες Πδ15. 1299 ᵃ19. κῆρυξ μὴ Στεντόρειος Πη4. 1326
ᵇ6. τὰ παιδία προλαμβάνυσι τῶν κηρύκων τὸ τίνα αἱρεῖ-
ται κτλ Ργ8. 1408 ᵇ24. ἡ τρίτη (᾽Αθήνησι) ἐκκλησία κήρυξι
ᐊ πρεσβείαις ἀξιοῖ χρηματίζειν f 394. 1543 ᵇ19. — Κή-
ρυκες. ἐπιμελητὰς τῶν μυστηρίων δύο ὁ δῆμος ἐχειροτόνει,
ἕνα ἐξ Εὐμολπιδῶν, ἕνα δ᾽ ἐκ Κηρύκων f 386. 1542 ᵇ3.

κῆρυξ refertur inter τὰ ἐν τῇ θαλάττῃ Ζιδ4. 528 ᵃ10. θ13.
599 ᵃ11, πορευτικά f 287. 1528 ᵇ10, ὀστρακόδερμα Ζιε15.
546 ᵇ17. θ13. 599 ᵃ10, στρομβώδη Ζπ4. 706 ᵃ13. Ζμδ5.
679 ᵇ15. 7. 683 ᵃ12, τραχυόστρακα Ζιδ4. 528 ᵃ23, μα-
κρόβια Ζιε15. 547 ᵇ8. ἑλίκην ἔχει Ζμδ7. 683 ᵇ13. τίνα
μέρη ἐν τῇ ἑλίκῃ τὸ ὄστρακον Ζιδ4. 529 ᵃ7. ἕνεκα τ῀῀῀῀῀ἔχει τὴν
σάρκα ἀφανῆ πᾶσαν πλὴν τῆς κεφαλῆς, corpus linguiforme
solidum Ζιδ4. 528 ᵃ7, ᵇ30 Aub. ε15. 547 ᵇ5. ἔχει τὴν μή-
κωνα μέλαιναν, εἰλιγμένην Ζμδ5. 679 ᵇ15. Ζιδ4. 530 ᵃ15.
2. 527 ᵃ24. ἐπικαλύμματα, ἐπιπτύγματ᾽ ἐπὶ τῷ φανερῷ
τῆς σαρκὸς ἐκ γενετῆς Ζιε15. 547 ᵇ3. Ζμδ5. 679 ᵇ15.
πρόσφυσιν ἔχει πρὸς τὰ ὄστρακα Ζιδ4. 530 ᵃ5. ἐπὶ τὸ κα-
ταντικρὺ προέρχεται, Ζπ4. 706 ᵃ15. πῶς ᐊ πότε γίνονται·
φύονται ἐξ ἰλύος ᐊ συσσήψεως· τῦτο συμβαίνει αὐτοῖς οἶον
ἀποκάθαρμα· γίνονται λήγοντος τῶ χειμῶνος· τὰ λεγόμενα
ᵂά· κηριάζυσιν, ἀπὸ σπερματικῆς φύσεως προϊένται μυξώ-
δεις ὑγρότητας Ζιε15. 547 ᵇ2, 546 ᵇ24. 12. 544 ᵃ16. Ζγγ11.
763 ᵇ9, 761 ᵇ32. φωλεῖ ὑπὸ κύνα περὶ ἡμέρας τριάκοντα
Ζιθ13. 599 ᵃ11, 17. — τὸ σχῆμα (τῆς τῶν μαλακίων κοι-
λίας) ὅμοιον τῇ ἐν τοῖς κήρυξιν ἑλίκῃ ἡ ὑφειρίτης ἔχει τὴν
μορφὴν παραπλησίαν τῆς κήρυξί, τὸ καρκίνιον μεταδίνει
πολλάκις εἰς τὰς κήρυκας τὰς μικράς Ζιδ1. 524 ᵇ12. 4.
530 ᵃ14. ε15. 548 ᵃ19. (Buccinoidea R de testaceis 81.
C II 147. S CrM 187. F 308, 29. K 577, 3. ΚαΖμ 129,
25. AZι I 176, 7. Mr 215. Schmidt griech Papyrusurkun-
den 107. Ctenobranchiata quaedam AZγ 36).

κηρύσσειν. κηρυξάντων τῶν ἡγεμόνων τὸν βυλόμενον ἀκολυθεῖν ἐξιέναι τῆς πόλεως f 66. 1487 ᵃ9.

κήρωσις, propolis. κήρωσιν αἱ μέλιτται φέρυσιν ἀπὸ τῦ δακρύυ τῶν δένδρων Ζιε21. 553 ᵇ28.

κῆτος. ἐν τῶν γενῶν μεγίστων τῶν ζῴων Ζια6. 490 ᵇ9. β15. 505 ᵇ30. refertur inter τὰ ἔνυδρα Ζγα9. 718 ᵇ31, τὰ ζῳοτοκῦντα ᙭ ἐν αὑτοῖς ᙭ ἔξω Ζιγ20. 521 ᵇ23. Ζγα9. 718 ᵇ29. τὰ κήτη, coni ὅσα τρίχας ἔχει Ζιγ20. 521 ᵇ23. οἱ δελφῖνες ᙭ αἱ φάλαιναι ᙭ πάντα τὰ τοιαῦτα τῶν κητῶν βράγχια μὲν ὐκ ἔχυσιν, αὐλὸν δὲ διὰ τὸ πνεύμονα ἔχειν, τὰ ἀναφυσῶντα κήτη πάντα Ζμδ13. 697 ᵃ16. γ6. 669 ᵃ8. δελφῖνες ᙭ φάλαιναι ᙭ τὰ τοιαῦτα κήτη Ζγα9. 718 ᵇ31. τὰ κήτη οἷον δελφὶς ᙭ φώκη ᙭ φάλαινα Ζιγ20. 521 ᵇ23 Aub. δελφὶς ᙭ φάλαινα ᙭ τὰ ἄλλα κήτη, ὅσα μὴ ἔχει βράγχια ἀλλὰ φυσητῆρα, ζῳοτοκῦσιν Ζιζ12. 566 ᵇ2. (cf M 151. 290. F 321. 122. ΚαΖι 21, 2. Su 85, 64.) ν κητώδης.

κητώδης. τὰ κητώδη τῶν ἐνύδρων οἷον τὺς δελφῖνας ᙭ τὰς φαλαίνας ᙭ τῶν ἄλλων ὅσα ἔχει τὸν καλύμενον αὐλόν αν12. 476 ᵇ13. τῶν ἐνύδρων τὰ κητώδη οἷον δελφίς, τῶν ἐνύδρων ᙭ τῶν ἄλλων κητωδῶν Ζια5. 489 ᵃ35, ᵇ2. θ2. 589 ᵃ33. οἱ δελφῖνες ᙭ πάντες οἱ κητώδεις ὕπτιοι ἀναπίπτοντες λαμβάνυσι τὴν τροφήν, κάτω γὰρ τὸ στόμα ἔχυσιν· οἱ δελφῖνες ᙭ ὅσα τῶν κητωδῶν ὄρχεις ἔχυσιν, ἐντὸς ἔχυσιν Ζιθ2. 591 ᵇ26 Aub. Ζγα 12. 719 ᵇ10. ὀχεία τῶν κητωδῶν Ζιε5. 540 ᵇ22. φώκη, δελφὶς ᙭ τὰ ἄλλα ὅσα ᵃτω κητώδη (σελαχώδη ci Aub), ὐκ ἔχυσιν ὦτα Ζια11. 592 ᵃ26. (cf Oribas I 596. E 29.) ν κῆτος.

κηφήν. γένος τέταρτον τῶν μελιττῶν Ζιε22. 553 ᵇ11. ᵢ40. 624 ᵇ26. μεγέθει μέγιστος πάντων Ζιε22. 553 ᵇ11. ᵢ40. 624 ᵇ26. κέντρον ὐκ ἔχυσιν, ἄκεντροι Ζιε21. 553 ᵇ5. 22. 553 ᵇ11. ᵢ40. 624 ᵇ26. 41. 628 ᵇ3. Ζγγ10. 759 ᵇ4. κεντρωτοί, τίνες λέγονται ᙭ διὰ τί Ζυ40. 624 ᵇ16. νωθρός, τῦ κηφῆνος ὐδέν ἐστιν ἔργον Ζιε22. 553 ᵇ11. ᵢ40. 624 ᵇ27, 625 ᵃ14. εὖ τὸ τὺς κηφῆνας ἀργὺς ᵃτ᾽ ὐδὲν ἔχοντας ὅπλον πρὸς τὸ διαμάχεσθαι περὶ τῆς τροφῆς ᙭ διὰ τὴν βραδυτῆτα τὴν τῦ σώματος Ζγγ10. 760 ᵇ11. τὰ κηφήνων κηρία, μείζω ᙭ τῶν κηφήνων κυττάρων Ζυ40. 624 ᵇ19, 18. εὐλογον ἐν ταῖς εὐετηρίαις κηφῆνας γίνεσθαι πολλὺς Ζγγ10. 760 ᵇ3. διατρίβυσι τὰ μὲν πολλὰ ἔνδον, ἐὰν δ᾽ ἐκπετασθῶσι, προσφέρονται ῥύβδην ἄνω πρὸς τὸν ὐρανόν, ᙭ ἐπιδινῦντες αὑτὺς ᙭ ὥσπερ ἀπογυμναζοντες· ὅταν δὲ τῦτο δράσωσι, πάλιν εἰσελθόντες εὐωχῦνται Ζυ40. 624 ᵃ22. κηφῆνες ὀλίγοι ἐνόντες ὠφελῦσι τὸ σμῆνος· κηφῆνος πτερὸν ἂν ἀποκνίσας ἀφῇ τις, τῶν λοιπῶν αἱ μέλιτται τὰ πτερὰ ἀπεσθίυσιν Ζυ40. 627 ᵇ9. ε22. 554 ᵇ5. αἱ μέλιτται διαφθείρυσι τὰ τῶν κηφήνων κηρία, ἐὰν ὑποφαίνῃ ἀπορία μέλιτος, ᙭ τὺς ὑπάρχοντας (ἐνυπάρχοντας Bsm⁻Pic) τῶν κηφήνων ἐκβάλλυσι Ζυ40. 625 ᵃ23. οἱ ἡγεμόνες τὺς κηφῆνας κολάζυσιν ὡς τέκνα, ὐκ ἐκ τῶν κηφήνων γίνονται, μεγέθει ὅμοιοί εἰσι τοῖς κηφῆσι Ζγγ10. 760 ᵇ19, ᵃ25, 13, 15, 19, 23. — ᙭ ἐκ τῶν κηφήνων γένεσις, οἱ κηφῆνες φαίνονται γιγνόμενοι ᙭ μὴ ἐνόντων ἡγεμόνων, λείπεται τὰς μελίττας ἄνευ ὀχείας γεννᾶν τὺς κηφῆνας, οἱ κηφῆνες γιγνόμενοι μὴ ἐξ ὀχείας, συμβαίνει τὰς μελίττας ἄλλο μέν τι γεννᾶν, τὺς κηφῆνας Ζγγ10. 759 ᵇ21, 25, 29, 33, 760 ᵃ29. cf Ehrenberg üb Formbeständigkeit 1852 p 15. οἱ κηφῆνες γίγνονται μέν, ἄλλο δ᾽ ὐθὲν γεννῶσιν, ἀλλ᾽ ἐν τῷ τρίτῳ ἀριθμῷ πέρας ἔχει ἡ γένεσις· τῶν κηφήνων ἀναγκαῖον ᙭ τὸ ἄλλο τι γένος γεννᾶν ἀφηρῆσθαι Ζγγ10. 760 ᵃ33, ᵇ32. ὁ τῶν κηφήνων γόνος ἐγγίνεται κἂν μὴ ἐνῇ ἡγεμών· ὁ γόνος τῶν κηφήνων λευκός, ἐξ ὗ τὰ σκωλήκια γίνεται, αὐξανόμενα δὲ γίνονται κηφῆνες· ὁ τῶν

κηφήνων γόνος ἐγγινόμενος ᙭ μηθενὸς ὄντος κηφῆνος· οἱ νεοττοὶ τῶν κηφήνων Ζιε21. 553 ᵃ30. 22. 554 ᵃ22, 24. ᵢ40. 624 ᵃ22. Ζγγ10. 759 ᵇ9. — ἐκ τῶν μακρῶν μελιττῶν οἵ τε πονηροὶ ἡγεμόνες ᙭ κηφῆνες πολλοὶ Ζυ40. 625 ᵃ4. — sententiae aliorum. φασὶ τὸν τῶν κηφήνων γόνον τὰς μελίττας ἀπό τινος ὕλης φέρειν, ὡς τὸν τῶν κηφήνων μόνων γόνον φέρυσιν αἱ μέλιτται, κηφῆνας ἐκ κηφήνων συνυαζομένων Ζιε21. 553 ᵃ23. Ζγγ10. 759 ᵃ15, 19, 22, ᵇ11. ἐὰν ὁ ἡγεμὼν ζῇ, χωρὶς φασι τὺς κηφῆνας γίγνεσθαι, εἰ δὲ μή, ἐν τοῖς τῶν μελιττῶν κυττάροις γεννᾶσθαι ὑπὸ τῶν μελιττῶν Ζυ40. 624 ᵇ13. φασὶ τὰς μὲν μελίττας ἄρρενας, τὰς δὲ κηφῆνας θήλεας· ἄρρενας μὲν εἶναι τὺς κηφῆνας, θηλείας δὲ τὰς μελίττας Ζγγ10. 759 ᵃ24, ᵇ2, 6. Ζιε21. 553 ᵇ1. λέγυσι τὺς κηφῆνας κηρία μὲν πλάττειν καθ᾽ αὑτὺς ᙭ ἐν τῷ αὐτῷ σμήνει ᙭ ἐν τῷ ἑνὶ κηρίῳ μεριζομένυς πρὸς τὰς μελίττας, μελιττυργεῖν μέντοι ὐθέν· τρέφεσθαι τῷ τῶν μελιττῶν μέλιτι τὺς κηφῆνας αὐτὺς ᙭ τὺς νεοττιὰς Ζυ40. 624 ᵃ19, 21.

κηφήνιον. τὰ κηφήνια Ζυ40. 623 ᵇ34, 624 ᵃ2, 4.

Κηφισόδοτος ὁ λεπτὸς Ργ4. 1407 ᵃ9. verba eius afferuntur Ργ10. 1411 ᵃ5, 23, 28.

Κιανός, πόλις Μυσίας, ἀπὸ Κίυ τῦ ἀφηγησαμένυ τῆς Μιλησίων ἀποικίας f 471. 1555 ᵇ32. — Κιανῶν πολιτεία f 471.

κιβδηλεύειν τὸ νόμισμα Ηι3. 1165 ᵇ12.

κιβδηλιᾶν. οἱ κιβδηλιῶντες τὺς πόδας οἰδῦσιν πα5. 859 ᵇ1.

κίβδηλος. κίβδηλον δίκαιον, opp ἀληθὲς Ρα15. 1375 ᵇ6.

κιβώτιον. τῶν κιβωτίων ψόφοι σκληροὶ ακ802 ᵇ40. πια28. 902 ᵃ37. κιβώτιον γόμφῳ (γίγνεται) Μη2. 1042 ᵇ18.

κιβωτὸς ᵃτ᾽ ἄνευ ξύλυ ᵃτ᾽ ἄνευ τέκτονος γένοιτ᾽ ἂν Ζγβ6. 743 ᵃ22. 12. 390 ᵇ13. κιβωτὸς ξύλυ Φγ6. 207 ᵃ10.

κίγχλος (ν l κίχλος, κίγχλος). refertur inter τὰ ἐλάττω ὄρνεα, κινεῖ τὸ ὐραῖον Ζιθ3. 593 ᵇ5. βίος περὶ τὴν θάλατταν, τὸ ἦθος πανῦργος ᙭ δυστήρατος, ὅταν δὲ ληφθῇ, τιθασσότατος· τυγχάνει δ᾽ ἂν ᙭ ἀνάπηρος· ἀκρατὴς γὰρ τῶν ὄπισθέν ἐστιν Ζιε12. 615 ᵃ21. (kinkhlus Thomae; chichylos, melba magna, Alberti. tryngas C II 818. fort Tringa cinclus Cr St. S II 86. Cinclus aquaticus K 868, 8. Tringa subarquata et alpina vel Actitis hypoleucus Su 147, 124. Motacillae sp ΑΖι I 95, 48).

κιθάρα, ὄργανον μυσικὸν Πθ6. 1341 ᵃ21.

κιθαρίζειν Ηα6. 1098 ᵃ11. κιθαρίζοντες κιθαρισταὶ γίνονται Ηβ1. 1103 ᵃ34, ᵇ8. κιθαρίζειν λαμπρὸν ᙭ καλῶς Πη13. 1332 ᵃ26. εἰ τὰ πλῆκτρα ἐκιθάριζεν Πα4. 1253 ᵇ38.

κιθάρισις po2. 1448 ᵃ10.

κιθαρισταὶ γίνονται ἐκ τῦ κιθαρίζειν Ηβ1. 1103 ᵇ9, ᵃ34. κιθαριστὴς σπυδαῖος Ηα6. 1098 ᵃ9. Ὀδυσσεὺς ἄκων τῦ κιθαριστῦ πο16. 1455 ᵃ3.

κιθαριστικὴ πῶς ποιεῖται τὴν μίμησιν πο1. 1447 ᵃ15, 24.

κίθαρος. (ν l κίθαρις, κιθαρές) ἔχει ἀποφυάδας πολλὰς ἄνωθεν περὶ τὴν κοιλίαν Ζιβ17. 508 ᵇ17. καρχαρόδυς, μονήρης, φυκοφάγος, τὴν γλῶτταν ἀπολελυμένην, καρδίαν λευκὴν ἔχων ᙭ πλατεῖαν f 300. 1529 ᵇ25. (cythara Thomae, fidicula Gazae. C II 234. S I 115. Hydrocion Forskalii Cuv XXII 316. Pleuronectes macrolepidotus Bloch R. Pleuronectes rhombus St. Trigla lyra Cr. piscis ignotus ΚαΖι 91, 25. ΑΖι I 131, 32.)

κιθαρῳδικός. ἡ ὑποδωριστὶ κιθαρῳδικωτάτη τῶν ἁρμονιῶν πιθ48. 922 ᵇ15.

κιθαρῳδός. ὁ κιθαρῳδὸς ᙭ ὁ βασιλεὺς γεη10. 1243 ᵇ24.

Ηι1. 1164 ᵃ15 (Zell, cf Plut de fort Alex 2). Νίκων ὁ κιθαρῳδός Ργ11. 1412 ᵃ34.

Κικονία. Ὀρφεὺς κείμενος ἐν Κικονίᾳ f 596. 1577 ᵃ21.

Κιλικία θ 29. 832 ᵇ4. f 38. 1481 ᵃ6.

κίμβεια, def, syn αἰσχροκερδία φειδωλία αρ7. 1251 ᵇ5, 8.

κίμβιξ, εἶδός τι ἀνελευθερίας Ηδ3. 1121 ᵇ22. ημα 25. 1192 ᵃ9. ηεγ4. 1232 ᵃ14.

Κιμμέριος Βόσπορος Ζιε 19. 552 ᵇ18. Κιμμέριοι f 438. 1550 ᵃ33.

Κιμμερίς. τὴν Ἄντανδρον ὠνομάσθαι Κιμμερίδα Κιμμερίων ἐνοικησάντων ἑκατὸν ἔτη f 438. 1550 ᵃ33.

Κίμων ηεγ6. 1233 ᵇ13. οἱ ἀπὸ Κίμωνος εἰς ἀβελτερίαν ἐξέστησαν Ρβ15. 1390 ᵇ31. Κίμων τῶν δημοτῶν αὐτῷ Λακιαδῶν παρεσκευάζετο τῷ βυλομένῳ τὸ δεῖπνον f 363. 1539 ᵇ12.

Κινάδων ἐπέθετο τοῖς Σπαρτιάταις Πε7. 1306 ᵇ34.

κιναίδυ σημεῖα φ3. 808 ᵃ12-17.

κινδυνεύειν Πε4. 1304 ᵇ3 al. οἱ ἔμπειροι ἐξ ἀρχῆς ἐκινδύνευον ὡς κρείττυς ὄντες, γνόντες δὲ φεύγυσι Ηγ 11. 1116 ᵇ21.

κινδυνευτικός ῦ μὴ ἀνάγκη, ὅπη καλόν Ρα9. 1367 ᵇ4.

κίνδυνος def Ργ5. 1382 ᵃ32. ηεγ1. 1229 ᵇ10. ἐπὶ τῷ αὐτῷ κινδύνῳ Πγ15. 1286 ᵃ14. ἀγωνίζεσθαι καλὸν κίνδυνον Πθ4. 1338 ᵇ31.

κινεῖν. 1. notio τῦ κινεῖν. κινεῖν, opp ἠρεμίζειν ηεβ8. 1224 ᵇ8. κινεῖσθαι, opp ἠρεμεῖν Φζ 1. 232 ᵃ12. 8. 238 ᵇ23. ερ2. 459 ᵇ20. Μγ5. 1010 ᵃ36. κινύμενον, opp ἀκίνητον Φα2. 184 ᵇ16. κινεῖσθαι, opp ἀκινητίζειν Ζγγ9. 759 ᵃ4. τὸ κινύμενον ἔκ τινος εἴς τι μεταβάλλει Οα8. 277 ᵃ14. Φδ11. 219 ᵃ17. τὸ κινῦν κινεῖ τι ἀεὶ χ̓ ἔν τινι (i e ἐν τόπῳ ἢ ἐν πάθει) χ̓ μέχρι τυ ᾱ Φη5. 249 ᵇ27. ζ5. 235 ᵃ14, 16. ε4. 227 ᵇ25. ὔτε κινεῖ ὔτε κινεῖται τὸ εἶδος ἢ ὁ τόπος ἢ τὸ τοσόνδε Φε1. 224 ᵇ5. ὅταν κινῆται ἐκ τινὶ ἢ χ̓ ἀποβάλλῃ, ἔτι δοκεῖ ἔχειν τὸ ἀποβαλλόμενον Φε6. 230 ᵇ29, 32. Μχ6. 1063 ᵃ19. πᾶν τὸ κινύμενον ἀνάγκη κεκινῆσθαι πρότερον Φζ6. 236 ᵇ33, 35. η5. 249 ᵇ29. Μθ8. 1049 ᵇ36. ὔτε τὸ κινεῖσθαι ὔτε τὸ ἵστασθαι ἐστί τι πρῶτον Φζ8. 239 ᵃ2. ἅπαν ἐν χρόνῳ κινεῖται, ἐν δὲ τῷ νῦν ὐδὲν Φζ8. 239 ᵇ1. 10. 241 ᵃ15, 25. 3. 234 ᵇ8. τὸ ἀμερὲς ὐκ ἐνδέχεται κινεῖσθαι πλὴν κατὰ συμβεβηκός Φζ10. 240 ᵇ9. αἱ αὐταὶ διαιρέσεις τῦ τε χρόνυ χ̓ τῦ κινεῖσθαι Φ4. 235 ᵃ16. κινεῖν μὴ ἁπτόμενον ἀδύνατον Ζγβ1. 734 ᵃ3. Φη1. 242 ᵇ24. πῶς κινεῖται ἔνια συνεχῶς μὴ ἁπτομένυ τῦ κινήσαντος, οἷον τὰ ῥιπτύμενα Φθ10. 266 ᵇ29. — κινεῖν χ̓ κινεῖσθαι κατὰ συμβεβηκός (τῷ ὑπάρχειν τοῖς κινῦσιν ἢ κινυμένοις, τῷ μόριον τι), κατ' αὐτό (ὑφ' αὐτῦ, ὑπ' ἄλλυ, φύσει, βίᾳ) Φ4. 254 ᵇ7-17. δ4. 211 ᵃ17. cf ε2. 226 ᵃ19. κινεῖσθαι καθ' ἕτερον, καθ' αὐτό ψα3. 406 ᵃ4. — principium movens appellatur ἡ ὡς κινῦσα χ̓ κυρία χ̓ πρώτη τῶν ἀρχῶν μα9. 346 ᵇ20. τὰ κινῦντα αἴτια ὡς προγεγενημένα ὄντα τα δ' ὡς ὁ λόγος ἅμα Μλ3. 1070 ᵃ21. ᵇ10. κινῦν μα4. 342 ᵃ28. Μλ3. 4. τὸ κινῆσαν Ζγα21. 729 ᵇ20. τὸ κινῆσον ΜΛ9. 991 ᵇ5. μ5. 1080 ᵃ4.

2. τῦ κινεῖσθαι genera, cf κίνησις 2. κινεῖσθαι et μεταβάλλειν interdum promiscue usurpantur Φε1. 224 ᵃ27, 21, ᵇ23, 27. κινεῖσθαι χ̓ πράττειν Μδ3. 1023 ᵃ18. τὸ κινεῖν ποιεῖν τί φασι χ̓ τὸ ποιῦν κινεῖν, ἀλλὰ τὸ κινεῖν ἐπὶ πλέον τῦ ποιεῖν ἐστι Γα6. 323 ᵃ20. σχεδὸν χ̓ τὸ κινεῖσθαι γίνεσθαι τι χ̓ φθείρεσθαι δοκεῖ πᾶσιν Φθ3. 254 ᵃ11. εἰ τὰ κινύμενα εἴδει διαφέρει, χ̓ αἱ κινήσεις εἴδει διοίσυσιν Φη4. 249 ᵇ12. κινεῖσθαι κατὰ πάθος (i e ἀλλοιῦσθαι) Κ14. 15

ᵃ23. κινεῖσθαι τὰ μόρια ὐχ ὡς τόπον μεταβάλλοντα Ζγβ5. 741 ᵇ11. κινεῖν τὴν κατὰ τόπον κίνησιν ψγ9. 432 ᵃ17. τὸ κατὰ τόπον κινητὸν Οδ3. 310 ᵃ30. ὅσα μὴ γεννητά, κινητὰ δὲ φορᾷ Μλ2. 1069 ᵇ26. ὕλη κατὰ τόπον κινητὴ Μη4. 1044 ᵇ8. κυρίως κινεῖσθαί φαμεν μόνα τὰ κινύμενα τὴν κατὰ τόπον κίνησιν Φθ9. 266 ᵃ1, 4. θᾶττον κινεῖσθαι τί λέγομεν Φθ14. 222 ᵇ33. τῷ ἀπείρῳ χρόνῳ ἀδύνατον περπερασμένῃ (sc κίνησιν) κινεῖσθαι sim Φζ7. 237 ᵇ25, 238 ᵃ21, 32 sqq. ὅσων ἀρχὴ ἐν αὑτοῖς τῆς κινήσεως, ταῦτα φύσει φαμὲν κινεῖσθαι Φθ4. 254 ᵃ17. κινεῖσθαι κατὰ φύσιν, φύσει, opp παρὰ φύσιν, βίᾳ Φθ4. 254 ᵇ21, 255 ᵇ29. Οα8. 276 ᵃ23. βαρὺ χ̓ κῦφον τῷ δύνασθαι κινεῖσθαι φυσικῶς πως λέγομεν Οδ1. 307 ᵇ31. διὰ τί ῥᾷον κινεῖται τὸ κινύμενον ἢ τὸ μένον μχ 31. 858 ᵃ3. τὴν ἰσχὺν ἰσάζειν τῷ κινῦντος χ̓ τὴν τῦ μένοντος Ζκ3. 699 ᵃ33. κινεῖσθαι ἐπὶ τῆς εὐθείας, κύκλῳ Φη4. 248 ᵃ20. κινεῖσθαι κυκλικῶς Οα5. 272 ᵇ24. ἡ σφαῖρα χ̓ ὅλως τὰ ἐν αὑτοῖς κινύμενα Φζ9. 240 ᵃ30. πάντα ὤσει χ̓ ἕλξει κινεῖται ψγ10. 433 ᵇ25 Trdlbg (cf κίνησις 5). κινεῖν ἕτερον ἢ ἕλκοντα ἢ ὠθῦντα ἢ αἴροντα Ρα5. 1361 ᵇ16 (Zeller Gesch II, 2, 290, 1).

3. τὸ πρῶτον κινῦν ἀκίνητον. ὔθ' οἱ πάντα ἠρεμεῖν λέγοντες ἀληθῆ λέγυσιν, ὔθ' οἱ πάντα κινεῖσθαι Μγ8. 1012 ᵇ24. Φθ3. 253 ᵇ10. 8. 265 ᵃ4. τὸ κινύμενον ἀνάγκη εἶναι συνεχές Φθ5. 258 ᵃ22, 257 ᵃ33. η1. 242 ᵃ6. ἅπαν τὸ κινύμενον ἀνάγκη ὑπό τινος κινεῖσθαι Φη1. θ5. 256 ᵃ14. τρία ἀνάγκη εἶναι, τό τε κινύμενον χ̓ τὸ κινῦν χ̓ τὸ ᾧ κινεῖ Φθ5. 256 ᵇ15, ᵃ22. ψγ10. 433 ᵇ14. in serie τῶν κινύντων et τῶν κινυμένων ea quae extremos locos occupant τὸ πρῶτον et τὸ ἔσχατον κινῦν appellantur, ita quidem ut id quod τῷ κινυμένῳ proximum est modo πρῶτον dicatur Φη2. 243 ᵃ3, 14, 245 ᵃ8, 25, ᵇ1, modo ἔσχατον Φη2. 244 ᵇ4, 245 ᵃ4. θ5. 256 ᵃ9. Γα7. 324 ᵃ25, 26. cf Οδ3. 311 ᵃ9. τὸ κινῦν φύσει πρότερον τῦ κινυμένυ ἐστίν, ἤδη ἐνεργείᾳ ἐστὶν Μγ5. 1010 ᵇ37. θ8. 1049 ᵇ27. Φθ5. 257 ᵇ9. Ζκ5. 700 ᵇ2. τὸ κινῦν διττόν, τὸ μὲν ἀκίνητον, τὸ δὲ κινῦν χ̓ κινύμενον ψγ10. 433 ᵇ14 Trdlbg. cf α2. 403 ᵇ30, 404 ᵃ24. 3. 406 ᵃ3. τὸ κινῦν φυσικῦς κινητὸν Φγ1. 201 ᵃ24. ὐδὲν κινεῖται ἀμερές Φθ6. 258 ᵇ25. κινεῖσθαι ὑφ' ἑαυτῦ τί σημαίνει Φη1. 241 ᵇ28 sqq. θ6. 258 ᵇ24. Μλ6. 1072 ᵃ1. τὸ πρῶτον κινῦν ἀκίνητον, ἀμερές, ἀδιαίρετον, ὐδὲν ἔχον μέγεθος Φθ10. γ1. 201 ᵃ27. η1. 242 ᵃ20. θ5. 256 ᵇ24. 6. 258 ᵇ11, 12, 259 ᵃ13, 33. Οβ6. 288 ᵇ1, 5. Γα6. 323 ᵃ12. 7. 324 ᵃ30, ᵇ12. Μλ7. 8. 1074 ᵃ37. γ8. 1012 ᵇ30. Ζκ1. 698 ᵃ4, 9, 15, ᵇ6. Ζγβ1. 731 ᵇ21. δ3. 768 ᵇ18. φαίνεταί τι ἐν κινύμενον συνεχῶς ὐκ ἀμέγεθες Φθ10. 267 ᵃ20, 23. τάχιστα κινεῖται τὸ ἐγγύτατα τῦ κινῦντος Φθ10. 267 ᵇ8. τὸ κινύμενον (i e τὸ πρῶτος ὐρανός) πρῶτον χ̓ ἁπλῦν χ̓ ἀγένητον χ̓ ὅλως ἀμετάβλητον Οβ6. 288 ᵃ34. κινῦντα αἴτια πόσα ἐστὶν Μλ8.

4. notionis τῦ κινεῖν usus varius. κινεῖν τὴν μέσην, τὰς χορδὰς πιθ20. 919 ᵃ13. 36. 920 ᵇ7. — κινεῖν τὴν κοιλίαν, περιττώματα πα41. 864 ᵃ4, 7, 17. τὰ ζῷα πόσοις κινεῖται σημείοις Ζια5. 490 ᵃ26, 33. Ζπ1. 704 ᵃ10. π30. 894 ᵃ18, κατὰ διάμετρον κινεῖται Ζια5. 490 ᵇ4. τὰ ὄμματα κινεῖται χ̓ ἐντὸς χ̓ ἐκτὸς χ̓ εἰς τὸ πλάγιον Ζιθ2. 526 ᵃ9. τὸ ἄρρεν ὡς κινῦν χ̓ ποιῦν Ζγα20. 729 ᵃ29. cf β3. 737 ᵃ21. κινῦν κινῦν πρῶτον τὴν δημιυργὸν Ζγβ1. 735 ᵃ28. ἡ ψυχὴ τὸ κινῦν ψα2. 403 ᵇ29. κινεῖ πως πάντα τὸ ἐν ἡμῖν θεῖον ηεγ14. 1248 ᵃ26. ὐχ ἡ καθόλυ δόξα κινεῖ ἀλλ' ἡ καθ' ἕκαστον ψγ11. 434 ᵃ16-21. τὸ ὀρεκτὸν κινεῖ Ζκ6. 700 ᵇ23, 28. — ἤρξαντο κινῆσαι τὸ πρῶτον, ὥσπερ πέφυκεν, οἱ ποιηταὶ Ργ1.

1404 ᵃ20. — κινεῖν τὰς πατρίας νόμας, τὸν κόσμον, τὴν πολιτείαν Πβ8. 1268 ᵇ28, 34, 35, 1269 ᵃ12, 18, 20. ∂14. 1298 ᵃ38. ε1. 1301 ᵇ18. 4. 1304 ᵃ38, ᵇ7. 6. 1305 ᵇ22. 1307 ᵇ5 al. τὰ δίκαια κινόμενα ὁρῶμεν, τὸ δίκαιον κινητόν, opp τὸ φύσει ἀκίνητον Ηε10. 1134 ᵇ25-29. (κινεῖν sine 5 obiecto Πε6. 1305 ᵇ6. κινεῖν στάσιν Πε4. 1304 ᵃ36.) ἐν Αἰγύπτῳ μετὰ τὴν τετρήμερον κινεῖν (int τὰς γεγραμμένας νόμας) ἔξεστι τοῖς ἰατροῖς Πγ15. 1286 ᵃ13. ἐὰν μή τις βύληται κινεῖν τὰ μαθηματικὰ κ̣ ποιεῖν ἰδίας τινὰς δόξας Μν3. 1090 ᵇ28. κινεῖν τὰ μέγιστα τῶν μαθηματικῶν, κι- 10 νεῖν τὰς ὑποθέσεις sim Οα4. 271 ᵇ11. 8. 277 ᵃ9. γ1. 299 ᵃ5. ατ969 ᵇ31. κινεῖται τὸ κείμενον εἶναι ἴδιον τε1. 128 ᵇ27, 31, 32. 5. 134 ᵃ7, 13, 16. — τῶν μεθυόντων ὁ μὲν λάλος, ὁ δὲ κεκινημένος πλ1. 953 ᵇ10. — ὀνόματα κινόμενα (apud Homerum) f 129. 1500 ᵃ25, cf ἔμψυχοι λέξεις ᵃ22. 15
   5. dicendi usus. ἰσχυρῶς κινεῖν μβ8. 366 ᵇ14. κινεῖν, κινεῖσθαι κίνησίν τινα Φθ1. 251 ᵃ28. 4. 254 ᵇ20, 255 ᵃ11. 6. 259 ᵇ10. 7. 260 ᵃ25. 8. 264 ᵃ29. κινεῖσθαι τὴν ὅλην (int κίνησιν) πεπερασμένην, τὰς ἐναντίας sim Φζ4. 235 ᵃ20. Οα6. 273 ᵇ30, 274 ᵃ16. 8. 276 ᵇ27. inde explicatur λέγω 20 ∂ὲ ἢ τὸ κινόμενον ἀλλ᾽ ὃ ἐκινήθη Μ∂13. 1020 ᵃ31 Bz (ὃ est accus, ὃ διάστημα, ἣν κίνησιν ἐκινήθη). — tempus futurum passivae significationis et κινηθήσεται et κινήσεται exhibetur, veluti κινήσεται non notata v l Φγ3. 202 ᵃ30. ∂5. 212 ᵃ33, 34, ᵇ1. 6. 213 ᵇ13. ζ4. 234 ᵇ26. η1. 242 25 ᵃ24. θ3. 254 ᵃ9. 5. 257 ᵃ27, ᵇ29. 8. 264 ᵇ11, 12. Οβ8. 289 ᵇ7, 290 ᵇ11; κινηθήσεται sine v l Φγ5. 205 ᵃ15, 18, 19. ∂8. 214 ᵇ33. ζ3. 234 ᵃ28, 30, ᵇ2. 10. 241 ᵃ21. η1. 242 ᵃ25, ᵇ31, 34. θ5. 258 ᵃ2, 30. Οα7. 275 ᵃ12. β13. 296 ᵃ7. γ2. 300 ᵇ33, 301 ᵇ5; κινήσεται, cum v l κινηθή- 30 σεται Φζ2. 232 ᵇ14, 30. 4. 234 ᵇ23. θ5. 258 ᵃ4, 15. Οα7. 275 ᵃ10. β6. 288 ᵃ17. ζ6. 333 ᵃ17.

κίνημα. ἡ κίνησις ὐκ ἐκ κινημάτων Φζ10. 241 ᵃ4. 1. 232 ᵃ9. Κινησίας δύο λέγει Ἀριστοτέλης γεγονέναι f 586. 1573 ᵇ28.

κίνησις. 1. κινήσεως notio. refutantur veterum philosopho- 35 rum de motu placita Φγ2. ἡ τῶ δυνάμει ὄντος ἐντελέχεια, ᾗ τοιῶτον, κίνησίς ἐστιν Φγ1. 201 ᵃ11, 29, ᵇ5. 202 ᵃ7. θ1. 251 ᵃ9. Μκ9. 1065 ᵇ16, 23, 33. ἡ κίνησις ἐντελέχεια ἀτελής Φγ2. 201 ᵇ31. θ5. 257 ᵇ8. Μκ9. 1066 ᵃ20. θ6. 1048 ᵇ29. ψβ5. 417 ᵃ16. ἡ κίνησις τῶ ἀτελῶς ἐνέργεια 40 ψγ7. 431 ᵃ6. κίνησις, coni syn ἐνέργεια Ργ11. 1412 ᵃ9. Ζγβ6. 743 ᵃ28. Μ∂14. 1020 ᵇ18. 3. 1047 ᵃ32. ηεβ1. 1218 ᵇ37, dist ἐνέργεια Μθ6. 1048 ᵇ16-36 Bz. κίνησις, coni ποίησις ψγ2. 426 ᵃ2, coni πρᾶξις Μ∂17. 1022 ᵃ7. 20. 1022 ᵇ5, ηεβ3. 1220 ᵇ27, coni ἐργασία Ζγα22. 730 ᵇ7. 45 πᾶσα κίνησις ἔκ τινος εἰς τι Φε1. 224 ᵇ1. 6. 229 ᵇ11. 219 ᵃ12. κίνησις κ̣ μεταβολαὶ ἐξ ἀντικειμένων εἰς ἀντικείμενα, ἐξ ἐναντίω εἰς ἐναντίον Φθ7. 261 ᵃ33. ε2. 226 ᵇ3. πᾶσα κίνησις ἔκστασίς ἐστι τῶ κινωμένω ᾖ κινεῖται ψα3. 406 ᵇ12. Φ∂12. 221 ᵇ3. ὐδεμία κίνησις ἄπειρος, ἀλλὰ 50 πάσης ἐστὶ τέλος, πέρας Μβ4. 999 ᵇ10. Οβ6. 288 ᵇ29. Ζκ6. 700 ᵇ16. cf Φζ7. 238 ᵇ19. 10. 241 ᵇ10. ἡ κίνησις ὐκ ἐν τῷ εἴδει ἀλλ᾽ ἐν τῷ κινητῷ ὐπὸ τῶ κινητικῶ Φε1. 224 ᵇ25. γ3. 202 ᵃ13. Μκ9. 1066 ᵃ27. πῶς ἡ αὐτὴ ἐν τῷ κινῶντι κ̣ τῷ κινωμένῳ Φγ3. τὸ κινόμενον πρώτως σω- 55 ματικὴν κίνησιν ἀνάγκη ἅπτεσθαι ᾗ συνεχές εἶναι τῷ κι- νῶντι Φ∂1. 242 ᵇ25. γ2. 202 ᵃ7. ὐκ ἔστι κίνησις παρὰ τὰ πράγματα Φθ1. 200 ᵇ32. Μκ9. 1065 ᵇ7. τῶν ὐσιῶν ἄνευ ὐκ ἔστι τὰ πάθη κ̣ αἱ κινήσεις Μλ5. 1071 ᵃ2. ὐκ ἔστι κινήσεως κίνησις Φε2. 225 ᵇ15. Μκ12. 1068 ᵃ15. 60 Αα36. 48 ᵇ31. ἡ κίνησις ὐκ ἔστιν ἐκ κινημάτων Φζ10.

241 ᵃ3. 1. 232 ᵃ8. κίνησις, coni syn τὸ κινεῖσθαι Φζ4. 235 ᵃ16, 25. κίνησις ὐκ ἔστιν ἐν τῷ ἀμερεῖ διὰ τὸ κεκι- νῆσθαι τι αὐτὸ Φζ8. 239 ᵃ4. ἅπασα κίνησις ἐν χρόνῳ Φζ4. 235 ᵃ11. ὐκ ἔστιν ἐν ὀτῳῶν χρόνῳ λαβεῖν κίνησιν τελείαν τῷ εἴδει, ἀλλ᾽ εἴπερ, ἐν τῷ ἅπαντι Ηκ3. 1174 ᵃ28. μέ- γεθος (μῆκος), κίνησιν, χρόνον συνεχῆ εἶναι, διαιρετὰ εἰς ἀεὶ διαιρετά Φζ1. 2. γ1. 200 ᵇ17. ∂11. 219 ᵃ12. Γβ10. 337 ᵃ25, 32. Μ∂13. 1020 ᵃ32. ηεβ3. 1220 ᵇ26, cf ἡ συν- έχεια τῆς κινήσεως Μθ8. 1050 ᵇ27. inter κίνησιν et χρόνον quae intercedat ratio Φ∂11. 219 ᵇ16. 12. 220 ᵇ15, 25. ζ4. 234 ᵇ21, 28, 235 ᵃ11, 13, 16. αἱ τῶν μερῶν κινήσεις ἕτεραί εἰσι κατ᾽ αὐτά τε κ̣ τὰ μέρη κ̣ κατὰ τὴν τῶ ὅλω κίνησιν Φζ10. 240 ᵇ13. κινήσεως πρὸς κίνησιν πάσης ἐστὶ λόγος Φθ8. 216 ᵃ9. — principium movens appellatur ὅθεν ἡ ἀρχὴ τῆς κινήσεως ΜΑ3. 983 ᵃ30, 984 ᵃ27. Ζγα1. 715 ᵃ7. πόθεν ἡ ἀρχὴ τῆς κινήσεως μ∂12. 390 ᵇ19. ὅθεν ἡ κί- νησις Ζγβ6. 742 ᵃ23. ἀρχὴ τῆς κινήσεως Ζγα20. 729 ᵃ10. 2. 716 ᵇ4. β4. 740 ᵇ25. cf Οβ2. 284 ᵇ27. — τὰ φύσει ὄντα πάντα φαίνεται ἔχοντα ἐν ἑαυτοῖς ἀρχὴν κινήσεως κ̣ στάσεως Φβ1. 192 ᵇ14. Ζγβ1. 735 ᵃ3. τὰ μετὰ κινήσεως θεωρεῖν φυσικῆς ἐστι Μλ1. 1069 ᵇ1. περὶ πάσης κινήσεως φυσικῆς εἴρηται μα1. 338 ᵃ21. ἐν τοῖς περὶ κινήσεως λό- γοις Γα3. 318 ᵃ3 (cf Ἀριστοτέλης p 102 ᵇ3, 15). ὐθενὸς (τῶν φυσικῶν) ἄνευ κινήσεως ὁ λόγος, ἀλλ᾽ ἀεὶ ἔχει ὕλην Με1. 1026 ᵃ3 Bz.

   2. κινήσεως genera. κινήσεως κ̣ μεταβολῆς ἐστιν εἴδη τοσαῦτα ὅσα τῶ ὄντος Φγ1. 201 ᵃ8. Μκ9. 1065 ᵇ14. μη- δὲν διαφερέτω λέγειν ἡμῖν ἐν τῷ παρόντι κίνησιν ἢ μετα- βολὴν Φ∂10. 218 ᵇ19. αἱ κινήσεις κ̣ αἱ μεταβολαὶ τέττα- ρες, κατ᾽ ὐσίαν, κατὰ τὸ ποιόν, κατὰ τὸ ποσόν, κατὰ τὸ πῶ Φθ7. 261 ᵃ27-36. Γα2. 315 ᵃ28 sqq (cf μεταβολή et Prantl symb p 9). κίνησις, dist φθορά Φε1. 224 ᵃ34-ᵇ5. 5. 229 ᵃ31. γένεσις κ̣ φθορὰ ὐκ ἔστι κίνησις Φε1. 225 ᵃ26, 32. Μκ11. 1067 ᵇ31, 37. κινήσεις τρεῖς, κατὰ τὸ ποσόν (τὸ μέγεθος), κατὰ τὸ ποιόν (τὸ πάθος), τὸ πῶ (τόπον) Φβ1. 192 ᵇ14. ε1. 225 ᵇ7. 2. 226 ᵃ25. κ̣2. 243 ᵃ6. 87. 260 ᵃ33. Μκ12. 1068 ᵃ8. κινήσεως genera praeter haec tria demonstratur Φε2. 225 ᵇ10-226 ᵃ26. (κινήσεως ἐστιν εἴδη ἕξ, γένεσις, φθορά, αὔξησις, μείωσις, ἀλλοίωσις, ἡ κατὰ τόπον μετα- βολή Κ14. 15 ᵃ13 Wz, hanc computandi rationem non esse Aristotelicam iudicat Spgl Münch GA 1845 p 44, sed ex eadem computandi ratione φορὰ ἀλλοίωσις φθίσις αὔξησις dicuntur τέσσαρες κινήσεις ψα3. 406 ᵃ12.) ἡ κατ᾽ αὔξησιν κ̣ φθίσιν κίνησις ψγ9. 432 ᵇ9. κίνησις κατὰ τόπον, αὔτη δ᾽ ἐστὶ φορὰ κ̣ αὔξησις Φ∂6. 213 ᵇ4. ἐν μόνῃ τῶν κινήσεων τῇ κατὰ τὸ ποιὸν ἐνδέχεται ἀδιαίρετον καθ᾽ αὐτὸ εἶναι Φζ5. 236 ᵇ17.

   3. κινήσει τί ἐναντίον, κίνησις μία, ἁπλῆ. κίνησις, opp ἀκινησία Φε4. 228 ᵇ3. μα3. 340 ᵇ18. opp στάσις Φβ1. 192 ᵇ14. ε4. 228 ᵇ6. Μγ2. 1004 ᵇ29. opp μονή Φε5. 229 ᵃ8. 6. 229 ᵇ28, 230 ᵇ18. Γβ6. 333 ᵇ35. opp ἠρεμία Κ14. 15 ᵇ1. κινήσει ποία ποία ἠρεμία ἐναντία Φε6. — ποία κίνησις κινήσει ἐναντία Φε5. ἐναντίαι κινήσεις αἱ κατ᾽ εὐθεῖαν, ὅτι ἱστᾶσι κ̣ παύωσιν ἀλλήλας Φθ8. 264 ᵃ28, 262 ᵃ6, 264 ᵇ14 sqq. ἀδύνατον ἅμα δύο ἐναντίας κινήσεις κινεῖσθαι τὸ αὐτό Φζ2. 426 ᵇ30. Οβ13. 295 ᵇ15. αἱ τῶν ἐναντίων κι- νήσεις ἐναντίαι αι7. 448 ᵃ2. — τρία ἐστὶ περὶ ἃ λέγομεν τὴν κίνησιν, ὃ κ̣ ἐν ᾧ κ̣ ὅτε Φε4. 227 ᵇ23 (cf κινεῖσθαι p 391 ᵃ20). ἡ κίνησις ᾗ τῶτα Φζ1. 231 ᵇ22 (ubi τῶτα non τὸ κινόμενον significat, sed τῆς κινήσεως τὸ μέγεθος, τὸ

διάστημα, cf ὃ ἐκινήθη Μδ 13. 1020 ᵃ31 Bz). ποία κίνησις ποία συμβλητή Φη 4. εἰ τὰ κινύμενα εἴδει διαφέρει, κ̛ αἱ κινήσεις εἴδει διοίσυσιν Φη 4. 249 ᵇ13. — κίνησις γένει, εἴδει, ἀριθμῷ (ἁπλῶς) μία πῶς λέγεται Φε 4. η 1. 242 ᵃ33, ᵇ4. θ 6. 259 ᵃ18. 8. 262 ᵃ1. 10. 267 ᵃ22. Μδ 6. 1016 ᵃ5. κι- 5 νήσεις ἁπλαῖ, opp μικταί Οα 2. 268 ᵇ30, 269 ᵃ4, 8. 7. 274 ᵇ3. γ 3. 302 ᵇ6 (aliter ἁπλαῖ κινήσεις Γα 2. 315 ᵃ28 usurpatum videtur ad significanda summa illa tria κινήσεως genera).

4. συμβεβηκότα τῇ κινήσει. πᾶσα κίνησις ἢ βία (βίαιος, 10 παρὰ φύσιν) ἢ κατὰ φύσιν (φύσει, οἰκεία) Φθ 8. 215 ᵃ1. ε 6. 230 ᵇ18. θ 3. 254 ᵃ9, 10. Οβ 13. 295 ᵃ6. γ 2. 300 ᵃ23, 24. ψα 3. 406 ᵇ26. ἀναγκαῖον ὑπάρχειν κίνησιν τοῖς ἁπλοῖς σώμασι φύσει τινὰ πᾶσιν Ογ 2. 5. 340 ᵇ20. τέτταρα σώ- ματα διὰ τὰς τέτταρας ἀρχάς, ὧν διπλῆν εἶναί φαμεν 15 τὴν κίνησιν, τὴν μὲν ἀπὸ τῦ μέσυ, τὴν δ' ἐπὶ τὸ μέσον μα 2. 339 ᵃ14. — ἐκ εἰδη κινήσεως ἐδὲ διαφοραὶ τάχος κ̛ βραδυτής, ὅτι πάσαις ἀκολυθεῖ ταῖς διαφοραῖς κατ' εἶδος Φε 4. 228 ᵇ29. Ηκ 2. 1173 ᵃ31. κίνησις ὁμαλὴ sive ὁμαλής, opp ἀνώμαλος Φθ 14. 223 ᵃ2. ε 4. 228 ᵇ16, 19, 24. Γβ 10. 20 336 ᵇ6. ἐάν τε ἐπιτείνῃ ἡ κίνησις ἐάν τε ἀνῇ ἐάν τε μένῃ Φζ 7. 238 ᵃ6. ἰσχύς, βάρος, τάχος quam habeant inter se rationem Φη 5.

5. τίς κίνησις πρώτη. ἀεὶ ἦν κ̛ ἔσται κίνησις Φθ 1. 2. Μλ 6. 1071 ᵇ7, 33. de κινήσει varia philosophorum placita 25 πάντα ἠρεμεῖν ἀεί, πάντα ἀεὶ κινεῖσθαι, τὰ μὲν κινεῖσθαι τὰ δ' ἠρεμεῖν κτλ Φθ 3. 253 ᵃ24-30, 254 ᵃ18-22. Ar quid ipse statuat exponit θ 3. 253 ᵃ28-30, 254 ᵇ4-6. 6. 259 ᵃ24-27. — τῶν κινήσεων πρώτη ἡ φορά Φη 2. 243 ᵃ11. θ 7. 260 ᵃ23, 261 ᵃ21. δ 1. 208 ᵃ31. ἡ φορὰ ἢ εὐθεῖα ἢ 30 κύκλῳ ἢ ἐκ τύτων μικτή Οα 2. 268 ᵇ17. ἀπὸ δεξιῶν, ἀπὸ τῶν ἔμπροσθεν Οβ 2. 284 ᵇ28. αἱ ὑφ' ἑτέρων κινήσεις τέττα- ρές εἰσιν, ὥσις ἕλξις ὄχησις δίνησις Φη 2. 243 ᵃ24. ἐνδέ- χεται εἶναί τινα κίνησιν συνεχῆ κ̛ ἀίδιον Φθ 7. 261 ᵃ30. ἐκ ἔστιν ἐναντία ἡ κύκλῳ τῇ κύκλῳ Οβ 3. 286 ᵃ3. Φθ 8. 264 35 ᵇ1. τῶν κινήσεων ἐδεμίαν ἐνδέχεται συνεχῆ εἶναι ἔξω τῆς κυκλοφορίας Φθ 7. 261 ᵃ31-ᵇ26. 8. 264 ᵇ29, 265 ᵃ8. Μλ 6. 1071 ᵇ10. ἔστι τι ἀεὶ κινύμενον κίνησιν ἄπαυστον· ἡ τῦ ἠρανῦ φορά (τῦ ὅλυ κίνησις) συνεχὴς ὁμαλὴς ἀπλυστάτη ἀίδιος ἀθάνατος Μλ 7. 1072 ᵃ21. μ 3. 1078 ᵃ13. ι 1.1052 40 ᵃ27, 1053 ᵃ8. Οβ 4. 287 ᵃ23. 5. 288 ᵃ11. 6. 288 ᵃ13. Φθ 6. 259 ᵇ26. 10. 267 ᵇ9. ἡ προτέρα κίνησις προτέρα τῇ φύσει σώματος Οα 2. 269 ᵃ24. τῦ σφαιροειδῦς δύο κινήσεις εἰσὶ καθ' αὑτό, κύλισις κ̛ δίνησις Οβ 8. 290 ᵃ9. τὰ τὴν ἐγκύκλιον φερόμενα κίνησιν ἄστρα Οβ 12. 293 ᵃ12. ἡ κύκλῳ 45 κίνησις μγ 1. 371 ᵃ14. ἐν τῇ κύκλῳ κινήσει ἡ γενέσει ἐστὶ τὸ ἐξ ἀνάγκης ἁπλῶς Γβ 11. 338 ᵃ15. cf 10. 336 ᵃ15. τὰ κινύμενα πάντα κινεῖται ὑπό τινος Φθ 4. τὸ πρῶτον κι- νῦν ἀκίνητον Φθ 5. 6. 260 ᵃ19. 10. 267 ᵇ18. Μλ 6.

6. notionis τῆς κινήσεως usus varius. σεισμὸς κ̛ κίνησις 50 γῆς μβ 7. 8. ἡ τῆς ὥρας κίνησις κ̛ θερμότης Ζγβ 6. 743 ᵃ35. — ἐν τοῖς φυτοῖς ἐχ εὑρίσκομεν τοπικὴν κίνησιν φτα 1. 815 ᵇ24, 816 ᵇ10. τὸ ἔμψυχον τῦ ἀψύχυ διαφέρει κινήσει κ̛ τῷ αἰσθάνεσθαι ψα 2. 403 ᵇ26. β 2. 413 ᵇ13. τῆς κινή- σεως ἀρχὴ ἡ καρδία υ 2. 456 ᵃ5. ἡ κίνησις ἡ κατὰ τόπον 55 Ζια 4. 489 ᵃ28. τῶν κινήσεων τῶν κατὰ τόπον ἀρχαί Ζπ 2. 704 ᵇ22. αἱ κινήσεις τῶν ζῴων κατὰ διάμετρόν εἰσιν Ζιβ 1. 498 ᵇ5. ἐδενὶ φυσικὴ ὑπάρχει κίνησις εἰς τὸ ὄπισθεν Ζπ 6. 706 ᵇ30. ζῴων κινήσεις ἑκύσιαι, ἀκύσιοι, ἐχ ἑκύσιοι Ζκ 11. κινήσεις σώματος ἐκκριτικαί, ληπτικαί Φη 2. 243 ᵇ14. κί- 60 νησις ἡ κατὰ τροφὴν ψβ 2. 413 ᵃ24. κινήσεις γεννητικαί

Ζγδ 4. 770 ᵇ26. κινήσεις αἱ δημιυργῦσαι Ζγδ 3. 768 ᵃ15. ἔνεισιν αἱ μὲν ἐνεργείᾳ τῶν κινήσεων αἱ δὲ δυνάμει Ζγδ 3. 768 ᵃ12. — κοινὰ τῶν αἰσθήσεων σχῆμα μέγεθος κίνησις εν 1.458 ᵇ5. — κίνησις αἰσθητικὴ Φθ 2. 253 ᵃ19, 16. ἄλλο εἶδος τῦτο (int transitus ab αἰσθητικῷ δυνάμει ad αἰσθητικὸν ἐνέρ- γειᾳ) κινήσεως ψ 7. 431 ᵃ6 (cf αἴσθησις p 19 ᵇ54). κινήσεις ἐγρηγορικαί μτ 1. 463 ᵃ10, φανταστικαί εν 3. 462 ᵃ8. τὰ φαντάσματα κ̛ αἱ ὑπόλοιποι κινήσεις εν 3. 461 ᵃ18. κίνησις κυριωτέρα μτ 2. 463 ᵇ25. ἡ μείζων κίνησις τὴν ἐλάττω ἐκκρύει αι 7. 447 ᵃ14, 22. Ργ 17. 1418 ᵃ14. Ζγε 1. 780 ᵃ9. ἡ τῆς διανοίας κίνησις ατ 969 ᵇ1. — κινήσεις τῆς πολιτείας Πβ 8. 1268 ᵇ25. δ 16. 1300 ᵇ38. ε 2. 1302 ᵃ38, cf κινεῖν p 390 ᵃ1.

7. dicendi usus. ἡ εἰς κυρτότητα ἢ κοιλότητα κίνησις μδ 9. 386 ᵃ2. κίνησις εἰς τὸ πλάγιον μχ 8. 852 ᵃ12. κινήσεις μηχανικαί μχ 848 ᵃ14. κίνησις σύμμετρος Ζγβ 6. 743 ᵃ28. ε 1. 779 ᵇ27. κίνησις μικραὶ Ζγε 1. 780 ᵇ33. γ 1. 751 ᵃ21. κίνησις βραδεῖα, ταχεῖα Ζγε 7. 786 ᵇ26, 27. κίνησις στασιμωτέρα Ζγα 4. 717 ᵃ31. κινήσεις νωθραί, ὀξεῖαι, ὀξύ- τεραι φ 2. 806 ᵇ25. πβ 38. 870 ᵃ29. ιθ 50. 922 ᵇ39. κινή- σεις πολύμορφοι Ζμβ 1. 646 ᵇ15. κίνησις ὑγροτέρα Ζμβ 9. 655 ᵃ24. — ποιεῖσθαι τὴν κίνησιν Οα 4. 312 ᵃ5. Ζπ 15. 713 ᵃ13. τί τὸ κινῶν τὸ ζῷον τὴν πορευτικὴν κίνησιν ψγ 9. 432 ᵇ14. κινεῖν μίαν κ̛ ἁπλῆν κίνησιν Φθ 6. 260 ᵃ19. κινεῖσθαι κατὰ τὴν ἄλλυ κίνησιν Φζ 4. 234 ᵇ27. κινεῖσθαι κίνησίν τινα Φη 1. 242 ᵇ25. θ 8. 265 ᵃ8. Φθ 5. 288 ᵃ11. κινεῖσθαι πεπε- ρασμένην (sc κίνησιν), τὰς ἐναντίας al Οα 6. 273 ᵇ30, 274 ᵃ16. 8. 276 ᵇ27. ἕως ἂν εὐθυπορῇ ἡ κίνησις μν 2. 453 ᵃ25. λύονται αἱ κινήσεις Ζγδ 3. 768 ᵃ15, 31, ᵇ15.

κινητικός. κινητικὸν μέν ἐστι τῷ δύνασθαι, κινῦν δὲ τῷ ἐνεργεῖν Φγ 3. 202 ᵃ16. Μκ 9. 1066 ᵃ29. ἀρχὴ κινητικὴ ἢ στατική Μθ 8. 1049 ᵇ7. cf τὸ 6. 127 ᵇ16. φύσις κινητική ΜΑ 3. 984 ᵇ6, κινητικωτέρα Ζμγ 9. 672 ᵃ25. κινητικὸν τινος Φθ 4. 255 ᵃ21. Οβ 6. 288 ᵇ4 al. ἡ κινητικὸν τὸ τυχὸν τῦ τυχόντος Οδ 3. 310 ᵃ27, 30. εἰ κινητὸν ὑπ' ἄλλυ πᾶν τὸ κινητικὸν Φθ 5. 257 ᵃ19, 15. ἡ τῦ ποιητικῦ κ̛ κινητικῦ ἐνέρ- γεια ἐν τῷ πάσχοντι ἐγγίνεται ψγ 2. 426 ᵃ4. — τῶν σω- μάτων ποῖον κινητικώτατον μβ 8. 365 ᵇ30. Οβ 11. 291 ᵇ15. — κινητικὸν ἐδόκει ἡ ψυχὴ εἶναι, κινητικὴ τῆς ψυχῆς δύ- ναμις ψα 2. 404 ᵇ8, 28. γ 9-11. κινητικὸν κατὰ τόπον Οδ 3. 310 ᵃ30. ψγ 3. 414 ᵃ32. γ 10. 433 ᵃ13. ζῷα κινητικά, ἀκίνητα Ζιδ 4. 528 ᵃ30. θ 2. 590 ᵃ33. α 5. 489 ᵇ16. Ζμδ 7. 683 ᵇ6, cf ᵇ9. Μ 174. μόρια κινητικά Ζια 15. 494 ᵇ6. Ζγβ 6. 742 ᵇ8. Πδ 4. 1290 ᵇ31. κινητικώτερά ἐστι κινύμενα τὰ ἄρρενα τῶν θηλέων Ζγδ 6. 775 ᵃ7. — ῥυθμὸς κινητικός, opp στασιμώτερος Πθ 5. 1340 ᵇ9.

κινναβαρι, λίθος μγ 6. 378 ᵃ26.

κινναβάρινον χρῶμα Ζιβ 1. 501 ᵃ30.

κιννάμωμον. 1. Laurus Cinnamomum f 105. 106. 1494 ᵇ43. — 2. τὸ ὄρνεον. nidum cinnamomo congesto construit Ζιι 13. 616 ᵃ6 sq. cf S II 103. Su 164, 175. ΑΖιι I 96, 49.

Κίος ἀπέχει σταδίυς ἑκατὸν εἴκοσι τῆς Ἀσκανίας λίμνης θ 54. 834 ᵃ34. — Κίος ὁ ἀφηγησάμενος τῆς Μιλησίων ἀποικίας f 471. 1555 ᵇ33, cf Κιανίς.

Κιρκαῖον σ 973 ᵇ20. f 238. 1522 ᵃ4. Κιρκαῖον ὄρος θ 78. 835 ᵇ33.

Κίρκας καλεῖται ὁ Θρᾳκίας σ 973 ᵇ20, cf Κιρκίας.

Κίρκη διὰ τί λέγεται αἰδήεσσα f 163. 1505 ᵃ39.

Κιρκίας (v l Κίρκας) καλεῖται ὁ Θρᾳκίας f 238. 1522 ᵃ4.

κίρκος (v l χίρκος, κέρβυ). τῶν ἱεράκων τρίτος ὁ κίρκος Ζιι 36.620 ᵃ18. 49 Β 633 ᵃ23 (Aeschyl fr 297). πολέμιοι

ἀλώπηξ ἢ κίρκος Ζυ1. 6υθ ο. κίρκος v 1 (κόκκυξ Bk)
Ζιζ1. 559 ᵃ11 Aub. cf S I 400. (circus Gazae, yricos Alberti.
Faux perdrieux, syn Falco aeruginosus L Belon. busard
C II 149. Falco pygargus K 945, 8. Falco nisus, perhaps,
Cr ambigui Su 100, 14 et ΑΖι I 93, 37 c.)

κιρνᾶν φτα2. 817 ᵃ14.

κιρρᾶς ὁ ἀλφηστικὸς μονάκανθος f 290. 1528 ᵇ29.

κισσᾶν καλῶνται παντοδαπαὶ τῶν κυησῶν ἐπιθυμίαι Ζιη4.
584 ᵃ19.

κίσσηρις, κίσηρις. οἰόμενος τὸν λίθον κίσσηριν εἶναι Ηγ2.
1111 ᵃ13. φρίττειν κισήρεως τεμνομένης πλε3. 964 ᵇ38.
πζ5. 886 ᵇ10. ὃ διορᾶν διὰ κισηρίδος πκε9. 939 ᵃ13.

κίττα (v 1 κίσσα). ἀμφότεραι (ἐλεὸς ἢ αἰγωλιος) θηρεύουσι
τὰς κίττας Ζιθ3. 592 ᵇ13. ἡ κίττα φωνὰς μεταβάλλει
πλείστας (καθ᾽ ἑκάστην γὰρ ὡς εἰπεῖν ἡμέραν ἄλλην ἀφίησι),
τίκτει δὲ περὶ ἐννέα ᾠά, nidus Ζυ13. 615 ᵇ19 Aub, 616 ᵃ3.
πολυτοκεῖ Ζγδ6. 774 ᵇ28. ἡ ἰξοβόρος τὸ μέγεθος ὅσον κίττα
ἐστὶν Ζυ20. 617 ᵃ20. (kissa Thomae, kyche Alberti, kyke
Vincentii. hodie κίζα. pie C II 639. Corvus glandarius
K 865. 3. G 43. ΑΖι I 96, 50. ΑΖγ 29, 35. Cr. fort Pica
europaea vel Garrulus glandarius Su 124, 81. cf S II 98.
489. Lnd 68).

κιττός, ἀφ᾽ οὗ τὸ μέλι φέρουσιν αἱ μέλιτται Ζιε22. 554 ᵇ14.
κιττῷ ἄνθος ἢ καρπὸς πολὺ τῷ χρώματι διαφέρει χ5. 796
ᵇ14. ἔλαφος ἔχων κιττὸν πολὺν πεφυκότα ἐπὶ τῶν κερά-
των θ5. 831 ᵃ2. Ζυ5. 611 ᵇ18. (Hedera Helix et H poe-
tarum Bertol.)

κίχλη. 1. avis. (v 1 κίγχλη). αἱ κίχλαι νεοττιὰν μὲν ποιῶν-
ται ὥσπερ αἱ χελιδόνες ἐκ πηλῷ ἐπὶ τοῖς ὑψηλοῖς τῶν δέν-
δρων, ἐφεξῆς δὲ ποιῶσιν ἀλλήλαις ἢ ἐχομένας, ὥστ᾽ εἶναι
διὰ τὴν συνέχειαν ὥσπερ ὁρμαθὸν νεοττιῶν Ζιζ1. 559 ᵃ5.
ποικιλόστικτος f 283. 1528 ᵃ29. φωλεῖ, πυγαργός ἐστιν ὅσον
κίχλη, ὁ ἱέραξ κίχλης καρδίαν οὐ κατεσθίει, ὁ μαλακοκρα-
νεὺς τὸ μέγεθος ἐλάττων κίχλης μικρῷ, τὸ μὲν χρῶμα
μεταβάλλει, τὸ δὲ φωνὴν ν Ζιθ16. 600 ᵃ26. 3. φλόμου ᵇ6.
ι11. 615 ᵃ6. 22. 617 ᵇ2. 49 B. 632 ᵇ18, 20 Aub. κιχλῶν
εἴδη τρία· ἰξοβόρος. τριχάς, ἰλιάς Ζυ20. 617 ᵃ18. (grive
C II 395. Turdus St G 3. K 715, 4. ΑΖι96, 51. Turdus
labrus et merula Cr. Turdus, genus, et T musicus et pi-
laris Su 103, 35. cf M302.) — 2. piscis (v 1 κίκλη).
βράγχια τέτταρα μὲν δίστοιχα ὃ πλὴν τῇ ἐσχάτῃ, πρόσ-
γειος, πετραῖος, φωλῶσι κατὰ συζυγίας, μεταβάλλουσι τὸ
χρῶμα κατὰ τὰς ὥρας Ζιβ13. 505 ᵃ16. θ13. 598 ᵃ11.
15. 599 ᵇ7. 30. 607 ᵇ15. (grive de mer C II 397. Lab-
rus merula K 478. Labrus, genus, cujus quatuordecim
species adnotat E 90, ΑΖι I 131, 33. Cr.)

κίων. 1. οἱ κίονες ἔχουσι τὰ ἐπικείμενα βάρη Μδ23. 1023
ᵃ19. ὑποσπάσαι τὸν κίονα Φθ4. 255 ᵇ25. κίονες ἐν τῷ νεῷ,
ἐπιγράφεσθαι αὐτοῖς τὸ ὄνομα οβ1349 ᵃ11. κίονος ῥά-
βδωσις Ηχ3. 1174 ᵃ24. κίονες πεπήγασιν ἀπό τινων σταλαγ-
μῶν θ16. 834 ᵇ32. — 2. κίων ἐπίφλεβος Ζια11. 493 ᵃ3,
uvula, S I 38.

κλαδασσόμενον (Emp 364) αν7. 474 ᵃ3.

κλάδος, μέρος τῷ δένδρου φτα3. 818 ᵃ12, 15. ἀρχή τις ὁ
ὅζος τῷ κλάδῳ Γ3. 468 ᵇ25. κλάδοι ἀπώλοντο, ἕτεροι δὲ
παρεφύησαν μχ6. 467 ᵃ15. προσπέφυκεν ἡ ἀρχὴ τῷ σπέρ-
ματος τὰ μὲν ἐν τοῖς κλάδοις Ζγγ2. 752 ᵃ20. μάταιοι
κλάδοι ἐκ τῶν ῥιζῶν φυόμενοι φτα4. 819 ᵇ24. — τοῖς τῆς
ὕλης κλάδοις ἀπεκρύψαν (Alcidam) Ργ3. 1406 ᵃ28.

Κλαζομεναί Πε3. 1303 ᵇ9. — Κλαζομένιοι οβ1348ᵇ17.
Ἀναξαγόρας ὁ Κλαζομένιος ΜΑ3. 984 ᵃ11. μβ7. 365 ᵃ17.
V.

νεα4. 1215 ᵇ7. Ἑρμότιμος ὁ Κ. ΜΑ3. 984 ᵇ20. Σάτυρος
ὁ Κ. πγ2. 875 ᵃ35.

κλαίειν. διὰ τί οἱ κλαίοντες ὀξὺ φθέγγονται, οἱ δὲ γελῶντες
βαρύ πια13. 900 ᵃ20. 15. 900 ᵇ7. 50. 904 ᵇ23.

κλᾶν. κλᾶται, coni συντρίβεται, κάμπτεται Μδ12. 1019 ᵃ28.
τὰ δένδρα κλᾶται, dist κατὰ μικρὸν κάμπτεται πη18.
889 ᵃ3. — geometrice ἡ γεωμετρία λαμβάνει τί τὸ κε-
κλάσθαι σημαίνει Αγ10. 76 ᵇ9. τὰ γόνατα κλᾶται εἰς τὸ-
πισθεν πε19. 882 ᵇ34, cf κάμπτειν. ὡς ἡ κεκλασμένη ἔχει
πρὸς αὐτὴν ὅταν ἐκταθῇ ψγ4. 429 ᵇ14. ἀδύνατον ὁμαλὴν
εἶναι κίνησιν τὴν τῆς κεκλασμένης Φε4. 228 ᵇ24. ἀπὸ τῷ
αὐτῷ σημείῳ ἐπὶ τὸ αὐτὸ σημεῖον αἱ ἴσαι κλασθήσονται
ἐπὶ κύκλῳ γραμμῆς ἀεί μγ3. 373 ᵃ5. διπλασιόπλευρον τὸ
(τῆς κλίνης) ἑτερόμηκες ἢ πρὸς τὸ μέσον κέκλασται (?)
μχ25. 856 ᵇ27. ὥσπερ ἀπὸ χαλκῷ λείῳ κλωμένης τῆς
ὄψεως μγ6. 377 ᵇ22. παρήλιος γίνεται κλωμένης τῆς ὄψεως
πρὸς τῷ ἥλιον πιε12. 912 ᵇ29. — τὰ κεκλασμένα τῶν ὀμ-
μάτων φ3. 808 ᵇ9. φωναὶ ὀξεῖαι μαλακαὶ κεκλασμέναι
φ6. 813 ᵃ35.

κλαρῶται παρὰ Κρησίν f 544. 1568 ᵇ3.

κλάσις κατὰ φύσιν τοῖς γόνασιν ἢ εἰς τὸ πρόσθεν πε19.
882 ᵇ33.

κλαυθμοὶ ἢ διατάσεις τῶν παίδων Πη17. 1336 ᵃ35.

Κλέανδρος ἐν Γέλᾳ Πε12. 1316 ᵃ37.

Κλέαρχος ἤ τις τῶν τοιούτων μοχθηρῶν ημβ6. 1203 ᵃ23.

Κλείδημος περὶ ἀστραπῆς μβ9. 370 ᵃ11.

κλειδίον τῷ οἰκήματος θ32. 832 ᵇ3.

κλεινὸν ἀπολέσας γόνον (fr trag adesp 56) Ρβ23. 1397 ᵇ20.

κλεινὸν Κεκροπίης δάπεδον f 623. 1583 ᵃ12.

κλεὶς ὁμωνύμως καλεῖται Βι21 1129 ᵃ30. — 1. τοῖχος ἰσχυ-
ρὸς ἢ κλεὶς πκθ14. 952 ᵃ21. ὁ ἐπιστάτης ἔχει τῷ ἱερῷ τὰς
κλεῖς ἐν ᾧ τὰ δημόσια χρήματα f 397. 1544 ᵃ13. 394.
1543 ᵇ24. — 2. clavicula Ζιγ2. 511 ᵇ35. 3. 513 ᵃ1, ᵇ35.
7. 516 ᵃ28. ἡ κλεὶς συναφὴς ἢ συγκλείσεως χάριν πν7.
484 ᵇ22. κλειδὸς διαφοραὶ τί σημαίνουσιν φ6. 811 ᵃ5-10.
τὰ περὶ τὰς κλεῖδας εὐλυτώτερα ἢ συμπεφραγμένα φ5.
809 ᵇ26.

Κλεισθένης Atheniensis Πγ2. 1275 ᵇ36. ζ4. 1319 ᵇ21. —
Κλεισθένης Sicyonius Πε12. 1315 ᵇ16, 1316 ᵃ31.

κλέμμα. ἀποτίνειν διπλῦν τῆς ἀξίας τῷ κλέμματος πκθ14.
952 ᵃ19.

Κλεόβοια, Φοβίῳ γυνή, ἥν τινες Φιλαίχμην ἐκάλεσαν f 515.
1562 ᵃ30.

Cleobulinae fr 1 affertur, non adhibito poetriae nomine
Ργ2. 1405 ᵇ20 π22. 1458 ᵃ30.

Κλεόμαχος πῶς ἀπέθανε f 93. 1492 ᵇ24.

Κλεομένης ὁ Λάκων Πε3. 1303 ᵃ3. ὁ βασιλεύς f 357. 1538
ᵇ19. — Κλεομένης Ἀλεξανδρεὺς Αἰγύπτῳ σατραπεύων
οβ1352 ᵃ16-25.

Κλεοπάτρα Ἀρχελάῳ Πε10. 1311 ᵇ15.

Κλεότιμος ἐν Ἀμφιπόλει Πε6. 1306 ᵃ1.

Κλεοφῶν ὁμοίως εἴκαζεν πο2. 1448 ᵃ12. eius λέξις ταπεινή
πο22. 1458 ᵃ20. Ργ7. 1408 ᵃ15. eius Μανδρόβυλος τι15.
174 ᵇ27. κλεοφῶν κατὰ Κριτίᾳ Ρα15. 1375 ᵇ32. Κλεοφῶν
ἔπεισε τὸν δῆμον μὴ προσδέξασθαι τὸν Καλλίαν f 370. 1540
ᵃ12. num idem fuerit poeta et orator Cleophon cf Welcker
Trag III 1010 sqq.

κλέπτειν def Ρα13. 1374 ᵃ16. cf γ2. 1405 ᵃ28, inter
ἀδικήματα refertur ημα34. 1196 ᵃ19, 22. κλέπτειν τὰ
κοινά Πε6. 1306 ᵃ7. 8. 1308 ᵇ31, 1309 ᵃ10. κλέπτει οὐδεὶς
τὰ ἑαυτῷ πε15. 1138 ᵃ26. κλέπτειν ἐκ βαλανείῳ, ἐν τῷ

Ddd

λιμένι πκθ 14. 952 ᵃ17, ᵇ32. οἱ κλέπτοντες τὰς ὀχείας (κύνες an κυνῶν?) Ζιζ 20. 574 ᵃ20. — κλέπτειν τὴν διάνοιαν, τὴν μαρτυρίαν ρ2. 1422 ᵇ7. 16. 1432 ᵃ3. ὕτω γὰρ κλέπτεται ὁ ἀκροατὴς Ργ7. 1408 ᵇ5. ἢ κέκλεπται ὣν Ργ2. 1405 ᵃ31. τὰ μὲν τῆς ἀρετῆς δικαίως ἐγκωμιάζεται, τὰ δ᾽ ἔξω κλέπτεται ρ36. 1440 ᵇ21. κλέπτεται δ᾽ εὖ, ἐάν τις ἐκ τῆς εἰωθυίας διαλέκτυ ἐκλέγων συντιθῇ Ργ2. 1404 ᵇ24.

κλέπτης, inter exempla ἀδικίας refertur Ηε 10. 1134 ᵃ18. ἢ κλέπτης, ἔκλεψε δέ Ηε 10. 1134 ᵃ22. κλέπτης, coni σοφιστής, διάβολος, ῥήτωρ, ὁ λάθρα λαμβάνων τὸ 5. 126 ᵃ32. ζ 12. 149 ᵇ26-30. Εὐρύβατος (Εὐρυβάτης) κλέπτης f 73. 1488 ᵃ11, 24. ὁ τῦ πλέπτυ λόγος (certum quoddam sophisma) τι25. 180 ᵇ18.

κλέψυδρα. κλεψύδρην παίζησι (Emp 351) αν7. 473 ᵇ17, 8. τὰ περὶ τὴν κλέψυδραν πῶς συμβαίνει Οβ 13. 294 ᵇ20. πιϛ 8. 914 ᵇ9. β1. 866 ᵇ12. ὁ ἀὴρ ἐναπολαμβανόμενος ἐν ταῖς κλεψύδραις Φθ 6. 213 ᵃ27. ἀγωνίζεσθαι πρὸς κλέψυδραν πο7. 1451 ᵃ8.

Κλέων ἐπέστη τῇ πρὸς Λακεδαιμονίυς εἰρήνη f 368. 1539 ᵇ41. — Κλέων nomen usitatum ad significandum quemlibet hominem, veluti Αα 27. 43 ᵃ26. τι32. 182 ᵃ32. ψ1. 425 ᵃ25 sqq. 6. 430 ᵇ5. Ρβ2. 1378 ᵃ35. γ5. 1407 ᵃ26. 8. 1408 ᵇ26. πο20. 1457 ᵃ28. Μζ15. 1040 ᵇ2. ι5. 1055 ᵇ35.

Κλεώνυμος ὁ Σπαρτιάτης θ78. 836 ᵃ4.

κλήθρη (Hom ε64, 239) κ6. 401 ᵃ4.

κλῆμα Ζιε 18. 550 ᵇ8. σηπίαι ἀποτίκτυσι πρὸς τὰ κλήματα Ζιε 17. 549 ᵇ6. κλήματα, coni ἔρνη, φύλλα χ 5. 796 ᵇ5.

κληματίδας ἁλιεῖς τιθέασιν Ζιε 18. 550 ᵇ9.

κληρονομεῖν τὸν αὐτὸν μὴ πλειόνων ἢ μιᾶς κληρονομίας Πε 8. 1309 ᵃ25.

κληρονομίαι κατὰ δόσιν, κατὰ γένος Πε 8. 1309 ᵃ23. — εἰλήφασι τὴν τῦ ὀνόματος κληρονομίαν αἱ σωματικαὶ ἡδοναί Ηη 14. 1153 ᵇ33.

κληρονόμος. μὴ διαθέμενος ὃν ἂν καταλίπῃ κληρονόμον Πβ 9. 1270 ᵃ28. ὁ νομοθέτης κληρονόμυς πεποίηκε τὰς ἐγγυτάτω γένυς ρ2. 1422 ᵇ9.

κλῆρος. καθιστάναι τὰς ἀρχὰς κλήρῳ ἢ αἱρέσει Πδ 15. 1300 ᵃ19, 22, 24, ᵇ18 al. — ἀπὸ τῆς γῆς ἢ τῶν αὐτῶν κλήρων αὑτοῖς τροφὴν λαμβάνειν ἢ ἄλλοις παρέχειν Πβ 8. 1268 ᵇ2. κλήροι ἄνισοι τὸ μέγεθος Πβ 6. 1265 ᵇ7. δύο κλήρων ἑκάστω νεμηθέντων Πη 10. 1330 ᵃ15. ὅπως ὁ ἀριθμὸς σώζηται τῶν κλήρων Πβ 12. 1274 ᵇ5. διασώζειν τὰς παλαιὰς κλήρυς Πβ 7. 1266 ᵇ21. μὴ πωλεῖν ἐξεῖναι τὰς πρώτυς Πζ 4. 1319 ᵃ11. λήξεις τῶν κλήρων f 394. 1543 ᵃ5 ᵇ16. 396. 1544 ᵃ3. κλήρων ἢ ἐπικλήρων ἐπιδικασίαι f 381. 1541 ᵇ10. 387. 1542 ᵇ11. 388. 1542 ᵇ17, 23, 25.

κλῆρος, σκωλήκιον ἀραχνῶδες ἢ λυμαινόμενον τὰ κηρία Ζιθ 27. 605 ᵇ10. ι40. 626 ᵇ17. (clere C II 234. Galleria cerella et mellonella K 919, 3. St Cr. fort etiam cereana ΑΖι I 166, 25. Clerus apiarius Su 196, 5. cf S I 392. 672. II 213. M 204. 230).

κληρῦν. εἴ τις ἀθλητὰς κληροίη Ρβ 20. 1393 ᵇ5. κληρῦν δικαστάς, προέδρυς f 374. 1540 ᵇ6. 397. 1544 ᵃ16. — κληρωτός. ὁ μὴ τοιῦτος κληρωτὸς ἢ τις εἴη βασιλεύς Ηθ 12. 1160 ᵇ6. ἄρχειν κληρωτὸς Ρβ 20. 1393 ᵇ4. ἄρχοντες κληρωτοί, αἱρετοὶ Πδ 14. 1298 ᵇ7, 22. 15. 1299 ᵃ17. 16. 1301 ᵃ5. κληρωτοὶ ἢ ἁπλῶς ἢ ἐκ προκρίτων Πδ 14. 1298 ᵇ9. ἀρχαὶ κληρωταί, αἱρεταὶ Πδ 14. 1298 ᵃ24. ποιεῖν τὰς ἀρχὰς κληρωτὰς Πε 3. 1303 ᵃ15. ρ3. 1424 ᵃ13. τὸ κληρωτὰς εἶναι τὰς ἀρχὰς δημοκρατικόν, τὸ αἱρετὰς ὀλιγαρχικόν (ἀριστο-

κρατικόν), τὸ ἐξ αἱρετῶν κληρωτὺς ἄρχειν κοινὸν ἀμφοῖν Πδ 9. 1294 ᵇ8, 33. β11. 1273 ᵃ18. 6. 1266 ᵇ9.

κληρυχία ἡ Σάμυ Ρβ 6. 1384 ᵇ32.

κλῆσις. περὶ γραφὰς δικῶν ἢ τὰς κλήσεις Πη 12. 1331 ᵇ8. — κλῆσις ὀνόματος (casus nominativus), opp πτώσεις Αα 36. 48 ᵇ41 sqq. κλῆσις ἄρρενος, θήλεος, σκεύυς (genus grammaticum vocabuli distinctum a genere ipsius rei) τι 14. 173 ᵇ40 sqq. 32. 182 ᵃ18. cf Wz ad 16 ᵇ1. Steinthal Gesch p 261.

κλητεύσασθαι τὴν δίκην πκθ 13. 951 ᵃ27.

κλίμα. ὁ μὲν πόλος ἀεὶ φανερός ἐστιν ὣν κατὰ τὸ βόρειον κλίμα κ2. 392 ᵃ3. ἐν τῷ τρίτῳ ἢ τῷ τετάρτῳ κλίματι φτβ 4. 826 ᵃ12.

κλίμαξ. ἐφέρετο κατὰ κλίμακος δίφρον (?) τι 33 182 ᵇ16.

κλίνειν. trans ἀπείρυς ἐγκλίσεις ἐγχωρεῖ αὐτὸν κλιθῆναι πιε 7. 912 ᵃ25. τὴν τρίχα κεκλίσθαι, opp ἐστάναι ὀρθὴν πη21. 889 ᵃ35 (cf ᵃ27 s v κατακλείειν). οἱ τῷ πίνυ μεθυσθέντες ὕπτιοι κλίνονται f 101. 1494 ᵇ3. — intr οἱ μὴ ἄγαν μέλανες ἀλλὰ κλίνοντες πρὸς τὸ ξανθὸν χρῶμα φ6. 812 ᵇ3.

κλίνη. κλῖναι πέντε ἴσον οἰκίᾳ Ηε 8. 1133 ᵇ25, 24. παρέχειν τοῖς ἐπιδημῦσι κλίνας, στρώματα f 588. 1574 ᵃ1. κλίνας ποιῦσι διπλασιοπλεύρυς μχ 25. 856 ᵃ39. κλίνης εἶδος, ὕλη Ζμα1. 640 ᵇ23. cf Φβ1. 192 ᵇ16.

κλισμός. πρὸς τὸν ταύτης (τῆς τῶν κυμάτων ἐγκλίσεως) κλισμὸν ἀσθενεῖς αἱ τῦ ἡλίυ αὐγαὶ προσβάλλυσιν χ 2. 792 ᵃ22.

κλοπή, συνάλλαγμα ἀκύσιον λαθραῖον Ηε5. 1131 ᵃ6. συνειλημμένον μετὰ φαυλότητος Ηβ6. 1107 ᵃ11. ἐπὶ κλοπῇ θάνατος ἡ ζημία πκθ16. 953 ᵃ3.

κλυδᾶν. σταῖς, πηλὸς κλυδῶντα διαμένει πλζ 5. 966 ᵇ7.

κλύδων, coni χειμών, πνεῦμα πολὺ Ζμδ9. 685 ᵃ32. Ζιε16. 548 ᵇ13. κλύδων πολλὴ ῥοίζυ φερόμενος θ 130. 843 ᵃ4. κλύδων ἐπιπολῆς γίνεται πκγ4. 931 ᵇ23.

κλύζειν τὰς μυκτῆρας οἴνῳ Ζιθ21. 603 ᵇ11, τὴν κοιλίαν χυλῷ πη17. 873 ᵇ1. ὕδωρ κλυζόμενον πκε2. 938 ᵃ6.

Κλυταιμνήστρα πο14. 1453 ᵇ23. δία Κλυταιμνήστρη f 596. 1575 ᵃ34.

κλώθειν χ7. 401 ᵇ22. cf Κλωθώ.

Κλωθὼ κατὰ τὸ ἐνεστός, κλώθυσα ἑκάστῳ τὰ οἰκεῖα χ7. 401 ᵇ21.

Κνακιών, ποταμὸς Λακωνικῆς f 493. 1558 ᵇ7.

κνήθεσθαι πλα 3. 957 ᵇ15. παριόντα τὸν ὄνον κνήθεσθαι εἰς τὰς ἀκάνθας τὰ ἕλκη Ζιι1. 609 ᵃ32.

κνῆκος. κνήκυ σπέρμα Ζιε 19. 550 ᵇ27. (fort Carthamus tinctorius L vel C. leucocaulis Sibth. vel Serratula attica m).

κνήμη. refertur inter τὰ μόρια μὴ ὀργανικά, περιφερῆ πιϛ9. 915 ᵃ26. τὸ διόστεον κνήμην, ἢ ταύτης τὸ μὲν πρόσθιον ἀντικνήμιον, τὸ δ᾽ ὀπίσθιον γαστροκνημία Ζιa15. 494 ᵃ6. τὰ τῶν σκελῶν ὀστᾶ, τά τε ἐν τοῖς μηροῖς ἢ κνήμαις Ζιγ7. 516 ᵃ36. α15. 494 ᵃ6. γόνυ κνήμης ἕγγιον Ηα8. 1168 ᵇ8, cf παροιμία. ἀπὸ τῆς καμπῆς ἡ κνήμη πέφυκεν Ζπ12. 711 ᵇ21. φλέβες τείνυσι παρὰ τὸ γόνυ εἰς τὴν κνήμην, διὰ τῶν κνημῶν εἰς τὸ ἔξω τῶν σφυρῶν Ζιγ2. 512 ᵃ16. 3. 512 ᵇ16. ἡ ἀρχὴ ἠρεμεῖ κινυμένη τῦ μορίυ τῦ κάτωθεν οἷον τῆς κνήμης τὸ γόνυ Ζκ1. 698 ᵇ4. τὴν κνήμην ἀπὸ τῆς καμπῆς εἰς τὸ ἔμπροσθεν τὸν πόδα κινεῖν, μένει τὸ κατὰ τὸν προωσθέντα πόδα σημεῖον ἢ κνήμην, πρὸς ὀξεῖαν γωνίαν τῷ μηρῷ ποιήσαντες τὴν κνήμην ἀνίστανται, ἐγκλῖναι τὴν κνήμην Ζπ12. 711 ᵇ3, ᵃ26. μχ30. 857 ᵇ22, 33, 34, 36. συσπῶσιν αἱ κνῆμαι πε26. 883 ᵇ17, 24. διὰ τί τὰς μηρὰς μᾶλλον ἢ τὰς κνήμας κοπιῶσιν, ἀναβαίνοντες πονῦμεν τὰς κνήμας πε26. 883 ᵇ14. 24. 883 ᵃ30, 33, 39 (cf S Theophr IV 762, 763). ἐν τοῖς ἑλώδεσι τὰ ἐν ταῖς κνήμαις ἕλκη μόλις ὑγιάζεται πιϑ 6. 909 ᵃ36. — πίϑηκος ἔχει τὸν ἀγκῶνα κỳ τὸν μηρὸν βραχεῖς ὡς πρὸς τὸν βραχίονα κỳ τὴν κνήμην Ζιβ8. 502 ᵇ13. avibus ὁ μηρὸς μεταξὺ τῆς κνήμης δοκεῖ εἶναι Ζιβ12. 504 ᵃ3. ὁ ἅπας τὴν κνήμην δασεῖαν ἔχει Ζιϑ30. 618 ᵃ33. — κνῆμαι λεπταί, λεπτότεραι φ5. 809 ᵇ8. 6. 810 ᵃ30. Ζιϑ11. 538 ᵇ10. οἱ εὐνῦχοι ἑλκώδεις τὰς κνήμας ἴσχϰσι κỳ σαπράς πι42. 895 ᵃ31. νευρώδεις, δασεῖαι φ6. 810 ᵃ30, 812 ᵇ13. σαρκώδεις Ζμϑ10. 689 ᵇ8. Ζιβ1. 499 ᵇ4, 5. περὶ σφυρὸν παχεῖαι σαρκώδεις στρογγύλαι φ3. 807 ᵇ23. θηλείαι, τῶν θηλέων φ6. 813 ᵃ15. Ζιϑ11. 538 ᵇ10. περίπλεαι, ἠρθρωμέναι κỳ νευρώδεις κỳ ἐρρωμέναι φ6. 810 ᵃ32, 28.

κνημίς νεοτεύκτϰ κασσιτέροιο (Hom Φ 592) πο25. 1461 ᵃ28. περιτίθεται κνημῖδας κ6. 399 ᵇ4. σπόγγον ὑπὸ τὰ κράνη κỳ τὰς κνημῖδας ὑποτιθέασιν Ζιε16. 548 ᵇ2.

κνῆν. κνῆσαι τὸν περὶ τὰς μασχάλας τόπον πλε8. 965 ᵃ23. — med ἔλαφοι κνώμενοι τὰ κέρατα πρὸς τὰ δένδρα Ζυ5. 611 ᵇ16.

κνησμός ἰσχυρὸς ἐν τῇ ὁμιλίᾳ Ζγα18. 723 ᵇ34. ὁ κνησμὸς διὰ τί ἡδύς πϑ15. 878 ᵇ7. κνησμὸς εἰς τϰς ὄρχεις, νόσημα ὑῶν Ζιζ28. 578 ᵇ3.

κνησμώδης πζ8. 887 ᵃ35.

κνίση. 1. animal. refertur inter τὰ μὴ ἔχοντα ὄστρακον, γίνονται ἐν ταῖς σήραγξι τῶν πετρῶν· ἔστι δὲ τῶν κνιδῶν δύο γένη Ζιε16. 548 ᵃ23. αἱ σκολόπενδραι τῷ μὲν στόματι ἢ δάκνϰσι, τῇ δὲ ἀφῇ (syn τῇ τϰ σώματος τραχύτητι Ζμϑ5. 681 ᵇ5) καθ' ὅλον τὸ σῶμα, ὥσπερ αἱ καλϰμεναι κνίδαι (v l κνίγαι, κνεῖγαι) Ζιϑ37. 621 ᵃ11. ἃς δὲ καλῶσιν οἱ μὲν κνίδας οἱ δ' ἀκαλήφας, ἔστι μὲν ἐκ ὀστρακόδερμα, ἀλλ' ἔξω πίπτει τῶν διῃρημένων γενῶν, ἐπαμφοτερίζει τϰτο τῷ φυτῷ κỳ ζῴῳ τὴν φύσιν Ζμϑ5. 681 ᵃ36. cf Oribas I 590. (ortie de mer C II 580. Actinia KaΖμ 136, 44. F 311, 48. S I 225. Cr. AZι I 177, 8. cf K 666, 7. M 165sq). — 2. planta. κνίδη τρίβϰσα τὰ ᵘατα τῶν αἰγῶν Ζιγ20. 522 ᵃ8. (Urtica pillulifera L, hodie τζικνίδα, cf S II 173. Fraas Synopsis 234).

Κνίδος. ἡ ἐν Κνίδῳ ὀλιγαρχία Πε6. 1305 ᵇ12, 1306 ᵇ5. τὸ ἄνθινον μέλι ϑι6. 831 ᵇ19. περὶ Κνίδον Ζιζ15. 569 ᵃ14. — **Κνίδιος** ὁ Κ. Ζγβ2. 736 ᵃ2.

κνίζειν. ᵘδὲ κνιζόμενα αἰσθάνεται τὰ παιδία Ζιη10. 587 ᵇ7.

κνῖπες et **σκνῖπες.** cf Lob Phryn 398. Path I 126 II 372 adn. Paral 114. referuntur inter τὰ ἔντομα, αἰσθάνονται τϰ μέλιτος Ζιϑ8. 534 ᵇ19 Aub Pic. ἀκριβῶς κỳ πόρρωθεν αἰσθάνεται τὸ τῶν μικρῶν μυρμήκων γένος, ὡς καλϰσί τινες κνῖπας (v l σκνῖπας, σκίπας vel σκνῖπας) αι5. 444 ᵇ12. τὰ σκνιποφάγα τϰς σκνῖπας θηρεύοντα ζῇ μάλιστα Ζιϑ3. 593 ᵃ3. cf M 100. ὁ δρυοκολάπτης κόπτει τὰς δρῦς τῶν σκωλήκων κỳ σκνιπῶν ἕνεκεν (v l κνιπῶν) Ζιϑ9. 614 ᵃ35. (mulio Gazae cf S I 239 et eclog phys II 43. cnipe C II 235. Formica flava St. K 604, 3. Cr. 'Holzmaden' AZι I 166, 26. 'Ungeziefer' Su 193g. cf Giebel Zeitschr f gesammte Naturw. VII 532).

κνιπολόγος (v l κνιδολόγος, κνιδολος). τὸ μέγεθος μικρὸς ὅσον ἀκανθυλλίς. τὴν δὲ χρόαν σποδοειδὴς κỳ κατάστιγος· φωνεῖ δὲ μικρόν· ἔστι δὲ τϰτο ξυλοκόπον Ζιϑ3. 593 ᵃ12. (culicilega Gazae; knidolegus, kindolegus Thomae. Motacilla alba Belon. gobe-moucheron i e Picus varius L C II 383. cf S I 592. Picus varius vel minor Cr. K 867, 6. Certhia familiaris G 32. AZι I 97, 52. St. Su 121, 70).

κνῖσα, κνίσση. κνίσσα ἡ λιπαρὰ θυμίασις, dist λιγνύς μὸ 9.

387 ᵇ6, 385 ᵃ5 Ideler (cod E utrobique simplex σ exhibet). ὀπτήσαντες τῆς κνίσης χάριν Ζιϑ8. 534 ᵃ27.

Κνωσσός. Ἰδομενεὺς κỳ Μηριόνης κείμενοι ἐν Κνωσσῷ f 596. 1575 ᵇ36.

κόβαλος κỳ μιμητής ὁ ὠτός Ζιϑ12. 597 ᵇ23. **κνισᾶν.** ϑέλεαρ κεκνισωμένον Ζιϑ8. 534 ᵇ5.

κνισώδης ἀρχός, opp ἀπίμελος Ζμγ14. 675 ᵇ11. ἰχθύες φέρονται πρὸς τὰ κνισώόη Ζιϑ8. 534 ᵃ23. ι37. 621 ᵃ9.

κόγχη. κόγχαι ἔνιαι αἱ καλϰμεναι γάλακες, αἱ μεγάλαι κỳ αἱ λεῖαι Ζιϑ4. 528 ᵃ22. ι10. 614 ᵇ28. τὰς κόγχας φασὶ τὰς λεπτὰς κỳ τραχείας ποιεῖσθαι περὶ αὐτὰς οἷον θώρακα σκληρόν, ἵνα τϰτον μείζονα, ὅταν γίνωνται μείζους, κỳ ἐκ τϰτϰ ἐξιέναι ὥσπερ ἐκ φωλεϰ τινὸς ἢ οἰκίας Ζιϑ37. 622 ᵇ2 (fort Clavagella aperta vel Aspergillum vaginiferum). concharum species referuntur inter τὰ λειόστρακα, τραχύόστρακα, ῥαβδωτά, τὰ μὴ μεταβάλλοντα Ζιϑ4. 528 ᵃ21, 23, 25, 26. ε15. 548 ᵃ4. f 287. 1528 ᵇ10, 17. αἱ κόγχαι ἐν τοῖς ἀμμώδεσι λαμβάνϰσι τὴν σύστασιν Ζιε15. 547 ᵇ14, 20. ἄρριζοι διαμένϰσι· ὅταν δὲ ἀνασπασθῶσιν, ϰκέτι δύνανται ζῆν Ζιε15. 548 ᵃ5. τὰ κρέα τῶν κόγχων Ζυ10. 614 ᵇ29. ϑι4. 831 ᵇ12. τὸ ὄστρακον τῶν χαλκνσῶν ϑι4. 831 ᵇ13. Ζυ10. 614 ᵇ29. οἱ πελεκᾶνες ἐσθίϰσιν ibid. λαμβάνεται κỳ ἐν ταῖς κόγχαις ζῷόν τι Ζιϑ4. 530 ᵇ11. (cf S II 377. M 191. Mr 241. 243. AZι I 177, 9). cf κόγχος.

κόγχος. γένη κόγχων ἔνια. κόγχων τι γένος Ζιϑ4. 528 ᵃ24, 25, 26. sed κόγχων ϑι4. 831 ᵇ12. cf κόγχη.

κογχύλιον. κỳ τὰ κογχύλιά εἰσι ζῷα, γνώσεως ἐστερημένα φτα1. 816 ᵃ10. τὰ κογχύλια παντοδαπὰς ἴσχει χρωμάτων μορφάς χ6. 799 ᵇ17. ὄστρακον, ἡ τϰ ὀστράϰν αὔξησις f 315. 1531 ᵇ9. Ζιε15. 547 ᵇ7. ι37. 622 ᵃ7, ᵇ17. οἱ στρόμβοι referuntur inter τὰ κογχύλια Ζιβ17. 661 ᵃ23. — αἱ χελῶναι αἱ θαλάττιαι νέμονται αὐτά, οἱ πολύποδες μάλιστα κογχύλια συλλέγοντες ἐξαιροῦντες τὰ σαρκία τρέφονται τϰτοις Ζιϑ2. 590 ᵇ4, 591 ᵃ1. ι37. 622 ᵃ7. f 315. 1531 ᵇ8. ἡ τῆς πορφύρας γλῶττα διατρυπᾷ τὰ κογχύλια Ζιε15. 547 ᵇ7. Ζμϑ17. 661 ᵃ22. — ἐν τῇ κύστει λίθοι ἐνίοτε ᵃδϰσι διαφέρειν κογχυλίων Ζιγ15. 519 ᵇ21. ἕτερον χέεται κỳ συμπήγνυται ὅμοιον λίθοις ἢ κογχυλίαις φτϑ9. 829 ᵃ19. (cf M 188. AZι I 177, 10.)

Κόδρος Πε10. 1310 ᵇ37. Νηλεὺς ὁ Κόδρϰ f 66. 1486 ᵇ40.

κοιλαίνειν. ᵘτω σφόδρα κοιλαίνει ὁ δρυοκολάπτης, ὥστε καταβάλλειν τὰ δένδρα Ζυ9. 614 ᵇ14. βαθὺ κοιλαίνειν φτϑ2. 823 ᵇ41.

κοιλία. hoc nomine nusquam accuratius explicato omnino διάκενον aliquid significatur, veluti κοιλίαι γῆς· μβ7. 365 ᵇ3. θ. 366 ᵇ12. α13. 350 ᵇ23, 349 ᵇ4, 10. πκε2. 938 ᵃ6, 8. κοιλίαι νεφῶν μβ9. 369 ᵇ2. πκς6. 940 ᵇ31. ἡ τέφρα ἔχει κοιλίας, τὸ ᵘδωρ ἔχοι ἂν κοιλίας κỳ διάκενα πκε8. 938 ᵇ32, 36. sed praecipuum usum κοιλία habet in describendo corpore animalium. 1. διάκενόν τι. ἐκτεταμένα σώματος ᵉ γίνεται κοιλία, ἰξίαι ᵘ τὰ ἄλλα ἀποστήματα ἔχϰσι κοιλίας, εἰς ἃς ἀποδέχονται τὰ πνεύματα, αἱ κοιλίαι τῶν πόρων πζ3. 885 ᵇ32, 31. β41. 870 ᵇ18. ἐν ἀγγείοις φλεψὶν ὀστοῖς ὑμενώδεσι δέρμασι κοιλίας Ζ.γ20. 521 ᵇ8. λέγϰσιν (Empedocl cf Sprengel Gesch d Arzneik I 177) ᵉἐν τῷ σώματι ῥεοντος τϰ ᵘδατος κοιλίαν γενέσθαι κỳ πᾶσιν ὑποδοχὴν τῆς τε τροφῆς κỳ τϰ περιττώματος Ζμα1. 640 ᵇ14.

2. ventriculi cordis cf s v καρδία 1a p 364 ᵇ48.

3. pharynx τῶν κόχλων, Schlundkopf. τϰ στόματος ἔχεται εὐθὺς ἡ κοιλία ὁμοία προλόβῳ ὄρνιθος, ἀπὸ τῆς κοιλίας στόμαχος ἁπλϰς μακρός, παρυφαίνται ἀπὸ τῆς κοιλίας

τῷ στομάχῳ μακρὸς πόρος χ̀ λευκός Ζιδ4. 529 ᵃ1, 4, 16.
4. pelvis renalis. οἱ νεφροὶ ἔχϙσι κοιλίαν μακράν, syn τὸ
τῶν νεφρῶν κοῖλον Ζια17. 497 ᵃ11, 6.
5. cavum abdominis, abdomen. μετὰ τὸ στῆθος ὁ περὶ τὴν
κοιλίαν τόπος Ζικ7. 638 ᵇ21. Ζμδ10. 688 ᵇ34 (p 396 ᵇ4). 5
τὰ περὶ τὴν κοιλίαν ἀνόστεα πᾶσιν, ϙδὲν ἔχει ζῷον ὀστϙν περὶ
τὴν κοιλίαν, φρένες τϙ διορισμϙ χάριν τϙ τε περὶ τὴν κοιλίαν
τόπϙ χ̀ τϙ περὶ τὴν καρδίαν Ζμβ9. 655 ᵃ2. γ10. 672 ᵇ15.
Ζιγ7. 516 ᵃ31. τὰ περὶ τὴν κοιλίαν πιότατα, αἱ καθέδραι
τὴν κοιλίαν πιαίνϙσι, ἡ δασύτης ἡ περὶ τὴν κοιλίαν λαλιὰν 10
σημαίνει, δασεῖς τὰ περὶ τὴν κοιλίαν, φιλύπνων σημείων, οἱ
περὶ τὰ στήθη χ̀ τὴν κοιλίαν ἄγαν δασέως ἔχοντες πε5.
880 ᵇ39. 14. 882 ᵃ26. φ2. 806 ᵇ18. 3. 808 ᵇ9 (cf Rose Ar
Ps 703). 6. 812 ᵇ14. τὴν κοιλίαν ἥττον ἱδρϙμεν ἢ τὸ στῆθος,
κοιλία πλατεῖα χ̀ προσεσταλμένη πβ14. 867 ᵇ16. φ3. 807 15
ᵃ33 (cf 1 27). ἐν τῷ μακρϙν ἀναπνεῖν ἑλκόντων μὲν εἴσω
τὸ πνεῦμα συμπίπτει ἡ κοιλία, ἐκπνεόντων δὲ πληρϙται
πλδ11. 964 ᵇ1. αἱ φλέβες αἱ πρῶται ἐκ τῆς κοιλίας εὐρύ-
τεραί εἰσιν, φλέβες δύο μέγισται τείνϙσι διὰ τῆς κοιλίας
παρὰ τὴν νωτιαίαν ἄκανθαν, φλέβες πολλαὶ σχίζονται χ̀ 20
ἐπὶ τὴν κοιλίαν χ̀ τὸ πλευρὸν Ζιγ2. 512 ᵃ18, ᵇ5, 511 ᵇ32.
— in mammalibus ἡ ἐξάρτησις τῶν ὀργάνων χ̀ πρὸς τὴν
κοιλίαν ἀπὸ τϙ τόπον τὸν συνεχῆ ἔχει διαφοράν, ἡ κάμηλος
ἔχει τὰς καμπὰς ϙ πλείϙς, ἀλλὰ φαίνεται διὰ τὴν τῆς κοι-
λίας ὑπόστασιν (ὑπόσταλσιν S Eclog phys II 26. Wiegm 25
obs zool 32, KaZι 59: wegen des eingezogenen Bauches.
cf 1 16). Ζιγ 1. 509 ᵇ11. β1. 499 ᵃ21. — ἴδιον ὄρνιθος
τῶν περὶ τὸ σῶμα ἡ δασύτης ἡ περὶ τὴν κοιλίαν, οἱ ὄρνιθες
τὰ στήθη χ̀ τὴν κοιλίαν δασυτάτην ἔχϙσι, ἐν τῷ ᾠῷ ϙ ὄρ-
νιθες κατὰ τὴν κοιλίαν προσηρτημένοι, ὑπόστημα ἐν τῇ κοιλίᾳ 30
ὠχρόν· περίττωμα ἐν τῇ κοιλίᾳ ϙκ ἔχει φ2. 806 ᵇ21. 6. 812
ᵇ16. Ζιε18. 550 ᵃ20. ζ3. 562 ᵃ9, 11. — piscium τὰ μόρια
τὰ περὶ τὴν κοιλίαν, ἡ ἀθερίνη τίκτει τρίβϙσα τὴν κοιλίαν πρὸς
τὴν ἄμμον ανϑ. 471 ᵃ29. Ζιζ17. 571 ᵃ7. — insectorum κοινὰ
μέρη τρία, κεφαλὴ χ̀ τὸ περὶ τὴν κοιλίαν κύτος χ̀ τὸ μεταξὺ 35
τϙτων· cor μεταξὺ κεφαλῆς χ̀ τϙ περὶ τὴν κοιλίαν ἐστὶ κύτος·
μετὰ τϙ μέσϙ χ̀ ἡ κεφαλὴ χ̀ ἡ κοιλία ζῇ· φθείρεται πλη-
ρϙμένης τῆς κοιλίας ἢ φθειρομένϙ τϙ ἐν τῷ ὑποζώματι
ὑγρϙ (θερμϙ D praef XI) Ζιδ7. 531 ᵇ27, 532 ᵃ1. Ζμδ5.
682 ᵃ3. ανϑ. 475 ᵇ4. — τῶν φαλαγγίων ἡ περιφέρεια τῆς 40
κοιλίας (kugeliger Hinterleib) Ζιε8. 542 ᵃ16. — τὰ μα-
λακόστρακα προστίκτϙσι τὰ ᾠὰ ὑπὸ τὴν κοιλίαν εἰς τὰς
πτύχας Ζιε17. 549 ᵃ17.
6. ventriculus. refertur inter τὰ μόρια, τὰ μέρη, τὰ ἐντὸς
μέρη Ζια2. 489 ᵃ7. β17.508ᵇ26. πκα13.928ᵇ10. κοιλία, τὸ 45
τῆς τροφῆς δεκτικὸν μέρος, ὑποδοχή ἐστιν, κοιλίας πλεῖν γένη
Πδ4.1290ᵇ30. Ζμγ14.674ᵇ19. α1.640ᵇ14. ὥσπερ φάτνη
Ζμβ3. 650 ᵃ19. cf Plat Tim 70 E. — a. generatim. καλεῖται
ᾗ μὲν λαμβάνει στόμα, εἰς ὃ δέχεται κοιλία Ζια2. 489 ᵃ2. ἡ
καλϙμένη κοιλία αν11.476 ᵃ32. Ζιε15.547 ᵃ25. Αδ11.94ᵇ15. 50
Πδ4.1290ᵇ28. Ζμβ17.507ᵃ30. Ζμϑ9.684ᵇ26. 10.686ᵃ14.
πλζ2.965 ᵇ33. πν6. 484 ᵃ28. ϙτε τοῖς μεγέθεσιν ϙτε τοῖς εἴ-
δεσιν ὁμοίας ἔχϙσιν ἀλλήλοις τὰς κοιλίας τὰ ζῷα, τοῖς ἀναίμοις
χ̀ τοῖς ἐναίμοις κοινὸν κοιλία χ̀ στόμαχος χ̀ ἔντερον Ζμγ14.
674 ᵃ21, 23, 675 ᵃ32. Ζιβ17. 507 ᵃ33. δ3. 527 ᵇ3. πιαί-55
νεται τὰ ἔχοντα κοιλίαν θερμήν, ἐνίοις κοιλία μικρὰ τοῖς δὲ
μεγάλη Ζιδ6. 595 ᵃ30. γ16. 520 ᵃ2, 4, 5. ἡ ἐν τῇ κοιλίᾳ
χ̀ ἐν τοῖς ἐντέροις ὑπόστασις Ζμδ2. 677 ᵃ15. ἡ ἐκ τῆς
κοιλίας δίοδος πν6. 484 ᵇ4. hominis ὁμοία τῇ κυνείᾳ, ϙ
πολλῷ τϙ ἐντέρϙ μείζων, ἀλλ᾽ ἐοικυῖα οἱονεὶ ἐντέρϙ εὖρος 60
ἔχοντι, κοιλία θηλαζόντων Ζια16. 495 ᵇ24, 25. Ζμγ15. 676

ᵃ16. τοῖς ζῴοις ἡ κοιλία χ̀ ἡ τῶν ἐντέρων δύναμις γῆ ἐστίν,
ἐξ ἧς λαμβάνει τὴν τροφήν Ζμδ4. 678 ᵃ13. cf τὰ φυτὰ
τῇ γῇ χρῆται ὥσπερ κοιλίᾳ Ζμβ3. 650 ᵃ23. — b. de situ
ventriculi. ὑπὸ τὸ στῆθος κοιλία Ζμδ12.693ᵇ19 (p 396ᵃ5).
ὁ στόμαχος τελευτᾷ εἰς τὴν κοιλίαν, διὰ τϙ διαζώματος,
κοιλία κεῖται ὑπὸ τὸ διάζωμα εὐθὺς Ζια16. 495 ᵇ22. β17.
507 ᵃ26, 31. Ζμγ14. 674 ᵃ9. μετὰ τὴν τϙ στόματος θέσιν
ἐνδέχεται κεῖσθαι τὴν κοιλίαν εὐθέως Ζμγ3. 664 ᵃ25. ὁ οἰσο-
φάγος ἐστὶ μεταξὺ τϙ στομάχϙ χ̀ τῆς κοιλίας, τείνει εἰς
τὴν κοιλίαν, δι᾽ οἰσοφάγϙ ἡ τροφὴ πορεύεται εἰς τὴν κοιλίαν
Ζμγ3. 664 ᵃ31, 22. 14. 674 ᵃ10. β3. 650 ᵃ17. γ3. 664
ᵃ21. αν11. 476 ᵃ32. ἤρτηται τὸ ἐπίπλοον ἀπὸ μέσης τῆς
κοιλίας, ἔχει τὴν ἀρχὴν χ̀ τὴν ἐξάρτησιν ἐκ μέσης τῆς κοι-
λίας (cf p 389ᵃ61), ἐπέχει τό τε λοιπὸν τῆς καρδίας χ̀ τὸ
τῶν ἐντέρων πλῆθος Ζμδ3. 677 ᵇ18, 19, 34. Ζια16. 495
ᵇ29. γ14. 519 ᵇ10. μετὰ τὴν κοιλίαν ἡ τῶν ἐντέρων φύσις,
ἐνίοις τὸ τῶν ἐντέρων μόριον τὸ πρὸς τῇ κοιλίᾳ εὐρύτερον,
ἔνια ζῷα ἔχει τὴν νῆστιν ἐν τῷ μετὰ τὴν κοιλίαν ἐντέρϙ
τῷ λεπτῷ Ζμγ14. 675 ᵃ31, 35, ᵇ34. ὁ σπλὴν ἀντισπᾷ ἐκ
τῆς κοιλίας ἰκμάδας Ζμγ7. 670 ᵇ5. εἰς τὸν μεταξὺ τόπον
τῆς ὑστέρας χ̀ τῆς κοιλίας Ζικ7. 638 ᵇ29. πόρος ϙδεὶς εἰς τὴν
κοιλίαν ἀπὸ τϙ πλεύμονος Ζμγ3. 664 ᵇ11. εἰς τὸ στέρνον
χ̀ τὴν κοιλίαν ϙ τε φλέβες χ̀ αἱ ἀρτηρίαι συνάπτϙσιν,
παρὰ πᾶν τὸ ἔντερον χ̀ τὴν κοιλίαν μέχρι τϙ στομάχϙ, δεῖ
τι εἶναι δι᾽ ϙ εἰς τὰς φλέβας ἐκ τῆς κοιλίας πορεύεται ἡ
τροφή πν5. 483 ᵇ25. Ζιγ4. 514 ᵇ14. Ζμδ4. 678 ᵃ10. —
c. κοιλία et κύστις. ϙκ εὐθέως εἰς τὴν κύστιν συλλέγεται
τὸ ὑγρόν, ἀλλ᾽ εἰς τὴν κοιλίαν πρότερον· ὑποδοχή ἐστιν ἡ
κύστις τϙ μὴ πεττομένϙ ὑγρϙ ἐν τῇ κοιλίᾳ· ἡ ἐξικμασμένη
τροφὴ εἰς κοιλίαν, τὸ ϙρον εἰς κύστιν· τὸ θερμὸν τὸ ἐν τῇ
κοιλίᾳ εἰσέρχεται διὰ λεπτότητα ἐκ τῆς κοιλίας τὸ ὑγρὸν εἰς
τὴν κύστιν ὑπονοστϙν ϙτω λύει Ζμγ3. 664 ᵇ15. πν40.863
ᵇ34. δ26. 879 ᵇ3. κδ4. 936 ᵃ27, 30. — d. κοιλίας ἐρ-
γασία, δύναμις, θερμότης. μίαν μέν τινα ἐργασίαν ἡ
τϙ στόματος λειτϙργεῖ δύναμις, ἑτέραν δ᾽ ἡ τῆς κοιλίας
περὶ τὴν τροφήν ζ3. 469 ᵃ4. ἡ τϙ στόματος ἐργασία παρα-
δίδωσι τῇ κοιλίᾳ τὴν τροφήν· τὴν εἰς τὴν κοιλίαν ἐλθὸν ἀνάγκη τροφὴν
γίνεσθαι Ζμβ3. 650 ᵃ28. Ζγγ5. 756 ᵇ10. λήψεται τὸ σῶμα
τὴν τροφὴν ἐκ τῆς κοιλίας χ̀ τῆς τῶν ἐντέρων φύσεως, τὴν
τροφὴν ἀναλαμβάνϙσι τὰ ζῷα ἐκ τῆς κοιλίας Ζμβ3. 650
ᵃ19. γ5. 668 ᵃ8. ἐν τῇ κοιλίᾳ δεῖ παθεῖν τὰ σῖτα πρῶτον,
τϙ πολλϙ ἢ κρατεῖ ἡ κοιλία, ϙ μόνον ἐν τῇ κοιλίᾳ ἐνόντων
γίνεται ἡ πλήρωσις, ἡ κοιλία πληρϙται πα50. 865 ᵇ3. γ21.
874 ᵃ24. κα13. 928 ᵇ9. κβ3. 930 ᵃ26. κινϙμένης (κενϙμένης
Gaza) τῆς κοιλίας ὁ ἀὴρ σήπει τὸ πνεῦμα (bei leerem Ma-
gen) πιγ7. 908 ᵇ13. — ἡ δύναμις χ̀ ἡ θερμότης τῆς κοι-
λίας, ἡ θερμότης ἐν τῇ κοιλίᾳ πέττει ἀεὶ τὸ ἐγγινόμενον,
ἀλεαίνϙσα ἡ κοιλία θᾶττον πέττει, ἡ πυετία ἐν τῇ κοιλίᾳ
τῶν ἔτι θηλαζόντων Ζμγ14. 674 ᵇ28. πδ2. 876 ᵇ19. ς3.
885 ᵇ28. Ζγγ6. 756 ᵇ28. Ζμγ8. 671 ᵃ6. Ζιγ20. 522 ᵇ6.
κοιλία ὑγρά, ψυχρὰ διὰ μικρότητα, τήκει Ζμγ14. 674 ᵇ26.
πι64. 898 ᵇ1. κδ4. 936 ᵃ26. τὰ πρὸς τὴν κοιλίαν φάρμακα
πκζ10. 949 ᵃ4. — e. speciatim. enumerantur τὰ ἀμφώ-
δοντα ὅσα μίαν ἔχει κοιλίαν, μικράν, μείζω Ζμγ14. 674
ᵃ25, 675 ᵃ24. Ζιβ17. 507 ᵇ16, 18. διαφορὰ κατὰ τὰ με-
γέθη χ̀ τὰ σχήματα ἡ πάχη χ̀ λεπτότητα ὑπάρχει τῆς
τῆς κοιλίας, ἡ κατὰ τϙ στομάχϙ τῇ θέσει τὴν σύντρησιν
Ζιβ17. 507 ᵇ25 Aub, 19. κοιλία ἐλέφαντος Ζιβ17. 507 ᵇ35
Aub. ὑός, κυνὸς Ζιβ17. 507 ᵇ20. Ζμγ14. 675 ᵃ27, 29 et
generatim τῶν ζῴων τὰ μὲν τῇ τῆς ὑὸς ὁμοίαν ἔχει, τὰ
δὲ τῇ τῆς κυνός Ζμγ14. 675 ᵃ26, 27. Ζιβ17. 507 ᵇ23.

cf 508 ᵃ7, 28 al. enumerantur ὅσα πλείϛ ἔχει κοιλίας Ζμγ
14. 674 ᵃ30 Ka. syn πλείϛ τόποι χ̣ μόρια Ζμγ14. 674
ᵇ13. Ζιβ17. 507 ᵃ36. τὰ κερατοφόρα χ̣ μὴ ἀμφώδοντα
τοιαύτην ἔχει, i e τέτταρας κοιλίας Ζιβ17. 507 ᵇ13. Ζμγ14.
674 ᵃ33, ᵇ6, 7. διαφέρει πρὸς ἄλληλα τοῖς σχήμασι χ̣ τοῖς 5
μεγέθεσι τύτων χ̣ τῷ τὸν στόμαχον εἰς μέσην ἢ πλαγίαν
τείνειν τὴν κοιλίαν Ζιβ17. 507 ᵇ14. ὁ ὄγκος τῆς κοιλίας
Ζμγ14. 675 ᵇ3. καλῦνται κοιλία χ̣ κεκρύφαλος χ̣ ἐχῖνος χ̣
ἤνυστρον, τύτων τίς ἡ λειτουργία Ζμγ14. 674 ᵇ14, 11 Ka,
F 300, 78. ἐκ ἐρεύγεται τὰ ὑποζύγια διὰ ξηρότητα τῆς 10
κοιλίας, ὁ ἐρυγμὸς κοιλίας κατάψυξις, ἀπὸ τῆς τὰ σιτία
δεχομένης κοιλίας ἐστὶν πι44. 895 ᵇ13. λγ1. 961 ᵇ11. 17.
963 ᵃ40. cf ἐκ ἐρεύγονται ὅσα μηρυκάζει διὰ τὸ πολλὰς
ἔχειν κοιλίας χ̣ τὸν καλύμενον κεκρύφαλον πι44. 895 ᵇ19.
— aves, τὴν κοιλίαν σαρκώδη χ̣ στιφρὰν οἱ πλεῖστοι ἔχυσι, 15
χ̣ ἔσωθεν δέρμα ἰσχυρὸν ἀφαιρύμενον ἀπὸ τῦ σαρκώδυς
Ζιβ17. 508 ᵇ32. Ζμγ14. 674 ᵇ26. ἔστιν ἃ ἔχει τὴν κοιλίαν
μακρὰν Ζιβ17. 509 ᵃ8. οἱ μὲν πρὸ τῆς κοιλίας ἔχυσι πρό-
λοβον· πρόλοβος λεπτότερος, ᾗ καθήκει πάλιν πρὸς τὴν κοι-
λίαν Ζιβ17. 508 ᵇ27, 31. Ζμγ14. 674 ᵃ22. ἔνιοι ἀντὶ τῦ 20
προλόβυ τὸν στόμαχον εὐρὺν χ̣ πλατύν, ἢ δι' ὅλυ ἢ πρὸς
τὴν κοιλίαν τείνυσ' ἔνιοι τὴν χολὴν πρὸς τῇ κοιλίᾳ ἔχυσιν, οἱ
δὲ πρὸς τοῖς ἐντέροις Ζιβ17. 508 ᵇ35. 16. 506 ᵇ20, 22. ἔνιοι
(rapacia) τῆς κοιλίας αὐτῆς τι ἔχυσιν ὅμοιον προλόβῳ, τῆς
κοιλίας αὐτῆς τι ἐπανεστηκὸς Ζιβ17. 509 ᵃ6. Ζμγ14. 674 25
ᵇ25. τὰ περιστερώδη θερμὴν ἔχει τὴν κοιλίαν χ̣ πεπτικω-
τάτην, pelecanus ἐν τῷ πρὸ τῆς κοιλίας τόπῳ Ζγγ1. 749
ᵇ23. Ζιι10. 614 ᵇ28. in ovo δεκαταίυ ὄντος φανερὰ χ̣ τὰ
περὶ τὴν κοιλίαν χ̣ τὴν τῶν ἐντέρων φύσιν Ζιζ3. 561 ᵇ3. —
amphibia. τὰ τετράποδα χ̣ ᾠοτόκα ἁπλῆν ἔχει χ̣ μίαν τὴν 30
κοιλίαν, χ̣ τὰ μὲν ὁμοίαν τῇ ὑεία, τὰ δὲ τῇ τῦ κυνός·
τὸν αὐτὸν τρόπον ἔχει τὰ περὶ τὴν κοιλίαν χ̣ τὴν τῶν ἐν-
τέρων φύσιν Ζιβ17. 508 ᵃ7, 3. — οἱ ὄφεις τὰ θηρία ἐν τῇ
κοιλίᾳ ἐχυμίζυσιν, ἔχυσι τὴν κοιλίαν οἷον ἔντερον εὐρυχω-
ρέστερον, ὁμοίαν τῇ τῦ κυνὸς Ζιθ4. 594 ᵃ15. β17. 508 ᵃ28. 35
— pisces. ταχεῖα ἡ δίοδος εἰς τὴν κοιλίαν, ὁ πόρος ὁ διὰ
τῦ στόματος εἰσίων εἰς τὴν κοιλίαν φέρει Ζμγ14. 674 ᵇ20.
γ1. 662 ᵃ11. Ζγγ5. 756 ᵇ9. εὐθὺς ἡ κοιλία πρὸς τῷ στό-
ματι, εὐθὺς πρὸς τὸ στόμα συνάπτει ἡ κοιλία, διὸ πολλάκις
ἐνίοις τῶν μεγάλων διώκυσι τὰς ἐλάττυς, προπίπτει ἡ κοιλία 40
εἰς τὸ στόμα Ζμγ14. 674 ᵃ11. αν3. 471 ᵃ22. 11. 476 ᵇ9.
Ζιθ2. 591 ᵇ7. β17. 507 ᵃ26, 29 Aub (cf 157). ἰχθύ-
σιν ὡσαύτως ἔχει τὰ περὶ τὰ ἔντερα χ̣ τὴν κοιλίαν· μίαν
χ̣ ἁπλῆν κοιλίαν, διαφέρυσαν τοῖς σχήμασιν· ἔνιοι κοιλίαν
πάμπαν ἐντεροειδῆ (ἑτεροειδῆ v l et Aub)· οἱ δὲ ὀρνιθώδεις 45
χ̣ σαρκώδεσι Ζιβ17. 508 ᵇ9, 10, 11. Ζμγ14. 675 ᵃ10.
ἔχυσιν ἀποφυάδας ἄνωθεν περὶ τὴν κοιλίαν, παρ' αὐτὴν τὴν
κοιλίαν, ἄνω πρὸς τῇ κοιλίᾳ Ζιβ17. 508 ᵇ16, 24. Ζμγ14.
675 ᵃ12, 15. οἱ πόροι προσπεφύκασι πρὸς τῇ ὀσφύι ὑπο-
κάτω τῆς κοιλίας χ̣ τῶν ἐντέρων· τὴν δοκῦσαν φωνὴν ἀφίᾱσι 50
ἔνιοι τῷ πνεύματι τῷ περὶ τὴν κοιλίαν Ζιγ1. 509 ᵇ33 Aub.
δ9. 535 ᵇ22 (S I 247 fort vesica aërea). ὁ κεστρεὺς ἐπὶ
μὲν θάτερα τῆς κοιλίας ἔχει ἀποφυάδας πολλάς, ἐπὶ δὲ θά-
τερα μίαν, ἡ αὐτῦ κοιλία περιτείνεται Ζιβ17. 508 ᵇ18. θ2.
591 ᵃ20, ᵇ2. κεφαλὴ κοιλία· ἔγχελυς ἔχει τὴν κοιλίαν μι- 55
κρὰν Ζιθ2. 591 ᵇ20, 12. σινόδων ἡ χαῖνα ἐκβάλλυσι τὴν
κοιλίαν Ζιθ2. 591 ᵇ6 cf l 42. τὰ σελάχια ἀπιμελώτατα
κατὰ κοιλίαν Ζιγ17. 520 ᵃ20. — μαλάκια. πρόλοβος εἶτα
συνεχὴς κοιλία χ̣ ταύτης ἐχόμενον ἔντερον ἁπλῆν, πρόλοβος
πρὸ τῆς κοιλίας, προλόβῳ ἔχεται ἡ κοιλία οἷον ἤνυστρον, δια 60
τῦ ὑμένος ὁ στόμαχος τέταται πρὸς τὴν κοιλίαν Ζμδ5.

678 ᵇ26, 35, 681 ᵇ18. f 317. 1531 ᵇ35. Ζιδ1. 524 ᵇ11.
ταῖς σηπίαις χ̣ τοῖς πολύποσιν ὅμοια χ̣ τοῖς σχήμασι χ̣ τῇ
ἀφῇ τὰ περὶ τὴν κοιλίαν Ζμδ5. 678 ᵇ29. ὁ μήκων κεῖται
ἐπάνω τῆς κοιλίας f 315. 1531 ᵇ7. — μαλακόστρακα. ἔχει
κοιλίαν τῦ στόματος ἐχομένην εὐθύς, ἀπὸ τῆς κοιλίας ἔν-
τερον ἁπλῆν Ζιδ2. 526 ᵇ24. Ζμδ5. 679 ᵃ35, ᵇ1. — οἱ κά-
ραβοι μικρὸν στόμαχον ἔχυσι πρὸ τῆς κοιλίας, εἶτ' ἐκ ταύτης
ἔντερον εὐθύ, κοιλίαν οἰσοφάγυ ἐχομένην ὑμενώδη, πρὸς τῷ
στόματι τῆς κοιλίας ὀδόντας τρεῖς, τῶν ὠῶν ἡ πρόσφυσίς
ἐστι πρὸς τῇ κοιλίᾳ χ̣ τῷ ἐντέρῳ ἑκατέρωθι Ζιδ2. 526 ᵇ24,
ᵃ4, 5, 32. Ζμδ5. 679 ᵃ36. cf ΚαΖμ 128, 23. F 308, 27.
καρκίνοι ἐπὶ τῆς κοιλίας ἔχυσιν ὀδόντας· δοκεῖν εὐθὺς εἶναι
μετὰ τὸ στόμα τὴν κοιλίαν· κοιλία δικρόα, ἧς ἐκ μέσης τὸ
ἔντερον· τῆς κοιλίας ἐκ τῦ πλαγίυ ἔντερον Ζμδ5. 679 ᵃ36.
Ζιδ3. 527 ᵇ24, 25 Aub, ᵃ7 Aub. ἐν τῷ καρκινίῳ ἀπὸ τῦ
στόματος πόρος εἰς ἄχρι τῆς κοιλίας· τῆς δὲ περιττώσεως
ἐδ' δῆλος ὁ πόρος Ζιδ4. 530 ᵃ2. — τῶν ἐντόμων ἔνια ἔχει
κοιλίαν χ̣ ἀπὸ ταύτης τὸ λοιπὸν ἔντερον· τὰ μὲν τῇ στό-
ματος ἐχόμενον ἔντερον, τὰ δὲ κοιλίαν μετὰ τὸ στόμα, ἀπὸ
δὲ τῆς κοιλίας τὸ ἔντερον Ζιδ7. 532 ᵇ9. Ζμδ5. 682 ᵃ15, 14.
κενὰ φαίνεται ἐν τῷ χρόνῳ τύτῳ ἥ τε κοιλία χ̣ τὰ ἔντερα
Ζιθ17. 600 ᵇ9. cf 14. 599 ᵃ27. — ὀστρακόδερμα. ἐχῖνος
ἔχει κοιλίαν τὰ πολλὰ διηρημένα, ὥσπερ ἂν εἰ πολλὰς τῦ ζῴυ
κοιλίας ἔχοντος· τῦ τῶν κόχλων στομάχυ ἔχεται ἡ κοιλία,
ἐν ᾗ ἡ μήκων· ἀφ' ἧς συνεχὲς ἔντερον· ἐν τῇ πορφύρᾳ
μεταξὺ τῦ τραχήλυ χ̣ τῆς μήκωνος τὸ ἄνθος, ἐπάνω τῆς
καλυμένης κοιλίας Ζμδ5. 680 ᵃ8, 12, ᵇ5, 27, 679 ᵇ10. Ζιε15.
547 ᵃ25.

7. rumen, ingluvies ruminantium. a. κοιλία Ζμγ14.
674 ᵇ14. ὁ κεκρύφαλός ἐστι τὰ μὲν ἔξωθεν ὅμοιος τῇ
κοιλίᾳ, μεγέθει πολὺ ἐλάττων τῆς κοιλίας Ζιβ17. 507 ᵇ5,
7. — b. ἡ μεγάλη κοιλία ἐστὶ τὰ ἔσω τραχεῖα ἡ διει-
λημμένη, τοῖς μὴ ἀμφώδυσι τὸ ἐπίπλοον ἔχει τὴν ἀρχὴν ἐκ
τῆς μεγάλης κοιλίας Ζμγ15. 676 ᵃ8. Ζιβ17. 507 ᵇ1. γ14.
519 ᵇ12.

8. ductus intestinalis. τὸ λοιπὸν πολυώνυμον Ζια2.
489 ᵃ2. κοιλία, τὰ περὶ τὴν κοιλίαν πα41. 864 ᵃ7. β22.
868 ᵇ10. μβ2. 355 ᵇ13. φ6. 810 ᵇ7-9. Ζικ1. 634 ᵃ22. 3.
635 ᵇ5. Ζια16. 496 ᵃ3. ὀνομάζεται τὸ τῆς ξηρᾶς περιττώ-
σεως δεκτικὸν μόριον κοιλία, μέρη, κόλποι τῆς κοιλίας Ζια2.
489 ᵃ8. δ5. 530 ᵇ26, 27. ἕκαστοι οἱ τόποι ἅμα ταῖς ἐκ-
κρίσεσι γίνονται χ̣ ταῖς δυνάμεσι, ὥσπερ ὀφθαλμοὶ ἅμα
τῇ ὄψει, χ̣ κοιλία χ̣ κύστις ἅμα τῷ δύνασθαι τὰ περιτ-
τώματα γίνεσθαι Ζγδ1. 766 ᵃ9. ὅσαις ἂν περὶ τὴν κοιλίαν
σφοδρότατοι γένωνται πόνοι, αὗται τάχιστα τίκτυσι Ζιη9.
586 ᵇ29. ἂν τὸ λυπῇ περὶ τὴν κοιλίαν Ζιγ2. 512 ᵃ31.
διάρροια ἐν ταῖς κοιλίαις Ζγα20. 728 ᵃ22. cf Plat Tim 85 E.
τὰ περιττώματα καταβαίνυσιν εἰς τὰς κοιλίας πα19. 861 ᵇ16.
τὸ κατὰ τὴν κοιλίαν περίττωμα, περίττωμα ἐν τῇ κοιλίᾳ ὁ
νεοττὸς ἐκ ἔχει Ζγδ1. 765 ᵇ26. Ζμγ7. 670 ᵃ32. 3. 664 ᵇ16.
Ζιγ19. 520 ᵇ16. ζ3. 562 ᵃ11. τὰ ὑποστήματα τῆς κοιλίας
ἐν ταῖς κύστεσι Ζια1. 487 ᵃ6. Ζμδ2. 677 ᵇ8. β7. 653 ᵇ12.
ἀποκρίνεται τὸ περίττωμα εἰς τὴν κοιλίαν Ζγα20. 728 ᵃ16.
τὰ προχειρότατα εἰς κύστιν χ̣ κοιλίαν ἀποκρίνεται πκ12.
924 ᵃ13. πέπερι πολὺ ἐ διαχεῖται εἰς τὴν κοιλίαν πα43. 864
ᵇ18. ἡ κοιλία κενὴ μὲν ἐσα θερμή ἐστιν, ἐ δὲ πλήρωσις
αὐτὴν καταψύχει ἐν τῇ κινήσει υ3. 457 ᵇ11 Lewes. τὰς
κοιλίας ἐπαιρομένας ἄνευ ὑδρωπος Ζικ7. 638 ᵇ16. τῶν θερ-
μοτάτων κατὰ τὴν κοιλίαν ζῴων συμβαίνει θερμοτάτην εἶναι
τὴν ὑπόστασιν μβ3. 358 ᵇ11. ὅσα μὲν κύστιν ἔχει χ̣ κοιλίαν
ἔχει, ὅσα δὲ κοιλίαν ἔχει, ἐ πάντα κύστιν ἔχει· τὰ μὲν

ζωοτόκα ἔχει τὴν ὑστέραν ἄνωθεν τῆς κοιλίας, ὅσα δὲ ᾠοτοκεῖ κάτωθεν πρὸς τῇ ὀσφύϊ· τὰ ζῷα πάντα σχεδὸν οἷον γῆν ἐν αὑτοῖς ἔχει τὸ τῆς κοιλίας κύτος, ἐξ ἧς δεῖ τὴν τροφὴν λαμβάνειν Ζια2. 489 ᵃ6. γι. 511 ᵃ23 Aub. Ζμβ3. 650ᵃ25.
— elephas aegrotans ὔτε τὸ ὑγρὸν περίττωμα προΐεσθαι 5 δύναται ὔτε τὸ τῆς κοιλίας Ζιθ26. 605 ᵃ25. — τῶν πτερωτῶν ἔνια θερμὴν ἔχει τὴν κοιλίαν Ζμγ7. 670 ᵃ34. — τῶν ἰχθύων ἔνιοι κ, οἱ ὄρνιθες κύστιν ὐκ ἔχυσιν ἀλλ᾽ εἰς τὴν κοιλίαν αὐτοῖς ἡ τοιαύτη συνθλίβεται ὑπόστασις πι43. 895 ᵇ2. ἡ τροφὴ ἐν τῇ κοιλίᾳ τῶν ἰχθυδίων Ζιζ10. 565ᵃ11. — 10 τὰ μαλάκια ἀφιᾶσι τὸ περίττωμα τῆς κοιλίας κατὰ τὸν καλύμενον αὐλόν (infundibulo) Ζμδ5. 679 ᵃ3. — τέττιξ ἐν τῇ κοιλίᾳ ὐκ ἴσχει περίττωμα, μέλιττα φωλῦσα φαίνεται διαφανὴς κ, ὔθεν ἐν τῇ κοιλίᾳ ἐνὸν δῆλον Ζιθ7. 532 ᵇ14. θ14. 599 ᵃ27. — τὰ ὀστρακόδερμα ἔχει κοιλίαν κ, τῦ περιτ- 15 τώματος τὴν ἔξοδον Ζμδ5. 679 ᵇ36. ἡ τῦ ἐχίνυ κοιλία εἰς πέντε μέρη διῃρημένη, πλήρης περιττώματος Ζιδ5. 530ᵇ26.

9. alvum, ventrem solvere. τῶν φαρμάκων τὰ μὲν τὴν κοιλίαν λύει, τὴν δὲ κύστιν ὔ· πέπερι, σκαμμωνία τὴν κοιλίαν λύει πα40. 863 ᵇ29, 864 ᵃ1, 43, ᵇ13, 14. — αἱ κοιλίαι 20 λύονται πδ7. 877 ᵃ31. χζ1. 947 ᵇ13. 8. 948 ᵇ17. 10. 948 ᵇ35. ἡ λύσις τῆν κοιλιῶν πχζ3. 947 ᵇ19. αἱ κοιλίαι, οἱ περὶ τὴν κοιλίαν τόποι λύονται, ἀναλύονται, διαλύονται Ζγα20. 728 ᵃ15. πβ26. 869 ᵃ3. χζ1. 947 ᵇ2. 10. 949 ᵃ1. ἡ κοιλία ταράττεται Ζμδ5. 679 ᵃ26. fort adiungendum ἡ τῆς ὑὸς 25 κοιλία ῥεῖ Ζιθ21. 603 ᵇ9 Aub. πέλλος ἔχει τὴν κοιλίαν ἀεὶ ὑγρὰν (ὑγροκοίλιος) Ζιι18. 617 ᵃ1. — κλιζυσι κράμβην τὴν κοιλίαν οἱ ἰατροὶ πγ17. 873 ᵇ2, cf ᵇ6. τοῖς εὐνήχοις τά τε σκέλη οἰδεῖ κ, αἱ κοιλίαι εὔλυτοι πδ7. 876 ᵇ31. ventrem sistit aliquid, ἐὰν ἡ κοιλία στῇ Ζιη12. 588 ᵃ7. 30

10. ventris affectus, remedia. αἱ κοιλίαι σκληραὶ γίνονται σπληνιῶσιν, ὅταν ἀθρόως πίνωσι, ξηρότεραι αἱ κοιλίαι γίνονται, τὰ ἀφροδίσια τὴν κοιλίαν ψύχει κ, ξηραίνει Ζμγ7. 670 ᵇ9. πγ21. 874 ᵃ22. δ17. 878 ᵇ17. cf Oribas I 669. ἡ βαρύτης τῦ γλεύκυς ἡ διακόπτυσα τὴν κοιλίαν f 211. 1516 35 ᵃ41. τὰ εἰς τὴν κοιλίαν τραύματα Ζμγ3. 664 ᵇ18. — εὐδιάχυτα ὄντα ὑπὸ τῶν δύο κοιλιῶν, ταῦτα φάρμακά ἐστιν, ὅταν τὰ φάρμακα εἰς τὴν κοιλίαν εἰσέλθωσι, χαλκὸς κ, ἄργυρος ὐκ εὐδιάχυτα ταῖς κοιλίαις πα42. 864 ᵃ29, 30, 36. — πν5. 483 ᵃ19 et πγ5. 871 ᵇ25 (cf ed Did) κοιλία definiri 40 non potest.

11. ἡ ἄνω κοιλία. a. i q θώραξ sec Hippocr cf Galen XVIII A p 141. πλγ9. 962 ᵃ34, 36. — b. ventriculus Ζμγ 14. 675 ᵇ29. ἡ τῆς τροφῆς πέψις ἐν τῇ ἄνω κοιλίᾳ γίνεται, τῆς τροφῆς χρησίμης ἡ ἄνω κοιλία f 231. 1519 ᵇ12. Ζγα18. 45 725 ᵇ1. cf πγ17. 873 ᵇ6. — c. ventriculus cum intestini tenuis superiore parte. ἡ τῆς ἄνω κ, τῆς κάτω κοιλίας ἤδη μετὰ θερμότητος φυσικῆς ποιεῖται τὴν πέψιν Ζμβ3. 650 ᵃ13. ἐὰν ἡ ἄνω κοιλία ξηρὰ ᾖ, τὴν κάτω ἐναντίως διακεῖ- σθαι κ, ταύτης ξηρᾶς ὔσης ὑγρὰν εἶναι τὴν ἄνω κ, ψυχρὰν 50 μβ4. 360 ᵇ23. — τῶν φαρμάκων ἔνια τὴν ἄνω κοιλίαν κινεῖ, τὰ μὲν διὰ τὴν θερμότητα εὐθὺς ἐν τῇ ἄνω κοιλίᾳ ὄντα φέρεται ἐξ αὐτῆς πρὸς τὸν ἄνω τόπον, ἀνάγει εἰς τὴν ἄνω κοιλίαν πα41. 864 ᵃ3, 4, 5, 8, 11.

12. ἡ κάτω κοιλία. a. abdomen. τρεῖς διωρισμένοι τόποι· 55 κεφαλή, ὁ περὶ τὴν καρδίαν τόπος, ἡ κάτω κοιλία υ2. 456 ᵃ3. τριῶν τόπων ὄντων, κεφαλῆς κ, θώρακος κ, τῆς κάτω κοιλίας, ἔστι φῦσα μὲν ἀπὸ τῆς κάτω κοιλίας πνεῦμα, ἐρυγμὸς δὲ τῆς ἄνω, ὁ δὲ πταρμὸς τῆς κεφαλῆς πλγ9. 962 ᵃ35. — b. inferior pars ventriculi. ὁ σπλὴν συνήρ- 60 τηται τῇ κάτω κοιλίᾳ κατὰ τὸ ἐπίπλοον Ζια17. 496 ᵇ29.

cf l 396 ᵇ14. — c. intestina. τῆς τροφῆς τῆς ξηρᾶς ἡ κάτω κοιλία Ζγα18. 725 ᵇ1. cf Plat Tim 73 A. — d. inferior pars intestini (cf ἡ ἄνω κοιλία 3) Ζμδ2. 676 ᵇ18. ζῷον ἐγγίνεται ἐν τῇ ἀποκρίσει σηπομένῃ ἐν τῇ κάτω κοιλίᾳ μδ3. 381 ᵇ11. f 231. 1519 ᵇ15. — τῶν φαρμάκων τὰ δὲ τὴν κάτω κοιλίαν κινεῖ, σκόροδον μόνον φυσητικὸν τῆς κάτω κοιλίας, αἱ ἄνω φαρμακείαι πρὸς τὴν κάτω κοιλίαν πα41. 864 ᵃ3, 4. ιγ6. 908 ᵇ1. λγ5. 962 ᵃ4. — e. intestinum coecum Ζμγ14. 676 ᵃ5. ruminantium Ζμγ14. 675ᵇ19, 24. — f. intestinum crassum Ζια16. 495 ᵇ27 Aub et Ka. σηπίας Ζμδ5. 679 ᵃ9 F. — de κοιλίᾳ in animalibus cf Philippson ὕλη 36, 2. ΚαΖμ 112, 18. Ζι19, 3.

13. transfertur nomen κοιλία ad τὰ δένδρα φτα3. 818 ᵃ6. β10. 829 ᵇ4. cf Meyer Nicol Dam 26, 2 et 63 ad p 13, 13.

κοιλιώδεις ὑποδοχαί Ζμδ5. 678 ᵇ30.

κοῖλος. κέρας κοῖλον sim, opp στερεόν Ζιβ1. 500 ᵃ7. γ9. 517 ᵃ21, 23, 24. Ζμγ2. 663 ᵇ15. β6. 652ᵃ15, coni κενός Ζια16. 494 ᵇ34. κοῖλος, opp κυρτός, εὐθὺς Οα4. 270 ᵇ35. μετάφρενον κοῖλον, opp κυρτὸν φ6. 810 ᵇ34. τὰ κοῖλα, opp τὰ ἐξέχοντα, τὰ κυρτὰ Ζια14. 493 ᵇ3. πλα25. 960 ᵃ5. ε11. 881 ᵇ29. κέντρον σομφὸν κ, κοῖλον Ζμ17. 661 ᵃ18. γραμμὴ ἔχυσα τὰ κοῖλα πρὸς τὴν γῆν πκ5. 1. 940 ᵃ22. 29. 943 ᵇ1. κατάκαμψις ἡ εἰς τὸ κοῖλον μετάβασις μδ9. 386 ᵃ6. τὰ κοῖλα ψόφον ποιεῖ, ἠχεῖ ψβ8. 419 ᵇ15. πια8. 899 ᵇ33. εἰς τὸ κοιλότατον ἡ ῥύσις μβ2. 355 ᵇ17. Οβ4. 287 ᵇ6. ἐν κοίλῳ ἡ θάλαττα μβ1. 354 ᵃ23. ποταμοὶ μακρὰν ῥέοντες διὰ κοίλης μβ2. 356 ᵃ26. τόποι κοῖλοι κ, ἔφυδροι μα10. 347 ᵃ30. τὰ ἐν κοίλοις, opp τὰ προσήνεμα Ζγε3. 783 ᵃ32. τὰ περὶ Λιβύην ταπεινότερα κ, κοιλότερα μα14. 352 ᵇ33. itaque τὸ κοῖλον fere i q κοιλία, τὸ κοῖλον τῆς καρδίας, τῶν νεφρῶν (opp τὸ σῶμα τῶν νεφρῶν), τῦ πλευμόνος Ζιγ3. 513 ᵇ2, 3. 4. 514 ᵇ32, 35. α16. 495 ᵇ8. 17. 497 ᵃ11. Ζμγ4. 666 ᵃ1. 9. 671 ᵇ4, 13, 22. τὸ κοῖλον τῦ κηρίυ, opp ὅλον τὸ κηρίον Ζιε21. 553 ᵇ2. fere i q πόρος· τοῖς τηθυίοις ἔσω κοῖλον ἐφ᾽ ἑκάτερα· ἐν θατέρῳ τῶν κοίλων ἡ ὑγρότης ἐγγίνεται Ζιδ6. 531 ᵃ25. 27 Aub, cf Ζμδ5. 681 ᵃ29. κοῖλος, opp ἐπίστενος· φλὲψ κοίλη sim Ζιγ4. 514 ᵇ36, 23, 515 ᵃ9. α17. 497 ᵃ14. 16. 495 ᵇ14 Aub. φλέβια κοῖλα (ποικίλα v l Pic Aub) Ζιγ4. 514 ᵇ27. — ὁ κύκλος ἔχει ἐν τῷ αὐτῷ πως τὸ κυρτὸν κ, τὸ κοῖλον, τὸ κυρτὸν κ, τὸ κοῖλον λόγῳ δύο, ἀδιαχώριστα Φδ13. 222 ᵇ3. ψγ10. 433 ᵇ23. Ηα13. 1102 ᵃ31. κεβ1. 1219 ᵇ34. μχ847 ᵇ25. περιφέρεια κοίλη κ, ὑπτία, opp πρηνὴς κ, κυρτὴ μα13. 350 ᵃ10. τὰ κοῖλα τῆς περιφερείας Ζιβ1. 489 ᵃ7. κάμπτειν ἐπὶ τὸ κοῖλον, opp ἐπὶ τὸ περιφερές, ἐπὶ τὴν περιφέρειαν Ζπ1. 704 ᵃ20. Ζμδ8. 684 ᵇ35. cf β9. 654 ᵇ20. — τῶν ὁριζομένων τὰ μὲν ὔτως ὑπάρχει ὡς τὸ σιμόν, τὰ δ᾽ ὡς τὸ κοῖλον, ὁ τῦ σιμῦ λόγος μετὰ τῆς ὕλης, ὁ δὲ τῦ κοίλυ χωρὶς τῆς ὕλης Με1. 1025 ᵇ31 Bz. κ7. 1064 ᵃ24. ζ5. 1030 ᵇ29. ψγ7. 431 ᵇ13. τι31. 182 ᵃ4. — κοῖλος ἄργυρος οβ1350 ᵇ23.

κοιλότης. ῥεῖν κατὰ τὴν τῆς γῆς κοιλότητα μβ1. 354 ᵃ12. κοιλότης στενὴ Ζιδ4. 529 ᵃ21. ἡ εἰς κοιλότητα ἢ κυρτότητα κίνησις μδ9. 386 ᵃ2 (Ideler II p 507). — dist σιμότης (cf κοῖλος) Με1. 1025 ᵇ33. ζ5. 1030 ᵇ17.

κοιλόφθαλμος, opp ἐξόφθαλμος φ6. 811 ᵇ25.

κοίλωμα. πνεῦμα ἐγκατειλημθὲν τοῖς τῆς γῆς κοιλώμασιν κ4. 395 ᵇ34. οἱ χιτῶνες οἱ περιέχοντες τὸ κοίλωμα τῆς ἀρτηρίας πν5. 483 ᵇ23.

κοιμᾶσθαι. φανερὰ τὰ ἔντομα κοιμώμενα υ1. 454 ᵇ19.

κοινολογεῖσθαι. οἱ διαιτηταὶ κοινολογῦνται ἀλλήλοις, πρὸς

ἀλλήλυς περὶ τῆς κρίσεως Πβ8. 1268 ᵇ7, 11.
κοινός, κοινή, communis. quibus aliquid commune sit, vel
genetivo vel dativo vel praepositionibus (ἐπί, κατά) signi-
ficatur. ὀσμὴ ὖσα κοινὴ γῆς τε ᵓ ἀέρος sim αι5. 443 ᵃ22,
28, ᵇ26, 445 ᵃ11. τὰ μὲν πάντων ἐστὶ τῶν μετεχόντων 5
ζωῆς κοινά, τὰ δὲ τῶν ζῴων ἐνίοις αι1. 436 ᵃ11. κοινὸν
κατὰ τύτων λέγομεν τὸ διαφανές αι5. 442 ᵇ29. τὸ δια-
φανὲς ᵓ ἐπὶ τῦ ἀέρος (int ὥσπερ ᵓ ἐπὶ τῦ ὕδατος) κοινόν
ἐστι αι2. 438 ᵃ15. ἀνώνυμον τὸ κοινὸν ἐπὶ πάσης τῆς κα-
πνώδυς διακρίσεως μα4. 341 ᵇ15. ᵘ κεῖται κοινὸν ὄνομα μδ9. 10
387 ᵇ2. cf Πδ̓2. 1289 ᵃ36. πολὺ ἂν ὑπερβάλλοι τὴν ἰσό-
τητα τῆς κοινῆς ἀναλογίας πρὸς τὰ σύστοιχα σώματα μα3.
340 ᵃ4. κοινὸν τύτοις ᵓ τοῖς τὴν σύναψιν λέγυσιν μα6. 343
ᵇ8. κοινότατον τὸ αἷμα πᾶσι τοῖς ἐναίμοις ζῴοις Ζιγ2. 511
ᵇ2. ἐκ τῶν κοινοτέρων τοῖς ἄλλοις ζῴοις, opp ἐκ τῶν συμ- 15
βαινόντων ἰδία περὶ τὰς μελίττας Ζγγ10. 759 ᵃ26. πᾶσι
τύτοις τὰ μὲν κοινῇ συμπίπτει λέγειν ἀδύνατα, τὰ δὲ ᵓ
χωρὶς μα6. 343 ᵃ21. κοινὰ τῆς ψυχῆς ᵓ τῦ σώματος, τῆς
ψυχῆς ᵓ τῦ ἔχοντος αι1. 436 ᵃ7, ᵇ2. ψα1. 403 ᵃ4. ᵘ κοινὸν
ἡ προαίρεσις ᵓ τῶν ἀλόγων Ηγ4. 1111 ᵇ12. κοινὰ τὰ φί- 20
λων (cf παροιμία) Ηθ11. 1159 ᵇ31. ι8. 1168 ᵇ7. ηεη2.
1237 ᵇ33, 1238 ᵃ16. Πβ5. 1263 ᵃ30, cf Ηθ14. 1162 ᵃ29,
23. κοινὸς Ἑρμῆς (cf παροιμία) Ρβ24. 1401 ᵃ21. ἥκιστα
ἐπιμελείας τυγχάνει τὸ πλείστων κοινόν, χρήματα κοινά,
χρῆσθαι ταῖς γυναιξὶ κοιναῖς Πβ3. 1261 ᵇ34, 36, 25. ζ5. 25
1320 ᵇ10. Ηε7. 1131 ᵇ29. τὴν τῆς πόλεως χῶραν δεῖ κοινὴν
εἶναι τῶν τόπων ἀπάντων (i e facilem aditum habere ad
omnes locos) Πη5. 1327 ᵃ6. ea communio, quam κοινὸς
significat, cerni potest in mistione plurium elementorum,
ὅσα συνέστηκεν ἐκ πολλῶν ᵓ γίνεται ἕν τι κοινόν Πα5. 30
1254 ᵃ29. τὸ κοινὸν (i e ἡ σύνθετος ὐσία ἐξ ὕλης ᵓ εἴδους
Μη3. 1043 ᵃ31 Bz. τὸ κοινὸν (int τὸ ἐκ ψυχῆς ᵓ σώμα-
τος) ψα4. 408 ᵇ19. ὅσα κοινὰ γῆς ᵓ ὕδατος sim μδ6.
383 ᵃ13, 26. 7. 384 ᵃ17. 10. 388 ᵃ26, 389 ᵃ1, 2. ὅταν ταῖς
δυνάμεσιν ἰσάζῃ πως, ᵘ γίνεται θάτερον, ἀλλὰ μεταξὺ ᵓ 35
κοινόν Γα10. 328 ᵃ31. θρασκίας κοινὸς ἀργέστυ ᵓ μέσυ
sim μβ6. 364 ᵃ14, 15, 17, 26. — saepe κοινός, κοινὴ
eam communionem significat, quae est in civitate τὸ κοινὸν
πᾶν διὰ τῦ δικαίυ συνέστηκεν ηεη9. 1241 ᵇ14. τὸ κοινὸν τὸ
τῶν πολιτῶν, τὸ τῆς πόλεως Πγ13. 1283 ᵇ41. β9. 1271 40
ᵇ11. ρ3. 1423 ᵇ1, 1424 ᵇ20. τὸ κοινὸν (i e ἡ πόλις) Ρα5.
1361 ᵃ1. στοχάζεσθαι τῦ κοινῇ συμφέροντος, ἐπισκοπεῖν τὸ
κοινὸν ἀγαθὸν sim Ηε3. 1129 ᵇ15. δ5. 1122 ᵇ21. Πγ12.
1282 ᵇ17. 6. 1278 ᵇ21, 23. 13. 1284 ᵇ6. δαπανᾶσθαι εἰς τὸ
κοινόν ρ3. 1424 ᵃ26. χῶρα κοινή (syn δημοσία), θυσίαι κοι- 45
ναί, κοινή ἐστία Πβ8. 1267 ᵇ36, 1268 ᵃ35, 41. η10. 1330
ᵃ10. ζ8. 1322 ᵇ28. τὰ κοινά, ᵓ τῶν κοινῶν ἐπιμέλεια,
κλέπτειν τὰ κοινά, προσδεῖσθαι τῶν κοινῶν sim Πγ5. 1278
ᵇ5. β8. 1268 ᵃ13. γ6. 1279 ᵃ14. εδ. 1302 ᵇ10. 6. 1306 ᵃ7.
8. 1308 ᵇ37, 1309 ᵃ7, 10. δ16. 1300 ᵇ20. ὁ κοινὸς τῆς πό- 50
λεως βίος, opp ὁ ἴδιος Πβ6. 1265 ᵃ26. πότερον ὁ αὐτὸς
βίος αἱρετώτατος κοινῇ ταῖς πόλεσι ᵓ χωρὶς ἑκάστῳ sim
Πη1. 1323 ᵃ21, ᵇ41. γ6. 1278 ᵇ23. δ14. 1297 ᵇ35. κοινὴ
παρασκευή, syn πολιτικὴ παρασκευή ρ3. 1424 ᵇ29, ᵃ9. αἱ
μὴ ποιύμεναι κοινὴν ἐπιμέλειαν ἀρετῆς Πδ̓7. 1293 ᵇ12. κοιναὶ 55
δημηγορίαι, opp ἴδιαι ὁμιλίαι ρ2. 1421 ᵇ12, 19. sed angu-
stiore sensu κοινὸν id significat, quod ad communem sa-
lutem et utilitatem pertinet Πβ11. 1273 ᵇ13. Ρα1. 1354
ᵇ29, οἱ τὰ κοινὰ ἐργαζόμενοι (syn οἱ τεχνῖται, οἱ δημιυργοί)
Πβ17. 1267 ᵇ17, 15, vel ἰσότητα iuris inter cives, καθι- 60
στάσι κοινὴν πολιτείαν ᵓ ἴσην Πδ̓11. 1296 ᵃ30, cf γ15.

1286 ᵇ13. κατά τιν' αὐτῶν ἰσότητα κοινήν Πδ̓3. 1290 ᵃ10.
κοινοτέραν πολιτείαν ὐδεμίαν εὑρήσυσιν ἄλλην Πδ̓12. 1297 ᵃ2.
cf infra κοινῶς. — non addito quibus aliquid commune sit κοι-
νός de eo usurpatur quod omnibus vel fere omnibus est com-
mune, χρῆσθαι ταῖς τεθρυλημέναις ᵓ κοιναῖς (vulgatis) γνώμαις
Ρβ21. 1395 ᵃ11. αἱ κοιναὶ δόξαι, ἐξ ὧν ἅπαντες δεικνύυσιν
Μβ2. 996 ᵇ28, 997 ᵃ21. Φδ̓6. 213 ᵃ21. αἱ κοιναὶ αἰσθήσεις
ΜΑ1. 981 ᵇ14 Bz, cf 2. 982 ᵃ12. κοινοτάτη τῶν αἰσθήσεων ᵓ
ἁφή Ηγ13. 1118 ᵇ1. ἐπιθυμίαι κοιναὶ ᵓ φυσικαί (opp ἴδιοι,
ἐπίθετοι), κοινὰ παθήματα Ηγ13.1118 ᵇ8. ηεγ1.1228 ᵇ36. ἡ
διαβολὴ κοινόν ρ30.1437 ᵃ22. κοινὰ ὀνόματα (vocabula vulgo
usitata) ρ31.1438 ᵃ35. νόμος κοινὸς ὅσα ἄγραφα παρὰ πᾶσιν
ὁμολογεῖται Ρα10. 1368 ᵇ8. 13. 1373 ᵇ6. ρ3. 1424 ᵇ22. 2.
1422 ᵃ1. κοινά, syn ᵓ ἄλλοις ὑπάρχει πολλοῖς Ρβ22.1396
ᵇ12, 14. πολιτεία κοινή, κοινοτέρα, syn ἡ μάλιστα πάσαις
ταῖς πόλεσιν ἁρμόττυσα Πδ̓1. 1288 ᵇ38, 34. β6. 1265 ᵃ3,
ᵇ29. δ2. 1289 ᵇ14. 1. 1288 ᵇ40. ἡ ἐπαγωγὴ πιθανώτερον
ᵓ τοῖς πολλοῖς κοινὸν τα12. 105 ᵃ18. — eundem ambitum
ubi κοινὸς complectitur, logice universale significat, oppo-
situm singulis vel speciebus vel individuis. κοινὴ μὲν εἴρηται
περὶ πάντων, ἰδίᾳ δ' ἐπισκεπτέον περὶ ἑκάστυ sim μγ7. 378
ᵇ5. Ρβ18. 1392 ᵃ2. γ12. 1414 ᵃ28. α2. 1358 ᵃ12. μν1.
449 ᵇ2. Ζιε1. 539 ᵇ16. τίνες σωτηρίαι τῶν πολιτειῶν ᵓ κοινῇ
ᵓ χωρὶς ἑκάστης Πδ̓2. 1289 ᵇ25. ε1. 1301 ᵃ23. 8. 1307
ᵇ26. γ13. 1283 ᵇ42. Ζγδ1. 763 ᵇ21. ὑστέρα ἡ περὶ τῶν
ἰδίων θεωρία τῆς περὶ τῶν κοινῶν ἐστίν Φγ1. 200 ᵇ25. α7.
189 ᵇ31. cf Αδ̓13. 96 ᵇ20 (aliter Wz ad h l). τὸ κοινόν,
syn τὸ κοινῇ κατηγορύμενον ηεα8. 1218 ᵃ8, 7. τὸτο κοινὸν
κατὰ πάντων Μζ17. 1041 ᵃ20. κοινόν, syn καθόλυ Μζ16.
1040 ᵇ23, 25, 26, 1041 ᵃ4. ε1. 1026 ᵃ27 (cf Α9. 992 ᵃ5).
Φγ1. 200 ᵇ22. ψα1. 402 ᵇ8, 7. Ζμα4. 644 ᵃ27. Ηκ10.
1180 ᵇ15, 22. Ρβ22.1395 ᵇ30. τὸ κοινόν, opp τὸ χωρίζον
τε2. 130 ᵇ19. syn τὸ περιέχον Ηε2. 1129 ᵇ11. syn εἶδος τὸ
Φε4. 228 ᵃ1, 2. τὸ κοινὸν τὸ κατὰ τὸν ὁρισμόν, τὸ κατὰ
τὴν ἐπαγωγὴν ημα1. 1182 ᵇ18, 30-32. κοινὸς ὅρος, λόγος
ΜΑ6. 987 ᵇ6. μ4. 1079 ᵇ1. ηεα8. 1217 ᵇ18. τίς ἂν εἴη
κοινότατος λόγος ψυχῆς ψβ1. 412 ᵃ5. opp ἴδιος Πγ4.1276
ᵇ25. Ηη6. 1148 ᵃ1. Κ5. 2 ᵇ13. γένοιτο δ' ἂν ᵓ ἐπὶ τῶν
σχημάτων λόγος κοινός, ὃς ἐφαρμόσει μὲν πᾶσιν, ἴδιος δ'
ὐδενὸς ἔσται σχήματος ψβ3. 414 ᵇ23. τῶν κοινῇ κατηγορυ-
μένων (τῶν κοινῶν) ὐθὲν σημαίνει τόδε τι, ἀλλὰ τοιόνδε·
τῶν κοινῶν ὐδὲν ὐσία τι22. 178 ᵇ38. θ14. 164 ᵃ8. Μβ6.
1003 ᵃ8, 10. ζ13. 1039 ᵃ1. 16. 1040 ᵇ3. cf ημα1. 1182
ᵇ12. Γα5. 320 ᵇ23. ἔστι παρὰ τὰ καθ' ἕκαστα τὰ κοινά,
ὧν φαμὲν ᵓ τὰς ἐπιστήμας εἶναι (Plat) f 182. 1509 ᵃ25.
τῶν κοινῶν τὸ μάλιστα ἂν εἴη τῷ τί ἐστι κατηγορύμενον γένος
ἂν εἴη τα18. 108 ᵇ22. κοινὰ ὀνόματα Αδ̓14. 98 ᵃ13 (cf γέ-
νος ᵃ3). εἰ δή τι κοινὸν ἐπὶ πάσης ψυχῆς δεῖ λέγειν ψβ1.
412 ᵇ4. πασῶν τῶν ἀρχῶν τί ἐστι κοινὸν Μδ̓1. 1013 ᵃ17.
περὶ γενέσεως ᵓ φθορᾶς τῆς κοινῆς εἴρηται μα1. 338 ᵃ24.
πῦρ ᵓ γῆν, ἀλλ' ᵘ τὸ κοινὸν σῶμα (universalem corporis
notionem) Μλ1. 1069 ᵃ30. πίστεις κοιναί, opp ἴδιαι· διὰ
τῶν κοινῶν ποιεῖσθαι τὰς πίστεις· οἰκειότερα ᵓ ἥττον κοινά·
κοιναὶ ἰδέαι (orationis) Ρβ20. 1393 ᵃ22. 18. 1391 ᵇ28. 22.
1396 ᵇ11. α1. 1355 ᵃ27. ρ3. 1423 ᵃ17. τὸ κοινὸν ἕτερον
ἀλλήλων τῷ εἴδει Μι8. 1058 ᵃ4. τὸ ἴδιον κοινὸν πρός τι ᵓ
τὰ μέρη αὐτῦ ᵓ εἴδη Μν1. 1088 ᵃ26. τόπος κοινός, ἴδιος
Φδ̓2. 209 ᵃ32. κοινὰ τῶν αἰσθήσεων κίνησις ἠρεμία ἀριθμὸς
σχῆμα μέγεθος ψβ6. 418 ᵃ17. γ1. 425 ᵃ14, ᵇ6. 3. 428 ᵇ22,
25. αι1. 437 ᵃ9. 4. 442 ᵇ4, 13. υ2. 455 ᵃ13. εν1. 458 ᵇ4.
τῶν κοινῶν ὐδὲν αἰσθητήριον ἴδιον ψγ1. 425 ᵃ13-ᵇ3. ἡ κοινὴ

αἴσθησις μν1. 450 ᵃ10. τὰ κοινά (i e τὰ στοιχεῖα?) μδ8.
384 ᵇ30. αἱ κοιναὶ ἀρχαὶ ἐξ ὧν ἅπαντα δειχθήσεται Αγ32.
88 ᵃ36. τὰ κοινὰ λεγόμενα ἀξιώματα Αγ10. 76 ᵇ14. τὰ
κοινά (int ἀξιώματα) Αγ11. 77 ᵃ27 sqq. 10. 76 ᵃ38, 41,
ᵇ10. Μκ4. 1061 ᵇ18. cf τ ι11. 172 ᵃ29. — ἀφεῖσαν ἐν κοινῷ
(in medio reliquerunt) ζητεῖν ΜΑ6. 987 ᵇ14. οἱ ἐν κοινῷ
γιγνόμενοι λόγοι ψα4. 407 ᵇ29. cf Bernays Dial p 15 sqq.
146. — κοινῶς. προσφέρεσθαι πρός τινα ἴσως ἢ κοινῶς
(fere i q δημοτικῶς) ρ9. 1430 ᵃ1. ἐν Κρήτῃ κοινοτέρως (ἔχει
τὰ τῶν συσσιτίων) Πβ10. 1272 ᵃ16.
κοινότης γυναικῶν, παίδων, ὐσίας, περὶ τέκνα ἢ γυναῖκας
Πβ12. 1274 ᵇ10. 7. 1266 ᵃ34. πρὸς ἑταίρɤς παρρησία ἢ
ἁπάντων κοινότης Ηι2. 1165 ᵃ30.
κοινῦν. τὰ περὶ τὰς κτήσεις ὁ νομοθέτης ἐκοίνωσεν Πβ5.
1264 ᵃ1. — med χάριν ἔχειν ἢ μόνον τύτοις ὧν ἄν τις
κοινώσαιτο ταῖς δόξαις Μα1. 993 ᵇ12. κοινωσάμενοι ἡδονῇ
ἀρετὴν ζητῦσι ημβ11. 1209 ᵇ31 (cf ποιησάμενοι τὴν φιλίαν
δι᾽ ἡδονὴν ᵇ28).
κοινωνεῖν τῆς πολιτείας Πβ8. 1268 ᵃ18 (syn μετέχειν ᵃ24).
δ6. 1293 ᵃ4 (dist μετέχειν ᵃ3), 1292 ᵇ24. 4. 1291 ᵇ36.
Ηε5. 1130 ᵇ32. πράξεων πολιτικῶν, τῆς ἐκκλησίας, τῦ δι-
κάζειν, πάντων, μηδενὸς al Πβ11. 1273 ᵇ28. 1. 1261 ᵃ2,
1260 ᵇ39. γ9. 1280 ᵇ22. δ6. 1293 ᵃ8. τῆς μυσικῆς, ποίων
μελῶν ἢ ποίων ῥυθμῶν κοινωνητέον Πθ5. 1339 ᵇ40. 6. 1341
ᵃ1. τῶν ἔργων (τῆς μυσικῆς) Πθ6. 1340 ᵇ23, 24, 32, syn
μετέχειν ᵇ36. λόγɤ Πα13. 1258 ᵇ28. τὰ θηρία αἴσθησιν μὲν
ἔχειν, πράξεως δὲ μὴ κοινωνεῖν, τῷ κοινωνεῖν ΗΖ2.
1139 ᵃ20. α10. 1100 ᵃ1. γ4. 1111 ᵇ9. ζῷα κοινωνῦντα
μνήμης, μαθήσεως Ζιθ1. 589 ᵃ1. i1. 608 ᵃ17. genetivus eius
rei, cuius quis particeps est, interdum omittitur, ubi e
contextu orationis facile intelligitur Πβ5. 1263 ᵃ7. δ1.
1289 ᵃ3. 11. 1295 ᵃ30. — κοινωνεῖν τινι: τὸ ἧπαρ ὁ κοι-
νωνεῖ τῇ ἀορτῇ, πόροι ὐδὲν κοινωνῦντες τῇ μεγάλῃ φλεβὶ
Ζια17. 496 ᵇ30. γ4. 514 ᵇ35. κοινωνεῖν τινί τινος, τέκνων
ἀλλήλοις, ἐϛ᾽ τοῖς ἐχθροῖς Πβ1. 1261 ᵃ5. δ11. 1295 ᵇ25. 35
— κοινωνεῖν absol ἡ ἐρυθρὰ θάλαττα κοινωνεῖ πρὸς τὴν ἔξω
θάλατταν μβ1. 354 ᵃ2. τῶν χρημάτων χάριν κοινωνῆσαι (i e
κοινωνίαν ποιήσασθαι) ἢ συνελθεῖν Πγ9. 1280 ᵃ26. cf α2.
1253 ᵃ28. ὐδὲν κοινωνῦσι (i e κοινὸν ἔχɤσι) τῇ τραγῳδίᾳ
πο14. 1453 ᵇ10. cf τι24. 179 ᵇ16.
κοινωνήματα Πγ9. 1280 ᵇ17.
κοινωνία. ἡ τοῖς ῥύγχεσι πρὸς ἄλληλα κοινωνία Ζγγ6. 756
ᵇ20. ἡ σελήνη ἀρχὴ διὰ τὴν πρὸς τὸν ἥλιον κοινωνίαν Ζγδ10.
777 ᵇ24. — κοινωνία ἐξ ἑτέρων ἢ ὐκ ἴσων ἐστὶ Ηε8. 1133
ᵃ17. ηεη9. 1241 ᵇ19. syn ἀλλαγή, κοινωνίαι ἀλλακτικαὶ
Ηε8. 1133 ᵃ24, 1132 ᵇ31. ἐν χρημάτων κοινωνίᾳ Ηθ6.
1163 ᵃ31. ἡ κοινωνία φιλικὸν sim Πδ11. 1295 ᵇ23.
Ηθ11. 1159 ᵇ27, 31. i12. 1171 ᵇ32. κοινωνία γαμικὴ Πη16.
1334 ᵇ33. — πόλις ἡ γενῶν ἢ κωμῶν κοινωνία ζωῆς τε-
λείας ἢ αὐτάρκης Πγ9. 1281 ᵃ1. 4. 1276 ᵇ29. κοινωνία πο-
λιτικὴ Πα1. 1252 ᵃ7. 2. 1253 ᵃ38. β1. 1260 ᵇ27. γ9. 1281
ᵃ3. δ11. 1295 ᵇ35. 15. 1299 ᵃ16. Ηε3. 1129 ᵇ19. θ11.
1160 ᵃ9, 28 al. κοινωνία πρώτη Πα2. 1256 ᵇ16, 31, 10. 9.
1257 ᵃ20. κοινωνία τῆς ζωῆς, τῦ εὖ ζῆν Πγ6. 1278 ᵇ17.
γ9. 1280 ᵇ33. — κοινωνίαι, i e εἴδη κοινωνίας ηεη9. 1241
ᵇ16, 24 (cf ᵇ14), 25, 39. πολλαὶ κοινωνίαι πρὸς ἄλληλα τοῖς
μέρεσι τῆς πόλεώς εἰσιν Πη3. 1325 ᵇ26. cf δ1. 1289 ᵃ17.
— πᾶσα κοινωνία ἀγαθῦ τινος ἕνεκα συνέστηκεν Πα1. 1252
ᵃ2. μετέχειν κοινωνίας Πγ1. 1275 ᵃ13. μίαν ὅτι μάλιστ᾽
εἶναι τὴν κοινωνίαν Πβ3. 1261 ᵇ17. διαλύεται ἡ κοινωνία
σα1. 1343 ᵃ12. — ὁμώνυμα, μηδεμίαν κοινωνίαν ἐπιβλέψας

αὐτῶν ΜΑ9. 991 ᵃ8.
κοινωνικὸς ὁ Ἑρμῆς Ρβ24. 1401 ᵃ20. κοινωνικὴ φιλία Ηθ14.
1161 ᵇ14. ηεη10. 1242 ᵃ1, ἀρετὴ Πγ13. 1283 ᵃ38. κοινω-
νικὸν ζῷον ὁ ἄνθρωπος ηεη10. 1242 ᵃ23, 25.
κοινωνοὶ βίɤ Ηε10. 1134 ᵃ26. ἴσοι ἢ κοινωνοὶ Ηε8. 1133 ᵇ3.
κοινωνοὶ οἱ πολῖται ημα34. 1194 ᵇ9. ἐν ὁποσοισῦν κοινωνίαις
Πδ4. 1291 ᵃ23. φαῦλος κοινωνὸς ὁ ἐμποδίζων τὸ κοινὸν
ἔργον τθ11. 161 ᵃ37.
κοίρανος εἷς (Hom Β 204) Μλ10. 1076 ᵃ4.
κοίτη. τὴν κοίτην ἄλλοθι ποιεῖται (ὁ ἀράχνης) Ζιι39. 623
ᵃ12.
κοκάλια (v l κοκκάλια, κωκάλια). τὰ καλύμενα ὑπό τινων
κοκκάλια ἐντὸς ἔχει τὴν σάρκα ἀφανῆ πᾶσαν πλὴν τῆς κε-
φαλῆς Ζιδ4. 528 ᵃ9 Aub. fort syn κἂν ᾖ τι τοιῦτον ἕτερον
μὲν σπάνιον δέ Ζγγ11. 761 ᵃ21. (testaceorum genus ter-
restre S I 201. eclog phys II 57, 1. Mr 197. M 185.)
κόκκοι τῦ κυάμɤ φτα5. 820 ᵇ7, τῦ σίστρɤ θ160. 846 ᵃ35,
τῆς ῥοιᾶς χ6. 799 ᵃ10. ἐκ σαρκῶν ἢ κόκκων ἢ λεμμάτων
εἰσὶ σύνθετοι οἱ καρποὶ φτα5. 820 ᵃ38.
κοκκύζειν Ζιι49. 631 ᵇ9, 16.
κόκκυξ. 1. avis. ἡ γαμψώνυχος Ζιζ7. 563 ᵇ20. Ζγγ1. 750
ᵃ11. μέγεθος, πτῆσις, τὰ περὶ τὴν κεφαλὴν ἢ περὶ τὺς
πόδας ἔοικε περιστερᾷ, τὰ ποικίλα τῦ κόκκυγος οἷον στιγμαί,
μεταβάλλει ἐξ ἱέρακος, μεταβάλλει τὸ χρῶμα Ζιζ7. 563
ᵇ24, 21, 14 Aub. i49Β. 633 ᵃ11. φαίνεται ἐπ᾽ ὀλίγον χρόνον
τῦ θέρɤς, τὸν δὲ χειμῶνα ἀφανίζεται Ζιζ7. 563 ᵇ18, 26.
cf i49Β. 633 ᵃ13. ὅτε θᾶττον φθέγγεται, τῇ φωνῇ ἢ ἀ-
φανίζει ὅταν μέλλῃ ἀφανίζεσθαι Ζιζ7. 563 ᵇ17. i49Β. 633
ᵃ12 Aub. κατεσθίει τὰ τῆς ὑποδεξαμένης ὄρνιθος νεόττια
Ζιι29. 618 ᵃ21, 16. δοκεῖ φρόνιμον ποιεῖσθαι τὴν τέκνωσιν
Ζιι29. 618 ᵃ26. ψυχρὸς τὴν φύσιν, δηλοῖ ἡ δειλία τῦ ὀρνέυ
Ζγγ1. 750 ᵃ12, 14. Ζιι29. 618 ᵃ27, 29. cf Μ 422. πίων ἢ
ἡδύκρεως, κατεσθίεται ὑπὸ ἱέρακος. διώκεται, τίλλεται ὑπὸ
τῶν μικρῶν ὀρνέων ἢ φεύγει αὐτὰ Ζιζ7. 564 ᵃ3, 563 ᵇ28.
ι29. 628 ᵃ30. Ζγγ1. 750 ᵃ14. ἐν Ἑλίκῃ (ἐν ἡλικίᾳ ci Heine.
S I 434) θ3. 830 ᵇ11. ὁ τῦ κόκκυγος νεοττὸς Ζιι29. 618
ᵃ14, 17, 22, 28. θ3. 830 ᵇ14. ubinam et quot ova deponat
Ζιζ7. 563 ᵇ30. ι29. 618 ᵃ9. Ζγγ1. 750 ᵃ15. θ3. 830 ᵇ12.
ὀλιγοτόκον, ἐνίοτε διτοκεῖ, μονοτόκος, ἢ σπερματικὸν ζῷον
Ζγγ1. 750 ᵃ11, 17, 13. — νεοττεύει γένος τι αὐτῶν πορρω
ἢ ἐν ἀποτόμοις πέτραις (fort Cuculus glandarius Lnd 37)
Ζιζ7. 564 ᵃ5 Aub. ὁ δὲ κόκκυξ (Βk, κίρκος v l S I
401 Aub, κόττυφος ci Gesner hist avium 350, lacunam
post κόκκυξ ci Pic) ἢ ἐν οἰκίᾳ νεοττεύει ἢ ἐν πέτραις Ζιζ1.
559 ᵃ11. (Cuculus canorus L, kochuz Thomae, gugulus
Alberti, hodie κύκος, cf Aldrovandi ornithol V cap 17.
S I 433. Lenz Zool der Gr u Röm 317. Opel Beitr zu
Cuculus canorus Dresd 1858 p 33, 37, 42. ΑΖιI 97, 53.
Su 129, 91.) — 2. piscis. κόκκυγες ἐπαμφοτερίζɤσι (ἢ
πρόσγειοι ἢ πελάγιοι), ἀφιᾶσι παραπλήσιον τῷ κόκκυγι ψό-
φον, ὅθεν ἢ τὔνομα ἔχɤσιν Ζιδ13. 598 ᵃ15. ᵇ12 Aub.
(fort Trigla gurnandus Cuv IV 10, 22. J Müller Archiv
1857, 253, Ε 87. ΑΖιI 132, 34.)
κολάζειν. τίνας κολάζɤσι ἢ τιμωρῦνται Ηγ7. 1113 ᵇ23.
μεγάλους κολάσαι, μείζονι κολασθῆναι Ρα14. 1374 ᵇ34.
κολασθῆναι, dist πληγῆναι Ηε8. 1132 ᵇ30. ἐπιπεθὲς ἢ κο-
λασμένον Ηγ15. 1119 ᵇ12, 3. μὴ κεκολασμένος μηδ᾽ ἰα-
τρευόμενος ηεγ2. 1230 ᵃ39. — ὁ Κύκλωψ ἦν μὲν ζημίας
ἄξιος, ἀλλ᾽ ὐκ Ὀδυσσεῖ κολαστέος f 166. 1505 ᵇ40.
κολακεία, opp φιλία, ἀπέχθεια sive ἔχθρα ηεβ3. 1221
ᵃ7. γ7. 1233 ᵇ30. ημα32. 1193 ᵃ20. κολακεία πλησίον

Πβ5. 1263 b22. κολακείας ἔργον ταπεινῶς ὁμιλεῖν Πε11. 1314 a1.

κολακεύειν. τῶν δημαγωγῶν τὰ πλήθη κολακευόντων f421. 1548 a25. τὸ κολακεύεσθαι ἡδύ Ρα11. 1371 a22. ὁ κολακευόμενος ηεη4. 1239 a25.

κολακικός ηεβ5. 1222 b4.

κόλαξ def Ηβ7. 1108 a29. δ12. 1127 a8. ημα32. 1193 a21. ηεβ3. 1221 a26. γ7. 1233 b31. syn ἄρεσκος ημβ3. 1199 a16. πάντες οἱ κόλακες θητικοὶ ϗ οἱ ταπεινοὶ κόλακες Ηδ8. 1125 a2. dist φίλος Ηκ2. 1173 b32. ηεη4. 1239 a24. ὁ κόλαξ προσποιεῖται φίλος ὑπερεχόμενος εἶναι Ηθ9. 1159 a15. φαινόμενος θαυμαστὴς ϗ φαινόμενος φίλος ὁ κόλαξ ἐστίν Ρα11. 1371 a24. ημβ11. 1208 b21. ὁ δημαγωγὸς ϗ ὁ κόλαξ οἱ αὐτοὶ ϗ ἀνάλογον Πδ4. 1292 b21, 17. — Κόλακες, comoedia Eupolidis f579. 1573 a35.

κολάπτειν τὰ ἕλκη, τὰ ὄμματα Ζιι1. 609 a35, b6.

κόλασις, coni τιμωρία: ἀπειθῦσι ϗ ἀφυεστέροις ὗσι κολάσεις τε ϗ τιμωρίας ἐπιτιθέναι Ηκ10. 1180 a9, dist τιμωρία Ρα10. 1369 b12. κολάσεως, opp τιμαί Ηγ1. 1109 b35. ἡ δίκη ϗ κόλασις ἴασις, αἱ κολάσεις ἰατρεῖαί τινες Ρα14. 1374 b33. Ηβ2.1104 b16. ηεβ1.1220 a35. κόλασις ἰατρικὴ (i e φαρμακεία) ἢ πολιτικὴ ηεα2. 1214 b32. ἡ τῶν οἰκετῶν κόλασις Ρβ3. 1380 a16. ἡ εἰς τὰ σώματα κόλασις Πε11. 1315 a15. ποιεῖσθαι τὴν κόλασιν πατρικῶς, δικαίως, στασιωτικῶς Πε11. 1315 a21. 6. 1306 a39.

κολαστικός. ὀργίλου ἐστὶ τὸ εἶναι κολαστικόν, ἀρετῆς ἐστι τὸ μήτε κολαστικὸν εἶναι μήτε τιμωρητικὸν ἀλλ' ἵλεων ϗ εὐμενικὸν ϗ συγγνωμονικόν α ρ6. 1251 a6. 8. 1251 b31.

κολεόπτερα (v l κολεώτερα, κυλεόπτερα Ζπ10. 710 a16). syn ὅσα τὸ πτερὸν ἔχει ἐν κολεῷ Ζιδ7. 531 b24. referuntur inter τὰ ἄναιμα τῶν πτηνῶν, τὰ ἔντομα Ζια5.490 a13. δ17.531 b20. θ17. 601 a2. ἀνώνυμα ἑνὶ ὀνόματι Ζια5. 490 a13. ε19. 552 b30. θ7. 531 b22. opp τὰ κολεώτερα Ζια5. 490 a15. Ζπ10. 710 a10. ἔχει εν ἐλύτρῳ τὰ πτερά, ὐδὲν ἔχει κέντρον, ἔνια τῇ πηλῷ τρώγλας ποιῦνται, ἐκδύνει τὸ γῆρας Ζια5. 490 a14, 19. ε19.552 b30. θ17. 601 a2. ad τὸ εἶδος τῶν κολεοπτέρων (Ζιδ7. 531 b21) referuntur μηλολόνθη κάραβος κάνθαρος κανθαρὶς ϗ τὰ τοιαῦτα Ζια5. 490 a15. δ7. 531 a25. θ7. 601 a3. Ζπ10. 710 a10. (Coleoptera auctorum cf M 213. Su 189. ΑΖι I 158.)

κολεός. τὰ κολεόπτερα ἔχει τὰ πτερὰ ἐν κολεῷ Ζιδ7. 531 b24.

κολέραι (v l κολεραί) οἶες εὐχειμερώτεραι τῶν λασίων Ζιθ10. 596 b5.

κολίαι referuntur ad τὰ ἀγελαῖα τῶν ἰχθύων, τὰς χυτὰς Ζιι2. 610 b7. ε9. 543 a2 (Aub Picc K et intpp, κοχλίαι Bk PDa, κτ'. κολίαι Ca, κολίαι κόλλαιναι Aa). οἱ κολιῶν οἱ πολλοὶ εἰς μὲν τὸν Πόντον ὐκ ἐμβάλλυσιν ἐν δὲ τῇ Προποντίδι θερίζυσι ϗ ἐκτίκτυσι, χειμάζυσι δ' ἐν τῷ Αἰγαίῳ· οἱ κολίαι εἰσπλέοντες ἁλίσκονται, ἐξιόντες δ' ἧττον· ἄριστοι δ' εἰσὶν ἐν τῇ Προποντίδι πρὸ τῦ τίκτειν Ζιθ13. 598 a24, b27. (kolia Guil, monedula Gazae, graeculus Scalig. le cognoi Gillius de nom pisc, R VIII, b. C II 237. Scomber colias K 644,10. Cr. Scomber scombrus Cuv et Val VIII 24, hodie κολιός E 89, 60. Scombri sp ΑΖι I 132, 35. cf Oribas I 597).

κολιός v l ad Ζιθ3. 593 a8. (κελεόφ Bk), v l cod Rhen (cf ed Did praef III) Schn et Pic ad Ζιβ4. 504 a19 (κολοιῶν Bk) cf θ119. 842 a1. sed in monedulis nihil simile reperitur. κολιῷ Sch ad Ζιι1. 609 b9 (ἐλεῷ Bk). Picus viridis S I 98, II 12, 71, 98. Su 128, 89 et 127, 86. Oriolus gall-
v.

bula Lichtenstein üb die Gattung Garrula, Abh d. Berl Acad 1816 p153. Corvus monedula vel Picus viridis, coloeus should probably be colius Cr.

κόλλα. ἐν γίνεσθαι γόμφῳ ἢ κόλλῃ Φε3. 227 a17. Μη2. 1042 b17. μδ4. 381 b32 Ideler. πθ1. 889 b15. χα22. 929 b15. ἔνεστιν ἐν τοῖς δέρμασι πᾶσι γλισχρότης μυξώδης, ἐξ ἧς ποιῦσι κόλλαν Ζιγ11. 517 b30.

κολλᾶν. ἄλφιτον ὕδατι κολλήσας (Emp 275) μδ4. 382 a1. πκα22. 929 b17. πυρὶ χαλκὸν ἐπ' ἀνέρι κολλήσας (Cleobulinae fr 1) ρο22. 1458 a30. Ργ2. 1405 b2. οἱ ψόφοι τῶν κεκολλημένων πα24. 862 a32.

κόλλησις πκα9. 927 b34. ἡ πρὸς ἄλληλα κόλλησις ἰχώρ ἐστι ϗ ὑγρότης μυξώδης πν7. 485 a1. κόλλησιν εἶπε (Cleobulina) τὴν τῆς σικύας προσβολήν Ργ2. 1405 b3.

κολλητικώτερον τὸ μέλι, τὸ γλίσχρον πκα11. 928 a5. 16. 929 a12.

κόλλοψ μχ13. 852 b12.

κολλυρίων (v l κορυλλίων Lob Path I 514). victus et captura Ζυ23. 617 b10. (killirion Thomae, folikyrion Alberti. pie griesche i e Lanius garrula vel excubitor Belon observat 11, 78, Jonston de av 12, Ray synops av 18, Salerne hist nat 27, Brisson ornitholog II 140, 151, Buffon hist d oiseaux II 70. Cr. K 983, 6. Gesner suspicabatur esse avem Germanis binsel appellatam i e Loxiam pyrrhulam. Ampelis garrula L Billerbeck de loc nonnullis Ar hist an diff Hildeshemii 1806. Turdus pilaris G 6. St. M 302. in incerto reliq Su 160, 156. ΑΖι I 97, 54).

κολλώδης. τὸ κολλῶδες πκα6. 927 b12. 12. 928 a28. coni syn γλίσχρον πβ22. 868 b3. χὶ 2. 965 b27. ὑγρότης κολλώδης Ζιγ5. 515 b17. συνεχὲς ϗ κολλῶδες Ζγγ8. 758 a17. κολλῶδες τὸ συνεστηκός Ζιζ14. 568 b11. δένδρων δάκρυα ϗ ἄλλα τὰ κολλωδέστατα Ζιι40. 623 b30.

κολοβός, def Μδ27 Bz. ἐν δὲν κολοβὸν προσφέρομεν πρὸς τὰς θεὰς ἀλλὰ τέλεια ϗ ὅλα f108. 1495 b7. ζῷα κολοβὰ Ζγβ7. 746 a9. ἐκ κολοβῶν γίνεται κολοβά, ὁλόκληρα Ζγα17. 721 b17. 18. 724 a3. Ζιη6. 585 b36. ϗ πλεονάζει ϗ κολοβὰ γίνεται τὰ μέρη Ζγδ4. 770 b32. — ἡ βραχεῖα (ἐν τῇ τελευτῇ) δίκη ἀτελὴς εἶναι ποιεῖ κολοβόν Ργ8. 1409 a18. — κολοβῶς ἐρωτᾶσθαι, syn μὴ σαφῶς τι17. 176 a40.

κολοβῦν. ὁμοπαθείᾳ τῦ κεκμηκότος κολοβῦμεν ἡμᾶς αὐτὺς τῇ τε κυρᾷ τῶν τριχῶν ϗ τῇ τῶν στεφάνων ἀφαιρέσει f108. 1495 b15. τῇ φώκῃ κεκολοβωμένοι πόδες Ζιa1. 487 b24. μόρια κεκολοβωμένα Ζγδ4. 771 a2. Ζμδ12. 695 b2. ἐνταῦθα (ἐν ταῖς χελώναις) ἡ φύσις κεκολόβωται Ζμγ8. 671 a16.

κολόβωμα. ὐκ ἴσον τὸ κολόβωμα ϗ τὸ λοιπόν Μδ27. 1024 a13.

κολόβωσις τῶν ἀντιστοίχων ποδῶν Ζπ8. 708 b8.

κολοιός refertur inter τὰ κορακώδη Ζγγ6. 756 b21. κολοιῶν ἐστιν εἴδη τρία (κορακίας, λύκος, βωμολόχος cf h v) Ζυ24. 617 b16. ὁ δρυοκολάπτης ἔχει τὰς ὄνυχας βελτίυς τῶν κολοιῶν (κελεῶν Su), ὑγ ϗ ὄνυχας ἔχει μεγάλας ὁμοίως μέντοι πεφυκότας τοῖς τῶν κολοιῶν (κολιῶν v l, S Picc Busm) Ζυ9. 614 b5. β12. 504 a19. (τῷ στομάχῳ) τὸ πρὸς τὴν κοιλίαν τεῖνον ἔχυσιν εὐρὺ ϗ πλατὺ κολοιὸς ϗ κόραξ ϗ κορώνη Ζιβ17. 509 a1. κολοιῶν ἀναρίθμητοι μυριάδες παρὰ τοῖς Ἑνέτοις (v l κολιοί) θ119. 841 b29, 842 a1. κολοιὸν τῦτο (ἡ τοῖς ῥύγχεσι πρὸς ἄλληλα κοινωνία) ἐπὶ τῶν τιθασσευομένων κολοιῶν Ζγγ6. 756 b22. κόραξ δὲ αὖ κορώνη ϗ κολοιὸς δείλης ὀψίας εἰ φθέγγοιντο· κολοιοὶ ἱερακίζοντες· mores f241. 1522 b5, 8. 271. 1527 a27. οἱ κολοιοὶ ἐκ τῶν νήσων πετό-

μένοι τοῖς γεωργοῖς σημεῖον αὐχμῷ ᶍ ἀφορίας εἰσίν· ἐὰν δὲ
ἔμμετροι (?) χωρῶσιν, εὐκαρπίαν δηλῶσιν f 240. 1522 ᵃ27.
κολοιὸν ποτὶ κολοιόν Ηθ2. 1155 ᵃ34. κολοιὸς παρὰ κολοιόν
ἵζάνει ημβ11. 1208 ᵇ9. ηεη1. 1235 ᵃ8. Ρα11. 1371 ᵇ17.
cf παροιμία. (monedula Gazae, graculus Scalig, kolois Tho- 5
mae. choucas C II 225. monedularum sp G 36. S II 71.
126. 492. Corvus monedula KaZι 74, 7. 93, 34. Su 124,
77. 128, 88. St. AZι I 97, 55 cf AZγ29. M 301. 345. 347.
syn τὰ κορακώδη μικρά sec Lichtenstein, üb gracula, Abh
der Berl Akad 1816-17 p 153. Pelecanus graculus Cr.) 10
ἔστι δὲ ᶍ ᶁ ἄλλο γένος κολοιῶν περὶ τὴν Λυδίαν ᶍ Φρυγίαν,
ὃ στεγανόπυν ἐστὶν Ζιι24. 617 ᵇ19. (Graculus palmipes G
40. Corvus marinus Su 157, 149. fort Phalacrocorax pyg-
maeus AZι I 98, 56. Pelecanus carbo L Lichtenstein ib.)
κολόκυνθα, κολοκύνθη (Lob Phryn 437) ἄνθος ἔχυσα, 15
ἄκαρπος πκ3. 923 ᵃ14. κολόκυνθαι πῶς φυτεύονται πκ14.
924 ᵃ36. 9. 923 ᵇ16. τῇ μετοπώρῃ τὴν κολοκύνθην ἀλὶ πάτ-
τοντες Ζιθ10. 596 ᵃ21. σάλπη κολοκύνθη θηρεύεται Ζιθ2.
591 ᵃ16 (Cucumis sativa, Cucurbita Pepo L. Fraas 104).
κόλον (vl κῶλον), τὸ καλύμενον Ζμγ14. 675 ᵇ7. colon. 20
κολύειν τὺς ὑπερέχοντας, coni φυγαδεύειν, ἀναιρεῖν Πγ13.
1284 ᵃ37. ε11. 1313 ᵃ40. κολύειν τὴν ἐν Ἀρείῳ πάγῳ βυ-
λὴν Πβ12. 1274 ᵃ8.
κόλυσις τῶν ὑπερεχόντων σταχύων Πε10. 1311 ᵃ21.
Κολοφών Πδ4. 1290 ᵇ15. — Κολοφώνιοι Πε3. 1303 ᵇ10. 25
f 542. 1568 ᵃ13. Κολοφωνίων πολιτεία f 472. Κολοφώνιος
Ξενοφάνης Οβ13. 294 ᵃ23. f 65. 1486 ᵇ31, Θεόδωρος ποιη-
τὴς f 472. 1556 ᵃ4, Antimachus, Mimnermus f 626. 1584
ᵃ7, 8.
κόλπος. ἔχοντα τι ἐν τοῖς κόλποις ἐκβάλλειν κ6. 398 ᵇ31. — 30
οἱ κόλποι τῆς κοιλίας Ζιθ5. 530 ᵇ27. — κόλποι, dist πε-
λάγη ἀναπεπταμένα πκς40. 945 ᵃ1. ἐν τῷ κόλπῳ, ἔξω μα7.
344 ᵇ36. πορφύραι ἐν τοῖς κόλποις μεγάλαι Ζιε15. 547 ᵃ7.
κόλπος Σκυλλητικός, Λαμπτικὸς Πε10. 1329 ᵇ12, Ἰνδικός,
Περσικός κ3. 393 ᵇ3, Ἀραβικός κ3. 393 ᵇ16, 29. 35
κολπῦται ὑμὴν φυσώμενος Ζιγ1. 510 ᵇ32.
κόλυθρος. τὺς κολύθρυς ὑφαρπάζειν πις4. 913 ᵇ20.
κολυμβᾶν. τὰ ὦτα ἐν τῇ θαλάττῃ ῥήγνυται τοῖς κολυμ-
βῶσιν πλβ2. 960 ᵇ8. 11. 961 ᵃ24. μύες χερσαῖοι κολυμ-
βῶσιν θ125. 842 ᵇ7. 40
κολυμβητής. οἱ κολυμβηταὶ τί πορίζονται πρὸς τὴν ἀναπνοὴν
Ζμβ16. 659 ᵃ9. πλβ5. 960 ᵇ31. 3. 960 ᵇ15. χαλκὸς κολυμ-
βητής θ58. 834 ᵇ22.
κολυμβίς (cf Lob Prol 450). refertur inter τὰ ἔνυδρα ᶍ
πτηνὰ (vl κόλυμβος) Ζια1. 487 ᵃ23, et inter τῶν στεγα- 45
νοπόδων τὰ βαρύτερα περὶ ποταμὺς ᶍ λίμνας Ζιθ3. 593
ᵇ17. (kalimbus Thomae. colymbe C II 239 cf S I 600, II
462. St. K. Cr. Podiceps minor Su 155, 145. AZι I 98, 57.
Podiceps cristatus KaZι 7, 12.)
Κολχίς. Αἰήτης ἐν Κολχίδι f 596. 1577 ᵃ4. 50
κολωνοὶ ἀπορρηγνύμενοι μβ7. 365 ᵇ8.
κομᾶν καλὸν ἐν Λακεδαίμονι Ρα9. 1367 ᵃ29. κομῶν ᶍ
αὐχμηρὸς Ργ11. 1413 ᵃ9. — metaph ἡ γῆ φυτοῖς κομῶσα
παντοδαποῖς κ5. 397 ᵃ24.
κόμη. 1. ἔχει ἡ θήλεια τευθίς, ἐάν τις διαστείλας θεωρήσῃ 55
τὴν κόμην εἴσω, ἐρυθρὰ δύο οἷον μαστὺς Ζιε18. 550 ᵇ18 Aub.
(fort 'branchias, quas in cancris et ostracodermis simili
vocabulo τὰ τριχώδη appellat' S. κοιλίαν ci Scalig ex ver-
sione Gazae). — 2. ἡ κόμη τοῖς ἄστροις οἷον ἅλος ἐστὶν
μα7. 344 ᵇ6, 2. ὕτε περὶ ἥλιον ὕτε περὶ σελήνην γίγνεται 60
κόμη μα8. 346 ᵃ15. κόμην λαμβάνειν, ἔχειν μα6. 343 ᵃ1,

17, 27, 30, ᵇ9, 12. κόμη ἀμαυρά μα6. 343 ᵇ12.
κομήτης. φαλακρὸς ὢν ᶗ πάλιν κομήτης ἐγένετο Κ10. 13
ᵃ35. — de stella crinita ubi usurpatur κομήτης, proprie
adiectivum est (ὁ ἀστὴρ) καθ' ἑαυτὸν φαίνεται κομήτης,
γίγνεται κομήτης μα7. 344 ᵃ35, ᵇ1, ἀστὴρ κομήτης, ὁ ἀστὴρ
ὁ κομήτης, οἱ κομῆται ἀστέρες μα6. 343 ᵇ5. 7. 344 ᵃ21,
32, ᵇ33, 34. 8. 345 ᵇ12, sed omisso v ἀστήρ in substantivi
usum abit μα1. 338 ᵃ23. 3. 339 ᵃ35 al. de cometis aliorum
opiniones persequitur Ar μα6, suam sententiam exponit
μα7. cf ×4. 395 ᵇ9. 2. 392 ᵇ4. dist πωγωνίας μα7. 344
ᵃ22. οἱ πολλοὶ τῶν κομητῶν ἐκτὸς γίνονται τῶν τροπικῶν
μα8. 346 ᵃ14. οἱ κομῆται σημαίνυσι πνεύματα ᶍ αὐχμὸς
μα7. 344 ᵇ19. aliquot cometas quo tempore apparuerint
Ar significat μα6. 343 ᵇ1, 5, 18. 7. 344 ᵇ33, 345 ᵃ2. ὁ μέ-
γας κομήτης μα6. 343 ᵇ1. 7. 344 ᵇ34.
κομιδὴ καρπῶν Πη16. 1335 ᵃ21. — ἡ κομιδή, i e τὸ κο-
μίζεσθαι, τὸ ἀπολαβεῖν τὸ ἀργύριον Φβ5. 197 ᵃ1. Ηι7. 1167
ᵇ31. οβ1349 ᵃ7, 1351 ᵇ3, 8.
κομιδῇ φαῦλοι Ηα4. 1166 ᵇ5. ×1. 1172 ᵃ28. κομιδῇ ἀναί-
σθητ́ν ἐστιν Ηγ7. 1114 ᵃ10. κομιδῇ σοφιστικὸν ατ969 ᵇ8.
κομιδῇ εὔηθες f 202. 1514 ᵇ23. μήτε λίαν παλαιὰ μήτε
κομιδῇ νέα πιη10. 917 ᵇ14. κομιδῇ ἐοικέναι τινί ×6. 399 ᵃ35.
κομίζειν. εἰ πνεῦμα κομίσαι ποι Ηγ1. 1110 ᵃ3. — κομίσαι
τοιαύτην θέσιν, κομίζειν τὰς θέσεις ἐν τῷ ὑπάρχειν τὸ 2.
123 ᵃ4. β1. 109 ᵃ9. οἱ κομίσαντες τὴν δόξαν ταύτην, οἱ
κομίζοντες ἀλλοτρίας δόξας Ηα4. 1096 ᵃ17. τθ5. 159 ᵇ30.
ἕτερα τύτοις (τοῖς ὗσιν) ἴσα τὸν ἀριθμὸν ἐκόμισαν ΜΑ9.
990 ᵇ2. — med τὰς δυνάμεις πρότερον κομιζόμεθα Ηβ1.
1103 ᵃ27. κομιζόμενος τὸν ἔρανον Φβ5. 196 ᵇ34. ὡς κο-
μιψ́μενος τὰς χάριτας, τὴν ἴσην Ηι7. 1167 ᵇ24. θ15. 1163
ᵃ18. οἰόμενος κομιεῖσθαι ἐδάνεισεν Ηι2. 1165 ᵃ8, 9. — pass
τὴν ἡμέραν αἱ ῥυάδες κομίζονται, τὴν νύκτα ἡσυχάζυσιν
Ζιθ13. 598 ᵇ22, 23.
κόμμι (in libris de plantis scriptum exhibetur κόμι) εἰς ι
τελευτᾷ πο21. 1458 ᵃ15. ὅσα λέγεται ὡς δάκρυα ψύζει
ἐστίν, οἷον κόμμι μδ10. 388 ᵇ20. τὸ ἤλεκτρον ὅμοιον κόμμι
(κόμμει Bsm) θ81. 836 ᵇ5. τινὰ τῶν φυτῶν ἔχυσί τι ὑγρὸν
ὡς κόμι φτα3. 818 ᵃ4. β9. 829 ᵃ16. dist γάλα φτα7. 821
ᵇ40. β9. 829 ᵃ15. κόμι Ἀραβικὸν φτα3. 818 ᵃ5. κόμεος
φτα7. 821 ᵃ39 (vl κόμεως), ᵇ40. κόμεων φτα7. 821 ᵇ10
(cf Langkavel Bot der sp Griechen p 1).
κομμιώδης. τὰ γλίσχρα ᶍ κομμιώδη Ζιι41. 628 ᵇ27.
κόμμος. κόμμοι, θρῆνος κοινὸς χορῦ ᶍ ἀπὸ σκηνῆς πο12.
1452 ᵇ24, 18.
κομμῦν. φαίνονται καλοὶ κομμώσαντες αὑτύς τι1. 164 ᵇ20.
Comparationis gradus. comparativus ubi positivus sufficit,
βέλτιον ἴσως Ηα4. 1096 ᵃ11. ×10. 1181 ᵇ14. αβ804 ᵃ36.
— duo comparativi per ἤ coniuncti, ubi duae eiusdem
subiecti qualitates inter se conferuntur, σεμνότεροι ἢ βα-
ρύτεροι Ρβ17. 1391 ᵃ26. ὅτι νευστικώτερά ἐστιν ἢ πορευ-
τικώτερα Ζμδ8. 684 ᵃ18. μορφὴ ἡδίων ἢ γενναιοτέρα sim
φ5. 809 ᵇ10, 18, 810 ᵃ2, 18. πα37. 863 ᵇ9. ×11. 881 ᵇ33.
— comparativo additum μᾶλλον (ubi quidem saepe du-
bites, utrum μᾶλλον 'magis' an 'potius' significet) τγ1.
116 ᵇ24 Wz. μα10. 347 ᵇ7. Ζιι1. 608 ᵇ5. Ζγα18. 725
ᵇ32. Ζμδ8. 684 ᵃ25. Ηδ1. 1120 ᵃ17. Ρα7. 1364 ᵇ2. α×804
ᵃ13. φ1. 805 ᵇ18. μχ19. 853 ᵇ17 al. (Ρα7. 1364 ᵇ2, quem
locum Wz 11 affert, μᾶλλον non pertinet ad compara-
tivum, Vhl Rhet p 53.) — comparativo ἧττον additum,
ἧττον ὢν ὁρῶσιν ἀκριβέστερον πλα2. 957 ᵇ8; similiter μι
additum comparativo efficere potest comparativum notioni

contrariae, τὰ βεβαιότερα (βελτίω) τῶν μὴ βεβαιοτέρων (i e τῶν ἀβεβαιοτέρων vel τῶν ἧττον βεβαίων) Pa7. 1364 b31. — superlativus comparativi vim in se continet, ita ut vel ipse coniungatur cum genetivo comparativo, ὁμοιότατος τῶν ἄλλων sim Πβ6. 1265 b30. Pγ1. 1404 a32. Zμγ6. 669 b5. 4. 666 b9. τῶν λοιπῶν p1. 1420 a13. βέλτιστος αὐτὸς αὑτῷ Pa11. 1371 b30. μέγιστα γίνεται ταῦτα τὰ γένη αὐτῶν ἐν τοῖς ἀλεεινοτάτοις Ζια5. 490 a24, et cum particula ἢ comparativa (p 312 a50), vel addatur alterum membrum, ad quod e superlativo comparativus repetatur, λεπτότατον γὰρ τῶν πάντων ὑγρῶν τὸ ὕδωρ ἐστί, ᾗ αὐτῷ τῷ ἐλαίῳ αἰ4. 441 a23. Ζμβ7. 653 a27. — superlativo μάλιστα additum: ὁ μὲν ὂν ἄνθρωπος ἀπολελυμένην τε ᾗ μαλακωτάτην ἔχει μάλιστα τὴν γλῶτταν ᾗ πλατεῖαν Ζμβ17. 660 a18. — superlativus et comparativus inter se referuntur, ubi idem modus utroque loco ponendus erat, ἀεὶ τὸ βέλτιστον ἦθος βελτίονος αἴτιον πολιτείας (i e τὸ βέλτιστον βελτίστης vel τὸ βέλτιον βελτίονος) Πθ1. 1337 a18. Pa7. 1364 b30. — superlativus per attractionem in eodem genere positus ac genetivus partitivus, τῆς αὐλητικῆς ἡ πλείστη sim πο1. 1447 a15. Oγ1. 298 b2.

κόμψευμα. τὸ κόμψευμα ἂν εἴη τῦτο ψεῦδος μα13. 349 a30.

κομψός. τὸ θῆλυ τὰς πόδας ἔχει κομψοτέρας φ5. 809 b9. — μή μοι τὰ κόμψ᾽, ἀλλ᾽ ὧν πόλει δεῖ (Eur fr 16) Πγ4. 1277 a19. οἱ Σωκράτους λόγοι ἔχυσι τὸ κομψὸν ᾗ τὸ καινότόμον ᾗ τὸ ζητητικόν Πβ6. 1265 a12. — τῶν ἰατρῶν ὅσοι κομψοὶ ᾗ περίεργοι αν21. 480 b21. — κομψῶς λέγεται, κομψῶς ᾗ περιττῶς εἴρηται, ἐχ ἱκανῶς δέ (ἐχ ἀληθῶς δέ) sim Οβ13. 295 b16. 9. 290 b14. Πθ4. 1291 a11. 30 πιζ3. 916 a35. οἱ μὲν ἁπλῦστέρως λέγοντες, οἱ δὲ κομψοτέρως τῷ λόγῳ προσάγοντες Oγ5. 304 a13.

Κόνδαλος Μαυσωλῷ ὕπαρχος oβ1348 a18-34.

κόνδυλος, δακτύλᾳ τὸ καμπτικόν Ζια15. 493 b28.

κονία. 1. pulvis. κονίησιν ἐμίχθη (Hom K 457) Ζμγ10. 673 a16. τὸ πλεῖστα τῶν ὀρυκτῶν ἐστι τὰ μὲν κονία κεχρωματισμένη, τὰ δὲ λίθος ἐκ τοιαύτης γεγονὼς συστάσεως μγ6. 378 a25. — 2. i q τέφρα. τὸ διὰ τῆς κονίας ἠθύμενον ὕδωρ γίνεται πικρὸν μβ3. 357 b1 (cf τὸ διὰ τῆς τέφρας ἠθύμενον γίνεται ἁλμυρόν, πικρόν μβ1. 353 b15. 3. 357 a31. b11. 389 a28, b2. αἰ4. 441 b5). ταῦτό ἀγγεῖον τήν τε κονίαν ᾗ τὸ ὕδωρ χωρεῖν ἅμα, ὅσον ἑκατέρου χωρὶς ἐγχεόμενον πκε8. 938 b25, coll b27. Φδ6. 213 b21. — 3. lixivium. ὕδατός ἐστι μᾶλλον κονία, coni οἶνος, ὅρον, ὄξος μδ7. 384 a13 Ideler. 10. 389 a10, 27. cf β3. 358 b19. πα38. 863 b17. ζ9. 887 b7. λ2. 966 b28. ἡ κονία ξανθὴ γίνεται, τῦ φλογοειδῦς ᾗ μέλανος ἐπιχρώζοντος τὸ ὕδωρ χ1. 791 a8.

κονίαμα. ὅταν ἀποπέσῃ τὸ ἐναλειφθὲν τῦ κονιάματος Zγα19. 726 b27. τὰ ἐν τοῖς τοίχοις, ἐν ταῖς δεξαμεναῖς κονιάματα χ1. 791 b27. 5. 794 b32. τὰ κονιάματα μᾶλλον ἠχεῖ πια7. 899 b22.

κονιᾶν. οἱ ἐγχελυοτρόφοι κονιῶνται τὰς ἐγχελείνας Ζιθ2. 592 a4. — φασιανοὶ ἐὰν μὴ κονιῶνται (Bk, κονίωνται recte Pic Aub) Ζιε31. 557 a12.

κονίειν. ὄρνιθες κονίονται ᾗ λῦνται Ζιι49B. 633 b4. inde (coll b2) Ζιε31. 557 a12 scribendum est φασιανοὶ ἐὰν μὴ κονίωνται διαφθείρονται. cf κονιᾶν.

κονιορτός. τοίουτος γίνεται θ89. 837 b12. ἀπρεπὲς ἥκειν εἰς τὸ συμπόσιον σὺν ἱδρῶτι πολλῷ ᾗ κονιορτῷ f 175. 1507 b12.

κονιορτώδης. τὸ ψῆγμα ᾗ ἄλλα γεώδη ᾗ κονιορτώδη ἐπὶ τῦ ἀέρος Oδ6. 313 a20. ἔρια κονιορτώδη Ζιε32. 557 b3.

κόνις. ὅσα ψάμαθός τε κόνις τε (Hom I 385) Pγ11. 1413 a31.

κόνις. ἐκ τῶν φθειρῶν ὀχευομένων αἱ καλύμεναι κονίδες, ἐκ τῆς ὀχείας πάντα (φθεῖρες, ψύλλαι, κόρεις) γεννᾷ τὰς καλυμένας κονίδας, ἐκ δὲ τύτων ἕτερον ἐθὲν γίνεται πάλιν Ζιε1. 539 b11. 31. 556 b23.

κόνισις. δρόμῳ δεῖ ᾗ πάλης ᾗ κονίσεως (v1 κινήσεως mouvement énergique Saint-Hilaire 181) Οβ12. 292 a26. — καλῦσιν οἱ μελιττυργοὶ τῦτο (τὰ καλύμενα δάκρυα) κόνισιν (κώνησιν, κίνισιν v1, κώνυσιν Ald et C, κόμμωσιν ex Plinio S Did Pic) Ζιιδ40. 623 b31 Aub. Stopfwachs.

κονιστικός. εἰσὶ τῶν ὀρνίθων οἱ μὲν κονιστικοί, οἱ δὲ λῦσται, οἱ δ᾽ ὅτε κονιστικοὶ ὅτε λῦσται Ζιι49B. 633 a29.

κονίστρα. οἱ βαρεῖς τῶν ὀρνίθων ἐ ποιῦνται νεοττίας ἀλλ᾽ ἐν τῷ λείῳ κονίστραν, ὅρτυξ νεοττιὰν ἐ ποιεῖ ἀλλὰ κονίστραν Ζιι8. 613 b9. f 269. 1526 b42.

Κόννος, comoedia Cratini f 578. 1573 a12.

κοντός. ὠθεῖν κοντῷ τὸν ἱστόν Ζκ2. 698 b22.

κόνυζαν προσενέγκαι Ζιθ8. 534 b28.

Κόνων ὡς Εὐάγοραν ἦλθεν Pβ23. 1399 a4. Θρασύβυλον Θρασύβυλον ἐκάλει Pβ23. 1400 b18.

κοπάζειν. ὅταν ἡ λίμνη κοπάσῃ ἢ ξηρὰ γένηται πκγ34. 935 a18.

κοπὴ νεφῶν ἐργάζεται τὸ ἀφρῶδες χ4. 394 a34.

κοπιᾶν. ὅταν κοπιάσωσιν ἐλέφαντες διὰ τὸ μὴ κοιμηθῆναι Ζιθ26. 605 a30. οἱ κοπιῶντες ἐξονειμύττυσιν πγ33. 876 a9. τοῖς κοπιῶσι προστάττυσιν ἐμεῖν πε7. 881 a12. — pass κόπος γίνεται ὀστῶν θλωμένων ᾗ πιεζομένων ᾗ κοπιωμένων πε7. 881 a14. — metaph ὅταν στῇ ᾗ οἷον κοπιάσῃ (ἡ διάνοια) πιγ1. 916 b15. 7. 917 a35 Bz Ar St IV 413.

κοπιαρώτεροι περίπατοι πε1. 880 b16. κοπιαρώτερόν ἐστιν πε8. 881 a39.

κοπιώδεις περίπατοι, κοπιωδέστεροι πε40. 885 b2, a17.

κόπος συντηκτικόν υ3. 456 b34. κόπος πυρετῦ αἴτιος μτ1. 462 b29. ἰᾶσθαι τὰς θερινὰς κόπας λετρῷ πα39. 863 b19. ε38. 884 b36. κόπος πῶς γίνεται πε7. 881 a13. ὅσα ἀπὸ κόπυ πε.

κοπρία. κατορύττειν εἰς τὰς κοπρίας θ141. 845 a5.

κοπρολόγος. τοῖς ἀστυνόμοις μέλει περί τε τῶν αὐλητρίδων ᾗ ψαλτρίων ᾗ κοπρολόγων ᾗ τῶν τοιύτων Πθ f 408. 1546 a41.

κόπρος. refertur inter τὰ περιττώματα Ζιγ2. 511 b9. τὰ ἐκ τῶν ἀποκρίσεων, οἷον τὸ ἐκ τῆς κόπρυ πθ13. 878 a24. opp τὸ ἔρον πιγ1. 907 b23. ἔτ᾽ ἔτι πρόσφατος ἔτ᾽ ἤδη κόπρος Ζμγ14. 675 b32. ξηρότερα γίνεται τὰ σηπόμενα πάντα, ᾗ τοιαν γῆ ᾗ κόπρος πθ1. 379 a23. κόπρος ᾗ μεμιγμένη, ᾗ χωριζομένη, κατείργασται, ξηρὰ Ζιε19. 552 a21 Aub (cf S II 405). 31. 556 b26. κατορύττειν ᾠὰ εἰς τὴν κόπρον Ζιζ2. 559 b2. αἱ ἀνθρῆναι περὶ τὴν κόπρον διατρίβυσι Ζιι42. 628 b34. ζῷα ἐν τῇ κόπρῳ Ζιε19. 551 a4. ζ15. 569 b18. οἱ κάνθαροι ἐν κυλίυσι κόπρον, ἐν ταύτῃ φωλεύυσι ᾗ ἐκτίκτυσι Ζιε19. 552 a17. τὰ μαλακόστρακα ᾗ κόπρον νέμονται, δελεάζεται ἡ σάλπη τῇ κόπρῳ Ζιθ2. 590 b11. δ8. 534 a16. — ἡ πάρδαλις ζητεῖ τὴν τε ἀνθρώπυ κόπρον, ὁ δὲ λύπυ ποιεῖται τὴν νεοττιὰν ἐκ τῆς ἀνθρωπίνης κόπρυ Ζιι6. 612 a8, 10. 15. 616 b1. — βουάσια κόπρος ἐπικαίει Ζιιι45. 630 b12. αἱ ῥοιαὶ χοιρείας κόπρῳ ἐμβεβλημένης ταῖς ῥίζαις βελτίυνται φτα7. 821 a36. cf f 255. 1525 b5. — αἱ ὄρνιθες αὐταὶ ἐκβάλλυσι τὴν κόπρον ἐκ τῆς νεοττιᾶς, opp διδάσκυσι τὰς νεοττὺς προϊέθαι Ζιι7. 612 b29, 31 Aub. προϊέται κόπρον τὰ σηπίδια Ζιε18. 550 a30. ἔνιοι σκώ-

λῆκες κόπρον ἔχοντες φαίνονται, αἱ δὲ νύμφαι ὖ Ζιε19.
551 ᵇ1, 3. 23. 555 ᵃ4. — ὁ Λιβὺς ἐρωτηθεὶς ποία κόπρος
ἀρίστη, 'τὰ τῦ δεσπότῃ ἴχνη', ἔφη οα6. 1345 ᵃ4, cf παροιμία.

κοπρώδης. ἡ τροφὴ κάτω προιῦσα γίνεται κοπρώδης ϗ ἐξικμασμένη Ζμγ14. 675 ᵇ30.

κόπτειν. ὅταν πνεῦμα κοπτόμενον ἐμπρησθῇ πρῶτον μβ8.
367 ᵃ10. κόπτειν σιδηρίῳ ὀξεῖ, τὰς πέτρας λίθοις Ζιι14. 616
ᵃ26. δ̂8. 534 ᵃ2. αἱ θήλειαι (ἰχθύες) κόπτυσιν ὑπὸ τὴν γαστέρα τοῖς στόμασιν Ζιε5. 541 ᵃ16. ὁ κίρκος ἕλκη ποιεῖ κόπτων Ζιι1. 609 ᵇ5. κόψαντες τὴν πορφύραν χ5. 795 ᵇ12. —
ὁ ἁλιάετος ϗ περὶ τὴν θάλατταν διατρίβει ϗ τὰ λιμναῖα
κόπτει (depraedatur) Ζιθ3. 593 ᵇ24. — κόψαι χαλκόν,
νόμισμα, ἕτερον χαρακτῆρα οβ1350 ᵃ24, 1348 ᵇ26, 1347
ᵃ10.

κοπώδης. περίπατοι κοπώδεις, opp ἄκοποι πε11. 881 ᵇ37, 39.
35. 884 ᵇ8, 10 al. cf κοπιαρός, κοπιώδης. ὁ ἔμετος κοπῶδες
πε7. 881 ᵃ13.

κορακίας. κολοιῶν ἐν εἶδος· ὖτος ὅσον κορώνη, φοινικόρυγχος
Ζιι24. 617 ᵇ16. (graculus Gazae. crave ou coracies C II
225. S II 492. Corvus graculus Lichtenstein, cf κολοιός,
K 984, 1. ΑΖγ 29. G 37. Corvus graculus et Fregilus
graculus et Pyrrhocorax alpin ΑΖι I 97a. Su 124, 80. Cr.
cf M 345.)

κορακῖνος Lob Prol 207. 208. refertur inter τὰ ἀγελαῖα,
μικρά, μόνιμα Ζιι2. 610 ᵇ5. ζ17. 570 ᵇ21. ε10. 543 ᵃ31.
f 285. 1528 ᵃ42. φωλεῖ τῦ χειμῶνος, συμφέρει τοῖς κορακίνοις ὡς εἰπεῖν παρὰ τὰς ἄλλας ἰχθῦς τὰ αὐχμώδη μᾶλλον
τῶν ἐτῶν Ζιθ15. 599 ᵇ3. 19. 602 ᵃ12. κύει πολὺν χρόνον,
ἄριστός ἐστι κύων Ζιζ17. 570 ᵇ26. θ29. 607 ᵇ24. οἱ καλύμενοι κορακῖνοι (ν l καρχῖνοι) ἐνιαχῦ τίκτυσι περὶ τὰ πυραμητόν, περὶ τὸ μετόπωρον, πρὸς τῇ γῇ ϗ βρυώδεσι ϗ δασέσιν Ζιζ17. 571 ᵃ25, 570 ᵇ22. ε10. 543 ᵇ1. τίκτει ὕστερον
τῆς τρίγλης ἐπὶ τῶν φυκίων ἐκπορευόμενος, διὰ τὸ βιοτεύειν ἐν τοῖς πετραίοις χωρίοις Ζιζ17. 570 ᵇ25. ταχεῖα ἡ
αὔξησις Ζιε10. 543 ᵃ30. (crasceon, foracinus Alberti S I
285, 474. Corvina nigra R et Belon. coracin C II 245.
corp Ar syn pisc 65, gen pisc 28. le corbeau Scalig 309.
Sciaena umbra L Lichtenstein cf κολοιός 153. Acipenser
huso St. Sparus chromis K 646, 6. Cr. Cuv V 90. in incerto rel ΑΖι I 132, 36.)

κοράκιον, φύλλον τι θ86. 837 ᵃ20. cf Beckm p 180.

κορακοειδής. τὸ τῶν κορακοειδῶν ὀρνίθων γένος, ἀγνευτικόν,
σπανίως ποιεῖται τὴν ὀχείαν Ζια2. 488 ᵇ5. cf M 301. v κορακώδης.

κορακώδης. τὴν τοῖς ῥύγχεσι πρὸς ἄλληλα κοινωνίαν πάντα
ποιεῖται τὰ κορακώδη τῶν ὀρνέων· δῆλον τῦτο ἐπὶ τῶν τιθασευομένων κολοιῶν Ζγγ6. 756 ᵇ21. ῥύγχος ἰσχυρὸν ϗ
σκληρὸν ϗ κόραξ ϗ κορακώδεσι Ζμγ1. 662 ᵇ7. cf M 301.
v κορακοειδής.

κόραξ (ν l κόρας θ126. 842 ᵇ10). 1. avis. a. τὸ τῶν κοράκων γένος f 102. 1494 ᵇ19, 22. refertur inter τὰ κατὰ πόλεις εἰωθότα μάλιστα ζῆν Ζιι23. 617 ᵇ13. ἔχει τὸ ῥύγχος
ἰσχυρὸν ϗ σκληρόν, τῦ στομάχῳ τὸ πρὸς τὴν κοιλίαν τείνον
εὐρὺ ϗ πλατύ, χολὴν πρὸς τοῖς ἐντέροις Ζμγ1. 662 ᵇ7.
ΖιΒ17. 509 ᵃ1. 16. 506 ᵇ21. ἐνίοτε γίνεται (τινα) τῶν μονοχρόων ἐκ μελάνων τε ϗ μελαντέρων λευκὰ οἷον κόραξ ϗ
στρßθὸς ϗ χελιδόνες Ζιγ12. 519 ᵃ6. cf χ6. 789 ᵃ9. ϗ τῶν
κοράκων τὰ πτερώματα τὸ τελευταῖον εἰς τὸ ξανθὸν χρῶμα
μεταβάλλει, τῆς τροφῆς ἐν αὐτοῖς ὑπολειπύσης χ6. 799 ᵇ1
(Prantl de color 143). ὖ μεταβάλλει τὰς χρόας πι7. 891

ᵇ16 (Prantl 133). κόραξ ὖ λευκός Αβ3. 55 ᵇ26. — ἡ μὲν
ὀχεία ὀλιγάκις ὁρᾶται, ἡ δὲ τοῖς ῥύγχεσι πρὸς ἄλληλα κοινωνία πολλάκις, εἰσὶ γάρ τινες οἳ λέγυσι κατὰ τὸ στόμα
μίγνυσθαι τὰς κόρακας Ζγγ6. 756 ᵇ19, 14. τίκτει ϗ τέτταρα
ϗ πέντε· ὖ μόνον δύο, ὥσπερ φασί τινες, ἀλλὰ ϗ πλείω
Ζιι31. 618 ᵇ13. ζ6. 563 ᵇ1. ἐπῳάζει περὶ εἴκοσιν ἡμέρας ϗ
ἐκβάλλει τὰς νεοττύς, ὅταν οἷοί τ' ὦσιν ἤδη πέτεσθαι, ὕστερον δὲ ϗ ἐκ τῦ τόπυ ἐκδιώκει ΖιΖ6. 563 ᵇ2. ι31. 618 ᵇ11.
θ126. 842 ᵇ13. ἀεὶ φανερός, ὖ μεταβάλλει τὰς τόπυς ὖδὲ
φωλεύει, ἐκτοπίζυσιν Ζιι23. 617 ᵇ12, 14. θ126. 842 ᵇ12.
ἐρημία κοράκων· ἐν τοῖς μικροῖς (λυπροῖς ci Aub) χωρίοις ϗ
ὅπη ἂν ἱκανὴ τροφὴ πλείοσι, δύο μόνοι γίνονται, ἐν Κράννωνι δύο μόνοι Ζιι31. 618 ᵇ15, 9. θ126. 842 ᵇ10. ἐλάττυς
ἐν Αἰγύπτῳ Ζιθ28. 606 ᵃ24. ἔχυσιν αἴσθησίν τινα τῆς παρ'
ἀλλήλων δηλώσεως Ζιι31. 618 ᵇ16. κόραξ ϗ ἀλώπηξ ἀλλήλοις φίλοι, πολεμεῖ τῷ αἰσάλωνι, τῷ ἰκτίνῳ, ταύρῳ ϗ ὄνῳ
διὰ τὸ τύπτειν ἐπιπετόμενος αὐτὸς ϗ τὰ ὄμματα κολάπτειν
αὐτῶν Ζιι1. 609 ᵇ32, 33, ᵃ20, ᵇ5. — δύο κόρακες περὶ
τῦ Διὸς ἱερὸν θ137. 844 ᵇ6. quomodo tempestatem nuntient
f 241. 1522 ᵇ3, 5. mores f 271. 1527 ᵃ26. τὸ τῶν κοράκων γένος τὴν οἰνῦτταν καλυμένην φαγὸν βοτάνην μεθύσκεται f 102. 1494 ᵇ19, 22. de proverbio εἰς κόρακας f 454.
1552 ᵇ1-27. — οἱ δὲ τὴν ῥῖνα ἐπίγρυπον ἔχοντες ἀπὸ τῦ
μετώπυ εὐθὺς ἀγομένην ἀναιδεῖς· ἀναφέρεται ἐπὶ τὰς κόρακας· οἱ τὰς ὀφθαλμὺς στιλπνὺς ἔχοντες λαγνοί· ἀναφέρεται ἐπὶ τὰς ἀλεκτρυόνας ϗ κόρακας (ϗ κόρακας om Anonym Rose Ar Ps 706) φ6. 811 ᵃ35, 812 ᵇ12 (Corvus corax, hodie κόραξ, κάρακας, κόρκοραξ Lnd 71, E 45. cf C
II 246. S II 140. G 33. Su 123, 75. ΚaΖι 85, 33. ΑΖι I
98, 58. M 133. 301.) — b. ὁ καλύμενος κόραξ ἐστὶ τὸ μὲν
μέγεθος οἷον πελαργός, πλὴν τὰ σκέλη ἔχει ἐλάττω, στεγανόπης δὲ ϗ νευστικός, τὸ δὲ χρῶμα μέλας· καθίζει δὲ
ἐπὶ τῶν δένδρων ϗ νεοττεύει ἐνταῦθα μόνος τῶν τοιύτων,
refertur inter τὰ βαρύτερα τῶν στεγανοπόδων, περὶ ποταμὺς ϗ λίμνας ἐστὶ Ζιθ3. 593 ᵇ18, 15, 16. (Phalacrocorax
carbo G 34. Su 156, 147. ΚaΖι 85. 33. ΑΖι I 98,59). —
2. κόρακα ἐν τοῖς ἄστροις ἔθηκεν f 329. 1533 ᵃ7, 26.

Κόραξ. ἡ Κόρακος τέχνη Ρβ24. 1402 ᵃ17. f 131. 1500 ᵇ10.
τὸ ἕτερον Κόρακος βιβλίον ρ1. 1421 ᵇ2.

Κοραξοὶ μα13. 351 ᵃ11.

κορδακικώτερος ὁ τροχαῖος Ργ8. 1408 ᵇ36.

κορδύλος (ν l σκορδύλος, κόρδυλος, κορδύλης, κορδίλης, κροκόδειλος, teuchea i e crocodilus in vers Scoti ap Vincentium 17, 5, ap Albertum, cordulus Thomae cf Bast epist
crit 243, Lob Prol 124). refertur inter τὰ τελματιαῖα τῶν
ἐνύδρων Ζια1. 487 ᵃ28. ἀμφίβιον εἶναι ϗ τελευτᾶν ὑπὸ τῦ
ἡλίυ αὐανθέντα f 301. 1529 ᵇ29. τῶν πόδας ἐχόντων ἐν
ἔχει βράγχιον μόνον τῶν τεθεωρημένων ὁ καλύμενος κορδύλος αν10. 476 ᵃ6. βράγχια ἔχοντες πόδας ἔχυσιν· πτερύγια
γὰρ ὖκ ἔχυσιν, ἀλλὰ τὴν ὑρὰν μανιώδη ϗ πλατεῖαν Ζμδ13.
695 ᵇ25. ὁ καλύμενος κορδύλος πλευρόνια ὖκ ἔχει ἀλλὰ
βράγχια, τετράπυν δ' ἐστὶν ὡς ϗ πεζεύειν πεφυκὸς Ζιβ2.
589 ᵇ27. νεῖ τοῖς ποσὶ ϗ τῷ ὑραίῳ, ἔχει ὅμοιον γλάνει τὸ
ὑραῖον, ὡς μικρὸν εἰκάσαι μεγάλῳ Ζια5. 490 ᵃ4, 5. (Proteus anguineus S I 21. hist pisc 275. Froschlarven F. K407.
Triton palustris Su 187, 20. Tritonlarve Cuv regne an 1817
II 30. ΑΖι I 116, 8. in incerto rel ΚaΖμ 175, 3. C II 251.
Gesner de quadrup ov in cordula. uberius de hoc animali
disseruit Jo Hermann in comm ad Tab affin 294. cf praeterea M 312. Rose Ar Ps 309).

κόρη. 1. puella. τυθείσης τινὸς κόρης πο17. 1455 ᵇ3. ἀγα-

πήσας τὴν κόρην f 66. 1487 ᵃ2, 1486 ᵇ40. αἱ κόραι τῶν
Βοττιαίων f 443. 1550 ᵇ45, 47. — 2. τὸ μὲν ὑγρόν, ᾧ
βλέπει, κόρη, τὸ δὲ περὶ τῦτο μέλαν Ζια8. 491 ᵇ21. τῆς
ἀφῆς αἰσθητήριον ἡ σάρξ, ἤτοι τὸ πρῶτον, ὥσπερ ἡ κόρη
τῆς ὄψεως, ἢ τὸ δι' ὃ συνειλημμένον, ὥσπερ ἂν εἴ τις 5
προσλάβοι τῇ κόρῃ τὸ διαφανὲς πᾶν Ζμβ8. 653 ᵇ25. ἡ κόρη
κ̣ τὸ ὄμμα ὕδατός ἐστιν αι2. 438 ᵃ16, ᵇ16. ψγ1. 425ᵃ4.
τὸ ἐν τῇ κόρῃ ὑγρόν Ζγε1. 780 ᵇ23. ὁ ὀφθαλμὸς ἡ κόρη κ̣
ἡ ὄψις ψβ1. 413 ᵃ3. τὸ περὶ τὴν κόρην ἐν τοῖς ὀφθαλμοῖς
Ζιγ18. 520 ᵇ3 Aub. λεπτὸν τὸ δέρμα τὸ περὶ τὴν κόρην 10
(κεφαλὴν ci S Naturgesch der Schildkröten p 37) Ζμβ13.
657 ᵃ34. Ζγε1. 780 ᵃ27. ψβ8. 420 ᵃ14. πλα14. 958 ᵇ31.
cf Philippson ὕλη ἀνθρ 230. τὸ κρόμμυον τὴν κόρην ποιεῖ
συμμύειν πκ22. 925 ᵃ29. — οἱ τῶν ἀσπαλάκων ὀφθαλμοὶ
ἔχυσι τό τε μέλαν κ̣ τὸ ἐντὸς τῦ μέλανος, τὴν καλυμένην 15
κόρην Ζιδ8. 533 ᵃ9. (pupilla. KaΖι 33, 2: nicht Pupille,
sondern der Lichtbrechapparat; ibid 128: Augapfel.)
Κόρης ἁρπαγή θ82. 836 ᵇ21.
Κόρινθος. Κύψελος, Κυψελίδαι, Τιμοφάνης τύραννοι Πε10.
1310 ᵇ29. 12. 1315 ᵇ22. 6. 1306 ᵃ23. τὸ περὶ Κόρινθον 20
πνεῦμα μα7. 345 ᵃ4. — ἡ Κορινθία Πβ12. 1274 ᵃ41.
— Κορίνθιοι Πγ9. 1280 ᵇ15. ρ9. 1429 ᵇ18. ἡ τῶν Κο-
ρινθίων χώρα Πβ12. 1274 ᵃ38. Κορίνθιοι describuntur φ3.
808 ᵃ31. Κορινθίοις ὃ μέμφεται ὁ Ἴλιον Ρα6. 1363 ᵃ15,
16 (cf Simonid fr 50). Κορίνθιος Φείδων Πβ6. 1265 ᵇ13, 25
Κύψελος οβ1346 ᵃ32, 33, ᵇ5, Περίανδρος Πε11. 1313 ᵃ37.
Ρα15. 1375 ᵇ31, Φιλόλαος Πβ12. 1274 ᵃ31. ὁ Κορίνθιος
στατὴρ πόσον δύναται f 467. 1555 ᵃ1, 9.
κόρις, cf Lob Phryn 308, de genere nominis S I 387. ζῇ
χυμοῖς σαρκὸς ζώσης· ἐκ τῆς ὀχείας γεννᾷ τὰς καλυμένας 30
κόνιδας· αἱ κόρεις γίνονται ἐκ τῆς ἰκμάδος τῆς ἀπὸ τῶν
ζῴων συνισταμένης ἐκτὸς Ζιε31. 556 ᵇ23-27. (corees Tho-
mae. Acanthia lectularia C II 708. Su 227, 42. St. Cr.
AΖι I 166, 27).
Κορίσκος usitatum nomen ad significandum quemlibet ho- 35
minem, veluti Αγ24. 85 ᵃ24 sqq. τι5. 166 ᵇ32. 14. 173
ᵇ31 al. Φδ11. 219 ᵇ21. ε4. 227 ᵇ32, 33. Μδ6. 1015
ᵇ17sqq. ε2. 1026 ᵇ18. ζ11. 1037 ᵃ7. μν1. 450 ᵇ31. εν3.
461 ᵇ23-25, 462 ᵃ5. ηεβ1. 1220 ᵃ19. ηε6. 1240 ᵇ25. Ζμα4.
644 ᵃ25. Ζγδ3. 767 ᵇ25, 26, 31, 768 ᵃ1, 6. 40
Κορκυραία μάστιξ f 470. 1555 ᵇ13. cf Κερκύρα.
κόρος, iuvenis, filius, οἱ Θεστίυ κόροι (Eur fr 534) f 64.
1486 ᵇ18.
κόρος, satietas, τίκτει κόρος ὕβριν f 89. 1492 ᵃ11.
κόρση. κόρσαι ἀναύχενες (Emp 307) Ογ2. 300 ᵇ30. ψγ6. 45
430 ᵃ29. Ζγα18. 722 ᵇ20.
κορύδαλος (vl κορύδαλλος, κορυδαλλός cf Lob Phryn 339,
S II 128). refertur inter τὰ μὴ πτητικὰ ἀλλ' ἐπιγείης,
κονιστικὰς Ζιι49 Β. 633 ᵇ1. κορυδάλων δ' ἐστὶ δύο γένη, ἡ
μὲν ἑτέρα ἐπίγειος κ̣ λόφον ἔχυσα, ἡ δ' ἑτέρα ἀγελαία κ̣ 50
ὑ σποράς ὥσπερ ἐκείνη, τὸ μέντοι χρῶμα ὅμοιον τῇ ἑτέρᾳ
ἔχυσα, τὸ δὲ μέγεθος ἔλαττον· κ̣ λόφον ὑκ ἔχει, ἐσθίεται
Ζυ25. 617 ᵇ20. (harcorycon Alberti. i q Alauda
cristata, hodie κορυδάλος E 44. St. Cr. M 345. 295. Su
125, 83. AΖι I 98, 60. ἡ ἑτέρα i q Alauda arvensis ibid. 55
Alauda arborea K 984, 7.)
κόρυδος, cf κορύδαλος (vl κόρυλος, κόρυλλος Ζιθ16. 600 ᵃ20.
κόρυδες Ζιζ1. 559 ᵃ2. κορίανος Ζιι8. 614 ᵃ33. κορυδὸς Ζιι1.
609 ᵇ28). refertur inter τὰ μὴ πτητικὰ, τὰ πτητικὰ Ζιζ1.
558 ᵇ31. ιδ. 614 ᵃ33. φωλεῖ, τίκτει ἐν τῇ γῇ, ἐπηλυγα- 60
ζόμενος ὕλην, ὑπηνέμυς ποιεῖται τὰς νεοττεύσεις Ζιθ16. 600

ᵃ20. ζ1. 559 ᵃ2, 3. ἐπὶ δένδρυ ὑ καθίζει ἀλλ' ἐπὶ τῆς γῆς
Ζιι8. 614 ᵃ33. ἡ χλωρίς ἐστιν ἡλίκον κόρυδος Ζιι13. 615
ᵇ33. φίλοι σχοινίων κ̣ κόρυδος Ζιι1. 610 ᵃ9. ὁ πέλλος πο-
λεμεῖ κορύδῳ· τὰ γὰρ ᾠὰ αὐτῦ κλέπτει (κολάπτει ci Sylbg
Pic, cf Ζιι29. 618 ᵃ13) Ζιι1. 609 ᵇ28. ὁ κόκκυξ τίκτει
μάλιστα ἐν ταῖς κορύδων νεοττιαῖς χαμαὶ Ζιι29. 618 ᵃ10.
(alouette C II 74. Alauda cristata Su 125, 83. Cr. St. AΖι
I 98, 60. Alauda K 715, 1.)
κορυδώνες, i q κόρυδοι, κορυδάλοι. πολέμια ποικιλίδες κ̣ κο-
ρυδώνες κ̣ πίπρα κ̣ χλωρεύς Ζιι1. 609 ᵃ7.
κόρυζα πλγ7. 962 ᵃ22.
κορυζᾶν παι6. 861 ᵃ18. κορυζᾷ τῶν ζῴων μάλιστα ἄνθρω-
πος πι54. 897 ᵃ2.
κορυναῖς τύπτειν Πε10. 1311 ᵇ28.
κορυφαῖος, dist παραστάτης Πγ4. 1277 ᵃ11. ὁ κορυφαῖος
ἀρχή Μθ11. 1018 ᵇ29. κορυφαίυ κατάρξαντος συνεπηχεῖ
πᾶς ὁ χορός κ6. 399 ᵃ15. ἕλκειν τὸν κορυφαῖον πο26. 1461
ᵇ32.
κορυφή. μέχρι τῆς ἐσχάτης κορυφῆς Καυκάσυ μα13. 350
ᵃ36. κορυφαὶ τῶν ὀρῶν θ157. 846 ᵃ26. ἀκροτάτη κορυφῇ
τῦ σύμπαντος ὑρανῦ κ6. 397 ᵇ26. — κορυφὴ τῆς τριχὸς
πζ5. 886 ᵇ25. — κορυφὴ κώνε μβ5. 362 ᵇ3. πιζ5. 913 ᵇ39.
ἡ κατὰ κορυφὴν γωνία πιζ3. 915 ᵇ33. ιε5. 911 ᵃ30. —
ανιον ινία χ̣ βρέγματος κορυφή· τῦ κρανίυ κορυφῇ κα-
λεῖται τὸ μέσον λίσσωμα τῶν τριχῶν, τῦτο ἐνίοις διπλῦν
ἐστίν· τὸ μεταξὺ ὀφθαλμῶν κ̣ ὠτὸς κ̣ κορυφῆς καλεῖται
κρόταφος· ἡ κατὰ κορυφὴν λειότης φαλακρότης καλεῖται
Ζια7. 491 ᵃ34, ᵇ5 (cf KaΖι 32, 10). 11. 492 ᵇ3. γ11. 518
ᵃ27. τῶν πόλων ὁ μὲν ἀεὶ φανερός ἐστιν ὑπὲρ κορυφὴν κ2.
392 ᵃ2. τὸ καλύμενον βόλιθον ἔχει χαίτην ἀπὸ τῆς κορυ-
φῆς ἕως τῶν ὀφθαλμῶν (vl κορυφαίας) θ1. 830 ᵃ11. —
(cf KaΖι 31, 4.)
Κορωνεία τῆς Βοιωτίας θ124. 842 ᵇ3.
κορώνη. refertur inter τὰ πολυτοκῦντα, τὰ κατὰ πόλεις εἰ-
ωθότα μάλιστα ζῆν Ζγδ6. 774 ᵇ27. Ζιι23. 617 ᵇ13. τῦ
στομάχυ τὸ πρὸς τὴν κοιλίαν τεῖνον εὐρὺ κ̣ πλατὺ Ζιβ17.
509 ᵃ1. eius μέγεθος, τροφή Ζγδ6. 774 ᵇ27. Ζιι24. 617
ᵇ17. θ3. 593 ᵇ13. ἀεὶ φανερά ὑ κ̣ μεταβάλλει τὸν τόπυς
ὑδὲ φωλεύει — ἐν Αἰγύπτῳ, ἐν Ἑλλάδι Ζιι23. 617 ᵇ14. θ28.
606 ᵃ25. τίκτυσιν ἀτελῆ κ̣ τυφλά, ἐπῳάζυσι τῶν κορωνῶν
αἱ θήλειαι μόναι· ἐπί τινα χρόνον ἐπιμελεῖται, κ̣ γὰρ ἤδη
πετομένων σιτίζει παραπετομένη Ζγδ6. 774 ᵇ27. Ζιζ8. 564
ᵃ16. 6. 563 ᵇ11. ἀποκτείνει τὸν τύπανον, πολέμια κορώνη
γλαὺξ ὄρχιλος πρέσβυς γαλῆ, κορώνη κ̣ ἐρωδιὸς φίλοι Ζιι1.
609 ᵃ26, 8, 12, 17, 610 ᵃ8. tempestatem nuntiat, mores,
κορώνη ἐς τὴν Ἀθηναίων ἀκρόπολιν ὑκ ἔστιν ἐπιβατά f 241.
1522 ᵇ5, 11. 271. 1527 ᵃ26. 324. 1532 ᵇ6. (Corvus corone
C II 251. S II 462. G 34. K 493. KaΖι 93, 36. Su 123,
76. AΖγ22. AΖι I 99, 62. M 301.)
κόσκινον. διὰ κοσκίνυ θεωρεῖν τὰς τῦ ἡλίυ ἐκλείψεις πιε11.
912 ᵇ12.
κοσμεῖν. ὁ ἐγκελευόμενος τοῖς ὑπ' αὐτῦ κοσμημένοις στρα-
τιώταις κοσμήσαι ἵππυς τε κ̣ ἀνέρας (Hom B 554) f 13.
1476 ᵃ20, 21. — τῦτον τὸν τρόπον κεκόσμηται τὸ πέριξ
μα4. 341 ᵇ13. — οἱ τὸ ἦθος μὲν κ̣ τὴν διάνοιαν κεκοσμη-
μένοι, περὶ δὲ τὴν ἕξιν κτῆσιν τῶν ἀγαθῶν μετριάζοντες
Πη1. 1323 ᵃ3. πόθεν δεῖ κοσμεῖν τὴν λέξιν Ργ2. 1405 ᵃ14.
1. 1404 ᵃ33. λέξις κεκοσμημένη, opp ταπεινή Ργ2. 1404
ᵇ7. — οἱ κεκοσμημηκότες, i e οἱ πρὶν γενόμενοι κόσμοι (in
Creta) Πβ10. 1272 ᵃ35.
κόσμησις οα4. 1344 ᵃ19.

κοσμητικὸς τῶν ὑπαρχόντων ᾧ χρηστικός οα6. 1344 ᵇ26.

κοσμήτωρ. ἡρώων κοσμήτορα θεῖον Ὅμηρον (ex epigrammate) f 66. 1487 ᵃ32.

κοσμικός. ὁ ὐρανὸς ὅδε ᾧ τὰ κοσμικὰ πάντα Φβ4. 196 ᵃ25.

κόσμιος. οἱ μὴ κόσμιοι Ρβ23. 1398 ᵃ23. σημεῖα κοσμίΰ 5 φβ. 807 ᵇ33-808 ᵃ2. γυνὴ κοσμία, dist ἀνὴρ κόσμιος Πγ4. 1277 ᵇ23.

κοσμιότης, opp ἀκολασία Ηβ8. 1109 ᵃ16. παρέπεται τῇ σωφροσύνῃ αρ4. 1250 ᵇ11.

κοσμοποιεῖν (i e θεωρεῖν περὶ τῆς τΰ κόσμΰ γενέσεως, cf 10 ποιεῖν) Φθ1. 250 ᵇ16. κοσμοποιΰσι ᾧ φυσικῶς βΰλονται λέγειν Μν3. 1091 ᵃ18. ἐξ ἀκινήτων ἄρχεται κοσμοποιεῖν Ογ2. 301 ᵃ13.

κοσμοποιία ΜΑ4. 985 ᵃ19 Βz. Ἐμπεδοκλῆς λέγει ἐν τῇ κοσμοποιίᾳ Φβ4. 196 ᵃ22. 15

κόσμος. τὸ πρέπον ἐν κόσμῳ ἐστίν, ὁ δὲ κόσμος ὑπερβολὴ τῶν ἀναγκαίων ηεγ6. 1233 ᵃ34. κόσμος τις οἶκον κατασκευάσασθαι πρεπόντως τῷ πλΰτῳ Ηὸ6. 1123 ᵃ7. κόσμος πολυτελὴς Πβ8. 1267 ᵇ26. κόσμον γυναικῶν ἀποκομίζειν οβ1349 ᵃ6. ὁ τῆς ὄψεως κόσμον μόριόν τι τραγῳδίας πο6. 20 1449 ᵇ33. ἡ μεγαλοψυχία οἷον κόσμος τις τῶν ἀρετῶν Ηὸ7. 1124 ᵃ1. rhetorice ἅπαν ὄνομά ἐστιν ἢ κύριον ἢ γλῶττα ἢ μεταφορὰ ἢ κόσμος πο21. 1457 ᵇ2. 22. 1458 ᵃ33, 1459 ᵃ14. Ργ7. 1408 ᵃ14 (cf ἐπίθετον et Vahlen Poet III 254). εἰς κόσμον χρῆσθαι τῇ διαιρέσει τθ1. 157 ᵃ6. — 25 κόσμος ᾧ τάξις, εὐταξία ᾧ κόσμος ΜΑ3. 984 ᵇ16. Ογ2. 301 ᵃ10. Πζ8. 1321 ᵇ7. στρατεία μετὰ πολλΰ κόσμΰ ᾧ τάξεως προσΰσα f 13. 1476 ᵃ16. κινεῖν σὺν κόσμῳ χ6.398 ᵇ23. κόσμος πολιτείας χ6. 399 ᵇ18. ἕως ἂν πάντα κινήσωσι τὸν κόσμον (sc τῆς πόλεως) Πε7. 1307 ᵇ6. — ἡ τΰ ὅλΰ 30 σύστασίς ἐστι κόσμος ᾧ ὐρανὸς Οα10. 280 ᵃ21. cf χ2. 391 ᵇ9, 10. Ογ2. 300 ᵇ20, 25. ὐκ ἔστι κόσμος ὁ κόσμος ἀλλ' ἀκοσμία f 16. 1476 ᵇ45 (cf Plat Gorg 508A). πρὶν γενέσθαι τὸν κόσμον (Plat) Ογ2. 300 ᵇ18. κόσμοι ἄπειροι, τὰς μὲν γίγνεσθαι τὰς δὲ φθείρεσθαι τῶν κόσμων Φγ4. 35 203 ᵇ26. θ1. 250 ᵇ18. ὁ περὶ ἡμᾶς κόσμος, κόσμοι πλείνς Οα6. 274 ᵃ27, 28. ὁ κόσμος ἐπὶ τΰ νείκΰς, ἐπὶ τῆς φιλίας (Emped) Γβ6. 334 ᵃ6. ἐκ διακεκριμένων συνεστηκεν ὁ κόσμος Ογ2. 301 ᵃ19 (cf ὐρανός ᵃ17). ἡ τΰ κόσμΰ τάξις ἀίδιός ἐστιν Οβ14. 296 ᵃ33. ἀγένητος ᾧ ἄφθαρτος ὁ κόσμος 40 f 17. 1477 ᵃ10. 18. 1477 ᵃ25. ὁ θεὸς ᾧ πᾶς ὁ κόσμος ὐκ ἔχει ἐξωτερικὰς πράξεις Πη3. 1325 ᵇ29. mundum ipsum deum dicit esse Aristoteles f 21. 1477 ᵇ22. σφαιροειδής, κατ' ἀκρίβειαν ἔντορνος ὁ κόσμος Οβ4. 287 ᵇ15. τὰ πλάγια, τὸ ἄνω ᾧ τὸ κάτω τΰ κόσμΰ Οβ2. 285 ᵇ12. τὸ προσεχὲς ἀεὶ τΰ κάτω κόσμΰ μα3. 340 ᵇ12. ὁ περὶ τὴν γῆν 45 κόσμος, ὁ περιέχων κόσμος τὴν γῆν μα2. 339 ᵃ20. 3. 339 ᵇ4, 340 ᵇ10. 7. 344 ᵃ9. 8. 346 ᵇ11. β2. 355 ᵃ23. ὁ περὶ τΰ ἄνω φορᾶς κόσμος μα3. 339 ᵇ18. τὰ κατὰ τὸν κόσμον (i e corpora coelestia, sidera) Μχ6. 1063 ᵃ15 Βz. θειότερα 50 ἀνθρώπΰ ἐξ ὦν ὁ κόσμος συνέστηκεν Ηζ7. 1141 ᵇ1 Zell. τὸ ἔξω σῶμα τΰ κόσμΰ Φγ6. 206 ᵇ23 (cf ἔξω τΰ ὐρανΰ). μέγας κόσμος, opp μικρὸς κόσμος i e ζῷον Φθ2. 252 ᵇ26, 25. — κόσμοι summi magistratus Cretensium Πβ10. 1272 ᵃ6, 10, 12, 28, 34, 41, ᵇ4. 55

κότινος πιαίνει τὰ πρόβατα Ζιθ10. 596 ᵃ25. κοτίνΰ τὸ μὲν καρποφορεῖ τὸ δ' ἄκαρπόν ἐστιν Ζγγ5. 755 ᵇ11. (Olea europaea L. silvestris.)

κότον ἔχει (Hom A 82) Ρβ2. 1379 ᵃ5.

κοτταβία πέμψαι Γέλωνι Ρα12. 1373 ᵃ23. 60

κόττος (v l κοῖτος). ἐν ποταμοῖς εἰσιν ἰχθύδια ἄττα ἃ κα-

λΰσί τινες κόττΰς, πῶς ἀλίσκονται Ζιθ8. 534 ᵃ1. (cottus Thomae. Cottus gobio Cuv IV 150. Κ 602, 1. Cr. Salmo fario L St. in incerto rel ΑΖι I 133, 37.

κόττυφος, κόσσυφος (v l κότυφος). 1. avis. a. τῶν κοττύφων δύο γένη ἐστίν, ὁ μὲν ἕτερος μέλας ᾧ πανταχΰ ὤν, ῥύγχος φοινικΰν Ζιι19. 617 ᵃ11, 17. φωλεῖ Ζιθ16. 600 ᵃ20. de structura nidi, δὶς τίκτει· πρωιαίτατα τίκτει τῶν ὀρνέων ἁπάντων· τὰ μὲν ὑπὸ χειμῶνος ἀπόλλυται, τὸν δὲ ὕστερον τόκον εἰς τέλος ἐκτρέφει Ζιθ. 616 ᵃ3. ζιθ. 544 ᵃ27, 28, 29. μεταβάλλει τὴν φωνήν, τὴν φωνὴν δ' ἴσχει ἀλλοίαν· ἐν μὲν γὰρ τῷ θέρει ᾄδει, τΰ δὲ χειμῶνος παταγεῖ ᾧ φθέγγεται θορυβῶδες Ζιι49 Β. 632 ᵇ16. cf Sturz de voc an IV 12. μεταβάλλει τὸ χρῶμα, ἀντὶ μέλανος ξανθός Ζιι49 Β. 632 ᵇ15. ἀλλάττεσθαί γὰρ ὡς τῶν κοσσύφων ᾧ φαλαρίδων ἀπολευκαινομένων κατὰ καιρΰς f 273. 1527 ᵇ2. κρὲξ πολέμιος, τρυγών φίλος Ζιι1. 609 ᵇ9, ᵃ13. — ὁ κόττυφος πόσος τὸ μέγεθος Ζιι9. 614 ᵇ8. 19. 617 ᵃ15. 20. 617 ᵃ21. 21. 617 ᵃ25. 26. 617 ᵇ27. — b. varietas alba. ὁ δὲ ἕτερος ἔκλευκος, τὸ δὲ μέγεθος ἴσος ἐκείνῳ ᾧ φωνὴ παραπλησία ἐκείνῳ· ἔστι δ' ὗτος ἐν Κυλλήνῃ τῆς Ἀρκαδίας, ἄλλοθι δ' ὐδαμΰ Ζιι19. 617 ᵃ13. θ15. 831 ᵇ14-17 Beckm (hodie κότζιφος Ε 45. merle C II 503. Turdus merula G 8. 11. M 345. St. Cr. Su 109, 39. ΑΖι I 99, 62. de varietate alba Lnd 86). — 2. piscis. κατὰ συζυγίας οἱ πετραῖοι φωλΰσιν οἱ ἄρρενες τοῖς θήλεσιν, οἷον κόττυφοι, μεταβάλλΰσι δὲ ᾧ ὡς καλΰσι κοττύφΰς κατὰ τὰς ὥρας Ζιθ15. 599 ᵇ8. 30. 607 ᵇ15. μελανόστικτος f 283. 1528 ᵃ28. (merle C II 504. Labrus merula Ar genera pisc 27. St. Cr. Κ 891, 13. ΑΖι I 133, 38. Μ 274.)

κοτύλη. 1. ὕδατος Γβ6. 333 ᵃ22, οἴνΰ f 104. 1494 ᵇ32. ἔστιν ὁ μάρις ἐξ κοτύλαι Ζιθ9. 596 ᵃ7. — 2. cf κοτυληδών. κοτύλη στρογγύλη, ἀναισθήτΰ σημεῖον φβ. 807 ᵇ21.

κοτυληδών. 1. acetabulum. τὸ ἐν ᾧ στρέφεται ὁ μηρός, κοτυληδών Ζια13. 493 ᵃ24. γ7. 516 ᵃ35. — 2. αἱ κοτυληδόνες τῆς ὑστέρας τῆς γυναικὸς ᾧ ἐνίων τῶν ζῴων Ζγβ7. 745 ᵇ33 (cf ed Did), 746 ᵃ1, 6, 10. δ4. 771 ᵇ29. Ζιγ1. 511 ᵃ29, 34. ζ10. 565 ᵇ8. η8. 586 ᵃ32, 33, ᵇ10, 11, 14. κοτυληδόνες προσπαπτισαί Ζικ3. 615 ᵇ8. τὸ σῶμα τΰς κοτυληδόνος Ζγβ7. 746 ᵃ6. — 3. αἱ κοτυληδόνες αἱ ὑποκάτω τῶν ἐσχάτων ποδῶν τῶν καράβων Ζιδ2. 527 ᵃ25. cf S üb Ar Krebse in Magazin naturf Freunde I extr: blasenförmige Oeffnung. — 4. αἱ κοτυληδόνες ἐπὶ τῶν ποδῶν τῶν μαλακίων Ζιδ1. 524 ᵃ2, 7. ε6. 541 ᵇ7, 9. Ζμδ9. 685 ᵇ3. f 315. 1531 ᵇ1. cf A Siebld XII 383, 390, 394.

κοτυλίζειν, opp ἀθρόα τὰ φορτία πιπράσκειν οβ1347 ᵇ8.

Κότυς Πε10. 1311 ᵇ21, 22. οβ1351 ᵃ18, 24-32.

κΰρά. ὀφρύες ὅτω δασύνονται ὥστε δεῖσθαι κΰρᾶς Ζμβ15. 658 ᵇ20. κΰρᾷ τριχῶν f 108. 1495 ᵇ15. — πρὸς τὴν τῆς τροφῆς σπάσιν ᾧ κΰρὰν χρήσιμον πλατὺ ῥύγχος Ζμδ12. 693 ᵃ17.

κΰρην Ἀγαμέμνονος (Hom I 388) Ργ11. 1413 ᵃ32. κύκλωπα κΰρην (Emp 227) αι2. 438 ᵃ1.

Κΰρῆτες ἐν τῇ Ἀκαρνανίᾳ f 433. 1549 ᵇ32.

Κΰριον τῆς Κύπρΰ θ142. 845 ᵃ10.

κΰρος οὐκ Διὸς Ἡρακλέης Λήδας τε κΰροι f 625. 1583 ᵇ16. κΰροι κρητῆρας ἐπεστέψαντο (Hom A 470. θ170) f 108. 1495 ᵇ10, 21.

κΰφίζειν. τὸ κενὸν ἐμπεριλαμβανόμενον κΰφίζει τὰ σώματα Οδ2. 309 ᵃ6. κΰφίσαι τὸ βάρος μχ28. 857 ᵇ2. κΰφίζεται ἑκάτερον τῶν ἄκρων μχ26. 857 ᵃ15. ἀποβάλλει μόνον τὰ κέρατα, ἕνεκεν τῆς ὠφελείας κΰφιζόμενον Ζμγ2. 663 ᵇ13. —

αἱ φθοραὶ κφίζωσι τὰς γενέσεις κ5. 397 ᵇ4. — transfertur ad corporis valetudinem ἐπιθυμῶσιν ἀποκαθαίρεσθαι· κφίζονται γάρ πδ30. 880 ᵃ33. κφίζειν sine obiecto, i e κφισμὸν παρασκευάζειν Ζγα18. 725 ᵇ9. δ6. 775 ᵇ13. — transfertur ad animum κφίζονται οἱ λυπύμενοι Ηι11. 1171 ᵃ29, 33. κφισθέντες τῷ πάθεος ἀλγύσιν πγ17. 873 ᵇ22. πᾶσι γίγνεσθαί τινα κάθαρσιν ἢ κφίζεσθαι μεθ᾽ ἡδονῆς Πθ7. 1342 ᵃ14.

κφιστικὸν τὸ ἄνω κινητικόν, dist κῦφον τὸ ἄνω κινητόν Οδ3. 310 ᵃ32.

κῦφος. περὶ βαρέος ἢ κῦφυ Οδ. κῦφον, def τὸ πεφυκὸς φέρεσθαι ἀπὸ τῦ μέσυ, τὸ πεφυκὸς ἄνω φέρεσθαι sim Οδ1. 307 ᵇ31. 3. 310 ᵇ25, 31. α3. 269 ᵇ24. β13. 295 ᵇ9. Μκ9. 1065 ᵇ13. Φγ1. 201 ᵃ8. 5. 205 ᵇ7. δ4. 212 ᵃ25. θ4. 255 ᵇ11, 16. κῦφον, dist κφιστικόν Οδ3. 310 ᵃ33. κῦφον ἁπλῶς, dist κῦφον πρός τι, κφότερον, κφότατον Οδ1. 308 ᵃ29, 31. 2. 309 ᵇ5, 6. 4. 311 ᵃ17, ᵇ14. α3. 269 ᵇ25, 28. τὸ πῦρ ἀεὶ κῦφον ἢ ἄνω φέρεται Οδ2. 308 ᵇ13. κφότερον ἐν ὕδατι, dist ἐν ἀέρι Οδ4. 311 ᵇ4. ὕλη βαρέος ἢ κῦφυ Οδ3. 310 ᵇ31. 4. 312 ᵃ17. βαρὺ ἢ κῦφον ἢ ποιητικὰ ὑδὲ παθη-τικά Γβ2. 329 ᵇ21. τὸ βαρὺ ἢ κῦφον quomodo referatur ad τὸ πυκνὸν ἢ μανόν Φθ9. 217 ᵇ18. θ7. 260 ᵇ9. Ογ1. 299 ᵇ7. δ2. 309 ᵃ10, 24. κῦφον ἔχω φέρεσθαι τὸ πνεῦμα ακ804 ᵇ16. ἐκ πνεύματος κῦφυ ὑγρὸυ βαρύ πα24. 862 ᵃ29. κ542. 945 ᵃ16. τὸ βαρύτερον ὐκ ἰσοδρομεῖ τῷ κφοτέρῳ ἀπὸ τῆς αὐτῆς ἰσχύος πις3. 913 ᵃ38. — τὰ κῦφα κρέα εὔπεπτα ἢ ὑγιεινά Ηζ8. 1141 ᵇ18. — γυμνάσια κφότερα, opp ἀναγκαῖα Πδ4. 1338 ᵇ40, 1339 ᵃ4. κῦφαι ἢ ψιλαὶ ἐργασίαι Πζ7. 1321 ᵃ25. — κφότεροί εἰσι μὴ μόνοι φέροντες τὰ κακά ηεη12. 1246 ᵃ2. — κφῶς. δύνασθαι πίνειν ἢ ὕστερον κφῶς ἔχειν πγ15. 873 ᵃ16.

κφότης, cf κῦφος. τὰ μὲν βάρος ἔχοντα ἐπὶ τὸ μέσον, τὰ δὲ κφότητα ἀπὸ τῦ μέσυ (ἔχει τὴν τάξιν) Ογ2. 300 ᵇ24. εἰ ἔστιν ἄπειρος κφότης Οα6. 273 ᵃ26. ῥοπὴ βάρυς ἢ κφότητος Ογ2. 301 ᵃ23. τὸ πότιμον διὰ κφότητα ἀνάγεται μβ2. 355 ᵃ33. ὁ ἀὴρ αἴτιος τῆς κφότητος Ζγβ2. 735 ᵇ27. βαρύτητες ἢ κφότητες Ζμβ2. 648 ᵇ7.

κόφινοι τρεῖς κηρίων Ζι42. 629 ᵃ13.

κοχλίας (Lob Proleg 80. 493). 1. piscis, cf κολίαι p 401 ᵃ46. — 2. τὸ τῶν κοχλιῶν (v l κόχλων) γένος Ζιδ1. 523 ᵇ11 (v l χοκλίων, κοχλίων). Ζγγ11. 761 ᵃ22 (v l κοχλίων, κοχλόων), 762 ᵃ33. — refertur ad τὰ ὀστρακόδερμα Ζιδ1. 523 ᵇ11. 4. 527 ᵇ35. θ13. 599 ᵇ15. Ζγγ11. 761 ᵃ21. — α. κοχλίας, syn τὸ τῶν κοχλιῶν γένος. σύμφυτος ὀστράκῳ Ζιε32. 557 ᵇ18. ἢ ἄλλος ναυτίλος ἐν ὀστράκῳ οἷον κοχλίας, ὃς ὐκ ἐξέρχεται ἐκ τῦ ὀστράκυ, ἀλλ᾽ ἔνεστιν ὥσπερ ὁ κοχλίας Ζιδ1. 525 ᵃ26. ὁ κοχλίας ἔχει ὀδόντας ὀξεῖς ἢ μικρὸς ἢ λεπτύς (mandibulas) Ζιδ4. 528 ᵇ28. σύμφυζονται Ζγγ11. 762 ᵃ33, cf S I 308. II 360. Μ 456. κύοντες φαίνονται ἢ οἱ κοχλίαι πάντες ὁμοίως τὴν αὐτὴν ὥραν Ζιε12. 544 ᵃ23. — b. fort spec quaedam descr οἱ κοχλίαι φωλῦσι τῦ χειμῶνος Ζιθ13. 599 ᵃ16. — ὅτι ἂν τῦ θέρυς ἐξ αὐτῶν ἢ ὑδὲ πέρδιξ· κατεσθίυσι γὰρ ἄμφω τὰς κοχλίας Ζιι37. 621 ᵃ1. — οἱ χερσαῖοι κοχλίαι ἐντὸς ἔχυσι τὴν σάρκα ἀφανῆ πᾶσαν πλὴν τῆς κεφαλῆς, οἱ χερσαῖοι κοχλίαι ἴσχυσιν ἐπιπολῆς ἐπικάλυμμα Ζιδ4. 528 ᵃ8 (cf Μ 173). θ13. 599 ᵃ15. (limaçon C II 470. Helices et Bulimi M 186. 185. 190. Helix Mr 195. ΑΖι I 177, 11. ΑΖγ 36.)

κόχλος, Lob Prol 80. 493. refertur inter τὰ ὀστρακόδερμα Ζιδ4. 528 ᵃ1. — a. aquatiles. οἱ κόχλοι ἢ ὀδόντας (mandibulas) δύο ἔχυσι Ζμδ5. 678 ᵇ23, 679 ᵇ5. cf F 306, 20.

ΚαΖμ 125.12. de partibus interioribus Ζιδ4. 529 ᵃ17 Aub. Ζμδ5. 679 ᵇ6-12. τὸ λευκόν, ἡ τῶν κόχλων κοιλία ὁμοία πρελόβῳ ὄρνιθος Ζιδ4. 529 ᵇ3, ᵃ2. ἐντὸς ἔχει τὴν σάρκα ἀφανῆ πᾶσαν πλὴν τῆς κεφαλῆς, ἔχει ὁμοίως τῷ κόχλῳ ἢ τἆλλα στρομβώδη Ζιδ4. 528 ᵃ10. Ζμδ5. 679 ᵇ14. enumerantur οἱ μεγάλιοι, οἱ θαλάττιοι (v l ἄλλοι) Ζιδ4. 529 ᵃ16, 24. εἰσὶ δέ τινες κόχλοι (v l κοχλίαι), οἳ ἔχωσιν ἐν αὑτοῖς ὁμοια ζῷα τοῖς ἀστακοῖς τοῖς μικροῖς Ζιδ4. 530 ᵃ27. cf S I 191 (cf ἀστακός p 116 ᵃ3). — b. terrestres. τινὲς (σήπες) ὅμοιον ἔχυσι τὸ χρῶμα τοῖς κόχλοις τῆς γῆς θ164. 846 ᵇ13. (limas C II 470. fort Buccina ΚαΖμ 129, 24. Limnaea, Planorbis Cr. Dalium galea Mr 221. in incerto rel ΑΖι I 178, 12.)

κραγγων (v l κραγόνες. κράγγη). τῶν καρίδων αἵ τε κυφαὶ ἢ αἱ κραγγόνες ἢ τὸ μικρὸν γένος· ποίως ἔχει πόδας ἡ κραγγών· ἔχει πτερύγια ἐφ᾽ ἑκάτερα ἐν τῇ ὑρᾷ· τὸ δὲ μέσον αὐτῶν ἀμφότεραι ἀκανθώδες, πλὴν αὗται μὲν πλατύ Ζιδ2. 525 ᵇ2, 21, 29. (Penaeus sulcatus K 566, 2. Cr. Squilla mantis C II 256. Cuv mém sur les mollusques 13. Young on the malacostraca of Ar 261. St. ΑΖι I 153. in incerto rel M 245-247.)

κραδαίνεται ἡ ὄψις ἀποτεινομένη πόρρω λίαν, syn τρέμει Οβ8. 290 ᵃ22, 23.

κράζειν. θήλειαι συνῦσαι κράζωσιν, ὁ πέλλος κράζει, οἱ ἄρρενες κεκράγασι Ζιε2. 540 ᵃ13. ι1. 609 ᵇ24. 8. 613 ᵇ33. οἱ παῖδες καλῦσι τὰς ἱέρακας ὀνομαστὶ κεκραγότες θ118. 841 ᵇ20. τοῖς μετὰ τὰ σιτία κεκραγόσιν ἡ φωνὴ διαφθείρεται πια22. 901 ᵃ35. — κράζωσιν, i q ἡμόνες βοοῶσιν (Hom Ρ 265) πο2ι 1458 ᵇ31.

Κρᾶθις ποταμὸς θ169. 846 ᵇ34, 35. cf Oribas I 631.

κραιπαλᾶν πγ3. 871 ᵃ16. 22. 874 ᵃ28.

κραιπάλη, coni κάρος, dist μέθη πγ17. 873 ᵇ15, 17, 19. ἐν ταῖς κραιπάλαις πγ16. 873 ᵃ32.

κράμβη. αἱ κράμβαι, λαχάνων εἶδος φτα4. 819 ᵇ10. ῥάφανος, ἣν καλῦσί τινες κράμβην Ζιε19. 551 ᵃ16. καυλοὶ τῆς κράμβης Ζιε19. 552 ᵃ31. ἡ κράμβη παύει τὴν κραιπάλην πγ17. 873 ᵃ37. (Brassica oleracea L.)

κρανίον. κεφαλῆς τὸ τριχωτὸν μέρος κρανίον καλεῖται· τὸ τῆς κεφαλῆς ὀστῦν συνεχές ἐστι τοῖς ἐσχάτοις σφονδύλοις, ὃ καλεῖται κρανίον Ζια7. 491 ᵃ31. γ7. 516 ᵃ14. descr Ζια7. 491 ᵇ1. τρίχες ἵππων κρανίῳ ἐμπεφύασι (Hom Θ 84) Ζγε5. 785 ᵃ16.

Κράννων τῆς Θετταλίας θ126. 842 ᵇ10.

κραντήρ. οἱ τελευταῖοι τοῖς ἀνθρώποις γόμφιοι, ὓς καλῦσι κραντηρας· ὅσοις ἂν μὴ ἐν τῇ ἡλικίᾳ ἀνατείλωσιν οἱ κραντῆρες Ζιβ4. 501 ᵇ25, 29.

κρᾶσις et miscendi actionem et id quod inde effectum est (veluti μικρὸν γλυκὺ εἰς πολὺ ὕδωρ μιχθὲν ἀναίσθητον ποιεῖ τὴν κρᾶσιν Πβ4. 1262 ᵇ18) significat. τὴν ἁρμονίαν κρᾶσιν ἢ σύνθεσιν ἐναντίων εἶναι ψα4. 407 ᵇ31. εὐμετάβλητα σχήμασιν ἢ χρώμασιν ἢ κράσεσιν Ρα12. 1373 ᵃ31. dist σύνθεσις: σύνθεσις γὰρ ἔσται ἢ ὐ κρᾶσις ὐδὲ μίξις, ὐδ᾽ ἕξει τὸν αὐτὸν λόγον τὸ ὅλον τῷ μορίῳ Γα10. 328 ᵃ8. Μμ2. 1042 ᵇ16 Bz. κρᾶσις εἶδος μίξεως τ2. 122 ᵇ26-31, 123 ᵃ4. ἡ κρᾶσις τῦ περιεστῶτος ἀέρος Ζγδ2. 767 ᵃ30. cf μβ5. 362 ᵇ16. πκς31. 943 ᵇ24. ὕδατα εὖ ἔχοντα κράσεως, dist ὑπέρζεστα κ4. 395 ᵇ26. ἡ κρᾶσις τῆς ψύξεως ἀμφοτέρων (ὕδατος ἢ ἀέρος) Ζιθ2. 589 ᵃ14. ὅσα περὶ κρᾶσις (i e regionum naturam et habitum) πιδ. ποῖοι χυμοὶ ἐκ ποίων γίνονται κράσεων μβ3. 359 ᵇ21. κρᾶσις χρωμάτων χ2. 792 ᵃ4. 3. 793 ᵇ26. ἡ τῦ σώματος κρᾶσις Ζιθ2. 589 ᵇ23, 590 ᵃ14. 28. 606 ᵇ3. Ηη15. 1154 ᵇ13. τὰ σώματα ἐνίων ζῴων φαύλης τετύχηκε κράσεως Ζμγ12. 673 ᵇ31. κρᾶσις μελέων πολυκάμπτων (Parm 146) Μγ5. 1009 ᵇ22. κρᾶσις τῦ αἵματος, ἡ ἐν τῇ καρδίᾳ κρᾶσις Ζμδ10. 686 ᵃ9. β4. 650 ᵇ29. ὅσοις τὰ περὶ τὸν ἐγκέφαλον ψυχρότερα τῆς συμμέτρυ κράσεως Ζμβ7. 652 ᵇ36. cf κρᾶσις σώματος, χολῆς, κρᾶσις ἀρίστη, μελαγχολική sim πα3. 859 ᵃ16. γ4. 871 ᵃ24. ιϑ1. 909 ᵃ15, 17. λι. 953 ᵃ30, ᵇ23, 954 ᵇ8. φ6. 813 ᵇ23. ὑγίειαν ϰ εὐεξίαν ἐν κράσει ϰ συμμετρίᾳ θερμῶν ϰ ψυχρῶν τίθεμεν Φη3. 246 ᵇ5.

κράστις λειοτριχεῖν ποιεῖ τὰ ὑποζύγια Ζιθ8. 595 ᵇ26.

Κραστωνία θ122. 842 ᵃ15.

Κραταίις εἰς Ἀρχέλαον ἐπίθεσις Πε10. 1311 ᵇ8.

κρατεῖν, dist ἀντέχειν Ηη8. 1150 ᵃ35. — absolute ὁ ἥλιος, τὸ θερμόν, ἡ ψυχρότης κρατεῖ μβ8. 366 ᵃ17. 3. 358 ᵃ12. γ1. 371 ᵃ9, 6. πκϚ51. 946 ᵃ14. 52. 946 ᵃ23. μεταβάλλει ἑκάτερον εἰς τὸ κρατῦν ἐκ τῆς αὐτῦ φύσεως Γα10. 328 ᵃ30, 26. ὁπότερ᾽ ἂν κρατήσῃ τὸ σπέρμα, λίαν κρατῦν Ζγδ1. 764 ᵃ10, ᵇ21, 766 ᵃ18, ᵇ15, 767 ᵃ18. 3. 767 ᵇ11 al. φέρεται ἕως ἂν κρατῇ ἡ κίνησις Φη2. 243 ᵇ2. cf Οα4. 271 ᵃ30. β14. 297 ᵇ1. κρατεῖ ἐν μέρει ἡ φιλία ϰ τὸ νεῖκος Φθ1. 252 ᵃ7. ὁ νῦς (Anaxag) ἀμιγὴς ὢν κρατεῖ ψγ4. 429 ᵃ19. Φθ5. 256 ᵇ27. θεῦ δύναμιν εἶναι κρατεῖν, ἀλλὰ μὴ κρατεῖσθαι ξ3. 977 ᵃ27. ἡ μέση ἕξις ἂν κρατοίη φ6. 811 ᵇ26. ἔστιν ἀεὶ τὸ κρατῦν ἐν ὑπεροχῇ ἀγαθῦ τινος Πα6. 1255 ᵃ15. cf γ3. 1276 ᵃ13. — c genet saepissime, veluti κρατῦσι τῶν μεγάλων ἰχθύων Ζθ2. 590 ᵇ12, 33. κρατήσαι τῶν ἐναντίων Πδ11. 1296 ᵃ29. κρατεῖν ὧν οἱ πολλοὶ ἥττυς Ηη8. 1150 ᵃ12. κρατεῖ ἡ ἔξωθεν θερμότης τῆς ἐντὸς μδ3. 380 ᵇ23. ὃ κεκράτηκεν ὁ ἥλιος τῆς συστάσεως πκϚ9. 941 ᵃ15. — c acc κρατῦσι τὰς χαράβας Ζιθ2. 590 ᵇ15. κεκράτηκε τὸ θερμὸν τὸν ἀέρα πκδ2. 936 ᵃ17. ἐὰν κρατήσῃ ἡ θερμότης τὴν ὑγρότητα πλγ9. 962 ᵇ2. κρατῶν τὴν ὀσφὺν φ3. 808 ᵃ15. ἐκστατικός τις, ὃν ὥστε μὲν μὴ πράττειν κατὰ τὸν ὀρθὸν λόγον κρατεῖ τὸ πάθος Ηη9. 1151 ᵃ22 (nisi forte κρατεῖ absolute usurpatum est). τὰ μὲν κέρατα κρατεῖν τὺς ἱππέας (?) f 147. 1503 ᵃ28. — pass θάλασσα κρατυμένη ὑπὸ τῶν πνευμάτων μβ8. 369 ᵃ1. ὅπη μάλιστα κρατεῖται ὁ ἥλιος μγ5. 376 ᵇ27. τὸ ἐγγυτάτω μάλιστα κρατεῖται Οβ10. 291 ᵇ7. ἐὰν κρατηθῇ ἡ ὕλη, τὸ ξηρὸν sim μδ2. 379 ᵇ33. 3. 380 ᵇ26. Γβ4. 331 ᵃ28, 29, 33. τὸ μὴ κρατύμενον ὑπὸ τῦ δημιυργῦντος Ζγδ1. 766 ᵃ15. κρατηθὲν Ζγδ1. 766 ᵇ15. κεκρατῆσθαι ὑπὸ τῆς θερμότητος μδ3. 380 ᵇ6. ἐὰν ἐνστῇ κεκρατῆσθαι δοκεῖ Ργ18. 1419 ᵃ17. κρατεῖσθαι τείχεσιν Πη6. 1327 ᵃ35. κρατύμενον ὑπομένειν Πδ11. 1296 ᵇ2. — ἐν ταῖς τέχναις ϰ ἐπιστήμαις ταῦτα ἀμφότερα κρατεῖσθαι (i e obtineri), τὸ τέλος ϰ τὰς εἰς τὸ τέλος πράξεις Πη13. 1331 ᵇ38. πολλοὶ πλέξαντες εὖ λύσαι κακῶς· δεῖ δὲ ἄμφω ἀεὶ κρατεῖσθαι (ci Vhl Rh M 18, 318, κροτεῖσθαι codd Bk) πο18. 1456 ᵃ10.

κρατήρ. οἱ ἐν Αἴτνῃ κρατῆρες κ6. 400 ᵃ33. θ154. 846 ᵃ9.

Κράτης κωμῳδοποιὸς πο5. 1449 ᵇ7.

Κρατίνος ἐνίκα Πυτίνῃ f 578. 1573 ᵃ11.

κρατιστεύειν. ὁ ἡττηθεὶς πέρδιξ ὀχεύεται ὑπὸ τῦ κρατιστεύοντος Ζιι8. 614 ᵃ4. — προαιρεῖται ἕκαστος, ἐν οἷς οἴεται κρατιστεύειν πιη6. 917 ᵃ12.

κράτος. ὁ τὸ κράτος ἔχων ἡγεμών κ6. 399 ᵇ9.

κρατύνων ἄκρα (Emp 361) αν7. 473 ᵇ27.

Κράτυλος ὑθὲν ᾤετο δεῖν λέγειν Μγ5. 1010 ᵃ12. Πλάτων συνήθης γενόμενος Κρατύλῳ ΜΑ6. 987 ᵃ32. — Αἰσχίνης περὶ Κρατύλυ Ργ16. 1417 ᵇ1.

κραυγὴν Καλλιόπης τὴν ποίησιν Διονύσιος προσαγορεύει Ργ2.

1405 ᵃ33. cf Διονύσιος p 199 ᵃ52.

κραυρᾶν, νόσημα ὑῶν Ζιθ21. 603 ᵇ7. νόσημα βοῶν Ζιθ23. 604 ᵃ17.

κραῦρος (fem κραῦρος). κραῦρον τὸ τελέως ξηρόν, ὥστε ϰ πεπηγέναι δι᾽ ἔλλειψιν ὑγρότητος Γβ2. 330 ᵃ6, coni σκληρὸν Ζγγ2. 752 ᵃ33, opp γλίσχρον Ζγβ1. 734 ᵇ32. θραύεται τὸ κραῦρα ταχέως Ζμβ9. 655 ᵃ32. ἡ τῶν ἐρεισμάτων φύσις ὅ κραῦρος ἀλλὰ μαλακωτέρα Ζμβ9. 655 ᵃ25.

κραῦρος, νόσημα βοῶν Ζιθ23. 604 ᵃ14, cf κραυρᾶν (Lungenseuche, Lungenfäule).

κρέας. παντὸς τετράποδος τὰ κρέα χείρω ὅπη ἑλώδη χωρία νέμονται ἢ ὅπη μετεωρότερα Ζιθ10. 596 ᵇ3. ὕεια, τῆς καμήλυ ἥδιστα πάντων Ζιθ26. 605 ᵇ1 (cf Rose libr ord 213). ζ26. 578 ᵃ14 Aub. ἀνθρώπων, ἐλάφων, τράγων, πότε φαῦλα ϰ δυσώδη, τῶν κογχῶν ΖιϚ29. 579 ᵃ9. ι10. 614 ᵇ29. (ἡ ἄρκτος?) τὰ κρέα πάντα κατεσθίει προσήψησα πρῶτον Ζιθ5. 594 ᵇ16. οἱ θηριώδεις χαίρυσιν οἱ μὲν ὠμοῖς οἱ δ᾽ ἀνθρώπων κρέασιν Ηη6. 1148 ᵇ22. τὰ ὀρνίθεια κρέα κῦφα ϰ εὔπεπτα Ηζ8. 1141 ᵇ19, 20. κρέα ὀπτά, ἑφθά quomodo differant πα52. 865 ᵇ32. ε34. 884 ᵇ1. λζ3. 966 ᵃ28.

κρείττων, κράτιστος, syn ἄριστος. περὶ βίυ τῦ κρατίστυ ϰ ζωῆς τῆς ἀρίστης ηεα3. 1215 ᵃ5. cf τὴν κρατίστην τε ϰ ἐκ τῶν ὑποκειμένων ἀρίστην πολιτείαν Πδ1. 1288 ᵇ25. κράτιστον, εἴ τις δύναιτο περὶ τῶν καθ᾽ ἕκαστον θεωρεῖν χωρὶς Ζμδ4. 644 ᵃ29. κεχωρίσθαι τὸ κρεῖττον τῦ χείρονος Ζγβ1. 732 ᵃ5. — dist βελτίων Πγ13. 1283 ᵃ41. τῆς ψυχῆς εἶναι τι κρεῖττον ϰ ἄρχον ἀδύνατον ψα5. 410 ᵇ13. δίκαιον τὸ τὸν κρείττονα ἄρχειν Πα6. 1255 ᵃ18. κρεῖττον τὸ πλεῖον Πε7. 1307 ᵃ17. τὸ κρεῖττον, οἱ κρείττυς, ὁ τύραννος κρείττων ὢν Πδ12. 1296 ᵇ15. β7. 1267 ᵃ25, 30. γ10. 1281 ᵃ23. τὸ φανερῶς κρεῖττον Πε4. 1304 ᵇ3. κρεῖττον ἑνός, ῥήτων τῦ πλήθυς Πγ15. 1286 ᵇ36. κρείττυς τῆς παιδείας, syn ὓς ἀδύνατον παιδευθῆναι Πε12. 1316 ᵃ9, 10. — κρειττόνως φτα4. 820 ᵃ4. — βυλεύεσθαι περὶ τῶν πραγμάτων τὰ κράτιστα p19. 1432 ᵇ28.

κρεμάθρα Ργ11. 1412 ᵃ14.

κρεμαννύναι, κρέμασθαι. κρεμμαννύυσιν ἐν ἀγγείῳ ἔκ τινος δένδρυ τὴν κόπρον Ζι6. 612 ᵃ10. κρεμάσαι (τὰς ὓς) τῶν ὀπισθίων σκελῶν Ζιι50. 632 ᵃ23. — καλέσας εἰς τὰ βασίλεια ἐκρέμασεν ἅπαντας οβ1352 ᵃ11. — τὸ ἐπίπετρον κρεμάμενον ἐπὶ τῶν πατταλίων Ζμδ5. 681 ᵃ24. ὅταν κρέμωνται ἐξ ἀλλήλων (αἱ μέλιτται) Ζιι40. 627 ᵇ13. τὸ ἄνωθεν χεῖλος κάτω κρέμαται πκζ6. 948 ᵇ1. κρέμαται ὕδωρ, ἀήρ πιϚ8. 915 ᵃ19. κε22. 940 ᵃ10. metaph ἵνα μὴ κρέμηται ἡ διάνοια Ργ14. 1415 ᵃ13.

κρέξ. refertur inter τὰ μακροσκελῆ Ζμδ12. 695 ᵃ20. ἐλεῷ ϰ κοττύφῳ ϰ χλωρίωνι πολεμεῖ, ἡ κρὲξ τὸ μὲν ἦθος μάχιμος, τὴν δὲ διάνοιαν εὐμήχανος πρὸς τὸν βίον, ἄλλως δὲ κακόποτμος ὄρνις Ζιι1. 609 ᵇ9. 17. 616 ᵇ20. de digitis pedis Ζμδ12. 695 ᵃ21. (skrechi Thomae. coniecturas alias coll C Π 257. S Π 113. Su 146. Tringa pugnax St. K 946, 3. Cr. Rallus crex Su 144, 120. Himantopus rufipes AZι Ι 99, 63. in incerto rel F 319, 105. ΚaΖμ 173, 15.)

Κρεσφόντης Euripidis (Eur fr 457) πο14. 1454 ᵃ5.

κρεῶδες. κνῆμα Ζιγ3. 583 ᵇ10. ἐὰν κρεῶδες ἔχωσι τὸ πρὸς τῷ μυκτῆρι Ζια9. 491 ᵇ5.

Κρέων ἐν Ἀντιγόνῃ Sophoclis πο14. 1454 ᵃ1. Ρα15. 1375 ᵃ34.

κρεωφαγία ηεα2. 1214 ᵇ13.

κρεωφάγος. οἱ κρεωφάγοι τῶν ὀρνίθων Ζμδ12. 693 ᵃ3.

κρημνός. ἐν τοῖς κρημνοῖς τοῖς μαλακοῖς Ζιι13. 615 ᵇ31. περὶ

τὰς κρημνὸς ⱦ τὰ ῥήγματα τῆς γῆς τὰ εἰς ὀρθόν Ζιι41.
628 b29. πνεῖ ὁ βορρᾶς ἀπὸ κρημνῶν μεγάλων ⱦ ὀρῶν
σ973 a2. f 238. 1521 a34.

κρηναῖος. τὰ κρηναῖα (int ὕδατα) ⱦ ποταμαῖα μβ1. 353
b28.

κρήνη. αἱ πλεῖσται κρῆναι τόποις ὑψηλοῖς γειτνιῶσιν μα13.
350 a5. κρήνας τὰς αὐτὰς τίνας λέγομεν Πγ3. 1276 a38.
κρῆναι ὀξεῖαι, πικραί sim μβ3. 359 b1-20. αι4. 441 b6. αἱ
ἐν Ἄμμωνι κρῆναι f 488. 1557 b23. κρήνη ἐλαίη θ113.
841 a15. ῥεύματα κρηνῶν μβ3. 359 b5. κρηνῶν ἐπιμεληταί 10
Πζ8. 1321 b26.

κρηνίδιόν τι μικρόν θ117. 841 b9.

κρηπίς, μέρος νεὼ Ηχ3. 1174 a26.

Κρής. Ἐπιμενίδης ὁ Κρής Πα2. 1252 b15. Ργ17. 1418 a24.
τὸ εὐειδὲς οἱ Κρῆτες εὐπρόσωπον καλῶσιν πο25. 1461 a14. 15
eorum instituta publica Πβ5. 1264 a20. 9. 1269 a39. eorum
πολιτεία examinatur Πβ10. οἱ Κρητῶν νομοθέται Ηα13.
1102 a10. Κρητῶν πολιτεία f 475sq. οἱ παρὰ Κρησὶ κλα-
ρῶται f 544. 1568 b3. Κρῆτες ἀνθρώπων ἀπαρχὴν εἰς Δελ-
φὸς ἀπέστελλον f 443. 1550 b38. τὴν πυρρίχην παρὰ Κρησὶ 20
πρῦλιν λέγεσθαι f 476. 1556 a33. — Κρήτη χ3. 393 a13.
σ973 a21. f 238. 1521 b14. θ81. 836 a29. ὁ ἐν Κρήτῃ
μυθολογούμενος ηεγ1. 1229 a24. Cretensium instituta pu-
blica Πβ5. 1263 b41. 9. 1271 a29. 12. 1274 a27. η2. 1324
b8. 10. 1329 b3, 5, 6. f 475. 476. 443. 1550 b38. eorum 25
πολιτεία examinatur Πβ10. memorabiles ibi res physicae
θ4. 830 b20. 69. 835 b2. 83. 836 b27. animalia ἐν Κρήτῃ,
περὶ Κρήτην Ζιζ18. 572 a14. θ13. 598 a16. ι6. 612 a3.
Θήρα ἡ κατὰ Κρήτην νῆσος f 485. 1557 a34. — Κρητι-
κὸν πέλαγος χ3. 393 a29. Κρητικὴ πολιτεία Πβ9. 1269 30
a29. 10. 1271 b20, 23. 11. 1272 b28, 1273 b25. Κρητικὴ
τάξις Πβ10. 1271 b40.

κρητῆρας ἐπεστέψαντο (Hom A 470. θ170) f 108. 1495
b10, 21.

κρῖ, ἱ q κριθή, exemplum τῦ ἀφῃρημένῦ πο21. 1458 a5. 35

κριθή. κριθαί, τροφὴ βοῶν, ὑῶν Ζιθ7. 595 b9. 6. 595 a28.
ζ18. 573 b10. κριθή (ἡ περὶ αὐτὰ ἐργασία, ⱦ ἐξ
αὐτῶν τροφή) inter se comparantur πα37. 863 b6. κα2.
927 a18. 24. 929 b27, 28. λη10. 967 b20. κριθῶν εἶδός τι
παρὰ Σιντοῖς θ116. 841 b4. πῶς λέγομεν κριθὰς μεμῖχθαι 40
πυροῖς Γα10. 328 a2. ἴδιόν τι συμβαίνει περὶ τὰς (?) τῶν
κριθῶν, ὅ τι καλούμενον πῖνον f 101. 1494 a44. κριθὰς τίθεσθαι
ἐπὶ τῦ βωμῦ (Ἀπόλλωνος γενέτορος) ἄνευ πυρὸς f 447.
1551 b15. (Hordeum vulgare et hexastichum L.)

Κριθηὶς μετὰ τὴν κύησιν ἐτελεύτησε f 66. 1487 a6. 45

κριθιᾶν, νόσημα ἵππων Ζιθ24. 604 b8 (fort Croup vel bös-
artige Bräune).

κρίθινος. πτισάνη κριθίνη, πυρίνη πα37. 863 b34. οἱ τὸν κρί-
θινον πεπωκότες ἐξυπτιάζονται τὴν κεφαλὴν f 101. 1494
b6, 7, a43. 50

κρίκος. ὁ ἐκ τῶν κρίκων κόσμος ἐν Καρχηδόνι Πη2. 1324
b14. κρίκος χαλκοῦς λεπτός Ζιβ11. 503 b20.

κριμνόν. ἐλέφας τὴν τροφὴν λεαίνει ὥσπερ κριμνά Ζιβ5.
501 b31.

κρίνειν. αἱ τῶν ὡρῶν μεταβολαὶ κρίνῦσι τὰς νόσῦς πα3. 859 55
a10, 21. πάντα τῷ χρόνῳ κρίνεσθαι Φδ14. 223 b27. —
γλῶττα, ἢ κρίνεσι τὴν ἐν τοῖς ἐδεστοῖς ἡδονὴν Ζμδ5. 678
b8. cf Ζιθ8. 535 a11. δύναμις καθ' ἣν κρίνομεν ⱦ ἀλη-
θεύομεν ἢ ψευδόμεθα ψγ3. 428 a3. κρίνειν τό τε κύριον ⱦ
ᾧ τὰ φαντάσματα γίνεται εν2. 460 b17. τὸ δύνασθαι κρῖναι 60
εὐστόχως Ζμα1. 639 a5. πῶς χρὴ διανεῖμαι ἐξέστω κρίνειν
v.

ὕστερον ΜΑ4. 984 b32. κρίνειν τἀληθές Οα10. 279 b12.
πρὸς τὴν αἴσθησιν κρίνομεν τὰ αἰσθητά μδ4. 382 a17. αὐτὸ
καθ' αὑτὸ κρινόμενον (Bk, κρίνεται Ac, Vhl Poet I 44?)
πο4. 1449 a8. βέλτιον κατὰ τὸν αὐτῦ βίον ἕκαστον κρίνεσθαι
τῶν βασιλέων Πβ9. 1271 a22. περὶ ὧν ἴσμεν ⱦ κεχρίκαμεν
Ρβ18. 1391 b9. ἐκ τῦ βυλεύσασθαι κρίναντες Ηγ5. 1113
a12. — κρίνειν χειρίστην τὴν δημοκρατίαν Πδ2. 1289 b7. τὰ
τοιαῦτα ὡς τέρατα κρίνεται Ζιζ17. 507 a24. — sensu
iudiciali, κρίνειν, τὸ κρῖνον (dist τὸ βυλευόμενον sim), οἱ
κρίνοντες pars civitatis Πγ11. 1281 b31, 38. γ15. 1286
a26. δ4. 1291 b5. 15. 1299 a26, 1300 a4. η9. 1329 a4.
Ρα8. 1365 b31. κρίνειν, dist προανακρίνειν Πδ14. 1298 a30.
τὸν ἀποχειροτονηθέντα κρίνεσιν οἱ θεσμοθέται f 374. 1540 b9.
κρίνειν τὸ δίκαιον Πδ4. 1291 a23. κρίνειν τὰς δίκας, τὰς
συμβολὰς Πγ14. 1285 b11. Ρβ1. 1377 b22. κρίνειν τὸν τὰ
δίκαια λέγοντα τι25. 180 b26. κρίνεσθαι περὶ οἰκείων Πγ16.
1287 b2. κρίνεσθαι περὶ θανάτῦ Ρβ20. 1393 b24. καταψη-
φίζεσθαι τῶν κρινομένων Πζ5. 1320 a11. ἔκρινα ἐμὲ μὴ
κτανεῖν Ρβ23. 1397 b6. κρίνειν γνώμῃ τῇ ἀρίστῃ, κατὰ τὸ
ἀληθές, κατὰ δόξαν Ρβ23. 1402 b34. β14. 1390 a33. τι25.
180 b24. — τῶν Λυδῶν κρινάντων (i e προελομένων) κα-
ταλιπεῖν τὴν Σμύρναν f 66. 148 a9. — κεχρίσθαι Πβ8.
1267 b40. τὰ κεκριμένα Ρβ25. 1402 a37. ρ2. 1422 a26.
4. 1426 a33. 35. 1440 a13. κέκριτο (Emp 203, κέκρητο Bk³)
πο25. 1461 a25.

κρίνα καυλοὶ πκ26. 926 a2. (Lilii sp var.)

κριός. οἱ κριοὶ περὶ τὰς καιρὰς τῆς ὀχείας μάχονται διιστά-
μενοι πρὸς ἀλλήλυς, τοῖς κέρασιν Ζιζ18. 571 b23. θ2. 590
b29. ὀχεύεσι τὰς πρεσβυτάτας πρῶτον, τὰς δὲ νέας ὕ διω-
κωσιν Ζιε14. 546 a4. κριὸς διδυμοτόκος (unus ex gemellis,
recte Scalig cf Lob Phryn 660) Ζιζ19. 573 b32. (τέρατα)
παῖς κριῦ τὴν κεφαλὴν ἔχων Ζγδ3. 769 b14. — de loco corr
ἐν Λιβύῃ εὐθὺς γίνεται κέρατα ἔχοντα τὰ κερατώδη τῶν
κριῶν, ὕ μόνον οἱ ἄρνες, ὥσπερ Ὅμηρός φησι (δ85), ἀλλὰ
ⱦ τἆλλα Ζιθ28. 606 a19 cf Rose libr ord 68, S I 630 Aub.

κρίσιμοι ἡμέραι Φε6. 230 b5. ἡ τρίτη κρίσιμος πκ14. 941
b35.

κρίσις τῦ ἁπτῦ, τῶν χυμῶν Φδ8. 216 b19. Ηγ13. 1118 a28,
τῶν ὁμογενῶν, τῶν διαφερόντων Ηι2. 1165 a34. ἡ περὶ τὰς
διαφορὰς ἀκρίβεια τῆς κρίσεως Ζγε2. 781 b2. κρίσις περὶ
τῆς ἀληθείας, περὶ τῦ αὐτῦ ἢ ὁμοίῳ sim Μκ6. 1063 a13.
Ρβ23. 1398 b19. Πδ11. 1295 a34. ἐν τοῖς καθ' ἕκαστα
ⱦ τῇ αἰσθήσει ἡ κρίσις Ηδ11. 1126 b4. ποιεῖν τὴν κρίσιν
ὀρθὴν ηεη2. 1237 b12. πιστεύειν τῇ τῶν λεγόντων κρίσει
Ηθ9. 1159 a24. ἡ τοιαύτη κρίσις Πδ2. 1289 b11. ημβ7.
1205 a28. κρίσις sensu Pythag ΜΑ8. 990 a24. (obiective
κρίσις i q discrimen φτ7. 827 a39.) — κρίσις electio,
κρίσιν ποιεῖσθαι τῶν ἀξίων Πζ7. 1321 a30. κρίσις τῦ παρα-
ριώδης Πβ9. 1271 a10. — sensu iudiciali: iudicium, causa,
sententia. πολίτης ὁρίζεται τῷ μετέχειν κρίσεως ⱦ ἀρχῆς
Πγ1. 1275 a23. ἄρχοντος ἐπίταξις ⱦ κρίσις ἔργον Πη4.
1326 b14. ἡ δίκη κρίσις τῦ δικαίῳ ⱦ τῦ ἀδίκῳ Ηε10. 1134
a31. Ρβ1. 1377 b22. ἕνεκα κρίσεώς ἐστι ⱦ ῥητορικὴ Ρβ1.
1377 b21. ἡ τῶν πιθανῶν λόγων χρῆσις πρὸς κρίσιν ἐστί
Ρβ18. 1391 b8. κρίσις περὶ τῶν συμφερόντων, περὶ αὐτῶν
Πβ8. 1269 a21. γ9. 1280 a15. ἐν τῇ κρίσει ἀπόδειξίν τινος
φέρειν Ργ17. 1417 b24. λαβεῖν κρίσιν Πδ2. 1437 a10. κρίσιν
ποιεῖσθαι περί τινος τῶν ἐγχωρίων Ζμγ10. 673 a18. καθαρὰ
ἡ κρίσις Ργ12. 1414 a14. κρίσις δικαστηρίῳ Πιε6. 1306 a37.
δ16. 1300 b34. κρίσις (causa) ἁπλῶς γεγραμμένη Πβ8.
1268 b5. — plur μεγάλων κρίσεων κύριοι οἱ ἔφοροι Πβ9.

1270 ᵇ28, 39. αἱ κρίσεις πᾶσαι περὶ τῶν καθ' ἕκαστον Πγ15. 1286 ᵃ27. αἱ κρίσεις ἐξ ὑπογυίων, opp αἱ νομοθεσίαι Ρα1. 1354 ᵇ3. κρίσεις διὰ ψηφοφορίας Πβ8. 1268 ᵃ1. μηκέτι εἶναι ὑπὲρ τῶν προτέρων ἐγκλημάτων κρίσεις οβ1348 ᵇ13. τὰ πάθη μεταβάλλοντες διαφέρησι πρὸς τὰς κρίσεις 5 Ρβ1. 1378 ᵃ21. ποιεῖν ἄλλας κρίσεις Ργ15. 1416 ᵃ35. ψευδομαρτυριῶν κρίσεις Πβ5. 1263 ᵇ21. δημαγωγεῖν πρὸς τὰς κρίσεις Πε6. 1305 ᵇ35. αἱ κρίσεις αἱ ἀπὸ τῶν γνωρίμων ἀνδρῶν Ρβ25. 1402 ᵇ8. ἀρχὴ πρὸς ἣν ἀναγράφεσθαι δεῖ τὰς κρίσεις ἐκ τῶν δικαστηρίων Πζ8. 1321 ᵇ35. — 10 ὅπλων κρίσις πο23. 1459 ᵇ5 (fort Aeschyli, Nck fr trg p 43). — αἱ τῶν νόσων κρίσεις Ζυ19. 553 ᵃ11.

κριτήριον ᾧ αἰσθητήριον τῶν χυμῶν Μκ6. 1063 ᵃ3.

κριτής ἀγαθός, φαῦλος Ηα1. 1094 ᵇ28. ημβ8. 1207 ᵃ11. τεχνικώτατος κριτὴς ἐνυπνίων μτ2. 464 ᵇ6. χαλεπὸν μὴ κοι- 15 νωνήσαντας τῶν ἔργων κριτὰς γενέσθαι σπυδαίως Πθ6. 1340 ᵇ25. τῷ εὐθέος ᾧ τῷ καμπύλῳ κριτὴς ὁ κανών ψα5. 411 ᵃ6. πάντα τὰ στοιχεῖα κριτὴν εἴληφε (iudicis suffragium tulit) ψα2. 405 ᵇ8 Trdlbg. cf ΜΑ8. 989 ᵃ7 Βz. Πθ2. 1337 ᵃ42. — ὁ ἀκροατὴς ἢ θεωρὸς ἢ κριτής Ρα3. 1358 ᵇ3. κριτὴς ὡς 20 ἁπλῶς εἰπεῖν ὃν δεῖ πεῖσαι, ὁ τὰ ζητούμενα κρίνων Ρβ18. 1391 ᵇ13, 18. ὁ κριτὴς ὑπόκειται εἶναι ἁπλῶς Ρα2. 1357 ᵃ11. κριταὶ τῶν ἀναγκαίων Πη8. 1328 ᵇ22. οἱ πλεῖστοι φαῦλοι κριταὶ περὶ τῶν οἰκείων Πγ9. 1280 ᵃ15. διαφθοραὶ κριτῶν Ρα12. 1372 ᵃ34. 25

Κριτίας, Solonis aequalis. εἰπεῖν μοι Κριτίᾳ (Solon fr 22) Ρα15. 1375 ᵇ32, 34. — Κριτίας (Callaeschri filius) αἶμα τὴν ψυχὴν εἶπε ψα2. 405 ᵇ6. — ἐὰν δὲ Κριτίαν θέλῃς ἐπαινεῖν, δεῖ λέγειν τὰς πράξεις· ὗ γὰρ πολλοὶ ἴσασιν Ργ16. 1416 ᵇ28. 30

κριτικός. ἀρχὴ βυλευτικὴ ἢ κριτική Πγ1. 1275 ᵇ19. — ἡ σύνεσις κριτικὴ μόνον Ηζ11. 1143 ᵃ10. ἡ αἴσθησις κριτικὴ δύναμις Αθ19. 99 ᵇ35. cf τὸ κριτικὸν ψγ9. 432 ᵃ16. Ζκ6. 700 ᵇ10. τὸ μέσον κριτικόν ψβ11. 424 ᵇ6. τὸν πεπαιδευμένον κριτικόν τινα νομίζομεν εἶναι Ζμα1. 639 ᵃ9. — ἡ 35 γεῦσις τῶν σχημάτων κριτικωτάτη αι4. 442 ᵇ17.

Κροῖσος θ52. 834 ᵃ24. Κροῖσος Ἅλυν διαβὰς κτλ Ργ5. 1407 ᵃ38. Ἀδράμυτος, Κροίσυ ἀδελφός f507. 1561 ᵃ28.

κρόκη, dist στημόνιον (Plat Legg 5. 734e) Πβ6. 1265 ᵇ20. κρόκας ἐμβάλλειν Ζυ39. 623 ᵃ11. — αἱ καλύμεναι κρόκαι 40 περὶ τὰς αἰγιαλὰς μχ15. 852 ᵇ29.

κροκόδειλος. cf Herod II 68-71. κροκόδειλοι ἄμφω Ζιβ17. 508 ᵃ5 Aub. τὰ περὶ τὴν κοιλίαν ᾧ ἡ τῶν ἐντέρων φύσις, τίκτυσι κροκόδειλοι οἱ χερσαῖοι ᾧ οἱ ποτάμιοι εἰς τὴν γῆν Ζιβ17. 508 ᵃ4. ε33. 558 ᵃ15. — 1. ὁ ποτάμιος, ὁ ἐν Αἰ- 45 γύπτῳ κροκόδειλος. τὸ τῶν κροκοδείλων γένος αν10. 475 ᵇ28. Ζυ1. 609 ᵃ1. ᾧ εἴ τι ἄλλο ἀνώνυμόν ἐστι διὰ τὸ μὴ εἶναι γένος ἀλλ' αὐτὸ τὸ εἶδος ἕν τι τῶν καθ' ἕκαστον, οἷον ὄφις ᾧ κροκόδειλος Ζιβ15. 505 ᵇ30 Aub. ζῴων μέγιστον Ζιε33. 558 ᵃ21. refertur inter τὰ ἔναιμα Ζιβ15. 505 ᵇ32. θ15. 50 599 ᵃ30, τὰ ἔνυδρα πεζά, ἐπαμφοτερίζει, τρόπον τινὰ ἅμα χερσαῖος ᾧ ἔνυδρος ἐστιν, ὁ δύναται ζῆν χωριζόμενος τῆς τῦ ὕδατος φύσεως Ζια1. 487 ᵃ22. β10. 503 ᵃ12. θ2. 589 ᵃ21, 25. Ζμδ11. 690 ᵇ22. τὰ ᾠοτόκα τῶν τετραπόδων Ζιβ1. 498 ᵃ13. 15. 506 ᵃ20. 17. 508 ᵃ5. γ1. 509 ᵇ8. Ζγβ1. 55 732 ᵇ19. cf Wiegmann obs zool 13. φολιδωτά, δέρμα ἄρρηκτον φολιδωτὸν Ζιβ15. 599 ᵃ31. Ζμδ11. 691 ᵃ18. Ζιβ11. 503 ᵃ31. β10. 503 ᵃ10. χροιὰ μέλαινα Ζιβ11. 503 ᵇ4. τρωγλοδυτικὰ Ζπ15. 713 ᵃ16. 16. 713 ᵇ19. cf Wiegmann 14. — τὸ στόμα ποῖον Ζμδ11. 691 ᵇ24. ἡ γλῶττα, ἢ ὅ 60 ἀναπηρία αὐτῆς, ὐκ ἂν δόξειεν ἔχειν τὴν γλῶτταν ἀλλὰ

τὴν χώραν μόνον, διὰ μὲν τὸ χερσαῖος εἶναι ἔχει χώραν γλώττης, διὰ δὲ τὸ ἔνυδρος ἄγλωττος Ζιβ10. 503 ᵃ1 Aub. Ζμβ17. 660 ᵇ15, 26, 27. δ11. 690 ᵇ20, 22. cf Troschel Archiv 1858 p 316. 318. ἔχει ὀδόντας μεγάλυς ᾧ χαυλιόδοντας Ζιβ10. 503 ᵃ9. κινεῖ πάντα τὴν κάτωθεν γένυν (κάτω σιαγόνα v l et Aub), πλὴν τῷ ποταμίῳ κροκοδείλῳ· ὗτος δὲ τὴν ἄνω μόνον· μόνος τῶν ζῴων κινεῖ τὴν σιαγόνα τὴν ἄνωθεν, τὴν ἄνω· διὰ τί Ζια11. 492 ᵇ23 Aub. Κα. Sonnenburg 13. γ7. 516 ᵃ24 Aub. Ζμδ11. 691 ᵇ6, 9 sq. β17. 660 ᵇ27. ἔχωσιν ὀφθαλμὺς ὑός, βλέπυσι δ' ἐν μὲν τῷ ὕδατι φαύλως, ἔξω δ' ὀξύτατον Ζιβ10. 503 ᵃ9, 11. κινεῖ τὸν αὐχένα Ζυ6. 612 ᵃ23. πόδες μικροὶ πάμπαν, qualia crura habeat, quomodo genua curventur, πρὸς τὸ λαβεῖν ᾧ κατασχεῖν ἀχρήστες ἔχει τὺς πόδας Ζιβ1. 498 ᵃ15 Aub. Ζμδ11. 691 ᵇ7, 8. ὄνυχες ἰσχυροὶ Ζιβ10. 503 ᵃ10. — σπλὴν μικρός, ὄρχεις ἐντὸς πρὸς τῇ ὀσφύι Ζιβ15. 506 ᵃ20. γ1. 509 ᵇ8. ova quot pariat, quomodo incubet, ὁ νεοττὸς Ζιε33. 558 ᵃ18, 22. φωλεῖ τέτταρας μῆνας, βιοῖ χρόνον πολύν, λέγυσι δέ τινες ὅτι ᾧ αὐξάνεται ἕως ἂν ζῇ Ζιθ15. 599 ᵃ32. ε33. 558 ᵃ20, 24. ἡμερῦται ἐν Αἰγύπτῳ· τὸ αὐτὸ τῦτ' ἐστιν ἰδεῖν ᾧ περὶ τὰς ἄλλας χώρας γινόμενον Ζυ1. 609 ᵃ1, 3. cf Beckmann de hist nat vett 71. Lenz 423 adn. τρόχιλοι καθαίρωσιν εἰσπετόμενοι τὺς ὀδόντας τῶν χασκόντων Ζυ6. 612 ᵃ21. θ7. 831 ᵃ12. ηεη2. 1236 ᵇ9 (Herod II 68). ὁ νομὸς ᾧ ἐστι θεὸς ὁ κροκόδειλος οβ1352 ᵃ24. (Crocodilus vulgaris C II 261. ΑΖι I 117, 9. ΚαΖμ 163, 4. ΚαΖι 89, 12. Su 178, 9. M 86. 154. 305. 306. 347.) — 2. ὁ χερσαῖος κροκόδειλος. ὄφις πόδας ἔχων ὅμοίως κροκόδειλος f 320. 1532 ᵃ25. (hardon Alberti. Scincus Gesner quadrup ovip. Ray synops quadrup 271. Lewisohn Zool des Talmud 227. Stellio vulgaris, hodie κροκόδειλος E 82. ΑΖι I 117, 10. Lacerta stellio, Monitor terrestris, Varanus arenarius H II 304. Cr. ΚαΖι 89, 12. S praef XXXIV. Lenz Zool der Gr u Röm 428.)

κροκοειδής. καρποὶ κροκοειδεῖς χ5. 795 ᵇ1.

κρόκος. γλυκεῖα ὀσμὴ ἀπὸ τῦ κρόκυ ᾧ μέλιτος ψβ9. 421 ᵇ2. cf f 105. 106. 1494 ᵇ43. κρόκος πολὺς γίνεται τῆς Σικελίας ἐν Πελωριάδι θ111. 840 ᵇ26, 30 (Croci sp var).

κρόμμυον. τὸ τῶν κρομμύων γένος ἐστὶ τῶν παραβλαστανόντων Ζγγ11. 761 ᵇ29. πκ13. 924 ᵃ33 (dist ῥάφανος). 26. 926 ᵃ3. 28. 926 ᵃ11. τὰ κρόμμυα πῶς φυτεύεται πλα9. 958 ᵇ7. α27. 926 ᵃ11. 21. 925 ᵃ19. δάκνει τὼ ἀφθαλμώ πκ22. 925 ᵃ27 (Allii sp var).

Κρόνυ παῖς ᾧ χρόνυ ×7. 401 ᵃ15. τὴν θάλατταν ἐκάλει (Pythag) Κρόνυ δάκρυον f 191. 1512 ᵃ30. — Κρόνος sidus Μλ8. 1073 ᵇ35. ὁ Κρόνυ καλύμενος κύκλος ×2. 392 ᵃ24. 6. 399 ᵃ11. — τὰ Κρόνια: Ὅμηρος πλέων ἐς Θήβας ἐπὶ τὰ Κρόνια f 66. 1487 ᵃ19.

κρόταλον. μετὰ θορύβυ ᾧ κροτάλων θ101. 839 ᵃ1.

κρόταφος. τὸ μεταξὺ ὀφθαλμῦ ᾧ ὠτὸς ᾧ κορυφῆς καλεῖται κρόταφος Ζια11. 492 ᵇ4. οἷς τὰ περὶ τὸν τράχηλον ᾧ τὺς κροτάφυς αἱ φλέβες κατατεταμέναι εἰσί, δυσόργητοι φ6. 812 ᵃ28. τῶν ῥευματικῶν εἰς τὺς ὀφθαλμὺς τὰς τε περὶ τὺς κροτάφυς φλέβας κάυσι πλα5. 957 ᵇ26. cf Oribas I 663, 9. τῶν κανθῶν ὁ πρὸς τοῖς κροτάφοις, φλέβες ἐκ τῶν κροτάφων, ἐπὶ τοῖς κροτάφοις ἐπίκεινται, ἡ τῶν κροτάφων σύνδεσις Ζιαγ. 491 ᵃ2. γ3. 512 ᵇ26. πλβ1. 960 ᵃ40. f 90. 1492 ᵃ26, 27, 31. αἱ ἐν κροτάφοις τρίχες· πολιοὶ πρῶτον γίνονται οἱ ἄνθρωποι τὺς κροτάφυς· κρόταφοι δασεῖς εὐθείαις θριξί Ζγε4. 784 ᵇ35, 785 ᵃ3. 3. 782 ᵃ15. Ζιγ11. 518 ᵃ16. χ6. 798 ᵃ22. φ3. 808 ᵇ5. αἱ ὀφρύες αἱ πρὸς τὺς

κροτάφυς τὴν καμπυλότητ' ἔχυσαι, οἱ τὰς ὀφρῦς ἀνεσπα-
σμένοι πρὸς τὸν κρόταφον Ζια 9. 491 ᵇ17. φ6. 812 ᵇ27.
πληγεὶς παρὰ τὸν κρόταφον· ἀποκτεῖναι φωκὴν χαλεπὸν
βιαίως, ἐὰν μή τις πατάξῃ παρὰ τὸν κρόταφον αι2. 438
ᵇ13. Ζιζ12. 567 ᵃ11.

κροτεῖν. κροτῦντες ἀθροίζυσι τὰς μελίττας ὀστράκοις κỳ ψή-
φοις Ζιι40. 627 ᵃ16. — πολλοὶ πλέξαντες εὖ λύυσι κακῶς·
δεῖ δὲ ἄμφω ἀεὶ κροτεῖσθαι (scribendum κρατεῖσθαι, Vhl
Rh M 18, 318) πο18. 1456 ᵃ10.

κρότος. χαίρυσιν αἱ μέλιτται κρότῳ Ζιι40. 627 ᵃ16.

κρότων. οἱ κρότωνες (ν l κρότονες) γίνονται ἐκ τῆς ἀγρώ-
στεως, ὄνος ὐκ ἔχει κρότωνας, τὰ πρόβατα κỳ αἶγες ἔχυσι
κρότωνας (ν l κρότονας) Ζιε19. 552 ᵃ15. 31. 557 ᵃ15, 16.
(tique C II 807. S I 352. 390. Hippobosca ovina St. haec
et Acarus ricinus Cr. Ricini gen K 682, 6. fort Ixodes
reticulatus, Mellophagus ovinus et Hippoboscarum sp AZι
I 166, 28. Su 227, 41. cf M 205. 230.)

Κροτωνιᾶται θ107. 840 ᵃ20. Κροτωνιᾶται Συβαρίταις ἐπο-
λέμων f 541. 1567 ᵇ30. Κροτωνιατῶν πολιτεία f 477. Κρο-
τωνιάτης Ἀλκμαίων ΜΑ5. 986 ᵃ26. Ζιη1. 581 ᵃ16. Ζγγ2.
752 ᵇ25, Κύλων f 65. 1486 ᵇ29, Μίλων f 477. 1556 ᵇ4. —
Κροτωνιάτης θ107. 840 ᵃ17.

κρύειν. ὅταν κρύσωσι (τὸ ξύλον) ἐκ τῦ ἑτέρυ ἄκρυ, κατὰ τὸ
ἕτερον ὁ ἦχος φέρεται συνεχὴς ακ802 ᵃ32. κρυομένων σφόδρα
τῶν χορδῶν ψβ12. 424 ᵃ32. ὑπὸ τὴν ᾠδὴν κρύειν πιθ39.
921 ᵃ25 Westphal Harmonik u Melopoeie p 112.

κρυνὸς ὕδατος ψυχρῦ θ114. 841 ᵃ22.

κρυστικός. ἡ φωνὴ ἡδῖαι ἡ τῦ ἀνθρώπυ, κρυστικὰ δὲ μᾶλ-
λον τὰ ὄργανα τῦ στόματος πιθ10. 918 ᵃ33.

κρύβδην τὴν ψῆφον φέρειν ρ19. 1433 ᵃ23.

κρυόεσσα ἰωκή (Hom E 740) f 148. 1503 ᵃ42.

κρύος ἰσχυρὸν μβ8. 367 ᵃ22.

κρύπτειν. ῥάδια κρύψαι τὰ εὐμετάβλητα al Ρα12. 1373
ᵃ29. ἐν τοῖς φυτοῖς κεκρυμμένη κỳ ὐκ ἐμφανὴς ἡ ζωὴ
φτα1. 815 ᵃ12. πρῶτον τοῖς φανεροῖς, εἶτα τοῖς κεκρυμμέ-
νοις ἀκολυθήσωμεν φτα1. 815 ᵇ10. — κρυπτός. κρυπτῇ
ψήφῳ ρ3. 1424 ᵇ1.

κρυπτία ἡ καλυμένη παρὰ Λακεδαιμονίοις f 495. 1558 ᵇ19.

κρυπτικῶς πυνθάνεσθαι τθ1. 156 ᵃ14 (cf κρύψις).

κρύσταλλος, πῆξις ὑγρῦ ψυχρῦ, ὑπερβολὴ ψυχρότητος,
ὕδωρ πεπηγός Γβ3. 330 ᵇ28, 26. μδ9. 385 ᵇ7. 10. 388ᵇ11.
Μη2. 1043 ᵃ9 Βz. Αδ12. 95 ᵃ16. κ4. 394 ᵃ25. Ζμβ3. 649
ᵇ11. σκηνοποιεῖσθαι, περιπατεῖν ἐπὶ τῦ κρυστάλλυ μα12.
348 ᵇ34, 349 ᵃ2. πκγ34. 935 ᵃ32. κρύσταλλος ἄκαυστον,
θραυστόν, κατακτὸν δ' ὔ, τήκεται ὑπὸ θερμῦ μδ9. 387 ᵃ19,
386 ᵃ10. 8. 385 ᵃ32. ἡ χάλαζα κρύσταλλος μα12. 347
ᵇ36, 348 ᵃ32. τὰ ἀπὸ χιόνος κỳ κρυστάλλυ ὕδατα φαῦλα
f 206. 1515 ᵇ14.

κρύψις. ἀδικῦσιν οἷς ὑπάρχει κρύψις Ρα12. 1372 ᵃ32. προ-
τάσεις λαμβάνειν πρὸς κρύψιν τῦ συμπεράσματος τθ1. 155
ᵇ23, 26, 157 ᵃ6.

κτᾶσθαι. τὰ χρήματα οἱ κτησάμενοι μᾶλλον στέργυσι τῶν
παραλαβόντων Ηι7. 1168 ᵃ23. δ2. 1120 ᵇ11. κτᾶσθαι, opp
χρῆσθαι Πα7. 1255 ᵇ32. opp φυλάττειν Πγ4. 1277 ᵇ25.
κτήσασθαι τὸ τίμημα τὸ διωρισμένον Πδ6. 1292 ᵇ30. κε-
κτῆσθαι πολλά, γῆν, μακρὰν ὐσίαν, τὰ ὅπλα al Πδ11.
1296 ᵃ1. 4. 1290 ᵇ31. 1297 ᵃ29, 31. ζ4. 1319 ᵃ8. β8.
1268 ᵃ20, 25, 32. τὸ κεκτημένον (collective, cf τὸ γεωρ-
γικόν) μετρίαν ὐσίαν Πδ6. 1292 ᵇ25. κτήσασθαι sine obiecto
Πε2. 1302 ᵃ40. ὁ κτώμενος, οἱ κτώμενοι, i e οἱ εὔποροι
Πδ5. 1292 ᵃ41. 6. 1292 ᵇ31. — κτητὸν κỳ πρακτόν Ηα4.

1096 ᵇ34, 1097 ᵃ1.

κτείνειν. κτείνῃ, ὁ δ' ἀποθάνῃ Ηε7. 1132 ᵃ8. κύριος κτεῖναι
Πγ14. 1285 ᵃ8, 12. κτείνειν, coni φυγαδεύειν, ὀστρακίζειν
Πγ17. 1288 ᵇ24. ἵνα κτάνωσι θῆρ' (Antiphon fr 2) Ρβ23.
1399 ᵇ26.

κτείς. 1. animal. refertur inter τὰ ὀστρακόδερμα κỳ ἄποδα
Ζιθ13. 599 ᵃ10. 30. 607 ᵇ2. ι37. 621 ᵇ10, τὰ ὀστρακώδη
Ζιε15. 547 ᵃ18, 24, τὰ ἀνάπτυκτα τῶν διθύρων Ζιδ4. 528
ᵃ15. Ζμδ5. 679 ᵇ26. 7. 683 ᵇ15, τὰ ἀπολελυμένα, τὰ κι-
νητικὰ Ζιθ13. 599 ᵃ13. δ4. 528 ᵃ30, τὰ τραχυόστρακα, τὰ
λιμνόστρεα, τὰ ῥαβδωτά Ζιδ4. 528 ᵃ23, 24, 25. cf ε15.
547 ᵇ11, 29. f 287. 1528 ᵇ9, 12. τὰ τριχώδη (branchiae)
τοῖς κτεσὶν (ν l κτεισὶ) ὑπάρχει κύκλῳ Ζιδ4. 529 ᵇ1. τῷ
συνάγειν σώζονται· ἐπὶ θάτερα συγκέκλεισται ὥστε τὸ ἀνοίγε-
σθαι ἐπὶ θάτερα κỳ συγχλείεσθαι· οἱ κτένες, ἐάν τις προσ-
φέρῃ τὸν δάκτυλον χάσκυσι, [κỳ] συμμύυσιν ὡς ὁρῶντες
Ζμδ5. 679 ᵇ26. 7. 683 ᵇ15. Ζιθ8. 535 ᵃ17 Pic Aub Sonnen-
burg 19. ἐν τοῖς ἀμμώδεσι λαμβάνυσι τὴν σύστασιν, ἄριστοι
δ' αὐτοῖ κύυσι, τὸ λεγόμενον κỳ τὸ λευκὸν ἐν τοῖς μεγάλοις
κτεσὶ φανερὰ ἐστιν, ἐπὶ θάτερα τῆς περιφερείας ἔχυσι τὸ
ᾠόν, τῦ ἔαρος ἔχυσι τὰ ᾠά Ζιε15. 547 ᵇ14. θ30. 607 ᵇ3.
δ4. 529 ᵇ7. Ζμδ5. 680 ᵇ23. Ζγγ11. 763 ᵇ12. μάλιστα
ταχεῖαν ἔχυσι τὴν αὔξησιν Ζιε15. 547 ᵇ24. ἀφανίζονται τινα
χρόνον ἐν τῇ ἄμμῳ, φωλᾶσιν ὑπὸ κύνα (κρύπτυσι γὰρ
αὑτὰς) Ζιε15. 547 ᵇ32. θ13. 599 ᵃ13, 18. ὁ κτεὶς μάλιστα
κỳ πλεῖστον κινεῖται δι' αὑτῦ πετόμενος· ὅταν φέρωνται ἀπε-
ρειδόμενοι τῷ ὑγρῷ, ὃ καλῦσι πέτεσθαι, ῥοιζῦσιν οἱ κτένες
(ν l οἱ κτεῖς) Ζιδ7. 621 ᵇ10. δ4. 528 ᵃ31. 9. 535 ᵇ26 Aub.
(cf Argenville conchyolog II 55. Olivi zool adriatica 120.
Johnston conchyl 134. Landsboroughs 133. Müller Archiv
f Phys 1857 p 252. Grube die Insel Lussin 46.) οἱ αὐχμοὶ
ἀσύμφοροι αὐτοῖς Ζιθ20. 603 ᵃ20. enumerantur ὁ κτεὶς
κοῖλος Ζιδ1. 525 ᵃ22. cf S II 345 Aub. οἱ μεγάλοι, οἱ μεγάλοι
εἰσὶν οἱ τὴν ἑτέραν θυρίδα πλατεῖαν ἔχοντες οἷον ἐπίθεμα
Ζιδ4. 529 ᵇ7. οἱ πυρροὶ Ζιθ20. 603 ᵃ20. διὰ τί ἐν τῷ Πυρ-
ραίῳ ποτ' ἐξέλιπον Ζιθ20. 603 ᵃ21. captura eorum Ζιθ20.
603 ᵃ22. — τὸ ὄστρακον τῦ ναυτίλῳ οἷον κτεὶς Ζιδ1. 525
ᵃ22 Aub. τῶν ἀκαλήφων γένος εὐχερὲς ἐν τοῖς κτεσὶ κỳ
κτένας Ζιδ6. 531 ᵇ8. γίνονται ἐν τοῖς κτεσὶ (ν l κτένεσι)
καρκίνοι λευκοὶ Ζιε15. 547 ᵇ29. (Pectunculus Gazae, pétoncle
C II 626. Pecten Brug M 192. ΚaΖμ 130, 28. F 308, 32.
K 577, 8. ΑΖγ 24. Pecten maximus St. Cr. Pecten Jaco-
baeus AZι I 178, 13. Mr 239. πυρροὶ P varius.)

2. caruncula, syn ἐγκανθίδες. ἐὰν δ' οἷον οἱ κτένες κρε-
ῶδες ἔχωσι τὸ πρὸς τῷ μυκτῆρι Ζια9. 491 ᵇ25 Aub. cf S
I 30. crepetem Thomae. Bsm e vers arab lat ἰκτῖνες. sed
v κτεὶς vestigium illud membranae nictantis in angulo ante-
riore oculi latens signific cf Galen IV 796: ὑν δὲ οἱ
κτένες οἷον κρεώδεις ἔχοντες πρὸς τῷ μυκτῆρι, πονηρίας ....
ταῦτα μὲν ἐν τῷ α΄ περὶ ζώων ἱστορίας Ἀρ. ἔγραφεν.

κτῆμα, def ὄργανον πρακτικὸν κỳ χωριστὸν Πα4. 1254 ᵃ16.
2. 1253 ᵇ31. τὸ κτῆμα μόριον μέρος αὐτῦ Ηε10. 1134
ᵇ10, 16. Πκ4. 1254 ᵃ9. ὐχ ἡ αὐτὴ ἀρετὴ κτήματος κỳ ἔργυ
Ηδ4. 1122 ᵇ15. κτήματα ἔμψυχα, ἄψυχα οα6. 1345 ᵃ28.
κτήματα, syn κτήσεις Πβ31. 1261 ᵃ5, 8. — κοινωνεῖν κτη-
μάτων Πβ1. 1261 ᵃ5. δημεύειν τὰ κτήματά τινος Πε5.
1305 ᵃ6.

κτῆνος. ἀποσφάξας τὰ κτήνη Πε5. 1305 ᵃ25. μεταβάλλειν
τοῖς κτήνεσι διὰ τὰς νομάς Πα8. 1256 ᵃ33.

Κτησίας ὁ Κνίδιος Ζγβ2. 736 ᵃ2, ὐκ ἀξιόπιστος Ζιθ28. 606
ᵃ8. γ22. 523 ᵃ26. β1. 501 ᵃ25.

κτῆσις, opp ἀπόλαυσις Ργ9. 1410 ᵃ6. opp χρῆσις v h v. —
ἡ κτῆσις μέρος τῆς οἰκίας, πλῆθος ὀργάνων, χρήματα κ̀
πλῆτος, ἐκ δεσπότη κ̀ δύλυ. ὐκ ἔστι μέρος τῆς πόλεως,
πολλὰ ἔμψυχα μέρη τῆς κτήσεώς ἐστι Πα4. 1253ᵇ23, 31.
8. 1256 ᵃ3, 16. γ4. 1277 ᵃ8. η8. 1328 ᵃ34, 35. περὶ πάσης 5
κτήσεως κ̀ χρηματιστικῆς Πα8. 1256 ᵃ1. ἄθλιοι οἷς πλείονος
ἀξία ἡ κτῆσις τῆς ἰδίας φύσεως f 89. 1492 ᵃ8. — πότερον
κοινὰς εἶναι δεῖ τὰς κτήσεις ἢ ἰδίας Πβ1. 1261 ᵃ8, 5. 5.
1262 ᵇ40, 1263 ᵃ2, 26, 38. πότερον ἰσότητα κτήσεως ὑπάρ-
χειν δεῖ ταῖς πόλεσιν Πβ7. 1266 ᵇ33, ᵃ40. τὰς κτήσεις μὴ 10
ποιεῖν ἀναδάστυς Πε8. 1309 ᵃ15. σῴζειν τὰς ὑπαρχύσας
σοι τῶν ἀγαθῶν κτήσεις ρ1. 1421 ᵃ21. ἡ μέση κτῆσις βελ-
τίστη Πδ11. 1295 ᵇ5.
κτητική, μέρος οἰκονομίας Πα4. 1253ᵇ23. ἡ δικαία Πα7.
1255 ᵇ37. ἡ κατὰ φύσιν κτητικὴ Πα8. 1256 ᵇ38, 23. 15
κτίζειν. ἐπὶ τῶν πρώτων οἰκησάντων ἢ κτισάντων Πγ1. 1275
ᵇ33. οἱ κτίσαντες ἢ κτησάμενοι χώραν βασιλεῖς κατέστησαν
Πε10. 1310 ᵇ38. Φωκαεῖς ἔκτισαν Μασσαλίαν f 508. 1561
ᵃ39.
κτιστής. κεκλῆσθαι ἀπὸ τῦ κτιστῦ f 507. 1561 ᵃ28. 20
κύαθος. 1. κύαθος ὕδατος μβ2. 355 ᵇ28. κύαθος ὕδατος
κύκλῳ φερόμενος Οβ13. 295ᵃ19. — 2. cucurbitula, ὁ κύα-
θος παύει τὰ ὑπώπια θ9. 890 ᵇ7. 10. 890 ᵇ21. 12. 890ᵇ34.
κύαμος. τὸ δίθυρον τῶν κυάμων Ζγγ2. 752 ᵃ22. οἱ κόκκοι
τῦ κυάμυ εἰσὶν ἐν θήκαις φτα5. 820 ᵇ7. συμφέρει φυτεύειν 25
περὶ τὰ σμήνη κυάμυς Ζυ40. 627 ᵇ17. πιαίνονται βόες τοῖς
φυσητικοῖς οἷον κυάμοις ἐρηριγμένοις, χλόη κυάμων Ζιθ7.
595 ᵇ7. κυάμων πλῆθος ποιεῖ καθιέναι τὸ ὕθαρ Ζιγ21. 522
ᵇ33. κύαμος διαμασώμενος πθ6. 890 ᵃ25. μεῖζυς κυάμων
Ζιζ3. 561 ᵃ30, cf κέγχρος. διὰ τί οἱ Πυθαγόρειοι ἀπέχονται 30
τῶν κυάμων f 190. 1512 ᵃ7 (Vicia faba L).
κυάνεος, κυανῆς. τὸ κυανῦν μεταξὺ λευκῦ κ̀ μέλανος αι4.
442 ᵃ24. φώκαινα, ἀλκυὼν al τὸ χρῶμα ἔχει κυανῦν Ζιζ12.
566 ᵇ12. ι14. 616 ᵃ15. f 272. 1527 ᵃ36. ἀναρρηγνυμένη
τῦ φωτὸς ἐκ κυανέυ κ̀ μέλανος μα5. 342 ᵇ15. θάλαττα 35
κυανέα πκγ6. 932 ᵃ31. κς37. 944 ᵇ21.
Κυάνεαι θ105. 839 ᵇ14, 840 ᵃ1.
κυανοειδής. τὸ μὴ διωρισμένον τῆς θαλάττης διὰ βάθος μέ-
λαν κ̀ κυανοειδὲς φαίνεται Ζγε1. 779 ᵇ33. cf χ3. 794 ᵃ12.
μέλαν ἰσχυρῶς κ̀ κυανοειδές χ5. 796 ᵃ18. τὸ τελευταῖον 40
γίνονται οἱ βότρυες κυανοειδεῖς, ὅταν τὸ φοινικῦν πολλῦ κ̀
ἀκράτυ τῷ μέλανι μιχθῇ χ5. 795 ᵇ29, 796 ᵃ30.
κύανος. 1. metallum. κυάνυ (κυανῦ Bk, v l κυανῦν) τὸ μέ-
ταλλον κ̀ χρυσοκόλλης θ58. 834 ᵇ20. — 2. avis. descr
Ζυ21. 617 ᵃ23-28. (coeruleus Gazae, chyco Alberti. πετρο- 45
κόσσυφος Cretensium. merle-bleu, Turdus cyanus, Petro-
cichla cyana Belon VI 24. St. Cr. K 982, 1. AZ I 100,
64. cf Lnd 83. Belonio refragatur Mont-beillard oiseaux
VI 36. Gesner avis de genere picorum, s v coeruleus. C II
573. Psaro smeroula S index et II 122. Certhia muraria, 50
Tichodroma muraria G 13-17. Su 122, 73. cf Lnd 76.)
κυανόχρων τῆς θαλάττης ἔδαφος (Alcidam) Ργ3. 1406 ᵃ5.
κυβεῖαι κ̀ πεττεῖαι Ρα11. 1371 ᵃ3.
κυβερνᾶν, dist κωπηλατεῖν ρ25. 1435 ᵃ28. — ἡ ἀρχὴ δοκεῖ
περιέχειν ἅπαντα κ̀ κυβερνᾶν (Anaxim) Φγ4. 203 ᵇ11. pass 55
τὴν δύναμιν κυβερνᾶσθαι ἐκεῖθεν μα2. 339 ᵃ23. med κυβερ-
νωμένης τῆς διανοίας αὐτοῖς πλδ12. 964 ᵇ17.
κυβερνήτης Πα4. 1253 ᵇ28. γ6. 1279 ᵃ3, 5. 11. 1282 ᵃ10,
22. dist ἐρέτης, πρωιρεὺς Πγ4. 1276 ᵇ23. — τὸν δαίμον’
ἔχει κυβερνήτην ἀγαθὸν ηεη14. 1247 ᵃ27. 60
κυβερνητικός Πγ11. 1282 ᵃ10.

κυβευτής (εἶδός τι ἀνελευθερίας) Ηδ3. 1122 ᵃ7.
κυβικοὶ ἀριθμοὶ πιε3. 910 ᵇ36.
κύβος. δύο μόνα σχήματα συμπληροῖ τὸν τόπον, πυραμὶς κ̀
κύβος Ογ8. 306 ᵇ7. οἱ δύο κύβοι κύβος Αγ5. 75 ᵇ13. —
ἐν κύβων πτώσει ηεη14. 1247 ᵃ22. — ἀριθμοὶ τετράγωνοι,
κύβοι Αγ10. 76 ᵇ8. Μν6. 1093 ᵃ7.
Κυδίας ἐδημηγόρησεν Ρβ6. 1384 ᵇ32.
κύειν ι q φέρειν, πληρῦσθαι. κύων κύει ἑξήκοντα ἡμέρας·
ἔλαττον ἢ φέρει τῶν ἑξήκονθ’ ἡμερῶν· κύυσι τριάκοντα
ἡμέρας· πρόβατον αὐτοετὲς ὀχεύεται κ̀ κύει Ζιε14. 545ᵇ7,
ᵃ24. 11. 543 ᵇ16. κοχλίαι κύοντες φαίνονται Ζιε12. 544 ᵃ23
(ἐρωτᾷ τὰ παιδικὰ εἰ ἤδη ἐξ αὐτῦ κύει Πε10. 1311 ᵇ1.)
καθ’ ὁμοιότητά τινα κ̀ τίκτειν λέγονται ἔνια κ̀ κύειν, ἄρ-
χονται κύειν Ζιδ11. 537 ᵇ24. ε11. 543 ᵇ14. ἐπιμελεῖται δὲ
(ὁ ἄρχων) κ̀ τῶν γυναικῶν αἳ ἂν φῶσιν ἐπ’ ἀνδρὸς τελευτῇ
κύειν f 381. 1541 ᵇ11. — κύει πολλὰ κυήματα Ζιε11. 543
ᵇ22. ὄρνις κύσα ὑπηνέμια Ζγα21. 730 ᵃ4. δίδυμα κύσσα
τις ἐπεκύησε τρίτον Ζιγ4. 585 ᵃ17. αἱ τὰ ἄρρενα κύυσαι
Ζιη4. 584 ᵃ13, 20. δέχεται ὀχείαν κύοντα τῶν ζῴων γυνὴ
κ̀ ἵππος Ζιη4. 585 ᵃ3, 24. οἱ ὄροβοι ταῖς κυήσαις ὐ συμ-
φέρυσι Ζιγ21. 522 ᵇ29. — κορακῖνος ἄριστος κύων sim,
syn ὅταν κύῃ Ζιθ30. 607 ᵇ25, 4. — τὸ κυόμενον (v l κυή-
μενον) i q κύημα, ἔμβρυον Ζγα22. 730 ᵇ4 et δ5. 773 ᵇ21,
13. cf κυεῖν.
κυεῖν. Lob Paral 556. ἤδη δὲ κ̀ ἐνιαυσία (ὄνος) ἐκύησεν ὥστε
κ̀ ἐκτραφῆναι Ζιε14. 545 ᵇ23. τῶν ἰχθύων ἀγελάζονται οἱ
μὲν κύοντες Ζιι2. 610 ᵇ3. κινητικώτερά ἐστι κυόμενα τὰ
ἄρρενα τῶν θηλέων, ἱκανῦ τῷ κυομένῳ ἡ διὰ τῦ ὀμφαλῦ
τροφή, ἡ ὑστέρα συμμύει μέχρι τῶν κυομένων ταῖς γυ-
ναιξίν, τὰ γόνυ κυόμενα ᾠὰ Ζγδ6. 775 ᵃ7. 8. 777 ᵃ23. 5.
773 ᵇ15. Ζιζ2. 560 ᵃ17. ἀπολυθῆναι τῆς κυήσης πν4. 483
ᵃ13.
κύημα. saepe syn τὸ γιγνόμενον, τὸ συνιστάμενον. κύημα
λέγω τὸ πρῶτον μίγμα θήλεος κ̀ ἄρρενος Ζγα20. 728 ᵇ34.
18. 724 ᵇ18. πῶς ἔχει, ἐκ τίνων συνίσταται τὸ κύημα
πρῶτον Ζγβ3. 737 ᵃ16. α22. 730 ᵇ3. αἰτία τοῖς συνιστα-
μένοις κυήμασίν ἐστι Ζγδ3. 770 ᵃ7. ἡ ἀρχὴ τῦ κυήματος,
ὅταν μετάσχῃ τοιαύτης ἀρχῆς τὸ περίττωμα ἢ τῦ θήλεος
κύημα γίνεται, τὸ ἀποκρινόμενον ἐν τῷ πνεύματι τῆς ψυ-
χικῆς ἀρχῆς κύημα ποιεῖ Ζγγ11. 762 ᵇ8, 17. β3. 737 ᵃ34.
— ὐκ ἐξ ὁποσυῶν γίνεται κύημα, τὸ τῦ κυήματος μόριον,
σπέρμα ὐθὲν μόριον τῦ γιγνομένυ κυήματος, ὐθὲν μόριον
ἐστι τὸ εἰσελθὸν τὸ γιγνόμενον κύηματος Ζγδ4. 772 ᵃ27.
γ11. 762 ᵇ34, 763 ᵃ2. α22. 730 ᵇ11. β3. 736 ᵃ26. ἡ αὔξη-
σις, ἄφεσις τῦ κυήματος, ἡ εἰς τὸ κύημα τροφὴ Ζγβ4.
740 ᵇ9. δ5. 774 ᵃ24. Ζιθ30. 608 ᵃ1. ἡ γινομένη ἐν τῷ
κυήματι κίνησις, ἡ γινομένη ὑγρότης ὐθὲν συμβάλλεται τοῖς
θήλεσιν εἰς τὸ κύημα, τὸ περίττωμα ἀναλίσκεται εἰς τὸ
κύημα Ζγδ4. 772 ᵇ24. 5. 773 ᵇ3. β4. 739 ᵃ21. — τὸ μό-
ριον ἐν ᾧ ἐγγίγνεται τὰ κυήματα Ζγα16. 721 ᵃ23. — ἐν
τῷ κυήματι πάντων ἐνόντων τῶν μορίων δυνάμει ἡ ἀρχὴ
Ζγβ4. 740 ᵃ1. ὐχ ὡς ἄψυχον ἂν θείη τις τὸ κύημα, πό-
τερον ἐνυπάρχει τῷ σπέρματι κ̀ τῷ κυήματι μόριόν τι τῆς
ψυχῆς ἢ ὔ, τὴν θρεπτικὴν ψυχὴν τὰ σπέρματα κ̀ τὰ κυή-
ματα τὰ χωριστὰ ἔχει Ζγβ3. 736 ᵃ32, 31, ᵇ9. — τὸ ᾠόν,
σκώληξ κύημα τί ἐστιν Ζγα23. 731 ᵃ6. γ11. 762 ᵇ33.
τίσι γίνεται ἄνευ ὀχείας σύστασις κυημάτων· τὸ κύημα τὸ
ἄρρεν κ̀ τὸ θῆλυ μὴ κεχωρισται, τύτοις τὸ σπέρμα οἷον
κύημα· ὐδὲν ἧττον τά τε σπέρματα κ̀ τὰ κυήματα τῶν
ζῴων ζῇ τῶν φυτῶν· τὰ φυτὰ προίεται ὐ γονὴν ἀλλὰ
κύημα τὰ καλύμενα σπέρματα Ζγβ3. 736 ᵃ34. 1. 734 ᵃ5.

α20. 728 b33 (Lewes 356). 23. 731 a3. γ1. 750 b10. — τὸ κύημα τὸ πρῶτον ἀδιόριστον Ζγγ9. 758 a35, ἀτελὲς ἀτελέστερον ἀτελέστατον, τέλειον τελεωθέν Ζγγ7. 757 b19. 8. 758 a11. 9. 758 a37. 7. 757 a31. 9. 758 a33. Ζια5. 489 b7, 13. Ζγβ4. 737 b9, 11, χωριστόν, χωριζόμενον Ζγβ3. 736 b9, 11. τὸ κύημα διαρθρούμενον ϗ αὐξανόμενον, ηὐξημένον Ζια5. 489 b10. Ζγδ5. 773 b13, ὃ σφόδρα φανερόν, μικρόν, μέγα Ζιζ17. 571 a29. θ15. 599 b24. Ζγγ4. 755 a34, ἓν μόνον, πολλά Ζγδ4. 772 a35, 25. Ζιε11. 543 b23. μονόχροα Ζγγ1. 751 b30, μαλακόν, σκληρόδερμον, σκληρόν Ζιε28. 555 b26. Ζγγ8. 758 a19. 9. 758 b13, συνεχές, γλισχρότης περὶ τὸ κύημα πολλὴ Ζιζ14. 568 a22, 23. Ζγβ1. 733 a24. κυήματα μὴ ἐνόντα Ζιζ10. 565 a21. — ὅταν συστῇ τὸ κύημα Ζιι37. 621 a23. Ζγα23. 731 a18. 4. 739 b33. δ7. 776 a12. τὸ κ. ἔχει αὔξησιν, λαμβάνει τὴν τροφήν, φθείρεται, ἐκπίπτει Ζιη3. 583 b13. 4. 584 a10. Ζγβ4. 740 a35. γ4. 755 a30. δ5. 773 b17. ἐκτρέφει, σχίζεται, καταρρεῖ εἰς τὴν γῆν, νοσεῖ, πάσχει, πηροῦται, κατεσθίεται Ζιη3. 583 b10. ε30. 556 b5. θ2. 591 a7. 13. 598 b6. ζ13. 567 b15. Ζγδ5. 774 a15, 18. 7. 775 b37. β8. 748 a35, 749 a5. ἐξελαύνειν τὰ κυήματα Ζιζ17. 570 b10. προΐεται τὸ κ. εὐθέως, ταχέως Ζγα21. 729 b32. Ζιζ12. 566 b5. — τὸ κύημα ἐν τοῖς ὄρνισι, τοῖς ϗ ἔσχεν ἡμίονος, τὸ κ. ἐξ ἵππϰ ϗ ὄνϰ Ζγγ1. 751 b32. 2. 752 b6. β8. 747 b27, 748 b5. κυήματα ἰχθύων Ζιζ13. 567 a28. 14. 568 a11. 17. 571 a28. Ζγβ5. 741 a36. γ1. 750 b28, μαλακίων Ζιε18. 550 b2. συνίσταται κυήματα τοῖς ὄρνισι ϗ αὐτόματα, τὰ καλεύμενα ὑπηνέμια Ζγγ1. 749 b1. dist σπέρμα, θορός Ζγα13. 719 b33. γ7. 757 a16.

κύησις. ἐντὸς πῶς ἔχει ϗ πῇ διαφέρει τὰ περὶ τὴν κύησιν Ζμδ10. 689 a17. συμβαίνει διαφορὰ περὶ τὰς κυήσεις ἐπί τε τῶν ἀνθρώπων ϗ ἐπὶ τῶν ἄλλων ζῴων Ζγδ6. 775 a28. αἱ ὑστέραι αἱ περὶ τὴν κύησιν Ζμδ10. 689 a3. ἡ δ' ἄνευ κυήσεως Ζγγ5. 756 a16. αἱ κυήσεις ϗ αἱ τῶν ὑπηνεμίων ᾠῶν συλλήψεις, ἡ κύησις ϗ ἡ αὔξησις Ζιζ2. 560 b11. 29. 578 b25. ὁ γινόμενος ὑπὸ τῶν ᾠῶν ὄγκος ἐν τῇ κυήσει, κυήσεις ἐκ τοῦ ἀνακάπτειν τὸ σπέρμα Ζγα16. 721 a20. γ5. 756 a6, b6. κύησις τῶν ὀστρακοδέρμων Ζιθ30. 607 b4. ὅταν νοσήσῃ (ἵππος) ἐν τῇ κυήσει Ζιζ24. 577 b26. ὁ χρόνος, οἱ χρόνοι, ἡ ὥρα τῆς κυήσεως, τῶν κυήσεων Ζιε17. 549 b12. ζ17. 571 a24. 23. 577 b7. 28. 578 a30. 35. 580 a19. θ28. 40 606 b22. Ζγβ7. 746 a32. δ8. 776 a21. 17. 777 a32, b17. διετὴς ἡ κύησις Ζγδ10. 777 b16. αἱ κυήσεις ὀλιγοχρόνιοι, πολυχρόνιοι Ζιε8. 542 a28. πιθ. 891 b26. ζῷα περὶ τὴν κύησιν ἄριστα Ζγα19. 727 b8. μίγνυνται ὧν ἴσοι οἱ χρόνοι ϗ ἐγγὺς αἱ κυήσεις Ζγβ4. 738 b29. ἐν ταῖς κυήσεσι τϰ οἴνϰ αἰσθάνονται αἱ πλεῖσται Ζιε5. 585 a32. τῆς Κριθηίδος μετὰ τὴν κύησιν εὐθέως τελευτησάσης f 66. 1487 a6.

Κυζικηνῶν inventum oeconomicum οβ1347 b31.

Κυθήρα (ex antiquo epigrammate) θ133. 843 b27. Κύθηρα νῆσος πόλιν ὁμώνυμον ἔχϰσα πρὸς τῇ Κρήτῃ f 478. 1556 b13. — Κυθηρίων πολιτεία f 478.

Κύθνος μία τῶν Κυκλάδων νήσων f 479. 1556 b22. — Κυθνίων πολιτεία f 479, 480. — Κύθνιον χωρίον τι Ἄργϰς f 480. 1556 b38.

κυθνώλεις συμφοραί unde in proverbium abierint f 480. 1556 b28.

κυΐσκεσθαι. κυΐσκεται, κυΐσκονται τϰ ἔαρος, περὶ τὸν μῆνα, μέχρι τϰ μετοπώρϰ Ζιε11. 543 b19. ζ17. 570 a32. 22. 575 b17. ὡς κυϊσκομένων τῶν ἰχθύων ἐκ τϰ ἀνακάπτειν τὸν θορόν Ζγγ5. 756 b7. ἐκ (ἀπὸ) μιᾶς ὀχείας κυΐσκονται Ζιζ18. 573 a34. 20. 574 a18. Ζγδ4. 771 b17. κυΐσκεται ἐν ὀλίγαις

ἡμέραις, ἐν τρισὶν ὀχείαις Ζιζ29. 578 b14. 19. 573 b17. ὄνος ὀϰέτι λαμβάνει πλησία ὀϳὲ κυΐσκεται τϰ λοιπϰ βίϰ παντὸς Ζιζ23. 577 a32. οἱ θῶες ὁμοίως κυΐσκονται τοῖς κυσὶ Ζιζ35. 580 a26. οἱ ἰχθῦς ἀρχόμενοι κυΐσκεσθαι ἀγαθοί Ζιθ30. 607 b8. — κυΐσκοντα v l Ζμδ8. 684 a24, τίκτοντα Bk.

κυκᾶν. γλῶσσ' ἐκύκα κακόν (Sapph fr 29) Pα9. 1367 a12. — θάλασσα κυκωμένη ἐκ βυθῶν θ130. 843 a24. πολλῶν κυκωμένων πκγ29. 934 b14.

κυκεών, dist ὁ γλυκύς, ὁ ἄκρατος πγ12. 872 b26.

Κυκλάδες x3. 393 a15. Κύθνος μία τῶν Κυκλάδων νήσων f 479. 1556 b22.

κυκλεῖν. τὸν αὐτὸν κυκλήσομεν λόγον Oγ2. 300 a33.

κυκλικός. ὑπὸ τὴν τϰ κυκλικϰ (i e τϰ κύκλῳ φερομένϰ) σώματος σφαῖραν Οβ7. 289 a30. — κυκλικῶς κινεῖσθαι Οα5. 272 b24.

κύκλιος. Ἀρίων πρῶτος τὸν κύκλιον ἤγαγε χορόν f 627. 1584 b1.

κύκλος. κατὰ κύκλον (Emped v 74) Φβ1. 251 a3. — geometrice def ἐπίπεδον ἐκ τϰ μέσϰ ἴσϰ Pγ1. 1407 b27. Aδ7. 92 b22. opp εὐθύγραμμον Aβ25. 69 a32. ὁ κύκλος σχῆμα ἀγώνιον Mδ14. 1020 a35, σχῆμα τέλειον πρῶτον, κάλλιστον Oα2. 269 a20. 9. 279 b2. β4. 285 b18, 22. Mδ6.1016 a16. πιϛ10. 915 a36. τὸ κύκλῳ εἶναι ϗ κύκλος ταὐτό Mζ10. 1036 a1. ϰκ ἔστιν ἄπειρος κύκλος Oα5. 272 b20. γράφειν κύκλον μβ6. 363 a28. μχ1. 849 a15. κύκλϰ τὸ μέσον λαβεῖν Hβ9. 1109 a25. ημα9. 1187 b37. τμῆμα κύκλϰ μα6. 343 a12. κύκλος ἐπίπεδος (εὐθείας) κατὰ σημεῖον ἅπτεται μχ8. 851 b22. πκγ4. 931 b27. cf Mβ2. 998 a3. κώνϰ βάσις κύκλος πγ8. 872 a37. συμβαίνει ἴσην εὐθεῖαν εἶναι κύκλῳ Φη4. 248 b6. κύκλϰ τετραγωνισμός (v h v) Κ7. 7 b31. ηεβ10. 1226 a29. γραφῆναι τϰς μεγίστϰς κύκλϰς διὰ τῶν αὐτῶν σημείων μάθησις πιε7. 912 a26. orbium coelestium nomina: ὁ τϰ γάλακτος κύκλος μαθ. 345 a25. cf a33. ὁ τῶν ζῳδίων κύκλος μα6. 343 a24. ὁ λοξὸς κύκλος Γβ10. 336 a32. Mλ5. 1071 a16. ὁ ὁρίζων vel ὁ τϰ ὁρίζοντος κύκλος Oβ14. 297 b34. μβ6. 363 a28. ὁ ἰσημερινὸς κύκλος μα7. 345 a8. ὁ διὰ παντὸς φαινόμενος (i e arcticus) μβ6. 363 b32 Ideler. — mechanice κύκλος τὸ θαυμασιώτατον μχ847 b16-848 a37 Cappelle. ἐν κύκλῳ ἡ πλεῖον ἀφεστηκυῖα γραμμὴ τϰ κέντρϰ θᾶττον φέρεται μχ1. 848 b3-849 b21. δύο φορὰς φέρεται ἡ γραφϰσα τὸν κύκλον μχ1. 848 b10. 8. 852 a8 (aliter ipse Ar, v infra b57). ὁ μείζων κύκλος τϰ ἐλάττονι ἴσην ἐξελίττεται γραμμὴν μχ24. 855 a28. τριχῶς ἐνδέχεται τὸν κύκλον κυλισθῆναι μχ8. 851 b16. — κύκλῳ φέρεσθαι, στρέφεσθαι, ῥεῖν, περιάγειν μα3. 340 b11, 341 a2. γ1. 371 a32. β2. 356 a8. Oα5. 272 a5. ἡ κύκλῳ φορά, κίνησις μα3. 340 b32. γ1. 371 a32 al. τὸ κύκλῳ σῶμα Oα3. 270 a33 i e τὸ κύκλῳ φερόμενον σῶμα 269 b30. φορὰ εἰς τὸ κύκλῳ, εἰς εὐθύ Φθ9. 217 a19. ὃ ταὐτὸν κύκλῳ φερόμενον ϗ κύκλον Φθ8. 262 a15. cf μα8. 345 a16. πιϛ3. 913 b13. 12. 915 b13. φορὰ κύκλῳ ἢ εὐθεῖα ἢ κύκλῳ ϗ ἐκ τϰτων μικτὴ Oα2. 268 b18, 20. Φθ8. 261 b29, 264 b18, 20. 9. 265 a14. η4. 248 a20. τῇ κύκλῳ φορᾷ ϰθὲν ἐναντίον Oα4. β3. 286 a3. (ἡ κύκλῳ ἔχει πως ἀντικείμενα τὰ κατὰ διάμετρον Oα8. 277 a23.) τὴν κύκλῳ φορὰν ἐνδέχεται ἀίδιον, συνεχῆ, ἄπειρον εἶναι ἡ κύκλῳ φορὰ ἁπλῆ, τέλειος, πρώτη Φθ8. 261 b28, 264 b28. 9. 265 a25. Oα2. 269 a3. Mλ6. 1071 b11. 7. 1072 b9. ἐν τῇ κύκλῳ κινήσει ϗ γενέσει ἐστὶ τὸ ἐξ ἀνάγκης ἁπλῶς Γβ11. 338 a14. τὸ κύκλῳ φερόμενον σῶμα ποῖόν ἐστιν Oα3. 269 b30, 270 a33. οἱ κύκλοι, ἐν οἷς τὰ ἄστρα ἐνδέδεται, κινῦνται, ὁ τὰ ἄστρα Οβ8, praecipue 289 ᵇ33. ἔστι διχῶς ἐπὶ τῷ κύκλῳ κινηθῆναι Οβ5. 287 ᵇ22. ἐπὶ τῷ κύκλῳ χ ἐπὶ τῆς σφαίρας χ ὅλως τῶν ἐν αὐτοῖς κινεμένων συμβήσεται αὐτὰ ἠρεμεῖν Φ9. 240 ᵃ29. κύκλος χ δίνη πῶς γίνεται μγ1. 370 ᵇ22. ἐὰν κύκλος ῥιφθῇ, πρῶτον εὐθεῖαν γράφει, παυόμενος δὲ ἕλικα πιϛ11. 915 ᵃ37. — physice, de generationum ac mutationum in se ipsum revertente orbe, γένεσις ἢ εἰς εὐθὺ ἢ κύκλῳ Γβ11. 338 ᵃ6. γένεσίς ἐστι κύκλῳ, περιέρχεται ἡ γένεσις κύκλῳ διὰ τὸ πάλιν ἀνακάμπτειν Γβ4. 331 ᵇ2. 10. 337 ᵃ5. ξ2. 975 ᵃ32. Αδ12. 95 ᵇ38- 96 ᵃ7. κατὰ κύκλον ἀναγκαῖον βαδίζειν μβ3. 457 ᵃ1. ὕτως ἂν ἐγίγνετο συνεχὲς χ κύκλος Πε12. 1316 ᵃ29. γίνεται κύκλος ὗτος μα9. 346 ᵇ36. κύκλος τὰ ἀνθρώπινα πράγματα Φδ14. 223 ᵇ24. πιζ3. 916 ᵃ28. — logice τὸ κύκλῳ χ ἐξ ἀλλήλων δείκνυσθαι, ἡ κύκλῳ χ ἐξ ἀλλήλων ἀπόδειξις Αβ5-7. γ3. 72 ᵇ17, 25. — κύκλῳ i q circum. ὁ κύκλῳ ἀήρ, τὸ κύκλῳ νέφος sim μα3. 340 ᵇ34. 12. 348 ᵇ7. β1. 354 ᵃ4. 361 ᵃ24. γ4. 375 ᵃ13. κύκλῳ περιίσταται τὸ λευκόν Ζγγ1. 751 ᵇ34. τὸ κατὰ τὴν ἀνδρείαν τέλος ἡδύ, ὑπὸ τῶν κύκλῳ δ' ἀφανίζεται Ηγ12. 1117 ᵇ2. τὸ ἐγκώμιον τῶν ἔργων ἐστίν, τὰ δὲ κύκλῳ εἰς πίστιν Ρα9. 1367 ᵇ29. οὐ δῖοῦ ὁ τὰ ἐρωτώμενα λέγυσιν ἀλλὰ τὰ κύκλῳ Ργ14. 1415 ᵇ24. φενακίζει τὸ κύκλῳ πολὺ ὂν Ργ5. 1407 ᵃ35. βέλτιον μὴ κύκλῳ περιιέναι παρέντας τὴν σύντομον Ζγδ4. 770 ᵃ2. — τὰ ἔπη κύκλος Αγ12. 77 ᵇ33. ὡς Φαύλος τὸν κύκλον (?) Ργ16. 1417 ᵃ15 Spgl.

κυκλοτερής ὁ ὄγκος τῆς γῆς Οβ13. 294 ᵃ8. γράφυσι κυκλοτερῆ τὴν οἰκεμένην μβ5. 362 ᵇ13. αἱ τῷ ἡλίῳ ἀκτῖνες κυκλοτερεῖς φαίνονται πιε6. 911 ᵇ7. λίμνη τῷ σχήματι κυκλοτερής θ102. 839 ᵃ16.

κυκλῦν. ὅταν κυκλώσωσι τὺς ἰχθῦς, syn συγκυκλώσωνται Ζιδ8. 533 ᵇ27, 22.

κυκλοφορεῖν. ἡ ἐν τόρνῳ κυκλοφορημένη σφαῖρα κ2. 391 ᵇ22.

κυκλοφορία ψα3. 407 ᵃ6. opp εὐθυφορία Φε4. 227 ᵇ18. ἡ κυκλοφορία πρώτη τῶν φορῶν Φθ8. 9. Μι1. 1052 ᵃ28. ἡ κυκλοφορία ἡ ὁμαλὴς μέτρον χρόνε Φδ14. 223 ᵇ19, 33.

κυκλωπικῶς θεμιστεύειν παίδων (Hom ι114) Ηκ10. 1180 ᵃ28.

κυκλώπιον Ζιδ8. 533 ᵃ9, κύκλῳ πίον correxerunt Pic Aub.

κύκλωψ. κύκλοπα κύρην (Emped 227) αι2. 438 ᵃ1.

Κύκλωψ. ὁ Πολύφημος πῶς ἐγένετο κύκλωψ μήτε πατρὸς ὢν κύκλωπος μήτε μητρός f 164. 1505 ᵃ9. ὁ Κύκλωψ ζημίας ἄξιος, ἀλλ' ἐκ Ὀδυσσεῖ f 166. 1505 ᵇ39. 165. 1505 ᵇ19. turris Cyclopes invenerunt f 439. 1550 ᵃ40. — Κύκλωψ, διθύραμβος Τιμοθέν πο2. 1448 ᵃ15 Sus. — ἐν Κύκλωψι τοῖς Θραξὶ θ121. 842 ᵃ4.

κύκνος. refertur inter τὰ πτηνά, ἀγελαῖα Ζια1. 488 ᵃ3. θ12. 597 ᵇ29. τὰ βαρύτερα τῶν στεγανοπόδων Ζιθ3. 593 ᵇ15. ι12. 615 ᵃ32. descr Ζιι12. 615 ᵃ31-ᵇ5. f 268. 1526 ᵇ34- 38. cf Rose Ar Ps 285. ἔχει ἀποφυάδας ὀλίγας κάτωθεν κατὰ τὴν τῷ ἐντέρῳ τελευτήν, μάχεται ἀετῷ Ζιθ17. 509 ᵃ22. ιι. 610 ᵃ1. ἀλληλοφάγοι μάλιστα τῶν ὀρνέων (ἀλληλοφόνοι ci Pic Aub, ἀλληλομάχοι ci G 50, ἀλληλοφθίλοι Su) Ζιι1. 610 ᵃ2. οἱ παραγενόμενοι λέγυσι πλῆθός τι κύκνων ἐν αὐτῇ (Πυριφλεγέθοντι) γίνεσθαι θ102. 839 ᵃ24. (Albertus: cygnus, quem chokuz antiqui Graecorum vocabant. Cygnus olor S II 90. C II 271. Cr. St. hodie κύκνος, κϋλος. Cygnus musicus ΚαΖι 12, 44. ΑΖι I 100, 65. cf E 61. Lnd 156.)

Κύκνος Ρβ22. 1396 ᵇ17. θυμὸν Κύκνυ αἰθὴρ λαμπρὸς ἔχει f 597. 1577 ᵃ36. Τέννος ὁ Κύκνυ f 552. 1569 ᵇ9.

κυλίειν. κάνθαροι κυλίυσι τὴν κόπρον Ζιε19. 552 ᵃ17. — pass πᾶν τὸ κυλιόμενον στρέφεσθαι ἀνάγκη Οβ8. 290 ᵃ25. ὁ τῆς ἁμάξης τροχὸς κυλίεται μχ8. 851 ᵇ18. ἑλκομένε χ κυλιομένε τῷ κυλίνδρῳ πιϛ5. 914 ᵃ24. ὁ δύναται πέτεσθαι φωρ (μέλιττα), ἀλλὰ πρὸ τῷ σμήνες κυλίεται Ζιι40. 625 ᵇ5. οἱ φαῦλοι αὐληταὶ κυλίονται, ἂν δίσκον δέῃ μιμεῖσθαι πο26. 1461 ᵇ31. — κυλίεσθαι περὶ τὴν ἀγοράν Πζ4. 1319 ᵃ29.

κυλίνδειν, κυλινδεῖν. κυλίνδετο (Hom λ 598) Ργ11. 1411 ᵇ34. ὁ κεραμεικὸς τροχὸς κυλίνδεται μχ8. 851 ᵇ21. κυλισθῆναι μχ24. 856 ᵃ7. τριχῶς ἐνδέχεται τὸν κύκλον κυλισθῆναι μχ8. 851 ᵇ16. ἐνίοτε κυλινδεῖται τὸ ἔμβρυον περὶ τὸ αἰδοῖον Ζιη8. 586 ᵇ25.

κύλινδρος Ζκ7. 701 ᵇ6, dist σφαῖρα, κῶνος κ6. 398 ᵇ28. ὁ κυλίνδρος ὡσθεὶς εἰς εὐθὺ φέρεται πιϛ5. 913 ᵇ37. λίθος παρόμοιος κυλίνδρῳ θ162. 846 ᵇ4.

κύλισις Φγ1. 201 ᵃ18. Μκ9. 1065 ᵇ19. τῷ σφαιροειδὲς δύο κινήσεις καθ' αὑτό, κύλισις χ δίνησις Οβ8. 290 ᵃ10. cf Φε4. 227 ᵇ18.

κύλλαρος (v l σκύλλαρος) Ζιδ4. 530 ᵃ12. fort Paguri sp. cf Aub S. Young 261.

Κυλλήνη τῆς Ἀρκαδίας θ15. 831 ᵇ14. Ζιι19. 617 ᵃ14.

Κύλων Κροτωνιάτης Πυθαγόρα ἐφιλονείκει f 65. 1486 ᵇ29.

κῦμα. τύτε κύματος (Hom μ 219) Ηβ9. 1109 ᵃ32. — κῦμα numero singulari saepe collective usurpatur. νηνεμίας γενομένης χ ῥυέντος εἴσω τῷ ἀνέμῳ ἐγένετο τό τε κῦμα χ ὁ σεισμὸς ἅμα μβ8. 368 ᵇ8. περὶ τὸν ἐν Ἀχαΐᾳ σεισμὸν χ τὴν τὸ κύματος ἔφοδον μα6. 343 ᵇ2. τὸ κῦμα δι' ἐναντίωσιν ἐγίγνετο πνευμάτων μα7. 344 ᵇ35. ἡ ὑπόστασις τῷ κύματος τὸν κατακλυσμὸν ἐποίησεν μβ8. 368 ᵇ12. — κυμάτων ἐπιδρομαί κ4. 396 ᵃ19. τὰ κύματα ἀνεμώδη πκγ11. 932 ᵇ29. τὰ κύματα πρότερον φοιτᾷ τῶν ἀνέμων πκγ2. 931 ᵃ38. 12. 932 ᵇ37. 28. 934 ᵃ4. τὰ κύματα καθίσταται πκγ17. 933 ᵇ6. λωφῶντος τῷ κύματος πκγ29. 934 ᵇ15. τὸ κῦμα ἐπιγελᾷ πκγ1. 931 ᵃ35. 24. 934 ᵃ25.

κυμαίνειν. θάλαττα κυμαίνυσα μβ8. 367 ᵇ13. πκγ4. 931 ᵇ19. 12. 932 ᵇ39. σφόδρα τις φυσᾷ εἰς τὸ ὕδωρ ὥστε κυμαίνειν πκε10. 939 ᵃ18. ἐφ' ὁπότερ' ἂν ῥέψῃ κυμαίνων ὁ Τάρταρος μβ2. 356 ᵃ17. — κυμανεῖ ὁ ὑρανός, τὸ ὅλον Φθ9. 217 ᵃ13, 216 ᵇ25, cf 217 ᵃ16. Οβ14. 297 ᵃ10. τὰ ἄποδα τὰ μὲν κυμαίνοντα προέρχεται Ζπ9. 709 ᵃ24. κυμαίνυσι τῇ πορείᾳ Ζιε19. 551 ᵇ7.

κυματίζειν. αἱ θήλειαι πολύποδες ἐκ αἰσθάνονται κυματιζόμεναι Ζιι37. 622 ᵃ18.

κυματοειδεῖς χ συνεστραμμένοι νότοι πκς16. 942 ᵃ6.

κυματώδης. αἱ κυματωδέστεραι γαῖ στερραὶ γίνονται ὥσπερ ἠδαφισμέναι πκγ29. 934 ᵇ9.

κυμβάλων χ τυμπάνων ἦχος θ101. 838 ᵇ34.

Κύμη. res publicae Πβ8. 1269 ᵃ1, ε5. 1305 ᵃ1. memorabiles res physicae θ95. 838 ᵃ5, 12. 102. 839 ᵃ12. 103. 839 ᵃ29. Βλακεία, χωρίον τι πρὸς τῇ Κύμῃ f 482. 1557 ᵃ10. — Κυμαίων πολιτεία f 481. 482. ἰδίως ὑπὸ Κυμαίων αἰσυμνήτην τὸν ἄρχοντα λέγεσθαι f 481. 1557 ᵃ2. — Κυμαία Σίβυλλα θ95. 838 ᵃ9.

κύμινδις (v l κύβινδις) Ζιι12. 615 ᵇ6-10 (Hom Ξ 291). 32. 619 ᵃ14. cf C II 272. S II 92-96. Osann gr Literatgesch I 276. K 973, 3. ΑΖι I 100, 66. Π 241. Su 163, 170. Pic Rose libr ord 68.

κυμινοπρίστης Ηδ3. 1121 ᵇ27. ημα25. 1192 ᵃ9.

κυνάγχη, νόσημα κυνῶν Ζιθ22. 604 ᵃ5, 9.

κυνακάνθη. αἱ ἐν τῇ κυνακάνθῃ κάμπαι Ζιε19. 552 ᵇ3. definiri non potest.

κυνάστρυ ἐπιτολή φτα7. 821 ᵇ5.

κυνεῖν. αἱ περιστεραὶ κυνῶσιν ἀλλήλας, ὕστερον μέντοι ἀναβαίνει κ̀ μὴ κύσας· αἱ θήλειαι κύσασαι Ζιζ2. 560 ᵇ26, 28, 31 S et Aub.

κύνειος. κοιλία, γάλα Ζια16. 495 ᵇ24. ζ20. 574 ᵇ13.

κυνηγεῖν. ὅταν κυνηγήσῃ ὁ ἀετὸς Ζυ32. 619 ᵃ33.

κυνηγέσιον. στρατηγοὶ πολέμων κ̀ κυνηγεσίων κ6. 398 ᵃ35. — ἀνθρωποφαγῦσιν οἱ μονοπεῖραι τῶν λύκων μᾶλλον ἢ τὰ κυνηγέσια (ι ε λύκοι ἄθροοι θηρῶντες) Ζιθ5. 594 ᵃ31.

κυνηγέτης φ1. 805 ᵃ16.

κυνηγία κ̀ πᾶσα θηρευτικὴ Ρα11. 1371 ᵃ5.

κυνηγός Ζιζ32. 579 ᵇ28.

κυνίδιον, ν κύων 1ί. ὅμοιος τοῖς ἐκ τῶν δεσμῶν κυνιδίοις (cf Ἀνδροτίων)· οἱ τὸς τεθνεῶτας σκυλεύοντες ἐοίκασι τοῖς κυνιδίοις (Plat Rep V 469 D) Ργ4. 1406 ᵇ28, 33.

κυνόδηκτα ἕλκη Ζιι44. 630 ᵃ8.

κυνόδυς. ὁρίζυσι τὸς προσθίυς ὀδόντας κ̀ τὸς γομφίυς οἱ κυνόδοντες, μέσοι τὴν φύσιν ἀμφοτέρων ὄντες, τῇ μὲν ὀξεῖς τῇ δὲ πλατεῖς Ζμγ1. 661 ᵇ9, 11. οἱ κύνες ἐκβάλλυσι τὸς κυνόδοντας κ̀ λέοντες Ζιβ2. 501 ᵇ7, 10. ζ31. 579 ᵇ12. Ζγε8. 788 ᵇ17 Aub. κυνόδυς τῶν ἵππων μικρός, μέγας, ὀξύς, ἡ ἡλικία γνωρίζεται τύτῳ Ζιζ22. 576 ᵇ16-20. οἷς τὰ χείλη λεπτὰ σκληρά, κατὰ τὸς κυνόδοντας τὸ ἐπανεστηκός, εὐγενεῖς φ6. 811 ᵃ23.

κυνοειδής. πρόσωπα κυνοειδέστερα, ὀδόντες κυνοειδέστεροι Ζιβ8. 502 ᵃ21, 22.

κυνοκέφαλος. descr Ζιβ8. 502 ᵃ19-22. (homines canini Alberti. magot C II 274. cf S I 75, 90. Audebert hist nat des singes 2. Buffon XIII 375. Lichtenstein de simiis vett 48. ΚαΖι 68, 3. Simia cynocephalus K 467. Cr. St. Cynocephalus hamadryas ΑΖι I 71, 27. Su 40, 3. Ehrenberg üb d Cynoceph der Aegypt 33 et saepius. M 323.)

κυνοραῖσται (vl κυνορέσται, κυνοραῖσται) Lob Par 448. ἐν τοῖς κυσὶν οἱ καλύμενοι γίνονται κυνοραῖσται Ζιε31. 557 ᵃ18. κυνοραῖσται ἐχόμενοι ἀλώπεκος Ρβ20.1393ᵇ26,28. (muscae caninae Thomae. ricin C II 330. Ricinus canis St. K 704, 8. Cr. fort Ixodes ricinus Su 230, 45. ΑΖι I 166, 29. cf S I 390. Ackermann ad Seren Sam 116. M 230.)

κυνόσβατος. Ὅπὼς ὑπερβαίνων εἰς τὴν ἑτέραν θάλασσαν ἐπάτησε κυνόσβατον f 520. 1563 ᵃ37 (Rosae sp Fraas 74).

Κυνὸς σῆμα f 360. 1539 ᵃ29, 33.

κυνόσυρα (cf Lob Path 310, 554. κυνόσυσα operarum errore exhibet Bk). τὰ καλύμενα ὑπό τινων κυνόσυρα κ̀ ὕρια γίνεται τῷ θέρυς μᾶλλον Ζιζ2. 560 ᵃ5. ν ὑπηνέμια.

κυντότατος. Ἀριστοτέλης περὶ ποιητικῆς 'τὸ δὲ πάντων κυντότατον' f 69. 1487 ᵇ2.

κυνώδης. ἐκ θηρίυ τινὸς κυνώδυς γεννῶνται Ζγβ7. 746 ᵃ35. αἰδοῖον κυνωδέστερον Ζιβ8. 502 ᵇ24.

κυπάρισσος εὐώδης (Hom ε 64) κ6. 401 ᵃ4. (Cupressus sempervirens L).

κυπρῖνος. Lob Prol 207. ὁ καλύμενος κυπρῖνος Ζμβ17. 660 ᵇ36. refertur inter τὸς ποταμίυς Ζιδ8. 533 ᵃ29. 11. 538 ᵃ15. θ20. 602 ᵇ20, 24. Ζμβ17. 660 ᵇ35, τὸς σαρκοφάγυς, τὰ συναγελαστικὰ f 302. 1529 ᵇ41. βράγχια ἔχει τέτταρα μὲν δίστοιχα δὲ πλὴν τῦ ἐσχάτυ, τὸν ὑρανὸν σαρκώδη Ζιβ13. 505 ᵃ16. δ8. 533 ᵃ29. Ζμβ17. 660 ᵇ36. τὴν γλῶτταν ὑχ ὑπὸ τῷ στόματι, ἀλλ' ὑπὸ τὸ στόμα κέκτηται Ζιδ8. 533 ᵇ43. cf Rose Ar Ps 309. βίος, τόκος, ᾠά descr Ζιζ14. 568 ᵇ27, ᵃ17, ᵇ18, 22, 19, 569 ᵃ4. δ11. 538 ᵃ15. ὑπὸ βροντῆς χαρῦται Ζιθ20. 602 ᵇ24. (Cyprinus carpio L. hod κιπρίνος Aetolorum. C II 168. ΚαΖι 78, 22. ΑΖι I 133, 39. M 274.)

Κύπρις. ἐν πλησμονῇ γὰρ Κύπρις πι47. 896 ᵃ24.

Κύπρος κ3. 393 ᵃ13. περὶ Κύπρον Οβ14. 298 ᵃ4. χαλκός, ὄφεων γένος θ43. 833 ᵃ31. 142. 845 ᵃ10. f 248.1523ᵇ25. Ζιε19. 552 ᵇ10. ἐν Κύπρῳ (Τυάρῳ coni ed Ddt) θ25. 832 ᵃ22. Σαλαμὶς τῆς Κύπρυ f 596. 1575 ᵇ15. — Κυπρίων πολιτεία f 483, 484. ὁ Κύπριος Εὐαγόρας Πε10. 1311 ᵇ5. Θεμίσων ὁ Κυπρίων βασιλεύς f 47. 1483 ᵃ43. — Συέννεσις ὁ Κυπρίος ἰατρός Ζιγ2. 511 ᵇ24. τὸ σίγυνον Κυπρίοις κύριον, ἡμῖν δὲ γλῶττα πο21. 1457 ᵇ6. οἱ Κύπριοι (tragoedia) Δικαιογένης πο16. 1455 ᵃ1 (Nauck fr tr p 601). ὁ ποιήσας τὰ Κύπρια, ἐκ τῶν Κυπρίων πολλαὶ τραγῳδίαι πο23. 1459 ᵇ2, 4.

κυπρογενές (frg lyr adesp 133). Ηη7. 1149 ᵇ16.

κύπτειν. διὰ τὸ μὴ ὀρθὰ εἶναι τὰ ζῷα ἀλλὰ κύπτειν Ζμβ11. 657 ᵃ15.

κύρβεις. τὰ ἐν κύρβεσιν ἀναγεγραμμένα κ6. 400 ᵇ30. κύρβεις, ξύλινοι ἄξονες, ἐν οἷς ἦσαν ἀναγεγραμμένοι οἱ νόμοι f 352. 1537 ᵇ24, 31, 32.

Κυρήνη σ973 ᵃ21, ᵇ4. f 238. 1521 ᵇ14, 23. ἐν Κυρήνῃ ὁ βορέας ὑέτιος πκς56. 946 ᵇ34. θάλαττα ἡ ἀπὸ Κυρήνης πρὸς Αἴγυπτον Ζιε31. 557 ᵃ29. βάτραχοι ἄφωνοι, μυῶν γένη, λύκοι, τέττιγες θ68. 835 ᵃ33. 28. 832 ᵃ31. Ζιε30. 556 ᵃ22. θ28. 606 ᵃ6, 607 ᵃ2. — Βάττος Κυρήνην ἔκτισεν ἐλθὼν ἀπὸ Θήρας f 485. 1557 ᵃ33. instituta publica Πζ4. 1319 ᵇ18, 22. χρυσᾶ νομίσματα ἐν Κυρήνῃ f 486. 1557 ᵇ18. — Κυρηναίων πολιτεία f 485-488. ὁ Κυρηναῖος λιμήν, καλύμενος Ἀπολλωνία σ973 ᵃ22. f 238. 1521 ᵇ16. ἐν τῇ Κυρηναίᾳ Ζιε30. 556 ᵇ2.

χυρία, imperium, θ84. 837 ᵃ5.

κυριεύων ἁπάντων ὁ ἀνὴρ Ηθ12. 1160 ᵇ36. κυριεύσας Λαμψάκυ οβ1351 ᵇ1. abs κυριεύει ἐν τῷ ὕδατι τὰ γεώδη μέρη φτβ2. 823 ᵇ28, 824 ᵃ7. — κυριεύεσθαι ὑπό τινος θ95. 838 ᵃ10. 100. 838 ᵇ26.

κύριος. 1. penes quem aliquid decernendi potestas est, sive is homo est sive institutum aliquod ('entscheidend'); prouti natura fert eius nominis, cui additur, adiectivum κύριος significare potest id quod ratum ac firmum est ('giltig'); ubi non significatur, quo pertineat decernendi potestas, κύριος leuissimo transitu, quem vix ubique distinguas, praecipuum ac primarium potest notare. a. usus voc de rebus publicis. ὁ πατὴρ μέχρι τύτυ κύριος Ρβ24. 1402 ᵃ1. τίνων δεῖ κυρίας εἶναι τὸς ἐλευθέρυς Πγ11. 1281 ᵇ23. κύριος ὢν γονέων κ̀ τέκνων Ηγ1. 1110 ᵃ6. βασιλεία, ἀρχὴ κυρία πάντων, τῶν μεγίστων Πγ11. 1285 ᵃ4. β9. 1270 ᵇ8. οἱ τῶν ὅπλων κύριοι Πη9. 1329 ᵃ12. κύριοι κρίσεων μεγάλων, θανάτυ κ̀ φυγῆς, τυγχάνειν ἐλέυ παρὰ τῶν κυρίων Πβ9. 1270 ᵇ39, 9. 1294 ᵇ33. Ρβ10. 1388 ᵃ28. κύριοι τῶν νόμων Πδ14. 1298 ᵇ4. ε9. 1310 ᵃ4. κύριοι τῆς δυνάμεως, τῆς τῶν ἀρχόντων καταστάσεως, τῆς τῶν κοινῶν ἐπιμελείας, τῶν προσόδων, τῆς φυλακῆς Πγ13. 1284 ᵃ39. β8. 1268 ᵃ28. γ5. 1278 ᵇ3. δ15. 1300 ᵃ5, ᵇ9, τῷ βυλευέσθαι, τῷ προσάγειν Πδ14. 1298 ᵇ3. β11. 1273 ᵃ7. τῶν γραμμάτων ἐστὶ κύριος ὁ γραμματεὺς f 399. 1544 ᵇ2. κύριοι κρίνειν, μένειν ἢ μὴ μένειν τὴν πολιτείαν Πβ11. 1273 ᵃ11. οἱ ὀλίγοι ἀποψηφισάμενοι μὲν κύριοι, καταψηφισάμενοι δὲ ὐ κύριοι Πδ14. 1298 ᵇ39, 36. — τί δεῖ τὸ κύριον εἶναι τῆς πολιτείας Πγ10. 11. κύριοι, τὸ κύριον, ἀρχαὶ κύριαι τῆς πολιτείας, τῆς πόλεως Πγ13. 1283 ᵇ31. ζ1. 1316 ᵇ32. ε8. 1309 ᵃ30. γ6. 1278 ᵇ10. 7. 1279 ᵃ26. inde non addito gen τῆς πολιτείας sim dicitur τὸ κύριον, οἱ κύριοι, κυριώταται Πβ11. 1273 ᵃ40. γ1. 1275 ᵃ28. ε4. 1303 ᵇ19. ζ2. 1377 ᵇ8. Ηε3.

1129 ᵇ16. ἡ κυρία ἐκκλησία f 394. 1543 ᵇ12. 395. 1543
ᵇ34. 396. 1543 ᵇ42. τὰ κύρια διήρηται κατὰ τὰς πολιτείας
Ρα8. 1365 ᵇ27, 29, 30. Πγ13. 1283 ᵇ5. ἀρχαὶ κύριαι, κυ-
ριώταται Πζ6. 1320 ᵇ25 (opp ἀναγκαῖαι). β8. 1268 ᵃ23.
ε3. 1303 ᵃ17. 9. 1309 ᵃ34. 10. 1310 ᵇ20. — συνθῆκαι κύ- 5
ριαι, opp ἄκυροι, syn πισταί Ρα15. 1376 ᵇ27, 1. νόμοι
κύριοι Πγ15. 1286 ᵃ23. 16. 1287 ᵇ5. ὅτι ἂν δόξῃ τῷ πλείονι
μέρει, τῦτ' ἐστὶ κύριον Πδ8. 1294 ᵃ14. κυρία ἐστὶν ἡ τῆ
κυρία ἀπόφασις Ρα8. 1365 ᵇ27. ἀμφορεὺς κύριος, opp ἄκυ-
ρος f 426. 1548 ᵇ33, 40. ἐν ταῖς κυρίαις ἡμέραις ρ37. 1443 10
ᵃ19. τῶν τῦ ἀπελευθέρυ χρημάτων κύριος p 2. 1422 ᵇ10.
κυρίως ἔχειν τὸ κτῆμα οβ1347 ᵃ3. — οἱ Εἵλωτες τῶν ἴσων
ἀξιῦσιν ἑαυτὺς τοῖς κυρίοις Πβ9. 1269 ᵇ10. — b. usus voc
in aliis generibus. ἡ κύριος ψόφυ ὁ ἀήρ, τὸ κενὸν κύριον
τῦ ἀκύειν ψβ8. 419 ᵇ19, 33. τὸ κύριον τῆς αἰσθήσεως, τῆς 15
ζωῆς Ζμδ5. 681 ᵇ15, 32. γ11. 673 ᵇ11. Ζγδ4. 771 ᵃ13.
ἡ κυρία θεὸς τῆς μίξεως Ζγβ2. 736 ᵃ20. κύριον ἄλσεως
κύρίον Ζιγ5. 515 ᵇ8. κύριον τῆς κινήσεως Μδ5. 1048 ᵃ10.
λ9. 1074 ᵇ19. ὅσων πράξεων ὁ ἄνθρωπος ἀρχὴ χὶ κύριος
ηεβ6. 1223 ᵃ5, cf ᵃ7. Ηγ8. 1114 ᵇ32. κύριος τῦ μὴ μεθυ- 20
σθῆναι Ηγ7. 1113 ᵇ32. τρία ἐν τῇ ψυχῇ τὰ κύρια πράξεως
χὶ ἀληθείας Ηζ2. 1139 ᵃ18. cf ψ9. 432 ᵃ5. τῶν καθ'
ἕκαστα αἴσθησις ἤδη κυρία Ην5. 1147 ᵃ26. τὰ κύρια τῆς
ὐσίας Μδ7. 1024 ᵃ24. ζ10. 1035 ᵇ25. κυρία πάντων ἐπι-
στήμη Αγ9. 76 ᵃ18. κυριώτατον τῦ εἰδέναι τὸ διότι θεωρεῖν, 25
κυριώτατον τῦ ἐπίστασθαι τὸ πρῶτον σχῆμα Αγ14. 29 ᵃ23,
31. κυρία πασῶν (ἐπιστήμη) ἡ πολιτικὴ ηεα8. 1218 ᵇ13.
κυριώτατον πρὸς τὴν ἀρετήν ημα12. 1187 ᵇ33. — ἀρχή,
αἰτία κυρία, κυριωτέρα, coni syn προτέρα, πρώτη Οβ2.
285 ᵃ26. Γβ9. 335 ᵇ34. αι3. 440 ᵇ15. μτ2. 463 ᵇ28. Μβ2. 30
997 ᵃ12. μα9. 346 ᵇ20. ηεβ6. 1222 ᵇ21 (cf ᵇ24). διαφορὰ
κυρία Ζμα2. 642 ᵇ9. δεῖ τὸ κύριον πρὸς τὸ ἓν ἕνεκα διατε-
λεῖν ζ3. 469 ᵃ8. φρόνησις τῆς σοφίας κυριωτέρα, syn ἄρχειν,
ἐπιτάττειν Ηζ13. 1143 ᵇ34. κυριωτέρα κίνησις μτ2. 463
ᵇ25. αἱ αἰσθήσεις κυριώταται εἰσι τῶν καθ' ἕκαστα γνώσεις 35
ΜΑ1. 981 ᵇ10. αἴσθησις, δόξα κυρία Μγ5. 1010 ᵇ15, 13
(cf τὸ κύριον χὶ τὸ ἐπικρῖνον ενʒ. 461 ᵇ25. 2. 460 ᵇ17). κυ-
ριωτέρα ἡ καθόλυ ἀπόδειξις Αγ24. 86 ᵃ23. ἐπιστήμη κυριω-
τάτη Πγ12. 1282 ᵇ25. Ηα1. 1094 ᵃ26 (syn ἀρχιτεκτονική).
κυρίως τῦ πρώτυ ἡ ἐπιστήμη Μγ2. 1003 ᵇ16. προγενέστατος 40
χὶ κύριος ὁ νῦς ψα5. 410 ᵇ14. κυριώτερον, κυριώτατον ἀγα-
θόν, κυριωτάτη κοινωνία τγ3. 118 ᵃ32. Πα1. 1252 ᵃ5. κυ-
ριωτέρως (ἐνέργεια πρότερον δυνάμεως) Μθ8. 1050 ᵇ6. τὰ
κυριώτερα Μθ9. 1018 ᵃ18. μόρια κύρια, κυριώτερα χὶ μεί-
ζονα Ζγβ6. 744 ᵇ31, 745 ᵃ13, 742 ᵃ34. δ4. 45
773 ᵃ5. αἱ κυριώταται φλέβες Ζγ2. 511 ᵇ15. μόριον κύ-
ριον, κυριώτερον, opp ἄκυρον, ἀκυρότερον Ζγδ4. 772 ᵇ28.
10. 778 ᵃ2. μεταβολὴ κυριωτέρα Ζγε3. 783 ᵇ23. ἡ φορὰ
κυρία, syn αἴτιον μβ4. 361 ᵃ34. ὅθεν ἂν ἡ κυρία γίγνηται
διάσπασις μγ3. 372 ᵇ29. πνεύματα κυριώτατα, syn διωρι- 50
σμένα μβ6. 364 ᵃ4. 4. 361 ᵃ20. ἀναξηραινομένη τῦ κυρίυ
τόπυ τὸ δ'ίψος πκζ2. 947 ᵇ20. τὸ φαινόμενον κυρίως κατὰ
τὴν αἴσθησιν Ογ7. 306 ᵃ17. κυριωτάτη πίστις, τόπος κυ-
ριώτατος, ἔνστασις κυριώτατα γίνεται Ρα2. 1356 ᵃ13. β23.
1399 ᵃ32. 25. 1402 ᵇ37. τὸ κυριώτατον ἢ λέγωσιν Πγ9. 55
1280 ᵃ25. — 2. κύριος, κυρίως ipsam propriam ac pri-
mariam alicuius vocabuli notionem, proprium ac peculiare
alicuius notionis nomen significat. κυρίως κατηγορεῖσθαι,
εἰπεῖν, σημαίνειν sim, opp μεταφορᾷ, κατὰ μεταφορὰν τδ3.
123 ᵃ35, 36. ζ2. 139 ᵇ36, 140 ᵃ7, 13, 16. θ3. 158 ᵇ11. ι4. 60
166 ᵃ16. κυρίως, κυριώτατα λέγεσθαι, ἀποδίδοσθαι, syn

πρώτως, πρῶτον, ἁπλῶς Κ5. 2 ᵃ11. 12. 14 ᵃ27. 13. 14 ᵇ24.
τα7. 103 ᵃ25. η1. 151 ᵇ29. πν3. 482 ᵇ5. Ηα6. 1098 ᵃ6.
γ9. 1115 ᵃ32. θ5. 1157 ᵃ30. Μδ4. 1015 ᵃ14. 5. 1015 ᵇ12.
θ1. 1045 ᵇ36. syn καθ' αὑτά, opp κατὰ συμβεβηκός Κ6.
5 ᵇ8, ᵃ38. opp καθ' ὁμοιότητα, τρόπον τινὰ Φγ6. 207 ᵃ4.
Γα4. 320 ᵃ2. Ηθ5. 1157 ᵃ30. τὔνομα κυρίως λέγεταί τινι,
ἐπί τινος μδ2. 379 ᵇ4. 3. 380 ᵇ14. κυρίως κινεῖν Φθ6. 259
ᵇ7. κυρίως ἐπίστασθαι, syn ἁπλῶς, opp ἐξ ὑποθέσεως Αγ3.
72 ᵇ14. κυρίως, syn ἁπλῶς, opp πῇ, πῶς al τι25. 180
ᵃ23. τὸ κυρίως λεγόμενον ἄφθαρτον Οα11. 281 ᵃ3. τὸ κυ-
ρίως ἕν, ἄφθαρτον, γιγνόμενον, δίκαιον ψβ1. 412 ᵇ9 (coni
πλεοναχῶς λέγεσθαι). Οα11. 280 ᵇ32. Γα1. 314 ᵃ10. 3. 317
ᵃ33. Πγ9. 1280 ᵃ10. δημοκρατία κυρίως Πδ4. 1292 ᵃ36.
τὸ ποιῦν ἔσχατον χὶ κυριώτατον Γα8. 324 ᵇ27. αἴσθησις κυρία
υ2. 456 ᵃ6. πολιτεῖαι κύριαι, dist αἱ ὑπό τινων εἰρημέναι
Πβ12. 1274 ᵇ27. δημοκρατίαι κύριοι, opp ἔννομοι Πε6. 1306
ᵇ20. ἀρετὴ κυρία, opp φυσική Ηζ13. 1144 ᵇ4. ὁ κύριος
ὅρος Μδ12. 1020 ᵃ4. κύριαι προτάσεις, syn συμπέρασμα,
opp προσυλλογισμοὶ Αα25. 42 ᵃ37, ᵇ1. τρόπος κυριώτατος
τη1. 151 ᵇ28. Μδ14. 1020 ᵇ14. — ὄνομα κύριον, ῷ χρῶνται
ἕκαστοι, γλῶττα ῷ ἕτεροι πο21. 1457 ᵇ3. Ργ10. 1410 ᵇ12
Vahlen Poet III 247. σαφεστάτη ἡ λέξις ἐκ τῶν κυρίων
ὀνομάτων, opp μεταφορά, γλῶττα πο21. 1457 ᵇ1. 22. 1458
ᵃ19, 34. Ργ2. 1404 ᵃ6, omnino opp τὸ παρὰ τὸ κύριον
πο22. 1458 ᵃ23. χρῆσθαι ὡς κυρίοις ὀνόμασι ψβ5. 418 ᵃ3.
κύρια χὶ συνώνυμα Ργ2. 1404 ᵇ39. κύριον χὶ οἰκεῖον, κυ-
ριώτερον χὶ οἰκειότερον Ργ2. 1404 ᵇ31, 1405 ᵇ11. — (forma
fem κύριος legitur Πε6. 1306 ᵇ2, 20. adv κυρίως, κυριω-
τέρως, κυριώτατα v supra.)

κυρίττειν. εἰκάζειν τινα οἳ κυρίττοντι Ζγδ3. 769 ᵇ20.

Κύρνος κ3. 393 ᵃ13.

Κῦρος Πε10. 1310 ᵇ38, 1312 ᵃ12.

κυρῦν. τὰ σύμβολα τὰ πρὸς τὰς πόλεις κυρῦσιν οἱ θεσμο-
θέται f 378. 1541 ᵃ10. ἐκύρωσεν ὁ βασιλεὺς χὶ περὶ τῦ ἰδίυ
παιδὸς τηρηθῆναι τὸν νόμον f 551. 1569 ᵃ27.

κυρτός. κυρτὰ φαληριόωντα (Hom N 799) Ργ11. 1412 ᵃ7.
ὕσης τῆς γῆς κυρτῆς ἡ σφαιροειδῦς μβ7. 365 ᵃ31. περὶ τὰς
ἐκλείψεις ἡ σελήνη ἀεὶ κυρτὴν ἔχει τὴν ὁρίζυσαν γραμμὴν
Οβ14. 297 ᵇ28. γραμμὴ ἔχυσα τὰ κυρτὰ πρὸς τὴν γῆν
πκς1. 940 ᵃ28. κυρτός, opp κοῖλος Οα4. 270 ᵇ35. πε11.
881 ᵇ29. Ζιδ2. 527 ᵃ15. τὰ κυρτὰ τῶν σκελῶν χὶ τῶν
βραχιόνων Ζια15. 494 ᵇ10. τὸ κυρτὸν τῆς καρδίας Ζια17.
496 ᵃ12. μετάφρενον κυρτόν, κοῖλον φ6. 810 ᵇ29, 33. ἀνά-
καμψις ἡ εἰς τὸ κυρτὸν μετάβασις (opp κατάκαμψις εἰς
τὸ κοῖλον) μδ9. 386 ᵃ5. περιφέρεια πρηνὴς χὶ κυρτή, opp
κοίλη χὶ ὑπτία μα13. 350 ᵃ11. — ὁ κύκλος ἔχει ἐν τῷ
αὐτῷ πως τὸ κυρτὸν χὶ τὸ κοῖλον, λόγῳ ἕτερα ὄντα, με-
γέθει τὰ αὐτὰ Φδ13. 222 ᵇ3. ψ10. 433 ᵇ23. Ηα13. 1102
ᵃ31. ηεβ1. 1219 ᵇ34. μχ 847 ᵇ25.

κυρτὸς. θηρεύειν κύρτῳ, ἐνθεῖναι κύρτον, φυλάττειν ἐν τοῖς
κύρτοις Ζιθ20. 603 ᵃ7, 10. δ8. 534 ᵃ26. ε15. 547 ᵃ28. δε-
λέατί τινι δελεάζειν τὸν κύρτον Ζιδ8. 534 ᵇ3.

κυρτότης. ἡ τῦ μείζονος κύκλυ περιφέρεια χὶ κυρτότης Φδ9.
217 ᵇ3. ἡ εἰς κυρτότητα ἢ κοιλότητα κίνησις μδ9. 386 ᵃ1
(Ideler II p 507).

κύστις. cf Langkavel adn crit ad Ζμ655 ᵇ16. 1. vesica
urinaria. κύστις ὀνομάζεται τὸ τῆς ὑγρᾶς περιττώσεως
δεκτικὸν μόριον Ζια2. 489 ᵃ7. μβ3. 358 ᵃ9. ὑποδοχή ἐστι
τῦ μὴ πεττομένυ ὑγρῦ ἐν τῇ κοιλίᾳ, τόπος ὑγρῦ ἀπέπτυ,
οἱ περὶ τὴν κύστιν τόποι πα40. 863 ᵇ33. β24. 868 ᵇ24.
γ21. 874 ᵃ25. κζ10. 949 ᵃ1. descr Ζιγ15. Ζμγ8. — de

situ vesicae Ζια17. 497 ᵃ18. πι20. 892 ᵇ38, 37. Ζμγ9. 671
ᵇ25. — descr anatom ὑμενοειδὴς μέν, ἄλλο γένος ὑμένος
Ζιγ15. 519 ᵇ14. cf Aub Did Pic. καυλὸς κύστεως Ζια17.
497 ᵃ24. γι. 510 ᵃ28. πόροι φέρουσιν εἰς τὴν κύστιν, πόρος
ἀπὸ τῆς κύστεως, οἱ περὶ τὴν κύστιν πόροι Ζια17. 497 ᵃ12.
γ4. 514 ᵇ34. Ζμγ9. 671 ᵇ16, 24. Ζιγ1. 510 ᵃ27. πη13.
888 ᵇ2. τρῆμα εἰς τὴν κύστιν Ζια17. 497 ᵃ27. πρὸς τὴν
κύστιν καθάπτουσι τὰ πέρατα (αἱ ἀποτομαὶ) τῶν φλεβῶν
Ζιγ4. 515 ᵃ3. α17. 497 ᵃ17. — ὅσα ἔχει κύστιν Ζια2. 489
ᵃ5. βι6. 506 ᵇ24. γι5. 519 ᵇ14. ε5. 541 ᵃ10. Ζμγ8. 670
ᵇ33, 671 ᵃ9, 24. δ1. 676 ᵃ33. Ζγα13. 720 ᵃ6. πι43. 895
ᵇ4. ἅπερ κύστιν οὐκ ἔχει Ζμγ7. 670 ᵇ2, 17. 8. 671 ᵃ15. δ1.
676 ᵃ28, ᵇ6. 5. 678 ᵇ1. 13. 697 ᵃ13. πι7. 891 ᵇ18. 43. 895
ᵇ1. Ζιε5. 541 ᵃ6, 9. ᾗ τῷ ἀνθρώπῳ Ζια17. 497 ᵃ23. τῶν
ὑποζυγίων καὶ τῶν πολυωνύχων οἱ πόροι τῆς κύστεως εὐρεῖς
εἰσιν πι43. 895 ᵃ37. ὁ μήκων τῶν πολυπόδων κεῖται ἐπάνω
τῆς κοιλίας οἷον κύστις f 315. 1531 ᵇ7. — κύστεως ἔργον
Ζμγ7. 670 ᵇ27. τῷ δύνασθαι τὰ περιττώματα γίνεσθαι
Ζγδ1. 766 ᵃ9. ἕλκει ὑγρότητα Ζικ1. 634 ᵃ22. τὰ ὑποστή-
ματα τῆς κύστεως Ζια1. 487 ᵃ6. Ζμβ7. 653 ᵇ11. τὸ πε-
ρίττωμα τῆς, ἐκ τῆς κύστεως, εἰς τὴν κύστιν, ῥεῖ ζιζ18.
573 ᵃ17. Ζγβ8. 748 ᵇ25. Ζμδ5. 679 ᵃ27, 28. μβ3. 357
ᵃ33. Ζμγ7. 670 ᵃ22, 32, 5. τῆς ὑγρᾶς τροφῆς Ζγα18.
725 ᵇ2. Ζμβ2. 647 ᵇ29. τὰ προχειρότατα εἰς κύστιν ἀπο-
κρίνεται, ὑγρὰ λεπτὰ συμβαίνει εἰς τὴν κύστιν φέρεσθαι,
τὸ ὑγρὸν εἰς τὴν κύστιν ὑπονοστῶν, οὐκ εὐθέως εἰς τὴν κύ-
στιν συλλέγεται τὸ ὑγρὸν πκ12. 925 ᵃ13. γ17. 873 ᵇ9.
κδ4. 936 ᵃ31. Ζμγ3. 664 ᵇ14. τὸ ὕγρον εἰς κύστιν συνεκ-
κρίνεται πθ26. 879 ᵇ3. Ζιη8. 586 ᵇ10. — οὐ δύνανται πλή-
ρης οὔσης τῆς κύστεως ταχὺ ἀφροδισιάζειν πθ9. 877 ᵇ7.
cf η13. 888 ᵇ2. — πάθη καὶ νόσοι κύστεως. λίθοι Ζιγ15.
519 ᵇ20. ἡ ξηρᾶς συστάσεις διήκειν, συνθλίβεται τὸ γεῶδες
εἰς τὴν κύστιν Ζιγ15. 519 ᵇ19. πι43. 895 ᵇ6. διακοπεῖσα ἡ
συμφύεται Ζιγ15. 519 ᵇ10. διὰ τῆς κύστεως λεπτὴ διηθη-
μένη τροφὴ διεχώρει (atresia ani et vesicae) Ζγδ4. 773
ᵃ27, ἐὰν ἡ κύστις μεταστῇ Ζι924. 604 ᵇ16. cf Adamowicz
de exstrophia vesicae, Bericht der Naturf-Versamml 1860
p. 135. — ἔνια φάρμακα κύστιν λύει πα40. 863 ᵇ30, 32.
43. 864 ᵇ12, 14, 16. δ7. 877 ᵃ31. (cf Philippson ὕλη 44).
— 2. id quod continet ἡ κύστις, coni θολὸς Ζμδ5. 679
ᵃ19. — 3. tunica vesicae (suis vel bovis). ἐκ κύστεως τῇ
χειρὶ θλίβειν τὸ ὑγρὸν πθ2. 876 ᵇ9. cf Ζμβ9. 655 ᵇ16. —
4. πολλὰ συνεράται τις ὡς κύστιν ἤ τι τοιῶτον Ζγγ1.
752 ᵃ4. Ζιζ2. 560 ᵇ1. — 5. κύστιδες ὀφθαλμῶν φ6. 811
ᵇ14, 16.

κύτισος ἄνθων οὐ συμφέρει βοσὶν Ζιγ21. 522 ᵇ28. (Medicago
arborea L.)

κύτος. cf Langkavel adn crit ad Ζμ655 ᵇ16. 1. occiput.
φλεβῶν ἐστι κενὸν τὸ ὄπισθεν κύτος Ζμβ10. 656 ᵇ26. cf
τὸ ἰνίον κενὸν Ζια7. 491 ᵇ1 et Plat Tim 45A τὸ τῆς κε-
φαλῆς κύτος. — 2. τῶν ἐναίμων τὸ τοῦ σώματος μέσον.
κύτος, opp πόδες ζ2. 468 ᵃ19 (cf 8δ). — 3. τὸ ἄνω κύτος,
syn θώραξ, opp τὸ κάτω κύτος, τὸ περὶ τὴν γαστέρα κύτος
(cf 9). τὸ ἀπ᾽ αὐχένος μέχρι αἰδοίων κύτος, ὃ καλεῖται
θώραξ Ζια7. 491 ᵃ29. τὸ ἄνω ἐστὶ τὸ ἀπὸ τῆς ἕδρας ἐπὶ
τὴν κεφαλὴν κύτος Ζμδ10. 686 ᵇ14. πρῶτον γίνεται τὰ
περὶ τὴν κεφαλήν, εἶτ᾽ ἐχόμενον τὸ ἄνω κύτος· πρῶτον τὸ
ἄνω κύτος ἀφορίζεται κατὰ τὴν γένεσιν, τὸ δὲ κάτω ὕστερον
Ζγβ6. 742 ᵇ13, 743 ᵇ18 (cf infra ᵇ13). — piscium ὅλον ἀπὸ
τῆς κεφαλῆς τὸ κύτος συνεχές ἐστι μέχρι τῆς οὐρᾶς Ζμδ13.
695 ᵇ5. delphini τοὺς ὄρχεις ἔχουσι κεκρυμμένους ὑπὸ τὸ περὶ

V.

τὴν γαστέρα κύτος Ζγα13. 720 ᵃ35. — 4. crustaceorum
cephalothorax. τὸ κύτος τοῦ σώματος ἕν ἐστιν ἀδιόριστον,
ἐν τῷ κύτει ἔσω χυμός ἐστιν ὠχρὸς Ζιδ3. 527 ᵇ9, 28. —
5. insectorum abdomen. πάντων κοινὰ μέρη τρία, κεφαλή
τε καὶ τὸ περὶ τὴν κοιλίαν κύτος καὶ τρίτον τὸ μεταξὺ Ζιδ7.
531 ᵇ27. Ζμδ5. 682 ᵃ3. — 6. Echinoideorum interior pars.
τὸ κύτος τοῦ ἐχίνου Ζμδ5. 680 ᵇ32. — 7. tela globosa, in
quam ova condit Epeira. τὰ μὲν ὅλως ἐν κύτει στρογγύλῳ
Ζιε7. 555 ᵇ3. — 8. τὸ τοῖς μαλακίοις περικείμενον. περί-
κειται τοῖς μαλακίοις τὸ κύτος al Ζμδ9. 685 ᵃ4, 684 ᵇ8.
Ζιδ1. 524 ᵇ28, 7. ε18. 550 ᵇ4. πόρος ἀπὸ τοῦ ἐγκεφάλου
τείνων πρὸς τὰ κάτω τοῦ κύτους, τὰ πρανῆ τοῦ κύτους Ζιδ1.
524 ᵃ33, 525 ᵃ11 (cf supra ᵃ59). πρὸ τοῦ κύτους ὑπὲρ τῶν πλε-
κτανῶν ἔχουσι κοῖλον αὐλόν, ᾧ τὴν θάλατταν ἀφιᾶσι δεξά-
μενοι τῷ κύτει· πτερυγίοις, οἷς ἔχουσι περὶ τὸ κύτος, νέουσιν·
νεῖ θᾶττον ἐπὶ κύτος (retro) Ζιδ1. 524 ᵃ9 Aub, 1. α4. 489
ᵇ35, cf A Siebold XII 383 et KaΖι 25, 14. τὸ κύτος τοῦ
σώματος αἱ μὲν μέγα ἔχουσι οἱ δὲ μακρὸν Ζμδ9. 685 ᵃ24.
— α. (cf κεφαλή 6 p 387 ᵃ4). τὸ κύτος καλεῖται μόνον ἐπὶ
τῶν πολυπόδων κεφαλή Ζμδ9. 685 ᵃ4, μικρὸν Ζιδ1. 524
ᵃ22. Ζμδ9. 685 ᵇ25. ἡ καλουμένη κεφαλὴ τῶν πολυπόδων
ἔχει μικρὸν τὸ κύτος Ζμδ8. 654 ᵃ23. πτερύγιον ἔχουσι κύκλῳ
περὶ τὸ κύτος τῶν πολυπόδων Ζιδ9. 685 ᵇ17. — α. αἱ σηπίαι καὶ αἱ τευ-
θίδες ἔχουσι εὐμήκεις τὸ κύτος, μέγα· τὸ κύκλῳ πτερύγιον
περὶ ἅπαν ἐστὶ τὸ κύτος (cf 2) Ζμδ8. 654 ᵃ23. δ9. 685
ᵃ30. Ζιδ1. 524 ᵃ32. — c. ἡ σηπία δύο τε τὰ κύτη καὶ
πολλὰ ᾠὰ ἐν τούτοις Ζιδ1. 525 ᵃ6. — 9. τὸ ἄνω κύτος,
syn αἱ ῥίζαι (cf 3). καὶ ἐπὶ τῶν φυτῶν προτερεῖ τῇ γενέσει
τὸ ἄνω κύτος τοῦ κάτωθεν Ζγβ6. 741 ᵇ35, cf S Theophr
V 257.

κυττάριον. ἐν κεχωρισμένοις κυτταρίοις ὁ τόκος ἐστὶ τῶν
μελιττῶν καὶ τῶν σφηκῶν. τὸν γόνον φαίνεσθαι μικρὸν ἐν τοῖς
τοῦ κηρίου κυτταρίοις Ζγδ3. 770 ᵃ29. γι0. 760 ᵇ24.
κύτταρος. τὸ πλάγιον τοῦ κυτάρου Ζιε23. 555 ᵃ1, 11. σκώ-
ληκες αὐτῶν ἐξέρχονται διακόψαντες ᾧ καταλέλειπται ὁ
κύτταρος Ζιε19. 551 ᵇ5. cf ἐπαλήλιπται ὁ κύτταρος Ζιε23.
555 ᵃ6. — οὐχ ἅμα πᾶσι τοῖς κυτταροῖς ἔνεστι γόνος τῶν
ἀνθρηνῶν, ἀντικρὺ ἐν τοῖς κυτταροῖς... σπά-
λαγμὸς ἐγγίνεται μέλιτος ἐν τοῖς τῆς ἀνθρήνης κηρίοις Ζιε23.
555 ᵃ2, 6. — ἡ μέλιττα τὸ μέλι ἐμεῖ εἰς τὸν κύτταρον.
ἐν τοῖς τῶν μελιττῶν κυτταροῖς γεννᾶσθαι τοὺς κηφῆνας ὑπὸ
τῶν μελιττῶν, εἰσὶ δὲ μείζους οἱ τῶν κηφήνων κύτταροι, αἱ
δὲ ὕδωρ φέρουσιν εἰς τοὺς κυττάρας, γίνονται ἐπὶ τέλει οἱ
κύτταροι τῶν ἡγεμόνων Ζιε23. 554 ᵇ18. ι40. 624 ᵇ14, 18,
627 ᵃ23. Ζγγ10. 760 ᵃ26. 'ab Aristotele ubique cellas,
quibus soboles inclusa educatur, apum crabronum et ve-
sparum, κυττάρους vocari' S II 405.

κυφαί. γένος τι τῶν καρίδων, pedes descr, πλάκας ἐν τοῖς
ὑπτίοις οὐκ ἔχουσιν. ἡ καρὶς ἡ κυφὴ ἔχει τὴν οὐρὰν καὶ πτε-
ρύγια τέτταρα, τὸ δὲ μέσον αὐτῶν ἐστιν ὀξύ, τῶν κυφῶν
καρίδων ἡ κύησίς ἐστι περὶ τέτταρας μῆνας Ζιδ2. 525 ᵇ1,
17, 20, 28, 31. ε17. 569 ᵇ12. (Palaemon squilla M 245 sq.
Cr. AΖι I 153, 5. Young 261.)

κυφός. οἱ ἔγκυρτοι καὶ κυφότεροι πιγ10. 908 ᵇ29. ὄρνιθες κυφοί
(κῦφοι Bk) v1 ad Ζπ11. 710 ᵇ18 (οὐ ποιοῦνται ὀρθὴν τὴν
βάδισιν Theod Metoch, cf Did praef VI).

κύφων. δεθῆναι ἐν τῷ κύφωνι Πε6. 1306 ᵇ2.

κύχραμος (v1 κίχραμος, κέχραμος, κεχράμος) dux migran-
tium coturnicum Ζιθ12. 597 ᵇ17 (kekharmus Thomae. mi-
liaria Belonii. C II 271. S I 624. Rallus crex St. Su 144,
118 sq. cf Lnd 128. E 51. Emberiza hortulana K 883, 6.

Ggg

probably a species of ortolan Cr. in incerto rel ΑΖι Ι
100, 67.)
Κυψελιδῶν ἀναθήματα Πε11. 1313 b22. τυραννίς Πε12.
1315 b23.
κυψέλιον. αἱ μέλιτται ἀργότεραι γίνονται κἂν μέγα τὸ κυ- 5
ψέλιον (vl κυψέλλιον) ᾖ Ζυ40. 627 b2.
κυψελίς. οἱ ἄποδες νεοττεύυσιν ἐν κυψελίσιν ἐκ πηλῦ πεπλα-
σμέναις μακραῖς, ὅσον εἰσδῦσιν ἐχθραις Ζυ30. 618 a34.
κύψελος (vl κύψελλος). avis Ζυ30. 680 a31. cf ἄπυς
p 88 a13.
Κύψελος ὁ Κορίνθιος Πε10. 1310 b29. 12. 1315 b24, 28.
οβ1346 a32-b6.
κύων κυρίως πλείω σημαίνει τι4. 166 a16. 1. canis. (ὁ, ἡ. ἡ
κύων Ζιζ20. 574 a16, 31, b7, 24, 30, 31. θ5. 594 a29. 22.
604 a7, 9. ι6. 612 a6, 31. Ζμγ14. 675 a29,36. Ζγδ3. 770 15
b1. θ82. 836 b18. 116. 841 b6. ὁ κύων τῦ Ὀδυσσέως Ζιζ
20. 575 a1.) κύων, εἶδός τι τῦ γένυς τῦ τῶν τετραπόδων ̓
ζωοτόκων, ἀνώνυμον δέ Ζια6. 490 b31, 34. τὸ τῶν κυνῶν
γένος Ζμβ14. 658 a29. f 102. 1494 b19, 22. ἔχει γένη
πλείω Ζιζ20. 574 a16. cf Μ 323 et infra 1 i. refertur inter 20
τὰ πεζὰ ϗ ἔναιμα Ζιδ10. 536 b25, τὰ τετράποδα ϗ ἔναιμα
ϗ ζωοτόκα Ζιβ1. 499 b6. α5. 489 b21. γ1. 510 b15. δ5.
594 b25, 29. Ζμα1. 639 a25, ϗ μόνον θύραζε ζωοτόκα ἀλλὰ
ϗ ἐν αὑτοῖς Ζγα9. 718 b30. 12. 719 b24, τὰ τετράποδα τὰ
μὴ μεγάλα πι61. 898 a10, τὰ τετράποδα ϗ τρίχας ἔχοντα 25
Ζιβ1. 498 b26. Ζγα9. 718 b30, τὰ πολυσχιδῆ τῶν τετρα-
πόδων Ζμγ12. 674 a1. Ζγβ6. 742 a8. ὃ3. 770 a37. 4. 771
a22. 6. 774 b16, τὰ πολυδάκτυλα Ζιβ1. 499 b8. Ζμδ10.
688 a4, τὰ ἀμφώδοντα, καρχαρόδοντα Ζμγ14. 674 a24,
675 a25. Ζιβ1. 501 a17, τὰ πολύτοκα ϗ ὖ τελειογόνα, 30
ἀτελῆ Ζγδ3. 770 b1. 4. 771 a22. 6. 774 b16, πολυγόνα, πο-
λύτεκνα πι14. 892 a38. 61. 898 a11, τὰ ὑπέργεια Ζια1.
488 a24, ἥμερα ϗ ἄγρια Ζια1. 488 a31, συνανθρωπευόμενα
Ζιε8. 542 a27. ζ18. 572 a5. (μηδένα εἶναι κύν' ἀτιμότατόν
ἐστιν Ρβ24. 1401 a18 Spgl.) canis mas et femina, ὁ ἄρρην, 35
ἡ θήλεια Ζιζ20. 574 b18, 19, 23, 27, 575 a3, 2, 4, 7. ι1.
608 a27. κύων ἄρρην ϗ θῆλυς Ζγβ7. 747 b32. ἡ Λακωνικὴ
κύων ὁ μὲν ἄρρην ἡ δὲ θήλεια Ζιζ20. 574 b30. mas ὁ κύων
Ζιθ5. 594 b25. femina ἡ κύων Ζιζ18. 571 b31, 572 b25.
θ28. 607 a2. descr Ζιζ20. — a. descr part exterior. ἅπαν 40
τὸ σῶμα δασὺ Ζιβ1. 498 b27. καθ' ὅλον τὸ σῶμα πρανὲς
δεδάσυνται ταῖς θριξὶν Ζμα14. 658 a28. μεταβάλλει ἐκ τῆ
κατὰ φύσιν χρώματος εἰς τὸ λευκὸν διὰ τὴν εὐτροφίαν χ6.
798 b7. ἀποβάλλει τὰς χειμερινὰς τρίχας πι21. 893 a5.
ἔνια εὐθὺς ἐν ἀρχῇ γίνεται μέλανα χ6. 798 b20. πενταδα- 45
κτύλης ἔχει τὺς προσθίυς πόδας, τὺς δ' ὄπισθεν τετρα-
δακτύλυς Ζμδ10. 688 a5. τὰ πρόσωπα θ144. 845 a22.
στόμα ἀνερρωγὸς Ζιβ7. 502 a6. τίνας ὀδόντας βάλλει Ζιβ2.
501 b5. ζ20. 575 a5. μαστοὶ ἐν τῇ γαστρὶ Ζιβ1. 500 a26.
— b. part interior. μονόστεον τὸ κρανίον Ζιγ7. 516 a16. 50
κοιλία μία, μικρὰ τὸ μέγεθος ϗ ὖ πολὺ τῦ ἐντέρυ ὑπερ-
βάλλυσα ϗ λεία τὰ ἐντὸς Ζιβ17. 507 b21. Ζμγ14. 674
a25, 675 a19. σπλὴν μακρός Ζμγ12. 674 a1. ἡ ὑστέρα
κάτω τῦ ὑποζώματος, ἐπὶ τῆς γαστρὸς ἔχει τὰς ὑστέρας
Ζιγ1. 510 b17. Ζγα12. 719 b25. ὁ λέων τὰ ἐντὸς ἀνοιχθεὶς 55
ὅμοια πάντ' ἔχει κυνὶ Ζιβ1. 497 b17. ἐπεὶ τῶν τετραπόδων
ϗ ᾠοτόκων ἔχει κοιλίαν ὁμοίαν τῇ τῦ κυνός, ὄφις ἔχει κοι-
λίαν ὁμοίαν τῇ τῦ κυνός Ζιβ17. 508 a8, 28. — c. de ge-
nerat. περὶ τὰς κύνας τὸ τοιῦτον πάθος καλεῖται σκυζᾶν
Ζιζ18. 572 b25. 20. 574 a30, b1. ὀχεία Ζιε14. 545 b4, 546 60
a28. ζ18. 572 a5. 20. 574 a33, b10, 27. ὅταν ἔχωσι τὴν

ἡλικίαν τῦ ὀχεύεσθαι ἐπὶ ταῖς θηλαῖς τῶν μαστῶν ἐπιγίνεται
ἀνοίδησίς τις ϗ χόνδρον ἴσχυσιν Ζιζ20. 574 b14. κύων ἡ
Λακωνικὴ ὀχεύει Ζιζ20. 574 a16. ἐπιβάντες πληρῦσιν, ὄπι-
σθεν συνέχονται, οἱ κλέπτοντες τὰς ὀχείας Ζιζ20. 574 a20.
ε5. 540 b14. ἔπαρσις αἰδοίυ Ζιζ20. 574 a32. — ἡ κύησις
ὀλιγοχρόνιος Ζιε8. 542 a28. 14. 545 b7, 546 a30. ζ20. 574
a18, 20, 25, 28. τὰ καταμήνια, ἡ ἐν τόκοις κάθαρσις Ζιζ20.
574 a31, b4. γάλα Ζιζ20. 574 b7, 13. χαλεπὴ μετὰ τὸν
τόκον πι35. 894 b13. χαλεπαὶ ἀπὸ τῶν σκυλακίων Ζιζ18.
571 b31. — d. de aetate et vita. quot pariant, οἱ νέοι,
νεώτεροι, τὰ γιγνόμενα Ζιζ20. 574 b25. β2. 501 b11, 12,
a11. ι1. 608 a31. Ζγβ4. 738 b31. σκυλάκια Ζιζ18. 571
b31. 20. 574 b4, 25. τυφλὰ γεννᾶ Ζιζ20. 574 a23, 27, 29.
Ζγβ6. 742 a9. δ3. 770 a32. ἀνάλογον ἀποδίδωσι τὴν αὔξησιν
Ζιβ1. 501 a3. πρεσβύτεροι Ζιβ2. 501 b12, 13. ζ20. 574
a11. γηράσκοντες Ζιε14. 545 a5. cf 546 a33. aetas e denti-
bus cognoscitur Ζιβ2. 501 b11. ζ20. 575 a10. vita Ζιε14.
546 a31. ζ20. 575 a4. ἡ Λακωνικὴ κύων ὁ μὲν ἄρρην
περὶ ἔτη δέκα ἡ δὲ θήλεια περὶ ἔτη δώδεκα Ζιζ20. 574
b30. — e. de propria natura ac consuetudine canis. τὸ
σκέλος αἴροντες ὀυρῦσιν Ζιθ5. 594 b25. ζ20. 574 a18, b19.
cf Rose Ar Ps 356. αἱ θήλειαι πᾶσαι καθεζόμεναι ὀυρῦσιν
ἤδη δέ τινες ϗ τῦτων ἄρασαι τὸ σκέλος ὀυρησαν Ζιζ20.
574 b23. τὸ δρόμημα συνεχῶς κατατετμένον Ζιμ44. 629
b19. τὸ περίττωμα ξηρὸν ϗ ἐξικμασμένον, μετὰ πόνυ προ-
ίενται τὴν περίττωσιν Ζιθ5. 594 b23. Ζμγ14. 675 a36. —
ζῷον θυμικὸν ϗ φιλητικὸν ϗ θωπευτικόν Ζια1. 488 b21.
ἀνδρία, φιλοπονία Ζιμ1. 608 a31. οἱ θῶες πολεμικοὶ τοῖς κυσὶ
Ζιμ44. 630 a10. ἐνυπνιάζειν φαίνονται, ὀσφραίνονται τῶν
δένδρων, κρατῦνται ὑπὸ τῆς τῶν ἴων ὀδμῆς Ζιδ10. 536 b28.
θ5. 594 b24. Ζγε2. 781 b10. θ82. 836 b18. πότε τὰ ἴχνη
ἥκιστα εὑρίσκωσιν πκς22. 942 b13. ϗ ταῖς ὀσμαῖς τῶν λα-
γωῶν χαίρωσιν Ηγ13. 1118 a18. — ὑλαγμός, ὑλακτικὸς,
τῶν κυνῶν γηρασκόντων γίνεται βαρυτέρα ἡ φωνὴ Ζιδ10.
536 b30. ε14. 545 a5. ε3. 462 a24. φ2. 807 a19. θ166.
846 b23. ἴδιον ἐπὶ τῶν κυνῶν τὸ λοίδορον φ4. 808 b37. οἱ
κύνες, πρὶν σκέψασθαι εἰ φίλος, ἂν μόνον ψοφήση, ὑλα-
κτῦσιν Ηη7. 1149 a28. ϗ δάκνυσι τὺς καθίζοντας Ρβ3.
1380 a24. τὺς ἀφικομένυς ἀδικῦσιν, opp σαίνυσιν θ109.
840 b5. φυγέειν κύνας (Hom Β 393) Πγ14. 1285 a14.
ἐπειδὰν θωπεύωσι, γαληνὲς τὸ μέτωπον ἔχωσιν φ6. 811 b37.
πονήσαντες, ἀργῦντες Ζιζ20. 574 b29, 572 a2. — f. de
morbis Ζιθ22. ὅταν τι πονῶσιν, ἔμετον ποιῦνται φαγῦσαί
τινα πόαν· ὅταν ἑλμινθιῶσιν, ἐσθίυσι τῦ σίτυ τὸ λήϊον Ζιμ6.
612 a6, 31. θ5. 594 a29. τὸ τῶν κυνῶν γένος τὴν οἰνῦτταν
καλυμένην φαγὸν βοτάνην μεθύσκεται f 102. 1494 b19, 22.
— ἐν τοῖς κυσὶν οἱ καλύμενοι κυνοραϊσται Ζιε31. 557 a17. —
g. narrationes et fabulae de canibus θ1. 830 a20. 99. 838
b4, 5. 109. 840 b4. 116. 841 b6 (ὐδὲ τῶν κυνῶν om S
Theophr IV 642). 144. 845 a22 (cf Rose Ar Ps 347, 7).
145. 845 a28 (cf Rose ibid 348). 157. 846 a25. f 330.
1533 b20, 23. ὁ κύων Ὀδυσσέως Ζιζ20. 575 a1, Ξανθίππυ
f 360. 1539 a34. κύων καθεύδυσα ἐπὶ τῆς αὐτῆς κεραμίδος
ημβ11. 1208 b11. — h. signa physiognomonica e natura
canum petita φ6. 810 b5, 811 a21, 27, 31, 32, 812 a7, b8,
25. — i. ἔχει γένη πλείω, varietates. cf Fritsch in Zeitschr
der Naturf VII 52. ἄγριοι ϗ ἥμεροι πι45. 895 b24. ἡ Λα-
κωνικὴ, ἐξ ἀλώπεκος ϗ κυνὸς Ζιθ28. 607 a3. ζ20. 574 a17,
21, b10, 26, 30. ἴδιον πάθος Ζιζ20. 574 b28, 575 a2 (Schlie-
ben Pferde des Alterth 116). αἱ Λάκαιναι κύνες αἱ θήλειαι
εὐφυέστεραι τῶν ἀρρένων εἰσί Ζιμ1. 608 a27. τὰ Λακωνικὰ

κυνίδια ἔχει τὰς μυκτῆρας μακρὰς Ζγε2. 781 ᵇ10. cf Lewy-
sohn Zool des Talmud 88. (Canis graius L.) — τὸ ἐν τῇ
Μολοττίᾳ γένος τὸ μὲν θηρευτικόν, τὸ δὲ ἀκόλεθον τοῖς προ-
βάτοις· ἀνδρίᾳ ἢ φιλοπονίᾳ διαφέρεσιν οἱ ἐκ τῶν ἐν Μο-
λοττίᾳ γιγνομένων ἢ ἐκ τῶν Λακωνικῶν Ζι1. 608 ᵃ28, 31. 5
(fort Canis Molossus L.) — μέγιστοι οἱ ἐν Ἠπείρῳ Ζιγ21.
522 ᵇ20. — ἐν Αἰγύπτῳ οἱ κύνες ἐλάττες ἢ ἐν τῇ Ἑλ-
λάδι Ζιθ28. 606 ᵃ23. ἐὰν κύνες ἴδωσιν ἐν τῷ Νείλῳ λίθον
κυάμῳ ὅμοιον, ἐχ ὑλακτῶσι θι66. 846 ᵇ23. — τὰ Με-
λιταῖα κυνίδια, οἱ τὰ κυνίδια τρέφοντες ἐν τοῖς ὀρτυγοτρο- 10
φείοις Ζιε6. 612 ᵇ10. πι12. 892 ᵃ11, 21. (fort Canis meli-
tensis vel Zerda L.) — οἱ Ἰνδικοὶ κύνες ἐκ θηρίε τινὸς
κυνώδες γεννῶνται ἢ κυνός, ἀγρίοι Ζγβ7. 746 ᵃ35. πι45.
895 ᵇ25. ἐκ τε τίγριος ἢ κυνὸς τῆς Ἰνδικῆς Ζιθ28. 607 ᵃ4.
(fort Canis aureus L.) — τὰ γιγνόμενα ἐξ ἀλώπεκος ἢ 15
κυνός Ζγβ4. 738 ᵇ31. 7. 746 ᵃ34, cf 747 ᵇ32. — ἐν Κυ-
ρήνῃ οἱ λύκοι μίσγονται ταῖς κυσὶ ἢ γεννῶσι Ζιθ28. 607 ᵃ2.
cf ΑΖγ128. — οἱ μεγάλοι, εὔρωστοι, ἄριστοι μέτρια ἔχον-
τες ὦτα φ6. 811 ᵃ21, 812 ᵃ10, 813 ᵇ3. (Canis familiaris L.
Su 71, 7. ΑΖι I 71, 28.) 20
  2. piscis. refertur inter τὰς γαλεὰς ἢ τὰς γαλεοειδεῖς
Ζιζ11. 566 ᵃ31. (def non potest cf ΑΖι I 146, 93. Rose
Ar Ps 304.)
  3. κύων sidus. Ρβ24. 1401 ᵃ15. πα3. 859 ᵃ23. ἐν τῷ
ἰσχίῳ τε κυνός μα6. 343 ᵇ12. ἐπὶ κυνὶ Ζιθ15. 600 ᵃ4. Με2. 25
1026 ᵇ33. *8. 1064 ᵇ36. πκε12. 941 ᵃ37. 32. 944 ᵃ4. ὑπὸ
κύνα Φβ8. 199 ᵃ2. Ζιε15. 547 ᵃ14. περὶ κυνὸς ἐπιτολὴν
Ζιθ19. 602 ᵃ26. μετὰ κυνὸς ἐπιτολὴν μβ5. 361 ᵇ35. πρὸ
κυνός, μετὰ κύνα πκε12. 941 ᵇ7, 8. τὰς πλανήτας κύνας
τῆς Περσεφόνης ἐκάλει (Pythag) f 191. 1512 ᵃ31. 30
Κύων. ὁ Κύων (Cynicus) τὰ καπηλεῖα τὰ Ἀττικὰ φιδίτια
ἐκάλει Ργ10. 1411 ᵃ24.
κωβίδιον. ἡ κωβῖτις γίνεται ἐκ τῶν μικρῶν ἢ φαύλων τῶν
ἐν τῇ ἄμμῳ διαγενομένων κωβιδίων f 292. 1529 ᵃ4.
κωβιός. οἱ κωβιοὶ (v l κύβοι) referuntur inter τὰ ἀγελαῖα 35
Ζι2. 610 ᵇ4, τὰς προσγείης (v l καρβίος) Ζιθ13. 598 ᵃ11.
ἔχει πολλὰς ἀποφυάδας Ζιβ17. 508 ᵇ16 Aub. distinguuntur
  a. ἡ καλεμένη κωβῖτις κωβιῶν τῶν μικρῶν ἢ φαύλων, οἱ
καταδύνεσιν εἰς τὴν γῆν Ζιζ15. 569 ᵇ23. — b. τῶν ἐν τῷ
εὐρίπῳ φυομένων ἐκ ἔστι πελάγιος ὁ λευκὸς κωβιός, χει- 40
μῶνος ἐκ ἐκπλέεσιν ἐκ τῇ εὐρίπῳ Ζιυ37. 621 ᵇ3, 19. —
  c. οἱ κωβιοὶ (v l κηβωτίοις) ἐκτίκτεσι πρὸς τοῖς λίθοις, πλὴν
πλατὺ ἢ ψαθυρὸν τὸ ἀποτικτόμενόν ἐστιν, ᾧ νέμονται, περὶ
Κρήτην πίονες Ζιζ13. 567 ᵇ11. θ2. 591 ᵇ13. 13. 598 ᵃ16. —
  d. πίονες ἢ οἱ ἐν τοῖς ποταμοῖς Ζιθ19. 601 ᵇ22. περὶ Βα- 45
βυλῶνα ἰχθύας τινὲς ἀπὸ τὸ σῶμα ὅμοιον κωβιῷ θ72. 835
ᵇ14. (Gobio vel Goujon C II 386. Cottus Cuv XII, 5. Go-
biorum genus St. Cr. ΚαΖι 91, 21. cf E 89. in incerto rel
ΑΖι I 134, 40.)
κωβῖτις. ἡ καλεμένη κωβῖτις κωβιῶν Ζιζ15. 569 ᵇ23. f 292. 50
1529 ᵃ2.
κωδία κλεψύδρας πιε8. 914 ᵇ27.
κώδιον. τῶν προβάτων τὰ κώδια ἢ τὰ ἔρια Ζιθ10. 596 ᵇ8.
κώδων. ὥσπερ κώδων ὑπηχεῖ πλγ14. 963 ᵃ3. τῆς κώδωνος
αἰσθάνονται αι6. 446 ᵇ22. 55
κωθωνίζεσθαι ταῖς μεγάλαις πγ12. 872 ᵇ28. 25. 874
ᵇ11.
κωθωνισμός πα39. 863 ᵇ25. ε38. 885 ᵃ2.
κωλήν. τὰ τῶν σκελῶν ὀστᾶ, τά τ' ἐν τοῖς μηροῖς ἢ κνήμαις,
ἃ καλῶνται κωλῆνες· ὅσα μὴ ἔχει σκέλη ἢ βραχίονας, ἐδὲ 60
κωλῆνας ἔχει Ζιγ7. 516 ᵇ1, 27.

κῶλον. 1. τὰ κῶλα extremitates Ζιβ1. 498 ᵃ20. Ζμβ9. 654
ᵇ18. Ζπ14. 712 ᵇ19. Ζγβ6. 742 ᵇ16. τὰ κῶλα πέφυκεν
ἄλλοις ἄλλως, ἢ ἐκ ἔστι τῶν πρὸς τὸ ζῆν ἀναγκαίων, διὸ
ἢ ἀφαιρεμένων ζῶσιν· δῆλον δ' ὡς ἐδὲ προστιθέμενα φθείρει
Ζμγ4. 665 ᵇ25. ἡ ἀρχὴ ἠρεμεῖ κινεμένε τε μορίε τε κά-
τωθεν, οἷον ὅλε τε κῶλε ὁ ὦμος Ζκ1. 698 ᵇ3. 9. 702 ᵇ27.
— αἱ περιφέρειαι πρὸς ἀλλήλας ἀμφοτέρων τῶν κώλων
Ζιβ8. 502 ᵇ2. ἡ διφυΐα, ἡ ἐπὶ τὸ πρόσθιον ἔκτασις Ζμγ5.
668 ᵇ22. δ10. 688 ᵃ16. ἡ εἰς τὰ κῶλα τροφή, ἡ κίνησις
Ζγγ1. 750 ᵃ2. β6. 744 ᵃ35. — τὰ κῶλα μαλακά, opp
σκληρόδερμα, ἀντίστοιχα, συνεχῆ πρὸς τὴν ῥάχιν, ἴσα, ἀπηρ-
τημένα Ζπ17. 713 ᵇ22, 27. 9. 708 ᵇ31, 709 ᵃ2. Ζμβ9. 654
ᵇ17. δ13. 695 ᵇ17. ἰσοσκελὲς γίνεται τρίγωνον τὰ κῶλα
Ζπ9. 709 ᵃ23. βλαισῶνται τὰ κῶλα Ζπ17. 713 ᵇ22, cf 27.
— τὰ κῶλα ἢ τὰ ἔμπροσθεν ἢ τὰ ὄπισθεν, τὰ πρόσθια ἢ
τὰ ὄπισθεν Ζιβ1. 498 ᵃ3, 6, 7, 23. Ζμδ9. 684 ᵇ30. ἐχόμενα
τε αὐχένος ἢ τῆς κεφαλῆς τὰ πρόσθια, εἴσω κάμπτειν τὰ
ἐμπρόσθια, εἰς τὸ μὲν ὄπισθεν βραχίων Ζμδ6. 683 ᵇ2.
10. 686 ᵃ25, 687 ᵇ28. Ζιε15. 493 ᵇ26. κῶλα διμερὲς ἄλλο
σκέλος. τὸ ὄπισθεν κῶλον, τοῖς τετράποσι τὰ ὄπισθια ἰσχυ-
ρότερα Ζιε15. 494 ᵃ4. Ζμδ10. 690 ᵃ20. 9. 685 ᵃ18. — οἱ
ἰχθύες ἐκ ἔχεσιν ἀπηρτημένα Ζμδ13. 695 ᵇ17. Ζιβ13. 504
ᵇ18. — ὁ ἀστράγαλος γόμφος ὥσπερ ἀλλότριον κῶλον
Ζμδ10. 690 ᵃ14. — 2. κῶλον i q κόλον Ζμγ14. 675 ᵇ18.
— 3. κῶλον rhetorice. περίοδος ἡ μὲν ἐν κώλοις ἡ δ' ἀφε-
λής· Ργ9. 1409 ᵇ13, 16. ἡ ἐν κώλοις λέξις Ργ9. 1409 ᵇ32,
33, 35. παρίσωσίς ἐστιν ὅταν δύο ἴσα λέγηται κῶλα π28.
1435 ᵇ39.
κωλύειν, coni syn ἐμποδίζειν Φθ4. 255 ᵇ7. opp προτρέπειν
Ηγ7. 1113 ᵇ26, προστάττειν Ηε5. 1130 ᵇ25. τὰς ἀναθυ-
μιάσεις κωλύειν τῷ βάρει μβ8. 368 ᵇ34. κωλύειν cum
simplice inf (non addita negatione μή) ἐκωλύον ἀποδιδόναι
sim Πε5. 1304 ᵇ28. 8. 1309 ᵃ17. δ15. 1300 ᵃ7. μα3.340
ᵃ29. β5. 361 ᵇ21. Ζιθ8. 533 ᵇ26. c gen εἰ μηθὲν κωλύει
τε γίγνεσθαι οἰκίαν Μθ7. 1049 ᵃ9 Bz. — pass ὁ ἀὴρ κω-
λύεται συγκρίνεσθαι μα3. 341 ᵃ4, 340 ᵇ33. κωλύεσθαι ὑπὸ
τῶν ἀκτίνων μα3. 345 ᵃ29. — ἐδὲν κωλύει, i q ἐνδέχεται,
ἐγχωρεῖ Αα14. 33 ᵃ38. β2. 54 ᵃ30, 54, 36, 55 ᵃ6, 20, 36
(cf 54 ᵇ28, 55 ᵃ9). γ3. 72 ᵇ17. τα5. 102 ᵇ9 (cf ᵇ7). Φα3.
187 ᵃ5. μα3. 340 ᵇ32. Ηθ2. 1120 ᵇ9. η14. 1153 ᵇ7. ηεα6.
1216 ᵇ15. βι0. 1226 ᵇ24. γι. 1229 ᵇ19 et saepe. εἰ μη-
θὲν κωλύει Μθ7. 1049 ᵃ9. ἀν μὴ τι κωλύῃ Φδ4. 255 ᵇ7
ac sine pronomine indef ὅτε τὴν αὐτὴν εἶναι κωλύει Φυ3.
202 ᵇ9. τί κωλύει Ηα11. 1101 ᵃ14. κ2. 1173 ᵃ24. — τὸ
κωλῦον. ἀνειμένα τε κωλύοντος εν3. 461 ᵇ17.
κώλυσις τε θυμῷ λυπηρὰ ηεβ7. 1223 ᵇ23. κώλυσις τῶν
ἐναντίων π2. 1421 ᵇ28. κώλυσις τῶν συμπερασμάτων, syn
ἐμποδισμοί πθ10. 161 ᵃ15.
κωλυτικόν, coni syn ἐμποδίζον Μδ5. 1015 ᵃ27. κωλυτικὸν
φθορᾶς, ἐλέγ. τῶν καλῶν, τε ἀκύειν ψα1. 403 ᵇ4. Ρβ9.
1387 ᵃ3. κμβ7. 1393 ᵇ4. πια44. 904 ᵃ21. κωλυτικὰ τῶν
ἐναντίων, syn ποιητικά, φυλακτικὰ τῶν τοιύτων Ηα4. 1096
ᵇ12. Ρα6. 1362 ᵃ29. — κωλυτικώτερον ἡδονῆς τγ3.118 ᵇ36.
κωλωτής. κωλωτὴ (v l κολωτῇ, κωλώτη Sylb S Pic) δ' ὄνος
πολέμιος· κοιμᾶται γὰρ ἐν τῇ φάτνῃ αὐτῇ, ἢ κωλύει ἐσθίειν
εἰς τὰς μυκτῆρας ἐνδυόμενος Ζι1. 609 ᵇ19. (Colota Gazae.
in incerto rel C II 239. S II 14. fort i q ἀσκαλαβώτης
Su 176, 7.)
κωμάζειν ακ 803 ᵃ25. νεανίσκοι ὑποπιόντες ἐκώμασαν πρὸς
αὐτὸν f 517. 1562 ᵇ22. οἱ κωμῳδοὶ ἐκ ἀπὸ τε κωμάζειν
λεχθέντες ποθ. 1448 ᵃ37.

Ggg 2

κώμη ἡ ἐκ πλειόνων οἰκιῶν κοινωνία πρώτη, πόλις ἐκ πλειόνων κωμῶν Πα2. 1252 b16, 17, 28. γ9. 1280 b40. κεχωρισμένοι κατὰ κώμας Πβ2. 1261 a28. κώμας τὰς περιοικίδας οἱ Πελοποννήσιοι καλῦσιν, Ἀθηναῖοι δὲ δήμυς πο3. 1448 a36.

κωμικὸς χορός, dist τραγικὸς Πγ3. 1276 b5.

κωμῳδεῖν τὰς τραγῳδὰς πο22. 1458 b32.

κωμῳδία. οἱ ποιηταὶ ἐν ταῖς κωμῳδίαις μεταφέρυσι σκώπτοντες Ζγε4. 789 b19. — κωμῳδία def πο1. 1447 a14. 5. 1449 a32. dist τραγῳδία πο2. 1448 a17. ubi orta sit πο3. 1448 a30, 31. παλαιαί, καιναί Ηδ14. 1128 a22. τὰς νεωτέρας ὗτ' ἰάμβων ὕτε κωμῳδίας θεατὰς νομοθετητέον Πη17. 1336 b20. — κωμῳδία φαίνεται (de dictione, qualis comoediae propria est) Ργ7. 1408 a14. — τραγῳδία κ̣ κωμῳδία ἐκ τῶν αὐτῶν γίνεται γραμμάτων Γα2. 315 b15.

κωμῳδοδιδάσκαλος ψα3. 406 b17. ηεγ2. 1230 b19.

κωμῳδοποιοί, dist ἰάμβων ποιηταί πο4. 1449 a4. χλευασταῖς κ̣ κωμῳδοποιοῖς ἡ διατριβὴ ἐν ταῖς τῶν πέλας ἁμαρτίαις Ρβ6. 1384 b10. χρῶνται κ̣ οἱ κωμῳδοποιοὶ μεταφοραῖς Ργ3. 1406 b7.

κωμῳδός. etymol πο3. 1448 a37. χορηγεῖν κωμῳδοῖς Ηδ6. 1123 a23. f 587. 1573 b33. χορὸν κωμῳδῶν ὀψέ ποτε ὁ ἄρχων ἔδωκεν πο5. 1449 b1.

κῶνος, dist σφαῖρα, κύβος x6. 398 b28. κώνου ὀξυγωνίου f 342. 1535 a4, b4. γραμμαὶ κατὰ κῶνον ἐκπίπτυσαι, ἡ τῶν ὄψεων ἔκπτωσις κῶνός ἐστιν μγ5. 375 b22. β5. 362 b2. α8. 345 b6. πιε6. 911 b5. 11. 912 b16. γ9. 872 a37. ὁ κῶνος ὡσθεὶς κύκλῳ περιφέρεται, τῆς κορυφῆς μενύσης πιϛ5. 913 b38.

κώνωψ. κέντρῳ κεντῦσιν, πρὸς ὐδὲν γλυκὺ προσιζάνει ἀλλὰ πρὸς τὰ ὀξέα, ἐκ σκωλήκων οἱ γίνονται ἐκ τῆς περὶ τὸ ὄξος ἰλύος Ζιδ7. 532 a14. 8. 535 a3. ε19. 552 b5. τὰ δ' ὗτ' ὗτε ζῴων γίνονται ὕτε συνδυάζονται, καθάπερ ἐμπίδες τε κ̣ κώνωπες (ν l σκώληκες) Ζγα16. 721 a10. (conops C II 241. S I 355. Conops calcitrans St. Stomoxys calcitrans et Mo-

sillus cellarius Su 225, 39 Cr. cf M 219. ΑΖγ 36. ΑΖι I 167, 30.)

κῷος. μυρίας ἀστραγάλυς κῴης (ν l, Χίης Bk) βαλεῖν Οβ12. 292 a29. — κῷα (σκέλη) ἐντὸς ἐστραμμένα πρὸς ἄλληλα, τὰ χῖα καλύμενα ἔξω Ζιβ1. 499 b28 Aub S I 72. II 298.

κώπη. κώπας ἀνάσσειν (Eurip fr 700) Ργ2. 1405 a29. — ἡ κώπη μοχλός ἐστιν μχ4. 850 b11, 20. ἀναφέρειν τὰς κώπας μβ9. 369 b10. γ4. 374 a29, b6. κώπαις ποιεῖσθαι τὸν πλῦν Ζπ10. 710 a19. ὥσπερ αἱ κῶπαι τοῖς πλέυσι τὰ πτερύγια τοῖς ἰχθύσιν Ζμδ12. 694 b9. ψόφος κώπης Ζιδ8. 533 b16, 19. — κώπη (gubernaculum) μέσον νεὼς Ζμδ10. 687 b18. — κῶπαι τῶν Κορκυραίων μαστίγων f 470. 1555 b12.

κωπηλασίας ψόφος μβ9. 369 b11.

κωπηλατῆσαι, dist κυβερνῆσαι ρ25. 1435 a28.

κωπήρεις ν l ad Ζμδ12. 694 b9, κῶπαι Bk.

Κωρύκιον ἄντρον χ1. 391 a21.

κώρυκος. ζυγομαχῶν τῷ κωρύκῳ (ex incerto poeta comico Meineke IV 603. V 117) Ργ11. 1413 a13, 24.

Κῶς. ἐν Κῷ ἡ δημοκρατία μετέβαλε Πε5. 1304 b25. Παμφίλη ἐν Κῷ Ζιε19. 551 b16. — Κῶως. Ἀντιμένης ὁ Κῷος Πινδάρῳ ἐφιλονείκει f 65. 1486 b33.

κωτίλα ζῷα, opp σιγηλά Ζια1. 488 a33.

κωφός. κωφὴν γαῖαν (Hom Ω 54) Ρβ3. 1380 b29. — ὅσοι κωφοὶ ἐκ γενετῆς γίνονται, πάντες κ̣ ἐνεοί Ζιθ9. 536 b3. πλγ1. 961 b14. φρονιμώτεροι οἱ τυφλοὶ τῶν ἐνεῶν κ̣ κωφῶν αι1. 437 a17. οἱ κωφοὶ διὰ τῶν ῥινῶν φθέγγονται πια2. 899 a4. 4. 899 a15. λγ14. 962 b35. — τὸ τελευταῖον αἱ φωναὶ πᾶσαι γίγνονται κωφαί, τῦ ἀέρος ἤδη διαχεομένυ ακ801 b32, 802 a29. — ὄμμα χλωρὸν κωφόν φ3. 807 b23. — ὕστεραι κωφαί, κωφότεραι Ζικ3. 635 a7. 1. 634 a9.

κωφότης, opp ἄκυσις, ἀκοή τε6. 135 b32. υ1. 453 b31. ἡ κωφότης τί ἐστιν πλγ14. 962 b37. — κωφότης τῆς ὑστέρας Ζικ1. 634 a19. 2. 635 a13.

Λ

λᾶας ἀναιδής (Hom λ 598) Ργ11. 1411 b34.

λάβδα. φλέβες σχίζονται εἰς δύο ὥσπερεὶ λάβδα Ζιγ4. 514 b18.

λάβραξ. refertur inter τὰς λεπιδωτὰς, πλωτὰς, μονήρεις, δρομάδας, χυτὰς, μάλιστα ὀξυηκόυς, σαρκοφάγυς Ζιζ13. 567 a19. θ30. 607 b26 Aub. f 303. 1530 a1. Ζιζ17. 570 b21. ε9. 543 a1. δ8. 534 a9. θ2. 591 a11, b18. f 303. 1530 a2. ἔχει λίθον ἐν τῇ κεφαλῇ, γλῶσσαν ὀστώδη κ̣ προσπεφυκυῖαν, καρδίαν τρίγωνον, τέτταρα πτερύγια, δύο μὲν ἄνω ἐν τοῖς πρανέσι, δύο δὲ κάτω ἐν τοῖς ὑπτίοις Ζιθ19. 601 b30 Aub. α5. 489 b26. f 303. 1530 a4. φαῦλος κύων ἐστίν τίκτει χειμῶνος, μάλιστα ὃ ἂν ποταμὸς ῥέωσιν, μετὰ τὸν αὐλωπίαν, δίς, γίνεται δ' ὁ τόκος αὐτῷ ὁ ὕστερος ἀσθενέστερος Ζιθ30. 607 b26. ε11. 543 b11. 10. 543 b4 (cf Cuv et Val poissons XI, 71). 9. 543 a3. ζ17. 570 b20. μάλιστα πονεῖ ἐν τοῖς χειμῶσιν, διὰ τὸν λίθον ἐν τῇ κεφαλῇ ὑπὸ τῦ ψύχυς καταπήγνυται κ̣ ἐκπίπτει Ζιθ19. 601 b29, 31. τὰ μὲν πολλὰ σαρκοφαγεῖ, ἅπτεται δὲ κ̣ φυκίων· λαμβάνεται τριωβόντι ἡμέρας πολλάκις διὰ τὸ καθεύδειν Ζιθ2. 591 b18. δ10. 537 a27. λάβραξ κ̣ κεστρεὺς πολεμιώτατοι ὄντες κατ' ἐνίυς καιρὺς συναγελάζονται ἀλλήλοις· ἀποθείεται ὁ κεστρεὺς ὑπὸ λάβρακος Ζιι2. 610 b10, 16. (spinula Thomae, arthealudo Alberti, cartheca Vincentii. fort Labrax lupus L, Cuv.

hodie λαβράκιον cf E 87. loup de mer C II 490. ΑΖι I 134, 41. Cr. ΚαΖι 23, 5. M 277.)

λάβρος. ὕδωρ λάβρον, coni πνεῦμα ἐξαίσιον πκς36. 944 b19. ὕδατα λαβρότερα λέγεται ὅταν ἀθρυώτερα μα12. 348 b10. — τὰ εὐθυέντερα λαβρότερα πρὸς τὴν ἐπιθυμίαν τὴν τῆς τροφῆς Ζγα4. 717 a23. πρὸς τὸ μὴ λάβρον μηδὲ ταχεῖαν εἶναι τὴν ἐπιθυμίαν Ζγα4. 717 a28. — λάβρως χρῆσθαι τῇ βρώσει, ἐσθίειν Ζιθ5. 594 b18. πκ34. 926 b21.

λαβυρινθώδης. ὁ λέων, οἷόν περ πλάττυσι, λαβυρινθώδη ἀστράγαλον ἔχει Ζιβ1. 499 b25.

λαγαρός. εἰσὶ τῶν ἀραχνίων οἱ γλαφυρώτατοι κ̣ λαγαρώτατοι κ̣ τεχνικώτεροι περὶ τὸν βίον Ζιθ38. 622 b23.

λαγνεία, μόριον ἀκολασίας ηεγ2. 1231 a20. ὅταν ἐξαδυνατήσῃ ὁ νικῶν τῶν ταύρων διὰ τὴν λαγνείαν Ζιζ21. 575 a21. λαγνεία συμφέρει πρὸς τὰ ἀπὸ φλεγμασίας νοσήματα πα50. 865 a33. δ16. 878 b14.

λάγνος. ἥκιστα λάγνον τῶν ἀρρένων βῦς, φύσει λάγνος ἔλαφος, λαγνίστατον μετ' ἄνθρωπον ἵππος Ζιζ21. 575 a20. 29. 579 a5. 22. 575 b30. λάγνα σημεῖα φ3. 808 b4-7. cf πο18. 878 b22. 31. 880 a34. 124. 893 b10. οἱ μελαγχολικοὶ λάγνοι πλ1. 953 b33. λάγνος, opp μαλακός πο26. 880 a4.

λάγονος, μέτρυ ὄνομα παρὰ τοῖς Ἕλλησιν, θηλυκῶς λέγεται ὑπὸ Θετταλῶν f 457. 1553 a18, 22.

λαγχάνειν, c acc ἡ χθὼν δύο τῶν ὀκτὼ μερέων λάχε νή-
στιδος αἴγλης (Emp 212) ψα5. 410 ᵃ5. θεοὶ οἱ εἰληχότες
τὴν περὶ τῆς γενέσεως τιμήν Πη16. 1335 ᵇ16. τὴν ἀνωτάτω
ἕδραν αὐτὸς ἔλαχεν ὁ θεός κ6. 397 ᵇ25. δίκαι, γραφαὶ
λαγχάνονται πρός τινα f381. 1541 ᵇ8, 15. 382. 1541 ᵇ30.
383. 1542 ᵃ19, 30. — c gen ὦ παῖδες, οἳ χαρίτων τε χ̣
πατέρων λάχετ' ἐσθλῶν f93. 1492 ᵇ29. — absol οἱ λα-
χόντες ἐπὶ τὰς ψήφως f424. 1548 ᵇ9.

λαγών. τῆς γαστρὸς ῥίζα ὀμφαλός, ὑπόρριζον δὲ τὸ διφυὲς
λαγών· τὸ κοινὸν ὑποχονδρίῳ χ̣ λαγόνος χολάς· τὰ περὶ
τὰς λαγόνας Ζια13. 493 ᵃ18, 21. φ5. 810 ᵃ5. ἐν ταῖς λα-
γόσιν, coni ἐν ταῖς βυβῶσιν Ζιη3. 583 ᵃ35, ᵇ2 Aub. πότε
γίνονται πληρέστεραι ταῖς γυναιξίν Ζιη3. 583 ᵇ1. τὰ τῶν
ὀρνέων ἔμβρυα ἔχει τὴν κεφαλὴν ὑπὲρ τῷ δεξιῷ σκέλℰς ἐπὶ
τῇ λαγόνι Ζιζ3. 561 ᵇ30.

λαγώς, nom sing Ζμγ4. 667 ᵃ20. πι14. 892 ᵇ1. φ2. 807 ᵃ21.
χ6. 798 ᵃ25. acc plur Ζι32. 619 ᵇ9. θ82. 836 ᵇ19. 122.
842 ᵃ16. nom plur λαγῴ f241. 1523 ᵃ14, τὸν λαγώ Ργ11.
1413 ᵃ17. λαγωός φ1. 805 ᵇ26. 2. 806 ᵇ8 et v l Ζμγ4.
667 ᵃ20. φ2. 807 ᵃ21. λαγῶ Ζυ33. 619 ᵇ25. λαγωοὶ
Ζιθ28. 606 ᵃ24. λαγωῶν Ηγ13. 1118 ᵃ18. λαγός v l Ζμγ4.
667 ᵃ20. λαγῷ v l Ζιθ28. 606 ᵃ24. λαγῷ f527. 1565 ᵃ7.
λαγῷς v l Ζι32. 619 ᵇ9. cf Lob Phryn 186. — 1. Lepo-
rina et Lepus timidus L. μεγάλην τὴν καρδίαν ἔχει, πο-
λύτεκνος, δειλός, δειλότατος Ζμγ4. 667 ᵃ20. πι14. 892 ᵇ1.
φ1. 805 ᵇ26. 2. 806 ᵇ8. ὀσμαὶ τῶν λαγῶν Ηγ13. 1118
ᵃ18. ἤδη γέγονε λευκός χ6. 798 ᵃ25. ἀετὸς θηρεύει λαγὼς
Ζι32. 619 ᵇ9. — Lepus timidus L eiusque varietat
ἐξύφωνος φ2. 807 ᵃ21. ἐν Σικελίᾳ θ82. 836 ᵇ19. f527.
1565 ᵃ7. apud Scythas Ζι33. 619 ᵇ15. ἐν τῇ Κραστωνίᾳ
τὰς ἁλισκομένας λαγὼς δύο ἥπατα ἔχειν θ122. 842 ᵃ16
(Beckm p 271). λαγῷ ἐν τοῖς αὐτοῖς χωρίοις ὁρώμενοι πολ-
λοὶ δηλοῦσιν εὐδίαν f241. 1523 ᵃ14. ὡς δ Καρπάθιός φησι
τὸν λαγώ (cf παροιμία) Ργ11. 1413 ᵃ17. — 3. Lepus
aegyptius. ἐλάττως ἐν Αἰγύπτῳ Ζιθ28. 606 ᵃ24. — cf Kapp
dissert sistens excurs ad Herod IV, 134 et VII 57. Erlangae
1823 p 8. v δασύπης.

λαγωφόνος (Lob Phryn 692) i q μελανάετος. descr Ζι32.
618 ᵇ28. (Falco fulvus K 990, 1. Cr. Falco peregrinus
Su 104, 28. Aquila minuta Brehm AZι I 83, 1g.)

λαεδός. v l λάεδος, λαιδός, λιβυός, λάιος S, Pic. laios Tho-
mae. laedus Guil et Gazae. λαεδὸς χ̣ κελεὸς φίλοι· ὁ λαε-
δὸς πέτρας χ̣ ὄρη οἰκεῖ χ̣ φιλοχωρεῖ δ᾽ ἂν οἰκῇ Ζι1. 610
ᵃ9, 10. (omnes in incerto rel cf C II 460. AZι I 101, 68.)

Λαερτιάδαις θύεται ἐν Τάραντι θ106. 840 ᵃ7.

λαθάνεμος ὥρα (Simonid fr 12, 2) Ζιε8. 542 ᵇ9.

λαθητικός Ρα12. 1372 ᵃ21.

λαθητικός, opp φανερώς Πε10. 1311 ᵃ16. λάθρᾳ ἀποδιδράσκειν
τὸν νόμον Πβ9. 1270 ᵇ34.

λαθραῖος. λαθραῖα συναλλάγματα Ηε5. 1131 ᵃ6. — λα-
θραίως περιαιρεῖσθαι, opp φανερῶς ρ12. 1430 ᵇ17. ἂν μὴ
γένηται λαθραίως ἡ κίνησις Ζια1. 487 ᵇ11.

λαιά. αἱ ὑφαίνωσαι τὸν στήμονα κατατείνωσι προσάπτωσαι τὰς
καλωμένας λαιάς Ζγε7. 787 ᵇ26. α4. 717 ᵃ35.

λαῖλαψ χ̣ στρόβιλος πνεῦμά ἐστιν εἰλουμένον κάτωθεν ἄνω
κ4. 395 ᵃ7.

λαιμαργία. πρὸς τὸ μὴ ἀκολουθεῖν τῇ λαιμαργίᾳ τῇ περὶ τὴν
τροφήν Ζμδ13. 696 ᵇ30.

λαίμαργος ὁ κεστρεύς Ζιβ2. 591 ᵇ1. λαίμαργον τὸ τῶν
ἰχθύων γένος ἅπαν Ζμγ14. 675 ᵃ20.

λαιός. descr Ζι19. 617 ᵃ15. (cf C II 460. S II 120. Turdus

torquatus K 981, 3. Cr. Petrocida cyanus G 12. M 302.
Su 109, 39. fort Petrocida saxatilis AZι I 101, 69. Lnd
83.)

Λάϊος (Soph Oed R) πο24. 1460 ᵃ30.

Λάκαιναι tragoedia πο23. 1459 ᵇ6 (cf Σοφοκλῆς). — Λά-
καιναι κύνες (cf Λακωνικός) Ζυ1. 608 ᵃ27.

Λακεδαίμων πο25. 1461 ᵇ6. πολιτεία Πβ9. β5. 1263 ᵃ35,
ᵇ41. 10. 1272 ᵃ14, 36. 11. 1273 ᵃ20. γ1. 1275 ᵇ9. ε1.
1301 ᵇ19. 6. 1306 ᵃ19. 7. 1306 ᵇ29, 38, 1307 ᵃ4, 36. 12.
1316 ᵃ34. παιδεία πολεμικὴ Πη2. 1324 ᵇ8, μυσικὴ Πθ6.
1341 ᵃ33. ἐν Λακεδαίμονι κομᾶν καλόν Ρα9. 1367 ᵃ29. ἐν
Λακεδαίμονι πλῆθος ὄφεων θ24. 832 ᵃ18. — Λακεδαι-
μόνιοι Ηγ5. 1112 ᵃ29. ι6. 1167 ᵃ31. Ρβ22. 1396 ᵃ24.
ρ2. 1422 ᵃ40, 1423 ᵃ1, 4. 9. 1429 ᵇ1, 11, 12, 15. 21.1434
ᵃ1, 7. Λακεδαιμονίων πολιτεία f489-502. Πβ9. β5. 1264
ᵃ10. 6. 1265 ᵇ35. 11. 1273 ᵃ2, ᵇ24. 12.1273ᵇ35. δ7.1293
ᵇ16. 9. 1294 ᵇ9. ε1. 1313 ᵃ25. η14. 1333 ᵇ12. Ρβ23.
1398 ᵇ17. f489. 1557 ᵇ44. 497. 1559 ᵇ9. 499. 1559 ᵃ33.
500. 1559 ᵇ18. 501. 1559 ᵇ32. 370.1540 ᵃ10, 15. κατέ-
λυσαν πλείστας τυραννίδας Πε10. 1312 ᵇ7, τὰς δήμως Πε7.
1307 ᵇ22. οἱ Λακεδαιμονίων βασιλεῖς Πε10. 1310 ᵇ39. οἱ
παρὰ Λακεδαιμονίοις εἴλωτες f544. 1568 ᵇ2. παιδεία Πη15.
1334 ᵃ40. θ1. 1337 ᵃ31. Ηα13. 1102 ᵃ11. κ10.1180 ᵃ26.
τὰ κατὰ γυναῖκας φαῦλα Ρα5. 1361 ᵃ11. ἥκιστα φιλόλογοι
Ρβ23. 1398 ᵇ13. Λακεδαιμονίων σόφισμα οἰκονομικόν οβ1347
ᵇ16. Λεπτίνης περὶ Λακεδαιμονίων Ργ10. 1411 ᵃ4. Ἰσοκρά-
της κατηγορεῖ Λ. Ργ17. 1418 ᵃ21. χαλεπὸν Ἀθηναίως ἐπαι-
νεῖν ἐν Λ. Ργ14. 1415 ᵇ2. χώρα τῶν Λ. πόση Πβ9. 1270
ᵃ29. ὁ πόλεμος ὁ πρὸς τὰς Λ. Πε4. 1304 ᵇ14. ἡ ἐν Μαν-
τινείᾳ μάχη πρὸς Λ. Πε4. 1304 ᵃ26. Λακεδαιμόνιοι διαλ-
λαγέντες Τεγεάταις f550. 1569 ᵃ5, 13.

Λακιάδαι, demus atticus Κίμωνος f363. 1539 ᵇ12.

Λακίνιον, πανήγυρις τῆς Ἥρας ἐπὶ Λακινίῳ θ96. 838 ᵃ17.

λάκκος. ἐὰν φρέαρ ἢ λάκκος ᾖ ἐν τῇ οἰκίᾳ πια8. 899 ᵇ26.

λακτίζειν. τοῖς ὄπισθεν χρῆται κώλοις, λακτίζοντα τὸ λυπῶν
Ζμδ10. 690 ᵃ21. βόνασος ἀμύνεται λακτίζων χ̣ προσαφο-
δεύων θ1. 830 ᵃ18. Ζι45. 630 ᵇ6.

Λάκωνες Ρα9. 1367 ᵇ10. γ7. 1408 ᵃ28. Ηγ11. 1117 ᵃ27.
δ8. 1124 ᵇ16. Λακώνων πολιτεία Πβ9. β6. 1265 ᵇ32. η14.
1333 ᵇ19, 22, 34. θ4. 1338 ᵇ12, 24. comparatur cum Cre-
tica Πβ10. 1271 ᵇ23, 28, 1272 ᵃ2, 13, 27. cum Carthagi-
niensi Πβ11. 1272 ᵇ26. Λάκωνες τὰς δήμως κατέλυον Πε7.
1307 ᵇ23, τὴν Ἱππάρχω τυραννίδα f357. 1538 ᵇ16. πολε-
μῶντες οἱ Λάκωνες Ἀμυκλαεῦσιν f489. 1558 ᵃ4. ὀρθῶς
κρίνωσι περὶ μελῶν Πθ5. 1339 ᵇ2. Λύκτιοι ἄποικοι Λακώνων
Πβ10. 1271 ᵇ28. v l Λάκωνες ἐσθλὶς Ηδ13. 1127 ᵇ28.
Λακώνων ἀποφθέγματα Ργ18. 1419 ᵃ31. γεη12. 1245 ᵇ32.
Λάκωνες σεῖος ἀνήρ φασιν Ηη1. 1145 ᵃ28. ὄφεσι τροφῇ
χρῶνται θ24. 832 ᵃ20. Κλεομένης ὁ Λάκων Πε3. 1303 ᵃ7.
f357. 1538 ᵇ19. Λύσανδρος ὁ Λάκων πλ1. 953 ᵃ20. Ἰκά-
ριον οἴονται Λάκωνα εἶναι πο25. 1461 ᵇ4.

λακωνίζειν. οἱ λακωνίζοντες τῶν Τεγεατῶν f550. 1569
ᵃ11, 15.

Λακωνικὴ πολιτεία Πβ9. β11. 1272 ᵇ28, 33. γ14.1285 ᵃ3.
δ1. 1288 ᵇ41. ε12. 1316 ᵃ18, 21, ᵇ8. Λακωνικὴ βασιλεία
Πγ14. 1285 ᵇ26. 15. 1285 ᵇ35, 37. ἔχει ἀνάλογον ἡ Κρη-
τικὴ τάξις πρὸς τὴν Λακωνικήν Πβ10. 1271 ᵇ41. ὑπὸ τὸν
Λακωνικὸν πόλεμον Πε3. 1303 ᵃ10. Λακωνικὰ ἀποφθέγ-
ματα Ρβ21. 1394 ᵇ33. πρὸς φυλακὴν συμφέρει χρῆσθαι
τοῖς Λακωνικοῖς οα6. 1344 ᵇ31, 1345 ᵇ2. — Λακωνικὴ
κύων Ζιζ20. 574 ᵃ17, 21, ᵇ10, 26, 28, 30, 575 ᵃ2. ι1. 608

ᵃ33. Λακωνικοὶ κύνες Ζιθ28. 607 ᵃ3. Λακωνικὰ κυνίδια Ζγε2. 781 ᵇ10.

λαλεῖν. πάντων (τῶν φωνηέντων ζῴων) κοινὸν τὸ περὶ τὰς ὀχείας μάλιττα ᾄδειν ᶄ λαλεῖν Ζια1. 488 ᵇ1. ὐδὲν τῶν ἄλλων ζῴων λαλεῖ πλὴν ἀνθρώπω πια1. 899 ᵃ1. ὅταν λαλῶμεν ᶄ ἐργαζώμεθα αὐτοὶ πλέον Ζικ3. 635 ᵇ20. — λαλεῖν διὰ τῶν ῥινῶν πια2. 899 ᵃ5. δι᾽ αὐλῶ ἢ σάλπιγγος λαλεῖν ακ801 ᵃ29.

λαλιᾶς σημεῖα φ2. 806 ᵇ18.

λάλος. πολύφωνά ἐστι (τῶν ὀρνίθων) ᶄ λαλίστερα τὰ ἐλάττω τῶν μεγάλων Ζιδ9. 536 ᵃ24. Πγ4. 1277 ᵇ23. λάλοι ᶄ μωρολόγοι τίνες φ6. 810 ᵇ15. φύσις λάλος ᶄ μελαγχολικὴ μτ2. 473 ᵇ17. λαλιστέρης ὁ οἶνος ποιεῖ πλ1. 953 ᵇ2.

λαμβάνειν. 1. opp ἀποβάλλειν Φη3. 247 ᵃ18. opp διδόναι Πα9. 1257 ᵃ27. ὅύναι ᶄ λαβεῖν λόγον, ὅρχης τι1. 165 ᵃ28. 15 Ρα15. 1377 ᵃ8, 9. (ἀρχὴ ἢ ληγομένη λογισμῶν Πζ8. 1322 ᵇ9.) λαβεῖν τὸ ἴσον, λαβεῖν κακά Ηε7. 1132 ᵃ9. ζ10. 1142 ᵇ20. β9. 1109 ᵃ32. λαμβάνειν τροφήν, μισθόν, τιμήν Πβ8. 1268 ᵇ3. ὀ13. 1297 ᵇ11. 6. 1293 ᵃ6. γ12. 1283 ᵃ14. λαμβάνειν παρέδρυς f 389. 1542 ᵇ30. λαμβάνειν τι ἐν τῷ σώματι Ζγα18. 724 ᵇ23. λαμβάνεσθαι ἐντὸς τῆς περιφερείας μα3. 340 ᵇ35. ἀποδιδόναι πᾶν τὸ ληφθέν μβ2. 355 ᵃ29. λόγον ἀποδιδόναι τῶν λαμβανομένων ᶄ δαπανωμένων Πε11. 1314 ᵇ5. ἔξεστι λέγειν τὸν κλέψαντα ᶄ λαβεῖν ᶄ πορθῆσαι Ργ2. 1405 ᵃ28. — λαμβάνειν ἐν γαστρὶ Ζιζ26. 578 ᵃ14. 25 ι50. 632 ᵃ28. λαμβάνειν πλῆσμα, γονήν Ζιζ23. 577 ᵃ31, 32. 2. 559 ᵇ8. — bello capere, λαβεῖν πόλιν, χωρίον Πε4. 1304 ᵃ6. β7. 1267 ᵃ33. πραθῆναι ληφθέντας Πα6. 1255 ᵃ28. de captura animalium, λαμβανόμενος ὁ δελφὶς ἐν τοῖς δικτύοις sim Ζιθ2. 589 ᵇ7. ε10. 543 ᵃ29. cf ὅταν ὑπὸ νι‑ 30 φετῶ ληφθῶσι πρόβατα Ζιθ3. 610 ᵇ26. — invenire aliquid, incidere in aliquid, ἕνα λαβεῖν ᶄ ὀλίγυς ῥᾷον ἢ πολλὺς εὖ φρονῦντας Ρα1. 1354 ᵃ34. cf Πε5. 1305 ᵃ25. ὕπώποτ᾽ ἐν τῇ κοιλίᾳ ἔχοντες εἰλημμένοι εἰσὶ τοιῶτον ᾽ὐδὲν Ζιθ1. 591 ᵃ20. — tenere, τῶν χορδῶν ἡ βαρυτέρα ἀεὶ τὸ μέλος λαμ‑ 35 βάνει πιθ12. 918 ᵃ37. ναυτίας λαμβάνυσι τὰς κυῶσας Ζιη4. 584 ᵃ7. νάρκην ὐ λαμβάνει, ὅπη μὴ νεῦρόν ἐστι τῦ σώματος Ζιγ5. 515 ᵇ20. λαμβάνεσθαι νόσω, ὑπὸ πυρετῶν (cf λῆψις) πα28. 862 ᵃ23. Αγ17. 873 ᵇ20. λι. 953 ᵃ12. ληπτός πι50. 896 ᵇ6. — med τῶν πετριδίων ταῖς προβοσκίσι λαμβά‑ 40 νομεναι αἱ σηπίαι f 317. 1531 ᵇ40. — 2. τὸ ἄστρον λαμβάνει κόμην μα6. 343 ᵃ17, ᵇ9. λαμβάνειν αὔξησιν Ζγβ1. 732 ᵇ5, 733 ᵇ3, ᵃ30. γ1. 750 ᵇ33. 2. 752 ᵇ18. 5. 755 ᵇ31. Ζιε10. 543 ᵃ21. 15. 547 ᵇ30. Ηβ11. 1160 ᵃ4. Πη10. 1329 ᵇ29. λαμβάνειν ὕλην, ταχεῖαν τὴν αὔξησιν Ζγγ4. 755 ᵃ24, 45 26. λαμβάνειν συνεχῆ τὴν γένεσιν, τὴν ἀρχὴν τῆς γενέσεως Ζγβ6. 743 ᵇ30. γ1. 751 ᵇ5, σύνθεσιν, σύστασιν, διάρθρωσιν Οα4. 271 ᵃ1. Ζγβ 6. 744 ᵇ26, 742 ᵃ3, 5. Ζιε15. 574 ᵇ14. λαβεῖν εἶδος, μορφήν, ἕξιν Φβ1. 193 ᵇ1. ᶏ3. 247 ᵇ16. Ζγγ11. 762 ᵃ13. λαμβάνειν τέλος, τῷ μεγέθης τέλειον Ζγ6. 744 50 ᵃ21. γ1. 751 ᵃ28. 5. 755 ᵇ4. 9. 758 ᵇ15. λαμβάνειν νεότητα ἀκμὴν γῆρας Ζιπ3. 583 ᵇ27. ὅπως ἡ τυραννὶς λάβη τῆς μεθόδω μέρος Πδ10. 1295 ᵃ2. τὰ μέρη τῆς γῆς λαμβάνει τὴν δύναμιν διαφέρυσαν μα14. 351 ᵃ33. λαμβάνειν προσηγορίαν, τὴν τῦ ὀνόματος κληρονομίαν μα3. 339 ᵇ21. Ηη4. 55 1153 ᵇ33. (cf τὸ δίχα εἴληπται ἐκ τῶν ὀυὸ τζ4. 142 ᵇ13.) — λαμβάνειν ἐπιθυμίας Ηη10. 1151 ᵇ11. ηεγ2. 1231 ᵃ30, ἀρετήν Ηζ13. 1144 ᵇ35, ἐμπειρίαν Ηθ7. 1158 ᵃ15, αἴσθησιν, δόξαν, σύνεσιν Ηθ14. 1161 ᵇ6. Φα8. 191 ᵃ33. ξ1. 974 ᵇ9. (cf τὰς τῶν προτέρων δόξας συμπαραλαμβάνειν, 60 ὅπως τὰ μὲν καλῶς εἰρημένα λάβωμεν ψα2. 403 ᵇ23.)

λαμβάνειν μνήμην, dist ἀναλαμβάνειν μν2. 451 ᵃ23, 22. λαμβάνειν ὑπόληψιν, διάνοιαν Ργ16. 1417 ᵇ10. μβ2. 354 ᵇ22. 3. 356 ᵇ30, ἐπιστήμην Κ7. 7 ᵇ25, συλλογισμόν, ἀπόδειξιν Αγ1. 71 ᵃ25, ᵇ1. λαβεῖν πίστιν Οα3. 270 ᵇ33. ψα1. 402 ᵃ11. Πβ3. 1262 ᵃ17. ρ17. 1432 ᵃ15. παραδείγματα, μαρτύρια Ηθ12. 1160 ᵇ23. Ζγα19. 727 ᵃ31, κρίσιν ρ30. 1437 ᵃ10. ὡς ἐνδέχεται λαμβάνειν τῶν τοιύτων τὰς ἀκριβείας μβ5. 362 ᵇ24. — λαβεῖν ἀρχήν, λέγωμεν ἀρχὴν λαβόντες τὴν αὐτήν, ἄλλην sim Φδ5. 257 ᵃ31. μβ3. 357 ᵇ23. 4. 359 ᵇ27. Ζγδ3. 767 ᵇ15. Πδ4. 1290 ᵇ23. 14. 1297 ᵇ36. ηεβ1. 1218 ᵇ31. η2. 1235 ᵇ25. Wz II p 395. — 3. logice λαμβάνειν, syn αἰτεῖσθαι, ὑποθέσθαι, dist δεικνύναι, ζῴων θνητὸν ὐκ ἀναγκαῖον, ἀλλ᾽ αἰτεῖται· ὐκ ἀνάγκη, ἀλλὰ λαμβάνει, τῦτο δ᾽ ἦν ὃ ἔδει δεῖξαι Αα31. 46 ᵇ19, 32. cf 17. 36 ᵇ26, 32. β1. 53 ᵃ33. γ1. 71 ᵃ7. 2. 72 ᵃ19. 10. 76 ᵃ34‑ 36. ὀ3. 90 ᵇ31. 4. 91 ᵃ31, ᵇ11 al. Eleatae ψευδῆ λαμβάνυσι ᶄ ἀσυλλόγιστοί εἰσιν Φα2. ᶈ85 ᵃ9. 3. 186 ᵃ7. λαμβάνειν τὸ ἐν ἀρχῇ (cf αἰτεῖσθαι p 22 ᵃ60) Αβ16. 64 ᵇ28. dist ἐρωτᾶν Αα1. 24 ᵃ24, sed λαβεῖν τὰς τοιαύτας προτάσεις παρὰ τῶν ἐρωτωμένων ὐκ εὐπετές τη5. 154 ᵃ25. λαβεῖν ὑποθέσεις Ζγὸ3. 768 ᵇ5. Πβ2. 1261 ᵃ16. ὐ καλῶς λαβεῖν τὰς πρώτας ἀρχάς Ογ7. 306 ᵃ7. Αγ6. 74 ᵇ22. τη3. 153 ᵃ9. λαβεῖν προτάσεις, syn ἐκλέγειν τα13. 105 ᵃ23. 14. 105 ᵃ34. Ρα9. 1366 ᵃ32. λαβεῖν πρότασιν πρὸς τῷ (ν1 τὸ) β sim Αβ11. 61 ᵇ16, 23, 26. τῶν αὐτῶν συμβαινόντων ἀεὶ τὰ πεπερασμένα μᾶλλον ληπτέον Φθ6. 259 ᵃ10. τὰ εἰλημμένα, i e αἱ προτάσεις Αα1. 24 ᵇ24. λαμβάνειν τι κατά τινος Αα1. 24 ᵃ27. 23. 40 ᵇ31. λαμβάνειν c inf αἱ προτάσεις λαμβάνυσιν ἐνδέχεσθαι sim Αα17. 36 ᵇ26, 32. Φδ5. 257 ᵇ22. c partic ἐὰν ληφθῇ ὑπάρχον sim Αβ6. 58 ᵇ20. γ16. 80 ᵃ35. (syn κεῖται ὑπάρχον τη6. 120 ᵃ1.) Wz ad 35 ᵃ16, 57 ᵇ25. τὸ ἐνδεχόμενον εἰλήφθω ᶄ ἔστω Φη1. 242 ᵇ28. cf ζ4. 235 ᵃ18. — 4. usus ν λαμβάνειν non ad ea solum refertur, quae ἄμεσα, ἀναπόδεικτα ponuntur ac sumuntur (cf λαμβάνειν κατ᾽ ἀναλογίαν τε8. 138 ᵇ24. λαμβάνει τὸ ψεῦδος διὰ τῆς ἐπαγωγῆς Μὀ29. 1025 ᵃ10. ὐκ εἴλημπται διὰ προτάσεων Αα1. 24 ᵇ26. Laas, Arist Textes‑Studien p 9), sed omnino λαμβάνειν est animo concipere, ita quidem ut modo investigandi (Wz ad Αγ4. 73 ᵃ24), modo inveniendi cognoscendi definiendi intelligendi vim habeat. ληπτέον (investigandum est) Αα6. 28 ᵇ28 Wz. ὅπως ληφθῇ (inveniatur, definiatur) ὁ διαλεκτικὸς συλλογισμός τα1. 100 ᵃ22. πειρᾶσθαι λαμβάνειν ὁρισμός sim Αὀ13. 96 ᵇ18, 19. 8. 93 ᵇ18. τῦτο λαβεῖν μὲν ἀναγκαῖον, ὐ ῥάδιον δέ ψα1. 403 ᵃ5. cf Φὀ4. 212 ᵃ8. ἐὰν μὴ δυνώμεθα νοῆσαι μηδὲ λαβεῖν ἄλλο παρὰ τὸ καθ᾽ ἕκαστον Οα9. 278 ᵃ6. ἐπὶ τοσῦτον εἰλήφθω (syn εἰρήσθω, διωρίσθω) Αὀ12. 95 ᵇ14. ληφθέντων δὲ τύτων (his ita constitutis) Αὀ14. 98 ᵃ4. λαμβάνειν τὰς αἰτίας, τὴν φύσιν, τὰ συμβαίνοντα, τὰ φαινόμενα περὶ ἕκαστον γένος Ζγβ8. 748 ᵃ16. γ10. 760 ᵇ3. ὀ8. 776 ᵇ35. ε3. 782 ᵇ24. Ζμα1. 640 ᵃ14. ΜΑ9. 990 ᵇ1. μα9. 346 ᵃ19. 3. 339 ᵇ4. 2. 339 ᵃ21. λαβεῖν τεχνικόν τι Πα1. 1252 ᵃ22. λαμβάνειν ταὐτόν τι περὶ πάντων Ζγγ1. 749 ᵃ13. Πὀ12. 1296 ᵇ15. λαβεῖν εἴδη, διαφοράς, διαίρεσιν sim Πὀ4. 1290 ᵇ25, 34. 9. 1294 ᵃ33. γ13. 1283 ᵃ42. Ηη7. 1149 ᵇ27. τὸ ὡς ἐπὶ πλέον λαμβάνει ὁ νόμος, ὐκ ἀγνοῶν τὸ ἁμαρτανόμενον Ηε14. 1137 ᵇ16. cf praeterea Φὀ6. 213 ᵃ20. μα3. 341 ᵃ25. Ζγγ11. 761 ᵇ26. Ηβ7. 1107 ᵃ32. ι9. 1170 ᵃ22. Πθ15. 1300 ᵃ11. Ρα8. 1365 ᵇ24. β22. 1395 ᵇ25. ηεη1. 1235 ᵇ13. f 24. 1478 ᵇ16. — obiecto interdum additur praedicatum, τῆς νίκης ἆθλον τὴν ὑπερβολὴν τῆς πολιτείας λαμβάνωσιν Πθ11. 1296 ᵃ31. ὡς μεθυστικὰς λαμβάνων τὰς ἁρμονίας Πθ7. 1342 ᵇ25. τῦτο δεῖ λαβεῖν γιγνόμενον περὶ ὅλον τὸν ὐρανόν μα8. 346 ᵃ7. cf ψβ1. 412 ᵇ22. αρι. 1249 ᵃ31. λαμβάνειν ἐν τῷ πῶς κεβ3. 1221 ᵇ18. ὡς ἐν ἀγαθῦ μέρει λαμβάνειν ημβ7. 1204 ᵃ33. ὡς ἐν γένει λαβεῖν Αβ16. 64 ᵇ29. cf φ1. 805 ᵇ31. — obiecto additur adverbium, λαμβάνειν μάλιστα καθόλυ τὸς τόπυς τγ5. 119 ᵃ12, 13. ὡς ἐν τύπῳ λαβεῖν τι τα7. 103 ᵃ7. ὀρθῶς λαμβάνειν τὸ στοιχεῖον, ἱκανῶς εἴληπται τὰ συμβαίνοντα Ογ4. 302 ᵇ15, 20. Ζγγ10. 760 ᵇ30. ὕτω, ὁμοίως, τὸν αὐτὸν τρόπον λαβεῖν τι, accipere, intelligere in eandem sententiam Αα16. 35 ᵇ33. 20. 39 ᵃ11. 27. 43 ᵇ17. 36. 48 ᵃ41. β17. 66 ᵃ9. τι15. 174 ᵇ27. τὸ πρὸς ἡμᾶς ὐχ ὕτω ληπτέον Ηβ5. 1106 ᵃ36. (cf τῷ φωτὶ ϗ ταῖς σκιαῖς ἀνωμάλως λαμβάνεται τὰ χρώματα χ3. 793 ᵃ2.) rhetorice τὸ δίκαιον ὕτω μελετῶν πολλαχῶς λήψη ρ2. 1422 ᵇ1, cf ᵃ34, 39, ᵇ3, 13, 1423 ᵃ4. — obiecto additur enunciatio interrogativa, λαβεῖν τὴν κίνησιν τί ἐστιν Φγ2. 201 ᵇ33. Μκ9. 1066 ᵃ22. cf λ1. 1069 ᵃ23. εἴληφθω ὁ ἄδικος ποσαχῶς λέγεται Ηε2. 1129 ᵃ31. — λαβεῖν περί τινος c enunciato interrogativo, λαβεῖν περὶ εὐβυλίας τί ἐστιν sim Ηζ10. 1142 ᵃ32. Μι2. 1053 ᵇ11. — λαβεῖν περί τινος. ὅταν περὶ τῶν καθόλυ λάβωμεν sim Γβ9. 335 ᵃ28. μα3. 341 ᵃ10 (cf ἀποδῦναι μα1. 339 ᵃ7). Ηζ5. 1140 ᵃ24. κεγ3. 1231 ᵇ5. — λαβεῖν c enunciatione interrogativa ληπτέον ποσαχῶς ἄλλο ἐν ἄλλῳ λέγεται Φδ3. 210 ᵃ14. διὸ λαβεῖν περὶ τίνας ἡδονὰς ὁ σώφρων κεγ2. 1230 ᵇ22. cf eandem constructionis formam Αγ4. 73 ᵃ24. μδ12. 390 ᵇ15. Ζγα17. 724 ᵇ5. β1. 724 ᵇ20. Μγ8. 1012 ᵇ7. Ηδ7. 1123 ᵃ35. ε5. 1130 ᵇ7. ζ2. 1139 ᵃ15. ι8. 1168 ᵇ13. Πβ9. 1269 ᵃ36. ε2. 1302 ᵃ20. κεη12. 1244 ᵇ23. ημα34. 1193 ᵇ1. πιζ3. 916 ᵃ18. — λαβεῖν seq acc c inf δεῖ λαβεῖν τὴν ὕλην ψυχρότητά τινα εἶναι μδ11. 389 ᵃ29. cf ΜΑ8. 990 ᵃ19. ι1. 1052 ᵇ2. — λαβεῖν ὅτι: δεῖ δὴ λαβεῖν ὅτι ϗ ἐν τοῖς ζῴοις ἡ θερμότης συμπέττει Ζγγ11. 762 ᵇ6. cf ψβ12. 424 ᵃ17. Μι1. 1053 ᵃ27. Ρβ22. 1396 ᵃ3. γ14. 1415 ᵃ8. Μι1. 1053 ᵃ27. κεβ3. 1220 ᵇ21. πκ12. 924 ᵃ6. — λαμβάνειν absolute, καθ᾽ ἑκάστην λαμβάνοντι φανερόν Φζ5. 235 ᵇ19. σοφιστικῶς λαμβάνοντι τε4. 133 ᵇ16. εἴ τις λαμβάνοι ἐκ τῶν κατὰ μέρος ἀδικημάτων ημα34. 1196 ᵃ17. — (ἐν ἴσῳ ληφθήσεται πλῆρές τε ὂν διεξιέναι τε ϗ κενόν Φδ8. 216 ᵃ6. fort vel συμβήσεται scribendum est coll 217 ᵃ18 vel λεχθήσεται.)

Λαμητικὸς πόλτης Πη10. 1329 ᵇ13.

λάμια. refertur inter τὰ σελάχη Ζιε5. 540 ᵇ18. ἅμαι ϗ λάμιαι πολέμιοι Ζιι37. 621 ᵃ20. (fort Squalus centrina vel carcharias C II 461. S II 501. K 635, 2. St. Cr. ΑΖι I 147, 94.)

λαμπαδαρχία ρ30. 1437 ᵇ1. αἱ λαμπαδαρχίαι λειτυργίαι δαπανηραί Πε8. 1309 ᵃ19.

λαμπάς. ἡ λαμπὰς ἐκ διαδοχῆς φορὰ ἐχομένη Φε4. 228 ᵃ28. οἱ ἀγῶνες οἱ ἐπὶ λαμπάδι f 385. 1542 ᵃ18. — λαμπάδες coelestes κ4. 395 ᵇ11.

λάμπειν. τὰ λεῖα πέφυκεν ἐν τῷ σκότει λάμπειν αι2. 437 ᵃ32, ᵇ6. τὰ πυρώδη φαινόμενα ϗ λάμποντα ψ7. 419 ᵃ4. πυρωθὲν τὸ πνεῦμα ϗ λάμψαν ἀστραπή λέγεται κ4. 395 ᵃ15. — φῶς λάμπεσκεν (Emp 225) αι2. 437 ᵇ31.

Λαμπετία (Hom μ 375) ἦν τὸ ἐξαγγεῖλαν τῷ ἡλίῳ ὥσπερ τῷ ἀνθρώπῳ ἡ ὄψις f 144. 1502 ᵇ29.

Λαμπροκλῆς, υἱὸς Σωκράτυς ἐκ Ξανθίππης f 84. 1490 ᵇ10.

λαμπρός. τὰ μάλιστα δυνάμενα τὰς ὄψεις κινεῖν ταῦτα εἶναι συμβαίνει τῶν χρωμάτων λαμπρότατα ακ801 ᵇ25. ἡ ὄψις

ἐστὶ τῦ τε ὁρατῦ ϗ τῦ ἀοράτυ, ἔτι τῦ λίαν λαμπρῦ ψβ10. 422 ᵃ22. τὴν ὄψιν φθείρει τὸ σφόδρα λαμπρὸν ἢ ζοφερόν ψγ2. 426 ᵇ1. cf Ζγε1. 780 ᵃ13. τὸ φανὸν ϗ λαμπρὸν τῆς σελήνης, opp τὸ μέλαν αὐτῆς Οβ12. 292 ᵃ6. αἱ μεγάλαι μέλιτται φαναὶ ϗ λαμπραί Ζιι40. 627 ᵃ14. λαμπρὸν ἢ στίλβον. opp αὐχμηρὸν ϗ ἀλαμπές χ3. 793 ᵃ10. τὰ λαμπρὰ τῶν ἄστρων, ὁ ἥλιος ἢ ἄλλο τι τῶν ὕτω λαμπρῶν μγ2. 371 ᵇ24. 4. 373 ᵇ22. ἀνακλωμένης τῆς ὄψεως πρὸς τι τῶν λαμπρῶν μβ9. 370 ᵃ19. φαίνεται τὸ λαμπρὸν διὰ τῦ μέλανος φοινικοῦν μγ4. 374 ᵃ3, ᵇ10. coni λευκός μγ6. 377 ᵇ9. ἀναιδὲς ὀμμάτιον ἀνεπτυγμένον φ3. 807 ᵇ29. — κεκοσμημένος τις λαμπρᾷ ἐσθῆτι f 89. 1491 ᵇ18. πνεῦμα κατὰ μικρὸν ἀποπνέον προϊὸν ἤδη γίνεται λαμπρόν μβ4. 361 ᵇ8. ἄνεμοι λαμπροὶ πνέυσιν, opp ἐλάχιστοι, ὃ πνέυσι, πίπτυσι μβ4. 361 ᵇ5. πκγ44. 945 ᵃ23. 45. 945 ᵃ36. 60. 947 ᵃ28.— φωναὶ λαμπραί (cf λευκός), opp ἀσαφεῖς ακ801 ᵇ22, 800 ᵃ15. Ζιι17. 616 ᵇ30. φωνὴ λαμπροτέρα Ζιε14. 545 ᵃ12. — ἡ λίαν λαμπρὰ λέξις ρο24. 1460 ᵇ4. — λαμπρὸν adverb, κιθαρίζειν λαμπρὸν ϗ καλῶς Πη13. 1332 ᵃ26. — λαμπρῶς χορηγεῖν, ἄγειν Διονύσια Ηδ5. 1122 ᵇ22. οβ1347 ᵃ26. ἀν τοῖς ρητοῖς ϗ λαμπροῖς κεκοσμημένοι f 89. 1492 ᵃ2.

Λάμπρος pro exemplo positus ημβ7. 1205 ᵃ19, 22.

λαμπρότης. ἡ ἀστραπὴ φαντασία τῆς λαμπρότητος μβ9. 370 ᵃ15. ἔμφασις λαμπρότητος ἄστρυ κ4. 395 ᵃ36. κόσμος λαμπρότητι ἐναυγέστατος κ5. 397 ᵃ15. — ὠφέλειά τις ἔσται τῇ πόλει ἡ λαμπρότης ρ3. 1423 ᵇ23.

λαμπρύνεσθαι ὡς ὐ δεῖ, λαμπρύνεσθαι παρὰ μέλος Ηδ4. 1122 ᵃ33. 6. 1123 ᵃ22.

λαμπτήρ. τὸ φῶς ἔξεισιν ἐκ τῦ λαμπτῆρος αι2. 437 ᵇ13.— διὰ τῦ λαμπτῆρος τὸ φῶς (ὄιεισι) Αδ11. 94 ᵇ28. οἱ λαμπτῆρες ὐ δύνανται φαίνειν, ἐὰν ὦσιν ἐκ δέρματος μὴ διαφανῦς Ζγε1. 780 ᵃ35. ἐχῖνυ σῶμα ὅμοιον λαμπτῆρι μὴ ἔχοντι τὸ κύκλῳ δέρμα Ζιδ5. 531 ᵃ5. — ἀνέμων λαμπτῆρας (Emp 222) αι2. 437 ᵇ28.

λαμπυρίς. μύρμηξ λαμπυρὶς ϗ ἕτερά τινα referuntur inter τὰ πτερωτὰ ϗ ἄπτερα Ζμα3. 642 ᵇ34. (Lampyris L.)

Λάμπωνα Περικλῆς ἐπήρετο Ργι8. 1419 ᵃ2.

Λάμψακος θ125. 842 ᵇ8. οβ1351 ᵇ1. — Λαμψακηνοί οβ1347 ᵃ32. Ἀναξαγόραν ἔθαψαν Ρβ3. 1398 ᵇ15.

λανθάνειν. ἐν τῷ σκότει λανθάνει τὰ χρώματα μγ2. 372 ᵃ25. ὐκ ἂν ἐλάνθανον αἱ πηγαί μβ1. 354 ᵃ4. ἔοικε πλεοναχῶς λέγεσθαι ἡ δικαιοσύνη ϗ ἡ ἀδικία, ἀλλὰ διὰ τὸ σύνεγγυς εἶναι τὴν ὁμωνυμίαν αὐτῶν λανθάνει (sc ἡ ὁμωνυμία) ϗ ὐχ ὥσπερ ἐπὶ τῶν πόρρω δῆλη μᾶλλον Ηε1. 1129 ᵃ28. ἐκ προσαγωγῆς γίνεται ϗ μεταβολὴ ϗ λανθάνυσιν Πε6. 1306 ᵇ15. δεῖ μὴ λανθάνειν (λεληθέναι) ϗ τόδε μγ4. 374 ᵇ24. Πθ15. 1299 ᵇ14. λανθάνει ὅτι Ζγγ2. 752 ᵇ31. δεῖ δὲ μὴ λανθάνειν ὅτι Αγ5. 74 ᵃ4. δεῖ μὴ λανθάνειν πῶς δεῖ λέγειν sim Ζμβ2. 648 ᵇ21. Ζγα2. 716 ᵃ20. — λανθάνειν c partic λανθάνει αἱ ἀριστοκρατίαι μεταβάλλυσαι al Πε7. 1307 ᵃ40. 8. 1307 ᵇ32, 1309 ᵃ17 al. — λανθάνειν c acc τὸς ἀρχαίυς λανθάνει ἀφρώδης ϗ τῦ σπέρματος ὖσα φύσις Ζγβ3. 736 ᵇ19. λανθάνει τὸς πειρωμένυς ἀριθμεῖν τὰ τῶν πολιτειῶν εἴδη sim Πδ7. 1293 ᵃ1. δι. 1288 ᵇ27. Ζγγ5. 756 ᵃ32 al. — (ἥκιτ᾽ ἂν λανθάνοιτο τὰ ὑπεναντία πη7. 1455 ᵃ25, λανθάνοι pro λανθάνοιτο ci Bz Ar St I 278.)

Λαομέδων. ἐπίγραμμα ἐπὶ Λαομέδοντος f 596. 1577 ᵃ12.

λάπαξις. τὸ βαδίσαι λαπάξεως ἕνεκά ἐστιν Φβ6. 197 ᵇ24. ὐ πᾶς πόνος ποιεῖ λάπαξιν, ἀλλ᾽ ὁ μὴ ποιῶν σύντηξιν πκγ39. 935 ᵇ30.

λαπαρός. οἱ νέοντες ἐν τῇ θαλάττῃ λαπαροὶ γίνονται πκγ39.

935 ᵇ28, 30. οἷς τὰ περὶ τὴν κοιλίαν λαπαρά, εὔρωστοι φ6. 810 ᵇ7. — ἵππος λαπαρὸς ὢν ἀλγεῖ (τὰς λαπάρας ἀνέλκει ci Aub) Ziθ24. 604 ᵇ16.

Λαπίθαι f 596. 1576 ᵃ36.

λάπτειν. τῶν ζῴων τὰ καρχαρόδοντα πίνει λάπτοντα Ziθ6. 595 ᵃ7.

Λάρισσα (Λάρισα Bk²) Πε6. 1305 ᵇ29, 1306 ᵃ29. — Λαρισσαῖος (Λαρισαῖος Bk²) Πγ2. 1275 ᵇ29. Ἑλλανοκράτης ὁ Λ. Πε10. 1311 ᵇ17. — Λαρισσοποιός (Λαρισοποιός Bk²) Πγ2. 1275 ᵇ30 (vocabulum a Gorgia fictum).

λάρος. ἔχει τὸν στόμαχον εὐρὺν ϗ πλατὺν ὅλον· τίκτει τ̃ θέρυς, ἐν ταῖς περὶ θάλατταν πέτραις, τὸ πλῆθος δύο ἢ τρία, ᵑ φωλεύει Ζια17. 509 ᵃ3. ε9. 542 ᵇ17, 19, 21. περὶ τὰς λίμνας ϗ ποταμὺς βιοτεύει, νέμεται ἀπτόμενος τῶν ἐκπιπτόντων ζῴων· οἱ ἀπὸ τῆς θαλάττης ζῶντες ἀλλήλοις πολέμιοι, οἶον βρένθος ϗ λάρος ϗ ἅρπη Ziθ3. 593 ᵇ1, 14. ι1. 609 ᵃ24. distinguuntur ὁ λευκὸς ϗ ὁ σποδοειδὴς Ziθ3. 593 ᵇ4, 14. (γλάρος v l ad Ζια17. 509 ᵃ3 et hodierni Gr cf Belon la la nature des oiseaux III 13. Lnd 172. E 45. Larus et Sterna L. goiland C II 384. S I 278, II 462. St. Cr. KaZi 93, 42. Su 157, 150. λάρος ὁ σποδοειδὴς fort Sterna nigra sive St. fissipes AZi I 101, 70. 'larum album Venetis audire cocalum' Scalig.)

λάρυγξ (Lob Phryn 65). αὐχένος τὸ μὲν πρόσθιον μέρος λάρυγξ, τὸ δ' ὀπίσθιον στόμαχος, ὁ ἱππέλαφος πώγωνα ἔχει κατὰ τὸν λάρυγγα, τὰ φωνήεντα ἡ φωνὴ ϗ ὁ λάρυγξ ἀφίησιν Ζια12. 493 ᵃ6. β1. 499 ᵃ1. δ9. 535 ᵃ32. τῶν κατὰ τὴν τροφὴν ἀπ' ἐνίων μὲν ἐν τῇ γλώττῃ τὸ ἡδύ, ἀπ' ἐνίων δὲ ἐν τῷ λάρυγγι πκη7. 950 ᵃ3. cf Philippson ὕλη 50, 2. v γέρανος, φάρυγξ.

λάσιος. εἰσὶν εὐχειμερώτεραι αἱ κολέραι οἷς τῶν λασίων (v l δασείων, δασειῶν ci Pic, sed cf Plat Tim 76C al) Ziθ10. 596 ᵇ5.

λάσκειν. ὁ μελανάετος ᵑ μινυρίζει ᵑδὲ λέληκεν Ζιι32. 618 ᵇ31.

λάταξ. refertur inter τὰ ἔνυδρα ϗ πεζά, descr Ζια1. 487 ᵃ22. θ5. 594 ᵇ28-595 ᵃ6 Aub. (Taxus meles St. Castor fiber Su 54, 28. KaZi 6, 9. AZi I 70, 26. Cr. cf C II 465. S I 607. Oken Isis 1829, 133.)

Λάτιον. τόπος τῆς Ὀπικῆς, ὃς καλεῖται Λάτιον f 567. 1571 ᵃ25.

Λατμός. ἐν Λατμῷ τῆς Καρίας f 562. 1570 ᵇ21, 24, 28, 31.

λάτρις (Theodect fr 3 Nck) Πα6. 1255 ᵃ38.

λαφύκτης, def ηεγ4. 1232 ᵃ16.

λάχανον. τὰ λάχανα, def φτα4. 819 ᵇ8, 1. ἡ πόα ϗ τὰ καλύμενα λάχανα πκ7. 923 ᵃ32. τὰ χλωρὰ ϗ ποιώδη, οἶον τὰ λάχανα πλα19. 959 ᵃ25. τὰ λάχανα θᾶττον ἐκκαυλεῖ ἐκ παλαιοτέρω σπέρματος πκ17. 924 ᵇ27. τὰ λάχανα καίπερ ἀρδευόμενα ἐπιδίδωσιν ὑόμενα πλέον Ziθ19. 601 ᵇ13. — τὸ κάλλιστον τῶν λαχάνων τὸ σίλφιον f 485. 1557 ᵃ35. τὸ λεγόμενον λάχανον βασιλικὸν φτα4. 819 ᵇ17. cf βασιλικὸν p 135 ᵃ42.

λαχανώδης. ὅσα περὶ θάμνως ϗ λαχανώδη πκ.

Λάχεσις, εἰς πάντα γὰρ ἡ κατὰ φύσιν μένει λῆξις κ7. 401 ᵇ20.

λάψις. ἡ ἄρκτος ὅτε σπάσει πίνει ὅτε λάψει, ἀλλὰ κάψει Ziθ6. 595 ᵃ10.

λεάζειν. τοῖς τετράποσι τὰ πρόσθια λεάζει διὰ τὴν κάμψιν ΖμΒ14. 658 ᵃ21, syn ᵑκ ἔχει τρίχας ᵃ16.

λεαίνα v λέων 2.

λεαίνειν. 1. trans λεαίνειν τὴν τροφήν· οἱ γόμφιοι ὀδόντες πλατεῖς, ἵνα λεαίνωσιν (dist διελεῖν, δακεῖν) ΦΒ8. 198 ᵇ26.

αν11. 476 ᵇ12. Ζιβ5. 501 ᵇ31. Ζμγ1. 661 ᵇ9, 662 ᵃ10. δ11. 691 ᵇ1. ὀδόντες λεαινόμενοι ἄχρηστοι πρὸς τὴν ἐργασίαν Ζγβ6. 745 ᵇ1. αἱ μέλιτται λεαίνωσι ϗ κατορθῶσι τὰ κηρία Ζιι40. 625 ᵇ19. — 2. intr (?) διὰ τί τὸ θερμὸν ὕδωρ, ἐὰν ἐπικεχρισμένοι ὦσιν ἐλαίῳ, ἧττον θερμόν ἐστι καταχεόμενον; ἢ διὰ τὸ λεαίνειν (ἰ ε διὰ τὸ λεῖον εἶναι τὸ σῶμα?) ὀλισθαίνει ϗ ἧττον ἐνδύνει πκ1. 936 ᵃ15.

λεαντικός. τὸ γλυκὺ λεαντικόν τέ ἐστι ϗ γλίσχρον πγ13. 872 ᵇ34.

Λεβαδία κ4. 395 ᵇ29 (Λεβαδεία c Stobaeo scr Bsm praef XIII). ἐν τῇ Λεβαδιακῇ Ziθ28. 606 ᵃ1.

λέβης. τοῖς κολυμβηταῖς λέβητα καταφεῖναι πλβ5. 960 ᵇ32.

λέγειν. 1. i q ἐκλέγειν. λέγειν (Wz cum codd AB et interpr graecis, ἐκλέγειν Bk) δεῖ τάς τε ἀνατομὰς ϗ τὰς διαιρέσεις Αδ14. 98 ᵃ1 Wz. (τὸ ἤλεκτρον ϗ ὅσα λέγεται ὡς δάκρυα μδ10. 388 ᵇ19, συλλέγεται ci Bernays Theophr Frömgkt p 168.) — 2. λέγειν dicere. βυλόμεθα μέν, προαιρόμεθα δὲ λέγειν ᵑχ ἁρμόζει Ηγ4. 1111 ᵇ29. ἁρμόζει μᾶλλον καθ' ὑγιείας λέγειν ἁρμονίαν ψα4. 408 ᵃ2. λέγεσθαι κατά τινος, opp ἀπό τινος Κ5. 3 ᵃ11, 13, 23, 27. ΑΒ15. 64 ᵃ14 al. κατὰ τὸν τῆς ὑσίας λόγον λέγεται τἆλλα ὄντα Μθ1. 1045 ᵇ29. λέγεσθαι ἐπ' ἴσης, ἐπὶ πλέον, ἐπὶ πλεῖστον cf ἐπὶ p 269 ᵃ9. λέγεσθαι διχῶς, τριχῶς, πολλαχῶς, ὁσαχῶς, τοσαυταχῶς Αα13. 32 ᵇ31. β2. 67 ᵇ4, 5. Μᵈ7. 1017 ᵃ23. ζ1. 1028 ᵃ13 al. λέγεται τῶν στοιχείων ἰδιαίτατα ξηρὸν γῆ μδ4. 382 ᵃ3. λέγεται τᾖνομα κυρίως μόνον ἐπὶ τῶν ἐψομένων μδ3. 380 ᵇ14. δεῖ ὑπολαμβάνειν μὴ κυρίως ταῦτα λέγεσθαι τὰ ὀνόματα τοῖς πράγμασιν μδ2. 379 ᵇ15. ὁ κατὰ τὸν νόμον λεγόμενος βασιλεὺς Πγ16. 1287 ᵃ3. ἡ μάλιστα λεγομένη βασιλεία Πδ10. 1295 ᵃ5. αἱ ἀπορίαι λύουσ' ἂν ὅτω λεγομένῃ τᾖ τόπῳ (ἰ ε τᾗτο σημαίνοντος τᾖ τόπῳ) Φδ5. 212 ᵇ23. πάντα τὰ δάκρυα λεγόμενα μδ10. 389 ᵃ14 (cf ὅσα λέγεται ὡς δάκρυα 388 ᵇ19). ἡ κατὰ τὴν ἕψησιν λεγομένη πέψις μδ3. 381 ᵃ9. τὰ λεγόμενα στοιχεῖα μα3. 339 ᵇ5 (cf ὁ καλῴμενος ἀήρ Β3). αἱ ἀρχαὶ ϗ αἱ λεγόμεναι ὑποθέσεις Αγ19. 81 ᵇ14. οἱ λεγόμενοι γνώριμοι, οἱ λεγόμενοι Παρθενίαι Πδ4. 1291 ᵇ17. ε7. 1306 ᵇ29. χρὴ ἐπιλέγειν ὅτι σύνηθες ϗ λεγόμενον τὸ τοιῦτον τθ1. 156 ᵇ21. τὸ λεγόμενον (ἰ ε τὸ ἐν παροιμίᾳ λεγόμενον) Ρββ3. 1399 ᵃ25. τὰ λεγόμενα, syn φαινόμενα, ἔνδοξα Ηα2. 1145 ᵇ20, 8, 5, 3. οἱ λεγόμενοι τρόποι τᾖ προτέρᾳ σχεδὸν τοσαῦτοί εἰσιν Κ12. 14 ᵇ9. τῆς ἀρχῆς οἱ λεγόμενοι τρόποι Πγ6. 1278 ᵇ30 (aliter explicat Bernays Dial p 53). ἤδη σχήματά τινα ἐχόσης τῆς τραγῳδίας οἱ λεγόμενοι αὐτῆς ποιηταὶ μνημονεύονται ποδ. 1449 ᵇ3. — εἰρήκαμεν πρότερον, εἴρηται πρότερον μα3. 340 ᵇ19,339 ᵇ36. 1. 338 ᵃ24 al. cf Ἀριστοτέλης p 96 ᵇ3. τοσαῦτα εἰρήσθω μα3. 341 ᵃ12. τύτων ῥηθέντων μα1. 339 ᵃ8. πάντα τὰ ῥηθέντα ΦΒ1. 192 ᵇ12. περὶ τῶν λεχθέντων Πε2. 1302 ᵃ36. ὥσπερ ἐλέχθησαν Πδ16. 1301 ᵃ6. τῶν λελεγμένων ἀναμνήσομεν ρ39. 1446 ᵃ26. τὰ λεχθησόμενα μα3. 340 ᵇ5. τὸ νῦν ῥηθησόμενον Ζμα1. 639 ᵇ6. λεκτέον τῶν παθητικῶν τὰ εἴδη μδ4. 381 ᵇ23. τὰς αἰτίας τύτων λεκτέον Ζμα1. 640 ᵃ15. τῦτον ἀκρατῆ ᵑ λεκτέον sim Ηη6. 1149 ᵃ4. 13. 1153 ᵃ14. γ1. 1110 ᵃ15. 5. 1112 ᵃ19. λεκτέον περὶ τινος Ηε5. 1130 ᵇ17. 13. 1143 ᵇ36, 1144 ᵃ22. η1. 1145 ᵃ36. Πγ10. 1329 ᵇ41. λεκτέον ὅτι Ηη1. 1145 ᵇ15. Πδ4. 1290 ᵃ40. λεκτέον πότερον, διὰ τί Ηη6. 1147 ᵇ21. 15. 1154 ᵃ25. λεκτέον seq infin Ηη5. 1147 ᵃ18. λέγωμεν (τύτων διωρισμένων sim, μετὰ ταῦτα, ἀρξάμενοι, νῦν, ἤδη) Αδ8. 93 ᵃ16. 13. 96 ᵃ23. τι1. 164 ᵃ21, 165 ᵃ37. 2. 165 ᵇ11. Οδ4. 311 ᵃ16. μα1. 339 ᵃ10. 3. 339 ᵇ37, 340 ᵇ5. 6. 342 ᵇ26.

Ζμβ 10. 655 b28. γ2. 663 b24. Ζπ3. 705 a3. Ζγε1. 778
b20. αι1. 436 a6. 3. 439 a17. Ηζ2. 1139 a3. Πα13. 1260
b22. δ4. 1290 b23, 1291 b16. πο6. 1449 b22. prope ubivis
pro v l exhibetur λέγομεν. inde λέγωμεν restituendum est,
quamquam codd in scriptura λέγομεν consentiunt Αα4. 25
b26. 13. 32 a17. Οδ3. 310 a16. Ζγδ1. 766 b7. Ηζ13. 1144
a1 al (cf εἴπωμεν Αα13. 32 b32. γ16. 80 a9. 24. 85 a19.
ο3. 90 a38. 19. 100 a15. Ηδ13. 1127 a19. μγ1. 370 b3.
Ζγγ9. 758 a29. ἐπισκεψώμεθα Αγ24. 85 a17. διορίσωμεν
Αγ4. 73 a25). alio sensu indicativus usurpatur νῦν μὲν λέ-
γομεν Αδ14. 98 a14. ὥσπερ, καθάπερ λέγομεν Πα 5. 1254
b3. μα7. 344 b27. τὸ ἄνωθεν λεγόμενον τὸ πρὸς τὴν ἄκανθαν
Ζιγ1. 509 b19. λέγω δὲ Αδ13. 96 a25. Πδ2. 1289 b21.
ε7. 1307 a10. Ηη4. 1146 b10, 16. Ζγδ3. 767 b23. λέγω
δὲ τῦτο f 82. 1490 a9. οἷον λέγω Αδ13. 97 b15. γ2. 72
a20. λέγω δ' οἷον Αγ19. 82 a3. ψγ2. 426 b27. Πγ13.
1283 b1. δ15. 1299 b19. — οἱ τὰς ἰδέας λέγοντες Φβ2.
193 b36. Μζ11. 1036 b14 al. (cf ἰδέα, syn οἱ τιθέντες τὰς
ἰδέας). ὡς ἂν λέγομεν τὰ εἴδη αἴτια εἶναι Μβ2. 997 b3.
Δημόκριτος παρὰ τὸς ἄλλυς ἰδίως ἔλεξε μόνος Γα7. 323
b11. περὶ ὅτων ἐξαδυνατῆσιν οἱ νόμοι λέγειν ἀκριβῶς Πγ11.
1282 b5. ὑπὲρ ἡμᾶς ἐστι τὸ λεγόμενον Ζγβ8. 747 b8. α18.
723 a23. ὐδὲν λέγειν Ηη14. 1153 b19 (Bernays Dial p 88).
κ2. 1172 b36. Ζγδ1. 765 a7. ὐδὲν λέγειν δίκαιον Πγ13.
1283 b15. πῶς λέγομεν ἄν τι Ηκ2. 1173 a3. ὗ καλῶς λέ-
γωσιν Ζμδ2. 676 b23. — δεινοί, δυναμένως λέγειν Πε5.
1305 a12, 13. λέγειν ἐντέχνως, μέσως ρ39. 1445 b27. 23.
1434 b18-25. σχήματα τῦ εἰς δύο λέγειν ρ25. 1435 a5. —
λεκτός. μὴ εἶναι τὰ πράγματα λεκτά ζ6. 980 b19.

λεία. Μυσῶν λεία Ρα12. 1372 b33, cf παροιμία. ἀγοράζειν
τὰ ἐκ τῶν λείων ἀγόμενα σβ1350 a28.

Λειβήθριοι, ἔθνος Πιερικῶν f 511. 1561 b27.

λειμών. οἱ ἵπποι χαίρυσι τοῖς λειμῶσι ἢ τοῖς ἕλεσι Ζιθ24.
605 a9. cf Ρβ20. 1393 b13.

λειμώνιαι ἀράχναι Ζιε27. 555 b7, cf ἀράχνη p 91 a33.

λειόβατος. refertur inter τὰ σελαχώδη πλατέα, ζωοτοκεῖ
ὠοτοκήσας, ἔχει τὴν χολὴν πρὸς τῷ ἥπατι Ζιζ11. 566 a32.
β15. 506 b9. (Raie-lisse C II 717. Raja batis St Cr ΚαΖι
84, 21. fort Myliobatis vel Aetobatis sp ΑΖι I 147, 95.)

λεῖος. 1. τὸ δὲ μανὸν ἢ τὸ πυκνὸν ἢ τὸ τραχὺ ἢ τὸ λεῖον ἂν
δόξειε ὅλαν ἂν ποιῶν τι σημαίνειν, ἔοικε δὲ ἀλλότρια τὰ τοι-
αῦτα εἶναι τῆς περὶ τὸ ποιὸν διαιρέσεως· ἢ λεῖον μὲν τῷ
ἐπ' εὐθείας πως τὰ μόρια κεῖσθαι, τραχὺ δὲ τῷ τὸ μὲν
ὑπερέχειν τὸ δὲ ἐλλείπειν Κ8. 10 a17, 22. λεία ἐπιφάνεια
μγ2. 372 a31, σαρξ, χρως, φλέβια, κοιλία, ὑστέρα (opp
κοτυληδόνα ἐν τῇ ὑστέρᾳ) φ2. 806 b23, 5. Ζγα19. 727
a16. Ζμγ14. 675 a30. Ζιγ1. 511 a32. ηθ8. 586 a33. ἀνα-
κλωμένη ἡ ὄψις ἀπὸ πάντων φαίνεται τῶν λείων, τύτων δ'
ἐστὶ ἢ ἀὴρ ἢ ὕδωρ· τὰ λεῖα πέφυκεν ἐν τῷ σκότει λάμ-
πειν μγ4. 373 a35. α2. 437 a31, b6. δεῖ τὸ ψοφῆσον μέλλον
λεῖον εἶναι ἢ στερεότητα ἔχειν, ὐθὲν ποιεῖ ψόφον ἔρια ἀλ-
πληγῇ ἀλλὰ χαλκὸς ἢ ὅσα λεῖα ἢ κοῖλα Ζμγ3. 664 b2.
ψβ8. 419 b15. — coni ὁμαλός. cf ακ802 b10-25. τὸ κηρίον
λεῖον ἢ ὁμαλόν Ζιε22. 554 b12. διὰ τί ὁ ζέφυρος λειότατος
τῶν ἀνέμων πκς5. 944 a17, cf ὁμαλός a26. opp τραχύς.
φωνὴ λεία, τὸ ὄργανον τῆς φωνῆς ἢ τραχὺ ἢ λεῖον, loca
λεῖα, opp τραχέα ἢ πετρώδη Ζγε8. 788 a23, 25. Ζιε549.
b14. opp σκληρός. τὰ τῶν φυτῶν φύλλα σκληρά, λεῖα
φτα5. 820 a15. opp τρίχας ἔχων vel δασύς, λεῖον homo,
mammalia τρίχας ἔχει, τῶν ἀνθρώπων οἱ ὑγροὶ ἢ λεῖοι ἢ
φλεβώδεις, τῶν ἀνθρώπων οἱ δασεῖς ἀφροδισιαστικοὶ μᾶλλον
V.

τῶν λείων, τοῖς μὲν ταῦτα (ὑπήνη ἢ γένειον) λεῖα, τὰ ὕπτια
τῶν ζῴων ἢ λεῖα πάμπαν ἢ ἥττον δασέα Ζιη2. 582 b35.
1. 582 a15. γ11. 518 b19. β1. 498 b20. Ζγδ5. 774 b2. —
ἡ τροφὴ ἡ μὲν ἀκατέργαστος, ἡ δὲ κατειργασμένη μᾶλλον,
ἡ δὲ πάμπαν, ἡ δὲ λεία Ζμγ14. 674 b13. — ὑπ' ὀριγάνῳ
ἢ θείῳ περιπαττομένων λείων Ζιδ8. 534 b23, λείων om Aub.
— 2. οἱ λεῖοι τῶν ἱεράκων Ζιι36. 620 a21 (ἐλειοὶ ci S Pic,
ἐλεοὶ Did praef V, ἐλειοί Aub) cf Su 102, 21. ΑΖι I 94, 37ι.
v ἱέραξ. — 3. οἱ λεῖοι. τῶν ἰχθύων οἱ μὲν πλεῖστοι λεπιδω-
τοί, ὀλίγοι δέ τινες τραχεῖς, ἐλάχιστον δ' ἐστὶ πλῆθος αὐτῶν
τὸ λεῖον· τῶν λείων γογγροι ἢ ἐγχέλυες ἢ θύννοι· ὠοτο-
κῦσιν οἱ λεῖοι πλὴν ἐγχέλυος Ζιβ13. 505 a25, 27. ζ13. 567
a20. — τῶν σελαχῶν τὰ μὲν τραχέα, τὰ δὲ λεῖα Ζιβ13.
505 a27. — οἱ καλύμενοι λεῖοι τῶν γαλεῶν, v γαλεός p 145
a55 et f 293. 1529 a15. cf Rose Ar Ps 303. Heitz 226.

λειόστρακος, opp τραχυόστρακος Ζιδ4. 528 a21. f 287.
1528 b13, 14, 16.

λειότης. τραχύτητες ἢ λειότητες Ζμβ2. 648 b6. λειότης κατὰ
κορυφὴν φαλακρότης καλεῖται Ζιγ11. 518 a27. λειότης φω-
νῆς, opp τραχύτης ψβ11. 422 b31. Ζγε7. 786 b10, 788 a23.

λειοτριχεῖν Ζιθ8. 595 b26.

λειῶν. ἔνια λειώμενα τρίψει ἀλλοίας ἴσχει χρόας χ3. 793 a16.

λείπειν. 1. trans λείπειν τὴν τάξιν Ηε3. 1129 b20. — ὀλίγον
λείπυσα τὸ περίττωμα Ζγα20. 728 b5. λειφθῆναι μδ8. 385
a29. τὸ λειφθέν μβ1. 353 b9. 3. 357 b12, 20. τὸ λειπόμενον
μβ3. 358 a19. λείπεται περίττωμα, γεώδες sim Ζγβ2. 735
b35. 6. 745 a13. γ2. 752 b1. παντὶ ἐξ ὗ γίνεται τροφὴ τὸ
λειπόμενόν ἐστιν Πα10. 1258 a37. λείπεται ἄρα (λείπεται δὴ)
seq inf, veluti αὐτὴν εἶναι ἕξιν ἀληθῆ, i e reliquum est, ut
sumamus vel concludamus etc Ηζ5. 1140 b4. 6. 1141 a7. 10.
1142 b13. Πγ11. 1281 b31. Ζγγ10. 759 b27. β3. 726 b28.
Φζ10. 240 b28. μγ2. 375 b5. cf α3. 340 b2. τὸ λειπόμενον,
i q τὸ λοιπόν: ἢ πρὸς τύτοις ὅσα τοιαῦτα τῶν λειπομένων
παθῶν Ζμα1. 639 a22. — λείπεσθαί τινος, opp ὑπερέχειν
Πδ4. 1338 b27. δ12. 1296 b23, 32. Ζια15. 494 b18. γ4.
514 b29. Ρβ10. 1388 a12 (cf ἐλλείπειν). μκ5. 466 b1. ψβ9.
421 a21 (opp διαφερόντως ἀκριβῦν). — 2. intr αἱ τρίχες
λείπυσι ἢ ῥέυσι κατὰ τὴν ἡλικίαν Ζιγ11. 518 a24. — οἱ
εὐνῦχοι μικρὸν λείπυσι τῦ θήλεος τὴν ἰδέαν Ζγδ1. 766 a27.
εὐφυὴς πρὸς τὴν ἀγωνίαν ἢ τοσῦτον λείπει τῦ ἀγονος εἶναι
ὅσον Ζγβ8. 748 b13.

λειποψυχεῖν. οἱ λειποψυχῦντες ἢ οἱ ἐκ τῶν γυμνασίων δια-
λυόμενοι πε2. 880 b29, cf λιποψυχεῖν.

λειποψυχία v l υ3. 455 b5, cf λιποψυχία.

λείριον. τὸ λείρια πκ21. 925 a19 (Lilium chalcedonicum L
et L bulbiferum L).

λειτυργεῖν Ρβ23. 1399 a34. τῇ πόλει ρ3. 1424 a30. λειτυργεῖν
δαπανηρὰς λειτυργίας Πε8. 1309 a18. οἱ λελειτυργηκότες
οβ1347 a14. — λειτυργεῖν περὶ τὰς ἀρχάς, λειτυργεῖν ταῖς
ὐσίαις Πδ4. 1291 a37, 35, 34. γ6. 1279 a11. τῶν πενήτων
τὰ σώματα παρεχόντων λειτυργεῖν Ρβ9. 1446 b19. οἱ μὲν
ἑνὶ λειτυργῦντες τὰ τοιαῦτα ὃῦλοι, οἱ δὲ κοινοὶ βάναυσοι ἢ
θῆτες Πγ5. 1278 a12. πόσον χρόνον λειτυργεῖν ἁρμόττει πρὸς
τεκνοποιίαν Πη16. 1335 b28. μίαν τινὰ ἐργασίαν ἢ τῦ στό-
ματος λειτυργεῖ Ζμγ3. 469 a3. τὸ λειτυργῦν μόριον
τὴν ἔξοδον τῦ περιττώματος Ζμδ10. 689 b29.

λειτυργίαι κοιναί, πρὸς τὰς θεάς, χρήσιμοι, δαπανηραί, μά-
ταιοι Πβ10. 1272 a20. ε8. 1309 a18. ζ5. 1320 b4. η10.
1330 a13. ρ3. 1424 a24. εἰσφοραὶ ἢ λειτυργίαι Πε11. 1314
b14. ταῖς κυριωτάταις ἀρχαῖς δεῖ προσκεῖσθαι λειτυργίας
Πζ7. 1321 a33. δαπανᾶν λειτυργίαν οβ1347 a12. (ἀνα-

Hhh

λίσκειν) τὰς προσόδους τῶν εὐπόρων λειτυργίαις Πε5. 1305
ᵃ5. ἀπαλλαγῆναι λειτυργίας οβ1352 ᵃ4. — οἱ δυνάμενοι
ἄρχειν κ̣ λειτυργῦντες τῇ πόλει ταύτην τὴν λειτυργίαν Πδ̄4.
1291 ᵃ38. ἡ τῶν τέκνων κτῆσις ὒ λειτυργίας ἕνεκεν τῇ
φύσει μόνον ἐστὶν ἀλλὰ κ̣ ὠφελείας οα3. 1343 ᵇ20. ἐν τοῖς 5
πόνοις κ̣ ταῖς λειτυργίαις ἐλλείποντες Η6. 1167 ᵇ12. λει-
τυργίαν γίνεσθαι κ̣ ὒ φιλίαν Ηθ16. 1163 ᵃ29. ηεη10.1242
ᵇ17, cf ᵇ30. — ἡ τῦ στόματος (διὰ τῦ στόματος) λει-
τυργία Ζμγ14. 674 ᵇ20, 9. β3. 950 ᵃ9. τοῖς θηλαζομένοις
κ̣ πρὸς τὴν τοιαύτην λειτυργίαν ἀναγκαῖον Ζπ12. 711 ᵇ30. 10
λειφαιμεῖν. τῶν φοβυμένων τὰ ἄνω λειφαιμεῖ πδ̄7. 877 ᵃ30.
λείχειν. ἂν ἅλα λείχωσιν οἱ μύες ΖιΖ37. 580 ᵇ31. — ὅταν
ἐκτέκη ἡ ἀλώπηξ, τῇ γλώττῃ λείχυσα (sc τὺς νεοττὺς)
ἐκθερμαίνει κ̣ συμπέττει ΖιΖ34. 580 ᵃ9.
λείψανον. ὐκ ἔχυσιν ὑστέραι λείφανα περὶ τὴν δίοδον Ζικ2. 15
635 ᵃ25. λείψανα ἐν τοῖς ἀργυροκοπείοις πκδ̄9. 936 ᵇ28. —
ταύτας τὰς δόξας ἐκείνων οἷον λείψανα περισεσῶσθαι μέχρι
τῦ νῦν Μλ8. 1074 ᵇ12.
Λειψύδριον. χωρίον τῆς Ἀττικῆς περὶ τὴν Πάρνηθον f 356.
1538 ᵃ34. 20
λέκιθος. τὸ περὶ τὴν λέκιθον ΖιΖ3. 562 ᵃ29. τῶν πεζευόντων
ὀρνέων τὰ ᾠὰ πολλὴν ἔχει τὴν καλυμένην λέκιθον· ὥσπερ κ̣
οἱ οἶνοι ἐν ταῖς ἀλέαις ὀξύνονται κ̣ ἐν τοῖς ᾠοῖς ἡ λέκιθος·
διὸ κ̣ ἀναθολῦται ὁ οἶνος μιγνυμένης τῆς ἰλύος κ̣ τὰ δια-
φθειρόμενα ᾠὰ τῆς λεκίθυ ταμιευομένης ἐκ τῆς λεκίθυ τῆς 25
τροφῆς τοῖς ἄνωθεν Ζγγ1. 751 ᵇ14. 2. 753 ᵃ25, 27. δ3.
770 ᵃ22. τὰ δίδυμα τῶν ᾠῶν δύ᾽ ἔχει λεκίθους· ὅσων ἂν
αἱ λέκιθοι διορίζωνται κατὰ τὸν ὑμένα, δύο γίνονται νεοττοὶ
κεχωρισμένοι· τὰ τέρατα ἐκ τῶν διδύμων γίνεται, ὧν ὁ
λέκιθος τῷ ὑμένι ὒ διαιρεῖται ΖιΖ3. 562 ᵃ29. Ζγδ̄3. 770 30
ᵃ16. π161. 898 ᵃ18.
λεκτικός. μάλιστα λεκτικὸν τῶν μέτρων τὸ ἰαμβεῖον πο4.
1449 ᵃ24. λεκτικὴ ἁρμονία πο4. 1449 ᵃ27. Ργ8. 1408 ᵇ33.
Λεκτόν. περὶ τὸ Σίγειον κ̣ Λεκτόν Ζιε15. 547 ᵃ5.
Λέλεξ αὐτόχθων f 433. 1549 ᵇ37. 503. 1560 ᵃ33. — ἐν τῇ 35
τῶν Αἰτωλῶν τὰς νῦν Λοκρὰς Λέλεγας καλεῖ Ἀριστοτέ-
λης f 433. 1549 ᵇ34, 33. 509. 1561 ᵇ15. 519. 1563 ᵃ19.
λελιημένος (Emp 360) αν7. 473 ᵇ26.
λεμβώδης πλοία πρῶρα Ζπ10. 710 ᵃ31.
λέμμα. ἐκ σαρκῶν κ̣ κόκκων κ̣ λεμμάτων εἰσὶ σύνθετοι οἱ 40
καρποὶ φτα5. 820 ᵃ38.
λέξις ἐστὶν ἡ διὰ τῆς ὀνομασίας ἑρμηνεία, ὃ κ̣ ἐπὶ τῶν ἐμ-
μέτρων κ̣ ἐπὶ τῶν λόγων ἔχει τὴν αὐτὴν δύναμιν πο6. 1450
ᵇ13. παραβαίνειν τὴν κειμένην λέξιν, syn τὴν κειμένην ὀνο-
μασίαν τβ1. 109 ᵃ29, 32. τῆς λέξεως ἁπάσης ταδ᾽ ἐστὶ 45
τὰ μέρη, στοιχεῖον, συλλαβή, σύνδεσμος, ὄνομα, ῥῆμα,
ἄρθρον, πτῶσις, λόγος πο20. 1456 ᵇ20. f 126. 1499 ᵇ23.
(περὶ λέξεως πο19. 1456 ᵇ8-22, 1459 ᵃ16. quid differant
μέρη λέξεως et μέρη λόγυ cf Vahlen Poet III 245.) ὅροι
ὃ καλῶς ἔκκεινται κατὰ τὴν λέξιν Αα34. 48 ᵃ8. ἄτως ἀπο- 50
δῦναι τῇ λέξει τε5. 134 ᵃ6, 10, 16. προτάσεις ἀντικείμεναι
κατὰ τὴν λέξιν Αβ15. 63 ᵇ24, 27. κατὰ τὴν λέξιν ἐπανα-
διπλύμενον Μγ2. 1003 ᵇ28. φαινόμενοι συλλογισμοὶ παρὰ
τὴν λέξιν, opp ἔξω τῆς λέξεως τι4. 165 ᵇ24, 166 ᵇ20, 21.
Ρβ24. 1401 ᵃ1. τὰ παρὰ τὴν λέξιν ἐμποιῦντα τὴν φαντα- 55
σίαν ἐζ τὸν ἀριθμόν, ὁμωνυμία, ἀμφιβολία, σύνθεσις, διαί-
ρεσις, προσῳδία, σχῆμα λέξεως τι4. 165 ᵇ24. οἱ παρὰ τὸ
σχῆμα τῆς λέξεως παραλογισμοὶ συμβαίνυσιν, ὅταν τὸ
μὴ ταὐτὸ ὡσαύτως ἑρμηνεύηται, οἷον τὸ ἄρρεν θῆλυ κτλ
τι4. 166 ᵇ10-19, syn διὰ τὴν ὁμοιότητα τῆς λέξεως τι7. 60
169 ᵃ30. 23. 179 ᵃ20. (Bernays Rh Mus 8, 589). τῶν παρὰ

τὴν λέξιν, παρὰ τὸ σχῆμα τῆς λέξεως παραλογισμῶν λύσις
τι19-23. εἰδέναι τὰ σχήματα τῆς λέξεως, οἷον τί ἐντολὴ
τί εὐχή πο19. 1456 ᵇ9. (de formulae σχήματα τῆς λέξεως
varia significatione cf Vhl Poet III 217.) τῇ πτώσει ἐνίοτε
διοίσει κατὰ τὴν λέξιν Κ7. 6 ᵇ33. τὴν λέξιν μετερρύθμιζον 5
ὅτι ὁ ἄνθρωπος ὒ λευκός ἐστιν ἀλλὰ λελεύκωται Φα2. 185
ᵇ28. — λέξις, opp διάνοια Ρβ26. 1403 ᵇ2. γ1. 1404 ᵃ9.
10. 1410 ᵇ28. opp μελοποιία: λέγω λέξιν μὲν αὐτὴν
τῶν μέτρων σύνθεσιν, μελοποιίαν δὲ ὃ τὴν δύναμιν φανερὰν
ἔχει πᾶσαν πο6. 1449 ᵇ34. περὶ λέξεως Ργ2-12. λέξεως 10
ἀρετὴ σαφῆ εἶναι κ̣ μὴ ταπεινήν Ργ2. 1404 ᵇ1. 12. 1414
ᵃ22. πο22. 1458 ᵃ18. ἡ λέξις πόθεν ἕξει τὸ πρέπον Ργ7.
λέξις ἡδεῖα, εὐμαθὴς διὰ τί Ργ9. 1409 ᵇ1, 1410 ᵃ19. εὔ-
ρυθμον δεῖ εἶναι τὴν λέξιν Ργ8. 1409 ᵃ22. λέξις ἄλλη
ἑκάστῳ γένει ἁρμόττει Ργ12. πιθανοῖ τὸ πρᾶγμα ἡ οἰκεία 15
λέξις Ργ7. 1408 ᵃ20. λέξις ἑτέρα λόγυ κ̣ ποιήσεως Ργ1.
1404 ᵃ28, ᵇ14, 33. ποιητικὴ λέξις Ργ1. 1404 ᵃ26. λέξεις
ἔμψυχοι παρ᾽ Ὁμήρῳ f 129. 1500 ᵃ23. λέξις δημηγορική,
δικανική, ἐπιδεικτική, ἀγωνιστική, γραφική. γραφικωτάτη
Ργ12. 1413 ᵇ4sqq, 1414 ᵃ17, σεμνοτέρα Ργ2. 1404 ᵇ8, 20
μεγαλοπρεπὴς ρ36. 1441 ᵇ3, στάσιμος Ηδ̄8. 1125 ᵃ14,
λίαν λαμπρὰ πο24. 1460 ᵇ5, γελοῖα πο4. 1449 ᵃ19. ξενι-
κὴν ποιεῖ τὴν λέξιν Ργ3. 1406 ᵃ16. ταῦτα ἐξαγγέλλεται
λέξει (κυρία) ἢ κ̣ γλώτταις κ̣ μεταφοραῖς κ̣ ὅσα ἄλλα
πάθη τῆς λέξεώς ἐστιν πο25. 1460 ᵇ11 (sed fort λέξις per 25
se significat i q κυρία λέξις Vahlen Poet IV 407). χρησι-
μωτάτη ἡ διπλῆ λέξις (cf διπλᾶ ὀνόματα) τοῖς διθυραμ-
βοποιοῖς Ργ3. 1406 ᵇ1. λέξις εἰρομένη, κατεστραμμένη,
ἀσύνδετος Ργ9. 1409 ᵃ24-34. 19. 1420 ᵇ2. ὀνομάζειν μὲν
ὅτω χρή, τῇ δὲ λέξει εἰς δύο χρῆσθαι ρ23. 1434 ᵇ14 (? Spgl 30
p 189). — λέξις, sermo pedestris. ἐν τοῖς ἰαμβείοις πο
ὅτι μάλιστα λέξιν μιμεῖσθαι ταῦτα ἁρμόττει τῶν ὀνομάτων
ὅσοις ἂν ἐν λόγοις τις χρήσαιτο πο22. 1459 ᵃ12, cf 1458
ᵇ9. ὁ ἴαμβος αὐτή ἐστιν ἡ λέξις ἡ τῶν πολλῶν Ργ8. 1408
ᵇ34. cf λέξις, opp ποίησις σατυρικὴ κ̣ ὀρχηστικωτέρα πο4. 35
1449 ᵃ23. — πάροδος ἡ πρώτη λέξις ὅλυ χορῦ πο12. 1452
ᵇ23. ἐάν τις ἐφεξῆς θῇ ῥήσεις ἠθικὰς κ̣ λέξεις κ̣ διανοίας
εὖ πεποιημένας πο6. 1450 ᵃ29. Vhl Rgfolge 162. — ἐν
ἑτέρῳ ὑπομνήματι ὃ ἐπιγράφεται παρὰ τὴν λέξιν, ὅπερ
εἰ καί τισιν ὒ δοκεῖ γνήσιον Ἀριστοτέλης ἀλλὰ τινός ἐστι 40
πάντως ταῦτ᾽ ἀπὸ σχολῆς f 113. 1496 ᵇ21.
Λεοντεύς. ἐπίγραμμα ἐπὶ Λεοντέως f 596. 1576 ᵃ35.
Λεοντῖνοι. τῆς Σικελίας περὶ Λεοντίνης Ζιγ17. 520 ᵇ1. Πα-
ναίτιος τύραννος ἐν Λ. Πε10. 1310 ᵇ29. 12. 1316 ᵃ36. Γορ-
γίας ὁ Λ. Πγ2. 1275 ᵇ27. 45
λεοντοφόνος θ146. 845 ᵃ28-34. cf Beckmann p 326. Rose
Ar Ps 350.
λεοντώδη ἤθη Πθ4. 1338 ᵇ19.
λέπαργος. κίρκη λεπάργυ (Aeschyl f 297, 5) Ζιι49 Β. 633 ᵃ23.
λεπάς (v l λοπάς 7, λεπὶς 2). refertur inter τὰ κινητικά, 50
ἐπιπολάζοντα, μονόθυρα, λειόστρακα, ὄστρεα Ζιδ̄4. 528 ᵇ1,
ᵃ13. ε15. 547 ᵇ22. Ζμδ̄5. 679 ᵇ25, 680 ᵃ22. f 287. 1528
ᵇ10, 15. ἔχει τὸ σαρκῶδες ἐπιπολῆς, τὴν αὔξησιν ταχεῖαν
Ζιδ̄4. 528 ᵃ13 Aub. ε15. 547 ᵇ23. cloaca superne sita,
μῆκον ἐν τῷ βάθει, ἐν τῷ πυθμένι Ζιδ̄5. 530 ᵇ21. 4. 529 55
ᵃ31. Ζμδ̄5. 680 ᵃ23. νέμεται ἀπολυομένη, ἀπολύονται κ̣
μεταχωρῦσιν, ἀπολύμεναι μεταχωρῦσί κ̣ τρέφονται Ζιδ̄4.
528 ᵇ1. ε16. 548 ᵃ27 Aub. θ2. 590 ᵃ32. πνευμάτων ὄντων
προσέχονται Ζιδ̄4. 530 ᵃ19. (Patellae sp fort vulgata, ma-
millaris, scutellaris, ferruginea, bonnardi, lusitanica C II 60
466. St. Cr. M 189. Mr 227. Frantzius 308, 31. ΚαΖμ130,

27. ΑΖι I 178, 15.) — ἡ ἀγρία λεπάς, ἥν τινες καλῦσι θαλάττιον ἇς descr Ζιδ 4. 529 ᵇ15. (oreille de mer C II 467. Lepas graeca St. Fissurella graeca S II 359. Forbes 135. ΑΖι I 179, 15δ. Fissurella graeca et Haliotis tuberculata Mr 229.)

λεπιδωτός. τὸ δέρμα λεπιδωτόν, dist τραχύ, λεῖον Ζμδ 13. 697 ᵃ4, 6. τῶν ἰχθύων οἱ μὲν πλεῖστοι λεπιδωτοί, ὀλίγοι δέ τινες τραχεῖς, ἐλάχιστον δ' ἐστὶ πλῆθος αὐτῶν τὸ λεῖον Ζιβ13. 505 ᵃ25. οἱ ἰχθύες λεπιδωτοὶ ὄντες, οἱ ἰχθύες οἱ λεπιδωτοί, τῶν ἰχθύων οἱ λεπιδωτοὶ πάντες ᾠοτόκοι, τὸ τῶν λεπιδωτῶν ἰχθύων γένος Ζγβ1. 733 ᵃ20, 28, ᵇ9. Ζιβ13. 505 ᵇ3. ζ13. 567 ᵃ19. itaque saepius λεπιδωτά et ἰχθύες syn. πολλὰ τῶν λεπιδωτῶν Ζμγ7. 670 ᵇ2. λεπιδωτά, dist φολιδωτά Ζιγ10. 507 ᵇ14, dist πτερωτά Ζγε3. 783 ᵇ4, dist τριχωτά, φολιδωτά, πτερωτά Ζμδ12.692ᵇ12, dist πτερωτά, φολιδωτά Ζμγ8. 671ᵃ12. 9. 671ᵃ27. Ζγβ1. 733ᵃ13.

λεπίζειν. τὰ τῦ βολίνθυ κέρατα διαστιλβειν ὡσανεὶ λελεπισμένα θ1. 830 ᵃ15.

λεπίς (de v l cf Langkavel ed Ζμ in apparatu crit ad 644 ᵃ22). ἐνίοις τρέπεται τὸ περίττωμα εἰς πτερὰ ⁊ λεπίδας κοινὰ πολλοῖς ὑπάρχει τῶν ζῴων, οἶον πόδες πτερὰ λεπίδες· τοῖς πτερωτοῖς ⁊ λεπιδωτοῖς τὰ πτερὰ ⁊ αἱ λεπίδες· ὁ ὄρνιθι πτερόν, ἰχθύι λεπίς Ζια1. 486 ᵇ21. ⁊2. 582 ᵇ33. Ζμα4. 644 ᵃ22. 5. 645 ᵇ5. γ7. 670 ᵇ4. Ζγε3. 782 ᵃ18. 4. 783ᵇ5. λεπίδας ἰχθύες μόνοι ἔχυσιν, αἱ λεπίδες τοῖς ἰχθύσι σκληρότεραι γίνονται ⁊ παχύτεραι, μείζως ἔχει τὰς λεπίδας ὁ ἄρρην φύκης τῆς θηλείας, ἐν τῷ σκότει ποιῦσιν αἴσθησιν αἱ λεπίδες, ἡ λεπὶς διὰ λαμπρότητα ⁊ λεπτότητα τῦ σώματος ἀφίσταται Ζιγ10. 517 ᵇ5. 11. 518 ᵇ28. ζ13. 567 ᵇ21. ψβ7. 419 ᵃ5. Ζμδ13. 697 ᵃ5. ἔστι δ' ἡ φολὶς ὅμοιον χώρᾳ λεπίδος, φύσει δὲ σκληρότερον Ζμδ11. 691 ᵃ16. Ζια6. 490 ᵇ22.

λέπρα νόσος πζ8. 887 ᵃ34.

Λεπτίνης περὶ Λακεδαιμονίων Ργ10. 1411 ᵃ4.

λεπτόδερμος. φύσει λεπτοδερμότατον τῶν ζῴων ὡς κατὰ μέγεθος ἄνθρωπός ἐστιν Ζγε2. 781 ᵇ21. Ζμβ13. 657 ᵇ2. πι5. 891 ᵃ35. 33. 894 ᵇ4.

λεπτόθριξ. ἔνια τῶν παχυδέρμων λεπτότριχα Ζγε3. 783 ᵃ2. οἱ πρὸς ἄρκτον λεπτοτριχές εἰσιν πλη2. 966 ᵇ33. cf λεπτότριχος.

λεπτομερής, opp παχυμερής Ογ5. 304 ᵃ30. ἀνάγκη πρότερον εἶναι τῇ φύσει τὸ λεπτομερέστερον Ογ5. 303 ᵇ19. Διογένης οἴηθεὶς τὸν ἀέρα πάντων λεπτομερέστατον εἶναι ψα2. 405 ᵃ22. λεπτομερέστατον ⁊ μάλιστα τῶν στοιχείων ἀσώματον τὸ πῦρ ψα 2. 405 ᵃ6. τε4. 132 ᵇ21, 23. 5. 134 ᵃ31, ᵇ32, 135 ᵃ3, 4. ζ7. 146 ᵃ15. τὸ ἔλαιον τῶν ὑγρῶν λεπτομερέστατον πε2. 959 ᵇ13. τὸ πνεῦμα λεπτομερέστατον ὄν μγ1. 370 ᵇ6. ψόφος λεπτομερέστατος ψβ8. 368 ᵃ19. — pro λεπτομερές Γβ2. 330 ᵃ1 fort e cod L et Philop scribendum μικρομερές.

λεπτός. ὑμὴν λεπτός αν9. 475 ᵃ18. Ζγβ7. 746 ᵃ24. λεπτῇσιν ὀθόνησιν (Emp 227) αι2. 438 ᵃ1. δέρμα λεπτότατον Ζιγ 11. 517 ᵇ27. ὀστῦν λεπτότατον Ζια16. 495 ᵃ9. γνάθυ τὸ λεπτὸν Ζιγ11. 518 ᵃ2. φλέβια (φλέβες) λεπτά, λεπτότερα Ζια16. 495 ᵃ24. γ2. 512 ᵃ9. 5. 515 ᵇ2. Ζγβ4. 738 ᵃ11,14, 37. σπέρμα λεπτὸν Ζγβ7. 747 ᵃ2. κνῆμαι λεπτότεραι Ζιδ11. 538 ᵇ11. χεῖρες λεπταὶ ⁊ μακραὶ φ3. 807 ᵇ9. λεπτοτάτη ὑπόστασις, opp συνίστασθαι μβ3. 358 ᵃ9. ὄνοι λεπτότεροι, opp παχύτεροι μχ13. 852 ᵇ12. Κηφισόδοτος ὁ λεπτὸς Ργ4. 1407 ᵃ9. αἱ ῥαφανίδες αἱ λεπταὶ δριμύτεραι πκ11. 923 ᵇ37. ἅλες ἢ χόνδροι ἀλλὰ χαῦνοι ⁊ λεπτοὶ ὥσπερ χιὼν μβ3. 359 ᵃ32. ῥηγμῖνες λεπταὶ ⁊ εὐθεῖαι, opp παχεῖαι ⁊ σκολιαὶ

μβ8. 367 ᵇ15. νεφέλιον λεπτὸν μβ8. 367 ᵇ9. πνεῦμα ἧττον λεπτὸν μγ1. 370 ᵇ8. πνεῦμα ἐκπυρῦται λεπτῇ ⁊ ἀσθενεῖ πυρώσει μβ9. 369 ᵇ5. ὄψις ἀσθενὴς ⁊ λεπτὴ μγ4. 373 ᵇ8. φωνὴ λεπτὴ Ζιε14. 545 ᵃ7. πια6. 899 ᵃ30. 16. 900 ᵇ23, def ακ803 ᵇ18sqq. αἱ λεπτότεραι χορδαὶ ὀξύτεραί εἰσιν πια19. 901 ᵃ18. — λεπτός i q λεπτομερής. λεπτὸν τὸ μικρομερές, παχὺ τὸ μεγαλομερές Ογ5. 303 ᵇ26. saepe λεπτός et λεπτομερές pro syn usurpantur Φδ8. 215 ᵇ4, 2. Ογ5.303 ᵇ20, 19. ψα2. 405 ᵃ24, 22. τε2. 130 ᵃ37, ᵇ29. 4. 132ᵇ21, 23. cf Ογ5. 303 ᵇ24, 28. Γβ2. 330 ᵃ3. ΜΑ8. 989 ᵃ1. διὰ παντὸς ἰέναι μάλιστα δύναμενον τὸ λεπτότατον μβ8. 365 ᵇ35. ὑγρότης λεπτοτέρα Ζμβ4. 650 ᵇ23. cf αι4. 441 ᵃ23. χυμοὶ λεπτοὶ μὸ3. 380 ᵇ2, cf ᵃ24. αἷμα λεπτότατον ⁊ καθαρώτατον υ3. 458 ᵃ13. Ζιγ19. 520 ᵇ21.

λεπτοσκελής Ζμδ8. 684 ᵃ10. λεπτοσκελέστερος Ζιβ14. 505 ᵇ16.

λεπτόστομον ἡ πίννη f 287. 1528 ᵇ13.

λεπτότης. τὸ πυκνότητι ⁊ μανότητι τἆλλα γεννᾶν ἐθὲν διαφέρει ἢ λεπτότητι ⁊ παχύτητι Ογ5. 303 ᵇ24. διαφορὰ κατὰ παχη ⁊ λεπτότητας Ζιβ17. 507 ᵇ26. λεπτότης (λεπτότητες) τῶν τριχῶν, opp παχύτης Ζγε3. 782 ᵃ24. Ζιγ10. 517 ᵇ9. ἡ τῶν σκελῶν λεπτότης ⁊ ἀσθένεια Ζγγ1. 749 ᵇ34.

λεπτοτραχηλότερον θῆλυ ἄρρενος φ5. 809 ᵇ6.

λεπτότριχος. οἱ λεπτότριχαι Ζιγ11. 518 ᵇ6. τὸ θῆλυ λεπτοτριχώτερον Ζιδ11. 538 ᵇ8. cf λεπτόθριξ.

λεπτοφωνότερα τὰ θήλεα Ζιδ11. 538 ᵇ13.

λεπτοχειλῆ ζῷα, οἷον οἱ μύες Ζιδ4. 528 ᵃ29.

λεπτύνειν. αἱ ταλαιπωρίαι λεπτύνυσι τὰ πρόβατα Ζιθ10. 596 ᵃ29. αἱ καθέδραι τὴν κοιλίαν πιαίνυσι, τὸ δ' ἄλλο σῶμα λεπτύνυσιν πε14. 882 ᵃ27 (opp παχύνειν ᵃ28). ταχὺ λεπτύνει ⁊ ἐνδεια παχύνει πα48. 865 ᵃ21. ιβ12. 907 ᵇ6. κ16. 924 ᵇ20. τεταρταίοις πυρετοῖς διὰ μὴ λεπτύνειν πα56. 866 ᵃ31. — pass διακρινόμενα τὰ μὲν παχύνεται τὰ δὲ λεπτύνεται μδ3. 381 ᵃ6. ἀναιρυμένης ἢ λεπτυνομένης τῆς τῦ θερμῦ τροφῆς πγ5. 871 ᵇ10. παντελῶς λεπτυνόμενα εἰς πνεῦμα διακρίνεται πλζ6. 966 ᵇ14. ἡ γαστὴρ μόνον λεπτύνεται τῶν γυμναζομένων πε3. 880 ᵇ34. 14. 882 ᵃ17. αἱ τρίχες λεπτύνονται ⁊ πυρρῦνται (cf λεπτόθριξ) πλη2. 966 ᵇ32. λεπίδες λεπτυνομένοις ⁊ γηράσκυσι σκληρότεραι γίνονται Ζιγ11. 518 ᵇ29. λεπτυνομένων τῶν ζῴων ἀφανίζονται σάρκες Ζιγ16. 519 ᵇ32. ἐν λελεπτισμένοις σφόδρα ἀνθρώποις, σώμασιν Ζιγ2. 511 ᵇ22. 5. 515 ᵇ1.

λεπύριον. λεπύρια ἐρεβίνθων λευκῶν Ζιε15. 546 ᵇ20.

λεπυριώδης. τὰ λεπυριώδη τῶν κηριαζόντων τῶν ὀστρακοδέρμων Ζιε15. 546 ᵇ30.

lepus marinus f 338. 1534 ᵇ8.

Λέσβος κ3. 393 ᵃ14. ἐν Λέσβῳ Ζγγ11. 763 ᵇ1. σ973 ᵃ9, ᵇ21. f 238. 1521 ᵇ1, 1522 ᵃ5. περὶ τὴν Λέσβον Ζυ37. 621 ᵇ22. περὶ Λέσβον πκς56. 946 ᵇ34, 947 ᵃ4. — Λέσβιοι Πγ13. 1284 ᵃ40. Λεσβία οἰκοδομή, Ηε14. 1137 ᵇ30. τὰ Λέσβια θ104. 839 ᵇ7. μετὰ Λέσβιον ᾠδὴν (cf παροιμία) f 502.1560 ᵃ2, 8, 15, 19, 27.

λευκαίνειν. 1. trans, opp μελαίνειν πλη1. 966 ᵇ21. 11. 967 ᵇ23. pass μεταβεβληκότος τῦ ᾠῦ ἐκ τῦ ὠχρῦ ὅλον εἶναι εἰς τὸ λευκαίνεσθαι Ζγα21. 730 ᵃ6. τὸ λευκαίνεσθαι Φε1. 224 ᵇ18. λευκαίνονται τρίχες, πτερά, τριχώματα Ζιγ11. 518 ᵃ7. ζ6. 563 ᵃ25. Ζγε5. 785 ᵃ35. χ6. 798 ᵇ27, 25, 23 (syn πολιῦσθαι, opp μελαίνεσθαι). γηράσκων λευκαίνεται τὰς τρίχας Ζγε1. 780 ᵇ5. τὸ ἔλαιον λευκαινόμενον παχύτερον γίνεται Ζγβ2. 735 ᵇ14. μδ7.383ᵇ29. λελεύκανται Φχ4. 249ᵇ17.— 2. intr λευκαίνει, syn λευκὸν γίνεται πθ4. 890 ᵃ9, 889 ᵇ33.

Hhh 2

Λευκανοί θ95. 838 ᵃ10.

λεύκανσις, opp μέλανσις Φε4. 227 ᵇ8. 6. 230 ᵃ23. ‹χ ἡ λευκότης κίνησις, ἀλλ' ἡ λεύκανσις Φε1. 224 ᵇ15.

Λεύκαρος ὁ Ἀκαρνὰν πρῶτος ἔντεχνον τὸ παγκράτιον ἐποίησε f 435. 1550 ᵃ5.

Λευκάς. περὶ Λευκάδα Πβ7. 1266 ᵇ22. τῶν Τηλεβοῶν τινὰς οἰκῆσαι τὴν Λευκάδα f 433. 1549 ᵇ39. — Λευκάδιος φ3. 808 ᵃ31. Λευκαδίων πολιτεία f 503. 433. 1549 ᵇ36.

λευκέρυθρος. αἱ λευκέρυθροι χροιαὶ εὐφυΐαν σημαίνουσιν φ2. 806 ᵇ4.

λευκερωδιός. v 1 λευκορωδιός. λευκορόδιος. de accentu cf Lob Paral 378. τὸ μέγεθος ‹τος ἐρωδιῶ ἐλάττων, ‹ ἔχει τὸ ῥύγχος πλατὺ ‹ μακρόν Ζιθ3. 593 ᵇ2 (ou le héron blanc ou l'aigrette C II 416. Platalea leucerodia L S I 595. St. K 868, 4. Cr. Su 150, 131. ΑΖι I 92, 34. cf Lnd 154. E 52.)

λεύκη. 1. arbor. λεύκης καρπός Ζιε12. 544 ᵃ9. 18. 549 ᵃ33. (hodie λεύκα, Populus alba L Fraas 223.) — 2. morbus. ἐξάνθημα, ὃ καλεῖται λεύκη Ζιγ11. 518 ᵃ13. cf πι4. 891 ᵃ26. 5. 891 ᵃ35. 33. 894 ᵃ38. 34. 894 ᵇ7, 8. ἐν τῇ καλυμένῃ λεύκῃ λευκαὶ γίνονται αἱ τρίχες Ζγε4. 784 ᵃ26. χ6. 797 ᵇ15.

Λεύκη ἡ νῆσος f 596. 1575 ᵇ1.

λεύκινοι στέφανοι οβ1353 ᵇ27.

Λεύκιος ὁ σώσας Ῥώμην f 568. 1571 ᵇ17.

Λεύκιππος plerumque coniunctim cum Democrito commemoratur Δημόκριτος ‹ Λεύκιππος Φδ6. 213 ᵃ34. Οα7.275 ᵇ30. Γα1. 314 ᵃ21. 2. 315 ᵇ6, 29. cf ψα2. 404 ᵃ5, 403 ᵇ31, vel Λεύκιππος ‹ Δημόκριτος Ογ2. 300 ᵇ8. 4. 303 ᵃ4. Γα1. 314 ᵃ18. 8. 325 ᵃ1, Λεύκιππος ‹ ὁ ἑταῖρος αὐτῦ Δημόκριτος ΜΑ4. 985 ᵇ4, raro solus sine Democriti nomine Γα1. 314 ᵃ12. 8. 325 ᵃ23, ᵇ6, 11, 26, 30. Μλ6. 1071 ᵇ32, 1072 ᵃ7 (longe saepius Democritus solus nominatur). ἐν τοῖς Λευκίππυ καλυμένοις λόγοις γέγραπται ξ6. 980 ᵃ7. de doctrina Leucippi v Δημόκριτος.

λευκογραφῆσαι εἰκόνα, dist ἐναλεῖψαι φαρμάκοις πο6. 1450 ᵇ2.

Λευκοθέα Ρβ23. 1400 ᵇ6. Λευκοθέας ἱερὸν ἐν Τυρρηνίᾳ οβ 1349 ᵇ34.

λευκόθριξ, λευκότριχες, opp μελανότριχες Ζγε6. 786 ᵃ24.

λευκοῖον (Lob Path I 283) πιγ11. 909 ᵃ2. (Matthiola incana R Br. Fraas 116.)

λευκόνοτοι πότε γίνονται μβ5. 362 ᵃ14. τὸ ὄνομα ἀπὸ τῦ λευκαίνεσθαι σ973 ᵇ10. f 238. 1521 ᵇ31.

λευκόπυρρα τὰ τριχώματα τῶν ἐμπύρρων ἀνθρώπων χ6. 797 ᵇ13.

λευκός, cf χρῶμα. τὸ λευκὸν συμβεβηκός Μδ9. 1017 ᵇ28sqq. μ2. 1077 ᵇ11. μχ24. 856 ᵃ35. cf ψα3. 406 ᵃ18. τὸ λευκὸν ‹ μέλαν ἐναντία Μι7. 1057 ᵇ8 (cf Plat Tim 67 E). κατὰ τὸ ποιὸν τὸ μὲν λευκὸν μορφὴ τὸ δὲ μέλαν στέρησις 50 Φγ1. 201 ᵃ5. Μκ9. 1065 ᵇ11. ὥσπερ ἐν ἀέρι τὸ μὲν φῶς τὸ δὲ σκότος, ‹τως ἐν τοῖς σώμασιν ἐγγίγνεται τὸ λευκὸν ‹ τὸ μέλαν αι3. 439 ᵇ18. Δημόκριτος τὸ λευκὸν ‹ τὸ μέλαν τὸ μὲν τραχύ φησιν εἶναι τὸ δὲ λεῖον αι4. 442 ᵇ11. τῦ λευκῦ ἐστι λόγος χρῶμα διακριτικὸν ὄψεως τγ5. 119 ᵃ30. 55 Μι7. 1057 ᵇ8. τὸ διαφαινόμενον λευκὸν πκγ41. 936 ᵃ8. 23. 934 ᵃ18. Ζγε1. 780 ᵃ28, 33. cf β2. 735 ᵇ20. ε6. 786 ᵃ7. τὰ χρώματα ἐκ λευκῦ ‹ μέλανος Φι5. 188 ᵇ24. αι4. 442 ᵃ12. ἐν τῷ μέλανι τὸ λευκὸν πολλὰς ποιεῖ ποικιλίας μα5. 342 ᵇ18. τὸ μήτε λευκὸν μήτε μέλαν Μι5. 1056 ᵃ27. τὸ 60 φαιὸν λευκὸν πρὸς τὸ μέλαν ‹ μέλαν πρὸς τὸ λευκόν Φε1.

224 ᵇ35. cf 5. 229 ᵇ17. τὸ φοινικῦν παρὰ τὸ πράσινον λευκὸν φαίνεται· διὰ τὴν μελανίαν τῦ κύκλῳ νέφυς φαίνεται τὸ φοινικῦν λευκόν· ἡ ἀπὸ τῆς σελήνης ἶρις φαίνεται λευκή· μέλαν παρὰ μέλαν ποιεῖ τὸ ἠρέμα λευκὸν παντελῶς φαίνεσθαι λευκόν μγ4. 375 ᵃ8, 14, 18, 21. φοινικῦν ἢ πορφυρῦν, διὰ τὸ ταῦτα μάλιστα ἐκ τῦ πυρώδυς ‹ λευκῦ φαίνεσθαι μιγνυμένων κατὰ τὰς ἐπιπροσθέσεις μα5. 342 ᵇ9. — ὁ ἥλιος φαίνεται λευκὸς ἀλλ' ‹ πυρώδης ὢν μα3. 341 ᵃ36. τὸ χρῶμα τῦ ἡλίυ λευκόν· ἐν ἀνωμάλῳ φαίνεται λαμπρὸς ‹ λευκὸς ὁ ἥλιος μγ6. 377 ᵇ23, 9. ἀὴρ ‹ ὕδωρ καθ' ἑαυτὰ τῇ φύσει λευκά χ1. 791 ᵃ3. τὸ λευκὸν ὁ ἀτμιδώδης ἀὴρ παρέχεται Ζγε6. 786 ᵃ12. cf 4. 784 ᵇ14. μγ4. 374 ᵃ3. ἡ χιὼν τῇ φύσει λευκή Κ10. 12 ᵇ38 (διὰ τί Ζγβ2. 735 ᵇ20). διὰ τί λευκοτέρα ἡ ἐν τῷ Πόντῳ θάλαττα ἢ ἡ ἐν τῷ Αἰγαίῳ πκγ6. 932 ᵃ21. ἡ γῆ ἐστι φύσει λευκή χ1. 791 ᵃ4. γάλα λευκὸν Ργ3. 1406 ᵃ12. ἰχθῦς τινες λευκὴν ἔχοντες τὴν ὄψιν Ζιθ19. 602 ᵃ10. ἐκ λευκοτέρων πάλιν ἐν τῷ θέρει καθίστανται ‹ γίνονται μέλανες (μαινὶς ‹ σμαρὶς) Ζιθ30. 607 ᵇ22. τὰ θερμὰ ὕδατα λευκὴν ποιεῖ τὴν τρίχα Ζγε6. 786 ᵃ4. cf πι27. 894 ᵃ6. λευκὴ ὑγρότης σπέρματος Ζιζ18. 572 ᵇ28. αἰτία λευκοτέρα τὴν φύσιν γυναῖκες ἐν ταῖς ὁμιλίαις ἐξικμάζυσι μᾶλλον τῶν μελαινῶν Ζιη2. 583 ᵃ11. αἱ μέλαιναι γυναῖκες τῶν λευκῶν ὑγιεινότερον ἔχυσι γάλα Ζιγ21. 523 ᵃ10. — metaph φωνὴ λευκή Φη4. 248 ᵇ24. τα15. 106 ᵃ25, ᵇ6, 107 ᵇ35, 37 (syn εὔκοος 107 ᵃ13, ᵇ2). δοκῦσιν ‹ χείρυς εἶναι τῶν λευκῶν φωνῶν αἱ καλύμεναι φαιαὶ αx802 ᵃ2. — multiplicem usum γοc λευκός habet in describenda animalium natura. 1. τὸ λευκὸν albumen ovi. a. avium. τὰ τῶν ὀρνίθων ᾠὰ κεχωρισμένον ἔχει τὸ λευκὸν ‹ τὸ ὠχρὸν Ζγγ3. 754 ᵇ22. 1. 751 ᵃ33, ᵇ9, 11, 15. Ζιζ. 560 ᵃ31. ἔσω μὲν τὸ ὠχρὸν ἔξω δὲ τὸ λευκὸν κύκλῳ περιίσταται· πότε τὸ λευκὸν ὑγρὸν ἐν μέσῳ, κάτωθεν, ἔσχατον Ζιζ. 559 ᵃ18, 21, ᵇ12. 3. 561 ᵇ12, 14. Ζγγ1. 751 ᵇ34, 752 ᵃ8. στιγμὴ αἱματίνη ἐν τῷ λευκῷ Ζιζ3. 561 ᵃ11. ὑμὴν περιέχει τὸ λευκὸν Ζιζ3. 561 ᵃ16. cf ᵇ18. 2. 560 ᵃ27. Ζγγ2. 752 ᵇ9, 753 ᵇ13. — ἔχει ἐναντίον τῷ ὠχρῷ ‹ τὸ λευκὸν ἐναντίον ‹ μόνον τῷ χρώματι ἀλλὰ ‹ τῇ δυνάμει Ζιζ. 560 ᵃ21. cf Ζγγ2. 753 ᵃ35. ‹κ ἔστι τῆς διχροίας αἴτιον τὸ ἄρρεν ‹ τὸ θῆλυ, ὡς τῦ μὲν λευκῦ ὄντος ἀπὸ τῦ ἄρρενος, τῦ δ' ὠχρῦ ἀπὸ τῦ θήλεος· ‹ τὸ λευκόν ἐστι γάλα, ἀλλὰ τὸ ὠχρόν, ἔστι γὰρ ἡ τροφὴ λευκοτέρα Ζγγ1. 751 ᵇ26. 2. 752 ᵇ26. τὸ ζῷον λαμβάνει τὴν ἀρχὴν τῆς γενέσεως ἐκ τῦ λευκῦ Ζγγ1. 751 ᵇ5. 2. 752 ᵃ13. Ζιζ3. 561 ᵃ25. τὸ λευκὸν ‹ πήγνυται ἀλλ' ὑγραίνεται μᾶλλον Ζιζ2. 560 ᵃ23. Ζγγ2. 753 ᵇ7. — ἐν τοῖς ὑπηνεμίοις τὸ ὠχρὸν ‹ τὸ λευκὸν διαλαμένει ὅμοια ὄντα, opp μεταβάλλει Ζγγ2. 559 ᵇ27, 560 ᵃ15. ἐν τοῖς διδύμοις τῶν ὠῶν τὸ ὠχρὰ διείργει τὸ λευκὰ λεπτὴ διάφυσις Ζιζ3. 562 ᵃ26. — b. piscium. τὸ ᾠὸν ‹κ ἀποκεκριμένον ἔχει τὸ λευκὸν διὰ μικρότητα Ζγγ1. 751 ᵇ18, 20. cf S I 441. — 2. τὸ λευκὸν τῦ σηπίδιον Ζιε18. 550 ᵃ31. ἐν τοῖς κόχλοις δύο λευκὰ στιφρὰ Ζιδ4. 529 ᵃ3. fort glandulae salivales C II 475 vel glandulae accessoriae genitalium. cf τὸ λευκόν, syn πόρος μακρὸς ‹ λευκός, τὰ λευκὰ Ζιδ4. 529 ᵃ17, 24, ᵇ3. — 4. τὰ λευκά, fluor albus. τὰ λευκὰ τοῖς παιδίοις τοῖς θήλεσι γίνεται Ζγβ4. 738 ᵃ26, 31. Ζιγ1. 581 ᵇ2. χ1. 634 ᵃ30. — 5. a. ὀφθαλμῦ τὸ λευκὸν ὅμοιον ὡς ἐπὶ τὸ πολὺ πᾶσιν, τὸ ἐκτὸς τῦ ὀφθαλμῦ λευκόν, opp τὸ μέλαν, τὸ λευκὸν τῦ ὄμματος ἐν τοῖς ἔχυσιν αἷμα πῖον ‹ λιπαρόν Ζια9. 491 ᵇ21, 492 ᵃ1. αι2. 438 ᵃ21. πλα7. 958 ᵃ15. — b. ἐν τοῖς τῦ νεοττῦ ὀφθλμοῖς ὑγρὸν λευκὸν ‹ ψυχρόν Ζιζ3. 561 ᵃ31. — 6. περίττωμα τὸ λευκὸν

ἐν τοῖς νεοττοῖς avium Ζιζ3. 562 ᵃ11, i e Niederschlag von Kalksalzen cf ὑπόστημα τὸ λευκὸν Ζμδ5. 679 ᵃ18. — τῶν ἰχθύων οἱ λευκοὶ καλύμενοι Ζιζ13. 567 ᵃ20. cf supra 351 ᵇ9.

λευκότης, dist λεύκανσις Φε1. 224 ᵇ15. διαφοραὶ κατὰ τὰς χρόας, κατὰ λευκότητα κ̣ μελανίαν κ̣ τὰς μεταξὺ τύτων 5 Ζγε3. 782 ᵃ4. λευκότης κ̣ μελανία ὀ ποιεῖ στοιχεῖον Γβ2. 329 ᵇ11. διὰ τὴν ἐκείνης λευκότητα δοκῦσα εἶναι μελαντέρα μγ3. 373 ᵃ26. — ὀκ ἔστι τῆς φλογὸς λαβεῖν τι μέγεθος ἐν ᾧ ϑ κ̣ θερμότης κ̣ λευκότης ἔνεστιν Φδ9. 217 ᵇ7. ὁ ἀὴρ διαφαινόμενος λευκότητα ποιεῖ, καθάπερ κ̣ τὸν ἀφρόν Ζγε6. 10 786 ᵃ7. τὸ πνεῦμα τὴν λευκότητα διαφαίνει, ὥσπερ ἐν τῷ ἀφρῷ κ̣ τῇ χιόνι Ζγβ2. 735 ᵇ20. ἀφρίζει, τῦτο δὲ ἡ λευκότης πκα1. 927 ᵃ13. αἴτιον τῆς λευκότητος τῦ σπέρματος ὅτι ἐστὶν ἡ γονὴ ἀφρός, ὁ δ᾿ ἀφρὸς λευκὸν Ζγβ2. 736 ᵃ13. φυτά τινα ἐκκλίνυσιν εἰς λευκότητα φτα5. 820 ᵇ21. λευκό- 15 της τῶν τριχῶν, τῦ δέρματος Ζγε6. 786 ᵃ10. 4. 784 ᵃ28.

λευκῦσθαι. ὁ ἄνθρωπος ὁ λευκός ἐστιν ἀλλὰ λελεύκωται Φα2. 185 ᵇ29. — εἰς λελευκωμένα γραμματεῖα ἐνεγράφοντο οἱ ἔφηβοι f 429. 1549 ᵃ17.

λευκόφυλλος. ῥάβδον ὀνομαζομένην λευκόφυλλον θ158. 846 20 ᵃ29 (v Langk Bot der spät Griech p 61).

λευκόχροοι. ὅσοι γλαφυροὶ κ̣ λευκόχροοι φ3. 808 ᵃ34. αἱ λευκόχροοι κ̣ θηλυκαί Ζγα20. 728 ᵃ2.

λευκόχρως ὁ λάγνος φ3. 808 ᵇ4.

Λεῦκτρα. περὶ τὰ Λεῦκτρα παραταξάμενοι ρ9. 1429 ᵇ14. 25

λεύκωμα. βάμμα λευκώματος ἐπὶ τῷ ὀφθαλμῷ φ6. 813 ᵃ28.

Λεύκων, antiquae comoediae poeta (Meineke I 217. II 749) f 579. 1573 ᵃ26.

Λευκωσία μία τῶν Σειρήνων θ103. 839 ᵃ33. — ἡ Σαμο- 30 θράκη ἐκαλεῖτο πρότερον Λευκωσία f 538. 1567 ᵃ36.

Λεχίνεος (?). Ἀναξαγόρας ἔφη πρὸς Λεχίνεον φτα2. 817 ᵃ27 (Lycophron ci Albert Magn ed Jessen p 25, Leucippos ci Jourdain, ex arabico vocabulo quod significet i q ἐν τῷ ὅλῳ coll Ζγα2. 716 ᵃ15 ortum ci Meyer Gesch d Bot 35 I 60).

Λεωδάμας κατηγορῶν Καλλιστράτυ, Χαβρίῳ Ρα7. 1364 ᵃ19, 21. Λεωδάμας κατηγορήσαντος Θρασυβύλυ Ρβ23. 1400 ᵃ31.

λέων. τὸ τῶν λεόντων γένος Ζιζ31. 579 ᵇ5 (κύων λέοντος 40 ἕτερον τῷ εἴδει Ζγβ8. 747 ᵇ33) cf Μ 323. refertur inter τὰ πεζά, ἄγρια Ζιγ1. 517 ᵇ1. ζ18. 571 ᵇ26. θ5. 594 ᵇ18. ι44. 629 ᵇ8, ἀμφώδοντα, καρχαρόδοντα, σαρκοφάγα, ὠμο-φάγα Ζιβ17. 507 ᵇ15. 1. 501 ᵃ16. 7. 502 ᵃ7. θ5. 594 ᵇ17, 18. ι1. 610 ᵃ14. Ζμγ14. 674 ᵃ24. β9. 655 ᵃ13, genus 45 dentatum f 265. 1526 ᵃ2, πολυδάκτυλα, πολυσχιδῆ, γαμ-ψώνυχα Ζιβ1. 499 ᵇ8. γ9. 517 ᵇ1. Ζμδ10. 688 ᵃ4, ὀπι-σθυρητικά Ζιβ1. 500 ᵇ16. ε2. 539 ᵇ22. ζ31. 579 ᵃ31. Ζμδ10. 689 ᵃ34. λέοντος φύσις Ζμα1. 639 ᵃ17. — 1. descr anatom. κεφαλὴ ἰσχυρά, στόμα 50 ἀνερρωγός, ὀδόντες, quales mutentur Ζιβ7. 502 ᵃ6. ζ31. 579 ᵇ12. ι44. 629 ᵇ29, 31, 630 ᵃ4. μονοστιχεῖ τὸν αὐχένα ἔχει, τράχηλος εὐμεγέθης, μὴ ἄγαν παχύς Ζμδ10. 686 ᵃ21. Ζιβ1. 497 ᵇ16. (Wiegmann 3. Rose libr ord 207. Lewes 277.) φ6. 811 ᵃ15. ossa tanta sunt duritie ut ignis eli- 55 datur velut e silice Ζιγ7. 516 ᵇ10. Ζμβ6. 651 ᵇ37. 9. 655 ᵃ15 (Lewes 312). ubi medulla sit, quae ossa medulla careant Ζιγ7. 516 ᵇ7, 8, 9. 20. 521 ᵇ12. Ζμβ6. 652 ᵃ1 Fr. ὁ ἄρρην λέων ἔχει χαίτην, λέαινα δ᾿ ὀ Ζιβ1. 498 ᵇ28. ζ31. 579 ᵇ11. Ζμβ14. 658 ᵃ31. — εἰς τὰ κῶλα ἀσθενής Ζιι44. 60 630 ᵃ3. δύο μαστὺς ἐν τῇ γαστρί, περὶ μέσην γαστέρα

Ζιβ1. 500 ᵃ29. Ζμδ10. 688 ᵇ1 Fr. κοιλία Ζιβ17. 507 ᵇ16, 22. Ζμγ14. 674 ᵃ25. πενταδάκτυλος ἔχει τὰς προσθίας πό-δας, τὰς δ᾿ ὄπισθεν τετραδακτύλυς Ζμδ10. 688 ᵃ6. astra-galus, ὄνυξ, κέρκος Ζιβ1. 499 ᵇ25 Aub. ι44. 629 ᵇ26, 630 ᵃ1, 5. — 2. descr physiol κατὰ σκέλος βαδίζει, τὸ δρό-μημα Ζιβ1. 498 ᵇ7. ι44. 629 ᵇ19. — τὸ περίττωμα, ξηρὸν κ̣ ἐξικμασμένον, προίεται σπανίως, ὑρεῖ αἴρων τὸ σκέλος, τὸ ὗρον ἔχει ὀσμήν, προίεται τὴν φῦσαν σφόδρα δριμεῖαν, τὰ ἔσω ἀτμίδα (ὀσμὴν) ἀφίησι βαρεῖαν Ζιθ5. 594 ᵇ21-27. — ἐν τῇ βρώσει χαλεπώτατος, τῇ βρώσει χρῆται λάβρως, vescuntur alternis diebus, rari in potu Ζιι44. 629 ᵇ8. θ5. 594 ᵇ18-21. — de sexu, catulis. ὁ ἄρρην λέων Ζιζ31. 579 ᵇ11. Ζλέαινα. 658 ᵃ31. ἡ λέαινα Ζιβ1. 500 ᵃ29. ζ31. 579 ᵇ11. σκύμνος, πρεσβῦται Ζγγ1. 750 ᵃ33. Ζιι44. 629 ᵇ28. — vita longa Ζιι44. 629 ᵇ30. — σπάνιοί εἰσιν, ὀκ ἀγε-λαῖοι Ζιζ31. 579 ᵇ3, 5. 18. 571 ᵇ29. in Europa inter Ache-loum et Nessum, in Syria Ζιζ28. 606 ᵇ15 Aub. ζ31. 579 ᵇ7, 9. — 3. coitus, partus. ὀχεύει ὄπισθεν, συνιόντες πυ-γηδὸν Ζιζ31. 579 ᵃ31. ε2. 539 ᵇ22. de leaenarum fetu et catulis, γεννᾷ τυφλά, ἀδιάρθρωτα σχεδόν, fabula de emis-sione uteri (Herodot III 108) Ζγγ1. 750 ᵃ32. 10. 760 ᵇ23. β6. 742 ᵃ9. δ6. 774 ᵇ15, 14. Ζιζ31. 579 ᵇ2. cf Rose libr ord 209. ἡ πολύτεκνον π14. 892 ᵇ1. τίκτει καθ᾿ ἕκαστον τὸν ἐνιαυτόν, ὀ πᾶσαν ὥραν· τῦ ἔαρος, ὡς ἐπὶ τὸ πολὺ δύο, τὰ μέντοι πλεῖστα ἕξ, ἐνίοτε κ̣ ἕν· πάνυ μικρὰ ὅτως ὥστε δίμηνα ὄντα μόλις βαδίζειν Ζιζ31. 579 ᵃ33, 32, ᵇ1, 8. τίκτει βλέποντα f 265. 1526 ᵇ6, 8, 2. πάθος τῆς ὑστέρας τὸ ὑστε-ρον Ζγγ1. 750 ᵃ31. — 4. mores. Ζιι44. 629 ᵇ10 sq. ἐλευ-θέριος, ἀνδρεῖος, εὐγενής Ζια1. 488 ᵇ17. σφόδρα φιλοπαίγμων κ̣ στερκτικός, ὀχ ὑπόπτης ὀδ᾿ ὑφορώμενος, μὴ πεινῶν κ̣ βεβρωκὼς πραότατος, ἐν τῇ βρώσει χαλεπώτατος, χαλεποὶ περὶ τὸν καιρὸν τῆς ὀχείας Ζιι44. 699 ᵇ8-11, 17, 18. 571 ᵇ27. ἅπερ Ἀντισθένης ἔφη τὰς λέοντας λέγειν δημηγορώντων τῶν δασυπόδων Πγ13. 1284 ᵃ16. ὁ λέων ὁ τῇ φωνῇ τῦ βοὸς χαίρει Ηγ13. 1118 ᵃ20. λέοντες ὀχ ἥμεροι π145. 895 ᵇ26. ἀνδρεῖος, φιλόθηρος, μεγαλόψυχος, eius natura similis inge-genio generis masculini φ1. 805 ᵇ25. 2. 806 ᵇ9. 3. 807 ᵃ18. 6. 810 ᵇ5, 811 ᵃ15, 21, 33, 812 ᵃ16, ᵇ6, 24, 33, 36, 813 ᵃ14. 5. 809 ᵇ14-36. βαρύφωνος φ3. 807 ᵃ18. πολέμιοι λέων κ̣ θώς Ζιι1. 610 ᵃ13. 44. 630 ᵃ11. alia f 266. 1526 ᵇ13. 241. 1523 ᵃ8. — 5. leonem maxume ignis terret Ζιι44. 629 ᵇ21. τὸ παρδαλαγχές, τὸ λεοντοφόνον, διαφθείρει τὺς λέοντας Ζιι6. 612 ᵃ9. θ146. 845 ᵃ29, 33. — ex omni leonis vulnere ater profluit sanguis Ζιι44. 630 ᵃ5. — 6. dist γένη λεόντων δύο. τὸ μὲν στρογγυλώτερον κ̣ ὀλοτριχώτερον δει-λότερον, τὸ δὲ μακρότερον κ̣ εὐθύτριχον ἀνδρειότερον Ζιι44. 629 ᵇ33-35. cf S Theophr III 62. fort Leo persicus vel barbarus et Leo Googartensis. — (Felis leo L C II 480. M 318. ΚαΖι 17, 72. Su 45, 17. ΑΖι I 72, 29.)

λεώς. δεῦρ᾿ ἴτε πάντες λεώ, κήρυγμα Θησέως f 346. 1536 ᵃ27.

Λεωφάνης Ζγδ1. 765 ᵃ25 (cf Hippocr ed Littré I 348. Κλεοφάνης Plut plac phil 5, 7).

λεωφόρος. τὰς λεωφόρυς μὴ βαδίζειν (Pythag), i e ταῖς τῶν πολλῶν γνώμαις μὴ ἕπεσθαι f 192. 1512 ᵇ7.

λήγειν. αἱ ἀκτῖνες, τοῦ αὐτίνου ἀνακλάσεις λήγυσιν μα3. 340 ᵃ31. 12. 348 ᵃ16. σεισμὸς ὀ πρότερον ἔληξε μβ8. 366 ᵇ32. λήγύσης τῆς ὥρας ἐνίοτε κ̣ ἡ φιλία λήγει Ηθ5. 1157 ᵃ8, 9. τῆς ἡλικίας ληγύσης Ζγα19. 727 ᵃ9. Ζγγ1. 750 ᵃ35. λήγοντος τῦ χειμῶνος, τῦ θέρυς Ζιε12. 544 ᵃ16. 28. 555 ᵇ30. — ἐπὶ Σωκράτυς τὸ ζητεῖν τὰ περὶ φύσεως ἔληξε

Ζμα1. 642 [a]29. — ἀλλάσσοντα διαμπερὲς ὕδαμὰ λήγει (Emp 73) Φθ1. 251 [a]2.

Λήδα. Λήδας κῦροι f625. 1583 [b]16.

λήθαργος ν3. 457 [a]3.

λήθη, ἀποβολὴ ἐπιστήμης τη3. 153 [b]27. λήθη δι' ἀμέλειαν 5 γίγνεται, ὀλιγωρίας σημεῖόν ἐστιν Ρβ2. 1379 [b]36. ὁρᾶν τι διὰ λήθην Ηε10. 1135 [b]31. λήθην καταχεῖσθαι τῷ πληγέντος ὑπὸ ὕδρα f327. 1532 [b]20. ἐξ ὑγείας εἰς νόσον ὁδενοντας λήθην ἴσχειν τινὰς κ̣ αὐτῶν τῶν γραμμάτων f35. 1480 [b]11.

λήΐζεσθαι, coni κλέπτειν ρ12. 1430 [b]16. πκθ4. 950 [b]14. 10

λήϊον. αἱ κύνες ὅταν ἐλμινθῶσιν ἐσθίεσι τῷ σίτῳ τὸ λήϊον Ζμ6. 612 [a]32.

λήκυθος ἡ καλλίστη, δῶρον παιδικόν Ηδ5. 1123 [a]14.

λήμη. ὀφθαλμὸς λήμην ποιεῖ Ζικ1. 633 [b]20. cf Ideler Met II 415. — τὴν Αἴγιναν ἀφελεῖν, τὴν λήμην τῷ Πειραιέως 15 Ργ10. 1411 [a]15.

λῆμμα. κινδύνους ὑπομένειν ἕνεκα τῷ λήμματος Ηδ3. 1122 [a]10. ζητεῖν λήμματα, ἀρχαὶ ἀφ' ὧν λήμματα Πζ7. 1321 [a]41. 4. 1318 [b]16. ε8. 1309 [a]21. β10. 1272 [a]41. διαλογίζονται αἱ ἀρχαὶ τά τε λήμματα κ̣ τὰς γεγενημένας δαπάνας 20 f407. 1546 [a]27. ὅσοις τὰ ἀδικήματα λήμματα. αἱ δὲ ζημίαι ὀνείδη μόνον Ρα12. 1372 [b]2. — logice λήμματα τῷ συλλογισμῷ, syn προτάσεις, ἐρωτήματα τθ1. 156 [a]21 (cf ἀξίωμα). ι33. 183 [a]15. ἐκ τῶν οἰκείων τῇ γεωμετρίᾳ λημμάτων τα1. 101 [a]14. 25

Λῆμνος. ἐν Λήμνῳ Ζιγ20. 522 [a]12, 18. — Λήμνιος Ἀπολλόδωρος Πα11. 1259 [a]1, 'Αντίλοχος f65. 1486 [b]28.

Λήναια. Ληναίων βασιλεὺς προέστηκε f385. 1542 [a]17.

λῆξις. Λάχεσις, εἰς πάντα γὰρ ἡ κατὰ φύσιν μένει λῆξις κ7. 401 [b]20. αἱ λήξεις τῶν κλήρων ἐν τῇ κυρίᾳ ἐκκλησίᾳ 30 f396. 1544 [a]2.

ληπτικός Ηδ2. 2120 [b]15. 3. 1121 [a]32. ληπτικαὶ κινήσεις, opp ἐκκριτικαὶ Φη2. 243 [b]14, 27.

λῆρος εἶναι δοκεῖ τὸ νόμισμα, φύσει δ' ὐθέν Πα9. 1257 [b]10.

ληρῶδες κ̣ κενόν Ργ13. 1414 [b]16. μῦθος ληρώδης Ζιζ31. 35 579 [b]3.

Ληστάδαι, κώμη τις τῶν Ναξίων f517. 1562 [b]15.

λῃστεία. ἀπὸ λῃστείας ζῆν Πα8. 1256 [a]36.

λῃστής, εἶδός τι ἀνελευθερίας Ηδ3. 1122 [a]7, ἀδικίας Ηε10. 1134 [a]19. οἱ λῃσταὶ αὐτὰς πορισταὰς καλῶσιν Ργ2. 1405 [a]25. 40

λῃστικὰ ἔθνη Πθ4. 1338 [b]23.

λῃστρικὸς βίος Πα8. 1256 [b]1.

Λητὼ ἐξ Ὑπερβορέων εἰς Δῆλον Ζιζ35. 580 [a]17. — Λητῷον ἐν Δήλῳ ηεα1. 1214 [a]2.

λῆψις. λήψεις, opp ἀποβολαὶ τγ2. 117 [b]4sqq. λῆψις οὖν 45 τι22. 178 [b]16. ἡ τῷ παιδίῳ λῆψις ρο18. 1455 [b]30. λῆψις χρημάτων κ̣ δόσις Ηβ7. 1107 [b]8. δ1. 1119 [b]25. 2. 1120 [b]28. 3. 1121 [a]11. 10. 1125 [b]6. τὰς λήψεις τῶν ἀγαθῶν, τὰς τῶν κακῶν ἀποβολὰς Ρα6. 1362 [a]35. λήψεις ἀνελεύθεροι Ηδ3. 1122 [a]13. ἐν τῇ λήψει ἐλλείπειν, ἐν τῇ προέσει ὑπερ- 50 βάλλειν Ηβ7. 1107 [b]13. λήψεις τῶν ἕξεων, opp ἀποβολαὶ Φη3. 245 [b]8, 23, 246 [b]13, 247 [a]5. Μο10. 1018 [a]34. ι5. 1055 [a]37. λῆψις ἐναντιότητος, opp ἀπαλλαγή Φε5. 229 [a]25. λῆψις μνήμης, dist ἀνάληψις μν2. 451 [a]21, 20. — αἱ καμπαὶ τῶν δακτύλων καλῶς ἔχουσι πρὸς τὰς λήψεις κ̣ 55 πιέσεις Ζμδ10. 687 [b]10. σχολαίως ποιεῖσθαι τὴν λῆψιν Ζμδ11. 691 [b]21. ῥύγχος γλαφυρὸν πρὸς τὰς λήψεις τῶν ζῳδαρίων Ζμγ1. 662 [b]9. — logice λῆψις θατέρου μορίω τῆς ἀντιφάσεως Αα1. 24 [a]23. λῆψις τῷ φαινομένῳ κ̣ ἐνδόξῳ Αα1. 24 [b]11, τῶν ὅρων Αβ11. 61 [a]26. — λῆψις, accessio 60 febris, πα55. 866 [a]26. 56. 866 [a]33.

λίαν, c adiectivis et adverbiis, λίαν ἁπλῶν, λίαν ἁπλῶς, λίαν μικρός, λίαν ἀρχαίως al μα3. 339 [b]34. 13. 350 [b]8. β7. 365 [a]26. Ηα10. 1099 [b]24. ι4. 1166 [b]27. κ6. 1176 [b]33. 10. 1181 [a]13. Πη4. 1326 [a]27, 30, 37, [b]6. 11. 1330 [b]33 al. λίαν ἐστὶν ὑπὲρ ἡμᾶς τὸ λεγόμενον· λίαν ἐστὶ παρὰ τὴν αἴσθησιν Ζγα17. 723 [a]22. β8. 747 [b]9. ἢ λίαν ψεκτός, ἢ λίαν ἄπορον al Ηδ13. 1127 [b]12. 6. 1123 [a]33. Πζ5. 1320 [a]33. ἢ λίαν ἐμπειρικῶς ἔχοντες Ζγβ6. 742 [a]17. c verbis λίαν μωραίνειν Ηη6. 1148 [b]1. c substantivis ἡ λίαν ἔλλειψις Ηδ13. 1127 [b]29, cf similia Ηγ14. 1118 [b]20. δ13. 1127 [b]30. non raro postponitur ταπεινοὶ λίαν, πόρρω λίαν, ἐγγὺς λίαν al Πδ11. 1295 [b]19, 10. 6. 1293 [a]13. β9. 1270 [a]17. η4. 1326 [b]3. 6. 1327 [a]34. 16. 1335 [b]7. μγ6. 377 [b]30. Ζγβ8. 748 [a]8. γ1. 750 [a]10 al. αὐξάνειν λίαν, ἀπορεῖν λίαν Πε8. 1308 [b]12. 7. 1306 [b]36. et praepositum et postpositum λίαν interdum interiectis aliquot verbis a suo nomine disiungitur, ἀλλὰ λίαν τὸ λέγειν ὕτω πόρρωθέν ἐστιν ἅπτεσθαι τῆς αἰτίας Ζγδ1. 765 [b]4, cf Ζπ11. 710 [b]27. Φθ3. 253 [b]29. μα13. 350 [b]8, ὅσα μὴ γεώδη τὴν φύσιν ἔχει λίαν Ζγβ5. 743 [b]13. cf μβ9. 369 [b]27. αν3. 471 [b]16. Vahlen Poet IV 433 ad πο26. 1461 [b]28.

λίβανος κ̣ πάντα τὰ δάκρυα λεγόμενα γῆς εἰσὶ μδ10. 389 [a]14. Lob Phryn 187. (lacrima Boswelliae turiferae Boxb Fraas 87, Boswelliae papyriferae Meyer bot Erläut zu Strabo 139.)

Λίβανος. τῷ Λιβάνῳ ὄρος σ973 [a]15. f238. 1521 [b]8.

λιβανωτὸς τηκτὸν ἢ φλογιστόν μδ9. 387 [b]26. ὅσα λέγεται ὡς δάκρυα ψύξει ἐστίν, ὅσον λιβανωτὸς μδ10. 388 [b]20. ἀλείφασι (τῆς μήτρας μέρος τι) ἐλαίῳ κεδρίνῳ ἢ ψιμυθίῳ ἢ λιβανωτῷ, διέντες ἐλαίῳ Ζιγ3. 583 [a]24. τὸ σῦκον παντὸς λιβανωτῷ κρεῖττον εἰς θυμιάματος σκευασίαν f218. 1518 [a]31. — 'Αντισθένης Κηφισόδοτον τὸν λεπτὸν λιβανωτῷ εἴκασεν Ργ4. 1407 [a]9. (Amyris kafal Forsk, Boswellia serrata Boxb cf Meyer bot Erläut zu Strabo 130-140.)

λιβόνοτος μεταξὺ λιβὸς κ̣ νότη κ4. 394 [b]34.

λιβοφοίνιξ, i q λιβόνοτος κ4. 394 [b]34.

Λιβύη μα13. 350 [b]11. 14. 352 [b]2. Μγ5. 1010 [b]11. κ3. 393 [b]22. θ133. 844 [a]3. ἀμμώδης κ̣ ἄνικμος πιβ3. 906 [b]19. ἡ ἄνυδρος Λιβύη f99. 1494 [a]20. eius venti μβ3. 358 [b]3. πκς16. 942 [a]7, 13. 49. 945 [b]35. ὕδωρ ὀρυκτὸν παρὰ τὴν θάλατταν πκγ21. 933 [b]33. ἅλες ὀρυκτοὶ θ134. 844 [a]6. ἄμπελος μαινομένη θ161. 846 [a]38. πρόβατα πι47. 896 [a]26. animalia Libyae Ζιθ28. 606 [a]6, 18, [b]9, 19. 29. 607 [a]22. ι15. 616 [b]5. Ζμβ9. 655 [a]9. f321-323. 1532 [a]41. ἀεὶ Λιβύη φέρει τι καινόν Ζιθ28. 606 [b]20. Ζγβ7. 746 [b]7, 8 (cf παροιμία). Libyae fines κ3. 393 [b]31, 394 [a]2. λίψ ἀπὸ Λιβύης σ973 [b]11. f238. 1521 [b]33. ἡ ἔξω Λιβύης θάλαττα ἡ νοτία μβ5. 363 [a]5. πλέοντες παρὰ τὴν Λιβύην Ζιι12. 615 [b]4. — Λίβυς. τῶν ἄνω Λιβύων τισὶ κοιναὶ αἱ γυναῖκες Πβ3. 1262 [a]20. Λίβυες τιμήσαντες Βάττον f485. 1557 [a]34. τὸ τῷ Λίβυος ἀπόφθεγμα σα6. 1345 [a]2, 4. — Λιβυκὸς στρυθὸς Ζμβ14. 658 [a]13. δ12. 695 [a]17. Ζγγ1. 749 [b]17. Λιβυκοὶ κ̣ Αἰσώπειοι λόγοι Ρβ20. 1393 [a]30.

λιβυός. πολέμιοι κελεὸς κ̣ λιβυός (ν l λιβιός, λεβιός, κίβιος, κήβιος) Ζιι1. 609 [a]20. avis ignota cf Su 162, 166. AZι I 101, 71.

Λίγεια, μία τῶν Σειρήνων θ103. 839 [a]33.

λιγνὺς ἡ τῷ πίονος θυμίασις, ἡ δὲ λιπαρῷ κνίσσα· πίτης ἡ θυμίασις λιγνύς μδ9. 387 [b]6, 388 [a]4. καπνώδης ἡ λιγνύς μγ4. 374 [a]26, cf [a]24.

λιγυρός. αἱ ἀκανθίδες φωνὴν λιγυρὰν ἔχουσιν Ζιι17. 616 [b]31.

φωναὶ λιγυρώτεραι ακ804 ᵃ29. τῆς φωνῆς τὸ λιγυρὸν ἐν τίνι ἐστίν ακ804 ᵃ21-32.

Λίγυς. Λίγυες θ92. 837 ᵇ24. δεινοὶ σφενδονᾶν θ90. 837 ᵇ16. Λίγυες οἱ καλύμενοι ἑπτάπλευροι Ζια15. 493 ᵇ15. — ἡ Λιγυστικὴ μα13. 351 ᵃ16. β8. 368 ᵇ32. θ89. 837 ᵇ8.

λιθάζειν. κοπιαρώτερον τῷ βραχίονι διὰ κενῆς ῥίπτειν ἢ λιθάζοντα πε8. 881 ᵇ1.

λιθαργύρινος. τὰ λιθαργύρινα φαίνεται ἀργυρᾶ τι1. 164 ᵇ23.

λιθιᾷ τῶν ζῴων ὐδὲν ἀλλ' ἢ ἄνθρωπος πι43. 895 ᵃ37.

λιθίδια μείζονα πκγ29. 934 ᵇ22.

λίθινος ὀφθαλμός, λιθίνη χείρ, αὐλοὶ λίθινοι, ὁμωνύμως μδ12. 390 ᵃ13. ψβ1. 412 ᵇ21. Πα2. 1253 ᵃ22. Ζμα1. 641 ᵃ2.

λιθοκέφαλα ὡς χρέμυς f 278. 1528 ᵃ1.

λίθος. γένος τῶν ὀρυκτῶν μγ6. 378 ᵃ25. γῆς ἐστὶ μᾶλλον μδ7. 383 ᵇ20. ὁ λίθος ἄκαυστον, ἄκαμπτον, ἄπιστον, ἀνέλκτον, ἀνήλατον, θραυστόν, ὁ κατακτόν, ἄχυμον, ἄοσμον μδ9. 385 ᵇ29, 386 ᵃ10, ᵇ10, 15,19, 387 ᵇ18. αι5. 443 ᵃ15. ὑπὸ τίνων πήγνυνται λίθοι πκδ11. 937 ᵃ11. λίθων γένη μδ10. 389 ᵃ18. 8. 385 ᵃ9. ἐκ λίθων (συντριβομένων) ἐκλάμπει πῦρ Ζιγ7. 516 ᵇ11. ἐν Κύπρῳ ὅ ἡ χαλκῖτις λίθος καίεται Ζιε19. 552 ᵇ10. cf θ115. 841 ᵃ29. λίθος ὃς γίνεται χρήσιμος πρὸς τὰς τῦ χρυσῦ βασάνυς Ζιθ12. 597 ᵇ2. εἰσί τινες λίθοι, οἳ τῦ ὕδατος ὑπερνήχονται φτβ2. 823 ᵃ41. — ὁ λίθος φύσει κάτω φερόμενος εἰ ἐθίζεται ἄνω φέρεσθαι Ηβ1. 1103 ᵃ20. ηεβ2. 1220 ᵇ4. ημα6. 1186 ᵃ5. Αδ11. 95 ᵃ1. τὰ ἐκφυόμενα τὰς λίθυς διαιρεῖ Φθ3. 253 ᵇ16. λίθων γένη τινὰ ταῖς ῥίζαις τῶν φυτῶν ὑποβάλλυσι ζ6. 470 ᵃ33. λίθος ἀλύμενος μαι7. 344 ᵇ2. — ἐν σεισμοῖς ἐπιπολάζει πλῆθος λίθων μβ8. 369 ᵇ29. τὸν λίθον (magnetem) ψυχὴν ἔχειν ψα2. 405 ᵃ20. cf ἡ λίθος Φθ10. 267 ᵃ2. λίθος Πάριος θ134. 844 ᵃ15. εὐτυχεῖς εἶναι τὰς λίθας ἐξ ὧν οἱ βωμοὶ (Protarch) Φβ6. 197 ᵇ10. Ἀθηναῖοι πρός τινι λίθῳ· τὰς ὅρκυς ποιῶνται f 377. 1540 ᵇ29, 34. 374. 1540 ᵇ1. λίθος σώφρων καλύμενος θ167. 846 ᵇ26. — λίθος in vesica aegrotorum Ζιγ15. 519 ᵇ19. — λίθος in capite piscium Ζιθ19. 601 ᵇ30 Aub. f 307. 1530 ᵃ26.

λιθοτομίαν Κάδμος ὁ Φοῖνιξ ἐξεῦρε f 459. 1553 ᵇ25.

λιθᾶν. ἄκανθαι σκληραὶ χ λελιθωμέναι Ζγε3. 783 ᵃ28. ἀγγεῖα ἐλελίθωτο θ52. 834 ᵃ30. τὰ μυθευόμενα λιθῶσθαι Ζμα1. 641 ᵃ21. — λιθῦται impersonaliter videtur usurpatum esse (i q λίθοι γίνονται) πκδ11. 937 ᵃ17.

λιθυργός, coni ἀνδριαντοποιός Ηζ7. 1141 ᵃ10.

λιθώδεις ἢ ἀργιλώδεις συστάσεις τῶν ὀρῶν μα14. 352 ᵇ10. σκληρότερα χ λιθωδέστερα Ζγε3. 783 ᵃ31. τόποι τραχεῖς χ λιθώδεις Ζιθ2. 590 ᵇ23.

λίχνον. σεισμῦ γενομένυ ἐπιπολάζει πλῆθος λίθων, ὥσπερ τῶν ἐν τοῖς λίκνοις ἀναβραττομένων μβ8. 368 ᵇ29 (cf Lob Path II 371 ad I 110).

Λικύμνιος διθυραμβοποιός Ργ12. 1413 ᵇ13. Λικύμνιος ἐν τῇ τέχνῃ Ργ13. 1414 ᵇ17. 2. 1405 ᵇ7.

λιλαιόμενα χροὸς ἆσαι (Hom Δ 574) Ργ11. 1412 ᵃ1.

λιμήν. λιμένες χ ἐπίνεια Πη6. 1327 ᵃ33. λιμένες τῶν Συρακυσίων ρ9. 1429 ᵇ20. ἐν τῷ Ἀθηναίων λιμένι Ζιζ15. 569 ᵇ26. λιμένων φύλακες Πζ8. 1321 ᵇ26. — λιμένας εἰς Ἀχαϊκὺς (incerti poetae) Ργ6. 1407 ᵇ34.

λιμάζειν. τὸ ἐναπολειφθὲν χ λιμανάσον ὕδωρ μα14. 352 ᵇ35. ὅσοι ποταμοὶ λιμανάζυσιν εἰς ἕλη ἢ ὅσα ἕλη λιμανάζονται πκε2. 938 ᵃ3, 4. ὕδωρ ἐν τῷ ὁμαλῷ λιμανάζει, opp εἰς τὸ κάταντες θᾶττον ῥεῖ πκς36. 944 ᵇ9. τόποι λιμανάζοντες μα3. 340 ᵇ37. μόριον τῆς φλεβὸς ἐν ᾧ λιμανάζει τὸ αἷμα

Ζιγ3. 513 ᵇ4. — λιμανάζειν impersonaliter videtur usurpatum esse μα14. 351 ᵇ8, 352 ᵃ5, 14. β2. 356 ᵃ7.

λιμναῖος. τὰ λιμναῖα, sc ζῷα Ζιθ3. 593 ᵇ24. referuntur inter τὰ ἔνυδρα Ζια1. 487 ᵃ27. τὰ λιμναῖα ὄρνεα Ζγγ1. 751 ᵇ12. Ζιζ8. 564 ᵃ13. θ12. 597 ᵇ20. φ6. 810 ᵃ24. τῶν ἰχθύων οἱ λιμναῖοι χ οἱ ποτάμιοι Ζιζ14. 568 ᵃ11. θ20. 602 ᵇ20. 30. 607 ᵇ34. — τὸ λιμναῖον, sc ὕδωρ f 207. 1515 ᵇ25.

λιμνασία πκε2. 938 ᵃ7.

λίμνη. ἡ ὑπὸ τὸν Καύκασον λίμνη, λίμναι μεγάλαι ἐν τῷ Καυκάσῳ μα13. 351 ᵃ8, 350 ᵃ31, 35. προσοικεῖν λίμνας Πα8. 1256 ᵃ36. αἱ ἐγχέλυς μεταβαλλόμεναι εἰς τὰς ἐγχελυώνας ἐκ τῶν λιμνῶν Ζιθ2. 592 ᵃ16. κεστρέων τι γένος ἐν τῇ λίμνῃ τῇ ἐν Σιφαῖς Ζμδ1. 696 ᵃ5. Ζπ7. 708 ᵃ4. ἐγχύσεως γενομένης ἐγένοντο λίμναι χ χέρσοι μα14. 352 ᵇ34. λίμναι τελματώδεις, διαμένυσαι Ζιζ16. 570 ᵃ8, 11. προλιμνάδες τῶν ποταμῶν χ τῶν λιμνῶν Ζιζ14. 568 ᵃ20. ὅταν ἡ λίμνη ξηρὰ γένηται πκγ34. 935 ᵃ18. λίμναι, dist θάλαττα πκγ6. 932 ᵃ27. 33. 935 ᵃ9.

λιμνίον ἔχον ὅσον ἀσπίδος τὸ περίμετρον θ112. 840 ᵇ33.

λιμνοθάλαττα. ἐν ταῖς λιμνοθαλάτταις χ πρὸς ταῖς ἐκβολαῖς τῶν ποταμῶν Ζγγ11. 761 ᵇ7. Ζιθ13. 598 ᵃ20.

λιμνόστρεα. referuntur inter τὰ τραχυόστρακα χ παχυχειλῆ, τὰ ὀστρακηρὰ Ζιδ4. 528 ᵃ23, 29. Ζγγ11. 763 ᵃ30. τὰ λιμνόστρεα καλύμενα, ὅπυ ἂν βόρβορος ἦ, ἐνταῦθα συνίσταται πρῶτον αὐτῶν ἡ ἀρχή· οἱ πιννοτῆραι ἐν τοῖς λιμνοστρέοις Ζιε15. 547 ᵇ11, 29. Ζγγ11. 763 ᵃ30. ἔχει τὰ ᾠὰ τῦ ἔαρος Ζγγ11. 763 ᵇ12. (lemnostrea Thomae. cf C II 439. S I 315. Limnaceae Ferussac, minus recte. fort Ostrea edulis, ὄστρεα, Pectunculus pilosus, Spondylus gadaeropus ΑΖγ 37. ΑΖι I 179, 26. Ostrea cochlear Mr 234.)

λιμνώδης. τὰ τελματιαῖα χ ὅσα λιμνώδη μβ1. 353 ᵇ24. — ὁ Πόντος ἐστι λιμνώδης διὰ τὸ πολλὺς ποταμὺς εἰς αὐτὸν ῥεῖν πκγ6. 932 ᵃ28.

λινόζωστις, βοτάνη φτβ6. 827 ᵃ2. (de accentu Lob Par 450. Mercurialis annua L Fraas 91. Langk Bot der spät Griech p 15, 7).

λίνον. ὁ σῖτος χ τὸ λίνον μεταβάλλονται εἰς ἕτερον εἶδος φτα7. 821 ᵃ31. (cf Nicol Damasc ed Meyer 101, Albert Magn ed Jessen 94. Oribas I 556.) — ἡ λίνον λίνῳ συνάπτειν Φγ6. 207 ᵃ17, cf παροιμία. — τὰ ἀπὸ λίνων ξυόμενα Ζγε3. 783 ᵃ10. (Linum usitatissimum L.)

λινῦς. σφαῖρα λινῆ Ζιι3. 616 ᵃ6.

Λιπάρα νῆσος θ34. 832 ᵇ29. 37. 833 ᵃ12. 38. 833 ᵃ15. κ4. 395 ᵇ21. μία τῶν Αἰόλυ καλυμένων θ101. 838 ᵇ31 (cf Fuhr Pytheas p 20, 25). — ἡ Λιπαραίων πόλις μβ8. 367 ᵃ6.

λιπαρόμματοι χ γλαφυροὶ χ λευκόχροοι φ3. 808 ᵃ34.

λιπαρός. πᾶν τὸ λιπαρὸν γλίσχρον ἢ πυρός, ὅτε γῆς ὅτε ὕδατος ἀλλὰ πνεύματος, τὰ λιπαρὰ ἄσηπτα· αἴτιον δ' ὅτι ἀέρος, τὸ λιπαρὸν θερμόν, ἐκ εὐξήραντον, κῦφόν ἐστι χ ἐπιπολάζει ἐν τοῖς ὑγροῖς Ζμβ5. 651 ᵃ24. 9. 672 ᵃ8, 21. cf θ11. 690 ᵇ31. Ζγβ2. 735 ᵇ25. ε3. 782 ᵇ4. μκ5. 466 ᵃ24. ἡ θάλαττα ἧττον σβέννυσι τὸ πῦρ διὰ τὸ λιπαρωτέρα εἶναι πκγ15. 933 ᵃ19. Sch Theophr IV 633. ἔχει τινὰ γλισχρότητα τὸ λιπαρὸν Ζγβ6. 743 ᵇ15. — ὀσμὴ λιπαρὰ ψβ9. 421 ᵃ30. αι5. 443 ᵇ10. ὁ λιπαρὸς τῦ γλυκέος ἐστὶ χυμός αι4. 442 ᵃ17, 23. ψβ10. 422 ᵇ12. ἐν τῷ ζῴῳ τὸ λιπαρὸν γλυκύ πκ5. 467 ᵃ4. λιπαρόν, dist πίον αι2. 438 ᵃ21. μδ9. 387 ᵇ6, 388 ᵃ8. χ1. 791 ᵇ23. πκα13. 928 ᵇ4. αὐχμηρόν Ζιγ17. 520 ᵃ27. cf Ζμβ6. 651 ᵇ28. — τὸ διηθύμενον τῆς αἱματώδεος τροφῆς λιπαρόν Ζμδ3. 677 ᵇ26. τὰ ἀκρωτήρια τῦ τῶν ἀρρένων σώματος λιπαρώτερα φ2.

806 ᵇ33. ἡ μελανία τᾶ κέρατος καλὴ ᶍ λιπαρά Ζu45. 630 ᵃ35.

λιπαρότης. ἡ λιπαρότης ᶍ τὸ πῖον τᾶ μυελᾶ Ζμβ7. 652 ᵃ29. ἡ λιπαρότης ᶍ ἡ γλισχρότης τῶν φυτῶν μκ6. 467 ᵃ8. ἐν γάλακτι λιπαρότης ἐλαιώδης Ζγ20. 522 ᵃ21.

λίπος. τὸ ἄναιμον ζῷον ἔτε λίπος ἔτε γλυκὺ ἔχει μκ5. 467 ᵃ3. ἡ θάλαττα ἔχει ἐν αὐτῇ λίπος πκγ38. 935 ᵇ20.

λιπότης, iq λίπος φτβ2. 823 ᵇ15.

λιποψυχεῖν (v l λειποψυχεῖν). οἱ σφόδρα (ἰσχυρῶς) λιποψυχήσαντες ᶍ δόξαντες τεθνάναι υ3. 456 ᵇ15, 12.

λιποψυχία (v l λειποψυχία). def ἀδυναμία αἰσθήσεων υ3. 455 ᵇ5, 6.

λίσσωμα. τᾶ κρανία κορυφῇ καλεῖται τὸ μέσον λίσσωμα τῶν τριχῶν Ζια7. 491 ᵇ6.

λίσσωσις. γίνονταί τινες δίκορυφοι, ᶒ τῷ ὀστῷ ἀλλὰ τῇ τῶν τριχῶν λισσώσει Ζια7. 491 ᵇ8.

λιτὸς λόγος, syn ἁπλᾶς, opp ποικίλος Ργ16. 1416 ᵇ25.

λίτρα πόσον δύναται f 436. 1550 ᵃ12. 467. 1554 ᵇ44, 1555 ᵃ7. ζημιῶν πεντήκοντα λίτρας f 436. 1550 ᵃ11, 14.

λίτρον (v l νίτρον). ἄλες μᾶλλον λίτρᾳ ὀσμώδεις αι5. 443 ᵃ13. cf Plat Tim 65 D, 60 D. v νίτρον.

λίφαιμοι σαρκῶν σύριγγες (Emp 343) αν7. 473 ᵇ9.

λιχανός. ἐὰν τὴν λιχανὸν ἤ τινα ἄλλον φθόγγον κινήσῃ πιθ20. 919 ᵃ17.

λιχνεία τῆς φύσεως (τῶν ὄφεων) Ζμβ17. 660 ᵇ9.

λίχνος. λίχνον ζῷον ἡ τενθρηδών Ζu43. 629 ᵃ33. οἱ ὄφεις λιχνότατοι τῶν ζῴων εἰσὶν Ζθ4. 594 ᵃ6. cf Langk Ζμ 691 ᵃ9 et Thurot obs crit p 1 adn.

Λίψ μβ6. 363 ᵇ19, 23, 364 ᵃ16, ὑγρός μβ6. 364 ᵇ18, 25. πκς26. 942 ᵇ25. λίβες περὶ τὴν μετοπωρινὴν μάλιστα πνέωσιν μβ6. 364 ᵇ2. λὶψ ἀπὸ τῆς χειμερινῆς δύσεως x4. 394 ᵇ27. ὄνομα ἔχει ἀπὸ Λιβύης σ973 ᵇ1. f 238. 1521 ᵇ33.

λοβός. 1. ὠτὸς μέρος τὸ μὲν ἀνώνυμον, τὸ δὲ λοβὸς Ζια11. 492 ᵇ15. cf Rufus p 26: λοβὸς δὲ τὸ ἐκκρεμές, ὅπερ ᶍ μόνον Ἀριστοτέλης φησὶ τᾶ ὠτὸς ὀνομάζεσθαι, τὰ δ' ἄλλα ἀνώνυμα εἶναι. — 2. ἥπατος λοβοί. cf Plat Tim 71 C. ὁ καλλιώνυμος ἐπὶ τᾶ λοβᾶ τᾶ δεξιᾶ καθημένην ἔχει χολὴν πολλὴν f 298. 1529 ᵇ10.

λογίζεσθαι. 1. numerare, computare τι1. 165 ᵃ10. μβ5. 362 ᵇ24. οβ1348 ᵃ23. — 2. ζητεῖν ᶍ λογίζεσθαι Ηζ10. 1142 ᵇ2, 15. τὸ βελεύεσθαι ᶍ λογίζεσθαι ταὐτόν Ηζ2. 1139 ᵃ12. 5. 1140 ᵃ30, 26. διὰ πολλῶν συνορᾶν ᶍ λογίζεσθαι πόρρωθεν Ρα2. 1357 ᵃ4. λογίζεσθαι ἐπ' ἀμφότερα τζ6. 145 ᵃ18. μὴ λογιζόμενος τὸ ἀδύνατον εἶναι Μθ4. 1047 ᵇ7. τὸ λογίζεσθαι πότερον ἴδιον τᾶ λογιστικᾶ τε8. 138 ᵃ4.

λογικός, cf Wz II 353. προτάσεις λογικαί, dist ἠθικαί, φυσικαί τα14. 105 ᵇ20-29. λογικὰ προβλήματα, πρὸς ἃ λόγοι γένοιντ' ἂν συχνοὶ ᶍ καλοί τε1. 129 ᵃ17, 30, 21. λογικὸς λόγος ὁ ἐκ ψευδῶν ἐνδόξων δέ (syn διαλεκτικός) τθ12. 162 ᵇ27. πρὸς τὰς λογικὰς δυσχερείας, συκοφαντίας Μγ3. 1005 ᵇ22 Bz. v1. 1087 ᵇ20. ηεβ3. 1221 ᵇ7. ἔχει δ' ἀπορίαν λογικὴν Φγ3. 202 ᵃ22. λογικὸς συλλογισμός, opp ἀπόδειξις Αδ8. 93 ᵃ15 Wz (aliter ὁ λογικὸς συλλογισμὸς opponitur τῷ ῥητορικῷ συλλογισμῷ, i e τῷ ἐνθυμήματι Ρα1. 1355 ᵃ13). ἀπόδειξις λογικὴ Μν1. 1087 ᵇ21. λέγω λογικὴν ἀπόδειξιν διὰ τᾶτο, ὅτι ὅσῳ καθόλε μᾶλλον, πορρωτέρω τῶν οἰκείων ἐστὶν ἀρχῶν Ζγβ8. 747 ᵇ28, 748 ᵃ7-11. τῶν εἰρημένων ἔνια λογικά ἐστιν Αγ24. 86 ᵃ22. sed ᶍ διὰ λογικωτέρων ᶍ ἀκριβεστέρων λόγων (i e ex eiusmodi rationibus, quae accuratius ex ipso λόγῳ, ex notione idearum petitae sunt, cf λόγος II 1 f) ἔστι πολλὰ συναγαγεῖν Μμ5. 1080

ᵃ10 Bz. ἑτέρας διατριβῆς ᶍ τὰ πολλὰ λογικωτέρας ηεα8. 1217 ᵇ17. — ἀρεταὶ λογικαί (cf λόγος III), opp ἠθικαί, syn διανοητικαί Ηβ7. 1108 ᵇ9. — τᾶ λογικᾶ ζῴᾳ τὸ μέν ἐστι θεός, τὸ δ' ἄνθρωπος, τὸ δὲ οἷον Πυθαγόρας f 187. 1511 ᵃ43. — λογικῶς θεωρεῖν, opp ἐκ τῶν κειμένων Αγ32. 88 ᵃ19, 30. λογικῶς ἐπισκοπεῖν, opp λόγοι οἰκεῖοι· λογικῶς σκοπεῖσθαι, σκοπεῖν, opp φυσικῶς Φγ5. 204 ᵇ4, 10. Γα2. 316 ᵃ11. λογικῶς ζητεῖν Μλ1. 1069 ᵃ28. εἰπεῖν τι λογικῶς Μζ4. 1029 ᵇ13, 1030 ᵃ25. 17. 1041 ᵃ28. λογικῶς ᶍ κενῶς ηεα8. 1217 ᵇ21. — λογικώτερον δ' ἔστιν ἐπιχειρεῖν ᶍ ὧδε Οα7. 275 ᵇ12.

λόγιον. τὰ ἀπὸ σημείων ᶍ λογίων Ρβ5. 1383 ᵇ6.

λόγιος περὶ τὴν ὅλην φύσιν Πβ8. 1267 ᵇ28. οἱ λόγιοι τῶν ἐκεῖ κατοικέντων Πη10. 1329 ᵇ8.

λογισμός 1. cf λογίζεσθαι 1. λογισμοί, coni γεωμετρία, ἰατρική Αγ32. 88 ᵇ12. ἀρχὴ ἡ ληψομένη λογισμὸν ᶍ προσευθύνεσα Πζ8. 1322 ᵇ9. — 2. cf λογίζεσθαι 2. ἡ ἀπορία ἰσότης ἐναντίων λογισμῶν τζ6. 145 ᵇ2, 17. ὁ λογισμὸς ἐπιδέχεται τὸ ψεῦδος Αδ19. 100 ᵇ7. τὸ τῶν ἀνθρώπων γένος ζῇ ᶍ τέχνῃ ᶍ λογισμοῖς ΜΑ1. 980 ᵇ28 Bz, reliqua praeter hominem animalia ἐκ ἔχεσι λογισμόν, νόησιν, διάνοιαν ψβ3. 415 ᵃ8. γ10. 433 ᵃ12, ᵇ29. εὔβυλος ὁ τᾶ ἀρίστε στοχαστικὸς κατὰ τὸν λογισμὸν Ηζ8. 1141 ᵇ14. τὰ προφανῆ ἀν ἐκ λογισμᾶ ᶍ λόγε τις προέλοιτο Ηγ11. 1117 ᵃ21. πράττεται διὰ λογισμὸν τὰ δοκᾶντα συμφέρειν Ρα10. 1369 ᵇ7. ἀρχὴ τᾶ λογισμᾶ, dist ἀρχὴ τῆς πράξεως Φβ9. 200 ᵃ23. ὁ λογισμὸς ἀρχὴ ὀρέξεως ηεβ1. 1220 ᵃ1. ἡ κατὰ τὴν προαίρεσιν κίνησις ᶍ κατὰ τὸν λογισμὸν Μδ5. 1015 ᵃ33. ὁ λογισμὸς ᶍ ὁ νᾶς προϊᾶσιν ἐγγίνεσθαι πέφυκεν (opp θυμός, βέλησις, ἐπιθυμία) Πη15. 1334 ᵇ24. λογισμός, dist θυμός f 96. 1493 ᵇ32. 97. 1493 ᵇ37. τὰ κατὰ λογισμὸν ἢ θυμὸν ἁμαρτηθέντα Ηγ3. 1111 ᵃ34. προεγείραντες ἑαυτὲς ᶍ τὸν λογισμὸν ἐχ ἡττῶνται ὑπὸ τᾶ πάθες Ηη8. 1150 ᵇ24. ᶍ χρῆται λογισμῷ τὸ πάθος Πε10. 1312 ᵇ29. ἐκκρέειν τὸν λογισμὸν Ηγ15. 1119 ᵇ10. ἐξίστασθαι τᾶ λογισμᾶ ρβ8. 1429 ᵃ17. κατέχειν τῷ λογισμῷ τὴν ἐπιθυμίαν αρ2. 1250 ᵃ11. 5. 1250 ᵇ13.

λογισταί, coni εὔθυνοι, ἐξετασταί Πζ8. 1322 ᵇ11. ἀρχαὶ Ἀθήνησι f 406. 1546 ᵃ4, 21. 407. 1546 ᵃ26. διέφερον τῶν εὐθύνων f 406. 1546 ᵃ10.

λογιστήριον. λογισταὶ ᶍ λογιστήρια, ἀρχή τις παρ' Ἀθηναίοις f 406. 1546 ᵃ4.

λογιστικός. ζῷα λογιστικά ψγ11. 434 ᵃ7. φαντασία πᾶσα ἢ λογιστικὴ ἢ αἰσθητικὴ ψγ10. 433 ᵇ29. λογιστικὴ ὄρεξις, opp ἀλόγιστος Ρα10. 1369 ᵃ2. τὸ λογιστικὸν μέρος τῆς ψυχῆς, syn βελετικόν, dist ἐπιστημονικὸν Ηζ2. 1139 ᵃ12. τὸ λογιστικὸν μόριον τῆς ψυχῆς, syn διανοητικὸν μα1. 1182 ᵃ20, 18. τὸ λογιστικὸν μέρος τῆς ψυχῆς, dist τὸ θυμικὸν (θυμοειδές), τὸ ἐπιθυμητικὸν (ex sententia Platonis) ψγ9. 432 ᵃ25. τδ5. 126 ᵃ8, 13. ε1. 129 ᵃ11sqq. 8. 138 ᵃ34, ᵇ. τὸ λογιστικὸν μέρος ψυχῆς πρῶτε τε8. 138 ᵇ13. cf Φδ3. 210 ᵃ30. τὸ λογιστικὸν τι7. 147 ᵇ32. τᾶ λογιστικᾶ ἀρετὴ φρόνησις τε6. 136 ᵇ11. 5. 134 ᵃ34. ζ6. 145 ᵃ29. αρ1. 1249 ᵃ31, ᵇ30. 2. 1250 ᵃ5. 3. 1250 ᵃ16. οἱ ἔχοντες λογιστικὸν τε1. 128 ᵇ39.

λογογράφος. πάσχεσί τι οἱ ἀκροαταὶ ᶒ ᶒ κατακόρως χρῶνται οἱ λογογράφοι Ργ7. 1408 ᵃ34. ζηλωτοὶ ὧν ἔπαινοι ᶍ ἐγκώμια λέγονται ὑπὸ ποιητῶν ἢ λογογράφων Ρβ11. 1388 ᵇ22. Χαιρήμων ἀκριβὴς ὥσπερ λογογράφος Ργ12. 1413 ᵇ13.

λογοδέστερον. ἄλογον τύτι ᶍ λογοδέστερον (v l ἀλογωδέστερον, fort λογοδεέστερον?) πν2. 481 ᵇ27.

λόγος. I vox, lingua, sermo. 1. τῷ λόγῳ χρῆται μόνος τῶν ζῴων ὁ ἄνθρωπος, τὰ δὲ λόγῳ ὕλη ἡ φωνή Ζγε7. 786 b21. πια 55. 905 a21. Πα1. 1253 a9, 14 (dist φωνή a10). τὸ στόμα, ἡ γλῶττα, οἱ ὀδόντες τᾶ λόγᾶ ἕνεκα Ζμβ16. 660 a1. 17. 660 a23. γι. 662 a21. Ζγε8. 788 b6. ὁ ἄνευ λόγᾶ 5 ἀδὼν, μέλος ἄνευ λόγᾶ πιθ10. 918 a29. 27. 919 b27. ἔκ ἔστι τῷ λόγῳ χρῆσθαι πρὸς τὴν αὔλησιν Πθ6. 1341 a25. ποιεῖσθαι τὴν μίμησιν ἐν ῥυθμῷ ᵹ λόγῳ ᵹ ἁρμονίᾳ ποι. 1447 a22. λόγος ἀνιέμενος, ἐπιτεινόμενος (Vahlen Poet IV 369 ad πο25. 1461 a23). τι7. 169 a29. ὁ ἐν τῇ φωνῇ, μετὰ 10 φωνῆς λόγος Μγ5. 1009 a22. Κ6. 4 b35. ζητεῖ (τὸ ἄρχον) διαφορὰν εἶναι ᵹ σχήμασι ᵹ λόγοις ᵹ τιμαῖς Πα12. 1259 b8. ὁ διὰ τῆς φωνῆς λόγος σύγκειται ἐκ τῶν γραμμάτων Ζμβ16. 660 a3, καταμετρεῖται συλλαβῇ βραχείᾳ ᵹ μακρᾷ Κ6. 4 b33. λόγος ἐστὶ φωνὴ σημαντική, ἧς τῶν μερῶν τι 15 σημαντικόν ἐστι κεχωρισμένον ὡς φάσις, ἀλλ' ἔχ ὡς κατάφασις ε4. 16 b26. cf πο20. 1457 a23 (Steinthal Gesch p 233, 247). ὁ λόγος ἐὰν μὴ δηλοῖ ὃ ποιήσει τὸ ἑαυτᾶ ἔργον Ργ2. 1404 b2. ὁ λόγος αἴτιός ἐστι τῆς μαθήσεως ἀκᾶστός ὤν αι1. 437 a12. ὁ ἔξω λόγος, opp ὁ ἔσω (ἐν τῇ 20 ψυχῇ) λόγος (cf λόγος II) Αγ10. 76 b24-27 Wz. Steinthal p 187. — λόγος, opp διάνοια. ᾗ πρὸς τὸν λόγον ἀλλὰ πρὸς τὴν διάνοιαν ἡ ἀπάντησις αὐτῶν Μγ5. 1009 a30. cf Ρα13. 1374 b12. ᵹ τῶν πεπεισμένων ᵹ τῶν τᾶς λόγᾶς μόνον λεγόντων Μγ6. 1011 a4. Ηη5. 1147 a19. λόγος (verba 25 inania, nugas) ὑπολημπτέον Ηκ9. 1179 a22. ὁ Σιμωνίδᾶ μακρὸς λόγος Μν3. 1091 a8 (Simonid fr 189). λόγᾶ χάριν, opp ὡς ἀληθῶς Πγ9. 1280 b8, 7. κατὰ μεταφορὰν λέγεται ἔχειν κέρας ᵹ λόγᾶ χάριν Ζιβ1. 500 a4. λόγᾶ χάριν λέγειν, opp τὰ δοκᾶντα λέγειν τθ9. 160 b21. cf Μγ5. 1009 a21 Βz. 30 6. 1011 b2. 7. 1012 a6. Φα2. 185 a6. ἔστω γὰρ λόγᾶ χάριν (exempli gratia) Ηζ13. 1144 a33. — 2. verbum. ἑνὶ δὴ λόγῳ Ηβ1. 1103 b21. — διπλοῖς ὀνόμασι χρῶνται, ὅταν ὁ λόγος εὐσύνθετος, οἷον τὸ χρονοτριβεῖν Ργ3. 1406 a36. — σκέψις διὰ λόγων, dist δι' 35 αὐτᾶ τᾶ πράγματος τι7. 169 a40. — 3. oratio. σύγκειται ἐκ τριῶν ὁ λόγος, ἔκ τε τᾶ λέγοντος ᵹ περὶ ᾶ λέγει ᵹ πρὸς ὃν Ρα3. 1358 a38. τίνα δεῖ πραγματευθῆναι περὶ τὸν λόγον Ργ1. 1403 b7. λόγᾶ μέρη τινὰ ἀναγκαῖα Ργ13. λόγᾶς συγγράφειν σΡ37. 1444 b4. οἱ γραφόμενοι λόγοι Ργ1. 1404 a0 40 a18. ᵹ γεγραμμένοι λόγᾶς λέγομεν σΡ37. 1444 a19. λόγᾶς ποιεῖσθαι πρὸς τὴν ἑτέραν στάσιν σβ1348 a36 (aliter πεποίηνται λόγον περὶ τᾶ ἀπείρᾶ fere i q εἰρήκασι Φγ4. 203 a2). ἀποκρίνασθαι δεῖ πρὸς τὰ ἀμφίβολα διαιρᾶντα λόγῳ ᵹ μὴ συντόμως Ργ18. 1419 a20. πόθεν ἔστι τὰ μήκη τῶν 45 λόγων Ργ13. 1434 b1-10. ἔχ ὑπολείπει Γοργίαν ὁ λόγος Ργ17. 1418 a35. κατὰ τὰ πεπραγμένα τᾶς λόγᾶς ἀποδιδόναι ρ39. 1445 b25. τῶν μερῶν ᵹ τῶν ὅλων λόγων αἱ τελευταὶ ρ21. 1433 b30. αἱ περίοδοι αἱ μακραὶ ᾶσαι λόγος γίνεται Ργ9. 1409 b25. λόγος πρῶτος, ὕστερος ρ37. 1443 50 b21. 19. 1433 a40. cf 401. 1545 a18. λόγος, opp ἐπίλογος Ργ19. 1420 b3. τρία γένη τῶν λόγων τῶν ῥητορικῶν, συμβᾶλευτικῶν, δικανικῶν, ἐπιδεικτικῶν Ρα3. 1358 b7. δικανικοὶ λόγοι Ἰσοκράτειοι f 134. 1501 a5. λόγοι δικανικοὶ, δημηγορικοὶ, πολιτικοὶ Ηκ10. 1181 a4. ρ2. 1421 b7. σΡ37. 1444 b4. 55 λόγοι ῥητορικοὶ τι34. 183 b27. λόγοι ἴδιοι, opp αἱ κοιναὶ ἰδέαι ρ3. 1423 a16. λόγοι γελοῖοι τι33. 182 b15. λόγοι ἀσχήμονες Πη17. 1336 b14. λόγος ἡδυσμένος ὁ ἔχων ῥυθμὸν ᵹ ἁρμονίαν ᵹ μέλος πο6. 1449 b28. λόγος ἀκριβὴς Ργ17. 60 1418 b1. λόγος ἀπλᾶστερος, ποικίλος, λιτός Ργ16. 1416 b24, 25. λόγοι ἠθικοὶ Ρβ18. 1391 b22. 21. 1396 b14. λόγοι

V.

πιθανοὶ Ρβ18. 1391 b8. — ἐκ τῶν λόγων ἐνίων ἐξαιρεθέντων συνδέσμων ἔκ ἔστιν ὁ λόγος Ἑλληνικὸς πιθ20. 919 a23. — λόγος i q διάλογος: Αἰσχύλος τὸν λόγον (opp τὰ χορικὰ) πρωταγωνιστὴν κατεσκεύασεν πο4. 1449 a17. οἱ Σωκρατικοὶ λόγοι πο1. 1447 b11. cf II 4c. — 4. narratio, commentum, dictum. λόγοι Αἰσώπειοι (cf οἱ Αἰσώπᾶ μῦθοι μβ3. 356 b11), Λιβυκοὶ Ρβ20. 1393 a30. τὰ παραδείγματα ᵹ οἱ λόγοι μαρτυρίαις ἐοίκασιν πιη3. 916 b33 (syn μῦθοι b35). λόγος ἀρχαῖος, παλαιός, πάτριος Φβ4. 196 a14. κ6. 397 b13. 7. 401 b25. ὡς λόγος, ὡς φησιν ὁ λόγος (i e ὡς λέγεται) κ6. 398 a13. Πθ4. 1338 b36. τὴν οἰκᾶμένην ὁ πολὺς λόγος εἰς νήσᾶς ᵹ ἠπείρᾶς διεῖλεν κ3. 392 b20. λέγεταί τις περὶ τᾶ τόκᾶ λόγος πρὸς μῦθον συνάπτων Ζιζ35. 580 a14. οἱ συστήσαντες τὸν περὶ Ἄτλαντος λόγον, syn μῦθον Οβ1. 284 a21, 19. λόγος argumentum, fabula carminis alicuius epici vel dramatici, syn μῦθος. τῆς Ὀδυσσείας μικρὸς ὁ λόγος πο17. 1455 b17 (cf μῦθος b8). τᾶς λόγᾶς μὴ συνίστασθαι ἐκ μερῶν ἀλόγων πο24. 1460 a27 (cf 15. 1454 b6). καθόλᾶ ποιεῖν λόγᾶς ᵹ μῦθᾶς πο5. 1449 b8. cf Πη17. 1336 a30. Vhl Poet I 34. — 5. oratio pedestris. λόγοι, opp ποίησις Ργ2. 1405 a4, 7. 3. 1406 a13, 12. ἑτέρα λόγᾶ ᵹ ποιήσεως λέξις ἐστίν· τὸ ἰαμβεῖον τῶν λόγᾶ τῶν μέτρων ὁμοιότατον Ργ1. 1404 a28, 31. ἐπὶ τῶν λόγων, ἐν λόγοις, opp ἐπὶ τῶν ἐμμέτρων πο6. 1450 b15, 6. 22. 1459 a13. ᾶκ᾽ ᾶδὲ ᾶ ἐμμέτρᾶς τᾶς καλᾶμένᾶς Σώφρονος μίμᾶς μὴ φῶμεν εἶναι λόγᾶς f 61. 1486 a10. Bernays Tragöd p 186. λόγος ῥητορικός, opp ποίησις Ργ2. 1404 b21. ἡ τῶν ψιλῶν λόγων λέξις, opp ἐπὶ τῶν μέτρων Ργ2. 1404 b14, 33 (aliter ψιλοὶ λόγοι opponuntur τοῖς σὺν μέλει λόγοις πο1. 1447 a29, b25. cf 2. 1448 a11). — 6. λόγοι saepe usurpatur, ubi ad alias eiusdem libri partes vel ad alios libros lectores relegantur (possunt haec etiam referri ad II, 4 et 5). ἐν τοῖς κατ' ἀρχὰς λόγοις Ζγδ8. 776 b10. εἴρηται ἐν τοῖς πρώτοις λόγοις Φθ8. 263 a11. Ζμδ5. 682 a3. Μβ2. 997 b4. π1. 1045 b32. Πγ18. 1288 b38. δ10. 1295 a4. η3. 1325 a31. εἴρηται κατὰ τᾶς πρώτᾶς λόγᾶς Πγ6. 1278 b18. διείλομεν ἐν τοῖς προτέροις λόγοις Φζ9. 239 b14. εἰρήκαμεν ἐν τοῖς πρότερον λόγοις Γαδ8. 325 b34. ἐν τοῖς πρὸ τᾶτων λόγοις Πζ4. 1318 b7. ἐν τοῖς ἐπάνω λόγοις Μγ8. 1012 b6. ἐν τοῖς ἄνω ᵹ τοῖς σύντομοις λόγοις Ζγγ7. 757 a28. ἐν τοῖς περὶ ᾶσίας, περὶ κινήσεως λόγοις Μι2. 1053 b18. Γα3. 318 a4, 317 b14. ἐν τοῖς ἐξωτερικοῖς λόγοις, διὰ τῶν ἐξωτερικῶν λόγων, cf Ἀριστοτέλης p 104 b44. ἐν τοῖς ἐκδεδομένοις λόγοις πο15. 1454 b18. οἱ κατὰ φιλοσοφίαν λόγοι, ἐν οἷς διώρισται περὶ τῶν ἠθικῶν Πγ12. 1282 b19. οἱ ἀκροατικοὶ λόγοι f 612. 1581 a21. ἐν τῷ λόγῳ γέγραπται ᵹεα8. 1218 a36. η12. 1244 b31.

II. λόγος ab oratione transfertur ad eas notiones ac cogitationes (cf ὁ ἔσω, ὁ ἐν τῇ ψυχῇ λόγος Αγ10. 76 b24-27, supra I 1), quae voce vel oratione significantur. 1. λόγος significat explicationem vel definitionem nominis alicuius. a. ᾶ γὰρ ἅπας λόγος ἐκ ῥημάτων ᵹ ὀνομάτων σύγκειται, οἷον ὁ τᾶ ἀνθρώπᾶ ὁρισμὸς πο20. 1457 a25, 30 (Steinthal p 237, 257). ὁ λόγος, ᾶ τὸ ὄνομα σημεῖον, ὁρισμός γίνεται Μγ7. 1012 a23. δεῖ τὸν ὁριζόμενον λόγον ἀντὶ τῶν ὀνομάτων τζ11. 149 a2. ᾶ ὅσοις τὸ ὄνομα ᵹ ὁ λόγος τὸ αὐτὸ σημαίνει τθ13. 162 b37. μεταλαμβάνειν τᾶς λόγᾶς ἀντὶ τῶν ὀνομάτων sim τε2. 130 a39. ζ4. 142 b3. 9. 147 b14. α5. 102 a1 sqq. Ργ6. 1407 b27-31. ε11. a129. Αα39. 49 b4. δ7. 92 b28, 31. τὸ ὄνομα ἀδιορίστως ἔχει, ὁ λόγος διορίζει Φα1. 184 b10. ἀναγκαῖον ἐξ ὀνομάτων

Iii

εἶναι τὸν λόγον Μζ15. 1040 ᵃ10. ὁ ὅρος λόγος μακρός Μη3. 1043 ᵇ26. ἄλλος ὁρισμὸς πλεονάζων τῷ λόγῳ Μα2. 994 ᵇ18 Bz. ὁ κατὰ τὔνομα λόγος τα15. 107 ᵃ20. ὁ κατὰ τὔνομα λόγος τῆς ὐσίας Κ1. 1 ᵃ2 (Steinthal p 205). μεταφέρειν τὔνομα ἐπὶ τὸν λόγον τβ6. 112 ᵃ32 (Steinthal p 189). χ̣ ἐν αὐτοῖς τοῖς λόγοις λανθάνει παρακολοῦθῶν τὸ ὁμώνυμον τα15. 107 ᵇ6. Φη4. 248 ᵇ17. τεθείη ἂν ἐφ' ἑκάστῳ λόγῳ ἕτερον ὄνομα Μγ4. 1006 ᵇ1, 5 Bz. λόγοι οἷς ὐ κεῖται ὄνομα Αα35. 48 ᵃ30. ψβ7. 418 ᵃ27. λόγος ὀνοματώδης Αδ10. 93 ᵇ30. λόγος, opp πρᾶγμα τζ7. 146 ᵃ3, 4, 13. λόγος εἷς ἐστι διχῶς, ὁ μὲν συνδέσμῳ ὥσπερ ἡ Ἰλιάς, ὁ δὲ τῷ ἓν καθ' ἑνὸς δηλοῦν μὴ κατὰ συμβεβηκός Αδ10. 93 ᵇ35. π020. 1457 ᵃ28. — b. notio. εἰ γάρ ἐστι σώματος λόγος τὸ ἐπιπέδῳ ὡρισμένον Φγ5. 204 ᵇ5. ὁ λόγος συνῳδός ἐστί τινι Ηα9. 1098 ᵇ31. ἐκ τὐ λόγȣ τὰ πάθη ἀποδιδόναι ψα5. 409 ᵇ15. ποιεῖσθαι τὸν λόγον, ποιεῖν λόγȣς τὐ συμβεβηκότος τζ5. 142 ᵇ21. β2. 109 ᵇ30. λαβεῖν τὸν λόγον Αα31. 46 ᵇ5 (cf τὸ τί ἐστι ᵃ37). ἐπιδέχεσθαι τὸν λόγον τινὸς τὸ1. 121 ᵃ12, 14. Κ9. 11 ᵃ8. λόγος ἀκριβής, ἀκριβέστερος. ἀκριβέστατος μδ12. 390 ᵃ19. Μζ4. 1030 ᵃ16. Πγ4. 1276 ᵇ24. ὁ οἰκεῖος λόγος τὐ προκειμένȣ τγ5. 119 ᵃ30. Μδ29. 1024 ᵇ33. λόγος ψευδής ὁ τῶν μὴ ὄντων ἢ ψευδής Μδ29. 1024 ᵇ26. εἰ μήτε καθ' ἕν μήτε πρὸς ἕν οἱ λόγοι ἀναφέρονται Μγ2. 1004 ᵃ25. οἱ περὶ τὐς λόγȣς, οἱ ἐν λόγῳ τε12. 173 ᵃ24, 25. οἱ ἐν τοῖς λόγοις (Platonici) Μθ8. 1050 ᵇ35 Bz. ἡ ἐν αὐτοῖς λόγοις σκέψις ΜΑ6. 987 ᵇ31. τὰ ἐν τοῖς λόγοις (i e τὰ εἴδη Plat), opp τὰ τινὰ Μζ13. 1038 ᵇ34. — c. ὁ μὲν λόγος τὐ καθόλȣ, ἡ δ' αἴσθησις τὐ κατὰ μέρος Φα5. 189 ᵃ7. Μζ10. 1035 ᵇ34. χ1. 1059 ᵇ26. τῷ λόγῳ καθόλȣ λαβεῖν, opp ἐπὶ τῶν καθ' ἕκαστα χ̣ αἰσθητῶν Ζχ1. 698 ᵃ11. ἄνευ τῆς ἐμπειρίας λόγον ἔχειν, syn τὸ καθόλȣ γνωρίζειν ΜΑ1. 981 ᵃ15, 21. λόγος γίνεταί τισιν ἐκ τῆς αἰσθήσεως Αδ19. 100 ᵃ2. γνωριμώτερα κατὰ τὸν λόγον, opp κατὰ τὴν αἴσθησιν Φα5. 188 ᵇ32, 189 ᵃ4. ψβ2. 413 ᵃ12. λόγος, opp ἐπαγωγή μδ1. 378 ᵃ20, 14. ὅσα ἀριθμῷ πολλά, ὕλην ἔχει· εἷς γὰρ λόγος ὁ αὐτὸς πολλῶν Μ8. 1074 ᵃ34. ὁ τὐ ἀγαθὐ λόγος ἐν ἅπασιν αὐτοῖς (τοῖς ἀγαθοῖς) ὁ αὐτὸς ἐμφαίνεται Ηα4. 1096 ᵇ21. τῶν καθ' ἕκαστον ἄλλο, τῷ καθόλȣ δὲ λόγῳ ταὐτὰ Μ5. 1071 ᵃ29. λόγος εἷς, ὁ αὐτός, καθόλȣ, κοινός, κοινότατος ψβ3. 414 ᵇ20, 23. 1. 412 ᵃ6. α1. 402 ᵇ5. Μμ4. 1079 ᵇ4. 8. 1084 ᵇ25. Ηα4. 1096 ᵇ1 (paullo aliter ὁ λόγος ὁ καθόλȣ Πγ15.1286ᵃ17 fere idem significat ac νόμος). — d. τῷ μὲν ἀριθμῷ ἕν, τῷ λόγῳ δὲ δύο (ὐχ ἕν, ὐ ταὐτό, ἄλλο) Φθ8. 262 ᵃ21, 263 ᵇ13. δ11. 219 ᵇ20, 11. Γα5. 320 ᵇ14. Ηα13. 1102 ᵃ5 ᵃ30. χωριστὸν λόγῳ, opp τόπῳ, μεγέθει Γα5. 320 ᵇ24. ψγ4. 429 ᵃ12. 9. 432 ᵃ20 Trdlbg. 10. 433 ᵇ24. ἀδιαίρετον κατὰ λόγον, κατὰ χρόνον Μμ8. 1084 ᵇ15. ἐν λόγῳ, ἀριθμῷ δ' ὐ Μν1. 1087 ᵇ12. χ̣ λόγῳ χ̣ ἀριθμῷ ἕν Μι3. 1054 ᵃ34. εἰ ὁ λόγος εἷς ἐστι Μγ4. 1006 ᵇ26, 3. 2. 1003 ᵇ24. ι1. 50 1052 ᵃ29, ᵇ1. Γα10. 338 ᵃ9. — e. διὰ τί εἷς λόγος ὁ ὁρισμός Μζ11. 1037 ᵃ19. αὐτὸς καθ' αὑτὸν πᾶς λόγος διαιρετός Μ16. 1016 ᵃ35. τὰ ἐν τῷ λόγῳ (i e notae notionis) Μζ7. 1033 ᵃ2. ὁ6. 1015 ᵇ25. 25. 1023 ᵇ23. Ζχ8. 702 ᵃ15. ἐνυπάρχειν ἐν τῷ λόγῳ Αγ22. 84 ᵃ16. Μδ18. 1022 ᵃ29. 28. 1024 ᵇ4. θ1. 1046 ᵃ28. Ζγ1. 778 ᵇ12. ἐνεῖναι ἐν τῷ λόγῳ Φα3. 186 ᵇ24. Μθ1. 1046 ᵃ16. τὰ τὐ λόγȣ μέρη (ν μέρος) Μζ10. 1035 ᵇ4, 34. 11. 1036 ᵇ5. μ4. 1079 ᵇ6. τὸ γένος ἐν τῷ εἴδει χ̣ ὅλως τὸ μέρος τὐ εἴδȣς ἐν τῷ τὐ εἴδȣς λόγῳ Φθ3. 210 ᵃ20. ὁ τῆς οἰκοδομήσεως λόγος ἔχει τὸν τῆς οἰκίας Ζμβ1. 646 ᵇ3. οἱ ὁριζόμενοι τὸ συνεχὲς

προσχρῶνται τῷ λόγῳ τῷ τὐ ἀπείρȣ Φγ1. 200 ᵇ19. ἐπ' ἀρχὴν τὴς λόγȣς ἀναλύειν Μχ6. 1063 ᵇ18. ὁ ὅλος λόγος, opp τὸ τελευταῖον εἶδος Μχ3. 1061 ᵃ23, 25. ἔστι χ̣ ἐν τῷ λόγῳ ἔνια μέρη ὡς ὕλη τὐ λόγȣ Φβ9. 200 ᵇ8 (cf ὕλη 6 extr). ἀεὶ τὐ λόγȣ τὸ μὲν ὕλη τὸ δ' ἐνέργειά ἐστιν Μη6. 1054 ᵃ34. — f. λόγος latius patet quam ὁρισμός. λόγος μὲν ἔσται ἑκάστȣ χ̣ τῶν ἄλλων τί σημαίνει, ὁρισμὸς δ' ὐκ ἔσται Μζ4. 1030 ᵃ14-17 (Bz p 309). Αδ7. 92 ᵇ30. πᾶς ὁρισμὸς λόγος τίς ἐστι τα5. 102 ᵃ5. itaque in definiendo ὁρισμῷ adhibetur λόγος, veluti ὅρος ἐστὶ λόγος ὁ τὸ τί ἦν εἶναι τῷ πράγματι δηλῶν τη3. 153 ᵃ15, 20, et λόγος definitur voc ὁριστικός addito, ὁ ὁριστικὸς λόγος Φα3. 186 ᵇ24. ψβ2. 413 ᵃ14. Μη3. 1043 ᵇ31. saepe tamen λόγος significationem ὁρισμῦ (notionis substantialis) assumit, ubi vel addita nota (τῆς ὐσίας, τὐ τί ἦν εἶναι al), vel iuxta posito nomine vel synonymo (ὐσία al) vel contrario (ὕλη al), vel ex ipso contextu significatio λόγȣ in artiores fines circumscribitur. ὁ λόγος τῆς ὐσίας (τῆς πρώτης ὐσίας, ὁ ἴδιος τῆς ὐσίας λόγος) Κ1. 1 ᵃ2 Wz. Μθ9. 1018 ᵃ10. ι3. 1054 ᵃ35. χ7. 1064 ᵃ22, 23. Γβ9. 335 ᵇ7. Ζμδ9. 685 ᵇ16. 13. 695 ᵇ19. Ζγα1. 715 ᵃ5. β1. 731 ᵇ19. ε1. 778 ᵃ34. ὁ λόγος ὁ δηλῶν (ὁρίζων) τὴν ὐσίαν τε2. 130 ᵇ27. ζ2. 140 ᵃ34. Ζμδ5. 678 ᵃ34. ὁ λόγος ὁ τὐ τί ἦν εἶναι Φβ3. 194 ᵇ27. Μδ2. 1013 ᵃ27. 29. 1024 ᵃ29. cf ι1. 1052 ᵇ3. ὁ λόγος ὁ τὸ τί ἦν εἶναι (τὸ τί ἐστι) λέγων Μδ6. 1016 ᵃ33. 13. 1020 ᵃ18. Φγ3. 202 ᵇ12. (λόγῳ, syn τῷ εἶναι α7. 449 ᵃ20, 16, 18.) τὸ τί ἦν εἶναι, ὁ λόγος ὁρισμός Μδ8. 1017 ᵇ22. χ4. 1030 ᵃ7. 12. 1037 ᵇ11. οἱ λόγοι τῶν ὅρων ψβ2. 413 ᵃ16 (cf Philop ad h l). λόγος, coni syn ὐσία, ὁ λόγος χ̣ ἡ ὐσία sim Μζ10. 1035 ᵇ26. μδ12. 389 ᵇ29, 390 ᵃ6. Ζμα1. 642 ᵃ20 (coni ὐσία et φύσις). coni syn τὸ τί ἦν εἶναι Με1. 1025 ᵇ29. Α10. 993 ᵃ17. ψβ1. 412 ᵇ16. τὸ εἶδος ὁ λόγος Μβ2. 996 ᵇ8. η4. 1044 ᵇ12. ψα1. 403 ᵇ2. εἶδος ὁ λόγος, λόγος χ̣ εἶδος Φδ1. 209 ᵃ22. α7. 190 ᵃ16, 191 ᵃ13 (opp στέρησις). ψα1. 403 ᵇ2. β2. 414 ᵃ13. Ζγβ1. 732 ᵃ4. Μλ2. 1069 ᵇ34. ν5. 1092 ᵇ24 (cf ὁ λόγος ᾧ εἶδη τὸ μὲν σάρξ τὸ δ' ὀστῦν Ζγβ1. 734 ᵇ33. τῷ λόγῳ ὐκ ἔστι γένεσις ὐδὲ φθορά Μζ15. 1039 ᵇ24. ὁ αὐτὸς λόγος δηλοῖ τὸ πρᾶγμα χ̣ τὴν στέρησιν Μθ2. 1046 ᵇ8). ὁ λόγος χ̣ ἡ μορφή Μη1. 1042 ᵃ28. λόγος, coni syn ὅρος, ὁρισμός Μη3. 1043 ᵇ29. Φβ9. 200 ᵃ35. coni syn τέλος, ὐ ἕνεκα Ζγα1. 715 ᵃ8, 5. ε1. 778 ᵇ10. Ζμα1. 639 ᵇ15. Γβ9. 335 ᵇ7. coni syn ἐντελέχεια, ἐνέργεια ψβ2. 414 ᵃ27 (cf 4. 415 ᵇ14). Μη2. 1043 ᵃ13. λόγον idem esse atque ὁρισμόν e contextu intelligitur Μζ5. 1031 ᵃ7. 10. 1034 ᵇ11. 11. 1036 ᵇ13. 13. 1038 ᵇ20. λ3. 1070 ᵃ30. 9. 1075 ᵃ3. Ζγβ1. 735 ᵃ2 al. τὸν λόγον ἔχειν χ̣ τὰς αἰτίας γνωρίζειν ΜΑ1. 981 ᵇ6. cf 3. 983 ᵃ28. ὁ σὺν τῷ αἰτίῳ λόγος Μη4. 1044 ᵇ15. ἡ ὐσία ἡ κατὰ τὸν λόγον Με1. 1025 ᵇ27. ζ10. 1035 ᵇ13, 15. η1. 1042 ᵃ31 Bz. μ8. 1084 ᵇ11. ψβ1. 412 ᵇ10, 20. τὸ εἶδος τὸ κατὰ τὸν λόγον Με1. 1025 ᵇ27. ψβ1. 412 ᵇ10, 20. 2. αἱ εἰ ἐν τῷ λόγῳ ἀρχαί (principia formalia) Μβ1. 996 ᵃ1 Bz. τὰ μὲν κινȣ̂ντα αἴτια, τὰ δ' ὡς ὁ λόγος Μλ3. 1070 ᵃ22. — λόγος, opp ὕλη μδ12. 390 ᵃ6, ᵇ18. ψβ4. 416 ᵃ18. (κατὰ τὸν λόγον, opp κατὰ τὴν ὕλην ΜΑ5. 986 ᵇ19. Γα2. 317 ᵃ24. opp κατὰ τὴν αἴσθησιν ΜΑ5. 986 ᵇ32. δ11. 1018 ᵇ32.) αἱ ἀρχαὶ αἱ ἐν τοῖς λόγοις χ̣ αἱ ἐν τῷ ὑποκειμένῳ Μβ1. 996 ᵃ2. ἐν τῇ ὕλῃ τὸ ἀναγκαῖον, τὸ δ' ὐ ἕνεκα ἐν τῷ λόγῳ Φβ9. 200 ᵃ15. ἡ ἀναγκαία φύσις, opp ἡ κατὰ τὸν λόγον φύσις Ζμγ2. 663 ᵇ23. ὁ λόγος, dist τὸ σύνολον Μζ15. 1039 ᵇ20. cf η3. 1043 ᵃ37. ὁ λόγος ὁ μετὰ τῆς ὕλης, σὺν τῇ ὕλῃ, συνειλημμένος μετὰ

τῆς ὕλης, σὺν τῇ ὕλῃ Μι9. 1058 ᵇ10, 18. ζ15. 1039 ᵇ22-
27. κ7. 1064 ᵃ28. λόγοι ἔνυλοι ψα1. 403 ᵃ25. λόγος ἄνευ
τῆς ὕλης, ἐν τῇ ὕλῃ Οα9. 278 ᵃ24, 4. ψβ12. 424 ᵃ24, 18.
ὁ διὰ τῶν διαφορῶν λόγος τῦ εἴδης ἐστίν, ὁ δ' ἐκ τῶν
ἐνυπαρχόντων τῆς ὕλης Μη2. 1043 ᵃ2. cf ι9. 1058 ᵇ1, 15. 5
— λόγῳ πρότερον vel ita usurpatur ut distinguatur ab eo
quod est ὑσίᾳ πρότερον Μμ2. 1077 ᵇ1-14, 1078 ᵃ10. ι3.
1054 ᵃ28. θ8. 1049 ᵇ12, 1050 ᵃ4. Φθ9. 265 ᵃ23 (cf ψβ4.
415 ᵃ19, ubi Themistii, non Trdlbgii explicatio probanda
est), vel ut idem sit ac πρότερον ὑσίᾳ Μζ1. 1028 ᵃ32 Bz. — 10
2. λόγος i q enunciatum. πρότασίς ἐστι λόγος καταφατικὸς
ἢ ἀποφατικὸς τινὸς κατά τινος Αα1. 24 ᵃ16 (Steinthal
p 192). ἐξ ὀνομάτων κ̣ ῥημάτων ὁ λόγος συνέστηκεν Ργ2.
1404 ᵇ26. λόγος ἀποφαντικός ε4. 17 ᵃ2, 6. 5. 17 ᵃ8, 12.
λόγος ἀποφαντικός τίς εἶς ε5. 17 ᵃ15. λόγος καταφατικός, 15
ἀποφατικός Κ10. 12 ᵇ8 al. λόγος καθόλυ, ἐν μέρει, ἀδιόρι-
στος Αα1. 24 ᵃ17. λόγος ψευδὴς Κ5. 4 ᵃ24. — inde ex-
plicatur, quod λόγος praedicatum significare potest, οἱ λόγοι,
syn πᾶν τὸ περί τινος κατηγορύμενον τα8. 103 ᵇ2, 7. cf τζ10.
148 ᵃ10-13, quamquam hic locus etiam ad II 1 a referri 20
potest. — 3. λόγος i q συλλογισμός. συλλογισμός ἐστι
λόγος ἐν ᾧ τεθέντων τινῶν κτλ Αα1. 24 ᵇ18. λόγος συλλο-
γιστικός Αα25. 42 ᵃ36. ὗτος ὁ λόγος ὁ συλλελόγισται Αα25.
42 ᵃ39. λόγος ψευδής, syn ψευδὴς συλλογισμός Αβ18. 66
ᵃ16, 19. τὸν αὐτὸν λόγον δεῖ καλεῖν τὸν παρὰ ταὐτὸ γενό- 25
μενον τι33. 182 ᵇ9. — 4. λόγος i q ratio, argumentum,
ratiocinatio. α. ὁ λόγος τῆς ὁρισμὸς ἢ ἀπόδειξις ψα3. 407
ᵃ25. ὗτω πᾶς λόγος ἢ πᾶσα ἀπόδειξις γίγνεται Μκ6. 1063
ᵇ10, 11. cf coni syn ἀπόδειξις Μμ3. 1077 ᵇ21. Αγ6. 74
ᵇ27. syn δεικνύναι ΜΑ9. 990 ᵇ12, 9. μ4. 1079 ᵃ8. λόγος 30
κ̣ ἐπίστημαι Μμ3. 1077 ᵇ27. cf θ2. 1046 ᵇ7. coni syn
αἰτία, τῆς λόγυς κ̣ τὰς αἰτίας ζητεῖν, ἀποδιδόναι Οβ13.
293 ᵃ25. Ζμα1. 639 ᵇ18. Μζ17. 1041 ᵃ17. οἱ λόγοι τῆς
αἰτίας περὶ τεράτων κ̣ περὶ ἀναπήρων παραπλήσιοι Ζγδ3.
769 ᵇ28. λόγος δὲ τῦτυ ὅδε, λόγος δὲ ὅδε, λόγος δὲ ὅτι 35
Αα46. 51 ᵇ10. ε12. 21 ᵇ14. Μθ8. 1050 ᵇ8. Ζγβ1. 734 ᵃ29.
λόγος δὲ τύτων ἐν ἑτέροις Μδ30. 1025 ᵃ33. διὰ τὸν τῆς
ὁμοιότητος λόγον Οβ13. 296 ᵃ20. κατὰ μὲν τῦτον τὸν λόγον
φανερὸν ὅτι Μθ8. 1050 ᵇ3. βέλτιον πρὸς τὸ κρῖναι τῶν ἀμ-
φισβητύντων λόγων ἀκηκοέναι πάντων Μβ1. 995 ᵇ4. προ- 40
ακηκοέναι τὰ τῶν ἀμφισβητύντων λόγων δικαιώματα Οα10.
279 ᵇ9. ὁ ἐναντίος ἀμφισβητύντων λόγος τὰναντία ἐρεῖ Μη3. 1090 ᵇ2.
ὁ λόγος ἢ τῶν ἀεὶ ὄντων ἢ τῶν ὡς ἐπὶ τὸ πολύ, opp πα-
ράλογος Φβ5. 197 ᵃ19, 18. λόγος, opp τύχη Γβ6. 333
ᵇ16, 11. — b. ratiocinationi saepe opponitur sensuum 45
evidentia. ἡ πίστις ὑ μόνον ἐπὶ τῆς αἰσθήσεως ἀλλὰ
κ̣ ἐπὶ τῦ λόγυ Φθ8. 262 ᵃ19. κατὰ τὸν λόγον, κατὰ
τὴν αἴσθησιν Ζμβ8. 653 ᵇ22, 30. γ4. 666 ᵃ13, 19, 20.
Ζγα2. 716 ᵃ18, 19. β4. 740 ᵃ5, 4. Ζια6. 491 ᵃ25. Φθ3.
253 ᵃ33. Γα8. 325 ᵃ14. β10. 336 ᵇ17. μα7. 344 ᵃ6. ζ2. 50
468 ᵃ28. Πη7. 1328 ᵃ20 (paullo aliter πν4. 482 ᵇ19, 21).
τῷ λόγῳ, opp ὁρῶμεν, ὄψις Οα5. 272 ᵃ6. μα6. 343 ᵇ32,
30. Ζμδ5. 680 ᵃ2. ὅ τε λόγος τοῖς φαινομένοις μαρτυρεῖ
κ̣ τὰ φαινόμενα τῷ λόγῳ Οα3. 270 ᵇ4. κατὰ τὸν λόγον,
opp κατὰ τὰ φαινόμενα sim μβ5. 362 ᵇ14. δ1. 378 ᵃ20, 55
14. ψβ2. 414 ᵃ25. 7. 418 ᵇ24. γ4. 469 ᵃ28. 3. 469 ᵃ23.
Μν1. 1087 ᵇ1. Ρβ22. 1396 ᵇ3, ᵃ34. τῇ αἰσθήσει μᾶλλον
τῶν λόγων πιστευτέον, κ̣ τοῖς λόγοις, ἐὰν ὁμολογύμενα
δεικνύωσι τοῖς φαινομένοις Ζγγ10. 760 ᵇ27-33. μαρτυρεῖ
τὰ γιγνόμενα τοῖς λόγοις Πη14. 1334 ᵃ6. cf α5. 1254 ᵃ20. 60
ἐκ τῦ λόγυ, opp ἐκ τῶν ὑπαρχόντων, συμβαινόντων Γα2.

316 ᵃ8. Ζγγ10. 760 ᵇ28. λόγος, opp ἔργον, ἔργα, veluti
λαμβάνυσι τὰ μαρτύρια τῶν λόγων ἐξ αὐτῶν τῶν ἔργων
sim Πθ5. 1340 ᵇ7. η1. 1323 ᵇ6, ᵃ40. 4. 1326 ᵃ29, 26. 14.
1333 ᵇ15. Μλ7. 1072 ᵃ22. Ζγα21. 729 ᵇ8, 22. οα5. 1344
ᵇ9. cf Ρα13. 1374 ᵇ19. ἐπὶ μὲν τῶν λόγων, ἐπὶ δὲ τῶν
πραγμάτων Γα8. 325 ᵃ18. λόγος, opp ἐπαγωγή, ἐπακτικῶς
σκοπεῖν Ζμβ1. 646 ᵃ30. Φδ3. 210 ᵇ9. ἔκ τε τῶν εἰρημένων
δῆλον κ̣ κατὰ τὸν λόγον καθόλυ σκοπυμένοις Ζγα20. 729
ᵃ24. δῆλον κ̣ διὰ τῦ λόγυ κ̣ τῦ λόγῳ χωρὶς αι1. 436 ᵇ7.
— c. genera τῦ λόγυ adiectivis distinguuntur. λόγος συμ-
πεπερασμένος, μὴ συμπεπερασμένος τθ11. 162 ᵃ4. 12. 162
ᵃ36. λόγος ἀποδεικτικοί Ρα8. 1366 ᵃ9. β1. 1377 ᵇ23. λόγοι
διδασκαλικοί (syn ἀποδεικτικοί) τι2. 165 ᵃ39, ᵇ2, 1. (διδα-
σκαλίας ἐστὶν ὁ κατὰ τὴν ἐπιστήμην λόγος Ρα1. 1355 ᵃ26.)
ἀναγκαστικοί Γα2. 315 ᵇ21. ἐνθυμηματικοί, dist διὰ παρα-
δείγματος Ρα2. 1356 ᵇ23. ἐπακτικοί Μμ4. 1078 ᵇ28. δια-
λεκτικοί τα12. 105 ᵃ10. ι2. 165 ᵇ3. (κατὰ τῆς λόγυς, i e
in arte dialectica, opp ἐν τοῖς μαθήμασιν τθ3. 159 ᵃ1, 158
ᵇ29. οἱ ἐν τοῖς λόγοις ἔλεγχοι πο25. 1461 ᵇ16.) ἐπιχειρη-
ματικοί μν2.451. πειραστικοί τι2. 165 ᵃ39, ᵇ4. ἐριστικοί τι2.
165 ᵃ39, ᵇ7 (syn ἀγωνιστικοί ᵇ11). Φα2.185ᵃ8. Μγ7. 1012
ᵃ19. ατ969 ᵇ14. σοφιστικοί τι1. 165 ᵃ34. Γε8. 1307 ᵇ36.
Ρα4. 1359 ᵇ12. γ2. 1405 ᵇ9. ατ969 ᵇ24. λόγοι φυσικοί
Γα2. 316 ᵃ13. Ηγ15. 1154 ᵇ7. λόγος ἠθικός Ρα8. 1366 ᵃ9.
λόγος ἰατρικός Μκ3. 1061 ᵃ4. λόγοι μαθηματικοί, dist Σω-
κρατικοί Ργ16. 1416 ᵃ19. λόγοι οἰκεῖοι Φθ8. 264 ᵃ7 (opp
λογικῶς ἐπισκοπεῖν). λόγος καθόλυ λίαν κ̣ κενός Ζγβ8. 748
ᵃ8. λόγοι ἀναιρετικοὶ κ̣ κοινοὶ ηεα8. 1217 ᵇ18. λόγος λογι-
κός, def τθ12. 162 ᵇ27. διὰ λογικωτέρων κ̣ ἀκριβεστέρων
λόγων Μμ5. 1080 ᵃ10. λόγος δῆλος τθ12. 162 ᵃ35. δριμύς
τι33. 182 ᵇ32-183 ᵃ13. λόγος ἐπιεικής, εὐκαταφρόνητος τι83.
183 ᵃ19, 20. λόγος μαλακός Μν3. 1090 ᵇ8. ἀσθενὴς ατ969
ᵇ14, 971 ᵃ3. φαῦλος τθ11. 161 ᵇ7, 15. 12. 162 ᵇ28. 14.
164 ᵇ9. ψευδὴς τθ12. 162 ᵇ8 sqq. πλασματίας Ζγβ1. 734
ᵃ33. Μμ2. 1076 ᵃ39. — d. formulae ex voc λόγος cum
verbis coniuncto. τῆς λόγυς ἀποδιδόναι τα15. 106 ᵃ3 (paullo
aliter λόγον ἀποδιδόναι τῶν λαμβανομένων κ̣ δαπανωμένων
Πε11. 1314 ᵇ4). λόγον δῦναι κ̣ λαβεῖν τι1. 165 ᵃ27. λόγος
ὥσπερ εὐθύνας δεδωκέναι ψα4. 407 ᵇ28 (? Bernays Dial
p 17). λόγον λαβεῖν τι34. 183 ᵇ5. λόγον ὑπέχειν Αβ19.
66 ᵃ32. γ12. 77 ᵇ3, 5 (περὶ τινος ἔκ τινος). τα1. 100 ᵇ20.
β5. 112 ᵃ5. ι34. 183 ᵇ5. Μγ6. 1011 ᵃ22, 24. Ρα1. 1354
ᵃ5. ὑπομένειν λόγον Μιγ4. 1006 ᵃ26. ἐξετάζειν τὸν λόγον
Ζγα18. 722 ᵃ1. ἀπαιτεῖν λόγον Μκ6. 1063 ᵇ8. οἱ λόγυ δεό-
μενοι κ̣ μὴ κολάσεως ἢ αἰσθήσεως τα11. 105 ᵃ4. ζητεῖν
λόγον ὧν βέλτιον ἔχομεν ἢ λόγυ δεῖσθαι Φθ3. 254 ᵃ31.
ζητεῖν λόγον Μγ4. 1006 ᵃ14. 6. 1011 ᵃ12. 7. 1012 ᵃ21.
λόγυς πορίσασθαι πρός τι τθ3. 158 ᵇ6. ἡ ῥητορικὴ κ̣ ἡ δια-
λεκτικὴ δυνάμεις τινές εἰσι τῦ πορίσαι λόγυς Ρα2. 1356
ᵃ34. λόγυς αἰτεῖσθαι πρός τι τβ5. 111 ᵇ7. ζ4. 141 ᵇ19.
(τύτων ἐν παραδρομῇ πεποιήμεθα τὸν λόγον Πη17. 1336
ᵇ24.) διαπορῆσαι τῷ λόγῳ Μβ1. 996 ᵃ17. ἐπελθεῖν τὸν
αὐτὸν λόγον Φθ5. 256 ᵃ22. πάντας τῆς οἰκείας ἐπεξελθεῖν
λόγυς Πη1. 1323 ᵇ39. πάντα πλείονος λόγυ διελθεῖν Μβ2.
998 ᵃ10. διαφεύγει τι τὸν λόγον μβ3. 357 ᵇ22. ὁ λόγος
δηλοῖ, δῆλον ποιεῖ Μζ9. 1034 ᵇ8. Πγ8. 1279 ᵇ5. ὁ λόγος
ὑπέθετο Αδ4. 91 ᵃ14. ἐνδιατρίφειν ὁ λόγος μβ3. 357 ᵃ4.
λέγειν ὁμολογύμενα τύτῳ τῷ λόγῳ Ζγα18. 722 ᵇ9. συμ-
βαίνει ἐκ τῶν λόγων Πβ2. 1261 ᵃ12. Μη1. 1042 ᵃ18. cf
β3. 998 ᵇ3. κ6. 1063 ᵇ9. τῷ λόγῳ ἀκολυθῦσι φαίνεται
ἄτοπον Ηε14. 1137 ᵇ2. λύειν τὸν σοφιστικὸν λόγον Ργ2.

1405 b9, cf λύειν. ὕτως ἂν λύοιτο ὁ λόγος αι6. 445 b19. ἢ ἄνευ λόγε δοκεῖ τι Ηε6. 1131 a13. οἱ λόγοι ὐκ αὐτάρκεις εἰσὶ πρὸς τὸ ποιῆσαι ἐπιεικεῖς Ηκ10. 1179 b4. ὐκ ἔστι πάντων λόγος Μγ6. 1011 a9, 12. λόγοι γίνονται πρός τι τβ5. 112 a4, 8. λόγος ἐστὶ περί τινος, πρός τι Φα2.185 b24, a1. τι10. 170 b13. πολλοὶ λόγοι πρὸς αὐτὰ καταβέβληνται Ηα3.1096 a9, cf καταβάλλειν.— ὁ αὐτὸς ἁρμόσει λόγος περὶ τύτων, ἐπὶ τύτων (cf τὸ αὐτὸ ἁρμόσει λέγεσθαι τα6. 102 b28) τὸ4. 125 b14. Φδ1. 209 a9. 8. 214 b23. μγ3. 372 b15. Ζμβ12. 657 a22. Πγ11. 1281 b19. saepius brevior formula elliptica usurpatur, εἷς λόγος ᾧ μία αἰτία ἐπὶ πάντων Μζ17. 1041 a17. περὶ πάντων κοινός ὁ λόγος Μζ9. 1034 b9. ὁ αὐτὸς λόγος ἐπὶ τύτυ (eadem ratio valet, idem dici potest) ε9. 19 a27. τι22.178 b29. Φθ10.267 a8. Ζγα18. 722 a11. Μβ5. 1002 a25. γ4. 1007 a1. ζ6. 1032 a4. η6. 1045 b12. θ8. 1049 b16. ι2. 1054 a4. μ7.1082 a33 (cf τὸν αὐτὸν λόγον ἐρήμει, λέγυιμεν Μζ17. 1041 b24. μα3. 339 b37). ὁ αὐτὸς λόγος περὶ τύτυ Οα3. 270 a12. Γα7. 324 a24. μβ3. 357 b34. ψβ11. 422 b17. Ζγβ1. 735 a5. Μι10. 1059 a7. μ2. 1076 b36. 3. 1078 a14. ὁ αὐτὸς λόγος κατὰ τύτων Ζγγ10. 759 b35. ὁ αὐτὸς ἕξει λόγος Οα9. 279 a4. ὁ αὐτὸς ἔσται λόγος, ὁ αὐτὸς λόγος absolute Μζ17. 1041 b21. 12. 1037 b21. β5. 1002 b9. ε3. 1027 b7. Αα23. 41 a18. Φα5. 188 b16. Γα2. 316 b2. τῦ αὐτῦ λόγῳ ἀμφότερα ταῦτά ἐστι sim Μβ2. 998 a13. η3. 1044 a7. μ2. 1076 b16. 8. 1083 a27. τῦ αὐτῦ λόγῳ seq infinitivo, veluti πάντα φθείρεσθαι ἢ πάντα μένειν Ζγβ1. 734 a12. α18.724 a8. Φζ1. 231 b18. Μμ2. 1076 b2. ν1.1087 b22 (αν14. 477 b28). τῦ αὐτῦ λόγῳ πότερον ... ἢ Ζγα17. 721 b7. κατὰ τὸν αὐτὸν λόγον Φα5. 188 b10. μβ2. 354 b10. Μμι10. 1086 b29. διὰ τὸν αὐτὸν λόγον Μζ3. 1029 a7. μ2. 1076 b27. τῷ αὐτῷ λόγῳ ΜΑ8. 989 b11. μ2. 1076 b20. 4. 1078 b33. ἐπὶ τῶν φυσικῶν ὑσιῶν ἄλλος λόγος Μη4. 1044 b6. ἄλλος (ἕτερος) λόγος περί τινος Αγ31. 88 a8. αι6. 446 b27. μκ2. 465 a19. Πγ11. 1281 a39. ἄλλος (ἕτερος) λόγος, ἔστω seq enunciatione interrogativa Οδ4. 312 a2. ψβ7. 419 a7. μν1. 450 a9. ζ2. 468 b1. Ζγα20. 729 a16. δ1. 764 a23. Με4. 1027 b24. Πβ9. 1271 a20. πλ1. 954 a11 (cf πο4. 1449 a9). — ἔχειν λόγον multifariam usurpatur. ἔχειν λόγον τῦ πατρός, τῶν φίλων Ηα13. 1102 b32. Ρβ6. 1384 a26 (cf οἱ ἄξιοι λόγυ Ρβ24. 1401 a23. ηεα5. 1216 b2. γ2. 1231 a2). τῦτο περὶ τὴν τῆς τροφῆς σκέψιν οἰκείως ἔχει τὸς λόγυς Ζμβ7. 653 b15 (cf ἄλλος λόγος, supra a33-38). τῆς αὐτῆς ἐπιστήμης περὶ τῆς ὑσίας ἐστὶ λόγον ἔχειν Μγ2. 1004 a33. γελοῖον τὸ ζητεῖν λόγον πρὸς τὸν μηθενὸς ἔχοντα λόγον (cf ὑπέχειν λόγον) Μγ4. 1006 a14. ἔχειν λόγον (rationem, argumentationem) ἐναντίον ταῖς δόξαις τα11. 104 b24, 28. τῦτο ἔχει λόγον (i e εὐλογόν ἐστιν), ἔχει λόγον seq infinitivo Ζγβ5. 741 a16. γ10. 760 b17. Μβ2. 996 b9. αν14. 477 b14. τῦτο ἔχει τινα λόγον, ἔχει τινα λόγον seq infinitivo Φα6. 189 a21, b18. μι1. 462 b17. Ζγδ1. 765 b1. Ηι2. 1095 a30. Πα6.1255 b4. ἔχει τινα ἀληθῆ λόγον Μγ5. 1010 a17. ἧττον ἔχει λόγον Ζγγ11.763 a5. (τυγχάνυσι λόγυ Ηα3. 1095 b21. ζητεῖ τινα τῦτο λόγον Γα3. 318 a31. ἢ ἀδύνατον ἢ πολλῦ δεῖται ὁ λόγος Μβ4. 1000 b32. cf Ζγδ7. 764 b23.) perinde atque ἔχειν λόγον etiam κατὰ λόγον συμβαίνειν, γίγνεσθαι sim idem fere significat atque εὐλόγον, εὐλόγως ε13. 22 a14. Φγ7. 207 a33, b1. θ1. 250 b23. Ογ8. 306 b16. Γα7. 324 a14. β3. 330 b2, 7. Ζιζ37. 580 b21. Ζωδ10. 689 a16. Ζγα8. 718 b5. γ5. 756 a15. 11. 762 a1. Μμ8. 1084 a10. ν1.1088 a4.

Πη7. 1328 a13. αν12. 476 b14. ρ9. 1429 a29, b7 (opp παρὰ λόγον, παρὰ τὸ εἰκός). τἆλλα ἐγίγνετο τὸ πρῶτον κατὰ λόγον (suo et iusto ordine) Ζικ7. 638 a13. Ζγδ7. 775 b30. παρὰ λόγον Ηι7. 1167 b19. — 5. λόγος i q disputatio, disquisitio de aliqua re, colloquium (hic usus ab eo, qui sub II 4 descriptus est, saepe vix potest distingui). οἱ λόγοι ᾧ ᾧ ἐκεῖνοί εἰσι μάλιστα περὶ τύτων Αα37. 43 a41. 13. 32 b20. πρὸς ποῖα ᾧ ἐκ τίνων οἱ λόγοι εἰσὶ τα4. 101 b12, 14. τοῖς ἔξωθεν λόγοις (Plato) πεπλήρωκε τὸν λόγον (disputationem de republica) Πβ6. 1264 b39. ὁ φαῦλος εἰς βελτίονας διατριβὰς ἀγόμενος ᾧ λόγυς Κ10. 13 a24. ὐκ ἂν εἴη τῷ τοιύτῳ λόγυ ὔτ᾽ αὐτῷ πρὸς αὐτὸν ὔτε πρὸς ἄλλον Μγ4. 1006 a23, b7 (cf ἀνήρηται τὸ διαλέγεσθαι b8). ἀναιρῦσι τὸ διαλέγεσθαι ᾧ ὅλως λόγον Μκ6. 1063 b11. ἐπὶ τύτων γὰρ ὁ λόγος εἴρηκεν Μν3. 1090 b13. πρὸς ἐκείνην τὴν σκέψιν δεῖ ἀπαντᾶν τὸν πλείω λόγον Μμι1. 1076 a30. ἐξ ἀπορίας περὶ ἧς ὁ λόγος ἐφέστηκε νῦν Μβ4. 999 a25. λεκτέον κατὰ τὸν ἐπιβάλλοντα λόγον Ζγα2. 716 a3. ἀλλ᾽ ὅθεν δὴ ὁ λόγος Μβ4. 1000 b9. μεταβαίνων ὁ λόγος εἰς ταὐτὸν ἀφῖκται Ηα5. 1097 a24. καίπερ ὄντος τοιύτυ τῦ παρόντος λόγυ Ηβ2. 1104 a10 (cf ἡ παρῦσα πραγματεία 1103 b26). — inde eo transfertur λόγος, ut eam rem significet de qua agitur ac disputatur. οἱ συνηθρευκότες ἤδη τῷ λόγῳ σοφοί ΜΑ5. 987 a3. κἂν μηδὲν διαφέρῃ πρὸς τὸν λόγον Οα11. 280 b3. εἶναι πρὸς τὸν λόγον, ὐκ εἶναι πρὸς τὸν λόγον Αγ23. 83 a34. τθ6. 159 b29. ι29. 181 a34. Φα2. 185 b12. θ6. 258 b13. τὸ προοίμιον δεῖγμά ἐστι τῦ λόγυ, ἵνα προειδῶσι περὶ ὗ ὁ λόγος Ργ14. 1415 a12. τὸν ἥττω λόγον κρείττω ποιεῖν Ρβ24. 1402 a24. — 6. λόγος i q δόξα, ὑπόληψις, ἀξίωμα. ὁ Ζήνωνος, ὁ Πρωταγόρυ λόγος sim Φθ8. 263 a5. Μγ5. 1009 a6. θ3. 1047 a6. α5. 1079 b20. οἱ Ἡρακλείτειοι λόγοι Μμ4. 1078 b14. (Πλάτων) κατέδειξεν οἰκείῳ τε βίῳ ᾧ μεθόδοισι λόγων f 623. 1583 a16. ὁ ἐν τῷ Ἱππία λόγος παρακρύεται Μθ29. 1025 a6. περὶ τὰ ἐνδεχόμενα ἡ αὐτὴ γίγνεται ψευδὴς ᾧ ἀληθὴς δόξα ᾧ ὁ λόγος ὁ αὐτὸς Μθ10. 1051 b14. ἐνίοτε μεταξὺ ὔτως ἀποφαίνεσθαι συμφώνως λόγυς Οβ1. 284 b5. cf praeterea Φδ7. 214 b4. Ογ6. 305 a16. Μθ3. 1047 a14. Πα1. 1252 a15. γ9. 1280 a28.

III. λόγος i q cogitandi ac ratiocinandi facultas. δυνάμεις μετὰ λόγυ (κατὰ λόγον), opp ἄλογοι ε13. 22 b38 sqq Μθ2. 1046 b2 Bz. 5. 1048 a2, 3, 13. τὰ κατὰ λόγον δυνατὰ τοῖς ἄνευ λόγυ δυνατοῖς ποιεῖ τἀναντία Μθ2. 1046 b23 ἐπιστήμη δύναμις τῷ λόγον ἔχειν Μθ2. 1046 b17. — τῶν θηρίων ἐνίοις φαντασία μὲν ὑπάρχει, λόγος δ᾽ ὐ ψγ3. 428 a24. διανοεῖσθαι ὐθενὶ ὑπάρχει ᾧ μὴ λόγυς ψγ3. 428 b14. ὁ ἄνθρωπος ζῇ ᾧ λόγῳ Πη13. 1332 b5. cf ὁ ἄνθρωπος ζῇ τέχνῃ ᾧ λογισμοῖς ΜΑ1. 980 b26. (in ambiguitate voc λόγος, quod et rationem et orationem significat, luditur p1. 1420 a22-1421 a25.) λέγυσιν ὐ καλῶς οἱ λόγυ τὸ ὅλως ἀποστερῦντες Πα13. 1260 b5, 1259 b28. ψυχῆς δὲ μόρια, τὸ μὲν λόγον ἔχον τὸ δὲ ἄλογον ψγ9. 432 a26 Ηα13. 1102 a28. Πα5. 1254 b9. 13. 1260 a6. η15. 1334 b19, 22. τὸ λόγον ἔχον διττόν, τὸ μὲν ὡς ἐπιπειθὲς λόγῳ τὸ δ᾽ ὡς ἔχον ᾧ διανοῦμενον Ηα6. 1098 a3. 13. 1103 a2 ζ2. 1139 a5. Πη14. 1333 a17. ὁ μὲν πρακτικός ἐστι λόγος ὁ δὲ θεωρητικὸς Πη14. 1333 a25. ἡ ψυχὴ ἐκ λόγυ ᾧ ὀρέξεως Πγ4. 1277 a7. λόγυ αἰσθάνεσθαι, opp παθήμασιν ὑπηρετεῖ Πα5. 1254 b23. ὅταν ὁ λόγος ᾧ αἱ ἐπιθυμίαι ἐναντίαι ὦσι ψι10. 433 b6. ἐπιθυμία μετὰ λόγυ, ἄλογος Ρα11. 1370 a19, 25. σπυδαῖοι γίγνονται διὰ τριῶν, ταῦτα δ᾽ ἐστὶ φύσι

ἔθος λόγος Πη13. 1332 ᵃ40. cf 15. 1334 ᵇ9, 15. θ3. 1338
ᵇ4. λόγῳ, syn μαθήσει Μθ5. 1047 ᵇ34. πειθαρχεῖν, ἀκολυ-
θεῖν τῷ λόγῳ Πδ11. 1295 ᵇ6, 8. πειθοῖ ἀκολυθεῖ λόγος
ψγ3. 428 ᵃ23. λόγῳ δοκιμάζοντες τὸ καλὸν αἱρῦνται ημα22.
1191 ᵇ19. τὰ προφανῆ κἂν ἐκ λογισμῦ ἢ λόγῳ τις προ-
έλοιτο (opp κατὰ τὴν ἕξιν) Ηγ11. 1117 ᵃ21. ἐκ ἐῶμεν
ἄρχειν ἄνθρωπον ἀλλὰ τὸν λόγον Ηε10. 1134 ᵃ35. ὁ λόγος
ἀρχιτέκτων Πα13. 1260 ᵃ19. ὁ λόγος ἀρχή ημβ6. 1203
ᵃ15sqq. δεῖ τὴν ὁρμὴν γενέσθαι ἀπὸ τῦ λόγυ, διὰ τὸν λόγον
ημα20. 1191 ᵃ22, 23. ὁ λόγος ὁ διδασκαλικὸς τῶν ἀρχῶν
Ηη9. 1151 ᵃ17. τῶν πρώτων ὅρων ἢ τῶν ἐσχάτων νῦς ἐστι
ἢ ὁ λόγος Ηζ12. 1143 ᵇ1. 9. 1142 ᵃ26. — ἡ εὐδαιμονία
ἐστὶ ψυχῆς ἐνέργεια κατὰ λόγον ἢ μὴ ἄνευ λόγυ Ηα7.
1098 ᵃ7, 8. Σωκράτης λόγυς τὰς ἀρετὰς ᾤετο εἶναι, ἐπι-
στήμας γὰρ εἶναι πάσας, ἡμεῖς δὲ μετὰ λόγυ Ηζ13. 1144
ᵇ29, 33. ἡ τέχνη ἕξις τις μετὰ λόγυ ἀληθῦς ποιητική, ἡ
φρόνησις ἕξις ἀληθὴς μετὰ λόγυ πρακτική Ηζ4. 1140 ᵃ21.
5. 1140 ᵇ5. τίς ἐστιν ὁ ὀρθὸς λόγος ἢ πῶς ἔχει πρὸς τὰς
ἄλλας ἀρετὰς Ηβ2. 1103 ᵇ34. ζ1. 1138 ᵇ34. ημβ10. αᵃ35.
1196 ᵇ6sqq. ὀρθὸς λόγος περὶ τῶν τοιῄτων ἢ φρόνησίς ἐστιν
Ηζ13. 1144 ᵇ28. τὸ μέσον ἐστὶν ὡς ὁ λόγος ὁ ὀρθὸς λέγει
Ηζ1. 1138 ᵇ20. ὡς ἂν ὁ ὀρθὸς λόγος προστάξῃ Ηγ8. 1114
ᵇ29. ὁ ὀρθὸς λόγος (syn ὡς δεῖ) Ηγ14. 1119 ᵃ20. ζ1.
1138 ᵇ29. ηεγ4. 1231 ᵇ33. ὡς ἂν ὁ λόγυ τάξῃ, κελεύῃ,
(syn ὡς δεῖ, opp ἄγεσθαι ὑπὸ τῦ πάθυς) Ηδ11. 1125 ᵇ35.
γ15. 1119 ᵇ17. ηεγ1. 1229 ᵃ7sqq. 5. 1233 ᵃ22. ὡς ὁ λόγος
(syn ὡς δεῖ) Ηγ10. 1115 ᵇ12, 19. ηεγ1. 1229 ᵃ2, ᵇ6. 6.
1233 ᵇ6. ὁ τὸν λόγον ἔχων Ηζ1. 1138 ᵇ22. κατὰ τὸν ὀρθὸν
λόγον Ηβ2. 1103 ᵇ32. ζ1. 1138 ᵇ25. 13. 1144 ᵇ23. μετὰ
τῦ ὀρθῦ λόγυ Ηζ13. 1144 ᵇ27. συμφωνεῖν τῷ λόγῳ Ηγ15.
1119 ᵇ16. κατὰ τὸν λόγον ζῆν Ηγ15. 1119 ᵇ15. κατὰ
λόγον Ηα1. 1095 ᵃ10. ι8. 1169 ᵃ5 (opp κατὰ πάθος). ηεγ7.
1234 ᵃ11. ἄνευ λόγυ Ηδ7. 1123 ᵇ22. παρὰ τὸν ὀρθὸν λό-
γον Ηε15. 1138 ᵃ10. ζ6. 1147 ᵇ31. η9. 1151 ᵃ12 (coni
καθ' ὑπερβολήν). παρὰ τὸν λόγον, syn μᾶλλον ἢ δεῖ Ηη6.
1148 ᵃ28, 30. 11. 1151 ᵃ35, 1152 ᵃ3. (formulae κατὰ τὸν
ὀρθὸν λόγον, κατὰ τὸν λόγον, παρὰ τὸν ὀρθὸν λόγον, παρὰ
τὸν λόγον proxime accedunt ad eum usum voc λόγος, qui
sub II 4 d p 436 ᵃ48–ᵇ4 et IV recensetur.)

IV. λόγος i q ratio mathematica (Verhältniss). λόγος
ἀριθμῶν, λόγος ἐν ἀριθμοῖς, veluti λόγος ἀριθμῶν ἡ συμ-
φωνία ΜΑ9. 991 ᵇ13, 17, 19. 5. 985 ᵇ32. ν5. 1092 ᵇ14.
Αδ2. 90 ᵃ18, 20, 22. λόγος ἢ συμφωνία ψγ2. 426 ᵃ28.
οἱ τῶν συμφωνιῶν λόγοι Οβ9. 290 ᵇ22. αἱ μὲν κατὰ τὴν
ἀκοὴν διέσεις ἀλλ' ἐν τοῖς λόγοις Μι1. 1053 ᵃ16. λόγος
μίξεως Μν5. 1092 ᵇ17-22. 6. 1092 ᵇ31. Ζμα1. 642 ᵃ22.
cf ψα5. 410 ᵃ2. αι3. 440 ᵃ19, 7. 448 ᵃ8. ἡ αἴσθησις λόγος
τις ἢ δύναμις μεγέθυς ψβ12. 424 ᵃ27. πέρας ἢ λόγος με-
γέθυς ἢ αὐξήσεως ψβ4. 416 ᵃ17. λόγος, coni συμμετρία,
ἀσυμμετρία Μχ3. 1061 ᵇ1. coni τάξις Φθ1. 252 ᵃ14. 50
πιθ38. 921 ᵃ3 (cf τῦτον ἔχει τὸν λόγον ὁ θεὸς ἐν κόσμῳ
χ6. 400 ᵃ3). coni διάθεσις ΜΔ5. 1001 ᵇ30. coni θέσις ημβ6.
363 ᵃ26. τὴν ἐσίαν ἔχει ἢ τὸν λόγον Ζμβ7. 652 ᵇ18. λόγῳ
τινὶ ἕκαστον γίνεται Ζγβ4. 740 ᵇ32. δ2. 767 ᵃ17, 19. cf
μδ1. 378 ᵃ33 Ideler. — λόγος ἡμιόλιος Ργ8. 1409 ᵃ6. 55
λόγοι ἐν ὅλοις ὅροις, syn ἐν ὅλοις ἀριθμοῖς Μθ5. 920 ᵃ28,
32. κατὰ λόγον μηδένα, καθ' ὑπεροχὴν δέ τινα ἢ ἔλλειψιν
ἀσυμμέτρων αι3. 439 ᵇ29, 440 ᵃ15. πλείονι λόγῳ ὑπερέχει
μχ5. 466 ᵇ1. cf Ζγβ6. 745 ᵃ30. τὸν τῦ μέσυ ἔχει λόγον
Ζγδ2. 767 ᵃ19. ἔχειν λόγον τινὰ πρός τι Οα7. 275 ᵃ18. αἱ
γραμμαὶ ἐν τύτῳ τῷ λόγῳ ἢ συσταθήσονται, συντίθενται

μγ5. 376 ᵃ2. μχ1. 848 ᵃ13. ἐν λόγῳ τινὶ φέρεσθαι μχ1.
848 ᵇ10. διεστηκέναι ἐν τύτοις τοῖς λόγοις, κατὰ τὸν λόγον
Ηε15. 1138 ᵇ8. Μθ11. 1018 ᵇ27. ὅμοιον τῷ λόγῳ τὸ μι-
κρὸν τετράπλευρον τῷ μείζονι μχ1. 848 ᵇ19. ἔχειν τὸν αὐτὸν
λόγον (τὸς αὐτὸς λόγος) μβ3. 340 ᵃ11. γ5. 376 ᵃ28. Φδ8.
215 ᵇ6 (syn ταύτην τὴν ἀναλογίαν ᵇ29). χ3. 793 ᵃ6. τετμῆ-
σθαι τὸν αὐτὸν λόγον, διαιρεῖσθαι κατὰ τὸν αὐτὸν λόγον
Φγ7. 207 ᵇ32. ζ2. 233 ᵃ4. ὁ αὐτὸς λόγος τθ3. 158 ᵇ35 Wz.
ἡ ἀναλογία ἰσότης ἐστὶ λόγων Ηε6. 1131 ᵃ31. τὰ ἀνὰ λό-
γον Αα46. 51 ᵇ24 Wz. γ24. 85 ᵃ38 (aliquoties Bk ἀνά-
λογον scribit, ubi alii editores ἀνὰ λόγον exhibent, veluti
μα2. 339 ᵃ18. 14. 351 ᵇ4. β5. 362 ᵇ32. γ2. 372 ᵃ5. 4. 375
ᵃ4. δ12. 390 ᵃ6. Ζγδ3. 768 ᵇ31. cf ἀνάλογον p 48 ᵇ1.)
κατὰ τὸν αὐτὸν λόγον Ζγε7. 788 ᵃ6. 3. 782 ᵃ20 (fere i q
eodem modo). κατὰ λόγον τῦ μεγέθυς, τῦ σώματος μβ9.
370 ᵃ6. Ζια17. 496 ᵇ15. β1. 500 ᵃ20, ᵇ8. γ11. 517 ᵇ27.
Ζγα20. 728 ᵇ16. Ζμβ9. 655 ᵃ7. 10. 686 ᵇ20. πδ6. 877
ᵃ17. κατὰ λόγον non addito genetivo μγ4. 375 ᵇ9. ΖιΖ2.
559 ᵃ21. ι42. 629 ᵃ4. Ζπ10. 710 ᵃ17. Ζγδ5. 773 ᵇ5. Ηα10.
1100 ᵃ23. 11. 1101 ᵃ17. πι62. 898 ᵃ21. ημβ11. 1211
ᵇ12. οβ1348 ᵇ26, 27. ἐλάττω κατὰ λόγον ΖιΖ18. 573 ᵃ5.
ἐλάττω, μεῖζον ἢ κατὰ λόγον ΖιΒ17. 508 ᵃ2. Ζμγ8.
671 ᵃ18. ἢ κατὰ λόγον ἢ ὑπεροχῇ ἀλλὰ πολὺ μεῖζον
f 589. 1574 ᵃ6. παρὰ λόγον μα14. 352 ᵇ33. λύεται ὁ
λόγος ψβ12. 424 ᵃ31. λόγος ἐδείς ἐστι τῦ ἀπείρυ πρὸς
τὸ πεπερασμένον, τὸ ἄπειρον πρὸς τὸ π. ἐν ἐδενὶ λόγῳ
ἐστίν, ἐδένα λόγον ἔχει Οα6. 274 ᵃ7. Φγ8. 207 ᵇ8. Φδ8.
215 ᵇ12, 16. — ἐν ἀγαθῷ λόγῳ γίνεται τὸ ἔλαττον κακὸν
πρὸς τὸ μεῖζον κακόν Ηε7. 1131 ᵇ21. ἐν τέρατος λόγῳ
ΖιΖ2. 559 ᵇ20. ἐν μορίυ λόγῳ Φγ6. 207 ᵃ27. ἐν φαρ-
μάκυ λόγῳ οα5. 1344 ᵇ10. οἱ ἐν ἐδενὶ λόγῳ ὄντες Ρβ2.
1379 ᵇ10.

λόγχη (fr trag adesp 59) πο16. 1454 ᵇ22. λόγχῃ φρονίοις ἐν
ἀγῶσι κρατήσας f 624. 1583 ᵃ28. λόγχης μόλις διαιρῦσι τὸ
τῶν βομβυκίων πήλινον Ζιε24. 555 ᵃ15.

λογχῦν. λελοχχωμένον δόρυ Ηγ2. 1111 ᵃ13.

λοιδορεῖν ἔνια οὐ νομοθέται κωλύυσιν Ηδ14. 1128 ᵃ31. λοι-
δορεῖν τὴν ἀβελτηρίαν οβ1352 ᵇ8. λοιδορεῖσθαι ἑαυτῷ ηεη6.
1240 ᵇ21.

λοιδόρημα τὸ σκῶμμά ἐστιν Ηδ14. 1128 ᵃ30.

λοιδορημάτιον (cf Ἀριστοφάνης p 105 ᵃ50) Ργ2. 1405 ᵇ32.
λοιδορητικὸς ηεβ3. 1221 ᵇ14.

λοιδορία. μάχη ἐκ λοιδορίας (Epicharm p 271 Lorenz) Ζγα
18. 724 ᵃ29. Μδ1. 1013 ᵃ10 Bz. 24. 1023 ᵃ30.

λοίδορος. τὸ λοίδορον φ4. 808 ᵇ37.

λοιμός. ὁ λοιμὸς μάλιστα τὸς πλησιάζοντας τοῖς θεραπευ-
ομένοις προσαναπίμπλησιν πα7. 859 ᵇ15. λοιμῦ κατασχόντος
f 454. 1552 ᵇ12, 24.

λοιμώδης. νόσημα λοιμῶδες Ζιθ19. 602 ᵇ12. ἔτος λοιμῦδες
πα21. 862 ᵃ5. τοῖς ποταμίοις ἰχθύσι λοιμῶδες ἐδὲν γίνεται
Ζιθ20. 602 ᵇ20. τὰ λοιμώδη πζ8. 887 ᵃ30.

λοιπός. ὁ μὲν — δεύτερος δὲ — λοιπὸν δὲ Πδ15. 1300 ᵃ13.
λοιπὸν δ' (int ἐστὶν) εἰπεῖν, διελθεῖν, σκέψασθαι sim μδ2.
379 ᵇ10. Πδ2. 1289 ᵃ35. 8. 1293 ᵇ22. η9. 1328 ᵇ24. Ζιε1.
539 ᵃ1. cf πν1. 481 ᵃ21. — ὁ λοιπός, τὸ λοιπόν, i q ὁ
ἕτερος, θάτερον Κ8. 10 ᵇ18. 11. 14 ᵃ8, 13, 34. πα1. 101 ᵃ2.
15. 106 ᵇ22. β6. 112 ᵃ26, 28, 30. 115 ᵃ12-24. π6. 127
ᵇ10. ζ11. 148 ᵇ25. η3. 154 ᵃ8. Φθ4. 254 ᵃ33. Ηε7. 1131
ᵇ25. — admodum frequens est usus voc λοιπός apud auto-
rem epistolae ad Alexandrum ρ1. 1420 ᵃ13, 1421 ᵃ8, 9,
11, 12, 13, 17 (Spgl p 97).

λόκαλος. ἔχει ἀποφυάδας Ζιβ17. 509 ᵃ21 (om Aᵃ cum vers Thomae et Gazae. κώκαλος ci Sylb, i q aluco Gesn. ardeae sp St. avis ignota S I 116. ΚαΖι 95, 50. ΑΖι I 101, 72).

Λοκροί. Λοκρῶν πολιτεία f 504. 505. τὰς νῦν Λοκρὰς Δέλεγας καλεῖ Ἀριστοτέλης f 483. 1549 ᵇ34. 509. 1561 ᵇ15. 519. 1563 ᵃ19. Ὀζόλαι Λοκροί f 520. 1563 ᵃ40. Ζάλευκος νομοθέτης Λοκροῖς τοῖς ἐπιζεφυρίοις Πβ12. 1274 ᵃ22. ἐν Δ. νόμος μὴ πωλεῖν τὴν οὐσίαν Πβ7. 1266 ᵇ19. ἡ Δ. πόλις ἀπώλετο ἐκ τῆς πρὸς Διονύσιον κηδείας Πε7. 1307 ᵃ38. Στησίχορος ἐν Δ. εἶπε Ρβ21. 1395 ᵃ1. Τίμαιος τί εἶπεν εἰς τὴν τῶν Λοκρῶν ἀποικίαν f 504. 1560 ᵇ33. Ὀνόμακριτος Λοκρός Πβ12. 1274 ᵃ27. Τίμαιος ὁ Δ. θ178. 847 ᵇ7.

Λοκρός, Φύσκω τῷ Ἀμφικτύονος υἱός f 520. 1563 ᵃ32.

λοξός. ἡ Ταπροβάνη, λοξὴ πρὸς τὴν οἰκυμένην κ3. 393 ᵇ15. λοξὴ τομὴ πις 6. 914 ᵃ35. λοξὰ σπαρτία, dist πλάγια μχ25. 856 ᵇ9 Cappelle. λοξὴ φορὰ μα4. 342 ᵃ27. β4. 361 ᵃ23. πκε14. 939 ᵇ4. κς48. 945 ᵇ33. ὁ λοξὸς κύκλος Μλ5. 1071 ᵃ16 Bz. Γβ10. 336 ᵃ32.

λοξῶν. ἡ κατὰ τὸν λελοξωμένον κύκλον φορὰ Μλ8. 1073 ᵇ20 Bz. ἐν μείζονι πλάτει λελοξῶσθαι Μλ8. 1073 ᵇ21.

λοπάς. λοπάδα τιθέντες κρέας εἰς αὐτὴν ἐμβάλλοντες Ζυ40. 627 ᵇ6.

λορδός. οἱ μακροὶ τῶν ἀνθρώπων λορδοὶ βαδίζυσι· οἱ ὄφεις κινῦνται ἐπὶ τῇ γῇ λορδοί Ζπ7. 707 ᵇ18, 21, 22.

λύεσθαι. τὰς ὗς τὸ λύεσθαι ἐν πηλῷ πιαίνει Ζιθ6. 595 ᵃ31. ὄρνιθες λύνται, dist κονίονται Ζυ49 B. 633 ᵇ3, 4. λυσάμενοι τῇ θαλάττῃ πκγ10. 932 ᵇ25.

Λυσοὶ τῆς Ἀρκαδίας θ125. 842 ᵇ6.

λύστης. τῶν ὀρνίθων οἱ μὲν κονιστικοί, οἱ δὲ λῦσται Ζυ49 B. 633 ᵃ29, 30.

λύτρον. ἡ τροφὴ συμπέττεται διὰ λύτρων μδ2. 379 ᵇ23. διὰ τί τὰ θερμὰ λύτρα ἱερὰ πκδ19. 937 ᵇ27.

λοφιά. τὰ δὲ λοφιὰν ἔχει οἷον ἵπποι χ τὰ τοιαῦτα· ὅσα λοφιὰν ἔχει ὥσπερ ἵππος χ ὀρεὺς χ τῶν ἀγρίων χ κερατοφόρων βόνασος Ζμβ14. 658 ᵇ30. π162. 898 ᵃ26. ἡ ὕαινα λοφιὰν ἔχει δι᾽ ὅλης τῆς ῥάχεως, ὑὸς λοφιά Ζιζ32. 579 ᵇ16. 621. 603 ᵇ23. λοφιά, dist χαίτη Ζιβ1. 498 ᵇ28sq. cf S II 285.

λόφος. 1. ἔνια τῶν ὀρνέων λόφον ἔχυσι, τὰ μὲν αὐτῶν τῶν πτερῶν ἐπανεστηκότα, ὁ δὲ ἀλεκτρυὼν μόνος ἴδιον· ὔτε γὰρ σάρξ ἐστιν ὔτε πόρρω σαρκὸς τὴν φύσιν Ζια1. 486 ᵇ13. β12. 504 ᵇ9. τῶν κορυδάλων ἡ μὲν λόφον ἔχυσα, φοινικὸς λόφος Ζυ25. 617 ᵇ20. θ3. 592 ᵇ24. — 2. tumulus. ἔστι τις ἠνεμόεις ὀλίγος λόφος (ap Antimachum) Ργ6. 1408 ᵃ3.

λόφυρος (τὰ λοφύρα Ζιβ1. 501 ᵃ6 Bk, ceteri λόφυρα). τῶν λοφύρων γένος Ζια16. 495 ᵃ4. Ζγγ5. 755 ᵇ18. δ10. 777 ᵇ5, cf Spring üb naturhist Begriffe v Gattung Art Abart Lpz 1838 p 10. Meyer 322. τὰ λόφυρα καλύμενα enumerantur Ζια6. 491 ᵃ1. Ζγγ5. 755 ᵇ18. τῶν λοφύρων ὐδὲν γίνεται μεῖζον ὕστερον τὸ ἀπὸ τῆς ὁπλῆς μέχρι τῦ ἰσχίυ, τὴν κεφαλὴν μικράν, τὰς δὲ σιαγόνας μακρὰς ἔχει, de pene τῶν λοφύρων Ζιβ1. 501 ᵃ6. α16. 495 ᵃ4. 13. 493 ᵃ31 Aub. τῶν λοφύρων κοινόν ἐστιν ὕβρις φδ4. 808 ᵇ35. τοῖς λοφύροις διὰ μῆκος τῦ αὐχένος εἰς τὸ κάτω ὁρμᾷ τὸ πνεῦμα, διὸ χ ἀποψοφῦσι μάλιστα πι44. 895 ᵇ15.

λοφώδης ὄγκος ἀνήει ἐκ τῆς γῆς μετὰ ψόφυ μβ8. 367 ᵃ4.

λοχαγεῖν. στρατηγεῖν λοχαγήσαντα Πυγ4. 1277 ᵇ11.

λοχαγίαι Πζ8. 1322 ᵇ4.

λοχαγός κ6. 399 ᵇ6. οβ1350 ᵇ11.

λοχάζειν. λοχάζετο (Emped 227) αι2. 438 ᵃ1.

λοχεία Ζυ7. 613 ᵃ2.

λοχεύεσθαι. ἡ ἀλκυὼν λοχεύεται διὰ βίυ, ἄρχεται (v λοχεύεται) δὲ τετράμηνος Ζυ14. 616 ᵃ34 (ὀχεύεται ci S Pic, cf S II 108).

λοχίων καθαρώτατον ἵππος Ζιζ18. 573 ᵃ9.

λόχμη. ὁ τροχίλος οἰκεῖ λόχμας χ τρώγλας Ζυ11. 615 ᵃ17. cf 1. 610 ᵃ10.

λόχος. κατὰ φρατρίας χ λόχυς χ φυλάς Πε8. 1309 ᵃ12. ὁ λοχαγὸς εἰς λόχον καθίσταται κ6. 399 ᵇ7. λόχοι Λακεδαιμονίων πόσοι χ τίνες f 498. 1559 ᵃ11, 14, 21, 25.

Λύγδαμις Ναξίων τύραννος Πε6. 1305 ᵃ41. οβ 1346 ᵇ7. f 517. 1562 ᵇ28.

Λυγκεὺς ὀξὺ βλέπων Γα10. 328 ᵃ15. f 49. 1483 ᵇ20. — Λυγκεὺς ὁ Θεοδέκτυ πο18. 1455 ᵇ29 (Nck fr trg p 623). non addito poetae nomine πο11. 1452 ᵃ27 (Nck ib).

Λύγκος (urbs Epiri) μβ3. 359 ᵇ17.

λυγμός. τὸν λυγμὸν τί παύει πλγ1. 961 ᵇ9, 20. 17. 963 ᵃ38. cf λύγξ 2.

λύγξ (cf Lob Paralip 110). 1. animal. v l λύγγες, λύξ, ῥύγξ, λύγα, λύγγα. refertur inter τὰ ὀπισθυρητικά, συνιόντα πυγηδὸν Ζιβ1. 500 ᵇ15. e2. 539 ᵇ22. Ζμδ10. 689 ᵃ34. ἔχει ἀστράγαλον ὅμοιον ἡμιαστραγαλίῳ Ζιβ1. 499 ᵇ24. τὴν λύγκα δέ φασι τὸ ὖρον κατακαλύπτειν θ76. 835 ᵇ29 Beckm cf S Theophr IV 816. Rose Ar Pseud 354 (Felis lynx Su 48, 18. ΑΖι I 72, 30). — 2. i q λυγμός πλγ17. cf Galen XV 846. λύγγα παύει πταρμός, ἐὰ ἡ λύγξ ὅταν ὑπὸ ὑγρῦ κατέχηται πνεῦμα περιττὸν περὶ τὸν πνευματικὸν τόπον, ὁ σπασμὸς ὖτος καλεῖται λύγξ, ῥιγώσαντας λύγξ λαμβάνει πλγ5. 962 ᵃ1, 10, 13, 14. ὄξος τε παύει λυγμὸν χ ἡ ἄπνευστία, ἐὰν ἠρεμαία ᾖ ἡ λύγξ (v l λύξ) πλγ1. 961 ᵇ21.

λύγος. καμπτὰ χ εὐθυντά, οἷον κάλαμος χ λύγος μδ9. 385 ᵇ28. λύγοι, μέρη δένδρυ φτα3. 818 ᵃ12, 14.

λυγρός. νείκεῖ λυγρῷ (Emp 380) ψα2. 404 ᵇ15.

Λυδία θ19. 831 ᵇ26. περὶ Λυδίαν θ39. 833 ᵃ19. 52. 834 ᵃ23. περὶ τὴν Λυδίαν Ζα24. 617 ᵇ19. — Λυδοί. Λυδῶν πολιτεία f 506. 507. Σμύρνα ὗσα ὑπὸ Λυδῶς τότε· Λυδῶς καταπονύμενοι ὑπὸ τῶν Αἰολέων f 66. 1487 ᵃ1, 8. Κολοφωνίων πόλεμος πρὸς τὰς Λυδάς Πδ4. 1290 ᵇ17. aes conflare Aristoteles Lydum Scythen monstrasse putat f 506. 1561 ᵃ21. — ἡ λυδιστί ἁρμονία Πθ7. 1342 ᵇ32.

λύειν. λύεται τοῖς ἐναντίοις, ὅσα λύεται τῶν ὑπὸ θερμῦ παγέντων ἢ ὑπὸ ψυχρῦ, opp πήγνυσθαι μδ6. 382 ᵇ31, 33sqq. ὔτε τὸ θερμὸν λύει μδ7. 384 ᵇ11, 12, 13 (cf πήγνυσθαι 12, 13). — τίνα φάρμακα τὴν κοιλίαν, τὴν κύστιν λύει πα40. 863 ᵇ29. ἡ κοιλία λύεται ὑπὸ φοβυμένοις, ἡ κύστις λύεται πδ7. 877 ᵇ32. β26. 869 ᵃ4. κζ1. 947 ᵇ3. 2. 94 ᵇ19. 8. 948 ᵇ18. 10. 948 ᵇ35. — τὸ ἐγρηγορέναι ὥριστο τῷ λελύσθαι τὴν αἴσθησιν υ1. 454 ᵃ32 (cf λύσις ᵇ27). φαίνεται τι λελυμένων τῶν αἰσθήσεων εν3. 462 ᵃ17. μετὰ βάλλει μὲν ἐξιστάμενον πρὸς τὰ ἀντικείμενα, λύονται δ᾽ αἱ κινήσεις αἱ δημιυργῦσαι εἰς τὰς ἐγγὺς Ζυγ3. 768 ᵃ15, ᵇ9. — πολλοὶ πλέξαντες εὖ (τραγῳδίας) λύυσι κακῶς πο18. 1456 ᵃ10. — τὸν λυσάμενον παρὰ λῃστῶν ἀντιλυτρωτέο Η2. 1164 ᵇ34. πολλὰς λελυμαι Ρβ23. 1400 ᵃ22. λύοντι ἐκ τῶν δεσμῶν Ργ4. 1406 ᵇ29. γλῶττα ἡ λελυμένη καταδεδεμένην Ζια11. 492 ᵇ32. — σταλαγμὸς οἴνυ μυρίοις χοεῦσιν ὕδατος ὐ μίγνυται· λύεται γὰρ τὸ εἶδος χ μεταβάλλει εἰς τὸ πᾶν ὕδωρ Γα10. 328 ᵃ27. τὸ θερμὸν λύει ὑπὸ ψυχρῦ χ παύει πκδ2. 936 ᵃ18. ὅταν λύηται τὸ φοινικῦ μγ4. 375 ᵃ15. τῆς ψυχῆς λελυμένης ἔτι τὴν τῦ σώματος μορφὴν μένειν, ἅμα ἡ τῦ σώματος μορφὴ λέλυται χὶ ἡ ψυχὴ μανίας ἀπήλλακται φ4. 808 ᵇ17, 25. ἀποφαίνει λυθεῖσαν τὴν φιλίαν ρ9. 1429 ᵇ39. λύεσθαι τὴν πολιτικὴν κοινωνίαν Πβ10. 1272 ᵇ14. λύειν τὰς νόμας, τὴν πολιτείαν Πβ7. 1266 ᵇ12. 8. 1269 ᵃ15. ε7. 1307 ᵇ10. δ14. 1298ᵇ31. 5 αἱ ἀριστοκρατίαι λύονται κατὰ μικρόν Πε7. 1307 ᵇ1. πῶς λύεται ἡ ἄγνοια χὶ πάλιν γίνεται ἐπιστήμων Ηη5. 1147 ᵇ6. τὰς παρειλημμένας μύθας λύειν ἐκ ἔστι, cf χρῆσθαι καλῶς τοῖς παραδεδομένοις πο14. 1453 ᵇ23. ἐὰν ᾖ ἰσχυροτέρα τῦ αἰσθητηρίε ἡ κίνησις, λύεται ὁ λόγος, τῦτο δ' ἦν ἡ αἴσθη- 10 σις, ὥσπερ χὶ ἡ συμφωνία χὶ ὁ τόνος ψβ12. 424 ᵃ30. — λύειν ἀπορίαν, ἀπόρημα, τὰ διαπορηθέντα Μη6. 1045 ᵃ22. Πγ11. 1281 ᵇ21, 1282 ᵃ24, 33. 1. 1275 ᵃ12. ημβ6. 1201 ᵇ1. Αγ1. 71 ᵃ31, 33. Γα10. 327 ᵇ10. — λύειν λόγον, λόγον ἐριστικόν, ἐπιτίμησιν, ἐπιτιμήματα, προκαταλήψεις, ὃ 15 χαλεπὸν λῦσαι sim τι18. 176 ᵇ36, 177 ᵃ5, 7. Φα2.185ᵃ8, 14. 3. 186 ᵃ5. ζ9. 239 ᵇ11. θ2. 252 ᵇ7. Μγ7. 1012 ᵃ18. ζ6. 1032 ᵃ10. Ηη3. 1146 ᵃ26. Πθ6. 1340 ᵇ41. Ργ2.1405 ᵇ9. α1. 1355 ᵃ33. 2. 1357 ᵇ7. πο25. 1460 ᵇ22, 35. λύεται ὁ λόγος, λύεται τὸ ἑαυτὸν ἀδικεῖν sim α6. 445 ᵇ19. Ηε12. 20 1136 ᵇ23. 15. 1138 ᵃ27. η13. 1153 ᵃ29. ηεβ8. 1224 ᵇ6. Πγ11. 1281 ᵃ41. λύειν χὶ ὁμόσε βαδίζειν τῷ λόγῳ Μν2. 1089 ᵃ3. ἀντειπεῖν χὶ λῦσαι ημβ7. 1206 ᵇ8. πρὸς τἀναντία ἀπαντᾶν λύοντα Ργ17. 1418 ᵇ9. ὅσα περὶ διαβολὴν λῦσαι χὶ ποιῆσαι Ργ14. 1415 ᵃ28. τὸ ἀποδεικνύναι χὶ τὸ λύειν 25 πο19. 1456 ᵃ38. λύει τις ἢ δείξας (ἀντισυλλογισάμενος) ἢ ἔνστασιν ἐνεγκὼν Ρβ26. 1403 ᵃ26. 25. 1402 ᵃ31, ᵇ24. γ17. 1418 ᵇ6 al. Οδ6. 313 ᵇ4, ἢ ἀναιρῶν ἢ διαιρῶν τι18. 176 ᵇ36, 177 ᵃ2. — (λύειν τὴν αἰτίαν, fort λέγειν τὴν αἰτίαν vel λύειν τὴν ἀπορίαν Οθ9. 290 ᵇ32.) — λυτός. ὅσα λυτὰ 30 ὑγρῷ, opp ἄλυτα μδ6. 383 ᵇ13. 7. 384 ᵃ34. — σημεῖον λυτόν, opp ἀναγκαῖον, ἄλυτον Ρα2. 1357 ᵇ13, 16, 17. — λυτῶς πήγνυσθαι, opp ἀλύτως Ζμβ2. 649 ᵃ32.

λύζειν. οἱ φοβηθέντες χὶ οἱ ῥιγῶντες λύζασιν πλγ13. 962 ᵇ33.

Λύκαια, ἀγὼν ἐν Ἀρκαδίᾳ τεθεὶς ὑπὸ Λυκάονος f 594. 1574 35 ᵇ31.

λύκαινα Ζιζ35. 580 ᵃ18. cf λύκος.

Λυκάων ἔθηκε τὰ Λύκαια, τὸν ἐν Ἀρκαδίᾳ ἀγῶνα f 594. 1574 ᵇ30. Λυκάονος ἀγλαὸς υἱός (Πάνδαρος)· ἄπιστοι γὰρ Λυκάονες f 597. 1577 ᵇ5. 146. 1503 ᵃ15. 40

Λύκειον ἐν Λυκείῳ Κ4. 2 ᵃ1. 9. 11 ᵇ14. Φδ11. 219 ᵇ21. Ρβ7. 1385 ᵃ28.

Λυκία Ργ8. 1409 ᵃ14. ἐν Λυκίᾳ Ζιθ28. 606 ᵃ17. περὶ Λυκίαν θ127. 842 ᵇ25. Ζιε16. 548 ᵇ20. — Λύκιοι οβ1348 ᵃ29. Λυκίων πολιτεία f 1561 ᵃ32. 45

λυκόφραων ἢ Λυκόφρων Οθ10. 596 ᵇ7.

λυκόποδες, οἱ τῶν τυράννων δορυφόροι f 356. 1538 ᵃ25.

Λυκολέων ὑπὲρ Χαβρίε Ργ10. 1411 ᵇ6.

λύκος. 1. lupus. refertur inter τὰ πολυσχιδῆ τῶν τετραπόδων Ζιγ6. 742 ᵇ8. δ4. 771 ᵃ22, πολυδάκτυλα Ζμδ10. 688 ᵃ6, καρχαρόδοντα Ζιθ5. 594 ᵃ26, πολυτόκα Ζγδ4. 771 ᵃ22, ἄγρια Ζια1. 488 ᵃ28. ζ18. 571 ᵇ26. θ5. 594 ᵃ25. Πθ4. 1338 ᵇ30. — μονόστην ἔχει τὸν αὐχένα Ζμδ10. 686 ᵃ21. οἷς τράχηλος βραχὺς ἄγαν, ἐπίβολοι ἀναφέρεται ἐπὶ τὸς λύκας φ6. 811 ᵃ17. πενταδακτύλης ἔχει τὰς προσθίας πόδας, τὰς δ' ὄπισθεν τετραδακτύλας Ζμδ10. 688 ᵃ6. αἰδοῖον ὀστῶδες, μίαν κοιλίαν, πάντα τὰ ἐντὸς ἔχει ὁ θὼς ὅμοια λύκῳ Ζιβ1. 500 ᵇ24. 17. 507 ᵇ17 Aub (cf Rose lib ord 207). — ὀχεύει χὶ ὀχεύεται τὸν αὐτὸν τρόπον ὄνπερ χὶ κύων, κύει χὶ τίκτει καθάπερ κύων τῷ χρόνῳ χὶ τῷ πλήθει

τῶν γιγνομένων, τίκτει ἀρχομένε τῦ ἔαρος, ἐκ ἀληθὲς τὸ λεγόμενον ὡς ἅπαξ ἐν τῷ βίῳ τίκτυσιν, λόγος περὶ τῦ τόκυ Ζιε2. 540 ᵃ9. ζ35. 580 ᵃ13, 11, 14, 21. — ἡ λύκαινα, τὰ γιγνόμενα τυφλά Ζιζ35. 580 ᵃ18, 12. Ζγβ6. 742 ᵃ8. δ6. 774 ᵇ16. — χαλεπὸς περὶ τὴν ὀχείαν· ὠμοφάγος· πόας ἄλλοτι μὲν ἐχ ἅπτονται, ὅταν δὲ κάμνωσι· τὰς λύκας φασίν, ὅταν πεινῶσιν, ἐσθίειν τινὰ γῆν, μόνον ὅτε τῶν ζῴων Ζιζ18. 571 ᵇ27. ιι. 609 ᵇ2. θ5. 594 ᵃ28, 26. πρὸς ἀλλήλας ἧττον μάχονται· ἐκ ἀγελαῖοι· ἀνθρωποφαγῦσιν οἱ μονοπεῖραι τῶν λύκων μᾶλλον [αὐτῶν] (λυττῶντες ci Pic) ἢ τὰ κυνηγέσια· ὄνῳ χὶ ταύρῳ χὶ ἀλώπεκι πολέμιος, ἐπιτίθεται γὰρ αὐτοῖς· σφάζυσι τὰ πρόβατα Ζιζ18. 571 ᵇ29. θ5. 594 ᵃ30. ιι. 609 ᵇ1. 6. 612 ᵇ2. ἔγνω δὲ φὼρ τε φῶρα χὶ λύκος λύκον (cf παροιμία) ηεη1. 1235 ᵃ9. φεύγοντες ἐρημίας f 241. 1523 ᵃ5. — lupi ad Maeotim piscantur, ἐν Κυρήνῃ οἱ λύκοι μίσγονται ταῖς κυσὶ χὶ γεννῶσιν, ἐν Κρήτῃ λύκας ὥ φασι γίνεσθαι Ζιθ6. 620 ᵇ6. 28. 607 ᵃ2. Ζγβ7. 746 ᵃ34 (cf Broca, Journal de Physiol 1859 II 352). θ83. 836 ᵇ27. (Canis lupus L. cf C II 487. St Cr KaΖι 15, 61. Su 43, 8. ΑΖγ 22, 17. ΑΖι I 72, 31.) — οἱ λύκοι ἐν Αἰγύπτῳ μικροί Ζιθ28. 606 ᵃ23, 26. cf Herod II 67. (fort Canis aureus vel Simensis Su 43, 8. ΑΖι I 72, 31. cf Schmidt griech Papyrusurkunden 384. Oken, Isis 1821 I 30.)

2. λύκος, εἶδος κολοιῶν Ζιι24. 610 ᵇ17 (albus Alberti, licios Thomae, λύκιος ci S Picc. fort Corvus monedula C II 226. S II 127, 492. G 37. Lichtenstein Abh d Berl Akad 1816, 153. Su 124, 78. ΑΖι I 97, 55ᵇ.) ν κολοιός.

3. τὸ τῶν καλυμένων λύκων γένος Ζιι38. 622 ᵇ29, 623 ᵃ1 sq. dist a. τὸ μικρόν fort Phalangium crista. — b. τὸ μεῖζον fort Agelenae sp. — c. τὸ ποικίλον fort Theridii vel Linyphiae sp. cf Su 234ᵇ. ΑΖι I 160, 4, 2). — εἰκάζυσι λύκῳ ψακαζομένῳ [εἰς] μύθῳ Ργ11. 1413 ᵃ3, λύχνῳ ci Bk Spgl.

Λυκῦργος. de eius νόμοις et πολιτείᾳ Πβ9. 1269 ᵇ20, 1270 ᵃ7, 1271 ᵃ22. 12. 1273 ᵇ33. Ρβ23. 1398 ᵇ17. f 491.1558 ᵃ21. 492. 1558 ᵃ30. 494. 1558 ᵇ16. ἡ κρυπτία πότερον τῶν Λυκύργυ πολιτευμάτων ἔν ἐστιν f 495. 1558 ᵇ20. ἀπεδήμησεν εἰς Κρήτην Πβ10. 1271 ᵇ25. τῶν μέσων πολιτῶν ἦν Πδ11. 1296 ᵃ20. Θάλητος ἀκροατὴς Πβ12. 1274 ᵃ29. ἥκιστα οἱ χρόνοι, καθ' ὃς χὶ γέγονεν ὁ Λυκῦργος, ὁμολογῶνται f 490. 1558 ᵃ14.

Λυκόφρων ὁ σοφιστὴς νόμον ἔφη ἐγγυητὴν ἀλλήλοις τῶν δικαίων Πγ9. 1280 ᵇ10. Λυκόφρων (ὁ σοφιστὴς Alex ad h l) φησὶν εἶναι τὴν ἐπιστήμην συνυσίαν τῦ ἐπίστασθαι χὶ ψυχῆς Μη6. 1045 ᵇ10. τὸ ἔστιν ἀφεῖλεν Φα2. 185 ᵇ28. ἐπιχειρητέον πρὸς ἄλλα τῆ εἰρημένη, ἐὰν μὴ πρὸς τὸ κείμενον ἄρα τις ἐπιχειρεῖν· ὅπερ Λυκόφρων (ὁ σοφιστὴς Alex ad h l) ἐποίησε προβληθέντος λύραν ἐγκωμιάζειν τι15. 174 ᵇ32. exempla τῦ κατὰ τὴν λέξιν ψυχρῦ ex eo afferuntur Ργ3. 1405 ᵇ35, 1406 ᵃ7. ὁ εἰς Πειθολαόν τις εἶπε χὶ Λυκόφρονα ἐν τῷ δικαστηρίῳ Ργ9. 1410 ᵃ17. Λυκόφρων χενόν τι πάμπαν εἶναι τὴν ὑγίειαν ἐγραψεν f 82. 1490 ᵃ10.

Λύκτιοι ἄποικοι τῶν Λακώνων Πβ10. 1271 ᵇ28.

λυκώδης. ἡ ὕαινα τῷ χρώματι λυκώδης Ζιζ32. 579 ᵇ15. 'quasi alba' Guil.

λυμαίνεσθαι. θηρία ἃ λυμαίνεται τὰ κηρία Ζιθ27. 605 ᵇ10. ἐάν τις λυμαίνεται τῇ ἀραχνίᾳ Ζιι39. 623 ᵃ20. θλίβει χὶ λυμαίνεται τὸ μακάριον Ηα11. 1100 ᵇ28 (cf ῥυπαίνειν α9. 1099 ᵇ2). λυμαίνεσθαι, opp ἐξακριβῦν Ηx5. 1175 ᵇ15.

λύμη. φθοραὶ χὶ λύμαι ἀνθρώπων Ηx5. 1176 ᵃ21.

λυπεῖν Πε8. 1308 ᵇ37. opp εὐφραίνειν Ργ1. 1404 ᵃ5. —

λυπεῖσθαι. ἔστι τὸ ἥδεσθαι χ λυπεῖσθαι τὸ ἐνεργεῖν τῇ αἰσθητικῇ μεσότητι πρὸς τὸ ἀγαθὸν ἢ κακόν ψγ7. 431ᵃ10. λυπηθέντες, opp ἡσθέντες ρ8. 1428ᵃ40. λυπεῖσθαι λύπην τινά ηεβ8. 1224ᵇ20. γ1. 1229ᵃ37. τὺς πατραλοίας, ὅταν τύχωσι τιμωρίας, ἠδεὶς ἂν λυπηθείη Ρβ9. 1386ᵇ29. λυπήσεται Ηδ2. 1121ᵃ2. ηεγ1. 1229ᵃ37. ημα28. 1192ᵇ22, 26. λυπηθήσοιτ' ἄν ηεγ5. 1232ᵇ12. 5

λύπη. περὶ ἡδονῆς χ λύπης Ηη12-15. λύπη def Ρα11. 1369ᵇ35. Ηκ2. 1173ᵇ7. λύπη χ ταραχή. λύπη ταραχώδης Ρβ9. 1386ᵇ23, 18. ὅπη αἴσθησις, χ λύπη χ ἡδονή ψβ2. 413ᵇ23. ἡ λύπη ἐν τῷ ἐπιθυμητικῷ τὸ5. 126ᵃ9. ἡδονή τε χ λύπη κοινὰ ψυχῆς χ σώματος αι1. 436ᵃ10. ἡ λύπη κατάψυξις τῦ τόπυ τῦ περὶ τὰ στήθη πια13. 900ᵃ27. ἡ λύπη κακόν; καθ' αὐτὸ πᾶσι φευκτόν Ηη14. 1153ᵇ1. κ2. 1172ᵇ19. φεύγομεν χ διώκομεν καθ' ἡδονὴν χ λύπην ἅπαντα 15 ν s φεύγειν. — ἡ λύπη ἡ ἀπὸ τῆς ἐπιθυμίας, ἀπὸ τῦ λογισμῦ sim Ηη8. 1150ᵃ26. ηεγ4. 1232ᵃ17. β5. 1222ᵇ11. αἱ δι' ἁφῆς χ γεύσεως ἡδοναὶ χ λῦπαι Ηη8. 1150ᵃ9. αἱ ἄνευ λυπῶν ἡδοναὶ Πβ7. 1267ᵃ8. λῦπαι οἰκεῖαι, αἱ ἐπὶ τῇ ἐνεργείᾳ καθ' αὑτὴν γινόμεναι Ηκ5. 1175ᵇ17, 21. cf β2. 20 1104ᵇ4. λῦπαι σωματικαί, λῦπαι ἐν τῷ πράττειν, μεμνῆσθαι, ἐλπίζειν Φη3. 247ᵃ8. λύπη φθαρτικὴ ηεγ1. 1229ᵃ34, 40.

λυπηρόν, def Ρα11. 1370ᵃ3. coni μισητόν Ηκ5. 1176ᵃ11. κακὸν φθαρτικὸν χ λυπηρόν Ρβ8. 1385ᵇ14. αἰσθάνεσθαι 25 τῦ λυπηρῦ χ ἡδέος Πα2. 1253ᵃ13. λυπηρὸν τὸ βίαιον, τὸ παρὰ φύσιν ηεβ7. 1223ᵃ30-34, ᵇ20, 23. τὸ κατ' ἀρετὴν ἥκιστα λυπηρόν Ηδ2. 1120ᵃ27. ὐχ ἅπασαν ὑπόληψιν διαστρέφει τὸ ἡδὺ χ τὸ λυπηρόν Ηζ5. 1140ᵇ14. — λυπηρῶς πράττειν Ηγ1. 1110ᵇ12, διδόναι Ηδ2. 1120ᵃ29, ὁρᾶν 30 πο4. 1448ᵇ11.

λυπητικός. ὁ ἐπὶ τύτοις λυπητικὸς ημα28. 1192ᵇ22.

λυπρός. γίνονται ἀκρίδες ὔτ' ἐν τῇ ὀρεινῇ (γῇ) ὔτ' ἐν τῇ λυπρᾷ Ζιε28. 556ᵃ4.

λύρα. ἡ λύρα φθέγγεται Μθ12. 1019ᵇ15. ὁ αὐλὸς ἡδίων 35 τῆς λύρας πιθ43. 922ᵃ3. — τὴν πλειάδα Μησῶν λύραν ἐκάλει Πυθαγόρας f191. 1512ᵃ31. — λύρα, piscis quidam, qui definiri non potest Ζιδ9. 535ᵇ17.

Δυρναντεῖς οἱ κατὰ Φασηλίδα σ973ᵃ8. f238. 1521ᵃ40.

Λύσανδρος Πε1. 1301ᵇ19. 7. 1306ᵇ33. Δ. Λάκων τι17. 40 176ᵇ5. μεγαλόψυχος Αδ13. 97ᵇ21. μελαγχολικός πλ1. 953ᵃ20.

Lysias resp οἷον ἐν τῷ ἐπιταφίῳ Ργ10. 1411ᵃ31 (cf Lys 2, 60). primus profiteri solitus artem dicendi f131. 1500ᵇ23. 45

Δυσιθίδης (Δυσιθείδης Spgl e coni) ρ2. 1422ᵇ22, cf Spgl p116.

Δυσικλῆς, pro exemplo positus, μαρτύρησόν μοι, ὦ Δυσικλῆς (Καλλίκλεις Spgl) ρ16. 1432ᵃ4.

λυσιμελὴς Ἔρως f93. 1492ᵇ31.

λύσιμος συλλογισμός, opp ἄλυτος Αβ27. 70ᵃ31, 34. 50

λύσις, cf λύειν. λύσις τῶν κοιλιῶν πκζ3. 947ᵇ29. — ἡ λύσις χ ἄνεσις τῆς αἰσθήσεως ἐγρήγορσις υι. 454ᵇ27. — αἱ νομιζόμεναι (περὶ φόνυς) λύσεις Πβ4. 1264ᵃ32. — τραγῳδίας λύσις, μύθων λύσεις, opp δέσις, πλοκή πο15. 1454ᵃ37. 18. 1455ᵇ24, 28, 1456ᵃ9. — λύσις νόμων, πολιτείας

Πβ7. 1266ᵇ12. 8. 1268ᵇ30. λύσις ἀπορίας, τῶν ἀπορυμένων Γα5. 321ᵇ12. μβ2. 354ᵇ22. Μβ1. 995ᵃ29. Φθ3. 253ᵃ31. ηεη12. 1245ᵇ14. ἔχει τινὰ λύσιν πρὸς ταύτην τὴν ἀπορίαν, ὅτι ψβ11. 422ᵇ28. ἔχει τι τὴν αὐτὴν λύσιν Οβ14. 297ᵃ31. ὁ συμβαίνει ἡ λύσις Ηη14. 1153ᵇ5. — λύσις, def ἐμφάνισις ψευδὲς συλλογισμῦ παρ' ὃ ψευδὴς τι24. 179ᵇ23. 18. 176ᵇ29. λύσις τῶν φαινομένων ἐλέγχων τι9. 170ᵇ4, 5. ἡ λύσις τῇ μὲν ὅτι ψευδὴς τῇ δ' ὅτι ὁ συμπεραίνεται Φα3. 186ᵃ23. λύσις τις πρὸς τὸν ἐρωτῶντα ἱκανῶς ἔχει, πρὸς τὸ πρᾶγμα ὐχ ἱκανῶς Φθ8. 263ᵃ15. ἡ λύσις τῆς ἀπορίας εὕρεσίς ἐστιν Ηη4. 1146ᵇ7. περὶ λύσεως ἐνθυμημάτων Ργ25. περὶ λύσεων χ ἐνστάσεων Ρβ22. 1397ᵃ5. λύσις ἐπιτιμήσεως Πθ6. 1341ᵃ4. περὶ ἐπιτιμήσεων χ λύσεων, περὶ προβλημάτων χ λύσεων πο26. 1462ᵇ18. 25. 1460ᵇ6. εὑρεῖν, ἀποφέρεσθαι, φέρειν λύσιν τθ14. 163ᵇ1, 164ᵃ18. ι17. 176ᵃ21. Γα5. 321ᵇ12. οἱ ἔλεγχοι τῇ αὐτῇ λύονται λύσει Μζ6. 1032ᵃ8.

λυσιτελεῖν τοῖς κρείττοσι Πβ7. 1267ᵃ29. τὸ τῷ κοινῷ λυσιτελῦν Πγ7. 1279ᵇ9. τὰ περιττὰ χ καλὰ χ διαγωγὴν ἔχοντα ἡδεῖαν ἄνευ τῦ λυσιτελῦντος αρ5. 1250ᵇ30.

λυσιτελής. τίνα λυσιτελέστατα Πα11. 1258ᵇ16.

λυτικὰ φάρμακα πκζ10. 949ᵃ5. — λυτικὰ ἐνθυμήματα ὐκ ἔστιν εἶδός τι ἄλλο τῶν κατασκευαστικῶν Ρβ26. 1403ᵃ25.

λυτρῦσθαι μνᾶς Ηε10. 1134ᵇ32. ὁ λυτρωθείς, opp ὁ λυσάμενος Ηι2. 1164ᵇ34. — λυτρωτέον τὸν πατέρα Ηι2. 1165ᵃ1.

λύττα, νόσημα κυνῶν Ζιθ22. 604ᵃ5. λύτταν ἐπιγίνεσθαι τῷ πληγέντι ὑπὸ ὕδρη f327. 1532ᵇ22.

λυττᾶν, λυσσᾶν. λυττῶσιν ἅπαντα τὰ δηχθέντα ὑπὸ κυνὸς λυττῶντος Ζιθ22. 604ᵃ6. τὴν ὄφιν λυσσᾶν ἰῶ πληρυμένην f334. 1534ᵃ20.

λύχνος Ζγα18. 724ᵃ34. μα4. 342ᵃ3. f588. 1574ᵃ1. ὡπλίσσατο λύχνον (Emp 220) αι2. 437ᵇ26. αὐτὴ καθ' αὑτὴν ἡ τῦ λύχνυ φλὸξ ἐντιθεμένη πλείονι φλογὶ κατακάεται ζ5. 469ᵇ33. cf πα55. 866ᵃ27. 56. 866ᵃ36. ὥσπερ λύχνοι φαίνονται οἱ τῦ βατράχυ ὀφθαλμοὶ Ζιδ9. 536ᵃ18. ἶρις ὅλη ἢ περὶ τὺς λύχνυς μγ4. 374ᵃ20, 27. πρὸς τὸν λύχνον προστήσασθαι τὴν χεῖρα πρὸ τῦ φωτός πλα28. 960ᵃ21. οἱ ποικίλται ἐργαζόμενοι πρὸς τὸν λύχνον πολλάκις διαμαρτάνυσι τῶν ἀνθῶν μγ4. 375ᵃ27. cf χ3. 793ᵇ20. ὀσμὴ λύχνυ ἀποσβεννυμένυ Ζιθ24. 604ᵇ30. εἰκάζυσι λύχνῳ (ci Bk, λύχῳ codd) ψαχαζομένῳ μύωπα Ργ11. 1413ᵃ3.

λωβᾶσθαι τὴν αὔξησιν τῶν σωμάτων, τὰ σώματα, τὰ εἴδη Πβ4. 1338ᵇ10. α11. 1258ᵇ37, τὸ γῆρας Ρα5. 1361ᵇ14. — μὴ διεφθαρμένοι χ λελωβημένοι τὸ κριτήριον Μκ6. 1063ᵃ2.

λώπιον et ἱμάτιον, ὀνόματα δύο, ὧν ὁ λόγος εἷς τα7. 103ᵃ10, 27. ζ11. 149ᵃ4. ι6. 168ᵃ30. Φα2. 185ᵇ20. γ3. 202ᵇ13. Μγ4. 1006ᵇ26 Bz.

λωποδυτεῖν Πβ7. 1267ᵃ4.

λωποδύτης, εἶδός τι ἀνελευθερίας Ηδ3. 1122ᵃ7.

λώσστον (in epigr Deliaco) Ηα9. 1099ᵃ27. ηεα1. 1214ᵃ5.

Λωτοφάγοι. τὺς Λωτοφάγυς καθεύδειν ἐξάμηνον f564. 1570ᵇ44.

λωφᾶν. τῆς νυκτὸς λωφῶσιν αἱ ἀναθυμιάσεις μβ5. 362ᵃ7. τῦ κύματος λωφῶντος πκγ29. 934ᵇ15. καταψυχθὲν τὸ ζέον ὑγρὸν ἐν ἡμῖν λωφᾷ πα19. 861ᵇ6.

M

μὰ τὺς θεύς, ὐκυν ἔγωγε ρ16. 1432ᵃ4.
μαγαδίζυσιν ἐν τῇ διὰ πασῶν συμφωνίᾳ· μαγαδίζυσι

ταύτην, ἄλλην δὲ ὐδεμίαν πιθ39. 921ᵃ12, 29. 18. 918ᵇ40.

ἢ ὀλίγος Φθ12. 220 ᵇ3. φάρυγξ μακρότερος γεράνῳ Ηγ13. 1118 ᵃ33. — τὸν ὅρον λόγον εἶναι μακρὸν Μηϑ. 1045 ᵇ26. ὁ Σιμωνίδῃ μακρὸς λόγος Μν3. 1091 ᵃ7, cf Σιμωνίδης. μακρότερον τὸν λόγον ποιεῖν ρ23. 1434 ᵇ4. διὰ μακροτέρων εἰπεῖν Πγ8. 1279 ᵇ11. δεῖ τὰς περιόδῳς μήτε μυύρῃς εἶναι μήτε μακράς Ργ9. 1409 ᵇ18. συλλαβὴ βραχεῖα ἢ μακρά Κ6. 4 ᵇ34. φωνήεντι μακροτέρῳ κεχρῆσθαι τῷ οἰκείῳ π021. 1458 ᵇ1. μακρὸν ἀναπνεῖν πλ θ11. 964 ᵃ39. μακραί, μακρότεραι νόσοι, μακρὰ ἀσθένεια πα17. 861 ᵃ20, 27. β35. 870 ᵃ19. γ5. 871 ᵇ10. ἀπὸ τιμημάτων μακρῶν, μακρότατον τίμημα Πγ5. 1278 ᵃ23. δ5. 1292 ᵇ11. 13. 1297 ᵇ4. μακραὶ ὑσίαι Πζ7. 1321 ᵃ11. δ4. 1290 ᵇ16. — ἑξήκοντα ἡμέρας τὸ μακρότατον Ζιε14. 545 ᵇ7. — μακρῶς ἐπαινεῖν, διηγεῖσθαι Ργ15. 1416 ᵇ4 (opp συντόμως). 16. 1416 ᵇ33. μακροτέρως Ργ10. 1410 ᵇ18. — μακροτέρω φέρεσθαι πια20. 901 ᵃ22 (cf μακροτέραν ᵃ20, 24). — μακρὰν φέρεσθαι, ἀπέχειν μα12. 348 ᵃ35. ρ3. 1425 ᵃ4. μακρὰν ἐκτοπίζειν, ἐξακοντίζειν Ζιδ8. 534 ᵇ2. θ2. 590 ᵇ28. ἡ ὄψις ἀποτεινομένη μακράν, μακροτέραν Οβ8. 290 ᵃ17. μγ4. 375 ᵃ32. τοῖς μακροτέραν ἀφεστηκόσιν πια20. 901 ᵃ20, 24.

μακροσκελής. 1. τῶν ζῴων τὰ μακροσκελῆ ὑγροκοίλιά εἰσιν, opp τὰ εὐρυστήθη Ζω50. 632 ᵇ11. — αύιmα οἱ μὲν μακροσκελεῖς, οἱ δὲ βραχυσκελεῖς Ζμδ12. 692 ᵇ5, 694 ᵇ12, 695 ᵃ20. βραχὺ ἔχησι τὸ ὀρροπύγιον Ζιβ12. 504 ᵃ32. μακροσκελῆ διὰ τὸ ἐν ὑπείκοντι εἶναι τὸν βίον, μακρὸν ἔχει τὸν αὐχένα, τὰ μακροσκελῆ ἢ ἔλεια ἔχει τὸν πρόλοβον μακρὸν Ζμδ12. 694 ᵇ16, 692 ᵃ23. γ14. 674 ᵇ31. — 3. τὸ μακροσκελέστερον, γένος τῶν ἀραχνίων τῶν γλαφυρῶν ἢ ὑφαινόντων ἀράχνιον πυκνόν, opp τὸ συμμετρότερον Ζυ39. 623 ᵃ26 (fort Tegenariae vel Agelenae sp ΑΖι I 161, 2a).

μακρότης. ἐὰν ὁ ἥλιος μακρότητα τῇ ἡμέρᾳ προσάγῃ φτβ6. 826 ᵇ7.

μακροφυής. μακροφυέστερα ἢ ὀφιώδη μᾶλλον Ζμδ13. 696 ᵃ6.

μακρύνειν. πεδιάδες μεμακρυσμέναι φτβ2. 823 ᵇ36. μακρυσμός φτβ2. 824 ᵃ3.

μαλακαυγήτοιό θ' ὕπνῳ f 625. 1583 ᵇ15.

μαλακία (cf μαλακός). ἡ μαλακία πᾶσά ἐστιν ἐξ ἀπεψίας πλα23. 959 ᵇ23. — μαλακία, coni ἀκρασία, τρυφή Ηη1. 1145 ᵃ35. 2. 1145 ᵇ9. μαλακία ἀκολωθεῖ τῇ ἀκρασίᾳ, τῇ δειλίᾳ αρ6. 1521 ᵃ28, 14. dist ἀκολασία Ηη8. 1150 ᵃ31. dist ἀκρασία ημβ6. 1202 ᵇ33. μαλακία ἐν τοῖς τῶν Σκυθῶν βασιλεῦσι διὰ τὸ γένος Ηη8. 1150 ᵇ15. μαλακίας σημεῖα Ρβ6. 1384 ᵃ2.

μαλάκια. τὰ καλύμενα μαλάκια Ζιδ1. 523 ᵇ2. Ζγβ1. 732 ᵃ5 ᵇ6. Ζμδ5. 678 ᵃ27. πάντα τὰ μαλάκια Ζιδ1. 523 ᵇ26, 28, 524 ᵃ33, ᵇ8. θ2. 590 ᵇ20, vel τὸ τῶν μαλακίων γένος Ζια6. 490 ᵇ12. δ1. 523 ᵇ2. Ζγα1. 715 ᵇ1. 14. 720 ᵇ5, διῃρημένον εἰς γένη Ζιδ8. 534 ᵇ14. υ1. 454 ᵇ17. refertur inter τὰ ἄναιμα ἢ ψυχρὰ μχ4. 466 ᵃ6. Ζιδ1. 523 ᵇ3. Ζγα1. 715 ᵇ1. 14. 720 ᵇ5. 19. 727 ᵇ2. γ11. 761 ᵇ6, ἔνυδρα, ἀπολελυμένα, πορευτικά, νευστικά, τὰ κατὰ τόπον μεταβλητικά Ζια1. 487 ᵇ16. δ10. 537 ᵃ1. Ζμδ5. 681 ᵇ11. Ζγα1. 715 ᵇ1. β6. 741 ᵇ33, ἐπέτεια, βραχύβια μχ4. 466 ᵃ6, 9. — τὰ ἔντομα ἢ τὰ μαλάκια τοῖς μαλακοστράκοις τ' ἐναντίως ἢ αὐτοῖς ἀντικειμένως συνέστηκεν· τῶν μαλακοστράκων ἢ τῶν ὀστρακοδέρμων συνέστηκεν ἡ φύσις τοῖς μαλακίοις ἀντικειμένως· ὅλως τὰ ὀστρακόδερμα ἔχει τῇ μὲν ὁμοίως τοῖς μαλακοστράκοις τῇ δὲ τοῖς μαλακίοις· τὰ μαλάκια ἢ τὰ στρομβώδη ἔχει αὐτοῖς μὲν παραπλησίως, τοῖς δὲ μαλακοστράκοις ἢ τοῖς ἐντόμοις ἀντεστραμμένως Ζμβ8. 654 ᵃ10.

δ5. 679 ᵇ32. 9. 684 ᵇ17, 34. — 1. anatomica. τὸ σχῆμα τῦ σώματος, γλίχρηα τὴν τῇ σώματος φύσιν Ζμδ9. 684 ᵇ20. Ζγβ1. 733 ᵃ22. ἐκτὸς ἔχει τὸ σαρκῶδες, ὐδὲν ὀστῶδες ἔχειν ἔοικεν ὐδὲ γεηρὸν ἀποκεκριμένον, σχεδὸν ὅλα σαρκώδη ἢ μαλακὰ ἔχει Ζιδ1. 523 ᵇ3. Ζμβ8. 654 ᵃ11, 13. ἀδιόριστον τὸ ἄνω ἢ τὸ κάτω, ἔχει ἐπὶ τὸ αὐτὸ τὸ πρόσθιον ἢ τὸ ὀπίσθιον Ζγβ6. 741 ᵇ33. Ζπ5. 706 ᵇ1. δέρμα, κύτος, ὑμὴν ὑγρὸς Ζιδ1. 524 ᵇ8, ᵃ21. Ζμδ9. 685 ᵃ4, 684 ᵇ8. 5. 681 ᵇ17. πόδες descr Ζιδ1. 525 ᵃ18, 523 ᵇ27. Ζμδ9. 685 ᵃ12. cf ΑΖι I 371ᵃ. δοκεῖ πόδας ἔχειν, τοῖς ποσὶ νεῖ ἢ τοῖς πτερυγίοις ἢ θᾶττον ἐπὶ κύτος Ζια5. 489 ᵇ33, 34. μεταξὺ τῶν ποδῶν ἢ τῆς γαστρὸς ἡ κεφαλή Ζιδ1. 523 ᵇ26, 524 ᵃ33. ὀφθαλμοί, στόμα, ὀδόντες, γλῶττα, ἐντὸς ὑπάρχει τι τῦ στόματος τοιῦτον υ1. 454 ᵇ17. Ζμδ5. 678 ᵇ7, 679 ᵇ7. β17. 661 ᵃ14. στόμαχος, πρόλοβος, κοιλία, ἔντερον Ζμδ5. 678 ᵇ25, 681 ᵇ18. σπλάγχνον ὐδὲν ἔχει, sed τῶν μαλακίων τὰ σπλάγχνα Ζιδ1. 524 ᵇ14. Ζμδ5. 678 ᵃ27. πῦ τὸ περίττωμα ἐξέρχεται Ζμδ9. 685 ᵃ10. μύτις, θολὸς Ζμδ5. 679 ᵃ4, 681 ᵇ20. Ζιδ1. 524 ᵇ15. ι37. 621 ᵇ28. τὰ μέλανα Ζιδ5. 531 ᵃ1. (fort Kiemenblätter vel Kiemenbläschen cf Krohn in Müllers Archiv 1841 p 5 adn). ἐντὸς ἔχει τι στερεὸν Ζιδ1. 523 ᵇ4. — 2. physiolog. ἔχει τὸ θῆλυ ἢ τὸ ἄρρεν Ζιδ11. 537 ᵇ26. Ζγα1. 715 ᵇ1. γ5. 755 ᵇ35. πότερον προίεται σπέρμα, ἄδηλον· ἔχει δικρόας τὰς ὑστέρας Ζγα17. 721 ᵃ32 (Lewes 345). 3. 717 ᵃ4. γ5. 755 ᵇ36. coitus descr Ζιε6. 18. 549 ᵇ29. ζ13. 567 ᵇ8. Ζγα1. 720 ᵇ16, 36 (Lewes 202). γ5. 755 ᵇ4. 8. 758 ᵃ16. πότε τίκτει Ζιε12. 544 ᵃ1. τόκος Ζγγ8. 757 ᵇ31, 758 ᵃ15. ὠὸν λευκόν Ζιε18. 549 ᵇ30, ἀτελές Ζγβ1. 732 ᵇ6, 733 ᵃ23, 29. γ5. 755 ᵇ33. τὰ καλύμενα ὠὰ λαμβάνει θύραζε τὴν αὔξησιν Ζγα3. 717 ᵃ4. β1. 732 ᵇ6, 733 ᵇ10. γ5. 755 ᵇ3. 8. 758 ᵃ20. Ζιε17. 549 ᵃ19. — δέχεται τὸ ὕδωρ, τὸ ὑγρόν αν12. 476 ᵇ30. Ζιθ2. 589 ᵃ20. — ἔχει ἐγκέφαλον, πάσας τὰς αἰσθήσεις, πῦ τὸ κύριον τῆς αἰσθήσεως Ζια16. 494 ᵇ27. δ8. 534 ᵇ15. Ζμδ5. 681 ᵇ16. φαίνεται, ὦπται καθεύδοντα Ζιδ10. 537 ᵃ2, ᵇ4. υ1. 454 ᵇ17 (Lewes 263). ὐδὲ τῶν μαλακίων ὐδὲν τὸ φθέγγεται ὔτε ψοφεῖ ὐδένα φυσικὸν ψόφον Ζιδ9. 535 ᵇ13. ὁ ἄρρην βοηθεῖ τῇ θηλείᾳ Ζυ1. 608 ᵇ16. — habitatio, ἐν τῇ θαλάττῃ, ἐν τῷ Πόντῳ ὐ τὰ μαλάκια γίνεται εἰ μὴ ἔν τισι τόποις ὀλίγα, εἰς τὸ ξηρὸν ἐξέρχεται μόνον τῶν μαλακίων ὁ πολύπης Ζγγ11. 761 ᵇ5. μχ4. 466 ᵃ9. Ζιθ8. 606 ᵃ10. ι37. 622 ᵃ32. — τὰ μαλάκια πάντα σαρκοφάγα ἐστίν, σινόδων κατεσθίει αὐτά, κύοντα ἄριστα Ζιθ2. 590 ᵇ20, 33, 591 ᵇ5, 10. 30. 607 ᵇ6. Ζγα19. 727 ᵇ2. — μαλάκια εἶναι πολύποδας ὀσμύλην ἐλεδώνην σηπίαν τευθίδα f 288. 1528 ᵇ20. v haec et τεῦθος, ναυτίλος, βολίταινα, ὀζολις. (mollia Gazae, mollusca Scalig, Cephalopoda Οuv cf M 262 sq. Rose Ar Ps 317 sq. Aubert Cephalopoden des Arist et ΑΖι I 149.)

μαλακίζειν. ὁ ἐλέφας ἐὰν γῆν ἐσθίῃ μαλακίζεται Ζιθ26. 605 ᵃ25 Aub.

μαλακόδερμος. τίνων ἢ πότε τὰ ὠὰ μαλακόδερμα Ζια5. 489 ᵇ15. ε34. 558 ᵃ27. θ26. 605 ᵃ25. Ζγα8. 718 ᵇ17. 11. 718 ᵇ36, 38. γ1. 749 ᵃ21. 3. 754 ᵃ31.

μαλακόθριξ. οἱ Σκύθαι μαλακότριχες Ζγε3. 783 ᵃ13.

μαλακοκρανεύς. v l μαλακοκρανεύς. versio Thomae megalocraneus, Lipsiensis Megolatneg cf S II 124. descr Ζυ22. 617 ᵇ32. (molliceps Gazae, crane-mol C II 256. Loxia pyrrhula St. Cr, K 982, 9. Laniorum sp G 28. Lanius minor Su 117, 60. Garrulus glandarius Belon. in incerto relinquit ΑΖι I 101, 73.)

Kkk 2

μαλακός, μαλακῶς, μαλακώτερον, μαλακωτέρως. — μαλα-
κόν, def τὸ ὑπεῖκον τῷ μὴ ἀντιπερίστασθαι, opp σκληρόν
μδ 4. 382 a12, 18. Ογ1. 299 b13. Γα 8. 326 a14. Κ8. 9
a27. ὅσα μαλακὰ ἢ σκληρὰ πήξει ἐστίν μδ 10. 388 a28.
τῶν σωμάτων τὰ μὲν ὑγρά, τὰ δὲ μαλακά, τὰ δὲ σκληρά
μδ 10. 388 a27. μάττειν σκληρὰν ἢ μαλακήν Ργ 16. 1416
b31. μαλακὸν ἢ σκληρὸν πυκνότητες δοκῦσι ἢ ἀραιότητες
εἶναί τινες Φθ7. 260 b9. δ9. 217 b18. πια 58. 905 b21. τὸ
μὲν μαλακὸν τῷ ὑγρῷ ἐστί, τὸ δὲ σκληρὸν τῷ ξηρῷ Γβ2.
330 a8. πκβ10. 931 a5. μαλακόστρακα ὅσων ἐντὸς τὸ μα-
λακὸν ἢ σαρκῶδες Ζιδ 1. 523 b6. τρίχες μαλακαί, μαλα-
κώτεραι Ζιγ10. 517 b15. πι 22. 893 a34. 23. 893 a38. τρι-
χώματα, πτερὰ μαλακὰ σημεῖα δειλίας φ2. 806 b6, 12.
δεῖ ἢ τὴν τῶν ἐρεισμάτων (τῶν σελαχῶν) μὴ κραῦρον εἶναι
ἀλλὰ μαλακωτέραν (τὴν κίνησιν an φύσιν?) Ζμβ9. 655
a25. — a sensu ἀφῆς, ad quem proprie pertinet τὸ μα-
λακόν (cf μδ 4. 382 a18), ad alios transfertur sensus. οἴνω
μαλακῷ ποιεῖν αἴσθησιν πγ18. 873 b34. ἀέρος πληγὴ μα-
λακή πε13. 882 a12. 37. 884 b33. διασπείρειν ψακάδας μα-
λακάς, opp ἁδροτέρας κ4. 394 a30. τὰ πεδινὰ ἢ μαλακά,
opp οἱ ὀρεινοὶ ἢ τραχεῖς τόποι Ζιθ 29. 607 a10. σκληρὸς ἢ
μαλακὸς ψόφος ακ803 a1. μαλακῶς, σκληρῶς αὐλεῖν ακ803
a20. μαλακὸν φωνεῖν φ6. 813 b3. τὰ μαλακὰ ὀνόματα
σκληρῶς, τὰ σκληρὰ μαλακῶς λέγειν Ργ7. 1408 b9. μα-
λακὸν βλέπειν φ6. 813 a24, 25. μαλακὴ αὐγή, opp σκληρὰ
χ3. 793 b17. ἡ σεμνότης μαλακὴ ἢ εὐσχήμων βαρύτης
Ρβ17. 1391 a28. — transfertur ad animi sensum, μαλα-
κωτέρως τὴν διάνοιαν διατίθεσθαι πρὸς ἁρμονίας τινάς, dist
ὀδυρτικωτέρως, καθεστηκότως Πθ 5. 1340 b2. cf ὀλιγαρχίαι
ἀνειμέναι ἢ μαλακαί, συντονώτεραι Πδ 3. 1290 a28. — in
describendis moribus ὁ μαλακὸς species quaedam τῆς ἀκρα-
σίας est. οἱ μαλακοὶ περὶ τὰς ἡδονὰς ἢ λύπας εἰσὶ Ηη6.
1148 a12 (cf πρὸς τὸν θάνατον μαλακὸς ἢ περίφοβος ηγ1.
1229 b7. μαλακὸν ἢ θῆλυ φ3. 808 a10). syn τρυφῶν, opp
καρτερικός, σκληρός Ηη8. 1150 a33, 14, b2. 6. 1147 b23.
ηεγ1. 1229 b1. dist ἀκρατής Ηη8. 1150 a14, 33. 6. 1148
a12. ημβ6. 1202 b34. ὁ μαλακὸς περὶ τὰ ῥάθυμα ἀδικὸς
ἐστι Ρα10. 1368 b18. μαλακῷ ἤθης σημεῖα Ζια9. 491 b15.
τῷ μαλακῷ habitus externus Ηη8. 1150 b3. λαγνὸς ἢ μα-
λακός, i e ὁρμητικὸς πρὸς τὸ ἀφροδισιάζειν ἢ πρὸς τὸ
ἀφροδισιάζεσθαι πδ26. 880 a5. — de neglecta ἀκριβείᾳ
ratiocinandi. ἀποδεικνύναι (συλλογίζεσθαι) ἀκριβέστερον
(ἀναγκαιότερον) ἢ μαλακώτερον Μει1. 1025 b13. κ7. 1064
a6. Ρβ22. 1396 b1. Γβ6. 333 b25. ἐνστὰς λύει μαλακῶς
Οδ6. 313 a4. ἐλύχ λίαν μαλακῶς Μιν3. 1090 b8.

μαλακόσαρκος. οἱ μαλακόσαρκοι εὐφυεῖς τὴν διάνοιαν, οἱ
σκληρόσαρκοι ἀφυεῖς ψβ9. 421 a26. μαλακόσαρκα μόρια,
opp σκληρόσαρκα Ζια1. 486 b9.

μαλακόστρακος. 1. τὰ μαλακόστρακα πάντα vel τὸ τῶν
μαλακοστράκων γένος, ἀνώνυμον ἑνὶ ὀνόματι Ζμδ 8. 683 b25.
Ζια6. 490 b11. δ1. 523 b8. 534 b14. Ζγα1. 715 b1. 14.
720 b5. ἔχει πλείω γένη, quae enumerantur Ζιδ2. 525 a30.
refertur inter τὰ ἄναιμα ἢ ψυχρά Ζγα19. 727 b2. γ11.
761 b6. Ζμβ8. 654 a1. αν9. 475 b9, πορευτικά, ἔνυδρα,
ἀπολελυμένα, νευστικά Ζμδ 8. 683 b25. 5. 681 b11. Ζιδ 10.
536 b32. al. 487 b17. τῶν μαλακοστράκων ἢ τῶν ὀστρα-
κοδέρμων συνέστηκεν ἡ φύσις τοῖς μαλακίοις ἀντικειμένως·
ὀστρακόδερμα ἢ μαλακόστρακα τὰ ἔσχατά ἐστι τῶν ἀναί-
μων ζώων· τὰ ὀστρακόδερμα τῇ μὲν ὁμοίως τοῖς μαλακο-
στράκοις Ζμδ5. 679 b31. 9. 684 b17. Ζγβ6. 743 b11. —
a. anatomica. ἐκτὸς τὸ στερεόν, ἐντὸς δὲ τὸ μαλακὸν

σαρκῶδες· τὸ σκληρὸν ἢ θραυστὸν ἀλλὰ θλαστόν· ἔχει ἐκτὸς
τὴν βοήθειαν· γεηρὰ ὄντα Ζιδ 1. 523 b6, 7. Ζμβ8. 654 a1.
Ζγβ1. 733 a21. ποδῶν πλῆθος Ζμδ 8. 683 b26. — ἐντὸς
τὸ σαρκῶδες, τὸ ἀνάλογον τῇ γλώττῃ σαρκῶδες, ὀδόντες
Ζιδ 4. 528 a3. Ζμδ 5. 678 b10, 679 b7. cf β17. 661 a14.
δ5. 678 b10, 24, 679 a31. παρὰ τὰ δασέα ἀφιᾶσι τὸ ὕδωρ
διὰ τῶν ἐπιπτυγμάτων, ἡ εὐθυωρία τῶν ἐντοσθιδίων, μύτις,
δικραὶ ὑστέραι, ὁ πόρος ὁ αὐτὸς τῇ περιττώματος τῇ ὑστε-
ρικῷ μορίῳ αν12. 477 a2. Ζμδ9. 684 a31. 5. 681 b20. Ζγα3.
717 a3. 15. 720 b26. — b. physiolog. ἔχει πάσας τὰς
αἰσθήσεις· ὑδὲν τῶν μαλακοστράκων ὑδὲν ὔτε φθέγγεται ὔτε
ψοφεῖ ὑδένα ψόφον· βραχύυπνα, φαίνεται καθεύδοντα Ζιδ 8.
534 b16. 9. 535 b14. 10. 537 a1, b5. ὀλίγον ἔχει τὸ θερμόν
αν9. 475 b9. habitatio, φωλεῖ τὰς χειμεριωτάτας ἡμέρας·
δέχεται τὸ ὑγρόν, τὸ ὕδωρ, πῶς ἀπὸ τῶν ἐκτὸς ἡ τροφή,
παμφάγα· πότε πονεῖ Ζγγ11. 761 b5. Ζιθ14. 599 b28. 2.
589 b20, 590 b10. αν12. 476 b31. πν6. 484 b2. — τὸ θῆλυ
ἢ τὸ ἄρρεν Ζιδ11. 537 b26. Ζγα1. 715 b1. coitus, eius
tempus Ζιε7. 541 b22, 26. Ζγγ5. 755 b33. ὀχευόμενα ἢ
ἀποτίκτοντα ὁρᾶται· ὀχεύεται, συνδυάζεται ὥσπερ τὰ ὀπι-
σθυρητικά Ζιθ30. 607 b5. ε7. 541 b19. Ζγα14. 720 b9.
ἄριστα ὅταν κύῃ, περὶ τὴν κύησιν Ζιθ30. 607 b3. Ζγα19.
727 b2. τόκος Ζγγ8. 757 b32. τὰ ᾠὰ ἀτελῆ, σκληρόδερμα,
ἔξω τελειῦται, τὰ ᾠὰ ἐπῳάζει, περὶ τίνας μῆνας ἴσχει τὰ
ᾠά Ζγβ1. 732 b6, 733 a21, 29, b10. Ζιε18. 550 b1. 17. 549
a15. — 2. dist τῶν καρκίνων οἱ μαλακόστρακοι ἢ οἱ ὀστρα-
κόδερμοι Ζιθ17. 601 a17. (crustata Gazae, crusta intecta
Scalig. cf SMz 308. M 237 sq. Su 27. Young on the Ma-
lacostraca of Ar in Annals and Magazine of natural hi-
story 1865 p 261 sq. ΑΖι I 150.)

μαλακότης, opp σκληρότης, referuntur inter τὰς πρώτας
διαφοράς, τῶν σωματικῶν παθημάτων τὰ πρῶτα μδ 4. 382
a9. 12. 390 b7. Ζγα18. 722 b32. β5. 741 b12. γ9. 758
b12. ε3. 782 a2. ὕστερον λαμβάνει τὰ χρώματα ἢ τὰς
μαλακότητας ἢ σκληρότητας Ζγβ6. 743 b22.

μαλάττειν, opp σκληρύνειν μδ 1. 378 b17. μαλάττεται, οἷον
σίδηρος ἢ κέρας μδ 6. 383 a31. μαλάττεσθαι πυρί, dist
τήκεσθαι Ζγβ 6. 743 a15. μᾶλλον μαλάττεται τὸ σῶμα
εἰσδυομένῃ τῷ ἐλαίῳ πε6. 881 a8. — μαλακτός. τὰ μὲν
μαλακτά, οἷον κέρας, τὰ δὲ ἀμάλακτα, οἷον κέραμος ἢ
λίθος μδ7. 384 b1. περὶ μαλακτῦ μδ 8. 385 a13. 9. 385
b6-26.

Μαλέα. ἐπέκεινα Μαλέας Ζιε16. 548 b25. περιπλέοντες Μα-
λέαν f 567. 1571 a21.

μαλερός. πόνος τλῆναι μαλερὸς ἀκάμαντας f 625. 1583 b12.
μαλθάσσειν. φυτῶν τινῶν μὲν καρποὶ μαλθάσσονται, τινῶν
δ' ὔ φτα7. 822 a5.

Μαλιέων πολιτεία Πδ 13. 1297 b14.

μᾶλλον. ἐπιδέχεσθαι τὸ μᾶλλον ἢ τὸ ἧττον Κ5. 3 b33 Wz.
6. 6 a25. 7. 6 b20. 8. 10 b26, 11 a3, 14. 9. 11 b2, 7. al ἐπι-
δέχεσθαι (δέχεσθαι) τὸ μᾶλλον ἢ ἧττον Κ5. 4 a8. 6. 6 a19.
7. 6 b25. 9. 11 b5. Ηκ2. 1173 a25 al. διαφέρειν τῷ μᾶλλον
ἢ ἧττον μα4. 341 b5. 11. 347 b15. Ηκ2. 1173 a27. Ζγβ3.
737 b6. 4. 739 b31 al. cf Πε1. 1301 a13. αι5. 443 a20. τὸ
μᾶλλον ἢ ἧττον ὑδὲν διαφέρει εἶδει Πα13. 1259 b38. τὸ
μᾶλλον ἢ ἧττον ὄτι τῷ πλέον ἢ ἔλαττον ὑπάρχειν τἀναντία
ἢ μή Φε2. 226 b7. ἐπὶ τὸ μᾶλλον ἰέναι Φε2. 226 b5. τόπος
ἐκ τῦ μᾶλλον ἢ ἧττον τε8. 137 b14-27. Ρβ23. 1397 b12-
27, cf Ρα7. — μᾶλλον comparativis additum, locis p 402
b53 allatis adde Ζιζ20. 575 a2. — μᾶλλον c substantivis.
τῷ μᾶλλον πυρὸς εἴη ἂν ἴδιον τε8. 137 b37 (Wz ad 3b 36).

πκγ7. 932 ᵇ2. — μᾶλλον i e solito magis, syn λίαν, σφό-
δρα. opp ἠρέμα Πδ΄11. 1295 ᵇ10. Ρα11. 1370 ᵇ34. 7.
1364 ᵇ2 (Vhl Rhet 53). μᾶλλον ἢ οἱ πολλοί, dist μᾶλλον
ἢ δεῖ Ηδ΄10. 1125 ᵇ16. — ᾽δὲν μᾶλλον, nihilo magis μβ2.
356 ᵃ16. Ηδ΄4. 1122 ᵃ29. 15. 1128 ᵇ32. ι5. 1167 ᵃ5, 8.
x2. 1172 ᵇ27 (?) al. — μᾶλλον (int τοσᵘτῳ), ὅσῳ μα3.
340 ᵃ26. Ηα13. 1102 ᵃ20. γ5. 1112 ᵇ5. ιδ. 1165 ᵇ11. al
(cf ἧττον, ὅσῳ Ηθ7. 1158 ᵃ2). — τὰ ἄγρια δένδρα μᾶλλον
καρποφορᾶσι παρὰ τὰ κηπαῖα φτα4. 819 ᵇ37. — μᾶλλον,
i q potius Φε1. 224 ᵇ8. 5. 229 ᵃ25. Πθ6. 1341 ᵃ22. πο13.
1453 ᵃ31. πολὺ μᾶλλον πο6. 1450 ᵃ30 Vhl Rgfolge p 165.
— μάλιστα. περὶ τῆς μάλιστα λεγομένης βασιλείας Πδ΄10.
1295 ᵃ5. — ᾽τε πρὸς μίαν ᾽τε πρὸς μάλιστα ταύτην βλέ-
πων Πθ4. 1338 ᵇ15. — τίκτει περὶ πέντε μάλιστα ᾠὰ ἡ
ἀλκυών Ζιι14. 616 ᵃ33. — ὅτι μάλιστα adiectivo post-
positum (cf σφόδρα, λίαν), ἐξ ἴσων ᾽ ὁμοίων ὅτι μάλιστα
Πδ΄11. 1295 ᵇ26 (cf διὸ ᾽ μάλιστα Πτ1. 1301 ᵇ39). —
μάλιστα μέν, εἰ δὲ μή Ηη1. 1145 ᵇ4. Πδ΄11. 1295 ᵇ37.
Ρβ7. 1385 ᵃ29. ρ37. 1442 ᵇ6. μάλιστα μέν, δεύτερον δέ
Πη10. 1330 ᵃ25. — ἐν τοῖς μάλιστα ρ2. 1421 ᵇ19.
Μαλλός σ973 ᵃ1. f 238. 1521 ᵃ33.
Μαλόεις σ973 ᵃ11. f 238. 1321 ᵇ4.
μανδραγόρας, ὑπνωτικόν υ3. 456 ᵇ30. (Atropa Belladonna
L. Fraas 166.)
Μανδρόβυλος ὁ Σάμιος τῇ Ἥρᾳ πρόβατον ἀνάθημα ἀνῆψε
f 532. 1566 ᵇ25. — Κλεοφῶν ἐν τῷ Μανδροβύλῳ τι15.
174 ᵇ27.
μανθάνειν ὁμώνυμον, τό τε ξυνιέναι ᾽ τὸ λαμβάνειν ἐπι-
στήμην τι4. 165 ᵇ33. μανθάνειν i q ξυνιέναι· τθ7. 160 ᵃ19,
22. ᾽ Ηζ11. 1143 ᵃ12. τίς γὰρ μανθάνει αὐτὸ τὸ ὂν εἰ μὴ
τὸ ὅπερ ὂν τι εἶναι θα3. 187 ᵃ8. φαμὲν τὸν μανθάνοντα
γίνεσθαι ἐπιστήμονα Γα3. 318 ᵃ34, 319 ᵃ9. — μανθάνειν,
opp ἀπατᾶσθαι Φε5. 229 ᵇ4. dist θεωρεῖν αι4. 441 ᵇ23 (Bz
ad Μθ6. 1048 ᵃ34). πιθ5. 918 ᵃ7. ἐξ ἀρχῆς μανθάνειν, opp
μεταμανθάνειν Πδ΄1. 1289 ᵃ5. — μανθάνειν i q ἀναμιμνή-
σκεσθαι (Plat) τ΄4. 124 ᵃ22. τὸν μανθάνοντα ἀνάγκη ἔχειν
τι τῆς ἐπιστήμης Μθ8. 1050 ᵃ1. cf Αγ1. 71 ᵃ30-ᵇ8. τὸ
διδάξαν πρότερον τᾶ μανθάνοντος Ζγβ6. 742 ᵃ26. μανθά-
νομεν ἢ ἐπαγωγῇ ἢ ἀποδείξει Αγ18. 81 ᵃ40. τίνα ζῷα
μανθάνει ΜΑ1. 980 ᵇ24. — ἃ δεῖ μαθόντας ποιεῖν, τᾶτο
ποιῶντες μανθάνομεν Ηβ1. 1103 ᵃ32. Μθ8. 1049 ᵇ31. ἐν
τῷ μανθάνειν εἰς τὸ κατὰ φύσιν καθίστασθαι Ρα11. 1371
ᵃ33. ἡδὺ τὸ μανθάνειν πο4. 1448 ᵇ13. Ργ10. 1410 ᵇ10.
πιθ5. 918 ᵃ6. cf Ηη13. 1153 ᵃ22. νεώτεροι θᾶττον μανθά-
νουσιν πλ5. 956 ᵇ23. — τί μανθάνειν Ρ5. 1264 ᵃ19. —
ἐν ἐκ πλεόνων μεμάθηκε φύεσθαι (Emped 70) Φθ1. 250
ᵇ30. — μαθητόν, dist ἐθ.στόν Ηα10. 1099 ᵇ9. τὸ ἐπι-
στητὸν μαθητόν Ηζ3. 1139 ᵇ25.
μανία. ὑπομένειν τὰς κεραυνᾶς φερομένας διὰ μανίαν ηεγ1.
1229 ᵇ27. μανία παραπλήσιον τὸ δοξάζειν ᾽τως τα8. 325
ᵃ19. ἡ λύττα (νόσημα κυνῶν) ἐμποιεῖ μανίαν Ζιθ22. 604 ᵃ6.
μανικοὶ ᾽ ὀργίλοι λέγονται κατὰ μανικὴν ἔκστασιν ᾽ ὀργήν
Κ8. 10 ᵃ2, 9 ᵇ36. cf Ρα9. 1367 ᵃ37. εὐφυᾶς ἡ ποιητικὴ
ἐστιν ἢ μανικᾶ πο17. 1455 ᵃ33. Vhl Poet II 43, cf μανικοὶ
᾽ εὐφυεῖς πλ1. 954 ᵃ32. ἐξίσταται τὰ εὐφυᾶ γένη εἰς μα-
νικώτερα ἤθη, opp τὰ στάσιμα εἰς νωθρότερα Ρβ15. 1390
ᵇ29. ὁ οἶνος μανικὸς ποιεῖ, opp τετυφωμένας πγ16. 873
ᵃ23. μὴ καλὸν ἀλλὰ μανικὸν ηεγ1. 1230 ᵃ32. — ἁλίσκε-
σθαι νοσήμασι μανικοῖς ᾽ ἐνθυσιαστικοῖς πλ1. 954 ᵃ36.
μανός. οἱ μανὸν ᾽ πυκνὸν ποιῶντες ἀρχάς (Anaximen?) Φα5.
188 ᵃ22. πυκνὸν τῷ τὰ μόρια σύνεγγυς εἶναι ἀλλήλοις,

μανὸν δὲ τῷ διεστάναι ἀπ᾽ ἀλλήλων Κ8. 10 ᵃ21. πυκνὸν
μανᾶ διαφέρει τῷ ἐν ἴσῳ ὄγκῳ πλεῖον ἐνυπάρχειν Ογ1. 299 ᵇ8.
cf ᵇ13. 296 ᵃ19. τὸ μανὸν ἄρα ἔχει πολλὰ κενὰ κεχωρισμένα
Φδ΄9. 216 ᵇ30, 22. ξ2. 976 ᵇ3. Bz Ar St I 256. ᾽χ ἅπαν
τὸ μανότερον διϊκνᵘτερον πια58. 905 ᵇ13. ἔστι τὸ μὲν
πυκνὸν βαρύ, τὸ δὲ μανὸν κᾶφον Φδ΄9. 217 ᵇ12. τὸ μὲν
λεπτὸν μανόν, τὸ δὲ παχὺ βᵘλονται εἶναι πυκνὸν Ογ5. 303
ᵇ24. τὸ θερμὸν μανότερον ποιεῖ, opp πυκνᾶ Ζγε3. 783 ᵇ1.
νέφος μανόν, opp πυκνὸν μγ6. 377 ᵇ5. μαναὶ τρίχες Ζιβ1.
498 ᵃ25. ἐστὶν ἡ γλῶττα σὰρξ μανὴ ᾽ σομφή, ὁ μαστὸς
μανός Ζια11. 492 ᵇ33. 12. 493 ᵃ14. δέρμα μανόν, opp
πυκνὸν Ζγε3. 782 ᵃ26, 34. — χρῆσθαι τῇ ἀναπνοῇ μανό-
τερον αν10. 475 ᵇ25.
μανότης. cf μανός. τἄλλα γεννῶσι πυκνότητι ᾽ μανότητι
πολλὰ ποιῶντες Φα4. 187 ᵃ15. τὸ πυκνότητι ᾽ μανότητι
τἄλλα γεννᾶν ᾽δὲν διαφέρει ἢ λεπτότητι ᾽ παχύτητι Ογ5.
303 ᵇ23. διὰ μανότητα ἔφθασε τὸ πνεῦμα διιθθεῖν μγ1.
371 ᵃ27. μανότης σαρκός, opp πυκνότης Ηε1. 1129 ᵃ22.
τὸ δέρμα ἔχει μανότητα πολλὴν Ζγε3. 782 ᵇ11.
μαντεία ὁ τῆς μαντείας πρόεδρος ἀετὸς (Hes f 231 Gtlg)
Ζιθ18. 601 ᵇ2. οἱ ἐν τοῖς ὕπνοις γινόμενοι ἐνθυσιασμοὶ ᾽ αἱ
μαντεῖαι f 12. 1475 ᵇ41. — ᾽ περὶ τὸν θεὸν μαντεία (i e
opinio, cf μαντεύεσθαι; vaticinatio Argyr Prantl) Οβ1.
284 ᵇ3.
μαντεῖον πυθόχρηστον Πη12. 1331 ᵃ27. μαντεῖον ᾽Οδυσσέως
f 465. 1554 ᵇ13.
μαντεύεσθαι. oraculum consulere, ἀνεῖλεν ὁ θεὸς μαντευ-
σαμένῳ sim Ζιγ20. 522 ᵃ18. f 357. 1538 ᵇ18. 448. 1551
ᵇ29. — vaticinari, περὶ τῶν μελλόντων Ργ17. 1418 ᵃ24.
— suspicari, divinare πκθ13. 951 ᵃ25. — i q εἰκάζοντα
δοξάζειν. μαντεύόμενοι τὸ συμβησόμενον ἐκ τῶν εἰκότων
Ζγδ1. 765 ᵃ27. τἀγαθὸν οἰκεῖον τι μαντεύόμεθα Ηα3. 1095
ᵇ26. μαντεύονταί τι πάντες φύσει δίκαιον Ρα13. 1373 ᵇ7.
cf Ηζ13. 1144 ᵇ24. ψα5. 409 ᵇ18.
μάντευμα. τὰ μαντεύματα ἱεροθετῶσιν οἱ ἱεροποιοὶ f 404.
1545 ᵇ31.
Μαντίας ὁ ῥήτωρ Ρβ23. 1398 ᵇ1.
μαντικὴ τέχνη Πβ12. 1274 ᵃ28. μν1. 449 ᵇ12. ἡ μαντικὴ
ἡ ἐν τοῖς ὕπνοις γενομένη μτ1. 462 ᵇ12.
Μαντινεία, res publicae Πζ΄4. 1318 ᵇ25, 27. ἡ ἐν Μαντινείᾳ
μάχη Πε4. 1304 ᵃ26.
μάντις. οἱ μάντεις τίνα δεξιὰ λέγωσιν Οβ2. 285 ᵃ3. τὸ γε-
γονὸς ἐπιστητὸν ἤδη ᾽ τοῖς μάντεσι Ργ17. 1418 ᵃ23. οἱ
μάντεις πῶς ἀμφίβολα λέγωσι Ργ5. 1407 ᵃ37 ᵇ1, 2. inter
τᾶς ἀλαζονευομένᾶς referuntur Ηδ΄13. 1127 ᵇ20. μάντεις
ἐργαζόμενοι ἐπὶ 1346 ᵇ22. καλλιερᾶσι μετὰ τῶν μάντεων οἱ
ἱεροποιοὶ f 404. 1545 ᵇ32.
μανώδης ᾽ πλατεῖα ᾽ρά Ζμδ13. 695 ᵇ26.
μάνωσις. πύκνωσις ᾽ μάνωσις (cf ἀραιότης ᵇ10) σύγκρισις
᾽ διάκρισις, πάντων τῶν παθημάτων ἀρχή Φθ7. 260 ᵇ11, 8.
κίνησίς ᾽κ ἔσται, εἰ μὴ ἔσται πύκνωσις ᾽ μάνωσις Φδ΄9.
217 ᵃ12. τὰ δὲ ᾽ ἄνω ᾽ κάτω κινεῖται, ὅσα ἔχει πύκνωσιν
᾽ μάνωσιν Φδ΄5. 212 ᵇ3.
Μαραθών. ἡ ἐν Μαραθῶνι μάχη Ρβ22. 1396 ᵃ13. πρὸς τῷ
Θεμιστοκλεῖ ἡ ἐν Μαραθῶνι Ζιζ15. 569 ᵇ12. — Μαρα-
θωνάδε πο22. 1458 ᵇ9.
μαραίνειν. δύο τρόπᵘς ὁρῶμεν φθειρόμενον τὸ πῦρ· ὑπό τε
γὰρ τᾶ ἐναντίᾳ φθείρεται σβεννύμενον, ᾽ αὐτὸ ὑφ᾽ αὑτᾶ
μαραινόμενον Ογ6. 305 ᵃ11. μαραινομένᴜ τᾶ θερμᾶ ἐκ τᴜ
ἀέρος γίγνεσθαι ὕδωρ μδ΄7. 383 ᵇ30. ὁ οἶνος τῇ θερμότητι
τῇ αὑτᴜ μαραίνει τὴν φυσικὴν θερμότητα πγ23. 874 ᵇ4. —

ἀσθενεῖς ὔσας τὰς ἀναθυμιάσεις μαραίνει τῷ πλείονι θερμῷ τὸ ἐν τῇ ἀναθυμιάσει ἔλαττον ὂν μβ5. 361 ᵇ15. μαραίνεται ἡ κίνησις, μαραινόμενος ὁ ἀριθμός εἰς τὸ ἐν τελευτᾷ πια20. 901 ᵃ26. ἡ νεάτη λήγυσα κ̣ μαραινομένη ὑπάτη γίνεται πιθ42. 921 ᵇ15. μαραίνει τὴν συντονίαν τῷ αἰδοίῳ πδ20. 879 ᵃ2. τὸ νοεῖν κ̣ τὸ θεωρεῖν μαραίνεται ἄλλῳ τινὸς ἔσω (ἐν ᾧ ci Bz) φθειρομένῳ, αὐτὸ δὲ ἀπαθές ἐστι ψα4. 408 ᵇ24.

μάρανσις. καλῦμεν πυρὸς φθορὰν τὴν μὲν ὑφ' αὑτῦ μάρανσιν, τὴν δ' ὑπὸ τῶν ἐναντίων σβέσιν ζ5. 469 ᵇ22, 21. τῇ μαράνσει καταπαύει ὁ ἥλιος τὰ πνεύματα μβ5. 361 ᵇ21. ἡ μάρανσις διὰ πλῆθος θερμότητος αν8. 474 ᵇ20. τῆς μαράνσεως ἡ διὰ τὸ μὴ ψύχεσθαι φθορὰ καλεῖται πνῖξις αν9. 475 ᵃ27. οἱ μαράνσει τὸν βίον ἐκλείποντες πγ5. 871 ᵇ17. αἱ μαράνσεις (τῆς ἅλω) εὐδιῶν σημεῖον μγ3. 372 ᵇ19.

Μαρακός, ὁ Συρακύσιος πλ1. 954 ᵃ38.

μαργαρίτης. τὰ ἐν Αἰγύπτῳ φυτὰ τὰ λεγόμενα μαργαρῖται φτα4. 819 ᵃ12. quid sit cf Meyer Nic Damasc p 71 ad 16, 13 et Albert Magn ed Jessen 72.

Μαργίτης πο4. 1448 ᵇ30, 38.

μάργος. αἰθὴρ παφλάζων καταβήσεται οἴδματι μάργῳ (Emp 349) αν7. 473 ᵇ15. λάγνυ λιπαρόν τὸ ὀμμάτιον κ̣ μάργον φ3. 808 ᵇ6.

μαριεύς. τὸν μαριέα (v l μαριθάν) λίθον διακοπέντα καίεσθαι θ41. 833 ᵃ27. cf S Theophr IV 550.

Μαρικᾶς. φέρυσιν ὕστερον τρίτῳ ἔτει τὸν Μαρικᾶν τῶν Νεφελῶν αἱ διδασκαλίαι f 578. 1573 ᵃ1.

μαρίλα. λεπτὴ μαρίλης πλη8. 967 ᵇ5 (λεπτὴ σμαρίλη. v l Bsm p VIII).

μαρῖνος. κύϊσι πλεῖστον χρόνον ὑς καλῦσί τινες μαρίνυς Ζιζ17. 570 ᵃ31. τοῖς πλείστοις ἰχθύσι συμφέρει (τὰ ὄμβρια ὕδατα), κεστρεῖ δὲ κ̣ κεφάλῳ κ̣ οἱ καλῦσί τινες μαρῖνον (μύρινον Bk) τὐναντίον Ζιθ19. 602 ᵃ2 Aub. (piscis ignot cf S I 645, II 471.) v s v μύρινος.

μάρις. ἔστιν ὁ μάρις ἓξ κοτύλαι Ζιθ9. 596 ᵃ9.

Μαρσεὺς καλεῖται ὁ ἀπηλιώτης σ973 ᵃ19. f 238. 1521 ᵇ13.

Μάρσος (ον?). ἀπὸ Μάρσυ κώμης σ973 ᵃ20. f 238. 1521 ᵇ13.

μαρτιχόρας (v l μαντιχόρας) descr Ζιβ1. 501 ᵃ26 Aub. (animal Indicum apud Ctesiam cf Humboldt Kosmos II 424. Su 89, 70.)

μαρτυρεῖν, ᾧ dat μαρτυρεῖν τοῖς τὰ ἄτομα ποιῦσι μεγέθη αι6. 445 ᵇ18. μαρτυρεῖν τοῖς φαινομένοις, τοῖς εἰρημένοις, τοῖς λόγοις Οα3. 270 ᵇ5. 9. 279 ᵃ33. μβ4. 360 ᵃ33. εν2. 460 ᵃ26. Πη14. 1334 ᵃ5. ψευδῆ μαρτυρεῖν ρ16. 1431 ᵇ28. μαρτυρεῖν absol, ὁ λόγος μαρτυρεῖ, μαρτυρεῖ αὐτὸ τὸ συμβεβηκὸς al ΜΑ2. 982 ᵇ22. ν1. 1087 ᵇ3. λ1. 1069 ᵃ25. Γβ8. 335 ᵃ9. ψα5. 410 ᵃ29. Ηβ1. 1103 ᵇ2. η15. 1154 ᵇ7. μαρτυρεῖν, ὅτι sive ὡς Φθ9. 265 ᵇ17. Οβ5. 288 ᵃ7. 1. 284 ᵃ13. — pass τύτοις ἔοικε μαρτυρεῖσθαι ὑφ' ἑκάστων Ηγ7. 1113 ᵇ22. πολλοῖς ὅτω παρὰ τῦ δαιμονίυ μεμαρτύρηται f 40. 1481 ᵇ2.

μαρτυρίαν ἔχειν ἔκ τινος Πθ3. 1338 ᵃ36. μαρτυρία, def ρ16. 1431 ᵇ20. μαρτυρίαι, πίστις ἄτεχνος Ρα15. 1375 ᵇ26-1376 ᵃ33. ρ16. τὰς μαρτυρίας παρεδόσασαν τοῖς εἰσαγωγεῦσι τῶν δικαίων οἱ διαιτηταί f 414. 1547 ᵃ21.

μαρτύριον ἂν εἴη τοῖς εἰρημένοις μβ3. 359 ᵃ19. πιθανὰ τὰ τοιαῦτα μαρτύρια ταύταις ταῖς δόξαις Ζγα17. 721 ᵇ28. μαρτύριον τῶν εἰρημένων κ̣ τὸ πᾶσιν ὑπάρχειν τὴν καρδίαν Ζμγ4. 666 ᵃ22. τύτυ δὲ μαρτύριον· ὁ γὰρ ἐλέφας Ζγδ4. 771 ᵇ8. μαρτύρια τὰ συμβαίνοντα, ὅτι Ζγα18. 725 ᵇ4.

μαρτύριον ποιεῖσθαί τι Φδ6. 213 ᵇ21. μαρτύρια λαμβάνειν ἔκ τινος Πθ5. 1340 ᵇ7, εἴς τι Ζγα19. 727 ᵃ33. μαρτυρία χάριν μα13. 350 ᵇ19.

μάρτυς. μάρτυρες, πίστις ἄτεχνος Ρα2. 1355 ᵇ37. 15. 1375 ᵇ26-1376 ᵃ33. πλῆθός τι μαρτύρων παρασχέσθαι Πβ8. 1269 ᵃ2. μάρτυρα ἐπάγεσθαι ποιητὴν Μα3. 995 ᵃ8.

μασᾶσθαι. ὀλίγη ἦν χρεία τοῖς ἰχθύσι τῆς γλώττης διὰ τὸ μὴ ἐνδέχεσθαι μασᾶσθαι μηδὲ προγεύεσθαι Ζμ11. 690 ᵇ27. φανερὸν μασωμένοις πα38. 863 ᵇ12. ζ9. 887 ᵇ2.

Μασσαλία Πε6. 1305 ᵇ4, 10. ζ7. 1321 ᵃ30. Φωκαεῖς ἔκτισαν Μασσαλίαν, Πρωτιάδαι γένος ἐν Μασσαλίᾳ f 508. 1561 ᵃ39, ᵇ5. — Μασσαλιῶται θ87. 837 ᵃ28. 89. 837 ᵇ8. Μασσαλιωτῶν πολιτεία f 508.

μαστιγῦν τὸ σῶμα πλατεῖ νάρθηκι πκζ3. 948 ᵃ9. εἰ θαρρεῖ μέλλων μαστιγῦσθαι, ὐκ ἀνδρεῖος Ηγ9. 1115 ᵃ24. τὸν ὄνον μαστιγῦσιν ἀκολυθῦντες Ζγβ8. 748 ᵃ22. οἱ μεμαστιγωμένοι ρ14. 1431 ᵃ12. οἱ Τυρρηνοὶ ὑπ' αὐλῷ μαστιγῦσιν f 566. 1571 ᵃ9.

μάστιξ. ἡ Κορκυραία ἐπεπόλασε μάστιξ κ̣ εἰς παροιμίαν ἦλθε f 470. 1555 ᵇ14, 25.

μαστοειδής. πόρος, ὅμοιος τὴν χρόαν τοῖς ἄνω μαστοειδέσιν Ζιδ4. 529 ᵃ18.

μαστός. 1. τί ἐστι, τῶν ζῴων τίνα ἔχει, ὐκ ἔχει· ὁ μαστὸς ὑποδοχὴ κ̣ ὥσπερ ἀγγεῖόν ἐστι γάλακτος Ζμδ11. 692 ᵃ12. τῆς τροφῆς τῆς σπερματικῆς ὑστέραι κ̣ αἰδοῖα κ̣ μαστοί Ζγα18. 725 ᵇ3. ὁ ὄγκος, ἡ ἔπαρσις τῶν μαστῶν Ζιη1. 582 ᵃ12, 581 ᵃ27, 32. μανός, σομφός, σαρκώδης Ζια12. 493 ᵃ14. η11. 587 ᵇ24. Ζγδ8. 776 ᵇ20. Ζμδ10. 688 ᵃ21. πάμπαν μεγάλοι, μικροί, πλάγιοι Ζιη1. 582 ᵃ6. β8. 502 ᵃ34. Ζμδ10. 688 ᵇ1. syn τὰ περὶ τὰς μαστύς Ζιη1. 582 ᵃ6. Ζγα19. 727 ᵃ8. δ8. 776 ᵇ23, 19. — μαστὸς ἔχει ὅσα ζῳοτοκεῖ ᾗ ἐν αὑτοῖς ᾗ ἔξω, ἔχει ὅσα ᾗ τὸ γάλα ἐν τοῖς μαστοῖς, τοῖς ζῳοτοκυμένοις γίνεται ἡ τροφή, τὸ γάλα, ἐν τοῖς μαστοῖς Ζιγ20. 521 ᵇ22, 21. Ζγγ2. 752 ᵇ23. δ8. 776 ᵇ4. — ἔχυσι κ̣ οἱ ἄρρενες μαστύς, μικρὰς παντελῶς Ζιβ1. 500 ᵃ22. τῶν ἀρρένων τίνα ἔχει τὰς μαστύς Ζμδ10. 688 ᵇ1, ᵃ22. τίνες ἐπιδηλοτέρας ἔχει ᾗ γυναικικωτέρας τὰς μαστύς Ζιη1. 582 ᵃ13. τῶν μωνύχων τὰ ἄρρενα ὐκ ἔχει μαστύς Ζιβ1. 500 ᵃ31. — ὅσα ἔξω ζῳοτοκεῖ μόνον ᾗ ᾠοτοκεῖ ὐκ ἔχει μαστύς, μαστὸς ὐκ ἔχυσιν ὄφεις ὄρνιθες ἰχθύες κροκόδειλος Ζιγ20. 521 ᵇ25. β13. 504 ᵇ19, 27. 10. 503 ᵃ6. Ζμδ11. 692 ᵃ9. — 2. τῶν μαστῶν τόποι. πῦ ἐποίησεν ἡ φύσις τὰς μαστύς Ζμδ10. 688 ᵇ21. μαστὺς τὰ μὲν ἐν τῷ στήθει τὰ δὲ πρὸς τοῖς μηροῖς, ἔνια τῶν τετραπόδων ὐκ ἔχει μαστὺς ἐν τῷ στήθει· μαστὺς ὐκ ἔχει ὐδὲν ἐν τῷ πρόσθεν, ἐν τῷ στήθει, ἀλλ' ἢ ἄνθρωπος· οἱ πίθηκοι ἐν τῷ στήθει δύο θηλὰς μαστῶν μικρῶν· ὁ ἀρίστερος μαστός Ζια1. 486 ᵇ25. 17. 496 ᵃ17. β1. 497 ᵇ35, 498 ᵃ1, 500 ᵃ16. 8. 502 ᵃ34. Ζμδ10. 688 ᵃ18, 30. — ὁ ἐλέφας μαστὺς δύο ἔχει, ἀλλ' ὐκ ἐν τῷ στήθει ἀλλὰ πρὸς τῷ στήθει, syn περὶ τὰς μασχάλας, ὑπὸ ταῖς μασχάλαις τῶν προσθίων σκελῶν Ζιβ1. 498 ᵃ1, 500 ᵃ16, 19. Ζμδ10. 688 ᵇ5, 9. — οἱ κάτω τὰς μαστὺς ἔχοντες, ὁ δελφὶς ἔχει δύο μαστὺς ὐκ ἄνω ἀλλὰ πλησίον τῶν ἄρθρων Ζγδ8. 776 ᵇ22. Ζιβ13. 504 ᵇ22. cf ζ12. 567 ᵃ2 Pic. τίνες οἱ πρῶτοι Ζμδ10. 688 ᵇ9, 11, 14. Ζιζ18. 573 ᵇ7. τὰ πολυτόκα τὰς μαστὺς ἔχει περὶ τὴν γαστέρα, περὶ μέσην τὴν γαστέρα· ἔνια, λέαινα, πάρδαλις ἐν τῇ γαστρί Ζμδ10. 688 ᵇ1, 16, ᵃ34. Ζιβ1. 500 ᵃ26, 28, 29. τὰ μὴ πολυσχιδῆ ἀλλ' ὀλιγοτόκα ᾗ κερατοφόρα, τὰ ὀλιγοτόκα κ̣ μώνυχα κ̣ κερατοφόρα, βῦς, πρόβατον, κάμηλος ἐν τοῖς μηροῖς ἔχυσι τὰς μαστὺς Ζμδ10.

688 [a]33, [b]22. Ζιβ1. 500 [a]24, 25, 29. γ21. 522 [b]17. ὁ ἄρρην αἲξ παρὰ τὸ αἰδοῖον Ζιγ20. 522 [a]14. — 3. quot mammas habeant, δύο μαστὺς ⅹ̀ δύο θηλάς, διὰ τί δύο Ζμδ̄10. 688 [a]25. Ζιβ1. 500 [a]19,.24. 8. 502 [a]34. 13. 504 [b]22. δύο μαστὺς ⅹ̀ τέτταρας θηλάς Ζιβ1. 500 [a]25, 29. — τέτταρας μαστὺς Ζιβ1. 500 [a]23, 28. — πολλὺς Ζμδ̄10. 688 [a]34, [b]1. — 4. physiolog. φλέβες διὰ τὸ νώτυ παρὰ τὸν πλεύμονα ὑπὸ τὺς μαστὺς· τὸ στῆθος διφυὲς μαστοῖς, τύτων ἡ θηλὴ διφυὴς· ἔστιν ἑκάστοις τοιῦτος ὁ τῶν μαστῶν τόπος δι' ἀμφοτέρας τὰς αἰτίας ἕνεκά τε τῦ βελτίστυ γεγονὼς τοιῦτος ⅹ̀ ἐξ ἀνάγκης· διὰ τὸ κάτω τὴν ἔκκρισιν γίνεσθαι πολλὴν κενὸς ὁ τόπος γίνεται ὁ τῶν μαστῶν τοῖς θηλεσι ⅹ̀ σομφὸς Ζιγ2. 511 [b]26, 512 [a]32. 3. 512 [b]28, 30. α12. 493 [a]13. Ζγδ̄8. 776 [b]20, 32. πότε τοῖς θήλεσι ἐπισημαίνει τὰ περὶ τὺς μαστὺς· ἡ ἔπαρσις τῶν μαστῶν· ὅταν δύο δακτύλυς ἀρθῶσι, τότε γίνεται τὰ καταμήνια ταῖς πλείσταις· ταῖς παρθένοις τὰ περὶ τὺς μαστὺς γίνεται πλεῖσται, οἱ μὲν πάμπαν μεγάλυς, αἱ δὲ μικρὺς ἔχωσιν Ζγα19. 727 [a]8, 20, 728 [b]30, 31. Ζιε14. 544 [b]24. ηι. 581 [a]27, 32, [b]6, 582 [a]6. μετὰ τὴν σύλληψιν εἰς τὺς μαστὺς τρέπεται τὸ καταμήνια ⅹ̀ γίνεται γάλα· μετὰ τὺς τόκυς ἐνίαις γυναιξὶ τὸ γάλα ῥεῖ πολλαχῆ τὺ μαστῦ· ἐπὶ ταῖς θηλαῖς τῶν μαστῶν ἐπιγίνεται ἀνοίδησίς τις ⅹ̀ χόνδρου ἰσχυσιν· τὰ περὶ τὺς μαστὺς αἴρεται ⅹ̀ τοῖς ἄρρεσιν ἐπιδήλως Ζιη3. 583 [a]32, 34. 4. 584 [a]9. 11. 587 [b]21. ζ20. 574 [b]15. Ζγδ̄8. 776 [b]19. — 5. πόνος ἐν τοῖς μαστοῖς· ὁ αἰγύλωπας θηλάζει τὺς τῶν αἰγῶν μαστὺς Ζιη11. 587 [b]15. ι30. 518 [b]7. — 6. comparantur cum mammis αἱ κοτυληδόνες Ζγβ7. 746 [a]4. ἔχει ἡ ὑστέρα τῶν γαλεοειδῶν μικρὸν προελθόντι ἀπὸ τῦ ὑποζώματος οἷον μαστὺς λευκὸς Ζιζ10. 565 [a]21, 30 'Drüsen des Eileiters' Müller glatt Hai 9. τῶν πολυπόδων οἱ ἄρρενες ἔχυσι πόρον ὅμοιον μαστῦ· ἡ θηλεια τευθὶς ἔχει ἐρυθρὰ δύο οἷον μαστὺς· οἱ κόχλοι κάτω ἔχυσι δύο λευκὰ στιφρά, ὅμοια μαστοῖς Ζιδ̄1. 524 [b]33 (cf Siebld XII 390). 4. 529 [a]3. ειβ. 550 [b]19.

μαστροὶ ἐν Πελλήνη ἐπὶ τὸ ζητεῖν τὰ κοινὰ τῦ δήμυ f 526. 1564 [b]42.

μασχάλη, κοινὸν μέρος βραχίονος ⅹ̀ ὤμυ, τὸ μόριον τὸ περὶ τὴν μασχάλην Ζια14. 493 [b]8. Ζμγ10. 673 [a]9. φλέβες διὰ τῶν στηθῶν ὑπὸ τὴν μασχάλην εἰς ἑκατέραν τὴν χεῖρα Ζιγ2. 512 [a]4. cf 3. 513 [a]4, [b]35. 4. 514 [a]37. διὰ τί ἡ μασχάλη δυσωδέστατον τῶν τόπων, τὸ αἴτιον τῦ τὰς μασχάλας ἱδρῶν τάχιστα ⅹ̀ μάλιστα πιγ8. 908 [b]20. δ12. 877 [b]39. β14. 867 [b]20. ἐνίαις γυναιξὶ τὸ γάλα ῥεῖ κατὰ τὰς μασχάλας Ζιη11. 587 [b]22. τὰ ἐπὶ ταῖς μασχάλαις ⅹ̀ βυβῶσι φάρμακυ ὑγιάζεται πια34. 863 [a]20. διὰ τί γαργαλίζονται τὰς μασχάλας ⅹ̀ τὰ ἐντὸς τῶν ποδῶν; διὰ τί, ἐάν τις τὸν περὶ τὰς μασχάλας τόπον κνήση, ἐκγελῶσιν πλε2. 964 [b]30. 8. 965 [a]23. cf Ζμγ10. 673 [a]9 Langk. τῶν τετραπόδων ὐθὲν ἔχει τρίχας ἐν τῷ ταῖς μασχάλαις ὔτ' ἐπὶ τῆς ἥβης, πλὴν τὸ ἀνθρώπυ, αἱ ἐπὶ τῆς μασχάλης τρίχες Ζμβ14. 658 [a]27. Ζιβ2. 498 [b]22. γ11. 518 [a]22. ὁ ἐλέφας δύο μαστὺς ἔχει ὑπὸ τὰς μασχάλας τῶν προσθίων σκελῶν, ἄνω πρὸς ταῖς μασχάλαις, περὶ τὰς μασχάλας Ζμδ̄11. 688 [b]6, 9, 14. Ζιβ1. 500 [a]19.

μάταιος. ἡ φύσις ὔτ' ἐλλείπει ὔτε μάταιον ὐθὲν ποιεῖ τῶν ἐνδεχομένων περὶ ἕκαστον Ζγε8. 788 [b]21. ἀφιέμενοι τῶν ματαίων λειτυργιῶν ΠΖ5. 1320 [b]4. βάδισις ματαία Φβ6. 197 [b]25. κενὴ ⅹ̀ ματαία ὄρεξις Ηα1. 1094 [a]21. ψεῦδος ἢ μάταιον Γα8. 326 [a]26. μάταιον ἔσται τὸ εἶδος Ηα4. 1096 [b]20. μάταιος μᾶλλον ἢ κακός Ηδ̄13. 1127 [b]11. χλάδοι

μάταιοι, ἐκ τῶν ῥιζῶν φυόμενοι φτα4. 819 [b]23. — ματαιότερον, opp ἱκανόν Ηα2. 1095 [a]29. — ματαίως ἀκύσεται ⅹ̀ ἀνωφελῶς Ηα1. 1095 [a]5. ῥηθέντα ματαίως (Emp 238) Οβ13. 294 [a]27. ξ2. 976 [a]36.

μάτην, def Φβ6. 197 [b]26. Οα4. 271 [a]32. ὁ θεὸς ⅹ̀ ἡ φύσις ὐθὲν μάτην ποιῦσιν (coni syn ἀλόγως, ἀτελές) Οα4. 271 [a]33. β11. 291 [b]14. Ζμβ13. 658 [a]9. γ1. 661 [b]24. Ζγβ5. 741 [b]5. 6. 744 [a]36. Πα8. 1256 [b]21. ὁ μάτην τὴν πρὸς αὑτὸν ἔχει φιλίαν ἕκαστος, ἀλλ' ἔστι τῦτο φυσικὸν Πβ5. 1263 [a]41. μάτην εἶναι Φγ4. 203 [b]5. Οα4. 271 [a]23. ἔσται τὸ γεγονὸς μάτην ἢ περίεργον Ζγβ6. 744 [a]38. εἰ μὴ μάτην λέγεται ηεη9. 1241 [b]13. ὁ μάτην ἀξιῶσι ηεη15. 1249 [a]21. συνέβαινε Σωκράτει τὰς ἀρετὰς μάτην εἶναι ημα1. 1183 [b]10, 11, 18.

μάττειν. ὁ τῷ μάττοντι ἐρομένῳ πότερον σκληρὰν ἢ μαλακὴν μάξη ἀποκρινάμενος Ργ16. 1416 [b]30, 31.

Μαύσωλος, ὁ Καρίας τύραννος οβ1348 [a]4-17, 18, 31.

μάχαιρα ἢ διαιρεῖται εἰς μαχαίρας Ογ8. 307 [a]30. μάχαιρα Δελφικὴ Πα2. 1252 [b]2 Göttling. ἐν ὄρει Βερεκυνθίῳ γεννᾶσθαι λίθον καλύμενον μάχαιραν θ173. 845 [a]5.

μαχαίριον ἰατρικόν Μχ3. 1061 [a]4. ημβ11. 1209 [a]23. διὰ τὸ μαχαίριον τὸ ὕδωρ ἐξεληλυθέναι τοῖς ὑδρωπιῶσιν Ζγε8. 789 [b]13.

Μαχάων f 596. 1576 [a]13.

μάχεσθαι ἀλλήλοις ηεη3. 1238 [b]36. οἱ ὁμονοῦντες ὐ μάχονται ηεη7. 1241 [a]30. — μάχεσθαι τοῖς φανεροῖς, τοῖς εὐλόγοις, ταῖς ἀκριβεστάταις ἐπιστήμαις Φθ3. 254 [a]8. Μν3. 1091 [a]6. Ογ4. 303 [a]20. 7. 306 [a]27. μάχεσθαι ἡδονῇ, θυμῷ Ηβ2. 1105 [a]8. μάχεται πάντα ταῦτα πρὸς ἄλληλα ηεη6. 1240 [a]30. μαχέσασθαι πρὸς νόμον ἐναντίον, πρὸς τὰ εὐέλεγκτα Ρα15. 1376 [b]16. γ17. 1418 [b]19. ὅτω μαχετέον (hoc argumentum opponendum est) ὅτι τὸ παρὸν ὐχ ὅμοιον Ρβ25. 1403 [a]9. cf Τι17. 175 [a]34. — τοῖς πολλοῖς τὰ ἡδέα μάχεται (ἄλλος γὰρ ἄλλο νομίζει Paraphr?) διὰ τὸ μὴ φύσει τοιαῦτ' εἶναι, τοῖς δὲ φιλοκάλοις ἐστὶν ἡδέα τὰ φύσει ἡδέα Ηα9. 1099 [a]12. — μαχέσασθαι c inf, οἱ περὶ ταύτην τὴν ἐργασίαν ὄντες μάχονται χωρίζειν τὴν μεμιγμένην κόπρον Ζιε19. 552 [a]23.

μάχη. στάσεις ⅹ̀ μάχαι πρὸς ἀλλήλυς Πδ̄11. 1296 [a]28. ε3. 1303 [b]2. μάχη ἐκ τῆς λοιδορίας Μδ̄1. 1013 [a]9. cf 'Επίχαρμος p 282 [b]44. ἐντεῦθεν αἱ μάχαι ⅹ̀ τὰ ἐγκλήματα Ηε6. 1131 [a]23. θ15. 1162 [b]9.

μαχητικοί τίνες Ρβ4. 1381 [a]32, [b]10. α12. 1372 [b]31. μαχητικοὶ περὶ κέρδυς Ρα12. 1372 [b]31. παιδιαὶ μαχητικαὶ ⅹ̀ ἐριστικαί Ρα11. 1371 [a]4. — μαχητικὸς μαχητικὸν Ζμγ2. 662 [b]34.

μάχιμος. οἱ ἀνδρειότατοι μαχιμώτατοι Ηγ11. 1116 [b]14. dist ἀνδρεῖος Ηγ11. 1117 [a]7. ζῷα μάχιμα τὸ ἦθος Ζμγ2. 663 [a]13 (coni θηριώδη). Ζιι7. 613 [a]8. 17. 616 [b]20, 22. f 268. 1526 [b]34. — τὸ μάχιμον, οἱ μάχιμοι, pars civitatis Πβ8. 1268 [a]37, 39, γι. η8. 1328 [b]22. 10. 1329 [b]1.

μάχλος. μαχλόταται δὲ γυναῖκες (Hes ε 586) πδ̄25. 879 [a]28.

Machlys. supra Nasamonas confinesque illis Machlyas Androgynos esse f 563. 1570 [b]37.

Μεγακλῆς Μιτυληναῖος Πε10. 1311 [b]27.

μεγαλαδίκος, opp μικραδικηταί Ρβ17. 1391 [a]29.

μεγαλεῖος. οἷον τὰ πολλὰ (ὀνόματα) τῶν μεγαλείων (Bk[a] e ci Tyrwh, Μεγαλιωτῶν codd Bk) οβ1457 [a]35.

Μεγάλη πόλις ἡ ἐν Πελοποννήσῳ θ127. 842 [b]26. μύριοι ἐν Μεγάλη πόλει, συνέδριον κοινὸν 'Αρκάδων ἁπάντων f 442. 1550 [b]6.

Μεγαλιωτῶν (Bk, μεγαλείων ci Tyrwhitt al) πο21. 1457 ᵃ35.

μεγαλοκέφαλος υ3. 457 ᵃ23. πλ3. 955 ᵇ7.

μεγαλοκίνδυνος, opp μικροκίνδυνος Ηδ8. 1124 ᵇ8.

μεγαλοκοίλιος, coni μεγαλόφλεβος Ζμγ4. 667 ᵃ29.

μεγαλοκόρυφος γῆ (ex Lycophrone) Ργ3. 1405 ᵇ36.

μεγαλοκύμων πκϛ16. 942 ᵃ14.

μεγαλομέρεια ΜΑ8. 989 ᵃ6.

μεγαλομερής. ταχὺ τὸ μεγαλομερές Ογ5. 303 ᵇ27.

μεγαλοπόνηρος, opp μικροπόνηρος Πδ11. 1295 ᵇ9.

μεγαλόπης ὁ κύκνος Ζιι21. 617 ᵃ26.

μεγαλοπρέπεια, def Ηβ7. 1107 ᵇ17. δ4. 1122 ᵃ31. ηεβ3. 1221 ᵃ11. Ρα9. 1366 ᵇ18. etymol Ηδ4. 1122 ᵃ23. ημα27. 1192 ᵇ8. περὶ μεγαλοπρεπείας Ηδ4-6. ηεγ6. ημα27.

μεγαλοπρεπής (cf μεγαλοπρέπεια), def ηεγ6. 1233 ᵃ36-38. dist ἐλευθέριος Ηβ7. 1107 ᵇ17. dist αὐθάδης Ρα9. 1367 ᵇ1. — μεγαλοπρεπὴς λέξις ρ36. 1441 ᵇ12. — μεθιστάναι ἐπὶ τὸ μεγαλοπρεπέστερον, opp ἐπὶ τὸ ταπεινότερον ρ3. 1423 ᵃ31. — μεγαλοπρεπῶς ποιεῖν τι Ηδ5. 1123 ᵃ17.

μεγαλόστομος. τὰ μεγαλόστομα, opp τὰ συστομώτερα Ζμγ1. 662 ᵃ25.

μεγαλότεχνον χ6. 398 ᵇ14 Κapp.

μεγαλόφθαλμος. οἱ μεγαλόφθαλμοι νωθροί φ6. 811 ᵇ20.

μεγαλόφλεβος, coni μεγαλοκοίλιος Ζμγ4. 667 ᵃ30.

μεγαλοφωνία. ἕτερον τὸ βαρὺ χ ὀξὺ ἐν φωνῆ τῆς μεγαλοφωνίας χ μικροφωνίας Ζγε7. 787 ᵃ3.

μεγαλόφωνος, opp μικρόφωνος Ζγε7. 786 ᵇ9. μεγαλόφωνά ἐστιν ἐν τῷ πολὺ ἁπλῶς εἶναι τὸ κινούμενον Ζγε7. 787 ᵃ12. μεγαλόφωνοι οἱ θερμοὶ τὴν φύσιν πια3. 899 ᵃ9.

μεγαλοψυχία, μεσότης μικροψυχίας χ χαυνότητος Ηβ7. 1107 ᵇ22. ηεβ8. 1221 ᵃ10, 31. γ5. 1233 ᵃ16. ημα26. 1192 ᵃ21. κόσμος τῶν ἀρετῶν Ηδ7. 1124 ᵃ1. ἀρετὴ μεγάλων ποιητικὴ εὐεργετημάτων Ρα9. 1366 ᵇ17. cf β12. 1389 ᵃ33. μεγαλοψυχία, def Αδ13. 97 ᵇ16-25. αρ1. 1249 ᵇ29. 2. 1250 ᵃ14. 5. 1250 ᵇ34-42. περὶ μεγαλοψυχίας Ηδ7-9. ηεγ5. ημα26.

μεγαλόψυχος (cf μεγαλοψυχία), def Ηδ7. 1123 ᵇ2, 29. etymol ηεγ5. 1232 ᵃ28. ὁ μεγαλόψυχος ὅμοιος τῷ σεμνῷ χ τῷ μεγαλοπρεπεῖ ηεγ5. 1232 ᵃ30. οἱ μεγαλόψυχοι χ οἱ ἐλεύθεροι Πθ3. 1338 ᵇ3. — τὰ τοιαῦτα μεγαλοψυχοτέρους ποιεῖ Ηδ8. 1124 ᵃ24. μεγαλοψυχότεροι πρὸς ἀρετὴν Πθ6. 1341 ᵃ29.

Μέγαρα. res publicae Πδ15. 1300 ᵃ17. ε5. 1304 ᵇ35. Θεαγένης ἐν Μεγάροις Πε5. 1305 ᵃ24. Ρα2. 1357 ᵇ33. — Μέγαραδε Μγ4. 1008 ᵇ14. — Μεγαροῖ Ζιε19. 552 ᵃ12.

Μεγαρεων πόλις Πγ9. 1280 ᵇ14. ἀταξία χ ἀναρχία Πε3. 1302 ᵇ31. τῆς κωμῳδίας οἱ Μεγαρεῖς ἀντιποιοῦνται οἵ τε ἐνταῦθα χ οἱ ἐκ Σικελίας πο3. 1448 ᵃ31. οἱ Μεγαρεῖς βάναυσοι Ηδ6. 1123 ᵃ24. οὐκέτι γιγνώσκουσιν Ἀθηναῖοι Μεγαρῆας ηεη10. 1242 ᵇ25. Μεγαρέων πολιτεία f 509. cf 433. 1549 ᵇ36.

Μεγαρικός. κατὰ τὴν Μεγαρικὴν σ973 ᵇ18. f 238. 1522 ᵃ2. — οἱ Μεγαρικοί (philosophi) refutantur quod statuunt ὅταν ἐνεργῇ μόνον δύνασθαι Μθ3.

μεγας. τὸ μέγα ἢ μικρὸν οὐ σημαίνει ποσὸν ἀλλὰ μᾶλλον πρός τι Κ6. 5 ᵇ27, cf ᵇ18. τὸ μέγα οὐκ ἐναντίον τῷ μικρῷ Κ6. 6 ᵃ8. τὸ μέγα τῷ κατὰ συνέχειαν εἶναι χ ποσόν τι μέγα λέγεται πιϛ7. 914 ᵇ3. μέγιστον οὗ μή ἐστιν ὑπερβολή, χ τέλειον οὗ μή ἐστιν ἔξω λαβεῖν τι δυνατόν Μι4. 1055 ᵃ11. μεῖζόν τινός τινι τοδ4. 125 ᵃ20. — τὸ γάλα φαίνεται μέγιστος ὢν κύκλος μαθ8. 345 ᵃ33. εἰ ἐν μικρῷ κόσμῳ γί-

νεται, χ ἐν μεγάλῳ Φθ2. 252 ᵇ27. οἱ μεγάλοι γῦπες θ60. 835 ᵃ4, cf γνὺψ ρ 164 ᵇ2. ὁ μέγας δάκτυλος, cf δάκτυλος ρ 165 ᵃ14. ἡ μεγάλη καλυμένη φλέψ υ3. 458 ᵃ18, cf φλέψ. — ἄνεμος μείζων χ πλείων, ἄνεμοι ψυχροὶ χ μεγάλοι μβ5. 363 ᵃ16. 6. 364 ᵇ11. φθέγγεσθαι μέγα Ζγε7. 788 ᵃ32. μεῖζον χ κάλλιον τοῦ παντὸς χορῶ Πγ13. 1284 ᵇ11. φωνὴ μεγάλη, μείζων Ζβ3. 593 ᵃ11, 6 (cf μεγαλόφωνος). πότε δεῖ χρῆσθαι φωνῇ μεγάλῃ, μικρᾷ, μέσῃ Ργ1. 1403 ᵇ28. — γένη μεγάλα τῶν ζῴων, γένη μέγιστα τῶν ζῴων Ζια6. 490 ᵇ16, 7. — μεῖζον ἄκρον, def Αα4. 26 ᵃ21. — ὀρθῶς κρῖναι τὰ μεγάλα χ μικρὰ τῶν ἀγαθῶν ηεγ5. 1232 ᵃ32, ᵇ29. διαφέρει τὸ ἐν τῷ ἔργῳ μέγα τοῦ ἐν τῷ δαπανήματι Ηδ5. 1123 ᵃ13. ἀρχαὶ μεγάλαι, μέγισται Πδ9. 1294 ᵇ29. 15. 1299 ᵇ29. ε8. 1308 ᵃ24. τιμαὶ μεγάλαι, opp μικραὶ Πε8. 1308 ᵇ14. στασιάζουσιν ἐκ μικρῶν περὶ μεγάλων Πε4. 1303 ᵇ18. ἐάν τις μέγας ᾖ χ δυνάμενος ἔτι μείζων εἶναι Πε7. 1307 ᵃ2. cf 8. 1308 ᵃ22. δεξιαι αἱ τῶν νέων βουλήσεις χ οὐ μεγάλαι Ρβ12. 1398 ᵃ8. ἐπιθεωρεῖν τὰ μεγάλα τῶν ἠθῶν χ τὰ ἀκριβῆ χ τὰ μέτρια ρ23. 1434 ᵇ29. — μέγα χ χαλεπὸν Φδ4. 212 ᵃ7. μέγα πρὸς φιλίαν, μέγιστον πρὸς τὴν τῆς ἤθης ἀρετὴν Ηδ14. 1161 ᵇ33. χι. 1172 ᵃ22. ἡγεμόνας μέγα ἐστὶ τὸ ἄρχειν ηεγ5. 1233 ᵃ30. οὐδὲν μέγα, coni οὐδὲν σεμνόν Ηη3. 1146 ᵃ16. — τὸ μέγα χ τὸ μικρὸν Platonis, cf Πλάτων. ὡς μὲν οὖν ὕλην τὸ μέγα χ τὸ μικρὸν εἶναι ἀρχάς, ὡς δ' οὐσίαν τὸ ἓν (Πλάτων φησίν) ΜΑ6. 987 ᵇ20 Bz. Φα4. 187 ᵃ17. 9. 192 ᵃ7, 11. cf ΜΑ7. 988 ᵃ26. β3. 998 ᵇ10. μ8. 1083 ᵇ24, 32. ν1. 1087 ᵇ11. μικρὸν χ μέγα ΜΑ9. 992 ᵃ12. τὸ ἄπειρον ἐκ μεγάλυ χ μικροῦ ΜΑ6. 987 ᵇ26. Πλάτων δύο ἄπειρα, τὸ μέγα χ τὸ μικρὸν Φγ4. 203 ᵃ16. εἴτε τοῦ μεγάλυ χ τοῦ μικροῦ ὄντος τοῦ μεθεκτικοῦ εἴτε τῆς ὕλης Φδ2. 209 ᵇ35. εἴδη τοῦ μεγάλυ χ τοῦ μικροῦ Μμ9. 1085 ᵃ9. Α9. 992 ᵃ11 Bz. ν1. 1087 ᵇ16. γεννῶνται οἱ ἀριθμοὶ τοῖς μὲν ἐκ τῆς τοῦ ἀνίσυ δυάδος τοῦ μεγάλυ χ μικροῦ Μν1. 1087 ᵇ8.

μέγεθος vel magnitudinem, ποσότητα, significat, vel rem magnam, extensam, ποσόν τι. 1. κοινὰ δ' ἐστὶ τῶν αἰσθήσεων οἷον σχῆμα, χ μέγεθος χ κίνησις χ τἆλλα τοιαῦτα εν1. 458 ᵇ5. μέγας τῷ μεγέθει, μεγέθει μέγιστος θ114. 841 ᵃ20. Ζιε22. 553 ᵇ11. μικρός, μείζων, ἐλάττων τὸ μέγεθος Ζμγ14. 675 ᵃ29. μα6. 344 ᵃ1. β8. 366 ᵃ11. Ζιβ4. 505 ᵇ14. Ζγβ1. 734 ᵃ23. τριῶν οὐσῶν κινήσεων, τῆς τε κατὰ μέγεθος χ τῆς κατὰ πάθος χ τῆς κατὰ τόπον Φθ7. 260 ᵃ27. εἰ ἀνάλογον τὰ μεγέθη τοῖς βάρεσι Οα6. 273 ᵇ3. τὸ τοῦ ἡλίυ μέγεθος μεῖζον ἢ τὸ τῆς γῆς μα8. 345 ᵇ2. μεγέθος σώματος, τίς ἡ ἀρετὴ αὐτῇ Ρα5. 1361 ᵇ18-21. μεγέθεσι (τὸ ἀνθρωπίνυ σώματος) διαφοραὶ τί σημαίνυσιν φ6. 813 ᵇ7-814 ᵃ5. τὰ μεγέθεσιν ὑπερβάλλοντα τῶν σωμάτων ἢ σμικρότησιν ἐλλείποντα φ6. 813 ᵇ28. ἔστι πᾶσι τοῖς ζῴοις πέρας τοῦ μεγέθυς, τοῦ μεγέθυς λαβεῖν τέλος Ζγβ6. 745 ᵃ6. γ9. 758 ᵇ16. τοῖς μέσοις μεγέθεσιν τὸν φικρον ἀπέδωκεν ἡ φύσις Ζγδ4. 771 ᵃ34, cf ᵇ4. τὰ πάχη τῶν τριχῶν χ αἱ λεπτότητες χ τὰ μεγέθη διαφέρουσι κατὰ τοὺς τόπους Ζιγ10. 517 ᵇ9. φωνῆς μέγεθος (cf μεγαλόφωνος), opp μικρότης, dist ὀξύτης βαρύτης λειότης τραχύτης ψβ11. 422 ᵇ30. φωνῆς μέγεθος ἁρμονία ῥυθμὸς Ργ1. 1403 ᵇ31. διαφοραὶ κατὰ τὸν πλᾶτον χ τὰ μεγέθη τῆς θυσίας Πδ3. 1289 ᵇ34. περὶ μεγέθυς χ μικρότητος τῶν πραγμάτων πόθεν σκεπτέον Ρβ19. 1393 ᵃ8-21. βάθος τῆς ψυχῆς χ μέγεθος αρ5. 1250 ᵇ38. — τὸ ἀμερὲς χ μηδὲν ἔχον μέγεθος Φθ10. 266 ᵃ11. περὶ τῶν ἰδίων συναλλαγμάτων χ ἐχόντων μέγεθος Πδ16. 1300 ᵇ23. περίοδος, λέξις ἔχυσα ἀρχὴν χ

τελευτὴν ϰ μέγεθος εὐσύνοπτον Ργ9. 1409 ᵃ36. ὄνυχας
ἐλαχίστης ὡς κατὰ μέγεθος ἔχει ἄνθρωπος sim Ζγβ6. 745
ᵇ18. ε2. 781 ᵇ18. 5. 785 ᵃ12, ᵇ19. αὐξητικὸν τὸ εἰς μέγε-
θος ποιὼν τὴν ἐπίδοσιν Ζγβ6. 744 ᵇ35. ἀρετὴ εἰς μέγεθος
ἴσα ημβ3. 1200 ᵃ33, syn εἰς ὑπερβολὴν γινομένη ᵃ14. περὶ 5
τὰ πραϰτὰ ὁμονοῦσι ϰ τύτων περὶ τὰ ἐν μεγέθει Ηι6. 1167
ᵃ29. cf δ4. 1122 ᵃ23. λέγω ἀριθμῷ ἴσον τὸ πλήθει ἢ με-
γέθει ταὐτὸ ϰ ἴσον Πε1. 1301 ᵇ31. χωριστὸν ἢ μεγέθει ἢ
λόγῳ (κατὰ μέγεθος, κατὰ λόγον) ψγ9. 432 ᵃ20. 10. 433
ᵇ25. 4. 429 ᵃ12. Trdlbg p 527. — 2. πλῆθος μὲν ποσόν 10
τι ἂν ἀριθμητὸν ᾖ, μέγεθος δὲ ἂν μετρητὸν ᾖ Μδ13. 1020
ᵃ9. μεγεθῶν μέτρον μέγεθος Μι1. 1053 ᵃ25. τὸ μέγεθος
συνεχές, διαιρετὸν εἰς συνεχῆ, διαιρετὸν εἰς μεγέθη, διαιρε-
τὸν εἰς ἀεὶ διαιρετὰ Μδ13. 1020 ᵃ11. Φδ11. 219 ᵃ11. ζ1. 2
(inprimis 233 ᵃ11, 23, 24). 8. 239 ᵃ21. Οα1. 268 ᵃ28. 15
πιζ1. 916 ᵃ9. (διὰ τί διαιρύμενα τὰ μεγέθη ἐλάττω φαί-
νεται πάντα τῷ ὅλῳ πιζ7. 914 ᵇ1.) μεγέθη ἀδιαίρετα πό-
τερον ἔστιν ἢ ὔ Γα2. 315 ᵇ26-317 ᵃ17. ἄτομα (ἐλάχιστα,
πρῶτα) μεγέθη ὐκ ἔστιν· οἱ τὰ ἄτομα ποιῦντες μεγέθη
Μμ8. 1083 ᵇ13. Φα3. 187 ᵃ3. 4. 188 ᵃ12. ζ8. 239 ᵃ21. 20
Οα5. 271 ᵇ10. αι6. 445 ᵇ18. (μηδὲν εἶναι μέγεθος ἀόρατον,
ἀλλὰ πᾶν ἐκ τινος ἀποστήματος ὁρατόν αι3. 440 ᵃ27.) τὸ
μέγεθος κατ' ἐνέργειαν ὐκ ἔστιν ἄπειρον, διαιρέσει δ' ἐστὶν
Φγ6. 206 ᵃ16. 4. 204 ᵃ1. θ10. 267 ᵃ21. διὰ τὸ τῇ νοήσει
μὴ ὑπολείπειν ϰ ὁ ἀριθμὸς δοκεῖ ἄπειρος εἶναι ϰ τὰ μαθη- 25
ματικὰ μεγέθη ϰ τὰ ἔξω τῦ ὐρανῦ Φγ4. 203 ᵇ25. ὐκ ἐν-
δέχεται ἐν πεπερασμένῳ μεγέθει ἄπειρον εἶναι δύναμιν Φθ10.
266 ᵃ25. — τῦ μεγέθους εἴδη distinguuntur. μεγέθης τὸ
μὲν ἐφ' ἓν γραμμή, τὸ δ' ἐπὶ δύο ἐπίπεδον, τὸ δ' ἐπὶ τρία
σῶμα Οα1. 268 ᵃ7. Γα2. 315 ᵇ28. μεγέθης τὸ μὲν ἐφ' 30
ἓν συνεχὲς μῆκος, τὸ δ' ἐπὶ δύο πλάτος, τὸ δ' ἐπὶ τρία
βάθος Μδ13. 1020 ᵃ11. (εἰ πᾶν σῶμα βάθος ἔχει· τῦτο
δ' ἐστὶ τὸ τρίτον μέγεθος ψβ11. 423 ᵃ22, i ε ἡ τρίτη διά-
στασις, cf διάστασις p 189 ᵃ33.) itaque coniuncta legimus
σώματα ϰ μεγέθη Οα1. 268 ᵃ2. 2. 268 ᵇ15. γ1. 298 ᵇ4. 35
aliquoties μέγεθος i q μῆκος vel γραμμή Φζ1. 231 ᵇ19,
21. 2. 232 ᵃ23, 233 ᵃ11, ᵇ7 (coll 1. 231 ᵇ8, 9, 232 ᵃ18).
ε4. 228 ᵇ23. Οα2. 268 ᵇ19. μέγεθος i q ἐπίπεδον: ϰ ἡ διά-
μετρος δυσὶ μετρεῖται ϰ ἡ πλευρὰ ϰ τὰ μεγέθη πάντα
Μι1. 1053 ᵃ18. sed plerumque τὸ μέγεθος ubi ad unam 40
potissimum speciem refertur, τὸ σῶμα significat. μήτε
κενὸν εἶναι τὸ σῶμα μήτε δύο ἐν ταὐτῷ τόπῳ μεγέθη
μήτε ἀσωμάτῳ αὐξάνεσθαι Γα5. 321 ᵇ16. μεγέθη ὁμοιο-
βαρές, ἀνομοιοβαρές Οα6. 273 ᵇ23. ὁ τῆς γῆς ὄγκος πηλί-
κος ἄν τις εἴη πρὸς τὰ περιέχοντα μεγέθη μα3. 339 ᵇ7, 45
340 ᵃ8. ὑπὸ μικρῷ οἴακος μεγάλα κινεῖσθαι μεγέθη πλοίων
μχ5. 850 ᵇ31.

Μέγης. ἐπίγραμμα ἐπὶ Μέγητος f 596. 1576 ᵃ28.
μέδιμνος ἔχει τῆς πυρῆς Κ15. 15 ᵇ24. ὁ ὅλος μέδιμνος Φυ5.
250 ᵃ22. μέδιμνος ἀλφίτου τετράδραχμος οβ1347 ᵃ33. coni 50
μετρητὴς οβ1350 ᵇ9. μέδιμνος Μακεδονικὸς Ζιθ9. 596 ᵃ3.
ἀχάνη πόσης χωρεῖ μεδίμνας f 525. 1564 ᵇ26, 28. ἡ μέ-
διμνος ἁλῶν (cf παροιμία) νεη2. 1238 ᵃ2.
Μέδυσα. τῆς Μεδύσης ὁ Πήγασος ἵππος f 164. 1505 ᵇ13.
Μέδων, genetivus Μέδοντος an Μέδωνος f 523. 1563 ᵇ30. 55
μεθεϰτιϰός. τῶν ὄντων τὰ μὲν εἴδη δὲ μεθεϰτικὰ τῶν
εἰδῶν (Plat) Γβ9. 335 ᵇ12. τὸ μεθεϰτικὸν ὁ τόπος (Plat)
Φδ2. 209 ᵇ35.
μέθεξις. ἀπὸ τιμημάτων γὰρ μακρῶν αἱ μεθέξεις τῶν ἀρ-
χῶν Πγ5. 1278 ᵃ23. — logice (cf μετέχειν) εἶναι κατὰ 60
μέθεξιν ΜΑ6. 987 ᵇ9 Bz, 13. ζ6. 1013 ᵇ18. η6. 1045

V.

ᵃ18, ᵇ8. κατὰ μέθεξιν ὑπάρχειν (i e ὡς γένος vel ὡς δια-
φορὰν ὑπάρχειν) τε4. 132 ᵇ35-133 ᵃ11 Wz.
μέθη. μετέχειν ὕπνυ ϰ μέθης Πθ5. 1339 ᵃ17. βάρος περὶ ι ὴν
κεφαλὴν δι' ὕπνον ϰ μέθην Ζγβ6. 744 ᵇ7. κοινωνεῖν κατα-
κλίσεως ϰ μέθης Πη17. 1336 ᵇ22. βαϰχευτικὸν ἡ μέθη
ποιεῖ Πθ7. 1342 ᵇ27. ὁ περὶ τὴν μέθην νόμος (Plat legg
Ⅱ 671E) Πβ12. 1274 ᵇ12. ὅσα περὶ οἰνοποσίαν ϰ μέθην
πγ. μέθη, dist κραιπάλη πγ17. 873 ᵇ18. ἡ μέθη πῶς γί-
νεται πγ13. 873 ᵃ1. ἤδη ἀπτομένης τῆς μέθης πγ20. 874
ᵃ6. 9. 872 ᵃ19. ἥϰιστα αἱ γυναῖκες ὑπὸ μέθης ἁλίσκονται
f 103. 1494 ᵇ27.
μεθιστάναι, μεταστῆσαι, intr μεθίστασθαι, μεταστῆναι, με-
θεστηκέναι. 1. proprie de mutato loco. ὠστραϰίζον ϰ με-
θίστασαν, ἐϰβάλλειν ϰ μεθιστάναι τινά Πγ13. 1284 ᵃ21,
ᵇ29. μόρια πλείω ϰ μεθεστῶτα τῆς τόπης, μεθεστηκότα
κατὰ τόπον Ζγδ4. 771 ᵃ2, 8. μεταστάντος τῦ ὖδ ἐξ ἄλλυ
τόπυ τῆς ὑστέρας εἰς ἄλλον Ζγγ1. 749 ᵃ21. ἀνίατον ἐὰν ἡ
κύστις (ἵππυ) μεταστῇ Ζιθ24. 604 ᵇ16. μαλαϰὸν τὸ ὑπεῖϰον
εἰς ἑαυτὸ ϰ μὴ μεθιστάμενον Γβ2. 330 ᵃ9. ἀπὸ τῆς αὐτῆς
ἰσχύος πλέον μεταστήσεται τὸ κινῦν τὸ πλεῖον τῦ ὑπομο-
χλίυ ἀπέχον μχ3. 850 ᵇ5. 27. 857 ᵃ28, 32. φαίνεται τὰ
ἄστρα μεθιστάμενα Οβ8. 289 ᵇ1. cf α8. 345 ᵃ35. ὁ ὁρίζων
ἕτερος ἀεὶ γίγνεται μεθισταμένων μβ7. 365 ᵃ31. cf Οβ14.
298 ᵃ9. ψα3. 406 ᵇ3. μεθίστασθαι εἰς εὐθύτητα ἢ περιφέ-
ρειαν, εἰς τὸ πλάγιον μδ9. 385 ᵇ32, 386 ᵇ12. εἰ τὸ ὕδωρ
μὴ μεθίστατο τῷ ξυλίνῳ κύβῳ Φδ8. 216 ᵇ1. — 2. meta-
ph ἐϰ τῆς καθεστηϰυίας πολιτείας ἄλλην μετεστῆναι, ἐϰ
ποίων πολιτειῶν εἰς ποίας μάλιστα μεθίστανται Πε1. 1301
ᵇ8, ᵃ22. cf ε7. 1307 ᵃ21. Ηθ12. 1160 ᵇ36 Fr. f 473. 1556
ᵃ11. τὰ ἐϰ παλαιῦ τοῖς ἤθεσι ϰατειλημμένα λόγῳ μετα-
στῆναι Ηϰ10. 1179 ᵇ18. ἐπιθυμίαι ἐπιδήλως ϰ τὸ σῶμα
μεθιστᾶσιν Ηη5. 1147 ᵃ16. cf φ2. 806 ᵃ25 (?). ἀρχῆς κινη-
θείσης πολλὰ ἀνάγϰη μεθίστασθαι τῶν ἀϰολυθύντων Ζγδ1.
766 ᵃ29. ῥᾶον ϰ θᾶττον μιϰρὰ μιϰροῖς παρατιθέμενα ἄλληλα
μεθίστησιν Γα10. 328 ᵃ34. ἐϰ τῦ μεθύειν ἢ ϰαθεύδειν ἢ
νοσεῖν εἰς τὐναντίον μεταστῆναι Φη3. 247 ᵇ14. ἐπὶ τὸ με-
γαλοπρεπέστερον μεθιστάναι τὰς ἱεροποιίας π3. 1423 ᵇ13.
ἐὰν περὶ τῶν ἐπιτηδευμάτων φαίνη μὴ μεθιστάμενος, ἀλλ'
ἀεὶ τοῖς αὐτοῖς χρώμενος p39. 1446 ᵃ1. — (accentus coni
pass retractus exhibetur μεθίσταται Φδ4. 211 ᵇ26.)
μεθοδιϰά. ἐν τοῖς μεθοδιϰοῖς εἴρηται Ρα2. 1356 ᵇ19, cf Ἀρι-
στοτέλης p 101 ᵇ39.
μέθοδος. 1. via ac ratio inquirendi, Αα31. 46 ᵃ32, ᵇ26 (syn
τῆς ζητήσεως ὁ τρόπος ᵇ36) β1. 53 ᵃ2 (syn ὁδὸς ibid)
ψα1. 402 ᵃ14, 16, 17 (syn τρόπος ᵃ19). ὁ τρόπος τῆς μεθό-
δυ Ζμα5. 646 ᵃ2. κατὰ τὸν αὐτὸν τρόπον τῆς μεθόδυ
Γα10. 327 ᵃ31. ἡ διαλεκτικὴ μέθοδος τῶν συλλογισμῶν
Ρα2. 1358 ᵃ4. ἔντεχνος μέθοδος Ρα1. 1355 ᵃ4, cf 2. 1355
ᵇ38. εὑρεῖν, ἔχειν, ζητεῖν μέθοδον τα1. 100 ᵃ18. 2. 101 ᵃ29.
3. 101 ᵇ5. 6. 102 ᵇ36. κατὰ τὴν ὑφηγημένην μέθοδον Πα1.
1252 ᵃ18. Ζγγ9. 758 ᵃ28. κατὰ τὴν ἀϰολυθῦσαν μέθοδον, ὑπὸ
τὴν αὐτὴν μέθοδον, τῇ αὐτῇ μεθόδῳ Ηε1. 1129 ᵃ6. Ζμγ5.
668 ᵇ32. τα5. 102 ᵃ10, 37. ὶ8. 169 ᵇ30. κατὰ ταύτην τὴν
μέθοδον Ζγβ6. 742 ᵇ10. τῆς αὐτῆς ὔσης μεθόδυ περί τι
Ρα1. 1354 ᵇ23. ἐϰ τίνων ἡ μέθοδος τα4. 101 ᵇ11. Ρα1.
1355 ᵇ22. ἡ μέθοδος ἤδη p6. 1427 ᵇ17. μία τις μέθοδος
κατὰ πάντων ψα1. 402 ᵃ14. ἰδία μέθοδος ταχ6. 102 ᵇ39.
κατὰ τὴν ἑκάστυ, τὴν οἰκείαν, ἡντινῦν μέθοδον τι11. 171
ᵇ11. θ12. 162 ᵇ8. Αβ23. 68 ᵇ12. ψεῦδος μέν, ἧττον δὲ
τύτυ παρὰ τὴν μέθοδον Φθ3. 253 ᵇ7. — 2. ipsa disputatio
ac disquisitio, πᾶσα τέχνη ϰ πᾶσα μέθοδος Ηα1. 1094 ᵃ1

LIl

(cf ἐπιστήμη [a]26, γνῶσις 2. 1095 [a]14). ἡ ζήτησις κỳ ἡ ὅλη μέθοδος ΜΑ2. 983 [a]23 Bz. περὶ πᾶσαν θεωρίαν τε κỳ μέθοδον Ζμα1. 639 [a]1. ποιεῖσθαι τὴν μέθοδον περί τινος Φγ5. 204 [b]3. Ζια6. 491 [a]12. φ4. 809 [a]25. ἐπιβαλέσθαι ταύτην τὴν μέθοδον Πβ1. 1260 [b]36. τῷ περὶ ἑκάστην μέθοδον φιλοσοφῦντι Πγ8. 1279 [b]13. ἡ μέθοδος ἡμῖν περὶ φύσεως, περὶ πολιτείας ἐστί Φγ1. 200 [b]13. Πϑ8. 1293 [b]30. τῦτο δηλῶσαι τῆς μεθόδυ τῆς νῦν ἐστιν Ζγε3. 782 [a]23. ἡ μέθοδος, πολιτική τις ἦσα Ηα1. 1094 [b]11. ἡ μέθοδος ἡ φυσικὴ Ζπ2. 704 [b]13. ἡ περὶ τὰς προτάσεις μέθοδος τ.11. 172 [b]8. ἡ πρώτη μέθοδος (prima disputationis pars) Πδ̓2. 1289 [a]26. ὅπως λάβῃ τὴς μεθόδυ τὸ μέρος (ut suam disputationis partem consequatur) Πδ̓10. 1295 [a]2. ἡ μέθοδος ἱκανῶς ἔχειν φαίνεται τι34. 184 [b]8, cf 183 [b]13, 184 [b]7. ἡ νῦν, ἡ προκειμένη, ἡ αὐτή, αὕτη ἡ, ἡ τοιαύτη, ἡ πρὸ ταύτης μέθοδος τη3. 153 [a]25. Φθ7. 261 [a]30. ΜΑ3. 984 [a]28. μ.9. 1086 [a]24. ν3. 1091 [a]20. Πζ̓1. 1317 [a]19. 2. 1317 [b]34. η1. 1324 [a]3. 2. 1324 [a]22. μέρος τῆς μεθόδυ ταύτης μα1. 338 [a]25. ὅ τι οἰκεῖον ἦν τῇ μεθόδῳ ηεα1. 1214 [a]14. — κατέδειξεν οἰκείῳ τε βίῳ κỳ μεθόδοισι λόγων f 623. 1583 [a]16. — non multum differt ab hoc usu quod μέθοδος perinde ac πραγματεία usurpatur ad significandam aliquam disciplinam ac doctrinam, ὃ μόνον πρὸς τὴν περὶ φύσεως θεωρίαν, ἀλλὰ κỳ πρὸς τὴν μέθοδον τὴν περὶ τῆς ἀρχῆς τῆς πρώτης Φθ1. 251 [a]7. ἡ μέθοδος ἡ τῶν φυσικῶν Μμι1. 1076 [a]9. τα2. 101 [b]3 (cf ἐπιστήμη [a]37). μι1. 338 [a]25. Ηα7. 1098 [a]28. Ργ10. 1410 [b]8. πο19. 1456 [a]36. — numerus plur μέθοδοι apud Ar legitur de pluribus disciplinis, τὸ εἰδέναι συμβαίνει περὶ πάσας τὰς μεθόδυς, ὧν εἰσιν ἀρχαί Φα1. 184 [a]11, apud auctorem Rh ad Alex de variis disputandi formis ac rationibus, διὰ τριῶν μεθόδων συνίσταται ρ5. 1427 [a]23. 1. 1420 [a]7 Spgl. 29. 1436 [a]28. — (de v μέθοδος cf Wz ad Αγ1. 71 [a]1).

μεθόριον. ὁ ὕπνος δοκεῖ εἶναι τῦ ζῆν κỳ τῦ μὴ ζῆν μεθόριον Ζγε1. 778 [b]30. τὸ μεθόριον τῶν ἀψύχων κỳ τῶν ζῴων κỳ τὸ μέσον Ζιϑ1. 588 [b]5. ἡ ἰσημερία μεθόριόν ἐστι χειμῶνος κỳ θέρυς πκς26. 942 [b]29. ὁ ζέφυρος ἐν μεθορίῳ ἐστὶ τῶν ψυχρῶν κỳ θερμῶν πνευμάτων πκς31. 943 [b]26. 55. 946 [b]22.

μέθυ i q οἶνος Φα2. 185 [b]9.

μεθύειν. τὸ μεθύειν φησὶν Ἀριστοτέλης τὸ μετὰ τὸ θύειν χρῆσθαι τῷ οἴνῳ f 98. 1494 [a]5. ὁ μεθύων ὃ δοκεῖ δι' ἄγνοιαν πράττειν Ηγ2. 1110 [b]26. ημα34. 1195 [a]32. τοῖς μεθύσι διπλᾶ τὰ ἐπιτίμια Ηγ7. 1113 [b]31. Πβ12. 1274 [b]19. οἱ μεθύοντες ἀνδρεῖοι κατ' ἐλπίδα ηεγ1. 1229 [a]20. — τὸ μεθύειν τί ἐστι πγ12. 872 [b]30. 25. 874 [b]13. πάθη τῶν μεθυόντων πγ1. 6. 2. 871 [a]8. 27. 875 [a]31. 9. 872 [a]18. 20. 874 [a]5. 10. 872 [b]4. 30. 875 [b]9. 11. 872 [b]15. 33. 875 [b]39. — λαμβάνονται οἱ ἔχεις μεθύοντες Ζιϑ4. 594 [a]12.

μεθύσκειν. ἔργῳ ἐκ οἶνος, διὸ κỳ ὁ μεθύσκει μϑ 9. 387 [b]12. — οἱ μεθυσκόμενοι πῶς ἀνδρεῖοι Ηγ11. 1117 [a]14. κύριος τῦ μὴ μεθυσθῆναι Ηγ7. 1113 [b]32. οἱ ταχὺ μεθυσκόμενοι Ηη9. 1151 [a]4. οἱ γεραίτεροι τάχιστα, οἱ παντελῶς νέοι τάχιον μεθύσκονται. οἱ ὕες ὑπὸ τίνων μεθύσκονται f 102. 1494 [b]13, 16, 18. ποῖος οἶνος μάλιστα μεθύσκει f 104. 1494 [b]33. 105. 106. 1494 [b]38. — ἧττον μεθύσκονται ταῖς μεγάλαις κωθωνιζόμενοι πγ12. 872 [b]28. 24. 874 [b]11. οἱ οἴνῳ ἢ ἄλλοις τισὶ μεθυσθέντες ἐπὶ τίνα μέρη πίπτυσιν f 101. 1494 [a]46, [b]5.

μεθυστικαὶ ἁρμονίαι Πθ7. 1342 [b]25. τὰ μεθυστικά f 101. 1494 [a]45.

Μεθωναίων πολιτεία f 510. 511.

μειλίχιος διὰ τί ὀνομάζεται ὁ θεός κ7. 401 [a]24.

μείων. σελήνη αὐξομένη κỳ μειωμένη κỳ φθίνυσα κ6. 399 [a]7. — rhet περὶ τῦ αὔξειν κỳ μειῶν Ρβ26. τὸ αὔξειν κỳ μειῶν ὐκ ἔστιν ἐνθυμήματος στοιχεῖον Ρβ26. 1403 [a]17.

μειρακιώδης. ὑπερβολαὶ μειρακιώδεις Ργ11. 1413 [a]29. (μείρεσθαι.) γίγνεται διὰ χρόνον εἱμαρμένον μα14. 352 [a]29. cf εἱμαρμένη.

μείς. ὁ μείς (vl μὴν) κοινὴ περίοδός ἐστιν ἀμφοτέρων (ἡλίυ κỳ σελήνης) Ζγδ̓10. 777 [b]23. cf μήν.

μεῖων. τὸ μεῖον κακὸν δοκεῖ ἀγαθόν πως εἶναι Ηε2. 1129 [b]8.

μείωσις, opp αὔξησις. ἡ αὔξησίς ἐστι τῦ ἐνυπάρχοντος (ὑπάρχοντος cod E) μεγέθυς ἐπίδοσις, ἡ δὲ φθίσις μείωσις Γα5. 320 [b]31. Κ14. 15 [a]14, [b]3.

μελαγκόρυφος, refertur inter τὰ σκωληκοφάγα Ζιϑ3. 592 [b]22. victus, nidus, ova, lingua Ζυ15. 616 [b]4-9. αἱ συκαλίδες κỳ οἱ μελαγκόρυφοι μεταβάλλυσιν εἰς ἀλλήλυς Ζυ49 Β. 632 [b]31. (atricapilla Gazae, atriceps Scalig, tête-noire C II 795. S II 247. Parus ater vel Motacilla atricapilla St. Cr. Parus palustris et Muscicapa atricapilla Su 115, 57. Parus palustris ΑΖ1 I 102, 74, cf Lnd 66.)

Μελάγχραιρα (Σίβυλλα) θ95. 838 [a]9.

μελάγχλωρος, οἱ μελάγχλωροι (ci Rose An gr 151, μελίχλωροι Bk) φ6. 812 [a]19.

μελαγχολικός. μελαγχολικοὶ χυμοί, μελαγχολικὴ κρᾶσις, μελαγχολικὸν νόσημα πιη1. 916 [b]5. 7. 917 [a]21. λ1. 954 [b]8, [a]28. — οἱ μελαγχολικοί, περὶ τῶν καλ. πλ1. cf f 341. οἱ ὀξεῖς κỳ μελαγχολικοὶ τὴν προπετῆ ἀκρασίαν εἰσὶν ἀκρατεῖς Ηη8. 1150 [b]25, 27, cf 11. 1152 [a]19, 28. οἱ μ. τὴν φύσιν ἀεὶ δέονται ἰατρείας Ηη15. 1154 [b]11 (ψυχροὶ κỳ μελαγχολικοί, opp θερμοὶ κỳ εὐφυεῖς ημβ6. 1203 [b]1). οἱ μ. ὑκ ὑπνωτικοί, ὃ βρωτικοί ν3. 457 [a]27sqq. οἱ μ. πολυόνειροι, εὔστοχοι μτ2. 463 [b]17, 464 [a]32. ηεη14. 1248 [a]39. τοῖς μ. ὑκ ἐρρωμένα τὰ ἐνύπνια ενϑ. 461 [a]22. τὺς μ. φαντάσματα κινεῖ μάλιστα μν2. 453 [a]19. περιττοὶ πάντες οἱ μελαγχολικοὶ πλ1. 953 [a]11, 955 [a]39. οἱ μ. ἀνώμαλοι πλ1. 955 [a]31. οἱ μ. λάγνοι, ἀφροδισιαστικοὶ πλ1. 953 [b]32. 30. 880 [a]30. διὰ τί οἱ ἰσχνόφωνοι μελαγχολικοὶ πια38. 903 [b]19, 20.

μελαγχρῶς. σφῆκες μελαγχρῶτες Ζυ41. 627 [b]26.

μελαίνειν trans. τὴν σάρκα πλη1. 966 [b]22. 11. 967 [b]24. ἐκπυρῶσαι κỳ μελᾶναι μγ1. 371 [a]23. pass τὰ καόμενα μελαίνεται χ1. 791 [b]19. μελαινόμενα χ5. 794 [b]28. ἐὰν μελανθῇ χ5. 795 [a]12.

μέλαινος (?). ἡ ἄγαν μελάνη (vl μελανὴ) χρόα φ6. 812 [b]1.

Μέλανα ὄρη θ157. 846 [a]26.

μελανάετος (Lob Par 378) Ζυ32. 618 [b]28. cf Osann griech Lit I 276. v λαγωφόνος.

μελανειμονεῖν θ109. 840 [b]7.

μελάνειν. μελάνει πόντος (Hom Η 64) πκγ23. 934 [a]15.

Μελανθεία, ἡ Ἀλφειῷ f 555. 1569 [b]42.

μελάνθριξ φ3. 808 [a]19.

μελανία. πάθη, οἷον λευκότης κỳ μελανία Μθ14. 1020 [b]10. ἐναντία λευκότης κỳ μελανία Φθ8. 264 [b]8. Κ5. 4 [b]15. 8. 9 [a]31. Γβ2. 329 [a]12. Ζγε3. 782 [a]4. ἡ μελανία τῦ κύκλῳ νέφυς μγ4. 375 [a]12. διὰ τὴν μελανίαν, καπνώδης γὰρ ἡ λιγνύς μγ4. 374 [a]26. μελανία τῦ ἄρτυ πια4. 927 [a]29. ἡ τῦ ὑγρῦ μελανία κỳ θόλωσις Ζμδ̓5. 679 [a]7. μελανία καλὴ κỳ λιπαρὰ τῦ κέρατος Ζυ45. 630 [a]35. γλαυκότης ὀμμάτων κỳ μελανία Ζγε1. 778 [a]18.

Μελανίππη Euripidis πο15. 1454 [a]31 (cf f 488).

Μελανιππίδης Ργ9. 1409 [a]27.

μελανόγραμμοι κỳ πολύγραμμοι f 282. 1528 [a]24.

μελανοδέρματος Ζιγ9. 517 ᵃ14.

μελανοειδής ᴋ σκιοειδής χ5. 795 ᵃ33.

μελανόθριξ. μελανότριχες Ζγε6. 786 ᵃ25.

μελανόμματος Ζγε1. 779 ᵇ14, 29 (cf μελανόφθαλμος ᵃ35), 780 ᵃ1. ηεη14. 1247 ᵃ11.

μελανός. ἡ ἄγαν μελαίνη (v l μελανή) χρόα φ6. 812 ᵇ1.

μελανόστικτα ᴋ ποικιλόστικτα f 283. 1528 ᵃ28.

μελανότης, opp λευκότης Φη2. 244 ᵇ17.

μελάνυρος (μελανῦρος v l et S). φυκίοις τρέφεται Ζιθ2. 591 ᵃ15. ὀρροπυγόστικτος, πολύγραμμος, μελανόγραμμος f 282. 1528 ᵃ24. cf 189. 1511 ᵇ37, 1512 ᵃ3. (oculata Gazae, hodie μελανύριον Sonnini I 277, E 88. Melanure Artedi syn. piscium 58, Gillius de nom pisc 24, C II 499. Sparus melanurus St. Cr. Oblata melanura Cuv VI 70, 372. ΑΖι I 135, 44.)

μελανόφθαλμος (cf μελανόμματος) Ζγε1. 779 ᵃ31, 35, 780 ᵃ16. πιθ14. 910 ᵃ12.

μελανόχρως φ3. 808 ᵃ17.

μέλανσις. opp λεύκανσις Φε4. 227 ᵇ8. 6. 230 ᵃ23.

μελαντηρία βάπτεσθαι χ4. 794 ᵃ20.

Μελάνωπος Ρα14. 1374 ᵇ25.

μέλας, cf χρῶμα. κατὰ τὸ ποιὸν τὸ μὲν λευκὸν μορφὴ τὸ δὲ μέλαν στέρησις Φγ1. 201 ᵃ6. Μκ19. 1065 ᵇ11. cf ΑΖι I 264 not. τὸ λευκὸν ᴋ μέλαν ἐναντία Μι7. 1057 ᵇ8. τὸ μέλαν στέρησις λευκᾶ Μι2. 1053 ᵇ31. τὸ μέλαν στέρησις ἐν τῷ διαφανεῖ τᾶ λευκᾶ αι4. 442 ᵃ26. ὥσπερ ἐν τῷ ἀέρι τὸ μὲν φῶς τὸ δὲ σκότος, οὕτως ἐν τοῖς σώμασιν ἐγγίγνεται τὸ μὲν λευκὸν τὸ δὲ μέλαν αι3. 439 ᵇ18. τὸ λευκόν ἐστι τὸ μὴ διαφαινόμενον Ζγε1. 780 ᵃ34. πκγ3. 934 ᵃ19. 41. 936 ᵃ9. τὸ μέλαν οἷον ἀπόφασίς ἐστι· τῷ γὰρ ἐκλιπεῖν τὴν ὄψιν φαίνεται μέλαν μγ4. 374 ᵇ12. τὸ μέλαν χρῶμα πῶς συμβαίνει γίνεσθαι χ1. 791 ᵃ3, 13, ᵇ17. Δημόκριτος τὸ λευκὸν ᴋ τὸ μέλαν τὸ μὲν τραχὺ εἶναί φησι τὸ δὲ λεῖον αι4.442 ᵇ11. τὰ χρώματα ἐκ λευκᾶ ᴋ μέλανος Φα5. 188 ᵇ24. αι4. 442 ᵃ12. τὸ μήτε λευκὸν μήτε μέλαν Μι5. 1056 ᵃ27. τὸ φαιὸν λευκὸν πρὸς τὸ μέλαν ᴋ μέλαν πρὸς τὸ λευκόν Φε1. 224 ᵇ35. 5. 229 ᵇ18. μέλαινα ᴋ ἐχομένη περιφέρεια μέλαντέρα μγ3. 373 ᵃ26. ἐκείνης λευκότητα δοκᾶσα εἶναι μελάντερα μγ3. 373 ᵃ26. ἐν τῷ μέλανι τὸ λευκὸν ποιεῖ πολλὰς ποικιλίας μα5. 342 ᵇ18. φαίνεται τὸ λαμπρὸν διὰ τᾶ μέλανος ἢ ἐν τῷ μέλανι φοινικῶν μγ4. 374 ᵃ3, ᵇ10. ἀναρρηγνυμένη τᾶ φωτὸς ἐκ κυανᾶ ᴋ μέλανος μα5. 342 ᵇ15. χρώμια ὑπόλευκον, μέλαιν διαπεπασμένον Ζιδ2. 526 ᵃ12. — τὸ ὕδωρ μέλαν μγ4. 374 ᵃ1, 18. cf 3. 372 ᵇ25. Ζγβ2. 735 ᵇ35, Prantl Farbenlehre p 106. νέφος μελάντατον μγ4. 375 ᵃ9. τὸ μέλαν τῆς σελήνης, opp τὸ φανὸν ᴋ λαμπρὸν Οβ12. 292 ᵃ6. ἡ ἔβενος ἢ μέλαινα μθ7. 384 ᵇ18. ὁ μέλας στόνος υ3. 457 ᵃ17. —

αἱ λευκότεραι τὴν φύσιν γυναῖκες ἐν ταῖς ὁμιλίαις ἐξιμάζουσι μᾶλλον τῶν μελαινῶν Ζιη2. 583 ᵃ11. αἱ μέλαιναι γυναῖκες τῶν λευκῶν ὑγιεινότερον ἔχουσι γάλα Ζιγ21. 523 ᵃ10. οἱ γηράσκοντες μελαντεροι γίνονται πλη9. 967 ᵇ13. ἡ ἄγαν μελαινὴ χρόα δειλίαν σημαίνει φ6. 812 ᵇ1, cf μελανός. μελαντέρας γίνεσθαι γηρασκύσας τὰς γεράνυς Ζγε5. 785 ᵃ21. ἐνίοτε γίνεται τῶν μονοχρόων ἐκ μελαίνων ᴋ μελαντέρων λευκά Ζιγ12. 519 ᵃ5, 11-20. τὰ ψυχρὰ ὕδατα μέλαιναν ποιεῖ τὴν τρίχα Ζγε5. 786 ᵃ5sqq. τὰ τριχώματα (πτερώματα) πέθεν γίνεται μελάντερα, ξανθότερα χ6. 798 ᵃ5, 10, 799 ᵃ20. τὰ μέλανα ὄμματα, ὄμμα μέλαν ᴋ κυανοειδὲς Ζγε1. 799 ᵇ16, 32. τῷ ὀφθαλμῷ τὸ καλύμενον μέλαν ᴋ μέσον αι2. 437 ᵇ1. πλα7. 958 ᵃ14. τὸ μέλαν, iris, μέρος τῶν ὀφθαλμῶν, τὸ περὶ τὴν κόρην μέλαν, opp τὸ ἐκτὸς

τύτυ λευκόν· τὸ καλύμενον μέλαν πῶς διαφέρει, τίνος ἤδης σημεῖον Ζια8. 491 ᵇ21. 10. 492 ᵃ1 Aub. τὰ τᾶ ἀσπάλακος μέλανα Ζια8. 491 ᵇ32. δ8. 433 ᵃ8. cf ΚαΖι 33, 3. χολὴ ξανθὴ ᴋ μέλαινα Ζιγ2. 511 ᵇ10. f 335. 1534 ᵃ36. ἡ μέλαινα χολή υ3. 457 ᵃ31. πλ1. 953 ᵃ13, 954 ᵃ21, 955 ᵃ30. σπλὴν μέλας f 311. 1531 ᵃ14. τὸ σπέρμα ὅταν ἀποπνεύσῃ τὸ θερμόν, ὑγρὸν γίνεται ᴋ μέλαν Ζγβ2. 735 ᵇ35. — τὰ μέλανα τῶν ἐχίνων vel μέλανα ἄττα, ἀνώνυμα Ζιδ5. 530 ᵃ34, ᵇ31. 4. 529 ᵃ22. Ζμδ5. 680 ᵃ14, τῶν θαλαττίων κόχλων Ζιδ4. 529 ᵃ24, ἐν ταῖς χελώναις Ζιδ4. 529 ᵃ23. 5. 530 ᵇ34, ἐν φρύναις ᴋ ἐν βατράχοις ᴋ ἐν τοῖς στρομβώδεσι ᴋ τοῖς μαλακίοις Ζιδ5. 530 ᵇ34 (quid sit, nescimus cf Μο 94, F 309, 36. ΚαΖμ131, 32, Aubadhl). — metaph φωνὴ μέλαινα (cf λευκὸς p 428 ᵇ23) τα15. 106 ᵃ25, ᵇ7.

μελεαγρίς. κατεστιγμένα τὰ ᾠὰ τῶν μελεαγρίδων (v l μελεαπίδων, μελεασπίδων) Ζιζ2. 559 ᵃ25. (Meleagris gallopavo L Belonio, peintade C II 614, Numida meleagris L Gesn. St. Cr. Su 139, 110. ΑΖι I 102. 75.)

Μελέαγρος (Hom I 593-595) Ρα7. 1365 ᵃ12. Μελέαγρος argumentum aptum tragoediae πο13. 1453 ᵃ20. Μελέαγρος Ἀντιφῶντος Ρβ2. 1379 ᵇ15. 23. 1399 ᵇ25, 27 (Nauck fr tr p 615).

μέλειν. ὐδὲν μέλει τῇ τέχνῃ Ηε15. 1138 ᵇ2. ὡς μήτε μοι σφόδρα μέλειν ὑπὲρ αὐτῶν μήτε μοι μηθὲν μέλειν f 616. 1582 ᵃ14. — ὐθ' ἵνα ἐπαινῆται μέλει αὐτῷ ὐθ' ὅπως οἱ ἄλλοι ψέγωνται Ηδ8. 1125 ᵃ7.

μελετᾶν τὴν τῶν πολεμικῶν ἄσκησιν Πη14. 1333 ᵇ39. μελετᾶν πρὸς ἥντινὴν ἀγωνίαν Ηγ7. 1114 ᵃ12. λέγειν μανθάνειν ᴋ μελετᾶν ρ37. 1444 ᵃ29, 19. 'πάντα τρόπον μικρὸν φρονεῖν μελετῶντες' (cf Ἰσοκράτης p 346 ᵇ61)· τὸ γὰρ μελετᾶν αὔξειν τί ἐστιν Ργ10. 1411 ᵇ12. ὑ θεωρῦσιν ἵνα θεωρητικὴν ἔχωσιν, εἰ μὴ οἱ μελετῶντες Μθ8. 1050 ᵃ13. οἱ ὑποκριταὶ μελετῶσι πλεῖον τῶν ποιητῶν πια46. 904 ᵇ3. — ὕτω μελετῶν (μετιὼν ci Spgl) ρ2. 1422 ᵇ1.

μελέτη, coni ᴋ ἐν τοῖς πολεμικοῖς ἄσκησις Πβ12. 1274 ᵇ13. οἱ ὑποκριταὶ νήστεις ὄντες τὰς μελέτας ποιῦνται πια22. 901 ᵇ3, cf μελετᾶν. τὴν τῶν βίων παρασκευάζειν μελέτην Πη15. 1334 ᵇ17. μελέτη τῶν λόγων, syn γυμνασία τθ14. 163 ᵃ29. αἱ μελέται τὴν μνήμην σῴζυσι τῷ ἐπαναμιμνήσκειν μν1. 451 ᵃ12.

Μέλης. κόρη διατρίβυσα παρὰ τῷ Μέλητι f 66. 1487 ᵃ3.

Μελησίας. Νικίας ὁ Μελησίυ f 370. 1540 ᵃ5.

Μελησιγένης. διὰ τὶ ἀντὶ Μελησιγένης Ὅμηρος προσηγορεύθη f 66. 1487 ᵃ12.

Μέλητος κατὰ Σωκράτυς Ργ18. 1419 ᵃ8. ᾧ ἔτει Μέλητος Οἰδιπόδειαν καθῆκεν (ἔθηκεν Rose) f 585. 1573 ᵇ20, Nauck fr tr p 606.

μέλι. εἰς τὸ ι τρία μόνα ὀνόματα τελευτᾷ, μέλι κόμμι πέπερι πο21. 1458 ᵃ15. — 1. τὸ τῶν μελιττῶν μέλι, unde ferant (φέρειν, κομίζειν), πόρρω συναισθάνονται τᾶ μέλιτος, μέλι τὸ πῖπτον ἐκ τᾶ ἀέρος Ζιι40. 624 ᵃ22. ε22. 554 ᵃ11, 15, 553 ᵇ29, 32, cf Magerstedt 87. Ζγγ10. 759 ᵃ33. τῇ τᾶ μέλιτος ἐργασίᾳ διττοὶ καιροί εἰσιν, αὐχμῦ ὄντος μέλι ἐργάζονται μᾶλλον, τὸν Ἀρισταῖον ἐδίδαξαν (αἱ νύμφαι) τὴν τᾶ μέλιτος ἐργασίαν Ζιι40. 626 ᵇ29. ε22. 553 ᵇ21, 554 ᵃ16. f 468. 1555 ᵃ20. τὸ μέλι ταῖς μελίτταις κατὰ φύσιν ἐστὶν ὥστε προσφέρεσθαι μόνον πια3. 928 ᵇ14. τὸ μέλι ἐμεῖ εἰς τὸν κύτταρον, τὸ μέλι ἐκ τᾶ ἀπαντικᾶ γίνεται, ὅταν ὑπολίπῃ, τροφὴ ταῖς μελίτταις, αἱ θυρίδες τᾶ μέλιτος Ζιε22. 554 ᵃ17, 28. ι40. 626 ᵇ6, 623 ᵇ18, 21, 624 ᵃ7. α1. 488 ᵃ17. ἥδιον ᴋ λευκότερον ᴋ τὸ σύνολον κάλλιόν ἔστι τὸ ἐαρινὸν τῷ μετοπωρινῷ, ἄμεινον τὸ μετοπωρινὸν μέλι, εἶτα τὸ μέλι φέρυσι (αἱ μέλιτται) τροφὴν τὴν μὲν τῷ θέρυς τὴν δὲ τῷ μετοπώρῳ Ζιι40. 626 ᵇ30, 31. ε22. 553 ᵇ26, 27. ἡ Χαλκιδικὴ πόα ἢ τὰ ἀμύγδαλα χρησιμώτατα πρὸς τὸ μέλι ποιεῖν θ20. 832 ᵃ2 Beckm. cf S script rei rust I 2, 578. — ἐξ ἀρχῆς οἷον ὕδωρ γίνεται ἢ ἐφ' ἡμέρας τινὰς ὑγρόν ἐστι, συνίσταται πεττόμενον Ζιε22. 554 ᵃ7, 6, 9, cf Ideler Met II 465. τὸ μέλι συνιστᾷ μὲν ἀλλ' ἐπιξηραίνει· διὸ μᾶλλον ψαθυρὸν ποιεῖ τὸ ἄλευρον πκα11. 928 ᵃ8. ἅπαν μέλι πηγνύμενον τὸν ἴσον ἔχειν ὄγκον φασίν, ἒχ ὥσπερ τὸ ὕδωρ ἢ τἆλλα ὑγρά θ19. 831 ᵇ30. cf S I 361. μέλι μὲν γῆς, ἔλαιον δ' ἀέρος, ὅσα ὑπ' ἀμφοῖν (ὑπὸ ψυχρῶ ἢ θερμῷ παχύνεται) κοινὰ πλειόνων, οἷον μέλι, refertur inter τὰ ἄπηκτα μδ7. 384 ᵃ15. 10. 388 ᵇ10. 8. 385 ᵇ2 Ideler II 465. κολλητικώτερον τῷ ὕδατος πκα11. 928 ᵃ5. γλυκύ, χόλος γλυκίων μέλιτος (Hom Σ 109) Ζια1. 488 ᵃ17. Ρβ2. 1378 ᵇ6. — dist μέλι τὸ ἐφθὸν μδ6. 383 ᵃ5. τὸ καλύμενον ἄνθινον, mel vernum θ16. 831 ᵇ18 Beckm. mel venenatum θ17. 831 ᵇ23 Beckm. cf Steph Byz v Τραπεζῶς (qui locus in fragmentis Ar omissus est). τῶν ἐν Θεμισκύρᾳ μελιτ- τῶν μέλι παχὺ ἀπὸ τῷ κιττῷ, αἱ ἐν τῷ Πόντῳ μέλιτται δὶς τῷ μηνὸς τὸ μέλι ποιῶσι Ζιε22. 554 ᵇ12, 15, 9 Aub. μέλι in re medica Ηε13. 1137 ᵃ14. ἐκ τῷ μέλιτος οἶνος, hydromeli θ22. 832 ᵃ6, cf S script rei rust II 2, 619. — 2. manna. mel sine favis confectum ὅμοιον ἐλαίῳ, syn ἐλαιόμελι Diosc I 37, ἀπὸ τῶν δένδρων συλλεγόμενον, κατ- άγεται εἰς Ἄμισον μέλι ἄνωθεν λευκὸν ἢ παχὺ σφόδρα, ὃ ποιῶσιν αἱ μέλιτται ἄνευ κηρίων πρὸς τοῖς δένδρεσιν θ17. 831 ᵇ21, 26 Beckm. Ζιε22. 554 ᵇ16. cf Salmas de manna 248 ᵃE. S I 366 et Theophr IV 820.

μελιηδεῖς ἢ γλυκεῖς φυτῶν τινων οἱ χυλοί φτα5. 820 ᵃ34.

Μελικέρτης. ὁ ἐν Ἰσθμῷ ἀγὼν Σισύφῳ νομοθετήσαντος ἐπὶ Μελικέρτῃ f 594. 1574 ᵇ33.

μελίκηρα (v l μελίκηρα cf Lob Par 346). τῶν πορφυρῶν ἡ καλυμένη μελίκηρα Ζιε15. 546 ᵇ19, Eierkapseln der Schnek- ken Aub.

μελίκρατον ὠφέλιμον τῷ πυρέττοντι, πῶς κεκραμένον ὑγι- εινότερον Με2. 1027 ᵃ23. v6. 1092 ᵇ29. η2. 1042 ᵇ17. τὸ τῷ μελικράτῳ φυραθὲν ἄλευρον ψαθυρώτερον γίνεται πκα11. 928 ᵃ6.

μελίλωτον, ἀφ' ἒ φέρυσι μέλιτται Ζιι40. 627 ᵃ8. (Meli- lotus cretica L. Fraas 60. cf ΑΖι I 164.)

μελισσεύς. τὸς βατράχης οἱ μελισσεῖς ἐκ τῶν τελμάτων, ἀφ' ὧν ὑδρεύονται αἱ μέλιτται, θηρεύωσι Ζιι40. 626 ᵃ10.

Μέλισσος ἓν ἀκίνητον τὸ ὄν τίθησιν Φα2. 184 ᵇ16. ἓν τα11. 104 ᵇ22. ἀγένητον Ογ1. 298 ᵇ17. ξ4. 977 ᵇ22. 5. 979 ᵃ22. ἀκίνητον, εἰ γὰρ κινήσεται, ἀνάγκη εἶναι κενόν Φδ6. 213 ᵇ12. 7. 214 ᵃ27. διὰ τί ἓν ἢ ἀκίνητον resp Γα8. 325 ᵃ2-19. ἄπειρον ΜΑ5. 986 ᵇ19. Φγ6. 207 ᵃ15. τι5. 167 ᵇ13. 6. 168 ᵇ35. 28. 181 ᵃ27. ἄπειρον ἢ ἀκίνητον resp Φθ3. 254 ᵃ25. Me- lissi doctrina exponitur et refutatur Φα2. 185 ᵃ20-3. 186 ᵃ22. ὁ Μελίσσυ λόγος ἐριστικός, φορτικός· Μέλισσος μικρὸν ἀγροικότερος Φα2. 185 ᵃ9, 10. 3. 186 ᵃ8. ΜΑ5. 986 ᵇ27. — ὑπὸ Μελίσσυ ἢ Περικλέα αὐτὸν ἡττηθῆναι ναυμαχῶντα f 535. 1567 ᵃ15. — ad Melissum referenda est prima pars libri de Xenophane etc ξ1. 2. Zeller I 367, 1.

Μελιταῖα κυνίδια Ζι6. 612 ᵇ10. πι12. 892 ᵃ21. cf κύων p 419 ᵃ9.

μέλιττα, μέλισσα semel υ2. 456 ᵃ14. γένος τι τῶν ἐντόμων, ὃ ἐνὶ μὲν ὀνόματι ἀνώνυμόν ἐστι, ἔχει δὲ πάντα τὴν μορ- φὴν συγγενικὴν· ἐνίοις πρὸς ἄλληλα συγγενικῶς ὖσιν ἒχ

ἐπέζευκται κοινὸν ὄνομα ὑδέν, οἷον ἐπὶ μελίττῃ ἢ ἀνθρήνῃ ἢ σφηκὶ ἢ τοῖς τοιῶτοις Ζιι40. 623 ᵇ5. δ7. 531 ᵇ23. — αἱ μέλιτται, εἶδός τι τῶν ἐντόμων Ζιδ7. 531 ᵇ23. τὸ τῶν μελιττῶν γένος Ζμδ5. 678 ᵇ14, 19. Ζια1. 488 ᵃ11, 15. ι38. 622 ᵇ21, ἔχει θεῖόν τι Ζγγ10. 761 ᵃ5. τὸ τῶν μελιτ- τῶν πασῶν γένος, i q τῶν μελιττῶν ἢ τῶν συγγενῶν Ζμδ6. 683 ᵃ6. περιττὸν τὸ γένος ἢ ἴδιον τὸ τῶν μελιττῶν Ζγγ10. 760 ᵃ5. πλείω, τέτταρα γένη τῶν μελιττῶν, τὸ μακρὸν, τὸ πονηρὸν γένος Ζιε22. 553 ᵇ7. ι40. 623 ᵇ8, 624 ᵇ20, 625 ᵃ27, 626 ᵇ1. refertur inter τὰ ἄναιμα, ἔντομα Ζμβ4. 650 ᵇ26. δ5. 678 ᵇ14. Ζια1. 487 ᵃ32. 4. 489 ᵃ32. δ1. 523 ᵇ18. 8. 534 ᵇ19. αν9. 475 ᵃ31. ζ2. 468 ᵃ26, τὰ μικρὰ ζῶα, χερ- σαῖα αν9. 475 ᵃ31. Ζια1. 487 ᵇ19, τὰ πτηνά, πτερωτά, πτιλωτά, ὁλόπτερα, ἀνέλυτρα, πολύπτερα, τετράπτερα Ζμδ6. 683 ᵃ8, 682 ᵇ13, 9. Ζια1. 487 ᵇ19. 5. 490 ᵃ7. δ1. 523 ᵇ18. 7. 532 ᵃ21, 24. 8. 534 ᵇ19. Ζπ10. 710 ᵃ10. υ2. 456 ᵃ14, τὰ φρόνιμα ἄνευ τῷ μανθάνειν Μα1. 980 ᵇ22 Bz. τὰ ὑφ' ἡγεμόνα, πολιτικά, οἰκητικά, κηριοποιά, ἰδιόγροφα Ζια1. 488 ᵃ11, 10, 22, 15. ι40. 623 ᵇ7. — 1. descr Apis mellificae L et operariae anatom. αἱ μέλιτται μέσαι τὸ μέγεθος, ἔχυσι πλείας πόδας, οἱ ἔμπροσθεν πόδες, ἄσχιστον τὸ πτερόν, ἒχ ἀναφύεται ἐκτιλθὲν τὸ πτερόν Ζγγ10. 760 ᵇ13. Ζια5. 489 ᵇ22. γι2. 519 ᵃ27, 28. ι40. 624 ᵃ34. ἡ ἐξῖσα ἐπιβοχὴς τῷ στόματος, τὸ ὅμοιον τῇ γλώττῃ, ὀδόντες ἀλλοιότεροι Ζιε22. 554 ᵃ14. Ζμδ5. 678 ᵇ14, 19. 6. 683 ᵃ6. τὸ κέντρον, ἐν αὐτῇ ἔχει τὸ κέντρον, ἒχ ἀναφύεται, ὅταν ἀποβάλλῃ τὸ κέντρον θνήσκει Ζγγ10. 759 ᵇ4, 760 ᵃ22. Ζμβ17. 661 ᵃ20. δ6. 683 ᵃ8. Ζιγι2. 519 ᵃ28, 29. δ7. 532 ᵃ16. ε21. 553 ᵇ5. ι40. 626 ᵃ21. ἐκδύεται Ζιθ17. 601 ᵃ6. μᾶλλον θερμὴ ἒχ πλείονος δεῖται καταψύξεως, ἒχ ἀναπνεῖ, ἀέρα ὃ δέχεται αν9. 475 ᵃ4, 31. Ζια1. 487 ᵃ32. — 2. physiolog. ἔχει θεῖόν τι, συνετωτέραν τὴν ψυχήν, φρονιμωτέρα τὴν φύσιν ἐναίμων πολλῶν Ζγγ10. 761 ᵃ5. Ζμβ4. 650 ᵇ26. 2. 648 ᵃ6. αἴσθησις μὲν πάρεστι, φαντασία δ' ὒ· ἀκριβὴς ἢ πόρρωθεν αἰσθά- νεται, πόρρω συναισθάνεται τῷ μέλιτος ψγ3. 428 ᵃ11. αι5. 444 ᵇ11. Ζιδ8. 534 ᵇ19. ἄδηλον εἰ ἀκύυσιν, ὃ δύνανται τῶν ψόφων ἀκύειν, δοκῶσι χαίρειν ἢ τῷ κρότῳ Ζιι40. 627 ᵃ17, 15. Μα1. 980 ᵇ23 Bz. προγινώσκυσιν ἢ χειμῶνα ἢ ὕδωρ, δοκεῖ τὰς τροπὰς σημαίνειν τῷ ἐπὶ τὰ ἔργα βαδίζειν, τὰς μελίττας λέγυσιν ὑπὸ μύρα καρῶσθαι ἢ ἒχ ἀνέχεσθαι τὴν ὀσμὴν Ζιι40. 627 ᵇ10. θ64. 835 ᵃ22. 21. 832 ᵃ3. ψοφεῖ τῇ πτήσει αἴροντα ἢ συστέλλοντα, βομβεῖ, ἠρεμῖσί τε ἢ παύονται βομβῶσαι τῆς νυκτός, ἡσυχάζυσι ἢ ἀκινητίζυσιν ἐπιδήλως, ὄρθριαι σιωπῶσι καθεύδυσι, φωλῶσι Ζιδ9. 535 ᵇ10, 6. 10. 537 ᵇ8. θ14. 599 ᵃ24. ι40. 627 ᵃ24, 27. — apes senos annos vivunt, ἔνιαι ἢ ἑπτά, μακροβιώτερα ἑτέρων μειζόνων ζῴων, πολυχρονιώτερον ἐνίων ἐναίμων, δια- ρύμεναι ζῶσιν ν2. 456 ᵃ9. αν9. 475 ᵃ4. ζ2. 468 ᵃ26 μχ4. 466 ᵃ4. 5. 467 ᵃ5. νέαι αἱ ἐπέτειοι, λειότεραι· αἱ πρεσβύ- τεραι δασεῖαι Ζιι40. 625 ᵇ25, 626 ᵇ3, 4, 5, 9, 8. — apium cibus potus opera Ζιι40. ζῷον καθαριώτατον, ἐργατικώ- τατον Ζι38. 622 ᵇ21. ι40. 626 ᵃ25. πρὸς ὑδὲν προσίζάνει σαπρὸν ἀλλὰ πρὸς τὰ γλυκέα Ζιδ8. 535 ᵃ2. θ11. 596 ᵇ15 νομή, τροφὴ ἐν τῇ γῇ. ἀπὸ τῶν τελμάτων ὑδρεύονται Ζιι40. 626 ᵃ11, ᵇ21. αι. 487 ᵃ32. τὸ τῶν μελιττῶν μέλι cf p 451 ᵇ49. καθ' ἑκάστην πτῆσιν ὃ βαδίζει ἐφ' ἕτερα τῷ εἴδει ἄνθυ τὸν καρπὸν ἀναλαμβάνυσι τοῖς ἔμπροσθεν ποσί· λέγυσί τινε τὰς κηφῆνας κηρία πλάττειν ἐν τῷ κηρίῳ μεριζομένω πρὸς τὰς μελίττας· ἐπικάθηνται ἐπὶ τοῖς κηρίοις ἢ συμ- πέττυσι· τὰ τῶν μελιττῶν κηρία ἑξάγωνα· τὰ πίπτοντα τῶν κηρίων ὀρθῶσι ἢ ὑφιστᾶσιν ἐρείσματα Ζιι40. 624 ᵇ4

ᵃ34. 20. 625 ᵃ6, 11. ε23. 554 ᵇ27. — a quibus anima-
libus infestentur, apes dimicantes, ferientes, morbi. πολέ-
μιον πρόβατον, ἀπόλλυσι κ̣ ὁ φρῦνος τὰς μελίττας Ζιι40.
626 ᵃ31, 627 ᵇ5. αἱ μάχαι Ζιι40. 626 ᵃ14 sq. αἱ τύπτησαι
ἀπόλλυνται, τὰς ἀποθνησκώσας τῶν μελιττῶν ἐκκομίζωσιν 5
ἔξω, θηρεύωσιν ὐδέν, ἵππος ἤδη ἀπέθανεν ὑπὸ μελιττῶν, ἐνίοτε
τὰς σφαδόνας ἐξεσθίωσιν, ἐξελαύνωσι τὰς ἀργὰς κ̣ τὰς μὴ
φειδομένας, τὰ νοσήματα Ζιι40. 623 ᵇ17, 626 ᵃ17, 24, 22,
ᵇ15, 627 ᵃ19. ε22. 554 ᵇ4. — 3. περὶ τὴν γένεσιν Ζιε21.
ι40. Ζγγ10. cf Klopsch, Okens Isis 1834 p 744 sq. ἡ 10
τῶν μελιττῶν γένεσις ἔχει πολλὴν ἀπορίαν Ζγγ10. 759
ᵃ8. ἄρρενες, θήλειαι Ζιε21. 553 ᵇ1. Ζγγ10. 759 ᵃ23, ᵇ1, 5,
16. φασὶ κ̣ ἐν τοῖς τῶν μελιττῶν κυττάροις γεννᾶσθαι
κηφῆνας ὑπὸ τῶν μελιττῶν· οἱ μέν φασιν ὐ τίκτειν ὐδ'
ὀχεύεσθαι τὰς μελίττας, ἄνευ ὀχείας γεννᾷ, μέλιτται ἐκ 15
μελιττῶν συνδυαζομένων Ζιι40. 624 ᵇ14, 20. ε21. 553 ᵃ19.
Ζγγ10. 759 ᵃ10, 18, 28, ᵇ29, 760 ᵃ2, 6. ὁ ἐν τοῖς κυτταρίοις
τόκος Ζγβ3. 770 ᵃ28. ὁ γόνος Ζιε21. 553 ᵃ25, 31. 22. 554
ᵃ22. 23. 554 ᵇ30. ι40. 625 ᵇ28, 627 ᵇ21. Ζγγ10. 759 ᵃ11,
ᵇ9. σκώληκες, σκωληκώδη Ζιε19. 551 ᵃ29. 22. 554 ᵃ23. 20
23. 555 ᵃ4. Ζγγ9. 758 ᵇ18, 32, 759 ᵃ1. 11. 763 ᵃ18. —
4. apium genera. διαφέρουσιν αἱ γινόμεναι τῶν μελιττῶν
αἵτ' ἀπὸ τῶν ἡμέρα νεμομένων κ̣ ἀπὸ τῶν τὰ ὀρεινά,
αἱ ἀπὸ τῶν ὑλονόμων γινόμεναι δασύτεραι κ̣ ἐλάττης κ̣
ἐργατικώτεραι κ̣ χαλεπώτεραι Ζιι40. 624 ᵇ27, 29. αἱ χρη- 25
σταὶ Ζιι40. 624 ᵇ30, 625 ᵃ32, ᵇ33. αἱ μικραὶ ἔχωσι τὰ πτερὰ
περιτετριμμένα κ̣ χροιὰν μέλαιναν κ̣ ἐπικεκαυμέναι, ἐργά-
τιδές μᾶλλον τῶν μεγάλων Ζιι40. 625 ᵃ27, 627 ᵃ12, 13.
αἱ μεγάλαι φαναὶ κ̣ λαμπραί Ζιι40. 627 ᵃ12, 14. αἱ μα-
κραὶ vel τὸ γένος τὸ μακρόν, syn αἱ ἕτεραι Ζιι40. 625 ᵃ1, 30
27, 29. τὸ πονηρὸν γένος Ζιι40. 626 ᵇ1. αἱ ἐν τῷ Πόντῳ,
ἐν Θεμισκύρᾳ, ἐν Ἀμισῷ descr Ζιι40. 626 ᵇ18, 9, 15.
(Apis mellifica L cf C II 39, St. Cr. AZ₁ I 167, 31. Su
207, 24. Lenz Zool der Gr u Röm 562. S script rei ru-
sticae II 2, 490.) 35

μελίττιον. τὰ κηφήνια (κηρία) ἐλάττω ἐστὶ τῷ μεγέθει τῶν
μελιττίων Ζιι40. 624 ᵇ5 Aub.

μελιττοπόλοι θ64. 835 ᵃ23.

μελιττ‑υργεῖν τὰς κηφῆνας ὐθέν Ζιι40. 624 ᵃ21.

μελιττ‑υργία Παιι. 1258 ᵇ18. 40

μελιττ‑υργοί Ζιε22. 554 ᵃ2. ι40. 623 ᵇ19, 31.

μελιττώδης. τὰ μελιττώδη τῶν ζῴων Ζμδ6. 683 ᵃ30, cf
M 216.

μελίχλωρος. οἱ μελίχλωροι (μελάγχλωροι ci Rose An gr
151) ἀπεψυγμένοι εἰσὶν φ6. 812 ᵃ19. 45

μέλλειν. τὸ μέλλον, dist τὸ ἐσόμενον Γβ11. 337 ᵇ4. μτ2.
463 ᵇ29. — μέλλειν c inf fut, τὸ μέλλον ἔσεσθαι, οἱ μέλ-
λοντες ἄρξειν, ἡ μέλλησα καλῶς οἰκήσεσθαι πόλις al μγ2.
372 ᵃ27. 1. 371 ᵇ9. β8. 367 ᵃ13. Γβ5. 332 ᵇ31. Ζγα11.
719 ᵃ22. Πβ1. 1261 ᵃ3. γ14. 1284 ᵇ38. δ4. 1291 ᵃ8. ε9. 50
1309 ᵃ33. η13. 1331 ᵇ25. c inf praes, ὁ μέλλων βασι-
λεύειν, ἡ μέλλησα καλῶς πολιτεύσεσθαι Πγ15. 1286 ᵇ29.
β9. 1269 ᵃ34. Ζγα20. 728 ᵇ27. c inf aor, ὁ μέλλων ποιή-
σασθαι σκέψιν Πγ18. 1288 ᵇ5. ὐδὲ μελλήσειεν ἂν γενέσθαι
ἀγαθός Ηβ3. 1105 ᵇ11. omisso infinitivo, qui e contextu 55
orationis intelligitur, veluti ὅτι πεποίηκεν ἢ ἤμελλεν sim
Ρβ2. 1378 ᵇ1. 19. 1392 ᵇ5. al2. 1373 ᵃ2, 21. 9. 1367 ᵃ8.
11. 1371 ᵃ12. Πβ11. 1273 ᵃ17. πο14. 1453 ᵇ18. Φη3. 247
ᵃ13. Ζι̧2. 560 ᵇ25. cf Vermehren I 73. — φοβῦνται ταῦτα
ἐὰν μὴ πόρρω ἀλλὰ σύνεγγυς φαίνηται ὥστε μέλλειν Ρβ5. 60
1382 ᵃ25. — τῷ ἐνὶ ἢ ὐδὲν ἐναντίον ἢ εἴπερ ἄρα μέλλει

τὸ πλῆθος Μν1. 1087 ᵇ29. — ὁ μέλλων χρόνος, dist ὁ νῦν,
ὁ παρεληλυθώς Κ6. 5 ᵃ8. — μέλλειν fere i q πεφυκέναι
(cf βύλεσθαι p 140 ᵇ41, ἐθέλειν p 216 ᵇ6): ὅπως οἷον ἔμελλε
τοιοῦτον γένηται ἕτερον Ζγβ4. 738 ᵇ2.

μελλέπταρμος πλατ. 958 ᵃ15.

μέλλησις. εἰ ἐν ὁρμῇ τῷ ποιεῖν ἢ μελλήσει ἔσται Ρβ19.
1393 ᵃ4.

μελλητὴς ὁ μεγαλόψυχος, syn ἀργός Ηδ8. 1124 ᵇ24.

μελλητικός. τὸ βραδέως βαίνειν μελλητικόν φ6. 813 ᵃ5.

μελοποιία Μαι. 993 ᵇ15. dist ῥυθμοὶ Πθ7. 1341 ᵇ24. dist
λέξις πο6. 1449 ᵃ35, 33, cf 1450 ᵇ16.

μελοποιός. διὰ τί οἱ περὶ Φρύνιχον ἦσαν μάλιστα μελοποιοὶ
πιθ31. 920 ᵃ11.

μέλος. 1. membrum. def Ζια1. 486 ᵃ8-12. Ζμα5. 645 ᵇ36.
cf Thiel 39. τῶν πολυποδίων ἡ μὲν καθ' ἕκαστα φύσις τῶν
μελῶν ὕπω διάδηλος, ἡ δ' ὅλη μορφὴ φανερά Ζιε18. 550
ᵃ6. τὸ ἄρρεν ὅταν ἐξέλθῃ τετταρακοσταῖον ἔχει τὰ μέλη
δῆλα, τά τε ἄλλα πάντα κ̣ τὸ αἰδοῖον ... τὸ δὲ θῆλυ
ἀδιάρθρωτον ὡς ἐπὶ τὸ πολὺ φαίνεται Ζιη3. 583 ᵇ14-21.
ἀλλὰ διέσπασται μελέων φύσις, ἡ μὲν ἐν ἀνδρός (Emp 326)
Ζγα18. 722 ᵇ12. ἐνὶ μελέεσσιν ἐθρέφθη (Emp 177) Μβ4.
1000 ᵇ14. δάκτυλον ἢ χεῖρα ἢ πόδα ἢ τι τῶν ἄλλων ἀκρω-
τηρίων ἢ μελῶν Ζγδ4. 772 ᵇ17. μέλη παιδαριώδη πι12.
892 ᵃ20. τὰ φυτά, τὰ ζῷα ποῖα ἔχει μέλη φτα1. 816
ᵇ17, 815 ᵇ23. 3. 818 ᵃ17. πότερον ἡ ψυχὴ ἕτερόν τι ὖσα
ἐγγίγνεται τοῖς μέλεσιν ψα4. 408 ᵃ21.
2. ἐν μέλει ᾄεσις τὸ ἁπλῶν Αγ23. 84 ᵇ38. Μι2. 1053
ᵇ35. αὐλὸς κ̣ λύρα κ̣ ὅσα ἄλλα τῶν ἀψύχων ἀπότασιν
ἔχει κ̣ μέλος κ̣ διάλεκτον Ψβ8. 420 ᵇ8. διὰ τί τῶν χορ-
δῶν ἡ βαρυτέρα ἀεὶ τὸ μέλος λαμβάνει πιθ12. 918 ᵃ37.
μέλος ἥκιστα ἔχωσιν αὗται αἱ ἁρμονίαι, ἡ ὑποδώριστι κ̣ ἡ
ὑποφρυγιστί πιθ48. 922 ᵇ11. χαίρειν μέλεσιν Ηγ13. 1118
ᵃ8. διὰ τί ῥυθμῷ κ̣ μέλει κ̣ ὅλως ταῖς συμφωνίαις χαί-
ρωσι πάντες, χαίρειν τρόποις μελῶν πιθ38. 920 ᵇ29, 32. ἐν
τοῖς ῥυθμοῖς κ̣ τοῖς μέλεσι μιμήματά ἐστι τῶν ἠθῶν Πθ5.
1340 ᵃ38, 19. πιθ29. 920 ᵃ23. κ̣ ἐὰν ἄνευ λόγω ᾖ μέλος,
ὅμως ἔχει ἦθος πιθ27. 919 ᵇ27. τω χορῷ ἁρμόζει τὸ γοερὸν
κ̣ ἡσύχιον ἦθος κ̣ μέλος πιθ48. 922 ᵇ20, cf ᵇ11. λέγω
ἡδυσμένον λόγον τὸν ἔχοντα ῥυθμὸν κ̣ ἁρμονίαν κ̣ μέλος
πο6. 1449 ᵇ29, cf 1. 1447 ᵇ25. περαίνεσθαι διὰ μέτρων μόνον,
opp διὰ μέλος πο6. 1449 ᵇ31. πιθ31. 920 ᵃ12. ὅλα χορικὰ
μέλη, χορῷ μέλος πο12. 1452 ᵇ21, 22. τὰ σκολιὰ μέλη
Πγ14. 1285 ᵃ38. τὰ Φρυγιστί, τὰ Δώρια μέλη Πθ7. 1342
ᵇ6, 17. μέλη ἠθικά, πρακτικά, ἐνθυσιαστικὰ Πθ7. 1341 ᵇ33.
μέλη ἱερά, ἐξοργιάζοντα τὴν ψυχήν Πθ7. 1342 ᵃ9, 10. μέλη
καθαρτικά Πθ7. 1342 ᵃ15. Ὀλύμπω μέλη Πθ5. 1340 ᵃ10.
τὰ Θεοδώρω μέλη ᾄδωσιν αἱ γυναῖκες περὶ τὰς ἀιώμας
f 472. 1556 ᵃ2. παρεκβάσεις τῶν ἁρμονιῶν κ̣ τῶν μελῶν
τὰ σύντονα κ̣ παρακεχρωσμένα Πθ7. 1342 ᵃ24. ἐν τοῖς
μέλεσι τὸ βαρὺ τῶν συντόνων βέλτιον Ζγε7. 787 ᵃ1. πρὸς
τὸ μὴ διαστρέφεσθαι τὰ μέλη οἱ ἀπαλότητα Ρ7. 1336
ᵃ22. τὸ ἄχορδον ἢ ἄλυρον μέλος (apud poetam
aliquem) Ργ6. 1408 ᵃ7, 9. — παρὰ μέλος λαμπρύνεσθαι
Ηδ6. 1123 ᵃ22. μεγ6. 1233 ᵃ39.

μελῳδεῖν. ἡ διὰ πασῶν συμφωνία μόνη μελῳδεῖται πιθ18.
919 ᵃ7, cf μόνη μελῳδία θ18 ᵇ40.

μελῳδία. μυσικὴ ψιλή, opp μετὰ μελῳδίας Πθ5. 1339 ᵇ21.
κατὰ τὴν ἄλλην μελῳδίαν πιθ20. 919 ᵃ16.

μεμβράς, refertur inter τὰ μόνιμα f 285. 1528 ᵃ42. ἄλλη
ἀφύη ἐκ τῆς μεμβράδος, ἐκ τῆς φαληρικῆς ἀφύης γίγνονται
μεμβράδες, ἐκ δὲ τούτων τριχίδες, ἐκ δὲ τῶν τριχίδων τριχίαι

f 292. 1529 ᵃ7. Ζιζ15. 569 ᵇ25. (piscis ignot cf C Π 101.
ΑΖι I 135, 45. Busm ad Oribas I 603.)

μεμιγμένως v μιγνύναι extr.

Μέμνων 'Ρόδιος οβ1351 ᵇ1-18. — Μέμνων Τιθωνῦ τε χ
'Ηῦς υἱός f 597. 1578 ᵃ8.

μεμπτός, syn ψεκτός ηεγ5. 1233 ᵃ21, 17.

Μέμφις μα14. 352 ᵃ1. ὑπὲρ Μέμφεως πκς44. 945 ᵃ22.

μεμψιμοιρία ἀκολυθεῖ τῇ μικροψυχίᾳ αρ7. 1251 ᵇ25.

μεμψίμοιρος. γυνὴ ἀνδρὸς μεμψιμοιρότερον Ζυ1. 608 ᵇ10.

μέμψις. ἐγκλήματα χ μέμψεις ἐν ταῖς φιλίαις πῶς γίγνον-
ται Ηθ15. 1162 ᵇ5sqq. ημβ11. 1210 ᵃ28sqq.

μέν, σύνδεσμος πο20. 1457 ᵃ4, ἀπαιτεῖ τὸν δέ Ργ5. 1407
ᵃ22. ἔστι μὲν ... ἔστι δὲ, ἔστι μὲν ὡς ... ἔστι δ᾽ ὡς Πε2.
1302 ᵃ28, 36. μὲν ... μέντοι Πγ9. 1280 ᵇ18. α11. 1259
ᵃ28. πρότερον μὲν ... εἶτα Πβ10. 1272 ᵃ8. ἐν μὲν ... ἄλλο
Πδ16. 1300 ᵇ31. μὲν ... χ τι11. 171 ᵇ8, 11 Wz. πο3.
1448 ᵃ31 Vhl Poet IV 427. Ρβ19. 1329 ᵇ15, 16. inter-
dum oppositio per part μέν indicata et inchoata non ac-
curate continuatur, cuius usus exempla attulit Wz ad
Αβ11. 61 ᵃ19. μέν interdum non ei additur vocabulo, in
quo vis oppositionis cernitur, ὥστε τὴν μὲν πολιτείαν τὴν
κατὰ τὸς νόμυς μὴ δημοτικὴν εἶναι, διὰ δὲ τὸ ἦθος χ τὴν
ἀγωγὴν πολιτεύεσθαι δημοτικῶς Πδ5. 1292 ᵇ13. — μέν
iteratum, ὅσοι μὲν ..., τέτυς μὲν sim Γα13. 314 ᵃ9. Πγ6.
1279 ᵃ17. — μέν omissum in priore oppositionis mem-
bro, veluti τὸ μὲν ὑγρὸν τὸ δὲ ξηρόν, χ γλίσχρον τὸ δὲ
κραῦρον Ζμβ1. 646 ᵇ22. cf ΜΑ1. 981 ᵇ9 Bz. τι21. 178 ᵃ3.
Γα4. 320 ᵃ1. Ζγδ4. 772 ᵃ1. Wz ad Αγ22. 83 ᵃ24. — μέν
interdum usurpatur, ubi prius membrum grammatice coor-
dinatum, re vera subiectum est alteri membro Μθ2. 1046
ᵇ18. idem usus saepius observatur in coniunctis parti-
culis μὲν ὖν, ubi longioris periodi apodosis ab iis incipi-
tur ΜΑ3. 983 ᵃ33 Bz. ε4. 1027 ᵇ28. Ηα10. 1180 ᵃ18.
Πη13. 1331 ᵇ39. μβ9. 369 ᵃ24. δ1. 378 ᵇ25 al. Bz Ar St
III 57sqq. usurpantur eaedem particulae μὲν ὖν etiam ut
omnino ad novam rem transitus significetur πο24. 1460
ᵃ11 Vhl Poet III 338. Ζυ1. 608 ᵇ19. μὲν ὖν ι q immo vero
Ρβ23. 1399 ᵃ15, 23. — μὲν δή, cf δή p 173 ᵃ38.

Menandri versus ex Andria adhiberi videtur τι4. 166 ᵃ36
(non attulit Meineke fr com IV 81-85).

Μενδαῖοι οβ1350 ᵃ6-15.

μένειν, intr, opp κινεῖσθαι, τόπον μεταβάλλειν Οα8. 276
ᵃ22. Ζγβ5. 741 ᵇ12. ὃ φέρεται κατὰ φύσιν, χ μένει ἐν-
ταυθοῖ Οβ13. 295 ᵇ23. βεβηκέναι χ μένειν, μένειν ἐν τῷ
αὑτῆς τόπῳ Ογ8. 307 ᵃ8. ἰσχὺν ἰσάζειν τῦ κινῦντος χ τὴν
τῦ μένοντος Ζκ3. 699 ᵃ33. τῆς μονῆς, ἣν ἡ γῆ τυγχάνει
μένυσα Ζκ3. 699 ᵇ3. μένειν ἐν ταὐτῷ τόπῳ, ἐν Συρακύσαις
μα8. 345 ᵃ35. Πα11. 1259ᵃ30. οἱ μένοντες (ι e stellae
fixae), opp οἱ πλάνητες Οβ8. 290 ᵃ21. τὰ ἄστρα κινεῖται
μενόντων ἡμῶν μα8. 345 ᵇ20. — ἐὰν τε ἐπιτείνῃ ἡ κίνησις
ἐάν τε ἀνιῇ ἐάν τε μένῃ Φζ7. 238 ᵃ36. κηρὸς μένοντος τῦ
ἄλλυ ἐπιπέδυ μεθίσταται κατὰ μέρος μθ9. 386 ᵃ21, cf 28.
α5. 342 ᵇ13. μενόντων τῶν αὐτῶν τιμημάτων Πε8. 1308
ᵃ37. μένει ἡ συμμετρία, ἡ ὀλιγαρχία Πε3. 1302 ᵇ36. 8.
1308 ᵃ3. μένειν, opp φθείρεσθαι Ζγβ1. 734 ᵃ13. τὸ νόμιμα
τῶν περιοίκων, opp ἀφίσταται Πβ10. 1272ᵇ18. τὸ κύματα
ὐκ ἀεὶ ἴσον δύναται, ὅμως δὲ βύλεται μένειν μᾶλλον Ηε8.
1133 ᵇ14. μένειν ἐπὶ τῶν ἴσων Πε4. 1304 ᵃ38. μένειν ἐν
τοῖς τέτων δόγμασι Πβ8. 1269 ᵃ7. μένει ἡ πρώτη ὑπό-
θεσις, τὸ πάλαι διαπορηθέν Οα7. 274 ᵃ34. Πγ11. 1282 ᵇ7.
ὅταν μένειν μὴ βύληται διὰ τὸ μὴ ἀρέσκειν τὸ συμπε-

ρανθέν, προϊέναι δὲ μὴ δύνηται Ηη3. 1146 ᵃ25. — trans
μεῖναι τὸς πολεμίυς Ηβ5. 1106 ᵃ21.

Μενέλαος ὁ ἐν τῷ Ὀρέστῃ (Eurip) πο15. 1454 ᵃ29. 25.
1461 ᵇ21. Μενέλαῳ ὐ παλλακὶς ἐν τῇ Ἰλιάδι f 172. 1506
ᵇ21. ἐπίγραμμα ἐπὶ Μενελάυ f 596. 1575 ᵃ35.

Μενέξενος, υἱὸς Σωκράτυς f 84. 1490 ᵇ13.

Μενεσθεύς. ἐπίγραμμα ἐπὶ Μενεσθέως f 596. 1576 ᵇ16.

μένυς πληρυμένη ψυχή (Alcidam) Ργ3. 1406 ᵃ2.

μέντοι in quibus libris Aristotelicis saepius legatur, in qui-
bus rarius cf Eucken I 35. μέντοι ad part μέν refertur,
cf μέν p 454ᵃ14, ἀναγκαῖον ..., ἀδύνατον μέντοι Γα1. 314
ᵇ12. ὐ τὴν αὐτὴν ἡδονὴν διώκυσι πάντες, ἡδονὴν μέντοι
πάντες Ηη14. 1153 ᵇ30. μᾶλλον μέντοι πα48. 865 ᵃ23.
ιβ12. 907 ᵇ8. χ16. 924 ᵇ22. ὐ μέντοι Φβ9. 200 ᵃ9. ψα1.
403 ᵃ14. αι2. 437 ᵃ32, 438 ᵃ13. μὴ μέντοι Πα11. 1259
ᵃ29. μέντοι ... γε Με1. 1026 ᵃ11. ζ8. 1033 ᵇ31. Φη3.
246 ᵃ8. αι2. 437 ᵃ32. μέντοι γε Πα11. 1259 ᵃ29. Ζγβ2.
745 ᵃ17. Φβ9. 200 ᵃ9. ψα1. 403 ᵃ14. ΜΑ6. 987 ᵇ22.
Eucken l l.

Μέντορες οἱ ἐπὶ τῦ Ἀδρίυ οἰκῦντες θ104. 839 ᵇ2. — Μεν-
τορικὴ θ104. 839 ᵃ34.

Μέντωρ οβ1351 ᵃ33-37.

Μένων, Platonis dialogus. ὁ ἐν τῷ Μένωνι λόγος, ὅτι ἡ μά-
θησις ἀνάμνησις (Plat Men 81D) Αβ21. 67 ᵃ21. τὸ ἐν τῷ
Μένωνι ἀπόρημα (Men 80D) Αγ1. 71 ᵃ29. cf Πλάτων.

μερίζειν χ χωρίζειν Πβ5. 1264 ᵃ7. μερίζειν τὸ ἄπειρον Φγ5.
204 ᵃ34. μερίζειν τὸ φιλεῖν εἰς ἕκαστον τῶν φίλων ημβ16.
1213 ᵇ5. μερίζειν ἀρχήν τινα εἰς πλείυς Πζ8. 1321 ᵇ17.
cf γ13. 1284 ᵇ31. μερίζειν τὸ πρᾶγμα μηκύνειν βυλό-
μενον ρ23. 1434 ᵇ1. 31. 1438 ᵃ5. οἱ δικασταὶ μερίζωσιν (di-
vident sententias) Πβ8. 1268 ᵇ15. οἱ ἄρτια μερίζοντες (ι e
οἱ ἀρτιάζοντες) μτ2. 463 ᵇ20. — pass μερίζεσθαι μβ2.
354 ᵇ7. 8. 365 ᵇ28, εἰς δύο ἴσας μερίδας f 156. 1504 ᵇ5.
εἰς μικρά πκε8. 938 ᵇ20. μερίζεσθαι τὰς ὑσίας εἰς ὁποσονῦν
πλῆθος Πβ6. 1265 ᵇ3. αἱ πρόσοδοι μερίζονται πρὸς ἑκά-
στην διοίκησιν Πζ8. 1321 ᵇ32. ἐκ τῦ αἵματος πεττομένυ χ
μεριζομένυ πως γίνεται τῶν μορίων ἕκαστον Ζγα19. 726
ᵇ5. β3. 737 ᵃ20. cf Ζικ5. 637 ᵃ13. τὸ ἀπὸ τῦ ἄρρενος ἐν
τῷ θήλει μεριζόμενον Ζγα20. 729 ᵃ14. μεμέρισται ἡ κί-
νησις αι6. 446 ᵇ15. ψυχὴ μεμερισμένη κατὰ τὸς ἁρμονικὸς
ἀριθμὸς ψα3. 406 ᵇ29. τρεῖς αἱ μοῖραι, κατὰ τὸς χρόνυς
μεμερισμέναι χ7. 401 ᵇ16, 12. fut μεριεῖται passivam vim
habere videtur, κοινὸς αὐλὸς, δι᾽ ὃ μεριεῖται τὸ πνεῦμα
κατὰ τὰς ἀρτηρίας εἰς τὰς σύριγγας Ζμγ3. 664 ᵃ27. —
med εἴ τις μερίσαιτο (particeps fiat) τῦ ἀδικήματος Ηε12.
1137 ᵃ2. — μερίζειν ι q διαιρεῖν, διορίζεσθαι. καθ᾽ ἕκαστον
εἶδος πολιτείας μερίζοντας τὰ συμβαίνοντα θεωρεῖν Πε5.
1304 ᵇ19. — μεριστὸς ὁ χρόνος εἰς ἄπειρα Φζ8. 239
ᵃ10. ψυχὴ μεριστὴ ἡ ἀμερής ψα1. 402 ᵇ1. 5. 411 ᵇ5. ηεβ1.
1219 ᵇ32. ὅσα μεριστὰ τοῖς κοινωνῦσι τῆς πολιτείας Ηε5.
1130 ᵇ32. τὰ μεριστὰ χ μὴ ὅλα Ηχ3. 1174 ᵇ11.

μέριμνα. παύει μέριμναν, ὡς φησὶν Εὐριπίδης (Bacch 381)
Πθ5. 1339 ᵃ18.

μερίς. πότερον προσλαμβάνοντες ἀριθμῦμεν ἢ κατὰ μερίδας
Μμ7. 1082 ᵇ36. τριῶν ὑσῶν μερίδων, τῶν τε ἐκτὸς χ τῶν
ἐν τῷ σώματι χ τῶν ἐν τῇ ψυχῇ Πη1. 1323 ᵃ25. τῆς
νυκτὸς αἱ δώδεκα μοῖραι εἰς δύο ἴσας μερίδας μερίζεσθαι
δύνανται f 156. 1504 ᵇ4. — ἄτιμος ὁ ἐν στάσει πόλεως
μηδετέρα μερίδι προσθέμενος f 353. 1538 ᵃ10, 7.

μερισμὸς ἀντιφάσεως Με4. 1027 ᵇ20 Bz.

μέρμερα ῥέζων (Orph VI 43) χ7. 401 ᵇ7.

Μερόπη ἐν τῷ Κρεσφόντῃ (Euripidis) πο14. 1454 ᵃ5 (Eur fr 457) Ηγ2. 1111 ᵃ12 (cf Nck fr tr p 395).

μέρος ποσαχῶς λέγεται Μδ25 Bz. ζ10. 1034 ᵇ32 Bz. —
1. ἀπορία περὶ τῦ μέρυς κỳ τῦ ὅλυ, τὰ μέρη τὰ μὴ συνεχῆ Φα2. 185 ᵇ11, 14. μετρεῖ τὸ μέρος κỳ συγκεῖσθαι δεῖ τὸ ⁵ ὅλον ἐκ τῶν μερῶν Φδ10. 218 ᵃ7. ὐκ ἔστι παρὰ τὰ μέρη τὸ ὅλον Φδ3. 210 ᵃ16. ὑ πέφυκε τὸ μέρος ὑπερέχειν τῦ παντός Πγ17. 1288 ᵃ26. τὰ μέρη ὐ ταυτὸν τῷ ὅλῳ τζ13. 150 ᵃ15-21. τὰ μέρη πρότερα τῦ ὅλυ τὴν φύσιν ατ968 ᵃ10. τὸ ὅλον πρότερον τῦ μέρυς Πα2. 1253 ᵃ20. τὸ μέρος 10 ὐδέν ἐστιν ἀλλ' ἢ δυνάμει ἐν τῷ ὅλῳ Φη5. 250 ᵃ24. τὸ αὐτὸ συμφέρει τῷ μέρει κỳ τῷ ὅλῳ sim Πα6. 1255 ᵇ10. 13. 1260 ᵇ14. β5. 1264 ᵇ18, 21. τὸ ὅλον λέγεται ἔχειν (i e συνέχειν) τὰ μέρη Μδ23. 1023 ᵃ11. τὸ μὲν ὡς εἶδος κỳ ὡς ἡ ὐσία, τὸ δ' ὡς μέρος κỳ ὡς ὕλη Μμ8. 1084 ᵇ20. διαι- 15 ρεῖσθαι εἰς μέρη, dist εἰς ἕτερα τῷ εἴδει Οβ4. 285 ᵇ31. Πα8. 1256 ᵃ14, 17. μέρη οἰκίας, ἐξ ὧν οἰκία συνίσταται Πα3. 1253 ᵇ3, 6. μέρη πόλεως, ἐξ ὧν σύγκειται ἡ πόλις Πε3. 1303 ᵃ1. β9. 1270 ᵇ22. γ13. 1284 ᵃ8. δ3. 1290 ᵃ3. 4. 1290 ᵇ24. η9. 1329 ᵃ37. — admodum frequens usus voc 20 μέρος in describendo animalium corpore. σχεδὸν ὅσα γ' ἐστὶ γένει ἕτερα τῶν ζῴων, κỳ τὰ πλεῖστα τῶν μερῶν ἔχει ἕτερα τῷ εἴδει, κỳ τὰ μὲν κατ' ἀναλογίαν ἀδιάφορα μόνον, τῷ γένει δ' ἕτερα, τὰ δὲ τῷ γένει μὲν ταυτὰ τῷ εἴδει δ' ἕτερα Ζιβ1. 497 ᵇ10. ὕλη τοῖς ζῴοις τὰ μέρη, παντὶ μὲν 25 τῷ ὅλῳ τὰ ἀνομοιομερῆ τοῖς δ' ἀνομοιομερέσι τὰ ὁμοιομερῆ, τύτοις δὲ τὰ καλύμενα στοχεῖα τῶν σωμάτων Ζγα1. 715 ᵃ9. syn μόριον: τὰ ὁμοιομερῆ μόρια, τὰ ὁμοιομερῆ μέρη Ζμβ2. 647 ᵇ10, 22. τῶν ἀνομοιομερῶν μορίων ἕνια ὐ μόνον μέρη ἀλλὰ κỳ μέλη καλεῖται Ζια1. 486 ᵃ9. v μέλος p 453ᵇ23 30 ἡ θέσις τῶν μερῶν, τὸ σῶμα κỳ τὰ μέρη, τὰ μέρη τῦ σώματος, τὰ ἐν τῷ σώματι μέρη, πάντα τὰ μέρη Ζια15. 494 ᵃ20. Ζγβ6. 745 ᵃ16. 1. 734 ᵃ10. α2. 716 ᵃ25. 20.728 ᵇ19. — τῶν μερῶν θερμότερα τὰ δεξιά, τὰ ἄνω μέρη, opp τὰ κάτω μόρια Ζμγ4. 667 ᵃ1 (Lewes 320). β2. 647 35 ᵇ34. τὰ μέρη τὰ ὀργανικά, syn τὰ εἰς τὴν ἐργασίαν, πρὸς ἐνίας χρήσεις Ζια6. 491 ᵃ25. Ζμβ2. 647 ᵇ25. Ζγβ6. 742 ᵃ36. μέρη ὀργανικὰ τῆς πορείας Ψη9. 432 ᵇ5. μέρη ὀργα- νικά, opp τὰ αἰσθητήρια, τὰ περιττωματικὰ Ζμβ1. 647 ᵃ3. 2. 647 ᵇ27. cf Ζιδ6. 531 ᵃ28, 29, sed ἡ αἴσθησις ἐν τοῖς 40 ἁπλοῖς μέρεσι Ζμβ1. 647 ᵃ14. μέρος αἰσθητικὸν Φη3. 247 ᵃ6. μέρη σώματος enumerantur Ζγα19. 726 ᵇ14 et τὰ κοινὰ κỳ ἄρρενος κỳ θήλεος Ζια15. 494 ᵃ19. τὰ μέρη περὶ τὰς φλέβας ἐστὶ, ἅτε γινόμενα ἐκ τύτων Ζγβ6. 743 ᵃ3 (cf διορίζεται τὰ μέρη τῶν ζῴων πνεύματι Ζγβ6. 741 ᵇ37). 45 τὰ σπλάγχνα ἢ τὰ ἄλλα μέρη, μέρος τι ὀγκῶδες τῶν ὀρ- νίθων, κοιλία, μέρος τῦ ᵘὸ et τὸ λοιπὸν μέρος τῦ ᵘᾦ, τὸ πόρυ τὸ μέρος τῶν μερῶν (vas deferens) Ζμγ14. 674 ᵇ24. δ3. 677 ᵇ34. Ζγβ1. 734 ᵃ3. γ2. 752 ᵇ18. α6. 718 ᵃ16. τὸ κάτω μέρος τῆς ὑστέρας, μέρος τι τῆς μήτρας, τὰ μέρη τὰ 50 πρὸς τὴν μῖξιν, τὸ θῆλυ εἰς τὸ ἄρρεν μέρος τι αὐτῦ ἀπο- τείνει, χρησίμυ περιττώματος μέρος τι τὸ σπέρμα Ζγα11. 719 ᵃ26. 2. 716 ᵇ2. 18. 723 ᵇ21, 725 ᵃ11. γ2. 753 ᵇ34. ἀπὸ πάντων τῶν μερῶν τὸ σπέρμα, διεσπασμένα τὰ μέρη ἐν τῷ σώματι, τὰ ὑπηνέμια ἔχει ἀμφοτέρων τὰ 55 μέρη ἀλλὰ τὴν ἀρχὴν ὐκ ἔχει Ζγα18. 722 ᵃ12, ᵇ3, 30, 35. β3. 737 ᵃ31. syn μόρια Ζγδ3. 786 ᵇ2. τὸ μέγεθος ὢ ἐν τῇ κινήσει Ζγβ8. 749 ᵃ4. — ὁ υἱὸς ὥσπερ μέρος πατρός, ὁ δῦλος δεσπότυ Ηε10. 1134 ᵇ11. Πα6. 1255 ᵇ11. μέρη ψυχῆς, μέρη ἄλογα 60 v ψυχή 3 et infra p 455 ᵇ44. μέρη λόγυ τινὰ ἀναγκαῖα

Ργ13. πρόλογος, ἐπεισόδιον al μέρος ὅλον τραγῳδίας πο12. 1452 ᵇ19, 20, 21. μέρος τῆς μεθόδυ (disciplinae) μα1.338 ᵃ25. cf Πδ10. 1295 ᵃ3. — εἴτε ὅλη ἐφέρετο ἡ γῆ εἴτε κατὰ μέρος Οβ14. 297 ᵇ11. τὸ ὅλον λέγεται κατὰ μέρος, οἷον λευκὸς ὅτι ἡ ἐπιφάνεια λευκή Φδ3. 210 ᵃ29. κατὰ μέρη γίνονται ἐοικότα ἄλλα μέρη (int τῶν τέκνων) ἑκατέ- ρων Ζιη6. 586 ᵃ7 Aub. τὰς δίκας δικάζυσι κατὰ μέρος (aliam alius magistratus) Πγ1. 1275 ᵇ8. αἱ μὲν ποιήσεις ἅμα πᾶσι (sed cf Vhl Poet I 41) χρῶνται (ῥυθμῷ, μέλει, μέτρῳ), αἱ δὲ κατὰ μέρος πο1. 1447 ᵇ28. κατὰ μέρος, ἕν τι μέρος ἀπολαβών, opp ὅλον πο18. 1456 ᵃ17. 23. 1459 ᵃ35. κύριον εἶναι μὴ κατὰ μέρος ἀλλ' ἁπλῶς Πγ17. 1288 ᵃ29. κατὰ μέρος ἐπιδέδωκεν τι34. 183 ᵇ19, cf ᵇ30. κατὰ μέρος ἄρχειν κỳ ἄρχεσθαι sim, opp ἅμα πάντας, ἀθρόοις, συνεχῶς, alter- natim, vicissim μα14. 351 ᵃ28. Πα1. 1252 ᵃ15. γ1. 1275 ᵇ8. 6. 1279 ᵃ10. 17. 1288 ᵃ26. δ4. 1291 ᵃ38. 14. 1298 ᵃ12, 15. ζ1. 1317 ᵇ16. 8. 1322 ᵃ29 (κατὰ μέρη). η14. 1332 ᵇ26 al. κατὰ μέρος, opp ἐφεξῆς Ργ16. 1416 ᵇ17. eadem vi interdum usurpatur ἀνὰ μέρος Πγ16. 1287 ᵃ17 (paullo aliter ἀνὰ μέρος Πδ15. 1300 ᵃ24. ε8. 1308 ᵇ25), παρὰ μέρος Πβ2. 1261 ᵇ4, ἐν μέρει Ηθ13. 1161 ᵃ29 Fr. Πβ2. 1261 ᵇ3. γ6. 1279 ᵃ11. δ12. 1297 ᵃ4. ζ2. 1317 ᵇ20. Φθ1. 252 ᵃ8, 28, ἐν μέρει ηεη10. 1242 ᵇ29 (sed aliter ἐν τῷ μέρει Πη3. 1325 ᵇ8). — διαιρυντες ἑκάστῳ πρὸς μέρος διεδίδοσαν οβ1348 ᵇ32. συμβάλλεται μέγα μέρος πρὸς τὸ εἰδέναι ψα1. 402 ᵇ22. cf πο22. 1458 ᵃ34. συμβάλλεται πολὺ μέρος πρὸς ὑγίειαν Ζμγ12. 673 ᵇ25. ἔχει μέρος τι ἀμφοτέρων τεχνῶν Πα11. 1258 ᵇ29. ἐπὶ μικρῶν τι λέγειν ἥψατο τῦ μέρυς Φβ2. 194 ᵃ20. ἐν παιδιᾶς μέρει τι λέγειν Ηθ14. 1128 ᵃ20. ἐν τίνι μέρει θετέος ἕκαστος Πγ5. 1277 ᵇ38.

2. logice τὸ μέρος et notas significat, ex quibus notio ac definitio constituitur (a), et species, in quas ambitus notionis dividitur (b). a. τὸ γένος τῦ εἴδυς μέρος λέγεται Μδ25. 1023 ᵇ24. Φδ3. 210 ᵃ19. cf Μδ24. 1023 ᵃ35. 6. 1015 ᵇ27. τὰ μέρη τῦ λόγυ, τὰ μέρη τὰ ἐν τῷ λόγῳ Μμ4. 1079 ᵇ5. δ2. 1013 ᵃ29. Φβ3. 194 ᵇ29. ποῖα τῆς ὐσίας (τῦ λόγυ) μέρη κỳ ποῖα ὐ Μη1. 1042 ᵃ4. ζ10. 11, praecipue 10. 1035 ᵇ5, 12, 31, 34. τὸ αἴτιον τῦ ποιεῖν πρῶτον καθ' αὐτὸ μέρος Μζ9. 1034 ᵃ26. — huic usui nominis μέρος comparari potest, quod μέρη dicuntur ea, quibus natura alicuius rei definitur ac distinguitur, τραγῳδίας μέρη (ἐξ, καθ' ὃ (ἃ Bk) ποιά τις ἐστὶν ἡ τραγῳδία, μῦθος ἦθη λέξις διάνοια ὄψις μελοποιία πο6. 1450 ᵃ8. 24. 1459 ᵇ10 (his cf μέρη ψυχῆς). δύο μύθυ μέρη περὶ ταῦτ' ἐστί, περιπέτεια κỳ ἀναγνώρισις, τρίτον δὲ πάθος πο11. 1452 ᵇ9. — b. τὸ εἶδος τῦ γένυς μέρος λέγεται, μᾶλλον δὲ μέρος 1255 ᵇ18. μέρη κỳ εἴδη τῦ τόπυ, τῦ πρός τι Φδ1. 208 ᵇ12. cf Μδ14. 1020 ᵇ16. ὁ τόπος ἐκ τῶν μερῶν Ρβ23. 1399 ᵃ6 (syn ἐκ τῶν εἰδῶν τβ4. 111 ᵇ5. γ6. 120 ᵇ1). τὸ μετρὸν κοινόν ἐστιν ἁπάντων τῶν μερῶν πο22. 1458 ᵇ12 (syn εἴδη, ἰδέαι ᵇ14, 18). μέρος τῦ δικαίυ, τῦ ἀρετῆς, τῦ πλὴτυ Πγ9. 1281 ᵇ9. β9. 1270 ᵃ6. μέρη εὐδαιμονίας Ρα5. 1360 ᵇ19 (quamquam hoc ad 1 extr referri potest). ἡ τυραννὶς τῶν πολιτειῶν τι μέρος Πδ10. 1295 ᵃ3. στοιχεῖόν ἐστι φωνὴ ἀδιαίρετος· ταύτης δὲ μέρη (i e εἴδη) τό τε φωνῆεν κỳ τὸ ἡμίφωνον κỳ ἄφωνον πο20. 1456 ᵇ25. Vahlen Poet III 324. μέρη (i e εἴδη) τῦ ἰδίυ, τῶν προτάσεων, τῆς τιμῆς sim τα4. 101 ᵇ21. 14. 105 ᵇ20. ζ1. 139 ᵇ12, 17. 5. 142 ᵇ21. τ14. 174 ᵃ12 (coni εἴδη). inde κατὰ μέρος, syn καθ' ἕκαστον, opp καθόλυ. ὁ μὲν λόγος τῦ καθόλυ, ἡ δ' αἴσθησις τῦ κατὰ

μέρος Φα5. 189 ᵃ8, 6. ἐκ τῆς κατὰ μέρος ἐμπειρίας τὴν καθόλυ λαμβάνομεν ἐμπειρίαν Φη3. 247 ᵇ20, 6, 7. cf Μκ3. 1060 ᵇ32. Φγ3. 202 ᵇ24. Οα6. 274 ᵃ20. μβ1. 354 ᵃ24. Ζμα1. 639 ᵃ24. Ρα1. 1354 ᵇ5. Ηε15. 1138 ᵃ24. ζ5. 1140 ᵃ27. 7. 1141 ᵃ13 (opp ὅλως). Πα13. 1260 ᵃ24 al (rarius κατὰ μέρη Ηθ11. 1160 ᵃ14. φ2. 806 ᵇ13. κατὰ μέρη διαιρύμενον, opp καθόλυ λεγόμενον ρ4. 1426 ᵇ9). idem significat ἐπὶ μέρυς: οἱ ἐπὶ μέρυς λόγοι, syn οἱ καθ' ἕκαστα Ηβ7. 1107 ᵃ30, 29. τῷ ἐπὶ μέρυς χρωμένης καθόλυ προσαγορεύειν μβ4. 359 ᵇ31. τὰ ἐπὶ μέρυς κ1. 391 ᵃ22. 5. 397 ᵃ8. ἐν μέρει: τὰ ἐν μέρει λεγόμενα εἴδη ΜΑ8. 989 ᵇ12. γ1. 1003 ᵃ22 Bz. ἡ ἐν μέρει, ἡ ἐν μέρει ἀρετῆς δικαιοσύνη, opp ἡ ὅλη Ηε4. 1130 ᵃ14, 15, 22, 23, 33. 5.1130 ᵇ16. ἐν μέρει, syn κατὰ μέρος Φη3. 247 ᵇ6, 7. πρότασις, λόγος ἐν μέρει sive κατὰ μέρος, opp καθόλυ Αα1. 24 ᵃ17– 20. 2. 25 ᵃ5, 20 Wz. 4. 26 ᵃ30, 33. 5. 27 ᵃ32. 10.31 ᵃ16. β8. 59 ᵇ27, 28 al. syn ἀδιόριστος Αα4. 26 ᵃ30, 32. ἀντιστρέφειν ἐν μέρει, κατὰ μέρυς, ἐπὶ μέρυς, opp ἀπλῶς Αα2. 25 ᵃ8, 11. 3. 25 ᵃ29. 20. 39 ᵃ16. 45. 51 ᵃ5. ἐν μέρει συλλογισμοὶ Αα38. 49 ᵇ2 Wz. ἡ κατὰ μέρος πρότασις εἰς τὴν αἴσθησιν τελευτᾷ Αγ24. 86 ᵃ29. τὰ κατὰ μέρος φθαρτά Αγ24. 85 ᵇ18. — γένεσις ἥ τε ἀπλῆ χ̣ ἡ κατὰ μέρος Γα3. 317 ᵇ35. εἶναι ἐπὶ μέρυς, opp εἶναι ἀπλῶς Αδ2. 89 ᵇ39, 90 ᵃ2 (Wz ad 21 ᵃ5, 166 ᵇ27). — κατὰ μέρος fort corr Πυ15. 1285 ᵇ39.

μέροψ. nutriri a pullis dicitur, forma et nidus, apium hostis Ζιι12. 615 ᵇ25 Aub. 40. 626 ᵃ13. de v l ad Ζιζ1. 559 ᵃ4 (εἴροπα Bk) cf S I 399 et Aub. (Merops apiaster Su 132, 96, 97. Lnd 44. E 50. St. Cr. K 715, 3. ΑΖι I 102, 76. Albert magnus de vegetabil ed Jessen 338.)

μεσεντέριον (v l σεντέριον, μεσέντερον et in textu ex errore typ Ζμδ4. 678 ᵃ16 Langk). τὸ καλύμενον μεσεντέριόν ἐστι μὲν ὑμήν, διατείνει δὲ συνεχὲς ἀπὸ τῆς τῶν ἐντέρων παρατάσεως εἰς τὴν φλέβα τὴν μεγάλην, πλῆρες ὂν φλεβῶν πολλῶν χ̣ πυκνῶν Ζμδ3. 677 ᵇ12. 4. 677 ᵇ36. cf Ζια16. 495 ᵃ32 Aub. ἡ τῦ μεσεντερία φύσις ἐστίν, οἷον ῥίζα ἔχυσα τὰς δι' αὐτῆς φλέβας· μεσεντέριον ἔχει πάντα τὰ ἔναιμα Ζμδ4. 678 ᵃ14. 1. 676 ᵇ10. πρὸς τὴν μεγίστην φλέβα τὸ μεσεντέριόν ἐστιν, ἀπὸ τῆς μεγάλης φλεβὸς πολλαὶ φλέβες διὰ τῦ μεσεντερία τείνυσι, τείνυσι χ̣ ἀπὸ τῆς ἀόρτης εἰς τὸ μεσεντέριον φλέβες, αἱ φλέβες κατατείνονται διὰ τῦ μεσεντερίυ παράπαν Ζια17. 496 ᵃ26 Aub. γ4. 514 ᵇ12, 24. Ζμβ3. 650 ᵃ30. διὰ τίνα αἰτίαν ὑπάρχει τοῖς ἐναίμοις· ὗ ἕνεκα τὸ μεσεντέριόν ἐστι Ζμδ4. 678 ᵃ5, 16. cf ΚαΖμ 122, 1. Philippson ὕλη 38.

μεσεύειν κατὰ τὰς τόπυς Πη7. 1327 ᵇ29.

μεσημβρία. 1. meridies. νηνεμώτατον ὡς ἐπὶ τὸ πολὺ τῆς ἡμέρας ἡ μεσημβρία μβ8. 366 ᵃ15. πιε5. 911 ᵇ1. κε4. 938 ᵃ23. πρὸ μεσημβρίας πκθ2. 936 ᵃ18. μέσων νυκτῶν χ̣ μεσημβρίας πκε4. 938 ᵃ23. f 488. 1557 ᵇ25. — 2. plaga meridionalis μβ6. 363 ᵇ4, opp ἄρκτος ᵇ3. ἀπ' αὐτῆς τε τῆς ἄρκτυ χ̣ μεσημβρίας μβ4. 361 ᵃ6. πρὸς μεσημβρίαν, opp πρὸς ἄρκτον μβ5. 362 ᵇ8, 7, opp ὑπὸ τὰς ἄρκτυς π22. 893 ᵃ31, 34.

μεσημβρινός, sc κύκλος. κατὰ τὸν μεσημβρινόν, ἐπὶ τῦ μεσημβρινῦ μβ5. 362 ᵇ11 Ideler. γ5. 375 ᵇ29. — τὸ μεσημβρινόν: ἀπαρκτίας ὁ ἀπὸ τῦ πόλυ κατὰ τὸ μεσημβρινὸν πνέων κ4. 394 ᵇ29.

Μεσήνη. τὰ περὶ Μεσήνην (Siciliae) ἐν τῷ πορθμῷ πκγ5. 932 ᵃ5.

μέσης, ἄνεμος μέσος καικίυ χ̣ ἀπαρκτίυ μβ6. 363 ᵇ30, 34,

364 ᵃ15. σ973 ᵃ3. f 238. 1521 ᵃ36. ὁ μέσης νιφετώδης, ἀστραπαῖός μβ6. 364 ᵇ21, 31. cf Strehlke über einige Stellen bei Arist p 4.

μεσίδιος καλεῖται ὁ δικαστής Ηε7. 1132 ᵃ23. ἄρχων μεσίδιος Πε6. 1306 ᵃ28.

μεσιτεύειν. ἡ ῥίζα μεσιτεύει ἐν τῷ φυτῷ φτα4. 819 ᵃ20. φλοιὸς μεσιτεύων φτα5. 820 ᵃ18.

Μεσοάτης, λόχος Λακεδαιμονίων f 498. 1559 ᵃ26. cf Μεσσοάγης.

Μεσόλας (Μέσολος?). Δεξαμενὸς ὁ Μεσόλυ παῖς f 437. 1550 ᵃ22.

μεσόνεος. οἱ μεσόνεοι μάλιστα τὴν ναῦν κινῦσιν μχ4. 850 ᵇ10.

μεσονύκτιοι ἄνεμοι, ἐκλείψεις, dist ἀκρόνυχοι μβ8. 367 ᵇ26, 27. — adv μεσονύκτιον πκς18. 942 ᵃ24.

Μεσοποταμία τῆς Συρίας θ149. 845 ᵇ8.

μέσος. τὸ μέσον πολλαχῶς ζ12. 149 ᵃ31. Οδ5. 312 ᵇ2. def μέσον ἐστὶν ὃ χ̣ αὐτὸ μετ' ἄλλο χ̣ μετ' ἐκεῖνο ἕτερον, dist ἀρχή, τελευτή πο7. 1450 ᵇ31, 27, 29. τὸ ὁριζόμενον τὸ μέσον, τὸ δ' ὁρίζον τὸ πέρας Οβ13. 293 ᵇ13. — locali sensu. τὸ μέσον ἀρχὴ χ̣ τελευτή, ἀρχὴ μὲν τῆς ὑστερον, τελευτὴ δὲ τῆς πρώτης μθ8. 262 ᵃ25, 20, 23. ἀμφοτέρων τῶν ἄκρων τὸ μέσον ἔσχατον Ζκ9. 702 ᵇ17. τριῶν ὄντων τόπων, τῦ ἄνω χ̣ μέσυ χ̣ κάτω Ζπ5. 706 ᵇ3. cf Ζμγ3. 666 ᵃ15. κύκλυ τὸ μέσον Ηβ9. 1109 ᵃ25. ημα9. 1186 ᵇ37. ὀφθαλμῦ τὸ καλύμενον μέλαν χ̣ μέσον αι2. 437 ᵇ1. ταὐτὸ μέσον τῆς γῆς χ̣ τῦ παντὸς Οβ14. 296 ᵇ15. δ4. 312 ᵃ2. ὁ περὶ τὸ μέσον (i e μέσον τῦ παντὸς) τόπος, τὰ περὶ τὸ μέσον ἱδρυμένα σώματα, κίνησις ἀπὸ τῦ μέσυ, ἐπὶ τὸ μέσον sim Γβ8. 334 ᵇ31. 9. 335 ᵃ25. Οβ4. 287 ᵃ31. δ3. 310 ᵇ9 (opp τὸ ἔσχατον). μα3. 340 ᵇ20. 2. 339 ᵃ15. τὸ μεσαίτατον τῦ μέσυ χ3. 392 ᵇ33. μέχρι τῦ μέσυ ἡ κάθεσις (Plat Phaed 112 E) μβ2. 356 ᵃ11. ἐν τοῖς ζῴοις ὗ ταὐτὸν τῦ ζῴυ χ̣ τῦ σώματος μέσον Οβ13. 293 ᵇ7, 5. θαλάμης μέση καρδίας υ3. 458 ᵃ17, 19. ὁ μέσος δάκτυλος Ζμδ10. 687 ᵇ18. — temporali sensu, ὅταν δύο εἴπῃ ἡ ψυχὴ τὰ νῦν, τὸ μὲν πρότερον τὸ δ' ὕστερον, τὸ αὐτὸ χρόνος Φθ11. 219 ᵃ27. μέσον νυκτῶν, opp ἕωθεν μα8. 345 ᵇ22. — de serie causarum, τῶν μέσων, ὧν ἐστιν ἔξω τι ἔσχατον χ̣ πρότερον Μα2. 994 ᵃ11, 17. — id quod inter qualitates contrarias medium quasi locum tenet (cf ἀνὰ μέσον, μεταξύ). ἐναντίον τὸ μηδέτερον μέσον Οα12. 282 ᵃ18. τὸ μέσον (ἐναντίον) πρὸς ἑκάτερον λέγεται τῶν ἄκρων Φε5. 229 ᵇ19. ἐν τῷ μέσῳ ἐμφαίνεται ἑκάτερον τῶν ἄκρων Πθ9. 1294 ᵇ18. τὸ μέσον κριτικὸν ψβ11. 424 ᵃ6. κοιλία καρδίας μέση μεγέθει Ζια17. 496 ᵃ22. τῶν ὀφθαλμῶν οἱ μεγάλοι, οἱ δὲ μικροὶ, οἱ δὲ μέσοι· οἱ μέσοι βέλτιστοι· χ̣ ἡ ἐκτὸς σφόδρα ἐντὸς ἡ μέσως, τὸ δὲ μέσον ἦθυς βέλτιστα σημεῖον· χ̣ ἡ σκαρδαμυκτικοὶ ἢ ἀτενεῖς ἢ μέσοι, βελτίστα δὲ ἦθυς οἱ μέσοι Ζια10. 492 ᵃ7–12. τῶν ὤτων τὰ μέσα βέλτιστα, ἡ μέση γλῶττα βελτίστη Ζια11. 492 ᵃ33, ᵇ1. ἡ ὕδωρ ἡ ἀὴρ ἢ τὸ μέσον αὐτῶν Φγ5. 205 ᵃ27. ψυχρόν, θερμόν, μέσον sim Γβ5. 332 ᵇ7. 7. 334 ᵇ27, 28. ἡ μέση (int χορδή), αἱ μέσαι, opp ἡ ὑπάτη, ἡ νήτη Φε1. 224 ᵇ33. Μδ11. 1018 ᵇ29. ν6. 1093 ᵃ19. πιθ20. 919 ᵃ13. 36. 920 ᵇ7. διὰ τί καλεῖται μέση ἐν ταῖς ἁρμονίαις πιθ25. 44. χρῆσθαι φωνῇ ὀξείᾳ, βαρείᾳ, μέσῃ· μεγάλῃ, μικρᾷ, μέσῃ Ργ1. 1403 ᵇ30, 29. χρῆσθαι ὀνόμασι μέσοις, μήτε μακροτάτοις μήτε βραχυτάτοις ρ23. 1434 ᵇ20. ἐν τῇ λέξει τὸ μέσον ἁρμόττει Ργ12. 1414 ᵃ25. οἱ μέσοι, οἱ μέσοι πολῖται, τὸ μέσον, opp οἱ εὔποροι, οἱ ἄποροι Πδ3. 1289 ᵇ31. 11. 1295 ᵇ3.

ε8. 1308 ᵇ30. δ11. 1296 ᵃ19. 13. 1297 ᵇ27. ε4. 1304 ᵇ1.
ζ4. 1319 ᵇ13. Ηδ8. 1124 ᵇ20. ὐσία μέση ϰ ἱκανή Πδ11.
1295 ᵇ40. πολλὰ μέσοισιν ἄριστα (Phocyl fr 12) Πδ11.
1295 ᵇ34. ἡ ἐκ τῶν μέσων πολιτεία ἀσφαλεστάτη Πδ11.
1295 ᵇ5sqq. 12. 1296 ᵇ35, 38. ε1. 1302 ᵃ14. ἡ μέση πο- 5
λιτεία βελτίστη, ἀστασίαστος Πδ11. 1296 ᵃ7, 5, 37, ᵇ9.
cf ε9. 1309 ᵇ19. ὁ μέσος βίος βέλτιστος Πδ11. 1295 ᵃ38.
ἡ κτῆσις μέση βελτίστη Πδ11. 1295 ᵃ4. πλα19. 959 ᵃ31.
τὸ μέσον, ἡ μέση ἕξις quantopere praestet in constitu-
tione corporis φ6. 810 ᵇ34, 811 ᵇ11, 21, 25, 812 ᵃ2, 11, 10
15, ᵇ19, 34, 813 ᵇ30, 35. Ζια10. 492 ᵃ7-12. Ζγδ2. 767
ᵃ19 al. τὸ μέσον, syn μέτριον Πβ7. 1266 ᵇ28. δ11. 1295
ᵃ11. Ζμβ7. 652 ᵇ18. Ζγδ2. 767 ᵃ19. 4. 771 ᵃ34, 36. πλα19.
959 ᵃ31. — in doctrina morali τὸ μέσον ἐν τοῖς πάθεσιν,
ἐν ταῖς ἡδοναῖς ϰ λύπαις, ἡ μέση διάθεσις, media inter 15
ὑπερβολὴν et ἔλλειψιν, Aristoteli est βελτίστη et ἀρετή.
ea doctrina exponitur, ita ut distinguatur μέσον κατὰ τὸ
πρᾶγμα, μέσον πρὸς ἡμᾶς Ηβ5. 1106 ᵃ28 sqq. ηεβ3. 1220
ᵇ22, 27. γ1. 1228 ᵇ3. ημα7. 1186 ᵇ20sqq. τὸ μέσον ἀγα-
θὸν Ηθ10. 1159 ᵇ21. τὸ μέσον ϰ τὸ εὖ Ηβ9. 1109 ᵇ26. 20
τὸ μέσον, syn ἄριστον, βέλτιστον Ηβ5. 1106 ᵇ21. ηεγ1.
1228 ᵇ3. 4. 1231 ᵇ35. ἐπαινετὸς ϰ μέσος ηεγ5. 1233 ᵃ4.
ημα24. 1192 ᵃ6. τὸ μέσον τῶν ὑπερβολῶν ἐπαινῶμεν ϰ
χρῆναι διώκειν φαμέν Πθ7. 1342 ᵇ14. μέσον, syn δέον, ὡς
δεῖ, ὅτε δεῖ sim Ηβ7. 1107 ᵇ27, 1108 ᵃ27, 23. γ10. 1115 25
ᵇ15-19 (coll 9. 1115 ᵃ6). δ3. 1121 ᵇ12. ηεγ1.1229 ᵃ6 al.
syn κατὰ τὸν ὀρθὸν λόγον Ηζ1. 1138 ᵇ20, 22, 28. cf ηεβ5.
1222 ᵇ8. μέσον τὸ ἴσον, μέσον τι τῦ ἀνίσυ ἐστὶν Ηε7.
1132 ᵃ17. 6. 1131 ᵃ10sqq. ὁ δικαστὴς μέσος, ὁ νόμος τὸ
μέσον Ηε7. 1132 ᵃ22. Πδ12. 1297 ᵃ6. γ16. 1287 ᵇ4. τὸ 30
μέσον ἐστὶ πως ἄκρον Ηβ6. 1107 ᵃ23. cf 7. 1123 ᵇ14 (cf
Φε1. 224 ᵇ32). ἐν τῷ μέσῳ ἐστί πως τὰ ἄκρα ηεγ7. 1234
ᵇ5. ἐλθεῖν ἐπὶ τὸ μέσον, καθίστασθαι εἰς τὸ μέσον Ηδ3.
1121 ᵃ21. ηεη5. 1239 ᵇ35, 1240 ᵃ2. — mathematice. ὁ
τετραγωνισμὸς μέσης εὕρεσις ψβ2. 413 ᵃ19. Μβ2. 996 ᵇ21. 35
— logice. μέσος ὅρος, τὸ μέσον, terminus medius Αα4.
25 ᵇ33, 35. 23. 41 ᵃ3. 32. 47 ᵃ38, ᵇ6, 7, 9. δ2. 90 ᵃ11 (syn
ἀνὰ μέσον τθ3. 158 ᵇ6, 38). τὸ μέσον, terminus medius
primae figurae Αβ27. 70 ᵇ1, 3, 4 Wz. μέσον οἰκεῖον Αγ17.
80 ᵇ18, 21sqq. μέσον συνεχές Αα25. 42 ᵇ6. γ29. 87 ᵇ6. 40
ἔστι τὸ μέσον λόγος τῷ πρώτῳ ἄκρῳ Αδ17. 99 ᵃ1 Wz.
μέσον ἀναγκαῖον Αγ6. 75 ᵃ13. ψευδὴς ὁ μέσος ὅρος Ηζ10.
1142 ᵇ24. μέσον ἐμβάλλειν Αγ25. 86 ᵇ18. τὸ μέσον ἔξω
τίθεται Αγ13. 78 ᵇ13 Wz. τὸ μέσον ἐγγυτέρω τῆς ἀρχῆς
Αγ24. 86 ᵃ15. τὸ μέσον ὁμόγονον δεῖ εἶναι Αδ12. 95 ᵃ37, 45
39. τὸ μέσον Αγ6. 90 ᵃ7. αἴτιαι πᾶσαι διὰ τῶ μέσον
δείκνυνται Αδ11. πλείω μέσα τῶν αὐτῶν εἶναι ὐδὲν κωλύει
Αα25. 41 ᵇ39. — μέσον σχῆμα, altera syllogismi figura
Αα26. 42 ᵇ34, 35, 39 al. — διὰ μέσυ, syn μεταξύ. δο-
κῷμεν αὐτῶν ἅπτεσθαι ϰ ὐδὲν εἶναι διὰ μέσυ ψβ1. 423 50
ᵇ12, 14. — ἀνὰ μέσον, syn μεταξύ, id quod inter con-
traria medium tenet locum. καρδίας κοιλία ἡ ἀνὰ μέσον,
dist ἡ ἐν τοῖς δεξιοῖς, ἡ ἐν τοῖς ἀριστεροῖς Ζια17. 496 ᵃ22.
ὦν μὴ ἀναγκαῖον θάτερον ὑπάρχειν, τύτων ἔστι τι ἀνὰ μέ-
σον πάντως sim Κ10. 12 ᵃ2 Wz, 3, 9, 10, 17, 20, 23, 24, 55
28, 30, 32, 35, 36, 13 ᵃ7, 8, 15. πλα14 sqq. δ3.123
ᵇ18-29, 124 ᵃ16. Μχ3. 1061 ᵃ21. 6. 1063 ᵇ19. cf Φε3. 227
ᵃ9. ψ2. 245 ᵇ2 (cf μεταξύ ᵃ16). Οβ6. 288 ᵃ20. 22. ξ2.
976 ᵇ18. θ96. 838 ᵃ23. f118. 1498 ᵃ19. ἡ πραότης ἐστὶν
ἀνὰ μέσον ὀργιλότητος ϰ ἀοργησίας sim ημα23. 1191 ᵇ24. 60
29. 1192 ᵇ30, 36. 31. 1193 ᵃ16. 32. 1193 ᵃ24. τὸ δ' ἀνὰ

μέσον ὐκ ἔστιν ημβ7. 1206 ᵃ18, 20. τὰ ἀνὰ μέσον μεγέθη,
syn τὰ μεταξύ Φθ8. 264 ᵇ32, 31. ἐκ τῶν ἀνὰ μέσον μερῶν
ρ23. 1434 ᵇ22. ἐν ταῖς ἀνὰ μέσον ὥραις μβ5. 361 ᵇ28. αἱ
ἀνὰ μέσον προτάσεις, τὰ ἀνὰ μέσον τθ3. 158 ᵇ22, 7, 38.
ἐν τοῖς ἀνὰ μέσον διαστήμασιν θ104. 839 ᵇ5. — μέσως.
ὀφθαλμοὶ ἢ ἐκτὸς σφόδρα ἢ ἐντὸς ἢ μέσως Ζια10. 492 ᵃ9.
μέσως ἔχειν περί τι, opp σφοδρῶς, ἀνειμένως, syn ὡς δεῖ Ηβ4.
1105 ᵇ28. γ10. 1116 ᵃ6. 14. 1119 ᵃ11. ημα7. 1186 ᵃ20.
9. 1187 ᵃ1. μέσως ϰ καθεστηκότως μάλιστα ἔχειν πρός τι
Πθ5. 1340 ᵇ3. μέσως λέγειν ρ23. 1434 ᵇ18-25. — μέσον
adverb, τινὰ ἄνω προχωρῶσι, τινὰ κάτω, τινὰ μέσον φτβ8.
827 ᵇ34. ἱ. ᵓ μεταξύ: ποιεῖ διάκρισιν μέσον ζωῆς ϰ θανάτυ
φτα1. 816 ᵃ31. cf 4. 819 ᵇ6. β8. 828 ᵃ3.
μεσότης. de loco, ἐν μεσότητι ταύτης τῆς ἀσπίδος θ155.
846 ᵃ18. — de tempore, τὸ νῦν ἐστι μεσότης τις, ϰ ἀρ-
χὴν ϰ τελευτὴν ἔχον ἅμα Φθ1. 251 ᵇ20. χειμερίας συμ-
βαίνει τὰς συνόδως εἶναι τῶν μηνῶν μᾶλλον ἢ τὰς μεσό-
τητας Ζγβ4. 738 ᵃ22. — de qualitate, τὸ ξηρὸν ϰ τὸ ὑγρὸν
κατὰ μεσότητα ποιῦσι σάρκα Γβ7. 334 ᵇ29. ἡ αἴσθησις με-
σότης τις τῆς ἐν τοῖς αἰσθητοῖς ἐναντιώσεως ψβ11. 424 ᵃ4.
γ13. 435 ᵃ21. μδ4. 382 ᵃ19. ἐνεργεῖν τῇ αἰσθητικῇ μεσό-
τητι πρὸς τὸ ἀγαθὸν ἢ κακόν ψγ7. 431 ᵃ11. ἡ ἠθικὴ ἀρετὴ
μεσότης τις ἐν τοῖς πάθεσι ϰ ἐν τοῖς περὶ τὰ πάθη, αἱ
ἀρεταὶ μεσότητες, opp ὑπερβολή, ἔλλειψις Ηβ5. 1106 ᵇ27.
7. 1108 ᵃ31. 9. 1109 ᵃ20. γ8. 1114 ᵇ27. δ13. 1127 ᵃ16.
ηεβ3. 1220 ᵇ35. 5. 1222 ᵃ11, 13. Πδ11. 1295 ᵃ37. μεσό-
τητος, syn σύμμετρον Ηβ2. 1104 ᵃ26, 18. syn βελτίστη
ἕξις ηεγ2. 1231 ᵃ35-39. 3. 1231 ᵇ25. ημα22.1191 ᵃ39-ᵇ5.
syn ἐπαινετόν ηεγ7. 1234 ᵃ24. ημα27. 1192 ᵇ12. αἱ μεσό-
τητες enumerantur Ηβ7. ηεβ3. μεσότητες περὶ λόγων ϰ
πράξεων κοινωνίαν Ηβ7. 1108 ᵃ9-30. δ12-14. ἡ δικαιοσύνη
μεσότης ἢ τὸν αὐτὸν τρόπον ταῖς ἄλλαις ἀρεταῖς Ηε9. 1133
ᵇ32. μεσότης, syn ἰσότης ημα34. 1193 ᵇ24-30. ἡ μεσότης
πῶς ἀντίκειται ἀμφοτέροις τοῖς ἄκροις Ηβ8. ημα9. Κ11.
14 ᵃ3, πῶς γίγνεται Ηβ9. ἡ μεσότης ἀκρότης πως Ηβ6.
1107 ᵃ6sqq. μεσότητος ὐκ ἔστιν ὑπερβολὴ ϰ ἔλλειψις Ηβ6.
1107 ᵃ6. τίς ἐστιν ὅρος τῶν μεσοτήτων Ηζ1. 1138 ᵇ23.
μεσότητες προαιρετικαί, παθητικαί Ηγ1. 1228 ᵃ23. 7. 1233
ᵇ18. — μεσότης ἀριθμητική, ἁρμονική f 43. 1483 ᵃ6.
μεσυρανεῖν. μεσυρανῦντος τῦ ἡλίυ μγ2. 372 ᵃ14. 4. 373
ᵇ13. πιε12. 912 ᵇ27.
μεσυράνιος. μεσυρανίυ ὄντος τῦ ἡλίυ μγ6. 378 ᵃ8, 9. πιε12.
913 ᵃ1.
μέσσα. Ζεὺς κεφαλή, Ζεὺς μέσσα (Orph VI 11) κ7. 401
ᵃ29.
Μεσσάπιον ὄρος Ζιι45. 630 ᵃ19.
Μεσσηνιακὸς πόλεμος Πε7. 1306 ᵇ38. ἐν τῷ Μεσσηνιακῷ
λέγει Ἀλκιδάμας Ρα13. 1373 ᵇ18. cf Ρβ23. 1397 ᵃ11.
Καλλίστρατος ἐν τῇ Μεσσηνιακῇ ἐκκλησίᾳ Ργ17. 1418ᵇ11.
Μεσσήνιοι ϰ Ἀργεῖοι Πβ9. 1269 ᵇ4, 1270 ᵃ3. Μεσσηνίας
ἐκβαλεῖν ἐκ τῆς χώρας f 550. 1569 ᵃ8.
Μεσσοάγης, λόχος τῶν Λακεδαιμονίων f 498. 1559 ᵃ23,
Μεσοάγης ci O Mueller, cf h v.
μεσσόθεν (Parm 104) Φγ6. 207 ᵃ17. ξ2. 976 ᵃ8. 4. 978ᵇ9.
μεστός. ῥάβδων μεστὸν τὸ νέφος μγ6. 377 ᵇ2.
μεστῦν. ὁ ναυτίλος ἂν φοβηθῇ καταδύνει τῆς θαλάττης με-
στώσας τὸ ὄστρακον Ζιι37. 622 ᵇ15.
μετά. Eucken II 46. 1. c genetivo. τόδε μετὰ τῦδε ποσα-
χῶς λέγεται τζ 13.150 ᵇ28. ταῦτα ἐν τῷ τόπῳ τύτῳ ϰ
μετὰ (i e coniuncta cum) τῶν μορίων ἐστὶ τύτων Ζμδ3.
677 ᵇ13. μετὰ δυνάμεως, opp χωρὶς δυνάμεως Πγ15.

v.

Mmm

1286 ᵇ6. μετὰ τῦ ὀρθῦ λόγυ, dist κατὰ τὸν ὀρθὸν λόγον Ηζ 13. 1144 ᵇ26, 27. ημα 35. 1198 ᵃ17, 21. saepe μετὰ c gen nominis abstracti prope ad adverbii vim accedit, veluti μετὰ σπυδῆς σκοπεῖν, opp μυθικῶς Μβ4. 1000ᵃ19. μετὰ βίας τζ6. 145 ᵇ3. Οβ1. 284 ᵃ29. Ζμγ5. 668 ᵇ19. 5 ρ20. 1433 ᵇ20. μετὰ πόνυ Ζμγ14. 675 ᵃ36. μετὰ λύπης Ζμβ2. 648 ᵇ15. μεθ' ὑγιείας Ζμβ2. 649 ᵃ5. μετ' εἰρωνείας Ργ7. 1408 ᵇ19. ρ30. 1436 ᵇ21. τὰ μετ' ἀγνοίας Ηε10. 1135 ᵇ12. τὰ μετὰ παιδιᾶς, syn τὰ γελοῖα, opp τὰ σπυδαῖα Ηκ6. 1177 ᵃ4. τὸ μετ' ἀκριβείας Ζμγ5. 668 ᵇ28. 10 — ἐὰν αἱ βάσανοι ὑπεναντίαι ὦσι κ̀ μετὰ τῦ ἀμφισβητῦντος (i e si faciant cum adversario) Ρα15. 1377 ᵃ1, 1376 ᵇ15. — abundanter μετὰ et καί coniunctum legitur, ubi alterum utrum sufficiat, ἐκ τῆς διαθέσεως τῦ τόπυ μετὰ κ̀ τῦ ἀέρος φτβ3. 825 ᵃ28. 15

2. c accusativo. ᾶ. de loco. μετὰ τὸ στόμα τοῖς μαλακίοις ἐστὶ στόμαχος μακρός· τὸ μετὰ τὴν κοιλίαν ἔντερον sim Ζμδ4. 673 ᵇ24. 6. 682 ᵃ15. γ14. 675 ᵃ31, ᵇ34. 3. 664 ᵃ25. — ᵇ. de tempore. μετὰ μικρόν Ηδ4. 1166 ᵇ23. μετ' ὀλίγον Ζιζ37. 580 ᵇ12. μετ' ὐ πολὺν χρόνον Ζιθ17. 601 ᵃ9. 20 μετ' ὐ πολύ ημβ11. 1211 ᵇ1. formulae μετὰ ταῦτα, usitatae ad significandum disputationis ordinem, veluti Μβ4. 1105 ᵇ19. η1. 1145 ᵃ15. θ1. 1155 ᵃ3. χ1. 1172 ᵃ19 al, interdum ἔπειτα vel εἶτα additur, ἔπειτα μετὰ ταῦτα Ογ3. 302 ᵃ14. Μμ2. 1076 ᵃ20, εἶτα μετὰ ταῦτα Αγ27. 43 ᵇ3. 25 — μεθ' ἡμέραν, interdiu, opp νύκτωρ μα5. 342 ᵃ11. 7. 344 ᵇ33. β4. 360 ᵃ3, 4. 8. 367 ᵇ8. γ2. 372 ᵃ21. Ζιε14. 546 ᵃ21. Μα1. 993 ᵇ10 al. huic usui comparari potest ὁ νότος ἥττον μετὰ χειμερινὰς νύκτας πνεῖ ἢ μεθ' ἡμέρας πκς11. 941 ᵃ31. μετὰ κύνα νότος πνεῖ πκς12. 941 ᵇ8 (syn 30 ἐπὶ κυνί ᵃ37, dist πρὸ κυνὸς ᵇ7). — c. de gradu. λαγνίστατον μετ' ἄνθρωπον ἵππος ἐστὶν Ζιζ22. 575 ᵇ31. τὸ ῆπαρ αἱματικώτατον μετὰ τὴν καρδίαν ἐστὶν Ζμγ12. 673 ᵇ27. μεταβαίνειν πρὸς ἄρκτον τε κ̀ μεσημβρίαν Οβ14. 298 ᵃ2. αἱ πολιτεῖαι ὐκ εὐθὺς μεταβαίνυσιν, μεταβαίνειν ἐκ βασι 35 λείας εἰς τυραννίδα sim Πδ5. 1292 ᵇ18. 7. 1307 ᵃ29. Ηθ12. 1160 ᵇ10. μεταβῆναι ἀπὸ τῆς ὑπερβολῆς ἐπὶ τὴν μέσην ἕξιν ηεβ5. 1222 ᵃ26. τῆς αὐξήσεως εἰς τὸ κάτω μεταβαινύσης Ζγε1. 779 ᵃ22. — ἐκ τῶν ἀψύχων εἰς τὰ ζῷα μεταβαίνει κατὰ μικρὸν ἡ φύσις Ζιθ1. 588 ᵇ4. ὐκ ἔστι 40 μεταβάντας ἐξ ἀλλίας δεῖξαι Αγ7. 75 ᵃ38. ἡ ἀπόδειξις μεταβαίνει Αγ7. 75 ᵇ9. μεταβαίνειν ἀπὸ τῶν καθ' ἕκαστα ἐπὶ τὰ καθόλυ Αδ13. 97 ᵇ29. μεταβαίνειν ἐπ' ἀλλ' ἄττα Αβ16. 64 ᵇ39. δεῖ μικρὸν μεταβῆναι Ηζ 12. 1144 ᵇ26. μεταβαίνυσιν ὁ λόγος εἰς ταὐτὸν ἀφῖκται Ηα5. 1097 45 ᵃ24. ὅθεν δεῦρο μετέβημεν, μεταβῆναι κ̀ σκέψασθαι sim Πη6. 1335 ᵃ5. γ14. 1284 ᵇ35. Ρα2. 1358 ᵃ9. ημβ7. 1206 ᵃ36.

μεταβάλλειν. 1. trans, ὁ Ἀχελῷος πολλαχῦ τὸ ῥεῦμα μεταβέβληκεν μα14. 352 ᵇ1. μεταβάλλειν τὺς τόπυς Ζιθ12. 50 596 ᵇ28 (cf μεταβάλλειν intrans ᵇ26, 597 ᵃ15). Ζγδ8. 776 ᵇ8. μεταβάλλειν ἀκυσίως τόπον ἐκ τόπυ τθ2. 122 ᵇ33. ὅταν μεταβάλλωσι τὰ ὕδατα οἷς λύονται Ζιε31. 557 ᵃ20. μεταβάλλειν τὰς χρόας, τὰ χρώματα Ζιγ12. 519 ᵃ8, 9. θ19. 602 ᵇ17. ι37. 622 ᵃ9, 13. Ζγε6. 786 ᵃ29. μεταβάλλειν 55 φωνήν Ζγα19. 727 ᵃ8 (cf αἱ φωναὶ μεταβάλλυσιν infra ᵇ60). ἡ κίττα φωνὰς μεταβάλλει πλείστας Ζιι13. 615 ᵇ19. μεταβάλλειν τὴν μορφήν, τὰς μορφάς Ζιε19. 551 ᵇ12, ᵃ18. μεταβάλλοντες τὰ πρῶτα ὀχεῖα ἢ τὰ ὕστερα Ζγα21. 730 ᵃ10. μεταβάλλειν τὴν γένεσιν, τὴν φύσιν Ζγδ8. 776 ᵇ1. 60 γ7. 757 ᵇ2. τῦτ' ἔχει τὸ ἀγαθὸν εἰς μεγαλοπρέπειαν (ἡ

ἐποποιία) κ̀ τὸ μεταβάλλειν τὸν ἀκύοντα (i e ἄλλως διατιθέναι cf Πθ5. 1340 ᵃ41) κ̀ ἐπεισοδιῦν ἀνομοίοις ἐπεισοδίοις πο24. 1459 ᵇ29. Vhl Poet III 336. — μεταβάλλειν τὸ νόμισμα κ̀ ποιεῖν ἄχρηστον Ηε8. 1133 ᵃ31. — μεταβάλλειν τὴν πολιτείαν Πδ5. 1292 ᵇ21. ε4. 1304 ᵇ11. 6. 1306 ᵃ5. — μεταβάλλειν τὰς προσηγορίας τα7. 103 ᵃ32, 34. τοῖς αὐτοῖς ὀνόμασι χρῆσθαι ἢ μεταβάλλειν εἰς ἕτερα ρ24. 1434 ᵇ40. ἀπὸ πάσης προτάσεως πρόβλημα ποιήσεις μεταβάλλων (v l μεταλαμβάνων) τῷ τρόπῳ τα4. 101 ᵇ36. — μεταβάλλειν πολλὰς μεταβολάς (in cantu) πιθ15. 918 ᵇ22 (fort intr, cf infra p 459 ᵃ9). ἀνάγκη μεταβάλλειν (mutare sonum et actionem, τὴν ὑπόκρισιν) τὸ αὐτὸ λέγοντας Ργ12. 1413 ᵇ22. — pass αἱ ἐγχελύες μεταβαλλόμεναι εἰς τὰς ἐγχελυώνας ἐκ τῶν λιμνῶν ἀποθνήσκυσι Ζιθ2. 592 ᵃ15. — ὁ ἀγαθὸς ὅμοιος κ̀ ὐ μεταβάλλεται τὸ ἦθος ηεη5. 1239 ᵇ13. — πόθεν κ̀ πῶς μεταβαλλόμενον (i e ποῖον γένος τῆς μεταβλητικῆς) πλεῖστον ποιήσει κέρδος Πα9. 1257 ᵇ4.

2. intr. a. notio et distinctiones. μεταβάλλειν κατὰ συμβεβηκός, τῷ μέρος τι, καθ' αὐτό (quae distinctio refertur et ad τὸ κινύμενον et ad τὸ κινῦν et ad τὸ εἰς ὅ) Φε1. 224 ᵃ21-30, 31-33, ᵇ16-22. πᾶν τὸ μεταβάλλον ἔκ τινος εἴς τι μεταβάλλει Φζ5. 235 ᵇ6. ε1. 225 ᵃ3, ἐξ ἐναντίυ κατ' ἀντίφασιν Φγ5. 205 ᵃ6. ζ10. 240 ᵇ20. Μχ10. 1067 ᵃ6. ι7. 1057 ᵃ31. λ1. 1069 ᵇ7. πᾶν μεταβάλλει τι κ̀ ὑπό τινος κ̀ εἴς τι Μλ3. 1069 ᵇ36. μεταβάλλει ὐ ὕλη δυναμένη ἄμφω Μλ2. 1069 ᵇ14, 21. cf χ9. 1065 ᵇ7. Αδ. 983 ᵇ10. Φγ1. 200 ᵇ33. τὸ ὑποκείμενον ὐ ποιεῖ αὐτὸ μεταβάλλειν ἑαυτὸ ΜΑ3. 984 ᵃ22. εἰ τὸ μεταβάλλον ἢ ὑπ' ἄλλυ μεταβάλλει ἢ ὑφ' ἑαυτῦ f 15. 1476 ᵇ25. ἡ αἰσθητὴ ὐσία μεταβλητή Μλ1. 1069 ᵇ3. μεταβάλλειν ἐξ ἄλλυ γένυς εἰς ἄλλο ὐκ ἔστιν Μι7. 1057 ᵃ26. τὸ μεταβάλλον ἅπαν ἀνάγκη διαιρετὸν εἶναι Φζ4. 234 ᵇ10. 5. 236 ᵃ30. ἐν τῷ νῦν ὐκ ἔστι μεταβάλλειν Φζ6. 237 ᵃ14. cf 5. 236 ᵃ14. ἐν ᾧ πρώτῳ μεταβέβληκε διχῶς λέγεται Φζ5. 236 ᵃ7, cf ᵃ35, 235 ᵇ32. 6. 236 ᵇ19. ἀνάγκη τὸ μεταβεβληκὸς μεταβάλλειν κ̀ τὸ μεταβεβληκέναι κτλ Φζ6. 237 ᵇ3, ᵃ11, 18. — μεταβάλλειν et κινεῖσθαι promiscue usurpantur Φε1. 224 ᵃ21, 27, ᵇ23, 27 (cf μεταβολή 2, κίνησις p 391 ᵇ26-48). μεταβάλλει τὸ μεταβάλλον τριχῶς, ἐξ ὑποκειμένυ εἰς ὑποκείμενον, ἐξ ὑποκειμένυ εἰς μὴ ὑποκείμενον, ἐκ μὴ ὑποκειμένυ εἰς ὑποκείμενον Φε1. 225 ᵃ3-12. Μχ11. 1067 ᵇ14. μεταβάλλει τὸ μεταβάλλον ἢ κατ' ὐσίαν ἢ κατὰ ποσὸν ἢ κατὰ ποιὸν ἢ κατὰ τόπον Φγ1. 200 ᵇ33. Μχ9. 1065 ᵇ7 (cf μεταβολή 2). μεταβάλλειν κατὰ τόπον, κατ' αὔξησιν κ̀ φθίσιν, κατ' ἀλλοίωσιν Γα1. 314 ᵇ27. μεταβάλλει κατὰ τόπον Φθ1. 251 ᵃ15, τοῖς μαθεσιν ΜΑ3. 983 ᵇ10, τῷ εἴδει κ̀ τῷ ποσῷ μθ3. 357 ᵇ28. — τὸ πρῶτον κινῦν ἀκίνητον, ὐδὲν αὐτὸ μεταβάλλον Φθ6. 260 ᵃ5. — ᵇ. usus varius. εἰς εὐθύτητα ἐκ περιφερείας μεταβάλλειν μθ9. 385 ᵇ30. ὁ τῦ ἡλίυ κύκλος εἰς τὰ πλάγια μεταβάλλει μα9. 347 ᵃ1. μεταβάλλει ἡ σκιὰ εἰς μεσημβρίαν μβ5. 362 ᵇ8. μεταβάλλυσιν εἰς τὰς οἰκίας τῦ χειμῶνος sim Ζιθ12. 596 ᵇ26, 597 ᵃ15. — νεφέλη λευκὴ ὖσα μεταβάλλει εἰς τὸ ξανθὸν μγ4. 375 ᵃ17. μεταβάλλειν εἰς ἄλλην μορφήν Ζια1. 487 ᵇ4. Πε3. 1302 ᵇ38. ὁ ἄνθρωπος μείζω τὰ ἄνω ἔχει νέος ὢν ἢ τὰ κάτω, αὐξανόμενος δὲ μεταβάλλει τὐναντίον Ζιβ1. 500 ᵇ34. μεταβάλλυσιν ἄνδρες ἐξ ἀγόνων γόνιμοι Ζγα18. 723 ᵃ26. περὶ τὸ θηρεύειν μεταβάλλυσιν ὄρνιθες Ζιι11. 615 ᵃ7. αἱ φωναὶ μεταβάλλυσιν Ζγδ8. 776 ᵇ15. ὐ μεταβάλλει ὁ ἐγκρατής Ηη10. 1151 ᵇ9.

μεταβάλλομεν τὴν ψυχὴν ἀκροώμενοι τοιούτων Πθ5. 1340 ᵃ22 (cf ἄλλως διατίθεσθαι ᵃ41). τὰ πάθη, δι᾽ ὅσα μεταβάλλοντες διαφέρουσι πρὸς τὰς κρίσεις Ρβ1. 1378 ᵃ20. μεταβάλλειν εἰς εὐτυχίαν ἐκ δυστυχίας ἢ ἐξ εὐτυχίας εἰς δυστυχίαν πο7. 1451 ᵃ14. 13. 1452 ᵇ34 (syn μεταπίπτειν 1453 ᵃ2), 1453 ᵃ9, 13. μεταβάλλειν εἰς καινοὺς νόμους, εἰς ἑτέραν πολιτείαν Πβ8. 1269 ᵃ22. γ3. 1276 ᵇ14. 15. 1286 ᵇ17. ε4. 1304 ᵃ29. ἡ πολιτεία μεταβάλλει Πε1. 1301 ᵃ20, ᵇ21. 3. 1303 ᵃ13. 4. 1303 ᵃ21, 1304 ᵃ13. — ἡ τραγῳδία πολλὰς μεταβολὰς μεταβαλοῦσα πο4. 1449 ᵃ14. — τὸ μεταβάλλειν ἠδύ Ρα11. 1371 ᵃ25. — ἐν ταῖς πολιτικαῖς ἀρχαῖς μεταβάλλει (i e alternant inter se) τὸ ἄρχον καὶ τὸ ἀρχόμενον Πα12. 1259 ᵇ5. cf β2. 1261 ᵃ35. — μεταβλητός Φθ1. 251 ᵃ15. Μλ1. 1069 ᵇ3.

μετάβασις. ἡ εἰς ἄλληλα μετάβασις τῶν στοιχείων, τῶν σωμάτων Ογ7. 305 ᵇ27, 14, 306 ᵃ22. Γβ4. 331 ᵇ28. 10. 337 ᵃ11. τὰς ἀλλοιώσεις καὶ τὰς εἰς ἄλληλα μεταβάσεις Ογ1. 298 ᵇ1. ταχεῖα ἡ μετάβασις Γβ4. 331 ᵃ24. μετάβασις εἰς τὸ κυρτόν, εἰς τὸ κοῖλον μθ9. 386 ᵃ6. μετάβασις διὰ τινος μθ9. 388 ᵃ6. οὐκ ἔστιν ⟨εἰς⟩ ἄλλο γένος μετάβασις Οα1. 268 ᵇ1. τὸ μὴ ὂν οὐκ ἔχει μετάβασιν ξ4. 978 ᵇ27. ἡ μετάβασις ἐκ τοῦ μὴ εἶναι εἰς τὸ εἶναι Ζγε1. 778 ᵇ27. ἡ μετάβασις ἐκ τῶν ἀψύχων εἰς τὰ ζῷα συνεχής ἐστιν Ζιθ1. 588 ᵇ11. ἡ πόρρωθεν ἡ μετάβασις οὐδ᾽ ὥσπερ ἀνεὶ παρὰ φύσιν Ζγο4. 770 ᵇ23. — μετάβασις τὸ μὴ νόμιμον Πε3. 1303 ᵃ22. λανθάνει ἡ μετάβασις διὰ τὸ μὴ ἀθρόα γίγνεσθαι Πε8. 1307 ᵇ34. — μετάβασις in aliam syllogismorum figuram Αα45. 51 ᵃ25. — αἱ τῆς τραγῳδίας μεταβάσεις πο5. 1449 ᵃ37. λύσιν λέγω τὴν ἀπὸ τῆς ἀρχῆς τῆς μεταβάσεως μέχρι τέλους πο18. 1455 ᵇ28. cf 10. 1452 ᵃ16. Vhl Poet II 5, 18.

μεταβιβάζειν ὅτι μὴ καλῶς φαίνονται λέγειν τα2. 101 ᵃ33. μεταβιβάζειν διαλεκτικῶς, ἐριστικῶς τθ11. 161 ᵃ33. μεταβιβάζειν τὴν ἀπολογίαν ἐπὶ τὸν ἐκ τοῦ παραλειπομένου τόπον ρ37. 1443 ᵇ30. — μεταβιβαζόμενοι συνομολογήσουσιν ηεα6. 1216 ᵇ30.

μεταβλητικός. 1. i q δυνάμενος μεταβάλλειν transitive, αἴτιον τὸ ποιοῦν τῷ ποιουμένῳ καὶ τὸ μεταβλητικὸν τῷ μεταβάλλοντος Μδ2. 1013 ᵃ32. ἀρχὴ μεταβλητικὴ Μδ12. 1020 ᵃ5. θ1. 1046 ᵃ15. 2. 1046 ᵇ4. — 2. i q δυνάμενος μεταβάλλειν intransitive, αἰτία ὡς ὕλη τὸ ὑποκείμενον, ὅτι μεταβλητικὸν εἰς τἀναντία Γα3. 319 ᵃ20. διὰ τὸ μεταβλητικὸν ταχὺ τὸ ἐχόμενον φαντάζεται τοῖς μελαγχολικοῖς μτ2. 464 ᵃ33. ὅσα κατὰ τόπον μεταβλητικὰ τῶν ζῴων Ζγα1. 715 ᵃ26. ζῷα μεταβλητικά, opp μόνιμα Ζια1. 487 ᵇ6. — 3. de permutatione mercium. μεταβλητικὴ χρῆσις τοῦ κτήματος, opp οἰκεία Πα9. 1257 ᵃ9. ἡ μεταβλητικὴ Πα9. 1257 ᵃ15, 28. 10. 1258 ᵇ1. μόρια τῆς μεταβλητικῆς ἐμπορία τοκισμὸς μισθαρνία Πα11. 1258 ᵇ21 sqq.

μεταβολή. 1. notio τῆς μεταβολῆς. περὶ μεταβολῆς Φε1. πᾶσα μεταβολή ἐστιν ἔκ τινος εἴς τι Φε1. 225 ᵃ1. ζ4. 234 ᵇ11. θ2. 252 ᵃ10. μᾶλλον εἰς ὃ ἢ ἐξ οὗ κινεῖται ὀνομάζεται ἡ μεταβολή Φε1. 224 ᵇ8. 5. 229 ᵃ25. μεταβολὴ οὐδεμία ἄπειρος Φζ10. 241 ᵃ26, ᵇ12, μεταβολὴ πᾶσα πεπερασμένη Οαδ. 277 ᵃ16. τρία ἐστὶν ἃ λέγεται κατὰ τὴν μεταβολήν, τό τε μεταβάλλον καὶ ἐν ᾧ καὶ εἰς ὃ μεταβάλλει, οἷον ὁ ἄνθρωπος ἢ ὁ χρόνος καὶ τὸ λευκὸν Φζ5. 236 ᵇ2. ἐν πάσαις ταῖς ἀντικειμέναις μεταβολαῖς ἔστι τι τὸ ὑποκείμενον ταῖς μεταβολαῖς Μη1. 1042 ᵃ33. ἀνάγκη ὑπεῖναί τι τὸ μεταβάλλον εἰς τὴν ἐναντίωσιν Μλ1. 1069 ᵇ3. × 12. 1068 ᵇ10. ἡ μεταβολὴ συνεχής Φζ5. 235 ᵇ24. πᾶσα μεταβολὴ ἐν

χρόνῳ Φδ14. 222 ᵃ32. οὐκ ἔστιν ἀρχὴ μεταβολῆς οὐδ᾽ ἐν ᾧ πρώτῳ τοῦ χρόνου μετέβαλλεν Φζ6. 236 ᵃ14, οὐκ ἔστι μεταβολὴ μεταβολῆς, πλὴν κατὰ συμβεβηκός Φε1. 225 ᵇ15-226 ᵃ22. Μκ12. 1068 ᵃ15-ᵇ10. πᾶσα μεταβολὴ ἐν τοῖς ἀντικειμένοις, ἐν ἀντιφάσει, κατ᾽ ἀντίφασιν, ἐν ἐναντίοις, εἰς τἀναντία, ἐξ ἀντικειμένων εἰς ἀντικείμενα, εἰς τὸ ἀντικείμενον ἢ τὸ μεταξύ Φε3. 227 ᵃ7. ζ5. 235 ᵇ13, 16. 10. 241 ᵃ27. θ7. 261 ᵃ33. Γβ5. 332 ᵃ7. ψβ4. 416 ᵃ33. Μγ7. 1011 ᵇ34. ×11. 1068 ᵃ2. 12. 1069 ᵃ2. μεταβολὴ πᾶσα φύσει ἐκστατικόν Φδ13. 222 ᵇ16, 21. μηδεμίαν μεταβολὴν ποιεῖσθαι, syn ἀεὶ κατὰ ταὐτὰ ἔχειν Μκ6. 1063 ᵃ14. γίνεσθαι μεταβολὴν εἰς ἄλληλα Κ10. 13 ᵃ19. μεταβολὴ παθητικὴ ὑπ᾽ ἄλλου Μθ1. 1046 ᵃ12. — 2. μεταβολῆς genera, cf κίνησις 2. κινήσεως καὶ μεταβολῆς ἐστιν εἴδη τοσαῦτα ὅσα τοῦ ὄντος Φγ1. 201 ᵃ8. Μκ9. 1065 ᵇ14. ἀνάγκη τρεῖς εἶναι μεταβολάς, ἐξ ὑποκειμένου εἰς ὑποκείμενον, ἐξ ὑποκειμένου εἰς μὴ ὑποκείμενον, ἐκ μὴ ὑποκειμένου εἰς ὑποκείμενον Φε1. 225 ᵃ4. Μκ11. 1067 ᵇ14-19. αἱ μεταβολαὶ τέτταρες, ἢ κατὰ τὸ τί ἢ κατὰ τὸ ποιὸν ἢ ποσὸν ἢ πῇ Μλ2. 1069 ᵇ9. η1. 1042 ᵃ33. Γα4. 319 ᵇ30-320 ᵃ2. μηδὲν διαφερέτω λέγειν ἡμῖν ἐν τῷ παρόντι κίνησιν ἢ μεταβολὴν Φδ10. 218 ᵇ20. μεταβολὴ et κίνησις promiscue usurpata Φε1. 224 ᵇ25, 27. γ1. 201 ᵃ8. θ7. 261 ᵃ33. Μκ9. 1065 ᵇ14. Οδ3. 310 ᵃ25, inde explicatur, quod μεταβολαί perinde ac κινήσεις numerantur tres μκ3. 465 ᵇ30-32 (πῇ, ποσόν, πάθος). αἱ κατὰ τὰ πάθη μεταβολαὶ Οα3. 270 ᵃ29. ἡ πρὸς τὸν ἐναντίον τόπον μεταβολή Κ14. 15 ᵇ5. μεταβολή, dist κίνησις Φε1. 225 ᵃ34-ᵇ5. 5. 229 ᵃ31, ᵇ14. — πρώτην τῶν μεταβολῶν τὴν φορὰν ἀλλὰ μὴ τὴν γένεσιν εἶναι Γβ10. 336 ᵃ19. οὔτε ἄπειρος μεταβολὴ οὐδεμία οὔτε συνεχὴς ἔξω τῆς κύκλῳ φορᾶς Φθ8. 265 ᵃ11. ἄπαυστον ἀνάγκαῖον εἶναι τὴν μεταβολὴν Γα3. 318 ᵃ25. ἀναγκαῖον εἶναί τι τὸ ἀκίνητον αὐτὸ πάσης τῆς ἐκτὸς μεταβολῆς Φθ6. 258 ᵇ14. — 3. usus varius. ἐν μεταβολῇ ὥρας μβ5. 361 ᵇ31. πι65. 898 ᵇ9. μεταβολὴ ὥρας καὶ ἡλικίας πα15. 861 ᵃ2. αἱ τῶν ὑδάτων μεταβολαὶ Ζιγ1.2. 519 ᵃ10. μεταβολὴ περὶ τὸ σῶμα Ζιθ10. 537 ᵇ19. μεταβολὴ (μεταβολαὶ) τῆς πολιτείας Πγ2. 1275 ᵇ35. δ5. 1292 ᵇ18. 11. 1296 ᵃ6. ε1. 1301 ᵇ6, 13, 18. 4. 1304 ᵇ18. 6. 1306 ᵇ6. 7. 1307 ᵇ3. πολιτειῶν στάσεις καὶ μεταβολαὶ ἐκ τίνων γίγνονται Πε2-4. ἐκ τίνων γίγνονται αἱ μεταβολαὶ περὶ τὰς πολιτείας Πε2. 1302 ᵃ17. καταλειφθῆναι ἐξ ἀρχαίας μεταβολῆς (ex pristino statu rei publicae, qui interim mutatus est) Πζ2. 1318 ᵃ1. ἡ τραγῳδία πολλὰς μεταβολὰς μεταβαλοῦσα πο4. 1449 ᵃ14. μεταβάλλειν πολλὰς μεταβολάς (canendo) πθ15. 918 ᵇ23. μεταβάλλειν πάντων γλυκύ, γλυκύτατον κατὰ τὸν ποιητὴν Ρα11. 1371 ᵃ28. γεη1. 1225 ᵃ16. Ηη15. 1154 ᵇ28. — ποιεῖν μεταβολὴν οὐδεμίαν μδ1. 379 ᵃ33. τὰ μηδεμίαν μεταβολὴν ποιούμενα Μκ6. 1063 ᵃ14. — μεταβολὴ φυσικὴ μδ1. 378 ᵇ29, ἀναίσθητος μγ4. 374 ᵇ35, θᾶττον καὶ βραδυτέρα Φθ10. 218 ᵇ14, ἀθρόα μδ3. 186 ᵃ16. μεταβολαὶ μικραὶ καὶ ἀκαριαῖαι μα14. 352 ᵃ26, ταραχώδεις μβ5. 361 ᵇ34.

Μεταγειτνιῶνι. περὶ Μεταγειτνιῶνα Ζιε17. 549 ᵃ16. μεταδιδόναι τινὶ τῆς πολιτείας, ἀρχῆς sim Πβ9. 1270 ᵃ35. ε6. 1306 ᵃ25. δ4. 1290 ᵃ35. 14. 1298 ᵇ33. μεταδιδόναι δεῖ ἥκιστα τῶν κακῶν Μη11. 1171 ᵃ1. μεταδιδόναι τινὶ τὰ ἑαυτοῦ Ηε8. 1133 ᵃ10. τούτῳ ἢ μηδὲν ἢ ὀλιγάκις μεταδοτέον οα5. 1344 ᵃ34. — αἱ ὑδραγωγίαι κατασκευάζονται ἀπὸ μιᾶς ἀρχῆς εἰς πολλοὺς ὀχετοὺς καὶ ἄλλους εἰς τὸ πάντῃ μεταδιδόναι Ζιγ5. 668 ᵃ16. — ἂν μὴ βούληται μεταδιδόναι (tradere per libros scriptos) τοῖς ἄλλοις Ργ12. 1413 ᵇ7.

μεταδιώκειν. ποῖα θερμά ἐκ τῶν εἰρημένων δεῖ μεταδιώκειν μδ 11. 389 ᵃ25.

μετάδοσις γίνεται τῷ πλήθει τῦ πολιτεύματος Πζ7. 1321 ᵃ26. — μεταδόσει συμμένει ἡ πόλις Ηε8. 1133 ᵃ2. κατὰ τὰς δεήσεις ποιεῖσθαι τὰς μεταδόσεις Πα9. 1257 ᵃ24. ἀδικεῖν σφᾶς αὐτὺς περὶ τὰς μεταδόσεις Πγ9. 1280 ᵇ20, 31.

μεταδοτικός, syn ἐλευθέριος Αβ27. 70 ᵇ27, 30.

μεταθεῖν. ἐὰν ἀποπλανηθῇ ὁ ἀφεσμός, ἀνιχνεύσας μεταθεῖν, ἕως ἂν εὕρωσι τὸν ἡγεμόνα Ζιι40. 624 ᵃ28.

μετάθεσις. ὅσων ἡ φύσις ἡ αὐτὴ μένει τῇ μεταθέσει Μδ 26. 1021 ᵃ4. — νόμος ἡμῖν ἰσοκλινὴς ὁ θεός, ὐδεμίαν ἐπιδεχόμενος διόρθωσιν ἢ μετάθεσιν κ6. 400 ᵇ29.

μεταίχμιον. ἐν τοῖς νηστεύσασι ζώοις μεταίχμιον γίνεται τῶν τόπων ἀμφοτέρων (i e τῆς ἄνω κ̀ τῆς κάτω κοιλίας) Ζμγ14. 676 ᵃ2.

μετακεῖσθαι. πρὸς τῇ ἄνω σιαγόνι ὐκ ἔχυσι τὴν γλῶτταν οἱ κροκόδειλοι, πρὸς δὲ τῇ κάτω, ὅτι ὥσπερ μετακειμένη ἡ ἄνω ἐστὶν Ζμβ17. 660 ᵇ31.

μετακινεῖν τὸ αὐτὸ τροπῇ κ̀ διαθιγῇ Γα2. 315 ᵇ35, cf ᵇ13. πρὸς τὸ σχῆμα τῦ λίθυ μετακινεῖται ὁ μολίβδινος κανὼν Ηε14. 1137 ᵇ31. δεῖ νοῆσαι μετακινυμένην τὴν γωνίαν κ̀ τὴν φορὰν πις 13. 915 ᵇ33. — ῥᾷον ἔθος μετακινῆσαι φύσεως Ηη11. 1152 ᵃ30. μικρᾶς ἀρχῆς μετακινυμένης πολλὰ συμμεταβάλλειν εἴωθε τῶν μετὰ τὴν ἀρχήν Ζγα2. 716 ᵇ4.

μετακινήσεις κ̀ μεταβολαὶ τῦ κόσμυ μεγάλαι πι13. 892 ᵃ27.

μετακοσμεῖσθαι. τὸ ἐν ὑτε μετακοσμύμενον θέσει ὑτε ἑτεροιύμενον εἴδει (Meliss) ξ1. 974 ᵃ20. κ̀ μετακοσμεῖσθαι κ̀ ἑτεροιῦσθαι τὰ ὄντα ὐδὲν κωλύει ξ2. 976 ᵇ37.

μεταλαμβάνειν. 1. πότερον μεταλαμβάνει τὸ συνιστάμενον ἐν τῷ θήλει ἀπὸ τῦ εἰσελθόντος τι ἢ ὐδὲν Ζγβ3. 736 ᵃ8. μεταλαμβάνει τῆς πολιτείας Πη4. 1326 ᵇ21, τῶν δικαίων Ηε11. 1136 ᵃ26. ὥσπερ βάρυς μεταλαμβάνει Ηι11. 1171 ᵃ30. μεταλαβεῖν τῆς ἀρετῆς Ηκ10. 1179 ᵇ19 (ηεη10.1243 ᵃ25, locus corruptus). — 2. μεταλαμβάνειν ἀπὸ τῦ θάττονος τὸ βραδύτερον κ̀ ἀπὸ τῦ βραδυτέρυ τὸ θᾶττον Φζ. 233 ᵃ5. μεταλαμβάνειν λόγυς ἀντὶ ὀνομάτων τε2. 130 ᵇ39, ᵇ2. ζ4. 142 ᵇ3. 9. 147 ᵇ14. cf 12. 149 ᵃ33. μετ. ὀνόματα ἀντὶ ὀνομάτων Αα39. 49 ᵇ3. μετ. τὔνομα τζ11. 149 ᵃ4. μετ. εἰς τὸ γνωριμώτερον ὄνομα τβ4. 111 ᵃ8. μετ. τὰ γνωριμώτερα τῶν εἰωθότων λέγεσθαι συγκεχυμένα ηεα6. 1216 ᵇ33. ἐὰν μεταληφθῇ τὸ ἐνδέχεσθαι (μὴ Wz) ὑπάρχειν Αα20. 39 ᵃ27 Wz. μεταλαμβάνειν τὰς προτάσεις, τὺς λόγυς, τὺς ὅρυς, μεταληφθείσης τῆς προτάσεως, μεταληφθέντων τῶν ὅρων Αα17. 37 ᵇ15. β4. 56 ᵇ8. α22. 40 ᵃ34. δ11. 45 94 ᵇ21. α34. 48 ᵃ9, 25. ὁ συλλογισμὸς γίγνεται πρὸς τὸ μεταλαμβανόμενον Αα23. 41 ᵃ39 (Alex Schol 172 ᵃ29-41: κείμενον ἄλλως μεταλαμβάνεται εἰς ἄλλοι, Wz). ἐν τοῖς μεταλαμβανομένοις ἔσται ἡ σκέψις Αα29. 45 ᵇ18.

μεταληπτικόν. τὸ μεταληπτικὸν κ̀ τὴν χώραν ἐν κ̀ ταὐτό (Plat Tim 25A) Φδ2. 209 ᵇ12.

μετάληψις. 1. γίνεσθαι κατὰ τὴν μετάληψιν (τῦ εἴδυς) κ̀ φθείρεσθαι κατὰ τὴν ἀποβολήν Γβ9. 335 ᵇ14. ἡ σελήνη ἀρχὴ διὰ τὴν πρὸς τὸν ἥλιον κοινωνίαν κ̀ τὴν μετάληψιν τὴν τῦ φωτὸς Ζγδ10. 777 ᵇ25. κατὰ μετάληψιν ἢ νοητῇ, τῶν ὑς δυνάμεσιν Μλ7. 1072 ᵇ20. ηεη12. 1245 ᵃ6. — 2. ἡ ἀντὶ τῦ μείζονος ἐλάττονος μετάληψις Ρα10. 1369 ᵇ25. μετάληψιν ποιεῖσθαι (cf μεταλαμβάνειν 2) τβ5. 112 ᵃ21. ζ11. 149 ᵃ6, 14, 23. συλλογισμοὶ κατὰ μετάληψιν Αα29. 45 ᵇ17 Wz.

μεταλλαγὴ γίνεται τῶν ὀνομάτων τζ11. 148 ᵇ37, cf 149 ᵃ8

et μετάληψις. ποιεῖσθαι μεταλλαγὴν τῦ γένυς, τῆς διαφορᾶς τζ11. 149 ᵃ15.

μεταλλάττειν. 1. trans, μεταλλάξαι τὸν αὐτῦ τόπον Οα9. 278 ᵇ29. (ἧπαρ κ̀ σπλὴν) ὦπται μετηλλαχότα τὴν τάξιν ἔν τισι τῶν τετραπόδων Ζια17. 496 ᵇ19. — τῶν φυτῶν τινὰ μεταλλάττονται εἰς ἄλλο εἶδος φτα7. 821 ᵃ27. — 2. intr, μεταλλάττει ὁ ἄρρην ἔλαφος κ̀ ὐ πρὸς μιᾷ διατρίβει Ζιζ29. 578 ᵇ10.

μεταλλεύειν. ὅσα μεταλλεύεται μγ7. 378 ᵃ27. τὰ ἐκ τῆς γῆς μεταλλευόμενα, τὰ μεταλλευόμενα οἷον χρυσός Πα11. 1258 ᵇ32. μδ8. 384 ᵇ32. 10. 388 ᵃ13. αι5. 443 ᵃ17. ἐν τοῖς μεταλλευομένοις διατείνυσι τῦ παθητικῦ φλέβες συνεχεῖς Γα9. 326 ᵇ35. — μεταλλευτός. δύο τὰ εἴδη τῶν ἐν τῇ γῇ γινομένων, τὰ μὲν ὀρυκτὰ τὰ δὲ μεταλλευτά μγ7. 378 ᵃ21. τῶν μεταλλευτῶν τίς ὕλη μγ6. 378 ᵃ32.

μεταλλευτική Πα11. 1258 ᵇ31. οα2. 1343 ᵃ27. ἡ μεταλλευτικὴ πολλὰ περιείληφε γένη Πα11. 1258 ᵇ32.

μεταλλικαὶ κ̀ ἐμπορικαὶ δῖκαι f 378. 1541 ᵃ7.

μέταλλον. μέταλλα χρυσῦ τὰ περὶ Φιλίππυς, τὰ περὶ τὸ Παγγαῖον ὄρος θ42. 833 ᵃ28. f 459. 1553 ᵇ25. τέλη κ̀ μέταλλα κ̀ μισθώσεις διοικῦσιν οἱ πωληταί f 401. 1545 ᵃ4.

μεταμανθάνειν ὐκ ἔλαττον ἔργον τῦ μανθάνειν ἐξ ἀρχῆς Πδ1. 1289 ᵃ4.

μεταμείβειν. μεταβαλλόντων βορέων κ̀ νότων οἱ ἐν τῇ γῇ ἐχῖνοι τὰς ὀπὰς αὐτῶν μεταμείβυσιν Ζιι6. 612 ᵇ6.

μεταμέλεια ἀκολυθεῖ τῇ ἀκρασίᾳ αρ6. 1251 ᵃ29. μεταμελείας οἱ φαῦλοι γέμυσιν Ηι4. 1166 ᵇ24. ὁ ἐν μεταμελείᾳ i q ὁ μεταμελόμενος Ηγ2. 1110 ᵇ22, 23. τὸ ἐν μεταμελείᾳ Ηγ2. 1110 ᵇ19.

μεταμέλεσθαι. ὁ μεταμελόμενος Ηγ2. 1110 ᵇ23. Ρβ3. 1380 ᵃ13.

μεταμελητικός, opp ἀμεταμέλητος, ἐμμένων τῇ προαιρέσει Ηη8. 1150 ᵃ21. 9. 1150 ᵇ29, 30. μεταμελητικύς (ci Cas, μεταληπτικός codd) ηεη6. 1240 ᵇ23.

μετανάστασις. λανθάνυσι τῶν τοιύτων ἐθνῶν κ̀ αἱ μετανάστασεις μα14. 351 ᵇ16.

μετανάστης (Hom I 648. Π 59) Πγ5. 1278 ᵃ37. Ρβ2. 1378 ᵇ33.

μετανίστασθαι. πονῦσιν αἱ ἀγελαῖαι βόες ὑπὸ τῆς πάχνης μετανιστάμεναι Ζιθ7. 595 ᵇ16. ἐὰν τύχωσιν ὀλίγαι μέλιτται πολλαῖς ἔγγυς καθεζόμεναι, μετανίστανται αἱ ὀλίγαι πρὸς τὰς πολλάς Ζιι40. 625 ᵇ14.

μεταξύ, c participio praes μεταξὺ γιγνομένων τῶν καταμηνίων συλλαμβάνυσι Ζγα19. 727 ᵇ19. — μεταξύ adiectivi instar usurpatum, περὶ μάρτυρος ἢ φίλυ ἢ ἐχθρῦ ἢ μεταξύ Ρα15. 1376 ᵃ30. cf Γα4. 319 ᵇ12. — de ratione et usu v μεταξύ cf μέσος et Wz ad 12 ᵃ2. 1. de locali sensu. στιγμῶν ἀεὶ τὸ μεταξὺ γραμμή Φζ1. 231 ᵇ9. τὸ πέρας τιμιώτερον τῶν μεταξύ Οβ13. 293 ᵃ32. τὸ μεταξὺ τῆς γῆς κ̀ τῶν ἐσχάτων ἄστρων sim μα3. 339 ᵇ13, 31, 341 ᵃ11. 6. 343 ᵃ8. γ2. 372 ᵃ9. 4. 375 ᵃ11. ὁ μεταξὺ τόπος μα3. 340 ᵃ18. τὸ μεταξύ μβ8. 369 ᵃ4. huc referendum est τὸ μεταξύ, vel τὸ μεταξὺ τῆς αἰσθήσεως αι3. 440 ᵃ18, vel τὸ μεταξὺ τῦ αἰσθητηρίυ αι6. 447 ᵃ9, id quod interpositum inter τὸ αἰσθητήριον et τὸ αἰσθητὸν utrumque coniungit ψβ7-9. 11. 423 ᵃ1-ᵇ26. γ1. 424 ᵇ29. — 2. temporali sensu. τὸ μεταξὺ τῶν νῦν χρόνος Φζ1. 231 ᵇ9. cf μγ4. 374 ᵃ13. Πβ10. 1272 ᵇ5. his comparari potest ἀσαφὴ ἂν μὴ προθεὶς εἴπῃς, μέλλων πολλὰ μεταξὺ ἐμβάλλειν Ργ5. 1407 ᵇ22. — 3. medium in serie causarum vel notionum. τὰ μεταξύ (sc ὕλης τῆς πρώτης κ̀ τῆς ἐσχάτης) μδ12.

390 ᵃ6. τὰ μειαξὺ συλλαμβανόμενα μετὰ τῶν διαφορῶν ἔσται γένη Μβ3. 998 ᵇ28. de interpositis terminis mediis Αγ19. 81 ᵇ31, 35. 20. 82 ᵃ21. — 4. μεταξύ i q inter qualitates contrarias quasi medium tenet locum. τῆς ἀντιφάσεως ἡδὲν μεταξύ Μγ7. 1011 ᵇ23, 30, 34. 15. 1055 ᵇ1 (cf 1056 ᵃ36). Αγ2. 72 ᵃ12 (cf ἅπαντα ἢ ὑγρὰ ἢ πεπηγότα χὴ ἡκ ἔστι μεταξὺ μδ10. 389 ᵃ4). τὰ μεταξὺ ἐν ταὐτῷ γένει τοῖς ἐναντίοις χὴ μεταξὺ ἐναντίων χὴ σύγκειται ἐκ τῶν ἐναντίων Μι7 Bz. x12. 1069 ᵃ5. Φε3. 227 ᵃ10. α5. 188 ᵇ23. Γα10. 328 ᵃ31. τδ3. 123 ᵇ13 (syn ἀνὰ μέσον ᵇ20). ἡδὲν κωλύει τῶν ἐναντίων εἶναι μεταξὺ χὴ ἓν χὴ πολλὰ Οδ5. 312 ᵇ1, 2. παθητικὰ χὴ ποιητικὰ ἀλλήλων ἐστὶ τά τ' ἐναντία χὴ τὰ μεταξὺ Γα7. 324 ᵃ8. ἡ μεταβολὴ ἐκ τῶν ἀντικειμένων ἢ τῶν μεταξὺ Μλ1. 1069 ᵇ4. x11. 1067 ᵇ13. Φε1. 224 ᵇ29, 30, 32. 5. 229 ᵇ16. μεταξὺ ταῦτα λέγομεν εἰς ὅσα μεταβάλλειν ἀνάγκη πρότερον τὸ μεταβάλλον Μι7. 1057 ᵃ21. x12. 1068 ᵇ27. Φε3. 226 ᵇ23. πῦρ χὴ γῆ χὴ τὰ μεταξὺ τότων Οα8. 276 ᵇ1. cf δ4. 312 ᵃ9. (τὸ μεταξὺ ἀέρος χὴ ὕδατος vel ἀέρος χὴ πυρός philosophi quidam pro principio posuerunt, cf Ἀναξίμανδρος p 50 ᵃ33.) τὰς ἄλλας τὰς μεταξὺ τότων (sc τῶν ἐσχάτων δημοκρατίας) Πδ12. 1296 ᵇ31. ὁ μεταξὺ τότων (sc ἀρετῆς χὴ μοχθηρίας) πο13. 1453 ᵃ7. cf Μδ22. 1023 ᵃ7. Ρβ14. 1390 ᵃ29. 8. 1385 ᵇ32. μεταξύ i q μέσον, μεσότης sensu morali ημα33. 1193 ᵃ28. — Plato παρὰ τὰ αἰσθητὰ χὴ τὰ εἴδη τὰ μαθηματικὰ τῶν πραγμάτων εἶναί φησι μεταξύ ΜΑ6. 987 ᵇ16 Bz. 9. 991 ᵇ29, 992 ᵇ16. Β2. 997 ᵇ2, 13, 998 ᵃ7. 6. 1002 ᵇ13. x1. 1059 ᵇ6. μ2. 1077 ᵃ1. v3. 1090 ᵇ35. — 5. grammatice τὸ μεταξὺ genus neutrum nominum significat τι4. 166 ᵇ12. 14. 173 ᵇ28 (cf 32. 182 ᵃ15). πο21. 1458 ᵃ17. Vhl Poet III 258, cf σκεῦος.

μεταπείθειν. μεταπεῖσαι Ηx10. 1179 ᵇ28. οἱ ἰδιογνώμονες χαίρωσι νικῶντες, ἐὰν μὴ μεταπείθωνται Ηη10. 1151 ᵇ14. εὐιατότερος διὰ τὸ μεταπεισθῆναι ἂν Ηη3. 1146 ᵃ33, ᵇ1. μὴ ἐπιλαθόμενος μηδὲ μεταπεισθείς ψγ3. 428 ᵇ6.

μεταπίπτειν. ἑκατέραν μεταπίπτειν εἰς τὴν τῆς ἐχομένης χώρας ἀναθυμίασιν μβ4. 360 ᵇ18. λάθοι ἂν πολλάκις (ἡ τῆς καρδίας θέσις) διὰ τὸ μεταπίπτειν διαιρεμένη Ζια17. 496 ᵃ11. — μεταπίπτειν ἐξ εὐτυχίας εἰς δυστυχίαν πο13. 1453 ᵃ2, syn μεταβάλλειν ᵃ9, 13. πολλὰ συμμεταβάλλει μεταβαλλόντων ἢ θῆλυ χὴ ἄρρεν, ὡς ἀρχῆς μεταπιπτύσης Ζγα2. 716 ᵇ12. ταχέως μεταπίπτειν, opp μόνιμον εἶναι Η88. 1158 ᵇ10. τῆς ἡλικίας μεταπιπτύσης χὴ τὰ ἡδέα ἕτερα γίνεται sim Ηθ3. 1156 ᵃ33, 35, ᵇ4. ὅτε λάθοι μεταπεσὸν τὸ πρᾶγμα ψγ3. 428 ᵇ8. ἐπιστήμην ἔχοντα ἀποβάλλειν ἢ μεταπίπτειν ημβ6. 1201 ᵇ3, 23. μεταπέσοι ἄν, syn γίνεσθαι ξ6. 979 ᵇ28.

Μεταπόντιον ηεγ1. 1229 ᵃ3. Γαργαρία ἐγγὺς Μεταπόντιυ θ108. 840 ᵃ28. — Ἵππασος ὁ Μεταπόντινος ΜΑ3. 984 ᵃ7.

μεταπρέπει (Hes θ 120) ΜΑ4. 984 ᵇ29. ξ1. 975 ᵃ13.

μετάπτωσις τῶν πραγμάτων ημβ8. 1207 ᵇ12.

μεταρρεῖν. μένει τὰ βηλήματα χὴ ὁ μεταρρεῖ ὥσπερ εὔριπος Η6. 1167 ᵇ7.

μετάρροια. οἷον μεταρροίας γινομένης τῦ πνεύματος μβ8. 367 ᵃ28.

μεταρρυθμίζειν. εἰ μεταρρυθμισθήσεται, ἡκέτι ἔσται ὕδωρ, εἴπερ τῷ σχήματι διέφερεν Ογ8. 306 ᵇ13. οἱ δὲ τὴν λέξιν μετερρύθμιζον, ὅτι ὁ ἄνθρωπος ἡ λευκός ἐστιν ἀλλὰ λελεύκωται Φα2. 185 ᵇ28 (cf παράγειν). — τὸς τοιύτὸς τίς ἂν λόγος μεταρρυθμίσαι, syn μεταστῆσαι, μεταπεῖσαι Ηx10. 1179 ᵇ16, 18, 28.

μετάρσιος. τὸ ἀέριον ζῷον ἐξαρθὲν ἐκ γῆς μετάρσιον οἴχηπεται πετόμενον x6. 398 ᵇ34.

μετάστασις. 1. cf μεθίστασθαι 1. μιμηρῆς γιγνομένης μεταστάσεως ἡμῖν ἕτερος γίγνεται ὁ ὁρίζων κύκλος Οβ14. 297 ᵇ33 (cf ὁ ὁρίζων ἕτερος ἀεὶ γίγνεται μεθισταμένων μβ7. 365 ᵃ31). ποιεῖται ἀεὶ τὰ ἀσθενέστερα πρῶτα τὴν μετάστασιν Ζιθ12. 597 ᵃ21. κατὰ τὴν τῦ ἡλίυ μετάστασιν μβ6. 364 ᵇ15. πνεῦμα ἀπομαραινόμενον διὰ τὴν μετάστασιν μβ8. 367 ᵇ12. ὁ νότος βραχυτάτας ποιεῖται τὰς μεταστάσεις sim πκχ12. 941 ᵇ20, 22. 31. 943 ᵇ36. 55. 946 ᵇ26. ἐν παντὶ σώματι ἔχοντι μετάστασιν, ἐφ' ὃ πέφυκε μεθίστασθαι, ἀνάγκη, ἂν μὴ συμπιλῆται, μεθίστασθαι ἢ κάτω ἀεὶ ἢ ἄνω Φδ8. 216 ᵃ30. ἔστι θλάσις ἐπιπέδυ κατὰ μέρος εἰς βάθος μετάστασις ὥσει ἡ πληγὴ μδ9. 386 ᵃ18. μεταστάσεις τῶν μορίων (ἐν τοῖς τερατώδεσι) παρατρεπομένων τῶν κινήσεων εἰσι Ζγδ4. 773 ᵃ6. ναρκᾶν διὰ στέρησιν αἵματος ἢ μετάστασιν πς6. 886 ᵃ12. — 2. cf μεθίστασθαι 2. μικραὶ μεταστάσεις μεγάλων αἰτίαι γίνονται Ζγε7. 788 ᵃ11, cf μεταβάλλειν, συμμεταβάλλειν.

μεταστρέφειν, locali sensu, ὅταν αὐξηθῶσι, μεταστρέφοντας ἔξω διδάσκυσι (αἱ χελιδόνες) τὰς νεοττὰς προίεσθαι (τὸν κόπρον) Ζιι7. 613 ᵇ30. — τὸ δίκαιον ἡκ ἔστι μεταστρέφειν ἡτ' ἀπάτῃ ἡτ' ἀνάγκῃ Ρα15. 1376 ᵇ21. μεταστρέφειν ὄνομα Ργ11. 1412 ᵃ33. τὸ τῦ Ξενοφάνὸς μεταστρέψαντα φατέον Ρα15. 1377 ᵃ23. — τὴν ἄγνοιαν μεταστρεπτέον εἰς τὸν ἐρωτῶντα τι27. 181 ᵃ18.

μετασχηματίζειν. τὸ ἀλλοίῳ χὴ τὸ μετασχηματίζον Γβ9. 335 ᵇ26. τὰ μὲν ἄλλα πάντα γίνεσθαι χὴ ῥεῖν, ἓν δέ τι μόνον ὑπομένειν, ἐξ ὁ ταῦτα πάντα μετασχηματίζεσθαι πέφυκεν Ογ1. 298 ᵇ31. ὁ τὸ λεχθὲν φαίνονται ἀκηκοότες διὰ τὸ μετασχηματίζεσθαι φερόμενον τὸν ἀέρα α16. 446 ᵇ8. ἐν ταῖς ὁμιλίαις μετασχηματίζεται τὸ περὶ τὰς ὀφθαλμὰς τόπος Ζγβ7. 747 ᵃ15.

μετασχηματίσις. γίγνεσθαι μετασχηματίσει, dist προσθέσει, ἀφαιρέσει, συνθέσει, ἀλλοιώσει Φα7. 190 ᵇ5. γίγνεσθαι μετασχηματίσει, καθάπερ ἐκ τῦ αὐτῦ κηρῦ γίγνοιτ' ἂν σφαῖρα ἢ κῦβος Ογ7. 305 ᵇ29. ἡ τῶν γραμμάτων μετασχηματίσις α16. 446 ᵇ6, cf μετασχηματίζειν p 461 ᵇ30.

μετατάττειν. εἴ τις μετατάξειε τὸς τοιύτος ὁρισμὸς, οἷον τὸν τῦ ἀνθρώπυ, λέγων ζῷον δίπυν ὑπόπυν Μζ12. 1038 ᵃ30. ὅτε γὰρ μετατεθὲν ὅτε μετατεθέν (Prtl in cod H, μεταβαλὸν Bk) Γαθ. 327 ᵃ19.

μετατιθέναι. ὅταν μετατεθῇ τὰ ἄστρα εἰς τὸς ἀλλήλων κύκλος Οβ7. 289 ᵇ19. φυτὰ ἐν τόποις κρείττοσι μετατίθενται φτα5. 820 ᵃ13. μετατεθέντων τῶν αὐτῶν ὅρων ἔσται ἀπόδειξις Αβ4. 57 ᵃ17. μετατιθεμένυ τῦ στερητικῦ, μετατεθείσης τῆς στερητικῆς (i e si negatio ponitur in altera protasi) Αβ3. 55 ᵇ30, 56 ᵃ4. γ16. 80 ᵇ6 (cf ᵃ37). μετατιθέναι, i q ἀντιστρέφειν Αα45. 51 ᵃ24. μετατιθέναι τὸ συμπέρασμα (i e ex affirmativo facere negativum) Αβ8. 59 ᵇ1. μετατιθεμένης τῆς ἀντιφάσεως (?) τι33.182 ᵇ39. — τῇ λέξει μετατιθέναι χὴ μεταφέρειν Ρα9. 1368 ᵃ3. — μετατεθῆναι τὸ νόμισμα Πα9. 1257 ᵇ11. μεταθέμενος τύνομα Ἀριστοξένυ f 508. 1561 ᵇ4.

μεταφέρειν. τῷ στόματι πολλάκις μεταφέρειν τὸς νεοττὰς Ζγγ6. 757 ᵃ1. ἀναγκαῖα τὰ γινόμενα τέκνα ἀπὸ τῶν γεωργῶν τὸς φύλακας (Plat) Πβ4. 1262 ᵇ25, 28. — μεταφέρειν (mutare) τὰ ὀνόματα τι17. 176 ᵇ21. διὰ τὸ μεταφερόμενον ἕκαστον μὴ ὁμοίως εἶναι δῆλον τι33. 182 ᵇ12. — μεταφέρειν τύνομα ἐπὶ τὸν λόγον (explicare vocabuli vim ex eius origine) τβ6. 112 ᵃ32 Wz, Steinthal Gesch p 189. — καλῶμεν, λέγομεν μεταφέροντες, ὀνομάζοντες μεταφέρομεν sim Μδ 3. 1014 ᵇ3. Ργ4. 1406 ᵇ23. Ηι5. 1167 ᵃ10. ηεγ7. 1234 ᵃ13. 2. 1230 ᵇ12. μεταφέροντες ἐπὶ τῶν κακῶν λέγομεν Μδ 16. 1021 ᵇ17. ἢ ἐπὶ τὰ φαῦλα μεταφέροντες λέγομεν Μδ 16. 1021 ᵇ26. cf 13. 1020 ᵃ25. Ηε14. 1137 ᵇ1. ἀπὸ τίνων δεῖ μεταφέρειν Ργ11. 1412 ᵃ10. εὖ μετενήνεκται Ργ2. 1405 ᵇ6. εὖ οἱ ποιηταὶ μεταφέρυσι σκώπτοντες, τὰς πολιὰς καλῦντες γήρως εὐρῶτα Ζγε4. 784 ᵇ20. Ἐμπεδοκλῆς ὐκ εὖ μετήνεγκε ποιήσας Ζγδ 8. 777 ᵃ9. ὐ κακῶς ἔοικε μετενηνέχθαι Ηγ15. 1119 ᵇ3. τρόποι ὀνομάτων τρεῖς, ἁπλῶς ἢ σύνθετος ἢ μεταφέρων p 24. 1434 ᵇ34. τὸ εὖ μεταφέρειν τὸ τὸ ὅμοιον θεωρεῖν ἐστίν po 22. 1459 ᵃ8. τζ 2. 140 ᵃ10. δεῖ ἐκ τῶν συγγενῶν ἢ τῶν ὁμοειδῶν μεταφέρειν τὰ ἀνώνυμα ὠνομασμένως Ργ2. 1405 ᵃ36. — (μεταφέρειν p4. 1426 ᵃ23, μέγα φέρειν ci Finckh, Spgl.)

μεταφορά ἐστιν ὀνόματος ἀλλοτρίυ ἐπιφορὰ ἢ ἀπὸ τῦ γένυς ἐπὶ εἶδος ἢ ἀπὸ τῦ εἴδυς ἐπὶ γένος ἢ ἀπὸ τῦ εἴδυς ἐπὶ εἶδος ἢ κατὰ τὸ ἀνάλογον πο21. 1457 ᵇ6. αἱ παροιμίαι μεταφοραί ἀπ' εἶδυς ἐπ' εἶδός εἰσι Ργ11. 1413 ᵃ15. ὑπερβολαὶ μεταφοραί Ργ11. 1413 ᵃ19. τῶν μεταφορῶν τεττάρων ὑσῶν εὐδοκιμῦσι μάλιστα αἱ κατ' ἀναλογίαν Ργ10. 1410 ᵇ36. ἡ κατ' ἀνάλογον μεταφορά Ργ11. 1412 ᵇ35. κατὰ μεταφορὰν λέγεσθαι, coni syn καθ' ὁμοιότητα Ηγ9. 1115 ᵃ15, 19. ει5. 1138 ᵇ5. Ζμγ2. 662 ᵇ25. οἱ μεταφέροντες κατά τινα ὁμοιότητα μεταφέρυσιν τζ 2. 140 ᵃ9. περὶ μεταφορᾶς Ργ2. 1405 ᵃ3-ᵇ21. ἡ μεταφορὰ τί διαφέρει εἰκόνος Ργ4, praecipue 1407 ᵃ10-14. ἡ μεταφορὰ πῶς ἀστεῖον Ργ10. 1410 ᵇ13. εὐδοκιμεῖ ἐὰν ἔχῃ μεταφορὰν μήτ' ἀλλοτρίαν μήτ' ἐπιπόλαιον Ργ10. 1410 ᵇ31. ἐν τίσι μεταφοραῖς τὸ ψυχρὸν γίγνεται· μεταφοραὶ ἀπρεπεῖς διὰ τὸ γελοῖον, διὰ τὸ σεμνόν Ργ3. 1406 ᵇ5, 6. κέχρηται Ὅμηρος πολλαχῇ τῷ τὰ ἄψυχα ἔμψυχα λέγειν διὰ τῆς μεταφορᾶς Ργ11. 1411 ᵇ32. αἱ μεταφοραὶ ἁρμόττυσι μάλιστα τοῖς ἰαμβείοις πο22. 1459 ᵃ10 (dist αἱ γλῶτται, cf 25. 1460 ᵇ12). Ργ3. 1406 ᵇ3. αἱ μεταφοραὶ χρήσιμοι ἢ πρὸς τὴν τῶν ψιλῶν λόγων λέξιν Ργ2. 1404 ᵇ32. 3. 1405 ᵃ4, sed ἡ μεταφορὰ ποιητικόν μβ 3. 357 ᵃ27. μεταφοραῖς ἢ μεταφορὰς λέγειν ποιητικάς ΜΑ9. 991 ᵃ22 Bz. μ5. 1079 ᵇ26. κατὰ μεταφορὰν (μεταφοραῖς) ὐ δεῖ διαλέγεσθαι ὐδ' ὁρίζεσθαι Αδ13. 97 ᵇ37. τζ 2. 139 ᵇ32. ἡ μεταφορὰ ποιήσει τὸν λόγον ἀνεξέλεγκτον ιτ17. 176 ᵇ24. κατὰ μεταφορὰν ἀκρασία, dist ἁπλῶς ἀκρασία Ηη7. 1149 ᵃ23, ᵇ32. κατὰ μεταφορὰν λέγεσθαι, μεταφορᾷ λέγεσθαι, opp κυρίως τδ 3. 123 ᵃ33, 36. ημα 27. 1192 ᵇ16. ηεγ 6. 1233 ᵃ32, cf ψγ3. 428 ᵃ2. Ηγ9. 1115 ᵃ15. ει5. 1138 ᵇ5. Γα7. 324 ᵇ15. Μδ5. 1015 ᵃ11. 26. 1024 ᵃ8. 13. 1019 ᵇ33. 16. 1021 ᵇ29. ηεβ3. 1221 ᵃ30. εἰ μή τι κατὰ μεταφορὰν λέγεται ἔχειν κέρας ἢ λόγυ χάριν Ζιβ1. 500 ᵃ3. λέγεσθαι κατὰ μεταφορὰν ἀπό τινος ψβ8. 420 ᵃ29. πέπονα λέγεται κατὰ μὲν τὴν αὐτὴν ἰδέαν, μεταφορᾷ δέ μδ3. 380 ᵃ18, cf ᵇ18 et v l. ὕπνῳ δι' αὐτὴν τὴν ἀλήθειαν προσάπτυσι τὴν μεταφορὰν ταύτην ὡς ἀναπαύσει ὄντι υ2. 455 ᵇ21.

μεταφορητός. τὸ ἀγγεῖον τόπος μεταφορητός, ὁ τόπος ἀγγεῖον ἀμετακίνητον Φδ2. 209 ᵇ29. 4. 212 ᵃ15.

μεταφορικός. πολὺ μέγιστον (int πρὸς τὴν τῆς ποιητικῆς λέξεως ἀρετήν) τὸ μεταφορικὸν εἶναι πο22. 1459 ᵃ6. Ἐμπεδοκλῆς δεινὸς τὴν φράσιν γέγονε, μεταφορικὸς ὢν f 59. 1485 ᵇ9.

μετάφρενον. μεταφρένυ διαφοραὶ τί σημαίνυσιν φ6. 810 ᵇ25-34. μετάφρενον πλατύ, εὔπλευρον, εὔνωτον, μέγα, ἀσθενές, εὔσαρκον, ἄσαρκον, ἀρθρῶδες, ἄναρθρον, κυρτόν,

κοῖλον, ὕπτιον φ6. 810 ᵇ25-34.

μεταφῦναι. ὅσσον ἀλλοῖοι μετέφυν (Emp 376) Μγ5. 1009 ᵇ20.

μεταφυτεύονται τὰ δένδρα φτα6. 820 ᵇ30.

μεταχειρίζεσθαι πράξεις καλάς, πράγματα, πραγματείαν τινά p39. 1446 ᵃ3, 29, 32, 13. οβ1345 ᵇ11, τὰ συμβόλαια p39. 1446 ᵃ23, τὰ σπυδαιότατα πιη6. 917 ᵃ10. οἱ τὴν θεατρικὴν μυσικὴν μεταχειριζόμενοι Πθ7. 1342 ᵃ18, cf ᵇ19. 6. 1341 ᵇ11. — τί πρῶτον ἢ δεύτερον μεταχειριστέον p39. 1445 ᵇ36.

μετάχοιρον. ἐν τῇ κυήσει ὃ ἂν βλαφθῇ τῶν (τῆς ὑὸς) τέκνων ἢ τῷ μεγέθει πηρωθῇ, καλεῖται μετάχοιρον Ζιζ18. 573 ᵇ5. 24. 577 ᵇ27. Ζγβ8. 749 ᵃ1. δ3. 770 ᵇ7. cf S I 302, 502 et script rei rust I 2, 432.

μεταχωρεῖν. αἱ λεπάδες ἀπολυόμεναι μεταχωρῦσιν Ζιβ2. 590 ᵃ33. ε16. 548 ᵃ27, 26. τὸ ὑὸν μεταχωρεῖ κάτω πρὸς τὴν ζῳοτοκίαν Ζγγ3. 754 ᵇ29. εἰς τὐναντίον μεταχωρεῖ, ἴσον μετακεχωρηκὸς ἔσται μχ5. 850 ᵃ26, 21.

μετεῖναι. πᾶσι μετεῖναι τῶν ἀρχῶν Πδ4. 1292 ᵃ3.

μετεισδύνειν. καρκίνιον αὐξανόμενον μετεισδύνει εἰς μεῖζον ὄστρακον Ζιε15. 548 ᵃ16, 21.

μέτεπειτα Ηκ4. 1175 ᵃ9. cf μετά p 458 ᵇ24.

μετέρχεσθαι. ὥσπερ ἀρτίως μετῆλθον p4. 1426 ᵃ21.

μετέχειν πασῶν τῶν τιμῶν Πβ8. 1268 ᵃ20, τῆς μεγίστης ἀρχῆς, τῦ βυλεύεσθαι al Πβ9. 1270 ᵇ18. 10. 1272 ᵇ32. δ14. 1298 ᵇ30. 4. 1291 ᵃ27. μετέχειν τῆς πόλεως, τῆς πολιτείας Πη9. 1329 ᵃ20. ββ8. 1288 ᵃ24, 27 (syn κοινωνεῖν τῆς πολιτείας ᵃ18). δ3. 1290 ᵃ4. (aliter πολιτεία ἧς τὰς πλείστας πόλεις ἐνδέχεται μετασχεῖν Πδ11. 1295 ᵃ31.) μετέχειν τῆς πολιτείας, dist κοινωνεῖν τῆς πολιτείας Πδ6. 1293 ᵃ3, 4. μετέχειν, i q μετέχειν τῆς πολιτείας Πε6. 1306 ᵇ10. μετέχειν ζωῆς, syn ἔμψυχον Πα5. 1254 ᵃ32. μετέχειν τῶν ἔργων (i e non solum cognovisse), syn κοινωνεῖν τῶν ἔργων Πθ6. 1340 ᵇ36, 23, 24, 32. μετέχειν τάξεως, πάθυς μβ3. 358 ᵃ26. 7. 365 ᵃ35. περὶ ἐνίων ἔργων ἢ τεχνῶν μετέχειν Πγ11. 1282 ᵃ11. — logice, ὅρος τῦ μετέχειν τὸ ἐπιδέχεσθαι τὸν τῦ μετεχομένυ ὅρον τ1. 121 ᵃ11, cf ζ6. 143 ᵇ14, 21. τὰ εἴδη μετέχει τῶν γενῶν, τὰ γένη ὐ μετέχει τῶν εἰδῶν, ὐ μετέχει τῶν διαφορῶν, διαφορὰ ὐδεμία τῦ γένυς μετέχει τδ1. 121 ᵃ12. 2. 122 ᵃ9. Μζ12.1037 ᵇ19 Bz. κ1. 1059 ᵇ33. μετέχεσθαι τδ1. 121 ᵃ12. 5. 126 ᵃ18, 21 Wz. ε5. 134 ᵇ1. — inde κατ' usurpatur de ea communione, quae inter ideas Platonicas et res intercedit, αἱ ἰδέαι ὐ κατὰ συμβεβηκὸς μετέχονται ΜΑ9. 990 ᵇ31 Bz. μ4. 1079 ᵃ27. τὰ εἴδη, opp τὰ μετέχοντα ΜΑ9. 991 ᵃ3. πλ9. 956 ᵇ8. ἀναιρυμένυ τῦ μετεχομένυ ἀναιρεῖται τὰ μετέχοντα ηεα8. 1217 ᵇ11. τὸ μετέχον ὐθὲν ἐστιν ΜΑ9. 992 ᵃ28. — μεθεκτός. εἰ ἔστι μεθεκτὰ τὰ εἴδη ΜΑ9. 990 ᵇ28. μ4. 1079 ᵃ25. πᾶσα ἰδέα μεθεκτή Μζ15. 1040 ᵃ27.

μετεωρίζειν. δελφῖνες δελφινίσκον μικρὸν ὑπονέοντες ἢ μετεωρίζοντες τῷ νώτῳ Ζιι48. 631 ᵃ18. ἐν τίλωσι ἑλμὶς ἐγγινομένη μετεωρίζει ἢ ἀσθενῆ ποιεῖ Ζιθ20. 602 ᵇ27. δυνήσονται τὰς πόδας μετεωρίζειν Ζπ12. 711 ᵇ19. εἴ τις πᾶσαν τὴν γῆν ἀφείη μετεωρίσας Οβ13. 294 ᵃ16. τὰς ἱδρῶτας ἐμποιῦσι ἢ τὸ πνεῦμα μετεωρίζοντες ἰσχναίνυσιν πε40. 885 ᵃ33. — pass τίνες τῶν ὀρνίθων μετεωρίζονται πετόμεναι Ζιβ12. 504 ᵃ9. Ζμδ14. 697 ᵃ16. μικρὸν μόριον τῆς γῆς, ἂν μετεωρισθὲν ἀφεθῇ Οβ13. 294 ᵃ14. ἡ θερμότης μετεωρίζεται πορρώτερον εἰς τὸν ὑπὲρ τῆς γῆς ἀέρα μα9. 346 ᵇ28. μετεωρισθέντος τῦ ὑγρῦ μβ3. 357 ᵇ20. cf α10. 347 ᵃ13. ἡ θάλασσα, τὰ κύματα μετεωρίζεται θ130. 843 ᵃ23,

20. χΏ. 792 ᵃ21. τὸ πυκνὸν θερμαινόμενον ᾧ πνευματύμενον μετεωρίζεται πκαϑ. 927 ᵇ37, 35. cf ΛΘ4. 026 ᵇ?7.
μετεωρισμὸς τῶν ποδῶν, τῦ ὅλυ σώματος Ζπ12. 711 ᵇ23. 15. 713 ᵃ23, τῶν κυμάτων θ130. 843 ᵃ9.
μετεωρόθηρος ὁ ἱέραξ Ζυ36. 620 ᵃ30.
μετεωρολογία, def μα1. 338 ᵃ26.
μετεωρολόγος. πολλοὶ τῶν ἀρχαίων μετεωρολόγων μβ1. 354 ᵃ29.
μετέωρος. τίνες τῶν ὀρνίθων μετέωροι πέτονται ᾗ δύνανται ἀεὶ μένειν μετέωροι Ζιθ9. 535 ᵇ28. Ζπ18. 714 ᵃ21. γλάνις 10 μετέωρος νεῖ Ζιθ20. 602 ᵇ22. ὁ θέων ὅταν ᾖ μετέωρος πε29. 883 ᵇ38. ὁ χαμαιλέων μετεωρότερός ἐστι τῇ ἀπὸ τῆς γῆς ἀποστάσει τῶν σαύρων Ζιβ11. 503 ᵃ21. κῦμα μετέωρον, δῖναι μετέωροι, θάλαττα μετέωρος θ130. 843 ᵃ7, 30. πκγ4. 931 ᵇ37. τὸ ὕδωρ ᾗ πέφυκε μένειν μετέωρον Οβ13. 294 15 ᵃ34. cf μα12. 348 ᵇ20. — νέμεσθαι μετεωρότερα, opp ἑλώδη Ζιθ10. 596 ᵇ4. ἀνέρπειν πρὸς τὰ μετεωρότερον Ζμδ10. 688 ᵃ11. ἀνθρῆναι ἐπὶ μετεώρυ τινὸς κηρία ποιῦσιν Ζιε23. 554 ᵇ24. γῆ μετέωρος Ζυ11. 615 ᵃ11 Aub. — φιλολοίδοροι οἷς τὸ ἄνω χεῖλος μετέωρον φ3. 808 ᵃ32. — ἀστέρες με- 20 τέωροι φαίνονται ὑπὲρ τῦ ὁρίζοντος μα6. 343 ᵃ31. ἐν τῷ μετεώρῳ, opp ἐν αὐτῇ τῇ γῇ μγ6. 378 ᵃ18. ᾧ ἀπὸ τῶν μετεώρων ἔννοιαν θεῶν ἔλεγε γεγονέναι Ἀριστοτέλης f 12. 1476 ᵃ6. ἐκτεθείκαμεν ἐν τῷ ἡμετέρῳ βιβλίῳ τῷ περὶ τῶν μετεώρων φτβ2. 822 ᵇ33. 25
μετιέναι interdum usurpatur addito eo obiecto, de quo agitur, μετιέναι τὰς ἀρχὰς Ηα7. 1089 ᵇ4, τὴν τέχνην αι1. 436 ᵃ21, τὴν φιλόσοφον θεωρίαν f 50. 1483 ᵇ33, τὸ εἰκός, τὰ ὑπάρχοντα ρ8. 1428 ᵇ33. 35. 1440 ᵃ14, μετιέναι περὶ τινος τὸ 6. 128 ᵇ10. ρ18. 1432 ᵇ3. 33. 1439 ᵃ28, μετιέναι 30 περί τι Μη4. 1044 ᵇ4, saepe absolute usurpatur 'quaestionem, disputationem instituere' Αδ5. 91 ᵇ24. 13. 96 ᵇ26. τζ1. 139 ᵇ7. Μζ17. 1041 ᵃ10. sed plerumque aliquod vocabulum additum est, quo modus ac ratio investigandi definiatur, φιλοσοφωτέρως μετιέναι τὴν τέχνην αι1. 436 ᵃ21, 35 μετιέναι τὰς ἀρχὰς φιλοσοφωτέρως Ηα7. 1098 ᵇ4, ὀρθῶς μετιέναι Μη4. 1044 ᵇ4, ἐντεῦθεν μετιτέον Μζ17. 1041 ᵃ10, ἐκ τῶν νομίμων μετιόντες ρ37. 1444 ᵃ6, πῶς μετιτέον τζ1. 139 ᵇ7, τίνα τρόπον μετιῶσι Ζμα4. 644 ᵇ18, saepissime (cf locos infra e ρ allatos) ὕτω, τόνδε τὸν τρόπον (syn διὰ 40 ταύτης τῆς μεθόδυ ρ8. 1429 ᵃ20), ὁμοιοτρόπως usurpatur. praecipue usitatum hoc verbum est et cum obiecto et absolute auctori Rhet ad Alex ρ2. 1422 ᵇ24, 27, 37, 1423 ᵃ9, 11. 3. 1423 ᵇ10, 23. 4. 1426 ᵃ18, 20, ᵇ11. 6. 1427 ᵇ29. 8. 1428 ᵇ33, 1429 ᵃ20. 11. 1430 ᵃ25. 12. 1430 ᵇ29. 18. 45 13. 33. 1439 ᵃ9, 28. 35. 1440 ᵃ14. 37. 1443 ᵃ38, 1444 ᵃ6.
μετοικίζειν. μετοικίσαι οβ1352 ᵃ33.
μέτοικος, coni ξένος, δῦλος, opp πολίτης Πγ1. 1275 ᵃ7. 2. 1275 ᵇ37. 5. 1277 ᵇ39. τὰς μετοίκοις δεῖ νέμειν προστά- 50 την Πγ1. 1275 ᵃ12. f 401. 1545 ᵃ13. δίκαι μετοίκων πρὸς τὸν πολέμαρχον λαγχάνονται f 387. 1542 ᵇ9. 388 1542 ᵇ18, 19, 26, 27. ὥσπερ μέτοικός ἐστιν ὁ τῶν τιμῶν μὴ μετέχων Πγ5. 1278 ᵃ38. cf ηεγ5. 1233 ᵃ29.
μετοίσθεν (Hom Α 82) Ρβ2. 1379 ᵃ5. 55
μετοπωρινός. ἰσημερία μετοπωρινή μβ6. 364 ᵇ2. γ5. 377 ᵃ12. ὕδατα μετοπωρινά, νότια μβ3. 358 ᵃ29. τὸ μετοπωρινὸν μέλι ἄμεινον Ζιε22. 553 ᵇ27.
μετόπωρον, dist χειμών, θέρος, ἔαρ Ζγε3. 784 ᵃ19. syn φθινόπωρον πα27. 862 ᵇ12, 11. τὸ μετόπωρον ὑγρὸν ᾧ νότιον 60 πα10. 860 ᵃ36. ἐν τῷ μετοπώρῳ, dist ἐν τῷ ἔαρι Ζιε12.

544 ᵃ18. μετοπώρᾳ (i e ἐν τῷ μετοπώρῳ), dist ἔαρος, χειμῶνος Ζιε8. 542 ᵃ25. μβ6. 365 ᵃ2. α12. 348 ᵃ1.
μετοχή. κατ᾿ ἄλλην τῶν ἀγαθῶν μετοχὴν ηεα8. 1217 ᵃ29. — κατὰ μετοχὴν λέγεσθαι Μζ4. 1030 ᵃ13.
μέτοχος δίκης τινὸς κ7. 401 ᵇ29.
μετρεῖν. μετρεῖ τὸ μέρος ᾧ συγκεῖσθαι δεῖ τὸ ὅλον ἐκ τῶν μερῶν Φδ10. 218 ᵃ6. ἅπαντα μετρεῖται τῷ πρώτῳ Φθ9. 265 ᵇ10. ἡ ἀξία νομίσματι μετρεῖται Ηδ1. 1119 ᵇ27. με- τρεῖν τὸ βάρος Οα6. 273 ᵇ12. ὅταν μετρηθῇ τὸ πάθος Ηε7. 1132 ᵃ13. τῇ αὑτῶν ἀκακίᾳ τὰς πέλας μετρῦσι Ρβ12. 1389 ᵇ9. αὑτῷ μετρεῖ τὰς ἄλλας ηεη2. 1237 ᵇ29. ἑνὶ μετρητέον ᾧ ἐνταῦθ᾿, ἀλλ᾿ ᾗ ἐν ᾧ ᾗ ᾧ ὅρῳ ἀλλὰ λόγῳ ηεη10. 1243 ᵇ29. — τὸ ἐπιστητὸν τὸ μετρούμενον Μι6. 1057 ᵃ10. — ζῴων βίας ἐμέτρησεν ὁ θεὸς κ5. 397 ᵃ18. — μετρητός. τὸ μετρητὸν πῶς πρός τι Μδ15. 1021 ᵃ29. πλῆθος ἀριθμητόν, μέγεθος μετρητόν Μδ13. 1020 ᵃ9. τὸ μέτρον ᾧ τὸ μετρητὸν Μι6. 1056 ᵇ22 (? Bz). θαυμαστὸν εἰ γένοιτο ἡ διά- μετρος μετρητή ΜΑ2. 983 ᵃ20.
μέτρησις. χαρακτῆρα ἐπέβαλον, ἵνα ἀπολύσῃ τῆς μετρήσεως αὑτὺς Πα9. 1257 ᵃ40.
μετρητής τῶν ὑγρῶν οβ1350 ᵇ10. μετρητὴς Μακεδονικὸς Ζιθ9. 596 ᵃ7.
μετριάζειν. intr. Πδ14. 1298 ᵃ40. μετριάζυσιν οἱ δυνάμενοι Ρβ17. 1391 ᵃ27. πόλεμος τῷ μεγέθει μετριάζων πο23. 1459 ᵃ34. μετριάζειν τῇ ἀπολαύσει Πε11. 1314 ᵇ33. με- τριάζειν περὶ τὴν κτῆσιν, opp ἐλλείπειν, ὑπερβολῇ Πη1. 1323 ᵇ4. μετριάζυσαι αἱ ἀποκρίσεις τῶν περιττωμάτων Ζγβ4. 738 ᵃ27. οἱ μετριάζοντες, opp οἱ μέγα τὸ αἰδοῖον ἔχοντες Ζγαι7. 718 ᵃ24. — trans μετριάσαντος (τὴν βασι- λείαν) Πε11. 1313 ᵃ26.
μετρικοὶ ῥυθμοὶ Ργ8. 1409 ᵃ7. — ἐν τοῖς μετρικοῖς προσήκει θεωρεῖν, θεωρῆσαι τῆς μετρικῆς ἐστιν πο20. 1456 ᵇ34, 38. δεῖ πυνθάνεσθαι παρὰ τῶν μετρικῶν Ζμβ16. 660 ᵃ8.
μέτριος. ὁμολογεῖται τὸ μέτριον ἄριστον ᾧ τὸ μέσον Πδ11. 1295 ᵇ4. Ηα4. 1096 ᵃ25. τὸ μέτριον ἀνὰ μέσον τῆς ἐνδείας ᾧ τῆς ὑπερβολῆς τό 3. 123 ᵇ29. τὸ ἴσον μέσῳ μετριώτερον Φθ7. 261 ᵇ19. ἐπανισῦν τὴν ὑπερβολὴν εἰς τὸ μέτριον αν14. 478 ᵃ3. ὅσα δ᾿ ὑπερβάλλυσιν ἢ ἐλλείπυσι, τύτων τὸ μέτριον ᾧ τὸ ἁρ- μόττον Ρβ14. 1390 ᵇ9. cf γ2. 1405 ᵃ33. 3. 1406 ᵃ16. ἅπαντα δεῖται τῆς ἐναντίας ῥοπῆς, ἵνα τυγχάνῃ τῆ μέτριον ᾧ τῦ μέσυ Ζμβ7. 652 ᵇ17. μέτριοι τὸ πλῆθος Πβ6. 1266 ᵃ27. χώρα μετρίοις χρωμένη ὕδασιν ᾗ ᾧ μᾶλλον αὐχμώσα μβ4. 360 ᵇ10. ὅσια μετρία, τιμήματα μετριώτερα Πβ7. 1266 ᵇ28. δ6. 1292 ᵇ26. 14. 1298 ᵃ36. ὀνόματα μέτρια, opp μακρότατα, βραχύτατα, syn μέσα ρ23. 1434 ᵇ21. — τὸν ἀφιλότιμον ὡς μέτριον ᾧ σώφρονα ἐπαινῦμεν Ηδ10. 1125 ᵇ13. μέτριος, syn ἐπιεικὴς Ηε12. 1136 ᵇ20 Fritzsche. τὰ μεγάλα τῶν ἠθῶν, opp τὰ ἀκριβῆ ᾧ τὰ μέτρια ρ23. 1434 ᵇ30. — ἡ τυραννὶς χειρίστη, μετριωτάτη (maxime tolerabilis) ἡ δημοκρατία Πδ2. 1289 ᵇ4. — μετρίως, syn ὡς δεῖ Ηγ14. 1119 ᵃ17. μετρίως λέγειν, def λέγειν ὅσα δηλῶσει τὸ πρᾶγμα Ργ16. 1416 ᵇ35. πλοῖα ἐν τῇ θαλάττῃ μετρίως ἔχειν ᾧ πλευστικῶς μβ3. 359 ᵃ9. — μετρίως χρῆσθαι τοῖς ἀρχομένοις Πε12. 1315 ᵇ15. μετρίως φέρειν ἐγ- κλήματα ᾧ ὀλιγωρίας αρ4. 1250 ᵃ40. ἀποδεχόμεθα τὴν αἰτίαν ὡς εἰρημένην μετρίως μα8. 346 ᵇ2. μετριώτερον (v l μαλακώτερον) εἰρήκασι ΜΑ5. 987 ᵃ10 Bz. ζῷα μετριωτέρως ἐνοχλύμενα ὑπὸ τῆς ὠδῖνος Ζιη9. 587 ᵃ1.
μετριότης τῦ μορίυ, opp ὑπερβολῇ Πε9. 1309 ᵇ27. μῆκος λόγυ ᾧ μετριότης μήκυς ᾧ βραχυλογία ρ7. 1428 ᵃ9. με-

τριότης τῷ τιμήματος Πδ14. 1298 [a]37. — τὰς μετριότη-
τας τῷ βίῳ διώκειν, μὴ τὰς ὑπερβολάς Πε11. 1315 [b]2.
μέτρον. μέτρα οἰνηρά, σιτηρά Ηε10. 1135 [a]2. οβ1350 [b]9.
εἶχον ἐπιμέλειαν οἱ μετρονόμοι, ὅπως δίκαια εἴη τὰ μέτρα
τῶν πωλούντων f 412. 1546 [b]28, 33. Φειδώνια μέτρα f 440.
1550 [a]44. — μέτρον vel omnino mensuram ac modum
significat, vel rectum iustumque modum, τὸ ἁρμόττον μέ-
τρον, quem non excedi oportet. μέτρον ἐστὶν ᾧ τὸ ποσὸν
γιγνώσκεται Μι1. 1052 [b]20. ἀεὶ συγγενὲς τὸ μέτρον Μι1.
1053 [a]25. ἀδιαίρετον τὸ μέτρον, μέτρον τὸ ἕν, τὸ ἐλάχιστον
Μν1. 1088 [a]2. ιι. 1052 [b]18. Οβ4. 287 [a]25. ἀκριβὲς μέ-
τρον Μι1. 1052 [b]36. τῶν κινήσεων μέτρον ἡ τῷ οὐρανῷ φορά
Οβ4. 287 [a]23. Φθ9. 265 [b]11. τὸ νόμισμα ὥσπερ μέτρον
σύμμετρα ποιῆσαν Ηε8. 1133 [b]16. κανῶν ... μέτρον ὁ σπυ-
δαῖος, ἡ ἀρετή Ηγ6. 1113 [a]33. × 5. 1176 [a]17. τὸ μέτρον
κοινὸν ἁπάντων ἐστὶ τῶν μερῶν (τῆς λέξεως) πο22. 1458
[b]12, Vahlen Poet III 322. μέτρον ἡ ἐπιστήμη Μι6. 1057
[a]9. ἄνθρωπος πάντων μέτρον (Protag) Μι1. 1053 [a]36. ×6.
1062 [b]14, 19, 1063 [a]4. — ἔστι ... πόλεσι μεγέθεις μέτρον
Πη4. 1326 [a]36. — τὰ μέτρα μόρια τῶν ῥυθμῶν πο4.
1448 [b]21. ἐν τοῖς μέτροις οἱ πόδες τίνα ἔχωσι λόγον πιθ39.
921 [a]14. οἱ ἄνθρωποι συνάπτωσι τῷ μέτρῳ τὸ ποιεῖν πο1.
1447 [b]13. μέτρα τῶν ποιητῶν, μέτρα, syn ποίησις Ργ4.
1406 [b]36. 2. 1405 [a]8, 4. εἰς μέτρα τεθῆναι πο9. 1451 [b]2.
μέτρα, ἐν μέτροις, μετὰ μέτρα, opp ἄνευ μέτρων, λόγος,
ψιλοὶ λόγοι, χύδην πο1. 1447 [a]29. 9. 1451 [b]2. Ρα5. 1361
[a]35. γ2. 1404 [b]12, 1405 [a]8, 4, 6. 9. 1409 [b]6. μέτρον ἡρωι-
κόν, τετράμετρον, ἰαμβεῖον πο1. 1459 [b]31. 4. 1449 [a]21.
τὰ ἄστρα κινεῖται ἐν ἀκριβεστάτοις μέτροις ×5. 397 [a]10.
μέτρα, dist μέλος, μελοποιία πο1. 1447 [b]25. 6. 1449 [b]30,
35. πιθ31. 920 [a]13.
μετρονόμοι, ἀρχή τις Ἀθήνησιν f 412. 1546 [b]25.
μέτωπον. προσώπου τὸ ὑπὸ τὸ βρέγμα μεταξὺ τῶν ὀμμά-
των μέτωπον ὀνομάζεται, ὑπὸ τῷ μετώπῳ ὀφρύες διφυεῖς
Ζια8. 491 [b]12, 14. μέτωπον φαλαίνης, astaci, πώλων, ἐλε-
φάντων, λέοντος, ὑός, βοός, κυνός, ταύρου Ζια5. 489 [b]5. δ2.
526 [b]3. ζ22. 577 [a]8. ιι. 610 [a]23. f 331. 1533 [b]35. φ5.
809 [b]20-23. 6. 811 [b]34, 35, 29, 30, 32, 37, 35. ἱδρῶσι πρῶ-
τον ... μάλιστα τὸ μέτωπον πβ17. 868 [a]2. λς2. 965 [b]11.
οἷς μέγα τὸ μέτωπον βραδύτεροι, πλατὺ ἐκστατικοί, μικρὸν
εὐκίνητοι, περιφερὲς θυμικοί (?) Ζια 8. 491 [b]12-14 Aub. cf
Rose libr ord 222. μετώπῳ διαφοραὶ τίνος ἤθους σημεῖα
(μέτωπον μέγα, εὐμέγεθες, μακρότερον, ὗ μέγα, τετρά-
γωνον, προμηκέστερον, περιφερές, περιφερέστερον, ἐπιπεδώ-
τερον, εὐθύ, ὀξύ, λεῖον, ῥυτιδῶδες, σαρκῶδες, ὑποκοιλότερον,
ἰσχνόν, σαρκῶδες, ἀτενές, γαληνές, συννεφές, σκυθρωπόν)
φ3. 807 [b]3, 22, 808 [a]2. 6. 811 [b]31, 28, 29, 33, 36, 812
[a]2. cf Rose Ar Ps 705, 706. — φ6. 811 [a]34, 36. cf Rose
Anecd gr 80.
μέχρι (μέχρις Ηη7. 1149 [b]12). Eucken II 16-18. μέχρι c
genet veluti μέχρι τῶν στοιχείων Φα1. 184 [a]14 al. μέχρι
τινός, μέχρι τι, opp ἁπλῶς, πᾶν Πγ9. 1280 [a]10, 21. 12.
1282 [b]18. Γα2. 316 [b]22. Οβ13. 294 [b]6. Ηη8. 1150 [a]17.
(μέχρι τῷ Bk exhibet Ηε13. 1137 [a]30.) μέχρι c genet infi-
nitivi μέχρι τῷ σύνδηλος εἶναι πο7. 1451 [a]10. μέχρι τούτου
ἕως δηλαρεῖ ψγ12. 435 [a]3. μέχρι τούτου (τοσούτου), ἕως ἂν
Φη2. 243 [b]2. ψβ4. 416 [b]14. μέχρι τούτου, ἕως c coni Αδ13.
96 [a]32. μέχρι οὗ ἐνδέχεται, μέχρι τούτου προαγαγεῖν Ρα1.
1355 [b]13. μέχρι ὅτε (οὗ cod L Eucken, om cod E) δύ-
ναται Οβ12. 292 [b]21. μέχρι ὕπερ ἂν ᾖ τούτο μβ3. 356 [b]23.
μέχρι περ οὗ δυνατόν Οβ13. 294 [b]7. μέχρι περ ἂν οὗ μηκέτι

ἔχῃ Οβ13. 294 [b]10. μέχρι περ ἂν οὗ γεννήσῃ Ζγβ4. 737
[b]16. inde ipsum μέχρι cum verbis coniungitur, μέχρι ἂν
συστήσῃ Ζγα21.729 [b]31, saepius μέχριπερ: μέχριπερ ἀφῆ-
κεν Ζιι48. 631 [a]13. μέχρι περ ἂν συγκυκλωσωνται sim
Ζιδ8. 533 [b]22. ιδ. 611 [b]12. 37. 620 [b]18. μα14. 351 [b]18.
— μέχρι cum adverbiis, μέχρι πόρρω ψγ12. 435 [a]4. μν2.
453 [b]7. Ζιβ17. 508 [a]23. ζ3. 561 [a]20. η1. 581 [a]26. θ12.
597 [b]21. Ζγβ1. 733 [b]28. γ6. 744 [a]31. πκγ5. 932 [a]8. 6.
932 [a]26. μέχρι κάτω Ζια16. 496 [a]2. πκ8. 923 [b]10. μέχρι
δεῦρο Φα9. 192 [a]9. μέχρις ἐνταῦθα Ηη7. 1149 [b]12. μέχρι
πῷ μα3. 339 [b]15 (μέχρι πόσυ ci Eucken coll Φβ2. 194
[b]9. Μμ8. 1084 [a]11. Πθ6. 1340 [b]42). μέχρι αὔριον Μκ8.
1065 [a]18. μέχρι νῦν f 508. 1561 [b]6, sed μέχρι τῷ νῦν
μα8. 345 [b]30. Ζιζ35. 580 [a]20. Ζγβ5. 741 [a]34. Μα2.994
[a]18. λ8. 1074 [b]13. πο1. 1447 [b]9. μέχρι ... τῷ νῦν χρόνῳ
Οα4. 270 [b]17 (μέχρι τῷ χρόνῳ τῷ νῦν cod E L Eucken).
— μέχρι c praepositionibus, μέχρι πρός Οβ14. 297 [a]9.
μβ2. 355 [a]6. Ζιγ1. 511 [a]8, 20. 7. 516 [a]12. δ2. 527 [a]8,
11. Ζμδ5. 679 [b]1. 12. 693 [b]19. Μζ2. 1028 [b]6. ρ36.
1440 [b]30. μέχρι εἰς Ζιδ2. 527 [a]33. ε6. 541 [b]10. μέχρι
ἐπί Ζιε14. 545 [b]3, 546 [a]7. μέχρι ὑπό Ζιβ12. 504 [a]1. Ζπ11.
710 [b]28. μέχρι περὶ τεττεράκοντα μβ8. 367 [b]33.
μέχριπερ aliquoties coniunctim scriptum exhibet Bk μα14.
351 [b]18. Ζιι5. 611 [b]12. 37. 620 [b]18. 48. 631 [a]13, alibi
distinguit μέχρι περ, veluti Οβ13. 294 [b]7, 10. Ζιδ8. 533
[b]22. cf μέχρι supra [b]6.
μή, cf ὗ. μὴ εἶναι τοδί, dist εἶναι μὴ τοῦτο Αα46. —
ἐν οἷς ἐφ' ἡμῖν τὸ μή, ... τὸ ναί Ηγ7. 1113 [b]8. — μή
usurpatum in singulis notionibus negandi, veluti ἡ μὴ
ὑπομονή Αδ13. 97 [b]24. ἐκ μὴ μεγεθῶν μέγεθος εἶναι Γα2.
316 [b]4. μὴ λέγειν, negare τι22. 178 [a]18. sed cf ὗ. —
μὴ post verba verendi, dubitandi sim. ὗθεν φοβερὸν μή
ποτε συμφωνήσωσιν Πδ12. 1296 [b]40. ἔχει ἀπορίαν μή ποτε
ἀναγκαῖον ᾗ Κ14. 15 [a]18. inde μή c coniunctivo modestius
affirmantis est, 'haud scio an'. μὴ γὰρ ἓν τῶν ἀδυνάτων ᾗ
Πδ4. 1291 [a]8. οἱ ἐνιστάμενοι μὴ ὗθὲν λέγωσι Ηχ2. 1172
[b]36 (? cf infra [b]51). — μή c indic in enunciatis interroga-
tivis, ταῦτα δόξαν παρεῖχε μή ποτ' ἐνδέχεται Γα3. 259 [b]3.
ζητητέον μή ποτε τοῦτο μὲν συμβέβηκε Πθ5. 1339 [b]42.
ἀπορεῖται μή ποτ' οὗ βούλονται Ηθ9. 1159 [a]6. ὁρᾶν δεῖ μή
ποτε βέλτιον (sc ἐστιν) ἑτέρως διορίσαι Πβ6. 1265 [a]28.
σκεπτέον μή ποτε τὸ μὲν ἓν λέγεται καλῶς ηεη12. 1244
[b]22. (ὅτε φοβῶνται μὴ ὗχ ἕξωσι f 145. 1502 [a]42.) inde
non praegresso verbo, unde interrogatio suspensa sit, μή
c ind dubitanter et modestius affirmantis est. μή ποτε δὲ
οὗ καλῶς τοῦτο λέγεται Ηκ1. 1172 [a]33. μὴ ποτ' οὗ λέγωσι
τὸ αἴτιον Ηχ2. 1173 [a]23. μὴ γὰρ ἢ μάτην τὴν πρὸς αὑτὸν
αὑτὸς ἔχει φιλίαν ἕκαστος Πβ5. 1263 [a]41. (μὴ ποτ' ὗκ ἐν
ἅπασιν ἰσχύῃ, ἀλλὰ δέῃ προδιειργάσθαι Ηκ10. 1179 [b]23,
sed ex aliquot codd ἰσχύει et δεῖ videtur scribendum esse,
et fort μὴ ὗθὲν λέγεται pro λέγωσι Ηκ2. 1172 [b]36. συμ-
φέρει cum cod Iᵇ et Gtlg pro συμφέρῃ Πβ6. 1265 [b]24.)
μή ποτε ἐπὶ τῶν πνευμάτων τὸ αὐτὸ συμβαίνει πκς46.
945 [a]22. μὴ γάρ τι λέγει Εὐριπίδης ηεη11. 1244 [a]10. μὴ
ποτ' οὗδὲ χρήσιμος πρὸς ζωὴν ἡ ἰδέα ηεα8. 1217 [b]24. cf
f 148. 1503 [a]40. — de collocatione particulae μή, cf ὗ.—
μή abundanter additum θυμίασε δ' ἔτι εὐθὺς βιβάζειν, πρὶν
ἂν μὴ τὰ ὦτα καταβάλῃ Ζιζ18. 573 [b]8. ἀληθευτικός, πλὴν
ὅσα μὴ δι' εἰρωνείαν Ηδ8. 1124 [b]30. — μὴ οὗ, μὴ οὗχὶ
c inf post οὗκ ἀμφισβητῶ, οὗχ οἷόν τε Μμ8. 1084 [a]1.
ημβ11. 1210 [a]33. — μὴ ὅτι Ζγε6. 786 [a]27.

μηδαμῆ. τὸ μηδαμῆ ταὐτόν Γα7. 323 b25.
μηδαμόθεν λαμβάνοντα Μδ3. 1121 a17.
μηδαμοῦ ϵ κεκλῖσθαι πη21. 989 a85.
Μήδεια Εὐριπίδου πο14. 1453 b29. 15. 1454 b1. f 592. 1574
a23, Καρκίνου Ρβ23. 1400 b10. — ἱερὸν Ἀρτέμιδος ὑπὸ 5
Μηδείας ἱδρυμένον θ105. 839 b18.
μηδείς. τὸ μηδέν. τὸ κενὸν οὐδένα ἔχει λόγον ᾧ ὑπερέχεται
ὑπὸ τοῦ σώματος, ὥσπερ οὐδὲ τὸ μηδὲν πρὸς ἀριθμόν Φδ8.
215 b13. ὥσπερ τοῦ μηδενὸς οὐδεμία ἐστὶ διαφορά, οὕτως καὶ
τῷ μὴ ὄντος Φδ8. 215 a10. 10
μηδέποτε Ζμδ10. 687 a30 al.
μηδέτερος. δεῖ ἐν τῇ πολιτείᾳ τῇ μεμιγμένῃ καλῶς ἀμφό-
τερα δοκεῖν εἶναι καὶ μηδέτερον Πδ9. 1294 b36. πότερον εἶναι
δεῖ τὰς ἀρχὰς ἀϊδίους ἢ πολυχρονίους ἢ μηδέτερον Πδ15.
1299 a9. — μηδέτερος, is qui neutram ex oppositis dua- 15
bus qualitatibus habet (cf οὐδέτερος), veluti ὁ μήτε ἀγαθὸς
μήτε κακός, καὶ φαύλους ἐνδέχεται φίλους εἶναι ἀλλήλοις, καὶ
ἐπιεικεῖς φαύλοις καὶ μηδέτερον ὁποιωσοῦν Ηθ5. 1157 a18. cf
η15. 1154 b6. κ2. 1173 a8. ηεη2. 1238 a36. ἐναντίων τὸ
μηδέτερον μέσον Οα12. 282 a18. — μηδετέρως οὕτως, 20
ἐκείνως, μηδετέρως ἔχειν Μμ8. 1083 a37. πο14. 1453 b19.
ὅταν μηδετέρως φαίνηται ἐνδέχεσθαι Φγ6. 206 a12. μηδε-
τέρως ἰσχύειν πε32. 884 a21.
Μηδία θ27. 832 a26. 35. 833 a1, 2. ἡ ἐν Μηδίᾳ χιών Ζιε19.
552 b9. 25
Μηδικός πόλεμος Πε7. 1307 a4. Αθ11. 94 a36. τὰ Μηδικὰ
Μδ11. 1018 b16. ἐν τοῖς Μηδικοῖς Πβ12. 1274 a13. ε4.
1304 a21. μετὰ τὰ Μηδικὰ Πε4. 1303 b33. θ6. 1341 a30.
ὕστερον τῶν Μηδικῶν Πε3. 1303 a5. — πόα Μηδικὴ Ζιγ
21. 522 b26. θ8. 595 b28. ι40. 627 b17 (Medicago sativa). 30
Μῆδος. οἱ Μηδῖν ξένοι ἐν Φαρσάλῳ Ζι31. 618 b14.
Μῆδος Πγ13. 1284 b1. Μήδων βασιλεῖς Πβ5. 1339 a35. ἐν
γαίῃ Μήδων f 596. 1576 a37.
μηθείς μηθέν, οὐθείς οὐθέν admodum saepe apud Aristotelem
legitur, sed non minus usitata ei est forma attica μηδείς, 35
οὐδείς. cf Lob Phryn 182.
μηκέτι Ζγ38. 748 b7 al.
μῆκος. διαστήματα ἔχει ὁ τόπος τρία, μῆκος καὶ πλάτος καὶ
βάθος, οἷς ὁρίζεται σῶμα Φδ1. 209 a5. Μβ5. 1002
a20. μεγέθους ἀρετὴ τὸ ὑπερέχειν κατὰ μῆκος καὶ βάθος καὶ 40
πλάτος Ρα5. 1361 b19. τὸ μῆκος τοῦ πλάτος πρότερον Οβ2.
285 a19. μῆκος ἀπλατές, πλάτος ἔχον τζ6. 143 b12. f 24.
1478 b12. ἄνω κάτω ἐναντία ἐν μήκει Φε5. 229 b7. Οβ2.
284 b24. ἔκτασις ἐπὶ μῆκος Ζιβ12. 504 a15. μεγέθους τὸ
μὲν ἐφ' ἓν συνεχὲς μῆκος, τὸ δ' ἐπὶ δύο πλάτος, τὸ δ' 45
ἐπὶ τρία βάθος Μδ13. 1020 a12. μῆκος i q γραμμὴ Φδ11.
220 a11. β2. 193 b25. κίνησις ἐναντία ἡ ἐπ' εὐθείας, ἀντι-
κειμένη ἡ κατὰ τὸ αὐτὸ μῆκος Φθ8. 264 b17. γραμμῆς
μῆκος συνέχειαν διηρημένην μβ8. 367 b10. μῆκος μέτρον
μήκους Μι1. 1053 a26. γραμμὴ πρὸς γραμμὴν συντίθεται 50
καὶ κατὰ μῆκος καὶ κατὰ πλάτος Ογ1. 299 b26. ὁμοίως τῷ
μήκει ὁ χρόνος διαιρετὸς καὶ ἀδιαίρετος, ἄπειρος καὶ πεπερα-
σμένος ψγ6. 430 b10, 19. Φθ8. 263 a14. ατ969 a29. οὐκ
ἔστιν ἀδιαίρετα μήκη Ογ1. 299 a11. μῆκος σύμμετρον,
ἀσύμμετρον Αα31. 46 b30. γραμμαὶ σύμμετροι μήκει, δυ- 55
νάμει ατ970 a2. — Platonis et Platonicorum placita, τὸ
πρῶτον μῆκος ψα2. 404 b20. τὸ μῆκος ἐκ μακροῦ καὶ βρα-
χέος ΜΑ9. 992 a11. μ9. 1085 a10. ν2. 1089 b13. ἐκ τῆς
δυάδος τὰ μήκη ποιοῦσιν Μν3. 1090 b22. — μῆκος τὸ οὐρανοῦ
τί Οβ2. 285 b8. μῆκος, πλάτος τῆς γῆς μβ5. 362 b17, 20 60
Ideler. κ3. 393 b21. μῆκος, βραχύτης ζωῆς μκ1. 464 b20.
V.

τὰ μήκη τῆς ἀναθυμιάσεως μα4. 341 b32. διαδιδόναι ἐπὶ
μῆκος μα7. 344 a29. ἐπὶ μῆκος τὰ ζῷα καὶ τὰ φυτὰ φύεται
πιζ2. 916 a13. ῥύσις συνεχὴς ἐπὶ μῆκος μδ9. 387 a29.
σχιστὸν ἕκαστον, ᾗ μήκη πυλλὰ ἢ ἕν μδ0. 387 a10. πήρης
ἔχειν κατὰ μῆκος, κατὰ πλάτος sim μδ9. 387 a2, 8. —
τὰ στοιχεῖα διαφέρει μήκει καὶ βραχύτητι πο20. 1456 b32.
— τὰ μήκη τῶν λόγων ποιεῖν πόθεν ἔστιν ρ23. 1434 b1-10,
cf b25. 7. 1428 a9. μὴ εἶναι εὐπαρακολούθητον διὰ τὸ μῆ-
κος Ρα2. 1357 a11. cf γ13. 1414 b6. τὸ μῆκος περὶ τὰς
ἐρωτήσεις τι15. 174 a17. διαφέρει (τῆς τραγῳδίας) κατά
τε τῆς συστάσεως τὸ μῆκος καὶ ἐποποιΐα καὶ τὸ μέτρον πο24.
1459 b18. 5. 1449 b12. τοῦ μήκους (tragoediae) ὅρος πο7.
1451 a16. 24. 1459 b18. 26. 1462 a18.
μηκύνειν. ἡ ἐποποιΐα τοῖς ἐπεισοδίοις μηκύνεται πο17. 1455
b16. μηκύνειν τὸν λόγον ρ38. 1445 b12. 23. 1434 a40. μη-
κύνειν ᾧ παρεμβάλλειν τὰ μηδὲν χρήσιμα πρὸς τὸν λόγον
τθι. 157 a1. μηκυνθήσεται ὁ λόγος φτα3. 818 b3. μηκύνειν
(sc τὸν λόγον, i q nugari) Μμ8. 1083 b6 Bz.
μήκων, ὁ, ἡ, μήκωνος (v l μήκονος).
1. planta. μήκων καρηβαρίαν ποιεῖ, φυτεύειν συμφέρει
περὶ τὰ σμήνη μήκωνα υ3. 456 b30. Ζιι40. 627 b18. τῆς
μήκωνος φύλλα, χρόα, ἄνθος, καρπός χ5. 796 a26, 31,
b15, 16 (Papaveris, Glaucii, Roemeriae sp var).
2. jecur. a. praecipue usurpatum de jecinore τῶν ὀστρα-
κηρῶν. ἔστιν ἡ μήκων οἱονεὶ περίττωμα πᾶσι τοῖς ὀστρα-
κηροῖς· ἡ μήκων περίττωμά ἐστι πᾶσιν ἐν ὑμέλι Ζιδ4. 529
a11, b10. cf Μ 178. τόπος τῆς καλουμένης μήκωνος· τὸ
περίττωμα, ἡ καλουμένη μήκων, ἐνίων μὲν ἐδώδιμος, ἐνίων
δ' οὐκ ἐδώδιμος Ζιδ4. 529 a10. Ζμδ5. 679 b10, 13, 680
a21. — οἱ κήρυκες ἔχουσι τὴν μήκωνα μέλαιναν Ζιδ2. 527
a24. 4. 530 a15. ὁ νηρείτης ἔχει τὴν μήκωνα ἐρυθράν· αἱ
πορφύραι τὸ ἄνθος ἔχουσιν ἀνὰ μέσον τῆς μήκωνος καὶ τοῦ
τραχήλου Ζιδ4. 530 a15. ε15. 547 a16, 24. cf S II 396. τὰ
τήθυα περίττωμα οὐδὲν ἔχει φανερόν, ὥσπερ τῶν ἄλλων
ὀστρέων τὴν μήκωνα i q ἐχῖνος τὰ ἐν τῇ καλουμένῃ μήκωνα
Ζιδ6. 531 a16 Aub. — b. ὁ πολύπους ἔχει τὸν θολὸν ἐν τῷ
λεγομένῳ μήκωνι f 315. 1531 b6. — c. τὴν καλουμένην
μύτιν ᾗ μήκωνα πλείω ἢ ἐλάττω πάντ' ἔχει μαλακόστρακα
Ζιδ2. 527 b32. v μύτις 2. (cf Cuvier leç d' anat IV 151.
A Siebld XII 387. S II 356 et Samml vermischt Abh 46 sq.
Rose Ar Ps 318. F 308, 28. ΚαΖμ 129, 24. 132, 34. 'tous
les interprètes modernes d' Aristote sont d' accord pour
reconnaître que le mécon est le foie des mollusques' Busse-
maker in Oribas I 594.) fort 'Niere oder Bojanussche
Drüse'. cf Siebld vergl Anat 281. τὴν μήκωνα πάντα
ἔχει ἀλλ' οὐκ ἐν τῷ αὐτῷ οὐδ' ἴσην οὐδ' ὁμοίως φανε-
ράν, ἀλλ' αἱ μὲν λεπάδες κάτω ἐν τῷ βάθει, τὰ δὲ
δίθυρα ἐν τῷ γιγγλυμώδει Ζιδ4. 529 a29 Aub. cf Ζμδ5.
680 a22.
μηκώνιον γυναικῶν, quid sit Ζιη10. 587 a31 Aub. cf Galen
XIX 176, Lehmann physiol Chemie II 116.
μηλέα. μηλέαι ἀγλαόκαρποι (Hom η 115) κ6. 401 a7. μηλέαι
φτα4. 819 b22. 6. 820 b37. μηλέας ἄνθος, καρπός χ5. 796
b13. Pirus Malus (silvestris et urbana).
Μηλιακὸν πλοῖον f 513. 1562 a3. cf παροιμία. — Μηλιέων
πολιτεία f 512. 513.
μηλίς, νόσος τις τῶν ὄνων Ζιδ25. 605 a16.
μηλολόνθη, refertur inter τὰ πτηνὰ καὶ ἄναιμα, κολεόπτερα,
πτιλωτά, πτερωτά, στοα βομβεῖ Ζια5. 490 a14, 7. δ7. 532
a23. 1. 523 b19. Ζπ10. 710 a10. αν9. 475 a6. ἔχει τὸ πτε-
ρὸν ἐν κολεῷ, ἐν ἐλύτρῳ, ἔλυτρον τοῖς πτεροῖς Ζια5. 490

ᵃ14. δ7. 531 ᵇ25, 532 ᵃ23. Ζμδ̅6. 682 ᵇ14. γίνονται ἐκ τῶν σκωλήκων τῶν ἐν τοῖς βολίτοις κ̛ τῶν ὀνίδων Ζι19. 552 ᵃ16. (Scarabaeus viridis Gazae. 'le mot Mélolonthê génériquement' C Π 748 et F 312, 56. Melolonthus aurata St. Cr. Melolontha vulgaris K 419. M 214. Cetoniae et Melolonthae sp Su 194, 1. Geotrupes stercorarius ΑΖι I 167, 32. in incerto relinquit ΚαΖμ 141, 5 et Landois in Siebld Zeitschr XVII 106, 123.)

μῆλον. μήλων ὀσμαί Ηγ13. 1118 ᵃ10. μῆλα τιθέμενα εἰς χύτρας πκ9. 923 ᵇ26.

Μῆλος νῆσος θ16. 831 ᵇ19. 44. 833 ᵇ3. f 248. 1523ᵇ30. 514. 1562 ᵃ20. Μηλίων πολιτεία f 514.

μήν, cf μείς. αἱ τῶν μηνῶν σύνοδοι χειμέριοι μᾶλλον ἢ αἱ μεσότητες Ζγβ4. 738 ᵃ20, 22. φθινόντων τῶν μηνῶν, ὁ χρόνος ὗτος τῦ μηνός Ζγδ2. 767 ᵃ3, 4. β4. 738 ᵃ18. οἱ κατὰ μῆνα σχηματισμοί Οβ14. 297 ᵇ25.

Μήν. ἀλεκτυόνος μὴ ἅπτεσθαι λευκῦ (Pythag), ὅτι ἱερὸς τῦ Μηνὸς κ̛ ἱκέτης f 190. 1512 ᵃ13.

μήν. ἀλλὰ μήν, cf ἀλλά p 33 ᵇ26 et Bz Zts f öst Gym 1866 p 806. γε μήν cf γέ p 147 ᵃ38. ὐ μήν, ὐδὲ μήν, cf ὐ, ὐδέ. κ̛ μὴν ad significandum disputationis progressum κ5. 397 ᵃ14, 35. 7. 401 ᵃ19. p15. 1431 ᵃ28, ᵇ2. Eucken I 12.

μῆνιγξ. 1. membrana (ὠνόμαζον πάντας ὑμένας οἱ παλαιοὶ μήνιγγας Gal II 716). ἡ περὶ τὸ αἰσθητήριον μῆνιγξ· ὐδ' ἂν ἡ μῆνιγξ κάμῃ, ὥσπερ ὁ ἐπὶ τῇ κόρῃ δέρμα ὅταν κάμῃ· ἡ μῆνιγξ δι' ἧς ἀκνεῖ Ζγε2. 781 ᵃ20. αι2. 438 ᵇ2. ψβ8. 420 ᵃ14. πλβ13. 961 ᵃ38, ᵇ4. ἐν μήνιγξιν (νl μήνιξιν) ἐεργμένον ὠγύγιον πῦρ (Emp 226). αι2. 437 ᵇ32. — 2. pia mater. ἡ καλυμένη μῆνιγξ ἡ περὶ τὸν ἐγκέφαλον, δερματικὴ, φλεβώδης Ζιγ3. 514 ᵃ17. α16. 495 ᵃ7, 8 Aub. Ζμβ7. 652 ᵃ30. Ζγβ6. 744 ᵃ10. cf Philippson ὕλη 7.

μηνίειν. Ἀχιλλεὺς ἐμήνισε τοῖς Ἀχαιοῖς Ρβ24. 1401 ᵃ18.

μήνιμα παρὰ τῆς θεῦ οβ1349 ᵃ18.

μῆνις num masc generis sit τι14. 173 ᵇ19. τὸ μῆνιν ἄειδε θεά Ἰλιάδα σημαίνει τι24. 180 ᵃ21. μῆνιν ἄειδε θεά reprehenditur a Protagora πο19. 1456 ᵇ16.

μηνίσκος. ὁ διὰ τῶν μηνίσκων τετραγωνισμός τι11. 171 ᵇ15, 172 ᵃ3. cf Αβ25. 69 ᵃ33 Wz. μηνίσκοι αἱ αὐγαὶ (τῦ ἡλίυ) ἐπὶ τῆς γῆς φαίνονται πιε11. 912 ᵇ14.

μηνοειδής Οβ11. 291 ᵇ22. πιε7. 912 ᵃ14. dist ἀμφίκυρτος, διχότομος Οβ11. 291 ᵇ20.

μηνύειν c acc obiecti Ρα9. 1368 ᵃ26. Ηι7. 1168 ᵃ9. κ2. 1172 ᵇ12, vel omisso obiecto Ηβ2. 1104 ᵇ16. c acc c inf μα7. 344 ᵇ13. μηνύειν ὅτι Ηα12. 1101 ᵇ29. 13. 1102 ᵇ34. c enunciatione interrog ρ1. 1420 ᵃ27.

μήπω μβ5. 361 ᵇ28. Ζγα4. 717 ᵇ4. 12. 728 ᵃ12, 28 al.

μήρινθον μίαν ἐπισπασάμενοι κ6. 398 ᵇ17.

Μηριόνης ὁ Μόλυ f 596. 1575ᵇ38, 36.

μηρός. μόριον μὴ ὀργανικόν, περιφερές πις9. 915 ᵃ27. σκέλυς μέρη· μηρός, κνήμη, πῦς Ζια15. 494 ᵇ4, ᵃ4. γ7. 516 ᵃ36. Ζμδ̅10. 689 ᵇ7. Ζπ12. 711 ᵇ2. 13. 712 ᵃ17, 20. κοινὸν μέρος μηρῦ κ̛ ἤτρυ βυβών, μηρῦ κ̛ γλυτῦ τὸ ἐντὸς περίνεος, μηρῦ κ̛ γλυτῦ τὸ ἔξω ὑπογλυτίς, ἐγγυτέρω τῆς ἀρχῆς ὁ μηρός Ζια4. 493 ᵇ9. πε26. 883 ᵇ3. μηρὸς μακρός, μέγιστος, βραχύς πε20. 882 ᵇ38. Ζιβ12. 504 ᵃ3. 8. 502 ᵇ12. αι5. 493 ᵇ24, διαιρύμενος Ζιβ12. 504 ᵃ1, ὀστυώδης, νευρυώδης, περίπλεος φ6. 810 ᵃ35, σαρκώδης Ζιβ1. 499 ᵇ4. Ζμδ̅10. 689 ᵇ7, 14. femoris τὸ ἔσχατον, τὸ μέσον Ζπ12. 711 ᵇ2. πε20. 882 ᵃ37, ᵇ2. φλέβες διὰ παντὸς τῦ μηρῦ τείνυσιν, ἡ μεγίστη αὐτῶν ὄπισθεν τείνει τῦ μηρῦ, ἑτέρα δὲ εἴσω τῦ μηρῦ Ζιγ2. 512 ᵃ13. 4. 515 ᵃ11. — femur animalium. τὸ θῆλυ τὰ

ἰσχία κ̛ τὰς μηρὰς περισαρκότερα ἔχει τῶν ἀρρένων φ5. 809 ᵇ7. — hominis. ὁ ἄνθρωπος σαρκώδη ἔχει σχεδὸν μάλιστα τῦ σώματος τὰ ἰσχία κ̛ τὰς μηρὰς κ̛ τὰς κνήμας Ζιβ1. 499 ᵇ4. cf Ζμδ̅10. 689 ᵇ7, 14. ἐν τῇ συγκάμψει τῦ σκέλυς ἀναγκαῖον τῦ μηρῦ τὸ ἔσχατον εἰς τὔπισθεν προάγειν, ἐπὶ τῶν σκελῶν ὁ μηρὸς τῦ ἀνθρώπυ ἔχει τὰς κάμψεις ἐπὶ τὸ κοῖλον Ζπ12. 711 ᵇ2. 13. 712 ᵃ17, 20. ἔστι τὸ κατὰ φύσιν τοῖς μηροῖς ἡ εἰς τὔπισθεν κλάσις πε19. 882 ᵇ33. οἷς βραχεῖς οἱ ἀγκῶνες κ̛ οἱ μηροὶ ὡς ἐπὶ τὸ πολὺ Ζια15. 493 ᵇ24. οἱ τὰς μηρὰς ὀστώδεις κ̛ νευρυώδεις ἔχοντες εὔρωστοι· οἱ τὰς μηρὰς ὀστυώδεις κ̛ περιπλέυς ἔχοντες μαλακοί φ6. 810 ᵃ35. ὅταν ὠδίνωσιν αἱ γυναῖκες εἰς ὁπότερον τῶν μηρῶν ἀποστηρίζονται οἱ πόνοι ταῖς πλείσταις Ζιη9. 586 ᵇ31. διὰ τί οἱ ἀνιστάμενοι πρὸς ὀξεῖαν γωνίαν τῷ μηρῷ ποιήσαντες τὴν κνήμην ἀνίστανται, κ̛ τῷ θώρακι πρὸς τὸν μηρὸν μχ30. 857 ᵇ22, 33. τοῖς μηροῖς τὸ βάρος πᾶν ἐμπίπτον κόπυς εἴωθε παρέχειν· διὰ τί τὰς μηρὰς μᾶλλον ἢ τὰς κνήμας κοπιῶσιν πε40. 885 ᵃ30. 26. 883 ᵇ14. διὰ τί καταβαίνοντες τὰς μηρὰς πονῦμεν πε19. 882 ᵇ26, 30, 35. 24. 883 ᵃ29. 40. 885 ᵃ30. συσπῶσιν οἱ μηροὶ μᾶλλον ἢ πλείυν τὸ κῦλον, ὁ μηρὸς δέχεται τε κ̛ ἀναλύεται διὰ τὸ μῆκος τε ἔχειν κ̛ στρέφεσθαι ἄνωθεν, διὰ τί ἐν ταῖς ὁδοῖς τῶν μηρῶν τὸ μέσον μάλιστα πονῦμεν πε26. 883 ᵇ17. 24. 883 ᵃ40. 20. 882 ᵇ37, 2. — simiae. πίθηκος ἔχει τὸν ἀγκῶνα κ̛ τὸν μηρὸν βραχεῖς Ζιβ8. 502 ᵇ12. — leonis. ζώυν ἀσαρκότερον τὰ ἰσχία κ̛ τὰς μηρὰς, μυελὸν ἔχει τοῖς μηροῖς κ̛ βραχίοσιν φ5. 809 ᵇ29. Ζιγ7. 516 ᵇ9. — avium. ἰσχίον ἔχυσιν ἢ ὐκ ἂν δόξειαν ἔχειν ἀλλὰ δύο μηρὸς διὰ τὸ τῦ ἰσχίυ μῆκος Ζμδ̅12. 695 ᵃ1. cf Ζπ11. 710 ᵇ22-27. 15. 712 ᵇ2. Ζιβ12. 504 ᵃ1 Aub. μεγίστας τὰς μηρὰς ἔχει τὰ γαμψώνυχα Ζιβ12. 504 ᵃ3. — reptilium Ζπ15. 713 ᵃ22. — μαστοὶ πρὸς, ἐν τοῖς μηροῖς Ζια1. 487 ᵃ1. β1. 500 ᵃ24, 26. Ζμδ̅10. 688 ᵃ33, ᵇ7, 8, 22. ὁ θῆλυς ἐλέφας ἔχει τὰ αἰδοῖα ὑπὸ τοῖς μηροῖς καθάπερ κ̛ τἆλλα Ζιβ1. 500 ᵇ19. — μηρὸς i q τὸ ἐν τῷ μηρῷ ὀστῦν, os femoris Ζιγ7. 516 ᵃ36. σκέλυς μέρος τὸ ἀμφικέφαλον μηρός, ἐν ῷ στρέφεται ὁ μηρός, κοτυληδὼν Ζια15. 494 ᵇ4. 13. 493 ᵃ24. κατάγνυνται μάλιστα ἐντεῦθεν (ἐν τῷ μηρῷ), μακρὸς κ̛ εἷς ὢν πε20. 883 ᵃ1, 882 ᵇ38. λέων μυελὸν ἔχει ἐν τοῖς μηροῖς κ̛ βραχίοσιν Ζιγ7. 516 ᵇ9. ἰσχίον ἔχυσιν οἱ ὄρνιθες ἢ ὐκ ἂν δόξειαν ἔχειν, ἀλλὰ δύο μηρὸς διὰ τὸ τῦ ἰσχίυ μῆκος· ὥστε δοκεῖν διαιρύμενον μηρὸν εἶναι Ζμδ̅12. 695 ᵃ1. Ζπ11. 710 ᵇ22-27. 15. 712 ᵇ2. Ζιβ12. 504 ᵃ1 Aub cf S II 304. μεγίστας τὰς μηρὰς ἔχει τὰ γαμψώνυχα τῶν ὀρνίθων Ζιβ12. 504 ᵃ3.

μηρυκάζειν. enumerantur ὅσα μηρυκάζει, τὰ μὴ ἀμφώδοντα κερατοφόρα δέ, ἔνια τῶν ἀμφωδόντων, ἔλαφος, κάμηλος, σκάρος· πάντα κατακείμενα μηρυκάζυσι μᾶλλον, μάλιστα τῦ χειμῶνος Ζυ50. 632 ᵇ1-8. βι7. 507 ᵃ35. Ζμγ 14. 674 ᵇ5, 675ᵃ4 (ν σκάρος). τὰ μηρυκάζοντα, Ruminantia, syn ὅσα μηρυκάζει, ἃ λέγεται μηρυκάζειν Ζιγ21. 522 ᵇ8, 27, 523 ᵃ6. βι7. 507 ᵃ36. ι50. 632 ᵇ1. ὐκ ἐρεύγονται ὅσα μηρυκάζει πι44. 895 ᵇ18.

μῆρυξ. (μηρυκάζυσι) κ̛ οἱ ἰχθύες, κ̛ ὃν (κ̛ εἷς ἰχθὺς, ὁ σκάρος, ὃν κ̛ ci Pik) καλῦσιν ἔνιοι ἀπὸ τῦ ἔργυ μήρυκα Ζυ50. 632 ᵇ10 Aub. (ruminalis Gazae, ruminax Scalig, le scare C II 736. K 1058, 4. Scarus cretensis ΑΖι I 135, 46.) ν σκάρος.

μήτε non addito membro correlativo Πε8. 1308 ᵇ11.

μήτηρ. αἱ μητέρες διὰ τί τῶν πατέρων φιλοτεκνότεραι Ηι7. 1168 ᵃ25. 4. 1166 ᵃ5, 9. θ14. 1161 ᵇ27. νεη8. 1241 ᵇ5.

μήτηρ equa Ζιβ1. 500 ᵇ31. ζ22. 576 ª18. ι4. 611 ª13. Σμδ10. 008 ᵇ32. camelus femina θ2. 830 ᵇ6. Ζιι47. 630 ᵇ31, 33, 631 ª3. μητέρες, μελιττῶν ἡγεμόνες Ζιε21. 553 ª29. etiam αἱ ᾠοτοκᾶσαι nominantur μητέρες Ζγγ2. 753 ᵇ33, 754 ª7, 9. — metaph ἡ ὕλη συναιτία ὥσπερ μήτηρ Φα9. 191 ª14. γῆ ζῴων ἐστία τε χ̣ μήτηρ κ2. 391 ᵇ14.

μητίζεσθαι. μητίσατο (Parm 132) ΜΑ4. 984 ᵇ27.

μῆτις (Emp 375) ψγ3. 427 ª23. Μγ5. 1009 ᵇ19.

μήτρα. 1. a. καλεῖται μήτρα ὁ καυλὸς χ̣ τὸ στόμα τῆς ὑστέρας, ἔνιαι τῆς μήτρας πρὸς ὃ πίπτει τὸ σπέρμα ἀλεί-φυσιν ἐλαίῳ Ζιγ1. 510 ᵇ14 Aub. η3. 583 ª22. corpus et collum uteri ΚαΖι 100, 27. — b. syn ὑστέρα. μεταξὺ αὐ-τῶν ἡ μήτρα τῆς ἕδρας χ̣ τῆς κύστεως πι20. 892 ᵇ38, 893 ª2. τὰ ᾠοτοκᾶντα ἐν τοῖς ᾠοῖς λαμβάνει τὴν διάκρισιν κεχωρισμένα τῆς μήτρας, χωρισθέντα τῆς μήτρας ἔξω, opp τὰ ἐν τῇ μήτρᾳ λαμβάνοντα τὴν διάρθρωσιν, ἢ κατὰ τὴν μήτραν αὔξησις Ζγβ4. 740 ᵇ2. 7. 746 ª28. 6. 742 ª5. f 335. 1534 ª40. πάσχει ταὐτὸ τὸ κύημα ἐν τῇ μήτρᾳ ὅπερ ἐν τοῖς ἑψομένοις τὰ μολυνόμενα, οἱ δέ φασιν ἐν τῇ μήτρᾳ εἶναι τὴν ἐναντίωσιν τᾶ ἄρρενος χ̣ θήλεος καθάπερ Ἐμπε-δοκλῆς· τὰ ζῷα ἐγειρόμενα φαίνεται χ̣ ἐν τῇ μήτρᾳ· ἠρε-μᾶσιν ἐν ταῖς μήτραις τὰ ἔμβρυα τὸ πρῶτον· ἐκ τᾶ σπέρ-ματος ἐν τῇ μήτρᾳ διαφθαρέντος γίνεται τέρατα Ζγδ7. 776 ª1. 1. 764 ª1. ε1. 779 ª8. υ3. 457 ª21. πδ13. 878 ª20. ὑμὴν ἄλλος τὸ μὲν πρῶτον προσπεφυκὼς τῇ μήτρᾳ, κοτυ-ληδόνες ἐν τῇ μήτρᾳ, ἐπὶ ταῖς μήτραις ἐπιπέφυκεν ἡ καρπία Ζιη7. 586 ª28. 8. 586 ᵇ11 Aub. ι50. 632 ª25. τὰ πολύτεκνα πολλὰς μήτρας ᾗ τύπας ἔχει πι14. 892 ᵇ2. μήτρας ἀπέ-χονται οἱ Πυθαγορικοὶ f 189. 1511 ᵇ28, 34, 39. — v l Ζγδ1. 763 ᵇ29. (cf Philippson ὕλη 63. ΑΖγ 3. ΑΖι I 34. Galen XVIII B 280. XVI 177. XIX 362. Janus Zeitschr f Gesch u Lit der Medicin II 219.) 2. αἱ καλώμεναι μήτραι, syn αἱ ἡγεμόνες τῶν σφηκῶν χ̣ τῶν ἀνθρηνῶν. a. τῶν σφη-κῶν Ζγγ10. 761 ª6. Ζιι41. 627 ᵇ32, 33, 628 ª, 7, 18, ᵇ27, 29. descr Ζιι41. 628 ª30 sq. quomodo capiantur Ζιι41. 628 ᵇ25. — b. τῶν ἀνθρηνῶν Ζγγ10. 761 ª6. — 3. καί τινες καλᾶσιν αὐτὸν τὸν μυελὸν τὸν ἐν τοῖς δένδροις μήτραν φτα4. 819 ª33.

μητραγύρτην Ἰφικράτης Καλλίαν ἐκάλει, ἀλλ' ὁ δαδᾶχον Ργ2. 1405 ª20, 21.

μητρικὴ τιμή Ηι2. 1165 ª27.

μητροκτονῆσαι Ηγ1. 1110 ª29.

μητρόπολις ἀτείχιστος οβ1348 ª12. — metaph ἡ μητρό-πολις αὐτή τᾶ καλῶς βυλεύεσθαι ρ1. 1420 ᵇ22 (cf ἀκρό-πολις).

μητροφόντης Ργ2. 1405 ᵇ22.

μηχανᾶσθαι. ἡ φύσις μηχανᾶται (ἐμηχανήσατο, μεμηχάνη-ται) τι πρός τι vel ἐπί τι, veluti ἡ φύσις μηχανᾶται πρὸς τὴν ἑκάστᾳ ὑπερβολὴν βοήθειαν τὴν τᾶ ἐναντίᾳ παρεδρίαν Ζμβ7. 652 ª31, ᵇ20. γ3. 665 ª8. 4. 665 ᵇ13. Ζγβ6. 745 ª31. ×5. 396 ᵇ33. — pass μεμηχάνηται τι Ζμγ14. 675 ᵇ11. 3. 664 ᵇ32. β8. 653 ᵇ34. 9. 655 ᵇ7. Ζγα4. 717 ª29. — πᾶσαν μηχανὴν μηχανώμενος f 40. 1481 ᵇ7.

μηχανή. τέχνης ποῖον μέρος μηχανὴ καλεῖται μχ847 ª19. — εὑρημένων τῶν περὶ τὰ βέλη χ̣ τὰς μηχανὰς εἰς ἀκρίβειαν πρός τε τὰς πολιορκίας Πη11. 1331 ª2. — λύσις μῦθοι ἀπὸ μηχανῆς, opp ἐξ αὐτᾶ τᾶ μύθᾳ πο15. 1454 ᵇ1. μηχανῇ χρηστέον ἐπὶ τὰ ἔξω τᾶ δράματος πο15. 1454 ᵇ2. Ἀνα-ξαγόρας μηχανῇ χρῆται τῷ νῷ ΜΑ4. 985 ª18 Bz. — μόλις πᾶσαν μηχανὴν μηχανώμενος ὁ Μίδας προσηγάγετο τὸν Σει-ληνὸν φθέγξασθαι f 40. 1481 ᵇ7.

μηχάνημα. ὅπως ᾖ τᾶ μηχανήματος φανερὸν μόνον τὸ θαυ-μαστόν μχ848 ª36.

μηχανικά. a. ὀργανικ. μηχανικά Πη17. 1336 ª11. κινήσεις μη-χανικαί μχ848 ª14. προβλήματα μηχανικά μχ847 ª24. ἡ μηχανικὴ (τὰ μηχανικά) comparatur cum ὀπτικῇ, ἁρμο-νικῇ Μμ3. 1078 ª16, subiecta est geometriae Αγ9. 76 ª34, stereometriae Αγ13. 78 ᵇ37.

μιαιφόνοι χ̣ πατραλοῖαι Ρβ9. 1386 ᵇ28. παντελῶς μιαιφόνος τις Ηκ7. 1177 ᵇ10.

μιαρός. ὁ φοβερὸν ᾗδὲ ἐλεεινὸν τᾶτο, ἀλλὰ μιαρόν ἐστιν πο13. 1452 ᵇ36. dist τραγικόν πο14. 1453 ᵇ39, 1454 ª3. Vhl Poet II 24. 25.

μῖγμα, μίγμα. de accentu, de notione cf μῖξις. τὸ μίγμα βύλεται ἓν εἶναι σι7. 447 ᵇ10. ἐν δυνάμει ὄντος τᾶ μίγμα-τος Οβ14. 297 ª17. μίγμα de doctrina Empedoclis et Anaxagorae Φα4. 187 ª23. Μγ7. 1012 ª28. λ10. 1075 ᵇ4. ν6. 1092 ᵇ7. — μίγμα πρῶτον physiol, σπέρμα . . . ὥσπερ τὸ γιγνόμενον ἐκ θήλεος χ̣ ἄρρενος πρῶτον μίγμα οἷον κύημά τι ὄν, ᾗ ᾠόν· λέγω κύημα τὸ πρῶτον μίγμα θήλεος χ̣ ἄρ-ρενος Ζγα18. 724 ᵇ17. 20. 728 ᵇ34. cf Harvei de gen an 97. ἔστιν ἓν μίγμα τὸ γινόμενον ἐκ δυοῖν σπερμάτων Ζγα19. 726 ª32. cf β8. 747 ª35.

μιγνύναι, μίγνυσθαι, μεμῖχθαι. κάρη κονίησιν ἐμίχθη (Hom Κ 457. χ329) Ζμγ10. 673 ª15. — 1. de notione τᾶ μίγνυσθαι cf μῖξις 1. ᾗδὲ τὰ μεμιγμένα ἅμα ἔστιν αἰσθά-νεσθαι σι7. 448 ª8. φασί (Anaxag Emp) πᾶν ἐν παντὶ με-μῖχθαι Φα4. 187 ᵇ1. — 2. voc usus varius. a. act ἡ φύσις μίξασα ταῦτα (τὸ ἄρρεν χ̣ τὸ θῆλυ ἐν τοῖς φυτοῖς) διέθηκε μετ' ἀλλήλων Ζγα23. 731 ª27. σφόδρα μίξας μβ3. 359 ª13. — pass τὸ φλέγμα μιγνύμενον τροφῇ καθαρᾷ, τὸ σπέρμα μιχθήσεται τῇ γονῇ, καττιτέρῳ μιχθεὶς ὁ χαλκός sim Ζγα18. 725 ª16, ᵇ24. 20. 728 ª29. 21. 729 ᵇ4. β2. 735 ᵇ14, 17. 4. 739 ᵇ18. 8. 747 ᵇ3. Ζμβ3. 649 ᵇ14. μέ-μικται ταῖς ψυχαῖς ὁ παρὰ τᾶ θεᾶ χρυσός (Plat) Πβ5. 1264 ᵇ12. τᾶ ὕδατος χ̣ τᾶ ἐλαίᾳ μιγνυμένων Ζγβ2. 736 ª17. μικρὸν γλυκὺ εἰς πολὺ ὕδωρ μιχθέν Πβ4. 1262 ᵇ18. ὅταν μιχθῇ τὸ θερμὸν ἐπὶ ψυχρόν (in coitu) Ζγβ8. 748 ª6. σπέρμα παχὺ χ̣ λευκὸν διὰ τὸ μεμῖχθαι (inesse in mi-stione) πνεῦμα sim Ζγβ2. 736 ª9. α18. 725 ª10. Ζμβ7. 653 ª26. οἱ οἶνοι οἱ μεμιγμένοι Ργ2. 1404 ᵇ21. ταῦτα ὑπὸ ψυχρᾶ χ̣ θερμᾶ χ̣ τῶν κινήσεων γίνεται μιγνυμένων μδ12. 390 ᵇ9. — b. πάντες (οἱ ἄποροι, οἱ φαυλότεροι) μιγνύμενοι τοῖς βελτίοσι τὰς πόλεις ὠφελᾶσιν Πι11. 1281 ᵇ35. Σόλων μίξας καλῶς τὴν πολιτείαν Πβ12. 1273 ᵇ39. cf δ13. 1297 ª39. εὖ μεμῖχθαι δημοκρατίαν χ̣ ὀλιγαρχίαν, πολιτεία με-μιγμένη sim Πδ9. 1294 ᵇ19, 1, 35. ε7. 1307 ª7, 10. — c. χρώματα μιγνύμενα κατὰ τὰς ἐπιπροσθέσεις μα5. 342 ᵇ9. — τὸ μεμιγμένον τᾶ ἀμίκτᾳ ἥδιον πι843. 922 ᵇ4. — οἱ μεμιγμένοι (i e medii inter poetas et philosophos) τῷ μὴ πάντα μυθικῶς Μν4. 1091 ᵇ8 Bz. — d. μίγνυσθαι i q συνδυάζεσθαι, corpus miscere. c dat μίγνυται χ̣ τὰ μὴ ὁμόφυλα ἀλλήλοις sim Ζγη7. 746 ᵇ9. 8. 748 ᵇ1. ΖιΖ23. 577 ᵇ6, 8. cum praepos οἱ ἱέρακες οἱ διαφέροντες τῷ εἴδει δοκᾶσι μίγνυσθαι πρὸς ἀλλήλυς Ζγβ7. 746 ᵇ3. om dat μίγνυται ὧν ἴσοι οἱ χρόνοι, τἆλλα τὰ μιγνύμενα τὸν τρόπον τᾶτον al Ζγδ4. 738 ᵇ26, 14. 8. 747 ª34, ᵇ21. cf 7. 746 ᵇ11. coni μοιχεύεσθαι, συνδυάζεσθαι Ζιι32. 619 ª10. Ζγα23. 731 ª13, ᵇ7. β7. 746 ᵇ13. de maribus, syn ἐπιβαίνειν· οἱ ἐχῖνοι ὀρθοὶ μίγνυνται, οἱ ὄφεις ὅτε ἐξ ἀλλήλων ὅτ' ἄλλοις μιγνύμενοι γεννῶσιν, ἐκείνῃ μίγνυται Ζγα5. 717 ᵇ31, 30. β7. 746 ᵇ15. 8. 747 ᵇ22. coni συνέρχεσθαι. συνέρχεται χ̣

μίγνυται τῷ θήλει τὸ ἄρρεν Ζγβ1. 732 ᵃ9. de maribus et
feminis. μιγνυμένων ἀμφοῖν, ὅσα τῶν μὴ ὁμογενῶν μίγνυνται
θῆλυ χ̨ ἄρρεν, μίγνυται ὁ θῆλυς ἵππος χ̨ ὁ ἄρρεν τῷ ὄνῳ
χ̨ τῷ ἄρρενι χ̨ τῷ θήλει Ζγα19. 727 ᵇ7. β4. 738 ᵇ28. 8.
747 ᵇ16. — μικτός. ὃ πᾶν μικτόν Μν5. 1092 ᵃ25, cf
μῖξις 1. μικτόν, opp ἁπλῶν Γβ3. 330 ᵇ22. ἅπαντα τὰ μικτὰ
σώματα ἐξ ἁπάντων σύγκειται τῶν ἁπλῶν Γβ8. 334 ᵇ31.
μικτὰ ἐκ τέτων μδ4. 381 ᵇ25. ὅσα μικτὰ ὕδατος χ̨ γῆς
μδ7. 384 ᵃ3. — φορὰ ἢ εὐθεῖα ἢ κύκλῳ ἢ ἐκ τέτων μικτή
Οα2. 268 ᵇ18. Φθ8. 261 ᵇ29. 9. 265 ᵃ15. — μᾶλλον τὸ
μικτὸν συμφωνία ἢ τὸ ὀξὺ ἢ βαρύ ψγ2. 426 ᵇ6. — ἡδοναὶ
μικταί, opp ἀμιγεῖς Ηκ2. 1173 ᵃ23. cf ι11. 1171 ᵃ35. —
πράξεις μικταί (mediae inter τὸ ἑκέσιον et τὸ ἀκέσιον)
Ηγ1. 1110 ᵃ11. — μεμιγμένως. πάντα τρέφεται τῷ
γλυκεῖ, ἢ ἁπλῶς ἢ μεμιγμένως αι4. 442 ᵃ2. μεμιγμένως,
opp χωρὶς ἕκαστον τῶν χρωμάτων Ζιι14. 616 ᵃ16. τῷ δια-
βεβλημένῳ ἔνια μὲν μεμιγμένως ἔνια δ' ἰδίως πρὸς εὐμέ-
νειαν ποριστέον ρ37. 1442 ᵃ5.
Μίδας λιμῷ ἀπώλετο Πα9. 1257 ᵇ16. ἔλαβε τὸν Σειληνὸν
f 40. 1481 ᵇ2.
Μιθριδάτης Ἀριοβαρζάνῃ ἐπέθετο Πε10. 1312 ᵃ16.
Μίκκαλος, exemplum hominis cuiuslibet musici Αα33. 47
ᵇ30-35.
μικραδικητής, opp μεγαλάδικος Ρβ17. 1391 ᵃ24.
μικρογλάφυρος φ3. 808 ᵃ30.
μικροκέφαλος πλ3. 955 ᵇ6, 7. μικροκεφαλώτερον θῆλυ ἄρ-
ρενος φ5. 809 ᵇ5. τῶν ζῴων ὁ ἄνθρωπος μικροκεφαλώτατον
κατὰ λόγον τῶ σώματος πλ3. 955 ᵇ5.
μικροκίνδυνος, opp μεγαλοκίνδυνος Ηδ8. 1124 ᵇ7.
μικροκοίλιος Ζμγ4. 667 ᵃ32.
μικρολογία. τὸ ἀκριβὲς ἔχει μικρολογίαν Μα3. 995 ᵃ10 Bz.
μικρολογία ἀκόλεθεῖ τῇ ἀνελευθεριότητι, τῇ μικροψυχίᾳ αρ7.
1251 ᵇ14, 24.
μικρολόγος, εἶδος ἀνελευθεριότητος ημα25. 1192 ᵃ10.
μικρομελής φ3. 808 ᵃ29.
μικρομέρεια. κινητικόν (τὸ σφαιροειδὲς σῶμα Democriti)
διὰ μικρομέρειαν χ̨ τὸ σχῆμα ψα2. 405 ᵃ11 (λεπτομέρειαν
ci Nötel Zts f Gymn 1864 p 142). — ἐπὶ τῶ ὕδατος γῆ
χ̨ χρυσὸς διὰ μικρομέρειαν πολλάκις ἐπιπλέωσιν, syn διὰ
μικρότητα μα12. 348 ᵃ9, 8.
μικρομερής μγ3. 372 ᵇ17. opp μεγαλομερής Ογ5. 303 ᵇ27.
τὸ μικρομερές λεπτόν, ἀναπλυστικόν Ογ5. 303 ᵇ27. Γβ2.
330 ᵃ2. μικρομερέστατον χ̨ λεπτότατον τὸ πῦρ, τὸ φῶς
ΜΑ8. 989 ᵃ1. Αδ11. 94 ᵇ29.
μικρόμματος φ3. 808 ᵃ30.
μικροπόνηρος, opp μεγαλοπόνηρος Πδ11. 1295 ᵇ10.
μικροπρέπεια, def Ηβ7. 1107 ᵇ20. δ4. 1122 ᵃ30. ηεβ3.
1221 ᵃ11. περὶ μικροπρεπείας Ηδ4-6. ηεγ6. ημα27.
μικροπρεπής, def Ηδ6. 1123 ᵃ27-31. ηεβ3. 1221 ᵃ35. γ6.
1233 ᵇ4. ημα27. 1192 ᵇ5. ἡ ἀκριβολογία μικροπρεπές Ηδ4.
1122 ᵇ8. πρόσωπον μικροπρεπές φ6. 811 ᵇ12.
μικροπρόσωπος φ3. 808 ᵃ30.
μικρορρυπύγιοι ὄρνιθες Ζιβ12. 504 ᵃ34.
μικρός. de notione τῶ μικρῶ ac de Platonico principio τὸ
μέγα χ̨ μικρόν v μέγας. 1. μικρὸν τοῖς μεγέθεσιν εἶναι
τῶν φερομένων (i e ἄστρων) ἕκαστον μα3. 339 ᵇ34. τὸ
τοσονδὶ χ̨ μικρὸν ὕδωρ, opp τὸ πᾶν ὕδωρ μα3. 340 ᵃ12.
οἱ μικροὶ ἀστεῖοι χ̨ σύμμετροι, καλοὶ δ' Ηδ7. 1123 ᵇ7.
ἐν μικρῷ κόσμῳ, opp ἐν μεγάλῳ Φθ2. 252 ᵇ26. ἐν τῷ
πολλῷ ἀέρι τρίγωνα πλείω ἢ τὰ στερεὰ ἢ τὰ μικρὰ (fort
i q τὰ ἄτομα?) ἔσται Οδ5. 312 ᵇ30. ἐκ τῶν φυλῶν χ̨

τῶν μορίων τῶν ἐλαχίστων παντελῶς Πδ14. 1298 ᵃ16. μι-
κραὶ πυρκαϊαί, μικρὰ ἀναθυμίασις μγ1. 371 ᵇ2. δ9. 387
ᵇ12. μικρᾶς κινήσεως τυχεῖν μα4. 341 ᵇ20. μικρὰ χ̨ ἀμαυρὰ
παθήματα, opp ἰσχυρὰ χ̨ ἐναργῆ ψα1. 403 ᵃ21. ἀρχαί,
τιμαὶ μικραί, opp μεγάλαι Πδ15. 1299 ᵇ30. ε8. 1308 ᵇ13.
γίγνονται αἱ στάσεις ὃ περὶ μικρῶν ἀλλ' ἐκ μικρῶν, στα-
σιάζεσι δὲ περὶ μεγάλων Πε4. 1303 ᵇ18. δεῖ φυλάττειν τὸ
μικρόν Πε8. 1307 ᵇ32. φωνὴ μικρά, dist μεγάλη, μέση
Ργ1. 1403 ᵇ28. Ζγε7. 788 ᵃ31. πια62. 906 ᵃ19. διαλέγε-
σθαι μικρόν πια35. 903 ᵃ38. 62. 906 ᵃ18. μικρὸς τὸ ἦθος,
περὶ τὴν ψυχήν φ2. 807 ᵃ5. 5. 810 ᵃ7. — ἐν τυραννίδι ὐδὲν
ἢ μικρὸν φιλίας Ηθ13. 1161 ᵃ32. — 2. usus adverbialis.
μικρῷ πλείων, μικρῷ μείζων Πδ16. 1300 ᵇ33. ε7. 1307 ᵇ5.
— μικρὸν μετὰ δυσμάς μβ8. 367 ᵇ9. μικρὸν ὕστερον τῶν
Μηδικῶν Πε3. 1303 ᵃ5. φανερὸν ἐντεῦθεν μικρὸν ἐπισκεψα-
μένοις Πγ5. 1278 ᵃ13. — ἐπὶ μικρὸν θεωρήσωμεν χ̨ νῦν
Ογ9. 299 ᵃ13. cf ἐπὶ μικρόν Ηγ13. 1118 ᵃ27. δ11. 1126
ᵇ7. θ12. 1160 ᵇ20. ι3. 1161 ᵃ31, ᵇ8. ι6. 1167 ᵇ10. 9. 1169
ᵇ26. κ8. 1178 ᵃ24. Eucken II 55. — ἡ ἐρυθρὰ κατὰ μι-
κρὸν κοινωνεῖ πρὸς τὴν ἔξω θάλατταν μβ1. 354 ᵃ2. κατὰ
μικρόν, coni ἐκ προσαγωγῆς, λανθάνον Πε6. 1306 ᵇ15. μβ4.
361 ᵇ7. cf μα6. 343 ᵇ16. β4. 361 ᵇ2. δ7. 384 ᵇ20. ακ801
ᵃ25. πη18. 889 ᵃ3. κατὰ μικρά, coni πολλαχῇ, σποράδην
μα4. 341 ᵇ33, 31. 13. 350 ᵃ8. γ1. 770 ᵇ5. — παρὰ μικρόν.
τὸ παρὰ μικρὸν ὥσπερ ὐδὲν ἀπέχειν δοκεῖ Φβ5. 197 ᵃ30,
28. cf Πε3. 1303 ᵃ21-25. αἱ περιπέτειαι χ̨ τὸ παρὰ μικρὸν
σωζεσθαι ἐκ τῶν κινδύνων Ρα11. 1371 ᵇ11. ἀπάτη
ἐν τῷ παρὰ μικρόν Αα33. 47 ᵃ38 Wz. τι7. 169 ᵇ11, 15 Wz.
— ἐπὶ (ἐπὶ om cod Z Aub) μικρῷ ἕχεται τὸ ἄγονον εἶναι
τὸ σῶμα τῶν ὄνων Ζγβ8. 748 ᵇ11. — συζευγνύναι τὰς
ἑπτὰ χ̨ τριάκοντα, ἢ μικρόν (locus corr) Πη16. 1335 ᵃ29.
— (pro ἐν τοῖς μικροῖς χωρίοις Ζιι31. 618 ᵇ9 ἐν τοῖς λυ-
προῖς χωρίοις ci Aub.)
μικροσκελής Ζιι50. 632 ᵇ11. Ζμδ8. 684 ᵃ10. τὸ μικροσκε-
λέστερον ἀράχνιον Ζιι39. 623 ᵃ26.
μικρόστομος. ζῷα μικρόστομα, ὥσπερ ἄνθρωπος Ζιβ7.
502 ᵃ8.
μικρότης. ὁμῦ πάντα χρήματα ἦν ἄπειρα χ̨ πλήθει χ̨ μι-
κρότητι (Anaxag fr 1) Μι6. 1056 ᵇ29. (ἡ μεταξὺ θάλαττα)
διὸ μικρότητα ὐδεμίαν ἔχει δύναμιν μβ8. 369 ᵃ5. μικρότης
τῶ σώματος Ζγα3. 717 ᵃ9. γ1. 749 ᵇ29, cf 751 ᵇ18. μι-
κρότης τῶν ὄγκων Ζγγ2. 754 ᵃ19. περὶ μεγέθους χ̨ μικρό-
τητος τῶν πραγμάτων πόθεν σκεπτέον Ρβ19. 1393 ᵃ8-21
στασιάζεσι διὰ μικρότητα, δι' ἀνομοιότητα Πε2. 1302 ᵃ7.
μικρότης φωνῆς, opp μέγεθος ψβ11. 422 ᵇ30, cf μικρο-
φωνία.
μικρότριχος. ὁ ἄνθρωπος μικρότριχον πλὴν τῆς κεφαλῆς Ζιβ1
498 ᵇ17.
μικροφωνία χ̨ μεγαλοφωνία, dist βαρύ χ̨ ὀξύ Ζγε7. 787 ᵃ4
μικρόφωνος, opp μεγαλόφωνος Ζγε7. 786 ᵇ10. μικρόφω-
νέστιν ἐν τῷ ὀλίγον ἀθρόως εἶναι τὸ κινέμενον Ζγε7. 787 ᵃ14
μικροφωνεῖν πθ9. 890 ᵇ11.
μικροψυχεῖα χ1. 391 ᵃ23. def Ηβ7. 1107 ᵇ23. ηεβ3. 1221
ᵃ10. αρ1. 1250 ᵃ2. 3. 1250 ᵃ27. 7. 1251 ᵇ16-25. μικροψυ-
χία ἀκόλεθεῖ τῇ ἀνελευθεριότητι αρ7. 1251 ᵇ15. περὶ μικρο-
ψυχίας Ηδ7-9. ηεγ5. ημα26.
μικρόψυχος, def Ηδ7. 1123 ᵇ10. 9. 1125 ᵃ17. ηεγ5. 1233
ᵃ13, 25. ημα26. 1192 ᵃ32. ὁ μικρόψυχος ὐδενὶ ἐπιβάλεται
Πε11. 1314 ᵃ16. μικρόψυχα σημεῖα φ3. 808 ᵃ29-31.
Μιλήσιοι ἀξύνετοι Ηθ9. 1151 ᵃ9. Μιλησίων πολιτεία f 515
516. Κῖος ὁ ἀφηγησάμενος τῆς Μιλησίων ἀποικίας f 471

1555 ^{b}33. Νηλεῖδαι κρατῦντες Μιλησίων f 515. 1562 ^{a}29. πόλεμος πρὸς Ναξίυς, πρὸς Πριηνέας f 518. 1562 ^{b}46. 534. 1566 ^{b}43. πάλαι ποτ' ἦσαν ἄλκιμοι Μιλήσιοι f 516. 1562 ^{b}6 (cf παροιμία). Θαλῆς ὁ Μιλήσιος Οβ13. 294 ^{a}30. Πα11. 1259 ^{a}6. Ἀναξιμένης ὁ Μ. μβ7. 365 ^{a}18. Ἱππόδαμος ὁ Μ. Πβ8. 1267 ^{b}22. Τηλεκλῆς ὁ Μ. Πδ14. 1298 ^{a}13. — τῆς Μιλησίας ἐν τόποις γειτνιῶσιν ἀλλήλοις Ζιθ28. 605 ^{b}26.

Μίλητος Πα11. 1259 ^{a}13. τυραννὶς ἐν Μ. Πε15. 1305 ^{a}17.

μίλθον per errorem scriptum μγ7. 378 ^{a}23. cf μίλτος.

Μιλτιάδ8 ψήφισμα Ργ10. 1411 ^{a}10.

μίλτος. ᾠὰ κεγχροίδεα ἐριθρὰ ὥσπερ μίλτος Ζιζ2. 559 ^{a}26. ἡ ξηρὰ ἀναθυμίασις ποιεῖ τὰ ὀρυκτά, οἷον μίλτον (μίλθον Bk, cf h v) μγ7. 378 ^{a}23.

Μίλων Ηβ5. 1106 ^{b}3. Μίλων Κροτωνιάτης πολυφάγος f 477. 1556 ^{b}4.

μιμεῖσθαι. λέγεται Λυκῦργος τὰ πλεῖστα μεμιμῆσθαι τὴν Κρητικὴν πολιτείαν Πβ10. 1271 ^{b}22. προσήκει τὼς υἱεῖς μιμεῖσθαι τὰς τῶν πατέρων πράξεις ρ2. 1422 ^{a}30. θέναρ κακῶς ᾧ ἀμυδρῶς μιμώμενον πτέρνα Ζιβ8. 502 ^{b}9. γίνεται κύκλος ὖτος μιμώμενος τὸν τῇ ἡλία κύκλον μα9. 346 ^{b}36. — ὁ ὑποκριτὴς μιμεῖταί τῇ μιμητής, ὁ δὲ χορὸς ἧττον μιμεῖται πιθ15. 918 ^{b}28, cf ^{b}15. μιμεῖται ἡ τέχνη τὴν φύσιν μδ3. 381 ^{b}6. τὸ μιμεῖσθαι σύμφυτον τοῖς ἀνθρώποις ἐκ παίδων ἐστὶν ποι4. 1448 ^{b}5. Vhl Poet I 10. μιμεῖται ὁ ποιητὴς τὰς πράξεις πο9. 1451 ^{b}29, cf μίμησις. Ὅμηρος ἐμιμεῖτο pass. ἤδεα οἷον τό τε μιμύμενον (cod A^c Vhl Spgl, μεμιμημένον Bk), ὥσπερ γραφικὴ ᾧ ἀνδριαντοποιία ᾧ ποιητικὴ, ᾧ πᾶν ὃ ἂν εὖ μεμιμημένον ᾖ, κἂν ᾖ μὴ ἡδὺ αὐτὸ τὸ μεμιμημένον Ρα11. 1371 ^{b}6. fort pass ἢ πάντας (ci πάντα) ὡς πράττοντας ᾧ ἐνεργῦντας τὼς μιμημένυς πο3. 1448 ^{a}24. — μιμητός. τὰ μὲν ἀμίμητα τὰ δὲ μιμητὰ τῇ ψυχῇ πκθ10. 951 ^{a}7.

μίμημα. ταῦτα (τὸ ἄρρεν ᾧ τὸ θῆλυ) μιμήματα τῶν ἀρχῶν ἐκείνων ἐστὶν ΜΑ6. 988 ^{a}7. τὰ ὀνόματα μιμήματά ἐστιν Ργ1. 1404 ^{a}21 (dist σύμβολα cf Wz ad ε1. 16 ^{a}4). ὅσον δεῖ σε λόγῳ μίμημα, φέρε πεθ τέχνασμα ρ29. 1436 ^{a}7. περὶ τὼς βίυς πολλὰ ἂν θεωρηθείη μιμήματα τῶν ἄλλων ζῴων τῆς ἀνθρωπίνης ζωῆς Ζιι7. 612 ^{b}18. ἐν τοῖς μέλεσιν αὐτοῖς ἐστὶ μιμήματα τῶν ἠθῶν Πθ5. 1340 ^{a}39. τὸ χαίρειν τοῖς μιμήμασι πάντας πο4. 1448 ^{b}9 Vhl Poet I 10.

μίμησις. οἱ Πυθαγόρειοι μιμήσει τὰ ὄντα φασὶν εἶναι, Πλάτων δὲ μεθέξει ΜΑ6. 987 ^{b}11, 13. — ἀκρούμενοι τῶν μιμήσεων γίνονται πάντες συμπαθεῖς Πθ5. 1340 ^{a}12. ἡ μίμησις διὰ τί ἡδονὴν ποιεῖ πο4. 1448 ^{b}12-19. Vhl Poet I 11. ἐποποιία ᾧ ἡ τῆς τραγῳδίας ποίησις, ἔτι δὲ κωμῳδία ᾧ ἡ διθυραμβοποιικὴ, πᾶσαι τυγχάνυσιν ὖσαι μιμήσεις τὸ σύνολον πο1. 1447 ^{a}16. (μίμησις quid significet Vhl Poet I 33.) ποιητὴς κατὰ τὴν μίμησίν ἐστιν πο9. 1451 ^{b}29. τὼς καλυμένυς Σώφρονος μίμυς ᾧ φωμεν εἶναι λόγυς ᾧ μιμήσεις f 61. 1486 ^{a}10, Bernays Tragoed p 186. αἱ μιμήσεις διαφέρυσιν ἀλλήλων τρισίν, ἐν οἷς ᾧ ἃ ᾧ ὡς πο1-3. ἅπασαι (αἱ ποιητικαὶ τέχναι) ποιῦνται τὴν μίμησιν ἐν ῥυθμῷ ᾧ λόγῳ ᾧ ἁρμονίᾳ πο1. 1447 ^{a}22, ^{b}21. μιμήσεις ἐποποιικὴ, διηγηματικὴ, δραματικὴ, τραγικὴ πο26. 1461 ^{b}26. 24. 1459 ^{b}33, 37. 4. 1448 ^{b}35. τῆς πράξεως ὁ μῦθος ᾧ μίμησις πο6. 1450 ^{a}4. 8. 1451 ^{a}31. κἂν γὰρ ἀνώμαλός τις ᾖ ὁ τὴν μίμησιν παρέχων ᾧ τοιῦτον ἦθος ὑποτιθεὶς πο15. 1454 ^{a}27.

μιμητής. ὁ ὠτὸς κόβαλος ᾧ μιμητής Ζιθ12. 597 ^{b}23. f 276. 1527 ^{b}32. ὁ ὑποκριτὴς ἀγωνιστὴς ᾧ μιμητὴς πιθ15. 918

^{b}28. ἐν γραφικῇ εἴη ἄν τις ἀγαθὸς μιμητής ημα19. 1190 ^{a}31. μιμητὴς ὁ ποιητὴς πο25. 1460 ^{b}8. 24. 1460 ^{a}8, cf μίμησις p 469 ^{a}47. τῇ μὲν ὁ αὐτὸς ἂν εἴη μιμητὴς Ὁμήρῳ Σοφοκλῆς, μιμῦνται γὰρ ἄμφω σπεδαίυς, τῇ δὲ Ἀριστοφάνει, πράττοντας γὰρ μιμῦνται ᾧ δρῶντας ἄμφω πο3. 1448 ^{a}26, cf μίμησις p 469 ^{a}52.

μιμητικός. τὰ γαμψώνυχα πάντα μιμητικά Ζιθ12. 597 ^{b}26. ὁ ἄνθρωπος τῶν ἄλλων ζῴων μιμητικώτατόν ἐστιν πο4. 1448 ^{b}7. πλ6. 956 ^{a}14. ἡ φωνὴ πάντων μιμητικώτατον τῶν μορίων ἡμῖν Ργ1. 1404 ^{a}22. οἱ διθύραμβοι ἐπειδὴ μιμητικοὶ ἐγένοντο πιθ15. 918 ^{b}19. καθάπερ ᾧ ἐν ταῖς ἄλλαις μιμητικαῖς τέχναις πο8. 1451 ^{a}30. ἡ ἐν ἑξαμέτροις μιμητικὴ πο6. 1449 ^{b}21.

Mimnermus Colophonius, poeta elegiacus f 626. 1584 ^{a}7.

μιμνήσκεσθαι. μεμνῆσθαι, def μν1. 449 ^{b}20. 2. 452 ^{a}10, ^{b}29, cf μνήμη. — μνησθῆναι περί τινος, mentionem facere, μα6. 343 ^{b}18. Ζιε9. 542 ^{b}25.

μῖμος. θαυματοποιὸς ἢ μῖμος ἢ συρικτής πιη6. 917 ^{a}8. — οἱ Σώφρονος ᾧ Ξενάρχυ μῖμοι πο1. 1447 ^{b}10. f 61. 1486 ^{a}10. Bernays Tragoed p 186.

μίνθην ἐπὶ μὴ πολέμιον μήτ' ἔσθιε μήτε φύτευε πκ2. 923 ^{a}9 (Theophr ed Stapel 1644 p 813^a), cf παροιμία. (Mentha sativa L Sprengel. Mentha piperita L. Fraas 176. cf Langkavel Bot d spät Griechen p 54 et 108.)

Μινύας γῇ f 596. 1576 ^{a}12, 27.

μινυρίζειν. ὁ μελανάετος ᾧ μινυρίζει ἢδὲ λέληκεν, ὁ ὑπάετος πεινῇ ἀεὶ ᾧ βοᾷ ᾧ μινυρίζει Ζιι32. 618 ^{b}31, 619 ^{a}3.

Μίνως Πβ10. 1271 ^{b}31, 38. ηι10. 1329 ^{b}4, 6, 25. θ81. 836 ^{a}28. ὃ νομίζειν Ἀριστοτέλης ἀναιρεῖσθαι τὼς παῖδας ὑπὸ τῦ Μίνω f 443. 1550 ^{b}37.

Μιξιδημίδης Ρβ23. 1398 ^{b}25.

μῖξις, μίξις, codd in accentu inconstantiam servavit Bk, Lob Par 412. — 1. μίξεως notio exponitur Γα10. dist ἀφή, θέσις Μμ7. 1082 ^{a}21. cf γ2. 1042 ^{b}29. μίξις et κρᾶσις, dist σύνθεσις Γα10. 328 ^{a}9. ἡ πέφυκε τὸ τυχόντι μίγνυσθαι τὸ τυχὸν ΜΑ8. 989 ^{b}2 Bz. ὑχ ἅπαν ἅπαντι μικτόν, ἀλλ' ὑπάρχειν δεῖ χωριστὸν ἑκάτερον τῶν μιχθέντων Γα10. 327 ^{b}21. ΜΑ8. 989 ^{b}4 Bz. σωμάτων ἡ μῖξις f 184. 1509 ^{b}44. (μίγνυσθαί φασιν — Emp — ὅσων οἱ πόροι σύμμετροι πρὸς ἀλλήλυς εἰσὶν Γα8. 324 ^{b}34.) μίγνυνται ὧν τὰ ἔσχατα αι7. 447 ^{a}30. μικτά ἐστιν ὅσα ἐναντίωσιν ἔχει τῶν ποιητῶν Γα10. 328 ^{a}31. f 184. 1509 ^{b}45. μικτὸν ὃ ἂν εὑάριστον ὂν παθητικὸν ἢ ᾧ ποιητικὸν ᾧ τοιὅτῳ μικτὸν Γα10. 328 ^{b}20. εἴπερ δεῖ μεμίχθαι τι, τὸ μιχθὲν ὁμοιομερές, τὸν αὐτὸν λόγον ἕξει τῷ μορίῳ Γα10. 328 ^{b}22. ἡ μῖξις τῶν μικτῶν ἀλλοιωθέντων ἕνωσις Γα10. 328 ^{b}22. ἡ μῖξις πρὸς τὴν αἴσθησιν τί ἐστιν Γα10. 327 ^{b}32. μίξεως εἴδη αι3. 440 ^{a}31-^{b}13. κρᾶσις εἶδος μίξεως τὸ2. 122 ^{b}26-31, 123 ^{a}4. — 2. voc μῖξις usus varius, τὸ ἀλμυρὸν ἐν τῷ μῖξει μβ3. 358 ^{b}34. μῖξις ᾧ ἀριθμὸ εὐλογίστῳ, περιττῷ Μν6. 1092 ^{b}27. — πότερον μίξει ὁ ἀριθμὸς ἐκ τῶν ἀρχῶν Μν5. 1092 ^{a}24. — μῖξις τῶν εὐπόρων ᾧ τῶν ἀπόρων Πδ8. 1294 ^{a}16. μῖξις ὀλιγαρχίας ᾧ δημοκρατίας sim, ὅσοι τῆς μίξεως Πδ9. 1293 ^{b}34, 17, 1294 ^{a}36, ^{b}14 (syn σύνθεσις, συνδυασμὸς 1294 ^{a}36, ^{b}2). — μῖξις i q συνδυασμὸς τῦ ἄρρενος ᾧ τῦ θήλεος. cf μίγνυναι p 467 ^{b}50. τόποι πρὸς τὴν μῖξιν χρήσιμοι, διαφέρει τὰ μέρη τὰ πρὸς τὴν μῖξιν τοῖς σχήμασιν Ζγβ7. 746 ^{b}22. α2. 716 ^{b}3. ἐν τῇ τῦ ἄρρενος μῖξει ᾧ τῦ θήλεος δεῖ συμμετρίας, ὃ συμβάλλεται πρὸς τὴν μῖξιν σῶμα ὑδὲν τῦ ἄρρεν, τἆλλα τῶν ἐκ τοιαύτης μίξεως γινομένων συνδυαζόμενα φαίνεται Ζγδ2.

767 ᵃ23. β8. 748 ᵇ33. 7. 746 ᵇ12. μῖξις μὴ ὁμοφύλων Ζιθ28. 607 ᵃ1. ἡ κυρία θεὸς τῆς μίξεως Ζγβ2. 736 ᵃ20.

μιξολυδιστί. ἡ μιξολυδυστὶ καλυμένη ἁρμονία ποία τις Πθ5. 1340 ᵇ1.

μισανθρωπία ἀκολυθεῖ τῇ ἀνελευθεριότητι αρ7. 1251 ᵇ16.

μίσγειν, μίσγεσθαι, cf μιγνύναι p 467 ᵇ50. ἂν συνεχῶς μίσγηται ᴣ μὴ διαλείπῃ χρόνον τινὰ ὕτως ὀχευόμενα, ταχέως ἄγονον τὸ θῆλυ γίνεται· διὸ ᴕ συνεχῶς μίσγυσιν ὕτως οἱ περὶ ταῦτα πραγματευόμενοι Ζιζ23. 577 ᵇ11, 13.

μισεῖν ᴣ φιλεῖν, πάθη μετὰ σώματος ψα1. 403 ᵃ18. πέρα μισεῖν, opp πέρα στέρξαι (fr trag adesp 53) Πη7. 1328 ᵃ16. τίνας φιλῦσι ᴣ μισῦσι ᴣ διὰ τί Ρβ4. — μισητόν τε ᴣ ἡδὺ ἄλλο ἄλλῳ Ηδ14. 1128 ᵃ28. μισητά, syn λυπηρά, φαῦλα, opp ἡδέα, φιλητά Ηκ5. 1176 ᵃ12. α11. 1100 ᵇ35. γ13. 1118 ᵇ25.

μισθαρνεῖν. τὸ τῶν βαναύσων ᴣ μισθαρνύντων πλῆθος Πδ12. 1296 ᵇ29. μισθαρνεῖν περὶ τὰς ἐριστικὰς λόγυς τι34. 183 ᵇ37.

μισθαρνία, μόριον τῆς χρηματιστικῆς Πα11. 1258 ᵇ25.

μισθαρνικαὶ ἐργασίαι Πθ2. 1337 ᵇ13, τέχναι ηεα4. 1215 ᵃ31. αἱ μισθαρνικαὶ οα2. 1343 ᵃ29.

μισθός. τῶν μισθῶν διαιρεῖν τὰ εἴδη ρθ7. 1444 ᵃ37. ἄρνυσθαι τὸν μισθὸν Πγ16. 1287 ᵃ36. τάττειν ζημίαν, μισθὸν τοῖς δικαίϙσι Πδ9. 1294 ᵃ39. 14. 1298 ᵇ18. πορίζειν μισθὸν Πδ13. 1297 ᵃ37. μισθός ἐστι τῷ ἐκκλησιαζϙσι Πδ15. 1300 ᵃ2. μισθὸς τῷ ἄρχοντι δοτέος τιμῇ Ηε10. 1134 ᵇ6. λαμβάνειν μισθὸν Πδ6. 1293 ᵃ6. μισθὸς δ' ἀνδρί (Hes ε 370) Ηι1. 1164 ᵃ27. f 556. 1570 ᵃ11 (Πιτθέως γνωμολογία). συνηγορεῖν ἐπὶ μισθῷ ρθ7. 1444 ᵃ20, 35.

μισθῦν. μισθωθέντων ἢ πραθέντων ρ3. 1425 ᵇ23. μισθωσάμενος ὀλίγων Πα11. 1259 ᵃ13.

μισθοφοράν πορίζειν Πε5. 1304 ᵇ27.

μισθοφορεῖν. τὸ μ. πάντας δημοτικόν Πζ2. 1317 ᵇ35.

μισθοφόρος. κατέστησε τὰ δικαστήρια μισθοφόρα Πβ12. 1274 ᵃ9. — ποιεῖσθαι πολίτας τὺς μισθοφόρυς Πε3. 1303 ᵇ1. Ρβ3. 1399 ᵇ2.

μίσθωσις, συνάλλαγμα ἑκύσιον Ηε5. 1131 ᵃ4. ἡ μίσθωσις, χρῆσις τῷ κτήματος κατὰ συμβεβηκός ηεγ4. 1232 ᵃ3. μισθώσεις ᴣ τὰ δημευόμενα διοικῦσιν οἱ πωληταί f 401. 1545 ᵃ4.

μισόπολις ρθ7. 1442 ᵃ13.

μισοπονηρία ἀκολυθεῖ τῇ δικαιοσύνῃ αρ5. 1250 ᵇ24.

μῖσος. περὶ μίσυς, τίνας μισῦσι ᴣ διὰ τί Ρβ4. τὸ μῖσός ἐστι ᴣ πρὸς τὰ γένη, ἡ ὀργὴ ἀεὶ περὶ τὰ καθ' ἕκαστα Ρβ4. 1382 ᵃ6.

μισόφιλος ρθ7. 1442 ᵃ13.

Μιτυληναῖοι. ὁ Μιτυληναίων λιμὴν σ973 ᵃ11. f 238. 1521 ᵇ3. Πιττακὸν εἵλοντο Πγ14. 1285 ᵃ35. Μυτιληναῖοι Σαπφὼ τετιμήκασιν Ρβ23. 1398 ᵇ21.

Μιτυλήνη Πε4. 1304 ᵃ4. 10. 1311 ᵇ26.

μίτυς, τί ἐστι Ζιμ40. 624 ᵃ14 Aub. cf S II 512.

Μίτυς. Μίτυος ἐν Ἄργει ἀνδριὰς πο9. 1452 ᵃ8.

μνᾶ, τὸ ἁπλῦν ἐν βάρει Αγ23. 84 ᵇ38. εὑρηκέναι ὑπὲρ μνᾶν χρυσῦ ὁλκὴν θ45. 833 ᵇ9. βῶλος χρυσῦ τρεῖς μνᾶς ἄγων f 248. 1523 ᵇ38. — εἰσενέγκαι μίαν μνᾶν, ὀφείλειν εἴκοσι μνᾶς Πιγ9. 1280 ᵃ29. β8. 1268 ᵇ14, 20, 22. οἰκία πέντε μνῶν ἀξία Ηε8. 1133 ᵇ24. μνᾶς λυτρῦσθαι νομικῶν Ηε10. 1134 ᵇ22.

μναϊαῖος μόλυβδος, ταλαντιαῖον ξύλον Οδ4. 311 ᵇ4. de forma cf Lob Phryn 553. Paral 21.

μναῖος. ἔνιαι πορφύραι γίνονται μναῖαι (v l μναῖαι, cf μναϊαῖος)

Ζιε15. 547 ᵃ9.

Μναμοσύνας θύγατρες, Μῦσαι f 625. 1583 ᵇ24.

μναμόσυνον φιλίας (in antiquo epigr) θ133. 843 ᵇ32.

Μνασέας (Φωκεύς) Πε4. 1304 ᵃ11.

Μνασίθεος Ὀπύντιος πο26. 1462 ᵃ7.

μνεία. μνείαν ποιεῖσθαί τινος, περὶ τινος Ππβ8. 1268 ᵇ31. δ8. 1293 ᵇ28. η5. 1326 ᵇ35. Φβ4. 196 ᵃ17. θ9. 265 ᵇ18. μα14. 352 ᵃ1. ὅταν ποιησώμεθα τὴν ἐνδεχομένην μνείαν Πδ2. 1289 ᵇ23. περὶ τῶν λοιπῶν ἀποδοτέον μνείαν Ζμβ14. 658 ᵇ13. μνείαν ἔχειν τῆς γενομένης συνηθείας Ηι3. 1165 ᵇ33. ὅ τι ᴣ μνείας ἄξιον Πβ12. 1274 ᵇ17.

μνημεῖον. μνημεῖα τῆς δαπάνης Πζ7. 1321 ᵃ40.

μνήμενος (Hom ο 401) Ρα11. 1370 ᵇ5.

μνήμη. ἐκ τῆς αἰσθήσεως τοῖς μὲν τῶν ζῴων ᴕκ ἐγγίγνεται μνήμη, τοῖς δ' ἐγγίγνεται ΜΑ1. 980 ᵃ29 Bz. μνήμης ᴣ διδαχῆς πολλὰ ζῷα κοινωνεῖ Ζια1. 488 ᵇ25. θ1. 589 ᵃ1. τὸ αὐτὸ τῶν τῆς ψυχῆς ἐστιν ἡ μνήμη, ὕπερ ᴣ ἡ φαντασία μν1. 450 ᵃ23. cf φαντασία ᴣ μνήμη Ηη5. 1147 ᵇ5. ἡ μνήμη τῷ γενομένϙ μν1. 449 ᵇ15. ὅταν ἅμα ᾖ τε τῷ πράγματος γίνηται κίνησις ᴣ ἡ τῷ χρόνϙ, τότε τῇ μνήμῃ ἐνεργεῖ μν2. 452 ᵇ24. 1. 450 ᵃ19, 449 ᵇ22. μνήμη, def φαντάσματος, ὡς εἰκόνος ᴣ φάντασμα, ἕξις μν1. 451 ᵃ14. cf Αδ19. 100 ᵃ2, 99 ᵇ36. τὸ4. 125 ᵇ6. 5. 125 ᵇ18. κοινὸν ψυχῆς ᴣ σώματος μνήμη αι1. 438 ᵃ8. τοῖς ἐν κινήσει πολλῇ ᴕσιν ᴕ γίνεται μνήμη μν1. 450 ᵇ2. αἱ πολλαὶ μνῆμαι τῷ αὐτῷ πράγματος μιᾶς ἐμπειρίας δύναμιν ἀποτελῦσιν ΜΑ1. 980 ᵇ29. Αδ19. 100 ᵃ5. ἡ μνήμη ᴣ ἐμπειρία ᴣ ἀγχίνοια αρ4. 1250 ᵃ35. ἀγαθὰ εὐφυΐα μνῆμαι (scribendum μνήμη, Vh Rhet p 49) εὐμάθεια ἀγχίνοια Ρα6. 1362 ᵇ24. — μνήμης ἀνάληψις, λῆψις, μνήμην ἀναλαμβάνειν, λαμβάνειν μν2. 451 ᵃ20-23. μνήμην τὴν παραδεδομένην ἀλλήλοις μνήμην Οα3. 270 ᵇ14. ποιεῖσθαι μνήμην περὶ τινος Ζμα5. 645 ᵃ32, aliud est Ὅμηρος μνήμην πεποίηκεν Ργ12. 1414 ᵃ6. — ἀκροάματα ᴣ ὁράματα πολλὰ ᴣ μνῆμαι Ηκ2. 1173 ᵇ19. τῶν πεπραγμένων ἐπιτερπεῖς αἱ μνῆμαι Ηι4. 1166 ᵃ25. — μέρη τιμῆς μνῆμαι ἐν μέτροις ᴣ ἄνευ μέτρων Ρα5. 1361 ᵃ34.

μνημονεύειν, memorem esse. μαθητικώτερα τὰ δυνάμενα μνημονεύειν ζῷα τῶν μὴ δυναμένων ΜΑ1. 980 ᵇ22. μνημονεύεται τὸ μὴ παρὸν μν1. 450 ᵃ27, cf ᵃ12. ὅσα χρόνῳ αἰσθάνεται, ταῦτα μόνα τῶν ζῴων μνημονεύει, ᴣ τύτῳ ᴕ αἰσθάνεται μν1. 449 ᵇ29. cf 449 ᵇ22, 450 ᵃ19. 2. 451 ᵃ29 τὸ μνημονεύειν, def φαντάσματος, ὡς εἰκόνος ᴕ φάντασμα. ἕξις μν1. 451 ᵃ15. dist ἀναμιμνήσκεσθαι μν1. 449 ᵇ4. 2. 453 ᵃ6. — τὰ μέτρα πάντες μνημονεύυσι μᾶλλον τῶ χύδην Ργ9. 1409 ᵇ7. μνημονεύομεν μᾶλλον οἷς ἂν ἔωθε πρῶτον ἐντυγχάνωμεν πῆ5. 956 ᵃ8. χρόνοι μακροί, ὥστε μηδένα μνημονεύειν μα14. 351 ᵇ20, 12 (μνημονευθῆναι). — οἱ ποιηταὶ αὐτῆς (τῆς κωμῳδίας) μνημονεύονται πο5. 1449 ᵇ4 (syn ᴕ λεληθέναι ᵃ38). — μνημονευτός. μνημονευτὸν καθ' αὑτὰ μὲν ὅσα ἐστὶ φαντασά, κατὰ συμβεβηκὸς δ' ὅσα μὴ ἄνευ φαντασίας μν1. 450 ᵃ24, 449 ᵇ9. — τὰ μνημονευτὰ καλά ἐστι ᴣ τὰ μᾶλλον μᾶλλον Ρα9. 1367 ᵃ20 τίνα μνημονευτὰ ἡδέα ἐστὶ Ρα11. 1370 ᵇ1-7.

μνημόνευμα. ἢ μὲν καθ' αὑτό, θεώρημα ἢ φάντασμά ἐστιν ἢ δ' ἄλλυ, οἷον εἰκὼν [ᴣ] μνημόνευμα μν1. 450 ᵇ27, 451 ᵃ2.

μνημονικός, dist ἀναμνηστικός μν1. 449 ᵇ6, 7. 2. 453 ᵃ5. τὸ θῆλυ μνημονικώτερον Ζιι1. 608 ᵇ13. ἔστι μνημονικὸν ποιεῖν ἐν κεφαλαίῳ ἀπολογιζόμενον περὶ τῶν εἰρημένων ρ37 1444 ᵇ30. — κατὰ τὸ μνημονικὸν παράγγελμα τίθεσθαι τὰ προβαλλόμενα εν1. 458 ᵇ21. ἐν τῷ μνημονικῷ οἱ τόποι τεθέντες εὐθὺς ποιῦσιν αὐτὰ μνημονεύειν θτ14. 163 ᵇ29.

ὀμμάτων ποιήσασθαι, ὥσπερ οἱ ἐν τοῖς μνημονικοῖς τιθέμενοι χὴ εἰδωλοποιῦντες ψγ3. 427 b19.

μνημόσυνα πολλὰ Ἡρακλέης ἐν ταῖς ὁδοῖς θ97. 838 a32.

μνήμων. 1. οἱ λίαν ταχεῖς χὴ οἱ λίαν βραδεῖς ὁμοίως ὐθέτεροι μνήμονες μν1. 450 b9. μνήμονες οἱ τὰ ἄνω ἐλάττω ἔχοντες χὴ γλαφυρὰ χὴ σαρκωδέστερα φ3. 808 b9. — 2. μνήμονες, magistratus, coni ἱερομνήμονες, ἐπιστάται Πζ8. 1321 b39.

μνησίκακος, opp εὐκατάλλακτος Ρβ4. 1381 b4. ὁ μνησί- κακος ὁ μεγαλόψυχος Ηδ8. 1125 a5.

μνηστήρ. τὰ χρήματα (Ὀδυσσέως) ὑπὸ μνηστήρων ἀναλί- σκεσθαι πο17. 1455 b20. ᾧ βύλοιτο τῶν παρόντων μνηστή- ρων f 508. 1561 a45.

Μνήσων (Φωκεύς) Πε4. 1304 a11.

μόγις. μηδενὸς δεῖσθαι ἢ μόγις Ηδ8. 1124 b18.

μοῖρα. κατὰ τινα θείαν μοῖραν Ηα10. 1099 b10. Ἰξίονός τινος μοῖρα Οβ1. 284 a34. μοῖρα λέγεται ὁ θεὸς ἀπὸ τῦ μεμε- ρίσθαι κ7. 401 b12, 14. (τὰς νήσυς προσνέμυσί τινες ταῖς γείτοσιν ἀεὶ μοίραις κ3. 394 a4, fort ἠπείροις.)

Μοιροκλῆς Ργ10. 1411 a15.

μοιχεία συνάλλαγμα ἀκύσιον λαθραῖον Ηε5. 1131 a6. μοι- χεία συνειλημμένον μετὰ φαυλότητος Ηβ6. 1107 a11. ἐπ' αἰτίᾳ μοιχείας Πε6. 1306 a38. μοιχείας τίνα δεῖ ζημίαν εἶναι Πη16. 1335 b38. γραφὴ μοιχείας f 378. 1541 a4. 379. 1541 a32, 41.

μοιχεύειν. ὁ νόμος προστάττει μὴ μοιχεύειν Ηε3. 1129 b31. cf β6. 1107 a16. ημα34. 1196 a19, 21. μοιχεῦσαι, dist μοιχὸν εἶναι Ηε7. 1132 a3. μοιχεύει ὑθείς τὴν ἑαυτῦ Ηε15. 1138 a25. μοιχευομένη τις Ζιη4. 585 a16. ἡ τῷ Αἰθίοπι μοιχευθεῖσα Ζιη6. 586 a3. τὰ ἄλλα γένη (τῶν ὀρνίθων) μέμικται χὴ μεμοίχευται ὑπ' ἀλλήλων Ζιι32. 619 a10.

μοιχός, inter exempla ἀδικίας refertur Ηε10. 1134 a19. καθ' αὑτὸν μοχθηρὸς ηεβ3. 1221 b20. ὁ μοίχευσε δέ Ηε10. 1134 a22. μοιχός, coni καλλωπιστής τι5. 167 b10. τέκνον ἔοικος μοιχῷ Ζιη4. 585 a16. νόμος, τὸν καταλαμ- βάνοντα μοιχὸς ἀναιρεῖν πελέκει ἀμφοτέρυς f 551. 1569 a25.

μολίβδινος (v l μολύβδινος) κανῦν Ηε14. 1137 b30 Fr.

μόλιβδος. πῶς τήκεται πη8. 385 a32. 10. 389 a8. θ50. 834 a7. f 248. 1524 a30. 204. 1515 a17. ὁ κατ- τίτερος ὁ Κελτικὸς τήκεται πολὺ τάχιον μολύβδυ f 248. 1524 a23. μόλιβδος ἐρία θερμότερος πη19. 889 a12. λζ4. 966 a37. μολίβδυ βάρος Οβ2. 308 b7. 4. 311 b4. 6. 313 a17. μα12. 349 a2. ψ1. 849 b36. 28. 857 a35. διαφωνεῖ τὸ βαρὺ χὴ τὸ σκληρὸν ἐπὶ μολίβδυ χὴ σιδήρυ Φθ9. 217 b19. ὁ ἐκ τῶν Τυρίων, ὁ ἐν τοῖς Ἰνδοῖς μόλυβδος οβ1353 a15. θ61. 835 a6. (Bk vel in eodem libro modo μόλυβδος exhibet μθ10. 389 a8, modo μόλιβδος μα12. 349 a2. δ8. 385 a32, plerumque altera forma in v l posita.)

μολιβδῦν. μεμολιβδωμένοι ἀστράγαλοι πις3. 913 a36. 12. 915 b8.

μόλις Ζγα22. 730 b28. β6. 744 a22. 8. 748 b17 al. ἢ ὅλως ὐκ ἄν τις ἢ μόλις ἢ ἀμυνόμενος Φθ10. 217 b32. μόλις χὴ ἠρέμα πάσχειν Μδ12. 1019 a31. ἀκίνητον τὸ ἐν πολλῷ χρόνῳ μόλις κινύμενον Φε2. 226 b11. ἐπειδὴ δέ ποτε μόλις πᾶσαν μηχανὴν μηχανώμενος προσηγάγετο f 40. 1481 b7.

Μόλος. Μηριόνης, ὁ Μόλυ f 596. 1575 b38.

Μολοττία. ἐν τῇ Μολοττίᾳ Ζιι1. 608 a8, 32.

Μολοττός. Μολοττῶν βασιλεῖς Πε10. 1310 b40. 11. 1313 a24. Ἀλέξανδρος ὁ Μολοττὸς f 571. 1572 a7.

μολύβδαινα (v l μολύβδαινα) μιγνυμένη ὕδατι ἐξ ὀλίγυ πολὺν ὄγκον ποιεῖ Ζγβ2. 735 b16.

μολυβδίς. τήκεσθαι τὰς μολυβδίδας Οβ7. 289 a25.

μολύνειν. οἱ ὕες τὸ δέρμα πρὸς τὰ δένδρα τρίβοντες χὴ τῷ πηλῷ μολύνοντες Ζιζ18. 571 b18. — πάσχει ταὐτὸν τὸ κίνημα ἐν τῇ μήτρᾳ ὅπερ ἐν τοῖς ἐψομένοις τὰ μολυνόμενα Ζγδ7. 776 a1, cf μωλύνειν.

μόλυνσις. ἀπεψία τις χὴ ἡ μόλυνσίς ἐστιν Ζγδ7. 776 a8. cf μωλυσις.

Μόλων, Εὐκλέης πατήρ μα6. 343 b5.

μοναδικὸς ἀριθμός Μμ6. 1080 b19 Bz, 30. ν5. 1092 b20, 24. Ηε6. 1131 a30 Fr. ὁ ἀριθμητικὸς ἀριθμὸς μοναδικός ἐστιν Μμ8. 1083 b17. στιγμὴ μοναδικὴ ψα4. 409 a20. — τῶν ζῴων τὰ μοναδικά, opp τὰ ἀγελαῖα (v l et S μονω- τικά) Ζια1. 488 a1, 14. sed a2 verba χὴ τῶν μοναδικῶν vel μονωτικῶν delenda sunt cf S II 279. τῶν μοναδικῶν τὰ μὲν ἐπιδημητικὰ τὰ δὲ ἐκτοπιστικὰ Ζια1. 488 a14. inter τὰ μοναδικὰ referuntur σειρὴν ὁ μικρός, σειρὴν ὁ μέγας, ὁ βομβύλιος Ζιι40. 623 b10. (cf Rose Ar Ps 298.)

μονάκανθον εἶναι χὴ κιρρὸν τὸν ἀλφηστικόν f 290. 1528 b29.

μόναιπος. θηρίον ἐν Παιονίᾳ εἶναι τὸ καλύμενον βόλινθον, ὑπὸ δὲ τῶν Παιόνων μόναιπον θ1. 830 a7, cf βόλινθος.

μόναπος. καλῦσι τὸν βόνασον οἱ Παίονες μόναπον Ζιι45. 630 a20. v βόνασος.

μοναρχεῖν Πδ4. 1292 a15. ε7. 1307 a3. ὁ μοναρχῶν Πμ7. 1279 b7. μοναρχεῖν ἑκόντων Πδ10. 1295 a16. — πᾶς οἶκος μοναρχεῖται Πα7. 1255 b19.

μοναρχίς. πολλῶν μοναρχῶν (ci Fr, μοναρχιῶν Bk) ηεα5. 1216 a2.

μοναρχία, def Ρα8. 1365 b37. μοναρχίας εἴδη, βασιλεία τυραννὶς αἰσυμνητεία Πγ7. 1279 a33, b6. 14. 1285 a17, 30. δ4. 1292 a18. 10. 1295 a19. β6. 1265 b36. Ηθ12. 1160 b1. μοναρχία, opp πολιτεία Πε10. 1311 a24, b37. dist βασιλεία Πε10. 1313 a4. coni δυναστεία, τυραννὶς Ηθ6. 1293 a31. ε3. 1302 b17. 10. 1313 a4. μοναρχία οἰκονομικὴ, βασιλική, τυραννική, δεσποτικὴ Πα7. 1255 b19. γ14. 1285 a4. 8. 1279 b16 (cf 7. 1279 b5). δ14. 1298 a33. μοναρχίαν ποιεῖν Πβ10. 1272 b12. περὶ μοναρχίας ἐξ ὧν τε φθείρεσθαι χὴ δι' ὧν σῴζεσθαι πέφυκε Πε10-12.

μοναρχικὸν, dist ὀλιγαρχικόν, δημοκρατικόν Πβ6. 1266 a6. τιμαὶ ἐν ταῖς πόλεσι χὴ παρὰ τοῖς μονάρχοις Ηη9. 1115 a32. ὐθὲν κωλύει τὺς μονάρχυς συμφωνεῖν ταῖς πό- λεσιν Πγ13. 1384 b13. τῶν μοναρχῶν ὀφθαλμοί, ὦτα, χεῖ- ρες, κατὰ τὴν τῦ μονάρχυ προαίρεσιν Πγ16. 1287 b29, 32. αἱρῦνται αὐτοκράτορας μονάρχυς Πδ10. 1295 a12. ὁ δῆμος γίνεται μόναρχος, βύλεται εἶναι μόναρχος Πδ4. 1292 a11, 15. ε11. 1313 b39. ἐν τῇ πόλει ὅταν ἅπαξ στῇ ἡ τάξις, ὐθὲν δεῖ κεχωρισμένυ μονάρχυ Ζκ10. 703 a31.

μοναλικὸς ci Fritzsche ηε10. 1242 a25.

μονάς, def τὸ κατὰ τὸ ποσὸν ἢ ποσὸν ἀδιαίρετον πάντῃ χὴ ἄθετον Μν2. 1089 b35. δ6. 1016 b25, 30. Αγ2. 72 a22. μονάδων μέτρον μονὰς Μι1. 1053 a27. μονὰς ἀρχὴ ἀριθμῦ τα18. 108 b26, 30. ζ4. 141 b18. ἡ μονὰς ἐλάχιστον ἐν τοῖς ἀριθμοῖς Φγ6. 206 b31. μονάδες ὁμοειδεῖς, μὴ συμβλητοὶ σύμβλητοι, ἀσύμβλητοι, διάφοροι ΜΑ9. 991 b24, 992 a3. μ6. 7. 1081 b13, 1082 b25. 8. 1083 a1. Bz ad μ6. ἡ μονὰς ὐσία ἄθετος, στιγμὴ ἄθετος Αγ27. 87 a36. 32. 88 a33. Μμ8. 1084 b26. κ12. 1069 a12. Φε3. 227 a28. — μονάδος ὐκ ἔστι γένεσις Ηκ3. 1174 b12. αἱ μονάδες ὑτε σῶμα ποιῦσι συντιθέμεναι ὑτε βάρος ἔχυσιν Ογ1. 300 a18. πῶς χρὴ νοῆσαι μονάδα κινυμένην, ἀμερῆ χὴ ἀδιάφορον ὖσαν ψα4. 409 a1. τί διαφέρει λέγειν σφαίρας σμικρὰς ἢ μονάδας μεγάλας ψα5. 409 b10.

μοναχός. ἀδύνατον ὁρίσασθαι ἐν τοῖς ἀιδίοις, μάλιστα δὲ ὅσα

μοναχά Μζ15. 1040 ᵃ29. στερεά μοναχά παρὰ τὰ αἰσθητά, ἐπίπεδα δὲ τριττά Μμ2. 1076 ᵇ29. — μοναχῇ διαιρετὸν γραμμή Μδ6. 1016 ᵇ26. — μοναχῇ, opp πανταχῇ Φγ4. 203 ᵇ27. — μοναχῶς λέγεσθαι, opp πολλαχῶς λέγεσθαι, πλείω γένη εἶναι τα15. 106 ᵃ9. Φ2. 185 ᵇ31. Μβ1. 995 ᵇ15. 2. 997 ᵃ35. cf γ8. 1012 ᵃ29. τὸ ἁμαρτάνειν πολλαχῶς ἔστι, τὸ κατορθῦν μοναχῶς Ηβ5. 1106 ᵇ31. μοναχῶς, opp μερίζεσθαι εἰς πλείω Ζγα20. 729 ᵃ15. τὰ ἄλλα ζῷα μοναχῶς ποιεῖται τὴν τῦ τόκυ τελείωσιν· εἷς γὰρ ὥρισται τῦ τόκυ χρόνος πᾶσιν· ἀνθρώπῳ δὲ πολλοὶ Ζιη4. 584 ᵃ34. κινεῖν μοναχῶς, opp τὰς ἐναντίας κινήσεις Φθ1. 251 ᵃ28. μοναχῶς ἐφ᾽ ἕν ψα2. 404 ᵇ22. — μοναχῶς ἂν ὕτως ἦν αὐτῦ κίνησις Φζ10. 240 ᵇ31. τὸ τῶν ὀρνίθων ἅπαν γένος ὕτω μοναχῶς ποιεῖται τὸν συνδυασμόν Ζιε2. 539 ᵇ28. μοναχῶς ἐνδέχεσθαι, γίνεσθαι, συμπίπτειν Πε8. 1308 ᵇ38. αι5. 444 ᵃ15 ᵇ17. μχ1. 849 ᵇ11.

μονή, opp κίνησις Φγ5. 205 ᵃ17. ε5. 229 ᵃ8. 6. 230 ᵇ18. Γβ6. 333 ᵇ35. Μκ10. 1067 ᵃ13. τῆς μονῆς ἣν ἡ γῆ τυγχάνει μένυσα Ζκ3. 699 ᵇ3. μονὴ ἀστέρος, opp κίνησις μα7. 344 ᵃ24. μοναί, opp κινήσεις Φε6. 230 ᵃ20, ᵇ15. ἡ ἐνταυθοῖ μονή Φε6. 229 ᵇ28. μονή, dist ἀμεταβλησία Φε6. 230 ᵃ10. ποία μονὴ κινήσει ἐναντία Φε6. — μονὴ τῦ αἰσθήματος Αθ19. 99 ᵇ36 (cf μνήμη 100 ᵃ3). αἱ ἐν τοῖς αἰσθητηρίοις κινήσεις ἢ μοναί ψα4. 408 ᵇ19.

μονήρης ἥπατος, κίθαρος, σάλπη, σκάρος, σκορπίος, φάγρος f 296. 1529 ᵃ43. 300. 1529 ᵇ26. 309. 1531 ᵃ3. 311. 1531 ᵃ11. 312. 1531 ᵃ21. 314. 1531 ᵃ38. μονήρεις οἱ λάβρακες f 303. 1530 ᵃ3.

μόνιμος. σῶμα μόνιμον, opp πορευτικόν ψγ12. 434 ᵇ2, 4. ὁ μόνιμός ἐστι τῶν αἰγῶν χ τῶν ἵππων ἡ φύσις, ἀλλ᾽ ὀξεῖα χ εὐκίνητος Ζιζ19. 574 ᵃ11. 22. 577 ᵃ16. cf θ10. 596 ᵃ14. τῶν ζῴων τινὰ μόνιμα κατὰ τόπον ψα5. 410 ᵇ19. γ9. 432 ᵇ20 (syn ἀκίνητα). τὰ μόνιμα ζῷα, opp τὰ μεταβλητικά, πλωτά, πορευτικά Ζια1. 487 ᵇ6. ι37. 621 ᵇ3. Ζμδ5. 681 ᵇ34. Ζγβ1. 732 ᵃ22. ἡ τῶν φυτῶν φύσις ὥσα μόνιμος Ζμβ10. 656 ᵃ1. τῶν χερσαίων ὑδὲν μόνιμον, ἔστι τὰ μόνιμα ἐν τῷ ὑγρῷ, syn ὅσα τῷ προσπεφυκέναι ζῇ Ζια1. 487 ᵇ8, 7. τὰ μόνιμα τύτες τὰς τροφὴς νέμεται ἐν οἷς ἂν φύωσι Ζυ37. 621 ᵇ3. cf Rose Ar Ps 298. ἔστιν ὑθὲν ἄρρεν χ θῆλυ ἐν τοῖς μονίμοις Ζιδ11. 537 ᵇ24. τῶν ὀστρακοδέρμων μόνιμός ἡ φύσις Ζμδ7. 683 ᵇ5. enumerantur τὰ μόνιμα τῶν ἰχθύων f 285. 1528 ᵃ41, cf Rose Ar Ps 298. — ἕξις διαθέσεως πολυχρονιώτερον χ μονιμώτερον Κ8. 8 ᵇ25. ὅσα τῶν σημείων μόνιμά ἐστι φ1. 806 ᵃ7. ὅσα ἢ ὅλως ἀπίεστά ἐστιν ἢ μόνιμον ἔχει τὴν πίεσιν μδ9. 387 ᵃ17. ὑπόστασις μονιμωτάτη πα19. 861 ᵇ19. — τὸ κατ᾽ ἀξίαν μόνιμον Πε7. 1307 ᵃ26. ἡ εὐδαιμονία, ἡ ἀρετὴ μόνιμον Ηα11. 1100 ᵇ2 (opp εὐμετάβολος). θ4. 1156 ᵇ12. ἐνέργειαι μονιμώτεραι, μονιμώταται Ηα11. 1100 ᵇ14, 15. πολιτεία μόνιμος Πδ12. 1296 ᵇ40, 1297 ᵃ7. ε1. 1302 ᵃ4. 7. 1307 ᵃ14. φιλία μόνιμος Ηθ4. 1156 ᵇ18. 8. 1158 ᵇ9 (syn ἀδιάβλητος), 22 (syn ἐπιεικής). φιλία μονιμωτάτη χ βεβαιοτάτη ημβ11. 1209 ᵇ11. φίλοι μόνιμοι Ηθ10. 1159 ᵇ1. — μονίμως. τὴν νομὴν ποιῦνται τὰ πρόβατα προσεδρεύοντα χ μονίμως, αἱ δ᾽ αἶγες ταχὺ μεταβάλλυσαι Ζιθ10. 596 ᵃ14.

μονοειδές τὸ ἀγαθόν, syn ἁπλῦν ημα25. 1192 ᵃ12.

μονόθυρος. λέγω μονόθυρα τὰ ἔχοντα ἓν ὄστρακον Ζιδ4. 528 ᵃ13 Aub. γένος τῶν ὀστρακοδέρμων Ζμδ5. 679 ᵇ17. 7. 683 ᵇ11. Ζιδ4. 528 ᵃ11. descr Ζιδ4. 529 ᵃ25-ᵇ6. Ζμδ5. 680 ᵃ22. ὑ πολὺ διαφέρει ὑδὲ τὰ μονόθυρα χ δίθυρα· τὸ σαρκῶδες τοῖς μονοθύροις προσπέφυκε τοῖς ὀστράκοις, ὥστε

βίᾳ ἀποσπᾶσθαι· μάλιστα ἐν τοῖς πάγοις ἐμπήγνυται Ζιδ4. 528 ᵇ14, 4. θ20. 603 ᵃ27. διὰ τὸ προσπεφυκέναι σῴζεται τῷ πρανὲς ἔχειν τὸ ὄστρακον, γίνεται ἀλλοτρίῳ φράγματι τρόπον τινὰ δίθυρον, τὰ στρομβώδη τῷ ἐπικαλύμματι ὥσπερ δίθυρα γινόμενα ἐκ μονοθύρων Ζμδ5. 679 ᵇ23, 25, 28. inter τὰ μονόθυρα referuntur αἱ καλύμεναι λεπάδες Ζμδ5. 679 ᵇ25, 680 ᵃ23. f 287. 1528 ᵇ14. (cf Μ 176. ΑΖιΙ 174.)

μονόκαμπτος. μονόκαμπτοι πάντες οἱ κάτω δάκτυλοι Ζια15. 494 ᵃ15. plenius de h v Sonnenburg 16. 17.

μονόκερατος. ἔστι χ μονόκερατα, οἷον ὅ τε ὄρυξ χ ὁ Ἰνδικὸς καλύμενος ὄνος· ἔχει τὰ μονόκερατα τὸ κέρας ἐν τῷ μέσῳ τῆς κεφαλῆς Ζμγ2. 663 ᵃ22, 24. μονόκερατα χ μώνυχα ὀλίγα Ζιβ1. 499 ᵇ19.

μονόκερως. μονόκερων χ διχαλὸν ὄρυξ Ζιβ1. 499 ᵇ19. εὐλόγως ἂν δόξειε μονόκερων εἶναι τὸ μώνυχον τῦ διχαλῦ μᾶλλον Ζμγ2. 663 ᵃ28, 33.

μονοκοίλιος. τὰ μονοκοίλια (opp τὰ πολυκοίλια) ὑκ ἔχει πυετίαν, ἔχει λεπτὸν τὸ γάλα, μονοκοίλιά ἐστι πάντα τὰ ἀμφώδοντα, τὰ μονοκοίλια χ ἀμφώδοντα Ζμγ15. 676 ᵃ12, 13. δ1. 676 ᵇ4. Ζια16. 495 ᵇ31. ἤρτηται τὸ ἐπίπλοον τοῖς μονοκοιλίοις ἀπὸ μέσης τῆς κοιλίας Ζμδ3. 677 ᵇ17. Ζια16. 495 ᵇ31. inter τὰ μονοκοίλια refertur δασύπυς Ζμγ15. 676 ᵃ7.

μονοκόνδυλος ὁ μέγας δάκτυλος Ζια15. 493 ᵇ29.

μονοκότυλος ἐλεδώνη μόνη τῶν μαλακίων Ζιδ1. 525 ᵃ17. μονοκότυλον γένος τι τῶν πολυπόδων Ζμδ9. 685 ᵇ13, 14.

μονόκωλος. ἀφελῆ λέγω τὰ μονόκωλον περίοδον Ργ9. 1409 ᵇ17. — τὰ μὲν ἔθνη ἔχει τὴν φύσιν μονόκωλον, τὰ δὲ εὖ κέκραται πρὸς ἀμφοτέρας τὰς δυνάμεις Πη7. 1327 ᵇ35.

μονομαχεῖν. ἤδη μονομαχήσας ἐτύγχανε Μενέλαος Ἀλεξάνδρῳ f 151. 1503 ᵇ29.

μονομαχία. Ἀγαμέμνων ὁρκίζων ἐν τῇ μονομαχίᾳ (Hom Γ) f 144. 1502 ᵇ31.

μονόξυλον. ὅταν ἁθρόως περικυκλώσωσι τὺς δελφῖνας τοῖς μονοξύλοις Ζιδ8. 533 ᵇ11.

μονοπείρας. ἀνθρωποφαγῦσιν οἱ μονοπεῖραι τῶν λύκων μᾶλλον ἢ τὰ κυνηγέσια Ζιθ5. 594 ᵃ30 Aub.

μονοπραγματεῖν, opp πολυπραγματεῖν Πθ15. 1299 ᵃ39.

μονοπωλία Πα11. 1259 ᵃ21, 22, 33.

μόνος. εἷς χ μόνος χ τέλειος ὁ ὑρανός Οα9. 279 ᵃ11, 277 ᵇ30. ὅσα ἥκιστα κάεται μόνα μθ9. 388 ᵃ6. μόνος τῶν λοιπῶν πκς1. 940 ᵃ26. — τὰς ἀπόρυς ἄρχειν κατὰ μόνας ὑκ ἐῶσιν, opp συνελθόντες πάντες Πγ11. 1281 ᵇ34. cf Ζυ43. 629 ᵃ34. — μόνος, μόνον in fine enunciati positum ε13. 23 ᵃ26. μα3. 341 ᵃ20. Ηη7. 1149 ᵃ20 Fr. Πγ4. 1277 ᵇ26. δ1. 1288 ᵇ10. — μόνος. ἅπαξ μόνον Πδ15. 1299 ᵃ10. ὁ μόνον . . ἀλλὰ μβ4. 360 ᵃ17. ὁ μόνον . . ἀλλὰ μᾶλλον μα3. 340 ᵇ31. ὑ μόνον interdum non ei membro, ad quod refertur, sed communi utriusque membri praedicato additur ψγ6. 430 ᵇ4. Ρα4. 1360 ᵃ31. μόνον an μόνος legendum sit Αα45. 50 ᵇ18 Wz. — μόνως Γα5. 320 ᵃ11. ξ1. 974 ᵇ3. ὕτω μόνως, μόνως ὕτω Αγ16. 80 ᵃ7. τζ4. 142 ᵃ8. Φθ5. 258 ᵃ2. Οβ8. 289 ᵇ33. Μκ5. 1062 ᵃ9. λ8. 1074 ᵃ4. Πε10. 1311 ᵃ11. cf μοναχῶς.

μονοσιτεῖν, opp δὶς τροφαῖς χρῆσθαι f 225. 1519 ᵃ5.

μονόστεος. τὸ μὲν ἔχει μονόστεον τὸ κρανίον Ζιγ7. 516 ᵃ16. οἱ λύκοι χ οἱ λέοντες μονόστυν (v l μόνοστον) τὸν αὐχένα ἔχυσιν Ζμδ10. 686 ᵃ21.

μονοτοκεῖν, dist διτοκεῖν, πολυτοκεῖν, ὀλιγοτοκεῖν Ζγδ6. 774 ᵇ24. 4. 772 ᵇ1.

μονοτοκία. αἰτία τῆς μονοτοκίας Ζγδ4. 771 ᵃ15, 770 ᵇ28.

μονοτόκος, opp πολυτόκος Ζγβ7. 746 ᵃ12, opp πολύγονος
πι61. 898 ᵃ13, 11. τὰ μέγιστα τῶν ζῴων ἐστὶ μονοτόκα
Ζγδ4. 771 ᵃ19, 772 ᵃ30. ὡς ἐπὶ τὸ πολὺ τὰ μώνυχα μυ-
νοτόκα Ζγδ4. 771 ᵇ2. τῷ μὴ ἐπικυΐσκεσθαι αἴτιον ὅτι μονο-
τόκα ἐστίν Ζγδ5. 773 ᵃ35. τέρατα ἐν τοῖς μονοτόκοις σπάνια 5
Ζγδ4. 770 ᵃ8. πι61. 898 ᵃ13. μονοτόκα κάμηλος ἵππος ὄνος
ἐλέφας, ὀρνίθων μόνος κόκκυξ Ζιε14. 546 ᵇ4. ζ22. 576 ᵃ1.
26. 578 ᵃ11. Ζμδ10. 688 ᵇ7, 23. Ζγγ1. 750 ᵃ17. ὁ ἄν-
θρωπος μάλιστα μονοτόκον τὴν φύσιν ἐστίν Ζγδ4. 772 ᵇ2.
πι28. 894 ᵃ9.   10

μονῦσθαι ἐκεῖνο ὐκ ἐνδέχεται Γβ5. 332 ᵃ24. καθ᾽ αὐτὰ
ἀγαθὰ ὅσα χ̣ μονύμενα διώκεται Ηα4. 1096 ᵇ17. 5. 1097
ᵇ15. πᾶν μεθ᾽ ἑτέρ̣υ ἀγαθῦ αἱρετώτερον ἢ μονύμενον Ηκ2.
1172 ᵇ28. — οἱ ἄρρενες ἔλαφοι διὰ τὴν ὁρμὴν τὴν τῶν
ἀφροδισίων ἕκαστος μονύμενος βόθρυς ὀρύττει ΖιΖ29. 578 15
ᵇ33.

μονοφυής, opp διφυής Ζια13. 493 ᵃ19. τῶν σπλάγχνων τὰ
μὲν μονοφυῆ τὰ δὲ διφυῆ Ζμγ7. 669 ᵇ13, 16. — τὸ ἧπαρ
τοῖς μὲν πολυσχιδές ἐστι, τοῖς δὲ μονοφυέστερον Ζμγ12.
673 ᵇ17. — συμφυὲς μῦς, μονοφυὲς χ̣ λειόστρακον σωλὴν 20
χ̣ βάλανος f 287. 1528 ᵇ15.

μονόχροος, μονόχρυς. (nom acc neutr sing μονόχρων,
semel exhibetur μονόχρυν Ζιε34. 558 ᵃ26, v l μονόχροον.
nom acc neutr plur μονόχροα. gen plur μονόχρόων.) τῶν
ᾠῶν τίνα μονόχροα Ζια5. 489 ᵇ15. ε34. 558 ᵃ26. ζ10. 564 25
ᵇ24. Ζγγ1. 749 ᵃ25, 751 ᵃ30-752 ᵃ9. 3. 755 ᵃ4. λέγω μο-
νόχροα ζῷα ὧν τὸ γένος ὅλον ἐν χρῶμα ἔχει, οἷον λέοντες
πυρροὶ πάντες Ζγε6. 785 ᵇ16. τὰ μονόχροα ὐ μεταβάλλει
ἂν μὴ διὰ πάθος Ζγε6. 785 ᵇ33. Ζιγ12. 519 ᵃ5. τῶν ποι-
κίλων τὸ δέρμα ὐ μονόχρων Ζγε6. 786 ᵃ28. ὄμματα μο- 30
νόχροα Ζγε1. 779 ᵃ30, ᵇ9. πλα27. 960 ᵃ15.

μονῳδός. αὐλήσεσσα ἡ Καλυψὼ χ̣ ἡ Κίρκη ὅτι μονῳδεῖς ἦσαν
f 163. 1505 ᵃ43.

μονῳδία. ἥδιον τῆς μονῳδίας ἀκύομεν, ἐάν τις πρὸς αὐλὸν ἢ
λύραν ᾄδῃ πιθ9. 918 ᵃ22. 43. 922 ᵃ1.   35

μονώτης. μονώτη χαλεπὸς ὁ βίος Ηι9. 1170 ᵃ5. cf 1169
ᵇ16. θ6. 1157 ᵇ21. μονώτης ὑ ἄτεγκτος Ηα9. 1099 ᵇ4. ζῆν
βίον μονώτην Ηα5. 1097 ᵇ9. ὅσῳ αὐτίτης χ̣ μονώτης εἰμί,
φιλομυθότερος γέγονα f 618. 1582 ᵇ14, 12. — fem μο-
νῶτις. ὅταν ἄφεσις μέλλῃ γίγνεσθαι (μελιττῶν), φωνὴ 40
μονῶτις χ̣ ἴδιος γίνεται ἐπί τινας ἡμέρας Ζιι41. 625 ᵇ9.

μόρα. μόραι ἐξ Λακεδαιμονίων f 497. 1559 ᵃ8.

μορέα ἡ ἀγρία φτα5. 820 ᵃ21. οἱ καρποὶ τῆς μορέας φτα5.
820 ᵇ13. (Morus alba, nigra L. Fraas 240. Langkavel Bot
d sp Griech p 90.)   45

μορία (sc ἐλαία). τοῖς νικήσασι τὰ Παναθήναια ἐλαίὺ τῦ ἐκ
τῶν μορίων δίδοσθαι f 345. 1536 ᵃ20.

μόριον (cf μέρος). 1. τὸ μόριον ὑ μόνον ἀλλὰ ἐστὶ μόριον
ἀλλὰ χ̣ ὅλως ἀλλὺ Πα4. 1254 ᵃ9. εἰς τὸ αὐτὸ φέρεται τὸ
ὅλον χ̣ τὸ μόριον κατὰ φύσιν Θα3. 270 ᵃ4. β14. 296 ᵇ34. 50
δ3. 310 ᵇ7. τὸ ὅλον τοῖς μονοειδέσι ψα5. 411 ᵃ17.
τὰ μόρια τὰ ἐντός, opp ἡ ὑπεροχὴ Θα11. 281 ᵃ10. ὁ προ-
ιὼν ἢ μὴ προσὸν μηδὲν ποιεῖ ἐπίδηλον, ὐδὲ μόριον τῦ ὅλυ
ἐστὶν ποθ8. 1451 ᵃ35. τὰ ὕτω μόρια ὡς ὕλη ΜΖ11. 1037
ᵃ24. cf Ζμγ2. 664 ᵃ9. ἕκαστον τῶν μορίων ἐξ ὧν γίνεται 55
συνίσταμένυ ἢ ψακὰς μγ4. 373 ᵇ15. τὰ μὴ μόρια εἴδει
σώματα Θα1. 268 ᵇ5. ἐκ τῶν φυλῶν χ̣ τῶν μορίων τῶν
ἐλαχίστων, κληρωτοὶ ἐκ τῶν μορίων Πδ14. 1298 ᵃ16, ᵇ23.
τρία μόρια τῶν πολιτειῶν (int τὸ βυλευόμενον, αἱ ἀρχαί,
τὸ δικάζον) Πδ14. 1297 ᵇ37. ὅσοι πόλεώς εἰσι μέρος χ̣ ἐξ 60
ὧν συνίσταται πόλις οἰκείων μορίων Πη4. 1326 ᵃ21. ἡ πο-

λιτεία μετέβαλε κατὰ μόριον (ex parte aliqua) Πε1. 1301
ᵇ22. — admodum frequens voc μόριον usus (τὰ τῶν ζῴων
μόρια, τὰ ἐν τοῖς ζῴοις μόρια) in describendo corpore ani-
malium. τὰ μόρια τὰ περὶ τὴν κεφαλήν, περὶ τὰ σπλάγχνα
sim Ζμδ10. 685 ᵇ33, 34. 8. 684 ᵃ19. 5. 681 ᵇ13. 2. 676
ᵇ24. γ7. 670 ᵇ31. 10. 673 ᵃ9. Ζγα2. 716 ᵃ33. 4. 717 ᵃ34.
6. 717 ᵇ34, 718 ᵃ10. τῶν ζῴων μόρια ταῦτα, opp ἕτερα
Ζια1. 486 ᵃ15. 2. 488 ᵇ30. β1. 497 ᵇ7. ἀνάλογον τι μόριον
Ζμδ5. 681 ᵇ16. 11. 692 ᵃ9. Ζγα16. 721 ᵃ21. β4. 739 ᵃ18.
ἴδιόν τι μόριον, ἰδιαίτατον, ἰδίᾳ μόρια διαφέροντα Ζμδ12.
693 ᵇ1, 692 ᵇ7. β16. 658 ᵇ33. ἀναγκαῖα, ἀναγκαιότατα
Ζγβ6. 744 ᵇ14. Ζια2. 489 ᵃ15. Ζμβ10. 655 ᵇ30. Πδ4.
1290 ᵇ37. κύρια, κυριώτατον, τιμιώτατα χ̣ μετειληφότα
τῆς κυριωτάτης ἀρχῆς Ζγβ6. 742 ᵃ34, 744 ᵇ12, 31. μόριον
ἀνώνυμον ἐν ᾧ ἡ ἁφή Ζια2. 489 ᵃ19. τῶν ὀστρακοδέρμων
τὰ μόρια ἀνώνυμα Ζμδ7. 683 ᵇ23. τὰ μὲν μόρια ἀσύνθετα,
ὁμοιομερῆ, τὰ δὲ σύνθετα Ζια1. 486 ᵃ5. Ζγβ4. 740
ᵇ17. ὑγρά, ξηρά Ζμβ2. 647 ᵇ20. σκεπαστικά, τριχωτά,
φολιδωτά, λεπιδωτά Ζγα12. 719 ᵇ17. Ζμδ12. 692 ᵇ11.
τὰ ἐκτός, ἔξωθεν, ἔξω μόρια Ζμγ4. 665 ᵇ2. δ5. 682 ᵃ31.
10. 685 ᵇ29. 13. 695 ᵇ2. β10. 656 ᵃ10. ΖιΒ14. 505 ᵇ23.
Ζγβ4. 740 ᵃ14. τὰ ἐντὸς ὑπάρχοντα Ζγα2. 682 ᵃ30. 10.
685 ᵇ28. τὸ ἄνω χ̣ κάτω μόριον πάντ᾽ ἔχει τὰ ζῶντα, τὸ
ἀριστερὸν χ̣ τὸ δεξιόν, τὰ ὄπισθεν, ἔμπροσθεν μόρια Ζπ4.
705 ᵃ29. Ζμβ2. 647 ᵇ34. δ10. 688 ᵃ26. 6. 683 ᵃ19. Ζγβ6.
742 ᵃ7. cf Ζμδ9. 684 ᵇ29. Οβ2. 284 ᵇ16. τὰ ἀποτετα-
μένα, τὰ ἀπηρτημένα μόρια τέτταρα, iq τά τε πρόσθια
κῶλα χ̣ τὰ ὄπισθεν Ζμγ7. 670 ᵃ11. β12. 693 ᵇ8. 9. 684
ᵇ29. τὰ κινητικά, τὰ ἁλτικὰ μόρια Ζγβ6. 742 ᵇ8, 744 ᵃ33.
Ζπ1. 704 ᵃ4. Ζμδ6. 683 ᵇ3. Πδ4. 1290 ᵇ31, 28. τὰ συνεχῆ
μόρια Ζμβ7. 652 ᵇ1 (fort sehnige Gebilde Fr, cf ἡ τῦ
νεύρυ φύσις συνέχει τὰ μόρια Ζγβ3. 737 ᵇ3). τὰ ὀργανικά,
τὰ πρὸς τὴν συνυσίαν, πρὸς ἀλκὴν ἢ βοήθειαν
Ζμβ1. 646 ᵇ26. γ1. 661 ᵇ29. Ζγβ4. 739 ᵇ15. 6. 742 ᵇ3,
10. πις9. 915 ᵃ25. cf Galen I 232. μόριον δεκτικὸν τῆς
τροφῆς, τῦ περιττώματος χ̣ ἀγγειῶδες, τὸ λειτουργῦν μόριον
τὴν ἔξοδον τῦ περιττώματος sim Ζμγ8. 671 ᵃ23. δ7. 683
ᵇ23. Ζια2. 489 ᵃ3. Ζγα4. 738 ᵃ7. Ζμδ5. 678 ᵇ4, 681 ᵇ34,
682 ᵃ9. 10. 686 ᵃ11, 689 ᵇ29. β10. 655 ᵇ30. sed τοῖς θή-
λησι τὸ μόριον τὸ δεκτικόν, syn ὑστέραι Ζγβ4. 738 ᵇ37.
cf α21. 729 ᵇ28. τὸ ὑστερικὸν μόριον Ζγα15. 720 ᵇ21, 25.
τὸ γεννητικόν, τὰ πρὸς (εἰς) τὴν γένεσιν συντελῦντα sim
Ζγα2. 716 ᵃ26, ᵇ6. 1. 715 ᵃ12. 13. 720 ᵇ1. 22. 731 ᵃ17.
β4. 738 ᵇ14. 6. 742 ᵇ4, 17. Ζια2. 489 ᵃ9, 13. γ1. 509 ᵃ29.
τὰ μόρια γλωττοειδῆ, βραγχοειδῆ, χονδρώδη, σαρκώδη, σαρ-
κώδη λίαν Ζμβ9. 654 ᵃ33, ᵇ25. 10. 656 ᵃ18. 17. 661 ᵃ4.
δ8. 684 ᵃ19, sed τὸ σαρκῶδες μόριον τῶν ζῴων, syn σάρξ
Ζμβ5. 651 ᵃ23. τὸ σπέρμα (ἡ γονὴ) πότερον ὡς ἐνυπάρχον
χ̣ μόριον ὂν εὐθὺς τῦ γινομένυ σώματος, πότερον ἄπερχεται
ἀπὸ πάντων τῶν μορίων, cf σπέρμα. — ψυχῆς μόρια cf
ψυχή et μέρος p 455 ᵇ40. Αα1. 24 ᵃ23. γ2. 72 ᵃ9 sqq. τι11. 172 ᵃ16.
ε11. 20 ᵇ23-29. Αα1. 24 ᵃ23. γ2. 72 ᵃ9 sqq. τι11. 172 ᵃ16.

2. logice, cf μέρος p 455 ᵇ32. a. τὰ ἐν τῷ λόγῳ τῷ δη-
λῦντι ἕκαστον (i e notae notionis) χ̣ ταῦτα μόρια τῦ ὅλυ
Μδ25. 1023 ᵇ23. huc referendum videtur quod μόρια ap-
pellantur, quae naturam alicuius rei constituunt ac distin-
guunt, μόριον τραγῳδίας ἢ τῆς ὄψεως κόσμος Π1. 1449
ᵇ32. ἡ ποίησις ἐκ ποίων χ̣ πόσων ἐστὶ μορίων πο1. 1447
ᵃ11. cf μέρος p 455 ᵇ40. — b. τῦ αἰσχρῦ ἐστι τὸ γελοῖον
μόριον (i e εἶδός τι) πο5. 1449 ᵃ34. ἐν ταῖς ἐπιστήμαις ταῖς
μὴ κατὰ μόριον γινομέναις ἀλλὰ περὶ γένος ἕν τι τελείαις

V.   Ooo

ὔσαις Πδ1. 1288ᵇ11. αἱ κατ᾽ εἶδος μόρια (τῦ παντός) Οα2. 268ᵇ13. αἱ κατὰ μόριον αἰσθήσεις, δυνάμεις τῆς ψυχῆς, ἀρεταί (syn κατὰ μέρος, καθ᾽ ἕκαστον) εν3. 461 ᵃ4. αἱ1. 436 ᵃ2. ηεβ1. 1220 ᵃ3.

μόρμυρος (v l ὀσμύλος) quando pariat Ζιζ17. 570ᵇ20. (momur Gazae, murmurus Scalig, μυρμύριον, μόρμυρα Graecis hodiernis Sonnini I 276, E 88, 42, mormillo Romae, mormiro Venetiae, mormo Genevae. Artedi gen pisc 28, 9. syn pisc 62. Ray synops pisc 134. C II 516. Pagellus mormiro Cuv VI 200. AΖι I 136, 47.)

μορφή. 1. externa figura ac forma. τέταρτον γένος ποιότητος σχῆμά τε ἢ ἡ περὶ ἕκαστον ὑπάρχυσα μορφή, ἔτι δὲ εὐθύτης ἢ καμπυλότης Κ8. 10 ᵃ12. ἔν τε τοῖς σχήμασι ἢ ταῖς μορφαῖς, κατὰ τὸ σχῆμα ἢ τὴν μορφὴν Φχ3. 245 ᵇ8, 22, 246 ᵃ1. ἡ τῦ σχήματος μορφὴ Ζμα1. 640 ᵇ34. β1. 647 ᵃ33. ἡ μορφὴ στρογγύλη τὴν ἰδέαν Ζγγ3. 758 ᵃ8. ἔγγονα μικρὰ τὴν μορφὴν Πη16. 1335 ᵃ14. τὸ συνιστάμενον ἢ λαμβάνον τὴν μορφὴν Ζγα21. 729 ᵇ7. ἡ συστᾶσα μορφὴ Ζγβ2. 737 ᵃ14. ἐνίοτε κἂν εἰς ἄλλα ζῷα μεταβάλλοι μορφὴν Πε3. 1302 ᵇ38. τὰ ἔντομα πάντα ὅσα κηριοποιᾶ ἔχει μορφὴν συγγενικὴν Ζι40. 623 ᵇ6. ἡ τῆς ψυχῆς ἕξις ἀλλοιωμένη συναλλοιοῖ τὴν τῦ σώματος μορφὴν sim φ4. 808 ᵇ13, 18, 25, 28. 5. 809 ᵇ10. διαιρετέον τὸ τῶν ζῴων γένος εἰς δύο μορφάς, εἰς ἄρρεν ἢ θῆλυ, προσάπτοντα τὸ πρέπον ἑκατέρα μορφῇ φ5. 809 ᵃ29, 30. — Ἀρετὰ, σᾶς πέρι μορφᾶς ᾇ θανεῖν ζηλωτὸς πότμος· σᾶς ἕνεκεν φιλία μορφᾶς f 625. 1583 ᵇ10, 20.

2. principium formale, quod peculiari nomine εἶδος Ar appellat (cf εἶδος p 218 ᵇ42-219 ᵃ59), etiam μορφῆς nomine significat, cf Wz II p 404. ἡ μορφὴ ἢ τὸ εἶδος, μορφὴ ἢ εἶδος, τὸ εἶδος ἢ ἡ μορφή, μορφὴ, cf εἶδος p 219 ᵃ12, adde Γβ8. 335 ᵃ16, 21. 9. 335 ᵇ6. ψα3. 407 ᵇ24. β2. 414 ᵃ9. Ζγα22. 730 ᵇ14. Μι4. 1055 ᵇ13. μ2. 1077 ᵃ33. τὸ εἶδος ἢ ὁτιδήποτε χρὴ καλεῖν τὴν ἐν τῷ αἰσθητῷ μορφὴν ΜΖ5. 1033 ᵇ6. μορφή, coni syn ἐνέργεια Μη2. 1043 ᵃ26. 3. 1043 ᵃ31. ψβ2. 414 ᵃ9. coni syn πάθος Γα5. 320 ᵇ17. coni syn τέλος ᾇ ἕνεκεν Μδ24. 1023 ᵃ34. Γβ9. 335 ᵇ6. Φβ8. 199 ᵃ31. ἡ κατὰ τὴν μορφὴν φύσις, ἡ μορφὴ ἢ ἡ φύσις Ζμα1. 640 ᵇ28. Φβ1. 193 ᵇ19. (aliter opponitur ἡ φύσις, i e ἡ ὕλη, τῇ μορφῇ: ὅσων ἡ μὲν φύσις ἡ αὑτὴ μένει ἡ μεταθέσει, ἡ δὲ μορφὴ ἢ, οἷον ἱμάτιον ἱμάτιον Μδ26. 1024 ᵃ5.) ἡ ὐσία ἢ ἡ ἑκάστου μορφὴ Ζμβ1. 646 ᵇ2. ὁ λόγος ἢ ἡ μορφὴ Μη1. 1042 ᵃ29. ψβ2. 414 ᵃ9. τὸ τί ἐστι ἢ ἡ μορφὴ Φβ7. 198 ᵇ3. τὸ τί ἦν εἶναι ἢ ἡ μορφὴ Γβ9. 335 ᵇ35. opp στέρησις Φγ1. 201 ᵃ4-8. Μκ9. 1065 ᵃ10. opp ὕλη, τὸ ὑποκείμενον Φγ7. 190 ᵇ20. β1. 193 ᵃ30. 8. 199 ᵃ31. Οα9. 278 ᵃ24, 2, 277 ᵇ32. Γα5. 320 ᵇ17. 7. 324 ᵇ5. 9. 335 ᵇ6. ψβ1. 412 ᵃ8. Μη1. 1042 ᵃ29. 6. 1045 ᵇ18. — γίγνεται πᾶν ἔκ τε τῦ ὑποκειμένυ ἢ τῆς μορφῆς Φα7. 190 ᵇ20. ἡ ἐσχάτη ὕλη ἢ ἡ μορφὴ ταὐτὸ ἢ δυνάμει τὸ δὲ ἐνεργείᾳ Μη6. 1045 ᵇ18. ἀρχὴ κυριωτέρα τὸ εἶδος ἢ ἡ μορφὴ Μκ2. 1060 ᵃ22, cf ᵇ26. ἑτέρα ἐστὶν αὑτὴ καθ᾽ αὑτὴν ἡ μορφὴ ἢ μεμιγμένη μετὰ τῆς ὕλης Οα9. 277 ᵇ32, 278 ᵃ2, 14, 24. Γα7. 324 ᵇ5. ἔνια ἄνευ γενέσεως ἢ φθορᾶς ἔστι ἢ ἐκ ἔστιν, οἷον αἱ στιγμαί, εἴπερ εἰσί, ἢ ὅλως τὰ εἴδη ἢ αἱ μορφαὶ Μη5. 1044 ᵇ23.

3. latiore quodam usu μορφή idem fere quod δύναμις significat. ἀνδρία πόλεως ἢ δικαιοσύνη ἢ φρόνησις τὴν αὑτὴν ἔχει δύναμιν ἢ μορφὴν Πη1. 1323 ᵇ35. τῆς αὑτῆς μορφῆς ἐστι ἢ δέρμα ἢ φλέψ ἢ ὑμὴν ἢ πᾶν τὸ τοιῦτον γένος Ζγβ3. 737 ᵇ4. καομένη ἢ γῆ παντοδαπὰς λαμβάνει μορφὰς

ἢ χρόας χυμῶν μβ3. 359 ᵇ11 (cf παντοδαπὺς χυμὺς ᵇ9, τῶν τοιῦτων γίνεται πλήρης δυνάμεων ᵇ13). τὰ λοιπὰ τῶν ζῴων παντοδαπὰς ἴσχει χρωμάτων μορφὰς χ6. 799 ᵇ18. τέλος τοῖς μὲν ἡ φύσις ἐστι, φύσις δὲ ἡν λεγόμεν ὡς εἶδος ἢ ὐσίαν· τοῖς δ᾽ εἰς ὑποκειμένην τινὰ μορφὴν (cf ἐν ὕλης εἴδει ΜΑ3. 983 ᵇ7 Bz) τὸ τέλος ἐστὶ τῆς πέψεως μδ2. 379 ᵇ27. (pro μορφὴν fort scribendum ἀρχὴν ξ2. 975 ᵇ22.)

μορφνός, v l μορφὴς, μόρφος cf Lob Par 344. ἕτερον γένος ἀετῦ Ζι32. 618 ᵇ25. S II 143. v πλάγγος.

Μοσσύνοικος χαλκός θ62. 835 ᵃ9. f 248. 1524 ᵃ32.

μόσχος. 1. vitulus. οβ1348 ᵃ20. οἱ μόσχοι βαρύτερον φθέγγονται τῶν τελείων Ζε14. 545 ᵃ19. Ζγε7. 786 ᵇ16, 787 ᵃ31. πια24. 901 ᵇ25, 28, cf S I 260. ἐκτέμνονται ἐνιαύσιοι, μόσχος δίμηνος ἢ τρίμηνος Ζι50. 632 ᵃ13. ε14. 546 ᵇ12. Ζγδ5. 773 ᵇ6. μόσχος παιδὸς κεφαλὴν ἔχων refertur inter τὰ τέρατα Ζγδ3. 769 ᵇ15. — 2. μέλι κάλλιον γίνεται ἐκ νέα κηρῦ ἢ ἐκ μόσχη Ζι40. 626 ᵇ32 Aub. novellis stirpibus Gaza, novo germine Thomas.

Μυνυχιών. ἐν Μυνυχιῶνι Ζιε11. 543 ᵇ7.

Μῦσαι, Μναμοσύνας θύγατρες f 625. 1583 ᵇ24. δαίμων τις τῶν συγχορευτῶν ταῖς Μύσαις f 66. 1486 ᵇ42. τὴν πλειάδα Μυσῶν λύραν (ἐκάλει Πυθαγόρας) f 191. 1512 ᵃ31.

Μυσαῖος εἶναί φησι βροτοῖς ἥδιστον ἀείδειν Πθ5. 1339 ᵇ21. ἐν τοῖς Μυσαίη λεγομένοις ἔπεσιν Ζιζ6. 563 ᵃ18. Μυσαίη γυνὴ θ131. 843 ᵇ4.

μυσικὸς τῆς φύσεως (apud Alcidam) Ρη3. 1406 ᵃ25. μυσικός, opp ἄμυσος, usitatum exemplum τῦ συμβεβηκότος Φα5. 188 ᵇ1. Γα4. 319 ᵇ25. Ζγα18. 724 ᵃ26. Μδ6. 1015 ᵇ17. 7. 1017 ᵃ8. 9. 1017 ᵇ28. μχ24. 856 ᵃ35. τὰ μυσικὰ πράττοντες μυσικοὶ γιγνόμεθα Ηβ3. 1105 ᵃ21. Καρῖναι, θρηνῳδοὶ μυσικαί f 561. 1570 ᵇ16. — μυσικωτέρα ἐ ἐμμελῶς λέγεται Οβ9. 290 ᵇ31. τὺς ἀπαιδεύτυς παρ᾽ ὄχλψ μυσικωτέρυς λέγειν Ρβ22. 1395 ᵇ29. — μυσικὴ θεωρία ηεη12. 1245 ᵃ22. ἡ μυσικὴ def κ5. 396 ᵇ15. ἐν μυσικῇ δίεσις τὸ ἐλάχιστον Μι1. 1053 ᵃ12. περὶ μυσικῆς, τίνος χάριν (παιδείας, καθάρσεως, διαγωγῆς) δεῖ μετέχειν αὑτῆς Πθ5, πῶς δεῖ μετέχειν, αὑτὺς χειρυργῦντας ἢ ἀκύοντας μόνον Πθ6, τίσιν ἁρμονίαις ἢ τίσι ῥυθμοῖς χρηστέον Πθ7. — ἡ μυσικὴ διὰ μελοποιίας ἢ ῥυθμῶν ἐστι, μυσικὴ εὐμελής, dist εὐρυθμος Πθ7. 1341 ᵇ23, 26. μυσικὴ ψιλή, dist μετὰ μελῳδίας Πθ5. 1339 ᵇ20. οἱ τὴν θεατρικὴν μυσικὴν μεταχειριζόμενοι Πθ7. 1342 ᵃ18. ἡ μυσικὴ τὸ ἦθος ποιόν τι ποιεῖ Πθ5. 1339 ᵃ24, 1340 ᵃ6-ᵇ12. ἡ μυσικὴ τὴν ἡδονὴν ἔχει φυσικὴν Πθ5. 1340 ᵃ4, 1339 ᵇ20. χαίρειν τοῖς καλοῖς μέλεσι ἢ ῥυθμοῖς, μὴ μόνον τῷ κοινῷ τῆς μυσικῆς Πθ6. 1341 ᵃ15. παιδεύεσι γράμματα, γυμναστικήν, μυσικήν, γραφικήν Πθ3. 1337 ᵇ23. διὰ τί κρίνεσιν ἄμεινον οἱ πολλοὶ τὰ τῆς μυσικῆς ἔργα ἢ τὰ τῶν ποιητῶν Πγ11. 1281 ᵇ8.

μοχθηρία, def Ηη9. 1150 ᵇ33, 1151 ᵃ15: 6. 1148 ᵇ2. ζ13. 1144 ᵃ35. ἐν τῇ προαιρέσει ἡ μοχθηρία ἢ τὸ ἀδικεῖν Ρα13. 1374 ᵃ12. Η10. 1135 ᵇ24. cf Ρα10. 1368 ᵇ14. ηε7. 1223 ᵃ36. τῇ μοχθηρίᾳ ἡ συγγνώμη Ηη3. 1146 ᵃ3. syn πονηρία Ηε4. 1130 ᵃ17, 31. opp ἀρετὴ Ηε5. 1130 ᵇ24. Πε3. 1303 ᵇ15. μοχθηρίαι, opp ἀρεταὶ Ηε3. 1129 ᵇ24. 4. 1130 ᵃ17. διὰ κακίαν ἢ μοχθηρίαν Πι3. 1453 ᵃ8. — μοχθηρία ἁπλῶς, κατὰ πρόσθεσιν Ηη6. 1149 ᵃ16 sqq. — πράττειν τι εἰς μοχθηρίαν φέρον ρ6. 1427 ᵇ19. — μέγα δύναται ἡ ὑπόκρισις διὰ τὴν τῦ ἀκροατῦ μοχθηρίαν, διὰ τὴν μοχθηρίαν τῶν πολιτειῶν Ργ1. 1404 ᵃ8, 1403 ᵇ35. μοχθηρία τῶν λόγων, τῆς προτάσεως, syn ἁμαρτία τι24. 179 ᵇ17. 27. 181 ᵃ17. θ11. 162 ᵃ33. λῦσαι, διορθῦν τὴν μοχθηρίαν τι16.

175 ᵃ21. 17. 175 ᵇ12.

μοχθηρός, ογη πονηρός, opp ἐπιεικής πο13. 1452 ᵇ36, 34, 1453 ᵃ1. syn διεφθαρμένος Πα5. 1254 ᵃ30, 37 coni ἀγενής Ηϑ3. 1121 ᵃ26. μοχθηρόν, opp ἀγαθόν Μδ14. 1020 ᵇ23. περὶ τῦτο ὁ μοχθηροὶ τυγχάνωσιν ὄντες χ ἄδικοί εἰσιν Ρα10. 1368 ᵇ15. τῷ μοχθηρῷ διαφωνεῖ ἃ δεῖ πράττειν χ ἃ πράττει Ηϑ8. 1169 ᵃ15. οἱ μοχθηροὶ τὸ βέβαιον ὐκ ἔχεσιν Ηϑ10. 1159 ᵇ7. ὁ μοχθηρὸς ὐχ εἰς ἀλλὰ πολλοί, χ τῆς αὐτῆς ἡμέρας ἕτερος χ ἔμπληκτος γεη6. 1240 ᵇ16. — μοχθηραὶ φύσεις Ηη6. 1148 ᵇ18. μοχθηρὰ ζωὴ χ διεφθαρμένη Ηι9. 1170 ᵃ23. μοχθηρὰ ἡδονή, opp ἐπιεικής Ηκ5. 1175 ᵇ28. μοχθηρὰ τραγῳδία Μν3. 1090 ᵇ20. δίφρος μοχθηρός, syn ἀεικέλιος πο22. 1458 ᵇ30. ὕδατα ἁλυκὰ χ μοχθηρὰ πγ8. 872 ᵃ10. 19. 874 ᵃ1. χλωρίων χρόαν ἔχει μοχθηρὰν Ζιι15. 616 ᵇ12. — μοχθηρῶς ἔχειν Πα5. 1254 ᵇ1.

μοχλεία. τὸ ἐν τῇ μοχλείᾳ κινῶν ἑαυτὸ Φθ6. 259 ᵇ20.

μοχλεύειν. τὸ αὐτὸ βάρος ἀπὸ ἐλάττονος ἰσχύος, εἰ μοχλεύεται, ἐγείρεται, ἢ ἀπὸ χειρὸς μχ18. 853 ᵃ38.

μοχλός. τὰ περὶ τὸν μοχλὸν ἀπορώμενα μχ847 ᵇ11, 848 ᵃ13. διὰ τί κινῦσι μεγάλα βάρη μικραὶ δυνάμεις τῷ μοχλῷ μχ3. 850 ᵃ30. ὁ μοχλὸς ὐ φύσει τῦ βάρεος κινητικός Φθ4. 255 ᵃ22. ἡ φάλαγξ πᾶσα μοχλός ἀνεστραμμένος μχ20. 854 ᵃ9.

μυγαλῆ (Lob Par 378). τὰ δήγματα τῆς μυγαλῆς (v l μυγδάλης, μεγάλης) χ τοῖς ἄλλοις ὑποζυγίοις χαλεπά Ζιϑ 24. 604 ᵇ19. (mus araneus Gazae, mogaliz Alberti, musaranno Hispanorum, musaraigne C II 539. S I 665. Sorex araneus St. Cr. K 915, 5. fort Sorex vulgaris vel etruscus ΑΖι I 73, 33. Su 57, 34.) v μῦς 1, l.

Μύγαλος. κατὰ Μύγαλον (Μάγυδον ci) τῆς Παμφυλίας σ973 ᵃ5. cf Μάγυδος.

μυγμός. ὁ γλάνις ἦχον ποιεῖ χ μυγμόν Ζιι37. 621 ᵃ29.

μύδρος. (αἱ πυρὸς πηγαί) μύδρυς ἀναρριπτῦσι διαπύρυς κ4. 395 ᵇ23.

μύειν. τῦ μύειν τίνες αἱ διαφοραί, τίνος ἕνεκα γίνεται Ζμβ13. 657 ᵃ29, ᵇ5, 7, 10 (syn σκαρδαμύττειν ᵃ29). τίνα τῶν ζῴων μύει τῇ κάτω βλεφαρίδι Ζιβ12. 504 ᵃ24, 28. Ζμβ13. 657 ᵃ29, ᵇ5. δ11. 691 ᵃ21. τὸ ὁρῶν πρὸς τὸ μύον μὲν ὄψιν δὲ ἔχον (ὕτως ἔχει ὡς τὸ ἐνεργείᾳ πρὸς τὸ δυνάμει) Μθ6. 1048 ᵇ2. ἂν πρὸς τὸν ἥλιον βλέψαντες μύσωμεν εν2. 459 ᵃ40 ᵇ14. πάντα μύοντα ποιεῖται τὸν ὕπνον Ζιδ10. 536 ᵇ27. ἀδυνατεῖ πάντα μύοντα χ καθεύδοντα ὁρᾶν εν1. 458 ᵇ7. φαίνεται χ μύσιν ὁράματα ψγ3. 428 ᵃ16. — ὅταν οἱ πόροι μύσωσι μδ3. 381 ᵇ3. ἀδύνατον νεκρῶν τραύματα μύειν f 159. 1504 ᵇ41. οἱ ἐνεοὶ μεμύκασι τῷ στόματι πια2. 45 899 ᵃ7. ἰσχάδες μεμυκυῖαι πκβ9. 930 ᵇ36.

μυελός. 1. medulla animalium. ἔστιν ὁ μυελὸς αἵματός τις φύσις, χ ὐχ ὥσπερ οἴονταί τινες (Plat Tim 73 et 86 c) τῆς γονῆς σπερματικῆς δύναμις, θερμὸς τὴν φύσιν, ὐκ ἔχει αἴσθησιν ἀπτομένων Ζμβ6. 651 ᵃ20, 652 ᵃ21, 29, 33. Ζιγ19. 520 ᵇ16. μδ11. 389 ᵇ10. refertur inter τὰ ὑγρὰ τῶν ὁμοιομερῶν Ζμβ2. 647 ᵇ13. Ζια1. 487 ᵃ4. γ20. 521 ᵇ4. πβ14. 867 ᵇ23. — ubi medulla sit, qualis in singulis quibusdam animalibus, quibus animalibus desit. ἀναγκαῖον ἐνίοις τῶν ζῴων ὑπάρχειν μυελόν, ἐνίοις τῶν ἐναίμων, ἐν τοῖς ὀστοῖς, χ τοῖς κοῖλα ὀστᾶ ἔχει τὸν μυελόν, τὰ μὲν ἔχει μυελὸν τὰ δ' ὐκ ἔχει τῶν ἐν τῷ αὐτῷ ζώῳ ὀστῶν Ζμβ6. 652 ᵃ4, 12. Ζιγ20. 521 ᵇ5, 7, 12. 7. 516 ᵇ6. τὸν μυελὸν ὀστεογενὲς Πλάτων ἐκάλει τζ2. 140 ᵃ5. ἔνια ὐκ ἔχει τῶν ζῴων μυελόν, οἷον ὁ λέων, τὰ τῦ λέοντος ὀστᾶ ἔχει τὸν μυελὸν πάμπαν μικρόν, διόπερ ἔνιοί ὔ φασιν ὅλως ἔχειν μυελὸν τὸς λέοντας, ἐν τοῖς

ὑείοις ὀστοῖς ἐλάττων ἐστι, ἐνίοις δ' αὐτῶν πάμπαν ὐκ ἔνεστιν Ζμβ6. 651 ᵇ37, 652 ᵃ2, 11. Ζιγ7. 516 ᵇ7. 20. 521 ᵇ13, 15. — οἱ μὲν ἐν τοῖς πεζοῖς ἀμύελοι χόνδροι κεχωρισμένῳ μυελῷ, ἐν δὲ τοῖς σελάχεσιν ἡ ῥάχις ἔχει μυελόν· οἱ χόνδροι ἐν τοῖς χερσαίοις χ ᾠοτόκοις τῶν ἐναίμων ὐκ ἔχυσι μυελόν Ζμβ9. 655 ᵃ35 (cf Thurot 240). Ζιγ8. 516 ᵇ36. — dist αἱματώδης, πιμελώδης vel πιμελῇ ὅμοιος, στεατώδης, ἀλλοιότερος i e γλίσχρος χ νευρώδης Ζιγ20. 521 ᵇ9-11. Ζμβ6. 651 ᵇ24, 28, 32, 652 ᵃ7, 18, 19. — πολλοῖς χ ὁ ἐγκέφαλος δοκεῖ μυελὸς εἶναι χ ἀρχὴ τῦ μυελῦ Ζμβ7. 652 ᵃ25 (cf Lob Par 308). ὁ ἐγκέφαλός ἦ συνάπτει τῷ μυελῷ Ζιδ8. 533 ᵃ13 Aub. τὰ ἐν τῇ κεφαλῇ τὸν ἐγκέφαλον χ ὅσοι δὴ τὸν μυελὸν ἄρχειν (ὅσα-ἄρχει ci Furlan et Gesn) πν7. 484 ᵇ16. — ὁ νωτιαῖος μυελὸς Ζιγ2. 512 ᵇ2. ἥκιστα ὁ ῥαχίτης ἐστι μυελός Ζμβ6. 651 ᵇ32. cf F 273, 21. Μ 434. ὁ μυελὸς κατὰ τὴν ῥάχιν ὢν ὑγρασίαν πολλὴν παρέχει πβ14. 867 ᵇ23. (cf F 273, 19. 274, 23. Philippson ὕλη 10.) — 2. medulla arborum φτα3. 818 ᵃ7. 7. 821 ᵇ32. οἱ μυελοὶ τῶν δένδρων, καί τινες καλῦσιν αὐτὸν τὸν μυελὸν τὸν ἐν τοῖς δένδροις μήτραν φτα4. 819 ᵃ31, 33.

μυελώδης ὑγρότης Ζιγ8. 517 ᵃ3.

μύζειν. ἀφίησιν ὁ δελφὶς τριγμὸν χ μύζει Ζιδ9. 535 ᵇ32. ἔξω ζῇ πολὺν χρόνον ὁ δελφὶς μύζων χ στένων Ζιϑ2. 589 ᵇ9.

μυθεύειν. περὶ Πριάμυ μυθεύεται Ηα11. 1100 ᵃ8. μυθεύεται, μυθεύεσιν c inf ϑ79. 836 ᵃ14. 81. 836 ᵇ1. τὰ μυθευόμενα λίθωσθαι Ζμα1. 641 ᵃ20.

μύθευμα. τὸ ἄλογον ἔχειν ἔξω τῦ μυθεύματος πο24. 1460 ᵃ29.

μυθικῶς σοφίζεσθαι, μὴ πάντα μυθικῶς λέγειν sim Μβ4. 1000 ᵃ18. ν4. 1091 ᵇ9. Ορ1. 284 ᵃ23. οἱ μυθικῶς τὸν Ἄτλαντα ποιῦντες ἐπὶ τῆς γῆς ἔχοντα τὸς πόδας Ζκ3. 699 ᵃ27. τὰ λοιπὰ μυθικῶς προσῆκται πρὸς τὴν πειθὼ τῶν πολλῶν Μλ8. 1074 ᵇ4.

μυθολογῦσι w acc c inf Ζιι1. 609 ᵇ10. μβ3. 359 ᵃ17. Πα9. 1257 ᵇ16. β12. 1274 ᵃ39. πκε2. 937 ᵇ39. Αἴσωπος ἐμυθολόγησεν ὡς μβ3. 356 ᵇ12. εἰ ἀληθῆ ταῦτα οἱ μυθολογῦντες λέγωσιν Πε10. 1312 ᵃ2. ὁ μυθολογήσας πρῶτος Πβ9. 1269 ᵇ28. γνωμολογεῖν χ μυθολογεῖν πότε ἀπρεπές Ρβ21. 1395 ᵃ5. — εἰ ἦν Σαρδὼ ἀμυθολόγκεναν sim Φδ11. 218 ᵇ24. νεγι1. 1229 ᵃ24. τὸ ὑπὸ τῶν ἀρχαίων μεμυθολογημένον Πθ6. 1341 ᵇ3. ὁ ἀστερίας μυθολογεῖται γενέσθαι ἐκ δύλων Ζιι18. 617 ᵃ5. μυθολογεῖται τὸς Ἀργοναύτας καταλιπεῖν Ἡρακλέα Πγ13. 1284 ᵃ22. περὶ τῆς ζωῆς μυθολογεῖται μὲν ὡς ὑπὲρ τὸ μακρόβιον, ὐ φαίνεται δὲ τῶν μυθολογυμένων ὐθὲν σαφές Ζιζ9. 578 ᵇ23.

μυθολόγος. Ἡρόδοτος ὁ μυθολόγος Ζγγ5. 756 ᵇ6.

μῦθος. 1. fabula, opp ἀλήθεια, λόγος. ὃ γάρ ἐστι τῦτο (τὸ τῶν Πυγμαίων) μῦθος, ἀλλ' ἔστι κατὰ τὴν ἀλήθειαν γένος μικρόν Ζιθ12. 597 ᵃ7. τῦτε γὰρ εἰν μύθῳ λέγεται Ζιζ35. 580 ᵃ17. ἀπορόντος τὴν αἰτίαν τῦ τὸν μῦθον συνθέντος Ζιζ31. 579 ᵇ4. λέγεταί τις περὶ τῦ τόκυ τῦ λύκυ λόγος πρὸς μῦθον συνάπτων Ζιζ35. 580 ᵃ15. ὁ λεχθεὶς μῦθος ληρώδης ἐστι Ζιζ31. 579 ᵇ2. παραδέδοται παρὰ τῶν παμπαλαίων ἐν μύθυ σχήμασι Μλ8. 1074 ᵇ1. κατὰ τὸς Πυθαγορικὸς μύθυς ψα8. 407 ᵇ22. ἐκ τῦ μύθυ ἐπιλύεται f 164. 1505 ᵇ12. — 2. in doctrina artis poeticae quam habeat notionis varietatem μῦθος exposuit Vhl Poet I 31-34. significat enim μῦθος ea πράγματα sive ficta sive facta, quae poesi subiecta sunt. ὃ πάντων ζητητέον τῶν παραδεδομένων μύθων, περὶ ὅς αἱ τραγῳδίαι εἰσιν, ἀντέχεσθαι πο9. 1451 ᵇ24. πρῶτον οἱ ποιηταὶ τὸς τυχόντας μύθος ἀπηρίθμον· τὸς παρειλημμένος μύθος λύειν ὀκ ἔστιν πο14. 1452 ᵇ18, 1453 ᵃ22. inde, cum λόγος significet argumentum carminis alicuius, explicatur quod μῦθος et λόγος pro syn usurpantur, cf λόγος p 433 ᵇ15. poetae est apte disponere argumenta, συνιστάναι τὰ πράγματα, συνιστάναι τὸν μῦθον. ὧν δεῖ στοχάζεσθαι συνιστάντας τὸς μύθος πο13. 1452 ᵇ29. 17. 1455 ᵃ22. 9. 1451 ᵇ13. 14. 1453 ᵇ4. τὸς μύθος συνιστάναι δραματικὸς πο23. 1459 ᵃ18. πῶς δεῖ συνίστασθαι τὸς μύθος πο1. 1447 ᵃ9. οἱ συνεστῶτες εὖ μῦθοι πο7. 1450 ᵇ32. ἀναγνώρισιν ϗ περιπέτειαν δεῖ γίνεσθαι ἐξ αὐτῆς τῆς συστάσεως τῦ μύθυ πο10. 1452 ᵃ19. cf σὐνιστάναι τὰ πράγματα, σύστασις τῶν πραγμάτων πο6. 1450 ᵃ37, 15. 7. 1450 ᵇ21. 14. 1453 ᵇ2. sed etiam ipsum μῦθος per se τὴν τῶν πραγμάτων σύστασιν significat. ἔστι δὲ τῆς πράξεως ὁ μῦθος ἡ μίμησις (cf 9. 1451 ᵃ31)· λέγω δὲ μῦθον τῦτον τὴν σύνθεσιν τῶν πραγμάτων πο6. 1450 ᵃ4. τραγωδία ἔχυσα μῦθον ϗ σύστασιν πραγμάτων πο6. 1450 ᵃ32. ἀρχὴ ϗ οἷον ψυχὴ ὁ μῦθος τῆς τραγωδίας πο6. 1450 ᵃ38. τὰς λύσεις τῶν μύθων ἐξ αὐτῆ δεῖ τῦ μύθυ συμβαίνειν πο15. 1454 ᵃ37. μῦθοι ἁπλοῖ, διπλοῖ, πεπλεγμένοι, ἐπεισοδιώδεις πο10. 1452 ᵃ12. 9. 1451 ᵇ33. 13. 1453 ᵃ12. τὸ λέγειν ὅτι ἀνήρητο ἂν ὁ μῦθος γελοῖον· ἐξ ἀρχῆς γὰρ ϗ δεῖ συνίστασθαι τοιύτυς πο24. 1460 ᵃ33. μῦθος εἷς τίς ἐστιν πο8. τῦ μύθυ μῆκος πόσον δεῖ εἶναι πο7. 1450 ᵇ34-1451 ᵃ15. παρὰ τὴν δύναμιν παρατείναντες μῦθον πο9. 1451 ᵇ38. — μῦθοι Αἰσώπειοι μββ. 356 ᵇ11, 17, iidem λόγοι Αἰσώπειοι dicuntur Ρβ20. 1393 ᵃ30, cf λόγος p 433 ᵇ6.

μυθώδης. ἐν τοῖς νόμοις τὰ μυθώδη ϗ παιδαριώδη μεῖζον ἰσχύει τῦ γινώσκειν περὶ αὐτῶν διὰ τὸ ἔθος Μα3. 995 ᵃ4. αἱ καλύμεναι Ῥῖπαι, περὶ ὧν τὸ μεγέθυς λίαν εἰσὶν οἱ λεγόμενοι λόγοι μυθώδεις μα13. 350 ᵇ8. τὸ μὲν ὖν ὅλον μυθῶδες f 157. 1504 ᵇ19. τῦτο μὲν ὖν ἡμῖν φαίνεται μυθωδέστερον θ101. 839 ᵃ9.

μυῖα. τὸ τῶν μυιῶν γένος Ζμδ5. 678 ᵇ15. 6. 682 ᵇ12. δεδιέναι τὰς παραπεμπομένας μυίας Πη1. 1323 ᵃ30 (cf παροιμία). μυῖα refertur inter τὰ ἄναιμα υ2. 456 ᵃ14. αν9. 475 ᵃ30. Ζμδ5. 678 ᵇ15. Ζιε9. 542 ᵇ29. θ11. 596 ᵇ13, τὰ μικρὰ τῶν πτηνῶν, τὰ δίπτερα αν9. 475 ᵃ31. Ζμδ6. 682 ᵇ12. Ζια5. 490 ᵃ20. δ7. 532 ᵃ21, τὰ παμφάγα (πάντων γὰρ γεύεται τῶν χυμῶν), τὰ ἐν ποσίν Ζιθ11. 596 ᵇ13. ε8. 542 ᵃ9. — 1. descr. ἡ ἐξίσχια ἐπιβοσκὶς τῦ στόματος, προβοσκίς, syn τὸ γλωττοειδὲς ἐκτὸς ἔχει, οἷον κέντρον, σομφὸν δὲ τὴν φύσιν ϗ κοῖλον, ὥσθ' ἅμα τύτῳ ϗ γεύεσθαι ϗ τὴν τροφὴν ἀνασπᾶν· γλῶτταν μόνον ἔχει (ὐκ ὀδόντας)· ἔμπροσθεν ἔχυσι τὰ κέντρα Ζμδ5. 678 ᵇ15. β17. 661 ᵃ20. Ζιδ4. 528 ᵇ29, 30. α5. 490 ᵃ20. θ11. 596 ᵇ13. — ὐκ ἀναπνεῖ, ἐν τῷ ἀνάλογον τὸ σύμφυτον πνεῦμα ἀναφυσώμενον ϗ συνιζάνον φαίνεται, τῇ πτήσει αἴροντα ϗ συστέλλοντα ψοφῦσι αν9. 475 ᵃ31. υ2. 456 ᵃ14. Ζιθ9. 535 ᵇ9, cf Landois, Siebld Zeitschr XVII 138. — ὠλευέυσί, χαρακίζυσι τοῖς προσθίοις σκέλεσιν Ζιε9. 542 ᵇ29. Ζμδ6. 683 ᵃ30. οἱ ἀράχναι ἀπὸ τῆς τῶν μυιῶν θήρας ζῶσιν, αἱ ἀνθρῆναι θηρεύυσιν αὐτάς Ζια1. 488 ᵃ18. ι42. 628 ᵇ34. — 2. ἡ τῶν μυιῶν γένεσις. γίνονται ἐκ σηπομένων ξηρῶν Ζγα16. 721 ᵇ8. (ἐναφίησι τὸν πόρον κάτωθεν τὸ θῆλυ εἰς τὸ ἄρρεν τὸ ἐπάνω)· τῦτο δ' ἐστὶ φανερόν, ἐὰν τις διαιρῇ τὰς ὀχευομένας μυίας· ἀπολύονται δ' ἀπ' ἀλλήλων μόλις· πολὺν γὰρ χρόνον ὁ συνδυασμός ἐστι τῶν τοιύτων Ζιε8. 542 ᵃ6-10. γίνονται ὕτ' ἐξ ὁμογενῶν ὕτε τῷ γένει διαφόρων, συνδυάζεται ϗ γεννᾷ ὐχ ὁμογενῆ αὐταῖς ἀλλὰ σκώληκας· ἐκ τῶν μυιῶν

σκώληκες, γίνονται μυῖαι ἐκ σκωλήκων τῶν ἐν τῇ κόπρῳ Ζγα18. 723 ᵇ4. 16. 721 ᵃ8, 723 ᵇ5. cf γ10. 760 ᵃ10. Ζιε1. 539 ᵇ11. 19. 552 ᵃ21 Aub (cf κόπρος p 403 ᵇ51). ϗ τῦ χειμῶνος ὀχεύεται ϗ γίνεται, ὅταν εὐημερίαι γένωνται ϗ νότια Ζιε9. 542 ᵇ29. — 3. dist αἱ μεγάλαι Ζιε19. 552 ᵇ12. ι42. 628 ᵇ34. — (mouche C Π 517. Musca domestica, vomitoria, caesar, carnaria Su 223, 36, St. Cr. M 219, ΑΖγ 36, ΑΖι I 167, 33, ΚαΖι 13, 52, sed F ad Ζμδ5. 678 ᵇ15, 19 culex.) αἱ μυῖαι τῷ αἰσθητηρίῳ οἷον γλώττῃ θιγγάνυσαι αἱματίζυσι Ζιθ7. 532 ᵃ6, 13 Aub. fort Stomoxys calcitrans. — pro μυιῶν Ζμδ5. 678 ᵇ19 Langk ci μυρμήκων cf M 219, ΚαΖμ 125, 10, pro μυῶν Ζιθ11. 596 ᵇ13 fort μυιῶν, v μῦς 1, l.

Μύκαλλα τῆς Κροτωνιάτιδος θ107. 840 ᵃ17 (Μάκαλλα ci Holsten ad Steph Byz). cf Lob Path I 511.

μυκᾶσθαι. ὥστ᾽ ἐνίοτε δοκεῖν, ὅπερ λέγυσιν οἱ τερατολογῦντες, μυκᾶσθαι τὴν γῆν μβ8. 368 ᵃ25. οἱ καλύμενοι βήμυκοι ὥσπερ ταύρυ μυκωμένυ πκε2. 938 ᵃ3.

μύκημα. εἴ τις εἰς ἀμφορέα κενὸν κατὰ τὸ στόμιον ποιῇ ψόφον, μυκήματι ὅμοιον γίνεται πκε2. 938 ᵃ10. πολλάκις χωρὶς σεισμῦ γίνεται μύκημα γῆς κ4. 396 ᵃ13.

Μυκῆναι. ἐν Μυκήναις f 596. 1575 ᵃ29, 1576 ᵇ25. — Μυκηναίων χώρα, ἡ Μυκηναία πρότερον καλῶς εἶχε τῆς Ἀργείας μα14. 352 ᵃ9, 11.

μύκης. τὰ πυρώδη φαινόμενα ϗ λάμποντα, οἷον μύκης κέρας ψβ7. 419 ᵃ5. εἰσὶ φυτὰ μὴ ἔχοντα κλάδυς μηδὲ φύλλα, ὡς οἱ μύκητες φτα4. 819 ᵃ30. cf β4. 825 ᵇ18. (Agaricus campestris L. Fraas 320.)

μύκησις τῶν βοῶν πκε2. 938 ᵃ10.

μυκητίαι σεισμοί, σείοντες τὴν γῆν μετὰ βρόμυ κ4. 396 ᵃ11.

Μύκονος νῆσος f 596. 1576 ᵃ1.

μυκτήρ. refertur inter τὰ ἀνομοιομερῆ Ζμβ1. 646 ᵇ13. 1. nasus hominis Ζικ5. 637 ᵃ17. πλγ. τί ἐστιν, eius situs et partes. cf Philippson ὕλη 49. ὁ μυκτὴρ εὐκίνητός ἐστι ϗ ὐχ ὥσπερ τὸ ὀκίνητον κατ᾽ ἰδίαν, χονδρώδης, ἡ τῶν μυκτήρων δύναμις διφυής, διχότομος, δύο εἰσὶ μυκτῆρες Ζια11. 492 ᵇ14, 16. Ζμβ9. 655 ᵃ31. 10. 657 ᵃ4 (cf Plat Tim 66 D). πλγ3. 961 ᵇ34. ἐλάχιστοι οἱ μυκτῆρες τῶν ἀνθρώπων, ὅσων μακροί, ὀσφραντικοί, ὅσων οἱ μυκτῆρες ἀναπεπτάμενοι, θυμώδεις π18. 892 ᵃ30. υ10. 962 ᵇ16. Ζγε2. 781 ᵇ9. φ6. 811 ᵇ3, cf Rose Ar Ps 705. σφόδρα γρυπὰ γινόμενα ἢ σιμὰ ὕτω διατιθέναται, ὥστε μηδὲ μυκτῆρα δοκεῖν εἶναι Ρα4. 1360 ᵃ30. — μυκτῆρας εἰς τὸ πρόσθιον ἔχει, κατὰ μέσον ϗ ἐν τοῖς ἔμπροσθεν Ζια15. 494 ᵇ12. Ζμβ10. 657 ᵃ8. ἡ ἐκ (ἐκεῖ ci Pik) τῶν μυκτήρων σύντρησις εἰς τὸ στόμα, τὸ ποτὸν χωρεῖ ἐκ τῦ στόματος ϗ διὰ τῶν μυκτήρων ἔξω, ἐλάχιστος δ᾽ ἐστὶν ὁ πόρος πρὸς τῷ μυκτῆρι· διίσταται τῶν μυκτήρων ὁ πόρος ὑπὸ τῦ πνεύματος, οἱ τοιῦτοι διὰ ῥινῶν φθέγγονται· διὰ τί οἱ κωφοὶ ἐκ τῶν μυκτήρων διαλέγονται, syn ἡ διὰ τῶν ῥινῶν διάλεκτος· πολλὰ ἑπτάμηνα τὸς τῶν μυκτήρων πόρυς ἀσχίστυς ἔχει Ζια16. 495 ᵃ25, 27, 14. πια4. 899 ᵃ17. λγ14. 962 ᵇ35, 40, 963 ᵃ1. Ζιη4. 584 ᵇ5. Ζγδ6. 775 ᵃ2. ὑπὸ τὸς μυκτῆρας ἡ τῶν χειλῶν φύσις, οἱ κανθοὶ πρὸς τῷ μυκτῆρι Ζμβ16. 659 ᵇ20. Ζια8. 491 ᵇ25. — μέρος τῶν μυκτήρων τὸ μὲν διάφραγμα χόνδρος, τὸ δ᾽ ὀχέτευμα κενὸν Ζια11. 492 ᵇ15. nasus, τὸ τῆς ὀσφρήσεως αἰσθητήριον Ζμδ11. 691 ᵃ12. πότε ὁ ἄνθρωπος ὐκ ὀσμᾶται ὐδ᾽ ἂν ἐπὶ τῦ μυκτῆρος ἐντὸς τεθῇ ψβ9. 421 ᵇ16. — respirationis instrumentum. ἡ διὰ τῶν μυκτήρων ἀναπνοή descr αν7. 473 ᵃ17-27, 474 ᵃ9, 20. ἀδύνατον χωρὶς τοῖς μυκτῆρσιν ἀναπνεῦσαι ἢ ἐκπνεῦσαι, ἀναπνέοντος ὥσπερ ἐκ παρόδυ ποιεῖται διὰ τῶν μυκτήρων τὴν κίνησιν (cf Plat Tim 79 C), οἱ ἀρχαῖοι λέγυσιν, τῦ πνεύματος διαπορευθέντος τὰς μυκτῆρας ἀναρραγῆναι Ζια11.492 ᵇ10. αι4. 444 ᵃ28. Ζμα1. 640 ᵇ15. cf β16. 659 ᵃ30. 10. 657 ᵃ7. — ἐκ τῶν μυκτήρων ἐνίοτε αἱμορροΐδες ἄπονοι γίνονται, αἷμα ῥεῖ ἐκ τῶν μυκτήρων, μύξαι ἀποκρίνονται εἰς μυκτῆρας Ζμγ5. 668 ᵇ17. πλγ6. 962 ᵃ18, cf ι2. 891 ᵃ13. δ26. 879 ᵇ4. — διὰ τί οἱ σπογγεῖς διατέμνονται τὰ ὦτα ϗ τὰς μυκτῆρας πλβ5. 960 ᵇ21, cf S eclog phys II 67. — 2. animalium. τὰ μὲν ἔχει μυκτῆρας, τὰ δὲ τὰς πόρυς τὰς τῆς ὀσφρήσεως· τῶν ζῳοτοκύντων πεζῶν περὶ τὰς μυκτῆρας χόνδροι εἰσίν· διὰ τίνα αἰτίαν τὰ μὴ ἀναπνέοντα ὐκ ἔχει μυκτῆρας Ζιδ8. 533 ᵃ23. γ8. 517 ᵃ4. Ζμβ16. 659 ᵇ15. πιθήκυ, ὑῶν, Λακωνικῶν κυνιδίων, ἵππων, ὄνων Ζιβ8. 502 ᵃ29. θ21. 603 ᵇ11. 24. 604 ᵃ28. 25. 605 ᵃ18. ιι. 609 ᵇ21. Ζγε2. 781 ᵇ9. — οἱ ὄρνιθες ϗ οἱ ὄφεις ϗ ὅσα ἀλλ' ἔναιμα ϗ ῳοτόκα τῶν τετραπόδων τὰς μὲν πόρυς ἔχυσι τῶν μυκτήρων πρὸ τῦ στόματος, ὥστε δ' εἰπεῖν μυκτῆρας, εἰ μὴ διὰ τὸ ἔργον ὐκ ἔχυσι φανερῶς διηρθρωμένυς· οἱ ὄρνιθες ὐκ ἔχυσι μυκτῆρας ἀλλὰ τὰς πόρυς τῶν μυκτήρων ἐν τῷ ῥύγχει, καὶ οἱ ὄρνιθες δὲ τὸ ξανθὸ τῦ παρὰ τὰς μυκτῆρας σκαροδαμύττυσιν Ζιβ12. 504 ᵃ21. Ζμβ16. 659 ᵇ2. 13. 657 ᵇ19, 21. οἱ ἰχθύες τῆς ὀσφρήσεως ὐδὲν ἔχυσι φανερὸν αἰσθητήριον· ὃ γὰρ ἂν τισιν εἶναι δόξειε κατὰ τὰς τόπυς τῶν μυκτήρων ὐδὲν περαίνει πρὸς τὸν ἐγκέφαλον Ζιδ8. 533 ᵇ2. — 3. saepissime h v elephantis proboscis significatur. cf ἐλέφας 236 ᵇ43-46. quibus locis addas Ζιζ27.578ᵃ23. Ζμβ16. 659 ᵃ12. 10. 657 ᵃ7. — 4. fort i q ὁ φυσητὴρ καλύμενος vel ὁ αὐλὸς τῶν μαλακίων Ζιε6. 541 ᵇ18. Ζγα15. 720 ᵇ32. αἱ σηπίαι ϗ αἱ τευθίδες ἐναρμόττυσιν ϗ τῶν καλυμένων μυκτήρας διὰ τὸν μυκτῆρα, ὁ μυκτὴρ τῆς μαλακίων θηλείας Ζιε6. 541 ᵇ15 Aub, 11. cf S I 177, II 335. A Siebld XII 398.

Μυλασσεῖς οβ1348 ᵃ11, 14.

μύλη. 1. lapis. αἱ μύλαι τήκονται ὥστε ῥεῖν μδ6. 383 ᵇ7. ὄνος (ἰχθύς) ἐν τῷ ἐγκεφάλῳ ἔχει λίθυς ἐμφερεῖς μύλαις f 307. 1530 ᵃ27. — 2. patella. μύλη, τὸ πλανησίεδρον σκέλυς Ζια15. 494 ᵃ5. cf Stahr Gesch der Ar Schrift im Mittelalter v Jourdain p 141. ἡ μύλη ἡ ἐπὶ τῷ γόνατι πν7. 484 ᵇ33. — 3. mola, carnis moles. ἡ καλυμένη μύλη descr Ζγδ8 Aub et praef p 20. Ζιχ7. 638 ᵃ11, 17, 24, ᵇ15, 19, 30, 31, 33.

μυλίας. ἄλυτα κέραμος ϗ λίθων ἐνίων γένη οἷον οἱ μυλίαι μδ6. 383 ᵇ12.

μύλων. Κηφισόδοτος τὰς τριήρεις ἐκάλει μύλωνας ποικίλυς Ργ10. 1411 ᵃ24.

Μυνίσκος πρὸς Καλλιπίδην πο26. 1461 ᵇ34.

μύξα. μύξαι ἀποκρίνονται εἰς μυκτῆρας πδ26. 879 ᵇ4. βόσκεται ὁ περαίας τὴν ἀφ' αὑτῆ μύξαν Ζγα2. 591 ᵃ24. cf Ζιζ f 299. 1529 ᵇ19. ἡ τῆς φωλίδος μύξα Ζιι37. 621 ᵇ8.

μυξώδης γλισχρότης Ζιγ11. 517 ᵇ28. ε15. 546 ᵇ29. η4. 585 ᵃ24. cf πκγ40. 935 ᵇ38, ὑγρότης Ζιγ5. 515 ᵇ16. ε18. 550 ᵃ13. πν7. 485 ᵃ2. μυξώδεις ὑγρότητες Ζγγ11. 761 ᵇ33. ἐν ὅσοις συμφέρει μαλακὸν εἶναι ϗ μυξῶδες τὸ στερεόν· ἡ μαλακὴ ϗ μυξώδης ἡ τῦ χόνδρυ σύστασις Ζμβ9. 655 ᵃ30, 36.

μύ̈ξων. πότε κύει Ζιζ17. 570 ᵇ2. ε11. 543 ᵇ15 (σμύ̈ξων Bk, μύ̈ξων codd, C S Pik Aub). (smizon vers Thomae, mucones Gazae, morveux C II 517. S I 288, perhaps some kind of mallet Cr. K 648, 4, Rose Ar Ps 308. Mugil aura-

tus Cuv XI 46. Mugil sp ΑΖι I 130, 31.)

μυοθήρας. ἡ γαλῆ μάχεται τοῖς ὄφεσι τοῖς μυοθήραις Ζιι6. 612 ᵇ3.

μύρμηξ. στόμια μὴπρον, opp ἀνερρωγός Ζμδ13. 697 ᵃ1, 3. γι. 662 ᵃ32. — περίοδοι μύρμοι, opp μακραί Ργϑ. 1409 ᵇ18. μῦθος μύρμος πο26. 1462 ᵇ6.

μύραινα vel σμύραινα, cf Lob Path I 130. refertur inter τὰ ἔνυδρα, νευστικὰ Ζπ7. 707 ᵇ29, 31. Ζια5. 489 ᵇ28, τὰ ἄποδα ϗ μακρά, τὰ μακροφυέστερα ϗ ὀφιώδη μᾶλλον, τὰ προμήκη Ζιε4. 540 ᵇ1 Aub. γ10. 517 ᵇ7. β13. 504 ᵇ34. Ζμδ13. 696 ᵃ6, καρχαρόδοντα, σαρκοφάγα f 304.1530ᵃ9. Ζιβ. 591 ᵃ12. — ἐπαμφοτερίζει (i e πρόςγειος ϗ πελάγιός ἐστιν), ἔχει μορφὴν ὀφιωδεστέραν, ποικίλον ϗ ἀσθενέστερον ἐστιν Ζιβ13. 598 ᵃ14. ε10. 543 ᵃ25. Ζπ7. 707 ᵇ29. ὐδὲ πτερύγια ἔχει ὐδὲ τὰ βράγχια διηρθρωμένα ὁμοίως τοῖς ἄλλοις ἰχθύσιν, τέτταρα βράγχια ἐφ' ἑκάτερα ἀπλᾶ Ζια5. 489 ᵇ28. β13. 504 ᵇ34, 505 ᵃ15. Ζπ7. 707 ᵇ31. Ζμδ13. 696 ᵃ6. ἔχει χολὴν ἐγγύτερον πρὸς τοῖς ἐντέροις Ζιβ15. 506 ᵇ16. πῶς κινῶνται, χρῆται τῇ θαλάττῃ ὥσπερ οἱ ὄφεις τῇ γῇ ϗ ἐν τῷ ὑγρῷ ὁμοίως νέυσιν, ἐξέρχεται εἰς τὴν ξηρὰν ϗ (?) λαμβάνονται πολλάκις Ζπ7. 707 ᵇ29, 31. Ζια5. 489 ᵇ28. ε10. 543 ᵃ29 Aub. Ζμδ13. 696 ᵃ6. φωλεῖ Ζιϑ15. 599 ᵇ6. in coitu περιπλέκονται τοῖς ὑπτίοις πρὸς τὰ ὕπτια, τίκτει πᾶσαν ὥραν, ἔχει ᾠὰ μικρά, ὃ ψαθυρά Ζιε4. 540 ᵇ1. 10. 543 ᵃ20, 23. γ10. 517 ᵇ7. f 304. 1530 ᵃ10. τὰ γενόμενα ἐκ μικρῦ ταχέιαν τὴν αὐξησιν λαμβάνωσι, φασὶ τὸν σμύρον ἄρρενα τὴν ὃ σμύραιναν θήλειαν εἶναι f 304. 1530 ᵃ8. Ζιε10. 543 ᵃ20, 28, 24. ἀπεσθίεται ὁ γόγγρος ὑπὸ μυραίνης Ζιι2. 610 ᵇ17. (hodie σφύρνα vel σμύρνα E 91, 137. Ritter Erdkunde XIX 1194. Petromyzon sp Frisch in Artedi syn pisc 124. Murene C II 537, Muraena helena St. Cr. K 418. ΚαΖμ 176,4. ΚαΖι 24, 85. ΑΖι I 136,48. Apterichthys coecus Dum F 320, 112. M 277. cf Rose Ar Ps 310.)

μυρεψία εν2. 460 ᵃ27.

μυρεψικὴ τέχνη Ηη13. 1153 ᵃ26.

μυρεψὸ ὴμβ7. 1206 ᵃ27.

μυριάκις ϗ ϗ μυριάκις ἐστί Μγ4. 1007 ᵃ16. Φθ6. 258 ᵇ32. κἂν εἰ μυριάκις τι24. 179 ᵇ22. ὐδ' ἂν μυριάκις ἐθίζῃ Ηβ1. 1103 ᵃ21. ὐδ' ἂν εἰς μύρια μυριάκις διῃρημένα ᾗ Γα2. 316 ᵃ22.

μυριάνδρος πόλις Πβ8. 1267 ᵇ31.

μυριάς. κολοιῶν ἀναρίθμητοι μυριάδες θ119. 841 ᵇ30.

μυριετὴς βίος ἢ χιλιετὴς Ζγβ6. 745 ᵃ33.

μυρίζειν. διὰ τί οἱ μυριζόμενοι πολιώτεροι f 226. 1519 ᵃ10. αἱ μέλιτται μάλιστα τύπτυσι τὺς μεμυρισμένυς θ21. 832 ᵃ4. δύναι τὸ φαγεῖν μεμυρισμένον τὸ γυψ̈ θ147. 845 ᵇ1.

μύρινος Ζιϑ19. 602 ᵃ1, Bk 'retinuit etsi sat boni libri μαρῖνος praebent' Lob Prol 207. cf Aub ad h l, Lewysohn Zool des Talmud 369, et μαρῖνος.

μύριοι. εἶναί ποτε τοῖς Σπαρτιάταις μυρίυς πολίτας Πβ9. 1270 ᵃ37. μύριοι ἐν Μεγάλη πόλει, συνέδριον κοινὸν Ἀρκάδων ἁπάντων f 442. 1550 ᵇ6. τὰ μύρια Μν2. 1088 ᵇ11. — ἀπ' εἴδυς ἐπὶ γένος· ἢ δὴ μυρί' Ὀδυσσεὺς (Hom B 272)· τὸ γὰρ μυρίον πολύ ἐστιν, ᾧ νῦν ἀντὶ τῦ πολλῦ κέχρηται πο21. 1457 ᵇ12. ϗ ἄλλα μύρια τοιαῦτα Μμ4. 1079 ᵃ24. φ1. 805 ᵇ27. ἐγκώμια Γρύλλυ μυρίοι ὅσοι συνέγραψαν f 57. 1458 ᵃ14.

μυριοπλάσιον Οα5. 271 ᵇ9. ἄνθρωπος κακὸς μυριοπλάσια κακὰ ποιήσειεν ἂν θηρίυ Ηη7. 1150 ᵃ7.

μυριοστημόριον. τὸ μ. λανθάνει αι6. 445 ᵇ31.

μυριοστός. εἰς μυριοστὸν ἔτος ϑ9. 18 ᵇ34, 19 ᵃ1. Φδ10.

218 ᵃ28. τὰ μυριοστὸν ἔτος γενόμενα ἢ ἐσόμενα Ρβ8. 1386
ᵃ29. 10. 1388 ᵃ9.

μυρμηκία Ζιδ8. 534 ᵇ22.

μύρμηξ. τὸ τῶν μυρμήκων γένος Ζιδ1. 523 ᵇ20. ιδ8. 622
ᵇ20. Ζμα3. 643 ᵇ2. β4. 650 ᵇ26. 17. 661 ᵃ16. δ5. 678 5
ᵇ17. refertur inter τὰ ἄναρχα τῶν πολιτικῶν, οἰκητικά,
ἔντομα, τῶν ἐντόμων ἐργατικώτατόν ἐστιν Ζια1. 488 ᵃ10,
12, 21. δ1. 523 ᵇ20. ε9. 542 ᵇ30. ιδ8. 622 ᵇ20. Ζμβ17.
661 ᵃ16. οἱ μύρμηκές εἰσι πτερωτοὶ κ̀ ἄπτεροι, ἔχυσι τὸ
γλωττοειδὲς ἐντὸς Ζιδ1. 523 ᵇ20. Ζμα3. 642 ᵇ33, 643 ᵇ2. 10
β17. 661 ᵃ16. δ5. 678 ᵇ17. τὰ μὲν ἔχει ὀδόντας ἀλλοιοτέ-
ρως καθάπερ τὸ τῶν μυρμήκων (μυιῶν Bk) γένος Ζμδ5.
678 ᵇ19 (cf F 306, 38. Μ 219. ΚαΖμ 125). 6. 683 ᵃ5. —
συνετωτέραν ἔχει τὴν ψυχὴν ἐνίων ἐναίμων· αἴσθησις πάρεστι,
φαντασία δ' ἒ. ὄσφρησιν ἔχυσιν, ὑπ' ὀριγάνῳ κ̀ θείῳ περι- 15
παττομένων λείων ἐκλείπυσι τὰς μυρμηκίας· ἡ ἐργασία,
ἀπόθεσις τῆς τροφῆς, ταμιεία· τὰ πεποιημένα συλλέγυσιν·
ἐκφέρυσι τὴν γῆν, κ̀ φωλεύυσι Ζμβ4. 650 ᵇ26. ψγ3. 428
ᵃ11 Torstr. Φβ8. 199 ᵃ23. Ζιδ8. 534 ᵇ22. ιδ8. 622 ᵇ24,
623 ᵇ14 Aub. 42. 629 ᵃ8. ε9. 542 ᵇ30. — ὀχεία, γένεσις 20
Ζιε25. 9. 542 ᵇ30. Ζγα16. 721 ᵃ5. θηρεύυσιν ὐδέν· ἄρκτος,
ὄφις τις, δρυοκολάπτης ἐσθίει, βόσκεται τὼς μύρμηκας
Ζυ40. 623 ᵇ13. 9. 614 ᵇ12. θ5. 594 ᵇ8. f 334. 1534 ᵃ18.
μύρμηξ, exemplum exiguae magnitudinis, ὁρᾶσθαι ἂν κ̀ εἰ
μύρμηξ ἐν τῷ ὐρανῷ εἴη Ψβ7. 419 ᵃ17. — ἐν τῷ τῶν 25
μυρμήκων γένει, dist τὸ τῶν μικρῶν μυρμήκων γένος ὓς
καλῦσί τινες κνίπας (ν ρ 395 ᵃ45) et οἱ μεγάλοι, fort syn
ἱππομύρμηξ (ν ρ 344 ᵃ51) αἱ5. 444 ᵇ12 (cf Μ 205). Ζιγ3.
583 ᵇ18. (formica C II 334. Μ 217. ΚαΖι 13, 50. Su 222,
34. AΖι I 168, 34.)　　　　　　　　　　　　　　　　　　30

μυροβάλανος. τῶν μυροβαλάνων δένδρων οἱ καρποὶ φτβ10.
829 ᵇ33. cf Meyer Nic Damasc 129. Fraas 66. Langkavel
Bot d sp Griech 16.

μύρον ἐπὶ φακῇ (cf Στράττις) αι5. 443 ᵇ31. μύρων ὀσμαί
Ηγ13. 1118 ᵃ12. τὸ μύρον διὰ τὰ ἀρώματα ξηραντικόν 35
ἐστιν f 226. 1519 ᵃ10, 24.

μυρρίνη (μυρσίνη φτα4. 819 ᵇ22. β9. 828 ᵇ3). φυτεύειν
συμφέρει περὶ τὰ σμήνη μυρρίνην Ζυ40. 627 ᵇ18, ᵃ8. αἱ
μέλαιναι μυρρίναι πυκνοφυλλότεροι τῶν λευκῶν πκ36. 927
ᵃ3. τῶν μυρρινῶν μὴ τεταριχευμένων τὰ μύρτα ἀπορρεῖ 40
μᾶλλον τῶν φύλλων πκ31. 926 ᵃ33. — μυρρίνη στεφανώ-
σθαι f 374. 1540 ᵇ4. (Myrtus communis L.)

μύρτον. τὰ μύρτα ἀπορρεῖ πκ31. 926 ᵃ33. τὰ μύρτα ἐν τῇ
χειρὶ θλιβέντα γλυκύτερα ἡμῖν δοκεῖ πκ23. 925 ᵇ13. τῶν
μύρτων τὰ ἐλάττω ἀπυρηνότερα πκ24. 925 ᵇ23. σηπιῶν 45
ἔκγονα ὅμοια μύρτοις μεγάλοις Ζιε18. 550 ᵃ10.

Μυρτώ, ἡ Ἀριστείδυ τῦ δικαίυ θυγάτηρ, Σωκράτυς γυνή
f 84. 1490 ᵇ11, 17.

Μυρτῷον πέλαγος κ3. 393 ᵃ30.

Μύρων Σικυώνιος Πε12. 1316 ᵃ30.　　　　　　　　　　　50

μῦς. etymol coniungitur παρὰ τὴν ὁμωνυμίαν c nomine μυ-
στήρια Ρβ24. 1401 ᵃ13. — 1. μύες, Rodentia. τὸ τῶν μυῶν
γένος Ζμδ2. 676 ᵇ30. Ζγδ4. 771 ᵃ23. refertur inter τὰ
οἰκητικά, ἀμφώδοντα, μὴ καρχαρόδοντα, τὰ μικρὰ τῶν πο-
λυσχιδῶν, πολυτόκα Ζια1. 488 ᵃ21. γ1. 511 ᵃ31. θ6. 595 55
ᵃ8. Ζγδ4. 771 ᵃ23. ἔχει κοτυληδόναι ἐν τῇ ὑστέρᾳ, με-
γάλην καρδίαν, ἐν τῷ γένει τῶν μυῶν τὼ ἔχειν χολὴν
φαίνεται τὰ δ' ὐκ ἔχειν Ζιγ1. 511 ᵃ31. Ζμγ4. 667 ᵃ20.
δ2. 676 ᵇ30. cf ΚαΖμ 118, 5. πίνυσι λάπτοντες, τὸ τῆς
ἄρκτυ ἔμβρυον μεῖζον μυός, οἱ μύες οἱ ἐν τῇ γῇ ἢ οἱ ἐν 60
τῇ ἄμμῳ πορευόμενοι Ζιθ6. 595 ᵃ8. ζ30. 579 ᵃ23. Ζκ2.

698 ᵇ16. ἡ θήλεια Ζιζ37. 580 ᵇ12, 30. δεδιέναι κἂν ψοφήσῃ
μῦς Ηη6. 1149 ᵃ8. ἡ τῶν μυῶν γένεσις θαυμασιωτάτη τῷ
πλήθει κ̀ τῷ τάχει, φασί τινες ὅτι ἂν ἄλα λείχωσιν (ν l ἂν
ἀλλήλας λείχωσιν) ἄνευ ὀχείας γίνεσθαι ἐγκύης Ζιζ37. 580
ᵇ10, 31. cf Plin X 85. τὰ ἔμβρυα τὰ θήλεα Ζιζ37. 580
ᵇ30. hostes Ζιζ37. 580 ᵇ24-28. ιδ4. 619 ᵇ22. μύες ἐν τοῖς
ἀρώμασι φαινόμενοι ὑετῷ φυγὴν διδάσκυσι, γαλαῖ ὑποτρί-
ζυσαι κ̀ μύες ἐκείνας ὁρῶντες τὰ αὐτὰ χειμῶνα ἔσεσθαι
συμβάλλονται ἰσχυρὰν f 241. 1522 ᵇ42, 1523 ᵃ3. (Murina
quaedam ΚαΖι 14, 54. AΖι I 73, 34. C II 720, 1. Su 53.)
— τῶν μυῶν πλείω κ̀ διάφορα γένη κ̀ ταῖς μορφαῖς κ̀
ταῖς χρόαις, ἔστι κ̀ ἄλλα γένη μυῶν πολλὰ θ28. 832 ᵃ31.
Ζιζ37. 581 ᵃ5. enumerantur et dist. a. οἱ ἀρχαῖοι, fort
syn οἱ ἐπιπολάζοντες. eorum γένεσις φθορὰ ἀφανισμός, ho-
stes Ζιθ28. 606 ᵇ7. ζ37. 580 ᵇ15, 16, 21, 24-28. (sorex
Gazae et Scalig, fort Mus silvaticus Gesner in quadrup, de
mur agrestibus, C II 723. cf Η II 719. K 802, 5, Bech-
stein I 450. Hypudaeus amphibius et Cricetus Su 53.) —
b. superfoetatio τῶν μυῶν ἔν τινι τόπῳ τῆς Περσικῆς Ζιζ37.
580 ᵇ29. cf Harvei de gen an 135. S I 525. — c. ἐν
Λυσοῖς τῆς Ἀρκαδίας κρήνην εἶναί τινά φασιν, ἐν ᾗ χερ-
σαῖοι μύες γίνονται κ̀ κολυμβῶσι, τὴν δίαιταν ἐν ἐκείνῃ
ποιμ́ενοι λέγεται δ' αὐτὸ τῦτο κ̀ ἐν Λαμψάκῳ εἶναι δ125.
842 ᵇ7. (Mus amphibius Pallas spec glirium 80. Sorex
aquaticus Beckm ad h l.) — d. ἐν Γυάρῳ (Κύπρῳ Bk) τῇ
νήσῳ λέγεται τὼς μῦς τὸν σίδηρον (τὴν γῆν τὴν σιδηρῖτιν)
ἐσθίειν θ25. 832 ᵃ22 (cf Did praef II. Rose Ar Ps 334. S
Theophr IV 814). f 326. 1532 ᵇ14. — e. οἱ μύες οἱ Ποντικοὶ
μηρυκάζυσι, φωλεῖ ὁ μῦς ὁ Ποντικὸς ὁ λευκὸς Ζυ50.
632 ᵇ9. θ17. 600 ᵇ13 Aub. (fasitoz Alberti, erminea ap
Agricolam de an subterr 35. sciurus Gesner de quadr, de
div muribus. Charleton exercitat 24. Natalis Comes 1129.
fort muscardin C II 723. cf S I 638. Cricetus phaeus Tro-
schel Archiv 1859 II, 1. Mus scitillus Pallas ibid Cr. Beck-
mann Gesch der Erfindungen V 51. fort i q ἐλειός, Myoxus
glis AΖι I 73, 34d. Myoxys glis et Spermophilus vel Arcto-
mys Su 54, 27. Mus musculus et domesticus St.) — f. ἐν
Λιβύῃ οἱ μύες ὅταν πίωσιν ἀποθνήσκυσι Ζιθ28. 606 ᵇ27 Aub.
— g. ἐν Κυρήνῃ ἐνίυς πλατυπροσώπυς ὥσπερ αἱ γαλαῖ γί-
νεσθαι θ28. 832 ᵃ31. cf Rose Ar Ps 336. (cricetus Bochart
geogr sacr II 793. Mus capensis Pallas hist glirium 277.)
— h. οἱ ἐν Αἰγύπτῳ μύες σκληρὰν ἔχυσι τὴν τρίχα ὥσπερ
οἱ χερσαῖοι ἐχῖνοι, ἐν Κυρήνῃ μῦς τινας τὰς ἐχινώδεις τρίχας
ὓς καλῦσιν ἐχῖνυς Ζιζ37. 581 ᵃ1. θ28. 832 ᵇ3. cf Rose Ar
Ps 336. (C II 721, 10. S II 526. Caviae sp Hermann tab
affinitate animal 89. hystrix Pallas ibid 277. Beckm ad h l.
Aulacodus swinderianus K 803, 3. Mus cahirinus vel dimi-
diatus AΖι I 73, 3ᵃᵇ. Lenz Zool der Gr u Röm 151. Su 53.
Hierax Cr.) — i. εἰσὶ κ̀ ἕτεροι οἳ βαδίζυσιν ἐπὶ τοῖς δυσὶ
ποσίν· τὰ γὰρ πρόσθια μικρὰ ἔχυσι, τὰ δ' ὀπίσθια μεγάλα
Ζιζ37. 581 ᵃ3. cf S Theophr IV 815. Rose Ar Ps 337.
(Mus jaculus L C II 722. Dipus aegyptius K 803, 5. Di-
pus gerbillus vel jaculus L St. Cr. Lenz ibid 151. Lon-
cheres JU. Echimys Geoff. Lichtenstein Abh der Berl Akad
1818 p 188. Mus cahirinus Cuv regne an I 198. Leukart,
Oken Isis 1826 II 717. Dipus aegyptiacus vel Scirtetes
jaculus et aulacotis AΖι I 73, 34ᶜ. Su 54, 27.) — k. ἐν
Ἀραβίᾳ μύες πολὺ μείζυς τῶν ἀρυραίων Ζιθ28. 606 ᵇ8 Aub.
(Dipus aegyptius K 924, 1. idem atque i AΖι I 73, 34ᶜ.
Gerbo C II 722. Mus decumanus St.) — l. ἐν Σικελίᾳ κ̀
ἐν Ἰταλίᾳ εἶναι μυῶν (μυιῶν Rose Ar Ps 349) γένος ἐφι-

πτάμενον, ὃ ὅταν δάκῃ, ἀποθνήσκειν ποιεῖ θ148. 845ᵇ6. 'con-
iectura non assequor, ῥιι μνγμλῇ' Beckm.
2. μῦς, ὀστρακόδερμον. refertur inter τὰ ὄστρεα f 227
1528 ᵇ9, τὰ ἀνάπτυχα, τὰ ἀνάπτυκτὰ τῶν διθύρων Ζιδ̄4.
528 ᵃ15. Ζμδ̄5. 679 ᵇ26. 7. 683 ᵇ15. τὰ λειόστρακα, τὰ
λεπτοχειλῆ Ζιδ̄4. 528 ᵃ22, 29. κηριάζυσι, παραφύονται ἐλάτ-
τως ἀεὶ παρὰ τὴν ἀρχήν, ᵘκ ἀεὶ τὰ ᵘα ἔχυσιν Ζιε15. 547
ᵇ11 Aub. Ζγγ11. 761 ᵇ30, 763 ᵇ12. dist οἱ μύες οἱ πυε-
λώδεις Ζιε15. 547 ᵇ27 Aub. (mitulus Gazae, musculus Sca-
lig. Moule C II 522. M 192. Mytilus edulis St. Cr. AZι I
179, 17.)
3. ὁ μῦς τὸ κῆτος (v l μυστόκητος, μυστίκητος Ald et C).
ὀδόντας μὲν ἐν τῷ στόματι ᵘκ ἔχει, τρίχας δὲ ὁμοίας ὑείαις
Ζιγ12. 519 ᵃ23. μῦς refertur inter τὰ σελάχη f 277. 1527
ᵇ41. cf Rose Ar Ps 295. (musculus Gazae, impistocetus
versio Thomae, mastakycor Alberti, Rondelet XVI, 7. Wil-
lughbi de pisc II, 4 Artedi syn pisc 107, C II 540. Balae-
nopterus musculus S eclog phys I 40, II 36. Sammlung verm
Abh 188, 264, 266, hist literar pisc 158. S I 158. St. Cr.
KaZι 125, 22. M 290. AZι I 73, 35. cf E 29, 95.)
4. μῦς, musculus πε40. 885 ᵃ37, 38.
Μυσία σ973 ᵃ10. f 238. 1521 ᵇ3. πο24. 1460 ᵃ32. Ργ2.
1405 ᵃ30 (Eurip fr 700). Κιανὶς πόλις Μυσίας f 471. 1555
ᵇ33. ἄρκτων γένος λευκὸν ἐν Μυσίᾳ θ144. 845 ᵃ17.
Μυσοί. ἐν Μυσοῖς (tragoedia Aeschyli, Nauck fr p 35). Φι-
λόξενος ἐγχειρήσας τοιαύταν διθύραμβον τὺς Μυσύς (ci pro
μύθυς) Πθ7. 1342 ᵇ10. — Μυσῶν λεία Ρα12. 1372 ᵇ33,
cf παροιμία. Σταβέλβιος ὁ Μυσῶν (?) οβ1353 ᵇ8.
μύσταξ. κείρεσθαι τὸν μύστακα ᾗ προσέχειν τοῖς νόμοις
f 496. 1558 ᵇ36.
μυστήρια (etymol) Ρβ24. 1401 ᵃ14. μυστηρίων ὁ βασιλεὺς
ἐπιμελεῖται f 385. 1542 ᵃ16, 28, ᵇ1. ἀπέχεσθαι τῶν μυστη-
ρίων ᾗ τῶν ἄλλων νομίμων f 385. 1542 ᵃ23.
μυστικός. τὰ μυστικὰ ἀπόρρητα Ηγ2. 1111 ᵃ10.
Μυτιληναῖοι, Μυτιλήνη v Μιτυλ.
μύτις (v l μύτην, μύστιν, μύστιδ, mystis vers Thomae cum
Veneto). 1. (τὸ κύριον τῆς αἰσθήσεως) ἐστι τοῖς μαλακίοις
ἐν ὑμένι κείμενον ὑγρόν, δι' ὑπερ ὁ στόμαχος τέταται πρὸς
τὴν κοιλίαν, προσπέφυκε δὲ πρὸς τὰ πρανῆ μᾶλλον ᾗ κα-
λεῖται μύτις ὑπὸ τινων Ζμδ̄5. 681 ᵇ19, 26, cf Rose Ar Ps
317. σπλάγχνον ᵘδὲν ἔχει τῶν μαλακίων ἀλλ' ἣν καλῦσι
μύτιν ᾗ ἐπὶ ταύτῃ θολόν· ἡ μύτις κεῖται ὑπὸ τὸ στόμα
ᾗ δι' αὐτῆς τείνει ὁ στόμαχος· αἱ τευθίδες ᾗ πολυπόδες
ἔχυσιν ἄνωθεν τὸν θολὸν ἐπὶ τῇ μύτιδι μᾶλλον Ζιδ̄1. 524
ᵇ15 Aub, 17. Ζμδ̄5. 679 ᵃ8. f 318. 1532 ᵃ10. ταῖς σηπίαις
ἐν τῇ μύτιδι ὁ θολός ἐστιν f 317. 1531 ᵇ34. — 2. τὴν κα-
λυμένην μύτιν ἢ μήκωνα πλείω ἢ ἐλάττω πάντ' ἔχει τὰ
μαλακόστρακα Ζμδ̄5. 681 ᵇ21. Ζιδ̄2. 526 ᵇ32, 527 ᵃ2 Aub.
cf μήκων 1c. (jecur F 370, 24. 311, 50. S Samml verm
Abh 44 sq. M 429. KaZι 126, 16. 138, 46. A Siebld XII
374, 386, 387. Daremberg not et extr des manuscr mé-
dicaux 126, 18.)
μυχαίτατος. Πόντυ τὸ μυχαίτατον Μαιῶτις κ3. 393
ᵃ32.
μύχιος. πνεῦμα εὔκρατον ἐν γῇ παρεξωσθὲν εἰς μυχίᾳς σή-
ραγγας αὐτῆς κ4. 395 ᵇ31.
μυχός. ἐν μυχῷ τῦ σμήνυς Ζυ40. 626 ᵇ11. ἐν τῷ μυχῷ
τῦ Ἀδρίυ θ81. 836 ᵃ24. μυχοὶ Πόντυ κ3. 393 ᵇ24. μυ-
χόνδε (Emp 305) αυ7. 474 ᵃ4.
μυωπία. ὑες ἀνορύττυσι τὰς μυωπίας Ζιζ37. 580 ᵇ25.
μύωψ. 1. ὁ μύωψ ἐγγὺς προσάγει, ἄν τι βύληται ἰδεῖν

πλα25. 959 ᵇ38. διὰ τί οἱ μύωπες μικρὰ γράμματα γρά-
φυσιν πλα8. 958 ᵃ35. 15. 958 ᵇ34. 16. 959 ᵃ3. εἰκάζυσι
λύχνῳ ψακαζομένῳ μύωπα Ργ11. 1413 ᵃ4. — 2. δίπτερον
ἐμπροσθοκέντρυν, refertur inter τὰ αἱμοβόρα Ζια5. 490 ᵃ20.
θ11. 596 ᵇ14. ἰσχυρὸν ἔχυσι τὸ γλωττοειδές, τᾳ̈ δέρματα
τῶν τετραπόδων (τῶν ζῴων) διατρυπῶσι, διαιρῦσι Ζιδ̄7. 532
ᵃ9. 4. 528 ᵇ31. Ζμβ17. 661 ᵃ24. γίνονται ἐκ τῶν ξύλων,
φθείρονται τῶν πτερῶν συσπωμένων ᾗ τῶν ὀμμάτων ἐξυ-
δρωπιώντων Ζιε19. 552 ᵃ29. 20. 553 ᵃ15. (tabanus Gazae,
myops versio Thomae. taon C II 519. Tabanus caecutiens
St. Cr. fort Haematopota pluvialis Meygen F 285, 78. Hae-
matopotae vel Chrysopis sp Su 224, 38. AZι I 168, 35. in
incerto relinq AZγ 36, KaZι 69, 10. cf M 219.)
μωδῶν. ἐν τῷ Τίγριδι γίνεσθαι λίθον μωδῶν κεκλημένον θ159.
846 ᵃ32.
μωκός. ὀφρύες πρὸς τὰς κροτάφυς τὴν καμπυλότητα ἔχυσαι
μωκῦ ᾗ εἴρωνος σημεῖον Ζια9. 491 ᵇ17.
μωλύειν. σκληρότερα τὰ μεμωλυσμένα τῶν ἑφθῶν μδ̄3.
381 ᵃ21. cf μολύνειν.
μώλυσις. ὅταν μὴ κρατῇ (τῆς ὕλης τὸ θερμὸι ᾗ ψυχρόν),
κατὰ μέρος μὲν μώλυσις ᾗ ἀπεψία γίγνεται μδ̄1. 379
ᵃ2. περὶ μωλύσεως μδ̄2. 379 ᵇ14. 3. 381 ᵃ12-22. cf μό-
λυνσις.
μώλωψ. ὅσα περὶ ὑπώπια ᾗ ὑλᾶς ᾗ μώλωπας πθ. τὺς
μώλωπας κωλύει τὰ νεόδαρτα δέρματα προστιθέμενα πθ1.
889 ᵇ10.
Μῶμος ὁ Αἴσωπυ (cf Aesop 155 Halm) Ζμγ2. 663 ᵃ35, ᵇ2.
μώνυξ, μώνυχον. πὸς μώνυξ, πόδες, ᾑες μώνυχες Ζιδ̄2.
526 ᵃ1. β1. 499 ᵇ13. Ζμβ16. 659 ᵃ26. τὰ μώνυχα vel
μώνυχον τὸ γένος, Solidungula, Ζμδ̄10. 686 ᵇ17. Ζγδ̄4.
771 ᵇ2. descr Ζμδ̄10. 690 ᵃ5-9. ᾗ ποδότης ἀσχιδὴς ᾗ
ἀδιαίρετος, οἷον τὰ μώνυχα 3. 642 ᵇ30. cf Ζιβ1. 499
ᵇ11. Plat Polit 265 D. τὰ δίχαλα δύο ἔχει σχίσεις ὄπι-
σθεν, τοῖς δὲ μώνυξι τῦτ' ἐστὶ συνεχές Ζιβ1. 499 ᵇ14.
cf Ζμδ̄10. 690 ᵃ23. τοῖς μώνυξιν ἐν ταῖς ὁπλαῖς ᾗ ὑπερ-
οχή, τὰ μώνυχα ἀμύνονται τοῖς ὀπισθίοις Ζμγ2. 663 ᵃ32.
θ10. 688 ᵃ2. ἔχει σπλῆνα μεταξὺ τῶν κερατοφόρων ᾗ
τῶν πολυσχιδῶν ᾗ μικτόν, ἄχολά τε ᾗ ζῇ πολὺν χρόνον,
ἐν τοῖς μηροῖς ἔχυσι τὰς μαστύς, τὰ ἄρρενα ᵘκ ἔχυσι
μαστύς, μώνυχον ᵘδέν ἐστιν ὀπισθυρητικόν Ζμγ12. 674 ᵃ2.
θ2. 677 ᵃ32. 10. 688 ᵃ32, ᵇ24, 689 ᵃ34. β1. 500 ᵃ30.
τετελειωμένα προΐεται ζῷα, μονοτόκα, ᵘκ ἐπικυΐσκεται
Ζγδ̄6. 774 ᵇ6, 8. 4. 771 ᵃ20, ᵇ2. 5. 773 ᵇ1. inter τὰ μώ-
νυχα referuntur ἵππος ὀρεὺς ὄνος ἡμίονος Ζγβ8. 748 ᵇ27.
θ4. 771 ᵃ20, ᵇ2. Ζμγ12. 674 ᵃ4. 14. 674 ᵃ24. Ζιβ1. 499
ᵇ11 et ὁ Ἰνδικὸς ὄνος. propter hoc animal τοῖς μώνυξιν
adduntur hae notiones: κερατοφόρον λέγεται ᾗ μώνυχον,
ὃν καλῦσιν Ἰνδικὸν ὄνον, μονοκέρατα ᾗ μώνυχα ὀλίγα, τῶν
μωνύχων τὰ κέρατα ἔχει πρὸς ἀλκήν, εὐλόγως ἂν δόξειε
μονοκέρων εἶναι τὸ δίχαλὸν μᾶλλον, μώνυχον
ᾗ δίκερων ᵘθὲν ἡμῖν ὦπται, ὁ Ἰνδικὸς ὄνος ἔχει τῶν μωνύ-
χων ἀστράγαλον μόνον Ζμγ2. 663 ᵃ19, 24, 1, 28, 32. Ζιβ1.
499 ᵇ18, 20. — ᑫς ἀμφισβητῶν τῇ φύσει τῇ τῶν μωνύ-
χων, διχηλόν ἐστιν, διχηλον ᾗ μώνυχος, ὡς μώνυχον ᵘκ
ἔχει μέγεθος, μώνυχες ᑫες Ζγδ̄6. 774 ᵇ19, 21, 23. Ζιβ1.
499 ᵇ13. θ68. 835 ᵃ35. cf M 321. — τῶν χαράβων τὸ
πρῶτος πὺς τῆς μὲν θηλείας δίκρυς ἐστί, τῦ δὲ ἄρρενος
μώνυξ Ζιδ̄2. 526 ᵃ1.
μωραίνειν λίαν ἐδόκει Ηη6. 1148 ᵇ2.
μωρολογία ᾗ ἀδολεσχία Ζια11. 492 ᵇ2.
μωρολόγοι, coni λάλοι φ6. 810 ᵇ15.

μωρός. νωθροὶ κ μωροί πλ1. 954 ᵃ31. χειμῶνος ἀρχομένη μωροὶ γίνονται οἱ ἐργάται τῶν σφηκῶν Ζιι41. 628 ᵃ6.

μωρῦσθαι. αἱ αἶγες ἑστᾶσιν ὥσπερ μεμωρωμέναι Ζιι3. 610 ᵇ30.

N

ν. ὅσα εἰς τὸ ο κ̄ τὸ ν τελευτᾷ, ταῦτα μόνα σκεύης ἔχει κλῆσιν τι14. 174 ᵃ1. τὰ δὲ μεταξὺ εἰς ταῦτα (sc τὸ ι κ̄ τὸ υ τελευτᾷ) κ ν κ̄ σ πο21. 1458ᵃ17. ἄρρενα ὅσα τελευτᾷ εἰς τὸ ν κ̄ ρ κ̄ ⟨σ κ̄⟩ ὅσα ἐκ τύτυ σύγκειται πο21. 1458 ᵃ9. Vhl Poet III 259, 316.

ναί. ἀποκρίνεσθαι ναὶ ἢ ὒ τθ158 ᵃ16. 7. 160 ᵃ34. ι17. 175 ᵇ9, 13, 176 ᵃ11, 15. ὅτι ναί Αδ6. 92 ᵃ17. ναί, ἔφη Ργ18. 1419 ᵃ30. ἔστι μὲν ὡς ὒ, ἔστι δ᾽ ὡς ναί τι10. 171 ᵃ20. ἀδύνατον ὡδὶ κινηθῆναι, ὡδὶ μέντοι ναί Μζ9. 1034 ᵃ17. ναί, ἀλλὰ Μη4. 1044 ᵇ16, 19. ημα34. 1195 ᵇ9. βιο. 1208 ᵃ20. 14. 1212 ᵇ12.

ναίειν. ἐπεὶ ὐκ Ἀνθηδόνα ναίεις (ex oraculo) f 555. 1570 ᵃ1.

νᾶμα. κρῆναι αἱ αὐταὶ καίπερ ἀεὶ τῦ μὲν ἐπιγινομένυ νάματος τῦ δ᾽ ὑπεξιόντος Πγ3. 1276 ᵃ39. ὑδάτων κ ναμάτων πλῆθος οἰκεῖον, ἀφθονία ναμάτων Πη11. 1330 ᵇ4, 16. τὰ ζῷα διὰ σπάνιν τῦ ὕδατος ἀπαντῶντα εἰς ὀλίγυς τόπυς τὰς ἔχοντας νάματα Ζγβ7. 746 ᵇ11. τὸ ὑγρόν, ὃ καλεῖν ποταμὺς κ νάματα κ θαλάσσας εἰθίσμεθα κ3. 393 ᵃ6. ἔνιαι πηγαὶ τὰ μὲν χλιαρὰ τῶν ναμάτων ἀνιᾶσι τὰ δ᾽ ὑπέρζεστα κ4. 395 ᵇ25.

νᾶνος. νάνοι γίνονται ὅταν νοσήσῃ (ἡ μήτηρ) ἐν τῇ κυήσει· ὁ νάνος (coni γίνυι, μετάχοιρα) ἴσχει τὸ αἰδοῖον μέγα Ζιζ24. 577 ᵇ27, 28. διὰ τίνα αἰτίαν οἱ νάνοι γίνονται, dist πυγμαῖοι πι12. νάνοι εἰσὶ τὰ παιδία πάντα Ζμδ10. 686 ᵇ10. ν ναννώδης.

Νάνος. Εὔξενος ὁ Φωκαεὺς Νάνῳ τῷ βασιλεῖ ἦν ξένος f 508 ᵃ39.

νανώδης. νανῶδές ἐστιν ὗ τὸ μὲν ἄνω μέγα, τὸ δὲ φέρον τὸ βάρος κ πεζεῦον μικρόν, τοῖς νανώδεσιν ἡ ἄνω ὁρμὴ πολλὴ κ ἀναθυμίασις Ζμδ10. 686 ᵇ4. υ3. 457 ᵃ24. πάντα τὰ ζῷα νανώδη τἆλλα παρὰ τὸν ἄνθρωπον· (τοῖς τετράποσι κ τοῖς ἄλλοις ζῴοις) νανώδεσιν ὗσι πρὸς τὸ ἄνω τὸ βάρος κ τὸ σωματῶδες ἐπίκειται πᾶν, ἀφῃρημένον ἀπὸ τῶν κάτωθεν· τὰ πολυδάκτυλα κ ἀκέρατα νανώδη μᾶλλόν ἐστιν, ἦττον δὲ τῶν μωνύχων κ διχήλων· οἱ ὄρνιθες ὐκ ὀρθοὶ διὰ τὸ νανώδεις εἶναι τὴν φύσιν· ἔστι κ τὸ τῶν ὀρνίθων κ τὸ τῶν ἰχθύων γένος κ πᾶν τὸ ἔναιμον νανώδες Ζμδ10. 686 ᵇ3, 25, 19, 22. 12. 695 ᵃ8. τῶν ἀνθρώπων οἱ νανώδεις τὴν φύσιν ἀφρονέστεροι τῶν ἄλλων, ἀμνημονέστεροι, φιλυπνοι Ζμδ10. 689 ᵇ25. μν2. 453 ᵃ31. υ3. 457 ᵃ22. τὰ παιδία ὐ δύνανται βαδίζειν ὀρθὰ διὰ τὸ πάντα νανώδη εἶναι, τὰ παιδία κ νανώδη ἐστὶ μέχρι πόρρω τῆς ἡλικίας Ζπ11. 710 ᵇ13. μν2. 453 ᵇ6. νανωδέστερον τῦ θήλεος τὸ ἄρρεν μκ6. 467 ᵃ32.

Νάξος. ἐν Νάξῳ Λύγδαμις τύραννος Πε6. 1305 ᵃ41, σφῆκες θ140. 844 ᵇ32. ἐν Νάξῳ τὰ τετράποδα μεγάλην ἔχει χολὴν Ζια17. 496 ᵇ26. Ζμδ2. 677 ᵃ2. — Νάξιος Λύγδαμις Πε6. 1305 ᵇ1. οβ1346 ᵇ7. προστατῦντος τῶν Ναξίων Λυγδάμιδος f 517. 1562 ᵇ28. τῶν παρὰ Ναξίοις εὐπόρων οἱ πολλοὶ οὐ ἄστυ ὤκην f 517. 1562 ᵇ12. Ναξίων πολιτεία f 517. 518.

ναοποιοί Ρα14. 1374 ᵇ27.

ναός. ναῦ ποίησις Ηχ3. 1174 ᵃ24, 25.

ναοφύλακες Πζ8. 1322 ᵇ25.

νᾶπυ εἰς τὸ υ τελευτᾷ (om codd Vhl Poet III 317) πο21. 1458 ᵃ16. (Sinapis nigra et alba L.)

ναρθήκινος. τὰ ναρθήκινα τῶν ὀργάνων τὰς φωνὰς ἔχει ἀπαλωτέρας ακ803 ᵃ41.

νάρθηξ. μαστιγῦν τὸ σῶμα πλατεῖ νάρθηκι πκζ3. 948 ᵃ10 ὁ νάρθηξ τὰ κύκλῳ τῆς πληγῆς ποιεῖ ἐρυθρά, τὸ δὲ μέσον λευκόν πθ3. 889 ᵇ27. 4. 889 ᵇ32. (Ferula communis L.) σίκυοι τιθέμενοι εἰς νάρθηκας κοίλυς κ καλυπτῆρας πκ9. 923 ᵇ25.

ναρκᾶν. ἡ νάρκη ναρκᾶν ποιεῖ ὧν ἂν κρατήσειν μέλλῃ ἰχθύων Ζιι37. 620 ᵇ19, 22. f 305. 1530 ᵃ15 (ναρκᾶν κ ἀκινητίζειν). ναρκᾶν χεῖρας, πόδας πς6. 886 ᵃ10.

νάρκη. 1. piscis. refertur inter τὰς ἰχθύας, σελάχη, σελαχώδεις κ σκυμνοτοκῦντας, τῶν σελαχῶν τὰ πλατέα, τὰς πλατεῖς Ζιβ15. 506 ᵇ9. 13. 505 ᵃ4. ε5. 540 ᵇ18. ζ11. 566 ᵃ32. Ζμδ13. 695 ᵇ9, 8 (cf F 256 et 319. ΚαΖμ 174), 696 ᵃ27 (cod P et Langk ad h l). f 277. 1527 ᵇ40. 305. 1530 ᵃ12. — πτερύγια, βράγχια κάτω ἐν τοῖς ὑπτίοις, χολὴ πρὸς τῷ ἥπατι, τὸ ὑραῖον σαρκῶδες μὲν βραχὺ δέ Ζμδ13. 696 ᵃ31, 695 ᵇ11. Ζιβ13. 505 ᵃ4. 15. 506 ᵇ9. — ναρκᾶν ποιεῖ Ζιι37. 620 ᵇ19, 29. f 305. 1530 ᵃ15. — μετοπώρυ τίκτει, περὶ τὸ φθινόπωρον Ζιι11. 543 ᵇ9 Aub. ζ11. 566 ᵇ23. ζῳοτοκῦσιν ὠοτοκήσαντες Ζιι11. 566 ᵇ1. κ ἐξαφιᾶσι κ δέχονται εἰς ἑαυτὰς τὰς νεοττὰς, ἤδη ὤφθη νάρκη μεγάλη περὶ ὀγδοήκοντα ἔχυσα ἐν ἑαυτῇ ἔμβρυα Ζιζ10. 565 ᵇ25 Aub, 26. — βραδύτατοι, eius natura et dolus Ζιι37. 620 ᵇ26, 20. (barachi Alberto. torpille C Π 808. Raja torpedo St. Cr. K 477. Rose Ar Ps 311. Torpedo narce vel Galvanii ΚαΖμ 174, 1. ΚαΖι 76, 10. ΑΖι I 147, 96. cf E 92, 166.)

2. morbus (Lob Phryn 331) Ζιγ5. 515 ᵇ20. τί ἐστι πβ15. 867 ᵇ29. ς6. 886 ᵃ11. ἀποπληξίαι ἢ νάρκαι ἢ ἀθυμίαι πλ1. 954 ᵃ23.

Nasamones. supra Nasamonas confinesque illis Mochlyas f 563. 1570 ᵇ36.

ναστόν. τὸ ναστὸν Democrito i q τὸ ὄν, τὸ πλῆρες f 202. 1514 ᵇ13. Mullach Democr frg p 142.

ναυαγεῖν. ναυαγήσαντες περὶ τὴν νῆσον θ79. 836 ᵃ15.

ναυάγιον. μηδὲ ναυάγιον ἀναπλεῖν πκγ5. 932 ᵃ1.

ναυαρχία ἀίδιος Πβ9. 1271 ᵃ40. ναυαρχίαι, coni ἱππαρχίαι, ταξιαρχίαι Πζ8. 1322 ᵇ3. — τὴν ναυαρχίαν ἐν τοῖς Μηδικοῖς ὁ δῆμος αἴτιος γενόμενος Πβ12. 1274 ᵃ12.

ναύαρχος. ὁ περὶ τῆς ναυαρχίας νόμος Πβ9. 1271 ᵃ37. — (ναυάρχοις οβ1351 ᵃ16, fort νομάρχοις coll 1352 ᵃ10, 18.)

ναυκληρεῖν. τὰς ναυκληρῦντας προτιμᾶν τῶν ἀγοραίων ρ3. 1424 ᵃ28.

ναυκληρία, μέρος ἐμπορίας Πα11. 1258 ᵇ22.

ναύκληρος ὑπόκωφος (Plat Rep VI 488B) Ργ4. 1406 ᵇ35.

ναυκραρία. ἐκ τῆς φυλῆς ἑκάστης ἦσαν νενεμημέναι τριττύες μὲν τρεῖς, ναυκραρίαι δὲ δώδεκα καθ᾽ ἑκάστην f 349. 1537 ᵃ5, 1536 ᵇ43.

ναύκραροι Σόλωνος i q δήμαρχοι Κλεισθένυς f 349. 1536 ᵇ44. 359. 1538 ᵇ36, 1539 ᵃ4.

Ναύκρατις. Ναυκράτεως πόσον ἀπέχει ἡ Φάρος f161.1505ᵃ13.

ναυμαχεῖν. ναυμαχητέον Ρα15. 1376 ᵃ2.

ναυμαχιῶν νίκαι ρ4. 1426 ᵃ16. περὶ ναυμαχίας κ τῶν πόρρω συμβαινόντων μτ1. 463 ᵇ2.

ναυπηγεῖσθαι τριήρεις μέλλων οβ1349 ᵃ25.
ναυπηγία ᾗ πᾶσα ἄλλη τέχνη Πδ1. 1288 ᵇ20. — λαβὼν
τὸ ἀργύριον εἶχεν εἰς τὴν ναυπηγίαν οβ1349 ᵃ0.
ναυπηγική εἰ ἐνῆν ἐν τῷ ξύλῳ Φβ8. 199 ᵇ29. ναυπηγικῆς
τέλος πλοῖον Ηα1. 1094 ᵃ8.
ναυπηγός Πγ13. 1284 ᵇ10. ναυπηγῷ ᾗ τοῖς ἄλλοις δημιουρ-
γοῖς δεῖ τὴν ὕλην ὑπάρχειν ἐπιτηδείαν Πη4. 1325 ᵇ41.
Ναυπλία. περὶ Ναυπλίαν τῆς Ἀργείας Ζιθ19. 602 ᵃ8.
ναῦς. ἡ ναῦς ἐν μέσῳ εὐρυτάτη ἐστὶν μχ4. 850 ᵇ18. κώπη
μέσον νεώς Ζμδ10. 687 ᵇ19. οἱ ἀνατρέψαντες τὰς ἀλλο-
τρίας ναῦς Ρβ23. 1398 ᵇ7. νῆες, dist πλοῖα f 571. 1572 ᵃ9.
— νεῶν κατάλογος (Hom B) ρο23. 1459 ᵃ36.
Ναυσικάαν γῆμαι Τηλέμαχος λέγεται f 463. 1554 ᵃ32.
Ναυσικράτης Ργ15. 1416 ᵃ10.
ναυσιπέρατος ποταμός μα13. 351 ᵃ18.
ναυσίπορον ῥεῖθρον θ168. 846 ᵇ31.
ναύτης ρ4. 1426 ᵃ16. ἀφθονία ναυτῶν, dist τὸ ἐπιβατικόν
Πη6. 1327 ᵇ13, 9.
ναυτία. ἐν τοῖς ἐμέτοις ᾗ ναυτίαις οὐκ ἄδηλον πόθεν τὸ ὑγρὸν
φαίνεται πορευόμενον Ζμγ3. 664 ᵇ13. ναυτίαι ᾗ ἔμετοι
λαμβάνουσι τὰς πλείστας γυναῖκας κυούσας Ζιη4. 584 ᵃ7.
ποιεῖν τὴν ναυτίαν πβ18. 868 ᵃ9.
ναυτιᾶν. οἱ ἐν τοῖς πλοίοις ναυτιῶντες (Demosth fr 30) Ργ4.
1407 ᵃ6. — οἱ ἱδρῶντες ἐὰν ψυχθῶσι ναυτιῶσιν πβ18.
868 ᵃ6.
ναυτικὸς ὄχλος Πε4. 1304 ᵃ22. η6. 1327 ᵇ7. ναυτικὴ δύ-
ναμις Πζ7. 1321 ᵃ14. η6. 1327 ᵃ40. ναυτικὸς στόλος
Ζγγ11. 763 ᵃ31. τὸ ναυτικόν. coni ὁπλιτικόν, ἱππικόν, ψιλόν
Πζ7. 1321 ᵃ7. τὰ πολεμικὰ ᾗ τὰ ναυτικά Πβ11. 1273
ᵇ16. — ναυτικὴ ἀστρολογία, opp μαθηματική Αγ13. 79 ᵃ1.
ναυτιλία. πλοῖα καλῶς ἔχοντα πρὸς ναυτιλίαν Πζ6. 1320
ᵇ34. φαύλην ποιεῖν τὴν ναυτιλίαν Πη4. 1326 ᵇ1. ἡ σωτηρία
τῆς ναυτιλίας Πγ4. 1276 ᵇ26.
ναυτίλλεσθαι. ὁ ναυτίλος ἀναφέρεται κατεστραμμένῳ τῷ
ὀστράκῳ, ἵνα ῥᾶον ἀνέλθῃ ᾗ κενὸς ναυτίλληται Ζιθ37. 622 ᵇ9.
ναυτίλος. ὁ καλούμενος ὑπό τινων ναυτίλος ᾗ ποντίλος descr
Ζιδ1. 525 ᵃ20. ι37. 622 ᵇ7. f 316. 1531 ᵇ16. cf 289.1528
ᵇ24. (nauta Gazae, nautile C II 542. Argonauta Argo L.
S Samml verm Abh 120. Oken Isis 1835, 1, 4-56, St. Cr.
Beckmann de hist nat vett 235. M 156. AZι I 149, 3.
A Siebld XII 382, 385, 405.)
νεάζειν. τὰ φυτὰ νεάζειν ᾗ χλοάζειν γήρα τε διαλύεσθαι
φτα1. 815 ᵃ33.
νεανικός. νεανικοὶ πόροι Ζια17. 497 ᵃ12. Ζμγ9. 671 ᵇ17, 26
(syn ἰσχυροί). νεανικὸν νόσημα Ζιθ20. 602 ᵇ29. νεανικὴ
βροντή Ζιθ20. 602 ᵇ23, βάσις φ5. 809 ᵇ30. νεανικὸν στῆθος
φ5. 809 ᵇ27. νεανικὴ ἐπιθυμία Ηη6. 1148 ᵃ21 (cf λύπη
ἰσχυρά ᵃ22). — νεανικωτάτη δημοκρατία Πδ11. 1296 ᵃ4,
κίνησις πκγ2. 931 ᵇ7. — νεανικῶς προσπεφυκέναι Ζιδ4.
530 ᵃ15.
νεανίσκοι στασιάσαντες Πε4. 1303 ᵇ21. νεανίσκοι ὑποπιόντες
ἐκώμασαν f 517. 1562 ᵇ20.
νεαρός. νεαρὸν δέλεαρ, opp σαπρόν Ζιθ8. 534 ᵇ4. νεαρὰ
τροφή, opp κοπρώδης Ζμγ14. 675 ᵇ29. νεαρὸς τὸ ἦθος, dist
νέος τὴν ἡλικίαν Ηα1. 1095 ᵃ7.
νεάτη, opp ὑπάτη Φε3. 225 ᵇ30. Μν6. 1093 ᵇ3. νεάτη ᾗ
ὑπάτη ἔσχατα ἁρμονίας πιθ44. 922 ᵃ27 Bojesen. πληγείσης
τῆς νεάτης πιθ42. 921 ᵇ26. ἡ νεάτη λήγουσα ᾗ μαραινομένη
βαρεῖα γίνεται πιθ42. 921 ᵇ15, 17, 21, 26. cf 39. 921 ᵃ22.
cf νήτη.
νεβρίας. νεβρίαι γαλεοὶ Ζιζ10. 565 ᵃ26. cf γαλεός p145ᵃ54.

νεβρίας. τοῖς σκυλίοις, οὓς καλοῦσί τινες νεβρίας (v l νευρίας)
γαλεούς, ὅταν περιρραγῇ ᾗ ἐκπέσῃ τὸ ὄστρακον, γίνονται οἱ
νεοττοί Ζιζ10. 565 ᵃ26. (Squalus catulus L. St. Cr. 'eier-
legende Scyllion' Müller glatt Hai des Ar 14, 59. cf M
281. Rose Ar Ps 304. AZι I 148, 99.) v γαλεός p 145 ᵇ54.
νεβρός. ἡ αὔξησις ταχεῖα τῶν νεβρῶν, ἀρίστη πυετία ἡ τοῦ
νεβροῦ, ἄγειν τὰς νεβρὰς ἐπὶ τὰς σταθμάς, ἀετὸς αὐτὰς
θηρεύει Ζιγ21. 522 ᵇ12. ζ29. 578 ᵇ18, 20. ι32. 619 ᵇ10.
cf Beckmann ad θ p 20. S II 36. v ἔλαφος p 235 ᵃ28.
νεβροφόνος. ἔνιοι καλοῦσι νεβροφόνον αὐτόν (τὸν καλούμενον
πύγαργον) Ζιι32. 618 ᵇ20. v πύγαργος.
νεηλιφής. αἱ νεηλιφεῖς οἰκίαι μᾶλλον ἠχοῦσιν πια7. 899 ᵇ18.
νεῖκος δέ τε νείκεῖ λυγρῷ (Emp 380) ψα2. 404 ᵇ15. νεῖκος
et φιλία Empedocli πῶς αἴτια κινήσεως, συγκρίσεως ᾗ
διακρίσεως Φθ1. 250 ᵇ28, 252 ᵃ26. Οβ13. 295 ᵃ31. Γβ6.
333 ᵇ12, 20, 31. Ζμα1. 640 ᵇ8. τὸν κόσμον ὁμοίως ἔχειν
ἐπὶ τοῦ νείκους νῦν ᾗ πρότερον ἐπὶ τῆς φιλίας Γβ6. 334 ᵃ6.
τὸ νεῖκος ἀρχὴ φθορᾶς, ἡ τοῦ κακοῦ φύσις Μβ4. 1000 ᵃ27.
λ10. 1075 ᵇ7. cf Ἐμπεδοκλῆς.
Νεῖλος μα13. 350 ᵇ14. 14. 353 ᵃ16. β2. 356 ᵃ28. κ3. 393
ᵇ31, 394 ᵃ1, 2. ὁ Νεῖλος φθίνοντος τοῦ μηνὸς μᾶλλον ῥεῖ
Αθ15. 98 ᵃ31, ὁ Νεῖλος πλημμυρεῖ τοῦ θέρους f 235.236. ὥσπερ ἐφη-
ψημένον τὸ τοῦ Νείλου ὕδωρ ἐστίν f 258. 1525 ᵇ13. τὰ ἄνω
ἕλη τῆς Αἰγύπτου, ὅθεν ὁ Νεῖλος ῥεῖ Ζιθ12. 597 ᵃ6. Αἰγύ-
πτος πρόσχωσις οὖσα Νείλου μα14. 351 ᵇ30. λίθος ἐν Νείλῳ
θ166. 846 ᵇ22.
νεῖν τοῖς ποσί, τοῖς πτερυγίοις, τοῖς ὑραίοις Ζια5. 489 ᵇ34,
490 ᵃ2. Ζμδ8. 684 ᵃ13. 9. 685 ᵃ28, ᵇ22. ὁ πολύπης νεῖ
πλάγιος Ζιδ1. 524 ᵃ13. αἱ τευθίδες νέουσιν ἅμα συμπε-
πλεγμέναι ἐναντίως Ζιε6. 541 ᵇ12, 14. νέουσιν οἱ ὄφεις ὁμοίως
ᾗ ὅταν κινῶνται ἐπὶ τῆς γῆς Ζπ7. 708 ᵃ1. ἐλέφας νεῖν ᾖ πάνυ
δύναται διὰ τὸ τοῦ σώματος βάρος Ζιι46. 630 ᵇ29. ἐν τῇ
θαλάττῃ μᾶλλον νεῖν δύνανται ἢ ἐν τοῖς ποταμοῖς πκγ13.
933 ᵃ9. οἱ νέοντες ἐν τῇ θαλάττῃ λαπαροὶ γίνονται πκγ39.
935 ᵇ28. — τὰ νέοντα iq τὰ νευστικά, dist τὰ πετόμενα
Ζπ9. 709 ᵇ9.
νειός. (τὴν ἵππον) ἕνα ἐνιαυτὸν ᾗ πάμπαν ἀνάγκη διαλείπειν
ᾗ ποιεῖν ὥσπερ νειὸν Ζιζ22. 577 ᵃ2.
νεκρός. ὁ νεκρὸς ἄνθρωπος ὁμωνύμως μδ12. 389 ᵇ31. ἀδύ-
νατον νεκρῶν τραύματα μεῖν f 159. 1504 ᵇ44. τῶν πα-
λαιωμένων νεκρῶν σώματα ἐξαίφνης τέφρα γίνεται ἐν ταῖς
θήκαις μδ12. 390 ᵃ22. παροιμία, τὸ κἂν ἀπὸ νεκροῦ φέρειν
Ρβ6. 1383 ᵇ25, cf παροιμία. — ἐν τῇ νεκρᾷ θαλάσσῃ
φτβ2. 824 ᵃ26. γίνεταί ποτε ἡ γλυκερὰ γῆ νεκρά φτβ3.
825 ᵃ25.
νέκταρ. τὰ μὴ γευσάμενα τοῦ νέκταρος ᾗ τῆς ἀμβροσίας
θνητὰ γενέσθαι Μβ4. 1000 ᵃ12, 17. οἱ μὴ εἰδότες τὸ νέκταρ
οἴονται τὰς θεὰς οἶνον πίνειν ημβ7. 1205 ᵇ14.
νεκύδαλος (v l νεκύδαλλος, σκώδαλλος) Ζιε19. 551 ᵇ12. quid
sit nescimus cf S I 345. M 204. AZι I 162, 8. Su 202, 17.
Νεμέα. ὁ ἐν Νεμέᾳ ἀγὼν f 594. 1574 ᵇ35. — Νέμεα
πρότερον Πυθίων Μδ11. 1018 ᵇ18.
νέμειν πλέον τοῦ καλοῦ αὐτῷ, τοῖς εὐπόροις sim Ηε10. 1134
ᵇ3. ι8. 1169 ᵃ35. Πδ12. 1296 ᵇ9. ε8. 1309 ᵃ28. δύο κλή-
ρων ἑκάστῳ νεμηθέντων Πη10. 1330 ᵃ16. νέμειν τινὶ τὸ
πλεῖστον ἡμέρας μέρος (Eur fr 183) πιη6. 917 ᵃ13. τὰ ἐγκλή-
ματα ὅταν μὴ ἴσοι ἴσα νέμωνται Ηε6. 1131 ᵃ24. τὰς τιμὰς
νενεμῆσθαι κατ' ἀξίαν Πδ8. 1294 ᵃ10. η9. 1329 ᵃ16. —
νενεμημένων (ie διῃρημένων) τῶν ἀγαθῶν τριχῇ Ηα8. 1098
ᵇ12. ἐκ φυλῆς ἑκάστης ἦσαν νενεμημένοι τριττύες τρεῖς
f 349. 1537 ᵃ4. — μήτε τὸ αὐτὸ νέμειν ἄστυ μήτε πόρρω

λίαν Πη6. 1327ᵃ34. — νέμειν προστάτην Πγ1. 1275ᵃ12. —
med νέμεσθαι pasci, pabulari. cum obiecto, νέμεσθαι πόαν,
λίθυς, ἰλύν, φυκία, κόπρον Ζιθ2. 590 ᵇ7, 11. νέμεσθαι ἀκέ-
ραιον νομήν Ζιζ21. 575 ᵇ3. νέμεσθαι παντοδαπὴς τόπης,
λίμνας, ἑλώδη, τὰ ὀρεινά Ζιθ19. 602 ᵃ20. 10. 596 ᵇ3. ⒤18.
617 ᵃ4. 40. 624 ᵇ28. sine obiecto, νέμονται ἐξαίροντα τὴν
γλῶτταν Ζιε15. 547 ᵇ4, 7. νέμονται ὑποχωρῦντες πυγηδὸν
Ζμβ16. 659 ᵃ19. ἰχθύες νεμόμενοι ἀθρόοι Ζιδ8. 533 ᵇ29.
νέμεσθαι νυκτός, κατὰ καιρόν τινα Ζιθ2. 592 ᵃ26. ⒤12. 544
ᵃ14. ὐ νέμονται ἀλλὰ κρύπτυσιν ἑαυτὰς ⅋ φωλεύυσιν Ζιε
15. 547 ᵃ14. νέμεσθαι ἐν τῷ αὐτῷ Ηι9. 1170 ᵇ14, παρὰ
τὴν γῆν Ζιδ1. 525 ᵃ23, ἐπὶ ξύλων, ἐπὶ τῶν ἀκανθῶν Ζιθ3.
593 ᵃ1, 10. νέμεσθαι ἔξω, opp τρέφεσθαι κατ' οἰκίαν Ζιι50.
632 ᵇ8.

νεμεσᾶν. νεμέσασχ᾽ (Hom Λ 543) Ρβ9. 1387 ᵇ35. νεμε-
σᾶν, def Ρβ9. 1387 ᵃ9, 1386 ᵇ9. τίσι νεμεσῶσι ⅋ ἐπὶ τίσι
⅋ πῶς αὐτοὶ ἔχοντες Ρβ9. 6. 1384 ᵇ4. — νεμεσητὸν τί
Ρβ9. 1387 ᵃ32.

νεμεσητικός, def, opp φθονερός, ἐπιχαιρέκακος τβ2. 109
ᵇ38. Ρβ9. 1387 ᵇ4, 13. Ηβ7. 1108 ᵇ3. ημα28. 1192 ᵇ21.
ηεγ7. 1233 ᵇ23 (μέσος φθονερῦ ⅋ ἀνωνύμυ ηεβ3. 1221 ᵃ3).
νεμεσητικὸς τινος τίνι Ρβ9. 1387 ᵇ12.

νέμεσις μεσότης φθόνυ ⅋ ἐπιχαιρεκακίας Ηβ7. 1108 ᵃ35.
ημα28. 1192 ᵇ18. ηεγ7. 1233 ᵇ24. μεσότης φθόνυ ⅋ ἀνω-
νύμυ ηεβ3. 1221 ᵃ3. dist φθόνος Ρβ9. 1386 ᵇ21. περὶ οἷς
μέσεως ημα28. τὸν οἴονται εἶναι τὴν νέμεσιν ηεγ7.
1233 ᵇ26. Νέμεσις λέγεται ὁ θεὸς ἀπὸ τῆς ἑκάστῳ διανε-
μήσεως κ7. 401 ᵇ12.

νεογνός. τὰ νεογνά Ζμγ4. 665 ᵇ7. ἰ q τὰ νέα πάμπαν Ζμβ6.
651 ᵇ22.

νεόδαρτα δέρματα πθ1. 889 ᵇ10.

νεόκαυστος ὕλη πιβ3. 906 ᵇ22.

Νεοκλεῖ Πλάτων ἀπεκρίνατο πλ6. 956 ᵃ12.

νεόπλυτος, opp ἀρχαιόπλυτος Ρβ9. 1387 ᵃ23. ὥσπερ ἀπαι-
δευσία πλήτυ ἐστὶ τὸ νεόπλυτον εἶναι Ρβ16. 1391 ᵃ17.

Νεοπολιτῶν πολιτεία π1563 ᵃ8.

Νεοπτόλεμος tragoedia ex parva Iliade πο23. 1459 ᵇ5.
Νεοπτόλεμος ἐν τῷ Φιλοκτήτῃ τῷ Σοφοκλέυς Ηη3. 1146
ᵃ19. 10. 1151 ᵇ18.

νέος ὁ ἥλιος ἐφ᾽ ἡμέρῃ (Heraclit fr 33) μβ2. 355 ᵃ14. νέος οἶνος,
opp παλαιὸς μδ10. 388 ᵇ3. οἱ νέοι καρποὶ πα25. 862 ᵇ5.
νέον φυτὸν ἢ ζῷον Ζγα18. 723 ᵇ15. οἱ νέοι, syn ἡ πρώτη
ἡλικία Ζγα18. 725 ᵇ22,19. νέα πάμπαν, ἔτι νέα ὄντα Ζμβ6.
651 ᵇ22, 27. τῶν ζῴων τὰ νέα ⅋ νήπια, opp τὰ τέλεια
πια14. 900 ᵃ32. 24. 901 ᵇ24. οἱ νέοι (τὰ νέα), dist οἱ τε-
λειῴμενοι (τελεωθέντες), ἀκμάζοντες, πρεσβύτεροι, γέροντες
Ζιβ1. 501 ᵃ2, 500 ᵇ32, 34. γ19. 521 ᵃ32. ε14. 546 ᵃ5, 6.
Ζμδ10. 686 ᵇ8. Ζγε7. 787 ᵇ12. τὰ νέα ⅋ τὰ παλαιὰ τε-
τράποδα Ζιζ25. 578 ᵃ6. τὰ νεώτερα τὴν φωνὴν ὀξυτέραν
ἔχει, ἧττον πιαίνεται Ζιε14. 544 ᵇ33. γι8. 520 ᵇ8. οἱ παν-
τελῶς νέοι τάχιον μεθύσκονται f 102. 1494 ᵇ15. τὸ τῶν
νέων σπέρμα ἐν πᾶσι τοῖς ζῴοις τὸ πρῶτον ἄγονον· τὰ νέα
θηλυτόκα μᾶλλον τῶν ἀκμαζόντων Ζιε14. 544 ᵇ15. Ζγβ4.
739 ᵃ24. δ2. 766 ᵇ29. γαμίσκεσθαι τὰς νεωτέρας, τῶν
νεωτέρων τόκοι, ἔκγονα Πη16. 1335 ᵃ21, 18, ᵇ30. νέος τὴν
ἡλικίαν, opp νεαρὸς τὸ ἦθος Ηαl. 1095 ᵃ6. οἱ νέοι ποῖοί τινες
εἰσι τὰ ἤθη Ρβ12. 1389 ᵃ7-ᵇ12, ᵃ3. αl0. 1369 ᵃ9. ὐ δύ-
ναται τὸ νέον ἡσυχάζειν Πθ6. 1340 ᵇ29. οἱ σφόδρα νέοι
ἀμνήμονες μνl.450 ᵇ6. 2.453 ᵇ4. νεώτεροι ὄντες θᾶττον μαν-
θάνομεν πλ5. 955 ᵇ23. οἱ νέοι γεωμετρικοὶ γίνονται, φρόνιμοι
δ᾽ ὔ, ὐκ οἰκεῖαι ἀκροαταὶ τῆς πολιτικῆς Ηζ9. 1142 ᵃ12. αl.

1095 ᵃ2. ἐκ νέων (νέυ) ἐθίζεσθαι, ἦχθαι Ηβ1. 1103 ᵇ24. 2.
1104 ᵇ11. κ10. 1179 ᵇ31. — νεώτερος ⅋ ἀτελής, opp
πρεσβύτερος ⅋ τέλειος Πα12. 1259 ᵇ3. νεώτερος, opp πρε-
σβύτερος Πε6. 1305 ᵇ8, opp οἱ ἀρχαῖοι Πβ10. 1271 ᵇ24.
— ἡ νεωτάτη δημοκρατία, opp ἡ πατρία Πε5. 1305 ᵃ24.

νεόσφακτον αἷμα Ζιη1. 581 ᵇ2.

νεοτεύκτῳ κασσιτέροιο (Hom Φ 592) πο25. 1461 ᵃ28. Vhl
Poet IV 375. 420.

νεότης ἐστὶν ἡ τῦ πρώτῃ καταψυκτικῇ μορίῳ αὔξησις αν18.
479 ᵃ30. θᾶττον τὰ θήλεα τῶν ἀρρένων ⅋ νεότητα ⅋ ἀκμὴν
λαμβάνει ⅋ γῆρας Ζιη3. 583 ᵇ27. μάθησις γενομένη ἐν τῇ
νεότητι Πθ6. 1340 ᵇ39. ἡ νεότης ποῖων ἤθων ἐστὶν Ρβ12.
Ηη15. 1154 ᵇ10. πλ1. 955 ᵃ5. νεότης πολλὴ ⅋ ἀγαθή
Ρα5. 1361 ᵃ2. τὴν νεότητα ἐκ τῆς πόλεως ἀνῃρῆσθαι ὥσπερ
τὸ ἔαρ ἐκ τῦ ἐνιαυτῦ Ρα7. 1365 ᵃ32. γ10. 1411 ᵃ2, cf
Περικλῆς.

νεοττεία. Ζιζ2. 560 ᵇ23. v νεοττιά.

νεοττεύειν ἐπὶ δένδρων, ἐν δένδρεσιν, ἐν κυψελίσιν ἐκ πηλῦ,
ἐπὶ πέτραις ἀπροσβάτοις Ζιι13. 616 ᵃ9. 15. 616 ᵇ7. 30. 618
ᵃ34. ζ5. 563 ᵃ5. εἰς τὰς ὀπὰς ἐν τῇ γῇ καταδυόμενος
νεοττεύει Ζιζ1. 559 ᵃ4. ὁ λευκὸς ἐρωδιὸς νεοττεύει ⅋ τίκτει
καλῶς ἐπὶ τῶν δένδρων Ζιι18. 617 ᵃ3. ἡ χελιδὼν δὶς νεοτ-
τεύει μόνον τῶν σαρκοφάγων Ζιζ5. 563 ᵃ13 Aub. — ὥσπερ
⅋ νεοττεύυσιν Ζιθ15. 599 ᵇ7 om Aub.

νεοττευσις. τὰς νεοττεύσεις ποιεῖται ὑπηνέμως Ζιζ1. 559 ᵃ3.

νεοττιά (v l νεοσσιά, νεοσσεία, forma νεοττεία in aliquot
codd constanter exhiberi videtur. avium Ζιζ1. 558 ᵇ30-
559 ᵃ14. τῶν γαμψωνύχων, ὑπολαίδος, φαβῶν, τρυγόνων,
τῶν λιμναίων ὀρνίθων Ζιζ6. 563 ᵇ9. 7. 564 ᵃ2, 563 ᵇ32. 8.
564 ᵃ13. θ3. 830 ᵇ15. περιστερῶν, ὄρτυγος, πέρδικος, κιτ-
τῶν, κοττύφυ, ἀκανθυλλίδος, χλωρίδος, ἔποπος, κυψέλη, στρύ-
μερόπων, χελιδόνος f 269.1526ᵇ41. 270.1527ᵃ4. Ζιι7. 613
ᵃ1, 5, 9, 11. 8. 613 ᵇ18. 13. 615 ᵇ21, 616 ᵃ1, 4, 5. 29. 618
ᵃ11. 15. 616 ᵃ35. 30. 618 ᵇ1. 32. 619 ᵃ28, 32. 40. 626 ᵃ13.
Φβ8.199ᵃ27. γυπὸς σπάνιον ἰδεῖν, ὑδεὶς ἑώρακεν Ζιζ5. 563
ᵃ6, 9. ⒤11. 615 ᵃ9. ἀλκυόνος Ζιε8. 542 ᵇ12. ⒤14. 616 ᵃ19. ὁ
κόκκυξ ὑ ποιεῖ νεοττιάν Ζιζ7. 563 ᵇ30. ⒤29. 618 ᵃ8. θ3. 830
ᵇ12. οἱ βαρεῖς τῶν ὀρνίθων ὐ ποιῦνται νεοττιάς Ζιι8. 613 ᵇ6.
— ἀλλότριαι νεοττιαί Ζιι29. 618 ᵃ9. Ζγγ1. 750 ᵃ15. νεοττιὰ
παρομοία ταῖς σφαίραις ταῖς θαλαττίαις Ζιι14. 616 ᵃ19.

νεόττιον. τὰ νεόττια ἐνίων ὀρνίθων, ἀλκυόνος, τῆς ὑποδεξα-
μένης ὄρνιθος Ζιθ9. 536 ᵃ30. ε8. 542 ᵇ13. ⒤29. 618 ᵃ22 al V.

νεοττίς. ἀνόχευτοι νεοττίδες ἀλεκτορίδων ⅋ χηνῶν Ζιζ2. 559
ᵇ23, 560 ᵇ4.

νεοττός. 1. pullus. Mammalium. γαλῆς Ζγγ6. 757 ᵃ1. —
Avium. χελιδόνος, ἀηδόνος, ἀλεκτρυόνος, περδίκων, περιστε-
ρῶν Ζιβ17. 508 ᵇ5. θ9. 536 ᵇ17. ζ5. 563 ᵃ14. 4. 562 ᵇ21.
8. 564 ᵃ23. ⒤7. 613 ᵃ4. f 270. 1527 ᵃ6. κόκκυγος Ζιζ7.
563 ᵇ29. ⒤29. 618 ᵃ14, 17, 22, 28. θ3. 830 ᵇ14. φαβῶν,
ὑπολαίδος, κορύδυ, χλωρίδος, γυπὸς, ἱεράκων, ἀετῦ Ζιζ9.
618 ᵃ19 (syn νεόττιον ᵃ24). 11. 615 ᵃ9. 32. 619 ᵃ27. 34.
619 ᵇ28, 30. ζ7. 564 ᵃ5. τὸ τῶν νεοττῶν γένος Ζγα21.
730 ᵃ9. νεοττοὶ ὑποβολιμαῖοι, συνθερμαίνυσι τὺς νεοττὺς
Ζιι29. 618 ᵃ28. ζ4. 562 ᵇ21. νεοττοὶ κενοί, coni ἔτι νέοι ὄντες,
νεοττοὶ ἀλεκτορίδος ⅋ χηνός Ζιζ5. 563 ᵃ14. Ζγγ1. 751 ᵃ12.
— Reptilium. κροκοδείλυ, ἔχεως Ζιε33. 558 ᵃ22. 34. 558
ᵃ27 (syn μικρὰ ἐχίδια ᵃ29). — Piscium. σελαχῶν, βατράχυ
Ζιζ10. 564 ᵇ25, 565 ᵇ25-30. Ζγγ3. 754 ᵃ29. — Insecto-
rum. μελιττῶν Ζιι40. 624 ᵃ22, ᵇ12. — 2. 'νεοττὸς dicitur
vitellus in ovo perfecto in medio appositus ad pulli nutri-
mentum, minime vero pullus ipse' S I 407, 418. ἐν τοῖς

ὄρνισιν ὁ καλύμενος νεοττός, ἡ τῦ νεοττῦ γένεσις, evolutio, ἡ τῦ νεοττῦ ἀρχὴ ἐκ τῦ λευκῦ, τὸ τῦ ᾠῦ ὠχρὸν ἡ τροφὴ τοῖς νεοττοῖς, δύο νεοττοὶ κεχωρισμένοι Ζιζ10. 565 ͣ3 Aub. 2. 560 ᵇ17. 3. 561 ᵇ9-562 ͣ21, 25. Ζγγ2. 752 ᵇ27, 29, 753 ᵇ32. δ4. 770 ͣ17. — pro νεοττός Ζιζ2. 559 ᵇ17 5 λέκιθος ci Aub.

Νεόφρων. τὸ δρᾶμα (Μήδειαν) δοκεῖ ὑποβαλέσθαι Εὐριπίδης παρὰ Νεόφρονος διασκευάσας f 592. 1574 ͣ23. Nck fr trg p 565.

νεοχμῦν. εἷς ὢν ὁ θεὸς πολυώνυμός ἐστι, κατονομαζόμενος 10 τοῖς πάθεσι πᾶσιν ἅπερ αὐτὸς νεοχμιῖ x7. 401 ͣ13.

νεόχμωσις. τῦ κόσμυ κ͗ αἱ παράδοξοι νεοχμώσεις τεταγμένως ἀποτελῦνται x5. 397 ͣ20.

Νέσσος. μεταξὺ τῦ Ἀχελώυ κ͗ τῦ Νέσσυ ποταμῦ Ζιζ 31. 579 ᵇ7. θ28. 606 ᵇ16.   15

Νέστος μα13. 350 ᵇ16 (v1 Νέσσος, Νέσος).

Νέστωρ. Ὀδυσσεὺς τῷ Νέστορι ὅμοιος τγ2. 117 ᵇ24. Νέστωρ ἤδει κοσμῆσαι ἵππυς f 13. 1476 ͣ20. Νέστωρ παρὰ Ὁμήρῳ κοιμᾶται μετὰ γυναικῶν f 172. 1506 ᵇ23. ἐπίγραμμα ἐπὶ Νέστορος f 596. 1575 ᵇ18, 25.   20

νεύειν. ἡ νεύυσι τὰς κεφαλὰς αν16. 478 ᵇ5. αἱ τρίχες νενεύκασι κάτω πζ5. 886 ᵇ26. τῶν (ἐπὶ) θάτερον τῶν ἄκρων νενόντων πιθ44. 922 ͣ25. τὰ περὶ τὰς μοίρας εἰς τοῦτο νεύει x7. 401 ᵇ15. — geometrice τί τὸ νεύειν Αγ10. 76 ᵇ9.

νεῦρα. μύες ἐβοήθησαν διατραγόντες τὰς νευρὰς Ρβ24. 1401 25 ᵇ16. — τὸ αἰδοῖον ἔχει ὁ κάμηλος νεῦρον ὕτως, ὥστε νευρὰν τῷ τόξυις ποιῦσιν Ζιε2. 540 ͣ19. — τὴν ἀναγωγὴν ἡ νευρὰ ὅ δύναται λαμβάνειν εἰς τοῦτον τόπον αx800 ᵇ15.

νεύρινος. χορδὴ τεταμένη νευρίνη Ζγε7. 787 ᵇ17. νεύρινον ci Aub Ζιε2. 540 ᵇ18, νεῦρον Bk.   30

Νευροί. οἱ ἐν Νευροῖς βόες f 321-323. 1532 ͣ39, ᵇ1. cf βῦς p 142 ͣ16.

νεῦρον. ligamenta, tendines, σύνδεσμοι. descr Ζιγ5. τὰ νεῦρα referuntur inter τὰ ξηρὰ κ͗ στερεὰ τῶν ὁμοιομερῶν μδ8. 385 ͣ8. Ζια1. 487 ͣ7, 486 ͣ14. γ2. 511 ᵇ7. Ζμβ2. 647 35 ᵇ17. Ζγα18. 722 ͣ17, 724 ᵇ30. β4. 740 ᵇ17. cf Plat Tim 82 C. τὰ νεῦρα ἁπλῶς γῆς ψα5. 410 ᵇ1. cf μδ10. 389 ͣ12, ἑλκτὰ αγ9. 386 ᵇ14. — a. anatom. τὸ μὲν νεῦρον ξηρὸν κ͗ ἑλκτόν, τὸ δ᾽ ὀστῦν ξηρὸν κ͗ θραυστόν· τὰ νεῦρα ὡς αἱ στρέβλαι Ζγβ6. 743 ᵇ5. Ζx7. 701 ᵇ9. οἱ δεσμοὶ φυ- 40 τῶν ὅμοιοι νεύροις ζῴυ φτα3. 818 ͣ20. ἡ τῶν νεύρων ἀρχὴ ἔστιν ἐκ τῆς καρδίας Ζιγ5. 515 ͣ28. ἐν τοῖς τῆς καρδίας κοιλίαις νεῦρα ἔνεστιν, ἐν αὐτῇ ἡ καρδία ἔχει νεῦρα ἐν τῇ μεγίστῃ κοιλίᾳ, ἔχει κ͗ νεῦρον πλῆθος ἡ καρδία, κ͗ ἐν τῇ καρδίᾳ νεῦρον, trabeculae carneae, musculi papillares et 45 chordae tendineae Ζια17. 496 ͣ13 Aub. γ5. 515 ͣ29 Aub. Ζμγ4. 666 ᵇ13. πν6. 484 ͣ18, 485 ͣ8. ὑκ ἔστι νεῦρα ἡ τῶν νεύρων φύσις ἀπὸ μιᾶς ἀρχῆς ὥσπερ αἱ φλέβες· πάντα τὰ ὀστᾶ, ὅσα ἀπτόμενα πρὸς ἄλληλα σύγκεινται, συνδέδενται νεύροις, κ͗ περὶ πάντα ἔστι τὰ ὀστᾶ πλῆθος νεύρων· 50 κ͗ νεῦρα ἐκ τῶν νεύρων ἠρτημένα Ζιγ5. 515 ᵇ33, ᵇ5, 12. πν6. 484 ͣ18. τὰ νεῦρα διεσπασμένα περὶ τὰ ἄρθρα κ͗ τὰς τῶν ὀστῶν ἔστι κάμψεις, νεῦρα τελευτᾷ πρὸς τὰς καμπὰς τῶν ὀστῶν Ζμβ9. 654 ᵇ19, 25. Ζιγ5. 515 ᵇ4, ͣ32. πλεῖστά ἐστι νεῦρα περὶ τὰς πόδας κ͗ τὰς χεῖρας κ͗ πλευρὰς κ͗ ὠμο- 55 πλάτας κ͗ περὶ τὸν αὐχένα κ͗ τυς βραχίονας Ζιγ5. 515 ᵇ21. enumerantur τὰ μέγιστα μέρη τῶν νεύρων· τὸ νεῦρον τὸ περὶ τὸ μόριον τὸ τῆς αἰσεως κύριον, t musculi bicipitis femoris, sartorii, semitendinosi et semimembranosi· ἕτερον νεῦρον διπτυχές, ὁ τένων (v h v)· τὰ νεῦρα τὰ πρὸς τὴν 60 ἰσχὺν βοηθητικά, ἐπίγονός τε κ͗ ὠμιαία (v h v)· τὰ δ᾽ ἀνώ-

νυμα περὶ τὴν τῶν ὀστῶν κάμψιν Ζιγ5. 515 ᵇ7-10. ἐν τῇ κεφαλῇ ὑκ ἔστιν ὑδὲν νεῦρον Ζιγ5. 515 ᵇ13, cf Plat Tim 7b D. 77 E. (ἔνιοι τῶν Περιπατητικῶν) διὰ προσώπων ἐκτέμνειν τὰ νεῦρα τῆς ψυχῆς φασι τὺς τὴν ὀργὴν κ͗ τὸν θυμὸν αὐτῆς ἐξαιρῦντας f 95. 1493 ᵇ14. — ἔχει νεῦρα πάντα ὅσα ἔχει αἷμα· ἐν οἷς μή εἰσι καμπαὶ ἀλλ᾽ ἄποδα κ͗ ἄχειρά ἐστι, λεπτὰ κ͗ ἄδηλά· τὰ τῶν ἰχθύων νεῦρα μάλιστά ἐστι δῆλα πρὸς τοῖς πτερυγίοις Ζιγ5. 515 ᵇ23-25. — b. physiolog. cf Plat Tim 74BD. ἡ φύσις συνίστησιν ἐκ τῶν περιττωμάτων ὀστᾶ κ͗ νεῦρα κ͗ τρίχας, ἐκ τῆς σπερματικῆς περιττώσεως κ͗ τῆς θρεπτικῆς· ὑπὸ τῆς ἐντὸς θερμότητος τά τε νεῦρα κ͗ τὰ ὀστᾶ γίνεται· πνεῦμα πολὺ περὶ τὰ νεῦρα ἐκκαίεται· τὸ θερμόν ἐστιν ἐν νεύρῳ κ͗ ἀρτηρίᾳ κ͗ φλεβί· θερμότατον δὲ κ͗ οἷον φλεβωδέστατον τὸ ἐν τῷ νεύρῳ Ζγβ6. 744 ᵇ25, 37, 743 ᵇ17. πε15. 882 ͣ36. πν5.484 ͣ3, 5. ὑγρότης περὶ τὰ νεῦρα μυξώδης γίνεται, λευκὴ κ͗ κολλώδης, ἡ τρέφεται κ͗ ἐξ ἧς γιγνόμενα φαίνεται (synovia capsularum synovialium et bursarum tendinum mucosarum)· τὰ νεῦρα ἀπὸ τῶν ὀστῶν τρέφεται, καθάπερ γὰρ αὐτά· ἀπὸ τῦ νεύρῳ τοῖς ὀστοῖς μᾶλλον ἡ τροφή· τὸ γλίσχρον κ͗ τῇ νεύρᾳ λαμβάνει φύσις, ἥπερ συνέχει τὰ μόρια τῶν ζῴων, ἐν μὲν τοῖς ὅσα νεῦρον, ἐν δὲ τοῖς τὸ ἀνάλογον (cf Plat Tim 82D) Ζιγ5. 515 ᵇ16. cf S Theophr IV 715. πν6. 484 16, 21, 34. Ζγβ4. 737 ᵇ2. νεύρυ κ͗ νεύρων φύσις σχιστὴ κατὰ μῆκος, κατὰ δὲ πλάτος ἄσχιστος κ͗ τάσιν ἔχυσα πολλὴν Ζιγ16. 519 ᵇ31. 5. 515 ᵇ15, ͣ31. πν5. 483 ᵇ14, 17. Ζμβ8. 654 ͣ15. cf 6. 652 ͣ19. ὑ λαμβάνει δ᾽ ὑδὲ νάρκη, ὅπυ μὴ νεῦρόν ἐστι τῦ σώματος· νεῦρον πάσχει ὑπὸ τῦ φθείρεται πυρωθέν, κἂν διακοπῇ, ὑ συμφύεται πάλιν (sed tenotomia docet contrarium)· νεῦρον ὑθενὸς αἰσθάνεσθαι δοκεῖ· νεῦρον τῦ ἁπτικῦ χάριν Ζιγ5. 515 ᵇ19, 20 Aub et Ka 115, 12. ψα5. 410 ᵇ1. Ζμβ8. 653 ᵇ31. τὸ δὲ νεῦρον ᾠήθη τινὲς εἶναι δεκτικὴν ἀρτηρίας· τὸ δὲ νεῦρον σχιστὸν (Erasistrati sententia, Rose libr ord 168) πν5. 483 ᵇ13. ἔστιν ἐν πᾶσιν ἡ ἰσχὺς ἐν τοῖς νεύροις Ζγε7. 787 ᵇ11. τὰ ζῷα ἔχει ὄργανα τοιαῦτα (i e πρὸς τὴν κίνησιν) τήν τε τῶν νεύρων φύσιν κ͗ τὴν τῶν ὀστῶν· ὑκ ἂν δόξειε κινήσεως ἕνεκα τὰ ὀστᾶ, ἀλλὰ μᾶλλον τὰ νεῦρα κ͗ τὸ ἀνάλογον, ἐν ᾧ πρώτῳ τὸ πνεῦμα τὸ κινητικὸν Ζx7. 701 ᵇ8. πν8. 485 ͣ6, 10. διὰ τὴν συνέχειαν κ͗ σφοδρότητα τῆς κινήσεως ὑκ ἀναπαύεται ὁ σεισμὸς τῷ ἀνθρώπῳ τῶν νεύρων· οἱ βῦβῶνες γίνονται πληγέντες (πληγέντος Did) διὰ τὴν συνάρτησιν τῶν φλεβῶν κ͗ νεύρων· (οἱ ἐν ἀντιτύποις περίπατοι) συντάσεις ἐμποιῦσι τοῖς νεύροις τοῖς περὶ μυσὶ· σύντηγμα πλανώμενον ἀτάκτως κ͗ προσπῖπτον ὀστοῖς τε κ͗ νεύροις πε15. 882 ͣ33. 26. 883 ᵇ22. 40. 885 ͣ38. 7. 881 ͣ26. cf S Theophr IV 758. — c. πῶς ἔχει πρὸς δέρμα ὄνυχα ἵνας σαρκώδεις σπέρμα. τὸ δέρμα ἐκ φλεβὸς κ͗ νεῦρα κ͗ ἀρτηρίας· Ἐμπεδοκλῆς ἐκ νεύρυ τὸν ὄνυχα τῇ πήξει· αἱ ἷνές εἰσι μεταξὺ νεύρυ κ͗ φλεβός, ἔνιαι τῶν ἰνῶν διέχυσιν ἀπὸ τῶν νεύρων πρὸς τὰς φλέβας· τὰ τῶν μαλακίων σαρκώδη μεταξὺ σαρκὸς κ͗ νεύρυ τὴν φύσιν ἔχει· τὰ τῶν ζῴων ὑθὲν σύγκειται ὥσπερ ἵνα νεύρυ κ͗ σαρκός πν5. 483 ᵇ15. cf Hippocr ed Littré I 203. 6. 484 ͣ38. Ζιγ6. 515 ᵇ27, 29. Ζμβ8. 654 ͣ15. Ζγα18. 724 ᵇ30. — d. φλὲψ τείνυσα παρ᾽ αὐτὴν τὴν ῥάχιν διὰ τῶν νεύρων (νευρῶν, non νεύρων, cod A ͣ Pik Aub, νεφρῶν Did, βαχίτιν Bk) Ζγ4. 515 ͣ1, διὰ τῶν στενῶν (fort νεύρων) Ζια17. 497 ͣ15. τὸ αἰδοῖον ἔχει ὁ κάμηλος νεῦρον (Bk, νευρῶδες Camotiana, νεύρινον Aub) Ζιε2. 540 ͣ18. cf β1. 500 ᵇ22. (cf Philippson ὕλη 12. Μ 426. Su 17. 18. Lewes 170. S II 322. Sprengel Gesch der Arzneikunde 1792 I 320.)

νευροσπάστης. οἱ νευροσπάσται μίαν μήρινθον ἐπισπασά-
μενοι ποιῦσι κ̣ αὐχένα κινεῖσθαι κ̣ χεῖρα τῦ ζῴν κ6. 398
b16.
νευρώδης. ἡ ἀορτὴ σφόδρα νευρώδης, τὸ νευρῶδες μόριον
τῆς ἀορτῆς Ζιγ3. 513 b9, a21. cf 4. 514 b23. ἡ ἀορτὴ νευ- 5
ρώδης ἐστὶ φλέψ, τὰ μὲν τελευταῖα κ̣ παντελῶς αὐτῆς
(Plat sententia (?) cf Hecker Wörterb der medic Wiss III
221sq) Ζιγ5. 515 a30. τὸ αἰδοῖον, τὸ τῦ ἄρρενος ὄργανον,
τὸ αἰδοιῶδες νευρῶδες Ζια17. 497 a27. 1. 500 b22 (cf ε2.
540 a18). ε6. 541 b10. Ζμδ10. 689 a29, 23. Ζγα5. 717 10
b20. φλέψ νευρώδης, φλέβια νευρώδη Ζια17. 497 a14. γ4.
514 b21, 37. ἡ τῶν σκελῶν φύσις νευρώδης Ζγα5. 717 b20.
cf Ζιβ1. 499 a32. ὑμὴν νευρώδης, Ascidiarum tunica Ζιδ6.
531 a17 Aub. — coni γλίσχρος. ὁ μυελὸς ὁ ῥαχίτης γλί-
σχρος κ̣ νευρώδης ἐστίν, ἵν' ἔχῃ τάσιν Ζμβ6. 652 a19. 15
coni ὀστώδης, ἀκανθώδης. πάντα τὰ τετράποδα ὀστώδη τὰ
σκέλη ἔχει κ̣ νευρώδη κ̣ ἄσαρκα, αἱ κινήσεις τῶν μὲν
ἰχθύων νωθραὶ διὰ τὸ μὴ ἀκανθώδη εἶναι μηδὲ νευρώδη
Ζιβ1. 499 a32. Ζγα5. 717 b20. Ζμδ13. 696 b7. opp χον-
δρώδες. τὸ αἰδοῖον Ζμδ10. 689 a29. cf Ζια17. 497 a27. 20
opp σαρκώδης. ὁ οἰσοφάγος σαρκώδης ἔχων νευρώδη τάσιν·
νευρώδης μὲν ὅπως..., σαρκώδης δὲ ὅπως... Ζμγ3.
664 a32. — νευρωδέστερος. ἡ ἀορτὴ προϊῦσα ἐπιστενωτέρα
κ̣ νευρωδεστέρα Ζιγ4. 514 b23. ἀπὸ τῆς κεφαλῆς (ὄρχεων)
πρὸς αὐτῷ τῷ ὄρχει πόρος ἐστὶ πυκνότερος ἐκείνων κ̣ νευ- 25
ρωδέστερος, Nebenhoden Ζιγ1. 510 a18. — τὸ αἰδοῖον ἔχει
ὁ κάμηλος νευρῶδες (Camot, νεῦρον Bk, νεύρινον Aub) Ζιε2.
540 a18. cf β1. 500 b22.
νεῦσις, dist πτῆσις βάδισις ἕρψις Ζμα1. 639 b2. Ζπ9. 708
b27. ποιεῖσθαι τὴν νεῦσιν Ζιε6. 541 b16. Ζπ9. 709 b19. τὰ 30
σκέλη πρὸς τὴν νεῦσιν βραχέα Ζμδ12. 693 a10.
νευστικός. τὰ νευστικὰ (M 135) referuntur inter τὰ κατὰ
τόπον μεταβλητικά, dist πτηνά, πεζευτικά Ζια1. 487 b15.
Ζγα1. 715 a27. τῶν νευστικῶν ὅσα ἄποδα τὰ μὲν πτερύγια
ἔχει, τὰ δὲ ὅλως ὐκ ἔχει Ζια5. 489 b23-490 a2. τὰ ἐν τῷ 35
ὑγρῷ νευστικά, ὅσα αὐτῶν δι' ὀργάνων τὴν ἐπὶ τῦ ὑγρῦ
ποιεῖται πορείαν, syn ἰχθύες, ἔνυδρα Ζπ15. 713 a4, 9, 10.
τοῖς νευστικοῖς χρήσιμος ἡ ὐρὰ Ζμδ8. 684 a2. τὰ νευστικὰ
οἷον ἰχθύες κ̣ τὰ μαλάκια κ̣ τὰ μαλακόστρακα Ζια1. 487
b15. — νευστικὸν μόνον ἰχθὺς (v infra a47)· διὰ τὸ νευστικὰ 40
εἶναι πτερύγια ἔχουσιν οἱ ἰχθύες, ὐκ ἔχουσιν ἀπηρτημένα κῶλα
οἱ ἰχθύες διὰ τὸ νευστικοὶ εἶναι τὴν φύσιν αὐτῶν κατὰ τὸν
τῆς ὐσίας λόγον Ζια1. 487 b22. Ζμδ13. 695 b20, 18. —
πορευτικὰ κ̣ νευστικὰ πολλὰ τῶν ζῴων ἐστίν· αἱ καρίδες
πλείας ἔχυσι πόδας, ὅτι νευστικώτερά ἐστιν ἢ πορευτικώ- 45
τερα· ἔχυσιν ἀνομοίως αἱ σηπίαι κ̣ αἱ τευθίδες τοῖς πολύ-
ποσι διὰ τὸ νευστικοὶ εἶναι μᾶλλον, τὰς δὲ πορευτικὰς
Ζια1. 487 b31. Ζμδ8. 684 a18. 9. 685 a15. — ὁ καλύμε-
νος κόραξ (cf κόραξ p404 b30) στεγανόπης κ̣ νευστικός Ζιθ3.
593 b20. — νευστικώτερα Ζμδ8. 684 a18. 50
Neutrum genus liberius usurpatum. 1. apud Ar perinde
atque apud omnes scriptores Graecos (Matthiae gr gr
§ 437) adiectivum praedicati loco positum interdum non
sequitur genus subiecti, sed substantivi instar genere neutro
ponitur, veluti πρὸς τὰς ὁρισμὰς ῥᾷον ἡ ἐπιχείρησις τβ4. 55
111 b16. ἡ κάλλιον ὁ πίθηκος, ὁμοιότερον δὲ τῷ ἀνθρώπῳ
τγ2. 117 b19. ἐν πᾶσιν ἡ μεσότης ἐπαινετὸν Ηβ7. 1108
a15. eiusmodi exempla collegerunt Zell ad Eth N I 5, 5,
Wz ad K 5. 4 b4. — 2. pronomina demonstrativa (ὗτος,
αὐτός) interdum non sequuntur genus eius nominis, ad 60
quod referuntur, sed neutro genere ponuntur, veluti ἡ τῶν

ζῴων ψυχή, τῦτο γὰρ ὐσία τῦ ἐμψύχῳ Μζ10. 1035 b15.
ἡ ἡδονὴ μᾶλλον ἑκάσιον, διὸ κ̣ ἐπονειδιστότερον· κ̣ γὰρ ἐθι-
σθῆναι ῥᾷον πρὸς αὐτά Ηγ15. 1119 a26, exempla ex Arist
collegerunt Zell ad Eth N I 10, 10, Wz ad K 5. 4 b4, ex
aliis scriptoribus Matthiae gr gr § 439. — insolentior is
usus est in pronomine relativo, τὸ τῦ ἐντέρυ μέγεθος
ἁπλῦν, κ̣ ἀναδίπλωσιν ἔχει, ὃ ἀναλύεται εἰς ἓν Ζιβ17. 508
b13. — 3. peculiaris Aristoteli videtur esse negligentia
quaedam et inconcinnitas in coniungendo genere neutro
cum aliis generibus. ἡ μὲν γὰρ σμύραινα ποικίλον κ̣ ἀσθε-
νέστερον, ὁ δὲ σμῦρος ὁμόχρως κ̣ ἰσχυρός Ζιε10. 543 a25.
ὁρῶμεν πλείας πνέοντας ἀνέμυς, ὧν ὅταν εἰς τὴν γῆν ὁρμήσῃ
θάτερον (v l θάτερος) μβ8. 366 a10. ἔτι δὲ ὖτε φλεβώδεις
ὁμοίως γλαφυρωτέρα τε κ̣ λειότερα τὰ θήλεα τῶν ἀρρένων
ἐστὶν Ζγα19. 727 a16.
νεφέλη, dist ὁμίχλη μα9. 346 b33, 35. πάμπαν εὐθεῖαν
λεπτὴν καταλείπεσθαι ὥσπερ ῥηγμῖνα ὖσαν ἀέρος τὴν νεφέ-
λην μβ8. 367 b19. συναίρειν (fort συναιρεῖν) νεφέλας κ̣ ὕδωρ
πολύ πκς46. 945 a38. — ἐπιπολῆς τῦ ἐνόπτρυ οἷον νεφέλη
αἱματώδης ἐν 2. 459 b30. — Νεφέλαι Ἀριστοφάνυς f 578.
1573 a2, 10.
νεφέλιον λεπτὸν διατεῖνον κ̣ μακρὸν μβ8. 367 b9.
νεφελώδης πότε ὁ νότος ἐστὶν πκς20. 942 a37.
νέφος, def πύκνωσις ἀέρος τζ8. 146 b29. κ̣ ἐξ ἀέρος (sc
σύγκρισις) εἰς ὕδωρ νέφος μα9. 346 b33. cf 3. 341 a10.
νέφος ἐστὶ πάχος ἀτμῶδες συνεστραμμένον, γόνιμον ὕδατος
κ4. 394 a26. νέφη ἢ συνίσταται κατὰ τὸν αὐτὸν τόπον· γί-
νονται αἱ τῶν νεφῶν ἀθροίσεις, ἣ ὑψ'κησιν ἤδη διὰ τὸ σχί-
ζεσθαι εἰς τὸ ἀχανὲς αἱ ἀκτῖνες μα3. 340 a25, 31. ὁ περὶ
τὰ νέφη τόπος μα10. 347 b12. νέφη συνίσταται, τὰ συνι-
στάμενα νέφη μβ4. 361 a9. 6. 364 b9. σύγκρισις συνιστα-
μένη εἰς νέφος μβ9. 369 a15. πυκνοτέρας τῆς συστάσεως
τῶν νεφῶν γιγνομένης μβ9. 369 a16. ἀνώμαλος ἡ τῶν νεφῶν
σύστασις μγ6. 377 b5. νότοι μικροὶ πνέοντες ὖ δύνανται
πολλὰ νέφη ποιεῖν πκς38. 944 b27. συνιόντων τῶν νεφῶν
μβ6. 364 b33. 9. 369 a27. ὅταν ἀπωσθῇ τὸ νέφος εἰς τὸν
ἄνω τόπον μα2. 348 a15. ὅταν εἰς ταὐτὸν συνωσθῶσι τὰ
νέφη μβ4. 361 a1. διὰ τὸ τὰ νέφη πυκνῦσθαι μγ1. 371 a1.
ὅταν παγῇ τὸ νέφος μα11. 347 b23. ἐν τῷ νέφει ἔνεστι
πολὺ τὸ θερμόν μα11. 347 b26. νέφη ἀραιότερα μβ6. 364
b25. νέφος μελάντατον μγ4. 375 a9. τὰ ἐν τοῖς νέφεσιν, ἃ
παρεικάζυσιν ἀνθρώποις κ̣ κενταύροις ταχέως μεταβάλλοντα
εν3. 461 b19.
νεφροειδής. καρδία ὄφεων νεφροειδὴς Ζιβ17. 508 a30. ἔμ-
βρυά τινα ἔχει ἄλλα νεφροειδῆ περὶ τὰς νεφρύς Ζιζ22. 577
a6. πλατέα νεφροειδῆ ἐν ἐνίοις τῶν ὀρνίθων ἐστὶν Ζμγ9.
671 a30.
νεφρός. οἱ νεφροὶ referuntur inter τὰ διφυῆ τῶν σπλάγχνων
et ὐσωδέστατον αὐτῶν ἐστὶν Ζιγ17. 520 a28. Ζμγ4. 667
b4. 7. 669 b14. 9. 671 b23. descr Ζμγ9. Ζια17. 496 b34sq.
οἱ νεφροὶ ἐπ' αὐτῇ τῇ ῥάχει δῆλοι Ζμγ7. 669 b25. — 1. renium par-
tes, situs. νεφρῶν σῶμα Ζια17. 497 a9. γ4. 514 b32. Ζμγ9.
671 b13, μέσον Ζια17. 497 a15. γ17. 520 a31. Ζμγ9. 671
b22. cf S I 162, τὸ κοῖλον, pelvis renalis Ζια17. 497 a5, 12.
γ4. 514 b32, 35. Ζμγ9. 671 b3, 13, 16, 22, κοιλία Ζια17.
497 a11. ὁ δεξιός, ἀρίστερος Ζια17. 497 a2, 1. γ17. 520 a29.
Ζμγ9. 671 b28, 34, 35, 672 a23. νεφρὸς i q ὁ ἀρίστερος
Ζιγ3. 512 b29, i q δεξιός b31. νεφροὶ εἷς, νεφροὶ τέττα-
ρες, πλείυς, πολλοὶ (renculi) Ζιζ22. 577 a6. α16. 506 b29.
Ζγδ4. 771 a4, 773 a6. Ζμγ9. 671 b7. — οἱ νεφροὶ ἔσχα-
τοι ὄντες, εἰς τὰ ὄπισθεν, πρὸς αὐτῇ τῇ ῥάχει κεῖνται,

ὁ δεξιὸς ἀνώτερος Ζμγ9. 672 ᵇ16, 671 ᵇ28, 34 (F 298, 62).
7, 670 ᵃ17. Ζια17. 496 ᵇ34, 497 ᵃ1. β17. 507 ᵃ20 (loc
spur). τὸ ἧπαρ ἅπτεται τῶ δεξιῶ νεφρῶ, ἔνια τῶν ζώων
τὴς ὄρχεις ἔχει ἐντός, περὶ τὸν τῶν νεφρῶν τόπον, ἡ κύστις
τὴν ἐξάρτησιν ἔχησα τοῖς ἀπὸ τῶν νεφρῶν τεταμένοις πό- 5
ροις, καθώρμισται ἐκ τῶν νεφρῶν Ζμγ9. 671 ᵇ35, 25. cf
F 298, 61. Ζιβ1. 500 ᵇ9. γ1. 509 ᵃ34. α17. 497 ᵃ19. Ζγα3.
716 ᵇ19. — 2. νεφρῶν πόροι. ἐκ τῶ κοίλῆ φέρησιν εἰς τὴν
κύστιν πόροι δύο νεανικοί, ureteres Ζια17. 497 ᵃ12. γ4.
514 ᵇ35. Ζμγ9. 671 ᵇ16, 26. ὁ ἀπὸ τῆς φλεβὸς τείνων 10
πόρος εἰς τὸ σῶμα καταναλίσκεται τῶν νεφρῶν, vena renalis
Ζμγ9. 671 ᵇ12. cf Ζια17. 497 ᵃ8. ἄλλοι πόροι αὐτῶν fort
arteriae spermaticae Külb, vel iliacae Aub Ζια17. 497 ᵃ4,
13. γ1. 510 ᵃ15. Ζμγ9. 671 ᵇ17, 672 ᵇ7. — 3. νεφρῶν
φλέβες. vena cava inferior et aorta, arteria et vena re- 15
nalis Ζιγ4. 514 ᵇ16, 31. ἡ ἀρτηρία κατὰ τὸν ὑπὲρ τῶν
νεφρῶν σφόνδυλον σχίζεται διχῆ Ζιγ3. 513 ᵇ30. ἐκ μέσων
τῶν νεφρῶν ἑκατέρω φλὲψ κοίλη ἢ νευρώδης Ζιγ4. 514 ᵇ36.
α17. 497 ᵃ15. φλέβες εἰς τὸν νεφρὸν i e ἀριστερὸν Ζιγ3.
512 ᵇ29, i e δεξιὸν ᵇ31. φλὲψ παχεῖα εἰς τὸν νεφρὸν (Syen- 20
nesis), ἕτεραι φλέβες εἰς τὰς νεφρὰς (Diog Apolloniat)
Ζιγ2. 512 ᵃ11, ᵇ3. — 4. anatom quaedam compar. renes
habent Mammalia, renibus carent Aves et Pisces Ζιβ16.
506 ᵇ25 Aub. Ζμγ9. 671 ᵃ26sq. ἔστιν ὁ τῶ βοὸς οἷον ἐκ
πολλῶν μικρῶν εἰς συγκείμενος Ζια16. 506 ᵇ29. cum reni- 25
bus boum comparantur οἱ νεφροὶ τῆς φώκης Ζια17. 497 ᵃ7.
Ζμγ9. 671 ᵇ5, 6, τῆς θαλαττίας χελώνης Ζιβ16. 506 ᵇ28
Aub, τῶ ἀνθρώπω Ζια17. 496 ᵇ34. Ζμγ9. 671 ᵇ6. cf F 297,
57, Lewes 167. praeterea descr οἱ τῆς φώκης Ζια17.497
ᵃ6. Ζμγ9. 671 ᵇ3, 5. cf S I 162, τῶ ἀνθρώπω Ζμγ9. 671 30
ᵇ7, 9, 672 ᵃ34. 4. 667 ᵇ4, τῶν προβάτων Ζιγ17. 520 ᵃ32.
Ζμγ9. 671 ᵇ8, 672 ᵃ28, 31, ᵇ2. — 5. physiolog. ἡ φύσις
τῶν νεφρῶν θερμή Ζμγ9. 672 ᵇ15. νεφροὶ ὁμαλεῖς Ζμγ9.
671 ᵇ7, 8. στερεώτατοι Ζια17. 497 ᵃ7. Ζμγ9.671 ᵇ5. αἷμα
ἐκ ἔχησιν Ζια17. 497 ᵃ10. Ζμγ9. 671 ᵇ14. ἡ ὑπόστασις, 35
τὸ περίττωμα Ζμγ9. 671 ᵇ20, 24, 672 ᵃ3. διὰ τίνας αἰτίας
εἰσί, τίνας δυνάμεις ἔχησι. οἱ νεφροὶ τοῖς ἔχησιν ἐκ ἐξ
ἀνάγκης ἀλλὰ τῶ εὖ ἢ καλῶς ἕνεκεν ὑπάρχησιν, τῆς πε-
ριττώσεως χάριν τῆς εἰς τὴν κύστιν ἀθροιζομένης εἰσὶ κατὰ
τὴν ἰδίαν φύσιν, τῆς αὐτῆς ἕνεκα χρείας οἱ νεφροὶ ἢ ἡ 40
κύστις Ζμγ7. 670 ᵇ23, 25, 28. διακρίνεσι ἢ πέττησι τὴν
ὑγρότητα, τῶν ἄλλων μάλιστα αἰσθάνονται διὰ τὴν γει-
τνίασιν Ζμγ9. 672 ᵃ20. πδ2. 876 ᵇ19. τῶν σπλάγχνων περὶ
τὰς νεφρὰς μάλιστα πίονα γίνεται τὰ ζῷα, ἡ πιμελὴ πρό-
βλημα τοῖς νεφροῖς Ζια17. 520 ᵃ28. Ζμγ9. 672 ᵃ1, 9, 45
23, 27. ὁ δεξιὸς ἀπιμελώτερος Ζια 17. 497 ᵃ17. γ17. 520
ᵃ29 Aub. Ζμγ9. 672 ᵃ23. — 6. patholog. διὰ τί τὸ ἀρ-
ρώστημα δυσαπάλλακτον αὐτῶν ἐστίν· τῶν ἀνθρώπων οἱ
πονῆντες τὰς νεφρὰς· πολλάκις φαίνονται λίθων μεστοὶ ἢ
φυμάτων ἢ δοθιήνων· τὸ πρόβατον ὅταν τᾶτο πάσχη (τὰς ἐκ 50
μέγα πίονας) ἀποθνήσκει· τέτταρες νεφροὶ ἐν ἐνίοις ἐμβρύοις
τῶν ἵππων Ζμγ9. 671 ᵇ9, 672 ᵃ28, 31, 34, ᵇ2. 4. 667 ᵇ4.
Ζιζ22. 577 ᵃ6. S I 498. (de renibus cf Philippson ὕλη 43.)
νεφρώδης ἢ στιφρὸς ὁ σπλὴν τίσι τῶν ζώων ἐστὶν Ζμγ7.
670 ᵇ13. 55
νεφώδης πότε ὁ νότος ἐστίν πκς20. 942 ᵃ35. τῶν φωνῶν
τυφλαὶ εἰσι ἢ νεφώδεις ὅσαι τυγχάνησιν αὐτῶ καταπεπυ-
κνωμέναι αχ800 ᵃ14.
νεωλκία πῶς κινεῖ Φθ3. 253 ᵇ18.
νεωλκός. ἡ τῶν νεωλκῶν ἰσχύς Φη5. 250 ᵃ18. 60
νεώς. Ἀθήνησιν ὅτε τὸν νεὼν ᾠκοδόμων Ζιζ24. 577 ᵇ30.

νεωστὶ κεκτῆσθαι, εἰληφέναι, ἔχειν sim, opp πάλαι, ἀρχαῖον
Ρβ16. 1391 ᵃ15. 9. 1387 ᵃ17, 1386 ᵃ19, 30. οβ1353 ᵇ5.
Πη10. 1329 ᵃ40. περὶ Ἡράκλειαν ἐγένετο νεωστὶ σεισμὸς
μβ8. 367 ᵃ1. Μενέλαυς νεωστὶ ἐτέτρωτο ὑπὸ Πανδάρω
f 151. 1503 ᵇ30.
νέωτα. ἐς νέωτα ἀποδώσειν διπλάσια οβ1347 ᵃ29.
νεωτερίζειν Πε8. 1308 ᵇ20. πειθαρχεῖν ἢ μὴ νεωτερίζειν
Πβ4. 1262 ᵇ3. μηθὲν νεωτερίζειν Πη10. 1330 ᵃ28. οἱ νεω-
τερίζειν ἐπιχειρήσαντες, βηλόμενοι Πε7. 1307 ᵇ19. η14.
1332 ᵇ29.
νεωτερισμῶ ὑποψία f 154. 1504 ᵃ16.
νεωτεροποιοὶ Πβ7. 1266 ᵇ14.
νὴ Δία Πγ10. 1281 ᵃ16, ᵇ18.
νηδύς (Aeschyl fr 297, 6) Ζυ49 Β. 633 ᵃ24.
νηκτὸν ζῷον, dist χερσαῖον, ἀέριον κ6. 398 ᵇ31 (v l νηκτικόν,
cf Did praef p XIII).
Νηλείδαι ἐκράτων ποτὲ Μιλησίων f 515. 1562 ᵃ29.
Νηλεὺς ὁ Κόδρω τῆς Ἰωνικῆς ἀποικίας ἡγεῖτο f 66. 1486 ᵇ39.
— Νηλεὺς ποταμὸς Εὐβοίας θ170. 846 ᵇ38.
νῆμα ἀτράκτω (τῶν Μοιρῶν) κ7. 401 ᵇ16. αὐξάνεται τὸ φυτόν,
ὡς δοκεῖν νήματα ἐκτείνεσθαι εἰς ὅλον αὐτῶ τὸν καρπόν Ζιβ6. 826 ᵇ39.
νηνεμία, dist γαλήνη τα17. 108 ᵃ11. 18. 108 ᵇ25. def ἠρε-
μία ἐν πλήθει ἀέρος Μη2. 1043 ᵃ22 Bz, στάσις ἀέρος πκε4.
938 ᵃ24. νηνεμία παντελὴς ψα2. 404 ᵃ20. νηνεμίαι διὰ τίνας
γίνονται αἰτίας μβ5. 361 ᵇ25. 8. 367 ᵃ26. ἐν νηνεμίᾳ ἡ
δρόσος γίνεται πκε21. 939 ᵇ36. γίνονται νηνεμίαι οἱ μέγιστοι
τῶν σεισμῶν μβ8. 366 ᵃ5. γίνεται ἄμφω αἰθρίας ἢ νηνε-
μίας μα10. 347 ᵃ26.
νήνεμος ὁ τόπος ἢ ἀλεεινὸς Ζιζ13. 567 ᵇ17. νηνεμώτεραι αἱ
νύκτες τῶν ἡμερῶν, ἡ μεσημβρία ὡς ἐπὶ τὸ πολὺ τῆς
ἡμέρας μγ2. 464 ᵃ14. μβ8. 366 ᵃ18, 14. τὰ περὶ τὸν ἄρ-
κτον ἐν τῷ χειμῶνι νήνεμα ἢ ἄπνοα μβ4. 361 ᵇ6. — im-
personaliter dictum διὰ τὸ νηνεμώτερον εἶναι (i e νηνεμίαν
εἶναι) μγ3. 373 ᵃ24. cf Impersonalis p 342 ᵇ40 et Ad-
denda.
νήπιος ὃς πατέρα κτείνας παῖδας καταλείπει (versus Stasini)
Ρα15. 1376 ᵃ6 Spgl. β21. 1395 ᵃ16. ἔτι νήπιος ὢν Ὁμη-
ρος f 66. 1487 ᵃ11. ἡ τοῖς νηπίοις ἁρμόττησα πλαταγὴ
Πθ6. 1340 ᵇ30. τὸ νήπιον ὅμοιον τῷ θήλει, τὰ νήπια ὀξύ-
τερον φθέγγονται πια24. 901 ᵇ26, 24. — τὸ ἡδὺ ἐκ νηπίω
ἡμῖν συντέθραπται Ηβ2. 1105 ᵃ2.
νηπιότης. ἢ μόνον ἢ μάλιστα ἐν τῇ νηπιότητι γίνεται πι50.
896 ᵇ6.
νηρείτης (v l νηρῖται, νηρέται, νειρίται cf Lob Prol 396).
refertur inter τὰ ἐπιπολάζοντα, descr, μεῖζον ὀστράκων,
ἐπιπτύγματα ἐπὶ τῶ φανερῶ τῆς σαρκὸς ἐκ γενετῆς πρὸς
βοήθειαν, ὀσφραίνονται ἢ ἀκύησιν, quomodo capiantur Ζιε15.
547 ᵇ23, 548 ᵃ17. δ4. 530 ᵃ12-18. 8. 535 ᵃ19, 21. Ζμδ5.
679 ᵇ20. τὸ καρκίνιον τὸ τῶν νηρειτῶν Ζιδ4. 530 ᵃ7. ε15. 548
ᵃ17 (v καρκίνιον p 366 ᵃ46). (natex Gazae, nerite C II 546,
Nerita vel Haliotis vel Trochus St. Cr. Neritacea R de
testaceis 93. F 308, 30. M 187. ΚαΖμ 130, 26. minus
recte Ranella gigantea ΑΖμ I 180, 18. fort Trochus albi-
dus Mr 223.)
Νηρηίς. Γλαῦκον ἐν Δήλω κατοικήσαντα μετὰ τῶν Νηρηίδων
τοῖς θέλησι μαντεύεσθαι f 448. 1551 ᵇ29.
νησίδιον θ26. 832 ᵃ24.
νησιῶται ρ21. 1434 ᵃ15.
νῆσος. νῆσοι πόντιαι, opp πρόσγειοι μβ8. 368 ᵇ32. αἱ λεγό-
μεναι ἑπτὰ μέγισται νῆσοι θ88. 837 ᵃ31. αἱ νῆσοι βρεχό-
μεναι ἀναφύσυσιν (?) f 240. 1522 ᵃ21. — ἡ Ἱερὰ νῆσος

μβ8. 367 ᵃ2. ἐν Κλαζομεναῖς οἱ ἐπὶ Χύτρῳ πρὸς τὸς ἐν τῇ νήσῳ Πε3. 1303 ᵇ10. ἐν μακάρων νήσοις Πη15. 1334 ᵃ31.

νηστεία. νηστείας ὄζειν πιγ7. 908 ᵇ12. αἱ νηστεῖαι θερμαίνεσι ἢ δίψας ποιῶσιν ζ6. 470 ᵃ24.

νηστεύειν. νηστεύσας, opp ἐδηδοκώς Ζμγ14. 676 ᵃ1. πιγ7. 908 ᵇ11. ἡ καπρία νηστεύσασα δύο ἡμέρας Ζυ50. 632 ᵃ23. ἐνήφίσαντο μίαν ἡμέραν ἢ αὐτὸς ἢ τὸς οἰκέτας ἢ τὰ ὑποζύγια νηστεῦσαι οβ1347 ᵇ18.

νήστης ἄνθρωπος τὸν αὐτὸν σταθμὸν ἄγει ὃν βεβρωκὼς ἢ πεπωκώς f 223. 1518 ᵇ38.

νῆστις. 1. νήστεις θᾶττον ἀφροδισιάζουσιν πδ9. 877 ᵇ4. οἱ ὑποκριταὶ νήστεις (coni ἕωθεν, dist ἐξ ἀρίστυ) τὰς μελέτας ποιῶνται πια22. 901 ᵇ3. 46. 904 ᵇ4. ὅσον ἐπιδίδωσιν ὓς γινώσκωσι νῆστιν ἱστάντες Ζιθ6. 595 ᵃ22. ὁ περαίας νῆστίς ἐστιν ἀεί, ὁ κεστρεύς, ὅταν ᾖ μὴ νῆστις, φαῦλος Ζιθ2. 591 ᵃ25, ᵇ3 (cf Rose Ar Ps 308 et Nauck, Bulletin Petersb Acad 1861 p 321). — 2. ἡ καλεμένη νῆστις, intestinum jejunum Ζμγ14. 675 ᵇ33, 676 ᵃ4. cf F 301, 88. Philippson 38.

Νῆστις. Νήστιδος Αἴγλης (Emp 212, νήστιδος αὔγλης Bk) ψα5. 410 ᵃ5.

νήτη, cf νεάτη. opp ὑπάτη Μι7. 1057 ᵃ23. dist παρανήτη, μέση Μδ11. 1018 ᵇ28. Φη4. 248 ᵇ9. ε1. 224 ᵇ34. ἡ νήτη πῶς λέγεται ὀξεῖα Φη4. 248 ᵇ8. ε1. 224 ᵇ34. μᾶλλον ἔστιν αἰσθάνεσθαι τῆς νήτης μόνης ἢ ἐν τῷ διὰ πασῶν αι7. 447 ᵃ19. cf πιθ7. 918 ᵃ17. ἡ νήτη διπλασία τῆς ὑπάτης· τῇ διαλήψει δύο νῆται ἐν τῇ ὑπάτῃ γίνονται πιθ23. 919 ᵇ1. 35. 920 ᵃ29. 12. 918 ᵇ2. ἐάν τις ψήλας τὴν νήτην ἀντιλάβῃ, ἡ νήτη μόνη δοκεῖ ἀντηχεῖν πιθ24. 919 ᵇ15. 42. 921 ᵇ14. τὴν νήτην ἄδοντες ἀπορρηγνύουσι πιθ3. 917 ᵇ31.

νῆττα. refertur inter τὰ βαρύτερα τῶν στεγανοπόδων, περὶ ποταμὸς ἢ λίμνας ἐστίν, ἔχει στόμαχον εὐρὺν ἢ πλατὺν ὅλον, ἀποφυάδας· βόσκας ὅμοιος μὲν νήττῃ, τὸ δὲ μέγεθος ἐλάττων Ζιθ3. 593 ᵇ17, 18. αι7. 509 ᵃ3, 21. πτερυγίζουσαι πνεῦμα δηλῦσιν ἰσχυρὸν f 241. 1522 ᵇ16. (Anas boschas domestica C II 156. St. Cr. KaΖι 93, 40. AΖι I 102, 77. Su 154, 141. cf Rose Ar Ps 293.)

νηττοφόνος Ζυ32. 618 ᵇ25. v πλάγγος.

νήφειν. νήφων, opp μεθύων Πε11. 1314 ᵇ35. ὅταν νήφων γένηται Φη3. 248 ᵃ5, ᵇ26. ὁ περὶ τὴν μέθην νόμος, τὸ τὸς νήφοντας συμποσιαρχεῖν· Πιττακῦ νόμος, τὸ τὸς μεθύοντας ἂν τύπτησωσι πλεῖν ζημίαν ἀποτίνειν τῶν νηφόντων Πβ12. 1274 ᵇ12, 20. — Ἀναξαγόρας οἷον νήφων ἐφάνη παρ᾿ εἰκῆ λέγοντας τὸς πρότερον ΜΑ3. 984 ᵇ17.

νικᾶν στεφανίτην ἀγῶνα, Ὀλύμπια, Πύθια sim, Ὀλυμπίασιν Ρα2. 1357 ᵃ20. Πβ12. 1274 ᵃ33. f 345. 1536 ᵃ19. 573. 1572 ᵃ31. 574. 1572 ᵃ43. νικᾷ ἡ ψυχρότης τὴν ξηρότητα φτβ10. 830 ᵃ3. — non addito obiecto, τῶν ἀγωνιζομένων ἕνιοι νικῶσιν Ηα9. 1099 ᵃ5. ὁ ἄδικα λέγων νικᾷ τι25. 180 ᵇ38. τῶν ψήφων ἴσων γινομένων ὁ φεύγων νικᾷ ρ19. 1433 ᵃ6. τὸ νικᾶν ἡδύ Ρα11. 1370 ᵇ32. νικᾷ ἡ ἀλμυρότης sim φτβ3. 825 ᵃ34. 10. 830 ᵇ2. τὸ νικῶν (i e τὸ κρατῦν) μόριον Ζγδ1. 764 ᵇ26.

Νικάνωρ. οἱ ἀποκτείναντες Νικάνορα Ρβ23. 1397 ᵇ8. καθάπερ ἡμῖν ἐδήλωσε Νικάνωρ ρ1. 1421 ᵃ38.

νίκη τέλος στρατηγικῆς Ηα1. 1094 ᵃ9. τῆς νίκης ἄθλον τὴν ὑπεροχὴν τῆς πολιτείας λαμβάνειν Πδ11. 1296 ᵃ30. ἡ περὶ Σαλαμῖνα νίκη Πε4. 1304 ᵃ23. ἡ νίκη τῶ πολέμυ τῶ πρὸς Ἀθηναίυς Πε4. 1304 ᵃ28. νῖκαι ἐναγώνιοι αρ5. 1250 ᵇ37. 60 —— τὸ ἄγαλμα τῆς Ἀθηνᾶς ἢ τὰς νίκας παραλαμβάνεσιν

οἱ ταμίαι f 402. 1545 ᵃ24.

Νικήρατος (rhapsodus?) Ργ11. 1413 ᵃ6.

Νικίας ὁ Μελήσιν f 370. 1540 ᵃ5.

Νικοκλῆς ὁ Κύπριος f 484. 1557 ᵃ22.

Νικόμαχος. ἐπ᾿ ἄρχοντος ἐγένετο Νικομάχυ Ἀθήνησι κομήτης μα7. 345 ᵃ2.

Nicomachi fort tragoedia resp Γηρυόνης πιθ48. 922 ᵇ13 (Nauck fr tr p 591).

Νικοχάρης ὁ τὴν Δηλιάδα ποιήσας πο2. 1448 ᵃ13.

Νίκων ὁ κιθαρῳδός Ργ11. 1412 ᵃ34. νίν ὑθεὶς ἂν εἴποι ἐν τῇ διαλέκτῳ πο22. 1458 ᵇ34.

Νίνος. ἡ πολιορκία ἡ Νίνυ Ζιθ18. 601 ᵇ3 (cf Hesiod fr 231 Gtlg).

Νιόβη μᾶλλον ἢ δεῖ σπυδάζυσα περὶ τὰ τέκνα Ηη6. 1148 ᵃ3. — ὥσπερ Εὐριπίδης, (ἡ) Νιόβην ἢ μὴ ὥσπερ Αἰσχύλος πο18. 1456 ᵃ17. Vhl Poet II 57. 87.

Νίπτρα (i e Odysseae liber τ) πο16. 1454 ᵇ30. 24. 1460 ᵃ26.

Νιρεύς (Hom B 671) Ργ12. 1414 ᵃ2. ἐπίγραμμα ἐπὶ Νιρέως f 596. 1576 ᵃ4, 6.

Νισαῖοι ἵπποι Ζυ50. 632 ᵃ30.

Νίσυρος. ἐν Νισύρῳ Ζυ21. 617 ᵃ24.

νίτρον (plerumque coni οἱ ἅλες, cf h v) γῆς ἐστί, πέπηγεν ὑπὸ θερμῦ, λυτὸν ὑγρῷ, τήκεται μέν, τέγγεται δ᾿ ὔ μδ6. 383 ᵇ12. 7. 383 ᵇ19, 384 ᵃ18. 8. 385 ᵃ31. 9. 385 ᵇ9, 16, 23. 10. 388 ᵇ13, 389 ᵃ18. ἅλες μᾶλλον λίτρυ (v l νίτρυ) ὀσμώδεις αι5. 443 ᵃ13. ὁ ἅλς συντήκων ἐξάγει τὴν ὀξύτητα, τὸ δὲ νίτρον ὔ πα38. 863 ᵇ17. ζ9. 887 ᵇ7. cf Langk Zts f Gym XVI 885.

νιτρῶδες. τῆς νιτρώδυς δυνάμεως τὸ μὲν πικρόν, τὸ δὲ λιπαρὸν ἢ γλίσχρον πκγ40. 936 ᵃ2. ἐν τῇ Ἀσκανίᾳ λίμνῃ νιτρῶδες τὸ ὕδωρ θ53. 834 ᵃ31.

νιφετός, syn χιών μα12. 349 ᵃ9. 11. 347 ᵇ16. σύμπηξις ὑγρῦ ἀθρόα καταφερομένη νιφετὸς ὠνόμασται κ4. 394 ᵇ1. νιφετῶν ὄντων μγ1. 371 ᵃ4. ὅταν ὑπὸ νιφετῦ ληφθῶσι πρόβατα Ζιθ3. 610 ᵇ26.

νιφετώδης ἄνεμος μβ6. 364 ᵇ21.

νοεῖν. 1. usus varietas. νοεῖν cum acc c inf, δεῖ νοῆσαι τὸ μὲν ὑγρὸν εἶναι sim μα3. 340 ᵇ24. 4. 341 ᵇ18. β3. 358 ᵃ18. φτα1. 815 ᵇ29, 31. cum part ὅτι: νοήσαντας ἢ ὑποθεμένυς ὅτι μγ4. 374 ᵇ9. νοοῦντων ἡμῶν, πότερον ... ἢ οβ1346 ᵃ18. c acc obiecti et praedicati, τὸ αὐτὸ δεῖ νοεῖν γιγνόμενον ἢ ἐν τῇ γῇ· δεῖ νοεῖν συνεχῆ τὰ ἔνοπτρα al μβ8. 366 ᵇ29. γ3. 373 ᵃ19. α8. 345 ᵇ36. c acc νοῦμεν (intelligimus) τὸ λεγόμενον ἐκ τῶν ὑπογεγραμμένων ε10. 19 ᵇ6. sine obiecto δεῖ νοεῖν ὅτως ἢ ἐντεύθεν ἀρξαμένυς al μα3. 340 ᵇ14. νεβ6. 1222 ᵇ31. — ἔργον τῦ θειοτάτυ νοεῖν ἢ φρονεῖν Ζμδ10. 686 ᵃ29. διὰ τί ἄλλο νοεῖ ἢ ποιεῖ ἄνθρωπος μάλιστα πλ12. 956 ᵇ33. — pass μόνων αὐτῶν νοεῖσθαι τὴν θέσιν Φδ1. 208 ᵇ25. τὸ ὀρεκτὸν κινεῖ τῷ νοηθῆναι ἢ φαντασθῆναι ψγ10. 433 ᵇ12. — 2. notio. μάλιστα ἔοικεν ἴδιον (ψυχῆς, ἄνευ σώματος) τὸ νοεῖν ψα1. 403 ᵃ1α. οἱ ἀρχαῖοι τὸ νοεῖν σωματικὸν ὥσπερ τὸ αἰσθάνεσθαι ὑπολαμβάνεσιν ψγ3. 427 ᵃ26. νοῆσαι μὲν ἐπ᾿ αὐτῷ, ὁπόταν βύληται, αἰσθάνεσθαι δ᾿ ὐκ ἐπ᾿ αὐτῷ ψβ5. 417 ᵇ24. νοεῖν, dist αἰσθάνεσθαι ψγ3. 427 ᵇ9 sqq. τὸ νοεῖν πῶς γίνεται ψγ4. 429 ᵃ13-430 ᵃ9. τὰ ὅτως ἄπειρα πῶς ἐνδέχεται νοεῖν· νοῆσαι ὐκ ἔστι μὴ στήσαντα Μα2. 994 ᵇ23, 24. ὐκ ἐνδέχεται νοεῖν μὴ νοῦντα ἕν Μγ4. 1006 ᵇ10. ὐδέποτε νοεῖ ἄνευ φαντάσματος ψυχή ψγ7. 431 ᵃ17. μν1. 449 ᵇ31. συμβαίνει τὸ αὐτὸ πάθος ἐν τῷ νοεῖν ὅπερ ἢ ἐν τῷ διαγράφειν μν1. 450 ᵃ1. τὸ νοεῖν ἢ τὸ θεωρεῖν μαραίνεται ἄλλυ τινὸς

ἔσω (ἐν ᾧ ci Bz) φθειρομένη, αὐτὸ δὲ ἀπαθές ἐστι ψα4.
408 ᵇ24. τὸ αἰσθάνεσθαι ὅμοιον τῷ φάναι μόνον καὶ νοεῖν
ψγ7. 431 ᵃ8. ὡς λέγει, ὅτῳ καὶ νοεῖ καὶ αἰσθάνεται ψγ2. 426
ᵇ22 Trdlbg (syn κρίνειν ᵇ17, 23, 427 ᵃ11). νοεῖν, ἐν ᾧ ἐστὶ
τὸ ὀρθῶς καὶ τὸ μὴ ὀρθῶς, τὸ μὲν ὀρθῶς φρόνησις καὶ ἐπι- 5
στήμη καὶ δόξα ἀληθής ψγ3. 427 ᵇ9 Trdlbg. αἰσθανοίμεθ᾽
ἂν ὅτι αἰσθανόμεθα καὶ νοοῖμεν ὅτι νοοῦμεν, τὸ δ᾽ ὅτι αἰσθα-
νόμεθα ἢ ὅτι νοοῦμεν, ὅτι ἐσμέν Η9. 1170 ᵃ31. δόξειεν ἂν
τὸ νοῦν ἕκαστος εἶναι ἢ μάλιστα Η4. 1166 ᵃ22. — ἐπὶ
τῶν ἄνευ ὕλης τὸ αὐτό ἐστι τὸ νοῦν καὶ τὸ νοούμενον ψγ4. 10
430 ᵃ4. ΜΛ9. 1075 ᵃ3. — νοητός. ἢ αἰσθητὰ τὰ ὄντα ἢ
νοητά ψγ8. 431 ᵇ22. Φδ1. 209 ᵃ18. ἐπεὶ ἕτερόν ἐστι τὸ
νοητὸν καὶ τὸ αἰσθητόν, ἕτερα καὶ τὰ τῆς ψυχῆς μόρια οἷς
ταῦτα γνωρίζομεν ημα35. 1196 ᵇ25. ἐν τοῖς εἴδεσι τοῖς
αἰσθητοῖς τὰ νοητά ἐστιν ψγ8. 432 ᵃ5. αἱ διὰ τῶν ἔξωθεν 15
αἰσθήσεις πολλὰς εἰσαγγέλλησι διαφοράς, ἐξ ὧν ἥ τε τῶν
νοητῶν φρόνησις ἢ ἡ τῶν πρακτῶν αι1.437 ᵃ2. εἰ μηθὲν
παρὰ τὰ καθ᾽ ἕκαστα, οὐθὲν ἂν εἴη νοητὸν ἀλλὰ πάντα
αἰσθητὰ καὶ ἐπιστήμη οὐδενὸς Μβ4. 999 ᵇ2. cf Οα9.278 ᵃ6.
νοητὴ ἡ καθόλου πρότασις Αγ24. 86 ᵃ29. αἱ μαθηματικαὶ 20
ἐπιστῆμαι καὶ τὸ νοητὸν λαμβάνουσι διαιρετόν Ογ7. 306 ᵃ28.
cf Φγ5. 204 ᵇ1. ἀριθμοὶ νοητοί, αἰσθητοί ΜΑ8. 990 ᵃ31.
οὐσία νοητή, αἰσθητή Μη3. 1043 ᵇ30. νοητοὶ κύκλοι οἷον οἱ
μαθηματικοί ΜΖ10. 1036 ᵃ3. ὕλη νοητή, αἰσθητή Μη6.
1045 ᵃ34. ζ10. 1036 ᵃ11. οὐκ ἔστι τῶν νοητῶν στοιχεῖον 25
ΜΛ4. 1070 ᵇ7. — ὁ νοῦς ὅταν τι νοήσῃ σφόδρα νοητόν, οὐχ
ἧττον νοεῖ τὰ ὑποδεέστερα ψγ4. 429 ᵇ3. πᾶν τὸ διανοητὸν
καὶ νοητὸν ἡ διάνοια ἢ κατάφησιν ἢ ἀπόφησιν Μγ7. 1012
ᵃ2 Bz. περὶ νοῦ καὶ τοῦ νοητοῦ θεωρῆσαι τῆς αὐτῆς ἐπιστήμης
Ζμα1. 641 ᵇ2. κινεῖ ὧδε τὸ ὀρεκτόν· καὶ τὸ νοητὸν κινεῖ οὐ 30
κινούμενον· τούτων τὰ πρῶτα τὰ αὐτά ΜΛ7. 1072 ᵃ26 Bz.
ταὐτὸν νοῦς καὶ νοητόν ΜΛ7. 1072 ᵇ21, cf ᵇ20, ᵃ30.

νοερός. αἰσθητικώτερον καὶ νοερώτερον τὸ λεπτότερον αἷμα
Ζμβ2. 648 ᵃ3. — διὰ τὸ ἐγγὺς εἶναι τοῦ νοεροῦ τόπου τὴν
θερμότητα (τῆς χολῆς) πλ1. 954 ᵃ35.

νόημα. φύσει διηνεγθησαν τά τε νοήματα καὶ τὰ αἰσθήματα
f76. 1488 ᵇ28. τὸ νόημα ἐν οὐ μόνον περὶ τὰς οὐσίας ἀλλὰ
καὶ κατὰ τῶν ἄλλων ἐστὶ ΜΑ9. 990 ᵇ25. μ4. 1079 ᵃ21.
τὰ ὀνόματα καὶ τὰ ῥήματα ἔοικε τοῖς ἄνευ συνθέσεως καὶ
διαιρέσεως νοήμασιν ε1. 16 ᵃ14, 10. σύνθεσίς τις νοημάτων 40
ὥσπερ ἓν ὄντα ψγ6. 430 ᵃ17. τὰ πρῶτα νοήματα τίνι
διοίσει τοῦ μὴ φαντάσματα εἶναι ψγ8. 432 ᵃ12. ἡ νόησις
τὰ νοήματα ψα3. 407 ᵃ7. τὸ πλέον ἐστὶ νόημα (Parm 149)
Μγ5. 1009 ᵇ25. — ἐν ὀλίγοις τοῖς νοήμασιν (ὀνόμασιν ci
Spgl) ρ11. 1430 ᵃ37.

νόησις. τὸ ζῆν ὁρίζεται ἀνθρώποις δυνάμει αἰσθήσεως ἢ νοή-
σεως Η9. 1171 ᵃ17. τῶν καθ᾽ ἕκαστα οὐκ ἔστιν ὁρισμός,
ἀλλὰ μετὰ νοήσεως ἢ αἰσθήσεως γνωρίζονται ΜΖ10. 1036
ᵃ6 Bz. εἰ τὸ γλυκὺ ὡδὶ κινεῖ τὴν αἴσθησιν ἢ τὴν νόησιν ψγ2.
427 ᵃ1 (cf coni αἴσθησιν 426 ᵇ22). νόησις, dist αἴσθησιν 50
ὑπόληψιν ψγ3. 427 ᵇ17 Trdlbg, Wz II 298. οὐκ εὔλογα
ταῦτα οὔτε ὁμολογούμενα τῇ νοήσει ΜΑ9. 991 ᵇ27. ἕν ἐστιν
ὧν ἡ νόησις ἀδιαίρετος ἡ νοῦσα τὸ τί ἦν εἶναι Μδ6. 1016
ᵇ1. νόησις, coni λόγος (i e ὁρισμός) ΜΛ9. 1075 ᵃ3. ιι. 1052
ᵃ30, 51. — ἐπὶ τῆς νοήσεως, opp ἐπὶ τῷ πράγματος (in re 55
ac veritate) Φγ8. 208 ᵃ16. χωριστὸν τῇ νοήσει (dist χω-
ριστὸν τόπῳ sive μεγέθει) Φβ2. 193 ᵇ34. ἡ τῶν ἀδιαιρέτων
νόησις ἐν τούτοις, περὶ ἃ οὐκ ἔστι ψεῦδος ψγ6. 430 ᵃ26.
νόησις ἢ ἐνέργεια (τῶν μαθηματικῶν) Μθ9. 1051 ᵃ30 Bz.
τὰ μαθηματικὰ ἔστιν οἷον ὁρᾶν τῇ νοήσει Αγ12. 77 ᵇ31. 60
νόησις, dist νοῦς, δύναμις (τοῦ νοεῖν) ΜΛ9. 1074 ᵇ22, 28. ἐν

τοῖς ἄνευ ὕλης ἡ νόησις τῷ νοουμένῳ μία ΜΛ9. 1075 ᵃ5, 3.
ἡ νόησις τὰ νοήματα ψα3. 407 ᵃ7. ἔστιν ἡ νόησις (numinis
divini) νοήσεως νόησις ΜΛ9. 1074 ᵇ34. cf 7. 1072 ᵇ18. —
νοήσεις πρακτικαί, opp θεωρητικαί ψα3. 407 ᵃ24. κινεῖ ἡ
ψυχὴ διὰ προαιρέσεως τινος καὶ νοήσεως ψα3. 406 ᵇ25. νό-
ησις, opp ποίησις, πρᾶξις ΜΖ7. 1032 ᵇ16 Bz. ηεβ11. 1227
ᵇ32. ἡ ὄρεξις γίνεται ἢ δι᾽ αἰσθήσεως ἢ διὰ φαντασίας καὶ
νοήσεως Ζκ7. 701 ᵃ36. cf ᵇ19. 8. 701 ᵇ35. 11. 703 ᵇ18. εἰ
τις τὴν φαντασίαν τιθείη ὡς νόησίν τινα ψγ10. 433 ᵃ10,
sed νόησις et φαντασία dist, ἐν τοῖς ἄλλοις ζῴοις οὐ νόησις
οὐδὲ λογισμός ἐστιν, ἀλλὰ φαντασία ψγ10. 433 ᵃ12. — αἱ
τοιαῦται νοήσεις ἄγρυπνοί εἰσιν πιη7. 917 ᵃ39.

νοητικός. τὸ νοητικόν, dist τὸ αἰσθητικόν ψα1. 402 ᵇ16. γ4.
429 ᵃ30. εν1. 458 ᵇ1. Ζμα1. 641 ᵇ7. Μθ10. 1052 ᵃ3. τὰ
εἴδη τὸ νοητικὸν ἐν τοῖς φαντάσμασι νοεῖ ψγ7. 431 ᵇ2. τὰ
νοητικὰ μόρια μν1. 450 ᵃ16. Ηζ2. 1139 ᵇ12. νοητικὸν μέ-
ρος, syn διανοητικὸν Φη3. 247 ᵇ1, ᵃ28. ψυχὴ νοητική, dist
αἰσθητικὴ Ζγβ3. 736 ᵇ14. ψγ4. 429 ᵃ28. — μέγεθος οὔτε
τῇ καθαιρέσει οὔτε τῇ νοητικῇ αὐξήσει ἐστὶν ἄπειρον Φγ8.
208 ᵃ22.

νόθος, opp γνήσιος. τῆς νόθου ποιεῖν πολίτας ΠΖ4. 1319 ᵇ9.
γ5. 1278 ᵃ29. — οἷον νόθον ἧπαρ ὁ σπλὴν Ζμγ7. 669 ᵇ28.

νομαδικός βίος Πα8. 1256 ᵇ1. τῶν πτηνῶν ὧν μέν ἐστιν ὁ
βίος νομαδικὸς καὶ διὰ τὴν τροφὴν ἀναγκαῖον ἐκτοπίζειν Ζμδ
6. 682 ᵇ7.

νομάρχης. οἱ νομάρχαι οβ1352 ᵃ10, 18, 22.
νομάρχος. οἱ νομάρχοι οβ1353 ᵃ6.

νομάς. οἱ ἀργότατοι νομάδες εἰσὶν Πα8. 1256 ᵃ31. τὰς νο-
μάδας ποιῆσαι γεωργούς Πη10. 1329 ᵇ14.

νομεύς. ἐπιμελεῖται αὐτῶν ὥσπερ νομεὺς προβάτων Ηθ13.
1161 ᵃ14. νομεῖς, συν γεωργικὸν πλῆθος ΠΖ4. 1319 ᵃ20.
οἱ νομεῖς φασιν Ζιγ20. 522 ᵃ30. Ζγδ2. 767 ᵃ8. οἱ νομεῖς
διὰ τί οὐ καθιστᾶσιν ἡγεμόνα αἰγῶν Ζιζ19. 574 ᵃ11. ὑπὸ
τῶν νομέων Ζιι12. 615 ᵇ15.

νομή. 1. i q διανομή. ἡ τῶν πατρῴων νομή Πε4. 1303 ᵇ34.
ὅπερ ἡ νομὴ συνδυάζει Ηε6. 1131 ᵇ8. — 2. νομή, dist
γεωργία ΠΖ4. 1318 ᵇ11. νομή et actionem pascendi et
ipsum pabulum significat. ποιεῖσθαι τὴν νομήν Ζιθ10. 596
ᵃ14. τρέπεσθαι πρὸς τὴν νομήν Ζιζ29. 579 ᵃ4. ἀφίστασθαι
τῆς νομῆς Ηγ11. 1117 ᵃ1. ὄργανον χρήσιμον πρὸς τὴν ἀπὸ
τῆς γῆς νομήν Ζμβ12. 693 ᵃ2. νέμεσθαι ἀκέραιον νομὴν
Ζιζ21. 575 ᵇ4. διαφθείρειν τὴν νομήν Ρβ20. 1393 ᵇ14. οἷς
ἡ αὐτὴ καὶ ἡ παραπλησίος ἐστι νομή, ἂν ᾖ ἄφθονος Ζιι2.
610 ᵇ14. μὴ ἔχειν νομήν Ζιδ2. 525 ᵇ9. εὐπορεῖν νομῆς
Ζμδ5. 680 ᵇ2. νομὴ τῶν μελιττῶν τὸ θύμον Ζιι40. 626
ᵇ20. — (νομάς μβ5. 363 ᵃ14, νοτίας ci Königmann, cf
Ideler I 571.)

νομίζειν. τὴν ἐκεῖ δύναμιν αἰθέρα καλεῖν ἐνόμισεν μα3. 339
ᵇ24. ὃ ἂν θυμεθα καὶ νομίσωμεν, δίκαιον ηαμ34. 1195 ᵃ4.
νομίζειν θεὸς Ργ18. 1419 ᵃ9. νομίζειν ἐκκλησίαν Πγ1.1275
ᵇ7, ἀγοράν Πη12. 1331 ᵃ32 (ὀνομάζειν Bk'). κοινῷ νόμῳ
νομίζεται ρ2. 1422 ᵃ1. τὰ φαλλικὰ νομιζόμενα διαμένει
πο4. 1449 ᵃ12. ἡ νομιζομένη πολιτεία, syn ἡ καλουμένη
Πδ8. 1293 ᵇ22. cf 7. 1293 ᵇ20. 9. 1294 ᵃ31. αἱ νομιζό-
μεναι λύσεις Πβ4. 1262 ᵃ32. τὰ νομιζόμενα πρὸς τοὺς θεοὺς
Πβ8. 1267 ᵇ35. — νομίζειν, syn ὑπολαμβάνειν Πε2. 1302
ᵃ25, 27. ὀρθῶς τοῦτο νομίζοντες Ρα1. 1354 ᵃ26. εἰ τις
τὴν θεωρίαν ἄτιμον εἶναι νενόμικε Ζμα5. 645 ᵃ27. οἱ νομι-
ζόμενοι ἄρρενες τῶν ἰχθύων Ζγγ5. 755 ᵇ9. ἀρχαῖα καὶ πα-
λαιὰ διατελεῖ νενομισμένα παρ᾽ ἡμῖν· τυγχάνεις διὰ τέλους
οὕτω νενομικότες f40. 1481 ᵃ37, 40. νομιστέον ἐκείνην αἰτίαν

μα2. 339 ᵃ24. νομιστέον c inf μα3. 339 ᵇ14. Ηα13. 1102 ᵇ23.

νομικός. τὸ νομικὸν δίκαιον, syn νόμῳ, κατὰ νόμον, συνθήκῃ, opp πρῶτον (cf δίκαιον 4) Ηε10. 1134 ᵇ32 (cf ᵇ24), 1135 ᵇ20. 12. 1136 ᵇ32-34. φιλία νομική, opp ἠθική, syn ἐπὶ ῥητοῖς Ηθ15. 1162 ᵇ23, 25. ηεη10. 1242 ᵇ32, 35, 1243 ᵃ7. — νομικῶς πιστεύειν, opp ἠθικῶς ηεη10. 1243 ᵃ14. νομικῶς ᵡ ἑταιρικῶς προσφέρεσθαι ηεη10. 1243 ᵃ5. — νομικῶς διέλωμεν, opp ἡ καθ' ἕκαστον ἀκριβολογία Πθ7. 1341 ᵇ31.

νόμιμος. δίκαιος ὅ τε νόμιμος ᵡ ὁ ἴσος Ηε2. 1129 ᵃ33. — τὸ νόμιμον: δίκαιον τό τε νόμιμον ᵡ τὸ ἴσον Ηε2. 1129 ᵃ34. 3. 1129 ᵇ12. τὰ ὑπὸ τῆς νομοθετικῆς ὡρισμένα ἐστὶ νόμιμα Ηε3. 1129 ᵇ13. κατὰ νόμιμον ἐξυσίαν κ6. 400 ᵇ24. τὰ πολλὰ τῶν νομίμων τὰ ἀπὸ τῆς ὅλης ἀρετῆς προσταττόμενά ἐστιν Ηε5. 1130 ᵇ22. τῶν πλείστων νομίμων χύδην κειμένων, syn νόμοι Πη2. 1324 ᵇ5, 7. cf ᵇ27, 1325 ᵃ11. ἀρχαῖα νόμιμα, syn νόμος Πβ8. 1268 ᵇ42, 1269 ᵃ1. παραβαίνειν τὰ πάτρια ἔθη ᵡ τὰ νόμιμα, dist οἱ γεγραμμένοι νόμοι αρ7. 1251 ᵃ37. 5. 1250 ᵇ17. μετάβασις τῶν νομίμων Πε3. 1303 ᵃ22. τὸ νόμιμον πῶς δεῖ πολλαχῶς λαμβάνειν ρ2. 1422 ᵇ1-25. — δημοθοινίαι νόμιμοι ᵡ πανηγύρεις ἐνιαύσιοι κ6. 400 ᵇ21. τὰς ἐν αἰτίᾳ ἀπέχεσθαι μυστηρίων ᵡ τῶν ἄλλων νομίμων f 385. 1542 ᵃ24, 39. — Ἀριστοτέλης ἐν νομίμοις βαρβαρικοῖς f 562. 1570 ᵇ21. — ἐπανόρθωμα νομίμων (fort νομικὴ) δίκαιν Ηε14. 1137 ᵇ13, cf δίκαιος p 197 ᵃ4.

νόμισμα κοινὸν μέτρον Ηι1. 1164 ᵃ1. ε8. 1133 ᵃ20, ᵇ16. ὑπάλλαγμα τῆς χρείας κατὰ συνθήκην, ὑπὲρ τῆς μελλήσης ἀλλαγῆς οἷον ἐγγυητής, ἐγένετο μεταβολῆς χάριν Ηε8. 1133 ᵃ29, 20, ᵇ10. Πα10. 1258 ᵇ4. μεγ4. 1232 ᵃ5. quomodo inventum Πα9. 1257 ᵃ32. nomen explicatur Πα9. 1133 ᵃ20, ᵇ21. ημα34. 1194 ᵃ23. cf τὸ νόμισμα νόμος παντάπασι, φύσει δ' ὐθέν Πα9. 1257 ᵇ10. τὸ νόμισμα τῶν χρησίμων Πα9. 1257 ᵃ36. περὶ νόμισμα ἡ χρηματιστικὴ Πα9. 1257 ᵇ9, 6. νομίσματος πλῆθος, εὐπορία, πλῆτος Ρα5. 1361 ᵃ12. Πε8. 1308 ᵃ38. β7. 1267 ᵇ11. ἡ τῶν νομισμάτων ἀπόδοσις ηεη10. 1243 ᵃ29. νόμισμα τιθέναι παρά τινι Πα11. 1259 ᵃ24. τὰ νομίσματα πρὸς τὸ αὑτοῖς ἕκαστοι γνωριμώτατον δοκιμάζυσιν Ζια6. 491 ᵃ20. ἔκοψε νόμισμα καττιτέρυ οβ1349 ᵃ33. χαράξαι, ἐντυπῶσαί τι ἐν τῷ νομίσματι, ἐπὶ τῶ νομίσματος f 485. 1557 ᵃ36. 527. 1565 ᵃ9. 551. 1569 ᵃ30. νομίσματα Σικελικά, τῶν Ῥηγίνων, τῶν Τενεδίων f 467. 1555 ᵃ4. 527. 1565 ᵃ9. 551. 1569 ᵃ30. νόμισμα τίμιον, εὔωνον, ἀδόκιμον οβ1345 ᵇ22, 1347 ᵃ8.

νομοθεσία Πβ5. 1263 ᵇ15. 7. 1267 ᵇ14. 12. 1274 ᵃ26. γ13. 1284 ᵃ12. η14. 1334 ᵃ5. τὸ περὶ τῆς νομοθεσίας Ηκ10. 1181 ᵇ13. νομοθεσία, dist οἰκονομία, πολιτικὴ Ηζ8. 1141 ᵇ32. σοφίσματα τῆς νομοθεσίας Πδ13. 1297 ᵃ35. περὶ νομοθεσίας πῶς δεῖ συμβυλεύειν Ρα4. 1359 ᵇ23, 1360 ᵃ17-37. — πρός τε τὰς ἀρχαιρεσίας ᵡ πρὸς τὰς νομοθεσίας Πὸ14. 1298 ᵃ21. νομοθεσίαι ἐκ πολλῃ χρόνω σκεψαμένων, αἱ κρίσεις ἐξ ὑπογυίη Ρα1. 1354 ᵇ2.

νομοθετεῖν. ὐ ῥάδιον νομοθετῆσαι Ηκ10. 1181 ᵃ16. cf Πγ16. 1287 ᵇ22. νομοθετεῖ ἡ πολιτικὴ τί δεῖ πράττειν Ηα1. 1094 ᵇ5. δυνάμενοι νομοθετεῖν ᵡ δικάζειν Ρα1. 1354 ᵇ1. νομοθετεῖν ἐπὶ τῶν καθ' ἕκαστα Ηε10. 1134 ᵇ23, κατά τινος Πγ13. 1284 ᵃ14, τι περὶ τινος Πὸ9. 1294 ᵃ37, τὶ περί τι Ηε5. 1130 ᵇ25. ρ3. 1424 ᵃ20. νομοθετεῖν τι, veluti ζημίαν, δικαστήριον, θυσίαν Ρβ25. 1402 ᵇ12. Πβ8. 1267 ᵇ39. ρ3. 1423 ᵇ20, 35 (coni syn εἰσηγεῖσθαι). οἱ τῶν παθημάτων (fort ἀδικημάτων) τὰ μὲν ἑκύσια τὰ δ' ἀκύσια τὰ δ' ἐκ

πρόνοιας νομοθετῦσιν ηεβ10. 1227 ᵃ1. — νομοθετῆσαι iq usum vocabuli constituere et certis finibus describere Αγ22. 83 ᵃ14. — νενομοθέτηται, νενομοθετῆσθαι, νενομοθετημένον Ηε5. 1130 ᵇ25. ηεη1. 1235 ᵃ3. Πβ2. 1261 ᵃ11. 5. 1262 ᵇ41. 8. 1268 ᵃ5. 9. 1269 ᵃ32. 12. 1274 ᵇ4. ε8. 1309 ᵃ13. νομοθετητέον Πγ13. 1283 ᵇ37.

νομοθετήματα δημοτικά Πε8. 1308 ᵃ14.

νομοθέτης Πβ5. 1263 ᵃ39, 1264 ᵃ1, ᵇ17. 6. 1265 ᵃ19. 7. 1266 ᵇ27. 9. 1270 ᵇ1. 10. 1272 ᵃ23. γ11. 1281 ᵇ32. 13. 1283 ᵇ37. 13. 1284 ᵇ17. 15. 1286 ᵃ22. δ12. 1296 ᵇ35 al. νομοθέτης σπυδαῖος Πδ14. 1297 ᵇ38. η2. 1325 ᵃ8. νομοθέτης ᵡ πολιτικός Πγ1. 1274 ᵇ37. δ1. 1288 ᵇ27. ε9. 1309 ᵇ35. η4. 1326 ᵃ4. νομοθέτης, dist δικαστής, ἐκκλησιαστὴς Ρα1. 1354 ᵃ29, ᵇ5. οἱ βέλτιστοι νομοθέται τῶν μέσων πολιτῶν Πδ11. 1296 ᵃ18. τῶν νομοθετῶν ἔνιοι διορίζυσι τό τε ἑκύσιον ᵡ τὸ ἐκ προαιρέσεως ημα17. 1189 ᵇ3. ὁ νομοθέτης ἐξαδυνατεῖ καθ' ἕκαστα ἀκριβῶς διορίζειν ημβ1. 1198 ᵇ27. Ρα1. 1354 ᵇ15. cf 13. 1374 ᵃ34.

νομοθετικός Ηκ10. 1180 ᵃ28, ᵇ24, 29, 1181 ᵇ1. ἡ νομοθετικὴ Πη2. 1325 ᵃ11. Ηε3. 1129 ᵇ13. ἡ ὡς ἀρχιτεκτονικὴ φρόνησις νομοθετική. dist πολιτικὴ Ηζ8. 1141 ᵇ25. — νομοθετικὸν Πη2. 1324 ᵇ26.

νόμος. ὁ νόμος τάξις τις, ὁ νόμος τὸ μέσον Πη4. 1326 ᵃ30. γ16. 1287 ᵃ18, ᵇ4. ὁ ἐλευθέριος οἷον νόμος ὢν ἑαυτῷ Ηε14. 1128 ᵃ32. cf Πγ13. 1284 ᵃ13. (ὁ νόμος μέτρον ἢ εἰκὼν τῶν φύσει δικαίων τζ2. 140 ᵃ7.) ὁ νόμος ἡμῖν ἰσοκλινὴς ὁ θεὸς κ6. 400 ᵇ28. προστάττει ὁ νόμος τὰ κατὰ πάσας τὰς ἀρετάς Ηε3. 1129 ᵇ19. cf 15. 1138 ᵃ7. ὁ νόμος κωλύει Ρα1. 1355 ᵃ2. οἱ νόμοι ἀγορεύυσιν, v s ἀγορεύειν. νόμος, coni δίκη, δίκαιον Πα2. 1253 ᵃ32. 6. 1255 ᵃ22. Ηε10. 1134 ᵃ30. — ὁ νόμος καθόλυ πᾶς Ηε14. 1137 ᵇ13. Πγ11. 1282 ᵇ2. γ15. 1286 ᵃ10. ὐχ ἅπαντα ἐνδέχεται περιληφθῆναι τοῖς νόμοις Πγ16. 1287 ᵇ19, ᵃ24. cf Ρα13. 1374 ᵃ27. ὁ νόμος νῦς ἄνευ ὀρέξεως Πγ16. 1287 ᵃ32. 15. 1286 ᵃ19. Ηκ10. 1180 ᵃ21. cf ε10. 1134 ᵃ35. τίνων δεῖ κύριον εἶναι τὸν νόμον Πδ4. 1292 ᵃ33. τὸν νόμον ἄρχειν, opp τὰς ἀνθρώπυς ἄρχειν Πγ15. 1286 ᵃ9. 16. 1287 ᵃ19, 29. δ4. 1292 ᵃ4, 32. 5. 1292 ᵇ6. 6. 1293 ᵃ16, 32. (cf τὸ πλῆθος κύριον τῶν νόμων Πε9. 1310 ᵃ4. 5. 1305 ᵃ32.) νόμος, κατὰ νόμον, opp ἀνθρώπων βύλησις, κατὰ βύλησιν Πβ10. 1272 ᵇ6. γ15. 1286 ᵇ32, 1287 ᵃ3, 1. 14. 1285 ᵃ19. δ4. 1292 ᵃ8. — νόμος, opp φύσις Φβ1. 193 ᵃ15, 11. Πα9. 1257 ᵇ11. καλὰ δίκαια νόμῳ, κατὰ νόμον, opp φύσει, κατὰ φύσιν Ηα1. 1094 ᵇ16. ε8. 1133 ᵃ31. ημα34. 1193 ᵇ3, 1194 ᵇ30. π12. 173 ᵃ7-18, 29, 30 (κατὰ νόμον, syn τὸ τοῖς πολλοῖς δοκῦν ᵃ15, cf ξ4. 977 ᵇ28, 29). νόμος, opp φύσει Πε3. 1253 ᵇ21. 6. 1255 ᵃ6, ᵇ15. ἀγράφῳ ᵡ κοινῷ νόμῳ ρ2. 1422 ᵃ1. νόμος ὁ μὲν ἴδιος ὁ δὲ κοινός (cf δίκαιος 4), ᵡ ὗτος ὁ μὲν ἄγραφος ὁ δὲ γεγραμμένος Ρα10. 1368 ᵇ7. 13. 1373 ᵇ4. Ηκ10. 1180 ᵃ35. Πζ5. 1319 ᵇ40. ρ2. 1422 ᵇ4. κατὰ γράμματα ᵡ νόμυς, opp κατὰ τὰ ἔθη Πγ16. 1287 ᵇ5. 15. 1286 ᵃ15. β9. 1270 ᵇ31. νόμος γεγραμμένος, opp ἀληθές, ἀλήθεια Ρα13. 1374 ᵃ36. β6. 1384 ᵇ27. νόμοι γεγραμμένοι, dist τὰ πάτρια ἔθη ᵡ τὰ νόμιμα αρ5. 1250 ᵇ18. νόμος, opp ἐπιεικές Ρα13. 1374 ᵇ21, ᵃ27. — ὁ νόμος συνθήκη τις, ὁμολογία τις, συνθήκη τῆς πόλεως ὁμολόγημα Ρα15. 1376 ᵇ10. Πα6. 1255 ᵃ6. γ9. 1280 ᵇ10. ρ1. 1420 ᵃ25. 2. 1422 ᵃ2. 3. 1424 ᵃ10. ἐν τοῖς νόμοις ἡ σωτηρία τῆς πόλεως Ρα4. 1360 ᵃ19. οἱ τῶν πόλεων βασιλεῖς νόμοι (Alcidam) Ργ3. 1406 ᵃ23. οἱ νόμοι πολιτικῆς ἔργα Ηκ10. 1181 ᵃ23. νόμος, dist ψήφισμα Πδ4. 1292 ᵃ7. Ηε14. 1137 ᵇ13, 29, 32. νόμοι,

dist πολιτεία Πβ12. 1273 ᵇ32, 1274 ᵇ15, 18. γ15. 1286 ᵇ3. δ1. 1289 ᵃ18. πρὸς τὴν πολιτείαν δεῖ κεῖσθαι τὸς νόμυς, νόμοι δημοτικοί, ὀλιγαρχικοὶ Πγ11. 1282 ᵇ11. 10. 1281 ᵃ35. δ1. 1289 ᵃ14. 4. 1291 ᵇ31. 9. 1294 ᵇ7. ε9. 1310 ᵃ17. νόμοις δεῖ τετάχθαι τὴν τροφὴν ᶄ τὴν παιδείαν, παιδεύεσθαι ὑπὸ τῶν νόμων Ηх10. 1179 ᵇ34 sqq. Πβ5. 1263 ᵇ40. 7. 1266 ᵇ31. 8. 1269 ᵃ20. γ16. 1287 ᵃ25, ᵇ26. Ρβ12. 1389 ᵃ31. α8. 1365 ᵇ34. κατὰ τὸς νόμυς, opp διὰ τὸ ἦθος ᶄ τὴν ἀγωγήν Πδ5. 1292 ᵇ13, 16. — οἱ νόμοι πίστεις ἄτεχνοι, πῶς δεῖ χρῆσθαι αὐτοῖς Ρα15. 1375 ᵃ25 -ᵇ25. ρ3. 1424 ᵃ8- ᵇ26. 37. 1443 ᵃ10-38. — νόμοι φαῦλοι, σπυδαῖοι, ὀρθότατοι, ἄριστοι τῶν ἐνδεχομένων, ἄριστοι ἁπλῶς Πγ11. 1282 ᵇ9. 13. 1283 ᵇ38. η2. 1325 ᵃ2. δ8. 1294 ᵃ8. νόμος ὀρθῶς κείμενος, opp ἀπεσχεδιασμένος Ηε3. 1129 ᵇ25. Ρα1. 1354 ᵃ32. εἴ τις μὴ ἐπιτήδειον νόμον γράψειεν f 378. 1541 ᵃ11. νόμος κοινός (i e ἴσος, δημοτικός) ρ3. 1424 ᵇ22. νόμοι θετικοί (Philolai) Ρβ12. 1274 ᵇ4. νόμων θέσις, θέσεις Πδ14. 1298 ᵃ17. 1. 1289 ᵃ22. δύναμις ᾗ φυλάξει τὸς νόμυς Πγ15. 1286 ᵇ33. λύεσθαι τὸν νόμον Πβ7. 1266 ᵇ12. τηρηθῆναι τὸν νόμον f 551. 1569 ᵃ28. κινεῖν τὸς πατρίυς νόμυς, πότερον συμφέρον Πβ8. 1268 sqq, 1269 ᵃ23. οἱ ἐν τοῖς νόμοις (i e periti legum) Πα6. 1255 ᵃ8. — νόμοι Πλάτωνος, Χαρώνδυ, Σόλωνος, Ἱπποδάμυ cf h v. νόμος ἐν Λοκροῖς Πβ7. 1266 ᵇ19. Θεοδέκτης ἐν τῷ νόμῳ Ρβ23. 1399 ᵇ1. — ἐν χειρὸς νόμῳ Πγ14. 1285 ᵃ10. — σκεπτέον ἁπλῶς ᶄ ὅσον νόμυ χάριν Μμ1. 1076 ᵃ27, cf Bernays Dial p 150.
νόμος. διὰ τί νόμοι καλῶνται ᾧς ἄδυσιν πιθ28. 919 ᵇ18. νόμων ποίησις πο1. 1447 ᵇ26. 2. 1448 ᵃ15. οἱ νόμοι ᾿κ ἐν ἀντίστροφοις πιθ15. 918 ᵇ13. νόμοι ὄρθιοι, ὀξεῖς πιθ37. 920 ᵇ20.
νομός οβ1352 ᵃ23. γινώσκεσί τινες τῶν μελιττυργῶν τὰς ἑαυτῶν ἐν τῷ νομῷ Ζυ40. 627 ᵇ19. εἰς τὰ σφέτερα ἤθη ᶄ νομὰς х6. 398 ᵇ33.
νομοφυλακία Πζ8. 1322 ᵇ39.
νομοφύλαξ, νομοφύλακες Πγ16. 1287 ᵃ21. δ14. 1298 ᵇ29. ζ8. 1323 ᵃ8.
νοσάζεσθαι, opp ὑγιάζεσθαι Φε5. 229 ᵇ3.
νοσακερός Πγ6. 1279 ᵃ15. ζῷα νοσακερὰ γίνεται πλήρη τροφῆς Ζμγ7. 670 ᵇ7. ποῖοι ἄνθρωποι νοσακεροὶ πι64. 898 ᵇ3.
νόσανσις, opp ὑγίανσις Φε6. 230 ᵃ22, cf v l ad 5. 229 ᵃ26.
νοσεῖν. νοσεῖν τὴν νεφρᾶς Ζμγ9. 671 ᵇ11. οἱ ὄνοι νοσῶσι νόσον μίαν Ζιθ25. 605 ᵃ16. νενοσηκὸς αἷμα, ᾠὸν Ζιγ19. 521 ᵃ18, 27. ζ2. 559 ᵇ15. καρποὶ νενοσηκότες х6. 798 ᵇ4. νοσῆσαι, incidere in morbum, opp ὑγιανθῆναι Ρβ19. 1392 ᵃ11. ρ2. 1422 ᵇ34. νοσῆσαι ἐν τῇ κυήσει Ζιζ24. 577 ᵇ26. νοσήσαντός τινος σμήνυς Ζυ40. 626 ᵇ12.
νοσερὸν ᶄ ὑγιαστὸν ταὐτό, τὸ δ᾽ εἶναι ᾿ ταὐτόν Οδ4. 312 ᵃ19. ἐὰν κινηθῇ ᾖ νοσερόν, εἰς νόσον φέρεται Οδ3. 310 ᵇ31. μεταβάλλειν περὶ τὸ ὑγιεινότερα εἶναι ᶄ νοσερώτερα Ζη1. 581 ᵇ25. σώματα ἰσχυρότερα ᶄ νοσερώτερα Ζιη1. 582 ᵃ2. αὔξησιν ᶄ ταπείνωσιν ἔχειν ἄνευ νοσερᾶς μεταβολῆς Ζμδ10. 689 ᵃ24. — χειμὼν νοσερός sim πα20. 861 ᵇ22. 19. 861 ᵇ14. хδ14. 937 ᵃ37. — νοσερῶς. τὰ νοσερῶς ἔχοντα τῶν σωμάτων Πζ6. 1320 ᵇ36.
νόσημα. νοσήματα τῶν ζῴων Ζιθ18-27. ἐμπίπτει νόσημά τινι, εἴς τινας Ζιθ20. 602 ᵇ29. 19. 602 ᵇ12. ᶨ40. 626 ᵇ15. κάμνειν νοσήματι Ζιθ26. 605 ᵃ23. νόσημα νεανικόν Ζιθ20. 602 ᵇ29, λοιμῶδες Ζιθ19. 602 ᵇ12. νοσήματα φυσώδη Ζιθ 26. 605 ᵃ23, ὀξέα Ζμγ2. 677 ᵃ6. πα6. 859 ᵇ5. 20. 861 ᵇ26. λδ4. 963 ᵇ34. ἁλίσκεσθαι νοσήμασι μανικοῖς ᶄ ἐνθυσιαστικοῖς πλ1. 954 ᵃ35. νόσημά τι μελαγχολικόν πλ1.

954 ᵃ28.
νοσηματικὸς τὰ περὶ τὴν κεφαλήν πε9. 881 ᵇ8. πάθος νοσηματικὸν αν20. 479 ᵇ26. θερμότης νοσηματικὴ αν17. 479 ᵃ24. νοσηματικὰ ῥεύματα αι5. 444 ᵃ13. ἀκρασίαι νοσηματικαί ημβ6. 1202 ᵃ19. περίττωμα νοσηματικὸν Ζγα18. 725 ᵃ11. β7. 746 ᵇ31. — τῶν ἄλλων τῶν νοσηματικῶν ἧττον μετέχυσιν αἱ γυναῖκες Ζιγ19. 521 ᵃ28.
νοσημάτιον Ργ2. 1405 ᵇ32 (cf ᾿Αριστοφάνης p 105 ᵃ50).
νοσηματώδεις ἕξεις Ηη6. 1148 ᵇ27. τῦτο (int ὕστερον φοιτᾶν τὰ καταμήνια) νοσηματῶδες Ζγα19. 727 ᵇ28. νοσηματώδης ἀφροσύνη, ἀκολασία, μανία Ηη6. 1149 ᵃ6, 12. — νοσηματωδῶς ἔχειν Ηη6. 1148 ᵇ33.
νοσίζειν. αἱ ὧραι νοσίζυσι τὸς ὑγιαίνοντας πα3. 859 ᵃ15.
νοσοποιεῖν. τὰ ὑγρὰ σήπεται ᶄ νοσοποιεῖ sim πα52. 865 ᵇ25. ε34. 884 ᵃ34. β3. 870 ᵃ1.
νόσος, def πα1. 859 ᵃ2. 3. 859 ᵃ11. ἰθ38. 921 ᵃ1. f 41.1482 ᵃ10. ἡ νόσος γῆρας ἐπίκτητον, τὸ γῆρας νόσος φυσική Ζγε4. 784 ᵇ33. coni πήρωσις Ηη1. 1145 ᵃ31 Fr. ηεβ1. 1219 ᵇ25. νόσυ δεκτικὸν ᶄ ὑγιαστὸν ταυτό Οδ3. 310 ᵇ29. νόσοι–τῶν ζῴων Ζιθ18-27. disputatio περὶ ὑγιείας ᶄ νόσυ promittitur αν21. 480 ᵇ22-30. ἐπιτείνειν, παύειν, κρίνειν, ποιεῖν νόσυς πα3. 859 ᵃ10. αἱ τῶν νόσων κρίσεις Ζιε19. 553 ᵃ11. οἱ ὄνοι νοσῶσι νόσον μίαν Ζιθ25. 605 ᵃ16. τίνες νόσοι ποιῦσι καταδαρθεῖν υ3. 457 ᵃ1. τρίχες αὐξονται ἐν νόσοις τισίν Ζιγ11. 518 ᵇ21. τίνες νόσοι γίγνονται ἐκ τῶν τῶν ὡρῶν μεταβολῆς πα8-12. 19. 20. 25-29. 57. 866 ᵇ4. Ζιθ18. 601 ᵃ25. νόσοι ἐπιληπτικαὶ Ηη6. 1149 ᵃ11. cf f 230. 1519 ᵇ6. νόσοι ξηραί, θερμαί, ὑγραί πα6. 859 ᵇ12. cf Plat Tim 82A. νόσοι ὀξεῖαι, opp μακραὶ ᶄ συντηκτικαί, μακρότεραι πα6. 859 ᵇ12. 17. 861 ᵃ21. β35. 870 ᵃ20. γ5. 871 ᵇ9. νόσοι μακραὶ f 263. 1526 ᵃ33. 264. 1526 ᵃ39. 228. 1519 ᵃ41. νόσος ἱερὰ πλ1. 953 ᵃ16. νόσος πεντεσύριγγος Ργ10. 1411 ᵃ23 (cf Πολύευκτος).
νοσώδης, opp ὑγιεινός Αβ26. 69 ᵇ18. Ρβ24. 1401 ᵃ30. def Κ8. 9 ᵃ23. ηεγ1. 1228 ᵇ35. αἵματα νοσώδη μδ7. 384 ᵃ31. ἡ γῆ ὄμβροις ἀποκλύζεται πάντα τὰ νοσώδη х5. 397 ᵃ34. κεχώρισται τὸ βραχύβιον ᶄ τὸ νοσῶδες μх1. 464 ᵇ28. ἡ τῦ ἐγρηγορέναι ὑπερβολὴ ὁτὲ μὲν νοσώδης ὁτὲ δ᾿ ἄνευ νόσυ γίνεται υ1. 454 ᵇ6. ἡ σύντηξις ἀεὶ νοσώδης Ζγα18. 726 ᵃ22. αἱ μεγάλαι ὑπερβολαὶ νοσώδεις πα1. 859 ᵃ1. τὰ ὑδατα μεταβάλλειν νοσώδεις sim πα13. 860 ᵇ26. 14. 860 ᵇ35. 15. 861 ᵃ1, 6. τόποι νοσώδεις τβ11. 115 ᵇ20. ἔτη νοσώδη πα22. 862 ᵃ10. θέρος νοσῶδες πυρετοῖς πα8. 859 ᵇ22. τῶν ἡδέων ἔνια νοσώδη Ηη1. 1152 ᵇ22. 13. 1153 ᵃ17.
νόσωσις ἡ εἰς νόσον μεταβολή Φε5. 229 ᵃ26 (v l νόσανσις).
νοτερός. ἀναθυμίασις νοτερὰ ᶄ ἀτμώδης х4. 394 ᵃ14. τὸ νοτερόν, opp τὸ πυρῶδες х5. 397 ᵃ22.
νοτία. χειμῶνος ὅταν εὐδία ᶄ νοτία γένηται Ζιε19. 551 ᵃ3.
νοτιᾶν. νοτιῶν ὁ πυρὸς ἐκφύεται, opp ξηραινόμενος πκα12. 928 ᵃ14.
Νοτιεῖς Πε3. 1303 ᵇ10.
νοτίζειν. intr, αἱ τῶν ποταμῶν ἀρχαὶ γίγνονται νοτιζύσης τῆς γῆς μβ4. 361 ᵇ2. ὁ νότος νοτίζειν ποιεῖ τὸ θέρος πκς16. 942 ᵃ14. — trans, ἄνεμοι ἐκ νενοτισμένης γῆς πνέοντες х4. 394 ᵇ14.
νότιος. πνεύματα νότια, opp βόρεια μβ6. 364 ᵃ19. α10. 347 ᵇ10. Πδ3. 1290 ᵃ14. μᾶλλον ὁ νότιος ἀὴρ εἰς πνεῦμα μεταβάλλει τῦ πρὸς ἄρκτον μγ6. 377 ᵇ27. τὰ νότια τῶν ἄστρων μβ3. 358 ᵃ28. cf Ζιθ10. 596 ᵃ28 (opp βόρεια). νότιος χειμών, ἔαρ, μετόπωρον, coni ὑγρόμβρος, ὑγρὸς πα10. 860 ᵃ36. 9. 860 ᵃ12. 8. 859 ᵇ22. τροπαὶ νότιοι Ζιε8. 542

V. Qqq

ᵇ11. ἡμέρα νότιος πκϛ12. 941 ᵇ14. — νότια, sc πνεύματα.
ὅταν εὐημερίαι γένωνται χ̣ νότια Ζιε9. 542 ᵇ29. νοτίων ὄν-
των μγ4. 374 ª21. cf πκε18. 939 ᵇ18. νοτίοις, de spiran-
tibus austris, opp βορείοις, γίγνεται ἡ δρόσος νοτίοις al
μα10. 347 ª36. Ζιζ19. 574 ª1. Ζγδ2. 767 ª10. πκε18.939 5
ᵇ20. idem significare videtur ἐν τοῖς νοτίοις πιδ5. 909 ª32.
coll Ζιζ19. 574 ª1, sed πορφύραι ἐν τοῖς νοτίοις (i e in re-
gionibus australibus) ἐρυθραί Ζιε15. 547 ª12. — τῷ νοτίῳ
μα6. 343 ª14 Ideler, τῷ τροπικῷ Bk.

νοτίς. ἡ γῆ καθ' αὑτὴν μὲν ξηρά, διὰ δὲ τὰς ὄμβρας ἔχει τὴ 10
ἐν αὑτῇ νοτίδα πολλήν μβ8. 365 ᵇ25. δαψίλειαν ἔχει τῆς
τοιαύτης νοτίδος μα6. 343 ª11. τῷ συρρεῖν ἐπ' ὀλίγον χ̣
κατὰ μικρὸν ἐκ πολλῶν νοτίδων διαδίδωσιν ὁ τόπος μα13.
350 ᵇ29. — συνέχει ἡ νοτίς, ὅταν ᾖ λεπτή, τὸν ἀέρα χ̣
ποιεῖ τινὰ τῆς φωνῆς ἁπλότητα ακ801 ª18, cf 802 ᵇ25. 15
συγκλείονται οἱ ὀφθαλμοὶ παρὰ τὸ μὴ ἔχειν ἔτι νοτίδα πδ1.
876 ª35. εἰσὶ νόσοι αἱ μὲν ἀπὸ πυρός αἱ δὲ ἀπὸ νοτίδος
πα57. 866 ᵇ4. de sudore: τὰ ἱμάτια μὴ ἀπογυμνάσθω,
ἕως ἂν νοτὶς ἐγγένηται πα55. 866 ª21.

νότος, auster. περὶ νότν μβ5. 362 ª31-363 ª18. ὁ νότος 20
ἀπὸ τῆς θερινῆς τροπῆς πνεῖ, ἐναντίος τῷ βορέᾳ μβ5. 362
ª31. 4. 361 ª22. 6. 363 ᵇ15, 364 ᵇ15, 21. κ4. 394 ª21,32.
Πδ3. 1290 ª19. πόθεν ἔχει τὸ ὄνομα σ973 ᵇ7. f 238.1521
ᵇ28. ὁ νότος καυματώδης μβ6. 364 ᵇ23, ἀλεεινότατος ἄνε-
μος μβ3. 358 ª29, ὑγρός Ζιθ12. 597 ᵇ11, ὑδατωδέστ πκϛ27. 25
943 ª5, αἴθριος τοῖς περὶ τὴν Λιβύην μβ3. 358 ᵇ2. πκϛ49.
945 ᵇ35. ὁ νότος, ὅταν μὲν ἐλάττων ᾖ, αἴθριός ἐστιν, ὅταν
δὲ μέγας νεφώδης πκϛ20. 942 ª34. 45. 945 ª27, 29. 19.
942 ª29.38. 944 ᵇ25. cf 16. 942 ª5. ἡ παροιμία ἀρχομένν
τε νότν χ̣ λήγοντος βορέαν πκϛ20. 942 ᵇ2. 27. 943 ª25. 30
41. 945 ᵇ8. 45. 945 ª29. cf 39. 944 ᵇ31. οἱ νότοι οἱ ξηροὶ
χ̣ μὴ ὑδατώδεις πυρετώδεις πα23. 862 ª17. κϛ50. 946 ª4.
ὁ νότος δυσώδης πκϛ17. 942 ª16. νότος πνεῖ μετὰ πάχνην
πκϛ3. 940 ᵇ8. ἐπὶ κυνὶ ὁ νότος πνεῖ πκϛ12. 941 ª37, ᵇ8.
32. 944 ª4. 35

νυθετεῖν, def Ρβ18. 1391 ᵇ11. νυθετητέον τὰς δύλας, τὰς
παῖδας Πα13. 1260 ᵇ6. νυθετύμενοι οἱ ἐρῶντες ἐπιτείνυσι
μᾶλλον f 145. 1502 ᵇ42.

νυθέτησις, coni ὑν ἐπιτίμησις, παράκλησις Ηα13. 1102 ᵇ34.

νυμηνία. πότε, οἷον νυμηνία Με2. 1027 ª25, 26. τῇ δευτέρᾳ 40
τῆς νυμηνίας οβ1351 ᵇ16.

Numerus singularis et pluralis grammatice distinguuntur
Ργ5. 1407 ᵇ10; de poetico numeri pluralis usu Ργ6. 1407
ᵇ32. — ab eo usu atticae dictionis, ex quo ad subiectum
plurale gen neutr verbum numero singulari additur, ad- 45
modum saepe Aristoteles recedit (Wz ad Αβ 26. 69 ᵇ3),
non solum ubi de rebus animatis agitur, veluti ἔνια ζῷα
ἔχυσι φύλ ψγ1. 425 ª9. β3. 414 ᵇ3, 415 ª5. 8.420 ᵇ9. Φθ4.
255 ª11. μδ1. 378 ᵇ27. μκ5. 466 ᵇ29. Πε11. 1314 ᵇ2.
Ηγ15. 1119 ᵇ6. ζ4. 1140 ª15. ημα22. 1191 ᵇ20. 34. 1195 50
ᵇ1, 4. αν3. 471 ª24, ᵇ12. 13. 477 ª13. 15. 478 ª21 al, sed
etiam ubi de rebus inanimatis et notionibus abstractis,
veluti ὅπερ λόγυν ἔχυσι πρὸς ἄλληλα τὰ εἰσενεχθέντα πράγ-
ματα, τὰ διαπορηθέντα λύοιντ' ἂν sim Γα10. 327 ᵇ10. μδ8.
385 ª5. εν2. 459 ª25. Ηε7. 1131 ᵇ30. μεγ4. 1232 ª10 al; 55
interdum ad idem subiectum plurale deinceps et pluralis
et singularis verbi refertur, veluti τὰ φυόμενα φαίνεται
ἔχοντα ἀρχὴν τοιαύτην, δι' ἧς αὐξησίν τε χ̣ φθίσιν λαμ-
βάνυσιν· αν ἀνόχευτα διατελῇ τὰ ἐπιτήδεια ἔχωσιν al
ψβ2. 413 ª27. 3. 415 ª5. υ2. 455 ª6. αν15. 478 ª11. Ζιγ21. 60
523 ª4. Μγ2.1003 ᵇ17. — adiectiva gen neutr numero plur

praedicati loco posita, ἀλλ' ἀδύνατα αι6. 445 ᵇ19. —
enunciatum exorditur a verbo numeri singularis, quam-
quam sequitur subiectum numeri pluralis, ἔστι δ', ὥσπερ
χυμὸς ὁ μὲν γλυκὺς ὁ δὲ πικρός, ὕτω χ̣ ὀσμαί ψβ9. 421
ª26. ἔστι γὰρ ὥσπερ δῆμος ἤδη οἱ ὅμοιοι Πε8. 1308 ª16.
Wz ad Κ5. 4 ª8. ὥπται ἱκανῶς ἤδη ἀνόχευτοι νεοττίδες χη-
νῶν τίκτυσαι ὑπηνέμια sim Ζιζ2. 559 ᵇ22. δ9. 536 ª17.
πο22.1458 ᵇ1 (συμβάλλεται cod Αᶜ, Vahlen Poet III 320).
ημα35. 1198 ª1. μεγ6. 1233 ª39. — numerus pluralis ad
significandum genus, quamquam de uno quodam agitur,
ὥσπερ φασὶν οἱ ποιηταὶ (intelligitur Euripides, Hipp 991)
τὰς ἀπαιδεύτυς παρ' ὄχλῳ μυσικωτέρυς λέγειν Ρβ21. 1395
ᵇ28. διὰ τὸ φίλυς ἄνδρας εἰσαγαγεῖν τὰ εἴδη Ηα4. 1096
ª13. — numerus verbi interdum non subiectum sequitur
sed praedicatum, τὸ διάζωμα, ὃ καλῦνται φρένες Ζιβ15.
506 ª1. ἔτι διαφοραὶ πᾶσαι ἢ εἴδη ἢ ἄτομα ἔσται τζ6.
144 ᵇ2 Wz. cf Wz ad Κ5. 4 ª8. — a numero plurali ad
singularem et vicissim facile transitur. a. ubi de genere
aliquo universe agitur, quoniam id genus et per pluralem
et per singularem potest significari, non raro fit ut alter
numerus cum altero coniungatur, veluti βλέπυσι (οἱ κρο-
κόδειλοι) ἐν μὲν τῷ ὕδατι φαύλως, ἔξω δ' ὀξύτατον· τὴν
μὲν ὖν ἡμέραν ἐν τῇ γῇ τὸ πλεῖστον διατρίβει Ζιβ11. 503
ª11, 12. Ζπ17. 713 ᵇ24, 27. διὸ χ̣ ἔνιοι ὑκ εἰδότες ἑτέρων
εἰδότων πρακτικώτεροι, χ̣ ἐν τοῖς ἄλλοις οἱ ἔμπειροι· εἰ γὰρ
εἰδείη ὅτι τὰ κῦφα εὔπεπτα κρέα ... ἢ ποιήσει ὑγίειαν, ἀλλ'
ὁ εἰδὼς Ηζ7. 1141 ᵇ18. ι18. 1164 ª15. Αβ26. 69 ᵇ1, 3
(Wz, et ad 173 ᵇ7). Ρβ7. 1385 ᵇ3 (cod Αᶜ), 9. γ3. 1406
ª33, 34. πο26. 1461 ᵇ30 Vhl Poet IV 439. ὅταν συλλάβῃ
ἡ ὑστέρα τὸ σπέρμα, εὐθὺς συμμύει ... τῷ δ' ὀγδόῳ
χάσκυσιν Ζιη4. 538 ᵇ30, 31, cf 35. — b. a pronomine indef
τις et ab ὑδείς vel πᾶς transitur ad numerum pluralem,
εἰς δὲ τὴν γῆν ὑθεὶς ποταμὸς τελευτᾷ, ἀλλὰ κἂν ἀφανισθῇ,
πάλιν ἀναδύνυσιν μβ2. 356 ª24. Αβ26. 69 ᵇ3 (πᾶς) ubi
plura exempla attulit Wz. πδ26. 379 ᵇ11,12 (τις). cf prae-
terea quae exempla transitus ab altero numero ad alte-
rum collegit Bz Zts f öst Gym 1866 p 789. 796. — no-
mina diversi numeri inter se coniuncta, παρασκευάζειν τῷ
λόγῳ μέγεθος χ̣ μικρότητας (cod Αᶜ, μικρότητα Bk) πο19.
1456 ᵇ1 defendit exemplis Platonicis (leg V 733 ᵇ, 734 ª.
IX 860 ᵇ) Vhl Poet III 301.

νύμμος, νόμισμα παρὰ τοῖς Ταραντίνοις, δύναται τρία ἡμιω-
βόλια f 547. 1568 ᵇ29, 30. 548. 1568 ᵇ36.

νυνεχῶς χ̣ δικαίως ρ30. 1436 ᵇ33.

νῦς. 1. vulgaris nominis usus. τὰ ἤθη τῶν ζῴων διαφέρει
κατὰ νῦν χ̣ ἄνοιαν Ζυ3. 610 ᵇ22. ὕστερον τὸ αὐτόματον χ̣
ἡ τύχη χ̣ νῦ χ̣ φύσεως Φβ6. 198 ª10. ὁ λόγος χ̣ ὁ νῦς
τῆς φύσεως τέλος Πη15. 1334 ᵇ15. ὅπερ ἐν ταῖς ἐπιστή-
μαις ὁρῶμεν αἴτιον, διὸ χ̣ τὰς νῦς χ̣ πᾶσα φύσις ποιεῖ
ΜΑ9. 992 ª30. — ὡς ἐν σώματι ὄψις, ἐν ψυχῇ νῦς sim
Ηα4. 1096 ᵇ29. τα17. 108 ª11. τὸν νῦν ὁ θεὸς φῶς ἀνῆψεν
ἐν τῇ ψυχῇ Ργ10. 1411 ᵇ12. τῆς ἡμετέρας ψυχῆς ὁ νῦς
πῶς ἔχει πρὸς τὰ τῇ φύσει φανερώτατα πάντων Μα1. 993
ᵇ11. ὁ νῦς τῶν φύσει ἐν ἡμῖν ὥσπερ ὄργανόν πλ5. 955
ᵇ26. — νῦν ἔχειν, opp παραφρονεῖν Μγ5. 1009 ᵇ5. πρε-
σβύτεροι γινόμενοι μᾶλλον νῦν ἔχομεν πλ5. 955 ᵇ22. οἱ νῦν
ἔχοντες Ργ17. 1418 ᵇ35. Μα2. 994 ᵇ15. πᾶς νῦς αἱρεῖται
τὸ βέλτιστον αὑτῷ Ηι8. 1169 ª17. cf ζ13. 1144 ᵇ9. ἀγαθά,
ὅσα περὶ ἕκαστον νῦς ἀποδίδωσιν ἑκάστῳ Ρα6.
1362 ª25. ὅσα περὶ φρόνησιν χ̣ νῦν χ̣ σοφίαν πλ. — ὅταν
στῇ χ̣ οἷον κοπιάσῃ ὁ νῦς, βαρύνει τὴν κεφαλὴν ὧν ἐν αὑτῇ

πιη1. 916 ᵇ15. αἱ κινήσεις (ἐν τῇ μέσῃ φύσει) ᵇ διὰ πολλῶ ᵇσαι ῥᾳδίως ἀφικνῦνται πρὸς τὸν νῦν φ6. 813 ᵇ32 (cf τὸ φρονεῖν ᵇ9 sqq).

2. veterum philosophorum placita. Epicharmi νῦς ὁρᾷ (fr inc 2 Lorenz) πια33. 903 ᵃ20. Parmenidis (v 147) Μγ5. 1009 ᵇ23. Democriti: ἐν τῷ ἀέρι πολὺν ἀριθμὸν εἶναι τῶν τοιύτων ἃ καλεῖ ἐκεῖνος νῦν κὶ ψυχὴν αν4. 472 ᵃ8. ταὐτὸν λέγει ψυχὴν κὶ νῦν ψα2. 404 ᵃ27. Anaxagoras νῦν statuit ἀρχήν, αἴτιον τῦ κόσμυ κὶ τῆς τάξεως, κίνησιν ἐμποιῆσαι κὶ διακρῖναι ΜΑ3. 984 ᵇ15. Φγ4. 203 ᵃ31. θι. 250 ᵇ26. 9. 265 ᵇ22. ψα2. 404 ᵃ27, 405 ᵃ15, 18. νῦς ἀπαθὴς, ἀμιγὴς Φθ5. 256 ᵇ25. ψα2. 405 ᵇ20. γ4. 429 ᵃ19. ΜΑ8. 989 ᵇ15. ὁ νῦς εἷς ΜΛ2. 1069 ᵇ31. πότερον ἕτερον ἢ ταὐτὸ λέγει νῦν κὶ ψυχὴν ψα2. 404 ᵇ2, 405 ᵃ14. μηχανὴ χρῆται τῷ νῷ πρὸς τὴν κοσμοποιίαν ΜΑ4. 985 ᵃ19. ἄτοπος τὰ ἀδύνατα ζητῶν τὰ ἀναιρῶν Φα4. 188 ᵃ9. Platoni νῦς· μὲν τὸ ἕν, ἐπιστήμη δὲ τὰ δύο ψα2. 404 ᵇ22.

3. Aristotelica notio. a. ὁ νῦς natura ac notio numinis divini Μλ9. 7. 1072 ᵇ14-1073 ᵃ13. ὁ θεὸς ἢ νῦς ἐστιν ἢ ἐπέκεινά τι τῆ νῦ f 46. 1483 ᵃ7. αὐτὸν νοεῖ ὁ νῦς κατὰ μετάληψιν τῦ νοητῦ· νοητὸς γὰρ γίγνεται θιγγάνων κὶ νοῶν, ὥστε ταὐτὸν νῦς κὶ νοητόν· ἢ νῦ ἐνέργεια ζωή, ἐκεῖνος δὲ ἡ ἐνέργεια Μλ7. 1072 ᵇ20, 27. ᵇχ ἕτερον τὸ νοῦμενον κὶ ὁ νῦς· ἡ νόησις τῷ νοῦμενῳ μία Μλ9. 1075 ᵃ4, 1074 ᵇ21. ὁ νῦς εἷς ἢ συνεχής, ὥσπερ ἡ ἢ νόησις ψα3. 407 ᵃ6. — b. ὥσπερ ὁ ἀνθρώπινος νῦς ἔχει ἕν τινι χρόνῳ, ᵇτως δὴ ἔχει αὐτὴ αὐτῆς ἡ νόησις τὸν ἅπαντα αἰῶνα Μλ9. 1075 ᵃ8. ὁ νῦς ἴσως θειότερόν τι κὶ ἀπαθές ψα4. 408 ᵇ29. ὁ νῦς εἴτε θεῖον ὂν κὶ αὐτὸ εἴτε τῶν ἐν ἡμῖν θειότατον, ἢ ἐνέργεια συνεχεστάτη ἢ κατὰ νῦν ἐνεργεῖν εὐδαιμονέστατος, θεοφιλέστατος Ηκ7. 1177 ᵃ15, 21, ᵇ30. 8. 1178 ᵃ22. 9. 1179 ᵃ22-32. δόξειεν ἂν εἶναι ἕκαστος τῦτο (int νῦς), εἴπερ τὸ κύριον κὶ ἄμεινον Ηκ7. 1178 ᵃ2. 18. 1168 ᵇ35. — c. περὶ τῦ νῦ ψγ4-6. λέγω νῦν ᵇ διανοεῖται ἢ ὑπολαμβάνει ἡ ψυχή ψγ4. 429 ᵃ23, ᵇ γινώσκει τε ἡ ψυχὴ κὶ φρονεῖ ψγ4. 429 ᵃ10. ἑτέρος τῶν ζῴων ὑπάρχει κὶ τὸ διανοητικόν τε κὶ ὁ νῦς, οἷον ἀνθρώποις ψβ3. 414 ᵇ18. περὶ νῦ κὶ τῆς θεωρητικῆς δυνάμεως ψβ2. 413 ᵇ24. τῆς ψυχῆς εἶναί τι κρεῖττον κὶ ἄρχον διάνοιαν, ἀδυνατώτερον δ' εἰς τὸ ν 5. 410 ᵇ14. ὁ νῦς ἀεὶ ἀληθὴς, ἀληθέστερον ἐπιστήμης Αθ19. 100 ᵇ9, 11. Ηζ3. 1139 ᵇ17. ὁ νῦς ὅταν τι νοήσῃ σφόδρα νοητόν, ᵇχ ἧττον νοεῖ τὰ ὑποδεέστερα ψγ4. 429 ᵇ3. ὁ νῦς ἀρχὴ ἐν ἀποδείξει κὶ ἐπιστήμη, ὁ νῦς τῶν ἀρχῶν, τῶν ὅρων ὧν ᵇκ ἔστι λόγος, τῶν ἐσχάτων ἐπ' ἀμφότερα Αγ23. 85 ᵃ1. 33. 88 ᵇ35 sqq. θ19. 100 ᵇ12, 15. Ηζ6. 1141 ᵃ7. 9. 1142 ᵃ26. 45 12. 1143 ᵃ35-ᵇ10 (Trdlbg hist Beitr II 373 sqq). ημα35. 1197 ᵃ20-24. ὁ νῦς θιγγάνων κὶ νοῶν Μλ7. 1072 ᵇ21. ὁ νῦς πῶς τόπος εἰδῶν ψγ4. 429 ᵃ27-29. ὁ νῦς εἶδος εἰδῶν κὶ αἴσθησις αἰσθητῶν ψγ8. 432 ᵃ2. ὁ νῦς ὑπὸ τῦ νοητῦ κινεῖται, νοητὴ δ' ἡ ἑτέρα συστοιχία καθ' αὑτὴν Μλ7. 1072 ᵃ30. τὸ τε ποιῦν (int ἐν τῇ συνθέσει τῶν νοημάτων) τῦτο ὁ νῦς ἕκαστον ψγ6. 430 ᵇ6. ὁ νῦς πῶς ἑαυτὸν νοεῖ ψγ4. 429 ᵇ9, 26-430 ᵃ3. — d. ὁ νῦς ἐνεργείᾳ aut ὡς ἢ ἐπιστήμη aut ὡς ἢ θεωρῶν ψγ4. 429 ᵇ5-10 Trdlbg. discrimen δυνάμεως et ἐνεργείας ad νῦν refertur ψγ5. 430 ᵃ14. ὁ μὲν τοιῦτος νῦς τῷ πάντα γίνεσθαι, ὁ δὲ τῷ πάντα ποιεῖν ψγ5. 430 ᵃ14. ὁ παθητικὸς νῦς φθαρτός, κὶ ἄνευ τύτυ ᵇθὲν νοεῖ ψγ5. 430 ᵃ24. ὁ νῦ ὅτι ὁ νῦς τὰ ἐκτὸς μὴ μετ' αἰσθήσεως [ὄντα], οἱ μᾶσσ. 645 ᵇ16. ὁ νῦς δυνάμει πῶς ἐστι τὰ νοητά, ἀλλ' ἐντελεχείᾳ ᵇδέν, πρὶν ἂν νοῇ ψγ4. 429 ᵇ31, 60 ᵃ24. ὁ νῦς ἐστιν ὁ κατ' ἐνέργειαν τὰ πράγματα [νοῶν]

ψγ7. 431 ᵇ17. περὶ νῦ κὶ νοητῦ θεωρῆσαι τῆς αὐτῆς ἐπιστήμης ἐστίν Ζμα1. 642 ᵇ1. ᵇτος ὁ νῦς (is, qui distinguitur a παθητικῷ νῷ, quem ποιητικὸ νῦ nomine Arist non significat) χωριστὸς κὶ ἀπαθὴς κὶ ἀμιγὴς τῇ ὑσίᾳ ὢν ἐνέργεια (ἐνεργείᾳ Bk) ψγ5. 430 ᵃ18. cf 4. 429 ᵇ5, ᵃ19. τῦτο μόνον ἐνδέχεται χωρίζεσθαι, καθάπερ τὸ ἀίδιον τῦ φθαρτῦ ψβ2. 413 ᵇ24. ὁ νῦς ἔοικεν ἐγγίγνεσθαι ὑσία τις ᵇσα κὶ ᵇ φθείρεσθαι ψα4. 408 ᵇ18. Μλ3. 1070 ᵃ26. — e. νῦς pars esse ψυχῆς dicitur, περὶ τῦ μορίυ τῦ τῆς ψυχῆς ᾧ γινώσκει τε ἡ ψυχὴ κὶ φρονεῖ ψγ4. 429 ᵃ10. νῦς ᾧ διανοεῖται ἡ ψυχή ψγ4. 429 ᵃ23. ἐν ᾗ ψυχῇ τοιῦτον, μὴ πᾶσα ἀλλ' ὁ νῦς Μλ3. 1070 ᵃ26. sed idem νῦς a ψυχῇ non notione solum sed re seiungitur, λείπεται τὸν νῦν μόνον θύραθεν ἐπεισιέναι κὶ θεῖον εἶναι μόνον Ζγβ3. 736 ᵇ28, 5, 737 ᵃ10. 6. 744 ᵇ22. — f. ὁ πρακτικὸς νῦς. ὁ θεωρητικὸς νῦς ᵇθὲν νοεῖ πρακτόν, opp τὸ λογιστικὸν κὶ ὁ καλύμενος νῦς ψγ9. 432 ᵇ27. νῦς ὁ ἕνεκα τῦ λογιζόμενος κὶ ὁ πρακτικός· διαφέρει δὲ τῦ θεωρητικῦ τῷ τέλει· ᵇ γὰρ ἡ ὄρεξις, αὕτη ἀρχὴ τῦ πρακτικῦ νῦ ψγ10. 433 ᵃ14, 16. ἐπιτάττοντος τῦ νῦ κὶ λεγύσης τῆς διανοίας φεύγειν ἢ διώκειν ψγ9. 433 ᵃ2. ὁ νῦς ἀρχή Ηη7. 1150 ᵃ5. ὁ κατὰ φρόνησιν λεγόμενος νῦς ψα2. 404 ᵇ5. νῦς, coni τέχνη, δύναμις Με1. 1025 ᵇ22. νῦς, syn γνώμη, σύνεσις, φρόνησις Ηζ12. 1143 ᵃ25. dist φρόνησις Ηζ9. 1142 ᵃ25-30, syn τὸ λογιστικὸν ημβ10. 1208 ᵃ19, 10, syn τὸ μόριον τὸ λόγον Πα5. 1254 ᵇ8. η15. 1334 ᵇ20. ὁ νῦς ᵇ φαίνεται κινῦν ἄνευ ὀρέξεως· ὁ μὲν πᾶς ὀρθός, ὄρεξις δὲ κὶ φαντασία κὶ ὀρθὴ κὶ ᵇκ ὀρθὴ ψγ10. 433 ᵃ23, 26. νῦς et ὄρεξις quomodo pertineant ad πρᾶξιν κὶ κίνησιν ψγ10. 433 ᵃ13. 9. 432 ᵇ26. Ηζ2. 1139 ᵃ18. Ζκ6. 700 ᵇ19, 20. ὁ νῦς ἄρχει τῆς ὀρέξεως πολιτικὴν κὶ βασιλικὴν ἀρχήν Πα5. 1254 ᵇ5. ὁ νόμος νῦς ἄνευ ὀρέξεως ἐστιν Πγ16. 1287 ᵃ32, 28. ᵇτ' ἄνευ νῦ κὶ διανοίας ᵇτ' ἄνευ ἠθικῆς ἐστιν ἕξεως ἡ προαίρεσις· ἡ ὀρεκτικὸς νῦς ἡ προαίρεσις ἢ ὄρεξις διανοητικὴ Ηζ2. 1139 ᵃ33, ᵇ4.

νῦφαρ τὸ ἰατρικόν, φυτὸν φτβ4. 825 ᵇ33. cf Meyer Nic Damasc 117.

νυγματώδης κὶ πυκνὴ πήδησις τῆς καρδίας πκζ3. 947 ᵇ31.

νυκτάλωψ, ὑγρότητος πλεονασμός, γίνεται μᾶλλον τοῖς μελανοφθάλμοις Ζγε1. 780 ᵃ16.

νυκτερινός. νυκτερινοὶ ὄρνιθες Ζιθ3. 592 ᵇ8. f 276. 1527 ᵇ31. νυκτερινὰ ὕδατα, opp τὰ μεθ' ἡμέραν μβ4. 360 ᵃ4. βορέας νυκτερινός πκς9. 941 ᵃ20. 14. 941 ᵇ34. νυκτερινὰ φαντάσματα μτ1. 463 ᵃ30. νυκτερινὸν φῶς Ζγε1. 780 ᵃ6. νυκτερινὴ φυλακή Πε8. 1308 ᵃ29. νυκτερινοὶ θόρυβοι f 154. 1504 ᵃ15.

νυκτερίς. refertur inter τὰ δερμόπτερα, νυκτερόβια, ἀμφώδοντα Ζια1. 487 ᵇ23, 488 ᵃ25. 5. 490 ᵃ8. γ1. 511 ᵃ31. τὰ τῶν νυκτερίδων ὄμματα Μβ1. 993 ᵇ9. νυκτερίδι πόδες εἰσὶ (ὑπόπτ, δίπυν, τετράπυν), πόδες τροφῆς χάριν κὶ ἀναστάσεως πλὴν τῆς νυκτερίδος Ζια1. 487 ᵇ23. Ζπ19. 714 ᵇ13. πν8. 485 ᵃ19. ἔχει κοτυληδόνας ἐν τῇ ὑστέρᾳ Ζιγ1. 511 ᵃ31. ἐπαμφοτερίζυσιν Ζμδ13. 697 ᵇ1-12. (chauve-souris C II 196. Vespertilio St. Cr. KaZι 11, 37. AZι I 74, 36. Vespertilio et Rhinolophus Su 40, 5. Vespertilio murinus et serotinus F 322, 125. cf M 147.)

νυκτερόβια ζῷα Ζια1. 488 ᵃ25.

νυκτηγορία. βυλευόμενοι ἐν νυκτηγορίᾳ (Hom Κ) f 154. 1504 ᵃ7.

νυκτικόραξ. refertur inter τὰς γαμψώνυχας τῶν νυκτερινῶν, ὅσα τῆς ἡμέρας ἀδυνατεῖ βλέπειν Ζιθ3. 592 ᵇ9. ι34. 619 ᵇ18. ἀποφυάδας ἔχει, quo tempore venatum exeat,

quaenam animalia capiat Ζιβ17. 509 ᵃ21. ι34. 619 ᵇ19.
ἔνιοι τὸν ὠτὸν νυκτικόρακα καλῦσιν Ζιθ12. 597 ᵇ23 cf Rose
Ar Ps 293. (cicunia Gazae, nocticorvus Scalig, corbeau de
nuit C II 250. S II 460. Ardea nycticorax K 495. St. Cr.
Strix otus L G 20. ΚαΖι 95, 49. Su 96, 3. Aegolius Otus
ΑΖι I 113, 126. cf Lnd 33. M 297.)

νυκτικρυφὲς ὁ ἥλιος ΜΖ15. 1040 ᵃ31.

νυκτινόμος ὁ αἰγωλιὸς κὴ ἡμέρας ὀλιγάκις φαίνεται Ζιι17.
616 ᵇ25.

νύκτωρ τι5. 167 ᵇ11. μγ5. 376 ᵇ25. εν3. 461 ᵃ3. Ζιδ 9. 536
ᵃ19. η10. 587 ᵇ7. Μγ5. 1010 ᵇ10. Ρβ24. 1401 ᵇ24. ρ37.
1444 ᵇ14. οα6. 1345 ᵃ16. f 154. 1504 ᵃ10. opp μεθ' ἡμέ-
ραν μα4. 342 ᵃ11. β4. 360 ᵃ3. f 12. 1476 ᵃ7.

νύμφη Πε4. 1304 ᵃ2. Ζεὺς ἄμβροτος ἔπλετο νύμφη (Orph
VI 12) x7. 401 ᵇ2. νύμφαι ἐκθρέψασαι τὸν Ἀρισταῖον ἐδί-
δαξαν τὴν τῦ ἐλαίυ ἐργασίαν f 468. 1555 ᵃ18. — νύμφαι
μελιττῶν ἀνθρηνῶν σφηκῶν Ζιε19. 551 ᵇ2. 23. 555 ᵃ3, 5.
Ζγγ9. 758 ᵇ33. cf S I 175. Su 208.

νυμφιᾶν. τὸ νυμφιᾶν καλῦμενον (ἵππων νόσημα) ἀνίατον
Ζιϑ24. 604 ᵇ10.

νυμφογενὴς Ἐρύθη (ex antiquo epigrammate) θ 133. 843
ᵇ31.

νυμφόληπτοι κὴ θεόληπτοι ηεα1. 1214 ᵃ23.

νῦν. 1. notio. cf χρόνος. Torstrik Philol 26, 446-523. περὶ
τῦ νῦν Φδ10. 11. ζ3. τὸ νῦν ποσαχῶς σημαίνει Φδ13.
220 ᵃ10-24. τὸ νῦν τὸν χρόνον μετρεῖ, ἢ πρότερον ἢ ὕστε-
ρον· τὸ νῦν ἔστι μὲν ὡς τὸ αὐτὸ, ἔστι δ' ὡς ὐ τὸ αὐτὸ·
ἡ μὲν γὰρ ἐν ἄλλῳ κὴ ἄλλῳ, ἕτερον (τῦτο δ' ἦν αὐτῷ τὸ
νῦν (εἶναι)· ᾗ δὲ ὅ ποτε ὂν ἔστι τὸ νῦν τὸ αὐτὸ Φδ11.
219 ᵇ12. τὸ νῦν ὐ μόριον τῦ χρόνυ ὐδ' ἡ διαίρεσις τῆς κι-
νήσεως· τὸ νῦν ὐ μέρος· μετρεῖ τε γὰρ τὸ μέρος κὴ συγκεῖ-
σθαι δεῖ τὸ ὅλον ἐκ τῶν μερῶν Φδ11. 220 ᵃ19. 10. 218ᵇ6.
τὸ νῦν ἀδιαίρετον· τὸ νῦν τὸ ἄτομον οἷον στιγμὴ γραμμῆς
ἐστιν ΦΖ3. 233 ᵇ33. Ογ1. 300 ᵃ14. ατ971 ᵃ20. ἐν τῷ νῦν
ὐκ ἔστι μεταβάλλειν· ὥτε κινεῖσθαι ὔτ' ἠρεμεῖν ἔστιν ἐν τῷ
νῦν ΦΖ3. 234 ᵃ24. 6. 237 ᵃ14. 8. 239 ᵇ2. 10. 241 ᵃ24, 25.
τὸ νῦν τελευτὴ κὴ ἀρχὴ χρόνυ, τῦ μὲν παρήκοντος τελευτὴ,
ἀρχὴ δὲ τῦ μέλλοντος· τὸ νῦν πέρας, διαίρεσις· τὸ νῦν ἐστι
συνέχεια χρόνυ Φδ13. 222 ᵃ33, 10. 10. 218 ᵃ24. ζ3. 234
ᵃ5, ᵇ5. θ8. 262 ᵃ30. Αδ12. 95 ᵇ18. Κ6. 5 ᵃ7. ατ971 ᵃ17.
τὰ νῦν ἄπειρα ΦΖ6. 237 ᵃ16. τὰ νῦν ἅμα μὲν ἀλλήλοις
ὐκ ἔσται, ἐφθάρθαι δὲ ἀνάγκη ἀεὶ τὸ πρότερον Φδ10. 218
ᵃ15. τὸ νῦν ὐκ ἐνέχεται γίγνεσθαι κὴ φθείρεσθαι, ἀλλ' ὅμως
ἕτερον ἀεὶ δοκεῖ εἶναι, ὐ μία τις ὐσα Μβ5. 1002 ᵇ6. τὸ
νῦν ἐστι μεσότης κὴ ἀρχὴ κὴ τελευτὴ ἔχον ἅμα Φδ1.
251 ᵇ20. στιγμῶν ἀεὶ τὸ μεταξὺ γραμμὴ κὴ τῶν νῦν
χρόνος ΦΖ1. 231 ᵇ10. 6. 237 ᵃ6. — τὸ ἤδη τὸ ἐγγύς ἐστι
τῦ παρόντος νῦν ἀτόμυ μέρος τῦ μέλλοντος χρόνυ Φδ13.
222 ᵇ8. ἐν τῷ νῦν τὸν ὅλον τι Ηx3. 1174 ᵇ9. ὐδέν γ' ἀληθ-
ὲς εἰπεῖν νῦν ὅτι ἐστὶ πέρυσιν, ὐδ᾽ πέρυσιν ὅτι νῦν ἐστιν
Οα12. 283 ᵇ6. — 2. usus. a. νῦν, opp τότε, πρότερον
μα14. 352 ᵇ2. β3. 357 ᵇ15. Πε5. 1805 ᵃ10, 15 al. μέχρι
τῦ νῦν μ8. 345 ᵇ30 (aliter τῦ ἀπείρυ πάντα τὰ μόρια
μέσα ὁμοίως μέχρι τῦ νῦν Μα2. 994 ᵃ18 Βz) οἱ νῦν τὰ
καθόλυ μᾶλλον ὐσίας τιθέασι· γέγονε τὰ μαθήματα τοῖς νῦν
νῦν ἡ φιλοσοφία sim Μλ1. 1069 ᵃ26. Α9. 992 ᵃ33. ΗΖ13.
1144 ᵇ21 Fr. ημα35. 1198 ᵃ13. τὰ νῦν δεικνύμενα μα3.
339 ᵇ32. ἐπὶ τοσῦτον εἰρήσθω νῦν Πδ15. 1300 ᵃ9. λέγωμεν
(λεκτέον) κὴ νῦν μα3. 339 ᵇ37, 341 ᵃ17. ἀφῶμεν (ἀφείσθω)
τὰ νῦν ψα3. 407 ᵇ13. Πδ2. 1289 ᵇ12. — b. per voc νῦν
δέ id quod in re ac veritate est ei opponitur, quod per

conditionem aliquam positum erat ψβ1. 412 ᵇ15 Trdlbg.
Ζγα4. 717 ᵃ18. 18. 726 ᵃ25. 19. 727 ᵃ29 al. huic usui con-
ferri possunt Πβ1. 1261 ᵃ8. 6. 1265 ᵇ1.

νύξ. ἡ καλυμένη νὺξ τί ἐστιν μα8. 345 ᵇ8. ὁρίζονται τὴν
νύκτα σκιὰν γῆς τζ8. 146 ᵇ28. αἱ νύκτες νηνεμώτεραι τῶν
ἡμερῶν μβ8. 366 ᵃ17. μτ2. 464 ᵃ15. cf πκε16. 939 ᵇ9.
εὐηκοώτερα τὰ τῆς νυκτὸς πια5. 899 ᵃ19. 33. 903 ᵃ7. αἱ
μέσαι νύκτες ἀπνεύματοι πιε5. 911 ᵇ1. μέσων νυκτῶν, me-
dia nocte, μα8. 345 ᵇ22. πκε4. 938 ᵃ23, 26, 31. f 488.
1557 ᵇ25. πρὸς δείλης κὴ ἐπὶ μέσας νύκτας πλγ11. 962
ᵇ26. ἀπὸ μέσων νυκτῶν ἄχρι μέσης ἡμέρας πλγ11. 962
ᵇ19. — οἱ θεολόγοι οἱ ἐκ νυκτὸς γεννῶντες· ὐκ ἦν ἄπειρον
χρόνον χάος ἢ νὺξ sim Μλ6. 1071 ᵇ27 Βz, 1072 ᵃ8. 7. 1072
ᵃ19. ν4. 1091 ᵇ5.

Νύσα x1. 391 ᵃ21.

Νύσις ποταμός μα13. 350 ᵇ11.

νυσταγμός, συνοχὴ τῆς κινήσεως φτα2. 816 ᵇ38.

νυστάζειν. ἱστάμενον (τὸ ὑγρὸν κὴ τὸ σωματῶδες) βαρύνει
κὴ ποιεῖ νυστάζειν υ3. 456 ᵇ26, 31. νυστάζυσιν οἱ ἀκροαταὶ
Ργ14. 1415 ᵇ15.

νωδὸν λέγομεν τὸ μὴ ἔχον ὀδόντας ὅτε πέφυκεν ἔχειν
Κ10. 12 ᵃ31, cf 13 ᵃ36. Μx11. 1068 ᵃ7.

νωθής. ἡ κίνησις χαμαιλέοντος νωθὴς ἰσχυρῶς ἐστιν Ζιβ11.
503 ᵇ8.

νωθρεπιθέτης. μακροβάμων κὴ βραδυβάμων εἴη ἂν νωθρε-
πιθέτης τελεστικὸς φ6. 813 ᵃ3.

νωθρός. κινήσεις νωθραί, opp ταχεῖαι, ὀξεῖαι Ζμδ13. 696 ᵇ6.
φ2. 806 ᵇ25. πβ38. 870 ᵃ30. τῇ κινήσει νωθρὸν κὴ βαδίζον
ἠρέμα Ζιι39. 622 ᵇ32. ὁ κηφὴν νωθρὸς Ζιι21. 553 ᵇ11. 40.
624 ᵃ27. ὁ ὕπνος τὰ σώματα ποιεῖ νωθρότερα (v l νωθρέ-
στερα) πια27. 902 ᵃ23. νωθρὸς (τῦ τόκυ) νωθρότερος, opp
χαλεπώτερος Ζιη4. 584 ᵃ29. τὰ νωθρότερα, opp τὰ αἰσθη-
τικὰ Ζμγ4. 667 ᵃ10. νωθροὶ κὴ μωροὶ πλ1. 954 ᵃ31.

νωθρότης. ἐξίσταται τὰ στάσιμα γένη εἰς ἀβελτερίαν κὴ νω-
θρότητα, τὰ εὐφυᾶ εἰς μανικώτερα ἤθη Ρβ15. 1390 ᵇ30.

νωτιαῖος μυελός, νωτιαία ἄκανθα Ζιγ 2. 512 ᵇ2, ᵃ3, 511
ᵇ32.

νωτιδανός. κεντρίνην τινὰ γαλεὸν εἶναι νωτιδανὸν f 293. 1529
ᵃ17.

νωτόγραπτα λέγεται βῶξ (cf h v), σκολιόγραπτα (κοιλιό-
γραπτα ci Schweigh) δὲ κολίας f 281. 1528 ᵃ19.

νῶτος, νῶτον (Lob Phryn 290) promiscue scriptum ex-
hibet Bk. νῶτος Ζιε12. 544 ᵃ6. Ζμγ4. 666 ᵇ5. φ3. 807
ᵇ17. 6. 812 ᵇ21. πβ14. 867 ᵇ12, 21. νῶτον Ζια14. 493 ᵇ12.
15. 494 ᵇ2. Ζμγ9. 672 ᵃ17. Ζx9. 703 ᵃ1.
φ6. 810 ᵇ9. πβ14. 867 ᵇ17. f 316. 1531 ᵇ18. — def τῦ
στήθυς τὸ ὄπισθεν νῶτον, στῆθος ἐκ τῦ πρόσθεν, νῶτον ἐκ
τῦ ὄπισθεν· νώτυ μέρη· ὠμοπλάται ῥάχις ὀσφύς Ζια14.
493 ᵇ12. 15. 494 ᵇ2, 493 ᵇ12 (cf Aub tab III). — tergum
animalium (cf Daremberg not et extraits du mss médi-
caux 1853 I 130, 31). καμήλυ δελφῖνος φωκαίνης avium
reptilium μαλακοστράκων μαλακίων ἐντόμων Ζια5. 489ᵇ4.
β1. 499 ᵃ14. 10. 502 ᵇ30. 12. 503 ᵇ31. ε12. 544 ᵃ6. δ7.
531 ᵇ28. ζ12. 566 ᵇ11. Ζμδ5. 681 ᵇ25. 12. 693 ᵇ2. f 316.
1531 ᵇ18. 317. 1531 ᵇ33. — πᾶσιν ἀσαρκότερον τὸ στῆθος,
τὰ δὲ πρανῆ σαρκωδέστερα, διὸ πολλὴν ἔχει σκέπην τὸ θερ-
μὸν κατὰ τὸν νῶτον· σαρκωδέστερά ἐστι τὰ περὶ τὸν νῶτον
τῶν πρόσθεν· τὸ νῶτον σαρκῶδές ἐστιν, ὅπως ᾖ προβολὴ
τοῖς περὶ τὴν καρδίαν σπλάγχνοις Ζμγ4. 666 ᵇ5. 9. 672
ᵃ17. πβ14. 867 ᵇ21. νώτυ διαφοραὶ (νῶτον εὐμέγεθες, ἐρ-
ρωμένον, ἀσαρκότερον, δασύ, στενόν, ἀσθενές) ποῖον ἦθος

σημαίνωσιν φ3. 807 ᵇ17. 6. 810 ᵇ9, 812 ᵇ21. — διὰ τί ἱδρῶμεν τὸν νῶτον μᾶλλον ἢ τὰ πρόσθεν πβ14. 867 ᵇ12,

17. — ὥσπερ ἂν εἴ τινες τὰ νῶτα ἀντερείδοντες κινοῖεν τὰ σκέλη Ζκ9. 703 ᵃ1.

Ξ

ξ. τὸ ξ ψ ζ συμφωνίας φασὶν εἶναι Μν6. 1093 ᵃ20. ἄρρενα ὅσα τελευτᾷ εἰς τὸ ν χ ρ χ ⟨σ χ⟩ ὅσα ἐκ τύτυ σύγκειται, ταῦτα δ' ἐστὶ δύο, ψ χ ξ πο21. 1458 ᵃ10. Vhl Poet III 317.

ξαίνων μετὰ τῶν γυναικῶν Πε10. 1312 ᵃ1. — ἡνίκ' ἂν ξανθῇ στάχυς (Aeschyl fr 297) Ζι49Β. 633 ᵃ25.

Ξανθίππη, γυνὴ Σωκράτυς f 84. 1490 ᵇ10.

Ξανθίππυ κύων φιλοδέσποτος f 360. 1539 ᵃ24, 31. 361. 1539 ᵃ38, ᵇ2.

ξανθόθριξ. ξανθότριχες θ169. 846 ᵇ36.

ξανθός. ἔστι τὸ ξανθὸν ἐν τῇ ἴριδι χρῶμα μεταξὺ τῦ τε φοινικῦ χ πρασίνυ χρώματος μγ4. 375 ᵃ11, 10, 7. 2. 372 ᵃ10. ἀνακλασθείσης τῆς ὄψεως τὸ μὲν χρῶμα τῦ ἡλίυ φοινικὸν φαίνεται, τὸ δὲ πράσινον ἢ ξανθὸν μγ6. 377 ᵇ11. χρυσὸς πυρὶ ὅμοιον ἢ ξανθὸν χ πυρρὸν Μι3. 1054 ᵇ13. τὸ πῦρ χ ὁ ἥλιος καθ' ἑαυτὰ τῇ φύσει ξανθά χ 1. 791 ᵃ4. λείπεται τὸ ξανθὸν τῦ λευκῦ εἶναι αι4. 442 ᵃ22, cf Plat Tim 68Β. τριχώματα, πτερώματα πρὸς τοῖς ἄκροις ξανθότερα, πρὸς τῷ σώματι μελάντερα χ6. 798 ᵃ5, 11. βλαστοὶ ξανθότεροι, opp μᾶλλον μέλανες χ 5. 795 ᵃ5. χολὴ ξανθὴ χ μέλαινα Ζιγ2. 511 ᵇ10.

Ξάνθος ἀντὶ Σκαμάνδρυ πόθεν προσηγορεύθη Ζιγ12. 519 ᵃ19.

ξεῖν. ἀνάγκη πρίοντος διαιρεῖσθαι χ ξέοντος λεαίνεσθαι Γβ9. 336 ᵃ10.

Ξενάρχυ μῖμοι πο1. 1447 ᵇ10.

ξενηλασίαι Πβ10. 1272 ᵇ17.

ξενία Ηι10. 1170 ᵇ11. — γραφαὶ ξενίας, ἁλῶναι ξενίας, ἀποφυγεῖν τὴν ξενίαν f 378. 1541 ᵃ3. 379. 1541 ᵃ24, 26, 29, 30, 36, 39, 43. 401. 1545 ᵃ13.

ξενικός. ξενικὴ φιλία Ηθ3. 1156 ᵃ31. 14. 1161 ᵇ16. ημβ11. 1211 ᵃ12. — ξενικαὶ κινήσεις, opp οἰκεῖαι μτ2. 464 ᵃ26. σπέρματα (φυτῶν) ξενικὰ κατὰ τὴν χώραν Ζγβ4. 738 ᵇ34. ὄρνις ξενικός, ὀλιγάκις γὰρ φαίνεται ἐν τοῖς μὴ οἰκείοις τόποις Ζιι16. 616 ᵇ18. ξενικωτέρας γινομένης τῆς βοηθείας Πα9. 1257 ᵃ31. δυσέξοδος ἡ τοιαύτη διάθεσις τῶν οἰκήσεων τοῖς ξενικοῖς Πη11. 1330 ᵇ26. συνημερευται ξενικαί, opp πολιτικαί Πε11. 1314 ᵃ10. βίος ξενικὸς χ τῆς πολιτικῆς κοινωνίας ἀπολελυμένος Πη2. 1324 ᵃ16. πόλεμος ξενικὸς Πβ10. 1272 ᵇ20. δικαστήριον ξενικὸν Πδ16. 1300 ᵇ24, 31. — τὸ ξενικόν, coni τὸ βάναυσον, opp οἱ πολῖται Πγ5. 1278 ᵃ7. 14. 1285 ᵃ27. ἐπιμελεῖσθαι ξενικῶν χ ὀρφανικῶν Πβ8. 1268 ᵃ14. — ἀγνωστότερα χ ξενικώτερα Μα3. 995 ᵃ3. τὸ ξενικὸν τῆς λέξεως, ἡ ξενικὴ λέξις, opp τὸ εἰωθὸς Ργ2. 1404 ᵃ36, 1405 ᵃ8. 3. 1406 ᵃ15. 12. 1414 ᵃ27. σεμνὴ χ ἐξαλλάττυσα τὸ ἰδιωτικὸν ἡ τοῖς ξενικοῖς κεχρημένη· ξενικὸν δὲ λέγω γλῶτταν χ μεταφορὰν χ ἐπέκτασιν χ πᾶν τὸ παρὰ τὸ κύριον πο22. 1458 ᵃ22. Vhl Poet III 263. 317.

ξένιος ὁ θεὸς ὀνομάζεται κ7. 401 ᵃ22. Μῦσαι, Διὸς ξενίυ σέβας αὔξεται f 625. 1583 ᵇ24.

Ξενοκλῆς Ἀφιδνεὺς ἐχορήγει f 575. 1572 ᵇ27.

Ξενοκράτης τὸν εὐδαίμονα βίον χ τὸν σπυδαῖον ἀποδείκνυσι τὸν αὐτὸν τη1. 152 ᵃ7, 27. ψυχὴν ἑκάστυ δαίμονα εἶναι λέγει τβ6. 112 ᵃ37. τὴν φρόνησιν τί λέγει τζ3. 141 ᵃ6. — non addito Xenocratis nomine doctrina eius resp, τὸν

αὐτὸν εἶναι τὸν μαθηματικὸν ἀριθμὸν χ τὸν τῶν εἰδῶν Μμ6. 1080 ᵇ22 Bz, 28. 8. 1083 ᵇ2. 9. 1086 ᵃ8. v3. 1090 ᵇ28,31. (δυάδα μὲν ἀόριστον ποιῦσι, τὸ δ' ἄνισον δυσχεραίνυσι Μν2. 1088 ᵇ28, οἱ δὲ λέγυσι τὸ ἄνισον τὴν τῦ κακῦ φύσιν Μν4. 1091 ᵇ35 Bz. fort ad Xenocratem pertinet.) γραμμαὶ ἄτομοι et μεγέθη ἄτομα Φα3. 187 ᵃ3 (cf Schol). ζ2. 233 ᵇ15. Ογ8. 307 ᵃ22. Γα2. 316 ᵃ12. ατ968 ᵃ1- ᵇ21. ψυχὴν εἶναι ἀριθμὸν ἑαυτὸν κινῦντα Αδ4. 91 ᵃ37. ψα2. 404 ᵃ22, ᵇ28. 4. 408 ᵇ32, χωριστὴν τῦ σώματος ψα4. 409 ᵃ28. Platonem in Timaeo non posuisse mundum generatum contendit Οα10. 279 ᵇ32 (cf Schol). Μν3. 1091 ᵃ14 Bz.

Ξενοκράτης ὃ μόνον Ἴσθμια νενίκηκεν ἵπποις, ἀλλὰ χ Πύθια f 574. 1572 ᵃ42.

ξενολογία οβ1353 ᵇ11.

ξένος, coni φίλος, ἑταῖρος ΠΒ5. 1263 ᵇ6. ξένων ὑποδοχαί Ηδ5. 1123 ᵃ3. — opp ἀστός, πολίτης, dist ξενικωτέραν Πδ16. 1300 ᵇ31. ε3. 1303 ᵃ38. γ8. 1277 ᵇ39. 2. 1275 ᵇ37. Ζια17. 496 ᵇ28. δίκαι ξένων λαγχάνονται πρὸς τὸν πολέμαρχον f 387. 1542 ᵇ9. — ξένοι, milites mercenarii οβ1347 ᵇ20. οἱ Μηδίων ξένοι Ζιι31. 618 ᵇ14 Aub. — ξένος adiect τοῖς νέοις ποιεῖν ξένα τὰ φαῦλα Πι17. 1336 ᵇ34. ξένα χ οἰκεῖα ἐνδόσιμα τῷ λόγῳ Ργ14. 1415 ᵃ7. ξένα ὀνόματα τινι ἁρμόττει Ργ7. 1408 ᵇ11. ποιεῖν ξένην τὴν διάλεκτον Ργ2. 1404 ᵇ11. cf ξενικός extr.

Ξενοφάνης ὁ Κολοφώνιος Οβ13. 294 ᵃ23. Ξενοφάνης ὁ Κολοφώνιος ἐφιλονείκει Ὁμήρῳ, Ἡσιόδῳ f 65. 1486 ᵇ30, 32. eius philosophia, πρῶτος ἑνίσας, μικρὸν ἀγροικότερος ΜΑ5. 986 ᵇ21, 27 (respicitur ᵇ10, 17). cf Οβ13. 294 ᵃ24. ἐπ' ἄπειρον τὴν γῆν ἐρριζῶσθαι Οβ13. 294 ᵃ23, ἄπειρον τό τε βάθος τῆς γῆς χ τῦ ἀέρος ξ2. 976 ᵃ32 (Φα5. 188 ᵇ33 respici Xenophanem falso Porphyrius contendit apud Simpl ad h l cf Zeller I 388). sententia de diis πο25. 1461 ᵃ1 Vhl Poet IV 417. apophthegmata de diis Ρβ23. 1399 ᵇ6, 1400 ᵇ5 (fr inc 7, 8), de iureiurando improborum Ρα15. 1377 ᵃ19, 22. de monte ignivomo ἐν τῇ Λιπάρᾳ θ38. 833 ᵃ16. — Ἐπίχαρμος εἰς Ξενοφάνην Μγ5. 1010 ᵃ6. (libri pseudepigraphi de Xenophane etc parte altera num Xenophanis doctrina exponatur cf Zeller I 367-378.)

Ξενοφάντυ συνέπεσεν ἐκκαγχάζειν Ηη8. 1150 ᵇ12.

Ξέρξης Πε10. 1311 ᵇ38. Ρβ20. 1393 ᵇ1. γ3. 1406 ᵃ8. κ6. 398 ᵃ11, ᵇ4. τὴν τῦ Ξέρξυ διάβασιν Ἐμπεδοκλῆς ἔγραψεν f 59. 1485 ᵇ11.

ξηραίνειν, φαίνεται ἡ θερμότης χ ψυχρότης ὑγραίνυσα χ ξηραίνυσα μδ1. 378 ᵇ17. ὁ ἥλιος τὴν γῆν ξηραίνει θερμαίνων μγ3. 360 ᵃ8. cf Ζγα9. 718 ᵇ37. οἱ ἄνισοι ξηραίνυσιν ψυχροὶ ὄντες πκς28. 949 ᵃ28. ξηρᾶναι τὸ ἀναχθὲν μα10. 347 ᵃ20. ὕες πρὸς τὰ δένδρα τρίβοντες χ ξηραίνοντες ἑαυτύς, Ζιζ18. 571 ᵇ18. — pass ξηραίνεσθαι, opp ὑγραίνεσθαι μδ5. 382 ᵃ30. περὶ τῦ ξηραίνεσθαι μδ5. 382 ᵇ1-27. θερμαινομένυ ξηραίνεσθαι ἀναγκαῖον τὰ ἔσχατα χ ψυχυμένυ Ζγβe. 739 ᵇ29. οἱ λυσάμενοι τῇ θαλάττῃ θᾶττον ξηραίνονται πκγ10. 932 ᵇ25. ξηραινομένων τῶν ξύλων μβ9. 369 ᵃ34. γῆ ξηραινομένη, opp βρεχομένη μβ5. 362 ᵃ5. 7. 365 ᵇ7. σὰρξ ξηραινομένη, σπέρμα ξηραινόμενον Ζγβ6. 743 ᵇ6. 2. 735 ᵇ37. ξηραίνεται χ γηράσκει μέρη τινὰ τῆς γῆς, ἕτεροι τόποι βιώσκονται ἢ ἔνυδροι γίγνονται μα14. 351 ᵃ34, cf γηράσκειν p 154 ᵇ42. — ξηραινόμενοι ποταμοί, θάλαττα, ἕλος, τέλμα μα13. 349 ᵇ14. 14. 351 ᵇ30. β1. 353 ᵇ10. Ζιζ15. 569 ᵃ14. ξηραινομένης τῆς ὑγρότητος Ζγβ6. 743 ᵃ18. τὸ λιμνάσαν ὕδωρ ξηρανθέν ἐστι φρῦδον μα14. 352 ᵇ35.

ξηραντικός. τὸ ἀνάρρινον διὰ τὸ θερμότερον εἶναι ξηραντικώτερόν ἐστιν πκ22. 925 ᵃ34.

ξηρασία. ἡ πῆξις ξηρασία τις μδ7. 384 ᵃ11. ἡ ὑστέρα πότε δεῖται ξηρασίας Ζικ3. 635 ᵃ37. ἡ ψαθυρότης ὑπὸ ξηρασίας γίνεται πκα11. 928 ᵃ10. ἡ ξηρασία ἢ ἡ σκληρότης πε6. 881 ᵃ10.

ξηροβατικαὶ ὄρνιθες Ζιζ2. 559 ᵃ20.

ξηρός. ξηρὸν ἢ ὑγρὸν ποσαχῶς λέγεται Ζμβ3. 649 ᵇ9-35. Γβ2. 330 ᵃ12. τὸ ξηρὸν ἢ τὸ ὑγρὸν πάσχοντα (παθητικὰ) στοιχεῖα, τὸ θερμὸν ἢ τὸ ψυχρὸν ποιῦντα Γβ2. 329 ᵇ25. μδ1. 378 ᵇ13, 18, 23. 4. 381 ᵇ23. 8. 384 ᵇ29. τὸ ξηρὸν ἢ τὸ ὑγρὸν ὕλη μδ11. 389 ᵃ30. 10. 388 ᵃ22. τιθέμεθα ὑγρὸν σῶμα ὕδωρ, ξηρὸν δὲ γῆν μδ5. 382 ᵇ3. cf 4. 382 ᵃ3. ξηρὸν τὸ ἐστερημένον ὑγρότητος· ξηρὸν τὸ εὐόριστον οἰκείῳ ὅρῳ, δυσόριστον δὲ Γβ2. 330 ᵃ18, 329 ᵇ31. μδ4. 381 ᵇ29. τὸ ὑγρὸν τῷ ξηρῷ αἴτιον τῦ ὁρίζεσθαι μδ4. 381 ᵇ31. τῦ ξηρῦ τὰ εἴδη μδ4. 381 ᵇ23. τὸ πρῶτον ξηρὸν Γβ2. 330 ᵃ19. ἔστι τὰ μὲν ξηρὰ σκληρά, τὰ δὲ ὑγρὰ μαλακά πκβ10. 931 ᵃ5. ἔστιν ἡ ὀσμὴ τῦ ξηρῦ, ὥσπερ ὁ χυμὸς τῦ ὑγρῦ ψβ9. 422 ᵃ6. ζωτικὸν τὸ ὑγρόν, πορρωτάτω δὲ τῦ ἐμψύχυ τὸ ξηρὸν Ζγβ1. 733 ᵃ12. — τροφὴ ξηρὰ ἢ ὑγρὰ Ηγ13. 1118 ᵇ10. Ζγα18. 726 ᵃ18. 13. 720 ᵃ4. 18. 725 ᵇ1. Ζμγ8. 671 ᵃ4 al. ἡ ξηρὰ περίπτωσις, opp ἡ ὑγρὰ Ζμδ10. 689 ᵃ5. Ζγα13. 719 ᵇ29, 720 ᵃ23 al. ξηρῦ ἢ ὑγρῦ μίγματος θερμαινομένυ Ζμβ3. 677 ᵇ22. γῆ ὖσα ξηρὰ μα4. 341 ᵇ10. τόπος ξηρός, opp ἔνυγρος μα14. 351 ᵃ20. ἀναθυμίασις ξηρὰ (coni ἀτμιδώδης), ἄνεμος ξηρός, πνεῦμα ξηρὸν (coni μὴ ὑδατῶδες), ἀὴρ ξηρότερος μβ3. 358 ᵃ22. 4. 360 ᵇ16. α4. 341 ᵇ22. 7. 344 ᵃ10, ᵇ22. 12. 348 ᵇ27. πα23. 862 ᵃ17. κς50. 946 ᵃ4. ἐνιαυτοὶ ξηροὶ ἢ πνευματώδεις μα7. 344 ᵇ27. σάρκες ξηραί Ζμγ3. 665 ᵃ1. τῶν δεξιῶν νεφρῶν ἡ φύσις ξηρὰ Ζμγ9. 672 ᵃ24. σημεῖα ξηρᾶς ἢ γεωΰδυς φύσεως Ζγβ1. 733 ᵃ13. πότε αἱ κοιλίαι ξηρότεραι γίνονται πγ21. 874 ᵃ22. νόσοι ξηραί, θερμαί, ὑγραί πα6. 859 ᵇ12. — τὴν θάλατταν ἔσεσθαί ποτε ξηρὰν μβ1. 353 ᵇ11. — σμύρος ἐξέρχεται ἐπὶ τὴν ξηρὰν Ζιε10. 543 ᵃ29. τὰ ἐκ ξηρῦ (συστάντα ἐστὶν) ἐν ξηρῷ μα14. 477 ᵇ26.

ξηρότης. 1. siccitas. ξηρότης σωμάτων, ὀμμάτων Ζγα20. 728 ᵇ5. ε1. 780 ᵃ17, ὑστέρας Ζικ3. 635 ᵃ37. ἡ ξηρότης σκληρύνει τὸ δέρμα πλα14. 958 ᵇ30. ἔγχυμος ξηρότης αι5. 443 ᵃ2, ᵇ5. — τὴν λιπότητα τῦ ἀφρῦ ξηραίνει ἡ ξηρότης τῆς θαλάσσης φτβ2. 823 ᵇ16. — 2. exsiccatio. τῷ τάχει τῆς ξηρότητος μβ5. 361 ᵇ22.

ξηροτριβία. αἱ ξηροτριβίαι στερεὰν τὴν σάρκα παρασκευάζυσιν πλζ5. 966 ᵇ1.

ξιφίας. descr f306. 1530 ᵃ17-21. ἔχει βράγχια ὀκτὼ διπλᾶ, χολὴν πρὸς ἐντέροις, οἰστρῶσι, ἐξάλλονται ἢ τοῖς πλοίοις πολλάκις ἐμπίπτυσιν Ζιβ13. 505 ᵇ18. 15. 506 ᵇ16. θ19. 602 ᵃ26, 30. (gladius Gazae Scalig. espadon C II 325. Xiphias gladius Cuv VIII 264. St. Cr. K 478. KaΖι 78, 24. AΖι I 136, 50. hodie ξιφίας E 89, 66.)

ξίφος. 1. τὸ ξίφος πῶς ἐκ τῦ σιδήρυ γίγνεται Ζγβ1. 735

ᵃ1. — 2. τὸ καλύμενον ξίφος ἐν τῷ πρανεῖ τῦ τῆς τευθίδος σώματος, τὸ ἀνάλογον ταῖς τῶν ἰχθύων ἀκάνθαις, ὅπλον ἢ ὄργανόν ἐστιν Ζιδ1. 524 ᵇ24. Ζμδ8. 654 ᵃ21. δ10. 687 ᵇ3. cf A Siebld XII 374. 382. — 3. piscis, syn ξιφίας f306. 1530 ᵃ20.

Ξῦθος. κυμανεῖ τὸ ὅλον, ὥσπερ ἔφη Ξῦθος Φδ9. 216 ᵇ26.

ξύειν. ξύυσι τὴν κεφαλήν πλα5. 957 ᵇ27. — pass τὰ ἀπὸ λίνων ξυόμενα Ζγε3. 783 ᵃ10. ἐν ἐνίαις λίμναις τῦ τε ὕδατος παντὸς ἐξαντληθέντος ἢ τῷ πηλῷ ξυσθέντος Ζιζ16. 570 ᵃ9. ἐν Ἀρκαδίᾳ ὕτως ἀναξηραίνεται ὁ οἶνος ὑπὸ τῦ καπνῦ ἐν τοῖς ἀσκοῖς ὥστε ξυόμενος πίνεσθαι (v 1 ἐξαγόμενος πήγνυσθαι) μδ10. 388 ᵇ7? Ideler. — med οἱ νέοι τῶν ὑῶν ξυόμενοι πρὸς τὰ δένδρα Ζιζ28. 578 ᵇ4. ξύεσθαι τὰ αἰδοῖα πλ1. 953 ᵇ37. τοῖς παισὶ τοῖς μήπω δυναμένοις γίνεται ἡδονὴ ξυομένοις Ζγα20. 728 ᵃ14. πλ1. 953 ᵇ37.

ξυλικός. διὰ τὴν τῆς τροφῆς δύναμιν ὖσαν ἐκ εὐπεπτον ἀλλ' ἀκανθώδη ἢ ξυλικὴν Ζμγ14. 674 ᵃ29.

ξύλινος. ὁ ἀνδριὰς ὁ λέγεται ξύλιν, ἀλλὰ παράγεται ξύλινος Μζ7. 1033 ᵃ18. — χεὶρ ξυλίνη, ζῷον ξύλινον ὁμωνύμως Ζμα1. 640 ᵇ36, 641 ᵃ6. Ζγβ1. 734 ᵇ27. 4. 740 ᵃ15. — τὸ καλάμινον πῦρ ἀσθενέστερον τῦ ξυλίνυ πγ5. 871 ᵇ31.

ξυλοκόπος. ὁ κελεὸς ξυλοκόπος σφόδρα Ζιθ3. 593 ᵃ9. cf

ξύλον. (τὰ ἀνομοιομερῆ?), οἷον ἐν φυτοῖς ξύλον μδ10. 388 ᵃ19. τὸ ξύλον γῆς ἢ ἀέρος ἐστί, γῆς μᾶλλόν ἐστιν μδ7. 384 ᵇ15. 10. 388 ᵃ31, 389 ᵃ12. τὸ ξύλον τμητὸν σχιστὸν θλαστὸν κατακτὸν καυστὸν φλογιστόν, ἐκ ἐλατόν, ἢ θραυστόν, ἢ τηκτὸν μδ9. 386 ᵃ10, ᵇ19, 23, 26, 387 ᵃ7, 18, ᵇ26. ἐκ χλωρῶν ξύλων καπνός, ἐρυθρὰ ἢ φλόξ μβ4. 361 ᵃ19. γ4. 373 ᵇ5. τὰ ξύλα ὀσμώδη, ἔγχυμα γὰρ αι5. 443 ᵃ15. — ὀρθῦν τὰ διεστραμμένα τῶν ξύλων Ηβ9. 1109 ᵇ7. ἐν ἀέρι βαρύτερον ταλαντιᾶιον ξύλον μολίβδυ μναῖαϊα, ἐν δὲ ὕδατι κυφότερον Οδ4. 311 ᵇ4. διὰ τί τὸ αὐτὸ μέγεθος ξύλα (ξύλον Bk) ῥᾶον κατεάσσεται περὶ τὸ γόνυ μχ14. 852 ᵇ22. ὅσῳ ἂν ᾖ μακρότερα τὰ ξύλα, τοσύτῳ ἀσθενέστερα γίνεται μχ16. 853 ᵃ5. ἐντείνυσιν ἢ κατὰ διάμετρον ἀλλ' ἀπ' ἐναντίας, ὅπως τὰ ξύλα ἧττον διασπᾶται μχ25. 856 ᵇ6. διὰ τί χαλεπώτερον τὰ μακρὰ ξύλα ἀπ' ἄκρυ φέρειν ἐπὶ τῷ ὤμῳ ἢ κατὰ τὸ μέσον μχ26. 857 ᵃ5. — ἐκ τῦ τέκτονος ἢ ξύλυ ἡ κλίνη γίγνεται Ζγα21. 729 ᵇ17.

ξυλοφθόρος (ξυλοφόρος S, Su, Aub) descr Ζιε32. 557 ᵇ13. (xyloforum Guilel, ligniperda Gazae, perce-bois C II 326. S I 392 sq. fort Phryganea St. larva Tineae graminellae Cr. K 706, 3. Psyche sp larva Su 206, 23. Psyche vel Solenobia vel Fumea sp larva AΖι I 169, 37.)

ξυλώδης. ἡ ξυλώδης σώματος θυμίασις καπνός μδ9. 387 ᵃ32.

ξυνέπεται τῷ θεῷ ἀεὶ δίκη κ7. 401 ᵇ27.

ξυνετοί εἰσιν οἱ ἀκροαματικοὶ λόγοι μόνον τοῖς ἡμῶν ἀκύσασιν f612. 1581 ᵃ43.

ξυνὸς Ἐνυάλιος (Hom Σ 309) Ρβ21. 1395 ᵃ15.

ξυρεῖν. καθάπερ τοῖς ξυρωμένοις (συρομένοις Did e ci Is Vossii) τὰ σκέλη συμβαίνει πις4. 913 ᵇ19.

ξύσμα. ἐν τῷ ἀέρι τὰ καλύμενα ξύσματα, ἃ φαίνεται ἐν ταῖς τῶν θυρίδων ἀκτῖσιν ψα2. 404 ᵃ3, 18. πιε13. 913 ᵃ9 (cf ᵃ16, ubi cum Gaza ἐκεῖνα pro ἐκεῖναι legendum videtur, Did praef).

O

ο. ὅσα εἰς τὸ ο ᾖ τὸ ν τελευτᾷ, σκεύᾳς ἔχει κλῆσιν τι14. 174 ª1.

ὁ, ἡ, τό, cf Articulus p 109 ᵇ36. — articulus coni cum pron interrogativo, τί ἐστι ᾖ τοῖς ποιοῖς ἕκαστον τύτων ὑπάρχειν πέφυκεν Φε3. 226 ᵇ20, 227 ᵇ1. — articulo τό praeposito 5 quodlibet voc substantivi vicem gerit, τὸ δὲ ἀμφοῖν λέγω· τὸ ὀλίγοι πρὸς τὸ ἔργον δεῖ σκοπεῖν Πδ15. 1300 ª37. γ13. 1283 ᵇ11. — τό c genetivo prope ad periphrasin delitescit, τὸ τῆς ἀναπνοῆς ὑπάρχει τοῖς πεζοῖς αν5. 492 ᵇ9. τὸ τῆς ἀλλοιώσεως, τῆς ἡδονῆς, τῆς ἐπιστήμης Φη2. 245 10 ª20. 3. 246 ª29, ᵇ26, 247 ª25, 27, 30, 248 ᵇ27. — articulus demonstrative usurpatus, τὸ ᾖ τό, τὰ ᾖ τά Ρβ24. 1401 ª4. γ11. 1413 ª22. 17. 1418 ª37. ρ19. 1433 ª35. 36. 1441 ª25. ante pronomina relativa ἐπὶ τῶν ὅσα sim Αγ24. 85 ᵇ36. οβ1346 ª30, 1353 ª3. demonstrative adverbialiter, 15 τὰ μὲν ... τὰ δέ Πε1. 1302 ª7 al. τῇ μὲν ... τῇ δὲ μδ9. 387 ᵇ30.

ὀβελισκολύχνιον. ὐδὲν ἡ φύσις εἴωθε ποιεῖν ὥσπερ ἡ χαλκευτικὴ πρὸς εὐτέλειαν ὀβελισκολύχνιον Ζμδ6. 683 ª25. cf Πδ15. 1299 ᵇ10. 20

ὀβελίσκος. ἐπὶ τὸν ὀβελίσκον ἀναπαρῆναι θ63. 835 ª18. — ὀβελίσκᾳς καταπηγνύᾳσι περὶ τὸν τάφον Πη2. 1324 ᵇ19.

ὀβελός ὠνόμασται ἀπὸ τῦ ὀφέλλειν, ὑπήλλακται δὲ τὸ φ εἰς τὸ β κατὰ συγγένειαν f 539. 1567 ᵇ9.

ὀβολιαῖαι τροφαλίδες Ζιγ20. 522 ª31. 25

ὀβολὸν ἀποστερῆσαι πκθ5. 950 ᵇ25. ἡ λίτρα δύναται ὀβολὸν Αἰγιναῖον f 436. 1550 ª12. τὸν ὀβολὸν λίτραν καλῦσιν οἱ Σικελιῶται f 467. 1554 ᵇ44.

ὀβολοστατικὴ μισεῖται Πα10. 1258 ᵇ2.

ὄγδοος. ὄγδοος πόλεως μόριον Πδ4. 1291 ª34. 30

ὀγκᾶσθαι. ἂν ὀγκήσηται ὁ ὄνος Ζιι1. 609 ª33.

ὀγκηρός (cf ὄγκος), proprie πκδ10. 937 ª6. ὀγκηρότερα πι54. 897 ª34. — metaph φεύγοντες τὸ ὀγκηρὸν Ηδ13. 1127 ᵇ24.

ὄγκος, syn ὄγκωσις, opp κενὸν Φγ4. 203 ᵇ28, 29. Γα8. 325 ᵇ20. ἐκ βαθέος ᾖ ταπεινῆς τὸς ὄγκᾳς ποιῦσι Μμ9. 1085 35 ª12. ν2. 1089 ᵇ14 (cf σῶμα δ6. 1016 ᵇ28). ὄγκος σώματος Φδ1. 209 ª3. Οα9. 279 ª7. β9. 290 ᵇ35. Ζμγ13. 674 ª5. τὰ περιέχοντα τὸς ὄγκᾳς ἀγγεῖα Ογ7. 305 ᵇ15. Φδ6. 213 ª17. σχηματίζειν τὸν ὄγκον Γαι0. 327 ᵇ15. στερεοὶ ᾖ κοῖλοι ὄγκοι μβ8. 368 ª23. λοφώδεις ὄγκος μβ3. 367 ª4. 40 ὄγκος σφαιροειδής, κυκλοτερὴς Οβ11. 291 ᵇ17. 13. 294 ª8. 14. 297 ª23, 298 ª18. σφαίρας ἐναλίγκιον ὄγκῳ (Parm 103) ξ2. 976 ª8. 4. 978 ᵇ9. τὸ ἀμβλὺ ᾖ ὀξὺ τὸ ἐν τοῖς ὄγκοις κοινά τῶν αἰσθήσεών ἐστι κα4. 442 ᵇ6. syn μέγεθος, τὸ σῶματος· ἡ τῦ παντὸς φύσις, εἴτ' ἄπειρός ἐστι κατὰ τὸ μέ- 45 γεθος εἴτε πεπέρανται τὸν σύνολον ὄγκον Οα2. 268 ᵇ12. cf μα3. 339 ᵇ6, 340 ª7. ἐξ ὧν μερῶν ὁ πᾶς ὄγκος συνέστηκεν Ζια1. 486 ᵇ15. πᾶς ὁ τῆς γῆς ὄγκος φαίνεται πλήρης φλεβίων Ζιγ5. 515 ᵇ1. ὁ τῆς γῆς ὄγκος μβ3. 358 ᵇ31. α3. 339 ᵇ6, 340 ª7. β2. 354 ᵇ6. ὄγκος ἐλάττων, μείζων, παχύτερος, 50 μέγεθος μικρότης τῶν ὄγκων μβ3. 359 ª12. δ8. 385 ª30. 9. 385 ᵇ20. Φδ9. 217 ª32, ᵇ9. α4. 187 ª37. Γα8. 325 ª30. ὄγκοι αἰσθητοὶ f 202. 1514 ᵇ18. ὄγκος τῦ σώματος πολύς, ἐλάττων, κᾳφος Ζμδ6. 682 ᵇ9. 14. 697 ᵇ5. λαβόντες ὄγκον οἱ μαστοὶ Ζιη1. 582 ª12. συγγενομένης τῷ ἀνδρὶ ὁ ὄγκος 55 ηὐξάνετο τῆς ὑστέρας Ζικ7. 638 ª12. οἱ ὄγκοι τῆς κοιλίας Ζμγ14. 675 ᵇ3. ὁ ὄγκος τῆς γαστρὸς (κυήσης) f 66. 1486 ᵇ43. cf Philippson ὕλη 193 adn. ὅταν ἐξ ὕδατος ἀὴρ, μείζων ὁ ὄγκος γέγονεν Γα5. 321 ª11. μα3. 340 ª9. ὄγκος,

opp τὰ παθήματα Φϑ8. 216 ᵇ6, ⁵ 8. 326 ª31. dist βάρος: πολλὰ βαρύτερα ὁρῶμεν ἐλάττω τὸν ὄγκον ὄντα Οδ2. 309 ª4, 24, 308 ᵇ32, 35. κινᾳμένων ἴσων ὄγκων Φζ9. 239 ᵇ34. ὁ ὄγκος τῆς πληρώσεως πκβ1. 930 ª7. — metaph ὄγκος τῆς φωνῆς ακ804 ª15, 25. — ὄγκῳ μικρόν, δυνάμει ᾖ τιμιότητι ὑπερέχον Ηκ7. 1178 ª1. — ὄγκος τῆς λέξεως, opp συντομία Ργ6. 1407 ᵇ26, 28. εἰς ὄγκον τῆς λέξεως τί συμβάλλεται Ργ6. ὄγκος λόγᾳ τϑ1. 155 ᵇ22 (cf κόσμος 157 ᵇ6, Bernays Dial p 59). πῶς αὔξεται ὁ τῦ ποιήματος ὄγκος πο24. 1459 ᵇ28.

ὄγκος adiect. ὀγκοτέρα γίνεται ἡ σάρξ πλζ3. 966 ª2.

ὀγκῦν. καταβαίνον τὸ πνεῦμα τὰς φλέβας ὀγκοῖ υ3. 457 ª13. πκθ7. 936 ᵇ11. ὀγκῦσθαι πλζ3. 966 ª12.

ὀγκώδης. proprie βαρέα ὄρνεα, ὅσων τὰ σώματα ὀγκώδη Ζμδ12. 694 ª11. Ζγγ1. 749 ᵇ11. σώματα ὀγκωδέστερα, opp ἰσχνότερα Ζγγ1. 749 ᵇ32. βόνασος ὀγκωδέστερόν ἐστιν ᾖ βῦς Ζιμ45. 630 ª20. — πρὸ τῆς κοιλίας αὐτῇ (τῇ οἰσοφάγῳ) μέρος τι ὀγκῶδες, proventriculus Ζμγ14. 674 ᵇ24. μόριον τυφλὸν ᾖ ὀγκῶδες Ζμγ14. 675 ᵇ8. — metaph τὸ ἡρωικὸν στασιμώτατον ᾖ ὀγκωδέστατον τῶν μέτρων ἐστὶ πο24. 1459 ᵇ35.

ὄγκωσις τῦ ἀεὶ προσιόντος διὰ τῆς θερμότητος αν20. 480 ª3.

ὄγχνη ἐπ' ὄγχνῃ γηράσκει (Hom η 120) f 617. 1582 ª22, 31. cf ὄχνη.

ὅδε et ad ea refertur quae sequuntur, veluti Ργ6. 1407 ᵇ26. τε4. 132 ª24. Ζγβ1. 735 ª19, et ad antecedentia τε4. 132 ª23. ρ4. 1426 ᵇ10. — ἔσχατόν τι τῦ γεγονότος, ὃ ἐπὶ τάδε ὐθέν ἐστι τῦ μέλλοντος, ὃ ἐπὶ τάδε ὐθέν ἐστι τῦ γεγονότος Φζ3. 234 ª1, 2. τόδε μετὰ τόδε, ἐνδέχεται τόδε μὲν τόδε κινῆσαι, τόδε δὲ τόδε sim Ζγβ1. 734 ª27, 28, ᵇ9 al. — τὸ τόδε grammatice significat genus neutrum τι14. 173 ᵇ27. — πρὸς τόνδε τὸν τόπον i e πρὸς τὴν γῆν μα3. 341 ª29. τόδε omnino id significat, quod sensibus percipitur, τὸ αἰσθητόν: ἀλλὰ μὴν οὐδὲ τῶν αἰσθητῶν ἂν εἴη μεγεθῶν οὐδὲ τῶν ἐν τῷ ὐρανῷ ᾖ ἀστρολογία τόνδε Μβ3. 997 ᵇ35. (τάδε ad significanda τὰ αἰσθητὰ ᾖ φθαρτὰ usurpatur ΜΑ9. 990 ᵇ8 Bz. μ4. 1079 ª4.) itaque Ar per pronomen τόδε individuum distinguit a genere et notione universali, τόδε τὸ τρίγωνον, opp πᾶν τρίγωνον Αγ1. 71 ª20. ἥδε ἡ ἰατρική, opp αὐτὴ ἡ ἰατρικὴ Μβ2. 997 ᵇ30. τόδε, syn καθ' ἕκαστον Μϑ2. 1014 ª22, 21. opp ἁπλῶς Μϑ7. 1049 ª24. f 182. 1509 ª16, 18. Οα9. 278 ª12, cf ἁπλῶς p 77 ª1. inde τόδε (Μζ13. 1038 ᵇ24. λ2. 1069 ᵇ11. ν2. 1089 ª11, Ζα2. 317 ᵇ9, 21, 28) et plerumque τόδε τι ita usurpatur ut eundem fere ambitum notionis habeat et eandem varietatem atque ὐσία, cf ὐσία 3, praecipue 3c, Wz ad Κ5. 3 ᵇ10. κενόν, ἐν ᾧ μὴ τόδε τι μηδ' ὐσία τις σωματικὴ Φϑ7. 214 ª12. τῶν ὐσιῶν ἑκάστην τῷ τῳδε ᾖ τῷ ναστῷ ᾖ τινι προσαγορεύει Δημόκριτος f 202. 1514 ᵇ12. τόδε τι ᾖ ὂν Ζα3. 317 ᵇ28. τόδε ὐσία δοκεῖ τόδε τι σημαίνει Κ5. 3 ᵇ10. ἡ ὐσία ᾖ ὅσα τόδε τι σημαίνει Αγ4. 73 ᵇ7. τὸ τόδε τι ταῖς ὐσίαις ὑπάρχει μόνον Μζ4. 1030 ª5. τόδε τι ὐσία Μκ2. 1060 ᵇ1. Γα8. 317 ᵇ9, 21, 31 al. τόδε τι ᾖ ὐσία opponitur reliquis categoriis ψα1. 402 ª24. 5. 410 ª14. β4. 416 ᵇ13. Μζ13. 1038 ᵇ24. 4. 1030 ᵇ11. λ2. 1069 ᵇ11. ν2. 1089 ª11, ᵇ32. opp καθ' ὑποκειμένᾳ τινὸς Μβ5. 1001 ᵇ32. opp τὸ κοινὸν Μβ6. 1003 ª9. τ22. 178 ᵇ38, 179 ª2, 4, 6. coni syn χωριστόν: τὸ χωριστὸν ᾖ τὸ τόδε τι ὑπάρχειν δοκεῖ μάλιστα τῇ ὐσίᾳ Μζ3.

1029 ᵃ28. 14. 1039 ᵃ22. syn εἶδος Μθ7. 1049 ᵃ35. λ3.
1070 ᵃ11, 13. μ10. 1086 ᵇ26, 23. Γα3. 318 ᵇ32. opp τὸ
ὑποκείμενον. ἡ ὕλη Μθ8. 1017 ᵇ25. Φα7. 191 ᵃ12. cf ψβ1.
412 ᵃ7. (τόδε ἐν τῷδε, i e forma in materia Μζ5. 1030
ᵇ18.) opp στέρησις Μη1. 1042 ᵇ3. Γα3. 318 ᵇ15. ὅπερ 5
τόδε τι ἐστὶ τὸ τί ἦν εἶναι Μζ4. 1030 ᵃ3. syn ἐνέργεια
Μμ10. 1087 ᵃ18. — (ᾗ τῷδε παντός Φβ6. 198 ᵃ12, τῷδε
τῷ παντός ci Bz Ar St I 208.)
ὁδεύειν. ἐξ ὑγιείας εἰς νόσον ὁδεύοντες f 35. 1480 ᵇ11.
ὁδήποτε v ὅς.   10
ὁδί. ἕτερον σημαίνειν τὸ μὴ εἶναι τοδὶ ἢ τὸ εἶναι μὴ τῦτο
Αα46. 51 ᵇ7. κατὰ τοδὶ μὲν τὸ μέρος μβ4. 360 ᵇ15. κάλ-
λιον ἔχειν τῦ γεγραμμένον τοδὶ τὸν ὀφθαλμόν Πγ11. 1281
ᵇ14. εἴ τις τοδὶ διὰ τοδὶ αἱρεῖται Ηη10. 1150 ᵃ35. πάντων
πρῶται ἀρχαὶ τὸ ἐνεργείᾳ πρῶτον τοδί, ᾗ ἄλλο ὃ δυνάμει 15
Μλ5. 1071 ᵃ19. — τοδὶ i q τὸ καθ᾽ ἕκαστον (cf ὅδε p 495
ᵇ41) ΜΑ1. 981 ᵃ8, 11.
ὀδμή. πάσχειν ὑπ᾽ ὀδμῆς ψβ12. 424 ᵇ8, cf ἡ ὀσμὴ ποιεῖ ᵇ6
(saepissime in v l pro ὀσμή exhibetur ὀδμή praecipue e
cod E, veluti 424 ᵇ4, 6. β9. 421 ᵃ7, 8, 16, 27, 28, 29, 30, 20
32 al). ἡ τῦ ταρίχυ ὀδμὴ πκη7. 950 ᵃ15. ἡ ὀδμὴ διὰ θερ-
μότητά τινα γίγνεται πκ16. 924 ᵇ23. αἱ διαφοραὶ τῶν ὀδμῶν
φτα7. 821 ᵇ40.
ὀδονταγρα. ἐξαιρῦσι ῥᾷον τὰς ὀδόντας προσλαμβάνοντες
ὀδονταγραν ἢ τῇ χειρὶ ψιλῇ μχ21. 854 ᵃ17.   25
ὀδοντοφυεῖν. τὰ παιδία πότε ἄρχονται ὀδοντοφυεῖν Ζιη10.
587 ᵇ15, τὰ θερμοτέρῳ γάλακτι χρώμενα ὀδοντοφυεῖ θᾶττον
Ζγε8. 789 ᵃ14. ὅταν ἄρκτοι ἐκ τῦ φωλεῦ ἐξέλθωσιν, τὰ ξύλα
διαμασῶνται ὥσπερ ὀδοντοφυῶσαι Ζιι6. 611 ᵃ1.
ὁδοποιεῖν αὐτά (τὸ κατηγορεῖν ᾗ ἀπολογεῖσθαι) Ρα1. 1354 30
ᵃ8. αὐτὸ τὸ πρᾶγμα ὡδοποίησεν αὐτοῖς ΜΑ3. 984 ᵃ18. —
pass εἰ ὁδοποιεῖται ᾗ ὁρμὴ γινομένη τῦ ἀφροδισιασμῦ πδ20.
879 ᵃ1.
ὁδοποίησις. ἀρχαὶ ᾗ οἷον ὁδοποίησις τῷ ἐπιόντι Ργ14. 1414
ᵇ21.   35
ὁδός πολλή τίς Φθ12. 220 ᵇ30. δοκεῖ πλείων εἶναι ἡ ὁδὸς ὅταν
μὴ εἰδότες βαδίζωμεν πε25. 883 ᵇ3. λ4. 955 ᵇ9. ὁδοὶ δη-
μόσιαι, βασιλικαὶ οβ1347 ᵃ5, 1348 ᵃ24, 1353 ᵃ24. ὁδὸς τῶν
πλανήτων μα8. 345 ᵇ28. ποταμοὶ ὑποτεμνόμενοι τὰς ὁδάς
μβ2. 356 ᵃ27. ὁδός nomen cometae qui ἐπὶ Ἀστείυ ἄρ- 40
χοντος apparuit μα6. 343 ᵇ23. ὁδοὶ λεπτύνυσι τὰ πρό-
βατα Ζιθ10. 596 ᵃ30. ἡ γένεσις ὁδός εἰς φύσιν Φβ1. 193
ᵇ13. εἰς υσίαν Μγ2. 1003 ᵇ7. τὰ γένει διαφέροντα
ὐκ ἔχει ὁδὸν εἰς ἄλληλα Μι4. 1055 ᵃ7. φθορὰ ὁδὸς εἰς σῆψιν
μδ1. 379 ᵃ3. — ἡ ὁδὸς τῶν λόγων, ex oratione Iphicratis, 45
tamquam μεταφορὰ κατ᾽ ἀναλογίαν affertur Ργ10. 1411
ᵇ2. eadem metaphora Ar habet ἡ διὰ τῶν διαιρέσεων ὁδὸς
Αθ5. 91 ᵇ12. ἡ ἐπὶ τὰς ἀρχάς, ἀπὸ τῶν ἀρχῶν ὁδὸς Αγ23.
84 ᵇ23. Ηα2. 1095 ᵃ33. ἡ ἐπὶ τὸ ἄνω, ἐπὶ τὸ κάτω ὁδὸς
Αγ21. 82 ᵇ12. μιᾷ ὁδῷ (i e διὰ τῦ αὐτῦ σχήματος τῦ 50
συλλογισμῦ) δείκνυσθαι Αγ21. 82 ᵇ29, 32. itaque ὁδὸς
perinde ac μέθοδος (cf μέθοδος) viam ac rationem inqui-
rendi significat, διὰ ποίας ὁδῦ ληψόμεθα τὰς περὶ ἕκαστον
ἀρχάς Αβ1. 53 ᵃ2 (syn μέθοδος ᵃ2). α27. 43 ᵃ21. 28. 45
ᵃ21, ᵇ37. 30. 46 ᵃ3. 31. 46 ᵇ24 (syn μέθοδος ᵇ26), 33. ὁδῷ, 55
via ac ratione τβ2. 109 ᵇ14. Γα8. 324 ᵇ35. Ζμα4. 644
ᵇ17. — πρὸ ὁδῦ κινεῖσθαι μχ31. 848 ᵃ12. πρὸ ὁδῦ εἶναι,
γίγνεσθαι Οβ12. 292 ᵇ9. Πθ3. 1338 ᵃ35. Μη4. 1044 ᵃ24.
Ζγα8. 718 ᵇ24. β4. 740 ᵃ3. δ5. 774 ᵃ13.
ὁδὸς τῶν θυρῶν ᾗ ὁδὸς ἣν βαδίζυσι ταὐτὸν ὄνομα ρ26. 1435 60
ᵇ20.

ὀδύς. τὸ τῶν ὀδόντων γένος Ζιγ7. 516 ᵃ26. descr Ζιβ1. 501
ᵃ8-5. 502 ᵃ3. Ζγβ6. 745 ᵃ18-ᵇ20. ε8. Ζμγ1. Philippson
ὕλη 34 d. ἐξ ἀνάγκης γεώδη ᾗ στερεὰν ὁ ὀδὺς ἔχει τὴν
φύσιν, τὸ ἐκ τῶν ὀδόντων γεώδες, οἱ ὀδόντες κατὰ τὴν τῶν
ὀστῶν εἰσὶ φύσιν, τὴν φύσιν τὴν αὐτὴν ἔχυσι τοῖς ὀστοῖς,
ὒ τὴν αὐτὴν ἔχυσι φύσιν τοῖς ἄλλοις ὀστοῖς, ἐντὸς (τῦ στό-
ματος) ὀδόντες ὀστέινοι Ζμβ9. 655 ᵇ12. γ14. 674 ᵇ4. Ζιγ9.
517 ᵃ17. α11. 493 ᵃ2. Ζγβ6. 745 ᵃ19, ᵇ3, 8. ἐν ταῖς σια-
γόσιν ἔνεστι τὸ τῶν ὀστῶν γένος, ὀστῦν τῇ μὲν ἄτρητον τῇ
δὲ (syn κάτωθεν ἄνωθεν Ζιβ3. 501 ᵇ17) τρητὸν ᾗ ἀδύνατον
γλύφεσθαι τῶν ὀστῶν μόνον Ζιγ7. 516 ᵃ26. ἅπτονται, ᾗ
συμπεφύκασι τοῖς ὀστοῖς, αὐξάνονται διὰ βίαν μόνοι τῶν
ἄλλων ὀστῶν, φλέβες ἀποτελευτῶσιν εἰς τὰς ὀδόντας, τὰ
χείλη τῆς τῶν ὀδόντων φυλακῆς ἕνεκα Ζγβ6. 745 ᵃ25, ᵇ6.
Ζιγ3. 514 ᵃ22. Ζμβ16. 660 ᵃ2. cf 659 ᵇ28, 32 (cf Plat
Tim 75D). ἐντὸς τῶν ὀδόντων ἡ γλῶττα, ἡ γλῶττα ὀλι-
γάκις ὑπὸ τὰς ὀδόντας πίπτει Ζμδ5. 682 ᵃ13. γ3. 664
ᵇ35. — ὀδόντων ἐκβολή, ἔκκρισις, βία συμβαίνει ἡ τῶν
ὀδόντων γένεσις (Democr sententia) Ζγα20. 728 ᵇ21. ε8.
789 ᵃ15, 788 ᵇ28. ἐν ἑπτὰ ὀδόντας βάλλει (Pythag) Μν6.
1093 ᵃ15. ὕστερον γίνονται, γίνονται ἐκ τῶν ὀστῶν Ζγβ6.
745 ᵃ20, 24, ᵇ5. οἱ μὲν γίνονται διὰ τῶν ὀστῶν ᾗ ἐκπίπτυσιν,
οἱ δ᾽ ὐκ ἐκπίπτυσιν· ἐκπίπτυσι γενόμενοι τῦ βελτίονος χά-
ριν, ὅτι ταχὺ ἀμβλίνεται τὸ ὀξύ· εὐθὺς ἅμα πάντας ἐκ-
βάλλειν· οἱ πρόσθιοι γίνονται πρότερον, ἐκπίπτυσι ᾗ φύονται
πάλιν, γίνονται πάλιν Ζγε8. 788 ᵇ6, 8, 12, 30, 789 ᵃ9, 14,
ᵇ16. β6. 745 ᵇ6, 14. Ζιζ22. 576 ᵃ13. οἱ πλατεῖς φύονται
πολὺν χρόνον, τὴν γομφίας ὐδὲν βάλλει τῶν ζῴων Ζγε8.
789 ᵃ16. Ζιβ1. 501 ᵇ4.
1. διαφοραὶ κατὰ τὴν μορφήν. ὀξεῖς. α. dentes acuti,
dentes lacerantes. τοῖς ἀνθρώποις οἱ πρόσθιοι ὀξεῖς Ζμγ1.
661 ᵇ8. Φβ8. 198 ᵇ24. ἔνια τῶν ζῴων ὀξεῖς ᾗ πάντας ἔχει,
ὀξεῖς πάντες ἰχθύες ἔχυσι, ὥστε διελεῖν μὲν δύνανται, φαύ-
λως δὲ διελεῖν, ὀξεῖς πρὸς τὴν διαίρεσιν, ὀξεῖς ᾗ πολυστοί-
χυς ᾗ ἔνιοι ἐν τῇ γλώττη Ζμγ1. 661 ᵇ13. 14. 675 ᵃ5. 1.
662 ᵃ12. Ζιβ13. 505 ᵃ29. 1. 501 ᵃ21. cf αv11. 476 ᵇ10.
αἱ φῶκαι τὰς ὀδόντας πάντας καρχαρόδοντας ᾗ ὀξεῖς ἔχυσι
Ζμδ13. 697 ᵇ6. ὀξεῖς ᾗ ἐπαλλάττοντες, syn καρχαρόδοντες
Ζμγ1. 661 ᵇ18. Ζιβ1. 501 ᵃ18. ὁ νέοι (κύνες) λευκὰς ἔχυσι
ᾗ ὀξεῖς τὰς ὀδόντας, οἱ δὲ πρεσβύτεροι μέλανας ᾗ ἀμβλεῖς
Ζιβ2. 501 ᵇ2. — ὀδόντες ὀξεῖς ᾗ μικροὶ ᾗ λεπτοὶ ᾗ
σκληροὶ τῶν στρομβωδῶν, κοχλιῶν, κόχλων ζιζ4. 528 ᵇ28.
Ζμδ5. 679 ᵇ5. — b. incisores. ὁρίζυσι τὰς τε ὀξεῖς ᾗ τὰς
πλατεῖς οἱ καλύμενοι κυνόδοντες, ἀμφοτέρων μετέχοντες τῆς
μορφῆς, κάτωθεν μὲν γὰρ πλατεῖς, ἄνωθεν δ᾽ εἰσὶν ὀξεῖς
Ζιβ3. 501 ᵇ7. — τοῖς ὀξέσιν οἱ ὀξεῖς πλατεῖς (Φβ8. 198
ᵇ24), dentes molares, dentes tuberculati. πλατεῖς ὀδόντας
ἔχυσιν οἱ ἄνθρωποι, ὐκ ἔχυσιν οἱ ἰχθύες· οἱ πλατεῖς φύονται
πολὺν χρόνον, τὸ ἔργον τῶν πλατέων ἐστὶ τὸ λεαίνειν, λεαίνειν
τῶν πλατέων ὐκ ἔστιν ἀμβλύτης, ἀλλὰ τῷ χρόνῳ τριβό-
μενοι λεαίνονται μόνον Ζμγ1. 661 ᵇ8. 14. 675 ᵃ7. Ζγε8.
789 ᵃ10, 16, 788 ᵇ31, 32. cf Ζιβ1. 501 ᵃ21. Ζγε8. 788
ᵇ30. v l ᵇ38. opp etiam οἱ ἀμβλεῖς cf ἀμβλύς p 37 ᵇ34
et ἀμβλύτης. — γαμψοί. γαμψοὶ διὰ τὸ τὴν ἀλκὴν σχε-
δὸν ἅπασαν αὐτοῖς (τοῖς ἰχθύσι) διὰ τύτων εἶναι Ζμγ1.
662 ᵃ14. ὀδόντες κυνοειδέστεροι τῶν κυνοκεφάλων Ζιβ8.
502 ᵃ22. ἀνάσιμοι οἱ μεγάλοι τῶν ἀρρένων ἐλεφάντων, opp
οἱ τῶν θηλειῶν κάτω βλέπυσιν Ζιβ5. 501 ᵇ33.
2. διαφοραὶ κατὰ τὸν τόπον. οἱ πρόσθιοι. dentes inciso-
res s primores, opp τοῖς ἐντός, τοῖς πλατέσι, τοῖς γομ-
φίοις. τὰ πλεῖστα τὰς προσθίας ἔχει ὀξεῖς, τὰς δ᾽ ἐντὸς

πλατεῖς Ζιβ1. 501 ᵃ21. Ζμγ14. 674 ᵃ34. Φβ8. 198 ᵇ24.
τὸ ἔργον τῶν προσθίων ἐστὶ τὸ διελεῖν, διαιρεῖν Ζγε8. 788
ᵇ31, 33. οἱ πρόσθιοι ἀσθενεῖς κ̣ εὐκίνητοι, ἐλάττονες τῇ με-
γέθει τῶν γομφίων Ζγε8. 788 ᵇ34, 789 ᵃ13. γίνονται πρό-
τερον τῶν πλατέων, τῶν γομφίων, ἐκπίπτυσι κ̣ φύονται
πάλιν Ζγε8. 788 ᵇ6, 8, 30. — οἱ ἄνθρωποι ὀξεῖς ἔχυσι τὰς
προσθίας, φύει πρῶτον τὰς προσθίας κ̣ τὰ μὲν (παιδία) τὰς
ἄνωθεν πρότερον τὰ δὲ τὰς κάτωθεν, βάλλει τὰς προσθίας,
πολλὰ πρὸς τὴν γένεσιν τῶν γραμμάτων οἱ πρόσθιοι τῶν
ὀδόντων συμβάλλονται Ζμγ1. 661 ᵇ8, 15. Ζιη10. 587 ᵇ15.
β1. 501 ᵇ3. — οἱ πρόσθιοι τῶν πιθήκων Ζιβ8. 502 ᵃ30 Aub.
— τὰ κερατοφόρα ὐκ ἔχει τὰς προσθίας ὀδόντας ἐπὶ τῆς
ἄνω σιαγόνος, ἄνω ὐκ ἔχει τὰς προσθίας, nam ἡ διδομένη
τροφὴ εἰς τὰς ὀδόντας τὰς προσθίας εἰς τὴν τῶν κεράτων
αὔξησιν ἀναλίσκεται Ζιβ1. 501 ᵃ13. Ζμγ2. 663 ᵇ36, 664 ᵃ2.
τὰς ἡλικίας ἐκ τῶν ὀδόντων σκοπεῖν, syn διαγιγνώσκειν
Ζιζ20. 575 ᵃ11. β2. 501 ᵇ11. — οἱ πρῶτοι. dentes inci-
sores, decidui. ἵππος βάλλει τὰς πρώτας δ' τριακοντάμηνος,
τὰς μὲν β' ἄνωθεν τὰς δὲ β' κάτωθεν κτλ, τᾶ ὄνῳ οἱ πρῶ-
τοι, δεύτεροι, τρίτοι, τέταρτοι Ζιζ22. 576 ᵃ7. 23. 577 ᵃ19.
— dentes molares τῶν μαλακοστράκων, τῶν καράβων, δύο,
opp οἱ πρὸς τῇ κοιλίᾳ Ζμδ5. 678 ᵇ10, 679 ᵃ32. Ζιδ2. 526
ᵇ23. — οἱ μέσοι Ζμγ1. 661 ᵇ9, iq κυνόδοντες (v h v). —
οἱ ἐντός, τελευταῖοι, ἔσχατοι, molares. οἱ ἐντὸς πλατεῖς, opp
οἱ πρόσθιοι ὀξεῖς Ζιβ1. 501 ᵃ21. οἱ τελευταῖοι ἀνατέλλυσι
περὶ τὰ εἴκοσιν ἔτη, ἐνίοις ἤδη κ̣ γηράσκυσι γεγένηνται οἱ
ἔσχατοι παντελῶς Ζγε8. 789 ᵃ17, 18 (v γόμφιος, κραν:ήρ).
— οἱ ἄνω, ἄνωθεν ὀδόντες, iq οἱ ἐπὶ τῆς ἄνω σιαγόνος,
opp οἱ κάτωθεν. ὐδὲν τῶν κερατοφόρων ὀδόντας τὰς ἄνωθεν
ἔχει Ζιι45. 630 ᵇ3, 2. β1. 501 ᵃ13. Ζμγ2. 663 ᵇ36. ἵππος,
λέων πῶς βάλλει τὰς ἄνωθεν κ̣ τὰς κάτωθεν Ζιζ22. 526
ᵃ7. 31. 579 ᵇ12. ἄνθρωπ\υ Ζιη10. 587 ᵇ15. Ζμβ16. 659
ᵇ25. — οἱ ἄνω, opp οἱ ἐπὶ τῆς κοιλίας τῶν μαλακοστρά-
κων Ζμδ5. 679 ᵃ36. — ἔσωθεν, ἔξωθεν. ὁ σμύρος ὀδόντας
ἔχει κ̣ ἔσωθεν κ̣ ἔξωθεν Ζιε10. 542 ᵃ27. fort iq δ̣ιστοιχία
τῶν ὀδόντων Ael h a IX 40 Aub? οἱ ἐντός. — πολλοὶ
ἰχθύες κ̣ ἐν ταῖς γλώτταις ἔχυσιν ὀδόντας κ̣ ἐν τοῖς ὐρανοῖς
Ζμγ1. 662 ᵃ7. Ζιβ13. 505 ᵃ29. τοῖς καράβοις πρὸς τῷ τῆς
κοιλίας στόματι ὀδόντες εἰσι γ', οἱ μὲν β' κατ' ἀλλήλυς,
ὁ δὲ εἷς ὑποκάτω Ζμδ5. Ζμδ5. 679 ᵃ36.

3. κατὰ μῆκος κ̣ βραχύτητα. ὀδόντες μικροὶ κ̣ λεπτοὶ
τῶν στρομβωδῶν, τῶν κοχλιῶν Ζιδ4. 528 ᵇ28. ἡ θήλεια
ἐλέφας μικρὰς ἔχει τὰς ὀδόντας κ̣ ἐξ ἐναντίας τοῖς ἄρρεσι
Ζιβ5. 501 ᵇ33, cf Wiegmann obs zool 9. οἱ παμμεγέθεις,
μεγάλοι Ζγβ6. 745 ᵃ30, 34. μεγάλοι τὰ κοῖλα τῶν καρά-
βων, μεγάλοι κ̣ χαυλιόδοντες τῶν κροκοδείλων Ζιδ2. 527
ᵃ1, 3. 3. 527 ᵇ14, 16, 28. β10. 603 ᵃ9. — τᾶ ἐλέφαντος.
ὁ μὲν ἄρρην ἐλέφας τὰς (δύο) μεγάλυς ἀνασίμυς ἔχει, ἡ
δὲ θήλεια μικρὰς κ̣ ἐξ ἐναντίας τοῖς ἄρρεσιν, κάτω γὰρ οἱ
ὀδόντες βλέπυσιν· τύπτυσι τοῖς ὀδῦσι σφᾶς αὐτάς· τὰς ὐκ
τοίχυς καταβάλλει τὰς ὀδόντας τὰς μεγάλας προσβάλλων
Ζιβ5. 501 ᵇ30, 33. ιι. 610 ᵃ16, 22. — κατὰ τὰς χρόας,
τὴν κοιλότητα. οἱ νέοι κύνες λευκὰς κ̣ ὀξεῖς ἔχυσι τὰς ὀδόν-
τας, οἱ δὲ πρεσβύτεροι μελαίνας κ̣ ἀμβλείας· τἆλλα ζῷα
πρεσβύτερα γινόμενα μελαντέρας ἔχει τὰς ὀδόντας, ἵππος
ἵππος λευκοτέρας Ζιζ20. 575 ᵃ11. β3. 501 ᵇ15 (v μέλας).
οἱ τῶν Αἰθιόπων ὀδόντες λευκοὶ Ζγβ2. 736 ᵃ12. Ζιη9. 517
ᵃ18. τι5. 167 ᵃ11. π.66. 898 ᵇ12, 16. ὁ ἐχῖνος ὀδόντας
ἔχει κοίλας ἔνδοθεν, οἱ κάραβοι β' ἔχυσι μεγάλας κ̣ κοίλας
Ζι5. 530 ᵇ24, 32. 2. 527 ᵃ1, 3. 527 ᵇ14, 16, 28.

4. ἄλλαι διαφοραί. ἰσχυρὰς ἔχει λάταξ, ἄμ:α· ἰσχυροτέ-
V.

ρας οἱ κυνοκέφαλοι Ζιβ5. 595 ᵃ1. ι37. 621 ᵃ19. β8. 502
ᵃ22. ὅσοι πλείυς ἔχυσι, μακροβιώτεροι ὡς ἐπὶ τὸ πολύ, οἱ
δ' ἐλάττυς κ̣ ἀραιόδοντες ὡς ἐπὶ τὸ πολὺ βραχυβιώτεροι
Ζιβ3. 501 ᵇ22. cf, quae om Rose in fragm, Schol ad Ori-
bas III 684: Ἀρ. φησὶν ὅτι ὅσοι πλείυς ὀδόντας ἔχυσι,
μακροβιώτεροι ὡς ἐπὶ τὸ πολύ εἰσιν· οἱ δὲ ἐλάττυς κ̣ ἀραιό-
δοντας ἔχυσιν, βραχυβιώτεροι γίνονται. διὰ
τί τῶν ἀνθρώπων οἱ ἀραιὰ ἔχοντες τὰς ὀδόντας βραχύβιοι·
οἱ ἀραιόδοντες (ἀραιοὶ ὀδόντας codd) ὥσπερ ἂν ἐλάττονας
ἔχυσιν ὀδόντας ἐοίκασιν π.48. 896 ᵃ30. λδ1. 963 ᵇ20. διὰ
τί οἱ μανὰ ἔχοντες τὰς ὀδόντας ὐ μακρόβιοι πλδ1. 963
ᵇ18. — ὀδόντες ἕτεροι, mutati, οἱ παρακλίνοντες τὴν ἀφὴν
τὴν ἀλλήλων, μαχητικοί, κατεαγότες, ἀλλοιότεροι τῶν (μυρ-
μήκων) κ̣ μελιττῶν Ζγε8. 789 ᵃ10. β6. 745 ᵃ26. Ζιι44.
629 ᵇ31. Ζμγ2. 662 ᵇ34. δ5. 678 ᵇ17. cf F 306, 18.
ΚαΖμ 125, 10. — μαρτιχόραν ἔχειν ἐπ' ἀμφότερά φησι
τριστοίχυς τὰς ὀδόντας, διστοίχυς ὀδόντας ἔχειν τάτων
τῶν γενῶν (Mammalium et Piscium), ὁ σμῦρος ὀδόντας
ἔχει κ̣ ἔσωθεν κ̣ ἔξωθεν Ζιβ1. 501 ᵃ27, 24. ε10. 542 ᵃ27
(cf supra ᵃ35). τῷ ὀδόντι τῷ σκληροτάτῳ συνδάκνων ὁ
γλάνις διαφθείρει τὰ ἄγκιστρα (breiter Streifen von Hechel-
zähnen?) Ζιι37. 621 ᵇ1 Aub.

5. ἔστι περὶ τὰς ὀδόντας πολλὴ διαφορὰ τοῖς ἄλλοις ζῴοις
κ̣ πρὸς αὐτὰ κ̣ πρὸς τὸν ἄνθρωπον Ζιβ1. 501 ᵃ8. τὰ ἔχοντα
τῶν ἐναίμων ὀδόντας (Mammalia, Reptilia) Ζμβ16. 659
ᵇ21. τὰ ἔχοντα ὅσα τετράποδα κ̣ ζῳοτόκα
(Mammalia) Ζιβ1. 501 ᵃ10. — a. Diphyodontes Owen.
ἀνθρώπυ Ζιβ1. 501 ᵇ2, 3, 20. γ9. 517 ᵃ18. η10. 587 ᵇ15.
Ζμγ1. 661 ᵇ8, 9. Ζγβ2. 736 ᵃ12. π66. 898 ᵇ12, 16. τὰ
μὲν ἄλλα ζῷα ἔχοντα γίνεται ὀδόντας, ὁ δ' ἄνθρωπος ὐκ
ἔχων, πολλὰ πρὸς τὴν γένεσιν τῶν γραμμάτων οἱ πρόσθιοι
συμβάλλονται. vitae brevis signa ponit raros dentes, contra
longae esse vitae plus triginta duo dentes Ζγβ6. 745
ᵇ10. cf Ζιη10. 587 ᵇ14. Ζμγ1. 661 ᵇ15. f 261. 1526 ᵃ16.
κυνοκεφάλυ, πιθήκυ Ζιβ8. 502 ᵃ22, 30 Aub. κυνὸς. τὰς
κύνας διαγιγνώσκυσι τὰς νεωτέρας κ̣ πρεσβυτέρας ἐκ τῶν
ὀδόντων, τίνας κύων βάλλει, οἱ μὲν ὅλως ὐκ ὄιονται βάλ-
λειν ὐθένα τὰς κύνας οἱ δὲ τὰς κυνόδοντας μόνον Ζιβ2. 501
ᵇ5, 11 (cf ᵇ12. ζ20. 575 ᵃ11). ζ20. 575 ᵃ5-10. λέοντος
Ζιζ31. 579 ᵇ12. ι44. 629 ᵇ29, 31. λάταξ τὰς κερκίδας
ἐκτέμνει τοῖς ὀδῦσι Ζιβ5. 595 ᵃ1. ἐλέφαντος. οἱ μεγάλοι
Ζιβ5. 501 ᵇ30, 33. ιι. 610 ᵃ16, 22. μωνύχων Ζμδ10. 690
ᵃ7. ἵππυ Ζιβ1. 501 ᵇ2. 3. 501 ᵇ15. ζ22. 576 ᵃ6, 7. 21.575
ᵇ7. ὄνυ, ὄρεως Ζιβ1. 501 ᵇ2. ζ23. 577 ᵃ19. καμήλυ Ζμγ
14. 674 ᵇ1. τῶν κερατοφόρων ὐδὲν τὰς ἄνωθεν προσθίας ἔχει
Ζιι45. 630 ᵇ3. cf β1. 501 ᵃ13. Ζμγ2. 663 ᵇ36. οἱ τῶν ἐλά-
φων γέροντες ὀδόντας οἱ μὲν ὐκ ἔχυσιν οἱ δ' ὀλίγας Ζιι5.
611 ᵇ3. βοός, βονάσυ Ζιζ21. 575 ᵇ7. ι45. 630 ᵇ2. προβά-
των, αἰγῶν Ζιβ1. 501 ᵇ20 Aub. cf Lewes 288. φώκης Ζιβ1.
501 ᵃ22. Ζμδ13. 697 ᵇ6. — b. Monophyodontes. inter hos
refertur ὗς. ὐκ ἐκβάλλει τὰς ὀδόντας, ὐθένα Ζιβ1. 501 ᵇ5.
3. 501 ᵇ20. Ζγε8. 788 ᵇ15. — c. ὁ μῦς τὸ κῆτος ὀδόντας
ἐν τῷ στόματι ὐκ ἔχει Ζιγ12. 519 ᵃ23. — d. κροκοδείλα
Ζιβ10. 603 ᵃ9. ι6. 612 ᵃ21. 67. 831 ᵃ12. — e. τὸ τῶν
ἰχθύων γένος ἔχει τὰς ὀδόντας, τάτυς δὲ καρχαρόδοντας σχε-
δὸν ὡς εἰπεῖν πάντας. πλατεῖς ὀδόντας ὐκ ἔχυσιν Ζμγ14.
675 ᵃ1, 5, 7. 1. 662 ᵃ12, 14. αν11. 476 ᵇ10. Ζιβ13. 505
ᵃ29. γλάνιος, σμύρας, ἀμίων Ζιι37. 621 ᵇ1, ᵃ19. ε10. 542
ᵃ27. ὀδόντας τὰ μὲν ἔχοντα παμφάγα ἐστίν, πολλὰ ὑ
ὀδόντας τὰ μὲν ἔχοντα παμφάγα ἐστίν. — f. τῶν
ἐντόμων τὰ μὲν ἔχοντα τὰς ὀδόντας παμφάγα ἐστίν, πολλὰ ὑ
τροφῆς ἔχει χάριν τὰς ὀδόντας ἀλλ' ἀλκῆς Ζιι11. 596 ᵇ10.

Ζμδ5. 678 ᵇ21. μελιττῶν, μυρμήκων (μυιῶν Bk) Ζμδ5. 678 ᵇ17. 6. 683 ᵃ4. τὰ ἐμπροσθόκεντρα ὀδόντας ὐκ ἔχει Ζιδ7. 532 ᵃ12. — g. τὰ μαλακόστρακα ἔχει ὀδόντας δύο Ζμδ5. 678 ᵇ10, 24, 679 ᵃ32. Ζιδ2. 526 ᵇ22. καρκίνω, καράβω Ζιδ2. 526 ᵇ23, 527 ᵃ1, 3. 3. 527 ᵇ14, 16, 28. cf 2. 527 ᵃ5. — h. ἔχυσι τὰ μαλάκια περὶ τὸ στόμα δύο ὀδόντας Ζμδ5. 678 ᵇ7 (F 305, 15). 9. 684 ᵇ10, 685 ᵃ16 (ΑΖι I 371). Ζιδ1. 524 ᵇ2. πολύποδος, σηπίας f 315. 1531 ᵇ2, 3. 317. 1531 ᵇ32. — i. ἐχίνω, στρομβωδῶν, κόχλω, κοχλιῶν (cf Lebert, Müllers Archiv 1846 p 460, 463) Ζιδ5. 530 ᵇ24, 32. 4. 528 ᵇ28. Ζμδ5. 678 ᵇ23, 679 ᵇ5, 680 ᵃ5, ᵇ5, 28, 36. — k. ὄρνιθες ὕτε χείλη ὔτ' ὀδόντας ἔχυσιν ἀλλὰ ῥύγχος Ζιβ12. 504 ᵃ20. Ζμβ16. 639 ᵇ23. γ1. 662 ᵃ34. δ12. 692 ᵇ18.

6. ὀδόντων ἔργον, διὰ τίν' αἰτίαν γίνονται. τὸ διελεῖν ὠ̣ δακεῖν ὀδόντων ἔργον ἐστίν Ζγε8. 789 ᵇ17, 788 ᵇ31, 33. Ζμδ11. 691 ᵇ20. συνδάκνειν, ἐκτέμνειν, τύπτειν ὀδῦσι, κατεργάζεσθαι τὴν τροφὴν αὐτοῖς, προσβάλλειν αὐτῷς Ζιι37. 621 ᵇ1. 1. 610 ᵃ16, 22. θ5. 595 ᵃ1. β5. 501 ᵇ30. καμπλὼ ὀδόντες ὐδὲν προέργω Ζμγ14. 674 ᵇ1. ἐνίοις χρήσιμοι ἢ εἰς τὸ πλάγιον κίνησις Ζμδ11. 691 ᵇ2. ἢ τῶν ὀδόντων φύσις τοῖς μὲν ὑπάρχησα πρὸς τὸ ἔργον τὴν τῆς τροφῆς ἐργασίαν, τοῖς δὲ πρός τε τῦτο ὠ̣ πρὸς ἀλκήν· ὐκ ἑνὸς χάριν ὐδὲ πάντα τῦ αὐτῦ ἕνεκεν τὰ ζῷα ἔχυσιν, ἀλλὰ τὰ μὲν διὰ τὴν τροφήν, τὰ δὲ ὠ̣ πρὸς τὴν ἀλκὴν ὠ̣ πρὸς τὸν ἐν τῷ φωνῇ λόγον Ζμγ1. 661 ᵃ34, 36. β9. 655 ᵇ8. δ5. 678 ᵇ21. Ζγε8. 788 ᵇ1. cf Ζιδ11. 538 ᵇ16. Ζμδ8. 684 ᵃ31. 6. 683 ᵃ4. γ1. 661 ᵇ21, 662 ᵃ14. nam τὴν περιττωματικὴν ὑπερβολὴν τὴν ῥέυσαν εἰς τὸν ἄνω τόπον τοῖς μὲν εἰς ὀδόντας ὠ̣ χαυλιόδοντας ἀπένειμεν ἡ φύσις τοῖς δὲ εἰς κέρατα Ζμγ2. 663 ᵇ34. cf 664 ᵃ2. πι62. 898 ᵃ22, 25. χζ9. 948 ᵇ31. ἡ ἔνδεια τῶν ὀδόντων 11. 674 ᵇ10. τὸ ἀνάλογον τοῖς ὀδῦσι Ζγβ6. 745 ᵇ10.

7. ἡ φύσις συνάγει εἰς τὸ γῆρας ὠ̣ τὴν τελευτὴν τὴν ὑπόλειψιν τῶν ὀδόντων Ζγβ6. 745 ᵃ33. οἱ πλατεῖς τῷ χρόνῳ τριβόμενοι λεαίνονται μόνον Ζγε8. 789 ᵃ10. διὰ τί οἱ ὀδόντες ἰσχυρότεροι τῶν σαρκῶν ὄντες ὅμως τῦ ψυχρῦ αἰσθάνονται μᾶλλον; διὰ τί τῦ ψυχρῦ μᾶλλον αἰσθάνονται ἢ τῦ θερμῦ πλθ2. 963 ᵇ22. 3. 963 ᵇ26. οἱ ἰατροὶ πῶς ἐξαιρῦσι τὰς ὀδόντας μχ21. 854 ᵃ16. πονεῖν τὰς ὀδόντας, καθαίρειν Ζιι44. 629 ᵃ40 ᵇ29. 6. 612 ᵃ21. θ7. 831 ᵃ12.

8. dentes in chelis crustaceorum. ὀδόντες ὠ̣ κάτωθεν ὠ̣ ἄνωθεν, πλὴν ὁ μὲν δεξιὸς (ἔχει) μικρὰς ἅπαντας ὠ̣ καρχαρόδοντας, ὁ δ' ἀριστερὸς ἐξ ἄκρυ μὲν καρχαρόδοντας τὰς δ' ἐντὸς ὥσπερ γομφίος, ἐκ τῦ κάτω μέρυς δ' ὡς συνεχεῖς, ἄνωθεν γ' ὠ̣ συνεχεῖς Ζιδ2. 526 ᵃ18. — serrae ὀδόντες Φβ9. 200 ᵇ6.

ὀδυνᾶν. αἱ ἀνάντεις ὀδοὶ τὴν ὀσφὺν ὀδυνῶσιν πε40. 885 ᵃ34.

ὀδύνη. ὀδύναι θανατηφόροι Ζμγ9. 672 ᵃ36.

ὀδυνηρός, coni λυπηρός Ρβ8. 1386 ᵃ5, 7. πλήγμα τῶν ἀγρίων σφηκῶν ὀδυνηρότερον Ζιι41. 627 ᵇ28. — ὀδυνηρῶς. τίκτει ὁ πέλος φαύλως ὠ̣ ὀδυνηρῶς Ζιι1. 609 ᵇ25.

ὀδύρεσθαι. ὀδυρόμενος ἀναλίσκει Ηθ6. 1123 ᵃ30. ὀδυρεῖται αὑτὸν πενίαν ρ19. 1433 ᵃ33. μικροψυχίας ὀδύρεσθαι ἐπὶ πᾶσι ὠ̣ δυσφορεῖν ρφ7. 1251 ᵇ21.

ὀδύρτης φ6. 812 ᵃ4. coni δυσθυμικός φ6. 813 ᵃ33.

ὀδυρτικοί, opp εὐτράπελοι, φιλογέλοιοι (φιλογέλω Spgl), τὸ ὀδυρτικὸν ἐναντίον τῷ φιλογέλωτι Ρβ13. 1390 ᵃ22, 23. — ὀδυρτικωτέρως διατίθεσθαι πρὸς ἁρμονίας τινὰς Πθ5. 1340 ᵃ42.

Ὀδύσσεια πο4. 1449 ᵃ1. 17. 1455 ᵇ17. 24. 1460 ᵃ35. 26.

1462 ᵇ9. περὶ μίαν πρᾶξιν πο8. 1451 ᵃ29, 24, cf 23. 1459 ᵇ3. ἡ Ὀδύσσεια πεπλεγμένον πο24. 1459 ᵇ15. διπλῆν τὴν σύστασιν ἔχει πο13. 1453 ᵃ32. ἡ Ὀδύσσεια καλὸν ἄνθρωπίνω βίω κάτοπτρον Ργ3. 1406 ᵇ12.

Ὀδυσσεύς τγ2. 117 ᵇ13, 24. Ὀδυσσεὺς Ἰκάδιος ἀλλ' ὐκ Ἰκάριος πο25. 1461 ᵇ7. Ὀδυσσεὺς Homericus Ρα6. 1363 ᵃ17. γ15. 1416 ᵇ12. πο16. 1454 ᵇ26. f 144. 1502 ᵇ32. 166. 1505 ᵇ40. 170. 1506 ᵇ1. versus Homerici afferuntur πο21. 1457 ᵇ11 (Β 272), Πδ3. 1338 ᵃ28 (ι 7), Ρβ3. 1380 ᵇ23 (ι 504), ὁ κύων τῦ Ὀδυσσέως (ρ 327) Ζιζ20. 575 ᵃ1. ἐπίγραμμα ἐπὶ Ὀδυσσέως f 596. 1575 ᵇ27. — Ὀδυσσεὺς ἐν τῷ Φιλοκτήτῃ Σοφοκλέυς Ηη3. 1146 ᵃ21. 10. 1151 ᵇ20, ἐν τῷ Τεύκρῳ (Sophoclis, Nauck fr tr p 204) Ργ15. 1406 ᵇ1, ἐν τῷ Αἴαντι τῷ Θεοδέκτε Ρβ23. 1399 ᵇ29, 1400 ᵃ27 (Nauck p 622), ἐν τῇ Σκύλλῃ πο15. 1454 ᵃ30 (Nauck p 652). — Ὀδυσσεὺς ὁ τραυματίας (fort Sophoclis Nauck p 182) πο14. 1453 ᵇ34. Ὀδυσσεὺς ὁ ψευδάγγελος πο16. 1455 ᵃ13 (Nauck p 652).

ὄζειν. ὅταν ἐπ' αὐτό τις ἐπιθῇ τὸ αἰσθητήριον τὸ ψοφῦν ἢ τὸ ὄζον ψβ7. 419 ᵃ29. πάντα μᾶλλον ὄζει κινέμενα πιβ5. 907 ᵃ5. τῶν ἡβώντων οἱ χρῶτες ὄζυσιν πδ12. 877 ᵇ21. ὄζει νηστείας, γράσυ πιγ7. 908 ᵇ12. 9. 908 ᵇ24. δ24. 879 ᵃ23, ὄζει θεῖν πκδ18. 937 ᵇ25, πόας (ἰλύος ci Aub) Ζιθ8. 595 ᵇ29. ὄζειν καλόν, ἡδύ, εὐῶδες ηεγ2. 1231 ᵃ11. πιβ2. 906 ᵇ14. ὄζει imperson δριμύτατον ὄζει τῶν ἀρωμάτων, ἥδιον ὄζει τῶν ῥάδων πιβ7. 907 ᵃ13. 8. 907 ᵃ20. 11. 907 ᵃ35.

Ὀζόλαι. οἱ κληθέντες Ὀζόλαι Λοκροί f 520. 1563 ᵃ40.

ὄζολις. (γένος τι πολυπόδων) ἣν καλῦσιν οἱ μὲν βολίταιναν οἱ δ' ὄζολιν Ζιδ1. 525 ᵃ19 Aub. (C II 685 adn. Rose Ar Ps 300. fort Sepia moschites St.) v βολίταινα.

ὄζος. ἀρχή τις ὁ ὄζος τῦ κλάδυ ζ3. 468 ᵇ25. ὁ ὄζος ῥίζα τις μχ1. 850 ᵃ1. ὁ ἧχος περικάμπτει τὰς ὄζᾱς ακ802 ᵃ36. — ὁ Λικύμνιος ἐν τῇ τέχνῃ ἐπύρωσιν ὀνομάζει ὠ̣ ἀποπλάνησιν ὠ̣ ὄζᾱς Ργ13. 1414 ᵇ18.

ὅθεν. ὅθεν δῆλον ὅτι Πγ13. 1284 ᵃ11. ὅθεν αἱ μεταβολαὶ γίγνονται εἴρηται Πε7. 1307 ᵇ24. ὅθεν ad nomen aliquod, quod antecedit, refertur: ὁ τόπος ὅθεν ῥέυσιν οἱ ποταμοὶ μα14. 353 ᵃ17. ἀρχαὶ ὠ̣ πηγαὶ τῶν στάσεων ὅθεν στασιάζυσιν sim Πε1. 1301 ᵇ5. 2. 1302 ᵃ35. — τὸ ὅθεν ἡ κίνησις, ὅθεν ἡ τῆς κινήσεως ἀρχή, αἴτιον ὡς ὅθεν ἡ κίνησις Φβ7. 198 ᵃ26. μδ5. 382 ᵃ29. α2. 339 ᵃ31. Ηζ2. 1139 ᵃ31 (opp ὗ ἕνεκα). Οβ2. 285 ᵃ23, ᵇ16 (dist et syn ἀφ' ὗ), cf κίνησις p 391 ᵇ14. ὅθεν ἡ ἀρχὴ τῆς πράξεως Ηε12. 1136 ᵇ28. ὅθεν πρῶτον, ἐξ ἧς πρώτυ Μθ1. 1013 ᵃ4, 7, 14 (cf Bz ad β3. 998 ᵃ23). ηεβ6. 1222 ᵇ21.

ὀθνεῖος, opp συγγενεῖς Ηθ14. 1162 ᵃ8. 11. 1160 ᵃ6. opp συνήθης Ηθ12. 1126 ᵇ27. opp φίλος Ηθ14. 1162 ᵇ32. ι3. 1165 ᵇ34. 9. 1169 ᵇ12, 21 (coni οἱ τυχόντες). αἱ οἰκεῖαι πόλεις, opp τῶν ὀθνείων τινὲς Πβ12. 1273 ᵇ31.

ὀθόνη. λεπτῇσιν ὀθόνῃσι (Emp 227) αι2. 438 ᵃ1.

Ὄθρυς θ164. 846 ᵇ10.

οἰακίζειν τὰς νέας ἡδονῇ ὠ̣ λύπῃ Ηχ1. 1172 ᵃ21.

οἴαξ. πῶς ὑπὸ μικρῦ οἴακος μεγάλα κινεῖται πλοῖα μχ5. 850 ᵇ29. Ζχ7. 701 ᵇ6. οἴαξ ὄργανον ἄψυχον, πρωρεὺς ἔμψυχον Πια4. 1253 ᵇ29.

οἰγνύναι. ὅταν ἅπαξ οἰχθῇ ἡ ὑστέρα Ζικ7. 638 ᵃ29.

οἰδεῖν. ὀδὲν τὰς πόδας Ζιθ23. 604 ᵃ15. ζ21. 575 ᵇ9. τοῖς εὐνόχοις τὰ σκέλη οἰδεῖ πδ3. 876 ᵇ31. οἰδησάσης τῆς πληγῆς πθ4. 889 ᵇ37.

οἰδήματα ὠ̣ ἐπάρσεις τῆς σαρκὸς περὶ τὰ σκέλη Ζιη4. 584 ᵃ16.

Οἰδιπόδειαν Μέλητος καθῆμεν f 585. 1573 b21.

Οἰδίπους, aptum tragodiae argumentum πο13. 1453 a11, 20. 14. 1453 b7. Οἰδίπους Σοφοκλέους πο14. 1453 b31. 15.1454 b8. 16. 1455 a18. 26. 1462 b2. Οἰδίπους (Sophoclis) πο11. 1452 a24, 33. 24. 1460 a30. Οἰδίπους Καρκίνου Ργ16.1417 b18 (Nauck fr tr p 620). — Οἰδιπόδαν Λαΐου υἱόν f 600. 1578 b13.

οἶδμα. οἴδματι (Emp 349, 367) αν7. 473 b15, 474 a5.

οἴεσθαι, opp εἰδέναι Ρβ13. 1389 b17. ρ13. 1430 b36. 15. 1431 b3. Αγ6. 75 a15, cf 9. 76 a28. dist πίστις sim μτ1. 462 b18, 15, 17. syn ὑπολαμβάνειν Ηγ3. 1145 b30. Αγ6. 75 a15. — ὁ μὲν οἰόμενος δεῖν, ὁ δ' οὐκ οἰόμενος Ηγ11. 1152 a6. ὁ ἀκρατὴς οὐχ ἃ οἴεται δεῖν πράττειν πράττει Ηε11. 1136 b8. ἃ βαλεῖν ᾠήθη Ηε10. 1135 b14, 15. cf ηεβ7.1223 b8, 32. 8. 1224 b21. ὁμοίως οἴεται χ̣ οὐκ οἴεται Μγ4. 1008 b11. — οἴονται κρείττους εἶναι, σαφές τι εἰρηκέναι Πε3. 1302 b27. μβ3. 357 a25. — ὥς τινες οἴονται· ἡ αἰτία ἡ ποιήσασα τὰς πρότερον οἴεσθαι μα4. 341 b8. β2. 354 b3. — οἰητέον, οὐκ οἰητέον c acc c inf, βέλτιον Παρμενίδην εἰρηκέναι al Φγ6. 207 a15. μβ2. 355 a35. 3. 357 b25. 8. 367 a9. Ηχ2. 1173 b23. 6. 1176 b21. 9. 1179 a1. 10. 1179 a35. Πγ13. 1284 a27. η4. 1326 a14. — οἴμαι parenthetice Αγ1. 71 b6. ΜΑ8. 990 a18. ζ16. 1041 a1. ρ1. 1420 a28. — (οἴονται in codd aliquoties ex οἷόν τε corruptum veluti Ρβ12. 1389 a25. 23. 1398 b23 al. οἴεται passive usurpari Ηι1. 1164 b15. ηεγ7. 1233 b11 Fritzsche falso opinatur.)

Οἴηθεν. Δημιωνίδη τῷ Οἴηθεν f 365. 1539 b26.

οἴησις. ὑπεναντίον τῇ αὑτῶν οἰήσει πο25. 1461 b3. οἴησιν ἐμποιεῖν τοῖς ἀκούουσιν, opp σαφῶς εἰδέναι ποιεῖν ρ15. 1431 a40.

οἰκεῖν. intr οἱ περὶ δυσμὰς οἰκοῦντες μβ6. 365 a7. οἰκεῖν ἐπὶ τῶν ἀγρῶν, χωρίς, ἄποθεν Πε5. 1305 b19. γ9. 1280 b17. τὸ πλῆθος τῶν οἰκούντων Πβ6. 1264 b32. οἱ πρῶτοι οἰκή-σαντες χ̣ κτίσαντες Πγ1. 1275 b33. — trans a. habitare. οἰκεῖν ὄρη, ὕλας, τρωγλὰς Ζυ12. 618 b27. 12. 615 b6. 11. 615 a17. οἰκεῖν μικρὰς πόλεις, τὸν Πειραιᾶ Πγ15. 1286 b10. ε3. 1303 b11. οἰκεῖν τὸ ἄστυ f 517. 1562 b13. βάρ-βαροι τὴν Ἀρκαδίαν ᾤκησαν f 549. 1568 b44. περὶ τῆς δυ-νατῆς οἰκεῖσθαι χώρας μβ5. 362 a43sqq. — b. administrare. χαλεπὸν οἰκίας οἰκεῖν Πβ6. 1265 b26. οὐκ ἄνευ ἀδύνατον πόλιν οἰκεῖσθαι, καλῶς οἰκεῖσθαι Πδ4. 1291 a2. γ12. 1283 a21. πόλις καλῶς οἰκουμένη, μέλλουσα καλῶς οἰκήσεσθαι Πβ5. 1263 a32. 1. 1261 a3. γ14. 1284 b38. εἰ ἐνδέχεται πόλιν οἰκεῖσθαι πᾶν καθ' ἑαυτήν Πη2. 1325 a2. — ἡ οἰκου-μένη Πη7. 1327 b22. μβ6. 364 a7. ἡ οἰκουμένη χ̣ κυκλο-τερὴς μβ5. 362 b17. τῆς οἰκουμένης πλάτος χ̣ μῆκος πόσον χ3. 393 b18. ὁ ὁρίζων τὴν οἰκουμένην μβ7. 365 a30. τὸ ἔξω τῆς οἰκουμένης πέλαγος χ3. 393 a16. — ὁ ἥλιος μείζων τῆς οἰκουμένης Ζγ3. 428 b1.

οἰκεῖος. οἰκεῖα def ὅταν ἐφ' αὑτῷ ᾖ ἀπαλλατριῶσαι ἢ μὴ Ρα5. 1361 a21. τὰ οἰκεῖα φαίνεται ἑκάστοις πολλὰ ἄξια Ηι1. 1164 b18. ηεγ4. 1239 a16. οἰκεῖα χώρα, πόλις, opp οἱ ἔξω τόποι, ὀθνεῖοι Πβ6. 1265 a24. 12. 1273 b31. ἡ οἰκεῖα Πβ9. 1270 a1. οἰκεῖα πράξεις, opp ἐξωτερικαὶ Πη3. 1325 b30. ἡ οἰκεία φύσις Ογ2. 301 a5. μβ4. 360 a24. ἡ οἰκεία ὕλη μδ2. 379 b20. ψβ2. 414 a26. Μη4. 1044 a18 (cf ὕλη 6). οἰκεία φορά, κίνησις Οβ8. 290 a2. γ2. 300 a22 (opp βία). μτ2. 464 a25 (opp ξενικὰ a26). οἰκεῖος τόπος Φδ5. 212 a33. θ3. 253 b34. Οα7. 276 a12 (opp ἀλλότριος). μβ2. 355 a34. ἀδύνατον ἕκαστον μὴ γενέσθαι κατὰ τὰς οἰκείας χρόνους Ζγδ3. 769 b25. οἰκεῖα πάθη τινὰ, οἰκειότερα πάθη

Φη3. 246 b9, 10. μδ8. 385 a4. οἰκεῖα θερμότης, οἰκεῖον θερ-μόν, οἰκεῖον φῶς μβ5. 362 a6. δ1. 379 a17, 24, 26 (syn κατὰ φύσιν, opp ἀλλοτρία). 2. 379 b22, 19, α8. 345 a30. Ζμβ2. 649 a1. γ3. 665 a5. κατέδειξεν οἰκείῳ τε βίῳ χ̣ με-θόδοισι, λόγοις f 623. 1583 a16. σῶμα ὡρισμένον οἰκείῳ ὅρῳ μδ5. 382 a23. οἰκεῖα ὄργανα Πα4. 1253 b26. οἰκεῖαι ἀρχαὶ Αγ2. 71 b23, 72 a6. δ3. 90 b1. Ζγβ8. 747 b30, 748 a8. οἰκειοτάτη αἰτία μα8. 346 a30. οἰκεῖον γένος τζ5. 143 a12. οἰκεῖον μέσον Αγ17. 80 b18, 21. οἰκεῖος συλλογισμὸς καθ' ἑκάστην ἐπιστήμην Αγ12. 77 a39. οἰκείως, οἰκειότερον, οἰκει-οτέρως ἀποδιδόναι, opp ἀλλοτρίως (syn γνωριμώτερον, opp ἀλλοτρίως), οἰκεία ἀπόδοσις Κ5. 2 b9, 33. 7. 6 b37, 39 Wz (ἢ τὸ πρῶτον), 7 a8, 16, 30. cf ἀποφάναι τῶν οἰκείων τι πο21. 1457 b32. οἰκεῖα πάθη, ἀλλ' οὐ κατὰ τὴν οὐσίαν Μι9. 1058 b22. μ3. 1078 a16. οἰκεῖος λόγος ἐν ἐφ' ἑνός Μδ29. 1024 b33. οἰ-κείως λέγεσθαι, opp κατὰ συμβεβηκός Φβ3. 195 b3. Μδ2. 1014 a7. οἰκεῖοι λόγοι, opp ἀλλότριοι, λογικῶς ἐπισκοπεῖν Φθ8. 264 a7, b2. Πη1. 1323 b38. ηεα6. 1217 a9, 2, 3 (cf οἰκειότερα χ̣ ἧττον κοινὰ Ρβ22. 1396 b11). ἔχει τι οἰκεῖας τῆς λόγας Ζμβ7. 653 b14. οἰκεῖαι ἐνστάσεις Οβ13. 294 b11. οἰκεῖα τῇ λόγῳ ἐνδόσιμα, opp ξένα Ργ14. 1415 a7. οἰκεῖα λέξις, ὀνόματα οἰκεῖα τῇ ἕξει Ργ7. 1408 a20, 31. ὄνομα οἰκεῖον, οἰκείως προσαγορεύεσθαι Ργ2. 1404 b32. ρ26. 1435 a32. Ηε7. 1132 a11. δ1. 1119 b33. μα9. 347 a10. κυριώτερον χ̣ οἰκειότερον τῷ ποιεῖν τὸ πρᾶγμα πρὸ ὀμμά-των Ργ2. 1405 b12 (cf ἡ οἰκειοτάτη χρηματιστικὴ Πα11. 1258 b20). — ἅπαντα τὰ οἰκεῖα συναγαγεῖν πρὸς τὴν ὑπό-θεσιν Πζ1. 1317 a36. ἐν οἰκειοτέροις καιροῖς ποιητέον τὴν σκέψιν μβ3. 358 a23. Ζμβ14. 658 b13. Ζγβ4. 740 b12. Ζυβ2. 645 a3. οἰκεῖος τῇ λόγῳ ἐνδόσιμα, opp ξένα Ργ14. 1415 a7. οἰκείτερος, δίς τῷ ... opp ξένα ... ἐν ἑτέ-ροις οἰκειότερος ἐστι ὁ διορισμὸς Ζμγ14. 674 a20, οἰκεῖος familiaris, οἰκειότερος (opp ἀλλοτριώτερος), οἰκείως Ηθ14. 1162 a3. ι10. 1171 a7, 16. Πγ16. 1287 b3. f 81. 1489 b30. τὰ οἰκεῖα (ἰ τὰ τῶν φίλων δόγματα) ἀναιρεῖν Ηα4. 1096 a15. — οἰκεῖος constr c dat et c gen τὴν κίνησιν οἰκειότατον εἶναι τῇ ψυχῇ ψα2. 402 a22. τὸ αἰσθάνεσθαι ψυχῆς οἰκειότατον ψα2. 405 b6. ὀνόματα λέγειν οἰκεῖα τῇ ἕξει, ἐνδόσιμα οἰκεῖα τῷ λόγῳ, ἐνστάσεις οἰκεῖαι τῷ γένει Ργ7. 1408 a31. 14. 1415 a7. Οβ13. 294 b11, γνώμας οἰ-κείας φέρειν τῶν πραγμάτων ρ12. 1430 b6. ηεα6. 1217 a9. — c dat οἰκεῖον ἅπας ἄνθρωπος ἀνθρώπῳ χ̣ φίλον Ηθ1. 1155 a21. 14. 1161 a22. πάσῃ κινήσει οἰκεῖον τάχος sim Ηχ2. 1173 a32. 7. 1178 a5. γ4. 1111 b5. α12. 1101 b30. ται. 101 a14. ἐφ' οἰκεῖον τὴν μεθόδῳ Ηα7. 1098 a28. ταῦτα οἰκειότερον ἐξακριβῶν τοῖς περὶ τὰ ἐγκώμια πεπονη-μένοις Ηα12. 1101 b34. ἐκ τῆς οἰκειοτάτης φιλοσοφία (φι-λοσοφίας Bk) τῶν μαθηματικῶν ἐπιστημῶν Μλ8. 1073 b4. — c gen οἰκεῖον τῆς διαλεκτικῆς, ἄλλης φιλοσοφίας, τῆς θέσεως, σκέψεως οἰκειότερον sim χ2. 101 b2. β5. 112 a3. Ηα4. 1096 b31. 10. 1099 b14. θ2. 1155 b9. ι5. 1155 b20. χ10. 1179 b30. Πγ3. 1276 a17. πλησιαίτερα ἡμῶν χ̣ τῆς φύσεως οἰκειότερα Ζμα5. 645 a3.

οἰκειότης ᾧ χηδεία Πβ3. 1262 a11. οἰκειότης πρὸς ἀλλήλους Πβ4. 1262 b40. εἴδη φιλίας ἑταιρεία οἰκειότης συγγένεια Ρβ4. 1381 b34. — καθ' ὁμοιότητά τινα χ̣ οἰκειότητα ἡ γνῶσις Ηζ2. 1139 a11.

οἰκεῖωνται οἱ θεαταὶ ταῖς πρώταις ἀκοαῖς Πη17. 1336 b30.

οἰκέτης, syn δῆλος, opp δεσπότης, ἐλεύθερος Ζγβ6. 744 b20. ημα34. 1194 a31, 35. f 178. 1507 b22. 89. 1492 a6. ὁ βοῦς ἀντ' οἰκέτου τῆς πενίας Πα2. 1252 b10. ἡ τῶν οἰκε-τῶν κόλασις Ρβ3. 1380 a16.

οἰκετικαὶ διακονίαι (cf δυλικός) Πβ3. 1261 b36.

οἴκημα θ32. 832 b23. 123. 842 a25. πκε22. 940 a6. ἐν μικρῷ κ̣ ἐν μεγάλῳ οἰκήματι τὸ ἴσον πῦρ ἧσσον ἐν τοῖς μείζοσι θερμαίνει Ζμγ4. 667 a25.

οἴκησις. τῶν ἀγρίων ὀρνέων αἱ οἰκήσεις πῶς μεμηχάνηνται Ζu11. 614 b31. ζῷά τινα ἐν ταῖς οἰκήσεσι συνανθρωπεύεται Ζιθ14. 599 a21. οἱ ἐλέφαντες ἀνατρέπουσι τὰς οἰκήσεις ἅτε φαύλως ᾠκοδομημένας Ζιζ18. 572 a1. κοινωνεῖν τῆς οἰκήσεως Πγι. 1275 a8. ἡ τῶν ἰδίων οἰκήσεων διάθεσις Πη11. 1330 b21. ὁ ἐλευθέριος καθαρὸς περὶ οἴκησιν αρ5. 1250 b29. — διὰ τὸ τὴν οἴκησιν ταύτην (i e partem τῆς οἰκημένης a nobis habitatam) κεῖσθαι πρὸς ἄρκτον μβ5. 363 a3. — αἱ ἀδέσποτοι τῶν οἰκήσεων (i e τῶν οἰκιῶν) Ηθ12. 1161 a7.

οἰκητήριον θεῶν ὀρανός x2. 391 b15. 3. 393 a4. Δρυόπων οἰκητήριον ἡ Ἀσίνη f 441. 1550 a47.

οἰκητικός. τῶν ζῴων τὰ μὲν οἰκητικὰ τὰ δὲ ἄοικα Ζια1. 488 a21.

οἰκία. 1. aedes. οἰκίας λόγος συνειλημμένος τῇ ὕλῃ, ἄνευ ὕλης ψα1. 403 b3. Μλ3. 1070 a16, 14. η2. 1043 a15. Φα4. 188 a15. Ζμα1. 639 b18. β1. 646 a27. ἡ οἰκοδόμησις (ἐποίησε) τὴν οἰκίαν Ζγβ1. 734 b17. ἡ οἰκία τίνος ἕνεκα Αδ11. 94 b9. θεμέλιος πρότερον οἰκίας Γβ11. 337 b15, 31. Ρβ19. 1393 a8. Αδ12. 95 b32. οἰκίαν ποίαν δεῖ παρασκευάζειν οα6. 1345 a24-33. — ἡ καιομένη οἰκία Ζγα18. 724 a35. — 2. domus, familia. τίνων κοινωνία ποιεῖ οἰκίαν κ̣ πόλιν Πα2. 1253 a8. cf 11. 1259 a35. ἡ τε εὖ ζῆν κοινωνία κ̣ ταῖς οἰκίαις κ̣ τοῖς γένεσι Πγ9. 1280 b34 (cf περὶ ὀλίγας οἰκίας αἱ κάλλισται τραγῳδίαι συντίθενται πο13. 1453 a19. 14. 1454 a12). πρότερον κ̣ ἀναγκαιότερον οἰκία πόλεως Ηθ14. 1162 a18. ηεη10. 1242 b1. Πδ3. 1289 b28. οα1. 1343 a16. οἰκία ἐστί τις φιλία ηεη10. 1242 a8. μέρη οἰκίας ἄνθρωπος κ̣ κτῆσις οα2. 1343 a18. Πα4. 1253 b23. τῆς πρώτης οἰκίας, τῆς τελείας οἰκίας τίνα μέρη Πα2. 1252 b10. 3. 1253 b6, 4. β9. 1269 b15. γ4. 1277 a7. πᾶσα οἰκία βασιλεύεται ὑπὸ τῷ πρεσβυτάτῳ Πα2. 1252 b21. ἡ τέκνων ἀρχὴ κ̣ γυναικὸς κ̣ πάσης τῆς οἰκίας Πγ6. 1278 b38. — χαλεπὸν οἰκίας δύο οἰκεῖν, γεωργεῖν Πβ6. 1265 b26. 8. 1268 b1.

οἰκίζειν νήσους, πόλεις Πβ10΄. 1271 b39. ρ3. 1423 a37. οἱ κάτωθεν τόποι ὕστερον ᾠκίσθησαν μα14. 352 a3.

οἰκίσκος. αἱ βάλανοι οἷον ἐν οἰκίσκοις εἰσὶν φτα5. 820 b10.

οἰκιστής. ἀπέστειλαν Τάραντος οἰκιστὰς Πε7. 1306 b31.

οἰκογενής. ἀλεκτορίδας οἰκογενεῖς Ζιζ1. 558 b20.

οἰκοδομεῖν. οἰκοδομῶντες οἰκοδόμοι γίνονται Ηβ1. 1103 a33, b11. ἡ οἰκοδόμησίς ἐστιν ἐν τοῖς οἰκοδομημένοις Ζγα22. 730 b8. ὅτε τὸν οἰκον ᾠκοδόμουν Ζιζ24. 577 b30. αἱ μέλιτται οἰκοδομῶσι τὰ κηρία Ζu40. 623 b27. — ἀπὸ τῶν ἄριστα ᾠκοδομημένων τῷ (ἀνθρωπίνῳ) σώματος ὁ ἥλιος ἀφαιρεῖ, ἃ ἥκιστα δεῖται ἀφαιρέσεως πα52. 865 b33. ε34. 884 b3. λζ3. 966 a30.

οἰκοδόμη Λεσβία Ηε14. 1137 b30 (v l οἰκοδομία).

οἰκοδομήματα ἱερὰ Πη12. 1331 b6. πόλις κοσμημένη ἀναθήμασι κ̣ οἰκοδομήμασι Πζ7. 1321 a38. ἡ ἐκ τῶν οἰκοδομημάτων ἀκρόπολις ρ1. 1421 a3.

οἰκοδόμησις, exemplum γενέσεως, ἐντελεχείας τῷ κινητῷ Ηη12. 1152 b14. ηεη1. 1219 a15. Φγ1. 201 a18, b9-13. Μx9. 1065 b19. Ζμα1. 640 a16. β1. 646 b3. Ζγα22. 730 b8. β1. 734 b17.

οἰκοδομία ηεα5. 1216 b8. ἐν ταῖς οἰκοδομίαις Ζμγ5. 668 a16.

οἰκοδομικός. ἡ οἰκοδομικὴ εἶδος οἰκίας, τὸ κινὖν, τῆς οἰκοδομικῆς τέλος οἰκία Μλ4. 1070 b33, 29. ε2. 1026 b10. Ηα5.

1097 a20. ηεβ1. 1219 a14. ἡ οἰκοδομικὴ πότε τελεία Ηx3. 1174 a20. τὸ οἰκοδομικὸν αἴτιον οἰκίας Φβ5. 196 b26. ἐν τοῖς οἰκοδομικοῖς ἔργοις κινᾖσι μεγάλα βάρη μχ18. 853 b10.

οἰκοδόμος. τί τὸ ἴδιον οἰκοδόμου τε7. 136 b36. τῇ διανοίᾳ ἢ τῇ αἰσθήσει ὁρισάμενος ὁ οἰκοδόμος τὴν οἰκίαν Ζμα1. 639 b17. οἰκοδομᾶντες οἰκοδόμοι γίνονται Ηβ1. 1103 a33, b17. οἰκοδόμος in exemplo ἀλλαγῆς Ηε8. 1133 a7. οἰκοδόμοι pars civitatis Πδ4. 1291 a14. — τὸ ὑγιάζειν τὸν οἰκοδόμον κατὰ συμβεβηκός Με2. 1026 b37.

οἴκοθεν εὐθὺς ὑπάρχει παισὶν ἴσιν Πδ11. 1295 b16. οἶκοι. ἡ εὐγένεια παρ' ἑκάστοις οἴκοι τίμιος Πγ13. 1283 a35.

οἰκονομεῖν. intr μὴ πρὸς ἕνα σκοπὸν οἰκονομεῖν οβ1346 a10. — trans οἰκονομεῖν τὰ ἐπὶ τῶν ἀγρῶν Πβ5. 1264 b2. πολιτεία ἀρίστη ἡ ὑπὸ τῶν ἀρίστων οἰκονομημένη Πγ18. 1288 a34. ὁ νόμος πάντα οἰκονομεῖ τὰ κατὰ τὴν πολιτείαν x6. 400 b15. — ὁ Εὐριπίδης τὰ ἄλλα ᾖκ εὖ οἰκονομεῖ πο13. 1453 a29. — med καλῶς οἰκονομήσασθαι τὰ περὶ τὴν τῆς γυναικὸς ὁμιλίαν οα2. 1343 a23.

οἰκονομία. περὶ οἰκονομίας Πα3-13. (cf γ6. 1278 b18.) οα. οἰκονομίας μέρη χρηματιστική, κτητικὴ Πα3. 1253 b12. 10. 1258 a28. 4. 1253 b24. 13. 1259 b18. οἰκονομία ἑτέρα ἀνδρὸς κ̣ γυναικὸς Πγ4. 1277 b24. ἀνδράσιν οἰκονομίας ἧθεν μέτεστιν Πβ5. 1264 b6. — ἡ βασιλεία πόλεως κ̣ ἔθνας οἰκονομία Πγ14. 1285 b33. οἰκονομία, dist δεσποτεία, πολιτική, βασιλικὴ Πα3. 1253 b19. τὴν πολιτείαν τετάχθαι τοῖς νόμοις κ̣ τῇ ἄλλῃ πολιτείᾳ Πε8. 1308 b32. οἰκονομία, dist νομοθεσία, πολιτικὴ Ηζ8. 1141 b32. — οἰκονομία βασιλικὴ οβ1345 b12, 19-28, σατραπικὴ οβ1345 b12, 28-1346 a5, πολιτικὴ οβ1345 b12, 1346 a5-8, ἰδιωτικὴ οβ1345 b12, 1346 a8-13, Ἀττικὴ οα6. 1344 b31, 1345 a18. — οἰκονομίαι (pro concreto): ἐν ταῖς οἰκονομίαις ἡ βελτίστη τροφὴ τέτακται τοῖς ἐλευθέροις Ζγβ6. 744 b18. ἐν ταῖς μεγάλαις, ταῖς μικραῖς οἰκονομίαις τί χρήσιμον οα6. 1345 a34, 7, 1344 b33.

οἰκονομικός. οἰκονομικὸν ζῷον ἄνθρωπος ηεη10. 1242 a23 (cf πολιτικός, κοινωνικός, συνδυαστικός). ὁ πολύπης οἰκονομικὸς Ζu37. 622 a4. — ἡ οἰκονομική, def Πγ6. 1278 b38, refertur inter τὰς ἐντιμοτάτας τῶν δυνάμεων Ηα1. 1094 b3. Πx10. 1258 a40. τί αὐτῆς ἔργον κ̣ τέλος Ηα1. 1094 a9. Πa9. 1257 b39, 30. οα1. 1343 a8. dist χρηματιστικὴ Πα8. 1256 a10 sqq. οἰκονομικῆς μέρη τρία, δεσποτικήν, πατρική, γαμικὴ Πα12. 1259 a37. cf 3. 1253 b6. ἡ οἰκονομικὴ βασιλεία τις οἰκίας, μοναρχία Πγ14. 1285 b32. α7. 1255 b19 (dist πολιτική). οα1. 1343 a1. ἡ οἰκονομική, dist πολιτική, πρότερον γενέσει πολιτικῆς οα1. 1343 a1, 15. πολιτικὴ κ̣ οἰκονομικὴ κ̣ φρόνησις ηεα8. 1218 b13. τὰ οἰκονομικὰ Πα4. 1253 b27. σοφίσματα οἰκονομικὰ οβ1346 a32-1353 b27. — οἰκονομικὸν δίκαιον, dist δεσποτικόν, πολιτικὸν Ηε10. 1134 b17. 15. 1138 b6. μα3. 1194 b20. οἰκονομικαὶ ἐπιμέλειαι, dist πολιτικαὶ Πδ15. 1299 a23. — τὰς οἰκονομικὰς κ̣ τὰς πολιτικὰς Ηζ5. 1140 b10. οἰκονομικός, dist πολιτικός, βασιλικός, δεσποτικός Πα1. 1252 a8.

οἰκονόμος. διαθεῖναι τὰ παρὰ τῆς φύσεως προσήκει τὸν οἰκονόμον Πα10. 1258 a25 sqq. cf γ11. 1282 a21. οἰκονόμος, coni ἄρχων Πα10. 1258 a31. coni βασιλικός, dist τύραννος, τυραννικὸς Πε11. 1315 b1, 1314 b7. dist δεσπότης, πολιτικός, βασιλικὸς Πα1. 1252 a11. cf 8. 1256 b38. οἰκονόμῳ εἴη οἷς ὥσπερ οἰκονόμος ἀγαθός, κ̣ ἡ φύσις ἧθεν ἀποβάλλειν εἴωθεν Ζγβ6. 744 b16. — οἰκονόμοις τῆς τῶν ἀκυόντων ἡδονῆς (apud Alcidam) Ργ3. 1406 a27.

οἰκόπεδον. οἰκοπέδων διαίρεσις Πβ6. 1265 b24, 25.

οἶκος. 1. aedes. βασίλειος οἶκος κ6. 398 ᵃ15. — 2. i q οἰκία, γένος. οἶκοι ὀρφανικοί οβ1349 ᵇ15. τὰς οἴκας ἴσας δεῖν δια-μένειν κ̇ τὸ πλῆθος τῶν πολιτῶν Πβ6. 1265 ᵇ14. πᾶς οἶκος μοναρχεῖται Πα7. 1255 ᵇ19.

οἰκτίζειν. τὰς μετὰ σπαδῆς διαγράψαντας οἰκτίσειεν ἄν τις τῆς μικροψυχίας κ1. 391 ᵃ22.

οἶκτος. ὅσα μὴ πραττόμενα ἢ οἶκτον ἢ δείνωσιν φέρει Ργ16. 1417 ᵃ12.

οἰκτρός, coni δεινός, syn ἐλεεινός πο14. 1453 ᵇ14, 1. σὸς οἰκτρὸς πατήρ (fr trag adesp 56) Ρβ23. 1397 ᵇ19.

Ὀιλεύς. Αἴας ὁ Ὀιλέως f 596. 1576 ᵃ1.

οἰνάνθη. 1. avis. πότε ἀφανίζεται Ζι49Β. 633 ᵃ15. (vitiflora Gazae, ynanthem Thomae, hasabym Alberto. Saxicola oe-nanthe Belon de la nat des oiseaux VII 12, Gesner in oenanthe, Brisson ornith III 449, Ray synops av 75. fort parra Plinii C II 550. S II 219. in incert rel Su 159, 154. Cr. ΑΖι I 102, 78.) — 2. planta. βοστρύχια οἰνάνθης Ζι18. 549 ᵇ33. (fort Paronychia serpillifolia Dec Fraas 108.)

Οἰναρέα πόλις ἐν Τυρρηνίᾳ θ94. 837 ᵇ32.

οἶνας. γένος τι τῶν περιστεροειδῶν, μικρῷ μείζων τῆς περι-στεράς, ἐλάττων φαβὸς Ζι13. 544 ᵇ6 Aub. θ3. 593 ᵃ19, 20. διτοκεῖ Ζι1. 558 ᵇ23. refertur inter τὰ καρποφαγάεντα κ̇ ποοφαγάεντα, τῷ φθινοπώρῳ κ̇ φαίνεται μάλιστα κ̇ ἁλίσκε-ται, πῶς ἁλίσκεται Ζιθ3. 593 ᵃ15, 18, 21 Aub. f 271. 1527 ᵃ14, 17, 21. cf Rose Ar Ps 288. (vinago Gazae, oven Al-berto cf S I 294, 594. rupilia Scalig. le pigeon fugard Belon de la nat des oiseaux VI 22. le pigeon sauvage Ray et Salerne hist des oiseaux 160, 163. le pigeon vineux C II 643. Columba migratoria St. Columba oenas Cr. G 45. ΑΖι I 105c. Columba livia Su 135, 101. cf M 300.)

Οἰνεύς Ρβ23. 1397 ᵇ19 (Nauck fr tr fr adesp 56). ὁ ἐν τῷ Οἰνεῖ πρόλογος Ργ16. 1417 ᵃ15 (Eurip fr 562). Γόργη Οἰ-νέως θυγάτηρ f 596. 1576 ᵃ24.

οἰνηρός. ἡ ὑγρότης ἡ οἰνηρά, syn ὑγρὸν οἰνῶδες πγ15. 873 ᵃ20, 17. τὰ ἐν αὐτοῖς ὑγρά, οἰνηρὰ κ̇ ἄπεπτα ὄντα πγ17. 873 ᵇ6. — μέτρα οἰνηρά, σιτηρά Ηε10. 1135 ᵃ2.

οἰνοποσία. ὅσα περὶ οἰνοποσίαν κ̇ μέθην πγ1. 871 ᵃ1-35. 876 ᵃ28.

οἰνοπωλεῖν θ32. 832 ᵇ22.

οἰνοπώλης θ32. 832 ᵇ21.

οἶνος, syn μέθυ Φα2. 185 ᵇ9. οἶνος ὕδωρ σεσηπός (Emped) τὸ 5. 127 ᵃ18. οἶνος ex quibus elementis constet μδ10. 388 ᵃ33-ᵇ10, cf 5. 382 ᵇ13. 7. 384 ᵃ13. 10. 389 ᵃ9. 11. 389 ᵃ27. πιθ43. 922 ᵃ6, 8. κε8. 938 ᵇ24. de natura vini ἀπορίαι f 212. 213. ὁ οἶνος κ̇ πήγνυται κ̇ ἕψεται, παχύ-νεται, θυμᾶται μδ7. 384 ᵃ4. 10. 388 ᵇ10. 9. 387 ᵇ9, 12. οἶνος μετρίως ἀφεψηθείς f 102. 1494 ᵇ11. ὁ οἶνος πνευμα-τῶδες, πνευματικόν υ3. 457 ᵃ16. πλ1. 953 ᵇ28, 955 ᵃ35. ὁ οἶνος θερμός, θερμαντικόν, θερμαντικώτατος πγ1. 871 ᵃ2. 5. 871 ᵃ39, 28. 6. 871 ᵇ32. 23. 874 ᵃ38. 33. 874 ᵇ35. 17. 873 ᵇ11. κζ4. 948 ᵃ21. λ1. 953 ᵇ19. οἶνος μέλας, λευκός υ3. 457 ᵃ16. Ζιη12. 588 ᵃ6, 7. πλ1. 953 ᵇ29. ἡ ἰλὺς τῇ μέ-λανος οἴνῳ· ἀναθολεῖται ὁ οἶνος μιγνυμένης τῆς ἰλύος Ζμγ3. 664 ᵇ17. Ζγγ2. 753 ᵃ26. οἶνος γλυκύς, αὐστηρός τβ3. 111 ᵇ4, 5. πκγ26. 934 ᵃ33. οἶνος ἄκρατος, κεκραμένος, ὑδαρής (i e κεκραμένος λίαν) πο25. 1461 ᵃ27. πγ18. 873 ᵇ24, 29. ιβ13. 907 ᵇ13 (aliud est οἶνος μεμιγμένος Ργ2. 1404 ᵇ21). οἶνος μαλακός πγ18. 873 ᵇ34. οἶνος ὀξύς Φη4. 248 ᵇ8. οἱ οἶνοι ἐν ταῖς ἀλέαις ὀξύνονται Ζγγ2. 753 ᵃ23. οἶνος τρυγίας, ἄτρυγος f 555. 1570 ᵃ1, 2. ὁ σαμαγόρειος οἶνος καλέμενος

f 104. 1494 ᵇ31. Πόλλιος, οἶνος γλυκύς f 543. 1568 ᵃ22. — οἶνος ὀνόματι, ἔργῳ δ᾽ ἃ μὸ9. 387 ᵇ11. οἶνος ἐκ μέλιτος θ22. 832 ᵃ6. — ὁ οἶνος ταχέως λαμβάνει τὰς τῶν πλη-σίον ὀσμάς εν2. 460 ᵃ29. ὁ οἶνος ὑπνωτικόν υ3. 456 ᵇ30. ὁ οἶνος καρηβαρικός, ὁ κρίθινος καρωτικός f 101. 1494 ᵇ7, 5. οἱ περὶ τὸν οἶνον πόνοι f 90. 1492 ᵃ25. ὁ οἶνος φάρμακον Ηε13. 1137 ᵃ14. κλύζειν τὰς μυκτῆρας οἴνῳ Ζιθ21. 603 ᵇ11. οἶνος δοκιμάζειν Ηγ13. 1118 ᵃ28. χαίρειν οἴνοις Ηη14. 1154 ᵃ18. οἱ οἶνοι ἃ συμφέρασι τοῖς παιδίοις υδὲ ταῖς τίτ-θαις υ3. 457 ᵃ14. ἐν ταῖς κυήσεσι τῷ οἴνῳ αἰσθάνονται Ζιη5. 585 ᵃ32. βλαβερὸν πρὸς τὸ πάθος ὁ οἶνος ὁ μέλας μᾶλλον τῷ λευκῷ κ̇ μὴ ὑδαρής Ζιη6, 7. ὁ οἶνος ποιεῖ εὐέλπιδας, ὑβριστάς, φιλητικύς ηεγ1. 1229 ᵃ20. πλ1. 955 ᵃ3, 953 ᵇ15. σα5. 1344 ᵃ32. ὅμοιοι οἱ ἄνθρωποι τοῖς οἴνοις ηεη2. 1238 ᵃ23. cf f 212. 1516 ᵃ34.

οἰνῶττα (Lob Par 335). τὸ τῶν κοράκων κ̇ τῶν κυνῶν γένος τὴν οἰνῶτταν καλύμενην φαγόντα βοτάνην μεθύσκεται f 102. 1494 ᵇ20, 23. planta dubia.

οἰνοφλυγία Ηγ7. 1114 ᵃ27. ηεη2. 1235 ᵇ39. μόριον ἀκολα-σίας ηεγ2. 1231 ᵃ19.

οἰνόφλυξ. οἰνόφλυγες πο25. 1461 ᵃ15. ηεβ3. 1221 ᵇ16. φ6. 811 ᵇ14. οἱ οἰνόφλυγες διὰ τί τρέμασι, τὸ σπέρμα αὐτῶν ἃ γόνιμον πγ5. 871 ᵃ27. 26. 874 ᵇ22. 4. 871 ᵃ23.

Οἰνόφυτα. ἡ ἐν Οἰνοφύτοις μάχη Πε3. 1302 ᵇ29.

οἰνοχοεύειν (Hom Υ 234) πο25. 1461 ᵃ30.

οἰνώδης χυμός μδ9. 387 ᵇ11. ὑγρὸν οἰνῶδες πγ15. 873 ᵃ17 (cf οἰνηρός). οἰνώδεις ῥοαὶ καλύμεναι πιθ43. 922 ᵃ9. οἰνῶ-δες πόμα ἐκ μέλιτος θ22. 832 ᵃ10.

οἰνωμένος θ101. 839 ᵃ4. coni καθεύδων, μαινόμενος, πυρέτ-των, μελαγχολικός Ηη5. 1147 ᵃ14, ᵇ7, 12. 11. 1152 ᵃ15. οἱ οἰνωμένοι comparantur τοῖς νέοις Ηη15. 1154 ᵇ10. Ρβ12. 1389 ᵃ29. οἱ οἰνωμένοι διὰ τί ἀνδρειότεροι τῶν μὴ πκζ4. 948 ᵃ29.

οἰνωπός. καρποὶ οἰνωποί, οἱ βότρυες μεταβάλλωσιν εἰς τὸ οἰνωπὸν χ5. 795 ᵇ1, 28. τὸ οἰνωπὸν χρῶμα πῶς γίνεται χ2. 792 ᵇ6. οἰνωποὶ ὀφθαλμοί (oculi caprini Rose Ar Ps 706, Anecd 135, 23) φ6. 812 ᵇ6.

Οἰνωτρίας βασιλεύς Πη10. 1329 ᵇ9.

Οἰνωτροὶ Πη10. 1329 ᵇ10, 15, 22.

οἰονεί. κοιλία ἐοικυῖα οἰονεὶ ἐντέρῳ εὖρος ἔχοντι al Ζια16. 495 ᵇ25. χ7. 401 ᵃ9. πκ10. 923 ᵇ3. cf οἷος infra ᵇ60.

οἶος (Hom Ζ 201) πλ1. 953 ᵃ24.

οἷος. ἀνὴρ οἷος κράτιστος Ηι3. 1165 ᵇ27. τοιοῦτος οἷος c inf, veluti τοιοῦτος οἷος διώκειν, πεπεῖσθαι al Ηη9. 1151 ᵃ13,23. ημβ15. 1213 ᵃ11. Ρβ5. 1383 ᵃ9. 8. 1385 ᵇ17, 24 al. οἷος c inf, veluti θυμικὸς οἷος δεῖ ἀκόλαθεῖν τῇ ὁρμῇ, ὁ μεγαλό-ψυχος οἷος (sc ἐστί) κεκτῆσθαι μᾶλλον τὰ ἄκαρπα τῶν καρπίμων Ρβ12. 1389 ᵃ9, 3. α12. 1372 ᵇ10. Ηθ8. 1125 ᵃ11. Πγ9. 1280 ᵇ12. πα42. 864 ᵃ28 al. οἷον τε (sc ἐστί) c inf Πγ10. 1281 ᵃ21. α4. 1290 ᵇ13. 15. 1300 ᵃ6 al. — πάντων κοινὰ μέρη ἐστὶ τρία, κεφαλή τε κ̇ τὸ περὶ τὴν κοιλίαν κύτος κ̇ τρίτον τὸ μεταξὺ τούτων, οἷον τοῖς ἄλλοις τὸ στῆθος κ̇ τὸ νωτόν ἐστιν Ζιθ7. 531 ᵇ27. omisso verbo οἷον pro adverbio usurpatur et vel comparationi signifi-candae (a), vel exemplo afferendo (b) inservit. a. οἷον i q quasi, οἷον ζέσις ἐστὶ τὸ πῦρ, τῆς γῆς ὥσης οἷον τυμπάνα al μα3. 340 ᵇ23, 29, 15, ᵃ34. β5. 362 ᵃ35. 4. 359 ᵇ32. γ4. 374 ᵇ13. δ12. 389 ᵇ30. Οδ1. 308 ᵃ2. Ζιθ7. 532 ᵃ6. Ζγγ2. 753 ᵃ33. ε1. 781 ᵃ1. Ζμβ4. 651 ᵃ1. 10. 655 ᵇ28. Ρα3. 1358 ᵇ4. κ6. 398 ᵇ26 al. οἷον εἰ, quasi si, Πγ6. 1279 ᵃ15, cf οἰονεί. ἐξ ἄλλης ὕλης οἵας τὸ πλῆθος, ἀλλ᾽ ἃ πλῆθος

Μμ9. 1085 ᵃ33. — b. οἷον i q veluti, Γβ5. 333 ᵃ11. Μδ1.
1013 ᵃ4. 6. 1015 ᵇ25. Πγ16. 1287 ᵃ5. δ15. 1299 ᵃ17 al.
οἷον ἴσως τι10. 170 ᵇ21. λέγω δ᾽ οἷον Αα30. 46 ᵃ19. 38.
49 ᵃ28. β4. 57 ᵇ4. Γα3. 317 ᵇ26. 5. 320 ᵇ8. Πδ1. 1288
ᵇ30. 3. 1290 ᵃ10. 4. 1290 ᵇ30. ρ8. 1428 ᵇ26. 9. 1429 ᵃ31. 5
30. 1437 ᵇ1. οἷον λέγω Αδ13. 97 ᵇ15. αι7. 448 ᵃ23. οἷον
ὡς φτα3. 818 ᵃ22. inde eo deflectit usus, ut οἷον omnino
explicandi vim habeat, i q nempe, nimirum, scilicet (Wz
ad Κ3. 1 ᵇ18. 6. 4 ᵇ23). ε5. 17 ᵃ20, 22. Αα1. 24 ᵇ16. 5.
27 ᵇ11, 14, 24. 16. 36 ᵃ40, ᵇ1. β20. 66 ᵇ7. 26. 69 ᵇ27. γι. 10
71 ᵇ8. δ3. 90 ᵇ34. τε4. 132 ᵃ28. ΜΑ4. 985 ᵇ6 Bz. 5.
986 ᵇ34. 9. 992 ᵇ4. δ11. 1018 ᵇ15. ζ8. 1033 ᵃ34, ᵇ16. λ4.
1070 ᵇ23. Φα8. 191 ᵇ14. γι. 201 ᵃ11. θ4. 254 ᵇ9. 8. 262
ᵃ3. Γβ10. 337 ᵃ27. Οβ2. 285 ᵇ28. μα3. 339 ᵇ11. ψβ4.
415 ᵃ22. αι3. 439 ᵃ15. 5. 445 ᵃ7, 8. Ζμα1. 639 ᵇ6, 12. 15
Ηα13. 1102 ᵃ27. η14. 1154 ᵃ9. Πα7. 1255 ᵇ38. ημα4.
1185 ᵃ15. 9. 1186 ᵇ6. ηεα8. 1218 ᵃ9. γι.1228 ᵃ31. πκη2.
949 ᵇ7. λέγω δ᾽ οἷον Αγ19. 82 ᵃ3. ψγ2. 426 ᵇ27. Πγ13.
1283 ᵇ1. ημα1. 1181 ᵃ28. π32. 894 ᵃ34. οἷον λέγω Αγ2.
72 ᵃ20. δ13. 97 ᵇ5. hunc explicativum usum voc οἷον ali- 20
quanto latius patere, ut οἷον non explicationi, sed ipsi
subiecto addatur Vahlen docet Poet III 320, coll Ρα3.
1358 ᵇ4. π22. 1458 ᵃ32 v l. — (pro οἷον fort scribendum
ὅσον θ105. 839 ᵇ13. ταῦτα δὲ γίνεται ἀπὸ τῆς εὐτυχίας,
οἷον ἀρτίως ἔφαμεν ημβ8. 1207 ᵇ18, i e καθάπερ ἀρτίως 25
ἔφαμεν, sed scribendum videtur ἀπὸ τῆς εὐτυχίας, ἡ δὲ
εὐτυχία, οἷαν ἀρτίως ἔφαμεν).

οἱοσδήποτε. εἴτε δὴ τὸ τέλος μὴ φύσει ἑκάστῳ φαίνεται
οἱονδήποτε Ηγ7. 1114 ᵇ17. ὅπως τοιόνδε ἢ τοιόνδε ποτὲ
(οἱονδήποτε ci Bk) τὴν μορφὴν γένηται Ζμα1. 641 ᵃ14. 30

οἷός περ modo coniunctim scriptum exhibet Bk, οἵανπερ
Ζιβ11. 503 ᵃ24. Ζμβ17. 661 ᵃ30. δ9. 685 ᵇ5, οἷαπερ Ζγβ
8. 747 ᵇ22, modo distinguit veluti οἷς περ Ζμδ3. 678 ᵇ26.

οἱοσποτοῦν τζ8. 146 ᵇ26.

οἶς. ποιεῖ γάλα κυάμων πλῆθος οἱ Ζιγ21. 522 ᵇ33. αἱ ἰσχύ- 35
ισαι τῶν οἰῶν (v l ὑῶν, οἰων), ὑγιεινότεραι αἱ οἶες τῶν
αἰγῶν, ἰσχύισι δὲ μᾶλλον αἱ αἶγες τῶν οἰῶν (v l οἶες, οἰων,
ὕες, ὑῶν) Ζιδ10. 596 ᵃ31, ᵇ6, 7. ἐγκαθεύδειν δὲ ψυχρότεραι
οἶες (v l ὕες) αἰγῶν, εἰσὶν αἱ αἶγες δυσριγότεραι τῶν οἰῶν
(v l ὑῶν), κατάκεινται αἱ οἶες ᾧ αἱ αἶγες ἀθρόαι κατὰ συγ- 40
γένειαν Ζιι3. 610 ᵇ31, 33, 611 ᵃ3 Aub. πολλάκις οἱ σκω-
πτοντες εἰκάζουσι τῶν μὴ καλῶν ἐνίας τὰς μὲν αἰγὶ φυσῶντι
πῦρ, τὰς δ᾽ οἶι (v l οἷ) κυρίττοντι Ζγδ3. 769 ᵇ20. οἱ πλα-
τύκερκοι οἶες v πρόβατον.

οἰσοφάγος. ἔχει τὴν ἐπωνυμίαν ἀπὸ τοῦ μήκος ᾧ τῆς στε- 45
νότητος Ζια16. 495 ᵃ20 (cf de addito ἰσθμός S I 48 Pik
Aub ΚαΖι 44, 9 Philippson ὕλη 35, 1). ἐστὶ σαρκώδης,
ἔχων νευρώδη τάσιν Ζμγ3. 664 ᵃ32, 35. διὰ τοῦ οἰσοφάγου
πορεύεται ἡ τροφὴ εἰς τὴν κοιλίαν αν11. 476 ᵃ32. Ζμγ3.
664 ᵃ21. τὸ συνεχὲς τῷ στόματι μόριον ὁ καλοῦμεν οἰσο- 50
φάγον, ἀναγκαῖον τὸν οἰσοφάγον εἶναι μεταξὺ τοῦ στόματος
ᾧ τῆς κοιλίας, τοῖς ἔχουσιν οἰσοφάγον ᾗ τελευτᾷ τοῦτο τὸ
μόριον κεῖται ἡ κοιλία Ζμβ3. 650 ᵃ16. γ3. 664 ᵃ31. 14.
674 ᵃ10. ἐντὸς τοῦ αὐχένος ὁ καλούμενος οἰσοφάγος, ὁ αὐχὴν
(πρόβλημα ὢν) σώζει τὴν ἀρτηρίαν ᾧ τὸν οἰσοφάγον κύκλῳ 55
περιέχων τῷ φάρυγγος ᾧ τῷ καλυμένου οἰσοφάγου χάριν ὁ
αὐχὴν πέφυκεν Ζια16. 495 ᵃ19 Aub. Ζμδ10. 686 ᵃ19. γ3.
664 ᵃ16. πρότερον τῇ θέσει ἡ ἀρτηρία κεῖται τοῦ οἰσοφάγου,
κεῖται ἔμπροσθεν ἡ φάρυγξ τοῦ οἰσοφάγου ἐξ ἀνάγκης Ζια
16. 495 ᵃ21. αν11. 476 ᵃ32. Ζμγ3. 664 ᵇ3, 665 ᵃ10, 20. 60
διὰ τίν᾽ αἰτίαν τὴν θέσιν τῆς ἀρτηρίας ᾧ τοῦ οἰσοφάγου πάντα

τὰ ἔχοντα ὁμοίως ἔχει Ζμδ1. 676 ᵇ14. σχεδὸν τῶν πλεί-
στων ὄψων ᾧ ἐδεστῶν ἐν τῇ καταπόσει τῇ τάσει τοῦ οἰσο-
φάγου γίνεται ἡ χάρις· οὐκ ἀναγκαῖον ἔχειν τὸν οἰσοφάγον
τῆς τροφῆς ἕνεκεν· οὐθὲν γὰρ παρασκευάζει πρὸς αὐτήν
Ζμδ11. 691 ᵃ1 (cf 690 ᵇ28). γ3. 664 ᵃ23. — ἔνιοι τῶν
ὀρνίθων ἔχουσι τὸν οἰσοφάγον πλατύν, τὰ μαλάκια μετὰ τὸ
στόμα ἔχουσιν οἰσοφάγον μακρὸν ᾧ στενόν, ἐχόμενος δὲ τὸν
προλοβον· (τὰ μαλακόστρακα) ἀπὸ τοῦ στόματος ἔχει οἰσο-
φάγον βραχὺν ᾧ κοιλίαν ταύτῃ ἐχομένην ὑμενώδη· ὅσα μὴ
ἔχει αὐχένα οὐδ᾽ οἰσοφάγον ἐπιδήλως ἔχουσιν Ζμγ14. 674
ᵇ23 (S I 116). 3. 664 ᵃ22 (F 289, 13). Ζιδ1. 524, ᵇ9 (A
Siebld XII 386). 2. 527 ᵃ4. de οἰσοφάγῳ cf Langk Schol
ad Ζμ p 13, 68.

οἰστός. ἕπτατ᾽ ὀιστός (Hom N 587, 592) Ργ11. 1411 ᵇ35.
ἡ οιστὸς φερομένη ἕστηκεν (λόγος Ζήνωνος) Φζ9. 239 ᵇ30,
7. πάντα τὰ ἀποτεινόμενα κύκλῳ φέρεται οἷον οἱ οἰστοὶ ᾧ
τὰ καταρτώμενα πγ20. 874 ᵃ18.

οἰστρᾶν. οἱ θύννοι ποτὲ οἰστρῶσι, ποτὲ παύονται οἰστρῶντες
Ζιθ19. 602 ᵃ26. 13. 598 ᵃ18. οἱ ἰχθύες φέρονται οἰστρῶντες
πρὸς τὴν γῆν Ζιζ17. 570 ᵇ5. cf θ15. 599 ᵇ26.

οἶστρος. 1. avis. refertur inter τὰ σκωληκοφάγα Ζιθ3. 592
ᵇ22. (asilus Gazae. le chantre Belon de la nat des oiseaux
VII 6. le chantre ou le pouillot Brisson de avibus 82. le
roitelet non crêté Salerne ornith III 479. asile C II 109.
fort Motacilla sibilatrix S I 588. St. Cr. fort Sylvia tro-
chilus Su 113, 49. cf K 866, 6. in incerto rel Gesner de
avibus, in asilo, ΑΖι I 103, 79.)

2. ὁ τῶν θύννων οἶστρος γίνεται μὲν περὶ τὰ πτερύγια,
ἔστι δ᾽ ὅμοιος τοῖς σκορπίοις ᾧ τὸ μέγεθος ἡλίκος ἀράχνης
Ζιε31. 557 ᵃ27 Aub. cf θ19. 602 ᵃ27 Aub. f 313. 1531
ᵃ31. (taon-marin Rondelet ap Gesner de aquatil, in asilo,
et des insectes et zoophytes 8. tavan Belon de la nat des
poissons II 7, 417. oestre C II 550. Lernea branchialis vel
Phalangium balaenarum vel Oniscus ceti St. Cr. fort Ce-
crops sp K 904, 6. Pennatula filosa Gm Cuv. ΑΖι I 537
adn. fort Cecrops Latreillii vel Elythrophora brachyptera
ΑΖι I 168, 35ᵇ. in incert rel M 229.)

3. insectum. refertur inter τὰ δίπτερα, τὰ αἱμοβόρα
Ζια5. 490 ᵃ20. θ11. 596 ᵇ13. ἔχει ἔμπροσθεν τὸ κέντρον,
ἰσχυρὰν τὴν γλῶτταν Ζια5. 490 ᵃ20. δ7. 532 ᵃ10. τὰ σώ-
ματα διατρυπῶσι τῶν τετραπόδων, τὰ τῶν ἄλλων ζώων
δέρματα διαιροῦσι Ζιδ4. 528 ᵇ31 Bsm Pik Aub. Ζμβ17. 661
ᵃ24. cf Schol ad h l ed Langk p 24. ἐκ τῶν ἐν τοῖς πο-
ταμοῖς πλατέων ζωδαρίων τῶν ἐπιθεόντων οἱ οἶστροι (οἱ οἶ-
στροι om duo codd) Ζιγ19. 551 ᵇ21. γίνεται ἐξ αὐτῶν (?)
ὁ οἶστρος Ζια1. 487 ᵇ5 (loc corrupt ut Pik Aub). (mouche-
asile C II 519. 'videtur esse e genere culicis L' S I 5.
oestrus L St. Su 223, 37. Tabanus bovinus Leay in Linn
transact XIV 2, 353, cf Oken Isis 1825 II 1341. Ascoli,
Kuhn Zeitschr f vergl Sprachforsch XII 435. F 285, 78.
cf M 220. fort Chrysops coecutiens, Tabanus bovinus,
Stratiomys chamaeleon Keferstein, Okén Isis 1827, 177.
cf 1838, 364. ΑΖι I 168, 35. in incert rel Beckmann de
hist nat vett 202. ΚαΖμ 69, 10. ΚαΖι 9, 23. ΑΖγ 36.)

Οἴτη πλ1. 953 ᵃ18. οἱ περὶ τὴν Οἴτην Ζιγ20. 522 ᵃ7.

οἴχεσθαι. τὸ ἀέριον ζῶον ἐξαρθὲν ἐκ γῆς μετάρσιον οἰχήσεται
πετόμενον κ6. 398 ᵇ34.

οἰωνίζεσθαι. οἰωνισάμενος τι σύμπτωμα Πε4. 1304 ᵃ1.
οἰωνιστικός. ὁ πταρμὸς σημεῖον οἰωνιστικόν Ζια11. 492 ᵇ7.
οἰωνός. εἷς οἰωνός (Hom M 243) Ρβ21. 1395 ᵃ13. φυγέειν
οἰωνός (Hom B 393) Πγ14. 1285 ᵃ14. θῆρές τ᾽ οἰωνοί τε

(Emp 130) x 6. 399 ᵇ28. Μβ 4. 1000 ᵃ31. οἰωνῶν πτερά
(Emp 216) μδ 9. 387 ᵇ4.

ὀκνεῖν Πδ 13. 1297 ᵇ11. c inf p 1. 1421 ᵃ4. 19. 1432 ᵇ18.
ἀκ ὀκνητέον διαιρεῖν τι 17. 175 ᵇ34, 38.

ὀκνηρός. οἱ μικρόψυχοι δοκᾶσιν εἶναι ὀκνηροί Ηδ 9. 1125 ᵃ24. 5
τὸ θῆλυ ὀκνηρότερον Ζιι 1. 608 ᵇ13.

ὄκνος (Lob Par 345). ν ἀστερίας 1.

ὀκτάεδρον. τό τε ὀκτάεδρον χ̣ τὸ δωδεκάεδρον Ογ 8. 307
ᵃ16.

ὀκτάκλινον. τὸ βολίνθᾳ δέρμα κατέχει τόπον ὀκτακλίνᾳ θ 1. 10
830 ᵃ16.

ὀκτάμηνος. τὰ ὀκτάμηνα (τέκνα) ζῇ μέν, ἧττον δέ Ζγδ 4.
772 ᵇ10. Ζιη 4. 584 ᵃ36. πι 41. 895 ᵃ26. f 258. 1525 ᵃ36.
τὰ μὴ γόνιμα ἀλλ᾽ ἀποπεπνιγμένα ὀκτάμηνα ἐν τοῖς τόκοις
ἀκ ἐκφέρᾳσιν ὀκτάμηναι αἱ γυναῖκες Ζιη 4. 583 ᵇ33. ὗς 15
ὀκτάμηνος ὀχεύει, γεννᾷ Ζιε 14. 545 ᵃ29, 30.

ὀκτάς. αἱ ἐν τῇ ὀκτάδι δυάδες Μμ 7. 1082 ᵃ30.

ὀκτώ. Πδ 16. 1300 ᵇ19.

Ὀλβία ἡ κατὰ Μύγαλον τῆς Παμφυλίας σ 973 ᵃ5. f 238. 20
1521 ᵃ37.

ὀλιγαιμία τις ἡ φθορά Ζμβ 5. 651 ᵇ11.

ὀλίγαιμος ᾗ σομφὸς πλεύμων αν 9. 475 ᵃ21. 1. 470 ᵇ20.
cf Ζιθ4. 594 ᵃ9. τὰ μὴ ὀλίγαιμον πλεύμονα ἔχοντα ζῷα
ἀλλ᾽ ἔναιμον Ζγβ1. 732 ᵇ35. ἀρτηρία χονδρώδης τὴν φύσιν
χ̣ ὀλίγαιμος Ζια 16. 495 ᵃ23. (ζῷά τινα) καίπερ ὀλίγαιμον 25
ἔχοντα τὴν φύσιν, ὅμως ἔναιμά ἐστιν Ζγγ11. 762 ᵇ24. ζῷα
ὀλίγαιμα, coni ὀλιγόθερμα, ἄναιμα μχ 5. 466 ᵇ25. αν 14.
477 ᵇ11. πη 5. 887 ᵇ27. δ 18. 878 ᵇ30. ὀλίγαιμα ἅτε εἰς
τὴν πιότητα ἀναλισκομένᾳ τᾶ αἵματος· τὰ δ᾽ ὀλίγαιμα ἤδη
προωδοποίηται πρὸς τὴν φθοράν Ζμβ 5. 651 ᵇ9, 10. ὀλιγαι- 30
μότατον πάντων τῶν ψοτόκων ᾗ χαμαιλέων Ζμδ 11. 692 ᵃ21.

ὀλιγαιμότης. ᾗ φόβος κατάψυξις δι᾽ ὀλιγαιμότητά ἐστι ᾗ
ἔνδεια θερμότητος Ζμδ 11. 692 ᵃ24.

ὀλιγάκις, opp πολλάκις Ζγγ 6. 756 ᵇ19. opp ἀπειράκις μα 3.
339 ᵇ28. ὀλιγάκις γίνεσθαι μα 12. 348 ᵃ2. β 8. 368 ᵇ24. 35
γ 2. 372 ᵃ24. 5. 376 ᵇ25, συμβαίνειν πκθ 1. 950 ᵃ27. cf
Ζμγ 3. 664 ᵇ34. ὀλιγάκις χ̣ ὀλιγάκις συμβαίνει Ζγα 19. 727
ᵇ29. cf γ 5. 756 ᵃ17. ὀλιγάκις χ̣ παρ᾽ ὀλίγοις γίνεσθαι
Πδ 11. 1296 ᵃ38. ἐν ὀλίγοις χ̣ ὀλιγάκις εἶναι φανερὸν Ηη 11.
1151 ᵇ30. ὀλιγάκις χ̣ ὀλιγάχᾳ χρηστέον Ργ 2. 1404 ᵇ29. 40

ὀλιγανθρωπία Πβ 9. 1270 ᵃ36. δ 15. 1299 ᵇ9. διὰ τὴν ὀλι-
γανθρωπίαν Πβ 9. 1270 ᵃ34. γ 5. 1278 ᵃ31. δ 13. 1297 ᵇ26.
15. 1299 ᵇ2.

ὀλιγαρχεῖν. οἱ ὀλιγαρχᾶντες Πδ 15. 1300 ᵃ8. — pass πο-
λιτεῖαι ὀλιγαρχᾴμεναι Πδ 7. 1293 ᵇ8. ὀλιγαρχίαν ἇσαν εἰς εἰς 45
τὸ μᾶλλον ὀλιγαρχεῖσθαι Πε 1. 1301 ᵇ14. cf δ 5. 1292 ᵇ17.

ὀλιγαρχία. 1. ὀλιγαρχίας notio. ὀλιγαρχία ἐστὶν ὅταν οἱ
πλήσιοι χ̣ εὐγενέστεροι ὀλίγοι ὄντες κύριοι τῆς ἀρχῆς ὦσι
Πδ 4. 1290 ᵇ19, 1, 5, ᵃ32. γ 6. 1278 ᵇ13. 8. 1279 ᵇ17, 36,
40. πθ 9. 1328 ᵇ33. ὀλιγαρχία ὁρίζεται χ̣ γένει χ̣ πλήτῳ χ̣ 50
παιδεία Πζ 2. 1317 ᵇ39. δ 8. 1294 ᵃ11. Ραθ. 1366 ᵃ5. ὀλι-
γαρχία, ᾗ ἀπὸ τιμημάτων διανέμονται τὰς ἀρχὰς Ραθ.
1366 ᵇ33. ὀλιγαρχία def et cum amicitiae specie quadam
comparatur Ηθ 12. 13. ἡ ὀλιγαρχία παρέκβασις ἀριστοκρα-
τίας Πγ 7. 1279 ᵇ5, 7. δ 2. 1289 ᵃ29. πεη 9. 1241 ᵇ32. ᾗ 55
ἀριστοκρατία ὀλιγαρχία τις Πδ 3. 1290 ᵃ16. ε 7. 1306 ᵇ24.
δύο μάλιστα γίνονται πολιτεῖαι, δῆμος χ̣ ὀλιγαρχία Πε 1.
1301 ᵇ40. δ 3. 1290 ᵃ16. 4. 1291 ᵇ12. 11. 1296 ᵃ27. μίξις
ὀλιγαρχίας χ̣ δημοκρατίας Πδ 8. 1293 ᵇ34. β 6. 1265 ᵇ27.
ἐγκλίνειν πρὸς τὴν ὀλιγαρχίαν Πβ 6. 1266 ᵃ7. ἐκκλίνειν εἰς 60
ὀλιγαρχίαν Πβ 11. 1273 ᵃ6. ἀποκλίνειν πρὸς τὴν ὀλιγαρχίαν

μᾶλλον Πδ 8. 1293 ᵇ37. ε 7. 1307 ᵃ15. παρεκβαίνειν πρὸς
τὴν ὀλ. Πβ 11. 1273 ᵃ22. ῥέπειν πρὸς ὀλ. μᾶλλον Πδ 7.
1293 ᵇ21. — ἐν ὀλιγαρχίᾳ τίς πολίτης Πγ 1. 1275 ᵃ5. 5.
1278 ᵃ22. — ὀλιγαρχία non solum formam civitatis signi-
ficat, sed etiam τὸ ἐν ὀλιγαρχίᾳ πολίτευμα, κύριον: οἱ ἐν
τῇ ὀλιγαρχίᾳ ὄντες Πε 6. 1305 ᵇ28. ἡγεμὼν ἐξ αὐτῆς τῆς
ὀλιγαρχίας Πε 6. 1305 ᵃ40. αἱ ὀλιγαρχίαι ἐκ τῶν καλῶν
κάγαθῶν Πδ 8. 1293 ᵇ41. — 2. ὀλιγαρχίας εἴδη. ὀλιγαρχίαι
πλείᾳς, ὀλιγαρχίας πλείω εἴδη Πδ 1. 1289 ᵃ9, 23. 2. 1289
ᵇ22. 11. 1296 ᵇ4. 12. 1296 ᵇ33. ε 12. 1316 ᵇ25. ὀλιγαρχίας
εἴδη enumerantur Πδ 5. 1292 ᵃ39-ᵇ10. 6. 1293 ᵃ12-34.
Πζ 6. 7. ρ 39. 1446 ᵇ24. ὀλιγαρχία πολιτική, πολιτικωτέρα
Πδ 14. 1298 ᵃ39. ε 6. 1305 ᵇ10, εὔκρατος χ̣ πρώτη Πζ 6.
1320 ᵇ21. ἐπίδοσις τῆς ὀλιγαρχίας Πδ 6. 1293 ᵃ28. ὀλι-
γαρχία ἡ ὑστάτη Πε 10. 1310 ᵇ4, ἄκρατος Πδ 11. 1296 ᵃ2.
ὀλιγαρχία λίαν ἄκρατος Πβ 12. 1273 ᵇ36, ἄκρατος χ̣ τε-
λευταία Πε 10. 1312 ᵇ35, δεσποτική Πε 6. 1306 ᵇ3, δυνα-
στικωτάτη χ̣ τυρραννικωτάτη Πζ 6. 1320 ᵇ32, δυναστευτικὴ
Πδ 14. 1298 ᵃ32. καλᾶσι τὴν τοιαύτην ὀλιγαρχίαν δυνα-
στείαν Πδ 5. 1292 ᵇ10. ἡ τῶν τριάκοντα ὀλιγαρχία f 413.
1546 ᵇ43. — 3. ὀλιγαρχία aestimatio Πδ 2. 1289 ᵇ3, 10.
αἱ ὀλιγαρχίαι ὀλιγοχρονιώτεραι Πε 12. 1315 ᵇ12. 1. 1302 ᵃ9.
δ 11. 1296 ᵃ13. — 4. πῶς δεῖ καθιστάναι τὰς ὀλιγαρχίας
Πζ 6. 7. περὶ τὰς ὀλιγαρχίας πῶς δεῖ τᾲς νόμᾳς θέσθαι ρ 3.
1424 ᵃ39-ᵇ10. ἐν ταῖς ὀλιγαρχίαις αἱ ἀρχαὶ ἐκ τίνων Πδ 15.
1299 ᵇ25. πρόβᾳλοι, νομοφύλακες Πδ 14. 1298 ᵇ26. ὑπά-
τᾳσι ζημίαν τοῖς εὐπόροις ἐὰν μὴ δικάζωσι Πδ 14. 1298
ᵇ17. 9. 1294 ᵃ38. δεῖ τῶν ἀπόρων ἐπιμελεῖσθαι Πε 8. 1309
ᵃ20. ἀναιρεῖν τᾲς ὑπερέχοντας Πγ 13. 1284 ᵃ35. ἐν ὀλιγαρ-
χίαις κύριον τὸ δόξαν τῷ πλείονι μέρει τῶν μετεχόντων τῆς
πολιτείας Πδ 8. 1294 ᵃ12. — 5. διὰ τί μεταβάλλᾳσιν αἱ
ὀλιγαρχίαι Πε 6. 1303 ᵇ4. δ 11. 1296 ᵃ4. διὰ τί σᾴζονται
αἱ ὀλιγαρχίαι Πε 6. 1306 ᵃ9. 8. 1308 ᵃ4. ζ 6. 1321 ᵃ3. τίσιν
ἀναγκαῖον, εὔλογον γενέσθαι ὀλιγαρχίαν Πδ 2. 1289 ᵇ19. 3.
1289 ᵇ37. γ 15. 1286 ᵇ15. ε 1. 1301 ᵃ31. ποιεῖν ὀλιγαρχίαν
Πδ 11. 1296 ᵃ32. καταλύειν τὰς ὀλιγαρχίας Πε 7. 1307
ᵇ23.

ὀλιγαρχικός. οἱ ὀλιγαρχικοί, ὁ τῶν ὀλιγαρχικῶν λόγος Πγ 9.
1280 ᵃ27. ζ 3. 1318 ᵃ20. Ηε 6. 1131 ᵃ28. πλῆθος ὀλιγαρ-
χικόν Πδ 12. 1296 ᵇ34. πολιτεῖαι ὀλιγαρχικαί Πγ 17. 1288
ᵃ22. δ 3. 1290 ᵃ27. 13. 1297 ᵇ26. ε 7. 1307 ᵃ34. 8. 1308
ᵇ34. ζ 1. 1317 ᵃ2. πολιτεία ὀλιγαρχικωτέρα Πε 7. 1307 ᵃ31.
νόμοι ὀλιγαρχικοί Πγ 10. 1281 ᵃ37. δ 12. 1296 ᵇ36. ὀλι-
γαρχικὴ τάξις Πδ 14. 1298 ᵇ4. ὀλιγαρχικὸν ἦθος Πδ 1. 1337
ᵃ17. ὀλιγαρχικὰ σοφίσματα πρὸς τὸν δῆμον Πδ 13. 1297
ᵃ14-35. ὀλιγαρχικὸν τὸ
αἱρεῖσθαι πλητίᾳν al, dist ἀριστοκρατικόν, δημοτικόν, πολι-
τικόν Πβ 11. 1273 ᵃ26. 12. 1273 ᵇ40. δ 5. 1292 ᵇ4. 6. 1292
ᵇ32. 9. 1294 ᵇ9. 14. 1298 ᵃ34, ᵇ2. 15. 1299 ᵇ34, 35, 38,
1300 ᵇ2. ε 1. 1301 ᵇ25. ὀλιγαρχικὰ Πε 6. 1266 ᵃ6. δ 9. 1294
ᵇ32. 16. 1301 ᵃ13. ὀλιγαρχικώτερον Πγ 10. 1281 ᵃ34. δ 15.
1300 ᵃ40. — (μεταβολὴ τῶν ὀλιγαρχικῶν Πε 6. 1306
ᵃ20 Bk, ὀλιγαρχιῶν reliquae edd.) — ὀλιγαρχικῶς συν-
τεταγμένον Πζ 1. 1317 ᵃ5. ὀλιγαρχικῶς παιδεύεσθαι Πε 9.
1310 ᵃ18.

ὀλιγαχόθεν ηεβ 3. 1221 ᵃ24.

ὀλιγαχᾳ ἁρμόττει Ργ 5. 1407 ᵃ25. ὀλιγάκις χ̣ ὀλιγαχᾳ χρη-
στέον Ργ 2. 1404 ᵇ29.

ὀλιγόβιος. ἐν ἐνίοις τόποις γίνεται ζῷα ἐλάττω χ̣ ὀλιγοβι-
ώτερα Ζιθ 28. 605 ᵇ24.

ὀλιγόγονος. ὄρνιθες ὀλιγόγονοι, opp πολύγονοι Ζγγ 1. 750 ᵇ2.

6. 756 ᵇ26. τὰ γαμψώνυχα ὀλιγόγονα Ζιζ1. 558 ᵇ28. ὅλως ὀλιγογονώτερα τὰ σελάχη Ζιζ17. 570 ᵇ32.

ὀλιγόθερμα ζῷα, coni ὀλίγαιμα, ἄναιμα αν9. 475 ᵇ11. 12. 476 ᵇ33. Ζμβ7. 652 ᵇ25. Ζγα11. 718 ᵇ37. ε3. 783 ᵃ25. πη5. 887 ᵇ28. ὀλιγόθερμος ὁ σπλήν, ὁ ἐγκέφαλος, ἡ τῶν τριχῶν φύσις Ζμγ7. 670 ᵇ7. Ζγε3. 783 ᵇ33. 4. 784 ᵇ4.

ὀλιγοποτεῖν Ζμγ7. 670 ᵇ15.

ὀλιγόποτος. ὀλιγόποτα κ̣ ἄδιψα ὅσα ἔχει τὸν πλεύμονα σομφόν Ζιθ4. 594 ᵃ7. Ζμγ8. 671 ᵃ9. cf 6. 669 ᵃ34. ὀλιγόποτον τὸ τῶν ὀρνίθων γένος, τῶν ἰχθύων, ὁ λέων Ζιθ3. 593 ᵇ29. 5. 594 ᵇ21. Ζμδ1. 676 ᵃ30.

ὀλιγάπτερα ζῷα, opp πολύπτερα Ζια1. 486 ᵇ11.

ὀλίγος. πολὺ ὀλίγον, ἐξ ὧν οἱ ἀριθμοί Μν2. 1089 ᵇ12. 1. 1087 ᵇ16. ὀλίγον, opp πολύ, def πλῆθος ὑπερεχόμενον, πλῆθος ἔχον ἔλλειψιν Μι6. 1057 ᵃ13, 1056 ᵃ18 et universe ι6. ὀλίγοι τὸν ἀριθμόν, τὸ πλῆθος Πγ13. 1283 ᵇ10. δ15. 1299 ᵇ34, 35. οἱ ὀλίγοι, i e οἱ ὀλιγάρχαι Πγ6. 1278 ᵇ13. δ4. 1290 ᵃ33. 14. 1298 ᵇ39. ε6. 1306 ᵃ14, 1305 ᵇ24. ζ3. 1318 ᵃ22. τῇ παντὸς πολιτεύματος ὀλίγῳ ὄντος Πε6. 1306 ᵃ14. ὀλίγη ἀτμίς, ἀναθυμίασις, θερμὸν ὀλίγον μβ3. 358 ᵃ31. 5. 20 361 ᵇ15. δ3. 380 ᵇ1. ὀλίγη περίττωσις Ζμγ7. 670 ᵇ10. ὀλίγον τι γένος (ὀρνίθων) Ζμγ14. 675 ᵃ2. ὀλίγη ὄψις μγ4. 374 ᵇ22. 6. 378 ᵃ10. τὸ πολὺ εἰς ὀλίγον πληθῆναι τόπον μβ8. 366 ᵇ13. ὀλίγος λόφος (ex Antimachi Thebaide) Ργ6. 1408 ᵃ3. ἐὼν ὀλίγη (Hom ι 515), ὀλίγη τράπεζα (Hom υ 259), i e μικρά πο22. 1458 ᵇ25, 29. – ὐδὲν ἢ ὀλίγον Ζμβ5. 651 ᵇ17. συρρεῖν ἐπ᾽ ὀλίγον κ̣ κατὰ μικρόν μα13. 350 ᵇ28. ταῖς γυναιξὶ κατ᾽ ὀλίγον ἡ κάθαρσις γίνεται Ζιη2. 582 ᵇ8. ὀλίγῳ, paene, μβ3. 359 ᵇ4. ζθ24. 604 ᵇ2. – ὀλίγιστος. ἀπὸ τῆς νήτης ἐπὶ τὴν νήτην μεταβαίνειν τῷ ὀλιγίστῳ Μι7. 1057 ᵃ23. ὀλίγιστον διάστημα πι15. 892 ᵇ10. τὸ μηδὲν ἢ τὸ ὀλίγιστον διαλείπον τῇ πράγματος Φε3. 226 ᵇ28. χρόνος ὀλίγιστος Μι1. 1053 ᵃ9. δημόσιαι δίκαι ὡς ὀλίγισται Πζ5. 1320 ᵃ12. μηθενὸς ἢ ὅτι ὀλιγίστων κυρίαν ἀρχὴν εἶναι Ζ2. 1317 ᵇ30. ἀληθὴς ἢ ὅτι ὀλίγιστον ἔχουσα τὸ ψεῦδος ψγ3. 428 ᵇ19. τὸ τελευταῖον ἐκ πλείστης τροφῆς ὀλίγιστον Ζγα18. 725 ᵃ18.

ὀλιγοσιτία Πβ10. 1272 ᵃ22. ὀλιγοσιτία κ̣ κωθωνισμός πα39. 863 ᵇ24. 838. 885 ᵃ2.

ὀλιγόσπερμος. ζῷα κ̣ φυτὰ ὀλιγόσπερμα, dist πολύσπερμα, ἄσπερμα Ζγα18. 725 ᵇ29.

ὀλιγότητι πλῆθος ἀντίκειται Μν1. 1087 ᵇ32. Πγ8. 1279 ᵇ26. γίγνεσθαι πλήθει κ̣ ὀλιγότητι συγκρινόμενα κ̣ διακρινόμενα ΜΑ3. 984 ᵃ10. ξ2. 975 ᵇ26. διαφέρειν πλήθει κ̣ ὀλιγότητι Ζια1. 486 ᵇ7. δι᾽ ὀλιγότητα τῶν τριγώνων τὸ πῦρ ἄνω φέρεσθαι Οδ2. 308 ᵇ15. δι᾽ ὀλιγότητα τῇ πυρός, τῇ ὕδατος, τῇ ἀέρος sim, opp πλῆθος μα10. 347 ᵃ14. β1. 353 ᵇ25. 8. 367 ᵃ19. δ3. 381 ᵇ17. Ζμγ5. 668 ᵇ9, 12. πια20. 901 ᵃ26. συνεξατμίζοντος τῇ ὑγρῇ δι᾽ ὀλιγότητα Ζγγ2. 752 ᵇ1. δι᾽ ὀλιγότητα ὐχ ὁμοίως ἐπίδηλον μβ8. 367 ᵇ3. πλθ⁷7. 964 ᵇ 16.

ὀλιγοτοκεῖν, dist πολυτοκεῖν, μονοτοκεῖν Ζγδ4. 772 ᵇ2. 6. 774 ᵇ29.

ὀλιγοτοκία, opp πολυτοκία Ζγδ4. 771 ᵇ6.

ὀλιγοτόκος. τὰ ὀλιγοτόκα, syn ὀλιγόγονα, Ζγγ6. 756 ᵇ26. Ζιζ1. 558 ᵇ28 al, opp πολυτόκα, πολύγονα Ζμδ10. 688 ᵃ32. Ζγα18. 725 ᵃ30. inter τὰ ὀλιγοτόκα referuntur τὰ γαμψώνυχα, κόκκυξ Ζγγ2. 753 ᵃ31 (cf Ζιζ1. 558 ᵇ28). 1. 750 ᵃ11. τὰ δίχηλα, κερατοφόρα, μώνυχα, λέων ἐπεὶ τίκτει ποτὲ πλείω δυοῖν Ζγδ4. 771 ᵃ24. Ζμδ10. 688 ᵃ32. ᵇ2, τὰ μέγιστα τῶν ζῴων Ζγα18. 725 ᵃ29 (sed δ4. 773

ᵃ17 haec referuntur ad τὰ μονοτόκα). ἄνθρωπος διὰ τὸ μέγεθος ὀλιγοτόκον κ̣ μονοτόκον Ζγδ4. 772 ᵇ5. (Ζμδ10. 688 ᵇ23 τὰ μονοτόκα referuntur ad τὰ ὀλιγοτόκα).

ὀλιγότριχος. ἄνθρωπος ζῷον ὀλιγότριχον Ζιβ1. 498 ᵇ17.

ὀλιγότροφα τὰ ἔντομα Ζμδ5. 682 ᵃ21. ὀλιγότροφα κ̣ ἄναιμα ζῷα ὐκ ἀποθνήσκει εὐθὺς κεφαλῆς ἀφαιρῃμένης πι67. 898 ᵇ21.

ὀλιγοφιλία. coni ἀφιλία Ρβ8. 1386 ᵃ10.

ὀλιγόχυς. ὀλιγοχύστεροι πρὸς τὴν γονὴν οἱ σελαχώδεις εἰσὶν Ζγγ7. 757 ᵃ21.

ὀλιγοχρόνιος. ἀγαθὰ ὀλιγοχρονιώτερα, πολυχρονιώτερα Ρα7. 1364 ᵇ30. ἀρχαὶ ὀλιγοχρόνιοι δημοτικὸν Πζ2. 1317 ᵇ24. ὀλιγοχρονιώτεραι πασῶν τῶν πολιτειῶν ὀλιγαρχία κ̣ τυραννίς Πε12. 1315 ᵇ11. γίνεσθαι ὀλιγοχρονιώτερα, πολυχρονιώτερα τῆς φύσεως μκ3. 465 ᵇ28. ζῷα ὀλιγοχρονιώτερα, opp μακρόβια πι9. 891 ᵇ29. ζῷα ὀλιγοχρονιώτερα τῶν μνήμης δεκτικῶν πι58. 897 ᵇ31. ὀχεία ὀλιγοχρονιωτέρα Ζιε14. 546 ᵃ10.

ὀλιγωρεῖν, opp φροντίζειν Πβ3. 1261 ᵇ36. ὀλιγωρήσει τῆς τιμῆς Ηδ8. 1124 ᵃ10. — ὀλιγωρηθέντες ὑπὸ τῶν κρινόντων ρ37. 1445 ᵃ8. παρὰ τὸ προσῆκον ὠλιγωρημένος ρ35. 1440 ᵃ33.

ὀλιγώρημα. ὀλιγωρήματα, coni ὕβρις αρ7. 1251 ᵇ22.

ὀλιγώρησις. φέρειν τὰς μικρὰς ὀλιγωρήσεις κ̣ ἐλαττώσεις αρ6. 1251 ᵃ5.

ὀλιγωρία, def Ρβ2. 1378 ᵇ10. εἴδη ὀλιγωρίας Ρβ2. 1378 ᵇ14, cf Ηη7. 1149 ᵃ32. ἀκολυθεῖ τῇ ἀκολασία ὀλιγωρία αρ6. 1251 ᵃ22. ἡ εἰς τὰ χρήματα ὀλιγωρία Πε11. 1315 ᵃ18. ὀλιγωρία αἰτία στάσεως, μεταβολῆς τῆς πολιτείας Πε3. 1302 ᵇ4, 1303 ᵃ16-20. φέρειν μετρίως ἐγκλήματα κ̣ ὀλιγωρίας αρ4. 1250 ᵃ40.

ὀλίγωρος, coni ὑβριστής, χλευαστής, θρασύς Ρβ3. 1380 ᵃ29. 5. 1383 ᵃ2. τὸ ὀλίγωρον τῇ μεγαλοψύχῳ πάθος ἴδιον ηεγ5. 1232 ᵇ9. — ὀλιγώρως ἔχειν περί τινος ρ19. 1433 ᵃ2. ὀλιγώρως κ̣ πάντοθεν λαμβάνειν Ηδ3. 1121 ᵇ2.

ὀλισθαίνειν τὸ ὕδωρ, ἡ θάλαττα, τὸ ἔλαιον πλβ1. 936 ᵃ15. κε11. 939 ᵃ26. λβ11. 961 ᵃ29. τὸ ἔλαιον λεῖον ὂν ποιεῖ ὀλισθαίνειν πλβ10. 961 ᵃ23. ὀλισθαίνει τῆς χειρὸς ὁ σίδηρος μχ21. 854 ᵃ19, syn ἐξολισθαίνει ᵃ18.

ὀλισθηρός. ὀλισθηρῷ τῷ ὠτὸς γενομένῳ πλβ10. 961 ᵃ22.

ὀλκὰς ἐν ὁλκάσιν οβ1347 ᵇ10.

ὀλκή πνεύματος πν2. 482 ᵃ15. cf 1. 481 ᵃ11. ἡ μία τροχαλία ῥᾷον ἕλξει, κ̣ ἀπὸ μιᾶς ὁλκῆς (uno tractu, ἀπὸ μικρᾶς ὁλκῆς Cappelle, i e exigua trahendi vi) τῇ κατὰ χεῖρα ἕλξει βαρύτερον μχ18. 853 ᵇ1. — ὁλκή i q pondus. ὑπὲρ μνᾶν χρυσίῳ ὁλκήν θ45. 833 ᵇ10. f 248. 1523 ᵇ37.

ὁλκός. τὰ ἄχυρα θερμόν τε κ̣ ὁλκόν ἐστιν πκβ13. 931 ᵃ25.

ὀλλύναι. ἁ φιλοχρηματία Σπάρταν ὀλεῖ f 501. 1559 ᵇ29.

ὀλμοποιός Πγ2. 1275 ᵇ28.

ὅλμος Πγ2. 1275 ᵇ28.

ὀλοθύρια. τὰ καλύμενα ὀλοθύρια referuntur inter τὰ ἀπολελυμένα μὲν ἀκίνητα δέ Ζια1. 487 ᵇ15. τὰ καλύμενα ὀλοθύρια κ̣ οἱ πνεύμονες, ἔτι δὲ κ̣ ἕτερα τοιαῦτ᾽ ἐν τῇ θαλάττῃ μικρὸν διαφέρει τῶν σπόγγων τῷ ἀπολελύσθαι· αἴσθησιν μὲν γὰρ ὐδεμίαν ἔχει, ζῇ δὲ ὥσπερ ὄντα φυτὰ ἀπολελυμένα Ζμδ5. 681 ᵃ17. ('accuratius genus notis huiusmodi definire hodie non licet et origo nominis latet' S I 6. cf C Π 428. ΚαΖμ 135, 41. F 310, 45. Burmeister Zoonom Briefe I 364. ΑΖι I 180, 19.)

ὁλόκληρος ὁ ὑγιής, opp ἀνάπηρος κ̣ ἀσθενής ηεη15. 1248 ᵇ34. ὁλόκληρα, opp κολοβά, πεπηρωται Ζιη6. 585 ᵇ36. πι8.

891 ᵇ22. ἡ ἀνελευθερία ἃ πᾶσιν ὁλόκληρος παραγίνεται Ηδ 3. 1121 ᵇ19. τὸ κακὸν ἂν ὁλόκληρον ἢ ἀφόρητον γίνεται Ηδ 11. 1126 ᵃ12. ἀριθμεῖν τὰ ὁλόκληρα ἔτη f 140. 1502 ᵃ11.

ὀλολαμπής ὁ Ὄλυμπος κ6. 400 ᵃ8.

ὀλολυγών. ὀλολυγόνα ποιῶσιν οἱ ἄρρενες βάτραχοι Ζιδ 9. 536 ᵃ11.

ὀλοός. πυρὸς ὀλοοῖο (Hom μ 68) θ105. 839 ᵇ34.

ὀλόπτερος. ὀλόπτερον, opp σχιζόπτερον Αδ 13. 96 ᵇ39. τὰ ὀλόπτερα referuntur ad τὰ πετόμενα, κάμψις ὅθεν ἡ ἀρχὴ τοῖς ὁλοπτέροις τῦ πτερῦ, τοῖς ὄρνισι τῆς πτέρυγος· διὰ τί 10 βραδεῖα ἡ πτῆσις τῶν ὁλοπτέρων ⲭ ἀσθενής· τὰ πτιλὰ τοῖς ὁλοπτέροις ἐκ τῦ πλαγίῳ προσπέφυκεν· τὰ ὁλόπτερα ⲭ τῶν σχιζοπτέρων οἷς τὸ ὑροπύγιον ἀφυῶς ἔχει πρὸς τὴν εἰρημένην χρῆσιν ὐκ εὐθυπορῦσιν· τῶν ὁλοπτέρων ἁπλῶς ὐδὲν ὑροπύγιον ὥστε καθάπερ ἀπήδαλον πλοῖον φέρεται ⲭ ὅπῃ ἂν 15 τύχῃ ἕκαστον αὐτῶν προσπίπτει Ζπ15. 713 ᵃ4. 10. 709 ᵇ30, 710 ᵃ4, 7, 16 (cf M 446). 15. 713 ᵃ11, 6. ἡ τρῖψις τῦ πνεύματος προσπίπτοντος πρὸς τὸ ὑπόζωμα τῶν ὁλοπτέρων υ2. 456 ᵃ20. ad τὰ ὁλόπτερα referuntur σφῆκες μέλισσαι μυῖαι ⲭ τὰ τοιαῦτα υ2. 456 ᵃ14. cf M 206. 20

ὅλος. 1. notio. ὅλον ποσαχῶς λέγεται, ibid. πᾶν Μδ 26 Βz. cf Wz ad εῖ7. 17 ᵃ39. ὅλον ἐστὶ τὸ ἔχον ἀρχὴν ⲭ μέσον ⲭ τελευτήν πο7. 1450 ᵇ26. ὅσων μὲν μὴ ποιεῖ ἡ θέσις διαφοράν, πᾶν λέγεται, ὅσων δὲ ποιεῖ, ὅλον Μδ 26. 1024 ᵃ3. ὃ μηδὲν ἔξω, τῦτ' ἐστὶ τέλειον ⲭ ὅλον (opp ἄπειρον) Φγ6. 25 207 ᵃ9, 13. ὅλος, coni τέλειος Φο4. 228 ᵇ14. Μδ 6. 1016 ᵇ17. f 108. 1495 ᵇ8 (opp κολοβόν). ἡ ἡδονὴ ὅλον τί ἐστι (syn τέλειον)· τὸ ἐν τῷ νῦν ὅλον τι (opp μεριστόν) Ηκ3. 1174 ᵃ17, ᵇ7, 9, 11. τὸ ὅλον iq ἡ ὁλότης· ὅσα πλείω μέρη ἔχει ⲭ μὴ ἔστιν οἷον σωρὸς τὸ πᾶν ἀλλ' ἔστι τι τὸ ὅλον 30 παρὰ τὰ μόρια Μη6. 1045 ᵃ10. τὸ δὲ (αἴτιά ἐστι) ὡς τὸ τί ἦν εἶναι, τό τε ὅλον ⲭ ἡ σύνθεσις ⲭ τὸ εἶδος Μδ 2. 1013 ᵇ22 Bz. Φβ3. 195 ᵃ21. τὸ ὅλον τὸ ἐκ τῆς ὕλης ⲭ τῦ εἴδυς Μμ8. 1084 ᵇ11 (cf σύνολον). λ1. 1069 ᵃ19 Bz. τοιῦτον (i e ὅν) ⲭ μᾶλλον τὸ ὅλον ⲭ ἔχον τινὰ μορφὴν ⲭ εἶδος 35 Μι1. 1052 ᵃ22. δ6. 1016 ᵇ12. ἡ ἀν συγκειται τὸ ὅλον, ἢ τὸ εἶδος ⲭ τὸ ἔχον τὸ εἶδος Μδ 25. 1023 ᵇ20. — ὅλον, opp τὰ μέρη, cf μέρος p 455 ᵃ4-14. τὰ ὅλα μὲν συνεστῶτα δ' ἐκ πολλῶν μορίων Πγ1. 1274 ᵇ39. πλεῖν μέτρα τὸ ὅλον Φδ14. 224 ᵃ2. ἀναιρουμένῃ τῦ ὅλυ ὐκ ἔσται πὺς ὐδὲ χείρ, 40 εἰ μὴ ὁμωνύμως Πα2. 1253 ᵃ21. τῶν μερῶν φθαρέντων φθείρεται τὸ ὅλον τζ13. 150 ᵃ33-36. τὸ ὅλον τοῖς μορίοις ὁμοειδές ψα5. 411 ᵃ17. (τῶν ὁμοιομερῶν) συνώνυμα τοῖς ὅλοις τὰ μέρη Ζμβ9. 655 ᵇ21. cf 2. 647 ᵇ18. τὰ μέρη τῦ ὅλῳ ⲭ ταὐτὰ τζ13. 150 ᵃ15-21, cf ᵇ19. — τὸ ὅλον λέ- 45 γεται ἔχειν τὰ μέρη Μδ 3. 1023 ᵃ17. εἰς τὸ αὐτὸ φέρεται τὸ ὅλον ⲭ τὸ μόριον Οα3. 270 ᵃ4. β14. 296 ᵇ35. εἴτε ὅλη ποθὲν ἐφέρετο εἴτε κατὰ μέρος Οβ14. 297 ᵇ10. ὕλη τοῖς ζῴοις τὰ μέρη, παντὶ μὲν τῷ ὅλῳ τὰ ἀνομοιομερῆ Ζγα1. 715 ᵃ9. τῶν ζῴων μέλη καλεῖται, ὅσα τῶν μερῶν ὅλα ὄντα 50 ἕτερα μέρη ἔχει ἐν αὑτοῖς Ζια1. 486 ᵃ10, 12.

2. usus varius. a. τὸ ὅλον iq ὁ ὑρανός, ὁ κόσμος, τὸ πᾶν Φδ9. 216 ᵇ25 (cf 217 ᵃ13). 10. 218 ᵃ33, ᵇ5. θ10. 267 ᵇ9. Οβ3. 286 ᵇ3. γ8. 306 ᵇ5. Ζμβ10. 656 ᵃ12. τὸ περιέχον ὅλον ζ1. 468 ᵃ3. ἡ τῦ ὅλῳ φύσις Μλ10. 1075 ᵃ11 (cf 55 λόγιος περὶ τὴν ὅλην φύσιν Πβ8. 1267 ᵇ28). τὸ ὅλον ἀΐδιον μα14. 353 ᵃ15. — ἡ τῶν ὅλων συνεκτικὴ αἰτία· φιλοσοφία διαμένη πρὸς τὴν τῶν ὅλων θέαν χ6. 397 ᵇ9. 1. 391 ᵃ3. αἱ καλαὶ ⲭ γόνιμαι τῶν ὅλων ὧραι χ5. 397 ᵃ12. — b. τοῖς ὅλοις πολλάκις φαίνεται κύκλος ὅλος μγ2. 371 ᵇ23. ἐν ὅλοις 60 ὅροις οἱ τύτων λόγοι εἰσιν· ἡμιόλιοι τε ὐκ ἐν ὅλοις ἀριθμοῖς

V.

ἐστίν πιθ35. 920 ᵃ28, 32. δεῖ παλιλλογίᾳ χρῆσθαι ⲭ περὶ τῶν μερῶν ⲭ περὶ τῶν ὅλων λόγων τὰς τελευτάς p21. 1433 ᵇ30. δεῖ συνιστάναι τὰς μύθυς περὶ μίαν πρᾶξιν ὅλην ⲭ τελείαν, ἔχυσαν ἀρχὴν ⲭ μέσον ⲭ τέλος πο23. 1459 ᵃ19. 7. 1450 ᵇ24. πρόλογος (ἐπεισόδιον, ἔξοδος) μέρος ὅλον τραγῳδίας πο12. 1452 ᵇ19, 20, 21. — c. ἃ τι μικρὸν ἀλλ' ὅλον διαφέρει ⲭ πᾶν πρὸς τὴν τῆς ἀληθείας θεωρίαν Οα5. 271 ᵇ5. ἢ περὶ μερῶν ἐστιν ἡ ἀμφισβήτησις, ἀλλὰ περὶ ὅλυ τινὸς ⲭ παντός Οβ13. 294 ᵇ32. περὶ ὅλυ τινὸς ἀλλ' ὐ περὶ μέρυς ἀμφισβήτησίς ἐστιν Φθ3. 253 ᵃ34. διαμαρτάνειν τοῖς ὅλοις, opp τὰ πλεῖστα κατορθῦν Ηα8. 1098 ᵇ29. — τὰ ὅλα τῶν θερμῶν ὑδάτων ἁλμυρὰ πκδ18. 937 ᵇ22. — d. logice. τὸ ἐν ὅλῳ εἶναι ἕτερον ἑτέρῳ ⲭ τὸ κατὰ παντὸς κατηγορεῖσθαι θατέρυ θάτερον ταὐτόν ἐστιν Αα1. 24 ᵇ27 (Trdbg Elem § 24). cf 4. 25 ᵇ33, 34. γ15. 79 ᵃ37. ἐν ὅλῳ εἶναι, cf ὑπό τι εἶναι Αβ1. 53 ᵃ21, 17, 25. καθόλυ τινὶ τῷ ὅλῳ εἶναι Αβ20. 66 ᵇ16. — ὅλῳ τινὶ ὑπάρχειν i q παντὶ τινὶ ὑπάρχειν Αβ3. 56 ᵃ28, 29. 22. 68 ᵃ16, 18. 2. 54 ᵇ25, 29, 55 ᵃ37. γ16. 80 ᵃ40 sqq. — πρότασις ὅλη ψευδής, opp ἐπί τι ψευδής, syn ἐναντία Αβ2. 53 ᵇ29, 54 ᵃ4. γ16. 80 ᵃ27 sqq. ὅλη ἀπόφασις 176 ᵇ19. πρότασις ὅλη ἀληθής Αβ2. 54 ᵃ28. 4. 56 ᵇ39, 57 ᵃ7. — κατὰ λόγον τὸ συμβεβηκὸς τῷ ὅλῳ πρότερον, οἷον τὸ μυστικὸν τῦ μυστικῦ ἀνθρώπυ Μδ 11. 1018 ᵇ34. στέρησις μὴ τῷ ὅλῳ λόγῳ, τῦ τελευταίῳ δὲ εἴδει Μκ3. 1061 ᵃ23. cf ὁ λόγος ὁ τῦ ὅλυ Φδ3. 186 ᵇ25. — τὸ καθόλυ ⲭ τὸ ὅλως λεγόμενον ὡς ὅλον cf ὁ ὅτως ἐστὶ καθόλυ Μδ 26. 1023 ᵇ30. τὸ ὅλον κατὰ τὴν αἴσθησιν γνωριμώτερον, τὸ δὲ καθόλυ ὅλον τί ἐστιν Φα1. 184 ᵃ24. — e. ἔνησις ἐστι τὸ μὲν ὅλον πέψις, λέγεται δὲ τύνομα κυρίως μόνον ἐπὶ τῶν ἐψομένων μδ 3. 380 ᵇ13. ex eiusmodi usu repetendum videtur, quod τὸ ὅλον prope adverbii loco usurpatum significet 'omnino'. ὥσει ἡ πληγή, τῦ δὲ ὅλον ἀφῇ μδ 9. 386 ᵃ20. πίθηκος κέρκον ὐκ ἔχει, πλὴν μικρὰν τὸ ὅλον, ὅσον σημείυ χάριν Ζιβ8. 502 ᵇ22. ⲭ τὸ ὅλον δὲ φίλυπνοι οἱ ἀδηλόφθειρίοι υ3. 457 ᵃ22. frequens hic usus apud auctorem Mor Magn (Ramsauer Arist Mor Magn p 7), cf τὸ ὅλον, ⲭ τὸ ὅλον δέ ημα1. 1183 ᵃ7. β3. 1200 ᵃ30. 6. 1202 ᵃ37. 7. 1204 ᵇ20, 1206 ᵃ24. (α1. 1181 ᵇ27?). τὸ γὰρ ὅλον ημα35. 1198 ᵃ28. πν5. 483 ᵃ33. ὅλον δέ π14 6. 896 ᵃ15. — f. δι' ὅλη, cf διόλυ. κέρατα δι' ὅλων στερεά Ζμγ2. 663 ᵇ12. Ζιβ1. 500 ᵃ6. τὰ μὲν ξύλα ἀθρόον ἔχει τὸ ὑγρὸν ⲭ δι' ὅλυ συνεχές μδ 9. 387 ᵇ28. ἐν τῷ νίτρῳ δι' ὅλυ οἱ πόροι, opp παραλλὰξ μδ 9. 385 ᵇ24, 25. — (εἰ γὰρ τὴν ὅλην ὁρᾷ ⲭ αἰσθάνεται τὸν συνεχῆ ἀεὶ χρόνον) λέγεται τῦ ὅλυ αἰσθάνεσθαι αι7. 448 ᵃ4, 10, non satis apparet, quod nomen ad τὴν ὅλην supplendum sit. — ὅλως, 1. ab enumeratis singulis rebus transitum parat ad universum genus, veluti ὀργίζεσθαι, θαρρεῖν, ἐπιθυμεῖν, ὅλως αἰσθάνεσθαι ψα1. 403 ᵃ7. θυμὸς ⲭ ἐπιθυμία ⲭ ὅλως ὄρεξις αι1. 436 ᵃ9. περὶ καλῶν ⲭ δικαίων ⲭ ὅλως τῶν πολιτικῶν Ηα2. 1095 ᵇ5. cf sim ε9. 19 ᵃ9. Αα13. 32 ᵇ7, 12. 23. 40 ᵇ28, 41 ᵃ2. τα12. 105 ᵃ15. εδ. 131 ᵃ14, 21. Φδ3. 210 ᵃ16, 18, 19, 21, 22, 23, 24. μδ12. 389 ᵇ20. ψβ1. 412 ᵇ7. Ζια1. 486 ᵇ8. Μδ 2. 1013 ᵇ24. 12. 1067 ᵃ15. ρζ2. 1412. 1102 ᵇ30. Ρβ2. 1379 ᵃ10. ατ968 ᵃ1. in principio enunciationum positum legitur ὅλως τε, ὅλως δὲ, ⲭ ὅλως δὴ, ubi ad propositionem vel rationem magis generalem transitur ψα5. 410 ᵇ8. μα5. 342 ᵇ18. β3. 357 ᵇ10. 5. 361 ᵇ24. Πε4. 1304 ᵃ33. synonymum esse ὅλως et καθόλυ ipse Ar significat ὡς πολλὰ περιέχον κτλ Μδ 26. 1023 ᵇ29, cf Αγ31. 88 ᵃ2.

inde cum negatione vel cum verbis negativis coniunctum significat 'prorsus non', μὴ ὄντος ὅλως τῦ Σωκράτης Κ10. 13 ᵇ19, 20, 25. τὰ δ᾽ ὅτ᾽ ἐξ ἀνάγκης ὅθ᾽ ὑπάρχει ὅλως, ἐνδέχεται δ᾽ ὑπάρχειν Αα8. 29 ᵇ31. πλοῖον σπιθαμιαῖον ὐκ ἔσται πλοῖον ὅλως Πη4. 1326 ᵃ41. cf sim Κ5. 2 ᵇ1, 3. 6 6 ᵃ24. Αα19. 38 ᵇ23. β7. 59 ᵃ2. 8. 59 ᵇ15, 41. 16. 64 ᵇ30. γ3. 72 ᵇ8. Φθ2. 252 ᵇ9. Οα5. 272 ᵇ12. 7. 274 ᵇ29. Γα3. 317 ᵇ11. μβ6. 378 ᵃ9. Ζια5. 490 ᵃ30. 9. 491 ᵇ29. β2.501 ᵇ6. 17. 508 ᵇ22. Πδ9. 1294 ᵇ40 al. ὐδ᾽ ὅλως f 299. 1529 ᵇ16, et opponitur ὅλως iis formulis, quibus praedicatum aliquod ad angustiorem ambitum restringitur, dist ὡς ἐπὶ τὸ πολύ Αγ14. 79 ᵃ21. ὅλως ἄνισος. opp κατά τι ἄνισος sim Πγ9. 1280 ᵃ23, 24. ε1. 1301 ᵃ31, ᵇ37 (syn ἁπλῶς ᵃ30, 33). τζ12. 149 ᵇ5. Μμ9. 1086 ᵃ14. Ηζ7. 1141 ᵃ13. ὅλως γνωστόν, ἀγαθόν, opp τινί sim Μζ4. 1029 ᵇ11, 6. δ4.1015 ᵃ8. Α2. 982 ᵇ6. ὅλως, opp πῶς Πβ5. 1263 ᵃ26. opp τὶς Ηγ4. 1111 ᵇ34. cf Ζιζ20. 575 ᵃ10. opp τοδὶ Μζ8. 1033 ᵇ26 Bz. λ5. 1071 ᵃ23 (syn ἁπλῶς). δ2. 1014 ᵃ12. ν1. 1088 ᵃ26. opp ἐν ἑνί ψγ5. 430 ᵃ21. 7. 431 ᵃ2. ὅλως διατελεῖν, opp διὰ χρόνον τινὰ εν3. 462 ᵇ1. cf Ζια1. 487 ᵃ2. 20 ὅλως ἀποδέδοται ἴδιον, dist καλῶς ἀποδέδοται sim τε4. 132 ᵃ23, 26. Ρβ2. 1379 ᵃ37. 19. 1392 ᵃ14. α7. 1363 ᵇ24, 25. ἁπῶσαι ὅλως, dist προωθεῖν, συστέλλειν μβ8. 368 ᵇ2. ὅλως οἴεσθαι, opp ἕνεκά γε τῦ λόγῳ Αγ6. 74 ᵇ20. ἀδυναμία ἢ ὅλως ἢ τῦ πεφυκότι ἔχειν Μδ12. 1019 ᵇ17. ὅλως ὑπάρ- 25 χειν, dist ἐξ ἀνάγκης ὑπάρχειν Αα8. 29 ᵇ31. ὅλως φθαρῆναι κ̣ μὴ ἀνακάμπτειν Οα10. 280 ᵃ23. ὅλως (i e πάντως) χρήσιμον τθ1. 156 ᵇ24. prope accedere apparet ὅλως ad usum voc ἁπλῶς, cf τὸ διαιρετὸν ὅλως Γα8. 326 ᵃ28. ὁ πεπαιδευμένος ὅλως Ζμα1. 639 ᵃ7. inde fort explicationem habet 30 ἡ μὲν ὕτως ἔντιν ὐσία σὺν τῇ ὕλῃ συνειλημμένος ὁ λόγος, ἡ δ᾽ ὁ λόγος ὅλως Μζ15. 1039 ᵇ22. — 2. sed potest idem ὅλως indefinitam universalitatem significare (cf ἁπλῶς 2): ὐκ ἀφθαρτότερα ὅλως (i e καθόλυ, ἁπλῶς) τῶν ζῴων ... ὅλως δὲ (i e in universum, ὡς ἐπὶ τὸ πολύ coll ᵃ14) τὰ 35 μακροβιώτατα ἐν τοῖς φυτοῖς ἐστιν μκ4. 466 ᵃ9, 3. ὅλως, opp ἐν λόγῳ, κατὰ λόγον αι3. 439 ᵇ29, 440 ᵃ14. — ὅλως εἰπεῖν, ὅλως δ᾽ εἰπεῖν, ὡς ὅλως εἰπεῖν Φγ3. 202 ᵇ19. φ5. 810 ᵃ8. 6. 814 ᵃ9, ᵇ7. ηεη12. 1245 ᵃ3. ὡς εἰπεῖν ὅλως Ζιθ 19. 601 ᵇ26. 40

ὁλοτελὴς κ̣ διηνεκής ἐστιν ὁ κόσμος φτα2. 817 ᵇ38.

ὁλότης. ὡς ὕσης τῆς ὁλότητος ἐνότητός τινος Μδ 26. 1023 ᵇ36. — ἐν τῇ οἰκείᾳ ὁλότητί εἰσι χλοάζοντα τὰ φυτὰ φτα5. 820 ᵇ19.

ὁλοφυής. τὰ πρανῆ τῦ σώματος κ̣ τὰ ὕπτια, κ̣ τὰ τῦ κα- 45 λυμένυ θώρακος ἐπὶ τῶν τετραπόδων, ὁλοφυής ὁ τόπος ἐπὶ τῶν ὀρνίθων ἐστὶν Ζμδ12. 693 ᵃ25.

ὁλοφυρτικός Ηθ8. 1125 ᵃ9.

ὁλόχροος. ὁλόχροα λέγω ὧν τὸ σῶμα ὅλον τὴν αὐτὴν ἔχει χρόαν Ζγε6. 785 ᵇ19, 27. 50

Ὀλυμπία. θεωρία εἰς Ὀλυμπίαν f 403. 1545 ᵇ20. ἡ ἐν Ὀλυμπίᾳ ἐλαία θ51. 834 ᵃ21. Ὀλυμπίᾳ νικᾶν πλ7. 956 ᵃ19. — Ὀλυμπίασι θ51. 834 ᵃ17. Ὀλυμπίασι νικᾶν, στεφανῦσθαι Πβ12. 1274 ᵃ34. Ηα9. 1099 ᵃ3. κεχρημένος Ὀλυμπίασιν Ρβ23. 1398 ᵇ33. δ Ὀλυμπίασι δίσκος f 490. 55 1558 ᵃ17. — Ὀλυμπιακὸς ἀγών f 594. 1574 ᵇ33. ἡ Ὀλυμπιακὴ ἐκεχειρία f 490. 1558 ᵃ15.

Ὀλύμπια Φγ6. 206 ᵃ24. μετὰ τὰ Ἴσθμια Μα2. 994 ᵃ23. τὰ Ὀλύμπια νικᾶν, τὰ Ὀλύμπια στεφανίτης Ηη6. 1147 ᵇ36. Ρα2. 1357 ᵃ20, 21. f 527. 1565 ᵃ9. 60

Ὀλυμπίας ventus μβ6. 363 ᵇ24. κ4. 394 ᵇ26. σ973 ᵇ21.

f 238. 1522 ᵃ5.

Ὀλυμπικὸς λόγος Γοργίυ Ργ14. 1414 ᵇ31.

Ὀλύμπιον. τῦ Ὀλυμπίυ ἡ οἰκοδόμησις Πε11. 1313 ᵇ23.

ὀλυμπιονίκης. τὸ ἐπίγραμμα τῷ ὀλυμπιονίκῃ Ρα7. 1365 ᵃ25. 9. 1367 ᵇ18. ἐν τοῖς ὀλυμπιονίκαις Πθ4. 1339 ᵃ1.

Ὀλύμπιος. καλέυσιν Ὀλύμπιοι (Pind fr 73) Ρβ24. 1401 ᵃ18.

Ὄλυμπος. Ὀλύμπυ μέλη Πθ5. 1340 ᵃ9.

Ὄλυμπος Πιερικὸς σ973 ᵇ22. f 238. 1522 ᵃ6.

Ὄλυμπος ἐτύμως καλεῖται οἷον ὁλολαμπής κ6. 400 ᵃ7.

Ὄλυνθος θ120. 842 ᵃ5. ἡ Χαλκὶς τὰς ὑπὸ Ὀλύνθῳ πόλεις συνῴκισε f 560. 1570 ᵃ44. — Ὀλύνθιοι οβ1350 ᵃ12, 18. Ὀφέλας Ὀλύνθιος οβ 1353 ᵃ5. — Ὀλυνθιακὸς πόλεμος Ργ10. 1411 ᵃ6.

ὁμαδός. συρίγγων θ᾽ ὁμαδόν (Hom Κ 13) πο25. 1461 ᵃ19.

ὁμαλὴς κίνησις, ἧς τὸ αὐτὸ τάχος, opp ἀνώμαλος Φε4. 228 ᵇ28, 16. Οβ4. 287 ᵃ24. 6. 288 ᵃ13. κυκλοφορία ὁμαλὴς Φθ14. 223 ᵇ19. ἀλλοίωσις ὐδ᾽ αὔξησις ὐδὲ γένεσις ὐκ εἰσὶν ὁμαλεῖς Φθ14. 223 ᵇ21. cf θ10. 267 ᵇ4. ἀτμὶς ἐὰν ὁμαλὴς κ̣ μικρομερὴς συνιστὰμένη τύχῃ μγ3. 372 ᵇ17. νέφραις ὐχ ὁμαλεῖς Ζμγ9. 671 ᵇ7. — περίπατοι ἐν τοῖς ὁμαλέσι πε1. 880 ᵇ15. ἐν τοῖς ὁμαλέσι τοῖς ἑλώδεσιν πκς58. 947 ᵃ17. πεσεῖν εἰς ὁμαλές, opp εἰς τὰ πλάγια πις4. 913 ᵇ9, 12. — de musica τὸ ὁμαλὲς ἔλαττον γοῶδες, opp τὸ ἀνώμαλες πιθ6. 918 ᵃ12.

ὁμαλίζειν. trans, τὰς ἐπιθυμίας, τὰς ὐσίας ὁμαλισθῆναι, τῆς κτήσεως ὡμαλισμένης Πβ7. 1266 ᵇ38, 3, 1267 ᵇ5. 9. 1270 ᵃ39. τεκνοποιία ὁμαλισθησομένη εἰς τὸ αὐτὸ πλῆθος διὰ τὰς ἀτεκνίας Πβ6. 1265 ᵃ40. — intr, διὰ τὸ τὴν τῦ θερμῦ φορὰν ὁμαλίζειν ἐπὶ τὸ πρόσθεν κ̣ ὄπισθεν πι54. 897 ᵃ15. — trans an intr πν4. 482 ᵇ27?

ὁμαλός. κίνησις ὁμαλή, ἀδύνατον ὁμαλὴν εἶναι κίνησιν μὴ ἐπὶ ὁμαλῷ μεγέθει Μμ4. 1078 ᵃ13. Φθ14. 223 ᵃ1. ε4. 228 ᵇ23, 229 ᵃ3. φέρεσθαι ἐφ᾽ ὁμαλῦ οἷον κύκλῳ ἢ εὐθείας Φε4. 228 ᵇ20. ὡς εὐθὺ ἐν μεγέθει, ὕτως ἐν πλάτει τὸ ὁμαλὸν Μν6. 1093 ᵇ20. βαδίζειν ἐν τοῖς ὁμαλοῖς ἢ ἐν τοῖς ἀνωμάλοις, τὴν ὁμαλὴν ὁδὸν ἢ τὴν ἀνώμαλον πε10. 881 ᵇ18. 23. 883 ᵃ22. — ὐσίαι ὁμαλώτεραι Πε8. 1309 ᵃ26. χρῶμα ὁμαλόν φε. 812 ᵇ11. ὁμαλὸς ἢ πυκνὸς ὁμοίως πν6. 377 ᵇ16. φωνὴ ὁμαλή Ζιη1. 581 ᵃ19. — τὸ ὁμαλὸν τὸ περὶ τὰ ἤθη πο15. 1454 ᵃ26. — ὁμαλῶς κινεῖσθαι Φζ7. 238 ᵃ21. ε4. 228 ᵇ19. τὰ ἐντὸς κ̣ τὰ ἐκτὸς ὁμαλῶς θερμαίνειν μδ3. 381 ᵃ31. — κ̣ τὸ ἀνώμαλον ἦθος ὁμαλῶς ἀνώμαλον δεῖ εἶναι πο15. 1454 ᵃ27.

ὁμαλότης ἐνόπτρυ μγ6. 377 ᵇ17. ἡ ὁμαλότης μορφὴ γαλήνης Μη3. 1043 ᵃ26. ἀκρόπολις ὀλιγαρχικόν, δημοκρατικὸν δ᾽ ὁμαλότης Πη11. 1330 ᵇ20. — ὁμαλότης τῆς ὐσίας Πβ7. 1266 ᵇ15. ε9. 1309 ᵇ39. — εἰ ὑγιὲς ἔσται, δεῖ ὑπάρξαι ὁμαλότητα Μζ7. 1032 ᵇ7 (cf ὁμαλύνειν).

ὁμαλύνειν. ἀφαιρῦντα τὲς ὑπερέχοντας τῶν σταχύων ὁμαλῦναι τὴν ἄρυραν Πγ13. 1284 ᵃ30. — θερμότης ἐλάττων ἢ ὥστε ὁμαλῦναι κ̣ συμπέψαι μδ3. 381 ᵃ20. εἰ ὑγιανεῖ, δεῖ ὁμαλυνθῆναι Μζ7. 1032 ᵇ19.

Ὀμβρικοί. ἐν Ὀμβρικοῖς μβ3. 359 ᵃ35. παρὰ τοῖς Ὀμβρικοῖς θ80. 836 ᵃ19.

ὄμβριος. ὕδωρ ὄμβριον μα13. 349 ᵇ11. β7. 365 ᵇ2. Ζιζ14. 569 ᵇ16. 16. 570 ᵃ9. Ζγγ11. 762 ᵃ11. ὄμβρια ὕδατα Πη 11. 1330 ᵇ6. τὸ ὄμβριον (i q τὸ ὄμβριον ὕδωρ) Ζιθ19. 601 ᵇ11.

ὄμβρος. καταπύθεται ὄμβρῳ (Hom Ψ 328) πο25. 1461 ᵃ23.

ὄμβρος, ὄμβρον (Emp 354, 360) αν7. 473 b20, 26. — ὄμβρος πῶς γίνεται μγ1. 370 b16. x4. 394 a27. 2. 392 b10. πκς26. 942 b36, 943 a3. ὄμβρος et ἄνεμος alternant inter se μβ4. 360 b26sqq. μέγας χειμὼν ⟨κ⟩ ὑπερβολὴ ὄμβρων μα14. 352 a31. ὄμβροι ὡραῖοι μβ4. 360 b13, θερινοί Ζ.θ19. 601 b24.

ὀμηρεῖν. ἔτι νήπιος ὢν Ὅμηρος ἔφη ⟨κ⟩ αὐτὸς βύλεσθαι ὀμηρεῖν f 66. 1487 a11.

Ὁμηρικοί. οἱ ἀρχαῖοι Μν6. 1093 a27 (cf Sengebusch Disp Hom I p 207). Ὁμηρικὸς ὁ Ἐμπεδοκλῆς ⟨κ⟩ δεινὸς περὶ τὴν φράσιν f 59. 1485 b8.

Ὅμηρος ε11. 21 a25, 27, 28. eius aetas Φδ12. 221 b32. μα14. 351 b35. τῶν πρὸ Ὁμήρ⟨ου⟩ ὐδενὸς ἔχομεν εἰπεῖν τοιῦτον ποίημα, εἰκὸς δὲ εἶναι πολλὺς πο4. 1448 b28. Ὅμηρος Ἰήτης f 66. 1487 a35, 32. de Homeri vita f 66. Χῖοι Ὅμηρον ὡς ὄντα πολίτην τετιμήκασιν Ρβ23. 1398 b12. Ἀθηναῖοι Ὁμήρῳ μάρτυρι ἐχρήσαντο περὶ Σαλαμῖνος Ρα15. 1375 b30. Ὅμηρος ἐμιμεῖτο τὰς ἀρχαίας πολιτείας Ἡγ5. 1113 a8. τοιαῦτα ποιεῖ, οἷα ἦν τότε f 154. 1504 a23. Ἀχιλλέα Ὅμηρος προέκρινεν Ρα6. 1363 a19. quid de Menelao, de Hercule narret f 172. 1506 b20. 157. 1504 b20. de Homeri poesi iudicia πο2. 1448 a11. 3. 1448 a22, 26. 4. 1448 b34. 8. 1451 a23. 15. 1454 b14. 23. 1459 a31. 24. 1460 a5, 19, 35. ὐδὲν κοινὸν Ὁμήρῳ ⟨κ⟩ Ἐμπεδοκλεῖ πλὴν τὸ μέτρον πο1. 1447 b18. ἡ τῦ Ὁμήρου ποίησις σχῆμά τι 10. 171 a10 coll Αγ12. 77 b32. Ὁμήρου λέξις Ργ11. 1411 b31. πο24. 1459 b13. τθ1. 157 a15. f 129. 1500 a22, 25, 27. Ὁμήρου Μαργίτης Ἡζ7. 1141 a14. πο4. 1448 b30. Ξενοφάνης Ὁμήρῳ ἐφιλονείκει f 65. 1486 b30. — versus Homerici afferuntur vel respiciuntur (ubi ipsum Homeri nomen additum est, loco Aristotelico arteriscum * apposui; ubi verba Aristotelica a tradito per libros mscrr et scholia antiqua textu discedunt, versui Homerico signum crucis † addidi. cf Wachsmuth de Aristot studiis Homericis). Α1. Ργ. 1415 a15. πο19. 1456 b16. — Α50. πο25. 1461 a10. — Α82†. Ρβ2. 1379 a5. — Α255. Ρα6. 1362 b35. — Α356. Ρβ2. 1378 b32. — Α470 al. f 108. 1495 b9, 21*. — Α499. Ε754. Θ3. x6. 397 b26 (ὁ ποιητής). — Α527. f 157. 1504 b18*. — Α544 et saepe Πα12. 1259 b13*. Ηθ1. 1160 b6*. — Β15†. τι4. 166 b7. ποι25. 1461 a22. — Β160. Ρα6. 1363 a5. — Β196†. Ρβ2. 1379 a4. — Β204. Μλ10. 1076 a4. Πδ4. 1292 a13*. — Β226-228. f 172. 1506 b32*. — Β243. 772. Δ413. Ηθ13. 1161 a14*. — Β272. πο21. 1457 b11. — Β298. Ρα6. 1363 b35. — Β372. Πγ16. 1287 b14. — Β391†, 393†. Ηγ11. 1116 a34. Πγ14. 1285 a10*. — Β546. f 346. 1536 a39*. — Β554. f 13. 1476 a22. — Β671-673. Ργ12. 1414 a2*. Γ6. Ζιθ12. 597 a6. — Γ24. Ηγ13. 1118 a22. — Γ298-300. f 143. 1502 b4, 14. — Γ454. f 146. 1503 a9*. — Δ65-67. f 143. 1502 b16*. — Δ126. Ργ11. 1411 b35*. — Δ297, 298. f 13. 1476 a17. — Ε75. πθ9. 890 b9 (ὁ ποιητής). — Ε393. πο21. 1458 a7. — Ζ200†, 201sq. πλ1. 953 a23*. — Ζ236. Ηε11. 1136 b9*. — Η64†. πκγ23. 934 a15*. — Η111. f 151. 1503 b9*. — Η315. τ420. Ζιζ21. 575 b5*. — Θ20, 21, 22†. Ζχ4. 699 b36*. — Θ83†. 84. Ζγε5. 785 a15*. — Θ148. Ηγ11. 1116 a25*. — Ι63. Πα2. 1253 a5*. — Ι203. πο25. 1461 a14. — Ι319. Πβ7. 1267 a1. — Ι385, 388-390. Ργ11. 1413 a31-34. — Ι526. Ργ9. 1410 a29. — Ι539† contaminatus cum ι190, 191†. Ζιζ28. 578 b1*. — Ι592-594†. Ρα7. 1365 a13-15. — Ι648. Π59. Ρβ2. 1378 b33. Πγ5. 1278 a37*. — Κ1†

(contaminatus cum Β1), 2. πο25. 1461 a16. — Κ11, 13†. πο25. 1461 a18. — Κ152, 153. πο25. 1461 a2. — Κ224. Ηθ1. 1155 a15. Πγ16. 1287 b14. — Κ252. πο25. 1461 a26. — Κ316. πο25. 1461 a12. — Κ332†. f 143. 1502 b6*. — Κ457. χ329. Ζμγ10. 673 a15*. — Λ542, 543† (deest in codd Hom) Ρβ9. 1387 a34, 35. — Λ554. Ρ663. Ζιι44. 629 b22*. — Λ574. Ργ11. 1411 b35*. — Μ243. Ρβ21. 1395 a13. — Ν 546, 547. Ζιγ3. 513 b26*. — Ν587† (?). Ργ11. 1411 b34*. — Ν799. Ργ11. 1412 a7*. — Ξ214, 217†. Ηη7. 1149 b16, 17*. — Ξ291. Ζιι12. 615 b9*. — Ο192. x6. 400 a19. — Ο542. Ργ11. 1412 a1*. — Π851 resp f 12. 1476 a1*. — Π265. πο22. 1458 b31. — Σ107†. ηεη1. 1235 a26. — Σ109, 110. Ρβ2. 1378 b5. a11. 1370 b11*. — Σ309. Ρβ21. 1395 a15. — Σ376. Πα4. 1253 b37 (ὁ ποιητής). — Σ489. ε275. πο25. 1461 a20. — Τ74. Ζιγ12. 519 a19*. — Τ234. πο25. 1461 a30. — Τ272†. πο25. 1461 a33. — Φ592. πο25. 1461 a28. — Χ100. Ηγ11. 1116 a22*. ημα20. 1191 a8*. ηεη1. 1230 a20*. — Χ205 resp πο24. 1460 a16. — Χ359 resp f 12. 1476 a3*. — Ψ108. δ183. Ρα11. 1370 b20. ι7, 8. Πθ3. 1338 a29*. — ι114, 115. Ρα2. 1252 b22*. Ηx10. 1180 a28. — ι504. Ρβ3. 1380 b23. — ι515. πο22. 1458 b25. — x19. Ζιζ21. 575 b6*. — λ598†. Ργ11. 1411 b33*. — μ67, 68. θ105. 839 b33, 34 (ὁ ποιητής). μ219, 220. Ηβ4. 1109 a31*. — μ374, 375†. f 144. 1502 b25*. — ξ214. Ργ10. 1410 b14. — ο400, 401†. Ρα11. 1370 b5. — ρ218. Ρα11. 1371 b16. Ηθ2. 1155 a34. ημβ11. 1208 b10†. ηεη1. 1235 a6. — ρ327. Ζιζ20. 574 b33*. ρ385†. θ3. 1338 a26*. — ρ420. τ76. Ηδ4. 1122 a27. τ136. ψγ3. 427 a25*. — τ122†. πλ1. 953 b12*. — τ361. Ργ16. 1417 b5*. — υ71. πι36. 894 b34*. — υ259. πο22. 1458 b29. — χ347. Ρα7. 1365 a30. — ω319†. Ηγ11. 1116 b28. — vocabula Homerica afferuntur: ἀρητήρ πο21. 1457 b35. πεπνυμένος Ηγ7. 1234 a2*. ἐλκεσίπεπλος, βαθυκόλπης θ109. 840 b16 (ὁ ποιητής). — aliquoties errori memoriae videtur tribuendum esse, quod versus Homerici paullo aliter, ac nobis traditi sunt, afferuntur, cf Wachsmuth l 1 p 12sqq. ὡς δὲ λέων ἐπόρυσε Ργ4. 1406 b21, fort resp Τ164. — σθένος ἔμβαλε θυμῷ Ηγ11. 1116 b27*, cf μένος ἔμβαλε θυμῷ Π529 et σθένος ἔμβαλ' ἑκάστῳ καρδίῃ Λ11. Ξ151. — μένος ⟨κ⟩ θυμὸν ἔγειρε Ηγ11. 1116 b28*, cf ἔγειρε μένος μέγα Ο232, 594. — sed afferuntur etiam versus Homerici, qui in hodierno textu desunt (cf Sengebusch Disp Hom I 72). Λ543 qui deest in codd Ρβ9. 1387 a35. πὰρ γὰρ ἐμοὶ θάνατος (post Β 393) Πγ14. 1285 a14*. ἀλλ' οἷον μέν ἐστι καλεῖν ἐπὶ δαῖτα θαλείην Πθ3. 1338 a25*. Ἕκτωρ κεῖτ' ἀλλοφρονέων ψα2. 404 a29. Μνγ5. 1009 b28. Ἕκτορα δ' αἰδὼς εἷλε ηεη1. 1230 a19. ἔζεσεν αἷμα Ηγ11. 1116 b29. χαλκῷ ἀπὸ ψυχὴν ἀρύσας (cf Ω 754) πο21. 1457 b13 (?). τεμὼν ἀτειρέι χαλκῷ (cf Ε 292) πο21. 1457 b14 (?). Vahlen Poet III 248.

μῦσεν δὲ περιβροτόεσσα ὠτειλή f159. 1505 ᵃ1. — ἀπορή-
ματα Ὁμηρικά Aristotelis (cf Ἀριστοτέλης περὶ Ὁμήρυ
ἀκροασομένυς f107. 1495 ᵃ21), quae in fragmentis collecta
sunt, ad hos pertinent versus Homericos. B 53 f 137.
B 169 f 138. B 183 f 139. B 305sqq f 140. B 649 f 141. 5
Γ 236 f 142. Γ 276sqq f 143. Γ 277 f 144. Ι 441 f 145.
Δ 88 f 146. Δ 297 f 147. Ε 577 f 138. Ε 741 f 148.
Ε778 f 149. Ζ 234 f 150. Η 93 f 151. Η 228 f 152. Ι 17
f 153. Κ 98 f 154. Κ 153 f 155. Κ 252 f 156. Τ 108
f 157. Ψ 239 f 138. Ψ 296 f 174. Ω 15 f 158. Ω 420 10
f 159. Ω 569 f 160. ᵟ48 f 175. ᵟ356 f 161. ε 93 f 162.
ε 334 f 163. θ 449 f 175. ι 106 f 164. ι 333 f 165. ι 525
f 166. μ 128sq f 167. ν extr f 168. ρ 326 f 169. ψ 337
f 170. cf Wachsmuth 11 p 20sqq.

ὁμιλεῖν τινί. ὗτω τοῖς ἀνίσοις ὁμιλητέον Ηθ 16. 1163 ᵇ13. 15
πρός τινα. τίνα τρόπον δεῖ πρὸς τὰς περιοίκυς ὁμιλῆσαι Πβ9.
1269 ᵇ8. ὁμιλεῖν πρός τινα (dialectice, cf ἔντευξις) ἐκ τῶν
οἰκείων δογμάτων τα 2. 101 ᵃ32. non addito obiecto per-
sonae ὁμοίως ὁμιλεῖν (de κοινωνία πολιτική) Πγ9. 1280 ᵇ29.
ταπεινῶς ὁμιλεῖν Πε 11. 1313 ᵇ41. ὁμιλεῖν πρὸς τἀγαθόν, 20
πρὸς ἡδονήν Ηκ2. 1173 ᵇ33. ὁμιλεῖν ἅπαντα πρὸς τὰς ἐπι-
θυμίας ηεγ7. 1233 ᵇ31. — de coitu αἷς ἂν ὁμιλήσωσι
πδ 10. 877 ᵇ10.

ὁμιλητικοί ηεη 2. 1238 ᵇ12.

ὁμιλία. ὑπεριδὼν τὴν πολλῶν ὁμιλίαν Ρβ 24. 1401 ᵇ21. αἱ 25
τῶν ἀνθρώπων, τῶν πραγμάτων ὁμιλίαι Πη 17. 1336 ᵇ32.
ὁμιλίαι, coni συζήν, λόγων ꭓ πραγμάτων κοινωνεῖν Ηδ 12.
1126 ᵇ11, 31. θ7. 1158 ᵃ3. ι12. 1172 ᵃ11. ἴδιαι ὁμιλίαι,
opp κοιναὶ δημηγορίαι ρ2. 1421 ᵇ14, 18. ὁμιλία τις ἐμμε-
λὴς Ηδ 14. 1127 ᵇ34. — ὁμιλία coitus (et de hominibus 30
dicitur et de animalibus) Πε10. 1311 ᵇ20. Ζγβ7. 747 ᵃ15.
πδ11. 877 ᵇ16. 17. 878 ᵇ20. ι10. 891 ᵇ34. λ1. 954 ᵃ1. ἴδιαι
φωναὶ (τῶν ζῴων) πρὸς τὴν ὁμιλίαν ꭓ τὸν πλησιασμόν Ζιδ 9.
536 ᵃ14. ἡ ὁμιλία (αἱ ὁμιλίαι) ἡ τῶν ἀφροδισίων Ζιη1. 582
ᵃ26. 2. 583 ᵃ10. Ζγα18. 723 ᵇ33. ὀργᾶν πρὸς τὴν ὁμιλίαν 35
Ζιε8. 542 ᵃ32. Ζγγ1. 751 ᵃ18. ἐπιθυμία τῆς ὁμιλίας Ζιη1.
581 ᵇ21. γυναῖκες ἀκρατεῖς πρὸς τὴν ὁμιλίαν Ζγδ 5. 774 ᵃ3.
ἡ ἐν τῇ ὁμιλίᾳ (περὶ τὴν ὁμιλίαν) ἡδονή Ζγα 19. 727 ᵇ9.
β4. 739 ᵃ30. ἡ τῶν ἀρρένων, τῶν γυναικῶν ὁμιλία Πβ9.
1269 ᵇ29. αἱ πρὸς τὴν ἡλικίαν ὁμιλίαι Πε11. 1315 ᵃ22. 40
ποιεῖσθαι τὴν ὁμιλίαν Ζιε8. 542 ᵃ21, τὴν γαμικὴν ὁμιλίαν
Πη16. 1335 ᵇ38, 32. ἅπτεσθαι τῆς ὁμιλίας πδ 29. 880 ᵃ29.
ποιεῖν τὴν πρὸς τὰς ἄρρενας ὁμιλίαν (de legislatore) Πβ10.
1272 ᵃ25. ὦ παῖδες, μὴ φθονεῖθ᾽ ὥρας ἀγαθοῖσιν ὁμιλίαν
f 93. 1492 ᵇ30.   45

ὁμίχλη, νεφέλης περίττωμα τῆς εἰς ὕδωρ συγκρίσεως· ἡ
ὁμίχλη νεφέλη ἄγονος μα9. 346 ᵇ33, 35. ἔστιν ὁμίχλη ἀτμώ-
δης ἀναθυμίασις ἄγονος ὕδατος, ἀέρος μὲν παχυτέρα, νέφυς
δὲ ἀραιοτέρα κ4. 394 ᵃ19.

ὄμμα. cf ὀφθαλμός. refertur inter τὰ μόρια Ζγε1. 779 ᵇ10, 50
11, 780 ᵇ3, τὰ αἰσθητήρια Ζμβ10. 657 ᵃ3. ὦτά τε δύο ꭓ
ὄμματα Ζμβ10. 657 ᵃ3. cf Πγ16. 1287 ᵇ27. ἑκάτερον τῶν
ὀμμάτων πλα11. 958 ᵇ12. πίονα ἄμφω τυγχάνει ὄντα πάν-
των ἀεί, ἀρχός τε ꭓ ὄμματα πδ2. 876 ᵇ15. τὸ ὄμμα
ὕδατός ἐστιν αι2. 438 ᵃ16, cf ᵇ19. — 1. ὀμμάτων χώρα 55
ꭓ μέρη. ἡ χώρα τῶν ὀμμάτων Ζια8. 491 ᵇ31. δ8. 533 ᵃ6.
ὁ τόπος πδ2. 876 ᵇ11. τοῖς ὄμμασι διώρισται τὸ πρόσθιον
Ζπ14. 712 ᵇ18 (cf Plat Tim 45B). κεῖται τὰ ὦτα ἐπὶ τῆς
αὐτῆς περιφερείας τοῖς ὄμμασιν Ζια15. 494 ᵇ15. μέτωπον
τὸ ὑπὸ τὸ βρέγμα μεταξὺ τῶν ὀμμάτων Ζια8. 491 ᵇ12. 60
ἡ τῆς ὀσφρήσεως (αἴσθησις) μεταξὺ τῶν ὀμμάτων Ζμβ10.

656 ᵇ32. τὰ περὶ τὰ ὄμματα, ταπεινότερα, ῥυτιδώδη Ζιζ᷎
561 ᵇ1. φ3. 808 ᵃ28, 3. προβολὴ τῦ ὄμματος πολλή, sy
ἐπισκύνιον πρὸ τῶν ὀμμάτων Ζγε1. 780 ᵇ23, 29, 781 ᵃ4. —
τὰ ὄμματα ἔχει φράγμα (πῶμα Torstrik p XII) ꭓ ὥσπε
ἔλυτρον τὰ βλέφαρα ψβ 9. 421 ᵇ29. αἱ βλεφαρίδες τῶ
πρὸς τὰ ὄμματα προσπιπτόντων ἕνεκεν Ζμβ15. 658 ᵇ17
τὸ λευκὸν τῦ ὄμματος, τὸ ἔσχατον ὄμμα αι2. 438 ᵃ20, ᵇ9
τὸ τῦ ὄμματος δέρμα, syn τὸ ἐπὶ τῇ κόρῃ δέρμα Ζγε1
780 ᵃ32, 27. τὸ ἐντός, τὸ μέσον (Plat Tim 45C) αι2. 43᷎
ᵇ9. πλα7. 958 ᵇ34. τὸ ὑγρὸν τὸ ἐν τοῖς ὄμμασι, τῦ ὄμ
ματος τὸ ὁρατικὸν ὕδατος ὑποληπτέον Ζγβ6. 744 ᵃ20. αι2
438 ᵇ19. διὰ τίν᾽ αἰτίαν τὰ ἔχοντα τῶν ὀμμάτων πολύ τ
ὑγρὸν μελανόμματα, τὰ ἔχοντα τῶν ὀμμάτων ὀλίγον τ
ὑγρόν γλαυκά ἐστιν Ζγε1. 779 ᵇ28, 30. οἱ πόροι τῦ ὄμ
ματος αι2. 438 ᵇ14. ἡ διαστροφή ἐστι τῶν ὀμμάτων αι
τὸ ἀρχὴν ἔχειν τὰς σφαίρας πλα7. 958 ᵃ7.

2. ἡ τῶν ὀμμάτων διαφορά Ζγε1. 779 ᵇ13, 781 ᵃ12
εν2. 460 ᵃ7. μέγιστα Ζιζ10. 564 ᵇ32. τὰ ἐντὸς ἔχοντα τ᷎
ὄμματα ἐν κοίλῳ κείμενα, opp ἐξόφθαλμα Ζγε1. 780 ᵇ36
781 ᵃ1. ἰσχνὰ ὄμματα κατακεκλασμένα, κεκλασμένα φ3
808 ᵃ8, 9, 12. ὄμμα ὗτε λίαν ἀνεπτυγμένον ὗτε παντά-
πασιν συμμύον φ3. 807 ᵇ1. τὸ ὄμμα ἀκάλυφες ψβ9. 42᷎
ᵃ1. ἀναπεπτάμενον πλα15. 958 ᵇ1, 38. — τὰ σκαρδαμύτ-
τοντα τῶν ὀμμάτων φ3. 807 ᵇ7, 808 ᵃ1. cf 6. 813 ᵃ21.—
τὸ ὄμμα λεῖον, ψυχρὸν ꭓ ὑγρόν, ὑδαρές αι2. 438 ᵃ7. Ζγβ6
744 ᵃ13. ε 1. 779 ᵃ32. Ζμβ13. 657 ᵃ31. φ3. 807 ᵇ19
σκληρόφθαλμα Ζμβ13. 657 ᵇ34. Ζιβ2. 526 ᵃ8. ψβ9. 42᷎
ᵃ13. — ὄμματα μονόχροα, opp πολύχροα Ζγε1. 779 ᵃ30
34, ᵇ9, 3. πλα27. 960 ᵃ16. Ζια10. 492 ᵃ5. διὰ τίν᾽ αἰτίαι
τῶν ὀμμάτων τὰ μὲν γλαυκὰ τὰ δὲ χαροπὰ τὰ δ᾽ αἰγωπ᷎
τὰ δὲ μελανόμματα Ζγε1. 779 ᵇ14 (cf ᵃ34). τρία χρώ-
ματα τοῖς ὄμμασι μέλαν ꭓ αἴγωπόν ꭓ γλαυκόν πι11. 892
ᵃ2. γλαυκά Ζγε1. 779 ᵃ32, ᵇ15, 17, 30, 35. τῶν πρὸς ἄρ-
κτον οἰκύντων γλαυκὰ τὰ ὄμματα πιδ14. 910 ᵃ16. γλαυ-
κότερα τὰ ὄμματα τῶν παιδίων εὐθὺς γεννωμένων ἐστ᷎
πάντων, ὕστερον μεταβάλλει πρὸς τὴν ὑπάρχειν μέλλυσαι
φύσιν αὐτοῖς Ζγε1. 779 ᵃ26, ᵇ10, 780 ᵇ2 (Prantl de col
153). χαροπά Ζγε1. 779 ᵃ32. φ3. 807 ᵇ1, 19. αἰγωπά
Ζγε1. 779 ᵃ33. λευκά Ζιθ19. 602 ᵃ4. χλωρὰ κυφά φ3. 807
ᵇ23. μέλανα Ζγε1. 779 ᵇ18 (cf 778 ᵃ18). τὰ γλαυκὰ πυ-
ρώδη, τὰ μέλανα πλεῖον ὕδατος ἔχειν ἢ πυρός (Empedoc
sententia, cf S eclog phys II 187) Ζγε1. 779 ᵇ19. τὰ μελα-
νόμματα Ζγε1. 779 ᵇ28, 780 ᵃ1, 5. τὰ μεταξὺ τῶν ὀμμά-
των τύτων (μελανομμάτων ꭓ γλαυκῶν) τῷ μᾶλλον ἢδὴ
διαφέρει ꭓ ἧττον Ζγε1. 779 ᵇ33 (Prantl 155). — ὄμματα
ἀσθενῆ φ3. 807 ᵇ7. τὰ γλαυκὰ ἡμέρας ὑκ ὀξὺ βλέπει (ἢκ
ἔστιν ὀξυωπά) δι᾽ ἔνδειαν ὕδατος Ζγε1. 779 ᵇ17, 35, 780
ᵃ1. τὰ μέλανα νύκτωρ ὑκ ὀξὺ βλέπει δι᾽ ἔνδειαν πυρός
Ζγε1. 779 ᵇ18, 780 ᵃ1, 5. cf S eclog phys II 201. Phi-
lippson ὕλη 179. — διὰ τί ὄμμα ὑκ ἔχει διαφορὰν
τὰ δεξιὰ ꭓ τὰ ἀριστερά πλα29. 960 ᵃ30.

3. μόνον ἢ μάλιστα τῶν ζῴων ἄνθρωπος πολύχρυς τὰ
ὄμματά ἐστιν, τὰ ὄμματα ἐλάχιστον κατὰ μέγεθος διέστη-
κεν ἀνθρώπῳ τῶν ζῴων Ζια10. 492 ᵃ5. 15. 494 ᵇ15. διὰ τί
ἐλάχιστον διάστημα τῶν ὀμμάτων ὁ ἄνθρωπος ἔχει (μικρὸν
τὸ μεταξὺ τῶν ὀμμάτων κατὰ μέγεθος· πλεῖον ἀπέχει τῶν ζῴων
ꭓ μάλιστα τῶν προβάτων πι15. 892 ᵇ4, 8, 10, 13. λα27.
960 ᵃ13. διὰ τί οἱ ἄνθρωποι μόνοι τῶν ἄλλων ζῴων τὰ
ὄμματα διαστρέφονται πλα27. 960 ᵃ12, 16. ἑτερόγλαυκοι
Ζγε1. 779 ᵇ6. — τῶν ἄλλων ζῴων ἓν εἶδος τῶν ὀμμάτων,
ἐν ἐνίοις ꭓ τὰ αἰσθητήρια φανερώτατά ἐστι, τὰ μὲν τῶν

ὀμμάτων ἢ μᾶλλον Ζια10. 492 ᵃ6. ठ8. 533 ᵃ19. τῶν ἄλλων ζῴων μονόχροα τὰ ὄμματά ἐστι μᾶλλον πλα27. 960 ᵃ16. διαφέρει τὰ ὄμματα τῶν ἄλλων ζῴων πρὸς τὰ τῶν σκληροφθάλμων ψβ9. 421 ᵇ28. — τὰ τετράποδα ἔχει τὰ ὦτα ἄνωθεν τῶν ὀμμάτων Ζμβ11. 657 ᵃ13. ἀσπάλακος, ἵππυ, προβάτων Ζια8. 491 ᵇ31. ठ8. 533 ᵃ6. Ζγε1. 779 ᵇ3, ᵃ32. πι15. 892 ᵇ13. — τῶν ὀρνίθων ὑγρὰ τὰ ὄμματα ἵνα ἐξὺ βλέπωσι Ζμβ13. 657 ᵃ31. τῶν νεοττῶν ἄν τις τῆς χελιδόνος τὰ ὄμματα ἐκκεντήσῃ γίνονται ὑγιεῖς ἢ βλέπυσιν ὕστερον Ζιζ5. 563 ᵃ15. cf β17. 508 ᵇ5. in ovis gallinaceis τὰ ὄμματα μέγιστα τὸ πρῶτον, τὰ περὶ τὰ ὄμματα ἢ τὴν κεφαλὴν Ζιζ10. 564 ᵇ32. 3. 561 ᵇ1. — χαμαιλέοντος Ζιβ11. 503 ᵇ15. ἐάν τις ἐκκεντήσῃ τὰ ὄμματα τῶν ὄφεων φύεσθαι πάλιν Ζιβ17. 508 ᵇ6. — οἱ ἰχθύες ἢ τὰ ἔντομα ἢ τὰ σκληρόδερμα διαφέροντα ἔχυσι τὰ ὄμματα, σκληρόφθαλμα εἰσιν, ἀμβλύτερον βλέπυσιν Ζμβ13. 657 ᵇ31, 34, 36 (M 435). γίνεται τὰ ὄμματα αὐτῶν (κεστρέων) λευκὰ Ζιθ19. 602 ᵃ4 Aub. — τῶν ἐντόμων Ζιδ7. 532 ᵃ26. — τῶν μαλακοστράκων τὰ ὄμματα σκληρόφθαλμα Ζιδ2. 526 ᵃ8. cf Ζπ14. 712 ᵇ18-21.

4. physiologica. ἡ τῦ ὄμματος γένεσις τὸν αὐτὸν ἔχει τρόπον· ἀπὸ τῦ ἐγκεφάλυ συνέστηκεν αι2. 438 ᵇ27. τὸ ἔργον Ζικ1. 633 ᵇ27. αι2. 438 ᵃ17. ἡ διαστροφή ἐστι τῶν ὀμμάτων διὰ τὸ ἀρχὴν ἔχειν τὰς σφαίρας ἢ μέχρι τῦ στρέφεσθαι εἰς τὰ ἄνω ἢ κάτω ἢ εἰς πλάγιον· ἑκατέρα τῶν ὀμμάτων ἡ κίνησις πλα7. 958 ᵃ7. 11. 958 ᵇ12. ἔστιν ᾗ τῦτα τῦ μορίυ κίνησις ὁρασις, κινεῖσθαι ὑπὸ τῦ φωτὸς ἢ τῶν ὁρατῶν Ζγε1. 780 ᵃ4, 2. συμβαίνει μηδὲν ὁρᾶν διὰ τὴν ἔτι ὑπῦσαν κίνησιν ἐν τοῖς ὄμμασιν ὑπὸ τῦ φωτὸς εν2. 459 ᵇ11. ἀλλ' εἴτε φῶς εἴτε ἀὴρ ἐστὶ τὸ μεταξὺ τῦ ὁρωμένυ ἢ τῦ ὄμματος, ἡ διὰ τύτυ κίνησίς ἐστιν ἡ ποιῦσα τὸ ὁρᾶν αι2. 488 ᵇ4 (Prantl 148). αὐτῦ τῦ αἰσθητηρίυ ἁπτομένυ ὔτ' ἐκεῖ ὔτ' ἐνταῦθα γένοιτ' ἂν αἴσθησις, οἷον εἴ τις σῶμα τὸ λευκὸν ἐπὶ τὸ ὄμματος θείη τὸ ἔσχατον· εὔλογον τὸ σκληρόφθαλμα τῶν χρωμάτων αἰσθάνεσθαι ψβ9. 421 ᵃ13 (Prantl 155. M 435). 11. 423 ᵇ22. χωρὶς τῆς χρείας ἀγαπῶνται (αἱ αἰσθήσεις) δι' αὐτάς, ἢ μάλιστα τῶν ἄλλων ἡ διὰ τῶν ὀμμάτων ΜΑ1. 980 ᵃ23. βέλτιον τὸ ἐν ἀρχῇ συμφυέσθαι τὰ ὄμματα (?) αι2. 438 ᵃ28. τῦ ὀξὺ ὁρᾶν ἐν αὐτῷ τῷ ὄμματί ἐστιν ἡ αἰτία Ζγε1. 780 ᵇ30. ὄμμα ὐδὲν κωλύει αὐτὸ ὁρᾶν ἀκριβῶς, μὴ ἔχοντος τῦ ὀφθαλμῦ καλῶς πάντα τὰ μόρια Ζικ1. 633 ᵇ28. (τῦ ὀφθαλμῦ τὸ μέλαν ἢ μέσον) φαίνεται λεῖον κινυμένν τῦ ὄμματος διὰ τὸ συμβαίνειν ὥσπερ δύο γίνεσθαι ἢ εἰς ἓν αι2. 437 ᵇ2, 8. ἐκ ἐπὶ τὸ ἐσχάτῳ ὄμματος ἡ ψυχὴ ἢ τῆς ψυχῆς τὸ αἰσθητηριόν ἐστιν, ἀλλὰ δῆλον ὅτι ἐντὸς αι2. 438 ᵇ9. φαίνεται (τὰ φωτοκῦντα) καθεύδοντα. σημεῖον δὲ κατὰ τὰ ὄμματα ὐκ ἔστι λαβεῖν ἀλλὰ ταῖς ἀτρεμίαις ζιδ10. 537 ᵃ3.

5. pathologica. τοῖς ὄμμασι δακρύομεν πρὸς τὰ λαμπρότερα ὁρῶντες Ζικ3. 635 ᵇ21. τὸ δάκρυον εἰς ὄμματα ἀποκρίνεται· οἱ ἐπὶ τῶν ἵππων ὀχύμενοι, ὅσῳ ἂν μᾶλλον θέῃ ὁ ἵππος, τοσύτῳ μᾶλλον δακρύυσι τὰ ὄμματα, οἱ ἄνεμοι ταράττυσιν οἱ ἐξ ἐναντίας τὰ ὄμματα πδ26. 879 ᵇ4. ε13. 882 ᵃ4, 11, 37. 884 ᵇ23, 31. σκότοι πρὸ τῶν ὀμμάτων Ζιη4. 584 ᵃ3. ἀχλὺν κατὰ τῶν ὀμμάτων πολλὴν f 327. 1532 ᵇ1 cf Hom Π 344 et Σ eclog phys II 195. ὄμμα ἀχλυώδες Hippocr. τὸ γλαύκωμα ξηρότης τις μᾶλλον τῶν ὀμμάτων Ζγε1. 780 ᵃ18 (γλαυκώσιες Hippocr III 727). οἱ μύωπες (φθείρονται) ἢ τῶν ὀμμάτων ἐξυδρωμάτων, ὄμματα λευκὰ Ζιε20. 553 ᵃ15 Aub. θ19. 602 ᵃ4. ξηρὸν ποιεῖ τὸ ὄμμα ἡ

γυμνασία· πημαίνει τὰ ὄμματα ὑγρότης ὅσα πολλὴ ἐν τῷ περὶ τὴν κεφαλὴν τόπῳ· ἀποκεκαθάρθαι τὰ ὄμματα πλα14. 958 ᵇ29. 5. 957 ᵇ24. 9. 958 ᵇ5. τοῖς χρωμένοις πλείοσιν ἀφροδισίοις ἐνδιδόασι τὰ ὄμματα Ζγβ7. 747 ᵃ16. πδ2. 876 ᵃ37. cf 3. 876 ᵇ25. τὰ ὄμματα εὐλόγως ὅταν ᾖ τὰ καταμήνια διάκειται· γινομένων τῶν καταμηνίων διὰ ταραχὴν ἢ φλεγμασίαν αἱματικὴν ἡμῖν μὲν ἢ ἐν τοῖς ὄμμασι διαφορὰ ἄδηλος, ἔνεστι δέ εν2. 460 ᵃ4, 7. διὰ τί ὁ ἀφροδισιάζων ἢ ὁ ἀποθνήσκων ἀναβάλλει τὰ ὄμματα, καθεύδων δὲ καταβάλλει πδ1. 876 ᵃ32. — ἔνια ὄμματα φύονται πάλιν Ζιζ5. 563 ᵃ15. β17. 508 ᵇ5.

6. τοῖς ἐμβρύοις τὰ περὶ τὴν κεφαλὴν ἢ τὰ ὄμματα μέγιστα κατ' ἀρχὰς φαίνεται, eorum μέγεθος, διὰ τὸ ὑγρὸν τὸ ἐν τοῖς ὄμμασιν οἱ ὀφθαλμοὶ μεγάλοι φαίνονται Ζγβ6. 742 ᵇ14, 744 ᵃ14, 18, 20. μεγάλην ἔχυσι τὰ ὄμματα τὴν δύναμιν ἢ ὁ τόπος αὐτῶν πρὸς γένεσιν πδ2. 876 ᵇ11. ὀψὲ τελειῦται τὰ ὄμματα τοῖς ζῴοις Ζγβ6. 744 ᵇ3. ὕστερον ἐν ὀλίγῳ χρόνῳ ὀξλά ἐστι τὰ ὄμματα τῶν ἰχθύων Ζιζ14. 568 ᵇ4. (v supra ᵃ8-10.)

7. ὄμματα ἤθυς σημεῖα· ἀνδρεῖα, εὐφυῆς, ἀναισθήτυ, κιναλϜ, ἀθύμυ φ3. 807 ᵇ1, 19, 23, 808 ᵃ12, 8. δειλῦ φ3. 807 ᵇ7, 808 ᵃ1. 6. 813 ᵃ21. τὰ κεκλασμένα τῶν ὀμμάτων δύο σημαίνει, τὸ μὲν μαλακὸν ἢ θῆλυ, τὸ δὲ κατηφὲς ἢ ἄθυμον φ3. 808 ᵃ9.

8. ἔστι ταῦτα ἢ τοῖς ὄμμασιν ἰδεῖν, θεωρεῖν μα14. 353 ᵃ8. γι. 371 ᵃ30. εἰ βέλτιον ἴδοι τις δυοῖν ὄμμασι ἢ δυσὶν ἀκοαῖς κρίνοι Πγ16. 1287 ᵇ27. γράφειν ἀναπεπταμένοις τοῖς ὄμμασιν πλα8. 958 ᵇ1. 15. 958 ᵇ38. ὑποβλέπειν ἢ συνάγειν τὰ ὄμματα πλα7. 958 ᵃ21. τὰ ὄμματα κολάπτειν Ζιι1. 609 ᵇ6. — τίθεσθαι πρὸ ὀμμάτων εν1. 458 ᵇ23. πο17. 1455 ᵃ23. ποιήσασθαι πρὸ ὀμμάτων ψγ3. 427 ᵇ18. ποιεῖν πρὸ ὀμμάτων μα13. 349 ᵇ16. Ρβ8. 1386 ᵃ34. γ2. 1405 ᵇ13. 10. 1410 ᵇ33, 1411 ᵇ4. inde πρὸ ὀμμάτων vocabulum artis rhetoricae, syn ἐνέργεια, μεταφορά· τί λέγομεν πρὸ ὀμμάτων ἢ ἐνέργεια Ργ11. 1411 ᵃ24, 30. 10. 1411 ᵃ26, 28, 35, ᵇ6, 8. — ἔχειν ἐκ τῆς ἐμπειρίας ὄμμα· τὸ ὄμμα τῦτο τῆς ψυχῆς (ie ἡ φρόνησις) Ηζ12. 1143 ᵇ14 Fr. 13. 1144 ᵃ30. ὀξυδορκεῖν τοῖς τῆς ψυχῆς ὄμμασιν ρ1. 1421 ᵃ22. ἡ ψυχὴ θείῳ ψυχῆς ὄμματι τὰ θεῖα καταλαβῦσα x1. 391 ᵃ15. (ὀμμάτων v1 αι2. 438 ᵃ23, βλεφάρων Bk.)

ὀμμάτιον (Lob Phryn 211) ἀνεπτυγμένον ἢ λαμπρόν, ἄλαμπές, μέλαν, συμμεμυκός, σκαρδαμυκτικόν, λιπαρόν, μάργον, ποῖον σημαίνει ἦθος φ3. 807 ᵇ29, 35, 36, 37, 808 ᵇ6. cf Rose Ar Ps 699sq. Anecd I 162.

ὀμνύναι δεῖ τὸς ἐναντίυς ὅρκυς ἢ νῦν Πε9. 1310 ᵃ8. ὄμνυμεν κατὰ τῶν κατοιχομένων f 33. 1480 ᵃ13. ὀμνύοντες Πγ14. 1285 ᵇ11. ὀμόσας Ρα15. 1377 ᵃ17, 18 al. pass ὀμώμοσται, ἐὰν τῇ ἀντιδίκῳ ὀμωμοσμένος ᾖ (ὁ ὅρκος) Ρα15. 1377 ᵃ11, ᵇ7.

ὀμογάλακτας καλῦσι παῖδας ἢ παίδων παῖδας Πα2. 1252 ᵇ18.

ὀμογενής. ὀμογενῆ τὰ ἔχοντα τὸ αὐτὸ γένος. a. de genere naturali, ἔνια τῶν ζῴων γίνεται ὔτ' ἐξ ὁμογενῶν ὔτε τῷ γένει διαφόρων Ζγα18. 723 ᵇ3. γίγνεσθαι ἐξ ὁμογενῶν, γεννᾶν ὁμογενῆ, τὰ ὁμογενῆ, τὰ ὁμογενῆ ἀλλήλοις μίγνυται Ζγα1. 715 ᵃ23. 16. 721 ᵃ6. β4. 738 ᵇ28. Ζιζ23. 577 ᵇ6, 9. γίνεσιν ὁ συνδυασμὸς τοῖς ζῴοις κατὰ φύσιν μὲν τοῖς ὁμογενέσιν Ζγβ7. 746 ᵃ30 (syn ὁμοειδῆ 8. 747 ᵇ30). ὅθεν τῶν ὁμογενῶν ὀρνέων Ζιζ7. 563 ᵇ28. — τῶν ὁμογενῶν ῥάων ἡ κρίσις, τῶν δὲ διαφερόντων ἐργωδεστέρα Η.2. 1165 ᵃ33, syn συγγενεῖς ᵃ30. συνκμερεύσειϛ τοῖς ὁμογενέσιν ἥδισται ἀλλήλοις κεη5. 1239 ᵇ19. — b. logice. ἐκ ἔστιν ἕτερα πρότερα ὁμογενῆ τῶν ἐναντίων Μι7. 1057 ᵇ29. πῶς τὰ ὁμογενῆ κρίνει (ἡ ψυχή) ἢ τἀναντία ψγ7. 431 ᵃ24. εἴπερ μηδὲν τῶν ὁμογενῶν διασπαστέον, ἡ εἰς δύο διαίρεσις μάταιος ἂν εἴη Σμα2. 642 ᵇ17. αἱ ἀρχαὶ ὁμογενεῖς τοῖς ὑποκειμένοις Ογ7. 306 ᵃ11. τὸ ὁμογενὲς ὑπὸ τῦ ὁμογενῦς πάσχειν πέφυκεν Γα7. 324 ᵃ1. θερμὸν ἐστι τὸ συγκρῖνον τὰ ὁμογενῆ, ψυχρὸν δὲ τὸ συνάγον χ συγκρῖνον ὁμοίως τά τε συγγενῆ χ τὰ μὴ ὁμόφυλα Γβ2. 329 ᵇ26. γίγνεται ἁπλῶς ἕτερον ἐξ ἑτέρῃ χ ὑπὸ τινος ἐντελεχείᾳ ὄντος, ἢ ὁμοειδῦς (ὁμοιοειδῦς Bk, cf h v) ἢ ὁμογενῦς Γα5. 320 ᵇ20. ἡ καρδία τῶν φλεβῶν ἀρχή χ φύσις αὐτῆς φλεβώδης ὡς ὁμογενῦς ἔσης Σμγ4. 665 ᵇ17. τὰ ὁμογενῆ χ τὰ μὴ ὁμογενῆ μδ1. 378 ᵇ16. cf praeterea Κ6. 5 ᵇ19. Οδ2. 308 ᵇ22. Γβ6. 333 ᵃ34. τίς διαφορὰ τέχνης χ ἐπιστήμης χ τῶν ἄλλων τῶν ὁμογενῶν ΜΑ1. 981 ᵇ26. δεῖ τὴν μεταφορὰν τὴν ἐκ τῦ ἀνάλογον ἀνταποδιδόναι χ ἐπὶ θάτερα [χ ἐπὶ] τῶν ὁμογενῶν Ργ2. 1407 ᵃ15, Bernays Mus Rh 8, 590.

ὁμόγνιος πὸθεν ὀνομαζεται ὁ θεός κ7. 401 ᵃ21.

ὁμογνωμονεῖν Πβ11. 1273 ᵃ8. ὁ σπηδαῖος ὁμογνωμονεῖ ἑαυτῷ Ηι4. 1166 ᵃ13. ὁμογνωμονεῖν περί τινος Φα4. 187 ᵃ35, dist ὁμονοεῖν Ηι6. 1167 ᵃ24, 27. ὁμογνωμονῦσι ταῦτα πάντες ημα18. 1190 ᵃ3. τὰ πάθη ὁμογνωμονῦντα ημβ7. 1206 ᵇ27. αἱ παροιμίαι πᾶσαι ὁμογνωμονῦσι Η8. 1168 ᵇ7.

ὁμόγονος. συναγελάζονται πολλάκις ἢ μόνον τὰ ὁμόγονα Ζι2. 610 ᵇ13. — τὸ μέσον δεῖ εἶναι ὁμόγονον Αδ12. 95 ᵃ37, 39, cf ὁμογενῆς p 510 ᵃ3.

ὁμοδοξία, dist ὁμόνοια Ηι6. 1167 ᵃ23.

ὁμοεθνεῖς Ρβ6. 1384 ᵃ11. τοῖς ὁμοεθνέσι πρὸς ἄλληλα φύσει φιλία Ηθ1. 1155 ᵃ19. μὴ κτᾶσθαι ὁμοεθνεῖς πολλὺς τῷς δύλῳς οα5. 1344 ᵇ18.

ὁμοειδής. quod aliquoties ex codd vel aliquot vel omnibus Bk exhibet ὁμοιοειδής (cf h v) ubique mutandum esse in ὁμοειδής Torstrik docet Philol 12, 518. cf ὁμογενής. 1. de naturali specie vel genere. κἂν τῷ γένει τῷ αὐτῷ τοῖς ὁμοειδέσι πρὸς ἄλληλα διαφορὰ συμβαίνει Ζγα18. 725 ᵇ27. εἰ ἐξ ὁμοειδῶν ἄρρενος χ θήλεος ὁμοειδὲς γενέσθαι πέφυκε τοῖς γεννήσασιν ἄρρεν χ θῆλυ Ζγβ8. 747 ᵇ30, syn ὁμογενῆ ᵃ10 7. 746 ᵇ30. ὑφ' ὧν, ἢ κατὰ τὸ εἶδος λεγομένη φύσις ἢ ὁμοειδής· ἄνθρωπος γὰρ ἄνθρωπον γεννᾷ Μζ7. 1032 ᵃ24. cf λ5. 1071 ᵃ17. δ28. 1024 ᵇ8, ᵃ31-36. πολλὰ τῶν μὴ ὁμοειδῶν γενομένων γίνεται γόνιμα Ζγβ8. 748 ᵃ12. — 2. logice. ὁ ἀὴρ διασπώμενος φύσει χ τὸ ψυχὴ ἀνομοιομερὴς ψα5. 411 ᵃ20, 18, 17. 1.402 ᵇ2. ἐκ ὀρθῶς τὴν γένεσιν λαμβάνει (Anaxag) τῶν ὁμοειδῶν (i e τῶν ὁμοιομερῶν, Bk ὁμοιοειδῶν) Φα4. 188 ᵃ13. πᾶν ὁμοειδὲς (ὁμοιοειδὲς Bk) τὸ πῦρ τῷ πυρὶ Οα8. 276 ᵇ5, 30. τὰ μόρια ὁμοειδῆ, οἷον ὕδατος τὸ μόριον ὕδωρ Φγ5. 205 ᵇ21, ᵃ13. 50 Οδ2. 308 ᵇ8. λέγεται αἴτια πολλαχῶς χ αὐτῶν τῶν ὁμοειδῶν προτέρως χ ὑστέρως ἄλλο ἄλλῃ Φβ3. 195 ᵃ29. Μδ2. 1013 ᵇ31. φυτῶν σύστασις ὁμοειδής Ζγγ11. 762 ᵇ19. ὅσων ἡ ἐσία ἐν ὕλῃ ἐστί, πλείω χ ἄπειρα τὰ ὁμοειδῆ (ὁμοιοειδῆ Bk) Οα19. 278 ᵃ19. τὰ μαθηματικὰ πόλλ' ἄττα ὁμοειδῆ Μβ6. 1002 ᵇ16. μονάδες ὁμοειδεῖς, μὴ ὁμοειδεῖς (cf σύμβλητος, ἀσύμβλητος) ΜΑ9. 991 ᵇ24. δεῖ ἐκ τῶν συγγενῶν χ τῶν ὁμοειδῶν μεταφέρειν τὰ ἀνώνυμα ὠνομασμένως Ργ2. 1405 ᵃ36.

ὁμόζυξ. Πρώταρχος ἔφη εὐτυχεῖς εἶναι τὰς λίθας ἐξ ὧν οἱ βωμοί, ὅτι τιμῶνται, αἱ δὲ ὁμόζυγες αὐτῶν καταπατῦνται

Φβ6. 197 ᵇ11.

ὁμοηθεὶς Ηθ5. 1157 ᵃ11. coni ὁμοπαθεῖς Ηθ13. 1161 ᵃ27. ὁμοηθέστεροι Ηθ14. 1162 ᵃ12.

ὁμοιοβαρής, opp ἀνομοιοβαρής Οα6. 273 ᵇ23.

ὁμοιόβιος. ζῷα ὁμοιόβια Ζμγ1. 662 ᵇ15.

ὁμοιοβίοτος ὁ φῶκς τῇ ἅρπῃ Ζι18. 617 ᵃ11.

ὁμοιογενής. ζῷα ὁμοιογενῆ (v l ὁμογενῆ, cf ὁμογενῆ ᵃ23) Ζγα1. 715 ᵇ9. οἱ σαῦροι χ τἆλλα τὰ ὁμοιογενῆ τύτοις τῶν ζῴων Ζιβ12. 504 ᵃ28. ὅταν προϋπάρχῃ τὰ ὁμοιογενῆ (v l ὁμογενῆ) Ζιε15. 546 ᵇ28. — fort ubique ὁμογενής scribendum, cf ὁμοειδής.

ὁμοιοειδής Φα4. 188 ᵃ13. Οα8. 276 ᵇ5, 30. 9. 278 ᵃ19. δ2. 308 ᵇ8. Γα5. 320 ᵇ19. cf ὁμοειδής.

ὁμοιομερής, cf ἀνομοιομερής. (plerumque num plur τὰ ὁμοιομερῆ, sed num singul legitur Ζια489 ᵃ24. Ζμβ1. 646 ᵇ33, 35 al.) ἐκ τῶν στοιχείων τὰ ὁμοιομερῆ, ἐκ τύτων δ' ὡς ὕλης τὰ ὅλα ἔργα τῆς φύσεως μδ12. 389 ᵇ27. Ζγα1. 715 ᵃ11. Ζμβ1. 646 ᵇ6, ᵃ21. πῦρ ἢ ὕδωρ ὁμοιομερές ΜΑ9. 992 ᵃ7. ὁμοιομερὲς συνεχές, χωρισθέν Φδ5. 212 ᵇ5. ἡ ψυχὴ πότερον ὁμοιομερής ψα5. 411 ᵃ23 (syn ὁμοειδής ᵃ21). περὶ τῶν ὁμοιομερῶν πῶς σκεπτέον τε5. 135 ᵃ20-ᵇ6. ὁμοιομερές ἐστιν· τὸ ἀνομοιομερῆ διῄρισται σκληρότητι χ μαλακότητι, χρώμασι, τοῖς ἄλλοις τοῖς τοιούτοις πάθεσι· τὰ μὲν μαλακὰ χ ὑγρά, τὰ δὲ ξηρὰ χ στερεὰ Ζγα18. 722 ᵇ32. β5. 741 ᵇ13. Ζμβ2. 647 ᵇ10-17. τὰ ἐν τοῖς ζῴοις ὁμοιομερῆ enumerantur αἷμα φλέβες ἰχὼρ πύες σὰρξ ὀστῦν ἄκανθα κέρας χόνδρος δέρμα ὑμὴν νεῦρα τρίχες ὄνυχες μυελὸς γονὴ γάλα πιμελὴ στέαρ, τὰ περιττώματα (ταῦτα δ' ἐστὶ κόπρος φλέγμα χολὴ ξανθὴ χ μέλαινα) χ τὰ ἀνάλογα τύτοις Ζια1. 486 ᵃ14, 487 ᵃ1-10. 4. 489 ᵃ25. γ2. 511 ᵇ1-10. Ζμβ1. 646 ᵃ21, ᵇ33, 647 ᵃ32, ᵇ9. 655 ᵇ25, 22. α1. 640 ᵇ19. Ζγα16. 721 ᵃ28. 18. 722 ᵃ16, 724 ᵇ29, 25. β4. 740 ᵇ17. Γα1.314 ᵃ19, 28. 5. 321 ᵇ31, 322 ᵃ19. cf Galen XVI 33. τῶν ὁμοιομερῶν ἡ διαίρεσις ἔχει διαφοράν· ἔστι γὰρ ὡς ἐνίων τὸ μέρος ὁμώνυμον τῷ ὅλῳ (cf τὰ ὅλα συνώνυμα τοῖς μορίοις Ζμβ9. 655 ᵇ6) οἷον φλεβὸς φλέψ, ἔστι δ' ὡς ἐχ ὁμώνυμον, ἀλλὰ προσωπίν πρόσωπον ἀδαμῶς Ζμβ2. 647 ᵇ17 (locus spurius vel corr videtur). τῶν ἐν τοῖς ζῴοις μορίων τὰ μὲν ἁπλᾶ χ ὁμοιομερῆ, τὰ δὲ σύνθετα χ ἀνομοιομερῆ Ζμβ1. 647 ᵃ1. cf Ζια1. 486 ᵃ6. τὰ ὁμοιομερῆ τῶν ἀνομοιομερῶν ἕνεκέν ἐστιν· τὰ ἀνομοιομερῆ σύγκειται ἐκ τῶν ὁμοιομερῶν· ἡ καρδία ἀρχὴ χ τῶν ὁμοιομερῶν χ τῶν ἀνομοιομερῶν Ζμβ1. 646 ᵇ11, 31, 34. Ζια1. 486 ᵃ14. Ζγα18. 722 ᵃ28. β4. 740 ᵇ16, ᵃ18. 6. 743 ᵃ4. ἡ αἴσθησις ἐγγίνεται πᾶσιν ἐν τοῖς ὁμοιομερέσιν Ζμβ1. 647 ᵃ6, 15, 646 ᵇ19. Ζια4. 489 ᵃ24, 26. cf Trdlbg de an p 160. τὰ ὁμοιομερῆ, dist τὰ ὀργανικά Ζγβ1. 734 ᵇ37. cf Ζμβ1. 647 ᵃ3. — καθὼς εἰσι χ ἐν τοῖς ζῴοις μέλη ὁμοιομερῆ, ὕτω χ ἐν τοῖς φυτοῖς φτα3. 818 ᵃ17 (τὰ ὁμοιομερῆ, καλεῖται ὕτως δηλονότι τὰ πρὸς αἴσθησιν ἁπλᾶ, τὰ στοιχειώδη τε χ πρῶτα τῶν σωμάτων μόρια καλύμενα ὑπ' Ἀριστοτέλης ὁμοιομερῆ Galen IV 741, VI 384. particulae minutae similes inter se Cic acad quaest IV 37

similia Chalcidii (ad Timaeum 291), aequalitates partium
Rufini (in Clementis recognit VIII 15), similaria Gazae,
consimilia Scalig, tissus (Bichat anat générale), fere i q
Gewebe, telae. τὰ ἀνομοιομερῆ, dissimilaria Gazae, discon-
similia Scalig, organes Bichat, organa cf S II 287, Phi-
lippson ὕλη 4. Prantl de hist ord 7. ΑΖι I 36 adn. Lewes
285.)

ὁμοιοπάθεια ημβ11. 1211 ᵃ1. φιλίαι ἐξ ὁμοιοπαθείας ημβ11.
1210 ᵇ23.

ὁμοιοπαθεῖν Σαρδαναπάλῳ Ηα3. 1095 ᵇ22.

ὁμοιοπαθής τινι πλ1. 953 ᵃ26. ὁμοιοπαθεῖς, ὁμοιοπαθέστατοι
ἡμῖν αὐτοῖς ἐσμέν ημβ11. 1210 ᵇ37, 1211 ᵃ20.

ὁμοιόπτερα κ̀ ὁμοιότροπα Ζια1. 487 ᵇ28 (ν l ὁμόπτερα ὁμό-
τροπα).

ὅμοιος. 1. constr gramm. ὅμοιόν τι ἔχειν τινί Ηη10. 1151
ᵇ6. ὅτε σὺ ὅτε οἱ σοὶ ὅμοιοι p37. 1443 ᵇ36. τὸ ὅμοιον τῇ
γλώττῃ (cf γλωττοειδής) Ζιε22. 554 ᵃ14. cum ellipsi com-
parationis ταχυτῆς ὁμοῖα τοῖς ὑφ' ἡμῶν ῥιπτημένοις (ι e
τῇ ταχυτῆτι τῶν ῥιπτημένων) μα4. 342 ᵃ31. ὅμοιον ὡς,
ὡς εἰ, ὥσπερ τι7. 176 ᵃ13. μν1. 450 ᵇ15. Ογ8.307 ᵃ29.
πκζ2. 947 ᵇ20. ὅμοιον καί μβ9. 370 ᵃ12. Αβ21. 67 ᵃ8 Wz.
Πβ8. 1269 ᵃ6. Vahlen Poet III 314. ὅμοιος τὴν τέχνην, τὰ
λοιπὰ Πγ12. 1282 ᵇ31, 25. ὅ4. 1290 ᵃ36. ὅμοιος κατ' ἀρε-
τήν Ιε7. 1306 ᵇ29. ὅμοιος πρὸς ἀρετήν Πγ15. 1286 ᵇ12.
ὅμοιοι φύσει Πγ16. 1287 ᵃ12. — 2. notio. ὅμοιον def et
dist Μι3. 1054 ᵇ3-13 Bz. ὅ9. 1018 ᵃ15 Bz. 15. 1021 ᵃ11.
γ2. 1003 ᵇ8. Κ8. 11 ᵃ15. dist ἴσος Κ6. 6 ᵃ33. ὅμοιοι τίνες
Ρβ6. 1384 ᵃ11. 10. 1387 ᵇ25. ἢ ὅμοιον ἢ παραπλήσιον Ρβ8.
1385 ᵇ19. τοῖς ὁμοίοις κ̀ ἀδιαφόροις Οδ3. 310 ᵇ5. ὅμοιος
ἐπὶ τὸ γελοιότερον, ἐπὶ τὰ χείρω, ἐπὶ τὰ βελτίω τγ2. 117
ᵇ17, 25, 26. ἐκ τῶν συστοίχων κ̀ τῶν ὁμοίων πτώσεων
Ρα7. 1364 ᵇ34. κ̀ ἐν φιλοσοφίᾳ τὸ ὅμοιον ἐν πολὺ διέχουσι
θεωρεῖν εὐστόχου Ργ11. 1412 ᵃ11. cf τὸ τὸ ὅμοιον θεωρεῖν
πο22. 1459 ᵃ8. — ἀπὸ τῶν ὁμοίων τὰ ὅμοια γίγνεσθαι
πέφυκεν Ρα4. 1360 ᵃ5. ὅμοια κ̀ ἀνόμοια τοῖς γονεῦσι δὶ
τίν' αἰτίαν γίγνεται Ζγδ3. 769 ᵃ7. (cf ἐνταῦθα ἀν' ἀντα-
ποδίδωσι τὸ ὅμοιον μα11. 347 ᵇ32.) τὸ ὅμοιον φέρεσθαι πρὸς
τὸ ὅμοιον, τὰ ἐξῆς ὅμοια ἀλλήλοις Οδ3. 310 ᵇ2, 12. Ζγβ4.
740 ᵇ14. 5. 741 ᵇ10. τὸ ὅμοιον πῶς ἀπαθὲς κ̀ πῶς πάσχει
ὑπὸ τῇ ὁμοίῳ Γα7. 323 ᵇ4. ψα5. 410 ᵃ23. β4. 416 ᵃ32. 5.
416 ᵇ35, 417 ᵃ9, 418 ᵃ4. γνωρίζειν, αἰσθάνεσθαι τῷ ὁμοίῳ
τὸ ὅμοιον ψγ3. 427 ᵇ5, 426. Μβ4. 1000 ᵇ6. — τὸ ὅμοιον
πῶς φίλον τῷ ὁμοίῳ, ὡς ἀεὶ τὸν ὅμοιον, τὸ ὅμοιον ἐφίεται
τῇ ὁμοίῳ, ἄχρηστον τῷ ὁμοίῳ Ηθ2. 1155 ᵃ34, ᵇ7. ι3.1165
ᵇ17. ηεη1. 1235 ᵃ6-13. 5. 1239 ᵇ10-22, 24. Ρα11. 1371 ᵃ5
ᵇ16. πο5. 1360 ᵇ22. ὁ φίλος ἴσος κ̀ ὅμοιος Πγ16. 1287
ᵇ33. ἣ γίνεται πόλις ἐξ ὁμοίων Πβ2. 1261 ᵃ21. βύλεται
ἡ πόλις ἐξ ἴσων εἶναι κ̀ ὁμοίων ὅτι μάλιστα Πδ11. 1295
ᵇ26, cf 15. 1299 ᵇ24. γ17. 1288 ᵃ1. 4. 1277 ᵇ8. ἐν Λακε-
δαίμονι οἱ Παρθενίαι ἐκ τῶν ὁμοίων ἦσαν Πε7. 1306 ᵇ30.
cf 8. 1308 ᵃ12, 16. 7. 1306 ᵇ29. — τρίτον (ὃ δεῖ στοχά-
ζεσθαι περὶ τὰ ἤθη in tragica poesi) τὸ ὅμοιον πο15.
1454 ᵃ24. ὁμοίως ποιοῦντες καλλίως γράφουσι πο15. 1454
ᵇ11. 2. 1448 ᵃ6. τὸ ὅμοιον ταχὺ πληροῖ πο24. 1459 ᵇ30.
— geometrice, τὸ ἀνάλογον ἔχει τὰ πλευρὰς κ̀ ἴσας τὰς ἐξ
γωνίας Αδ17. 99 ᵃ13. ὅμοιον τῷ λόγῳ μχ1. 848 ᵇ19. φέ-
ρεσθαι πρὸς ὁμοίας γωνίας Οδ4. 311 ᵇ34. — ὅμοιός τινι
Πγ11. 1282 ᵇ8. ὁμοίως καί, κ̀ εἰ Αβ22. 68 ᵃ2 (ὡς κ̀ Wz).
μβ3. 357 ᵃ24. Γβ6. 344 ᵃ6. Ζπ7. 708 ᵃ1. Vhl Poet III
314. ὃχ ὁμοίως ἀλλὰ μᾶλλον Πε3. 1303 ᵇ11. συμβαίνεται
ὁμοίως τὰ λεχθέντα πρότερον Πγ10. 1281 ᵃ38. ὁμοίως ᾓ

χ̀ τἆλλα sim μδ2. 379 ᵇ32. Μβ2. 996 ᵇ21. 6. 1002 ᵇ21.
Ηθ2. 1155 ᵇ23 Fr. — φυσικὸν τὸ ὁμοίως ἔχειν ἐν ἁπάσαις
Φθ7. 261 ᵇ25. — ὁμοίως, fort ὅμως Φθ3. 253 ᵇ9.

ὁμοιοσχημονεῖν τὰ ἄλλα πβ5. 866 ᵇ34.

ὁμοιόσχημος ἀνθρώπῳ πι54. 897 ᵇ10. — ἀπὸ τῶν ὁμοιο-
σχήμων (ὁμοιοσχημόνων Wz) προτάσεων ἀρκτέον (ι e τα-
libus, quae sunt ἀμφότεραι ἐνδεχόμεναι) Αα13. 32 ᵇ37.

ὁμοιοσχημοσύνη τι6. 168 ᵃ25. 8. 170 ᵃ15, cf ὁμοιότης τῆς
λέξεως τι7. 169 ᵃ30 et σχῆμα τῆς λέξεως.

ὁμοιοσχήμων. δύο μέρη ὁμοιοσχήμονα πια23. 901 ᵇ21. —
προτάσεις ὁμοιοσχήμονες (ι e ἀμφότεραι κατηγορικαὶ ἢ ἀμ-
φότεραι στερητικαὶ) Αα5. 27 ᵇ11, 34. 14. 33 ᵃ37. 16. 36
ᵃ7 Wz. 19. 38 ᵃ6. — ὁμοιοσχημόνως (ι e ἐν τῷ αὐτῷ
σχήματι τῆς κατηγορίας) λέγεσθαι ηεα8. 1217 ᵇ35.

ὁμοιοταχῶς κινεῖσθαι κ2. 392 ᵃ14.

ὁμοιοτέλευτον Ργ9. 1410 ᵇ1 (cf παρομοίωσις 1410 ᵃ24).

ὁμοιότης τινὶ γίνεται πρός τι Πβ3. 1262 ᵃ16. Ηβ8. 1108
ᵇ31. καθ' ὁμοιότητά τινα δὶ βία ηεβ8. 1224 ᵇ4. — ἡ
ὁμοιότης φιλότης, φιλίαι δι' ὁμοιότητα, καθ' ὁμοιότητα
Ηθ10. 1159 ᵇ3. 8. 1158 ᵇ5, 6. 5. 1157 ᵃ32. ηεη12. 1245
ᵃ18. ημβ11. 1210 ᵃ8. πολιτεῖαι κατ' ἰσότητα κ̀ καθ' ὁμοι-
ότητα συνεστηκυῖα Πγ6. 1279 ᵃ10. — καθ' ὁμοιότητά
τινα ἡ οἰκειότητα ἡ γνῶσις ὑπάρχει Ηζ2. 1139 ᵃ10. —
ἔχειν ὁμοιότητα Ζμα4. 644 ᵇ8. διαφέρειν τῇ ἀναλόγον ὁμοι-
ότητι Ζμα4. 644 ᵇ11. λέγεσθαι καθ' ὁμοιότητα, opp ἁπλῶς,
κυρίως, veluti ἀκρατεῖς καθ' ὁμοιότητα, syn κατὰ πρόσθεσιν,
opp ἁπλῶς, ἀνδρεῖος καθ' ὁμοιότητα, syn κατὰ μεταφορὰν
sim Ηη6. 1147 ᵇ34, 1148 ᵇ3. 11. 1151 ᵇ33, 34. γ9. 1115
ᵃ19, 15. ε10. 1134 ᵃ30. ηεβ6. 1222 ᵇ25. γ1. 1229 ᵃ12.
Φβ6. 197 ᵇ9. γ6. 207 ᵃ4. Ζμγ2. 662 ᵇ25. Ζιδ11. 537 ᵇ23.
ἔνιαι δυνάμεις ὁμοιότητι λέγονται Μθ1. 1046 ᵃ7. ἀκολωθεῖν
ταῖς ὁμοιότησιν, opp ἀκριβολογεῖσθαι Ηζ3. 1139 ᵇ19. σκο-
πεῖν τὴν ὁμοιότητα (ad inveniendos syllogismos) τα13. 105
ᵃ25. 17. 108 ᵃ7-17. 18. 108 ᵇ7-32. δι' ὁμοιότητος, dist
ἐπαγωγή τθ1. 156 ᵇ10-17. χρηστέον τῇ ὁμοιότητι ἐν οἷς μὴ
ὀνόματι σημαίνεται τὸ καθόλυ 15. 174 ᵃ38 (cf παραβολῆ
17. 176 ᵃ33). — plural τῆς περὶ τὴν διάνοιαν συνέσεως
ἔνεισιν ἐν πολλοῖς τῶν ζώων ὁμοιότητες Ζιθ1. 588 ᵃ24. (πι-
θήκῳ) τὸ πρόσωπον ὁμοιότητας ἔχει πολλὰς τῷ τῦ ἀνθρώπυ
Ζιβ8. 502 ᵃ28. αἱ ὁμοιότητες πρὸς τὺς γεννήσαντας Ζγα17.
721 ᵇ20. — ὁμοιότης, comparatio, ἡ εἰωθυῖα ὁμοιότης λαμ-
βάνεσθαι ἐκ τῦ θεῦ ημβ15. 1212 ᵇ34. ὁμοιότης tertium
comparationis τζ2. 140 ᵃ12 Wz. ὁμοιότης, syn παρομοί-
ωσις p27. 1435 ᵇ25, cf 29. 1436 ᵃ5. — ὁμοιότης collec-
tive, ταύτῃ μὲν τῇ ὁμοιότητι ὄρνις ὄνομα, ἑτέρα δ' ἰχθύς
Ζμα2. 644 ᵇ14.

ὁμοιότροπος. περὶ ὀχείας κ̀ κυήσεως κ̀ τῶν ἄλλων τῶν
ὁμοιοτρόπων τύτοις Ζιζ18. 571 ᵇ5. ὁμοιότροπα κ̀ ὁμοιότερα
πάντα ταῦτα Ζια1. 487 ᵇ27. φαίνεται κἀκεῖ τι εἶναι ὁμοιό-
τροπον Ρβ51. 251 ᵃ31. τὸ ὁμοιότροπα τύτοις saepe legitur
in Rhet ad Alex (Spgl p 110) p2. 1422 ᵃ14. 3. 1423 ᵇ11,
33, 1425 ᵃ8, ᵇ16. 5. 1427 ᵇ9. 7. 1428 ᵃ12. 8. 1428 ᵃ31,
1429 ᵃ19. 14. 1431 ᵃ20. 17. 1432 ᵃ31. 38. 1445 ᵇ7. τὰς
περὶ αὐτῶν δόξας ὁμοιοτρόπως αὐταῖς ἔχοντες p37. 1442
ᵃ35. φιλίαν συστησόμεθα πρὸς τὰς ὁμοιοτρόπας ἡμῖν p39.
1446 ᵇ7. — ὁμοιοτρόπως. ὃχ ὁμοιοτρόπως τοῖς τῶν ὀρ-
νίθων ἔχει τὰ περὶ τὰ ᾠὰ τῶν ἰχθύων Ζγγ5. 755 ᵇ28. τὸ
ἔν τινι εἶναι ὁμοιοτρόπως λέγεται κ̀ ἑπομένως τῷ ἔχειν
Μδ23. 1023 ᵃ24. cf γ2. 1003 ᵃ4. 4. 1008 ᵃ10. κ̀ ἐπὶ τῶν
ἄλλων ὁμοιοτρόπως, τὰ δ' ἄλλα ὁμοιοτρόπως sim ε12. 21
ᵇ26. ψα2. 404 ᵇ21. εν3. 461 ᵃ29. ὁμοιοτρόπως τύτοις, τοῖς

προειρημένοις sim saepissime legitur in 'Rhet ad Alex ρ2. 1423 [a]11. 3. 1424 [a]9. 4. 1426 [a]7, 18. 5. 1426 [b]22. 6. 1427 [b]26. 18. 1432 [b]3, 34. 29. 1436 [a]18. 33. 1439 [a]27. 35. 1440 [a]3, 14. 36. 1441 [a]11, [b]4. 37. 1443 [b]23. 38. 1445 [a]36.

ὁμοιῶν. τὸ ποιητικὸν ὁμοιοῖ ἑαυτῷ τὸ πάσχον Τα7. 324 [a]10. pass ὁμοιῶσθαί τινι Ηι3. 1165 [b]16. 4. 1166 [b]1. 12. 1172 [a]10. ρ36. 1440 [b]38. ὡμοιῶσθαί τινι Ζγγ10. 760 [a]19. Ηγ11. 1116 [a]27. θ6. 1157 [b]5. ψβ5. 418 [a]5. (ὁμοιῶσθαι, an ὡμοιῶσθαι? ξ3. 977 [b]8, Mullach.) ὡμοιωμένον Ργ2. 1405 [b]12.

ὁμοιόχροια μα5. 342 [b]20.

ὁμοίωμα τῆς διαλεκτικῆς, τῆς φιλίας, τῆς ἐνεργείας Ρα2. 1356 [a]31 (sed A[c] ὁμοία). Ηθ5. 1157 [a]1. κ8. 1178 [b]27. ὁμοιώματα ὀργῆς κ πραότητος ἐν τοῖς μέλεσιν Πθ5. 1340 [a]18. ὁμοιώματα τῶν πολιτειῶν κ οἷον παραδείγματα λάβοι τις ἄν Ηθ12. 1160 [b]22. ὐχ ὁμοιώματα τῶν ἠθῶν ἀλλὰ σημεῖα Πθ5. 1340 [a]33. τὰ παθήματα τῆς ψυχῆς ὁμοιώματα τῶν πραγμάτων ει. 16 [a]7. ἐν τοῖς ἄλλοις· μηδὲν ὑπάρχειν ὁμοίωμα τοῖς ἤθεσιν Πθ5. 1340 [a]29. ἔχειν ὁμοίωμά τι τῷ τέλει Πθ5. 1339 [b]35. ἐν τοῖς ἀριθμοῖς θεωρεῖν ὁμοιώματα πολλὰ τοῖς ὖσι ΜΑ5. 985 [b]27.

ὁμοίωσις. πολλάκις ἐν φυτοῖς ἄλλο φυτὸν γεννᾶται ὐ τῦ αὐτῦ εἴδυς κ τῆς αὐτῆς ὁμοιώσεως φτβ6. 826 [b]34, cf ὁμοιότης p 511 [b]44.

ὁμοκάπης Ἐπιμενίδης καλεῖ, syn ὁμοσίπυοι Πα2. 1252 [b]15.

ὁμολογεῖν, c acc obiecti τῦτο ἐοίκασι πάντες ὁμολογεῖν μβ3. 356 [b]6. τὴν τῦ πράγματος ἰσότητα ὁμολογῦσι, τὴν δὲ οἷς ἀμφισβητῦσι Πγ9. 1280 [a]19. ἡ φθαρτὴ ὐσία, ἣν πάντες ὁμολογῦσιν Μλ1. 1069 [a]31 (inde scribendum ἣν cum Fr pro ἣ ηεη2. 1237 [a]8). τὰ πράγματα ὁμολογεῖται, opp ἀντιλέγεται, ἐξαρνῦνται Ργ19. 1419 [b]21. ρ37. 1443 [a]10, 8, 3, 1442 [b]34, 33. φονικὴ εἴδη, ὅσα ὁμολογεῖται μέν, ἀμφισβητεῖται δὲ περὶ τῦ δικαίῳ Πδ16. 1300 [b]26. αἱ τοιαῦται ὁμολογίαι ὁμολογῦνται ρ37. 1444 [b]16. — c acc obiecti et praed ὁμολογῦντων τὸ δίκαιον [κ] τὸ κατ' ἀναλογίαν ἴσον Πε1. 1301 [a]27. ὁμολογεῖται τὸ μέτριον ἄριστον Πδ11. 1295 [b]3. — c acc et inf Πε1. 1301 [b]35 (opp διαφέρεσθαι). κ3. 1325 [a]16 (opp διαφέρεσθαι). ὁμολογεῖν περὶ τινος Ηε10. 1135 [b]31. — c dat compar ὁμολογεῖν τοῖς κατὰ φιλοσοφίαν λόγοις Πγ12. 1282 [b]19. εἰ μὴ τοῖς ἄλλοις ὁμολογῶν ὁ νόμος, ἀλλ' ὑπεναντίος ρ3. 1424 [b]23 (syn ὁμολογύμενος [b]17). — τῷ μὴ ὁμολογεῖσθαι τὸν χρόνον αἴτιον τὸ μὴ εὐθεώρητον εἶναι τὴν ὠχείαν (syn τινές φασιν, ἕτεροί φασιν) Ζιζ 27. 578 [a]20, 18, 19. ὁμολογύμενον τοῖς φαινομένοις, τῇ αἰσθήσει, τοῖς λόγοις, τῷ βυλήματι, τοῖς ἄλλοις νόμοις al Ογ7. 306 [a]6. δ2. 309 [a]26. Γβ4. 331 [b]24. 10. 336 [b]16. Πβ9. 1270 [b]13. ρ3. 1424 [b]17. 37. 1442 [a]26. ηεη2. 1235 [b]16. β11. 1228 [a]19. οἵ τ' ἄλλοι φασὶ κ ἡμῖν ὁμολογύμενον εἰπεῖν Οβ8. 290 [a]8. ὁμολογύμενόν ἐστι (i e constat inter omnes) Πβ9. 1269 [b]5. Ηα6. 1097 [b]22. δόξα παλαιὰ ὖσα κ ὁμολογύμένη [ὑπὸ τῶν φιλοσοφύντων] Ηα8. 1098 [b]17. ὁμολογύμενον ψεῦδος, ὁμολογυμένη θέσις Αβ14. 62 [b]31. opp ἀμφισβητήσιμος Ρα6. 1362 [b]29. τὰ ὁμολογύμενα εἶναι ἀγαθὰ ηεα8. 1218 [a]16, 17. — ὁμολογύμενον αὐτὸ ἑαυτῷ κ τὸ ἀληθὲς Αα32. 47 [a]8. τὸ τε εἶναι μάλιστα περὶ τιμὴν κ τὸ καταφρονητικὸν εἶναι δόξης ὐχ ὁμολογεῖται ηεη5. 1232 [b]16, syn ἐναντίως ἔχειν [b]14. Ἐμπεδοκλῆς ἐν τύτοις ὐχ εὑρίσκει τὸ ὁμολογύμενον ΜΑ4. 985 [a]23. — τὸ μάλισθ' ὁμολογύμενον (i q κατὰ τὸ μάλισθ' ὁμολογύμενον), coni τὸ ὡς ἐπὶ τὸ πολὺ Ζιζ21. 575 [a]25. — νεῦρα τρίχες ὄνυχες κ τὰ ὁμολογύμενα τύτοις, syn τὰ ἀνάλογον Ζιγ2. 511 [b]8, 4, 5, 6. — ὁμολογυμένως τῷ λόγῳ, τῇ μαν-

τείᾳ ΜΑ8. 989 [a]3. Οβ1. 284 [b]4. ὁμ. αὐτῷ Μβ4. 1000 [a]25. ὁμ. πρὸς τὰς θέσεις Γα8. 325 [b]14. — ὁμολογυμένως i e communi omnium consensu Κ7. 7 [a]25. τα7. 103 [a]23. Ζιθ 16. 600 [a]20, 601 [a]17. 24. 605 [a]6. Ηκ2. 1172 [b]21. 5. 1176 [b]22. 7. 1177 [a]24. Πθ5. 1339 [b]18, 1340 [a]10 al.

ὁμολόγημα πόλεως κοινὸν ὁ νόμος ρ2. 1422 [a]2. 3. 1424 [a]10. ὁμολογία, syn ὑπόθεσις Αα23. 41 [a]10. ἐξ ὁμολογίας διαλέγεσθαι, syn προδιομολογήσασθαι τβ3. 110 [a]33, 37. — ὁ νόμος ὁμολογία τίς ἐστιν Πα6. 1255 [a]6. ὁ ἐν ταῖς ὁμολογίαις ἀληθεύων Ηδ13. 1127 [a]33. διαφυλάττειν τὰς ὁμολογίας αρ5. 1250 [b]19. αἱ τοιαῦται ὁμολογίαι ὁμολογῦνται ρ37. 1444 [b]16. διακρίνειν τὰς ὁμολογίας κ τὰς ἀρνήσεις ἐν ταῖς ἀποκρίσεσιν ρ37. 1444 [b]10. — εἴληφε ταύτην κατὰ τῦ θεῦ τὴν ὁμολογίαν ξ4. 977 [b]30. — αἰτία ταύτης (τῆς σωτηρίας τῷ παντὶ) ἢ τῶν στοιχείων ὁμολογία, τῆς δὲ ὁμολογίας ἡ ἰσομοιρία κ τὸ μηδὲν αὐτῶν πλέον ἕτερον ἑτέρυ δύνασθαι κ5. 396 [b]34.

ὁμόλογος τινι Ηγ9. 1115 [a]31. — ὁμολόγως τινὶ ἔχειν Ηζ2. 1139 [a]30. ἐμφανέστατον τὸ λεχθὲν ἐπὶ τῶν ἀνθρώπων, βύλεται δέ κ ἐν τοῖς ἄλλοις ὁμολόγως ἐν μέσῳ κεῖσθαι ἡ καρδία Ζμγ4. 665 [b]23.

ὁμονοεῖν περὶ τὰ πρακτά, dist ὁμογνωμονεῖν Ηι6. 1167 [a]29, 34, [b]9 (cf [a]24, 27). ηεη7. 1241 [a]17. ηεμβ12. 1212 [a]24, 17 (dist ὁμοίως ὑπολαμβάνειν [a]16). δοκῦσιν οἵ τε φίλοι ὁμονοεῖν κ οἱ ὁμονοῦντες φίλοι εἶναι ηεη7. 1241 [a]15, 30. ὐκ ἔστι φαύλυς ὁμονοεῖν ηεη7. 1241 [a]25. — πόλεις ὁμονοεῖν, opp στασιαζύεσαι ρ2. 1422 [b]35. ὀλιγαρχία τὰ ὁμονοϋσα Πε6. 1306 [a]9.

ὁμονοητικός. τὸ πάντας τὸ αὐτὸ λέγειν ὡ̈ ὐδὲν ὁμονοητικὸν Πβ3. 1261 [b]32. τὸ πρὸς τὰς ἀστυγείτονας πολέμυς ὁμονοητικώτερον Πη10. 1330 [a]18. — ὁμονοητικῶς οἱ πλεῖστοι λέγυσιν, ὡς τὸ ὅμοιον ὐπὸ τῦ ὁμοίυ ἀπαθές Γα7. 323 [b]3. ὁμονοητικῶς ἔχειν περὶ τῦ χρόνυ Φθ1. 251 [b]14.

ὁμόνοια, def, dist ὁμοδοξία, φιλία Ηι6. ηεη7. ηεμβ12. 1212 [a]14-26. ἡ ὁμόνοια περὶ τί ἐστιν Ηι6. 1167 [a]28. ηεη7. 1241 [a]6. ηεμβ 12. 1212 [a]19. ἡ ὁμόνοια ὅμοιόν τι τῇ φιλίᾳ Ηθ1. 1155 [a]24. ι6. 1167 [a]22. ἡ ὁμόνοια φιλία πολιτικὴ Ηι6. 1167 [b]2. ηεη7. 1241 [a]32.

ὁμοπάθεια. ὁμοπαθείᾳ τῦ κεκμηκότος κολοβῦμεν ἡμᾶς αὐτὺς τῇ χυρᾷ f 108. 1495 [b]14.

ὁμοπαθής. οἱ ἡλικιῶται ὁμοπαθεῖς κ ὁμοήθεις Ηθ13. 1161 [a]26 (cf ὁμοιοπαθής). — τὸ ὁμαλὸν ὁμοπαθέστερον πε22. 883 [a]13.

ὅμορος. πόλεμος, ἐχθρὰ πρὸς τὺς ὁμόρυς Ρα4. 1359 [b]38. Πη10. 1330 [a]19, 21. περὶ Σκύθας κ τὴν ὅμορον χώραν Ζγβ8. 748 [a]25. — εἰσὶ περὶ ταῦτά κ ὅμοροι μέχρι τινὸς ὁ ἀνδρείος κ ὁ θρασὺς ηεγ5. 1232 [a]25.

ὁμόσε. τὰ θηρία διὰ θυμὸν ὁμόσε τῇ πληγῇ φέρεται ηεγ1. 1230 [a]23. ὁμόσε χωρεῖ ἄρκτος ταύρῳ Ζιθ5. 594 [b]11. ὁμόσε βαδίζειν τῷ Παρμενίδυ λόγῳ Μν2. 1089 [a]3. πρὸς τὰ τοιαῦτα ὁμόσε βαδίζοντας εἰρωνεύεσθαι ρ37. 1444 [b]20.

ὁμοσίπυυς Χαρώνδας καλεῖ, syn ὁμόκαποι Πα2. 1252 [b]14, 15.

ὁμοταχής. ὁμοταχὲς τὸ ἐν ἴσῳ χρόνῳ κινηθὲν ἴσον τοσονδὶ Φμ4. 249 [a]8, 11 (cf ἰσοταχές [a]13). ζ6. 237 [a]1. Οβ8. 289 [b]9. — ὁμοταχῶς κινεῖσθαι, φέρεσθαι Φζ6. 236 [b]35. πιζ3. 913 [b]1.

ὁμοτόνως φερομένα τῇ ἡλίῳ ἐν τῷ ἴσῳ χρόνῳ πιε5. 911 [a]14. ὁμοτρόπως τι34. 183 [b]6.

ὁμῦ πάντα χρήματα (Anaxag fr 1) Φα4. 187 [a]29. γ4. 203 [a]25. θ1. 250 [b]25. Γαι0. 327 [b]20. Μγ4. 1007 [b]25. ι6. 1056 [b]29. λ2. 1069 [b]21. cf Ἀναξαγόρας p 49 [a]48.

ὁμόφυλος. στασιωτικὸν τὸ μὴ ὁμόφυλον Πε3. 1303 ᵃ25-ᵇ3. δ8λοι μὴ ὁμόφυλοι Πη10. 1330 ᵃ26. ζῷα ὁμόφυλα, syn ὁμογενῆ Ζγβ7. 746 ᵇ9, 11. μάχεται πρὸς ἄλληλα τὰ ὁμόφυλα· μίσγεται ἀλλήλοις ᚸ τὰ μὴ ὁμόφυλα Ζιι1. 608 ᵇ22. θ28. 606 ᵇ21, 607 ᵃ1. Ζγβ7. 746 ᵇ9. — ἡ φύσις τὸ ἄρρεν 5 συνήγαγε πρὸς τὸ θῆλυ ᚸ ἐχ ἑχάτερον πρὸς τὸ ὁμόφυλον χ5. 396 ᵇ10. — τὸ πῦρ συγχρίνει τὰ ὁμόφυλα (syn ὁμογενῆ ᵇ26), ἐξαιρεῖ τὰ ἀλλότρια Γβ2. 329 ᵇ28. τὸ ψυχρὸν συνάγει ὁμοίως τά τε συγγενῆ ᚸ τὰ μὴ ὁμόφυλα Γβ2. 329 ᵇ30. συγχρίνει τὰ ὁμόφυλα Ογ8. 307 ᵇ1 (opp ἀλ- 10 λότρια ᵇ4, Simpl interpretatur ὁμογενές).

ὁμοφωνεῖν τῷ λόγῳ Ηα13. 1102 ᵇ28.

ὁμοφωνία, dist συμφωνία. εἴ τις τὴν συμφωνίαν ποιήσειεν ὁμοφωνίαν ἢ τὸν ῥυθμὸν βάσιν μίαν Πβ5. 1263 ᵇ35.

ὁμόφωνος. τὸ ὁμόφωνον ἁπλ8ν ἔχει φθόγγον πιθ39. 921 ᵃ12. 15 ἥδιον τὸ σύμφωνον τ8 ὁμοφώνου πιθ39. 921 ᵃ7. λανθάνει τὸ διὰ πατ8ν ᚸ δοχεῖ ὁμόφωνον εἶναι πιθ14. 918 ᵇ7.

ὁμόχροος, ὁμόχρ8ς. σμῶρος ὁμόχρ8ς Ζιε10. 543 ᵃ25. ὁμό-χρ8ν Ζιδ1. 525 ᵃ4. δικαστήριον ὁμόχρ8ν τῇ βαχτηρίᾳ f 420. 1548 ᵃ17. ἄνθη ὁμόχροα χ5. 796 ᵇ8. 20

ὁμόχρως. ὁμόχρων τῶν ἰχθύων τὸ ᚸὸν Ζγγ1. 749 ᵃ22.

ὀμφαχώδεις καρποὶ τῆς ἀμπέλω θ161. 846 ᵇ1.

ὀμφαλός. 1. umbilicus, funiculus umbilicalis. ἔστιν ὁ ὀμφαλὸς φλέψ, τοῖς μὲν μία, τοῖς δὲ πλεί8ς τῶν ζῴων· ἔστιν ὁ ὀμφαλὸς ἐν κελύφει φλέβες, τοῖς μὲν μείζοσι πλεί8ς, τοῖς 25 δὲ μέσοις δύο, μιᾷ δὲ τοῖς ἐσχάτοις· ὁ ὀμφαλός ἐστι κέ-λυφος περὶ φλέβας· περὶ ταύτας (φλέβας) κέλυφος δερ-ματικὸν [ὁ καλύμενος ὀμφαλός]· περὶ τὰς ὑμένας (gelatina Whartoniana) ὁ ὀμφαλὸς οἷον ἔλυτρον· αἱ φλέβες περὶ ἃς ὁ καλύμενος ὀμφαλός ἐστι χιτών· πρὸς ἃ (ἃς?) τὰς κοτυ- 30 ληδόνας) ὁ ὀμφαλὸς συνάπτει ᚸ προσπέφυχεν Ζγβ4. 740 ᵃ30, 32. 7. 745 ᵇ26, 33 in v l. δ8. 777 ᵃ26. Ζιη8. 586 ᵇ13, 22. ἀπὸ τ8των (φλεβῶν) φλέβια ἀπήρτηται πρὸς τὴν ὑστέραν ὁ καλύμενος ὀμφαλός· ἀποτέτανται αἱ φλέβες αἱ διὰ τ8 ὀμφαλ8 ἔνθεν ᚸ ἔνθεν ᚸ σχίζονται πάντη κατὰ τὴν 35 ὑστέραν Ζγβ4. 740 ᵃ29. 7. 745 ᵇ33 v l. — πεφύχασι τὰ ζῷα ἐχ τ8 ὀμφαλ8· ὁ ὀμφαλὸς ἐχ τῆς φλεβὸς ἐφεξῆς ἀλ-λήλοις· ὁ ὀμφαλὸς (τῶν πολλῶν τῶν κολοβῶν ζῴων ᚸ ἀμ-φωδόντων) εἰς φλέβα τείνει μίαν Ζγβ7. 746 ᵃ10, 16. ὀμ-φαλὸν ἐν τῇ γενέσει ἅπαντα ἔχει ὥσπερ ζῳοτοχεῖται· ὀμ- 40 ἦ ᚸοτοχεῖται, τῶν δ' ὀρνίθων αὐξηθέντων ἄδηλος Ζμδ12. 693 ᵇ22. — ἡ διὰ τ8 ὀμφαλ8 τροφή, αὐξάνεται τὰ ζῷα πάντα ὅσα ἔχει ὀμφαλὸν διὰ τ8 ὀμφαλ8. διὰ τ8 ὀμφαλ8 λαμβάνει τὴν τροφὴν αἱματικὴν Ζγθ8. 777 ᵃ23, 25. γ2. 752 ᵃ26, 29. 1. 751 ᵃ7. β7. 745 ᵇ23, 28. Ζιη8.586ᵃ31. — 45 γαστρὸς ῥίζα ὀμφαλός, ᚸ αὐξησις τῷ κυήματι γίνεται διὰ τ8 ὀμφαλ8 τὸν αὐτὸν τρόπον ὅντερ διὰ τῶν ῥιζῶν τοῖς φυ-τοῖς, (τὰ ἔμβρυα) ἀφίησιν εὐθὺς οἷον ῥίζαν τὸν ὀμφαλὸν εἰς τὴν ὑστέραν Ζια13. 493 ᵃ18. Ζγβ4. 740 ᵇ9. 7. 745 ᵇ25. — Mammalia. τὸν ὀμφαλὸν τὰ μὲν πρὸς τὴν ὑστέραν ἔχει τὰ 50 ζῳοτοχύμενα· ὁ ὀμφαλὸς ὅσα λεῖα ἔχει τὴν ὑστέραν πρὸς τῇ ὑστέρᾳ ἐπὶ φλεβός, ὁ ὀμφαλὸς ὅσα μὲν κοτυλη-δόνας ἔχει πρὸς τῇ κοτυληδόνι προσπέφυχεν Ζιη7. 586 ᵃ23. 8. 586 ᵃ33, 32. — διὰ τί τοῖς ἀνθρώποις οἱ ὀμφαλοὶ με-γάλοι γίνονται· ἀτελεῖς ἐξέρχεται τὸ ἔμβρυα (sanguinolentus, Gaza) οἱ ὀμφαλοὶ ἀχλυ8δεσ· 55 ἔνιοι τῶν ὀμφαλῶν ᚸ αἰσχίς εἰσιν πι46. 896 ᵃ12, 17, 15. simia ὀμφαλὸν ἐξέχοντα μὲν 8χ ἔχει, σκληρὸν δὲ τὸ κατὰ τὸν τόπον τὸ ὀμφαλ8 Ζιβ8. 502 ᵇ13. — Aves. τὸν ὀμ-φαλὸν ἔχει πρὸς τῷ ᚸῷ Ζιη7. 586 ᵃ24. — (τῶν πόρων 60 τῶν ἐχ τῆς καρδίας τεινόντων) ὁ δὲ εἰς τὸ ὠχρὸν ὥσπερ

ὀμφαλὸς ὤν (Dottergefässe), ἄμφω δ' ἥττην ἀπό τε τῆς καρδίας ᚸ τῆς φλεβὸς τῆς μεγάλης· (δεχαταίᚸ ὅντος) αἱ φλέβες αἱ ἀπὸ τῆς καρδίας φαινόμεναι τείνειν πρὸς τῷ ὀμ-φαλῷ ἤδη γίγνονται· ὀμφαλὸς ὁ ἀπὸ τῆς καρδίας ᚸ τῆς μεγάλης φλεβὸς φέρων Ζιζ3. 561 ᵃ24, ᵇ5, 25, 562 ᵃ4. ἡ καρδία ἅμα τῷ ὀμφαλῷ ἀναφυσᾷ ὡς ἀναπνέοντος (pulsatio arteriae umbilicalis) Ζιζ3. 562 ᵃ20. ὁ ὀμφαλὸς ἀπὸ τῆς φλεβὸς τείνωσιν. ὁ μὲν εἰς τὸν ὑμένα τὸν περιέχοντα τὸ ὠχρόν, ὁ δ' ἕτερος εἰς τὸν ὑμένα τὸν χοριοειδῆ· αὐξανομένων πρότερον ὁ ὀμφαλὸς συμπίπτει ὁ πρὸς τὸ χόριον, τὸ δὲ λοι-πὸν τ8 ὠχρ8 ᚸ ὁ ὀμφαλὸς ὁ εἰς τὸ ὠχρὸν ὕστερον Ζγγ2. 753 ᵇ20, 23, 29, 754 ᵃ9. τοῖς δ' ὠχρὸν ὀμφαλὸς τείνων ἀπολύεται τ8 ζῴᚸ συμπεπτωχὼς (Allantoisgefässe), (εἰς τὸν χοριοειδῆ ὑμένα) ἔτεινεν ὁ ἕτερος τῶν ὀμφαλῶν (ar-teria umbilicalis), ἀπὸ τῶν ὀμφαλῶν τέταται φλὲψ ἡ μὲν πρὸς τὸν ὑμένα τὸν περιέχοντα τὸ ὠχρὸν (arteria et vena omphalo-mesenterica), ἡ δὲ ἑτέρα εἰς τὸν ὑμένα τὸν περι-έχοντα ὅλον (arteria et vena umbilicalis) Ζιζ3. 562 ᵃ6, 1, 561 ᵇ6. εἰς τὸ ὠχρὸν ἔτεινεν ὁ ἕτερος ὀμφαλός, ὁ δ' εἰς τὸ ὠχρὸν φέρων, (τὸ ὠχρὸν) ἀπὸ τ8 ὀμφαλ8 ἀπολέλυται, ἐντὸς εἰσέρχεται τὸ ὠχρὸν μετὰ τ8 ὀμφαλ8, ἡ τροφὴ διὰ τ8 ὀμφαλ8 ἐχ τ8 ὠχρ8 Ζιζ3. 562 ᵃ3, 7, 16, 561 ᵃ25. Ζγγ2. 754 ᵃ15. — Piscium, imprimis Squalinorum. 8χ ἔχει τὸν ἕτερον ὀμφαλὸν τὸν εἰς χόριον τείνοντα, 8χ ἔχει τὸν ἕτερον ὀμφαλὸν τείνοντα πρὸς τὸν ὑμένα τὸν ὑπὸ τὸ ὅστραχον Ζγγ3. 754 ᵇ5. Ζιζ10. 564 ᵇ27. cf Müller glatt Hai des Ar 11. τὸν ὀμφαλὸν εἶναι ἀμφοτέρως (ᚸ μὴν τὴν ὑστέραν ᚸ πρὸς τῷ ᚸῷ) οἷον ἐπὶ γένες τῶν ἰχθύων Ζιη7. 586 ᵃ24 Aub. τὰ ζῷα γίνεται τὸν ὀμφαλὸν ἔχοντα πρὸς τῇ ὑστέρᾳ, προσπέφυχε ὁ ὀμφαλὸς μιχρὸν κατωτέρω τ8 στόματος(?) τῆς γαστρός, προσπέφυχε μαχρὸν τ8 ὀμφαλ8 διὰ τῆς ὑστέρας πρὸς τὸ χάτω μέρει Ζιζ10. 565 ᵃ4 Aub, ᵇ5, 7. τέλος πρὸς τῇ ὑστέρᾳ ὁ ὀμφαλὸς προσπέφυχε τῶν ἤδη τε-λείων, τελεωθὲν τὸ ζῷον ἔχει τὸν ὀμφαλὸν ἐχ τῆς ὑστέρας ἀνηλωμένᚸ τῷ ᚸῷ Ζγγ3. 754 ᵇ17, 30. τοῖς νέοις μὲν 8σιν ὁ ὀμφαλὸς μαχρός, αὐξανομένων δ' ἐλάττων, ᚸ τέλος μι-χρός, ἕως ἂν εἰσέλθῃ Ζιζ10. 565 ᵇ5. — ἡ τ8 ὀμφαλ8 ἀπό-δεσις, ἐρίῳ ἀποδεῖται ἀπὸ τ8 ὑστέρᵃ ὁ ὀμφαλός Ζιη10. 587 ᵃ12, 14, 19, 20. τὸ αἷμα ἔξω εἰς τὸν ὀμφαλὸν ὅρος ἐξερρυηχός Ζιη10. 587 ᵃ21, 23. — ὁ πρὸς τὸν ὀμφαλὸν ὅρος Plat Tim 70 E. τὰ κατὰ τὸν ὀμφαλὸν χωρία ἀχριβέστατα τὰ μέσα Galen VI 228. τὸ χάτω τ8 ὀμφαλ8, opp τὰ περὶ τὴν κε-φαλήν Ζγβ6. 742 ᵇ15. τὸ μὲν ὑπὸ τὸν ὀμφαλὸν ἦτρον, τὸ δ' ὑπὲρ τὸν ὀμφαλὸν ὑποχόνδριον Ζιa3. 493 ᵃ19. εἰς τὸ ὀμφαλ8 πρὸς τὸ ὀμφαλὸν πρὸς τὸ ὀπίσω μείζον, ἀπὸ τ8 ὀμφαλ8 πρὸς τὸ ἀκροστήθιον φβ3. 808 ᵇ3. 6. 810 ᵇ17. ὅσοι τα ἀπὸ τ8 ὀμφαλ8 χάτω μείζονα ἢ τὰ πρὸς τὰ στήθη πι64. 898 ᵃ38. — πόροι, ὓς καλ8σί τινες ὀμφαλός, ἢ τὸν γόνον ἀφι-8σιν Ζιa14. 568 ᵃ31 Aub. — ὀμφαλὸς iq σφόλος ὀμ-φαλώδης Ζγγ2. 752 ᵇ1. — αἱ φλέβες αἱ παχεῖαι ἐχ τ8 ὀμφαλ8 (codd Aᵃ Cᵃ, Schn, Bk, ὀφθαλμ8 codd PDᵃ, Ald, C, Did, Pik) παρὰ τὴν ὀσφὺν διὰ τ8 νώτ8 (Syennesis senten-tia) Ζιγ2. 511 ᵇ25 Aub (Guil: ab umbilico juxta super-cilium, Gaza: de oculo propter supercilium, cf S I 124). — 2. germen plantarum. διὰ τὸ ἥδιον ᚸζει τηνιχαῦτα· ὁ ὀμφαλὸς τραχύς ἐστιν ᚸ ὢν λεῖας πιβ8. 907 ᵃ20, 'Rosa muscosa vel moschata germine hispido' Sprengel hist rei herb I 59. S Theophr IV 662. Wüstemann Unterhaltungen aus d alt Welt p 57, 84. — 3. lapis in fornicibus, nobis Schlusstein. παραβάλλειν τὸν κόσμον τῶ ὀμφαλοῖς λεγο-μένοις τοῖς ἐν ταῖς ψαλῖσι λίθοις χ6. 399 ᵇ30 Kapp.

ὀμφαλοτομία τῆς μαίας Ζιη10. 587 ᵃ9. Lob Phryn 651.

ὀμφαλώδης. ἡ πρόσφυσις ἡ ὀμφαλώδης (τῶν σηπιδίων) Ζιε18. 550 ᵃ21. τὸ τᵫ ὑμένος ὀμφαλῶδες Ζγγ2. 752 ᵇ2. στόλος μικρὸς ὀμφαλώδης Ζγγ2. 752 ᵇ6 ('hunc pediolum nexum membranaceum cavatum forte Ar στόλον ὀμφαλώδη i e appendiculam umbilicalem et veluti fistulam nuncupavit' Harvei exercit de gen an 1662 p 9).

ὁμωνυμία (cf ὁμώνυμος), opp ὁ αὐτὸς λόγος, συνωνυμία Αγ24. 85 ᵇ10-16. τζ10. 148 ᵃ23 sqq. λέγεσθαι καθ' ὁμωνυμίαν τζ10. 148 ᵃ23. ᵫκ ἔσται εἶναι κ μὴ εἶναι τὸ αὐτὸ ἀλλ' ἢ καθ' ὁμωνυμίαν Μγ4. 1006 ᵇ19. συνορᾶν τὴν ὁμωνυμίαν τζ10. 148 ᵃ34. λανθάνει ἡ ὁμωνυμία τζ2. 139 ᵇ28. αἱ ὁμωνυμίαι μᾶλλον λανθάνουσιν ἐν τοῖς καθόλυ Αδ13. 97 ᵇ30, 36. τῶν ὁμωνυμιῶν αἱ ἐγγὺς ἢ γένει ἢ ἀναλογίᾳ ᵫ δοκᾷσιν ὁμωνυμίαι Φη4. 249 ᵃ23. ἡ δικαιοσύνη ἔοικε πλεο-ναχῶς λέγεσθαι, ἀλλὰ διὰ τὸ σύνεγγυς εἶναι τὴν ὁμωνυμίαν λανθάνει Ηε2. 1129 ᵃ27. ἔνια ᵫ καθ' ὁμωνυμίαν λέγεται πολλαχῶς τβ3. 110 ᵇ16. τὸ αὐτὸ συμβαίνει ὅπερ ἐν ταῖς ὁμωνυμίαις τι22. 178 ᵃ25. παραλογισμοὶ παρὰ τὴν ὁμωνυμίαν ᵫ ἀμφιβολίαν τι4. 165 ᵇ30-166 ᵃ6. 19. 177 ᵃ9- 32. τᵫ παρὰ τὴν λέξιν τόπυ ἓν μέρος τὸ παρὰ τὴν ὁμωνυμίαν Ρβ24. 1401 ᵃ13. τῶν ὀνομάτων τῷ σοφιστῇ ὁμωνυμίαι χρήσιμοι, τῷ ποιητῇ συνωνυμίαι Ργ2. 1404 ᵇ38. ὁμωνυμία ἢ μεταφορὰ Ργ11. 1412 ᵇ11.

ὁμώνυμος, ὁμωνύμως. ὁμωνύμως λέγεται (eodem nomine appellatur) κύκλος ὅ τε ἁπλῶς λεγόμενος κ ὁ καθ' ἕκαστα Μζ10. 1035 ᵇ1. ὁμωνύμως τῷ πάθει (eodem nomine ac τὸ πάθος) προσαγορεύοντες τὴν ὕλην Φη3. 245 ᵇ16, 246 ᵃ22. ἐνίων ὁμωνύμων τὸ μέρος τῷ ὅλῳ, οἷον φλεβὸς φλέψ, ἐνίων δ' ᵫχ ὁμωνύμων, ἀλλὰ προσώπυ πρόσωπον ὑδαμῶς Ζμβ2. 647 ᵇ18. hanc usitatam voc ὁμώνυμος, ὁμωνύμως significationem ita restrinxit Ar: ὁμώνυμα λέγεται ὧν ὄνομα μόνον κοινὸν ὁ δὲ κατὰ τᵫνομα λόγος τῆς ᵫσίας ἕτερος Κ1. 1 ᵃ1 Wz (Trdlbg de an p 334). dist συνώνυμα (v h v) Κ1. 1 ᵃ1-12. τθ3. 123 ᵃ27. τζ10. 148 ᵃ23-ᵇ22. f 114. 1497 ᵃ7, 18. dist κατὰ τὴν αὐτὴν ἰδέαν λέγεσθαι Οα8. 276 ᵇ2, 3. dist ἐν τῷ εἴδει Ζμα3. 643 ᵇ7, 8. ἀλλὰ τῷ εἴδει κ ὁμώνυμα Φε4. 228 ᵃ25. ὁμώνυμον, opp τὸ αὐτό, ἓν τῷ ἀριθμῷ κ τόδε τι ε6. 17 ᵃ35. Μμ10. 1086 ᵇ27. τὰ ὁμώνυμα ᵫ συμβλητά Φη4. 248 ᵇ9, 17, 249 ᵃ4. inde ὁμώνυμα, ὁμω-νύμως λέγεσθαι vel dicuntur ea nomina, quae diversas habent significationes non comprehensas eodem genere, ὁμώνυμα καλεῖται κλεὶς ἥ τε ὑπὸ τὸν αὐχένα τῶν ζῴων κ ᾗ τὰς θύρας κλείυσιν Ηε2. 1129 ᵃ30, τὸ ὅμοιον ἐπὶ χρωμάτων κ σχημάτων ὁμώνυμον Αδ17. 99 ᵃ7, 12, ὁμώνυμα δ' ἰ ᵫ πολλαχῶς λεγόμενα τι15. 106 ᵃ21, 19, ᵇ4, 1. ζ2. 139 ᵇ19, 21, 23. ι4. 165 ᵇ33. 17. 176 ᵃ5, 15. 22. 178 ᵃ25-28 (quamquam etiam aliud genus est τᵫ πολλαχῶς λέγεσθαι praeter ὁμωνυμίαν τβ3. 110 ᵇ16 Wz); vel ὁμώνυμον, ὁμω-νύμως λέγεσθαι dicitur id quod a propria atque essentiali alicuius nominis notione recedit, τὸ ἀναγκαῖον ὁμωνύμως ἐνδέχεσθαι λέγομεν Αα13. 32 ᵃ20. ἔνιαι δυνάμεις ὁμωνύμως λέγονται, καθάπερ ἐν γεωμετρίᾳ Μθ1. 1046 ᵃ6, 9. δυνάμεις ὁμώνυμοι (quae non propria vocabuli vi dicuntur) ε13. 23 ᵃ7. εἰ δεῖ κ τὴν πάθησιν ποίησιν καλεῖν, ὁμώνυμος εἴη Φη3. 202 ᵃ28. usitatum in hac significatione voc ὁμώ-νυμος exemplum ἡ χεὶρ (ὁ ὀφθαλμὸς al) ἄνευ ψυχικῆς δυ-νάμεως ᵫκ ἔστι χεὶρ ἀλλὰ μόνον ὁμώνυμος, ὁ νεκρὸς ἄν-θρωπος ὁμωνύμως Ζγα19. 726 ᵇ24. β1. 734 ᵇ25, 735 ᵃ8. Ζμα1. 640 ᵇ36. ψβ1. 412 ᵇ14, 21. Μζ10. 1035 ᵇ25. κθ12. 389 ᵇ31, 390 ᵃ12. Πα2. 1253 ᵃ21, 24. — ab iis quae vere

ac mere sunt ὁμώνυμα, i e praeter nomen nihil habent commune (cf τὰ ἀπὸ τύχης ὁμώνυμα Ηα4. 1096 ᵇ27), Ar ea distinguit, quae quum non eodem contineantur ge-nere (καθ' ἕν, κατὰ μίαν ἰδέαν, συνώνυμα) tamen vel ad idem referuntur (πρὸς ἕν) vel ex eodem pendent (ἀφ' ἑνός) Μγ2. 1003 ᵃ34. ζ4. 1030 ᵃ32-ᵇ3. κ3. 1060 ᵇ33. Γα6. 322 ᵇ31. Ηα4. 1096 ᵇ25sqq. ημβ11. 1209 ᵃ30. ηεη2. 1236 ᵃ17, ᵇ25. (Μδ12. 1019 ᵇ8 et lectio et interpretatio incerta est). — ideae ac res sensibiles Platoni ipsi non sunt mere ὁμώνυμα Μι10. 1059 ᵃ14, Arist ad refutandam Platoni-cam de ideis doctrinam ea non esse nisi ὁμώνυμα demon-strare studet ΜΑ9. 990 ᵇ6, 991 ᵃ6. μ4. 1079 ᵃ2, ᵇ1 (Bz ad Α6. 987 ᵇ10). — ex primaria et vulgari voc ὁμώνυμος significatione explicari videtur, quod aliquoties ὁμώνυμος legitur, ubi ex Aristotelico usu συνώνυμος requiras. τρόπον τινὰ πάντα γίγνεται ἐξ ὁμωνύμων Μζ9. 1034 ᵃ22, 23, ᵇ1 Βz (cf Μλ3. 1070 ᵃ5. Ζγβ1. 735 ᵃ20), πρὸς ὁμώνυμον τὸ μι-κτὸν Γα10. 328 ᵇ21.

ὅμως Πγ11. 1281 ᵇ1. ε6. 1305 ᵇ20. Ζμα5. 645 ᵃ8. γ9. 672 ᵃ29, 35. 10. 673 ᵃ5 al. ὅμως δέ μβ5. 363 ᵃ4. δ8. 385 ᵃ22. 10. 389 ᵃ16. Ζμβ10. 657 ᵃ1. ο5. 681 ᵃ10. Πε1. 1302 ᵃ8 al. εἰσὶ δ' ὅμως Πγ14. 1285 ᵃ19. ἀλλ' ὅμως μα13. 350 ᵃ35. Ζμα1. 640 ᵇ35. 4. 644 ᵃ16 al.

ὀνειδιστής. οἱ μὴ ὀνειδισταὶ τῶν ἁμαρτημάτων Ρβ4. 1381ᵇ2.

ὄνειδος. ἀνευ ὀνείδυς τὰς ἁμαρτίας ψέγομεν ταύτας ηεγ2. 1231 ᵃ24. κακίαι μέν, ᵫ μὴν ὀνείδη ἐπιφέρυσιν Ηδ6. 1123 ᵃ32. εἰς ὄνειδος ἄγοντες αὐτὸ φιλαύτας καλᾶσι Ηι8. 1168 ᵇ15. δυσαποτρίπτοις ὀνείδεσι περιπεπτωκέναι f 445. 1551 ᵃ29.

ὄνειος. τὸ ὄνειον γάλα Ζιγ20. 522 ᵃ28.

ὀνειρωγμὸς τῶν γυναικῶν, syn ἐξονειρώττειν Ζικ6. 637 ᵇ26, 24.

ὀνειρώττειν. διὰ τί οἱ καθεύδοντες ὁτὲ μὲν ὀνειρώττυσιν ὁτὲ δ' ᵫ ὑι. 453 ᵇ18. κ τῶν ἄλλων ζῴων ὀνειρώττει τινὰ μτ2. 463 ᵇ12. — fort dist ἐνυπνιάζεσθαι: οἱ ἐν τῷ καθεύδειν ἐνυπνιαζόμενοι ἱσταμένης τῆς διανοίας κ καθ' ὅσον ἠρεμεῖ ὀνειρώττυσιν πλ14. 957 ᵃ8. — metaph τρίτη ᵫσία, ἣν ἅπαν-τες μὲν ὀνειρώττυσι, λέγει δ' ᵫδείς Γβ9. 335 ᵇ8.

ὄνησιν ἔχειν τῶν ὑπαρχόντων ἀγαθῶν ρ1. 1420 ᵇ9.

ὄνθος. διασκαλλειν τὸν ὄνθον f 275. 1527 ᵇ27.

ὀνίνασθαι. ὄνασθαι Ργ11. 1412 ᵇ5. εἰ μὴ ὠνήμην Ργ16. 1417 ᵃ25. αὐτὸς ὀνήσεται κ τὺς ἄλλυς ὠφελήσει Ηι8. 1169 ᵃ12.

ὀνίς. αἱ μηλολόνθαι γίνονται ἐκ τῶν σκωλήκων τῶν ὀνίδων Ζιε19. 552 ᵃ17.

ὄνομα. 1. (ὄνομα, πρᾶγμα, λόγος). ὀνόματι, opp ἔργῳ μθ9. 387 ᵇ11. ὄνομα, opp πρᾶγμα ται8. 108 ᵃ21, 35. ι1. 165 ᵃ8. 22. 178 ᵃ27. Μγ4. 1006 ᵇ22. opp πρᾶξις ρ27. 1435 ᵇ35. dist δύναμις ρ27. 1435 ᵇ29. opp ἡ διάνοια τι10. 170 ᵇ12-40. saepissime inter se opponuntur ὄνομα et λόγος, vel ita ut ὄνομα significet nudum ac simplex nomen, λόγος uberiorem et pluribus verbis pronunciatam definitionem (veluti μεταλαμβάνειν λόγος ἀντ' ὀνόματος ε11. 21 ᵃ29. Αα35. 48 ᵃ29 sqq. 39. 49 ᵇ4. δ7. 92 ᵇ28, 31. τα5. 102 ᵃ1 sqq. ε2. 130 ᵃ39. ζ5. 142 ᵇ5. 6. 143 ᵃ25. 7. 146 ᵃ34. 9. 147 ᵇ14. 11. 149 ᵃ2. θ13. 162 ᵇ37. Φα1. 184 ᵇ10. Μγ4. 1006 ᵇ2 Bz. γ7. 1012 ᵃ24. ζ4. 1030 ᵃ7, 9. Ργ6. 1407 ᵇ27-31 (cf εἴ τις θεῖον ὄνομα ὕδατι θερμῷ· εἰ ὀνόματι σημαί-νοιμεν τὸ ζέον ὕδωρ Ζμβ2. 649 ᵃ16. 3. 649 ᵇ22); vel ita ut ὄνομα significet id ipsum cuius ἴδιον vel ὁρισμὸς consti-tuatur, λόγος autem τὸν λόγον τὸν λέγοντα τὸ ἴδιον vel τὸν ὁρισμόν τε4. 132 ᵇ4 Wz. 5. 134 ᵃ25, ᵇ35 sqq. 9. 139 ᵃ11. ζ1. 139 ᵃ25, 36. 6. 145 ᵇ31sqq. 10. 148 ᵃ10. η2.152ᵇ39, 153 ᵃ3. (cf θεωρῆσαι περὶ τῦτων τῶν ὀνομάτων Πδ2.1289 ᵃ32, i e de notionibus sive rebus, quae his nominibus appellantur.) μεταφέρειν τῦνομα ἐπὶ τὸν λόγον (i e explicare vocabulum ex origine sua cf Steinthal Gesch p 189) τβ6. 112 ᵃ32, cf Φβ6. 197 ᵇ29. Ρβ23. 1400 ᵇ16, 17 (τόπος ἀπὸ τῦ ὀνόματος). — ὀνόματα ἴδια, opp κοινά, περιέχοντα Ηγ2. 1110 ᵇ24. μδ9. 387 ᵇ2. Πδ2. 1289 ᵃ36. Ργ5. 1407 ᵃ31. (cf ἐπὶ τὴν αὐτὴν ἐπιστήμην πίπτει τὸ ζητύμενον ὄνομα ΜΑ2. 982 ᵇ8.) ὐκ ἐπέζευκται κοινὸν ὄνομα Ζιδ7. 531 ᵇ23. ἔστι τι γένος τῶν ἐντόμων, ὃ ἑνὶ ὀνόματι ἀνώνυμόν ἐστιν Ζιι40. 623 ᵇ5. ὄνομα ἀόριστον ε2. 16 ᵃ32. 10. 19 ᵇ9 (cf τὸ ἀνώνυμον ε10. 19 ᵇ6, 7). τῦνομα ἐν πλείω σημαίνει τι1. 165 ᵃ13. ὄνομά τι λέγεται πλεοναχῶς, πολλαχῶς, ὁμωνύμως τε2. 129 ᵇ30, 130 ᵃ1. Γα6. 322 ᵇ30. μάχεσθαι περὶ τῶν ὀνομάτων τι33. 182 ᵇ23. οἱ τῶν ὀνομάτων τῆς δυνάμεως ἄπειροι τι1. 165 ᵃ16. ὄνομά τι λέγεται κυρίως τινὶ sive ἐπί τινος μδ2. 379 ᵇ15. 3. 380 ᵇ14. κεῖται ὄνομά τί τινι, ἐπί τινι Κ7. 7 ᵃ13. 8. 10 ᵃ33. μα9. 347 ᵃ10. δ3. 380 ᵇ30, ᵃ18. Ζμα3. 642 ᵇ14, 16. ὀνόματα κείμενα τζ2. 140 ᵃ3. Μζ15. 1040 ᵃ11, opp ποιεῖν ὄνομα Μζ15. 1040 ᵃ10, cf ὀνοματοποιεῖν. ἢ τέτευχεν ὀνόματος Ηγ14. 1119 ᵃ10. ὄνομα τίθεσθαι Ργ13. 1414 ᵇ16. Ζιη12. 588 ᵃ9. μεταθέμενος τῦνομα 'Αριστοξένω f 508. 1561 ᵇ4. ὄνομα φέρειν ἐπί τι Ηγ15. 1119 ᵃ33. ἐπὶ τὴν βλασφημίαν ἐπιφέρυσι τὸ ὄνομα (τῦ ἱππομανεῖν) Ζιζ18. 572 ᵃ11. ἣν ἀντίχθονα ὄνομα καλῦσιν Οβ13. 293 ᵃ24. cf Πγ3. 1276 ᵇ11. ᾦ ὄνομα ἦν Κλεότιμος Πε6. 1306 ᵃ2. ὅταν ὀνόματι κληθῇ (τὸ πρόβατον) ὑπὸ τῦ ποιμένος προηγεῖται Ζιζ19. 573 ᵇ26. — 2. (τῦ ὀνόματος notio et genera). φύσει τῶν ὀνομάτων ὐδέν ἐστιν ἀλλ' ὅταν γένηται σύμβολον ε2. 16 ᵃ27. τι1. 165 ᵃ7. αι1. 437 ᵃ14 (aliter accipiendum τὰ ὀνόματα μιμήματά ἐστιν Ργ1. 1404 ᵃ21, cf Steinthal Gesch p 183). ὀνομάτων πόσοι τρόποι, πόσαι συνθέσεις, πόσαι τάξεις p24. ὄνομα ἁπλῦν, διπλῦν, τριπλῦν, τετραπλῦν, σύνθετον, συμπεπλεγμένον, μακρότατον, βραχύτατον, μέσον ε2. 16 ᵃ23. 4. 16 ᵇ32. πο21. 1457 ᵃ31, 35. Ργ2. 1404 ᵇ29. 3. 1405 ᵇ35. 7. 1408 ᵇ10. ρ23. 1434 ᵇ19. 24. 1434 ᵇ33. ὀνόματα παρώνυμα Φγ7. 207 ᵇ9. ἅπαν ὄνομά ἐστιν ἢ κύριον (cf πο22. 1458 ᵃ19. Ργ2. 1404 ᵇ5) ἢ γλῶττα (cf ὅσα παρὰ τὴν διάλεκτον ἐστιν Ργ1. 1404 ᵃ33) ἢ μεταφορά (cf p24. 1434 ᵇ3. Ργ10. 1410 ᵇ31. Ηγ15.1119 ᵇ3) ἢ κόσμος ἢ πεποιημένον ἢ ἐπεκτεταμένον ἢ ὑφῃρημένον ἢ ἐξηλλαγμένον πο21. 1457 ᵇ1-1458 ᵃ7. cf 9. 1451 ᵇ20. Vahlen Poet III 247 (fort ὄνομα ipsum per se τὸ κύριον ὄνομα significat p22. 1458 ᵇ16. Vahlen l l p 323). κινύμενα ὀνόματα γράφει ὁ ποιητής f 129. 1500 ᵃ25. ὀνόματα μαλακά, σκληρά Ργ7. 1408 ᵇ9, 6. αἰσχρά p36. 1441 ᵇ21. οἰκεῖα p26. 1435 ᵃ21. οἰκεῖα τῇ ἕξει Ργ7. 1408 ᵃ30. σύνθεσις ὀνομάτων συγκεχυμένη, ὑπερβατή p26. 1435 ᵃ36 (ἐν τὸ ὀλίγοις τοῖς ὀνόμασιν p11. 1430 ᵃ37 Spgl, νοήμασιν Bk). ὀνόματα (nomina propria hominum) πο9. 1451 ᵇ20. 17. 1455 ᵇ13. Ρβ2. 1379 ᵇ35. — ὄνομα, pars orationis, dist ῥῆμα, σύνδεσμος def ε1. 16 ᵃ23. 2. πο20. 1457 ᵃ10, 14, 1456 ᵇ21. cf Ργ2. 1404 ᵇ5, 26. f 126. 1499 ᵇ21, 29. (sed vocabulo ὄνομα etiam ῥῆμα contineri posse apparet ex Ργ2. 1404 ᵇ27 coll ᵇ26, 5. πο21. 1457 ᵃ31 coll 20. 1457 ᵃ21, 25 Vahlen Poet III 246.) πτώσεις ὀνόματος ε2. 16 ᵇ1. τζ10. 148 ᵃ10. πο20. 1457 ᵃ19. ὀνόματα ἄρρενα, θήλεα, μεταξύ (σκεύη) πο21. 1458 ᵃ8. Ργ5. 1407 ᵇ7. εἰς τί τε- λευτᾷ τὰ ὀνόματα πο21. 1458 ᵃ14. (οἷον ἀποτομὴν δυσὶ

ὀνομάτοιν? ατ968 ᵇ19).
ὀνομάζειν. διώρισαν ὀνομάζειν αἰθέρα τὸ τοιῦτον μα3. 339 ᵇ26. ἀνώνυμον τὸ κοινὸν ἐπ' αὐτῶν, ᾗ ὐχ ὥσπερ ὁ ὄρνις ὠνόμασται ἐπί τινος γένυς Ζμγ6. 669 ᵇ10. διὰ τὸ μὴ ὠνομάσθαι τὸ μέσον (cf ἀνώνυμος) Ηδ10. 1125 ᵇ25. 12.1127 ᵃ7. τὸ ὀνομαζόμενον (i e usitatum) ὄνομα πο21. 1458 ᵃ6 (cf καλύμενον 1457 ᵇ33). τύχῃ ἐπὶ τῦτων ὀνομάζεται, ἀλλ' ὁ λόγος Γβ6. 333 ᵇ15. φύσις ἐπὶ τοῖς ὀνομάζεται (Emped 101) Μδ4. 1015 ᵃ2. πρόσωπον ἀπὸ τῆς πράξεως ὀνομασθὲν Ζμγ1. 662 ᵇ20. αἱ ὀνομαζόμεναι πολιτεῖαι, syn αἱ καλύμεναι Πδ9. 1294 ᵇ41, 31. ε7. 1307 ᵃ13. ἡ ὡς ἀληθῶς καλυμένη πόλις Πγ9. 1280 ᵇ7. — ὀνομαστοὶ ᾗ γνώριμοι Πε10. 1312 ᵃ27.
'Ονομάκριτος δεινὸς περὶ νομοθεσίαν Πβ12. 1274 ᵃ25. τὰ 'Ορφικά ἐν ἔπεσι κατέτεινε f 9. 1475 ᵃ44.
'Ονόμαρχος Πε4. 1304 ᵃ12.
ὀνομασία. λέγω λέξιν τὴν διὰ τῆς ὀνομασίας ἑρμηνείαν πο6. 1450 ᵇ14. ἀντίθετον τὸ ἐναντίαν τὴν ὀνομασίαν ἅμα ᾗ τὴν δύναμιν ἔχον p27. 1435 ᵃ27. ὀνομασία κειμένη, παραδεδομένη, κοινή sim τα4. 101 ᵇ23. β1. 109 ᵃ32 (cf λέξις κειμένη ᵃ29, ἀλλοτρίοις ὀνόμασι τὰ πράγματα προσαγορεύειν ᵃ31). 2. 110 ᵃ16 (ὀνομασίαι). ζ10. 148 ᵇ20. διορίσαι κατὰ τὴν ὀνομασίαν τβ2. 109 ᵃ39 Wz, cf ᵇ4). — ὀνομασία i q κατηγορία: χαλεπώτατον τὸ ἀντιστρέφειν τὴν ἀπὸ τῦ συμβεβηκότος οἰκείαν ὀνομασίαν τβ1. 109 ᵃ11 Wz, Steinthal Gesch p 204.
ὀνομαστὶ καλεῖν θ118. 841 ᵇ20. cf ὀνόματι καλεῖν Ζιζ19. 573 ᵇ26.
ὀνοματοποιεῖν ἀναγκαῖον, ἐὰν μὴ κείμενον ᾖ ὄνομα Κ7. 7 ᵃ5, ᵇ12. τθ2. 157 ᵃ29, 23. Ηβ7. 1108 ᵃ18 (cf γ2. 1110 ᵇ24). — ὀνοματοποιεῖν, opp ipsum rerum discrimen cognoscere τα11. 104 ᵇ36.
ὀνοματώδης. τί σημαίνει τὸ ὄνομα ἢ λόγος ἕτερος ὀνοματώδης Αδ10. 93 ᵇ31.
ὄνος. 1. asinus, ὁ ἥμερος ὄνος Ζιζ36. 580 ᵇ3. descr Ζιζ23. 577. refertur inter τὰ μεγάλα τετράποδα πι61. 898 ᵃ10, τὰ μώνυχα Ζμγ14. 674 ᵃ27. δ10. 688 ᵇ24, τὰ λόφυρα Ζια6. 491 ᵃ1, sed cf φ4. 808 ᵇ35, τὰ ὑποζύγια πι27.893 ᵇ40. — a. descr part. τὸ σῶμα τῶν ὄνων fere i q ὄνος Ζγβ8. 748 ᵇ11. παχύτατον ᾗ μελάντατον τῶν ζωοτόκων ταῦρος καὶ ὄνος Ζμγ15. 521 ᵃ4. βάλλει τὲς ὀδόντας, τοὺς ᾗ πόσας, βόλος, οἱ γνώμονες, τὸ γνῶμα λείπειν Ζιζ1. 501 ᵇ3. ζ23. 577 ᵃ19, 20, 31, ᵇ3. Ζγβ8. 748 ᵇ9. χολὴν ὐκ ἔχει Ζιβ15. 506 ᵃ23. Ζιθ2. 676 ᵇ26. ποῖος ὁ σπλὴν Ζμγ12. 674 ᵃ4. ἔχει μίαν κοιλίαν, μεγάλην τὴν καρδίαν Ζμγ14. 674 ᵃ25. 4. 667 ᵃ21. διὰ τί ῥεύμασι πρὸς τὴν ζωωχώρησιν ποιεῖται τὴν ξηρὰν τῆς ὑγρᾶς πι59. 897 ᵇ34. λεπτότερον τὸ ὖρον τὸ τῶν θηλειῶν, τὰ αἰδοῖα Ζιζ18. 573 ᵃ20. θ10. 831 ᵃ26. ἐν τοῖς μηροῖς ἔχει τὲς ματτύς, λεπτότατον γάλα καμήλῳ, δεύτερον δ' ἵππῳ, τρίτον δ' ὄνῳ Ζμδ10. 688 ᵇ22. Ζιγ20. 521 ᵇ33. — b. asinus mas et femina. mas: ὄνος Ζγβ8. 748 ᵃ34. Ζιζ2. 577 ᵃ14. 23. 577 ᵇ5, 7, ὁ ὄνος Ζιζ 23. 577 ᵃ26, 27, 28, ᵇ15, ὁ ἄρρην ὄνος ἄρρην Ζιζ23. 577 ᵇ4. Ζγβ8. 747 ᵇ15, 17. femina: ὄνος Ζιζ22. 577 ᵃ2. 23. 577 ᵇ5, 7, ἡ ὄνος Ζιζ23. 577 ᵇ15, ὄνος θῆλυς Ζγβ8. 747 ᵇ14, 17, ἡ θήλεια Ζιζ18. 573 ᵃ20. 23. 577 ᵇ4. θ10. 831 ᵃ24, ἐνιαύσια Ζιε14. 545 ᵇ23. ζ23. 577 ᵃ21. πῶλος, νεώτερος τῶν πώλων, τὰ πωλία θ10. 831 ᵃ25, 23. Ζγβ8. 748 ᵃ29. — c. de generat. ἡ περὶ τὰ ἀφροδίσια ἕξις φ4. 808 ᵇ36. κάθαρσις Ζιζ18. 573 ᵃ4. ὁ οἰκεῖος συνδυασμός, opp τὸ παρὰ φύσιν Ζγβ8. 748 ᵇ15, 16. θᾶττον πληροῖ ἐπιβαίνων

ὄνος ἢ ἵππος Ζι ζ 22. 575 b29. ἐπὶ τὴν θήλειαν ἀναβαίνειν
θ 10. 831 a23. ἐὰν μὴ μετὰ τὸν βόλον τὸν πρῶτον ἄρξηται
γεννᾶν, ὀκέτι γεννᾷ τὸ παράπαν Ζγβ 8. 748 b9. ἢ μέντοι
γεννῶσί γε ὡς ἐπὶ τὸ πολὺ ἀλλ' ἢ τριετὴς ἢ διετὴς ἢ
ἐξάμηνος Ζι ε 14. 545 b22. ἡ γονή, syn ἡ ἀπόκρισις. ψυχρὰ 5
ἢ ἡ ὕλη ἢ ἡ γονή Ζγβ 8. 747 b22, 748 a32, b14, 3. ᾗ δέχεται
τὴν ὀχείαν ἀλλ' ἐξαιρεῖ τὸν γόνον Ζγβ 8. 748 a21. Ζι ζ 23.
577 a22 (διὰ τίν' αἰτίαν τύπτωσιν αὐτὰς μετὰ τὴν ὀχείαν
εὐθὺς ἢ διώκωσι Ζι ζ 23. 577 a23. Ζγβ 8. 748 a22, cf Bech-
stein I 750). τὰ ὀχεῖα ἐπιβάλλωσι τοῖς ὄνοις περὶ τροπὰς 10
θερινάς Ζγβ 8. 748 a27. τριακοντάμηνος ὀχεύει ἢ ὀχεύεται
Ζι ε 14. 545 b21. ζ 23. 577 a18. πότε βιβάζεται· πότε δέ-
χεται τὸ πλῆσμα, syn λαμβάνει Ζι ζ 23. 577 a29, 32. ἐὰν
ὀχευομένην ἵππον ὑπὸ ἵππω ὄνος ὀχεύσῃ, διαφθείρει τὸ ἔμ-
βρυον τὸ ἐνυπάρχον Ζι ζ 22. 577 a14. 23. 577 a26. Ζγβ 8. 15
748 a33. ὁ τῆς κυήσεως χρόνος Ζι ζ 23. 577 a7. ἐνιαυτὸν
κύει Ζγβ 8. 748 a31. ἤδη ἐνιαυσία ἐκύησεν ὥστε ἢ ἐκτρα-
φῆναι Ζι ε 14. 545 b23. ζ 23. 577 a21. ἴσχει γάλα κύησα
δεκάμηνος ὖσα Ζι ζ 23. 577 a28. μονοτόκον φύσει (τίκτει
ἐνίοτε ἢ δύο) Ζμβ 10. 688 b23. Ζγβ 8. 748 a17, b17. Ζι ζ 23. 20
577 a25. τίκτει συνεχῶς, διὰ βία, δωδεκάτῳ μηνί, ἐν τῷ
σκότει Ζι ζ 22. 577 a2. 23. 577 a24, b2, 3. πότε ἐξαμβλοῖ,
διὰ τί τέρατα ἧττον τίκτει Ζι ζ 23. 577 b. π 161. 898 a9.
hybridae ex equo et asino Ζι ζ 23. 577 b5-15. 36. 580 b2.
Ζγβ 8. 747 b11, 748 a2, 6, 15, 33, b8, 14. τεθηλακὼς ὁ ὄνος ὁ 25
ἵππον, ἱπποθήλης Ζι ζ 23. 577 b16, 17. cf Usener Alex
Aphrod probl p 36, 3 adn. — d. de propria natura, victu,
vita. ψυχρὸς τὴν φύσιν, δυσρίγότατον τῶν τοιούτων ζῴων
(v l τὸ τοιοῦτον ζῷον, τοῦτο τὸ ζῷον ci C et S, τῶν τριχω-
τῶν ζῴων ci Pik) Ζγβ 8. 748 a23, 31. Ζι θ 25. 605 a20 Aub 30
(cf 28. 606 b5). ἴδιον ἐπὶ τῶν ὄνων τὸ ἄλυπον φ 4. 808 b37.
— καρποφάγοι ἢ ποηφάγοι, μάλιστα πιαίνεται τῷ ποτῷ
Ζι θ 7. 595 b22, 23. ἁπαλὰς ὖσας κατεσθίει τὰς ἀκάνθας,
φάτνη Ζω 1. 609 b20, 21, 610 a6. ὄνον σύρμαι' ἂν ἑλέσθαι
μᾶλλον ἢ χρυσόν Ηκ 5. 1176 a7. — βιοῖ πλείω τριάκοντ' 35
ἐτῶν, ἡμίονος μακροβιώτερος ἵππω ἢ ὄνῳ Ζι ζ 23. 577 b4.
μκ 5. 466 b10. — e. geographica. ἐν τοῖς χειμερινοῖς ᾗ
θέλει γίνεσθαι τόποις διὰ τὸ δύσριγον εἶναι τὴν φύσιν, οἷον
περὶ Σκύθας ἢ τὴν ὅμορον χώραν, οὐδὲ περὶ Κελτοὺς τοὺς
ὑπὲρ τῆς Ἰβηρίας· ἐν τῇ Σκυθικῇ ἢ Κελτικῇ ὅλως ᾗ γίγνον- 40
ται· περὶ τὸν Πόντον ἢ τὴν Σκυθικὴν ᾗ γίνονται ὄνοι Ζγβ 8.
748 a23. Ζι θ 28. 606 b4, 25. 605 a21. — γίνεται ἔξω ὄνοι
ἢ τἆλλα μεγάλα ἐν τῇ Ἠπείρῳ τετράποδα, ἐν τῇ Ἰλλυρίδι
ἢ τῇ Θρᾴκῃ ἢ τῇ Ἠπείρῳ οἱ ὄνοι μικροί Ζι γ 21. 522 b19.
θ 28. 606 b3. — f. morbi. νοσῶσι μάλιστα μηλίδα, descr 45
Ζι θ 25. 605 Aub. διὰ τί τοῖς ὄνοις τῶν ὑπὸ ὕλων φύονται
τρίχες π 127. 893 b27. 29. 894 a12. ἕλκη Ζω 1. 609 a33, 35.
ὐκ ἔχει ὖτε φθεῖρας ὖτε κρότωνας Ζι ε 31. 557 a14. —
g. πολέμιοι: αἴγιθος λύκος κόραξ κωλυώτης ἀκανθίδες Ζω 1.
609 a31, b1, 2, 5, 20, 610 a4. — h. signa physiognomonica 50
e natura asinorum petita: φ 6. 811 a26, b7, 10, 24, 31,
812 a8, 813 a32. — i. comparantur asino: ἡ κάμη-
λος ἔχει κέρκον ὅμοιον ὄνῳ, ὁ ἵππος ὁ ποτάμιος μέγεθος
ἐστιν ἡλίκος ὄνος, ὁ καλύμενος τάρανδος σχεδὸν ἴσος ὄνῳ
Ζι β 1. 499 a19. 7. 502 a13. f 332. 1534 a4. (Equus asinus 55
C II 78. Su 74, 55. St. Cr. KaΖ ι 29, 17. AΖ ι I 74, 37.
AΖ γ 22. Schlieben 72.)
2. οἱ ἄγριοι ὄνοι, ἐν Συρίᾳ. mores descr, τὴν ταχυτῆτα
διαφέροντες, ὁ ἀφηγούμενος Ζι ζ 36. 580 b3, 5. θ 10. 831 a24,
22. cf Rose Ar Ps 332. (Equus onager Pall Su 77, 59b. 60
Equus hemionus St. wild ass Cr. in incert rel AΖ ι I 74,

37b. cf Schlieben 70.)
3. ὁ Ἰνδικὸς καλύμενος ὄνος. μονοκέρατα ἢ μώνυχα
ὀλίγα, οἷον ὁ Ἰνδικὸς ὄνος Ζι β 1. 499 b19. ὁ Ἰνδικὸς καλύ-
μενος ὄνος refertur inter τὰ μονοκέρατα, μώνυχον, ἀστρά-
γαλον ἔχει τῶν μωνύχων μόνον Ζμγ 2. 663 a23, 24, 19.
Ζι β 1. 499 b20. (Einhorn Wiegmann 36. 38. fort Rhinoce-
ros indicus Cuv ad Plin excurs IV 630. Brandt in Bulletin
de l'Acad de Petersbourg 1861 p 337. Sonnenburg 25. St.
Cr. I 74, 38. cf C II 80. Su 90, 71. M 321. Schlieben
75. Link Urwelt u Alterth II 175.)
4. ὁ ἰχθὺς ὁ καλύμενος ὄνος, ὄνος ὁ θαλάττιος. asellus
piscis f 307. 1530 a42, 38, b22. descr 307. 1530 a23-b23.
ἔχει στόμα ἀνερρωγός· μόνος τὴν καρδίαν ἐν τῇ κοιλία, ἐν
τῇ γαστρί, in media alvo, ἔχει ἢ ἐν τῷ ἐγκεφάλῳ λίθους
ἐμφερεῖς μύλαις f 307. 1530 a25, 26, 33, 38, 44, b22. 4.
συναγελαστικός, μονότροπος. σὺν ἄλλοις βιῶν ὐκ ἀνέχεται
f 307. 1530 a25, 32. φωλεῖ πλεῖστον χρόνον· καθαμμίζει
ἑαυτόν, syn πιεῖ ἑαυτὸν ἄδηλον, ῥαβδὸύεται τοῖς ἐκ τῶν
στόματι, ἃ καλῶσιν οἱ ἁλιεῖς ῥαβδία· φωλεύει μόνος ἐν
ταῖς ὑπὸ κύνα θερμοτάταις ἡμέραις, σειρίου ἐπιτολῇ φωλεύει
μόνος Ζι θ 15. 599 b33, 600 a1. ι 37. 620 b29. f 307. 1530
a27, 35. (Merlus, Merluche Jonston de pisc I 1. Ar 4, 38.
fort Gaideropsaro Cretensium vel Eglefin C II 84. Raja
squatina St. Gadus mustela Cr. in incert rel AΖ ι I 137, 51.)
5. ὄνος πολύπης. οἱ ἐν τοῖς ἰχθύσιν φθεῖρες τὰς ὄψεις
ὅμοιοι τοῖς ὄνοις (v l ὀνίοις) πολύποσι, πλὴν τὴν ὐρὰν ἔχυσι
πλατεῖαν Ζι ε 31. 557 a23. (Cloporte C II 234. Oniscus asel-
lus K 704, 9. Cr. Oniscus AΖ ι I 169, 38. cf M 225.)
6. ὄνος, machina. ὄνος καλεῖται τό τε ζῷον ἢ τὸ σκεῦος
τα 15. 107 a19. ὄνοι ἢ μόχλοι μχ 18. 853 b12. 13. 852 b12.
Ὄνου σκιά, δράματός τινος ἐπιγραφή f 582. 1573 a43.
ὄντως. σωτὴρ μὲν ὑμῖν ὄντως ἀπάντων ἐστὶν ὁ θεός sim κ 6.
397 b20, 399 b24, 29, 400 b4 (ὄντως ci Kapp). 1. 391 a1.
f 100. 1494 a31. φτα 1. 815 a23. — ab ipso Aristotele voc
ὄντως non videtur usurpatum esse; formulae Platoni usi-
tatae τὸ ὄντως ὄν comparari possunt Aristotelicae τὸ ὂ ἢ
ὄν, τὸ ὂν ἁπλῶς (cf εἶναι p 220 b57), τὸ πρώτως ὂν ΜΖ 1.
1028 a30, τὸ ὂν καθ' ὅσον ὂν Μκ 3. 1061 b9, 10.
ὄνυξ. τὸ τῶν ὀνύχων γένος Ζι γ 11. 517 b25. Ζμβ 8. 653 b32.
δ 10. 690 b8, refertur inter τὰ ξηρὰ ἢ στερεά, τὰ σκληρὰ
ἢ γεώδη τὴν μορφήν, Hartgebilde, Horngebilde Ζι α 1. 487
a8. Ζγβ 6. 743 b15. μδ 10. 389 a12, τὰ ὁμοιομερῆ Ζι γ 2.
511 b8, τὰ ἐξ αὐτῶν συνεστηκότα ὅλα ἢ συνώνυμα τοῖς
μορίοις Ζμβ 9. 655 b6, τὰ μόρια ἱκανὰ ἀμύνειν Ζμγ 2. 662
b34. cf Ζι α 1. 486 b20. Ζμβ 9. 655 b3. Ζγα 18. 722 a5.
27 al. ἢ τῶν ὀνύχων φύσις Ζμδ 12. 694 a22, ἐκ τῶν
περιττωμάτων, ἐκ τῆς ἐπικτήτυ τροφῆς ἢ τῆς αὐξητικῆς
ἐκ τῷ δέρματος Ζγβ 6. 744 b25 (cf 745 b15, 19), 745 a1.
20. π 166. 898 b15. Ἐμπεδοκλῆς ἐκ νεύρα τὸν ὄνυχα (γίνε-
σθαι) τῇ πήξει πν 6. 484 a38. ἀπόκρισις εἰς τὴν τῷ ὄνυχος
φύσιν Ζγδ 10. 690 a7. τὸ δέρμα διαλείπται κατὰ τὸ στόμα
ἢ ὄνυχας Ζι γ 11. 518 a5. συνεγγὺς τοῖς ὀστοῖς Ζμβ 9. 651
b3. Ζι γ 9. 517 a7. ἐν ἐνίοις τῶν ζῴων ὐδὲν διαφέρει τὴν
(om codd Aa Ca, C Bsm Aub) τὴν σκληρότητα τῶν ὀστῶ
Ζι γ 11. 517 b25. — τὸς ὄνυχας ῥιπτύμεν κεη 1. 1235 a38
ὀνύχων τρώξεις Ηη 6. 1148 b28. — ὀνύχων διαφοραὶ. ὄνυχες
μέγεθος ἢ ἰσχύς, ἀλκὴ ἐν τοῖς ὄνυξιν Ζμδ 12. 694 a26. γ 1
662 b4. μεγάλοι, ὐ μεγάλοι, ἐλάχιστοι, ἰσχυροί, κρείττω
τοῖς ὄνυξι, βελτίως, σκληρότεροι Ζι β 12. 504 a18. 1. 498 b1
10. 503 a10. γ 11. 518 b23. ι 9. 614 b4. 1. 609 a12. Ζγβ 8
745 b17. γαμψοί, γαμψότεροι Ζμδ 12. 694 a19. γ 1. 66

ᵇ5. καμπύλαι φ6. 810 ᵃ21. κολοβάς (? ci Pik, ὅλως ἐκ Bk)
Ζιγ9. 517 ᵃ32. τὰ χρώματα τῶν ὀνύχων κατὰ τὴν τῦ δέρ-
ματος ἀκολυθεῖ χρόαν Ζιγ9. 517 ᵃ12, 17. μέλανες, λευκοί
Ζιγ9. 517 ᵃ20. πι66. 898 ᵇ13. πάντων ὁ ὄνυξ ἐπ᾽ ἄκρῳ
Ζια15. 494 ᵃ15 (cf ἐπ᾽ ἄκροις τοῖς κώλοις Plat Tim 76 E). 5
— εὖ χ̦ τὸ τῶν ὀνύχων μεμηχάνηται Ζμδ10. 687 ᵇ22.
τοῖς ἀνθρώποις ἐπικαλυπτήρια· σκέπασμα γὰρ τῶν ἀκρω-
τηρίων· ἢ τῷ ἀνθρώπῳ χεὶρ χ̦ ὄνυξ γίνεται ... χ̦ ἄλλο
ὁποιονῶν ὅπλον Ζμδ10. 687 ᵇ24 (cf 690 ᵇ9), 3. τὰ ἄλλα
ζῷα ἔχει χ̦ πρὸς χρῆσιν αὐτᾶς, βοηθείας χάριν Ζμδ10. 687 10
ᵇ23. β9. 655 ᵇ5. cf γ2. 662 ᵇ33. πκζ9. 948 ᵇ31 (cf Plat
Tim 76 E). — pathologica Ζιγ11. 518 ᵇ23, 35. η4. 585
ᵃ27. ι7. 613 ᵃ20. — ἔχει ὄνυχας ἅπαντα ὅσαπερ δακτύλης
Ζιγ9. 517 ᵃ30. cf ΚαΖι 120, 4. — 1. lamna. ἀνθρώπυ
Ζμδ10. 687 ᵇ3, 24, 690 ᵇ9. φτα3. 818 ᵇ15. ἄνθρωπος ἔχει 15
ὄνυχας ἐλαχίστης ὡς κατὰ μέγεθος Ζγβ6. 745 ᵇ17. τῶν
μελάνων ἀνθρώπων οἱ ὄνυχες μέλανες, ὐκέτι λευκοί Ζιγ9.
517 ᵃ20. πι66. 898 ᵇ13. ἀναιδεῖς ὅσοις ὄνυχες καμπύλαι
(v1 καμπύλοι) φ6. 810 ᵃ21. αὐξανται ἔν τε νόσοις χ̦ ἐν
γήρᾳ χ̦ τεθνεώτων, χ̦ σκληρότεροι γίνονται· (τῶν μητέρων) 20
τῷ ἁλὶ δαψιλεστέρῳ χρησαμένων ἐκ ἔχοντα γίνεται τὰ
παιδία ὄνυχας Ζιγ11. 518 ᵇ23, 35. η4. 585 ᵃ27. — simiae
ἔχυσιν ὄνυχας ὁμοίως ἀνθρώπῳ Ζιβ8. 502 ᵇ3. — 2. falcula.
τῶν ἐχόντων ὄνυχας τὰ μέν ἐστιν εὐθυώνυχα ὥσπερ ἄν-
θρωπος, τὰ δὲ γαμψώνυχα ὥσπερ χ̦ τῶν πεζῶν λέων χ̦ 25
τῶν πτηνῶν ἀετὸς Ζιγ9. 517 ᵃ30, 33. Mammalium, τὰ μικρὰ
τῶν πολυδακτύλων τὸν ὄνυξι πλείσιον ὐσιν ἀντιλαμβανόμενα
ῥᾷον ἀνέρπει πρὸς τὸ μετεωρότερον χ̦ ὑπὲρ κεφαλῆς Ζμδ10.
688 ᵃ10. πενταδάκτυλοι ἔχυσιν ὄνυχα ἢ μέγαν, χ̦ τὰς τῶν
ὀπισθίων ὄνυχας ὁμοίως τοῖς προσθίοις Ζιβ1. 498 ᵇ1, 3. λέων 30
πότε ἢ βλάπτει τοῖς ὄνυξιν, ὅσα ἂν δάκῃ ἢ τοῖς ὄνυξιν ἐλ-
κώσῃ (ungue inpresso Plin VIII § 49) Ζι44. 629 ᵇ26, 630
ᵃ5. — Avium, τῶν γαμψώνυχων Ζμγ1. 662 ᵇ5. δ12. 694
ᵃ19. φ6. 810 ᵇ21. οἱ τῦ ἀετῦ ὄνυχες διαστρέφονται ὀλίγας
ἡμέρας, ἀετοὶ τοῖς ὄνυξιν ἀμύττυσιν, ἀετὸς (τὰς νεοττὰς) 35
σπᾷ τοῖς ὄνυξιν ΖιΖ6. 563 ᵃ24. ι32. 619 ᵃ23. 34. 619 ᵇ31.
ἰκτίνα, κόρακος Ζι1. 609ᵃ21. ὑγχὲ ὄνυχας μεγάλης ἔχει
ὁμοίως μέντοι πεφυκότας τοῖς τῶν κολοιῶν· πρεσβυτέρων
γινομένων (τῶν φαττῶν) οἱ ὄνυχες αὐξάνονται, ἀλλ᾽ ἀπο-
τέμνυσιν οἱ τρέφοντες· ὁ δρυοκολάπτης ἔχει τὰς ὄνυχας βελ- 40
τίυς (βέλτιον ci Pik) τῶν κολοιῶν πεφυκότας πρὸς τὴν
ἀσφάλειαν ἐν τοῖς τοῖς δένδρεσιν ἐφεδρείας Ζιβ12. 504 ᵃ18.
ι7. 613 ᵃ20. 9. 614 ᵇ4. — οἱ κροκόδειλοι ἔχυσιν ὄνυχας
ἰσχυρὰς Ζιβ10. 503 ᵃ10. — 3. ungula. μώνυχα. ἀντὶ πλει-
όνων ὀνύχων εἰς ὄνυξ ἡ ὁπλὴ Ζμδ10. 690 ᵃ9. cf τὰ δισχιδῆ 45
ἀντὶ τῶν ὀνύχων ὁπλὰς ἔχει, ἐλέφας ὄνυχας ὅλως ὐκ (κο-
λοβὼς ci Pik) ἔχει Ζιβ1. 499 ᵇ9. γ9. 517 ᵃ32.
ὀνύχιον. chamaeleontis ὀνύχια ὅμοια τοῖς τῶν γαμψώνυχων
Ζιβ11. 503 ᵃ29.
ὀνώδης. οἱ τὰ ὦτα μεγάλα ἔχοντες ὀνώδεις φ6. 812 ᵃ20. 50
ὀξάλμη μβ3. 359 ᵇ15.
ὄξος. dist οἶνος νεη2. 1235 ᵇ39. τὸ ὄξος ὕδατος, πήγνυται
γὰρ ψυχρῷ μδ10. 389 ᵃ10. 7. 384 ᵃ13. de eius natura
ἀποραί f 212. 213, praecipue 1517 ᵃ38. ἡ περὶ τὸ ὄξος
ἰλύς Ζιε19. 552 ᵇ5. τὸ ὄξος δάκνει τὴν ἐντὸς σάρκα πλα21. 55
959 ᵇ7, παύει λύγγα πλγ5. 962 ᵃ2. Μάγνητες παρέχυσι
τοῖς ἐπιδημῦσι στέγνην ἅλας ἔλαιον ὄξος f 588. 1574 ᵃ1.
ὀξυγώνιος μάχαιρα τα15. 107 ᵃ17. ἡ πυραμὶς ὀξυγωνιώ-
τατον Ογ8. 307 ᵃ2. ὀξυγώνιος ὁ κῶνος τῶν ὄψεων f 342.
1535 ᵃ3, 4. 60
ὀξυδερκής. οἱ τὸν χαλκὸν ὀρύττοντες ὀξυδερκέστατοι γίνονται

θ58. 834 ᵇ28.
ὀξυδορκεῖν τοῖς τῆς ψυχῆς ὄμμασιν ρ1. 1421 ᵃ22.
ὀξυήκοοι ἰχθύες Ζιδ8. 534 ᵃ6, 8.
ὀξύθυμος Ρα10. 1368 ᵇ20. θυμικοὶ χ̦ ὀξύθυμοι οἱ νέοι Ρβ12.
1389 ᵃ9. οἱ ὀξύθυμοι χ̦ παρρησιαστικοί, opp οἱ πρᾶοι χ̦
εἴρωνες χ̦ πανῦργοι Ρβ5. 1382 ᵇ20. ὀξύθυμος, syn ἀκρό-
χολος ηεβ3. 1221 ᵇ12, coll Ηδ11. 1126 ᵃ18.
ὀξυλαβὴς ὁ ἀετός Ζι34. 619 ᵇ29.
Ὀξύλω νόμος Πζ4. 1319 ᵃ12.
ὀξύμελι πι343. 922 ᵃ6.
ὀξύνειν. οἱ οἶνοι ἐν ταῖς ἀλέαις ὀξύνονται Ζγγ2. 753 ᵃ23.
ὀξύπεινος φύσει ὁ ἀετὸς Ζι34. 619 ᵇ29.
ὀξύς. de vario vocabuli usu: τῷ ὀξεῖ ἐν φωνῇ μὲν ἐναντίον
τὸ βαρύ, ἐν ὄγκῳ δὲ τὸ ἀμβλὺ τα15. 106 ᵃ13, 107 ᵃ14.
Αθ2. 90 ᵃ19-21. ἢ συμβλητόν, πότερον ὀξύτερον τὸ γρα-
φεῖον ἢ ὁ οἶνος ἢ ἡ νήτη Φη4. 248 ᵇ8. — γωνία ὀξεῖα
τα15. 107 ᵃ16. Μμ8. 1084 ᵇ7. κατ᾽ ὀξείας γωνίας· κ4. 396
ᵃ1. ῥόμβος ὀξύτερος μχ23. 855 ᵃ5. ἐνταῦθα ἡ καρδία τὸ
ὀξὺ ἔχει αν16. 478 ᵇ5, cf καρδία p 364 ᵇ40. πλατύτερον
τὸ ὀξὺ τῶν τεύθων Ζιδ1. 524 ᵃ31 Aub. cf A Siebld XII
375. τέττιγες τρυπῶντες ᾧ ἔχυσιν ὄπισθεν ὀξεῖ Ζιε30. 556
ᵃ30. τὸ ὀξὺ τῆ ᾠῷ, opp πλατύ. μάχαιρα ὀξεῖα τα15. 107 ᵃ16.
— de sonis, quomodo τὸ ὀξὺ cohaereat cum celeritate
ψβ8. 420 ᵃ30, ᵇ2. Ζγε7. 786 ᵇ26. τὸ ταχὺ ἐν φορᾷ ἐν
φωνῇ ὀξύ ἐστιν πια21. 901 ᵃ34. 6. 899 ᵃ26. 13. 900 ᵃ23. 40.
903 ᵇ32. ι50. 922 ᵇ39. ἡ ταχυτὴς τῦ πνεύματος ποιεῖ τὴν φω-
νὴν ὀξεῖαν, ἡ δὲ βία σκληρὰν κα803 ᵃ6. ἐπιτείνειν τὸν φθόγγον
χ̦ ὀξὺ φθέγγεσθαι, opp βαρὺ φθέγγεσθαι φ2. 807 ᵃ16, 17.
ὀξύτερον φθέγγεται τὸ θῆλυ, τὰ νεώτερα Ζγε7. 786 ᵇ18,
15. ἡ ὀξεῖα χ̦ ἀνειμένη φωνὴ δειλὸν σημαίνει· φ2. 806 ᵇ27.
ἔργον μᾶλλον ᾆδειν τὰ ὀξέα ἢ τὰ βαρέα πθ37. 920 ᵇ19,
25. 17. 918 ᵃ18. εὐαρμοστότερον ἀπὸ τῦ ὀξέος ἐπὶ τὸ βαρὺ
ἢ ἀπὸ τῦ βαρέος ἐπὶ τὸ ὀξὺ πι833. 920 ᵃ19. τῶν ὀξυτέρων
φωνῶν πορρωτέρω ἀκύωσιν πια47. 904 ᵇ7. ὁ βαρὺς φθόγγος
μαλακὸς χ̦ ἠρεμαῖος, ὁ δὲ ὀξὺς κινητικὸς πιθ49. 922 ᵇ32.
ἡ μέση βαρεῖα πρὸς τὴν νήτην χ̦ ὀξεῖα πρὸς τὴν ὑπάτην
Φε1. 224 ᵇ34. χ̦ ὀξύτερα πιθ7. 918 ᵃ16. ἐπὶ τὴν ὀξυτάτην
νεάτην Μν6. 1093 ᵇ3. δι᾽ ὀξειῶν (i q διὰ πέντε) πιθ34. 920
ᵃ24. 41. 921 ᵇ1, cf ᵇ2. πῶς δεῖ χρῆσθαι (in orationibus)
τοῖς τόνοις οἷον ὀξεῖα χ̦ βαρεῖα χ̦ μέση Ργ1. 1403 ᵇ29.
προσῳδία ὀξεῖα τ23. 179 ᵃ14, 15. ὀξεῖα ξξύτερον, opp
βαρύτερον τ21. 178 ᵃ3. 4. 166 ᵇ6. Vahlen Poet IV 369
ad πο25. 1461 ᵃ22. — χυμὸς ὀξύς αι4. 442 ᵃ19. ψβ10.
422 ᵇ14. ὕδατα ὀξέα μβ3. 359 ᵇ14, 18. — ὀσμὴ ὀξεῖα
ψβ9. 421 ᵃ30 (cf Trdlbg p 404). — κινήσεις ὀξεῖαι, opp
νωθραί πβ38. 870 ᵃ29. αἱ ὀξεῖαι κινήσεις ἔνθερμον διάνοιαν
σημαίνωσιν φ2. 806 ᵇ26. ἐν ταῖς κινήσεσιν ὀξὺς ὁ ἀναιδὴς
φ3. 807 ᵇ32. κινήσει ὀξύτατος ὁ κόσμος κ5. 397 ᵃ15. γέ-
νεσις ὀξυτέρα, syn ταχυτέρα φτβ1. 822 ᵇ14, 15, 9. νόσοι
ὀξεῖαι def α6. 859 ᵇ12. νοσήματα ὀξέα Ζμ2. 677 ᵃ6.
πα6. 859 ᵇ7. 20. 861 ᵇ26. Λθ4. 963 ᵇ34. φύσις ὀξεῖα
εὐκίνητος, opp μόνιμος ΖιΖ19. 574 ᵃ12. 22. 577 ᵃ17. ἠρέμα
χ̦ ἐκ ὀξὺ βλέπειν μγ4. 373 ᵇ4. ὀξύ, ὀξύτερον, ὀξύτατον
βλέπειν Ζγε1. 779 ᵇ17. Ζμβ13. 658 ᵃ2. ΖιΒ10. 503 ᵃ12
(opp φαύλως βλέπειν). — τὸ ὀξὺ ὁρᾶν διχῶς λέγεται, τὸ
ἀκριβῶς Ζγε1. 780 ᵇ16sqq. αἱ βελόναι χροιαὶ θερμὸν σημαί-
νωσιν φ2. 806 ᵇ4. ἐν ψυχει ὀξύτεροι χ̦ οἱ ἀσθενήσαντες χ̦
οἱ λυπύμενοι χ̦ οἱ ὀργιζόμενοι πη3. 887 ᵇ19. θυμοὶ ὀξεῖς,
βυλήσεις ὀξεῖαι Ρβ13. 1390 ᵃ11. 12. 1389 ᵃ7. ὀξεῖς οἱ ἀκρό-
χολοι Ηδ11. 1126 ᵃ18. cf η8. 1150 ᵇ25, 27. opp ἠσύχιος,
ῥάθυμος Ηγ10. 1116 ᵃ9. νεη5. 1240 ᵃ2. — ὀξέως. τὰ

στρυθία ὀξέως συγγίνεται Ζιε2. 539 [b]33. αἱ μέλιτται τὸν
κηρὸν ἀναλαμβάνυσιν ὀξέως Ζιↄ40. 624 [a]34. ὀξέως πεπαίνε-
σθαι, opp βραδέως φτα5. 820 [b]12, 15.

ὀξύτης φωνῆς, opp βαρύτης ψβ11. 422 [b]30. Ζγε1. 778 [a]19.
7. 786 [b]12. Ζιↄ9. 536 [b]9. αχ803 [b]31. πο20. 1456 [b]33.
πια20. 901 [a]22. ἡ ὀξύτης (φωνῆς) σφοδρότης πιλ14. 900
[a]33. — αἰγωπὸς πρὸς ὀξύτητα ὄψεως κράτιστον Ζια10.
492 [a]4. — ὀξύτης τῆς κινήσεως χ2. 392 [b]2. ἡ τῦ δελφῖνος
ὀξύτης ϗ δύναμις τῦ φαγεῖν Ζιθ2. 591 [b]29. (οἱ ἀκρόχολοι)
φανεροί εἰσι διὰ τὴν ὀξύτητα Ηδ11. 1126 [a]17.

ὀξυφωνία ϗ ταχυτής Ηδ8. 1125 [a]16. βαρύτης ἢ ὀξυφωνία
Ζγε7. 788 [a]3.

ὀξύφωνος. ἡ θάττων κίνησις ὀξυφωνοτέρα πια14. 900 [b]5.
τῶν ζῴων τὰ μὲν βαρύφωνά ἐστι, τὰ δ' ὀξύφωνα Ζγε7.
786 [b]8, 788 [a]17. ὀξυφωνότερα τὰ θήλεα Ζιↄ11. 538 [b]13.
ηι. 581 [b]8. φ2. 807 [a]18. προϊύσης τῆς ἡλικίας τὰ βαρύ-
φωνα γίνεται ὀξυφωνότερα Ζγε7. 787 [b]9, [a]27. ὀξύφωνοι οἱ
ἑκτικοί, οἱ ἀσθενεῖς, οἱ ἄγονοι πιθ37. 920 [b]28, 23. ια16.
900 [b]24.

ὀξυωπής. ὀφθαλμοὶ ὀξυωπέστατοι Ζια10. 492 [a]9. ὁ ἁλιάετος
ὀξυωπέστατος Ζιↄ34. 620 [a]2.

ὀξυωπία χρησιμωτάτη τοῖς ὄρνισι πρὸς τὸν βίον Ζμↄ11.
691 [a]25. βλάπτεσθαι πρὸς ὀξυωπίαν πↄ3. 876 [b]25. λα14.
958 [b]28.

ὀξυπός. τῦ τὰ μὲν ὀξυπὰ εἶναι τῶν ζῴων τὰ δὲ μὴ τίνες
αἱ αἰτίαι Ζγε1. 780 [b]13. τῶν ὀρνίθων τίνες ὀξυωποί Ζμβ13.
657 [b]26. Ζιↄ1. 609 [b]16. 30. 618 [b]8. ποῖα ὄμματα ὀξυωπά
Ζγε1. 779 [b]35. Ζμβ13. 657 [a]33.

ὀξυώδης. ῥοιὰ ὀξυώδης φτα6. 821 [a]5. ὕδωρ ὀξυῶδες φτβ10.
829 [a]41.

ὀπή. εἴροψ εἰς τὰς ὀπὰς ἐν τῇ γῇ καταδυόμενος νεοττεύει
Ζιζ1. 559 [a]4. τὰ ζῷα κρύπτυσιν ἑαυτὰ ἐν ὀπαῖς φτα3.
818 [b]25. οἱ ἐχῖνοι τὰς ὀπὰς μεταμείβυσιν Ζιↄ6. 612 [b]6. θ8.
831 [a]16. τῦ ἀραχνίυ ὀπὴ μικρά Ζιↄ39. 623 [a]30. δι' ὀπῆς
ἐὰν λάμπη εὐγωνίυ τὸ φῶς πιε11. 912 [b]15.

ὀπῃ ἔτυχεν Ζγβ6. 743 [a]21 (v1 ὅπῃ).

ὀπηλικοσῦν. ὀπηλικονῦν Γα8. 326 [b]8, ὁπ. σῶμα, μέγεθος
Γα2. 316 [b]8. Φγ7. 207 [b]32. ὀπηλικονῦν κατὰ μέγεθος ϗ
μικρότητα, τὸ μέγεθος Φα4. 187 [b]13, 16, 20. ἐν ὀπηλικῳῦν
χρόνῳ Οα6. 274 [a]14. ὀπηλικῳῦν ὗσα ᾗ ἁφῇ ατ2. 460 [a]18.

ὀπιγαῖς, φυτὸν τι φτα3. 818 [b]37. (opigaldum, epigader,
epygadrium v l ap Nicol Damasc ed Meyer. cf etiam p 69
et Sprengel hist rei herb I 61.)

ὀπίζειν. τὸ γεῶδες συνίσταται ὑπὸ τῦ ὀπῦ, ἐάν πως ἕψῃ τις,
οἷον οἱ ἰατροὶ ὀπίζοντες μↄ7. 384 [a]22.

Ὀπικοί, καλύμενοι Αὔσονες Πη10. 1329 [b]19. — Ὀπική.
τόπος τῆς Ὀπικῆς, ὃς καλεῖται Λάτιον f 567. 1571 [a]24.

ὀπίωρος. καθάπερ τὺς κατεαγότας ὀπίωρυς (? cuneos ant vers)
ἐν τοῖς ξύλοις ἐκκρύυσιν πιↄ8. 915 [a]11.

ὄπισθεν (nusquam ὄπισθε Bk exhibuit, cf Lob Phryn 284.
Path II 153), cf ἔμπροσθεν. τόπυ διαφοραὶ ἔμπροσθεν ϗ
ὄπισθεν Φγ5. 205 [b]33. α5. 188 [a]25 al. ὄπισθεν, opp ἔμπρο-
σθεν Οβ2. 284 [b]32. Ζμγ3. 665 [a]24, [b]19. 5. 667 [b]33, 35,
668 [a]2, [b]23 al. cf ἔμπροσθεν p 243 [b]45, Wz II 338. ἔμ-
προσθεν λέγεται ἐφ' ὃ ἐστιν ἡ αἴσθησις, ὄπισθεν δὲ τὸ ἀντι-
κείμενον ζ1. 467 [b]31. Ζμγ3. 663 [a]15. τὸ ἀριστερὸν ϗ κάτω
ϗ ὄπισθεν κακὸν ἔλεγον οἱ Πυθαγόρειοι f 195. 1513 [a]25 (cf
Plat Tim 45A). εἰς τὸ ὄπισθεν, εἰς τὤπισθεν, opp εἰς τὸ
ἔμπροσθεν Φε5. 229 [b]9. θ8. 261 [b]35. Οβ5. 288 [a]6. Ζμγ7.
670 [a]17. [b]10. 656 [b]18. δ12. 694 [b]21. Ζιγ4. 51. [b]19. ε6.
541 [b]16 (opp ἐπὶ τὸ στόμα) al. ὅτε ἀπὸ τῆς Ἀσίας ἤονα

ποιήσειεν ὁ ῥῆς, τὸ ὄπισθεν λίμνη ἐγένετο τὸ πρῶτον μα14.
353 [a]10. πολύπης ἔχει τὸ στόμα ὄπισθεν Ζιↄ1. 524 [a]16.
συνιόντες ὄπισθεν, syn πυγηδὸν Ζιζ3. 579 [b]30. ε2. 539 [b]22.
ὄπισθεν ἐπωθεῖν μγ1. 370 [a]23. — frequens usus voc ὄπισθεν
in describendis corporis animalium partibus. ἀνθρώπυ τὰ
ὄπισθεν, opp τὰ πρόσθεν, τὰ ἔμπροσθεν πι53. 896 [b]30. β14.
867 [b]12-18. τὰ ὄπισθεν μόρια. τὰ ὄπισθεν, τὸ ὄπισθεν κύ-
τος, τὰ ὄπισθεν κῶλα, τὰ πρόσθια κῶλα ϗ τὰ ὄπισθεν
Ζμↄ6. 683 [a]19. 10. 689 [a]1, 690 [a]20. 9. 684 [b]30. β10. 656
[b]26. οἱ ὄπισθεν πόδες, τὸ ὄπισθεν σκέλος Ζμↄ13. 697 [b]5.
10. 686 [b]16, 690 [a]11, 17, 22. κίγκλος ἀκρατὴς τῶν ὄπισθεν
Ζιↄ12. 615 [a]23. ὁ ὄπισθεν τόπος, sedes Ζγα13. 720 [a]29. τὸ
μέσον τῦ πρόσθεν καλυμένα ϗ ὄπισθεν Ζι. 467 [b]30. τὸ ὄπι-
σθεν τῆς κεφαλῆς Ζια16. 494 [b]33. Ζμβ10. 656 [b]8 (cf Le-
wes 168. Sonnenburg 11: Genick). ἡ τῶν ὄπισθεν τήρησις,
πρὸς φυλακὴν τῶν ὄπισθεν βλαπτόντων, διὰ τῆς τῶν φλε-
βῶν ἐναλλάξεως συνδεῖται τῶν σωμάτων τὰ πρόσθια τοῖς
ὄπισθεν Ζμↄ11. 692 [a]7, 5. γ5. 668 [b]27.

ὀπίσθιος. τὸ ὀπίσθιον αὐχένος μόριον ἐπωμίς Ζια12. 493 [a]9.
τὸ ὀπίσθιον, opp τὸ ἔμπροσθεν Ζμↄ13. 695 [b]16. ἔνια ἐπὶ
τὸ αὐτὸ ἔχει τὸ πρόσθιον ϗ τὸ ὀπίσθιον Ζπ5. 706 [b]1. θώ-
ρακος μέρη τὰ μὲν πρόσθια τὰ δ' ὀπίσθια Ζγα3. 493 [a]11.
τὰ πρόσθια ϗ ὀπίσθια (μόρια) Ζγα18. 722 [b]29. τὰ ὀπίσθια
σκέλη, τὸ ὀπίσθιον σκέλος, τὰ πρόσθια ϗ τὰ ὀπίσθια σκέλη,
οἱ ὀπίσθιοι πόδες Ζγα20. 728 [b]8. Ζιβ1. 500 [b]30. Ζπ13.
712 [a]3. 6. f 221. 1518 [b]17. θ10. 831 [a]26.

ὀπισθόκεντρον. v κέντρον p 382 [a]3. δίπτερον ἤδεν ἐστιν ὀπι-
σθόκεντρον Ζμↄ6. 683 [a]14. Ζιↄ7. 532 [a]22. τὰ ὀπισθόκεντρα,
τὰ μὴ ὀπισθόκεντρα Ζμↄ6. 683 [a]6. Ζιↄ5. 490 [a]17. δ7. 532
[a]11 (M 209. ΑΖι I 158, 2).

ὀπισθόνομος. τὰ κέρατα τοῖς ὀπισθονόμοις βυσὶν ἐμποδίζειν
πρὸς τὸ λαβεῖν τὴν τροφήν· ᾗ γὰρ ἐκείνως νέμεσθαι ὑπο-
χωρῦντας πάλιν πυγηδὸν Ζμβ16. 659 [a]19.

ὀπισθυρητικός. διὰ τί τὰ θήλεα τῶν τετραπόδων πάντ'
ἐστὶν ὀπισθυρητικὰ Ζμↄ10. 689 [a]31. Ζιβ1. 500 [a]18. τῶν
ἀρρένων ὀλίγα ἐστὶν ὀπισθυρητικά, οἷον λύγξ λέων κάμηλος
δασύπυς Ζμↄ10. 689 [a]33. Ζιβ1. 500 [b]15. ε2. 539 [b]22,
540 [a]23. 14. 546 [b]1. ζ31. 579 [a]31, [b]31. συνιόντα πυγηδὸν,
ὄπισθεν Ζιε2. 539 [b]22. τὰ μαλακόστρακα συνδυάζεται ὥσπερ
τὰ ὀπισθυρητικὰ Ζγα14. 720 [b]10. ζ33. 579 [b]30. opp ἐμ-
προσθυρητικά Ζγ1. 509 [b]2. μώνυχος ἤδεν ἐστιν ὀπισθυρη-
τικόν Ζμↄ10. 689 [a]34 (M 318. ΑΖι I 62, 3).

ὀπίσω. i q ὄπισθεν. εἰς τὤπίσω ϗ ὕπτιοι κλίνονται f 101. 1494
[b]2. — de tempore futuro ὅσα τ' ἔσται ὀπίσσω (Emp 128)
Μβ4. 1000 [a]30. χ6. 399 [b]26.

ὁπλή refertur inter τὰ σκληρὰ ϗ γεώδη τὴν μορφήν Ζγβ6.
743 [a]15. τὰ ἐξ αὐτῶν συνεστηκότα ἕλα ϗ συνώνυμα τοῖς
μορίοις Ζμβ9. 655 [b]6. γίνεται ἐκ περιττωμάτων, ἐκ τῆς
ἐπικτήτυ τροφῆς ϗ τῆς αὐξητικῆς Ζγβ6. 744 [b]25, 745 [a]1.
ἡ σχίσις τῶν ὁπλῶν Ζμγ2. 663 [a]30. σύνεγγυς κατὰ τὴν
ἁφὴν τοῖς ὀστοῖς Ζμβ9. 655 [b]3. cf Ζια1. 486 [b]20. γ9. 517
[a]7. ὁπλὴ ϗ χηλὴ τὴν αὐτὴν ἔχει κέρατι φύσιν Ζμγ2. 663
[a]28 (Thurot obs crit 6). μεμηχάνηται πρὸς τὴν σωτηρίαν
Ζμβ9. 655 [b]7. τὰ χρώματα τῆς ὁπλῆς κατὰ τὴν τῦ δέρ-
ματος ϗ τῶν τριχῶν ἀκολυθεῖ χρόαν, τοῖς δέρμασι συνα-
κολυθεῖ, τῶν μελανοδερμάτων μέλαιναι αἱ ὁπλαί Ζιγ9. 517
[a]12, 15. χ6. 797 [b]19. τῶν μὲν αἱ ὁπλαὶ γίνονται γηρα-
σκόντων μείζυς Ζιγ11. 518 [b]33. — εὐλόγως τοῖς μώνυχοις
ἐν ταῖς ὁπλαῖς ἔδωκε τὴν ὑπεροχὴν ἡ φύσις, διὰ πλῆθος
ἀντὶ πλειόνων ὀνύχων εἰς ὄνυξ ἡ ὁπλή ἐστιν Ζμγ2. 663 [a]32.
δ10. 690 [a]9. αἱ ὁπλαὶ τῶν λοφύρων Ζιβ1. 501 [a]7. οἱ ἵπποι

ἀνατρέπησι τὰ ὕδατα ταῖς ὁπλαῖς, ποδάγραν κάμνησι ἢ
ἐνίοτε ἀποβάλλησι τὰς ὁπλάς· ὅταν δ᾽ ἀποβάλωσι, παλιν
φύησιν εὐθύς· ἵππος πότε τὰς ὁπλὰς ἐφέλκει Ζιθ24. 604
ᵃ24, ᵇ17, 605 ᵃ11. — τὰς ὁπλάς, ὁπόταν ποδαγρᾷ, ἠκ
ἀποβάλλει βης Ζιζ21. 575 ᵇ8. θ23. 604 ᵃ15. πρόβατα ὀρύτ-
τοντα ταῖς ὁπλαῖς τὴν γῆν. τὰ ὑποζύγια ταῖς ὁπλαῖς
κόνιν προσαναβάλλει f 241. 1522 ᵇ38, 1523 ᵃ12. itaque mi-
nus recte Daremberg (not et extraits des mss médicaux
1853 p 137, 59): Aristote appelle toujours χηλή le pied
des ruminauts et ὁπλή celui des solipèdes.

ὁπλίζεσθαι. med ὡπλίσσατο λύχνον (Emped 220) αι2. 437
ᵇ26. — pass ὥπλισται Κ4. 2 ᵃ3.

ὅπλισις. σοφίζονται πρὸς τὸν δῆμον περὶ ὅπλισιν, syn ὅπλα
κεκτῆσθαι Πδ13. 1297 ᵃ16, 30.

ὁπλιτεύειν Πδ4. 1291 ᵃ30. οἱ ὁπλιτεύοντες, οἱ ὡπλιτευκότες
Πβ6. 1265 ᵇ28. δ13. 1297 ᵇ13.

ὁπλίτης Πβ9. 1270 ᵃ30. οἱ ὁπλῖται ἢ ὁ δῆμος Πε6. 1305
ᵇ33. ὁπλῖται, opp βάναυσοι Πη4. 1326 ᵃ23.

ὁπλιτικός, opp ἄνοπλος Πδ3. 1289 ᵇ32. ἡ ὁπλιτικὴ δύναμις
Πζ7. 1321 ᵃ18, 20. τὸ ὁπλιτικόν. dist ἱππικὸν ψιλὸν ναυ-
τικὸν Πζ7. 1321 ᵃ7. τὸ ὁπλιτικὸν ἀναγκαῖόν ἐστι μόριον τῆς
πόλεως, dist τὸ βηλευτικὸν Πδ4. 1291 ᵃ32. κ9. 1329 ᵃ30,
37. τὸ ὁπλιτικὸν τῶν εὐπόρων ἐστὶ μᾶλλον Πζ7. 1321
ᵃ12. ἄνευ συντάξεως ἄχρηστον τὸ ὁπλιτικὸν Πδ13. 1297
ᵇ20.

ὅπλον. οἱ τὰ ὅπλα ἔχοντες, τὸ τὰ ὅπλα ἔχον Πβ8. 1267 ᵇ33,
1268 ᵃ18, 20, 22. δ13. 1297 ᵇ2. οἱ τὰ ὅπλα κεκτημένοι
Πβ8. 1268 ᵃ20, 25, 32. γ7. 1279 ᵇ4. δ13. 1297 ᵃ29. κ10.
1329 ᵇ36 (syn τὸ ὁπλιτικόν 9. 1329 ᵃ37). ἡ τῶν ὅπλων
κτῆσις Πβ5. 1264 ᵃ22. οἱ ἐν τοῖς ὅπλοις Πδ13. 1297 ᵇ23.
φυλάττειν ὅπλοις της βασιλεῖς Πγ14. 1285 ᵃ26. ὅπλα ἀνα-
λαβόντες f 517. 1562 ᵇ26. ὅπλα ῥίπτειν Ηγ15. 1119 ᵃ30.
ὅπλα ἀποβεβληκέναι Ζιι5. 611 ᵃ28. ποίοις δεῖ χρῆσθαι πρὸς
τὸν πόλεμον ὅπλοις Πβ6. 1265 ᵃ23. τὸν χαλκην θώρακα
Θηβαῖοι ὅπλον ἐκάλων f 489. 1558 ᵃ2. — ὅπλων κρίσις (fort
Aeschyl, Nauck fr trg p 43) πο23. 1459 ᵇ5. — ὅπλα, mu-
nimenta atque arma, quibus natura animalia instruxit.
ἀνυπόδητον τὸν ἄνθρωπον εἶναι ἢ γυμνὸν ἢ ἠκ ἔχοντα ὅπλον
Ζμδ10. 687 ᵃ25. ὅπλον, coni ὄργανον Ζμδ10. 687 ᵇ4, cf
2, ᵃ31. ὅπλη αὐτὴ δύναμις Ζμβ9. 655 ᵇ12. εἰς τὰ ὅπλα ἢ
τὴν βοήθειαν Ζμδ12. 694 ᵃ10. τὸ πρὸς ἀλκὴν ὅπλον Ζγγ10.
759 ᵇ3. cf Ζιθ7. 532 ᵃ12. ἀδικία ἔχησα ὅπλα, ὁ ἄνθρωπος
ὅπλα ἔχων φύεται φρονήσει ἢ ἀρετῇ Πα2. 1253 ᵃ33, 34.

ὁπλόσμιος. ὁ ἱερεὺς τη ὁπλοσμίη Διὸς Ζμγ10. 673 ᵃ19.

ὁπόθεν. μήθ᾽ ὁπόθεν ἔτυχεν ἄρχεσθαι μήθ᾽ ὅπη ἔτυχε τελευ-
τᾶν πο7. 1450 ᵇ32.

ὁποθενην Αα5. 42 ᵇ14. Οα4. 271 ᵃ24. 6. 273 ᵃ11.

ὁποῖος. σκεπτέον ὁποῖον κινητικώτατον μβ8. 365 ᵇ30. ὁποίας
ὕλης Ζγβ1. 731 ᵇ21. τὸν ὁποῖον ην (ὁποιονην Bk) ἀνδρεῖον
(κλητέον) σκεπτέον ημα20. 1191 ᵃ18. — ὁποῖός τις.
ὁποῖοί τινες ἔτυχον Πγ15. 1286 ᵇ14.

ὁποιοσην. πότερον ἐγκρατής ἐστιν ὁ ὁποιωσην λόγῳ ἢ ὁποιαςην
προαιρέσει ἐμμένειν Ηη10. 1151 ᵃ29. εἴτε πολιτικῷ συλλο-
γισμῷ εἴθ᾽ ὁποιωσην Ρβ22. 1396 ᵃ5. cf similia τζ12. 149
ᵇ16. Φα6. 189 ᵃ24. θ9. 265 ᵃ33. εν2. 460 ᵃ15. Ζιι8. 614
ᵃ4. Μβ2. 996 ᵇ35. 5. 1002 ᵃ21. μ6. 1080 ᵃ19. Ηθ5. 1157
ᵃ18. Πγ15. 1286 ᵃ12. ε4. 1304 ᵃ36.

ὁποιοσποτην. ἐπ᾽ ἀλλοιώσεως ὁποιασποτην Φθ3. 253 ᵇ23.

ὁπός. τί ἐστι τὸ φυλλορροεῖν; τὸ πήγνυσθαι τὸν ην τῇ συνάψει
τη σπέρματος ὁπόν Αδ17. 99 ᵃ29, 27 Wz. ὁ δράκων τὸν
ὀπὸν τῆς πικρίδος ἐκροφεῖ Ζιι6. 612 ᵃ30. τῆς μήκωνος ὁ ὀπὸς

ἔχει πλείης χρόας χ5. 796 ᵃ27. τῆς θαψίας ὁ ὀπὸς κινεῖ τὴν
κοιλίαν πα41. 864 ᵃ5. ὀπὸς συκῆς (vel simpliciter dictus
ὁ ὀπός) πήγνυσι τὸ γάλα, ἔχει τὴν ἀρχὴν τὴν συνιστᾶσαν,
ἢ ἐν τῷ ὀπῷ θερμότης συνίστησι sim μδ7. 384 ᵃ21 Ideler.
11. 389 ᵇ10. Ζιγ20. 522 ᵇ2, 3. Ζγα20. 729 ᵃ12. β4. 737
ᵃ14. δ4. 771 ᵇ23, 25, 772 ᵃ24. cf Plat Tim 60B et interpr
ad h l.

ὁποσακισην Οα6. 273 ᵃ32.

ὁποσαπλασιονην Φγ5. 204 ᵇ17.

ὁπόσος. λαμβάνειν ὁπόσον η δεῖ Ηδ3. 1122 ᵃ1. ἢ ὁπόσ᾽
ἄλλα τοιαῦτα Ζμα5. 645 ᵇ34.

ὁποσοσην. ὁποσονην, opp τὴν ὑπερβολὴν Πη1. 1323 ᵃ36.
ὁποσονην πλῆθος, βάρος Πβ6. 1265 ᵇ4. Ζγβ6. 744 ᵇ6. ἐξ
ὁποσηςην γῆς τζ8. 146 ᵇ33, 34. ἐξ ὁποσησην (ὕλης) τῷ πλήθει
Ζγδ4. 772 ᵃ4. ὁποσηνην κίνησιν, ῥοπὴν Μι1. 1052 ᵇ29, 28.
ὁποσαην σώματα Φδ6. 213 ᵇ8. τοῖς ὁποσοισην κοινωνοῖς
Πδ4. 1291 ᵃ22.

ὁπόστος Πβ3. 1262 ᵃ3.

ὁποτεην Μθ7. 1049 ᵃ1.

ὁπότερος. 1. uter. ἐφ᾽ ὁπότερον ἂν ἐγκλίνη sim Πε7. 1307
ᵃ20. δ11. 1296 ᵃ24, 29. ὁπότερον ἔτυχεν (opp ἐξ ἀνάγκης)
Κ10. 12 ᵇ40, 13 ᵃ3, 11. Μδ5. 1021 ᵃ7 al. ὁπότερ᾽ ἔτυχεν,
τὸ ὁπότερ᾽ ἔτυχεν ε9. 18 ᵇ6, 7, 8, 15, 23, 30, 19 ᵃ19, 34,
38. Φδ5. 258 ᵃ8. — ὁποτέρως συμφέρει, ὁποτέρως ἂν ἦ
χρήσιμον al Πα8. 1256 ᵃ24. Ρα15. 1376 ᵇ28. μδ9. 385
ᵇ26. ὁποτέρως ἔτυχε Μχ8. 1065 ᵃ12. Ηε9. 1134 ᵃ12. ὁπο-
τέρως ποτὲ Φθ2. 252 ᵇ35. αι6. 446 ᵃ21. ζι. 467 ᵇ17. —
2. ὁπότερος alteruter. ὁποτέρᾳ τητων συμβάντος τε2. 129
ᵇ17.

ὁποτεροσην. ἐφ᾽ ὁποτεραην Ηε13. 1137 ᵃ21. ποιεῖν πολίτας
της ἐξ ὁποτερηην πολίτη Πζ4. 1319 ᵇ9. μὴ κυρίας εἶναι
ὁποτεραςην, ἀλλ᾽ ὁμοίας ἀμφοτέρας Πδ4. 1291 ᵇ33. cf prac-
terea Αα6. 28 ᵇ7. 11. 31 ᵃ20. Φζ4. 234 ᵇ19. ζ7. 1304 ᵇ8.
Γα7. 324 ᵇ7. μγ1. 370 ᵇ14. Ζγβ8. 747 ᵇ12. Πε4. 1304
ᵇ2. — ὁποτερωσην Αβ9. 60 ᵃ16. ζι10. 148 ᵃ36. Ζμδ2.
676 ᵇ34.

ὁποτέρωθεν ἂν ἦ Ζμδ11. 691 ᵇ10.

ὁποτερωθενην Αβ11. 61 ᵃ38, ᵇ1.

ὅπη Ζγα8. 718 ᵇ25. β5. 741 ᵃ14 al. ὅπη ἂν Ζγα18. 725
ᵃ35 al. ἐνταῦθα ὅπη al μδ12. 390 ᵃ4. Πε6. 1305 ᵇ34.
ἔστι δ᾽ ὅπη συμφέρει Πδ15. 1299 ᵇ28.

Ὀπης Ζγα8. 718 ᵇ25. β5. 741 ᵃ14 al. — urbs, ἐν
Ὀπηντι Ζιζ22. 576 ᵇ25. περὶ Ὀπηντα Πγ16. 1287 ᵃ8. —
Ὀπηντιος Μνασίθεος πο26. 1462 ᵃ7. Ὀπηντίων πολιτεία
f 519-523. 433. 1549 ᵇ36. 509. 1561 ᵇ16.

ὁπηην. ἂν ὁπηην διαληφθῇ ἡ φορὰ μχ1. 848 ᵇ22.

ὀπτάν. ὀπτήσαντες ὕεια κρέα, τὰς πολυμας Ζιθ26. 605 ᵇ1.
δ8. 534 ᵃ25. τὸ ἐπὶ τῶν τηγάνων ὀπτᾶται μδ3. 380 ᵇ17.
πλῆθος τη ἐν τῷ ὀπτωμένῳ ὕδατος μδ3. 381 ᵇ18. ὁ ὀπτώ-
μενος κέραμος μδ6. 383 ᵃ21, 24. οἷον ἐν καμίνῳ ὠπτημένα
ὀστᾶ ὑπὸ τῆς ἐν τῇ γενέσει θερμότητος Ζγβ6. 745 ᵃ20.
πηρούμενον ἢ ὀπτωμένον (τὸ ὑχρὸν τη ᾠη) η γίνεται σκλη-
ρὸν Ζγγ2. 753 ᵇ4.

ὀπτανός. ὀπτανά, opp ἑψανά πκ5. 923 ᵃ21.

ὄπτησις. περὶ ὀπτήσεως μδ2. 379 ᵇ13. 3. 381 ᵃ23-ᵇ16 (Ideler
II 438. Oribas I 573). ἡ ὄπτησις ἡ τῶν κεράτων πολὺ συμ-
βάλλεται πρὸς εὐθωνίαν ακ802 ᵇ1.

ὀπτικός, dist φυσικός Αγ13. 79 ᵃ12. ἡ ὀπτική, τὰ ὀπτικά,
quomodo et ad physicam et ad mathematicam doctrinam
referantur Αγ7. 75 ᵇ16. 12. 77 ᵇ2. 13. 78 ᵇ37. Φβ2. 194
ᵃ8, 11. Μβ2. 997 ᵇ20. μ3. 1078 ᵃ14. δείκνυται ἐν τοῖς

ὀπτικοῖς πιϛ1. 913 ᵃ27. οἱ περὶ τὰ ὀπτικά πλα 20. 959 ᵇ2.
— τὰ ὀπτικὰ ἔσται παρὰ τὰ αἰσθητά (Plat) Μμ2. 1077
ᵃ5. — τὸ ὀπτικὸν (?) αὐτῶν πγ5. 871 ᵇ20.

ὀπτός. τὰ ὀπτά, dist τὰ ἐφθά, ξηρότερα τὰ ἐφθὰ τῶν ὀπτῶν
sim μδ3. 380 ᵇ22, 381 ᵃ26. πα52. 865 ᵇ32. εϛ34. 884 ᵇ2. 5
λζ3. 966 ᵃ28.

ὀπυίειν. αἱ γυναῖκες ὐκ ὀπυίωσιν ἀλλ' ὀπυίονται Ηη6. 1148 ᵇ32.

ὀπώδης. νέμεσθαι ὀπώδη πόαν Ζμγ15. 676 ᵃ15.

ὀπώρα. 1. anni tempus, dist ἔαρ μετόπωρον χειμῶν μα12.
348 ᵃ1. περὶ τὴν ὀπώραν Ζμ49. 632 ᵇ33. ὑπὸ τὴν ὀπώραν 10
Ζμ13. 615 ᵇ31. νέας ὀπώρας ἡνίκ' ἂν ξανθῇ στάχυς (Aeschyl
fr 297, 7) Ζμ49 Β. 633 ᵃ25. οἱ καρπὸν ὀπώρης ἡδὺν φέρωσι
ὄχναι κ6. 401 ᵃ5. — 2. fructus. ὅσα περὶ ὀπώραν πκβ.
φαγεῖν τὴν ὀπώραν· βαρυτέρα ἡ ὀπώρα τῶν σιτίων πολύ
πκβ1. 930 ᵃ6, 8. ὔτ' ἀκρόδρυα ὔτ' ὀπώρα χρόνιος Ζιθ28. 15
606 ᵇ2. ὁ ἄρρην ἔλαφος γίνεται σφόδρα πίων ὀπώρης ὤσης
Ζμ5. 611 ᵃ23. ἀνθρῆναι ἅπτονται κὶ τῆς γλυκείας ὀπώρας
Ζμ42. 629 ᵃ2 (cf Oribas I 575).

ὀπωρίζειν. ὁ δράκων ὅταν ὀπωρίζῃ τὸν ὀπὸν τῆς πικρίδος
ἐκροφεῖ Ζμ6. 612 ᵃ30.   20

ὀπωρινὴ ἰσημερία μγ2. 371 ᵇ30.

ὀπωροφύλακες πκε2. 938 ᵃ16.

ὅπως c ind in enunciatis interrogativis, ἀπορεῖν ὅπως ἔσται
Οβ2. 285 ᵃ32. — ὅπως finale c coni Ζγβ4. 738 ᵇ2. 8. 748
ᵃ29. γ4. 755 ᵃ28 al. — τηρεῖν, ὁρᾶν sim, ὅπως c ind fut 25
Πδ15. 1299 ᵇ33. εϛ3. 1302 ᵇ19. 9. 1309 ᵇ17 (διακελευόμε-
νος ὅπως μηδεὶς λήψεται ρ1. 1421 ᵃ27), c coni Πε8. 1307
ᵇ31. ρ3. 1424 ᵃ22. — ὅπως c ind fut sensu imperativo,
ὅπως τὸ ἁρμόττον λήψεται Ργ18. 1419 ᵇ6. — ὅπως ἂν
c coni 'quomodocunque', ὅπως ἂν τύχῃ κειμένη τῷ πλάτει 30
κὶ τῷ βάθει μα4. 342 ᵃ22. 7. 344 ᵃ21. — ὅπως ἂν c coni
in enunciatis finalibus ακ802 ᵇ19, 803 ᵃ26. Ηζ4. 1140 ᵃ12.
ρ5. 1426 ᵇ40.

ὁπωσδήποτε. φύσει ἢ ὁπωσδήποτε sim Ηγ7. 1114 ᵇ14, 16.
Κ10. 11 ᵇ33. γενέτωρ τῶν ὁπωσοῦντε συντελουμένων κ6. 35
397 ᵇ21. — ὅπως δή ποτε Ζγδ1. 765 ᵃ2.

ὁπωσοῦν τϛ4. 125 ᵇ13. 5. 125 ᵇ28. ζ8. 146 ᵇ33. μβ4. 360
ᵃ30. αι5. 444 ᵃ18. Ζμα1. 640 ᵇ36. Πζ5. 1319 ᵇ37. αρ6.
1251 ᵃ13. ἢ ὁπωσῶν ἄλλως Κ8. 10 ᵃ28. 10. 11 ᵇ25. τὰ
ὁπωσῶν τὰ αὐτά Φγ3. 202 ᵇ15. ὅπως δ' ὖν Μμ9. 1085 40
ᵇ6. τε1. 128 ᵇ33.

ὅραμα. ὁράματα, coni ἀκούσματα, ἀκροάματα Ηκ2. 1173
ᵇ17, 28. Πη17. 1336 ᵇ3. ὑπὸ ὁραμάτων κὶ ὀσμῆς ἕτερα
κινεῖται ψ13. 435 ᵇ11. φαίνεται κὶ μύωσιν ὁράματα ψγ3.
428 ᵃ16. — τὸ ὅραμα (?) Θάλεω ταὐτόν ἐστι (εὕρημα 45
ci Camer) Πα11. 1259 ᵃ31.

ὁρᾶν. 1 (explicatio physiologica τῷ ὁρᾶν). περὶ τῷ ὁρᾶν ψ37.
εἴτε φῶς εἴτ' ἀὴρ ἐστι τὸ μεταξὺ τῷ ὁρωμένω κὶ τῷ ὄμ-
ματος, ἡ διὰ τούτου κίνησίς ἐστιν ἡ ποιῶσα τὸ ὁρᾶν αι2. 438
ᵇ5. 6. 447 ᵃ11. (ἀφῇ ὄψεως ὁρᾶται τὸ ὁρώμενον πγ10. 872 50
ᵇ8. ὁρῶμεν εἰσδεχόμενοί τι, ὐκ ἐκπέμποντες τα14. 105 ᵇ6.)
ὁρατόν ἐστι χρῶμά τι ψ37. 418 ᵃ26 (cf infra ὁρατός). εἰ
ὄψεταί τις τὸ ὁρῶν, κὶ χρῶμα ἕξει τὸ ὁρῶν πρῶτον ψγ2.
425 ᵇ19, 22. τὸ ὁρᾶν τῷ ἰδίω ἀληθές ψγ6. 430 ᵇ29. ἔστι
τι ἔσχατον τῷ ἀποστήματος ὅθεν ὐχ ὁρᾶται ἡ πρῶτον ὅθεν ὖν 55
ὁρᾶται αι7. 449 ᵃ25, 22. ὐδὲν διαφέρει κινεῖν τὴν ὄψιν ἢ τὸ
ὁρώμενον Οβ8. 290 ᵃ24. διαφέρει ὐδὲν διὰ τοιούτων ὁρᾶν ἢ
ἀπὸ τοιούτων ἀνακλωμένην (ὄψιν) μγ6. 377 ᵇ11. ὁρᾶν κατ'
εὐθυωρίαν Ζμβ10. 656 ᵇ30. ἄνθρωπος μόνον πρόσωπεν ὄπωπε
Ζμγ1. 662 ᵇ21. τὸ ὁρᾶν αἱρούμεθα ἀντὶ πάντων ὡς εἰπεῖν 60
τῶν ἄλλων ΜΑ1. 980 ᵃ25 Bz. τὸ ἀκριβῶς ὁρᾶν αἱρετώτερον

τῷ ὀσφραίνεσθαι Ρα7. 1364 ᵃ38. οἱ φυσικοὶ λόγοι, τὸ ὁρᾶν
φάσκοντες εἶναι λυπηρόν Ηη15. 1154 ᵇ8. τὰ ἄλλα ἀμφο-
τέροις τοῖς ὀφθαλμοῖς μᾶλλον ὁρῶμεν. τὸ δ' εὐθὺ τῷ ἑνὶ
πλα 20. 959 ᵃ39. — 2. (dicendi usus.) a. de rebus sen-
sibilibus. ὁρᾶν c acc πολλὰ κὶ μεγάλα δι' ἀκριβείας ἰδεῖν
Ζμα5. 644 ᵇ35. pass κομῆται πολλοὶ ὠμμένοι εἰσίν, ὤφθαι
ἀστέρας τινάς, ὅταν ἀνθίας ὁραθῇ sim μα6. 343 ᵃ25, 30,
ᵇ26. Ζια7. 491 ᵇ4. ζ6. 563 ᵃ21. 29. 578 ᵇ15. ι37. 620 ᵇ33.
ὁρᾶν c acc obiecti et partic praedicati, veluti τὰ δίκαια
κινούμενα ὁρῶσιν sim Ηε10. 1135 ᵇ27. μβ2. 355 ᵃ26. Πε2.
1302 ᵇ1, 12. 5. 1304 ᵇ25. 7. 1307 ᵇ12. pass ἑώραται τῦτο
συμβαῖνον Ζγγ1. 750 ᵇ30. 11. 762 ᵃ33. Ζιϛ. 612 ᵃ31. ὁρᾶν
ὅτι Πε8. 1308 ᵃ3. ἱκανῶς ὦπται ὅτι Ζγγ1. 750 ᵇ28. ὁρᾶν
sine obiecto, κατὰ τὴν χώραν αὐτὴν ὁρῶντι δῆλόν ἐστι
μα14. 352 ᵇ22. ὁ ὁρῶν στάσιον Οα11. 281 ᵃ20. ὁρᾶς; ('vi-
desne?' usus non Aristotelicus) πα56. 866 ᵃ36. — ὁρᾶν,
opp ὁ λόγος Οα5. 272 ᵃ5. — ὁ ἥλιος ὁρᾶν dicitur eos locos
quos collustrat, τὸν ἥλιον ὑπὸ τὴν γῆν φερόμενον ὐχ ὁρᾶν
ἔνια τῶν ἄστρων sim μα8. 345 ᵃ27, 30, 34. πιε7. 912 ᵃ3,
24. ιϛ1. 913 ᵃ26. — b. ὁρᾶν transfertur ad animum. χρεὼν
τὸ τέλος ὁρᾶν Ηα11. 1100 ᵃ11, 33. τὰ δὲ πρὸς τὴν λέξιν
ὁρῶντα δεῖ διαλύειν πο25. 1461 ᵃ10. ὁρᾶν μᾶλλον ἢ ἐνέστωται
Πε3. 1302 ᵇ19. ὁρᾶν ὅπως γίνεται sim Πβ11. 1273 ᵃ32,
ᵇ11. ὁρᾶν μήποτε βέλτιον (sc ἐστί) Πβ6. 1265 ᵃ28. —
οἷον ὁρᾶν τῇ νοήσει Αγ12. 77 ᵇ31. τὸ ἀναγκαῖον πῶς ἔχει
ὀπτέον ι3. 22 ᵃ38. ὐχ ὁρᾶται (i e ὐκ ἔστι φανερόν) Αγ12.
78 ᵃ6. τῦτο Παρμενίδης ὁρῶν ἑώρα Φα3. 186 ᵃ32. ἰδεῖν τὴν
ἀλήθειαν Φθ1. 251 ᵃ6. ἐν προχείρῳ τοῦτο τὴν αἰτίαν ἰδεῖν
μβ3. 356 ᵇ19. ἐνέργεια, χαλεπὴ μὲν ἰδεῖν, ἐνδεχομένη δ'
εἶναι Φγ2. 202 ᵃ2. Μκ9. 1066 ᵃ26. cf Πδ11. 1296 ᵇ7. ἤδη
ὦπται διὰ τῶν ἀστρολογικῶν θεωρημάτων ἡμῖν μα3. 339
ᵇ8. ἵνα τό τ' ὀρθῶς ἔχον ὀφθῇ κὶ τὸ χρήσιμον Πβ1. 1260
ᵇ32. ἔστι τῷ ἰατρῷ περὶ ὑγιείας ἰδεῖν Πα10. 1258 ᵃ32. —
3. (formae verbi.) perf act ὄπωπε Ζμγ1. 662 ᵇ21. ὀπώ-
παμεν (Emped 378) ψα2. 404 ᵇ13. Μβ4. 1000 ᵇ7. aor pass
ὀφθῇ μβ9. 369 ᵇ7. Πβ1. 1260 ᵇ32. ὁραθῇ Ζμ37. 620 ᵇ33.
perf pass ὦπται μα3. 339 ᵇ6. 6. 343 ᵃ30. Ζγγ1. 750 ᵇ28,
cf Sonnenbg p 22. ὠμμένη ἐστιν Ζια7. 491 ᵇ4. ὠμμένοι
εἰσὶν μα6. 343 ᵃ25. Ζιζ6. 563 ᵃ21. 29. 578 ᵇ15. ὤφθαι
μα6. 343 ᵇ26. ἑώραται Ζιϛ. 612 ᵃ31. Ζγγ1. 750 ᵇ30. 11.
762 ᵃ33. ἑωράμεθα Ζμ2. 677 ᵃ34. adi verb ὀπτέον ε13.
22 ᵃ38. — ὁρατός. τὸ ὁρατὸν τβ8. 114 ᵃ19. ι17. 175 ᵇ17.
περὶ τῷ ὁρατῷ ψβ7. ἡ ὄψις τῷ ὁρατῷ κὶ ἀοράτῳ ψβ9. 421
ᵇ5. ὁρατόν ἐστι χρῶμά τε κὶ ὃ λόγῳ μὲν ἔστιν εἰπεῖν, ἀνώ-
νυμον δὲ τυγχάνει ὂν ψβ7. 418 ᵃ26 (cf τὰ πυρώδη, τὰ
λάμποντα ψ419 ᵃ3). ὃ ταύτην χρῶμα κὶ φῶς ψ γ. 201
ᵇ4. Μκ9. 1065 ᵃ34. τὸ ἀκούστον ὑπὸ τῷ ὁρατῷ πέφυκε φθά-
νεσθαι κ4. 395 ᵇ17. τὰ γλαυκὰ μᾶλλον κινεῖται ὑπὸ τῷ
φωτός κὶ τῶν ὁρατῶν Ζγε1. 780 ᵃ3.

ὅρασις λέγεται ἡ τῆς ὄψεως ἐνέργεια, dist ὄψις (i e ἡ τῷ
ὁρᾶν δύναμις) ψγ2. 426 ᵃ13. 3. 428 ᵃ7. β1. 412 ᵇ26, 413
ᵃ1. αι3. 439 ᵃ15. εν1. 458 ᵇ3. Ζγε1. 780 ᵃ4. Ζικ1. 633 ᵇ21.
Μθ8. 1050 ᵃ24, 36. τβ8. 114 ᵃ19. δοκεῖ ἡ ὅρασις καθ' ἕν-
τινον χρόνον τελεία εἶναι· ὐδὲ ὁράσεως ἐστι γένεσις ὐδὲ
στιγμῆς ὐδὲ μονάδος Ηκ3. 1174 ᵃ14, ᵇ12.

ὁρατικός. ὁρατικὸν τὸ δυνατὸν ὁρᾶν κὶ ὁρατὸν τὸ δυνατὸν
ὁρᾶσθαι Μθ8. 1049 ᵇ15. ὁρατικὸν κὶ πορευτικὸν Ζγα2. 716
ᵃ30. τῷ ὄμματος τὸ ὁρατικὸν ὕδατος ὑπολητέον αι2. 438
ᵇ19. ὁρατικὸν πόρρωθεν, τῶν πόρρωθεν Ζγε1. 780 ᵇ26, 781 ᵃ1.

ὀργάζειν. τὸ ὀλίγον πῦρ τὰ ἐντὸς καθάπερ ὀργάζει πρὸς τὴν
διάκρισιν πβ32. 869 ᵇ27.

ὀργᾶν. 1. impetu concitari ad coitum; et de maribus et de feminis, de animalibus atque hominibus usurpatur. γυναῖκες ὅταν ὀργῶσιν ἀφροδισιασθῆναι Σικ5. 637 ᵃ24, 25. ὀργᾶν πρὸς τὴν ὁμιλίαν Σιε8. 542 ᵃ32. ὀργᾶν πρὸς τὴν ὀχείαν Σιζ2. 560 ᵇ13. 18. 572 ᵇ1, 5, 27, 573 ᵃ6. ᵇ28. 607 ᵃ8. ἡ θήλεια (ἐλέφας) ὀργᾷ ὀχεύεσθαι Ζιβ1. 500 ᵇ11. διὰ τὸ ὀργᾶν τεκεῖν Ζιᾶ8. 613 ᵇ28. ὀργᾶν absolute dicitur Σιε5. 541 ᵃ28. ζ18. 573 ᵇ9, 7 Aub (syn θυᾶν). 29. 578 ᵇ10. x5. 636 ᵇ21. 6. 637 ᵇ8. — transfertur ad ipsum corpus eiusque membra genitalia. ὀργῶντα τὰ σώματα πρὸς τὴν ὁμιλίαν Ζγγ1. 751 ᵃ18. συλλαμβάνωσιν αἱ θήλεις, ἂν τύχῃ ὁ τόπος ὀργῶν Ζγβ4. 739 ᵃ31. τῆς μήτρας ὀργώσης πρὸς τὴν παραδοχὴν τῦ σπέρματος f 259. 1525 ᵇ34. — 2. omnino vehementi cupiditate concitari. διὰ τί ὐ δεῖ μὴ ὀργῶντα ὔτε ἀφροδισιάζειν ὔτε ἐμεῖν ὔτε πτάρνυσθαι πθ8. 877 ᵃ35. ἰδόντες χασμώμενον ἀντιχασμώμεθα ἐὰν τύχῃ τὸ σῶμα ὀργῶν πζ2. 886 ᵃ32. 1. 886 ᵃ25. ὑπὸ μικρῶν παθημάτων κινεῖσθαι ὅταν ὀργᾷ τὸ σῶμα κ ἢ ὕτως ἔχῃ ὥσπερ ὅταν ὀργίζηται ψα1. 403 ᵃ22.

ὀργανικός. cf ὄργανον. πότερόν ἐστιν ἀρετή τις ὀυλη παρὰ τὰς ὀργανικὰς κ διακονικὰς ἄλλη τιμιωτέρα Παι3. 1259 ᵇ23. — ψυχή ἐστιν ἐντελέχεια ἡ πρώτη σώματος φυσικᾶ δυνάμει ζωὴν ἔχοντος· τοῖτο δέ, ὃ ἂν ᾖ ὀργανικὸν ψβ1. 412 ᵃ28, ᵇ6. τὰ μέρη τῶν φυτῶν κ τῶν ζῴων, ὅσα μὴ ὀργανικά. πάντα περιφερῆ πις9. 915 ᵃ26. ἅμα τὰ ὁμοιομερῆ γίνεται κ τὰ ὀργανικά Ζγβ1. 734 ᵇ28. ὄντων τῶν μὲν ὀργανικῶν μερῶν τῶν δὲ αἰσθητηρίων ἐν τοῖς ζῴοις, τῶν μὲν ὀργανικῶν ἕκαστον ἀνομοιομερές ἐστιν, ἡ δ' αἴσθησις ἐγγίνεται πᾶσιν ἐν τοῖς ὁμοιομερέσιν· ἐκ τῶν ἀνομοιομερῶν συνέστηκεν ἕκαστον τῶν ὀργανικῶν μερῶν· ἐξ ὀστῶν κ νεύρων κ σαρκὸς κ τῶν ἄλλων τῶν τοιούτων συνεστήκασι τὰ ὀργανικὰ τῶν μορίων Ζμβ1. 646 ᵇ26, 647 ᵃ3. 2. 647 ᵇ23. τὰ τῆθυα ἄλλο ὐδὲν ἔχει μόριον ὔτε ὀργανικὸν ὔτε αἰσθητήριον ὔτε τὸ περιττωματικὸν Ζιδ6. 531 ᵃ28. ἡ ἀρχὴ τῦ κινεῖν τὰ ὀργανικὰ μέρη Ηγ1. 1110 ᵃ16. cf Ζχ8. 702 ᵃ17, 8. τὰ ὀργανικὰ τύποις μέρη πρὸς ἐνίας χρήσεις. 742 ᵃ36, 24. τὰ ὀργανικὰ μέρη τῆς πορείας ψψ9. 432 ᵇ25. cf Ζπ3. 705 ᵃ20. 4. 705 ᵇ22. 6. 707 ᵃ1. sed τὰ ὀργανικά et τὰ κινητικὰ dist, τὰ κινητικὰ πρὸς τὰ ὀργανικὰ διελεῖν ὐ ῥᾴδιον Ζγβ6. 742 ᵇ10. τὰ ὀργανικὰ πρὸς τὴν συνουσίαν μόρια, τῶν ὀργανικῶν μορίων τὰ γεννητικά Ζγβ4. 739 ᵇ15. 6. 742 ᵇ4. τὰ πρὸς ἀλκὴν κ βοήθειαν ὀργανικὰ μόρια Ζμγ1. 661 ᵇ29. — ἀσυμμετρία τῶν ὀργανικῶν τὸ αἶσχος f 41. 1482 ᵃ12. — ὀργανικῶς. τῶν ἀγαθῶν τὰ μὲν ὑπάρχει ἀναγκαίως τὰ δὲ συνεργᾶ κ χρήσιμα πέφυκεν ὀργανικῶς Ηαι10. 1099 ᵇ28. — κ τὰς ὁργανικὰς ἀποδιδόασι τοῖς σώμασι, δι' ἃς γεννῶσι, λίαν ὀργανικῶς, ἀφαιροῦντες τὴν κατὰ τὸ εἶδος αἰτίαν Γβ9. 336 ᵃ2. — τὸ κινὖν ὀργανικῶς, ὅπη ἀρχὴ κ τελευτὴ τὸ αὐτό, οἷον γιγγλυμός Ψγ10. 433 ᵇ21.

ὄργανον. τὸ ὄργανον τῶν ἕνεκά τυ ἀνάγκη τοιοῦδί εἶναι κ ἐξ τοιωνδί, κ ἐκείνω ἔσται Ζμα5. 645 ᵇ14. 1. 642 ᵃ12. τὸ ὄργανόν ἐστιν ἕνεκα τῦ ἔργυ ηεη10. 1242 ᵃ15. usitata ὀργάνων τεχνικῶν exempla πρίων, πέλεκυς Γβ9. 336 ᵃ8. ψβ1. 412 ᵇ12. Ζμαι. 642 ᵃ10. 5. 645 ᵇ17. Ζγβ1. 734 ᵇ29. ὄργανα, dist ἔργα Μὸ2. 1013 ᵇ2. dist ὕλη Πιὰ8. 1256 ᵃ8. 55 cf Ζγε8. 789 ᵇ7, τὸ ὄργανον ἕκαστον κάλλιστ' ἂν ἀποτελοῖτο μὴ πολλοῖς ἔργοις ἀλλ' ἑνὶ δυλεῦον Πιὰ2. 1252 ᵇ4. cf 4. 1253 ᵇ26. αν10. 476 ᵃ11. ὁ τεχνίτης (vel ἡ τέχνη) πρὸς τὸ ὄργανον πῶς ἔχει ηεη9. 1241 ᵇ18-24. 10. 1242 ᵃ29. τὰ ὄργανα κινεῖται, ἡ κίνησις τῆς τέχνης ἐστίν Ζγα22. 730 ᵇ22. cf β1. 735 ᵃ1. 4. 740 ᵇ26. Ζμαι. 641 ᵃ11. ὥσπερ εἰ

V.

τις τῷ πρίονι κ ἑκάστῳ τῶν ὀργάνων ἀπονέμοι τὴν αἰτίαν τῶν γινομένων Γβ9. 336 ᵃ9. τῶν ὀργάνων τὰ μὲν ἄψυχα τὰ δ' ἔμψυχα, οἷον τῷ κυβερνήτῃ ὁ μὲν οἴαξ ἄψυχον, ὁ δὲ πρωρεὺς ἔμψυχον· ὁ γὰρ ὑπηρέτης ἐν ὀργάνυ εἴδει ταῖς τέχναις ἐστίν. ὅτω κ τὸ κτῆμα ὄργανον πρὸς ζωήν ἐστι, κ ἡ κτῆσις πλῆθος ὀργάνων ἐστί, κ ὁ δῦλος κτῆμά τι ἔμψυχον, κ ὥσπερ πρὸ ὀργάνων πᾶς ὁ ὑπηρέτης Παι3. 1253 ᵇ27-33. ὄργανα ποιητικά, πρακτικά, οἰκονομικά, πολιτικά Παι4. 1254 ᵃ2, 17. 8. 1256 ᵇ36. ὁ δῦλος ἔμψυχον ὄργανον, τὸ δ' ὄργανον ἄψυχος δῦλος Ηθ13. 1161 ᵇ14. ηεη9. 1241 ᵇ24. — usus voc ὄργανον admodum late patet. ὄργανα i e instrumenta musica. ἡ γὰρ αὐλὸς εἰς παιδείαν ἀκτέον ὔτ' ἄλλο τεχνικὸν ὄργανον Πθ6. 1341 ᵃ19. τῶν ὀργάνων τὰ ναρθήκινα, τὰ λεπτὰ κ σύντονα κ μὴ ἔχοντα κέρας sim αχ803 ᵃ42, 38, 804 ᵃ28, 801 ᵇ10. τὰ ἱππικὰ ὄργανα Ηαι. 1094 ᵃ12. ὀργάνων ὔι θηρεύυσι τὰς κτένας Ζιδ4. 528 ᵃ32. ι20. 603 ᵃ22. τοῖς κολυμβηταῖς ἔνιοι παρασκευάζυσιν ἀναπνοὴν ὄργανα πορίζονται Ζμβ16. 659 ᵃ9, 11. Langk Schol ad h l p 22, 127. ὄργανά τινα μηχανικά, ἃ τὸ σῶμα ποιεῖ τῶν διαστρεφομένων ἀστραβὲς Πη17. 1336 ᵃ11. οἱ δημιυργοὶ κατασκευάζυσιν ὄργανον ἀποκρύπτοντες τὴν ἀρχήν μχ848 ᵃ35. cf x6. 398 ᵇ15. Ζχ7. 701 ᵇ7. τὰ ὄργανα δι' ὧν εὑρήσομεν συλλογισμῶν ται3. 105 ᵃ21. 18. 108 ᵇ32. (ἡ διαλεκτικὴ) ὐ μικρὸν ὄργανον πρὸς γνῶσιν τθ14. 163 ᵇ11. ὁ θεὸς ὄργανα ἐν αὑτοῖς ἡμῖν δέδωκε δύο, ἐν οἷς χρησόμεθα τοῖς ἐκτὸς ὀργάνοις, σώματι μὲν χεῖρα, ψυχῇ δὲ νῦν· νῦ ὄργανον ἐπιστήμη πλ5. 955 ᵇ23, 26, 36, 37. ὁ λόγος πότερον ὄργανον ἢ κατὰ συνθήκην ε4. 17 ᵃ1 Wz. — praecipuus voc ὄργανον usus in definienda corporis et animalium et plantarum natura (Trdlbg de an p 331. Wz II 294. Zeller Gesch II 2, 371, 5). ἐπεὶ τὸ μὲν ὄργανον πᾶν ἕνεκά τυ, τῶν δὲ τῦ σώματος μορίων ἕκαστον ἕνεκά τυ, τὸ δ' ὗ ἕνεκα πρᾶξίς τις, φανερὸν ὅτι κ τὸ σύνολον σῶμα συνέστηκε πράξεώς τινος ἕνεκα πλήρυς Ζμα5. 645 ᵇ14. ἐπεὶ τὸ σῶμα ὄργανον (ἕνεκά τινος γὰρ ἕκαστον τῶν μορίων, ὁμοίως δὲ κ τὸ ὅλον), ἀνάγκη ἄρα τοιονδὶ εἶναι κ ἐκ τοιωνδί, εἰ ἐκεῖνο ἔσται Ζμαι. 642 ᵃ11. cf ψβ1. 412 ᵇ12. ᵃ12. 389 ᵇ30. ὄργανα φυσικά, dist τεχνικά μὸ3. 381 ᵃ10. τὰ ὄργανα πρὸς τὸ ἔργον ἡ φύσις ποιεῖ, ἀλλ' ὐ τὸ ἔργον πρὸς τὸ ὄργανον Ζμὸ12. 694 ᵇ13. ἡ σύστασις τῦ ὀργάνυ αν21. 480 ᵃ20. κ τὸ ὄργανον χρήσιμον αν10. 476 ᵃ11. cf Ζμὸ6. 683 ᵃ20. εἰ χρὴ τὰ ὄργανα λέγειν ἕτερα κ ταῦτα τοῖς ἔργοις ψβ4. 416 ᵃ5. ὄργανον, dist τὸ κινῦν Ζγβ4. 738 ᵇ24. ἁπάσῃ δυνάμει ὄργανόν τί ἐστιν· ἅμα ἡ φύσις τήν τε δύναμιν ἀποδίδωσι τὴν ὀργανικὴν Ζγδ1. 755 ᵇ36. δεῖται πρὸς πᾶσαν ἐργασίαν ὀργάνων, ὄργανα δὲ ταῖς δυνάμεσι τὰ μέρη τῦ σώματος Ζγα2. 716 ᵃ24. cf β4. 740 ᵇ31. ἡ τῶν ὀργάνων δύναμις αν11. 476 ᵃ25. ὧν τὰ ὄργανα πρότερα, κ τὰς δυνάμεις πρότερον εἰκὸς ἐγγίνεσθαι ἡμῖν πλ5. 955 ᵇ40. ἔνια τῶν ἐντὸς ὀργάνων διαιρύμενα φαίνεται ζῆν ἐπὶ τινα χρόνον· ὅθεν ἄτοπον· ὄργανα γὰρ ὐκ ἔχυσιν ὥστε σώζειν τὴν φύσιν ψα5. 411 ᵇ23. αν8. 474 ᵇ18. ζ2. 468 ᵇ7. μχ6. 467 ᵃ21 (cf Joh Müller Physiol II 506. Lewes 232, 11). — singula ὄργανα φυσικά cui operi inserviant significatur. ἡ χεὶρ εἰς πολλὰ ὄργανά ἐστιν· ὄργανα γὰρ πολλά, ὡσπερεὶ ὄργανον πρὸ ὀργάνων Ζμὸ10. 687 ᵃ10,19, 20, 22, ᵇ4. ψγ8. 432 ᵃ2. Ζγα22. 730 ᵇ19 Aub. τὸ γλωττικὸν ὄργανον Ζμὸ6. 683 ᵃ21. τῇ γλώττῃ χρῆται ἡ φύσις πρὸς τε τὰς χυμὸς κ πρὸς τὴν ἑρμηνείαν αν11. 476 ᵃ19. τὰ πορευτικὰ ὄργανα, τὰ ὄργανα οἷς ὖν ποιεῖται τὴν πορείαν Ζγβ1. 732 ᵇ27. Ζμὸ7. 683 ᵃ21. Ζπ15. 713 ᵃ5. ὄργανα πρὸς τὴν ἐργασίαν τῆς τροφῆς Ζγε8. 788 b24. τῷ αὐτῷ χρῆται ὀργάνῳ ἡ φύσις πρὸς τὴν τροφὴν ἢ πρὸς τὴν ἀνάψυξιν αν11. 476 a18. τὰ ἔνυδρα ὄργανον ἔχει ᾧ ἐκπέμπει τὸ ὑγρὸν Ζιθ2. 589 b17. ὄργανον τῦ ἀναπνεῖν, τῇ ἀναπνοῇ, περὶ τὴν ἀναπνοὴν Ζγε2. 781 a33. ψβ8. 420 b23. Ζμγ3. 664 a29. Ζκ10. 703 a20. ὄργανον τῆς φωνῆς Ζγε7. 788 a29. 8. 789 b11. cf αν11. 476 a19. τὸ ἀμυντικόν, τὸ πρὸς τὴν ἀλκὴν ὄργανον Ζμδ6. 683 a21. Ζγγ10. 759 b31. ἡ διαφορὰ τῶν σπερματικῶν ὀργάνων, τὰ περὶ τὴν γένεσιν (χρήσιμα πρὸς τὴν γένεσιν) ὄργανα Ζγα4. 717 a13. 15. 720 b34. 16. 721 a26. τὰ ὄργανα τὰ χρήσιμα πρὸς τὴν ὀχείαν, πρὸς τὴν πρᾶξιν τὴν γεννητικήν, πρὸς τὸν συνδυασμόν sim Ζιβ1. 500 a15. ε2. 539 b30. Ζγα5. 717 b14, 20. 22. 730 b20. δ1.766 a4, 23. τὸ τῶν ἀρρένων ὄργανον Ζμδ10. 689 a22. ὅσα μὴ ὀργάνοις προσάγεται Ζικ5. 637 a18 (cf Orelli Epicuri frg de nat p 66). — ὄργανα τῶν φυτῶν. ὄργανα ἢ τὰ τῶν φυτῶν μέρη, ἀλλὰ παντελῶς ἁπλᾶ ψβ1. 412 b1. πρὸς ὀλί- γας πράξεις ὀλίγων ὀργάνων ἢ χρῆσις Ζμβ10. 656 a2.

ὀργή, πάθος τι, ποιότης παθητική Πγ15. 1286 a33. Κ8. 10 a1. ἄλογος ὄρεξις Ρα10. 1369 a4. f 97. 1493 b36. ἐν τῷ θυ- μοειδεῖ τδ5. 126 a10. opp πραότης Ρβ3. 1380 a6. coni ἐπιθυμία, θυμός Ρβ19. 1393 a2. ημβ6. 1202 b12-19. ὀργή def ψα1. 403 a30. Ηε10. 1135 b29. Ρβ2. 1378 a31. τδ6. 127 b30. ζ13. 151 a15. θ1. 156 a32. ὀργή quid conferre possit ad virtutem f 94. οἱ Περιπατητικοὶ ἐκτέμνειν τὰ νεῦρα τῆς ψυχῆς φασὶ τὰς τὴν ὀργὴν ἢ τὸν θυμὸν αὐτῆς ἐξαι- ροῦντας f95. 1493 b15. ὁ ὀργῇ ποιῶν πᾶς ποιεῖ λυπούμενος Ηη7. 1149 b20. ὀργή ἐστιν ἐκ τῶν πρὸς ἑαυτόν, περὶ τὰ καθ᾽ ἕκαστα Ρβ4. 1382 a2, 4. πῶς διακείμενοι ὀργίζονται, τίσιν εἰώθασιν ὀργίζεσθαι, ἐπὶ ποίοις Ρβ2. πῶς δεῖ ἐμποιεῖν ὀργήν ρ35.1440 a32. — κατέχειν, πέμψαι ἐν ἑαυτῷ τὴν ὀργὴν Ηδ11. 1126 a16,25. κρατηθῆναι ὑπ᾽ ὀργῆς Πγ15.1286 a33. ὁ δι᾽ ὀργὴν ἑαυτὸν σφάττων Ηε15.1138 a9. εἰς ὀργὴν πεσεῖν Ρβ23. 1397 a14 (fr trg adesp 55). ὀργῇ τεθηγμένος (Alci- dam) Ργ3. 1406 a10. — plur ὀργαί. μεσότης περὶ ὀργάς Ηδ11. 1125 b26. αἱ ὀργαὶ πῶς. μετὰ λόγα πκη3. 949 b17. cf f 94.

ὀργιαστικὸν ἢ παθητικὸν ὁ αὐλός, ἐκ ἠθικόν Πθ6. 1341 a22. 7. 1342 b3.

ὀργίζειν. ὀργίσαι, opp εὔνην ποιῆσαι Ργ14. 1415 a35. ἄρχει ὁ ὀργίσας Ηε10. 1135 b27. — ὀργίζεσθαι, πάθος μετὰ σώ- ματος ψα1. 403 a7, 26. opp πραΰνεσθαι, πράως ἔχειν Ρβ3. 1380 a5. 1. 1377 b32. ἀδύνατον ἅμα φοβεῖσθαι ἢ ὀργί- ζεσθαι Ρβ3. 1380 a33. πῶς, τίσιν ὀργιστέον Ηβ9. 1109 b16. 11. 1126 a34. ὀργιζόμενος πρός τινα μβ3. 356 b16. χαλεπαίνει ὁ ὀργιζόμενος ἀληθινώτατα πο17. 1455 a32. ὀρ- γισθῆναι Πγ15. 1286 a35. — οἱ ὀργιζόμενοι τὰς ὀφθαλμοὺς ἐπιδιδόασι πρὸς τὸ ἐρυθριᾶν πλα3. 957 b9.

ὀργίλος, def Ηβ7. 1108 a7. δ11. 1126 a13. ηεβ3. 1221 a15. ημα23. 1191 b30. coni μανικός, εὐπαρόρμητος, χαλε- πός, ἄγριος Κ8. 10 a2. Ρβ7. 1367 a37. β2. 1379 a17. ηεβ3. 1221 a15. γ3. 1231 b8. τίσι συμβαίνει ὀργίλοις εἶναι Ρα10. 1369 a9. β2. 1379 a17. τὸν ὀργίλον καλεῖν (per euphe- mismum) ἁπλῶν Ρα9. 1367 a37. — ὀργιλώτερος Κ8. 10 a7. — ὀργίλως ἔχειν Ρβ2. 1380 a3.

ὀργιλότης, def Ηβ7. 1108 a7. δ11. 1125 b29. ηεβ3.1220 b38. ημα23. 1191 b24. απ1.1249 b30. 3. 1250 a16. 6.1251 a3-10. syn χαλεπότης ηεγ3. 1231 b6.

ὄργιον. ἄλλαι κοινωνίαι, οἷον ἡ τῶν φρατέρων ἢ τῶν ὀργίων (? ὀργεώνων ci Dietsch, ὀργιαστῶν ci Fr) ηεη9. 1241 b26.

ὀργυιά. προσαφοδεύειν εἰς τέτταρας ὀργυιάς Ζιι45. 630 b9.

κατ᾽ ὀργυιὰς τὸ βάθος, καθ᾽ ἑξήκοντα ὀργυιῶν Ζιζ14. 568 a26. Ζγε3. 783 a23. γίνεται ἐκ τῆς θαλάττης ἐν πολλαῖς ὀργυιαῖς Ζιδ5. 530 b9.

ὀρέγειν. ὁ ἐλέφας ἐσθίει ὀρέγων τῇ μυκτῆρι εἰς τὸ στόμα Ζιβ1. 497 b27. — med ὀρέγεσθαι, c gen τῶν αἰσχρῶν, τιμῆς al Ηγ15. 1119 b4. θ9. 1159 a22. Πε2. 1302 a28. ηεη7. 1241 a28 al. ὀρέξεται τούτων μετρίως Ηγ14. 1119 a17. c inf πράττειν Ζκ7. 701 a37. ὀρέγεσθαι, syn ἐφίεσθαι Ηα2. 1095 a15. 1. 1094 a2. coni ἐπιθυμεῖν Ηγ15. 1119 a32. — πάντες ἄνθρωποι ὀρέγονται τῦ εἰδέναι φύσει ΜΑ1. 980 a21. ὀρεγόμεθα διότι δοκεῖ μᾶλλον ἢ δοκεῖ διότι ὀρε- γόμεθα Μλ7. 1072 a29. ἐκ τῦ βουλεύεσθαι κρίναντες ὀρεγό- μεθα κατὰ τὴν βούλευσιν Ηγ5. 1113 a12. — ὀρεκτόν. ἢ ὀρεκτὸν κινεῖ ἢ κινούμενον, κινεῖ τῷ φαντασθῆναι ἢ νοηθῆναι Μλ7. 1072 a26 Bz. Ζκ6. 700 b24. ψγ10. 433 a18, 21, b11. ὀρεκτόν ἐστιν ἢ τὸ ἀγαθὸν ἢ τὸ φαινόμενον ἀγαθὸν ψγ10. 433 a28. τὸ ὀρεκτὸν ἢ βουλητὸν ἢ τὸ ἀγαθὸν ἢ τὸ φαινό- μενον ἀγαθὸν ηεη2. 1235 b25. ὄντος τῦ προαιρετῦ βουλευτὰ ὀρεκτῦ τῶν ἐφ᾽ ἡμῖν Ηγ5. 1113 a10.

ὄρεγμα. θᾶττον θᾶσσον κάμηλοι τῶν ἵππων διὰ τὸ μέγεθος τῦ ὀρέγματος Ζιι50. 632 a31.

ὄρειος. (τῶν ὀρνέων) τὰ μὲν ἄγροικα τὰ δ᾽ ὄρεια Ζια1. 488 b2.

ὀρεινός. τόποι ὀρεινοὶ Πη11. 1331 a5. τόποι ὀρεινοὶ ἢ ὑψηλοὶ μα13. 350 a7. τόποι ὀρεινοὶ ἢ τραχεῖς, opp τὰ πεδινὰ Ζιθ29. 607 a10. ὀρεινὴ ἡ Ἀρκαδία μα13. 351 a3. τὰ ὀρεινά, opp τὰ ἥμερα Ζιι40. 624 a28. ἡ ὀρεινή, opp ἡ πεδιάς Ζιε28. 556 a4. ὁ αἰγωθήλας ἐστὶν ὀρεινὸς Ζιι30. 618 b3. τῶν αἰγιθάλων εἴδη τρία ... ἕτερος δ᾽ ὀρεινὸς διὰ τὸ διατρίβειν ἐν τοῖς ὄρεσιν, οὐραῖον μακρὸν ἔχων Ζιθ3. 592 b19. (la mé- sange à longue queue C II 507. Parus ater St. Cr. Parus caudatus K 865, 11. Su 115, 55. AZ I 84, 3b. cf Lnd 65.)

ὀρείχαλκος Αδ7. 92 b22. ἐν Φενεῷ οἱ ὀρείχαλκοι καλούμενοι θ58. 834 b25.

ὀρεκτικός. τὸ ὀρεκτικόν, μόριον ψυχῆς ψβ3. 414 a31. ηεβ1. 1219 b23. ἐχ ἕτερον τὸ ὀρεκτικὸν ἢ φευκτικόν, ἔτ᾽ ἀλλή- λων ἔτε τῦ αἰσθητικῦ ψγ7. 431 a13. εἰ τὸ αἰσθητικὸν ὑπάρχει, ἢ τὸ ὀρεκτικὸν ψβ3. 414 b1. ἡ ὄρεξις ἢ τὸ ὀρε- κτικὸν κινούμενον κινεῖ Ζκ6. 701 a1. τὸ ἐπιθυμητικὸν ἢ ὅλως ὀρεκτικὸν μετέχει πως λόγω Ηα13. 1102 b30. ἡ ὀρεκτικὸς νῦς ἢ προαίρεσις ἢ ὄρεξις διανοητικὴ ΗΖ2. 1139 b4. — ὀρε- κτικός τινος ἐπί τινι ηεγ6. 1233 a38.

ὄρεξις, opp φυγή ψγ7. 431 a12. syn διώκειν, ἐφίεσθαι Ηα1. 1094 a21. ἀναγκαῖον τῷ σώματι πολλὰς ἐγγίνεσθαι κινήσεις ὑπὸ τῦ περιέχοντος, τούτων δ᾽ ἐνίας τὴν διάνοιαν ἢ τὴν ὄρεξιν κινεῖν Φθ2. 253 a17. ὑδενὸς τούτων (ὕπνου, ἐγρηγόρσεως, ἀνα- πνοῆς) κυρία ἁπλῶς ὑθ᾽ ἡ φαντασία ὑθ᾽ ἡ ὄρεξις Ζκ11. 703 b11. περὶ ὀρέξεως Ζκ6-8. ἡ ὄρεξις κινεῖ ἕνεκά τω ψγ10. ὅπερ ἐν διανοίᾳ κατάφασις ἢ ἀπόφασις, τῦτ᾽ ἐν ὀρέξει δίωξις ἢ φυγή ΗΖ2. 1139 a22. τρία ἐστὶν ἐν τῇ ψυχῇ τὰ κύρια πράξεως ἢ ἀληθείας, αἴσθησις νῦς ὄρεξις ΗΖ2. 1139 a18. ἡ ὄρεξις ἢ τὸ ὀρεκτικὸν κινούμενον κινεῖ Ζκ6. 701 a1. 10. 703 a5. αἴσθησις, λύπη ἢ ἡδονή, ὄρεξις quomodo inter se cohaereant ψβ2.413 b23 Trdlbg p 180. παρασκευάζει ἐπι- τηδείως ἡ αἴσθησις τὰ πάθη, τὴν δ᾽ ὄρεξιν ἡ φαντασία Ζκ8. 702 a18. ἡ ἐσχάτη αἰτία τῦ κινεῖσθαι ὄρεξις, αὕτη δὲ γί- νεται ἢ δι᾽ αἰσθήσεως ἢ διὰ φαντασίας ἢ νοήσεως Ζκ7. 701 a35. — ἡ ὄρεξις τῦ μέσω ἐστί, τοῦτο γὰρ ἀγαθὸν Ηθ10. 1159 b20. ηεη5. 1239 b33. ἄμφω κινητικὰ κατὰ τό- πον νῦς ἢ ὄρεξις· νῦς μὲν πᾶς ὀρθός, ὄρεξις δὲ ἢ φαντασία ἢ ὀρθὴ ἢ ἐκ ὀρθή ψγ10. 433 a13, 26. τό τε ἄλογον ἢ τὸ λόγον ἔχον κỳ τὰς ἕξεις τὰς τύτων δύο τὸν ἀριθμόν, ὧν τὸ μέν ἐστιν ὄρεξις τὸ δὲ νῦς Πη15. 1334 b20. οἱ κατὰ λόγον τὰς ὀρέξεις ποιύμενοι Ηα1. 1095 a10. ἡ προαίρεσις ὄρεξις βυλευτική, διανοητικὴ Ηζ2. 1139 a23, b5. ἄλογοι ὀρέξεις ὀργὴ κỳ ἐπιθυμία Ρα10. 1369 a4. ἐπιθυμία κỳ ὅλως ὄρεξις αι1. 5 436 a9. τρία εἴδη ὀρέξεως, ἐπιθυμία, θυμός, βύλησις ημα12. 1187 b37. ψβ3. 414 b2. γ10. 433 a23, 25. Ζκ6. 700 b19, 22. 7. 701 b1. ηεβ7. 1223 a26. ἡ ψυχὴ ἐκ λόγυ κỳ ὀρέξεως Πγ4. 1277 a7. ὁ νῦς ἄρχει τῆς ὀρέξεως πολιτικὴν ἀρχήν Πα5. 1254 b5. ὁ νόμος νῦς ἄνευ ὀρέξεώς ἐστιν Πγ16. 1287 10 a32. ὧν αὐτοὶ αἴτιοι τὰ μὲν δι' ἔθος τὰ δὲ δι' ὄρεξιν πράτ-τυσιν Ρα10. 1369 a1. — ὄρεξις τῆ ἡδέος, τῆ καλῆ, τιμῆς, ἀντιλυπήσεως Ηγ15. 1119 b6, 8. 11. 1116 a28. δ10.1125 b7. ψα1. 403 a30. τῦ ζῆν πᾶσιν ἔμφυτος ἡ ὄρεξις ηεη12. 1244 b28. ὀρέξεις φυσικαὶ Ηη7. 1149 b4. 15

Ὀρέστης πο14. 1453 b24, aptum tragoediae argumentum πο13. 1453 a20, aliter tractandum in comoedia πο13. 1453 a37. ὁ Μενέλαος ἐν τῷ Ὀρέστῃ Euripidis πο15. 1454 a29. 25. 1461 b21. ἐν τῷ Ὀρέστῃ τῷ Θεοδέκτυ (fr 5) Ρβ24. 1401 a35. Ὀρέστης ἐν Χοηφόροις Aeschyli πο16. 1455 a5. 20 Ὀρέστης ἐν τῇ Ἰφιγενεία Euripidis πο16. 1454 b31. 11. 1452 b6. 17. 1455 b14. Ὀρέστης ἐν τῇ Ἰφιγενεία Πολυείδυ πο16. 1455 a7 (Nauck fr tr p 606). — Ὀρέστεια, τε-τραλογία f 575. 1572 b21.

ὀρεύς. refertur inter τὰ ἀεὶ ἥμερα, λόφυρα, ὅσα λοφιὰν ἔχει, 25 μώνυχα Ζια1. 488 a27. 6. 491 a1. β1. 498 b30, 499 b11. Ζμγ14. 674 a26. βάλλει ὀδόντας, ὁ πρῶτος βόλος Ζιβ1. 501 b3. ζ24. 577 b19. ὁ σπλὴν ποῖος, χολὴν ὐκ ἔχει, μίαν ἔχει κοιλίαν Ζμγ12. 674 a4, 27. δ2. 676 b26. Ζιβ15. 506 a23. τὸ ὖρον παχύτερον τὸ τῆς θηλείας Ζιζ18. 573 a16. — 30 mas: ὁ ὀρεύς, ὁ ἄρρην Ζιζ24. 577 b19, 578 a2, 3. femina: ὁ θῆλυς ὀρεύς, ὀρεὺς ὁ θῆλυς, ἡ θήλεια Ζιζ24. 577 b22, 578 a2. 18. 573 a15, 16. — de generatione. ἄγονοι, εἴ τι πεπήρωται ἐν τῇ γενέσει οἷον ὀρεὺς Ζγβ7. 746 b14. α20. 728 b11. κỳ ἀφ' ὗ ἀπῆλθε, τύτυ σπέρμα, οἷον ἵππυ, κỳ 35 τύτυ, ὃ ἔσται ἐξ αὐτῦ, οἷον ὀρεὺς Ζμα1. 765. ὐθὲν γίνεται καταμήνιον, λέγυσιν ἔνιοι ὅτι μὲν καθαίρεται ὑρῦσα Ζιζ18. 573 a16. 24. 578 a2. ὁ ὀρεὺς ἀναβαίνει μὲν κỳ ὀχεύει μετὰ τὸν πρῶτον βόλον. ἑπταετὴς ὢν κỳ πληροῖ, ὁ θῆλυς ἤδη ἐπληρώθη ὁ μέντοι γε ὥστ' ἐξενεγκεῖν διὰ τέλυς Ζιζ24. 40 577 b19, 21, 20 Scaliger, 23. — καρποφάγοι κỳ ποιηφάγοι Ζι98. 595 b22. γηράσκει βραδύτερον ὁ θῆλυς, ὁ ἄρρην διὰ τὸ ὀσφραίνεσθαι τῦ ὖρυ (τῆς θηλείας) γηράσκει θᾶττον Ζιζ 24. 578 a2, 3. — ὁ νικήσας τοῖς ὀρεῦσιν Ργ2. 1405 b25. (Equus hinnus et E mulus C II 529. K 412. ΚαΖι 15, 58. 45 S script rei rust II 2, 306. ΑΖγ 12, 20, 25. ΑΖι I 68, 19. Su 75, 56. de promiscuo usu voc ὀρεύς et ἡμίονος S I 505, II, 446.) ν γίννος, ἡμίονος.

Ὀρθαγόρας (Σικυώνιος) Πε12. 1315 b13.

ὄρθιος. οἱ νόμοι ὄρθιοι κỳ οἱ ὀξεῖς χαλεποὶ ᾆσαι πιθ37. 920 50 b20. — ὅταν μὲν γὰρ πρὸς ὄρθιον (πρὸς ὀρθὴν ci Cappelle) ἡ διάμετρος ᾖ τῆ κύκλυ τῷ ἐπιπέδῳ μχ8. 851 b27.

ὀρθογώνιος ψβ2. 413 a17.

ὀρθοδοξεῖν περὶ τὴν ἀρχήν Ηη9. 1151 a19.

ὀρθόνοτος, eius nomina varia σ973 b7. f 238. 1521 b26. 55

ὀρθοπραγεῖν. πότερον ἀρετὴ τὸ ὀρθοπραγεῖν Πα13. 1260 a26. ἀμαρτίας περὶ ἃς ὀρθοπραγεῖ ὁ σώφρων ηεγ2. 1230 b6.

ὀρθός. 1. ἡ ἵππος ὀρθὴ στᾶσα προΐεται τὸ ἔκγονον, opp κα-τακεῖσθαι Ζιζ24. 576 a25, 23. οἱ ἐχῖνοι ὀρθοὶ μίγνυνται, dist ἐπὶ τὰ πρανῆ ἐπιβαίνειν Ζγα5. 717 b30. ἡ κεφαλὴ πᾶσι τοῖς 60 ἔχυσιν ὀρθότατον Ζμβ10. 656 b9. ἄνθρωπος μόνον τῶν ζώων

ὀρθόν, τῶν ζώων ὀρθότατον Ζμβ7. 653 a31. 10. 656 a13. γ1. 662 b20. 6. 669 b5. δ10. 686 a27, 687 a5, 689 b11, 690 a28. αν13. 477 a21 al. μὴ ὀρθὰ εἶναι τὰ ζῷα ἀλλὰ κύπτειν Ζμβ11. 657 a14. ὀρθὸν ἑστάναι Ζμβ7. 653 a17. Ζιγ21. 522 b18. κάτωθεν εἰς ὀρθὸν ἀναφέρεσθαι μβ4. 361 a35, 23. ἵππον εἰς ὀρθὸν θέοντα ἀντιλαμβανόμενον ἀποστρέ-ψαι ημα14. 1188 b6. — ζυγὸν ὀρθὸν μχ2. 850 a11. — ἡ ὀρθή, int γωνία, angulus rectus. ὁ τέκτων κỳ ὁ γεωμέτρης διαφερόντως ἐπιζητῦσι τὴν ὀρθὴν Ηα7. 1098 a30. ἡ ὀρθὴ ὅρος τῶν ἐναντίων γωνιῶν πις4. 913 b36. Μμ8. 1084 b7. πρὸς ὀρθὴν (πρὸς ὀρθὰς) τέμνειν, συνάπτειν al Οα5. 272 b26. μβ6. 363 b2. γ3. 373 a14. μχ1. 849 a36. πις4. 913 b9. ι54. 897 b4, a16 (πρὸς ὀρθῇ Bk). cf ὄρθιος. κατ' ὀρθὰς γω-νίας χ4. 396 a2. τὸ τρίγωνον δύο ὀρθαῖς ἴσας ἔχει τὰς γωνίας cf τρίγωνον. — 2. νόμοι ὀρθοί, ὀρθότατοι Πβ5. 1263 a23. γ13. 1283 b38. τὸ ὀρθὸν ληπτέον ἴσως, i e πρὸς τὸ τῆς πόλεως ὅλης συμφέρον Πγ13. 1283 b40. πολιτεῖαι ὀρθαί, opp ἡμαρτημέναι, παρεκβάσεις Πγ6. 1279 a18, 20. 7. 1279 a24. 11. 1282 b12. 13. 1284 b4. 14. 1284 b37. 18. 1288 a33. δ2. 1289 a27 al. ηεη9. 1241 b27. πολιτεία ὀρθοτάτη Πδ8. 1293 b25. νῦς πᾶς ὀρθός· ὄρεξις δὲ κỳ φαντασία κỳ ὀρθὴ κỳ ὐκ ὀρθὴ ψγ10. 433 a26. τὸν λόγον ἀληθῆ εἶναι κỳ τὴν ὄρεξιν ὀρθὴν Ηζ2. 1139 a24. ὁ ὀρθὸς λόγος τίς Ηζ1. 1138 b20-34. ε15. 1138 a10. ηεηβ5. 1229 a9, b7, cf λόγος p 437 a18. ὐκ ὀρθὸς ὁ διορισμός Ηε11. 1136 b3. — ὀρθῶς. 1. τοῖς ἀνθρώποις ὀρθῶς ἐστιν ὄνομα Γζ10. 689 b19, sed fort scriben-dum ὀρθῶς. — 2. ὀρθῶς ἔχειν, νομίσαι, τὴν ὑπόληψιν λα-βεῖν Ηε14. 1137 b7. μα3. 339 b25. β2. 354 b23 al. ὐκ ὀρθῶς λέγειν, ὑπολαμβάνειν Ζμα1. 641 a15. δ2. 677 a5. 10. 687 a26 al. ὀρθῶς Ἀγάθων (int λέγει) Ηζ2. 1139 b9. ὀρθῶς κείμενοι νόμοι Πβ4. 1262 b5. κατ' ἀρετὴν τὸ ὀρθῶς Ηδ5. 1122 b29. σκοπεῖν περὶ τῦ ὀρθῶς κỳ μὴ ὀρθῶς Πβ9. 1270 a11. ἔστιν ὐδὲν ἧττον ὀρθῶς Ηε14. 1137 b17. ὀρ-θῶς i q ὀρθῶς ἔχει, c infinitivo cf ἔχειν p 306 a16. ὀρ-θῶς cum vi quadam in fine enunciati positum (cf εἰκότως p 219 b44) ηεη10. 1243 a10. — λέγων ὀρθότερον Φδ13. 222 b19.

ὀρθότης, cf ὀρθός. — 1. ὀρθότης, opp κάμψις, syn ἀκαμ-ψία Ζμβ9. 654 b5. 8. 654 a24. ἡ τὸ μῆκος κỳ τὴν ὀρθό-τητα συνέχυσα τῶν ζώων ἡ ῥάχις ἐστὶ Ζμβ9. 654 b13. ἡ τῆς κεφαλῆς Ζμβ7. 653 a18, cf ἄνθρωπος ζ1. 468 a5. Ζμβ14. 658 a22. — 2. ἔστι περὶ αἴσθησιν ὀρθότης κỳ ἀμαρτία τβ4. 111 a16, 18. ὀρθότης δόξης, δια-νοίας, βυλῆς Ηζ10. 1142 b8-32 (opp ἀμαρτία b10). ὀρ-θότης ἡ κατὰ τὴν τέχνην ποι5. 1461 b24.

ὀρθὺν τὰ διεστραμμένα τῶν ξύλων Ηβ9. 1109 b7. — τὰ πίπτοντα τῶν κηρίων ὀρθῦσιν αἱ μέλιτται Ζι40. 625 a11. ἡ θερμότης ὀρθοῖ τὰ σώματα Ζμγ6. 669 b4. ὐδὲν ὀρθῦσθαι δύναται φορτίον ἔχον Ζμβ10. 656 b9.

ὀρθριος. σεισμοὶ ὄρθριοι μβ8. 367 a21. ὄρθριαι σιωπῶσιν αἱ μέλιτται Ζι40. 627 a24.

ὄρθρος. περὶ ὄρθρον Ζι34. 619 b21. πρὸς ὄρθρον μβ8. 366 a20. πρὸς τὴν ἕω κỳ περὶ τὰς ὄρθρυς μβ8. 367 a21. — ὄρθρος corr videtur πκε8. 941 a11.

Ὀρθωσία Ἀρτεμις θι75. 847 b1.

ὀρίγανος, ἡ. μύρμηκες ὑπ' ὀριγάνυ ἐκλείπυσι τὰς μυρμηκίας Ζιδ8. 534 b22. χελῶναι, πελαργοὶ πῶς χρῶνται τῇ ὀριγάνῳ φαρμάκῳ θ11. 831 a28. Ζι6. 612 a15, 34. ἡ ὀρίγανος δάκνει τὸ ὀφθαλμῷ πκ22. 925 a29. cf λα9. 958 b13. ἡ ὀρί-γανος ἐμβαλλομένη τῷ γλεύκει γλυκὺν ποιεῖ τὸν οἶνον πκ35. 926 b32. — ὁ ὀρίγανος. τῦ ὀριγάνυ ποῖος ὁ χυμός φτα3. 818

Uuu 2

^b36. 5. 820 ^a35. (Origanum heracleoticum *L* et creticum *L*. Fraas 181.)

ὁρίζειν (cf varietatem usus v ὅρος). ὁρίζυσι τάς τε ὀξεῖς χ̀ τὰς πλατεῖς ὀδόντας οἱ καλύμενοι κυνόδοντες Ζιβ3. 501 ^b16. Ζμγ1. 661 ^b9. ὁ ὑμὴν ὃς ὁρίζει τὸ λευκὸν χ̀ τὸ ὠχρὸν ἀπὸ τύτυ Ζγγ2. 752 ^b9. ὁ ὁρίζων κύκλος, ὁ ὁρίζων τὴν οἰκυμένην, ὁ τὴ ὁρίζοντος κύκλος Οβ14. 297 ^b34. μβ7. 365 ^a29. 6. 363 ^a27. ἄνωθεν, ὑπὲρ τὴ ὁρίζοντος μα6. 343 ^a18, 32. — ἀρχαὶ ὡρισμέναι ἀριθμῷ, opp ἄπειρα Μβ6. 1002 ^b18, 21 (ἀφωρισμέναι ἀριθμῷ ^b17). γ4. 1006 ^b1, 4, 6. ὃ μόνον τὴν κίνησιν τῷ χρόνῳ με- τρῦμεν, ἀλλὰ χ̀ τῇ κινήσει τὸν χρόνον διὰ τὸ ὁρίζεσθαι ὑπ' ἀλλήλων Φδ12. 220 ^b16. τὸν χρόνον γνωρίζομεν, ὅταν ὁρίσωμεν τὴν κίνησιν, τῷ πρότερον χ̀ ὕστερον ὁρίζοντες Φδ11. 219 ^a22, cf 218 ^b30, 32. πόση τις ἡ πρᾶξίς ἐστι τῷ χρόνῳ ὁριεῖ Κ6. 5 ^b5. μὴ κατὰ χρόνον ὁρίσαντας Αα15. 34 ^b8. εἰ οἱ τόποι ὡρισμένοι χ̀ πεπερασμένοι, χ̀ τὰ σώματα ἔσται πεπερασμένα Οα6. 273 ^a14. ἀποκεκριμένον ἀναγκαῖον εἶναι τὸ αἴτιον χ̀ ὡρισμένον μβ9. 369 ^b29. τὸ σῶμα ὥρισται ἐπιφανείᾳ Μβ5. 1002 ^a6. διαστήματα τρία, οἷς ὁρίζεται σῶμα πᾶν Φδ1. 209 ^a5. ὁρίζεσθαι ὑπὸ τῆς φυσικῆς θερ- μότητος χ̀ ψυχρότητος μβ2. 379 ^b34. 3. 380 ^a19. 4. 381 ^b31. ἡ θερμότης χ̀ ψυχρότης ὁρίζυσι χ̀ συμφύσυσι χ̀ μεταβάλλυσι τὰ ὁμογενῆ χ̀ τὰ μὴ ὁμογενῆ μδ1. 378 ^b15, cf 379 ^a10. σῶμα ὡρισμένον οἰκείῳ ὅρῳ μδ5. 382 ^a22. 4. 382 ^a2. τὸ ὡρισμένον χ̀ συνεστηκὸς μδ5. 382 ^a24. τὸ μὲν ὁρίζομενον τὸ μέσον, τὸ δ' ὁρίζον τὸ πέρας Οβ13. 293 ^b13. τὸ μὲν ἄνω τὸ ὡρισμένα, τὸ δὲ κάτω τῆς ὕλης Οδ4. 312 ^a16. τὸ εἶδος χ̀ ἡ μορφή, οἷς ὁρίζεται τὸ μέγεθος χ̀ ἡ ὕλη ἡ τῆ μεγέθυς Φδ2. 209 ^b4. ἡ δύναμις ὡς ὕλη καθόλυ ὖσα χ̀ ἀόριστος τῆ καθόλυ χ̀ ἀορίστυ, ἡ δ' ἐνέργεια ὡρισμένη χ̀ ὡρισμένη τόδε τι ὖσα τῷδέ τινος Μμ10. 1087 ^a18 (cf ἀδικεῖν ἕνα χ̀ ὡρισμένον, opp τὸ κοινὸν Ρα13. 1373 ^b22, 24. ὐκ ἐξ ἁπάντων τῶν δοκυντων ἀλλ' ἐκ τῶν ὡρισμένων λεκτέον οἷον τοῖς κρίνυσιν Ρβ22. 1395 ^b32. ἐν ταῖς ὡρισμέναις τέχναις Πα4. 1253 ^b25). — τὸ τεταγμένον χ̀ τὸ ὡρισμένον πολὺ μᾶλλον φαίνεται ἐν τοῖς ὐρανίοις ἢ περὶ ἡμᾶς Ζμα1. 641 ^b18. ὅσα τεταγμένα χ̀ ὡρισμένα ἔργα τῆς φύσεώς ἐστιν Ζγε1. 778 ^b4. τὰ ὡρισμένα ὑπὸ τῆς νομοθετικῆς νόμιμά ἐστι Ηε3. 1129 ^b13. cf ρ1. 1420 ^a26. νόμισμα τὸ πρῶτον ὁρισθὲν σταθμῷ Παθ9. 1257 ^a39. ἁπλῶς ὁρίσασθαι τῷ τιμήματος τὸ πλῆθος Πδ13. 1297 ^b3. ἐπὶ τοῖς ὡρισμένοις Πγ14. 1285 ^b22. χρόνοι ὡρισμένοι, ὁριζόμενοι Πγ1. 1275 ^a25. 13. 1284 ^a22. 14. 1285 ^a34. ρ39. 1446 ^a25. ὁ κατὰ τὴν ἀρχὴν ὡρισμένος ἄρχων, opp ὁ ἀόριστος Πγ1. 1275 ^b15. — ἐπεὶ πρὸς τὴν αἴσθησιν πάντα κρίνομεν τὸ αἰσθητά, δῆλον ὅτι χ̀ τὸ σκληρὸν χ̀ μαλακὸν ἁπλῶς πρὸς τὴν ἀφὴν ὡρίκαμεν μδ4. 382 ^a19. ὁ λόγος ὁ ἄκρατος χ̀ κωλύων τι τῇ διανοίᾳ ὁρίσαι Μγ4. 1009 ^a5. ὥρισται ἤδη πᾶν ὃ δόξα ἐστὶν Ηζ10. 1142 ^b11. ἀρετὴ ἐν μεσότητι ὖσα, ὡρισμένη (Brds, ὡρισμένη Bk) λόγῳ χ̀ ὡς ἂν ὁ φρόνιμος ὁρίσειεν Ηβ6. 1107 ^a1. τὸ ἀγαθὸν ὡρίσθαι, τὴν δ' ἡδονὴν ἀόριστον εἶναι, τὸ ὡρισμένον τῆς τἀγαθῦ φύσεως, ὡρισμένη φύσις Ηκ2. 1173 ^a16. ι9. 1170 ^a20. ηεη12. 1245 ^a3. οἱ περὶ τὰ πάθη λόγοι ὁμοίως ἔχυσι τὸ ὡρισμένον τοῖς περὶ ἃ εἰσὶν Ηι2. 1165 ^a13. — τῇ ἀφῇ ὥρισται τὸ ζῆν (vitae natura ac vis constituitur), ἄνευ γὰρ ἁφῆς ἀδύνατον εἶναι ζῷον ψγ13. 485 ^b16. πάντα τῷ ἔργῳ ὥρισται Πα2. 1253 ^a23. πολίτης, ὀλιγαρχία τίνι ὁρίζεται Πγ1. 1275 ^a22. ζ2. 1317 ^b39. — οἱ πρὸς εὐτυχίαν ἢ δυστυχίαν ὡρισμένοι (destinati) πο11. 1452 ^a32. — med ὁρίζομαι, logice i q definire. τὸ εἶδος τὸ κατὰ τὸν λόγον, ὃ ὁριζόμενα λέγομεν τί ἐστι Φβ1.

193 ^b2. τὸ τί ἐστι ζητεῖν χ̀ ὁρίζεσθαι Μει. 1026 ^a4. Α5. 987 ^a21. τὸ τί ἦν εἶναι χ̀ τὸ ὁρίσασθαι τὴν ὐσίαν ὐκ ἦν Ζμα1. 642 ^a26. ὁρισάμενοι χ̀ λαβόντες τὸ τί ἐστι συλλογίζονται Ρβ23. 1398 ^a27. εἰ ἔστιν ὁρίσασθαι ἢ εἰ γνωστὸν τὸ τί ἦν εἶναι Αγ22. 82 ^b38. ἔδει ἢ ὁρίσασθαι ἢ ὑποθέσθαι ἢ ἀποδεῖξαι Γβ6. 333 ^b25. ὁρίζεσθαι καθόλυ Μμ4. 1078 ^b18, 28. ὐδ' ἰδέαν ὐδεμίαν ἐστιν ὁρίζεσθαι Μζ15. 1040 ^a8. de notione τὸ ὁρίζεσθαι cf ὁρισμός. forma activa ὁρίζειν logica definiendi significatione non videtur usurpari (εἰ ὁρίζοι τὸ ἱμάτιον ὡς λευκόν Μζ4. 1029 ^b34 scribendum videtur ὁρίζοιτο τὸ coll ^b32. μόρια ἐνυπάρχοντα ὁρίζοντά τε χ̀ τόδε τι σημαίνοντα Μδ8. 1017 ^b17 de notis notionem constituentibus dictum est; nec repugnat, quod ὁ λόγος dicitur ὁρίζειν: ἐν τῷ λόγῳ ἐνυπάρξει τῷ ὁρίζοντι τὴν ὐσίαν αὐτῶν Ζμδ5. 678 ^a34). forma media activo sensu legitur, cum duplice accusativo ὁρίζονται τὰς ἀρετὰς ἀπαθείας sim Ηβ2. 1104 ^b24. 8. 1108 ^b34. cf γ9. 1115 ^a9. ε8. 1132 ^b22. ζ13. 1144 ^b22. Κ6. 6 ^a18 al, cum acc et dat τὸ ζῆν ὁρίζονται δυνάμει αἰσθήσεως Ηι9. 1170 ^a16. 4. 1166 ^a10. ψα2. 405 ^b10. Πδ9. 1294 ^a33. ὁ ὁριζόμενος τζ1. 139 ^a28, ^b13. 4. 141 ^b23. 9. 147 ^b12. μα8. 346 ^b6. ὁρίσαιντο ψα1. 403 ^a29. ὁριεῖται Μζ10. 1035 ^b17. ὥρισται act τζ1. 139 ^a33. 2. 140 ^b4. 4. 141 ^a24, 31, 33 ^b2 al. ὡρισμένος Ζμα4. 644 ^b2. πῶς ὁριστέον Μχ7. 1064 ^a21. Ηδ14. 1128 ^a25. — passive ἡ αἰδὼς ὁρίζεται φόβος τις ἀδοξίας Ηδ15. 1128 ^b11. οἷς αἱ φιλίαι ὁρίζονται Ηδ4. 1166 ^a2. Μζ10. 1035 ^b10. τὸ ὁριζόμενον τζ4. 141 ^b24. 5. 143 ^a10. 8. 146 ^a36. 9. 147 ^b13. 11. 148 ^b33, 34. Μζ11. 1037 ^a23 al. τὸ ὁρισθὲν τζ7. 145 ^b35. ὁρισθήσεται Φγ3. 202 ^b24. — rhetorice ὁρίζεσθαι i q partem aliquam orationis concludere, αὐτὸ τὸ μέρος ὁρισάμενοι πάλιν ἕτερον προθησόμεθα, ἐπὶ τελευτῇ γνώμην εἰπὼν ὁρίσαι τὸ μέρος sim ρβ3. 1439 ^a23, 29, 38. 36. 1441 ^a20, ^b2. — ὁριστός. τὰ ὁριστά, opp τὰ ὁρισμῷ Μβ3. 998 ^b6. — ὡρισμένως. ὡρισμένως εἰδέναι τι Κ7. 8 ^a36, ^b17, 19 (syn ἀφωρισμένως ^b15). ἁπλῶς ἔνδοξον ἢ ὡρισμένως, οἷον τυδὶ τινι τθ5. 159 ^b1. τὰ μὲν (πρός τι) λέγεται κατ' ἀριθμὸν ἢ ἁπλῶς ἢ ὡρισμένως πρὸς αὐτὰς ἢ πρὸς ἕν Μδ15. 1020 ^b33 Bz.

ὁρικός. ὁρικὰ πάντα λεγέσθω τὰ ὑπὸ τὴν αὐτὴν ὄντα μέθοδον τοῖς ὁρισμοῖς τα5. 102 ^a9, 5. 6. 102 ^b34.

ὁρίνεσθαι. τὰ ἀναζεῖν χ̀ τὸ ὁρίνεσθαι τὸν θυμὸν χ̀ ταράττεσθαι λέγυσιν ὐ κακῶς ἀλλ' οἰκείως πκζ3. 947 ^b32.

ὅριον. ἐπιμέλεια τῶν ὁρίων τῶν πρὸς ἀλλήλας Πζ8. 1321 ^b21.

ὁρισμός. proprio sensu (cf ὅρος, ὁρίζειν), ἀκριβῶς ἐν τοῖς τοιύτοις ὐκ ἔστιν ὁρισμός, ἕως τίνος οἱ φίλοι Ηθ9. 1159 ^a4. — prope ubivis ὁρισμός logicam habet vim ac significat definitionem. ὅσοι ὁπωσῦν ὀνόματι τὴν ἀπόδοσιν ποιῦνται, ὐκ ἀποδιδόασι τὸν τῆ πράγματος ὁρισμόν, ἐπειδὴ πᾶς ὁρισμὸς λόγος τίς ἐστιν τα4. 102 ^a4. Μζ10. 1034 ^b20. 12. 1037 ^b12, 25. 4. 1030 ^b13. η6. 1045 ^a12. ὁ λόγος, ὃ τὸ ὄνομα σημεῖον, ὁρισμὸς γίνεται Μγ7. 1012 ^a24. τὸν ὁριζόμενον δεῖ λόγον ἀντὶ τῶν ὀνομάτων ἀποδῦναι τζ11. 149 ^a2. ὁ ὁριζόμενος δείκνυσιν ἢ τί ἐστι ἢ τί σημαίνει τὐνομα Αδ7. 92 ^b26. ὁ ὁρισμὸς τὸ τί ἐστι δηλοῖ, λόγος ἐστὶ τὸ τί ἐστι, λόγος ὁ δηλῶν τὸ τί ἐστι Αδ3. 91 ^a1. 10. 93 ^b29, 39, 94 ^a11. cf Φδ7. 198 ^a17, 16. ὁ ὁρισμὸς ὐσίας τις γνωριζομένη, ὁ δηλῶν λόγος τὴν ὐσίαν, τῷ τί ἐστι χ̀ ὐσίας Αδ3. 90 ^b16. τε2. 130 ^b26. Αδ3. 90 ^b30. cf Ζμδ5. 678 ^a34. ἐστὶν ὁ ὁρισμὸς ὁ τῆ τί ἦν εἶναι λόγος Μζ5. 1031 ^a12, cf locos s v τί ἦν εἶναι allatos. inde consequitur (cf τί ἦν εἶναι

et εἶδος p 219ᵃ 33-54) ut sit τῆ εἴδης ὁ ὁρισμός Μζ11.
1036 ᵃ29 (cf ὁρισμός ϰ λόγος ad significandam causam
formalem Φβ9. 200 ᵃ35, ὁρισμός, opp συμβεβηκός Αγ12.
78 ᵃ13. ψα5. 409 ᵇ13), et quoniam εἶδος in se continet
τῶν καθ᾽ ἕκαστα indefinitam multitudinem (Μβ4. 999
ᵇ27), ἀεὶ πᾶς ὅρος καθόλυ, τῆ καθόλυ ϰ τῆ εἴδυ ὁ ὁρισμός
Αδ13. 97 ᵇ26. Μζ11. 1036 ᵃ29. Α6. 987 ᵇ3. μ4. 1087
ᵇ31. — μόνης τῆς ὐσίας (int primam categoriam, opp
τῶν ἄλλων κατηγοριῶν ᵃ2) ἐστὶν ὁ ὁρισμός Μζ5. 1031 ᵃ1.
13. 1039 ᵃ20. Αδ7. 92 ᵇ29. ὁ πρώτως ϰ ἁπλῶς ὁρισμὸς ϰ
τὸ τί ἦν εἶναι τῶν ὐσιῶν ἐστίν Μζ4. 1030 ᵇ5, ᵃ7-17, sed
ὁ ὁρισμὸς ὥσπερ ϰ τὸ τί ἐστι πλεοναχῶς λέγεται Μζ4.
1030 ᵃ17, ut quodammodo etiam ad reliquas categorias
referatur. τῶν ὐσιῶν τῶν αἰσθητῶν τῶν καθ᾽ ἕκαστα ὔθ᾽
ὁρισμὸς ὔτ᾽ ἀπόδειξίς ἐστιν, τῆ συνόλῃ ἤδη ὐκ ἔστιν ὁρι-
σμός Μζ15. 1039 ᵇ28. 10. 1036 ᵃ5. — πῶς δεῖ ἀποδιδόναι
τὺς ὁρισμύς (τὺς ὅρυς) τζ. ὐθέν ἐστιν ἐν τῷ ὁρισμῷ πλὴν
τό τε λεγόμενον γένος ϰ αἱ διαφοραί Μζ12. 1037 ᵇ29. ιτ.
1057 ᵇ7 (οἱ ἐκ διαιρέσεως ὁρισμοί Μζ12. 1037 ᵇ28). ὁ διὰ
τῶν γενῶν, διὰ τῶν διαφορῶν ὁρισμός, opp ὁ ἐκ τῶν ἐνυ-
παρχόντων Μβ3. 998 ᵇ13. η3. 1043 ᵃ20. ὁ ὁρισμὸς ἐκ γένυς
ϰ διαφορῶν ἐστί τα8. 143 ᵇ15. ζ4. 141 ᵇ25. η3. 153 ᵇ14.
ζ3. 140 ᵃ28. 6. 143 ᵇ8, 19. τὸ γένος πρῶτον ὑποτίθεται τῶν
ἐν τῷ τί ἐστι λεγομένων τζ5. 142 ᵇ28. τὰ γένη ἀρχαὶ τῶν
ὁρισμῶν Μβ3. 998 ᵇ5. δεῖ θεῖναι εἰς τὸ οἰκεῖον γένος, εἰς τὸ
ἐγγυτάτω γένος τζ1. 139 ᵃ28. 5. 143 ᵃ15-28. τὸν ἴδιον τῆς
ὐσίας λόγον ταῖς περὶ ἕκαστον οἰκείαις διαφοραῖς χωρίζειν
εἰώθαμεν τα18. 108 ᵇ4-6. ὁ ὁρισμὸς λόγος ἐστὶν ἐκ τῶν
διαφορῶν, ἡ τελευταία διαφορὰ ἡ ὐσία τῦ πράγματος ἔσται
ϰ ὁ ὁρισμός Μζ12. 1038 ᵃ8, 29, 20. εἰς τὸ κατασκευάζειν
ὅρον τριῶν δεῖ στοχάζεσθαι, τῦ λαβεῖν τὰ κατηγορύμενα ἐν
τῷ τί ἐστι, καὶ ταῦτα τάξαι τί πρῶτον ἢ δεύτερον, ϰ ὅτι
ταῦτα πάντα Αδ13. 97 ᵃ23, 96 ᵇ30. τὰ τοιαῦτα ληπτέον
μέχρι τύτυ, ἕως τοσαῦτα ληφθῇ πρῶτον, ὧν ἕκαστον μὲν
ἐπὶ πλεῖον ὑπάρξει, ἅπαντα δὲ μὴ ἐπὶ πλέον Αδ13. 96 ᵃ32.
ὁ ὁρισμὸς ἴδιός λόγος ἐστὶν· ἀντιστρέφειν δεῖ, εἰ μέλλει ἴδιος
εἶναι ὁ ἀποδοθεὶς ὅρος τζ1. 139 ᵃ31, ᵇ4. 12. 149 ᵇ22. η4.
154 ᵇ11. 5. 154 ᵇ2, 10-12. πλείυς ἐνδέχεται τῦ αὐτῦ
ὁρισμὺς εἶναι τζ4. 141 ᵃ32 - ᵇ2. 5. 142 ᵇ35. 14. 151 ᵃ34,
ᵇ16. χαλεπώτερον ὅρον κατασκευάσαι ἢ ἀνασκευάσαι τη5. 40
ζ14. 151 ᵇ6. η2. 153 ᵇ12 (cf ὁρισμῦ ὐκ εὐπετὲς ἀποδῦναι,
τῆ δὲ διὰ τῆς ἐπαγωγῆς συνηθεία πειρατέον γνωρίζειν τα14.
105 ᵇ26. ὅρον ζητεῖν, opp τὸ ἀνάλογον συνορᾶν Μθ6. 1048
ᵃ36). — τίνα τῦ ὁρισμῦ μέρη ϰ τίνα ὔ Μζ10. η1. 1042
ᵃ21. τί τὸ ποιῦν τὸν ὁρισμὸν ἓν εἶναι Μη6. 3. 1044 ᵃ5. 45
ζ12. 1037 ᵇ12, 25. Αδ4. 92 ᵇ29. ε5. 17 ᵃ13. ὁ ὕλη 6.
ὁ ὁρισμὸς comparatur cum τῷ ἀριθμῷ Μη3. 1043 ᵇ34-
1044 ᵃ11. — ὁ ὁρισμὸς τῦ γνωρίσαι χάριν ἀποδίδοται τζ1.
139 ᵇ14. 4. 141 ᵃ27. 11. 149 ᵃ26. ἕκαστον γνωρίζομεν διὰ
τῶν ὁρισμῶν Μββ3. 998 ᵇ5 (opp ποῖος ὅρος ῥήτορος ϰ κλέπτυ 50
τζ12. 149 ᵇ25-30). ὁ ὁρισμὸς ἐπιστημονικός Μζ15. 1039
ᵇ32. ὁ ὁρισμὸς ἐκ προτέρων ϰ γνωριμωτέρων τζ4. 141 ᵃ26.
ΜΑ9. 992 ᵇ32. πῶς δυνατὸν ὁρισμῦ συλλογισμὸν γίγνεσθαι
τη3. 153 ᵃ8-22. 5. 154 ᵃ23-32. ὁρισμός, dist ἀπόδειξις Αδ3.
ὁ ὁρισμὸς ἢ ἀρχὴ ἀποδείξεώς ἢ ἀπόδειξις θέσει διαφέρυσα 55
ἢ συμπέρασμά τι ἀποδείξεως Αγ8. 75 ᵇ31 (cf Trdlbg de
an 557). ὁρισμὸς coni syn τὸ καθ᾽ αὑτό Μη1. 1042 ᵃ18.
dist ὅσα ἕπεται τῷ πράγματι Αα 27. 43 ᵇ2, dist συμβε-
βηκότα: καθ᾽ ὅσυς τῶν ὁρισμῶν μὴ συμβαίνει τὰ συμβε-
βηκότα (i e τὰ καθ᾽ αὑτὸ συμβεβηκότα) γνωρίζειν, κενῶς 60
εἴρηνται ψα1. 402 ᵇ26. ἐξ ὁρισμῦ διαλεκτέον Μγ8. 1012

ᵇ7. cf 7. 1012 ᵃ22. τόπος ἐξ ὁρισμῦ Ρβ23. 1398 ᵃ15.
δῆλον, φανερὸν ἐκ τῦ ὁρισμῦ Αα14. 32 ᵇ40, 33 ᵃ25. Ρβ8.
1386 ᵃ4. Μι5. 1056 ᵃ13. ἀνάπαλιν τὰ συμβεβηκότα συμ-
βάλλεται μέγα μέρος πρὸς τὸ εἰδέναι τὸ τί ἐστιν ψα1.
402 ᵇ21. — Σωκράτης ὐ χωριστὰ ἐποίει τὺς ὁρισμὺς Μμ4.
1078 ᵇ31.
ὁριστικὸς λόγος Μη3. 1043 ᵇ31. Φα3. 186 ᵇ23. ψβ2. 413
ᵃ4. ὁριστικὴ ἡ φρόνησις τζ3. 141 ᵃ7.
ὁρκίζειν. Ἀγαμέμνων ὁρκίζων ἐν τῇ μονομαχίᾳ f 144. 1502
ᵇ30.
ὁρκίυ Διὸς ὕδωρ θ152. 845 ᵇ33.
ὅρκος τῶν θεῶν ὕδωρ, ἡ Στύξ ΜΑ3. 983 ᵇ31 Bz. πλατέος
ὅρκυ (Emp 179) Μβ4. 1000 ᵇ16. ὁ ὅρκος ὑπ τῆ σκήπτρυ
ἐπανάστασις Πγ14. 1285 ᵇ12. ὅρκυς ἐναντίυς ὀμνύναι Πε9.
1310 ᵃ7. ὅρκοι, πίστις ἄτεχνος Ρα15. 1377 ᵃ7 - ᵇ11. ρ18.
def ρ18. 1432 ᵃ33. βλάπτειν τὺς ὅρκυς, dist ἐπιορκεῖν f 143.
1502 ᵇ11.
ὁρκῦν. Ἥρα ὁρκῦσα τὸν Δία f 157. 1504 ᵇ23.
ὅρκυνες (Lob Par 138). γένος τι ἰχθύων, ἐν τῷ πελάγει
Ζι10. 543 ᵇ5. (orkenes vers Thomae, alxtilbez et stilpi-
dez Albert. cf C II 577. S I 286. M 279. Scomber ala
longa K 647, 4. Lewysohn Zool des Talmud 258. piscis
ignotus ΑΖι I 137, 52.)
ὁρμαθὸς νεοττυίων Ζι1. 559 ᵃ8. σωρὸς ἢ ὁρμαθὸς ψάμμυ
ψβ8. 419 ᵇ24.
ὁρμᾶν. 1. trans. pass ὁρμᾶσθαι: τὸ ὑπὸ τὴν γῆν ὡρμημένον
πνεῦμα μβ. 368 ᵇ10. τὸ ἔλαττον, κᾶν ἅμα ὁρμηθῇ, θᾶτ-
τον γίνεσθαι πέφυκε τῦ μείζονος Ζγε8. 788 ᵇ33. — 2. intr.
ὅταν ὁρμᾷ τὰ καταμήνια ϰ μέλλῃ ῥήγνυσθαι Ζιη2. 582 ᵇ9.
ἔμβρυα πρὸς τὴν ἔξοδον ὁρμῶντα Ζιη8. 586 ᵇ5. ὁρμᾶν πρὸς
συνδυασμόν, πρὸς τὴν ὀχείαν, πρὸς ἀφροδισίων χρῆσιν Ζιε8.
542 ᵃ24. 14. 546 ᵃ15. ζι9. 574 ᵃ13. η1. 581 ᵇ12. λύκυς
ὁρμᾷ πρὸς θήραν Ζιι39. 623 ᵃ17. ὁρμᾶν πρὸς δυσώδη Ζιε19.
552 ᵇ3. ἡ ἀναθυμίασις ἔσω ἢ ἔξω ὁρμᾷ μβ8. 366 ᵃ8, 10.
ὅταν πάλιν εἰς τὐναντίον ὁρμήσῃ πνεῦμα μγ1. 370 ᵇ12.
cf β8. 368 ᵇ19. ἐλθεῖν τὸ ἔσω ὡρμημένον ϰ μελλῆσον Ζηζ9.
ᵇ7. 239 ᵇ17. — ὅταν ὁ ἀκροατὴς ἔτι ὁρμῶν ἐπὶ τὸ πόρρω
ἀντισπασθῇ παυσαμένυ Ργ9. 1409 ᵇ20. οἱ ἐφ᾽ ἑκάτεραν
τὴν ποίησιν ὁρμῶντες κατὰ τὴν οἰκείαν φύσιν πο4. 1449 ᵃ3.
ὁ θυμός, ἡ ἐπιθυμία ὁρμᾷ πρός τι, ἐπί τι Ηη7. 1149 ᵃ31,
35. αφ21. 1250 ᵃ4. 1250 ᵃ15. 5. 1250 ᵇ3. ὁρμᾶν c inf,
ὁρμήσαντες ἐναντιύσθαι συνεπείσθησαν Πε7. 1307 ᵇ14.
ὁρμεῖν, def πο21. 1457 ᵇ10. αἱ σηπίαι προβοσκίδας ἔχυσιν
αἷς ὁρμῦσί τε ϰ ἀποσαλεύυσιν ὥσπερ πλοῖον Ζμδ9. 685
ᵃ34. f 317. 1531 ᵇ41.
Ὀρμένιον. Εὐρύπυλος κείμενος ἐν Ὀρμενίῳ f 596. 1576 ᵃ19.
ὁρμή. διὰ τὸ ἐγγυτάτω εἶναι τὴν ὁρμὴν τῦ ἀνέμυ μβ6. 364
ᵇ5. ἡ ἀρχὴ ἀφ᾽ ἧς ἡ ὁρμὴ τῦ πνεύματος ἐγένετο μβ8.
368 ᵃ9. ἡ ἀναθυμίασις ἀκολυθεῖ τῇ ὁρμῇ τῆς ἀρχῆς μβ8.
366 ᵃ7. ἡ τῶν γυναικείων ὁρμή, ἡ ὁρμὴ τῆς ὑγρότητος
Ζιη2. 582 ᵃ34. 11. 587 ᵇ2. προσδεῖσθαι τῆ ἄρρενος πρὸς
τὴν ὁρμὴν τῆς τῦ σπέρματος ἐκκρίσεως Ζγγ1. 750 ᵇ20.
ὁρμή c gen obiectivo, ἡ ὁρμὴ ἡ τῶν ἀφροδισίων Ζιζ29.
578 ᵇ33. ἐὰν (ὁ βῦς) ἁμάρτῃ τῆς ὁρμῆς Ζιζ21. 575 ᵃ15.
— δρομαία τῆς ψυχῆς ὁρμὴ (Alcid, i e δρόμυ) Ργ3. 1416
ᵃ24. ὐδεμίαν ὁρμὴν ἔχει μεταβολῆς ἔμφυτον, syn ἀρχὴ
κινήσεως Φβ1. 192 ᵇ18, 14. κινεῖσθαι, πράττειν, ἄγειν κατὰ
τὴν αὐτὴν ὁρμήν, παρὰ τὴν αὐτὴν ὁρμήν, syn φύσις, προαί-
ρεσις Μδ23. 1023 ᵃ9, 18, 23. 5. 1015 ᵃ27, ᵇ2. Αδ11. 95
ᵃ1. φύσει ἡ ὁρμὴ ἐν πᾶσιν ἐπὶ τὴν τοιαύτην κοινωνίαν Πα2.

1253 ᵃ29. ὁρμὴ πρὸς τὸ φιλεῖν ημβ16. 1213 ᵇ17. θυμῷ
ἔγερσις κὴ ὁρμή Ηγ11. 1116 ᵇ30. ἐπὶ τάναντία αἱ ὁρμαὶ
τῶν ἀκρατῶν Ηα13. 1102 ᵇ21. ὁρμή, syn ὄρεξις ημα16.
1188 ᵇ25 (coll 12. 1187 ᵇ37). 17. 1189 ᵃ30, 32. ὁρμὴ ἄλο-
γος πρὸς τὸ καλόν, ὁρμαὶ παθῶν πρὸς τὸ καλόν ημβ7. 1206
ᵇ20, 24. ἄνευ πάθους κὴ ὁρμῆς ημα20. 1191 ᵃ21. ἀρεταὶ φύσει
οἷον ὁρμαί τινες ἐν ἑκάστῳ, ἡ φυσικὴ ὁρμὴ πρὸς ἀρετήν,
ὁρμὴ ἄλογος ημα35. 1197 ᵇ39, 1198 ᵃ8, 17. ἐν μὴ ἔστιν
ὁρμή, ᵇδ᾽ ἐνέργεια τούτων ἔσται ημα4. 1185 ᵃ28. τῇ ἕξει
ὁρμὴν ἔχειν ημα34. 1194 ᵃ27.

ὁρμητικοί πρὸς τὸ ἔργον πβ31. 869 ᵇ13. ζῷα ὁρμητικώτατα
πρὸς τὴν ὀχείαν Ζιζ18. 573 ᵃ27. ὁρμητικοί, ὁρμητικώτεραι
πρὸς τὰ ἀφροδίσια πγ11. 872 ᵇ22. δ28. 880 ᵃ12. θύννος
ὁ ὁρμητικός f 313. 1531 ᵃ30. — ὁρμητικῶς (ὁρμητικώ-
τερον) ἔχειν πρὸς τὸν συνδυασμόν, πρὸς τὴν ὀχείαν Ζιζ18.
572 ᵃ8, ᵇ24. θ12. 597 ᵃ29.

ὁρμιά. ἀποτρύγειν τὴν ὁρμιάν Ζιι37. 621 ᵃ15. f 291. 1528
ᵇ36. τοῖς στεγανόποσι τὸ ῥύγχος οἷον ὁρμιὰ κὴ τὸ ἄγκιστρον
Ζμδ12. 693 ᵃ23. ἀποτείνεσαι τὰς προβοσκίδας ὥσπερ ὁρ-
μιὰς θηρεύωσιν f 317. 1531 ᵇ38.

ὄρνεον, cf ὄρνις 1. τὸ τῶν ὀρνέων γένος Ζγγ5. 756 ᵃ16.
Ζιβ3. 505 ᵃ24 (cf τὸ τῶν ὀρνέων φῦλον Plat Tim 91D),
syn τὰ ὄρνεα, ἕκαστον τῶν ὀρνέων Ζιθ3. 593 ᵇ26. 6. 595
ᵃ10. δ9. 536 ᵃ26. τὰ πλεῖστα ὄρνεα· πολλά, ἄλλα τῶν
ὀρνέων Ζιζ4. 562 ᵇ12. 8. 564 ᵃ7. 6. 563 ᵇ3. — a. πτερωτὸν
Ζιβ13. 505 ᵃ24. οἰκήσεις Ζιι11. 614 ᵇ31. — b. ὀρνέων δια-
φοραί. γαμψώνυχα Ζμβ13. 657 ᵇ27. ῥιζοφάγια Ζμγ1. 662
ᵃ15. μεγάλα θ100. 838 ᵇ25. μικρὰ Ζιθ28. 606 ᵇ1. ι29.
618 ᵃ30. ἀγελαῖα Ζιι23. 617 ᵇ6. τὰ πεζεύοντα Ζγγ1. 751
ᵇ13. τὰ ἔνυδρα, τὰ περὶ τὰς ποταμοὺς κὴ λίμνας ὄρνεα, τὰ
λιμναῖα Ζιζ2. 559 ᵃ21, 19. Ζγγ1. 751 ᵇ12, opp τὰ ξηρο-
βατικὰ Ζιζ2. 559 ᵃ20 (cf τῶν ὀρνίθων οἱ ἐν ξηροῖς διαιτώ-
μενοι τόποις Ermerins anecd med graeca 273). τὰ κορα-
κώδη τῶν ὀρνέων Ζγγ6. 756 ᵇ21, 30. τὰ ἄγρια, ὁμογενῆ
Ζιε13. 544 ᵃ25. ζ7. 563 ᵇ28. τὰ ποικίλα χ6. 799 ᵇ11. τὰ
ὀχευτικὰ κὴ πολύσπερμα Ζγγ1. 751 ᵃ20. τῶν ὀρνέων τινὰ
φωλεύοντα θ63. 835 ᵃ15. cf Ζιε9. 542 ᵇ1. τἆλλα τὰ τοι-
αῦτα τῶν ὀρνέων (v l ὀρνίθων) Ζιθ. 613 ᵇ8. — c. τὰ ἔξω
μόρια. ἔνια τῶν ὀρνέων μεταβάλλει τὸ χρῶμα κατὰ τὰς
ὥρας, πολλὰ μεταβάλλει κατὰ τὰς ὥρας τὸ χρῶμα κὴ
τὴν φωνήν Ζιθ30. 607 ᵇ16. ι44. 630 ᵃ14. 49Β. πι7. 891
ᵇ18. ἀναπέτονται τὰ γαμψώνυχα μάλιστα τῶν ὀρνέων εἰς
ὕψος Ζμβ13. 657 ᵇ27. ἔνια λόφον ἔχει Ζιβ12. 504 ᵃ9. —
d. τὰ ἐντὸς μόρια. κύστιν οὐκ ἔχει πι7. 891 ᵇ18. ὄρχεις
v s h v. τοῖς ὀρνέοις ὀλίγη περίττωσις, οὐ γίνεται ἡ τῶν κα-
ταμηνίων ἀπόκρισις Ζμγ7. 670 ᵇ11. Ζγγ1. 750 ᵇ5. — e. τὰ
ὄρνεα, feminae Ζγγ1. 751 ᵃ8. ἄρρενα, θήλεα, τέκνα Ζιζ8.
564 ᵃ7. ι11. 614 ᵇ31. — f. ὅταν ἅπαξ ὀχευθῇ τὰ ὄρνεα
πάντα σχεδὸν ἀεὶ διατελεῖ ᾠὰ ἔχοντα· ὅσα τῶν ὀρνέων (v l
ὀρνίθων) καθ᾽ ὥραν μίαν ὀχεύει· τὸ τῶν ὀρνέων γένος ἐν
ἐνίοις ἴσχει ἐν ᾠὰ ἄνευ κινήσεως, ὀλίγα δὲ ᾠὰ ὀλιγάκις,
ἀλλ᾽ ἐξ ὀχείας τὰ πολλὰ Ζγγ1. 751 ᵃ8. 5. 756 ᵃ16. α4.
717 ᵇ8. συνδυασμὸς Ζγβ7. 746 ᵇ4. ἐπῳάζει τὰ πολλὰ τῶν
ὀρνέων διαδεχόμενα τὰ ἄρρενα τὰς θηλείας Ζιζ8. 564 ᵃ7. τὰ
ᾠὰ τελειοῦται ἐντός, τὰ ὑπηνέμια Ζγγ7. 757 ᵃ28. 34. 1. 751
ᵇ21. — g. τῶν ἀγρίων ὀρνέων αἵ τ᾽ οἰκήσεις μεμηχάνηνται
πρὸς τοὺς βίους κὴ τὰς σωτηρίας τῶν τέκνων· τὰ ὄρνεα κὴ
μάλιστα κὴ πλείστας ἀφίησι φωνάς, ὅταν ὦσι περὶ τὴν ὀχείαν
Ζιι1. 614 ᵇ31. 49Β. 633 ᵃ9. πολλὰ τῶν ὀρνέων, ὅταν ἀκού-
σωσι, μιμοῦνται τὰς τῶν ἄλλων φωνάς ακ800 ᵃ29. διὰ τίν᾽
αἰτίαν ἡ δειλία Ζγγ1. 750 ᵃ12. — h. τὰ πεπνιγμένα τῶν

ὀρνέων θ29. 832 ᵇ5. ὅτι οὐδὲν διίπταται ὄρνεον αὐτὴν (lacum
Avernum ἄορνον) ψεῦδος θ102. 839 ᵃ22. cf Oribas I 630.
ὄρνεον ὑπερίπταται θ81. 836 ᵃ33. — i. τὸ ὄρνεον τοῦτο, ξυ-
λοκόπος, σκαλιδρίς, πάρδαλος Ζιθ3. 593 ᵃ11, ᵇ7. ι23. 617 ᵇ6.
τὸν δρυοκολάπτην τὸ ὄρνεον θ13. 831 ᵇ5. κακοήθες τὸ ὄρνεον,
πέρδιξ Ζιι8. 613 ᵇ23. τῶν ὀρνέων οἱ κύκνοι, τὸ κιννάμωμον
ὄρνεον, ἀετὸς θεῖον μόνον τῶν ὀρνέων Ζιι1. 610 ᵃ2. 13. 616
ᵃ7, 8. 32. 619 ᵇ7. — ὄρνεον πι62. 898 ᵃ27 (ὀρέων ci Bsm).

ὀρνιθάριον. ἡ θήρα τῶν ὀρνιθαρίων θ118. 841 ᵇ18.

ὀρνίθειος. τὰ ὀρνίθεια κρέα κοῦφα κὴ ὑγιεινά Ηζ8. 1141 ᵇ20.

ὀρνιθίας. οἱ ὀρνιθίαι πότε πνεύσι᾽ βορέαι εἰσὶ τῷ γένει μβ5.
362 ᵃ23. κ4. 395 ᵃ4.

ὀρνίθιον. παντοδαπὰ ὀρνίθια, ὀρνίθια κὴ θηρία Ζιι1. 609 ᵃ16,
cf ᵃ14. 36. 620 ᵃ34, ᵇ1. θ4. 594 ᵃ17. ἴδιον ἐνίοις συμβαίνει
τῶν ὀρνιθίων τὸ ἀποψοφεῖν, ὀρνίθιόν τι μικρὸν (κέρθιος), εὔπτε-
ρον (ἄποδες) Ζιι49Β. 633 ᵇ6. 17. 616 ᵇ28. α1. 487 ᵇ25.
τῶν ὀρνιθίων τεμνομένων τὸ στῆθος ἰχὼρ οὐχ αἷμα ἔχει πν6.
484 ᵃ37. τῶν μικρῶν ὀρνιθίων (v l ὀρνίθων) ἔνια Ζιδ9. 536
ᵇ14. ὀρνίθια v l Ζγα11. 719 ᵃ3.

ὀρνιθοθῆραι θηρεύουσι τῇ γλαυκὶ παντοδαπὰ ὀρνίθια Ζιι1. 609
ᵃ15.

ὀρνιθοφάγον ἡ ἴκτις Ζιι6. 612 ᵇ14.

ὀρνιθώδης. ῥύγχος ὀρνιθῶδες Ζμβ16. 659 ᵇ27. τὰ σελάχη
ἔχει τὰς ὑστέρας ὀρνιθωδεστέρας Ζιζ10. 564 ᵇ20, syn τὸν
αὐτὸν τρόπον ὅνπερ ἐν τοῖς ὄρνισιν Ζγα11. 719 ᵃ3. οἱ κεστρεῖς
ἔχουσι τὰς κοιλίας ὀρνιθώδεις Ζμγ14. 675 ᵃ10. τὰ μαλάκια
ἔχει τὸν πρόλοβον μέγαν κὴ περιφερῆ ὀρνιθώδη (παρεμφερῆ
ὄρνιθι v l, C et Pik) Ζιδ1. 524 ᵇ10. Ζμδ5. 679 ᵇ9 (quasi
avium Gazae). οἱ τὴν ῥῖνα ἄκραν λεπτὴν ἔχοντες ὀρνιθώδεις
φ6. 811 ᵃ34.

ὄρνις. 1. τὸ πτερωτὸν γένος τῶν ζῴων ὄρνις καλεῖται Ζια5.
490 ᵃ14. τὸ τῶν ὀρνίθων γένος Ζια1. 486 ᵃ23. δ8. 533 ᵃ24.
9. 536 ᵃ20. ε1. 539 ᵃ13. Ζμα2. 652 ᵇ10, 14. 4. 654 ᵃ19.
γ6. 669 ᵇ10. 14. 674 ᵇ18. δ10. 686 ᵇ21. 12. 695 ᵃ19. τὸ
τῶν ὀρνίθων ἅπαν (πᾶν) γένος, τὸ τῶν ὀρνίθων γένος τὸ
πλεῖστον Ζιε2. 539 ᵇ27. 8. 542 ᵇ2. θ3. 593 ᵇ29, syn ὄρνις
Ζιβ15. 505 ᵇ29. 16. 506 ᵇ26. γ20. 521 ᵇ26. ε22. 554 ᵃ19.
η8. 586 ᵇ1, 17. Ζμγ6. 669 ᵇ10. δ11. 692 ᵃ10. 12. 693 ᵇ13.
Ζπ10. 710 ᵇ25, 31. Ζγβ4. 739 ᵇ7, ὄρνιθες Ζγε3. 782 ᵃ18,
ὁ ὄρνις Ζιβ1. 498 ᵃ28. Ζμγ6. 669 ᵇ10 (v l οἱ ὄρνεις). οἱ
ὄρνιθες Ζιζ3. 561 ᵃ4, 562 ᵃ21. Ζιθ12. 711 ᵃ25. 12.
711 ᵃ17. 15. 712 ᵇ22, πᾶς ὄρνις v l Ζμδ12. 695 ᵃ15, οἱ
ὄρνιθες πάντες Ζιβ15. 506 ᵇ5. Ζγα3. 716 ᵇ21, 717 ᵃ2, πάν-
τες οἱ ὄρνιθες Ζιβ12. 504 ᵃ5, 23, 26. ζ2. 559 ᵇ6. πάντες
ὡς εἰπεῖν οἱ ὄρνιθες Ζιθ3. 593 ᵃ24, ἅπαντες οἱ ὄρνιθες Ζιζ1.
558 ᵇ10. 2. 559 ᵃ15. 4. 562 ᵇ12. βιζ. 504 ᵃ31, 35. ἤ (?)
ὄρνις Ζμβ16. 659 ᵇ4. τὰ τῶν ὀρνίθων γένη Ζιζ2. 559 ᵃ22.
ἄλλα γένη ὀρνίθων Ζμδ12. 694 ᵃ4. Ζγε6. 785 ᵇ26. ἔνια
γένη Ζιβ12. 504 ᵇ2, 6. τὸ τῶν ἀλεκτορίδων γένος, τῶν περι-
στεροειδῶν πλείω γένη Ζιε13. 544 ᵃ31, τι γένος, τὸ γένος,
ἐν Σκύθαις ὀρνίθων γένος τι, τὸ τῶν ἀλκυόνων γένος πάρ-
υδρον Ζιθ3. 594 ᵃ1, 593 ᵇ8. ι33. 619 ᵇ13. τὰ λευκὰ γένη
Ζ:γ12. 519 ᵃ7. εἴδη πλείω Ζια1. 486 ᵃ24. πολλοί, οἱ πολλοὶ
τῶν ὀρνίθων Ζιθ3. 593 ᵇ24. 16. 600 ᵃ10. γ12. 519 ᵃ8. οἱ
πλεῖστοι τῶν ὀρνίθων, οἱ ὄρνιθες οἱ πλεῖστοι Ζιζ1. 558 ᵇ24.
βιζ. 506 ᵃ15. τῶν ὀρνίθων τινὲς Ζγε6. 786 ᵃ30. ἄλλος τις
τῶν ὀρνίθων Ζιι16. 616 ᵇ13. aves referuntur inter τὰ ἔναιμα,
πολύαιμα Ζιβ15. 505 ᵇ27. πν6. 484 ᵇ36, δίποδα Ζιη8. 586
ᵇ1 al, ἀνόδοντα Ζμγ14. 675 ᵃ10, πτηνὰ Ζμγ6. 669 ᵃ30,
πτερωτὰ Ζιγ12. 519 ᵃ1. Ζμβ12. 657 ᵃ19 al, πτερυγωτὰ
τῶν ᾠοτόκων αν10. 475 ᵇ22, ᾠοτόκα, θύραζε ᾠοτοκοῦντα

Ζια16. 495 ᵇ3. γ20. 521 ᵇ26. ζ1. 558 ᵇ10. Ζγγ1. 749 ᵃ17,
751 ᵃ24. β1. 732 ᵇ17, 733 ᵃ6 al.

a. universe descr. τὸ ὄρνιθι εἶναι ἔκ τινός ἐστι Ζμγ6.
669 ᵇ11 (Μ 333). ἡ φύσις τῶν καλεμένων ὀρνίθων,
ἡ φύσις ἡ τῶν ὀρνίθων πῶς συνεστηκυῖα, τῶν ἐναίμων 5
ἡ τῦ ὄρνιθος ἐσία Ζμγ6. 669 ᵃ31. δ14. 697 ᵇ16, 20, 21.
12. 693 ᵇ6. β16. 659 ᵇ5-13. ἴδιον μόριον· στόμα, πτέ-
ρυγες· ἴδιον ὄρνιθος ἡ δασύτης ἡ περὶ τὴν κοιλίαν Ζιβ12.
504 ᵃ19. Ζμδ12. 693 ᵃ27, ᵇ11. φ2. 806 ᵇ20. τῷ ὄρνιθι
ἐν τῇ ἐσία τὸ πτητικόν ἐστιν, τὸ μὲν μακρόπτερον τὸ 10
δὲ βραχύπτερον Ζμδ12. 693 ᵇ13. α4. 644 ᵃ20. θερμοὶ
χ ὑγροὶ τὴν φύσιν πι24. 893 ᵇ11. τὸ τῶν ὀρνίθων γένος
ἐστι νανώδες, ἐκ ὀρθοὶ διὰ τὸ νανώδεις εἶναι τὴν φύσιν
Ζμδ10. 686 ᵇ21. 12. 695 ᵃ8. cf Ζπ710 ᵇ13. ἰδία μόρια
ὀλίγα διαφέροντα ἔχεσιν ἀλλήλων, ὄρνις ὄρνιθος διαφέρει τῷ 15
μᾶλλον ἢ καθ' ὑπεροχὴν Ζμδ12. 692 ᵇ8 (Cuvier règne an
I 300). α4. 644 ᵃ19. 5. 645 ᵇ24. τοῖς ὄρνισιν ἐ γίνεται ἡ
τῶν καταμηνίων ἀπόκρισις Ζγγ1. 750 ᵇ2. πολυώνυχοι πάντες
Ζιβ12. 504 ᵃ5 (Billerbeck de av Ar 11). ὀλιγόγονοί εἰσιν
Ζιθ3. 593 ᵇ29. 18. 601 ᵇ4, ᵃ31. ἔνιοι ἄποτοι πάμπαν. πῶς 20
πίνεσι Ζιθ3. 594 ᵃ1. 18. 601 ᵇ1. 6. 595 ᵃ10. nidus, οἰκήσεις
Ζιζ1. 558 ᵇ31-559 ᵃ14. ι11.

b. ὀρνίθων διαφοραί. cf Billerbeck de avibus ab Ar com
indicem ad pag 11. ΑΖι I 81. Su 92. 171. Μ 292. Spix
250. F 9. γαμψώνυχες Ζιβ12. 504 ᵃ4. θ3. 592 ᵃ29. Ζπ10. 25
710 ᵃ26 al. τὰ γαμψώνυχα τῶν πτητικῶν Ζιβ12.
504 ᵇ8. οἱ μὴ γαμψώνυχες, εὐθυώνυχοι Ζιθ3. 592 ᵇ15. 16.
600 ᵃ19. σαρκοφάγοι Ζιζ5. 563 ᵃ12, 14. θ3. 592 ᵃ29, ᵇ16.
ὅσοι μὴ σαρκοφάγοι Ζιθ3. 593 ᵃ29. κρεωφάγοι, ὠμοφάγοι
Ζμδ12. 693 ᵃ3, 12 (ἰχθυοφάγεσα ἡ ἀλκυών Ζιι14. 616 30
ᵃ32). οἱ γλαυκώδεις Ζιθ3. 593 ᵇ26. σκωληκοφάγα τὰ μὲν
ὅλως τὰ δ' ὡς ἐπὶ τὸ πολύ, ἀκανθοφάγα, σκνιποφάγα Ζιθ3.
592 ᵇ16, 29, 30, 593 ᵃ3. τὰ περιστεροειδῆ Ζιζ4. 562 ᵇ3.
θ3. 593 ᵃ24. καρποφάγα, καρποφαγᾶντα χ ποοφαγᾶντα,
ὅσα ποηφάγα, παμφάγοι Ζμδ12. 693 ᵃ15, 694 ᵃ7. γ1. 662 35
ᵇ9. Ζιθ3. 593 ᵃ15, ᵇ25. — σχιζόποδες Ζιι12. 615 ᵃ26,32 al.
στεγανόποδες Ζιβ12. 504 ᵃ7. ι12. 615 ᵃ25. Ζγγ1. 662 ᵇ10.
Ζπ17. 714 ᵃ9. τῶν στεγανοπόδων τὰ μὲν βαρύτερα Ζιθ3.
593 ᵇ15. μακροσκελεῖς Ζιι50. 632 ᵇ12. Ζμγ14. 674 ᵇ31.
δ12. 692 ᵇ5, opp βραχυσκελεῖς Ζμδ12. 692 ᵇ5. οἱ μακρο- 40
σκελεῖς χ στεγανόποδες, syn οἱ μακρορροπύγιοι, τοὐ-
τοις ἐναντίοι Ζιβ12. 504 ᵃ32. οἱ μὲν πεζεύεσι περὶ τὴν τροφήν,
οἱ δὲ περὶ τὰς ποταμὲς χ λίμνας βιοτεύεσιν, οἱ δὲ περὶ τὴν
θάλατταν· ὅσοι μὲν στεγανόποδες, ὅσοι δὲ σχιζόποδες Ζιθ3.
593 ᵃ25. τὸ γένος πάρυδρον, οἱ περὶ τὴν θάλατταν Ζιθ3. 45
593 ᵇ8. ι12. 615 ᵃ20. 34. 620 ᵃ6, 9. ὅσοι περὶ ποταμῶν ἢ
ἕλη ἢ θάλασσαν διατρίβεσι Ζιι49Β. 633 ᵇ3. ὅσα παρ' ἕλη
ζῇ, ἕλεια, τὰ περὶ τὰς λίμνας Ζμγ1. 662 ᵇ10. 14. 674 ᵇ31.
δ12. 693 ᵃ15. Ζιζ2. 559 ᵃ24. ὄρνιθες θαλάττιοι, λιμναῖοι,
χερσαῖοι f 241. 1522 ᵇ30, 32. — πτητικοὶ Ζγγ1. 750 ᵇ7. 50
Ζμδ12. 693 ᵇ27, 13. Ζιζ1. 558 ᵇ31, opp ἐπίγειοι Ζιι49Β.
633 ᵃ30. μὴ πτητικοὶ Ζιι8. 613 ᵇ7. τονικοὶ (πτητικοὶ ci
ΚαΖμ 169, 14) Ζμδ12. 693 ᵇ12. ὅσοι μετεωρίζονται πάν-
τες τετραδάκτυλοι Ζιβ12. 504 ᵃ9. οἱ τάχιστα πετόμενοι
Ζπ10. 710 ᵃ26. πλωτά Ζιβ12. 504 ᵃ7. Ζμγ1. 662 ᵇ10. 55
δ12. 694 ᵃ7, ᵇ2. οἱ βαρεῖς Ζιβ12. 504 ᵃ24. ι8. 613 ᵇ6.
Ζμβ13. 657 ᵃ28. δ12. 694 ᵃ7. ἔστι τὰ πληκτροφάγα τῶν
βαρέων, οἱ πλῆκτρα ἔχοντες Ζιβ12. 504 ᵇ9. δ11. 538 ᵇ19.
τὰ εὐρυστήθη Ζιι50. 632 ᵇ12. ὄρνιθες κυφοί cf p 417 ᵇ55.
— οἱ μεγάλοι. οἱ μεγάλοι τοῖς μεγέθεσι Ζιθ9. 536 ᵃ25. 60
θ79. 836 ᵃ9. μείζες Ζιγγ1. 510 ᵇ31. ζ3. 561 ᵃ8. ἐλάττες

Ζιζ7. 563 ᵇ31. δ9. 536 ᵃ24. οἱ μὴ σωμάτων ἔχοντες μέ-
γεθος Ζγδ6. 774 ᵇ28. μικροί, μικρότεροι Ζιγ1. 510 ᵇ33.
Ζμγ1. 662 ᵇ8. β17. 660 ᵃ35. — τὰ μακραύχενα Ζιθ6. 595
ᵃ11, πλατύρυγχα Ζμγ1. 662 ᵃ12, πλατύγλωττα Ζιβ12.
504 ᵇ3. πολύφωνοι Ζιθ9. 536 ᵃ24. Ζμβ17. 660 ᵃ33, 34. —
φωλεύοντες, φωλᾶσι πολλοί Ζιθ16. Ζγε3. 783 ᵇ11. ἐκτο-
πιστικά ν l Ζμδ12. 694 ᵃ5. — μονόχροοι, πολύχροοι Ζγε6.
785 ᵇ18, 22, 24, 26, 33. μέλανες, opp τὰ λευκὰ γένη,
λευκοὶ τὴν χρόαν Ζιγ12. 519 ᵃ5, 7. χ 6. 798 ᵃ9. f 241.
1522 ᵇ13. — ἄγριοι, ὅσα ἥμερα ἢ ἡμερᾶσθαι δύναται,
ἠθάδες Ζιζ9. 564 ᵇ5. ι15. 616 ᵇ2. ε13. 544 ᵃ29. f 241.
1522 ᵇ22. — οἱ μὲν κονιστικοὶ οἱ δὲ λᾶσται οἱ δ' ἔτε κο-
νιστικὰ ἔτε λᾶσται Ζιι49Β. 633 ᵃ29. — πολύγονοι διχῶς,
ὅσοι πολυτοκᾶσι, opp ὀλιγόγονα. ὀλιγοτοκᾶντα Ζιζ1. 558 ᵇ26,
28. Ζγγ1. 750 ᵇ2. 6. 756 ᵇ26. δ6. 774 ᵇ27, 29. 3. 770 ᵃ9.
λάγνοι χ χωλοὶ πδ31. 880 ᵃ34, ᵇ5. ι24. 893 ᵇ10. ὀχευτικοὶ
Ζγβ7. 746 ᵇ1. οἱ μὲν εὐτεκνοι χ ἐπιμελεῖς τῶν τέκνων οἱ
δὲ ἀκριτικοὶ χ ἀμήχανοι πρὸς τὸν βίον οἱ δ' ἀμηχα-
νώτεροι Ζιι11. 614 ᵇ33, 34.

c. τὰ τῶν ὀρνίθων μόρια descr Ζμδ12. — τὰ ἔξω. τὸ
μέγεθος ὄρνιθος Ζμδ14. 697 ᵇ23, 25. ἐν τοῖς ὄρνισιν ἡ πρὸς
ἄλληλα διαφορὰ ἐν τῇ τῶν μορίων ἐστὶν ὑπεροχῇ χ ἐλλείψει
χ κατὰ τὸ μᾶλλον χ ἧττον Ζμδ12. 692 ᵇ3. ὁλοφυὴς οἱ
τόπος (τὰ πρανῆ τῦ σώματος χ τὰ ὕπτια) ἐπὶ τῶν ὀρνίθων
ἐστίν Ζμδ12. 693 ᵃ26. τὸ ἄνω χ τὸ ἔμπροσθεν διώρισται·
τὰ ὄπισθεν, τὰ ἔμπροσθεν· ἔχεσι τὰ ἔμπροσθεν δασύτερα
Ζπ5. 706 ᵃ26. 10. 710 ᵇ1. πι53. 898 ᵇ31. δέρμα σκληρόν,
ἐκ ἔχεσι τρίχας Ζγα12. 719 ᵇ11. Ζμβ12. 657 ᵃ19, 17.
14. 658 ᵃ12. διὰ τί ὄρνιθες χ ἄνθρωποι χ τῶν ζῴων τὰ
ἀνδρεῖα σκληρότερα πι60. 898 ᵃ4. ἔχει πτερὸν Ζμα4. 644
ᵃ22. γ7. 670 ᵇ17. δ1. 676 ᵃ31. 12. 692 ᵇ12-15. Ζπ10.
710 ᵇ2. Ζγε3. 782 ᵃ18. Ζια1. 486 ᵃ21. β12. 504 ᵃ31. ἡ
ἰδέα τῶν πτερῶν, syn τὸ εἶδος Ζιι13. 615 ᵇ28. 14. 616 ᵃ19.
τὸ πτερὸν σκληρόν, opp μαλακὸν φ2. 806 ᵇ12. ὑπεναντίως
ἔχεσιν οἱ ὄρνιθες τοῖς ὁλοπτέροις τὴν τῶν πτερῶν φύσιν
Ζπ10. 710 ᵃ25. τὰ πτερώματα χ6.798 ᵇ8. πτερωτοὶ πάντες
Ζμδ12. 692 ᵇ9,12. τὴν ἰδέαν μεταβάλλειν κατὰ τὰς ὥρας,
κατὰ τὰς ἡλικίας ἠδέ Ζιι15. 616 ᵇ1. γ12. 519 ᵃ1, 8. με-
ταβάλλεσι τὰ χρώματα Ζγε6. 786 ᵃ30. χ 6. 798 ᵃ9, 799
ᵃ1, ᵇ1. — κεφαλή Ζπ10. 710 ᵃ29. αὐχένα ἔχει τεταμένον
τῇ φύσει, κεφαλὴν χ αὐχένα πάντες χ νῶτον χ τὰ
ὕπτια τῦ σώματος χ τὸ ἀνάλογον τῷ στήθει Ζμδ12. 694
ᵇ26, 692 ᵇ20-24. Ζιβ12. 503 ᵇ30. στόμα οἱ ὄρνιθες ἔχεσι
μὲν ἴδιον δέ Ζιβ12. 504 ᵃ19. cf ι22. 617 ᵇ3. Ζγγ6. 756
ᵇ14, 32, 20. ἀντὶ σιαγόνων τὸ καλεμενον ῥύγχος Ζμβ16.
659 ᵇ5. ἔτε χείλη ἔτ' ὀδόντας ἔχεσιν ἀλλὰ ῥύγχος Ζιβ12.
504 ᵃ20. cf γ9. 517 ᵃ9. 11. 518 ᵇ34. Ζμβ9. 655 ᵃ4. 16.
659 ᵇ21. γ1. 662 ᵃ33. δ12. 692 ᵇ16, 18. κινῦσι τὸ ῥύγχος
εἰς τὸ ἄνω χ κάτω μόνον Ζμδ11. 691 ᵃ30. ἐκ ἔχεσι ῥίνας
Ζμβ16. 659 ᵇ4 (cf F 284, 69. Μ 436). ἔτ' ὦτα ἔτε μυ-
κτῆρας ἔχεσιν, ἀλλὰ τὰς πόρες τέτων τῶν αἰσθήσεων Ζιβ12.
504 ᵃ21. ὦτα ἐκ ἐπανεστηκότα ἀλλὰ πόρον μόνον· τὲς
πόρες μόνον ἔχεσι διὰ τὴν τῦ δέρματος σκληρότητα· τὲς
μὲν πόρες ἔχεσι τῶν μυκτήρων πρὸ τῦ στόματος· ὥστε
εἰπεῖν μυκτῆρας, ὅτι μὴ διὰ τὸ ἔργον, ἐκ ἔχεσι φανερῶς
διηρθρωμένες Ζμδ11. 691 ᵃ13. Ζβ. 657 ᵃ17. 16. 658 ᵇ2.
Ζιθ8. 533 ᵃ24. γλῶττα πλατεῖα, λεπτή, τὸ ὀξὺ τῆς γλώτ-
της Ζιβ12. 504 ᵃ35. δ9. 536 ᵃ21, 22. ι15. 616 ᵇ9. Ζμδ12.
692 ᵇ6. β17. 660 ᵃ36. ὀφθαλμοὶ ἄνευ βλεφαρίδων Ζιβ12.
504 ᵃ23. cf Ζμβ14. 658 ᵃ12. μύεσι τῇ κάτω βλεφαρίδι,
τῷ κάτω βλεφάρῳ Ζιβ12. 504 ᵃ25. Ζμβ13. 657 ᵃ29. δ11.

691 ᵃ21. σκαρδαμύττωσιν ἐκ τῦ κανθῦ δέρματι, ὑμένι ἐκ τῶν κανθῶν Ζιβ12. 504 ᵃ25. Ζμβ13. 657 ᵃ30. ð11. 691 ᵃ23. σκληρόφθαλμοι, πόρρωθεν ἡ χρῆσις τῆς ὄψεως Ζμδ11. 691 ᵃ24. β13. 657 ᵇ24. στῆθος Ζμδ13. 693 ᵇ15. Ζπ10. 710 ᵃ30. — πῶς κινῦνται τέτταρσι σημείοις Ζπ10. 709ᵇ21. πτέρυξι δυσὶ χ̣ ποσὶ δυσί Ζια5. 490 ᵃ28. πτέρυγες, πτερύγων κάμψις Ζιβ1. 498 ᵃ30. 12. 503 ᵇ35. γ3. 514 ᵃ1. Ζπ10. 709 ᵇ31. 15. 712 ᵇ24. 18. 714 ᵇ4. πτέρυγες, ἴδιον μόριον Ζμδ12. 693 ᵃ27, ᵇ11. τῶν πτερύγων ἀφαιρεθεισῶν ὐθ̄' ἑστάναι ὐτε προϊέναι δύναιτ' ἂν ὐθεὶς ὄρνις Ζπ15. 712 ᵇ29. τῶν ὀρνίθων πετομένων ὁ γινόμενος ταῖς πτέρυξι ψόφος Ζιδ9. 535 ᵇ31. ἡσυχίαν ἔχειν, opp ἀνίπτασθαι χ̣ αἰωρημέ-νας καταράσσειν αὐτὰς εἴς τι θ79. 836 ᵃ11. πόδες Ζμδ12. 694 ᵇ7. Ζπ18. 714 ᵇ5 al. δίποδές εἰσιν Ζια5. 489 ᵇ21. β1. 498 ᵃ29. Ζγβ1. 732 ᵇ16. Ζπ5. 706 ᵃ27. 11. 710 ᵇ18. Ζμδ 12. 693 ᵇ5. πι53. 896 ᵇ31. σκέλη δύο, ὀστώδη νευρώδη ἄσαρκα, σκελῶν κάμψις Ζιβ1. 498 ᵃ28, 29, 499 ᵇ2. 12. 503 ᵇ32. Ζγα5. 717 ᵇ16. Ζπ711 ᵃ6. 15. 712 ᵇ22. πι41. 895 ᵃ22. ἀναπηρία τῶν σκελῶν πδ31. 880 ᵇ6. ι24. 893 ᵇ15. ἰσχίον Ζιβ12. 503 ᵇ35. Ζπ10. 710 ᵇ21. Ζμδ12. 694 ᵇ29. μηρός Ζιβ12. 504 ᵃ2. δάκτυλοι Ζιβ12. 504 ᵃ7. Ζμδ12. 695 ᵃ19, 16. πολυσχιδεῖς τρόπον τινὰ πάντες, χωριστὸς (χωρὶς τὺς cf Pik) δακτύλως ἔχωσιν Ζιβ12. 504 ᵃ6, 8. χ̣ τῶν ὀρνίθων οἱ πόδες ὁρῶνται μεταξὺ τῶν δακτύλων δερμάτινον ὑμένα ἔχοντες f 316. 1531 ᵇ23. ἔνια ἔχει πλῆκτρα Ζιβ12. 504 ᵇ6. ὐρὰν ὐκ ἔχουσιν, ὑροπύγιον δέ Ζιβ1. 504 ᵃ32. Ζμδ 12. 694 ᵇ19. Ζπ10. 710 ᵃ22. 18. 714 ᵇ7.

d. τὰ ἐντὸς μόρια. τὰ τῶν ὀρνίθων ἀσθενέστερα, μικρὸν παραλλάττει Ζμβ9. 655 ᵃ18. Ζιγ7. 516 ᵇ13. μαναὶ αἱ σάρ-κες Ζμγ8. 671 ᵃ20. τὸ ἐκ φλεβὸς χ̣ ἀρτηρίας τὴν σάρκα, ψεῦδος ἐπὶ τῶν ὀρνίθων πν6. 484 ᵇ35. ἡ ἀρτηρία ὐκ ἔχει τὴν ἐπιγλωττίδα αν11. 476 ᵃ34. cf Ζιβ12. 504 ᵇ4. στό-μαχον, ἀρτηρίαν ἔχυσι Ζιβ15. 505 ᵇ33. πόροι cf p 527 ᵇ54. πλεύμων Ζια16. 495 ᵇ3. β17. 507 ᵃ19. Ζμγ9. 669 ᵃ31. μικρὸς ὁ σπλήν Ζιβ15. 506 ᵃ15. Ζμγ7. 670 ᵇ13 v l. ὐκ ἔχωσι νεφρὸς ὐδὲ κύστιν, πλατέα νεφροειδῆ ἐν ἐνίοις Ζιβ15. 506 ᵇ25. Ζμγ9. 671 ᵃ31. ἧπαρ, χολή Ζμγ12. 673 ᵇ20. Ζιβ15. 506 ᵇ5. πρόλοβος Ζιδ4. 529 ᵃ2. διαφορὰ περὶ τὸ τῆς τροφῆς δεκτικὸν μόριον, κοιλία Ζμγ14. 674 ᵇ19, 34. ð5. 678 ᵇ26, 34. 12. 693 ᵇ19. ἴδιον ὀρνίθος τῶν περὶ τὸ σῶμα χ̣ δασύτης ἡ περὶ τὴν κοιλίαν φ2. 806 ᵇ20. τὸ περίττωμα ἐπιλευκαίνει, ὑπόστημα λευκόν, ὑπόστασις τῆς κοιλίας Ζμδ1. 676 ᵃ33. 5. 679 ᵃ18. πι43. 895 ᵇ3. ἀποφυάδες Ζμγ 14. 675 ᵃ14, 16. αἰδοῖον Ζγα5. 717 ᵇ18. ὄρχεις (v h v) ἄδη-λοι, ἐντός, διὰ τίν' αἰτίαν Ζιγ1. 510 ᵃ3. ε5. 540 ᵇ33. ζ11. 566 ᵃ10. Ζγα3. 716 ᵇ21. 5. 717 ᵇ28. 12. 719 ᵇ11. Ζμδ12. 695 ᵃ26. ὑστέραι Ζγα12. 719 ᵇ21. γ6. 756 ᵇ30. ὑστερῶν ὑμήν Ζιγ1. 510 ᵇ28, 31. ταῖς ὄρνισι λαβῦσα ἡ ὑστέρα συμ-πέττει, ἡ ὄρνις εἰς τὴν ὑστέραν προϊέται Ζικ6. 638 ᵃ3, 637 ᵇ35. ὑστέρα τείνει πρὸς τὸ ὑποζῶμα, ἄνω πρὸς τὸ ὑπό-ζωμα Ζιγ1. 511 ᵃ7. ζ2. 559 ᵇ7, 18. πρὸς τῷ ὑποζώματι Ζιγ1. 510 ᵇ21. Ζγα3. 717 ᵃ2. β4. 739 ᵇ6, ἄνω πρὸς τῷ ὑποζώματι Ζγα8. 718 ᵇ3. γ1. 749 ᵃ34, πρὸς τῷ ὑποζώ-ματι Ζιζ10. 564 ᵇ21. ἡ ἀπόκρισις τῶν καταμηνίων συνί-σταται τῇ ὄρνιθι κατὰ τὴν ἱκνωμένης χρόνοις τῦ περιττώ-ματος Ζγγ1. 750 ᵇ12, 751 ᵃ3.

e. de sexu. ὁ ἄρρην, οἱ ἄρρενες, τὰ ἄρρενα Ζικ6. 637 ᵇ13, 37. ζ9. 564 ᵇ6. 8. 564 ᵃ8. ε2. 539 ᵇ29. ð9. 536 ᵃ23. Ζγγ7. 757 ᵃ33, ᵇ2. f 270. 1527 ᵃ2. θηλυδρίαι Ζιι49. 631 ᵇ17. — ἡ θήλεια, αἱ θήλειαι, τὰ θήλεα Ζιδ9. 536 ᵃ23. ε2. 539 ᵇ29. ζ2. 559 ᵇ8, 19. δ. 564 ᵃ8. Ζγγ2. 753 ᵃ15. f 270.

1527 ᵃ2. ἡ ὄρνις, ἡ ὑποδεξαμένη ὄρνις, αἱ ὄρνιθες, αἱ πλεῖ-σται, πολλαὶ τῶν ὀρνίθων Ζιε9. 542 ᵇ20. ζ2. 560 ᵇ12. 3. 562 ᵃ22. 4. 562 ᵇ8. ι29. 618 ᵃ19, 21. κ6. 637 ᵇ11, 35, 638 ᵃ3, 27. Ζγγ1. 750 ᵇ34. 2. 752 ᵇ17, 21, 29. ð3. 769 ᵇ34. μήτηρ Ζγγ2. 753 ᵃ33, 754 ᵃ7, 9. ἡ τρέφῦσα Ζιι29. 618 ᵃ16. — ὁ νεοττὸς καλύμενος, ὁ νεοττὸς Ζιδ9. 536 ᵇ17. ζ2. 559 ᵇ17. 4. 562 ᵇ10. 10. 565 ᵃ3. ι29. 618 ᵃ19. Ζγα21. 730 ᵃ9. τὰ νεόττια Ζιδ9. 536 ᵃ30. ι29. 618 ᵃ21. οἱ νέοι Ζιε14. 544 ᵇ15, 18. τὰ ἔκγονα Ζιε13. 544 ᵇ10, 16. οἱ ὄρ-νιθες Ζγγ3. 754 ᵇ11. pulli in ovo: ἔμβρυον, νεοττός, νέοι Ζιζ 3, 561 ᵇ23. 10. 565 ᵃ5, 11. τέκνα Ζγδ6. 774 ᵇ30. οἱ ὄρνιθες Ζιε18. 550 ᵃ20. Ζγγ3. 754 ᵃ11.

f. de coitu graviditate partu ovis pullis. γονή Ζιζ2. 559 ᵇ6. Ζγα21. 729 ᵇ34. συνδυασμῦ διαφοραί Ζιε2. 539 ᵇ27, 28. ἡ ὥρα τῆς ὀχείας, ὁ τόκος Ζιζ1. 558 ᵇ11-559 ᵃ14. ε13. 8. 542 ᵇ3. ð9. 536 ᵃ25. ταχεῖα ἡ ὀχεία Ζγδ3. 769 ᵇ35. τὰ τῶν ὀρνίθων ὠὰ ὐ τελειῦται πρὸς τὴν γένεσιν ἄνευ τῶν ἀρρένων, τὴν τελείωσιν τοῖς ὠοῖς ποιεῖ τὸ ἄρρεν ἐντός· διὰ τίν' αἰτίαν ἐν τοῖς ὄρνισιν ὐδὲ τὰ γινόμενα διὰ τῆς ὀχείας ὠὰ θέλει ὡς ἐπὶ τὸ πολὺ λαμβάνειν αὔξησιν, ἐὰν μὴ ὀχεύηται ἡ ὄρνις συνεχῶς Ζγγ7. 757 ᵃ32. 1. 750 ᵇ27, 32, cf Harvei exercit de gen an 138. οἱ ὄρνιθες λάγνοι πδ31. 880 ᵃ34. ἔνιοτε δοκῦσιν οἱ διαφέροντες τῷ εἴδει μίγνυσθαι πρὸς ἀλλήλας· τὰ ὠὰ τὰ προυχεμμένα ὑφ' ἑτέρῳ γένει τῶν ἀρρένων· λέγυσιν ἐνίυς κατὰ τὸ στόμα μίγνυσθαι Ζγβ7. 746 ᵇ3. γ7. 757 ᵇ2. 6. 756 ᵇ14, 18. cf Herodot II 76. S II 493. αἱ κυήσεις Ζιζ2. 560 ᵇ11. κύημα Ζγγ1. 751 ᵇ32. ð6. 775 ᵇ18. κύει, ὥρισται καιρὸς ἐπὶ τῶν ὀρνίθων Ζγα21. 730 ᵃ4. γ7. 757 ᵇ10. ὠὰ πρὸς τῷ διαζώματι συνίσταται, πρὸς τοῖς ὑποζώμασιν Ζγγ2. 753 ᵃ2. 6. 756 ᵇ30. cf p 528 ᵃ53. ἡ ὄρνις πολλὰ εἰς αὐτὴν τίκτησα Ζικ7. 638 ᵃ27. ἡ ἔξοδος τῆς σπερματικῆς περιττώσεως βραδυτέρα ἢ τοῖς ἰχθύ-σιν Ζγα4. 717 ᵇ6. προίενται τὸ ὠὸν τέλειον χ̣ σκληρόδερμον, τέλειον ὠὸν γεννῶσι, τὰ ἐκ τῶν τελείων ὠῶν γινόμενα θύ-ραζε Ζιζ2. 559 ᵇ15. Ζγβ1. 732 ᵇ2. γ1. 749 ᵃ17, 751 ᵃ25. 2. 753 ᵃ2, 754 ᵃ16. 5. 755 ᵇ30, 756 ᵃ21. πάντα τὰ ὠὰ δίχροα Ζγγ1. 749 ᵃ18, 751 ᵃ31. 2. 753 ᵃ2. Ζια5. 489 ᵇ15. ε33. 558 ᵃ5. ζ2. 559 ᵃ17. τὰ τῶν ὀρνίθων ὠὰ κεχωρισμένον ἔχει τὸ λευκὸν χ̣ τὸ ὠχρόν, χωρίζεται τῆς ὑστέρας Ζγγ3. 754 ᵇ22, 12, 16 (cf Müller glatter Hai 12). χρώματα ὠῶν Ζιζ2. 559 ᵇ24. Δημόκριτός φησιν ἐκ τῦ ὠχρῦ χ̣ τὴν χρόαν αὐτῶν ἐπαλλάττειν Ζγδ3. 769 ᵇ35. ὑπηνέμια Ζγγ1. 750 ᵇ1, 17. Ζιε1. 539 ᵃ31, ᵇ7. ζ2. 559 ᵇ21. κ6. 637 ᵇ14. πῶς τὰ ὑπηνέμια γίνεται γόνιμα Ζγγ7. 757 ᵇ1. τέρατα Ζγδ3. 770 ᵃ10. πι61. 898 ᵃ17. ἡ γένεσις ἐκ τῦ ὠῦ Ζιζ10. 564 ᵇ26, 30. 3. 561 ᵃ3-562 ᵃ20. Ζγγ6. 756 ᵇ13. 3. 754 ᵇ3. συμβαίνει τοῖς ὄρνισιν ἐπωαζύσης χ̣ συμπεττύσης τῆς ὄρ-νιθος Ζγγ2. 752 ᵇ16, 29. ὐχ ὁμοιοτρόπως τοῖς τῶν ὀρνίθων ἔχει τὰ περὶ τὰ ὠὰ τῶν ἰχθύων· διὰ τί διαφέρουσιν αἱ γε-νέσεις τοῖς ὄρνισι χ̣ τοῖς ἰχθύσιν Ζγγ5. 755 ᵇ28. 3. 754 ᵇ20, 34. ἐπωαζῦσιν, ἐπικαθεύδῦσι Ζιζ2. 559 ᵃ30 al. ε9. 542 ᵇ20. κἂν ἡ ὥρα ᾖ εὔκρατος ἢ ὁ τόπος ἀλεεινός, ἐν ᾧ ἂν κείμενα τυγχάνωσιν, ἐκπέττεται χ̣ τὰ τῶν ὀρνίθων ὠὰ Ζγγ2. 752 ᵇ31, 753 ᵃ1. τοῖς ὄρνισι τὴν τροφὴν ἡ φύσις ποιεῖ ἐκ τῶν ὠοῖς Ζγγ2. 752 ᵇ24. cf Ζιζ10. 565 ᵃ11. ὅσα μὴ δαψιλῆ τροφὴν συνεκτίκτει τοῖς τέκνοις Ζγδ6. 774 ᵇ30. ἐν τῇ ὑστέρᾳ τὰ δίποδα συγκεκαμμένα, τοῖς ἐμβρύοις μία φλέψ Ζιη8. 586 ᵇ1, 17. ὁ ὀμφαλὸς τοῖς νέοις ποῖος, οἱ ὄρνιθες κατὰ τὴν κοιλίαν προσηρτημένοι Ζιζ10. 565 ᵃ5. ε18. 550 ᵃ20. ἔχυσι τὸν ἕτερον ὀμφαλὸν πρὸς τὸ ὠχρόν, χωρισθέντα τῆς γεννώ-σης γίνεται ἐξ ὠῦ, ἐν ᾧ λαμβάνει τὴν διάρθρωσιν Ζγγ3.

755 ᵃ2. β6. 742 ᵃ2. τῶν ὀρνίθων αὐξηθέντων ἄδηλος ὁ ὀμφαλός Ζμδ13. 693 ᵇ24. τίκτϟσιν ἀτελῆ ᷉ τυφλὰ ᷉ τῶν ὀρνίθων τινές, ὅσοι πολυτοκϟσιν αὐτῶν Ζγδ6. 774 ᵇ27. pulli in ovo, οἱ ὄρνιθες ἐκ τϟ ὀξέος (τϟ ᷉ω) γίνονται Ζγα11. 719 ᵃ3. γ3. 754 ᵃ11.

g. de sensibus moribus cantu. ἡ τῆς διανοίας ἀκρίβεια Ζυ7. 612 ᵇ20. ἀνδρεῖοι, δειλοί, δεδιότες φ2. 806 ᵇ12. θ118. 841 ᵇ22. ἡ φῶϋξ μάλιστα ὀφθαλμοβόρος τῶν ὀρνίθων Ζυ18. 617 ᵃ9. cf aves cur oculos potissimum hominum adpetant Plin XI 148. ᷉ τὰ ἤθη μεταβάλλϟσι κατὰ τὰς πράξεις, πολλάκις δὲ ᷉ τῶν μορίων ἔνια, οἷον ἐπὶ τῶν ὀρνίθων συμβαίνει Ζυ49. 631 ᵇ6. αἴσθησις ἐπιμελητικὴ (συνήθεια, φιλία) τοῖς ὄρνισι γίνεται μέχρι τϟ γεννῆσαι ᷉ ἐκθρέψαι Ζγγ2. 753 ᵃ14. cf Ηθ1. 1155 ᵃ18. οἱ συνωδίνοντες ὄρνιθες ηεη6. 1240 ᵃ36. ἡ ὄρνις ϟ μόνον τϟ λαβεῖν ἐπιθυμίαν ἔχει ἀλλὰ ᷉ τϟ προέσθαι Ζικ6. 637 ᵇ11. aves quomodo tempestatem nuntient f 241. 1522 ᵇ18,25,27,28. — χρῶνται τῇ γλώττῃ ᷉ πρὸς ἑρμηνείαν ἀλλήλοις πάντες μέν, ἕτεροι δὲ τῶν ἑτέρων μᾶλλον, ὥστε ἐπ᾽ ἐνίων ᷉ μάθησιν εἶναι δοκεῖν παρ᾽ ἀλλήλων Ζμβ17. 660 ᵃ36. ἀφιᾶσι φωνήν, τίνες ἔχϟσι διάλεκτον, ἔνια γένη φθέγγεται γράμματα Ζιθ9. 536 ᵃ20, 21. β12. 504 ᵇ2. οἱ μάλιστα φθεγγόμενοι γράμματα πλατυγλωττότεροι τῶν ἄλλων εἰσὶν Ζμβ17. 660 ᵃ29. ἄδϟσι Ζιθ9. 536 ᵃ28, ᵇ16 al. πολύφωνα, λαλίστερα Ζιθ9. 536 ᵃ24.

h. morbi, epizoa. διὰ τὰ πάθη τὰ γιγνόμενα κατὰ τὰς ὥρας μεταβάλλει Ζιγ12. 519 ᵃ3. οἱ αὐχμοὶ συμφέρϟσι ᷉ πρὸς τὴν ἄλλην ὑγίειαν ᷉ πρὸς τόκϟς· ἀσύμφορα τοῖς ὄρνισι τὰ ἐπόμβρια ἔτη Ζιθ18. 601 ᵃ27, 30. quaedam origano sibi medentur Ζυ6. 612 ᵃ33. ἐν ἀρρωστίαις ἐπίδηλος ἡ πτέρωσις γίνεται, ἀποβάλλειν τὰ πτερὰ Ζιθ18. 601 ᵇ6. Ζγε3. 783 ᵇ11. ὑπέρινοι γίνονται, πότε διατίθενται χεῖρον Ζγγ1. 750 ᵃ29. ε. 2. 753 ᵃ16. ἔστι τὰ μὲν μακροσκελῆ ὑγροκοίλια τὰ δ᾽ εὐρυστήθη ἐμετικὰ μᾶλλον Ζυ50. 632 ᵇ12. διὰ τί ϟκ ἐρεύγονται πι44. 895 ᵇ13, 17. διὰ τί μάλιστα κορυζῶσι πι54. 897 ᵇ10. φθεῖρες Ζιε31. 557 ᵃ11.

i. aves saepe cum aliis animalibus comparantur, saepissime cum piscibus. πρὸς τὰ ἄλλα ζῷα ᷉ τῇ μορφῇ τῶν μορίων διαφέρϟσι al Ζμδ12. 692 ᵇ8, 10 al. ὄρνιθες ᷉ ἄνθρωποι, ὄρνις μάλιστα ὁμοιόσχημον ἀνθρώπῳ πι60. 898 ᵃ4. 54. 897 ᵇ11. ὁμοίως ἔχϟσιν οἱ ὄρνιθες τρόπον τινὰ τοῖς ἰχθύσιν, ἰχθύες ὄρνιθος (διαφέρϟσι) τῷ ἀνάλογον· ᷉ ἰχθύσι γίνεται ἄνευ ὀχείας σύστασις κυημάτων, ὁμοίως ᷉ τοῖς ὄρνισι (om v l et Aub) Ζπ18. 714 ᵇ3. Ζμα4. 644 ᵃ21. Ζγγ1. 750 ᵇ10. τὰ σελάχη ψυχρότερα τῶν ὀρνίθων Ζγγ3. 754 ᵃ33 al.

k. signa physiognomica e natura avium petita φ2. 806 ᵇ12. 6. 810 ᵃ21, 31, 812 ᵇ16, 21. πϟ31. 880 ᵃ34.

l. θήρα, alia quaedam. φρονίμως δοκεῖ ἡ γαλῆ χειρϟσθαι τὰς ὄρνιθας Ζυ6. 612 ᵇ1. ξύλοις τύπτοντες λαμβάνϟσι, fundis percutiunt, κατασοβϟσι τὰς ὄρνιθας θ90. 837 ᵇ17. 118. 841 ᵇ22, 23. fabula de Diomedis sociis in aves mutatis θ79. 50 836 ᵃ9 (Beckm 157).

m. μάλιστα δύο ᷉ὠὰ ὑποτίθεται τοῖς (ταῖς ci Pik) ὄρνισι (pavo)· ϟδὲ πολλαχϟ ἐπιχώριος ὁ ὄρνις, γύψ, ϟτος ὁ ὄρνις, κύανος et χλωρίς· ὁ αὐτὸς ὄρνις, μελαγκόρυφος Ζιθ9. 564 ᵇ7. ι11. 615 ᵃ14, 21. 617 ᵃ23. 29. 618 ᵃ13. 49 Β. 633 ᵃ2.

q. gallus Briss. οἱ ὄρνιθες, τὸ γένος τῶν τοιϟτων ὀρνίθων σπερματικὸν ἀεὶ δεῖται τῆς ὁμιλίας Ζγα21. 729 ᵇ34. δ5. 774 ᵃ10. — οἱ ὄρνιθες (v l ἄρρενες)· ἕτερος, ὕστερος, ὄρνις, τὰ ἄρρενα, syn ἀλεκτρυών, ἐπιτασσόμενος ἔχει τὰ ὄρχεια ἐντὸς Ζυ50. 631 ᵇ25. ζ2. 560 ᵃ13, 14. Ζγδ5. 774 ᵃ7, 8, 9, 12. — gallinae: αἱ θήλειαι, τὰ θήλεα Ζγδ5. 774 ᵃ7,

v.

8, 11, ἡ ὄρνις, αἱ ὄρνιθες Ζιζ2. 559 ᵇ26, 560 ᵃ8, ᵇ6, 7. Ζγα21. 730 ᵃ4, 30. αἱ θήλειαι τῶν ἀρρένων ἧττόν εἰσιν ἀφροδισιαστικοὶ διὰ τὸ πρὸς τῷ ὑποζώματι τὰς ὑστέρας ἔχειν, τὰ δ᾽ ἄρρενα τϟναντίον Ζγδ5. 774 ᵃ7. διαφέρϟσι ᷉ ὄρνιθες ὀρνίθων τῷ ἐπιμαστικώτεραι εἶναι ἕτεραι ἑτέρων· ἐὰν μὴ ἐπιψαύζωσιν αἱ ὄρνιθες, διαφθείρονται ᷉ κάμνϟσιν· ὀχευθεῖσαι αἱ ὄρνιθες φρίττϟσι· τὰ ἐξ ὀχείας ἐνυπάρχοντα ᷉ὠὰ ἤδη μεταβάλλει τὸ γένος εἰς ἄλλο γένος Ζιζ2. 560 ᵃ3, 10, 17, ᵇ6. ἐὰν βρεχθῇ ἢ ἄλλως πως ῥιγώσασα ἐκβάλῃ ἡ ὄρνις, φανερὸν ἐπὶ τῶν ὀρνίθων τῶν τὰ ὑπηνέμια τικτόντων ὅτι δύναται μέχρι γέ τινος τὸ θῆλυ γεννᾶν Ζγγ2. 752 ᵇ5. β5. 741 ᵃ17. ὑπηνέμια Ζγα21. 730 ᵃ4, 32. κυνόσϟρα, ϟρια, ζεφύρια Ζιζ2. 560 ᵃ5, 6. οἱ περὶ τὰς ὄρνιθας τὰς γενναίας σπϟδάζοντες Ζγα21. 730 ᵃ10. οἱ ὄρνιθες ἐκτέμνονται Ζυ50. 631 ᵇ25 (S script rei rust I, 2, 532).

ὄρνυμαι. ὑφ᾽ ἵμερον ὦρσε (Hom Ψ 108) Ρα11. 1370 ᵇ29.
ὄροβος. ταῖς κυάμαις ᷉ συμφέρϟσιν Ζιγ1. 522 ᵇ29. ξέας πιαίνονται τοῖς φυσικικοῖς, οἷον ὀρόβοις ᷉ κυάμοις Ζιθ7. 595 ᵇ6. ὅσον ὄροβος Ζιζ14. 568 ᵇ22. (Vicia Ervilia L Fraas 54.)
ὄρος. ϟχ ὑπερβάλλει τὰ πνεύματα τῶν ὑψηλοτάτων ὀρῶν μα3. 341 ᵃ1. ἐπὶ τοῖς ὄρεσιν ϟ γίνεται πάχνη μα10. 347 ᵃ29. τὰ ἕλη ὑπ᾽ ὄρη κεῖσθαι συμβαίνει μα13. 350 ᵇ21.
ὄρος. ἡ φώκη λέγεται ἐμεῖν τὸν ὄρον f 331. 1533 ᵇ32. syn πιτύα θ77. 835 ᵇ31. cf Beckm ad h l p 151, ad Antig Caryst p 39. S Theophr IV 816. v ϟρρος.
ὄρος et ὄρος distinguuntur προσῳδία τι20. 177 ᵇ3. — ὄρος finis, terminus, πῦρ ᷉ ἀὴρ τϟ πρὸς τὸν ὄρον φερομένα, γῆ δὲ ᷉ ὕδωρ τϟ πρὸς τὸ μέσον Γβ3. 330 ᵇ32. 8. 335 ᵃ20. γενέσει ᷉ φθορᾷ τὸ ὂν ᷉ τὸ μὴ ὂν ὄρος, ἀλλοιώσει δὲ τἀναντία πάθη θ7. 261 ᵃ34. τϟ μεγέθϟς ὄρος, syn πέρας Ζγβ6. 745 ᵃ9, 6. αἱ στιγμαὶ τῶν αἰσθήσεων ὄροι Μυ5. 1092 ᵇ9. τῆς φυσικῆς θερμότητος ὄρος ὁ πλεύμων Ζγβ1. 732 ᵇ2. cf δ4. 772 ᵃ14. οἰκονομικὴ ἔχϟσα ὄρον, opp ἄπειρος Πα9. 1258 ᵃ18. τϟ πολιτικϟ πλήθϟς τίνα ὄρον ὑπάρχειν χρή, τίς ἐστιν ὁ τῆς ὑπερβολῆς ὄρος sim Πη7. 1327 ᵇ1. 4. 1326 ᵇ12, 23. 5. 1326 ᵇ32, 1327 ᵃ4. 1249 ᵃ21, ᵇ1, 19, 22, 3. Ηα5. 1097 ᵇ12. ἔξω τῶν ὄρων ἐστὶ τῆς κακίας Ηη6. 1149 ᵃ1. syn ἀρχή et τέλος· ὁ νϟς τῶν ὄρων, τῶν πρώτων ὄρων, τῶν ἀκινήτων ὄρων Ηζ9. 1142 ᵃ26. 12. 1143 ᵃ36, ᵇ2 (cf νϟς ἂν εἴη τῶν ἀρχῶν Αθ19. 100 ᵇ12). εἰ μὴ πρός τινα ὄρον ᷉ τέλος δύναταί ην ἐλθεῖν Β. 199 ᵇ6. — τὸ ὡρισμένον σῶμα οἰκεῖον ὄρῳ μδ5. 382 ᵃ23. ἡ μορφὴ ᷉ τὸ εἶδος ἁπάντων ἐν τοῖς ὄροις Γβ8. 335 ᵃ21. translatum a corporibus v ὄρος omnino id significat, quo alicuius rei natura constituitur et definitur. τὸ ζῆν ὄρος εἶναι τὴν ἀναπνοὴν ψα2. 404 ᵃ9. τῆς δυνάμεως ὄρος ᷉ τὴν ἀδυναμίαν τὸ πεπτικὸν εἶναι ἢ μὴ πεπτικὸν Ζγδ1. 766 ᵃ32. ὄρος τϟ ἀπὸ διανοίας ἐντελεχείᾳ γιγνομένῃ ἐκ τϟ δυνάμει ὄντος, ὅταν βϟληθέντος γίγνηται κτλ Μθ7. 1049 ᵃ5. ἀριστοκρατίας ὄρος ἀρετή Πδ8. 1294 ᵃ10, cui similia plurima leguntur praecipue in Politicis, veluti Πζ2. 1317 ᵇ11, 14. ϟ. 1324 ᵇ4. 15. 1334 ᵃ12. ε11. 1314 ᵃ25. γ9. 1280 ᵃ7. 13. 1283 ᵇ28. η. 1294 ᵃ35, ᵇ15. 11. 1295 ᵃ39. 15. 1300 ᵃ11. 16. 1300 ᵇ15. Β6. 1265 ᵃ32. 9. 1271 ᵃ35. Ηη14. 1153 ᵇ25. — huic usui affinis est, quod ὄρος significat notionis definitionem ὁ κατ᾽ αὐτὴν τὴν φύσιν τϟ πράγματος ὄρος πο7. 1451 ᵃ10. 6. 1449 ᵃ23. Ρβ8. 1385 ᵇ19. ὁ κύριος ὄρος τῆς πρώτης δυνάμεως Μδ12. 1020 ᵃ4. ϟκ εἶναι κοινὸν ὄρον τῶν αἰσθητῶν ΜΑ6. 987 ᵇ6. τὸν ὄρον λόγον εἶναι μακρὸν Μη3. 1043 ᵇ23. ὥσπερ συμπεράσμαθ᾽ οἱ ὄροι τῶν ὁρῶν εἰσιν ψβ13. 426 ᵃ13. 16. οἱ ὄροι ϟκ εἰσιν ὑπο-

Xxx

θέσεις Αγ10. 76 ᵃ35. μόνον εἶναι ὐσίας ὅρον ΜΖ13. 1039
ᵃ20. ὅροι διαιρετικοί (i e qui per διαίρεσιν sunt confecti,
cf οἱ ἐκ διαιρέσεως ὁρισμοί ΜΖ12. 1037 ᵇ28) Αδ5. 91ᵇ39.
disputatio de definitionibus recte conficiendis est ἡ περὶ
τὴς ὅρης πραγματεία τΖ1. 139 ᵃ24, et saepissime per li-
brum τΖ (τὰ πρὸς ὅρον ΜΖ15. 1040 ᵃ6 Bz) distinguitur
ὅρος, ἴδιον, γένος, συμβεβηκός τα5. 101 ᵇ38 et per universa
Topica. ὅρος et ὁρισμός ad significandam definitionem fere
promiscue usurpantur (cf ἡ τελευταία διαφορὰ ἡ ὐσία τῆ
πράγματος ἔσται ἢ ὁ ὁρισμός, εἴπερ μὴ δεῖ πολλάκις ταὐτὰ 10
λέγειν ἐν τοῖς ὅροις ΜΖ12. 1038 ᵇ20, cf ὅρος, ὁρισμός τη8.
153 ᵃ14, 15 al), saepius in Topicis ὅρος, in Metaphysicis
ὁρισμός; quae ad definitionis vim ac naturam pertinent
ν8 ὁρισμοῦ. ἀνάγκη ἢ τὰς ἄλλυς ὅρυς ἀληθεῖς εἶναι τῶν
ἐναντίων (i e reliquas notas, quibus circumscribitur τῆς 15
ἐναντιότητος notio) Μι4. 1055 ᵃ23. — mathematicis ὅροι
sunt rationis vel proportionis termini, ὡς ὁ α ὅρος πρὸς
τὸν β Ηε6. 1131 ᵇ5. 7. 1131 ᵇ9, 16. ἐν ὅλοις ὅροις οἱ τῆς
συμφωνίας λόγοι εἰσίν, syn ἐν ὅλοις ἀριθμοῖς πιθ35. 920
ᵃ28, 32. cf δυοῖν ὅρων εἰ ἀδύνατον τὸ ὕστερον ἄνευ τῦ 20
προτέρυ ὑπάρξαι Οα12. 282 ᵃ1. — comparata propositione
logica cum ratione mathematica explicari videtur ὅρον καλῶ
εἰς ὃν διαλύεται ἡ πρότασις, οἷον τό τε κατηγορύμενον ἢ τὸ
καθ' ὗ κατηγορεῖται Αα1. 24 ᵇ16 Wz. 4. 25 ᵇ32 et saepis-
sime (cf Steinthal Gesch p 192). ὅροι τῦ παντὶ ὑπάρχειν, 25
τῦ μηδενὶ ὑπάρχειν (i e exempla ὅρων, ex quibus τὸ παντὶ
ὑπάρχειν demonstretur) Αα4. 26 ᵃ8, 11. 5. 27 ᵃ19, 21, ᵇ5,
6, 16, 38 al. de eadem demonstrandi ratione δεικνύναι,
ἀπόδειξις διὰ τῶν ὅρων Αα17. 37 ᵇ1, 13, 16. 18. 37 ᵇ22,
38 ᵃ2, 12, ᵇ29, 37. λαβεῖν ὅρυς Αα5. 27 ᵇ20. ἐκ τῶν ὅρων 30
φανερόν Αα9. 30 ᵃ28. 11. 31 ᵇ4, 27. 15. 34 ᵇ32. ὅρος ἔσχα-
τος, μέσος, πρῶτος Αα4. 25 ᵇ33 al. μέσος ὅρος in conclu-
sione de re facienda Ηζ10. 1142 ᵇ24. numerus τῶν ὅρων
comparatur cum numero προτάσεων sive διαστημάτων Αα25.
42 ᵇ1-26. πᾶσα ἀπόδειξις διὰ τριῶν ὅρων Αα25. 41 ᵇ36. 35
ὅροι εἴσω, ἔξω, ὅρυς ἐμβάλλειν, προσλαμβάνειν Αγ32. 88
ᵃ35, 36, ᵇ5. τιθεμένων τῶν ὅρων ἐν τῷ ὑπάρχειν ἢ τῷ ἐξ
ἀνάγκης ὑπάρχειν Αα8. 29 ᵇ37. πρότασις ἀντιστρέφεται ἐπὶ
τῶν ὅρων, ἀντιστρέφει κατὰ τὰς ὅρυς Αβ15. 64 ᵃ11, 40, ᵇ3.
inde ad ipsos ὅρυς transferuntur eae distinctiones, quae 40
proprie ad propositiones pertinent, ἢ καθόλυ ἢ μὴ καθόλυ
τῶν ὅρων ὄντων Αα4. 26 ᵃ13, 17. 5. 27 ᵃ2, 23. 6. 28 ᵃ37 al
(quod plenius dicitur ἢ καθόλυ ἢ μὴ καθόλυ ὄντων τῶν
ὅρων πρὸς τὸ μέσον Αα6. 28 ᵃ17). ὅροι κατηγορικοί, στε-
ρητικοί Αα7. 29 ᵃ20. 11. 31 ᵇ33. 16. 35 ᵇ26. ὅροι ἀναγκαῖοι, 45
ὑπάρχοντες, ἐνδεχόμενοι Αα8. 29 ᵇ34.

ὀρόσπιζος (v l ὁρόσπιζος, ὀρέσπιζος, ὁεροσπίζος, ὀνεδοσπίζος,
ὁ νεοσπίζος). ὗτος σπίζῃ ὅμοιος ἢ τὸ μέγεθος παραπλήσιος,
πλὴν ἔχει (τι περὶ add Pik) τὸν αὐχένα κυανῦν, ἢ διατρίβει
ἐν τοῖς ὄρεσιν Ζιθ3. 592 ᵇ25. (oneospizos vers Thomae, lo- 50
custa Alberto, montifringilla Gazae, le pinson de montagne
(i e Fringilla montifringilla) C II 650. S I 589. Cr. fort
Parus ater K 865, 12. Sylvia suecica St. Lusciola suecica
Su 111, 43. ΑΖι I 103, 80 sed cf Lnd 164.)

ὀροφὴ τῦ σμήνυς Ζυ40. 624 ᵃ6.

ὄροφος. 1. coni κάλαμος θρυαλλίς f 252. 1524 ᵇ36. (fort
Saccharum Ravennae L. cf Fraas 298, 270.) — 2. ἐξελεῖν
τὸν ὄροφον τῆς οἰκίας f 73. 1488 ᵃ30, 18. καταπιέζεται ὁ
ὄροφος φτβ3. 824 ᵇ32.

ὀρροπύγιον v ὑροπύγιον.

ὀρροπυγόστιχτος f 282. 1528 ᵃ23.

ὀρρός. πᾶν γάλα ἔχει ἰχῶρα ὑδατώδη, ὃ καλεῖται ὀρρός (v l
ὁρός), serum lactis Ζιγ20. 521 ᵇ27. τὸ γάλα διακρίνεται
εἰς ὀρρὸν ἢ πυτίαν μδ3. 381 ᵃ7 Ideler. χωρίζεται ὁ ὀρρὸς
ἢ ὁ τυρὸς μδ7. 384 ᵃ22. ὁ ὀρρὸς μᾶλλον ὕδατος, πήγνυται
γὰρ ψυχρῷ μδ5. 382 ᵇ13. 10. 389 ᵃ10. 7. 384 ᵃ14, 20.

ὀρσοδάκναι. αἱ ὀρσοδάκναι (v l ὀρεοδάκναι) γίνονται ἐκ τῶν
σκωλήκων μεταβαλλόντων Ζιε19. 552 ᵃ30. (oreodagne vers
Thomae. mordelle C II 515. unde appellatae S I 354.
Chrysomela oleracea St. Cr. Haltica oleracea K 684, 1.
Su 197, 8. fort Lixus Phellandri ΑΖι I 169, 39. cf M 225.)

ὀρτυγομήτρα. ὅταν ἐντεῦθεν ἀπαίρωσιν (οἱ ὄρτυγες), ἥ τε
γλωττὶς συναπαίρει ἢ ἡ ὀρτυγομήτρα ἢ ὁ ὠτὸς ἢ ὁ κύγ-
χραμος· παραπλήσιος τὴν μορφὴν τοῖς λιμναίοις ἐστὶ Ζιθ12.
597 ᵇ16, 19 Aub. (matrix Gazae. rallus terrestris Fride-
rico II, de arte venandi I 9, 14. caille-mere C II 151. cf
S I 624. Rallus crex et aquaticus Belon de la nat des
oiseaux IV 19. Rallus crex Gesner s h v. St. Cr. K 883, 4.
Su 144, 120. Crex pratensis ΑΖι I 103, 81. cf Lnd 128.)

ὀρτυγοτροφεῖον πι12. 892 ᵃ11.

ὄρτυξ. refertur inter τὰ ἐκτοπίζοντα ἢ σχιδανόποδα f 269.
1526 ᵇ40. (ὄρτυγας τὰς στενόποδας φ6. 810 ᵃ23, duce
Gesnero de av 317, 22 lege ὄρνιθας τὰς στεγανόποδας Bsm
praef I.) ὑ πτητικοὶ Ζιθ12. 597 ᵇ11. ι8. 613 ᵇ7. ζ1. 559
ᵃ1. cf S II 69. βαρεῖς, πολὺ τὸ σῶμα Ζιθ12. 597 ᵇ13,14.
ι8. 613 ᵇ7. τὰ πτερὰ ποῖα φ2. 806 ᵇ14. μεταβάλλει τὸ
χρῶμα χ6. 798 ᵃ27. (ὦτὶς ἔχει) χρῶμα ὄρτυγος φ275.
1527 ᵇ17. — πρὸς τοῖς ἐντέροις τὴν χολὴν ἔχει· ἔχει τε
στόμαχυ τὸ πλατὺ κάτω· ἔχει ἢ πρόλοβον ἢ πρὸ τῆς γα-
στρὸς τὸν στόμαχον εὐρὺν ἢ πλάτος ἔχοντα· διέχει δ' ὁ
πρόλοβος τῦ πρὸ τῆς γαστρὸς στομάχυ συχνὸν ὡς κατὰ
μέγεθος Ζιβ15. 506 ᵇ21. 17. 509 ᵃ1, 13 Aub. πότε συν-
διάζονταί τε ἢ εὐημερῶσιν, opp χαλεπῶς ἔχυσι Ζιθ12.
597 ᵇ10. ὅτυ σφόδρα ἐπτόηνται περὶ τὴν ὀχείαν, ὥστ' εἰς
τὰς θηρεύοντας ἐμπίπτυσιν ἢ πολλάκις καθιζάνυσιν ἐπὶ τὰς
κεφαλάς Ζυ8. 614 ᵃ26 Aub. νεοττεύυσιν ἐπὶ τῆς γῆς· ὑ
ποιῦντι νεοττίαισ· νεοττιὰν ὑ ποιεῖ ἀλλὰ κονίστραν, ἢ ταύ-
την σκεπάζει φρυγάνοις διὰ τὰς ἱέρακας, ἐν ᾗ ἐπωάζει·
τίκτει ἐν τῇ γῇ, ἐπηλυγαζομένη ὑλην Ζυ8. 614 ᵃ31, 613 ᵇ6.
ζ1. 559 ᵃ1 Aub. f 269. 1526 ᵇ42. ὑκ ἐν τῷ αὐτῷ τίκτυσι
ἢ ἐπωάζυσιν ἢ ἀναπαύονται ὑφ' ἑαυτῆς ἐχόμενοι τῆς νεοτ-
τᾶς Ζυ8. 613 ᵇ15, 14. οἱ ἄρρενες πῶς μάχονται, μαχόμενος
φθέγγεται, οἱ ἄρρενες μᾶλλον ᾄδυσιν αἱ δὲ θήλειαι ὑκ ᾄδυ-
σιν, βοῶντες πέτονται Ζυ8. 614 ᵃ6. δ9. 536 ᵃ26, 31. θ12.
597 ᵇ14, cf Sturz de voc an II, 13. migratio Ζιθ12. 597
ᵃ5, 23, ᵇ5, 9-17. ὅτι δένδρα ἢ καθίζυσιν, ἀλλ' ἐπὶ τῆς
γῆς Ζυ9. 614 ᵃ34. πιότεροι τῦ φθινοπώρυ μᾶλλον ἢ τῦ
ἔαρος Ζιθ12. 597 ᵃ26 Scaliger (cf S II 466). ὁ ὑοσκύαμος
ἢ ὁ ἐλλέβορος τροφὴ τοῖς ὄρτυξι φτα5. 820 ᵇ6. οἱ θηρεύ-
οντες πότε ἐπιχειρῦσι Ζιθ12. 597 ᵇ12 Aub. ὁ ἱέραξ τὴν τῦ
ὄρτυγος καρδίαν ἢ κατεσθίει Ζυ11. 615 ᵃ6. f 269. 1526
ᵇ43. (hodie ὄρτιχι, ὀρτύκιον. caille C II 150. Tetrao cotur-
nix St. Cr. Coturnix communis Su 141, 113. Ortygion co-
turnix ΑΖι I 103, 82. ΚαΖι 85, 34. cf E 49-51. Lnd 115.)

ὀρύγματα ἢ φρέατα Ζγε1. 780 ᵇ21.

ὄρυζα. τοῖς δὲ μὴ πίνυσι ῥίζαν ἐψήσαντες ἐν ἐλαίῳ διδόασιν
Ζιθ26. 605 ᵇ4 (οἶνον ὀρύζης ἐψήσαντες ci S I 671 Bsm, Pik,
τύλαιον ῥίζαν ἐψήσαντες ci Aub).

ὄρυξ. μονόκερων ἢ διχαλὸν ὄρυξ Ζιβ1. 499 ᵇ20. ἔστι δὲ ἢ
μονοκέρατα, οἷον ὅ τε ὄρυξ ἢ ὁ Ἰνδικὸς καλύμενος ὄνος·
ἔστι δ' ὁ μὲν ὄρυξ διχαλὸν Ζμγ2. 663 ᵃ23. (oryx Aldro-
vandi de quadrup solidungulis 1623, 181 et quadrup

omnium bisulcorum hist 1642 p 762. Antilope leucoryx
Wiegmann 38. St. Cr. K 458. F 288, 7. KaZι 61, 21. Su
64, 46. Lewysohn Zool des Talmud 28, 114. cf Rose Ar
libr ord 210. in incert rel C II 583. AZι I 74, 39.)

ὄρυξις. πλατὺ ῥύγχος πρὸς τὴν ὄρυξιν χρήσιμον Ζμδ´12. 5
693 ª16.

ὀρύττειν βόθρον φυτῷ Μδ´10. 1025 ª16. ἔλαφος βόθρας
ὀρύττει Ζιε33. 558 ª8. cf ζ 29. 579 ª1. sine obiecto, βό-
νασος ὀρύττει ὥσπερ ταῦρος Ζιι45. 630 ᵇ5. ἐὰν ὀρύξῃ τις
παρὰ τὴν θάλατταν πκγ21. 933 ᵇ33. 38. 935 ᵇ3. -- ἰχθύες 10
τινὲς εὑρίσκονται ὀρυττόμενοι αν 9. 475 ᵇ12 (cf Langkavel,
Ztschr f Gymn XVI 887). — ὀρυκτός. τὰ ὀρικτά, dist
τὰ μεταλλευτά μγ6. 378 ª20. Ideler II 327. ὀρυκτοὶ ἅλες
θ134. 844 ª12, ἰχθῦς θ73. 835 ᵇ16.

ὀρφανικοὶ οἶκοι οβ1349 ᵇ16. — ἐπιμελεῖσθαι κοινῶν χ ξενι- 15
κῶν χ ὀρφανικῶν Πβ8. 1268 ª14.

ὀρφανός. ἐπιτροπῆς ὀρφανῶν δίκαι f 381. 1541 ᵇ9.

Ὀρφεύς. ἐν τοῖς καλυμένοις Ὀρφέως ἔπεσιν Ζγβ1. 734 ª19.
ὐκ εἶναι Ὀρφέως τὰ ἔπη f 9. 1475 ª42, 46. cf Bz ad MA3.
983 ᵇ28. ἐπίγραμμα ἐπὶ Ὀρφέως f 596. 1577 ª21. 20

Ὀρφικὰ ἔπη καλύμενα ψα5. 410 ᵇ28. Bernays Dial p 96.
ἐν τοῖς Ὀρφικοῖς (f VI, 11 sqq) ὐ κακῶς λέγεται κ 7. 401
ª27.

ὀρφνῖνος. ἐλάττονος τῦ φωτὸς προσβάλλοντος τὰ πτερώματα
ζοφερὸν χρῶμα ἔχει, ὃ καλῦσιν ὀρφνῖον χ 2. 792 ª27. τὸ 25
καλύμενον ὀρφνῖον εὐανθέστερον γίνεται τῶν μελάνων ἢ τῶν
λευκῶν χ4. 794 ᵇ5. cf Plat Tim 68 C.

ὀρφὼς ν ὀρφῶς.

ὀρφῶς (in textu Bk Ζιε10. 543 ᵇ1, reliquis locis ὀρφός.
'duce S I 286, 626, 632 etiam invitis codd sequendam esse 30
duxi scripturam atticam quam exhibent codd optimi' Bsm
praef IV). refertur inter τὰς σαρκοφάγας, τὰς προσγείας
Ζιθ2. 591 ª11. θ13. 598 ª10. φωλεῖ, ταχὺ ἐκ μικρῦ γί-
νεται μέγας Ζιθ15. 599 ᵇ6. ε10. 543 ᵇ1. f 308. 1530 ᵇ27.
(orfi, tencha vers Thomae. cernua Gazae. hodie ὀρφός i q 35
Polyprion cernuus Cw E 87, 13; in Morea i q Serranus
gigas Cw Bory de St Vincent VI 183. II 270. III 24.
Orphus C II 579. fort Scorpaena porcus Cr. Labrus an-
thias K 647, 1. fort Polyprion cernuus AZι I 137, 53. cf
Rose Ar Ps 313, 42.) 40

ὀρχεῖσθαι χ ᾄδειν Ρβ24. 1401 ᵇ26. τὰς ἵππας ἐθίσαι πρὸς
αὐλὸν ὀρχεῖσθαι f 541. 1567 ᵇ29.

ὄρχησις. ἀναπαύει μέριμναν Πθ5. 1339 ª21, 18. ἡ ὄρχησις
ἑτέρα τῷ ἑτέρα μιμεῖσθαι πο2. 1448 ª9.

ὀρχηστής. οἱ ὀρχησταὶ μιμῦνται αὐτῷ τῷ ῥυθμῷ χωρὶς ἁρ- 45
μονίας πο1. 1447 ª27. — ὀρχησταί, coni φιλόκυβοι, γα-
λεαγκῶνες φδ. 808 ª32.

ὀρχηστικὸν μέτρον, dist πρακτικόν πο24. 1460 ª1. ποίησις
σατυρικὴ χ ὀρχηστικωτέρα πο4. 1449 ª23.

ὀρχήστρα. ὅταν ἀχυρωθῶσιν αἱ ὀρχήστραι, ἧττον οἱ χοροὶ 50
γεγωνασιν πια25. 901 ᵇ30.

ὀρχηστρίδες (Spgl, ὀρχηστριάδες Bk) γεη13. 1246 ª35.

ὀρχίλος (S II 6, Bsm, Lob Prol 115, AZι II 496 in addi-
tam. ὄρχιλος Bk). γλαὺξ χ ὀρχίλος πολέμια Ζιι1. 609 ª12.
(orchile C II 576. Charadrius minor K 943, 10. St. Cr. 55
Troglodytes europaeus Gesner de av s h v. Su 114, 54.
in incert rel AZι I 103, 83.)

ὄρχις (Philippson ὔλη 59). τῦ μὲν θήλεος αἱ καλύμεναι ὑστέ-
ραι, τῦ δ᾽ ἄρρενος τὰ περὶ τὰς ὄρχεις χ τὰς περινέυς ἐν
πᾶσι τοῖς ἐναίμοις Ζγα2. 716 ª33. cf 3. 716 ᵇ13. Lewes 60
340. οἱ ὄρχεις τοῖς ἄρρεσιν δύο πᾶσιν Ζγα3. 716 ᵇ33. τῦ

αἰδοίυ ὑποκάτω ὄρχεις δύο, τῇ αἰδοίῳ ἐξήρτηνται, ἡ ἐξάρ-
τησις ἡ πρὸς τὴν κοιλίαν χ τὸν τόπον συνεχῆ τίνα διαφορὰν
ἔχει Ζια13. 493 ª32. 17. 497 ª28. γι. 509 ᵇ11. ὑπομόχλιοι
γίνονται πὸ23. 879 ª17. — testiculorum partes. a. epidi-
dymis: κεφαλὴ ἑκατέρα τῦ ὄρχεος, κεφαλαὶ τῶν ὄρχεων,
πόροι πυκνότεροι χ νευρωδέστεροι, syn καθήκοντες. b. cauda
epididymidis et initium vasis deferentis: πόρος ἀνακάμπτων
ἐν τῷ ἐσχάτῳ ὄρχει πρὸς τὴν κεφαλὴν τῦ ὄρχεως, ὑμένι
περιειλημμένος. c. vasa deferentia usque ad partem pro-
staticam urethrae: ἀπὸ τῆς κεφαλῆς συνάπτοντες εἰς ταὐτό,
εἰς τὸ πρόσθεν ἐπὶ τὸ αἰδοῖον, εἰς τὸν καυλόν. d. arteriae
spermaticae: πόροι φλεβικοὶ ἐκ τῆς ἀορτῆς. e. venae sper-
maticae: ἄλλοι ἀπὸ τῶν νεφρῶν δύο Ζιγ1. 510 ª14 - 35.
f. αἱ ῥίζαι τῶν ὄρχεων Ζιι50. 632 ª17. g. τὸ ὄπισθεν τῶν
ὄρχεων πὸ23. 879 ª16. h. scrotum: τὸ πέριξ δέρμα, ὃ
καλεῖται ὄσχεος Ζια13. 493 ª32 v h v. — anatom. οἱ ὄρχεις
ὗτε ταὐτὸ σαρκὶ ὗτε πόρρω σαρκός Ζια13. 493 ª33. ἡ τῶν
ὄρχεων φύσις προσήρτηται πρὸς τὰς σπερματικὰς πόρυς,
ὅθεν εἰσὶ μόριον τῶν πόρων οἱ ὄρχεις ἀλλὰ πρόσκεινται Ζγε7.
787 ᵇ26. α4. 717 ª35. τὸ μὲν εἰς τὰς ὄρχεις φέρει τῶν
τρημάτων, vasa deferentia· ἀπὸ τῆς μεγάλης φλεβὸς τεί-
νυσι πόροι εἰς ἑκάτερον τῶν ὄρχεων Ζια17. 497 ª26. γι.
509 ᵇ35. sententiae Diog Apolloniat, Polybi, Syennes Ζιγ2.
511 ᵇ28, 512 ᵇ2, 4. 3. 512 ᵇ21. — 1. quibusdam anima-
libus quales sint, quanam in parte. τῶν ζῴων τὰ μὲν
ἔχει ὄρχεις τὰ δ᾽ ὐκ ἔχει Ζγα7. 718 ª26. τῶν ἐναίμων τὰ
μὲν ἔχει ὄρχεις τὰ δ᾽ ὅλως ὐ τοιαύτυς πόρυς· ἔχει τὰ περὶ τὰς
ὄρχεις ᾧ ὁμοίως πᾶσι τοῖς ἐναίμοις ζῴοις Ζγα2. 716 ª34.
3. 716 ᵇ14. οἱ ὄρχεις ἐν πᾶσι τοῖς πεζοῖς χ ζῳοτόκοις πῶς
ἔχυσι Ζιγ1. 510 ª13 - ᵇ5. Ζγα6. 718 ª11. πάντα πρὸς τῷ
τέλει τῆς γαστρός Ζιι50. 631 ᵇ25. — a. τὰ ζῳοτόκα πάντα
ἐν τῷ ἔμπροσθεν ἔχει τὰς ὄρχεις ἀλλ᾽ εἶτα μᾶλλον πρὸς
τῷ τέλει τῆς γαστρός, οἷον ὁ δελφὶς Ζγα3. 716 ᵇ26. τῶν
ἐν τῷ ἔμπροσθεν ἐχόντων τὰς ὄρχεις οἱ μὲν ἐντὸς ἔχυσι
πρὸς τῇ γαστρί, οἷον ὁ δελφίς· οἱ μὲν ⟨ἐντὸς ci Aub⟩
ἔχυσι καθ᾽ αὑτὰς τὰς ὄρχεις· τὰ δὲ τῶν ἐντὸς ἐχόντων
πρὸς τῇ γαστρὶ ἔχει οἷον ὁ δελφὶς ᾧ ἐλέφας Ζιγ1. 510 ª8,
11, 509 ᵇ9. Ζιι50. 631 ᵇ24. δελφίνες τὰς ὄρχεις ἔχυσι
κεκρυμμένυς ὑπὸ τὸ περὶ τὴν γαστέρα κύτος· διὰ τίν᾽ αἰτίαν
ὁ ἐλέφας χ ὁ ἐχῖνος ἔχυσιν ἐντός· ἐλέφας ἔχει τὰς ὄρχεις
ἐντὸς περὶ τὰς νεφρὰς Ζγα13. 720 ª34. 12. 719 ᵇ16. Ζιγ1.
509 ᵇ9. β1. 500 ᵇ8. — b. τὰ ζῳοτόκα ᾧ πεζὰ τὰ μὲν
πλεῖστα ἐκτός, τὰ δὲ φανερῶς ἔχει, οἱ δ᾽ ἐκτὸς ἐν τῷ φα-
νερῷ πρὸς τῷ τέλει τῆς γαστρος, οἱ δ᾽ ἐν τῇ καλυμένῃ
ὀσχέα ὅσοι ἔξωθεν· τοῖς δ᾽ ἀφεῖται (τὸ αἰδοῖον) καθάπερ χ
οἱ ὄρχεις· ὅσοις ἐν φανερῷ εἰσὶν οἱ ὄρχεις ἔχυσι σκέπην
δερματικὴν τὴν καλυμένην ὀσχέαν Ζιι50. 631 ᵇ25. γι. 509
ᵇ11. 1. 510 ª8, 12. Ζγα12. 719 ª4, 35. 5. 717 ᵇ23, 32. 4.
717 ᵇ12. — τὰ δ᾽ ἔξω, χ τύτων τὰ μὲν ἀπηρτημένα
ὥσπερ ἄνθρωπος, τὰ δὲ πρὸς τῇ ἕδρα καθάπερ οἱ ὕες· τὰ
δὲ πρὸς τῇ γαστρί· τὰ μὲν ἀπολελυμένα τὰ δ᾽ ἐντὸς εἰλημμένα
ὥσπερ ἄνθρωπος· τοῖς μὲν (κάπροις) ἐκ τῦ ὄπισθεν συνεχεῖς
χ ὐκ ἀπηρτημένοι εἰσίν, τοῖς δ᾽ (ἀνθρώποις) ἀπηρτημένοι
Ζγα3. 716 ᵇ28. Ζιβ1. 500 ᵇ4, 3. γι. 509 ᵇ13. — c. τὰ
ἄλλα πάντα ὅσα ᾠοτοκεῖ πόδας ἔχοντα τὰς ὄρχεις ἐντὸς
ἔχει· τῦτο δ᾽, ἐντὸς δ᾽ ἔχειν τὰς ὄρχεις ἐχόντων τὰ
μὲν πρὸς τῇ ὀσφύι ἔχει περὶ τὸν τῶν νεφρῶν τόπον, τὰ δὲ
πρὸς τῇ γαστρὶ τὰ ἐντός· ὅσα ᾠοτοκεῖ ἢ δίποδα ὄντα τὰ
τετράποδα πάντ᾽ ἔχει ὄρχεις πρὸς τῇ ὀσφύι κάτωθεν τῦ
διαζώματος, τὰ μὲν λευκοτέρυς τὰ δ᾽ ὠχροτέρυς, λεπτοῖς
πάμπαν φλεβίοις περιεχομένυς Ζιε5. 541 ª1. γι. 509 ª33, ᵇ24.

τοῖς ἐντὸς ἔχουσι τὰς ὄρχεις εὐθὺς ἐρηρεισμένοι εἰσὶν ἅμα τοῖς πόροις, ᾧ τοῖς ἐκτὸς δ' ὁμοίως Ζγα13. 720 ᵃ31. cf 12. 719 ᵇ9. 5. 717 ᵇ33. 4. 717 ᵇ11. — d. πάντες οἱ ὄρνιθες ὄρχεις ἔχουσι μέν, ἐντὸς δ' ἔχουσιν, ἔχουσιν ἐντὸς πρὸς τῇ ὀσφύϊ, ἔχουσιν ἀνεσπασμένας τὰς ὄρχεις ἐντός· τὰ δ' ὄρχεις 5 ἔχει ἐντὸς πρὸς τῇ ὀσφύϊ κατὰ τὴν τῶν νεφρῶν χώραν, οἷον οἱ ὄρνιθες Ζμδ12. 695 ᵃ26. Ζιγ1. 509 ᵇ6. ε5. 540 ᵇ33. ι50. 631 ᵇ22. Ζγδ 5. 774 ᵃ9, 12. α3. 716 ᵇ18. — περὶ τὰς ὀχείας πολὺ μείζους ἴσχουσιν οἱ ὄρνιθες τὰς ὄρχεις Ζγα4. 717 ᵇ8, 11. cf Ζιγ1. 509 ᵇ31. ζ9. 564 ᵇ10. ὅσα τῶν ὀρνέων καθ' 10 ὥραν μίαν ὀχεύει, ὅταν ὁ χρόνος οὗτος παρέλθῃ, οὕτω μικρὰς ἔχουσιν ὥστε σχεδὸν ἀδήλους εἶναι Ζγα4. 717 ᵇ9. πρὶν μὲν ὀχεύειν οἱ μὲν μικρὰς οἱ δὲ πάμπαν ἀδήλους ἔχουσιν, ὅταν δὲ ὀχεύωσι σφόδρα μεγάλας ἴσχουσιν Ζιγ1. 510 ᵃ3. cf ζ11. 566 ᵃ11. — e. ἐντὸς ἔχει τὰς ὄρχεις ᾧ τὰ ᾠοτόκα τετρά- 15 ποδα τῶν δεχομένων τὸν ἀέρα ᾧ πλεύμονα ἐχόντων, τὰ ᾠοτόκα τῶν τετραπόδων πρὸς τῇ ὀσφύϊ, τῶν τετραπόδων ὅσα ᾠοτοκεῖ οἷον σαῦρα ᾧ χελώνη ᾧ κροκόδειλος, κροκό- δειλος ᵘᵈ᾿ ὄρχεις ἔξω φανερὰς ἀλλ᾿ ἐντὸς Ζγ3. 716 ᵇ23. Ζιι50. 631 ᵇ22. γ1. 509 ᵇ7. β10. 503 ᵃ6. — 2. quibusdam 20 animalibus desunt; talibus quid testium vice sit. τὰ μὲν ὅλως τῶν ζῴων ἐναίμων οὐκ ἔχει ὄρχεις Ζιγ1. 509 ᵃ31. Ζγα4. 717 ᵃ24. 13. 720 ᵃ26. cf 7. 718 ᵃ26. 2. 716 ᵃ34. ὄρχεις οὐδεὶς ἔχει ἰχθύος οὔτ᾿ ἐκτὸς οὔτ᾿ ἐντός, οὐδ᾿ ἄλλο τι τῶν ἀπόδων οὐδέν, διὸ οὐδ᾿ οἱ ὄφεις Ζμδ13. 697 ᵃ9. cf Ζγα4. 25 717 ᵃ18. τῶν ἰχθύων οὐθεὶς ὄρχεις ἔχει οὐδὲ τὸ τῶν ὄφεων γένος ἅπαν, οὐδ᾿ ὅλως ἄπουν οὐδέν, ὅσα μὴ ζῳοτοκεῖ ἐν αὐτοῖς Ζιγ1. 509 ᵇ3. cf β13. 504 ᵇ18. 17. 508 ᵃ12, 13. γ1. 509 ᵇ15, 16. ε5. 540 ᵇ29. Ζγα3. 716 ᵇ15. 6. 718 ᵃ9. 7. 718 ᵃ18. δ 1. 765 ᵃ33. — his omnibus πόρος natura attribuit. v πό- 30 ρος. — physiologica. τίνος ἕνεκα ἡ τῶν ὄρχεων σύστασις, ὑπολαμβάνουσί τινες αὐτὰς τῷ πόρῳ εἶναι σύναμμα πολ- λῶν ἀρχῶν Ζγα4. 717 ᵃ14, 29 (cf Galen IV 575, 556, 558, 561). ε7. 788 ᵃ10. ἡ γονὴ (ἀποκρίνεται) εἰς ὄρχεις ᾧ αἰδοῖα πδ 26. 879 ᵇ5. λέγουσί τινες ὡς τὸν δεξιὸν ὄρχιν ἀπο- 35 δησαμένοις ἢ τὸν ἀριστερὸν συμβαίνει τοῖς ὀχεύουσιν ἀρρενοτο- κεῖν ᾧ θηλυτοκεῖν Ζγδ1. 765 ᵃ23. cf Hippocr ed Littré I 349. hanc sententiam Ar refutat Galen IV 633. cf XVII B 211. οἱ ὄρχεις καθίενται μᾶλλον ἐν τῷ θέρει ἢ ἐν τῷ χειμῶνι πδ 25. 879 ᵃ29. in pubertate τοῖς ἄρρεσιν ἐπιδη- 40 λότερον περὶ τὰς ὄρχεις Ζγα20. 728 ᵇ29. ἔνιοτε οἴονται ᵘᵈ᾿ ἔχειν τὰ χειμαινόμενα ὄρχεις τὰς φάττας ᾧ τὰς πέρδικας Ζιγ1. 510 ᵃ7. cf ᵃ3. εἰ ἐπίστασις ἐγίγνετο τοῖς ὄφεσι περὶ τὰς ὄρχεις, ἐψύχετ᾿ ἂν ἡ γονὴ διὰ τὴν βραδύτητα Ζγα7. 718 ᵃ21, cf S Theophr IV 140. — οἱ ἐκτεμνόμενοι, testium 45 vitia. ἐκτέμνονται τῶν ζῴων ὅσα ἔχει ὄρχεις, οἱ ἐκτεμνό- μενοι τὸν ἕτερον Ζιι50. 631 ᵇ21. Ζγδ1. 765 ᵃ25. δια- φθείρουσιν οἱ μὲν ἔτι νέων ὄντων τρίβων, οἱ δὲ ὕστερον ἐκτέμνοντες· ὕες, δαμάλαι Ζιγ1. 510 ᵇ2. ι50. 632 ᵃ24, 16. ζ28. 578 ᵇ4. ἀφαιρουμένων τῶν ὄρχεων ἀνίεται ἡ τάσις τῶν 50 πόρων· ἀποτεινομένων ᾧ ἀφαιρουμένων τῶν ὄρχεων αὐτῶν ἀνασπῶνται οἱ πόροι ἄνω Ζγε7. 788 ᵃ3. Ζιγ1. 510 ᵇ1. cf Ζγα4. 717 ᵇ12. δ 5. 774 ᵃ9, 12. ἀκμάζουσι ᾧ ἀνδρωμένοις δίϊσταται (ὁ πόρος ὁ πρῶτος) ὥσπερ ᾧ ἐπὶ τὰς πόρας· τοῖς φοβουμένοις συσπᾶται ἡ ὀσχέα τοῦ αἰδοίου ἄνω ᾧ συνεφέλ- 55 κονται ᾧ οἱ ὄρχεις συστελλόμεναι πια34. 903 ᵃ35. χ ζ11. 949 ᵃ17. τὰ περὶ τὰς ὄρχεις ἀλγήματα, κνησμὸς ὑῶν Ζιγ3. 512 ᵇ25. ζ28. 578 ᵇ4. ἵππων ὁ ὄρχις ἄλλεται ὁ δεξιὸς Ζι524. 604 ᵃ27. — ἄλλα ζῷα ὅμοια αἰδοίῳ ἀνδρὸς τό τε εἶδος ᾧ τὸ μέγεθος, πλὴν ἀντὶ τῶν ὄρχεων πτερύγια δύο 60 Ζιδ7. 532 ᵇ24. fort Pennatulae sp. — pro φλέβες εἰς τὸν

ὄρχιν (Bk) legendum est ἀρχόν (v l Pik Aub) Ζιγ3. 512 ᵇ31 et addendum s v ἀρχός p 114 ᵃ16.

Ὀρχομενός, πεδίον ἑλῶδες πκ32, 926 ᵇ5. περὶ τὸν Ὀρχο- μενόν Ζιθ28. 605 ᵇ31. — Ὀρχομενίων πολιτεία f 524. 525, πόλις θ99. 838 ᵇ3. θεοὶ Ὀρχομενίοις προσέταξαν θάψαι τὰ Ἡσιόδου λείψανα f 524. 1564 ᵃ5. ἀχάνη μέτρον Ὀρχο- μένιον f 525. 1564 ᵇ25.

ὅς, ἥ, ὅ. pronomen relativum demonstrativam vim in iisdem formulis atque apud alios scriptores, ᾧ ἐφ᾿ ᾧ ᾧ Ar habet atque apud alios scriptores, ᾧ ᾧ ἔφη Pγ18. 1419 ᵃ33. ἃ μὲν ... τὰ δέ Αγ6. 74 ᵇ7. ᾧ μὲν ... ᾧ δέ Αγ8. 75 ᵇ29. ἐφ᾿ ᾧ μὲν ... ἐφ᾿ ᾧ δέ Ηβ8. 1109 ᵃ1. ἃ μὲν ... ἃ δέ κ4. 395 ᵇ4. οἷς μὲν ... οἷς δέ χ6. 799 ᵃ17. — ἔστιν ᾧ καλοῦσι προβλὴς Πδ14. 1298 ᵇ28. — pronomen relativum, ubi etiam interrogativum usurpari poterat, δηλώσας ὃς ἦν π ο 11. 1452 ᵃ26. — for- mae pronominis relativi inserviunt circumscribendis notio- nibus abstractis, τὸ οὗ ἕνεκα v ἕνεκα. τὸ οὗ ἕνεκα διττόν, τὸ μὲν ᾧ, τὸ δὲ ᾧ ψβ4. 415 ᵇ2, 3, 21. ἐν τῷ περὶ ᾧ Γα5. 320 ᵃ11, 26. addita particula ποτέ pronomini relativo ἀοριστίας notam adiungit, ὅς ποτε, ὃ ποτε ὂν cf ποτέ. ὃς δή ποτε, ὃν δή ποτε Μν2. 1090 ᵃ6, neutrum coniunctim scriptum exhibetur, ὃ γάρ ἐσθ᾿ ὁτιοῦν εἰς τὸ αὐτὸ ἑκάτερον ἐννοεῖν ὁδήποτε Ηι6. 1167 ᵃ35. μέμνηται ὅτι τρίτην ἡμέραν ὁδήποτε ἐποίησεν π2. 453 ᵃ1. οὐ μόνον τῷ αἰσθητῷ κινου- μένῳ φαίνεται ἀδήποτε εν2. 460 ᵇ24. ὅτε διδάξειεν ἀδήποτε Ηι1. 1164 ᵃ25.

ὅσα πλάσιον πκα22. 929 ᵇ14.

ὁσαχῶς Μδ7. 1017 ᵃ23. 17. 1022 ᵃ11 al.

ὁσημέραι τὴν βωλὴν συνάγουσιν f 394. 1543 ᵇ9. 395. 1543 ᵇ32.

ὅσιον προτιμᾷν τὴν ἀλήθειαν Ηα4. 1096 ᵃ16. τὸ ὅσιον ᾧ τὸ μὴ περὶ τὴν ἄμβλωσιν Πη16. 1335 ᵇ25. ἐκκλησία περὶ ἱερῶν ᾧ ὁσίων f 394. 1543 ᵇ21. — ὁσίως ἔχειν πρὸς θεούς ρ39. 1446 ᵃ39. οὐχ ὁσίως παραβὰς μακάρων θέμιν ἁγνὴν f 624. 1583 ᵃ26.

ὁσιότης ἀκολουθεῖ τῇ δικαιοσύνη αρ5. 1250 ᵇ23.

ὀσμᾶσθαι. τὸ ὀσμᾶσθαι τί ἐστι ψβ12. 424 ᵇ16, 17. ὅσα ἀναπνεῖ, ἀδύνατει ὀσμᾶσθαι μὴ ἀναπνέοντα ψβ7. 419 ᵇ 9. 421 ᵇ15. ὀσμᾶται ᾧ τὰ ἐν τῷ ὕδατι αι5. 443 ᵃ31. πῶς ὀσμᾶται τὰ μὴ ἀναπνέοντα αι5. 444 ᵇ15-30. φαύλως ἄν- θρωπος ὀσμᾶται ᾧ πρὸς ἡδέος αἰσθάνεται τῶν ὀσφραντῶν ἄνευ τῇ λυπηρῷ ἢ τῷ ἡδέος ψβ9. 421 ᵃ11. — ὀσμᾶσθαι c gen τῇ ἄρρενος, τῶν αἰδοίων Ζγγ1. 751 ᵃ15. Ζιε5. 541 ᵃ25. τῇ παρδάλεως τὰ θηρία ἡδέως ὀσμᾶται πιγ4. 907 ᵇ37.

ὀσμή. περὶ ὀσμῆς ψβ9. αι5. Ζμβ10. Ζγε2. cf ὀσφραίνεσθα. ὀσφρησις. ὀσφρησίς ἐστιν ᾧ αἴσθησις ὀσμῆς Ζια11. 492 ᵇ14 ἔχειν ὀσμῆς αἴσθησιν Ζιθ8: 533 ᵃ16. αἰσθάνεται τῶν ὀσμῶ τὸ τῶν ὀσμῶν αἰσθητήριον Ζμβ16. 659 ᵇ17. δ6. 682 ᵇ36 ἐν ὀσφρήσει φθείρει ἡ ἰσχυρὰ ὀσμή ψγ2. 426 ᵇ2. ἐκ τῇ ἰσχυρῶν ὀσμῶν οὐχ οἷόν τε ὀσμᾶσθαι ψγ4. 429 ᵇ2. δεῖ ἀνά λογον εἶναι τὰς ὀσμὰς τοῖς χυμοῖς αι5. 443 ᵇ4. 4. 440 ᵇ5 ὅπερ ἐν τῷ ὕδατι ὁ χυμός, τῦτ᾿ ἐν τῷ ἀέρι ᾧ ὕδατι ὀσμή αι5. 443 ᵇ14. ἢ ἐν ὑγρῷ τῇ ἐγχύμῳ ξηρῷ φύσις ὀσμή αι5. 443 ᵃ7. ἡ τῆς ὀσμῆς δύναμις θερμὴ τὴν φύσιν ἐστίν αι5. 444 ᵃ24. πιβ12. 907 ᵇ9. ἡ ὀσμὴ τῇ ξηρῷ, ὥσπε ὁ χυμὸς τῷ ὑγρῷ ψβ9. 422 ᵃ6. δοκεῖ ἐνίοις ᾧ καπνώδης σα θυμίασις εἶναι ὀσμή αι5. 443 ᵃ21. 2. 438 ᵇ24. πια10. 90 ᵃ29. γ5. 908 ᵃ21. περὶ ἐγκέφαλον περαίνειν ἡ ὀσμὴ αἴ σθησιν ποιεῖ πιγ5. 908 ᵃ27. καταχέχρηται ἡ φύσις τῇ ἀνα πνοῇ ὡς ἔργῳ ἐπὶ τὴν εἰς τὸν θώρακα βοήθειαν, ὡς παρέργῳ ἐπὶ τὴν ὀσμήν αι5. 444 ᵃ27. πι18. 892 ᵇ23. διὰ τί ὀ θρωπος ἀναπνέων ὀσμᾶται, μὴ ἀναπνέων δὲ ὔ; πῶς ἔχει τῶν ἄλλων ζώων ἡ ὀσμή ψβ9. 421 ᵇ13-422 ᵃ6. ὃ τρέφεται ζῷα ταῖς ὀσμαῖς αι5. 445 ᵃ17-29. ἡ (τροφὴ) ἀπὸ τῆς ὀσμῆς τῆς καθ᾽ αὑτὴν εὐώδης ὁπωσῦν ἔχυσιν ὠφέλιμος ὡς εἰπεῖν ἀεί αι5. 444 ᵃ18. ὀσμὴ πᾶσα βαρύνει κεφαλήν πγ13. 873 ᵃ2. ὀσμαὶ ἡδεῖαι κ̣ λυπηραὶ κατὰ συμβεβηκός, καθ᾽ αὑτὰς αι5. 443 ᵇ20-444 ᵃ8. αἱ περὶ τὴν ὀσμὴν ἡδοναί, ἐπιθυμίαι Ηγ13. 1118 ᵃ9. Ραl1. 1370 ᵃ24. ηεγ2. 1231 ᵃ6. ὀσμὴ τῷ πηγάνῳ πολεμία τοῖς ὄφεσι Ζιι6. 612 ᵃ29. τῆς ὀσμῆς ἥκιστα ἀκριβὴς αἴσθησις ἀνθρώπῳ ψβ9. 421 ᵃ10sqq. αι4. 440 ᵇ31. — διαφέρειν ὀσμαῖς κ̣ χυμοῖς κ̣ χρώμασιν μδ10. 388 ᵃ12. ὥσπερ χυμὸς ὁ μὲν γλυκὺς ὁ δὲ πικρός, ὕτω κ̣ ὀσμαί ψβ9. 421 ᵃ27. ὀσμαὶ δριμεῖαι, γλυκεῖαι, αὐστηραί, στρυφναί, λιπαραί, σαπραί, ὀξεῖαι αι5. 443 ᵇ9. ψβ9. 421 ᵃ30. ὀσμαὶ εὐώδεις, εὐωδέστεραι, δυσώδεις, δυ-σωδέστεραι, κακωδέστεραι αι5. 444 ᵃ18, 445 ᵃ3. πβ13. 867 ᵇ11. κ33. 926 ᵇ19. δ12. 877 ᵇ24, 25. ιβ2. 906 ᵃ30. 9. 907 ᵃ24. ὀσμὴ βαρεῖα, βαρυτάτη Ζιϑ5. 594 ᵇ26. f 327. 1532 ᵇ18. ὀσμὴ δυσοσμοτέρα κ̣ βαρυτέρα πιγ10. 908 ᵇ30. ὀσμὴ ἀμιγεστέρα πιβ4. 907 ᵃ1. ὀσμὴ λύχνυ ἀποσβεννυμένη Ζιϑ24. 604 ᵇ30. ὀσμὴ μήλων, ῥόδων, θυμιαμάτων, ὄψων, βρωμάτων αl, πηγάνυ Ηγ13. 1118 ᵃ10 sqq. Ζιι6. 612 ᵃ29. ταριχηραὶ Ζιϑ8. 534 ᵃ19. ὀσμὴ ἰσχυρὰ κ̣ ὀρητικὴ πιγ6. 908 ᵇ2. τὰ ἔχοντα, τὰ μὴ ἔχοντα ὀσμήν αι5. 443 ᵃ9. ἔλαιον κ̣ οἶνος ταχέως λαμβάνει τὰς τῶν πλησίον ὀσμάς εν2. 460 ᵃ29. — ὀσμῇ dubium est an significet τὴν τῆς ὀσμῆς αἴσθησιν αι5. 444 ᵃ27, coll πr7. 473 ᵃ25.

ὀσμύλη. refertur inter τὰ μαλάκια f 288. 1528 ᵇ20. cf S I 185. Rose Ar Ps 300. v ὀζολις.

ὀσμῦλος piscis, v l ΖιL17. 570 ᵇ20 (μόρμυρος Bk). ὀσμῦλος τῶν μαλακίων, cf Rose Ar Ps 300. S I 185.

ὀσμώδης. ὀσμώδεις ἡδονὴ μᾶλλον λίτρα, ὀσμώδη τὰ ξύλα, ὁ χαλκὸς κ̣ σίδηρος αι5. 443 ᵃ13, 16, 18.

ὅσος. 1. de quantitate. ἀμύθητον ὅσον διαφέρει Πβ5. 1263 ᵃ40. — ὅσῳ τῆς ἡγεμονικωτέρου τὸ ἔμπροσθεν τῷ ὄπισθεν, τοσούτῳ κ̣ ἡ μεγάλη φλὲψ τῆς ἀορτῆς Ζμγ5. 667 ᵇ35. saepius τοσούτῳ om, ὅσῳ ἂν μᾶλλον τὴν ἀρετὴν ἔχη, μᾶλλον λυπηθήσεται sim Ηγ12. 1117 ᵇ10. 5. 1112 ᵇ5. μᾶλλον, ὅσῳ τιμιωτέρα sim Ηα13. 1102 ᵃ20. θ7. 1158 ᵃ2 Fr. 14. 1162 ᵃ11. ι3. 1165 ᵇ12 Fr. κ7. 1177 ᵃ33. μάλιστα δεή-σονται φιλοσοφίας, ὅσῳ μᾶλλον σχολάζυσιν Πη13. 1334 ᵃ33. sed interdum in membro relativo comparationis gra-dus non significatur, χείρυς δ᾽, ὅσῳ ὒ δι᾽ αἰδῶ ἀλλὰ διὰ φόβον αὐτὸ δρῶσιν Ηγ11. 1116 ᵃ31. χείρυς δ᾽, ὅσῳ ἀξίωμα ὐδὲν ἔχυσιν Ηγ11. 1117 ᵃ24. κ̣ μᾶλλον, ὅσῳ ἀν ἀκρατο-τέρα ποτιώσιν πγ5. 871 ᵃ27. δῆλον ὅτι τὸν ποιητὴν μᾶλλον τῶν μύθων εἶναι δεῖ ποιητὴν ἢ τῶν μέτρων, ὅσῳ ποιητὴς κατὰ τὴν μίμησίν ἐστι, μιμεῖται δὲ τὰς πράξεις πο9. 1451 ᵇ28. μάλιστα εὐσθενεῖν (scr εὐθενεῖν), ὅσῳ ἡ τέφρα πυκνὴ ἐπιρρεῖ πκ18. 925 ᵃ4. — ὅσον παραδείγματος χάριν εἴπωμεν Ραθ. 51 1366 ᵃ32. ἁπλῶς κ̣ ὅσον νόμυ χάριν (σκεπτέον) Μμ1. 1076 ᵃ27, Bernays Dial p 150. κέρκος μικρὰ τὸ ὅλον, ὅσον σημεία χάριν Ζιβ8. 502 ᵇ22 (cf ὥσπερ σημεία χάριν Ζιι5. 611 ᵃ31. Ζμγ7. 669 ᵇ29). ὅσον ἐπὶ δύο ἢ τρεῖς στίχυς κύκλῳ Ζυ40. 624 ᵃ11. θεωρία ἢ μόνον ὅσον τὸ ζῷα συντείνυσα Ζκ2. 698 ᵇ11. ὅσον περιπταμένη περὶ τὸ πλοῖον ἀφανίζεται εὐθὺς Ζιε9. 542 ᵇ23. ὅσον ἀψάμενοι χαίρειν ἐῶσιν Φβ8. 198 ᵇ15. — ὅσον c inf, τοσαύτη τῷ λόγῳ χρῆσίς ἐστιν ὅσον αὐξῆσαι Ραl5. 1376 ᵃ34. γl4. 1415 ᵇ8. — ὅσος τις i q πόσος τις. τὸ τε πλῆθος ἀνθρώπων, πόσυς τε κ̣ ποίυς τινὰς ὑπάρχειν δεῖ, κ̣ κατὰ τὴν χώραν ὡσαύτως, ὅσην τε 60

εἶναι κ̣ ποίαν τινὰ ταύτην Πη4. 1326 ᵃ7. — 2. plur ὅσοι, ὅσα de indefinita multitudine. ὅσα ἄλλα τοιαῦτα, usitata enumerandi conclusio, veluti χρυσὸς κ̣ ἄργυρος κ̣ ὅσα ἄλλα τοιαῦτα μδ8. 384 ᵇ32, 385 ᵃ6 al, etiam ubi alius casus praecedit, veluti τοῖς εὐγενέσι κ̣ τοῖς ἐνδόξοις κ̣ ὅσα τοι-αῦτα Ηδ5. 1122 ᵇ32. Ζμγ5. 668 ᵃ24. — membra a pron ὅσα exorsa interdum liberius cum universa enunciatione coniuncta sunt, ὅσα δ᾽ ἐν πλείοσι περαίνεται, τῇ τῷ μέσυ θέσει γνωρίζυμεν τὸ σχῆμα Αα32. 47 ᵇ13. cf 45. 50 ᵇ5. τβ3. 110 ᵇ16 sqq. ὐκ ἐν ἅπαντι σώματι τὸ ἔμπροσθεν κ̣ ὄπισθεν ζητητέον, ἀλλ᾽ ὅσα ἔχει κινήσεως ἀρχὴν ἐν αὑτοῖς Οβ2. 284 ᵇ32. cf Ζμβ3. 650 ᵃ16. 7. 653 ᵃ18. Wz ad Αα46. 52 ᵃ29.

ὁσοσδή. ὁσονὺν Ζιδ21. 603 ᵇ5. ὁσωνὒν ΠΒ6. 1265 ᵃ41.

ὁσοσπερ. τοσαῦται ὅσαιπερ Πδ3. 1290 ᵃ11. 4. 1290 ᵇ36. πάντα ὅσαπερ Μδ6. 1017 ᵃ1. Ζια16. 495 ᵃ22. γ9. 517 ᵃ30. οἱ ἄλλοι ὅσοιπερ Ζγγ1. 749 ᵃ24. γίγνονται ἄγονοι, ὅσοιπερ ἂν κ̣ ἥβης στερηθῶσιν Ζιγ11. 518 ᵇ3.

ὅσπερ. ὁ αὐτὸς ὅσπερ (ὥσπερ Wz e cod A) Αα14. 33 ᵃ9. κατὰ τὸν αὐτὸν λόγον, ὅνπερ ἔχυσιν sim Ηε7. 1131 ᵇ30. Ζμα5. 645 ᵇ9. δ13. 695 ᵇ11. τὸ ὅλον πρὸς τὸ ὅλον ὅτι ἑκάτερον πρὸς ἑκάτερον Ηε7. 1131 ᵇ14. cf 8. 1133 ᵃ22. τῦτον τὸν τρόπον νέυσιν ὄφεις, ὅνπερ ἐπὶ τῆς γῆς ἕρπυσιν Ζμδ13. 696 ᵃ9. ὅπερ ἐν ταῖς μικραῖς πυρκαϊαῖς φαίνεται, τῦτο κ̣ τότε ἐγίγνετο μγ1. 371 ᵇ2. ὅπερ κ̣ συμβαίνει. ὅπερ γὰρ συμβέβηκεν, ὅταν συνέλθῃ, περὶ ὕ 7. 1131 ᵇ18. Ζμβ3. 650 ᵃ29. Πε6. 1305 ᵇ36, 1306 ᵃ9, 15, 29 al. ὅπερ καὶ Ζμα1. 641 ᵇ6. β9. 655 ᵃ21. δ6. 683 ᵃ29. 13. 696 ᵃ11 al. ὅπερ ὒ εἴρηται, ὅπερ γὰρ εἴπομεν sim Ηι2. 1165 ᵃ2, 12. 3. 1165 ᵇ6. 5. 1167 ᵃ2. ὁ ἥλιος, ὅσπερ μάλιστα δοκεῖ θερμός, ad 3. 341 ᵃ35. ὃ χρῆται κέρασιν ὅτ᾽ ἀμυνόμενον ὅτε πρὸς τὸ κρατεῖν, ἅπερ ἰσχύος ἐστὶν ἔργα Ζμγ2. 662 ᵇ30. εἴη ἂν ἅμα κεκαμμένον κ̣ εὐθύ, ὅπερ ἀδύνατον μδ9. 386 ᵃ4. πείθυσι δι᾽ ἐνθυμημάτων, ὅπερ ἐστὶ συλλογισμός Αγ1. 71 ᵃ11. ἢ ἔστιν ὅσπερ ἐστὶν Ηδ3. 1156 ᵃ17. — ὅπερ adverb Ζμβ3. 679 ᵃ2. — logice usurpatur ὅπερ, ut cir-cumscribatur unice id, quod ipsa res est, τὸ τί ἐστι, se-cludantur accidentia, τὸ λευκὸν τῷ ἀνθρώπῳ συμβέβηκεν, ὅτι ἔστι μὲν λευκὸς ἀλλ᾽ ὐχ ὅπερ λευκόν Μγ4. 1007 ᵃ33. cf Ζ4. 1030 ᵃ4. τῷ θερμῷ potest quidem συμβεβηκέναι ut sit ὑγρὸν vel ξηρόν, sed ὔτε τὸ θερμὸν ὅπερ ὑγρὸν ἢ ὅπερ ξηρόν, ὔτε τὸ ὑγρὸν ὅπερ θερμὸν ἢ ὅπερ ψυχρόν Γβ2. 330 ᵃ26. ὅπερ, opp συμβεβηκός, syn ὐσία Αγ4. 73 ᵇ8, 9. Μγ4. 1007 ᵃ33, 31. Φα3. 186 ᵃ34 sqq. ac quoniam τὸ γένος βύλεται τὸ τί ἐστι σημαίνειν κ̣ πρῶτον ὑποτίθεται τῶν ἐν τῷ ὁρισμῷ λεγομένων τζ5. 142 ᵇ27, ὅπερ plerumque ei nomini praeponitur, quod tamquam genus de specie vel de individuo praedicatur, εἰ μηδὲν διαφέρει τὸ ὑπόληπτον τῷ δοξαστῷ, μὴ εἶναι γένος ἢ μὴ εἶναι ὅπερ ὑπόληπτόν τι τὸ δοξαστόν, ταὐτό γένος τὸ σημαινόμενον Αα39. 49 ᵇ7. ἢ κινῶν ὐχ ὅπερ λευκόν, διόπερ ὒ γένος τὸ λευκὸν τῆς χιόνος τὸ 1. 120 ᵇ23. ὅπερ, syn γένος τγ1. 116 ᵃ23-28. δ2. 122 ᵇ26, 123 ᵃ2, 1. 4. 124 ᵃ18, ᵇ8, 10, 20, 18, 125 ᵃ28, 31. 5. 126 ᵃ21, 24. 6. 128 ᵃ35, 34. Αα38. 49 ᵃ18 Wz. Ηεl4. 1153 ᵇ6. ζ4. 1140 ᵃ7 al. sed usus pronominis ὅπερ non his in-cluditur finibus, ut τὸ γένος significet (quod contendit Wz l l), sed quemadmodum τὸ τί ἐστιν et ὐσία etiam ipsam rei notionem substantialem significat, ita ad eandem ὅπερ refertur. id manifestum est ubi plene usurpatur for-mula αὐτὸ ὅπερ ἐστίν, τῷ ὃ ὅπερ ἔστιν est Κ5. 3 ᵇ36. 7. 6 ᵃ39. 8. 11 ᵃ25, 26. 10. 11 ᵇ26, 28, 29. τζ4. 141 ᵃ35, 37. Μϑ15.

1021 ᵃ28. αὐτὰ ἅπερ ἐστὶν Κ7. 6 ᵃ36. 10. 11 ᵇ24, 34. sed etiam brevior et elliptica dictionis forma ad ipsam rei notionem substantialem refertur, ἡ μὲν ἐπιστήμη ὅπερ ἄνθρωπός ἐστιν, ἡ δὲ δόξα ἀνθρώπῳ μέν, μὴ ὅπερ δ᾽ ἄνθρωπον Αγ33. 89 ᵃ35. ὅπερ τόδε τι ἐστὶ τὸ τί ἦν εἶναι Μζ4. 1030 ᵃ3. τὰ μὲν οὐσίαν σημαίνοντα ὅπερ ἐκεῖνο ἢ ὅπερ ἐκεῖνό τι σημαίνει Αγ22. 83 ᵃ24, ubi quidem ὅπερ ἐκεῖνο notionem substantialem, ὅπερ ἐκεῖνό τι genus significat, cuius aliqua species (τι) id subiectum est, de quo praedicatur. cf Philopon ad Anal post f 53: εἰ μὲν πρὸς τὸν ὁριστικὸν ἀπίδω λόγον, ὅπερ τὸ κατηγορούμενόν ἐστι, τῆτό ἐστι χ̣ τὸ ὑποκείμενον· εἰ μέντοι ὡς γένος ἢ εἶδος τὸ κατηγορούμενον θεωρήσω, ὅπερ τί ἐστι ζῷον ἢ ὅπερ τὶς ἄνθρωπός ἐστιν ὁ Σωκράτης Sch 228 ᵃ20. ubi per ὅπερ genus significatur, accuratius τι addi videtur, ὡς μὲν δὴ γένη ἀλλήλων ὐκ ἀντικατηγορηθήσεται· ἔσται γὰρ αὐτὸ ὅπερ αὐτό τι Αγ22. 83 ᵇ9. cf Αα39. 49 ᵇ7. 8. 30 ᵃ12. γ22. 83 ᵃ7 Wz, 14, 25, 27, 29. Ηζ4. 1140 ᵃ7. η14. 1153 ᵇ6. Bz ad Μγ2. 1003 ᵇ33. — ὄν, dist ὅπερ ὄν Φα3. 186 ᵃ33-ᵇ35. ὅσα μὴ ἔχει ὕλην μήτε νοητὴν μήτε αἰσθητήν, εὐθὺς ὅπερ ἔν τι Μη6. 1045 ᵇ1. ὅσα ἐστὶν ὅπερ εἶναί τι ᾗ ἐνεργείᾳ, περὶ ταῦτα ᾧκ ἔστιν ἀπατηθῆναι ἀλλ᾽ ἢ νοεῖν ᾖ μή Μθ10. 1051 ᵇ30. — ὅπερ ἀνθρώπῳ εἶναι, ὅπερ ζῴῳ εἶναι Μγ4. 1007 ᵃ22-29.

ὄσπριον. σκώληκες ἐν τοῖς ὀσπρίοις Ζιε19. 552 ᵃ20.

Ὄσσα χ1. 391 ᵃ21.

ὀστέινος. ὀδόντες ὀστέινοι Ζια11. 493 ᵃ2. cf Lob Phryn 262.

ὀστεογενὲς ὁ μυελός (Plat) τζ2. 140 ᵃ5.

ὄστινος. τοῖς ὄρνισιν ἀντὶ ὀδόντων τὸ ῥύγχος ὄστινον (v l ὀστίκόν) Ζμδ12. 692 ᵇ18. cf ὀστέινος.

ὅστις. ποιεῖν ὅ τι ἂν θελήωσιν Πε7. 1307 ᵃ37. ὅ τι χ̣ ἄξιον εἰπεῖν Πβ11. 1272 ᵇ32 al. — ὅστις ubi ὅσπερ exspectes, ἄνεμος, ὅστις ἅμα χ̣ πνεῦμα λέγεται χ4. 394 ᵇ9. — ὅστις i q ὁστισῃ̂ν· ὁ γὰρ μαθὼν ὅ τι μάθημα φ1. 806 ᵃ17.

ὁστισδήποτε. ἀνθρώπῳ ἢ ἵππῳ ἢ ὁτῳδήποτε μτ2. 464 ᵇ15.

ὁστιςῃ̂ν. τῶν πενήτων ὁστιςῃ̂ν Πδ9. 1294 ᵇ29 al. τῶν ζῴων ὁτιῆν Ζγβ1. 733 ᵇ24 al. ἴσοι ὁτιῆν ὄντες οἴονται ἁπλῶς ἴσοι εἶναι Πε1. 1301 ᵃ29 (cf ἄνισοι ὅ τι ᵃ31). ὁτιῆν, syn τὸ τυχόν Φα5. 188 ᵃ34. σάρκα χ̣ ὀστῆν χ̣ ὁτιῆν μδ1. 379 ᵃ7. τῆς ἕξεως ἢ τῆ ἐναντίᾳ ἢ ὁτῳῆν τζ9. 147 ᵇ27. ὑτινοσῆν Ζμα5. 645 ᵃ31. ὀτιῆν Ζμα4. 644 ᵃ32 al. — ὄντινα γὰρ ᾖν Ηχ10. 1180 ᵇ25.

ὀστῆν (forma non contracta ὀστέα πν5. 483 ᵇ31). τὸ τῶν ὀστῶν γένος Ζμβ9. 654 ᵇ29, opp ὄνυχες ὁπλαί κτλ. ἐστὶν ἄλλα γένη μορίων Ζιγ9. 517 ᵃ6. cf Ζμβ9. 655 ᵇ2. δ11. 691 ᵃ19. τὸ τῶν ὀστῶν γένος Ζιγ7. 516 ᵃ26. τὰ ἀλλὰ μόρια τῶν ὀστῶν, Knochenpartien Ζιγ7. 516 ᵇ24 Ka. emendavit Aub. refertur inter τὰ ὁμοιομερῆ, τὰ ξηρὰ χ̣ στερεὰ τῶν ὁμοιομερῶν μδ8. 385 ᵃ8. Ζιγ2. 511 ᵇ6. α1. 486 ᵃ14. Ζγβ4. 740 ᵇ17. α18. 722 ᵃ17. Ζμβ2. 647 ᵇ16, ὅσα ἁπλῶς γῆς, ὅσα γῆς μᾶλλον ψα5. 410 ᵇ1. γ13. 435 ᵃ24. μδ10. 389 ᵃ12, τὰ τῆ ἀπτικῇ χάριν ὄντα Ζμβ8. 653 ᵇ31, τὰ μόρια Ζμα5. 645 ᵃ29. Ζγα18. 723 ᵃ21, τὰ ὄργανα Ζκ7. 701 ᵇ8. — ἡ τῶν ὀστῶν φύσις Ζκ7. 701 ᵇ8. descr Ζμβ3. Ζιγ7. cf Plat Tim 73 B, E. τί ἐστιν Ζμα1. 642 ᵃ20. Ζγβ1. 734 ᵇ34. ψα5. 409 ᵇ32. cf ΜΑ10. 993 ᵃ17. τζ14. 151 ᵃ23. — ὀστῶν διαφοραί. σκληρὰ Ζμβ8. 653 ᵇ33. 9. 655 ᵃ15. cf Ζιγ11. 517 ᵇ26. στερεὰ Ζια1. 487 ᵃ7. γ7. 516 ᵇ10. θραυστὰ Ζιγ9. 517 ᵃ10. Ζγβ6. 743 ᵇ5. ἰσχυρά, μαλακὰ Ζμβ6. 651 ᵇ37, 652 ᵃ10. φ3. 807 ᵃ33. ἄτρητα, τρητά, κοῖλα Ζιγ7. 516 ᵃ26. 20. 521 ᵇ11. λεπτότατα, ἀσθενέστατα, ἀσθενέστερα Ζγε5. 785 ᵃ12. Ζια16.

495 ᵃ10. Ζμβ9. 655 ᵃ18. ἀραιά, μαλακὰ Ζια7. 491 ᵇ1. Ζγβ6. 744 ᵃ26. ἀκανθώδη, χονδρώδη Ζμβ9. 655 ᵃ20, 29. Ζιζ12. 567 ᵃ9. — ὖ χάριν, τῶν σαρκῶν ἕνεκεν, ἐρείσματος χάριν Ζμβ9. 654 ᵇ4, 28. γ4. 666 ᵇ20. ἡ τῶν ὀστῶν φύσις σωτηρίας ἕνεκεν μεμηχάνηται μαλακή, σκληρὰ τὴν φύσιν ἦσα Ζμβ8. 653 ᵇ33. ὑπεστιν ὀστᾶ τοῖς σαρκώδεσι μορίοις, τοῖς μὲν κινουμένοις διὰ κάμψιν τῆτε χάριν, τοῖς δ᾽ ἀκινήτοις φυλακῆς ἕνεκεν Ζμβ9. 654 ᵇ33. τὴν τῶν ὀστῶν φύσιν σκεπτέον ἢ πρὸς κίνησιν ἢ πρὸς ἔρεισμα χ̣ πρὸς τὸ στέγειν χ̣ περιέχειν πν7. ὖ τὸν αὐτὸν λόγον ἡ μῖξις τῶν στοιχείων καθ᾽ ἣν σὰρξ χ̣ καθ᾽ ἣν ὀστῆν ψα4. 408 ᵃ15. τζ14. 151 ᵃ26. ᾧκ ἔχει ὑγρότητα πιγ4. 908 ᵃ10. ἐκ πυρὸς μὲν τοιούτων σάρκες χ̣ ὀστᾶ συνεστᾶσιν, ἄλυτά ἐστι τὰ ὀστᾶ ὑπὸ τῆ πυρός, τὰ ὀστᾶ πυρὶ ἄτηκτα Ζγα18. 722 ᵃ34. β6. 743 ᵃ19. γ11. 762 ᵃ31, καυστὰ μδ9. 378 ᵃ18, cf ᵇ1. ὀστῶν ὐδὲν καμπτῶν ὐδὲ σχιστὸν ἀλλὰ θραυστὸν Ζιγ9. 517 ᵃ10. κόπος γίνεται ὀστῶν θλωμένων χ̣ πιεζομένων χ̣ πυσπιωμένων πε7. 881 ᵃ13, cf 26. ἡ σκληρότης τῶν ὀστῶν Ζιγ11. 517 ᵇ26. ἔνεστιν ἐν τοῖς ζῳοτόκοις πολλὰ τῶν ὀστῶν χονδρώδη (ὖς, μυκτήρ) Ζμβ9. 655 ᵃ29. τὰ δ᾽ ὀστᾶ λευκὰ ἐγένοντο (Emp 213) ψα5. 410 ᵃ3, 6. cf Ζιγ9. 517 ᵃ19. ᾖ δυσώδη ἐστίν πιγ4. 908 ᵃ9. — τὰ ὀστᾶ τῶν περιττωμάτων Ζγβ6. 744 ᵇ24. πλγ18. 963 ᵇ13. ἡ τῶν ὀστῶν φύσις ἐν τῇ πρώτῃ συστάσει γίνεται τῶν μορίων ἐκ τῆς σπερματικῆς περιττώσεως, ὑπὸ τῆς ἐντὸς θερμότητος τὰ ὀστᾶ γίνεται ξηραινομένης τῆς ὑγρότητος Ζγβ6. 744 ᵇ28, 37, 743 ᵃ8. ἡ τροφὴ τοῖς ὀστοῖς Ζμβ6. 652 ᵃ12. cf Ζγβ6. 745 ᵇ7. τίς ἡ τῆ ὀστῆ τροφή πν6. 484 ᵃ24. μέχρι τινὸς λαμβάνει τὴν αὔξησιν, συμφθίνει τῷ σώματι χ̣ τοῖς μέρεσιν τὰ ὀστᾶ, opp αὐξάνονται αἱ τρίχες χ̣ ὀδόντες Ζγβ6. 745 ᵃ5, 6, 16. ἐκ τῆς τροφῆς ἐμπεριλαμβανομένης γίνεται τὰ ὀστᾶ Ζμβ6. 652 ᵃ5. εἰ ἀπὸ τῆ νεύρα τὸ ὀστῆν τρέφεται, εἴη ἂν ὐδὲν ἧττον ἀπὸ τῆ ὀστῆ ἡ τροφή· αὐτοῖς δ᾽ ἀπὸ τῆ νεύρα τοῖς ὀστοῖς μᾶλλον ἢ τροφή· τὰ νεῦρα ἀπὸ τῆ ὀστῆ τρέφεσθαι πν6. 484 ᵃ31, 20, 16. τὸ λεγόμενον τῆ σπέρματος τὸ εἶναι ὀστῆν Ζγα18. 723 ᵃ22. φυόμενον ἐστὶ τὸ ὀστῆν Ζγε8. 789 ᵃ15. — τὰ περὶ τὰ ὀστᾶ ἔναιμα, σάρξ μεταξὺ τῆ δέρματος χ̣ τῆ ὀστῆ, περὶ τὰ ὀστᾶ αἱ σάρκες περιπεφύκασι Ζιγ19. 521 ᵃ2. 16. 519 ᵇ28. Ζμβ9. 654 ᵇ27. τὰ νεῦρα διεσπασμένα περὶ τὰ ἄρθρα χ̣ τὰς τῶν ὀστῶν ἐστι κάμψεις Ζιγ5. 515 ᵇ4. φλεψ τελευτᾷ πρὸς τὰς καμπὰς τῶν ὀστῶν, φλέβες καθάπτησιν εἰς τὸ ὀστῆν Ζιγ5. 515 ᵃ32. 4. 514 ᵇ30. περὶ ἕκαστον τῶν ὀστῶν ὁ ὑμὴν Ζιγ13. 519 ᵃ19. χ̣ ἐν ὀστῶν ἐστιν αὐτὸ καθ᾽ αὐτὸ ὐδὲν ὐδὲν Ζμβ9. 654 ᵃ34. τὰ ὀστᾶ ζητεῖ τὴν τῆ νεύρα φύσιν, νεῦρα ἐκ τῶν ὀστῶν ἠρτημένα Ζγε7. 787 ᵇ19. πν6. 484 ᵃ18. — τὴν τῶν ὀστῶν ἀνάγκη φύσιν ὑπάρχειν τοῖς ζῴοις Ζμβ6. 652 ᵃ2. τὰ ἔχοντα ὀστᾶ, osteozoa Ζιγ7. 516 ᵃ11. 16. 519 ᵇ30. Ζγβ6. 745 ᵃ24 al. τῶν ἐναίμων ᾖ πεζῶν ζῳοτόκα ὀστᾶ, ὖ πολὺ διαφέρει τὰ ὀστᾶ, ἀλλὰ κατ᾽ ἀναλογίαν μόνον σκληρότητι χ̣ μαλακότητι χ̣ μεγέθει Ζιγ7. 516 ᵇ4 Aub, 28. τὰ ζῳοτόκα παραπλησίαν ἔχει τὴν τῶν ὀστῶν δύναμιν χ̣ ἰσχυράν· τοῖς ζῳοτόκοις σκληρὰ ἡ φύσις τῶν ὀστῶν Ζμβ9. 655 ᵃ5, 15. — ἀρχὴ τῶν ὀστῶν ἡ καλουμένη ῥάχις, ἀφ᾽ ἧς συνεχὴς ἡ τῶν ἄλλων ὀστῶν φύσις Ζμβ9. 654 ᵇ11. τὰ ὀστᾶ τοῖς ζῴοις ἀφ᾽ ἑνὸς πάντα συνηρτημένα ἐστὶ χ̣ συνεχὴ ἀλλήλοις Ζιγ7. 516 ᵃ8, cf Lauth hist de l'anatomie 61. excepta spina dorsali τὰ ἄλλα μόρια τῶν ὀστῶν (τῶν ἄλλων μορίων τὰ ὀστᾶ ci Aub) ἐνίοις μέν ἐστιν ἐνίοις δ᾽ ᾧκ ἔστιν Ζιγ7. 516 ᵇ24. τὸ τῆς κεφαλῆς ὀστῆν, σύγκειται ἡ κεφαλὴ ᾧκ ἐκ τεττάρων ὀστῶν ἀλλ᾽ ἐξ ἕξ Ζιγ7. 516 ᵃ13, 21.

ἀπὸ τῆς κεφαλῆς αἱ σιαγόνες τείνωσιν ὀστᾶ, τὸ ὀστῶν τῆς σιαγόνος, ἡ εὐρυχωρία τῷ ὀστῷ Ζιγ7. 516 ᵃ23. Ζγε8. 789 ᵃ1, 13, 20. τὸ δέρμα ἐν τῇ κεφαλῇ ἀσαρκότατον πρὸς τὸ ὀστῶν· τῶν ὑμένων τῶν περὶ τὸν ἐγκέφαλον ὁ περὶ τὸ ὀστῶν ἰσχυρότερος ᴋ παχύτερος· ἐγκέφαλον ὑμένες δύο περιέχυσιν, 5 ὁ περὶ τὸ ὀστῶν ἰσχυρότερος Ζιγ11. 517 ᵇ33. 13. 519 ᵇ3. a 16. 494 ᵇ30. ἔστι τὸ κρανίον ἅπαν ἀραιὸν ὀστῶν Ζια7. 491 ᵇ1. βρέγμα· λεπτότατον ᴋ ἀσθενέστατον ὀστῶν τῆς κεφαλῆς, τελευταῖον τῶν ἐν τῷ σώματι πήγνυται ὀστῶν, μαλακὸν ἔστι τῦτο τὸ ὀστῶν τῶν ἐμβρύων Ζια16. 495 ᵃ10. 10 7. 491 ᵃ33. Ζγβ6. 744 ᵃ24, 26. τοῖς ἄλλοις ζῴοις ὐδεμία διαφορὰ τῶν ὀστῶν, ἀλλὰ πάντα τετελεσμένα γίνεται· τοῖς δὲ παιδίοις τὸ βρέγμα μαλακὸν Ζιη10. 587 ᵇ12. δίκόρυφοι ὐ τῷ ὀστῷ ἀλλὰ τῇ τῶν τριχῶν λισσώσει Ζια7. 491 ᵇ7. σύνθεσις ὀστῶν, arcus superciliaris Ζμβ15. 658 ᵇ19. οἱ 15 ὀδόντες κατὰ τὴν τῶν ὀστῶν εἰσὶ φύσιν Ζιγ9. 517 ᵃ17. cf Ζγβ6. 745 ᵃ19, ᵇ3, ἐκ τῆς εἰς τὰ ὀστᾶ διαδιδομένης τροφῆς γίνονται, ἐκ τῶν ὀστῶν εἰσίν, ὐ συμπεφύκασι τοῖς ὀστοῖς, αὐξάνονται διὰ βία μόνον τῶν ἄλλων ὀστῶν Ζγβ6. 745 ᵇ7, ᵃ24, 25. τὸ τῶν ὀδόντων γένος ὀστῶν τῇ μὲν ἄτρη- 20 τον τῇ δὲ τρητόν, ᴋ ἀδύνατον γλιφεσθαι τῶν ὀστῶν μόνον Ζιγ7. 516 ᵃ26. ᴋ τῶν μελάνων ἀνθρώπων οἱ ὀδόντες λευκοὶ ᴋ τὰ ὀστᾶ Ζιγ3. 517 ᵃ19. τὰ τῶν κώλων ὀστᾶ Ζμβ9. 654 ᵇ17. τὰ ἐν τοῖς ὤμοις ὀστᾶ, τὰ τῶν βραχιόνων, τὰ ἐν ταῖς χερσίν, τὰ τῶν σκελῶν, τὰ ἐν τοῖς ποσίν Ζιγ7. 25 516 ᵃ32, 33, 36, ᵇ3. τὰ μὲν ἔχει μυελὸν τὰ δ' ὐκ ἔχει τῶν ἐν τῷ αὐτῷ ζῴῳ ὀστῶν· τὰ κοῖλα περιέχει τὸν μυελόν, ὐ πάντα τὰ ὀστᾶ ἔχει μυελὸν ἀλλὰ τὰ κοῖλα Ζιγ7. 516 ᵇ6. 20. 521 ᵇ11. Ζμβ6. 652 ᵃ9. cf de medulla in ossibus cavis Ζιγ7. 516 ᵇ7. 20. 521 ᵇ7. 8. 516 ᵇ36. Ζμβ6. 30 651 ᵇ24, 37, 652 ᵃ10. — τὰ τῷ λέοντος ὀστᾶ Ζιγ20. 521 ᵇ13. 7. 516 ᵇ10. β1. 497 ᵇ16. τὰ ὕεια ὀστᾶ Ζιγ20. 521 ᵇ15. ἰκτίς, γαλῆ ὀστῶν ἔχει τὸ αἰδοῖον Ζιϛ. 612 ᵇ16. β1. 500 ᵇ25, syn αἰδοῖον ὀστῶδες. τοῖς ἵπποις λεπτότατον τὸ ὀστῶν τὸ περὶ τὸν ἐγκέφαλον τῶν ἄλλων Ζγε5. 785 ᵃ12, 35 17. ὀστῶν ἐν τῇ καρδία τίσιν Ζβι15. 516 ᵇ13. Ζμγ4. 666 ᵇ20. Ζγε7. 787 ᵇ18. os frontale cornigerorum, τὸ στερεὸν ἐκ τῶν ὀστῶν Ζιβ1. 500 ᵇ19. γ9. 517 ᵃ22, 28. Ζμγ2. 663 ᵇ18. ὁ δελφὶς ἔχει ὀστῶν ἀλλ' ὐκ ἄκανθαν, ἡ φώκη ἔχει ὀστᾶ χονδρώδη Ζιγ 7. 516 ᵇ12. ζ12. 567 ᵃ9. τοῖς ὀρνισιν ὀστᾶ, ἀσθενέστερα δέ· μικρὸν παραλλάττει Ζμβ9. 655 ᵃ18. 40 Ζιγ7. 516 ᵇ13. ὐδὲν ἔχει ζῴων ὀστῶν περὶ τὴν κοιλίαν Ζιγ7. 516 ᵃ31. — τὸ ἀνάλογον τοῖς ὀστοῖς, οἷον τοῖς ἐνύδροις ἡ ἄκανθα Ζμβ6. 652 ᵃ3. cf ᵃ13. 8. 654 ᵃ25. Ζια1. 486 ᵃ19. γ7. 516 ᵇ14. 16. 519 ᵇ28, 29. Ζγβ6. 745 ᵃ8. Αδ14. 98 ᵃ4 ᵃ22. ἀνάλογον τοῖς ὀστοῖς ὁ χόνδρος, τῆς αὐτῆς φύσεως 45 τοῖς ὀστοῖς, διαφέρει τῷ μᾶλλον ᴋ ἧττον Ζιγ8. 517 ᵃ2, 516 ᵇ32. Ζμβ9. 655 ᵃ32. cf Ζιγ2. 511 ᵇ6. 8. 516 ᵇ33. Ζμβ8. 653 ᵇ35. ὁ χόνδρος ὀστῶν πλγ18. 963 ᵇ14. τὸ ἀνάλογον τὸ σηπίον τὸ ξίφος, τὸ σηπίον μεταξὺ ἀκάνθης ᴋ ὀστῷ Ζμβ8. 654 ᵃ21. Ζια1. 524 ᵇ5. Αδ14. 98 ᵃ22. — 50 τοῖς ὄφεσιν ἀκανθώδης ἡ τῶν ὀστῶν φύσις, τοῖς σελάχεσιν ἀντ' ὀστῷ ὑπάρχει ἡ ῥάχις χονδρώδης Ζμβ9. 655 ᵃ20, ᵇ1. — τὰ ἔντομα ὐτ' ἄκανθαν ἔχωσιν ὐτ' ὀστῶν ὐθ' οἷον σήπιον Ζιδ7. 532 ᵇ1. ἡ τῶν ὀστρακοδέρμων φύσις ἔχει ᴋ τοῖς 55 κέρασι Ζγγ11. 762 ᵃ30. ψιλύμενα τὰ ὀστᾶ τῶν ὑμένων σφακελίζει Ζιγ13. 519 ᵃ5. — ὀστῶν de plantis usurpatum, (τῶν φυτῶν) τινὰ μὲν τὰς φλοιὰς ἔχυσιν ἐκτός, τὴν δὲ σάρκα ἐντός, τινὰ δὲ τὸ ὀστῶν ἐντὸς ᴋ τὴν σάρκα ἐκτός φτα5. 820 ᵃ40. 60

ὀστρακηρός. τὰ ὀστρακηρά iq τὰ ὀστρακόδερμα. πάντα τὰ

ὀστρακηρά, τὰ λιμνόστρεα τῶν ὀστρακηρῶν Ζμδ5. 679 ᵇ12. Ζγγ11. 763 ᵃ30. βραχύβια ᴋ τὰ ὀστρακηρά ᴋ τὰ μαλάκια μκ4. 466 ᵃ8. μήκων Ζμδ5. 679 ᵇ12.

ὀστρακίζειν τὸς ὑπερέχοντας def Πγ13. 1284 ᵃ21. ἐν Ἄργει ᴋ Ἀθήνησιν Πε3. 1302 ᵇ18. coni κτείνειν, φυγαδεύειν Πγ17. 1288 ᵃ25.

ὀστράκιον. ὀστράκια Ζιθ4. 594 ᵃ11. v l Ζμα4. 644 ᵇ10 (ὄστρεια Bk).

ὀστρακισμός. def Πγ13. 1284 ᵃ36. δημοκρατικὸν Πγ13. 1284 ᵃ17. πῶς δίκαιον Πγ13. 1284 ᵇ17, 22. στασιαστικῶς χρῆσθαι τοῖς ὀστρακισμοῖς Πγ13. 1284 ᵇ22.

ὀστρακόδερμος. τῶν καρκίνων οἱ μὲν μαλακόστρακοι οἱ δὲ ὀστρακόδερμοι Ζιθ17. 601 ᵃ18. cf καρκίνος p 366 ᵇ27. τῶν ᾠῶν τὰ μὲν ὀστρακόδερμα τὰ δὲ μαλακόστρακα Ζια1. 489 ᵃ14. ὁ ναυτίλος ἔχει τὸ νῶτον ὀστρακόδερμον f 316. 1531 ᵇ18. — ὀστρακόδερμα ζῷα Ζμβ2. 590 ᵃ19. cf τὰ ὄστρεα ὧν οἱ κήρυκες αἵ τε πορφύραι ᴋ πάνθ' ἁπλῶς τὰ καλύμενα πρὸς Ἀριστοτέλης ὀστρακόδερμα Galen VI 769. τὸ ὄστρακον αὐτοῖς, οἷον περ ἡμῖν τὸ δέρμα ᴋ ἡ προσηγορία δ' ἐντεῦθεν, ὀστρακοδέρμων ἁπάντων τῶν τοιύτων ζῴων ὀνομασθεῖσι, ἐκ τῦ τὸ δέρμα παραπλήσιον αὐτοῖς εἶναι τῷ ὀστράκῳ id I 639. τὸ τῶν ὀστρακοδέρμων γένος Ζιδ8. 534 ᵇ15. Ζγα14. 720 ᵇ6. Ζμβ8. 654 ᵃ2, πᾶν τὸ γένος Ζιθ1. 588 ᵇ16. Ζπ19. 714 ᵇ11, ὅλον τὸ γένος Ζιε15. 546 ᵇ17, syn τὰ ὀστρακόδερμα Ζια8. 491 ᵇ27. δ1. 523 ᵇ9. ει1. 539 ᵃ9. Ζμδ5. 678 ᵃ30, 681 ᵇ1. 7. 683 ᵃ9. 9. 684 ᵇ16. Ζπ19. 714 ᵇ8, 14. Ζγα1. 715 ᵇ17, τῶν ὀστρακοδέρμων ἕκαστον, ἅπαντα τὰ ὀστρακόδερμα Ζμδ5. 679 ᵇ2. 7. 683 ᵇ18. πάντα τὰ ὀστρακόδερμα Ζιθ13. 599 ᵃ10. Ζμδ5. 678 ᵇ11, 680 ᵃ30, 681 ᵇ13. 7. 683 ᵇ23. Ζπ5. 706 ᵃ15. Ζγγ11. 763 ᵃ26 (aliter τὰ ὀστρακόδερμα πᾶσιν Ζιθ28. 606 ᵃ12), syn ὄστρεα Ζγγ11. 761 ᵃ31. Ζιϛ. 490 ᵇ10. cf Oribas I 590. v ὄστρεον p 537 ᵃ23. refertur inter τὰ ἄναιμα Ζγα14. 720 ᵇ2. Ζμβ8. 654 ᵃ2. δ5. 678 ᵃ30. τὰ ἔσχατα τῶν ἀναίμων ζῴων Ζγβ6. 743 ᵇ10. cf M 486. 378, inter τὰ ἄναιμα ᴋ ψυχρὰ τὴν φύσιν Ζγγ11. 761 ᵇ2, 6, τὰ ἔνυδρα πν8. 485 ᵃ21. ἔστι γένη ᴋ εἴδη πολλὰ τῶν ὀστρακοδέρμων Ζμδ5. 679 ᵇ15, cf 681 ᵃ36, veluti Ζγγ11. 761 ᵃ21. Ζμδ5. 680 ᵃ4. Ζιθ1. 588 ᵇ20. 13. 599 ᵃ12. cf M 176. 346. ἀεὶ κατὰ μικρὰν διαφορὰν ἕτερα πρὸ ἑτέρων ἤδη φαίνεται μᾶλλον ζωὴν ἔχοντα ᴋ κίνησιν Ζιθ1. 588 ᵇ22. enumerantur Ζιδ4. 527 ᵇ35. Ζμδ5. 679 ᵇ15, 681 ᵃ6. dist τὰ ἐν τῇ θαλάττῃ, τὰ κινητικά, ἀπολελυμένα, τὰ πορευτικά, opp τὰ ἀκίνητα, ἀκινητίζοντα μόνιμα, μὴ πορευτικὰ ἀνάπλυτα Ζιθ2. 590 ᵃ19, 33. 13. 599 ᵃ11, 12, 15. θ3. 585 ᵃ24. 11. 537 ᵇ24. Ζγα1. 715 ᵇ16. ὐκ ἔστι κινητικά, ἀλλ' ὡς μὲν μόνιμα ᴋ προσπεφυκότα κινητικά, ὡς δὲ πορευτικὰ μόνιμα Ζπ19. 714 ᵇ15. cf Ζιδ6. 531 ᵃ32, τὰ χηριάζοντα Ζιε15. 546 ᵇ26 al. — ἡ τῶν ὀστρακοδέρμων φύσις Ζγγ11. 761 ᵃ28, 762 ᵃ29. τῶν μαλακοστράκων ᴋ τῶν ὀστρακοδέρμων ἡ φύσις συνέστηκε τοῖς μαλακίοις ἀντικειμένως, ὅλως τὰ ὀστρακόδερμα ἔχει τῇ μὲν ὁμοίως τοῖς μαλακοστράκοις τῇ δὲ τοῖς μαλακίοις Ζμδ5. 679 ᵇ31. 9. 684 ᵇ16, 34. μεταξὺ ὄντα τῶν ζῴων ᴋ τῶν φυτῶν, ὡς ἐν ἀμφοτέροις ὄντα τοῖς γένεσιν ὐδετέρων ποιεῖ τὸ ἔργον· παραπλησία ἡ ὐσία τοῖς φυτοῖς· φυτοῖς ἐοίκασι· τοῖς φυτοῖς ἀντίστροφον ἔχει τὴν φύσιν Ζγα3. 731 ᵇ8. 1. 715 ᵇ18. γ11. 761 ᵃ16, 20, 28. Ζιθ1. 588 ᵇ17. — ὐκ ἔστι τὸ σῶμα πολυμερὲς Ζμδ7. cf M 447. τοιαῦτά ἐστι ὧν ἐντὸς μὲν τὸ σαρκῶδές ἐστιν, ἐκτὸς δὲ τὸ στερεόν, θραυστὸν ὂν ᴋ κατακτὸν ἀλλ' ὐ θλαστόν· τὸ σαρκῶδες ἐντός, ἐκτὸς δὲ τὸ γεῶδες· τὴν βοήθειαν ἐκτός, syn τὸ συνέχον ᴋ φυλᾶττον ἐκτὸς τὸ γεῶδες· ἴδιον τῶν ὀστρακοδέρμων τῦτο, (ἔχει) κύκλῳ τὸ ὄστρακον συνηρεφὲς ᚂ κεχαρακωμένον ταῖς ἀκάνθαις Ζιθ 1. 523 ᵇ9. Ζμδ 5. 679 ᵇ29, 30, 33. 9. 684 ᵇ18. β8. 654 ᵃ1, 4. cf Ζιθ1. 588 ᵇ19, 21. Ζγγ11. 762 ᵃ31. κύκλῳ τῦ γεῶδυς σκληρυνομένᵃ ᚂ πηγνυμένᵃ, ἐκ τῆς τοιαύτης 5 (γεῶδυς) συστάσεως ἡ τῶν ὀστρακοδέρμων γίνεται φύσις Ζγγ11. 762 ᵃ28, 29. ἔχει, καθάπερ τὰ φυτά, κάτω τὴν κεφαλήν· τύτυ δ' αἴτιον ὅτι κάτωθεν λαμβάνει τὴν τροφήν· ἔχει κεφαλὴν μὲν πάντα, τὰ δὲ τῦ σώματος μόρια παρὰ τὸ τῆς τροφῆς δεκτικὸν ἀνώνυμα τἆλλα· τὰ μόρια τὰ περὶ 10 τὴν τροφὴν ἀναγκαῖον πᾶσιν ὑπάρχειν· ἐν ὑμένι ἐστί, δι' ᵘ διηθεῖ τὸ πότιμον ᚂ λαμβάνει τὴν τροφήν Ζμδ 7. 683 ᵇ18, 21, 22, 23 (Lewes 327. M 445. ΚαΖμ 145, 4). 5. 681 ᵇ13. ᵘκ ἔχει ὀφθαλμὺς Ζια 8. 491 ᵇ27. ἔχει στόμα τε ᚂ τὸ γλωττοειδὲς ᚂ κοιλίαν ᚂ τῦ περιττώματος τὴν ἔξοδον, δια- 15 φέρει δὲ τῇ θέσει ᚂ τοῖς μεγέθεσιν Ζμδ 5. 679 ᵇ35. τῶν ὀστρακοδέρμων πολλὰ, ἔνια, πάντα, ἐντὸς ἔχει τὸ γλωττοειδὲς μόριον Ζμβ 17. 661 ᵃ17, 21. δ 5. 678 ᵇ11, 21. τὴν γλῶτταν ἔχει τὰ ὀστρακόδερμα πάντα, ᾗ ᚂ γεύεται ᚂ εἰς αὑτὸ τὴν τροφὴν ἀνασπᾷ Ζιθ 7. 532 ᵃ7. intestina, περίτ- 20 τωμα Ζμδ 5. 679 ᵇ2, 681 ᵃ32. μήκων Ζμδ 5. 680 ᵃ21. Ζιθ 4. 529 ᵃ11 (cf supra p 535 ᵇ3). ὑπόποδα διὰ τὸ βάρος πνθ. 485 ᵃ21 (ᵘχ ὑπόποδα cf Bsm Praef XV). — περὶ γενέσεως· τὰ περὶ τὴν γένεσιν τῇ μὲν ὁμοίως τῇ δ' ᵘχ ὁμοίως τοῖς ἄλλοις Ζγγ9. 758 ᵃ28. 11. 761 ᵃ14. ᵘκ ἔστιν ἐν τύτοις 25 τὸ θῆλυ ᚂ τὸ ἄρρεν Ζγα1. 715 ᵇ19. 23. 731 ᵇ10. Ζμδ 11. 537 ᵇ25, 31. ἔτι ἔνια, καθάπερ ἐν τοῖς ὀστρακοδέρμοις ᚂ φυτοῖς τὸ μὲν τίκτον ἐστὶ ᚂ γεννῶν, τὸ δ' ὀχεῦον ᵘκ ἔστιν· ἔστιν ἀνόχευτον μόνον ὡς εἰπεῖν ὅλον τὸ γένος Ζγδ 11. 538 ᵃ18. ε15. 546 ᵇ17. λέγεται κύησις ᚂ τῶν ὀστρακοδέρμων, 30 ἄριστα τῶν καὶ κύᾳ Ζιθ30. 607 ᵇ4, 3. κηριάζει Ζιε15. 546 ᵇ7. ᵘ ᾠὰ Ζμδ 5. 680 ᵃ19. ὅλως ἔν τε τῷ ἔαρι φαίνεται τὰ καλύμενα ᾠὰ ἔχοντα ᚂ ἐν τῷ μετοπώρῳ Ζιε12. 544 ᵃ17. ἡ τῶν ὀστρακοδέρμων συνίσταται φύσις τῶν μὲν αὐτομάτως, ἐνίων δὲ προϊεμένων τινὰ δύναμιν ἀφ' αὐτῶν, πολλάκις δὲ 35 γινομένων ᚂ τύτων ἀπὸ συστάσεως αὐτομάτης Ζγγ11. 761 ᵇ24 (M 460. 98), cf ᵃ18, 26. α14. 720 ᵇ7. 23. 731 ᵇ10 (Oribas I 595). φύονται ἐξ ἰλύος ᚂ συσσήψεως Ζιε15. 546 ᵇ23. τίς ἡ κίνησις, πόθεν κινῦνται, κινεῖται παρὰ φύσιν, ἔνια κινεῖται ᵘκ ἐπὶ τὴν ἕλικην ἀλλ' ἐπὶ τὸ καταντικρύ, ἐπὶ 40 τὸ καταντικρὺ προέρχεται Ζπ19. 714 ᵇ8, 9. 5. 706 ᵃ15. Ζιδ 4. 528 ᵇ9. cf ι37. 621 ᵇ10. πῶς ᚂ τροφὴ πν6. 484 ᵇ2. Ζιδ 2. 590 ᵃ19, 27, 33, ᵇ1. αὔξησις Ζγγ11. 763 ᵃ8, 20. τὸ κύριον τῆς αἰσθήσεως, ἧττον δ' ἐπίδηλον Ζμδ 5. 681 ᵇ32. περὶ αἰσθήσεως τὰ μὲν αὐτῶν ᵘδὲν σημαίνεται τὰ δ' ἀμυδρῶς 45 Ζιθ1. 588 ᵇ18. κατὰ τὴν αἴσθησιν ᵘδέ πω γέγονε φανερὸν εἰ καθεύδυσιν υι. 454 ᵇ21. φαίνονται ὀσφραινόμενα, ὄσφρησιν ᚂ γεῦσιν ἔχει, φανερὸν ἐκ τίνων αι5. 443 ᵃ3. Ζιδ 8. 535 ᵃ6, 23. φωλεῖ Ζιθ13. 599 ᵃ11-20. ἐν μὲν τῇ γῇ τῶν ὀστρακοδέρμων ᵘδὲν ᚂ μικρόν τι γίνεται γένος, ἐν ᵘδὲ τῇ θαλάττῃ 50 ᚂ τοῖς ὁμοίοις ὑγροῖς πολλὰ ᚂ παντοδαπὰ ἔχοντα μορφήν· ᵘ γίνεται ἐν ταῖς λίμναις ᵘδὲ τῶν ἁλμυρῶν ἐν τοῖς ποτιμωτέροις, ἀλλ' ἧττον, ἐν δὲ ταῖς λιμνοθαλάτταις ᚂ πρὸς ταῖς ἐκβολαῖς τῶν ποταμῶν γίνονται Ζγγ11. 761 ᵃ20, ᵇ3. A Siebld XII 373. ἐν τῇ θαλάττῃ τῇ ἐρυθρᾷ μκ5. 466 ᵇ21. 55 cf Ζιθ28. 606 ᵃ12. ἐν τῷ Πόντῳ ᵘδὲ ᵘδὲ τὰ ὀστρακόδερμα εἰ μὴ ἔν τισι τόποις ὀλίγα Ζιθ 28. 606 ᵃ11. ἐν τῷ ψύχει ᚂ ταῖς ἀλέαις πονῦσι, ᚂ φέρειν ᵘ δύνανται τὰς ὑπερβολὰς Ζμδ 5. 680 ᵃ30. συμφέρει (τοῖς πλείστοις) τὰ ἐπομβρα ἔτη Ζιθ20. 603 ᵃ12, 24. ἐμφύονται ἐν ἐνίοις καρκίνοι λευκοὶ, τὸ 60 καρκίνιον Ζιε15. 547 ᵇ26. δ 4. 529 ᵇ21, 23. (Spix 431. Oken

Naturgeschichte IV 486. Johnston Einl in die Konchyliologie, übers v Bronn 553. M 158. ΑΖι I 174. Mr 215.) ὄστρακον. 1. putamen ovi. a. avium. τὸ ὄστρακόν ἐστι τοῖς ἐκτικτομένοις ᾠοῖς ἀλεώρα πρὸς τὰς θύραθεν βλάβας, γίνεται ὑπὸ θερμότητος ἐξικμαζύσης τὸ ὑγρὸν ἐκ τῦ γεῶδυς Ζγγ3. 754 ᵇ8. α8. 718 ᵇ18. τὸ ὄστρακον τῦ ᾠῦ Ζγγ2. 754 ᵃ2. 9. 758 ᵇ5. τὸ περιέχον ὄστρακον, γίνεται τὸ περὶξ ὄστρακον τελεωθέντος Ζγγ3. 754 ᵇ6. 2. 752 ᵃ30. τὸ γινόμενον ὄστρακον τὸ πρῶτον μαλακὸς ὑμήν ἐστιν Ζγγ2. 752 ᵃ32. πρῶτος ᚂ ἔσχατος πρὸς τὸ ὄστρακον ὁ τῦ ᾠῦ ὑμήν, ᵘχ ὁ τῦ ὀστράκυ, ἀλλ' ὑπ' ἐκείνου Ζιζ3. 561 ᵇ16. cf 10. 564 ᵇ28. η7. 586 ᵃ20. ὁ τῦ ὀστράκυ ὑμὴν Ζιζ3. 561 ᵇ32. Ζγγ2. 758 ᵇ23. — b. ἐνίων σελαχῶν. τὸ σχῆμα τῦ ὀστράκυ ὅμοιον ταῖς τῶν αὐλῶν γλώτταις ᚂ πόροι τριχώδεις ἐγγίνονται τοῖς ὀστράκοις Ζιζ 10. 565 ᵃ24. cf 27, 28. — 2. τὸ ὄστρακον τῶν μαλακοστράκων ᚂ τῶν ὀστρακοδέρμων. περικείμενον τὸ ὄστρακον φυλάττει τὸ ἐμπεπυρευμένον θερμὸν Ζμβ8. 654 ᵃ7. — a. τῶν μαλακοστράκων, ποτὲ μαλακὰ πάμπαν γίνεται τὰ ὄστρακα Ζιδ 4. 528 ᵃ3. θ17. 601 ᵃ19. οἱ κάραβοι ᚂ οἱ ἀστακοὶ πῶς ἐκδύνυσι τὰ ὄστρακα, τὸ καρκίνιον πρόσφυσιν ᵘκ ἔχει πρὸς τὰ ὄστρακα Ζθ17. 601 ᵃ14. ε15. 548 ᵃ16. δ 4. 530 ᵃ5. — b. τῶν ὀστρακοδέρμων Ζμδ 5. 679 ᵇ22, 24. 7. 683 ᵇ10. πκγ36. 935 ᵃ37. τὸ σαρκῶδες προσπέφυκε τοῖς ὀστράκοις, κοινὸν τῶν σκληροστράκων τὸ λεῖον εἶναι ἐντὸς τὸ ὄστρακον, κύκλῳ τὸ ὄστρακον Ζιδ 4. 528 ᵇ4, 3, 1. ἔστιν ᵘ ὅλα περιέχεται τῷ ὀστράκῳ Ζιδ 4. 528 ᵃ19. αὐτὰ πρὸς αὑτὰ διαφορὰς ἔχει πολλὰς κατὰ τὰ ὄστρακα, λέγω δίθυρα τὰ δυσὶν ὀστράκοις περιεχόμενα μονόθυρα δὲ τὰ ἐνί, ἔτι αὐτῶν τῶν ὀστράκων διαφοραὶ πρὸς ἄλληλά εἰσιν (λειόστρακα τραχυόστρακα ῥαβδωτὰ ἀρράβδωτα), ᚂ πάχει ᚂ λεπτότητι τῶν ὀστράκων διαφερόντων ὅλων τε τῶν ὀστράκων ᚂ κατὰ μέρος Ζιδ 4. 528 ᵃ5, 12, 20, 27. — τὰ ὄστρακα τῶν κογχυλίων Ζμβ 17. 661 ᵃ23. Ζιε15. 547 ᵇ7. f 315. 1531 ᵇ9. τῶν κογχῶν, κοχλία θ14. 831 ᵇ13. Ζιε32. 557 ᵇ18, 22. τῶν δελεάτων, τῆς ἀγρίας λεπάδος Ζιδ 4. 528 ᵇ33, 529 ᵇ17. τῆς πορφύρας, τὰς μικρὰς μετὰ τῶν ὀστράκων κόπτυσιν, τῶν δὲ μειζόνων περιελόντες τὸ ὄστρακον ἀφαιρῦσι τὸ ἄνθος Ζιθ20. 603 ᵃ17. ε15. 547 ᵇ7, ᵃ22, 23. ᾧ οἱ γραφεῖς ὀστρέῳ χρῶνται, ἔξωθεν τῦ ὀστράκυ τὸ ἄνθος ἐπιγίνεται Ζιε15. 548 ᵃ13. ἐχίνυ Ζιδ 4. 5. 530 ᵇ11. Ζμδ5. 679 ᵇ29. — τὰ τήθυα προσπέφυκε ταῖς πέτραις τῷ ὀστράκῳ (Ald, Bk, τὸ ὀστρακῶδες v l, S, Bsm, τῷ ὀστρακῶδει ci Pik), δύο δ' ἔχει πόρυς ἀπέχοντας ἀπ' ἀλλήλων· κέκρυπται τὸ τῶν τηθύων σῶμα ἐν τῷ ὀστράκῳ πᾶν, τὸ δ' ὄστρακόν ἐστι μεταξὺ δέρματος ᚂ ὀστράκυ, ᚂ τέμνεται ὥσπερ βύρσα σκληρά· ᚂ ἀκαλήφαι ᵘκ ἔχυσιν ὄστρακα Ζιδ 6. 531 ᵃ12, 22, 10 Aub, 33. τὸ ὄστρακον τὸ ἔσχατον ἀπὸ τῆς κεφαλῆς, ὑποκάτω τῦ ὀστράκυ, τὰ κενὰ τῶν ὀστράκων Ζιδ 4. 528 ᵇ7, 529 ᵇ16. ε15. 548 ᵃ16. 3. — τὰ μὴ ἔχοντα ὄστρακα Ζιε16. 548 ᵃ23. — 4. ἡ σηπία ἔχει τὸ λεγόμενον ὄστρακον ἐν τῷ νώτῳ, ἡ τευθὶς ἔχει τὸ ὄστρακον μικρὸν λίαν ᚂ χονδρῶδες f 317. 1531 ᵇ33. 318. 1532 ᵃ11. — 5. λίθοι ᚂ ὄστρακα ᚂ τὰ τοιαῦτα (lapides sales terra Nic Damasc) φτβ 1. 822 ᵃ39. — 6. ὄστρακα φυτῶν: ἄλλοι καρποί εἰσιν ἐν οἰκίσκοις πολλοῖς ᚂ λέμμασι ᚂ ὀστράκοις φτα5. 820 ᵇ12. (nobis putamen bivalve, cf Meyer ad Nicol Damasc 89.)

ὀστρακύν. τὸ πολὺ πῦρ τὴν ἐπιπολῆς σάρκα ᚂ δέρμα καίει ᚂ ὀστρακοῖ πβ32. 869 ᵇ25.

ὀστρακοφορία f 396. 1544 ᵃ4.

ὀστρακώδης. ὁ δέρμα ὀστρακῶδες τῆς χελώνης, opp μαλακόν· ὀστρακῶδες ᚂ πυκνὸν τὸ περιέχον Ζιθ17. 600 ᵇ20,

21, Ζμγ8. 671 ᵃ19. (τῶν ψυχρῶν κ̀ ξηρῶν κ̀ ᾠοτοκούντων)
τὸ ᾠὸν σώζεται φυλακὴν ἔχον τὸ ὀστρακῶδες Ζγβ1. 733
ᵃ20. ἢ περιέχει φλοιὸς ὀστρακώδης τὸ ᾠὸν (ἔχεως κ̀ ἰχθύος),
τὰ σκύλια κ̀ αἱ βατίδες ἴσχυσι τὰ ὀστρακώδη, syn ὄστρα-
κον Ζιε34. 558 ᵃ28. ζ10. 565 ᵃ23, 24, 25, 27. πάντα ταῦτα 5
(τὰ μαλακόστρακα) τὸ στερεὸν κ̀ ὀστρακῶδες ἐκτὸς ἔχει
Ζιδ2. 525 ᵇ12. (καρκίνῳ) σκληρόδερμα τὰ κῶλα κ̀ ὀστρα-
κώδη, ἡ σκληρότης κ̀ τὸ ὀστρακῶδες τῦ δέρματος Ζπ17.
713 ᵇ27, 714 ᵃ3. ἡ τῦ σώματος σὰρξ ὖτε ὀστρακώδης ἐστὶν
ὖθ᾽ οἷον τὸ ἐντὸς τῶν ὀστρακωδῶν, ὖτω σαρκώδης, ἀλλὰ 10
μεταξὺ Ζιδ7. 532 ᵃ32. τὸ ὀστρακῶδες τῶν τηθύων Ζιδ6.
531 ᵃ17. πάντα τὰ ὀστρακώδη, syn ὀστρακόδερμα Ζιε15.
547 ᵇ18. cf δ7. 532 ᵃ33. — αἱ ἐλαῖαι ἔχυσι φλοιὸν σάρκα
καί τι ὀστρακῶδες φτα3. 818 ᵃ33. τὰ ὀστρακώδη, fictilia
φτβ1. 822 ᵃ17, 18, 19, 22. cf τὰ Αἰγύπτια ὄστρακα Ideler 15
Met II 222. ἐν τοῖς ὀστρακώδεσι κ̀ ἐν ὑέλῳ κ̀ λοιποῖς με-
τάλλοις φτβ2. 823 ᵃ17.
ὄστρειον. τὰ ὄστρεια (v l ὀστράκιον) Ζμα4. 644 ᵇ10. τῶν
ὀστρείων (v l ὀστρέων) αν2. 470 ᵇ32. v l Ζμβ8. 654 ᵃ3.
v ὄστρεον 1. 20
ὀστρειώδης. ἡ σωτηρία ταῖς μαίαις τῦ ὀστρειώδεις εἶναι γί-
νεται Ζμδ8. 684 ᵃ9. cf ὀστρεώδης.
ὄστρεον (ΑΖι I 180, 20). 1. i q ὀστρακόδερμον. ἄλλο γένος
ἐστὶ τὸ τῶν ὀστρακοδέρμων, ὃ καλῦσιν ὄστρεον Ζια6. 490
ᵇ10 Aub. S I 25. M 189. Oribas I 590. (cf ὄστρεια καλῦ- 25
σιν ἔνιοι πάντα τὰ ὀστρακόδερμα πρὸς Ἀριστοτέλης ὀνομα-
σθέντα τὸ ὑπὸ τῶν πολλῶν ὄστρεον ὀνομαζόμενον, ἐν τῇ
δευτέρᾳ συλλαβῇ χωρὶς τῦ ι λεγόμενον, εἶδος ἕν τι τῶν
ὀστρείων τίθενται περιλαμβάνοντες ἐν τῷ παντὶ γένει κ̀ κή-
ρυκας κ̀ πορφύρας κ̀ χήμας κ̀ πίνας ἅπαντα τὰ παρα- 30
πλήσια Galen XII 543.) γένη ὄστρειον πολλὰ Ζια1. 487 ᵇ9.
cf Ζμα4. 644 ᵇ10. ὄστρει: πίννη, ὄστρεον, μῦς, κτείς, σω-
λήν, κόγχη, λεπάς, τήθυς, βάλανος f 287. 1528 ᵇ9. πολλὰ
ἀπολελυμένα μέν ἐστιν ἀκίνητα δέ, οἷον ὄστρεα Ζια1. 487
ᵇ14 (Auster KaΖι 10, 28). ἐν τοῖς ὀστρέοις πολλὰ ὥσπερ προσπε- 35
φυκέναι ζῇ Ζια1. 487 ᵇ8. cf Rose Ar Ps 298. ὡς τὰ φυτὰ
πρὸς τὴν γῆν, ὕτως ἔχει τὰ ὀστρακόδερμα πρὸς τὸ ὑγρόν, ὡς
ὄντα τὰ μὲν φυτὰ ὥσπερανεὶ ὄστρεα χερσαῖα, τὰ δὲ ὄστρεα
ὥσπερανεὶ φυτὰ ἔνυδρα Ζγγ11. 761 ᵃ30 cf M 190. (ἔστι
δὴ τῶν ζῴοις φύσεων, v l Ἀρ. ἐπὶ πλεῖστον ἐδεί- 40
χνυεν, ὖ σμικρὰ διαφορά. τὰ μέν γε πρῶτον ἀποκεχώρηκε
τῶν φυτῶν, κ̀ ἔστιν ἁπάντων ζῴων ἀτελέστατα, μίαν αἴ-
σθησιν ἔχοντα τὴν ἁφήν, οἷα δὴ τὰ πλεῖστα τῶν ὀστρέων
ἐστίν, οἷς ὖ μόνον αἰσθήσεως ὄργανον ἐδεῖ, ἀλλ᾽ ὑγρῷ ὀλίγα
δεῖν φυτά Galen IV 160.) τὴν τροφὴν ἐν τῷ ὑγρῷ ποιεῖται 45
κ̀ ὖ δύναται ζῆν ἐκτός, ὖ μέντοι δέχεται ὖτε τὸν ἀέρα ὖτε
τὸ ὑγρόν Ζια1. 487 ᵃ24. M 166. Ἀναξαγόρας κ̀ Διογένης
περὶ τῶν ἰχθύων κ̀ τῶν ὀστρείων (v l ὀστρέων) λέγυσι τίνα
τρόπον ἀναπνέυσιν αν2. 470 ᵇ32. (ἡ ἀκαλήφη) ἔχει ὥσπερ
τὰ ὄστρεα, ἡ ὑποχφείλη κ̀ τροφή, πόρον᾽ ἔοικεν ἡ ἀκα- 50
λήφη ὥσπερ τὸ ἔσω εἶναι τῶν ὀστρέων τὸ σαρκῶδες, τῇ
δὲ πέτρᾳ χρῆσθαι ὡς ὀστρέῳ Ζιδ2. 590 ᵃ29. (τὰ τήθυα)
περίττωμα ὖδὲν ἔχει φανερὸν ὥσπερ τῶν ἄλλων ὀστρέων
τὰ μὲν ὥσπερ ἐχῖνος (loc suspect) Ζιδ6. 531 ᵇ15. τὸ
φυκίῳ τρέφεται τὰ ὄστρεα, τῇ ἰχθύδια ΖιΖ13. 568 ᵃ8. 55
cf Plat Tim 92B. πῇ φύεται τὰ ὄστρεα Ζιε15. 547 ᵇ33.
cf M 190. — 2. testacea bivalvia cf S I 188. τὰ ὀστρα-
κόδερμα τῶν ζῴων οἷον οἵ τε κοχλίαι κ̀ οἱ κόχλοι κ̀ πάντα
τὰ καλύμενα ὄστρεα Ζιδ4. 528 ᵃ1. cf M 190. 191. τὸ τῶν
ὀστρακοδέρμων γένος ὃ τὰ καλύμενα ὄστρεα (v l ὄστρεια) 60
Ζμβ8. 654 ᵃ3 (cf M 190. austernartige F 276, 40). —
v.

3. fort syn λιμνόστρεα et ostrea. τὸ τῶν ὀστρέων γένος
refertur inter τὰ ὀστρακόδερμα Ζιδ1. 523 ᵇ12. (αὐτόματα
γίνεται) ἐν τῇ βορβορώδει τὰ ὄστρεα Ζιε15. 547 ᵇ20, cf
ᵇ11. ὕστερον δ᾽ ἔνδειαν ὑγρῦ τῦ τόπυ βορβορωθέντος ἐγέ-
νετο τὰ καλύμενα λιμνόστρεα, syn χρόνυ γενομένυ κ̀ βορ-
βόρυ περὶ αὐτὰ συναλισθέντος ὄστρεα εὑρίσκοντ᾽ ἐν αὐτοῖς
Ζγγ11. 763 ᵃ29, 32. cf S I 316. Oribas I 595. ἐν τοῖς
ὀστρείοις τὸ καλύμενον ᾠόν, ἐπὶ τῶν ἄλλων ὀστρέων τῦ σώ-
ματος κύκλος εἷς, οἱ ἀστέρες ἐκχυμάζυσι πολλὰ τῶν ὀστρέων
Ζμδ5. 680 ᵇ8 (cf 21, 22), 10, 681 ᵇ10 (Auster F). τὸ
ὄστρεον παχύστομον, δίθυρον ἢ κ̀ λεπτόστομον f 287. 1528
ᵇ13, cf 9. Rose Ar Ps 299. — 4. τὸ τῶν ὀστρακοδέρμων
ὄστρακον. ἡ ἀκαλήφη ζῇ ἀπὸ τῆς πέτρας ὥσπερ ἀπ᾽ ὀστρέυ,
τῇ πέτρᾳ χρῆσθαι ὡς ὀστρέῳ Ζιδ6. 531 ᵇ5. θ2. 590 ᵃ32
Aub. — 4. fort ostrum. cf Vitruv 7, 13. S I 324. ᾧ οἱ
γραφεῖς ὀστρέῳ (v l ὀστρεῖ, ὀστρίῳ· ὀστρεῖ ci Pik) χρῶν-
ται. πάχει τε πολὺ ὑπερβάλλει κ̀ ἔξωθεν τῦ ὀστράκυ τὸ
ἄνθος ἐπιγίνεται· εἰσὶ δὲ τὰ τοιαῦτα μάλιστα περὶ τὸς τό-
πυς τὸς περὶ Καρίαν Ζιε15. 548 ᵃ12 Aub (M 192. Mya
pictorum St. in incerto rel Mr 235). cf ἀντὶ κηρύκων ὄστρεα
Galen XIX 732.
ὀστρεώδης. ἅπαντα τὰ ὀστρεώδη κ̀ τὰ μαλακόστρακα ἄριστά
ἐστιν ὅταν κύῃ Ζιθ30. 607 ᵇ3. ὀστρεώδεσι v l φτβ1. 822
ᵃ17, ὀστρακώδεσι Bk.
ὀστώδης. ἐν τοῖς σώμασι τῶν ζῴων γεῶδες
ὑπάρχει Ζμγ2. 663 ᵇ29. τὸ ἐκλεῖπον ὀστῶδες ἐκ τῦ ποδὸς
ἐν τῇ κάμψει μένον Ζμδ10. 690 ᵃ23. ῥάχις ὀστώδης ἢ
ἀκανθώδης, σκέλη ὀστώδη κ̀ νευρώδη κ̀ ἄσαρκα, σκέλη
νευρώδη κ̀ ὀστώδη κ̀ ἀκανθώδη, ζῷα ὀστωδέστερα, opp
ἀκανθωδέστερα Ζμγ7. 516 ᵇ23, 21. ζ1. 499 ᵃ31. Ζμδ10.
689 ᵇ10. πι41. 895 ᵃ22. τὸ τόπος τῆς κεφαλῆς, τῦ ὠτὸς
ὀστώδης, syn ἄσαρκος πβ19. 868 ᵃ14. λβ8. 961 ᵃ13. πρό-
σωπον τετραγωνότερον, ὖκ ἄγαν ὀστῶδες φ5. 809 ᵇ17. τὸ
αἰδοῖον ὀστῶδες, os penis, dist τὸ χονδρῶδες κ̀ νευρῶδες
κ̀ νευρώδες Ζιβ1. 500 ᵇ23, 20, 22 (v ὀστῦν p 535 ᵃ33).
τὸ ῥύγχος ὀστῶδες, ξιφίας ἔχει τῦ ῥύγχυς τὸ μὲν ὑποκάτω
μικρὸν τὸ δὲ καθύπερθεν ὀστῶδες μέγα Ζμβ16. 659 ᵇ10,
22. f 306. 1530 ᵃ19. τῶν ἰχθύων ἡ γλῶττα ὀστώδης κ̀ ὖκ
ἀπολελυμένη Ζμβ8. 533 ᵃ27. f 303. 1530 ᵃ4. τὰ ἔντομα
ἔχει ὅλον τὸ σῶμα σκληρόν, σκληρότητα δὲ τοιαύτην, ὀστῦ
μὲν σαρκωδεστέραν, σαρκὸς δ᾽ ὀστωδεστέραν κ̀ γεωδεστέ-
ραν· ὖδὲν ὀστῶδες ἔχειν ἔοικεν ὖδὲ γεηρὸν ἀποκεκριμένον·
τὰ ἔντομα ὖτε ὀστῶδες ἔχει κεχωρισμένον ὖτε σαρκῶ-
δες, ἀλλὰ μέσον ἀμφοῖν Ζμβ8. 654 ᵃ30, 11. Ζιδ1. 523
ᵇ15.
ὀσφραίνεσθαι. ἡ τῦ ὀσφραίνεσθαι αἴσθησις μέση τῶν τε
ἁπτικῶν κ̀ τῶν δι᾽ ἄλλυ αἰσθητικῶν αι5. 445 ᵃ6. ὀσφραίνε-
σθαι ἀκριβῶς διχῶς λέγεται, τὰς διαφορὰς αἰσθάνεσθαι πά-
σας, ὀσφραίνεσθαι πόρρωθεν Ζγε2. 780 ᵇ15, 781 ᵃ15. ἔστι
μὲν ὡς τὸ αὐτὸ τὸ πρῶτος κ̀ τὸ ὕστερον ὀσφραίνεται, ἔστι
δ᾽ ὡς ὖ α16. 446 ᵇ16. τὸ ἀκριβῶς ὁρᾶν αἱρετώτερον τῦ
ὀσφραίνεσθαι Ρα7. 1364 ᵃ38. τὸ χειμῶνος ἧττον ὀσφραινό-
μεθα πιβ6. 907 ᵃ8. — ὀσφραίνεσθαι τινος, τὸ ἄρθρον τῶν
θηλειῶν Ζγβ7. 748 ᵇ26. aor ὀσφρανθῆναι active ψβ12. 424
ᵇ4, 7. ζ6. 887 ᵃ10, 13. — ὀσφραντός. περὶ ὀσφραντῦ
ψβ9. αι5. cf ὀσμή. ἡ ὄσφρησις τῦ ὀσφραντῦ κ̀ ἀνοσφράντυ
ψβ9. 421 ᵇ6. τὸ ὀσφραντὸ εἴδη δύο, τὸ κατὰ τὸς χυμός,
τὸ ἡδὺ καθ᾽ αὐτὸ αι5. 443 ᵇ17 sqq. τὸ ὀσφραντὸν καθ᾽
αὐτὸ τῷ ἰδίον ἀνθρώπῳ, διὰ τί, τίνος ἕνεκα αι5. 444 ᵃ3-ᵇ7.
τῦ ὀσφραντῦ ἐν τῇ κεφαλῇ τὸ αἰσθητήριον αι5. 445 ᵃ25.
τὸ ὀσφραντὸν τῶν θρεπτικῶν ἐστι πάθος τι αι5. 445 ᵃ8.

ὅπερ ὁ χυμὸς ἐν τῷ θρεπτικῷ κὴ πρὸς τὰ τρεφόμενα, τῦτ᾽ ἐστὶ πρὸς ὑγίειαν τὸ ὀσφραντόν αι5. 445 ᵇ1.

ὀσφραντικός. ὁ ἐνεργείᾳ ἡ ὄσφρησις, τῦτο δυνάμει τὸ ὀσφραντικὸν αι2. 438 ᵇ22. τὸ ὀσφραντικὸν αἰσθητήριον τοῖς μὲν ἀκάλυφές ψβ9. 421 ᵇ32. ὅσων οἱ μυκτῆρες μακροί, ὀσφραντικά Ζγε2. 781 ᵇ10. ὁ ἄνθρωπος ἥκιστα ὀσφραντικὸν τῶν ἄλλων ζώων πι18. 892 ᵇ25. λγ10. 962 ᵇ11.

ὄσφρησις. περὶ ὀσφρήσεως ψβ9. αι5. cf ὀσμή. 1. ὄσφρησις i ε ἡ τῦ ὀσφραίνεσθαι ἐνέργεια. ἡ ὄσφρησις γίνεται διὰ τῦ μυκτῆρος, αὕτη δ᾽ ἐστὶν ἡ αἴσθησις ὀσμῆς Ζια11. 492 ᵇ13. ἡ ὄσφρησις τῦ ὀσφραντῦ κὴ ἀνοσφράντυ ψβ9. 421 ᵇ5. ὁ ἐνεργείᾳ ἡ ὄσφρησις, τῦτο δυνάμει τὸ ὀσφραντικόν αι2. 438 ᵇ21. πυρὸς ὑποληπτέον τὴν ὄσφρησιν αι2. 438 ᵇ21. ἡ μόνον ἐν ἀέρι ἀλλὰ κὴ ἐν ὕδατι τὸ τῆς ὀσφρήσεώς ἐστιν αι5. 443 ᵃ3. — καταχρῆται ἡ φύσις ἐν παρέργῳ τῇ διὰ τῶν μυκτήρων ἀναπνοῇ πρὸς τὴν ὄσφρησιν ἐν ἐνίοις τῶν ζώων αν7. 473 ᵃ25. κὴ τὰ μὴ ἀναπνέοντα ἔχει ὄσφρησιν αι5. 444 ᵇ7-15. τῷ περὶ τὸν ἐγκέφαλον τόπῳ τὸ τῆς ὀσφρήσεως αἰσθητήριόν ἐστιν ἴδιον αι2. 438 ᵇ26. ἡ τῆς ὀσφρήσεως (αἴσθησις) μεταξὺ τῶν ὁμιάτων τέτακται εὐλόγως Ζμβ10. 656 ᵇ31. τῦ τῆς ὀσφρήσεως αἰσθητήριον διαφοραὶ Ζμβ16. ἡ ὄσφρησις πόροι συνάπτοντες πρὸς τὸν ἀέρα τὸν θύραθεν Ζγβ6. 744 ᵃ2. Ζιθ8. 533 ᵃ23. περὶ ἀκριβείας ὀσφρήσεως Ζγε2. 781 ᵃ14-29. διαφέρει καθαριότητι ἀκοὴ κὴ ὄσφρησις γεύσεως Ηκ5. 1176 ᵃ1. ὄψις καλλίων ὀσφρήσεως Ρα7. 25 1364 ᵇ1. χειρίστην ἔχομεν τῶν ἄλλων ζώων τὴν ὄσφρησιν κὴ τῶν ἐν ἡμῖν αὐτοῖς αἰσθήσεων αι4. 441 ᵃ1. ὄσφρησιν δοκεῖ ἔχειν ἐπίδηλον ἡ πέρδιξ Ζιζ2. 560 ᵇ15. αἱ διὰ τῆς ὀσφρήσεως ἡδοναὶ Ηκ2. 1173 ᵇ18. ηευ2. 1230 ᵇ29-1231 ᵃ17. — 2. ὄσφρησις i q ἡ τῆς ὀσφρήσεως αἰσθητήριον (cf ὄψις) ψ1. 425 ᵃ5. (fort αι2. 438 ᵇ21. Ζγβ6. 744 ᵃ2.) πιγ2. 907 ᵇ28.

ὀσφύς. ἡ ὀσφὺς ἄσαρκος Ζμγ9. 672 ᵃ18, σαρκώδης φ3. 807 ᵇ25. τῶν ὄπισθεν διάζωμα ἡ ὀσφύς. ὅθεν κὴ τὖνομ᾽ ἔχει (δοκεῖ γὰρ εἶναι ἰσοφυές)· ἐχόμενα τύτων (στῆθυς κὴ νώτυ) 35 γαστὴρ κὴ ὀσφὺς κὴ αἰδοῖον κὴ ἰσχίον· ὑποκάτω κατὰ τὴν γαστέρα τῦ θώρακος ὀσφὺς Ζια13. 493 ᵃ22 Aub. 15. 494 ᵇ3, 493 ᵇ13 Aub Pik. ἡ ῥάχις κὴ ἡ ὀσφύς πι54. 897 ᵃ7. πόρον εἶναι παρὰ τὴν ὀσφὺν πι5. 483 ᵃ21. οἱ θωρικοὶ πόροι προσπεφύκασι τῇ ὀσφύι Ζιζ11. 566 ᵃ12. ἔνια ἐντὸς ἔχει 40 ὄρχεις πρὸς τῇ ὀσφύι περὶ τὸν τῶν νεφρῶν τόπον, opp πρὸς τῇ γαστρὶ Ζιγ1. 509 ᵃ33. cf ᵇ6, 25, 33, 511 ᵃ24. ι50. 631 ᵇ23. Ζγα3. 716 ᵇ18, 23. 5. 717 ᵇ27. 13. 720 ᵃ1, 16. — ὅσαι τὴν ὀσφὺν προαλγῦσι, μόλις τίκτυσιν, ὅσαι δὲ τὸ ἦτρον, ταχύ· ἐνίαις (αἱ καθάρσεις) διὰ τῶν ἰσχίων, ὅταν 45 ἀπὸ τῆς ὀσφύος ἐκκριθῇ Ζιη9. 586 ᵇ31. 11. 587 ᵇ34 Aub Pik. ἐὰν μὴ εἰς ὀρθὸν βλέπωσιν αἱ ὑστέραι ἀλλ᾽ ἢ πρὸς τὰ ἰσχία ἢ πρὸς τὴν ὀσφὺν ἢ πρὸς τὸ ὑπογάστριον Ζικ2. 634 ᵇ40. τὸς μηρὸς κὴ τὴν ὀσφὺν πονῦσιν, οἱ ἀνάντεις τὴν ὀσφὺν μάλιστα πονῦσι πονεῖν, τὴν ὀσφὺν ὀδυνῶσι, τὴν ὀσφὺν κάμ- 50 πτυσί τε κὴ ἀνασπῶσιν πε26. 883 ᵇ20. 40. 885 ᵃ29, 34, 35. ὀσφὺς σαρκώδης ἀναίσθητος σημεῖον· (κιναίδυ σημεῖον) βα- δίσεις διτταί, ἢ μὲν περινεύοντος ἢ δὲ κρατῦντος τὴν ὀσφύν· ὀσφὺς μικρὰ ἡ ἀσθενὴς δειλῦ σημεῖον φ3. 807 ᵇ9, 25, 808 ᵃ15. (αἱ φλέβες αἱ παχεῖαι) ἐκ τῦ ὀμφαλῦ παρὰ τὴν ὀσφὺν 55 (v l ἐκ τῦ ὀφθαλμῦ παρὰ τὴν ὀφρὺν) Ζιγ2. 511 ᵇ25 Aub Pik. v ὀμφαλός p 513 ᵇ50. (Lenden KaZι 38. Becken AZι I 225 adn et II tab III. S I 40, 42, 43. cf Daremberg not et extraits 1853 p 131, 36. Foes oeconomia Hippocratis s h v.) 60

ὄσχεα. οἱ ὄρχεις ἐν τῇ καλυμένῃ ὀσχέα Ζιγ1. 510 ᵃ12. cf ι50.

632 ᵃ16, 19. ὅσοις ἐν φανερῷ εἰσὶν οἱ ὄρχεις, ἔχυσι σκέπην δερματικὴν τὴν καλυμένην ὀσχέαν Ζγα12. 719 ᵇ5. συσπᾶ- ται κὴ ἡ ὀσχέα τῦ αἰδοίυ ἄνω πκζ11. 949 ᵃ16. cf ὄσχεος. ὄσχεος. τὸ πέριξ δέρμα, ὃ καλεῖται ὄσχεος Ζια13. 493 ᵃ33. S I 41. v ὄσχεα.

ὅταν, c indicativo coniunctum exhibetur ὅταν ὁ εὖρος πνεῖ πκς53. 946 ᵃ33. — ὅταν causalem vim videtur habere κ4. 395 ᵃ19. — ὅταν omisso verbo, ἀλλ᾽ ὅταν ἤδη διὰ λογι- σμὸν πράττοντα ηεβ8. 1224 ᵃ29, videtur corr esse.

ὅτε. ὅτε εἰ optat Πε5. 1305 ᵃ7, 21. Ηι1. 1164 ᵃ25. μα14. 353 ᵃ9 al. — ἔστι δ᾽ ὅτε Ζμβ2. 648 ᵇ15. ὅ5. 681 ᵃ25. Ηδ10. 1125 ᵇ11 al.

ὁτὲ μὲν — ὁτὲ δέ Κ5. 4 ᵃ19. 11. 14 ᵃ2. Αγ21. 82 ᵇ30. Φθ2. 253 ᵃ3. Γβ10. 336 ᵇ4. αι2. 437 ᵇ24, 438 ᵃ4. υι. 453 ᵇ18. μα4. 341 ᵇ35, 342 ᵃ29. Ζμα1. 642 ᵃ33. Μβ4. 1001 ᵇ22. γ5. 1010 ᵇ22. Ηβ9. 1109 ᵇ16, 25. γ5. 1112 ᵇ29, 30. ε14. 1137 ᵃ34. η2. 1145 ᵇ17. Πδ3. 1290 ᵃ4. ε1. 1301 ᵇ6, 10. 3. 1302 ᵇ9. 4. 1304 ᵇ8, 10-15. μχ24. 855 ᵃ33. πβ23. 868 ᵇ14. ε1. 880 ᵇ26. ιε4. 911 ᵃ7. λ1. 954 ᵇ10 al. ὁτὲ μὲν... πάλιν δέ Οα11. 280 ᵇ16. Ηα11. 1100 ᵃ28. ὁτὲ δέ, non antecedente παρ τι10. 171 ᵃ7. πο11. 1452 ᵇ5. πλ1. 954 ᵇ17. insolentius ὁτὲ μέν sequente ἤ πο3. 1448 ᵃ21, 23 Vhl Poet I 41.

ὅτεπερ Ζκ1. 698 ᵃ10.

ὅτι. 1. notio. τὸ γὰρ τὸ ὅτι κὴ τὸ εἶναι ὑπάρχειν δῆλα ὄντα Μζ17. 1041 ᵃ15. cf Ηα2. 1095 ᵇ6. 7. 1098 ᵇ1. 2. 7, dist διότι, εἰ ἔστι, τί ἐστι Αδ1. ὅτι, dist διότι, ἡ αἰτία Αβ2. 53 ᵇ9. γ9. 76 ᵃ11. 13. 78 ᵃ22sqq. ∂8. 93 ᵃ17sqq. ΜΑ1. 981 ᵃ29. ψβ2. 413 ᵃ13. — 2. usus varietas. (cf διότι p 200 ᵇ39-52.) αἴτιον ∂᾽ ὅτι, τύτυ δ᾽ αἴτιον ὅτι Ζμγ2. 662 ᵇ31. 10. 672 ᵇ14. ∂11. 690 ᵇ26. 14. 697 ᵇ23 al. — αἰτιὸν- ταν ὅτι τῦτο γὰρ ἦν συλλογισμός, κὴ πρὸς τὸν ὅτι ἡ τὸ τί ἦν εἶναι συλλελόγισται, ὅτι ναί Αδ6. 92 ᵃ16, 17. — ὅτι pleonastice positum vel iteratum, φανερὸν ὡς... ὅτι τβ3. 153 ᵃ18, 20 Wz. δῆλον ὡς... ὅτι υι. 454 ᵃ15. δῆλον ὡς ...δῆλον ὅτι Πγ13. 1283 ᵇ16. ὅτι δὲ ἡ πάντας διῃρημέ- νων τῶν τε ἐλευθέρων ἔργων κὴ τῶν ἀνελευθέρων, φανερὸν ὅτι τῶν τοιύτων δεῖ μετέχειν Πθ2. 1337 ᵇ5. cf ε14. 24 ᵃ7 Wz. ἢ ὅτι, πότερον ὅτι, ubi ἤ, πότερον requiras πκδ14. 937 ᵃ35. α45. 864 ᵇ32 et cf ἤ p 313 ᵃ11. ὅτι c infinitivo, φασὶ δέ τινες ἢ ἰσχυρίζονται ὅτι ἂν ἅλα (ἀλλήλας ci) λεί- χωσιν (sc αἱ μύες) ἄνευ ὀχείας γίνεσθαι ἐγκύυς Ζιζ37. 581 ᵃ1. — ὅτι c superlativo, ὅτι πλεῖστον, ὅτι ὀλιγίστη ἰκμάς Ζμδ5. 681 ᵇ27. γ10. 672 ᵇ35. ὅτι πλεῖστα κὴ ἐγ- γύτατα Ρβ22. 1396 ᵇ8. ὅτι μάλιστα Γβ9. 336 ᵃ11. μβ5. 362 ᵃ30. ρ8. 1429 ᵃ12. 11. 1430 ᵃ36. 19. 1433 ᵃ28. — ὅτι μή i q πλὴν φ5. 809 ᵇ37.

ὀτρύνειν. ὑπὸ μιᾶς ῥοπῆς ὀτρυνομένων ἁπάντων γίνεται τὰ οἰκεῖα κ6. 399 ᵇ11.

οὐ, cf μή. 1. ἡ et μή interdum ita promiscue usurpantur, ut discrimen animadverti nequeat. τὸ ἡκ ὂν Μν2. 1089 ᵃ21 coll τὸ μὴ ὂν ᵃ16, 19. ἐξ ἡ λευκῦ Φα5. 188 ᵃ37 coll εἰς τὸ μὴ λευκὸν ᵇ5. ὅσα τῷ γένει ἡχ ὑπάρχει.., ὅσα δὲ τῷ εἴδει μὴ ὑπάρχει τβ4. 111 ᵃ30, 31. κἂν ἢ ἀρχή, τὸ δὲ μὴ ἀρχή· κἂν ἢ αἴτιον, τὸ δ᾽ ἡκ αἴτιον Ρα7. 1364 ᵃ10. ἡδὲ λήψεται ὅθεν μὴ δεῖ Ηδ2. 1120 ᵃ31 coll ἡ λήψεται ὅθεν ἡ δεῖ Ηδ3. 1121 ᵃ25. ἡ μὴν δώσει γε οἷς ἡ δεῖ ἡδ᾽ ὅτε μὴ δεῖ Ηδ2. 1120 ᵇ20. ἃς μὴ δεῖ ἢ ὅτε ἡ δεῖ ἢ ὡς ἡ δεῖ Ηβ2. 1104 ᵇ22. γ10. 1115 ᵇ35. ηεβ3. 1221 ᵃ19. μὴ ἀπίστως δέ (sc ἐπιτελέσεις) ρ39. 1446 ᵃ13. — ἡ in protasi hypothetica εἰ γὰρ ἡκ οἶδεν ὅλως Κ7. 8 ᵇ2. cf φτα3. 818 ᵇ22.

2. de collocatione negationum. negatio et pronomen indefinitum inter se transposita, ἐάν τι μὴ κωλύῃ Φθ4. 255 [b]4 coll ἐὰν μή τι κωλύῃ [b]7, 11, 23, 24. κἄν εἰ μή τισιν οἰκεῖον ὄνομα εἴη Hε7. 1132 [a]11. εἰ μή τις φοβεῖται βροντὰς ημα20. 1190 [b]16. — ad augendam oppositionis vim 5 negatio, quae poterat ad universum enunciatum referri, ipsi nomini negato praeponitur, veluti ὅταν ἄρχῃ μὴ ὁ νόμος ἀλλ' οἱ ἄρχοντες sim Πδ5. 1292 [b]6. β7. 1267 [a]15. Hε10. 1135 [a]3. Pβ20. 1393 [b]6. 24. 1402 [a]16. Zγα6. 717 [b]33. πο21. 1457 [b]32. Vahlen Poet III 315; his conferri 10 potest negatio rhetorice transposita ἕξει μὲν τὴν δύναμιν διαφέρυσαν, δόξει δ' ὁ Oβ2. 285 [b]4. cf μδ9. 385 [b]23. Hδ7. 1123 [b]7. η6. 1147 [b]29. 13. 1152 [b]30. ι11. 1171 [a]31. Zι44. 629 [b]24. — contra interdum negatio universo enun- 15 ciato vel enunciati membro praeponitur, cum pertineat ad unum quoddam eius vocabulum τὸ μὲν ἐκ θέσιν ἐχόντων συνέστηκεν, τὸ δὲ ὐκ ἐξ ἐχόντων θέσιν (i e ἐκ μὴ ἐχόντων θέσιν) K6. 4 [b]22 Wz, 5 [a]16, 37. ἢ ὐκ ἐξ ὑποκειμένυ εἰς ὑποκείμενον ἢ ὐκ ἐξ ὑποκειμένυ εἰς μὴ ὑποκείμενον Φε1. 20 225 [a]5, 10, 12. Μκ11. 1067 [b]16, coll ἐκ μὴ ὑποκειμένυ εἰς ὑποκείμενον Φε1. 225 [a]9. τὸ μὴ ἐξ ὄντος γίγνεσθαι τῦτο σημαίνει τὸ ἢ μὴ ὂν Φα8. 191 [b]9 coll ἐκ μὴ ὄντος γίγνεσθαι [a]35. μυσικὸν ὐκ ἐκ μυσικὖ, πλὴν ὐκ ἐκ παντὸς ἀλλ' ἐξ ἀμύσυ Φα5. 188 [b]1 coll λευκὸν γίνεται ἐξ ὖ λευκῦ [a]37. ὐδὲν κωλύει τὸ μέσον μὴ ἀναγκαῖον εἶναι· ἔστι γὰρ 25 τὸ ἀναγκαῖον μὴ ἐξ ἀναγκαίων συλλογίσασθαι, ὥσπερ ἀληθὲς μὴ ἐξ ἀληθῶν Aγ6. 75 [a]2. ὅταν μὴ τὸ δι' αὑτὸ γνωστὸν δι' αὑτὸ τις ἐπιχειρῇ δεικνύναι (Wz, τὸ μὴ Bk contra codd) Aβ16. 64 [b]36. τοιῦτον ἀποδέδωκε τὸ ἴδιον τὸ ὐ γίνεταί ποτε ἴδιον (i e ὁ γίνεταί ποτε μὴ ἴδιον [a]28) τε3. 30 131 [a]36. ὐ τὸ μὴ ἐξ ἀναγκαίων ὑπάρχειν τὸ ἴδιον (i e ἐν- δέχεται μὴ ἅμα ὑπάρχειν) τε4. 133 [a]12. εἰ μὴ τῷ ἀνθρώπῳ φαίνηται μὴ ἴδιον (i e εἰ τῷ μὴ ἀνθρώπῳ, quod Bk e corr A scripsit) τε6. 136 [a]21. μὴ τινὶ ὑπάρχειν. i q τινὶ μὴ ὑπάρχειν Aα1. 24 [a]19, coll 2. 25 [a]22, 23. ὐ τῷ μὴ ὑπάρχειν, 35 i q ὐ δεῖ μὴ ὑπάρχειν Aα28. 44 [a]2, 4. τὸ μὴ ὕτως ὂν (i e τὸ ὕτω μὴ ὂν) Γα3. 317 [b]29. τὰ πάθη τῆς ὕλης τὰ μὴ χωριστὰ μηδ' ᾗ χωριστά (i e ἢ μὴ χωριστά) Ψα1. 403 [b]10 Trdlbg. τὸ αἰσθητὸν ἔσται συγκείμενον ὐκ ἐξ αἰσθητῶν αι6. 445 [b]14. παρελάμβον τὰς ἀρχὰς ὐκ αἰσθηταὶ MA8. 40 989 [b]31. ὁ πάντες αἰρῦνται μείζον ἀγαθόν ἐστι τὸ ὐ πάντες Pα7. 1364 [b]38. μόνοι μὴ πρὸς ἀσκῦντας (i e πρὸς μὴ ἀσκῦντας) Πθ4. 1338 [b]28. cf praeterea transpositae similiter negationis exempla MA 990 [b]11 Bz. ι7. 1057 [a]33 Bz. μ4. 1079 [a]7. Hγ4. 1112 [a]10. 1136 [b]8. πο21. 45 1457 [a]32. πα25. 901 [b]32. χ1. 791 [a]14. εἰ μὴ ὐ γέγονεν τι1. 167 [b]16. ἐξ ὐχ ἅπαντος ἐγένετο Zικ5. 637 [a]8.

3. de negationis iteratione et omissione. interdum post negationem vel simplicem vel compositam iteratur negatio simplex, ὐ γὰρ αἱ ᾗ ὅλῃ ἰσχύϊ τοσήνδε ἐκίνησεν, ἡ ἡμίσεια 50 ὐ κινήσει ὕτε ποσὴν ὔτ' ἐν ὁποσῳῦν Φη5. 250 [a]16, cf ὐδὲ ... ὐ [a]22, 24. ὐδ' ἡ αὐτὴ πρᾶξις ᾗ μία τῷ ἀριθμῷ ἔσται φαύλη ᾗ σπυδαία K5. 4 [a]15. eiusdem generis sunt ε11. 21 [a]12. Aα4. 26 [b]24. 6. 29 [a]9. 10. 31 [a]16. 44. 50 [a]30. βι0. 60 [b]32. γ4. 74 [a]3. Φδ14. 223 [b]20. η4. 250 [a]17, 24. αν14. 477 [b]22. Zι4. 616 [a]29. 40. 624 [b]9. Μδ5. 1048 [a]22. λι0. 1075 [a]30. Pγ17. 1413 [a]15. γεη13. 1246 [b]3. ημβ7. 1204 [b]21, 1206 [b]26. cf Vahlen Ztsch f öster Gym 1868 p 16. — negatio simplex, quae ad universum enunciatum pertineat, omissa est propter negationes singulorum mem- 60 brorum, διόπερ πάντας ὔτε τὲς αἱρετὲς ὔτε τὰς κληρωτὲς

ἄρχοντας θετέον (i e ὐ πάντας, ὔτε ... ὔτε) Πδ15. 1299 [a]17. cf χεῖρας δ' ὐδὲ πόδας προσθίως ἔχει Zιβ12. 503 [b]24.

4. negatio ὐ cum aliis particulis coniuncta. καὶ ὐ. ἢ ἡ φυλακὴ δὲ βασιλικὴ ἢ ὐ τυραννικὴ Πγ14. 1285 [a]25. — ὐ μὴν Γα1. 314 [b]15. μβ2. 355 [b]24. Ζιε2. 539 [b]21. Πβ7. 1267 [a]38. δ2. 1289 [b]6. θ37. 833 [a]13, 15 al. — ὐ μὴν ... γε ψβ4. 416 [a]14. 12. 424 [a]26. αν477 [b]14. Hα11. 1101 [a]7. γ7. 1114 [a]13. δ2. 1120 [b]20. κ6. 397 [b]20 al. — ὐ μὴν ... ἀλλὰ κ6. 397 [b]22. — ὐ μὴν ἀλλά satis usitatum etiam Aristoteli, veluti Φα2. 185 [a]17. 7. 190 [a]24. γ1. 201 [a]26. 3. 202 [b]16. Γα2. 316 [b]16. μα7. 344 [b]30. αι6. 446 [a]10, 447 [a]3. Ζιβ11. 503 [b]26. γ5. 515 [a]32. Μν3. 1090 [a]19, [b]11. Πγ4. 1276 [b]35. Pα5. 1361 [a]29. πο9. 1451 [b]19. K7. 6 [b]36. ημβ11. 1210 [a]28. κ6. 397 [b]33. f 85. 1491 [a]14 al. — ὐ μὴν ἀλλά . . γε. Oα280 [a]31. μα3. 340 [b]7. πε14. 882 [a]15. — ὐ μὴν ὐδὲ Ζιγ4. 515 [a]19. Πγ9. 1280 [b]32. ξ6. 979 [b]26. πθ2. 889 [b]23. — ὐ μέντοι γε αν17. 479 [a]2. — ὐ γὰρ ἀλλά ημβ11. 1209 [a]15. — ἀλλ' ὐ τι γε Oα280. 271 [a]18. K6. 6 [a]2. ἀλλ' ὔ τι.. γε Φθ6. 258 [b]22. Πγ11. 1282 [a]11. ὔτι γε πν2.482 [a]2. (pro ἀλλ' ὔ τι fort legendum ἀλλ' ὔ τοι αι3. 439 [a]32.) aliter intelligen- dum est διαφέρει γὰρ ὐ τι σμικρῷ ψα1. 402 [a]36, ubi τι ad σμικρὸν referendum est. — ὔτοι. ἢ ὅλως ἢ ὔτοι ὕτω γε Μζ10. 1035 [a]30. — ὐχ ὅτι.. ἀλλὰ καί Πη11. 1331 [a]11. πο4. 1448 [b]35 (ubi ὅτι post ἀλλὰ delendum videtur esse). ὐχ ὅτι ἅπαξ ἀλλὰ πλεονάκις Zγδ1. 765 [b]19. ὐχ ὅτι ἀκριβῶς, ἀλλ' ὅλως ὐδὲ ὀφθήσεται ψβ7. 419 [a]21. ὐχ ὅτι.., ἀλλ' ὐδὲ Aα41. 49 [b]22. — ὐ μὴ c coni τα18. 108 [a]28. θ2. 157 [b]28. — ὐ ante vocalem. ἢ ὐ ἀλλ' Πγ14. 1284 [b]39.

οὗ, οἷ, ἕ, σφῶν, σφίσι, σφᾶς. ὔ οἱ ἄρκιον ἔσσεται (Hom B 392) Πγ14. 1285 [a]13. — ἀξιῦσιν αὐτοὶ μὲν ἄρχειν τὲς δ' ἄλλυς ὑπὸ σφῶν ἄρχεσθαι πάντας Πγ13. 1283 [b]29. αἰγυπιὸς ἢ αἰσάλων πολέμιοι σφίσιν αὐτοῖς Zι1. 609 [b]35. τύπτυσιν ἐλέφαντες τοῖς σθένει σφᾶς αὐτῆς Zι1. 610 [a]16. οὗ, adverb. — δευτέρα δὲ τρόπον λέγω τὸ ὡς αἱ ἢ ἢ ὅτε Zγβ4. 740 [a]24. — δευτέρα δὲ (πρόσοδος) ἡ ἀπὸ τῶν ἰδίων γινομένη, ὖ μὲν χρυσίον, ὖ δὲ ἀργύριον, ὖ δὲ χαλκός, ὖ δὲ ὁπόσα δύναται γίνεσθαι οβ1345 [b]34.

ὑγκία, νόμισμα Σικελικόν, ὅπερ δύναται χαλκῦν ἕνα f 467. 1554 [b]43, 1555 [a]5.

ὕδαμα (Emp 73) Φθ1. 251 [a]2.

ὐδαμόθεν ἄλλοθεν ἢ ἐντεῦθεν Zιι40. 626 [b]26. ὐδαμόθεν δὲ συμβαίνει ἐξ ὧν εἴρηκεν ξ6. 979 [a]34.

ὐδαμῷ μβ2. 355 [b]21, opp πολλαχῇ Πε1. 1302 [a]2.

ὐδαμῶς Aα4. 26 [b]24. 6. 29 [a]9. Zιμβ2. 647 [b]20. γ4. 666 [a]26 al. — elliptice usurpatum legitur φτα1. 816 [a]2.

ὐδέ, cf ὐ p 539 [b]3. ὐδ' αὖ Φα7. 190 [b]36. Hγ2. 1110 [b]21. δ1. 1119 [b]24. 8. 1125 [a]7. Πε8. 1308 [a]28. ι2. 1165 [a]25 Fr, cf αὖ p 121 [b]3. ὐδὲ δή (cf Eucken I 45) Aα19. 38 [b]3. Zιε11. 543 [b]22. μγ2. 372 [a]12. Hγ5. 1112 [b]34. ι4. 1166 [b]18 Fr, cf δή p 173 [a]33. ὐδὲ μήν (quod ipsius Aristotelis ab usu alienum esse iudicat Eucken I 12) Φη2. 245 [a]11. Μκ1. 1059 [b]21, 18. ξ6. 979 [a]39. ὐδὲ ... ὔτε ὔτε αὐτὴ ποιήσει ἐξ ὑγίεια ἄλλο τι (?) πλ8. 956 [a]40. — ὐδέ, omissa negatione ὐ in priore membro, χεῖρας δ' ὐδὲ πόδας προσθίως ἔχει Zιβ12. 503 [b]34.

ὐδείς. προσαγορεύειν Δημόκριτος τὸν μὲν τόπον τοῖσδε τοῖς ὀνό- μασι, τῷ τε κενῷ ἢ τῷ ὐδενὶ ἢ τῷ ἀπείρῳ cf 202. 1514 [b]11. — ὐ μικρὸν φιλίας Hθ13. 1161 [a]32. ὐδὲν λέ- γυσιν οἱ φάσκοντες Hη14. 1153 [b]21. τὸ ἕλκειν φάναι τὸ

σπέρμα οὐθέν ἐστιν Ζγδ4. 771 ᵇ29. cf Φθ3. 253 ᵇ3. Wz ad
ε2. 16 ᵃ26. — οὐδέν κωλύει, formula usitata, cf κωλύειν
p 419 ᵇ37. οὐδέν μᾶλλον, οὐδέν ἧττον Ηδ15. 1128 ᵇ32. 15.
1167 ᵃ8 Fr. Πγ6. 1278 ᵇ35. δ4. 1291 ᵃ7. ρ9. 1429 ᵇ21,
35 al. οὐδέν ἕτερον ἤ quasi in formulam indeclinabilem coa-
luit, οὐδέν ἕτερον ἤ τῷ ἔχειν τι ἔστιν ἀμετάπειστος ὁ λόγος 5
τε5. 134 ᵃ35. οὐδέν ὅ τι οὐ πκε3. 938 ᵃ18. — οὐδέν i q οὐ.
οὐδέν ἐπιδήλως πι35. 894 ᵇ13 (alios locos falso huc refert
Wz ad 16 ᵇ4). — plur οὐδένες: οὐδένων ἄλλων Φζ4. 234 ᵇ33.
οὐδέποτε modo coniunctim scriptum exhibetur veluti μγ2. 10
371 ᵇ26, modo distinctim veluti μβ3. 356 ᵇ25.
οὐδέτερος, cf μηδέτερος. ἀμφοτέρων τε μετέχυσι χ̣ οὐδετέρων
Ζμδ13. 697 ᵇ3. ἐπ' οὐδέτερον τὸ πέρας Οα12. 282 ᵇ18.
μβ1. 353 ᵇ31. δ7. 383 ᵇ24. Ζγα18. 722 ᵇ12. 23. 731 ᵇ9.
— οὐδέτερος, is qui neutram habet ex duabus oppositis 15
qualitatibus Ηκ5. 1175 ᵇ26. ηεη2. 1238 ᵇ1. — οὐδετέρως
Οα12. 282 ᵇ20. ψα4. 408 ᵃ9.
οὐδήεσσα μεταγράφει Ἀριστοτέλης ἀντὶ τοῦ αὐδήεσσα (Hom
ε334) f 163. 1505 ᵃ44, ᵇ3, 6.
οὐδός χ̣ ὑπέρθυρον θέσει διαφέρυσιν Μη2. 1042 ᵇ19. 20
οὖθαρ. τὸ οὖθαρ βλέπει κάτω Ζιγ21. 523 ᵃ2. (ἔνια τῶν φυ-
σωδῶν) ποιεῖ καθιέναι τὸ οὖθαρ, μείζω τὰ οὔθατα καθιᾶσιν
Ζιγ21. 523 ᵃ1. θ10. 596 ᵃ24. προβάτων, αἰγῶν Ζιβ1. 500
ᵇ11. γ20. 522 ᵃ8.
οὐθείς, cf μηθείς et Trdlbg de an p 201. 25
οὐκέτι, de tempore, ἤν, ἔστι δ' οὐκέτι sim μγ7. 378 ᵃ34.
Ζμα1. 641 ᵃ19.
οὐκοῦν, ad significandam conclusionem, fere i q οὖν Φθ1. 251
ᵃ16. Πγ10. 1281 ᵃ29. η9. 1329 ᵃ16. Κ3. 1 ᵇ14. 5. 2 ᵃ37,
ᵇ2, 3 ᵃ5. 6. 1 ᵇ6, ᵇ20. 30
οὔκυν, fere i q οὐκ οὖν, atque οὖν vel concludendi vim habet,
οὔκυν τῦτο δεῖ δεικνύναι, ἀλλ' ὅτι al Φδ6. 213 ᵃ31. μδ1.
379 ᵃ30. Ζγα7. 718 ᵃ5. πο6. 1450 ᵃ20. (οὔκυν pro οὐκῦν
restituendum videtur Μν6. 1092 ᵇ35 Bz), vel asseverandi,
μαρτύρησόν μοι, ὦ Λυσικλῆς. μὰ τὺς θεὺς οὔκυν ἔγωγε 35
ρ16. 1432 ᵃ5. huc referendum videtur οὔκυν usurpatum ad
afferendam ἔνστασιν: εἴ τις ἐνθύμημα εἶπεν ὅτι τοῖς με-
θύυσι δεῖ συγγνώμην ἔχειν, ἀγνοῦντες γὰρ ἁμαρτάνυσιν,
ἔνστασις ὅτι οὔκυν ὁ Πιττακὸς συνετός (ci Vhl Rhet 84,
αἰνετὸς Bk) Ρβ25. 1402 ᵇ11. 40
οὐλή. de volneribus sanatis. φύματα χ̣ οὐλαὶ Ζιη5. 585 ᵇ31.
cf Ζγα17. 721 ᵇ30. ὁ τόπος τῆς οὐλῆς Ζγα17. 721 ᵇ32.
ὅσα περὶ ὑπώπια χ̣ οὐλὰς χ̣ μώλωπας πθ. οὐλαὶ μέλαιναι,
λευκαί πθ2. 889 ᵇ20. 7. 890 ᵃ33. 11. 890 ᵇ28. 5. 890 ᵃ10.
ἐν ταῖς οὐλαῖς μὴ φύεσθαι τρίχας πδ4. 877 ᵃ2. σημεῖα πρὸς 45
ἀναγνωρίσεις, τὰ μὲν ἐν τῷ σώματι, οἷον οὐλαὶ πο16. 1454
ᵇ24.
οὐλόθριξ. οὐλότριχες τίνες Ζγε3. 783 ᵇ35. πλγ18. 963 ᵇ10.
coni εὐθύθριξ Ζγε3. 782 ᵇ18. cf οὐλόθριχος.
οὐλομέλεια τῦ οὐρανῦ Μν6. 1093 ᵇ4. 50
οὖλον. τὸ πολυφυὲς (τῦ στόματος) οὖλον, σάρκινον Ζια11. 493
ᵃ1. ἐκ τῶν οὔλων ἐνίοτε αἱμορροΐδες ἄπονοι γίνονται Ζμγ5.
668 ᵇ17. τὰ σῦκα διὰ τὴν γλισχρότητα προσέρχεται τοῖς
οὔλοις πκβ14. 931 ᵃ29. ὅσοι τὸ ἄνω χεῖλος χ̣ τὰ οὖλα προ-
εστηκότα ἔχυσι, φιλολοίδοροι φ6. 811 ᵃ26. 55
οὖλος. 1. i q ὅλος. συνάψειας οὖλα χ̣ οὐχὶ οὖλα (Heraclit fr 45)
κ5. 396 ᵇ21. — 2. crispus. οὖλαι τρίχες διὰ τί Ζγε3. 782
ᵇ20, 30. τρίχες οὐλότεραι πδ4. 909 ᵃ30. οἱ τὰς τρίχας
σφόδρα οὖλας ἔχοντες δειλοί φ6. 812 ᵇ30. οὖλαι οἶες Ζιθ10.
596 ᵇ6. ὥσπερ σέλινον οὖλα τὰ σκέλη φορεῖ (fr com adesp 60
Meineke IV 603) Ργ11. 1413 ᵃ12, 27.

οὐλότης τριχῶν, opp εὐθύτης Ζγε3. 782 ᵃ3. τί ἐστι, διὰ τί
γίνεται Ζγε3. 782 ᵇ28, 24. πιδ4. 909 ᵃ30. λγ18. 963 ᵇ11.
οὐλότριχος, cf οὐλόθριξ. τὸ οὐλοτριχώτερον γένος λεόντων δει-
λότερον Ζυ44. 629 ᵇ34.
οὐλῦσθαι τὸν τῦ τραύματος τόπον πι22. 893 ᵃ27.
οὐλοφυές (Emp 321) Φβ8. 199 ᵇ9.
Οὐλυμπόνδ' (Hom ζ 42) κ6. 400 ᵃ11.
οὖν, vi consecutiva. positum in principio (post primum voca-
bulum, sed cf εἰ μὴ οὖν τι5. 167 ᵇ16) enunciationis ali-
cuius vel comprehendi superiora vel aliquid ex iis concludi
significat, veluti τα1. 100 ᵃ21, 101 ᵃ1, 18. 4. 101 ᵇ11 ac
saepissime. post digressionem aliquam reditus ad superio-
rem cogitationum contextum significatur per particulam οὖν,
veluti Αγ19. 81 ᵇ29. τθ2. 157 ᵇ6. 8. 160 ᵃ39. 124. 180
ᵃ14 Wz. inde videtur repetendum esse, quod etiam intra
circuitum eiusdem enunciationis in apodosi periodorum
conditionalium vel causalium οὖν ponitur, praecipue ubi
protasis parenthesibus intercepta est (in plerisque locis,
qui afferendi sunt, editores a particula οὖν non apodosin
sed novam enunciationem incipiunt; quod cur nequeat
probari expositum est Bz Ar St II 59-106), ita οὖν ψγ11.
423 ᵇ1. Ηι9. 1170 ᵇ7. τδ4. 125 ᵇ5. ζ9. 147 ᵇ6 Wz. Φζ5.
234 ᵇ15. Ζμβ16. 659 ᵃ20. ημα3. 1185 ᵃ23, μὲν οὖν ΜΑ3.
983 ᵃ33. ε4. 1027 ᵇ28. μβ9. 369 ᵃ24. δ1. 378 ᵇ25. Ζγα1.
715 ᵃ7. Ηη6. 1147 ᵇ31, 1148 ᵇ2; saepe initio apodosis
inseritur nova protasis hypothetica, qua vel iteretur et
comprehendatur protasis primaria vel nova conditio, priori
subiecta, ponatur: εἰ οὖν Φδ14. 233 ᵇ18. θ8. 264 ᵃ28. 5.
256 ᵃ19. Αγ24. 85 ᵇ1. Οβ6. 289 ᵃ1, ἐὰν οὖν τβ4. 111 ᵇ4,
ὅταν οὖν ημβ10. 1208 ᵃ19, ἐπεὶ οὖν τβ5. 159 ᵃ36. ημβ7.
1206 ᵇ1, εἰ μὲν οὖν Ζκ4. 699 ᵇ25, ἐὰν μὲν οὖν ε7. 17 ᵇ3,
ὅταν μὲν οὖν Φδ4. 211 ᵃ29. idem usus particulae οὖν in
apodosi observatur etiam post eiusmodi (longiores ple-
rumque) protases conditionales et causales, quae non sunt
parenthesibus interceptae, et eadem quidem in hoc genere
cernitur usus varietas: οὖν Αα4. 26 ᵇ18. τι24. 179 ᵃ30.
μβ4. 361 ᵃ20. Γβ11. 337 ᵇ15. ψα4. 408 ᵃ9. Πδ7. 1341
ᵇ27. μχ3. 850 ᵇ1. 6. 851 ᵇ4, μὲν οὖν Μθ10. 1051 ᵇ13.
Ηκ10. 1180 ᵃ19, εἰ ἄν Αδ16. 98 ᵇ19. Ογ1. 299 ᵇ9. Μβ6.
1002 ᵇ5. Ζγε8. 788 ᵃ24, εἴπερ οὖν Οβ8. 290 ᵃ10. Ζγα18.
722 ᵃ21, ἐὰν οὖν Ρβ9. 1387 ᵃ31, εἰ μὲν οὖν Μκ3. 1060
ᵇ33. Ηγ7. 1114 ᵇ1. — μὲν οὖν saepe usurpatur, ubi notio
modo pronunciata amplius explicatur: ἀλλ' ἄν τις ἅπαντα
τοιαῦτα ποιήσῃ, ἢ αἴνιγμα ἔσται ἢ βαρβαρισμός, ἂν μὲν
οὖν ἐκ μεταφορῶν, αἴνιγμα, ἂν δ' ἐκ γλωττῶν, βαρβα-
ρισμός πο22.1458 ᵃ23 Vahlen Poet III 317. πάντες οἱ τόποι
πίπτυσιν εἰς τὴν τῦ ἐλέγχυ ἄγνοιαν, οἱ μὲν οὖν παρὰ τὴν
λέξιν, ὅτι φαινομένη ἀντίφασις, οἱ δ' ἄλλοι παρὰ τὸν τῦ
συλλογισμῦ ὅρον τι6. 169 ᵃ19. ἔστι προτάσεων μέρη τρία.
αἱ μὲν γὰρ ἠθικαὶ προτάσεις εἰσίν, αἱ δὲ φυσικαί, αἱ δὲ
λογικαί. ἠθικαὶ μὲν οὖν αἱ τοιαῦται οἷον τα14. 105 ᵇ21; cf
eiusdem usus exempla τα1. 100 ᵃ27. 2. 101 ᵃ28. 18. 108
ᵇ9. β1. 108 ᵇ38. Ρβ9. 1387 ᵃ33 (μάλιστα μὲν οὖν —, εἰ
δὲ μή). Πα2. 1252 ᵇ9. η10. 1329 ᵇ3. 17. 1336 ᵇ4, 7
(ὅλως μὲν οὖν —, μάλιστα μὲν οὖν —, ἐὰν δὲ), non de-
bebat tentare Susemihl Philol 25, 409). ε12. 1316 ᵃ8.
Ηζ7. 1141 ᵃ11 al. (inde probabile est, οὖν e cod Αᵇ reci-
piendum esse Ζιε10. 551 ᵃ2. 22. 553 ᵇ24.) — inde paul-
lum deflectit usus, ita quidem ut μὲν οὖν usurpetur ubi non
e superioribus notio explicatur, sed prorsus novi aliquid
profertur, veluti πόλεμος μὲν οὖν πρὸς ἄλληλα τοῖς ζῴοις

ἐστίν, ὅσα τῆς αὐτῆς τε κατέχει τόπης (antea neque πό-
λεμος commemoratur neque eiusmodi notio, cuius ad am-
bitum explicandum πόλεμος referatur) Zπ1. 608 ᵇ19. πο24.
1460 ᵃ11 Vahlen Poet III 338. — distinguendus ab his
is est usus particularum μὲν ὖν, ubi μέν non ₊raepara-
tivum, sed affirmativam vim habet, 'immo vero': οἶον τῇ
παιδεύσει τὸ φθονεῖσθαι ἀκολυθεῖ κακόν, τὸ δὲ σοφὸν εἶναι
ἀγαθόν· ὁ τοίνυν δεῖ παιδεύεσθαι, φθονεῖσθαι γὰρ ὁ δεῖ·
δεῖ μὲν ὖν παιδεύεσθαι, σοφὸν γὰρ εἶναι δεῖ Pβ23. 1399
ᵃ15, 23. — δ' ὖν cf δέ p 167 ᵃ54. — γῦν v h v. — ἀλλ'
ὖν cf ἀλλά p 33 ᵇ33.
ὕπω μαι4. 352 ᵃ1. β9. 370 ᵃ16. γ3. 373 ᵃ31. Zγα16. 721
ᵃ16. 19. 726 ᵇ19 al.

ὑρά. ὅπως ἐν φυλακῇ ᵹ σκέπῃ ᾖ τὸ λειτυργῦν μόριον τὴν
ἔξοδον τῷ περιττώματος, τοῖς τετράποσι τὴν καλυμένην ὑρὰν 15
ᵹ κέρκον ἀπέδωκεν ἡ φύσις· τοῖς μὲν ἔχυσι πόδας τὸ ὀπί-
σθιόν ἐστι σκέλος τὸ κάτωθεν μέρος πρὸς τὸ μέγεθος, τοῖς
δὲ μὴ ἔχυσιν ὑρὰ ᵹ κέρκοι ᵹ τὰ τοιαῦτα Zμδ10. 689 ᵇ30.
Zιβ1. 500 ᵇ31. — 1. mammalium cauda. διὰ τὸ ἔχειν ἰσχία
ἀφήρηται ᵹ τῆς ὑρᾶς ἀναγκαία χρῆσις (ἀνθρώπῳ) Zμδ10. 20
689 ᵇ24. ὁ πίθηκος ὅτε ὑρὰν ἔχει ὅτε ἰσχία, ὡς μὲν δίπυς
ὢν ὑράν, ὡς δὲ τετράπης ἰσχία· ὁ κῆβος πίθηκος ἔχων ὑρὰν
Zμδ10. 689 ᵇ34. Zιβ8. 502 ᵃ18 (cf κέρκος p 384 ᵇ26).
ὁ θώς ἐστι τὴν ἰδέαν εἰ ὑρὰν μακρός, ἐν Συρίᾳ τὰ ὑρό-
βατα τὰς ὑρὰς ἔχει τὸ πλάτος πήχεως· οἱ ὀπίσθιοι πόδες 25
τῆς φωκῆς τῷ σχήματι παραπλήσιοι ταῖς τῶν ἰχθύων ὑραῖς
εἰσὶν ZιΖ35. 580 ᵃ28. θ28. 606 ᵃ13. β1. 498 ᵇ4 (cf κέρ-
κος 2). — 2. ὄρνιθες ὑρὰν μὲν ὐκ ἔχυσιν, ὀρροπύγιον δὲ
Zιβ12. 504 ᵃ31. — 3. τοῖς ἰχθύσιν ὅλον ἀπὸ τῆς κεφαλῆς
τὸ κύτος συνεχές ἐστι μέχρι τῆς ὑρᾶς· τὴν ὑρὰν ὑχ ὁμοίαν 30
ἔχυσι πάντες οἱ ἰχθύες, ἀλλὰ τὰ μὲν παραπλήσιαν, τῶν δὲ
πλατέων ἔνια ἀκανθώδη ᵹ μακράν· ἐπὶ τὴν ὑρὰν πρόμηκες
τὸ τῶν τοιῶτων ἐστιν ἰχθύων σῶμα· ἰχθύας ἀνασκινεῖν τὴν
ὑρὰν Zμδ13. 695 ᵇ5, 6, 696 ᵃ24. θ71. 835 ᵇ10 (cf ὑραῖον 1).
— βατράχω, νάρκῃ ὑρὰ Zμδ13. 695 ᵇ16, 696 ᵃ31. — 35
4. οἱ κορδύλοι τὴν ὑρὰν μανώδη ᵹ πλατεῖαν ἔχυσι Zμδ13.
695 ᵇ26 (cf ὑραῖον 4.) — 5. ἡ σκολόπενδρα ἔχει ὑράν,
chelifer ἔχει τὰ μὲν ἄλλα τῇ ὁμοία τῶς σκορπίως ἄνευ τῆς ὑρᾶς
Zιθ7. 532 ᵃ4. ε32. 557 ᵇ10. — 6. crustaceorum κάραβος,
καρίς, κραγγὼν ἔχει ὑρὰν Zμδ8. 684 ᵃ1, 3. Zιδ2. 525 ᵇ28, 40
ᵇ29, 526 ᵇ27. οἱ καρκίνοι ὑκ ἔχυσιν ὑρὰν Zμδ8. 684 ᵃ2.

ὑραῖον. 1. τοῖς πτηνοῖς τὸ ὀρροπύγιον, τοῖς δ' ἰχθύσι τὸ
ὑραῖον· οἱ μὲν ὑροπύγιον ἔχυσιν, οἱ δ' ὑραῖον Zμδ9. 685 ᵇ23.
Zπ18. 714 ᵇ7. ἰχθὺς ὀπίσθιον ὑραῖον συνεχὲς ἔχει ᵹ ἄσχι-
στον, τῦτο ᵹ πᾶσιν ὅμοιον· οἱ ἰχθύες καθεύδοντες κινῦσιν 45
ὑθὲν πλὴν ἠρέμα τὸ ὑραῖον, τὸ διάστημα τῦ τῶν θύννων
ὑραίῳ Zιβ13. 504 ᵇ16. δ10. 537 ᵃ16. θ30. 607 ᵇ33. ἐνίοις
τῶν σελαχῶν ἀκανθώδες ᵹ μακρὸν τὸ ὑραῖον· ὅσοις τῶν
πλατέων ᵹ κερκοφόρων μὴ ἐμποδίζει τὸ ὑραῖον ὑδὲν ἔχον
πάχος· αἱ ῥῖναι ᵹ ὅσοις πολὺ τὸ ὑραῖον Zμδ13. 695 ᵇ10. 50
Zιε5. 540 ᵇ11, 12. — 2. δελφίνων ὑραῖον ZιΖ12. 566 ᵇ25.
Zγγ5. 756 ᵇ2. — 3. avium πελαργός ᵹ λάρος ᵹ τὰ τοι-
αῦτα τὸ ὑραῖον κινῦσι, τῶν αἰγιαλῶν ὁ ὀρεινὸς ἔχων ὑραῖον
μακρὸν Zιθ3. 593 ᵇ6, 592 ᵇ20. — 4. ὁ κορδύλος νεῖ τοῖς
ποσὶ ᵹ τῷ ὑραίῳ· ἔχει ὅμοιον γλάνει τὸ ὑραῖον Zια5. 490 55
ᵃ4 (cf ὑρά 4). — 5. τῶν μαλακοστράκων τὰ ὑραῖα μα-
κρὰν ἔχοντα ᵹ ἀπηρτημένα τῶν περυγίων· τὰ μαλακό-
στρακα συνδυάζεται ὥσπερ τὰ ὀπισθυρητικά, ὅταν τὸ μὲν
ὕπτιον τὸ δὲ πρανὲς ἐπαλλάξῃ τὰ ὑραῖα Zγα14. 720 ᵇ11,
12. οἱ κάραβοι τοῖς ὑραίοις νεῦσι Zια5. 490 ᵃ2. — 6. τῶν 60
ἐντόμων ἐνίοις τὸ κέντρον κατὰ τὸ ὑραῖον Zμδ6. 682 ᵇ36.

ὑράνιος. τὸ τεταγμένον ᵹ τὸ ὡρισμένον πολὺ μᾶλλον φαί-
νεται ἐν τοῖς ὑρανίοις ἢ περὶ ἡμᾶς Zμα1. 641 ᵇ19. ὁ Πρό-
κλος βύλεται τὰ ὑράνια ὄψιν μόνον ᵹ ἀκοὴν ἔχειν καθάπερ
ᵹ Ἀριστοτέλης f 39. 1481 ᵃ11. — (Ζεὺς, ὁ θεὸς) ὑράνιος
ᵹ τῆς χθονίας κ7. 401 ᵃ25. κατοπτεῦσαι τὸν ὑράνιον χῶρον,
εἰς τὸν ὑράνιον ἀφικέσθαι τόπον κ1. 391 ᵃ9, 8. — ἡ ἁρμονία
ἐστὶν ὑρανία τὴν φύσιν ἔχυσα θείαν ᵹ καλὴν ᵹ δαιμονίαν
f 43. 1483 ᵃ4.
Οὐράνιον ὄρος ἐν τῇ ἐπικρατείᾳ τῶν Καρχηδονίων θ113. 841
ᵃ10.
ὑρανόθεν (Hom Θ 21) Zκ4. 699 ᵇ37.
ὑρανομήκης. συγγνώμην ὀργιζομένῳ κακὸν φάναι ὑρανόμηκες
Pγ7. 1408 ᵇ13.
ὑρανίσκος vl πλγ14. 963 ᵃ2, ὑρανός Bk.
ὑρανός. ἐτύμως καλῦμεν ὑρανὸν ἀπὸ τῦ ὅρον εἶναι τῶν ἄνω
κ6. 400 ᵃ7. — τριχῶς λέγεται ὁ ὑρανός· ἕνα μὲν τρόπον
ὑρανὸν λέγομεν τὴν ὑσίαν τὴν τῆς ἐσχάτης τῦ παντὸς περι-
φορᾶς· ἄλλον δ' αὖ τρόπον τὸ συνεχὲς σῶμα τῇ ἐσχάτῃ
περιφορᾷ τῦ παντός, ἐν ᾧ σελήνη ᵹ ἥλιος ᵹ ἔνια τῶν
ἄστρων· ἔτι δ' ἄλλως λέγομεν ὑρανὸν τὸ περιεχόμενον
σῶμα ὑπὸ τῆς ἐσχάτης περιφορᾶς, τὸ γὰρ ὅλον ᵹ τὸ
πᾶν εἰώθαμεν λέγειν ὑρανὸν Oα9. 278 ᵇ10-21. ad unam
ex tribus his significationibus, quamquam alicubi dubi-
tatio quaedam locum habet, referri fere potest voc ὑρα-
νός usus Aristotelicus. — 1. ὑρανός i q sphaera stel-
larum fixarum, distinguitur a reliquis significationibus
addito voc πρῶτος, ὁ πρῶτος ὑρανὸς Oβ6. 288 ᵃ15 (coni
ἡ πρώτη φορά). 12. 292 ᵇ22. γ1. 298 ᵃ24. Mλ7. 1072
ᵃ23 Bz, vel addito voc ἐσχατος Oα3. 270 ᵇ15, sed etiam
ὑρανός ipsum per se τὸν πρῶτον ὑρανὸν potest significare
veluti μα8. 346 ᵃ7 (cf Alex ad h l, Ideler I 209). Oβ4. 287
ᵇ23. Mι1. 1053 ᵃ11 al. ὁ πρῶτος ὑρανὸς Mλ7. 1072
ᵃ23 Bz. σῶμά τι θεῖον Oβ3. 286 ᵃ10. (θεῶν οἰκητήριον ὑρα-
νός κ2. 391 ᵇ16.) ὑδὲν φαίνεται μεταβεβληκὸς ὅτε καθ'
ὅλον τὸν ἔσχατον ὑρανὸν ὅτε κατὰ μόριον αὐτῦ τῶν οἰκείων
ὑδέν Oα3. 270 ᵇ15. ἡ τῦ ὑρανῦ φορὰ συνεχὴς ᵹ ὁμαλὴς ᵹ
ἀίδιος ᵹ ταχίστη Oβ 6. 4. 287 ᵇ23. 10. 291 ᵃ35, — Mι1.
1053 ᵃ11. ὁ πρῶτος ὑρανὸς εὐθὺς τυγχάνει (int τῦ ἀρίστυ)
διὰ μιᾶς κινήσεως Oβ12. 292 ᵇ22. cf 10. 291 ᵃ35. —
2. ὑρανός i q coelum universe. ὁ ὑρανὸς ᵹ τὰ μόρια αὐτῦ,
ἄστρα ᵹ σελήνη ᵹ ἥλιος sim MΖ2. 1028 ᵇ12. θ8. 1050
ᵇ23. Zγα2. 716 ᵃ16. πκε18. 939 ᵇ16. τὰ φερόμενα κατὰ
τὸν ὑρανὸν MA5. 986 ᵃ10. θ 8. 990 ᵃ11. τῶν ἐν τῷ ὑρανῷ
ὅσα πλείης φέρεται φορᾶς Φθ6. 259 ᵇ30. οἱ λέγοντες τὸν
ὑρανὸν ᵹ τὰ θειότατα τῶν φανερῶν ἀπὸ τῦ αὐτομάτυ γε-
νέσθαι Φβ4. 196 ᵃ33. Zμα1. 641 ᵇ21. Ξενοφάνης εἰς τὸν
ὅλον ὑρανὸν ἀποβλέψας τὸ ἓν εἶναί φησι τὸν θεὸν MA5.
986 ᵇ24. ἄρχειν φασὶν ὁ τῆς πρώτης, οἷον νύκτα ᵹ ὑρανὸν
Mν4. 1091 ᵇ5. ὁ μεταξὺ γῆς ᵹ ὑρανὸ τόπος μα3. 340 ᵃ6.
τὸ ἐκ τῦ ὑρανῦ ὕδωρ, νέφεσι πυκνὴν τὸν ὑρανὸν sim μα13.
349 ᵇ14. 341 ᵇ2. — cf 364 ᵇ24. 9. 369 ᵇ22. —
cf praeterea MA5. 986 ᵃ3, 21. νϑ. 1090 ᵃ25. β2. 997
ᵇ35, 998 ᵃ5, 18. β2. 997 ᵇ16-18. ζ2. 1028 ᵇ27. η1.1042
ᵃ10. λ6. 1072 ᵃ2. 7. 1072 ᵇ14 (quamquam aliquot ex his
locis, veluti MA5. 986 ᵃ3, 21 dubium est an ad tertiam
significationem referendi sint). — 3. ὑρανός i q τὸ πᾶν,
τὸ ὅλον, ὁ κόσμος. ὁ τῦ ὑρανῦ πάντα· τὸ γὰρ ὑρανὸς τὸ
πᾶν ἴσως Φθ5. 212 ᵇ17, 8. cf Mγ5. 1010 ᵃ28, 30. Φθ12.
221 ᵃ22. syn τὸ ὅλον Φθ9. 217 ᵃ13, 216 ᵇ25. syn ὁ κό-
σμος Oγ2. 301 ᵃ17, 19. syn ἡ φύσις Oγ1. 300 ᵃ15, 16.
ἡ τῦ ὅλυ σύστασίς ἐστι κόσμος ᵹ ὑρανός Oα10. 280 ᵃ22.

ὁ σύνολος ὐρανός, ὁ ὅλος ὐρανός Ογ1. 298 ᵃ31. Ζκ3. 699 ᵃ12. ὁ περιέχειν φασὶ πάντας τὰς ὐρανὸς Ογ5. 303 ᵇ13. ὅσον αἰσθητόν ἐστι ᶄ περιείληφεν ὁ καλύμενος ὐρανός ΜΑ8. 990 ᵃ5, 20. εἶναί τινας ὐσίας παρὰ τὰς ἐν τῷ ὐρανῷ (i e παρὰ τὰς αἰσθητάς) Μβ2. 997 ᵇ7 Bz. cf μ6. 1080 ᵇ18, 17. ἔξω τῦ ὐρανῦ Φγ4. 203 ᵃ7, ᵇ25 (syn ἔξω τῦ κόσμυ 6. 206 ᵇ23). 7. 207 ᵇ21. Οα9. 279 ᵃ12. ὐχ οἷόν τε πλείυς εἶναι ὐρανὸς, εἰς ὐρανός Οα8. 9. Μλ8. 1074 ᵃ31-38 Bz. f 196. 1513 ᵃ31. διὰ τί συμβαίνει μὴ διασπᾶσθαι τὸν ὐρανὸν Οβ8. 290 ᵃ6. ὁ ὐρανὸς ἀγένητος ᶄ ἄφθαρτος Οα10-β1. cf Φθ1. 251 ᵇ19. ὁ ὐρανὸς ἔμψυχος ᶄ ἔχει κινήσεως ἀρχὴν Οβ2. 285 ᵃ29. (Pythagorei statuunt ἀναπνεῖν τὸν ὐρανὸν Φδ6. 213 ᵇ24.) σχῆμα ἀνάγκη σφαιροειδὲς ἔχειν τὸν ὐρανὸν Οβ2. 286 ᵇ10. ὁ ὐρανὸς ἔχει τὰς τῦ ἄνω ᶄ κάτω, τῦ πρόσθεν ᶄ ὄπισθεν, τῦ δεξιῦ ᶄ ἀριστερῦ διαφορὰς Οβ2. δ1. 308 ᵃ17, 26. f 200. 1513 ᵇ26 (Pyth). ὐρανῦ μῆκος τὸ κατὰ τὰς πόλυς διάστημα Οβ2. 285 ᵇ8.

ὐρανός, palatum. ὑπὸ τὸν ὐρανὸν ἐν τῷ στόματι ἡ γλῶττα Ζμβ17. 660 ᵃ14. τὸ ἔσχατον τῦ ἐν τῷ στόματι ὐρανῦ αν7. 474 ᵃ21. τὸ ὖς ἔχει πόρον εἰς τὸν τῦ στόματος ὐρανὸν Ζια11. 492 ᵃ20. ἔστιν ἡ διὰ τῶν ῥινῶν διάλεκτος γινομένη, ὅταν τὸ ἄνω τῆς ῥινὸς εἰς τὸν ὐρανόν, ᾗ συντέτρηται, κοῖλον γένηται πλγ14. 963 ᵃ2. cf ιγ2. 907 ᵇ29. σημεῖον τῦ ἀρρωστήματος μαλακὸς γίνεται ὁ ὐρανὸς (τῶν ἵππων) ᶄ θερμὸν πνεῖ Ζιϑ24. 604 ᵇ9. πολλοὶ ἰχθύες ἔχυσι ᶄ ἐν ταῖς γλώτταις ὀδόντας ᶄ ἐν τοῖς ὐρανοῖς· τὸν ὐρανὸν σαρκώδη πολλοὶ ᶄ τῶν ἰχθύων ἔχυσι, τῶν ποταμίων ἔνιοι σφόδρα σαρκώδη ᶄ μαλακόν, ὥστε δοκεῖν τοῖς μὴ σκοπῦσιν ἀκριβῶς γλῶτταν ἔχειν ταύτην Ζμγ1. 662 ᵃ8. β17. 660 ᵃ34. Ζιδ8. 533 ᵃ28.

ὖραξ. ἡ τέτριξ ἣν καλῦσιν Ἀθηναῖοι ὖραγα Ζιζ1. 559 ᵃ12. v τέτριξ.

ὐρεῖν πολλάκις, πυκνὰ Ζιζ18. 572 ᵃ29, ᵇ3, συνεχῶς πα51. 865 ᵇ8. τὸ σκέλος αἴροντες ὐρῦσι, ἄρασαι τὸ σκέλος ὐρησαν Ζιζ20. 574 ᵃ18, ᵇ19, 24 (Rose Ar Ps 356). θ5. 594 ᵇ25. ὐρεῖν εἰς τὸν αὐτὸν τόπον, ᾗ ἂν πρῶτον ὐρήσῃ πζ6. 887 ᵃ12. καθεζόμεναι, καθήμενοι ὐρῦσι Ζιζ20. 574 ᵇ23. Ζγϑ4. 773 ᵃ23. ἡ ὄνος καθαίρεται ὐρῦσα Ζιζ24. 578 ᵃ3. ᾗ ὐρῦσιν αἱ γυναῖκες Ζικ5. 637 ᵃ24. τὰ θήλεα συντάσει ὐρεῖ, τὰ δὲ ἄρρενα ὖ πι20. 892 ᵇ36. πτάραντες ᶄ ὐρήσαντες φρίττυσιν πλγ16. 963 ᵃ33.

ὐρεύς. ὐρῆας (Hom A 50) πο25. 1461 ᵃ10.

ὐρήθρα ἔξω τῶν ὑστερῶν, δίοδος τῷ σπέρματι τῷ τῦ ἄρρενος, τῦ δ' ὑγρῦ περιττώματος ἀμφοῖν ἔξοδος· ὁ (τῆς κύστεως) καυλὸς ὁ ἐπὶ τὴν ὐρήθραν τείνων Ζια14. 493 ᵇ4 Pik. 17. 497 ᵃ20.

ὖρησις μβ8. 366 ᵇ19. πγ15. 873 ᵃ20. ἀπολαμβάνειν τὴν ὖρησιν πα51. 865 ᵇ7.

ὐρητήρ. ἡ ἀρχὴ, ἡ στενότης τῦ ὐρητῆρος Ζιγ15. 519 ᵇ17. πιδ3. 895 ᵇ9.

ὐρητιᾶν πϑ19. 878 ᵇ33. ζ3. 886 ᵃ36. κζ10. 948 ᵇ35.

ὐρητικός. οἱ λίαν ὐρητικοὶ Ζμγ7. 670 ᵇ9. cf πγ15. 873 ᵃ15. τὰ εὐώδη ὐρητικά, τὸ πέπερι ὐρητικὸν πα48. 865 ᵃ20. 43. 864 ᵇ16. ιβ12. 907 ᵇ4. κ16. 924 ᵇ18. ὀσμὴ ἰσχυρὰ ἅμα ᶄ ὐρητικὴ πιγ6. 908 ᵇ2.

ὖριος. 1. ἅμα πνεύσιν ἐνίοτε ἀμφότεροι ὖριοι μβ6. 364 ᵃ31. ναῦς διωκομένη ὐρίῳ πνεύματι f 13. 1476 ᵃ23. ὅταν ἐξ ὐρίας βύλωνται διαδραμεῖν μὴ ὐρίῳ τῦ πνεύματος ὄντος μχ7. 851 ᵇ6, 11. — 2. ᾠὰ ὖρια. γίνεται τὰ καλύμενα ὖρια (ᾠὰ) μᾶλλον κατὰ τὴν θερμὴν ὥραν εὐλόγως Ζγγ2. 753 ᵃ22. cf 32, ᵇ7. Ζιζ2. 560 ᵃ5. 3. 562 ᵃ30. 4. 562 ᵇ11.

cf S I 408. v ᾠόν.

ὖρον. τὸ ὖρον ὕδατος εἶδος μδ5. 382 ᵇ13. 7. 384 ᵃ13. 10. 389 ᵃ10. 11. 389 ᵃ27. ὖρα ᶄ ὑποχωρήσεις ᶄ ὅλως τὰ περιττώματα μδ2. 380 ᵃ1. 3. 380 ᵇ5. τὸ τοιῦτον (τὸ ἀλλοτριώτατον ᶄ ἀπεπτότατον) ἐν τῇ κάτω ὑποστάσει ὖρον καλεῖται πβ3. 866 ᵇ26. ὖρον ὠμῶν μδ3. 380 ᵇ5. τὸ ὖρον εἰς κύστιν ἀποκρίνεται, διὰ τίν' αἰτίαν ἁλμυρὸν μβ3. 357 ᵇ2. πδ26. 879 ᵇ3. β3. 866 ᵇ23, 27. τὸ ὖρον Ζγα18. 726 ᵃ15. τὰ ἔμβρυα τῶν τετραπόδων ἔχει ἐν τῇ κύστει ὖρα Ζιη8. 586 ᵇ10. τὴν λίγκα φασὶ τὸ ὖρον κατακαλύπτειν θ76. 835 ᵇ29 Beckm. τοῖς ὄρευσι τὸ ὖρον παχύτερον τὸ τῆς θηλείας· τοῖς πεζοῖς αὕτη ἡ περίττωσις (κάθαρσις) τρέπεται εἰς τὰ ὖρα, παχέων γὰρ τὰ πλείστα ᶄ πολλὴν τὰ τοιαῦτα ποιεῖται τὴν ἔκκρισιν· τὸ τῦ λέοντος ὖρον ὀσμὴν Ζιζ18. 573 ᵃ16. η2. 583 ᵃ1. θ5. 594 ᵇ24. σκοπεῖν τὰ περὶ τὸ ὖρον σημεῖα· διὰ τί ἐν τῇ τελευταίᾳ προέσει τῦ ὔρυ φρίττυμεν· διὰ τί, ἐάν τις σκόροδον φάγῃ, τὸ ὖρον ὄζει πα51. 865 ᵇ6. η13. 888 ᵇ1. ιγ6. 908 ᵃ28. cf 1. 907 ᵇ22. κζ10. 949 ᵃ6.

ὐροπύγιον (v l ὀρροπύγιον ὀροπύγιον ὐροπύγιον ὐρρoπύγιον ὐροπύγιον ὑποπύγιον), in textu ὐροπύγιον 18 locis, ὀρροπύγιον 4 exhibuit Bk. cf Lob Prol 60. Scalig 212. SMz 163 fin. S II 305. AZι I 276, 49. — 1. τῶν ὀρνίθων. ἐκ τοιύτυ πτερῦ (σχιζοπτέρυ) γίνεται τὸ ὐροπύγιον, ἐν τῇ προσφύσει τῦτο κάμπτυσι Ζμδ13. 697 ᵇ12. Ζπ10. 710 ᵃ4. ἔστι τοῖς πτηνοῖς πρὸς τὸ κατευθύνειν τὴν πτῆσιν, καθάπερ τὰ πηδάλια τοῖς πλοίοις Ζπ10. 710 ᵃ1. ὄρνιθες ὐροπύγιον ἔχυσιν, ἰχθύες ὖραιον 18. 714 ᵇ7. cf Ζμδ9. 685 ᵇ23. οἱ ὄρνιθες ὖραν μὲν ὐκ ἔχυσιν, ὀρροπύγιον δὲ ᶄ οἱ μακροσκελεῖς ᶄ στεγανόποδες βραχὺ (syn μικρορροπύγιοι), οἱ δ' ἐναντίοι μέγα Ζιβ12. 504 ᵃ32, 34. ἡ εἰς τὸ ὐροπύγιον αὐτοῖς (μακροσκελέσι) τροφὴ εἰς τὰ σκέλη καταναλισκομένη ταῦτα ηὔξησεν, ἐν τῇ πτήσει ἀντ' ὐροπυγίυ χρῶνται αὐτοῖς (σκέλεσι) Ζμδ12. 694 ᵇ19, 20. τῶν σχιζοπτέρων οἷς τὸ ὐροπύγιον ἀφυῶς ἔχει πρὸς τὴν εἰρημένην χρῆσιν, οἷον τοῖς τε ταῶσι ᶄ ἀλεκτρυόσι ᶄ ὅλως τοῖς μὴ πτητικοῖς, ὐκ εὐθυπορῦσιν· τοῖς μὴ πτητικοῖς ἀχρεῖον τὸ ὐροπύγιον, οἷον τοῖς τε πορφυρίωσι ᶄ ἐρωδιοῖς ᶄ πᾶσι τοῖς πλωτοῖς· (τὰ μὴ πτητικὰ) ἀντὶ τῦ ὐροπυγίυ πέτανται τὼς πόδας ἀποτείναντα, ᶄ χρῶνται ἀντ' ὐροπυγίυ τοῖς σκέλεσι πρὸς τὸ εὐθύνειν τὴν πτῆσιν Ζπ10. 710 ᵃ5, 12, 14. ὁ περκνόπτερος ἔχει ὐροπύγιον πρόμηκες, ὁ ἁλιάετος πλατὺ Ζιι32. 618 ᵇ33, 619 ᵃ5. αἱ περιστεραὶ ἐφέλκυσι τὸ ὀρροπύγιον· ἐκτείνονται οἱ μὲν ὄρνιθες (galli) κατὰ τὸ ὐροπύγιον, καθ' ὃ συμπίπτυσιν ὀχεύοντες· τὸ τε κάλλαιον ἐξαίρεται ταῖς ἀλεκτορίσι ᶄ τὸ ὐροπύγιον Ζιζ2. 560 ᵇ10. ι50. 631 ᵇ25. 49. 631 ᵇ11. τῷ ταῷ τὸ ὐροπύγιον ὀτὲ μὲν διὰ τὸ μέγεθος ἄχρηστον ὀτὲ δὲ διὰ τὸ ἀποβάλλειν ὐθὲν ὠφελεῖ Ζπ10. 710 ᵃ23. — 2. αἱ νυκτερίδες ὖτε κέρκον ἔχυσιν ὖτ' ὐροπύγιον Ζμδ13. 697 ᵇ9, 10, 11. cf S I 75. — 3. τῶν ὁλοπτέρων ἁπλῶς ὐθὲν ἔχει ὐροπύγιον Ζπ10. 710 ᵃ8, syn ἀνορροπύγιος ἡ πτῆσις αὐτῶν Ζιδ7. 532 ᵃ24. — 4. κάραβος ἔχει ὐροπύγιον Ζπ17. 713 ᵇ29. cf S I 193. χαρκίνος ὐκ ἔχει ὐροπύγιον Ζπ17. 713 ᵇ29, syn ὁ καρκίνος μόνος τῶν τοιύτων ἀνορροπύγιος Ζιδ2. 525 ᵇ31. — 5. (τῶν σηπιῶν) ὁ ἄρρην ἔχει τὸ ὀρροπύγιον ὀξύτερον Ζιδ1. 525 ᵃ12. 'Leibesende' A Siebld XII 389. 'son corps plus ovalaire' Verany Mollusques méditerranéens 70.

ὖς, descr Ζια11. cf Philippson ὕλη 231. κεφαλῆς μόριον, δι' ὗ ἀκύει, ἄπνυν, τὸ ὖς· ὠτὸς μέρος τὸ μὲν ἀνώνυμον τὸ δὲ λοβὸς Ζια11. 492 ᵃ13, 23, 15. v λοβὸς p 432 ᵃ33. — 1. τὸ ἀνώνυμον μέρος, auricula (S I 33). λεπτότατον τὸ δέρμα τὸ περιτεταμένον, τὰ ὦτα ὄντα ἀναιμότατα πλβ12. 961 ᵃ35 (cf λε2. 964 ᵇ31). 1. 960 ᵃ36 (cf 12. 961 ᵃ31). ὅλον ἐκ χόνδρου ⅋ σαρκὸς σύγκειται, τὰ ὦτα χόνδροι εἰσίν Ζια11. 492 ᵃ16. γ8. 517 ᵃ3. cf Ζμβ9. 655 ᵃ31. πλβ8. 961 ᵇ13. τὴν ἀκοὴν ⅋ τὸ αἰσθητήριον αὐτῆς ⅋ (om Pik) τὰ ὦτα ἐκ πλαγίȣ μὲν ἔχει ὁ ἄνθρωπος, ἐπὶ τῆς αὐτῆς δὲ περιφερείας τοῖς ὄμμασιν· κεῖται τὰ ὦτα ἐπὶ τῆς περιφερείας τοῖς ὀφθαλμοῖς ⅋ ȣχ ὥσπερ ἐνίοις τῶν τετραπόδων ἄνωθεν· τὰ τετράποδα ἀπηρτημένα ἔχει τὰ ὦτα ⅋ ἄνωθεν τῶν ὀμμάτων ὡς δόξειεν ἄν· ὁ ἄνθρωπος (ἐν τῇ ὑστέρᾳ) συγκεκαμμένος, ὀφθαλμȣς (ἔχει) ἐπὶ τοῖς γόνασιν, ὦτα δ' ἐκτός Ζια15. 494 ᵇ14. 11. 492 ᵃ30. η8. 586 ᵇ3. Ζμβ11. 657 ᵃ13. ὥτων τὰ μὲν ψιλά τὰ δὲ δασέα τὰ δὲ μέσα Ζια11. 492 ᵃ32. ἢ μικρὰ ἢ μέσα ἢ (⅋ ci Aub, ⅋ ἢ ci Pik, et aut Gazae) ἐπανεστηκότα σφόδρα ἢ ὀθὲν ἢ μέσον Ζια11. 492 ᵃ34. cf εἰ μὲν πάνυ μικρὰ ἢ μέσα ἢ ἐπανεστηκότα σφόδρα ἢ· ταῦτα Ἀρ. ἔγραψεν Galen IV 797. τὰ μεγάλα ⅋ ἐπανεστηκότα, μακρά, μέτρια, μικρά Ζια11. 492 ᵇ2. 608. 606 ᵃ14. φ6. 812 ᵃ9. τὰ μακρὰ ⅋ ἀπογεγεισσωμένα Ζγε2. 781 ᵇ13. ὀρθά Ζι5. 611 ᵇ30. κινεῖν τὰ ὦτα Ζια11. 492 ᵃ30. γ9. 517 ᵃ30. Ζμβ13. 658 ᵃ1. καταβάλλειν τὰ ὦτα Ζιε14. 546 ᵃ27. ζ18. 573 ᵇ8. 623. 604 ᵃ20. 24. 604 ᵇ13. προτείνειν τὰ ὦτα Ζιθ24. 604 ᵇ14. συμβάλλειν κάτω τὰ ὦτα Ζιθ28. 606 ᵃ15. ἐπιπλάττειν τὰ ὦτα πγ27. 875 ᵃ36. —

2. partes auriculae et auris. ἄκρα τὰ ὦτα, τὰ ἄκρα τῶν ὥτων, opp ὁ ἄλλος τόπος πλβ8. 961 ᵃ8, 12, 13. τὸ ἐντὸς τȣ ὥτȣ πλβ1. 961 ᵃ29. εἰσιν τῇ φύσιν ἔχει οἷον οἱ στρόμβοι Ζια11. 492 ᵃ17 Aub Ka. αἱ ἕλικες ψβ8. 420 ᵃ12, 'Ohrleisten' Lewes 256, 3. ἡ ἑλίκη Ζγε2. 781 ᵇ13. τὸ ἔσχατον ὀστȣν ὅμοιον τῷ ὠτί, εἰς ὃ ὥσπερ ἀγγεῖον ἔσχατον ἀφικνεῖται ὁ ψόφος (Paukenhöhle) Ζια11.492 ᵃ18 Aub. ἔτι· δύο τȣτων (τῶν τεττάρων ὀστῶν τῆς κεφαλῆς) περὶ τὰ ὦτα· τὸ μεταξὺ ὀφθαλμȣ ⅋ ὠτὸς ⅋ κορυφῆς καλεῖται κρόταφος Ζιγ7. 516 ᵃ21. α11. 492 ᵇ3. τὸ κενὸν ψβ8. 420 ᵃ18. ἡ μήνιγξ, ὁ ὑμὴν πλβ13. 961 ᵃ38, ᵇ1. τȣ προσώπȣ ἥκιστα βάθος ἔχει τὰ ὦτα πλβ1. 960 ᵇ3. — 3. ὦτα θηρὸς, διὰ τὴν· αἰτίαν Ζμβ10. 657 ᵃ3. τὰ ὦτα ἀντίκειται πλα3. 957 ᵇ14. τῶν σφυρῶν ἑκάτερον κατὰ τὸ ȣς (ἑκατέρωθεν ci Aub) Ζια15. 494 ᵇ8. τὸ ἀριστερὸν ȣς, αἱ γυναῖκες τὸ μὲν ἄρρεν τὸ δὲ θῆλυ καλȣσι τῶν ὥτων πλβ7. 960 ᵇ40, 961 ᵃ1. —

4. anatomica. ἐκ τῶν ὥτων πόρος εἰς τὸ ὄπισθεν ⸤συναφὴς⸥ Ζμβ10. 656 ᵇ18. εἰς μὲν τὸν ἐγκέφαλον ȣκ ἔχει πόρον, εἰς δὲ τὸν τȣ στόματος ȣρανὸν, tuba Eustachii Ζια11. 492 ᵃ19. ἐκ τȣ ἐγκεφάλȣ φλὲψ τείνει εἰς αὐτὸ (Carotis interna), τελευτῶσι παρὰ τὸ ȣς ἑκάτεραι φλέβες, φέρȣσι μέχρι τῶν ὥτων (Vena cephalica posterior s interna), μία ἑτέρα ἀφ' ἑκατέρȣ τȣ τόπȣ τȣ περὶ τὰ ὦτα ἐπὶ τὸν ἐγκέφαλον τείνει (Vena iugularis interna) Ζια11. 492 ᵃ20. γ2. 512 ᵃ24. 3. 514 ᵃ9, 15. αἱ σφαγίτιδες ἐκ τῆς κεφαλῆς παρὰ τὰ ὦτα διὰ τȣ αὐχένος τείνȣσι (eadem) Ζιγ3. 512 ᵇ19. — 5. physiolog. ὅσα περὶ τὰ ὦτα πλβ. τὰ αἰσθητήρια ἀκοῆς ὦτα π Ζμδ11. 691 ᵃ12. ὦτα πολλὰ ποιȣσιν αὐτῶν οἱ μόναρχοι Πγ16. 1287 ᵇ30. (Ἀλκμαίων ȣκ ἀληθῆ λέγει φάμενος ἀναπνεῖν τὰς αἶγας κατὰ τὰ ὦτα Ζια11. 492 ᵃ14. cf Sprengel Versuch einer pragm Gesch der Arzneikunde 1792 I 167. Siebld VI 265). ἡ μȣσικὴ διὰ ὥτων χωρεῖ f 192. 1512 ᵇ19. ὁ ἀὴρ τοῖς ὠσὶν ἐγκατῳκοδόμηται πρὸς τὸ ἀκίνητος εἶναι ὅπως ἀκριβῶς αἰσθάνηται πάσας τὰς διαφορὰς τῆς κινήσεως, ἀεὶ οἰκείαν τινὰ κίνησιν ὁ ἀὴρ κινεῖται ⸤ὁ ἐν τοῖς ὠσὶν⸥ ψβ8. 420 ᵃ9 (cf Lewes 255), ᵇ17. cf Plat Tim 67 B. τὸ τῶν ὥτων μόριον πρόσκειται τοῖς πόροις πρὸς τὸ σῴζειν τὴν πόρρωθεν ἀέρος κίνησιν Ζγε2. 781 ᵇ25. τȣ ἐξιόντος πνευ-

ματος ἐν τῇ χάσμῃ πολὺ ⅋ εἰς τὰ ὦτα χωρεῖ ἔσωθεν πια29. 902 ᵇ10. (λβ5. 960 ᵇ22.) cf τὸ ἀπολαμβανόμενον πνεῦμα περὶ τὰ ὦτα ἀθροίζεται πια44. 904 ᵃ18. τὰ ὦτα ὑπὸ τȣ κατέχεσθαι τὸ πνεῦμα ἐμφυσᾶται πλβ2. 960 ᵇ13. πανταχόθεν ψοφȣντες (ψοφȣντος ci Bsm) ἀκȣομεν, ⅋ ȣ μόνον τῶν κατ' εὐθυωρίαν τοῖς ὠσίν· τὸ πνεῦμα εἰς τὰ ὦτα ἐντὸς πορευόμενον ἐξωθεῖται τὸν ὑμένα· κοινωνȣσιν οἱ περὶ τὸν ἐγκέφαλον τόποι τῷ πνεύμονι, οἷον τοῖς ὠσὶν πια49. 904 ᵃ21. λβ13. 961 ᵃ40. λγ1. 961 ᵇ13. σημεῖον τȣ ἀκȣειν ἢ μὴ τὸ ἠχεῖν ἀιεὶ τὸ ȣς ὥσπερ τὸ κέρας ψβ8. 420 ᵃ16. οἴονται κατὰ τὴν ὕπνȣς βροντᾶσθαι μικρῶν ἤχων ἐν τοῖς ὠσὶ γινομένων μτ1. 463 ᵃ13. διὰ τί ὁ ἦχος ὁ ἐν τοῖς ὠσίν, ἐάν τις ψοφήσῃ, παύεται πλβ9. 961 ᵃ16. διὰ τί ὁ ἐν τοῖς ὠσὶ ῥύπος πικρός ἐστι πλβ4. 960 ᵇ18. cf Bojesen Probl des Ar 19. Rose Ar Ps 325. ὧν ἀσυνήθης ἡ ἁφή, οἷον τῶν ποδῶν ⅋ τȣ ὠτός πλα4. 960 ᵃ32. διὰ τί αἰσχυνόμενοι εἰς τὰ ὦτα μᾶλλον ἐπιδιδόασι πρὸς τὸ ἐρυθραίνειν πλα3. 957 ᵇ10. λβ1. 960 ᵃ37. 8. 961 ᵃ8. 12. 961 ᵃ31. διὰ τί τὸ ἀριστερὸν ȣς θᾶττον συμφύεται πλβ7. 960 ᵇ40. διὰ τί ἔνιοι τὰ ὦτα σκαλεύοντες βήττȣσιν, διὰ τί ȣδεὶς χασμώμενος τὸ ȣς σκαλεύει πλβ6. 960 ᵇ35. 13. 961 ᵃ37. λγ1. 961 ᵇ16. τὸ ὕδωρ ἐὰν εἰσέρχεται πρὸς αὐτὸν τὸν συμφυῆ ἀέρα ἀλλ' ȣδ' εἰς τὸ ȣς διὰ τὰς ἕλικας ψβ8. 420 ᵃ12. Lewes 256, 3. ἐλισθηρȣ τȣ ὠτὸς γενομένȣ ἐξῆλθε τὸ ὕδωρ· ἐὰν εἰς τὸ ȣς ὕδωρ ἐγχυθῇ πλβ10. 961 ᵃ23, 18. ἐὰν προσψεύσωσιν εἰς τὸ ȣς ἔλαιον πλβ11. 961 ᵃ24, 26. οἱ κολυμβηταὶ σπόγγȣς περὶ τὰ ὦτα καταδύνται, διὰ τί οἱ σπογγεῖς διατέμνονται τὰ ὦτα, διὰ τί τὰ ὦτα ἐν τῇ θαλάττῃ ῥήγνυνται τοῖς κολυμβῶσιν πλβ3. 960 ᵇ15. 5. 960 ᵇ21. 2. 960 ᵇ3. 960 ᵇ16. 11. 960 ᵃ24, 25. — ἔνια (τῶν ἑπταμήνων) γίνεται ὅσα τȣς πόρȣς ἔχοντα πως διηρθρωμένος, οἷον ὥτων ⅋ μυκτήρων· πολλὰ (ἑπτάμηνα) ⅋ τῶν πόρων ἐνίȣς ἔχοντα ἀσχίστȣς, οἷον ὥτων ⅋ μυκτήρων Ζγδ6. 775 ᵃ2. Ζιη4. 584 ᵇ5. — αἱ νόσοι ἀντιπερίστανται αἱ τȣ ὠτὸς εἰς τὰ τȣ πνεύμονος πάθη πλγ1. 961 ᵇ15. (ὑπὲρ νόσημα) κατ' ȣς Ζιθ21. 603 ᵇ2. —

6. physiognom. τὰ μέσα βέλτιστα ἤθȣς σημεῖα, ἤθȣς ȣθὲν σημεῖα· τὰ μεγάλα ⅋ ἐπανεστηκότα μωρολογίας ⅋ ἀδολεσχίας σημεῖον Ζια11. 492 ᵃ32, 34, ᵇ2. cf φ6. 812 ᵃ8-11. Galen IV 797. — 7. aures aliis animalibus aliae. τῶν ἐχόντων ἀκοὴν τὰ μὲν ὦτα ἔχει, ὦτα τὰ δ' τȣς πόρȣ φανερόν· ἔνια ὦτα ἔχει, ἔνια δὲ τȣς πόρȣς φανερȣς πλβ Ζια11. 492 ᵃ24. δ8. 533 ᵃ21. ὅσα ζῳοτοκεῖ, ἔξω φωκὸς ⅋ δελφῖνος ⅋ τῶν ἄλλων ὅσα (σελαχώδη) πάντα ἔχει ὦτα Ζια11. 492 ᵃ26 Aub. cf Ζμβ9. 655 ᵃ31. πλβ8. 961 ᵃ13. τὰ ὦτα τῶν ζῳοτοκȣντων πεζῶν, τῶν τετραπόδων Ζιγ8. 517 ᵃ3. α11. 492 ᵃ30 Aub. Ζμβ11. 657 ᵃ13. 13. 658 ᵃ1. Ζγε2. 781 ᵇ13. — ἀκίνητον τὸ ȣς ἄνθρωπος ἔχει μόνον τῶν ἐχόντων τȣτο τὸ μόριον, μόνον ἄνθρωπος ȣ κινεῖ, τὸ τȣ ἀνθρώπȣ ἀκίνητον κατ' ἰδίαν Ζια11. 492 ᵃ22, 28, ᵇ15, opp τὰ ἄλλα κινεῖ πάντα Ζια11. 492 ᵃ30. φωκῇ ȣκ ἔχει ἀλλὰ πόρȣς μόνον Ζγε2. 781 ᵇ24. Ζια11. 492 ᵃ28. ὁ δελφὶς ἀκȣει μέν, ȣκ ἔχει δ' ὦτα Ζια11. 492 ᵃ29. simia ὦτα παραπλήσια ἔχει Ζιβ8. 502 ᵃ29. cf φ6. 812 ᵃ9. τὰ ὦτα αἱ αἶγες ἔχȣσι σπιθαμῆς ⅋ παλαιστῆς ⅋ μικρὸν συμβάλλȣσι κάτω τὰ ὦτα πρὸς τὴν γῆν πλβ28. 606 ᵃ14, 15. κύνες φ6. 812 ᵃ10. βόλινθος ἔχει τὸ ὀξὺ τῶν κεράτων κάτω παρὰ τὰ ὦτα θι. 880 ᵃ13. τῶν βοῶν τῶν ἐν Νευροῖς ἐκπεφυκέναι τὰ κέρατα ⅋ τὰ ὦτα ἔκ φυσιν τὴν αὐτήν τε εἶναι συμπεφασμένα f 321. 1532 ᵃ40. (ἡ τῶν ὀρνίθων φύσις) ȣκ ἔχει τοιαύτην ὕλην ἐξ ἧς ἂν ἔπλασε τὰ ὦτα· οἱ ὄρνιθες ȣτ' ὦτα ȣτε μυκτῆρας ἔχȣσιν, ἀλλὰ τȣς πόρȣς τȣτων τῶν αἰσθήσεων

Ζμβ12. 657 ᵃ20. Ζιβ12. 504 ᵃ21. ὁ ὦτος ἔχει περὶ τὰ ὦτα πτερύγια, διὸ κ̣ ὦτος καλεῖται f 276. 1527 ᵇ31. — amphibia ὦτα ὐκ ἔχωσιν ἀλλὰ τὸν πόρον τῆς ἀκοῆς μόνον πάντα τὰ τοιαῦτα Ζιβ10. 503 ᵃ5.

ὗς θαλάττιον v p 427 ᵃ1. cf S I 210.

ὐσία. 1. res familiaris, opes, divitiae. ὐσία μακρά (ὐσίαι μακραί), μέση, ἱκανή, μετρία, μικρά, τοσαύτη, πλείων, ὐσίαι ἴσαι Πδ4. 1290 ᵇ16, 1291 ᵇ26. 6. 1292 ᵇ26, 1293 ᵃ18. 11. 1295 ᵇ40. ζ3. 1318 ᵃ20. 7. 1321 ᵃ11. β7. 1266 ᵇ27, 1267 ᵃ38. οἱ τὰς ὐσίας ἔχοντες Πγ8. 1279 ᵇ18. δ6. 1293 ᵃ21. 11. 1296 ᵃ25. ε5. 1304 ᵇ22. ρ3. 1424 ᵃ21. ὁμαλότης τῆς ὐσίας, κατ' ὐσίαν ἄνισοι, ὑπερτείνειν ταῖς ὐσίαις Πε9. 1309 ᵇ40. 1. 1301 ᵃ32. δ6. 1293 ᵃ30. ὑπὲρ τὴν ὐσίαν, κατὰ τὴν ὐσίαν Ηγ14. 1119 ᵃ18. δ2. 1120 ᵇ7, 9, 12, 24. 3. 1121 ᵃ18. τὸ τῆς ὐσίας πλῆθος, τὰ μεγέθη τῆς ὐσίας Πβ7. 1266 ᵇ9. δ3. 1289 ᵇ35. αὔξειν τὴν τῦ νομίσματος ὐσίαν εἰς ἄπειρον Πα9. 1257 ᵇ40. ἡ τῆς ὐσίας χρῆσις, ἡ περὶ τὴν ὐσίαν εὐπορία Πβ3. 1265 ᵃ35. η5. 1326 ᵇ34. μερίζεσθαι, πωλεῖν, δαπανᾶν, φθείρειν, δημεύειν τὰς ὐσίας Πβ6. 1265 ᵇ3. 7. 1266 ᵇ19. ε8. 1307 ᵇ33. Ηδ1.1120 ᵃ1,2. ρ3. 1424 ᵃ33. τῶν φυγόντων ὐσίας πιπράσκωσιν οἱ πωληταί f 401. 1545 ᵃ18. τῶν ὐσιῶν αὐξανομένων Πε3. 1303 ᵃ12. τὰς ὐσίας ἀναδάστυς ποιεῖν Πε5. 1305 ᵃ4. εἰς ὀλίγυς αἱ ὐσίαι ἔρχονται Πε7. 1307 ᵃ36. cf praeterea Πβ7. 1266 ᵃ37. δ4. 1291 ᵃ34. Ηι3. 1165 ᵇ20. ρ36. 1441 ᵇ19.

2. ὐσία i e τὸ εἶναι (cf Simpl ad Phys f 174ᵃ ἡ παράτασις τῆς ὑπάρξεως, et v εἶναι p 220 ᵇ14). ἔστι χρόνος τις πλείων, ὃς ὑπερέξει τῦ τε εἶναι αὐτῶν κ̣ τῦ μετρῦντος τὴν ὐσίαν Φδ12. 221 ᵇ31 (cf τῷ μετρεῖσθαι τὸ χρόνῳ κ̣ αὐτὴν τὴν κίνησιν κ̣ τὸ εἶναι αὐτῆς 221 ᵃ5). ὅτω γὰρ ἂν μάλιστα συνείροιτο τὸ εἶναι ἂν ἡ γιγνόμενα εἶναι τῆς ὐσίας τὸ γίνεσθαι ἀεὶ [κ̣] τὴν γένεσιν Γβ10. 336 ᵇ33. ἡ γένεσις ἕνεκα τῆς ὐσίας ἐστίν, ἀλλ' ὐχ ἡ ὐσία ἕνεκα τῆς γενέσεως Ζμα1. 640 ᵃ18. Ζγε1. 778 ᵇ5. μόρια, τὰ μὲν πρὸς τὰ ἔργα κ̣ τὴν ὐσίαν ἑκάστῳ τῶν ζῴων, τὰ δὲ πρὸς τὸ βέλτιον κ̣ χεῖρον Ζμβ2. 648 ᵃ16, cf 647 ᵇ25. ἐν ᾧ τῆς ὐσίας ἡ ἀρχή (i e ἐν τῇ καρδίᾳ), syn ἀρχὴ τῆς ζωῆς αν17. 478 ᵇ33, 479 ᵃ7. κίνδυνοι ἀναιρετικοὶ τῆς ὐσίας ημα20. 1191 ᵃ31.

3. ὐσία id quod re vera est, τὸ ὄν, τὸ ἁπλῶς ὄν. ea usitatissima nominis ὐσία significatio quamquam differt a superiore, ita tamen ei affinis est, ut interdum utram praeferas dubium sit. magna usus varietas non solum inde repetitur, quod Ar ea etiam, quae alii philosophi vere esse statuerunt, hoc nomine significat, sed praecipue quod ipse, cum philosophia omnino in indaganda τῇ ὐσίᾳ versetur (Μη1. 1042 ᵃ5. γ3. 1005 ᵃ21), non uni rerum generi exclusis reliquis omnibus hoc tribuit ut ὐσίαι sint, sed diversis rerum generibus quodammodo ὐσίας dignitatem assignandam iudicat; itaque usum Aristotelicum nominis ὐσία plene persequi esset ipsam Aristotelis philosophiam exponere. ὐσία ποσαχῶς λέγεται Μδ8 Bz. ζ3. 1028 ᵇ33, 36 Bz. — a. notae constitutivae notionis τῆς ὐσίας. ὐσία ἐστὶν ἡ κυριώτατά τε κ̣ πρώτως κ̣ μάλιστα λεγομένη ἡ μήτε καθ' ὑποκειμένυ τινὸς λέγεται μήτ' ἐν ὑποκειμένῳ τινί ἐστιν K5. 2 ᵃ11 Wz, 35, 5, 3 ᵃ7. εἶναι ἡ μὴ καθ' ὑποκειμένου ἀλλὰ καθ' ὗ τἆλλα Μζ3. 1029 ᵃ8. 13. 1038 ᵇ15. δ8. 1017 ᵇ13. κ10. 1066 ᵇ13. Φα2. 185 ᵃ32. 7. 190 ᵃ36. γ5. 204 ᵃ23. μκ3. 465 ᵇ7. Αγ22. 83 ᵃ30. 4. 73 ᵇ7 (cf Μμ6. 1080 ᵃ16). ἡ ὐσία τὸ ὑποκείμενον, τὸ ὑποκείμενον ἔσχατον Μη1. 1042 ᵃ26. δ8. 1017 ᵇ23. 11. 1019 ᵃ5. ὐδὲν ὐσίᾳ ἐναντίον, ὐκ ἔστιν εἶναι φαμεν ὐσίαν ἐναντίαν ὐσίᾳ K5. 3 ᵇ24, 25. Μν1. 1087

ᵇ2. κ12. 1068 ᵃ11. Φα6. 189 ᵃ29, 33. ε2. 225 ᵇ10. Γβ8. 335 ᵃ6. τῶν πρώτων ὐσιῶν ὐδὲν μᾶλλον ἕτερον ἑτέρυ ὐσία ἐστίν K5. 2 ᵇ26, 3 ᵇ33. μάλιστα ἴδιον τῆς ὐσίας τὸ ταὐτὸν κ̣ ἓν ἀριθμῷ ὂν τῶν ἐναντίων εἶναι δεκτικόν K5. 4 ᵃ10, ᵇ3, 17. ἁπλῶς γίγνεσθαι τῶν ὐσιῶν μόνον Φα7. 190 ᵃ33. ὐσίας πάσης γένεσίς ἐστι Μκ2. 1060 ᵇ18. ἡ αἰσθητὴ ὐσία μεταβλητή Μλ1. 1069 ᵇ3. ἑκάστη ἐκ συνωνύμυ γίγνεται ὐσία Μλ3. 1070 ᵃ5. ὑπάρχει ταῖς ὐσίαις τὸ πάντα συνωνύμως ἀπ' αὐτῶν λέγεσθαι K5. 3 ᵃ33. τὰ πρώτως λεγόμενα ἐν ὧν ἡ ὐσία μία Μδ6. 1016 ᵇ9. — b. ὐσία, substantia, prima in serie categoriarum. ἡ ὐσία ἕν τι γένος ἐστὶ τῦ ὄντος, τῶν ὄντων Φα6. 189 ᵇ23, ᵃ14. ψβ1. 412 ᵃ6. ab ὐσία distinguuntur ποσόν, ποιόν rel Φα2. 185 ᵃ23. ψα1. 402 ᵃ24. β4. 416 ᵇ13. Μζ9. 1034 ᵇ8, 16. η2. 1043 ᵃ5. Γα1. 314 ᵇ14 (dist μέγεθος), cf κατηγορία p 378 ᵇ15. τὸ πρώτως ὂν πρὸς ὃ πᾶσαι αἱ ἄλλαι κατηγορίαι ἀναφέρονται, ἡ ὐσία Μθ1. 1045 ᵇ29. λ1. 1069 ᵃ20, 21. νı. 1088 ᵇ4. ἡ ὐσία ὐχ ἧ τὶ ὂν ἀλλ' ὂν ἁπλῶς ἡ ὐσία ἂν εἴη, πρῶτον πάντων κ̣ λόγῳ κ̣ γνώσει κ̣ χρόνῳ Μζ1. 1028 ᵃ31, 32, 15 Bz. αἱ ὐσίαι κ̣ ὅσα ἄλλα ἁπλῶς ὄντα Φα7. 189 ᵇ1. τὸ τί ἐστιν ἁπλῶς τῇ ὐσίᾳ ὑπάρχει, πῶς δὲ τοῖς ἄλλοις Μζ4. 1030 ᵃ30. τὸ πρὸς τι ἥκιστα φύσις τις ἡ ὐσία τῶν κατηγοριῶν ἐστιν Μν1. 1088 ᵃ23. cf λ4. 1070 ᵃ33. reliquae praeter ὐσίαν categoriae κατηγορῦνται κατὰ τῶν ὐσιῶν Αγ22. 83 ᵇ11, ac sunt συμβεβηκότα, πάθη τῆς ὐσίας Αγ22. 83 ᵃ25. Φγ4. 203 ᵇ33. Μβ5. 1001 ᵇ31. γ4. 1007 ᵃ31-35. ζ13. 1038 ᵇ28. κ1. 1059 ᵃ29. λ5. 1071 ᵃ1. μ2. 1077 ᵇ5. ἡ ὐσία ὑπομένει, τοῖς δὲ πάθεσι μεταβάλλει ΜΛ3. 983 ᵇ10. β5. 1002 ᵃ3. πρότερα κατὰ φύσιν ἡ ὐσίαν, ὅσα ἐνδέχεται εἶναι ἄνευ ἄλλων, ἐκεῖνα δὲ ἄνευ ἐκείνων μή Μδ11. 1019 ᵃ3. τῇ ὐσίᾳ πρότερα ὅσα χωριζόμενα τῷ εἶναι ὑπερβάλλει κ̣ πάντα ὅσα τῷ λόγῳ πρότερα, κ̣ τῇ ὐσίᾳ πρότερα Μμ2. 1077 ᵇ2 sqq (cf ὐσία 2). — c. synonyma et opposita. τῶν μὲν ἄλλων κατηγορημάτων ὐθὲν χωριστόν, αὕτη δὲ μόνη Μζ1. 1028 ᵃ34 Bz. 16. 1040 ᵇ29. 3. 1029 ᵃ28. 14. 1039 ᵃ32. κ2. 1060 ᵇ1. λ3. 1070 ᵇ36. Φα2. 185 ᵃ31 (cf ὐσία χωριστὴ κ̣ ἀκίνητος Μκ7. 1064 ᵇ11). — πᾶσα ὐσία δοκεῖ τόδε τι σημαίνειν, τὸ τόδε τι ταῖς ὐσίαις ὑπάρχει μόνον, τὸ τόδε τι κ̣ ἡ ὐσία K5. 3 ᵇ10. Μβ6. 1003 ᵃ9. ζ3. 1029 ᵃ28. 4. 1030 ᵃ6, 19. 12. 1037 ᵇ27. 13. 1038 ᵇ24. 14. 1039 ᵃ32. κ2. 1060 ᵇ1. Φα7. 191 ᵃ11. δ7. 214 ᵃ12. Γα3. 317 ᵇ9, 21, 32. ψδ4. 416 ᵇ13. (ὐσίαν ἄπειρον εἶναι ὐκ ἐνδέχεται εἰ μὴ κατὰ συμβεβηκός Φα2. 185 ᵃ34.) ἧς μὲν μᾶλλον αἱ διαφοραὶ τόδε τι σημαίνυσι, μᾶλλον ὐσία, ἧς δὲ στέρησιν, μὴ ὂν Γα3. 318 ᵇ16, 35. cf Φε1. 225 ᵃ16, 18. — τὸ καθ' ἕκαστον ἡ ὐσία Ζγδ3. 767 ᵇ34. β1. 731 ᵇ34. ἡ ὐσία κ̣ τὸ καθ' ἕκαστον Μζ1. 1028 ᵃ27. — πρώτη ὐσία ἴδιος ἑκάστῳ ἣ ὐχ ὑπάρχει ἄλλῳ, τὸ δὲ καθόλυ κοινόν Μζ13. 1038 ᵇ10 Bz. 16. 1040 ᵇ24. cf Α9. 991 ᵇ3. μ5. 1079 ᵇ17. ὐσία τὸ μὴ καθ' ὑποκειμένα, τὸ δὲ καθόλυ ὐχ ὑποκειμένυ τινὸς λέγεται ἀεὶ Μζ13. 1038 ᵇ15. τῶν καθόλυ λεγομένων ὐθὲν ὐσία, κοινὸν μηθὲν ὐσία, ὥτε τὸ καθόλυ ὐσία ὥτε τὸ γένος Μζ16. 1041 ᵃ4, 1040 ᵇ23. 13. 1038 ᵇ35, 1039 ᵃ3. 10. 1035 ᵇ29. η1. 1042 ᵃ21. β6. 1003 ᵃ9. ι2. 1053 ᵇ21. κ2. 1060 ᵇ21. cf η1. 1042 ᵃ15. λ1. 1069 ᵃ28. attamen quodammodo ὐσίαι appellantur species et genera, δεύτεραι ὐσίαι λέγονται, ἐν οἷς εἴδεσιν αἱ πρώτως ὐσίαι λεγόμεναι ὑπάρχυσι, ταῦτά τε κ̣ τὰ τῶν εἰδῶν τύτων γένη K5. 2 ᵃ14 Wz (cf ᵇ31). 7. 8 ᵃ13, 15. τῶν δευτέρων ὐσιῶν μᾶλλον ὐσία τὸ εἶδος τῦ γένυς K5. 2 ᵇ7 Wz, 22. — d. ambitus notionis τῆς ὐσίας. ἔστιν ὐσία ὡς τύπῳ εἰπεῖν οἷον

ἄνθρωπος ἵππος Κ4. 1 ᵇ27. λέγω ὀσίας τά τε ἁπλᾶ σώ-
ματα, οἷον πῦρ ‹ καὶ γῆν ‹ καὶ τὰ σύστοιχα τύτοις, ‹ καὶ ὅσα ἐκ
τύτων, οἷον τόν τε σύνολον ὀρανόν ‹ καὶ τὰ μόρια αὐτῦ Ογ1.
298 ᵃ29. cf Μζ2. 1028 ᵇ8. ψβ1. 412 ᵃ11. ὀσία σωματικὴ
Φδ7. 214 ᵃ12. Γα5. 320 ᵇ22. ὀσία αἰσθητὴ Μη2. 1043 ᵃ27. 5
μ9. 1086 ᵃ23. (Δημόκριτος ἡγεῖται τὴν τῶν ἀιδίων φύσιν
εἶναι μικρὰς ὀσίας πλῆθος ἀπείρας f 202. 1514 ᵇ9.) ὁμολο-
γύμεναι ὀσίαι αἱ αἰσθηταὶ Μη2. 1042 ᵃ8. β2. 997 ᵃ34.
ζ15. 1039 ᵇ28. ὀσίαι φυσικαί, κατὰ φύσιν, φύσει συνε-
στῶσαι Μη1. 1042 ᵃ6, 8 Bz. ζ17. 1041 ᵇ29. Ογ1. 298 ᵇ3. 10
Φβ1. 192 ᵇ34. Γβ1. 328 ᵇ33. Ζμα5. 644 ᵇ22. ὀσίαι φυ-
σικαὶ γεννηταί, ἀίδιοι Μη4. 1044 ᵇ3, 6. ὀσίαι τρεῖς, δύο μὲν
αἱ φυσικαί, μία δ᾽ ἡ ἀκίνητος Μλ6. 1071 ᵇ3. 1. 1069 ᵃ30-
33. ὀσία σώματος ἄλλη παρὰ τὰς ἐνταῦθα συστάσεις,
θειοτέρα ‹ καὶ προτέρα τύτων ἁπάντων Οα2. 269 ᵃ30. 9. 278 15
ᵇ12. 3. 270 ᵇ11. κ2. 392 ᵃ5. ὀσίαν τινὰ ἀίδιον ἀκίνητον εἶναι
ἀνάγκη, ‹ καὶ ταύτην ἐνεργείᾳ ὀσαν Μλ6. 1071 ᵇ3-26 Bz. 7.
1073 ᵃ4. 8. 1073 ᵃ30, 36. — quoniam substantiae sensi-
biles coaluisse iudicantur e materia et forma, dicitur ἡ
σύνθετος ὀσία, ὀσία ὀύτως ὡς συνθέτη Μη3. 1043 ᵃ30. ψβ1. 20
412 ᵃ16. sed nomen ὀσίας et ‹ καὶ coniuncta inter se refertur
materiam et formam, et ad utrumque et materiam et for-
mam seorsim, ὀσία ἥ τε ὕλη ‹ καὶ τὸ εἶδος ‹ καὶ τὸ ἐκ τύτων
Μζ10. 1035 ᵃ2. 15. 1039 ᵇ21. η2. 1043 ᵃ19. ι3. 1054
ᵇ4 Bz. λ3. 1070 ᵃ9, 12. 4. 1070 ᵇ13. ψβ1. 412 ᵃ6. 2. 414 25
ᵃ15. ‹ μάλιστ᾽ ὀσία, μᾶλλον, μάλιστα ὀσία Μλ3. 1070
ᵃ20. β5. 1002 ᵃ16, 26. — e. substantia materialis. ἡ ὡς
ὑποκειμένη ‹ καὶ ὡς ὕλη ὀσία ὁμολογεῖται Μη2. 1042 ᵇ9. ἡ
ὑποκειμένη ὀσία ὡς ὕλη ΜΑ9. 992 ᵇ1. 4. 985 ᵇ10. τὰ μὲν
ἄλλα τῆς ὀσίας κατηγορεῖται, αὕτη δὲ τῆς ὕλης Μζ3. 1029 30
ᵃ23. cf Φβ1. 193 ᵃ9-20. ὕλη ‹ καὶ ὀσία ὑλικὴ Μθ7. 1049
ᵃ36. η4. 1044 ᵃ15. μ2. 1077 ᵃ35. — f. substantia for-
malis. ἡ ὀσία ἐστὶ τὸ εἶδος τὸ ἐνὸν Μζ11. 1037 ᵃ29. 17.
1041 ᵇ19. δ4. 1014 ᵃ36, 1015 ᵃ5. (ἀδύνατον χωρὶς εἶναι
τὴν ὀσίαν ‹ καὶ ἡ ἡ ὀσία Μμ5. 1079 ᵇ36. Α9. 991 ᵇ1.) τὸ 35
ποιὸν τὸ ἐν τῇ ὀσίᾳ, opp τὸ παθητικὸν Φε2. 226 ᵃ28. Μχ6.
1063 ᵃ27. ὀσία τὸ τῷ εἴδει ἄτομον Ζμα4. 644 ᵃ29. ὀσίαι
τὰ ἔσχατα εἴδη. ταῦτα δὲ κατὰ τὸ εἶδος ἀδιάφορα Ζμα4.
644 ᵃ23. ἡ κατὰ τὸ εἶδος ὀσία Μη3. 1044 ᵃ11. saepissime
coniungitur τὸ εἶδος ‹ καὶ ἡ ὀσία Μδ4. 1015 ᵃ10. 18. 1022 40
ᵃ15. ζ8. 1033 ᵇ17. 10. 1035 ᵇ15. 12. 1038 ᵃ26. θ8. 1050
ᵃ5, ᵇ2. μ8. 1084 ᵇ10, 19. Αγ33. 89 ᵃ20. μδ2. 379 ᵇ26.
ψβ1. 412 ᵇ13, ᵃ20, 27, ᵇ5, 9. ὀσία ‹ καὶ μορφὴ Ζμβ1. 646ᵇ1.
opp τὸ σύνολον Μζ10. 1035 ᵇ22. opp ὕλη ΜΑ6. 987
ᵇ21 Bz. η3. 1043 ᵃ7. μ8. 1084 ᵇ9. Φβ3. 293 ᵇ15. α9. 45
278 ᵃ19. μδ12. 389 ᵇ29, 390 ᵃ6. Ζμα1. 641 ᵃ27. ἡ μὲν
ψυχὴ ὀσία ἡ πρώτη. τὸ δὲ σῶμα ὕλη Μζ11. 1037 ᵃ5.
Ζγβ4. 738 ᵇ27. ἡ ὀσία σύνθετον, ἀσύνθετον Μζ13. 1039
ᵃ18. 11. 1036 ᵇ35. η3. 1043 ᵇ28 Bz. — εἶδος λέγω τὸ τί
ἦν εἶναι ἑκάστυ ‹ καὶ τὴν πρώτην ὀσίαν Μζ7. 1032 ᵇ1, 2 Bz. 50
6. 1031 ᵇ22. πρώτη ὀσία ἡ μὴ λέγεται τῷ ἄλλο ἐν ἄλλῳ
εἶναι ‹ καὶ ὑποκειμένῳ ὡς ὕλῃ Μζ11. 1037 ᵇ3. τὸ τί ἦν εἶναι
λέγεται εἶναι ἡ ἑκάστυ ὀσία Μζ6. 1031 ᵃ18. δ8. 1017 ᵇ22.
λέγω ὀσίαν ἄνευ ὕλης τὸ τί ἦν εἶναι Μζ7. 1032 ᵇ14. ‹ τὸ τί
1042 ᵃ13, 17. inde saepissime coniuncta leguntur ἡ ὀσία 55
‹ καὶ τὸ τί ἦν εἶναι ΜΑ3. 983 ᵃ27. 7. 988 ᵃ35. 10. 993 ᵃ18.
γ4. 1007 ᵃ20. δ17. 1022 ᵃ8. ζ10. 1035 ᵇ15. 13. 1038 ᵇ14.
λ3. 1075 ᵃ2. Αδ4. 91 ᵇ9. Οα9. 278 ᵃ4. Ζπ8. 708 ᵃ12.
Ηβ6. 1107 ᵃ6. pariter cum ὀσία coniungitur τὸ τί ἐστι
ΜΑ8. 988 ᵇ28. δ13. 1020 ᵃ18, 19. ε1. 1025 ᵇ14. ι2. 1053 60
ᵇ9. κ7. 1064 ᵃ9. Αα31. 46 ᵃ36. δ7. 92 ᵃ34. ψα1. 402

V.

ᵃ13. — inde ὀσία i q ὁρισμός: ἡ τελευταία διαφορὰ ἡ
ὀσία τῦ πράγματος ἔσται ‹ καὶ ὁ ὁρισμὸς Μζ12. 1038 ᵃ19.
ὀσία τῦ πράγματος ταῦτα, ὧν ἕκαστον μὲν ἐπὶ πλεῖον
ὑπάρξει, ἅπαντα δὲ μὴ ἐπὶ πλέον Αδ13. 96 ᵃ33, 34, ᵇ12.
γ22. 83 ᵇ1. κατ᾽ ὀσίαν, dist κατὰ γένος, κατ᾽ εἶδος Φε4. 5
228 ᵇ13. τὸ ποιὸν λέγεται ἕνα μὲν τρόπον ἡ διαφορὰ τῆς
ὀσίας Μδ14. 1020 ᵃ33. ὑπάρχει τι ἐν τῇ ὀσίᾳ Ζμγ6. 669
ᵇ12. δ6. 682 ᵇ28. 12. 693 ᵇ13. 13. 695 ᵇ20. Μδ9. 1018
ᵃ14. τζ12. 149 ᵇ37. ἡ ὀσία, τὰ ἐν τῇ ὀσίᾳ, opp τὰ συμ-
βεβηκότα Ζμα3. 643 ᵃ27. 5. 645 ᵃ35. ψα1. 402 ᵃ8, 14, 10
ᵇ18, 24. Μδ10. 1018 ᵇ13. ὅρος τῆς ὀσίας (tragoediae)
ποθ. 1449 ᵇ24. ὁ λόγος ἡ ὀσία Μν5. 1092 ᵇ17-22. δ12.
390 ᵃ6. cf Μζ15. 1039 ᵇ21. ὁ λόγος ‹ καὶ ἡ ὀσία Μζ10.
1035 ᵇ26. Ζμβ7. 652 ᵇ18. ἡ κατὰ τὸν λόγον ὀσία Με1.
1071 ᵃ28. ζ10. 1035 ᵇ13, 15. 11. 1037 ᵃ17. μ8.1084 ᵇ10. 15
ψβ1. 412 ᵇ10, 13, 19. ὁ λόγος τῆς ὀσίας Μδ9. 1018 ᵃ11.
ζ1. 1028 ᵃ35-ᵇ4 (syn τί ἐστι). 11. 1037 ᵃ24, 23. κ7. 1064
ᵃ22. Κ1. 1 ᵃ2. Γβ9. 335 ᵇ7. Ζμδ9. 685 ᵇ16. 13. 695 ᵇ18.
Ζγα1. 715 ᵃ5. β1. 731 ᵇ20. ε1. 778 ᵃ34. ὁ λόγος ὁ τῆς
πρώτης ὀσίας Μι3. 1054 ᵇ1. ὁ λόγος ὁ ὁρίζων τὴν ὀσίαν 20
Ζμδ5. 678 ᵃ34. τὸ δ᾽ ὀσίαν σημαίνειν ἐστὶν ὅτι ὀκ ἄλλο
τι τὸ εἶναι αὐτῷ Μγ4. 1007 ᵃ26. ἡ ὀσία ‹ καὶ τὸ εἶναι (cf
εἶναι p 221 ᵃ48) Φθ8. 263 ᵇ8. — pariter atque εἶδος vel
λόγος cum ὀσία syn coniungitur φύσις Μδ4. 1014 ᵇ36.
λ3. 1070 ᵃ9, 12. ζ6. 1031 ᵃ30, 5. Ζμβ1. 646 ᵃ25, 26. 25
Οβ4. 286 ᵇ11. ἡ φύσις ‹ καὶ ἡ ὀσία Φβ1. 193 ᵃ10. κατὰ τὴν
ὀσίαν ‹ καὶ τὴν φύσιν Μι2. 1053 ᵇ9. δ11. 1019 ᵃ3. — ἡ ὀσία
‹ καὶ τὸ εἶδος ἐνεργείᾳ ἐστὶν Μθ8. 1050 ᵇ2. ἡ ὀσία ἐντελέχεια
ψβ1. 412 ᵃ21, 27, ᵇ5, 9. ἀεὶ πρώται ὀσίαι ἐνέργειαι ἄνευ
δυνάμεως, 3. 1023 ᵃ24. ὀσία ἐστὶν ἀίδιος ὀσία ἐὰν μή ἡ 30
ἐνεργείᾳ Μν2. 1088 ᵇ26. ἡ ὡς ἐνέργεια ὀσία Μη2. 1042
ᵇ10. ὀσία ‹ καὶ ἐνέργεια Μη3. 1043 ᵃ35. 2. 1043 ᵃ24. λ7.
1072 ᵃ25. ἡ ὀσία ἐντελέχεια ‹ καὶ φύσις τις Μη3. 1044 ᵃ7,
9. — ὑποκειμεναι αἰτίαι τέτταρες, τὸ τε ‹ καὶ ἕνεκα ‹ καὶ τέλος
‹ καὶ ὁ λόγος τῆς ὀσίας· ταῦτα μὲν ὡς ἕν τι σχεδὸν ὑπολα- 35
βεῖν δεῖ Ζγα1. 715 ᵃ5. Γβ9. 335 ᵇ7. οα1. 1343 ᵃ14. Ζμα1.
641 ᵃ26, 27. τὸ μὲν σῶμα ὀσία τις· ἤδη γὰρ ἔχει πως τὸ
τέλειον Μμ2. 1077 ᵃ31sqq. ad finalem notionem ὀσίας re-
ferri potest, quod φύσεις ὀσίαι, γενέσεις ὀσία πρότερον inter
se opponuntur Ζγβ6. 742 ᵃ22. Ζμβ1. 646 ᵃ25. Μμ2.1077 40
ᵃ19, 27. Οδ3. 311 ᵃ1, sed cf etiam ὀσία 2. — ἡ ὀσία αἰτία
τῦ εἶναι ἑκάστῳ Μη2. 1043 ᵃ2. 3. 1043 ᵇ14. ψβ4. 415
ᵇ13. ἡ ὀσία ἀρχὴ ‹ καὶ αἰτία τις ἐστὶν Μζ17. 1041 ᵃ9, ᵇ30.
9. 1034 ᵃ31. μ3. 1018 ᵃ21. τεβ2. 1190 ᵃ21. ἀρχὴ ‹ καὶ ὀσία
Μλ4. 1070 ᵇ25. μ6. 1080 ᵇ6. 1. 1076 ᵃ25. — g. ex eo, 45
quod ὀσία τὸ εἶδος est, multifarius repetendus est huius
nominis usus, ut notionem naturam vim alicuius rei signi-
ficet. ἐπεισοδιώδεις ὀσίαι ποιὂσιν Μλ10. 1076
ᵃ1. τὴν ὀσίαν (τῦ ἀνθρώπυ) εἶναι θείαν Ζμδ10. 686 ᵃ28.
ἡ διὰ πάντων διήκυσα ἔμψυχός τε ‹ καὶ γόνιμος ὀσία κ4. 394 50
ᵇ11. cf 6. 397 ᵇ20. ταύτην τὴν ὀσίαν μβ9. 370 ᵃ28. Μβ4.
999 ᵇ21. ἐξίστασθαι τῆς ὀσίας Φθ7. 261 ᵃ20. τῷ μὲν μένει
ἡ ὀσία, τῷ δ᾽ εἰς ὅτι τῆς τροφῆς Γα5. 321 ᵃ35. ἡ ὀσία
ἑκάστης αἰσθήσεως ψβ6. 418 ᵃ25. εἴτε νῦς αὐτὴ ‹ ἡ ὀσία εἴτε
νόησις Μλ9. 1074 ᵇ22, 20. cf 6. 1071 ᵇ18, 20. ἡ τῦ τόπυ 55
ὀσία Φδ2. 210 ᵃ13. παραπλησία τῶν ὀστρακοδέρμων ἡ ὀσία
τοῖς φυτοῖς Ζγα1. 715 ᵇ18. ἡ γὰρ τῶν ὕλη ‹ ἡ δύναμις
ὀσία, ἀκ ἐνέργεια, ταύτη τῦτον Μθ8. 1050 ᵇ27. ὀσία σχῆμα
ποιῦσιν ἑκάστυ τῶν στοιχείων ‹ τύτῳ διορίζυσι τὰς ὀσίας
αὐτῶν Ογ7. 306 ᵃ31. ἃ κατὰ τὴν ὀσίαν θέσιν ἔχει Μδ27. 60
1024 ᵃ20, cf ᵃ15, 24. ἡ ὀσία τῦ πρός τι τζ8. 146 ᵇ3. πάθη

κ̣ ἕξεις τῆς τοιαύτης ὑσίας (int τῶ ποσῶ) Μδ13. 1020ᵃ20.
interdum ὑσία prope ad periphrasin ipsius rei delitescit
(Wz I 283), τῶν ἐναίμων ἢ τῶ ὄρνιθος ὑσία sim Ζμδ12.
693ᵇ6. 5. 678ᵃ32. Ζγα23. 731ᵃ25, sed cf φύσις 2h.

ὅτε ... ὅτε Ζμδ10. 686ᵃ13, 689ᵇ33. 13. 697ᵃ8 ac saepis-
sime. ὅτε ... ὅ: ὡς ἂν ὧν ὄρνις ὅτε πέταται μετεωρι-
ζόμενος, κ̣ τὰ πτερὰ ἃ χρήσιμα πρὸς πτῆσιν Ζμδ14. 697
ᵇ16. — post ὅτε alterum membrum per anacoluthiam
quandam omittitur ac post aliquod intervallum mutata con-
structione per ὑδέ adiicitur Αγ22. 84ᵃ18-25 Wz. — post
ὅτε alterum membrum, quamquam negativam vim habet,
forma affirmativa significatur, δῆλον γὰρ ὅτι ὑτ' οἰκοδόμος
ἔσται ἐὰν μὴ οἰκοδομῇ· τὸ γὰρ οἰκοδόμῳ εἶναι τὸ δυνατῷ
εἶναί ἐστιν οἰκοδομεῖν· ὁμοίως δὲ κ̣ ἐπὶ τῶν ἄλλων τεχνῶν
(ἱ ε ὑτ' ἄλλος τις τῶν τεχνιτῶν) Μθ3. 1046ᵇ34 Bz. ψα5. 15
410ᵇ18, 21. Vahlen Zts f d öst Gym 1868 p19. ...
τε: ὅτε γὰρ ἐξωτερικῆς ἀρχῆς κοινωνῦσιν οἱ Κρῆτες, νεωστί
τε πόλεμος ξενικὸς διαβέβηκεν εἰς τὴν νῆσον Πβ10. 1272
ᵇ19. cf ἡγεμὼν γὰρ ὗτος ἐν αὐτῷ ὑπάρχει, ᾧ ὅτε πει-
θαρχεῖ, ἀλλὰ τῇ ἡδονῇ ἐνδίδωσι, κ̣ καταμαλακίζεται κ̣ 20
ἐξασθενεῖ πως ἡμβ6. 1203ᵇ10. insolentius ad membrum
negativum a particula ὅτε exorsum refertur membrum af-
firmativum, ubi universa enunciatio incipitur a negatione
ὑ, ut duo membra negativa scriptor ponere voluisse vi-
deatur, ὅτι μὲν ἓν ὢν ἔστιν ὅτε ἑνός τινος γένυς ἀφωρι- 25
σμένη ἡ ῥητορική, ἀλλὰ καθάπερ ἡ διαλεκτική, κ̣ ὅτι χρή-
σιμος φανερὸν Ρα1. 1355ᵇ8. ἔστι δὲ γνώμη ἀπόφανσις, ὑ
μέντοι ὅτε (cod Aᶜ, om Bk Spgl) περὶ τῶν καθ' ἕκαστον,
οἷον ποῖός τις Ἰφικράτης, ἀλλὰ καθόλυ, κ̣ ὑ περὶ πάντων,
οἷον ὅτι τὸ εὐθὺ τῷ καμπύλῳ ἐναντίον, ἀλλὰ περὶ ὅσων αἱ 30
πράξεις εἰσὶν Ρβ21. 1394ᵃ22, Vahlen l l. — (ποιεῖ φαίνεσθαι
ἢ ὡς ὅτε πεποίηκεν, ὅταν ὁ τὴν αἰτίαν ἔχων αὔξῃ, ἢ ὡς
πεποίηκεν Ρβ24. 1401ᵇ6, ὑ pro ὅτε recte reposuisse vi-
dentur Bk³ Spgl.)

ὅτιδανός (Hom ι515) iq ἀσθενικός πο22. 1458ᵇ25. 35

ὗτος. ἢ ταῦτα ἢ ταῦτα δικάζοντες Πβ8. 1268ᵃ6. ὗτος, opp
ἐκεῖνος Πε6. 1306ᵇ21. δ2. 1289ᵇ19 al. συλλογίζεσθαι τί
ἕκαστον, οἷον ὅτι ὗτος ἐκεῖνος πο4. 1448ᵇ17. κ̣ ὗτος, et is
quidem, κ̣ ταῦτα Πδ14. 1298ᵇ7. 15. 1300ᵃ19. μβ7.365
ᵃ29. pronomen ὗτος etiam ad ea quae sequuntur potest 40
referri, ἀρχὴ δ' ἔστω ἡμῖν αὕτη· τῦτον τὸν τρόπον sim
Ργ10. 1410ᵇ9. ρ3. 1425ᵃ11. 30. 1436ᵇ21 al. per uber-
tatem quandam dicendi pronomine τῦτο, τῦτῳ vel antea
significantur quae deinde exponuntur, veluti ἀλλὰ τῦτῳ
διαφέρει (int ὁ ἱστορικὸς κ̣ ὁ ποιητής), τῷ τὸν μὲν τὰ γε- 45
νόμενα λέγειν, τὸν δὲ οἷα ἂν γένοιτο πο9. 1451ᵇ4. cf Ηζ8.
1141ᵇ10. Πβ2. 1324ᵇ24 al, vel postea epanaleptice com-
prehenduntur, veluti ἀλλὰ διὰ τὸ μὴ καλῶς ἔχειν ταύτας
τὰς νῦν ὑπαρχύσας, διὰ τῦτο ταύτην δοκῦμεν ἐπιβαλέσθαι
τὴν μέθοδον Πβ1. 1260ᵇ35. cf Κ5. 2ᵇ17. ψγ3. 427ᵇ11. 50
Μδ27. 1024ᵃ33. — ubi pronomen ὗτος cum nomine aliquo
non attributive sed praedicative coniunctum est, non re-
quiritur ad nomen articulus, αὕτη ἀρετὴ πολίτε sim Πγ4.
1277ᵇ15 (sed αὕτη δ' ἦν ἡ τῆς ῥητορικῆς λόγυ ἀρετὴ Ργ2.
1404ᵇ37). Ηζ2. 1139ᵃ16. Ρα9. 1366ᵃ24. Πζ4. 1319ᵇ5
ᵃ4. θ1. 1337ᵇ32. μδ3. 380ᵃ16. ἐν τρίσι δὴ ταύταις δια-
φοραῖς ἡ μίμησίς ἐστι πο3. 1448ᵃ24 (ἱ ε ἐν αἷς δὴ δια-
φοραῖς ἡ μίμησις γίγνεται, αὗται τρεῖς εἰσίν, cf εἰς ὓς μὲν
ὧν ὅρυς ἀνάγεται τὰ βυλήματα τῶν τυράννων, ὗτοι τρεῖς
τυγχάνυσιν ὄντες Πε11. 1314ᵃ25). δῆλον ὅτι τύτας ὅρυς 60
τρεῖς ποιητέον εἰς τὴν παιδείαν Πθ7. 1342ᵇ33. Vhl Poet

IV 408. — ὕτως. ὕτως ... ὡς Πγ11. 1282ᵇ2. ε8.1308
ᵇ34 al. ὕτως, opp ἐκείνως μγ6. 377ᵇ13. δ9. 387ᵇ30.
Ηε11. 1136ᵃ17. Πδ13. 1297ᵃ41. 15. 1300ᵃ27, 29. ε8.
1308ᵇ7 al. ὕτως ἢ ἄλλως Ηε10. 1134ᵇ21. ἁπλῶς ὕτως
Πδ4. 1290ᵃ31. τὸ τέλειον ὕτω λέγομεν μδ3. 380ᵃ15. τὰ
ἔργα τῶν ἀρχομένων ὕτως (ἱ ε eorum qui hac vocabuli vi
ἄρχεσθαι dicuntur) Πγ4. 1277ᵇ4. ὕτω μὲν (ἱ ε si hoc tan-
tum spectaveris) ὑδὲν διοίσει Ηε10. 1134ᵃ19. — ὕτως
etiam ad sequentia referri potest, δεῖ λέγειν ὕτως p18.
1432ᵃ35. ὑχ ὕτως ὁρᾶται, τῷ μιγνύσθαι ψβ10. 422ᵃ15,
cf ὗτος supra p 546ᵃ42. pariter usurpatum ταύτη: ταύτη
διαφέρυσι, τῷ μὴ νομίζειν sim Πη15. 1334ᵃ41. π23.
1459ᵃ30. Vhl Poet III 327. — ὕτω post participia, ve-
luti διαπορήσαντες ... ὕτως εἴπωμεν sim Οδ1. 308ᵃ6. Ηγ1.
1145ᵇ4. Αα30. 46ᵃ20. Φα7. 189ᵇ32. Οα5. 271ᵇ26.
ψγ3. 427ᵇ29. Ζυ5. 611ᵃ19. 6. 612ᵃ18. Ζμα1. 639ᵇ10.
β2. 648ᵃ21. Μει. 1025ᵇ12. Πγ8. 1279ᵇ28. Ργ17.1418
ᵇ11, 19. πο9. 1451ᵇ13. ρ30. 1437ᵇ40. 38. 1445ᵃ38, post
protasin conditionalem Ηγ1. 1110ᵇ10. cf Ρα11. 1370ᵃ13.
πέφυκε γὰρ μετὰ τὸ ἀποδεῖξαι αὐτὸν μὲν ἀληθῆ τὸν δὲ
ἐναντίον ψευδῆ, ὕτω τὸ ἐπαινεῖν κ̣ λέγειν Ργ19. 1419ᵇ15.
— post protasin a part ὥσπερ exorsam, continuatam lon-
gius et per parentheses interceptam, ab adverbio ὕτω vel
ὕτω δὴ apodosis incipitur ψβ10. 422ᵃ20-32. μι14. 352
ᵇ3-13. Bz Ar St II 43. sed etiam ubi non intra eiusdem
enunciati fines a comparatione ad eam rem transitur, cuius
causa comparatio est adhibita, frequens est adverbii ὕτως
usus, ἐπεὶ δὲ μίμησίς ἐστιν ἡ τραγῳδία βελτιόνων, ἡμᾶς
δεῖ μιμεῖσθαι τὺς ἀγαθὺς εἰκονογράφυς· κ̣ γὰρ ἐκεῖνοι ἀπο-
διδόντες τὴν ἰδίαν μορφήν, ὁμοίυς ποιῦντες. καλλίυς γρά-
φυσιν· ὕτω κ̣ τὸν ποιητὴν μιμύμενον κ̣ ὀργίλυς κ̣ ῥαθύ-
μυς ... τοιύτυς ὄντας ἐπιεικεῖς ποιεῖν πο15. 1454ᵇ11. cf
Ηη7. 1149ᵃ29. ψβ8. 420ᵇ20. 9. 421ᵇ32 (ὕτως ἓν). γ7.
431ᵇ15. τι16. 175ᵃ28. Πδ3. 1290ᵃ15. γ15. 1286ᵃ32.
Vahlen Zts f d öst Gym 1867 p 721sqq.

ὕτοσί. ὑπὸ τυτύ p4. 1426ᵃ21.

ὑχί πο4. 1448ᵇ18. 23. 1459ᵃ21. Vhl Poet III 327.

ὀφείδιον. Lob Prol 394. 1. ἔστιν ἐν τῇ Ἰνδικῇ ὀφείδιόν τι,
ᾧ μόνα φάρμακον ὑκ ἔχυσιν Ζιθ29. 607ᵃ33. (fort Trigo-
nocephalus rhodostoma Αζι I 118, 11g.) — 2. ἐν τῇ Με-
σοποταμίᾳ τῆς Συρίας κ̣ ἐν Ἰστρῦντι ὀφείδια θ149. 845ᵇ5.
cf Rose Ar Ps 349. — 3. γίνεται ἐν τῷ σιλφίῳ τι ὀφείδιον
Ζιθ29. 607ᵃ24. (Coecilia Raii synops 289. C II 770.) —
4. ὀφείδιον τὸ ἱερὸν Ζιθ29. 607ᵃ30 v ὄφις p 550ᵇ20.

ὀφείλειν τινί, opp δανείζειν Ηι7. 1167ᵇ20, 21, 23. ὀφείλειν
εἴκοσι μνᾶς, τοσῦτον Πβ8. 1268ᵇ22, 20, 12. οἱ ὀφείλοντες
τῷ δημοσίῳ f 400. 1544ᵇ34. 401. 1545ᵃ9. ἀποδιδόναι τὰ
ὀφειλόμενα τοῖς τριηράρχοις Πε5. 1304ᵇ29. — ὀφείλεσθαι
χάριν (frgm trag adesp 55) Ρβ23. 1397ᵃ16. — ὀφείλειν
c inf πᾶς ὁ περὶ τῶν πρακτῶν λόγος τύπῳ κ̣ ὑκ ἀκριβῶς
ὀφείλει λέγεσθαι Ηβ2. 1104ᵃ21. admodum frequens hic
usus in libris περὶ φυτῶν, veluti ὀφείλομεν εἰδέναι, ζητῆ-
σαι· ὀφείλει εἶναι sim φτα1. 816ᵇ21. 2. 817ᵃ9, 12, 16,
29, 40. 3. 818ᵇ27. 4. 819ᵇ26. 7. 821ᵇ36. β3. 824ᵇ3, 36.
8. 827ᵇ17, 25.

ὀφείλημα. τὸ ὀφείλημα ἀποδοτέον Ηι2. 1165ᵃ3. ὀφείλημα
ὑκ ἀμφίλογον Ηθ15. 1162ᵇ28.

Ὀφέλιος Ὀλύνθιος οβ1353ᵃ5-14.

ὀφέλλειν δηλοῖ τὸ αὐξεῖν ν539. 1567ᵇ6.

ὄφελος. τῆς ὀβελᾶς τέως ὠνομίσθαι ὀφελὺς, τῶ ὀφέλλειν
δηλῦντος τὸ αὐξεῖν f 539. 1567ᵇ5.

ὄφελος. οὐδὲν ὄφελός τινος, τί ὄφελός τινος Ηβ2. 1103 b29. θ1. 1155 a7. Πη13. 1332 a8. οὐδὲν ὄφελος, μάλιστα ὄφελός τινί τινος Πη1. 1323 b9. 16. 1335 b3. οὐδὲν ὄφελος, τί ὄφελος c coni εἰ vel c inf Οα6. 274 a10. Ζμδ10. 687 b17. Μλ6. 1071 b14. Πβ7. 1266 b29, 35. η13. 1332 a42. Ηθ16. 1163 a34.

ὀφθαλμία, coni πυρετός τδ3. 123 b36. ὑγίανσις ὀφθαλμίας Φε4. 228 a2. καῦμα ἐν ὀφθαλμοῖς ὀφθαλμίαι πα8. 860 a6. ὀφθαλμίαι ξηραί πα12. 860 b20. ἀπ' ὀφθαλμίας οἱ πλησιάζοντες ἁλίσκονται πζ8. 887 a22.

ὀφθαλμιᾶν. οὐ λευκὰ τὰ φαινόμενα τοῖς ὀφθαλμιῶσιν Ηκ2. 1173 b25. ὀφθαλμιάσαντες ἔνιοι ὀξύτερον ὁρῶσιν πλα9. 958 b4.

ὀφθαλμοβόρος μάλιστα τῶν ὀρνίθων ἐστὶν ἡ φῶυξ Ζιι18. 617 a9.

ὀφθαλμός. cf ὄμμα. Philippson ὕλη 230. descr Ζια9. 491 b18-10. 492 a12. ὅσα περὶ ὀφθαλμοὺς πλα. refertur inter τὰ μόρια Ζγβ6. 743 b35, τὰ ἀνομοιομερῆ Ζμβ1. 646 b13, ὅσα ἐν τῷ σκότει ποιεῖ αἴσθησιν ψβ7. 419 a5. κατὰ φύσιν δύο, διωρισμένος ὁ τῶν ὀφθαλμῶν τόπος Ζια9. 491 b18. β12. 504 a23. δ8. 533 a20. ὁ ἀριστερός, ὁ δεξιός, ὁ μέν, ὁ δέ. ὁ ἕτερος, ἀμφότεροι, τῷ ἑνί opp τοῖν δυοῖν Ζιζ18. 573 b14. πλα2. 957 b5. 4. 957 b18. 7. 958 a23. 18. 959 a21. 24. 959 b32. 20. 959 a38. τοῦ σώματος ἀρριγότατον ὁ ὀφθαλμός ἐστιν αι2. 438 a22. πίων ἐστὶν ὁ ὀφθαλμός, σαρκὸς δὲ οὐθέν· τοῦ ὀφθαλμοῦ τὸ καλούμενον μέλαν ϗ μέσον λεῖον φαίνεται πλα22. 959 b16. αι2. 437 a32.

1. ὀφθαλμῶν χώρα ϗ μέρη. ἡ χώρα ἡ φύσει τοῖς ὀφθαλμοῖς ὑπάρχουσα ἐν τῷ ἐκτός Ζια9. 491 b33. cf δ8. 533 a6 (sed refertur ὁ ὀφθαλμός inter τὰ ἔσω τοῦ σώματος πλα21. 959 b6). τὰ αἰσθητήρια, ὀφθαλμοὺς ϗ μυκτῆρας ϗ γλῶτταν, ἐπὶ ταὐτὸ ϗ εἰς τὸ πρόσθιον ὁ ἄνθρωπος ἔχει Ζια15. 494 b12. ἐπεὶ τοῖς ὄμμασι διώρισται τὸ πρόσθιον, ἡ φύσις πεποίηκεν ἀκολουθεῖν δυναμένους τοὺς ὀφθαλμοὺς τοῖς κώλοις Ζπ14. 712 b19. ὑπὸ ταῖς ὀφρύσιν ὀφθαλμοί, κεῖται τὰ ὦτα ἐπὶ τῆς αὐτῆς περιφερείας τοῖς ὀφθαλμοῖς Ζια9. 491 b18. 11. 492 a31. ἡ ἕδρα τῶν ὀφθαλμῶν, ὁ περὶ τοὺς ὀφθαλμοὺς τόπος, τὸ περὶ τὸν ὀφθαλμὸν σῶμα Ζιδ8. 533 a14. Ζγβ7. 747 a13. πλδ12. 964 b15. τὸ ἐπάνω τῶν ὀφθαλμῶν, τὰ πρὸ τῶν ὀφθαλμῶν, τὸ ἀπὸ τῶν ὀφθαλμῶν οἷον κύστιδες, τὰ ἐπὶ τοῖς ὀφθαλμοῖς, ὑποκάτω τῶν ὀφθαλμῶν Ζιδ2. 526 b2. 1. 524 a15. 3. 527 b13. ι37. 620 b13. φ6. 811 b13, 15, 18. τὸ μεταξὺ τῶν ὀφθαλμῶν, τὸ μεταξὺ ὀφθαλμοῦ ϗ ὠτὸς ϗ κορυφῆς Ζιδ1. 524 b3. α11. 492 b3. — ὀφθαλμῶν μέρη, μόρια Ζιδ8. 533 a7, 8, 9. ζ3. 561 a31. Ζγβ6. 744 a6. βλέφαρον (p 138 b16), βλεφαρίδες (p 138 a57). ὀφθαλμοῦ τὸ λευκόν, ὅμοιον ὡς ἐπὶ τὸ πολὺ πᾶσιν, τὸ ἐντὸς τοῦ ὀφθαλμοῦ, τὸ μὲν ὑγρόν, ᾧ βλέπει, κόρη, τὸ δὲ περὶ τοῦτο μέλαν, τὸ δ' ἐκτὸς τούτου λευκόν Ζια10. 492 a1. 9. 491 b20, κόρη ψβ1. 413 a2. Ζιγ18. 520 b3. α9. 491 b20, τὸ καλούμενον μέλαν (v h v), τὸ περὶ τὴν κόρην Ζιγ18. 520 b3, φλέβες Ζιγ3. 513 a1. περαίνουσιν οἱ ὀφθαλμοὶ εἰς τὸν ἐγκέφαλον ϗ κεῖται ἐπὶ φλεβίου ἑκάτερος· φέρουσιν ἐκ τοῦ ὀφθαλμοῦ τρεῖς πόροι εἰς τὸν ἐγκέφαλον· δύο πόροι παρ' αὐτὰς τείνοντες τὰς ἕδρας τῶν ὀφθαλμῶν· τὸ τῶν ὀφθαλμῶν αἰσθητήριόν ἐστιν ἐπὶ πόρων· ἀπὸ τῆς περὶ τὸν ἐγκέφαλον ὑγρότητος ἀποκρίνεται τὸ καθαρώτατον διὰ τῶν πόρων· ἐκ τῶν ὀφθαλμῶν οἱ πόροι φέρουσιν εἰς τὰς περὶ τὸν ἐγκέφαλον φλέβας Ζια11. 492 a21 Aub. 16. 495 a11 Aub. δ8. 533 a14. Ζγβ6. 743 b36 (cf S hist lit piscium 6. 296. 301 et eclog phys II 199. Trdlbg an 165. M 427), 744 a9. Ζμβ10. 656 b17. ἐκ ταύτου ἤρτηνται αἱ ἀρχαὶ τῶν ὀφθαλμῶν, οἱ τοῦ ὀφθαλμοῦ πόροι πλα4. 957 b20. ε37. 884 b34. (αἱ φλέβες αἱ παχεῖαι) ἐκ τοῦ ὀφθαλμοῦ παρὰ τὴν ὀφρύν v l Ζιγ2. 511 b25 Aub Pik. cf ὀμφαλός p 513 b51.

2. ὀφθαλμῶν διαφοραί. οἱ ἀληθινοί, φανεροί, opp διεφθαρμένοι Ζιδ8. 533 a6, 7, 10. cf πηρούμενοι p 549 a6. — πολὺ διεστῶτες, opp ἐγγὺς ἀλλήλων Ζιδ3. 527 b11, 12. — μεγάλοι, μεγάλοι σφόδρα. μέγιστοι, μάλιστ' ἐμπεφυσημένοι, ἐκπεπταμένοι, μικροί, μέσοι Ζια10. 492 a7 Aub. β11. 503 a31. ζ3. 561 a19, 20. η3. 583 b19. δ1. 524 b3. 2. 526 a7, b2. Ζγβ6. 743 b33. φ6. 811 b18, 22. f 265. 1526 b8. μικροὶ ϗ βραχεῖς, μεγάλοι ϗ σφαιροειδεῖς, διὰ τὸ ὑγρὸν ἐν τοῖς ὄμμασιν οἱ ὀφθαλμοὶ μεγάλοι φαίνονται Ζιδ2. 526 b1. ζ13. 567 b29. Ζγβ6. 744 a20. πηρούμενοι p 549 a6. ὀφθαλμοὺς μείζονας ἢ καθ' αὐτὸν ἔχων (ἥπατος) f 296. 1529 b1. ἄγαν προμήκεις φ5. 809 b19. — βραχεῖς, opp μακροί, οὐκ εἰσδυόμενοι οὐδὲ κατακλινόμενοι ἀλλ' ὀρθοί Ζιδ2. 526 b1. 4. 529 b27. — ἢ ἐκτὸς σφόδρα ἢ ἐντὸς ἢ μέσως, ἔγκοιλοι, μικρὸν ἐγκοιλότεροι, ἐν κοίλῳ κείμενοι, οἱ κοίλους ὀφθαλμοὺς ἔχοντες syn κοιλόφθαλμοι Ζια10. 492 a8, 9 (cf ἔχων προβολὴν τοῦ ὄμματος πολλήν Ζγε1. 780 b23), 10. φ5. 809 b19. 6. 811 b26, 22, 25. Ζιβ11. 503 a32. — σφαιροειδεῖς, στρογγύλοι, σφόδρα περιφερεῖς Ζιζ13. 567 b29. β11. 503 a32. φ5. 809 b19. — ἢ σκαρδαμυκτικοὶ ἢ ἀτενεῖς (ὄμματα ἀτενίζοντα Hippocr Epid V 1162 D, VII 1217 H) ἢ μέσοι, κινούμενοι, εὐκίνητοι, ἐντεταραγμένοι, καταβληθέντες Ζια10. 492 a11, 12. Ζμβ13. 657 b37. φ6. 813 a19, 812 b9. πδ2. 876 b8. στρέφειν τὸν ὀφθαλμὸν κύκλῳ Ζιβ11. 503 b1. — σκληρόφθαλμοι, σκληρόδερμοι, ὑγρόφθαλμοι, ὑγροί αι2. 438 a24. 5. 444 b25. Ζιβ13. 505 a35. Ζμβ2. 648 a17. 13. 657 b37. μγ4. 374 a22 Ideler. cf Ζγβ6. 744 a20. Ζικ1. 634 a22. — τῷ τοῦ σώματος χρώματι ϗ τὸ τοῦ ὀφθαλμοῦ χρῶμα ἀκολουθεῖ, οἱ ὀφθαλμοὶ συμμεταβάλλουσιν ὁμοίως τῷ λοιπῷ σώματι πι11. 892 a4. Ζιβ11. 503 b7. ὀφθαλμοῦ τὸ καλούμενον μέλαν διαφέρει· τοῖς μὲν γάρ ἐστι μέλαν, τοῖς δὲ σφόδρα γλαυκόν, τοῖς δὲ χαροπόν, ἐνίοις δὲ αἰγωπόν Ζια10. 492 a2, 4 (cf Galen I 330-331). ὀφθαλμοὶ μέλανες, λευκοί, οἰνωποί, πυρώδεις, στιλπνοί, ὥσπερ λύχνοι ἐν τοῖς ὀφθαλμοῖς ἡ χρόα οὖσα λευκή Ζιζ3. 561 a30. δ9. 536 a19. φ5. 809 b19. 6. 812 a37, b3, 7, 11, 6 (Rose Ar Ps 706. Anecd I 153). πλβ8. 961 a15. οἱ ὀφθαλμοὶ ἐπιφοινίσσουσιν, ἐπιφοινίσσονται φ6. 812 a35, 37. πλβ8. 961 a9, 15. τὸ ἐρυθριᾶν πλα3. 957 b9. χαμαιλέοντος ὀφθαλμοὶ δέρματι ὁμοίῳ τῷ λοιπῷ σώματι περιεχόμενοι Ζιβ11. 503 a32. — βέλτιστοι, μάλιστα ὀξυωπέστατοι, πρὸς ὀξύτητα ὄψεως κράτιστοι· διὰ τί τῷ ἑνὶ ὀφθαλμῷ ἀκριβέστερον ὁρῶσιν ἢ τοῖν δυοῖν Ζια10. 492 a4, 7, 9. πλα2. 957 b5. τῶν ὀφθαλμῶν ὁ ἀριστερὸς οὐκ ἀσθενέστερος ἀλλ' ὁμοίως ὀξύς πλα18. 958 a21. cf οἱ ὀφθαλμοὶ μόνοι ἀσθενέστατοι, διὰ τί ὁ ὀφθαλμὸς μόνον τοῦ σώματος ἀσθενέστατος ὢν οὐ ῥιγοῖ πλα21. 959 b6. 22. 959 b15.

3. τὰ ἄλλα γένη πάντα τῶν ζῴων πλὴν τῶν ὀστρακοδέρμων ϗ εἴ τι ἄλλο ἀτελὲς ἔχει ὀφθαλμούς, τὰ ζῳοτόκα πάντα πλὴν ἀσπάλακος ἔχει ὀφθαλμούς, ἐνίοις τῶν τετραπόδων τὰ ὦτα κεῖται ἄνωθεν τῶν ὀφθαλμῶν, διωρισμένον ἔχει τὸν τόπον τῶν ὀφθαλμῶν ϗ τὸν τῆς ἀκοῆς, ἐχόντων ὀφθαλμοὺς ἀμφοτέρων τὰ μέν εἰσι σκληρόφθαλμα τὰ δ' ὑγρόφθαλμα· ἐπὶ τῶν ὀφθαλμῶν τὰ μὲν ἔχει βλέφαρα τῶν ζῴων ὧν μὴ ἀνακαλυφθέντων οὐ δύναται ὁρᾶν, τὰ δὲ σκληρόφθαλμα οὐκ ἔχει· τῶν ἀναίμων σκληρόδερμοι οἱ ὀφθαλμοί εἰσι ϗ τοῦτο ποιεῖ τὴν σκέπην· κινουμένους ἐποίησεν ἡ φύσις τοὺς ὀφθαλμοὺς τοῖς ἐντόμοις ϗ μᾶλλον ἔτι τοῖς σκληροδέρ-

μοις Ζια9. 491 ᵇ26, 28. 11. 492 ᵃ31. δ8. 533 ᵃ20. Ζμβ2. 648 ᵃ17. 13. 657 ᵇ37. αι5. 444 ᵇ25. 2. 438 ᵃ24. — Mammalium ὀφθαλμοί. πιθήκχ φ6. 811ᵇ20, 23, ἀσπάλακος Ζια9. 491 ᵇ28, 31. δ8. 533 ᵃ4, 6, 10. ψγ1. 425 ᵃ11, λέοντος, κυνός φ5. 809 ᵇ19. 6. 811ᵇ27, 812ᵇ6, 8 (Democr sententia, Rose Ar Ps 713). f 265. 1526 ᵇ8, φώκης, ὄνχ Ζμδ11. 691 ᵃ12. θ6. 811 ᵇ24, ὑός Ζιβ10. 503 ᵃ9. ζ18. 573 ᵇ14, αἰγός, βοός φ6. 812 ᵇ7. θ6. 811 ᵇ21, 28, βουλίνχ, βολίνθχ Ζυ45. 630 ᵃ27. θ1. 830 ᵃ12,ᵇ1. — Avium. ὀφθαλμὺς πάντες καθάπερ χ τἆλλα ζῷα δύο ἔχχσιν ἄνευ βλεφαρίδων Ζιβ12. 504 ᵃ23. πέλλχ, φήνης, ἀετῦ, ἱέρακος, κόρακος Ζυι1. 609 ᵇ24. 34. 620 ᵃ1, 4. φ6. 812 ᵇ6, 12, 813 ᵃ20, ἀλεκτρυόνων φ6. 812 ᵇ12. in ovis gallinaceis τὰ τῶν ὀφθαλμῶν μέρη, οἱ ὀφθαλμοὶ μείζχς τῆς κεφαλῆς ἐκ ἔχοντές πω ὄψιν, οἱ ὀφθαλμοὶ ἐξαιρούμενοι μείζχς κυάμων χ μέλανες, μάλιστα ἐμπεφυσημένοι, ὀψέ ποτε μικροὶ γίνονται χ συμπίπτχσι ΖιΖ3. 561 ᵃ19, 20, 28, 30, 31. — Amphibiorum, κροκοδείλχ, ὄφεως, βατράχχ Ζιβ10. 503 ᵃ9. δ9. 536 ᵃ19. θ17. 600 ᵇ27, χαμαιλέοντος Ζιβ11. 503 ᵃ31-ᵇ2, 7, 18, 19. — Piscium. ὀφθαλμὺς πάντες ἔχχσιν ἄνευ βλεφάρων, ἢ σκληρόδερμοι ὄντες Ζιβ13. 505 ᵃ35. cf υι. 454 ᵇ18. βατράχχ, βελόνης in ovo, ἡπάτχ Ζυ37. 620 ᵇ13. ζ13. 567 ᵇ29. f 296. 1529 ᵇ1. ὁ ἄφρος ὁ ἄγονος διαμένει ὀλίγον χρόνον, τέλος γὰρ λείπεται κεφαλὴ χ ὀφθαλμοί ΖιΖ15. 569 ᵇ30. — σκωληκοτοκχντων, ἐντόμων. ἐπὶ τῶν ἐκ σκωλήκων γινομένων τὰ κάτω μείζω πρῶτον, οἱ δ' ὀφθαλμοὶ χ ἡ κεφαλὴ ὕστερον, ἔχει ὀφθαλμὺς ἅπαντα ΖιΖ13. 567 ᵇ33. 7. 532ᵃ5. — μαλακίων. ἐπάνω εἰσὶν οἱ ὀφθαλμοί, μεγάλοι δύο Ζιδ1. 524 ᵃ15, ᵇ3. Ζμδ9. 684 ᵇ9. cf υι. 454 ᵃ18. πολύποδος, σηπίδιχ f 315. 1531ᵇ2. Ζιε18. 550 ᵃ25. — μαλακοστράκων. ἀστακῶ, καράβχ, καρκίνχ, καρκινίχ, Ἡρακλεωτικῶν, μαιῶν Ζιδ2. 526 ᵃ7, ᵇ1, 2. 3. 527 ᵇ8, 10, 2. 4. 529 ᵇ27, 29.

4. physiologica. ὄψεως (αἰσθητήριον) ὀφθαλμός, ὁ ὀφθαλμός σῶμα μόνον ἴδιον ἔχει τῶν αἰσθητηρίων· τὰ χ δι' ὀφθαλμῶν ἰνδαλλόμενα ἡμῖν χ δι' ἀκοῆς χ πάσης αἰσθήσεως Ζμδ11. 691 ᵃ12. Ζγβ6. 744 ᵃ5, 743 ᵇ36 (Trdlbg 165. Μ 427). Ζια15. 494 ᵇ12. κ6. 397 ᵇ18. θλιβομένχ χ κινχμένχ τχ ὀφθαλμχ φαίνεται πῦρ ἐκλάμπειν αι2. 437 ᵃ24 (Lewes 249). ἀπὸ τῆς περὶ τὸν ἐγκέφαλον ὑγρότητος ἀποκρίνεται τὸ καθαρώτατον διὰ τῶν πόρων, ὁ περὶ τὸς ὀφθαλμὺς τόπος τῶν περὶ τὴν κεφαλὴν σπερματικώτατός ἐστιν· δηλοῖ δ' ἐν ταῖς ὁμιλίαις μετασχηματιζόμενος ἐπιδήλως μόνος· ἔστιν ὑγρὸν χ ψυχρόν, χ ὁ προϋπάρχον ἐν τῷ τόπῳ· καθάπερ χ τὰ ἄλλα μόρια δυνάμει, ἔπειτα ἐνεργείᾳ γινόμενα ὕστερον· οἱ μὲν ἔχχσι τῶν ὀφθαλμῶν πλέον ὑγρόν, οἱ δ' ἔλαττον τῆς συμμέτρχ κινήσεως, οἱ δὲ σύμμετρον Ζγβ6. 744 ᵃ9, 13, 6. εἰ. 779 ᵇ26. ὀφθαλμός ἕνεκά τχ, γλαυκὸς δ' ὀχ ἕνεκά τχ, πλὴν ἂν ἴδιον ᾖ τῆ γένχς τῦτο τὸ πάθος· ὁ ὀφθαλμὸς ὕλη ὄψεως, ἧς ἀπολειπύσης ἐκ ἔστιν ὀφθαλμός, πλὴν ὁμωνύμως· τεθνεῶτος ὀφθαλμὸς ὁ μόριον ἀλλ' ὁμωνύμως· ὥσπερ ὁ ὀφθαλμὸς ἡ κόρη ἡ ὄψις, κἀκεῖ ἡ ψυχὴ χ ἡ ὄψις τὸ σῶμα τὸ ζῷον· εἰ ἦν ὁ ὀφθαλμὸς ζῷον, ψυχὴ ἂν ἦν αὐτῦ ἡ ὄψις, αὕτη γὰρ ὐσία ὀφθαλμῦ ἡ κατὰ λόγον Ζγε1. 778 ᵃ32,ᵇ16. β1. 735 ᵃ8. ψβ1. 412 ᵇ20, 18 (Niphus, expositio subtilissima 245. Telesius de rer nat V 184), 413 ᵃ2. τῦ δὲ μὴ πόρρωθεν ὁρᾶν ἢ τὴν ἀπὸ τῶν πόρρωθεν ὁρατῶν ἀφικνεῖσθαι κίνησιν ἡ θέσις αἰτία τῶν ὀφθαλμῶν· ἕκαστοι οἱ τόποι ἅμα ταῖς ἐκκρίσεσι γίνονται χ ταῖς δυνάμεσιν, ὥσπερ ὀθ' ἡ ὄψις ἄνευ ὀφθαλμῶν ὑτ' ὀφθαλμὸς τελειῦται ἄνευ ὄψεως· ἐκείνως αὐτὸς αὑτὸν ὁρᾶ ὁ ὀφθαλμὸς ὥσπερ χ ἐν τῆ ἀνακλάσει Ζγε1. 780 ᵇ35 (S II 291). γ1. 766 ᵃ8 Aub. αι2. 437 ᵇ11,

438 ᵃ11. cf Wundt, Henle et Pfeufer Zeitschr f rationelle Medicin Ser III, Vol VII p 280 adn 283. περὶ τχς λύχνχς τὰ πλεῖστα νοτίων ὄντων ἶρις γίγνεται τῦ χειμῶνος, μάλιστα δὲ δήλη γίνεται τοῖς ὑγρχς ἔχχσι τῆς ὀφθαλμὺς· τχτων γὰρ ἡ ὄψις ταχὺ δι' ἀσθένειαν ἀνακλᾶται μγ4. 374 ᵃ22. cf S Theophr IV 725 et eclog phys II 243. οἷον ὀφθαλμός ὅταν λήμην τε μηδεμίαν ποιῇ χ ὁρᾶ χ μετὰ τὴν ὅρασιν μὴ ταράττηται μηδ' ἀδυνατῇ ὁρᾶν πάλιν· ὄμμα ὐδὲν κωλύει αὐτὸ ὁρᾶν ἀκριβῶς, μὴ ἔχοντος τῦ ὀφθαλμῦ καλῶς πάντα τὰ μόρια Ζικ1. 633 ᵇ20, 28. διὰ τί θατέρχ καταληφθέντος ὀφθαλμῦ ὁ ἕτερος ἀτενίζει μᾶλλον πλα4. 957 ᵇ18. (τῶν ὀφθαλμῶν δυοῖν ὄντοιν μὴ ταὐτὰ φαίνεσθαι ἑκατέρα τῆ ὄψει, ἂν ὦσιν ἀνόμοιαι Μγ6. 1011 ᵃ27.) διὰ τί τὰ μὲν ἄλλα ἀμφοτέροις τοῖς ὀφθαλμοῖς μᾶλλον ὁρῶμεν, τὸ δὲ εὐθὺ τὸ ἐπὶ στίχων τῷ ἑνὶ προσάγοντες πρὸς τὰ γράμματα μᾶλλον καθορῶμεν· τὸ ἓν φαίνεται δύο ἄν πως τεθῶσιν οἱ ὀφθαλμοὶ πρὸς ἀλλήλχς· διὰ τί εἰς τὸ πλάγιον κινῦντι τὸν ὀφθαλμὸν ἓν φαίνεται δύο τὸ ἓν (S eclog phys II 202). ἐν ἑνὶ ὀφθαλμῷ μεθισταμένῳ κινεῖσθαι τὸ ὁρώμενον δοκεῖ· ἐὰν ἄνω κινηθῇ ὁ ὀφθαλμός, τὸ πέρας κάτω τῆς ὄψεως γίνεται, ἐὰν δὲ κάτω, ἄνω τὸ πέρας· τοῖς ὑποβάλλχσιν ὑπὸ τὸν ὀφθαλμὸν (τὸ ἓν) δύο φαίνεται (Wundt l l 284)· τὸν μὲν ἔσωι, τὸν δὲ σχηματίζχσι τῶν ὀφθαλμῶν πλα20. 959 ᵃ38. 17. 959 ᵃ14, 9. 7. 958 ᵃ29, 27, 25, 23. γ20. 874 ᵃ9. εν3. 461 ᵇ31.

5. pathologica. ἀσθένεια τῶν ὀφθαλμῶν (μύωψ, πρεσβύτης), οἱ ὀφθαλμοὶ δακρύχσι μετὰ τὴν τρῖψιν, πονῦντες τχς ὀφθαλμὺς δακρύχσιν ψυχρὰ τὰ δάκρυα· τοῖς δὲ ὀφθαλμὺς πονῦντων ἄπεπτόν ἐστι τὸ δάκρυον· διὰ τί ὁ κάπνος, τὸ κρόμμυον χ ὅσα ἄλλα, τχς ὀφθαλμὺς μᾶλλον δάκνει Ζυι34. 620 ᵃ4. πλα1. 957 ᵃ40. 25. 959 ᵇ37. 23. 959 ᵇ21. 21. 959 ᵇ5, 12. γ8. 962 ᵃ7. διὰ τί τρίψαντες τὸν ὀφθαλμὸν παυόμεθα τῶν πταρμῶν, ὁ ὀφθαλμὸς τριφθεὶς πλείω λαμβάνει θερμότητα πλα1. 957 ᵃ38, ᵇ2. γ2. 961 ᵇ27, 30. 8. 962 ᵃ25, 29. σκιρδαμύσσομεν διὰ τὸ καταψύχεσθαι τὸ περὶ τὸν ὀφθαλμὸν σῶμα χ ξηραίνεσθαι· διὰ τί ὁ ὀφθαλμὸς ὁ ἀρίστερος μᾶλλον τῦ δεξιῦ συνάγεται, διὰ τὴν τῶν ὀφθαλμῶν συναγωγὴν πδ2. 876 ᵇ10) πλδ12. 964 ᵇ15. λα24. 959 ᵇ32. cf 18. 958 ᵃ21. συγκλείονται οἱ ὀφθαλμοὶ παρὰ τὸ μὴ ὑπάρχειν ἔτι νοτίδα, τοῖς ἐξ ὕπνχ ἀνεστηκόσιν ἐπικρέμανται τὰ ἄπω τῦ ὀφθαλμῦ πδ1. 876 ᵃ35. φ6. 811 ᵇ18. τὰ ῥευματικὰ εἰς τὺς ὀφθαλμὺς, σημαίνει τχς ὀφθαλμὺς εἶ τῆ κεφαλῇ περίττωμα γινόμενον· διὰ τί ἐν τῷ ὀφθαλμῷ αἱ θλαι λευκαί· οἱ τχς ὀφθαλμὺς διὰ συχνὺ χρόνχ κινῦντες ἔχοντές τε βάμμα λευκώματος ἐπὶ τῷ ὀφθαλμῷ πλα5. 957 ᵇ25 (Oribas I 663), 28. θ2. 889 ᵇ21, 25. 7. 890 ᵃ34, 35. φ6. 813 ᵃ27. ὀφθαλμοὶ φλεγμαίνοντες ἕλκωσιν ὑγρότητα Ζικ1. 634 ᵃ22. αἷμα ἀφιέναι ἐκ τῶν ὀφθαλμῶν, τὸν ἕτερον ὀφθαλμὸν ἐκκόπτειν, ἀραιύμενοι οἱ τῦ ὀφθαλμῦ πόροι ὑπὸ τῆς πληγῆς Ζυι1. 609 ᵇ24. ζ18. 573 ᵇ14. πε37. 884 ᵇ34. cf θ2. 889 ᵇ23. οἱ ὀφθαλμοὶ χ τὰ περὶ τὸν ὅραν ἐπίδηλα συμπονεῖ· διὰ τί ἐὰν ἀφροδισιάζῃ ὁ ἄνθρωπος οἱ ὀφθαλμοὶ ἀσθενῦσι μάλιστα πδ2. 876 ᵇ5, 8. 32. 880 ᵇ8. — (τὸ μέλι) τὸ λευκὸν ἀγαθὸν πρὸς ὀφθαλμὺς, τὰ ἔγχριστα εἰς τὺς ὀφθαλμὺς χρώματα, οἱ ἰατροὶ τῷ ἄνθει τῦ χαλκῦ χ τῆ τέφρᾳ τῆ Φρυγίᾳ χρώνται πρὸς τὺς ὀφθαλμὺς, chrysocolla φάρμακον ὀφθαλμῶν Ζυ40. 627 ᵃ3. Ζγβ7. 747 ᵃ9. θ58. 834 ᵇ31, 22.

6. οἱ τῶν ἐμβρύων ὀφθαλμοί. περὶ ὀφθαλμῶν πῶς γίνονται χ δι' ὅ τι χ διὰ τίν' αἰτίαν τελευταῖοι λαμβάνχσι τὴν διάρθρωσιν Ζγβ6. 743 ᵇ32, 34, 744 ᵃ21, ᵇ9. οἱ τῶν ἀνθρω-

πων καθάπερ ἐπὶ τῶν ἄλλων μέγιστοι. μέγιστοι ἐξ ἀρχῆς
φαίνονται κ̣ πεζοῖς κ̣ πλωτοῖς κ̣ πτηνοῖς, ἐπὶ τῶν ἐκ σκω-
λήκων γινομένων τὰ κάτω μεῖζω πρῶτον, οἱ δ' ὀφθαλμοὶ κ̣
ἡ κεφαλὴ ὕστερον Ζγβ 6. 743 ᵇ33. Ζιη 3. 583 ᵇ19. ζ 13.
567 ᵇ33. ὀφθαλμοὶ ἐπὶ τοῖς γόνασιν (κεῖται) Ζιη8. 586 ᵇ3.
ὀφθαλμοὶ ἐν τῇ γενέσει πηρύμενοι, syn ἐν τῇ γενέσει πηρω-
μένης τῆς φύσεως, πεπήρωται τὰς ὀφθαλμὰς Ζιδ 8. 533 ᵃ12.
α 9. 491 ᵇ34. ι34. 620 ᵃ1, 4. de pullorum gallinaceorum
oculis in ovo v p 548 ᵃ13.

7. ὀφθαλμοὶ ἤθυς σημεῖα. βέλτιστα ἤθυς σημεῖα οἱ μέσοι,
τῶν ἀτενῶν ὁ ἀβέβαιος, τῶν σκαρδαμυκτικῶν ὁ ἀναιδής
Ζια10. 492 ᵃ4, 10, 12. οἷς οἱ ὀφθαλμοὶ γλαυκοὶ ἢ λευκοί,
ἄγαν μέλανες, δειλοί· οἷς οἱ ὀφθαλμοὶ ἐπιφοινίσσωσιν, ἐκ-
στατικοὶ ὑπὸ ὀργῆς (ὀργιζόμενοι τὰς ὀφθαλμὰς μᾶλλον ἐπι-
διδόασι πρὸς τὸ ἐρυθριᾶν, τοῖς ὀργιζομένοις οἱ ὀφθαλμοὶ ἐπι-
φοινίσσονται)· ὅσοις οἱ ὀφθαλμοὶ μικρὸν ἐγκοιλότεροι, μεγαλό-
ψυχοι, οἷς ἐπὶ πλεῖον, πραεῖς· οἱ τὰς ὀφθαλμὰς μικρὰς
ἔχοντες μικρόψυχοι. οἱ κοίλας ὀφθαλμὰς ἔχοντες κακᾶργοι
φ 6. 812 ᵃ35, 37, ᵇ3, 811 ᵇ18, 22, 25, 26. πλα 3. 957 ᵇ9.
β8. 961 ᵃ9, 15. — ὀφθαλμοί, ἐν οἷς ἡ αἰδὼς κατοικεῖ, ἐν
ὀφθαλμοῖς αἰδὼς (cf παροιμία) Ρβ6. 1384 ᵃ36. f 91.1492
ᵃ36. πλα3. 957 ᵇ11. 8. 961 ᵃ10. ὡς τὸ ἀπὸ τῶν ὀφθαλμῶν
οἷον κύστιδες προχρέμανται οἰνόφλυγες φ6. 811 ᵇ13, 15.

8. dicendi usus. ὀλίγον πονηρὸν παρορᾶται, πολὺ δὲ γι-
νόμενον ἐν ὀφθαλμοῖς μᾶλλον ἐστιν Πζ4. 1319 ᵇ19. ἐν
ὀφθαλμοῖς φαίνεται Ρβ8. 1386 ᵇ7. τὰ παρ' ἡμῖν ἐν ὀφθαλ-
μοῖς φαινόμενα Οβ4. 287 ᵇ17. ἡ ἐν ὀφθαλμοῖς τῶν ἀρχόν-
των παρρσία ἐμποιεῖ τὴν ἀληθινὴν αἰδῶ Πη 12. 1331 ᵃ40.
τὰ ἐν ὀφθαλμοῖς, coni syn τὰ ἐν φανερῷ Ρα 12. 1372 ᵃ24.
β6. 1384 ᵃ35. τεθῆναι πρὸ ὀφθαλμῶν σ973 ᵇ24. — ὀφθαλ-
μὰς πολλὰς οἱ μόναρχοι ποιῦνται αὑτῶν Πγ16. 1287 ᵇ29,
syn ὄμμα ᵇ27.

ὀφθαλμοφανής. ἐκ τύτων συγκρίνεσθαι τὰς ὀφθαλμοφανεῖς
κ̣ τὰς αἰσθητὰς ὄγκας f 202. 1514 ᵇ17.

ὀφιοδείρας. ἡ Πυθία τὰς Λάκωνας προσηγόρευσε θ24. 832
²21. Lob Aglaoph p 845.

Ὀφιῦσσα ἐκαλεῖτο ἡ Κύθνος f 479. 1556 ᵇ26.

ὄφις. εἶδός τι Ζιβ15. 505 ᵇ31. cf M 154. 347. τὸ τῶν ὄφεων
γένος ἅπαν, τὸ τῶν ὄφεων γένος Ζιγ1. 509 ᵇ4, 511 ᵃ14.
α6. 490 ᵇ24. β14. 505 ᵇ5. 17. 508 ᵃ11. Ζγα3. 716 ᵇ16. δ1.
765 ᵃ34. 3. 770 ᵃ25. τὸ πλεῖστον γένος, οἱ πλεῖστοι, τὰ
ἄλλα γένη (ᾠοτοκεῖ, ἔχις δὲ ζῳοτοκεῖ) Ζγβ1. 732 ᵇ4. Ζμδ 2.
676 ᵇ21. Ζιγ1. 511 ᵃ15. τὸ τῶν ἄλλων ὄφεων γένος Ζγβ1.
732 ᵇ23. refertur inter τὰ ἔναιμα, τὰ ζῷα τὴν φύσιν
ψυχρά, τὰ ᾠοτόκα, τὰ χερσαῖα Ζιβ14. 505 ᵇ5. δ11. 538
²27. μιχ5. 466 ᵇ19. πν6. 484 ᵃ26. Ζη7. 707 ᵇ28. τὰ φω-
λιῶντα αν10. 475 ᵇ23. Ζια6. 490 ᵇ24. Ζη7. 508 ᵃ11. θ4.
594 ᵃ4. 15. 599 ᵃ31. 17. 600 ᵇ23. Ζμγ8. 671 ᵃ21, τὰ
ἄποδα, τὰ ἄποδα κ̣ μακρά, ὅσα τῶν ἐναίμων κατὰ τὸ μῆ-
κος ἀσύμμετρά ἐστι πρὸς τὴν ἄλλην τῦ σώματος φύσιν
Ζιε4. 540 ᵃ33. β14. 505 ᵇ12. γ1. 509 ᵇ5. Ζμδ1. 676 ᵃ24.
Ζπ4. 705 ᵇ27. 8. 708 ᵃ16. 9. 709 ᵃ24. Ζγβ1. 732 ᵇ3, τὰ
τρωγλοδυτικὰ Ζια1. 488 ᵃ24. cf ι1. 610 ᵃ12 Aub, τὰ ἀνε-
λεύθερα (ἐλευθέρια ci S, cf Stahr Jahns Jahrb 1834 p 486)
κ̣ ἐπίβελα Ζια1. 488 ᵇ16, τὰ παμφάγα, κ̣ γὰρ σαρκο-
φάγα κ̣ πόαν ἐσθίυσιν, τὰ ὀλιγοτόφα Ζιθ4. 594 ᵃ5, 7. —
ἓν μόνον γένος ἐστὶν ἅπων. τὸ τῶν ὄφεων· ἅπων φύσιν ἐστὶν
ἔναιμον πεζόν· ἡ αἰτία τῆς ἀποδίας Ζμδ11. 690 ᵇ14, 15.
13. 696 ᵃ11. Ζια6. 490 ᵇ23. Ζπ 8. 708 ᵃ9. ἡ τῶν ὄφεων
φύσις ὁμοία ἐστὶ σαύρῳ μακρῷ [ᾗ] κ̣ ἄποδι, ἐστὶ συγ-
γενὴς τοῖς τετράποσι μὲν ᾠοτόκοις δὲ τῶν ζῴων· ἔχει πα-

ραπλήσια σχεδὸν πάντα τῶν πεζῶν κ̣ ᾠοτόκων τοῖς σαύροις·
τὰ πρανῆ κ̣ τὰ ὕπτια παραπλήσια τοῖς σαύροις Ζγα6. 717
ᵇ36. Ζμδ1. 676 ᵃ25, 26 Langk. Ζιβ17. 508 ᵃ9, 11. ἡ τῦ
σώματος μορφὴ ὅσα μακρὰ κ̣ στενή, σῶμα μακρόν, ἡ
ὑγρότης τῦ σώματος Ζμδ1. 676 ᵇ6. Ζιγ1. 511 ᵃ18. Ζγα7.
718 ᵃ30. λιχνότατοι τῶν ζῴων Ζιθ4. 594 ᵃ6.

1. περὶ τῶν ὄφεων καθόλυ. a. descr part corporis. ῥύγ-
χος, τὸ ὀξύτερον στόμα τῶν ὄφεων Ζιι37. 621 ᵃ5, 6. dentes:
καρχαρόδοντες πάντες, τὰ τῶν ὄφεων ὀήγματα πολὺ δια-
φέρυσι Ζιβ17. 508 ᵇ2. θ29. 607 ᵃ21. δάκνειν, ἢ δάκνειν,
ἀδικεῖν σφόδρα, μὴ ἀπέχεσθαι θ142. 845 ᵃ12. 149. 845 ᵇ9,
11. 150. 845 ᵇ14. lingua: ἡ γλῶττα μακρὰ κ̣ δικρόα,
δικρόα κ̣ ἐπ' ἄκρα τριχώδης πάμπαν Ζιβ17. 508 ᵇ6-
10. δ11. 691 ᵃ6. δικρόα ἡ γλῶττα ἄκρα, γλῶττα λεπτὴ
κ̣ μακρὰ κ̣ μέλαινα κ̣ ἐξέρχεται μέχρι πόρρω· ἡ ἴυγξ ἔχει
τὴν γλῶτταν ὁμοίαν τοῖς ὄφεσιν, ἔχει γὰρ ἐπὶ μῆκος ἐκτασιν
κ̣ ἐπὶ τέτταρας δακτύλυς· δοκεῖ εἶναι ὑπὸ τὴν ἀρτηρίαν
Ζιβ17. 508 ᵃ19,20,22,26. 12. 504 ᵃ14. λέγυσι τὰ ὄμματα
φύεσθαι πάλιν Ζιβ17. 508 ᵇ5. cf Antig Caryst ed Beckm
126. τὰς πόρυς ἔχυσι τῶν μυκτήρων πρὸ τῦ στόματος
Ζμβ16. 659 ᵃ36. οἷον πρὸς τὰ συγγενῆ τῶν ζῴων ὑπάρχει
τοῖς ὄφεσι τὸ στρέφειν τὴν κεφαλὴν (τὸν τράχηλον) εἰς
τὔπισθεν ἠρεμῶντος τῦ λοιπῦ σώματος Ζμδ11. 691 ᵇ32.
Ζιβ12. 504 ᵃ16. ι6. 612 ᵃ35. ἥκιστα ὁ ὄφις δόξειεν ἂν ἔχειν
αὐχένα, ἀλλὰ τὸ ἀνάλογον τῷ αὐχένι Ζμδ11. 691 ᵇ29. ἡ
ἄκανθα, ἀκανθώδης ἡ τῶν ὀστῶν φύσις, ἀκανθώδης ἡ ῥάχις
Ζιγ1. 511 ᵃ20. 7. 516 ᵇ20. Ζμβ9. 655 ᵃ20. πλευραὶ τρια-
κοντα Ζιβ17. 508 ᵇ3. cf Antig Caryst 126. σάρξ Ζμγ8.
671 ᵃ20. φολίς θ164. 846 ᵇ14. ἐκδύνυσι τὸ δέρμα, τὸ κα-
λύμενον γῆρας, κ̣ τῦ ἔαρος ὅταν ἐξίωσι κ̣ τῦ μετοπώρω
πάλιν, πῶς θ66. 835 ᵃ28. Ζιι17. 549 ᵇ26. θ17. 600 ᵇ23,
27-32. Lenz 436, 1339. κέρκος· αἱ κέρκοι ἀποτεμνόμεναι
φύονται Ζιθ17. 600 ᵇ32. β17. 508 ᵇ7. — ἐπὶ τῦ φάρυγγος
ἡ καρδία μικρὰ (μακρὰ ci Aub) δὲ κ̣ νεφροειδὴς Ζιβ17.
508 ᵃ30. cf Stn I 226. ἔχυσιν ἀρτηρίαν σφόδρα μακράν, ἡ
ἀρχὴ τῆς ἀρτηρίας πρὸς αὐτῷ τῷ στόματι Ζιβ17. 508 ᵃ17,
19. πλεύμων σομφός, ἁπλῦς, ἱνώδει πόρῳ διηρθρωμένος κ̣
μακρὸς σφόδρα κ̣ πολὺ ἀπηρτημένος τῆς καρδίας Ζιβ17.
508 ᵃ32. θ4. 594 ᵃ8. αν10. 475 ᵇ19, 23. στόμαχος λεπτὸς
κ̣ μακρός Ζιβ17. 508 ᵃ18. θ4. 594 ᵃ21. ἔχυσι τὴν κοιλίαν
οἷον ἔντερον εὐρυχωρέστερον ὁμοίαν τῇ τῦ κυνός, ἔντερον
μακρὸν κ̣ λεπτὸν κ̣ μέχρι τῦ τέλυς ἐν Ζιβ17. 508 ᵃ28, 29.
τὰ σχήματα τῶν σπλάγχνων μακρά, ἅπαντα διὰ τὴν στε-
νότητα κ̣ τὸ μῆκος στενὰ κ̣ μακρὰ τὰ σπλάγχνα Ζμδ1.
676 ᵇ3. Ζιβ17. 508 ᵃ15, τὴν χολὴν ὁμοίως ἔχυσι τοῖς ἰχθύσι
Ζμδ2. 676 ᵇ21. Ζιβ17. 508 ᵃ35. ὑπόζωμα, ἧπαρ μακρὸν
κ̣ ἁπλῦν, σπλὴν μικρὸς κ̣ στρογγύλος Ζιγ1. 511 ᵃ19. β17.
508 ᵃ34 (Cuv leçons IV 2, 636). κύστιν ὐκ ἔχυσιν, ἢ γί-
νεται περίττωμ' αὑτοῖς ὑγρὸν Ζμδ13. 697 ᵃ13. γ8. 671
ᵃ21. ὄρχεις ὐκ ἔχυσιν Ζγα7. 718 ᵃ18. δ1. 765 ᵃ34. Ζιγ1.
509 ᵇ4, 16. δ5. 540 ᵇ28. β17. 508 ᵃ12. Ζμδ13.697 ᵃ11,
ἀλλὰ δύο πόρυς εἰς ἓν συνάπτοντας, πόρυς δύο ἀπὸ τῦ ὑπο-
ζώματος ἠρτημένυς ἐφ' ἑκάτερα τῆς ῥάχεως συνάπτοντας
εἰς ἕνα πόρον ἄνωθεν τῆς τῦ περιττώματος ἐξόδυ, πόρον δὲ
τῦ περιττώματος κ̣ τῶν περὶ τὴν γένεσιν τὸν αὐτόν, πόρον
μόνον δύο σπερματικύς· τὸ μῆκος τῶν πόρων Ζιβ17. 508
ᵃ12. γ1. 509 ᵇ17. ε5. 540 ᵇ31. Ζμδ13. 697 ᵃ11. Ζγα3.
716 ᵇ16, 24. 4. 717 ᵃ18. 7. 718 ᵃ20, 33. ὑστέρα μακρὰ κ̣
δικρόα, descr Ζιβ17. 508 ᵃ13. γ1. 511 ᵃ18. — b. de ser-
pentium motu, occultatione, sibilo, victu, potu. πῶς κι-
νῦνται Ζια5. 490 ᵃ31. Ζπ7. 707 ᵇ27. τοῖς ὄφεσιν ἐν ταῖς

καμπαῖς τȣ̂ σώματός ἐστιν ἡ ἀρχὴ τῆς κάμψεως Ζπ10. 709 ᵇ32. πῶς χρῆται τῇ γῇ· δεῖ νοεῖν κ̀ τὰς ὄφεις κινȣμένȣς ἐπὶ τῇ γῇ λορδȣ̀ς Ζια5. 489 ᵇ29. Ζπ7. 707 ᵇ21, 708 ᵃ1. Ζμȣ̂13. 696 ᵃ8. αὐτῷ τῷ σώματι διαλήψεις ποιȣ́μενοι προέρχονται, κυμαίνοντες ἐπὶ τῆς γῆς προέρχονται Ζπ4. 705 ᵇ26. 9. 709 ᵃ26. τȣ̂τον τὸν τρόπον νέȣσιν ὁνπερ ἐπὶ τῆς γῆς ἕρπȣσιν, νέȣσι ὁμοίως κ̀ ὅταν κινῶνται ἐπὶ τῆς γῆς Ζμȣ̂13. 696 ᵃ9. Ζπ7. 708 ᵃ2. — φωλȣ̂σι, τὴν τῶν ὄφεων καταδυσιν χειὰν εἴρηκεν Ἀρ. Ζιθ15. 599 ᵃ31. f 334. 1534 ᵃ15. — ἀφίησι συριγμὸν Ζιθ9. 536 ᵃ6. — victus, modus comedendi Ζιθ4. 594 ᵃ16, 18, 13, 15. σαρκοφάγοι Ζιθ4. 594 ᵃ12. δύνανται ἄσιτοι πολὺν χρόνον ζῆν, πρὸς τὸν οἶνον ἀκρατεῖς Ζιθ4. 594 ᵃ22, 9. — c. ἡ τῶν ὄφεων γένεσις Ζιζ1. 558 ᵇ8. τὸ τῶν ὄφεων γένος ἔχει πρὸς τὰ σελάχη κ̀ πρὸς ἄλληλα διαφοράν Ζιγ1. 511 ᵃ14. cf Ζμȣ̂1. 676 ᵇ36. οἱ ἄρρενες δύο πόρȣς ἔχȣσιν, οἱ γίνονται θορȣ̂ πλήρεις περὶ τὴν τῆς ὀχείας ὥραν, κ̀ προίενται ὑγρότητα γαλακτώδη πάντες Ζιε5. 540 ᵇ30. v supra p 549 ᵇ52. περιπλεκόμενοι τοῖς ὑπτίοις πρὸς τὰ ὕπτια, περιελίττονται ἀλλήλοις ὥστε δοκεῖν ἑνὸς ὄφεως δικεφάλȣ εἶναι τὸ σῶμα πᾶν, περιπλοκὴ ποιȣ̂νται ϫ τὴν ὀχείαν Ζιε4. 540 ᵇ1, 2, 4. ὀχεύονται περιελιττόμενοι (v l περιπλεκόμενοι) ἀλλήλοις, περιπλέκονται ἀλλήλοις διὰ τὴν ἀφυΐαν τῆς παραπτώσεως, μικρῷ προσαρμόττοντες μορίῳ· ȣ̀κ εὐσυνάρμεττοί εἰσιν· ἐπεὶ ȣ̀κ ἔχȣσι μόρια οἷς περιλήψονται ἀντὶ τȣ́των τῇ ὑγρότητι χρώνται τȣ̂ σώματος περιελιττόμενοι ἀλλήλοις Ζγα7. 728 ᵃ17, 27-30. δοκȣ̂σι βραδύτερον ἀπολύεσθαι τῶν ἰχθύων, διὰ τίν᾽ αἰτίαν Ζγα7. 718 ᵃ32. ἴσχει τὸ κύημα μακρὸν Ζιζ17. 571 ᵃ30. ᾠοτοκεῖ κ̀ πολυτοκεῖ Ζιε34. 558 ᵇ1. α6. 490 ᵇ25. Ζγδ3. 770 ᵃ24. ᾠοτοκεῖ κ̀ τὸ τῶν ἄλλων ὄφεων γένος (ἔξω τῶν ἔχεων) Ζγβ1. 732 ᵇ23. τέλειον τὸ ᾠὸν Ζγβ1. 732 ᵇ2, 5. τὰ ᾠὰ ἀλλήλοις συνεχῆ, κατὰ στοῖχον, στοιχηδὸν ἐγγίνεται Ζιε34. 558 ᵇ1. γ1. 511 ᵃ22, 21. Ζγδ3. 770 ᵃ26. cf Baer Entwicklungsgeschichte II 160.— d. magnitudo, τέρατα. μείζω τὰ θήλεα τῶν ἀρρένων Ζιθ11. 538 ᵃ27. οἱ μεγάλοι, οἱ πάνυ μεγάλοι, λίαν μακροὶ ὄντες Ζμȣ̂11. 691 ᵃ18. Ζιθ29. 607 ᵃ31. Ζγα7. 718 ᵃ29. ἐν τοῖς θερμοῖς τόποις μακροὶ μκ5. 466 ᵇ20. — ἤδη κ̀ ὄφις ὦπται δικέφαλος Ζγδ3. 770 ᵃ24, sed cf Ζιε4. 540 ᵇ3. — e. venatio Ζιθ4. 594 ᵃ10. οἱ δὲ λαμβάνȣσι τȣ̀ς ὄφεις (exemplum διὰ δ᾽ ἀγνοιαν ἀνδρείας) ἡεγ1. 1229 ᵃ18. — f. φίλοι, πολέμιοι. Lenz 438, 1341. φίλοι ἀλώπηξ κ̀ ὄφις Ζιι1. 610 ᵃ12. — ὁ τριόρχης κατεσθίει τὰς ὄφεις, τροφὴν ποιεῖται τὰς ὄφεις ὁ ἀετός Ζιι1. 609 ᵃ24, 25, 5. cf f 275. 1527 ᵇ24. ὄφις γαλῆ κ̀ ὑῗ πολέμιον Ζιι1. 609 ᵇ28, 30. cf Beckm Antig Caryst 69. 71, 45 hist nat vett 134. ἡ ὀσμὴ τȣ̂ πηγάνȣ πολεμία τοῖς ὄφεσιν Ζιι6. 612 ᵃ29. πολλοὶ κ̀ τὴν ἀκρίδα (v l ἀσπίδα, ἰκτίδα Aub) ἑωράκασιν ὅτι, ὅταν μάχηται τοῖς ὄφεσι, λαμβάνεται τȣ̂ τραχήλȣ τῶν ὄφεων Ζιι6. 612 ᵃ34 Aub. — ὄφεσιν ἐχθρὰν εἶναι τὴν Ἀστυπαλαιέων ἡγν f 324. 1532 ᵇ4. (C II 767. AZι I 118, 11. KaZι 14, 56. Su 179, 10. M 308. Lenz Zool der Gr u Röm 434.)

2. ὄφεων εἴδη κ̀ διαφοραί (cf Duméril et Bibron Erpetologie VI 13 sq). a. τὸ μὲν γὰρ πλεῖστον αὐτῶν χερσαῖόν ἐστιν Ζιθ14. 505 ᵇ6, 8. (M 310.) — b. ὀλίγον τὸ τῶν ἐνύδρων ἐν τοῖς ποτίμοις ὕδασι διατελεῖ Ζιθ14. 505 ᵇ7. (M 310.) — c. οἱ ὕδροι, opp οἱ ἄλλοι Ζιθ17. 508 ᵇ1 v h v. — d. ὄφις ὁ θαλάττιος Ζιι37. 621 ᵃ2 Aub. γένη πολλὰ τῶν θαλαττίων ὄφεων ἐστὶ κ̀ χρόαν ἔχȣσι παντοδαπήν, εἰσὶ κ̀ θαλάττιοι ὄφεις παραπλήσιοι τὴν μορφὴν τοῖς χερσαίοις τἄλλα, τὴν κεφαλὴν ἔχȣσι γογγροειδεστέραν, ȣ̀ γίνονται ἐν τοῖς σφόδρα

βάθεσιν Ζιβ14. 505 ᵇ10, 8, 9, 11, 18. (Muraena ophis L vel Ammodytes tobiacus St. Cr. fort Ophisurus colubrinus AZι I 119, 11ᵇ. cf E 91. KaZι 79, 1. Muraena serpens L Su 181, 4.) — e. ἐν Κυρίῳ τῆς Κύπρȣ ὄφεων τι γένος, descr θ142. 845 ᵃ10. (Coluber ammodytes L Belon itinerar 203. Nintipolonga Raii synops meth quadr et serp 1693 p 332. hodie ἄσπιξ Hasselquist ap Beckm 320.) — f. κερατοφόροι οἱ περὶ Θήβας ὄφεις, ἔχοντες ἐπανάστασιν ὅσον προφάσεως χάριν Ζιβ1. 500 ᵃ4 Aub. cf Herodot II 74. (Cerastes aegyptiacus C II 770. St. Cr. AZι I 118, 11ᶜ.) — g. οἱ τυφλῖναι ὄφεις ἔχȣσι διάφυσιν ὑπὸ τὴν γαστέρα ὡς τὸ ἧτρον, (τῆς χαλκίδος) τὸ χρῶμα ὅμοιον τοῖς τυφλίνοις ὄφεσιν Ζιζ13. 567 ᵇ25. θ24. 604 ᵇ25. cf Lob Prol 213. Aubert additament II 496. (Anguis fragilis St. M 308. 309. Cr. Su 184, 15. hodie Teflini Belon. Lacerta apus Pall. S II 431. fort Typhlops flavescens AZι I 118, 11ᵃ. cf Bory de St Vincent 72.) — h. ἐν Θεσσαλίᾳ ὁ ἱερὸς καλȣ́μενος ὄφις, θηρίον, τῷ μεγέθει ȣ̀ μέγας ἀλλὰ μέτριος. φωνή, incantatio θ151. 845 ᵇ16, 18, 20, 22, 25, 30 Beckm. cf Rose Ar Ps 348. ἔστι τι ὀφειδίον μικρόν, ὃ καλȣ̂σί τινες ἱερόν· γίνεται τὸ μέγιστον πηχυαῖον ȣ̀ δασὺ ἰδεῖν Ζιθ29. 607 ᵃ30. (sacrum vers Thomae. tyrus sive serpens quidam, quem Graeci alkyneny dicunt, Alberto. caciem Vincent spec nat 20, 45. S I 688. Coluber ammodytes vel C Aesculapii St.) — i. ἡ γαλῆ μάχεται τοῖς ὄφεσι μάλιστα τοῖς μυοθήραις Ζιι6. 612 ᵇ3. cf κατ᾽ οἰκίαν εἰσὶν ἀμφότεροι (ὄφις et γαλῆ) Ζιι1. 609 ᵇ29. 6. 612 ᵃ28. — k. οἱ παρὰ τοῖς φαρμακοπώλαις τρεφόμενοι Ζιθ4. 594 ᵃ23. — l. ἐν Λακεδαίμονι κατά τινας χρόνȣς γενέσθαι πλῆθος ὄφεων θ24. 832 ᵃ18. — m. περὶ Θετταλίαν μνημονεύȣσιν ὄφεις ζῳογονηθῆναι τοσȣ́τȣς ὥστε, εἰ μὴ ὑπὸ τῶν πελαργῶν ἀνῃρȣ̂ντο, ἐκχωρῆσαι ἂν αὐτȣ̀ς θ23. 832 ᵃ14 Beckm. cf Rose Ar Ps 334. S Theophr IV 814. — n. ὄφεις περὶ τὸν Εὐφράτην θ150. 845 ᵇ10. — o. ὄφις ὤφθη ἐν Πάφῳ πόδας ἔχων δύο ὁμοίȣς χερσαίῳ κροκοδείλῳ f 320. 1532 ᵃ24. — p. λέγονται (Herod II 75. 76) εἶναί τινες ὄφεις τοιȣ̂τοι (πτερωτοὶ) περὶ Αἰθιοπίαν Ζιε5. 490 ᵃ11. (fort Draco volans St. Cr. M 309. 88.) — q. ἐν τῇ Λιβύῃ τὸ τῶν ὄφεων μέγεθος γίνεται ἄπλατον Ζιθ28. 606 ᵇ9. (Oken, Isis 1827 p 501 et 502. Boa constrictor St 601. Cr. fort Boa orbiculata et hieroglyphica Lenz 437, 1339ᵇ.) — r. πρηστήρων ȣ̀ τινων ἄλλων μεγάλων ὄφεων σπείραμα θ130. 843 ᵃ32. — cf etiam ἀσπίς 2. δράκων 2 et 3. ἐχίδνα. ἔχις (ubi addas Ζμȣ̂1. 676 ᵇ36). πρηστήρ. σήψ. ὕδρος. χαλκίς. ὀφειδίον.

ὀφιώδης. ἔγχελυς κ̀ ὅσα ὀφιώδη. οἱ ὀφιώδεις τῶν ἰχθύων, ὅσα ἐστὶ μακροφυέστερα ἦ ὀφιώδη, μᾶλλον τῶν σμιράινα, syn ὀφιώδη ϫ εὐμηκέστερα Ζμȣ̂13. 696 ᵇ23, ᵃ10, 6, 17. ȣ̀ μορφὴ ὀφιωδεστέρα Ζπ7. 707 ᵇ30.

ὀφρυόσκιον τὸν ὀφθαλμὸν Πλάτων ἐκάλει τζ2. 140 ᵃ4.

ὀφρύς. αἱ ὀφρύες βοηθείας χάριν, τῶν καταβαινόντων ὑγρῶν, ὅπως ἀποστέγωσιν οἷον ἀπογείσωμα τῶν ἀπὸ τῆς κεφαλῆς ὑγρῶν Ζμβ15. 658 ᵇ14, 15. cf Galen III 790, 903. συγγενεῖς (αἱ τρίχες) αἱ ἐν τῇ κεφαλῇ κ̀ ταῖς βλεφαρίσι κ̀ ταῖς ὀφρύσι, κεφαλὴ κ̀ ὀφρὺς κ̀ βλεφαρὶς συγγενικαὶ τρίχες Ζιγ11. 518 ᵃ21. θ18. 878 ᵇ27. v κεφαλή p 386 ᵃ32. ὑπὸ τῷ μετώπῳ ὀφρύες διφυεῖς· αἱ μὲν εὐθεῖαι μαλακȣ̂ ἦθȣς σημεῖον, αἱ δὲ πρὸς τὴν ῥῖνα τὴν καμπυλότητ᾽ ἔχȣσαι στρυφνȣ̂, αἱ δὲ πρὸς τὰς κροτάφȣς μωκȣ̂ (μώμȣ Galen IV 796) ϫ εἴρωνος, αἱ δὲ κατεσπασμέναι φθόνȣ· αἱ δὲ ὀφρύες κατεσπασμέναι Ζια9. 491 ᵇ14. φ6. 812 ᵇ26. ὑπὸ ταῖς ὀφρύσιν ὀφθαλμοὶ Ζια9. 491 ᵇ18. εἰσὶ ἐπὶ συνθέσει ὀστῶν, ὃ διὸ κ̀ δασύνονται πολλοῖς ἀπογηράσκȣσιν ȣ̀τως ὥστε δεῖσθαι

χηρᾶς Ζμβ15. 658 ᵇ19. Ζιγ11. 518 ᵇ7. πδ18. 878 ᵇ28.
τὴν ὀφρὺν δεξιὰν αἴρυσι μᾶλλον ἢ ἐπικεκαμμένην ἔχυσι
τῆς ἀριστερᾶς μᾶλλον Ζμγ9. 671 ᵇ32. τὰς ὀφρῦς λευκάς
χ6. 798 ᵃ31 (Prantl 143). λέοντος ὀφρὺν εὐμεγέθη, μέτω-
πον πρὸς τὰς ὀφρῦς .... οἷον νέφος ἐπανεστηκός φδ. 809
ᵇ20, 21. φλέβες ἐκ τῦ ὀφθαλμῦ παρὰ τὴν ὀφρὺν ν l Ζιγ2.
511 ᵇ25 v ὀσφύς p 538 ᵃ55.

ὀχεία. καταχρῆται ἡ φύσις τῷ αὐτῷ μορίῳ ἐπί τε τὴν τῆς
ὑγρᾶς ἔξοδον περιττώσεως ἢ περὶ τὴν ὀχείαν, ὁμοίως ἔν τε
τοῖς θήλεσι ἢ τῶν ἀρρένων Ζμδ10. 689 ᵃ7. τίσιν ὁ πόρος
εἷς τῆς τε ξηρᾶς περιττώσεως ἢ τῆς ὀχείας Ζγα13. 720
ᵃ23. τὰ ὄργανα τὰ χρήσιμα πρὸς τὴν ὀχείαν, syn τὰ ὄρ-
γανα πρὸς τὴν πρᾶξιν τὴν γεννητικὴν Ζιβ1. 500 ᵃ15. ε2.
539 ᵇ20. ἡ θέσις χρήσιμος πρὸς τὴν ὀχείαν Ζμδ10. 689
ᵃ32. διαφοραὶ παντοδαπαὶ περὶ τὰς ὀχείας Ζγγ5. 756 ᵃ4.
εἰσὶν αἱ ὀχεῖαι ὔθ᾽ ὅμοιαι πᾶσιν ὔθ᾽ ὁμοίως ἔχυσαι, διαφέ-
ρυσι ἢ κατὰ τὴν ἡλικίαν ἢ ζῷα πρὸς τὴν ὀχείαν Ζιε2.
539 ᵇ18. 14. 544 ᵇ12. ὀχεῖα, coni συνδυασμός Ζιε18. 549
ᵇ29. syn κοινωνία Ζγγ6. 756 ᵇ20. — ἡ ὥρα τῆς ὀχείας
Ζιγ1. 509 ᵇ20. ε5. 540 ᵇ31, 541 ᵃ15, 24. 14. 545 ᵃ3. ζ1.
558 ᵇ10. 18. 572 ᵇ17. syn ὥρα ὀχεύεσθαι Ζιζ18. 572 ᵇ31.
ὧραι ἢ ἡλικίαι τῆς ὀχείας, ὁ καιρός, ὁ χρόνος, οἱ χρόνοι τῆς
ὀχείας Ζιε8. 542 ᵃ19. 14. 545 ᵃ23, 546 ᵇ2, 9. ζ18. 573 ᵃ8.
ἡ ὀχεία ῥᾳδία, πρόσφατος, ὀλιγοχρονιωτέρα, ἐκ ἐπίπονος,
ταχεῖα Ζιβ1. 500 ᵇ13. γ1. 509 ᵇ31. ε14. 546 ᵃ10. ζ22.
575 ᵇ30. Ζγα5. 717 ᵇ35. ἡ ὀχεία ὦπται, ὁρᾶται Ζιε7. 541
ᵇ22. Ζγγ6. 756 ᵇ19. ὀχείαν γίνεται Ζιε5. 541 ᵃ12. ζ22.575ᵇ32.
Ζγγ7. 757 ᵇ7, ἧττον γίνεται κατάδηλος Ζιε5. 541 ᵃ12, cf
ᵃ23. ἡ ἐπὶ τύτων ὀχεία γινομένη Ζιε5. 541 ᵃ33. μία ὀχεία
ἀρκεῖ Ζιζ18. 573 ᵇ9. ἡ ὀχεία διαλείπει Ζιζ2. 560 ᵃ18. Ζγδ5. 30
774 ᵃ18. γ7. 757 ᵇ4. αἱ ὀχεῖαι συμβαίνυσι, θηλυτοκῦσι
Ζιε14. 546 ᵃ30. πδ5. 909 ᵃ32. τὴν ὀχείαν ὑπομένειν, προσ-
ίεσθαι, δέχεσθαι, ἐ δέχεσθαι, προσδέχεσθαι Ζιγ20. 522 ᵃ8.
ζ21. 575 ᵃ16, ᵇ18. ηδ. 585 ᵃ3. Ζγβ8. 748 ᵃ21, διαφθείρειν
Ζγβ8. 748 ᵇ34, 35. μηκέτι δεῖσθαι ὀχείας Ζιι50. 632 ᵃ22. 35
ἄρχονται τῆς ὀχείας Ζιζ21. 575 ᵇ15. ε14. 545 ᵃ10, 546 ᵇ5.
οἱ κλέπτοντες τὰς ὀχείας Ζιζ20. 574 ᵃ20. τὴν ὀχείαν ποιεῖν
Ζγα18. 723 ᵇ22, ποιεῖσθαι Ζιε2. 540 ᵃ2, 17. 3. 540 ᵃ28.
4. 540 ᵇ5. 5. 540 ᵇ20. 8. 542 ᵃ12,24,ᵇ3. 19.550ᵇ24. ζ18.
572 ᵃ6. syn ποιεῖσθαι τὴν ὁμιλίαν Ζιε8. 542 ᵃ21. ποιεῖσθαι 40
τὸν καιρὸν τῆς ὀχείας (τὰς ὀχείας ci Pik) Ζιζ18. 573 ᵃ29.
— περὶ τῆς ὀχείας ἢτε τύτον τὸν τρόπον, περὶ τῆς ὀχείας
λεκτέον, εἴρηται, ἐδὲν ὦπταί πω Ζιε14. 546 ᵇ14. 1. 539
ᵇ14. ζ13. 567 ᵃ25. 18. 571 ᵇ8. ι42. 629 ᵃ23. ὅταν περὶ τὴν
ὀχείαν ὦσι, περὶ τὴν τῆς ὀχείας ποίησιν Ζιζ17. 570 ᵃ28. 45
ε5. 541 ᵃ30. περὶ τὴν ὀχείαν Ζιδ9. 536 ᵃ25. ζ2. 560 ᵃ6.
9. 564 ᵇ10. 18. 571 ᵇ12, 24, 32. ηι. 588 ᵇ29. περὶ τὰς
ὀχείας Ζγα4. 717 ᵇ7. 12. 729 ᵇ14. Ζια1. 488 ᵇ1. γ12. 519
ᵃ12. αἱ πράξεις περὶ τὰς ὀχείας Ζιθ12. 596 ᵇ20. περὶ τὸν
χρόνον (τὴν ὥραν. τὰς καιρὰς) τῆς ὀχείας Ζιζ11. 566 ᵃ3, 6. 50
18. 571 ᵇ28, 572 ᵃ13, 23, ᵇ23, 29. — ἡ ἡδονὴ ἡ ἀπὸ τῆς
ὀχείας Ζιζ18. 571 ᵇ10. ἀπὸ μιᾶς ὀχείας κυΐσκεται, γίνεται,
τίκτει Ζγδ4. 771 ᵇ17. α20. 729 ᵃ5. Ζικ5. 637 ᵃ7, 8, 10. —
θορὸς πρὸς τὴν ὀχείαν ἱκανός Ζγγ7. 757 ᵃ25. ἀνακαλεῖσθαι
πρὸς τὴν ὀχείαν Ζιδ9. 536 ᵃ13. ὀργᾶν πρὸς τὴν ὀχείαν Ζιζ2. 55
560 ᵇ13. 18. 572 ᵇ1, 5, 27, 573 ᵃ6. β18. 607 ᵃ8. ὁρμᾶν
πρὸς τὰς ὀχείας, πρὸς τὴν ὀχείαν Ζιε14. 546 ᵃ15. ζ19. 574
ᵃ13. ὁρμητικώτερον (ὁρμητικώτατα, ἔχειν ὁρμητικῶς) πρὸς
τὰς ὀχείας Ζιθ12. 597 ᵃ29. ζ18. 573 ᵃ28, 572 ᵇ24. —
μετὰ τὴν ὀχείαν τὴν καλυμένην ὑπό τινων καπρίαν Ζιζ18. 60
573 ᵇ1. μετὰ τὴν ὀχείαν κύειν Ζιε17. 549 ᵃ14. μετὰ τὴν

ὀχείαν Ζιε30. 536 ᵇ13. ζ2. 560 ᵇ16, 20. 9. 564 ᵃ32. 19.
573 ᵇ18. 20. 574 ᵇ10. Ζγγ7. 757 ᵇ25. — ἐν τῇ ὀχεία
συνέχεσθαι, πλησιάζειν Ζιε2. 540 ᵃ24. 3. 540 ᵃ31. ζ18. 571
ᵇ34. τῇ πλεκτάνῃ χρῆσθαι ἐν ταῖς ὀχείαις, κυΐσκεται ἐν
τρισὶν ἢ τέτταρσιν ὀχείαις Ζιδ1. 524 ᵃ8. ζ19. 573 ᵇ17. —
εἰς τὰς ὀχείας προσάγεσθαι Ζιε2. 540 ᵃ12. — πρὸ τῆς
ὀχείας, πρὸ τῆς ὥρας τῆς ὀχείας Ζιζ17. 570 ᵃ27. 18. 572
ᵇ10, 21. — ἐκ τῆς ὀχείας γεννᾶν Ζιε31. 536 ᵇ23. ἐξ ὀχείας
γίνεσθαι Ζιι37. 622 ᵇ17. Ζγγ5. 755 ᵇ6, 756 ᵃ23, 17. 9. 758
ᵃ30. ἃ γίνεται ἐξ ὀχείας Ζιζ15. 569 ᵃ17, 26. 16. 570 ᵃ3,
6, 12. ἐκ τῆς ὀχείας ἴσχει ᾠόν, τὰ ἐξ ὀχείας γενόμενα ᾠά,
opp τὰ ὑπηνέμια Ζιε18. 549 ᵃ29. ζ2. 560 ᵃ10. Ζγγ7. 757
ᵇ28. ὑπολείμματα ἐκ προτέρας ὀχείας ὄντα Ζγγ1. 751 ᵃ11.
τίκτειν ἐξ ὀχείας, opp ἐκ ἐξ ὀχείας Ζγγ8. 757 ᵇ33, 758
ᵃ2, 1. κυΐσκεται, πληροῖ ἐκ μιᾶς ὀχείας Ζιζ18. 573 ᵃ34.
20. 574 ᵃ19. 21.575 ᵃ13. τὸ θῆλυ ὑπὸ μιᾶς πληρῦται ὀχείας
ΜΑ6. 988 ᵃ6. — διὰ τῆς ὀχείας Ζγγ1. 750 ᵇ33. διὰ τὴν
ὀχείαν χαλεπώτατοι Ζιζ18. 571 ᵇ15. ἐλάττω χρόνον βιῶν
διὰ τὰς ὀχείας Ζιζ22. 576 ᵇ3. τὰ ἀρρενογόνα γίνεται διὰ
τὰς ὀχείας (τὰ ὀχεῖα ci Pik) Ζιζ19. 573 ᵇ34. — κατὰ τὴν
ὀχείαν Ζιι37. 621 ᵃ26, 27. — ἄνευ ὀχείας Ζιε19. 551 ᵃ29.
ζ13. 567 ᵃ29. Ζγγ1. 751 ᵃ13. — ἄνευ ὀχείας σύστασις κινη-
μάτων, opp τὰ γινόμενα διὰ τῆς ὀχείας Ζγγ1. 750
ᵇ10, 33. — descr ἡ ὀχεία Mammalium. hominis Ζιε8. 542
ᵃ26. η4. 585 ᵃ4. cf πι24. 893 ᵇ12, κυνός Ζιε14. 546 ᵃ30.
ζ20. 574 ᵃ16, ἵππυ Ζγβ8. 748 ᵃ35. Ζιζ18. 572 ᵃ22. 22.
575 ᵇ29. η4. 585 ᵃ4, ὄνυ Ζγβ8. 748 ᵃ21, 34, κάπρυ, ὑὸς
Ζιε14. 546 ᵃ10. ζ18. 571 ᵇ13, 573 ᵃ31, ἐλέφαντος Ζιβ1.
500 ᵇ13. ζ18. 571 ᵇ32, καμήλυ Ζιε14. 546 ᵇ2. 18. 571
ᵇ24, ἐλάφυ, προβάτων, βοὸς Ζιε14. 545 ᵃ3. ζ19. 573 ᵇ17.
18. 572 ᵇ2. 21. 575 ᵃ13. Avium Ζια1. 488 ᵇ1. δ9. 536
ᵃ25. ζ2. 560 ᵃ6. 9. 564 ᵇ10. Ζγα4. 717 ᵇ7. γ1. 750 ᵇ10,
33, 751 ᵃ12. 5. 756 ᵃ16. 6. 756 ᵇ19. cf πι24. 893 ᵇ12. πε-
ριστερᾶς, κοράκων Ζιζ2. 560 ᵇ25. Ζγγ6. 756 ᵇ19. — βα-
τράχων, ὄφεων Ζιδ9. 536 ᵃ13. Ζγα5. 717 ᵇ35. — Piscium
Ζιγ1. 509 ᵇ20, 510 ᵃ1. ε5. 541 ᵃ11. ζ11. 566 ᵃ2. 17. 570
ᵃ20. Ζγα5. 717 ᵇ35. γ1. 750 ᵇ10. 5. 756 ᵃ18. 7. 757 ᵃ25.
8. 758 ᵃ1. κεστρεύς, ἔγχελυς, σελάχη Ζιζ15. 569 ᵃ17. 16.
570 ᵃ3. ι37. 621 ᵃ26. — Insectorum Ζιε8. 542 ᵃ18. 19.
550 ᵇ22. 31. 556 ᵇ23. Ζγα18. 723 ᵇ21. γ9. 758 ᵃ29. τετ-
τίγων Ζιε30. 556 ᵇ13. — τῶν μαλακίων Ζιδ1. 524 ᵃ30.
ε18. 549 ᵇ29. Ζγγ9. 757 ᵇ32. — τῶν μαλακοστράκων
Ζιε7. 541 ᵇ22. 17. 549 ᵃ14. Ζγγ8. 757 ᵇ32. — αἱ ἡλικίαι
τῆς ὀχείας ci Aub (τοῖς ὀχεύυσιν Bk) Ζιε14. 544 ᵇ19 Aub.

ὀχεῖν. τὸ ὕδωρ τὸ ὀχῦν τὴν γῆν Οβι3. 294 ᵃ33. φέρεσθαι
ὡς τὸ ὀχέμενον Φδ8. 215 ᵃ19. τὸ ὀχέμενον κινεῖται κατὰ
συμβεβηκός· τὸ ὀχῦν κινεῖται ἢ ὠθύμενον ἢ ἐλκόμενον ἢ
δινῦμενον Φη2. 243 ᵃ29, ᵇ19, 20, 21. τὸ ἀμάξιον, ὅπερ ὀχῦ-
μενον αὐτὸ κινεῖ εἰς εὐθύ Ζκ7. 701 ᵇ4. οἱ ἐπὶ τῶν ἵππων
ὀχύμενοι πε13. 882 ᵃ3. 37. 884 ᵇ22. αἱ ψακάδες ἄνω ὀχῦν-
ται διὰ μικρότητα πα12. 348 ᵃ7.

ὀχεῖον. ἐπεὶ ἐκ ἦν ὀχεῖον β2. 830 ᵇ7 (cf Beckm 14). Ζιι47.
630 ᵇ33. ἐν Κρήτῃ ἐκ ἐξαιρῦσι τὰ ὀχεῖα ἐκ τῶν θηλειῶν
Ζιζ18. 572 ᵃ14. ἐπιβάλλειν τὰ ὀχεῖα τοῖς ὄνοις, τοῖς ἵπποις
Ζγβ8. 748 ᵃ29 (admissarius Gazae, Beschäler). — de avi-
bus. μεταβάλλουσι τὰ πρῶτα ὀχεῖα ἢ τὰ ὕστερα Ζγα21.
730 ᵃ11. — τὰ ὀχεῖα ci Pik (τὰς ὀχείας Bk) Ζιζ19. 573 ᵇ34.

ὀχετεία. ἐν ταῖς ὀχετείαις αἱ μέγισται τῶν τάφρων διαμέ-
νυσιν Ζμγ5. 668 ᵃ27.

ὀχετεύειν. ἡ φύσις τὸ αἷμα διὰ παντὸς ὠχέτευκε τῦ σώ-
ματος Ζμγ5. 668 ᵃ20.

ὀχέτευμα. τὸ τῆ μυκτῆρος ὀχέτευμα κενόν Ζια11. 492 b16.
ὀχετός. αἱ διαβάσεις τῶν ὀχετῶν Πε3. 1303 b13. ὁ ὀχετὸς ἐκπίνει τὰ ῥέοντα ὕδατα πα55. 866 a14. ἐν τοῖς κήποις αἱ ὑδραγωγίαι κατασκευάζονται ἀπὸ μιᾶς ἀρχῆς εἰς πολλὰς ὀχετὰς Ζμγ5. 668 a15. πόροι συγκεχυμένοι καθάπερ ὀχετοί τινες ὑπὸ πολλῆς ἰλύος Ζιγ4. 515 a23. cf Ζμγ5. 668 a35. ὥσπερανεὶ παρ' ὀχετὸν τὴν φλέβα ῥέυσαν Ζγβ7. 746 a17. τὰ ἔχοντα πρὸ τῶν αἰσθητηρίων οἷον ὀχετὰς πόρρωθεν αἰσθητικά ἐστιν Ζγε2. 781 b8.

ὀχεύειν (S II 15, 108, 413). 1. act. a. de maribus. ὁ ἄρρην, τὸ ἄρρεν ὀχεύει Ζιε2. 540 a14, 22. 5. 540 b23. 14. 545 a25. ὀχεύει τὰ ἄρρενα ᾗ ὀχεύεται τὰ θήλεα Ζιζ1. 575 a22. ε13. 544 a32. ὀχεύει ὁ ἵππος, ἵππος ἐγένετο ὃς ὤχευεν ἐτῶν ὢν μ, ἡ ἀλώπηξ ὀχεύει μὲν ἀναβαίνυσα τίκτει δ' ὥσπερ ἡ ἄρκτος Ζιε14. 545 b15. ζ22. 576 b20, 26. 34. 580 a6. ὀχεύει ὁ νικῶν τῶν ταύρων, ταῦρος ὀχεύσας ἐπλήρωσε Ζιζ21. 575 a20. Ζγα4. 717 b3. ὀχεύσαντος (τῇ πώλῃ)· ὡς ὀχεύοντος ἐπέβη, τότε μὲν συνετέλεσεν admissarius Ζιι47. 630 b34. θ2. 830 b8. ὁ ἵππος ἄρχεται ὀχεύειν, ὀχεύειν εἴωθε χορτασθείς, ὁ ἄρρην πᾶσαν ὥραν ὀχεύειν δύναται Ζιζ22. 575 b21, 24. ε14. 546 a9, 21. (οἱ κύνες) πονήσαντες μᾶλλον δύνανται ὀχεύειν· πρὶν ὀχεύειν τὰς πόρας μικρὰς ἔχυσιν (οἱ ὄρνιθες). ὅταν δὲ ὀχεύωσι σφόδρα μεγάλας ἰσχυσιν Ζιζ20. 574 b29 (cf Antig Caryst ed Beckm 163). γ1. 510 a3. οἱ τράγοι πίονες ὄντες ἧττον ὀχεύυσι, θᾶττον ὀχεύυσι τὰ ἐντὸς ἔχοντα (τὰς ὄρχεις) Ζγα8. 726 a1. 4. 717 b11. ἡ δυνάμενοι ταχέως ὀχεύειν, τῶν ἐρωδιῶν ὁ πέλλος ὀχεύει χαλεπῶς, ὁ λευκὸς ἀσινῶς Ζιε14. 546 a1. ι18. 616 b33, 617 a3. τὸ μὲν τίκτον ἐστὶ ᾗ γεννῶν, τὸ δ' ὀχεύον ὐκ ἔστιν· ἐὰν μὴ τύχῃ ὀχεύων, εἰς τὴν γῆν ἐκχεῖ Ζιθ11. 538 a19. κ6. 637 b37. (ᾠὰ) τὰ προωχευμένα ὑφ' ἑτέρυ γένυς τῶν ἀρρένων μεταβάλλει τὴν φύσιν εἰς τὸν ὕστερον ὀχεύοντα· γίνεται κατὰ τὸ πρῶτον ὀχεῦσαν· κατὰ τὸν ὕστερον ὀχεύσαντα ἀποβαίνει τὸ γένος τῶν νεοττῶν, συμβαίνει τοῖς ὀχεύυσιν Ζγγ7. 757 b3, 29. α21. 730 a8. δ1. 765 a24. — c acc ὁ ἄρρην ὀχεύει τὴν θήλειαν, ὀχεύυσιν οἱ κριοὶ τὰς πρεσβυτάτας πρῶτον, ὐκ ἐὰν τὰς ἐλέφαντας ὀχεύση τὰς θηλείας, οἱ ἵπποι ὀχεύυσι τὰ ἑαυτῶν ἔκγονα, οἱ τιθασσοὶ τὰς ἀγρίας πέρδικας ὀχεύυσι, (ὁ ἐλέφας) ὁ δ' ἂν ὀχεύση ᾗ ἔγκυον ποιήσῃ Ζιε2. 539 b32. 14. 546 a4. ζ18. 571 b33. 22. 576 a20. ι8. 614 a9. 46. 630 b22 (cf Ant Caryst ed Beckm 108). — ἐν τοῖς ἱεροῖς, ὅπυ ἄνευ θηλειῶν ἀνάκεινται, τὸν ἀνατιθέμενον (ἀλεκτρυόνα) πάντες εὐλόγως ὀχεύυσιν Ζιι8. 614 a8. — b. iq med ὀχεύεσθαι. λέων ὀχεύει ὄπισθεν· ὀχεύει ᾗ τίκτει ᾗ πᾶσαν ὥραν, cf ὁ ἄρρην τίκτει Ζιζ31. 579 a31, b7, 9. ὅσα τῶν ὀρνέων καθ' ὥραν μίαν ὀχεύει, οἱ ἰχθύες ὀχεύυσι παραπίπτοντες ᾗ ἀπολύονται ταχέως, (τὰς πολύποδας) τῇ πλεκτάνῃ φασὶν ὀχεύειν οἱ ἁλιεῖς Ζγα4. 717 b9. 6. 718 a1. 15. 720 b33. — (τῶν περδίκων) ἐκλέψας ἐκπέμπει ἑκάτερος ἑκάτερα· ᾗ τὰς νεοττὰς ὅταν πρῶτον ἐξάγῃ, ὀχεύει αὐτάς (αὖθις ci Aub, ὁ ἄρρην add C et S) Ζιζ8. 564 a24. ὅταν ἐκ τῆς νεοττιᾶς ἐξάγειν μέλλῃ, πάντες (πάλιν ci Aub) ὁ ἄρρην ὀχεύει Ζιι7. 613 a6. — 2. pass. de feminis. ὀχεύεται ἡ θήλεια ἐλέφας, ἡ θήλεια ἵππος, ἡ κάμηλος, ἡ κύων, πρόβατον ᾗ αἴξ, ἡ ὄρνις Ζιε2. 540 a21, 13. 14. 545 a24, b16, 546 a28, 2, 6. ζ19. 574 a1, 3. 22. 576 b21. 9. 564 a31. Ζγα21. 730 a5. τὰ πωλία ἐν τῇ αὐτῇ (ὥρᾳ) γίνεται ἐν ᾗ ἂν ὀχευθῇ (ἡ ἵππος) Ζγβ8. 748 a30. τοῖς προβάτοις ᾗ αἰξίν, ἐπειδὰν ὥρα ᾖ ὀχεύεσθαι, ἐπισημαίνει (ἡ κάθαρσις) πρὸ τῇ ὀχεύεσθαι ᾗ ἐπειδὰν ὀχευθῶσι γίνεται τὰ σημεῖα Ζιζ18. 572 b32. συνέβη θηλείαις ὀχευ-

θῆναι ᾗ ἄρρεσι γεννῆσαι Ζιε14. 546 a32. κἂν ὀχευόμενα βλέπῃ πρὸς νότον ἢ βορέαν, ὔθεν τῶν ὀχευομένων πολλά φασι τίκτειν Ζγβ2. 767 a11. γ5. 755 b24. αἱ ἵπποι ὀχεύονται ὀχεύεσθαι, τὸ γάλα γίγνεται, ὅταν ὀχεύεσθαι ἄρχωνται, πυοειδές Ζιζ22. 575 b24. 18. 573 a23. ἡ θήλεια ἀντάσασα ὑπομένει ἵν' ὀχευθῇ. αἱ ἔλαφοι ὑπομένυσαι ἐνίοτε ἐχεύονται, φανερὰ τὰ ζῷά ἐστιν ὅταν ὀχευθῆναι δέηται Ζιι8. 614 a25. ζ29. 578 b9. κ6. 637 b6. ὅταν ᾗ θήλεια ὀργᾷ ὀχεύεσθαι Ζιβ1. 500 b11. (ἡ ὄρνις) ὑφ' ἑτέρυ ὠχευμένη, ἐὰν ὀχευθῇ ὑπὸ τῇ ἄρρενος· ἐὰν ἵππος ἀναβῇ ἐπὶ ὠχευμένην ὑπὸ ὄνυ· ἐὰν ὠχευμένην ἵππον ὑπὸ ἵππυ ὄνος ὀχεύσῃ Ζγα21. 730 a7. γ1. 751 b25. β8. 748 a33. Ζιε22. 577 a13, cf 28. ὅταν ἅπαξ ὀχευθῇ τὰ ὄρνεα, ἐὰν μὴ ὀχεύηται ᾗ ὄρνις συνεχῶς, ὗς γηράσκυσα ὀχεύεται βραδίτερον, ἡ θήλεια (δασύπυς) τεκῦσα εὐθὺς ὀχεύεται, αἱ χῶραι ποιῦσι διαφορὰν πρὸς τὸ πλεονάκις ὀχεύεσθαι ᾗ γεννᾶν Ζγγ1. 750 b34, 751 a8. Ζιε14. 546 a13. 11. 543 b27. ζ33. 580 a21. (πρόβατα) τὰ τὸ ἁλυκὸν ὕδωρ πίνοντα πρότερον ὀχεύεται· τὰ εἰωθότα πρωὶ ὀχεύεσθαι, ἐὰν ὀψὲ ὀχεύῃ τις, ὐχ ὑπομένυσι τὰς κριὰς Ζιζ19. 574 a9, 4. — τῶν ὀρνέων τὰ ἄγρια ἅπαξ ὀχεύεταί ᾗ τίκτει τὰ πλεῖστα, αἱ ὕες ὀχεύονται ᾗ τίκτυσι, τὰς φάττας φασὶν ὀχεύεσθαι ᾗ γεννᾶν τρίμηνα ὄντα, αἱ ἡμίονοι ὀχεύονται ᾗ γεννῶνται ᾗ ἀλλήλων Ζιε13. 544 a26. ζ28. 578 a25. 4. 562 b28. α6. 491 a4. cf ζ36. 580 b5. τὰ μὲν τῶν ζῴων ἅπαξ ὀχεύεται, τὰ δὲ πολλάκις πι47. 896 a20. ἡ γένεσις ᾗ τῶν ὀχευομένων ᾗ τῶν ἀνοχεύτων (ζῴων), αἱ πέρδικες αἱ θήλειαι αἵ τ' ὠχευμέναι ᾗ αἱ ὠχευμέναι, μελίττας ὀχευομένας ἢ ἀνοχεύτας Ζιε15. 546 b15. Ζγγ1. 751 a14. cf 23. 10. 759 a16. — 3. med. usurpatum de animalibus non solum ἐναίμοις verum etiam ἀναίμοις. ὀχεύεται ταῦτα τῶν ζῴων ἐν οἷς ὑπάρχει τὸ θῆλυ ᾗ τὸ ἄρρεν, ἡ ὀχεία τῶν ζῴων ὀχευομένων· διὰ τὸ ᾗ ὀχευόμενα φαίνεσθαι Ζγδ3. 770 a13. γ6. 756 b23. οἱ ἐλέφαντες ὀχεύονται, οἱ δασύποδες ὀχεύονται συνιόντες ὄπισθεν Ζιε2. 540 a20. ζ33. 579 b30, 31. ὀχεύεται ἡ φώκη, οἱ δελφῖνες ὀχεύονται παραπίπτοντες Ζιε2. 540 a23. Ζγγ7. 756 b1. ὤπτται (τὸ κορακῶδες γένος) ὀχευόμενον Ζγγ6. 756 b26. reptilia ὀχεύεται ᾗ πάντα τὴν αὐτὴν ὥραν, οἱ ὄφεις ὀχεύονται περιελιττόμενοι ἀλλήλοις Ζιε33. 558 a1. Ζγα7. 718 a17. ὀχεύονται πάντες οἱ ἰχθύες Ζγγ5. 756 a28. cf πθ14. 878 a39. οἱ θύννοι, γαλεοί, ποιμάδες Ζιζ17. 571 a11. 11. 566 a18. θ15. 599 b21. — τὰ μαλακόστρακα ὀχεύεται Ζιε7. 541 b19, 22. τὰ ἀράχνια ὀχεύεται, ὁ πολύπυς ὀχεύεται τῇ χειμῶνος, τίκτει δὲ τῇ ἔαρος Ζιε27. 555 a27. 12. 544 a7. τὰ ἔντομα πάντα ὀχεύεται· μύρμηκες, ἀκρίδες, μέλιτται, σφῆκες Ζιε8. 542 a10. 25. 555 a19. 28. 555 b18. 21. 553 a19, 32. ι41. 628 b14, 16. — 4. ὀχεύειν et ὀχεύεσθαι iunguntur de utroque sexu. λύκος, πρόβατον, αἴξ, ὕαινα, ὗς ὀχεύει ᾗ ὀχεύεται Ζιε2. 540 a9. 14. 545 a28. ζ35. 580 a13. 19. 573 b29. Ζγγ6. 757 a6. κύων ὀχεύεταί τε Ζιε14. 545 b4. ζ20. 574 b27. ὀχεύει κύων ᾗ Λακωνικὴ ὀκτάμηνος ὀχεύεται Ζιζ20. 574 b16. ἐνιαχῇ αἱ (?) ὕες ὀχεύονται μὲν ᾗ ὀχεύυσι τετράμηνοι, ἐνιαχῦ δ' οἱ κάπροι δεκάμηνοι ἄρχονται ὀχεύειν Ζιε14. 545 b1. ὀχεύει ᾗ ὀχεύεται ἡ περιστερὰ ἐντὸς ἐνιαυτῦ· ᾗ γὰρ ἔκμηνος ὀχεύεται Ζιζ4. 562 b26. ὁ ἐλέφας ὀχεύει ᾗ ὀχεύεται πρῶτον κ' ἐτῶν· ὅταν δ' ὀχευθῇ ἡ θήλεια... Ζιζ27. 578 a17. ἵππος ὀχεύειν ἄρχεται διετὴς ᾗ ὀχεύεσθαι· ὡς δ' ἐπὶ τὸ πλεῖστον τριετὴς ὀχεύει ᾗ ὀχεύεται Ζιε14. 545 b13. διημερεύει τὸ μὲν ὀχεῦον τὸ δ' ὀχευόμενον Ζιε2. 540 a16. — 5. τὰς ἵππας διαλείποντες ὀχεύυσι Ζγβ8.

748 ᵃ19. τὸν τρόχον Ἡρόδωρός φησι δύο αἰδοῖα ἔχειν, ἄρρενος κ̣ θήλεος, κ̣ αὐτὸν αὑτὸν ὀχεύειν Ζγγ 6. 757 ᵃ6. — αἱ ἡλικίαι τοῖς ὀχεύσσιν αὐτοῖς μὲν πρὸς αὑτὰς (τῆς ὀχείας αὐτοῖς μὲν πρὸς αὑτοῖς ci Aub) τοῖς γένεσι τοῖς πλείστοις σχεδὸν κατὰ τὸν αὐτὸν γίνονται χρόνον Ζιε14. 544 ᵇ19 Aub. 5 — de hominibus verbum ὀχεύειν ab Ar non usurpatur.

ὄχευμα. ὁ ὄνος ἐπαναβὰς διαφθείρει τὸ τῆ ἵππῃ ὄχευμα Ζιζ 23. 577 ᵃ26.

ὀχευτικός. τὰ ὀχευτικὰ κ̣ πολύσπερμα γηράσκει ταχύ μκ5. 466 ᵇ7. reliquis locis omnibus ὀχευτικός usurpatur de avibus salacibus. τῶν ὀρνίθων οἱ μὲν μᾶλλον ὀχευτικοί Ζιζ9. 564 ᵇ11. cf Ζγβ7. 746 ᵇ1. ὀχευτικὰ κ̣ πολύγονα τὰ μικρὰ τῶν ὀρνέων, τὰ τοιαῦτα τῶν ὀρνέων ὀχευτικὰ κ̣ πολύσπερμα τὴν φύσιν, ἡ φύσις τῶν τοιύτων ὀχευτικὴ κ̣ πολύγονος Ζγγ1. 749 ᵇ26, 750 ᵃ1, 751 ᵃ20. τὰ ἄρρενα αὐτῶν (ἀλεκτρυόνες) ὀχευτικά, τὰ γαμψώνυχα ᵃτ' ὀχευτικὰ ᵃτε πολύγονα Ζγγ1. 749 ᵇ15, 10, 750 ᵃ6. ὁ στρѳός, ὀχευτικὸν τὸ ζῷον κ̣ πολύγονον f 273. 1527 ᵃ43.

ὄχησις. τέτταρα εἴδη τῆς ὑπ' ἄλλυ φορᾶς, ἕλξις ᵂσις ὄχησις δίνησις· ἡ ὄχησις πίπτει εἰς ἕλξιν ᵂ ᵂσιν Φη2. 243 ᵃ17, 25, 28, ᵇ17. cf ὀχεῖν.

ὄχθη. ἐν ὄχθαις ποταμῶν φτα4. 820 ᵃ1.

ὀχλεῖν. ὀχλεῖ ὁ Ὀλυμπίας Πυρραίας σ973 ᵇ22. f 238. 1522 ᵃ6. cf ἐνοχλεῖν. — pass τῦ μὴ ὀχλεῖσθαι ἕνεκα οβ1352 ᵃ5. ὀλίγα ὀχληθέντες Ηι11. 1171 ᵇ19. ὀχληθῆναι ὑπέρ τινος Ηι5. 1167 ᵃ10.

ὀχληρότατοι ἑαυτοῖς κ̣ τοῖς φίλοις Ηѳ11. 1126 ᵃ25.

ὄχλος. εὐπορεῖν ὄχλυ, opp ὀλιγανθρωπία Πγ5. 1278 ᵃ22. ὄχλος ναυτικός, ἀγοραῖος Πε4. 1304 ᵃ22. ηϛ. 1326 ᵇ8. ζ4. 1319 ᵃ37. δημαγωγεῖν τὸν ὄχλον Πε6. 1305 ᵇ28, 30. Θησεὺς ἀπέκλινε πρὸς τὸν ὄχλον κ̣ ἀφῆκε τὸ μοναρχεῖν f 346. 1536 ᵃ37. — πιθανώτερος ὁ ἀπαιδεύτος ἐν τοῖς ὄχλοις Ργ2. 1395 ᵇ28. κρίνει ἄμεινον ὄχλος πολλὰ ἢ εἷς ὅστισῦν Πγ15. 1286 ᵃ31. δημηγορεῖν ἐν τοῖς ὄχλοις f 72. 1488 ᵃ2.

ὄχνη. ὄχναι (Hom η 115) × 6. 401 ᵃ7 (ὄγχνη v l et Bsm, cf Lob Techn 264). ὄχνη. coni μυρσίνη, μηλέα φτα4. 819 ᵇ22. 6. 820 ᵇ37. ὄχναι καρποφοροῦσι μᾶλλον ἐν νεότητι φτα7. 821 ᵇ20. (Pirus communis v silvestris. Fraas 73. C A Böttiger kl Schrift III 166. Heldreich Nutzpflanzen Griechenlands 64. Oberdieck Etym der Obstnamen 10.)

ὀχυρῶν. πρόθυρα τείχεσι μεγάλοις ᵂχύρωτο ×6. 398 ᵃ18.

ὀψέ (Emp 371) i q ὀψίς, ὀψία ἀφηρμένον πο21. 1458 ᵃ5. ὀψέ. τὸ περὶ τὴν λέξιν ὀψὲ προῆλθεν Ργ1. 1403 ᵇ36, 23. — ὀψὲ τῆς ἡμέρας Ζιγ17. 520 ᵇ2.

ὀψία. οἱ ὑπὸ βλέφαρα τὰ ἄνω τὰς ὀψίας ἀνάγοντες μαλακόν τε βλέποντες φδ6. 813 ᵃ24.

ὀψίγονόν ἐστι κ̣ καλυμένη βελόνη Ζιζ17. 571 ᵃ2.

ὄψιος. ἔαρ ὄψιον Ζιε22. 553 ᵇ20. ι40. 627 ᵇ20. ᵂὰ τὰ μὲν πρῶα τὰ δ' ὄψια προΐεται ἡ θυννίς Ζιε9. 543 ᵃ10. — οἱ ὀρνιθίαι ὀψιαίτεροι τῶν ἐτησίων πνέϛσιν μβ5. 362 ᵃ24. 6. 374 ᵃ27. γίνεται πνεῦμα τῆς ὀψιαίτερον ἐκλείψεως ὀψιαίτερον πκς18. 942 ᵃ28. cf γ10. 872 ᵇ7. ἡ γλῶττα τοῖς παιδίοις ὀψιαίτερον ἀπολύεται Ζιδ9. 536 ᵇ7. ὀψιαίτατα πήγνυται τὸ περὶ τὴν κεφαλὴν ὀστῦν Ζμβ7. 653 ᵃ34.

ὄψις. 1. facultas et actio videndi. a. facultas videndi. περὶ ὄψεως ψγ2. αἴσθησις ἤτοι δύναμίς ἢ ἐνέργεια. ὄψις ᵂ ὅρασις ψγ3. 428 ᵃ6. ὄψις. opp τυφλότης τε6. 136 ᵃ1. τῶν μὲν ἔσχατον ἡ χρῆσις. οἷον ὄψεως ἡ ὅρασις Μθ8. 1050 ᵃ24. ᵂς ἡ ὄψις κ̣ ἡ δύναμις τῦ ὀργάνυ. ἡ ᵿψυχή· εἰ ἦν ὁ ὀφθαλμὸς ζῷον, ᵿψυχὴ ἂν ᵽν αὐτῦ ἡ ὄψις ᵿβ1. 413 ᵃ1, 412 ᵇ19. 60 ἡ κόρη κ̣ ἡ ὄψις eandem inter se rationem habent ac

V.

σῶμα κ̣ ᵿψυχή ᵿβ1. 413 ᵃ3. ἡ κόρη, ὁ ὀφθαλμὸς αἰσθητήριον ὄψεως Ζμβ8. 653 ᵇ25. δ11. 691 ᵃ12. ὀφθαλμοὶ ᵿκ ἔχοντές πω ὄψιν Ζιζ 3. 561 ᵃ29. ἔνια τῶν ζῴων ἔχει τὰς αἰσθήσεις πάσας, ἔνια δ' ᵿκ ἔχυσιν, οἷον ὄψιν υ2. 455 ᵃ7. Ζιδ8. 532 ᵇ32, 533 ᵃ3. (τὰ ᵿράνια ὄψιν μόνον κ̣ ἀκοὴν ἔχειν f 39. 1481 ᵃ11.) ἡ ὄψις τῦ ὁρατῦ κ̣ ἀοράτυ, τῶν λαμπρῶν κ̣ ἐχόντων χρῶμα ᵿβ9. 421 ᵇ5. 10. 422 ᵃ21. 11. 424 ᵃ11. εν2. 460 ᵃ3. ἡ ὄψις quibus in rebus praestet reliquis sensibus (Bz ad ΜΑ1. 980 ᵃ25) αι1. 437 ᵃ4, 6. 4. 442 ᵇ13. ψ3. 429 ᵃ3. 13. 435 ᵇ21. Η×5. 1176 ᵃ1. Ρα7. 1364 ᵃ38. πζ5. 886 ᵇ35. ἡ ὄψις ἡ τῦ ἐλάττονος ὑπερέχει, ἡ δὲ ταχυτής ἡ τῦ πλείονος Οα11. 281 ᵃ26. ἔχειν ἀκριβῆ τὴν ὄψιν Ζμβ13. 657 ᵇ24. ποῖοι ὀφθαλμοὶ βέλτιστοι πρὸς ὀξύτητα ὄψεως Ζια10. 492 ᵃ4. πόρρωθεν ἡ χρῆσις τῆς ὄψεως Ζμβ13. 657 ᵇ25, 658 ᵃ4. ἡ ὄψις τοῖ; ἔχυσιν εὐλόγως ἐστὶ περὶ τὸν ἐγκέφαλον Ζμβ10. 656 ᵃ37, 32,33. — b. ipsa actio videndi. φαίνεται προτέρον διὰ τὸ τὴν ὄψιν προτερεῖν τῆς ἀκοῆς μβ9. 369 ᵇ9. αἱ διὰ τῆς ὄψεως ἡδοναί Ηγ13. 1118 ᵃ3, 16. ι5. 1167 ᵃ4. μεγ2. 1230 ᵇ26-1231 ᵃ17. κατὰ μέσας τὰς ὀφθαλμὺς (τῷ χαμαιλέοντι) διαλέλειπται μικρὰ τῇ ὄψει χώρα εὶ' ᵽς ὁρᾷ· στρέφει τὰς ὀφθαλμὺς κ̣ τὴν ὄψιν ἐπὶ πάντας τὰς τόπυς μεταβάλλει Ζιβ11. 503 ᵃ34, ᵇ1. ἐν τῇ αὐτῷ χρόνῳ ταυτῦ πλείων ἀπτομένων ὄψεων πλείω δοκεῖ εἶναι τὰ ὁρώμενα πιγ10. 872 ᵇ13. ἐνδέχεται τῷ αὐτῷ κατὰ μὲν τὴν ὄψιν μέλι φαίνεσθαι, τῇ δὲ γεύσει μή, κ̣ τῶν ὀφθαλμῶν δυσῖν ὄντων μὴ ταυτὰ ἑκατέρα τῇ ὄψιν Μγ6. 1011 ᵃ28. ἑτέραν ἔχει μορφὴν κατὰ τὴν ἀφὴν κ̣ κατὰ τὴν ὄψιν Ζια16. 494 ᵇ33. σαφηνίζειν τι πρὸς τὴν ὄψιν Ζμδ5. 680 ᵃ3. πρὸς μὲν τὴν ὄψιν. opp πρὸς δ' ἀκρίβειαν αν16. 478 ᵃ35. — c. quoniam actio videndi Aristoteli ita videtur confici, ut radii ab oculo ad rem obiectam pertineant, ipsi hi radii ὄψις, ὄψεις appellantur. ἀνακλᾶται ἡ ὄψις ἀπό τινος, πρός τι, ἀνάκλασις τῆς ὄψεως μα8. 345 ᵇ11. β9. 370 ᵃ19. γ2. 372 ᵃ29, 32. 3. 372 ᵇ16, 373 ᵃ2, 18. 4. 373 ᵃ35, ᵇ7. 6. 377 ᵇ18. ὄψις κλωμένη μα6. 343 ᵃ13. πιε12. 912 ᵇ29. ἀνακλωμένη ὄψις ἀσθενής, ὀλίγη· ἡ ὄψις ἐκτεινομένη (ἀποτεινομένη) ἀσθενεστέρα γίνεται κ̣ ἐλάττων μγ4. 373 ᵇ2, 374 ᵃ23, 28, ᵇ11. 6. 378 ᵇ11. Οβ8. 290 ᵃ17. ὄψις ἀθρόα, opp διασπωμένη μγ6. 377 ᵇ18, 378 ᵃ5, 8. πɩα8. 958 ᵇ1. 15. 958 ᵇ37, 38. ὄψις ἰσχυροτέρα, ἀσθενεστέρα, ὀλίγη, λεπτή, πλείστη μγ4. 374 ᵇ7, 22, 31, 32, 375 ᵃ3. ἡ ὄψις ἀφικνεῖται (διικνεῖται) πρός τι μα6. 343 ᵃ19. γ4. 374 ᵇ15. Οβ8. 290 ᵃ21. ἡ ὄψις ᵿ διέρχεται διὰ τῶν στερεῶν πɩα58. 905 ᵃ35. ἐπειδὰν τῇ μιᾷ θεωρῶμεν πρὸς εὐθεῖαν τὴν ὄψιν ᵂσπερ πρὸς κανόνα μᾶλλον φαίνεται τὸ εὐθύ πɩα20. 959 ᵇ3. ᵿδὲν διαφέρει κινεῖν τὴν ὄψιν ἢ τὸ ὁρώμενον Οβ8. 290 ᵃ24. αἱ ὄψεις ἐκπίπτυσιν πιε6. 911 ᵇ17, 30. λα25. 960 ᵃ1. 21. 959 ᵇ9. τὸ προσβάλλον τὰς ὄψεις πρὸς τὴν σφαῖραν πɩε7. 912 ᵃ1, cf 911 ᵇ37. αἱ ὄψεων ἐκπτυσίας κώνυς πɩε5, 22. 1342. 1535 ᵃ4, ᵇ4.

2. ὄψις i q τὸ τῆς ὄψεως αἰσθητήριον (cf αἴσθησις 2. p 21 ᵃ15). τὰ μὲν τῆς ἀκοῆς αἰσθητήρια . . . ., ἡ δ' ὄψις εἰς τὸ ἔμπροσθεν τέτακται Ζμβ10. 656 ᵇ29. ὑπὸ τὴν ὄψιν ὑποβάλλει τὸν ἀστέρα Μχ6. 1063 ᵃ7, 10. κατωθεν πιέται τὴν ὄψιν πγ30. 875 ᵇ14. ὁ κάπνος ἐπιδάκνει τὰς ὄψεις f 96. 1493 ᵇ30. ἰχθὺς ἔχοντες λευκὴν τὴν ὄψιν Ζιѳ19. 602 ᵃ11. τὸ ὑπάρχον σχῆμα (κυκλοειδές) τῆς ὄψεως πγ9. 872 ᵃ36. 20. 874 ᵃ14. φυλακῇ τῆς ὄψεως, ἐπικαλύπτεται ἡ ὄψις Ζμβ13. 657 ᵃ26. πɩα14. 958 ᵇ33. ἡ ὄψις ἠρεμεῖ, κινεῖται, διαστρέφειν ἀμφοτέρας τὰς ὄψεις ἅμα πιγ10. 872 ᵇ5. 30. 875 ᵇ14. 9. 872 ᵃ21. 20. 874 ᵃ9. λατ7. 957 ᵇ35. — interdum

Aaaa

vel coniuncta est αἰσθητηρίῳ et αἰσθήσεως significatio, ὅτι ὐδ' ὑγρὰν αὐτοῖς ἀναγκαῖον ἔχειν ᾗ ἀκριβῆ τὴν ὄψιν Ζμβ13. 657 b24, vel dubium, utram potius intelligas, ὥσπερ ᾗ ἡ ὄψις πάσχει, ὅτω ᾗ ποιεῖ τι εν2. 459 b27. τὸ φῶς ἄρα πρότερον εἰς τὸ μεταξὺ ἀφικνεῖται πρὶν πρὸς τὴν ὄψιν αι6. 446 a20-447 a11. Φη2. 245 a7. τὴν ὄψιν διὰ τί ποιῦσι πάντες πυρός, ᾗ ὅτι ἐστὶν ὕδατος αι2. 437 a22-438 b20. Ζγε1. 779 b19.

3. ὄψις id quod cernitur, aspectus, species. ἡ ὄψις θεωρείσθω ἐκ τῆς διαγραφῆς τῆς ἐν ταῖς ἀνατομαῖς Ζια17. 497 a32. ὅμοιοι (ἐγγὺς ἀλλήλων) τὴν ὄψιν, τὰς ὄψεις Ζιε31. 557 a23. ζ36. 580 b3. θ3. 592 b14. ιδ. 612 b11. αι. 487 b28. τὴν ὄψιν σιμός, στενός Ζβ7. 502 a11. αι7. 496 b20. οἱ τὴν ὄψιν ἄμορφοι f108. 1495 b11. οἱ καθάριοι περὶ ὄψιν, περὶ ἀμπεχόνην, περὶ ὅλον τὸν βίον Ρβ4. 1381 b1. θηριώδεις τὰ ἔθη ᾗ τὰς ὄψεις πιθ1. 909 a13. θηρία τὰς ὄψεις ἀγριώτερα Ζιθ29. 607 a11. πυρίχρων τὴν ὄψιν γιγνομένην ('Αλκιδάμας ἐκάλει) Ργ3. 1406 a2. δῆλον ᾗ διὰ τῆς ὄψεως Ζμβ7. 652 b4. — inde repetendus est usus voc ὄψις in arte poetica, ἔστι τὸ φοβερὸν ᾗ ἐλεεινὸν ἐκ τῆς ὄψεως γίνεσθαι· τὸ δὲ διὰ τῆς ὄψεως τῦτο παρασκευάζειν ἀτεχνό-

τερον ᾗ χορηγίας δεόμενόν ἐστιν πο14. 1453 b1, 7. πρῶτον ἐξ ἀνάγκης ἂν εἴη τι μόριον τραγῳδίας ὁ τῆς ὄψεως κόσμος πο6. 1449 b33. ἡ ὄψις μόριον τραγῳδίας πο6. 1450 a10, 13 (ὄψεις). 24. 1459 b10. ἡ ὄψις ψυχαγωγικὸν μέν, ἀτεχνότατον δὲ ᾗ ἥκιστα οἰκεῖον τῆς ποιητικῆς· κυριωτέρα περὶ τὴν ἀπεργασίαν τῶν ὄψεων ἡ τῦ σκευοποιῦ τέχνη τῆς τῶν ποιητῶν ἐστιν πο6. 1450 b16, 20.

ὄψον, opp ἡδύσματα μδ4. 381 b30. τὰ ὄψα ἀρτύειν Ηγ13. 1118 a29. ὄψων ὀσμαί Ηγ13. 1118 a12. τὰ πλεῖστα ὄψα ᾗ ἐδεστά, ἀκρατὴς περὶ τὰ ὄψα ᾗ τὴν ἐδωδήν (opp περὶ τὰ πόματα ᾗ τὰς χυμάς) Ζμδ11. 690 b33, 691 a3. cf Oribas I 582. τεταγμένα ἐλάμβανον (οἱ παράσιτοι) παρ' ἄλλων τέ τινων ᾗ τῶν ἁλιέων ὄψον f510. 1561 b24.

ὀψοποιεῖν. οἱ Τυρρηνοὶ ὀψοποιῦσιν ὑπ' αὐλῷ f566. 1571 a10.
ὀψοποιητική Με2. 1027 a4. Ηη13. 1153 a26.
ὀψοποιητικὴ Μx8. 1064 b21 (v l ὀψοποιητικὴ) Πα7. 1255 b26.
ὀψοποιός Με2. 1027 a3.
ὀψοφαγεῖν. μέλιττα πρὸς σάρκα ἠθενὸς καθίζει ὐδ' ὀψοφαγεῖ Ζιι40. 625 b21.
ὀψοφαγία, μόριον ἀκολασίας ηεγ2. 1231 a20.
ὀψοφάγος Ηγ13. 1118 a32. ηεβ3. 1221 b15. γ2. 1231 a15.

Π

ΠΡΣ signa terminorum in secunda syllogismorum figura Αα6.
Παγγαῖον. μέταλλα περὶ τὸ Παγγαῖον ὄρος f459. 1553 b26. φάραγξ τις τῶν κατὰ τὸ Παγγαῖον f238. 1521 b39. cf Πηγαῖον.
παγετώδης τὴν φύσιν ὁ ἀήρ x2. 392 b6.
παγίως. πάντα γίνεσθαί τέ φασι ᾗ ῥεῖν, εἶναι δὲ παγίως ὐδὲν Ογ1. 298 b30. cf παγίως εἶναι, διαμένειν Μγ4. 1008 a15. x6. 1062 b15, 1063 a33. παγίως λέγειν τι. opp προστιθέναι τὸ ἴσως ᾗ τάχα Ρβ13. 1389 b19.
πάγκακοι παῖδες Ηα9. 1099 b5.
παγκρατιαστικός τίς ἐστι Ρα5. 1361 b26.
παγκράτιον τίς πρῶτος ἔντεχνον ἐποίησε f435. 1550 a6.
πάγκρεας. τὸ καλύμενον π. Ζγ4. 514 b11. cf ὅπερ ἔνιοι καλλίκρεας ὀνομάζυσι Galen II 781.
πάγος, collis. Ἄρειος πάγος cf Ἄρειος.
πάγος, glacies. πήγνυσθαι ὑπὸ ψυχρῦ ὡς οἱ πάγοι μδ7. 383 b22. — gelu, tempestas frigida. coni syn ψῦχος μγ1. 371 a6. opp ἀλέα μβ8. 366 b5. ἀφαιρεῖται ὁ πάγος τὴν αὔξησιν μx5. 466 b28. πάγοι ἰσχυροί, ἀσθενέστεροι ζ6. 470 a28. πκγ34. 935 a21. ἐν τοῖς πάγοις αι2. 437 b21. Ζιγ22. 523 a20. θ20. 603 a27. Ζγβ2. 735 a35. ἐν τῷ χειμῶνι ᾗ τοῖς πάγοις Ζιθ12. 597 a19. χειμῶνος ἐν πάγοις ᾗ αἰθρίαις μα6. 343 b19. ἐν τοῖς πάγοις, opp ἐν ταῖς ἀλέαις μα12. 348 b4.
πάγυρος. τῶν καρκίνων γένος δεύτερον οἱ πάγυροι Ζιδ2. 525 b5. (squinado R des poiss XVIII 13. carabassi Belon des poiss II 374. cancre pagyre C II 162. 'quem hodie eodem nomine Graeci adhuc appellant' S I 192. Cancer pagurus St. fort Pagurus Bernhardi Cr. Cancer pagurus, praesertim Cancer spinifrons K 566, 5. fort Cancer pagurus L Young 261. in incert rel ΑΖι I 154, 7 b.)
Παγρεὺς καλεῖται ὁ βορρᾶς σ973 a1. f238. 1521 a33.
Παγρικὰ ὄρη σ973 a3. f238. 1521 a35.
παγχάλεπον. Ηθ7. 1158 a15. Μβ2. 997 a33.
πάθημα, cf πάθος. usus Ar voc πάθημα ita exponetur, ut appareat, inter πάθημα et πάθος non esse certum significationis

discrimen, sed eadem fere vi et sensus varietate utrumque nomen, saepius alterum, alterum rarius usurpari. Bernays Trag p 194-196. Bz Ar St V. — 1. notio τυ παθήματος universe. ipsam πάθησιν, τὴν τῦ πάσχειν ἐνέργειαν, nusquam videtur πάθημα significare; ab altera parte usum voc πάθος excedit πάθημα, ubi non motum et mutationem, sed eius causam significat, μηνύει δὲ τὸ ποτὲ μὲν ἰσχυρῶν ᾗ ἐναργῶν παθημάτων συμβαινόντων μηδὲν παροξύνεσθαι ἢ φοβεῖσθαι, ἐνίοτε δ' ὑπὸ μικρῶν ᾗ ἀμαυρῶν κινεῖσθαι, ὅταν ὀργᾷ τὸ σῶμα ᾗ ὅτως ἔχῃ ὥσπερ ὅταν ὀργίζηται ψαι. 403 a20. ceterum iis exemplis, quae sub v πάθος 1 allata sunt, promiscue et πάθη et rarius παθήματα usurpatum legimus. περὶ τῶν τῆς σελήνης παθημάτων ᾗ τῶν περὶ τὸν ἥλιον ΜΑ2. 982 b16. περὶ βαρέος ᾗ κύφϛ ᾗ τῶν συμβαινόντων περὶ αὐτὰ παθημάτων Οδ3. 310 a20. τὰ (περὶ τὰ πνεύματα) παθήματα μβ6. 363 a24, 365 a12. cf πκβ9. 930 b38. παθήματα nuncupantur λιμνασία ᾗ ξήρανσις μα14. 352 a18, ὀχεία sim Ζικ5. 637 a36, b4. 6. 637 b25, παθήματα ex quibus motus animalium explicatur Ζx8. 702 a2. 11. 703 b19 (cf πάθη 7. 701 b23, 29. 8. 702 a18). ὕπνος et ἐγρήγορσις παθήματα υι. 454 b28. τὰ αἰσθήματα παθήματα τῆς ψυχῆς (ἐν τῇ ψυχῇ) ε1. 16 a6, 3. ἔργα ᾗ παθήματα τῆς ψυχῆς ψαι. 403 a11 (cf ἔργα ᾗ πάθη a3, b12. 5. 409 b15). περὶ τῶν ἠθῶν ᾗ παθημάτων ᾗ ἔξεων Ρβ22. 1396 b33. τὸ φυσιογνωμονεῖν δυνατόν ἐστιν, εἴ τις δίδωσιν ἅμα μεταβάλλειν τὸ σῶμα ᾗ τὴν ψυχήν, ὅσα φυσικά ἐστι παθήματα Αβ27. 70 b9, cf πάθος b10. κινήσεις b11. (simili vi παθήματα aliquoties legitur in Physiognomonicis, veluti φ1. 805 a15, 6, 11, 31, b32, 806 a13. 2. 806 a23, b28.) τὰ μακροβιώτερα τῶν θηρίων φαίνονται ἔχοντά τινα δύναμιν περὶ ἕκαστον τῶν τῆς ψυχῆς παθημάτων φυσικήν Ζιι. 608 a14.
2. πάθημα, ὑποκείμενον. καθάπερ οἱ ἐν ποιῦντες τὴν ὑποκειμένην ὐσίαν τἆλλα τοῖς πάθεσιν αὐτῆς γεννῶσι, τὸ μανὸν ᾗ τὸ πυκνὸν ἀρχὰς τιθέμενοι τῶν παθημάτων ΜΑ4. 985 b12. τὰ παθήματα τὰ αἰσθητά (τῶν σωματικῶν παθημά-

τῶν μδ΄4. 382 ᵃ8), οἷον χρῶμα ◇ χυμὸς ◇ ὀσμὴ ◇ βάρος ◇ ψόφος ◇ ψυχρὸν ◇ θερμὸν ◇ κῦφον ◇ σκληρὸν ◇ μαλακόν αι6. 445 ᵇ4, 8 (cf πάθος ᵇ12), eadem παθήματα omnia vel partim enumerantur μδ΄5. 382 ᵃ32 (cf πάθος ᵃ33). 10. 388 ᵃ10 (cf πάθη 8. 385 ᵃ5). Φθ7. 260 ᵇ8. δ8. 216 ᵇ5. Ογ1. 299 ᵃ25 (πάθη ᵃ20). Γα8. 326 ᵃ21 (πάθη ᵃ19). β3. 331 ᵃ3. Ζια1. 486 ᵇ5. παθήματα τῶν τριχῶν Ζγε3. 782 ᵃ19 (πάθη 784 ᵇ21). τὰ τῶν μορίων (κατὰ τὰ μόρια) παθήματα Ζγε1. 778 ᵃ16, 17 (πάθος ᵃ34). 8. 789 ᵇ19. τὰ τῶν ζῴων μόρια διαφέρει τῶν παθημάτων ἐναντιότητι Ζια6. 491 ᵃ19.

3. πάθημα, ποιόν. a. ἀλλοιοῦσθαι μεταβαλλόντων τῶν παθημάτων Γα2. 315 ᵇ18 (cf πάθος 316 ᵃ4, ᵇ13). ἀλλοίωσις, quae saepe definitur μεταβολὴ κατὰ πάθος, cf πάθος 3a, non videtur dicta esse μεταβολὴ κατὰ πάθημα. — b. quae fere dicuntur πάθη (συμβεβηκότα, ὑπάρχοντα) καθ᾽ αὑτά, uno loco παθήματα καθ᾽ αὑτὰ appellata legimus, τὸ γένος, ὧ τῶν καθ᾽ αὑτὰ παθημάτων ἐστὶ θεωρητικὴ Αγ10. 76 ᵇ13, cf πάθη καθ᾽ αὑτὰ ᵇ6, 19.

4. πάθημα, i e πρᾶξις φθαρτικὴ ἢ ὀδυνηρά. ◇ γὰρ (ἐν τῇ ἐποποιίᾳ) περιπετείων δεῖ ◇ ἀναγνωρίσεων ◇ παθημάτων πο24. 1459 ᵇ11, cf μέρη τῦ μύθυ (τῆς τραγῳδίας) ταῦτ᾽ ἐστί, περιπέτεια ◇ ἀναγνώρισις, τρίτον δὲ πάθος πο11. 1452 ᵇ10. εἰς ὑπόμνησιν τῦ περὶ τὸν παῖδα παθήματος f 551. 1569 ᵃ32. (huc referendum τῶν παθημάτων τὰ μὲν ἑκούσια τὰ δ᾽ ἀκούσια ηεβ10. 1226 ᵇ37, sed fort scribendum τῶν ἀδικημάτων Bz.) — παθήματα, i q νοσήματα Ζμγ4. 667 ᵇ6, cf πάθη ᵇ1, 11, 12, ᵃ33. παθήματα, coni νόσοι μγ1. 463 ᵃ19. ◇ μικρῶν παθημάτων ἐπιγινομένων ἐν τῷ γήρᾳ ταχέως τελευτῶσιν αν17. 479 ᵃ15. quod opponuntur inter se μεταβολὴ κατὰ πάθος, κατὰ φύσιν (cf πάθος 4), non videtur perinde in usu fuisse dicere μεταβολὴ κατὰ πάθημα, cf supra p 555 ᵃ13.

5. παθήματα, animi perturbationes, affectiones. παθήματα. dist δυνάμεις. ἕξεις ηεβ2. 1220 ᵇ8, 11. 3. 1221 ᵇ10. 4. 1221 ᵇ36. 7. 1234 ᵃ26, cf πάθη 3. 1221 ᵃ13. 4. 1221 ᵇ35 et ꭺ voc πάθος p 557 ᵃ41. οἱ ἀσθενεῖς ◇ ὑπὸ τῶν κοινῶν παθημάτων πάσχυσί τι ηεγ1. 1228 ᵇ36. ἀρετὴ ◇ κακία τῶν παθημάτων μέρος τι Μδ΄14. 1020 ᵇ19, cf πάθος ᵇ17. περὶ τῶν ἠθῶν ◇ παθημάτων Ρβ22. 1396 ᵇ33, cf ἤθη ◇ πάθη πο1. 1447 ᵃ28. παθήμασιν ὑπηρετεῖν, opp λόγῳ αἰσθάνεσθαι Πα5. 1254 ᵇ24. ἡ τραγῳδία δι᾽ ἐλέυ ◇ φόβυ περαίνυσα τὴν τῶν τοιύτων παθημάτων κάθαρσιν πο6. 1449 ᵇ29 cf κάθαρσις p 355 ᵃ36.

nomen πάθημα raro ab Ar usurpatur, quantum memini ubique numero plurali (πάθημα φι1. 806 ᵃ2), ac pluralis quidem numeri longe frequentissimus est genetivus, contra genetivus παθῶν satis raro apud Ar legitur (K8. 9 ᵇ15, 20, 35. Γα10. 327 ᵇ22. Ζμα1. 639 ᵃ22. Ηα11. 1101 ᵃ31. Ρα2. 1356 ᵃ19, 24. 10. 1369 ᵇ15. — ακ801 ᵃ20. πζ5. 886 ᵇ11), atque ex iis locis, quibus παθημάτων scriptum est, haud pauci sunt (distinximus eos asterisci signo), ubi in eadem sententiae continuitate πάθος vel antecedat proxime vel subsequatur ε1. 16 ᵃ3. Αγ10. 76 ᵇ13*. Φδ8. 216 ᵇ5. δ7. 260 ᵇ8. Ογ1. 299 ᵃ23*. δ3. 310 ᵃ20. Γα2. 315 ᵇ18. 8. 326 ᵃ21*. β3. 331 ᵃ3. μα14. 352 ᵃ18. β6. 363 ᵃ24, 365 ᵃ12. δ4. 382 ᵃ8. ψα1. 403 ᵃ11, 20*. υ1. 454 ᵇ28. μτ1. 463 ᵃ19. αν17. 479 ᵃ15. Ζια1. 486 ᵇ5. 6. 491 ᵃ19. ι1. 608 ᵃ14. Ζγε1. 778 ᵃ16. 3. 782 ᵃ19. 8. 789 ᵇ19. ΜΑ2. 982 ᵇ16. 4. 985 ᵇ12*. δ14. 1020 ᵇ19*. Ρβ22. 1396 ᵇ33. πο6. 1449 ᵇ28. 24. 1459 ᵇ11. — ηεβ1. 1220 ᵃ1. 2. 1220 ᵇ8, 11*. 3. 1221 ᵇ10. 4.

1221 ᵇ36*. 5. 1222 ᵇ11. (10. 1226 ᵇ37.) γ1. 1228 ᵇ36, 1229 ᵇ21. 7. 1234 ᵃ26. Ζκ8. 702 ᵃ2*. Ζικ5. 637 ᵃ36, ᵇ4*. πβ9. 930 ᵇ38. φι1. 805 ᵃ5, 11, 31. his cf παθήματα ε1. 16 ᵃ6. Αβ27. 70 ᵇ9. αι6. 445 ᵇ4. Ζμγ4. 667 ᵇ6. (Ζικ6. 637 ᵇ25 et φ aliquoties), παθήμασι μδ΄5. 382 ᵃ32. 10. 388 ᵃ10. Πα5. 1254 ᵇ24. (φι1. 805 ᵃ6). in libro ημ παθῶν saepe legitur ημα8. 1186 ᵃ33. 9. 1186 ᵇ33, 35, 1187 ᵃ2. 19. 1190 ᵇ6, 7. 23. 1191 ᵇ38. β3. 1200 ᵃ34. 7. 1206 ᵃ37, ᵇ3, 24. 10. 1208 ᵃ29, πάθημα non videtur inveniri.

πάθησις. ἀναγκαῖον ἴσως εἶναί τινα ἄλλην ἐνέργειαν τῦ ποιητικῦ ◇ τῦ παθητικῦ· τὸ μὲν δὴ ποίησις, τὸ δὲ πάθησις, ἔργον δὲ ◇ τέλος τῦ μὲν ποίημα τῦ δὲ πάθος Φγ3. 202 ᵃ23, 27, 32, ᵇ3. ἡ ποίησις ◇ ἡ πάθησις ἐν τῷ πάσχοντι, cf 2. 426 ᵃ9, cf Φγ3. 202 ᵃ27.

παθητικός. 1. τὰ δὲ ποιητικὰ ◇ παθητικὰ (πρός τι λέγονται) κατὰ δύναμιν ποιητικὴν ◇ παθητικὴν ◇ τὰς ἐνεργείας τὰς τύτων Μδ΄15. 1021 ᵃ15, 1020 ᵇ30. ἡ μὲν τῦ παθεῖν ἐστι δύναμις ἡ ἐν αὐτῷ τῷ πάσχοντι ἀρχὴ μεταβολῆς παθητικῆς ὑπ᾽ ἄλλυ ◇ ἄλλο Μδ΄1. 1046 ᵃ13. ἐνέργεια ἄλλη τὸ ποιητικὸν ◇ τῦ παθητικῦ Φγ3. 202 ᵃ23. παθητικὰ ◇ ποιητικὰ ἀλλήλων ἐστὶ τά τ᾽ ἐναντία ◇ τὰ μεταξὺ Γα7. 324 ᵃ7. cf 10. 328 ᵃ20. συμπεφυκότα μὲν ἀπαθῆ, ἁπτόμενα δὲ παθητικὰ ◇ ποιητικὰ ἀλλήλων Φδ΄5. 212 ᵇ32. ὅταν ἅμα τὸ ποιητικὸν ◇ τὸ παθητικὸν ᾖ, γίνεται ἐνέργεια τὸ δυνατὸν Φθ4. 255 ᵃ35. μκ8. 465 ᵇ15. Ζγβ4. 740 ᵇ22. Ζκ8. 702 ᵃ14. πᾶν σῶμα αἰσθητὸν ἔχει δύναμιν ποιητικὴν ἢ παθητικὴν ἢ ἄμφω Οα7. 275 ᵇ5. τῶν στοιχείων τὰ μὲν δύο ποιητικά, τὰ δὲ δύο (τὸ ξηρὸν ◇ τὸ ὑγρὸν) παθητικὰ μδ΄1. 378 ᵇ13. 3. 380 ᵇ27. 4. 381 ᵇ23, 24. 8. 385 ᵃ7. 11. 389 ᵃ30. τελειώσεις ὑπὸ τῦ οἰκείυ θερμῦ ἐκ τῶν ἀντικειμένων παθητικῶν μδ΄2. 379 ᵇ19, 380 ᵃ8. ἐν τοῖς μεταλλευομένοις διατείνυσι τῦ παθητικῦ φλέβες συνεχεῖς Γα9. 326 ᵇ35. ὁτὲ μὲν ὑπάρχειν τὴν παθητικὴν ὕλην ὁτὲ δὲ μὴ Ζκ11. 704 ᵃ1. — τὸ ἄρρεν ◇ θῆλυ, παθητικὸν Ζγα20. 729 ᵃ30, ᵇ12, 10. — δυνάμεις, καθ᾽ ἃς παθητικοὶ τύτων (τῶν παθῶν, cf πάθος 5) λεγόμεθα Ηβ4. 1105 ᵇ24. ηεβ2. 1220 ᵇ8. τὰς ἐλεημονας ◇ τὰς φοβητικὰς ◇ τὰς ὅλως παθητικὰς Πθ7. 1342 ᵃ12. τῷ παθητικῷ μορίῳ (τῆς ψυχῆς) συμφέρον ἐστὶν ἄρχεσθαι ὑπὸ τῦ νῦ Πα5. 1254 ᵇ8. cf γ15. 1286 ᵃ18. ἔχει τὴν δύναμιν παθητικὴν παρὰ τὸν λόγον ηεβ3. 1221 ᵇ17 (αἱ ἠθικαὶ ἀρεταὶ μεσότητές εἰσι παθητικαὶ ηεγ7. 1233 ᵇ18. — νῦς παθητικός cf νῦς p 491 ᵃ57, ᵇ2. — 2. τρίτον δὲ γένος ποιότητος παθητικαὶ ποιότητες ◇ πάθη· διὰ τί λέγονται παθητικαὶ Κ8. 9 ᵃ29 Wz, 35, ᵇ6, 10. Bz ad Μδ΄14. 1020 ᵇ9. Trdlbg Kat p 99. λέγω τὸ ποιὸν ꭕ τὸ ἐν τῇ ὐσίᾳ ἀλλὰ τὸ παθητικὸν Φε2. 226 ᵃ29. — 3. λέξις παθητική, dist ἠθικὴ Ργ7. 1408 ᵃ10. 12. 1413 ᵇ10. Vhl Poet II 86. διήγησις παθητικὴ Ργ16. 1417 ᵃ36, 16. cf 17. 1418 ᵃ12, 15. παθητικῶς λέγειν· ὅταν (ἡ γνώμη) ἢ παθητικῶς εἰρημένη ᾖ ἢ τὸ ἦθος φαίνεσθαι μέλλῃ βέλτιον Ρβ21. 1395 ᵃ21. συνομοιοπαθεῖ ἀεὶ ὁ ἀκούων τῷ παθητικῶς λέγοντι Ργ7. 1408 ᵃ24. ποῖα ὀνόματα παθητικὰ λέγοντι παθητικῶς Ργ7. 1408 ᵇ12. ἔχει τὴν αὐτὴν δύναμιν ◇ φρυγιστὶ τῶν ἁρμονιῶν ἥπερ αὐλὸς ἐν τοῖς ὀργάνοις· ἄμφω γὰρ ὀργιαστικὰ ◇ παθητικά Πθ7. 1342 ᵇ3. cf 6. 1341 ᵃ21. — τραγῳδία παθητική, dist ἠθικὴ, πεπλεγμένη πο24. 1459 ᵇ9. 18. 1455 ᵇ34. Vhl Poet II 51. παθητικὸν τὸ ◇ ἐν μεγέθει τύχης ἢ λύπης πι96. 918 ᵃ11, syn τραγικὸν ᵃ10.

πάθος ποσαχῶς λέγεται Μδ΄21 Bz. 1. notio τῦ πάθυς universe. πάθος, dist πάθησις, cf πάθησις. ad hanc notionem τῦ πάθυς, ut τὸ τῦ πάσχειν ἔργον significet, talia possunt referri: τὸ αἴσθημα πάθος ἐστὶ τῦ αἰσθανομένυ Μγ5. 1010 ᵇ33, τὸ φάντασμα τῆς κοινῆς αἰσθήσεως πάθος ἐστίν· οἶον ζωγράφημά τι τὸ πάθος μν1. 450 ᵃ11, 26, 30, ᵇ12, 18, 32, τὰ ἄλλα τῶν σωμάτων πάθη κỳ ποιήματα 5 Μζ3. 1029 ᵃ13. cf Ηε7. 1132 ᵃ9. Φη4. 248 ᵃ13, 15. 3. 246 ᵃ2. sed usurpat Ar etiam voc πάθος, ubi ex sua ipsius lege πάθησις scribere debebat ad significandam τὴν τῦ πάσχειν κίνησιν κỳ ἐνέργειαν, veluti εἰ ἔστιν ἡ κίνησις κỳ ἡ ποίησις κỳ τὸ πάθος ἐν τῷ ποιημένῳ ψγ2. 426 ᵃ2, coll 10 ἡ ποίησις κỳ ἡ πάθησις ἐν τῷ πάσχοντι, ἀλλ' ὐκ ἐν τῷ ποιῦντι ψγ2. 426 ᵃ6. ἐν ἀπείρῳ ὐκ ἔστι κινῆσαι ὐδὲ κινηθῆναι, πέρας γὰρ ὐκ ἔχει. ἡ δὲ ποίησις κỳ τὸ πάθος ἔχει Οα7. 275 ᵃ24. cf Φδ9. 217 ᵇ26 (Ογ1. 298 ᵃ32-34). Κ5. 4 ᵇ13. ἕνα δὲ τρόπον (πάθη λέγονται) αἱ τύτων ἐνέργειαι 15 κỳ ἀλλοιώσεις ἤδη Μδ21. 1022 ᵇ15, 18. plerumque, id quod vulgaris huius voc usus fert, πάθος ab Ar ita usurpatur, ut distinguere nequeas utrum τὸ ἔργον potius an τὴν ἐνέργειαν intellexerit, veluti in animalibus reliquis et in homine πάθη nuncupantur ὀχεία, σύλληψις Ζγγ1. 751 ᵃ15. 20 10. 759 ᵇ15. β1. 733 ᵇ12. α18. 726 ᵃ2. 17. 721 ᵇ16, animalium in venerem impetus Ζιζ 18. 572 ᵃ15, 32, ᵇ25. 20. 574 ᵇ3, 28. κ6. 637 ᵇ9, mutationes quibus animalia vel per aetatem vel per anni tempestates obnoxia sunt Ζιδ17. 600 ᵇ29. γ12. 519 ᵃ3. Ζγ3. 783 ᵇ10. 4. 784 ᵇ32, 25 785 ᵃ4. 5. 785 ᵃ23, καθεύδειν ἢ ἐγρηγορέναι υ1. 454 ᵃ23, 21, ᵇ4, τὸ αἰσθάνεσθαι, τὸ μνημονεύειν, λόγος, δόξα Ζγε2. 781 ᵃ35. μγ4. 373 ᵇ4. υ1. 454 ᵃ10, 453 ᵇ29. μν1. 449 ᵇ5, 450 ᵃ1. Κ5. 4 ᵇ8. atque in inanima rerum natura, ὁ περὶ τὴν γῆν κόσμος, ὑπὲρ ὃν τὰ συμβαίνοντα πάθη φαμὲν 30 εἶναι ληπτέον μα2. 339 ᵃ21, γάλα. κομῦται μα8. 346 ᵇ4. 14, βροντή, τυφῶν μβ9. 369 ᵃ31. γ1. 371 ᵃ2, σεισμὸς μβ7. 375 ᵃ15, ξήρανσις, λιμνασία μβ3. 356 ᵇ34. 8. 367 ᵇ7, ὄπτησις ἕψησις μδ3. 381 ᵇ5. (addito genetivo πάθη ἀέρος, ὕδατος μβ1. 338 ᵇ24, 25, 339 ᵃ5. γ2. 371 ᵇ21. 35 δ1. 379 ᵃ21 al.) ex ipsis exemplis apparet, πάθη et ea nuncupari quae vel perpetuo sunt (γάλα μα8. 346 ᵇ4, τὸ τῶν φυτῶν πάθος τὸ ἀνάλογον τῷ ὕπνῳ ἀνέγερτον Ζγε1. 779 ᵃ3) vel ex lege quadam fiunt (veluti τὰ καταμήνια Ζγδ1. 765 ᵇ26. 6. 775 ᵃ4, 26), et ea quae vel cito prae- 40 tereunt (ἴρις, ἅλως μγ2. 371 ᵇ21) vel fortuito fiunt. id quidem commune ubique esse videatur voc πάθος, ut τῦ πάσχειν, non τῦ ποιεῖν vel πράττειν ἐνέργειαν κỳ ἔργον significet, itaque πάθη et ποίησις (cf supra p 556 ᵃ10, 13) vel πρᾶξις inter se opponuntur, τὰς πράξεις κατὰ τὰ πάθη 45 συμβαίνει ποιεῖσθαι πᾶσι τοῖς ζῴοις Ζιι49. 631 ᵇ5, καλά ἐστι τὰ δίκαια κỳ τὰ δικαίως ἔργα, πάθη δ' ὒ Ρα9. 1366 ᵇ31. attamen saepe τὸ πάσχειν et τὸ ποιεῖν ita coaluerunt, ut idem et πάθος ἔργον dicatur, veluti αἴσθησις. qua δέχεσθαι τὸ πάθος dicimur μν1. 450 ᵇ5, eadem ἔργον ψυχῆς 50 nominetur ψα1. 402 ᵇ12. α13. 439 ᵃ8 al (cf Meyer Arist Thierk p. 93), atque πάθη et ἔργα vel πράξεις interdum ita coniunguntur, ut non opposita sed synonyma esse videantur Ογ1. 298 ᵃ32. ψα5. 409 ᵇ15. 1. 403 ᵇ12. Ζμα5. 645 ᵇ33. cf τῦτο μὲν τὸ πάθος (τὸ φαντάζεσθαι) ἐφ' ἡμῖν 55 ἐστιν ὅταν βυλώμεθα ψγ3. 427 ᵇ18. συμβαίνει τὸ αὐτὸ πάθος ἐν τῷ νοεῖν ὅπερ κỳ ἐν τῷ διαγράφειν μν1. 450 ᵃ1. πάθη τῷ πάσχειν τι δύνασθαι, τῷ ποιεῖν τι δύνασθαι μδ8. 385 ᵃ1-7.

2. πάθος, ὑποκείμενον. quodvis πάθος est ἐν ὑποκειμένῳ 60 τινί· οἶον τοῖς πάθεσι τὸ ὑποκείμενον ἄνθρωπος κỳ σῶμα, πάθος

δὲ τὸ μυσικὸν κỳ τὸ λευκόν Μδ7. 1049 ᵃ29, 30. ἐπειδὴ ὖν ἐστί τι τὸ ὑποκείμενον κỳ ἕτερον τὸ πάθος ὃ κατὰ τῦ ὑποκειμένυ λέγεσθαι πέφυκεν Γα4. 319 ᵇ8. et ὑποκείμενον τοῖς πάθεσι vel est ἡ ὕλη, per se omnis formae expers, ἐξ ὖ γίγνεται πρῶτυ κỳ εἰς ὃ φθείρεται τελευταῖον, τῆς μὲν ὑσίας ὑπομενύσης τοῖς δὲ πάθεσι μεταβαλλύσης, τῦτο στοιχεῖον ἢ ταύτην ἀρχὴν φασιν εἶναι τῶν ὄντων ΜΑ3. 983 ᵇ10. cf 4. 985 ᵇ11. Γα5. 320 ᵇ17. Φη2. 245 ᵇ16, 246 ᵃ22 (ὕλη et πάθη opp ΜΑ5. 986 ᵃ17. ζ3. 1029 ᵃ13. θ7. 1049 ᵇ1. ν1. 1088 ᵃ24. μα3. 340 ᵇ17), vel ὑσία τις, substantia quae ipsa iam forma definita est, τὰ μέν ἐστιν ὑσίαι, τὰ δ' ἔργα κỳ πάθη τύτων Ογ1. 298 ᵃ28, 32, cf Μζ1. 1028 ᵃ19. ν2. 1089 ᵇ23. Φα2. 185 ᵃ34. τὸ πάθος ὐ χωριστὸν τῆς ὑσίας (vel τῆς ὕλης): τῶν ὑσιῶν ὐκ ἄνευ ἔστι τὰ πάθη κỳ αἱ κινήσεις Μλ5. 1071 ᵃ2, τὰ πάθη ἀχώριστα Φα4. 188 ᵃ6, 13. Γα3. 317 ᵇ11, 33. 5. 320 ᵇ25. 10. 327 ᵇ22. μχ3. 465 ᵇ14. Μμ2. 1077 ᵇ5. ζ13. 1038 ᵇ28. πάθη διαιρετὰ κατ' εἶδος οἷον χρώματος τὸ λευκὸν κỳ τὸ μέλαν, κατὰ συμβεβηκὸς δέ, ἂν ᾧ ὑπάρχει ᾖ διαιρετὸν Ογ1. 299 ᵃ20. inde πάθος et συμβεβηκὸς syn, πάθη γὰρ ταῦτα κỳ συμβεβηκότα μᾶλλον ἢ ὑποκείμενά τοῖς ἀριθμοῖς Μν1. 1088 ᵃ17, cf Α8. 989 ᵇ3. Γβ10. 337 ᵃ28. ψα1. 402 ᵃ9, 8, et quoniam etiam διάθεσις et ἕξις necessario substantiam requirunt cui inhaereant (τζ6. 145 ᵃ33. Φβ1. 193 ᵃ25), coni πάθος, διάθεσις, ἕξις Ζμα1. 639 ᵃ22. Ζγε1. 779 ᵃ3, 778 ᵇ34. αν2. 451 ᵃ26, 28. 1. 449 ᵇ25. ΜΑ5. 986 ᵃ17 Βz. huius usus voc πάθος exempla. πάθη τῆς ὕλης (πάθη αἰσθητὰ Φη2. 245 ᵃ20, τῆς αἰσθήσεως μα3. 340 ᵃ15, τῶν αἰσθητῶν Μη2. 1042 ᵇ22, σωματικὰ Ζμα4. 644 ᵇ13) enumerantur θερμότης ψυχρότης, ξηρότης ὑγρότης, μαλακότης σκληρότης, λειότης τραχύτης, μέγεθος μικρότης κỳ χρώματα, φωναί μα3. 340 ᵇ17. Β. 345 ᵃ18. δ10. 389 ᵃ4. αι6. 445 ᵇ12, 446 ᵇ25. Ογ1. 299 ᵃ20. Φε1. 224 ᵇ14. Γα8. 326 ᵃ2, 19. Ζγα18. 722 ᵇ33. β1. 734 ᵇ32. Ζιδ4. 528 ᵇ14. Ζμβ1. 646 ᵃ20 al. περὶ ὑδάτων κỳ θαλάσσης, ὁπόσα πάθη κατὰ φύσιν αὐτοῖς συμβαίνει ποιεῖν ἢ πάσχειν μβ3. 359 ᵇ24. πάθη τῦ ὕδατος οἱ χυμοί μβ3. 358 ᵇ20. τὰ πάθη πάντα (τὰ περὶ τὴν φωνήν) ακ 801 ᵃ11, 20. πάθη τῶν τριχῶν Ζγε3. 784 ᵃ20, 21. πάθη τῆς ψυχῆς, ἴδια, κοινὰ τῦ σώματος ψα1. 402 ᵃ9, 403 ᵃ3, 16, 25, ᵇ17. (cf ἡ ἀνάμνησις σωματικόν τι πάθος μν2. 453 ᵃ16, 23.) πάθη τῆς λέξεως πο25. 1460 ᵇ12 Vhl Poet IV 353, 407. cf λέξις p 426 ᵇ25.

3. πάθος, ποιόν. a. πάθος et ποιόν syn usurpari inde colligitur, quod eadem ἀλλοίωσις et ἡ κατὰ τὸ ποιὸν et ἡ κατὰ τὸ πάθος μεταβολή esse definitur. ἀνάγκη τρεῖς εἶναι κινήσεις, τήν τε τῦ ποιῦ κỳ τὴν τῦ ποσῦ κỳ τὴν κατὰ τόπον Φε1. 225 ᵇ8. 2. 226 ᵃ26. Μν2. 1088 ᵃ32. τριῶν ὑσιῶν κινήσεων, τῆς τε κατὰ μέγεθος ἢ τῆς κατὰ ποιὸν ἢ τῆς κατὰ τόπον Φθ7. 260 ᵃ27. ἀλλοίωσις ἡ κατὰ τὸ πάθος μεταβολή Μλ2. 1069 ᵇ12. ὅταν κατὰ πάθος κỳ τὸ ποιὸν ᾖ ἡ μεταβολὴ τῆς ἐναντιώσεως, ἀλλοίωσις Γα4. 319 ᵇ33. cf Μκ11. 1067 ᵇ9. Φε1. 224 ᵇ11. Κ14. 15 ᵃ23. πάθος λέγεται ἕνα μὲν τρόπον ποιότης καθ' ἣν ἀλλοιῦσθαι ἐνδέχεται Μδ21. 1022 ᵇ15. cf 14. 1020 ᵇ9. Γα6. 323 ᵃ18, 19. (κατὰ τὰ πάθη κỳ τὰς ἀλλοιώσεις Φη3. 246 ᵃ2.) πάθος, coni syn ποιὸν Γα4. 319 ᵇ33. Μμ8. 1083 ᵃ9, 10, coni διαφορὰ Γα1. 315 ᵃ9, coni εἶδος μδ5. 382 ᵃ29. πάθος, dist ποιότης τζ6. 145 ᵃ3-12. ἡ μὲν ὐν κατὰ τὸ ποιὸν κίνησις ἀλλοίωσίς ἐστιν, λέγω δὲ τὸ ποιὸν ὐ τὸ ἐν τῇ ὑσίᾳ (κỳ γὰρ ἡ διαφορὰ ποιότης), ἀλλὰ τὸ παθητικόν, καθ' ὃ λέγεται

πάσχειν ἢ ἀπαθὲς εἶναι Φε2. 226 ᵃ29. ὅσα ἀπό τινων πα-
θῶν δυσκινήτων τὴν ἀρχὴν εἴληφε, ποιότητες λέγονται· ὅσα
δὲ ἀπὸ ῥαδίως διαλυομένων ᷄ ταχὺ ἀποκαθισταμένων γί-
νεται, πάθη λέγεται K8. 9 ᵇ20, 28, 32, 10 ᵃ6. Trdlbg Kat
p 93 sqq. — sed quamquam πάθος et διαφοράν accurate 5
distinguit Ar, tamen aliquoties πάθη ea nuncupat, quae
inesse in notione substantiali, itaque esse διαφοράν, ipse
dicit Zμδ̅5. 678 ᵃ33. cf β3. 649 ᵇ27. — b. πάθος καθ᾽
αὑτό id dicitur, quod cum non insit ipsi alicuius rei no-
tioni, tamen concludendo ex ea necessario colligitur, syn 10
συμβεβηκὸς καθ᾽ αὑτό (cf συμβαίνειν 3b), ὑπάρχον καθ᾽
αὑτό (cf ὑπάρχειν) Aγ9. 76 ᵃ13, 7. 7. 75 ᵇ1. 10. 76 ᵇ4-22.
Φγ5. 204 ᵃ19, 15. et hac quidem vi dicitur πάθος
καθ᾽ αὑτό Φγ5. 204 ᵃ19. Mγ2. 1004 ᵇ6 Bz. δ̅13. 1020
ᵃ25. 11. 1019 ᵃ11. Aγ28. 87 ᵃ39. Γα4. 319 ᵇ27. πάθος 15
οἰκεῖον Mι9. 1058 ᵃ37, ᵇ22. μ3. 1078 ᵃ16, ἴδιον τῦ γένες
πάθος Zγε1. 778 ᵃ34. πάθος ἴδιον Mγ2. 1004 ᵇ11. μ3.
1078 ᵃ7. Aδ̅13. 96 ᵇ20, vel ipsum πάθος per se ad signi-
ficandam hanc notionem sufficere videtur Mβ2. 997 ᵃ7.
A5. 985 ᵇ32, 29 Bz. ×3. 1061 ᵃ34. 10. 1066 ᵇ8 (cf Φγ5. 20
204 ᵃ19). ν3. 1090 ᵃ21, 30 Bz. Φδ̅2. 209 ᵇ10. τὸ δ̅5. 126
ᵇ34-127 ᵃ2. Pα2. 1355 ᵇ31 al. πάθη, coni ἕξεις Mδ̅10.
1020 ᵃ19, 25. Φδ̅4. 223 ᵃ18. aliquoties πάθη καθ᾽ αὑτά
dicuntur, quae a differentiis specificis vix possis distin-
guere, veluti Mδ̅11. 1019 ᵃ1. γ2. 1004 ᵇ1. 25

4. ἔτι τὰ μεγέθη τῶν συμφορῶν ᷄ λυπηρῶν πάθη λέ-
γεται Mδ̅21. 1022 ᵇ21. πάθη, syn ἀτυχήματα Hα11. 1101
ᵃ31, 28. φθαρτικὸν πάθος Pβ5. 1382 ᵇ31 (syn κακὸν φθαρ-
τικὸν ᵃ22. 8. 1385 ᵇ13). τὸ πάθος 8. 1386 ᵃ29, ᵇ4. τὸ πάθος,
μέρος τῆς τραγῳδίας, definitur πάθος δ᾽ ἐστὶ πρᾶξις φθαρ- 30
τικὴ ἢ ὀδυνηρά πο11. 1452 ᵇ9-13, cf 14. 1453 ᵇ18, 20,
1454 ᵃ13. He7. 1132 ᵃ9. — πάθος, i q νόσος, νόσημα Zγβ4.
738 ᵃ16. 7. 746 ᵇ32. γ1. 750 ᵃ30, 31. Zμγ4. 667 ᵃ33,
ᵇ1, 11. πάθη νοσώδη, νοσηματικὰ Zμγ4. 667 ᵇ12. αν20.
479 ᵇ26. πάθος τερατῶδες, φλεγματικὸν, πνευματῶδες, ὑπο- 35
χόνδριον Zιε14. 544 ᵇ22. ×1. 634 ᵃ26 (cf 3. 635 ᵇ5). πλ1.
953 ᵇ24. τὸ ἐκ τῆς Γοργόνος γιγνόμενον τοῖς ἐνοπλίοις πάθος
καταπληκτικὸν f148. 1503 ᵃ43. ἐπίκτητόν τι πάθος αν17.
478 ᵇ27. διὰ πάθος, opp διὰ φύσιν Zγε6. 786 ᵃ8, 785
ᵇ34. 5. 785 ᵇ2. 40

5. πάθος, animi perturbatio, affectus, affectio. τὰ ἐν τῇ
ψυχῇ γινόμενα τρία ἐστι, πάθη δυνάμεις ἕξεις . . . λέγω
δὲ πάθη μὲν ἐπιθυμίαν ὀργὴν φόβον (Pβ8. 1385 ᵇ34) θρά-
σος φθόνον χαρὰν φιλίαν μῖσος πόθον ζῆλον ἔλεον, ὅλως οἷς
ἕπεται ἡδονὴ ἢ λύπη, δυνάμεις δὲ καθ᾽ ἃς παθητικοὶ τύτων 45
λεγόμεθα, . . . ἕξεις δὲ καθ᾽ ἃς πρὸς τὰ πάθη ἔχομεν εὖ
ἢ κακῶς Hβ4. 1105 ᵇ20. θ7. 1157 ᵇ29. ηεβ2. 1220 ᵇ10-20.
ημα7. cf Pβ1. 1378 ᵃ20. 12. 1388 ᵇ33. Πγ15. 1286 ᵃ34.
ἤθη ᷄ πάθη ᷄ πράξεις πο1. 1447 ᵃ28. τὰ πάθη κινήσεις
ψυχῆς Πθ̅7. 1342 ᵃ8, 5, (cf τοῖς ἐν κινήσει πολλὰ διὰ πά- 50
θος ἢ δι᾽ ἡλικίαν ἢ γίνεται μνήμη αν1. 450 ᵇ1), συμπαθέσ-
τως γίνεται Hβ4. 1106 ᵃ3. δοκεῖ συνῳκειῶσθαι τοῖς πάθεσιν
ἡ τῦ ἤθες ἀρετή Hκ8. 1178 ᵃ15. ὖ χρῆται λογισμῷ τὸ
πάθος Πε10. 1312 ᵇ29. ὖ δοκεῖ λόγῳ ὑπείκειν τὸ πάθος
ἀλλὰ βίᾳ Hκ10. 1179 ᵇ29. cf γ3. 1111 ᵇ1. Πγ10. 1281 55
ᵃ36. ζῆν κατὰ πάθος, πάθει, κατὰ πάθος ᷄ δι᾽ ἡδονήν,
opp ζῆν κατὰ λόγον Hα1. 1095 ᵃ8, 10. θ3. 1156 ᵃ32, ᵇ2.
ι8. 1169 ᵃ5. ×10. 1179 ᵇ13, 27. ἄνευ πάθες ᷄ ὁρμῆς ὐκ
ἐγγίνεται ἡ ἀνδρία ημα20. 1191 ᵃ21. ἄνευ τῦ λόγυ ἐγγί-
νονται ὁρμαὶ παθῶν πρὸς τὸ καλόν ημβ7. 1206 ᵇ24. ἀν- 60
δρεία ἡ διὰ πάθος ἀλόγιττον (non vera virtus) ηεγ1. 1229

ᵃ20. οἱ μήτε ἐν ἀνδρείας πάθει ὄντες μήτ᾽ ἐν ὑβριστικῇ
διαθέσει Pβ8. 1385 ᵇ30. ἔστι δὲ ἄλλα πάθη, ἐφ᾽ ὧν ἡ
κακία ὐκ ἔστιν ἐν ὑπερβολῇ ᷄ ἐλλείψει τινί ημα8. 1186
ᵃ36. — σωματικὰ πάθη (i e animi perturbationes e corpore
ortae — alia vi dicta σωματικὰ πάθη cf supra p 556 ᵇ29,
41) Hκ2. 1173 ᵇ9. cf ψα1. 403 ᵃ16, ᵇ11. πάθη ἀναγκαῖα
φυσικά, κοινὰ τῶν ἀνθρώπων He10. 1135 ᵇ21. p8. 1429
ᵃ7. ὁ ἐνθυσιασμὸς τῦ περὶ τὴν ψυχὴν ἤθυς πάθος ἐστίν
Πβ5. 1340 ᵃ12. cf 7. 1342 ᵃ5. πάθη ἤθυς χρηττῦ Pβ9.
1386 ᵇ13, 26. — εἶναι ἐν πάθει, ἐν τῷ πάθει, ἐν τοῖς πά-
θεσιν Πγ16. 1287 ᵇ3. Hη8. 1150 ᵃ30. 5. 1147 ᵇ11. εν2.
460 ᵇ4. πο17. 1455 ᵃ31. εἰς τὰ πάθη ἄγειν (κιταστῆσαι)
τὸν ἀκροατήν Pγ19. 1419 ᵇ25, 13. διεγεῖραι τὰ πάθη· ἀν-
άγοντες (fort ἄγοντες) εἰς τὰ πάθη f125. 1499 ᵇ10, 9. δι᾽
ὧν τὰ πάθη ἐγγίνεται ᷄ διαλύεται ἐξ ὧν αἱ πίστεις γίνον-
ται Pβ1-11, cf α2. 1356 ᵃ19, 23, 24. 10. 1369 ᵇ15. πο19.
1456 ᵃ38 Vhl Poet III 301. — de Aristotelico usu voc πά-
θος et πάθημα cf Bz Ar St V.

παιάν, ῥυθμὸς ἡμιόλιος, δύο αὐτῦ ἐστιν εἴδη ἀντικείμενα ἀλ-
λήλοις, ὧν τὸ μὲν ἁρμόττει ἐν ἀρχῇ τὸ δ᾽ ἐν τελευτῇ Pγ8.
1409 ᵃ2-21. f128. 1500 ᵃ9, 13. — πόλις γέμει παιάνων
Soph OR 5) ×6. 400 ᵇ26.

παιδαγωγός. κατὰ τὸ πρόσταγμα τῦ παιδαγωγῦ ζῆν Hγ15.
1119 ᵇ14.

παιδάριον μικρὸν ρ14. 1431 ᵃ14. ὅτῳ ἂν παιδάριον γένηται
οβ1347 ᵃ17.

παιδαριώδη ᷄ τῶν γερόντων αἵρεσις Πβ7. 1270 ᵇ28, 1271
ᵃ10. τὰ μυθώδη ᷄ παιδαριώδη Mα3. 995 ᵃ5. μέλη παιδα-
ριώδη π12. 892 ᵃ19.

παιδεία. περὶ παιδείας Πη17-θ. — παιδεία ἀναγκαία, ἐλευ-
θέριος, καλή, κοινή, τεχνική, ὀρθή Πθ̅3. 1338 ᵃ30. 1. 1337
ᵃ33. β5. 1263 ᵇ36. Hι9. 1341 ᵇ9. Πβ1. 1104 ᵇ13. ἡ ἐμπο-
δὼν παιδεία (usitata iuventutis institutio) Πη2. 1337 ᵃ39.
παιδεία, coni ἐλευθερία, πλῦτος, εὐγένεια Πδ̅4. 1291 ᵇ29.
8. 1293 ᵇ37. 12. 1296 ᵇ18. ζ2. 1317 ᵇ39. παιδεία πρὸς τὸ
κοινόν, ἡ καθ᾽ ἕκαστον παιδεία πότερον τῆς πολιτικῆς He5.
1130 ᵇ26, 27. παιδεία ᷄ ἔθη Πγ18. 1288 ᵇ1. παιδεία ᷄
ἀρετή Πγ13. 1283 ᵃ25. δ̅11. 1295 ᵃ27. παιδεία, dist ἐπι-
στήμη Zμα1. 693 ᵃ4, 3. παιδείαν εἰσάγειν Πβ5. 1263 ᵇ37.
τὰς γυναῖκας δεῖν παιδείας μετέχειν Πβ6. 1264 ᵇ38. — πᾶσα
τέχνη ᷄ παιδεία τὸ προσλεῖπον βύλεται τῆς φύσεως ἀναπλη-
ρῦν Πη17. 1337 ᵃ2. παιδεία φύσεως δεῖται ᷄ χορηγίας τυ-
χηρᾶς Πδ̅11. 1295 ᵃ27. ψυχῆς φυλακτικὸν παιδεία ρ1. 1421
ᵃ18. ἡ παιδεία πλαταγὴ τοῖς μείζοσι τῶν νέων Πθ̅6. 1340
ᵇ30. τὸ κατὰ τὴν ὑφήγησιν τῦ λόγυ συντελεῖν τι τῶν ὑπ᾽
ἐκείνυ παραγγελθέντων παιδεία ρ1. 1420 ᵇ26. — plur. δια-
φέρυσιν αἱ καθ᾽ ἕκαστον παιδείαι τῶν κοινῶν Hκ1. 1180
ᵇ7. αἱ παιδεῖαι ποιάς τινας ποιῦσι τὰς νέας σα5. 1344 ᵃ27.

παιδεύειν. παιδεύυσι τὰς νέας οἰκαίζοντες ἡδονῇ ᷄ λύπῃ Hκ1.
1172 ᵃ20. παιδεία τὴν ὐχ ὡς χρησίμην παιδευτέον τῆς νίης
Πθ̅3. 1338 ᵃ31. παιδεύεσθαι ἱππικήν Πγ4. 1277 ᵃ18. πολλὰ
παιδεύεται ἐλέφας ᷄ ξυνίησιν Ζιι6. 630 ᵇ19. ὁ πεπαιδευ-
μένος περὶ τὴν τέχνην Pγ11. 1282 ᵃ4. ἔστι τέτταρα σχεδὸν
ἃ παιδεύειν εἰώθασι Πθ̅3. 1337 ᵃ23. 5. 1339 ᵇ24. ὁ νόμος
παιδεύει, παιδεύσας δύνασθαι ζῆν νόμῳ Hχ9. 1287 ᵃ25, β5.
β7. 1266 ᵇ30. ὁ νομοθέτης ὖ παιδεύσας δύνασθαι σχολάζειν
Πη14. 1334 ᵃ9. παιδεύεσθαι πρὸς ἀνδραγαθίαν Πβ9. 1270
ᵇ37, πρὸς τὰς πολιτείας Πε9. 1310 ᵃ14, 20. — πεπαι-
δευμένος. εἰθισμένοι ᷄ πεπαιδευμένοι ἐν τῇ πολιτείᾳ Πε9.
1310 ᵃ16. πεπαιδευμένος, opp ἀπαίδευτος Hδ̅14. 1128 ᵃ21.
(ψυχὴ ἐὰν ᾖ πεπαιδευμένη, τὴν τοιαύτην ᷄ τὸν τοιῦτον ἄν-

θρωπον εὐδαίμονα προσαγορευτέον f 89. 1491 ᵇ12.) opp
ἀγροῖκος Ρ γ7. 1408 ᵃ32. dist πλήσιος, ἐλεύθερος Π δ 15. 1299
ᵇ25. dist εἰδώς: ἀποδίδομεν τὸ κρίνειν ὐδὲν ἧττον τοῖς πε-
παιδευμένοις ἢ τοῖς εἰδόσιν Π γ11. 1282 ᵃ6. Ζμα 1. 639 ᵃ4-
12. ὁ πεπαιδευμένος καθ' ἕκαστον γένος ἀγαθὸς κριτής 5
Ηα 1. 1094 ᵇ23, 1095 ᵃ1. ὁ ὅλως πεπαιδευμένος Ζμα 1. 639
ᵃ7. — παιδευτέον, παιδευτέοι λόγῳ, ἔθεσιν Π θ3. 1338
ᵇ15. η15. 1334 ᵇ8.

παίδευμα. ταῦτα τὰ παιδεύματα ἢ ταύτας τὰς μαθήσεις
ἑαυτῶν εἶναι χάριν Π θ3. 1338 ᵃ11. τὰ καταβεβλημένα 10
παιδεύματα Π θ3. 1338 ᵃ36, cf καταβάλλειν p 369 ᵇ21.
κατὰ τὴν ὅλην τῦ παιδεύματος διαίρεσιν p39. 1445 ᵇ35.

παίδευσις. ἡ παίδευσις τῶν περὶ τὰς ἐριστικὰς λόγους μισθαρ-
νούντων τ ι34. 183 ᵇ37. τῇ παιδεύσει τὸ φθονεῖσθαι ἀκυλυθεῖ
Ρ β23. 1399 ᵃ13. 15

παιδιά. παιδιαί, coni ῥαθυμίαι, ἀπονίαι, ἀμέλειαι Ρ α11. 1370
ᵃ15. τῶν παιδιῶν αἱ ἡδεῖαι καθ' αὑτὰς αἱρεταί Η κ6. 1176
ᵇ9. cf Ρ α11. 1370 ᵃ15. ἡ παιδιὰ ἄνεσίς ἐστιν εἴπερ ἀνά-
παυσις, ἡ παιδιὰ χάριν ἀναπαύσεώς ἐστιν Η η8. 1150 ᵇ17.
Π θ3. 1337 ᵇ38. 5. 1339 ᵇ15. παιδιᾶς ἕνεκα ἢ ἀναπαύσεως 20
Π θ5. 1339 ᵃ16. ἄτοπον τὸ τέλος εἶναι παιδιάν Η κ6. 1176
ᵇ29 (cf παίζειν). τὰς παιδιὰς εἶναι δεῖ μήτε ἀνελευθέρας
μήτε ἐπιπόνους μήτε ἀνειμένας, μιμήσεις τῶν ὕστερον σπου-
δαζομένων Π η17. 1336 ᵃ29, 33. παιδιαὶ μαχητικαί, ἐριστι-
καί, ἐσπυδασμέναι Π α11. 1370 ᵇ25, 1371 ᵃ3. — διαγωγὴ 25
μετὰ παιδιᾶς Η δ14. 1127 ᵇ34. ἐν παιδιᾶς μέρει Η δ14.
1128 ᵃ19. σοὶ μὲν παιδιὰ τῦτο, ἐμοὶ δὲ θάνατος η εη10.
1243 ᵃ20.

παιδικός. ὁ παρθένιος αὐλὸς τῦ παιδικῦ ὀξύτερος (fort στε-
νότερος Aub) Ζ ι η1. 581 ᵇ11, cf αὐλός p 122 ᵃ42. Salmas 30
exerc Pl 87. — παιδικαὶ φιλίαι Η ι3. 1165 ᵇ26. παιδικὸν
δῶρον Η δ. 1123 ᵃ15. παιδικαὶ ἁμαρτίαι Η γ15. 1119 ᵃ34.
παιδικὴ δόξα μα3. 339 ᵇ33. ἠλίθιον ἢ λίαν παιδικόν Η κ6.
1176 ᵇ33. — τὰ παιδικά. Π ε10. 1311 ᵇ1. — παιδι-
κῶς. δεῖ μὴ δυσχεραίνειν παιδικῶς τὴν περὶ τῶν ἀτιμοτέρων 35
ζῴων ἐπίσκεψιν Ζμα 5. 645 ᵃ16.

παιδίον. 1. ι q τὰ νέα ἢ τῶν ζῴων ἢ τῶν ἀνθρώπων. ὅταν
γένωνται τὰ παιδία πάντων, μάλιστα τῶν ἀτελῶν, καθεύ-
δειν εἴωθε Ζ γε1. 778 ᵇ21, cf 779 ᵃ6. — 2. mulieris foetus.
cf τέταρτος χρόνος ἡνίκα ἤδη τά τε ἐν τοῖς κώλοις πάντα 40
διήρθρωται ἢ ἠδ' ἠρθρωμένον ἔτι ἀλλὰ ἤδη ἢ παιδίον ὀνομά-
ζεται, ὡς φησιν Ἱπποκράτης Galen IV 543. XVIIA 345.
(v ἔμβρυον p 240 ᵇ21, 56.) οἱ λέγοντες τρέφεσθαι τὰ παιδία
ἐν ταῖς ὑστέραις διὰ τῦ σαρκιδίου τι βδάλλειν ὐκ ὀρθῶς λέ-
γυσιν Ζ γβ7. 746 ᵃ19. ἅμα τᾶ τε παιδία γόνιμα ἢ τὸ γάλα 45
χρήσιμον Ζ ι5. 585 ᵃ30. ἢ τῦ ὀμφαλῦ ἀπόδεσις τοῖς παι-
δίοις· πολλάκις ἔδοξε τεθνεὸς τίκτεσθαι τὸ παιδίον· εὐθὺς
ὥσπερ ἔξαιμον γενόμενον πρῶτον πάλιν ἀνεβίωσεν· κατὰ
φύσιν ἐπὶ κεφαλὴν γίνεται· γίνεται ἢ τὰς χεῖρας παρατε-
ταμένας παρὰ τὰς πλευράς· ἐξελθόντα εὐθὺς φθέγγεται ἢ 50
προσαίρει πρὸς τὸ στόμα τὰς χεῖρας· πρὶν ἐξελθεῖν ἢ φθέγ-
γεται· πάντα ἀφίησι τὸ μηκώνιον· ὐκ ἔχοντα ὄνυχας διὰ
τὴν αἰτίαν Ζ ι η10. 587 ᵃ13, 17, 19, 23, 25, 26, 27, 34, 28
(cf Antig Caryst 119 Beckm), et saepius. — coni ἔμβρυον.
ἤδη γεγεννημένου θύρᾱζε τῶν ἐμβρύων μαλακόν ἐστι τῦτο 55
τὸ ὀστῦν (βρέγμα) τῶν παιδίων Ζ γβ6. 744 ᵃ26. cf Ζ ι η10.
587 ᵇ13. — 3. infans. ἡ αὔξησις τῶν παιδίων Ζ γβ4. 738
ᵃ33. τῦ παιδίυ ἔξω ὄντος, ἀσθενικῦ ὄντος· τὰ εὐτραφέ-
στερα· εἴωθε τὰ πλεῖστα σπασμὸς ἐπιλαμβάνειν Ζ ι η10.
587 ᵃ18, 20. 12. 588 ᵃ4, 3, 11. τὰ παιδία ἀναιρεῖται πρὸ 60
τῆς ἑβδόμης, ἑβδόμῳ μηνὶ ἄρχονται ὀδοντοφυεῖν Ζ ι η12. 588

ᵃ8 Aub (cf Dietz, Hippocr de morbo sacro 101). 10. 587
ᵇ14. ἐγρηγορότα ἢ γελᾷ. καθεύδοντα δὲ ἢ δακρύει ἢ γελᾷ
Ζ γε1. 779 ᵃ11, cf 19. Ζ ι η10. 587 ᵇ5, Antig Caryst 123
Beckm, Salmas ex Pl 25. τῶν ἄλλων μορίων ὐκ ἐγκρατὴ
ἐστίν, ἀκρατὴ ἢ τὰ παιδία μέχρι πόρρω τῆς κεφαλῆς διὰ
τὸ βάρος Ζ ι δ9. 536 ᵇ5. Ζ γβ6. 744 ᵃ31. ἕρπει Ζ π9. 709 ᵃ9.
cf 11. 710 ᵇ12. γλαυκότερα τὰ ὄμματα τῶν παιδίων εὐθὺς
γεννωμένοις ἐστὶ πάντων Ζ γε1. 779 ᵃ27, cf 8. 780 ᵇ1. παρα-
πλησία ἡ φύσις (τῶν γυναικῶν) τῇ τῶν παιδίων Ζ γ3. 784
ᵃ5 (v l παίδων. cf ἔοικε ἢ τὴν μορφὴν γυνὴ ἢ παῖς Ζ γα20.
728 ᵃ17). νάνοι εἰσὶ τὰ παιδία πάντα Ζμ ὲ10. 686 ᵇ11,
cf 24. μ ν2. 453 ᵇ6. πλ γ18. 963 ᵇ15. τῶν παιδίων αἱ κε-
φαλαὶ διὰ τί κατ' ἀρχὰς γίνονται πυρραί χ6. 797 ᵇ24.
παιδία πέντε μηνῶν ἢ στρέφυσι τὸν αὐχένα ν3. 457 ᵃ18.
τὰ παιδία καθεύδει σφόδρα, ἐπιληπτικὰ γίνεται ν3. 457
ᵃ4, 8. τοῖς παιδίοις ἢ γίνεται ἐνύπνια ε ν3. 461 ᵃ12, 462
ᵇ5. τὰ παιδία διὰ τί ὐ δύναται μανθάνειν Φ η3. 247 ᵇ19,
30, κατ' ἐπιθυμίαν ζῶσι Η γ15. 1119 ᵇ6. παιδία ἢ θηρία,
opp οἱ καθεστῶτες η ε η2. 1236 ᵃ2. τὸ παιδίον ἢ τὸ θηρίον
ἢ πράττει η ε β8. 1224 ᵃ29. ὐδεὶς ἂν ἕλοιτο ζῆν παιδίυ διά-
νοιαν ἔχων Η κ2. 1174 ᵃ2. — παιδίυ λῆψις (in Theodecti
tragoedia) π ο18. 1455 ᵇ30. cf Nck fr tr p 623. Vhl Rhet
80. — 4. puella. τὸ λευκὰ ἢ παιδίοις γίνεται νέοις ὖσι
πάμπαν Ζ ι η1. 581 ᵇ2, vel plenius τοῖς παιδίοις τοῖς θήλεσιν
Ζ γβ4. 738 ᵃ26, cf 33.

παιδιώδης, def Η η8. 1150 ᵇ16, 18.

παιδονομία. λεκτέον ἐν τοῖς περὶ παιδονομίας Π η16. 1335
ᵇ4. — παιδονομία, magistratus, coni γυναικονομία al Π ζ8.
1322 ᵇ39.

παιδονόμος Π δ15. 1299 ᵃ22. η17. 1336 ᵃ32, 40. ὁ παιδο-
νόμος ἀριστοκρατικὸν Π δ15. 1300 ᵃ4.

παιδοποιία. νόμοι περὶ παιδοποιίας Π β12. 1274 ᵇ3.

παιδοτρίβης Π γ6. 1279 ᵃ2, 4, 8. 16. 1287 ᵇ1. coni ὁ γυ-
μναστικός Π δ1. 1288 ᵇ18.

παιδοτριβική, dist γυμναστική Π θ3. 1388 ᵇ7, 8.

παιδοτρόφος ὥρα ποικίλας ἀλκυόνος (Simon fr 12) Ζ ι ε8.
542 ᵇ9.

παίειν. ἐπὶ σωτηρίᾳ παίσας (fort ποτίσας, cf s v ποτίζειν)
ἀποκτεῖναι ἄν Η γ2. 1111 ᵃ14.

παίζειν ἐμμελῶς Η δ14. 1128 ᵃ10. παίζειν ὅπως σπυδάζῃ
Η κ6. 1176 ᵇ32—1177 ᵃ11. ὑπὸ τῶν πυρετῶν οἱ λαμβανό-
μενοι παίζυσι μᾶλλον ἢ ἀλγῦσιν η γ17. 873 ᵇ20. — αἱ
ἵπποι ὅταν σκυζῶσι παίζυσι πρὸς αὐτάς Ζ ι ζ18. 572 ᵃ30.
κλεψύδρην παίζυσι (Emped 351) αν7. 473 ᵇ17.

Παίονες θ1. 830 ᵃ7. 168. 846 ᵇ30. Ζ υ45. 630 ᵃ20. — Παιο-
νίας θηρία θ1. 830 ᵃ5. 129. 842 ᵇ33. Ζ β31. 499 ᵇ13, 500
ᵃ1. 145. 630 ᵃ18, 20. περὶ τὴν Παιονίαν Ζ ι β1. 500 ᵃ1.
χρυσὸς ἄπυρος ἐν Παιονίᾳ θ45. 833 ᵇ6, f 248. 1523 ᵇ33-
36. — ἡ Παιονική θ1. 830 ᵃ6. τὸ Μεσσάπιον ὄρος ὁρίζει
τὴν Παιονικὴν ἢ τὴν Μαιδικὴν χώραν Ζ υ45. 630 ᵃ19.

παῖς. 1. physica. puer et puella. ἢ τῶν παιδῶν ἡλικία· παι-
σὶν ὖσιν αἱ κεφαλαὶ γίνονται φθειρώδεις· προσεοικότες γίνονται
τοῖς γονεῦσιν οἱ παῖδες, syn ἔκγονα, τέκνων Ζ ι β1. 588 ᵃ31.
ε31. 557 ᵃ7. Ζ γα17. 721 ᵇ30, 32, 33. ἔοικε ἢ τὴν μορφὴν
γυνὴ ἢ παῖς· ἢ παῖδες μὲν ὄντες ἢ γίνονται φαλακροί, ὐδ' αἱ
γυναῖκες Ζ γα20. 728 ᵃ17. ε3. 782 ᵃ9. cf Ζ ι γ11. 518 ᵃ30. ε31.
557 ᵃ7, 8. ἡ φωνὴ τοῖς παισὶ μεταβάλλει. ἐπὶ τὸ βαρύτερον Ζ ι ν
1. 581 ᵇ6. οἱ παῖδες ὑγροὶ ἢ θερμοί η γ7. 872 ᵃ6. τὰ (?) τῶν
παιδῶν (παιδίων ci S Theophr IV 872) εὐθὺς τὰς κεφαλὰς
ἴσχει λευκάς χ6. 798 ᵃ30. — puer. ἐξ ἡμέρας νὺξ γίνεται ἢ
ἐκ παιδὸς ἀνήρ, μετὰ τὸ παῖς ἀνὴρ γίνεται· οἱ παῖδες οἱ μήπω

δυνάμενοι προϊέσθαι, ἐγγὺς δὲ τῆς ἡλικίας ὄντες Ζγα18.
724 ᵃ22. β1. 734 ᵃ29. α20. 728 ᵃ12. opp παρθένοι Ζιη1.
581 ᵇ29. (Oken, Isis 1830, 643.) — 2. ethica. πότερα χ̣
παίδων εἰσὶν ἀρεταί, ὁ παῖς ἀτελής Πα13. 1259 ᵇ30sqq,
1260 ᵃ13, 31. χ̣ ἐν παισὶ χ̣ ἐν θηρίοις ἐγγίνονται αἱ ἄλλαι 5
φιλίαι ηεη2. 1238 ᵃ33. οἱ παῖδες ἄριστα μάχονται ηεγ1.
1229 ᵃ29. παῖς μαθηματικὸς γένοιτ᾽ ἄν, φυσικὸς δ᾽ ὒ Ηζ9.
1142 ᵃ17. ὁ παῖς ἐκ εὐδαίμων Ηα10. 1100 ᵃ2. οἱ παῖδες
πολῖται ἐξ ὑποθέσεως, ἀτελεῖς Πγ5. 1278 ᵃ4. 1. 1275 ᵃ14.
κεκολάσθαι δεῖ τὸν παῖδα Ηγ15. 1119 ᵇ5, 13. παιδεύειν δεῖ 10
τὰς παῖδας Πα13. 1260 ᵇ16. τὰ περὶ τὴν τροφὴν τῶν παί-
δων (Lacedaem) Πδ9. 1294 ᵇ22. συνεθίζειν ἐκ μικρῶν
παίδων Πη17. 1336 ᵃ14. ὅταν παῖς ἀντὶ πατρὸς εἰσίη Πδ5.
1292 ᵇ5. 14. 1298 ᵇ3. οἱ παῖδες τῶν ἐν τῷ πολέμῳ τελευ-
τώντων Πβ8. 1268 ᵃ8. — παίδων παῖδες Πα2. 1252 15
ᵇ18.

π ά λ α ι def Φδ13. 222 ᵇ14. πάλαι φρύδον ἂν ἦν ἕκαστον
τῶν ἄλλων στοιχείων μα3. 340 ᵃ2. οἱ πάλαι, opp οἱ νῦν
Μλ1. 1069 ᵃ29. Πβ7. 1266 ᵇ16 al. — τὰ πάλαι λεχθέντα,
οἱ πάλαι λόγοι refertur ad ea quae antea in eodem libro 20
exposita sunt Πβ4. 1262 ᵇ29. γ11. 1282 ᵃ15. Φδ3. 254
ᵃ16. μχ27. 857 ᵃ24.

π α λ α ι ό ς · ἀρχαῖα χ̣ παλαιὰ διατελεῖ νενομισμένα f 40. 1481
ᵃ36. ὁ αἰθὴρ παλαιὰν εἴληφε τὴν προσηγορίαν μα3. 339 ᵇ21.
ὁ παλαιὸς λόγος ὁ ἀναιρῶν τὴν τύχην Φβ4. 196 ᵃ14. οἶνος 25
παλαιός, opp νέος μδ10. 388 ᵇ3. ἔλαιον παλαιόν, opp πρόσ-
φατον πκα9. 927 ᵃ29. τῷ τὸν χρόνον πλεῖω εἶναι χ̣ πρεσβύ-
τερον χ̣ παλαιότερον λέγεται Κ12. 14 ᵃ29. ζῷα παλαιά,
παλαιότερα, opp νέα Ζιζ25. 578 ᵃ6. δ11. 538 ᵇ1. — τὸ
παλαιόν adverb Πγ4. 1277 ᵇ2. δ4. 1290 ᵇ15. 10.1295 ᵃ12. 30
Ζιζ36. 580 ᵇ8.

π α λ α ι ο ῦ σ θ α ι · νεκροὶ παλαιούμενοι, καρποὶ παλαιούμενοι μὸ12.
390 ᵃ22, ᵇ1. πκ25. 925 ᵇ37. κατὰ τὰς ἡλικίας διαφέρουσι
(τὰ τριχώματα) νέα τε χ̣ παλαιούμενα Ζγε3. 782 ᵃ6. τὸ
περὶ τὸν χρῶτα ὑγρὸν παλαιούμενον χ̣ χρονιζόμενον χ6. 797 35
ᵇ5. 5. 794 ᵇ30. κηρὸς παλαιούμενος Ζιε32. 557 ᵇ6. ἐάν τις
τὴν πολυπόδων παλαιωθῇ Ζιθ1. 524 ᵇ30.

π α λ α ι σ τ ή · ὦτα σπιθαμῆς χ̣ παλαιστῆς Ζθ28. 606 ᵃ14.

π α λ α ι σ τ ι κ ό ς τίς Ρα5. 1361 ᵇ24.

Π α λ α ι σ τ ί ν η . ἐν Παλαιστίνῃ φτα7. 821 ᵃ34. ἐν Παλαιστίνῃ 40
λίμνη (lacus Asphaltites) μβ3. 359 ᵃ17.

π α λ α ί σ τ ρ α . κλέπτειν ἐκ παλαίστρας πκθ14. 952 ᵃ18. ἐν ταῖς
παλαίστραις Ζπ9. 709 ᵃ13.

π α λ α ι σ τ ρ ι κ ό ς Κ8. 10 ᵇ3. παλαιστρικὴ ἐπιστήμη Κ8. 10 ᵇ4.

π α λ ά μ η πκζ6. 966 ᵇ14.

Π α λ α μ ή δ η ς apud Anaxandridem Ργ12. 1413 ᵇ26.

π α λ α μ ν α ῖ ο ς διὰ τί ὀνομάζεται ὁ θεὸς κ7. 401 ᵃ23.

π α λ ε υ τ ρ ί α . οἱ τρέφοντες τὰς περιστερὰς παλευτρίας Ζιι7.
613 ᵃ23.

π ά λ η χ̣ δρόμος Οβ12. 292 ᵃ26. Ηβ5. 1106 ᵇ5.

Π α λ ι κ ο ὶ τῆς Σικελίας θ57. 834 ᵇ8.

π α λ ι λ λ ο γ ε ῖ ν . παλιλλογήσομεν ἐν κεφαλαίοις ρ21.1433 ᵇ31.

π α λ ι λ λ ο γ ί α , def σύντομος ἀνάμνησις ρ21. 1433 ᵇ29. περὶ
παλιλλογίας ρ21. ἐπὶ τῇ τελευτῇ τοῦ μέρους ἢ παλιλλογίαν
ἢ ὁρισμὸν ἐπιθεῖ ρ33. 1439 ᵃ29. παλιλλογίαι ρ7. 1428 ᵃ8.
22. 1434 ᵃ30.

π α λ ι μ π υ γ η δ ό ν Ζμβ16. 659 ᵃ20 (Schn Bsm Lgk, cf Lob
ad Ai 836, πάλιν πυγηδὸν Bk).

π ά λ ι ν . retro, retrorsum, ὑποχωρήσαντες πάλιν πυγηδὸν Ζμβ16.
659 ᵃ20. inde πάλιν omnino contrarium motum vel actum 60
significat, τὸ ἀναχθὲν καταβαίνειν πάλιν ὕδωρ μβ2. 355

ᵃ26, 31. ἀθρόας δόντας ἀφαιρεῖσθαι πάλιν ἀθρόας Πε8. 1308
ᵇ16, cf similia μγ1. 370 ᵇ11. δ7. 384 ᵇ11. Φθ3. 253 ᵃ24.
Ζμγ5. 668 ᵃ29. 6. 669 ᵃ17. 14. 675 ᵃ23, ᵇ8, 17, 19. δ5.
681 ᵃ30. Πδ14. 1298 ᵇ37. 15.1299 ᵇ4. ε4.1304 ᵃ22, 1303
ᵇ4. — πάλιν de tempore, ὁτὲ μὲν μὴ ὄν, πάλιν δὲ ὄν Οα11.
280 ᵇ16. ἐξ ἀρχῆς ... ὕστερον πάλιν Πε4. 1304 ᵇ16. νῦν
μὲν ἱκανῶς ὡς πρὸς τὴν παροῦσαν χρείαν, ἀκριβέστερον δὲ
πάλιν Οα3. 269 ᵇ22. τροφὴν λαμβάνειν χ̣ πάλιν ἐκ ταύτης
γίνεσθαι τὴν ἐσχάτην τροφήν· Ζμδ4. 678 ᵃ7. εἰ μετὰ τὴν
φθορὰν ἀλλοίωσις εἴη χ̣ μετὰ τὴν ἀλλοίωσιν αὔξησις χ̣ πάλιν
γένεσις Φζ10. 241 ᵇ16. κινεῖν συνεχῶς, ἀλλὰ μὴ ὥσπερ τὸ
ὠθῦν πάλιν χ̣ πάλιν Φθ10. 267 ᵇ11. cf δ12. 220 ᵇ13. ε4.
227 ᵇ11. — πάλιν omnino progressum in narrando enu-
merando quaerendo significat, φησὶν ὁ Σωκράτης ... πάλιν
προστίθησιν Πδ4. 1291 ᵃ14. cf Ζμγ1. 662 ᵃ12. πρῶτον
μὲν ... ἔπειτα πάλιν Πδ3. 1289 ᵇ29. χ̣ πάλιν, πάλιν δέ
Πγ17. 1288 ᵃ22. Ζμβ10. 656 ᵇ18. λέγωμεν (σκεπτέον,
ἐπανιτέον al) πάλιν Φδ8. 214 ᵇ13. Γα8. 324 ᵇ25. 10. 328
ᵃ18. μα3. 340 ᵃ24. τη1. 152 ᵃ31 (syn ἔτι). Πδ14. 1297
ᵇ35. Ζμβ10. 655 ᵇ28. δ5. 682 ᵃ31. 10. 685 ᵇ29 al. fre-
quens eiusmodi est usus in Rhet ad Alex, cf ρ3. 1425 ᵃ9,
ᵇ34. 19. 1433 ᵃ32, 34. 22. 1434 ᵃ27. 23. 1434 ᵃ34. 25.
1435 ᵃ31. 29. 1436 ᵃ30. 36. 1440 ᵇ5. 37. 1441 ᵇ31.

π α λ ί ν ο ρ σ ο ν (Emp 365) αν7. 474 ᵃ4.

π α λ ί ν σ κ ι ο ς . ὒ γίνονται παλίνσκιοι αἱ ἐλάιαι Ζιε30. 556 ᵃ24
(ν l πολύσκιοι).

π α λ ί ρ ρ ο ι α τῆς ὑγρότητος, τοῦ θερμοῦ Ζμγ7. 670 ᵇ8. εν3. 461
ᵃ6. cf πν3. 482 ᵇ1. πκ5. 940 ᵇ25.

Π α λ λ ά δ ι ο ν , ἐν ᾧ δικάζουσιν ἀκουσίου φόνου χ̣ βουλεύσεως οἱ
ἐφέται f 417. 1547 ᵇ26.

π α λ λ α κ ί ς f 172. 1506 ᵇ21.

Π α λ λ η ν ε ῖ ς , δῆμος τῆς Ἀττικῆς f 355. 1538 ᵃ19.

Π α λ λ ή ν η . αἱ περὶ Παλλήνην χ̣ τὸν Ἄθω πόλεις f 560. 1570
ᵃ43.

π α λ μ α τ ί α ι σεισμοί τινες λέγονται x4. 396 ᵃ10.

π α λ μ ό ς , νόσος τις αν20. 479 ᵇ21.

π α μ β α σ ι λ ε ί α , def Πγ16. 1287 ᵃ8, dist Λακωνική, τυραννίς
Πγ15. 1285 ᵇ36. δ10. 1295 ᵃ18.

π α μ μ ε γ έ θ η ς . ζῷον παμμέγεθες, opp πάμμικρον ρο7. 1450
ᵇ39. παμμέγεθες, opp μικρόν Οα5. 271 ᵇ13. ὀδόντες, ῥίζαι
παμμεγέθεις Ζγβ. 745 ᵃ34. πκ8. 923 ᵇ12.

Π α μ μ έ ν η ς χ̣ Πύθων διεφέροντο ηεη10. 1243 ᵇ21.

π α μ μ ή κ η ς . ἐν χρόνοις παμμήκεσι μα14. 351 ᵇ10.

π ά μ μ ι κ ρ ο ν ζῷον, opp παμμέγεθες ρο7. 1450 ᵇ37. ἧπαρ
πάμμικρον ὥσπερ σημείου χάριν Ζμγ7. 669 ᵇ29. 4. 665 ᵇ1.

π α μ π α λ α ι ο ς . παλαιὰν χ̣ πολὺ πρὸ τῆς νῦν γενέσεως
ΜΑ3. 983 ᵇ28 Bz. λ8. 1074 ᵇ1.

π ά μ π α ν , dist μᾶλλον: ἡ μὲν ἀκατέργαστον, ἡ δὲ κατειρ-
γασμένον μᾶλλον, ἡ δὲ πάμπαν Ζμγ14. 674 ᵇ12. πάμπαν
saepe legitur adiectivis pronominibus adverbiis vel prae-
positum, πάμπαν νέοι, ἀσθενεῖς, ὀλίγη, μικρόν, λεπτή, εὐθεῖα
al Οβ3. 286 ᵃ6. μβ8. 367 ᵇ18. γ4. 375 ᵇ14. 6. 378 ᵃ11.
εν3. 461 ᵃ12. Ζιβ17. 507 ᵇ32. 17. 508 ᵇ10. γ1. 510 ᵃ4.
19. 521 ᵃ33. Ζγα23. 731 ᵃ33. γ2. 752 ᵃ12. 6. 756 ᵇ34.
Ηδ7. 1123 ᵇ33. θ15. 1162 ᵇ26 al. πάμπαν ἠρέμα Γα10.
328 ᵇ16. πάμπαν ἕτερον ηεη7. 1241 ᵃ3 (cum substantivo
ἐν τοῖς πάμπαν ἐμβρύοις αι2. 438 ᵃ18), vel postpositum
ἀσθενής, ὀλίγοι, μικρόν, μηδέν, δημοκρατικὴ πάμπαν al μγ3.
373 ᵃ30. 4. 373 ᵇ8. Οβ12. 292 ᵃ20. αν9. 474 ᵇ26. Ζιβ1.
498 ᵇ20. 8. 502 ᵃ33. β17. 509 ᵃ23. γ1. 509 ᵇ27, 510 ᵇ30.
3. 513 ᵇ11. Ζγγ1. 751 ᵃ9. 4. 755 ᵃ26. Πγ13. 1283 ᵇ10.

δ9. 1294 ^b4. ε4. 1304 ^b2. 6. 1306 ^a17. ζ7. 1321 ^a14 al. τὸ αὐτὸ πάμπαν Φγ6. 206 ^a13. μχ847 ^a25. μικρὸν γὰρ πάμπαν Ζιβ15. 506 ^a19, κέρκον μικρὰν ἔχυσι πάμπαν Ζιβ1. 499 ^a12. Ζμδ13. 697 ^b6. κενόν τι πάμπαν f 82. 1490 ^a11. verbis vel finitis vel participiis πάμπαν coniungitur, πάμπαν διαβλέπειν, ὀλιγωρεῖν, κινεῖσθαι, ἀπολελοιπός al εν3. 462 ^a13. Ηδ7. 1124 ^a10. πιςθ. 913 ^a39. μβ8. 367 ^b22. Ζιγ20. 521 ^b16. Ζμδ5. 681 ^a11. Ζγβ6. 745 ^a30. f 40. 1481 ^b12. ἀφανίζεσθαι, διεστραμμένον, ἐκλελυμένον πάμπαν εν3. 461 ^a20, 16. πγ16. 873 ^a33. ἐξικμασμένον πάμπαν Ζμγ14. 675 ^b20.

παμπληθής. εἰ πάντα τὰ τῶν ἰχθύων ᾠὰ ἐσώζετο, παμπληθὲς ἂν τὸ γένος ἦν ἑκάστων Ζιζ13. 567 ^b2. ἀναζέσαι πῦρ πάμπληθες θ9. 833 ^a20. πάμπληθες συναχθῆναι ἀργύριον θ87. 837 ^a27. — τὸ κυρίως ὂν παμπληθὲς ὂν Γα8. 325 ^a29, sed scribendum videtur e codd EFL παμπλῆρες.

παμπλήρης. τὸ κυρίως ὂν παμπλῆρες (codd EFL, παμπληθὲς Bk) ὂν Γα8. 325 ^a29, cf παμπληθής.

πάμπολυς. πάμπολυ διαφέρειν Ηβ1. 1103 ^b25. μέρη πάμπολλα ψγ10. 433 ^b2. — παμπλείων (πάμπλεως?) ὁ ὄγκος γίγνεται τῆς φωνῆς αx804 ^a15.

παμφαής. ὁ παμφαὴς ἥλιος x6. 399 ^a21.

παμφάγος, def, opp σιχχός ηεγ7. 1234 ^a6. — ζῷα παμφάγα, dist σαρκοφάγα, καρποφάγα Ζια1. 488 ^a15. θ2. 590 ^b10. 3. 593 ^b14, 25. 4. 594 ^a5. 5. 594 ^b5. 11. 596 ^b10, 12. Ηη7. 1149 ^b34. Ρα8. 1256 ^a25. πι45. 895 ^b31. τὰ παμφαγώτερα ποικιλώτερα Ζγε6. 786 ^a34.

Παμφίλη. πρώτη λέγεται ὑφῆναι ἐν Κῷ Παμφίλη Πλάτεω θυγάτηρ Ζιε19. 551 ^b16.

Παμφίλυ τέχνη Ρβ23. 1400 ^a4.

πάμφορος ᾖ εὐδαίμων νῆσος θ100. 838 ^b22.

Παμφυλίας πυρὰ καιόμενα θ35. 833 ^a6. κατὰ Μάγυδον (Μύγαλον codd Bk) τῆς Παμφυλίας σ973 ^a6. f 238. 1521 ^a38. — Παμφύλιον πέλαγος x3. 393 ^a30.

Πὰν μεγάλας θεᾶ κύων (Pind fr 73) Ρβ2. 1401 ^a16.

Παναθήναια. ἐκ τῶν Παναθηναίων Ζγα18. 724 ^b2. τὰ Παναθήναια ἐπὶ 'Αστέρι τῷ γίγαντι ἀναιρεθέντι f 594. 1574 ^b27. τίνες αὐτὰ διοικῦσιν f 404. 1545 ^b34. τοῖς νικήσασι τὰ Παναθήναια ἐλαίῳ τῷ ἐκ τῶν μορίων γινομένῳ δίδοσθαι f 345. 1536 ^a19. τὰ μικρὰ Παναθήναια f 594. 1574 ^b21.

παναίσχης τὴν ἰδέαν Ηα9. 1099 ^b4.

Παναίτιος τύραννος ἐν Λεοντίνοις Πε10. 1310 ^b29. 12. 1316 ^a37.

πανάριστος (Hes ε293) Ηα2. 1095 ^b10.

Πάνδαρος φιλοχρήματος· ἐτέτρωτο ὑπὸ Πανδάρυ Μενέλαος f 146. 1503 ^a10. 151. 1503 ^b30.

πανδεχής. καθάπερ ἐν τῷ Τιμαίῳ (Plat Tim 51 A) γέγραπται, τὸ πανδεχές Ογ8. 306 ^b19. Γβ1. 329 ^a14.

πανδημία. Θησεὺς πανδημίαν τινὰ καθιστὰς f 346. 1536 ^a28.

πάνδημος. πανδήμυ χάριτος δημιυργός (apud Alcid) Ργ3. 1406 ^a26.

Πανδιονίς, τετραλογία Φιλοκλέυς f 576. 1572 ^b35, cf Nck fr tr p 589.

Πανδίων πέμπτος βασιλεὺς ἀπὸ 'Εριχθονίυ f 594. 1575 ^a1.

πάνθειον. τὸ τῶν πλανήτων ᾖ ἀπλανῶν πάνθειον f 17. 1477 ^a14. Bernays Dial p 166. — Πάνθειον θ51. 834 ^a12.

Πανδοσία τῆς 'Ιαπυγίας θ97. 838 ^a33.

πανηγυρικός. 'Ισοκράτης ἐν τῷ πανηγυρικῷ Ργ7. 1408 ^b15. 17. 1418 ^a31, cf 'Ισοκράτης p 346 ^b59, 347 ^a15.

πανήγυρις 'Ισθμίων (Alcidam) Ργ3. 1406 ^a22. τῆς Ἥρας θ96. 838 ^a17. — οἱ τὰς πανηγύρεις συνάγοντες

(Isocr 4, 1) Ργ9. 1409 ^b34. πανηγύρεις ἐνιαύσιοι x6. 400 ^b21.

πανθήρ (v l πάνθηρ Lob Par 211). τίκτει τυφλὰ ὥσπερ λύκος, τίκτει δὲ τὰ πλεῖστα τέτταρα Ζιζ35. 580 ^a25. (lupus canarius Gazae. panthera Scalig cf Salmas exercit Plin 1, 49^b. Felis panthera St Cr. adive C II 60. Felis pardus K 801, 6. Felis uncia Wiegmann, Oken Isis 1831, 282 et 287. i q πάρδαλις Su 45, 14. cf ΑΖι II 494.)

παννύχιοι (Hom Κ 1. Β 1. cf Ὅμηρος p 506 ^a61) πο25. 1461 ^a17.

πανεργία, def, dist δεινότης. φρόνησις Ηζ13. 1144 ^a27. opp εὐήθεια ηεβ3. 1221 ^a12. ἀκολυθεῖ τῇ ἀδικίᾳ πανεργία αρ7. 1251 ^b3. — ᾗ θυμοὶ ᾖ πανεργίαι εἰσὶν ἐν τοῖς ζῴοις Ζιθ1. 588 ^a23. ἡ τῇ ἤθυς πανεργία τῶν περδίκων Ζιι8. 614 ^a30.

πανῦργος, def, dist δεινός, φρόνιμος Ηζ13. 1144 ^a28. def ηεβ3. 1221 ^a37. — οἱ εἴρωνες ᾖ πανῦργοι, opp οἱ παρρησιαστικοί Ρβ5. 1382 ^b21. — τῶν ζῴων τὰ μὲν πανῦργα ᾖ κακῦργα, οἷον ἀλώπηξ Ζια1. 488 ^b20. cf 15. 494 ^a17. κακόηθες ἡ πέρδιξ ἐστὶ ᾖ πανῦργον Ζιι8. 613 ^b23. f 270. 1527 ^a8.

πανσέληνος. εἰσὶ περίοδοι σελήνης πανσέληνοί τε ᾖ φθίσεις Ζγδ10. 777 ^b21. κύκλος πανσέληνος πιε7. 912 ^a5. τὰς νύκτας τὰς πανσελήνυς Ζιι38. 622 ^b21. ἐν τῇ πανσελήνῳ μγ2. 372 ^a27. ἐν ταῖς πανσελήνοις Ζιε23. 555 ^a10. ᾖ12. 588 ^a10. ταῖς (i q ἐν ταῖς) πανσελήνοις Ζιε12. 544 ^a20. θ15. 599 ^b16. — duobus locis πασσέληνος Bk exhibuit Αδ8. 93 ^a37. Ζμδ 5. 680 ^a32, cf πασσέληνος.

πανσπερμία vocabulum esse videtur Democriteum Trdlbg de an p 214. ἄπειρα ποιεῖ τὰ στοιχεῖα ἐκ τῆς πανσπερμίας τῶν σχημάτων Δημόκριτος Φγ4. 203 ^a21. cf Ογ4. 303 ^a16. ψα2. 404 ^a4 Trdlbg. in explicanda Anaxagorae doctrina πανσπερμία usurpatum legitur Γα1. 314 ^a29, cf 'Αναξαγόρας p 49 ^b6. — πανσπερμία χυμῶν· πανσπερμίας εἶναι τὸ ὕδωρ ὕλην ἀδύνατον αι4. 441 ^b6, 18. εἰσί τινες οἵ φασι τὴν γονὴν μίαν ὗσαν οἷον πανσπερμίαν εἶναί τινα πολλῶν Ζγδ3. 769 ^a29, ^b2. cf Plat Tim 73 C.

Παντακλῆς ποιητής f 581. 1573 ^a38. Meineke fr com I p 6.

παντάπασιν. ἢ ὐδὲν παντάπασιν ἔσται Γα2. 316 ^a27. τῦτο παντάπασιν ἔοικεν εἰρῆσθαι προχείρως μβ9. 369 ^b24. ἔτι ἀπὸ μιᾶς συνυσίας ᾖ τῶν ζῴων ἔνια γεννᾷ πολλά, τὰ δὲ φυτὰ ᾖ παντάπασιν Ζγα18. 723 ^b10.

πανταχόθεν φέρεσθαι ἐπὶ τὸ μέσον Οβ14. 297 ^a21, 26, ^b12. cf 2. 284 ^b35. τῶν αὐγῶν πανταχόθεν ἐκλειπυσῶν χ3. 794 ^a6. πανταχόθεν ἀντίπυς ἔσται Οδ1. 308 ^a20. πανταχόθεν πλεονεκτικὸς ηεβ3. 1221 ^a23, cf Ηγ15. 1119 ^b8. αρ3. 1250 ^a27. 7. 1251 ^b6.

πανταχῦ Πδ4. 1290 ^a32. 12. 1297 ^a5. 15. 1299 ^b15, 17. ε7. 1307 ^b23. μα6. 343 ^a30. 10. 347 ^a36. Ζμδ2. 677 ^b7. 5. 680 ^a36 al. τὸ πανταχῦ ᾖ πᾶσιν ὑπάρχον Οβ8. 289 ^b26. πανταχῦ τὴν αὐτὴν δύναμιν ἔχειν Ηε10. 1134 ^b19, 25.

παντελὴς νηνεμία ψα2. 404 ^a20, ἔκλειψις τῦ θερμῦ Αδ12. 95 ^a18. παντελὴς αρετή Ηδ7. 1124 ^a8. 8. 1124 ^a29, φιλία ημβ11. 1209 ^a16. — παντελῶς, syn ἁπλῶς Γβ7. 334 ^b10, 9, sed dist ἁπλῶς: περὶ πάντων μὲν ἀδύνατον πιστεύομεν τοῖς ἐπιεικέσιν, ἐν οἷς δὲ τὸ ἀμφιδοξεῖν ἐστί, ἐ παντελῶς Ρα2. 1356 ^a8. cf ᾖ παντελῶς Μβ2. 997 ^b20. Ζιγ5. 515 ^a30. ὔτ' ὀρθῶς ὔτ' εὐλόγως εἰρῆσθαι παντελῶς ΜΑ5. 989 ^a26. π. ἄλογον, κενόν Οα2. 269 ^b7. γ8. 307 ^a29. αι2. 437 ^b15. — ἕτερον Γα7. 323 ^b24. π. νέοι, ἀνδραποδώδεις, π. ἀνδράποδον f 102. 1494 ^b15. Ηα3. 1095 ^b19. ηεα5. 1215 ^b34. π. ὀλίγα, βραχύ, πλήςιον, ἐλάχιστον Ζμχ5. 644 ^b27.

αχ803 ª11, 801 ª30. Πϑ 14. 1298 ª16. π. λευκόν μγ4. 375
ª21. π. ἄνευ πάϑης ημα20. 1191 ª21. παντελῶς postposi-
tum κατάδηλοι παντελῶς, μικρὰ παντελῶς al τα16. 108 ª5.
μα 13. 351 ª7. γ 5. 377 ª2. Ζιβ1. 500 ª22. 11. 503 ᵇ17.
Ζμγ12. 673 ᵇ30. ὁ 5. 681 ª17. f 141. 1502 ª27. πλ1. 953 5
ª22. παντελῶς ἀναιρεῖν, ἐξαιρεῖν Μκ5. 1062 ᵇ10. ρ23. 1434
ᵇ23. αὗται ὕδωρ ἀποκεκριμένον εἰσὶν ἤδη παντελῶς μγ4.
374 ª35. τῶν ζῴων τὰ μὲν ὐκ ἐπικυΐσκεται παντελῶς
Ζγϑ 5. 774 ª14.

παντευχία (Aeschyl fr 297, 3) Ζμ49 Β. 633 ª21.   10

πάντη. σῶμα τὸ πάντη διαιρετόν Οα1. 268 ª7. Ζιγ16. 519
ᵇ31. 17. 520 ª7. ὅμοιον πάντη, πάντη φέρεσθαι, προστίθε-
σθαι, μεταδιδόναι Οβ14. 297 ª23. Φδ8. 215 ª24. μβ 7.
365 ª28. Ζμδ 5. 680 ᵇ11. β17. 661 ª5. γ5. 668 ª16. Ζγ2.
752 ª1. 3. 754 ᵇ23. ἡ αὐτὴ πάντη Φδ13. 222 ª17. ἁπλῶς 15
πάντη Πε1. 1302 ª3. — τὸ πάντη πάντως ἀδιάφορον Γα7.
323 ᵇ19. τὸ πάντη πάντως μεταβάλλον Μγ5. 1010 ª9. εἰ
ἔστι μῖξις ὅλως πάντη πάντως αι3. 440 ᵇ3. πάντη πάντως
ἀκίνητον, χαλεπώτατον, τέλειον, ἐμμελῶς Κ5. 4 ª35. ψα1.
402 ª10. Ηα11. 1101 ª19, 1100 ᵇ20. πάντη ⅍ πάντως 20
ημα2. 1183 ᵇ39, 1184 ª1, 2.

παντοδαπός. κύνα παντοδαπόν (Pind fr 73) Ρβ24. 1401
ª17. νέμεσθαι παντοδαπὲς τόπες Ζιϑ19. 602 ª20. παντο-
δαπὰ σχήματα, μορφαί, φωναί, ψόφοι μβ8. 368 ª23, 24.
9. 369 ᵇ1. 3. 359 ᵇ11. διαφοραὶ παντοδαπαί Ζγγ5. 756 ª3. 25
παντοδαπαὶ χροαί, χρώματα αι3. 542 ᵇ5, 7. παντοδαπὰ
κατὰ τὴν χρόαν Ζγβ6. 745 ª23. — καρχίνων γένος παντο-
δαπώτερον Ζιϑ2. 525 ᵇ3. αἱ ποικίλαι τροφαὶ παντοδαπωτέρας
ποιῶσι τὰς κινήσεις Ζγε6. 786 ᵇ3. — παντοδαπῆ. συ-
στέλλειν ⅍ προβάλλειν παντοδαπῆ τοιαύτη ὖσα ⅍ γλῶττα 30
μάλιστ᾽ ἂν δύναιτο Ζμβ17. 660 ª24. — παντοδαπῶς
ἔχειν περί τι Ηα11. 1100 ª27. ἐσθλοὶ ἁπλῶς, παντοδαπῶς
κακοί (Eleg fr adesp 11) Ηβ5. 1106 ᵇ35.

πάντοθεν ἀκύειν, ὖ μόνον κατ᾽ εὐθυωρίαν Ζμβ10. 656 ᵇ29.
12. 657 ª17. πάντοθεν εὐκύκλου σφαίρας (Parm 103) ξ2. 35
976 ª8. 4. 978 ᵇ8. πάντοθεν φαίνεσθαι, dist πόρρωθεν, ἔγ-
γυθεν αι3. 440 ᵇ18. πάντοθεν ἐκχυλίζειν Ζιϑ11. 596 ᵇ11.
πάντοθεν λαμβάνειν Ηδ3. 1121 ᵇ32. πκγ2. 931 ᵇ5.

παντοῖος. παντοῖαι τύχαι Ηα10. 1100 ª5. παντοίας διαφορὰς
ἔχων Ηα11. 1101 ª24.   40

πάντοσε αὔξεσθαι ψβ2. 413 ª29.

παντοφόρος χώρα αὐταρκεστάτη Πη5. 1326 ᵇ28.

πάντως, opp τρόπον τινά Αγ33. 89 ª33. πρὸς τὸν πάντως
ἐνιστάμενον πάντως ἀντιτακτέον ἐστίν τε4. 134 ª4. οἱ ἔξιν
ἔξιν ἔχωσιν Κ8. 9 ª13. ⅍ γὰρ εἰ ἐπάταξε, πάντως ὕβρισεν, 45
ἀλλ᾽ εἰ ἕνεκά τε Ρα13. 1374 ª14, 15. cf Ογ1. 299 ᵇ3.
ὐδ᾽ οἱ ἐκ προγόνων ἀγαθῶν εὐγενεῖς πάντως f 85. 1491 ª15.
cf 13. 1476 ª18. — δύναμίς ἐστι τὸ ποιεῖν ⅍ πάντως, ἀλλ᾽
ἐχύντων πῶς Μϑ5. 1048 ª18. ἢ ⅍ ὁ πάντως ἔχων δάκτυλος 50
ζῴῳ Μζ10. 1035 ᵇ24, cf 11. 1036 ᵇ30. Φϑ1. 251 ᵇ2. μδ12.
390 ª8. cf Ζγα18. 722 ᵇ34. Ζμα3. 643 ª25. δεῖ μὲν γὰρ
εἶναί πως μίαν, ἀλλ᾽ ὐ πάντως Ππβ5. 1263 ᵇ32. ἢ πάντως
ἢ τινα εἴδη — ἐστὶ παρὰ τὰ καθ᾽ ἕκαστα, ταῦτά εἰσιν
ἰδέαι f 182. 1509 ª23. εἰ μὲν φιλοσοφητέον φιλοσοφητέον ⅍ 55
εἰ μὴ φιλοσοφητέον φιλοσοφητέον· πάντως ἄρα φιλοσοφη-
τέον f 50. 1484 ª9. — ὡς ὐκ ἄξιον ὂν πάντως ζῆν Ηδ8.
1124 ᵇ9. ἐὰν πάντως βυλώμεθα ρ30. 1436 ᵇ20. ἔσται ὧδε
πάντως αὔξειν ρ4. 1426 ª32. — πάντη πάντως, πάντη ⅍
πάντως ν s πάντη.   60

πάνυ, praepositum adiectivis, πάνυ πολλὴν ἐπίδοσιν, πάνυ
V.

πίονες al Κ10. 13 ª26. Ζμγ9. 672 ª29. Ζιβ15. 506 ᵇ13.
17. 508 ᵇ24. ὁ 8. 533 ᵇ29. ε8. 542 ª5. 22. 554 ᵇ11. ζ14.
568 ª30. 31. 579 ᵇ8. ϑ29. 607 ª31. ι40. 625 ª5. ×3. 635
ᵇ13 al (saepius ab Ar adv πάμναν, λίαν, σφόδρα usurpari
videntur). ἡ ὑπ᾽ ὐδενὸς ἢ πάνυ ὑπ᾽ (ὑπ᾽ cum aliquot codd
om Aub) ὀλίγων Ζιϑ17. 600 ᵇ6. πάνυ postpositum adiectivis
(in libris pseudepigraphis) μικρόν τε πάνυ ⅍ στενόν Ζικ5.
637 ª31. δῆλον πάνυ γίνεται φ1. 805 ª3. cf λίαν p 430
ᵇ10. — ὐ πάνυ. ἐλλείποντες ὐ πάνυ γίνονται sim Ηβ7.
1107 ᵇ7. γ 14. 1119 ª6, 11. ὐ πάνυ ἐπαινεῖσθαι, συνδυ-
άζεσθαι Ηδ1. 1120 ª21. 3. 1121 ª16. ὐ πάνυ λέγεσθαι,
veluti ἡ διάθεσις ὐ πάνυ ἴση ⅍ ἄνισος λέγεται sim Κ6. 6
ª32, 31, 34, 5 ª32. 8. 10 ᵇ33. δοξάζομεν ὐ ὐ πάνυ ἴσμεν
Ηγ4. 1112 ª8.

πανυπέρτατος μεγέθει ὁ κόσμος ×5. 397 ª15.

πάππος. ἄρρεν τῷ πάππῳ ἐοικὼς ἢ τῶν ἄλλων τινὶ τῶν ἄνω-
θεν προγόνων Ζγδ3. 768 ª33, 18. ἐπὶ πάππης δύο ἢ τρεῖς ἢ
πλείως (ζητεῖν τὸν πολίτην) Ππγ2. 1275 ᵇ24. ὁ πάππος σπυ-
δαῖα τετυχηκὼς f 85. 1490 ᵇ36.

πάπτηνεν (Hom Π283) f 129. 1500 ª27.

παρά. cf Eucken II 58-62. — 1. c gen. λαμβάνειν, πυνθάνε-
σθαι παρά τινος sim Ζμβ3. 650 ª28. 16. 660 ª8. Ζγβ6.
745 ª4 al. τὰ λεγόμενα παρὰ τῶν ἄλλων μβ14. 370 ª22.
— τὰς ἁμαρτίας ἔχυσα τὰς παρ᾽ ἀμφοτέρων τῶν πολιτειῶν
Πε10. 1310 ᵇ7. ὁμολογύμενα τοῖς παρ᾽ ἡμῶν λόγοις Γβ10.
336 ᵇ18. τὸ περίττωμα τὸ τῦ θήλεος ⅍ τὸ παρὰ τῦ ἄρρε-
νος Ζγδ4. 772 ª18.

2. c dat. τὰ παρ᾽ ἡμῖν μα3. 339 ᵇ27. Ζμα5. 644 ᵇ33.
παρὰ τοῖς βαρβάροις Ζμγ10. 673 ª25. παρ᾽ αὐτοῖς, syn
οἴκοι, opp παρ᾽ ἄλλοις, opp παρ᾽ ὄχλῳ μυσικωτέρως λέγειν (Eur Hippol 989) Ρβ22.
1395 ᵇ29. ὧν πολὺ οἴονται παρ᾽ αὐτοῖς ἢ παρὰ τοῖς ἄλλοις
(ex ipsorum vel aliorum iudicio) λείπεσθαι Ρβ10. 1388
ª11.

3. c. acc. a. vi locali. τῶν ζῴων ὅσα παρ᾽ ἕλη ζῇ
Ζμγ1. 662 ᵇ10. τὰ παρὰ πόδας τϑ14. 164 ᵇ19. παρὰ τὴν
κοιλίαν ἀποφυάδας ἔχυσιν Ζμγ14. 675 ª11. ἵνα μηδὲν πα-
ραρρυῇ παρὰ τὴν ἀρτηρίαν Ζμγ3. 664 ᵇ29 (syn εἰς τὴν
ἀρτηρίαν ᵇ35). δέχεσθαι διάλαττα παρὰ τὸ στόμα Ζιδ2.
526 ᵇ18. ὁ κάνθος ὁ παρὰ τὰς μυκτῆρας Ζμβ13. 657 ᵇ18.
ἄλλα παρ᾽ ἄλλα τιθέμενα τῶν χρωμάτων μγ4. 375 ª24,
16, 8. παρ᾽ ἄλληλα τίθεσθαι, φαίνεσθαι Οβ6. 289 ª8. τἀ-
ναντία γνωρίμωτατα ⅍ παρ᾽ ἄλληλα μᾶλλον γνώριμα Ργ9.
1410 ª21, cf ἀλλήλων ρ3 ª4 ª11. — νέφη φερόμενα παρ᾽
αὐτὴν τὴν γῆν μα3. 348 ª24. φλὲψ τείνεσα παρ᾽ αὐτὴν
τὴν ῥάχιν Ζια17. 497 ª15. cf Ζμδ2. 676 ᵇ20. γ3. 664 ª34.
οἱ μέγιστοι πόροι παρ᾽ ἀλλήλας εἰσὶ ⅍ ὐ συμπίπτωσιν Ζια16.
495 ª14. inde geometrice παρὰ de lineis parallelis, παρ᾽
ἄλληλα Οβ14. 296 ᵇ19, 297 ᵇ19. παρ᾽ τὴν πλευρὰν sim
τϑ3. 158 ᵇ31. Μϑ9. 1051 ª26 Bz. μχ23. 854 ᵇ24, 28.
πι54. 897 ª8. ις6. 914 ª26, 36. — b. παρὰ c acc porrigi
ac pertinere aliquid significat per tempus aliquod vel
spatium. ἡ εὐδαιμονία παρὰ πάντα τὸν βίον παρατείνει ⅍
ἐν παντὶ καιρῷ ημβ11. 1208 ᵇ5. πάσχειν ταῦτα ταχέως
⅍ παρὰ βραχὺν καιρόν αρ6. 1251 ª10. δεῖ τὸ αἷμα διὰ
παντὸς ⅍ παρὰ πᾶν εἶναι Ζμγ5. 668 ª12, cf ª17. ὐκ ἐγγι-
νομένη παρ᾽ ἕκαστον πάθος τῦ πυρός μβ14. 370 ª24. ὁ
χαλκὸς παρὰ μέρος ἔχει τὸ ὑγρόν, syn ἐναλλὰξ
δὲ Ζμδ9. 387 ᵇ28. χρήσιμον παρὰ πάντα τὰ εἴδη, μάλιστα
δ᾽ ἐν τῷ ἐγκωμίῳ ρ7. 1428 ª3. χρὴ παρὰ μέρος ἕκαστον
τῦ λόγυ παλιλλογεῖν ρ23. 1434 ᵇ6. παρ᾽ ἕκαστον Φϑ6.

Bbbb

259 ᵃ4. — inde deflectit usus distributivus, παρ' ἡμέραν αἱ ἅμιαι πολὺ ἐπιδήλως αὐξάνονται Ζιζ17. 571 ᵃ21. παρὰ μῆνα τρίτον ταῖς πλείσταις γυναιξὶ τὰ καταμήνια φοιτᾷ Ζιη2. 582 ᵇ4. οἱ μὲν ἄρχυσιν οἱ δ' ἄρχονται παρὰ μέρος (i q ἀνὰ μέρος) Πβ2. 1261 ᵇ4, cf μέρος p 455 ᵇ20. παρ' ἄλληλα (i e alternis vicibus, vicissim) ζ 5. 470 ᵃ10. αν 5. 472 ᵇ22. — c. παρά i q secundum. ζητητέον χ παρὰ τὺς ὕτω λέγοντας πότερον ἄπειρος ὁ ἀριθμὸς ἢ πεπερασμένος Μμ9. 1085 ᵇ23. — inde fort repetenda est vis causalis, qua saepissime ab Ar παρά ita usurpatur, ut fere idem sit ac διά c acc Ηα1. 1095 ᵃ7. coni syn διά Πβ8. 1269 ᵃ21. syn διά Ηγ9. 1115 ᵇ9. Ρβ5. 1383 ᵃ31. cf Αα33. 47 ᵇ17. 34. 48 ᵃ1. β11. 62 ᵃ4. 17. 65 ᵃ38. τθ3. 158 ᵇ14. 10. 160 ᵇ30. ι4. Φζ9. 239 ᵇ22, 31, 240 ᵃ18. η4. 249 ᵃ22. ψβ9. 421 ᵃ23, ᵇ7. αι7. 448 ᵃ23. Ζια1. 486 ᵇ5. Ζμα3. 643 ᵇ35. δ5. 679 ᵃ15. Ρβ10. 1388 ᵃ19. 24. 1401 ᵃ1. γ2. 1404 ᵇ38. πο19. 1456 ᵇ6, 13. ημβ12. 1211 ᵇ34. ηεγ1. 1228 ᵃ36. ρ19. 1432 ᵇ21. 31. 1438 ᵇ3. 37. 1443 ᵇ41. ακ800 ᵃ28, 801 ᵇ2. πκε18. 939 ᵇ21 al. cf Bernays Dial p 138. Wz ad τθ3. 158 ᵇ14, quamquam eius sententia non videtur probanda esse. — d. παρά comparative. νήφων ἐφάνη παρ' εἰκῆ λέγοντας τὺς πρότερον ΜΑ3. 984 ᵇ17. πάντα τὰ ζῷα νανώδη τἆλλα παρὰ τὸν ἄνθρωπον Ζμδ10. 686 ᵇ3. αἱ κάμηλοι ἴδιον ἔχυσι παρὰ τἆλλα τετράποδα τὸν καλύμενον ὗβον Ζιβ1. 499 ᵃ13. θεσπέσιος ἂν φανείη Ὅμηρος παρὰ τὺς ἄλλυς πο23. 1459 ᵃ31. (παρά coni c comparativo μικρότερα παρὰ τὰ τῦ θήλεος φτα6. 821 ᵃ18. cf 4. 819 ᵇ38.) — cum hoc usu fort cohaeret formula παρὰ μικρόν Πε3. 1303 ᵃ20. τὸ παρὰ μικρὸν ὥσπερ ὐδὲν ἀπέχειν δοκεῖ θβ5. 197 ᵃ29, 27. ἡ ἀπάτη ἐν τῷ παρὰ μικρὸν τι7. 30 169 ᵇ11. Αα33. 47 ᵇ38 Wz. — e. παρά praeter, extra, contra. ὐδεμία λείπεται παρὰ τὴν φυσικὴν φιλοσοφία Ζμα1. 641 ᵃ35. ὐδὲν φαίνεται παρὰ τὰς φλέβας Ζμγ5. 668 ᵃ23. cf δ7. 683 ᵇ24. πολιτεῖαι ἕτεραι παρὰ τὰς λεγομένας Πδ13. 1297 ᵇ30. γ15. 1286 ᵇ21. παρὰ ταῦτα, παρὰ πάντα ταῦτα Πδ16. 1300 ᵇ23, 32. 29. 1309 ᵇ18. Ηα1. 1094 ᵃ17. 6. 1097 ᵇ32. — ἕτερόν τι παρὰ τὴν χρῆσιν Πα4. 1254 ᵃ3. παρὰ τὰς πράξεις ἄλλο τι Ηα1. 1094 ᵃ17. τὴν ἀρχὴν δεῖ εἶναι τοιαύτην ἀπ' ἀρχῆ ᾗ δύνασθαι εἶναι χωριζομένην αὐτῶν Μβ3. 999 ᵃ18. παρὰ τὰ πολλά (Plat), dist κατὰ πολλῶν, ἐπὶ πλείόνων Αγ11. 77 ᵃ5-9. cf 182. 1509 ᵃ22, 25. 183. 1509 ᵇ17. ὐσία παρὰ τὰς αἰσθητάς, τὸ ὅλον παρὰ τὰ μόρια ΜΑ6. 987 ᵇ8 Bz. β3. 999 ᵃ7. η6. 1045 ᵃ10. μ1. 1076 ᵃ11. Φθ6. 259 ᵃ4. — παρὰ φύσιν, opp κατὰ φύσιν Φθ8. 215 ᵃ4. ε6. 230 ᵃ20. Οα2. 269 ᵃ9. 7.276 ᵃ11 al. ὐκ ἐνδέχεται παρὰ τὸ ἀναγκαῖον ἄλλως ἔχειν Γβ9. 335 ᵇ1. παρὰ λόγον, opp κατὰ λόγον ρ9. 1429 ᵃ29. μαι4. 352 ᵇ33. λίαν ἐστὶ παρὰ τὴν αἴσθησιν Ζγβ8. 747 ᵇ10. παρὰ τὴν μέθοδον Φθ3. 253 ᵇ7. παρὰ τὸ ἀνάλογον, παρὰ τὴν συμμετρίαν Πε3. 1302 ᵇ34. 8. 1308 ᵇ12. Ηε7. 1131 ᵇ11. παρὰ τὴν προαίρεσιν, opp κατὰ τὴν προαίρεσιν Ηη9. 1151 ᵃ7. ε11. 1136 ᵇ4. Ζμγ10. 673 ᵃ6.

παρα adverb i q πάρεστιν in versu Homerico Β 393 (cf Ὅμηρος p 507 ᵃ45) Πγ14. 1285 ᵃ14.

παραβαίνειν τὺς νόμυς, τὰ ἔθη Πδ1. 1289 ᵃ20. ρ3. 1423 ᵃ34. αρ7. 1251 ᵃ37, ᵇ1. παραβὰς μακάρων θέμιν ἀγνὴν f 624. 1583 ᵃ26. — παραβῆναι τῆς ἀληθείας Οα5. 271 ᵇ8. — absol ὁ παραβαίνων (int τὸν νόμον), syn παρεκβεβηκέναι τῆς ἀρετῆς Πη3. 1325 ᵇ5.

παραβάλλειν, iuxta ponere. παρὰ πᾶσαν τὴν τῶν θεμελίων ὑπογραφὴν λίθοι παραβέβληνται Ζμγ5. 668 ᵃ17. παρα-

βάλλειν τὐναντίον, παράλληλα τι15. 174 ᵃ40. θι4. 163 ᵇ4. Ργ19. 1419 ᵇ35. — comparare Ργ12. 1413 ᵇ14. ηεν1. 1235 ᵃ38. ημα11. 1187 ᵇ14. παραβάλλειν πρός τι Ρα9. 1368 ᵃ25. ρ4. 1426 ᵃ25. — intr accedere Πη12. 1331 ᵃ34. εἰς τόπον τινά θ81. 836 ᵃ29. 106. 840 ᵃ11 (παραβαλεῖν ci Bsm, παραλαβεῖν Bk). περὶ Ῥόδον παραβάλοντος ναυτικῷ στόλῳ Ζγγ11. 763 ᵃ31. ὅταν ὄρτυγες ἐκεῖθεν παραβάλλωσιν Ζιθ12. 597 ᵇ15. παραβάλλειν εἰς ἡδονὰς χ μετέχειν αὐτῶν Ηη4. 1153 ᵇ34. ὅτε παραβάλλει ἡ θερμότης πρὸς τὴν ψυχρότητα φτβ9. 829 ᵃ30. — γραμμὴ παραβαλλομένη (?) ατ970 ᵃ5.

παράβασις. λανθάνει ἐπεισδῦσα ἡ παράβασις Πε8. 1307 ᵇ33 (cf λανθάνει ἡ μετάβασις ᵇ34).

παραβλαστάνειν. ἀρχὴ ἀφ' ἧς παραβλαστάνει τῶν παραφυομένων ἕκαστον Ζγγ11. 762 ᵃ4, 8, 761 ᵇ29(cf S II 362). cf πκ13. 924 ᵃ30, 33.

παραβλέπειν. ἀτενίζυσιν ἀμυδρὸν ἐγίγνετο τὸ φέγγος, παραβλέπυσι δ' ἠρέμα τὴν ὄψιν πλεῖον μα6. 343 ᵇ13. — ἂν μόνον τις παραβλέψῃ πκθ14. 952 ᵃ26.

παραβολή. ἐν παραβολῇ (i e si iuxta ponatur) τα10. 104 ᵃ28. ἐκ παραβολῆς, syn ἐξ ἀντιπαραβολῆς Ργ19.1420 ᵃ4, 1419 ᵇ34, 35. ὡς ἐν παραβολῇ προτείνειν, opp δι' αὐτὸ τθ1. 156 ᵇ25. — εἰς σαφήνειαν παραδείγματα χ παραβολὰς οἰστέον τθ1. 157 ᵃ14. παραβολὴ τὰ Σωκρατικὰ Ρβ20. 1393 ᵇ3, ᵃ29. λέγειν παραβολήν τινα ημα9. 1187 ᵃ23. ποιεῖσθαι τὴν παραβολὴν ἔκ τινος Πβ5. 1264 ᵇ4. ἡ παραβολὴ ἢ ἐπὶ τῦ ζῴῳ Μζ11. 1036 ᵇ24. παραβολὴ ἀληθὴς ηεη12. 1245 ᵇ13, 1244 ᵇ23. παρὰ τῶν ἐπακτικῶν ληπτέον τὰς παραβολὰς τθ14. 164 ᵃ15. ὅταν τὸ καθόλυ μὴ ὀνόματι ληφθῇ ἀλλὰ παραβολῇ τι17. 176 ᵃ33 (cf τῇ ὁμοιότητι χρηστέον τι15. 174 ᵃ38). — παραβολαὶ πολλῶν δικῶν (?) οβ1348 ᵇ13.

παράβολον Ἀριστοτέλης λέγει τὸ παρακαταβαλλόμενον ἐπὶ τῶν ἐφέσεων f 416. 1547 ᵇ23.

παράβολος (παράλογος?) ἡ ἀπόδειξις ηεα8. 1218 ᵃ24.

παράβυστος. ἐν παραβύστῳ προστιθέντες ἃ καθ' αὑτὰ προτεινόμενα ὐκ ἂν τεθείη τθ1. 157 ᵃ4.

παραγγελία. ὐθ' ὑπὸ τέχνην ὐθ' ὑπὸ παραγγελίαν πίπτειν Ηβ2. 1104 ᵃ7.

παραγγέλλειν. τὰ παρεγγελλόμενα ὑπὸ τῶν ἀρχόντων Πδ14. 1298 ᵃ18. οἱ ἁλιεῖς παραγγέλλυσι τοῖς ναύταις σιγῇ πλεῖν Ζιδ8. 533 ᵇ20. οἱ ἰατροὶ παραγγέλλυσι πς3. 885 ᵇ27. τὰ ἄλλα πάντα δεῖ ἔχειν τὰ παρηγγελμένα τὸν ὁρισμὸν τη2. 153 ᵃ5.

παράγγελμα μνημονικὸν εν1. 458 ᵇ21. παραγγέλματα πολιτικά, δικανικά ρ1. 1421 ᵇ4.

παράγειν. εἰς ὅπερ (i e πρὸς τὴν ἐν τῇ σχολῇ διαγωγὴν) παράγυσι τὴν μυσικὴν Πθ3. 1338 ᵃ22. — οὕς οἱ κωμῳδοδιδάσκαλοι παράγυσιν ἀγροίκυς ηεγ2. 1230 ᵇ19. — ὐ λέγεται ξύλον, ἀλλὰ παράγεται ξύλινον Μζ7. 1033 ᵃ17 (syn παρωνυμιάζειν Φη3. 245 ᵇ11).

παράγειος. ζῷα παράγεια, dist πελάγια Ζιθ19. 602 ᵃ16.

παραγίνεσθαι. ἀγελάζονται αἱ φάτται ὅταν τε παραγίνωνται χ πάλιν ὅταν ὥρα ᾖ πρὸς τὴν ἀνακομιδὴν Ζιθ12. 597 ᵇ8. παραγίνεται τὸ φῶς πρὸς τὰς ὄψεις χ3. 793 ᵇ28. παραγίνεταί τι ἡμῖν διὰ μάθησιν, φύσει Ηα10. 1099 ᵇ16. β1. 1103 ᵃ26. cf ημβ9. 1207 ᵇ36. αἱ μαθηματικαὶ τῶν ἐπιστημῶν διὰ τύτυ τῦ τρόπυ παραγίνονται Αγ1. 71 ᵃ4. διαθέσεις τινὲς χωρὶς φρονήσεως παραγενόμεναι f 89. 1492 ᵃ16.

παραγραφή. δεῖ δῆλον εἶναι τὴν τελευτὴν (enunciati), μὴ διὰ τὸν γραφέα, μηδὲ διὰ τὴν παραγραφήν, ἀλλὰ διὰ τὸν ῥυθμόν Ργ8. 1409 ᵃ20.

παράδειγμα. τὸ εἶδος (i e causa formalis) χ̣ τὸ παρά-
δειγμα Φβ3. 194 ᵇ26. Μδ2. 1013 ᵃ27. ita ideae Plato-
nicae dicuntur παραδείγματα, opp εἰκόνες ΜΑ9. 991 ᵃ21,
27, 29, 31. μ5. 1079 ᵇ25, 35. f 184. 1510 ᵃ20. 182. 1509
ᵃ10. (δεῖ) τὸν ποιητὴν μιμούμενον τοιούτους ὄντας ἐπιεικεῖς ποιεῖν, 5
παράδειγμα σκληρότητος (Vhl c codd, aliter Bk) πο15.
1454 ᵇ13. τὸ παράδειγμα δεῖ ὑπερέχειν πο25. 1461 ᵇ13 (cf
ὁμοίως ποιοῦντες καλλίους γραφεῖσιν ᵇ10). ὁμοιώματα τῶν
πολιτειῶν χ̣ οἷον παραδείγματα λάβοι τις ἂν ἐν ταῖς οἰκίαις
Ηθ12. 1160 ᵇ23. — ταῦτα δεῖ θεωρεῖν ἐκ τῶν παραδειγ- 10
μάτων τῶν ἐν ταῖς ἀνατομαῖς χ̣ ταῖς ἱστορίαις γεγραμ-
μένων Ζγβ7. 746 ᵃ14. ὑπὲρ τῶν ἀφανῶν τοῖς φανεροῖς δεῖ
παραδείγμασι χρῆσθαι ημα1. 1183 ᵃ26. cf φτα4. 819 ᵇ15.
εἰς σαφήνειαν παραδείγματα χ̣ παραβολὰς οἰστέον, παρα-
δείγματα δὲ οἰκεῖα οἷα Ὅμηρος τθ1. 157 ᵃ14. ψεῦδός τὸ 15
παράδειγμα τὸ περὶ τῶν τεχνῶν, τὸ τῶν τεχνῶν παρά-
δειγμα Πβ8. 1269 ᵃ19. γ16. 1287 ᵃ33. τὸ ἐπὶ τῇ γάλακτος
παράδειγμα λεχθὲν οὐχ ὅμοιόν ἐστιν Ζγδ4. 772 ᵃ22. παρα-
δείγματος χάριν εἴπωμεν, λάβωμεν Ρα9. 1366 ᵃ32. 5. 1360
ᵇ7. in afferendis exemplis παράδειγμα ἢ τῇ Ἕκτορος δίωξις 20
sim πο25. 1460 ᵇ26. — παραδείγματα, vocabulum artis lo-
gicae ac rhetoricae, def παράδειγμά ἐστιν ὅταν τῷ μέσῳ
τὸ ἄκρον ὑπάρχον δειχθῇ διὰ τῇ ὁμοίου τῷ τρίτῳ Αβ24.
68 ᵇ38 Wz. τὸ παράδειγμά ἐστιν ὡς μέρος πρὸς μέρος,
ὅμοιον πρὸς ὅμοιον Ρα2. 1357 ᵇ25-30. cf ρ9. 1429 ᵃ21. περὶ 25
παραδείγματος Αβ24. Ρβ20. ρ9. 33. 1439 ᵃ1-3. dist ἐπα-
γωγή Αβ24. 69 ᵃ16. ὅμοιον ἐπαγωγῇ τὸ παράδειγμα, τὸ
παράδειγμα ἐπαγωγὴ ῥητορική Ρβ20. 1393 ᵃ26. α2. 1356
ᵇ3, 5, 14. Αγ1. 71 ᵃ10. αἱ κοιναὶ πίστεις δύο τῷ γένει, πα-
ράδειγμα χ̣ ἐνθύμημα Ρβ20. 1393 ᵃ24. ἐξ ὧν τὰ ἐνθυ- 30
μήματα λέγεται τέτταρά ἐστιν, εἰκὸς παράδειγμα τεκμή-
ριον σημεῖον Ρβ25. 1402 ᵇ14. παράδειγμα, dist εἰκός, τεκ-
μήριον ρ15. 1431 ᵃ24-28. Spgl p 167. συλλογίσασθαι τὰ
κατὰ μέρος διὰ παραδείγματος Ρβ25. 1402 ᵇ18. τὰ παρα-
δείγματα ῥητορικώτερα, ἐπιτηδειότατα τοῖς συμβουλευτικοῖς 35
Ργ17. 1418 ᵃ1. α9. 1368 ᵃ29. cf πιη3. 916 ᵇ26, 32. πα-
ραδειγμάτων εἴδη δύο Ρβ20. 1393 ᵃ27. παραδείγματα κατὰ
λόγον, παρὰ λόγον ρ9. 1429 ᵃ28.
παραδειγματικῶς λέγειν Μα3. 995 ᵃ7.
παραδειγματώδεις ῥητορεῖαι (ῥήτορες), dist ἐνθυμηματικαὶ 40
Ρα2. 1356 ᵇ20, 22. πρὸς τὰ παραδειγματώδη ἡ αὐτὴ λύσις
χ̣ τὰ εἰκότα Ρβ25. 1403 ᵃ5.
παραδέχεσθαι. παραδέξασθαι τῶν περιοίκων τινὰς Πε3. 1303
ᵃ7. ὅταν (μεγέθη) οὕτω συναρμόζωσιν, ὥστε μηδὲν συγγε-
νὲς παραδέχεσθαι ψα4. 408 ᵃ8. (οἱ ἀναίσθητοι) ἐξαδυνατοῦσι 45
τὴν κίνησιν παραδέχεσθαι τῶν αἰσθήσεων φ6. 811 ᵃ10. —
παραδέχεσθαι i q accipere cum assensu, probare, cf ἀπο-
δέχεσθαι p 79 ᵇ58. εἰ δέ τις χ̣ τοῦτο παραδέχοιτο Κ5. 4
ᵃ28, ᵇ4.
παραδιδόναι τὴν βασιλείαν τοῖς υἱέσιν, opp παραλαβεῖν 50
Πε11. 1313 ᵃ32. γ15. 1286 ᵇ15. οἴκας τινὰς τοῖς διαιτηταῖς
παραδιδόασιν οἱ τεσσαράκοντα f 413. 1546 ᵇ43, 1547 ᵃ9.
ὥσπερ ἐναφάψασα ἡ δύναμις παραδιδῶσιν ἑκατέρῳ Ογ2.
301 ᵇ26. ἡ τῶν στομάτων ἐργασία παραδίδωσι τῇ κοιλίᾳ
Ζμβ3. 650 ᵃ27. — τροφὴν ἡ φύσις παραδίδωσι ΝΟ55. 55
1258 ᵃ23. παραδιδόναι καιρὸς τοῖς ἐπιθεμένοις Πε10. 1312
ᵇ25. τοὺς ἰδίους λόγους αὐτὰ τὰ πράγματα παραδώσει ρ3.
1423 ᵃ17. τὰ ἀντιλογίαν παραδιδόντα πότερον τοῦτο ἢ τοῦτο
αἱρετόν ημα17. 1189 ᵃ27. — παραδιδόναι c inf, τὴν πόλιν
διοικεῖν τινι οβ1348 ᵇ4. — pass ἡ παραδεδομένη ἀλλήλοις 60
μνήμην Οα3. 270 ᵇ14. οἱ παραδεδομένοι μῦθοι πο9. 1451

ᵇ24. τὰ παραδεδομένα ὀνόματα Αδ14. 98 ᵃ13. ὁ παραδε-
δομένος τρόπος Πε11. 1313 ᵃ35. τὰ ὑπὸ τῶν πρότερον πα-
ραδεδομένα περί τινος ψβ1. 412 ᵃ3. Φδ10. 218 ᵃ32. μα8.
345 ᵇ30.
παραδιηγεῖσθαι δεῖ, ὅσα εἰς τὴν σὴν ἀρετὴν φέρει Ργ16. 5
1417 ᵃ2.
παράδοξος. αὕτη ἡ δόξα, ὥσπερ χ̣ ἄλλαι τῶν παραδόξων
Μγ7. 1012 ᵃ18. ὁ μὲν τρόπος τῶν γνωμῶν ἔνδοξος, ὁ δὲ
παράδοξος ρ12. 1430 ᵇ2. παράδοξα, syn ἄδοξα, opp ἔν-
δοξα: παράδοξα ποιεῖν λέγειν, εἰς παράδοξον ἄγειν τα10. 10
104 ᵃ10. ι3. 165 ᵇ14, 19. 12. 172 ᵇ10, 29, 173 ᵃ7, 27. 13.
173 ᵃ31. παράδοξον χ̣ μὴ πρὸς τὴν ἔμπροσθεν δόξαν Ργ11.
1412 ᵃ26. παράδοξα λέγειν ἀναγκαῖον, coni βιάζεσθαι τὰ
φαινόμενα γεη2. 1236 ᵇ22. παραδοξότερον τὸ συμβαῖνον πν2.
481 ᵇ25. — (τῇ κόσμῳ) χ̣ αἱ παράδοξοι νεοχμώσεις τε- 15
ταγμένως ἀποτελοῦνται κ5. 397 ᵃ19.
παράδοσις τῶν χρημάτων παρόντων τῶν πολιτῶν Πε8. 1309
ᵃ10. — αἱ πραγματεῖαι αἱ ἐκ παραδόσεως ηὐξημέναι τι34.
184 ᵇ5.
παραδοχή. ὀργώσης τῆς μήτρας πρὸς παραδοχὴν τῇ σπέρ- 20
ματος f 259. 1525 ᵇ35.
παραδρομή. νῦν τούτων ἐν παραδρομῇ πεποιήμεθα τὸν λόγον
Πη17. 1336 ᵇ24.
παραδύεσθαι, παραδύνειν. εἰς τὰς νεοττιὰς παραδύονται
τὰς ἀλλοτρίας αἱ περιστεραὶ Ζιι7. 613 ᵃ9. — τὸ ἔλαιον διὰ 25
γλισχρότητα παραδύνον πκ22. 925 ᵇ4.
παράζυξ. οἱ παράζυγες Πβ5. 1265 ᵇ4.
παραθερμαινόμενα (τὰ ὄμματα τοῖς ἀφροδισίοις) τήκεται
μάλιστα πδ2. 876 ᵇ3.
παραθεῖσθαι, med. παρελέσθαι τὴν γυναῖκα Πε10. 1311 ᵇ6. 30
παραιροῦνται τοὺς ἐκ δούλης ἢ δούλης Πγ5. 1278 ᵃ32. αὐτοὺς
παρηρῆσθαι τὰ ἐφόδια τῇ πολέμῳ Ργ10. 1411 ᵃ12. τὰ μὲν
παριόντων τῶν βασιλέων, τὰ δὲ τῶν ὄχλων παραιρουμένων
Πγ14. 1285 ᵇ16.
παραίρεσις ὅπλων Πε10. 1311 ᵃ12. 11. 1315 ᵃ38. 35
παραιτεῖσθαι. τοῖς δεομένοις χ̣ παραιτουμένοις πρᾷοί εἰσιν
Ρβ3. 1380 ᵃ28. Ὀδυσσεὺς οὐχὶ πιστεύων τῇ Καλυψοῖ παρῃ-
τεῖτο f 170. 1506 ᵇ6.
παραιώρησις. οὐδ' ἐν τοῖς διαλυομένοις ἡ τῶν τριγώνων πα-
ραιώρησις εὔλογος Ογ7. 306 ᵃ21. 40
παρακαθῆσθαι. ἐγείλεται τὸν υἱὸν παρακαθήμενον θ151. 845
ᵇ28. παρακάθηται τῇ βουλῇ ὁ γραμματεύς f 399. 1544
ᵇ3, 11.
παρακαθιέναι. ἀντὶ πηδαλίων (ὁ ναυτίλος) τῶν πλεκτανῶν
παρακαθίησιν Ζιι37. 622 ᵇ14. 45
παρακαλεῖν ἐπί τι, syn προτρέπεσθαι, opp διακωλύειν, ἀν-
τιλέγειν Ηα13. 1102 ᵇ16. χ10. 1180 ᵃ6. ρ3. 1425 ᵃ17, 28.
8. 1428 ᵇ13. διακελεύομαί σοι πάλαι παρακεκλημένῳ ρ1.
1421 ᵃ15. παρακέκληται ἡ διάνοια χ̣ διατεταμένως ἐνεργεῖ
Ηχ4. 1175 ᵃ7. — πότε μάλιστα παρακλητέον τοὺς φίλους 50
Ηι11. 1171 ᵇ28.
παρακαταβάλλειν. τὰς θυσίας πωλοῦντες παρακατέβαλλον
εἰς τὸ δημόσιον οἱ πωληταί f 401. 1545 ᵃ15. τὸ παρακατα-
βαλλόμενον ἐπὶ τῶν ἐφέσεων (cf παράβολον) f 416. 1547
ᵇ22.
παρακαταθήκη, συνάλλαγμα ἑκούσιον Ηε5. 1131 ᵃ4. ἀπο-
διδόναι παρακαταθήκας Ηκ8. 1178 ᵇ11. ε10. 1135 ᵇ4, 7.
ἀποστερῆσαι παρακαταθήκην ημα34. 1195 ᵃ10, 1196 ᵃ19,
ᵇ6. Ρβ6. 1383 ᵇ21. πκθ2. 950 ᵃ28. 6. 950 ᵇ28.
παρακαταλογή. διὰ τί ἡ παρακαταλογὴ ἐν ταῖς ᾠδαῖς τρα- 60
γικόν πιθ6. 918 ᵃ10.

παρακατατίθεσθαι, med. ὐδεὶς παρακατατίθεται μὴ πιστεύων πκθ2. 950 ᵃ30, ᵇ2.

παρακαταχρῆσθαι. ἡ φύσις παρακαταχρῆται ὀργάνῳ τινὶ πρὸς ἄλλην τινὰ ὠφέλειαν Ζμδ 10. 690 ᵃ1. β16. 659 ᵃ21.

παρακεῖσθαι. αἱ μέλιτται ὁ γεύονται τῆς παρακειμένης τρο- 5 φῆς Ζιθ14. 599 ᵃ25. τὸ παρακείμενον (τῇ κοιλίᾳ) ἧπαρ Ζμδ 3. 677 ᵇ35. — τομὴ μὴ παρακειμένη (i e μὴ παράλληλος, cf παρά p 561 ᵇ48) πις6. 914 ᵃ29.

παρακελεύεσθαι τινι c inf ρ1. 1421 ᵃ34. f 143. 1502 ᵇ16. 10

παρακέλευσις. αἱ ἐν τοῖς κινδύνοις παρακελεύσεις ηεγ1. 1229 ᵃ31.

παράκλησις, coni syn νυθέτησις, ἐπιτίμησις Hα13. 1103 ᵃ1. προτροπή ἐστιν ἐπὶ προαιρέσει παράκλησις ρ2. 1421 ᵇ21.

παρακλίνειν. ὀδόντες παρακλίνοντες τὴν ἀφὴν τὴν ἀλλήλων 15 Ζγβ6. 745 ᵃ26. αἱ τοιαίδ᾽ ἀρνήσεις παρακλίνυσι (παρεγκλίνυσι Spgl e codd) τὸν νόμον ρ37. 1444 ᵇ16. — αἱ ἄρκτοι παρακεκλιμένα ποιῶνται τὴν ὠχείαν Ζιε2. 540 ᵃ1.

παρακμάζειν. παρηκμακότες, opp ἀτελεῖς Πγ1. 1275 ᵃ17. οἱ πρεσβύτεροι κ̣ παρηκμακότες ποῖοί τινές εἰσι τὰ ἤθη 20 Ρβ13.

παρακολυθεῖν, opp προγίνεσθαι Hγ4. 1112 ᵃ11. παρακολυθεῖ τῇ φορᾷ αὐτῶν τοιαύτη σύγκρισις μα8. 346 ᵃ3. ἑκάστῃ μελίττῃ τρεῖς ἢ τέσσαρες παρακολυθῶσιν Ζιμ40. 624 ᵇ7. ὁ ἄρρην παρακολυθῶν καταφυσᾷ τὸν θολόν Ζιε12. 544 ᵃ4. 25 παρακολυθεῖ τὰ (τῷ δελφῖνος) τέκνα πολὺν χρόνον Ζιζ12. 566 ᵇ22. πόροι κατὰ πάντα τὸν πλεύμονα παρακολυθῶντες Ζια17. 496 ᵃ29. τῷ ἀδίκῳ παρακολυθεῖ ἡ φρόνησις ημβ3. 1199 ᵃ27, 38, ᵇ5 (syn συμπαρακολυθεῖν ᵃ25). ἀπορίας αὐτοῖς (τοῖς φυομένοις) συμβαίνει παρακολυθεῖν χ5. 794 ᵇ18. ἐν 30 τοῖς λόγοις λανθάνει συμπαρακολυθῶν τὸ ὁμώνυμον τα15. 107 ᵇ6. de notionum coniunctione (cf ἔπεσθαι, ἀκολυθεῖν, ὑπάρχειν), veluti ὁ πρότερος ὁρισμὸς παρακολυθεῖ πᾶσι τοῖς πρός τι αl K7. 8 ᵃ33. τζ10. 148 ᵃ28. Mι2.1054ᵃ14. Φθ12. 221 ᵃ24. Ρα9.1367 ᵃ36. αρ5. 1250 ᵇ22. λανθάνει παρα- 35 κολυθῶν τὸ ὁμώνυμον τα15. 107 ᵇ7. τὸ παρακολυθεῖν ἀλλήλοις τὸ αἴτιον κ̣ ὗ αἴτιον κ̣ ὗ αἴτιον Αδ17. 99 ᵃ17. τὸ ἀεὶ παρακολυθῶν πότερον ἴδιον, γένος τε3. 131 ᵇ9. δ5. 125 ᵇ28sqq. 3. 123 ᵃ19 (syn μὴ ἀπολείπειν ᵃ16). — ἐὰν παρακολυθήσωμεν τοῖς εἰρημένοις, τῇ ὑποθέσει ημβ6. 1204 ᵃ8. 40 ρ30. 1436 ᵃ35.

παρακολύθησις τῷ αἰτίῳ κ̣ ὗ αἴτιον Αδ17. 99 ᵃ30.

παρακομίζειν. τὴν Λητὼ παρεκόμισαν ἐξ Ὑπερβορέων εἰς Δῆλον Ζιζ35. 580 ᵃ17.

παρακοπή. ἀνανήψας βραδέως ἐκ τῆς παρακοπῆς· ὡς κατέστη 45 τῆς παρακοπῆς ρθ178. 847 ᵇ9. 31. 832 ᵇ20. ἐστὶν ὁ γέλως παρακοπή τις κ̣ ἀπάτη πλε6. 965 ᵃ14.

παρακόπτειν, intr. παρακόψας τις τῇ διανοίᾳ θ31. 832 ᵇ17.

παρακρύεσθαι. med τινά οβ1348 ᵃ28. τὸν δῆμον Πθ12. 1297 ᵃ10. ἀλλήλυς κατὰ τὸν λόγον τθ2. 157 ᵃ27. ὁ δια- 50 ποῶν λόγος παρακρύεται πως ἡμᾶς ηεη12. 1245 ᵃ28. — omisso obiecto παρακρύονται ἱστάντες μχ1. 849 ᵇ35. ὁ ἐν τῷ Ἱππίᾳ λόγος παρακρύεται Μδ29. 1025 ᵃ6. — pass οἱ μὴ δεινοὶ τὰς ψήφυς φέρειν ὑπὸ τῶν ἐπιστημόνων παρακρύονται τι1. 165 ᵃ15. 55

παράκρυσις. ἡ παράκρυσις τῷ ἐπιπολῆς θερμῷ (fort κατάκρυσις coll 874 ᵇ12) πγ12. 872 ᵇ19. — παρακρύσεις, coni τὸ ἐρωτᾶν ἀμφίβολα τι17. 175 ᵇ1. αἴτιον τῆς παρακρύσεως ἡ ὑπόθεσις ὐκ ὖσα ὀρθή Πβ5. 1263 ᵇ30.

παραλαμβάνειν. traditum accipere. οἱ παραλαβόντες, opp 60 οἱ κτησάμενοι Hδ 2. 1120 ᵇ12. ιγ. 1168 ᵃ23. παραλαμβάνειν

βασιλείαν Πγ14. 1285 ᵇ8. ε11. 1313 ᵃ32. παρειλήφαμεν παρὰ τῶν πρότερον sim Γα7. 323 ᵇ1. μα13. 349 ᵃ15. ψα2. 403 ᵇ27. οἱ ταμίαι παραλαμβάνυσι τὸ ἄγαλμα τῆς Ἀθηνᾶς· οἱ ἀποδέκται παρελάμβανον κ̣ παρεδέχοντο τὰ γραμματεῖα τῶν ὀφειλόντων f 402. 1545 ᵃ23. 400.1544 ᵇ26,33. τὰ παρειλημμένα μβ7. 365 ᵃ16. λύειν τὰς παρειλημμένας μύθυς ποι4. 1453 ᵇ22. — adhibere. παραλαμβάνειν ἐκ τῶ βελτίονος δῆμυ τὰς κοινωνὰς Πζ6. 1320 ᵇ28. συμβύλυς παραλάμβανειν Hγ5. 1112 ᵇ10. παραλάβωμεν κ̣ τὰς πρότερον ἡμῶν εἰς ἐπίσκεψιν ἐλθόντας ΜΑ3. 983 ᵇ1. παραλαμβάνειν τὰ κοινὰ τῶν ἀνθρώπων γινόμενα πάθη ρ8. 1429 ᵃ16. — φυλάττειν τὰς ἔξω φιλονεικίας ὄντας πρὶν παρειληφέναι κ̣ αὐτύς Πε8. 1308 ᵃ33.

παραλείπειν. τὰς ἄλλυς παραλιπὼν ὡς Εὐαγόραν ἦλθεν Ρβ23. 1399 ᵃ5. ἢ παραλείπει ὁ νομοθέτης κ̣ ἥμαρτεν Hε14. 1137 ᵇ21. παραλιπεῖν τὰς κυριωτέρας ἀρχὰς Οβ2. 285 ᵃ26. λοιπὸν περὶ τῆς ζωικῆς φύσεως εἰπεῖν μηδὲν παραλιπόντας Ζμα5. 645 ᵃ6. cf Ογ2. 301 ᵃ16. ἕνεκεν τῷ μὴ παραλιπεῖν τὸ ἐφεξῆς Ζια6. 491 ᵃ24. — ἐκ τῶν παραλειπομένων ᾠῶν γίνονται οἱ ἰχθύες Ζιε5. 541 ᵃ19. ἀπορία παραλέλειπται Μβ4. 1000 ᵃ5. τὰ παραλελειμμένα τῆς μεθόδυ τι34. 184 ᵇ7. τὰ παραλελειμμένα πειρᾶσθαι ζητεῖν Πη10. 1329 ᵇ34. εἴ τις πρόσοδος παραλείπεται Ρα4. 1359 ᵇ25. — ὁ ἐκ τῶ παραλειπομένυ τόπος ρ37. 1443 ᵇ30 (cf παράλειψις). — τὰ τοιαῦτα προοιστέον, τὰ δὲ λοιπὰ παραλειπτέον τβ2. 110 ᵇ32.

παραλείφειν τῷ σιάλῳ τὰ παιδία Ργ4. 1407 ᵃ8 (cf Δημοκράτης).

παραλείψεως σχῆμα, προσποίησις ρ31. 1438 ᵇ6. 22. 1434 ᵃ25.

παράλευκος. ἡ ἐσχάτη τῶν πλεκτανῶν μόνη παραλευκός ἐστιν Ζιδ1. 524 ᵃ6.

παραληρεῖν. φαίνεται ἄττα κ̣ τοῖς παραληρῶσιν Ρα2. 1356 ᵇ35.

παράληψις. ὅρκος ἐστὶ μετὰ θείας παραλήψεως φάσις ἀναπόδεικτος ρ18. 1432 ᵃ33.

παραλία. σπεισαμένων Ἀθηναίων πρὸς Ἐπίδαυρον κ̣ τὴν παραλίαν Ργ10. 1411 ᵃ11.

παραλιμπάνειν. τὰ τοιαῦτα παραλιμπάνειν πρέπον ἐστὶν φτα1. 815 ᵃ30. ἐν τοῖς φόβοις ὄντες πολλὰ παραλιμπάνυσιν ὧν αὐτὺς ἔδει πρᾶξαι πκθ13. 951 ᵃ33, 36.

παράλλαξ ἐν τῇ γῇ εἰσὶν οἱ πόροι, opp δι᾽ ὅλυ μδ9. 385 ᵇ25. — τῦτο (int τὸ ἀναπνεῖν κ̣ τὸ ἐκπνεῖν) ποιεῖν ἀεὶ παραλλὰξ αν2. 471 ᵃ11. ἐκ τῶ ζεύγυς τῶν ἀετῶν θάτερον τῶν ἐγγόνων ἁλιάετος γίνεται παραλλὰξ θ60. 835 ᵃ1.

παράλλαξις τῶν γωνιῶν Οβ4. 287 ᵃ18.

παραλλάττειν. trans καθόλυ μᾶλλον ποιεῖν τὺς τόπυς μικρὸν παραλλάσσοντα τῇ προσηγορίᾳ τγ4. 119 ᵃ15. — τῷ τάχει παραλλάττειν τὰ ἄστρα μια4. 342 ᵃ33. παραλλάξας ἕνα μῆνα παρὰ τὸν ἐνιαυτὸν ἀφήρει μισθὸν ἀεὶ μηνὸς οβ1353 ᵇ6. — intr ὁ μεταξὺ χρόνος ἐν ᾧ ἡ ὄψις ἥπτετο κ̣ παρήλλαττε τὸ ὁρώμενον (κ̣ ᾗ ὗ ἥπται κ̣ παρήλλαχεν) πυ10. 872 ᵇ10, 11. ἐπειδὰν παραλλάξῃ ὁ νότος, opp ἀρχόμενος πκς45. 945 ᵃ36. — ἡ χρεία τῶν ὠύλων κ̣ τῶν ἡμέρων ζώων παραλλάττει μικρὸν Πα5. 1254 ᵇ24. τοῖς ἐναίμοις μὲν κ̣ ζωοτόκοις δὲ παραλλάττει κατὰ μικρὸν ἡ φύσις, οἷον τοῖς ὀρνίσιν ὀστᾶ μέν, ἀσθενέστερα δέ Ζμβ9. 655 ᵃ18. cf Ζγγ10. 760 ᵃ16. Ζιγ7. 516 ᵇ13. — ὃ κατ᾽ εὐθεῖάν ἐστι τῇ ὄψει ἀλλὰ παραλλάττει πιε7. 912 ᵃ17. πόροι παραλλάττοντες, opp κατάλληλοι πια58. 905 ᵇ8. cf μδ9. 386 ᵃ15. πθ13. 890 ᵇ39. ἔστι πιστὰ ὅσα ὠθύμενα εἰς αὐτὰ συνιέναι δύναται, εἰς βάθος τῶ ἐπιπέδυ παραλλάττοντος ὗ δια-

ρμένη μδ 9. 386 ᵃ31. — ἀνάγκη παραλλάττειν (int τὸ
ἄρτιον ᴋ̣ τὸ περιττόν) Αα 25. 42 ᵇ15.
παράλληλος. αἱ παράλληλοι (sc γραμμαί) Αβ 16. 65 ᵃ4, 7.
μχ 25. 856 ᵇ28. αἱ παράλληλοι 8 συμπίπτυσιν Αγ 12. 77
ᵇ22. παράλληλά ἐστι καθ᾽ ὅ τε τὰ σιτία δεχόμεθα ᴋ̣ καθ᾽ 5
ὃ ἀναπνέομεν πλθ 9. 964 ᵃ29. — παράλληλα aliquoties ex-
hibetur, ubi παρ᾽ ἄλληλα scribendum est, v s ἀλλήλων
p 34 ᵃ13. — παραλλήλως. καλ̂εμεν ᴋ̣ Ζῆνα ᴋ̣ Δία πα-
ραλλήλως χρώμενοι τοῖς ὀνόμασιν κ 7. 401 ᵃ14.
παραλογίζεσθαι. παρελογίσατο τρία ἡμιωβέλια ἱερὰ τὺς 10
ναοποιὺς Ρα 14. 1374 ᵇ26. — cf συλλογίζεσθαι. trans πα-
ραλογίζεσθαι (i e ἀπατᾶν διὰ ψευδὺς συλλογισμῦ) τὸν
ἀκύοντα sim τι 11. 171 ᵇ37. 33. 182 ᵇ8. cf α 18. 108 ᵃ27,
30. παραλογίζονται ἑαυτὺς τθ 1. 156 ᵃ29. — intr παραλο-
γίζεσθαι i e ποιεῖσθαι παραλογισμόν: Μέλισσος, Ζήνων πα- 15
ραλογίζεται Φα 3. 186 ᵃ10. ζ 9. 239 ᵇ5. ἔστιν ἐν τύτῳ
παραλογίσασθαι Ρβ 23. 1397 ᵃ29. παραλογίζεται ὁ ἀπόρων
σοφιστικῶς μχ 24. 856 ᵃ33. — pass παραλογίζεσθαι i e
ἀπατᾶσθαι διὰ ψευδὺς συλλογισμοῦ. παραλογίζεσθαι, παρα-
λογισθῆναι ὑπό τινος τι 16. 175 ᵃ10. α 18. 108 ᵃ27, 28 Wz. 20
παραλογίζεται ἡ διάνοια ὑπό τινος Πε 8. 1307 ᵇ35. πε 25.
883 ᵇ3. λ 4. 955 ᵇ15. κατά τι παραλελόγισται (i e παρα-
λογισμὸς γέγονεν) ἦ συλλελόγισται Μδ 18. 1022 ᵃ21. πα-
ραλογίζονται τι 1. 165 ᵃ16 passive accipiendum videtur
coll παρακρύεσθαι ᵃ15. ὁ λόγος λανθάνει παραλογιζόμενος 25
Γα 2. 317 ᵃ1 rectius passive quam intr accipi videtur, cf
λόγος συλλελογισμένος s v συλλογίζεσθαι. sed παραλογίζε-
ται ἡ ψυχή Ργ 7. 1408 ᵃ20. πο 24. 1460 ᵃ25, παραλογί-
ζεται ὁ ἀκροατής, ὁ κριτὴς οἴεται παραλογιζόμενος Ρβ 24.
1401 ᵇ8. 25. 1402 ᵇ31 dubium est an pro medio haben- 30
dum sit, Vahlen Poet III 341.
παραλογισμός, παραλογισμοί Αβ 15. 64 ᵇ13. γ 12. 77 ᵇ20,
28. Μδ 18. 1022 ᵃ22. dist συλλογισμοὶ διαλεκτικοί, ἐρι-
στικοί τα 1. 101 ᵃ6 sqq. opp ἔλεγχοι τι 1. 164 ᵃ21. ἔστι
τῦτο παραλογισμός πο 24. 1460 ᵃ20. πλεονεκτεῖν διὰ τῦτον 35
τὸν παραλογισμόν Ρβ 25. 1402 ᵇ26. διὰ τὸν παραλογισμόν
Ργ 13. 1414 ᵃ6. ἀναγνώρισις ἐκ παραλογισμῦ πο 16. 1455
ᵃ13. ποιῆσαι παραλογισμόν πο 16. 1455 ᵃ16. ποιεῖσθαι τὸν
παραλογισμόν τα 1. 101 ᵃ17. — παραλογισμοὶ παρὰ τὴν
λέξιν τι 4. cf Πβ 3. 1261 ᵇ27, ἔξω τῆς λέξεως τι 4. 166 40
ᵇ20. 5. 168 ᵃ16, τῆς ἀντιφάσεως τι 8. 169 ᵇ37. πάντας
παραλογισμὺς ἀνακτέον εἰς τὴν τῦ ἐλέγχυ ἄγνοιαν τι 6.
παραλογιστής ὁ ἄδικος κατ᾽ ἀνελευθερίαν ηεγ 4. 1232 ᵃ14.
παραλογιστικός ἐξ ὡρισμένυ τινὸς γένυς, dist περὶ πᾶν
γένος ἐριστικός τι 11. 172 ᵇ3. παραλογιστικὸν ἐκ τῆς αἰτίας 45
Ρα 9. 1367 ᵇ4 (cf τι 5. 167 ᵇ21). τόπος παραλογιστικός
Ρβ 24. 1401 ᵃ33.
παράλογος. παράλογον ᴋ̣ ἄτοπον ψα 5. 411 ᵃ14. Ζμα 5. 645
ᵃ11. πν 1. 481 ᵃ26. ὐδὲν δόξει παράλογον εἶναι τὸ συμ-
βαῖνον Οβ 12. 292 ᵃ21. τὰ δοκῦντ᾽ εἶναι παράλογα μα 12. 50
347 ᵇ35. παράλογοι μεταβολαὶ ἐν τῷ πολέμῳ πβ 3. 1425
ᵇ3. ἐὰν ἐπιγένωνται παράβολοι εὐθαὶ Ζιθ 15. 599 ᵇ15. ἐὰν
μή τι γίγνηται παράλογον Πη 1. 1323 ᵃ19. παραλογόν τι
ἡ τύχη Φβ 5. 197 ᵃ18. ἀτυχήματα ὅσα παράλογα ᴋ̣ μὴ
ἀπὸ μοχθηρίας Ρα 13. 1374 ᵇ7, 8, 9. — τῶν παραλογωτέ- 55
ρων ἐστὶ ηεη 4. 1247 ᵃ33. ἀτύχημα ὅταν παραλόγως ᴋ̣ βλάβη
γένηται Ηε 10. 1135 ᵇ16, 17.
παράλοιπος (i q λοιπός) Αδ 8. 93 ᵇ13 Wz.
Πάραλος. ἡ Πάραλος πόθεν ἐκλήθη, πρὸς τί ἐπέμπετο, χει- 60
ροτονητὸς αὐτῆς ὁ ταμίας f 402. 1545 ᵃ35. 403. 1545 ᵃ42,

ᵇ1, 4, 9, 19. Πειθόλαος τὴν Πάραλον ῥόπαλον τῦ δήμυ ἐκά-
λει Ργ 10. 1411 ᵃ13.
παραλύειν τινὰ τῆς δυνάμεως Πε 11. 1315 ᵃ12. παραλύειν
τῶν ἀφροδισίων f 105. 106. 1494 ᵇ45. τῶν ἱερείων (l ἱερέων)
τὸ πλῆθος δεῖν παραλυθῆναι οβ 1350 ᵇ36 (cf τῶν ἱερέων τὸ
πλῆθος καταλυθῆναι 1352 ᵇ22). ἵνα ὑπέρκοπος γενομένη ἡ
πάσαλις παραλυθῇ θ 6. 831 ᵃ9. — τὰ παραλελυμένα τῦ
σώματος μόρια Ηα 13. 1102 ᵇ18.
παραμείβειν. (ποταμοὶ) ὁ μὲν Γερμανὸς ὁ δὲ Παίονας πα-
ραμείβων θ 168. 846 ᵇ30.
παραμελεῖν. ἐνέργεια παρημελημένη Ηκ 4. 1175 ᵃ10.
παραμέση. ἡ νῦν παραμέση καλυμένη i q ἡ τρίτη πιθ 47.
922 ᵇ5. cf 7. 918 ᵃ15.
παραμιγνύναι. παραμιγνυμένυ κασσιτέρυ f 248. 1524 ᵃ33.
δεῖν ἡδονὴν παραμεμίχθαι τῇ εὐδαιμονίᾳ Ηκ 7. 1177 ᵃ23.
παραμόνιμος, syn δυσκίνητος, opp εὐμετάβολος Κ 8. 8
ᵇ30, 34, 9 ᵇ20.
παραμπίσχειν. παρήμπισχε τὴν τῦ σώματος αἰσχύνην (apud
Alcidam) Ργ 3. 1406 ᵃ29.
παραμυθητικὸν ὁ φίλος Ηι 11. 1171 ᵇ2.
παρανευρίζεσθαι. χορδαὶ παρανενευρισμέναι ᴋ̣ τραχεῖαι
Ζιη 1. 581 ᵃ20. χα 804 ᵃ38. πια 31. 902 ᵇ34.
παρανήτη πιθ 4. 917 ᵇ39. παραστάτης τριτοστάτυ πρότερον
ᴋ̣ παρανήτη νήτης Μδ 11. 1018 ᵇ28. ἡ νήτη τῇ παρανήτῃ
συμβλητόν, ὅτι ταὐτὸ σημαίνει τὸ ὀξὺ ἐπ᾽ ἀμφοῖν Φη 4.
248 ᵇ9.
παράνοια. ὑγραινόμενος μᾶλλον ὁ ἐγκέφαλος νόσυς ᴋ̣ παρα-
νοίας ᴋ̣ θανάτυς ποιεῖ Ζμβ 7. 635 ᵇ5. δίκαι παρανοίας πρὸς
τίνα λαγχάνονται f 381. 1541 ᵇ8, 17.
παρανομεῖν. τηρεῖν ὅπως μηδὲν παρανομῶσι Πε 8. 1307 ᵇ31.
ὑ παρανομήσωσι p 37. 1443 ᵃ24.
παράνομος, syn ἄδικος Ηε 2. — τῦτο τὸ δίκαιον πολλοὶ
γράφονται παρανόμων Πα 6. 1255 ᵃ9. τὰς τῶν παρανόμων
γραφὰς εἰσάγυσιν οἱ θεσμοθέται f 378. 1540 ᵇ45.
παράπαν, cum articulo τὸ παράπαν. ὐδὲν ἔσται τὸ παράπαν
Μβ 4. 999 ᵇ15. f 40. 1481 ᵃ37. ὐδ᾽ εἶναι τὸ παράπαν, τὸ
παράπαν ὐκ ἔστι sim Φα 9. 191 ᵃ16. Ζμα 3. 643 ᵇ13. Ζγβ 8.
748 ᵇ10. p 5. 1427 ᵇ4. οβ 1346 ᵃ21. φτα 1. 816 ᵇ14. βά-
τραχοι ἄφωνοι τὸ παράπαν θ 68. 835 ᵃ34. ἢ τὸ παράπαν
ἕτερα ἢ κατὰ τὸ μέγεθος ἕτερα Ρβ 1. 1378 ᵃ1. — sine
articulo, ἀλλ᾽ ᴋ̣ φλέβες κατατείνονται διὰ τῦ μεσεντερίυ παρά-
παν Ζμβ 3. 650 ᵃ29, sed coll τὸ αἷμα διὰ παντὸς ᴋ̣
παρὰ πᾶν εἶναι Ζμγ 5. 668 ᵃ12 (cf παρά p 561 ᵇ55) παρὰ
πᾶν scribendum videtur.
παραπείθειν. ἄτοπον ἂν εἴη διὰ τὸν τῦ Ζήνωνος λόγον παρα-
πεπεῖσθαί τινας ἀτόμυς ποιεῖν γραμμάς ατ 969 ᵇ17.
παραπέτεσθαι. τῶν νεοττῶν ἤδη πετομένων ἡ κορώνη σιτίζει
παραπετομένη Ζιζ 6. 563 ᵇ12. δεδιέναι τὰς παραπετομένας
μυίας Πη 1. 1323 ᵃ29.
παραπίπτειν. οἱ ἰχθύες ὀχεύυσι παραπίπτοντες Ζγα 6. 718
ᵃ1. ᴧ 5. 756 ᵇ1. Ζιε 5. 540 ᵇ7, 22. — εἰ οἱ καιροὶ παρα-
πέσοιεν αὐτῷ, καιρῶν παραπεσόντων, παραπεπτωκότων ρ 6.
1427 ᵇ20, 26. 3. 1425 ᵃ12.
παραπλεῖν. ὐκ ἔστι παραπλεῦσαι τὸν τόπον θ 105. 839
ᵇ32, 19.
παραπληρῦν, vocabulum artis geometricae, τιθείσης ταύτης
διαμέτρυ ᴋ̣ παραπληρωθεισῶν τῶν πλευρῶν μχ 1. 848 ᵇ28,
cf 849 ᵃ26. 23. 854 ᵇ29, 37 (πληρῦν ᵇ29). Cappelle p 156.
παραπλησιάζειν, de coitu, ὡς ἂν εἰ παρεπλησίαζε (εἴπερ
ἐπλησίαζε ci Dindorf) Ζικ 3. 635 ᵃ35.
παραπλήσιος. παραπλήσια, dist ταὐτά, ἀνάλογον Ζιθ 1.

588 ᵇ3. παραπλήσιοι τὴν φύσιν Πη10. 1330 ᵃ29. παραπλησία ἀπορία, δύναμις, ἐπιμέλεια Φε4. 228 ᵃ7. Πγ14. 1285 ᵃ18. η17. 1336 ᵃ22. μανία παραπλήσιον τὸ δοξάζειν Γα8. 325 ᵃ19. παραπλήσιον φαίνεται, ἀποτελεῖται Ηα1. 1094 ᵇ25. δ15. 1128 ᵇ12. παραπλήσια συμβαίνει χ ἐπὶ τῶν ὀρνίθων Ζιε1. 539 ᵇ6. παραπλήσιον τῇ ἐψήσει ποιεῖν μδ3. 380 ᵇ34. cf β8. 366 ᵇ17. ἡ πτῆσις παραπλησία τῶ ἐλαχίστῳ τῶν ἱεράκων Ζιζ7. 563 ᵇ24. παραπλήσιον ὥσπερ ἂν εἰ Μμ4. 1078 ᵇ34. — παραπλησίως, coni ὁμοίως Ζμγ4. 666 ᵃ16, opp ἀντεστραμμένως Ζμδ9. 684 ᵇ35. παραπλησίως ἔχειν, κεῖσθαι Πη5. 1326 ᵇ26. Οβ4. 287 ᵇ16. μβ4. 360 ᵇ13. Ηδ10. 1125 ᵇ2. παραπλησίως τινὶ ἔχειν Πζ4. 1319 ᵃ21. Ζμβ17. 660 ᵇ14. παραπλησίως τινὶ ἀτμίζειν μδ10. 388 ᵇ31. παραπλησίως τινὶ ἀποφαίνεσθαι sim μα6. 342 ᵇ35. Πη14. 1333 ᵇ11. ΜΑ4. 985 ᵇ20. ηεγ1. 1230 ᵃ4. παραπλησίως λέγοντες ὥσπερ ἂν εἴ τις οἴοιτο μα13. 349 ᵃ25. παραπλησίως οἷον μβ4. 361 ᵃ18. παραπλησίως δὲ (int ἔχει) τα15. 107 ᵃ13. γ3. 118 ᵃ39.

παραποιεῖν. τὰ παραπεποιημένα Ργ11. 1412 ᵃ28, parodias videtur significare.

παραπομπήν διδόναι οβ1351 ᵇ24. — αἱ τῶν γινομένων καρπῶν παραπομπαὶ Πη5. 1327 ᵃ8.

παραπορεύεσθαι. ἡμίονος παραπορευόμενος παρώξυνε τὰ ζεύγη Ζιζ24. 577 ᵇ31.

παραποτάμιον ζῷον, dist ποτάμιον Ζιι46. 630 ᵇ26, syn τὴν φύσιν ἑλώδες Ζμβ16. 659 ᵃ2.

παράπτωσις. περιπλέκονται ἀλλήλοις οἱ ὄφεις (ὀχευόμενοι) διὰ τὴν ἀφυίαν τῆς παραπτώσεως Ζγα7. 718 ᵃ28.

παραρρεῖν. τῆς τροφῆς εἰσιούσης σπάνιόν τι εἰς τὴν ἀρτηρίαν παραρρεῖ Ζμγ3. 664 ᵇ29, 36. — ἐν τοῖς πυρετοῖς διδόναι δεῖ τὸ ποτὸν πολλάκις χ κατ' ὀλίγον· τὸ μὲν γὰρ πολὺ παραρρεῖ, τὸ δ' ὀλίγον μὲν πολλάκις δὲ διαβρέχει χ εἰς τὰς σάρκας χωρεῖ πα55. 866 ᵃ9. — τίνες φωναὶ σαθραὶ χ παρερρυηκυῖαι ακ804 ᵃ32.

παράρρητοι (Hom I 526) Ργ9. 1410 ᵃ29.

παρασείειν. θᾶττον θέωσι παρασείοντες τὰς χεῖρας Ζπ3. 705 ᵃ17. πε8. 881 ᵇ6. φεύγειν παρασείσαντα Ηδ7. 1123 ᵇ31 Zell.

παρασημαίνεσθαι, praeterea adnotare vel significare τα14. 105 ᵇ16. Ρβ22. 1397 ᵃ2.

παράσημον. ἐν τοῖς γεγραμμένοις παράσημα ποιοῦνται (signa ponunt ad vocabula distinguenda) τι20. 177 ᵇ6.

παράσιτοι τοῖς μὲν ἄρχουσι δύο καθ' ἕκαστον, τοῖς δὲ πολεμάρχοις εἷς f510. 1561 ᵇ22.

παρασκευάζειν τροφήν, ἐσθῆτα μβ2. 355 ᵃ2. Πδ9. 1294 ᵇ28. παρασκευάζει τὴν τῆς θερμότητος συμμετρίαν Ζγβ6. 743 ᵃ34. ἡ φύσις παρασκευάζει τὴν τῶν τέκνων αἴσθησιν ἐπιμελητικήν Ζγγ2. 753 ᵃ9. παρασκευάσαι δύναμιν, φόβος, χάριν Πθ1. 1288 ᵇ18. ε8. 1308 ᵃ28. Ρβ7. 1385 ᵃ31. παρασκευάζειν αὑτῆς ποιῇς τινας νεα3. 1215 ᵃ19. παρασκευάζει κινητικωτέρας ἢ τῆς φύσεως θερμότας Ζμδ5. 681 ᵃ6. παρασκευάζειν ὅπως τὰ κατὰ τὸν βίον ρ39. 1446 ᵃ34. οὐδὲν παρασκευάζει ὁ οἰσοφάγος πρὸς τὴν τροφήν Ζμγ3. 664 ᵃ24. παρασκευάζειν c acc c inf, τὸ σῶμα χεῖρον διακεῖσθαι al Πϑ2. 1337 ᵇ12. μα3. 341 ᵃ20.

παρασκευαστικὴ τῶν πρὸς εὐδαιμονίαν συντεινόντων ἡ ἀρετή αρ2. 1250 ᵃ4.

παρασκευή. αἱ πρὸς πόλεμον παρασκευαὶ Ρβ5. 1383 ᵇ3. — ἡ περὶ τὸν βίον παρασκευὴ συμβάλλεται χ πρὸς τὸ πείθειν ρ39. 1445 ᵇ32. σαυτῷ ποιεῖσθαι παρασκευὴν δεῖ ρ39. 1445 ᵇ37. — τὸ προοίμιον παρασκευὴ ἀκροατῶν ρ30. 1436 ᵃ33. —

ἐν παρασκευῇ εἶναι Ρβ5. 1382 ᵇ3. μετὰ παρασκευῆς πλείστης ἠδίκησεν, coni ἐκ προνοίας ρ5. 1427 ᵃ4. ἐκ παρασκευῆς Ηγ11. 1117 ᵃ20. Ζιζ18. 571 ᵇ17.

παρασοφίζεσθαι. ἐν ταῖς ἄλλαις τέχναις ἢ λυσιτελεῖ παρασοφίζεσθαι τὸν ἰατρόν Ρα15. 1375 ᵇ21 Spgl.

παράστασις. ποιεῖσθαι ἀποδημητικὰς παραστάσεις τῶν ὑπερεχόντων Πε8. 1308 ᵇ19. — παράστασις, μέρος τῆς ἐμπορίας Πα11. 1258 ᵇ23. — γραφαὶ ὧν παράστασις τίθεται f 379. 1541 ᵃ23, 29, 35.

παραστάτης, dist κορυφαῖος Πγ4. 1277 ᵃ12. dist τριτοστάτης Μδ11. 1018 ᵇ27. ἐγκαταλείπειν τὸν παραστάτην Ηε4. 1130 ᵃ30.

παραστρέφειν. παρεστράφθαι χ ἄλλοθί πῃ ὁρμᾶν πδ26. 879 ᵇ27. — ψυχαὶ παρεστραμμέναι τῆς κατὰ φύσιν ἕξεως Πθ7. 1342 ᵃ22.

παρασύρειν. (οἱ ἀκρατεῖς) παρασύρσι τῇ ἀλογίᾳ τὴν ἐπιθυμίαν αρ3. 1250 ᵃ23.

παράτασις. διατείνει τὸ μεσεντέριον συνεχὲς ἀπὸ τῆς τῶν ἐντέρων παρατάσεως εἰς τὴν φλέβα τὴν μεγάλην Ζμδ4. 677 ᵇ37.

παράττειν πρὸ τῶν τάφρων Ηγ11. 1116 ᵇ1. μόνοι περὶ τὰ Λεῦκτρα παραταξάμενοι ρ9. 1429 ᵇ14.

παρατείνειν. trans τὰς λόγους δεῖ ἐκτίθεσθαι καθόλου, εἶθ' οὕτως ἐπεισοδίων χ παρατείνειν πο17. 1455 ᵇ2 (syn μηκύνειν ᵇ16). παρὰ τὴν δύναμιν παρατείναντες μῦθον πο9. 1451 ᵇ38. — pass χολὴ παρατεταμένη παρὰ τὸ ἔντερον, χεῖρες παρατεταμέναι παρὰ τὰς πλευράς sim Ζιβ15. 506 ᵇ13. η10. 587 ᵃ26. αν21. 480 ᵇ8. — intr ἀπὸ τῷ ἐντέρω κάτω παρατείνει μέλανα συνεχῆ Ζιδ4. 529 ᵃ22. τὸ σῶμα μέχρι ὑπὸ μέσην παρατείνει τὴν γαστέρα Ζπ11. 710 ᵇ29. ἡ φιλία παρὰ πάντα τὸν βίον παρατείνει ημβ11. 1208 ᵇ5.

παρατηρεῖν. θηρεύειν παρατηρῶν ἀναδυόμενον ἐκ τῆς θαλάττης Ζιι34. 620 ᵃ8. ἐξαγγελτικοὶ οἱ ἠδικημένοι διὰ τὸ παρατηρεῖν Ρβ6. 1384 ᵇ7. — παρατηρεῖν τὸ ἀεὶ πρὸς πολλὰς χρόνους τε1. 129 ᵃ23 (syn τηρεῖν ᵃ26). ὅταν ὁ ἀποκρινόμενος τἀναντία τῷ ἐρωτῶντι παρατηρῇ προσεπηρεάζειν τϑ11. 161 ᵃ23. παρατηρητέον ὅπως μὴ Αβ19. 66 ᵃ25. — εὐλαβεῖσθαι χ παρατηρεῖν τὸ μέτριον Ργ2. 1405 ᵇ33. δεῖ τοῦτο παρατηρεῖν ρ5. 1426 ᵇ36. 8. 1428 ᵃ32. — παρατηρῆσαι (?) φαίνεται κατ' εὐθυωρίαν εν2. 459 ᵇ14.

παρατιθέναι τροφήν Ζι40. 625 ᵇ31. πάντων γιγνομένων τῶν παρατιθεμένων (τῷ Μίδᾳ) χρυσῶν Πα9. 1257 ᵇ17. — παρατιθεμένων ἐγγὺς τῶν ἐναντίων τι15. 174 ᵇ5. — τὰ ἄλλα ἀράχνια, ὅσα παρατίθενται οἱ φαρμακοπῶλαι Ζιι39. 622 ᵇ34.

παρατρέπειν. ὁ τῷ πυρὸς ποταμὸς ἐξεσχίσθη παρέτρεψέ τε τῷ φλογμῷ τὸ μὲν ἔνθα τὸ δ' ἔνθα x6. 400 ᵇ4. θ154. 846 ᵃ14. παρατρεπομένων τῶν κινήσεων Ζγδ4. 773 ᵃ7.

παρατρίβεσθαι πρὸς ὁμαλὲς χ λεῖον χ3. 793 ᵃ33, 28, 18 (cf λεῖσθαι ᵃ16, ἀποτρίβεσθαι ᵃ25). οἱ ψόφοι ὅταν πρὸς σκληρόν τι παρατρίβωνται ακ803 ᵇ13. (ζῷά τινα) παρατριβόμενα μόνον ὀχεύεται τὰ ὕπτια πρὸς τὰ ὕπτια Ζιε5. 540 ᵇ12.

παρατρίψις. ὁ ἐξακοντισμός ἐστι πυρὸς γένεσις ἐκ παρατρίψεως x4. 395 ᵇ5.

παρατυγχάνειν. κατεσθίεται ὁ γόνος ὑπὸ τῶν παρατυχόντων ἰχθυδίων Ζιζ14. 568 ᵇ17. ὑπεράλλονται οἱ δελφῖνες τὰς ἱστάς, ἐὰν παρατυγχάνῃ πῃ πλοῖον Ζιι48. 631 ᵃ30.

παραυτίκα. τὴν παραυτίκα κακοπάθειαν ἐκφυγεῖν ρ17. 1432 ᵃ26. παραυτίκα φτα2. 817 ᵃ40. 4. 819 ᵇ12. 5. 820 ᵃ11. β2. 823 ᵃ22. cf Eucken II 62.

παραφαίνειν. ἐπισκευάσας τὰς ἡμιόνας ὡς ἀγύσας ἀργύριον παραφαινύσας τε ταῦτα οβ1350 b24. — παραφανείσης δὲ τῆς τραγῳδίας ⁊ κωμῳδίας πο4. 1449 a2.

παραφέρεσθαι παρ' ἄλλο τι μένον (ferri iuxta sive secundum aliquid aliud) Οα5. 272 a27, 28. — τὰ παραλελυμένα τῦ σώματος μόρια εἰς τὰ δεξιὰ προαιρημένων κινῆσαι τὐναντίον εἰς τὰ ἀριστερὰ παραφέρεται Ηα13. 1102 b20. τὰ ἰχθύδια ἐκπίπτει παραφερόμενα ὡς ἀκύοντα ⁊ καρηβαρῦντα ὑπὸ τῦ ψόφε Ζιθ8. 534 a3.

παραφρονεῖν. coni κάμνειν, opp νῦν ἔχειν Μγ5. 1009 b5. ηεα3. 1214 b30. ὡς φρονῦντας ⁊ τὺς παραφρονῦντας ἀλλ' ὒ ταὐτά Μγ3. 1009 b31.

παραφυάς. a. animalium. ἔχυσι ⁊ παραφυάδας λεπτὰς οἱ πρὸς τῷ στόματι πόδες (τῦ ἀστακῦ), Geisselanhänge der Kaufüsse Ζιθ2. 526 a29 Aub, iq ἐπικαλύμματα S II 349. (τὸ διάζωμα) πρὸς τὴν θερμότητα τὴν κάτωθεν οἷον παραφυάδες (v l παραφύσεις) εἰσί Ζμγ10. 672 b27. cf F 298, 64. Lewes 324. ΚαΖμ 103. — b. plantarum cf Theophr hist pl II, 2, 4. παραφυάδες εἰσὶ τὰ ἀπὸ τῆς ῥίζης τῦ δένδρυ βλαστάνοντα· τὰς παραφυάδας (τὰς τῆς σκίλλης) κάτωθεν ἐκμυζᾷ ὁ ἥλιος φτα4. 819 a24, 26. 5. 820 a23, 28. παραφυάδες ⁊ ἀτελῆ πκ24. 925 b27. — metaph παραφυάδι ἔοικε τὸ πρός τι ⁊ συμβεβηκότι τῦ ὄντος Ηα4. 1096 a21.

παραφύεσθαι. παραφύονται ἐλάττυς μύες παρὰ τὴν ἀρχήν, syn παραβλαστάνειν Ζγγ11. 761 b30, 29. ὑπὸ τὸ βλέφαρον ἐνίοις παραφύονται μαναὶ τρίχες Ζμβ14. 658 a26. ἕτεροι κλάδοι παρεφύησαν μκ6. 467 a15.

παραφυής. ἡ ῥητορικὴ οἷον παραφυές τι τῆς διαλεκτικῆς Ρα2. 1356 a25.

παραφυλάττειν. δεῖ παραφυλάττειν ὅπως c coni ρ3. 1424 a22. 23. 1434 b21. — ὡς ἐπὶ τὸ πολὺ οἱ (τὴν δίκην) φεύγοντες παραφυλάττονται πκθ12. 951 a18. — pass Ὀδυσσεὺς παραφυλαττόμενος ὑπὸ τῦ Ποσειδῶνος ρο17. 1455 b18.

παράφυσις. διαφέρειν αἱ παραφύσεις ('Ueberzähligkeit der Glieder' Aub) τῆς πολυτοκίας Ζγδ4. 773 a2.

παραχεῖν τι εἰς τὸν οἶνον, τὸ τῷ οἴνῳ παραχυθέν f 105. 106. 1494 b40, 44. οἱ οἶνοι ἧττον μαλακοί, ἐὰν ὕδωρ παραχεθῇ πκ35. 926 b37.

παραχρῆμα Ζιε15. 548 a8. Ζγγ1. 751 a16. Ρα12. 1372 b11. αχ800 b28. πα11. 860 b12. θ78. 835 b35.

παραχρῆσθαι. ἐπὶ τῶν θηλειῶν παραχέχρηται (τοῖς μαστοῖς) ⁊ πρὸς ἕτερον ἔργον ἡ φύσις Ζμδ10. 688 a23.

παραχρωννύναι. τῶν μελῶν τὰ σύντονα ⁊ παρακεχρωσμένα Πθ7. 1342 a24.

παραχωρεῖν. ὁ ἐν τύτοις παραχωρῶν ἐπιεικὴς ημβ1. 1198 b28. cf αθ34. 1195 b10. — εἴ τις ⁊ ταῦτα παραχωρήσειε ⁊ θείη τὸν νῦν μέρος τι τῆς ψυχῆς ψα5. 410 b25. — τὸ φυτὸν ὒ παραχωρεῖ τῷ ἀέρι ἀναβαίνειν φτβ5. 826 a33.

παρδάλειον (v l παρδάλιον), φάρμακον φυόμενον ἐν Ἀρμενίᾳ θ6. 831 a5 (i q παρδαλιαγχές Beckm 22).

παρδαλιαγχές, φάρμακον ζιη6. 612 a7. (planta dubia cf S II 41. Fraas 134. Langkavel Bot 74.)

παρδάλιον. τὰ παρδάλια Ζιβ11. 503 b5. cf S I 94. — παρδάλιον v l, παρδάλειον Bk, v παρδάλειον.

πάρδαλις (genitiv v l παρδάλεος πιγ4. 907 b35). θηρίον Ζιι6. 612 a11. deser φ5. 809 b36-810 a10. refertur inter τὰ ἄγρια Ζιa1. 488 a28. πι45. 895 b26, τὰ καρχαρόδοντα Ζιβ1. 501 a17, τὰ πολυδάκτυλα Ζιβ1. 499 b8. Ζμδ10. 688 a4, τὰ ποικίλα τῷ γένει Ζγε6. 785 b22. ἡ πάρδαλις ἔχει μαστὺς τέτταρας ἐν τῇ γαστρί, πενταδακτύλυς τὺς προσθίυς πόδας τὺς δ' ὄπισθεν τετραδακτύλυς, τὴν καρδίαν μεγάλην Ζιβ1. 500 a28. Ζμδ10. 688 a6. γ4. 667 a21. ἡ θήλεια δοκεῖ εἶναι ἀνδρειοτέρα· ὅταν φάγῃ τὸ παρδαλιαγχές, ζητεῖ τὴν τῦ ἀνθρώπυ κόπρυ· βοηθεῖ γὰρ αὐτῇ Ζιι1. 608 a34 (Aelian IV 49). 6. 612 a7. cf θ6. 831 a7. παρδάλεις ἐν τῇ Ἀσίᾳ, ἐν δὲ τῇ Εὐρώπῃ ὒ γίγνονται, venatus, odor Ζιθ22. 606 b16. ι6. 612 a10-15. θ6. 831 a7. πιγ4. 907 b35. (pardus Thomae, panthera Gazae. cf Gesner quadrup 935, Bochart hierozoic 3, 7 et 8. gepardus Beckm ad θ p 23. panthere C II 606. Felis leopardus St Cr K 412. Felis pardus L Wiegmann, Oken Isis 1831, 287. Ka 15, 60. Su 45, 15. Lenz Zool der Gr u Röm 141, AZγ 22 et 28. AZι II 494.)

πάρδαλος deser Ζυ23. 617 b6. (pardales Guilel. feloroz feleroz foloros falenus Scoto. faleros Alberto. falereos cod a Camo inspect. linotte Scalig. Charadrius pluvialis Turner ap Gesn s h v, Su 147, 126. le gros-bec (Coccothraustes) Belon VII 30. Sturnus vulgaris Billerbeck Cr. Tringa squatarola L Aldrovandi III 533. K 983, 3. in incert rel C II 610. AZι I 103, 84. cf S II 125, 492.)

πάρδιον (v l ἱππαρίδιον) deser Ζιβ1. 498 b33. (pardium Thomae. fort le renne C II 207. Camelo-pardalis Pallas spicileg zool I 6. S I 66. Wiegmann 30. Humboldt Kosmos II 428. K 455. Ka 58, 7. Su 70, 52 St. Cr. in incert rel Sonnenburg 23. AZι I 69, 21.)

παρεγγυᾶν τὸ σύνθημα κ6. 399 b6.

πάρεγγυς. ἐν τοῖς παρεγγυς τόποις Ζιθ28. 605 b25. κινεῖσθαι πάρεγγυς (παρεγγὺς Bk) πιε13. 913 a13. — ἐὰν ἡ ἑτέρα ὀχεία τῆς ἑτέρας γένηται πάρεγγυς Ζγδ5. 773 b9. ὅτε λίαν ὑπολείπεσθαι ταῖς ἡλικίαις ὅτε λίαν πάρεγγυς εἶναι Πη16. 1335 a1, 4. — ταὐτὸν φαίνεται διὰ τὸ πάρεγγυς τῆς λέξεως τι5. 167 a5. πάρεγγυς τῆς Λακωνικῆς πολιτείας ἡ Κρητικὴ ἐστιν Πβ10. 1271 b20. παράπλησιον Ζγδ3. 769 b27. πάρεγγυς ἄμφω γίγνεσθαι ὄντα ⁊ ἐντελεχείᾳ ⁊ δυνάμει ΜΖ16. 1040 b11 Bz.

παρεγκεφαλίς. ὀπίσθιον λέγειν ἐγκέφαλον ἢ ἐγκράνιον ἢ παρεγκεφαλίδα διαφέρει φδέν Galen II 714. ἐπὶ τύτῳ (τῷ ἐγκεφάλῳ) ἡ καλυμένη παρεγκεφαλίς ἔσχαται. ἑτέραν ἔχυσα τὴν μορφὴν ⁊ κατὰ τὴν ἁφὴν ⁊ κατὰ τὴν ὄψιν· φέρει δὲ μέγιστος πόρος ⁊ ὁ μέσος εἰς τὴν παρεγκεφαλίδα Ζιa16. 494 b31, 495 a12 Aub. cerebrellum. cf S I 47. Philippson ὕλη 7.

παρεγκλίνειν. intr σκέλη μικρὸν εἰς τὸ πλάγιον παρεγκλίνοντα Ζιβ1. 498 a16. — trans αἱ τοιαίδ' ἀρνήσεις παρεγκλίνωσι (Spgl, παρακλίνωσι Bk) τὸν νόμον ρ37. 1444 b16. παρεγκλιθέν (?) πλβ5. 960 b34.

παρεγχεῖν ὄξυς μεη2. 1235 b39. περιδεῖν τὸ στόμα ἀγγείυ κηρίνυ τοιύτοις ὥστε μὴ παρεγχεῖσθαι τῆς θαλάττης μβ33. 359 a2.

παρεδρεύειν. δοκιμάζονται οἱ πάρεδροι πρὶν παρεδρεύειν f 389. 1542 b33.

παρεδρία. ἡ φύσις μηχανᾶται πρὸς τὴν ἑκάστυ ὑπερβολὴν βοήθειαν τὴν τῦ ἐναντίυ παρεδρίαν Ζμβ7. 652 a32.

πάρεδροι ὒς αἱρῦνται ἄρχων ⁊ βασιλεὺς ⁊ πολέμαρχος f 389. 1542 b35, 30.

παρεικάζειν. ὡς παρεικάσαι μείζοσι μικρῷ πάθος μβ9. 369 a30. ὡς μεγάλῳ παρεικάζοντα μικρὸν Ζμβ7. 653 a3. εἴ τις παρεικάζει τὰς τῦ ὅλυ ἀρχὰς τῇ τῶν ζῴων Μν5. 1092 a12. παρεικάζοντες ὡς τὸ πάθος ὅμοιον ὂν ⁊ ὅταν τις ῥάβδῳ τύπτῃ μβ39. 370 a12. παρεικάζειν τινί τι εν3. 461 b20. αν7. 473 b8. — ἡ ὀσμὴ εὐλόγως παρείκασται οἷον βαφή τις εἶναι αι5. 445 a13.

παρεῖναι. πρὸς παρεόν (Emp 375) ψγ3. 427 ᵃ23. — πνεύματος ἤδη ὄντος, ὕπω δὲ παρόντος μγ3. 372 ᵇ27. ὀργίλοι πρὸς τὰς τῦ παρόντος ὀλιγωρῦντας Ρβ2. 1379 ᵃ18. παρούσης κινήσεως ἀνάγκη κινεῖσθαί τι, χ̣ εἰ κινεῖταί τι, παρεῖναι κίνησιν Φζ1. 231 ᵇ25, 232 ᵃ16. πρὸς τὰς παρόντας καιρὰς Πε6. 1306 ᵇ10. κατὰ τὸν παρόντα καιρόν, τῷ παρόντι καιρῷ σύμμετρον Ρα4. 1359 ᵇ5. 8. 1366 ᵃ21. πρὸς τὴν παρῦσαν σκέψιν Ζγγ2. 753 ᵇ18. ὁ παρὼν χρόνος, opp ὁ παρεληλυθὼς πο20. 1457 ᵃ18. ἐν τῷ παρόντι, ὅτε παρῆν Ρα11. 1370 ᵇ2. — logice παρεῖναι i q ὑπάρχειν τινί Αα28. 44 ᵃ4-16, 45 ᵃ10, 14. τδ5. 126 ᵇ22, 24.

παρεισάγειν. ποιητῶν μᾶλλον εἶναι τὸ κινδύνας παρεισάγειν f 137. 1501 ᵇ5.

παρεισδέχεσθαι τὸ ὑγρὸν ἅμα τῇ τροφῇ Ζμγ1. 662 ᵃ9.

παρεισδύεσθαι, παρεισδύνειν. τὸ ποτάμιον ὕδωρ παρεισδυόμενον πνίγει πκγ14. 933 ᵃ16. τὸ ἔλαιον αὐτὸ καθ' αὑτὸ ἐχ ὁμοίως παρεισδύνει πε6. 881 ᵃ7.

παρεισιέναι. παρεισιούσης τῆς τροφῆς ἐπὶ τὸν πνεύμονα διὰ τῆς ἀρτηρίας αν11. 476 ᵃ30, cf παρέμπτωσις ᵇ8.

παρεισρεῖν. ὅταν τι παρεισρυῇ ξηρὸν ἢ ὑγρὸν εἰς τὴν ἀρτηρίαν Ζμγ3. 664 ᵇ5.

παρεισφέρειν. αἱ ῥοδιακαὶ χυτρίδες διὰ τὴν ἡδονὴν εἰς τὰς μέθας παρεισφέρονται f 105. 106. 1494 ᵇ37.

παρεκβαίνειν, c acc τὰ πάτρια Πε10. 1310 ᵇ19. τὴν φύσιν Ζγδ4. 771 ᵃ12. ἡ δημοκρατία ἐπὶ μικρὸν παρεκβαίνει τὸ τῆς πολιτείας εἶδος Ηθ12. 1160 ᵇ20. ὁ͂ις παρεκβεβηκυῖα τὴν εὐθύτητα Πε9. 1309 ᵇ23. — c gen τῦ εὖ, τῆς ἀρετῆς Ηβ9. 1109 ᵇ19. Πη3. 1325 ᵇ26. παρεκβαίνει τῆς ἀριστοκρατίας ἡ τάξις τῶν Καρχηδονίων πρὸς τὴν ὀλιγαρχίαν Πβ11. 1273 ᵃ21. — παρεκβέβηκεν ἡ φύσις ἐν τύτοις ἐκ τῦ γένυς Ζγδ3. 767 ᵇ6. — non addito obiecto: ὁ μικρὸν παρεκβαίνων ἐπὶ τὸ μᾶλλον, ὁ πόσον παρεκβαίνων Ηδ11. 1126 ᵃ35, ᵇ2. ἑπομένως παρεκβαίνειν Πζ4. 1319 ᵃ40. δεῖ τὰς νόμυς μὴ κυρίας εἶναι ἢ παρεκβαίνωσιν Πγ15. 1286 ᵃ23. πολιτεῖαι παρεκβεβηκυῖαι Πγ1. 1275 ᵇ1, 2. 11. 1282 ᵇ13. 13. 35 1284 ᵇ4, 23. — εἰ δεῖ παρεκβάντας εἰπεῖν Φδ2. 209 ᵇ34. ὡς μικρὸν παρεκβᾶσιν εἰπεῖν Γα8. 325 ᵇ36. περὶ τύτων παρεκβῆναι συμβέβηκεν Ζμβ14. 658 ᵇ11. λέγωμεν ὅθεν παρεξέβημεν Ηα3. 1095 ᵇ14.

παρέκβασις. πνευμάτων παρεκβάσεις Πδ3. 1290 ᵃ15. τῶν ἁρμονιῶν χ̣ τῶν μελῶν Πθ7. 1342 ᵃ24. τῦ δικαίυ παρέκβασις Πε7. 1307 ᵃ7. παρεκβάσεις, coni syn ἁμαρτίαι Πε10. 1310 ᵇ6, cf β11. 1273 ᵃ3. Μν2. 1089 ᵇ4 (παρέκβασις, aberratio a vera investigandi via). παρέκβασις τῆς ἀριστοκρατίας Πβ11. 1273 ᵃ31. παρεκβάσεις (πολιτειῶν) τρεῖς, opp πολιτεῖαι ὀρθαί Ηθ12. 13. ηεη9. 1241 ᵇ28. Πγ7. 1279 ᵇ4. δ2. 1289 ᵃ28. 3. 1290 ᵃ25. 8. 1293 ᵇ24, 27. cf γ6. 1279 ᵃ20. 7. 1279 ᵃ24, 31. 13. 1283 ᵃ29. 17. 1287 ᵇ40. τῶν παρεκβάσεων τίς χειρίστη χ̣ δευτέρα τίς Πδ2. 1289 ᵃ39.

παρεκθλίβειν. ἀντιπνέοντα ἀλλήλοις τὰ ῥεύματα (πνεύματα ci Bz) παρεκθλίβεται ὥσπερ ἐν τοῖς ποταμοῖς, χ̣ γίνονται αἱ δῖναι πκγ5. 932 ᵃ13.

παρεκκλίνειν. intr ἡ καρδία μικρὸν εἰς τὰ εὐώνυμα παρεκκλίνυσα Ζμγ4. 666 ᵇ7. ὄνομα μικρὸν παρεκκλῖνον ἀπὸ τῦ ἔθυς Ηβ1. 1103 ᵃ18. — trans ὅταν ὀργῶσι, παρεκκλίνυσιν ἀλλήλας αἱ ἔλαφοι ΖιΖ29. 578 ᵇ10.

παρεκπυρῦσθαι. τῦτο (τὸ ἀποσπινθηρίζειν) γίνεται διὰ τὸ παρεκπυρῦσθαι μα4. 341 ᵇ30.

παρεκτείνειν, logice, eundem habere ambitum, ἐπὶ πλέον παρεκτείνειν, latiorem ambitum habere Αδ17. 99 ᵃ35,

36 Wz, cf ἐπεκτείνειν.

παρεκτρέπειν. τὰς μὲν συμπεφυκέναι τῶν πόρων τὰς δὲ παρεκτετράφθαι Ζγδ4. 773 ᵃ15.

παρεκτρίβειν. ἡ θερμότης χ̣ τὸ φῶς γίνεται παρεκτριβομένυ τῦ ἀέρος Οβ7. 289 ᵃ20.

παρελαύνειν. παρελήλαται (Emp 179) Μβ4. 1000 ᵇ16 Bz.

παρέλκειν. Ἀναξαγόρας ὅταν ἀπορήσῃ διὰ τίν' αἰτίαν ἐξ ἀνάγκης ἐστί, τότε παρέλκει τὸν νῦν ΜΑ4. 985 ᵃ20.

παρεμβάλλειν λίθον θ48. 833 ᵇ27. f 248. 1524 ᵃ10. μηκύνειν χ̣ παρεμβάλλειν τὰ μηδὲν χρήσιμα τθ1. 157 ᵃ1. ὅτε νυστάζοιεν οἱ ἀκροαταί, παρεμβάλλειν τῆς πεντηκονταδράχμυ αὐτοῖς Ργ14. 1415 ᵇ16.

παρεμπίπτειν. παρεμπίπτοι γὰρ ἂν ὕδωρ sim Ζμβ17. 660 ᵇ21. Ζγδ3. 768 ᵇ36. πβ42. 870 ᵇ37. κβ14. 931 ᵃ29. — logice ὁ παρεμπίπτων ὅρος (terminus, qui novus interponitur) Αα25. 42 ᵇ8, 23 Wz. ἀεὶ παρεμπεσεῖται ἄλλο τι μέσον Αδ12. 95 ᵇ23. — παρεμπίπτει (tamquam difficultas, ἀπορία) τὰ κινητικὰ τῶν μορίων πρότερα ὄντα τῇ γενέσει τῦ τέλυς Ζγβ6. 742 ᵇ8. — ὐδὲν ἄλλο λόγυ σχῆμα παρεμπεσεῖται ρ31. 1438 ᵃ9. ἄν τις τῶν ἄλλων πίστεων παρεμπέσῃ ρ33. 1438 ᵇ35.

παρέμπτωσις. ἡ τῦ ὑγρῦ παρέμπτωσις (cf παρεισιέναι) αν11. 476 ᵇ8. αἱ τῶν πνευμάτων παρεμπτώσεις κ5. 397 ᵃ32.

παρεμφαίνειν. τὰ ἐκπίπτοντα τῶν πνευμάτων παρεμφαίνυσιν ἀσάφειάν τινα ακ801 ᵇ13. — τὸ ὕδωρ ἄχροον παρεμφαινόμενον σαφεστέραν ποιεῖ τὴν ἔμφασιν πκγ9. 932 ᵇ24. παρεμφαινόμενον κωλύει τὸ ἀλλότριον χ̣ ἀντιφράττει ψγ4. 429 ᵃ20 Trdlbg. παρὰ τὸ μέτρον ὐδὲν παρεμφαίνεται τὸ μετρύμενον ἀλλ' ἢ πλείω μέτρα τὸ ὅλον Φδ14. 224 ᵃ1. χαλεπὸν ληφθῆναι ὁ τόπος διὰ τὸ παρεμφαίνεσθαι τὴν ὕλην χ̣ τὴν μορφήν Φδ4. 212 ᵃ8.

παρενοχλεῖν. φιλῦσι τὰς ὁμοίας, ἐὰν μὴ παρενοχλῶσιν Ρβ4. 1381 ᵇ15. (ἡ τῦ φαντάσματος ζήτησις) παρενοχλεῖ ἐνίυς, ἐπειδὰν μὴ δύνωνται ἀναμνησθῆναι μν2. 453 ᵃ16. μηδὲν δ' ἡμᾶς παρενοχλείτω· διωρίσθω γὰρ Οα11. 281 ᵃ18. — pass (ὁ τῆς ἀκοῆς πόρος) νυκτὸς ὐ παρενοχλεῖται ὑπὸ τῆς ὄψεως πια33. 903 ᵃ25.

παρεξελέγχεσθαι τβ5. 112 ᵃ8 Wz.

παρεξέλεγχος τι17. 176 ᵃ24. 27. 181 ᵃ21.

παρεξωθεῖν. πνεῦμα παρεξωσθὲν εἰς μυχίυς σήραγγας τῆς γῆς κ4. 395 ᵇ31.

παρέπεσθαι. ὅταν ἐκτέκῃ ἡ θήλεια, παρεπόμενος ὁ ἄρρην ἐπιρραίνει τὸν θορὸν ΖιΖ13. 567 ᵇ4. — ὐ ῥάδιον γνῶναι μὴ παρεπομένῳ μηδὲ συνήθει σφόδρα ΖιΖ18. 573 ᵃ14. — δεῖ χρῆσθαι τῇ παραδεδομένῃ χ̣ παρεπομένῃ ὀνομασίᾳ χ̣ μὴ κινεῖν τὰ τοιαῦτα τζ10. 148 ᵇ21. — logice (cf ἕπεσθαι, ἀκολυθεῖν, παρακολυθεῖν) τγ2. 117 ᵃ7, 10. τὸ παρεπόμενον, dist τὸ συμβεβηκός τι6. 168 ᵇ31, 28. cf αρ1. 1249 ᵃ29. 4. 1250 ᵃ37. τὸ ἀεὶ παρεπόμενον (cf ἴδιον, γένος) τδ6. 128 ᵃ38 (τὸ ἀεὶ ἀκολυθῦν ᵇ4). ε1. 129 ᵃ4. 3. 131 ᵃ27, ᵇ2. φ1. 806 ᵃ12. ὐχ ὁμοία ἡ ἀσθένεια παρέπεται τῷ μύωπι χ̣ τῷ πρεσβύτῃ πλα25. 959 ᵇ40.

παρεπισκοπεῖν ημα35. 1197 ᵇ32.

πάρεργον. ὅπως μὴ τὰ πάρεργα τῶν ἔργων πλείω γένηται Ηα7. 1098 ᵃ32. ἐκεῖνο μὲν πάρεργον, τῦτο δ' ἔργον τῆς μεθόδυ Πη2. 1324 ᵃ22. εἰς τὰ πάρεργα χ̣ μηδενὸς ἄξια τὴν σπυδὴν καταναλίσκειν ρ1. 1420 ᵇ21. — ὡς ἔργῳ, opp ὡς παρέργῳ αι5. 444 ᵃ27. ἐν παρέργῳ Μλ9. 1074 ᵇ36. αν473 ᵃ24.

παρέργως. ἐπιμέλειάν τινος ἔχειν μὴ παρέργως Πη11. 1330 ᵇ11. σκοπεῖν τι μὴ παρέργως οβ1346 ᵃ15.

παρέρχεσθαι. τὴν κινϠμένην παρελθεῖν παρ' ἠρεμϠσαν Οα5. 272 ᵇ4, 9. — εἰς παροιμίαν παρῆλθε τὸ πρᾶγμα f 551. 1569 ᵃ28. εἰς τὴν τραγικὴν ϰ ραψῳδίαν ὀψὲ παρῆλθεν ἡ ὑπόκρισις Ργ1. 1403 ᵇ23. — ὁ παρεληλυθὼς χρόνος, τὸ παρεληλυθός, παρελθόν, opp ὁ παρὼν χρόνος, ὁ μέλλων χρόνος, τὸ παρόν, τὸ μέλλον Κ6. 5 ᵃ8. πο20. 1457 ᵃ18. Φδ10. 218 ᵃ9. 13. 222 ᵇ9, 13. 14. 223 ᵃ9. Ρβ12. 1389 ᵃ23. 13. 1390 ᵃ8. Πε8. 1308 ᵃ39. ὅταν παρέλθῃ ἡ ὥρα Ζιγ1. 510 ᵃ2. cf Ζγα4. 717 ᵇ9.

παρέχειν χρήματα, τροφήν Πε4. 1304 ᵇ13. β8. 1268 ᵇ3, πόνον Ζιβ4. 501 ᵇ27, τριχὸς χρείαν Ζια6. 490 ᵇ30. παρέχειν ἀπορίαν, δόξαν Μβ1. 996 ᵃ12. Φθ6. 259 ᵇ3. — οἱ παρέχοντες σφᾶς αὐτϠς πᾶσιν ἀγοράν Πη6. 1327 ᵃ29. — med πλείϠς διαφέροντες κατ' ἀρετῆς ὑπερβολὴν μὴ μέντοι δυνατοὶ πλήρωμα παρασχέσθαι τῆς πόλεως Πγ13. 1284 ᵃ5. παρασχέσθαι πλῆθος μαρτύρων Πβ8. 1269 ᵃ2. τὸ πάντας ὑπολαμβάνειν παρέχεται πίστιν μτ1. 462 ᵇ15. τὸ ἄρρεν παρέχεται τὸ εἶδος ϰ τὴν ἀρχὴν τῆς κινήσεως· ὁ ἥλιος παρέχεται τὴν θερμότητα sim Ζγα20. 729 ᵃ9. ΜΑ8. 988 ᵇ5. μα3. 341 ᵃ13. β2. 355 ᵃ25. γ6. 378 ᵃ12. δ9. 387 ᵇ20. Ζγε6. 786 ᵃ13. Φθ6. 260 ᵃ9. τῷ ἰδέᾳ τ.θεμένῳ παρέχονταί τιν' αἰτίαν τοῖς Ϡσιν Μν2. 1090 ᵃ24.

παρήκειν. ἔχϠσι κάτω παρήκϠσαν ὑστέραν πάντα τὰ σελαχώδη Ζγα11. 719 ᵃ8. εἰ τῶν μὲν ἀρχαίων ἐλάττϠς αἱ (τῆς ἐποποιίας) συστάσεις εἶεν, πρὸς δὲ τὸ πλῆθος τῶν τραγῳδιῶν τῶν εἰς μίαν ἀκρόασιν τιθεμένων παρήκοιεν πο24. 1459 ᵇ22. — ὁ παρήκων χρόνος (cf παρέρχεσθαι), opp ὁ μέλλων Φδ13. 222 ᵇ11. ζ3. 234 ᵃ14.

παρήλιος. περὶ παρηλίων μγ2. 6. πιε12. 912 ᵇ27.

παρθενία τῆς Ἀρτέμιδος πι36. 894 ᵇ35.

Παρθενία ἐκλήθη πρότερον ἡ Σάμος f 529. 1566 ᵃ1.

Παρθενίαι ἐν Λακεδαίμονι Πε7. 1306 ᵇ29.

παρθενικὴν γαμεῖν (Hes ε 699) οα4. 1344 ᵃ17.

παρθένιος θάλαμος θ158. 846 ᵃ30. ὁ παρθένιος αὐλὸς τϠ παιδικϠ ὀξύτερος Ζιη1. 581 ᵇ11. cf παιδικός p 558 ᵃ29.

Παρθενόπη μία τῶν Σειρήνων θ103. 839 ᵃ33.

παρθένιος. ταῖς παρθένοις ϰ τα περὶ τϠς μαστϠς γίνεται διαφερόντως ἑτέραις πρὸς ἑτέρας, opp παῖδες Ζιη1. 582 ᵃ5, 581 ᵇ30. — ἀρετά, σᾶς πέρι, παρθένε, μορφᾶς θανεῖν f 625. 1583 ᵇ10.

παριέναι (πάρειμι) εἰς τὰς ἀρχάς Πε3. 1303 ᵃ17.

παριέναι (παρίημι). ὁ φίλος τὰ αὐτϠ παρίησι Ηι8. 1168 ᵃ35. τὸν δυνάμενον ἄρχειν Ϡ δεῖ παριέναι τῷ πλησίον Πη3. 1325 ᵃ37.'cfγ14. 1285 ᵇ15. Ϡδενὶ παρῆκε προεισάγειν Πη17. 1336 ᵇ29. — ὅσα δεῖ ποιεῖν, μήτε νυκτὸς μήτε ἡμέρας παριέναι οα6. 1345 ᵃ15. — ταῦτα παρέντες ἐκεῖνα λέγωμεν Μγ5. 1010 ᵃ22. βέλτιον μὴ κύκλῳ περιμένειν παρέντας τὴν σύντομον Ζγδ4. 770 ᵃ2. παριέναι μηδέν Οβ5. 287 ᵇ30. παρετέον ὑπὲρ τῶν τοιϠτων Ηχ1. 1172 ᵃ26. παρείσθω πο19. 1456 ᵇ18. — med παρίεσθαι συμμαχίαν p39. 1446 ᵇ28. — pass ταῦτα μὲν Ϡν παρίεται (haec vitia committuntur?) Αδ5. 91 ᵇ28.

Πάριοι Ἀρχίλοχον τετιμήκασι Ρβ23. 1398 ᵇ10. Archilochus Parius f 626. 1584 ᵃ7. οἱ Πάριοι λεγόμενοι σοφισταί p1. 1421 ᵃ32 (Spgl ad h l p 97). Πάριος λίθος θ134. 844 ᵃ15. Χάρης ὁ Π. Πα11. 1258 ᵇ40. Παρίων πολιτεία 1564 ᵇ35.

Πάρις. ὁ Πριάμοιο f 597. 1578 ᵃ13.

παρίσθμιον. τὸ μὲν διφυὲς τϠ στόματος παρίσθμιον, τὸ δὲ πολυφυὲς Ϡλον Ζια11. 493 ᵃ1. tonsillae. cf S I 38, 48. Philippson ὕλη 34. Daremberg not et extraits I 130, 29.

V.

πάρισον, rhetorice Ργ9. 1410 ᵇ1, cf παρίσωσις.

παριστάναι, παρίστασθαι, παραστῆναι. παρακολϠθϠσιν αἱ βόες ϰ παρεστᾶσιν Ζιζ18. 572 ᵇ4. οἱ μέτριοι φαίνονται μείζϠς ὅταν πρὸς βραχυτέρϠς παραστῶσιν p4. 1426 ᵃ31. δεῖ παριστάναι τὸ ὑπὸ σϠ λεγόμενον ϰ παραβάλλειν πρὸς ἄλληλα p4. 1426 ᵃ24. 36. 1441 ᵃ27. — οἱ ἐν πενίᾳ παριστάμενοι (i e auxilium ferentes) Ρβ7. 1385 ᵃ26. — τὸ φρονεῖν ἀλλοῖα παρίστατο (Emp 377) ψγ3. 427 ᵃ25. Μγ5. 1009 ᵇ21. τὼς νόος ἀνθρώποισι παρίσταται (Parm 147) Μγ5. 1009 ᵇ23.

παρισχναίνω. τράγοι παρισχναινόμενοι δύνανται ὀχεύοντες γεννᾶν Ζιε14. 546 ᵃ3.

παρίσωσις, ἐὰν ἴσα τὰ κῶλα, dist ἀντίθεσις, παρομοίωσις Ργ9. 1410 ᵃ23. def et eius usus descr p28.

Παρμενίδης Ξενοφάνης λέγεται μαθητής ΜΑ5. 986 ᵇ22. eius versus afferuntur: v 52 Μν2. 1089 ᵃ3. v 103-105 ξ2. 976 ᵃ6. 4. 978 ᵇ8. v 104 Φγ6. 207 ᵃ15. v 132 ΜΑ4. 984 ᵇ25. v 146-149 Μγ5. 1009 ᵇ21. eius doctrina exponitur Φα2. 184 ᵇ25 - 3. 187 ᵃ11. 8. 191 ᵃ27 - ᵇ34. ΜΑ6. 986 ᵇ10-987 ᵃ2; quae sit eius doctrinae origo explicatur Ογ1. 298 ᵇ21-24. τὸ ἐν ἀκίνητον Φα2. 184 ᵇ16, 185 ᵃ9. 192 ᵃ1. Ογ1. 298 ᵇ17. ΜΑ3. 984 ᵃ31, ᵇ3. βˑ4. 1001 ᵃ32, resp Γα8. 325 ᵃ2-23. τὸν Παρμενίδ λόγον λύϠσι διὰ τὸ πολλαχῶς φάναι τὸ ἓν λέγεσθαι τι33. 182 ᵇ26. Παρμενίδης ἔοικε τϠ κατὰ τὸν λόγον ἑνὸς ἅπτεσθαι, Μελίσσου δὲ τϠ κατὰ τὴν ὕλην ΜΑ5. 986 ᵇ18. — ἀρχαὶ γενέσεως τὸ θερμὸν ϰ τὸ ψυχρόν ΜΑ3. 984 ᵇ3. 5. 986 ᵇ31. Φα5. 188 ᵃ20. Γα3. 318 ᵇ6. β3. 330 ᵇ14, resp Φα5. 188 ᵇ33. Μγ2. 1004 ᵇ32, videtur resp Γβ1. 329 ᵃ1. — Parmenides feminas maribus calidiores esse existimat Ζμβ2. 648 ᵃ28. Ζγδ1. 765 ᵇ19. — Παρμενίδης μᾶλλον βλέπων ἔοικέ τι λέγειν ΜΑ5. 986 ᵇ27. — Parmenides fort resp Ηθ2. 1155 ᵇ7. Ργ17. 1418 ᵃ11.

Παρμένων ὁ ὑποκριτὴς πκζ3. 948 ᵃ3.

Παρνασσός, mons Graeciae πο8. 1451 ᵃ26. τὸ ἐκ τϠ ΠαρνασσϠ ἐπίπετρον Ζιδ5. 681 ᵃ23. — mons Asiae μα13. 350 ᵃ19 (Ideler ad h l I 453 sqq).

Πάρνηθος τῆς Ἀττικῆς f 356. 1538 ᵃ35.

παρό iq δι' ὅ (cf παρά p 562 ᵃ9) χ6. 798 ᵃ23. αχ802 ᵃ1. θ58. 834 ᵇ29. — παρό iq ἤ apud comparativum (cf παρά p 562 ᵃ21), κρειττόνως παρὸ ἀλλαχϠ sim φτα4. 820 ᵃ5. 5. 820 ᵃ14. β2. 824 ᵃ10. Eucken ΙΙ 61. 62.

πάροδος. Ϡκ ἔχων τὴν πάροδον ὁ ἀὴρ Οβ13. 294 ᵇ26. πάροδοι ϰ τροπαὶ τῶν ἄστρων Οβ14. 296 ᵇ4. — ἀναπνέοντος ὥσπερ ἐκ παρόδϠ (ἡ φύσις) ποιεῖται διὰ τῶν μυκτήρων τὴν κίνησιν αι5. 444 ᵃ28. ἐκ παρόδϠ τϠ λόγϠ παραδέχεσθαι, opp ἀκριβολογεῖσθαι Ογ8. 306 ᵇ27. ἐκ παρόδϠ θεωρεῖν Ζγγ6. 757 ᵃ12. — πάροδος dramatum Ηθ6. 1123 ᵃ23. def πο12. 1452 ᵇ22, 20.

παροικοδομεῖν. αἱ μέλιτται τὰς εἰσόδϠς παροικοδομϠσιν, ἐὰν εὐρεῖαι ὦσιν Ζιι40. 623 ᵇ23.

παροικοδόμημα. ἡ φύσις οἷον παροικοδόμημα ποιήσασα ϰ φραγμὸν τὰς φρένας Ζμγ10. 672 ᵇ19.

πάροικος Ἀττικός (cf παροιμία) Ρβ21. 1395 ᵃ18.

παροιμίαι μεταφοραὶ ἀπ' εἴδϠς ἐπ' εἶδός εἰσιν Ργ11. 1413 ᵃ14. μαρτύρία ἐστιν Ρα15. 1376 ᵃ3. ἔνιαι τῶν παροιμιῶν ϰ γνῶμαί εἰσιν Ρβ21.1395 ᵃ17. αἱ παροιμίαι παλαιᾶς φιλοσοφίας ἐγκαταλείμματα f 2. 1474 ᵇ5. εἰς παροιμίαν παρῆλθε τὸ πρᾶγμα f 551. 1569 ᵃ28. 470. 1555 ᵇ14. ὅθεν ϰ αἱ παροιμίαι εἴρηνται Ρα11. 1371 ᵇ15. — proverbia ab Ar usurpata vel explicata: μηδὲν ἄγαν (τὸ Χιλώνειον) Ρβ12. 1389 ᵇ3. 21.

1395 ᵃ20 (cf Schneidewin et Leutsch, Paroemiogr gr II
p 80, 614). Αἰσώπειον αἷμα f 445. 1551 ᵃ28 (Leutsch
I 18, 187. II 4, 258). εἰς τὐναντίον κ̀ τὸ ἄμεινον κατὰ
τὴν παροιμίαν ἀποτελευτῆσαι ΜΑ 2. 983 ᵃ18 (cf δευτέρων
ἀμεινόνων L I 62. II 357). ἄνω ποταμῶν μβ 2. 356 ᵃ19 ₅
(L I 47, 185, 219n. II 96, 747). τὸν μέλλοντα καλῶς ἄρ-
χειν ἀρχθῆναί φασι δεῖν πρῶτον Πη14. 1333 ᵃ2 (L II 306,
309). τὸ τῦ Βίαντος, ἀρχὴ ἄνδρα δείξει Ηε3. 1130 ᵃ1
(L I 212. II 101, 310). ἀρχὴ ἥμισυ παντός Πε4. 1303
ᵇ29. Ηα7. 1098 ᵇ7. πι13. 892 ᵃ30. ἀρχὴ παντὸς μέγιστον 10
τι34. 183 ᵇ22 (L I 213, 385). Ἀττικὸς πάροικος Ρβ21.
1395 ᵃ18 (L I 40, 330. II 149). Βάττυ σίλφιον f 485.
1557 ᵃ38, ᵇ3, 7 (L I 386, 451. II 150). Βύθος περιφοιτᾷ
f 573. 1572 ᵃ30 (L I 60. II 81). μήποτ' εὖ ἔρδειν γέ-
ροντα Ρα15. 1376 ᵃ5 (L I 231, 279). ὐκέτι γιγνώσκυ- 15
σιν Ἀθηναῖοι Μεγαρῆας (fr eleg adesp 6 Bgk) ηεη2. 1236
ᵃ36. 10. 1242 ᵇ25. Γλαῦκ' ἐπικύρος ἀνὴρ τὸν σὸν φίλον
(τόσσον φίλος? Fritzsche) ἔσκε μάχηται ηεη 2. 1236 ᵃ35.
γνῶθι σαυτόν Ρβ 21. 1395 ᵃ20 (L I 391. II 19, 750).
γόνυ κνήμης ἔγγιον Η ι8. 1168 ᵇ7 (L I 57, 229. II 106). 20
ἵππον πιαίνει μάλιστα ὁ τῦ δεσπότυ ὀφθαλμός, κόπρος
ἀρίστη τὰ τῦ δεσπότυ ἴχνη οα6. 1345 ᵃ3, 5 (L?). δεύ-
τερος πλῦς Ηβ9. 1109 ᵃ34. Πγ13. 1284 ᵇ19 (L I 359.
II 24). ἐν δὲ δικαιοσύνη συλλήβδην πᾶσ' ἀρετὴ ἔνι Ηι8.
1129 ᵇ29. τὸ Ῥαδαμάνθυος δίκαιον· εἴ κε πάθοι τά κ' 25
(fort γ') ἔρεξε, δίκη κ' ἰθεῖα γένοιτο Ηε8. 1132 ᵇ7 (L I
396). ὁ τῦ δοκῦ φέρων Ργ12. 1413 ᵇ28 (L I 168). ὐ
σχολὴ δύλοις Πη15. 1334 ᵃ20 (L II 765). δῦλος πρὸ
δύλυ, δεσπότης πρὸ δεσπότυ Πα7. 1255 ᵇ29. ἐγγύα, πάρα
δ' ἄτα f 6. 1475 ᵃ25 (L I 394. II 70). ὐ αἱ ἔλαφοι τὰ 30
κέρατα ἀποβάλλυσιν Ζυ5. 611 ᵃ27 (L?). ἕλκων ἐφ' αὑτὸν
ὥστε κακίας νέφος μβ 6. 364 ᵇ13. πκς 29. 943 ᵃ33 (Nck
fr trg adesp 50. L I 242. II 67). τὸ ἕλος πρίασθαι κ̀
τὰς ἅλας Ρβ23. 1399 ᵃ25 (L I 409). ἐρήμην καταδικά-
ζεσθαι Οα10. 279 ᵇ10 (L II 21, 420), cf κενὴν κατηγορεῖν 35
αν1. 470 ᵇ11. ἠθμῷ ἀντλεῖν οα6. 1344 ᵇ25 (L?). ἦλιξ
ἥλικα τέρπει Ρα11. 1371 ᵇ15. Ηθ14. 1161 ᵇ34. ηεη2. 1238
ᵃ24 (L I 253, 350n. II 33). ἥλῳ ὁ ἦλος Πε11. 1314 ᵃ5
(L I 253. II 116, 604). ἄλλος Ἡρακλῆς, ἄλλος αὐτός
(ὖτος Bk cum codd) ηεη12. 1245 ᵃ30. ημβ15. 1213 ᵃ12 40
(L I 140, 190. II 59). Ἡσιόδειον γῆρας f 524. 1563 ᵇ35
(L I 456). τί ὐκ ἀπήγξω ἵνα Θήβησιν ἥρως γένη fr 460.
1553 ᵇ28 (L I 166, 328, 374. II 680). ἔγνω θὴρ θῆρα
Ρα11. 1371 ᵇ16 (L I 350n). ἐπὶ θύραις τὴν ὑδρίαν Ρα6.
1363 ᵃ7 (L II 413, 753). τίς ἂν θύρας ἁμάρτοι Μα1. 45
993 ᵇ5 (L II 678). ἰσότης φιλότης Ηθ7. 1157 ᵇ36. ι8.
1168 ᵇ8. ηεη6. 1240 ᵇ2 (L I 365. II 35). ὐδεὶς κακὸς μέ-
γας ἰχθύς f 517. 1562 ᵇ11 (L?). ὑπὲρ τὰ Καλλικράτυς
f 422. 1548 ᵃ33 (L I 170, 318. II 224, 701). ὡς ὁ Καρ-
πάθιος τὸν λαγώ Ργ11. 1413 ᵃ14 (L I 98, 472n. II 176, 50
758). κεραμεὺς κεραμεῖ (κοτέει) Ρβ 4. 1381 ᵇ16. ι0.
1388 ᵃ16. Πε10. 1312 ᵇ5. Ηθ2. 1155 ᵃ35. ηεη1. 1235 ᵃ18
(Hes ε 25. L I 423). μάστιξ Κερκυραία f 470. 1555
ᵇ11 (L I 98, 261. II 476). κοινὰ τὰ φίλων Πβ5. 1263
ᵃ30. Ηθ11. 1159 ᵇ31. ι8. 1168 ᵇ7. ηεη2. 1237 ᵇ33, 1238 55
ᵃ16 (L I 106, 266. II 76, 481). κοινὸς Ἑρμῆς Ρβ24.
1401 ᵃ21 (L I 259. II 483). κολοιὸς ποτὶ (vel παρὰ)
κολοιόν Ρα11. 1371 ᵇ17. Ηθ2. 1155 ᵃ34. ημβ11. 1208 ᵇ9.
ηεη1. 1235 ᵃ8 (L I 44. II 54). φεῦγ' ἐς κόρακας f 454.
1552 ᵇ15, 27 (L I 77, 246n, 486n 1. II 421). τίκτει κό- 60
ρος ὕβριν f 89. 1492 ᵃ10 (L II 774). κυθνώλεις συμ-

φοραί f 480. 1556 ᵇ28, 33, 37 (L I 107, 538). κύκλος
τὰ ἀνθρώπινα πράγματα Φδ14. 223 ᵇ24. πιζ3. 916 ᵃ28
(L II 492). πολλὰ μεταξὺ πέλει κύλικος κ̀ χείλεος ἄκρυ
f 530. 1566 ᵃ21, 26, 41 (L I 148, 294. II 84, 617). μετὰ
Λέσβιον ᾠδόν f 502. 1560 ᵃ2, 7, 15, 19 (L I 118. II522).
ἀεὶ Λιβύη φέρει (τρέφει) τι καινόν Ζιθ28. 606 ᵇ19. Ζγβ7.
746 ᵇ7 (cf L I 271. II 78, 506). λίνον λίνῳ συνάπτειν
Φγ6. 207 ᵃ17 (L I 113, 272. II 121, 506). ὁ μέδιμνος
τῶν ἁλῶν ηεη2. 1238 ᵃ2. Ηθ4. 1156 ᵇ27 (L II 57n, distin-
guendum a proverbio ἁλῶν μέδιμνον ἀποφαγών). μετα-
βολὴ πάντων γλυκύ Ρα11. 1371 ᵃ28. Ηη15. 1154 ᵇ28.
ηεη1. 1225 ᵃ16 (L II 523). Μηλιακὸν πλοῖον f 513. 1562
ᵃ2, 11 (L II 310). πάλαι ποτ' ἦσαν ἄλκιμοι Μιλήσιοι
f 516. 1562 ᵇ5 (L I 152. II 201, 598). Μυσῶν λεία Ρα12.
1372 ᵇ33 (L I 122. II 38, 538, 762). κἂν ἀπὸ νεκρῦ φέρε.ν
Ρβ6. 1383 ᵇ25 (L I 267, 181. II 73, 119, 242n, 471).
νήπιος ὃς πατέρα κτείνας υἱὸς καταλείπει Ρα15. 1376 ᵃ6
(versus Stasini, L II 543). ὡς ἀεὶ τὸν ὁμοῖον Ρα11.
1371 ᵇ16. Ηθ2. 1155 ᵃ34. ημβ11. 1208 ᵇ10 (Hom ρ218. L I
350. II 54, 559, 746). ἐν ὀφθαλμοῖς αἰδὼς Ρβ6. 1384
ᵃ35. πλα2. 957 ᵇ11 (L I 381. II 11). τὰ πετόμενα διώκειν
Μγ5. 1009 ᵃ38 (L II 677). ὁ τετρημένος πίθος Πζ5. 1320
ᵃ31. οα6. 1344 ᵇ25 (L I 343). προφάσεως δεῖται μόνον
ἡ πονηρία Ρα12. 1373 ᵃ3 (L I 302. II 128, 625). πῦρ ἐπὶ
πῦρ αν4. 472 ᵇ5. πα12. 860 ᵇ17. 16. 861 ᵃ31. δ28. 880
ᵃ21 (L I 148, 281. II 206). Τενέδιος πέλεκυς f 551.
1569 ᵃ21, 36, ᵇ4 (L I 317. II 214, 664). ὅταν τὸ ὕδωρ
πνίγη, τί δεῖ ἐπιπίνειν Ηη3. 1146 ᵃ35 (L I 441. II 195,
sed ἐπιπνίγειν). ὅταν φακῆν ἕψητε, μὴ ἐπιχεῖν μύρον αι5.
443 ᵇ31 (L II573. cf Στράττις). πολλὰς δὴ φιλίας ἀπροσ-
ηγορία διέλυσεν Ηθ6. 1157 ᵇ13 (L II 619). ὁ φίλος ἕτε-
ρος (ἄλλος) αὐτός Ηι4. 1166 ᵃ31. 9. 1170 ᵇ7. ηεη12. 1245
ᵃ30 (L I 140, 190). ὐθεὶς φίλος ᾧ πολλοὶ φίλοι ηεη12.
1245 ᵇ20 (L?). ἀ φιλοχρηματία Σπάρταν ὀλεῖ, ἄλλο
δὲ ὐδέν f 501. 1559 ᵇ29 (L I 39, 201. II 150). ἔγνω δὲ
φὼρ τε φῶρα κ̀ λύκος λύκον ηεη1. 1235 ᵃ8 (L I 350n).
ἐκ χειρὸς εἰς χεῖρα Ηθ15. 1162 ᵇ27. ηεη10. 1242 ᵇ7.
μία χελιδὼν ἔαρ ὐ ποιεῖ Ηι6. 1098 ᵃ18 (L I 120. II 79,
531). πολλὰ ψεύδονται ἀοιδοί ΜΑ2. 983 ᵃ3 (versus Solo-
nis fr 29. L I 371. II 128, 615). μία ψυχή Ηι8. 1168
ᵇ7. ημβ11. 1211 ᵃ32. ηεη6. 1240 ᵇ3, 9. — proverbii
consuetudinem referunt hae locutiones: κατὰ θύρας ἀπαν-
τᾶν Φδ6. 213 ᵇ3. δεδιέναι τὰς παραπετομένας μυίας Πη1.
1323 ᵃ29. ἐν πλησμονῇ Κύπρις πι47. 896 ᵃ24. ἵνα μὴ
βασκάνῃς με πκ34. 926 ᵇ24. ἐκ τῦ αὐτῦ θερμὸν κ̀ ψυχρὸν
πνεῖν πκ48. 945 ᵇ15 (Aesop fab 64 Halm). — in prover-
bium videntur venisse versus nonnulli praecipue de tem-
pestatibus: ἀρχομένυ γε (τε) νότυ κ̀ λήγοντος βορέαο
πκς45. 945 ᵃ29. 20. 942 ᵇ1. 41. 945 ᵃ7. 27. 943 ᵃ25 (L II
305). εἰ δ' ὁ νότος βορέαν προκαλέσσεται αὐτίκα χειμών.
εἰ βορρᾶς πηλὸν καταλήψεται, αὐτίκα χειμών πκς46. 945
ᵃ37, ᵇ2. μήποτ' ἀπ' ἠπείρυ δείσῃς νέφος ἀλλ' ἀπὸ πόντυ
χειμῶνος, θέρεος δὲ ἀπ' ἠπείροιο μελαίνης πκς57. 947 ᵃ7.
κε7. 938 ᵇ10. ὐ ποτε νυκτερινὸς βορέας τρίτον ἵκετο φέγγος
πκς9. 941 ᵃ20. μίνθην ἐν πολέμῳ μήτ' ἔσθιε μήτε φύτευε
πκ2. 923 ᵃ9 (L II 530). ἂν πολλὰ βάλλῃς, ἀλλοτ' ἀλλοῖον
βαλεῖς μτ2. 463 ᵇ21 (L II 284, 747).
παροιμιάζεσθαι, med παροιμιαζόμενοί φαμεν sim Ηε3.
1129 ᵇ29. Μα1. 993 ᵇ4. πκς20. 942 ᵇ1. pass τὸ περὶ τῆς
Λιβύης παροιμιαζόμενον Ζγβ7. 746 ᵇ6.
παροινεῖν. ὐχ οἱ σφόδρα μεθύοντες παροινῦσιν, ἀλλ' οἱ ἀκρο-

θώρακες μάλιστα πγ2. 871 ᵃ8. 27. 875 ᵃ29, 34.
παροινία. ἠκ ἄνευ τῦ πίνειν αἱ παροινίαι ρ4. 1426 ᵃ17.
παροίχεσθαι. παρῴχηκεν (Hom Κ 252) πο25. 1461 ᵃ26,
cf ὡς ὀκτὼ γενέσθαι τὰς παρῳχηκυίας ὥρας f 156. 1504
ᵇ10. τῷ πεποιηκότι μένει τὸ ἔργον, τῷ δὲ παθόντι τὸ χρή-
σιμον παροίχεται Ηι7. 1168 ᵃ17. ἡ ἐλπὶς τῦ μέλλοντός ἐστιν,
ἡ μνήμη τῶν παροιχομένων, syn τὸ παρεληλυθὸς Ρβ 13.
1390 ᵃ9, 8. 12. 1389 ᵃ22, 23. ὁ παροιχόμενος χρόνος, opp
ὁ παρὼν ρ6. 1427 ᵇ17 (Spgl p 150). 30. 1436 ᵇ40, 1437
ᵃ1, 29. 36. 1441 ᵇ37. 37. 1442 ᵃ3, 22.
παρόμοιοι (οἱ εὐελπίδες τοῖς ἀνδρείοις) ὅτι ἄμφω θαρραλέοι
Ηγ11. 1117 ᵃ11. ὄνομα παρόμοιον μν2. 452 ᵇ5. ἡ νεοττιὰ
τῆς ἀλκυόνος παρομοία ἐστὶ ταῖς σφαίραις ταῖς θαλαττίαις
sim Ζυ14. 616 ᵃ19. 37. 622 ᵃ11. f 276. 1527 ᵇ30. λίθος
παρόμοιος κυλίνδρῳ, κυάμῳ, κισσήρει, βοτάνῃ παρόμοιος 15
λόγχῃ, κινήσεις παρόμοιαι ὄφεων σπειράμασι θ162. 846 ᵇ3.
166. 846 ᵇ23. 174. 847 ᵃ8. 171. 847 ᵃ2. 130. 843 ᵃ32. τὸ
καρκινῶδη ὢ καραβῶδη παρόμοι᾽ ἐστὶ Ζμθ8. 683 ᵇ31.
παρόμοιον δὲ (sc ἐστιν) ὅτι πιαι10. 900 ᵃ7. — τύτοις παρ-
ομοίως, ἄλλον δὲ τρόπον αν17. 478 ᵇ30. 20
παρόμοιόν τινί τι φτβ2. 823 ᵇ23. παρομοιῦσθαί τινι φτα4.
819 ᵃ18.
παρομοίωσις, ἐὰν ὅμοια τὰ ἔσχατα ἔχῃ ἑκάτερον τὸ κῶλον,
dist ἀντίθεσις, παρίσωσις Ργ9. 1410 ᵃ24. παρομοίωσις def,
eius usus descr ρ29. ἐκ παρομοιώσεως ρ12. 1430 ᵇ9. παρ- 25
ομοιώσεως exempla in ipsa Aristotelis dictione collegit
Vermehren, Ar Schriftstellen I 8.
παροξύνειν τὰ ζεύγη πρὸς τὸ ἔργον Ζιζ24. 577 ᵇ31, τὺς
Ἀθηναίυς Πε4. 1304 ᵃ9. — παροξύνεσθαι, κινεῖσθαι ὑπὸ
παθημάτων ψα1. 430 ᵃ20. παροξύ'νεσθαι πρὸς ἀλλήλυς Πε2. 30
1302 ᵃ39. παροξύνεσθαι τοῖς συγγενέσι ρ3. 1425 ᵇ6.
παροξυντικός. ἀκολυθεῖ τῇ ὀργιλότητι τὸ παροξυντικὸν τῦ
ἤθυς αρ6. 1251 ᵃ8.
παρορᾶν εἰς τὸ πλάγιον (τὰ πλάγια) Ζυ45. 630 ᵇ1. πι15.
892 ᵇ12. παρίδοιεν διαστρέψαντα, ὥστε δύο τὸ ἓν φανῆναι 35
πεη13. 1246 ᵃ28. — τὸ παρορᾶν ἢ παρακύειν ὁριῶντος ἀλη-
θές τι ἢ ἀκύοντος, ἢ μέντοι τῦτο ὃ οἴεται εν1. 458 ᵇ32. —
negligere, omittere Αγ10. 76 ᵇ16. μβ2. 355 ᵃ20 (opp
φροντίζειν). Πγ8. 1279 ᵇ14 (coni καταλείπειν). Ηδ8. 1125
ᵃ5 (opp ἀπομνημονεύειν). παρορᾶν μεγάλας ὁμοιότητας 40
Μν6. 1093 ᵃ28. παρορᾶν τὸ μικρὸν Πε3. 1303 ᵃ22. τὸ ὀλί-
γον παρορᾶται, opp ἐν ὀφθαλμοῖς μᾶλλόν ἐστι Πζ4. 1319
ᵇ18. τὰ μικρὰ τῶν ἰχθυδίων σώζεται διὰ τὸ παρορᾶσθαι
Ζιθ19. 602 ᵇ3. παριδεῖν τὴν ἑτέραν ἀρχήν, παριδεῖν ἢ ὑπερ-
βῆναι τὴν αἴσθησιν Φα9. 192 ᵃ12. Γα8. 325 ᵃ14. τυγχάνει 45
τι παρεωραμένον Μβ1. 995 ᵃ27. τὸ ζῆν ὅπως τις βύλεται
παρορᾶν Πζ4. 1319 ᵇ30. ὑπὲρ πατρίδος ἐποίησε, παριδὼν τὸ
αὑτῦ Ρα9. 1366 ᵇ37.
παρορμᾶν. προτρέψασθαι ἢ παρορμῆσαι τῶν νέων τὺς ἐλευ-
θερίυς Ηκ10. 1179 ᵇ7. 50
παρυσία τῦ θερμῦ, τῦ ἑτέρῳ τῶν ἐναντίων. τῦ κυβερνήτυ,
opp ἀπυσία μδ5. 382 ᵃ33. Φα7. 191 ᵃ7. β3. 195 ᵃ14.
Μδ2. 1013 ᵇ14. παρυσία τῶν ἀγαθῶν, syn κακῶν ἀπο-
τροπή ρ39. 1446 ᵃ5. λύπη ἐπὶ φαινομένῃ παρυσίᾳ ἀγαθῶν
ἐντίμων Ρβ11. 1388 ᵃ31. ἡ παρυσία (τῆς εὐδαιμονίας) διὰ 55
τύτων ὑπάρχει τοῖς ἀνθρώποις ηεα1. 1214 ᵃ26. ἡ ἐν ὀφθαλ-
μοῖς τῶν ἀρχόντων παρυσία αἰδῶ ἐμποιεῖ Πη12. 1331 ᵃ40.
ἡ παρυσία τῶν φίλων ἡδεῖα Ηι11. 1171 ᵃ28, 31, 34, ᵇ13,
26. — de ideis Platonicis, αὐτὸ τὸ ἀγαθὸν αἴτιον τῇ
παρυσίᾳ τοῖς ἄλλοις ηεα8. 1217 ᵇ5, 8. inde fortasse expli- 60
catur πυρός· παρυσία φῶς ψβ7. 418 ᵇ16, 20 (non de cor-

poris praesentia sed de praesente vi, cf Trdlbg p 374 sq).
παρυσιάζεσθαι. ὅταν παρυσιάσηται ὁ ἥλιος φτβ3. 825 ᵃ11.
παροχευόνταί ποτε ἢ τῶν τὺς ἄρρενας ἐχυσῶν περιστερῶν
τινὲς Ζυ7. 613 ᵃ7.
παρρησία ἢ ἁπάντων κοινότης πρός τινας Ηι2. 1165 ᵃ29.
παρρησιάζεσθαι Πει1. 1313 ᵇ15. πρός τινα ρ19. 1432 ᵇ18.
παρρησιαστὴς ὁ μεγαλόψυχος Ηδ8. 1124 ᵇ29.
παρρησιαστικὸς ἢ ὀξύθυμος Ρβ5. 1382 ᵇ20.
Πάρρων ὁ Αἴνιος Κότυν διέφθειρε Πε10. 1311 ᵇ20.
πάρυδρος. τὸ τῶν ἀλκυόνων γένος πάρυδρόν ἐστι Ζιθ3. 593 10
ᵇ8. cf S I 597 et Salmas ex Plin 316ᵃ.
παρυπάτη. διὰ τὴν παρυπάτην ᾄδοντες μάλιστα ἀπορ-
ρήγνυνται πιθ3. 917 ᵇ30.
παρυφαίνειν. παρύφανται τῷ στομάχῳ μακρὸς πόρος Ζιδ4.
529 ᵃ15. χολὴ παρ᾽ ὅλον τὸ ἔντερον παρυφασμένη Ζμδ2. 15
676 ᵇ21.
πάρφασις (Hom Ξ 217) Ηη7. 1149 ᵇ17.
παρῳδία. Ἡγήμων ὁ Θάσιος ὁ τὰς παρῳδίας ποιήσας πρῶτος
πο2. 1448 ᵃ13.
Πάρων (παρῶν ci Simpl Schol 393 ᵃ23) ὁ Πυθαγόρειος Φδ13. 20
222 ᵇ18.
παρωνυμιάζοντες λέγομεν Φη3. 245 ᵇ11, 28. παρωνυμιά-
ζεσθαι, syn παρωνύμως παρά τι λέγεσθαι ηεγ1. 1228 ᵃ35.
παρώνυμος. παρώνυμα λέγεται ὅσα ἀπό τινος διαφέροντα
τῇ πτώσει τὴν κατὰ τὔνομα προσηγορίαν ἔχει Κ1. 1 ᵃ12 Wz.
τὰ δύο ἢ τρία παρώνυμα ὀνόματά ἐστι (?) Φγ7. 207 ᵇ9.
— παρωνύμως λέγεσθαι ἀπό τινος Κ7. 6 ᵇ13. 8. 10 ᵃ28,
ᵇ1, 7. τβ2. 109 ᵇ5, 9 (dist συνωνύμως). 4. 111 ᵃ35-ᵇ3.
ὁ θρασὺς παρὰ τὸ θράσος λέγεται παρωνύμως ηεγ1. 1228
ᵃ36.
παρωπός. αἱ παρωπαὶ ἵπποι Ζυ45. 630 ᵃ29. v ἵππος 344 ᵇ22.
πᾶς. ὅσων μὲν μὴ ποιεῖ ἡ θέσις διαφοράν, πᾶν λέγεται, ὅσων
δὲ ποιεῖ, ὅλον, ὅσα δὲ ἄμφω ἐνδέχεται, ἢ ὅλα ἢ πάντα·
πάντα δὲ λέγεται, ἐφ᾽ οἷς τὸ πᾶν ὡς ἐφ᾽ ἑνί, ἐπὶ τύτοις
πάντα ὡς ἐπὶ διῃρημένοις Μδ26. 1024 ᵃ2, 8. — πᾶς ἱκα-
νὸς γίνεται προστάτης Πε6. 1305 ᵃ39. αἱ κινήσεις πάσης
αἰσθήσεως Ζμγ4. 666 ᵃ12. παντὸς ἢ ῥᾴδιον, ἢ παντὸς ἀλλὰ
τῦ εἰδότος, ὐκέτι παντὸς ὐδὲ ῥᾴδιον Ηβ9. 1109 ᵃ25, 26, 28.
Πε8. 1308 ᵇ14. — τὸ πᾶν ὕδωρ
μβ3. 354 ᵇ4. ὐκ ἐκ τὰ αὐτὰ μέρη διαμένει ὔτε γῆς ὔτε
θαλάττης, ἀλλὰ μόνον ὁ τὰς ὄγκος μβ3. 358 ᵇ30. τὸ πᾶν
πολίτευμα Πε6. 1306 ᵃ14. ἡ ἀρχὴ ἥμισυ τῦ παντὸς Πε4.
1303 ᵇ29. τὸ πᾶν, opp τὸ μέρος, τὸ μόριον Πγ17. 1288
ᵃ27. Οο 3. 310 ᵇ7. ἢ περὶ μερῶν ἐστιν ἡ ἀμφισβήτησις,
ἀλλὰ περὶ τὸ πᾶν ἢ παντὸς Ζιβ3. 294 ᵇ32. ἢ τὸ μικρὸν
ἀλλ᾽ ὅλον διαφέρει ἢ πᾶν πρὸς τὴν περὶ τῆς ἀληθείας θεω-
ρίαν Οα5. 271 ᵇ5. — τὸ πάντες διττὸν (ὡς ἕκαστος, ἅμα
πάντες) Πβ3. 1261 ᵇ20-30. cf 5. 1263 ᵇ17. ε8. 1307 ᵇ37.
πάντες ἀθρόοι, opp κατὰ μέρος Πδ14. 1298 ᵃ12, 20. πάν-
των τινές, dist πάντες Πδ14. 1298 ᵃ9, 10, 15. — πάντες
ubi de duobus tantum agitur (i q ἀμφότεροι, ὁποτεροσῦν)
Αα28. 44 ᵇ21 Wz. 27. 43 ᵇ26. εἰ εἴησαν οἱ πάντες χίλιοι
Πδ4. 1290 ᵃ34. συλλήβδην τὰς πάσας πίστεις διεξεληλύ-
θαμεν ρ18. 1432 ᵇ4. — τὸ πᾶν i q ὁ ὐρανός, ὁ κόσμος
Οα1. 268 ᵇ8, 11. β2. 284 ᵇ10, 285 ᵃ32. 4. 287 ᵃ12. 13.
293 ᵇ2. 14. 296 ᵇ7, 11, 15, 17. δ1. 308 ᵃ21. 4. 312 ᵃ2.
Φδ4. 196 ᵃ18. 6. 198 ᵃ13 (ubi articulus e codd addendus
est, Bz Ar St I 208). Μλ8. 1073 ᵃ29. 10. 1076 ᵃ1. Πη4.
1326 ᵃ33. ὁ ὐρανὸς τὸ πᾶν Φδ5. 212 ᵇ18. καθάπερ φασὶν
οἱ Πυθαγόρειοι, τὸ πᾶν ἢ τὰ πάντα τοῖς τρισὶν ὥρισται
Οα1. 268 ᵃ11, cf ᵃ20. — κατὰ παντός, syn καθόλυ, καθ᾽

αὐτό Αγ4. 73 ᵃ28-34. α1. 24 ᵇ28. καθόλυ δηλῶσαι περὶ
πάντων Πγ11. 1282 ᵇ6. τὸ πανταχῦ κ̣ πᾶσιν ὑπάρχον ὀκ
ἀπὸ τύχης Οβ8. 289 ᵇ27. τὸ πᾶς (in enunciatis huiusmodi
πᾶς ἄνθρωπος λευκός) ὐ τὸ καθόλυ σημαίνει, ἀλλ' ὅτι κα-
θόλυ ε7. 17 ᵇ12. 10. 20 ᵃ9. πᾶν κατ' ἀριθμόν, κατ' εἶδος 5
Αγ5. 74 ᵃ31. — μίμησις φαυλοτέρων μέν, ὐ μέντοι κατὰ
πᾶσαν κακίαν πο5. 1449 ᵃ32. — δόξειεν ἂν ὐδὲ περὶ θά-
νατον τὸν ἐν παντὶ ὁ ἀνδρεῖος εἶναι Ηγ9. 1115 ᵃ28. — ἐν
τῷ μέσον κ̣ ἐπὶ πᾶν ἐφικτὸν ὁμοίως Ζμγ4. 666 ᵃ15. ὡς
ἐπὶ τὸ πᾶν βλέψαντας εἰπεῖν Ζγβ1. 732 ᵃ20. ὡς ἐπὶ τὸ 10
πᾶν εἰπεῖν μκ5. 466 ᵇ14. Ζιζ18. 573 ᵃ27. ὡς ἐπὶ πᾶν εἰπεῖν
μδ9. 386 ᵇ23, cf ἐπίπαν. — ἡ φύσις τὸ
αἷμα διὰ παντὸς ᾠχέτευκε τῦ σώματος Ζμγ5. 668 ᵃ20,
11. τὸ αἷμα διὰ παντὸς κ̣ παρὰ πᾶν εἶναι Ζμγ5. 668 ᵃ12,
cf παράπαν. διὰ παντὸς ἰέναι, διὰ παντὸς τεταμένος πόλος, 15
φανερὸς μβ8. 365 ᵇ34, 368 ᵃ20. 5. 362 ᵇ3. Οβ13. 293 ᵇ31.
14. 298 ᵃ5. — διὰ πασῶν. τὸ διὰ πασῶν σ7. 447 ᵃ20.
τῦ διὰ πασῶν γένος τὰ δύο πρὸς ἓν Μδ7. 1013 ᵃ28. Φβ3.
194 ᵇ28, 195 ᵃ31. cf αι7. 448 ᵃ9. διὰ τί διὰ πασῶν κα-
λεῖται ἀλλ' ὐ δι' ὀκτώ πιϑ32. 920 ᵃ14. τὸ διὰ πασῶν 20
ἡ καλλίστη συμφωνία, δοκεῖ ὁμόφωνον εἶναι sim πιϑ35.
920 ᵃ27. 14. 918 ᵇ7. 13. 918 ᵇ3. 18. 918 ᵇ40. 23. 919
ᵇ3-6.

Πασιφάεσσα (in versu antiqui epigrammatis) θ138. 843
ᵇ29; idem restituendum ᵇ27 pro Φερσεφάσσῃ G Herm
op V 180.

πασσέληνος. πασσελήνη (πανσελήνη v l, Wz) σκιὰ Αδ8.
93 ᵃ7. ἐν ταῖς πασσελήνοις (πανσελήνοις v l, Lgk) Ζμδ5.
680 ᵃ32. cf πανσέληνος et Wz II 396.

πάσχειν. ποιεῖν κ̣ πάσχειν, una e categoriis Μδ7. 1017 ᵃ26.
Κ4. 2 ᵃ4. 9. 11 ᵇ1. τα9. 103 ᵇ23. (πάσχειν prope ad gram-
maticam significationem formae passivae videtur abiisse:
παρὰ τὸ σχῆμα τῆς λέξεως, ὅταν τὸ μὴ ταὐτὸ ὡσαύτως
ἑρμηνεύηται, οἷον τὸ ἄρρεν θῆλυ ἢ τὸ θῆλυ ἄρρεν ἢ τὸ με-
ταξὺ θάτερον τύτων, ἢ τὸ ποιῦν πάσχον ἢ τὸ διακείμενον
ποιεῖν τα4. 166 ᵇ13, cf διακεῖσθαι p 181 ᵃ50 et ποιεῖν.)
πάσχειν eandem habet usus varietatem ac nomen πάθος
(cf πάθος), ut πάσχειν idem fere sit ac λαμβάνειν πάθος,
πεπονθέναι i q ἔχειν πάθος. ὐχ οἷόν τε πᾶν τὸ κινῦν ποιεῖν,
εἴπερ δὴ ποιῦντος κ̣ πάσχοντος (ἔστι κίνησις), ὅτι ὀκ ἔστι
κινήσεως κίνησις Φε2. 225 ᵇ14. Μκ12. 1068 ᵃ14. περὶ τῦ
ποιεῖν κ̣ πάσχειν Γα7-9. ἔστι μὲν ὡς ἡ ὕλη πάσχει, ἔστι
δ' ὡς τὐναντίον Γα7. 324 ᵃ22, 15. τῆς ὕλης τὸ πάσχειν
ἐστίν· τὸ πάσχον, syn ὕλη, ὑποκείμενον Γβ9. 335 ᵇ30. α6. 5
322 ᵇ18. α2. 339 ᵃ30. Β8. 368 ᵃ33. Ζγα18. 724 ᵇ16.
ΜΑ8. 989 ᵃ29. ζ12. 1037 ᵇ16. δ29. 1024 ᵇ30. (διαμαρ-
τάνυσι κ̣ τὸ πάθος εἰς γένος τὸ πεπονθὸς τιθέντες τό5. 126
ᵇ34.) τιμιώτερον τὸ ποιῦν τῦ πάσχοντος κ̣ ἡ ἀρχὴ τῆς
ὕλης ψγ5. 430 ᵃ19. πῶς τἀναντία πάσχει ὑπ' ἀλλήλων, 50
πῶς τὰ ὅμοια· ἀνάγκη τὸ ποιῦν κ̣ τὸ πάσχον τῷ γένει μὲν
ὅμοιον εἶναι κ̣ ταὐτά, τῷ δ' εἴδει ἀνόμοιον κ̣ ἐναντίον·
πάσχει (τὸ αἰσθητικόν) ὐχ ὅμοιον ὄν, πεπονθὸς δ' ὡμοίωται
Οβ3. 286 ᵃ33. Γα7. 323 ᵇ32, 324 ᵃ2, 11, 12. ψ5. 416
ᵇ35, 417 ᵃ19, 20, 418 ᵃ5. γ4. 429 ᵇ26. ὀκ ἔστιν ἁπλῶν τὸ
τὸ πάσχειν, ἀλλὰ τὸ μὲν φθορά τις ὑπὸ τῦ ἐναντίυ, τὸ
δὲ σωτηρία ψβ5. 417 ᵇ2, 14. τὸ ποιῦν κ̣ πάσχει ὑπὸ τῦ
πάσχοντος Ζγδ3. 768 ᵇ16. τὰ ἀντιτυπήσαντα πάσχει τι
μγ1. 371 ᵃ25, 26. δοκεῖ ἐν τῷ πάσχοντι ὐ διατιθεμένῳ ἢ
τῶν ποιητικῶν ὑπάρχειν ἐνέργεια ψβ2. 414 ᵃ11. (τῆς τελυ- 60
μένης ὐ μαθεῖν τι δεῖν ἀλλὰ παθεῖν κ̣ διατεθῆναι f 45. 1483

ᵃ21.) ὅταν ἅμα ᾖ τὸ ποιητικὸν κ̣ τὸ παθητικόν, ἀεὶ τὸ μὲν
ποιεῖ τὸ δὲ πάσχει μα3. 465 ᵇ16. Γα6. 322 ᵇ23. Ζγβ1.
734 ᵃ4. πότερον τὸ πάσχειν γίνεται διά τινων πόρων Γα8.
τὸ πρῶτον, τὸ ἔσχατον πάσχον Γα7. 324 ᵃ25. ὕπνῳ ἄδηλον
τί τὸ πρῶτον πάσχον Μηα4. 1044 ᵇ16 Bz. τὸ πεπονθὸς κ̣
ἠλλοιωμένον προσαγορεύομεν Φη3. 245 ᵇ13. ὅμοια τὰ πλείω
ταῦτα πεπονθότα ἢ ἕτερα Μδϑ. 1018 ᵃ16. τὸ ξηρὸν κ̣ τὸ
ὑγρὸν πάσχει (ποιητικὸν τὸ θερμὸν κ̣ τὸ ψυχρόν) μδ8. 384
ᵇ29. cf 385 ᵃ24. 3. 380 ᵇ18. 1. 379 ᵃ19. Ζγβ6. 742 ᵃ15.
ε1. 780 ᵃ13 al. τὸ θῆλυ ἢ θῆλυ πάσχει Ζγα20. 729 ᵃ28.
δ4. 772 ᵃ29. cf πδ26. 879 ᵇ32. ταῦτα (τὰ μεταλλευ-
όμενα) διαφέρει τοῖς τε περὶ τὰς αἰσθήσεις ἰδίοις κ̣ τῷ
ποιεῖν τι δύνασθαι, κ̣ ἄλλοις οἰκειοτέροις πάθεσιν. ὅσα τε
πάσχειν λέγεται μδ8. 385 ᵃ5. 12. 390 ᵃ18. περὶ ὑδάτων κ̣
θαλάσσης, ὁπόσα πάθη κατὰ φύσιν αὐτοῖς συμβαίνει ποιεῖν
ἢ πάσχειν μβ3. 359 ᵇ25. διακεκαῦσθαι τὸν τόπον ἤ τι τοι-
ῦτον ἄλλο πεπονθέναι πάθος μβ8. 345 ᵃ18. ὅτι τοιονδὶ ἢ
τοιονδὶ ποιεῖν πέφυκε κ̣ πάσχειν Ζγε1. 778 ᵇ19. πάσχειν
(πεπονθέναι) ταὐτό, τῦτο, ὅμοιον, ἕτερον Ζγδ5. 773 ᵇ29.
γι. 750 ᵃ24. ε1. 779 ᵇ5. μβ1. 353 ᵇ34. α14. 352 ᵃ21. δ4.
381 ᵇ30. 6. 383 ᵇ1. Οα2. 269 ᵃ34. εἴδωλον ἐδόκει προηγεῖ-
σθαι, τῦτο δ' ἔπασχε (cf πάθος p 556 ᵃ3) διὰ τὸ τὴν
ὄψιν ἀνακλᾶσθαι μγ4. 373 ᵇ6. οἱ ἀρχαῖοι ᾤοντο, τῦτο δ'
ἔπαθον (cf πάθος p 556 ᵃ27) διὰ τὸ σπάνιον μγ2. 372
ᵃ23. πάσχειν τι πρός τι, veluti ὅπερ αἱ μητέρες πρὸς τὰ
τέκνα πεπόνθασιν· πέπονθε ταὐτὸ τῦτο τὰ ὀνόματα πρὸς
τὸν λόγον al Ηι4. 1166 ᵃ6. ϑ2. 1156 ᵃ1. Φα1. 184 ᵃ26.
Πα12. 1259 ᵇ16. ϑ9. 1294 ᵇ16. Ζγε3. 783 ᵃ8. β4. 739
ᵇ25. Ρβ4. 1381 ᵇ13. — πάσχειν, cf πάθος 5 p 557 ᵃ11.
ἕξεις, καθ' ἃς πρὸς τὰ πάθη ταῦτα λέγονται τῷ πάσχειν
πως ἢ ἀπαθεῖς εἶναι νεβ2. 1220 ᵇ10. cf γ2. 1231 ᵃ2. ημβ6.
1203 ᵇ21. — εὖ, κακῶς πάσχειν νεβ8. 1241 ᵇ2, ᵃ36 al.
τὸ πεπονθότος γενέσθαι τι ἀγαθὸν Ρβ8. 1386 ᵃ13. — πα-
θητός· φύσις ἡ δι' ὅλων παθητὴ κ̣ τρεπτὴ κ2. 392 ᵃ33.

παταγεῖν. ἐν τῷ θέρει ᾄδει κόττυφος, τῦ χειμῶνος παταγεῖ
κ̣ φθέγγεται θορυβώδες Ζωι49Β. 632 ᵇ17.

πάταγος μέγας, coni βρόμος κ4. 395 ᵃ13.

πατάσσειν. οἷον ἐὰν πατάξῃ βελόνη βελόνην ψβ8. 420 ᵃ24
(cf Trdlbg p 380). δεῖξαι βυλόμενος πατάξειαν ἂν Ηγ2.
1111 ᵃ15. cf ημα16. 1188 ᵇ29. πατάξαι, opp πληγῆναι,
ἀντιπληγῆναι Ρα15. 1377 ᵃ21. Ηε7. 1132 ᵃ8. 8. 1132 ᵇ28,
29. τὸ πατάξαι ἐπαναφέρεται ἐπ' ὀργήν Ηε4. 1130 ᵃ31.
πατάξαι, dist ὑβρίσαι νεβ3. 1221 ᵇ25. πατάξαι τῇ χειρί,
τῷ πελέκει ακ800 ᵇ8. μχ19. 853 ᵇ16. πατάξαι ἰχθύν, φώ-
κην παρὰ τὸν κρόταφον, ἠρέμα ἔλαφον Ζιδ10. 537 ᵃ14.
ζι2. 567 ᵃ11. 29. 579 ᵃ16. ὁ κερατίνος πατάσσει μγ1.
371 ᵇ9, 13. ἄν τινα πατάξωσιν ἄνθρωπον ἢ θηρίον οἱ
σκορπίοι, ἀποκτείνυσιν Ζιϑ29. 607 ᵃ17. f 562. 1570 ᵇ22. —
intr τὸ ὕδωρ θραύεται πατάξαν πκγ24. 934 ᵃ28.

πατεῖν. ἆρ' ὁ βαδίζει τις πατεῖ τι22. 178 ᵇ32.

πατήρ. 1. physica. υἱὸς ὅμοιος πατρί, ἀποικιζόμενος τέκνον ἀπὸ
πατρός Ζγα17. 721 ᵇ13. 18. 723 ᵇ2. β4. 740 ᵃ7 al. —
2. ethica. πατὴρ μέρος οἰκίας Πα3. 1253 ᵇ7. οἱ πατέρες
φιλῦσι τὰ τέκνα μᾶλλον ἢ φιλῦνται νεη8. 1241 ᵇ4. ημβ12.
1211 ᵇ20-39. πατρὸς πρὸς υἱὸν φιλία ποία νεη10. 1242 ᵃ32
(cf πατρικός). ἡ πατρὸς πρὸς υἱεῖς κοινωνία βασιλείας ἔχει
σχῆμα Ηϑ12. 1160 ᵇ24 (cf πατρικός). τὸν πατέρα τὸν
καλὸν ἐν Τριβαλλοῖς τβ11. 115 ᵇ23. μὴ ἅμα μετέχειν ἀρ-
χῆς πατέρα κ̣ υἱὸν Πε6. 1305 ᵇ8, 14. εἶδος ὀλιγαρχίας ὅταν
παῖς ἀντὶ πατρὸς εἰσίῃ Πδ5. 1292 ᵇ5. 14. 1298 ᵇ4. —
metaph πατέρες τῆς γενέσεως Ὠκεανὸς κ̣ Τηθὺς ΜΑ3. 983

b31. ὐρανὸν ‹ ἥλιον ὡς γεννῶντας ‹ πατέρας προσαγορεύ- ὐσιν Ζγα2. 716 ᵃ17. cf φτα2. 817 ᵃ28.
πάτος ἀνθρώπων (Hom Ζ 202) πλ1. 953 ᵃ25.
πατραλοῖαι ‹ μιαιφόνοι Ρβ9. 1386 ᵇ28.
πάτρη (Hom Μ 243) Ρβ21. 1395 ᵃ14.
πατρικός. ἡ πατρικὴ πρόσταξις ὐκ ἔχει τὸ ἰσχυρὸν ὐδὲ δὴ ὅλως ἡ ἑνὸς ἀνδρός Ηκ10. 1180 ᵃ19. πατρικοὶ λόγοι Ηκ10. 1180 ᵇ5. ἐκ τῆς πατρικῆς φιλίας ἤρτηται ἡ συγγενικὴ Ηθ14. 1161 ᵇ17 sqq. βέλτιστοι τῶν πολιτῶν ‹ πατρικὴν ἔχοντες εὔνοιαν ‹ φιλίαν πρὸς δῆμον f 370. 1540 ᵃ4. πατρικὴ, μη- τρικὴ τιμή Ηι2. 1165 ᵃ26. τὸ δεσποτικὸν ‹ πατρικὸν δίκαιον, dist οἰκονομικόν, πολιτικόν Ηε10. 1134 ᵇ9. οἰκονομικῆς ἑν μέρος πατρική, syn τεκνοποιητική, dist δεσποτική, γαμική Πα12. 1259 ᵃ38. 3. 1253 ᵇ10. πατρικὴ ἀρχὴ βύλεται ἡ βασιλεία εἶναι Ηθ12. 1160 ᵇ27. — εἰσὶ δ᾽ ὅμως (αἱ βασι- λεῖαι αὗται) κατὰ νόμον ‹ πατρικαί, syn πάτριαι Πγ14. 1285 ᵃ19, 24. — πατρικῶς ποιεῖσθαι τὰς κολάσεις ‹ μὴ δι᾽ ὀλιγωρίαν Πε11. 1315 ᵃ21.
πάτριος. ὁμόγνιος ‹ πάτριος ὁ θεὸς ὀνομάζεται ἀπὸ τῆς πρὸς ταῦτα κοινωνίας κ7. 401 ᵃ21. — ἡ πάτριος δόξα ‹ ἡ παρὰ τῶν πρώτων Μλ8. 1074 ᵇ13. λόγοι ἀρχαῖοι ‹ πάτριοι Οβ1. 284 ᵃ3. κ6. 397 ᵇ13. πάτρια ἔθη ρ3. 1423 ᵃ34. (τρωγάλιον) τῦτο γὰρ πάτριον τὔνομα τοῖς Ἕλλησιν f 100. 1494 ᵃ29. κινεῖν τὺς πατρίους νόμυς Πβ8. 1268 ᵇ28. θυσίαι πάτριοι f 385. 1542 ᵃ18. κατὰ τὰ πάτρια, παρὰ τὰ πάτρια, παρ- εκβαίνειν τὰ πάτρια ρ3. 1423 ᵃ36. Πβ8. 1268 ᵇ28. κ10. 1310 ᵇ19. ζητῦσιν ὐ τὸ πάτριον ἀλλὰ τἀγαθὸν πάντες Πβ8. 1269 ᵃ4. ὅταν ἡ διωβολία ἤδη ἦ πάτριον, ἀεὶ δέονται τῦ πλείονος Πβ7. 1267 ᵇ2. Σόλων δημοκρατίαν κατέστησε τὴν πάτριον Πβ12. 1273 ᵇ38. μεταβάλλωσιν ἐκ τῆς πατρίας δημοκρατίας εἰς τὴν νεωτέραν Πε5. 1305 ᵃ29. ἐγίγνοντο βασιλεῖς ἑκόντων ‹ τοῖς παραλαμβάνυσι πάτριοι Πγ14. 1285 ᵇ9. βασιλεῖαι ἑκύσιαί τε ‹ πάτριαι γιγνόμεναι κατὰ νόμον Πγ14. 1285 ᵇ5, ᵃ24, 33, syn πατρικαί ᵃ19.
πατριωτικὰ ‹ βιασωτικὰ τεμένη οβ1346 ᵇ15.
Πάτροκλος Ρα3. 1359 ᵃ4. β23. 1397 ᵇ22. Πάτροκλος προ- αγορεύων περὶ τῆς Ἕκτορος ἀναιρέσεως (Hom Π 852) f 12. 1476 ᵃ1. ἀγῶνα ἐπὶ Πατρόκλῳ ἐποίησεν Ἀχιλλεύς f 594. 1574 ᵇ36. 476. 1556 ᵃ31. ἐπίγραμμα ἐπὶ Πατρόκλυ f 596. 1575 ᵇ7.
πατρῷος. ἡ τῶν πατρῴων νομή Πε4. 1303 ᵇ34. — Ἀπόλ- λωνα κοινῶς πατρῷον τιμῶσιν Ἀθηναῖοι ἀπὸ Ἴωνος f 343. 1535 ᵇ37, 40. 374. 1540 ᵃ42. 375. 1540 ᵇ20. (πατρῷος κλῆρος ci Camer pro πρῶτος κλ. Πζ4. 1319 ᵃ11. sed cf Göttling ad h l.)
πατταλίας. χαλκὸν τότε (τῆς διετεῖς ἐλάφυς) πατταλίας Ζυ5. 611 ᵃ34, cf S II 34, 36. ν ἔλαφος p 235 ᵃ27.
πάτταλος. φύσει διετεῖς οἱ ἔλαφοι πρῶτον τὰ κέρατα εὐθέα, καθάπερ παττάλυς Ζυ5. 611 ᵃ33. κρεμάμενον ἄνω ἐπὶ τῶν παττάλων Ζυ5. 611 ᵃ33.
πάττειν. τὴν κολοκύντην ἁλὶ πάττοντες Ζιθ10. 596 ᵃ21.
παύειν. αἱ ἐναντίαι κινήσεις ἱστᾶσι ‹ παύυσιν ἀλλήλας Φθ8. 262 ᵃ8. ὁ ἥλιος ‹ παύει ‹ συνεξορμᾶ τὰ πνεύματα μβ5. 361 ᵇ14. cf 4. 361 ᵃ3. εἰ τὸν ἥλιον παύσει τις τῆς φορᾶς μβ3. 356 ᵇ28. ἡ τιμωρία παύει τῆς ὀργῆς Ηδ11. 1126 ᵃ22. παύσας ὀψλενόντα τὸν δῆμον Πβ12. 1273 ᵇ38. — pass ἄνεμος, πνεύματα παύεται μβ4. 360 ᵇ29, 33. 6. 364 ᵃ29. καθίσταται ‹ παύεται τῆς ταραχῆς ἡ κίνησις Φη3. 248 ᵃ27. τὺς νομάρχας πεπαῦσθαι τῆς προφάσεως οβ1352 ᵃ22. αἰσθητήρια πεπαυμένα, opp αἰσθανόμενα εν2. 459 ᵇ7. — παύεσθαι omisso partic, ταχέως γίνονται φίλοι ‹ παύ-

ονται Ηθ3. 1156 ᵃ34, ᵇ3, cf Ellipsis p 239 ᵃ52.
παῦλα. φοραὶ ἔχυσαι πέρας ‹ παῦλαν, δεχόμεναι τὴν παῦλαν Οβ1. 284 ᵃ8, 11. παῦλα (τῆς ὀργῆς) γίνεται Ηδ11. 1126 ᵃ21. παῦλα ταῖς γυναιξὶ τῦ τεκνῦσθαι Ζιη5. 585 ᵃ35. πρὸς τὴν παῦλαν τῆς τεκνοποιίας συγκαταβαίνειν Πη16. 1335 ᵃ31. παῦλα ἐν τοῖς φύμασι σῆψις αν20. 479 ᵇ33. ταχεῖα ἡ παῦλα πκς14. 941 ᵇ37.
Παυσανίας ὁ τῶν Λακεδαιμονίων βασιλεύς Πε7. 1307 ᵃ4. η14. 1333 ᵇ34. ἐπεχείρησε καταλῦσαι τὴν ἐφορείαν Πε1. 1301 ᵇ20.
Παυσανίας ὁ ἐπιθέμενος Φιλίππῳ Πε10. 1311 ᵇ2.
Παύσων comparatur cum Polygnoto et Dionysio Πθ5. 1340 ᵃ36. πο2. 1448 ᵃ6. ὁ Παύσωνος Ἑρμῆς Μθ8. 1050 ᵃ20.
Παφλαγονία. ἰχθῦς ὀρυκτοὶ περὶ Π. θ74. 835 ᵇ23.
παφλάζειν. αἰθὴρ παφλάζων (Emp 349) αν7. 473 ᵇ15. (πηγὴ) παφλάζει ὥσπερ πόδας ἔχων θ152. 845 ᵇ35.
Πάφος. ὄφις ἐν Πάφῳ πόδας ἔχων f 320. 1532 ᵃ24. — Παφίων βασιλεὺς Ἀγαπήνωρ f 596. 1576 ᵇ6.
πάχνη. περὶ πάχνης μα10. πάχνη γίνεται, ὅταν ἡ ἀτμὶς παγῆ πρὶν εἰς ὕδωρ συγκριθῆναι πάλιν μα10. 347 ᵃ16. χιὼν ‹ πάχνη ταυτόν μα11. 347 ᵇ16. cf δ10. 388 ᵇ12. γ7. 378 ᵃ31. πάχνη δρόσος πεπηγυῖα κ4. 394 ᵃ25. πάχνη ποτὲ γίγνεται πκε5. 938 ᵃ34. 21. 939 ᵇ36, 940 ᵃ1. κς3. 940 ᵇ9. πονῦσιν αἱ ἀγελαῖαι βόες ὑπὸ τῆς πάχνης μετανιστάμεναι Ζιθ7. 595 ᵇ16. οἱ ποιμένες γινώσκυσι τὰς ἰσχυράτας τῶν οἰῶν, ὅταν χειμῶνι ‹, τῷ ἔχειν πάχνην Ζιθ10. 596 ᵇ1. — τὰς πολιὰς καλῦσι γήρως εὔρωτα ‹ πάχνην Ζγε4. 784 ᵇ20, 16.
πάχος. τὰ πάχη τῶν τριχῶν Ζιγ10. 517 ᵇ8. διαφοραὶ κατὰ πάχη ‹ λεπτότητας τῆς κοιλίας Ζιβ17. 507 ᵇ26. ἰχθύες μακροὶ ‹ πάχος ἔχοντες Ζμδ13. 696 ᵃ4. — (τῆς τῦ ἄρ- ρενος γονῆς) τὸ πεπεμμένον πάχος ἔχει ‹ σεσωμάτωται μᾶλλον Ζγβ4. 739 ᵃ12, opp τὸ ὑγρότατον ᵃ9. cf Ζμβ3. 649 ᵇ30. σπέρματα συνεστῶτα ‹ πάχος ἔχοντα, opp ὑγρὰ ργ4. 871 ᵃ26. οἱ χυμοὶ πάντες πάχος ἔχυσι μᾶλλον α4. 441 ᵃ29. τὸ πάχος τῆς θαλάττης μβ3. 359 ᵃ7 (Ideler I 533), τῦ ὕδατος φτβ4. 825 ᵃ41. νέφος ἐστὶ πάχος ἀτμώ- δες συνεστραμμένον κ4. 394 ᵃ27, cf ᵇ17.
παχύδερμος Ζγε3. 783 ᵃ2. f 332. 1534 ᵃ5. παχυδερμότερος Ζγε3. 782 ᵇ5.
παχυλῶς ‹ τύπῳ ἐνδείκνυσθαι Ηα1. 1094 ᵇ20.
παχυμερής πγ14. 873 ᵃ6. παχυμερέστερον, opp λεπτομε- ρέστερον Ογ5. 304 ᵃ31.
παχύνειν, opp λεπτύνειν πε14. 882 ᵃ28, opp ἰσχναίνειν πς1. 885 ᵇ15, coni πηγνύναι μδ8. 384 ᵇ25. παχύνεσθαι, opp λεπτύνεσθαι μδ3. 381 ᵃ6, coni πήγνυσθαι, συνίστασθαι Ζγβ2. 735 ᵃ36, 35, ᵇ1, syn στερεῦσθαι Ζγβ2. 735 ᵇ2, dist πήγνυσθαι μδ6. 383 ᵃ11 sqq. 7. 383 ᵇ18, 29. 9. 387 ᵇ7. 10. 388 ᵃ32. Ζγβ2. 735 ᵇ28. τὸ κοινὸν Ζγβ2. 735 παχύ- νεται πεσσόμενον Ζιγ5. 668 ᵇ10. θερμαινόμενον ὐ παχύνεται τὸ ὕδωρ αι4. 441 ᵃ27. παχύνεται τὸ ἔλαιον τῷ πνεύματι μιγνύμενον Ζγβ2. 735 ᵇ13. παχύνεται τὸ ὑγρὸν τῷ ὠῷ ΖιΖ2. 559 ᵇ26. νέφος εὖ μάλα πεπαχυσμένον κ4. 394 ᵃ28. σπέρμα Ζγβ2. 735 ᵃ36 (cf πάχος p 573 ᵇ35). παχυνθέντα, opp λεπτὰ ὄντα Ζιγ5. 515 ᵇ3. — τὰ πρόβατα παχύνεται, syn πιαίνεται Ζιθ10. 596 ᵃ26, 24. μετὰ τὴν ἥβην ἐξ ἰσχνῶν παχύνονται Ζιη1. 581 ᵇ27. οἱ περιπατῦντες πα- χύνεται τὰ σκέλη πε9. 881 ᵇ10.
πάχυνσις, dist πῆξις μδ6. 383 ᵃ11 sqq.
παχύπης ν l (πολύπης Bk, ταχύπης cod Rh) Ζιε31. 557 ᵃ23.

παχύς. παχύ, opp λεπτόν, syn πυκνόν, μεγαλομερές, μὴ εὐδιαίρετον μδ3. 380 ᵃ25. μχ13. 852 ᵇ13. Ογ5. 303 ᵇ25, 27. Φδ8. 215 ᵃ31. τὸ μὲν λεπτὸν ἔσται τῷ ὑγρῷ, τὸ δὲ παχὺ τῷ ξηρῷ Γβ2. 330 ᵃ4. ὅσα παχέα ἢ σκληρὰ ὑπὸ ψυχροῦ προϋπῆρχεν ὄντα μδ6. 383 ᵃ23. — τρίχες παχεῖαι, παχύτεραι Ζιβ8. 502 ᵃ26. γ10. 517 ᵇ12. γλῶττα παχεῖα Ζμβ17. 660 ᵃ33. τῷ ποδὸς ὅσοις τὸ ἐντὸς παχὺ κỳ μὴ κοῖλον Ζια15. 494 ᵃ17. ὅταν κυμαίνουσα ἐκβάλλῃ ἡ θάλαττα, σφόδρα παχεῖαι κỳ σκολιαὶ γίνονται αἱ ῥηγμῖνες μβ8. 367 ᵇ14. — αἷμα παχύ, παχύτερον, syn θολερόν, opp λεπτόν, καθαρόν Ζιγ19. 520 ᵇ21. 2. 512 ᵇ9. Ζμβ7. 652 ᵇ33. υ3. 458 ᵃ14. τὸ παχύτερον τῶν γαλάκτων Ζιγ20. 521 ᵇ28. ἶνες, φλέβες παχεῖαι Ζμβ4. 650 ᵇ33. Ζιγ2. 511 ᵇ24, 512 ᵃ14. παχύτερός ἐστιν ὁ ὄγκος μβ3. 359 ᵃ12. εὐογκότερον κỳ παχύτερον ἀποτελεῖ τὸ θερμόν μδ2. 380 ᵃ5, 4. — φωναὶ παχεῖαι, παχύτεραι αχ803 ᵇ29, 804 ᵃ8-21.

παχύστομος, opp λεπτόστομος f287. 1528 ᵇ14.

παχύτης. τὸ πυκνότητι κỳ μανότητι τἆλλα γεννᾶν ὑδὲν διαφέρει ἢ λεπτότητι κỳ παχύτητι Ογ5. 303 ᵇ24. ἡ τῷ σώματος ἰσχνότης κỳ παχύτης Ζιη1. 581 ᵇ26. παχύτης τριχῶν, opp λεπτότης Ζγε3. 782 ᵃ24, δέρματος Ζμβ13. 657 ᵇ9. παχύτης αἵματος, γάλακτος, ὕδατος Ζμγ5. 668 ᵇ2. 15. 676 ᵃ12. β13. 658 ᵃ9, ἀέρος πκε6. 938 ᵃ38.

παχυτριχώτερα τῶν ζῴων Ζγε3. 782 ᵇ5.

παχυχειλής Ζιδ4. 528 ᵃ29.

πεδιακοί. στασιάσας πρὸς τὺς πεδιακὺς Πε5. 1305 ᵃ24.

πεδιάς. ἐν τῇ πεδιάδι κỳ κατερρωγυίᾳ, opp ἐν τῇ ὀρεινῇ κỳ τῇ λυπρᾷ Ζιε28. 556 ᵃ5. πεδιὰς κỳ πηλώδης γῆ πκ32. 926 ᵇ9. ἐν πεδιάσι γεννῶνται τὰ φυτὰ φτα4. 820 ᵃ3.

πέδιλα. ἔχων ὑπὸ ποσσὶ πέδιλα Ργ11. 1412 ᵃ31. τὸ λαιὸν ἔχνος ἦσαν ἀνάρβυλοι ποδός, τὸ δ' ἐν πεδίλοις (Eur fr 534, 8) f64. 1486 ᵇ20.

πεδινός. ἐν πεδινοῖς τόποις, opp ἐν ὑψηλοῖς Ζυ32. 619 ᵃ25. ἐν τοῖς πεδινοῖς κỳ μαλακοῖς, opp ὀρεινοὶ κỳ τραχεῖς τόποι Ζιθ29. 607 ᵃ10. ἐν τοῖς πεδινοῖς, opp ἐν τοῖς ἀνάντεσιν πε1. 35 880 ᵇ28.

πεδίον. χρήσιμον πρὸς τὴν ἐπὶ τῷ πεδίῳ κίνησιν Ζμδ3. 695 ᵇ22. πεδίονδε (Hom Θ 21) Ζχ4. 699 ᵇ37.

πέδον. τὸ ὄνομα ἐοίκασιν εἰληφέναι ἀπὸ τῷ πέδῳ οἱ πόδες Ζπ5. 706 ᵃ33.

πεζεύειν. ὑδὲν τῶν ζῳοτόκων, ὅτ' ἄπυν ὅτε πεζεῦον Ζμγ6. 669 ᵇ7. ἰχθὺς διὰ τὸ μὴ πεζεύειν ὐκ ἔχει πόδας Ζμδ13. 695 ᵇ21. cf 1. 676 ᵃ27. τὰ θερμότερα πεζεύει, κỳ νυκτερίδι πόδες εἰσὶν Ζια1. 487 ᵇ23. τετράπυν ἐστὶν ὡς κỳ πεζεύειν πεφυκός Ζιθ2. 589 ᵇ28. τὰ λιμναῖα ὄρνεα ὑγρότερα τὴν φύσιν τῶν πεζευόντων εἰσὶν Ζγγ1. 751 ᵇ13. τῶν ὀρνίθων οἱ μὲν πεζεύυσι περὶ τὴν τροφήν Ζιθ3. 593 ᵃ25. νανυῶδές ἐστιν ὃ τὸ μὲν ἄνω μέγα, τὸ δὲ φέρον τὸ βάρος κỳ πεζεῦον μικρόν Ζμδ10. 686 ᵇ4. — πεζεύειν διὰ τῆς θαλάττης (Isocr 4, 89) Ργ9. 1410 ᵃ10. τὸ ἐμβατικὸν ἐλεύθερον κỳ τῶν πεζευόντων ἐστὶν Πη6. 1327 ᵇ10.

πεζευτικός. ζῷα πεζευτικὰ τοῖς σώμασιν, opp νευστικὰ Ζγα1. 715 ᵃ27.

πεζός. ἡ πεζὴ φύσις, αἱ πεζαὶ μάχαι Ζμγ6. 669 ᵃ12. δ'12. 694 ᵃ17. συμβέβηκεν αὐτῷ (τῷ κροκοδείλῳ) πεζῷ ὄντι ζῆν ἰχθύων βίον, οἱ σκορπίοι πεζοὶ ὄντες κỳ κέντρον ἔχοντες, ὁ ἐλέφας ζῷον ἐλῶδες κỳ πεζόν Ζμβ17. 660 ᵇ32. 16. 659 ᵃ3. δ'6. 683 ᵃ11. — καλῶ πόδα μέρος ἐπὶ σημείῳ πεζῷ κινητικῷ (κινητικὸν?) κατὰ τόπον Ζπ5. 706 ᵃ31. — τὰ πεζά. 1. animalia terrestria. πᾶν γένος ταῖς ἀντιδιῃρημέναις διαφοραῖς διαιρεῖται, καθάπερ τὸ ζῷον τῷ πεζῷ κỳ τῷ πτηνῷ

κỳ τῷ ἐνύδρῳ τζ6. 143 ᵇ1 Wz. τὰ φυτὰ θείη τις ἂν γῆς, ὕδατος δὲ τὰ ἔνυδρα, τὰ δὲ πεζὰ ἀέρος Ζγγ11. 761 ᵇ14 (ν ἔνυδρος p 256 ᵇ60). τὰ πεζά. dist τὰ ἔνυδρα Ζιθ2. 589 ᵃ10, 13, 15, 21, 590 ᵃ5, 7, 13. τζ6. 144 ᵇ33. Ζμα2. 642 ᵇ19. δ13. 679 ᵇ2. τὰ πεζά, dist τὰ πτηνά, τὰ πλωτά Ζια1. 488 ᵃ1. ε8. 542 ᵃ23. η7. 586 ᵃ22. Ζγβ6. 743 ᵇ34. 7. 746 ᵃ24. δ4. 771 ᵇ10. Ζμδ13. 697 ᵇ3, 9. τζ6. 144 ᵇ22. ὗτος (ὁ κόσμος) ἐναλίων ζῴων κỳ πεζῶν κỳ ἀερίων φύσεις ἐχώρισε κ5. 397 ᵃ17. — τὰ πεζὰ τῶν ζῴων Ζμβ17. 660 ᵃ16. τῶν πεζῶν τὰ μὲν πορευτικὰ τὰ δ' ἑρπυστικὰ τὰ δὲ ἰλυσπαστικά, τῶν πεζῶν τὰ μὲν ἀγελαῖα τὰ δὲ μοναδικὰ Ζια1. 487 ᵇ20, 488 ᵃ1. ἔνια τῶν ζῴων πεζῶν ἐπέτεια μκ4. 466 ᵃ7. τοῖς πεζοῖς πόδες πρὸς τὴν κίνησιν τὴν οἰκείαν τὺτο τοῖς μὲν ὀρθοῖς δύο τοῖς δὲ παντελῶς ἐπὶ τῆς γῆς πλείης πν8. 485 ᵃ13. — 2. i q τὸ πεζὸν κỳ ἄναιμον. τὰ πλεῖστα πτερωτὰ τῶν πεζῶν Ζγγ9. 758 ᵇ28. cf ὅσα ἄναιμα ὄντα πλείης πόδας ἔχει εἴτε πτηνὰ εἴτε πεζά Ζια5. 490 ᵃ33. τῶν ζῴων ὀλιγαίμων κỳ ἀναίμων ὑ γίνεται ἐν τοῖς πρὸς ἄρκτον τόποις ὅτε τὰ πεζὰ ἐν τῇ γῇ ὅτε τὰ ἔνυδρα ἐν τῇ θαλάττῃ μκ5. 466 ᵇ26. cf αν14. 477 ᵇ10. — 3. i q osteozoon terrestre. τὸ πεζὸν κỳ ἔναιμον αν5. 472 ᵇ9. Ζιγ7. 516 ᵃ3. Ζμβ17. 660 ᵃ15. dist τῶν πεζῶν τὰ μὲν δίποδα τὰ δὲ τετράποδα Ζιδ11. 537 ᵇ27. τῶν πεζῶν ὅσα τε ζῳοτόκα κỳ ὅσα ὠοτόκα Ζιε1. 539 ᵃ13. η7. 586 ᵃ22. — α. τὰ πεζὰ κỳ ζῳοτόκα Ζιγ1. 510 ᵃ13. δ11. 538 ᵇ6. η2. 582 ᵇ35. θ17. 600 ᵇ17. ι50. 631 ᵇ23. Ζγγ7. 718 ᵃ6. syn τὰ ζῳοτόκα κỳ πεζὰ vel plenius τὰ ζῳοτόκα κỳ πεζὰ τῶν ἐναίμων sim Ζιδ8. 532 ᵇ33. ε5. 541 ᵃ2. 539 ᵇ19. ζ18. 571 ᵇ6. γ10. 517 ᵇ4. 8. 517 ᵃ3. δ11. 538 ᵇ22. β13. 505 ᵇ22. τῶν ζῳοτοκύντων οἱ ἄνθρωποι κỳ τὰ πεζὰ πάντα, τῶν πεζῶν τὰ τετράποδα κỳ πεζὰ Ζγβ8. 718 ᵃ38. Ζιε3. 540 ᵃ9. τὰ ζῷα τὰ συνδυασθέντα ἐν τοῖς ἐναίμοις κỳ πεζοῖς μκ4. 466 ᵃ12. — τὰ πεζά. opp τὰ ὠοτοκύντα τῶν ἐναίμων Ζγγ1. 749 ᵃ13, 15. — b. τὰ πεζὰ κỳ ὠοτόκα, τὰ ὠοτόκα κỳ πεζά, τὰ πεζὰ κỳ ὠοτόκα κỳ ἔναιμα sim Ζιβ17. 508 ᵃ9. γ10. 517 ᵇ5. ζ18. 571 ᵇ4. ε3. 540 ᵃ27. Ζμδ11. 692 ᵃ21. β17. 660 ᵇ3. — his πεζοῖς opp τὰ ἔνυδρα κỳ ἔναιμα. cf τὰ ἔναιμα, τά τε πεζὰ κỳ τὰ ἔνυδρα ζῷα Ζμδ3. 677 ᵇ20. τὰ ἔνυδρα τῶν πεζῶν ἥττον μακρόβια, ἔνιοι τὰ ἔνυδρα τῶν πεζῶν θερμότερά φασιν εἶναι Ζμβ2. 648 ᵃ26. μκ5. 466 ᵇ23. cf 4. 466 ᵃ11. τὰ κήτη τρόπον τινὰ πεζὰ κỳ ἔνυδρα, ἀναπνεῖ δὲ τὰ μὲν πεζὰ πάντα, ἔνια δὲ κỳ τῶν ἐνύδρων οἷον φάλαινα κỳ δελφὶς κỳ τὰ κήτη πάντα Ζμδ13. 697 ᵃ29, ᵇ5. γ6. 669 ᵃ7. cf Ζιε12. 566 ᵇ29. τὰ πεζά. dist σελάχη, ἰχθύες αν3. 471 ᵇ17, 19. 16. 478 ᵇ4, 6. Ζμβ13. 658 ᵃ5. 9. 655 ᵃ35. Ζγδ1. 764 ᵃ30. τὰ ἐν τῷ ὑγρῷ, dist τὰ πεζὰ κỳ ἀέρα δεχόμενα Ζμγ6. 669 ᵃ10. δ13. 697 ᵃ30. Ζιθ2. 589 ᵃ24, ᵇ3. τῶν δεχομένων τὸ ὑγρὸν ὑθὲν ὅτε πεζὸν ὅτε πτηνόν Ζιθ2. 589 ᵃ23, ᵇ2. πλεύμονα ἔχει διὰ τὸ πεζὸν εἶναί τι γένος τῶν ζῴων Ζμγ5. 668 ᵇ33. cf β16. 659 ᵃ4. ψβ8. 420 ᵇ25. 7. 419 ᵇ1. opp τὰ πτηνά, οἱ ὄρνιθες Ζια1. 487 ᵃ21. cf ᵇ20. γ9. 517 ᵇ1. Ζμδ12. 693 ᵇ9. αν13. 477 ᵃ29. — πεζὰ v l (πεζεύειν Bk) Ζμδ13. 695 ᵇ21. — πεζῇ ἀτυχεῖν Πε3. 1303 ᵃ9.

πειθαρχεῖν, opp νεωτερίζειν Πβ4. 1262 ᵇ3. βιάζεσθαι τὺς μὴ βυλομένυς πειθαρχεῖν Πγ15. 1286 ᵇ30. πειθαρχεῖν τῷ λόγῳ, τῷ νῷ Ηα13. 1102 ᵇ26. κ10. 1180 ᵃ5, 11. ι8. 1169 ᵃ18. Πθ11. 1295 ᵇ6 (syn ἀκολυθεῖν). πειθαρχεῖν αἰδοῖ, φόβῳ, ἀνάγκῃ, ζημίαις, τῷ καλῷ Ηκ10. 1179 ᵃ11, 1180 ᵃ5. μετὰ ταῦτα τιθασσεύεται ὁ ἐλέφας κỳ πειθαρχεῖ Ζυ1. 610 ᵃ29.

πειθαρχικὸς τοῖς νόμοις Μκ3. 1061 ªʔ25. κατήκοον τῦ λόγῳ χὴ πειθαρχικόν Ηα13. 1102 ᵇ31.

πείθειν. πεῖσαι, πείσαντες, opp βίᾳ, βιάσασθαι, ἀναγκάσαι Πε4. 1304 ᵇ16. η2. 1324 ᵇ30. Ρβ19. 1392 ª28. cf πεισθήσονται χὴ δυνήσονται Πδ1. 1289 ª2. μᾶλλον γὰρ ἐκ πλειόνων ἂν ἔτι πεισθείη τις πεπεισμένος, πρὸς δὲ τὸ πεισθῆναι μὴ πεπεισμένος (πεπεισμένον?) ἐδὲν μᾶλλον Μμ9. 1086 ª20. χὴ τῶν ταῦτα πεπεισμένων χὴ τῶν τῆς λόγως μόνον λεγόντων Μγ6. 1011 ª3. τῶν Αἰσώπω μύθων ἐδὲν διαφέρειν ἔοικεν ὁ πεπεισμένος ὕτως μβ3. 356 ᵇ12. πάσῃ δόξῃ ἀκολυθεῖ πίστις, πίστει δὲ τὸ πεπεῖσθαι, πειθοῖ δὲ λόγος ψγ3. 428 ª23. ἐπιθυμίαι ἄλογοι ὅσαι μὴ ἐκ τῦ ὑπολαμβάνειν τι ἐπιθυμῶσιν, μετὰ λόγω δὲ ὅσα (ὅσας ci Spgl) ἐκ τῦ πεισθῆναι ἐπιθυμῶσιν Ρα11. 1370 ª25. cf Ηη9.1151 ª11, 13. ταῖς συμφοραῖς πειθόμενοι (admoniti, docti calamitatibus) ρ3. 1425 ᵇ7. — πειστέον (obediendum) ἰατρῷ Ηι2. 1164 ᵇ24.

Πειθολάῳ χὴ εἰς Πειθόλαον ἀποφθέγματα Ργ10. 1411 ª13. 9. 1410 ª17.

πειθώ, opp ἀναγκαῖον, βίαιον, syn ἑκύσιον ηεβ8. 1224 ª14, 39. οἱ μὲν πειθὸς δέονται, οἱ δὲ βίας Μγ5. 1009 ª17. πίστει ἀκολυθεῖ τὸ πεπεῖσθαι, πειθοῖ δὲ λόγος ψγ3. 428 ª23. μαλακῶς προσῆκται πρὸς τὴν πειθὼ τῶν πολλῶν Μλ8. 1074 ᵇ4. τελεσφόρον τὴν πειθὼ τῶν λόγων κατέστησεν (Alcidam) Ργ3. 1406 ª4.

πεῖνα, ἐπιθυμία ξηρῦ χὴ θερμῦ ψβ3. 414 ᵇ11 (cf Lob Phryn 499).

πεινῆν ἢ ῥιγῦν Πβ7. 1267 ª5. ἀλγεῖν ἢ πεινῆν Ηγ7. 1113 ᵇ29. πεινῆν χὴ διψῆν σφόδρα Οβ13. 295 ᵇ32. Ἰάσων ἔφη πεινῆν ὅτε μὴ τυραννοῖ Πγ4. 1277 ª24. διὰ τί ἧττον ἀνέχονται διψῶντες ἢ πεινῶντες πκη5. 949 ᵇ26. 6. 949 ᵇ32. μὴ λίαν κατεχόμενοι τῷ πεινῆν Ζιθ6. 595 ª15. διὰ τὸ πεινῆν Ζυ48. 631 ª25. περκνότερος πεινῆ ἀεὶ χὴ βοᾷ χὴ μινυρίζει Ζυ32. 619 ª3.

πεινητικός κεβ5. 1222 ª36.

πεῖρα, coni γυμνασία, σκέψις τθ5. 129 ª25, 33. 11.161 ª25. πεῖραν λαμβάνειν (opp δεικνύαι) τι11. 171 ᵇ4, 172 ª23, 39. 34. 183 ᵇ2. cf ηεη2. 1237 ᵇ13, 35. ἤδη εἰληφέναι τύτω συμβέβηκε πεῖραν Ζιθ2. 590 ª24. πεῖραν ἔχειν ανα4. 472 ª31. τύτων ὕπω πεῖραν ἔχομεν ἀξιόπιστον Ζγβ5. 741 ª37. δ10. 40 777 ᵇ4. πεῖραν δεδωκέναι ρ30. 1436 ᵇ31. — ἀπεδοκιμάσθη διὰ τῆς πείρας Πθ6. 1341 ª37. τὸ ἡρωικὸν μέτρον ἀπὸ τῆς πείρας ἥρμοκεν πο24. 1459 ᵇ32. ἐκ τῆς πείρας δῆλον πκε8. 938 ᵇ38. — εὐλόγως βασανίζεται ταῖς πείραις τὸ τῶν ἀνδρῶν σπέρμα χὴ τὸ τῶν ὑδατι Ζυγ7. 747 ª3. ἡ τῶν ἀσίτων χὴ γονίμων γυναικῶν τοῖς ἐναλείμμασι πεῖρα πδ2. 876 ᵇ13.

Πειραιεύς Ρβ24. 1401 ª27. Ἱππόδαμος κατέτεμε τὸν Πειραιᾶ Πβ8. 1267 ᵇ28. οἱ τὸν Πειραιᾶ οἰκῦντες δημοτικοί Πε3. 1303 ᵇ11. Αἴγινα λήμη, Σηστὸς τηλία τῦ Πειραιέως Ργ10. 1411 ª14, 15. ἀγορανόμοι, σιτοφύλακες, μετρονόμοι ἐν ἄστει, ἐν Πειραιεῖ f 409. 1546 ᵇ1. 411. 1546 ᵇ14. 412. 1546 ᵇ27, 32.

πειρᾶν. εἰ ἐπείρασε, χὴ ἔπραξεν Ρβ19. 1392 ᵇ27, 31. — πειράσθαι. ἐν ἄλλῃ ζῆν χωρᾳ χὴ δύνασθαι (τὰς Πυρρίχας βῦς)· καίτοι πειρᾶσθαι τινας Ζιθ7. 595 ᵇ21. πεπειραμένοι λέγομεν μβ3. 358 ᵇ18. ὅτι ἂν δόξῃ πειρωμένοις ἄμεινον Πγ16. 1287 ª28. — πειρῶνται μιγνύναι, φυλάττειν al Πε4. 1304 ᵇ15. 7. 1307 ª11. 8. 1308 ª32. δ7. 1293 ª41. Ρβ23.1399 ª31. μβ8. 366 ᵇ27. πειρᾶται διορίσαι μα14. 352 ᵇ24. φανερὸν ἔσται πειραθεῖσιν ἰδεῖν Μκ8. 1064 ᵇ31. πειραθέντες 60 εἰπεῖν Ογ8. 307 ᵇ11. πειρῶμεν εἰπεῖν Ζμα5. 646 ª2.

Ρβ18. 1392 ª2. ἐπειράθησαν λέγειν Ζγβ6. 742 ª17. πειρατέον λέγειν, διελέσθαι, ἐπελθεῖν. δεῖξαι sim Φα1. 184 ª15. γ1. 200 ᵇ15. Οβ3. 286 ª31. Ζγβ1. 734 ᵇ4. Ηα1. 1094 ª25. 5. 1097 ª25. 7. 1098 ᵇ4. β2. 1104 ª11. 7. 1108 ª17. ι2. 1165 ª31. κ10. 1179 ᵇ3. Πγ18. 1288 ᵇ3. ηεγ2. 1230 ª38. πειρατέον ἐπιεικῆ εἶναι Ηι4. 1166 ᵇ28. πειρατέον νομοθετικῷ γενέσθαι Ηκ10. 1180 ᵇ24.

πειραστικοὶ λόγοι τι2. 165 ª39, ᵇ4. ἡ διαλεκτικὴ πειραστικὴ περὶ ὧν ἡ φιλοσοφία γνωριστική Μγ2. 1004 ᵇ25. ἡ πειραστικὴ μέρος τῆς διαλεκτικῆς τι8. 169 ᵇ25. 11. 171 ᵇ4, 172 ª21. 34. 183 ª39. ἡ πειραστικὴ ἐπιστήμη ἐδενὸς ὡρισμένη τι11. 172 ª28.

Πείρως. ἐπίγραμμα ἐπὶ Πείρωος f 597. 1577 ª39.

Πείσανδρος Ργ18. 1419 ª27.

Πεισίστρατος πῶς κατέστη τύραννος Πε5. 1305 ª23. 10. 1310 ᵇ30. 12. 1315 ᵇ21. Ρα2. 1357 ᵇ32. cf f 355. 1538 ª19. πόσον χρόνον ἐτυράννευσε Πε12. 1315 ᵇ31. Πεισίστρατος τὰ μεγάλα Παναθήναια ἐποίησεν f 594. 1574 ᵇ44. — τῶν Πεισιστρατιδῶν τυραννίς Πε12. 1315 ᵇ30, διὰ τί κατελύθη Πε10. 1311 ª36, 1312 ᵇ31. τῦ Ὀλυμπίω οἰκοδόμησις Πε11. 1313 ᵇ23.

πειστικός. τῶν ἄλλων (τεχνῶν) ἑκάστη περὶ τὸ αὑτῇ ὑποκείμενόν ἐστι διδασκαλικὴ χὴ πειστικὴ Ρα2. 1355 ᵇ29.

πελάγιος. τῶν θαλαττίων (ζῴων) τὰ μὲν πελάγια τὰ δὲ αἰγιαλώδη τὰ δὲ πετραῖα Ζια1. 488 ᵇ7. καρκίνοι πελάγιοι, ἡ τευθίς, ὁ τεῦθος πελάγιόν ἐστιν Ζμδ8. 684 ª6. 5. 679 ª14. Ζιδ1. 524 ª32. — τῶν ἰχθύων οἱ πελάγιοι enumerantur Ζιζ17. 570 ᵇ28. θ19. 602 ª16. 13. 598 ª12. πελάγιοι, dist πρόσγειοι Ζιθ13. 598 ª2, 9. ι37. 621 ᵇ18. f 308. 1530 ᵇ33, cf 35.

πέλαγος. ῥέυσα ἡ θάλαττα φαίνεται κατὰ τὰς στενότητας, εἴ πω διὰ τὴν περιέχυσαν γῆν εἰς μικρὸν ἐκ μεγάλω συνάγεται πελάγως μβ1. 354 ª7. ὁ Ὠκεανὸς ἀποκολπύμενος τρία ποιεῖ πελάγη, τό τε Σαρδόνιον χὴ τὸ Γαλατικὸν χὴ Ἀδρίαν κ3. 393 ª27. πελάγεος τὸ ἔξω τῆς οἰκωμένης Ἀτλαντικόν τε χὴ Ὠκεανὸς καλεῖται κ3. 393 ª16. νήσοι μεγάλαις περικλυζόμεναι πελάγεσιν κ3. 392 ᵇ29, 393 ª11. κύματα ἐν τοῖς βαθέσι πελάγεσιν, ἐν τοῖς μικροῖς χὴ βραχέσιν πκγ1. 931 ª35. 24. 934 ª25. 17. 933 ᵇ5. εἰ ἐν τῷ πελάγει φαίη ἁμιλλᾶσθαι ἅρματα (exemplum manifesti mendacii) ξ6. 980 ª11.

πελαργικὸν τεῖχος f 357. 1538 ᵇ23.

Πελαργοί (comoedia Aristophanis). ᾧ ἔτει οἱ Πελαργοὶ ἐδιδάσκοντο f 585. 1573 ᵇ20. Meineke fr com II 1126.

πελαργός. refertur inter πὰ εὐθυώνυχα, φωλεῖ, περὶ τὰς λίμνας τὰς τῶν ποταμῶν βιοτεύει, ὁ καλύμενος κόραξ ἐστι τὸ μὲν μέγεθος οἷον πελαργός, πλὴν τὰ σκέλη ἔχει ἐλάττω Ζιθ16. 600 ª19. 3. 593 ᵇ3, 19. origano sibi medetur, ὅτι ἀντιστρέφονται θρυλεῖται παρὰ πολλοῖς Ζυ6. 612 ª32 (cf Beckm ad Ant Caryst p 71). 13. 615 ᵇ23. serpentibus vescuntur, οἱ Θετταλοὶ τιμωσιν τὰς πελαργὰς χὴ κτείνειν ὐ νόμος θ23. 832 ª15 Beckm. (hodie λέλεκας E 52. Lnd 154. Ciconia alba C II 232. Su 150, 130. AZι I 104, 85.)

πελειάς. descr. ἀπαίρυσι χὴ χειμάζυσι ζια13. 544 ᵇ2 Aub. θ12. 597 ᵇ3. (livia Gazae, turrilia Scalig. le pigeon des tours Bsm ad Oribas I 612. Columba oenas G 44, M 300. Su 136, 104, in incert rel AZι I 105, 88ᵇ.)

πέλας. τὰς πέλας, opp ἑαυτάς, βλάψει χὴ ἑαυτὸν χὴ τὰς πέλας Ηι8. 1169 ª14. θεωρεῖν μᾶλλον τὰς πέλας δυνάμεθα ἢ ἑαυτὰς Ηι9. 1169 ᵇ34. cf ὁ πέλας, βλαβερὸν τῷ πέλας al

Ηδ6. 1123 a33. ι6. 1167 b13. οἱ πέλας, ἄρχειν τῶν πέλας τὰ συμβαίνοντα τοῖς πέλας al Πη2. 1325 a36, b5 (syn τῶν πλησίον b25). Ηβ7. 1108 b2. δ13. 1127 b19.

Πελασγοὶ ἐκπεσόντες ἐξ Ἄργυς θ81. 836 b10.

πελάται unde nomen habeant f 351. 1537 b7.

πελεκάν. 1. refertur inter τὰς ἀγελαίας Ζιθ12. 597 b29. (hodie πελακάν vel σακάς cf Lnd 168. platea vel platalea Plin et Ciceroni. Pelecanus crispus vel onocrotalus.) — 2. οἱ ἐν τοῖς ποταμοῖς γινόμενοι chamas quomodo edant, quomodo migrent Ζιθ12. 597 a9. ι10. 614 b27. θ14. 831 b10 Beckm. (platea Gazae et Scalig. fort Platalea leucerodius Gesner av 665. H II 396. Brandt descr et icones an ross p 53, 54. cf C II 616. S II 76 sq, 488. St. Su 156, 146. AZι I 104, 86.)

πέλεκυς, exemplum ὀργάνυ τεχνικῦ ψβ1. 412 b13 (τὸ πελέκει εἶναι). Ζμα1. 641 a9, 642 a10. ὕτω σκληρὸν ὥστε πελέκει ὐ δύνασθαι διακόπτειν Ζιχ7. 638 b11. ὁ πέλεκυς γίνεται σφὴν μχ19. 853 b22, 16. Τενεδιος πέλεκυς f 551. 1569 a21, 25, cf παροιμία.

Πελιάδες ηεθ9. 1225 b4.

Πελίας. ὁ ἐπὶ Πελία ἀγών f 594. 1574 b32.

πελιδνός. οἱ ῥιγωῦντες πελιδνοὶ γίνονται πη1. 887 b10. γάλα πελιδνότερον Ζιγ21. 523 a9.

πελιδνῦν. τοῖς πρεσβύταις μάλιστα πελιδνῦται ἡ σάρξ πη1. 887 b13.

πελίωμα. οἴδημα ὃ πελιώματα λαμβάνυσιν αἱ πληγαί πθ14. 891 a1.

Πελλήνη. οἱ ἐν Πελλήνῃ μαστροί f 526. 1564 b42. — Πελληναίων πολιτεία f 526.

πέλλος. ἐρωδιῶν γένος, eius mores descr Ζυ1. 609 b22. 18. 616 b33. (pullus Thomae. fort Ardea cinerea St. Cr. K 947, 1. Su 150, 132. AZι I 92, 34a. cf C II 415. S II 15. Lnd 149.)

Πελόπειος. Πελοπείας (Πελοπίας Ac Nck) χθονός (in versu Euripideo f 519, Sophocli per errorem adscripto) Ργ9. 1409 b10.

Πελοπόννησος μα13. 351 a2. Πβ10. 1271 b36. γ3. 1276 a27. Ργ9. 1409 b12. θ127. 842 b26. περὶ Πελοπόννησον Ζιθ3. 593 a11. ι31. 618 b15. τῆς τραγῳδίας ἔνιοι τῶν ἐν Πελοποννήσῳ ἀντιποιῦνται πο3. 1448 a35. — Πελοπον-νήσιοι ρ9. 1429 b13.

Πέλοψ. ὁ ἐπὶ Πέλοπι ἀγών f 594. 1574 b34.

πελταστής f 456. 1552 b44.

πέλτη, ἀσπὶς ἴτυν ὐκ ἔχυσα ὐδ' ἐπίχαλκος f 456. 1553 a1, 13.

Πελωριὰς τῆς Σικελίας κρόκυ εὔφορος θ111. 840 b28.

πελώριος. συγγνώμη ὀργιζομένῳ κακὸν φάναι ὐρανόμηκές ἢ πελώριον εἰπεῖν Ργ7. 1408 b13.

πέλωρος. Λυκόφρων Ξέρξην πέλωρον ἄνδρα (ὀνομάζει) Ργ3. 1406 a8, cf Λυκόφρων p 439 b49.

πεμπάς. ἐπίτριτος πυθμὴν πεμπάδι συζυγείς (Plat rep VIII 546 C) Πε12. 1316 a6.

πέμπειν. εἰπεῖν πρὸς τὸν πεμφθέντα κήρυκα Πγ13. 1284 a28. ἐὰν μὴ πάντα τὰ πεμπόμενα καταναλίσκηται ρ3. 1424 a1. 39. 1446 b1. — θυσία τῷ Διὶ συντελεῖται, ἐν ᾗ πέμπυσιν αἶγά τινα θ137. 844 b1.

πέμπτος. ὁ πέμπτος δάκτυλος Ζμδ10. 688 a7. πέμπτη πολιτεία Πδ7. 1293 a39. ἕν, ἄλλο, ἕτερον, τέταρτον, πέμπτον Πδ16. 1300 b22.

πέμψις. ἀνεγνωρίσθη ἐκ τῆς πέμψεως τῆς ἐπιστολῆς πο11. 1452 b6.

πένεσθαι, opp πλυτεῖν Πδ4. 1291 b7. Ηδ3. 1121 b5. ὁ πενόμενος πλῦτον ἄριστον νομίζει Ηα2. 1095 a24.

πενεστεία ἡ Θετταλῶν Πβ9. 1269 a37. αἱ παρ' ἐνίοις εἱλωτεῖαι ὃ πενεστεῖαι ὃ δυλεῖαι Πβ5. 1264 a35.

πενέσται παρὰ Θεσσαλοῖς, coni παρὰ Λακεδαιμονίοις εἵλωτες, παρὰ Κρησὶ κλαρῶται f 544. 1568 b2.

πένης. οἱ πένητες τίνων ἐπιθυμῦσιν Πδ11. 1295 b30. 13. 1297 b6. opp πλύσιοι, εὔποροι Πδ4. 1290 a35, 37, 38. β7. 1266 b4. πένης ὐκ ἂν εἴη μεγαλοπρεπής Ηδ4. 1122 b26. ἄνθρωποι σφόδρα πένητες διὰ τὴν ἀπορίαν ὤνιοι Πβ7. 1270 b10. φαῦλον τὸ πολλὺς ἐκ πλυσίων γίνεσθαι πένητας Πβ7. 1266 b13.

Πενθαλίδαι ἐν Μιτυλήνῃ Πε10. 1311 b27.

Πενθεσιλείας τύμβος Ἀμαζονίδος f 597. 1578 a3.

Πενθεὺς ἐσομένης συμφορᾶς ἐπώνυμος (Chaeremon fr 4) Ρβ23. 1400 b24.

Πένθιλον Σμέρδις διέφθειρεν (ἐν Μιτυλήνῃ) Πε10. 1311 b29.

πένθος. ἐν τοῖς πένθεσι ὃ θρήνοις ἐγγίνεταί τις ἡδονή Ρα11. 1370 b25.

πενία. μεγίστη διάστασις πενία ὃ πλῦτος Πε3. 1303 b16. δημοτικὰ ἀγένεια πενία βαναυσία Πζ2. 1317 b40. cf γ8. 1279 b40. ἡ πενία στάσιν ἐμποιεῖ ὃ κακυργίαν Πβ6. 1265 b11. διὰ τί ἡ πενία παρὰ τοῖς χρηστοῖς μᾶλλον πκθ4. 950 b9.

πενιχρῶς. ὐδὲν ἡ φύσις ποιεῖ πενιχρῶς Πα2. 1252 b3.

πεντάγωνον τὴν καρδίαν ὁ ἀκανθίας ἔχει f 293. 1529 a18.

πενταδάκτυλος. πόδες πενταδάκτυλοι Ζιβ1. 498 a34, b2. Ζμδ10. 688 a4, 9. (ὁ ἐλέφας) ἐστὶ πενταδάκτυλον Ζιβ1. 497 b24. πενταδάκτυλος ὢν ὁ πορφυρίων τὸν μέσον ἔχει μέγιστον f 272. 1527 a40.

πεντάδραχμα συναλλάγματα Πδ16. 1300 b33.

πενταετηρίς. διὰ πενταετηρίδος Πε8. 1308 b1. θ173. 847 a4. cf πεντετηρίς.

πενταέτηρος. (βῦν) ἄρσενα πενταέτηρον (Hom H 315) Ζιζ21. 575 b6.

πένταθλος πε8. 881 b3. def Ρα5. 1361 b26. οἱ πένταθλοι κάλλιστοι Ρα5. 1361 b10. οἱ πένταθλοι ἄλλονται πλεῖον ἔχοντες τὰς ἁλτῆρας Ζπ3. 705 a16.

πεντάκις ἢ ἑξάκις Ζιζ14. 568 a17.

πεντάκλινα τὸ μέγεθος θ127. 842 b21.

πεντακόσιοι Πβ9. 1270 a30. ἡ βυλὴ τῶν πεντακοσίων f 375. 1540 b17.

πεντακοσιομέδιμνοι ὃ ζευγῖται Πβ12. 1274 a19. f 350. 1537 a16, 24.

πεντάμηνοι ὄντες τὴν ἡλικίαν ἰχθύες Ζιζ14. 568 a12. τὰ μὲν τελέογονα τῷ χρόνῳ ἔτεκε, τὸ δὲ πεντάμηνον Ζιη4. 585 a19.

πενταξαὶ στιγμαί Μμ2. 1076 b33.

πενταπλάσιος. τὴν ὐσίαν γίνεσθαι μείζονα μέχρι πενταπλασίᾳ Πβ6. 1265 b22. ὐσία πενταπλασία τῆς ἐλαχίστης Πβ7. 1266 b6.

πενταρχίαι (Carthag) Πβ11. 1273 a13.

πεντάς. ἐκ δύο πεντάδων ἡ δεκάς Μμ7. 1082 a2.

πενταχῆ διῄρηται τὰ περὶ τὸν τράχηλον Ζιθ2. 526 b8.

πέντε. οἱ πέντε ἀστέρες (int πλάνητες) μα6. 343 a31. τὸ διὰ πέντε, dist διὰ πασῶν, διὰ τεττάρων al 7. 448 a9. πιθ17. 918 b37. τὸ διὰ πέντε ἐν ἡμιολίῳ λόγῳ πιθ23. 919 b7, 10. 35. 920 a31. 41. 921 b2 (syn δι' ὀξειῶν b1).

πεντεκαιδεκάτη μετὰ τὰς χειμερινὰς τροπὰς πκς12. 941 b14.

πεντεκαιδεκάπηχυ τῷ μεγέθει ἱμάτιον θ96. 838 a21.

πεντεσύριγγος. ἐν πεντεσυρίγγῳ νόσῳ δεδεμένος (cf Πολύευκτος) Ργ10. 1411 ᵃ22.

πεντετηρίς. πεντετηρίδας διοικῦσιν οἱ ἱεροποιοί f 404. 1545 ᵇ37, cf πενταετηρίς.

πεντέτης ἢ ἑξέτης ὁ ἐλέφας βαίνει Ζιε14. 546 ᵇ8.

πεντήκοντα ἐτῶν ἀριθμὸς ἔσχατος τῆς γεννήσεως γυναιξίν Πη16. 1335 ᵃ9. πεντήκοντ᾽ ἀνδρῶν ἑκατὸν λίπε δῖος Ἀχιλλεύς τιᴗ. 166 ᵃ37, cf Ἀχιλλεύς p 131 ᵃ4.

πεντηκοντάδραχμος. παρεμβάλλειν τοῖς ἀκροαταῖς τῆς πεντηκονταδράχμυ (Prodicus iussit) Πγ14. 1415 ᵇ16.

πεπαίνω. ὐδὲν ὑγρὸν αὐτὸ καθ᾽ αὑτὸ πεπαίνεται ἄνευ ξηρῦ· ἐκ λεπτῶν ἀεὶ παχύτερα γίνεται πεπαινόμενα πάντα μδ᾽3. 380 ᵃ33, 25. ὅταν τὰ σῦκα ἄρχηται πεπαίνεσθαι Ζιε7. 541 ᵇ24. τινὲς καρποὶ ὀξέως πεπαίνονται φτα5. 820 ᵇ12. ἄμπελος τῶν καρπῶν τὺς μὲν πεπαίνει, τὺς δ᾽ ὀμφακώδεις ἔχει θ161. 846 ᵇ1. τὸ πολὺ ἔργον πεπάνθαι, τὸ δὲ μέτριον ῥᾷον πκ20. 925 ᵃ13.

πέπανσις. περὶ πεπάνσεως μδ᾽2. 379 ᵇ12. 3. 380 ᵃ11-30. ἡ τῆς ἐν τοῖς περικαρπίοις τροφῆς πέψις πέπανσις λέγεται μδ᾽3. 380 ᵃ12. καρπῶν πεπάνσεις κ6. 399 ᵃ28. τὸ ἄρρεν φυτὸν ἐστι ταχύτερον εἰς πέπανσιν φτα7. 821 ᵇ25. — ἔστιν ἡ φυμάτων ᴕ φλεγμάτων πέπανσις ἡ ὑπὸ τῦ φυσικῦ θερμῦ τῦ ἐνόντος πέψις μδ᾽3. 380 ᵃ21.

Πεπαρηθία, orationis nomen Ρβ23. 1398 ᵃ32 Spgl.

πεπειρότης. βραδύνει, τελειῦται ἡ πεπειρότης φτβ7. 827 ᵃ21. 10. 829 ᵇ9.

πεπειρῦσθαι. πεπειρῦνται οἱ καρποί φτβ10. 829 ᵇ38.

πεπερασμενάκις Αγ21. 82 ᵇ32.

πέπερι πολὺ μὲν ὂν τὴν κύστιν λύει, ὀλίγον δὲ τὴν κοιλίαν πα43. 864 ᵇ12. — εἰς τὸ ι τρία μόνα (ὀνόματα τελευτᾷ), μέλι κόμμι πέπερι πο21. 1458 ᵃ15. cf Lob Par 200. Path II 294. (Piper sp cf Fraas 266.)

πεπλανημένως Ζικ1. 604 ᵃ13, 17, v πλανᾶσθαι.

πεπλασμένως λέγειν, opp πεφυκότως Ργ2. 1404 ᵇ19. cf πλάττειν.

πεπνυμένος ἀνήρ (Hom δ204) Ργ17. 1418 ᵃ8. ἀληθὴς ᴕ καθ᾽ Ὅμηρον (γ 328) πεπνυμένος ηεγ7. 1234 ᵃ3.

πεπτικός. τὸ θερμὸν πεπτικόν Ζμδ3. 677 ᵇ32. τὸ πρῶτον πεπτικὸν μκ5. 466 ᵇ32. δυνάμεως ὅρος ᴕ ἀδυναμίας τὸ πεπτικὸν ᴕ μὴ πεπτικὸν τῆς ὑστάτης τροφῆς Ζγδ1. 766 ᵃ32. θερμῦ ἔχειν τὴν κοιλίαν ᴕ πεπτικωτάτην Ζγγ1. 749 ᵇ24. ἐν τῷ χειμῶνι πεπτικώτεροι ᴕ ὑγιεινότεροι (int ἐσμέν) ἡμῶν αὐτῶν πα28. 862 ᵇ19. οἶνος τῇ θερμότητι πεπτικὸς τῆς ὑγρότητος πκβ8. 930 ᵇ30.

πέπων. σίκυοι πέπονες τιᴗ32. 926 ᵇ4. — πέπονα τίνα λέγεται μεταφορᾷ μδ᾽3. 380 ᵃ17.

περ interdum distinctim scriptum exhibetur, veluti τοσῦτον ὅσον περ ἀρετῆς Πη1. 1323 ᵇ22.

πέρα. τύτυ μὴ πέρα προβαίνειν Πζ4. 1319 ᵇ14. πέρα στέρξαντες, μέχρι μισῦσιν (fr trg adesp 53) Πη7. 1328 ᵃ16.

περαίας (vl παρέας, S I 576. Lob Prol 487) ᴕ πρόσγειος, βόσκεται τὴν ἀφ᾽ αὑτῦ μύξαν, διὸ ᴕ νῆστίς ἐστιν ἀεὶ Ζιθ2. 591 ᵃ23 Aub. cf f 299. 1529 ᵇ19. (Mugil sp AZι I 130, 31. cf C II 618. K 860, 3.) v κεστρεύς p 385 ᵃ52.

περαίνειν. 1. intr οἱ ὀφθαλμοὶ περαίνυσιν εἰς τὸν ἐγκέφαλον Ζια11. 492 ᵃ21. πόροι περαίνυσι πρὸς τὸν ἐγκέφαλον, κινήσεις περαίνυσι πρὸς τὴν καρδίαν sim Ζιθ8. 533 ᵇ2. Ζμγ4. 666 ᵃ13. Ζγβ6. 744 ᵃ3. αν12. 476 ᵇ28. πιγ5. 908 ᵃ27. τέλος τι πρὸς ὃ ἡ κίνησις περαίνει μηδενὸς ἐμποδίζοντος Ζμα1. 641 ᵇ25. τὰ πρὸς τὸν σκοπὸν περαίνοντα ηεβ11. 1227 V.

ᵇ22. αἰδοῖον ἀπὸ τύτων περαῖνον εἰς τὸ ἔξω Ζγα3. 716 ᵇ28. ὁ πόρος ταύτῃ περαίνει Ζγε2. 781 ᵃ25. ἣ περαίνει ἡ ῥάχις, τὸ δέρμα Ζιγ7. 516 ᵃ35. Ζιβ15. 658 ᵇ21. οἱ πόροι ᴕ περαίνυσιν Ζια17. 497 ᵃ10. — τὸ πεπερασμένον ἀεὶ πρός τι περαίνει, ὥστε ἀνάγκη μηδὲν εἶναι πέρας, εἰ ἀεὶ περαίνειν ἀνάγκη ἕτερον πρὸς ἕτερον Φγ4. 203 ᵇ21. περαίνειν πρὸς ἄλληλα, ὐκ ἔχειν πρὸς ὅ τι περανεῖ ξ3. 977 ᵇ6, 8. — 2. trans ὅταν μὴ περαίνῃ ἐκεῖνο ᴕ ἕνεκα ἐπεφύκει Φβ6. 197 ᵇ26. φ6. 813 ᵇ16. ὐδὲν περαίνυσιν οἱ μὴ δεινοὶ εἰπεῖν Ρα12. 1373 ᵃ7. ἡ τραγῳδία δι᾽ ἐλέυ ᴕ φόβυ περαίνυσα τὴν τῶν τοιύτων παθημάτων κάθαρσιν πο6. 1449 ᵇ27. ἔνια διὰ μέτρων μόνον περαίνεσθαι ᴕ πάλιν ἕτερα διὰ μέλης πο6. 1449 ᵇ30. τὸ ἔργον περαίνεται Ζμβ7. 652 ᵇ15. κινήσεις περαίνονται, περαίνονται διὰ τῦ ἕλκειν ᴕ ἀνιέναι Φδ14. 223 ᵇ6. Ζμγ4. 666 ᵇ14. Bernays Grdz 188. τὸ ἐν τῇ γενέσει περαινόμενον πδ᾽13. 878 ᵃ28. λεκτέον ἵνα περαίνηται τὸ ἐφεξῆς Ζια15. 494 ᵃ24. ὁ συλλογισμὸς (ὁ δεικτικὸς συλλογισμός, τὸ πρόβλημα) περαίνεται, περαίνεσθαι διὰ σχήματός τινος, διὰ πτώσεών τινων, ἐν σχήματί τινι, δεικτικῶς· διὰ τῦ ἀδυνάτυ, ἐξ ὑποθέσεως, διὰ τῆς ἀντιστροφῆς, διὰ προσυλλογισμῦ al Αα7. 29 ᵃ31, 34 (syn τελειῦσθαι ᵃ30, 33). 21. 39 ᵇ29. 23. 41 ᵃ21, 35. 25. 42 ᵃ20, ᵇ5. 26. 42 ᵇ30. 32. 47 ᵇ10, 13. 44. 50 ᵃ29, 32. β17. 65 ᵇ7. cf συμπεραίνεσθαι. (περαίνεσθαι et συλλογισμὸς dist Wz I p 433.) οἱ διὰ τῦ ἀδυνάτυ περαίνοντες Αα23. 41 ᵃ23. — b. πεπεράνθαι, i q certis finibus, sive magnitudinis esse numeri, circumscriptum esse. ὧν ἐστιν ἐσχατα, ἀνάγκη πεπεράνθαι τὰ ἐντὸς αι6. 445 ᵇ23. ξ4. 978 ᵇ13. τὸ ὅλον πεπεράνθαι μεσόθεν ἰσοπαλές (Parm 104) Φγ6. 207 ᵃ16. (πεπεράνθαι exhibetur ξ3. 977 ᵇ3, sed coll 4. 978 ᵃ16, ᵇ2, 7, 13, 15 scribendum πεπεράνθαι. ὁ ὐρανός, τὸ κύκλῳ φερόμενον σῶμα Οα5. 273 ᵃ4, 271 ᵇ27. τὸ ἄπτεσθαι ᴕ τὸ πεπεράνθαι ἕτερον Φγ8. 208 ᵃ11. πεπέρανται τὰ εἴδη τὸ χρώματος ᴕ χυμῦ ᴕ φθόγγων αι6. 445 ᵇ21. ἣ μὲν ἄπειρα, ὐκ ἐπιστητά, ἣ δὲ πεπέρανται, ἐπιστητά Αγ24. 86 ᵃ6. — πεπερασμένος. πεπερασμένον μέγεθος, σῶμα. ὐκ ἐνδέχεται ἄπειρον εἶναι δύναμιν ἐν πεπερασμένῳ sim Φθ10. 266 ᵇ25, ᵃ12, 25. α4. 187 ᵇ33. Οα7. 275 ᵇ22. β12. 293 ᵃ10. Μλ7. 1073 ᵃ8. εἰ οἱ τόποι ὡρισμένοι ᴕ πεπερασμένοι Οα6. 273 ᵃ14. εἰ πεπερασμένοι οἱ τόποι Φγ5. 205 ᵃ31. Μχ10. 1067 ᵃ23. ταῦτα πεπερασμένα διέστηκε τόπυς ἀλλήλων μαᴗ. 339 ᵃ26. εἰ ληφθείη ἐπὶ θάτερα πεπερασμένος ὁ χρόνος Φζ2. 233 ᵇ12. ἀρχαὶ πεπερασμέναι, ἄπειροι Φα2. 184 ᵇ18. πεπερασμένα ἢ ἄπειρα Φθ6. 259 ᵃ9. ΜΑ6. 987 ᵃ15. α2. 994 ᵃ16. τῶν αὐτῶν συμβαινόντων ἀεὶ τὰ πεπερασμένα μᾶλλον ληπτέον Φθ6. 259 ᵃ10, 11. α6. 189 ᵃ15.

περαιῦν. τὸ πνεῦμα περαιῦται πρὸς τὸν ἔξω τόπον αχ800 ᵃ19. — ἡ ψυχὴ διὰ φιλοσοφίας ἐπεραιώθη ᴕ ἐξεδήμησεν κ1. 391 ᵃ12.

πέρας ᴕ τέκμαρ ταὐτόν ἐστι κατὰ τὴν ἀρχαίαν γλῶτταν Ρα2. 1357 ᵇ9. πέρας, ἄπειρον ΜΑ8. 990 ᵃ8, cf Πυθαγόρειοι. πέρας ποσαχῶς λέγεται Μδ᾽17 Bz, τοσαυταχῶς, ὁσαχῶς ἡ ἀρχή, ᴕ ἔτι πλεοναχῶς Μδ᾽17. 1022 ᵃ12. opp ἀρχή· ᴕ συνάπτει τῇ ἀρχῇ τὸ πέρας Φθ8. 264 ᵇ27. coni τέλος· τὰ ἀνομοιομερῆ (dist τὰ στοιχεῖα, τὰ ὁμοιομερῆ) πέρας ᴕ τέλος ἔχει ᴕ τὸ πέρας, ἐπὶ τὸ τρίτα λαβόντα τὴν σύστασιν ἀριθμῦ Ζμβ1. 646 ᵇ8. cf Ζγγ10. 760 ᵃ34. τελειῶσαι ᴕ ἐπιθεῖναι τῇ γενέσει πέρας Ζγδ7. 776 ᵃ4. τύτων (τῆς γενέσεως ᴕ τῆς φθορᾶς) ἔχυσι τὸ πέρας τῆς ἀρχῆς ᴕ τῆς τελευτῆς, αἱ τύτων κινήσεις τῶν ἀστρων Ζγδ10. 777 ᵇ29. πέρας ἐν μεγέθει ᴕ πλήθει ἐγγίνεται ξ4. 978 ᵃ18. τὰ τῦ σώματος

Dddd

πέρατα, πέρατα ἢ διαιρέσεις (ἰ ε ἐπιφάνειαι, γραμμαί, στιγμαί) Μβ5. 1002 ᵇ10. ζ2. 1028 ᵇ16. ×2. 1060 ᵇ16. ν3. 1090 ᵇ5. Φδ1. 209 ᵃ9. ἡ χροιὰ ἐν τῷ τῦ σώματος πέρατι, ἀλλ' ἢ τὸ τῦ σώματος πέρας αι3. 439 ᵃ32. σύστασις νεφῶν γενομένη πρὸς τὸ ἔσχατον πέρας μβ9. 369 ᵃ17. ἄπειρον τῆς θαλάττης βάθος, ὐδεὶς καθιεὶς πέρας ἐδυνήθη εὑρεῖν μα13. 351 ᵃ13. ἐν τῷ σταδίῳ ἀπὸ τῶν ἀθλοθετῶν ἐπὶ τὸ πέρας Ηα2. 1095 ᵇ1. προορῶντες τὸ πέρας ὐ κάμνυσι πρότερον Ργ9. 1409 ᵃ33. φοβερώτατον ὁ θάνατος· πέρας γάρ Ηγ9. 1115 ᵃ26. χρόνος ὐκ ἔστιν ἐπ' ὐδέτερον 10 τὸ πέρας Θα12. 282 ᵇ18. αἱ βλεφαρίδες ἐπὶ πέρατι φλεβίων· ἢ τὰ φλέβια πέρας ἔχει τῦ μήκυς Ζμβ15. 658 ᵇ21, 22. αἱ ὑστέραι πέρατα φλεβίων πολλῶν εἰσίν Ζγβ7. 745 ᵇ29. τὸ πέρας τῦ αἰδοίω, τῆς ὑστέρας Ζγδ4. 773 ᵃ21. α8. 718 ᵇ26. τὸ πέρας ἀδιαίρετον, ὐ τὸ πεπερασμένον Φα2. 15 185 ᵇ18. ζ5. 236 ᵃ13. ὐδενὸς διαιρετῦ ἐν πέρας Φδ10. 218 ᵃ23. τὸ πέρας περιέχον, ὁρίζον, τιμιώτερον τῶν μεταξὺ Οβ1. 284 ᵃ6. 13. 293 ᵇ13, 14, ᵃ32. — τῆς γνώσεως τὸ τί ἦν εἶναι πέρας Μδ17. 1022 ᵃ10. cf Αγ24. 85 ᵇ30. πέρας ὴ λόγος μεγέθυς ὴ αὐξήσεως τῶν φύσει συνισταμένων 20 ψβ4. 416 ᵃ17. τὸ νόμισμα στοιχεῖον ὴ πέρας τῆς ἀλλαγῆς ἐστὶν Πα9. 1257 ᵇ23. — τῶν πρακτικῶν νοήσεων ἐστὶ πέρατα ψα3. 407 ᵃ24. cf Μα2. 994 ᵇ16, 14. Πα9. 1257 ᵇ28. τὸ ἔργον αὐτῶν ἔχει πέρας, ὁ δὲ χρόνος ὐκ ἔχει μα14. 353 ᵃ18. — τὴν προτροπὴν πέρατι ὁρίσαι ρ33. 1439 ᵃ38. 25
περατὸν. εἰ μὴ περατῦνται αἱ ἀποδείξεις ψα3. 407 ᵃ28. ὐρανῦ περιαγωγὴ ἡμέρᾳ ὴ νυκτὶ περατωμένη ×6. 399 ᵃ2. ἀρχὴ περατωμένη Ἑλλήσποντῳ ×6. 398 ᵃ27. πάντη πεπερατωμένον ×2. 391 ᵇ15. διὰ τὸ πεπερατῶσθαι πάντα ×7. 401 ᵇ10. τὸ αὐξάνεσθαι πεφυκὸς δεῖται τόπυ, ἐν ᾧ ἂν πλα- 30 τυνθείη ὴ περατωθείη φτβ1. 822 ᵃ38.
Πέργαμον περὶ Λυδίαν, μέταλλα θ52. 834 ᵃ23.
πέρδιξ. ὁ πέρδιξ vel τὸ τῶν περδίχων γένος f 270. 1526 ᵇ46. Ζιαι1. 488 ᵇ4 refertur inter τὰ βαρέα ὴ μὴ πτητικὰ, τὰς ἐπιγείυς, κονιστικὰς Ζιζ1. 559 ᵃ1. 18. 613 ᵇ7, 13. 18. 613 35 ᵇ7, 614 ᵃ32. 49Β. 633 ᵇ1. Ζγγ1. 749 ᵇ13, τὰ ὀχευτικὰ ὴ πολύσπερμα τὴν φύσιν Ζγγ1. 751 ᵃ20. β7. 746 ᵇ1, τὰ ἀφροδισιαστικὰ f 270. 1527 ᵃ8. Ζιαι. 488 ᵇ4. 18. 613 ᵇ25. cf ζ8. 564 ᵃ24. 18. 614 ᵃ26, syn οἱ μᾶλλον ὀχευτικοὶ Ζιζ9. 564 ᵇ11. — ὁ πέρδιξ χερσαῖος, σχιδανόπυς ἐστίν, ἔχει πρό- 40 λοβον, ἀποφυάδας, ὄρχεις πάμπαν ἀδήλυς, σφόδρα μεγάλυς πότε, μεταβάλλει τὸ χρῶμα Ζιζ1. 510 ᵇ6. cf ζ9. 564 ᵇ12. χ6. 798 ᵃ27. — physiolog. κατεσθίυσι τὰς κοχλίας Ζιι37. 621 ᵃ1. ὄσφρησιν δοκεῖ ἔχειν ἐπίδηλον Ζιζ2. 560 ᵇ16. cf Ζγγ1. 751 ᵃ15. φωνὴ 45 Ζγγ1. 751 ᵃ15. ὁ πέρδιξ ὐ μόνον ᾄδει ἀλλὰ ὴ στριγμὸν ἀφίησι ὴ ἄλλας φωνάς· κακκαβίζειν, τρίζειν (τιττυβίζειν Theophr f 181)· ἀντᾷσαι, προκαλεῖσθαι Ζιι8. 614 ᵃ22, 24, 11 (cf S II 65). ϑ9. 536 ᵇ13 Aub (cf Rose Ar Ps 329), ᵃ27. τὰ πράσα συμφέρει πρὸς εὐφωνίαν τοῖς πέρδιξι πια39. 903 50 ᵇ28 (cf ὐν αἱ μὲν εὔφωνοι Antig Caryst p 13 Beckm). προκυλινδεῖται τῦ θηρεύοντος ὡς ἐπίληπτος ὖσα Ζιι8. 613 ᵇ19 (cf Plin X § 103: praegravem et delumbem esse simulans, et Lob Par 489). ζῶσι περὶ ιε ἔτη, ἡ θήλεια ὴ πλείονα, πλείω ἢ ἔτη ις βιοῖ, ἀγέλῃ Ζιι7. 613 ᵃ24. 8. 613 55 ᵇ24. ζ4. 563 ᵃ2. f 270. 1527 ᵃ1. ὄρνεον κακόηθες ὴ πανῦργον f 270. 1527 ᵃ7. Ζιι8. 613 ᵇ23, 614 ᵃ30. — generatio, nidificatio, incubatio, educatio, tutela. ὁ πέρδιξ, ὁ ἄρρην mas. ἡ πέρδιξ, ἡ θήλεια femina Ζιζ2. 560 ᵇ16. 18. 613 ᵇ18, 26, 27, 29, 33. Ζγγ1. 751 ᵃ13. f 270. 1527 ᵃ1, 9, 10 al. οἱ 60 νεοττοί, ἀναπαύονται ὑφ' ἑαυτὰς ἀγόμενοι τὰς νεοττὰς f 270.

1527 ᵃ6. Ζιι8. 613 ᵇ14, 15 al. ὁ ἡγεμὼν τῶν ἀγρίων, οἱ χῆροι Ζιι8. 614 ᵃ11, 15, 1 (Ael III 16. Athen IX 389). — τῦ ἔαρος ἐκ τῆς ἀγέλης ἐκκρίνονται δι' ᾠδῆς ὴ μάχης κατὰ ζεύγη μετὰ θηλείας, ἣν ἂν λάβῃ ἕκαστος Ζιι8. 613 ᵇ24. (τῶν ὀρνέων) τὰ δὲ πρὸ τῦ μάχεσθαι προκαλύμενα ⟨οἷον πέρδικες add Gaza S Pik Bsm Aub, om vulg et Bk⟩ Ζιϑ9. 536 ᵃ27. feminae vel aura a maribus flante praegnantes fiunt vel supervolantium adflatu vel voce tantum audita Ζιε5. 541 ᵃ26 Aub (cf ζ2. 560 ᵇ14. Harvei lib de gen an 18, Lewysohn Zool des Talmud 173, Lewes 294). nidificatio incubatio educatio pullorum et tutela descr Ζιι8. 613 (Lenz Zool der Gr u Röm 344). αἱ κυήσεις ὴ αἱ τῶν ὑπηνεμίων ᾠῶν συλλήψεις ταχεῖαι γίνονται Ζιζ2. 560 ᵇ13. αἵ τ' ἀνόχευτοι ὴ αἱ ὐχευμέναι Ζγγ1. 751 ᵃ14. ἐν τῇ γῇ τίκτυσι, νεοττεύυσιν ἐπὶ τῆς γῆς Ζιζ1. 559 ᵃ1. 18. 614 ᵃ31. δύο ποιῦνται τῶν ᾠῶν σηκύς, ὴ ἐφ' ᾧ μὲν ἡ θήλεια ἐπὶ δὲ θατέρῳ ὁ ἄρρην ἐπωάζει ὴ ἐκλέψας ἐκπέμπει (v1 ἐκτρέφει S Pik Bsm) Ζιζ8. 564 ᵃ21 Aub. cf 18. 613 ᵇ9. ὐ ποιῦνται νεοττίας, διὰ τίν' αἰτίαν ὐκ ἐν τῷ αὐτῷ τίκτυσι ὴ ἐπωάζυσιν Ζιι8. 613 ᵇ7, 15. τὰ ᾠὰ λευκὰ, ὑπηνέμια, τίκτει ὐκ ἐλάττω ἢ ι΄, πολλάκις δὲ ις΄, πολλὰ Ζιζ2. 559 ᵃ23, ᵇ28. 18. 613 ᵇ21. Ζγγ1. 749 ᵇ17. quomodo receptacula et ova muniant Ζιι8. 613 ᵇ18, 26. f 270. 1527 ᵃ4. ἂν [μὴ] παρῇ ὁ ἄρρην ὴ ὅπως σῳζηται ἀθρόα (ᾠά), ὐκ ἔρχεται πρὸς αὐτά Ζιι8. 613 ᵇ29 Pik Aub. loc corrupt cf G VII et 49. mares inter se dimicant et victum aiunt venerem pati, οἱ τιθασσοὶ τὰς ἀγρίας ὀχεύυσι ὴ ἐπικορίζυσι ὴ ὑβρίζυσι αι9. 2, τὰ γιγνόμενα ἐκ περδίκων ὴ ἀλεκτρυόνος Ζγβ4. 738 ᵇ32. — aucupii modus. ὁ θηρευτής, θηρεύων πέρδιξ, ἡ θηρεύυσα ᾄδει, πότε ἄχρηστος γίνεται πρὸς τὰς θήρας Ζιι8. 614 ᵃ14, 10, 13. ζ2. 560 ᵇ14. οἱ ἔμπειροι, οἱ εἰς τὰς θήρας ἀγόμενοι Ζιι8. 614 ᵃ19. Ζγγ1. 751 ᵃ14. — dist οἱ τιθασσοὶ ὴ ἀγρίοι, οἱ μὲν κακκαβίζυσι οἱ δὲ τρίζυσι Ζιι8. 614 ᵃ9. ϑ9. 536 ᵇ13 (v supra p 578 ᵃ47). (hodie πέρδικα. la bartavelle Belon V 13. C II 623. Tetrao perdix K 413. Perdix graeca Briss Su 139, 111. Καζι 16, 67. Perdix cinerea vel rubra ΑΖγ 22. Perdix graeca vel saxatilis ΑΖι I 104, 87. cf Lenz 344. Lnd 124. Rose Ar Ps 287.)
πέρθειν. βύλει αὐτὸν πέρσαι (incertus verborum lusus) Ργ11. 1412 ᵇ2 Spgl.
περί, ab Ar ad ἄρθρα videtur referri πο20. 1457 ᵃ7, sed cf ἄρθρον p 93 ᵇ31. — de usu praep περί Eucken II 62-68. 1. c genetivo. α. περί c gen ad significandam eam rem, de qua agitur ac disputatur, veluti εἰπεῖν, θεωρεῖν περί τινος (cf γίγνονται αἱ στάσεις ὐ περὶ μικρῶν, ἀλλ' ἐκ μικρῶν Πε4. 1303 ᵇ18) ab Ar plane eodem modo usurpatur atque a reliquis scriptoribus (cf περί c acc infra p 579 ᵇ20). interdum περί τινος, non addito verbo, in principio enunciationis quasi inscriptionis loco ponitur, 'quod attinet ad', περὶ δὲ δὴ ἀλλοιώσεως. πῶς ἔσται ἰσοταχὴς ἑτέρα ἑτέρᾳ; Φη4. 249 ᵃ29. περὶ δὲ μαρτύρων, μάρτυρές εἰσιν διττοὶ Ρα15. 1375 ᵇ26. cf Οβ12. 292 ᵇ25. Ζιγ20. 521 ᵇ4. Μη6. 1045 ᵃ7 Bz. Ργ18. 1418 ᵇ39. οα4. 1344 ᵃ18. Bz Ar St II 48. — huic usui comparari potest, quod interdum in fine enunciati, enumeratis iis rebus de quibus dictum est, enumerato comprehenditur formula εἴρηται περὶ πάντων (περὶ τῶν πλείστων, περὶ τῶν μεγίστων): περὶ μὲν ὖν τῶν ἄλλων ζῴων ὴ πλωτῶν ὴ πτηνῶν, ὴ περὶ τῶν πεζῶν ὅσα ᾠοτοκεῖ, σχεδὸν εἴρηται περὶ πάντων Ζιζ18. 571 ᵇ4. ὅσα μὲν ὖν ἔχυσι μόρια τὰ ζῷα πάντα ὴ τῶν ἐντὸς ὴ τῶν

ἐκτός, ἔτι δὲ περί τε τῶν αἰσθήσεων ⁊ φωνῆς ⁊ ὕπνε, ⁊ ποῖα θήλεα ⁊ ποῖα ἄρρενα, πρότερον εἴρηται περὶ πάντων Ζιε1. 539 a1. cf τι33. 183 a33. μβ3. 359 b25. 8. 369 a9. αν21. 480 b22. Ζμβ7. 653 b10. ὁ10. 690 b12. Ζγδ3. 769 a6. Μβ1. 995 b25. Πβ12. 1273 b30. ε12. 1316 a1. — b. περὶ πλεῖστⱅ πεπⱅμένοι τὸ πλⱅτεῖν Ηθ12.1160b15. περὶ πολλⱅ, περὶ πλείονος, περὶ πλείστⱅ ποιεῖσθαί τι αρ5. 1250 b39. 7. 1251 b6, 11. — c. anastrophen praep περί Ar videtur alienam iudicare a pedestri dictione, 'Αριφράδης τὸς τραγῳδὸς ἐκωμῴδει, ὅτι ἃ ⱅδεὶς ἂν εἴποι ἐν τῇ διαλέκτῳ, τⱅτοις χρῶνται, οἷον τὸ 'Αχιλλέως πέρι ἀλλὰ μὴ περὶ 'Αχιλλέως πο22. 1459 a1, sed Ar ipse eo usu non prorsus abstinet, τῶν συμβεβηκότων αὐτοῖς περὶ πάμπαν ὀλίγην ἔχειν αἴσθησιν Οβ3. 286 a6. ἔτι δ' αὐχμῶν τε πέρι ⱅ ἐπομβρίας μβ4. 361 b9. πήξεως ⱅ πέρι ῥητέον μδ5. 382 a27.

2. περί c dativo admodum raro legitur (cf infra p 579 a36), φέρει δὲ χηρὸν ⁊ ἐριθάκην περὶ τοῖς σκέλεσιν Ζιε22. 554 a17. κόπρος δὲ μόνον περὶ (ὕπεστι pro περὶ PDa) τοῖς σκώληξιν Ζιε23. 555 a4.

3. περί c accusativo. — a. locali vi, ὁ περὶ τὴν γῆν ἀὴρ μα3. 340 a33. οἱ περὶ τὴν θάλατταν Ζιθ13. 598 b24 ac similia saepissime. latiore sensu περί non solum ita usurpatur, ut vel propinquitatem significet, veluti ἡ περὶ Σαλαμῖνα νίκη Πε4. 1304 a22. οἱ περὶ δυσμὰς οἰκⱅντες μβ6. 365 a7, vel ad varias eiusdem loci partes referri possit, οἱ περὶ τὴν 'Ασίαν, περὶ τὴν Εὐρώπην Πγ14. 1285 a21. ὁ3. 1289 b40. αἱ Χαλκιδικαὶ πόλεις αἱ περὶ 'Ιταλίαν ⁊ Σικελίαν Πβ12. 1274 a24, cf Πε11. 1313 b22. μα12. 349 a5. 13. 351 a3. Ζω1. 608 b33, sed etiam haud raro plane delitescit in significationem praepositionis ἐν, περὶ Κόρινθον Πε12. 1315 b22 (cf ἐν Κορίνθῳ 10. 1310 b29). περὶ 'Αθήνας, opp ἐν Λακεδαίμονι Πθ6. 1341 a34. περὶ 'Αργος, περὶ Μιτυλήνην περὶ Σάμον sim Πγ1. 1275 b11 (cf b9). 16. 1287 a7. ε4. 1304 a4. 5. 1304 b39. 10.1310 b27. 12. 1315 b13, 22. 11. 1313 b24. ζ4. 1319 b22,17 (cf'Αθήνησιν b21). περὶ Συρακⱅσας Πε11. 1313 b13 (inde corrigendum quod legitur Πε12. 1315 b22 ubi Συρακⱅσαις, et vel scribendum περὶ Συρακⱅσας e cod Rb vel παρὰ Συρακⱅσιοις cum Bka e ci Sylb). ἐν Κύμῃ τῇ περὶ τὴν 'Ιταλίαν θ95. 838 a5. τὰ περιττώματα, τό τ' ἐν τῇ κοιλίᾳ ⁊ τὸ περὶ τὴν κύστιν Ζμγ7. 670 a31. — formula οἱ περί τινα, quae e locali usu praepositionis περί repetenda est, veluti μὴ μόνον αὐτὸν φαίνεσθαι μηθένα τῶν ἀρχομένων ὑβρίζοντα, ἀλλὰ μηδ' ἄλλον μηδένα τῶν περὶ αὐτὸν Πε11. 1314 b25, interdum ita usurpatur, ut ab ipso personae nomine non multum differat, veluti περὶ 'Εμπεδοκλέα ⁊ Δημόκριτον Οβ7. 305 b1 (cf 'Εμπεδοκλῆς ⁊ Δημόκριτος 305 a34). οἱ περὶ 'Ιπποκράτην τὸν Χῖον μα6. 342 b35 (cf 'Ιπποκράτης343 a28). ἡ τῶν περὶ Γέλωνα τυραννὶς ⁊ νῦν ἡ τῶν περὶ Διονύσιον, ἡ μὲν Γέλωνος Πε10. 1312 b10. cf Γα1. 314 a25. Πε6. 1305 b26. — b. temporali vi et coni cum numeralibus. περὶ τὸν χρόνον τⱅ φωλεύειν οἱ ἄρκτοι πιⱅτατοι Ζιζ31. 579 a27. περὶ τὰς ἐκλείψεις τῆς σελήνης μβ8. 367 b19. περὶ 'Ωρίωνος ἀνατολήν μβ5. 361 b23. περὶ τὸν ἐν 'Αχαΐᾳ σεισμὸν μα6. 343 b2. περὶ τὸν μέγαν ἀστέρα τὸν κομήτην ματ. 344 b34 al. cum numeralibus cardinalibus coniungitur (ad significandam vitae aetatem) ubi ordinalia exspectes, ἡ ψυχὴ ἀκμάζει περὶ τὰ ἑνὸς δεῖν πεντήκοντα (ie περὶ τὸ ἔτος ἔνατον ⁊ τεσσαρακοστόν) Ρβ14. 1390 b11. φύονται οἱ τελευταῖοι τοῖς ἀνθρώποις γόμφιοι περὶ τὰ εἴκοσιν ἔτη Ζιδ4. 501 b25. παιδίοις ⱅ γίνεται ἐνύπνιον, ἀλλ' ἄρχεται τοῖς πλεί-

στοις περὶ τέτταρα ἔτη ἢ πέντε Ζιδ10. 537 b16. cf Ζω46. 630 b25. ε14. 544 b26, 27. η3. 583 b3, 5. 5. 585 b3. Ζγε8. 789 a17. — confine huic usui est, quod περί cum numeralibus adverbii instar significat 'circiter', τίκτει ⁊ ἀλκυὼν περὶ πέντε ᾠά Ζιε8. 542 b16. 10 543 a16. cf 26.555 a26. ζ6. 563 a27. 9. 564 a25. 12. 566 b21 al. μάλιστα περί, σχεδὸν περί Ζιβ15. 506 a31. ζ9. 564 a30. ι14. 616 a33. μα13. 351 a14. ἄγει περὶ δωδεκαταῖα ὄντα τὰ τέκνα εἰς τὴν θάλατταν Ζιζ12. 567 a5. μέχρι περὶ τετταράκοντα ἡμέρας μβ8. 367 b33. — c. περί c acc eam rem significat, cui quis operam dat, οἱ διατρίβοντες περὶ τὰς θεολογίας μβ1. 353 a35. οἱ περὶ τὴν μⱅσικήν Πθ7. 1342 b23. οἱ περὶ τὴν θήραν (τὴν θεραπείαν, ταύτην τὴν ἐργασίαν) ὄντες Ζιδ8. 533 b16. ε19. 552 a22. ζ25. 578 a7. Ζγγ10. 760 a2. τὸ περὶ τὰς τέχνας, τὴν τροφὴν πλῆθος Πδ4. 1290 b40, 1291 a1. ac paullo latiore usu εὐδοκιμήσαντες περὶ τὴν ἐν Μαντινείᾳ μάχην Πε4. 1304 a25. στασιάζειν περὶ ἐρωτικὴν αἰτίαν Πε4. 1303 b22. ὅπερ συνέβαινε περὶ τὸν ἐν 'Εφέσῳ ναὸν μγ1. 371 a31. β2. 355 a3. τὰ περὶ τὴν γένεσιν ὄργανα Ζγα16. 721 a26. — ad significandam eam rem, de qua agitur ac disputatur, περί etiam c acc ita usurpatur ut ab usu praep c gen non videatur discerni posse, veluti δεικνύεις περί τι et περί τινος Αγ10. 76 b22. 11. 77 a28. μχ847 a28. συμβⱅλεύειν περί τι et περί τινος Ρα4. 1359 a30, 33, 36. περὶ μὲν τⱅτων ἐπὶ τοσⱅτον εἰρήσθω νῦν περὶ δὲ τὰς τῶν ἀρχῶν καταστάσεις πειρατέον ἐξ ἀρχῆς διελθεῖν Πδ15. 1300 a8, 9. αἱ μὲν ὡς ἀναγκαῖαι ἐπιμέλειαί εἰσι περὶ τⱅτων, αἱ δὲ εἰσιν συγκεφαλαιωσαμένης, περὶ τε τὰ δαιμόνια ⁊ τὰ πολεμικὰ ⁊ περὶ τὰς προσόδⱅς Πζ8. 1322 b30, 31. περὶ μὲν ⱅν τὸς λέξεως εἴρηται ⁊ κοινῇ περὶ ἁπάντων ⁊ ἰδίᾳ περὶ ἕκαστον γένος Ργ12. 1414 a28. ἡ μὲν γὰρ περὶ τὸ μέλλον ... ἡ δὲ περὶ τῶν ὄντων ⁊ γινομένων Ργ17. 1418 a2 (cf Spgl ad Ρα2. 1355 b30). τὰ περὶ τὸν βασιλέα ⁊ χαλεπὸν διορίσαι Πγ15. 1286 b34, cf περὶ τⱅ βασιλέως ποιητέον τὴν σκέψιν Πγ16. 1287 a1. τὰ περὶ ἀστρολογίαν θεωρήματα μα8. 345 a1, ἐν τοῖς περὶ τὰς φθορὰς τῶν πολιτειῶν εἴρηται Πζ1. 1317 a37, cf ἐν τοῖς περὶ κινήσεως Μθ8. 1049 b36. (διαφέρονται δὲ περὶ τῶν ἀρχῶν, τίνες ⁊ πόσαι ... διαφέρονται δὲ ⁊ περὶ τὸ πλῆθος ψα2. 404 b30, 405 a2.) etiam περί c acc perinde ac περί c gen (cf supra p 578 b49) absolute in principio enunciati ponitur, περὶ δὲ τὰ μαθηματικὰ ἀριθμῶν, διὰ τί εἰσι μέρη οἱ λόγοι τῶν λόγων Μζ11. 1036 b33. — ceterum is usus praepositionis περί c acc, ex quo rem significat, ad quam actio aliqua referatur, similiter amplificatur atque usus localis, τὰς κτήσεις εἶναι περὶ τⱅτⱅς Πη9. 1329 a18, cf τὰς τⱅτων κτήσεις εἶναι τⱅτων a25. τὸ βⱅλεύεσθαι τῶν περὶ τὸν ἄνθρωπον θειότατόν ἐστιν ρ1. 1420 b20. αἱ περὶ ἑκάστην ἐπιστήμην ἀρχαί τα2. 101 a37. διὰ τῆς περὶ τὴν ὄψιν αἰσθήσεως τὴν μορφὴν γνωρίζομεν τβ7. 113 a31. ⱅ γὰρ περὶ τὴν δύναμιν τῆς ἀντιφάσεως (ie non coniuncta cum δυνάμει τῆς ἀντιφάσεως) αὐτοῖς ἡ κίνησις Μθ8. 1050 b25.

περιάγειν. περιαγωγⱅ τὸ βέλος κύκλῳ ἀφίησιν μχ12. 852 b4. ἐν ἀκινήτῳ ἱδρυμένος ὁ θεὸς πάντα κινεῖ ⁊ περιάγει κ6. 400 b12. πρὸς τὴν ἔξοδον ὁρμῶντα κάτω περιάγεται ἡ ζῷα ἐν τῇ ὑστέρᾳ Ζιη8. 586 b5. τὸ περιαγόμενον ἐνάλλαξ τοῖς δακτύλοις πλεῖⱅ10. 965 a36. ἂν περιαγάγῃς τὸ ἡμικύκλιον μγ5. 376 b12. — κατὰ μικρὸν περιάγειν τὴν πολιτείαν πρὸς τὴν ἑτέραν πολιτείαν Πβ6. 1265 a4. — intrans κύκλῳ περιάγειν πρὸς τὴν ἀρχήν μβ2. 356 a8.

περιαγωγή. μιᾷ περιαγωγῇ ⁊ κύκλῳ συναναχορεύει ὁ ⱅρα-

νός κ2. 391 ᵇ18. ἁπλῆ τ̣ῦ σύμπαντος ο̣ὐρανο̣ῦ περιαγωγή κ6.
399 ᵃ2.

περιαιρεῖν. περιελόντες τὸ ὄστρακον, τὸν χιτῶνα· περιαιρε-
θέντος τ̣ῦ ὀστράκ̣ῳ, τ̣ῦ ἔξωθεν δέρματος sim Ζιε15. 547
ᵃ23. ε32. 557 ᵇ20, 22. β11. 503 ᵇ19. θ20. 603 ᵃ11. εἴ τις 5
βύλοιτο αὐτὸ (τὸ Φειδ̣ίυ πρόσωπον) περιαιρεῖν κ6. 400 ᵃ2.
τὴν χώραν εὐέμβολον ζητεῖν κ̣ περιαιρεῖν τ̣ὰς ὀρεινὰς τόπυς
Πη11. 1331 ᵃ4. ἐὰν ἀπὸ τῶν πραγμάτων περιαιρῶμεν τὰ
μὴ ἀναγκαῖα ῥηθῆναι ρ31. 1438 ᵃ39. med οἱ κλέπτοντες
λαθραίως, οἱ ληϊζόμενοι φανερῶς τὰ χρήματα περιαιρο̣ῦνται 10
ρ12. 1430 ᵇ18. περιαιρεῖσθαι τὴν δύναμιν αὐτῆς (τῆς ἀρχῆς)
κ̣ ἐξ αἱρετῶν κληρωτὰς ποιεῖν Π̣ζ2. 1318 ᵃ1. ὧδε χρὴ πε-
ριαιρεῖσθαι τὰ τοιαῦτα τῶν ἀντιδίκων ρ37. 1443 ᵇ1. περι-
αιρετέον τὴν συγγνώμην ρ5. 1427 ᵃ7. — περιελὼν πάντα
τὰ αἰσθητὰ θεωρεῖ (ὁ μαθηματικός) Μκ3. 1061 ᵃ29 Bz, cf 15
ἀφαιρεῖν, ἀφαίρεσις ρ 126 ᵇ4, 16. περιαιρ̣ημένων τῶν ἄλλων
ὅσα συμβεβηκότα ἐστί, καταλειπομένυ δὲ μόνυ τ̣ύτυ πρὸς
ὃ ἀπεδόθη οἰκείως Κ7. 7 ᵃ32, ᵇ2, 5 (περιῃρήσθω), 7. cf Μ̣ζ3.
1029 ᵃ11.

περιαλείφειν. τὸ στόμα τ̣ῦ σπηλαίυ περιαλείφυσι ταριχηραῖς 20
ὀσμαῖς Ζιδ8. 534 ᵃ19. περὶ τὸ στόμα τ̣ῦ σμήνυς τὸ πρῶτον
τῆς εἰσδύσεως περιαλήλιπται μίτυϊ Ζιδ40. 624 ᵃ14.

Περίανδρος ὁ Κορίνθιος Ρα15. 1375 ᵇ31. f 474. 1556 ᵃ21.
eius τυραννίς Πε12. 1315 ᵇ25, 28. 11. 1313 ᵃ37. f 473.
1556 ᵃ9. συμβυλία πρὸς Θρασύβυλον Πγ13. 1284 ᵃ26. 25
ε10. 1311 ᵃ20.

Περίανδρος ὁ ἐν Ἀμβρακίᾳ τύραννος Πε10. 1311 ᵃ39. 4.
1304 ᵃ12.

περιάπτειν. περιάπτυσι τὰ ἐρινὰ πρὸς τὰς συκᾶς οἱ γεωργοὶ
Ζιε32. 557 ᵇ29. βοτάνην τινὰ περιάπτυσιν αἱ γυναῖκες τοῖς 30
τραχήλοις θ163. 846 ᵇ8. τὰ ἐκτὸς ἡμῖν περιαπτόμενα βάρη
κοπωδέστερα τῶν τῇ σώματος μερῶν πε7. 881 ᵃ19. — οἱ
μὲν σχῆμα περιάπτυσι τῷ πυρί, καθάπερ οἱ τὴν πυραμίδα
ποιῦντες Ου5. 304 ᵃ9.

περίαπτος. προσδεῖσθαι ἡδονῆς ὥσπερ περιάπτυ τινός, opp 35
ἔχειν τὴν ἡδονὴν ἐν ἑαυτῷ Ηα9. 1099 ᵃ16.

περιαρμόττειν. trans περὶ τῦτο (τὸ δέρμα) περιήρμοσται
τὸ στερεὸν ἐκ τῶν ὀστῶν Ζιβ1. 500 ᵃ9. — intr μαλθακὴ
ο̣ὖσα ἡ σὰρξ τῶν δακτύλων κ̣ προσμένει μᾶλλον (τοῖς ὀδ̣ῦσι)
κ̣ περιαρμόττει μχ21. 854 ᵃ22.　　　　　　　　　40

περίαυγος. ἅλως ἐστὶν ἔμφασις λαμπρότητος ἄστρυ περί-
αυγος κ4. 395 ᵇ1.

περιβαίνειν. περιβεβηκὼς ὁ ἄρρην (κάμηλος) ὀχεύει Ζιε2.
540 ᵃ14.

περιβάλλειν Πελοποννήσῳ ἐν τεῖχος Πγ3. 1276 ᵃ27. — med 45
οἱ θιννοσκόποι περιβάλλονται καθευδοντας ἰχθῦς Ζιδ10.
537 ᵃ20. 8. 533 ᵇ25. ε5. 541 ᵃ21. — οἱ περιβεβλημένοι
τείχη περὶ τὴν πόλιν Πη11. 1331 ᵃ8. — περιβλητέον
τείχη Πη11. 1331 ᵃ11.

περίβλεψις. τῶν ὀμμάτων περιβλέψεις φ3. 808 ᵃ16.　　50

περίβλημα μηδὲν ἔχειν, opp ἱματίοις περιστέλλεσθαι ρβ37.
870 ᵃ27.

περιβλύζειν. ἡ γῆ νάμασι περιβλύζυσα κ5. 397 ᵃ25.

περίβολος χρυσῷ ἀστράπτων κ6. 398 ᵃ15. περὶ τὸν τόπον
ἀφορ̣ίζυσι πρότερον (οἱ βόνασοι) πρὶν τεκεῖν, κ̣ ποιῦσιν οἷον 55
περίβολον Ζιυ45. 630 ᵇ16.

περιβροτόεις. φησὶν Ἀριστοτέλης εἰρηκέναι Ὅμηρον (Ω420)·
μύσεν δὲ περιβροτόεσσα (leg περὶ βροτόεσσα) ὠτειλή f 159.
1505 ᵃ1.

περιγίνεσθαι. τὸ περιγινόμενον περίττωμα, περιγίνεσθαί τι 60
περίττωμα sim Ζμγ7. 670 ᵇ15. 8. 671 ᵃ14. Ζγγ11. 762 ᵃ3.

περιγίνεσθαι, syn περιττὸν γίνεσθαι Ζγα18. 725 ᵃ26, 25 (cf
v l et Bsm). τὸ ἔμβρυον πλείω λαμβάνει τροφήν, ὥστε
ἔλαττον περιγίνεσθαι Ζγδ8. 777 ᵃ2. τὸ περιγινόμενον τ̣ῦ
περιττώματος γάλα γίνεται πι6. 891 ᵇ8. — ἡ ἠθικὴ ἀρετὴ
περιγίνεται ἐξ ἔθυς Ηβ1. 1103 ᵃ17 (cf φύσει παραγίνεται
ᵃ26). 3. 1105 ᵇ5. — περιγίνεσθαι (superiorem esse, vincere)
ἐν πολέμῳ διὰ τύχην ρ39. 1447 ᵃ2.

περιγράφειν τὰ ἡμικύκλια τα1. 101 ᵃ15. — περιγεγράφθω
ταύτῃ, syn ὑποτυπῶν, opp ἀναγράφειν, διαρθρῶν Ηα6. 1098
ᵃ20. — περιγράφοντες ὅτι πλεῖστα κ̣ ἐγγύτατα τῦ πράγ-
ματος Ρβ22. 1396 ᵇ8. — ἡ ἐπιστήμη περιγραψαμένη ἕν τι
γένος Μκ7. 1064 ᵃ2. ε1. 1025 ᵇ8.

περιγραφὴ πόλεως Πγ3. 1276 ᵃ28. — τὰ καλῶς
ἔχοντα τῇ περιγραφῇ διαρθρῶσαι ῥᾴδιον Ηα7. 1098 ᵃ23.
ἅπαντα ταῖς περιγραφαῖς διορίζεται πρότερον, ὕστερον δὲ
λαμβάνει τὰ χρώματα, ὥσπερ ἂν ὑπὸ ζωγράφυ τῆς φύ-
σεως δημιυργυμένα Ζγβ6. 743 ᵇ20.

περιδεῖν. (ἡ ἀράχνη) ὅταν ἐμπέσῃ τι περιδεῖ κ̣ περιελίττει
τοῖς ἀραχνίοις Ζιι39. 623 ᵃ14. ἐάν τις ἀγγεῖον πλάσας θῇ
κήρινον εἰς τὴν θάλατταν, περιδήσας τὸ στόμα μβ3. 359 ᵃ1.
Ζιθ2. 590 ᵃ25.

περιδέραιον. τὰ περιδέραια (σημεῖα πρὸς ἀναγνώρισιν ἐπί-
κτητα) πο16. 1454 ᵇ24, 1455 ᵃ20.

περίδρομος. ὁ περίδρομος τῶν τριχῶν ἀνεσπασμένος, εὐαυ-
ξής, κάτω κατεληλυθὼς φ3. 808 ᵃ26, 23.

περιεῖναι. τ̣ύτῳ μὲν περίεστι τὸ κέρδος, ἐμοὶ δὲ τὸ δίκαιον
Ργ17. 1418 ᵃ20. ὁ δεῖ τὸ συμπέρασμα ἐρωτᾶν, ἐὰν μὴ
τὸ πολὺ περιῇ τῇ ἀληθὲς Ργ18. 1419 ᵇ1.

περιείργειν. σκώληκες (νύμφαι) περιειργμένοι ἀκινητίζυσιν
ἕως ἂν αὐξηθῶσιν Ζιε19. 551 ᵇ4.

περιελίττειν. ὁ ἐλέφας τῷ μυκτῆρι τὰ δένδρα περιελίττων
ἀνασπᾷ Ζμβ16. 659 ᵃ1. (ἡ ἀράχνη) ὅταν ἐμπέσῃ τι περιδεῖ
κ̣ περιελίττει τοῖς ἀραχνίοις Ζιι39. 623 ᵃ14. — med ἡ
ἀράχνη περιτίθεται κ̣ περιελίττεται κ̣ τοῖς μείζοσι ζώοις
Ζιι39. 623 ᵃ34. οἱ ὄφεις ὀχεύονται περιελιττόμενοι ἀλλήλοις
Ζγα7. 718 ᵃ17, 31 (cf περιπλέκειν). Ζιε4. 540 ᵇ2. συνεχὲς
ἐστι τὸ κύμα (τῆς πέρκης) περιειλιγμένον Ζιζ14. 568 ᵃ23.

περιέλκειν. κ̣ νῦν ἐν Θετταλίᾳ περιέλκυσι περὶ τὰς τάφυς
f 158. 1504 ᵇ37. κρατεῖν κ̣ περιέλκειν τινὰ ὥσπερ ἀνδρά-
ποδον Ηη3. 1145 ᵇ24. ἡ ἐπιστήμη ὁ περιέλκεται διὰ τὸ
πάθος Ηη5. 1147 ᵇ16.

περιεργάζεσθαι. ἔστι περιεργάζεσθαι τοῖς σημείοις κ̣ ῥαψῳ-
δ̣ῦντα πο26. 1462 ᵃ6.

περίεργος. τῶν ἰατρῶν ὅσοι κομψοὶ ἢ περίεργοι αν21. 480
ᵇ27. — περίεργον ὁ ἀφαιρεθέντος τὸ λοιπὸν δῆλον ποιεῖ τὸ ὁρι-
ζόμενον τ̣γ3. 140 ᵇ1. opp ἀναγκαῖον, ἱκανὸν Αα32. 47 ᵃ18.
τ̣ζ1. 139 ᵇ17. 3. 140 ᵃ36, ᵇ9, 141 ᵃ12. Μ̣ζ12. 1038 ᵃ21.
32. ἵν᾽ εἴ τις περίεργος ἀφαιρεθῇ, εἶτ᾽ ἐλάττων προστεθῇ
Ρα4. 1360 ᵃ10, 1359 ᵇ27. ἐνίων ἔσται διαφορὰ μία μόνη
τὰ δ᾽ ἄλλα περίεργα Ζμα2. 642 ᵇ8. περίεργος ἡ ἑτέρα τῶν
ἐναντίωσεων Φα6. 189 ᵇ22. περίεργον οἱ πόροι Γα8.326 ᵇ8
ο̣ὐδὲν ποιεῖ περίεργον ο̣ὐδὲ μάτην ἡ φύσις Ζγβ6. 744 ᵃ36. 4.
739 ᵇ20. Ζμγ1. 661 ᵇ24. ὁ11. 691 ᵇ4. 12. 694 ᵃ15. 13.
695 ᵇ19. περίεργος ἡ τοιαύτη θεωρία ηεα6. 1216 ᵇ37. τἆλλα
ἔξω τῦ ἀποδεῖξαι περίεργά ἐστι Ργ1. 1404 ᵃ7. οἱ πλείω
φίλοι περίεργοι κ̣ ἐμπόδιοι Ηι10. 1170 ᵇ27. περίεργον c in
et artic τὸ πάντ᾽ ἀνάγειν περίεργον sim Μ̣ζ11. 1036 ᵇ23.
Πε11. 1315 ᵃ40. Ρα10. 1369 ᵃ8. ηεα3. 1214 ᵇ29. Ζγβ6.
742 ᵃ27. — περίεργως προσκείμενον, opp ἐλλεῖπον τ̣ζ14.
151 ᵇ22. — περιεργότερον ζῆν Π̣β8. 1267 ᵇ25.

περιέρχεσθαι. ὁ ο̣ὐρανὸς περιέρχεται κ̣ στρέφεται κύκλ̣

Οα5. 272 ᵇ14. κύκλῳ φαμὲν περιεληλυθέναι τὴν γένεσιν διὰ
τὸ πάλιν ἀνακάμπτειν Γβ10. 337 ᵃ5. Αδ12. 96 ᵃ6. περιελ-
θόντος τῷ ἐνιαυτῷ οβ1346 ᵇ3. — αὐξανόμενα τὰ ᾠὰ περι-
έρχεται, opp προσπέφυκε Ζιζ10. 565 ᵃ17, 16, 19.
περιέχειν, sensu locali, ὑμὴν κύκλῳ περιέχει τὸ ζῷον· περι- 5
έχεται τὸ ὑγρὸν ὑμένι sim Ζγγ2. 753 ᵇ22, 21. 9. 758 ᵇ4.
Ζμβ6. 652 ᵃ8. 7. 652 ᵇ32. γ1. 661 ᵃ35. δ̓10. 686 ᵃ20.
νῆσοι ὑπὸ θαλάττης περιεχόμεναι μβ8. 369 ᵃ6. τὰ περιεχό-
μενα στερεά ἔν τινι πλήθει γῆς Οδ2. 309 ᵃ22. ἐν τῷ περι-
έχοντι κόσμῳ τὴν γῆν μα3. 339 ᵇ4, saepe participio non 10
additur obiectum, quod e contextu intelligitur, veluti τὰ πε-
ριέχοντα (int τὴν γῆν) μεγέθη μα3. 339 ᵇ7, 340 ᵃ8. ἡ πε-
ριέχυσα (τὴν θάλατταν) γῆ μβ1. 354 ᵃ6. διὰ τὸ ὀστρακῶδες
κ̈ πυκνὸν εἶναι τὸ περιέχον Ζμγ8. 671 ᵃ19. ὁ περιέχων ἀὴρ
μδ̔1. 379 ᵃ27. τὸ περιέχον πῦρ μα3. 341 ᵃ30. ἡ περιέχυσα 15
ἶρις μγ4. 375 ᵃ31. inde τὸ περιέχον, veluti τῷ σώματι
πολλὰς ἐγγίνεσθαι κινήσεις ὑπὸ τῷ περιέχοντος sim Φθ2. 253
ᵃ16, 13. 6. 259 ᵇ11. η3. 246 ᵇ6, 22. μδ̔1. 379 ᵃ12. ψα5.
411 ᵃ19. μκ3. 465 ᵇ27. Ζγβ4. 738 ᵃ19. γ11. 762 ᵇ14.
ε3. 782 ᵇ26, 29. κ6. 399 ᵃ25. f 202. 1514 ᵇ31. συνάγοντος 20
τῷ περιέχοντος τὰ σώματα (e sententia Democriti) ψα2.
404 ᵃ10. de extremis mundi finibus ὁ περιέχει φασὶ πάν-
τας τὰς ὑρανὰς ἄπειρον ὂν Ογ5. 303 ᵇ12. τὸ περιέχον ὅλον
ζ1. 468 ᵃ3. πῦρ εἶναι τὸ περιέχον μα3. 339 ᵇ30. τὸ ἄπειρον
κ̈ τὸ περιέχον Γβ5. 332 ᵃ25. ad tempus transfertur πάντα 25
τὰ ἐν χρόνῳ ὄντα περιέχεσθαι ὑπὸ χρόνῳ Φδ̔12. 221 ᵃ28.
— forma dicitur περιέχειν materiam, φαμὲν τὸ μὲν περι-
έχον τῷ εἴδες εἶναι, τὸ δὲ περιεχόμενον τῆς ὕλης Οδ4. 312
ᵃ12. 3. 310 ᵇ10. Φγ7. 207 ᵇ1. ἐν ταὐτῷ τὰ ἔσχατα τῷ
περιέχοντος κ̈ τῷ περιεχομένῳ Φδ̔4. 211 ᵇ1. περιέχει ᾧ 30
ὁρίζεται Φγ6. 207 ᵃ31. περιέχει τὰ ὄντα πάντα κ̈ μάλιστα
ἀρχαῖς ἐοίκασιν Μκ1. 1059 ᵇ29. περιέχει ἅπαντα κ̈ πάντα
κυβερνᾶν (ex Anaximandri sententia) Φγ4. 203 ᵇ11. τὸ
τέλος ἔσχατον ἐν παντὶ κ̈ περιέχει Μι4. 1055 ᵃ15. ad hanc
τῷ εἴδες κ̈ ὁρίζοντος notionem videtur referendum esse, 35
quod αἱ περιέχεσαι (τὴν γωνίαν) μχ 5. 851 ᵃ14 eas signi-
ficat lineas, quae angulum includendo efficiunt. — περιέχειν
logice de ambitu notionum. καθόλε ὡς πολλὰ περιέχον τῷ
κατηγορεῖσθαι καθ' ἑκάστε Μδ26. 1023 ᵇ30. περιέχει κ̈
κοινὸν Ηε2. 1129 ᵇ10. κ̈ καθόλε κ̈ [τὸ] πάντα περιέχον 40
Γα3. 317 ᵇ7. ἡ κυριωτάτη κ̈ περιέχυσα τὰς ἄλλας κοινω-
νίας Παι. 1252 ᵃ6. cf similia Ηα1. 1094 ᵇ6. Φθ6. 259 ᵃ3.
Μθ2. 1046 ᵇ24. Πγ14. 1285 ᵃ2. Ζιθ8. 534 ᵇ13. Ζμα4.
644 ᵇ5. φτα4. 819 ᵇ23. τὰ περιέχοντα, opp τὰ καθ' ἕκα-
στα Φβ3. 195 ᵃ32, 35. Μδ2. 1013 ᵇ34. τὰ περιέχοντα 45
ὀνόματα, opp τὰ ἴδια Ργ5. 1407 ᵃ31. περιέχειν τι, opp
ὑπ' αὐτὸ εἶναι τὸ2. 121 ᵇ25. περιέχεσθαι ὑπό τινος, syn
ὑπό τι εἶναι τη1. 152 ᵃ16, 29. Αα27. 43 ᵇ23. περιέχεσθαι
ὑπ' ἀλλήλων Ηζ4. 1140 ᵃ5. γένη περιέχοντα ἄλληλα τζ2.
140 ᵃ1. 6. 144 ᵇ8. η1. 152 ᵃ16, 19. περιέχεσθαι τὸ πε- 50
ριεχόμενον γένος τζ6. 144 ᵇ13. — περιέχεσθαι forma medii
esse videtur, προσπίπτεσα τοῖς περιεχομένοις (i q τοῖς περι-
έχεσι) νέφεσι μβ9. 369 ᵃ28. (pro περιέχει, περιέχεται Φα5.
189 ᵃ2 videtur restituendum esse ὑπερέχει, ὑπερέχεται
Bz Ar Stud I 55.) 55
περιζωννύναι, τὸν μηδένα ἀπεκταγκότα πολέμιον ἄνδρα περι-
εζῶσθαι τὴν φορβειάν Πη2. 1324 ᵇ16.
περιθεῖν, τὴν τῷ ὑρανῷ φορὰν κύκλῳ περιθέεσαν Οβ13. 295
ᵃ17.
περιθραύειν, ἡ θάλαττα πάντη κινῆσα ὁμοίως περιθραύει 60
(τὰς λίθες) πκγ36. 935 ᵇ2. αἱ χάλαζαι διὰ τὸ φέρεσθαι

μακρὰν περιθραυόμεναι γίνονται τὸ σχῆμα περιφερεῖς μα12.
348 ᵃ35. τὸ ἄλφιτον καπυρὸν ὂν περιθραύεται πκα7. 927
ᵇ17. 3. 927 ᵃ24.
περιιέναι. τῷ ἐνιαυτῷ περιόντος Ζιζ14. 568 ᵃ13.
περιίπτασθαι. ἀλκυὼν περιπταμένη Ζιε9. 542 ᵇ24. 5
περιιστάναι, intr περιίστασθαι, περιστῆναι, περιεστάναι.
1. περιίστανται κύκλῳ ξηραινομένων τῶν γεηρῶν ὑμένες sim
Ζγβ4. 739 ᵇ27. 3. 737 ᵃ35. γ1. 751 ᵇ34. Ζμγ9. 672 ᵃ11.
Ζιζ2. 559 ᵇ12, 560 ᵇ3. η7. 586 ᵃ19. ὁ περιεστὼς ἀήρ, τὸ
περιεστὸς ψυχρόν Ζγδ2. 767 ᵃ31. μδ̔5. 382 ᵇ22. πκβ10. 10
931 ᵃ3. τὸ περιεστὸς syn τὸ περιέχον (cf περιέχειν p 581
ᵃ10): αἱ ἐν τῷ περιεστῶτι δυνάμεις μδ̔1. 379 ᵇ4, ᵃ18. υ3.
458 ᵃ9. — 2. commutare, intr commutari, cf περίστασις.
ὁ δῆμος εἰς ἑαυτὸν περιέστησε τὴν πολιτείαν Πε4. 1304 15
ᵃ33. — οἱ ἐτησίαι περιίστανται ἐκ τῶν ἀπαρκτίων εἰς θρα-
σκίας sim μβ6. 365 ᵃ6, 10. πκ5. 943 ᵇ29. 56. 947 ᵃ3. πε-
ριισταμένε ἐντὸς τῷ θερμῷ πγ5. 871 ᵃ34. λγ15. 963 ᵃ30.
περιιστάντα (περιιόντα Aub) τὰ ᾠὰ εἰς ἑκατέραν τὴν δικρόαν 20
τῆς ὑστέρας καταβαίνειν Ζιζ10. 565 ᵇ3. ἀεὶ μεθισταμένε
τῦτο συμβήσεται, ἂν μὴ κύκλῳ περιίσταται Φδ̔9. 217 ᵃ19.
cf ξ2. 976 ᵇ28.
περικαθαίρειν τὰ δίκτυα Ζιθ13. 598 ᵇ14. — τὰς ἀνθρώπες 25
λοιμῷ κατασχόντος θηρεύοντας τὰς κόρακας κ̈ περικαθαίρον-
τας ἐπαοιδαῖς ἀφιέναι ζῶντας f 454. 1552 ᵇ14, 26.
περικαλλής. ὁ δημιουργὸς τῆς περικαλλῆς ταύτης διακοσμή-
σεως f 13. 1476 ᵃ29. περικαλλέστατος κόσμος κ5. 397 ᵃ4.
περικάλυμμα. φυτά τινα ἔχυσι περικαλύμματα φτα3. 818 30
ᵃ34, cf 37.
περικαλύπτειν. ὁ ἐπιμελητὴς (τῷ καμήλῳ) περικαλύψας τὴν
μητέρα ἔφηκε τὸν πᾶτον Ζιη47. 630 ᵇ33. περικαλυφθείσης
(τῆς ἵππε) λαθόντα ἀναβῆναι Ζιι47. 631 ᵃ4. ἐὰν ὁ τόπος
περικεκαλυμμένος, ᾧ γίνονται ἐν αὐτῷ βοτάναι φτβ3. 825 35
ᵃ14.
περικάμπτει ὁ ἦχος κ̈ τὰς ὄζες, κ̈ ὐ δυνατὸς δι' αὐτῶν
διαπορεῖν ακ802 ᵃ35.
περικάρπιον, ὄργανον φυτᾶ, σκέπασμα καρπῷ, τὸ δὲ φύλ-
λον περικαρπίῳ ψβ1. 412 ᵇ2. ἡ τῆς ἐν τοῖς περικαρπίοις τρο- 40
φῆς πέψις πέπανσις λέγεται μδ̔3. 380 ᵃ11, 14, 28 Ideler.
μεταβάλλειν ὑπὸ τῷ θερμῷ οἳ χυμοὶ ἀφαιρυμένων τῶν
περικαρπίων ἀπὸ τῷ ἡλίου ᾧ πυραμένων α4. 441 ᵃ12, 14,
30. τῶν περικαρπίων τὰ μὲν πικρότερα τὰ πρὸς τὴν ῥίζαν
ἔχει πκ25. 925 ᵇ30. τὰ περικάρπια ἐν τοῖς ἀσκοῖς ἄσηπτα 45
πκβ4. 930 ᵃ39. — ὐκ ἀπὸ τῶν περικαρπίων ἀπέρχεται τὸ
σπέρμα Ζγα18. 722 ᵃ14. προσπέφυκεν ἡ ἀρχὴ τῷ σπέρ-
ματος τὰ μὲν ἐν τοῖς κλάδοις, τὰ δ' ἐν τοῖς κελύφεσι, τὰ
δ' ἐν τοῖς περικαρπίοις Ζγγ2. 752 ᵃ21. συμφύεται τὰ κυή-
ματα καθάπερ ἐνίοτε πολλὰ τῶν περικαρπίων Ζγδ4. 770 50
ᵃ15, ᵇ19. — περικαρπίον ἐστὶ τὸ ἄνθυν πκ3. 923 ᵃ15.
περικαταλαμβάνειν. περικαταλαμβανόμενον νέφος πυκνῦ-
ται πκς56. 946 ᵇ38. περικαταληφθέντων (τῶν εὐσεβῶν) ὑπὸ
τῷ (τῆς Αἴτνης) ῥεύματος κ6. 400 ᵇ1. θ154. 846 ᵃ11.
περικεῖσθαι. περὶ τὰς φλέβας ὡς περὶ ὑπογραφὴν τὸ σῶμα 55
περίκειται τὸ τῶν σαρκῶν Ζγδ1. 746 ᵇ30. Ζμβ9. 655 ᵃ30.
περικείμενον τὸ ὀστρακὸν sim Ζμβ8. 654 ᵃ7. δ9. 685 ᵃ4.
περικλᾶν. οἱ τοῖς σώμασι περικλώμενοι κ̈ ἐντριβόμενοι κό-
λακες φ6. 813 ᵃ16.
Περικλῆς φρόνιμος Ηζ5. 1140 ᵇ8. παρὰ Πυθοκλείδην μυσικὴν 60
διεπονήθη f 364. 1539 ᵇ22. eius πολιτεύματα Πβ12. 1274
ᵃ8. f 536. 1567 ᵃ22. τρέπεται τὸ τῶν δημοσίων διανομῇ
f 365. 1539 ᵇ24. ὑπὸ Μελίσσε ἡττήθη ναυμαχῶν
f 535. 1567 ᵃ16. λόγος ἐπιτάφιος Ρα7. 1365 ᵃ31. γ10.

1411 ᵃ1. apophthegmata, praecipue εἰκόνες Ργ4. 1407ᵃ1-5. 10. 1411ᵃ1, 14. 18. 1419 ᵃ2. οἱ ἀπὸ Περικλέυς εἰς ἀβελτερίαν ἐξέστησαν Ρβ15. 1390 ᵇ31. Ξάνθιππος ὁ Περικλέυς πατήρ f 360. 1539 ᵃ24.

περικλύζειν. νῆσοι μεγάλοις περικλυζόμεναι πελάγεσιν x3. 392 ᵇ29. αἱ γυναῖκες τὸ παιδίον ὕδατι περικλύσασαι θ91. 837 ᵇ21.

περικόπτειν. πολλὰς τῶν ἰχθύων λέγυσι περικοπέντας ϗ περιτμηθέντας μὴ αἰσθάνεσθαι θ63. 835 ᵃ19.

περικυκλῶν. ὅταν (δελφῖνας) ἀθρόως περικυκλώσωσι τοῖς μονοξύλοις Ζιδ8. 533 ᵇ11. φλοιὸς ὁ περικυκλῶν τὸν καρπόν φτα3. 818 ᵃ15.

περιλαμβάνειν. τῷ καμπτομένῳ μέρει περιλαμβάνει ἡ χείρ Ζμδ10. 690 ᵇ1, cf 687 ᵇ19. πόροι ὑμένι περιειλημμένοι sim Ζιγ1. 510 ᵃ22. ε28. 505 ᵇ24. ζ3. 561 ᵇ24. Ζμβ13. 657 ᵇ3. ἡ γλῶττα ἐντὸς περιείληπται πλθ6. 964 ᵃ6. κῶλα ἐν μέσῳ περιειληφότα ἀστράγαλον Ζμβ9. 654 ᵇ21. τῶν φλεβῶν αἱ μὲν τὴν κεφαλὴν κύκλῳ περιλαμβάνυσιν Ζιγ3. 514 ᵃ21. τὸ σῶμα τὸ περιλαμβανόμενον Ζγγ11. 762 ᵃ27. περιειληφέναι τὸν ἴσον ὄγκον σώματος μα13. 350 ᵃ12. ὅσα περιείληφεν ὁ καλύμενος ὐρανός ΜΑ8. 990 ᵃ4. ὁ ὐρανὸς πᾶσαν τὴν ὕλην περιείληφεν Οα9. 278 ᵇ7. ἡ δεκὰς δοκεῖ περιειληφέναι πᾶσαν τὴν τῶν ἀριθμῶν φύσιν ΜΑ5. 986 ᵃ9. περιλαμβάνειν μέγεθός τι, coni syn προσλαμβάνειν Φγ6. 206 ᵇ9, 10, 8. — ἡ κτῆσις πολλὰ μᾶρη περιείληφε Πα 8. 1256 ᵃ16. cf Φβ7. 198 ᵃ15. περιειλημμένα τρισὶν εἴδεσιν Πε11. 1314 ᵃ14. περιλαμβάνειν ἐπὶ πλεῖον, ἐν πλείοσιν Κ5. 3 ᵇ22. τζ12. 149 ᵇ5. οἱ ἔξωθεν περιλαμβάνοντες ϗ ἐπὶ πλέον λέγοντες ηεη1. 1235 ᵃ5 (cf ἔξωθεν συμπεριλαμβάνειν 5. 1239 ᵇ7). ἑνὶ ὀνόματι περιλαβεῖν Ηε4. 1130 ᵇ3. ρ23. 1434 ᵇ11. τύπῳ περιλαβεῖν cf τύπος. ϗ τὸ ψεκτικὸν εἶδος περιλαβωμεν (i e διέλθωμεν) ρ3. 1425 ᵇ35. τὰ μὲν ἐνδέχεται τοῖς νόμοις περιληφθῆναι Πγ16. 1287 ᵇ19. νόμοι οἳ περιλήψονται τὰ σώζοντα τὰς πολιτείας ΠΖ5. 1320 ᵃ1.

περιλείπειν. ὃς ἂν περιλειφθῇ αὐτοῖς χαλκός οβ1350 ᵃ29.

περιλείχειν. αἱ ἵπποι περιλείχυσαι ϗ καθαίρυσαι ἀποτρώγυσι τὸ ἱππομανές Ζιθ24. 605 ᵃ4.

περιληπτικός. ὅσοις ἡ τῦ δέρματος φύσις ἐναντιῦται διὰ σκληρότητα πρὸς τὸ μὴ περιληπτικὴν εἶναι Ζγα12. 719 ᵇ6.

περίληψις. αἱ διαφοραὶ τῦ τιμιωτέρου εἶναι τὸ γένος ϗ ἀτιμότερον τὸ συνιστάμενον ἐν τῇ περιλήψει τῆς ἀρχῆς τῆς ψυχικῆς ἐστίν Ζγγ11. 762 ᵃ25.

περίλοιπος. εἴ τι περίλοιπον εἴη αὐτοῖς οβ1350 ᵇ13.

περίλυπος, opp περιχαρής Ηδ7. 1123 ᵃ16.

περιμάχητος. ἀγαθὰ περιμάχητα Ηι8. 1169 ᵃ21, 1168 ᵇ19. ηεη15. 1248 ᵇ27. Πβ9. 1271 ᵇ8. Ρα6. 1363 ᵃ8.

περιμένειν. δεῖ τὰς νῦν ἔχοντας μὴ περιμένειν ἕως ἂν πέσωσιν ρ3. 1425 ᵃ38.

περίμετρος. τὸ περίμετρον: λιμίνιόν τι ἔχον ὅσον ἀσπίδος τὸ περίμετρον θ112. 840 ᵇ34. — ἡ περίμετρος: ἐσχημάτισται τῇ περιμέτρῳ ὁμοιότατα ἀνθρωπίνῳ ἴχνει θ100. 838 ᵇ21.

περινεῖν. κύκλῳ περινέυσιν Ζιι37. 621 ᵃ18.

περίνεος. μηρῦ ϗ γλυτῦ τὸ ἐντὸς περίνεος (v l περίνεον) Ζια14. 493 ᵇ9. τὰ μόρια τὰ περὶ τὰς ἀρχὰς ϗ τὰς περινέας (v l περιναίυς), τῷ μὲν θήλει ἡ ὑστέρα τῷ δ' ἄρρενι ὁ περίνεός ἐστιν Ζγα2. 716 ᵃ33. δ1. 766 ᵃ5. cf de h v Hippocr ap Galen XVIII A 741.

περινεύειν. βαδίσεις διτταί, ἡ μὲν περινεύοντος, ἡ δὲ κρατῦντος τὴν ὀσφύν φβ3. 808 ᵃ15.

περίνεφρος. περίνεφρος γίνεται τὰ στεατώδη μᾶλλον ϗ μάλιστα τῶν ζῴων πρόβατον· τῦτο γὰρ ἀποθνήσκει τῶν νεφρῶν

πάντη καλυφθέντων· γίνεται δὲ περίνεφρα δι' εὐβοσίαν Ζιγ 17. 520 ᵃ31. γίνεται περίνεφρα τάχιστα τῶν ζῴων τὰ πρόβατα πάντων Ζμιγ9. 672 ᵇ2.

Πέρινθος Ζγδ4. 773 ᵃ26. — Περίνθιοι οβ1351 ᵃ24.

πέριξ. 1. praepos ὁ τόπος ὁ πέριξ τὰ αἰδοῖα πιγ6. 908 ᵇ6. — 2. adv locali sensu. τὰ φερόμενα κύκλῳ τὴν πέριξ φοράν Οα2. 269 ᵇ7. τὸ πέριξ σῶμα, ὕδωρ, ψυχρόν, τὸ πέριξ δέρμα, ὁ πέριξ Ὠκεανος al Οβ4. 287 ᵇ19. αν3. 471 ᵇ7. 8. 474 ᵇ21. μθ3. 381 ᵃ14. x3. 393 ᵇ30. Ζια13. 493 ᵃ32. πκγ4. 931 ᵇ38. τὸ πέριξ, τὰ πέριξ μα4. 341 ᵇ13. αν4. 472 ᵃ33. Ζιη10. 587 ᵃ21. Ζγβ4. 685 ᵃ7. πκθ10. 937 ᵃ7. λη2. 966 ᵇ31. — temporali sensu. ὁ πέριξ χρόνος, opp ὁ παρών, syn οἱ ἐκτὸς χρόνοι (i e reliqua tempora praeter praesens) ε3. 16 ᵇ18. 6. 17 ᵃ29.

περιξηραίνω. ἐκπίπτοντος τῦ ὑγρῦ ϗ ταχὺ περιξηραινομένυ πβ36. 870 ᵃ24. τῦ κελίφυς περιξηρανθέντος Ζγγ9. 758 ᵇ25.

περίξηρος. τοῖς ὑγροῖς σωματώδεσι θερμαινομένοις περίσταται τὸ περίξηρον Ζγβ3. 737 ᵃ36.

περίογκος. ὅσοι ἐκ τῶν πλευρῶν περίογκοί εἰσιν, οἷον πεφυσημένοι φ6. 810 ᵇ15.

περιοδεύειν. τὸ εὐγενὲς ζῷον, ὁ τὸν ὐρανὸν περιοδεύει φτα1. 816 ᵃ23.

περίοδος. πρὸς τὴν νομοθεσίαν χρήσιμοι αἱ τῆς γῆς περίοδοι Ρα4. 1360 ᵃ34. οἱ τὰς τῆς γῆς περίοδυς πραγματευόμενοι Πβ3. 1262 ᵃ19. θεάσθαι, γράφειν τὰς τῆς γῆς περίοδυς μα13. 350 ᵃ16. β5. 362 ᵇ12 (Ideler I 453). — αἱ τῦ θερμῦ περίοδοι πβ34. 870 ᵃ10. ἡ περίοδος τῶν πνευμάτων πκς31. 944 ᵃ1. 55. 946 ᵇ29. ὑπὸ μίαν περίοδον ἡλίυ πο5. 1449 ᵇ13. τοῖς μὲν ἐνιαυτὸς, τοῖς δὲ μείζων, τοῖς δὲ ἐλάττων ἡ περίοδός ἐστι τὸ μέτρον Γβ10. 336 ᵇ15, 13. cf μα14. 352 ᵃ30. ἕως ἂν ἔλθῃ πάλιν ἡ καταβολὴ τῆς αὐτῆς περίοδυ· καθ' ἑκάστην περίοδον μα14. 352 ᵇ15. 8. 346 ᵇ9. πάντων οἱ χρόνοι ϗ τῶν κινήσεων ϗ τῶν γενέσεων ϗ τῶν βίων μετρεῖσθαι βύλονται κατὰ φύσιν περιόδοις, λέγω δὲ περίοδον ἡμέραν ϗ νύκτα ϗ μῆνα ϗ ἐνιαυτὸν ϗ τὰς χρόνυς τὰς μετρημένυς τύτοις, ἔτι δὲ τὰς τῆς σελήνης περιόδυς Ζγδ10. 777 ᵇ18, 21 (cf κατὰ τὴν τῦ ἡλίυ ϗ τῆς σελήνης περίοδον ᵇ34). κατὰ τάξιν ϗ περίοδον γίγνεσθαι μα14. 351 ᵃ26. μεταβάλλειν ἔν τινι περιόδῳ, κατά τινα περίοδον Πε12. 1316 ᵃ5. Φδ14. 223 ᵇ28. ἡ φύσις ἀναπληροῖ ταύτῃ τῇ περιόδῳ τὸ ἀεὶ εἶναι οα3. 1343 ᵇ24. ἀεὶ ταύτὰ ἢ περιόδῳ ἢ ἄλλως Μλ6. 1072 ᵃ8, 10. ποιεῖν περίοδον (τῆς γενέσεως, Emped) Φα4. 187 ᵃ24. — τελευτὴ τῶν ἐν τοῖς φθόγγοις περιόδων πιθ39. 921 ᵃ22. — rhet περίοδος def Ργ9. 1409 ᵃ35. περίοδος ἐν κώλοις, ἀφελὴς, μύηρος, μακρά Ργ9. 1409 ᵇ13, 18. ἡ ἐν περιόδοις λέξις, syn ἡ κατεστραμμένη Ργ9. 1409 ᵃ35, 34. περὶ τῆς ἐν περιόδοις λέξεως Ργ9. — physiolog menstruatio, ἀκριβῶς ἡ περίοδος ὗ τέτακται ταῖς γυναιξὶν Ζγβ4. 738 ᵃ17, cf 24. δ10. 777 ᵇ18. — τὸ ἀγγεῖον, ᾧ κατεκραύνετο τὸν σίδηρον, περίοδος καλεῖται ἐν τῷ περὶ μετάλλων f 247. 1523 ᵇ10.

περιοικεῖν. θάλατται (Ὑρκανία, Κασπία) περιοικύμεναι κύκλῳ μβ1. 354 ᵃ4.

περιοικίς. κώμας τὰς περιοικίδας καλῦσιν πο3. 1448 ᵃ36. αἱ περιοικίδες (int πόλεις) ΠΖ5. 1320 ᵇ6.

περιοικοδομεῖν. περιωκοδόμηται ἡ ἐλαία θ51. 834 ᵃ19.

περίοικοι, coni δῦλοι, βάρβαροι Πη9. 1329 ᵃ26. 10. 1330 ᵃ29. περίοικοι ἐν Κρήτῃ Πβ9. 1269 ᵇ3. 10. 1271 ᵇ30, 1272 ᵃ1, 18, ᵇ18, ἐν Ἄργει Πε3. 1303 ᵃ8.

περιορᾶν. ἀνάγκη τὸν ἥλιον πάντα τὰ ἄστρα περιορᾶν μα8. 345 ᵇ8. ὅσα περιορᾶται ὑπὸ τῦ ἡλίυ μα8. 345 ᵃ28. ὐδὲ τὸ ἐλάχιστον ὑπὸ τῷ μεγίστῳ ἐνδέχεται ὅλον περιοφθῆναι πις1. 913 ᵃ28. — περιορᾶν τινὰ προπηλακιζόμενον sim Ηδ′11. 1126 ᵃ8. Ργ9. 1410 ᵃ15. 10. 1411 ᵃ4. Ζι40. 625 ᵇ34.

περιορύττειν. ἐάν τις περιορύξας μέχρι κάτω πρὸς τὰς ῥίζας (σελίνῳ) περιβάλλῃ τῶν καχρυδίων πκ8. 923 ᵇ10.

περισσία. ἡ περισσία τῆς τροφῆς ἐστὶν ἡ ποιῦσα βλαστάνειν πκ26. 926 ᵃ4. 28. 926 ᵃ18. ὅπη περισσία γίνεται τῦ περιττώματος Ζμδ10. 688 ᵇ27. ὁ ἐλευθέριος τὴν περισσίαν δίδωσιν, opp ἐλλείπειν τῶν ἀναγκαίων ηεγ4. 1232 ᵃ10. τὰ εἰς εὐσχημοσύνην ᾗ περισσίαν, opp τὰ ἀναγκαῖα Πη10. 1329 ᵇ28. τὰ ἐκ περισσίας, opp τὰ ἀναγκαῖα, def ττγ2. 118 ᵃ6-15 Wz. cf πο27. 880 ᵃ10. ἐκ περισσίας διώκειν τὸ καλόν ηεη10. 1243 ᵃ38.

περιοχεῖσθαι. ἡ γῆ φυτοῖς κομῶσα παντοδαποῖς, νάμασί τε περιβλύζϘσα ᾗ περιοχημένη ζῴοις κ5. 397 ᵃ25.

περιοχή. ὑπὸ τῆς ἐντὸς θερμασίας ὅταν ἐκπίπτωσιν ἐκ πολλῦ τόπϘ εἰς ὀλίγον, συστελλομένοις πρὸς τὴν περιοχὴν (?) πβ34. 870 ᵃ10.

περιπατεῖν. τὸ Ϙ ἕνεκα, οἷον τῦ περιπατεῖν ἡ ὑγίεια Φβ3. 194 ᵇ33. Μθ2. 1013 ᵃ33. Αθ11. 94 ᵇ9. cf Οβ12. 292 ᵃ25. περίπατος. τῶν δεδειπνηκότων τὸν περίπατον ἀναρριπίζειν τὸ θερμόν f224. 1518 ᵇ43. cf ηεα2. 1214 ᵇ23. τίνες περίπατοι κοπώδεις πε1. 880 ᵇ15. 12. 881 ᵇ37. 35. 884 ᵇ8. ὁ περίπατος κατασπᾷ κάτω τὰ περιττώματα πε9. 881 ᵇ10.

περιπάττειν. οἱ μύρμηκες ὑπ᾽ ὀργάνων ᾗ θείᾳ περιπαττομένων ἐκλείπησι τὰς μυρμηκίας Ζιδ8. 534 ᵇ22. ὅταν ὀπτήσαντες (τὸ λεοντοφόνον) ὥσπερ ἄλφιτα λευκὰ περιπάσσωσιν ἄλλῳ ζῴῳ θ146. 845 ᵃ32.

περιπέτεια. def ἡ εἰς τὸ ἐναντίον τῶν πραττομένων μεταβολή πο11. 1452 ᵃ22, Vhl Poet II 6-8, 68. τὰ μέγιστα, οἷς ψυχαγωγεῖ ἡ τραγῳδία, τῦ μύθϘ μέρη ἐστίν, αἵ τε περιπέτειαι ᾗ ἀναγνωρίσεις πο6. 1450 ᵃ34. cf 24. 1459 ᵇ11. ἀναγνωρίσεις ἐκ περιπετείας πο16. 1454 ᵇ29 (syn ἀναγνώρισις ᾗ ἐξ αὐτῶν τῶν πραγμάτων, τῆς (ἐκ)πλήξεως γιγνομένης δι᾽ εἰκότων 1455 ᵃ17). αἱ περιπέτειαι ᾗ τὸ παρὰ μικρὸν σῴζεσθαι ἐκ τῶν κινδύνων Ρα11. 1371 ᵇ10. οἱ κάραβοι κρατῦσι ᾗ τῶν μεγάλων ἰχθύων, καί τις συμβαίνει περιπέτεια τύτων ἐνίοις· τὰς μὲν γὰρ χαράβϘς οἱ πολύποδες κρατῦσιν, οἱ δὲ χάραβοι τὰς γόγγρϘς, οἱ δὲ γόγγροι τὰς πολύποδας κατεσθίϘσι Ζιθ2. 590 ᵇ13.

περιπέτεσθαι, περιπέτασθαι. ἕως ἂν μία μέλιττα περιπετομένη βομβήσῃ Ζι40. 627 ᵃ27. — τῆς ἡμέρας τὰ ἄλλα ὀρνίθια τὴν γλαύκα περιπέταται Ζιι1. 609 ᵃ14.

περιπίπτειν. ὁ ποντίλος περιπεσόντι τῷ ὀστρέῳ ἁλίσκεται ᾗ (ἀλ. ᵃ om Aub) ἐν τῇ γῇ ἀποθνήσκει Ζιδ1. 525 ᵃ24. — ὅταν τις θηρεύῃ περιπεσὼν τῇ (τῶν περδίκων) νεοττιᾷ Ζιθ. 613 ᵇ17. ἐνιαχῆ δέ πῃ αὐτῇ (τῇ κατὰ τὸν λόγον αἰτίᾳ) ᾗ Ἐμπεδοκλῆς περιπίπτει Ζμα1. 642 ᵃ18. — περιπίπτειν δυστυχίαις, περιπεσεῖν μεγάλαις συμφοραῖς Ηη14. 1153 ᵇ20. α10. 1100 ᵃ7. ημβ11. 1210 ᵇ38.

περιπλάττειν. οἱ πλάττοντες ἐκ πηλῦ ζῷον ὑφιστᾶσι τῶν στερεῶν τι σωμάτων, εἶθ᾽ ὕτω περιπλάττϘσιν Ζμβ9. 654 ᵇ31. τῇ φωλίδι ᾗ μύζα, ἣν ἀφίησι, περιπλάττεται περὶ αὐτὴν ᾗ γίνεται καθάπερ θαλάμη Ζμ37. 621 ᵇ8. τὸ πήγανον ἐκφυτεύεται περὶ τὸν φλοιὸν (συκῆς) ᾗ περιπλάττεται πηλῷ πκ18. 924 ᵇ37.

περιπλέκειν. περιπλέκονται ἀλλήλοις οἱ ὄφεις, syn περιειλιττόμενοι Ζγα7. 718 ᵃ27, 17 (et v l), 31. cf Ζιϵ4. 540 ᵇ1,2. (τὰ τῶν σηπίων ᾠά) περιπεπλεγμένα ἑνί τινι Ζιϵ19. 550 ᵃ12 Aub. (τὰ ἄπειρα στοιχεῖα κατὰ Δημόκριτον) συντιθέμενα ᾗ περιπλεκόμενα γεννᾶν Γα8. 325 ᵃ34. f 202.1514 ᵇ21.

περίπλεξις. τῇ τύτων (τῶν ἀτόμων στοιχείων Democr) συμπλοκῇ ᾗ περιπλέξει πάντα γεννᾶσθαι Ογ4. 303 ᵃ8.

περίπλεος. ὅσοι τὰς κνήμας περιπλέως σφόδρα (τὰς μηρϘς ὀστώδεις ᾗ περιπλέως) ἔχϘσιν φ6. 810 ᵃ32, 37.

περίπλεως. περίπλεων μυξώδες τὸ παιδίον ἐξέρχεται γλισχρότητος Ζιη4. 585 ᵃ24, 26. περίπλεως νεφρὸς ἔχειν Ζμγ9. 672 ᵃ27.

περιπλοκή. περιπλοκὴ ποιεῖσθαι τὴν ὀχείαν Ζιϵ4. 540 ᵇ4. φερομένας (τὰς ὐσίας κατὰ Δημόκριτον) ἐμπίπτειν ᾗ περιπλέκεσθαι περιπλοκὴν τοιαύτην, ἢ συμφυαίνειν αὐτὰ ποιεῖ f 202. 1514 ᵇ21.

περίπλϘς ὁ Ἄννωνος θ37. 833 ᵃ11.

περιπλύνειν. ἐξαναχολυμβῶσι πολλάκις οἱ κέφαλοι ἵνα περιπλύνωνται τὸ βλέννος Ζιθ2. 591 ᵃ28.

περιπνεῖν. ἡ γῆ περιπνεομένη αὔραις κ5. 397 ᵃ34.

περιπνευμονία. οἱ ἐν τῇ περιπνευμονίᾳ ἐπιθυμῦσιν οἴνϘ πκζ4. 948 ᵃ24.

περιποιεῖν. συμφέρει περιποιῆσαι Λακεδαιμονίᾳ ρ2. 1423 ᵃ8. — med ὅσοι μὴ προαιρῦνται περιποιεῖσθαι τὸ ζῆν διαφθείραντες Πε11. 1315 ᵃ26. — ἀπὸ τῶν πρακτῶν περιποιϘμεθά τι παρὰ τὴν πρᾶξιν Ηκ7. 1177 ᵇ3, 13. περιποιεῖσθαι ἑαυτῷ τὸ καλόν, δυναστείαν Ηι8. 1168 ᵇ27, 1169 ᵃ21. ημβ14. 1212 ᵇ13, 18. Πε6. 1306 ᵃ24.

περιπόλαιος. ὀφθαλμοὶ περιπολαιότεροι φ5. 810 ᵃ1.

περιπολεῖν. θεασάμενοι μεθ᾽ ἡμέραν ἥλιον περιπολῶντα f 12. 1476 ᵃ6. — τῶν Ἀθηναίων οἱ ἔφηβοι λαβόντες ἀσπίδα ᾗ δόρυ παρὰ τῦ δήμϘ περιπολῦσι τὴν χώραν f 428. 1549 ᵃ9.

περίπολοι τῶν Ἀθηναίων τίνες f 428. 1549 ᵃ5.

περιπορεύεσθαι. Διονύσιος τὰ ἱερὰ περιπορευόμενος οβ1353 ᵃ31.

περιπταίειν. περιπεπταικότες ἀτρίπτοις ὀνείδεσι f 445. 1551 ᵃ30.

περιπωμάζειν. ἄνθρακες περιπεπωμασμένοι τῷ καλϘμένῳ πνιγεῖ ζ5. 470 ᵃ9. ἀποπνίγονται (αἱ ἐγχέλυες), ἐὰν περιπωμασθῇ ὀλίγϘ ἀὴρ Ζιθ2. 592 ᵃ22.

περιπωματίζω. τὰ ἐν τοῖς ἀκριβῶς περιπωματιζομένοις (ἄσηπτα γίνεται) πκβ4. 930 ᵇ2.

περιρρεῖν. περιρρεύσεται τὸ ὕδωρ, ἕως ἂν ἰσασθῇ Οβ4. 287 ᵇ10. Ὠκεανὸς περιρρέων ἡμᾶς κ3. 393 ᵃ17. νήσοι περιρρεόμεναι πελάγεσιν· ᾗ οἰκημένη ὑπὸ θαλάττης περιρρεομένη κ3. 393 ᵃ11, 392 ᵇ22. τὴν Αἴγυπτον, ὑπὸ τῶν τῦ ΝείλϘ στομάτων περιρρεομένην κ3. 394 ᵃ2.

περιρρηγνύναι. τὸν ὑμένα περιρρήξας (ὁ σχάζων) ἐκπέτεται Ζισα4. 530 ᵃ30. τὸ κέλυφος περιρρήγνυται, τὸ κελύφϘς, τῦ ὑμένος, τῦ δέρματος, τῦ ᾠῦ sim Ζιε19. 551 ᵃ23. 18. 550 ᵃ17, 29. 28. 555 ᵇ29. 30. 556 ᵇ7. 32. 557 ᵇ26. ζ10. 565 ᵃ26. θ17. 601 ᵃ5, 8. περιερρωγέναι τὸ ὄστρακον Ζιθ17. 601 ᵃ13. ζῷα ἐκ τῶν σκωλήκων περιρρηγνύμενα Ζιε19. 552 ᵃ9. — καταφυγὴ πέτρα περιρραγεῖσα, μίαν ἔχϘσα εἴσοδον ΖιϚ29. 578 ᵇ22.

περίσαξις. περισάξεις ἀλέαν ποιεῖ πκ14. 924 ᵇ9.

περίσαρκος. ἰσχία περισαρκότερα φ5. 809 ᵇ7.

περισάττειν. ἐάν τις περισάξῃ τὴν γῆν πκ13. 924 ᵃ25. περισεσάχθαι πκ13. 924 ᵃ28.

περισκέλεια. δύνασθαι χωρὶς πάσης περισκελείας εἰς ἔννοιαν ἡμῖν ἐλθεῖν τὸ μῆκος ἀπλατές f 24. 1478 ᵇ13.

περισπᾶν. ὁ μείζων κύκλος περισπᾷ τὸ φερόμενον ᾗ πλάγιον ἀπωθεῖ εἰς τὸν ἐλάττω μχ35. 858 ᵇ8. τὸ θερμὸν ᾗ τὴν ἕξιν τόπϘ περισπᾶται, opp συστέλλεται ζ9. 863 ᵃ5, 3. — περισπᾶν τὴν πολιτείαν εἰς τὐναντίον Πε7. 1307 ᵃ24.

περίσσευμα. αἱ συλλήψεις ὀλιγάκις γίνονται πρὸ τῆς καθάρ-

σεως αὐταῖς. τοσῦτον ἐχύσαις τὸ περίσσευμα, ὅσον ἐστὶ
ταῖς ἄλλαις πρὸς τῷ λήγειν f 259. 1525 ᵇ24.

περίστασις. 1. cf περίστασθαι 1. τὸ θερμὸν ὑ βαδίζει ἔξω
διὰ τὴν τῦ ψυχρῦ περίστασιν, κωλύεται γὰρ ὑπὸ τύτυ
πβ 29. 869 ᵃ21. — 2. cf περίστασθαι 2. αἱ περιστάσεις 5
γίνονται αὐτῶν (τῶν ἀνέμων) καταπαυομένων εἰς τὺς ἐναν-
τίυς κατὰ τὴν τῦ ἡλίυ μετάστασιν μβ 6. 364 ᵇ14. πκς26.
942 ᵇ27.

περιστέγειν. περιστεγόμενα μᾶλλον εἰς αὐτὰ δέχεται χ̩
κατέχει τὸν ἀέρα πιαθ. 900 ᵃ1.   10

περιστέλλειν. οἱ ἰατροὶ ἐν ταῖς ἀρρωστίαις μάλιστα περι-
στέλλειν τὺς πόδας παραγγέλλυσιν πβ26. 868 ᵇ38. περι-
στέλλεσθαι ἱματίοις, περιεσταλμένον ἀναπαύεσθαι πβ37.
870 ᵃ37. α55. 866 ᵃ19, 25.

περιστερά. τὸ τῶν περιστερῶν γένος Ζια1. 488 ᵃ4. Ζγγ6.   15
756 ᵇ23. δ3. 770 ᵃ12. περιστερῶν μὲν εἶναι ἓν γένος εἴδη
δὲ ε΄ f 271. 1527 ᵃ12. syn αἱ περιστεραὶ χ̩ τὰ τοιαῦτα
Ζμβ13. 657 ᵇ10. Ζγγ1. 749 ᵇ12, τὰ περιστερώδη, τὰ πε-
ριστεροειδῆ (v h v). ἴδια Ζυ7. 613 ᵃ12. ζ 2. 560 ᵇ25, 29.
cf Ζγγ6. 756 ᵇ23. refertur inter τὰ ἀγελαῖα ἐν τοῖς πτη- 20
νοῖς Ζια1. 488 ᵃ4, τὰ πτητικὰ Ζγγ1. 749 ᵇ11, τῆς πολυ-
γόνυς τῷ πολλάκις Ζιζ1. 558 ᵇ26. Ζγδ3. 770 ᵃ11, cf γ1.
749 ᵇ12 (sed τὰ ὀλιγοτοκῦντα Ζγδ6. 774 ᵇ29), ὅσα ἡμερα
ἢ ἡμερῦσθαι δύναται, τὰ καρποφαγῦντα χ̩ πσοφαγῦντα
Ζια13. 544 ᵃ30. θ3. 593 ᵃ16. — τὸ σῶμα. ὀγκιῶδες 25
Ζγγ1. 749 ᵇ11. M 295. magnitudo comparatur cum aliis
avibus Ζιε13. 544 ᵇ2, 6. f 271. 1527 ᵃ16. 276. 1527 ᵇ32
(M 341. Bsm ad Oribas I 612). στόμα Ζυ7. 613 ᵃ4. μύωσι
Ζμβ13. 657 ᵇ10. ποικίλοι, μέλανα Ζγε6. 785 ᵇ25. χ6. 799
ᵇ12. οἱ τράχηλοι φαίνονται χρυσοειδεῖς τῦ φωτὸς ἀνακλω- 30
μένυ χ3. 793 ᵃ15. cf v l ad χ6. 799 ᵇ20. — ἔχει πρόλοβον
πρὸ τῆς κοιλίας, πρὸς τοῖς ἐντέροις τὴν χολήν, μικρὸν τὸν
σπλῆνα ὕτως ὥστε λανθάνειν ὀλίγα τὴν αἴσθησιν, θερμὴν τὴν
κοιλίαν Ζβ17. 508 ᵇ28. 15. 506 ᵇ21, ᵃ16. Ζμγ7. 670 ᵃ34.
— sexus. ἀμφότεροι Ζιζ4. 562 ᵇ21. ὁ ἄρρην Ζιζ2. 560 35
ᵇ27, 30, 31. 4. 562 ᵇ17, 23. ι7. 612 ᵇ35, 613 ᵃ6, 8. f 271.
1527 ᵃ28. ὁ πρεσβύτερος Ζιζ2. 560 ᵇ27. ἡ θήλεια Ζιζ2.
560 ᵇ30. 4. 562 ᵇ18, 22. χῆρος, χήρα Ζυ7. 612 ᵇ34. νεοττοὶ
Ζιζ4. 562 ᵇ21, 25. ι7. 612 ᵇ35, 613 ᵃ1. περιστερά. τὰ γενόμενα
ἀτελῆ χ̩ τυφλὰ Ζιζ4. 562 ᵇ19. Ζγδ6. 774 ᵇ30. οἱ νεώ- 40
τεροι Ζιζ2. 560 ᵇ29. — generatio. ἴδια περὶ τὴν ὀχείαν
Ζιζ2. 560 ᵇ25, 29. cf Ζγγ6. 756 ᵇ23. Salmas Pl ex 325ᵇ.
ὀχευθεῖσαι ἐφέλκυσι τὸ ὀρροπύγιον, κυνῦσιν ἀλλήλας ὅταν
μέλλῃ ἀναβαίνειν ὁ ἄρρην, στέργυσιν ἀλλήλας, ἡ προαπιλεί-
πυσι τὴν κοινωνίαν πλὴν ἐὰν χῆρος ἢ χήρα γένηται Ζιζ2. 45
560 ᵇ10, 25, cf 31. ι7. 613 ᵃ7, 612 ᵇ33. ὅταν ἐκ τῆς νεοτ-
τιᾶς ἐξάγειν μέλλῃ, πάντας (πάλιν ci Aub) ὁ ἄρρην ὀχεύει·
αἱ θήλειαι ἀλλήλαις ἀναβαίνυσιν ὅταν ἄρρην μὴ παρῇ· παρ-
οχευόνται ποτε χ̩ τῶν τῆς ἄρρενος ἐχυσῶν τινὲς Ζυ7. 613
ᵃ5, 7. ζ 2. 560 ᵇ30. δύνανται ἤδη τῷ ᾠῷ ἐν ᾠδῖνι ὄντος 50
κατέχειν, syn ὑ τίκτει μελλήσασα· περὶ τὴν ᾠῖνα δεινὴ ἡ
τῦ ἄρρενος θεραπεία χ̩ συναγανάκτησις· ἀπομαλακίζεται
πρὸς τὴν εἴσοδον τῆς νεοττιᾶς διὰ τὴν λοχείαν (ἡ θήλεια)
Ζιζ2. 560 ᵇ21, 25. ι7. 612 ᵇ35, 613 ᵃ1. ὀχεύεται χ̩ τίκτει
κατὰ πάντα τὸν χρόνον ὡς εἰπεῖν, ἐὰν τόπον ἔχωσιν ἀλεεινὸν 55
χ̩ τὰ ἐπιτήδεια, ἐὰν δὲ μή, τῦ θέρυς μόνον Ζιζ1. 558 ᵇ13.
ε13. 544 ᵇ8, ᵃ30. cf ζ4. 562 ᵇ5. f 271. 1527 ᵃ31. τεκῦσα
τῇ ἐχομένῃ ἡμέρᾳ συλλαμβάνει· τεκῦσα μίαν ἡμέραν δια-
λείπει τὰ πολλά, ἐπὰν δὲ τίκτῃ τίκτει θάτερον· ἀπονεστ-
τεύυσα πάλιν ἐν λ΄ ἡμέραις· pulli quinquemestres fetificant 60
f 271. 1527 ᵃ33. Ζιζ4. 562 ᵇ16, 27, ᵃ3 Aub. διτοκῦσι, δε-

κάκις τῦ ἐνιαυτῦ, ἤδη δέ τινες χ̩ ἑνδεκάκις Ζιζ1. 558 ᵇ23.
4. 562 ᵇ24. f 271. 1527 ᵃ31. ὡς ἐπὶ τὸ πολὺ ἄρρεν χ̩ θῆλυ
χ̩ τύτων ὡς ἐπὶ τὸ πολὺ πρότερον τὸ ἄρρεν τίκτει Ζιζ4.
562 ᵇ14. f 271. 1527 ᵃ29. ᾠὰ λευκά, ὑπηνέμια Ζιζ2. 559
ᵃ23, ᵇ29, 561 ᵃ2. ὑ δαψιλῆ τροφὴν συνεκτίκτει τοῖς τέκνοις
Ζγδ6. 774 ᵇ31. ἐπωάζει διαδεχόμενα τὰ ἄρρενα τοῖς θήλεσι,
interdiu mas, noctu femina Ζιζ8. 564 ᵃ8 (cf f 271. 1527
ᵃ27). 4. 562 ᵇ17. τὸ τῆς ἀλεκτορίδος ᾠὸν τελειῦται ἐν ί
ἡμέραις, τῆς περιστερᾶς δὲ ἐν μικρῷ ἐλάττονι· ἐκπέπεται
τε χ̩ ἐκλέπεται ἐντὸς κ΄ ἡμερῶν τὸ γενόμενον πρότερον τῶν
ᾠῶν· τιτρώσκει δὲ τὸ ᾠὸν τῇ προτεραία ἢ ἐκλέπει· τὰ
ἔκγονα τῦ ἔαρος βέλτιστα χ̩ τῦ φθινοπώρυ. τὰ δὲ τῦ θέρυς
χ̩ ἐν ταῖς θερμημερίαις χείριστα Ζιζ2. 560 ᵇ21. 4. 562 ᵇ19.
ε13. 544 ᵇ10. συνθερμαίνυσι τὺς νεοττὺς ἀμφότεροι ἐπὶ
χρόνον (τινὰ), τὸν αὐτὸν (δὲ τρόπον) ὅνπερ χ̩ τὰ ᾠά (sic
codd S Bsm Pik Aub, om Bk), pullis quomodo praeparent
tempestivitatem cibi Ζιζ4. 562 ᵇ21. ι7. 613 ᵃ3. f 271. 1527
ᵃ28. — περιστερῶν βίοι. ἴδιον δοκεῖ συμβεβηκέναι τὸ μὴ
ἀνακύπτειν πινύσας ἐὰν μὴ ἱκανὸν πίωσιν· χ̩ κονίονται χ̩
λῦνται Ζυ7. 613 ᵃ12. 49Β. 633 ᵃ4. ἔνιαι ὀκτὼ ἔτη ζῶσιν,
ἀεὶ φαίνονται, syn καταμένυσι Ζυ7. 613 ᵃ22. θ3. 593 ᵃ16. 12.
597 ᵇ5. f 271. 1527 ᵃ20. μάχιμον τὸ ζῷον, χαλεπωτέρα χ̩
θήλειά ἐστι περὶ τὴν τεκνοτροφίαν τῦ ἄρρενος Ζυ7. 613 ᵃ8.
ζ4. 562 ᵇ23. συνανθρωπίζει, τιθασσὸν γίνεται μᾶλλον ἢ
περιστεφά, αἱ τετυφλωμέναι ὑπὸ τῶν παλευτρίας τρεφόντων
αὐτάς Ζια1. 488 ᵇ3. ε13. 544 ᵇ3. ι7. 613 ᵃ23. praeda ac-
cipitrum, quomodo ab iis sibi caveant, φασὶ τὰς περιστε-
ρὰς γινώσκειν ἕκαστον τῶν γενῶν (τῶν ἱεράκων) Ζυ36. 620
ᵃ24, 29. — μετέωροι, syn πετόμεναι, opp ἐπὶ τῆς γῆς
Ζυ36. 620 ᵃ26, 25. τύπτεται τὴν περιστεράν Ζυ36. 620 ᵃ24.
7. 613 ᵃ2. ἐάν τι ἐνοχληθῇ ὑπό τινος, πτερὸν ἐκτιλθῇ ἢ ἄλλο
τι πονήσῃ χ̩ δυσαρεστήσῃ Ζιζ2. 560 ᵇ23. — αἱ ἐν Αἰγύπτῳ
δωδεκάκις τίκτυσι Ζιζ4. 562 ᵇ25. f 271. 1527 ᵃ32. (le pi-
geon domestique C II 640. 'dicendum puto, ubi singulari
numero περιστερά nominatur, silvestrem, contra ubi plu-
rali, altilem et domesticam intelligi voluisse Ar' S I 398.
Columba livia domestica G 43. ΑΖι I 105, 88ᵃ et 472,
ΚαΖι 16, 66. Lenz 351. cf Su 134, 100. M 299. Rose Ar
Ps 287. Lnd 120. E 45 et Philologus 1863, 509). v περι-
στεροειδής, περιστεροειδής.

περιστεροειδής. τὰ περιστεροειδῆ, Columbinae. τῶν περι-
στεροειδῶν πλείω τυγχάνει ὄντα γένη, τίκτυσι δύο, ἐπωάζει
ἐκ διαδοχῆς πᾶν τὸ περιστεροειδὲς γένος Ζιθ3. 593 ᵃ24. ε13.
544 ᵇ1. ζ 4. 562 ᵇ3. f 271. 1527 ᵃ27. v περιστερά, περι-
στεροειδής.

περιστερώδης. τὰ περιστερώδη (τίκτει) πολλὰ μὲν ὑ, πολ-
λάκις δέ· δύο ἢ τρία Ζγγ1. 749 ᵇ18, 750 ᵃ15. v περιστερά,
περιστεροειδής.

περιστεφανῦν. ὑκ ὀλίγαι νῆσοι κύκλῳ περιεστεφάνωνται τὴν
οἰκυμένην χ3. 393 ᵇ17.

περιστρέφειν. ἴυγξ περιστρέφει τὸν τράχηλον εἰς τὐπίσω
Ζιβ12. 504 ᵃ16. — pass ὁ κόσμος ἐν κύκλῳ περιστρέφεται
χ2. 391 ᵇ24. εἰ πεπερασμένος ὁ χρόνος ἐν ᾧ περιεστράφη ὁ
ὐρανὸς Οαδ. 273 ᵃ2. νῆμα ἀτράκτυ τὸ μὲν ἐξειργασμένον,
τὸ δὲ μέλλον, τὸ δὲ περιστρεφόμενον χ7. 401 ᵇ17.

περισυγκαταλαμβάνεσθαι τὺς ἑτέρυς ἤχυς ὑπὸ τῶν ἑτέ-
ρων ακ803 ᵇ41, aut περικαταλαμβάνεσθαι aut συγκατα-
λαμβάνεσθαι scribendum ci Dind in Steph Thes.

περισχίζειν. ἐὰν τις περισχίση τὰ ᾠὰ πρότερον ἤδη τετε-
λειωμένων (τῶν σηπιδίων) Ζιε18. 550 ᵃ30.

περισώζειν. πολλάκις εὑρημένης εἰς τὸ δυνατὸν ἑκάστης χ̩

τέχνης κ̀ φιλοσοφίας κ̀ πάλιν φθειρομένων κ̀ ταύτας τὰς δόξας ἐκείνων οἷον λείψανα περισεσῶσθαι μέχρι τȢ νῦν Μλ8. 1074 ᵇ13. cf φιλοσοφίας ἐγκαταλείμματα περισωθέντα f 2. 1474 ᵇ8.

περισωρεύȢσι τῷ ἀγγείῳ χιόνα πολλὴν κ̀ γίνεται ψυχρό- 5 τερον τὸ ὕδωρ f 208. 1515 ᵇ39.

περιτείνειν. τὴν ὁλολυγόνα ποιεῖ ὁ βάτραχος, ὅταν ἰσοχειλῆ τὴν κάτω σιαγόνα ποιήσας ἐπὶ τῷ ὕδατι περιτείνῃ τὴν ἄνω Ζιδ9. 536 ᵃ17. — pass περιτείνεται δέρμα, περιτέταται ὑμήν sim πκδ7. 936 ᵇ12. λβ12. 961 ᵃ36. Ζιε16. 548 ᵇ32. 10 Ζγγ2. 752 ᵇ7. πῦρ περιτετάσθαι τῆς περὶ τὴν γῆν σφαίρας ἔσχατον μα4. 341 ᵇ19. τȢ ὕδατος περὶ τὴν γῆν περιτεταμένȢ μβ 2. 354 ᵇ24, cf 355 ᵇ28. ἡ πέλτη ἀσπὶς δέρματι περιτεταμένη f 456. 1553 ᵃ3, 16. — ἄπληστος ὁ κεστρεὺς ἐστι, διὸ ἡ κοιλία περιτείνεται (admodum extenditur) Ζιθ2. 15 591 ᵇ2.

περιτέμνειν. πολλȢς τῶν ἰχθύων περικοπέντας κ̀ περιτμηθέντας μὴ αἰσθάνεσθαι θ63. 835 ᵃ19.

περιτήκειν. περὶ Παιονίαν λέγȢσιν, ὅταν συνεχῶς ὄμβροι γένωνται, εὑρίσκεσθαι περιτηκομένης τῆς γῆς χρυσὸν θ45. 833 20 ᵇ7. f 248. 1523 ᵇ34.

περιτιθέναι. περιθεῖναι τοῖς σχήμασι σφαῖραν Οβ2. 285 ᵇ3. τὸ τετράγωνον γνώμονος περιτιθέντος Κ14. 15 ᵃ30. Φγ4. 203 ᵃ13. σκληρὸν περιέθηκεν ἡ φύσις περὶ τὸ σαρκῶδες Ζμδ9. 685 ᵃ8. 7. 683 ᵇ10. cf Ζγγ2. 754 ᵃ2. περιθεῖναι κ̀ 25 ἐναρμόσαι μχ24. 856 ᵃ20. περιθεῖναι στεφάνους οβ1353 ᵇ27. — ὁ πυκτικὸς Ȣ̓ πᾶσι τὴν αὐτὴν μάχην περιτίθησιν Ηχ10. 1180 ᵇ11. — περιθεῖναι ταῖς πράξεσι μέγεθος κ̀ κάλλος Ρα9. 1368 ᵃ29. ρ36. 1440 ᵇ32. τῇ Ἀθηνᾷ τὴν ἐπιστήμην περιτίθεμεν κ̀ τὴν τέχνην Πθ6. 1341 ᵇ8. — med περιτίθε- 30 σθαι κνημῖδας, χάρακα κ6. 399 ᵇ4. εἰ τις δορὰν ἵππων περιθεῖτο f 275. 1527 ᵇ21. — περιτίθεται ὁ ἀράχνης κ̀ περιελίττεται κ̀ τοῖς μείζοσι ζῴοις Ζυ39. 623 ᵃ33.

περιτρέπεσθαι. τὸ ψῦχος συμβαίνει διὰ τὸ τὴν ἀναθυμίασιν εἴσω περιτρέπεσθαι μβ8. 367 ᵃ32, cf περιίστασθαι 2. 35

περιτρέχειν. περιδραμὼν κύκλῳ Ζιζ18. 572 ᵇ15.

περιτρίβειν. ἔχȢσιν αἱ μικραὶ μέλιτται τὰ πτερὰ περιτετριμμένα Ζυ40. 627 ᵃ13.

περιττεύειν. ἀποκρινομένȢ τȢ γλυκέος τὸ περιττεῦον Ζγγ11. 762 ᵃ13 (iq τὸ περιττὸν γινόμενον Ζγα18. 725 ᵃ25). ἀπο- 40 τίθεται ὁ ἀετὸς τὴν περιττεύουσαν τροφὴν τοῖς νεοττοῖς Ζυ32. 619 ᵃ20. ὁ σπλὴν ἀντισπᾷ ἐκ τῆς κοιλίας τὰς ἰκμάδας τὰς περιττευθείσας Ζμγ7. 670 ᵇ5. τὸ περιττεῦον ὑγρόν πβ41. 870 ᵇ16.

περιττός. ἀριθμὸς περιττός, opp ἄρτιος Κ10. 12 ᵃ6. τζ12. 45 149 ᵃ30 sqq. ΜΑ5. 986 ᵃ18. 8. 990 ᵃ9. Πβ3. 1261 ᵇ29. ἄρτια ἢ περισσὰ Ργ5. 1407 ᵇ3. δυνατὸν κ̀ ἀπὸ περιττῶν ποδῶν πορείαν γίνεσθαι Ζπ8.708 ᵇ6. — Ȣ̓δέν φησι (Emp 166) τό γε κενεὸν πέλει Ȣ̓δὲ περισσόν ξ2. 976 ᵇ27. τὸ περιττὸν γινόμενον (i e τὸ περιττεῦον cf hv) Ζγα18. 725 ᵃ25. — τὸ 50 περιττόν, syn περίεργον τζ3. 141 ᵃ18, 12. ἀσκεῖν τὰ χρήσιμα πρὸς τὸν βίον κ̀ τὰ τείνοντα πρὸς ἀρετὴν ἢ τὰ περιττὰ Πβ2. 1337 ᵃ42. περιττά, coni μεγάλα, θαυμάσια, καλὰ Ρβ13. 1389 ᵇ26. α9. 1367 ᵃ25 (cf coni τὰ ἴδια 6. 1363 ᵃ27). Ηζ7. 1141 ᵇ6 (opp ἀναγκαῖα). αρ5. 1250 ᵇ29 (dist 55 τὰ λυσιτελȢντα). Πθ6. 1341 ᵃ11. θόλοι περισσοῖς τοῖς ῥυθμοῖς κατεξεσμένοι θ100. 838 ᵇ14. κῶπαι τῷ μεγέθει περιτταί f 470. 1555 ᵇ13. περιττὴ ἡ διηγηματικὴ μίμησις τῶν ἄλλων (reliquorum modum excedit) πο24. 1459 ᵇ36 (cf Vhl Poet III 290, σεμνὸν κ̀ αὐθάδες Ργ3. 1406 ᵇ3). πε- 60 ριττὸν τὸ γένος κ̀ ἴδιον τὸ τῶν μελιττῶν Ζγγ10. 760 ᵃ4,

cf 761 ᵃ4. (ὁ τȢ ἐλέφαντος μυκτὴρ) τό τε μέγεθος κ̀ τὴν δύναμιν ἔχει περιττήν Ζμβ16. 658 ᵇ35. νεοττοὶ περιττὸν Ȣ̓δὲν ἔχοντες Ζγδ4. 770 ᵃ17. περιττή κ̀ ἴδιος ἡ τȢ ῥύγχȢς φύσις Ζμδ12. 692 ᵇ15. φύσις περιττοτάτη Ζιδ6. 531 ᵃ9. ὁ ναυτίλος τῇ τε φύσει κ̀ οἷς ποιεῖ περιττός Ζυ37. 622 ᵇ6. ζῷα ἔνια περιττά Ζιδ7. 532 ᵇ18 (Μ 169. Claus Grenze des thier u pflanzl Lebens p 2). πρόσωπον καλόν, αἰσχρόν, μηδὲν ἔχον[τες] περιττόν πλ1. 954 ᵇ24. ἄνδρες περιττοὶ Ρβ15. 1390 ᵇ27. syn, dist μελαγχολικοὶ πλ1. 955 ᵃ39, 954 ᵇ28. περιττοὶ κατὰ φιλοσοφίαν ἢ πολιτικὴν ἢ ποίησιν πλ1. 953 ᵃ10. δυστυχεῖς εἶναι πάντας τȢς περιττȢς ΜΑ2. 983 ᵃ2 (Bz, Wz ad τγ2.118ᵃ6). οἱ περισσοὶ καί τι πράσσοντες πλέον (Eur fr 786) Ηζ9. 1142 ᵃ6. γενόμενος κ̀ περὶ τὸν ἄλλον βίον περιττότερος διὰ φιλοτιμίαν Πβ8. 1267 ᵇ24. πρᾶξις περιττή Πε10. 1312 ᵃ27. ἀκριβὴς κ̀ περιττὴ διάνοια τζ4. 141 ᵇ13. Ȣ̓δὲν λέγων περιττὸν φαίνεταί τι λέγειν Μι1. 1053 ᵇ3. οἱ ΣωκράτȢς λόγοι ἔχȢσι τὸ περιττὸν κ̀ τὸ κομψὸν κ̀ τὸ καινοτόμον Πβ6. 1265 ᵃ11. — περιττῶς δάκνει τὸ κρόμμυον πκ22. 925 ᵃ27. περισσῶς ἐκδιδάσκεσθαι σοφȢς (Eur Med 295) Ρβ21. 1394 ᵃ30. — περιττότατα πάντων ὁ δελφὶς ἔχει Ζιθ2. 589 ᵃ31. cf Ζπ16. 713 ᵇ12. — καλῶς κ̀ περιττῶς πολιτεύεσθαι Πβ11. 1272 ᵇ25. κομψῶς κ̀ περιττῶς εἰρῆσθαι Οβ9. 290 ᵇ14.

περιττότης, opp ἀρτιότης, ἴδια ἀριθμȢ πάθη Μγ2. 1004 ᵇ11. — ἡ περιττότης τῆς ὑγρότητος τῆς βυσσης τȢς πόρȢς φθβ9. 828 ᵇ28.

περίττωμα (vl περίσσωμα υδ3. 457 ᵃ33. Ζμγ5. 668 ᵇ5, 6. 3. 664 ᵇ16. 2. 663 ᵃ15). refertur inter τὰ παρὰ φύσιν, τὰ ὁμοιομερῆ, τὰ ὑστερογενῆ, τὰ ἄπεπτα Ζγα18. 724 ᵇ25, 725 ᵃ3. Ζια1. 487 ᵃ5. γ2. 511 ᵇ9. Ζμβ7. 653 ᵇ10. Ζγβ6. 745 ᵇ19. coni ὑπόστασις, ὑπόλειμμα, ὑπόστημα μβ3. 358 ᵃ8. 2. 355 ᵇ9. Ζγβ6. 744 ᵇ15. α18. 724 ᵇ26. Ζια1. 487 ᵃ6. Ζμδ5. 679 ᵃ18. μχ3. 465 ᵇ18. syn ὑποχωρήσεις μδ2. 380 ᵃ2. dist σύντηγμα Ζγα18. 724 ᵇ27, 34, 725 ᵃ23, 29, 31. περιττώματα κ̀ συντήγματα πα41. 864 ᵃ18. 43. 864 ᵇ24. cf Ζγα19. 726 ᵇ29. περίττωμα κ̀ σύντηξις Ζμδ2. 677 ᵃ13. cf πε7. 881 ᵃ24. ἢ φύματα ἢ περιττώματα ἢ θερμότητος νοσηματικῆς ὑπερβολὴ αν17. 479 ᵃ24.

1. secretum, excretum. α. τȢ περιττώματος φύσις, δύναμις Ζγδ1. 766 ᵃ12. Ζμβ12. 694 ᵃ29. μχ5. 466 ᵇ6. καταχρῆται ἐνίοτε ἡ φύσις εἰς τὸ ὠφέλιμον κ̀ τοῖς περιττώμασι Ζμδ2. 677 ᵃ16. ἡ ἐν τῷ ζῴῳ θερμότης ποιεῖ τὸ περίττωμα Ζγγ11. 762 ᵇ8. cf μχ3. 465 ᵇ17. — τὸ περίττωμα τῆς συστάσεως τροφή ἐστι, ὑπόλειμμα τȢ προτέρα ἐστίν, ἐναντίον τῇ τροφῇ τὸ περίττωμα βȢλεται εἶναι Ζγβ4. 740 ᵇ8. μχ3. 465 ᵇ18. Ζμδ2. 677 ᵃ27. — τόπος περιττώματος μβ2. 355 ᵇ13. τῶν περιττωμάτων ἕκαστον ἅμα ἔν τε τοῖς οἰκείοις τόποις ἐστὶ κ̀ γίνεται περίττωμα, εἰς τὰς κενὰς τόπȢς ἀθροίζεται τὸ περίττωμα μχ Ζγβ4. 739 ᵃ2. δ8. 776 ᵇ30. συρρεῖ Ȣ̓ πέφυκε πδ26. 879 ᵇ16. δεκτικόν τι τῶν γινομένων περιττωμάτων Ζμβ3. 650 ᵃ33. ἡ φύσις ἑκάστῳ τῶν περιττωμάτων ἀποδίδωσι τὸ δεκτικὸν μόριον, τὸ κάτω (τȢ ὑποζώματος τὸ κύριον) τῆς τροφῆς κ̀ ȢȢ περιττώματος Ζγδ1. 766 ᵇ18. cf 776 ᵇ7. οἱ πόροι δι' ὧν ἀποκρίνεται τὸ περίττωμα, αἱ φλέβες πληρȢνται τȢ περιττώματος Ζγβ7. 747 ᵃ12. πι2. 891 ᵃ15. — τὸ περίττωμα τῶν ζῴων θιγγανόμενον αἴσθησιν Ȣ̓ ποιεῖ, ὁ ἐγκέφαλος ἀναίσθητος ὥσπερ ὁστȢν τῶν περιττωμάτων Ζμβ7. 652 ᵇ6. 10. 656 ᵃ24. — τὰ κ̀ ἡμῖν συνιστάμενα περιττώματα πε35. 862 ᵃ38. περίττωμα πᾶν ἢ ἀχρήστȢ τροφῆς ἐστιν ἢ χρησίμȢ, dist χρήσιμȢ περιττώματος μέρος τι τὸ σπέρμα Ζγα18. 725 ᵃ4,

5, 11. β4. 738 ᵃ35. τὸ ἄχρηστον Ζμγ14. 674 ᵃ17. Ζγα18.
725 ᵃ10. β4. 739 ᵃ15. — b. πολὺ περίττωμα, τὰ πολύ-
γονα (τῶν ὀρνίθων) πολὺ περίττωμα ἔχει Ζγδ4. 772 ᵃ31.
γ1. 749 ᵇ3, 4. οἱ πυκνόσαρκοι ἢ πολλὰ περιττώματα δέ-
χονται. τὰ σώματα ἀνάγκη περίττωμα πολὺ ἔχειν ὥστε 5
ἐν τῷ θέρει ἔχειν ὕλην νοσώδη· ὅταν ᾖ τὸ περίττωμα πολὺ
ἢ δύναται τὸ ἐντὸς θερμὸν πέττειν πα20. 861 ᵇ30. 21. 862
ᵃ8. 22. 862 ᵃ15. λα23. 959 ᵇ27. — τὸ περίττωμα πλεῖον
Ζμγ7. 670 ᵇ6. 8. 671 ᵃ5. Ζγβ6. 745 ᵃ13. πβ35. 870 ᵃ18.
ι6. 891 ᵇ11. αἱ ὑγρότητες περίττωμα ποιοῦσι πλεῖον ἐν τοῖς 10
σώμασι τῶν ἡγεμόνων (τῶν μελιττῶν)· αἱ γυναῖκες ἑδραῖαι
οὖσαι πλείονος γέμουσι περιττώματος (opp ὁ πόνος ἀναλίσκει
τὰ περιττώματα)· γίνεται τοῖς ἀκολάστως ζῶσι πλείω τὰ
περιττώματα Ζγγ10. 760 ᵇ5. δ6. 775 ᵃ32, 35. πκη1. 949
ᵇ2. τὸ περίττωμα τὸ περιγινόμενον Ζγδ8. 776 ᵃ31. τὸ περι- 15
γινόμενον τῷ περιττώματος πι6. 891 ᵇ7, 8, 9. — τὸ ὀλίγον
περίττωμα, ἐκθερμαίνεται Ζγα20. 728 ᵇ5. γ1. 750 ᵇ19.
πβ35. 870 ᵃ17. — τὸ ἐλάχιστον περίττωμα ἢ γεῶδες ἔχει
ὁ ἄνθρωπος Ζγβ6. 745 ᵇ18. τὸ λεπτότερον πν1. 481 ᵇ7. —
τὸ περίττωμα πλεῖον ἢ ἧττον πεπεμμένον, ἡ σῆψις ἢ τὸ 20
σηπτὸν περίττωμα τὸ πεφθέντος ἐστὶν Ζγα19. 726 ᵇ31.
γ11. 726 ᵃ15. (ἐν ταῖς σαρξὶ ἢ τῷ ἀναλόγῳ) περίττωμα
ἐνίοις ἄπεπτον ἐστι πιγ4. 908 ᵃ7. — περίττωμα ἐδώδιμον
Ζμδ5. 679 ᵇ13, 680 ᵃ20. — τὰ φλεγματώδη περιττώματα
πιγ7. 908 ᵇ15. φλέγμα ἐστὶ τῆς πρώτης χρησίμου τροφῆς 25
περίττωμα Ζγα18. 725 ᵃ14, 16. ἀναθυμωμένης διὰ τῶν
φλεβῶν ἄνω τῆς τροφῆς τὸ περίττωμα ψυχόμενον διὰ τὴν
τῷ τόπῳ τούτῳ (ἐγκεφάλῳ) δύναμιν ῥεύματα ποιεῖ φλέγμα-
τος ἢ ἰχώρος Ζμβ7. 653 ᵃ1. — σημαίνει τὰς ὀφθαλμὰς
τὸ ἐν αὐτῇ (τῇ κεφαλῇ) περίττωμα γινόμενον· τὰ τῷ ἐγκε- 30
φάλῳ περιττώματα· ὁ ἐγκέφαλος οὔτε περίττωμά ἐστιν οὔτε
τῶν συνεχῶν μορίων πι2. 891 ᵃ18. λα5. 957 ᵇ29. Ζμβ7.
652 ᵇ1. — τὸ περίττωμα τῆς ὑγρᾶς ἰκμάδος, ὃν καλῶμεν
ἱδρῶτα· ὁ ψυχρὸς ἱδρὼς πολλῷ περιττώματος ἂν εἴη σημεῖον
Ζμγ5. 668 ᵇ4. πβ35. 870 ᵃ19, 16. τὸ περίττωμα τῆς ὑγρό- 35
τητος Ζμγ9. 671 ᵇ19. τὸ ὑδατῶδες περίττωμα f 213. 1517
ᵃ22. — μετὰ τῷ σπέρματος ἀεὶ περίττωμα συναπέρχεται,
μὴ ἁπτομένοις τῆς ὁμιλίας τὸ περίττωμα ἐκπικροῦται ἢ ἁλ-
μυρὸν γίνεται πδ29. 880 ᵃ26, 29. Ζμγ5. 668 ᵇ6. μετα-
βεβληκότος εἰς αἷμα τῷ περιττώματος Ζγβ4. 738 ᵃ23. — 40
τὸ σπερματικὸν Ζγα4. 717 ᵃ30. 19. 727 ᵇ5. β6. 743 ᵃ27.
7. 746 ᵇ28. γ1. 749 ᵇ28, 750 ᵃ3. δ4. 771 ᵃ30, ᵇ22. τῆς
αἱματικῆς τροφῆς περίττωμα τὸ σπέρμα ἐστὶ Ζγα19. 726
ᵇ10. cf β3. 736 ᵇ27. ἡ λαγνεία περιττώματός ἐστιν ἔξοδος
πδ16. 878 ᵇ15. — τὸ παρὰ τῷ ἄρρενος Ζγδ4. 772 ᵃ18. — 45
τὸ καταμηνιῶδες Ζγγ1. 751 ᵃ3. — τὸ τῷ θήλεος Ζγβ3.
737 ᵃ21, 23, 34. 4. 740 ᵇ19. 5. 741 ᵃ7. δ4. 772 ᵃ18. πε-
ρίττωμα τοῖς θήλεσι, τὸ τῷ ἐν τῷ θήλει περιττώματος λοιπὸν
Ζγβ4. 738 ᵇ5, 10. α21. 729 ᵇ8. τὸ τῶν πλείστων ζῴων
περίττωμα προσδεῖται (τῆς τῷ ἄρρενος ἀρχῆς)· ἐν τοῖς θή- 50
λεσι περίττωμά τι τῷ ζῴῳ τοῦτο (τὸ κατὰ τὴν ὑλικὴν ἀρχὴν
συνιστάμενον) ἐστιν· ὅσα τῶν ζῴων πλεῖον προΐεται περίτ-
τωμα ἢ εἰς ἐνὸς ζῴου ἀρχὴν Ζγγ11. 762 ᵇ11, 2. δ4. 772
ᵃ5. — τὸ καθαρώτατον τοῦ περιττώματος Ζγβ4. 739 ᵃ7.
ἡ ἐν τῷ θήλει γινομένη αἱματώδης ἀπόκρισις περίττωμά 55
ἐστιν, αἱ ἀποκρίσεις τῶν περιττωμάτων (syn τὰ λευκά,
κάθαρσις τῶν περιττωμάτων), ταῖς γυναιξὶ τρέπεται τὸ
περίττωμα εἰς τὴν κάθαρσιν Ζγα19. 726 ᵇ35, 725 ᵃ11. β4.
738 ᵃ27, 29. Ζμβ2. 583 ᵃ3. τὸ περίττωμα ἀναλίσκεται εἰς
τὸ κύημα, ἡ ἀρχή ἐστι τῷ κυήματος Ζγδ5. 773 ᵇ2. γ11. 60
762 ᵇ8. — τὸ γεννητικὸν Ζγβ4. 738 ᵇ18, 739 ᵃ5. — c. ποιεῖν

περίττωμα μκ3. 465 ᵇ17. ἡ τῷ περιττώματος ἀφαίρεσις,
συλλογὴ ἢ περιωσία Ζγα18. 726 ᵃ22. Ζμδ10. 688 ᵇ27. ἡ
κίνησις θερμαίνουσα τὰ περιττώματα συνεξικμάζει, ὁ δρόμος
κατασπᾶν δοκεῖ τὰ περιττώματα πε27. 883 ᵇ28. 9. 881 ᵇ9.
— τὰ περιττώματα ἀποκρίνειν, ἐκκρίνειν, ἐκκρίνεσθαι ἢ δύ-
ναται πε28. 883 ᵇ35. 27. 883 ᵇ30. Ζγδ1. 765 ᵇ36. συνα-
πιέναι, προϊέναι Ζγα18. 725 ᵇ12. Ζμβ4. 650 ᵇ32. τὰ περιτ-
τώματα ἐξατμίζει μᾶλλον, τρέπεται, ἢ συνεκπέττεται, πάλιν
ἐκπέμπεται πι22. 893 ᵃ21. 1. 891 ᵃ10. β21. 868 ᵃ29. πν1.
481 ᵇ1. ἀλλοθὶ πῃ ἀναλίσκεσθαι τὸ περίττωμα, ἐξαναλίσκό-
μενον τὸ περίττωμα Ζικ1. 634 ᵇ8. 7. 638 ᵇ26. Ζγγ1. 750
ᵃ35. — συντάραξις διαφόρων γινομένων τῶν περιττωμάτων
διὰ τὰς μεταβολάς· ἢ μὴ ὑπάρχειν μηθὲν περίττωμα ἢ
τότε ὡς τάχιστα ἀπαλλάττεσθαι· τὰ περιττώματα τροφῇ
μεμιγμένα πολλῇ ἀφανίζεται πα4. 859 ᵃ27. 52. 865 ᵇ21.
ε34. 884 ᵃ29. κη1. 949 ᵃ36. — d. inter τὰ περιττώματα
referuntur: αἷμα Ζμβ3. 650 ᵇ5. Ζγβ4. 738 ᵃ8, ἀράχνιον
(Democrit) Ζω39. 623 ᵃ31, βήξ πι1. 891 ᵃ10, γάλα Ζμβ7.
653 ᵇ12. Ζγδ8. 776 ᵃ27, 31, γονή Ζμδ10. 689 ᵃ9. β7.
653 ᵇ12. Ζγα18. 726 ᵃ19. 19. 726 ᵇ3. γ1. 749 ᵇ6 (syn
τὸ τῶν ἀρρένων περίττωμα Ζγδ8. 776 ᵇ11), ἱδρώς πβ35.
870 ᵃ16. ε27. 883 ᵇ28, καταμήνια Ζμδ10. 689 ᵃ13. Ζγα
19. 727 ᵃ2, 31. 20. 728 ᵇ24. δ8. 776 ᵇ11, 25, ἀπόκρισις ἡ
καταμηνιώδης Ζγγ1. 749 ᵇ6, τὰ λευκά Ζγβ4. 738 ᵃ26, 27,
μῆκων Ζμδ5. 679 ᵇ13, 680 ᵃ20 (οἱονεὶ περίττωμα Ζιδ4.
529 ᵃ11, ᵇ10), μηκώνιον Ζιη10. 587 ᵃ31, πιμελή Ζγα18.
726 ᵃ5, 6. 19. 727 ᵃ34 (sed cf Ζιγ2. 511 ᵇ9), σπέρμα
μκ5. 466 ᵇ8. Ζμβ7. 653 ᵇ16. Ζγα18. 725 ᵃ24, ᵇ5, 726 ᵃ26,
29. 19. 726 ᵇ25, 727 ᵃ31, 35. 20. 728 ᵇ23. β3. 737 ᵃ4, 18.
4. 737 ᵇ28. δ1. 766 ᵇ8, 19, σύντηξις πε7. 881 ᵃ24, φλέγμα
Ζια1. 487 ᵃ5. γ2. 511 ᵇ10. Ζμδ2. 677 ᵃ8. πδ16. 878 ᵇ16,
χολή Ζμβ2. 649 ᵃ26. δ2. 677 ᵃ12, 14, 26, ᵇ2, 9, ἡ μέλαινα
χολή υ3. 457 ᵃ33, χολή ξανθὴ ἢ μέλαινα Ζιγ2. 511 ᵇ10
Aub, τὰ τῶν ὀρνίθων ᾠά Ζγγ1. 750 ᵇ13. — ἐκ τῶν περιτ-
τωμάτων γίνονται ὀστᾶ ἢ νεῦρα ἢ τρίχες ἢ ὄνυχες ἢ ὁπλαὶ
ἢ ὀδόντες Ζγβ6. 744 ᵇ24, 27, 745 ᵇ15 (cf περίττωμα ἐν
τῷ ὀδόντι Ζγε8. 789 ᵇ1). πι22. 893 ᵃ30. 23. 893 ᵇ6. κ12.
924 ᵃ11. λα5. 957 ᵇ31. λγ18. 963 ᵇ14, πτίλα. δέρματα,
πτερά Ζγε6. 786 ᵇ3. 3. 783 ᵃ27. γ1. 749 ᵇ22 (cf τρέπεσθαι
τὸ περίττωμα εἰς πτερὰ ἢ λεπίδας Ζμγ7. 670 ᵇ3). γάλα
πι6. 891 ᵇ12. — ἢ ζῷα ἐκ τῶν περιττωμάτων γίνεται
Ζγα1. 715 ᵃ25. πκ12. 924 ᵃ16. Ζιε1. 539 ᵃ25. 19. 551 ᵃ6.
f 231. 1519 ᵇ14. — c. τὸ περίττωμα νοσηματικόν Ζγα18.
725 ᵃ10. τῷ νοσεῖν αἴτιον περιττώματος πλῆθος πα46. 865
ᵃ1. ε33. 884 ᵃ23. cf αν17. 479 ᵃ24. ὑγιείας σημεῖα ὅλως
τὰ περιττώματα μδ2. 380 ᵃ2. νόσοι ἀπὸ περιττώματος
ὑγρᾶ ἢ θερμᾶ υ3. 457 ᵃ2. ἐν ταῖς νόσοις περίττωμα πολὺ
ἐγγίνεται ἐν τοῖς σώμασι ἢ τοῖς μορίοις Ζγε4. 784 ᵇ28. ἐκ
περιττωμάτων γίνονται αἱ ἀρρωστίαι, ἡ ἀπορροὴ πλα23. 959
ᵇ29. λζ1. 965 ᵇ21. β22. 868 ᵃ36. τοῖς ἀραιοῖς ἄνω μᾶλλον
τὰ ὑγρὰ περιττώματα ἀθροίζεται· καταπνιγόμενα ἐν τῷ
σώματι ὑγρὰ περιττώματα σηπόμενα ἄχροιαν ποιεῖ πα20.
861 ᵇ27. λη3. 967 ᵃ7. δυσεντερία, ἐὰν μὴ ἐν τοῖς ἄνω τὰ
περιττώματα εὐθὺς ἀνέλῃ. καταβαίνουσιν εἰς τὰς κοιλίας
ἄπεπτα ὄντα πα19. 861 ᵇ15. τῆς δυσωδίας αἴτιον ἀπεψία
τις περιττώματος πιγ4. 908 ᵃ1, 7. cf Ζω40. 626 ᵃ26. ταῖς
γυναιξὶν αἱ καθάρσεις φαῦλαι ἢ πλήρεις νοσηματικῶν περιτ-
τωμάτων Ζγβ7. 746 ᵇ31. (αἱ γυναῖκες) ἑδραῖαι οὖσαι πλεί-
ονος γέμουσι περιττώματος Ζγδ6. 775 ᵃ32. διὰ τὰς μελαγ-
χολικὰς χυμὰς περίττωμα γίνεται πνευματικὸν ἄπεπτον διὰ
ψυχρότητα πιη1. 916 ᵇ6. 7. 917 ᵃ22.

2. excrementum. περίττωμα τῆς τροφῆς, πάσης τροφῆς αι5. 445 ª19. πν1. 481 ª19. Ζια2. 488 ᵇ34. Ζγδ 1. 766 ª9. Ζμβ7. 653 ᵇ13. μόρια δεκτικὰ τοῖς περιττώμασι τοῖς ἀχρήστοις, οἷον τῇ τε ξηρᾷ χ̱ τῇ ὑγρᾷ Ζγβ4. 738 ª7. cf α18. 726 ª17, 725 ᵇ2. 20. 728 ᵇ26. μὴ τὸν αὐτὸν τόπον εἶναι τῆς τε ἀπέπτυ (τροφῆς) χ̱ τῦ περιττώματος Ζμγ14. 674 ª16. τὰ περιττώματα τῆς τροφῆς, τό τε τῆς κύστεως ὑπόστημα χ̱ τὸ τῆς κοιλίας, ἡ τῆς ξηρᾶς τροφῆς ὑπόστασις χ̱ τῆς ὑγρᾶς, τό τ' ἐν τῇ κοιλίᾳ χ̱ τὸ περὶ τὴν κύστιν. πᾶσα ὑποδοχὴ τῆς τε τροφῆς χ̱ τῦ περιττώματος Ζμβ7. 653 ᵇ10. 2. 647 ᵇ27. γ4. 665 ᵇ24. 7. 670 ª31. α1. 640 ᵇ14. ὔτε τὸ ὑγρὸν περίττωμα προίεσθαι δύνανται ὔτε τὸ τῆς κοιλίας· τῦ περιττώματος ὄντος διττῦ, ὅσα μὲν ἔχει δεκτικὰ μόρια τῦ ὑγρῦ περιττώματος ἔχει χ̱ τῆς ξηρᾶς τροφῆς, ὅσα δὲ ταύτης, ἐκείνης ὀ̈ πάντα Ζιθ26. 605 ª24. α2. 489 ª3. — a. faeces. πε7. 881 ª18, 32. α41. 864 ª12 (cf v l). περίττωμα ξηρὸν i q σφυράδες Ζιη8. 586 ᵇ9. τὸ περίττωμα ἐξικμασμένον πάμπαν, τὸ γινόμενον Ζμγ14. 675 ª20, ᵇ13. προίοντι χ̱ καταβαίνοντι τῷ περιττώματι εὐρυχωρία γίνεται Ζμγ 14. 675 ᵇ14. τὸ τῆς κοιλίας Ζμγ8. 671 ª7. δ5. 679 ª2. ἡ κοιλία πλήρης περιττώματος, τὸ κατὰ τὴν κοιλίαν περίττωμα Ζιδ5. 530 ᵇ27. Ζμδ5. 680 ª10, 681 ª5. Ζγδ1. 765 ᵇ26. πλήρεις περιττώματος οἱ τόποι, τόπος τῦ τῆς τροφῆς τῆς ξηρᾶς περιττώματος ἡ κάτω κοιλία, ὁ τόπος ἔχων τὸ περίττωμα Ζγβ4. 738 ª3. α18. 725 ᵇ1. πε26. 883 ᵇ15, 19. ὁ αὐτὸς λόγος (τόπος ci Furlan) τῆς τροφῆς χ̱ τῦ περιττώματος πν1. 481 ᵇ28. ᾗ ἡ τῦ περιττώματος ἔξοδος Ζιβ1. 500 ᵇ29. γ1. 509 ᵇ18, 29. δ2. 527 ª12. 4. 529 ᵇ8. 5. 530 ᵇ28. Ζμδ5. 679 ᵇ2, 36, 680 ª11, 25, 682 ª14. 10. 686 ᵇ6, 689 ᵇ29. 12. 693 ᵇ19. ὅπως μὴ ἀθρόα ᾖ ἡ ἔξοδος τῦ περιττώματος Ζμγ14. 675 ᵇ21. ἡ διέξοδος, ὁ πόρος τῦ περιττώματος Ζμδ9. 684 ᵇ26. 13. 697 ª11. τὸ περίττωμα i q περιττώματος ἔξοδος Ζιδ5. 530 ᵇ23. ἡ τελευτὴ τῦ περιττώματος Ζγα15. 720 ᵇ19. ᾗ τὸ περίττωμα ἐξέρχεται. τοῖς μαλακίοις πὔ Ζιε7. 541 ᵇ32. Ζμδ9. 685 ª9. μέρος ᾗ τὸ περίττωμα προίεται ζ2. 468 ª15. ᾗ ἀφίησι (ἀφιᾶσιν, ἀφήσυσι) τὸ περίττωμα, opp ᾗ δέχονται τὴν τροφὴν Ζια2. 488 ᵇ34. δ2. 526 ᵇ28. 4. 529 ª14. 5. 530 ᵇ20. Ζμδ5. 679 ª2. β10. 655 ᵇ31. καθ' ὃν ἀφίησι, ἀφίησι κατὰ ταύτὴν (τόπον) τὸν τε θόλον χ̱ τὸ περίττωμα, χ̱τὰ (καλὔμεν καθ' ὃ) τὸ περίττωμα ἀφίησι τὸ πρῶτον ανθ4. 474 ᵇ2. Ζιδ1. 524 ᵇ21. ζ1. 468 ª4. τὰ παιδία ἀφίησι χ̱ περιττώματα (περίττωμα Pik Aub) τὰ μὲν εὐθὺς τὰ δὲ διὰ ταχέων· (ὁ νεοττὸς ἐν τῷ ὠῷ) περίττωμα ἀφίησι ᾗ ἔχει ἐν τῇ κοιλίᾳ, λευκὸν δὲ τὸ ἔξω περίττωμα· αἱ μέλιτται τὸ περίττωμα ἀφιᾶσιν πολλάκις ἀφιᾶσιν ἀποπετόμεναι διὰ τὸ δυσῶδες εἶναι· αἱ κάμπαι περίττωμα ἀφιᾶσι Ζιη10. 587 ª28. ζ3. 562 ª10, 11. ι40. 626 ª25. ε19. 551 ª25. ἡ τῦ περιττώματος ἄφεσις Ζμγ2. 663 ª15. ἔνια ὔ προίεται, σπανίως προίεται Ζιε19. 551 ª27. θ5. 594 ᵇ21. βόνασος προίεται πολὺ τι πλῆθος τύτυ τῦ περιττώματος Ζιι45. 630 ᵇ17. cf θ1. 830 ª25. κατ' αὐτὴν πετομένη χελιδὼν ἀφῆκε τὸ περίττωμα Ργ3. 1406 ᵇ16. (ἔνιοι τῶν ὀρνίθων) περίττωμα ὑγρότερον τῶν ἄλλων προίενται Ζγβ4. 738 ª2. ἀποκρίνεσθαι τὰ περιττώματα Ζγα20. 728 ª15. ἐπιλευκαίνει τὸ περίττωμα πᾶσι χ̱ τύτοις (τοῖς τετράποσι ᾠοτόκοις χ̱ τοῖς ἄποσιν) ὥσπερ χ̱ τοῖς ὄρνισιν Ζμδ1. 676 ᵇ32. τὰ τῆς κοιλίας περιττώματα φαίνεται χρωματίζειν ἡ ἰλὺς τῦ μέλανος οἴνυ Ζμγ3. 664 ᵇ16. τὰ τῶν τετραπόδων (ἔμβρυα) ἔχει περιττώματα, ὅταν ἤδη τέλεια ᾖ, χ̱ ὑγρὸν χ̱ σφυράδας, τὰς μὲν ἐν τῷ ἐσχάτῳ τῦ ἐντέρυ, ἐν δὲ τῇ κύστει ὖρον

Ζιη8. 586 ᵇ8. εἰς τὰ κάτω ὑπονοστεῖ ἄνωθεν χ̱ ἡ τροφὴ χ̱ τὰ περιττώματα πε9. 881 ᵇ12. — τὰ τήθυα περίττωμα ὐδὲν ἔχει φανερόν, ἡ ἀκαλήφη περίττωμα ὐδὲν παντελῶς φαίνεται ἔχυσα, τέττιξ ἐν τῇ κοιλίᾳ ὐκ ἴσχει περίττωμα Ζμδ5. 681 ª31. Ζιδ6. 531 ª14, ᵇ8. 7. 532 ᵇ14. ε30. 556 ᵇ16. — b. περίττωμα i q τὸ ὖρον Ζμδ5. 679 ª29. γ9. 671 ᵇ24. plenius περίττωμα ὑγρόν Ζια2. 489 ª3. ηθ8. 586 ᵇ9, 10. θ26. 605 ª24. Ζγβ8. 748 ᵇ27. γ2. 753 ᵇ6. δεκτικόν τι τῦ περιττώματος Ζμγ8. 671 ª8. ὁ πόρος ὁ αὐτὸς τῦ περιττώματος χ̱ τῦ ὑστερικῦ μορίυ· κατὰ τὰ αἰδοῖα ἐκκρίνεται τὸ περίττωμα ὑγρόν· ὁ πόρος ὁ αὐτὸς τῷ περιττώματι χ̱ τῷ σπέρματι Ζγα15. 720 ᵇ25. 13. 719 ᵇ32. 18. 726 ª16. τὸ περίττωμα τὸ εἰς τὴν κύστιν συλλεγόμενον, ἀποκρινόμενον μβ3. 357 ª33. Ζμγ7. 670 ª22. ἐν τῇ κύστει ἀπάγειν τὰ περιττώματα, ἀφικνεῖται τὸ περίττωμα εἰς τὴν κύστιν πα3. 864 ᵇ24. γ6. 908 ᵇ8. τὸ περίττωμα τὸ ἐκ τῆς κύστεως Ζγβ8. 748 ᵇ32. τῦ ὑγρῦ περιττώματος ἔξοδος, ἔκκρισις, καθ' ὃ ἐκκρίνεται Ζια14. 493 ᵇ6. Ζγα13. 720 ª7, 719 ᵇ32. Ζμγ9. 671 ᵇ2. πολὺ τὸ συρρυὲν γίνεται περίττωμα πγ34. 876 ª17. τὸ τῆς κύστεως περίττωμα τὸ τετράποσι παχύτερον ᾖ τὸ τῶν ἀνθρώπον, ψυχρὰ χ̱ ὑγρὰ περιττώματα χ̱ ὑδαρῆ Ζιζ18. 573 ª17. κ7. 638 ᵇ20. ἡ τῆς ὑγρᾶς τροφῆς ὑπόστασις χ̱ τὸ περίττωμα φαίνεται πικρὸν ὂν χ̱ ἀλμυρόν, ἀπεπτότατον τὸ περίττωμα τῆς ὑγρᾶς τροφῆς μβ2. 355 ᵇ3. 3. 358 ª7. — περίττωμα ὑγρὸν ὐκ ἔχυσι pisces amphibia aves, ἐν πᾶσι περίττωμα ὑγρὸν γίνεται Ζμδ13. 697 ª13. Ζγα13. 720 ª10.

3. τῶν φυτῶν ὐδὲν ἔχει περίττωμα Ζμδ5. 681 ª34. β10. 655 ᵇ33. Ζιδ6. 531 ᵇ9. πιγ4. 908 ª11. — περίττωμα τῆς τροφῆς ἔξω αι5. 445 ª19 (cf Langk Schol ad Ζμ p 14, 70). ὑπέρινοι γίνονται ᾗ οἱ ὄρνιθες χ̱ τὰ φυτά· τῦτό ἐστι τὸ πάθος ὑπερβολὴ περιττώματος ἐκκρίσεως Ζγγ1. 750 ª30. ὡς ἀπὸ τῦ ζῴυ χ̱ τῦ φυτῦ περιττώματα, χ̱ ἐν τοῖς ζῴοις χ̱ ἐν τοῖς φυτοῖς τὰ περιττώματα ἀναβαίνυσιν ἀπὸ τῶν κατωτέρων εἰς τὰ ἀνωτέρω φτη1. 822 ª34, 23.

4. περίττωμα i q μιξώδεις ὑγρότητες Ζγγ11. 762 ª3, 761 ᵇ33. — περίττωμα ζυμῶδες Ζγγ4. 755 ª23. — ἐν ταῖς οἰκονομίαις ἡ χείρων τροφὴ χ̱ τὸ περίττωμα ταύτης τέτακται οἰκέταις, cibi reliquiae Ζγβ6. 744 ᵇ19. — ὁμίχλη νεφέλης περίττωμα τῆς εἰς ὕδωρ συγκρίσεως μα9. 346 ᵇ33 Ideler. — ἡ θάλαττα καθάπερ τὸ ἐν τοῖς σώμασι περίττωμα μβ2. 356 ᵇ2, cf 355 ᵇ4. — περίττωμα in loc corr Ζγγ9. 759 ª1. in v l πα50. 865 ª33. μδ2. 380 ª4. τὰ κατὰ φύσιν περιττώματα Ζιγ11. 518 ª4 ci Aub (οἱ κατὰ φύσιν πόροι Bk). — cf περιττωματικός.

περιττωματικός. 1. τῆς φυσικῆς τροφῆς τὰ ὑπολείμματα χ̱ τὰ περιττωματικὰ Ζγβ6. 744 ᵇ32. ἀπόκρισις περιττωματική, dist σπερματικὴ Ζμδ5. 681 ᵇ36. ὑγρότης, ἀναθυμίασις περιττωματικὴ Ζμδ10. 672 ᵇ29. δ3. 458 ª2. πβ13. 867 ᵇ10. κ33. 926 ᵇ10. χυμοὶ περιττωματικοὶ πγ8. 872 ª16. κατάψυξις περιττωματικὴ ἢ συντηκτικὴ αν20. 479 ᵇ20. ὄργανον περιττωματικόν Ζιδ6. 531 ª29. τὴν αὔξησιν τῦ κυήματος δεῖσθαι πλείονος τῆς περιττωματικῆς τροφῆς Ζγδ6. 775 ᵇ20. — 2. τῷ τοιαύτα σώματος περισσωματικᾶ ὑπερβολῇ Ζμγ2. 663 ᵇ31. ὅσαι παρθένοι περιττωματικὰ τὰ σώματα εἶχον Ζιη1. 581 ᵇ30. (cf σώματα περιττωματικώτερα Ζγδ2. 766 ᵇ35.) γυναῖκες, παῖδες περιττωματικαὶ Ζιη4. 584 ª6. 1. 582 ª8. οἱ ἀγύμναστοι ὑγροὶ χ̱ περιττωματικοί, οἱ γεγυμνασμένοι ξηροὶ πγ15. 873 ª18. cf ϛ1. 885 ᵇ21. δεῖ τὸ μέλλον εἶναι μὴ εὔφθαρτον μὴ περιττωματικὸν εἶναι μχ5. 466 ᵇ5.

περίττωσις i q περίττωμα. 1. secretum, excretum. ἐν τοῖς σώμασι γίγνεται περίττωσις, πᾶσα ἀπὸ τῆς τροφῆς ἐστί μβ3. 358 ª13. πι59. 897 b37. ἡ θρεπτικὴ Ζγβ6. 744 b38. ἡ ἐπῶσα πα33. 863 ª14. πλείστη Ζγα20. 728 b18, 19. ἑκάστῃ περιττώσει ἐστὶ τόπος εἰς ὃν πέφυκεν ἀποκρίνεσθαι κατὰ φύσιν πδ26. 879 ª37. ἡ μεταβολὴ τῆς περιττώσεως Ζγδ8. 776 b15. ἡ θερμότης ὂ ποιεῖ περίττωσιν· ψυχομένης τῆς περιττώσεως τῆς ἐν τοῖς ἄνω μέρεσι τῷ σώματος· αἱ περιττώσεις ἐὰν μὴ εὐθὺς ἀνέλωσι πλγ18. 963 b13. α20. 861 b30. 19. 861 b10. εἰς τὴν πιμελὴν ἀνηλωμένης τῆς περιττώσεως, ἡ τῶν πτερῶν φύσις ἐκ περιττώσεως Ζγα19. 727 b1. γι.749 b8, 22. ἡ ἐκεῖ (εἰς χαίτην) ἀπελθῦσα τροφὴ τῆς τοιαύτης περιττώσεως εἰς τὰς σιαγόνας ἔρχεται πι25. 893 b18. ad περίττωσιν referuntur δάκρυον, μύξαι, αἷμα, γονή πδ26. 879 b3. — ἡ σπερματικὴ Ζγα4. 717 b6. β6. 744 b29, 38. δ8. 776 b9. ἡ τῷ σπέρματος φύσις ἐκ περιττώσεως Ζγγ1. 749 b8. cf δ1. 766 b21. τὸ σπέρμα περιττώσεως (ν l περιττώματος) ἀπόκρισις, συνεκκρίνεται πολλὴ περίττωσις πα50. 865 ª33. δ16. 878 b16. ἡ τῶν γυναικείων περίττωσις, πλείστη, πλείων τοῖς θήλεσι Ζγβ4. 739 ª27, 738 ª33. α19. 727 b21. δ8. 776 b25. εὔπεπτος ἡ περίττωσις ἐν τοῖς καταμηνίοις ἡ σπερματική, συνεκκρίνεται τὴν εἰς ταῦτα περίττωσιν ἐν τοῖς καταμηνίοις Ζγδ3. 767 b16. α19. 727 ª18. τοῖς μὴ ζωοτόκοις ἡ περίττωσις αὕτη (καθαροῖς) τρέπεται εἰς τὸ σῶμα Ζιη2. 582 b31. — ὀφθαλ- μίαι γίνονται τηκομένης τῆς περὶ τὴν κεφαλὴν περιττώσεως (ν l περιπτώσεως)· τὰ κάτω πολλῆς γέμει περιττώσεως (ν l περιπτώσεως) ὂ εὔπεπτν πα8. 859 b27. 18. 861 ª38. ιδ6. 909 ª40. — 2. excrementum. ὃ ἂν μὴ κρατήσῃ τὸ θερμόν, ἐν μὲν τοῖς σώμασι γίγνεται περίττωσις, καιομένης τέφρα μβ3. 358 ª13. ὀνομάζεται τὸ τῆς ὑγρᾶς περιττώσεως δεκτικὸν μόριον κύστις, τὸ τῆς ξηρᾶς κοιλία Ζια2. 489 ª7, 8. ἡ περίττωσις ἡ τῆς ὑγρᾶς ἢ ξηρᾶς τροφῆς Ζγβ4. 737 b33. αἱ περιττώσεις τῶν ζώων ἄπεπτοι ᾿ δυσώδεις πιγ4. 908 ª17. ἡ ἔξοδος τῆς περιττώσεως τῆς τε ξηρᾶς ᾿ τῆς ὑγρᾶς Ζμδ10. 689 ª4. πόρος δι᾿ ᾧ τε ξηρὰ περίττωσις ἐξέρχεται ᾿ δι᾿ ᾧ ἡ ὑγρά, ὁ πόρος τῆς τε ξηρᾶς περιττώσεως ᾿ τῆς ὀχείας Ζγα13. 719 b29, 720 ª23. ὁ τόπος ὁ πέττων τὴν περίττωσιν, μὴ ἅμα πᾶσαν πέττεσθαι τὴν περίττωσιν πι31. 894 ª25. ἐκκρίνειν, εὐθὺς ἐκκρίνειν τὴν περίττωσιν πα52. 865 b23. λζ3. 966 ª19. — a. faeces. ἡ ἔξοδος τῆς περιττώσεως, τῇ περιττώσει Ζι2. 610 b16. ε5. 540 b26. δ4. 529 b15. 6. 531 ª24. ἐξέρχεται Ζιδ4. 529 b16. αἱ κύνες μετὰ πόνν προίενται τὴν τοιαύτην περίττωσιν Ζμγ14. 675 ª36. τῆς περιττώσεως ὁ πόρος, ὁ τῆς περιττώσεως πόρος (τῆς ὑαίνης) Ζιδ4. 530 ª3. ζ32. 579 b21, 25. ἡ περίττωσις ἡ ἐν τῇ κοιλίᾳ ὐκ ἔχει αἴσθησιν Ζιγ19. 520 b15. — b. i q ὖρον. ἡ περίττωσις ἡ εἰς τὴν κύστιν ἀθροιζομένη, ἐκ τῆς κοιλίας ῥεῖ περίττωσις, ἡ τῆς ὑγρᾶς περιττώσεως ἔξοδος Ζμγ7. 670 b24. δ5. 679 ª27. 50 10. 689 ª6. ἡ τῆς ὑγρᾶς τροφῆς περίττωσις κεκοινώνηκε τῷ αὐτῷ πόρῳ Ζγα13. 720 ª9. τοῖς ζωοτόκοις ᾿ πεζοῖς ὁ αὐτὸς πόρος τῷ τε σπέρματος ᾿ τῆς τῷ ὑγρῷ περιττώσεως ἔξωθεν, τοῖς μὴ ἔχυσιν κύστιν ὁ αὐτὸς ᾿ τῆς ξηρᾶς περιττώσεως πόρος ἔξωθεν Ζιε5. 541 ª4, 7. ὀλίγη περίττωσις τοῖς ὀρνέοις ᾿ τοῖς ἰχθύσιν Ζμγ7. 670 b11.

περιτυγχάνειν. ψοφυλακεῖ ὁ κυπρῖνος, ἐὰν ἀθρόῳ γόνῳ ἑαυτῷ περιτύχῃ Ζιζ14. 569 ª4. περιτευέξῃ δυσὶ τύτοις βιβλίοις ρ1. 1421 ª40.

περιφανής. ἂν μὴ λίαν ἢ περιφανὲς ψεῦδος ὂν τθ2. 158 ª1. 60 θαυμαστὰ ᾿ περιφανῆ φάσκειν ρ36. 1440 b10.

περιφέρεια. ἡ περιφέρεια τῆς κοιλίας, τῇ σχήματος Ζιε8. 542 ª16. Ζγγ9. 758 b10. τὰ στρογγύλα ᾿ περιφέρειαν ἔχοντα Ζιζ2. 559 ª29. ἡ τῷ κύκλῳ περιφέρεια ᾿ κυρτότης Φδ9. 217 b3, 12. ἡ ἀπὸ τῷ α λαμβανομένη περιφέρεια Φζ9. 240 b2. ἡ περιφέρεια ἡ ἀπαρτίζυσα ὥστε τὴν γῆν σφαιροειδῆ εἶναι πᾶσαν μα3. 340 b35. ἡ ἐντός, ἐλάττων, πρώτη, ἡ ἔξω, μεγίστη περιφέρεια μγ2. 372 ª3. 4. 375 ª3, 4, b4. ἐν τῇ περιφερείᾳ τὸ κυρτὸν ᾿ τὸ κοῖλον Ηα13. 1102 ª31. κάμπτειν ἐπὶ τὴν περιφέρειαν, opp ἐπὶ τὸ κοῖλον Ζπ1. 704 ª19. πίθηκος κάμπτει τὰς περιφερείας πρὸς ἀλλήλας ἀμφοτέρων τῶν κώλων Ζιβ8. 502 b2. τὰ κοῖλα τῆς περιφερείας πρὸς ἀλλήλα ἀντεστραμμένα Ζιβ1. 498 ª7. περιφέρεια κοίλη ᾿ ὑπτία, πρηνὴς ᾿ κυρτὴ μα13. 350 ª15. εἰς εὐθύτητα ἐκ περιφερείας μεταβάλλειν μθ9. 385 b30. τὰ ὦτα ἐπὶ τῆς αὐτῆς περιφερείας τοῖς ὄμμασιν Ζια15. 494 b14. 11. 492 ª31. τῆς περιφερείας Ζμδ5. 680 b22. ἐπὶ μέσης τῆς περιφερείας Ζμβ10. 656 b28. — ὐδ᾿ ἐν ἡμικυκλίῳ ὐδ᾿ ἐν ἄλλῃ περιφερείᾳ (i e circuli parte, arcu) ἐνδέχεται συνεχῶς κινεῖσθαι Φθ8. 264 b25.

περιφέρεσθαι. πίνειν τὸν περιφερόμενον σκύφον Πη2. 1324 b18. — κύκλῳ περιφέρεσθαι τὸ πᾶν Οβ4. 287 ª2. cf πι5. 913 b39. ἐν τῷ ἴσῳ χρόνῳ ὁ μείζων περιισθήσεται κύκλος Οβ8. 290 ª5. — εἰ ἀγύμναστοι περιφερόμενοι τύπτυσι ΜΑ4. 985 ª14. — δεσμὰς πολλὰς λόγων Ἰσοκρατείων περιφέρεσθαι ὑπὸ τῶν βιβλιοπωλῶν f 134. 1501 ª5. ἐκ πολλῶν ἐτῶν περιφέρεται θρυλούμενον f 40. 1481 ª12.

περιφερής, de lineis, τῇ γραμμῇ ὑπάρχει τὸ περιφερὲς ᾿ τὸ εὐθύ Αγ4. 73 ª39. ἡ περιφερής (sc γραμμή), opp ἡ εὐθεῖα Φη4. 248 ª12. θ9. 265 ª2. Οα4. 270 b34. ἐπὶ τῆς περιφερῆς, κατὰ τὴν περιφερῆ Φθ8. 264 b9. Φδ14. 223 ª3. κάμπτειν (τὴς πόδας, τὰς πτέρυγας) ἐπὶ τὸ περιφερές, opp ἐπὶ τὸ κοῖλον Ζμδ8. 683 b35. 12. 693 b5. περιφερῆ ἕλκη Αγ13. 79 ª15. — de corporibus, τὰ στρογγύλα ᾿ περιφερῆ τῶν σωμάτων εὐκινητότερα μχ8. 851 b15. χάλαζαι τὸ σχῆμα περιφερεῖς μα12. 348 ª36. περιφερὲς τὸ σχῆμα τῆς γῆς Οβ14. 298 ª7. ἀποδῦναι τῷ περιφερεῖ σχήματι τὸ θερμόν Γα8. 326 ª4. opp πολυγώνιον αι4. 442 b21. ῥὶς περιφερὴς φ6. 811 ª32. ὀφθαλμοὶ περιφερεῖς, opp προμήκεις φ5. 809 b19. οἷς μέτωπον περιφερές, θυμικοί Ζια8. 491 b14. μέτωπον περιφερές, πρὸς τὰ ὦτα περιφερέστερον ἢ ἐπιπεδώτερον φ3. 807 b22. 5. 810 ª2. τὸ σῶμα ἡμῶν ἐστι περιφερέστερον ᾿ εὐθύτερον πε11. 881 b33.

περιφερόγραμμος. ἅπαν σχῆμα ἐπίπεδον ἢ εὐθύγραμμόν ἐστιν ἢ περιφερόγραμμον Οβ4. 286 b14.

περιφεύγειν. ὀλίγαι κύνες ἐκ τῆς ποδάγρας περιφεύγυσιν Ζιθ22. 604 ª10.

περίφοβος ᾿ μαλακὸς πρὸς τὸν θάνατον ηεγ1. 1229 b7.

περιφοιτᾶν. Βύθος περιφοιτᾷ f 573. 1572 ª30, cf παροιμία.

περιφορά. νῷ κίνησις νόησις, κύκλῳ δὲ περιφορά ψα3. 407 ª21, 23. μέτρον τῶν κινήσεων ἡ περιφορά Φδ14. 223 b9. συνεφέλκεσθαι τῇ τῷ ὅλῳ περιφορᾷ, κινηθῆναι ὑπὸ τῆς περιφορᾶς μα3. 341 ª2. 4. 341 b23. ἡ ἐσχάτη τῷ ὑρανῷ περιφορά, ἡ ἐσχάτη περιφορά, ἡ ἄνω περιφορά Οβ10. 291 ª35. 4. 287 ª12. μα3. 340 b15. αὔξεσθαι διὰ τὸν ἥλιον ᾿ τὴν περιφοράν μα14. 351 ª32. cf β3. 356 b29. ἡ δευτέρα περιφορά, ἡ τῶν πλανήτων Οβ2. 285 b28.

περιφράττειν. ἐν μέσῳ τῷ ποταμῷ φρυγάνοις ᾿ λίθοις περιφράξαντες (i e περίφραγμα ποιήσαντες) ὅσον στόμα καταλείπυσιν Ζιθ20. 603 ª9.

περιφύεσθαι. ἐν κύκλῳ ἡμῖν περιεπεφύκει ὁ ἀὴρ ψβ11. 423 ª7. περὶ τὸ ὠχρὸν (τῷ ᾠῷ) τὸ ὄστρακον περιπέφυκεν· περὶ τὰ ὀστᾶ αἱ σάρκες περιπεφύκασιν, ἡ σὰρξ περιφύεται Ζγγ2. 754 ᵃ2, 15. 3. 755 ᵃ5. Ζμβ9. 654 ᵇ27. ἕλικα περιτεθεῖσαν ἐλάφῳ περὶ τὸν τράχηλον περιφῦναι θ110. 840 ᵇ22. τὸ ἐμβληθὲν εἰς ποταμὸν Κετὸν πρῶτον περιφύεσθαι ᶍ τέλος ἀπολιθοῦσθαι θ95. 838 ᵃ13.

περίφυσις. στῆθος ἰσχυρὸν τῇ περιφύσει τῆς σαρκός Ζπ10. 710 ᵃ32.

περιχαίνειν. ἀνίατος ὁ ἵππος, ἐὰν σταφυλίνον περιχάνῃ (i e devorarit), τοῦτο δ' ἐστὶν ἡλίκον σφονδύλη Ζιθ24. 604 ᵇ18.

περιχαρής, opp περίλυπος Ηδ7. 1123 ᵃ15. cf f 168. 1506 ᵃ26.

περιχεῖν. ὕδωρ θερμὸν περιχέουσι τοῖς καλάμοις μα12. 348 ᵇ36. ὁ περὶ ἑκάστους περικεχυμένος ἀὴρ μβ4. 360 ᵃ27. — ὥσπερ τὰ φαλάγγια περικέχυνται περὶ τὴν βελόνην (τὰ ᾠά) Ζιζ17. 571 ᵃ5.

περίψυξις. διὰ τὴν περίψυξιν ᶍ τὴν πύκνωσιν τοῦ σώματος f 222. 1518 ᵇ33.

περιψύχειν. οἱ δρόμοι περιψύχουσι τὴν σάρκα πλζ6. 966 ᵇ11. τὰ ἡμέτερα σώματα λυσαμένων περιψύχεται μᾶλλον sim f 208. 1515 ᵇ41, 1506 ᵃ4. πλη2. 966 ᵇ30.

περιωδυνίαι ηεα5. 1215 ᵇ20. οἱ θάνατοι ᶍ αἱ περιωδυνίαι ᶍ τρύσεις πο11. 1452 ᵇ12.

περιώδυνος θ140. 844 ᵇ34.

περιωθεῖν εἴσω διὰ τοῦ στόματος τὸν ἀέρα αν5. 472 ᵇ18. — ἐκ τοῦ περιωθεῖσθαι ἑτέρης ὑφ' ἑτέρων ᶍ καταστασιάζεσθαι κατὰ γάμους ἢ δίκας Πε6. 1306 ᵃ32. περιωσθεὶς ᶍ οὐ λαβὼν τὴν θυγατέρα Πε4. 1304 ᵃ8.

περίωσις ἡ ἐν τῷ Τιμαίῳ (Plat Tim 79 E) γεγραμμένη αν5. 472 ᵇ6.

πέρκη. 1. ἔχει βράγχια τέτταρα μὲν δίστοιχα δὲ πλὴν τοῦ ἐσχάτου, ἀποφυάδας πολλὰς (tres) ἄνωθεν περὶ τὴν κοιλίαν Ζιβ13. 505 ᵃ16. 17. 508 ᵇ17. τίκτουσιν ἐν ταῖς προλιμνάσι τῶν ποταμῶν ᶍ τῶν λιμνῶν πρὸς τὰ καλαμώδη· συνεχὲς ἀφιᾶσι τὸ κύημα περιειλιγμένον Ζιζ14. 568 ᵃ20, 22 S, Aub. (perche C II 621. Perca fluviatilis K 478, ΚαΖι 78, 20. ΑΖι I 138, 54.) — 2. refertur inter τοὺς πετραίους, κατὰ συζυγίας φωλεῦσιν οἱ ἄρρενες τοῖς θήλεσι, τῶν γραμμοποικίλων πλαγίαις τε ταῖς ῥάβδοις κεχρημένων πέρκη Ζιθ 15. 599 ᵇ8. f 279. 1528 ᵃ12. (hodie πέρκα. fort Serranus scriba E 87. cf ΚαΖι 78, 20.)

περκνόπτερος. γένος τι ἀετῶν, descr, ὀρειπέλαργος καλεῖται ᶍ ὑπάετος Ζιι32. 618 ᵇ32. (percnopterus Gazae, Scalig. cf C II 622, S II 144. Vultur percnopterus vel Gypaetus barbatus vel Falco barbatus Cr, Gypaetus barbatus et Vultur fulvus Su 105, 29. fort Aquila naevia L et Cathartes percnopterus Tem ΑΖι I 84, 1ʰ.)

περκνός. ἐκ δὲ ἀλιαέτων φήνη γίνεται, ἐκ δὲ τούτων περκνοὶ (v l περκνοὶ) ᶍ γῦπες θ60. 835 ᵃ2. τοῦ περκνοῦ ἔχεως τῇ ἐχίδνῃ συγγινομένῃ, ἡ ἔχιδνα ἐν τῇ συνουσία τὴν κεφαλὴν ἀποκόπτει θ165. 846 ᵇ18. (cf S II 143. Beckm 129 et 352.)

πέρκος. ἄλλοι δὲ πέρκοι (v l πέρκαι) ᶍ σπιζίαι Ζιι36. 620 ᵃ20. (cf ΑΖι I 94ʰ. Su 99, 11 et 101, 20.)

περόνη. ἀπὸ τῆς ῥάχεως ἥ τε περόνη (v l περωνίς, περώνη, ἡ ἀντὶ περόνης ci S et Pik) ἐστὶ ᶍ αἱ κλεῖς ᶍ αἱ πλευραὶ Ζιγ7. 516 ᵃ28 Aub. διὰ τὸ ἀντὶ περόνης γίνεσθαι γλίσχρος (ὁ μυελὸς) ᶍ νευρώδης ἐστίν, ἵν' ἔχῃ τάσιν Ζμβ6. 652 ᵇ18 (Philippson ὕλη 9). cf de h v Foes oecon Hippocr.

Περραιβοί Πβ9. 1269 ᵇ6. Περραιβῶν γλῶττα θ132. 843 ᵇ14.

περσέαι, coni φοίνικες, συκαῖ, ἐλαῖαι κ6. 401 ᵃ1. (Persica vulgaris Mill. cf Langkavel Bot 5.)

Περσέπτολις, Τηλεμάχῳ ᶍ Ναυσικάας υἱός f 463. 1554 ᵃ33. Περσεφόνης κύνας τοὺς πλάνητας Πυθαγόρας ἐκάλει f 191. 1512 ᵃ32.

Πέρσαι Ηε10. 1134 ᵇ26. ημβ12. 1212 ᵃ5. θ96. 838 ᵃ23. ἡ τῶν Περσῶν ἀρχή Πε11. 1313 ᵃ38. η2. 1324 ᵇ11. οἱ τῶν Περσῶν βασιλεῖς Πγ13. 1284 ᵃ41. θ5. 1339 ᵃ34. θ27. 832 ᵃ28. 35. 833 ᵃ4. Περσῶν τοξοφόρων βασιλεύς f 624. 1583 ᵃ27. Διθάλης Πέρσης οβ1350 ᵇ16. τὸ τοῦ Πέρσου ἀπόφθεγμα οα6. 1345 ᵃ2. ἐν Πέρσαις ἡ τοῦ πατρὸς ἀρχὴ τυραννικὴ Ηθ12. 1160 ᵇ27. παρὰ Πέρσαις μάγους γεγενῆσθαι f 30. 1479 ᵃ30. Πέρσαι (ci, Ἀργᾶς Bkᵌ) dithyrambus Timothei πο2.1448ᵃ15. — Περσικὸς κόλπος κ3. 393 ᵇ3. Περσικὴ τυραννὶς ἡμαρτημένη Ηθ 12. 1160 ᵇ31. τὰ Περσικὰ ᶍ βάρβαρα τυραννικὰ Πε11. 1313 ᵇ9. Περσικὰ πρὸς φυλακὴν ἐν πολέμοις οα6. 1344 ᵇ30, 34. Ἐμπεδοκλῆς ἐν τοῖς Περσικοῖς (l Φυσικοῖς) πκα22. 929 ᵇ16. cf f 59. 1485 ᵇ14. τῆς Περσικῆς ἔν τινι τόπῳ Ζιζ27. 580 ᵇ29. — Περσίς θ35. 833 ᵃ1. φτα7. 821 ᵃ33.

πέρσις. Ἰλίου πέρσις, argumentum tragoediae πο23. 1459 ᵇ6. 18. 1456 ᵃ16. Vhl Poet III 282. II 87. Nauck fr tr p 592.

Persona prima sing. Aristoteles ubi significat quid ipse vel expositurus sit vel exposuerit, prima persona pluralis utitur (ὥσπερ πρότερον εἶπον Ρα1. 1355 ᵃ2, sed εἴπομεν ci Spgl Bkᵌ. ὥσπερ εἶπον πρότερον Ζμβ1. 647 ᵃ5, εἴπομεν cod Z); sed in formulis explicativis, λέγω δέ, λέγω δ' οἷον, οἷον λέγω singularem Ar usurpat, veluti λέγω δὲ Αδ13. 96 ᵃ25. Ζγδ3. 767 ᵇ23. Ηη4. 1146 ᵇ10, 16. Πδ2. 1289 ᵇ21. ε7. 1307 ᵃ10. τίθημι γὰρ Ρα10. 1369 ᵃ23. οἷον λέγω Αγ2. 72 ᵃ20. δ13. 97 ᵇ15, λέγω δ' οἷον Αγ19. 82 ᵃ3. ψγ2. 426 ᵇ27. Πγ13. 1283 ᵇ1. δ15. 1299 ᵇ19. prima pers singularis legitur in libris spuriis, ὁρίσασθαι πειράσομαι, διειλόμην, διωρισάμην sim ρ2. 1421 ᵇ34. 4. 1426 ᵃ21. 7. 1427 ᵇ41, 1428 ᵃ12-14. 19. 1433 ᵃ33. 22. 1433 ᵇ33. 29. 1436 ᵃ30. 30. 1436 ᵃ40. 37. 1442 ᵇ3. 38. 1445 ᵃ35. κ1. 391 ᵃ14, 25, ᵇ5. 2. 391 ᵇ20. 3. 393 ᵃ2. 4. 395 ᵃ20. 5. 396 ᵃ34, 399 ᵃ30, 400 ᵇ27, 30. 7. 401 ᵇ8 (x5. 396 ᵇ2, 5, 23 ad usum explicativum referri possunt). φ2. 806 ᵃ27. 4. 808 ᵇ11. 5. 809 ᵃ38. φτα2. 817 ᵃ11. β7. 827 ᵇ6. σ973 ᵇ22.

secunda persona singularis ad significandum subiectum universale (τὶς, germanice 'man') usurpata non saepe apud Ar legitur, ἀπὸ πάσης προτάσεως πρόβλημα ποιήσεις τα4. 101 ᵇ36. ἐν ᾧ ᾂν γένει βούλῃ τι κατασκευάσαι τὸ6. 128 ᵃ34. ἐὰν τὸ ἴδιον ἀποδῷς τε5. 134 ᵃ20, 21. admodum frequens is usus in Categoriis, κατηγορήσεις, ἀποδώσεις, ἐρεῖς, ἔχοις ἄν, εἴποις ἄν, λάβοις ἄν Κ5. 2 ᵃ23, ᵇ24, 3 ᵃ4, 20. 6. 4 ᵇ30, 5 ᵃ5, 18, 29, 32 al.

tertiam personam singularis non addito pronomine τὶς notum est ad significandum subiectum universale (germanice 'man') ita usurpari (cf Krüger Gr 61, 4, 5) vel in infinitivo (cf Krüger ad Org 3 ᵇ22, a vulgari usu non differunt), veluti ἔτι εἰσπόδιον τοῦ φρονεῖν τὸ ἡδοναί, ᶍ ὅσῳ μᾶλλον χαίρει, μᾶλλον Ηη12. 1152 ᵇ17, cf similia Αα24. 41 ᵇ9. γ6. 74 ᵇ6, 75 ᵃ12. 10. 76 ᵃ41 (?). Ηγ5. 1113 ᵃ2. ε4. 1130 ᵃ29. 8. 1133 ᵃ1. ζ3. 1139 ᵃ33. κ5. 1175 ᵇ8. Κ5. 3 ᵇ14, 22. 6. 6 ᵃ2. Ργ5. 1407 ᵃ23. (3. 1406 ᵃ34, locus dubius). saepius in Topicis, quippe cum omnino agatur de disputantibus, verba ἔφησεν, άποδέδωκεν, ώρίσατο sim leguntur non addito pron τἰς, veluti τβ7. 113 ᵃ25, 36. η2. 152 ᵇ13. ζ5. 142 ᵇ31. 6. 145 ᵃ14 (cf ᵃ20), 29, ᵇ22. 8. 146 ᵇ1. 9. 148 ᵃ4. 6. 145 ᵃ34. 10. 148 ᵃ36. saepissime in Magnis Moralibus per φησί non addito τἰς infertur contraria sententia (cf Ramsauer, progr Oldenburg 1858 p 8) ημα12. 1188 ᵃ6. 34. 1195 ᵇ12, 1198 ᵇ11. β3. 1200 ᵃ21. 6. 1201 ᵃ19. 11. 1209 ᵃ10. 15. 1212 ᵇ38, 1213 ᵃ1, 6 (sed β7. 1205 ᵃ7. 9. 1207 ᵇ24. 11. 1208 ᵇ16, 17, 19, 1209 ᵃ8 φασίν pro φησίν videtur scribendum esse).

πέρυσιν Κ4. 2 ᵃ2. Οα12. 283 ᵇ7.
περυσινός. περυσινοὶ ἡγεμόνες σφηκῶν, opp νέοι ἡγεμόνες Ζυ41. 628 ᵃ26. περυσινὰ κυήματα Ζιε28. 556 ᵃ7.
πέσσειν, πεσσόμενον Ζμγ5. 668 ᵇ9, 12, 10. v πέττειν.
πετάννυσθαι. αἴθρη πέπταται (Hom ζ 45) κ6. 400 ᵃ14.
πέτασμα. τὸ πέτασμα τῶν (τῦ πολύποδος) πλεκτανῶν Ζιε6. 541 ᵇ6.
πέτεσθαι, πέτασθαι (Lob Phryn 581). αἱ γέρανοι πέτονται πρὸς τὸ πνεῦμα Ζιθ12. 597 ᵃ32. ὁ στρυθὸς ὁ Λιβυκὸς ὐ πέταται μετεωριζόμενος Ζμδ14. 697 ᵇ16. οἱ κτένες ἀπερειδόμενοι τῦ ὑγρῷ, ὃ καλῦσι πέτεσθαι, ῥοιζῦσιν, ἀ αἱ χελιδόνες αἱ θαλάττιαι ὁμοίως πέτονται μετέωροι Ζιθ 9. 535 ᵇ27, 29. ι37. 621 ᵇ11. — τὰ πετόμενα διώκειν Μγ 5. 1009 ᵇ38, cf παροιμία p 570 ᵇ21. — ἔπτατ' ὀϊστός (Hom Ν 587?) Ργ11. 1411 ᵇ34.
πέτρα ἀπορρὼξ Ζυ5. 611 ᵃ21, περιρραγεῖσα Ζιζ29. 578 ᵇ21. ἐν ἀποτόμοις πέτραις Ζιζ7. 564 ᵃ6. πέτραι καθαραὶ πκγ33. 935 ᵃ14. πέτρα αὐτοφυὴς θ114. 841 ᵃ19. προσφύεσθαι ταῖς πέτραις Ζμδ5. 681 ᵇ6.
πετραῖος ὄρνις Ζυ21. 617 ᵃ23. 49 Β. 633 ᵃ21 (Aeschyl fr 297). πετραῖα χωρία Ζιζ17. 570 ᵇ6. — τῶν θαλαττίων τὰ μὲν πελάγια τὰ δὲ αἰγιαλώδη τὰ δὲ πετραῖα Ζια1. 488 ᵇ7. οἱ πετραῖοι τῶν καρκίνων Ζιθ2. 590 ᵇ11. — τῶν ἰχθύων τὰ πετραῖα πάντα πρόσγειά ἐστιν, περὶ Κρήτην πίονα γίνεται, κατὰ συζυγίας φωλῦσι, τί νέμονται, δὶς τίκτει, (μεῖζω τὰ θήλεα τῶν ἀρρένων) τῶν ἀγελαίων τὰ πλεῖστα τὰ δὲ πετραῖα πάντα Ζιθ13. 598 ᵃ11, 16. 15. 599 ᵇ7. 2. 591 ᵇ13. ε9. 543 ᵃ5. δ11. 538 ᵃ30. cf Ζιε16. 548 ᵇ16. β14. 505 ᵇ18.
πετρίδιον. σήραγγες πετριδίων Ζιε15. 547 ᵇ21. αἱ σηπίαι τῶν πετριδίων λαμβανόμεναι ὁρμῶσιν f 317. 1531 ᵇ40.
πετρώδης. τόποι πετρώδεις Ζιβ4. 505 ᵇ15. ἐν τοῖς τραχέσι ἀ πετρώδεσι Ζιε17. 549 ᵇ14.
Πέττα, Νάνη θυγάτηρ f 508. 1561 ᵇ2.
πεττεία. παιδιαὶ ἡδεῖαι πεττεῖαι ἀ κυβεῖαι Ρα11. 1371 ᵃ3.
πέττειν (cf πέσσειν, πεπτομένη Φθ6. 259 ᵇ12). 1. de con-coctione ventriculi. a. ἡ κοιλία πέττει τὴν τροφήν, τὸ περὶ τὸ ὑπόζωμα τόπος τὴν τροφὴν πέττει, ἡ κοιλία πέττησα Ζγα8. 718 ᵇ21. γ6. 756 ᵇ28. ὑπὸ τῆς κοιλίας πέττεσθαι ἀ ἐκκρίνεσθαι Ζμγ8. 671 ᵃ6. πέττεται ἐν τῇ ἄνω κοιλίᾳ μδ3. 381 ᵇ12. ἀλείαντον ὥσαν τὴν τροφὴν Ζμγ14. 674 ᵇ27. — b. τὸ ζῷον πέττει τὴν τροφήν. ὅπως ῥᾷον πέττῃ ἀ θᾶττον τὴν τροφήν· ἳν' ἐν ταύταις (ταῖς ἀποφυάσι) θησαυρίζοντες οἱ μὲν συσσήπωσι ἀ πέττωσι τὴν τροφὴν Ζμδ3. 677 ᵃ31. γ14. 675 ᵃ13. (οἱ ἐχῖνοι) ὐ πέττοντες τὴν τροφὴν πολὺ περίττωμα ἔχυσιν Ζγε3. 783 ᵃ26. ἐργάζεται γὰρ ἀ πέττει τῷ φυσικῷ θερμῷ τὴν τροφὴν πάντα ζ4. 469 ᵇ12. — πεπτομένης γὰρ (τῆς τροφῆς) καθευδῦσι Φθ6. 259 ᵇ12. τὴν τροφὴν μεταβάλλειν ἀ πέττεσθαι ψ4. 416 ᵃ33. cf μδ3. 381 ᵃ25. ἡ τροφὴ πεπεμμένη, opp ἡ ἄπεπτος ψβ4. 416 ᵇ5. Ζμβ10. 655 ᵇ34. ἡ πεπεμμένη ἀ καθαρωτάτη ἀ πρώτη τροφὴ Ζγβ6. 744 ᵇ13. — 2. ad maturitatem per-

ducere, maturare. a. ἡ φύσις ἢ πέψασα ἢ μὴ πέψασα· ἡ φύσις διὰ ψυχρότητα πέττειν ὐ δυναμένη· ἐν τῷ γήρᾳ διὰ τὸ μὴ πέττειν τὸ ἱκανὸν τὴν φύσιν Ζγε1. 780 ᵇ10. β4. 738 ᵃ13, cf 35. α18. 725 ᵇ21. ἡ κινῆσα ἀ πέττησα ἀρχή, ὅταν μὴ κρατῇ ἡ ἀρχὴ μηδὲ δύνηται πέψαι δι' ἔνδειαν θερμότητος Ζμδ10. 686 ᵃ17. Ζγδ1. 766 ᵃ18. λέγεται πεπέφθαι, ὅτι δηλοῖ κρατεῖν τὴν θερμότητα τὴν οἰκείαν τῦ ἀορίστ μδ2. 380 ᵃ2, cf 379 ᵇ30. — b. πέττει ἡ θερμότης, ἡ οἰκεία θερμότης, ἡ φυσικὴ θερμότης Ζμγ9. 672 ᵃ22. Ζγδ6. 775 ᵃ18. ε4. 784 ᵃ35. πδ12. 877 ᵇ30. ἡ πέττυσα, πέψασα θερμότης μδ3. 381 ᵃ16. 11. 389 ᵇ8. ἀδυνατεῖ πέσσειν ἡ θερμότης Ζμγ5. 668 ᵇ12, cf 9. ἐκ τῦ θερμᾶναι ἀ πέψαι Ζγα21. 730 ᵃ17. τὸ θερμὸν πέττει τὴν τροφήν, ἐν τοῖς πεπεμμένοις ὑγροῖς ἐγκαταχαλεῖαί τι τῆς εἰργασμένης θερμότητος μόριον Ζμδ 5. 682 ᵃ23, 681 ᵃ4. γ9. 672 ᵃ7. (cf 1.) πέττεται θᾶττον τὸ ἔλαττον Ζγδ8. 777 ᵃ3. δεῖ γὰρ τὸ πεφθησόμενον διαιρεθῆναι εἰς μικρά πκα6. 927 ᵇ31. — c. τὰ πεπεμμένα ὑγρά Ζμγ9. 672 ᵃ7. τὸ αἷμα πεπεμμένον, πεττόμενον ἀ μεριζόμενον, πεπεμμένον δι' εὐτροφίαν Ζγα19. 729 ᵃ35, 726 ᵇ5. Ζμβ5. 651 ᵃ22. ἰχώρ δ' ἐστὶ τὸ ὑδατῶδες τῦ αἵματος διὰ τὸ μήπω πεπέφθαι ἢ διεφθάρθαι Ζμβ4. 651 ᵃ18. γάλα πεπεμμένον Ζγδ8. 776 ᵃ26, 29. ὁ ὀρρὸς (v l σωρός) πρὶν ἢ πεφθῇ ἀ γέννιταί τι ἐξ αὐτῶν ἐν Μζ16. 1040 ᵇ9. (τῷ ᾠῷ) τὸ ὠχρὸν ἀ πεττόμενον περὶ τὴν γένεσιν τῶν ζῴων παχύνεται Ζγγ2. 753 ᵇ9. τὸ περίττωμα πεπεμμένον, ὐ δυνάμενον πεφθῆναι ἀ γίνεσθαι σπέρμα Ζγβ4. 738 ᵃ25. α19. 726 ᵇ32. 18. 726 ᵃ5. 20. 728 ᵃ16. cf πδ12. 877 ᵇ30. τὸ σπέρμα πεφθέν, πεπεμμένον Ζγα19. 726 ᵇ6. 7. 718 ᵃ7, 9. cf 20. 728 ᵃ19. (ψχυν δεῖ ἐν τῷ συνδυασμῷ τὸ σπέρμα πέττειν αὐτάς) Ζγα7. 718 ᵃ6.) (ὁ ἐγκέφαλος) τὸ πρῶτον ὑγρὸς ἀ πολύς, ἀποπνέοντος ἀ πεττομένυ σωματῦται μᾶλλον ἀ συμπίπτει Ζγβ6. 744 ᵃ16. — τὸ πεπεμμένον ἀ συγκεκριμένον ὕστερον τῇ γενέσει ΜΑ8. 989 ᵃ16. ἐν πᾶσι τὸ πεπεμμένον γλυκύτερον Ζγγ1. 750 ᵇ25. ἡ γλυκύτης τῆς ὑγρότητος ὡς ὦσα πεπεμμένη ἀ αἱματώδης Ζμδ5. 681 ᵇ31. θερμὸν τὸ πεπεμμένον ἐστί, πέπεται δὲ τὸ συνεστηκὸς ἀ πάχος ἔχον· τὸ πεπεμμένον ἔχει πάχος ἀ σεσωμάτωται μᾶλλον Ζγβ4. 747 ᵃ6. 4. 739 ᵃ12. τὰ πεττόμενα πάντα συνίστασθαι πέφυκεν, ἀνάγκη τὰ πεττόμενα παχύτερα ἀ θερμότερα εἶναι μβ3. 358 ᵃ10. δ2. 380 ᵃ4. (μὴ πέττειν μηδὲ συνιστάναι Ζγα20. 729 ᵃ18.) πᾶν τὸ κοινὸν γῆς ἀ ὕδατος παχύνεται πεσσόμενον Ζμγ5. 668 ᵇ10. λέγεται ἀ ἄλλα πολλὰ πέπονα τῶν πεπεμμένων μδ3. 380 ᵃ17. διακρίνει ἀ πέττυσι τὴν ὑγρότητα μᾶλλον πίονες ὄντες (οἱ νεφροί) Ζμγ9. 672 ᵃ20. — d. (τῶν σελαχῶν) τὰ κάτω ἐν τῇ ὑστέρᾳ ἅμα πέττεται ἀ τελειυργεῖται· ὅταν πεφθῶσιν ἐκδύνωσιν ἀκρίδες Ζιζ10. 565 ᵇ23. α8. 555 ᵇ28. ὅταν πεφθῇ τετελείωταί τε ἀ γέγονεν μδ2. 379 ᵇ20. — e. τῶν φυτῶν τὰ δ' αὐτὰ μὲν ὐ φέρει καρπόν, συμβάλλεται δὲ τοῖς φέρυσι πρὸς τὸ πέττειν· δι' ἀδυναμίαν ὐ πέττυσι Ζγα1. 715 ᵇ24. 18. 726 ᵃ9. cf Ζμδ10. 655 ᵇ34. πάντων μάλιστα συμβαίνει πέττεσθαι τῶν ἀνθῶν τὰ ἄκρα χ5. 796 ᵇ29. — f. (τὸ φῦμα) μέχρι ὐ ἂν πιωθῇ πεφθέν αν 20. 479 ᵇ30. ὅταν γὰρ ὑγρὸν ὄντα τὸν ἀέρα διαθερμαίνων (ὁ ἥλιος) πέττῃ ἀ διακρίνῃ· (τὸ ὕδωρ) τὸ πεπεμμένον ὑπὸ τῆς γῆς πκγ33. 944 ᵃ13. γ21. 933 ᵇ36. εἰ ὁ ἀήρ πέπεπται ὡς δεῖ Ηγ5. 1113 ᵃ1. — g. πέττειν, dist πέττεσθαι. πέττεται μὲν ἄνω τῇ ἄνω κοιλία, σήπεται δ' ἐν τῇ κάτω τὸ ἀποκριθὲν μδ3. 381 ᵇ12. σήπεται πᾶν τὸ σηπόμενον ὑπ' ἀλλοτρίυ θερμῦ, ὑπὸ δὲ οἰκείυ πέττεται πβ33. 870 ᵃ2. γίνεται ὐθὲν σηπόμενον ἀλλὰ πεττόμενον, ἡ σῆψις ἀ τὸ σηπτὸν περίττωμα

τȣ̃ πεφθέντος ἐστίν Ζγγ11. 762 ᵃ14, 15. — 3. metaphor.
concoquere iram. ἐν αὐτῷ δὲ πέψαι τὴν ὀργὴν χρόνȣ δεῖ
Ηδ11. 1126 ᵃ24.

πεττοί. ἄζυξ ὥσπερ ἐν πεττοῖς (?) Πα2. 1253 ᵃ7.

Πευχέστιος (Πευχέτιος coni Beckmann) θ78. 836 ᵃ5.

Πευχετῖνοι θ110. 840 ᵇ18.

Πευχέτιος (cf Πευχέστιος) θ78. 836 ᵃ5.

πεύχη. πεύχης φύλλα ἐσχισμένα, χυλοὶ λιπαροί, φλοιοὶ παχεῖς φτα5. 820 ᵃ17, 33. β9. 829 ᵃ2. πεύχη ταχὺ μεταβάλλει εἰς ἐνέργειαν πυρός Ζμβ2. 649 ᵃ28, 23. αἱ πρὸς ταῖς πεύχαις κάμπαι Ζιε19. 552 ᵇ2. (Pinus maritima *Mill.* vel P Piraster *Ait* Winmmer ad Theophr. hodie πεύχη et πεῦχος Pinus halepensis *Ait* Fraas 263. Heldreich Nutzpflanzen Griechenlands 14. Oribas II 898.)

πεφυχότως λέγειν, opp πεπλασμένως Ργ2. 1404 ᵇ19, cf φύειν.

πέψις ἐστὶ τελείωσις ὑπὸ τȣ̃ φυσικȣ̃ ϰ ̓ οἰκείȣ θερμȣ̃ ἐκ τῶν ἀντικειμένων παθητικῶν μδ2. 379 ᵇ18. cf 3. 380 ᵇ16. ψβ4. 416 ᵇ29. Ζγγ2. 753 ᵃ19. δ1. 765 ᵇ15. ε6. 786 ᵃ17. Ζμβ3. 650 ᵃ4. ἡ πέψις ἀλλοίωσίς ἐστι τȣ̃ πεττομένȣ πιβ7. 907 ᵃ18. περὶ πέψεως μδ2. 379 ᵇ18-380 ᵃ6. πέψις, opp ἀπεψία (cf h v) μδ2. 379 ᵇ13, 380 ᵃ6, 9. 3. 381 ᵇ20, opp ὠμότης Ζμδ8. 777 ᵃ11. πέψεως species μδ3. 2. 379 ᵇ12 (cf Meyer Gesch d Bot I 104. Albert Magn ed Jessen p XLI). — ἡ πέψις τȣ̃ ἐγκεφάλȣ, ἡ περὶ τὸν ἐγκέφαλον πέψις Ζγε5. 785 ᵃ11. β6. 744 ᵇ2. ἡ καθ' αὑτὸ πέψις αἵματος στέαρ ϰ ̓ πιμελή ἐστιν Ζμβ6. 652 ᵃ9. ἡ διάκρισις πέψις ἐστί, πέττει ἡ θερμότης, ἡ πέψις γλυκέα ποιεῖ Ζγδ6. 775 ᵃ17. ε6. 786 ᵃ16. ἐν ταῖς ὑστέραις ἐστὶ τὸ γινόμενον, ὃ δεῖται φυλαχῆς ϰ ̓ σκέπης ϰ ̓ πέψεως Ζγα12. 719 ᵃ34. ἡ τȣ̃ γάλακτος πέψις Ζγδ8. 776 ᵃ22, ᵇ35. ἡ τȣ̃ σπέρματος πέψις Ζγα12. 719 ᵇ2. ζῷα τ ̓ ἐγγίνεται ἐν τῇ πέψει σήπεσθαι τινές φασιν μδ3. 381 ᵇ10. cf f 231. 1519 ᵇ13. — ἡ τῆς τροφῆς ἐν τῷ σώματι πέψις ὁμοία ἑψήσει ἐστὶ μδ3. 381 ᵇ7 (Galen XV 247). ὐδ ̓ ἡ πέψις, δι' ἧς ἡ τροφὴ γίνεται τοῖς ζῴοις, ὔτ ̓ ἄνευ ψυχῆς ὔτ ̓ ἄνευ θερμότητός ἐστιν αν8. 474 ᵃ26. τὸ παῦον τὴν πέψιν κωλύει τρέφεσθαι ζ5. 469 ᵇ27. τίνα μόρια ϰ ̓ πῶς λειτουργεῖ πρὸς τὴν πέψιν Ζμβ3. 650 ᵃ11, 14, 26. γ14. 675 ᵃ10, 29. 7. 670 ᵃ20, 27. f 231. 1519 ᵇ12. cf Galen VI 786. ἡ ποικίλη τροφὴ νοσώδης, ταραχώδης γὰρ ϰ ̓ ὐ μία πέψις πιε15. 861 ᵃ6. ἡ ἐν τοῖς φυτοῖς ϰ ̓ τοῖς μεταλλικοῖς πέψις φτβ1. 822 ᵃ25, 26, ᵇ4, 8. ἡ πέψις τῶν χυλῶν, τῶν χρωμάτων χ5. 795 ᵇ23, 796 ᵃ1, 797 ᵃ12. 6. 799 ᵇ16. ἡ πάχνη γίνεται πέψεως γινομένης πκς3. 940 ᵇ9. (voc πέψις usum explic Philippson 45, Frantzius 271, 65. AΖ ι I 34, 39. Bussemaker ad Oribas I 571, 573. Ideler Meteor ad 1 coll.)

πῇ διαφέρȣσι τά τε περὶ τὸ σπέρμα ϰ ̓ τὰ περὶ τὴν κύησιν Ζμδ10. 689 ᵃ17. — indef πῇ, opp ἁπλῶς Αα37. 49 ᵃ8. Φθ9. 266 ᵃ4. εν3. 462 ᵃ27.

πηγαῖα ὕδατα χ4. 395 ᵇ24. dist συλλογιμαῖα μβ1. 353 ᵇ25. τὰ ῥυτὰ πάντα πηγαῖα μβ1. 353 ᵇ20. 4. 360 ᵃ31.

Πηγαῖον σ973 ᵇ16 (scr Παγγαῖον, cf h v).

πήγανον, λάχανόν τι φτα4. 819 ᵇ10. πῶς γίνεται κάλλιστον πκ18. 924 ᵇ35. δυσώδεις τὰς ἱδρῶτας ποιεῖ πιβ13. 867 ᵇ5. χ33. 926 ᵇ5. βασκανίας φάρμακον πλ34. 926 ᵇ20. cf Bsm probl ined p 326, 37. ἡ γαλῆ ὅταν ὄφει μάχηται, ἐπεσθίει τὸ πήγανον Ζιϛ6. 612 ᵃ29. (Ruta graveolens *L* Sprengel hist rei herb I 42. Fraas 82. Langkavel Bot 12.)

Πήγασος ἵππος, γενόμενος ἐκ Ποσειδῶνος ϰ ̓ τῆς Μεδȣ́σης f 164. 1505 ᵇ13.

πηγή. αἱ τῶν ποταμῶν πηγαὶ πῶς γίγνονται μα13. 349 ᵇ1-350 ᵃ16, ᵇ30. πηγὰς θαλάττης ἀδύνατον εἶναι μβ1. 353 ᵇ17. — πλῆθος ἀέρος ὐκ ἔχον ἀρχὴν ὐδὲ πηγὴν μβ4. 360 ᵃ33. cf πκς36. 944 ᵇ4. ὑδραγωγίαι ἀπὸ μιᾶς ἀρχῆς ϰ ̓ πηγῆς εἰς πολλοὺς ὀχετούς Ζμγ5. 668 ᵃ15. ἀρχὴ ϰ ̓ πηγὴ τȣ̃ αἵματος Ζμγ4. 666 ᵃ8. πνεύματος ϰ ̓ πυρὸς πηγαί χ4. 395 ᵇ19. ἀρχαὶ ϰ ̓ πηγαὶ στάσεων, φιλίας Πε1. 1301 ᵇ5. ηεη10. 1242 ᵇ1.

πῆγμα. πῆξις ἢ στιφρά. ἀλλὰ πλαδῶσα, καθάπερ ἡ τȣ̃ γάλακτος, ἄν τις εἰς αὐτὸ τὸ πῆγμα μὴ ἐμβάλλῃ Ζιγ6. 516 ᵃ4.

πήγνυναι, πηγνύειν, πήγνυσθαι. 1. notio. τὸ συνάγον ϰ ̓ πηγνύον ψα2. 404 ᵃ15. πήγνυσθαι, syn συνίστασθαι Ζγβ6. 743 ᵃ5, syn στερεȣ̃σθαι Ζγβ2. 735 ᵇ2, syn σκληρύνεσθαι μδ8. 385 ᵃ23. Ζγγ11. 762 ᵃ30, syn παχύνεσθαι Ζγβ2. 735 ᵃ35, 36, dist παχύνεσθαι Ζγβ2. 735 ᵇ28. πεπηγός, syn σκληρόν Γα9. 327 ᵃ22, opp ὑγρόν Γα9. 327 ᵃ17. μδ10. 389 ᵃ3. ὑγρὸν μέν ἐστι τὸ ἔχον οἰκείαν ὑγρότητα, βεβρεγμένον δὲ τὸ ἔχον ἀλλοτρίαν ὑγρότητα ἐν τῷ βάθει, πεπηγὸς δὲ τὸ ἐστερημένον ταύτης Γβ2. 330 ᵃ22. συνίσταται ϰ ̓ πήγνυται τὰ μὲν ψυχρῷ τὰ δὲ θερμῷ Ζγβ6. 743 ᵃ5. μδ8. 385 ᵃ23. Ζμβ2. 648 ᵇ32, 649 ᵃ29. 7. 653 ᵇ4. πήγνυται τὰ ὑδατώδη Ζγβ2. 735 ᵃ34. μαλακά ἐστι τῶν πεπηγότων ὅσα μὴ ἐξ ὕδατος μδ9. 385 ᵇ6. ἀνάγκη τὸ ὡρισμένον σῶμα πεπηγὸς εἶναι, τȣ́τῳ γὰρ ὁρίζεται μδ5. 382 ᵃ23. — 2. varietas usus. πηγνύει (ὁ νότος) ὕστερον τὰ νέφη πκς27. 943 ᵃ26, syn συνίσταται εἰς ὕδωρ ᵃ19. ταχὺ πήγνυται ϰ ̓ συνίσταται (ὁ ἀὴρ) εἰς ὕδωρ πκς27. 943 ᵃ18. — πηγνύναι, gelu cogere, congelare, παγῆναι gelu cogi μα10. 347 ᵃ17, 20, 26 al. πκγ34. 935 ᵃ25 (πηγνύναι ϰ ̓ ἀποκάειν). τὸ ὕδωρ ἅμα τῷ πήγνυσθαι αι6. 447 ᵃ3. πεπηγὸς ὕδωρ κρύσταλλος Αδ12. 95 ᵃ17, 19. τὰ πήγνυται ὕδατα τήκεσθαι μβ5. 362 ᵃ5. ὑγραινομένων τῶν πεπηγότων πνεῦμα γίνεται πκς15. 942 ᵃ2. ὅταν παγῇ τὸ νέφος, χιὼν ἐστι μα11. 347 ᵇ23. cf 10. 347 ᵃ20. ὑετὸς πεπηγώς πκς60. 947 ᵃ29. τὸ πεπηγὸς ἢ σήπεται αι6. 447 ᵃ19. 1. 379 ᵃ29. ψύχεται ϰ ̓ πήγνυται ὕδωρ θᾶττον ἑλαία Ζμβ2. 648 ᵇ32. — τὰ ἐκ τȣ̃ γάλακτος πηγνύμενα μδ12. 390 ᵇ2. ποῖον αἷμα πήγνυται, ποῖον ȣ ̓ πήγνυται Ζιγ6. 515 ᵇ32. Ζμβ4. 650 ᵇ15. 2. 648 ᵇ33. — ὁ σίδηρος ψύχει πήγνυται μδ7. 384 ᵇ14. κέραμος ξηραινόμενος πήγνυται κατὰ μικρόν μδ7. 384 ᵇ21. ἐξελθὸν τὸ ᾠὸν εὐθέως πήγνυται Ζιζ2. 559 ᵇ15. βρέγμα τελευταῖον τῶν ἐν τῷ σώματι πήγνυται ὀστῶν Ζια7. 491 ᵃ32. τȣ̃ γεώδȣς σκληρυνομένȣ ϰ ̓ πηγνυμένȣ τὴν αὐτὴν πῆξιν τοῖς ὀστοῖς ϰ ̓ τοῖς κέρασι Ζγγ11. 762 ᵃ30. πήγνυνται λίθοι πκδ11. 937 ᵃ12. ἡ ἀναθυμίασις ἡ ἀτμιδώδης διὰ ξηρότητα πήγνυμένη μγ7. 378 ᵃ30. — πηκτὰ τίνα μδ8. 385 ᵃ12, 20-33.

πηδάλιον ποῖον δεῖ εἶναι ὁ κυβερνήτης γνωρίζει Φβ2. 194 ᵇ5. Πγ11. 1282 ᵃ22. τὸ πηδαλίȣ ὄργανον ψβ4. 416 ᵇ26. τὸ πηδάλιον πρός τι Κ7. 7 ᵃ12. τὸ πηδάλιον μικρὸν ὂν πῶς ἔχει τοσαύτην δύναμιν μχ5. 850 ᵇ28. — τὸ ὑροπύγιόν ἐστι πρὸς τὸ κατευθύνειν τὴν πτῆσιν, καθάπερ τὰ πηδάλια τοῖς πλοίοις Ζπ10. 710 ᵃ3. (τῶν πηδητικῶν) τὰ πηδάλια καμπτόμενα εἰς ἱκανὸν Ζιδ7. 532 ᵃ29. cf Ζμδ6. 683 ᵃ15. αἱ ἀκρίδες τοῖς πηδαλίοις τρίβȣσαι ποιȣ̃σι τὸν ψόφον Ζιδ9. 535 ᵇ12. cf Siebld Zeitschr XVII, 108, 111. — ὁ ναυτίλος ἀντὶ πηδαλίων (δύο) τῶν πλεκτανῶν παρακαθίησιν Ζιδ37. 622 ᵇ13 Aub. f 316. 1531 ᵇ25.

πηδαλιώδης. ὄπισθεν μόνον ἔχȣσι τὰ πηδαλιώδη αἱ ἀκρίδες Ζμδ6. 683 ᵃ36.

πηδαλιωτόν Κ7. 7 ᵃ12.

πηδᾶν. θὼς πηδᾷ πόρρω, θηρία τινὰ διὰ τῦ πυρὸς πηδᾷ κỳ βαδίζει, ἀράχνη πηδᾷ εὐθὺς κỳ ἀφίησιν ἀράχνιον Ζιζ35. 580 ᵃ31. ε19. 552 ᵇ13. 27. 555 ᵇ5. in ovo ἡ καρδία πηδᾷ κỳ κινεῖται ὥσπερ ἔμψυχον Ζιζ3. 561 ᵃ12. ἡ καρδία πηδᾷ τινι ψυχομένη πκζ4. 948 ᵃ16. τὸ τῶν γογγρων ᾠὸν ἐπὶ τὸ πῦρ τιθέμενον πηδᾷ κỳ ψοφεῖ ἐκθλιβόμενον Ζιζ17. 571 ᵃ32. θᾶττον ψοφῦσι κỳ πηδῶσιν οἱ μικροὶ ἅλες πια42. 904 ᵃ4. οἱ πυρῆνες οἱ ἐκ τῶν δακτύλων πηδῶντες μβ9. 369 ᵃ23.

Πηδασία τῆς Καρίας θ137. 844 ᵃ35, Πήδασοι ᵇ2.

πήδησις τῆς καρδίας ἐστὶ σύνωσις τῦ θερμῦ τῦ ἐν αὐτῇ διὰ κατάψυξιν αν20. 479 ᵇ19. ἡ τῆς καρδίας πήδησις ὐχ ὁμοία πκζ3. 947 ᵇ29. ἀνθρώπῳ συμβαίνει μόνον τὸ τῆς πηδήσεως διὰ τὸ μόνον ἐν ἐλπίδι γίνεσθαι Ζμγ6. 669 ᵃ20. cf Plat Tim 70 C.

πηδητικός. ὅσα πηδητικὰ αὐτῶν (τῶν ἐντόμων) οἷον αἵ τ' ἀκρίδες κỳ τὸ τῶν ψυλλῶν γένος Ζμδ6. 683 ᵃ33. descr Ζιθ7. 532 ᵃ27. cf ἔντομα p 256 ᵃ34. τῶν δηκτικῶν φαλαγγίων τὸ ἕτερον (γένος) μικρὸν κỳ ποικίλον κỳ ὀξὺ κỳ πηδητικὸν Ζιι38. 622 ᵇ30.

πηκτή. τῦ πέρδικος ἀλόντος ἐν ταῖς πηκταῖς Ζιι8. 614 ᵃ12.

πηκτίδες Πθ6. 1341 ᵃ40.

πηλαμύς. refertur inter τὰ ἀγελαῖα τῶν πλωτῶν, τὰς χυτὰς Ζια1. 488 ᵃ6. ι2. 610 ᵇ6. ε9. 543 ᵃ1. τίκτει ἅπαξ, ἐν τῷ Πόντῳ ἄλλοθι δ' ὔ Ζιε9. 543 ᵃ1. 10. 543 ᵇ2. εἰς τὸν Πόντον ἐμβάλλυσι τῦ ἔαρος κỳ θερίζυσιν, εἰσπλέυσι τῦ ἔαρος ἤδη ὖσαι πηλαμύδες, οἱ θύννοι δοκῦσιν ἐνιαυτῷ εἶναι πρεσβύτεροι τῶν πηλαμύδων Ζιθ13. 598 ᵃ26. ζ17. 571 ᵃ19, 11 Aub. syn γόνος Ζιθ13. 598 ᵇ9 (S II 468). ('anniculus thynnus'. cf Bsm ad Orib I 598. v θύννος.)

Πηλεύς Μλ5. 1071 ᵃ22. Ργ17. 1418 ᵃ36. — Πηλεὺς ἠθικὴ τραγῳδία (Sophoclis, Nck fr trg p 189) ποι8. 1456 ᵃ2. — Πηλείδης, de forma Πηληιάδης ποι21. 1458 ᵃ4.

πήληξ. ὁ πήληξ dicitur κατὰ σολοικισμὸν τ14. 173 ᵇ20.

πηλίκος ὁ τῆς γῆς ὄγκος μαθ3. 339 ᵇ6. πηλίκον ἀγαθόν ἐστιν f 83. 1490 ᵃ18. — τὸ τέκνον ἕως ἂν ᾖ πηλίκον Ηε10. 1134 ᵇ11.

πήλινος ἀνδριάς Μζ10. 1035 ᵃ32. πήλινον ὀξὺ Ζιε24. 555 ᵃ14 Aub.

πηλὸς τήκεται μδ6. 383 ᵃ29, ᵇ9. 8. 385 ᵃ31. ἐλατὸν μδ9. 386 ᵇ25. σχεδὸν ὥσπερ πηλὸς γίγνεται μβ3. 359 ᵃ14. πηλὸς ἔμφυτος φτβ2. 823 ᵇ41. 4. 826 ᵃ17. ἀπὸ πηλῦ ὐκ ἔστιν ἀνάκλασις φωνῆς πια7. 899 ᵇ21. τῶν σεισμῶν τινες πηλὸν ἐκβάλλωσιν κ4. 396 ᵃ6. τὰ ἔξω στύλων βραχέα διὰ τὸν πηλὸν μβ1. 384 ᵃ22. ὁ πηλὸς πότερον γῆ ὑγρῷ πεφυραμένη τὸ5. 127 ᵃ14sqq. ἀναθολῦται τὸ ὕδωρ κỳ ὁ πηλὸς ὑπὸ πνευμάτων γινομένων ἐναντίων Ζιθ2. 592 ᵃ8. ὁ πηλὸς κỳ ὅλως τὰ ὕδατα ὑπὸ τῦ νότυ μάλιστα γίνεται· εἰ βορρᾶς πηλὸν καταλήψεται πκ46. 945 ᵇ3. σφῆκες τρώγλην πηλῷ προσκαταλείφυσιν Ζιε20. 552 ᵇ28. χελιδὼν συγκαταπλέκει τοῖς κάρφεσι πηλὸν Ζιι7. 612 ᵇ22-24. φωλεύει ἐν τῷ πηλῷ Ζιθ15. 599 ᵇ27. τὰ μαλάκια νέμονται τὸν πηλὸν κỳ τὸ φῦκος Ζιθ2. 591 ᵇ11. — οἱ πλάττονται ἐκ πηλῦ ζῷων Ζμβ9. 654 ᵇ29. φθείρεται ὁ πήλινος ἀνδριὰς εἰς πηλὸν Μζ10. 1035 ᵃ32. ἔστιν ὡς ὁ πηλὸς εἰς πηλὸς διαιρεῖται, ἔστι δ' ὡς ὔ Φα4. 188 ᵃ14. cf φτα3. 818 ᵃ22.

Πηλύσιον. ἐν τῇ ἄλλῃ Αἰγύπτῳ εἰσὶ πλὴν ἐν Πηλυσίῳ Ζιι27. 627 ᵇ30, 31.

πηλώδης. ἡ πηλώδης κỳ πεδιὰς γῆ πκ32. 926 ᵇ9. ἰκμὰς τῶν φυτῶν εὐπεπτοτέρα κỳ ἡ πηλώδης πιγ4. 908 ᵃ13. — ἐν τοῖς πηλώδεσιν ὔ γίνονται κάραβοι Ζιε17. 549 ᵇ15.

Πηνέλεως. ἐπίγραμμα ἐπὶ Πηνέλεω f 596. 1576 ᵃ16.

Πηνελόπη Ργ16. 1417 ᵃ14 (Od ψ 263sqq).

πηνέλοψ, refertur inter τὰ βαρύτερα τῶν στεγανοπόδων Ζιθ3. 593 ᵇ23. (in incert rel Belon I 23. Gesner s h v. Su 154, 143. ΑΖι I 106, 89. Penelope Klein ord av 69n. C II 618. Anas Penelope S I 601. St. Cr. K 870, 8. cf E47. Lnd 159.)

πηνίον. τὰ πηνία (v l ὑπήνια) ἐκ τίνων καμπῶν γίνεται Ζιε19. 551 ᵇ6 Aub. (ippenia Thomae, acia Gazae, penia Scalig. in incert rel C II 444. fort Phalaenidarum sp St. Cr. Su 204, 18 et 19. ΑΖι I 169, 40. cf S I 345.)

πῆξις, cf πήγνυναι. περὶ πήξεως μδ 5-7. opp διάχυσις μδ 5. 382 ᵃ30. ἡ πῆξις κỳ ἡ ζέσις ὑπερβολαί τινές εἰσιν. ἡ μὲν ψυχρότητος, ἡ δὲ θερμότητος Γβ3. 330 ᵇ27. ἡ ψῦξις κỳ ἡ πῆξις αι5. 443 ᵇ16. ἡ πῆξις ξηρασία τις μδ7. 384 ᵃ11. πῆξις ἐν ὑγρῷ Αδ16. 98 ᵇ37. πῆξις ἀθρόα, ἀθρωτέρα, θᾶττον γενομένη, ἐγγὺς εἶναι τῆς πήξεως Φθ3. 253 ᵇ25. μα12. 348 ᵃ29, 31, ᵇ1, 18, 23. πῆξις στιφρά, πλαδῶσα Ζιγ6. 516 ᵃ2. ὅσα διὰ πῆξιν συμβαίνει πάθη μα1. 339 ᵃ4. ὕδατα κỳ νομαί, αἱ διὰ τὴν πῆξιν ποιήσυσιν ἐτησίας μβ5. 363 ᵃ15. τῦ δ' ἀέρος συγκρινομένυ πῆξις μα4. 342 ᵃ30. πήγνυσθαι τὴν αὐτὴν πῆξιν τοῖς ὀστοῖς κỳ τοῖς κέρασιν Ζγγ 11. 762 ᵃ30. πῆξις τοσαύτη ὥστε μὴ δύνασθαι κινεῖν τὸ σῶμα θ145. 845 ᵃ26.

πηρῦν. ζῷα πεπηρωμένα, syn ἀτελῆ, opp ὁλόκληρα ψγ1. 425 ᵃ10. πι8. 891 ᵇ23. ἐκ πεπηρωμένων ὁτὲ μὲν γίνεται πεπηρωμένα ὁτὲ δ' ὔ Ζγβ3. 737 ᵃ25, cf ἀνάπηρος p 51 ᵃ15. τὸ θῆλυ ὥσπερ ἄρρεν ἐστὶ πεπηρωμένον Ζγβ3. 737 ᵃ28. ἡ φώκη ὥσπερ πεπηρωμένον ἐστὶ τετράπυν Ζιβ1. 498 ᵃ32. Ζμβ12. 657 ᵃ23. εἴ τι πεπήρωται ἐν τῇ γενέσει, οἷον ὀρεὺς Ζγα20. 728 ᵇ10. cf β7. 746 ᵇ22. τὸ τῶν ἀσπαλάκων γένος, ἡ φήνη πεπήρωται τὰς ὀφθαλμὰς Ζια9. 491 ᵇ34. δ8. 533 ᵃ2. ι34. 620 ᵃ1. οἱ ἀστακοὶ τὰς χηλὰς ἀτάκτως ἔχυσιν, ὅτι πεπήρωνται κỳ ὔ χρῶνται ἐφ' ὃ πεφύκασιν Ζμδ8. 684 ᵃ35. τὸ πηρωθὲν ἐν τῇ ὑστέρᾳ καλεῖται μετάχοιρον Ζγβ8. 749 ᵃ2, 4. ἄνηβοι δὲ γενέσθαι κỳ ἄγονοι διὰ τὸ πηρωθῆναι περὶ τὸν τόπον τὸν γόνιμον Ζιη1. 581 ᵇ22. ἐὰν παῖδας ὄντας πηρώσῃ τις Ζιι50. 631 ᵇ31. οἱ εὐνῦχοι ἑνὸς μορίυ πηρωθέντος ἐξαλλάττυσι τῆς ἀρχαίας μορφῆς Ζγδ1. 766 ᵃ26. τὰ ἄλλα ζῷα συνεχῶς ἔχει κέρατα (opp ἀποβάλλειν) ἐὰν μή τι βίᾳ πηρωθῇ Ζιβ1. 500 ᵃ12. ἐὰν μή τι πηρωθῇ διὰ νόσον Ζγγ1. 749 ᵃ18. μηδὲν πεπηρωμένον τρέφειν Πη16. 1335 ᵇ20. πηρῦσθαι τὴν ἀκοὴν πια1. 898 ᵇ29. οἱ μὴ πεπηρωμένοι πρὸς ἀρετὴν Ηα10. 1099 ᵇ19. ὁ νῦς ἐπὶ γήρως ἀποτελεῖται μάλιστα, ἡ δὲ αἴσθησις πηρῦται Ψλ5. 955 ᵇ33.

πήρωμα Μζ9. 1034 ᵇ4 Bz. πηρώματα, syn ἀτελῆ ζῷα, opp τέλεια ψβ4. 415 ᵃ27. γ9. 432 ᵇ22, 24. πήρωμα, coni παρὰ φύσιν Ζγα18. 724 ᵇ32. ἡ ἀγονία πολλοῖς κỳ πολλαῖς διὰ πηρώματα συμβαίνει Ζγβ7. 746 ᵇ32.

πήρωσις Μζ16. 1040 ᵇ16. π26. 879 ᵇ25. γίνονται μεταβολαὶ κỳ πηρώσεις περὶ τὰ ἐντὸς μόρια Ζγδ4. 771 ᵃ1. ἡ πήρωσις τῶν εὐνύχων Ζγε3. 784 ᵃ10. ἡ ἀγονία πήρωσις Ζγβ8. 747 ᵃ24. ἀσθένεια κỳ πήρωσις Ηγ7. 1114 ᵃ25. θηριότης διὰ πηρώσεις ἢ νόσυς Ηι1. 1145 ᵃ31 Fritzsche. 7. 1149 ᵇ29. ἠδέα φύσει, opp ἠδέα διὰ πηρώσεις Ηη6. 1148 ᵇ17. φόβοι περὶ θάνατον κỳ τὰς σωματικὰς πηρώσεις αρ6. 1251 ᵃ12. πήρωσις συνάλλαγμα ἀκύσιον βίαιον Ηε5. 1131 ᵃ9.

πηχυαῖος. γίνεται (ὀφείδιον) τὸ μέγιστον πηχυαῖον Ζιθ29. 607 ᵃ32. σαῦροι μείζυς πηχυαίων γίνονται Ζιθ28. 606 ᵇ6.

πῆχυς. 1. antibrachium. ΑΖι II tab II. Plat Tim 75 A. Ζια15. 493 ᵇ27. φλέβες τείνυσι διὰ τῶν πήχεων (v l πηχέων, cf

Lob Phryn 246) ἐπὶ τὰς καρπᾶς Ζιγ3. 513 ᵃ3. περὶ χειρὸς
ἢ πήχεος ἢ βραχίονος φορᾶς φ6. 813 ᵃ10. — 2. mensu-
rae nomen Φθ12. 221 ᵃ3. Μι1. 1053 ᵃ35. πρόβατα ὑρὰς
ἔχει τὸ πλάτος πήχεως Ζιθ28. 606 ᵃ14. ὅταν ὁ πὺς τετ-
τάρων πηχῶν ᾖ Πεз. 1302 ᵇ37.

πιαίνειν. ἄριστον πρὸς τὸ πιαίνειν ἢ τρέφειν (τὰς ὗς) οἱ ἐρέ-
βινθοι Ζιθ21. 603 ᵇ27. πιαίνειν. dist ἐμφυσᾶν, σαρκᾶν Ζιθ21.
603 ᵇ31. ὗς πυῖς πιαίνεται Ζιθ6. 595 ᵃ22. 21. 603 ᵇ31. ε14.
546 ᵃ16. πιαίνεται πάντα πρεσβύτερα μᾶλλον ἢ νεώτερα
ὄντα Ζιγ18. 520 ᵇ17. τῶν ἀνθρώπων τοῖς πονῶσι τὰς νεφρὰς
συμφέρει πιαίνεσθαι Ζμγ9. 672 ᵃ35. αἱ καθέδραι τὴν κοιλίαν
πιαίνυσι (syn παχύνειν ᵃ28), τὸ δ' ἄλλο σῶμα λεπτύνυσιν
πε14. 882 ᵃ26. ἵππον μάλιστα πιαίνει ὁ τῦ δεσπότυ
ὀφθαλμός oα6. 1345 ᵃ3, cf παροιμία p 570 ᵃ21. — αἱ
φλόγες μὲν τὸ παγετῶδες πιαίνυσιν (χλιαίνυσιν?), οἱ πάγοι
δὲ τὰς φλόγας ἀνᾶσιν κ5. 397 ᵇ1.

πιδᾶν. οἷον πιδύσης εἰς ἓν τῆς γῆς τὰς ἀρχὰς τῶν ποταμῶν
μα13. 349 ᵇ34 Ideler, cf διαπιδᾶν.

πιέζειν. πιεζεῖν. πιέζειν, εἶδός τι τῦ κινεῖν Ρα5. 1361 ᵇ17.
πιέζεται ὅσα πόρυς ἔχει κενὺς συγγενὺς σώματος μδ9. 20
386 ᵇ1. πιέσαι τῇ χειρί, dist λαβεῖν Ζμβ1. 646 ᵇ24. τὸ
ἐπικείμενον ἢ πιέζον βάρος μχ19. 853 ᵇ18. πιέσαι τὰς ἐπὶ
τῦ τραχήλυ φλέβας πλε8. 965 ᵃ28. κάτωθεν πιέσαι τὴν
ὄψιν πγ30. 875 ᵇ14. χαλκὸς τῇ διαιρέσει πιεζύμενος (?)
πιϛ8. 915 ᵃ9. φοίνικος ξύλον ἂν ἄνωθεν ἐπιθεὶς βάρη πιέζῃς, 25
ἢ κάτω θλιβόμενον ἐνδίδωσιν f 220. 1518 ᵇ8. πιέσαι τὰ
ζεντύμε, τὰς τῶν αὐλῶν γλώττας, φύσαι μὴ δυνάμεναι
πιέζεσθαι ῥᾳδίως αχ804 ᵃ12, 801 ᵇ39, 800 ᵇ3. κατὰ τὸ με-
σαίτατον τῦ κόσμυ συνερηρεισμένη γῆ πᾶσα ἢ πεπιεσμένη
συνέστηκεν κ3. 392 ᵇ33. — πιεστόν, dist ἐλατὸν μδ9. 30
386 ᵇ24. περὶ πιεστῦ μδ8. 385 ᵃ15. 9. 386 ᵃ29-ᵇ11.

πίειρα γῆ Ζγδ6. 774 ᵇ26. ἡ τρυγῶν ἄρχεται τῆς φωλείας
σφόδρα πίειρα ὖσα Ζιθ16. 600 ᵃ23.

Πιερία τῆς Μακεδονίας θ47. 833 ᵇ18. f 248. 1524 ᵃ1. — ὁ
Πιερικὸς Ὄλυμπος σ973 ᵇ22. f 238. 1522 ᵃ6. Λειβήθριοι, 35
Πιερικὸν f 511. 1561 ᵇ27.

Πιερίδες ἑπτὰ ἐθρήνησαν Ἀχιλλῆα f 596. 1575 ᵇ6.

πίεσις. πιλητὰ ὅσα τῶν πιεστῶν μόνιμον ἔχει τὴν πίεσιν μδ9.
387 ᵃ16, 17. αἱ καμπαὶ τῶν δακτύλων καλῶς ἔχυσι πρὸς
τὰς λήψεις ἢ πιέσεις Ζμδ10. 687 ᵇ11. ἡ πίεσις τῦ ἀέρος 40
πκε1. 937 ᵇ32. ἡ ἐπίτασις ἢ πίεσις τῆς φωνῆς πιθ3. 917
ᵇ33.

πιθανολογῦντος μαθηματικῦ ἀποδέχεσθαι (opp ἀποδείξεις
ἀπαιτεῖν) Ηα1. 1094 ᵇ26.

πιθανός. ὅτε ἀναγκαῖον ὅτε πιθανὸν ατ969 ᵇ28. coni syn 45
εἰκὸς Ρβ23. 1400 ᵃ11, 12. πο25. 1461 ᵇ12 coll 24. 1460
ᵃ27. syn ἔνδοξον Ρα2. 1356 ᵇ27, 32. φανερὸν ἢ πιθανὸν μβ3.
357 ᵇ33. opp ἀπίθανος, ἀμφίβολος πρὸς πίστιν ρ17. 1432
ᵃ32. 16. 1431 ᵇ21. πρὸς ποίησιν αἱρετώτερον πιθανὸν ἀδύ-
νατον ἢ ἀπίθανον ἢ δυνατὸν πο25. 1461 ᵇ11. μόνον ἐφρόν- 50
τισαν τῦ πιθανῦ τῦ πρὸς αὑτὰς Μβ4. 1000 ᵃ10. ἀποδείξεις
πιθαναὶ Ζγβ8. 747 ᵇ28. λόγοι πιθανοὶ τα11. 104 ᵇ14. ἡ τῶν
πιθανῶν λόγων χρῆσις πρὸς κρίσιν ἐστὶ Ρβ18. 1391 ᵇ8.
ψευδηγορεῖν πιθανὰ Ρβ23. 1397 ᵃ18. δόξα πιθανωτάτη ρ13.
1430 ᵇ17. τὰ πράγματα ἂν τίνων ἔχει τὸ πιθανὸν Ργ1. 55
1403 ᵇ20. ὁ ῥήτωρ τὸ ἐν ἑκάστῳ πιθανὸν θεωρεῖ, τὸ ἐνδε-
χόμενον πιθανόν, ἢ τὸ φαινόμενον πιθανὸν τζ12. 149 ᵇ27.
Ρα2. 1355 ᵇ27. 1. 1355 ᵇ16. πιθανὰ τὰ τοιαῦτα μαρτύρια
ταύταις ταῖς δόξαις Ζγα17. 721 ᵇ28. — τὸ πιθανὸν (sc ἐστὶ)
c inf τζ14. 151 ᵃ29. ατ969 ᵇ28. — ἢ ἐπαγωγὴ πιθανώ- 60
τερον ἢ σαφέστερον ἢ κατὰ τὴν αἴσθησιν γνωριμώτερον ἢ

τοῖς πολλοῖς κοινόν τα12. 105 ᵃ16. πιθανώτεροι οἱ ἀπαίδευτοι
τῶν πεπαιδευμένων ἐν τοῖς ὄχλοις Ρβ22. 1395 ᵇ27. πιθα-
νώτερον λέγειν Ηα4. 1096 ᵇ5. τάληθῆ εὐσυλλογιστότερα ἢ
πιθανώτερα Ρα1. 1355 ᵃ38. πιθανώτατοι οἱ ἐν τοῖς πάθεσιν
πο17. 1455 ᵃ30. — τὸ πιθανῶς γινόμενον ημβ6. 1200 ᵇ30.
πιθανότητά τινα ἔχει ὁ λόγος Ηα4. 1097 ᵃ3. ἡ τῦ λέγειν
πιθανότης f 108. 1495 ᵇ12.

πιθανῦν. πιθανὸ τὸ πρᾶγμα ἢ οἰκεία λέξις Ργ7. 1408 ᵃ19.

πιθηκοειδής. τὰ πιθηκοειδῆ ζῷα Ζιβ1. 498 ᵇ15.

πίθηκος. descr Ζιβ8. 502. Ζμδ10. 689 ᵇ31sq. πιων οἶνον
μεθύσκεται f 102. 1494 ᵇ21. physiolog quaedam φ6. 811
ᵃ26, ᵇ9, 20, 23, cf Rose Ar Ps 705, 9. — πίθηκος ἀνθρώπῳ
ὅμοιος ἐπὶ τὸ γελοιότερον τγ2. 117 ᵇ17. εἰκάζυσιν ὕτως,
οἷον πιθήκῳ αὐλητὴν Ργ11. 1413 ᵃ3. ὡς λίαν ὑπερβάλλοντα
(τῇ μιμήσει) πίθηκον ὁ Μυννίσκος τὸν Καλλιππίδην ἐκάλει
πο26. 1461 ᵇ34. (Galen II 219, cf H II 794. singe C II
772. S I 75, II 295. Simia silvanus L St. Cr. K 467. Su
39, 1. Simia silvanus vel Inuus ecaudatus Geoff. AZι I 71,
27. KaZι 68, 1. cf Oken Isis 1825 II 1185. Salmas exer
Pl 68.) v κῆβος. κυνοκέφαλος.

Πιθηκῦσαι θ37. 833 ᵃ14.

πιθηκώδης. οἱ τὰ ὦτα μικρὰ ἔχοντες πιθηκώδεις, οἱ δὲ με-
γάλα ὀνώδεις φ6. 812 ᵃ9.

πίθος. πίθοι οἴνυ Φδ6. 213 ᵇ17. πίθων κενῶν, διαμέστων ἠχώ
πιθ50. 922 ᵇ35. ια8. 899 ᵇ25. ὁ λεγόμενος τετρημένος πίθος
(cf παροιμία p 570 ᵇ22) Πζ5. 1320 ᵃ32. οα6. 1344 ᵇ25. —
πίθοι coelestes κ4. 395 ᵇ12.

πιθώδης. ἡ ἐμὺς τίκτει ὀρύξασα βόθυνον πιθώδη Ζιε33.
558 ᵃ8.

πικέριον παρὰ Φρυξὶ καλεῖσθαι τὸ βύτυρον f 593. 1574 ᵃ29.

πικραίνεσθαι, opp γλυκαίνεσθαι Φη2. 244 ᵇ23.

πικρία. στρέφεται εἰς πικρίαν ὁ καρπός φτβ10. 829 ᵃ39. —
ὀργιλότητος εἴδη τρία, ἀκροχολία πικρία βαρυθυμία αρ6.
1251 ᵃ4.

πικρίς. ὁ δράκων ὅταν ὀπωρίζῃ, τὸν ὀπὸν τῆς πικρίδος ἐκρο-
φεῖ Ζιϛ. 612 ᵃ30. (fort Helminthia echioides Gaert Spren-
gel hist rei herb I 100. Aub I 186. Apium petroselinum
Langk Bot 37.)

πικρολογία ἀκολυθεῖ τῇ ὀργιλότητι αρ6. 1251 ᵃ9.

πικρός. τὸ γλυκὺ ἢ τὸ πικρὸν εἴδη χυμῶν, εἰ κραθῇ ἐκ γλυ-
κέος ἢ πικρῦ ψβ10. 422 ᵇ12. αι4. 442 ᵃ13, ᵇ19. ἡ τέφρα
πικρὰ αι4. 441 ᵇ5. πικρὸν ἢ ἁλμυρὸν αι4. 442 ᵃ18, 27.
μβ2. 355 ᵇ8. τὰ δυσώδη ἢ πικρὰ ἄπεπτα πα47. 865 ᵃ5.
τοῖς πικροῖς χυμοῖς ἀνάλογον αἱ σαπραὶ ὀσμαὶ αι5. 443 ᵇ10.
cf ψβ9. 421 ᵃ27. — πικρός, def φυλακτικὸς ὀργῆς ηθδ3.
1221 ᵇ13. οἱ πικροὶ δυσδιάλυτοι Ηδ11. 1126 ᵃ19. διὰ τι-
μωρίαν ἀδόικι Ρα10. 1368 ᵇ21. πικρῷ ἤθει, opp πραεῖ ρ38.
1445 ᵇ16. ὁ λογισμὸς φεύγει τὸν θυμὸν ὡς πικρὸν τύραννον
f 97. 1493 ᵇ38. πικρῦ σημεῖα φз. 808 ᵃ17-19.

πικρότης, opp γλυκύτης Γβ2. 392 ᵇ12. coni ἁλμυρότης
μβ2. 354 ᵇ2.

πιλεῖν. εἰ μή ἐστι μανὸν ἢ πυκνόν, ὖδὲ συνιέναι ἢ πιλεῖσθαι
οἷόν τε Φθ9. 216 ᵇ24. 6. 213 ᵇ16. τὸ πολὺ εἰς ὀλίγον πιλη-
θῆναι τόπον μβ8. 366 ᵇ13. ὁ ἀὴρ βίᾳ κατέχεται ἢ πεπί-
ληται πκε1. 937 ᵇ36. πιλύμενος ὁ πολύπυς ἀφίησιν ἀεί τι
ἢ τέλος ἀφαιεῖται Ζιθ7. 622 ᵃ16. αὐξήσεις βίαιοι, οἷον οἱ
σῖτοι οἱ ταχὺ ἀδρυνόμενοι ἢ μὴ πιληθέντες Φε6. 230 ᵇ3. —
πιλεῖν τὸ πιλητὰ μδ8. 385 ᵃ17. 9. 387 ᵃ15-17.

πίλημα. χάλαζα γίνεται νιφετῦ συστραφέντος ἢ βρῖθος ἐκ
πιλήματος λαβόντος κ4. 394 ᵇ2. πνεῦμα εἰληθὲν ἢ βιαίως
ῥηγνύον τὰ συνεχῆ πιλήματα τῦ νέφυς κ4. 395 ᵃ12.

πίλησις. (τί γίνεσθαι ἀνάγκη), εἰ μή ἐστι πίλησις Φδ9. 217
ᵃ15. ἡ ἔξωθεν ἀφὴ ἐναντιωμένη διὰ τῆς πιλήσεως τῇ φορᾷ
πλζ6. 966 ᵇ16.
πιλητικὸν τὸ ψῦχός ἐστι πιϑ8. 909 ᵇ18.
πιλίον. τὰ πιλία θᾶττον ποιεῖ πολιάς f 226. 1519 ᵃ14.
πίλος. τὰς σκεπαζομένας τρίχας πίλοις πολιοῦσθαι θᾶττον Ζγε
5. 785 ᵃ27.
πιμελή. refertur inter τὰ ὑγρὰ τῶν ὁμοιομερῶν Ζιγ2. 511
ᵇ9. αι. 487 ᵃ3. Ζμβ2. 647 ᵇ12. χυτὸν ⳤ ἄπηκτον, θυμι-
ᾶται ⳤ τήκεται Ζιγ17. 520 ᵃ8. 20. 521 ᵇ31. ζ17. 571ᵃ31.
πιμελὴ ⳤ στέαρ πῶς διαφέρησι Ζμβ5. 651 ᵃ20. Ζιγ17.
520 ᵃ6. ὐκ ἔστι φύσει ἀλλ' ἐπίκτητον· θερμόν, ἂν μὴ
δίυγρος πε14. 882 ᵃ22. η4. 887 ᵇ25. ἡ καθ' αὑτὸ πέψις
αἵματος στέαρ ⳤ πιμελή ἐστιν Ζμβ6. 652 ᵃ10. γ9. 672 ᵃ4.
τοῖς εὐτραφέσι πεττόμενον τὸ περίττωμα γίνεται πιμελή,
ἔστιν ἡ πιμελὴ περίττωμα δι' εὐβοσίαν ὑγιεινόν Ζγα18.
726 ᵃ5, 6. 19. 727 ᵃ34. (τῶν ζῴων) εὐβοσία πλείονι χρω-
μένων πιμελὴ (γίνεται) ἀντὶ σαρκῶν Ζιγ16. 519 ᵇ34. (τοῖς
ἀγονωτέροις ἡ γονὴ ⳤ τὸ σπέρμα) εἰς τὴν πιμελὴν ἀναλί-
σκεται ⳤ τὸ στέαρ Ζμβ5. 651 ᵇ15. cf Ζγα19. 727 ᵃ36.
γίνεται μεταξὺ δέρματος ⳤ σαρκὸς Ζιγ17. 520 ᵃ11. πλείστη
περὶ τὴν γαστέρα πε3. 880 ᵇ35. 14. 882 ᵃ22. ἔχυσιν οἱ νε-
φροὶ μάλιστα τῶν σπλάγχνων πιμελήν, ἐλάττω πιμελὴν ἔχει
τῷ ἀριστερῷ ⳤ αὐχμηρότερος ὁ δεξιὸς (τῶν νεφρῶν) Ζμγ9.
672 ᵃ2, 11, 19. Ζια17. 497 ᵃ2. ἡ ἴκμας πεττομένη γίνεται
πιμελή πι3. 891 ᵃ23. τὸ ἐπίπλοον ἔχει πιμελὴν Ζμδ3. 677
ᵇ15, 29. Ζιγ17. 520 ᵃ14. ὐκ ἔχει αἴσθησιν ὐδὲ πιμελὴ ὐδὲ
στέαρ Ζμβ5. 651 ᵇ6. — τὰ ζῷα τὰ πιμελὴν ἔχοντα Ζμδ3.
677 ᵇ15 (cf Μ 319). τὰ ἀμφώδοντα ⳤ ἀκέρατα ⳤ πολυ-
σχιδῆ Ζιγ17. 520 ᵃ15. Ζμβ5. 651 ᵃ34, ᵇ3, cf 29. τὰ σε-
λάχη ἐστὶ ἀπιμελώτατα ⳤ κατὰ σάρκα ⳤ κατὰ κοιλίαν
κεχωρισμένη πιμελὴ Ζιγ17. 520 ᵃ20. ὐδὲν ἔχει τῶν ἀναίμων
ὔτε πιμελὴν ὔτε στέαρ Ζμβ5. 651 ᵃ26 (F 272, 15). Ζγα19.
727 ᵇ4, 5. Ζιδ7. 532 ᵇ8. (cf Bussemaker ad Oribas I 587.
Langk Schol ad Ζμ p 15, 78.)
πιμελώδης. πιμελώδης ὑμὴν Ζια16. 495 ᵇ30. 17. 496 ᵃ6,
σάρξ φ3. 807 ᵇ13. ἧπαρ πιμελῶδες Ζιγ17. 520 ᵃ17. πιμε-
λώδεις δεσμοὶ Ζια16. 495 ᵇ12. στεατώδεις οἱ μυελοὶ ⳤ πι-
μελώδεις Ζμβ6. 652 ᵃ7. ἰχθύων στέαρ πιμελῶδες Ζιγ17.
520 ᵃ21. ἀθροίζεται τὸ πιμελῶδες ὑπὸ τὴν τῷ δέρματος
σκέπην Ζγβ6. 743 ᵇ13. — ἔστιν ἀγονώτερα τὰ πιμελώδη
Ζιγ18. 520 ᵇ6. ἔξω περιίσταται πιμελὴ ἐν τοῖς πιμελώδεσιν
Ζμγ9. 672 ᵃ11. τῶν πιμελωδῶν ὁ μυελὸς πιμελῇ ὅμοιος,
πιμελώδης, τὸ ἐπίπλοον πιμελῶδες Ζμβ6. 651 ᵇ28. Ζιγ20.
521 ᵇ10. 17. 520 ᵃ14.
πιμλάναι. ἡ ἵππος ὐκ εὐθὺς μετὰ τὸν τόκον πίμπλαται ἀλλὰ
διαλείπει χρόνον· ἐπειδὰν πλησθῶσιν αἱ θήλειαι (ἔλαφοι)
Ζιζ22. 576 ᵇ29. 29. 578 ᵇ32.
πιμπράναι. κύτισος ἢ ἄνθυ ὐ συμφέρει (ταῖς βυσίν), πίμ-
πρησι γάρ Ζιγ21. 522 ᵇ28.
πινακίδιον. γράψας εἰς πινακίδιον θ57. 834 ᵇ12.
πινάκιον (δικαστικὸν) φέρειν Πβ8. 1268 ᵃ2.
πίναξ. πίνακας νεῶν (Hom μ 67) θ105. 839 ᵇ33. — πίναξ
ὃν ἀνέθηκε Θράσιππος χορηγήσας Πθ6. 1341 ᵃ36.
Πινδάρῳ versus afferuntur Ρα7. 1364 ᵃ28 (Ol 1, 1). β24.
1401 ᵃ17 (fr 73 Bgk). Πινδάρῳ 'Αντιμένης ὁ Κῷος ἐφιλο-
νείκει f 65. 1486 ᵇ32. — Πίνδαρος (histrio? Τυνδάρεος Bkʰ)
λίαν ὑπερβάλλων περὶ τὴν μίμησιν πο26. 1461 ᵇ35.
Πίνδου ὄρος πα13. 350 ᵇ15.
πίνειν. τὰ ζῷα πῶς πίνει Ζιϑ6. 595 ᵃ7-12. β1. 497 ᵇ27. τοῖς
ὄρνισιν ὐ συμφέρει τὸ πολὺ πίνειν Ζιϑ18. 601 ᵃ31, ᵇ4. οἱ τὸν

κρίθινον πεπωκότες τί πάσχωσιν f 101. 1494 ᵇ6. ἀναξηραί-
νεται ὁ οἶνος ὥστε ξυόμενος πίνεσθαι μδ10. 388 ᵇ7. — τὰ
βεβρεγμένα τῶν ζευγῶν ⳤ τὰ πεπωκότα τὸ σίαλον εὐφω-
νότερα γίγνεται ακ802 ᵇ22.
πίννα (v l πίνναι, πίναι, πῖναι, πίννη v l et f 287. 1528 ᵇ9). re-
fertur inter τὰ ἀρράβδωτα τῶν τραχυοστράκων, τὰ ἀκίνητα
ἐκ τῆς προσφυῆς Ζιδ4. 528 ᵃ24, 26, 33. λεπτόστομον f 287.
1528 ᵇ13. προσπεφύκασιν, ἐρρίζωνται, ὀρθαὶ φύονται ἐκ τῇ
βύσσῃ (βυθᾷ ci Müller, Archiv f Naturgesch 1837 I 2 et
Aub) ἐν τοῖς ἀμμώδεσι ⳤ βορβορώδεσιν Ζιϑ1. 588 ᵇ15. ε15.
548 ᵃ5, 547 ᵇ15 Aub et II 495. ἀεὶ ἔχυσι τὰ ψά, πρὸς τὴν
ἐδωδὴν εὔχυμα, πότε Ζγγ11. 763 ᵇ8, 7. ἔχυσιν ἐν αὑταῖς
πιννοφύλακα, ὕ στερισκόμεναι διαφθείρονται θᾶττον Ζιε15.
547 ᵇ16, 28. (perna Alberto, pinna C II 645. S I 320. II
368. St. Cr. K. ΑΖι I 181, 21. Pinna rotundata Mr 236.
cf Naturforscher 1777 X 20. Mongez in Mém de l'In-
stitut 1814 IV 228. Yates textr antiq 152-159, Ritter
Erdkunde XIX 1196.)
πιννοτήρας. οἱ καλύμενοι πιννοτῆραι (v l πιννοθῆραι, πινοθῆραι)
ἐν ταῖς πίνναις, ἐν τοῖς κτεσίν, ἐν τοῖς λιμνοστρέοις. descr
Ζιε15. 547 ᵇ28 Aub. (praedones pinnarum Guilel (Plin
XXXII § 150), pinnother Gazae, pinnothera Scalig. Pinno-
there C II 647. S I 320. Cancer pinnophylax St. Pinno-
theres veterum Cr. cf M 249. οἱ ἐν τοῖς κτεσί def non
possunt, de ceteris cf καρίδιον, καρκίνιον.)
πιννοφύλαξ, καρίδιον ἢ καρκίνιον ἐν ταῖς πίνναις, τῶν σπόγ-
γων descr Ζιε15. 547 ᵇ16. 16. 548 ᵃ28 Aub. (cf ΑΖι I 155,
9. Young 261, Forskal descr an 1775 p 89.) ν καρίδιον,
καρκίνιον.
πῖνον. οἱ τὸν κρίθινον πεπωκότες, ὃν πῖνον καλῦσι, τί πάσχυσιν
f 101. 1494 ᵃ43, 45, ᵇ2.
πινύσκη (Simonid fr 12) Ζιε8. 542 ᵇ8.
πιότης τῶν ἐναίμων, τῷ σώματος, ἡ πιότης κεχωρισμένη,
syn ἡ πιμελὴ κεχωρισμένη Ζμδ5. 680 ᵃ27. Ζιγ4. 515 ᵃ22.
17. 520 ᵃ23, 20. ὀλίγαιμα, ἅτε εἰς τὴν πιότητα ἀναλισκο-
μένα τῷ αἵματος Ζμβ5. 651 ᵇ9.
πίπα v l (πιπὼ Bk, πίπρα C) Ζιϑ3. 593 ᵃ4.
πῖπος. πίπῳ (v l πιπὼ, ἵππω, πιποῦ ci Bsm Pik) Ζιι1. 609
ᵃ30. 22. 617 ᵃ28. cf ΑΖι II 496. v πιπώ.
πίπρα (v l πιπρῶ, πιπώ ci S Bsm Pik) Ζιι1. 609 ᵃ7. v πιπώ.
πιπράσκειν. τὰ πιπρασκόμενα ὑπὸ τῆς πόλεως f 401. 1545
ᵃ3. ἐξ ὧν τὰ πραθέντων ἢ μισθωθέντων πρόσοδος τῇ πόλει
γίγνοιτο ρ3. 1425 ᵇ23. ὅπως ὁ σῖτος δικαίως πραθήσεται
f 411. 1546 ᵇ12.
πίπτειν. οἱ κεραυνοὶ κάτω πίπτωσιν μα4. 342 ᵃ14, 11. πί-
πτοντα οἰκοδομήματα Πζ8. 1321 ᵇ20, 1322 ᵇ21. πίπτωσι
τὰ φύλλα φτα4. 819 ᵇ33. τὴν γλῶσσαν ὀλιγάκις ὑπὸ τὰς
ὀδόντας πίπτειν Ζμγ3. 664 ᵇ35. τὰ πνεύματα πίπτει (opp
λαμπρά) πκ3. 940 ᵇ15. 60. 947 ᵃ29. — αἱ κάθετοι ἐπὶ
τὸ αὐτὸ σημεῖον πεσοῦνται μγ5. 376 ᵇ19. ατ970 ᵃ11. τῷ
ἑνὸς εἰς τὸν ἄρτιον πίπτοντος περιττὸς ἀριθμὸς γίγνεται Μμ8.
1084 ᵃ5. — ὑπὸ τέχνην, ὑπὸ τὴν αἴσθησιν, ὑπὸ τὴν αὐτὴν
μέθοδον, διαίρεσιν sim πίπτειν Ηβ2. 1104 ᵃ7. τα5. 102ᵃ37.
ζ13. 151 ᵃ15. 4. 141 ᵃ11. ρ4. 1426 ᵃ29. πίπτυσι πίπτει
ἐπὶ τὴν αὐτὴν ἐπιστήμην ΜΑ2. 982 ᵇ8. ἅπασαι αἱ αἰτίαι
πίπτυσιν εἰς τέσσαρας ταύτας, ὡς εἰς γένη ταῦτα πίπτωσιν
sim Φη2. 243 ᵇ16. β3. 195 ᵃ15. Μδ2. 1013ᵇ17. γ3.1005
ᵃ2. Ζμγ14. 675 ᵃ25. πίπτειν εἰς τὴν τῷ ἐλέγχῳ ἀγνοιαν
τι6. 169 ᵃ18. ἔξω πίπτειν τῶν διῃρημένων γενῶν Ζμδ5.
681 ᵇ1. ἔξω πίπτειν Αγ23. 85ᵃ2, 4. ἐξωτέρω πίπτειν Πδ11.
1295 ᵃ32. ἐκτὸς τῶν εὐλόγων πίπτειν Μκ2. 1060 ᵃ18. —

εἰς ὀργὴν πεσεῖν (frg tr adesp 55) Ρβ23. 1397 ᵃ14. —
τοὔνομα πίπτει πως (cf πτῶσις) Αα36. 49 ᵃ5. — οἱ ὄρτυγες
ὅταν πέσωσιν (Bk, ἐμπέσωσιν Aub e duobus codd) συνδυά-
ζονται Ζιθ12. 597 ᵇ9.

πιπώ. refertur inter τὰ σκνιποφάγα, σκέλη βραχέα (ἵπποις
v l, πίπω Bk) Ζιθ3. 593 ᵃ4. ι21. 617 ᵃ28. πολέμιοι τῶν
ὀρνίθων ποικιλίδες κ̣ κορυδῶνες κ̣ πιπώ (πίπρα Bk) κ̣ χλω-
ρεύς· (πόλεμος) πιποῖ (ci S Bsm Pik, πίπω Bk) κ̣ ἐρωδιῷ
Ζιι1. 609 ᵃ7 (S II 5), ᵃ30 (S I 591, II 10). dist πιπώ (v l
πίπα) ἥ τε μείζων κ̣ ἡ ἐλάττων· ὅμοια ἀλλήλοις κ̣ φωνὴν
ἔχουσιν ὁμοίαν, πλὴν μείζω τὸ μεῖζον· νέμεται ἀμφότερα
ταῦτα πρὸς τὰ ξύλα προσπετόμενα· καλῦσί τινες ἀμφό-
τερα ταῦτα δρυοκολάπτας Ζιθ3. 593 ᵃ4, 6, 7, 5. (πίπος pi-
pone, πίπρα pic C II, 651, 636. πίπος πίπρα πιπώ Picus vi-
ridis, maior, minor St. Cr. Picus minor, maior ΑΖι I 90,
28 ᵃᵇ. Su 128, 87.) v δρυοκολάπτης.

πισσόκηρος Ζιι40. 624 ᵃ17 S.
πιστεύειν. 1. cum obiecto personae. ὃ ῥάδιον ὐδενὶ πιστεῦ-
σαι περὶ τῦ ἐν πολλῷ χρόνῳ ὑπ᾽ αὐτῶν δεδοκιμασμένων
Ηθ5. 1157 ᵃ21. cf Ρα1. 1356 ᵃ6. β14. 1390 ᵃ32 (opp
ἀπιστεῖν). 23. 1400 ᵃ34. ταῦτ᾽ ὐ μόνον Αἰγυπτίοις πιστεῦ-
σαι δεῖ, ὰ ἡμεῖς ἐφεωράκαμεν μα6. 343 ᵇ10. vel
omisso dativo ὅταν ἠθικῶς ἀλλὰ μὴ νομικῶς πιστεύσωσιν
ηεη10. 1243 ᵃ14. pass πρὶν ἂν ἑκάτερος ἑκατέρῳ φανῇ φι-
λητὸς κ̣ πιστευθῇ Ηθ4. 1156 ᵇ29. πιστευθέντες τὰς πιστεύ-
σαντας ἀδικῶσιν p12. 1430 ᵇ21. πιστευθέντες ὑπὸ τῦ δήμυ
Πε5. 1305 ᵃ22. πιστευθέντες τοῖς ἐχθροῖς Πγ16. 1287 ᵃ39.
πιστευθέντες ἐκ τῦ διαβάλλειν τὰς γνωρίμας Πε10. 1310
ᵇ16. πιστευθεὶς ὡς δημοτικὸς ὤν Πε5. 1305 ᵃ28. — 2. cum
obiecto rei. ὐχ ἱκανῷ πεπιστεύκασι σημείῳ Ηθ2. 1155 ᵇ14.
πιστεύειν τῷ ἀληθεῖ, τοῖς οἰκείοις λόγοις al Ηη15. 1154
ᵃ25. Φθ8. 264 ᵃ7. Μβ2. 997 ᵇ18. Πε8. 1307 ᵇ40. ὐκέτι
τῦτο ῥάδιον πιστεῦσαι Πγ15. 1286 ᵇ26. τῷ ποιόν τινα φαί-
νεσθαι τὸν λέγοντα πιστεύομεν Ρα7.1366 ᵃ11. τὰ πράγματα
δεῖ πιστεύεσθαι Ργ17. 1417 ᵇ32. πιστευθήσεται κατὰ τὴν
ὁμοιότητα κ̣ τὰ κατὰ τῦτο πιθανὰ p8. 1428 ᵇ28. —
πιστεύειν omnino firmitatem persuasionis significat, sive ea
δόξης sive ἐπιστήμης vim ac naturam habet sive ad cogni-
tionem principiorum pertinet. φαίνεται μὲν ὁ ἥλιος ποδι-
αῖος. πεπίστευται δ᾽ εἶναι μείζων τῆς οἰκυμένης ψ3. 428 ᵃ40
ᵇ4. ὐκ ἐνδέχεται δοξάζοντα οἷς δοκεῖ μὴ πιστεύειν ψ3.
428 ᵃ21. τὰ μὲν ᾧ πιστεύσιν ὐ νέοι ἀλλὰ λέγυσιν Ηζ9.
1142 ᵃ19. ἔνιοι πιστεύυσιν ὐχ ἧττον οἷς δοξάζυσιν ἢ ἕτεροι
οἷς ἐπίστανται Ηη5. 1146 ᵇ29 (ἠρέμα πιστεύειν ᵇ27). ἅπαντα
πιστεύομεν ἢ διὰ συλλογισμῦ ἢ ἐξ ἐπαγωγῆς Αβ23. 68 ᵃ5
ᵇ13. τότε πιστεύομεν μάλιστα ὅταν ἀποδεδεῖχθαί ὑπολά-
βωμεν Ρα1. 1355 ᵃ5 (cf τοσαῦτά ἐστι δι᾽ ἃ πιστεύομεν
ἔξω τῶν ἀποδείξεων Ρβ1. 1378 ᵃ8). τῦτο μάλιστ᾽ ἄν τις
πιστεύσειε θεωρῶν πῶς γίνεται τὸ σπέρμα Ζγα2. 716 ᵃ7.
πιστεύειν coni syn εἰδέναι, γνωρίζειν Αγ2. 72 ᵃ25, 33, 36.
εἴπερ ἴσμεν κ̣ πιστεύομεν κ̣ τὰ πρῶτα, κἀκεῖνα ἴσμεν τε κ̣
πιστεύομεν μᾶλλον Αγ2. 72 ᵃ31. ὅταν πως πιστεύῃ κ̣
γνωρίμοι αὐτῷ ὦσιν αἱ ἀρχαί. ἐπίσταται Ηζ3. 1139 ᵇ33.
ἐκ τύτων συλλογιζόμενος πιστεύσειεν ἄν τις ὡς ἔστι τι
Οα2. 269 ᵇ14. ἐκ τύτων πιστεύσειεν ἄν τις ὅτι vel seq acc c
inf Φθ3. 254 ᵃ3. 6. 259 ᵃ20, ᵇ20. ψγ1. 424 ᵇ24. Ργ6. 1367
ᵇ33. λογικῶς ἐκ τύτων ἄν τις πιστεύσειεν περὶ τῦ λεχθέντος
Αγ22. 84 ᵃ7.

πιστευτικός. ἀδικῦσι τὰς μὴ εὐλαβεῖς μηδὲ φυλακτικὰς
ἀλλὰ πιστευτικὰς Ρα12. 1372 ᵇ29.

πίστις. 1. fides. cf πιστεύειν 1. οἴονται δεῖν στέργειν τὰς

κατὰ πίστιν συναλλάττοντας Ηθ15. 1162 ᵇ30. ἡ φιλία ἐν
πίστει κ̣ βεβαιότητι ημβ11. 1208 ᵇ24. ὐκ ἔστιν ἄνευ πί-
στεως φιλία βέβαιος ηεη2. 1237 ᵇ12. πάντα φυλάττειν ὅθεν
εἴωθε γίνεσθαι δύο, φρόνημά τε κ̣ πίστις (mutua fides)
Πε11. 1313 ᵇ2. ἀκολυθεῖ τῇ δικαιοσύνῃ πίστις αρ5. 1250
ᵇ24. ἡ πίστις (causa fidei) ἣν ἡ ἀπέχθεια ἡ πρὸς τὰς πλη-
σίυς Πε5. 1305 ᵃ22. ὅρκοι δεξιαὶ πίστεις Ρα14. 1375 ᵃ10.
— 2. persuasionis firmitas, sive ea ex argumentis et ra-
tionibus, sive ex sensu et experientia orta est, atque eae
res quae ad efficiendam eam persuasionem conferunt. πί-
στις, dist ὑπόληψις τὸ 5. 125 ᵇ30 sqq, 126 ᵇ15. δόξῃ ἔπεται
πίστις ψγ3. 428 ᵃ20. κ̣ γὰρ ἐμπειρίας κ̣ πίστεως δέονται
πολλῆς Πζ8. 1322 ᵃ32. συμβαίνει τῦτο κ̣ διὰ τῆς αἰσθή-
σεως ἱκανῶς, ὥς γε πρὸς ἀνθρωπίνην εἰπεῖν πίστιν Οα3. 270
ᵇ13. ἡ πίστις ὐ μόνον ἐπὶ τῆς αἰσθήσεως ἀλλὰ κ̣ ἐπὶ τῦ
λόγυ Φθ8. 262 ᵃ18. Πη4. 1326 ᵃ29, 26. ηεα6. 1216 ᵇ26.
πίστις διὰ (ἐκ) τῆς ἐπαγωγῆς, διὰ συλλογισμῦ Αδ3. 90
ᵇ14. τα8. 103 ᵇ3, 7. ι4. 165 ᵇ27. μδ1. 378 ᵇ14. Φε1. 224
ᵇ30. Μκ11. 1067 ᵇ14. ἐν τῷ παραδείγματι ἡ πίστις ἐκ
τῶν ὁμοίων Αβ24. 69 ᵃ4, 12. ἡ πίστις τῦ μέσυ πρὸς τὸ
ἄκρον Αβ24. 69 ᵃ12. πρῶτα τὰ μὴ δι᾽ ἑτέρυ ἀλλὰ δι᾽
αὑτῶν ἔχοντα τὴν πίστιν τα1. 100 ᵇ19. ἠτισῦν πίστις καθ᾽
ἡντινῦν μέθοδον Αβ23. 68 ᵇ12. λαβεῖν τὴν πίστιν ἔκ τινος
Οα4. 270 ᵇ33. β4. 287 ᵃ31. μγ2. 372 ᵃ32. ψα1. 402 ᵃ11.
Μν2. 1090 ᵃ3. cf Πβ3. 1262 ᵃ18. [δια]λαμβάνειν (?) τὴν
πίστιν διὰ τῶν ἔργων Πη1. 1323 ᵃ40. τὴν συμβάλλεται
πρὸς τὴν πίστιν Ηη15. 1154 ᵃ23. πολὺ διαφέρει πρὸς πίστιν
Ρβ1. 1377 ᵇ25. τὰ κύκλῳ εἰς πίστιν Ρα9. 1367 ᵇ29. ἡ
πίστις γίγνεται, συμβαίνει ἔκ τινος Φθ7. 261 ᵇ25. γ4. 203
ᵇ15. τὸ πάντας ὑπολαμβάνειν παρέχεται πίστιν μτ1. 462
ᵇ15. πρὸς ἅπαντα ἱκανὴ μία πίστις Φθ3. 254 ᵃ35. ὁ ἀναι-
ρῶν ταύτην τὴν πίστιν ὐ πάνυ πιστότερα ἐρεῖ Ηκ2. 1173
ᵃ1. πίστιν κ̣ τὰ τοιαῦτα ἔχει τινά (aliquid quod valeat ad
fidem faciendam) Ηκ 9. 1179 ᵃ17. κυριωτάτην ἔχει πίστιν
τὸ ἦθος Ρα2. 1356 ᵃ13. παραπλησίαν ἔχει (τὸ κενὸν) τὴν τε
ἀπιστίαν κ̣ τὴν πίστιν διὰ τῶν ὑπολαμβανομένων Φθ6. 213
ᵃ15. — Βαβυλώνιοι, παρ᾽ ὧν πολλὰς πίστεις ἔχομεν περὶ
τῶν ἄστρων (multa tradita accepimus fide digna) Οβ12.
292 ᵃ9. — rhetorice πίστις probatio rei de qua agitur,
τέτων τὸ μὲν πρόθεσίς ἐστιν, τὸ δὲ πίστις, ὥσπερ ἂν εἴ τις
διέλοι τὸ μὲν πρόβλημα, τὸ δὲ ἀπόδειξις Ργ13. 1414
ᵃ35. α1. 1355 ᵃ5. ἐν διηγήσει κ̣ ἐν πίστει Ργ17. 1418 ᵃ18.
ἐνθυμήματα, ὅπερ ἐστὶ σῶμα τῆς πίστεως Ρα1. 1354 ᵃ15.
αἱ πίστεις ἔντεχνόν εἰσι μόνον, τὰ δ᾽ ἄλλα προσθῆκαι Ρα1.
1354 ᵃ13. πίστεις ἔντεχνοι, τὰς διὰ τῦ λόγυ ποριζόμεναι,
opp ἄτεχνοι Ρα2. 1356 ᵃ1-20, 1355 ᵇ35. 1. 1354 ᵇ21. περὶ
τῶν ἀτέχνων πίστεων Ρα15 (πίστεις διὰ τῶν μαρτύρων
πιη3. 916 ᵇ34). τὰς πίστεις ἑκατέρων ἐμβαλόντες εἰς κα-
δίσκυς f414. 1547 ᵃ22. πίστεις ἀποδεικτικαί Ρα2. 1358 ᵃ1.
πίστεις κοιναί Ρβ20-26, opp ἴδιαι Ρβ20. 1393 ᵃ22. τὰς
πίστεις ποίας δεῖ εἶναι Ργ17. δευτέρα πίστις (i e δεύτερον
εἶδος τῶν πίστεων) Ρα9. 1366 ᵃ27. περὶ πίστεων p8-18.
πίστεις ἐξ αὐτῶν τῶν πραγμάτων p8-15. πίστεις ἐπίθετοι
p16-18. 8. 1428 ᵃ18. ποιεῖσθαι τὰς πίστεις διὰ τινος Ρα1.
1355 ᵃ27. ἐξ ὧν αἱ πίστεις γίνονται περὶ αὐτῶν Ρβ11.
1388 ᵇ29. ἐκ τέτων ληπτέον τὰς πίστεις Ρα6. 1363 ᵇ4. φέρειν
τὰς πίστεις ἔκ τινος Ρβ18. 1391 ᵇ25. πίστεις ἐπιφέρειν
p1. 1421 ᵃ6. ἐκ βασάνων τὰς πίστεις λαμβάνειν p17. 1432
ᵃ15.

πιστός. 1. τῦ αὐτὸς τὰς λέγοντας πιστὸς εἶναι τρία ἐστὶ τὰ
αἴτια Ρβ1. 1378 ᵃ6-16. τὸν μάρτυρα εἶναι πιστὸν ἢ ἄπιστον

ἢ ἀμφίδοξον ρ16. 1431 b22. cf Ρα15. 1376 a16. αἱ βάσανοι
ἔχεσι τὸ πιστόν Ρα15. 1376 b32. πανταχῇ πιστότατος ὁ
διαιτητής Πδ12. 1297 a5. — 2. τῦτο πιστὸν ἐκ τῆς ἐπα-
γωγῆς Οα7. 276 a14. τὸ πιστὸν ἐκ ἐκ τῶν φαινομένων
ἀθρῦσιν ἀλλὰ μᾶλλον ἐκ τῶν λόγων Οβ13. 293 a29. ἀμ- 5
φοῖν ἐχόντων τὸ πιστόν Ηι8. 1168 b12. κακῶς κρίνειν τὸ
πιστὸν κ̣ τὸ μὴ πιστόν Φθ3. 254 a32. ἡ ἀρχὴ αὐτὴ καθ'
ἑαυτὴν πιστή ται. 100 b21. ἀρχὴ πιστοτέρα Μκ5. 1062 a3.
τὸ μὲν εὐθὺς ὑπάρχει δι' αὐτὸ πιθανὸν κ̣ πιστὸν Ρα2. 1356
b28. ὁμοίως πιστὸν ἢ μᾶλλον τῦ συμπεράσματος Αβ25. 10
69 a22. λόγος ἀποδεικτικὸς κ̣ πιστός Ρβ1. 1377 b23. πι-
στότερον, syn γνωριμώτερον, πρότερον Αβ16. 64 b32. γ2.
72 b1. 25. 86 b5, 27, 30. 26. 87 a26. Ργ17. 1418 a11.
λόγοι πιστότεροι τῶν ὑποθέσεων Ογ1. 299 a5. ἡ ἐπιστήμη
ὑπόληψις πιστοτάτη τε3. 131 a23. ἧττον πιστά, syn ἀσσ- 15
ξότερα τθ11. 161 b31.
πιστῦν. ἔργον ῥήτορος προοιμιάσασθαι πρὸς εὔνοιαν, διηγήσα-
σθαι πρὸς πιθανότητα, πιστώσασθαι πρὸς πειθώ f 123. 1499
a28.
πιστώματα περὶ τινος Ρα15. 1376 a17. 20
Πιτθεύς. γνωμολογία Πιτθέως (Hes ε370) f 556. 1570 a11.
Πιτθεύς. Ἀνδροκλῆς ὁ Π. Ρβ23. 1400 a9.
πίττα, πίσσα. ἡ πίττα γλισχρόν μδ5. 382 b16, φλογιστὸν
μᾶλλον μετ' ἄλλων ἢ καθ' αὑτό μδ9. 387 b22. πίττης ἡ
θυμίασις λιγνύς μδ9. 388 b4, ὁ καπνὸς μελάντατος χ1. 791 25
b23. χυμὸς ἐν τισὶ δένδροις ὅμοιος ὑγρᾷ πίσσῃ φτα3. 818
b15. οἱ βόες βέλτιον ἰσχύσι τῶν κεράτων ἀλειφομένων πίσσῃ
θερμῇ Ζιθ23. 604 a17. ἐν Ἀπολλωνίᾳ γίνεται ἄσφαλτος
ὀρυκτὴ κ̣ πίσσα θ127. 842 b16. — πίττα in exemplis syl-
logismi saepius adhibetur, veluti Αα15. 35 a24, b10. 16. 30
36 a31. β3. 55 b34, cf πιττώδης.
Πιττακός Ηι6. 1167 a32. τύραννος Πγ14. 1285 a35, 38. in
eum versus Alcaei Πγ14. 1285 a39 (Alc fr 37). Πιττακῷ
Ἀντιμενίδας ἐφιλονείκει f 65. 1486 b34. Πιττακῦ νόμος εἰς
μεθύοντας Πβ12. 1274 b18. Ρβ25. 1402 b11. ἀπόφθεγμα 35
Ρβ22. 1389 a16. Πιττακὸς σοφός, ἐλευθέριος, φιλότιμος
Αβ27. 70 a16-33.
πιττώδης. χρῶμα μέλαν κ̣ πιττῶδες Ζιη10. 587 a32.
πιτύα (πυτία Bk) θ77. 835 b31. v l Beckm et S ad Theophr
IV 816. 40
πίτυς. σμύρος χρῶμα ἔχει ὅμοιον τῇ πίτυϊ Ζιε10. 543 a26.
πίτυες (πεῦκαι Stob, pinus Apul) κ̣ πύξοι, δένδρα ἄκαρπα
κ6. 401 a3. καλάμη ὀρόφη θρυαλλίδος στροβάλη πίτυος
f 252. 1524 b37. (Pinus silvestris L Fraas 263. cf Oribas
II 898.)
πίφιγξ (v l πίφηξ) Ζιι1. 610 a11. (tifunx Thomae, pifex
Gazae Scalig C II 639. Alauda trivialis St Cr. in incert
rel K. Su 162, 165. ΑΖι I 106, 91.)
πίων. τὸ πίον ξηρὸν λιπαρόν φ9. 388 a7. θερμὰ τὰ πίονα
τῷ ταχὺ μεταβάλλειν εἰς ἐνέργειαν πυρός Ζιμβ2. 649 a28. 50
τὸ πίον ἄναιμον, ἄσηπτον, θερμόν, τοῖς πιμελώδεσιν ὑγρόν,
τήκει μᾶλλον Ζιγ19. 520 b33, 521 a1. Ζιμδ3. 677 b33. γ9.
672 a32, 26. τὸ πίον τήκεται θερμαινόμενον πε4. 880 b37.
14. 882 a18. τὸ λευκὸν τῦ ὄμματος ἐν τοῖς ἄχνσιν αἷμα
πῖον κ̣ λιπαρὸν αι2. 438 a20. ἡ λιπαρότης τῦ μυελῦ κ̣ τὸ 55
πῖον Ζιμβ7. 652 a30. πῖον, dist λιπαρόν cf h v p 431 b57. —
τῶν ζώων τὰ μὲν ὑπὸ σάρκα, τὰ δὲ κατὰ σάρκα πίονά
ἐστι, τὰ δὲ κατ' ἀμφότερα πι3. 891 a20. τὰ περὶ κοιλίαν
πιότατα πε5. 880 b39. πίων ὁ ὀφθαλμὸς πλα22. 959 b16.
ὅσοι σαρκώδη πίονα τὴν πυγὴν ἔχσιν φ6. 810 a2. γίνονται 60
ὑγιεινότερα κ̣ πιότερα τὰ πρόβατα ἁλῶν διδομένων Ζιθ10.

596 a18. ἄρκτοι περὶ τὸν χρόνον τῦ φωλεύειν πιότατοι Ζιζ
31. 579 a27. τὰ πίονα ἀγονώτερα, ἧττον σπερματικά Ζιμβ5.
651 b13. Ζιγα18. 725 b32, 726 a1, 3. 19. 727 a23. β7.746
b26. γηράσκει ταχέως τὰ λίαν πίονα Ζιμβ5. 651 b9. —
τὸ κύκλῳ πῖον (ci Aub, κυκλώπιον Bk) Ζιθ8. 533 a9. πίον
(ci Bsm recte, πλείονι Bk) πγ5. 871 b13. πῖον (ci Pik Aub,
πλεῖον Bk) Ζιγ20. 522 a23 Aub. cf v l Ζιγ17. 520 a25.
πλάγγος (v l πλάνος) ἕτερον γένος ἀετῦ, descr Ζυ32. 618
b23. (planga et clanga Gazae, plancus Scalig. C II 650.
Aquila naevia Su 104, 27. fort Pandion haliaetus ΑΖι I
83, 1 f.)
πλάγιος. τὰ πλάγια ἐν τῷ κόσμῳ εἰώθαμεν λέγειν τὰ περὶ
τὰς πόλυς Οβ2. 285 b12. τὰ πλάγια τῦ σώματος, dist
ὄπισθεν, τὸ πρόσθεν Ζπ17. 713 b31. Ζιμβ13. 657 b21. γ7.
670 a14. μαστοὶ πλάγιοι, dist κατὰ μέσην γαστέρα Ζιμδ10.
688 a35. τὸν στόμαχον εἰς μέσην ἢ πλαγίαν τείνειν τὴν
κοιλίαν Ζιβ17. 507 b15. σπαρτία πλάγια, dist λοξὰ μχ25.
856 b10. νεῖ, προέρχεται, κεῖται al πλάγιος Ζιδ1. 524 a13.
ε7. 541 b29. 22. 554 a20. ζ22. 576 a23. η8. 586 b1. θ2.
590 b27. ἐκ τῦ πλαγίῳ (προσπεφυκέναι, προσκεῖσθαι al)
Ζπ15. 713 a18. Ζια15. 494 b14. ε17. 549 a22. Ζμδ9. 684
b12, 685 b11. πκς35. 944 a38. ἐκ τῶν πλαγίων, dist
ἄνωθεν, κάτωθεν μγ6. 377 b29. Ζια15. 494 b8. ε23. 555
a12. ἐκ πλαγίῳ (προσκεῖσθαι, προσπεφυκέναι al) Ζμδ10.
688 a14, 677 b11, 13. Ζιδ6. 531 a20. Ζπ15. 713 a6. ἐκ
πλαγίων πιε12. 912 b28. ἐκ πλαγίας, dist ἄνωθεν, ἐξ ἐναν-
τίας μγ2. 372 a11. 6. 378 a9. πιε12. 913 a2. ἐν τῷ πλαγίῳ
μγ6. 378 a3. Ζγα11. 719 a26. πιε12. 912 b37. ι15.892 b9.
ἐν τοῖς πλαγίοις μβ4. 361 a10. εἰς τὸ πλάγιον (κινεῖσθαι,
φέρεσθαι al), dist εἰς τὸ πρόσθεν, ἄνω, κάτω μα4. 342 a24.
γ1. 370 b24. Οβ2. 285 b14. Φθ8. 262 a12. Ζπ1. 704 b6.
14. 712 b20 (syn ἐπὶ τὸ πλάγιον 14. 712 b17). 15. 713
a20. Ζιβ1. 498 a16. δ2. 525 b25, 526 a10. Ζμδ11. 691
a1, 2, 30, b1. εἰς τὸ πλάγιον, dist εἰς ὁμαλές πις4. 913 b12.
εἰς τὸ πλάγιον ἢ εἰς τὸ ὀρθόν πις13. 915 b25. εἰς τὸ πλά-
γιον, opp ἐπὶ τῆς διαμέτρου μχ8. 852 a12. εἰς τὰ πλάγια
μα9. 347 a1. Οβ13. 295 b13. Ζιγ3. 513 b34. πι15. 892
b12. εἰς πλάγιον πλα7. 958 a8. εἰς πλάγια κ4. 396 a1.—
αὐξάνειν τὸν συλλογισμὸν εἰς τὸ πλάγιον Αγ12. 78 a16. —
πλαγίως δέχεσθαι τὴν θάλατταν μχ5. 850 b37. πλαγίως
v l Ζιδ1. 524 a13. ε7. 541 b29.
Πλαγκταί θ105. 839 b19.
πλαδᾶν. πῆξις πλαδῶσα, καθάπερ ἡ τῦ γάλακτος, opp στι-
φρά Ζιγ6. 516 a3.
πλακώδης, coni τραχύς. λεῖος Ζιβ17. 507 b8. f 317. 1531
b36. πλακωδέστερα τὰ κάτω, τὰ ὕπτια Ζμδ8. 684 a20.
Ζιδ2. 525 b14.
πλανᾶν. τὸ ἀόριστον πλανᾷ Ργ14. 1415 a14. τά τε μὴ πλα-
νῶντα κ̣ τὰ δοκῦντ' εἶναι παράλογα μα12. 347 b35. —
πλανᾶσθαι νύκτωρ Ρβ24. 1401 b24. ἐχῖνος πλανώμενος
Ρβ20. 1393 b27. πλανᾶται μάλιστα τὰ σαρκοφάγα Ζιη37.
621 b5. πλανᾶσθαι διὰ τὸν τόπον μα6. 343 a2. οἱ πλανώ-
μενοι ἀστέρες, τὰ πλανώμενα ἄστρα μα6. 343 a22. 8. 346
a2 (opp τὰ ἐνδεδεμένα). Οβ12. 292 a1. τὰ πλανώμενα
(int ἄστρα) Οβ12. 293 a1. μα8. 345 a21. ζέφυρος πλα-
νᾶται πκς52. 946 a25. δεῖ μὴ πλανᾶσθαι τὰς πόρας, ἀλλ'
ἑδραίας εἶναι, ἐρηρεῖσθαι Ζγα13. 720 a12, 28. τὸ περίττωμα
πλανώμενον ἀτάκτως πε7. 881 a25. — πεπλανημένως.
τὰ καταμήνια γίνεσθαι δι' ἴσων χρόνων κ̣ μὴ πεπλανημένως
Ζικ1. 634 a13, 17.
πλάνη. ἡ κατὰ τὰς κώμας πλάνη πο3. 1448 a38. ἴσοι ἄν τις

ἐν ταῖς πλάναις ὡς οἰκεῖον ἄνθρωπος ἀνθρώπῳ Ηθ1. 1155
ᵃ21. — τοσαύτην ἔχει διαφορὰν ἡ πλάνην Ηα1. 1094ᵇ16,
17. πολλὰς ἀπορίας ἔχει ἡ πλάνας ψα1. 402 ᵃ21.
πλάνης. οἱ πλάνητες ἀστέρες, opp οἱ ἐνδεδεμένοι Οβ8. 290
ᵃ19. τῶν πλανήτων ἀστέρων μα6. 342 ᵇ28, 31. 7. 344 ᵃ36,
τῶν πλανήτων (int ἀστέρων) μα6. 343 ᵇ29. 8. 345 ᵇ28. ἡ
δευτέρα περιφορά, ἡ τῶν πλανήτων Οβ 2. 285 ᵇ28. Μλ8.
1073 ᵃ31. οἱ πλάνητες κινῶνται πλείας κινήσεις Οβ12. 291
ᵇ29 sqq. οἱ πλάνητες ἐγγύς εἰσιν, ἢ στίλβωσιν Οβ8. 290
ᵃ19. Αγ13. 78 ᵃ30 Wz.
πλανησίεδρος. τῷ σκέλης τὸ πλανησίεδρον μύλη Ζια15.
494 ᵃ5.
πλανήτης. ἡ τῶν πλανητῶν σφαῖρα Οβ4. 287 ᵃ9. τὰς πλα-
νήτας κύνας τῆς Περσεφόνης (ἐκάλει Πυθαγόρας) f 191.
1512 ᵃ31.
πλανητικός. τὰ ὑγρὰ πλανητικά ἐστιν πκς2. 940 ᵇ4.
πλανητός. τῶν ἄστρων τὰ πλανητὰ κινεῖται ἐν ἑτέροις ἡ
ἑτέροις κύκλοις κ2. 392 ᵃ13.
πλάξ. 1. πλάκες, cancelli et crustae Gazae, plagulae mem-
branaceae, Peyer Merycologia 135. S I 110, 179. Theophr
III 729. psalterion ἔχει ἐντὸς πλάκας πολλὰς ἡ μεγάλας
ἡ λείας, τὸ ὑὸς κοιλία ὀλίγας ἔχει λείας πλάκας Ζιβ17.
507 ᵇ11, 20. Ζμγ14. 675 ᵃ28. — 2. pinna caudalis, ta-
bella Gazae, 'appendices inferioris caudae' S I 194 et S
Mz fin, the hairy plates Young 248. syn πτερύγια Ζιδ2.
525 ᵇ27. τῷ ἀστακῷ τὸ πλατὺ ἡ ἔσχατον ἔχει πέντε πλά-
κας, αἱ κυφαὶ πλάκας ἐν τοῖς ὑπτίοις ἐκ ἔχϫσι, μείζως
ἔχει τὰς πλάκας τὰ θήλεα αὐτῶν (τῶν καραβωδῶν) ἢ τὰ
ἄρρενα Ζιδ2. 526 ᵇ9, 525 ᵇ20. Ζμγ8. 758 ᵃ14.
πλάσις. εἰς πλάσιν τῷ ἐμβρύῳ γίγνεται ἡ δαπάνη Ζγο8.
776 ᵃ33. — οἱ τὰ μαθηματικὰ μόνον ποιῶντες, ὁρῶντες
τὴν περὶ τὰ εἴδη δυσχρέιαν ἡ πλάσιν Μμ9. 1086 ᵃ4, cf
πλάσμα, πλασματίας, πλασματώδης, πλάττειν 2.
πλάσμα. τῦτο παντελῶς ἄλογον ἡ πλάσματι ὅμοιον Οβ6.
289 ᵃ6. 8. 289 ᵇ25. Φθ1. 252 ᵃ5.
πλασματίας. ἄτοπος ἡ πλασματίας ὁ λόγος Ζγβ1. 734
ᵃ33. δ3. 769 ᵃ36. Μμ2. 1076 ᵃ39.
πλασματώδης. λέγω πλασματῶδες τὸ πρὸς ὑπόθεσιν βε-
βιασμένον Μμ7. 1082 ᵇ3. πλασματῶδες. coni ἀδύνατον,
ἄτοπον Φθ5. 257 ᵃ23. Μμ7. 1081 ᵇ30, 1082 ᵇ2. 9. 1085
ᵃ15. οἴκεν ὁ τρόπος τῆς αἰτίας πλασματώδης εἶναι Ζγδ1.
764 ᵇ10. ανδ. 472 ᵇ12. 6. 473 ᵃ11.
πλάστιγξ. κατήρτηται ἡ πλάστιγξ μχ20. 853 ᵇ27. ἐπὶ ἑκά-
τερον μέρος τῆς πλάστιγγος μχ1. 849 ᵇ24.
πλαστικός. ἡ πλαστικὴ τέχνη, coni ἡ γραφικὴ Ζμα5. 645
ᵃ13.
πλαταγή Ἀρχύτα, ἡ παιδεία πλαταγὴ τοῖς μείζοσι τῶν νέων
Πθ6. 1340 ᵇ26, 30.
πλαταμώδης. (κνιδῶν γένος τι) ἐπὶ τοῖς λείοις ἡ πλατα-
μώδεσιν ἀπολυόμεναι μεταχωρῦσιν Ζιε16. 548 ᵃ26.
πλαταμών. ὕδωρ ἀπορρέον ἀεὶ ἡ ἐπιρρέον ἐπὶ πλαταμώνων
Ζιθ2. 592 ᵃ4.
πλάτανος, πλάτανοι ἡ πίτυες ἡ πύξοι (ἄκαρπα) κ6. 401 ᵃ3.
(θεωρεῖν τὰς τῷ ἥλιῳ ἐκλείψεις) διὰ πλατάνϡ ἢ ἄλλϡ πλα-
τυφύλλϡ πιε11. 912 ᵇ12. cf Schol 262 ᵇ42. (Platanus orien-
talis L Fraas 242. Langkavel Bot 92. hodie πλάτανος
Heldreich Nutzpfl Griechenlands 21.)
πλάτη. νέϡσιν ἐπερειδόμενοι οἷον πλάταις αὐταῖς (ταῖς ὑραῖς)
Ζμδ8. 684 ᵃ3, cf 13. — πλάτη καθ' ὅλον συνεχὴς Ζμδ12.
694 ᵇ5, pedes fissopalmati avium (Podiceps).
Πλάτης. Παμφίλη, Πλάτεω (v1 πλατέω, λατϡω, λατϡν)

θυγάτηρ Ζιε19. 551 ᵇ16.
πλάτος. διαστήματα ἔχει ὁ τόπος τρία, μῆκος ἡ πλάτος ἡ
βάθος, οἷς ὁρίζεται σῶμα πᾶν Φδ1. 209 ᵃ5. μεγέθϡς τὸ
ἐπὶ δύο συνεχὲς πλάτος Μδ13. 1020 ᵃ12, 14. μῆκος πλά-
τος ἔχον, opp ἀπλατές τζ6. 143 ᵇ14. τὸ μῆκος τῷ πλάτϡς
πρότερον Οβ2. 285 ᵃ19. cf πιζ2. 916 ᵃ13. δεξιὸν ἀριστερόν,
ἐναντία ἐν πλάτει Φε5. 229 ᵇ8. τὸ δεξιὸν τῷ πλάτϡς ἀρχή
ἐστι Οβ2. 284 ᵇ5. διαιρέσεις σώματος εἰς πλάτος, εἰς βά-
θος, εἰς μῆκος Μβ5. 1002 ᵃ19. πλάτϡς μέτρον πλάτος Μι1.
1053 ᵃ26. πλάτη πολλὰ μδ9. 387 ᵃ10. τὸ πρῶτον μῆκος
ἡ πλάτος ἡ βάθος (Plat) ψα2. 404 ᵇ21. — κατὰ πλάτος,
dist κατὰ μῆκος, κατὰ βάθος Ογ1. 299 ᵇ26. μα4. 341
ᵇ34, 29. δ9. 387 ᵃ3, 9. εἰς πλάτος διαταθέν, opp ἀθρόον
μβ2. 355 ᵇ25. — πλάτος, μῆκος τῆς οἰκϡμένης κ3. 393
ᵇ18. μβ5. 362 ᵇ20, 18. — τὸ πλάτος τῷ κέρκϡ Ζιε17.
549 ᵇ1. ὅσα τὸ πλάτος μὴ ἔχει ἀπολελεπτυσμένον (Pristi-
des et Rhinobatides) Ζια5. 489 ᵇ33. cf Ζμδ13. 695 ᵇ15.
οἱ πλατεῖς τῶν ἰχθύων ἀντὶ τῶν πτερυγίων τῷ ἐσχάτϡ
πλάτει (τοῖς πλατέσι) νέϡσιν, τῷ πλάτει τῷ σώματος
χρῶνται Ζμδ13. 696 ᵃ26. Ζια5. 489 ᵇ32. Ζπ9. 709 ᵇ15.
πλάττειν. 1. formare, fingere. οἱ πλάττοντες ἐκ πηλῷ ζῷων
Ζμβ9. 654 ᵇ29. πλάσας κήρινον ἀγγεῖον μβ3. 359 ᵃ1. Ζιβ2.
590 ᵃ24. ἐκ ὂν ἔχει (int ἡ τῶν ὀρνίθων φύσις) τοιαύτην
ὕλην ἐξ ἧς ἂν ἔπλασε τὰ ὦτα Ζμβ12. 657 ᵃ20. (ἡ φύσις)
ἔοικε τοῖς πλάττϡσιν, ἢ τοῖς τεκταινομένοις Ζγα22. 730 ᵇ30.
τὰ σχήματα τῶν σπλάγχνων καθάπερ ἂν τύπϡ πλασθῆναι
διὰ τὸν τόπον Ζμδ1. 676 ᵇ10. ἐκ τῶτων ὡς πλασαρχόντων
συνεστάναι ἡ πεπλάσθαι τὴν ὀσίαν ΜΑ5. 986 ᵇ7 Bz. οἱ
πεπλασμένοι βάτραχοι εν3. 461 ᵇ15. πλαστόν, opp ἄπλα-
στον, περὶ πλαστῷ μδ8. 385 ᵃ15. 9. 386 ᵃ25-29. — ἐνδε-
χόμενον πλάττεσθαι τὴν φωνὴν Ζιδ9. 536 ᵇ19. τὸ ἔμμετρον
ἀπίθανον, πεπλάσθαι γὰρ δοκεῖ Ργ8. 1408 ᵇ22. δεῖ μὴ δο-
κεῖν λέγειν πεπλασμένως ἀλλὰ πεφυκότως Ργ2. 1404
ᵇ19. — 2. confingere, comminisci. ϡδ' ἐγένετο τὸ τεῖχος,
ὁ δὲ πλάσας ποιητὴς ἠφάνισεν f 173. 1506 ᵇ44. χαλεπὸν ἡ
πλάσαι μα4. 411 ᵇ18. δεῖ πλάττειν βϡλομένϡς ῥάδιον ἀπο-
δῦναι ψα3. 406 ᵃ27. Ογ1. 299 ᵇ17. πεπλασμένην ἔοικεν
Γα8. 325 ᵃ10. Οδ2. 310 ᵃ4. τὰ ἐπιμυθενόμενα πέπλασται
μᾶλλον ὑπὸ τῶν γυναικῶν Ζιθ24. 605 ᵃ5. — med πλασά-
μενος ὅ τι βϡλεται πιθανὸν πκθ13. 951 ᵃ28. τὰς μὴ πλατ-
τομένης πρὸς ἑαυτὰς φιλϡσιν Ρβ4. 1381 ᵇ28.
πλατυγάστωρ ὁ φώρ Ζιε22. 553 ᵇ10. ι40. 624 ᵇ25.
πλατύγλωττος. τὰ πλατύγλωττα γένη ὀρνίθων Ζιβ12. 504
ᵇ3. θ12. 597 ᵇ26. οἱ πλατυγλωττότεροι ὄρνιθες μάλιστα
φθέγγονται γράμματα Ζμβ17. 660 ᵃ30.
πλατύκερκοι ἰσε Ζιθ10. 596 ᵇ4. v πρόβατον.
πλατύνειν. πλατύνεται, syn αὔξεται εἰς εὖρος θ112. 841 ᵃ2.
Ὠκεανὸς πλατυνόμενος κ3. 393 ᵃ23. ἡ σκίλλα ὑποκάτω
πλατύνεται φτα5. 820 ᵃ26. πλατυνθείη φτβ1. 822 ᵃ38.
πλατύνϡσιν πλείων φτβ3. 825 ᵃ10.
πλατυπρόσωπι ψίδες θ28. 832 ᵇ2. v μῦς p 478 ᵇ39.
πλατύρυγχα τινὰ τῶν ζῴων ἐστὶ Ζμγ1. 662 ᵇ12.
πλατύς. 1. ἐκ πλατέος ἡ στενϡ τὸ ἐπίπεδον ΜΑ9. 992 ᵃ12.
μ9. 1085 ᵃ11. v1 1088 ᵇ8. 2. 1089 ᵇ13. εἰς ἀχανῆ ἡ πλα-
τὺν τόπον μβ2. 355 ᵇ31. τὰ πλατέα σιδήρια ἐπιπλεῖ Οδ6.
313 ᵃ16. πλατεῖς ὀδόντες Ζγε8. 788 ᵇ30, 789 ᵃ10, 16. ἕλ-
μινς ἡ πλατεῖα, cf ἕλμινς p 239 ᵇ29. ζῳδάρια πλατέα,
cf οἶστρος p 502 ᵇ44 et Philol XXVII 739. τῶν ἰχθύων
οἱ πλατεῖς, cf ἰχθύς p 351 ᵃ53. τὰ πλατέα, cf σελάχη et
Μ 282. — πλατέος ὄρχϡ (Emp 179) Μβ4. 1000 ᵇ15. —
2. ὕδωρ ἁλμυρὸν ἡ πλατύ, ὕδατα πλατέα μβ3. 358

ᵇ15, 4. ὕδωρ πλατύτερον, ὕδατα πλατύτερα μβ3. 359 ᵃ25, 358 ᵃ28.

πλατυσμός τῶν πόρων φτβ9. 828 ᵇ10.

πλατύτης τῦ τῆς πέρκης κυήματος Ζιζ14. 568 ᵃ24.

πλατύφυλλος ἡ πλάτανος πιε11. 912 ᵇ12. τὰ πλατύφυλλα φυλλορροεῖ Αδ'16. 98 ᵇ4, 7.

Πλάτων (comicus) τί εἶπε πρὸς 'Αρχίβιον Ρα15. 1376 ᵃ10 (cf Meineke fr com II p 692).

Πλάτων. 1. libri Platonis et qui feruntur Platonis esse ab Arist ita respiciuntur ut aut et libri titulus et Platonis (vel Socratis) nomen afferatur (a), aut ad titulum libri non addatur nomen Platonis (b), aut ad nomen Platonis non addatur certum quendam librum eius spectari (c), aut denique cum nec libri nec Platonis nomen adhibeatur, veluti φασί, οἴονται, νομίζυσί τινες, Platonem et certum quidem eius librum respici vel certum sit vel probabiliter coniiciatur (d); siglis a b c d haec formae varietas distincta est. auctoritatem eorum locorum, quos siglis b c d notavimus, posse in dubitationem vocari apparet. eius modi dubitationes cognosci poterunt ex libro Caroli Schaarschmidt (die Sammlung der Plat Schr), quem conferendum significavimus.

libros de Republica et operis titulo et auctoris nomine adhibito Ar accurato examini subiicit Πβ1-5, et in ea quidem disputatione pertinet Πβ 2. 1261 ᵃ12 ad Rep IV 423 D. V 462 B, 3. 1261 ᵇ18 ad V 462 C, 4. 1262 ᵃ37 ad III 403 A, ᵇ24 ad III 415 B, 5. 1264 ᵃ11 et 6. 1264 ᵇ34 ad libros de Rep universos, 5. 1264 ᵃ27 ad Rep IV 425 CD, ᵇ4 ad V 451 D, ᵇ13 ad III 415 A, ᵇ17 ad IV 420 B, 6. 1264 ᵇ32 ad II 373 E, ᵇ33 ad III 412 B, ᵇ37 ad V 451 E, ᵇ39 ad libros V-VII. praeterea e libris de Republica hi loci respiciuntur: Rep I 343 C Hε3. 1130 ᵃ3. 10. 1134 ᵇ5 (d), II 368 E Πη1. 1323 ᵇ33 (d?), II 369 D Πδ4. 1291 ᵃ11 (a Σωκράτης), II 369 E ημα34. 1194 ᵃ6 (a), II 375 C Πη7. 1327 ᵇ39 (d), III 398 E sq Πθ 7. 1342 ᵃ33 (a Σωκ.) ᵇ23 (a Σωκ) 1341 ᵇ28, 23 (d) 5. 1340 ᵇ6 (d), III 416 D Πχ10. 1330 ᵃ1 (d), IV 435 E Πη7. 1327 ᵇ23 (d?), IV 436 sqq (cf Tim 69) ψα5. 411 ᵇ5 (d), V Πβ12. 1274 ᵇ9 (c), V 456 C VI 499 C VII 540 D IX 592 A Πδ11. 1295 ᵃ28 (d), V 469 E VI 488 A X 601 B Ργ4. 1406 ᵇ32 (c, ipsa fere Platonis verba afferuntur), VI 511 B (cf Phaedr 265 D Phil 16 D) Ηα2. 1095 ᵃ31 (c), VIII et IX Πδ7. 1293 ᵇ1 (a ἐν ταῖς πολιτείαις), VIII 544 C Πε12. 1316 ᵃ17 (a Σωκ), VIII 546 C Πε12. 1316 ᵃ1 (a Σ), VIII 551 A Πε12. 1316 ᵃ39 (a Σ), VIII 551 D Πε12. 1316 ᵇ6 (a Σ), VIII 555 D Πε12. 1316 ᵇ15 (a Σ), X 601 B Ργ4. 1406 ᵇ37 (d), X 617 C κ7. 401 ᵇ24 (c). libros de Legibus et operis et auctoris nomine adhibito (οἱ νόμοι οἱ ὕστερον γραφέντες Πβ6. 1264 ᵇ26) examini Ar subiicit Πβ6 et in ea quidem disputatione pertinet β6. 1265 ᵃ9 ad Legg VI 780 E, ᵃ10 ad V 737 E 745 C, ᵃ30 ad V 737 D, ᵃ39 ad V 740 B, ᵇ19 ad V 734 E, ᵇ22 ad V 744 E, ᵇ24 ad V 745 C, 1266 ᵃ1 ad III 693 D 701 E VI 756 E, ᵃ9 ad VI 764 A, ᵃ12 ad VI 763 D E, ᵃ14 ad VI 756 C, ᵃ26 ad VI 753 D, ᵇ5 ad V 744 E. praeterea e libris de Legibus hi loci respiciuntur: Legg I 625 E Πβ9. 1271 ᵇ1 (a), I 640 D II 671 E Πβ12. 1274 ᵇ11 (c), II 653 Ηβ2. 1104 ᵇ12 (c), III 697 B V 743 E Ηα8. 1098 ᵇ12 (d?) Πη1. 1323 ᵃ24 (d), IV 704 A-705 D Πη6 (d), VI 777 E Πα13. 1260 ᵇ15 (d), VI 778 D Πη11. 1330 ᵇ32 (d), VII 792 A Πη17. 1336 ᵃ35 (d). Timaeus respicitur universe Γα2. 315 ᵃ29 (c), Tim 30 A

Ογ2. 300 ᵇ17 (b) Μλ6. 1071 ᵇ32 (c), 32 C Οα10. 280 ᵃ30 (b) 12. 283 ᵃ4 (d), 34 B Οβ1. 284 ᵃ27-35 (d), 34 B coll Phaedr 245 E Μλ6. 1071 ᵇ37 (c), 35 A ψα2. 404 ᵇ16 (a) 3. 406 ᵇ26 (b), 35 B 40 B coll Rep VII 530 D Οβ9. 290 ᵇ15 (d? Prtl), 37 D Φθ1. 251 ᵇ17 (c) δ10.218 ᵃ33 (d), 40 B Οβ13. 293 ᵇ32 (b), 45 B α12. 437 ᵇ11,15(b), 51 A Ογ8. 306 ᵇ19 (b) Γβ1. 329 ᵃ13 (b), 52 Φδ2. 209 ᵇ11 (a) 210 ᵃ2 (a), 53 C Γα8. 325 ᵇ25 (a) 2. 315 ᵇ30 (b) β1. 329 ᵃ22 (b) Οβ4. 286 ᵇ27 (d) γ1. 298 ᵇ33-300 ᵃ12 (d) 7. 305 ᵃ35, ᵇ30 (d) δ2. 309 ᵇ34 (d) 5. 312 ᵇ22,29(d), 54 B 56 D Γβ5. 332 ᵃ29 (a), 56 A Ογ8. 306 ᵇ3 (d), 56 B Ογ5. 304 ᵃ10 (d), 56 B 63 C Ογ1. 300 ᵃ1 (b) δ2. 308 ᵇ4 (b) ᵇ36 (d), 56 D μα4. 341 ᵇ7 (d), 57 C D Γα2. 316 ᵃ12 (d), 59 A 79 B Φδ8. 215 ᵃ15 (d) θ10. 276 ᵃ16 (d) cf Simpl Schol 383 ᵇ13, 452 ᵇ10, 63 A Οδ1. 308 ᵃ20 (d), 67 D ψβ7. 418 ᵇ15 (d), 69 sqq ψβ2. 413 ᵇ29 (d), 70 E Ζμβ3. 650 ᵃ19 (d?), 71 C Ζμδ2. 676 ᵇ24 (d), 73 B C, 86 C Ζμβ6. 651 ᵇ21 (d), 73 D Ζμβ7. 652 ᵃ25 (d), 77 B φτα1. 815 ᵃ21 (c), 79 E αν5. 472 ᵇ6 (b). — Phaedo resp 66 B ψα3. 407 ᵇ4 (d), 100 D MA9. 991 ᵇ3 (a) μ5. 1080 ᵃ2 (a) Γβ9. 335 ᵇ10 (a Σωκ), 109 A Οβ13. 295 ᵇ11 (d), 111 C μβ2. 355 ᵇ32 (d) α13. 349 ᵇ30 (d). — Symposion resp 192 C Πβ4. 1262 ᵇ11 (a ἐν τοῖς ἐρωτικοῖς λόγοις λέγοντα τὸν 'Αριστοφάνην, et de Platone agi e contextu apparet). — Phaedrus resp 237 A 241 E 257 A sim Ργ7. 1408 ᵇ20 (b), 245 E τζ3. 140 ᵇ4 (c) Μλ6. 1071 ᵇ37 (c). — Hippias (minor) resp 365-369 et 373-376 Μδ29. 1025 ᵃ6 (b) cf Schaarsch 382, 375 D Ηε13. 1137 ᵃ17 (d). — Hippias (maior) 298 A sqq τζ7. 146 ᵃ22 (d). — Meno resp 73 A Πα13. 1260 ᵃ22 (c Σωκ), 80 D Αγ1. 71 ᵃ29 (b), 81 D Αβ21. 67 ᵃ21 (b) cf Schaarsch 342. — Gorgias resp 455 B Πγ11. 1281 ᵇ32 (d?), 463 AB Ηη12. 1152 ᵇ18 (d?), 465 A Ρα1. 1354 ᵃ11 Spgl (d?), 482 E τι12. 173 ᵃ8 (b), 495-499 Ηη12. 1152 ᵇ8 (d), 508 A f 16. 1476 ᵇ45 (d?), 509 D Ηε13. 1137 ᵃ4 (d), 526 C Ηζ9. 1142 ᵃ2 (d?). — Menexenus resp 235 D 236 A Ργ14. 1415 ᵇ30 (Σωκράτης ἐν τῷ ἐπιταφίῳ) α9. 1367 ᵇ8 (Σωκράτης ἔλεγεν); sed cf Ueberweg Plat Schriften p 143 sqq. — Apologia resp 27 B Ργ18. 1419 ᵃ8 (Σωκράτης εἴρηκεν) β23. 1398 ᵃ15 (d) cf Schaarsch 376. — Theaetetus resp 171 E 178 C Μγ5. 1010 ᵇ12 (c), 181 C τδ2. 122 ᵇ26 (c), 152 C ψγ3. 428 ᵃ24 (d? Themist ad h l p 166 ed Spgl). — Philebus resp videtur in disputationibus de voluptate Ηη12-15 κ2 (Platonis nomen affertur κ2. 1172 ᵇ28) ημβ7, ac praecipue Phil 53 C Ηη13. 1153 ᵃ13 (d) ημβ7. 1204 ᵃ33 (d), 54 C D Ηη13. 1153 ᵃ8 (d), 22 A 60 C Ηκ2. 1172 ᵇ28 (c), 24 E Ηθ2. 1155 ᵇ13 (d?). cf Schaarsch 278. Georgii, Jahn Jahrb 97, 300. — Protagoras resp 318 E Ηκ10. 1180 ᵇ35 (d?), 321 C Ζμδ10. 687 ᵃ24 (d), 322 B Πγ9. 1280 ᵇ30 (d?), 328 B Η1.1164 ᵃ24 (d), 345 D coll Tim 86 D Ηγ7. 1113 ᵇ14 (d) ηεβ11. 1128 ᵃ7 (d), 352 B C Ηη3. 1145 ᵇ23 (c Σωκ), 360 D ηεγ1. 1229 ᵃ15 (c Σωκ). — Euthydemus resp ηεγ14. 1247 ᵇ15 (c Σωκ). — Sophistes resp 237 A 258 C Μν2.1089 ᵃ3 (c) cf Schaarsch Rh M 18, 5, 254 A 237 A Με2. 1026 ᵇ14 (c) κ8. 1064 ᵇ29, 258 E 260 C ε11. 21 ᵃ32 (d) τι5. 167 ᵃ1 (d) 25. 180 ᵃ32 (d) Φα3. 187 ᵃ1 (d?) Μζ4.1030 ᵃ25 (d) Ρβ24. 1402 ᵃ5 (d). — Politicus resp 259 BD Πα1. 1252 ᵃ7 (d) 7. 1255 ᵇ16 (d) ηγ3. 1325 ᵃ27 (d), 259 E 293 C Πα3. 1253 ᵇ18 (d) 7. 1255 ᵇ20 (d), 264 E Ζμα3. 643 ᵇ19 (d) Μζ12. 1038 ᵃ12 (d), 291 D Πγ7. 1279 ᵃ33 (d), 293 C Πγ11.

1282 ^b2 (d), 294 A 297 B Πγ15. 1286 ^a9 (d) 17. 1288
^a1 (d), 296 B Πγ16. 1287 ^a33 (d), 302 E Πδ2. 1289 ^b5
(d). — Cratylus fort resp 399 DE ψα2. 405 ^b28 (d). —
Lysin, Lachetem, Charmidem respici verisimile est
quamquam nec librorum nec Platonis nomen adhibetur, Lys 5
212 D Hθ2. 1155 ^b27, 214 CD Hθ10. 1159 ^b7. ηεη5. 1239
^b13. 6. 1240 ^b17, 214 E Hθ1. 1155 ^a31. ηεη1. 1234 ^b27,
215 C Hθ2. 1155 ^a35-^b6. ηεη1. 1235 ^a13-19, 215 D Hθ10.
1159 ^b13, 218 D-220 B Αγ2. 72 ^a30 (?); Lach 191 D
Hγ9. 1115 ^a17, 195 A ηεη1. 1229 ^a15, 198 B Hγ9. 1115 10
^a9; Charm 168 DE ψγ2. 425 ^b19. — non inter Platonis
libros referenda sunt τὰ λεγόμενα ἄγραφα δόγματα Φδ2.
209 ^b15, τὰ περὶ φιλοσοφίας λεγόμενα ψα2. 404 ^b19, αἱ
διαιρέσεις Γβ3. 330 ^b16, sive αἱ γεγραμμέναι διαιρέσεις
Ζμα2. 642 ^b11, cf Zeller Gesch II 1, 320 sq. Ueberweg 15
Plat Schr 155, et supra s v Ἀριστοτέλης p 98 ^b18, 104
^a21, ^b28.

2. Platonis doctrinam Ar adeo saepe per universos
libros respicit, ut sufficere videatur potissima doctrinae
capita et praecipuos locos significasse. plerumque ipsum 20
Platonis nomen non adhibetur, sed quoniam respici Pla-
tonis doctrinam apertum est, non putavi distinguendum
esse utrum afferatur nomen an reticeatur. doctrinam de
ideis universe Ar exponit et refutat MA 6. 9. μ4. 5. 9.
1086 ^a35-^b13. ζ13. 1039 ^a2. 6. 1031 ^b15 Bz. ι10. 1059 25
^a10. f 182-184. ideas Platonis esse οὐσίας χωριστάς. ἀϊ-
δίως, ἕν τι παρὰ τὰ πολλά (opp ἕν τι κατὰ πολλῶν) Αγ11.
77 ^a5. 22. 83 ^a22. τβ7. 113 ^a25. ζ6. 143 ^b23. Φβ2. 193
^b36. Oα9. 278 ^a16. MA7. 988 ^b5. β3. 997 ^b6. 6. 1002
^b13. ζ14. 6. 1031 ^a31. 8. 1033 ^b27. 11. 1036 ^b14. 16. 30
1040 ^b27, 29. ν1. 1042 ^a7, 15. θ8. 1050 ^b36. λ1. 1069
^a27. 3. 1070 ^a27. μ1. 1076 ^a19. ημα1. 1082 ^b10. αἱ ἰδέαι
ἀπαθεῖς τζ10. 148 ^a20. τὸ εἶδος συνώνυμον τοῖς καθ' ἕκα-
στον τη4. 154 ^a18. τὰ εἴδη αἰσθητὰ ἀΐδια Μβ2. 997 ^b12.
cf ζ6. 1040 ^b32. Hα4. 1096 ^a34. ηεα8. 1218 ^a10. οὐδὲ- 35
μίαν ἰδέαν ἔστιν ὁρίσασθαι Μζ15. 1040 ^a8. εἴδη ἐστὶν ὁπόσα
φύσει Μλ3. 1070 ^a18. cf Α9. 990 ^b29, 991 ^b6. μ4. 1079
^a25. οὐκ ἐποίει ἰδέας ἐν οἷς τὸ πρότερον κ̣ ὕστερον ἔλεγον,
οὐδὲ τῶν ἀριθμῶν ἰδέαν κατεσκεύαζον Hα4. 1096 ^a17. ηεα8.
1218 ^a1. Μβ3. 999 ^a6. cf Πγ1. 1275 ^a36. (τὸ πρότερον 40
quomodo Plato definiverit Mλ1. 1019 ^a4.) εἶν κ̣ τὸ
ἓν Platoni οὐσία Μβ1. 996 ^a6. 4. 1001 ^a9. ι2. 1053 ^b13.
idea boni refutatur Hα4. 1096 ^a11-1097 ^a14. ηεα8. ημα1.
1183 ^a27-^b8. — μεθέξει τῶν ἰδεῶν τὰ ὄντα MA6. 987
^b12, πᾶσα ἰδέα μεθεκτή Μζ15. 1040 ^a27, sed αἰτίαν με- 45
θέξεως et γενέσεως non contineri in ideis Γβ3. 335 ^b10.
MA9. 991 ^b3. ζ8. 1033 ^b28. η6. 1045 ^b8. λ6. 1071 ^b15.
10. 1075 ^b18, 27. μ5. 1079 ^b13, 1080 ^a2. ν2. 1090 ^a5, nec
causam finalem MA7. 988 ^b6-16. — τὰ μαθηματικὰ με-
ταξύ, παρὰ τὰ εἴδη κ̣ τὰ αἰσθητά MA6. 987 ^b14. 8. 990 50
^a30. 9. 992 ^b13. β1. 995 ^b17. 2. 997 ^b1. 6. 1002 ^b13.
ζ2. 1028 ^b19. κ1. 1059 ^b6. λ1. 1069 ^a34. — de Pla-
tonis numeris idealibus Μμ6-9. ν2. 1090 ^a4. Α9. 991
^b9, 992 ^b13. η3. 1043 ^b34 (cf μ8. 1083 ^a32). λ10. 1075
^b27. — principia Plato ponit τὸ ἓν τὸ μέγα κ̣ μικρόν 55
Φα4. 187 ^a17. 6. 189 ^b9. 9. 192 ^a7. γ4. 203 ^a4, 15. 6.
206 ^b27. MA7. 988 ^a26, ^b5. β3. 998 ^b10. λ10. 1075 ^a33.
cf μέγας p 448 ^b23. τὸ ἄπειρον (τὸ μέγα κ̣ μικρόν) τί-
θησι τῶν ὄντων καθ' αὑτὸ Φγ4. 203 ^a4. materiale princi-
pium κακοποιόν MA6. 988 ^a14. θ9. 1051 ^a19. ν4. 1091 60
^b13. Φα9. 192 ^a15. Plato idearum et rerum sensibilium

idem ponit principium materiale Φγ4. 203 ^a8. 6. 207 ^a29,
itaque quaerendum est, διὰ τί οὐκ ἐν τόπῳ τὰ εἴδη κ̣ οἱ
ἀριθμοί Φδ2. 209 ^b33. numeros et reliquas res mathema-
ticas ex quibus principiis Plato repetat MA9. 992 ^a10.
μ9. 1085 ^a9. β4. 1001 ^b19. κ2. 1060 ^b7. ψα2. 404 ^b21.
Μν3. 1090 ^b21, cf ψγ4. 429 ^b20. μέχρι δεκάδος ποιεῖ τὰς
ἀριθμὰς Φγ6. 206 ^b32. τὰς στιγμὰς ἐκάλει ἀρχὴν γραμ-
μῆς, τοῦτο δὲ πολλάκις ἐτίθει τὰς ἀτόμους γραμμὰς MA9.
992 ^a21. οἱ ἐν τοῖς εἴδεσι τὰς ἀτόμους κατασκευάζοντες
ατ969 ^a17. Platonicam mundi compagem ex figuris prima-
riis refutat Aγ1. 299 ^a2sqq. 7. 306 ^a3sqq. δ2. 308^b3.
5. 312 ^b22. Φγ3. 329 ^a21. οἱ τὴν κίνησιν ἑτερότητα κ̣ ἀνι-
σότητα φάσκοντες Φγ2. 201 ^b20. Μκ9. 1066 ^a10. τὰς γε-
νέσεις κ̣ τὰς διακρίσεις ποιεῖ κατὰ τὴν ἀφὴν μόνον Γα8.
325 ^b32. Plato πῶς ἄφθαρτον λέγει τὸν κόσμον, γενόμενον
δέ Oα10. 279 ^b32, cf Schol 488 ^b17. — ἡ ψυχὴ τὸ ἑαυτὸ
κινοῦν τζ3. 140 ^b4. ψα2. 404 ^a21. Μλ6. 1071 ^b37. ἡ ψυχὴ
ἐκ τῶν στοιχείων ψα2. 404 ^b16. ψυχὴ τόπος εἰδῶν ψγ4.
429 ^a27. anima distincta in μόρια χωριστά ψα5. 411 ^b5.
β3. 413 ^b29. γ9. 432 ^a24. 10. 433 ^b4. ημα1. 1182 ^a24.
ψυχὴ τριμερὴς κατὰ Πλάτωνα αρ1. 1249 ^a31. animae
partes ad numerorum naturam relatae, νοῦς μὲν τὸ ἓν κτλ
ψα2. 402 ^b21. τῆς ὄψεως explicatio ψγ12. 435 ^a5. —
Πλάτων ἐπιθυμεῖν μόνον τὰ φυτὰ ἔφησεν φτα1. 815 ^a21.
Plato ὁρίζεται τὸ θνητὸν προσάπτων ἐν τοῖς τῶν ζῴων
ὁρισμοῖς τζ10. 148 ^a15. ἡ διὰ τῶν διαιρέσεων εἶδος, δια-
ιρετικοὶ ὅροι, ὑποδείξεις ἡ διαίρεσις Αδ5. ψα1. 402 ^a20. ἡ
διὰ τῶν γενῶν διαίρεσις Αα31. 46 ^a31, cf Alex Schol 180
^a11, 14. οὐκ ἐνδέχεται τῶν καθ' ἕκαστον εἰδῶν λαμβάνειν
οὐδὲν διαιροῦσι δίχα τὸ γένος, ὥσπερ τινὲς ᾠήθησαν Ζμα3.
643 ^b21. Plato χρῆται ὀνόμασι μὴ κειμένοις τζ2. 140 ^a3.
Ar ἐν τοῖς ἐλεγείοις τοῖς πρὸς Εὔδημον αὐτὸν ἐπαινῶν
Πλάτωνα ἐγκωμιάζει f 623. 1583 ^a11. Aristippi in Pla-
tonem dictum Pβ23. 1398 ^b29. Πλάτων μελαγχολικὸς πλ1.
953 ^a27. φησὶν Ἀριστοτέλης τὴν τῶν λόγων ἰδέαν Πλά-
τωνος μεταξὺ ποιήματος εἶναι κ̣ πεζοῦ λόγου f 62. 1486 ^a17.
Plato Nicocli respondet ὅτι ὁ ἄνθρωπος μόνον τῶν ἄλλων
ζῴων ἐπίσταται ἀριθμεῖν πλ6. 956 ^a12.

Platonici, cf Ξενοκράτης, Σπεύσιππος. hic eos colligimus
locos, qui cum ad scholam Platonis manifesto pertinent,
non possunt satis probabiliter vel ad Xenocratem vel ad
Speusippum referri. Platonicorum variae de principiis sen-
tentiae Μν1. 5. 1092 ^a35. variae de ideis et rebus mathe-
maticis et de mutua earum relatione sententiae Μβ2. 998
^a7. ζ2. 1028 ^b25. 11. 1036 ^b13. ι5. 1056 ^a10. λ1. 1069
^a34. ι8. 1073 ^a18. μ1. 1076 ^a19. 8. 1083 ^a20, 1084 ^a12,
31. 9. 1086 ^a2. ν1. 1087 ^b4. 2. 1088 ^b34, 1089 ^b10, 1090
^a7. μὴ δεῖν τῇ γῇ τὴν τοῦ μέσου χώραν ἀποδιδόναι Oβ13.
293 ^a27. universe de iis Ar iudicat γέγονε τὰ μαθήματα
τοῖς νῦν ἡ φιλοσοφία MA9. 992 ^a32.

πλεγμάτιον. τὰ πλεγμάτια, οἷς οἱ ἰατροὶ οἱ ἀρχαῖοι τοὺς
δακτύλους ἐνέβαλλον Ζμθ9. 685 ^b5 Langk.

πλεθριαῖος. τόπος τις ὅσον πλεθριαῖος θ122. 842 ^a17.

πλέθρον. χρόνον οὐκ ἐλάττονα ἢ ὅσον πλέθρον διέλθοι τις Ζυ12.
615 ^a30.

Πλειάδες ἑπτά Μν6. 1093 ^a14. Πλειὰς πα3. 859 ^a23. ἀπὸ
Πλειάδος μέχρι ζεφύρου οἱ τὰς μακρὰς νόσους κάμνοντες
μάλιστα ἀναιροῦνται πα17. 861 ^a28. πρὸ Πλειάδος ἐπιτολῆς
Ζιε2. 523 ^b31. ἀπὸ Πλειάδος ἀνατολῆς Ζιθ15. 599 ^b10.
περὶ Πλειάδας Ζιθ2. 592 ^a7. μετὰ Πλειάδα Ζιθ13. 598^b7.
ἀπὸ Πλειάδος δύσεως Ζιθ14. 599 ^a28. περὶ Πλειάδος δύσιν

Ζιε9. 542 ᵇ22. 10. 543 ᵃ15. πρὸς δύσιν Πλειάδος χειμερινήν Ζιζ11. 566 ᵃ21. Πλειάδος βορείν γενομένης Ζιε8. 542 ᵇ11. — τὴν Πλειάδα Μυσῶν λύραν (ἐκάλει Πυθαγόρας) f 191. 1512 ᵃ31.

πλεῖν. πλέειν οβ1353 ᵃ22. πλεῦσαι διὰ τῆς ἠπείρω (Isocr 4, 89) Ργ9. 1410 ᵃ10. γίνονται ὥσπερ αἱ κῶπαι τοῖς πλέυσι τὰ πτερύγια τοῖς ἰχθύσιν Ζμδ 12. 694 ᵇ10.

Πλεῖον (cf Πολίειον) θ106. 840 ᵃ13.

πλειστάκις Ηη14. 1153 ᵇ34. Ζμβ13. 657 ᵇ1. φτα7. 821 ᵇ13. β2. 823 ᵃ17. μάλιστα ἢ πλειστάκις Ζιδ5. 530 ᵇ16. οἷς πλείστοις χρώμεθα ἢ πλειστάκις Πη11. 1330 ᵇ12.

πλέκειν. πλέκυσί τινες περὶ τὰ σμήνη ὥστε τὰς μελίττας εἰσδύεσθαι Ζιε22. 553 ᵇ12. τὰ φαλάγγια τίκτει εἰς γύργαθον πλεξάμενα παχύν Ζιε27. 555 ᵇ10. — μονάδες ἐξ ὧν οἱ ἀριθμοὶ πλέκονται Μμ7. 1081 ᵃ33. μῦθοι πεπλεγμένοι, opp ἁπλοῖ· πρᾶξις, σύνθεσις τῆς τραγῳδίας πεπλεγμένη opp ἁπλῆ πο10. 1452 ᵃ12, 16. 13. 1452 ᵇ32. τραγῳδία πεπλεγμένη, opp ἁπλῆ πο18. 1455 ᵇ33. 24. 1459 ᵇ9. πολλοὶ πλέξαντες εὖ λύυσι κακῶς πο18. 1456 ᵃ9. ταῦτα (τὰ κατηγορύμενα) πολλάκις πεπλεγμένα ε11. 21 ᵃ11. ὀνόματα πεπλεγμένα (Wz e codd, συμπεπλεγμένα Bk, i e σύνθετα), opp ἁπλᾶ ε2. 16 ᵃ23. ὅσοι βαρύτονον φωνῦσι μέγα, μὴ πεπλεγμένον (?) φ6. 813 ᵇ2.

πλεκτάνη. 1. Dibranchiatorum brachia. ὅσοις πλεκτάναι πρόσεισιν· ὁ πολύπης τὰς πλεκτάνας ἔχει χρησίμας Ζμθ9. 685 ᵇ4. 4. 679 ᵃ12. ἡ κεφαλὴ ἀπάντων (τῶν πολυπόδων) ἐν μέσῳ τῶν ποδῶν τῶν καλυμένων πλεκτανῶν· πρὸ τῦ κύτυς ὑπὲρ τῶν πλεκτανῶν ἔχυσι κοῖλον αὐλόν· ὁ πολύπης ἢ ὡς ποσὶ ἢ ὡς χερσὶ χρῆται ταῖς πλεκτάναις, προσάγεται (sc τὴν τροφὴν) ταῖς δυσὶ ταῖς ὑπὲρ τῦ στόματος, ἅπτεται ἢ κατέχει ταῖς πλεκτάναις ὑπτίαις· πολυπόδων ἔχυσιν τηλικαῦται (διήχεις) ἢ μείζυς ἔτι τὸ μέγεθος Ζιδ1. 524 ᵇ1, ᵃ9 Aub, 3 (cf Troschel Archiv 1856, 237), 4, 18 Aub, 28. ἡ μέση, ἡ ἐσχάτη Ζιε6. 541 ᵇ11. δ1. 524 ᵃ5. ἡ ἀκαλήφη αἰσθάνεται ἢ συναρπάζει προσφερομένης τῆς χειρὸς ἢ προσέχεται, καθάπερ ὁ πολύπης ταῖς πλεκτάναις· ἀπεδηδεμένας (Bk, v l περιεδηδεσμένας S, ἀπεδηδεσμένας Pik Aub) ἔχωσιν ἔνιοι τὰς πλεκτάνας ὑπὸ τῶν γόγγρων Ζιδ6. 531 ᵇ3. θ2. 591 ᵇ5 (cf Antig Caryst ed Beckm 44). αἱ τευθίδες νέυσι τὰς πλεκτάνας ἐφαρμόττυσαι καταντικρὺ ἀλλήλαις Ζιε6. 541 ᵇ13. — τὰ μαλάκια ... κατὰ τὸ στόμα συμπλέκονται τὰς πλεκτάνας πρὸς τὰς πλεκτάνας συναρμόττοντες· ὁ πολύπης ὅταν διαπετάση τὰς πλεκτάνας ἅτερος ἐφαρμόττει ἐπὶ τὸ πέτασμα τῶν πλεκτανῶν Ζιε6. 541 ᵇ3, 6. τὰ μαλάκια συμπλέκεται κατὰ τὸ στόμα ἀντερείδοντα ἢ διαπιττύοντα τὰς πλεκτάνας Ζγα15. 720 ᵇ17. φασί τινες ἢ τὸν ἄρρενα ἔχειν αἰδοιῶδές τι ἐν μιᾷ τῶν πλεκτανῶν Ζιδ6. 541 ᵇ9. ἡ τῆς πλεκτάνης τῦ ἄρρενος διὰ τῦ αὐλῦ δίεσις ἐπὶ τῶν πολυπόδων, ἥ φασιν ὀχείειν πλεκτάνῃ οἱ ἁλιεῖς, συμπλοκῆς χάριν ἐστὶν Ζγα15. 720 ᵇ32. τῇ ἐσχάτῃ τῶν πλεκτανῶν, ἥ ἐστιν ὀξυτάτη τε ἢ μόνη παράλευκος αὐτῶν ἢ ἐξ ἄκρυ δίκορα, χρῆται ἐν ταῖς ὀχείαις Ζιδ1. 524 ᵃ5 Aub. (cf Siebld Zeitsch IV 123. Huxley scientific Memoirs 1853. Lewes 201, 203). ὁ πολύπης ὁ θῆλυς ὁτὲ μὲν ἐπὶ τοῖς ᾠοῖς ὁτὲ δὲ πάντη προκαθῆται τῆς θαλάμης τὴν πλεκτάνην ἐπέχων Ζιε18. 550 ᵇ6 Aub. — 2. Nautilinorum. τὸ συνυφὲς μεταξὺ τῶν πλεκτανῶν (τῦ ναυτίλυ) Ζιζ37. 622 ᵇ10 Aub. (ἢ ἄλλος ἐν ὀστράκῳ) ἔξω ἐνίοτε τὰς πλεκτάνας προτείνει Ζιδ1. 525 ᵃ28 Aub. cf ΑΖι I 150, 4ᶜ. ὁ ναυτίλος ἐμφερὴς κατὰ τὰς πλεκτάνας f 316. 1531 ᵇ18, descr ᵇ21, 24.

πλεονάζειν. ὅπη ἡ θάλασσα ἐπλεόναζεν μα14. 351 ᵇ6. τὰ πλεονάζοντα τῶν γιγνομένων ἐκπέμψασθαι Πηϛ. 1327 ᵃ26. ὅταν πλεονάσῃ (τὸ σπέρμα), syn ἂν ὑπερβάλλῃ τῷ πλήθει Ζγα18. 725 ᵇ10. cf β4. 738 ᵃ32. πλεονάζειν, opp ἐλλείπειν Ζγγ2. 753 ᵃ30. Ηβ5. 1106 ᵃ31, opp ὑπολείπειν χ6. 799 ᵃ18. πλεονάζειν, opp ἐνδεᾶ εἶναι Πα9. 1257 ᵃ33. τὰ μέρη (τῶν ζῴων) πλεονάζει, opp κολοβὰ γίνεται Ζγδ4. 770 ᵇ32. μόρια πλεονάζοντα Ζγδ4. 772 ᵇ13, 27, 773 ᵃ11. ἀνάγεσθαι εἰς ἄλλον ὁρισμὸν πλεονάζοντα τῷ λόγῳ Μα2. 994 ᵇ18. — πλεονάζει ἡ ἀρχή, opp ἁπλῆ ἐστιν νεβ8. 1224 ᵃ24.

πλεονάκις λέγειν τὸ αὐτό τε2. 130 ᵃ29. ζ3. 141 ᵃ21. cf Πδ15. 1299 ᵃ9. πλεονάκις χρώμενος τῷ ἀφροδισιάζεσθαι Ζγα19. 726 ᵇ6. πλεονάκις ἤ Ζιζ12. 566 ᵇ8. μα7. 344 ᵇ16. cf γ3. 373 ᵃ27.

πλεονασμὸς ὑγρότητος Ζγε1. 780 ᵃ20. πλεονασμὸς τῶν μερῶν Ζγδ4. 770 ᵇ28, 771 ᵃ16, cf πλεονάζειν p 600 ᵇ6.

πλεονάσαι ἄν τις λάβοι τὴν πίστιν Οα4. 270 ᵇ33.

πλεοναχῶς λέγεσθαι (cf πολλαχῶς), syn πλείω σημαίνειν, opp ἁπλῶς λέγεσθαι τε2. 129 ᵇ31-130 ᵃ28. Ηε1. 1129 ᵃ23.

πλεονεκτεῖν, syn πλέον ἔχειν Πε2. 1302 ᵃ26, ᵇ1. 7. 1307 ᵃ35. μικρὰ πλεονεκτεῖν παρ᾽ ἀλλήλων Πδ5. 1292 ᵇ19. πλεονεκτεῖν δόξης, χάριτος, τιμωρίας Ηε12. 1136 ᵇ22, 1137 ᵃ1. βύλονται, ἀξιῦσι, ζητῦσι πλεονεκτεῖν Πβ7. 1267 ᵇ7, 1266 ᵇ37. δ6. 1293 ᵃ23. ε1. 1301 ᵃ35. 3. 1303 ᵃ32. ὑβρίζειν ἢ πλεονεκτεῖν Πε3. 1302 ᵇ7. 7. 1307 ᵃ20. — ἀεὶ ἔστι πλεονεκτεῖν ἀπολογύμενον μᾶλλον ἢ κατηγορῦντα διὰ τῦτον τὸν παραλογισμὸν Ρβ25. 1402 ᵇ25.

πλεονέκτημα. τῶν πλεονεκτημάτων τὰ μὲν χρήματα τυραννικά Πε10. 1311 ᵃ5.

πλεονέκτης, coni ἄνισος, ἄδικος Ηε2. 1129 ᵃ32, ᵇ1, 10. 4. 1130 ᵃ26. οἱ περὶ ταῦτα πλεονέκται Ηι8. 1168 ᵇ19.

πλεονεκτικός. πλεονεκτικοὶ παρὰ τὴν ἀξίαν αρ3. 1250 ᵃ25. καταλλαγαὶ ὠφελιμώταται ἢ πλεονεκτικώταται Ργ17. 1418 ᵇ37. ἀποκλίναι πρὸς τὰς χρησίμας ἢ πλεονεκτικωτέρας ἀρετὰς Πη14. 1333 ᵇ10. — πλεονεκτικῶς χρῆσθαι τοῖς συμμάχοις ρ9. 1429 ᵇ38.

πλεονεξία, i e τὸ πλέον ἔχειν. πλεονεξία τῶν πολιτικῶν δικαίων, δῦναί τισι πλεονεξίαν τῶν αὐλῶν Πγ12. 1282 ᵇ29, 32. ἀπονεῖμαι τοῖς φεύγυσι ταύτην τὴν πλεονεξίαν ἐν ταῖς ψήφοις ρ19. 1433 ᵃ9. ἡ πλεονεξία γίνεται ἀπὸ τῶν ἰδίων, ἀπὸ τῶν κοινῶν Πε3. 1302 ᵇ9. αἱ πλεονεξίαι τῶν πλυσίων Πδ12. 1297 ᵃ11. ἐφιέσθαι πλεονεξίας Ηι6. 1167 ᵇ11. — πλεονεξία, i q τὸ βύλεσθαι πλέον ἔχειν. τῦ ἀγαθῦ ἡ πλεονεξία Ηε2. 1129 ᵇ9. ἡ πλεονεξία εἶδος ἀδικίας· πλεονεξία περὶ τὰ συμβάλαια αρ7. 1251 ᵃ30, 33. πλεονεξία in disputando (cf συκοφαντία) τι16. 175 ᵃ19.

πλευμονώδης. (ἁπλυσίας) πυκνότερόν ἐστι ἢ γλισχρότερον τῦ σπόγγυ, ἢ τὸ σύνολον πλευμονῶδες (v l πνευμονῶδες Aub) Ζιε16. 549 ᵃ7.

πλεύμων, i. pulmo etymol ἔοικε ἢ τὔνομα εἰληφέναι ὁ πνεύμων διὰ τὴν τῦ πνεύματος ὑποδοχὴν αν10. 476 ᵃ9. Bk in textu exhibuit πλεύμων cum v l 31 locis, sine v l 73, πνεύμων in textu 56. πλεύμων ubique Bsm (cf praef IIIᵇ) Pik, πνεύμων ubique Aub. cf Lob Phryn 305. Path II 343. — refertur inter τὰ μόρια ψβ8. 420 ᵇ24. αν15. 478 ᵃ14. Ζια17. 496 ᵇ1. θ2. 589 ᵇ7. Ζγβ1.734 ᵃ17. cf φτα3. 818 ᵃ24, τὰ ὄργανα αν19. 479 ᵇ15, τὰ μονοφυῆ τῶν σπλάγχνων Ζμγ7. 669 ᵇ13. cf Ζια17. 496 ᵇ7. αν15. 478 ᵃ14. descr αν1. 15. Ζια16. 495 ᵃ32. 17. 496 ᵇ1. Ζμγ6.

a. τῦ πλεύμονος σῶμα, σύστασις, ἐναιμότης, θερμότης,

κίνησις, ἀναπνοή, in generatione. θέλει εἶναι διμερὴς ὁ πλεύμων Ζια16. 495 ᵃ33. ἐν ἐνίοις τοσοῦτον διέστηκεν ὥστε δοκεῖν δύ' ἔχειν αὐτὰ πλεύμονας Ζμγ7. 669 ᵇ24. ἢ πολυσχιδὴς ὁ τῶ ἀνθρώπω ὥσπερ ἐνίων ζωοτόκων ἠδὲ λεῖος ἀλλ' ἔχει ἀνωμαλίαν Ζια16. 495 ᵇ1. ἑκάτερον τὸ μέρος, τῶν μερῶν Ζια16. 495 ᵃ32, ᵇ6, 4. τὰ κοῖλα μέρη, ταῦτα διαφύσεις ἔχει χονδρώδεις εἰς ὀξὺ συνηκώσας· ἐκ τῶν διαφύσεων τρήματα διὰ παντός ἐστι τῶ πλεύμονος ἀεὶ ἐκ μειζόνων εἰς ἐλάττω διαδιδόμενα Ζια16. 495 ᵇ9, 11. — ἡ σύστασις τῶ ὀργάνω, δεῖ ὑπολαβεῖν τὴν σύστασιν τῶ ὀργάνω παραπλησίαν μὲν εἶναι ταῖς φύσεσι ταῖς ἐν τοῖς χαλκείοις· ἢ πόρρω γὰρ ἠθ' ὁ πνεύμων ἠθ' ἡ καρδία πρὸς τὸ δέξασθαι σχῆμα τοιῦτον αν19. 479 ᵇ15. 21. 480 ᵃ20, 22. cf αϰ800 ᵇ2. ἅπας ἐστὶ σομφός· ὁ πνεύμων σομφὸς ὢν ᚖ συρίγγων πλήρης Ζια17. 496 ᵇ3. αν15. 478 ᵃ13. — εἰς πολλὰς οἷον αὐλῶνας τὰς σύριγγας ἐμπίπτειν τὰς ἐν τῷ πνεύμονι, ὧν παρ' ἑκάστην παρατέτανται φλέβες, ὥστε δοκεῖν ὅλον εἶναι τὸν πνεύμονα πλήρη αἵματος· ἐναιμότατον μάλιστα τῦτο τὸ μόριον τῶν καλυμένων σπλάγχνων αν21. 480 ᵇ7. 15. 478 ᵃ14. Ζια17. 496 ᵇ1. γ3. 513 ᵇ22. (cf Plat Tim 70 CD. Galen V 713.) ὁ περὶ τὴν καρδίαν ᚖ τὸν πλεύμονα τόπος θερμότατος ᚖ ἐναιμότατος Ζμβ7. 653 ᵃ29. ὁ πλεύμων ἐκ ἐν αὐτῷ ἀλλ' ἐν ταῖς φλεψὶ τὸ αἷμα ἔχει Ζια17. 496 ᵇ8. ἡ ἀναιμότης τῶ πλεύμονος Ζμδ1. 676 ᵃ31. — τούτῳ τῷ μορίῳ πλεῖστον ἔχει τὸ θερμὸν τὰ πεζὰ τῶν ζώων· ὧν πλήρης αἱματικῆς· τῆς θερμότητος τῆς φυσικῆς ὅρος ὁ πλεύμων ψβ8. 420 ᵇ24. Ζμδ13. 697 ᵃ28. Ζγβ1. 732 ᵇ32 Aub. πλγ17. 963 ᵇ8. — τῆς πέψεως γινομένης ἐν τῷ πνεύμονι· εἰ ἐν τῷ πνεύμονι ᚖ τῇ ἀρτηρίᾳ τὸ πετόμενον, ᚖ τῷ θερμῷ δύναμις ἐν τούτοις· ὁ λυγμὸς τῷ περὶ τὸν πνεύμονα κατάψυξις ᚖ ἀπεψία πνεύματος ᚖ ὑγρῷ πν2. 481 ᵇ24, 12. πλγ1. 961 ᵇ11. — ἡ τῶ πλεύμονος κίνησις, ἡ οἰκεία κίνησις, ἡ αἰτία τῆς κινήσεως, ὁ πλεύμων ἐμφυσώμενος τῇ κινήσει Ζμγ10. 673 ᵃ24. 6. 669 ᵇ1. αν9. 475 ᵃ24. 19. 479 ᵇ11. 24. ὁ πλεύμων ἔχει ἄρσιν πολλὴν αν9. 475 ᵃ23, cf 13. ἐν τοῖς ζῳοτόκοις ἐκ ὁμοίως ἡ διάστασις φανερά, ἥκιστα ἡ διάστασις φανερὰ ἐν ἀνθρώπῳ, ὅταν ὁ περὶ τὸν πνεύμονα τόπος αὐτῶν ὑπὸ τῆς διαστάσεως ἐκλυθῇ Ζια16. 495 ᵃ34, ᵇ1 (Lewes 166). αϰ804 ᵇ13. τὸ πρὸς τὴν ἅλσιν εἶναι τὸν πλεύμονα τῆς καρδίας ἐκ εἴρηται καλῶς Ζμγ6. 669 ᵃ18, 23. — τῷ ἀναπνεῖν ὁ πλεύμων ὄργανόν ἐστι, ὅλως ὁ πλεύμων ἐστὶν ἀναπνοῆς χάριν Ζμγ6. 669 ᵃ14, ᵇ8. ἡ ἀναπνοὴ διά τε τῦτο (τῦτον cf Langk ad h l) ᚖ διὰ τὴν ἀρχὴν τὴν ἐν τῇ καρδίᾳ ἐνυπάρχησαν ᚖ Ζμγ3. 665 ᵃ15. ὄργανον τῇ ἀναπνοῇ ὁ φάρυγξ· ἠ ἕνεκα ᚖ τὸ μόριόν ἐστι τῦτο, πλεύμων ψβ8. 420 ᵇ24. ἡ ἀναπνοὴ μέχρι τῶ πνεύμονος πν2. 481 ᵇ18. τὸ περὶ τὸν πταρνύμενον τόπον εἶναι τῆς ῥινὸς κοινωνίαν τῷ πνεύμονι δηλοῖ ἡ ἀναπνοὴ κοινὴ ὅσα πλγ1. 961 ᵇ17. φυσωμένης τῆς ἀρτηρίας διαδίδωσιν εἰς τὰ κοῖλα μέρη (om Pik) τῶ πλεύμονος τὸ πνεῦμα Ζια16. 495 ᵇ9 (cf Plat Tim 79 C). ὁ πλεύμων τῆς ὑπὸ τῶ πνεύματος καταψύξεως ἕνεκέν ἐστι αν10. 476 ᵃ8. τὸ σύμφυτον πνεῦμα δι' ὅλ ᚖ ἀρχὴ ἀπὸ τῶ πλεύμονος ἀν3. 482 ᵃ34. ὁ πνεύμων ὅταν ᚖ μικρὸς ᚖ πυκνὸς ᚖ σκληρός, ὥτε τὸ δέχεσθαι τὸν ἀέρα δύναται πολὺν εἰς αὑτὸν ὕτε ἐκπέμπειν πάλιν ἔξω· ἐκ πολλῆς διαστήματος συνάγων αὐτὸν ἐκθλίβει τὸν ἀέρα βιαίως· ὅταν ἡ ὑγρασίας πλήρης· ἡ τῶ πνεύματος γιγνομένη πληγὴ βιαίως ὑπὸ τῶ πνεύμονος· οἴονταί τινες διὰ τὴν τῶ πνεύμονος γλισχρότητα τὸ πνεῦμα ὃ δύνασθαι περαιῦσθαι περὶ τὸν ἔξω τόπον διαμαρτάνοντες αϰ800 ᵃ31,

V.

ᵇ16. 4. 801 ᵃ13, 803 ᵃ12, 804 ᵇ21, cf 31. — μεῖζων ὢν ὁ πνεύμων τῆς καρδίας ὕστερον φαίνεται τῆς καρδίας ἐν τῇ ἐξ ἀρχῆς γενέσει Ζγβ1. 734 ᵃ23 (Lewes 318, 365).

b. pulmo qualis sit. ἔναιμος αν1. 470 ᵇ24. 10. 475 ᵇ23. 15. 478 ᵃ12, 15, 22. Ζμγ7. 670 ᵇ17. 8. 670 ᵇ34, 671 ᵃ8. 9. 671 ᵃ35. Ζγβ1. 732 ᵇ33. ἔναιμος ᚖ μέγας, σαρκώδης ᚖ ἔναιμος, ἔναιμος ᚖ μαλακός Ζμγ6. 669 ᵃ25. 8. 671 ᵃ17. Ζγβ1. 732 ᵇ35. λεῖος Ζια16. 495 ᵇ1. μέγας ᚖ μαλακὸς ᚖ εὔτονος, ὑγρὸς ᚖ μαλακός αϰ800 ᵇ16, 803 ᵃ15. σομφὸς αν10. 475 ᵇ24. Ζιδ4. 594 ᵃ8. 18. 601 ᵇ5. Ζμγ7. 670 ᵇ14. 8. 671 ᵃ10. σομφὸς ᚖ ὀλίγαιμος Ζιδ4. 594 ᵃ9 Aub. cf αν9. 475 ᵃ21. σομφὸς ᚖ στιφρός ᚖ ὀλίγαιμος Ζγβ1. 732 ᵇ35. ἐλάττων ᚖ σομφός, σομφὸς ᚖ ὅμοιος ἀφρῷ ᛁ q μικρὸς ᚖ ὑμενώδης Ζμγ6. 669 ᵃ25, 32, 34. ἄναιμος ᚖ σομφός αν1. 470 ᵇ14. μείζων ᚖ πολύαιμος, ξηρὸς ᚖ μικρός, μείζων ἢ κατὰ λόγον, ὀλίγαιμος ᚖ ὀλίγην θερμότητα ἔχων, ὅμοιος βοείῳ Ζμγ6. 669 ᵃ25. 8. 671 ᵃ18. αν1. 470 ᵇ19. ἄναιμος αν9. 475 ᵇ13. μικρὸς ᚖ πυκνὸς ᚖ σκληρός, σκληρὸς ᚖ σύντονος αϰ800 ᵃ31, 803 ᵃ15. οἱ νομίζοντες εἶναι κενὸν διηπάτηνται, θεωρῦντες τὰς ἐξηρημένας ἐκ τῶν διαιρυμένων τῶν ζώων Ζια17. 496 ᵇ5, cf Pik.

c. quae animalia pulmonem habeant, quibus pulmo non sit. ὁ πλεύμων ἠθ' ὅμοιος ὔτε τῇ θέσει ὁμοίως ἔχων Ζιβ15. 506 ᵃ4. διαφέρει ὁ πλεύμων πολὺ τοῖς ζῴοις· τοῖς μὲν ὑπάρχει πλεύμων τοῖς δὲ πλεύμων μὲν ἤ, ὁ δὲ τοῖς ἔχησι πλεύμονα, ἐκείνοις ἕτερον ἀντὶ τύτυ Ζμγ6. 669 ᵃ24. α5. 645 ᵇ7. πλεύμονα ᚖ πάντα, οἷον ἰχθὺς ἐκ ἔχει, ὔτ' εἴ τι ἄλλο τῶν ζώων ἔχει βράγχια Ζιβ15. 506 ᵃ10. πλεύμονα ᚖ ἀρτηρίαν πάντα τὰ ἔναιμα ἔχει πλὴν τῶν ἰχθύων· τὰ μὲν ἔχει βράγχια τὰ δὲ πλεύμονα Ζμδ1. 676 ᵇ12. αν10. 476 ᵃ14. τῶν ζῴων τίνα δὲς ἔχει πλεύμονα αν10. 475 ᵇ19. ὅσα πλεύμονα ἔχει αι5. 444 ᵇ3. αν1. 470 ᵇ12. 10. 475 ᵇ17. 16. 478 ᵃ31. Ζια1. 487 ᵃ30. 16. 495 ᵃ12. Ζμγ3. 664 ᵇ23. δ10. 686 ᵃ3. 11. 691 ᵇ26. 13. 697 ᵃ17, 26. ὅσα ἀναπνεῖ, ᚖ πλεύμονα ἔχει Ζμγ7. 670 ᵃ29. 6. 669 ᵃ6. αν9. 475 ᵃ11. ὅσα ἔχει τὸν πλεύμονα σομφὸν Ζιδ4. 594 ᵃ8. τὰ πλεύμονα ἔχοντα αν9. 475 ᵃ21. 11. 476 ᵃ20. 15. 478 ᵃ22. Ζμβ16. 659 ᵃ31. Ζγα3. 716 ᵇ22. Ζια16. 495 ᵃ33. τὰ τὸν πνεύμονα ἔναιμον ἔχοντα αν21. 480 ᵇ6. 1. 470 ᵇ24. τὰ ἔχοντα γλῶτταν ᚖ πλεύμονα αν9. 536 ᵃ4. ὅλως τὰ πλεύμονα τῶν μὴ ἐχόντων θερμότερα, τύτων δ' αὐτῶν τὰ μὴ σομφὸν ἔχοντα μηδὲ στιφρὸν μηδ' ὀλίγαιμον ἀλλ' ἔναιμον ᚖ μαλακὸν Ζγβ1. 732 ᵇ33, 733 ᵃ3. πλεύμονα ἔχει διὰ τὸ πεζὸν εἶναί τι γένος τῶν ζώων Ζμγ6. 668 ᵇ33. δ1. 676 ᵃ27. τὰ ἀναπνέοντα ᚖ ἐν τῇ μήτρᾳ λαμβάνοντα τὴν διάρθρωσιν τὸν ἀναπνεῖν πρὶν ἢ τὸ πλεύμονα λάβῃ τέλος Ζγβ6. 742 ᵃ6. πάντα ὅσα τὸν ἀέρα δεχόμενα ἀναπνεῖ ᚖ ἐκπνεῖ, πάντ' ἔχει πνεύμονα, τὰ δεχόμενα τὴν θάλατταν ᚖ ἔχοντα πλεύμονα Ζιβ15. 506 ᵃ2, ᵇ4. τὰ κητώδη, δελφὶς κτλ ἔχει πλεύμονα αν12. 476 ᵇ16, 19. Ζγ9. 536 ᵃ2. ζ12. 566 ᵇ14. θ2. 589 ᵇ6. πλεύμων βόειος Ζμγ8. 671 ᵃ18. — τὸν πλεύμονα σομφὸν ἔχει πάντα τὰ ᾠοτοκῦντα· ὁ πλεύμων ἐν τοῖς ᾠοτόκοις τοσῦτον διέστηκεν ὥστε δοκεῖν δύ' ἔχειν αὐτὰ πλεύμονας αν1. 470 ᵇ16. Ζμγ7. 669 ᵇ24. Ζια16. 495 ᵇ5. ὅσα ἢ μηδ' ὅλως ἔχει πλεύμονα ᚖ ἄναιμον ἐλαττονάκις δεῖται καταψύξεως· ὅσα ἄναιμον ἔχει τὸν πλεύμονα ᚖ σομφόν, ἧττον δέονται τῆς ἀναπνοῆς αν9. 475 ᵇ13. 1. 470 ᵇ14. ὁ τῶν ὀρνίθων πλεύμων ποῖος Ζιβ17. 507 ᵇ19. ὁ ὄφεως πλεύμων ἁπλῆς, ἰνώδει πόρῳ (bronchus) διηρθρωμένος ᚖ μακρὸς σφόδρα ᚖ πολὺ ἀπηρτημένος τῆς καρδίας Ζιβ17. 508 ᵃ32. — ὅσα μὴ ἔχει πλεύμονα αν1. 470 ᵇ26. 3. 471

ᵃ22. 11. 476 ᵃ22. Ζμγ3. 664 ᵃ19. ὅσα μὴ ἔχει πνεύμονα
ὖδὲ φθέγγεται Ζιδ 9. 535 ᵃ30 (vocem non habere nisi
quae pulmonem et arterias habent hoc est nisi quae spi-
rent Ar putat Plin XI § 266). τὰ δὲ καρδίαν μὲν ἔχοντα,
πνεύμονα δὲ μή αν16. 478 ᵃ32. τῶν ἰχθύων ὖδεὶς ἔχει 5
πλεύμονα ἀλλ᾽ ἀντὶ τύτυ βράγχια, οἱ ἰχθύες ἔχυσι βράγχια
ἀντὶ τῦ πλεύμονος, πνεύμονα ὖκ ἔχυσιν Ζμγ6. 669 ᵃ3. δ1.
676 ᵃ28. Ζιδ 9. 535 ᵇ15. ἅμα πλεύμονα κ̅ βράγχια ὖδὲν
ὦπταί πω ἔχον αν10. 476 ᵃ6, cf 11, 14. Ζιβ2. 589 ᵇ27.

d. de situ. αχ800 ᵃ21, 804 ᵇ13, 16. κοινωνῦσιν οἱ περὶ 10
τὸν ἐγκέφαλον τόποι τῷ πνεύμονι, τῶν ἄνω τόπων εἰς τὸν
πνεύμονα συντετρημένων πλγ1. 961 ᵇ13. 17. 963 ᵇ7. — ἡ
καρδία κεῖται τὴν θέσιν ἀνωτέρω τῦ πλεύμονος, ὁ πλεύμων
κεῖται ὖ ἡ καρδία κ̅ περὶ ταύτην Ζια17. 496 ᵃ5. Ζμγ 6.
669 ᵃ22. 3. 665 ᵃ15. ἡ καρδία σύντρησιν ἔχει πρὸς τὸν 15
πλεύμονα αν 16. 478 ᵇ27. αἱ τῆς καρδίας κοιλίαι εἰσὶν εἰς
τὸν πλεύμονα τετρημέναι πᾶσαι (loc corr) Ζια17. 496 ᵃ22,
23 Aub. τὴν ἐπιγλωττίδα ὖθεν τῶν ὠοτοκίντων ἔχει, ἀλλὰ
συνάγει κ̅ διοίγει τὸν πόρον ὥστε μηδὲν καθεῖναι τῶν ἐχόν-
των βάρος εἰς τὸν πλεύμονα Ζιβ12. 504 ᵇ6. μετὰ τὴν τῦ 20
στόματος θέσιν ἐνδέχεται κεῖσθαι τὴν κοιλίαν εὐθέως, τὸν
δὲ πλεύμονα ὖκ ἐνδέχεται διήκει ὁ στόμαχος ἐπὶ τὰ κάτω
παρὰ τὸν πλεύμονα· ἡ γλῶττα ἐπὶ τῷ πνεύμονι ἐπίκειται·
ὑπὸ τὸν πνεύμονά ἐστι τὸ διάζωμα τὸ τῦ θώρακος Ζμγ3.
664 ᵃ26. Ζιβ17. 507 ᵇ1. α17. 496 ᵇ10. πλδ4. 963 ᵇ36. 25

e. vasa pulmoni connexa. ἀπὸ μιᾶς δύο ἐστὶ μόρια τῆς
ἀρτηρίας εἰς ἑκάτερον τὸ μέρος τείνοντα τῦ πλεύμονος,
τείνει ἡ ἀρτηρία πᾶσιν εἰς τὸν πλεύμονα, σχίζεται ἀπ᾽ αὐτῆς
μόρια δύο, τὸ μὲν ἐπὶ τὸν πλεύμονα· ἡ ἀρτηρία ἐπὶ θάτερα
καθήκει εἰς τὸ μεταξὺ τῦ πλεύμονος, εἶτ᾽ ἀπὸ τύτυ σχί- 30
ζεται εἰς ἑκάτερον τῶν μερῶν τῦ πλεύμονος Ζια16. 495
ᵃ31, ᵇ6. β17. 507 ᵃ24. γ3. 513 ᵇ15, 17 (cf Plat Tim 78C).
τὰ μὲν (φάρυγξ κ̅ ἀρτηρία) πρὸς τὸν πλεύμονα τείνει κ̅
τὴν καρδίαν Ζμγ3. 665 ᵃ21. συμβαίνει πνίγεσθαι παρεισι-
ὖσης τῆς τροφῆς ἡ τῆς ὑγρᾶς ἡ τῆς ξηρᾶς ἐπὶ τὸν πνεύ- 35
μονα διὰ τῆς ἀρτηρίας αν11. 476 ᵃ31. ἐπὶ τῦ αὐτῦ πόρῳ
τῷ πνεύμονι κ̅ τῇ ἀρτηρίᾳ ἡ ἀκοὴ πλβ 6. 960 ᵇ36. — ὁ
πλεύμων ὖκ ἐν αὐτῷ ἀλλ᾽ ἐν ταῖς φλεψὶ τὸ αἷμα ἔχει·
αἱ φλέβες αἱ παχεῖαι διὰ τῦ νώτυ παρὰ τὸν πλεύμονα ὑπὸ
τὰς μαστύς· (φλέβες) συντετραίνεται πᾶσαι πρὸς τὸν πλεύ- 40
μονα· φλέβες ὑπὸ τὰς ὠμοπλάτας εἰς τὸν πλεύμονα ἀφι-
κνῦνται ... ἐκ τῦ πνεύμονος ὑπὸ τὸν μαστόν, τείνει φλὲψ
πρὸς τὸν πλεύμονα Ζια17. 496 ᵇ8. γ2. 511 ᵇ26. 3. 513 ᵃ36,
ᵇ13, 512 ᵇ27, 30. — πόρος ὖδείς εἰς τὸν κοιλίαν ἀπὸ τῦ
πλεύμονος Ζμγ3. 664 ᵇ11. φέρυσι κ̅ εἰς τὸν πλεύμονα πόροι 45
ἀπὸ τῆς καρδίας κατὰ πάντα τὸν πλεύμονα παρακολυθῦντες
τοῖς ἀπὸ τῆς ἀρτηρίας (arteriae et venae pulmonales), παρ᾽
ἑκάστην τὴν σύριγγα πόροι φέρυσι τῆς μεγάλης φλεβός
Ζια17. 496 ᵃ28, ᵇ3.

f. morbi. αν17. 479 ᵃ26. Ζιθ21. 603 ᵇ3. 23. 604 ᵃ21. 50
25. 605 ᵃ19. οἱ νεφροὶ πολλάκις φαίνονται λίθων μεστοὶ κ̅
φυμάτων κ̅ δοθιήνων, ὡσαύτως κ̅ ὁ πλεύμων· πολλὰ κ̅
ἕτερα παθήματα συμβαίνοντα περὶ αὐτὰ φαίνεται, ἥκιστα
δὲ τῷ πλεύμονι περὶ τὴν ἀρτηρίαν· ὖκ ὀρθῶς ἐοίκασιν οἱ
περὶ Ἀναξαγόραν ὑπολαμβάνειν ὡς αἰτίαν ὖσαν τῶν ὀξέων 55
νοσημάτων (τὴν χολήν)· ὑπερβάλλυσαν γὰρ ἀπορραίνειν πρός
τε τὸν πλεύμονα κ̅ τὰς φλέβας κ̅ τὰ πλευρὰ Ζμγ4. 667
ᵇ5, 8. δ2. 677 ᵃ7. αἱ νόσοι ἀντιπεριίστανται αἱ εἰς ὦτός εἰς
τὰ τῷ πλεύμονι πάθη (ἐν τῷ πλεύμονι) ἡ ἀρχὴ ἐπὶ
τῶν πυρετῶν πλγ1. 961 ᵇ15. δ4. 963 ᵇ36. μὴ δυναμένων 60
κινεῖν τῶν ἀναπνεόντων τὸν πνεύμονα διὰ πάθος ἡ διὰ γήρας,

τότε συμβαίνειν τὴν τελευτήν αν16. 478 ᵇ20. cf 17. 479
ᵃ10 (cf Plat Tim 84D). — πνεύμων in ν1 αν3. 471 ᵃ26.
ὁ πνεύμων πθ6. 890 ᵃ26, 28 utrum animal an pars ani-
malis? cf Diosc II 39, 40, 41. (cf Schubert Gesch der Seele
I 146. Philippson ὕλη 51. Μ 437.)

2. animal. γίνονται οἱ καλύμενοι πλεύμονες (ν1 πνεύ-
μονες) αὐτόματοι Ζιε15. 548 ᵃ11. αἴσθησιν ὖδεμίαν ἔχει
Ζμδ5. 681 ᵃ18. (poumon de mer C II 697. Tethys lepo-
rina *L* vel Aplysia depilans *L* St. defin non possunt F
310, 45. ΚαΖμ 136, 41. Cr. ΑΖι I 181, 22. cf M 169.
Fuhr Pytheas p 40.)

πλευρά. 1. πλευρά figurae mathematicae. φέρεσθαι τὸν λόγον
τὸν τῶν πλευρῶν μχ1. 848 ᵇ24. ἀνήκτο ἡ παρὰ τὴν πλευράν
Μθ9.1051 ᵃ25. πλευρά (quadrati) κ̅ διάμετρος ἀσύμμετροι
ν διάμετρος p 185 ᵃ7, adde Ζγβ6. 742 ᵇ28. — 2. πλευρά
corporis animalium. *a.* latus. (κοινὸν μέρος) πλευρὰς κ̅ βρα-
χίονος κ̅ ὤμυ μασχάλη. τὰ παιδία (ἔμβρυα) τὰς χεῖρας
παρατεταμένας ἔχει παρὰ τὰς πλευρὰς Ζια14. 493 ᵇ7. η10.
587 ᵃ26. αὐτῷ (τῷ καλλιωνύμῳ) τὸ ἧπαρ κατὰ τὴν λαιὰν
φορεῖται πλευρὰν f 298. 1529 ᵇ12. — *b.* costa. num sing
perrarus. ἀπὸ ταύτης τείνυσι παρὰ τε τὴν πλευρὰν ἑκάστην
φλέβια κ̅ πρὸς ἕκαστον τὸν σφόνδυλον Ζιγ3. 513 ᵇ29. —
αἱ συγκλείυσαι πλευραὶ τὸ στῆθος σωτηρίας χάριν τῶν περὶ
τὴν καρδίαν σπλάγχνων· τὰς πλευρὰς συνάπτεσθαι μὲν
ἀλλήλαις κατὰ τὸν τόπον τῦτον (στῆθος), μὴ ἐπίπονον δὲ
εἶναι τὴν φύσιν αὐτῶν· ὁ περὶ τὴν κοιλίαν τόπος ἀσύγκλει-
στος ταῖς πλευραῖς διὰ τὴν εἰρημένην ἔμπροσθεν αἰτίαν
Ζμβ9. 654 ᵇ35. δ10. 688 ᵃ27 (cf F 316, 80), 688 ᵇ35 (cf
β9. 655 ᵃ2). τὰς ἀπὸ τῶν ὀστῶν γίνεσθαι συνεχεῖς ὥσπερ
ταῖς πλευραῖς πιν6. 484 ᵃ27. ἀπὸ τῆς ῥάχεως αἱ πλευραί·
συνάπτυσι· ἀφ᾽ ἧς (ῥάχεως) κ̅ αἱ πλευραὶ πρὸς τὴν συγ-
κλεισιν Ζιγ7. 516 ᵃ29, 30. πιν7. 484 ᵇ18. (Polybi sententia:
φλέβες) ἐπὶ τῶν πλευρῶν ἄνωθεν· πλεῖστα νεῦρα περὶ τὰς
πλευράς (ν1 πλευρά)· τὸ στῆθος ἐπὶ πλευραῖς κείμενον· τὸ
διάζωμα πρὸς τὰς πλευρὰς σαρκωδέστερον κ̅ ἰσχυρότερον
Ζιγ3. 513 ᵃ5. 5. 515 ᵇ22. 7. 516 ᵃ29. Ζμγ10. 672 ᵇ24, 35.
homini κοινὸν τῦ ἄνω κ̅ κάτω πλευραὶ ἑκατέρωθεν ὀκτώ
Ζια15. 493 ᵇ14 Aub (Vesalii opp omn ed Boerhaave 1725
p 76. Sonnenburg 5. Lewes 167. ΚαΖι 39, 5). (ὄφεις)
πλευρὰς ἔχυσιν ἴσας ταῖς ἐν τῷ μηνὶ ἡμέραις· τριάκοντα
γὰρ ἔχυσιν Ζιβ17. 508 ᵇ3 (ΚαΖι 90, 17). τῶν ἀναπνεόντων
συμπιεζ᾽ωμένη ταῖς πλευραῖς κάτω, καθάπερ αἱ φῦσαι,
προσογκεῖν φαίνεται πλδ11. 964 ᵇ3. πλευραὶ ἰσχυραὶ ἀν-
δρείας σημεῖον, εὔλυτα τὰ περὶ τὰς πλευρὰς εὐφυῶς· ὅσοι
ἐκ τῶν πλευρῶν περίογκοί εἰσιν, μεγαλόψυχοι, λάλοι κ̅
μωρολόγοι φ3. 807 ᵃ32, ᵇ16. 6. 810 ᵇ14. ν πλευρόν.

πλευρῖτις, def f 339. πλευρῖτις νόσος μείζων προσπταίσμα-
τος Ηε15. 1138 ᵇ2. ἁλίσκεσθαι ὑπὸ πλευρίτιδος πγ1. 871
α. 6. 871 ᵇ33.

πλευρόν costa. num sing ap Diog Apolloniat. σχίζονται
ἐπὶ τὴν κοιλίαν κ̅ τὸ πλευρὸν πολλαὶ ἀπ᾽ αὐτῶν κ̅ λεπταὶ
φλέβες Ζιγ2. 512 ᵃ19. — αἱ φρένες πρὸς τὰ πλευρὰ κ̅
τὰ ὑποχόνδρια κ̅ τὴν ῥάχιν συνηρτημένα· (τῷ χαμαιλέοντι)
τὰ πλευρὰ κάτω καθήκει ἀνατετρημένος πρὸς τὸ ὑπογάστριον,
καθάπερ τοῖς ἰχθύσιν· ἀνατετρημένος ὅλος συνάγει διαφε-
ρόντως τὰ περὶ τὰ πλευρὰ Ζια17. 496 ᵇ12. β11. 503 ᵃ16,
ᵇ26. (ὖκ ὀρθῶς ἐοίκασιν οἱ περὶ Ἀναξαγόραν ὑπολαμβάνειν
τὴν χολὴν ὑπερβάλλυσαν ἀπορραίνειν πρός τε τὸν πλεύμονα
κ̅ τὰς φλέβας κ̅ τὰ πλευρὰ (ν1 τὰς πλευράς) Ζμδ2. 677
ᵃ8. ν πλευρά *b.*

πλευστικῶς. πλοῖα ἀπὸ τῦ αὐτῦ βάρεος ἐν μὲν τοῖς ποτα-

μᾶις ὀλίγα καταδύνειν, ἐν δὲ τῇ θαλάττῃ μετρίως ἔχειν κ̀
πλευστικῶς μβ3. 359 ᵃ10.

πλέως. τράχηλος παχὺς κ̀ πλέως φ6. 811 ᵃ13. πάντα ταῦτά
ἐστι θεῶν πλέα χ6. 397 ᵇ18. — τὸ γὰρ πλέον ἐστὶ νόημα
(Parm 149) Μγ5. 1009 ᵇ25 Bz, sed rectius videntur in-
pretari τὸ ὑπερβάλλον (Zeller Gesch I 415), ν πολύς.

πληγή. κ̀ οἱ ἀγύμναστοι τύπτωσι πολλάκις καλὰς πληγὰς
ΜΑ4. 985 ᵃ15. — πληγή, def ὅταν ἀπὸ φορᾶς γίγνηται
ἡ κίνησις μθ9. 386 ᵇ1. dist ὦσις μθ9. 386 ᵃ20, 33. πκθ9.
936 ᵇ38. ὁ ἀὴρ ποιεῖ πληγήν, τὴν πληγὴν μαλακήν πε13.
882 ᵃ12, 10. 37. 884 ᵇ33, 30. ὁ ἀὴρ διὰ τὴν πληγὴν τῇ
κινήσει γίγνεται πῦρ Οβ7. 289 ᵃ28. πληγή ἐστιν ἡ ποιοῦσα
ψόφον ψβ8. 419 ᵇ10. Οβ9. 291 ᵃ10. μβ9. 369 ᵃ29, 30.
πια19. 901 ᵃ17. 42. 904 ᵃ10. — ἧττον ἡ πληγὴ ψοφεῖ Ζιε16.
548 ᵇ3. ἐν φερομένῳ συνεχὲς κ̀ μὴ ποιοῦντι πληγὴν ἀδύ-
νατον ψοφεῖν Οβ9. 291 ᵃ17. οἷαι αἱ τῷ ἀέρος πληγαί, τοι-
αῦται κ̀ αἱ φωναὶ αχ803 ᵇ27. ποιεῖσθαι τὴν πληγήν Ζμα1.
641 ᵃ12. ποιεῖσθαι πληγὴν ἰσχυράν, εὔρωστον, σκληρᾶ ἡ
πληγὴ γίνεται αχ800 ᵃ33, ᵇ4, 7, 11. πληγαὶ ἰσχυρότεραι
Ζμγ2. 663 ᵇ7, cf ᵈ11. 691 ᵇ11. τῶν μὲν διὰ πληγῆς κ̀
βοήθεια, τῶν δὲ διὰ δήγματος Ζμγ1. 661 ᵇ25. δέρμα πρὸς
τὰς πληγὰς ἰσχυρόν· λέων πρὸς τὰς πληγὰς εἰς τὰ κοῖλα
ἀσθενής Ζω45. 630 ᵇ4. 44. 630 ᵃ3. πληγὴ καίριος Ζγε5. 785
ᵃ14. αἱ ἐν τοῖς πολέμοις πληγαί· ἡ ἐκ τῆς πληγῆς γινο-
μένη θερμότης Ζμγ10. 673 ᵃ11, 12. οἰδησάσης τῆς πληγῆς
πθ4. 889 ᵇ37. — μίαν πληγὴν οὐχ ὑπήνεγκεν ἡ πόλις
(Sparta) Πβ9. 1270 ᵃ33.

πλῆγμα ὀδυνηρότερον Ζω41. 627 ᵇ27.

πλῆθος, def ποσόν τι ἂν ἀριθμητὸν ᾖ, τὸ διαιρετὸν δυνάμει
εἰς μὴ συνεχῆ· ὁ ἀριθμὸς πλῆθος ἑνὶ μετρητὸν Μδ13. 1020
ᵃ8, 10, 13. ι6. 1057 ᵃ3. πλῆθος τῷ ἀντίκεινται ὡς ἐναντία
Μι3. 1054 ᵃ20-29. γ2. 1004 ᵃ10, 16 (cf πλῆθος δικαστῶν
opp δικαστὴς εἷς Πδ16. 1300 ᵇ35. τὴν πόλιν πλῆθος ὂν
μίαν ποιεῖν διὰ τὴν παιδείαν Πβ5. 1263 ᵇ36). πλῆθος ὀλι-
γότητι ἀντίκειται, τὸ πολὺ τῷ ὀλίγῳ Μν1. 1087 ᵇ32. Α3.
984 ᵃ10. μβ1. 353 ᵇ24. Πγ8. 1279 ᵇ26 (cf πλῆθει ὀλι-
γότητι διαφέρειν, dist διαφέρειν εἴδει Πα1. 1252 ᵃ9. πλή-
θει. dist σχήμασι Ξ2. 975 ᵇ25). πλῆθες πρῶτον, πλῆθός τι
Μμ9. 1085 ᵇ9. πλῆθος βραχύ, πολύ, πλέον, ἄφθονον μα11.
347 ᵇ22. β3. 357 ᵃ19, 358 ᵃ21. 4. 360 ᵃ11, ᵇ12. ὀλίγα τῷ
πλήθει Ζγα8. 718 ᵇ10. τὸ πλῆθος (i e ὁ ἀριθμὸς) τῶν μο-
ρίων Φζ7. 237 ᵇ33. τὸ πλῆθος τῶν πολιτῶν Πγ11. 1281
ᵇ24. πλῆθος ὀργάνων οἰκονομικῶν Πα3. 1253 ᵇ31. 8. 1256
ᵇ36. τὸ τῶν ὑποκριτῶν πλῆθος, ἐπεισοδίων πλήθη ποδ. 1449
ᵃ16, 28. τέτταρα γένη, ἃ περιέχει τὸ πλῆθος τῶν λοιπῶν
ζῴων Ζθ8. 534 ᵇ13. πλῆθος νεύρων, ἐντέρων, ποδῶν al
Ζμγ4. 666 ᵇ13. ὀδ3. 677 ᵇ20. 8. 683 ᵇ26. 5. 680 ᵇ28, 36.
πλῆθος ὕδατος, θαλάσσης, ἀέρος, πνεύματος μα3. 340 ᵃ8.
β1. 353 ᵇ34. 3. 357 ᵃ19. 4. 360 ᵃ32, ᵇ11. 5. 362 ᵇ18. 8.
366 ᵃ31, 368 ᵃ2. ὀδ3. 381 ᵇ18 (cf τὸ πλῆθος ἕκαστον μβ3.
357 ᵇ31). Ζιθ19. 601 ᵇ18. 8. 596 ᵃ3. Ζγδ3. 768 ᵇ35. πλῆ-
θος θερμῆς ἀναθυμιάσεως μαι7.344 ᵇ23. πλῆθος τῆς ψυχρό-
τητος, ταύτης τῆς δυνάμεως μδ3. 381 ᵃ17. β3. 358 ᵃ23.
τάττειν πλῆθος τῆς οὐσίας, νομίσματος. τῶν τέκνων Πβ7.
1266 ᵇ10. γ8. 1279 ᵇ19. α9. 1257 ᵇ9. Ρα5. 1361 ᵃ13. τὸ
πλῆθος τιμημάτων Πι13. 1297 ᵇ9. ἔχει τι πλῆθος ἡ τέχνη
τι34. 183 ᵇ34. πλῆθος χρόνου μα14. 351 ᵇ22. Ηζ9. 1142
ᵃ15. Πβ8. 1269 ᵃ22. ἐν τῷ πλήθει τῆς ζωῆς αν17. 479
ᵃ17. τὸ πλῆθος (i e ὁ πολὺς χρόνος cf Aub) τῶν τόκων ὡς
τελειώσεως Ζιη4. 584 ᵇ26. ὅρος μέγιστον τῷ πλήθει κ̀ ὕψει
μι13. 350 ᵃ29, ᵇ6. τῆς φυλακῆς τὸ πλῆθος κ̀ τὸ εἶδος Ρα4.

1360 ᵃ7. ἀνδραπόδων πλήθει κ̀ μεγέθει κ̀ κάλλει διαφε-
ρόντων Ρα5. 1361 ᵃ14. ἄπειρον οὔτε πλήθει οὔτε μεγέθει
Πα8. 1256 ᵇ35. ἐν ἓξ ἔτεσι λαμβάνει τὸ πλῆθος τῷ σώ-
ματος, κ̀ ἐπιδίδωσι μέχρι ἐτῶν εἴκοσιν Ζιζ22. 576 ᵇ6. τὰ
περιστερώδη ἔχει πλήθη τῷ σώματος ὥσπερ τὰ βαρέα Ζγγ1.
749 ᵇ20, 23. (sed οἱ ἄνθρωποι ἐπιδιδόασι ὀτὲ μὲν τῷ πλή-
θει, ὀτὲ δὲ τῇ παχύτητι πκ7. 923 ᵃ37 scribendum videtur
μήκει.) χρώματα διαφέρει πλήθει κ̀ ταῖς δυνάμεσι (πλῆθος
ac δύναμις coni syn, cf τὸ πολὺ κ̀ ἄκρατον μέλαν χ5.
795 ᵇ29, 796 ᵃ30, Prantl Farbenl p 167) χ3. 793 ᵃ5. —
πλῆθος αἱματικόν Ζγδ1. 766 ᵇ22. πλῆθος φιλικόν, syn πλῆ-
θος φίλων Ηι10. 1170 ᵇ30, 33. πλ. πολιτικόν, i e πολιτῶν
Πγ13. 1283 ᵇ2. ι6. 1327 ᵇ18. 10. 1329 ᵇ24. πλ. γεωργι-
κόν (cf τὸ περὶ τὴν τροφὴν πλῆθος Πδ4. 1290 ᵇ40), βά-
ναυσον, ἀγοραῖον, θητικόν Πζ7. 1321 ᵃ5. 1. 1317 ᵃ25. 4.
1319 ᵃ19, 24. τὸ κατὰ τὴν χώραν πλῆθος Πζ4. 1319 ᵃ38.
πλ. ὀλιγαρχικόν Πδ12. 1296 ᵇ34. — πλῆθος, syn τὸ πλέον
μέρος Πδ4. 1290 ᵃ31, 32. cf η2. 1324 ᵇ9. β5. 1264 ᵃ13.
(ὄμματα αἰγωπά, καθάπερ κ̀ τὸ τῶν αἰγῶν αὐτὸ πλῆθος Ζγε
1. 779 ᵃ33.) inde in rebus publicis τὸ πλῆθος, opp οἱ ὀλίγοι
Πγ13. 1283 ᵇ24, 33. 15. 1286 ᵃ32. opp οἱ εὔποροι Πε9.
1309 ᵃ39. 12. 1316 ᵇ13. οἱ γνώριμοι, οἱ μέσοι Πδ14. 1298
ᵇ21. ε10. 1310 ᵇ13. ζ4. 1319 ᵇ13. opp οἱ ἐπιεικεῖς, οἱ
πλούσιοι Πε8. 1308 ᵇ28. γ10. 1281 ᵃ12. syn οἱ πολλοί Πγ7.
1279 ᵃ31, 27, 28. syn ὄημος Πε10. 1310 ᵇ13. ζ4. 1319
ᵇ19. αἱ ἀποκλίνεισαι πρὸς τὸ πλῆθος, opp πρὸς τὴν ὀλιγαρ-
χίαν Πε7. 1307 ᵃ16. καταστῆσαι τὸ πλῆθος ἰσχυρότερον
ὥστε γενέσθαι δημοκρατίαν Πγ15. 1286 ᵇ19. πολιτεία κα-
λεῖται, ὅταν τὸ πλῆθος πρὸς τὸ κοινὸν πολιτεύηται συμφέρον
Πγ7. 1279 ᵃ37. διὰ τί δεῖ κύριον εἶναι τὸ πλῆθος μᾶλλον
ἢ τοὺς ἀρίστους μὲν ὀλίγους δὲ Πγ11. 1281 ᵃ40sqq. τίνων
κύριον τὸ πλῆθος, τίνων οἱ ἄρχοντες Πδ14. 1298 ᵇ36. κύριον
τὸ πλῆθος, dist κύριος ὁ νόμος Πδ4. 1292 ᵃ5. ε9.1310 ᵃ4.

πληθύειν. ἡ πόλις πληθύει ἀνδρῶν Πβ9. 1270 ᵃ39. μέχρι
ἀγορᾶς πληθύουσης Ζιθ32. 619 ᵃ16. ἡ τῷ γάλακτος πλη-
θύουσα τροφή Πιη17. 1336 ᵃ7. — σῶμα πληθύον (augescens,
πληθῦον Bk³) ἔτι Πιη16. 1335 ᵃ27. — cf πληθύνω.

πληθύνειν, trans ταῖς γυναιξὶ τὸ γάλα πληθύνεται Ζιη11.
587 ᵇ20. πληθύνονται οἱ ὑετοί, οἱ ἄνεμοι al φτβ4. 825
ᵇ15, 826 ᵃ14. 8. 828 ᵃ14. — intr θάλαττα ῥεύματι πλη-
θύνουσα (ν l πληθύουσα) μα14. 351 ᵇ7. πληθύνοντα (ν l
Aub πληθύοντα) κατὰ τὰς λεπτοτάτας φλέβας Ζιγβ4. 738
ᵃ37.

πλήκτης κ̀ λοιδορητικός νεβ3. 1221 ᵇ14.

πληκτικός. ὁ σκορπίος πληκτικός f 312. 1531 ᵃ19. — metaph
γυνὴ ἀνδρὸς φιλολοίδορον μᾶλλον κ̀ πληκτικώτερον Ζω11. 608
ᵇ10, cf πλήκτης.

πλῆκτρον. 1. plectrum, instrumentum quo cithara percu-
titur Πα4. 1253 ᵇ38. f 253. 1254 ᵇ41. — 2. a. calcar.
τὰ πλῆκτρα τῶν ὀρνίθων Ζγβ6.745 ᵃ2. referuntur inter τὰ
πρὸς ἀλκήν τε κ̀ βοήθειαν ὀργανικὰ μόρια Ζμγ1. 661 ᵇ31.
ὀδ8. 684 ᵃ30. Ζιδ11. 538 ᵇ15. ἐκ τῆς ἐπικτήτου τροφῆς κ̀
τῆς αὐξητικῆς Ζγβ6. 745 ᵃ2. γένη ἔνια τῶν ὀρνίθων ἔχει κ̀
πλῆκτρα Ζιβ12. 504 ᵇ7. cf al. 486 ᵇ13. ἔχουσιν ἔνιοι τῶν
βαρέων βοήθειαν ἀντὶ τῶν πτερύγων τὰ καλούμενα πλῆκτρα
ἐν τοῖς σκέλεσιν Ζμδ12. 694 ᵃ13, 17, 26. κ̀ πλῆκτρα τῶν
ἀρρένων ἐχόντων αἱ πολλαὶ τῶν θηλειῶν οὐκ ἔχουσιν, ἐνίαις
(ἀλεκτορίσι) κ̀ πλῆκτρά τινα μικρὰ ἐπανέστη Ζμγ1. 662
ᵃ4. Ζιδ11. 538 ᵇ19, 20. 149. 631 ᵇ12. ἔστι τῆς γαμψω-
νύχοις κ̀ πτητικοῖς ἄχρηστα τὰ πλῆκτρα, χρήσιμα γὰρ ἐστι
ἐν ταῖς πεζαῖς μάχαις, γαμψώνυχον ἅμα κ̀ πλῆκτρον ἔχον

ὅθέν Ζμδ12. 694 ᵃ16. Ζιβ12. 504 ᵇ7. — ὅ. penis. Palinuri τὸ μὲν ἄρρενος ἐν τοῖς τελευταίοις ποσὶ μεγάλα χὴ ὀξέα εἰσὶν ὥσπερ πλῆκτρα, τῆς δὲ θηλείας ταῦτα μικρὰ χὴ λεῖα Ζιδ2. 526 ᵃ5 Aub. — c. τὰ καλούμενα πλῆκτρα ἐν τοῖς ἔχυσι σφυρόν Ζιγ7. 516 ᵇ2 Aub. cf S I 143.

πληκτροφόρος. τὰ πληκτροφόρα τῶν βαρέων ὀρνίθων ἐστὶν Ζιβ12. 504 ᵇ9.

πλημμέλεια. ἀσέβεια ἡ περὶ τὰς θεὰς πλημμέλεια αρ7. 1251 ᵃ31.

πλημμελεῖν περί τι κ2. 392 ᵃ6. ἔν τινι πιθ21. 919 ᵃ31. ἐάν τι πλημμεληθῇ παρὰ τὴν τοιαύτην κίνησιν Ζμγ2. 664 ᵇ29.

πλημμελής. τὸ μέγιστον ἐπιτρέψαι τύχῃ λίαν πλημμελές Ηα10. 1099 ᵇ24. cf κ6. 397 ᵇ10.

πλημμυρεῖν. εἰ πλημμυρήσῃ ἄνεμος φτβ6. 826 ᵇ14.

πλημμυρίς. ἡ ἔξωθεν πλ., opp ἄμπωτις μβ8. 366 ᵃ20. ἡ γῆ πλημμυρίσιν (v l πλημμυρίσιν) ἐπικλυζομένη κ5. 397 ᵃ28.

πλήν, praepos. πάντα τἆλλα πλὴν πυρὸς μδ1. 379 ᵃ15. πλὴν τῦ χρώματος Ζιι14. 616 ᵃ21. ὐκ ἄρα δοτέον ἐν παντί, ἀλλὰ πλὴν τῦ τελευταίν νῦν ἐφ' ὗ τὸ γ Φθ8. 263 ᵇ20. — adverb excipiendi potestate, 'nisi, praeterquam' ὐδὲν ἄλλο σῶμα, πλὴν τὸ τῆς θαλάττης μέγεθος μβ2. 354 ᵇ12. τὰ ζῳοτόκα πάντα πλὴν ἀσπάλακος Ζια9. 491 ᵃ28. πανταχῦ, πλὴν ἐν τῷ Πόντῳ μα10. 347 ᵃ36. cf Ζιβ17. 506 ᵇ33. ὐκ ἔστιν ὀφθαλμός, πλὴν ὁμωνύμως ψβ1. 412 ᵇ21. cf Πη7. 1328 ᵃ10. πλὴν ὅτι κατὰ τὸ ἀνάλογον Ζμβ7. 652 ᵇ24. πλὴν ὅσαι Πε8. 1309 ᵃ30. πλὴν καθ' ὅσον κ6. 400 ᵇ8. πλὴν ὅσα μή, pleonastice addita negatione Ηθ8. 1124 ᵇ30. πλὴν εἰ ψα2. 405 ᵇ9. Πε5. 1305 ᵃ14. f 72. 1488 ᵃ5. πλὴν εἰ μή, pleonastice addita negatione Αα27. 43 ᵃ39 Wz. Γα7. 323 ᵇ27. ψα3. 406 ᵇ8. πλὴν ἀλλ' ἢ ΜΑ1. 981 ᵃ18. — inde πλὴν transit ad limitandi et definiendi potestatem, τὸ στερητικὸν τὸ κατὰ μέρος ἐν ἅπασι τοῖς σχήμασι δείκνυται, πλὴν ἐν μὲν τῷ πρώτῳ ἅπαξ, ἐν δὲ τῷ μέσῳ χὴ τῷ ἐσχάτῳ διχῶς χὴ τριχῶς Αα26. 42 ᵇ39. cf τη6. 119 ᵇ22. μα13. 350 ᵇ32. ζιβ8. 502 ᵇ4, 7. Ζμα1. 641 ᵃ10. Ηδ3. 1121 ᵃ15. Πγ12. 1283 ᵃ21. Ρα12. 1372 ᵇ7. — limitandi vi πλὴν etiam ita usurpatur, ut peculiarem enunciationem ordiatur, veluti παραπλησίως ἀπεφήναντο. πλὴν τήν γε κόμην ὐκ ἐξ αὐτῦ φασιν ἔχειν μα6. 343 ᵃ1. cf 14. 351 ᵃ28. τι4. 166 ᵃ4 Wz. β3. 110 ᵃ32. ψα2. 405 ᵃ15. Ζια15. 493 ᵃ40 ᵇ21. 17. 496 ᵃ19. β8. 502 ᵃ20, 26. θ3. 592 ᵇ26. ζ15. 569 ᵇ30. Ζμδ1. 676 ᵃ27. πολ. 1447 ᵇ13. Μθ6. 1015 ᵇ32. Πδ 15. 1299 ᵇ5. Φγ4. 203 ᵃ6. paullo liberius φτβ2. 824 ᵃ16. 3. 825 ᵃ7. 4. 825 ᵇ5.

Πλήξιππος ὁ Ἀντιφῶντος Ρβ2. 1379 ᵇ15.

πλήρης, c gen πλήρης πυρός, σώματος, στοιχείων al μα3. 339 ᵇ18, 23, 340 ᵃ1, 5, 37, 341 ᵃ12. Ζιζ15. 599 ᵇ24. Ζμβ 10. 656 ᵇ15. γ4. 665 ᵇ35. δ3. 678 ᵃ1 al. οἱ κυνοραϊσταὶ ἤδη μὴν πλήρεις εἰσὶν Ρβ20. 1393 ᵇ30. — abs ὑὰ πλήρη μβ3. 359 ᵃ14. πορφύρα πλήρης, opp κενή Ζιε15. 547 ᵃ32. ψῆφοι πλήρεις, opp τετρυπημέναι f 424. 1548 ᵇ9. 425. 1548 ᵇ23. σελήνη πλήρης μγ5. 376 ᵇ26. ἔχειν πλήρη τὴν ἐπιθυμίαν ηεα5. 1215 ᵇ18. τὸ πλῆρες τέλειόν ἐστι f 108. 1495 ᵇ8. τὸ σύνολον σῶμα συνέστηκε πράξεώς τινος ἕνεκα πλήρης Ζμα5. 645 ᵇ17. — τὸ πλῆρες χὴ τὸ κενόν (Democr) ΜΑ4. 985 ᵇ5. γ5. 1009 ᵃ28.

πληρῦν. αἱ κοιλίαι πληρῦνται ὕδατος μβ8. 366 ᵇ12 (cf τόποι πληρῦμενοι μα13. 351 ᵃ4). πληρῦσθαι τροφῆς Ζμδ5. 680 ᵇ33. ψυχὴ πληρῦμένη μένυς (apud Alcidam) Ργ3. 1406 ᵃ2. τοῖς ἔξωθεν λόγοις πεπληρῦσθαι τὸν λόγον Πβ6. 1264 ᵇ39. — πληρῦ ὁ ἵππος ὐκ ἐν τεταγμέναις ἡμέραις· ὁ ὀρεὺς

ἑπταετὴς ὢν χὴ πληροῖ· ὁ βῦς πληροῖ ἐκ μιᾶς ὀχείας sim Ζιζ22. 575 ᵇ27, 576 ᵃ5. 24. 577 ᵇ20. 20. 574 ᵃ20. 21. 575 ᵃ13. Ζγα4. 717 ᵇ4. αἱ πέρδικες πληρῦνται· πληρωθῆναι sim Ζγγ1. 751 ᵃ16. 8. 758 ᵃ10. Ζιε5. 541 ᵃ13. ηδ. 585 ᵃ4. τὸ θῆλυ ὑπὸ μιᾶς πληρῦται ὀχείας, τὸ δ' ἄρρεν πολλὰ πληροῖ ΜΑ6. 988 ᵃ6. — πεπληρώσθω (de conficienda figura geometrica) μχ23. 854 ᵇ29. — τὸ ὅμοιον ταχὺ πληροῖ (satietatem affert) πο24. 1459 ᵇ31. — πληρωθῇ (σκληρωθῇ ci Pik) Ζιη11. 587 ᵇ23.

πλήρωμα τῆς πόλεως παρέχεσθαι, γίνεσθαι Πβ7. 1267 ᵇ16. γ13. 1284 ᵃ5. δ4. 1291 ᵃ17. πληρώματα εἰς ἑκατὸν ναῦς οβ1353 ᵃ19.

πλήρωσις σιτίων, opp ἔνδεια φ6. 810 ᵇ22. πκβ1. 930 ᵃ7. ῥᾷον λαμβάνοντα διεφθείρετ' ἂν διὰ τὴν πλήρωσιν (τροφῆς) ταχέως Ζμδ13. 696 ᵇ32. — μετὰ τὴν κάθαρσιν χὴ τὴν φθίσιν ἡ πλήρωσις ἀμφοῖν (ταῖς γυναιξὶ χὴ τῇ σελήνῃ συμβαίνει) Ζιη2. 582 ᵇ2. — πρᾷοί εἰσιν ἐν εὐημερίᾳ, ἐν πληρώσει Ρβ3. 1380 ᵇ4.

πλησιάζειν. ὁ ἥλιος πλησιάζων ἀνάξει τὸ πότιμον, ἀποχωρῶν ἀφήσει μβ3. 356 ᵇ29. ὅταν τὸ ποιητικὸν χὴ τὸ παθητικὸν πλησιάζωσιν (int ἀλλήλοις) Μθ5. 1048 ᵃ7. ὁ ἥλιος πλησιάζων τῷ τροπικῷ μα6. 343 ᵃ14. ὁ πολύπης ποιῶν τὸ χρῶμα ὅμοιον οἷς ἂν πλησιάζῃ λίθοις Ζιι37.622 ᵃ10. cf ε2. 540 ᵃ18. Ζμδ2. 677 ᵇ3. πλησιάζειν ἀλλήλοις Φθ1. 251 ᵇ3. οα4. 1344 ᵃ20. πλησιάζειν πρὸς ἡμᾶς Οβ13. 295 ᵃ35. — οἳ ὐδὲ τὰ μέτρια πλησιάζειν τοῖς ἠδέσιν ηεγ2. 1230 ᵇ20. — πλησιάζειν τινι, de coitu. ἀναγκαῖον (τὸν πολύποδα) κατὰ τὸν ὑστερικὸν πλησιάζειν Ζγα15. 720 ᵇ32. c dat τὰ μαλάκια τὸν αὐτὸν τρόπον πάντα πλησιάζυσιν ἀλλήλοις Ζιε6. 541 ᵇ2. ὁ ἔλαφος πλησιάζει ἄλλαις Ζιζ29. 578 ᵇ12. πλησιάσαι γυναικὶ πθ10. 877 ᵇ12. γυναῖκες πλησιάζυσαι ἀνδράσιν Ζγγ1. 750 ᵇ31. Ζιη4. 584 ᵃ30. sine dat, de maribus Ζιε14. 546 ᵃ26. f 315. 1531 ᵇ11, de feminis Ζγα19. 727 ᵇ25. Ζιη4. 584 ᵇ23, de utrisque Ζιε2. 539 ᵇ21. Ζγα18. 724 ᵃ1.

πλησίασμα (v l πλήσμα Bk) Ζιζ23. 577 ᵃ30.

πλησιασμὸς φοβερὸν ὁ κίνδυνος Ρβ5. 1382 ᵃ32. — ἴδιαι φωναὶ πρὸς τὴν ὁμιλίαν χὴ τὸν πλησιασμὸν (cf πλησιάζειν p 604 ᵇ27) Ζιδ9. 536 ᵃ15.

πλησίον εἶναι τῶν ἄστρων, τῆς γῆς μα3. 340 ᵃ27, 29. 11. 347 ᵇ29 al. πλησίον εἶναι, γίγνεσθαι, opp πόρρω, πορρύτερον Πε7. 1307 ᵇ21. μα9. 346 ᵇ22. οἱ πλησίον τόποι Ζιγ20. 728 ᵇ27. πλησιαίτερον τῦ πρώτῳ σώματος Οβ12. 292 ᵃ2. πλησιαίτερα ἡμῶν εἶναι Ζμα5. 645 ᵃ2. ὕλη χρῶνται πλησιωτέρα φτβ8. 827 ᵇ20. τὸ πλησιαίτατον Οβ12. 291 ᵇ33. — ὁ πλησίον, οἱ πλησίον τὸν πλησίον τινές, veluti δεσπόζειν τῶν πλησίον, παριέναι τῷ πλησίον, πατάξαι τὸν πλησίον Πη2. 1324 ᵇ25 (cf syn ὁ πέλας ᵇ5). 3. 1325 ᵃ37. 6. 1327 ᵇ1. β7. 1267 ᵃ25. δ4. 1291 ᵃ21. Ρα11. 1371 ᵇ4. Ηθ9. 1134 ᵃ5. 13. 1137 ᵃ7 al.

πλησιόχωροι θ109. 840 ᵇ6.

πλῆσμα. (ἡ θήλεια ὄνος) δέχεται, λαμβάνει τὸ πλῆσμά Ζιζ 23. 577 ᵃ30, 32.

πλησμονή. πλησμονῆς ἀπαλλαγῆναι Ζικ5. 636 ᵇ30. ἐν πλησμονῇ Κύπρις πι47. 896 ᵃ24.

πλήττειν. ὁ μὲν ἰατρὸς ἰᾶται, ἡ δὲ χεὶρ πλήττει Φε1. 224 ᵃ33. — πληγεισῶν τῶν φρενῶν (ὁ γέλως συμβαίνει) Ζμγ 10. 673 ᵃ28. πληγῆναι, opp πατάξαι Ηε7. 1132 ᵃ8. Ρα15. 1377 ᵃ21. dist κολασθῆναι Ηε8. 1132 ᵇ29. πληγῆναι (fulmine), coni πατάξαι μγ1. 371 ᵇ14. — τὸν Ὀδυσσέα πληγῆναι ἐν Παρνασσῷ πο8. 1451 ᵃ26.

πλίνθινος. ἡ οἰκία πλινθίνη ἀλλ' ὐ πλίνθοι Μζ7. 1033 ᵃ19.

πλίνθος. πλίνθοι ὕλη οἰκίας Φα4. 188 a15. Ζμα5. 645 a34. β1. 646 a27. πηλός, ἐξ ὗ γίνεται πλίνθος ὀστρακώδης φτβ1. 822 a18.

Πλοάς, λόχος Λακεδαιμονίων f 498. 1559 a23, 26.

πλοῖον. ναυπηγικῆς πλοῖον (τὸ τέλος) Ηα1. 1094 a9. πλοῖον ὁλκαδικόν, λεμβῶδες, ἀπήδαλον Ζπ10. 710 a19, 31, 8. πλοῖα ἱππαγωγά, στρατηγικά f 571. 1572 a9. πλοῖα στεγανά, τὰ πλοῖα ῥεῖ f 513. 1562 a9, 8. τὰ τῶν πλοίων ἐκκελυμένα Πζ6. 1320 b37. πλοίν ἀνατροπή, σωτηρία ΦΒ3. 195 a14. Μδ²2. 1013 b14. πλοῖον ἐν τῇ θαλάττῃ μετρίως ἔχον χ πλευστικῶς ἐν τοῖς ποταμοῖς ὀλίγην καταδῦνοι μβ3. 359 a8. cf πκγ3. 931 b9. ἀποσαλεύρσιν ὥσπερ πλοῖον ὅταν χειμὼν ᾖ Ζμδ9. 685 a35. πρὸς τοῖς πλοίοις γίνεται (τὰ ὀστρακόδερμα) Ζγγ11. 763 a27. — πῶς κινεῖται ὁ ἐν τῷ πλοίῳ καθήμενος τῦ πλοίῳ θέοντος Φζ10. 240 b19. εἰ ὕτως ἐντελέχεια τῦ σώματος ἡ ψυχὴ ὥσπερ πλωτὴρ πλοίῳ ψβ1. 413 a9.

πλοκή. τὰ ἀπὸ λίνων ξυόμενα μαλακά ἐστι χ ὗ δέχεται πλοκήν Ζγε3. 783 a12. ὅμοιον γίγνεσθαι τὸ ζῷον τῇ τῦ δικτύν πλοκῇ Ζγβ1. 734 a20, Trdlbg de an p 287. — πλοκή (tragoediae), opp λύσις πο18. 1456 a9.

πλομίζειν. θηρεύρσι τὸς ἐν τοῖς ποταμοῖς ἰχθῦς πλομίζοντες Ζιθ20. 603 a1.

πλόμος. ἀποθνήσκρσιν οἱ ἰχθῦς τῷ πλόμῳ Ζιθ20. 602 b31.

πλῦς. ἐκ τῶν Παναθηναίων (ie μετὰ τὰ Π.) ὁ πλῦς Ζγα18. 724 b2. κώμας ποιεῖσθαι τὸν πλῦν Ζπ10. 710 a20. λογίζεσθαι τῆς πλῆς χ τὰς ὁδὸς μβ5. 362 b23, 19. — δεύτερος πλῦς Ηβ9. 1109 a35. Πγ13. 1284 b19, cf παροιμία p 570 a22.

πλῆσιος. οἱ πλήσιοι, pars civitatis, opp ἄποροι, πένητες, δῆμος, coni et dist εὐγενεῖς, ἐλεύθεροι, πεπαιδευμένοι Πβ7. 1266 b3. γ12. 1283 a17. 13. 1283 a31, 32. δ4. 1290 b2, 3, 14. 6. 1293 a8. 11. 1295 b31. 12. 1297 a12. 15. 1299 b26. ε4. 1304 b1. — τί σοφία (τῇ σοφία Bk, codd) πρὸς τὸ πλήσιον πο10. 1243 b34.

πλητεῖν ἐν τίνι ἐστὶν Ρα5. 1361 a23. opp πένεσθαι Πδ4. 1291 b7. ῥάδιον πλυτεῖν τοῖς φιλοσόφοις Πα11. 1259 a17. πλυτεῖν νομίσματος Πα9. 1257 b13 (syn εὐπορεῖν b15). — οἱ πλυτῦντες ρ3. 1424 a24. — πλυτεῖν (fort scribendum πλυτίζειν) Πβ1. 1273 b19.

πλυτίνδην αἱρεῖσθαι Πβ11. 1273 a24, 26. δ7. 1293 b10.

πλῦτος. def Ρα5. 1361 a12-25. 6. 1362 b18. β16. 1391 a1. Πα8. 1256 b30 (πλῦτος ἀληθινός), 36. 9. 1257 b8, 17 (cf Häcker, zur Nik Eth 1863 p 15 sq). πλῦτε μέρη τίνα Ρα5. 1361 a12. Πβ7. 1267 b11. οἰκονομικῆς τέλος πλῦτος Ηα1. 1094 a9. ὁ πλῦτός ἐστι τῶν χρησίμων Ηδ1. 1120 a5. πλῦτν δ᾽ ὖδὲν τέρμα (Solon fr 13, 71) Πα8. 1256 b33. πλῦτῳ ποῖα ἕπεται ἤθη Ρβ16. — ὀλιγαρχίας ὅρος πλῦτος Πδ8. 1294 a11. Ηε6. 1131 a28, universe quae sit πλῦτε vis in rebus publicis Πβ9. 1269 b24. γ8. 1279 b40. 9. 1280 a7. 13. 1283 b15, 1284 b27. δ4. 1291 b28. 7. 1293 b18. 8. 1294 a20, 22. 11. 1295 b14. 12. 1296 b18. ε3. 1303 b16. ζ2. 1317 b39. — διὰ τί ὁ πλῦτος ὡς ἐπὶ τὸ πολὺ παρὰ τοῖς φαύλοις ἐστὶν πκθ8. 950 b36.

Πλῦτων ὅπη ἁρπαγὴν ἐποιήσατο τῆς Κόρης θ82. 836 b21.

πλύμα (Lob Par 419). τὸ πλύμα τῶν ἰχθύων Ζιθ8.534 a27.

πλύνειν. πλύνει μὲν τὸ γλυκύ, ῥύπει δὲ τὸ πικρόν πκγ40. 935 b35. σπόγγοι ἁπλυσίαι (καλῦνται) διὰ τὸ μὴ δύνασθαι πλύνεσθαι Ζιε16. 549 a4 (cf Oribas II 864). τὴν ἄμμον πλύναντας καμινεύειν θ48. 833 b25. f 248. 1524 a8, 10.

πλυντικός. πλυντικὸν ἢ ῥυπτικὸν ἐγχύμν ξηρότητος αι5.443 a1.

πλύντρον. ἐνίοις τῶν πνευματικῶν ἰχθύων (cf ἰχθύς p 352 a59) πλύντρν ὄζει ἡ γονή πδ4 29. 880 a27.

πλύσις. ἡ ὀσμὴ οἷον βαφή τις χ πλύσις αι5. 445 a14.

πλώειν. δάκρυ πλώειν (Hom τ 122) πλ1. 953 b12.

πλωτῆρες Πζ6. 1320 b35. Ρβ20. 1393 b7. Ηθ11. 1160 a15. τῶν πλωτήρων ὁ μὲν ἐρέτης ὁ δὲ κυβερνήτης ὁ δὲ πρωρεύς Πγ6. 1279 b27, 20, a4, 7. οἱ πλωτῆρες οἱ ἐπὶ τῆς Ἀργῦς Πγ13. 1284 a25. ὁ πλωτὴρ ἐντελέχεια πλοίν, κινεῖται ἐν κινυμένῳ ψβ1. 413 a9. α3. 406 a6.

πλωτός. τὴν γῆν Θαλῆς φησὶ πλωτὴν εἶναι ὥσπερ ξύλον Οβ13. 294 a30. ὖκ ἀεὶ ταῦτα ὖτε χερσεύεται τῆς γῆς ὖτε πλωτά ἐστιν μαι4. 353 a26. πλωτὸς ἅπας ὁ τόπος γενόμενος μαι4. 352 b25. — ποταμοὶ πλωτοί θ84. 836 b32. — ζῷον πλωτόν, animal natans. τὰ πλωτά, dist τὰ πεζά, τὰ πτηνά Ζια1. 488 a1. Μλ10. 1075 a16. Πα11. 1258 b19. ὁμοίως γίνεται, eorum συνδυασμός, ὀλιγοτόκα χ πολυτόκα, ἔμβρυα, oculi τῶν ἐμβρύων Ζιη18. 586 a21. cf ζ18. 571 b3. ε8. 542 a24. Ζγδ4. 771 b11. β7. 746 a23. 6. 743 b34. κοινωνῦνθ᾽ ὕπνν υ1. 454 b15. ad τὰ πλωτά refertur τὸ τῶν ἰχθύων γένος Ζια1. 488 a5. — οἱ πλωτοὶ τῶν ὀρνίθων, aves aquaticae Ζμδ12. 694 a7. dist duo genera Ζμδ12. 694 b2. cf Ζιβ12. 504 a7. referuntur inter τὰ μὴ πτητικά Ζπ10. 710 a2. τὰ πλωτὰ χ στεγανόποδα Ζμγ1. 662 b10. δ12. 694 b15. Ζιβ12. 504 a7. πᾶσι τοῖς πλωτοῖς ἄχρειον τὸ ὑροπύγιόν ἐστιν Ζπ10. 710 a13. — οἱ πλωτοί, pisces qui vagantur, Zugfische Ζιθ30. 607 b26 Aub. cf S I 455. opp τὰ μόνιμα Ζu37. 621 b3. M 286. Rose Ar Ps 298.

πνεῖν. νότος ἔπνευσε μέγας μα7. 345 a1. — ἐκ τῦ αὐτῦ θερμὸν χ ψυχρὸν ἡμᾶς πνεῖν πκς48. 945 b15. cf Ζιθ24. 604 b9.

πνεῦμα. 1. flatus, ventus. ἔστιν ἡ φλὸξ πνεύματος ξηρὰ ζέσις μα4. 341 b22. — πνεῦμα, syn ἀὴρ αι5. 443 b4, 5. cf Ζγβ2. 735 b10. ὁ ἄνεμος χ πνεῦμα λέγεται χ4. 394 b9. ἔστι πνεῦμα ῥύσις συνεχὴς ἐπὶ μῆκος ἀέρος αβ9. 387 a29. τὸ πνεῦμα κίνησις ἀέρος, σύνυσις ἀέρος πδ5. 127 a4. Ζ8. 146 b29. πκς2. 940 b7. 34. 944 a26. χγ11. 932 b30. ε17. 882 b16. περὶ ἀνέμων χ πάντων πνευμάτων μα13. 349 a12. περὶ πνευμάτων μβ4-6. μάλιστα τῶν σωμάτων τὸ πνεῦμα κινητικόν μβ8. 366 a1. πνεῦμα γίνεται λαμπρόν μβ4. 361 b8. πνεῦμα βίαια χ4. 395 a5. f 17. 1477 a16. πνεῦμα ὕριον μχ7. 851 b7. f 13. 1476 a23. πνεῦμα ἐξαίσιον πκς36. 944 b20, κῦφον πα24. 862 a29. χς42. 945 a16, ψυχρὸν πκς48. 945 b8. συγγενὲς πνεῦμα εὔκρατον ἐν τῇ γῇ χ4. 395 b1. τὸ πνεῦμα ὅταν ἔχῃ νοτίδα ακ802 b25. πνεύματα βόρεια, νότια Πδ3. 1290 a14, 18. ηι6. 1335 b1. τὰ πνεύματα περίσταται ἢ εἰς τἀναντία ἢ εἰς τὰ δεξιά· ἡ τῶν πνευμάτων περίοδος πκς31. 943 b28, 944 a2. 55. 946 b29. 12. 941 b11. ἄρχεται τὰ πνεύματα ἢ περὶ ἕω ἢ περὶ δυσμάς· πνεύματα ἑωθινὰ πδ4. 938 a28. κς33. 944 a11. 35. 944 a32. 21. 942 b8, 3. 54. 944 a35. πίπτει τὰ πνεύματα πκς3. 940 b15. τὰ πνεύματα τὰ ἀπὸ τῶν ποταμῶν χ ἀπὸ τῆς χώρας ἀποπνέοντα ακ800 a12. πότερον τὸ πνεῦμα ἀπὸ πηγῆς τινος φέρεται ὥσπερ τὸ ὕδωρ πκς36. 944 b4. πνευματίων ὑλικ θ4. 530 a17. ὖ κατὰ πνεύμα προσιόντες θηρεύρσιν Ζιδ8. 535 a19. — πνεύματα ci Bz (ῥεύματα Bk) πκγ5. 932 a13.

2. spiritus. respiratio. ἡ ἐν τῷ πνεύματι φύσις Ζγβ3. 736 b37 Aub. τὸ πνεῦμα τὸ διὰ τῦ στόματος φυσωμενον μβ8. 367 b1. ἐν τῷ πνεύματι αὐτῶν (τῶν πεζῶν χ τῶν ἀέρα δεχομένων ὅσα ἐν τῷ ὑγρῷ διατελεῖ τὸν πλεῖστον χρόνον) ἐστὶ τὸ τέλος τῦ ζῆν Ζμγ6. 669 a13. ὁ πόνος

γυμνάζει τὸ πνεῦμα Ζγδ 6. 775 ᵇ1. τὸ πνεῦμα κατέχειν Ζιη9. 587 ᵃ4. ι48. 631 ᵃ2Γ. αν4. 472 ᵃ35. ἀνάγκη κατασχόντας τὸ πνεῦμα προΐεσθαι τὴν γονήν, ἐκ τῦ πνεύματος συνισταμένα ἀποσπερματίζει Ζγα6. 718 ᵃ3. 20. 728 ᵃ10. cf β4. 737 ᵇ30-36. ἕλκειν τὸ πνεῦμα, syn ἀναπνεῖν αν3. 471 ᵃ27, 26. διὰ τί ὔτε συντείνυσιν ὔτε κατέχυσι τὸ πνεῦμα γίνεται ἱδρώς, ἀλλὰ μᾶλλον ἀνιεῖσιν πβ1. 866 ᵇ9. (γυναῖκες) δυστοκῦσι μᾶλλον ἢ ἐὰν μεταξὺ ἀποπνεύσωσιν ἀποβιαζόμεναι τῷ πνεύματι Ζιη9. 587 ᵃ5. ἐνεργεῖ δὲ ἢ τῷ πνεύματι ἀνατετμημένος ὅλος Ζιβ11. 503 ᵇ23 Aub. τὸ τῷ πνεύματι ἐργάζεσθαι τὰ πολλὰ εἰκὸς ὡς ὀργάνῳ Ζγε8. 789 ᵇ8, cf 11. τὸ πνεῦμα θερμὸν ἢ πυκνὸν Ζιθ23. 604 ᵃ17. τῷ πνεύματι (καταχρῆται ἡ φύσις) πρός τε τὴν θερμότητα τὴν ἐντὸς ὡς ἀναγκαῖον ἢ πρὸς τὴν φωνὴν ψβ8. 420 ᵇ20. διορίζεται τὰ μέρη τῶν ζῴων πνεύματι Ζγβ6. 741 ᵇ37. ἐν ταῖς εὐρυχωρεστέραις τὸ πνεῦμα πλεῖον ἢ ἐνισχύει μᾶλλον· (ὁ πλεύμων) ποιῶν εὐρυχωρίαν τῇ εἰσόδῳ τῦ πνεύματος διὰ τὴν αὑτῦ σομφότητα ἢ τὸ μέγεθος, αἱρομένης μὲν γὰρ εἰσρεῖ τὸ πνεῦμα, συνιόντος δ' ἐξέρχεται πάλιν· ἱκανὴ τροφὴ τῷ σώματι ἡ ἐκ τῦ πνεύματος (νl σώματος) ὑπομένῦσα ὑγρότης Ζμδ4. 667 ᵃ29. 5. 682 ᵃ25. γ6. 669 ᵃ15, 17. ὁ φάρυγξ τῦ πνεύματος ἕνεκεν πέφυκεν Ζμγ3. 664 ᵃ17, cf 18, ᵇ27. δι' ὖ (αὐλῶνος) μερίεται τὸ πνεῦμα κατὰ τὰς ἀρτηρίας εἰς τὰς σύριγγας Ζμγ3. 664 ᵃ27. cf δ11. 691 ᵇ27. Ζια16. 495 ᵇ9. (οἱ ἀπὸ τῆς καρδίας πόροι) διὰ τὴν σύναψιν δέχονται τὸ πνεῦμα ἢ τῇ καρδίᾳ διαπέμπυσιν Ζια17. 496 ᵃ32 (ΚaΖι 48, 9. Sprgl I 324). ἡ τῦ πνεύματος ἀρχὴ ἐν τῇ καρδίᾳ υ2. 456 ᵃ7. διὰ τὸ μὴ καταψύχειν ἱκανῶς τὸ εἰσιὸν πολλάκις τὸ πνεῦμα συμβαίνει σπᾶν αν5. 473 ᵃ2. — (τὸ τῶν ἀρρένων αἰδοῖον) ἔκτασιν ἔχει ἢ πνεύματος (νl πράγματος) ἐστι δεκτικὸν Ζμδ10. 689 ᵃ30 (F 316, 85). ἐν τῇ τῦ σπέρματος ἐξόδῳ πρῶτον μὲν ἡγεῖται πνεῦμα· (δηλοῖ δὲ ἢ ἡ ἔξοδος ὅτι γίνεται ὑπὸ πνεύματος· ὔθεν γὰρ ῥιπτεῖται πόρρω ἄνευ βίας πνευματικῆς) Ζιη7. 586 ᵃ15. cf πλ1. 953 ᵇ38, 33. Harvey 296, 300. σπέρμα παχὺ ἢ λευκὸν διὰ τὸ μεμῖχθαι πνεῦμα, ἔστι τὸ σπέρμα κοινὸν πνεύματος ἢ ὕδατος, τὸ ἐμπεριλαμβανόμενον ἐν τῷ σπέρματι ἢ ἐν τῷ ἀφρώδει πνεῦμα Ζγβ2. 736 ᵃ9, 1. 3. 736 ᵇ37. τὰς ἐξόδυς αὐτῶν ἠθροισμένῳ τῷ πνεύματι συνεκκρίνωσι Ζγβ4. 737 ᵇ35. — ἐγκατακλειόμενα τὰ πνεύματα ποιεῖ τὸν πόνον (σφακελισμὸν) Ζμγ9. 672 ᵃ33, cf ᵇ4. ἐν τῷ τῷ (τῷ νοσήματι τῷ σατυριᾶν) διὰ ῥεύματος ἢ πνεύματος ἀπέπτυ πλῆθος Ζγδ3. 768 ᵃ35 (cf Oribas IV 662). ἡ τῦ πνεύματος κάθεξις ποιεῖ τὴν ἰσχὺν τοῖς πονῦσιν, ὃ συμβαίνει ἢ τοῖς παιδίοις διατεινομένοις Ππη17. 1336 ᵃ38. cf υ2. 456 ᵃ16. τὸ σύμφυτον πνεῦμα, τὸ ἔσω, τὸ θύραζε (cf M 412.) ν σύμφυτος. τὸ σύμφυτον πνεῦμα ὑπάρχει φύσει πᾶσι ἢ ὖ θύραθεν ἐπεισακτόν ἐστι· πάντα ζῷα τῷ συμφύτῳ πνεύματι τῦ σώματος ὥσπερ κινεῖται Ζμβ16. 659 ᵇ18, 17. τοῖς μὴ δεχομένοις πνεῦμα ἐν τῷ ἀνάλογον τῷ συμφύτου πνεύματος ἀναφυσώμενον ἢ συνιζάνον φαίνεται υ2. 456 ᵃ12. τὰ μὴ ἔναιμα ἢ τῷ συμφύτῳ πνεύματι δύναται καταψύχειν Ζμγ6. 669 ᵃ1. πνεῦμα ἔχει τύτων (piscium) ἕκαστον, ὃ προστρίβοντα ἢ κινῦντα ποιεῖ τὰς ψόφους· τὰ ἔντομα ψοφεῖ τῷ ἔσω πνεύματι, ὖ τῷ θύραζε· τὸν τεττίγων τι γένος ψοφεῖ τῇ τρίψει τῦ πνεύματος, τῦ ἔσω πνεύματι (S II 367)· βομβῦντα φαίνεται τῇ τρίψει τῦ πνεύματος προσπίπτοντος πρὸς τὸ ὑπόζωμα· ὑπὸ τῆς τρίψεως ἐγκατακλείεται πνεῦμα Ζιθ9. 535 ᵇ23 Aub, 4 Aub, 9, 11. υ2. 456 ᵃ19. Ζγβ2. 735 ᵇ23. τὸ πνεῦμα τὸ σύμφυτον ἐνταῦθα (ἐν τῇ καρδίᾳ ἢ ἐν τῷ ἀνάλογον) φαίνεται ὂν Ζκ10. 703

ᵃ15. λέγυσι τῦ πνεύματος διαπορευθέντος τῆς μυκτῆρας ἀναρραγῆναι· ἐὰν διικνῶνται αἱ ὀσμαὶ πρὸς τὸ πνεῦμα τὸ θύραζε κάτωθεν ἄνω· ἡ ὄσφρησις ἢ ἡ ἀκοὴ, πλήρεις συμφύτυ πνεύματος Ζμα1. 640 ᵇ15. Ζγβ8. 747 ᵃ8. 6. 744 ᵃ8. ὁ πόρος τῆς ἀκοῆς, ἐπεί ἐστι τὸ αἰσθητήριον ἀέρος. ᾗ τὸ πνεῦμα τὸ σύμφυτον ποιεῖται ἐνίοις μὲν τὴν σφύξιν τοῖς δὲ τὴν ἀναπνοὴν ἢ εἰσπνοήν, ταύτῃ περαίνει· ἅμα κινῦντος ἢ τὸ ὄργανον (τῆς ἀκοῆς) τὸ πνεῦμα· τὰ ὦτα πληρῦσθαι δοκεῖ πνεύματος Ζγε2. 781 ᵃ24, 33, 35. — τὸ πνεῦμα ἢ τὸ σύμφυτον πνεῦμα in libro πν. (cf Philippson ὕλη 54. Rose libr ord 167. Sprgl I 322.) τίς ἡ τῦ ἐμφύτυ πνεύματος διαμονή; τὸ σύμφυτον πνεῦμα δι' ὅλυ, ἢ ἀρχὴ ἀπὸ τῦ πνεύματος 1. 481 ᵃ1, 27. 3. 482 ᵃ33. ἡ αὔξησις ἢ τροφὴ τῦ πνεύματος· σῶμα ὑπὸ σώματος τρέφεται, τὸ ὀὲ πνεῦμα σῶμα· ἐν τῇ κινήσει τῇ τῦ πνεύματος ἐκθερμαίνεσθαι τὴν τροφὴν 2. 482 ᵃ27, 481 ᵇ14. 1. 481 ᵃ10. εἰ μὴ ἐδεῖτο ἢ τὸ ὑγρὸν πνεύματος· ἢ τὸ πνεῦμα ὑγρᾷ· ἄτοπον τῇ τῦ πνεύματος χωρα τὸ θερμὸν 5. 484 ᵃ3, 5. τρεῖς αἱ κινήσεις τὸ ἐν τῇ ἀρτηρίᾳ πνεύματος ἀναπνοή, σφυγμός, ἡ τὴν τροφὴν ἐπάγυσα ἢ κατεργαζομένη 4. 482 ᵇ14. τὸ πνεῦμα τὸ ἐκ τῆς ἀναπνοῆς φέρεται εἰς τὴν κοιλίαν· πόρος ἐστὶ παρὰ τὴν ὀσφύν, δι' ὖ τὸ πνεῦμα φέρεται 5. 483 ᵃ18, cf 25. τὴν ἀρτηρίαν μόνον εἶναι δεκτικὴν πνεύματος· ὖκ ἂν δόξειε κινήσεις ἕνεκα τὰ ὀστᾶ, ἀλλὰ μᾶλλον τὰ νεῦρα ἢ τὰ ἀνάλογον, ἐν ᾧ πρώτῳ τὸ πνεῦμα τὸ κινητικὸν 5. 483 ᵇ13, 18. 8. 485 ᵃ7. Ἀριστογένης οἴεται τροφὴν ἢ τὸ πεττόμενον ὖ τῦ ἀέρος ἐν τῷ πνεύματι 2. 481 ᵃ29. — πνεῦμα in Ζκ. πάντα φαίνεται τὰ ζῷα ἢ ἔχοντα πνεῦμα σύμφυτον ἢ ἰσχύοντα τύτῳ· τίς ἡ σωτηρία τῦ συμφύτυ πνεύματος· πότερον ταὐτόν ἐστι τὸ πνεῦμα ἀεὶ ἢ γίνεται ἀεὶ ἕτερον· ἡ τῦ πνεύματος φύσις Ζκ10. 703 ᵃ10, 11, 16, 21 (cf Rose lib ord 165. 166). — λέγεται δὲ ἢ ἑτέρως πνεῦμα ἥ τε ἐν φυτοῖς ἢ ζῴοις ἢ διὰ πάντων διήκυσα ἔμψυχός τε ἢ γόνιμος ὐσία x4. 394 ᵇ10 Kapp, Rose ibid 95. — πνεύματα, strepitus ventris πχζ9. 948 ᵇ25. πνεύματα ci Bz πκγ5. 932 ᵃ13 (ῥεύματα Bk).

πνευματικός. 1. ἐκ τῶν πνευματικῶν ὑδατώδη, ἐκ δὲ τῶν τοιύτων τὰ γεναρά συνίσταται μδ3. 380 ᵃ23. ἡ πνευματικὴ ἢ ὑδατώδης ἐστὶν ἡ ὠμότης μδ3. 380 ᵃ29. — 2. ἐπὶ τῷ πνευματικῷ μορίῳ τὴν ἀρχὴν εἶναι τῦ αἰσθητηρίυ τῦ τῆς ἀκοῆς Ζγε2. 781 ᵃ31. ὁ πνευματικὸς τόπος πλγ5. 962 ᵃ11. ἄνευ βίας πνευματικῆς Ζιη7. 586 ᵃ17. πνευματικῶν γενομένων τῶν ὑστερῶν Ζιη4. 584 ᵇ22. ἄμφω πνευματικά, ἢ ὁ οἶνος ἢ ἡ μέλαινα χολή πλ1. 955 ᵃ35, 953 ᵇ24. πνευματικαὶ κινήσεις, περίττωμα πνευματικὸν πιη1. 916 ᵇ4, 6. 7. 917 ᵃ20, 22. αἱ τῶν πνευματικῶν ἰχθύων πὸ29. 880 ᵃ26, cf ἰχθύς p 352 ᵃ59.

πνευματοποιεῖν πκδ10. 937 ᵃ5.

πνευματῦν. τὸ θερμὸν πνευματοῖ τὰ ὑγρά, τὸ ὄξος ἐπνευμάτωσε τῇ θερμασίᾳ πλζ3. 965 ᵇ39. λγ5. 962 ᵃ8. τὸ ὑγρὸν πνευματῦται ὑπὸ τῦ θερμῦ αν20. 479 ᵇ31. Ογ7. 305 ᵇ14. Ζγγ4. 755 ᵃ19. πλγ15. 963 ᵃ18. 5. 962 ᵃ9. κς52. 946 ᵃ22. κα9. 927 ᵇ37. τὸ σπέρμα τῆς γονῆς διαλύεται ἢ πνευματῦται Ζγβ3. 737 ᵃ11. ἐξιόντος βιαίᾳ ἀέρος ἢ πνευματῦμένα πις8. 915 ᵃ14.

πνευματώδης. πνευματῶδες, dist ὑδατῶδες μδ3. 380 ᵇ16. πνευματώδης ὁ ἀὴρ μβ8. 366 ᵇ7. πκς33. 944 ᵃ14. ξηροὶ ἢ πνευματώδεις γίγνονται οἱ ἐνιαυτοί· αἱ ὧραι αὐταὶ πνευματωδέσταται μα7. 344 ᵇ27. β8. 366 ᵇ4. ἀναθυμίασις πνευματώδης, πνευματωδεστέρα, opp ἀτμιδώδης, ἀτμιδωδεστέρα μα4. 341 ᵇ9, 11. αι5. 445 ᵃ26. πνευματῶδες ὁ

οἶνος υ3. 457 ᵃ16. πλ1. 953 ᵇ27. ὑγρὴ ἔξοδος πνευματώδης ἐγκαταλειςμένη παρὰ φύσιν πδ15. 878 ᵇ8. — ὁ ἐλέφας φωνεῖ πνευματῶδες Ζιδ9. 536 ᵇ21. φωνὴ πνευματώδης ἡ ἀσμενής φ3. 807 ᵇ35. — πάθη πνευματώδη (τὸ πυρέττειν, οἰνῶσθαι al) ενз. 461 ᵃ24. πλ1. 953 ᵇ24.
πνευμάτωσις τῇ ὑγρῇ θερμαινομένη αν20. 480 ᵃ15.
πνευμονικὸς τόπος πλγ14. 962 ᵇ37.
πνευμονώδης ν πλευμονώδης.
πνεύμων ν πλεύμων.
πνευστιᾶν, syn πυκνὸν ἀναπνεῖν Ρα2. 1357 ᵇ21, 19. τὸ πνεῦμα τῶν πνευστιώντων ἢ ἀσθμαινόντων δι' ἀδυναμίαν ἀθρόον φέρεται πλγ14. 962 ᵇ38. ἐν ταῖς θήραις παραγγέλλωσιν ἑαυτοῖς μὴ πνευστιᾶν πια41. 903 ᵇ36.
πνίγειν. εἴ τίς τινα τῶν ἀναπνεόντων πνίγοι, τὸ στόμα κατασχών αν9. 475 ᵃ12. αἱ ὑστέραι προσιστάμεναι πνίγωσιν Ζγα11. 719 ᵃ21. ὅταν τὸ ὕδωρ πνίγῃ, τί δεῖ ἐπιπίνειν (cf παροιμία p 570ᵇ27) Ηн3. 1146 ᵃ35. pass πνίγεσθαι πε21. 883 ᵃ3. λϑ9. 964 ᵃ27. — impers πνίγει i e πνῖγος καθέστηκε πκζ12. 941 ᵇ4. 32. 944 ᵃ7.
πνιγεύς. ἄνθρακες περιπεπωμασμένοι τῷ καλουμένῳ πνιγεῖ ζ5. 470 ᵃ9. cf Ζμβ8. 654 ᵃ7.
πνιγηρότεραι νύκτες πκε16. 939 ᵇ9.
πνῖγμα. εἰς πνῖγμα τὸν δῆμον ἔχων Ργ10. 1411 ᵃ7.
πνιγμός τις ἡ λιποψυχία υ3. 456 ᵇ10. ποιεῖν (ἐμποιεῖν) πνιγμὰς Ζμγ3. 664 ᵇ31, 5. πολλαῖς ὅταν ὁρμᾷ τὰ καταμήνια πνιγμοὶ γίνονται Ζιγ2. 582 ᵇ10. ἄνευ πνιγμᾶ καταπίπτωσιν οἱ ἄνθρωποι μετ' ἀναισθησίας Ζιγ3. 514 ᵃ6.
πνῖγος ἡ ἀλέα, πνίγη, opp ψῦχος, ψύχη Με2. 1026 ᵇ34. πκε6. 938 ᵃ37. ἐν τῷ πνίγει, opp ἐν χειμῶνι Ζιι40. 626 ᵇ22. καταμαραίνεσθαι ὑπὸ τῇ πνίγῃ μβ5. 361 ᵇ27. πνίγη πότε γίνεται μάλιστα μβ5. 362 ᵃ20. πιεδ. 911 ᵃ36. πνίγη σφοδρὰ γίνεται πολλὰ πιδ13. 910 ᵃ5.
πνῖξις (fort πνῆξις), def αν9. 475 ᵃ28.
πνοή. Ζεὺς πνοιὴ πάντων (Orph VI 14) χ7. 401 ᵇ3.
πνοή. τὰ φυτὰ ἔχει πνοήν θε2. 816 ᵇ26. 1. 815 ᵃ27.
πόα. ἡ πόα μέχρι σπέρματος ζῇ, εἶτα ἐνεγκοῦσα αὐαίνεται πκ7. 923 ᵃ31. ἡ πόα αὐαινομένη λευκαίνεται Ζγε5. 785 ᵃ33. τόποι ἑλώδεις ἡ πόαν ἔχοντες Ζιζ8. 564 ᵃ12. νέμεσθαι, φαγεῖν, ἐσθίειν πόαν Ζμγ15. 676 ᵃ15. Ζιθ2. 590 ᵇ7. 4. 594 ᵃ6. 16. 612 ᵃ7. πόα στώδης Ζμγ15. 676 ᵃ15. πόα Μηδικὴ Ζιγ40 21. 522 ᵇ26. θ8. 595 ᵇ28. ι40. 627 ᵇ17. (Medicago sativa L Fraas 63. KaZι 134.)
ποδάγρα ἵππων Ζιθ24. 604 ᵃ23, βοῶν Ζιθ23. 604 ᵃ14. 24. 604 ᵃ23, κυνῶν Ζιθ22. 604 ᵃ5, 10.
ποδάγρα. ὁπόταν ποδάγρας βήσῃ Ζιζ21. 575 ᵇ8.
Ποδαλείριος f 596. 1576 ᵃ13.
ποδανιπτήρ Ρα12. 1259 ᵇ9.
Ποδάρκης f 596. 1576 ᵃ32.
ποδιαῖος. ὁ ἥλιος φαίνεται ποδιαῖος ψγ3. 428 ᵇ3. εν1. 458 ᵇ29. 2. 460 ᵇ18. ἡ ποδιαία Οα5. 272 ᵇ20. ἡ ποδιαία δυνάμει ἐν τῇ δίποδι αι6. 446 ᵃ6. χρῶνται ὡς ἀτόμῳ τῇ ποδιαίᾳ Μι1. 1052 ᵇ33. ὁ γεωμέτρης ποδιαίαν ὑποτίθεται τὴν ἣ ποδιαίαν Αα41. 49 ᵇ35. γ10. 76 ᵇ42. Μμ3. 1078 ᵃ20 Bz. ν2. 1089 ᵃ23. ποδιαῖον (ποda ci Capelle) μχ7. 851 ᵇ8.
ποδότης τις ἡ σχιζοποδία Μζ12. 1038 ᵃ15. ποδότης πολυσχιδής, δισχιδής Ζμα3. 642 ᵇ28.
Poeta incertus. eos versus, qui prorsus ἀδέσποτοι in proverbii usum abierant, v s v παροιμία. eos quos ex Homerico textu repetitos esse probabile est, s v Ὅμηρος p 507 ᵇ52 collegi. restant praeterea aliquot versus, qui unde petiti sint nihil dum compertum est. — poetae epici in-

certi: πεντήκοντ' ἀνδρῶν ἑκατὸν λίπε δῖος Ἀχιλλεύς τι4. 166 ᵃ37. 'fortasse cyclici carminis versus est' Meineke fr com IV 604; probabilius hunc versum aenigma dixeris, cuius ne quaeritur quidem auctor. ἔστειχε δ' ἔχων ὑπὸ ποσσὶ χίμεθλα Ργ11. 1412 ᵃ30 parodia versus epici. — poetae elegiaci: ἐσθλοὶ μὲν γὰρ ἁπλῶς, παντοδαπῶς δὲ κακοί Ηβ5. 1106 ᵇ35 (fr eleg adesp 11 Bgk). οὐκέτι γιγνώσκωσιν Ἀθηναῖοι Μεγαρῆας ηεη2. 1236 ᵃ36. 10. 1242 ᵇ25 (fr eleg adesp 6). de epigrammate quod affertur θ133. 843 ᵇ27-32. cf G Hermanni opusc V 179. — poetae lyrici: ὦ παῖδες, οἳ χαρίτων τε ἡ πατέρων λάχετ' ἐσθλῶν f 93. 1492 ᵇ29 (carm popul 44 Bgk). δολοπλόκω Κυπρογένει Ηη7. 1149 ᵇ16 (fr lyr adesp 129 Bgk, poetae tragico tribuit Nck fr adesp 51). Δαλογενές εἴτε Λυκίαν. χρυσεοκόμα Ἕκατε παῖ Διός. μετὰ δὲ γᾶν ὕδατά τ' ὠκεανὸν ἠφάνισε νὶξ Ργ8. 1409 ᵃ14, 15, 16 (?). φόρμιγξ ἄχορδος Ργ11. 1431 ᵃ1 (fr lyr adesp 127, cf Theognis p 324 ᵇ24). διὰ σὲ ἡ τεὰ δῶρα Ργ14. 1415 ᵃ11 (fr lyr adesp 124). — poetae tragici. Nck ex libris Aristotelicis tragica fragmenta adespota undecim (50-60) affert: μβ6. 364 ᵇ13 (cf παροιμία p 570 ᵃ31). Ηη7. 1149 ᵇ16. ηεη12. 1245 ᵃ23. Πμ7. 1328 ᵃ16. Ρβ2. 1394 ᵇ21. 23. 1397 ᵃ13, ᵇ18, 22. γ6. 1407 ᵇ34. πο16. 1454 ᵃ22. 21. 1457 ᵇ29. his addendum videtur ἅλις ἐγὼ δυστυχῶν Ηι11. 1171 ᵇ18. ἄλυρον μέλος Ργ6. 1408 ᵃ6 sive lyrici sive tragici poetae est, non videtur recte ex Eur I T 144 repeti. εἴς τελευτήν, ὥσπερ ὔνεκ' ἐγένετο Φβ2. 194 ᵃ30 vel tragico poetae vel propter solutam quintam arsin comico tribuendum erit. incertorum poetarum tragoediae: Ἕλλη πο14. 1454 ᵃ8 (Nck fr tr p 651), Ὀδυσσεὺς ὁ ψευδάγγελος πο16. 1455 ᵃ13 (Nck 652), Φινείδαι πο16. 1455 ᵃ10 (Nck 654). — poetae comici. ὑδεὶς ἑκὼν πονηρὸς ὑδ' ἄκων μάκαρ Ηγ7. 1113 ᵇ14 et θνατὰ χρὴ τὸν θνατόν, ὐκ ἀθάνατα τὸν θνατὸν φρονεῖν Ρβ21. 1394 ᵇ24 num Epicharmi esse recte iudicentur dubium est. fragmenta comica ex Ar sex (9-14) Meineke fr com IV 603 affert Ργ11. 1412 ᵇ27, 1413 ᵃ11, 12, 24, 27, 1412 ᵇ13 (cf Vhl Rhet p 91). τι4. 166 ᵃ36. Ζγε4. 784 ᵇ20. ὥσπερ γὰρ ἡ λέγεται 'ἀν πολλὰ βάλλῃς, ἄλλοτ' ἀλλοῖον βαλεῖς' μτ2. 463 ᵇ21 vel comici poetae versus vel proverbium videtur esse.
ποηφάγα ζῷα, dist ῥιζοφάγα, καρποφάγα Ζμγ1. 662 ᵇ16, 9 Langk. Ζιθ6. 595 ᵃ14. 10. 596 ᵃ13. cf ποοφάγος et ποιοφάγος.
ποθεῖν. περὶ ὧν εἰδέναι ποθῶμεν Ζμα5. 644 ᵇ27. ποθεῖται ἐναργέστερον ἔτι λεχθῆναι Ηα6. 1097 ᵇ23.
πόθεν τὸ ὑγρὸν πορεύεται sim Ζμγ3. 664 ᵇ13. 2. 663 ᵇ6. μβ2. 356 ᵃ20. πόθεν ἡ ἀρχὴ τῆς κινήσεως μδ12. 390ᵇ19. ἡ φορὰ κίνησις πόθεν ποῖ Ηχ3. 1174 ᵃ30, 32, ᵇ5. Μλ3. 1069 ᵇ26. πόθεν δεῖ καθίστασθαι τὴν βασιλείαν ἡ πως Πδ10. 1295 ᵃ7. πότε ἡ πῶς μεταλαμβάνει ἡ πόθεν Ζγβ3. 736 ᵇ5. αἱ ὑστέραι φαίνονται πλήρεις ᾠῶν, ἃ πόθεν εἰσῆλθεν Ζγγ12. 756 ᵇ12. — ποθέν. ἐντεῦθέν ποθεν Πγ15. 1286 ᵇ15.
πόθος. σοῖς ('Αρετᾶς) πόθοισι Ἀχιλλεὺς Ἀΐδαο δόμης ἦλθεν f 625. 1583 ᵇ19. ὅσον δεῖ σε λόγου μίμημα, φέρε πόθου τέχνασμα (exemplum παρομοιώσεως, locus corr Spgl p 194) ρ29. 1436 ᵃ7.
ποῖ. κίνησις πόθεν ποῖ Ηχ3. 1174 ᵃ30, 32, ᵇ5. Μλ3. 1069 ᵇ26. ποῖ τρέπεται Ζγγ2. 752 ᵃ28. — indef, προϊέναι ποι Ζμγ10. 673 ᵃ29. πέφυκέ ποι Φθ4. 255 ᵇ15.
ποιεῖν. 1. ποιεῖν una e categoriis Κ4. 2 ᵃ3. τα9. 103 ᵇ23.

ι4. 166 ᵇ13. Μϑ7. 1017 ᵃ26. cf κατηγορία p 378 ᵃ49-53. ἐπιδέχεται τὸ μᾶλλον ⟨ ἧττον Κ9. 11 ᵇ1. περὶ τῦ ποιεῖν ⟨ πάσχειν Γα7-9. — τὸ κινεῖν ἐπὶ πλέον τῦ ποιεῖν ἐστιν Γα6. 323 ᵃ20, 15, 17. ὑδὲ ποιῦντος ⟨ πάσχοντός ἐστι κίνησις Φε2. 225 ᵇ13. Μκ12. 1068 ᵃ14. — τῦ ποιεῖν ⟨ πάσχειν 5 conditiones: μία ἡ ὑποκειμένη ὕλη, τἀναντία ὑπ' ἀλλήλων, ἅμα τὸ ποιητικὸν ⟨ τὸ παθητικόν, ἅψασθαι ἀλλήλων Γα6. 322 ᵇ18, 23. 7. 323 ᵇ31, 324 ᵃ2, 34, ᵇ16. Οβ3. 286 ᵃ33. ψγ4. 429 ᵇ26. μχ3. 465 ᵇ16. cf Ζγα21. 729 ᵇ10. εἰ μὴ ἐποίει τὸ ποιῦν ⟨ ὅσον ⟨ οἷον ⟨ τὸ πάσχον ἔπασχε Ηε8. 1133 10 ᵃ15. τὸ ποιῦν τιμιώτερον, ἀρχή, opp ⟨ ὕλη ψγ5. 430 ᵃ19. μβ8. 368 ᵃ28. αι4. 441 ᵃ9. — genera τῦ ποιεῖν distin- guuntur. ὅτὲ μὲν τὸν ἄνθρωπόν φαμεν θερμαίνειν, ὅτὲ δὲ τὸ θερμόν Γα7. 324 ᵃ20. τὸ πρῶτον, τὸ ἔσχατον ποιῦν Γα7. 324 ᵃ25, ᵇ13. 8. 324 ᵇ27. εἴδη τῦ ποιεῖν τὸ ἐπιτάττειν, τὸ ὑπη- 15 ρετεῖν Ηε12. 1136 ᵇ29. Πα7. 1255 ᵇ34. ποιεῖν, opp χρῆσθαι Πγ4. 1277 ᵃ34. 11. 1282 ᵃ18. — ποιεῖν, dist πράττειν Ηζ4. x8. 1178 ᵇ21. ημα35. 1197 ᵃ3. Βz ad Μϑ8. 1050 ᵃ23. inde τὰ ποιώμενα, syn τὰ χειρόκμητα Φβ1. 192 ᵇ28, 30, sed ποιεῖν et πράττειν syn, ἕτερον τὸ δι' ἀγνοιαν πρότ- 20 τειν τῦ ἀγνοῦντα ποιεῖν Ηγ2. 1110 ᵇ25. ποιεῖν ubi πράττειν exspectes ρ2. 1421 ᵇ27 (Spgl). πλ12. 956 ᵇ33.

2. constructiones verbi act ποιεῖν et med ποιεῖσθαι. a. cum simplice accusativo obiecti ποιεῖν οἰκίαν τε7. 136 ᵇ36. Πγ11. 1282 ᵃ18. θυσίας Ηθ11. 1160 ᵃ23. ρ39. 1446 ᵃ36. ἀθλι 25 Ργ14. 1414 ᵇ35. χρήματα, πόρον, πρόσοδον Ργ3. 1258 ᵃ1. 11. 1259 ᵃ22. ρ3. 1425 ᵇ21. τὸ κέρδος αρ7. 1251 ᵇ12. παντοδαπὰ χρώματα μα5. 342 ᵇ7. κάτω ποιεῖ τὴν ῥῖψιν μα4. 342 ᵃ2. ποιεῖν μέγεθος, ὄγκον, πνεύματα, τροπὰς ἡλίυ, νύκτα, φῶς, καπνόν, φλόγα, ψόφον, ἦχον, νέφη al μα6. 30 343 ᵇ35. β1. 353 ᵇ9, 354 ᵃ31. 5. 361 ᵇ19. 8. 368 ᵃ14. ὁ9. 387 ᵇ30. Ζγβ2. 735 ᵇ18. Ζιϑ8. 533 ᵇ16. ι37. 621 ᵃ29. Ζμβ2. 649 ᵇ5. χ1. 791 ᵇ11. πκς38. 944 ᵇ27. ποιεῖν σχά- δονας ἀρίστας Ζιε22. 554 ᵃ16. τὰ μὲν (ἀράχνια) ὑδεμίαν, τὰ δ' ἀσθενῆ ποιεῖ τὴν δίκτυν Ζιθ9. 623 ᵃ1. ποιεῖ γάλα τῶν 35 φυσωδῶν ἔνια Ζιγ21. 522 ᵇ32. ἄρχονται τὰ παιδία τρίχας ποιεῖν Ζιη4. 524 ᵃ23. τὰ φυτὰ ποιῆσι φύλλα, καρπὸν φτα4. 819 ᵇ32, 30. ποιεῖν μεταβολήν (cf infra ποιεῖσθαι μεταβολήν) μδ1. 379 ᵃ33. ποιεῖν μῖξιν, γένεσιν χ2. 792 ᵃ32, τὰς ἀριστοκρατικὰς πολιτείας Πδ12. 1297 ᵃ8. ποιεῖ τὸ 40 αὐτῦ ἔργον Ργ2. 1404 ᵇ3, τὸ τῆς τοιαύτης ψυχῆς ἔργον Ζγβ3. 736 ᵇ11. πλέον ὑθὲν ποιεῖ Πε7. 1307 ᵇ17. πάθη ποιεῖν ⟨ πάσχειν μβ3. 359 ᵇ25. ποιεῖν τὰ νομιζόμενα Πβ8. 1267 ᵇ35, στάσιν Πε4. 1304 ᵃ4, ἐξαγωγὴν οβ1352 ᵃ20, ὑγίειαν τε7. 136 ᵇ37. ζ5. 143 ᵃ3, τὴν αὐτὴν τάξιν Ογ2. 45 300 ᵇ23. ὁ τῆς συζεύξεως ἀριθμὸς ποιήσει πλείω γένη Πδ4. 1290 ᵇ32. ποιεῖν αἴσθησιν, αἰσθήματα, φαντασίαν αιϑ. 440 ᵃ17. Μκ6. 1063 ᵇ4. Ζυβ3. 650 ᵇ4. χ2. 792 ᵇ15, ἠθικὴν φιλίαν κεη10. 1243 ᵃ1, 2, ἡδονήν, μανίας, τὴν ἀπορίαν, ῥοπὴν τῆς ζωῆς Ηη6. 1147 ᵇ24. 5. 1147 ᵃ17. ε14. 1137 ᵇ11. 50 α11. 1100 ᵇ24, ἄλλην ἐπιστήμην Ρα2. 1358 ᵃ24, λό- γυς τῦ συμβεβηκότος τβ2. 109 ᵇ30, τὸν συλλογισμόν, παραλογισμόν, τὴν ἀπόδειξιν Αα8. 30 ᵃ10. 15. 34 ᵇ9. 25. 42 ᵃ22. 27. 43 ᵃ24. 28. 44 ᵇ26. 6. 28 ᵃ23. ε2. 130 ᵃ7. πο16. 1455 ᵃ15. ποιεῖν τὸ ἀδύνατον Αα15. 34 ᵇ3. ὁ λόγος 55 ὁ ποιῶν ἴδιον τε2. 130 ᵇ27. 3. 132 ᵃ26. ποιεῖν τὰς προτάσεις τα14. 105 ᵇ3. ποιεῖν γνωριμώτερον τε2. 131 ᵃ13, 17, δια- βολήν (opp λῦσαι). τὴν συκοφαντίαν, ἦθος. τὸ ἀντισυλλο- γίζεσθαι, παλιλλογίαν Ργ14. 1415 ᵃ28. β24. 1402 ᵃ15. γ16. 1417 ᵃ17. β25. 1402 ᵃ33. ρ38. 1445 ᵇ21. ποιεῖν τὸ 60 θαυμαστόν πο24. 1460 ᵃ12. — ποιεῖσθαι μηδεμίαν μετα-

βολήν Μκ6. 1063 ᵃ14, τὴν γένεσιν (syn γίνεσθαι) Ζμβ1. 646 ᵃ31. ποιεῖσθαι τὸν βίον, τὴν ζωήν, τὴν διαγωγήν, τὰς διαγωγάς, τὴν τροφήν αν10. 475 ᵇ27. Ζια1. 487 ᵃ16, 17 (syn ζῆν ⟨ τὴν τροφὴν ἔχειν ᵃ31), 19, 24. ὁ8. 534 ᵃ11. θ2. 589 ᵃ17, 591 ᵃ9. 3. 593 ᵃ27. 10. 596 ᵃ14. ι1. 608 ᵇ20. 19. 617 ᵃ17. ποιεῖσθαι τὴν θήραν, τὰς ἀποφυγάς, τὰς φω- λείας sim Ζιθ20. 603 ᵃ2. 2. 590 ᵇ23. 17. 601 ᵃ15. 13. 599 ᵃ7. ι5. 611 ᵇ20. 32. 619 ᵃ31, τὰς πράξεις ⟨ τὰ πάθη, τὴν ἐργασίαν Ζιι49. 631 ᵇ6. 40. 624 ᵇ9. ποιεῖσθαι τὴν κίνησιν, βάδισιν, νεῦσιν, μετάστασιν sim Οδ4. 312 ᵃ5. Ζπ15. 713 ᵃ13. Ζιδ4. 530 ᵃ9. ε6. 541 ᵇ16. θ12. 597 ᵃ20, ᵇ3. 599 ᵃ4. ι37. 622 ᵇ7. ζ29. 579 ᵃ13. ποιεῖσθαι τὴν ὀχείαν, τὸν συν- δυασμόν, τὴν τέκνωσιν sim Ζια1. 488 ᵇ6. ε2. 540 ᵃ17. 3. 540 ᵃ28. 4. 540 ᵇ5. 5. 540 ᵇ7. ζ14. 568 ᵃ17. 18. 573 ᵃ29. 29. 578 ᵇ6, 16. η2. 583 ᵃ2. 4. 584 ᵃ34. ι29. 618 ᵃ26. ποι- εῖσθαι τὸν ὕπνον, τὴν ἀναπνοὴν Ζιδ10. 536 ᵇ27. ι46. 630 ᵇ29. ποιεῖσθαι ἀνατολήν, τροπὰς μα7. 345 ᵃ3. β2. 355 ᵃ1. αἴρεσιν τῶν γερόντων, ἐπιγαμίας πρὸς ἀλλήλυς Πϑ9. 1271 ᵃ9. γ9. 1280 ᵇ16. τὴν ἐργασίαν τῶν σωμάτων μδ8. 384 ᵇ26. τὰς ἐπιθέσεις, τὰς κολάσεις, τὴν ἰατρείαν, τὴν ἀντα- πόδοσιν Ργ2. 1405 ᵇ22. Πε10. 1312 ᵃ20. 11. 1315 ᵃ21. 6. 1306 ᵃ39. β10. 1272 ᵃ1. Ηθ15. 1163 ᵃ11. τὴν ὁμιλίαν, κοινωνίαν Πη16. 1335 ᵇ38. Ζιθ1. 589 ᵃ1. τῶν φασμάτων ὅσα ταχείας ποιεῖται τὰς φαντασίας μα5. 342 ᵇ23. κατὰ λόγον τὰς ὀρέξεις ποιεῖσθαι Ηα1. 1095 ᵃ10. οἱ ἀνδρεῖοι ποι- ῦνται μεγάλυς φόβυς ⟨ πολλάς ηεγ1. 1228 ᵇ15. ποιεῖσθαι ἐπιμέλειαν, σπυδὴν Πδ7. 1293 ᵇ12. η12. 1331 ᵇ7. Ηα10. 1099 ᵇ30. x2. 1174 ᵃ4. Ζιζ6. 563 ᵃ11, αἴσθησιν Ζμβ17. 661 ᵃ9, μνείαν Πβ8. 1268 ᵇ31. δ2. 1289 ᵇ23. 8. 1293 ᵇ28, τὴν μίμησιν πο16. 1447 ᵇ12, 21, λόγον τινὸς Πη17. 1336 ᵇ24, ζήτησιν, σκέψιν, ἐπίσκεψιν Πη1. 1323 ᵃ14. ὁ10. 1295 ᵃ5. Ηα3. 1096 ᵃ5, τὴν θεωρίαν, τὴν μέθοδον Ζμα1. 640 ᵃ11. Ζιε1. 539 ᵃ5. α6. 491 ᵃ12. ποιεῖσθαι τὸν ὁρισμόν, τὸν λόγον, τὸ ἴδιον τζ4. 142 ᵃ2, 141 ᵇ18. ε2. 129 ᵇ18, ἄλλην ἀρχὴν Φθ7. 260 ᵃ20 (cf ἀρχή p 111 ᵇ38), ἐρωτήσεως (εἰρω- νείας ci Spgl) σχῆμα ρ37. 1444 ᵇ34. ἐμποδών ποιεῖσθαι Ηε8. 1133 ᵃ3. — b. cum infinitivo. ἐποίησεν αὐτὸν παύ- σασθαι Πβ7. 1267 ᵃ36. ποιῆσι συναπολαύειν τὴν ὅλην πόλιν Πε4. 1303 ᵇ32. ποιεῖ τὸν ἀκρατὴν προσπταίειν, ἐνθυσιάσαι Ργ9. 1409 ᵇ19. 7. 1408 ᵇ14. ἐκπίπτειν ποιεῖ τὴν τραγῳδίαν πο24. 1459 ᵇ31. θέρμη ποιήσει ἀλεάζειν πα39. 863 ᵇ22. ε38. 884 ᵇ38. ποιεῖ νοσεῖν, ἀλγεῖν sim Ζιθ27. 605 ᵇ13. 24. 604 ᵇ23. γ21. 523 ᵃ1. ποιεῖ ἐμφαίνεσθαι τὸ χρῶμα μγ6. 377 ᵇ21. ποιεῖ δοκεῖν, οἴεσθαι, πιστεύειν, προσέχειν μα5. 342 ᵇ15. β2. 354 ᵇ3. Ηη15. 1154 ᵃ25. ρ30. 1436 ᵇ15. — c. cum duplice acc, obiecti et praedicati: τὸς Οἰνωτρὸς ποιῆσαι γεωργὸς Πη10. 1329 ᵇ15. ποιεῖν τὴν τροφὴν ποι- κίλην Ζιθ21. 603 ᵇ28. τροφὴν ποιεῖται τὸς ὄφεις Ζιι1. 609 ᵃ4. ποιεῖσθαι τὸς ξένυς πολίτας, τὸς φίλυς συνάρχυς Πε3. 1303 ᵇ1. γ16. 1287 ᵇ31. τὸς τῦτο πεποιημένυς ἔργον ⟨ τέχνην Πδ5. 1339 ᵃ37. ποιεῖσθαί τι σημεῖόν τινος Ηβ2. 1104 ᵇ3. cf Ζιζ7. 571 ᵃ9. ι7. 613 ᵃ30. — ποιεῖν τι δῆλον, φανερόν, φαινόμενον, κατάδηλον Πη8. 1275 ᵇ35. 13. 1283 ᵇ28. αι3. 440 ᵃ10. Ζια16. 495 ᵇ15. τὴν μίαν πρότασιν πολ- λὰς ποιητέον τα14. 105 ᵇ33 (syn διαιρετέον ᵇ35). ποιεῖν ἦθος κατοκώχιμον ἐκ τῆς ἀρετῆς Ηx10. 1179 ᵇ9. ποιεῖσθαι τὸς βίυς ἑτέρυς Πη8. 1328 ᵇ1. saepe ποιεῖν de eo usurpatur, quod cogitatione vel oratione ut tale sit vel videatur esse efficitur (cf infra p 609 ᵃ16). ποιεῖν ἕτερον τῇ εἴξι ⟨ τῦ κατὰ τὴν ἕξιν τε4. 133 ᵇ25 (cf ᵇ23). ποιεῖν τινα εὔνυν, προσεκτικόν, τὸς μάρτυρας πιστύς Ργ14. 1415 ᵃ36, 34.

ρ16. 1431 ᵇ33. ποιήσομεν αὐτὰ πολλά ρ4. 1426 ᵃ3. ποιεῖν τινὰ ἀχάριστον Ρβ7. 1385 ᵃ35. — d. cum duplice obiecto. τὸ θερμὸν ποιεῖν τι δύναται τὴν αἴσθησιν μδ8. 385 ᵃ4. αὐτὸν ἢ τῶν αὐτῷ τι πεποίηκεν Ρβ2. 1378 ᵇ1. τῶν παρ' αὐτῷ γυναικῶν τὸν κόσμον τῦτο πεποίηκε οβ 1349 ᵃ18. — 5 ἑτέρῳ ποιεῖν Ηε10. 1134 ᵇ5. πλείω ἀγαθὰ σύ μοι ποιεῖς ἢ ἐγώ σοι ημβ11. 1210 ᵃ32. — e. haud raro obiectum verbi ποιεῖν non additur, ubi indefinitum aliquod et universale intelligitur. πάντα δυνάμει τινί ἐστι τῦ ποιεῖν ἢ τῦ πάσχειν μδ12. 390 ᵃ18. ποιῆντος τῦ ψυχρῦ πήγνυται μδ6. 383 ᵃ10 10 (cf supra p 608 ᵃ11). ποιῆσαι κ̀ μὴ παθεῖν δύνανται μάλιστα ἐκ τῆς ἐμπειρίας Ηγ11. 1116 ᵇ9, 11. — τῦτο ποιεῖν ita usurpatur ut actionis antea significatae notionem renovet (cf ὁρᾶν p 205 ᵃ43) Ζιζ 17. 570 ᵇ7. 20. 574 ᵇ23. 29. 579 ᵃ4, 15 al.

3. ποιεῖν τι cogitatione, i e τίθεσθαι, veluti ποιεῖν ἰδέας, 15 τὰ μαθηματικὰ παρὰ τὰ αἰσθητά, τὸς ἀριθμὸς Μβ1. 995 ᵇ16. μ9. 1086 ᵃ5, 30. ν3. 1090 ᵃ22, ᵇ29. Ηα4. 1096 ᵃ17. ποιεῖν μίαν ἀρχήν, πλείω, τὰ εἴδωλα sim Φθ1. 252 ᵃ10. α4. 187 ᵃ13. ΜΑ3. 984 ᵇ5. Γβ7. 334 ᵇ2. Ογ2. 300 ᵇ32. Γβ2. 330 ᵇ8-20. μτ2. 464 ᵃ11. ποιεῖν τὰς ἀτόμος 20 γραμμὰς Ογ1. 299 ᵃ12. ατ969 ᵇ18. cf praeterea Οβ2. 285 ᵇ26. δ2. 309 ᵇ30. μβ1. 353 ᵃ35, ᵇ6. ψγ2. 425 ᵇ17 (quem locum ci tentarunt Trdlbg Torstrik). Ζμγ4. 665 ᵇ29. ημβ11. 1210 ᵃ16. ηεη10. 1243 ᵇ26. 11. 1244 ᵃ7. 12. 1246 ᵃ8. τὴν πόλεως τὸ ποιεῖν κατ' εὐχὴν ποιεῖν Πη5. 25 1327 ᵃ4. τὴν ψυχὴν ἐκ τῶν στοιχείων ποιεῖν ψα2. 404 ᵇ17. ἀρχὴν φλεβῶν ἐκ τῆς κεφαλῆς ποιῶσιν Ζιγ3. 513 ᵃ12. ἵνα μή ποτε πολλὰ εἶναι ποιῶσι τὸ ἕν Φα2. 185 ᵇ31. τὸν σπυδαῖον ποιεῖν πράττειν τὰ κατ' ἀρετήν ημβ7. 1206 ᵃ10. ἐὰν ἐκεῖνο ποιῇ τις ὑπερέχειν (sed ὑπερέχον F H M) τῇ ὕλῃ 30 Οδ5. 312 ᵇ32. — ποιεῖν de poetis. οἱ ἄνθρωποι συνάπτυσι τῷ μέτρῳ τὸ ποιεῖν πο1. 1447 ᵇ14. non addito obiecto, ὡς ῥᾴδιον ποιεῖν πο22. 1458 ᵇ8. Σιμωνίδης ὐκ ἤθελε ποιεῖν, Σόλων φησὶ ποιήσας, συνέγραψε ποιήσας, ὁ ποιήσας (i e Homerus) sim Ργ2. 1405 ᵇ26. Πα8. 1256 ᵇ33. γ5. 1278 35 ᵃ37. Ργ15. 1416 ᵃ30. νεα1. 1214 ᵃ4. η1. 1235 ᵃ26. 11. 1244 ᵃ11. Ζιγ3. 513 ᵇ27. ζ28. 578 ᵇ1. μχ847 ᵃ19. ὁ ποιήσας (i e Sophocles) χ6. 400 ᵇ24. ὥσπερ πεποίηκεν Αἰσχύλος sim Ζυ49 Β. 633 ᵃ18. ε8. 542 ᵇ7. μδ4. 382 ᵃ7. additum obiectum vel materiam vel formam carminis significat, 40 τοιῦτος Ὅμηρος ποιεῖ Ηγ11. 1116 ᵃ22. ποιεῖν τὸν Ἀχιλλέα παράδειγμα πο15. 1454 ᵇ13. τὸν Ἄτλαντα ποιῦσι τὸν ὀρανὸν ἔχειν Μδ23. 1023 ᵃ20. ἐποίησεν ἀποκτείνασαν τὴν Μήδειαν πο14. 1453 ᵇ29. cf Ζιθ18. 601 ᵇ2. f 154. 1504 ᵇ6. μὴ τὸν πόλεμον ποιεῖν ὅλον sim πο13. 1459 ᵃ32. 18. 1456 ᵃ5 ᵃ13, 16. ποιεῖν λόγυς κ̀ μύθυς πο5. 1449 ᵇ8. ποιεῖν Ὀδύσσειαν, Ἡρακληΐδα πο8. 1451 ᵃ25, 21, τραγῳδίας, ἐξάμετρα, ἰαμβεῖον Ργ1. 1404 ᵃ29, 35. πο22. 1458 ᵇ19, 2. — ποιεῖν, fingere, facere vel praed̄icayῖmuaρ pertinet γαρ λέγειν πράγματα γεγενημένα Ρβ20. 1393 ᵃ29, 1394 ᵃ4. ποιεῖν ὄνομα Μζ15.1040 50 ᵃ10. ὄνομα πεποιημένον, ὃ ὅλως μὴ καλύμενον ὑπό τινων αὐτὸς τίθεται ὁ ποιητής πο21. 1457 ᵇ33. 9. 1451 ᵇ20, 22. Ργ2. 1404 ᵃ29. Vahlen Poet III 316. πεποιημέναι ἀναγνωρίσεις πο16. 1454 ᵇ31, cf 1455 ᵃ20.

τὸ ποιηθέν οα1. 1343 ᵃ6. τὸ ποιησόμενον pass Μδ15. 55 1021 ᵃ23. — ποιητοὶ πολῖται Πγ1. 1275 ᵃ6. τὸ ποιητόν Ηζ2. 1139 ᵇ3. dist τὸ πρακτόν Ηζ4. 1140 ᵃ1. — ποιητέον. τὸ πλῆθος τὸ ποιητέον κύριον Πγ11. 1282 ᵃ13. τὴν ἀμοιβὴν ποιητέον κατὰ τὴν προαίρεσιν Ηι1. 1164 ᵇ1. ἆρα ποιητέον ὡς πλείστας φίλυς Ηι10. 1170 ᵇ20. ἄκοντα φίλον 60 ὐ ποιητέον (ὐκ οἰητέον ci Rsw) Ηθ15. 1163 ᵃ3.

V.

ποίημα, dist ποίησις, opp πάθος Φγ3. 202 ᵃ24. Μζ3. 1029 ᵃ13. τὸ αὐτῦ τι εἶναι ποίημα τὸν υἱόν ημβ12. 1211 ᵇ34, 37. — αὔξεται ὁ τῦ ποιήματος ὄγκος πο24. 1459 ᵇ28. Ἡρακληΐδα κ̀ τὰ τοιαῦτα ποιήματα πο9. 1451 ᵃ2. cf 24. 1459 ᵇ14. ποίημα (de poetica dictione et rhythmo) γίνεται, ἔσται Ργ3. 1406 ᵃ31. 8. 1408 ᵇ31.

ποίησις, ἐνέργεια τῦ ποιητικῦ, opp πάθησις, dist ποίημα cui opp πάθος Φγ3. 202 ᵃ23. τί ποίησις Γα6. 322 ᵇ26. ποίησις, opp πάθησις ᵃψ2. 426 ᵃ9, sed etiam ποίησις opp πάθος ψγ2. 426 ᵃ2. Οα7. 275 ᵃ24, cf πάθος p 556 ᵃ7. ἡ ποίησις κ̀ ἡ πάθησις ἐν τῷ πάσχοντι ψγ2. 426 ᵃ2, 9. ποιεῖν, πάσχειν τὰς φυσικὰς ποιήσεις Γα2. 315 ᵇ6. ἐπὶ ποιήσεως τὸ πρῶτον ἀπαθές Γα7. 324 ᵃ32. ποίησις ἀπὸ τῦ τελευταίῳ τῆς νοήσεως Μζ7. 1032 ᵇ17. ποιήσεις ἢ ἀπὸ τέχνης ἢ ἀπὸ δυνάμεως ἢ ἀπὸ διανοίας Μζ7. 1032 ᵃ27. dist φύσις Φβ1. 192 ᵇ29. ἡ ποίησις τῶν διαγραμμάτων Οα10. 280 ᵃ3. — ποίησις, dist πρᾶξις Ηζ4. 1140 ᵃ2. 5. 1140 ᵃ4, 6. Πα4. 1254 ᵃ5. — ποίησις τροφῆς Ζμγ 14. 675 ᵇ23, ὀχείας Ζιε5. 541 ᵃ31. — ὐκ ἂν προσεποιήθη δακρύειν· ἡ γὰρ χαρὰ ὑπῆσα ὐκ ἂν κρατεῖ τὰς ποιήσεις (fere i q προσποίησις, cf ποιεῖν p 609 ᵃ49) εἴασεν f 168. 1506 ᵃ33. — ποίησις τραγῳδίας, τῶν διθυραμβικῶν, τῶν νόμων πο1.1447 ᵃ14, ᵇ26. ποίησις σατυρική, ὀρχηστικωτέρα πο4. 1449 ᵃ23. οἱ ἐφ' ἑκάτεραν τὴν ποίησιν (utrumque poeseos genus, tragoediae et comoediae) ὁρμῶντες πο4. 1449 ᵃ3. — ποίησις μίμησις, ac distinguendum οἷς, ἅ, ὡς πο1-3. ποίησις ἱστορίας φιλοσοφώτερον. τίνος στοχάζεται ἡ ποίησις πο9. 1451 ᵇ6, 10. ἡ ποίησις ἔνθεον Ργ7. 1408 ᵇ19. κραυγὴ Καλλιόπης ἡ ποίησις Ργ2. 1405 ᵃ34. — ἑτέρα λόγῳ κ̀ ποιήσεως λέξις ἐστὶν Ργ1. 1404 ᵃ28. 2. 1405 ᵃ3. 3. 1406 ᵃ12, 13. πρὸς ποίησιν ἱκανῶς εἰπεῖν, opp πρὸς τὸ γνῶναι τὴν φύσιν μβ3. 357 ᵃ26. — ποίησις, carmen. δῆλον ἐκ τῆς Τυρταίυ, Σόλωνος ποιήσεως Πε7. 1306 ᵇ39. δ11. 1296 ᵃ20. cf πο22. 1458 ᵃ20. 23. 1459 ᵃ37. 1. 1447 ᵇ9. — τεθεώρηται ἐν τοῖς περὶ ποιήσεως (ποιητικῆς Spgl Bk³) Ργ2. 1404 ᵇ28, cf Ἀριστοτέλης p 102 ᵃ4, 103 ᵇ61.

ποιητής. οἱ ποιηταί ΜΑ2. 982 ᵇ32. 3. 983 ᵇ32. δ23. 1023 ᵃ19. ν4. 1091 ᵇ4. μάρτυρα ἐπάγεσθαι ποιητήν Μα3. 995 ᵃ8. — μιμητής ὁ ποιητής πο25. 1460 ᵃ8. 1. 1447 ᵇ15. ὁ ποιητὴς μᾶλλον τῶν μύθων ποιητὴς ἢ τῶν μέτρων, ὅσῳ ποιητής κατὰ τὴν μίμησίν ἐστιν πο9. 1451 ᵇ27. ποιητῦ ὐ τὰ γενόμενα ἀλλ' οἷα ἂν γένοιτο πο9. dist ἱστορικός, λογογράφος πο9. 1451 ᵇ1. Ρβ11. 1388 ᵇ22. dist φυσιολόγος πο1. 1447 ᵇ19. — τὰ σπυδαῖα μάλιστα ποιητὴς Ὅμηρος ἦν πο4. 1448 ᵇ34. οἱ ποιηταὶ τὰς τυχόντας μύθης ἀπηρίθμων πο13. 1453 ᵃ18. — τῷ ποιητῇ συνωνυμίαι χρήσιμοι, τῷ σοφιστῇ ὁμωνυμίαι Ργ2. 1404 ᵇ39. οἱ ποιηταὶ τὸ ἐν πολλὰ ποιῶσιν Ργ6. 1407 ᵇ32. οἱ ποιηταὶ εὐήθη Ργ1. 1404 ᵃ24. — οἱ ποιηταὶ ὑπεραγαπῶσι τὰ οἰκεῖα ποιήματα Ηι7. 1168 ᵃ2. κρίνειν τὰ τῶν ποιητῶν ἔργα Πγ11. 1281 ᵇ9. ὡς νῦν συκοφαντῦσι τὸς ποιητάς πο18. 1456 ᵃ5. — οἱ λεγόμενοι τῆς κωμῳδίας ποιηταί πο5. 1449 ᵇ3. οἱ ποιηταὶ ἐν ταῖς κωμῳδίαις εὖ μεταφέρυσι σκώπτοντες Ζγε4. 784 ᵇ19. ὑπεχρίνοντο αὐτοὶ τὰς τραγῳδίας οἱ ποιηταὶ τὸ πρῶτον, μεῖζος δύνανται νῦν τῶν ποιητῶν οἱ ὑποκριταί Ργ1. 1403 ᵇ24, 33. Ἐπίχαρμος ὁ ποιητής πο3. 1448 ᵃ33. — ὁ ποιητής i e Homerus Ρα7. 1365 ᵃ11, 30. β3. 1380 ᵇ28. πο22. 1458 ᵇ7 (?). f 173. 1506 ᵇ44. x6. 397 ᵇ26, 400 ᵃ10, 401 ᵃ2. θ105. 839 ᵇ30. 109. 840 ᵇ15. π9. 890 ᵇ9; i e Hesiodus πθ25. 879 ᵃ28; poeta incertus (cf p 607 ᵇ26) Φβ2. 194 ᵃ30.

ποιητικός εὐεξίας, ὑγιείας τετ7. 137 ᵃ4, 6. τὰ ποιητικὰ τῆς

ἀρετῆς Ηε 5. 1130 ᵇ25, ἡδονῆς, λύπης, φθορᾶς al ημβ 7. 1207 ᵃ28. ηεγ1. 1229 ᵃ33, 34, ᵇ12, 37, τῷ ζῆν Πα9. 1258 ᵃ2. ποιητικὴ πλὴτυ Πα9. 1257 ᵇ7. ποιητικὸν πολλῶν Ρα6. 1362 ᵇ15, 18, 20, 21. coni φυλακτικός, σωστικός. τὰ ποιητικὰ ἠ φυλακτικὰ τῆς εὐδαιμονίας sim Ηε3. 1129 ᵇ17. α4. 1096 ᵇ11. Ρα6. 1362 ᵃ27. τβ9. 114 ᵃ29. ημα2. 1183 ᵇ36. opp φθαρτικός, κωλυτικός Ηα4. 1096 ᵇ11. τβ9. 114 ᵇ16. ηι. 151 ᵇ36. — τὰ ποιητικὰ τριχῶς Ρα6. 1362 ᵃ32. τὸ ποιητικὸν αἴτιον ὡς ὅθεν ἡ ἀρχὴ τῆς κινήσεως, opp ὕλη Γα7. 324 ᵇ13. ψγ5. 430 ᵃ12. Ζγα21. 729 ᵇ13. τῶν μὲν προϋπάρχει τὸ ποιητικὸν ὅμοιον, οἷον ἀνδριαντοποιητικὴ Ζμα1. 640 ᵃ30. τὸ ποιητικόν, opp τὸ παθητικόν Ζκ8. 702 ᵃ13. Ζγα21. 729 ᵇ13. αἱ ποιητικαὶ δυνάμεις ἐν τοῖς ἀνομοιομερέσιν (ἐγγίνονται) Ζια4. 489 ᵃ26. δύναμις ποιητικὴ ἠ παθητικὴ Οα7. 275 ᵇ5. Μδ15. 1021 ᵃ15. τίνα τῶν ποιητικῶν ἀπαθῆ Γα7. 324 ᵃ7, 10, ᵇ5, 12. 10. 328 ᵃ20. Φδ5. 212 ᵇ32. Πε8. 1307 ᵇ29. ὅταν ἅμα ῇ τὸ ποιητικὸν ἠ τὸ παθητικόν, ἀεὶ τὸ μὲν ποιεῖ τὸ δὲ πάσχει μκ3. 465 ᵇ15. Φδ4. 255 ᵃ34. Μδ5. 1048 ᵃ6. Ζγβ4. 740 ᵇ21. ἡ τῷ ποιητικῷ ἐνέργεια ἐν τῷ πάσχοντι ἐγγίνεται ψγ2. 426 ᵃ4. β2. 414 ᵃ11. ἐνέργεια ἄλλη τῷ ποιητικῷ ἠ τῷ παθητικῷ ψγ3. 202 ᵃ23. τῶν στοιχείων δύο (τὸ θερμὸν ἠ τὸ ψυχρόν) ποιητικὰ μδ1. 378 ᵇ12, 379 ᵃ11, cf 5. 382 ᵇ6. — ποιητικόν, dist πρακτικόν ημα35. 1197 ᵃ3. ἕξις ποιητικὴ, πρακτικὴ Ηζ4. 1140 ᵃ4. ὄργανα ποιητικὰ ἠ πρακτικὰ Πα4. 1254 ᵃ2. αἱ ἀρεταὶ ποιητικαὶ τῶν ἀγαθῶν ἠ πρακτικαί Ρα6. 1362 ᵇ4. (ποιητικὸς ubi πρακτικὸς expectes Ηη5. 1147 ᵃ28). — ἐπιστήμη, διάνοια ποιητική, πρακτική, θεωρητικὴ τζ6. 145 ᵃ16. Με1. 1025 ᵇ25. προτάσεις ποιητικαὶ Ζκ7. 701 ᵃ23. ἐπιστήμαι ποιητικαί, i e αἱ τέχναι Μθ2. 1046 ᵇ3 Bz. × 7. 1064 ᵃ1. ηεα5. 1216 ᵇ17. dist πρακτικαὶ Με1. 1025 ᵇ22, θεωρητικαὶ ΜΑ1. 982 ᵃ1, ᵇ11, μαθηματικαὶ Μκ7. 1064 ᵃ1, φυσικὴ Ογ7. 306 ᵃ16. — ποιητικὴ (int τέχνη), poesis. τὸ μεμιμημένον, ὥσπερ γραφικὴ ἠ ἀνδριαντοποιία ἠ ποιητικὴ Ρα11. 1371 ᵇ7. (cf ποιητικὸν τὸ μιμεῖσθαι τὰ εἰωθότα γίνεσθαι f 137. 1501 ᵇ4.) εὐφυῶς ἡ ποιητικὴ ἢ μανικῇ πο17. 1455 ᵃ32. eius origo πο4 (ποιητική, syn ποίησις 1448 ᵇ4), ἁμαρτίαι πο25. 1460 ᵇ15. cf 19. 1456 ᵇ15. ποιητικῇ, coni ῥητορικὴ ε4. 17 ᵃ6, dist ὑποκριτικὴ πο26. 1462 ᵇ6. αἱ ἐξ ἀνάγκης ἀκολουθοῦσαι αἰσθήσεις τῇ ποιητικῇ πο15. 1454 ᵇ16. Vhl Poet II 79. μεταφοραὶ ποιητικαὶ ΜΑ9. 991 ᵃ22. μ5. 1079 ᵇ26. μβ3. 357 ᵃ27. Ἐμπεδοκλῆς μεταφορικὸς τ' ὢν ἠ τοῖς ἄλλοις τοῖς περὶ ποιητικὴν ἐπιτεύγμασι χρώμενος f 59. 1485 ᵇ10. (Ὅμηρος) δόξαν ἐπὶ ποιητικῇ κεκτημένος f 66. 1487 ᵃ13. — εἴρηται, διώρισται ἐν τοῖς περὶ ποιητικῆς Ρα11. 1372 ᵃ2. γ1. 1404 ᵃ39. 2. 1404 ᵇ8, 28 (ποιήσεως Bk, ποιητικῆς Spgl, Bk³), ροι4. 6. 18. 1419 ᵇ6. — ποιητικῶς ὑγιείας τα15. 106 ᵇ37. λέγειν Ργ3. 1406 ᵃ32.

ποιηφάγοι ὄρνιθες f 268. 1526 ᵇ38, cf ποηφάγος.

ποικιλερυθρομέλαιναν αὐτὴν (τὴν πύτινον) Ἀριστοτέλης ὀνομάζει f 280. 1528 ᵃ15.

ποικιλία. ἡ τῶν χρωμάτων ποικιλία μγ4. 373 ᵇ35. cf πι33. 894 ᵇ33. ἐν τῷ μέλανι τὸ λευκὸν πολλὰς ποιεῖ ποικιλίας μα5. 342 ᵇ18. ποικιλία τῶν πτερῶν Ζιζ9. 564 ᵃ26. f 274. 1527 ᵇ7. cf Ζιθ3. 593 ᵇ7, τῷ τῆς ἴριδος ἄνθει χ5. 796 ᵇ26. ἐν τῷ δέρματι προϋπάρχει ἡ ποικιλία Ζιγ11. 518 ᵇ16. πρὸς τὸ θεωρεῖσθαι ποικιλία (τις add Spgl) περὶ τὰς τῶν θεῶν θυσίας ρ3. 1423 ᵇ7. — ἔστι περὶ τὴν ἐργασίαν τῶν μελιττῶν ἠ τὸν βίον πολλὴ ποικιλία Ζιι40. 623 ᵇ26. αἱ γενέσεις ποικιλίαν ἔχουσαι Ζιε1. 539 ᵃ3. ἡ τῷ ὕδατος ποικιλία,

syn ἡ τῶν ὑδάτων μεταβολή πα16. 861 ᵃ12, 10. (πόλεμος ab Homero narratus) τῷ μεγέθει μετριάζων καταπεπληγμένος τῇ ποικιλίᾳ πο23. 1459 ᵃ34.

ποικιλίς. πολέμιοι ποικιλίδες ἠ κορυδῶνες ἠ πίπρα ἠ χλωρεύς Ζιι1. 609 ᵃ6. (pikilis Thomae, varia Gazae, variola Scalig, Fringilla carduelis Belon Aldrovandi Gesner Johnston Brisson, oiseau-tacheté C II 575. S II 5. def non potest St. Cr. ΑΖι I 106, 92. Su 160, 157.)

ποικίλλειν. ὕτω ποικίλλεται ἠ τὰ τικτόμενα πι10. 891 ᵇ35. πεποίκιλται ἡ γῆ χλόαις μυρίαις κ3. 392 ᵇ17. μελαίναις γραμμαῖς πεποικίλθαι f 280. 1528 ᵃ16. εἰς ἄλληλα μεταβάλλειν ἠ ποικίλλεσθαι μᾶλλον Ζγε6. 785 ᵇ32.

ποικίλματα ἠ ὑφάσματα μγ4. 375 ᵃ23.

ποικιλόγραμμος, syn μελαίναις πεποικίλθαι γραμμαῖς f 280. 1528 ᵃ15.

ποικίλος. αἱ τριήρεις μύλωνες ποικίλοι Ργ10. 1411 ᵃ24. ζῷα ποικίλα Ζιδ1. 525 ᵃ16. ιδ9. 623 ᵃ6. f 293. 1529 ᵃ15, 21 (Rose A P 304), κατὰ τὰς τρίχας Ζιγ11. 518 ᵇ15. ποικίλα, opp μονόχροα χρώματα τῶν τριχῶν Ζγε4. 784 ᵃ24, 785 ᵇ5. τῷ ἱέρακος τὰ ποικίλα οἷον γραμμαί Ζιζ7. 563 ᵇ23. — τροφὴ ποικίλη, opp ἁπλῆ Ζιθ21. 603 ᵇ29. cf πα15. 861 ᵃ5. λόγος ποικίλος, opp ἁπλῶς Ργ16. 1416 ᵇ25. ρ32. 1438 ᵇ21. ὁ εὐδαίμων ὐ ποικίλος ἠ εὐμετάβολος Ηα11. 1101 ᵃ8. οἰκονομία ποικιλωτάτη ἠ ῥᾴστη οβ1345 ᵇ15. ἡ φωνὴ τὸ ποικιλώτατον ἠ πλείστας ἔχον διαφορὰς πα57. 905 ᵃ33.

ποικιλόστικτα ὄρνεα, dist μελανόστικτα f 283. 1528 ᵃ29.

ποικίλθυν. πεποικίλωκε (Aesch fr 297, 2) Ζιι49 B. 633 ᵃ20.

ποικιλόχρως. ἀκανθοστρεφῆ εἶναι ἠ ποικιλόχροα φυκίδα f 279. 1528 ᵃ10.

ποικιλταὶ ἐργαζόμενοι πρὸς τὸν λύχνον μγ4. 375 ᵃ27.

ποιμὴν. οἱ ποιμένες Ζιζ18. 573 ᵃ2. ιδ. 610 ᵇ28. — ποιμένα λαῶν (Hom Β 243 al) Ηθ13. 1161 ᵃ15.

ποίμνη. ἐν ἑκάστῃ ποίμνῃ κατασκευάζουσιν ἡγεμόνα τῶν ἀρρένων Ζιγ19. 573 ᵇ25.

ποιμνίον ὑγιεινότερον Ζιθ10. 596 ᵃ19.

ποιολόγος ὁ ταῶς f 274. 1527 ᵇ6.

ποιός. ποῖα ποίοις ἁρμόττει τῶν πολιτειῶν sim Πδ13. 1297 ᵇ34. 15. 1299 ᵃ14. 1. 1288 ᵇ13. — ποῖός τις: ποίας τινὰς εἶναι δεῖ, ποίαν τινὰ δεῖ γίγνεσθαι τὴν ἄσκησιν Πγ9. 1280 ᵇ2. δ14. 1298 ᵃ2. ποῖός τις ὁ τρόπος τ12. τί ἢ ποῖόν τί ἐστιν Ηγ4. 1112 ᵃ13. χ10. 1181 ᵃ14. Ζμα1. 641 ᵃ16. περὶ τῷ στοιχείῳ ποῖόν τι τὴν δύναμίν ἐστι μα3. 339 ᵇ17. ἐκ τίνων τε συνεστᾶσι ἠ ποῖ' ἄττα τὴν φύσιν ἐστί Ογ1. 298 ᵃ26. σημαίνει ποῖα τις ἠ ξίς τα15. 107 ᵇ12. (cf δῆλον ὂν ὅτι ἔχει τινὰ δύναμει ψυχήν. ποίαν ὂν ταύτην Ζγβ 5. 741 ᵃ24.) huiusmodi locos si contuleris cum usu pron indef ποιός (v ποιός), apparebit aliquoties interrogativi pron accentum restituendum esse, ubi nunc indefinitum exhibetur, veluti ὐ γὰρ τί ἐστιν ἠ χιῶ, ἀλλὰ ποῖόν τι δηλοῖ (ποῖόν Bk) τδ1. 120 ᵇ28. ὐδεμία διαφορὰ σημαίνει τί ἐστιν, ἀλλὰ μᾶλλον ποῖόν τι (ποιόν τι Bk) τδ2. 122 ᵇ17. ὁ μὲν γὰρ εἴπας πεζὸν ποῖόν τι ζῷον λέγει, ὁ δὲ ζῷον εἴπας ὐ λέγει ποῖόν τι ζῷον (ποιόν τι Bk) τδ6. 128 ᵃ28, 29. ἡ μὲν ξίς τί ἐστι σημαίνει ἡ ἀρετή, ὐ δ' ἀγαθὸν ὐ τί ἐστιν, ἀλλὰ ποῖον (Wz, ποιόν Bk) τζ6. 144 ᵃ18. δοκεῖ ποῖόν τι πᾶσα διαφορὰ δηλὺν τζ6. 144 ᵃ21 non videtur mutandum et δοκεῖ δ' ἡ διαφορὰ ποῖόν τι σημαίνειν ᵃ18 dubium an rectius indefinitum ποιόν τι scribatur.

ποιός. τὸ ποιὸν in numerum categoriarum refertur K4. 1 ᵇ29 al. cf κατηγορία p 378 ᵃ49-ᵇ11. τὸ ποιὸν def et dist K 8 Wz. Μδ14 Bz. Trdlbg Kat p 89 sqq. ποιὰ τὰ κατὰ

τὰς ποιότητας παρωνύμως λεγόμενα Κ9. 10 ᵃ27. 8. 8 ᵇ25.
τῷ ποιῷ duo genera distinguuntur, ἡ τῆς ἀσίας διαφορά,
τὰ πάθη τῶν κινυμένων χ αἱ τῶν κινήσεων διαφοραί Μϑ14.
1020 ᵇ14-18 Bz (aliam generum distinctionem v s ποιότης).
ἐπὶ τῶν δευτέρων ἀσιῶν ἃ δοκεῖ τόδε τι σημαίνειν, ἀλλὰ 5
μᾶλλον ποιόν τι Κ5. 3 ᵇ15. ἡ ἀσία κατὰ τὸ ποιόν, τῦτο
δὲ τῆς ὡρισμένης φύσεως Μκ6. 1063 ᵃ27. λέγω τὸ ποιὸν
ἃ τὸ ἐν τῇ ἀσίᾳ ἀλλὰ τὸ παθητικόν Φε2. 226 ᵃ27. ἃ γί-
γνεται τὸ ποιὸν ἀλλὰ τὸ ποιὸν ξύλον Μζ9. 1034 ᵇ15. (ἐν τῇ
γενέσει) ποιὸν ἀκ ἀνάγκη προϋπάρχειν ἀλλ᾽ ἢ δυνάμει μόνον 10
Μζ9. 1034 ᵇ18. μεταβολὴ κατὰ τὸ ποιόν, cf μεταβολή
p 459 ᵇ18. ποιόν, coni syn πάθος Γα4. 319 ᵇ33. Μμ8.
1083 ᵃ9, cf πάθος p 556 ᵃ44. — τὰ ποιὰ ἐπιδέχεται τὸ
μᾶλλον χ τὸ ἧττον Κ8. 10 ᵇ26. ὑπάρχει χ ἐναντιότης
κατὰ τὸ ποιόν Κ8. 10 ᵇ12. τὸ μὲν μορφή, τὸ δὲ στέρησις, 15
χ κατὰ τὸ ποιόν, τὸ μὲν γὰρ λευκὸν τὸ δὲ μέλαν Φγ1.
201 ᵃ5. Μκ9. 1065 ᵇ11. χ ἐν τῷ ποιῷ ἐστι τὸ μὲν ὡς
εἶδος μᾶλλον, τὸ δ᾽ ὡς ὕλη Οδ4. 312 ᵃ15. ὕστερον τοῖς
ἀριθμοῖς τὸ ποιὸν τῦ ποσῦ Μμ8. 1083 ᵃ11. ὅταν τὸ μὴ
ταὐτὸ ὡσαύτως ἑρμηνεύηται, οἷον τὸ ποιὸν ποσὸν ἢ τὸ ποσὸν 20
ποιόν τι4. 166 ᵇ13. ἀκ εἰς τὸ ποσὸν συμβάλλεται τὸ ἄρρεν
ἀλλ᾽ εἰς τὸ ποιὸν Ζγα21. 730 ᵃ23. πᾶσα πόλις ἔκ τε τῦ
ποιῦ χ ποσῦ Πϑ12. 1296 ᵇ17, 19. τῆς ποιᾶς ὑπάρχειν
κατὰ τὰς ἀρετάς Ηκ2. 1173 ᵃ19. τῷ προαιρεῖσθαι ποιοί
τινές ἐσμεν Ηγ4. 1112 ᵃ2. ποιᾶς τινας εἶναι κατὰ τὸ ἔθος πο6. 25
1449 ᵇ37, 1450 ᵃ5. τῷ ποιᾶς τινας εἶναι Ηϑ3. 1156
ᵃ13. α10. 1099 ᵇ31. ϑε3. 1215 ᵃ15 Fritzsche. 4. 1215
ᵃ22, 24, 25. ημαι. 1181 ᵃ27 (ποιόν τινα falso Bk). ποιόν τι,
dist τόδε τι Ζγδ3. 767 ᵇ34.
ποιότης, cf ποιός. ποιότητα λέγω καθ᾽ ἣν ποιοί τινες εἶναι 30
λέγονται· ποιότης τῶν πλεοναχῶς λεγομένων Κ8. 8 ᵇ25,
26. τῆς ποιότητος quatuor distinguuntur genera, ἕξις χ
διάθεσις, κατὰ δύναμιν φυσικὴν χ ἀδυναμίαν, παθητικαὶ
ποιότητες (Bz ad Μϑ14. 1020 ᵇ19, cf παθητικός p 555
ᵇ43), σχῆμα χ μορφή Κ8. 8 ᵇ27, 9 ᵃ14, 28, 10 ᵃ11. ἴδιον 35
ποιότητος, ὅμοια χ ἀνόμοια κατὰ μόνας τὰς ποιότητας λέ-
γεται Κ8. 11 ᵃ6. ad eam distinctionem duorum generum,
ποιότητες, quae s v ποιός p 611 ᵃ2, exposita est, talia sunt re-
ferenda: ἡ διαφορὰ ποιότητα τῦ γένες σημαίνει τὸ6. 128 ᵃ27.
Φε2. 226 ᵃ28. πάθος, coni syn ποιότης Φα2. 185 ᵃ34. Μϑ21. 40
1022 ᵇ15. πάθος, dist ποιότης Κ8. 9 ᵇ33. — τὰ ἄλλα
λέγεται ὄντα τῷ τῦ ὄντως ὄντος τὰ μὲν ποσότητας εἶναι,
τὰ δὲ ποιότητας, τὰ δὲ πάθη Μζ1. 1028 ᵃ19. ἀκ ἔστι
ποιότητος ποιότης Αγ22. 83 ᵃ36. αἱ τῆς ἀρετῆς ἐνέργειαι ἀκ
εἰσὶ ποιότητες Ηκ2. 1173 ᵃ15, 13. — συλλογισμοὶ κατὰ 45
ποιότητα Αα29. 45 ᵇ17 Wz.
ποιοφαγεῖν. ποιοφάγος in v l exhibetur Ζιϑ3. 593 ᵃ15.
6. 595 ᵃ14. 10. 596 ᵃ13. Ζμγ1. 662 ᵇ9, 16, cf ποηφάγος,
ποοφαγεῖν, ποοφάγος.
ποιώδης. τὸ ἐξ ἀρχῆς οἱ βλαστοὶ γίγνονται ποιώδεις χ5. 795 50
ᵃ17. cf ποώδης.
πολέμαρχοι Πζ8. 1322 ᵃ39. ὁ Ἀθήνῃσι πολέμαρχος πόσα
διοικεῖ f 374. 1540 ᵃ38. 387. 1542 ᵇ5. 388. 1542 ᵇ16, 19,
24, 26. 389. 1542 ᵇ31. 510. 1561 ᵇ23.
πολεμεῖν. πεπολεμηκέναι πολέμας μεγάλας sim Πϑ9. 1271 55
ᵇ13, 1270 ᵃ2. Ρβ22. 1396 ᵃ11. α4. 1359 ᵇ37.
πολεμικός. ἄνδρες θυμοειδεῖς χ πολεμικοί, γένη στρατιω-
τικὰ χ πολεμικά sim Πϑ5. 1264 ᵇ10. 9. 1269 ᵇ26. ε5.
1303 ᵃ21. 7. 1307 ᵇ8. γ17. 1288 ᵃ13. δ4.1291 ᵇ21. στρα-
τηγὸν χειροτονητέον τὸν πολεμικόν Ηϑ2. 1164 ᵇ24. — πο- 60
λεμικοὶ καιροί, πολεμικαὶ ἔξοδοι, χρεῖαι, πολεμικὴ ἰσχύς,

ἀρετή, τιμή, πρᾶξις Πε11. 1314 ᵇ16. γ14. 1285 ᵃ10. α5.
1254 ᵇ31. ζ8. 1322 ᵃ34. β7. 1267 ᵃ20. 9. 1271 ᵇ3. γ7.
1279 ᵇ1. 12. 1283 ᵃ20. ε10. 1312 ᵃ18. Ηα1. 1094 ᵃ12. ἡ
ἀσφαλεστάτη ἐρυμνότης τῶν τειχῶν πολεμικωτάτη Πη11.
1330 ᵇ41. πολεμικώτατα τῷ παρόντι στρατοπέδῳ χρῆσθαι
Ηα11.1101 ᵃ4. — ἡ πολεμικὴ φύσει κτητική πως Πα8. 1256
ᵇ23. 7. 1255 ᵇ38. πολεμικὴν παιδεύεσθαι Πγ4. 1277 ᵃ18.
— τὸ πολεμικόν, pars civitatis, dist τὸ βαλευόμενον, τὸ
κρῖνον Πδ4. 1291 ᵃ26 (syn τὸ προπολεμῦν ᵃ19). ηϑ. 1329
ᵃ2. — τὰ πολεμικά. ἀπειρία τῶν πολεμικῶν, ἡγεμονία τ. π.
Πε5. 1305 ᵃ14. γ14. 1285 ᵇ18.
πολέμιος. πολέμιον, opp συμφέρον πλα9. 958 ᵇ8. πολεμία
ἡ ὀσμὴ (τῷ πηγάνῳ) τοῖς ὄφεσιν Ζιι6. 612 ᵃ29. ἡ πολεμία
(sc γῆ). πορίζειν ἐκ τῆς πολεμίας οβ1350 ᵇ17.
πολεμιστήριος. χρῶνται (τοῖς ἐλέφασιν) οἱ Ἰνδοὶ πολεμι-
στηρίοις Ζιι1. 610 ᵃ19.
πολεμοποιὸς ὁ τύραννος Πε11. 1313 ᵇ28.
πόλεμος. εἰρήνης χάριν, ἀσχολία σχολῆς Πη14. 1333 ᵃ35. 15.
1334 ᵃ15. 2. 1325 ᵃ6. τίς πόλεμος φύσει δίκαιος Πα8.1256
ᵇ26. τίνα τὰ χρήσιμα πρὸς πόλεμον Πζ7. 1321 ᵃ7. κύριον
τὸ βαλευόμενον περὶ πολέμα χ εἰρήνης Πδ14. 1298 ᵃ4.
περὶ πολέμα χ εἰρήνης πῶς δεῖ συμβαλεύειν Ρα4. 1359
ᵇ33 - 1360 ᵃ6. ρ3. 1425 ᵃ8 - ᵇ18. ἐν πολέμᾳ χ ἐν εἰρήνῃ
Πε6. 1306 ᵃ20. πόλεμον ἐκφέρειν πρός τινα ρ3. 1425 ᵃ10.
ἡ κατὰ πόλεμον δαλεία Πα6. 1255 ᵃ23. πολλὰ κενὰ τῦ
πολέμᾳ Ηγ11. 1116 ᵇ7. πόλεμος ἀστυγείτων, ξενικός, Λα-
κωνικός, Μεσσηνιακός, ἱερός Πη10. 1330 ᵃ18. β10. 1272
ᵇ20. ε3. 1303 ᵃ10. 7. 1306 ᵇ37. 4. 1304 ᵃ13. — πόλεμοι
χ φιλίαι τῶν ζῴων Ζιι1. 2.
πολιά. πῶς γίγνεται ἡ καλυμένη πολιά Ζγε4. 784 ᵇ13. εἶτ᾽
ἀὔανσις τριχὸς ἡ πολιὰ εἴτ᾽ ἔνδεια θερμῦ f 226. 1519
ᵃ13. ἡ πολιὰ ὥσπερ σαπρότης τις τῶν τριχῶν ἐστιν πι34.
894 ᵇ9.
Πολίειον (ci Salmasius, Πλεῖον codd Bk) θ106. 840 ᵃ13.
πολιεὺς πόθεν ὀνομάζεται ὁ θεός κ7. 401 ᵃ19.
πολιορκεῖν Ἀταρνέα Πβ7. 1267 ᵃ32.
πολιορκία Πβ7. 1267 ᵃ37. μηχαναὶ εὑρημέναι πρὸς τὰς πο-
λιορκίας Πη11. 1331 ᵃ2. ἡ πολιορκία ἡ Νίνυ Ζιϑ18. 601 ᵇ3.
πολιός. τρίχωσις πολιῶν ἢ γενείᾳ Ζγα18. 722 ᵃ7. ἄνθρωπος
μόνος τῶν ζῴων πολιὰς ἔχει πι63. 898 ᵃ31, cf πολιῦσθαι.
πολιοὶ πρῶτον γίγνονται τὰς κροτάφυς Ζγε3. 782 ᵃ15. τὰς
πολιὰς καλῦσι γήρως εὑρῶτα χ πάχνην οἱ ποιηταί Ζγε4.
784 ᵇ20. αἱ πολιαί. αἱ διὰ γῆρας, αἱ διὰ νόσον Ζγε4.784
ᵃ25. Ζιγ11. 518 ᵃ10, 13, 14.
πολιότης. πολιότητος ἀνθρώπων χ ἵππων τί τὸ αἴτιον Ζγε4. 5.
ἡ πολιότης ἀσθένειά τίς ἐστι τῦ ὑγρῦ τῦ ἐν τῷ ἐγκεφάλῳ
Ζγε1. 780 ᵇ6. νόσος τριχὸς πολιότης ἐστὶ Ζγε4. 784 ᵃ30.
ἀχ αὐτότης ἐστὶν ἡ πολιότης Ζιγ11. 518 ᵃ11.
πολιῦσθαι. ὁ ἄνθρωπος πολιῦται μόνος, τῶν δ᾽ ἄλλων ζῴων
ἵππος μόνον ἐπιδήλως λευκαίνεται Ζγε1. 780 ᵇ4, 778 ᵃ5.
3. 782 ᵃ11. Αα13. 32 ᵇ6, 17. πι5. 891 ᵇ1. πρῶτον πολιῦνται
οἱ κρόταφοι. τὰς κροτάφυς πολιῦνται πρῶτον, αἱ ἐν ταῖς
βλεφαρίσι βραδύτατα πολιῦνται Ζιγ11. 518 ᵃ16, ᵇ11. Ζγε4.
784 ᵇ35. 3. 782 ᵃ11. χ6. 798 ᵃ22. αἱ πυρραὶ θᾶττον πολι-
ῦνται τρίχες τῶν μελαινῶν Ζγε5. 785 ᵃ19. πολιῦσθαι τὰ
τριχώματα, syn λευκαίνεσθαι, opp μελαίνεσθαι χ6. 798 ᵇ25,
27, 23.
πόλις. πόλεως, ἐπεκτεταμένον πόληος ποι21. 1458 ᵃ4. — πόλις
πολλαχῶς λέγεται Πγ3. 1276 ᵃ23. — πόλις, def ἡ γενῶν
χ κωμῶν κοινωνία ζωῆς τελείας χ αὐτάρκας, κοινωνία τῶν
ὁμοίων ἕνεκεν ζωῆς τῆς ἐνδεχομένης ἀρίστης sim Πγ9. 1280

b40, 33. 1. 1274 b33, 41, 1275 b20. η8. 1328 a36. 4. 1326
b3. α2. 1252 b28, 29. β2. 1261 b12. δ4. 1291 a9. αα1.
1343 a10. cf Πα1. 1252 a1. γ1. 1274 b33, 41. 3. 1276 b1.
— πᾶσα πόλις φύσει ἐστίν Πα2. 1252 b30, 1253 a2, 27
(cf s πολιτικός). πρότερον τῇ φύσει ἡ πόλις ἢ οἰκία κ̟ ἕκα-
στος ἡμῶν ἐστίν Πα2. 1253 a19, 25, cf 1252 b31. γινο-
μένη ἡ πόλις τῷ ζῆν ἕνεκεν, ὅσα δὲ τῷ εὖ ζῆν Πα2. 1252
b29. δ4. 1291 a17. ἡ πρώτη πόλις (i e prima ac simpli-
cissima) Πδ4. 1291 a17. τὴν πόλιν δεῖ εἶναί πως μίαν,
ἀλλ᾽ ὐ πάντως Πβ5. 1263 b32. 2. 1261 a18. — τίνος χάριν
συνέστηκεν ἡ πόλις, ὐ τῷ ζῆν ἕνεκεν, ὐδὲ συμμαχίας, ὐδὲ
τῷ μὴ ἀδικεῖν σφᾶς αὐτὒς, ὐδὲ διὰ τὰς ἀλλαγὰς κ̟ τὴν
χρῆσιν, ἀλλὰ τῦ εὖ ζῆν ἕνεκεν Πγ6. 1278 b16. 9. 1280
a31, b30. β2. 1261 a25. ταὐτὸν τέλος ἑνὶ κ̟ πόλει, θειό-
τερον δὲ πόλει· ἡ αὐτὴ εὐδαιμονία ἑνὸς ἑκάστῳ κ̟ πόλεως
Ηα1. 1094 b7. i8. 1168 b31. Πη2. 1324 a5. 15. 1334 a11.
εὐδαίμονα πόλιν ὐκ εἰς μέρος τι βλέψαντας δεῖ λέγειν αὐ-
τῆς, ἀλλ᾽ εἰς πάντας τὒς πολίτας Πη9. 1329 a33. β5.
1264 b17, 18. γ13. 1283 b41. πόλεως ἀρετὴ κ̟ ἑνὸς ἑκάστὒ
τὴν αὐτὴν ἔχει δύναμιν κ̟ μορφήν Πη1. 1323 b34. σπυδαία
πόλις τῷ τὒς πολίτας εἶναι σπυδαίας Πη13. 1332 a33. παι-
δευτέον κ̟ παῖδας κ̟ γυναῖκας Πα13. 1260 b17. β9. 1269
b15sqq. γ18. 1288 a40. θ1. 1337 a13. ἡ πόλις σύγκειται
ἐκ πλειόνων μερῶν Πγ1. 1274 b39. δ3. 1289 b28, 1290 a3.
4. 1290 b24, 38. ε3. 1302 b40. αδ. 1253 b1sqq. πᾶσά πό-
λις ἐξ οἰκιῶν σύγκειται, πρότερον κ̟ ἀναγκαιότερον οἰκία
πόλεως Πα3. 1253 b3. δ3. 1289 b29. Ηθ14. 1162 a18.
πόλεως μέρη· γεωργοί, βάναυσοι, ἀγοραῖοι, θητικόν κτλ
Πδ4. 1290 b39sqq, 1291 a12, 25. πόλεως τινα ἐστὶ μέρη,
τίνα δ᾽ ὐ Πη8. 9. τὸ βάναυσον ὐ μετέχει τῆς πόλεως,
μέρη πόλεως τό τε ὁπλιτικὸν κ̟ βυλευτικόν Πη9. 1329 a20,
37. πόλεως μέρη κατὰ τὸ ποσόν, κατὰ τὸ ποιόν Πδ12.
1296 b17, 20. ἀδύνατον εὖ οἰκεῖσθαι πόλιν ἄνευ ἀρετῆς,
ἐλευθερίας, πλύτὒ, εὐγενείας Πγ12. 1283 a21. ἡ κτῆσις
πότερον μέρος τῆς πόλεως Πη8. 1328 a35. αii. 1259 a34.
ἡ πόλις ἐξ ἀνομοίων, εἴδει διαφερόντων Πγ4. 1277 a5. β2.
1261 a23. ἡ πόλις κοινωνία τῶν ἐλευθέρων, ἡ πόλις ἐξ
ὁμοίων Πγ6. 1279 a21. 16. 1287 a12. δ11. 1295 b25. πο-
λιτῶν διαφοραὶ κατὰ πλῦτον, κατὰ γένος, κατ᾽ ἀρετήν Πδ3.
1290 a1. πόλεως τρία μέρη, οἱ εὔποροι, οἱ ἄποροι, οἱ μέσοι
Πδ11. 1295 b1. 4. 1291 b8. γ12. 1283 a18. ἄριστα πολι-
τεύονται αἱ πόλεις, ἐν αἷς πολὺ τὸ μέσον Πδ11. 1295 b1-
1296 a21. δεῖ κρεῖττον εἶναι τὸ βυλόμενον μέρος τῆς πό-
λεως τῦ μὴ βυλομένυ μένειν τὴν πολιτείαν Πδ12. 1296
b16. ὑπόληπτέον συνεστάναι τὸ ζῷον ὥσπερ πόλιν εὐνομυ-
μένην Ζκ10. 703 a30. — τῷ γίγνεσθαι εἴδη πόλεως τί τὸ
αἴτιον Πη8. 1328 a40. τί δεῖ τὸ κύριον εἶναι τῆς πόλεως κ̟
πότερον ἄνθρωπον ἢ τὸν νόμον Πγ10. 1281 a11sqq, 34sqq.
cf 15. 1286 a7-20. 16. 1287 a28-32, τίνες πόλεις βασι-
λεύονται, πότερον συμφέρει βασιλεύεσθαι Πα2. 1252 b19.
γ13. 1284 a8. 14. 1284 b38. 15. 1286 b6. πόλις, opp μό-
ναρχος Πγ13. 1284 b14. πόθεν ἐν ταῖς πόλεσιν ἐγένοντο
ὀλιγαρχίαι, δημοκρατίαι Πδ3. 1289 b36. 15. 1286 b20. πῶς
ἄμεινον κρίνει ἡ πόλις, εἰ κ̟ εἰς ὁστισὖν ἴσως χείρων Πγ15.
1286 a29. πόλιν τὴν αὐτὴν ἢ μὴ τὴν αὐτὴν λεκτέον μά-
λιστα εἰς τὴν πολιτείαν βλέποντας Πγ3. 1276 b11, a8, 18,
34, b3. — πόλεως μέγεθος πόσον δεῖ εἶναι Πη4. 6. 1327
b4. 8. 1328 b16. ε3. 1303 a26. Ηι10. 1170 b31. πόλις με-
γάλη, dist πολυάνθρωπος, opp μικρά Πη4. 1326 a10, 25.
αἱ ἀρχαὶ πῶς διῄρηνται ἐν μεγάλαις, ἐν μικραῖς πόλεσιν
Πδ15. 1299 a35, b1. πόλις, dist ἔθνος Πβ2. 1261 a28. γ3.

1276 a29. 13. 1284 a38. — πόλεως χώραν κ̟ θέσιν ποίαν
δεῖ εἶναι Πη5. 6. 11. ε3. 1303 b7. εἴπερ ἐνδέχεται πόλιν
οἰκεῖσθαί πῃ καθ᾽ ἑαυτήν Πη2. 1325 a2. κ̟ τὰ κατὰ πόλιν
κ̟ τὰ ἔνδημα κ̟ τὰ ὑπερόρια Πγ14. 1285 b13. πρὸς τὴν
πόλιν, opp πρὸς τὰς ἐσχατιάς Πη10. 1330 a15. πρὸς τὸ
ἄστυ κ̟ τὴν πόλιν Πζ4. 1319 a10. ἡ τῶν πόλεων διαίρεσις
Πβ8. 1267 b23. — πρόξενος τῆς πόλεως Πε4. 1304 a10.
ἡ Λοκρῶν πόλις Πε7. 1307 a38. τρέφεσθαι ἀπὸ τῆς πόλεως
Πδ6. 1293 a19.

πολιτεία. 1. i q universitas civium. τὸν μὲν νόμον ἄρχειν
πάντων, τῶν δὲ καθ᾽ ἕκαστα τὰς ἀρχὰς κ̟ τὴν πολιτείαν
κρίνειν Πδ4. 1292 a34. δεῖ τὴν πολιτείαν εἶναι ἐκ τῶν τὰ
ὅπλα ἐχόντων Πδ13. 1297 b1, 13, 16. ἔστι τρία μόρια τῶν
πολιτειῶν πασῶν, τὸ βυλευόμενον, τὸ δικάζον, αἱ ἀρχαί
Πδ14. 1297 b37. — 2. i q civitatis forma et ordo. ἡ πο-
λιτεία κοινωνία τις Πβ1. 1260 b40. ἡ πολιτεία τῶν τὴν
πόλιν οἰκώντων τάξις τις, πολιτεία τάξις, τάξις ταῖς πόλεσι
περὶ τὰς ἀρχάς Πγ1. 1274 b38. 6. 1278 b8. δ1. 1289 a15.
3. 1290 a7. ἡ πολιτεία βίος τίς ἐστι πόλεως Πδ11. 1295
a40. τῆς πολιτείας τάξις Πβ10. 1272 a4. ὁ τρόπος τῆς
ὅλης πολιτείας Πβ5. 1264 a11. ἡ πολιτεία ἐστὶν ἀλλὰ δυ-
ναστείας μᾶλλον Πβ10. 1272 b10. ἡ ἄλλη πολιτεία (i e
reliquae partes institutorum publicorum) Πβ9. 1271 a
ε7. 1307 b16. ὅπη ἡ πολιτεία βλέπει εἰς πλῦτον κ̟ ἀρετήν
Πδ7. 1293 b14. παιδεύειν βλέποντα πρὸς τὴν πολιτείαν, πε-
παιδεῦσθαι πρὸς τὴν πολιτείαν, ἐν τῇ πολιτείᾳ Πα13. 1260
b15. ε9. 1310 a20, 17. δικαστήρια ὅσα εἰς τὴν πολιτείαν φέ-
ρει, δικάζειν περὶ εὐθυνῶν κ̟ πολιτείας Πδ16. 1300 b21. ζ2.
1317 b28. — dist πόλις. μάλιστα λεκτέον τὴν αὐτὴν πόλιν
εἰς πολιτείαν βλέποντας Πγ3. 1276 b11. ἐν ταῖς πόλεσιν ὐ
γιγνόμενον τῦτο πολιτείας Πθ1. 1337 a13. πο-
λιτεία ἧς τὰς πλείστας πόλεις ἐνδέχεται μετασχεῖν Πδ11.
1295 a30. — πολιτεία, dist νόμοι Πβ6. 1265 a2, 1. 12. 1274
b15, 18, 1273 b33. γ15. 1286 a4. δ1. 1289 a13. 14. 1298
a18. Ηι10. 1181 b14, 13, 21, 22. — δεῖ κρεῖττον εἶναι τὸ βυ-
λόμενον μέρος τῆς πόλεως τὸ μὴ βυλόμενον κατέχειν τὴν πολιτείαν
Πδ12. 1296 b16. 9. 1294 b39. ε9. 1309 b17. β9. 1270 b21.
— 3. i q ius civitatis, potestas in civitate (cf πολιτεία
κ̟ πολίτευμα σημαίνει ταὐτόν Πγ7. 1279 a25. 6. 1278 b10).
μετέχειν τῆς πολιτείας Πβ8. 1268 a24, 27. 9. 1271 a35.
δ3. 1290 a6. 6. 1293 a6. 3. 1294 a14. 13. 1297 b5, 23 (syn
μετέχειν τῦ πολιτεύματος b10). ε1. 1301 a38. 3. 1302 b26.
η10. 1329 b37. κοινωνεῖν τῆς πολιτείας Πβ8. 1268 a18. δ4.
1291 b36. 6. 1292 b24. ε8. 1309 a29. μεταλαμβάνειν τῆς
πολιτείας Πη4. 1326 b21. εἰσάγειν τινὰς εἰς τὴν πολιτείαν
Πε8. 1308 a8. μεταδιδόναι τινὶ τῆς πολιτείας Πε6. 1306
a26. β9. 1270 a35. ἀμφοτέροις ἀποδιδόναι τὴν πολιτείαν
ταύτην (hanc partem reipublicae administrandae) Πη9.
1329 a14. οἱ ἐν τῇ πολιτείᾳ Πζ7. 1321 a32 (syn οἱ ἐν τῷ
πολιτεύματι a31). ε6. 1306 b4, cf b20, 28. οἱ ἐκ τῆς πο-
λιτείας Πε8. 1309 a31. οἱ ἔξω (ἐκτὸς) τῆς πολιτείας Πε8.
1308 a6 (opp οἱ ἐν τῷ πολιτεύματι a7). 4. 1304 a17. τρία
ἐστὶ τὰ ἀμφισβητῦντα τῆς ἰσότητος τῆς πολιτείας Πδ8.
1294 a20. ὑπεροχὴ τῆς πολιτείας Πδ11. 1296 a30. καθ᾽
ἑαυτὒς ἄγυσι, κ̟ ἑαυτῶν περιέτησε τὴν πολιτείαν Πδ11.
1296 a26. ε4. 1304 a33. — 4. πολιτείας εἴδη. πότερον μία
πολιτεία ἢ πλείυς Πγ6. πόσαι κ̟ τίνες Πγ7. δ2. 1289 b13.
διὰ τίνα αἰτίαν πλείυς αἱ πολιτεῖαι Πδ4. 1290 b21-1291
b13. 3. 1289 b27, 1290 a11. i8. 1328 a41. 9. 1328 b31.
πολιτεῖαι εἴδει διαφέρυσαι ἀλλήλων, αἱ μὲν ὕστεραι αἱ δὲ
πρότεραι Πγ1. 1275 a39. πολιτείας εἴδη conferuntur cum

εἴδεσι τῦ δικαίῳ Πε9. 1309 ᵃ37. γ9. 1281 ᵃ9. ηεη9. 1241
ᵇ14, cum εἴδεσι τῆς φιλίας ηεη9. 1241 ᵇ29sqq. περὶ τὰς
πολιτείας τάς τε κυρίας ὴ τὰς ὑπό τινων εἰρημένας Πβ12.
1274 ᵇ26. — πολιτεῖαι ὀρθαί, ὅσαι τὸ κοινῇ συμφέρον σκο-
πῦσιν, τρεῖς, βασιλεία ἀριστοκρατία πολιτεία, opp παρεκ- 5
βάσεις (παρεκβεβηκυῖαι Πε9. 1309 ᵇ19, ἐξημαρτημέναι Πδ2.
1289 ᵇ9, ἡμαρτημέναι v h v), ὅσαι τὸ σφέτερον μόνον τῶν
ἀρχόντων, τρεῖς, τυραννὶς ὀλιγαρχία δημοκρατία Πγ6. 1279
ᵃ17. δ2. 1289 ᵃ27, ᵇ28. 3. 1290 ᵃ19. γ7. 1279 ᵃ30. 13.
1284 ᵇ4. 14. 1284 ᵇ37. 17. 1287 ᵇ40. 18.1288ᵃ33. Ηθ12. 10
13. ηεη9. 1241 ᵇ27. δεῖ μὴ λανθάνειν, ὃ νῦν λανθάνει τὰς
παρεκβεβηκυίας, τὸ μέσον Πε9. 1309 ᵇ19. cf δ11. 1296
ᵇ7. — πολιτεῖαι τέσσαρες, δημοκρατία, ὀλιγαρχία, ἀριστο-
κρατία, μοναρχία Ρα8. 1365 ᵇ29. δ7. 1293 ᵃ38. πολιτεῖαι
ἀριστοκρατικαί, ὀλιγαρχικαί, δημοκρατικαί Πγ17. 1288 ᵃ21. 15
πολιτεῖαι, opp βασιλεῖαι ὴ τυραννίδες, μοναρχίαι Πε10.
1310 ᵇ1, 1311 ᵃ24, ᵇ37. ὅσαι μάλιστα γίνονται πολιτεῖαι,
δῆμος ὴ ὀλιγαρχία Πε1. 1301 ᵇ40. δ3. 1290 ᵃ15. 4. 1291
ᵇ12. 11. 1296 ᵃ22. γ6. 1278 ᵇ14. ἡνίκα (ἐν τοῖς Χαλκι-
δεῦσιν) ἡ τῶν ἱπποβοτῶν ἐπεκράτει πολιτεία f 560. 1570 ᵇ4. 20
— ἡ ὀρθοτάτη πολιτεία Πδ8. 1293 ᵇ25. τῶν πολιτειῶν αἱ
χείρισται Πζ6. 1320 ᵇ39. πολιτεία αἱρετωτέρα Πδ11. 1296
ᵇ10. ποία πολιτεία ποίοις συμφέρει Πδ12. πολιτεία μόνιμος,
ὅπυ τὸ μέσον ὑπερτείνει πλῆθος Πδ12. 1296 ᵇ40. πολιτεία
κατὰ τὰς νόμυς μὴ δημοτικὴ ὖσα διὰ τὸ ἦθος ὴ τὴν ἀγω- 25
γὴν πολιτεύεται δημοτικῶς Πδ5. 1292 ᵇ13. ἑκάστης πολι-
τείας ἔθη ὴ νόμιμα ὴ συμφέροντα Ρα8. ὅσα προφάσεως
χάριν σοφίζονται ἐν ταῖς πολιτείαις Πδ13. 1297 ᵃ14sqq.
περὶ τόπων τῶν ἐρυμνῶν ὖ πάσαις ἔχει ὁμοίως τὸ συμ-
φέρον ταῖς πολιτείαις Πη11. 1330 ᵇ19sqq. — 5. πολιτειῶν 30
στάσεις, μεταβολαί, σωτηρίαι Πε. δ11. 1296 ᵃ6. ὅθεν αἱ
στάσεις ὴ αἱ μεταβολαί, πῶς ἔχοντες στασιάζυσι, τίνων
ἕνεκεν, τίνες ἀρχαί Πε1-4. 7. 1307 ᵇ19. περὶ σωτηρίας τῶν
πολιτειῶν Πε8. 9. 1309 ᵇ15. ὐκ ἔλαττον ἔργον ἐπανορθῶσαι
πολιτείαν ἢ κατασκευάζειν ἐξ ἀρχῆς Πδ1. 1289 ᵃ4. αἱ πο- 35
λιτεῖαι ὴ ἀνιέμεναι ὴ ἐπιτεινόμεναι φθείρονται Ρα4. 1360
ᵃ24. ἡ πολιτεία μετέβαλε κατὰ μόριον Πε1. 1301 ᵇ22.
κινεῖν τὰς πολιτείας, μέρος τι τῆς πολιτείας Πε4. 1304 ᵇ8.
1. 1301 ᵇ18. αἱ πολιτεῖαι κινῦνται Πε4. 1304 ᵃ38. πολιτειῶν
κινήσεις Πδ16. 1300 ᵇ38. στασιάζυσι ὴ πρὸς ἀλλήλυς ὴ 40
πρὸς τὰς πολιτείας Πε3. 1302 ᵇ8. μεταβολαὶ γίνονται πρὸς
τὴν πολιτείαν, ὅπως ἐκ τῆς καθεστηκυίας ἄλλην μεταστή-
σωσι Πε1. 1301 ᵇ7. μεταβάλλυσιν αἱ πολιτεῖαι εἰς τὴν
ἐναντίαν ἢ τὴν σύνεγγυς Πε12. 1316 ᵃ19. — 6. περὶ πο-
λιτείας ἀρίστης Πηθ. δ1. α13. 1260 ᵇ23. γ13. 1284 ᵃ1. 45
18. 1288 ᵇ3. δ1. 1288 ᵇ31. 3. 1290 ᵃ27. ἡ ἀρίστη πολι-
τεία, syn ἡ κατ' εὐχὴν γινομένη, ἡ ἀκρατάτη ὴ δεομένη
πολλῆς χορηγίας, dist ἡ ἐκ τῶν ὑποκειμένων ἀρίστη, ἡ ἐξ
ὑποθέσεως, ἡ δυνατή, ἡ ῥάων ὴ κοινοτέρα Πδ1. 1288 ᵇ22-
39. 2. 1289 ᵇ14, 17. 11.1293 ᵇ31. β1.1260 ᵇ29. μία μόνον 50
πανταχῦ κατὰ φύσιν ἡ ἀρίστη Ηε10. 1135 ᵃ5. ἐκ τίνων ὴ
ποίων συνεστάναι αὐτὴν δεῖ Πη13-15. ὁ αὐτὸς ὅρος τῷ τε
ἀρίστῳ ἀνδρὶ ὴ τῇ ἀρίστῃ πολιτείᾳ Πη15. 1334 ᵃ13. 2.
1324 ᵃ23. ἔνιοι λέγυσιν ὡς δεῖ τὴν ἀρίστην πολιτείαν ἐξ
ἁπασῶν εἶναι τῶν πολιτειῶν μεμιγμένην Πβ6. 1265 ᵇ34, 55
1266 ᵃ5. ὐκ ἔστιν ἡ κατὰ γράμματα ὴ νόμυς ἀρίστη πο-
λιτεία Πγ15. 1286 ᵃ15. — 7. πολιτεία ἡ τῷ κοινῷ ὀνό-
ματι προσαγορευομένη, ἡ καλυμένη, ἡ νομιζομένη Πβ6.
1265 ᵇ8. δ2. 1289 ᵃ35. 7. 1293 ᵃ40, ᵇ9. 8. 1293 ᵇ22. 9.
1294 ᵃ31. ηεη9. 1241 ᵇ30. Ηθ12. 1160 ᵃ34. πολιτεία κα- 60
λεῖται ὅταν τὸ πλῆθος πρὸς τὸ κοινὸν πολιτεύηται συμφέρον,

μῖξις ὀλιγαρχίας ὴ δημοκρατίας Πγ7. 1279 ᵃ39. δ8.1293
ᵇ33, 31, 1294 ᵃ28. 9. 1294 ᵃ31. ἀρχὴ τὸ καλῶς μεμῖχθαι
ἐν τῇ πολιτείᾳ δημοκρατίαν ὴ ὀλιγαρχίαν Πε7. 1307 ᵃ8.
δ9. 1294 ᵇ15, 35. 12. 1297 ᵃ6. πολιτεία μῖξις τῶν εὐπόρων
ὴ τῶν ἀπόρων Πδ8. 1294 ᵃ15, 23. πολιτεία μέση, ἐκ τῶν 5
μέσων Πδ11. 1296 ᵃ37. ει. 1302 ᵃ14. περὶ πολιτείας τῆς
νομιζομένης τί ἐστιν Πδ8. τίνα τρόπον γίγνεται ὴ τίς ἡ
αὐτὴν δεῖ καθιστάναι Πδ9. ἡ δημοκρατία παρέκβασις πο-
λιτείας Πγ7. 1279 ᵇ6. δ3. 1290 ᵃ18. 4. 1292 ᵃ31. εδ. 1303
ᵃ6. 4. 1304 ᵃ21, 24. τὰς πρὸς ὀλιγαρχίαν ἀποκλινύσας κα- 10
λῦσιν ἀριστοκρατίας, τὰς πρὸς δῆμον πολιτείας Πδ8.1293
ᵇ36. ε7. 1307 ᵃ16. β11. 1273 ᵃ5. αἱ ἀρχαῖαι πολιτεῖαι
εὐλόγως ἦσαν ὀλιγαρχικαὶ ὴ βασιλικαί Πδ13. 1297 ᵇ26.
ἀριστοκρατίαι ὀλιγαρχικαὶ ὴ πολιτεῖαι δημοκρατικώτεραι
Πζ1. 1317 ᵃ3. δημοκρατίαν ποιεῖσθαι χρηστὴν ὴ πολιτείαν 15
Πζ4. 1319 ᵃ35. πολιτεία ἀριστοκρατική, dist πολιτεία αὐτὴ
Πδ14. 1298 ᵇ11. — 8. ἡ Δημοσθένης πολιτεία (admini-
stratio publica) Ρβ24. 1401 ᵇ33. — πολιτεῖαί τινες φιλο-
σόφων ὴ πολιτικῶν (civitatis formae descriptae a philoso-
phis) Πβ7. 1266 ᵃ31. πολιτεία Ἱπποδάμυ Πβ8. 1267 ᵇ29. 20
ἡ πολιτεία ἡ Πλάτωνος, Πλάτων ἐν τῇ πολιτείᾳ Ργ4. 1406
ᵇ32. Πβ1. 1261 ᵃ1, 6. 5. 1264 ᵇ24, 28-40. ε12. 1316 ᵃ1.
f 176. 1507 ᵃ20. ἡ Πλάτωνος πολιτεία ὴ ἐν τοῖς νόμοις
Πβ6. 1266 ᵃ29, 1264 ᵇ27, 1265 ᵃ3, ᵇ3, 31. Πλάτων ἐν ταῖς
πολιτείαις Πδ7. 1293 ᵇ1. cf Πλάτων p 598 ᵃ23-60. 25

πολιτεύειν. pass ὀθνεῖοι τινες πολιτευθέντες αὐτοὶ Πβ12.
1273 ᵇ31. — med πολιτεύεσθαι, civem esse optimo iure,
εὐτυχία μεγίστη τῆς πολιτευομένης ὖσίαν ἔχειν μέσην ὴ
ἱκανήν Πδ11. 1295 ᵇ40. — gerere, administrare rempu-
blicam, τοῖς τὰ κοινὰ πράττυσι ὴ πολιτευομένοις Πη2. 1324 30
ᵇ1. τοῖς γεωργοῖς ἥδιον τὸ ἐργάζεσθαι τῷ πολιτεύεσθαι ὴ
ἄρχειν Πζ4. 1318 ᵇ15. πολιτεύονται ἢ φιλοσοφῶσιν, opp
ἐπιτάττειν τοῖς δύλοις Πε7. 1255 ᵇ37. πολιτεύεσθαι μόνυς
λέγυσι τὰς καθ' ἕκαστα πρακτικάς, dist νομοθεσία Ηζ8.
1141 ᵇ28. οἱ πολιτευόμενοι, dist οἱ σοφισταί Ηκ10. 1181 35
ᵃ1. Πβ8. 1267 ᵇ29. πολιτεύεσθαι, dist μετέχειν τῆς πολι-
τείας Πδ6. 1293 ᵃ5. οἱ ἐν δημοκρατίᾳ πολιτευόμενοι ρ1.
1420 ᵃ19. κακῶς πολιτευομένων ἡ δημοκρατία διεφθάρη
Πε3. 1302 ᵇ30. πολιτεύεσθαι πρὸς ἑκάστην πολιτείαν Πβ1.
1337 ᵃ14. πολιτεύεσθαι πρὸς τὸ κοινὸν συμφέρον Πγ7. 1279 40
ᵃ37. ἐξ ὧν τὰ πρὸς αὐτὴς πολιτεύσονται καλῶς Πβ7. 1267
ᵃ18. τῶν πολιτευομένων τινὲς πολιτεύονται ταῦτα μόνον
Πα11. 1259 ᵃ35. — πολιτεύεσθαι, i q ἔχειν πολιτείαν τινά,
χρῆσθαι πολιτείᾳ τινί. ἀρίστα πράττειν προσήκει τὰς ἀρίστα
πολιτευομένας Πη1. 1323 ᵃ18, cf ἀρίστη πολιτεία ᵃ16. τοῖς 45
μέλλυσι πολιτεύεσθαι τὴν ἀρίστην πολιτείαν Πβ5. 1262 ᵇ39.
τῶν καθεστηκυιῶν πολιτειῶν ὴ καθ' ἃς πολιτεύονται νῦν
Πβ7. 1266 ᵃ33. Συρακύσιοι καθ' ὃν χρόνον ἐπολιτεύοντο
καλῶς Πε10. 1312 ᵇ9. cf ζ4. 1318 ᵇ33. — inde ipsa πόλις
πολιτεύεσθαι dicitur. ἢ πόλιν μέλλυσαν μακαρίαν ἔσεσθαι ὴ 50
πολιτεύεσθαι (πολιτεύεσθαι Bkᵇ) καλῶς Πη13. 1331 ᵇ26,
1332 ᵃ5. πόλις εὖ πολιτευομένη, δοκῦσα εὖ πολιτεύεσθαι
sim Πη9. 1328 ᵇ37. 4. 1326 ᵃ27. δ11. 1295 ᵇ36. εἴ τινι
πόλει συμβέβηκε μὴ τὴν ἀρίστην πολιτεύεσθαι πολιτείαν
Πδ1. 1288 ᵇ31. ἡν πολιτείαν τὴν κατὰ τὰς νόμυς μὴ δη- 55
μοτικὴν διὰ τὸ ἦθος πολιτεύεσθαι δημοτικῶς Πδ5. 1292
ᵇ14. τὰ ὄντα ὖ βύλεται πολιτεύεσθαι κακῶς Μλ10. 1076 ᵃ3.
πολίτευμα. κύριον πανταχῦ τὸ πολίτευμα τῆς πόλεως. πο-
λίτευμα δ' ἐστὶν ἡ πολιτεία Πγ6. 1278 ᵇ10. 7. 1279 ᵃ25.
τὰς κατ' ἀρετὴν ἀξιῶντας κυρίας εἶναι τῦ πολιτεύματος 60
Πγ13. 1283 ᵇ31. ἡ δύναμις τῦ πολιτεύματος Πε3. 1302

ᵇ16. τῷ παντὸς πολιτεύματος ὀλίγῳ ὄντος Πε6. 1306 ᵃ14.
τὴν μετάδοσιν γίνεσθαι τῷ πλήθει τῦ πολιτεύματος Πζ7.
1321 ᵃ27. οἱ μετέχοντες τῦ πολιτεύματος Πδ6. 1293 ᵃ16.
13. 1297 ᵇ10. οἱ ἐν τῷ πολιτεύματι Πγ13. 1283 ᵇ22. εἰ.
1301 ᵇ24. 4. 1303 ᵇ26. 8. 1308 ᵃ7, 13. ζ7. 1321 ᵃ31. η14. 5
1332 ᵇ31. ὅπῃ τὰ δικαστήρια μὴ ἐκ τῦ πολιτεύματός ἐστιν
Πε6. 1305 ᵇ34. αὐτοὶ αἱρῦνται τὰς εἰς τὸ πολίτευμα βαδί-
ζοντας Πδ6. 1293 ᵃ24.
πολίτης. τίνα χρὴ καλεῖν πολίτην Πγ1. 2. 1276 ᵃ4. 5. 1277
ᵇ34. 13. 1283 ᵇ42. δ4. 1292 ᵃ3. πολίτης ὁ ἐξ ἀμφοτέρων 10
πολιτῶν, ὁ ἐξ ὁποτερῳῦν πολίτῃ Πγ2. 1275 ᵇ22. δ4. 1291
ᵇ27. ζ4. 1319 ᵇ10. οβ1346 ᵇ27. ποιεῖν, ποιεῖσθαι πολίτην,
πολίτης ποιητός Πζ4. 1319 ᵇ9. ε3. 1303 ᵇ1. γ1. 1275 ᵃ6. —
πότερον πᾶσι πολίταις κοινωνητέον πάντων Πη9. 10. 13. 1332
ᵃ34. εἴδη πολίτῃ. πολίτης μᾶλλον, μάλιστα Πγ5. 1278 15
ᵃ15, 36. 13. 1283 ᵃ34. β1. 1260 ᵇ38. — ὃ χρὴ νομίζειν
αὐτὸν αὑτῷ τινὰ εἶναι τῶν πολιτῶν, ἀλλὰ πάντας τῆς πό-
λεως Πθ1. 1337 ᵃ28. ποίας τινὰς εἶναι δεῖ τὰς πολίτας Πη7.
πότερον τὴν αὐτὴν ἀρετὴν ἀνδρὸς ἀγαθῦ κ̇ πολίτῃ σπȣδαίῳ
θετέον Πγ4. 5. 1278 ᵃ9. 18. 1288 ᵃ38. η14. 1333 ᵃ11. Ηε5. 20
1130 ᵇ29. — πολίται, opp ξενικὸν Πγ14. 1285 ᵃ25. πο-
λῖται, opp αἱ ἀρχαί Πδ14. 1298 ᵃ15. πολῖται αὐτόνομοι,
opp τυραννὶς Πε11. 1315 ᵃ5. οἱ βέλτιστοι τῶν πολιτῶν, οἱ
μέσοι πολῖται Πδ4. 1292 ᵃ9. 11. 1296 ᵃ19.
πολιτικός. 1. πολιτικόν, ἱ ἐ τὸ ἐκ πολιτῶν. φυλακὴ πολι- 25
τική, opp διὰ ξένων Πε10. 1311 ᵃ7. συνημερευταὶ πολιτι-
κοί, opp ξενικοί Πε11. 1314 ᵃ11. τὰ πολιτικά, opp οἱ
στρατιῶται Πη11. 1116 ᵇ18. τὸ πολιτικὸν πλῆθος Πγ13.
1283 ᵇ2. η6. 1327 ᵇ18. 10. 1329 ᵇ23. τὸ πολιτικὸν διήρηται
εἰς τὸ ὁπλιτικὸν κ̇ τὸ βȣλευτικὸν Πη9. 1329 ᵃ30. — 2. πο- 30
λιτικόν id quod aptum est ad πολιτείαν. πῶς γὰρ ἂν εἴη
πολιτικὸν κ̇ νομοθετικὸν ὅ γε μηδὲ νόμιμόν ἐστιν Πη2. 1324
ᵇ26. ὅτε πολιτικὸς τῶν τοιȣτων νόμων ȣδεὶς ὅτε ὠφέλιμος
ὅτε ἀληθής ἐστιν Πη14. 1333 ᵇ35. quod in voc πολιτεία
cernitur discrimen, ut vel (a) universe civitatis formam 35
et instituta, vel (b) moderatum quoddam imperium popu-
lare significet, idem ad adi πολιτικός pertinet; est tamen
ubi dubites, utrum generis an speciei vi accipiendum vi-
deatur. a. ἄνθρωπος φύσει πολιτικὸν ζῷον Πα2. 1253 ᵃ3,
8-18. γ6. 1278 ᵇ19. Ηα5. 1097 ᵇ11. ι9. 1169 ᵇ18. θ14. 40
1162 ᵃ18 (συνδυαστικὸν μᾶλλον κ̇ πολιτικόν). η6η10. 1242
ᵃ23 (πολιτικὸν κ̇ οἰκονομικόν). ζῷα πολιτικά ἐστιν ὧν ἕν τι
κ̇ κοινὸν γίνεται πάντων τὸ ἔργον. enumerantur, opp σπο-
ραδικά Ζια1. 488 ᵃ7, 9, 3. τὰ συνετώτερα ζῷα ἐπὶ πλέον
κ̇ πολιτικώτερον φαίνεται τοῖς ἀπογνȣοις Ζιθ1. 589 ᵃ2. πο- 45
λιτικὸν ἀγαθόν. syn ἀγαθὸν ἡμῖν ἡμα1. 1182 ᵇ5, 3. πολιτικὴ
κοινωνία Πα1. 1252 ᵃ7. 2. 1253 ᵃ38. β1. 1260 ᵇ28. 2. 1261
ᵃ38. 7. 1266 ᵇ15. 10. 1272 ᵇ15. γ6. 1278 ᵇ25. 9. 1281 ᵇ3.
δ15. 1299 ᵃ16. Ηθ11. 1160 ᵃ9, 11 sqq al. πολιτικὴ χορηγία
Πη4. 1326 ᵃ5. πολιτικὴ τάξις Πβ8. 1269 ᵃ10. πολιτικαὶ 50
ταραχαί Πε2. 1302 ᵃ21. πολιτικαὶ ἀρχαί, τιμαί, ἐπιμέλειαι
Πγ6. 1279 ᵃ8. 10. 1281 ᵃ30. 13. 1283 ᵇ14. 16. 1287 ᵃ37.
δ15. 1299 ᵃ18 (dist ἱερεῖς), 20 (dist οἰκονομικαί, ὑπηρε-
τικαί). ζ8. 1322 ᵇ17 (opp αἱ ἐπιμέλειαι αἱ περὶ τὰς θεὰς).
πολιτικὴ δύναμις, ἰσχύς, ἡγεμονία Πγ13. 1284 ᵃ7, 21. 17. 55
1288 ᵃ9. πράξεις πολιτικαί Πβ11. 1273 ᵇ28. ποιεῖν τι τῶν
πολιτικῶν sim Πβ6. 1266 ᵃ11. ημα1. 1181 ᵃ27. πολιτικοὶ
ἀγῶνες Ρβ18. 1391 ᵇ18. cf Πδ16. 1300 ᵇ37. τῶν πολι-
τικῶν λόγων δύο γένη ρ2. 1421 ᵇ7 (cf πολιτικὴ κατασκευή
ρ3. 1424 ᵃ8-ᵇ26). πολιτικὸς συλλογισμός Ρβ22. 1396 ᵃ4. 60
ἡ δημηγορικὴ πραγματεία πολιτικωτέρα τῆς περὶ τὰ συναλ-

λάγματα Ρα1. 1354 ᵇ24. βίος πολιτικός Πα5. 1254 ᵇ30
(opp ἀναγκαία χρῆσις), 31. β6. 1265 ᵃ22. η2. 1324 ᵃ32
(π. κ̇ φιλόσοφος), 40 (πρακτικὸς κ̇ π.). 3. 1325 ᵃ19. 6.
1327 ᵇ5. Ηα3. 1095 ᵇ18 sqq (dist ἀπολαυστικός, θεωρητι-
κός). ηεα4. 1215 ᵃ36 (dist ἀπολαυστικός. φιλόσοφος). πο-
λιτικὴ ἀρετή, ἀνδρεία, σύνεσις, ἕξις Πγ9. 1280 ᵇ5, 1281 ᵃ7.
δ4. 1291 ᵃ28 (cf ᵇ1). Ηγ11. 1116 ᵃ17-ᵇ3. ηεγ1. 1229
ᵃ13, 1230 ᵃ16 sqq. η15. 1248 ᵇ37. πολιτικὴ φιλία Ηθ14.
1161 ᵇ13. ι6. 1167 ᵇ2. 1. 1163 ᵇ34 (?). ηεη7. 1241 ᵃ22.
10. 1242 ᵃ2 sqq. — b. κοινὸν κ̇ μέσον τȣτων (ὀλιγαρχίας
κ̇ δημικρατίας)· διὸ κ̇ πολιτικόν· μέμικται γὰρ ἐξ ἀμφοῖν
Πδ9. 1294 ᵇ1. πολιτικόν, dist δημοκρατικόν. ὀλιγαρχικόν,
ἀριστοκρατικόν Πδ15. 1300 ᵃ37. 16. 1301 ᵃ14. 14. 1298
ᵇ24. ὀλιγαρχία πολιτική, πολιτικωτέρα Πδ14. 1298 ᵃ39.
ε6. 1305 ᵇ10. ἀριστοκρατικὸν κ̇ πολιτικὸν Πδ9. 1294 ᵇ11.
πολιτικὸν ἀριστοκρατικῶς Πδ15. 1300 ᵃ41. πολιτικὸν πλῆθος
Πγ17. 1288 ᵃ12. πολιτικός, dist βασιλικός, δεσποτικός,
οἰκονομικός Πα1. 1252 ᵃ27. γ18. 1288 ᵇ2. πολιτικόν, dist
δεσποτικόν, βασιλευτόν, ἀριστοκρατικόν Πγ17. 1287 ᵇ38,
1288 ᵃ7. ἰατρεία πολιτική. opp δυναστευτική Πβ10. 1272
ᵇ2. ἀρχὴ πολιτική, dist βασιλική, δεσποτική Πα5. 1254 ᵇ4,
5. γ4. 1277 ᵇ9. α12. 1259 ᵇ4. οἰκονομίαι βασιλικὴ σατρα-
πικὴ πολιτικὴ ἰδιωτικὴ οβ1345 ᵇ14, 1346 ᵃ5-8. πολιτικώ-
τερον κ̇ δημοτικώτερον Πβ11. 1273 ᵇ12. δίκαιον πολιτικόν,
dist δεσποτικόν, οἰκονομικόν Ηε10. 1134 ᵇ3 sqq, ᵃ26 (quam-
quam quod dicitur ἡ δικαιοσύνη πολιτική Πα2. 1253 ᵃ37,
τὸ δίκαιον ἀγαθὸν πολιτικόν Πγ12. 1282 ᵇ17, δίκαιον πολι-
τικόν Πγ13. 1284 ᵇ17. ημα34. 1194 ᵇ8, 1195 ᵃ7, πολιτικὰ
δίκαια Πγ12. 1282 ᵇ29, ad universalem voc notionem vi-
detur referendum esse). ἡ κοινωνία ἡ πολιτικὴ ἀρίστη ἡ διὰ
τῶν μέσων Πδ11. 1295 ᵇ38, — ἡ πολιτικὴ (int
ἀρχή, dist οἰκονομία (sive οἰκονομική), δεσποτεία, βασιλική
Πα3. 1253 ᵇ19. 7. 1255 ᵇ17, 18, 20. οα1. 1343 ᵃ1, 15. —
ἡ πολιτικὴ (int τέχνη, ἐπιστήμη) Πβ8. 1268 ᵇ37. Zeller
Gesch II 2 p 126 sq. ἡ περὶ τὰ ἤθη πραγματεία, ἣν δίκαιον
προσαγορεύειν πολιτικήν ἢ περὶ τὰ ἤθη πολιτικὴ Ρα2. 1356
ᵃ27. 4. 1359 ᵇ10. ἀρχὴ ἡ περὶ τὰ ἤθη πραγματεία τῆς πο-
λιτικῆς ημα1. 1181 ᵇ27. τίνος ἐφίεται ἡ πολιτικὴ Ηα2.
1095 ᵃ15. 13. 1102 ᵃ8, 12, 18. 1. 1094 ᵇ15. ὁ τὴν πολιτι-
κὴν φιλοσοφῶν τὸ τέλος ἀρχιτέκτων Ηε12. 1152 ᵇ1. τῆς
πολιτικῆς τὸ τέλος ȣ γνῶσις ἀλλὰ πρᾶξις Ηα1. 1095 ᵃ5.
ημα1. 1182 ᵃ1-7. ἡ π. λαβȣσα παρὰ φύσεως τὰς ἀνθρώ-
πης χρῆται αὐτοῖς Πα10. 1258 ᵃ21. πολιτικῆς ἔργον ποιῆσαι
φιλίαν ηεη1. 1234 ᵇ23. ἡ π. κυριωτάτη τῶν ἐπιστημῶν
Ηα1. 1094 ᵃ27. ζ7. 1141 ᵃ20. ηεα8. 1218 ᵇ13. ημα1. 1182
ᵇ1. ἡ σοφία ἡ πολιτικὴ ȣκ ἂν εἴη αὕτη Ηζ7. 1141 ᵃ29. ἡ
π. κ̇ ἡ φρόνησις ἡ αὐτὴ ἕξις, τὸ μέντοι εἶναι ȣ ταὐτὸν
αὐταῖς Ηζ8. 1141 ᵇ23. τῆς πολιτικῆς ȣκ ἔστιν οἰκεῖος ἀκρο-
ατὴς ὁ νέος Ηα1. 1095 ᵃ2. ἡ περὶ τὴν πόλιν φρόνησις διττή,
νομοθετικὴ πολιτικὴ Ηε8. 1141 ᵇ25. ἡ πολιτική, dist δεσπο-
τικὴ Πη2. 1324 ᵇ22. ἡ πολιτικὴ δύναμις. syn τέχνη, ἐπι-
στήμη Πγ12. 1282 ᵇ16, 14, cf ημα1. 1182 ᵇ1. τȣτο ἔχει
ἀπορίαν κ̇ φιλοσοφίαν πολιτικὴν Πγ12. 1282 ᵇ23. — ὁ πο-
λιτικός, coni νομοθέτης Πγ1. 1274 ᵇ36. δ1. 1288 ᵇ27.
ε9. 1309 ᵇ35. η4. 1326 ᵃ34. Ηκ10.1180 ᵇ30. coni οἰκονόμος,
οἰκονομικός Πα8. 1256 ᵇ38. Ηζ5. 1140 ᵇ11. coni ὁ ἀγαθὸς
πολίτης Πγ4. 1277 ᵇ4. τὸν πολιτικὸν ἀναγκαῖον εἶναι φρό-
νιμον Πγ4. 1277 ᵃ15. ὁ πολιτικὸς προαιρετικὸς τῶν καλῶν
πράξεων αὐτῶν χάριν ηεα5. 1216 ᵃ25. 4. 1215 ᵇ3. τῷ πολι-
τικῷ τί ἐστι γνῶναι Ηα13. 1102 ᵃ8. Πδ1. 1289 ᵃ7. γ3.
1276 ᵃ34. ε8. 1308 ᵃ34. α11. 1259 ᵃ33. β7. 1266 ᵃ32. οἱ

πολιτικοί non possunt alios docere artem suam Ηκ10. 1180
b35 sqq. οἱ πολιτικοὶ δοκῦσι πολυπράγμονες εἶναι ΗΖ9. 1142
a2. — πολιτικῶς ἄρχειν, dist βασιλικῶς, δεσποτικῶς
Πα12. 1259 b1. η2. 1324 a37. πολιτικῶς φίλον εἶναι πολ-
λοῖς Η10. 1171 a17. πολιτικῶς λέγειν, dist ῥητορικῶς πο6. 5
1450 b7. ὁρίζεσθαι πολιτικῶς ὶ ταχέως (ci παχέως) Πγ2.
1275 b25.
πολῖτις. ὁ ἐκ πολίτυ ἢ ἐκ πολίτιδος Πγ2. 1275 b33. 5.
1278 a28.
πολιτοφύλακες Πβ8. 1268 a22. ε6. 1305 b29.   10
πολίωσις τῶν τριχωμάτων χ6. 798 a13, b14.
πολλάκις. τὸ πολλάκις φύσιν ποιεῖ μν2. 452 a30 (cf Ηη11.
1152 a32). πολλάκι δόσκον (Hom ρ420. τ76) Ηϑ4. 1122
a27. — πολλάκις (πολλαχῶς ci Spgl) ρ2. 1422 b1.
πολλαπλασιάζειν. ὁ τῦ μορίυ χρόνος πολλαπλασιασθεὶς τῷ 15
πλήθει τῶν μορίων Φζ7. 237 b33.
πολλαπλάσιον, opp πολλοστημόριον, τῶν πρός τι ἐστί
Μϑ15. 1020 b18. τϑ4. 125 a7sqq. ζ9. 147 a26. πολλα-
πλάσιον τμῆμα, τίμημα μα6. 343 a13. Πε8. 1306 b12, 2.
ἀναλογία πολλαπλασία (πολλαπλάσιος) Αγ12. 78 a1,4. πολ- 20
λαπλάσιος τινος, veluti χώρα πολλαπλασία αὐτῆς al μβ1.
354 a17. 8. 368 b21. πϑ2. 917 b29. τὴν κεφαλὴν πολλα-
πλασίαν ἔχει τῦ λοιπῦ σώματος (ὁ βάτραχος) Ζγγ3. 754
a27. Διονυσίου, πολλαπλάσιον (πολλαπλασίονα Spgl e codd)
ἔχοντα δύναμιν ρ9. 1429 b17. (fem πολλαπλάσιος Αγ12. 25
78 a4. πϑ2. 917 b29, alibi πολλαπλασία.)
πολλαπλασιῶν. ἀριθμὸς πολλαπλασιώμενος τϑ14. 163 b26.
πολλαπλασίων, cf πολλαπλάσιος.
πολλαπλῶσις. ἐπιτείνειν τὰ τιμήματα κατὰ πολλαπλα-
σίωσιν Πε8. 1308 b5. τὸ αὐτὸ δεῖ γένος εἶναι ἐν ταῖς πολ- 30
λαπλασιώσεσιν Μν6. 1092 b33.
πολλαπλῶν ὄνομα, coni διπλῶν, τετραπλῶν πο21. 1457 a34.
πολλαχῆ τῆς γῆς μα13. 349 b20. πολλαχῆ διεσπαρμένα μα4.
341 b33. κατὰ μικρὰ μὲν πολλαχῆ δὲ διαπιδῦσιν μα13.
350 a8. ὀδόντες πολλοὶ ὶ πολλαχῆ Ζμγ1. 662 a13. πολ- 35
λαχῆ γελοῖον φαίνεται Ζγγ3. 664 b9.
πολλαχόθεν δῆλον Οϑ4. 311 b31.
πολλαχῦ, opp ὑδαμῦ Πε1. 1302 a2. πολλαχῆ τῆς γῆς
μα13. 351 a2. — πολλαχῦ αἴτιον τὸν νῦν λέγει, ἑτέρωθι
δέ ψα2. 404 b1.   40
πολλαχῶς λέγεσθαι τϑ3. 158 b10. Πγ3. 1276 a23. Μλ5.
1071 a31, 37. μϑ3. 380 b4. Ζμβ2. 648 a36, 649 b6 al.
syn πλεοναχῶς λέγεσθαι, κατὰ πλείυς τρόπυς λέγεσθαι,
πλείω σημαίνειν, opp ἁπλῶς λέγεσθαι τε2. 129 b31-130
b16 Wz. Μγ2. 1003 a33. 3. 1060 b32. Γα6. 322 b30. 45
τὸ ὂν λέγεται πολλαχῶς Μγ2. 1003 a33 Bz. Α9. 992 b19.
ε4. 1028 a5. ζ1. 1028 a10. ν2. 1089 a7 al. πολλαχῶς λε-
γομένων ἀνάγκη τὴν διάνοιαν ἀορίστως ἔχειν Οα11. 280 b2.
πολλαχῶς γίγνεται ἄλλο ἐξ ἄλλυ Ζγα18. 724 a20. τῷ 50
διαιρουμένῳ πολλαχῶς ὡς ἀδιαιρέτῳ χρῆσθαι Οα11. 280 b4.
cf Ζμϑ10. 687 b9.
Πόλλιος οἶνος f 543. 1568 a22.
Πόλλις, Συρακοσίων βασιλεύς f 543. 1568 a25.
πολλοστημόριον, opp πολλαπλάσιον, τῶν πρὸς τι ἐστί 55
Μϑ15. 1020 b28. τϑ4. 125 a7 sqq. ζ9. 147 a26. πολλοστη-
μόριόν τινος τϑ4. 125 a7 sqq. Πε8. 1308 b2.
πολλοστός. πολλοστὸν μέρος ηεη10. 1243 b36. — πολλο-
στῶς. κυρίως λέγεται, opp δευτέρως ὶ πολλοστῶς Ηκ5.
1176 a29.   60
πόλος. axis. ὁ διὰ παντὸς τεταμένος πόλος (Plat Tim 40B)

Οβ13. 293 b32. — polus. πόλοι σημεῖα στερεὰ μένοντα
περὶ ἃ ὁ πᾶς κόσμος κινεῖται, ἔσχατα, στιγμαί κ2. 391
b25. Ζκ3. 699 a20. πόλος τῦ κύκλυ, τῆς σφαίρας μγ5.
376 a18. Μλ8. 1073 b28. cf πν7. 484 b11. ἴλλεσθαι ὶ
κινεῖσθαι περὶ τὸν πόλον μέσον· μὴ κινεῖσθαι τὺς πόλυς
Οβ14. 296 a27. 2. 285 b11. ὁ ἄνω, ὁ καθ᾽ ἡμᾶς, ὁ ὑπὲρ
ἡμῶν πόλος, opp ὁ ἕτερος, ὁ κάτω, ὁ ἀφανής, ὁ ἡμῖν ἄδη-
λος Οβ2. 285 b9, 14, 21. μβ5. 362 a33, b4, 31, 363 a8
(Ideler I 562). κ4. 394 b32. μῆκος ὑρανῦ τὸ κατὰ τὺς
πόλυς διάστημα Οβ2. 285 b9.
πολυάγκιστρον. ἁλίσκονται (ἰχθύες τινὲς) πολυαγκίστροις
ἐν ῥοώδεσι ὶ βαθέσι τόποις Ζι37. 621 a16. λαβέσθαι τῦ
πολυαγκίστρυ τῷ ἄκρῳ Ζιϑ7. 532 b25.
πολυαιμεῖν. πολυαιμεῖ τὸ θῆλυ μᾶλλον Ζγϑ1. 765 b18. διὰ
θερμότητα ὶ πολυαιμῆσαι (ταῖς γυναιξὶ) γίνεσθαι τὰ γυ-
ναικεῖα Ζμβ2. 648 a30.
πολυαιμία, θερμότητος σημεῖον Ζμγ6. 669 b4.
πολύαιμος. ζῷα πολύαιμα, πολυαιμότερα Ζιγ4. 515 a20,
21. 19. 520 b27. πν6. 484 a36. τίνα ζῷα πολύαιμον ἔχει
τὸν πλεύμονα Ζμγ6. 669 a27. ἐν τοῖς θήλεσιν ἐντὸς πολυ-
αιμότερον· μάλιστα τῶν θηλέων ζῴων γυνὴ πολύαιμον
Ζιγ19. 521 a25, 26.
πολυανθρωπία σώζει τὰς δημοκρατίας Πζ6. 1321 a1. ἡ π.
ἡ γιγνομένη περὶ τὴν ναυτικὴν ὄχλον Πη6. 1327 b7, a15.
ἡ π. ἡ λίαν Πη4. 1326 b20.
πολυάνθρωπος πόλις, dist μεγάλη Πη4. 1326 a25. χαλεπὸν
εὐνομεῖσθαι τὴν λίαν πολυάνθρωπον Πη4. 1326 a27. αἱ τελευ-
ταῖαι δημοκρατίαι πολυάνθρωποι Πζ5. 1320 a17. πόλεις πο-
λυανθρωπότεραι Πζ8. 1321 b25.
Πόλυβος (Soph OR 774) Ργ14. 1415 a20.
Πόλυβος τί εἴρηκε περὶ τῶν φλεβῶν Ζιγ3. 512 b12.
πολυγάλακτος. λέων ὁ πολυγάλακτον Ζμϑ10. 688 b3.
πολυγηθές. φάος ἐς πολυγηθές (Orph VI 42) κ7. 401 b6.
Πολύγνωτος ἀγαθὸς ἠθογράφος πο6. 1450 a27. comparatur
cum Zeuxide l l, cum Pausone πο2. 1448 a5. Πϑ5. 1340
a37. Vhl Rgf p 160.
πολυγονία. τὰ τῶν βασιλέων (κηρία πλάττυσιν αἱ μέλιτται)
ὅταν ἢ πολυγονία Ζι40. 624 a1. πολυγονία ὶ ταχυγονία
τῶν μυῶν Ζιζ37. 580 b27.
πολύγονος. ζῷων πολύγονον Ζιε12. 544 a9. πι61. 898 a11.
τὰ μεγάλα τῶν ζῴων ὀλιγοτόκα εἶναι, τὰ δὲ μικρὰ πολύ-
γονα Ζγα18. 725 a30. τοῖς πολυγόνοις τρέπεται εἰς τὸ
σπέρμα ἡ τροφὴ Ζγγ1. 750 a20. φύσις ὀχευτικὴ ὶ πολύ-
γονος Ζγγ1. 750 a1. ἐν τόποις τισι πολύγονοι αἱ γυναῖκες,
οἷον περὶ Αἴγυπτον Ζγϑ4. 770 a34, τῶν Ὀμβρικῶν ϑ80.
836 a22. ὄρνιθες πολύγονοι δίχως, οἱ μὲν τῷ πολλάκις, οἱ
δὲ τῷ πολλὰ Ζιζ1. 558 b26. τῶν ὀρνίθων τινὲς πολύγονοι
Ζιι17. 616 b24. Ζγγ1. 749 b2, 10, 26, 750 b2. πολύγονον
τὸ τῶν ἰχθύων γένος, πολυγονώτατα τὰ μικρὰ ἰχθύδια
Ζγγ1. 755 a31. α8. 718 b8, 12. Ζιζ17. 570 b29.
πολύγραμμοι ὶ μελανόγραμμοι ἰχθύες f 282. 1528 a24.
πολυγωνοειδές. τὸ τετράγωνον πολυγωνοειδὲς φαίνεσθαι
πιε6. 911 b19.
πολύγωνος. τίνι τῶν πολυγώνων περιφερὲς ἐναντίον αι4. 442
b21.
πολυδάκτυλος. 1. τὰ πολυδάκτυλα τῶν τετραπόδων ζῳο-
τόκων referuntur inter τὰ ἀμφώδοντα Ζμβ16. 659 a23.
γ14. 674 a26. opp διχαλά, μώνυχα vel ἀσχιδῆ, enume-
rantur Ζμβ16. 659 a25. γ14. 674 a26. ϑ10. 686 a4, 18.
Ζιβ1. 499 b8. μίαν κοιλίαν ἔχει, ὑκ ἔχει ἀστράγαλον, τοῖς
πολυδακτύλοις ὶ μόνον πρὸς τὴν πορείαν χρήσιμ᾽ εἶναι τὰ

ἔμπροσθεν σκέλη ἀλλὰ χ ἀντὶ χειρῶν Ζμγ14. 674 ᵃ26.
δ10. 690 ᵃ24, 686 ᵇ18, 687 ᵇ30. τὰ μικρὰ τῶν πολυδα-
κτύλων, τὰ πολυδάκτυλα χ ἀκέρατα Ζμδ10. 688 ᵃ8, 686
ᵇ18. — 2. πάντα τὰ τετράποδα ᾠοτόκα εἰσὶ πολυδάκτυλα
χ πολυσχιδῆ Ζιβ10. 502 ᵇ34.
π ο λ υ ε ι δ ή ς. διατείνει ἐπὶ πολὺ χ πολυειδές ἐστι Ηδ3. 1121
ᵇ16. τὸ πολυειδὲς χ τὸ ἄπειρον τῶν χρωμάτων χ3. 729
ᵇ33. ἡ τῶν φυτῶν φύσις ὖσα μόνιμος χ πολυειδής (πολυ-
ειδῶν ci Thurot) ἐστι τῶν ἀνομοιομερῶν Ζμβ10. 656 ᵃ1.
τὸ κακὸν πολυειδές, τὸ ἀγαθὸν μονοειδές ἡμα25. 1192 ᵃ11,
13, 14. ἡ συγγενικὴ φιλία πολυειδής Ηθ14. 1161 ᵇ17. ἡ
ᾠδὴ ἐγένετο μακρὰ χ πολυειδής πιθ15. 918 ᵇ16.
Π ο λ υ ε ί δ ῳ τῷ σοφιστῇ ἡ περὶ τῆς Ἰφιγενείας ἀναγνώρισις
ποι16. 1455 ᵃ6, ᵇ10 (Nck fr trg p 606).
Π ο λ υ ε ύ κ τ η τὸ εἰς ἀποπληκτικόν τινα Σπεύσιππον Ργ10. 1411
ᵃ21.
π ο λ ύ θ υ ρ ο ς. πολύθυροι διαπτυχαί (Eur I T 727) Ργ6. 1407
ᵇ34.
π ο λ ύ ι δ ρ ι ς. ἡ σίττη λέγεται φαρμάκεια εἶναι διὰ τὸ πολύ-
ιδρις εἶναι Ζιι17. 616 ᵇ24.
π ο λ ύ κ α μ π τ ο ς. μελέων πολυκάμπτων (Parm 146) Μγ5.
1009 ᵇ23.
π ο λ υ κ α ρ π ε ῖ ν. τῶν δένδρων τὰ πολλὰ πολυκαρπήσαντα λίαν
Ζγγ1. 750 ᵃ22.
π ο λ ύ κ ε ν ο ς. πολυκενώτερος ὁ ἀὴρ πκε22. 940 ᵃ4, 7.
π ο λ υ κ έ φ α λ α χ πολύποδα, τέρατα Ζγδ3. 769 ᵇ27.
π ο λ υ κ ί ν η τ ο ς. καματηρὸν τὸ ἄρχειν πολυκίνητόν τε χ πολυ-
μέριμνον κ6. 400 ᵇ9.
Π ο λ υ κ λ ε ι τ ο ς ἀνδριαντοποιὸς Φβ3. 195 ᵃ34, 35, ᵇ11, 12.
Μδ2. 1013 ᵇ35, 1014 ᵃ1, 3, 6, 14, 15, ἀνδριαντοποιὸς σο-
φός Ηζ7. 1141 ᵃ11.
π ο λ ύ κ λ ω ν ο ς (Lob Par 202). τὸ ἄρρεν φυτόν ἐστι πολυκλο-
νώτερον τῦ θήλεος φτα7. 821 ᵇ24.
π ο λ υ κ ο ί λ ι ο ς. τὰ πολυκοίλια, opp τὰ μονοκοίλια Ζμγ15.
676 ᵃ6, 8, 17. δ3. 677 ᵇ17.
π ο λ ύ κ ο ι ν ο ν ἡ εὐδαιμονία Ηα10. 1099 ᵇ18. τὸ ἀγαθὸν πότερον
πολύκοινον ἡμβ7. 1204 ᵇ1, 1205 ᵇ28-37.
π ο λ υ κ ο ι ρ α ν ί η. ἐκ ἀγαθὸν πολυκοιρανίη (Hom B 204) Μλ10.
1076 ᵃ4. Ὅμηρος ποίαν λέγει πολυκοιρανίην Πδ4. 1292 ᵃ13.
Π ο λ υ κ ρ ά τ ε ι α ἔργα τῶν περὶ Σάμον Πε11. 1313 ᵇ24.
Π ο λ υ κ ρ ά τ η ς ὁ Πολυκράτης εἰς Θρασύβυλον, ὅτι τριάκοντα
τυράννης κατέλυσεν Ρβ14. 1401 ᵃ34 (ex encomio Thrasy-
buli, Sauppe Orat II 221). ὃ λέγει Πολυκράτης εἰς τὰς
μῦς Ρβ24. 1401 ᵃ13, ᵇ15 (cf μυῶν ἐγκώμιον Sauppe l l)
cf Ἀλέξανδρος p 31 ᵃ16.
Π ο λ υ κ ρ ί τ η f 518. 1562 ᵇ36.
Π ο λ ύ κ ρ ι τ ο ς ὁ τὰ Σικελικὰ γεγραφώς θ112. 840 ᵇ32.
π ο λ υ λ ο γ ί α. περὶ τυραννίδος λοιπὸν εἰπεῖν, ὐχ ὡς ἐνέσης πο-
λυλογίας περὶ αὐτήν Πδ10. 1295 ᵃ2.
π ο λ υ μ ά θ ε ι α πολλὰς ταραχὰς ποιεῖ f 51. 1484 ᵃ39.
π ο λ υ μ ε ρ ή ς. ἡ ψυχὴ πότερον ἓν ἢ πολυμερές ψα5. 411 ᵇ11.
(τῶν τεράτων ἔνια λέγεται) τῷ πολυμερῆ τὴν μορφὴν ἔχειν
Ζγδ3. 769 ᵇ26. πολυμερῆς ἡ ῥάχις τῇ διαιρέσει τῶν σπον-
δύλων Ζμβ9. 654 ᵇ16. πολυμερέστερα ἀναγκαῖον εἶναι τῶν
ζῴων τὰ κινητικά Ζμδ7. 683 ᵇ5. ὃ πολυμερῆ τὰ ἔντομα,
τὰ ὀστρακόδερμα Ζμδ6. 682 ᵃ35. 7. 683 ᵇ4. πολυμερέ-
στατος ὢν ὁ Πόντος κ3. 393 ᵃ31. — τῆς ὕβρεως ὖσης
πολυμερῦς Πε10. 1311 ᵃ33. οἱ ἄλλοι ποιηταὶ περὶ ἕνα ποιῦσι
χ περὶ ἕνα χρόνον χ μίαν πρᾶξιν πολυμερῆ πο23. 1459 ᵇ1.
π ο λ υ μ έ ρ ι μ ν ο ν τὸ ἄρχειν κ6. 400 ᵇ10.
π ο λ υ μ ι γ ὴ ς γονή Ζγδ3. 769 ᵃ34.

π ο λ ύ μ ο ρ φ ο ς. ποιεῖν πολύμορφον τὸ συνιστάμενον Ζγδ3. 768
ᵇ28. πολύμορφα τὰ ἐν τῷ ὑγρῷ μᾶλλον τῶν ἐν τῇ γῇ
Ζγγ11. 761 ᵃ32. πολύμορφα τοῖς σχήμασιν Ζμβ1. 646
ᵇ32. τὰ πρὸς τῷ ζῆν αἴσθησιν ἔχοντα πολυμορφοτέραν ἔχει
τὴν ἰδέαν Ζμβ10. 656 ᵃ4. τὰ ἄγρια πολυμορφότατα ἐν τῇ
Λιβύῃ Ζιθ28. 606 ᵇ18. (χαμαιλέων) πολύμορφον γίνεται
διὰ τὸν φόβον Ζμδ11. 692 ᵃ12. πολυμόρφων τῶν πράξεων
χ τῶν κινήσεων ὑπαρχυσῶν τοῖς ζῴοις Ζμβ1. 646 ᵇ14. —
τὸ κακὸν πολύμορφον ηεη5. 1239 ᵇ12.
π ο λ ύ μ ο χ θ ο ς. ἀρετά, πολύμοχθε γένει βροτείῳ f 625. 1583 ᵇ8.
π ο λ ύ μ υ θ ο ς. ἐποποιικὸν λέγω τὸ πολύμυθον ποι8. 1456 ᵃ12.
Π ο λ υ ν ε ί κ η θάψαι ἀπείρηται Ρα13. 1373 ᵇ10.
π ο λ ύ ξ ε ι ν ο ς (Hes e 715) Η10. 1170 ᵇ21.
Π ο λ ύ ξ ε ν ο ς. ἐπίγραμμα ἐπὶ Π. f 596. 1576 ᵇ22.
π ο λ υ ό ζ ο ι φλέβες Ζιγ2. 512 ᵃ8.
π ο λ υ ό σ τ ε ο ς. τῦ σκέλυς τὸ πολυόστεον πῶς Ζια15. 494 ᵃ10.
π ο λ ύ ο χ λ α εἴδη δήμυ Πδ4. 1291 ᵇ23.
π ο λ υ π λ ή θ ε ι α τῶν φαττῶν Ζιζ4. 562 ᵇ29.
π ο λ υ π ο δ ί α. ἡ πολυποδία ἀντικωτέραν ποιεῖ τὴν κίνησιν Ζμδ6.
682 ᵇ1.
π ο λ υ π ό δ ι ο ν. ἡ γένεσις τῶν πολυποδίων, ex ovis Ζιι37. 622
ᵃ23. ε18. 550 ᵃ4 (v l πολύποια, πολύπεια).
π ο λ υ π ο δ ι ώ δ η ς. τὰ πολυποδιώδη Ζμδ9. 685 ᵃ24. v πολύπυς 5.
Π ο λ υ π ο ί τ η ς. ἐπίγραμμα ἐπὶ Πολυποίτῃ f 596. 1576 ᵃ35.
π ο λ υ π ο ν ώ τ ε ρ ο ι, dist ὑποστατικώτεροι ηεβ5. 1222 ᵃ33.
π ο λ ύ π ο τ ο ς. (ὀρνέα τινα) πίνει μέν, ὃ πολύποτα δ' ἐστὶν
Ζιθ18. 601 ᵇ4.
π ο λ ύ π υ ς. 1. multipes. τὰ τέρατα τὰ πολύποδα χ πολυ-
κέφαλα γινόμενα Ζγδ3. 769 ᵇ27. (metaph πολύπης ἄν-
θρωπος τὸ πλῆθος Πγ11. 1281 ᵇ6, cf πολύχειρ.) τὸ πο-
λύπων, διαφορὰ τὸ ὑπόποδος Ζμα3. 644 ᵃ1. μάλιστα
πολύποδα τὰ μάλιστα κατεψυγμένα διὰ τὸ μῆκος Ζμδ6.
682 ᵇ2. αἱ σκολόπενδραι θαλάττιαι πολύποδές μᾶλλον χ
λεπτοσκελέστεραι τῶν χερσαίων Ζιβ14. 505 ᵇ16. — τὰ πο-
λύποδα. διὰ τίν' αἰτίαν τὰ μὲν δίποδα (τὰ δὲ τετράποδα)
τὰ δὲ πολύποδα τὰ δ' ἄποδα τῶν ζῴων Ζμδ10. 687 ᵃ3.
Ζπ1. 704 ᵃ13. τὰ πολύποδα ἢ ἄποδα (τὸ ἄνω) πρὸς τὸ
μέσον ἔχει Ζπ5. 706 ᵇ5, 8, ᵃ30. τὰ τετράποδα χ πολύποδα
Ζια5. 490 ᵇ4. β1. 498 ᵇ6. τὰ πολύποδα κατὰ διάμετρον
κινεῖται, πάντων τῶν πολυπόδων εἰς τὸ πλάγιον αἱ καμπαὶ
Ζπ9. 490 ᵇ4. β1. 498 ᵇ6. Ζπ16. 713 ᵇ7. διὰ τί τὰ πολύ-
ποδα βραδύτατα, καίτοι τὰ τετράποδα θάττω τῶν διπόδων
πιν8. 485 ᵃ25. οἱ καρκίνοι τῶν πολυπόδων εἰσίν, τῶν πολυ-
πόδων περιττότατα πεφύκασιν Ζπ14. 712 ᵇ14. 16. 713 ᵇ12.
2. τὰ ἄναιμα χ πολύποδα i q Insecta Aristotelis. πο-
λύποδα πάντα τὰ ἔντομα ἢ τὸ δίν' αἴτιον· (τὰ ἔντομα)
πάντα μέν ἐστιν ἄναιμα, ὅσα δὲ πόδας ἔχει, πολύποδα
Ζμδ6. 682 ᵃ36, ᵇ5. Ζιε31. 557 ᵃ26. α6. 490 ᵇ15 (Μ 198,
200). τὰ ἄναιμα χ πολύποδα, τὰ ἄναιμα τῶν ὑποπόδων
πολύποδά ἐστι χ ὅθεν αὐτῶν τετράπων Ζπ17. 713 ᵇ16. 16.
713 ᵃ26. τὸς πόδας ἔχει ἐκ τῦ πλαγίᾳ τὰ πολύποδα χ
ἄναιμα τῶν ζῴων Ζμδ9. 684 ᵇ12. cf Ζιβ1. 498 ᵃ17. τῶν
ἀναίμων τε χ πολυπόδων ἔνια διαιρύμενα δύναται ζῆν Ζπ7.
707 ᵃ27. ὅτι ἐλάττονος γινομένης τῆς αἱρέσης θερμότητος
χ τῆς γεώδης πλείονος τά τε σώματα ἐλάττονα τῶν ζῴων
ἐστὶ χ πολύποδα, τέλος δ' ἄποδα Ζμδ10. 686 ᵇ30. cf αν9.
475 ᵇ10 (Μ 422).
3. τὰ μακρὰ χ πολύποδα i q Myriopoda Latr (cf M
224). Ζιδ7. 531 ᵇ29, 532 ᵃ2, 5. cf Ζμα2. 642 ᵇ19. δ6.
682 ᵇ2. Ζπ7. 707 ᵃ30. 8. 708 ᵇ5. Ζιβ14. 505 ᵇ16. v ἴσλος,
σκολόπενδρα.

4. ὁ ὄνος ὁ πολύπχς Ζιε 31. 557 ª23 (cf M 225. Orib IV 662).

5. πολύπχς. syn τὰ πολυποδώδη. ταῖς σηπίαις χ τοῖς πολύποσιν ὅμοια χ τοῖς σχήμασι χ τῇ ἀφῇ τὰ περὶ τὴν κοιλίαν· ἔχχσιν ἀνομοίως αἱ σηπίαι χ αἱ τευθίδες (Deca- poda) τοῖς πολύποσι· ἐκ ἔχχσιν ἔσω στερεὸν ἐδέν, ἀλλὰ περὶ τὴν κεφαλὴν χονδρῶδες Ζμδ 5. 678 ᵇ28. 9. 685 ª14. Ζιθ 1. 524 ᵇ28 (Mo 146). ἀφιᾶσι τὸ ὕδωρ διὰ τῦ κοίλυ αν12. 477 ª4 (Octopoda A Siebld XII 378).

6. πολύπχς, fort syn p 617 ᵇ52, 54, 57. ὅ γίνονται ἐν τῷ εὐρίπῳ ἐδὲ πολύποδες ἐδὲ βολίταιναι ἐδ' ἄλλ' ἄττα Ζιι37. 621 ᵇ17 (A Siebld 406).

7. Octopus vulgaris vel Octopoda. (acc πολύπην, πο- λύπχς Ζιι37. 622 ª24. δ8. 534 ª25. cod E exhibet ubique πυλύπχς, cf Oribas IV 670). refertur inter τὰ μαλάκια, ὅσα δοκεῖ πόδας ἔχειν Ζια5. 490 ª1. Ζμβ17. 661 ª15. δ9. 685 ª4. ἄναιμός ἐστιν, ἔστι πολύγονον τὸ ζῷον f 315.1531 ᵇ12. Ζιε12. 544 ª9. τὰ μὲν ἄλλα ἰσχυρὸν τὸ ζῷον, τὸν δὲ τράχηλον ἀσθενές. ὅταν πιεσθῇ· φύσει συντηκτικόν, ἀφανί- ζεται Ζιι37. 622 ª34, cf 16, 15, 17. — a. partes corpo- ris. ἡ καλυμένη κεφαλὴ Ζμβ8. 654 ª23. Ζιε6. 541 ᵇ5. 12. 544 ª11. 18. 550 ª2. (v infra ª30). ἡ κεφαλή, ἕως ἂν ζῇ, σκληρὰ καθάπερ ἐμπε- φυσημένη Ζιθ1. 524 ª16. κατὰ τὸ ἀνάλογον ἔχει τὸν ἐγκέ- φαλον, διμερῆ Ζμβ7. 652 ᵇ25. f 315.1531 ᵇ4. ὀφθαλμοὶ Ζιθ1. 524 ª15. f 315.1531 ᵇ2. στόμα Ζιθ1. 524 ª15. ε6. 541 ᵇ3. f 315.1531 ᵇ3. τὸ γλωττοειδές Ζμβ17. 661 ª15 (Owen Cyclopaedia I 554). ὀδόντες f 315.1531 ᵇ2, 3 al. τράχηλος Ζιι37. 622 ª34. τὰ δεξιά, τὰ εὐώνυμα Ζιθ1. 524 ª12. τὸ κύτος καλεῖται μόνον ἐπὶ τῶν πολυπόδων κεφαλή, τὸ κύτος μικρὸν Ζμδ9. 685 ª5, 24, ᵇ25. β8. 654 ª22. Ζιθ1. 524 ª9, 22. τὸ πτερύγιον κύκλῳ περὶ τὸ κύτος, στενόν, ἐλάχιστον, ἥκιστα ἐπίδηλον Ζμδ9. 685 ᵇ16, 20, 24. πόδες, descr f 1531 ª43, ᵇ3. Ζιθ1. 523 ᵇ29, 524 ª22. Ζμδ9. 685 ª21, 24, 28, ᵇ2. ὁ μεταξὺ τῶν ποδῶν ὑμὴν Ζιθ1. 524 ª18. πλεκτάναι Ζγα15. 720 ᵇ32. Ζιε6. 541 ᵇ3. 18. 550 ᵇ6. θ2. 591 ª5. πλεκτάναι διπήχεις χ μείζχς ἔτι· τὰς πλεκτάνας ἔχει χρήσιμ῀ ἔχει ἀντὶ χειρῶν χ ὡς ποσὶ χ ὡς χερσὶ χρῆται ταῖς πλεκτάναις, προσάγεται ταῖς δυσὶ ταῖς ὑπὲρ τῦ στόματος· ἅπτεται χ κατέχει, προσέχεται, ταῖς πλεκτά- ναις ὑπτίαις· τῇ ἐσχάτῃ τῶν πλεκτανῶν χρῆται ἐν ταῖς ὀχείαις Ζμδ9. 679 ª12. 9. 685 ᵇ4, 12. Ζιθ1. 524 ª3 (Tro- schel Archiv 1856, 237), 5-9 Aub, 17, 28. 6. 531 ᵇ3. ἐν κο- τυληδόσιν, αἷς τὴν τροφὴν προσάγεται f 315.1531 ᵇ1 al. κοιλία, μήκων, μύτις f 315.1531 ᵇ7, 6. Ζμδ5. 679 ª8. θόλος, διὰ φόβον ἀφίησι τὸν θόλον, ἔχχσιν ἄνωθεν τὸν θόλον ἐπὶ τῇ μύτιδι μᾶλλον, ὡς πρὸς τὴν χρῶαν Ζιθ1. 524 ª13. ιθ7. 621 ᵇ30. Ζμδ5. 679 ª8 Langk, 14. f 315.1531 ᵇ5 (ν θόλος 1 et 2). τὸ ὄργανον χρήσιμον πρὸς τὴν γένεσιν, δικρόαι ὑστέραι, αἰδοιῶδές τι ἐν μιᾷ τῶν πλεκτανῶν, τὸ καλύμενον αἰδοῖον, vasa deferentia Ζγα15. 720 ᵇ32. ιθ3. 717 ª3. Ζιε6. 541 ᵇ8 (cf δ1. 524 ª5-9 Aub, Troschel Archiv 1856, 236. A Siebld 390, 393). 12. 544 ª12. δ1. 524 ᵇ32, 525 ª1. ὁ κοῖλος αὐλός, syn μυκτήρ, ὁ λεγόμενος φυσητήρ Ζγα15. 720 ᵇ32. Ζιθ1. 524 ª10 Aub. ε6. 541 ᵇ11 (A Siebld 398). f 315.1531 ᵇ12. ἐρυθρὰ ἄττα σωμάτια f 315.1531 ᵇ5. 525 ª2 Aub. ἐκ ἔχει τὸ σήπιον, ἀλλὰ τὸ προβοσκίδιον, σπλάγχνον ἀνάλογον Ζμδ5. 679 ª22. 9. 685 ᵇ2. f 315.1531 ᵇ7. — b. sexus, generatio. πῶς διαφέρει ὁ ἄρρην τῆς θηλείας Ζιι37. 622 ª26. ε12. 544 ª11. ὁ ἄρρην Ζγα15. 720 ᵇ32. Ζιθ1. 524 ᵇ31. ε6. 541 ᵇ8. ιθ7. 622 ª21. ἡ θήλεια, ὁ θῆλυς Ζιθ1. 525

ª1. ιθ7. 622 ª17. ε6. 541 ᵇ12. 18. 550 ᵇ4. — ὀχεία, πῶς ὀχεύχσι, πλησιάζχσιν ἀλλήλοις, ὀχεύεται τῦ χειμῶνος Ζγα 15. 720 ᵇ33 (cf Ζιθ1. 524 ª5. ε6. 541 ᵇ8). f 315.1531 ᵇ10. Ζιε6. 541 ᵇ1. 12. 544 ª7. γένεσις, τὰ κυήματα Ζιι37. 622 ª30, 22. ε18. 550 ᵇ2. τίκτει τῦ ἔαρος, ἀποτίκτει εἰς τὰς θαλάμας ἢ εἰς κεράμιον ἤ τι ἄλλο κοῖλον f 315.1531 ᵇ12. Ζιε12. 544 ª7. 18. 549 ᵇ31. ἐν ᾠόν, καθάπερ βοστρύ- χιον, βοτρυδὸν Ζγγ8. 758 ª8. Ζιθ1. 525 ª2. ε12. 544 ª8 (cf 18. 549 ᵇ33. f 315.1531 ᵇ13). (sed πολυποδος ᾠόν Ζιθ1. 525 ª21 quid sit p 618 ª6). ᾠά Ζιε18. 549 ᵇ34. ιθ7. 622 ª25. f 315.1531 ᵇ13, syn τὰ ἐκτεκόντα Ζιε18. 550 ᵇ2. ἄπειρον τὸ πλῆθος (600-1000) Ζιε12. 544 ª10. cf 18. 550 ª1, 5 (A Siebld 400). ἐπῳάζει, πῶς Ζιε12. 544 ª13. 18. 550 ᵇ4, 1 (A Siebld 404). οἱ μικροὶ χ νέοι τῶν πολυ- πόδων, i q πολυπόδια Ζιε37. 622 ª29. ε18. 550 ª3 al. — c. victus, vita, magnitudo. victus f 315.1531 ᵇ8, 1. θ2. 591 ª1, 590 ᵇ14. ιθ7. 622 ª6. θηρεύχσι, νέμονται, ὡς αὐτὸς αὐτὸν ἐσθίει ψεῦδος Ζιι37. 622 ª20, 8. ε12. 544 ª14. θ2. 591 ª4. — ὅ διετίζει, σημεῖον τῦ μὴ διετίζειν f 317.1532 ª2. Ζιε18. 550 ᵇ15. ιθ7. 622 ª22 (A Siebld 405). — d. μέ- γας, μείζχς, μέγιστος Ζιι37. 622 ª24, 25, 31. — d. μετα- βολή, βάδισις, νεῦσις. ἡ τῦ χρώματος μεταβολὴ διὰ δειλίαν, μεταβάλλει τὸ χρῶμα, τὴν χρόαν, τὸν χρῶτα Ζμδ5. 679 ª12. Ζιι37. 622 ª9, 14. θ30. 832 ᵇ14. πολύπχς τις ὁ μὲν τρεψίχρως f 289.1528 ᵇ24. — νευστικοὶ χ πορευτικοί εἰσιν, νεῖ πλάγιος, τοῖς ποσὶ νεῖ χ τοῖς πτερυγίοις χ θᾶττον ἐπὶ κύτος Ζμδ9. 685 ª15. Ζιθ1. 524 ª13. α5. 490 ª1. διορ- θῦσθαι τοῖς ποσὶν ἱκανῶς Ζμδ9. 685 ª25. εἰς τὸ ξηρὸν ἐξέρχεται· πορεύεται ἐπὶ τῦ τραχέος, τὸ δὲ λεῖον φεύγει Ζιι37. 622 ª32, 33. βαδίζει Ζια5. 490 ª1 (A Siebld XII, 377). cf Ζμδ9. 685 ª28, ᵇ2. ἐπ' ὀλίγον ἡ χ κακῶς βαδίζει πιν8. 485 ª10. (sed βαδίζει πρὸς τὴν χεῖρα καθιεμένην Ζιι37. 622 ª4 homines infestant Plin). — e. physiolog. mores, πάθος, πολέμιοι. ὅτω προσέχονται ὥστε μὴ ἀποσπᾶσθαι ἀλλ' ὑπομένειν τεμνόμενοι, ἀποσπᾶσθαι ἀπὸ τῶν φωλεῶν Ζιθ8. 534 ᵇ27. ιθ7. 622 ª28. φωλεύει περὶ δύο μῆνας Ζιε12. 544 ª8. θαλάμαι Ζιι37. 622 ª5. θ2. 591 ª3. f 315.1531 ᵇ9. ὀσμή Ζιθ8. 534 ᵇ29. — ἀνόητον, οἰκονομικῶς Ζιι37. 622 ª3, 4. φόβος, δειλία Ζιι37. 621 ᵇ30, 622 ª10. Ζμδ5. 679 ª12, 14. — πότε ἄριστα, χείριστοι Ζιθ30. 607 ᵇ7. ε12. 544 ª14. ἀφανίζονται, μωραί, βλεννώδεις, σκοτώδεις, γλίσχροι, καταγηράσκχσι χ ἀσθενεῖς γίνονται Ζιι37. 622 ª17, 18, 20, 21, 26. — γόγγροι ἐσθίχσιν αὐτάς, ὑπὸ τῶν ἰχθυδίων κατεσθίεται Ζιθ2. 591 ª5, 590 ᵇ18. ιθ7. 622 ª27. οἱ θηρεύοντες, τοῖς δελέασιν ἁλίσκονται, ὁπᾶν τὰς πολύπχς f 315.1531 ᵇ10 al. Ζιθ8. 534 ᵇ26, 633 (C II 390). M 268. Rose Ar Ps 317. KaΖμ 123, 149. Aubert Cephalopoden des Ar in Siebld Zeitsch XII 382 sq. AΖι I 150,4).

8. dist πλείω γένη πολυπόδων Ζιθ1. 525 ª13 (sed τὸ πλεῖστον γένος i q ὁ πλεῖστοι Ζιι37. 622 ª15). cf μαλάκια εἶναι πολυπόδας σμύλην ἐλεδώνην σηπίαν τευθίδα f 288. 1528 ᵇ20. — a. τὸ μάλιστ' ἐπιπολάζον χ μέγιστον Ζιθ1. 525 ª14. (Octopus vulgaris A Siebld 378, 382. AΖι I 150, 4ª.) — b. μικροί, ποικίλοι, οἳ ἐκ ἐσθίονται Ζιθ1. 525 ª15. (Octopus Salutii Verany Mollusques méditerranéens 20. in incert rel A Siebld 378, 382. fort Tremoctopus viola- ceus AΖι I 150, 4ᵇ.) — c. ἐλεδώνη (v h v) syn γένος δέ τι πολυπόδων μονοκότυλον Ζμδ9. 685 ᵇ13. cf Ζιθ1. 523 ᵇ29 (A Siebld 380). v h v. — d. βολίταινα (ὀζόλις), ναυ- τίλος ποντίλος (v h v et πολύπχς τις ὁ μὲν τρεψίχρως ὁ δὲ ναυτίλος f 289.1528 ᵇ24). — e. χ ἄλλος ἐν ὀστράκῳ οἷον

V.

κοχλίας, ὃς ὐκ ἐξέρχεται ἐκ τῦ ὀστράκυ, ἀλλ᾽ ἔνεστιν ὥσπερ
ὁ κοχλίας, ᶍ ἔξω ἐνίοτε τὰς πλεκτάνας προτείνει Ζιδ 1. 525
ᵃ26. (Nautilus Pompilius Férussac et d'Orbigny hist nat
des Mollusques 58. in incert rel A Siebld 381, 382. ΑΖι
Ι 150, 4ᶜ).
9. πολύποδος ᾠόν (ὑπ᾽ ἐνίων καλύμενον) i q ποντίλος
Ζιδ 1. 525 ᵃ21 Aub.
πολυπραγματεῖν, opp μονοπραγματεῖν Πδ 15. 1299 ᵇ1.
πολυπραγμοσύνη, syn φιλοπραγμοσύνη τβ 4. 111 ᵃ9.
πολυπράγμων ρ30. 1437 ᵃ35. οἱ πολιτικοὶ πολυπράγμονες
δοκῦσιν εἶναι Ηζ 9. 1142 ᵃ2 Fritsche.
πολυπρόσωπον ὐρανὸν (Λυκόφρων ὠνόμασεν) Ργ 3. 1405
ᵇ35, cf Λυκόφρων p 439 ᵇ49.
πολύπτερος. τῶν ἐντόμων τὰ πολύπτερα Ζμδ 6. 682 ᵇ13,
683 ᵃ18. Ζια 1. 486 ᵇ11. cf Μ 206.
πολύραβδα ᶍ ἐρυθρόγραμμα (ζῷα) ὡς σάλπη f 278.
1528 ᵃ3.
πολύς. de numero, πολύ λέγεται ἕνα μὲν τρόπον ἐὰν ᾖ πλῆ-
θος ἔχον ὑπεροχήν, τὸ δὲ ὡς ἀριθμός, ὃ ᶍ ἀντίκειται τῷ
ἐνὶ μόνον Μι 6. 1056 ᵇ16. τὸ πολὺ ἐναντίον τῷ ὀλίγῳ, ὒ
ποσὸν ἀλλὰ τῶν πρός τι Κ6. 5 ᵇ14, 16. cf Μι 6. 1057 ᵃ13.
πολὺ ὀλίγον, ἐξ ὧν οἱ ἀριθμοί (Plat) Μν 2. 1089 ᵇ12. 1.
1087 ᵇ16. τὰ πολλὰ ἀντικειμένως λεχθήσεται τῷ ἑνὶ Μδ 6.
1017 ᵃ3. cf Α5. 987 ᵃ27 Bz. πγ 10. 872 ᵇ4. 30. 875 ᵇ9.
πολλὰ ᶍ ἓν πῶς ἀντίκειται Μι 3. 6. τὸ ἓν ἐπὶ πολλῶν (no-
tionis unitas opponitur rerum concretarum multitudini)
ΜΑ 9. 990 ᵇ13. μ4. 1079 ᵃ9, 32. τὰ πολλὰ τῶν συνωνύ-
μων τοῖς εἴδεσι ΜΑ 6. 987 ᵇ10 Bz. ὅσα ἀριθμῷ πολλά, ὕλην
ἔχει Μλ 8. 1074 ᵃ34. τὰ πολλά, opp ἕν, ad significandos
grammaticos numeros Ργ 5. 1407 ᵇ10. 6. 1407 ᵇ32. πολλά,
dist ἕν Μι 6. 1056 ᵇ15. τὸ μέσον πολὺ ᶍ ὐκ ἀδιαίρετον
Γβ 7. 334 ᵇ28. — συμβήσεται πολλὰ ᶍ ἀδύνατα Γα 5. 320
ᵇ7. — οἱ πολλοὶ Πβ 7. 1267 ᵇ4. γ11. 1281 ᵃ42. δ4. 1292
ᵃ12. ε8. 1308 ᵃ9. syn οἱ πλεῖστοι Ηη 11. 1152 ᵇ26, 27. αἱ
πολλαὶ τῶν καλυμένων ἀριστοκρατιῶν Πε 7. 1307 ᵃ12. τὰ
πολλὰ τῶν νομίμων Ηε 5. 1130 ᵇ22. θ1. 1164 ᵇ16. — πο-
λύς ad magnitudines et ad δυνάμεις transfertur, πολὺ
πλῆθος ὕδατος sim μβ 3. 357 ᵃ19, 358 ᵃ20. 4. 360 ᵃ32.
πολὺ αἷμα, πολὺς ὄγκος Ζμβ 7. 652 ᵇ32. δ14. 697 ᵇ25.
πολὺ τὸ λευκὸν λέγεται τῷ τὴν ἐπιφάνειαν πολλὴν εἶναι Κ6.
5 ᵇ2. πολὺς χρόνος, τόπος μα14. 352 ᵃ4. 11. 347 ᵇ19. χμιν
πολλὴ μβ5. 362 ᵃ18. πνεῦμα πολὺ μβ8. 365 ᵇ26. πολλοί
τε ᶍ ἰσχυροὶ πνέυσι μάλιστα ὒτοι οἱ ἄνεμοι μβ6. 364 ᵇ6.
φωνὴ πολλή Ζιι 23. 617 ᵇ9. πιασ 52. 905 ᵃ3. ἐπιμέλειαν ποι-
εῖσθαι πολλὴν Πε 8. 1309 ᵃ21. ἀφροσύνης πολλῆς σημεῖον
.ηεα 2. 1214 ᵇ11. — πολὺ adverbii loco ab Ar perinde usur-
patur atque ab aliis scriptoribus, veluti πολὺ μεῖζων, ἀρ-
γότερος, πολὺ (ὒ πολύ) διεστάναι, ὑπερβάλλειν sim Ζμβ9.
655 ᵃ6. δ8. 684 ᵃ6. γ9. 672 ᵇ2. 14. 675 ᵃ30. α4. 644 ᵇ4 al.
τὸ πολύ i q plerumque πκς 15. 942 ᵃ2. ὡς τὸ πολὺ χ6.
798 ᵃ4. τὰ πολλὰ μβ9. 369 ᵇ5. δ7. 384 ᵃ17. Ζγγ1. 750
ᵃ19. ὡς τὰ πολλὰ μβ4. 360 ᵇ12, 27. ΖιΖ6. 563 ᵃ20. 23.
577 ᵃ25. Ζγγ1. 750 ᵃ16. δ5. 773 ᵇ15. Ρα 2. 1357 ᵃ15 (ὡς
ἐπὶ τὸ πολὺ ci Spgl). εἰς πολύ: ὅσα εἰς πολὺ τὰς πόρυς
ἔχει, κατακτὰ μδ9. 386 ᵃ16. ἐπὶ πολὺ ἐκτείνεσθαι, συμ-
περιάγεσθαι, ἐκκαίειν μδ9. 387 ᵃ14. α7. 344 ᵃ11, 18. ἐπὶ
πολὺ ᾔξει ἡ τῦ ἡδέος ὄρεξις Ηγ15. 1119 ᵇ7. ἀρχαὶ αἱ ἐπὶ
πολὺ δύνανται συνείρειν, opp ἐπ᾽ ἔλαττον Γα2. 316 ᵃ8, 5.
ἐπὶ τὸ πολύ, opp ἐξ ἀνάγκης Μδ 30. 1025 ᵃ15. Ρα2. 1357
ᵃ27 al. ὡς ἐπὶ τὸ πολύ, veluti φοβερὸν ὡς ἐπὶ τὸ πολὺ
τὸ ἐπ᾽ ἄλλῳ εἶναι al Ρβ5. 1382 ᵇ6. Ηγ 1. 1110 ᵃ32. ε1.

1129 ᵃ24. η13. 1161 ᵃ27. ι 2. 1164 ᵇ31. Πδ 4. 1291 ᵇ9.
syn ἐν τοῖς πλείστοις, opp ὅλως, πᾶσιν, ἀεί ε9. 19 ᵃ21.
Αα27. 43 ᵇ33-36 (τὰ ὡς ἐπὶ τὸ πολὺ ἑπόμενα, opp τὰ
πᾶσιν ἑπόμενα). γ14. 79 ᵃ21. τε1. 129 ᵃ7, 10. opp ἁπλῶς
Φβ 7. 198 ᵇ6. opp ἐξ ἀνάγκης, ὁπότερ᾽ ἔτυχεν. ἐπ᾽ ἔλαττον
Αα13. 32 ᵇ6-22 Wz. τβ6. 112 ᵇ1-20. Μδ 30. 1025 ᵃ18,
20. ε2. 1026 ᵇ30. κ8. 1064 ᵇ35. Ρβ 19. 1392 ᵇ32. syn
πεφυκέναι Αα3. 25 ᵇ14 Wz. ὡς ἐπὶ πολύ, opp ἀεί Φβ5.
196 ᵇ11. τὰ ὡς ἐπὶ τὸ πολύ, veluti τὸ βυλεύεσθαι ἐν τοῖς
ὡς ἐπὶ τὸ πολὺ al Ηγ5. 1112 ᵇ9. α1. 1094 ᵇ21. ὡς ἐπὶ τὸ
πολὺ εἰπεῖν Ζμδ 10. 690 ᵃ10. Ζγα 18. 725 ᵇ17. 20. 728 ᵃ3.
— μεῖζων (ἔλαττων sim) πολλῷ Πδ 13. 1297 ᵇ19. Ζμδ 10.
686 ᵇ7, 27. — πλείων, πλέων (multo saepius in textu
Arist forma per diphthongum scripta exhiberi videtur, le-
gitur tamen non solum πλέον ἔχειν Πε 2. 1302 ᵃ28, πλέον
ποιεῖν Πε 7. 1307 ᵇ17, τὸ πλέον μέρος Πδ 4. 1290 ᵃ32, ὐδὲν
πλέον Ρα 2. 1357 ᵃ7, sed etiam ἐπὶ πλέον veluti τδ 1. 121
ᵃ12, ᵇ3. Γα 8. 325 ᵇ35. Μθ 1. 1046 ᵃ1. Ηγ 4. 1111 ᵇ8. ε14.
1137 ᵇ15. Πγ 2. 1275 ᵇ23. θ5. 1339 ᵇ29. ηεη 1. 1235 ᵃ6,
longe tamen saepius in eadem formula exhibetur πλεῖον.
neutrum pl Πδ 2. 1289 ᵇ28, πλείονα Πδ 2. 1289
ᵇ13). — πλείω τῶν ὄντων Ζμδ 5. 680 ᵇ25. τὸ πλεῖον ἄνι-
σον Πε 1. 1301 ᵃ25. τὸ πλεῖον, opp τὸ ἔλαττον Φζ 2. 232
ᵃ26sqq. Οα 11. 281 ᵃ27. οἱ πλείως. τὸ δοξαν τοῖς πλείοσιν
sim Πγ 13. 1283 ᵃ40. δ4. 1291 ᵇ37. 8. 1294 ᵃ12. ε7. 1307
ᵃ18 (τὸ πλεῖον). ζ3. 1318 ᵃ19. πλεῖον πλῆθος μγ 1. 370
ᵇ16. πλείων γῆ, πλεῖον πῦρ. ὕδωρ Οα 8. 277 ᵇ4 Πγ 15.
1286 ᵃ32. πλείων τόπος, χώρα, χρόνος μβ5. 363 ᵃ16 (τό-
πος πλείων ᶍ ἀναπεπταμένος). 4. 360 ᵇ13. α14. 352 ᵃ3.
(cf ἀφεστηκυῖα πλεῖον Πδ 11. 1296 ᵇ9.) πλεῖον τίμημα,
πλείων ὐσία Πε 7. 1307 ᵃ28. ζ3. 1318 ᵃ20. πλείων ψυχρό-
της, θερμότης, πλεῖον θερμόν, φέγγος μα10. 375 ᵃ25. Ζι5.
361 ᵇ16, 362 ᵃ28. 9. 370 ᵃ20. Ζμδ 13. 697 ᵃ27. πλείων
κοινωνία, dist πρώτη κοινωνία Πα 9. 1257 ᵃ21. πλείων
ἁμαρτία τε1. 139 ᵇ9. μείζων ᶍ πλείων ἄνεμος μβ5. 363
ᵃ17. — ἐπὶ πλεῖον τῆς ἀνερρωγῆ τὸ στόμα Ζμγ1. 662
ᵃ30. ἐπὶ πλέον ζητεῖν Πγ2. 1275 ᵇ23. φρῶνται ταῖς παι-
διαῖς ὐχ ὅσον ἐπὶ πλέον ἀλλὰ ᶍ διὰ τὴν ἡδονὴν Πθ5. 1339
ᵇ29. ἐπὶ πλέον (accuratius) διορίζειν, θεωρεῖν τγ6. 120 ᵃ27.
Γα 3. 317 ᵇ14 (opp συντόμως). 8. 325 ᵇ35. ημα 1. 1182
ᵃ15. ἐπὶ πλεῖον τῆς δέοντος εἰρημένοι (in definitione, i e
προσκεῖσθαι περίεργόν τι) τζ1. 139 ᵇ15sqq. saepe ἐπὶ πλεῖον
ad latiorem notionis ambitum refertur ἐπὶ πλεῖον ἐπεκτεί-
νειν, ὑπάρχειν, εἶναι, εἰπεῖν τζ 3. 140 ᵃ24sqq. δ1. 121 ᵃ12,
ᵇ3-13. Αθ 13. 96 ᵃ24 (syn ὑπάρχειν ᶍ ἄλλῳ). γ24. 85 ᵇ10.
Κ5. 3 ᵇ21. Φβ 6. 197 ᵃ36. Μθ 1. 1046 ᵃ1. Ηγ 4. 1111 ᵇ8.
ε14. 1137 ᵇ15. ηεη 1. 1235 ᵃ6. dist καθόλυ Αγ 4. 74 ᵃ3.
εἶναι ἐπὶ πλειόνων Αγ11. 77 ᵃ20. — τὸ πλέον ἐστὶ νόημα
(Parmen 149) Μγ5. 1009 ᵇ25 Bz, cf πλέως p 603 ᵃ5. —
πλείων πγ5. 871 ᵇ13, codd, πίονι ci Bk. — πλεῖστος. οἱ
πλεῖστοι, opp οἱ ὀλίγοι Πδ 14. 1298 ᵇ40. 1.1288 ᵇ15. πλεῖ-
στος τόπος τῦ ποιεῖν παράδοξα λέγειν τι 12. 173 ᵃ7. ἀνα-
γνώρισις ἀτεχνοτάτη, ᾗ πλείστῃ (πλεῖστοι) χρῶνται ποι 16.
1454 ᵇ20. πλεῖστον χρόνον σωζεσθαι Πδ 1. 1288 ᵇ30. τὸν
πλεῖστον χρόνον Ζμγθ. 669 ᵃ11. πλεῖστος ἐγκέφαλος. γάλα
πλεῖστον Ζμδ 14. 658 ᵇ7. δ10. 688 ᵇ10. πλεῖστη προσπίπτει
ἡ ὄψις μγ4. 375 ᵃ3. πλείστη φυλακή Ζμβ14. 658 ᵇ8.
γ 11. 673 ᵇ10. — πλεῖστον ἀπέχειν πολιτείας Πβ 2. 1289
ᵇ2. — τὰ πλεῖστα i q plerumque μγ4. 374 ᵃ21. ΖιΖ6.
563 ᵃ31. 7. 564 ᵃ2. 19. 573 ᵇ19. 21. 575 ᵃ30. τὰ πλεῖστα
i q summum, τίκτυσι δύο ὡς ἐπὶ τὸ πολύ, τὰ δὲ πλεῖστα

τρία sim Ζιζ4. 562 ᵇ4. 12. 567 ᵃ2. 20. 574 ᵇ25. 22. 576 ᵃ1.
30. 579 ᵃ21. 31. 579 ᵇ1. η4. 584 ᵇ33. ιi1. 615 ᵃ14. Ζγγ1.
750 ᵃ18. τὸ πλεῖστον Ζγγ1. 750 ᵃ11. πλεῖστον Ζιθ9. 596
ᵃ3. κύει τὰς πλείστας μῆνας ἕξ Ζιζ11. 566 ᵃ16. — πνεῦμα
τὸ ἐπὶ πλεῖστον πεφυκὸς ἰέναι κỳ σφοδρότατον μβ8. 365
ᵇ31. τὸ γένος ἐπὶ πλεῖστον πάντων λέγεται τζ6. 144 ᵃ31.
ὡς ἐπὶ τὸ πλεῖστον εἰπεῖν Πδ13. 1297 ᵇ33. η16. 1335 ᵃ8.
— πολλάκις, πλεονάκις, πλειστάκις v h v.

πολύσαρκος. διὰ τί ὖ πολύσαρκος ὁ περὶ τὸν ἐγκέφαλον
τόπος Ζμβ10. 656 ᵃ19. οἱ ὑγρότεροι τὰς φύσεις κỳ μὴ πο-
λύσαρκοι λίαν Ζιη2. 583 ᵃ7. (ἄνθρωποι) εὐεκτικοὶ ὄντες κỳ
γινόμενοι πολύσαρκοι ἢ πιότεροι μᾶλλον Ζγα11. 725 ᵇ32.

πολύσπερμος, dist ὀλιγόσπερμος, ἄσπερμος Ζγα18. 725
ᵇ29. πολύχοά ἐστι κỳ πολύσπερμα τὰ μὲν διὰ δύναμιν τὰ
δὲ δι' ἀδυναμίαν Ζγα18. 726 ᵃ10. τὰ ὀχευτικὰ κỳ πολύ-
σπερμα γηράσκει ταχύ μκ5. 466 ᵇ8. (ζῷα πολύσπερμα
Ζγγ1. 750 ᵃ26, 751 ᵃ20 (coni ὀχευτικά). 7. 757 ᵃ18. τῶν
ἀνθρώπων οἱ δασεῖς ἀφροδισιαστικοὶ κỳ πολύσπερμοι μᾶλλον
εἰσὶ τῶν λείων Ζγδ5. 774 ᵇ2.

πολύστοιχοι ὀδόντες Ζιβ13. 505 ᵃ29.

πολυσχιδής. ἰσχάδες πολυσχιδεῖς, dist αἱ δίχα ἐσχισμέναι,
αἱ ἀσχιδεῖς πκβ9. 930 ᵇ33. ἔστιν ὁ πολυσχιδὴς ὁ τῷ ἀν-
θρώπῳ πλεύμων Ζια16. 495 ᵇ1, cf 4. τὰ τῶν ἐλάφων (κέ-
ρατα) μόνα δι' ὅλυ στερεὰ κỳ πολυσχιδῆ, τὸ πολυσχιδὲς
(τῶν κεράτων) μᾶλλον βλάπτει ἢ ὠφελεῖ Ζιγ9. 517 ᵃ24.
Ζμγ2. 663 ᵃ10. ἡ χεὶρ διαιρετὴ κỳ πολυσχιδής, πολυσχιδεῖς
οἱ πόδες τῶν ἀνθρώπων Ζμδ10. 687 ᵇ7, 690 ᵇ6. cf Ζιβ1.
499 ᵇ7. μάλιστα ἀνάλογον ταῖς χερσὶ τὰ πολυσχιδῆ (sup-
pleas τὰ σκέλη πρόσθια) αὐτῶν (τῶν τετραπόδων κỳ ζῳό-
τόκων) Ζιβ1. 497 ᵇ20 (cf Aub et Wiegmann obs zool 7).
— 1. τὰ πολυσχιδῆ persaepe significant mammalia pedi-
bus multifidis. mammalium τὰ μὲν ἐστι πολυσχιδῆ τὰ δὲ
δισχιδῆ τὰ δὲ ἀσχιδῆ vel μώνυχα· ποδότης ὡσαύτως ἡ μὲν
πολυσχιδὴς ἡ δὲ δισχιδὴς ἡ δ' ἀσχιδὴς κỳ ἀδιαίρετος Ζιβ1.
499 ᵇ7. cf Ζμδ10. 690 ᵃ6. α.3. 642 ᵇ29, cf 643 ᵇ32, 36. 3ι
Μ 79 adn. ὅσα πολυσχιδῆ τῶν τετραπόδων Ζγβ6. 742 ᵃ8.
cf Μ 80 adn. ΑΖι Ι 62, 3. τὰ πολυσχιδῆ πάντα πολυτόκα
σχεδὸν Ζγδ4. 771 ᵃ22, ᵇ3. 5. 774 ᵃ33. ἢ τελειογόνα ἐστίν·
τίκτει ἀτελῆ, τυφλά Ζγδ3. 770 ᵃ37. 6. 774 ᵇ10 (cf 7).
Ζιζ 33. 580 ᵃ5. ἔχει τὰς σπλῆνα μακρὸν Ζμγ12. 674 ᵃ1.
πολυσχιδές· ὐθὲν ἔχει ἀστράγαλον. κέρας, ἐν τοῖς μηροῖς τὰς
μαστῆς Ζιβ1. 499 ᵇ23. Ζμγ2. 662 ᵇ30 (cf Μ 321). δ10.
688 ᵇ8. — τοῖς ἀμφώδυσι κỳ πολυσχιδέσι πιμελώδης ὁ
μυελός, τὰ ἀμφώδοντα κỳ ἀκέρατα κỳ πολυσχιδῆ πιμελὴν
ἔχει ἀντὶ στέατος Ζμβ6. 651 ᵇ32. 5. 651 ᵃ34. — syn τὰ
πολυδάκτυλα Ζιβ1. 499 ᵇ8. τὰ πολυτόκα ἢ πολυσχιδῆ, opp
τὰ πολυτόκα κỳ μώνυχα κỳ κερατοφόρα Ζμδ10. 688 ᵃ34.
cf γ12. 674 ᵃ1. — τὰ μὴ πολυσχιδῆ, syn τὰ ὀλιγοτόκα
ἢ κερατοφόρα Ζμδ10. 688 ᵇ21. — enumerantur Ζιβ1. 499
ᵇ8, 24. Ζγβ12. 674 ᵃ1. δ10. 688 ᵇ7. Ζγβ6. 742 ᵃ8. δ3.
770 ᵇ1. 4. 771 ᵃ22. 5. 774 ᵃ32 (cf Langk Schol ad Ζμ
p 15, 82). — 2. πολυώνυχοί εἰσι πάντες οἱ ὄρνιθες, ἔτι δὲ
πολυσχιδεῖς τρόπον τινὰ πάντα Ζιβ12. 504 ᵃ6 (Μ 295). —
3. coni πολυδάκτυλα. πάντα τὰ τετράποδα κỳ ᾠοτόκα πο-
λυδάκτυλα κỳ πολυσχιδῆ ἐστὶν Ζιβ10. 502 ᵇ34.

πολυτεκνεῖν. ἡ διάζευξις τῶν γυναικῶν ἵνα μὴ πολυτεκνῶ-
σιν Πβ10. 1272 ᵃ24.

πολυτεκνία, coni εὐτεκνία, εὐγηρία Ρα5. 1360 ᵇ20, 1361
ᵃ1-12.

πολύτεκνος ὁ αἴγιθος Ζιι15. 616 ᵇ10. τὰ πολύτεκνα τῶν
ζῴων πιι14. 892 ᵃ38.

πολυτελής. ζῆν περιεργότερον κόσμῳ πολυτελεῖ Πβ8. 1267
ᵇ26. παρασκευάζειν ἱερεῖα πολυτελῆ οβ1347 ᵃ28.

πολυτοκεῖν. γυναῖκες ὅταν πολυτοκήσωσιν Ζγδ5. 774 ᵃ4.
τίνα τῶν ζῴων πολυτοκεῖ Ζγγ1. 750 ᵃ27, ᵇ18. δ4. 770
ᵃ11, 771 ᵃ27. 5. 774 ᵃ20. 6. 774 ᵇ27. Ζιζ1. 558 ᵇ20. τί
ἄν τις θαυμάσειεν ἐπὶ τῶν πολυτοκούντων Ζγδ4. 771 ᵇ16.

πολυτοκία τῶν ζῴων Ζγγ4. 755 ᵃ25. ἡ τῆς πολυτοκίας αἰτία
Ζγδ4. 771 ᵃ16, ᵇ7. ἀλεκτορίδων ἔνιαι μετὰ τὴν πολυγονίαν
ἀπέθανον Ζγγ1. 750 ᵃ28.

πολυτόκος. τὰ τέρατα ἐν τοῖς μονοτόκοις σπάνια πάμπαν,
ἐν δὲ τοῖς πολυτόκοις μᾶλλον κỳ μάλιστα ἐν ὄρνισι Ζγδ3.
770 ᵃ9, 32, ᵇ25. — 1. inter mammalia διὰ τί τὰ μὲν
πολυτόκα τὰ δὲ μονοτόκα Ζγδ4. 771 ᵃ17, 22, ᵇ1. Ζιη4.
584 ᵇ28, τῶν κολοβῶν ζῴων κỳ ἀμφωδόντων Ζγβ7. 746
ᵃ12. τὰ πολυτόκα Ζγδ4. 771 ᵇ31, 772 ᵃ19. 5. 774 ᵃ20. οἱ
μαστοὶ πῆ Ζμδ10. 688 ᵃ34, ᵇ16. τὰ πολυσχιδῆ πολυτόκα
ἐστὶν Ζγδ4. 771 ᵇ3. 5. 774 ᵃ33. 6. 774 ᵇ10. τὰ πολυτόκα
ἢ πολυσχιδῆ, opp τὰ ὀλιγοτόκα κỳ μώνυχα κỳ κερατοφόρα
Ζμδ10. 688 ᵃ34. αἶγες κỳ πρόβατα πολυτοκώτερα (τῶν
γυναικῶν), μόνον πολυτόκον ὂν ἡ ὗς τελειογονεῖ Ζγδ3. 770
ᵃ36. 6. 774 ᵇ16. πι6. 891 ᵇ9. — 2. κỳ ἐν τοῖς πτηνοῖς κỳ
ἐν τοῖς πλωτοῖς τὰ μὲν μεγάλα ὀλιγοτόκα τὰ δὲ μικρὰ
πολυτόκα Ζγδ4. 771 ᵇ12. inter aves τὰ πολυτόκα, opp τὰ
γαμψώνυχα ὀλιγοτόκα Ζγγ2. 753 ᵃ27, 31. αἱ ἀγενεῖς
(ἀλεκτορίδες) τῶν γενναίων πολυτοκώτεραι, τῶν ἀλεκτορίδων
καὶ Ἀδριανικαὶ πολυτοκώταταί εἰσιν Ζγγ1. 749 ᵇ31, 29. cf
750 ᵃ27. Ζιζ1. 558 ᵇ16, 17.

πολύτροπος. τὸ πυκνὸν πολυτρόπων δεῖται δυνάμεων φτβ1.
822 ᵇ11.

πολυφαγία τῶν ἀθλητῶν Ζγδ3. 768 ᵇ29.

πολυφάγος ὁ Κροτωνιάτης Μίλων f 477. 1556 ᵇ5.

Πολύφημος, διὰ τί Κύκλωψ f 164. 1505 ᵇ10.

πολυφιλία, coni πλᾶτος, ἰσχύς Ρα5. 1360 ᵇ20, 1361 ᵇ35-
39. β5. 1383 ᵃ3. 11. 1388 ᵇ5. Πγ13. 1284 ᵃ20, ᵇ27. ὑπερ-
τείνειν ταῖς ὑσίαις κỳ πολυφιλίαις Πδ6. 1293 ᵃ31. ἡ π. δοκεῖ
τῶν καλῶν ἕν τι εἶναι Ηθ1. 1155 ᵃ30.

πολύφιλοι Ρα12. 1372 ᵃ13. πολύφιλοι καθ' ὑπερβολήν, οἱ
π. ἐδενὶ δοκῦσιν εἶναι φίλοι Ηι10. 1170 ᵇ23, 1171 ᵃ15. μὴ
ζητεῖν ὡς πολυφιλώτατοι εἶναι Ηι10. 1171 ᵃ9.

πολυφυής. τὸ διφυὲς τῷ στόματος παρίσθμιον, τὸ δὲ πο-
λυφυὲς ὅλον Ζια11. 493 ᵃ1.

πολύφωνοι τῶν ὀρνίθων οἱ μικρότεροι Ζμβ17. 660 ᵃ34, 33.
Ζιθ9. 536 ᵃ34 (coni λαλίστεροι).

πολύχειρ ἄνθρωπος τὸ πλῆθος Πγ11. 1281 ᵇ6.

πολυχειρίας δεῖ τοῖς ἄρχυσι κ6. 398 ᵇ12.

πολυχοεῖν. ἡ φύσις ὖ δύναται ἐπ' ἀμφότερα (τὴν τε τῶν
πτερῶν φύσιν κỳ τὴν τῷ σπέρματος) πολυχοεῖν Ζγγ1. 749
ᵇ9. cf δ8. 777 ᵃ16.

πολύχοος, πολύχυς. 1. πολύχοά ἐστι κỳ πολύσπερμα τὰ μὲν
διὰ δύναμιν τὰ δὲ δι' ἀδυναμίαν Ζγα18. 726 ᵃ10. ἡ τευ-
θρηδὼν πολύχυν Ζιι43. 629 ᵃ35 Aub. — 2. i q πολυειδής.
πολυχυτέρα ἰδέα, coni syn πολυμορφότερα Ζμβ10. 656
ᵃ5, 4. ὁ πολύχυς ἢ ἐναντίωσις Ργ17. 1418 ᵇ9.

πολύχρηστος, coni χρήσιμος πρὸς τὸν βίον Πθ3. 1337 ᵇ26.
ἔνια πολύχρηστά ἐστι τῶν περὶ τὰς τέχνας, ὥσπερ ἐν τῇ
χαλκευτικῇ ἡ σφῦρα κỳ ὁ ἄκμων Ζγε8. 789 ᵇ9.

πολύχροα. πολύχροα διὰ τὴν πολύχροιαν τῶν ὑγρῶν πλδ4.
963 ᵇ37.

πολυχρονία. ἡ π. τῷ τόκῳ πι47. 896 ᵃ27.

πολυχρόνιος. ζωὴ πολυχρόνιος, opp ἐπέτειος μκ1. 464 ᵇ25.
πολυχρονιώτερα ὅλως τὰ ἄρρενα τῶν θηλέων, ἐν τοῖς ὄρνισι

τῶν ἀρρένων τὰ θήλεα Ζιι7. 613 ᵃ25. f 270. 1527 ᵃ1. ὁ λέων πολυχρόνιος· σπόγγων γένος πολυχρόνιον· πολυχρονιωτέρα ἡ φάσσα Ζιι44. 629 ᵇ32. ε16. 549 ᵃ9. f 271. 1527 ᵃ21. πολυχρόνιος ὁ τῶν ἐλεφάντων τόκος Ζγδ10. 777 ᵇ15. ὅσα φαίνεται τίκτεσθαι πολυχρονιώτερα τῶν ἔνδεκα μηνῶν Ζιη4. 584 ᵇ20. πολυχρονιώτερα, ὀλιγοχρονιώτερα τῆς φύσεως μχ3. 465 ᵇ28. cf Ρα7. 1364 ᵇ30. πολυχρόνιος ὢν ὐκ ἄνευ τύχης διαμείνειεν ἂν Ρα5. 1361 ᵇ30. τὸ πολυχρόνιον, opp τὸ ἐφήμερον Ηα4. 1096 ᵇ4. ὅσα πολυχρόνια τῶν ἔργων Ηδ5. 1123 ᵃ8. τὸ καλὸν πολυχρόνιον Ηι7. 1168 ᵃ16. πολυχρόνιοι, πολυχρονιώτεραι ἀρχαί, dist ἀΐδιοι, opp ἐπέτειοι Πδ15. 1299 ᵃ7, 9. ε8. 1308 ᵇ13. πόροι πολυχρόνιοι ρ3. 1425 ᵇ29. πολυχρονιώτερον, syn βεβαιότερον, μονιμώτερον, δυσκινητότερον, ἀσφαλέστερον τγ1. 116 ᵃ13. Κ8. 8 ᵇ28 (πολὺ χρονιώτερον Bk), 9 ᵃ5, 9. Πδ11. 1296 ᵃ14. — Σί-βυλλα πολυχρονιωτάτη γενομένη θ95. 838 ᵃ7.

πολύχροος, πολύχρης, πολύχρως. τῶν ζώων τὰ μέν ἐστι μόνοχροα, τὰ δὲ πολύχροα μέν, ὁλόχροα δέ, τὰ δὲ ποικίλα Ζγε6. 785 ᵇ19. cf ε1. 779 ᵇ3. τὰ τῶν ἀνθρώπων ὄμματα πολύχροα· ὁ ἄνθρωπος πολύχρης τὰ ὄμματα Ζγε1. 779 ᵃ34. Ζια10. 492 ᵃ5. ὄμμα πολύχρων, opp μονόχρων Ζγε1. 779 ᵇ9. παρὰ τὴν βαφὴν πολύχρης φαίνεται ἡ γῆ χ1. 791 ᵃ5. πολύχροα πάντα διὰ τὴν πολύχροιαν τῶν ὑγρῶν πλδ4. 963 ᵇ37.

πολυώνυμος. εἰς ὢν ὁ θεὸς πολυώνυμός ἐστιν χ7. 401 ᵃ12. καλεῖται ᾗ μὲν λαμβάνει, στόμα, εἰς ὃ δὲ δέχεται, κοιλία, τὸ δὲ λοιπὸν πολυώνυμόν ἐστιν Ζια2. 489 ᵃ2 Aub.

πολυώνυχος. πολυώνυχοί εἰσι πάντες οἱ ὄρνιθες Ζιβ12. 504 ᵃ5. τὰ πολυώνυχα πι43. 895 ᵃ38.

πολυωρεῖν. προσήκειν οἴονται πολυωρεῖσθαι ὑπὸ τῶν ἡττόνων Ρβ2. 1378 ᵇ34.

πολυωφελές Ηα1. 1095 ᵃ11, opp ἀνόνητος ᵃ9, ἀνωφελῶς ᵃ5.

πόμα γλυκύ, γλύκιον μβ3. 357 ᵃ29. ηεη2. 1238 ᵃ28. πόμα πρόσφατον Ζιγ19. 520 ᵇ30. μιγνύναι εἰς τὰ πόματα τὰς τοιαύτας δυνάμεις (ὀσμάς) αι5. 444 ᵃ1. πόμα ἧττον ἄκρατον πκα20. 929 ᵃ36. προσδοποιεῖν τῷ πόματι πιγ35. 876 ᵃ28. ἀκρατεῖς περὶ τὰ πόματα Ζμδ11. 691 ᵃ2. λαβεῖν τρίχα ἐν τῷ πόματι Ζιη11. 587 ᵇ25.

πομπεύειν. τῶν ἵππων ὅσοι τὸν τρόπον τῦτον ποιῶνται τὴν κίνησιν οἷον οἱ πομπεύοντες Ζπ14. 712 ᵃ34. v ἵππος p 345 ᵇ42.

πολυγυγὴν. ἀναφερόμενος ὁ ἀὴρ πομφολυγοῖ τὴν θάλατταν πκγ4. 931 ᵇ34.

πομφόλυξ ἀφρώδης Ζγγ11. 762 ᵃ14. ὁ ἀφρὸς σύγκειται ἐκ πομφολύγων· ὅσῳ ἂν ἐλάττυς χ ἀδηλότεραι αἱ πομφόλυγες ὦσι, τοσύτῳ στιφρότερος ὁ ὄγκος φαίνεται Ζγβ2. 735 ᵇ12, 736 ᵃ16. γίνονται πομφόλυγες τῦ πνεύματος ἐξιόντος βιαίως αν3. 471 ᵇ1. ἡ πομφόλυξ ὑγρῦ ὑπ᾿ ἀέρος κάτωθεν ἀνωθυμένη· ἡ ὑπέρζεσίς ἐστιν ἡ ἀναβολὴ τῶν πομφολύγων πκγ4. 931 ᵇ34. κδ6. 936 ᵇ1. ποιεῖν πομφόλυγας πλιγ17. 963 ᵇ3. αἱ πομφόλυγες ἡμισφαίρια· αἱ βάσεις τῶν πομφολύγων πιϛ2. 913 ᵃ29. 1. 913 ᵃ19.

πονεῖν, opp ἀργεῖν Ζιζ20. 574 ᵇ29. αἱ εἰωθυῖαι πονεῖν γυναῖκες Ζγδ6. 775 ᵃ35. πονεῖν, opp ῥαθυμεῖν Ηζ1. 1138 ᵇ28. οἱ πονῦντες χ οἱ ἀπολαύοντες πιθ1. 917 ᵇ19. ὁ πονῶν δεῖται τῆς ἀναπαύσεως Πθ3. 1337 ᵇ38. τὸ πονεῖν αἴτιον τῆς εὐεξίας χ αὐτὴ τῦ πονεῖν Φβ3. 195 ᵃ9. Μδ2. 1013 ᵇ9. ἀδυνατῦντες συνεχῶς πονεῖν Ηκ6. 1176 ᵇ35. φεύγοντες τὸ πονεῖν, ἡσσώμενος τῦ πονεῖν (apud Agathonem) ηεγ1. 1229 ᵇ39, 1230 ᵃ1. — πονεῖν τὴν ἀπὸ τῦ αἴρειν λύπην Ηη8. 60 1150 ᵇ4. πονεῖν τὴν κεφαλήν, τὰς ὀφθαλμὰς αl Ζιε31. 557

ᵃ10. πγ14. 873 ᵃ5. ε19. 882 ᵇ25. 24. 883 ᵃ30. λα19. 959 ᵃ33. 23.959 ᵇ21. θ5.831 ᵃ1. πονεῖν τῇ κυήσει Ζιζ17. 570 ᵇ3. οἱ πονῶντες Ζγα18. 725 ᵃ17. ἅπαν συμπαθὲς ἑνὸς μορίῳ πονήσαντος Ζμδ10. 690 ᵇ4. οἱ ἀσθενεῖς χ πεπονηκότες τῶν τόπων χ6. 798 ᵃ23. ἀεὶ πονεῖ τὸ ζῷον Ηη15. 1154 ᵇ7. τὰ σπαρτία ἧττον πονέσει μχ25. 856 ᵇ9. — οἱ γεγυμνασμένοι χ πεπονηκότες Πε9. 1310 ᵃ24. — πεπόνηται ὁ πολιτικὸς περὶ τὴν ἀρετήν, οἱ περὶ τὰ ἐγκώμια πεπονημένοι Ηα13. 1102 ᵃ8. 12. 1101 ᵇ35. πεπονημένην ἔχειν δεῖ τὴν ἕξιν Πη16. 1335 ᵇ8.

πονηρεύεσθαι Ργ10. 1411 ᵃ17.

πονηρία, syn μοχθηρία Ηε4. 1130 ᵃ21, 17. dist μοχθηρία: ἡ μοχθηρία πονηρία συνεχής Ηη9. 1150 ᵇ35. dist ἀβελτερία ρ5. 1426 ᵇ30, 32. dist κακοήθεια: κανθοὶ μακροὶ κακοηθείας σημεῖον, κρεώδεις πονηρίας Ζια9. 491 ᵇ26. ἡ πονηρία τῶν ἀνθρώπων ἄπληστον Πβ7. 1267 ᵇ1. ἡ παροιμία, προφάσεως δεῖται μόνον ἡ πονηρία Ρα12. 1373 ᵃ4. εὐήθεις διὰ τὸ μήπω τεθεωρηκέναι πολλὰς πονηρίας Ρβ12. 1389 ᵃ18.

πονηροκρατυμένη πόλις Πδ8. 1294 ᵃ2.

πονηρολογία. ἀνάγκη πονηρολογίαν συμβαίνειν, syn πρὸς ἐνίας φαύλας γίνεσθαι τὺς λόγυς τθ14. 164 ᵇ13, 9.

πονηρός. πονηροὶ χ ἀσεβεῖς χ ἄδικοι Ηδ3. 1122 ᵃ6 (cf τὸ ἀδικεῖν εἶναι τῶν πονηρῶν ἀνθρώπων ρ5. 1427 ᵃ32). πονηροὶ χ ἀβέλτεροι ρ5. 1426 ᵇ35. syn μοχθηρός, opp ἐπιεικής πο13. 1453 ᵃ1, 1452 ᵇ36, 34. πονηρὸς δ᾿ ἢ χ γὰρ προαιρέσεις ἐπιεικὴς Ηη11. 1152 ᵃ16. ὕπω πονηροί· ὐ γὰρ διὰ μοχθηρίαν ἡ βλάβη Ηε10. 1135 ᵇ24. dist ἀκρατής Ηη11. 1152 ᵃ20-24. πονηροὶ δημαγωγοί Πε5. 1304 ᵃ26. πονηρὰ πολιτεία Πδ9. 1294 ᵇ38. προσιμιάζονται οἱ πονηρὸν τὸ πρᾶγμα ἔχοντες χ δοκῦντες Ργ14. 1415 ᵇ22. ἐκ πονηρῦ θεάσθαι Ηι7. 1167 ᵇ26.

πονηρόφιλον ἡ τυραννίς Πε11. 1314 ᵃ1.

πονητικός. βραχυβιώτερα ὅσα πονητικὰ τῶν ἀρρένων, χ διὰ τὸν πόνον γηράσκει θᾶττον μχ5. 466 ᵇ12. ἐν οἷς ἔθνεσι πονητικὸς ὁ τῶν γυναικῶν βίος Ζγδ6. 775 ᵃ33.

πόνος. ὁ πόνος ἀναλίσκει τὰ περιττώματα Ζγδ6. 775 ᵃ35. ξηραίνει ὁ πόνος μχ5. 466 ᵇ14. οἱ πρὸς ἀνάγκην πόνοι, syn ἀναγκαῖα γυμνάσια, opp κυφότερα γυμνάσια Πθ4. 1338 ᵇ41, 40, 1339 ᵃ4. ἀναγκαῖοι πόνοι Πη17. 1336 ᵃ25. ἕξις πεπονημένη πόνοις μὴ βιαίοις Πη16. 1335 ᵇ9. πόνυς τλήναι μαλερὺς ἀκάμαντας f 625. 1583 ᵇ12. — οἱ ὀδόντες πόνον παρέχυσιν ἐν τῇ ἀνατολῇ Ζιβ4. 501 ᵇ27. cf Ζγγ2. 752 ᵃ34. πόνων ἐπιγιγνομένων Ζγδ4. 773 ᵃ17. πόνοι ἐν τῇ κεφαλῇ, περὶ τὴν κοιλίαν· πόνος συνεχής, νωθρότερος, χαλεπώτερος Ζιη9. 586 ᵇ30, 28. 4. 584 ᵃ4, 28.

ποντίλος, ποντίλος S cf Lob Prol 114 (v l ναυτικός) Ζιδ1. 525 ᵃ21. v ναυτίλος.

Ποντικὸς μῦς λευκός Ζιθ17. 600 ᵇ13. ι50. 632 ᵇ9. v μῦς p 478 ᵇ28.

πόντιος. νῆσοι πόντιαι, dist πρόσγειοι μβ8. 368 ᵇ33.

πόντος. μή ποτ᾿ ἀπ᾿ ἠπείρυ δείσης νέφος ἀλλ᾿ ἀπὸ πόντυ πκς57. 747 ᵃ8, cf παροιμία p 569 ᵇ52.

Πόντος χ3. 393 ᵃ32, ᵇ25, 27. μιχοὶ Πόντυ ὅροι Εὐρώπης χ3. 393 ᵇ24. τὰ καλώμενα βαθέα τῦ Πόντυ μα13. 351 ᵃ12. τῆς Μαιώτιδος βαθύτερος μβ1. 352 ᵃ20. εἰς τὸν Αἰγαῖον ῥεῖ μβ1. 352 ᵃ14. Πόντυ ἔκπλυς κατὰ τὸν Ἴστρον θ105. 839 ᵇ10, 14. τῦ Πόντυ καθαιρομένυ Ζιζ13. 568 ᵃ4. de maris natura et aeris temperie μα10. 347 ᵃ36, ᵇ4. Ζιη19. 601 ᵇ17, 18. πο2. 909 ᵃ18. κγ6. 932 ᵃ21, 24, 28. κε6. 938 ᵃ37. ἐν Πόντῳ ὄρνεα φωλεύοντα θ63. 835 ᵃ15. navium commeatus οβ1346 ᵇ31, 1347 ᵇ25. θ104. 839 ᵇ3, 6. pisces

aliaque animalia maritima ἐν τῷ Πόντῳ Ζιε10. 543 ᵇ3.
ζ12. 566 ᵇ10. 17. 571 ᵃ15, 21. θ12. 596 ᵇ31, 597 ᵃ14, 15.
13. 598 ᵃ24, 27, 30, ᵇ2, 10, 29. 19. 601 ᵇ17. 20. 603 ᵃ25.
28. 606 ᵃ10. μέλιτται, ὄνοι, κριοὶ al περὶ τὸν Πόντον, ἐν
τῷ Πόντῳ Ζιι22. 554 ᵇ8, 18. θ25. 605 ᵃ21. 28. 606 ᵃ20. 5
Ζμδ5. 682 ᵃ27. οἱ περὶ τὸν Πόντον μα12. 348 ᵇ34. Πθ4.
1338 ᵇ21. οἱ ἀπηγριωμένοι περὶ τὸν Πόντον Ηη6. 1148 ᵇ22.
οἱ ἐν τῷ Πόντῳ Σκύθαι Ζγε3. 782 ᵇ33. Ἡράκλεια ἡ ἐν τῷ
Πόντῳ μβ8. 367 ᵃ1. Πε6. 1305 ᵇ36. θ73. 835 ᵇ15. Ἀπολ-
λωνία ἡ ἐν τῷ Πόντῳ Πε6. 1306 ᵃ9, cf Ἀπολλωνιᾶται οἱ 10
ἐν τῷ Εὐξείνῳ πόντῳ Πε3. 1303 ᵃ37. Τραπεζοῦς ἡ ἐν τῷ
Πόντῳ θ18. 831 ᵇ23. ἐν τῷ Πόντῳ περὶ τὸν Θερμώδοντα
ποταμόν Ζιζ13. 567 ᵇ16.
Πόντος ποταμὸς Θράκης θ115. 841 ᵃ28, cf Tomaschek Ztsch
f d öst Gym 1867 p 695. 15
ποοφαγεῖν. ἄλλα δ' ἔστιν (ὄρνεα) ἃ ζῇ καρποφαγοῦντα κ̅
ποοφαγοῦντα Ζιθ3. 593 ᵃ15.
ποοφάγος κ̅ ἕλειος βίος Ζμδ12. 693 ᵃ15, cf ποηφάγος.
πόπανα τίθεσθαι ἐπὶ τοῦ βωμοῦ ἄνευ πυρός, ἱερεῖον δὲ μηδέν
f 447. 1551 ᵇ15. 20
Ποπλώνιον Τυρρηνῶν θ93. 837 ᵇ31.
Πορδοσελήνη Ζιθ28. 605 ᵇ29.
πορεία. ὑπὸ τὴν τοῦ ἥλιου πορείαν μα7. 344 ᵇ5. πολλὴν εἶναι
φαμὲν τὴν ὁδόν, ἂν ᾖ ἡ πορεία πολλή Φθ12. 220 ᵇ30. τὰ
φαινόμενα περὶ τε τὰς πλάς κ̅ τὰς πορείας μβ5. 362 ᵇ20. 25
ποιεῖσθαι πορείαν πρὸς θεοὺς ἀποθεραπείαν Πη16. 1335 ᵇ15.
ἡ τῶν ζῴων πορεία Ζμα1. 639 ᵇ1. κάμψεως μὴ ὄυσης ὕτ'
ἂν πορεία ὕτε νεῦσις ὕτε πτῆσις ᾖ Ζπ9. 708 ᵇ27. δυνατὸν
κ̅ ἀπὸ περιττῶν ποδῶν πορείαν γίνεσθαι Ζπ8. 708 ᵇ6. τὸ
πρόσθεν, ἐφ' ὃ κ̅ ἡ πορεία Ζια15. 494 ᵇ6. ποιεῖσθαι τὴν 30
αὐτὴν κίνησιν τῆς πορείας Ζιβ1. 501 ᵃ2. κυμαίνειν τῇ πορείᾳ
Ζιε19. 551 ᵇ7. οἱ γαμψ̅οὶ ὄνυχες ὑπεναντίοι πρὸς τὴν πο-
ρείαν Ζμδ12. 694 ᵃ19. ἡ ἐπὶ τοῦ ὑγροῦ πορεία Ζπ13. 713
ᵃ5. εἴρηται ἐν τοῖς περὶ τῆς πορείας τῶν ζῴων Ζμδ11. 690
ᵇ15, 692 ᵃ17. 13. 696 ᵃ11, cf Ἀριστοτέλης p 103 ᵇ3. 35
πορεύειν. μῆκος δ' ἔπορ' Ἄρτεμις (Hom υ 71) π16. 894 ᵇ34.
πορεύεσθαι, dist ἄλλεσθαι Ζπ3. 705 ᵃ6, 5. (τὰ ἔντομα διαι-
ρούμενα) κ̅ ἐπὶ τὴν τομὴν πορεύεται κ̅ ἐπὶ τὴν θραν Ζιθ7.
532 ᵃ4. — ὁ οἰσοφάγος ἐστὶ δι' ὗ ἡ τροφὴ πορεύεται εἰς
τὴν κοιλίαν sim Ζμγ3. 664 ᵃ21, ᵇ14. Ζιθ4. 529 ᵇ10. — 40
de inquirendi via ac ratione (cf ὁδός, μετιέναι, βαδίζειν),
ἐπὶ τὸ ἄνω πορευόμενος ἵσταταί ποτε Αα27. 43 ᵃ36. ἐπὶ
τὸ μὴ καλῶς δεδεῖχθαι πορευτέον τι17. 176 ᵃ37. ἥτως ἀεὶ
πορεύσεται Αγ23. 85 ᵃ7. κ̅ τῦτ' ἐπορεύετ' ἂν εἰς ἄπειρον
Ζγα1. 715 ᵇ14, cf ἄπειρον p 74 ᵇ52. 45
πορεύσιμος. ὥστ' εἰ μὴ τὰ κωλύει θαλάττης πλῆθος, ἅπαν
εἶναι πορεύσιμον μβ5. 362 ᵇ19.
πορευτικός. τὸ σφαιροειδὲς πλεῖστον ἀφέστηκε τῷ σχήματι
τῶν πορευτικῶν σωμάτων Οβ8. 290 ᵇ8. ὅθεν τῶν πορευτι-
κῶν ὀργάνων, τὰς πορευτικῆς (sc μόριον), syn τὰ πορευτι- 50
κὰ μέρη τῆς πορείας Ζγβ1. 732 ᵇ27. α2. 716 ᵃ31. ψ9. 432
ᵇ26. — a. Gangthier. τὰ πορευτικὰ τῶν ζῴων, syn ἕκα-
στον τῶν πορευομένων Ζγδ8. 776 ᵇ7. Ζπ3. 705 ᵃ6. 8. 708
ᵇ17. ζ2. 468 ᵃ18. τὰ φυτὰ λαμβάνει τὴν τροφὴν ἐκ τῆς
γῆς, τὰ δὲ ζῷα πάντα ὡσ σχεδόν, τὰ δὲ πορευτικὰ φα- 55
νερῶς ἐν αὑτοῖς ἔχει τὸ τῆς κοιλίας κύτος Ζμβ3. 650 ᵃ24.
ἐν τοῖς ζῴοις πᾶσι τοῖς πορευτικοῖς κεχώρισται τὸ θῆλυ τῦ
ἄρρενος, ἐν τοῖς φυτοῖς δ' ὓ Ζγα23. 730 ᵇ33 (cf 731 ᵃ1,
ᵇ8). β1. 732 ᵃ14. τῷ πορευτικῷ ζῴῳ ἀνάγκη ὑπάρχειν
αἰσθήσεις ψγ12. 434 ᵇ25, ᵃ33. αι1. 436 ᵇ18. τί ἐστι τὸ 60
κινοῦν τὸ ζῷον τὴν πορευτικὴν κίνησιν ψ9. 432 ᵇ14. ἀδιό-

ριστον τὸ ἄνω κ̅ τὸ κάτω τοῖς μαλακίοις τῶν πορευτικῶν
μόνοις Ζγβ6. 741 ᵇ34. — b. τῶν χερσαίων τὰ μὲν πτηνὰ
τὰ δὲ πεζά, κ̅ τῶν πεζῶν τὰ μὲν πορευτικὰ τὰ δὲ ἑρπυ-
στικὰ τὰ δὲ ἰλυσπαστικά Ζια1. 487 ᵇ20. (ἀναγκαῖον τοῖς
ἀντικειμένοις διαιρεῖν κ̅ μὴ τὰ μὲν πορευτικὰ τὰ δὲ πτηνά· 5
ἔστι γάρ τινα γένη οἷς ἄμφω ὑπάρχει Ζμα3. 643 ᵇ1.) syn
τὰ ἔναιμα κ̅ πορευτικά, τὰ πεζά κ̅ πορευτικά, opp οἱ ὄρ-
νιθες, τὰ πορευτικὰ τῶν τελείων ζῴων Ζμγ5. 667 ᵇ32.
δ12. 693 ᵇ9. ζ2. 468 ᵃ18. τὰς ὀπισθίας δύο πᾶσιν ἀναγκαῖον
τοῖς πορευτικοῖς ἔχειν Ζμδ10. 686 ᵇ1. τὸ ἔμβρυον χρῆται 10
τῇ ὑστέρᾳ ὥσπερ γῇ φυτόν, ἕως ἂν τελεωθῇ πρὸς τὸ εἶναι
ἤδη ζῷον δυνάμει πορευτικόν Ζγβ4. 740 ᵃ27. — c. τῶν
ζῴων τὰ μὲν τῷ προσπεφυκέναι ζῇ (μόνιμα), τὰ δὲ νευ-
στικά, τὰ δὲ πορευτικά, οἷον τὸ τῶν καρκίνων γένος· τῦτο 15
γὰρ ἔνυδρον ὂν τὴν φύσιν πορευτικόν ἐστιν Ζια1. 487 ᵇ18.
opp τὰ μόνιμα Ζμδ5. 681 ᵇ36. τὰ πορευτικὰ μείζω τῶν
μονίμων ζῴων Ζγβ1. 732 ᵃ22. πορευτικὰ κ̅ νευστικὰ πολλὰ
τῶν ζῴων ἐστὶ Ζια1. 487 ᵇ31. αἱ σηπίαι κ̅ αἱ τευθίδες
νευστικαὶ μόνον, τὰς δὲ πολύποδας κ̅ πορευτικάς· ἔνια μα-
λακόστρακα νευστικώτερά εἰσιν ἢ πορευτικώτερα· τὰ δὲ 20
μαλακόστρακα πάντα πορευτικά, μόνιμος ἡ τῶν ὀστρακο-
δέρμων φύσις Ζγδ9. 685 ᵃ15. 8. 684 ᵃ18, 683 ᵇ25, 5. cf
Ζπ19. 714 ᵇ16. ὅλως πᾶν τὸ γένος τὸ τῶν ὀστρακοδέρμων
φυτοῖς ἔοικε πρὸς τὰ πορευτικὰ τῶν ζῴων· ἥκιστα τὴν 25
ὄσφρησιν τῶν ὀστρακοδέρμων φαίνεται ἔχειν τῶν μὲν πορευ-
τικῶν ἐχῖνος, δὲ ἀκίνητα τεθυα κ̅ βάλανος Ζιθ1. 588
ᵇ17. θ8. 535 ᵃ24. ὅσα μὴ πορευτικά, καθάπερ τὰ ὀστρα-
κόδερμα τῶν ζῴων τὰ ζῶντα τῷ προσπεφυκέναι Ζγα1.
715 ᵇ16. sed πορευτικὰ δὲ κήρυξ πορφύρα ἠδ̅πορφύρα 30
ἐχῖνος στράβηλος f 287. 1528 ᵇ10. (cf M 88. 89. 135.)
πορθεῖν πόλεις Ηδ3. 1122 ᵃ5. πεπορθήκεναι Ἴλιον Ηζ2. 1139
ᵇ7. ὁ κλέψας κ̅ λαβεῖν κ̅ πορθῆσαι λέγεται Ργ2. 1405
ᵃ28.
πορθμεύς μβ3. 356 ᵇ16. 35
πορθμευτικόν, εἶδος δῆμυ Πδ4. 1291 ᵇ21, 24.
πορθμὸς μεταξὺ Σικελίας κ̅ Ἰταλίας θ55. 834 ᵇ3. 130. 843
ᵃ1. ἄνεμος (ἐν Σικελίᾳ) πνέων ἀπὸ τοῦ πορθμοῦ σ973 ᵇ1.
f 238. 1521 ᵇ19. πορθμοί, coni εὔριποι κ4. 396 ᵃ25. —
αὐλὴ πορθμός (Emped 352, 359) αν7. 473 ᵇ18, 25, cf Sturz
ad h v. 40
πορίζειν τὰ ἔξωθεν, σῴζειν τὰ ἔνδον οα3. 1344 ᵃ2. πορίζειν
τροφήν, μισθόν, μισθοφοράν, ζημίαν, χώραν Πβ8. 1268 ᵃ32.
δ13. 1297 ᵃ37, 40, ᵇ12. ε5. 1304 ᵇ28. γ14. 1285 ᵇ7, ἀγα-
θὸν τῷ κοινῷ Ηθ16. 1163 ᵇ6. εἰ μὴ οἷόν τε πορισθῆναι χρή- 45
ματα Ηγ5. 1112 ᵇ26. πορίζεσθαι τὴν τροφὴν ῥᾳδίως, ἐκ
τῶ ὑγρῶ Ζγγ1. 749 ᵇ24. Ζια1. 487 ᵇ1. πορίσασθαι ὠφε-
λείας ρ1. 1420 ᵇ11. ἡ φύσις τὸ ἀναπνεῖν πεπόρικεν εἰς σω-
τηρίαν υ2. 456 ᵃ10. τοῖς κολυμβηταῖς ἔνιοι πρὸς τὴν ἀναπνοὴν
ὄργανα πορίζονται Ζμβ16. 659 ᵃ10. πεπόρισται κοινὸν μέτρον 50
τὸ νόμισμα Ηι1. 1164 ᵃ1. Πα9. 1257 ᵃ33, ᵇ1. πορίζειν
ἡδονήν Ηθ3. 1121 ᵇ7. ηεα5. 1215 ᵇ33. πορίσαι, πορίσασθαι
λόγους, δόξας, πίστεις, ἐνθυμήματα, παραδείγματα τθ3. 158
ᵇ6. Ηκ10. 1179 ᵇ6. Ρα2. 1356 ᵃ1, 33. β20. 1394 ᵃ6. γ1.
1403 ᵇ13, 1404 ᵃ25. τὴν εὑμένειαν πῶς πορ ιστέον ρ37. 55
1442 ᵃ2. πορ ισθὲν διά τινος ρ4. 1426 ᵃ6. οἱ τὰς τέχνας
τῶν λόγων συντιθέντες ὀλίγον πεπορίκασιν αὐτῆς μόριον Ρα1.
1354 ᵃ12. τὰ ἐκτὸς μόρια ἑκάστοις (τῶν ζῴων) ἰδίᾳ πεπό-
ρισται πρὸς τοὺς βίυς Ζμγ4. 665 ᵇ3. αἱ πράξεις (τῶν ζῴων)
πρὸς τὰ ψύχη κ̅ τὰς ἀλέας πεπορισμέναι εἰσὶ Ζιθ12. 596 60
ᵇ22.
πορ ιστής. οἱ λῃσταὶ αὐτὰς πορ ιστὰς καλῦσιν Ργ2. 1405 ᵃ26.

ποριστικός. ἀρετή ἐστι δύναμις ποριστικὴ ἀγαθῶν ϰ̀ φυλακτικὴ Pa9. 1366 ᵃ37.

πορνοβοσκοί (εἶδός τι ἀνελευθερίας) Hϑ3. 1121 ᵇ33.

πόρος. ὅτι ἢκ ὀρθῶς δοκεῖ τισὶ πάσχειν ἕκαστον διά τινων πόρων εἰσιόντος τῷ ποιῷντος Γα8. τὸ μικρομερέστερον διὰ 5 τῶν μειζόνων πόρων διέρχεται Aδ 11. 94 ᵇ29. μὴ διιέναι διὰ τῶν πόρων Oγ8. 307 ᵇ13. πόροι κενοὶ συγγενῶς σώματος μδ9. 386 ᵇ2. πόρως ἔχειν μείζως, ἐλάττως τῶν τῷ ὕδατος ὄγκων μδ8. 385 ᵃ29. 9. 385 ᵇ20. τῶν χρωμάτων συνεισιόντων εἰς τὰς τῶν βαπτομένων πόρως χ4. 794 ᵃ27, 29, 10 33, ᵇ8. πόρως ἔχειν κατὰ μῆκος, κατὰ πλάτος, κατ᾽ εὐθυωρίαν, δι᾽ ὅλυ, παραλλάξ, παραλλάττοντας μδ9. 387 ᵃ2, 21, 385 ᵇ24, 25, 386 ᵃ15. εὐθυωρίαι τῶν πόρων πλεῖσται ϰ̀ μέγισται πκγ8. 932 ᵇ10. πόροι κατ᾽ ἀλλήλυς, κατάλληλοι πια58. 905 ᵃ40, ᵇ4, 8, 14. οἱ πόροι ἐπαλλάττωσι, παραλ- 15 λάττωσι πκε9. 939 ᵃ13. θ13. 890 ᵇ38. οἱ πόροι συνίασι, μίνωσιν μδ3. 381 ᵇ1, 3. ἡ μαλακότης ϰ̀ ἡ ἀραιότης τῶν (τῷ κέρατος) πόρων αϰ802 ᵃ25.

πόροι τῶν ζῴων ϰ̀ τῶν φυτῶν (Philippson ὕλη 17: 'hoc verbo semper significatur locus cavus per quem aliquid 20 permeat'. p 19: 'Plato hac voce non utitur sed διέξοδος' cf Tim 67 E. 73 E. 79 E. 84 D. 91 A, C. δίοδος 79 C.) 1. τῶν ζώων. a. universe. οἱ τῶν φύσεως πόροι, οἱ τῶν σωμάτων πόροι πβ41. 870 ᵇ21. ια58. 905 ᵇ15. κγ22. 934 ᵃ7. οἱ κατὰ φύσιν πόροι (Bk, περιττώματα ci Aub) Ζιγ11. 518 ᵃ4. οἱ 25 πόροι δι᾽ ὧν ἀποκρίνεται τὸ περίττωμα συγκεχυμένοι ϰ̀ συμπεφυκότες Ζγβ8. 747 ᵃ11 (cf Philopon ad Ζγ 59 A). συμβαίνει πολλάκις πολλοῖς ἤδη τετελειωμένοις τὰς μὲν συμπεφυκέναι τῶν πόρων (atresia) τὰς δὲ παρεκτετράφθαι (situs mutatus) Ζγδ4. 773 ᵃ15 Aub. τὰ φάρμακα φέρονται 30 καθ᾽ ὅσπερ ἡ τροφὴ πόρως εἰς τὰς φλέβας· ἡ σκαμμωνία ὀλίγη ὖσα μετὰ τῷ ποτῷ ἀναπίνεται εἰς τὰς πόρως· οἱ πόροι ἐπιλαμβάνουσι τὴν τροφήν· οἱ πόροι κενώτεροι οἱ τῷ σώματος νήστεσι, πλήρεσι δὲ πλήρεις· συμπιπτόντων τῶν πόρων ϰ̀ καταψυχομένων ἀλγηδόνες γίνονται· ἐμφράττονται οἱ πόροι 35 πια2. 864 ᵃ32. 43. 864 ᵇ22. β25. 868 ᵇ32. ϑ9. 877 ᵇ5. λϑ12. 964 ᵇ10, 8. λζ4. 966 ᵃ24 (cf τοῖς περιπάτοισι ξυμφέρει χρέεσθαι ὄρθρων ὅπως αἱ διέξοδοι κενῶνται τῷ ὑγρῷ ϰ̀ μὴ φράσωνται οἱ πόροι τῆς ψυχῆς Hipp I 660). — οἱ πόροι ἐν τοῖς ἀκρωτηρίοις στενοὶ ὄντες ὀλίγαιμοί εἰσιν ὥστε 40 ϰ̀ ὀλιγοθερμοί εἰσι πι5. 887 ᵇ27. πόροι ἀραιοί, ἀραιώμενοι, εὑρεῖς, στενοὶ πβ42. 870 ᵇ37. ι37. 884 ᵇ34. 43. 895 ᵃ38. οἱ πόροι ἐμφράττονται πα52. 865 ᵇ28. γι3. 872 ᵇ35. λη3. 967 ᵃ4. ἀνοῖξαι τὰς πόρως, πόροι ἀνεωγμένοι, opp συμπίπτοντες πια33. 903 ᵃ22. λϑ12. 964 ᵇ10, 12. — b. πόρος 45 i q στόμα, oesophagus. τὸ στόμα τῆς διακατεργάστῃ τροφῆς πόρος ἐστίν Ζμβ3. 650 ᵃ15. γ3. 664 ᵇ12. ὁ πόρος ὁ διὰ τῷ στόματος εἰσιῶν εἰς τὴν κοιλίαν φέρει Ζγγ5. 756 ᵇ8. (τῷ καρχινίῳ) ἀπὸ τῷ στόματος πόρος εἰς ἄχρι τῆς κοιλίας ἐστὶ Ζιδ4. 530 ᵃ2. ὁ ἄνθρωπος τῆς πόρως εὑρεῖς ἔχει δι᾽ 50 ὧν τὸ πνεῦμα ϰ̀ ἡ ὀσμὴ εἰσέρχεται πι18. 892 ᵇ23, cf 24. λγ10. 962 ᵇ9. τὰ τήθυα δύο ἔχει πόρως ἀπέχοντας ἀπ᾽ ἀλλήλων, πάμπαν μικρὰς ϰ̀ ἣ ῥαδίως ἰδεῖν, ἧ ἀφίησι ϰ̀ δέχεται τὸ ὑγρόν· ἔχει τῦτο τὸ ζῷον δύο πόρως ϰ̀ μίαν διαίρεσιν Ζιδ6. 531 ᵃ12, 22, 24. Ζιδ5. 681 ᵃ29 (F 311, 47. 55 KaZμ 135, 39). — c. ὁ τῆς ξηρᾶς τροφῆς πόρος i q ἔξοδος Ζγδ4. 773 ᵃ25. ὁ πόρος δι᾽ ἧ ἡ ξηρὰ περίττωσις ἐξέρχεται Ζγα13. 719 ᵇ29. ῥεῖ μάλιστα τὸ αἷμα κατὰ τὰς εὐρυχωρεστάτως τῶν πόρων· διόπερ ἐκ τῆς ἕδρας Ζμγ5. 668 ᵇ17. τῆς ὑαίνης ὁ τῆς περιττώσεως πόρος Ζιζ32. 579 60 ᵃ22, 25. — ὁ πόρος ἐν τοῖς μεγάλοις κτεσί· (ἐν τῷ καρ-

κινίῳ) τῆς περιττώσεως ἢ δῆλος ὁ πόρος· ὁ ἔξω πόρος τῶν ἐχίνων τῶν θαλαττίων· τὰ τήθυα (ascidia) δύο ἔχει πόρως ἀπέχοντας ἀπ᾽ ἀλλήλων, πάμπαν μικρὰς ϰ̀ ἣ ῥαδίως ἰδεῖν, ἧ ἀφίησι ϰ̀ δέχεται τὸ ὑγρόν Ζιδ4. 529 ᵇ9 Aub, 530 ᵃ3. 5. 530 ᵇ14, cf 28. 6. 531 ᵃ12, 22, cf 24. — d. πόρος i q τὸ στόμα τῶν ὑστερῶν, orificium uteri Ζγδ4. 773 ᵃ16,15. ἕλκει τὸ ὑγρὸν ἡ ὑστέρα θερμανθεῖσα ϰ̀ οἱ πόροι ἀναστομῦνται Ζγγ1. 751 ᵃ2. cf Ζιη1. 581 ᵇ19 Aub. μικρὸς πόρος ἡ ἡρϋῶσιν ἡ γυναῖκες Ζιχ 5. 637 ᵃ24, 30, 31, 32, 34. — e. Kiemenlöcher, Kiemenarterie. ἡ συναγωγὴ τῶν πόρων τῶν βραγχίων· αἱ ἐγγέλυς λεπτὰ ἔχυσαι τὰ βράγχια αὐτίκα ὑπὸ τῷ θολῷ τὰς πόρως ἐπιπωματίζονται Ζμβ13. 696 ᵇ10. f 294. 1529 ᵃ29. — εἰσὶ δὲ ϰ̀ ἄλλοι πόροι τεταμένοι ἐξ αὐτῆς (τῆς τῶν ἰχθύων καρδίας) εἰς ἕκαστον τῶν βραγχίων Ζιβ17. 507 ᵃ7, syn αὐλὸς 10. — f. πόρος, coni πλεύμων, καρδία (cf M 438). πόροι τῷ πνεύματος, τῆς φωνῆς. πόροι ἀπὸ τῷ ἥπατος. φέρωσιν εἰς τὸν πλεύμονα πόροι ἀπὸ τῆς καρδίας ϰ̀ σχίζονται τὸν αὐτὸν τρόπον ὅνπερ ἡ ἀρτηρία· ἐπάνω εἰσὶν οἱ ἀπὸ τῆς καρδίας πόροι· ὑδείς σ᾽ ἐστι κοινὸς πόρος ἀλλὰ διὰ τὴν σύναψιν δέχονται τὸ πνεῦμα ϰ̀ τῇ καρδίᾳ διαπέμπωσιν· φέρει γὰρ ὁ μὲν (arteria pulmonalis) εἰς τὸ δεξιὸν κοῖλον τῶν πόρων ὁ δ᾽ εἰς τὸ ἀριστερὸν (venae pulmonales) Ζια17. 496 ᵃ28 Aub. KaZι 48, 9. συντέτρηνται πᾶσαι αὗται (αἱ τῆς καρδίας κοιλίαι) πρὸς τὸν πλεύμονα, ἀλλ᾽ ἄδηλοι (v l ἄδηλον C S Bsm Pik Aub) διὰ σμικρότητα τῶν πόρων πλὴν μιᾶς (arteriae et venae pulmonales) Ζιγ3. 513 ᵇ1. cf KaZι 47, 7. κατιόντος τῷ θερμῷ πρὸς τὴν καρδίαν διὰ τῶν πόρων ϰ̀ καταψυχομένα (τὰ τῶν ἰχθύων βράγχια) συνίζωσι ϰ̀ ἀφίασι τὸ ὕδωρ αν21. 480 ᵇ16. οἱ κάτω τῆς καρδίας πόροι πι54. 897 ᵃ19. πόρος ὑδεὶς ἐστιν εἰς τὴν κοιλίαν ἀπὸ τῷ πλεύμονος Ζμγ3. 664 ᵇ11. οἱ πόροι τῶν αἰσθητηρίων πάντων τείνωσι πρὸς τὴν καρδίαν, τοῖς δὲ μὴ ἔχυσι καρδίαν πρὸς τὸ ἀνάλογον Ζγε2. 781 ᵃ20. (cf Trdlbg de an 396. Rose libr ord 226.) — ὁ πόρος ὁ πρῶτος δι᾽ ἣ ἡ φωνὴ φέρεται τοῖς ἀγόνοις μικρός ἐστιν, opp τοῖς ἀκμάζωσι δὲ διίσταται πια34. 903 ᵃ31, 35 (cf τῆς φωνῆς ὁκοίη τις ἂν εἴη πο πόροι αἴτιοι τῷ πνεύματος Hipp I 666). τοῖς πρεσβύταις οἱ πόροι συμπεπτώκασι δι᾽ ὧν τὸ πνεῦμα, ἀφωνία συμβαίνει διὰ τὸ ἐμφράττεσθαι τὸν τῷ πνεύματος πόρον πλγ12. 962 ᵇ29. η9. 888 ᵃ9. — ἔνιοι τῶν ἰχθύων πόρως τοῖς ἐντέροις ἔχυσι (τὴν χολὴν) ἀποτεταμένων ἀπὸ τῷ ἥπατος πόρος ἐνίοις ἡ νίοις λεπτοῖς Ζιβ15. 506 ᵇ12. (δασυπόδων τι γένος) ἄν τις δόξειε δύο ἥπατα ἔχειν διὰ τὸ πόρων τὰς πόρως (ψόρια Scalig, λοβὸς S II, 312) συνάπτειν ὥσπερ ϰ̀ ἐπὶ τῷ τῶν ὀρνίθων πλεύμονος Ζιβ17. 507 ᵃ18. — g. πόροι, coni ἀρτηρία, ἀορτή. συντήκεται ἐπὶ τὴν ἀρτηρίαν ἀπὸ τῷ πόρῳ (πόνῳ Bk, sed cf Bsm praef VII) κάτωθεν ὑγρόν· ὁ ποιεῖ τὴν βῆχα πλβ6. 960 ᵇ38. πόρος. syn ἀρτηρία Ζιβ12. 504 ᵇ5, 4. ἀπὸ τῆς ἀορτῆς ἄλλοι δύο πόροι φέρωσιν εἰς τὴν κύστιν ἰσχυροὶ ϰ̀ συνεχεῖς (arteriae vesicales KaZμ 100, 10. ligamenta vesicae lateralia Aub) Ζιγ4. 514 ᵇ34. cf infra p 623 ᵃ11, 18. — h. πόροι αἱματώδεις, φλεβικοί, ἰσχυροὶ ϰ̀ συνεχεῖς. arteriae et venae spermaticae internae. ἄλλοι ἀπὸ τῶν νεφρῶν αἱματώδεις· τείνωσιν εἰς τῆς ἀορτῆς, πόροι φλεβικοὶ μέχρι τῆς κεφαλῆς ἑκατέρᾳ τῷ ὄρχεως ἄναιμοι, ϰ̀ ἄλλοι ἐκ τῆς ἀορτῆς ἰσχυροὶ ϰ̀ συνεχεῖς Ζιγ1. 510 ᵃ15, 14, 30. Ζμγ9. 671 ᵇ17 (arteriae vesicales Ka 100, 10). Ζια17. 497 ᵃ13 (arteriae iliacae Aub, vesicales KaZμ 100, 10). — i. arteriae et venae renales. φέρωσιν εἰς αὐτὰς (τὰς νεφρὰς) πόροι ἔκ τε τῆς μεγάλης φλεβὸς ϰ̀ τῆς ἀορτῆς· οἱ πόροι οἱ τείνοντες εἰς αὐτὸς εἰς τὸ σῶμα καταναλίσκονται τῶν νεφρῶν Ζια17. 497 ᵃ4, 8. cf Ζμγ9. 671 ᵇ3. οἱ πόροι συνεχεῖς ἀπὸ τούτων τῶν φλεβῶν εἰσι πρὸς τὰς νεφρούς. ὁ ἀπὸ τῆς φλεβὸς τείνων πόρος οὐκ εἰς τὸ κοῖλον τῶν νεφρῶν κατατελευτᾷ Ζμγ9. 672 ᵇ6, 12. — k. οἱ τῶν φλεβῶν πόροι, πόροι χ φλέβες, 5 πόροι φλεβικοὶ χ διαλήψεις. ἐπάνω οἱ ἀπὸ τῆς φλεβός εἰσι πόροι τῶν ἀπὸ τῆς ἀρτηρίας συρίγγων τεινουσῶν, vena bronchialis· παρ' ἑκάστην τὴν σύριγγα (τῷ πνεύμονος) πόροι φέρουσι τῆς μεγάλης φλεβὸς Ζιγ3. 513 ᵇ24 (cf Plat Tim 70C. Philippson 52, 1). α17. 496 ᵇ4. ἣ φέρουσι πόροι χ 10 ἐκ τῆς φλεβὸς χ ἐκ τῆς ἀρτηρίας εἰς αὐτό (ci Bsm, sc ὄστοῦν) πνϛ. 484 ᵃ24. ἀπιέναι τὸ σπέρμα διὰ τοιούτων εἰς ὃ πάντες συντείνωσιν οἱ πόροι τῶν φλεβῶν πγ15. 878 ᵇ5. εἰ μέντοι (φλέβες τινὲς) πλήρεις εἰσιν αἵματος, ἔχουσι δὲ πόρος εἰς τὸν ἔξω ἀέρα (Empedocl) αν7. 473 ᵇ3. διευρυνομένων 15 τῶν φλεβῶν χ τῶν πόρων ψβ9. 422 ᵃ3. (τῆς καλουμένης ἀορτῆς) ἐλάττους οἱ πόροι χ τὰ φλέβια πολλῷ ἐλάττω ταῦτ' ἐστι τῶν τῆς μεγάλης φλεβός Ζιγ4. 514 ᵃ25. ἐκ μειζόνων εἰς ἐλάττους αἱ φλέβες ἀεὶ προέρχονται, ἕως τῷ γενέσθαι τὰς πόρους ἐλάσσους τῆς τῷ αἵματος παχύτητος 20 Ζμγ5. 668 ᵇ2. τῶν πολυαίμων οἱ πόροι συγκεχυμένοι καθάπερ ὀχετοί τινες ὑπὸ πολλῆς ἰλύος εἰσὶν Ζιγ4. 515 ᵃ23. cf Plat Tim 77C et Ζμγ5. 668 ᵃ27. τὰς φλέβας ἔχειν πόρους πνϛ. 483 ᵇ19. διὰ τῶν φλεβῶν χ τῶν ἐν ἑκάστοις πόρων διαπιδύουσα ἡ τροφὴ καθάπερ ἐν τοῖς ὠμοῖς κεραμίοις 25 τὸ ὕδωρ Ζγβ6. 743 ᵃ9. αἱ φλέβες πληρούμεναι τῷ περιττώματος διὰ τῶν πόρων προίενται τὴν ῥύσιν (τῷ αἵματος)· αἱ φλέβες ἐμφυσώμεναι τὰς πόρους συμμεμυκέναι ποιοῦσι, παυσαμένων δὲ συνιζάνουσιν, ὥστε δι' εὐρυτέρων γινομένων τῶν πόρων ῥᾷον διέρχεται τὸ ὑγρόν πι2. 891 ᵃ16. β20. 868 30 ᵃ17. — πόροι φλεβικοὶ χ διαλήψεις ἰ q φλέβες Ζμβ1. 647 ᵇ2. — l. οἱ ἐν τῇ κεφαλῇ πόροι, πολλοὶ π154. 897 ᵃ25. λς2. 965 ᵇ8. οἱ ἐν τῇ κεφαλῇ πόροι χ τόποι καταψύχονται ἀναφερομένης τῆς ἀναθυμιάσεως υ3. 457 ᵇ13. οἱ περὶ τὴν κεφαλὴν πόροι δεκτικοὶ γίνονται τῶν ὑγρῶν μᾶλλον ἢ οἱ 35 κάτω τῆς καρδίας πόροι· ἐν ταῖς ἀρχαῖς τῶν πόρων διὰ θερμὸν πνεῦμα τὰς πόρους πι54. 897 ᵃ35, 19, 28. ἀπὸ τῆς περὶ τὸν ἐγκέφαλον ὑγρότητος ἀποκρίνεται τὸ καθαρώτατον διὰ τῶν πόρων, οἳ φαίνονται φέροντες ἀπ' αὐτῶν πρὸς τὴν μήνιγγα τὴν περὶ τὸν ἐγκέφαλον Ζγβ6. 744 ᵃ9 Aub. ἡ 40 κεφαλὴ ὑγρότητα οἰκείαν ἔχει πλείστην· δηλοῦσι αἱ φλέβες τείνουσαι ἐντεῦθεν χ οἱ κατάρροι χ ὁ ἐγκέφαλος ὑγρός, χ οἱ πόροι πολλοί· σημεῖον αἱ τρίχες ὅτι πολλοὶ οἱ πόροι (ἐν τῇ κεφαλῇ)· ὁ ἄκρατος (οἶνος) παχυμερὴς ὢν εἰς τὰς περὶ τὴν κεφαλὴν πόρους στενοὺς ὄντας οὐχ ὁμοίως οὐκ ἐμπίπτει, 45 ἡ δὲ δύναμις αὐτοῦ, ἡ ὀσμὴ χ ἡ θερμότης πβ17. 867 ᵇ38, 39. γ14. 873 ᵃ7. — m. οἱ πόροι τῷ ὄμματος αι2. 438 ᵇ14. φέρουσιν ἐκ τῷ ὀφθαλμοῦ τρεῖς πόροι εἰς τὸ ἐγκέφαλον, ὁ μὲν μέγιστος χ ὁ μέσος εἰς τὴν παρεγκεφαλίδα, ὁ δ' ἐλάχιστος εἰς τὸ ἐγκέφαλον· ἐλάχιστος δ' ἐστὶν ὁ πρὸς τῇ 50 μυκτῆρι μάλιστα, οἱ μὲν ἂν μέγιστοι παρ' ἀλλήλους εἰσὶ χ οὐ συμπίπτουσιν, οἱ δὲ μέσοι συμπίπτουσιν Ζια16. 495 ᵃ11 (Nerven S I 47. μέσοι nervi optici, ἐλάχιστος oculomotorius, μέγιστος ramus ophthalmicus trigemini KaΖι 44, 8. in incerto rel Aub. cf Trdlbg de an 162, 165. Philippson 55 ὕλη 15-21, 185). εἰσὶν ἀπὸ τὸ ἐγκέφαλον, ᾗ συνάπτει τῷ μυελῷ, δύο πόροι νευρώδεις χ ἰσχυροὶ παρ' αὐτὰς τείνουσι τὰς ἕδρας τῶν ὀφθαλμῶν, τελευτῶντες εἰς τὰς ἄνω χαυλιόδοντας Ζιδ8. 533 ᵃ13 Aub. (cf ὁ καθήκων εἰς τὸν ὀφθαλμὸν πόρος ὃν καλοῦσιν οἱ ἀνατομικοὶ τὸ νεῦρον, τὰ ἐπὶ τὰς 60 ὀφθαλμοὺς νεῦρα χ καλοῦσιν Ἡρόφιλός τε χ Εὐδημος πόρος

Galen VIII 219. XIX 30. Lewes 171.) ἐκ τῶν ὀφθαλμῶν οἱ πόροι φέρουσιν εἰς τὰς περὶ τὸν ἐγκέφαλον φλέβας Ζμβ10. 656 ᵇ17 (Nerv F 280, 54. cf KaΖμ 54, 10. M 430 sq). τὸ τῶν ὀφθαλμῶν αἰσθητήριον ἐστι μέν, ὥσπερ χ τὰ ἄλλα αἰσθητήρια, ἐπὶ τῶν πόρων Ζγβ6. 743 ᵇ37 (M 427). αἱ ὄψεις διά τινων πόρων ἐκπίπτουσιν, ἀραιουμένων τῶν τῷ ὀφθαλμῷ πόρων ὑπὸ τῆς πληγῆς πλα21. 959 ᵇ10. εϑ7. 884 ᵇ34 (Philippson 188). τῶν ῥευματικῶν εἰς τὰς ὀφθαλμοὺς τὰς περὶ τὰς κροτάφους φλέβας καίει, πυκνῶντες τὰς τῶν ὑγρῶν πόρας πλα5. 957 ᵇ27 (Philippson 18). τὸ ἔλαιον λεπτομερέστερον ὂν εἰσδύνει διὰ τῶν πόρων (τῷ ὀφθαλμῷ) πλα21. 959 ᵇ14 (Philippson 18. cf Mich Ephes ad Ζμβ 10 p 78). — n. οἱ πόροι τῶν μυκτήρων, τῶν ῥινῶν Ζγδ6. 775 ᵃ2. (ὀχετοὶ τῆς ῥινὸς Plat Tim 78C. δίοδος τῶν μυκτήρων 79C). ἔτι προσώπῳ μέρος τὸ μὲν ὂν τῷ πνεύματι πόρος ῥίς Ζια11. 492 ᵇ5. ῥεῖ μάλιστα τὸ αἷμα κατὰ τὰς εὐρυχωρεστάτας τῶν πόρων· διόπερ ἐκ μυκτήρων. ἐκ τῆς ἕδρας Ζμγ5. 668 ᵇ17. ἡ ὄσφρησις χ ἡ ἀκοή (εἰσι) πόροι συνάπτοντες πρὸς τὸν ἀέρα τὸν θύραθεν, πλήρεις συμφύτου πνεύματος, περαίνοντες πρὸς τὰ φλέβια τὰ περὶ τὸν ἐγκέφαλον τείνοντα ἀπὸ τῆς καρδίας Ζγβ6. 744 ᵃ2. οἱ τῶν ῥινῶν πόροι ἐκτὸς ἀπὸ τῷ ἐγκεφάλῳ διατείνουσι, διίσταται τῶν μυκτήρων ὁ πόρος ὑπὸ τῷ πνεύματος, τοῖς πόροις πνεύματος πληρουμένοις (ὁ ἄνθρωπος) πτάρνυται πι54. 897 ᵇ6, ᵃ34. 18. 892 ᵇ24. ια4. 899 ᵃ17. ἀκριβέστεροι οἱ λεπτοὶ πόροι (λεπτόποροι ci Bsm praef) πγ10. 962 ᵇ12 (cf ι18. 892 ᵇ26). ὁ ἄνθρωπος τὰς πόρας εὐρείας ἔχει χ διὰ τοῦτο χ ὀσμὴ εἰσέρχεται πι18. 892 ᵇ23. λγ10. 962 ᵇ9 (cf Theophr de sens § 7). πολλὰ ἑπτάμηνα χ τῶν πόρων ἔνιος ἔχοντα ἀσχίστους, οἷον ὤτων χ μυκτήρων Ζιη4. 584 ᵇ4. — αἱ ῥῖνες ἔχουσιν εἴσω εἰς τὸν φάρυγγα πόρον τινα χ εἰς τὸν ἔξω ἀέρα Ζικ5. 637 ᵃ29, 33. (v αὐλῶ p 122 ᵃ55, et Theophr caus plant VI 9, 3.) ἐν τῷ ῥύγχει τὰς πόρας ἔχουσι τῆς ὀσφρήσεως Ζμβ16. 659 ᵇ12. τὰ μὲν ἔχει μυκτήρας, τὰ δὲ τῆς πόρας τῆς ὀσφρήσεως· οἱ ὄρνιθες οὔτε ὦτα οὔτε μυκτήρας, ἀλλὰ τῆς πόρους τῶν αἰσθήσεων· piscium Ζιδ8. 533 ᵃ23. β12. 504 ᵃ21. 13. 505 ᵃ34 Aub. οἱ ὄρνιθες χ οἱ ὄφεις χ ὅσα ἄλλ' ἔναιμα χ ᾠοτόκα τῶν τετραπόδων τὰς πόρας ἔχουσι τῶν μυκτήρων πρὸ τῷ στόματος Ζμβ16. 659 ᵇ1. — o. ὁ πόρος τῆς ἀκοῆς πια33. 903 ᵃ22, τῶν ὤτων Ζγδ6. 775 ᵃ2. τῶν ὤτων πόρος εἰς τὰ τύπισθεν συνάπτει Ζμβ10. 656 ᵇ18 (nervus acusticus et facialis F, nervus acusticus internus Ka, 'nervus acusticus an vena auricularis posterior' Philippson 232). τὸ οὖς εἰς τὸν ἐγκέφαλον οὐκ ἔχει πόρον Ζια11. 492 ᵃ19 (KaΖι 35, 4). ἐπὶ τῷ αὐτῷ πόρῳ τῷ πνεύματος ἡ ἀρτηρία χ ἀκοή πλβ6. 960 ᵇ36 (cf Langk Schol ad Ζμ 656 ᵃ35). ὁ πόρος τῆς ἀκοῆς, τὸ πνεῦμα τὸ σύμφυτον ποιεῖται ἐνίοις μὲν τὴν σφύξιν τοῖς δὲ τὴν ἀναπνοὴν χ εἰσπνοήν. ταύτῃ περαίνει· τὸ τῶν ὤτων μόριον πρόσκειται τοῖς πόροις Ζγβ2. 781 ᵃ23 (Philippson 232), ᵇ25. cf βϑ. 744 ᵃ2. πόροι ἀκουστικοὶ Oribas III 386, 4. — meatus auditorius externus. (τῶν ζῴων) τὰ ὦτα τὰ μὲν ἔχει, τὰ δ' οὐκ ἔχει, ἀλλὰ τὸν πόρον φανερόν Ζια11. 492 ᵃ25. cf βϑ10. 503 ᵃ5. δ8. 533 ᵃ22. οἱ ὄρνιθες τὰς πόρας μόνον ἔχουσι Ζμβ12. 657 ᵃ18. cf δ11. 691 ᵃ14. Ζμβ12. 504 ᵃ21. ἡ φώκη πόρας ἔχει φανερὰς ᾗ ἀκούει Ζια11. 492 ᵃ28. cf βϑ13. 505 ᵃ34 Aub. Ζμβ12. 657 ᵃ23. δ11. 691 ᵃ14. Ζγε2. 781 ᵇ24. πολλὰ ἑπτάμηνα χ τῶν πόρων ἔνιος ἔχοντα ἀσχίστους. οἷον ὤτων χ μυκτήρων Ζιη4. 584 ᵇ4. — tuba Eustachii. τὸ οὖς εἰς τὸν τῷ στόματος οὐρανὸν ἔχει πόρον Ζια11. 492 ᵃ20 (Philippson 232). — p. πόροι τῷ ὑγρῷ περιττώματος, διττοί. organa uroge nitalia. πόρος τῶ περιττώματος χỹ τῶν περὶ τὴν γένεσιν ὁ αὐτός Ζμδ13. 697 ᵃ11. τῆς γενέσεως ἕνεκεν ἥ τῆς τῶ ὑγρῶ περιττώσεως ἐκκρίσεως εἰσὶ διττοὶ οἱ πόροι· διὰ τὸ ὑγρὰν εἶναι τὴν φύσιν τῶ σπέρματος χỹ ἡ τῆς ὑγρᾶς τροφῆς περιττωσις κεκοινώνηκε τῷ αὐτῷ πόρῳ· ὁ πόρος εἷς χỹ τὐτοις τῆς τε ξηρᾶς περιττώσεως χỹ τῆς ὀχείας· ὁ πόρος οἷ ἣ ἡ ὑγρὰ περιττωσις ἐξέρχεται· ἐπάνω ἣ τοῖς προσθίοις ὑπάρχει ὁ πόρος τῶ τῆς ξηρᾶς τροφῆς· ὁ πόρος ᾗ διέρχεται τὸ περιττωμα τὸ ἐκ τῆς κύστεως Ζγα13. 720 ᵃ7, 9, 22 (cf 18. 726 ᵃ16), 719 ᵇ30, 34 Aub. ὅ4. 773 ᵃ21. — cloaca. τοῖς μὴ ἔχυσι κύστιν ὁ αὐτὸς χỹ τῆς ξηρᾶς περιττώσεως πόρος ἔξωθεν· ἔσωθεν σύνεγγυς ἀλλήλων· τῶν χελωνῶν ἡ θαλαττία (θήλεια Bk) ἕνα πόρον ἔχει καίτοι κύστιν ἔχυσα Ζιε5. 541 ᵃ7, 10 Pik (v S Natur der Schildkröten 122). cf Ζγα13. 720 ᵃ3. τοῖς ἰχθύσιν εἷς πόρος ἄνωθεν τῆς τῶ περιττώματος ἐξόδυ Ζιγ1. 509 ᵇ17. — q. πόρος, fere i q τὸ τῶν ἀρρένων αἰδοῖον. ἔστι τοῖς ζωοτόκοις χỹ πεζοῖς ὁ αὐτός πόρος τῆ τε σπέρματος χỹ τῆς τῶ ὑγρᾶ περιττώσεως ἔξωθεν, ἔσωθεν δ' ἕτερος πόρος· ἥτοι οἱ πόροι εἰς ἓν συνάπτυσιν ὥσπερ χỹ τοῖς ὄρνισιν· αἱ χελῶναι ἔχυσί τι εἰς ὃ οἱ πόροι συνάπτυσι χỹ ᾗ ἐν τῆ ὀχεία πλησιάζυσιν· οἱ ἰχθύες ὔτε μαστὺς ἔχυσιν ὔτε αἰδοῖων πόρον ἐκτὸς ὐθένα φανερὸν Ζιε5. 541 ᵃ4 Aub, 540 ᵇ32 (cf 541 ᵃ2). 3. 540 ᵃ30 (S Naturgesch der Schildkröt 161). β13. 504 ᵇ28. — r. πόροι νεανικοί, ἰσχυροί, τεταμένοι, ἄναιμοι. εὐρεῖς. ureteres (cf Oribas III 704). ἐκ τῶ κοίλῳ τῶν νεφρῶν φέρυσιν εἰς τὴν κύστιν πόροι δύο νεανικοί· ἡ κύστις τὴν ἐξάρτησιν ἔχυσα τοῖς ἀπὸ τῶν νεφρῶν τεταμένοις πόροις· φέρει ἀπὸ τῆς κύστεως πόρος χỹ συνάπτει ἄνωθεν εἰς τὸν καυλόν, ἄλλοι ἐκ τῶ κοίλῳ τῶν νεφρῶν Ζια17. 497 ᵃ12, 20. γ1. 510 ᵃ27. 4. 514 ᵇ35. ἐκ τῶ κοίλῳ τῶν νεφρῶν φέρυσι πόροι ἄναιμοι εἰς τὴν κύστιν δύο νεανικοὶ ἐξ ἑκατέρα εἷς, ἐκ τῶ μέσῳ διὰ τύτων τῶν πόρων εἰς τὴν κύστιν ἤδη μᾶλλον ὡς περίττωμα ἀποκρίνεται· τείνυσι πόροι ἰσχυροὶ πρὸς αὐτὴν (τὴν κύστιν) Ζμγ9. 671 ᵇ16, 24, 26. οἱ περὶ τὴν κύστιν πόροι, τῶν ὑποζυγίων χỹ τῶν πολυωνύχων οἱ πόροι τῆς κύστεως εὐρεῖς εἰσι πηι13. 888 ᵇ3. 143. 895 ᵃ38. cf πόρος i q ἡ ὁδὸς ἀπὸ νεφρῶν εἰς τὴν κύστιν, ὑρητήρ Aretaei opp ed Kühn 135, 138, 284. — s. πόροι εὐθεῖς χỹ ἁπλοῖ, δίκροοι, σπερματικοί, θορικοί, θορῶ πλήρεις, ἄδηλοι, δῆλοι, διάδηλοι, λεπτοί, τὸ μῆκος τῶν πόρων. testes. (cf Αζγ 3. Αζι 1 34.) τὰ μὲν ὄρχεις ἔχει τὰ δ' ὔτε τὰς τοιαύτας πόρας, τὰ μὲν ὄρχεις ὐκ ἔχει ἀλλὰ πόρας μόνον δύο σπερματικύς· τῶν μὴ ἐχόντων ὄρχεις οἱ πόροι ἕλικας ἔχυσιν· ἔνια ἔσω ἔχει τὺς ὄρχεις χỹ ὐ πόρυς ἀλλ' αἰδοῖον Ζγα2. 716 ᵇ35, 17. 4. 717 ᵃ25, 28. 3. 716 ᵇ28. ὄρχεις ὔτε ἰχθύσι ὔτε ἄλλο τῶν ἀπόδων ἔχει ὐθέν, πόρυς δὲ δύο Ζιδ5. 540 ᵇ29. — οἱ ἰχθύες ὄρχεις ὐκ ἔχυσιν ὐδ' οἱ ὄφεις· πόρυς δὲ δύο ἔχυσιν ἀπὸ τῶ ὑποζώματος ἠρτημένας ἐφ' ἑκάτερα τῆ ῥάχεως συνάπτοντας εἰς ἕνα πόρον ἄνωθεν τῆς τῶ περιττώματος ἐξόδυ· οἱ τῶν ὄφεων χỹ τῶν ἰχθύων οἱ πόροι γίνονται θορῶ πλήρεις περὶ τὴν τῆς ὀχείας ὥραν χỹ προΐενται ὑγρότητα γαλακτώδη πάντες Ζιγ1. 509 ᵇ16 Κα, 32. ε5. 540 ᵇ30. ὠμμένοι εἰσὶ συνδυαζόμενοι χỹ πλήρεις ἔχοντες θορῶ τὺς πόρυς Ζγα4. 717 ᵃ20. — οἱ ὄφεις ὄρχεις ὐκ ἔχυσιν, ἀλλ' ὥσπερ ἰχθύας δύο πόρυς εἰς ἓν συνάπτοντας· οἱ δὲ δοκῦσι βραδύτερον ἀπολύεσθαι τῶν ἰχθύων διὰ τὸ μῆκος τῶν πόρων Ζιβ17. 508 ᵃ13. Ζγα7. 718 ᵃ20, 33. — (οἱ ἰχθύες) ὄρχεις ὐκ ἔχυσιν, ἀλλ' εὐθεῖς χỹ ἁπλῦς τὺς πόρυς· εἰσὶν οἱ πόροι δίκροοι ἀπὸ τῶ ὑποζώματος χỹ τῆς μεγάλης φλεβὸς ἔχοντες τὴν ἀρχήν Ζγα6. 718 ᵃ10, 15. Ζιζ11. 566 ᵃ4. οἱ πόροι γίνονται περὶ τὴν ὥραν τῆς

ὀχείας θορῶ πλήρεις, οἱ θορικοὶ πόροι Ζιγ1. 509 ᵇ20. ζ11. 566 ᵃ3, 11, 14. — οἱ πόροι πότε διάδηλοι, δῆλοι, ἄδηλοι Ζιζ11. 566 ᵇ6-10. γ1. 510 ᵃ1. αἱ ἐγχέλυς ὔτε θορικὺς πόρυς ὐθ' ὑστερικὺς ἔχυσιν Ζιζ16. 570 ᵃ5. — (τῶν μαλακοστράκων) οἱ ἄρρενες ἔχυσι λεπτὺς πόρυς χỹ θορικύς, ὁ τῶν καράβων πόρος θορικός Ζγα14. 720 ᵇ13. Ζιζ2. 527 ᵃ11,13, 15, 17, 18. — πόρυς τὰ ἄρρενα (τῶν ἐντόμων) θορικὺς ὐ φαίνεται ἔχοντα Ζγα16. 721 ᵃ12. — ᾗ τὸν θορὸν ἀφίησι διὰ τῶ πόρυ (τὸ τῶν μαλακίων ἄρρεν) Ζγα15. 720 ᵇ27. — t. πόροι σπερματικοί, ἑδραῖοι, ἄναιμοι, πληρύμενοι, πλήρεις σπέρματος, πυκνότεροι, νευρωδέστεροι, ἐπανακάμπτοντες, προσκαθήμενοι, ἡ ἐπαναδίπλωσις, ἡ τάσις τῶν πόρων. vasa deferentia et vesiculae seminales. ἀπὸ τῆς μεγάλης φλεβὸς τείνυσι πόροι εἰς ἑκάτερον τῶν ὄρχεων, ὅθεν εἰσὶ μόριον τῶν πόρων οἱ ὄρχεις ἀλλὰ πρόσκεινται, ἐπίκειται τὸ αἰδοῖον ἐπὶ τοῖς πόροις, ἡ τῶν ὄρχεων φύσις προσήρτηται πρὸς τὺς σπερματικὺς πόρυς· τῶν σπερματικῶν πόρων μεταβαλλόντων Ζιγ1. 509 ᵇ34. Ζγα4. 717 ᵃ35. ε7. 787 ᵇ27, 29. πδ22. 879 ᵃ14. τὰ μὲν ἐντὸς ἔχει πρὸς τῆ ὀσφύι τὺς ὄρχεις διὰ δύο πόρυς ἀπὸ τύτων ὁμοίως τοῖς ὄφεσιν· οἱ τῶν δελφίνων πόροι· οἱ τῶν ἀρρένων πόροι χỹ τῶν ἐχόντων χỹ τῶν ἐχόντων ὄρχεις Ζγα3. 716 ᵇ24. 13. 720 ᵃ33, 25. ἀπὸ τῆς κεφαλῆς (τῶ ὄρχεως) πρὸς αὐτῷ τῷ ὄρχει πόρος ἐστὶ πυκνότερος ἐκείνῳ χỹ νευρωδέστερος, ὃς ἀνακάμπτει πάλιν εἰς ἐσχάτῳ (ἑκατέρῳ Bk) τῷ ὄρχει πρὸς τὴν κεφαλὴν τῶ ὄρχεως· οἱ ἐπανακάμπτοντες πόροι χỹ προσκαθήμενοι τοῖς ὄρχεσιν ὑμένι περιειλημμένοι εἰσὶ τῷ αὐτῷ (tunicae vaginali propriae) ὥστε δοκεῖν ἕνα εἶναι πόρον· ὁ προσκαθήμενος πόρος ἔτι αἱματώδης ἔχει τὸ ὑγρόν, ἧττον μέντοι τῶν ἄνω τῶν ἐκ τῆς ἀορτῆς (sic Bk, haec quattuor verba om Gaza, ἐκ τῶν νεφρῶν ΚαΖι 99, 15)· ἐν τοῖς ἐπανακάμπτυσι πόροις εἰς τὸν καυλὸν τὸν ἐν τῷ αἰδοίῳ λευκόν ἐστι χỹ ὑγρότης· τῆς ἐπαναδιπλώσεως τῶ πόρυ τὸ μὲν ἔναιμον μέρος ἐστί τὸ δ' ἄναιμον Ζιγ1. 510 ᵃ17, 31, 21, 33, 25, 26 (Philippson 60, 1). Ζγα6. 718 ᵃ12. τοῖς ἐντὸς ἔχυσι τὰς ὄρχεις εὐθὺς ἐρηρεισμένοισ εἰσὶν ἅμα τοῖς πόροις· δεῖ τὺς τῶν ἀρρένων πόρυς τὺς σπερματικὺς ἐρηρεῖσθαι χỹ μὴ πλανᾶσθαι, syn ἑδραίως· τοῖς ἄρρεσι πόροι τοῖς σπέρμα προϊεμένοις, ἄναιμοι δ' ὕτοι, i e πλήρεις σπέρματος Ζγα13. 720 ᵃ31, 12, 29. β4. 739 ᵃ1. διὰ τὸ ὑρητύνοντες ὐ δύνανται ἀφροδισιάζειν· διὰ τί οἱ ἀφροδισιάζοντες χỹ ὑρητύνοντες ἐντείνονται· διὰ τὸ πνευμάτος πληρῦσθαι τὺς πόρυς πδ19. 878 ᵇ34. 22. 879 ᵃ12. 23. 879 ᵃ18. ἀποτεμνομένων ἣ ἀφαιρυμένων τῶν ὄρχεων αὐτῶν ἀνασπῶνται οἱ πόροι ἄνω, ἀνίεται ἡ τάσις τῶν πόρων· ταῦρός τις μετὰ τὴν ἐκτομὴν εὐθέως ὀχείσας πλήρυσε διὰ τὸ μήπω τὺς πόρυς ἀνεσπάσθαι· οἷς οἱ πόροι μὴ κατὰ φύσιν ἔχυσιν ἀλλ' ἣ διὰ τὸ ἀποτυφλῶθηναι τὺς εἰς τὸ αἰδοῖον πόρυς Ζιγ1. 510 ᵇ1. Ζγε7. 788 ᵃ4. α4. 717 ᵇ4 (cf Ζιγ1. 510 ᵇ3) πδ 26. 879 ᵇ6. — u. πόροι ὑστερικοί, ovaria (cf Μ 457) τοῖς θήλεσι mammalium τὸ μόριον τὸ δεκτικὸν ἡ πόρος ἐστὶ ἀλλὰ αἱ ὑστέραι Ζγβ4. 738 ᵇ37. Δημόκριτος φησι τὰ φθάρθαι τὺς πόρυς (v l σπόρυς) τῶν ἡμιόνων ἐν ταῖς ὑστέραις Ζγβ8. 747 ᵃ30. ἡ τῶν ὄφεων ὑστέρα τείνει ἀρξαμένη ἀφ' ἑνὸς πόρυ συνεχής, ἔνθεν χỹ ἔνθεν τῆς ἀκάνθης, οἷον πόρος ἑκάτερος, ὔ πρὸς τὸ ὑποζῶμα Ζιγ1. 511 ᵃ19. — τῶν ἰχθύων οἱ ὑστερικοὶ πόροι, syn οἱ τῶν θηλειῶν πόροι· αἱ ἐγχέλυς ὔτε θορικὺς πόρυς ὐθ' ὑστερικὺς ἔχυσιν Ζιζ11. 566 ᵃ11, 12. 16. 570 ᵃ5. — ὁ τῶν καράβων πόρος ὑστερικός, ὁ πόρος ὁ αὐτὸς τῶ περιττώματος χỹ τῶ ὑστερικῶ μορίῳ χỹ τοῖς μαλακοστράκοις χỹ τοῖς μαλακίοις Ζιδ2. 52 ᵃ11, 13, 15, 17. Ζγα15. 720 ᵇ24. τῶν καράβων γίνεται τ μέγιστα (ᾠά) ᾗ τὰ πρὸς τῷ πόρῳ ἀλλὰ τὰ κατὰ μέσον, τὰ ᾠὰ ᾗκ εὐθύς ἐστιν ἐχόμενα τῷ πόρῳ ἀλλὰ κατὰ μέσον Ζιε17. 549 ᵃ27, 29. — ὁ ὑστερικὸς πόρος τῶν μαλακίων, syn πόρος· (τῶν ἐντόμων) ἐναφίησι τὸν πόρον κάτωθεν τὸ θῆλυ εἰς τὸ ἄρρεν τὸ ἐπάνω, syn μόριον Ζγα15. 720 ᵇ31, 35. Ζιε8. 542 ᵃ2, 4. ὁ πολύπης τίκτει διὰ τῷ λεγομένῳ φυσητῆρος, ὅς ἐστι πόρος τῷ σώματι ϝ315. 1531 ᵇ13. — τὸ καλύμενον ᵘἰὸν ᵘκ ἔχει πόρον ἐν ᵘθενὶ (τῶν μεγάλων κτενῶν) Ζιϑ4. 529 ᵇ11. — v. πόροι σαρκός, δέρματος, τριχῶν. ἡ ἐντὸς σὰρξ μάλιστ᾽ ἔχει πόρος, ἐμφράττονται οἱ πόροι πλα21. 959 ᵇ9. ε34. 884 ᵃ36. cf β23. 868 ᵇ16. — τὸ μέγεθος τῶν πόρων, opp ἡ στενότης· ὅσῳ ἂν λεπτότεροι οἱ πόροι ῶσιν Ζγε3. 782 ᵇ1, 2, 783 ᵃ3. ᵓοἱ ἱδρῶτες γίνονται διὰ τὸ τῆς πόρης ἀνεῳχθαι μᾶλλον· τοῖς μὴ χρωμένοις ταῖς ἀφιδρώσεσι συμμεμύκασιν οἱ πόροι, τοῖς χρωμένοις δ᾽ ἀναστομῶνται· τὰς πόρας συμμύειν ποιεῖ ἐκκλαίων ὁ ἥλιος· ὥσπερ πῶμα γίνεται ὁ ἔξω ἱδρὼς ἐπὶ τοῖς πόροις· ἀραιῶν τῶν πόρων διὰ τὰς ἱδρωτοποιίας ὄντων πβ8. 867 ᵃ14, 16. 9. 867 ᵃ20. 12. 867 ᵇ7. 42. 872 ᵇ37 (cf Dietz Schol in Hipp et Gal II 75). ἀναστομωμένων τῶν πόρων διὰ τὴν ἔκκρισιν τῷ σπέρματος· διὰ τὴν τῶν πόρων ἀποστόμωσιν τοῖς ἱδρῶσιν οἷον διὰ τὸ πεπηγέναι ὑπὸ τὸ ψύχης τὸς πόρας· δι᾽ ἐλαττόνων πόρων ἡ ἔξοδός ἐστιν πγ12. 877 ᵇ34, 10. η10. 888 ᵃ28. 19. 889 ᵃ14. λζ2. 965 ᵇ26. cf οἱ κατὰ τὸ δέρμα πόροι Galen XI 749. — ἐν ταῖς ᵘλαῖς οἱ πόροι ἐπιτυφλῶνται ἐξ ᾦν αἱ τρίχες· σημεῖον αἱ τρίχες, ὅτι πολλοὶ πόροι εἰσὶ περαίνοντες ἔξω (ἐν τῇ κεφαλῇ) πϑ13. 890 ᵇ38. λς2. 965 ᵇ9. — x. varia. οἱ ὀδόντες λεπτὸν πόρων εἰσίν, ἐπὶ τὸς πόρας προσπεφύκασιν πλϑ3. 963 ᵇ29. 2. 963 ᵇ23. cf οἱ πόροι τῶν ὀδόντων Oribas III 402, 3. — πόρον εἶναι παρὰ τὴν ὀσφύν, δι᾽ ᵘ ὁ πνεῦμα τῆς ἀναπνοῆς φέρεσθαι ἐκ τῷ βρογχίᾳ εἰς τὴν κοιλίαν χαὶ πάλιν ἔξω πν5. 483 ᵃ21. — οἱ κενοὶ τόποι, ὅσοιπερ ἂν ὦσιν ἐπὶ τῶν αὐτῶν πόρων, ductus lactiferi Ζγϑ8. 776 ᵇ31. — ὥστε τὰς κοιλίας τῶν πόρων ὑγιεινὰς εἶναι πϑ41. 870 ᵇ18. — αἱ πορφύραι ποιῶσι τὴν μελίκηραν τᵘτ᾽ ἐστὶν οἷον κηρίον, πλὴν ᵘχ εἴ τις ἐκ λεπρῶν ἐρεβίνθων πολλὰ συμπαγείη· ᵘκ ἔχει δ᾽ ἀνεῳγμένον πόρον ᵘθὲν τᵘτων Ζιε15. 546 ᵇ22 Aub. — ἡ ἀπλυσία τὸς μὲν μεγάλης πόρης ἔχει, τὸ δ᾽ ἄλλο πυχνόν ἐστι πᾶν Ζιε16. 549 ᵃ5. — spongiae. ἄνωθεν οἱ ἄλλοι πόροι συγχεκλεισμένοι, φανερὸ δ᾽ εἰσὶ τέτταρες ἢ πέντε· ἡ πρόσφυσίς ἐστιν ᵘτε καθ᾽ ἓν ᵘτε κατὰ πᾶν, μεταξὺ γάρ εἰσι πόροι κενοί, fistulae inanes Plin, Ζιε16. 549 ᵃ1, 548 ᵇ31. — αἱ χρυσαλλίδες προσέχονται πόροις ἀραχνιώδεσιν (spinngewebartige Fäden) Ζιε19. 551 ᵃ21. τοῖς ὄφεσι τὸ πλεύμων ἁπλὸς ἱνώδει πόρῳ διηρθρωμένος, bronchus Ζιβ17. 508 ᵃ32. — Ruminantia habent τέτταρας τὸς τοιᵘτος πόρας? (sinus Gazae, τόπος S II 313, cf Ζμγ14. 674 ᵇ13) Ζιβ17. 507 ᵃ36. — τὸ δοκᵘν (αἰδοῖον) θηλείας εἶναι παραπλήσιον ἐστι τῷ σχήματι τῷ τῷ θήλεος, ᵘκ ἔχει μέντοι ᵘδένα πόρον (Tasche, Afterdrüse) Ζιζ32. 579 ᵇ21, 24. Ζγγ6. 757 ᵃ9. — οἱ γλάνεις προσαγάγουσι τὰς πόρας πρὸς ἀλλήλας, ὃς καλῶσί τινες ὀμφαλός. ἢ τὸν γόνον ἀφιᾶσιν, ὁ μὲν τὸ ᵘἰὸν ὁ δὲ τὸν θορὸν ἐξίησιν Ζιζ14. 568 ᵃ31 Aub. — πόρος i q funiculus umbilicalis. τὴν τροφὴν ῥᾶν ἕλκειν διὰ τῶν σελματῶν ᵘἰῶν) ἐκ τῆς ὑστέρας πόροις τισὶν ἀπὸ ταύτης τῆς ἀρχῆς· φανερὸν ὅτι χαὶ πρότερον ᵗεινον οἱ πόροι τῷ ᵘῷ ἔτι ὄντος περὶ ἐκεῖνο πρὸς τὴν ὑστέραν Ζγγ3. 754 ᵇ26, 31. cf Müller glatt Hai 12. — πόροι. πόροι φλεβιχοὶ χαὶ ἔναιμοι i q Dottergefässe, Allantoisgefässe. in ovo gallinarum: τῶν πόρων τῶν ἐκ τῆς καρδίας τεινόντων ὁ μὲν

φέρει εἰς τὸ κύκλῳ περιέχον ὁ δ᾽ εἰς τὸ ᵘχρὸν ὥσπερ ἐμφαλὸς ᾦν· τὸ σημεῖον (i e στιγμὴ αἱματίνη) πηδᾷ χαὶ κινεῖται χαὶ ἀπ᾽ αὐτῷ δύο πόροι φλεβιχοὶ ἔναιμοι (fibrae sanguineae, Harvei libr de gen an 268) Ζιζ3. 561 ᵃ23, 13, 16. in ovo piscium Ζιζ10. 564 ᵇ28. — οἱ ἄρρενες (τῶν πολυπόδων) ἔχυσι πόρον ὑπὸ τὸν στόμαχον (bursa Needhamii A Siebld XII 390) Ζιϑ1. 524 ᵇ32. — παρίφανται ἀπὸ τῆς κοιλίας τῷ στομάχῳ ἐν τοῖς μεγάλοις κόχλοις συνεχόμενος ὑμενίῳ μακρὸς πόρος χαὶ λευκός, ἔχει ἐντομάς, λευκός ἐστιν, ἔχει ᵘδεμίαν ἔξοδον τᵘτο (sc ὁ πόρος) ᵘτε πόρον, κοιλότητα ἔχον ἐν αὐτῷ στενήν (Zwitterdrüse mit den accessorischen Organen) Ζιϑ4. 529 ᵃ17, 18, 20. — ἀφίησι τὸ ᵘδωρ κατὰ τῆς πόρης τῷ στόματος Ζιϑ3. 527 ᵇ18 Aub. quid sit nescimus cf S I 199, II 352. ἔχει τὸν πόρον τῷ ἐντέρῳ Ζιϑ1. 524 ᵇ20 (v l θορόν) legendum θολὸν S Pik Bsm Aub. cf p 332 ᵃ25.

2. meatus plantarum. πόροι πλατεῖς, ὁ πλατυσμὸς τῶν ἰδίων πόρων φτβ10. 829 ᵇ37. 9. 828 ᵇ10. ἡ στενότης τῶν πόρων· πόροι στενοί, στενώτεροι· τὰ μέρη τῷ ἐβένε εἰσὶ συμπεπηγότα χαὶ οἱ πόροι στενοὶ φτβ9. 828 ᵇ28, 34, 17, 19, 26. πάλιν ἀκολύθως ἕλκει διὰ τὴν ἀραιότητα τᵘτο τὸ δένδρον πόρης φτβ10. 829 ᵇ40. τῆς ὑγρότητος βυσάσης τὰς πόρας, τελείως βύσηται τὰ ἄκρα τῶν πόρων ἄνω φτβ9. 828 ᵇ29, ᵃ36. τῷ νάρθηκος οἱ πόροι παραλλάττοντες πια58. 905 ᵇ8.

3. περὶ πόρα χρημάτων (περὶ πόρων) πῶς δεῖ συμβᵘλεύειν Ρα4. 1359 ᵇ23-33. ρ3. 1425 ᵇ19-31. πόλεων ἔνιαι τᵘτον ποιῶνται τὸν πόρον Πα11. 1259 ᵃ22.

πόρρω de loco, opp σύνεγγυς Ζμδ13. 696 ᵃ13. πόρρω τῆς γῆς, τῶν διαφθειρόντων μα13. 351 ᵃ14. Πε8. 1308 ᵃ25. πορρώτερον τῆς γῆς, τῷ ἀλλοιωμένε μα3. 340 ᵃ26. Φϑ7. 260 ᵇ4. πόρρω ἀπὸ τῆς γῆς μα8. 345 ᵇ5. coniungitur cum verbis et quietis et motus, πόρρω εἶναι μβ5. 362 ᵃ25. Πε7. 1307 ᵇ21. πόρρω μετεωρίζεσθαι, προϊέναι, διήχειν, ἀποτείνεσθαι, διατείνειν μα10. 347 ᵃ28. δ3. 380 ᵇ7. β5. 363 ᵃ5. γ6. 377 ᵇ34. απ800 ᵃ15. πορρώτερω γίνεσθαι, διελθεῖν μβ4. 359 ᵇ35. Οα6. 273 ᵃ12. πορρώτερω χ. 6. 851 ᵇ4. πληγαὶ πορρώτεραι, dist ἰσχυρότεραι Ζμγ2. 663 ᵇ7. ὁ δι᾽ αὐλῷ βλέπων ὄψεται πορρώτερον Ζγε1. 780 ᵇ21. ὅσῳ ἂν πλείων ᾖ ὁ ὄχλος, πορρώτερω ἡ θέα Ργ12. 1414 ᵃ9. ὁρᾶν τὸ πορρώτερον, τὰ πόρρω μελαίτερα φαίνεται μγ4. 375 ᵃ33, 374 ᵇ14, 18. τὸ πόρρω, longinquitas Πβ10. 1272 ᵇ18. ὁ μὴ πόρρω τῆς συγγενείας ὄντες Πβ4. 1262 ᵃ29. — de tempore, μέχρι πόρρω διαμένει Ζιη1. 581 ᵃ26. — de serie argumentandi, causarum, qualitatum, ὁ συνθανόμενος οὐ πορρώτερον ἐπιχειρῶν τϑ10. 161 ᵃ4. τῶν συμβεβηκότων (τῶν αἰτίων) ἄλλα ἄλλων πορρώτερον χαὶ ἐγγύτερον Φβ3. 195 ᵇ2. Μϑ2. 1014 ᵃ4. πορρώτερον, opp κοινωνεῖν ζωῆς Πα13. 1260 ᵃ40. πορρώτερον. πορρωτάτω τῆς αἰσθήσεως τὰ καθόλυ Αγ2. 72 ᵃ3. Οβ3. 286 ᵃ5. πόρρω εἶναι τὸ διδάξαι Η10. 1181 ᵃ13. πόρρω ἀλλήλων εἶναι πορρώτερω ἀφεστηκέναι ἀλλήλων εἰ μέσα Πδ8. 1294 ᵃ29. Ηβ8. 1108 ᵇ28. ᵘτε ταὐτὸ σαρκὶ ᵘτε πόρρω σαρκός Ζια13. 493 ᵃ33. β12. 504 ᵇ11. ᵘτε ἡ αὐτὴ ᵘτε πόρρω ἐκείνης Πα9. 1257 ᵃ3. τὰ πόρρω. syn ᵘν ἡ διαφορὰ πολλή, opp σύνεγγυς. He2. 1129 ᵃ28, 27. ᵘκ ἐναντίον, ὅτι πόρρω, ᵘπὸ δ᾽ ὅμοιοι, ὅτι ἐγγύς Ζμβ2. 648 ᵇ23. — comp πορρώτερω, πορρώτερον, superl πορρωτάτω v supra.

πόρρωθεν γίγνεται ἀνάκλασις μγ4. 374 ᵃ2. πόρρωθεν προίεσθαι Ζμδ5. 679 ᵃ16. πόρρωθεν αἰσθάνεσθαι, opp ἐγγύθεν ψβ11. 423 ᵇ6. πόρρωθεν ἡ χρῆσις τῆς ὄψεως Ζμβ13. 657 ᵃ24.

V.

Kkkk

πόρρωθεν αἱ φωναὶ ὀξύτεραι δοκᾶσιν εἶναι πια6. 899 ᵃ22. —
τὸ πνεῦμα πόρρωθεν ψυχρόν μβ8. 367 ᵇ3. — πόρρωθεν
ποιεῖσθαι τὴν ζήτησιν Οβ3. 286 ᵃ4. τὸ λέγειν ὕτω πόρρωθέν
ἐστιν ἅπτεσθαι τῆς αἰτίας Ζγδ1. 765 ᵇ4. πόρρωθεν λογίζε-
σθαι, λαμβάνειν, μεταφέρειν Ρα2. 1357 ᵃ4. ββ2.1395 ᵇ24. 5
γ2. 1405 ᵃ35. 3. 1406 ᵇ8.

πορφύρα. 1. animal, refertur inter animalia mari propria
Ζιδ4. 528 ᵃ10. θ13.599 ᵃ11. αι5.444 ᵇ13, inter τὰ στρομ-
βώδη Ζιδ4. 528 ᵃ10. ε15. 547 ᵇ4. Ζμδ5. 679 ᵇ14. Ζπ5.
706 ᵃ15, τὰ κινητικά, τὰ πορευτικά Ζιδ2. 590 ᵇ2. f 287. 10
1528 ᵇ11, τὰ ζωοφαγῶντα Ζιδ2. 590 ᵇ2. — ἡ ἑλίκη τῦ
ὀστράκῳ, πρόσφυσιν ἔχει πρὸς τὰ ὄστρακα Ζιδ4. 529 ᵃ7, 5.
ἐπιπτύγματα ἐκ γενετῆς πρὸς βοήθειαν, ἐπικάλυμμα, κά-
λυμμα Ζμδ5. 679 ᵇ20. Ζιε15. 547 ᵇ3, 5. τὸ ἐντὸς σαρ-
κῶδές ἐστι, κ̄ ἐν τύτῳ τὸ στόμα Ζιδ4. 530 ᵃ25. τὸ γλωτ-15
τοειδὲς στιφρόν, ἡ γλῶττα, μέγεθος μεῖζον δακτύλῳ, τῇ
γλώττῃ νέμεται κ̄ διατρυπᾷ τὰ κογχύλια κ̄ τὸ αὑτῆς
(αὑτῆς S Bsm Aub) ὄστρακον· αὑταῖς τοσαύτην ἔχει δύναμιν
τὸ γλωττοειδές. ὥστε κ̄ τῶν κογχυλίων διατρυπῶσι τὸ
ὄστρακον Ζιδ4. 528 ᵇ30. 7. 532 ᵃ9. ε15. 547 ᵇ5, 6, 7. Ζμβ 20
17. 661 ᵃ21. ἡ καλυμένη κοιλία, intestina, μήκων, τραχη-
λος Ζιδ4. 529 ᵃ6. ε15. 547 ᵃ25, 16, 24. τὰ ἴδια περὶ τὰς
πορφύρας Ζιε15. 547 ᵇ1. τὸ ἄνθος συνεξεμεῖ· ἔχυσιν κατὰ
μέσον τῦ μήκωνος κ̄ τῦ τραχήλω· φασὶ δέ τινες τῶν θα-
λαττίων κ̄ τὴν πορφύραν ἴσχειν ἀπὸ τύτυ (τῇ φυκίᾳ) τὸ 25
ἄνθος Ζιε15. 547 ᵃ7, 11, 19, 21, 23, 25, 27, 15 Aub (Ori-
bas I 594). ζ13. 568 ᵃ9. τὸν αὑτὸν τρόπον γίνονται ταῖς
πορφύραις κ̄ οἱ κήρυκες κ̄ τὴν αὑτὴν ὥραν· τῦ ἔαρος ποιῶσι
τὴν μελίκηραν, κηριάζωσιν· ἀπὸ σπερματικῆς φύσεως προΐ-
ενται μυξώδεις ὑγρότητας Ζιε15. 547 ᵇ2, 18, ᵃ13, 20. Ζγγ 30
11. 761 ᵇ31. ἀεὶ ἔχωσιν ᵢᾱ, ἐκτίκτει, φύονται ἐξ ἰλύος κ̄
συσσήψεως Ζγγ11. 763 ᵇ9. Ζιε15. 547 ᵃ2, 546 ᵇ22.
ὄσφρησιν κ̄ γεῦσιν ἔχει, aquae dulcedine necantur item
sicubi flumen immergitur αι5. 444 ᵇ13. Ζιδ8. 535 ᵃ7. θ20.
603 ᵃ14. ἐπὶ μικρότατον, ἐπὶ τὸ καταντικρύ, προέρχεται Ζιι37. 35
621 ᵇ11. Ζπ5. 706 ᵃ15. τὰ ἔπομβρα ἔτη ἡ συμφέρει αὑ-
ταῖς· γίνεται δὴ τοῖς ὀστρακίοις ὥσπερ φυκὸς τι κ̄ βρίον
Ζιθ20. 603 ᵃ13, 17. νέμονται ἐξαίροντα (v 1 ἐξειρίγοντα,
ἐξείροντα ci S Bsm Aub) τὴν γλῶτταν ὑπὸ τὸ κάλυμμα·
τρέφονται τοῖς μικροῖς ἰχθυδίοις, ὑπ' ἀλλήλων Ζιε15. 547 40
ᵃ14, ᵇ5. θ2. 590 ᵇ2. 20. 603 ᵃ15. τὴν αὔξησιν ἔχει ταχεῖαν,
μακροβίων ἔστιν, ζῇ περὶ ἔτη ἓξ κ̄ καθ' ἕκαστον ἐνιαυτὸν
φανερά ἐστιν ἡ αὔξησις τοῖς διαστήμασι τοῖς ἐν τῷ ὀστράκῳ
τῆς ἑλικος· ζῇ ὅταν θηρευθῇ περὶ ἡμέρας ν' Ζιε15. 547
ᵇ24, 8, 9. θ20. 603 ᵃ15. φωλεῖ, ὑπὸ κύνα περὶ ἡμέρας λ', 45
ἀφανίζονται δέ τινα χρόνον ἐν τῇ ἄμμῳ Ζιθ13. 599 ᵃ11,
17. cf ε15. 547 ᵃ15. τῦ ἔαρος, ὑπὸ κύνα, οὐχ ὑπὸ
κύνα Ζιε15. 547 ᵃ29, 1, 13, 546 ᵇ33. τοῖς στρόμβοις δελεά-
ζυσιν αὑτάς· δελεάζεται τοῖς σαπροῖς κ̄ προέρχεται πρὸς
τὸ τοιῦτον δέλεαρ ὡς αἴσθησιν ἔχυσα πόρρωθεν· σπυδάζυσι 50
ζώσας κόπτειν, φυλάττυσιν δ' ἐν τοῖς κυρτοις Ζμβ17. 661
ᵃ23. Ζιθ8. 535 ᵃ7. ε15. 547 ᵃ26, 27. dist γένη πλείω
Ζιε15. 547 ᵃ4. ἔνιαι μεγάλαι, οἷον αἱ περὶ τὸ Σίγειον κ̄
Λεκτόν, αἱ μὲν ἐν τοῖς κόλποις μεγάλαι κ̄ τραχεῖαι, γί-
νονται ἔνια τῶν μεγάλων κ̄ μναῖαῖαι· τῶν μειζόνων περι-55
ελόντες τὸ ὄστρακον ἀφαιροῦσι τὸ ἄνθος Ζιε15. 547 ᵃ5, 7,
9, 23. αἱ μικραί, οἷον ἐν τῷ Εὑρίπῳ κ̄ περὶ τὴν Καρίαν·
αἱ ἐν τοῖς αἰγιαλοῖς κ̄ περὶ τὰς ἄκτας γίνονται μικραί, τὸ
δ' ἄνθος ἐρυθρὸν ἔχυσιν· τὰς μικρὰς μετὰ τῶν ὀστράκων
κόπτυσιν· τὸ ἄνθος αὑτῶν αἱ μὲν πλεῖσται μέλαν ἔχυσιν, 60
ἔνιαι δ' ἐρυθρὸν κ̄ μικρόν· ἐν μὲν τοῖς προσβορείοις μέλαιναι,

ἐν δὲ τοῖς νοτίοις ἐρυθραὶ ὡς ἐπὶ τὸ πλεῖστον εἰπεῖν Ζιε15.
547 ᵃ6, 10, 21, 8, 12. cf f 478. 1556 ᵇ16. τὸ ἀλυργὲς τῇ
πορφύρᾳ βάπτεται χ4. 794 ᵃ21. τὰ ὅμοια ταύτῃ Ζιι37.
621 ᵇ12. (pourpre C II 698. Heusinger de purpura antiq
12. murices K 577, 2. Murex et Buccinum sp F 284, 77.
Purpura, Buccinum et fort Murex ΚαΖμ 69, 9. Murex
brandaris, erinaceus, ramosus St, Murex trunculus Spratts
Lycia and probably some other shells Cr. cf ΑΖγ36. Lenz
624. ΑΖι I 181, 23. Mr 206. Ad Schmidt griech Papyrus-
urkunden 107, et quos attulit M 183, 184.) — 2. vestis
purpurea, πορφύραν εἰσφέρειν κωμῳδοῖς Ηδ6. 1123 ᵃ23.

πορφυρεύς. οἱ ἁλιεῖς κ̄ πορφυρεῖς πυρροὶ πλη2. 966 ᵇ26.

πορφυρίζυσα κ̄ θάλαττα διαφαίνεται θ130. 843 ᵃ26.

πορφύριον. πορφύρια μικρά, ἔνια ὕπω διηκριβωμένα τὴν μορ-
φὴν Ζιε15. 546 ᵇ32, 33.

πορφυρίων. descr f 272. 1527 ᵃ35-41. Ζιβ17. 509 ᵃ11. θ6.
595 ᵃ12. Ζπ10. 710 ᵃ12. (Porphyrion C II 692. Fulica
porphyrion St. Cr. K 494. Porphyrio hyacinthinus Temm
ΚαΖι 94, 47. Su 144, 117. cf E 61. Lnd 130. fort Phoe-
nicopterus roseus ΑΖι I 106, 93.)

πορφυροειδές, syn ἁλυργής χ2. 792 ᵃ17, 15, 21, 24. τὸ
πορφυροειδὲς πῶς γίνεται χ2. 792 ᵃ15-26.

πορφυρῆς. χρόα πορφυρᾶ, χρῶμα πορφυρῶν, dist φοινικῶν
μα5. 342 ᵇ8. γ4. 374 ᵃ27, 32, 375 ᵃ25. εν2. 459 ᵇ17.

Πορφυρῆσσα ἐκαλεῖτο ἡ Κύθηρα διὰ τὸ κάλλος τῶν περὶ
αὑτὴν πορφυρῶν f 478. 1556 ᵇ15.

ποσάκις. οἱ ποσάκις ποσοὶ ἢ ποσάκις ποσάκις ποσοὶ ἀριθμοὶ
Μδ14. 1020 ᵇ5.

ποσαχῶς. διελεῖν ποσαχῶς ἕκαστον λέγεται τα15. 105 ᵃ23.
18. 108 ᵃ18-37. διώρισται ἐν τοῖς περὶ τῦ ποσαχῶς (i e in
libro δ' Metaphysicorum) Μζ1. 1028 ᵃ11. ι1.1052 ᵃ15.
τόπος ἐκ τῦ ποσαχῶς Ρβ23. 1398 ᵃ28. διαφοραὶ τῶν πολι-
τειῶν πόσαι κ̄ συντίθενται ποσαχῶς Πδ1. 1289 ᵃ11.

Ποσειδεῶν Ζιε11. 543 ᵇ15. περὶ τὸν Ποσειδεῶνα μῆνα ΖιΖ17.
570 ᵃ32. ε9. 543 ᵃ11. Ποσειδεῶνι μηνί f 423. 1548 ᵃ41.

Ποσειδῶν in Odyssea πο17. 1455 ᵇ18. Κύκλωψ κολαστέος
Ποσειδῶνι f 166. 1505 ᵇ40. Ποσειδῶν ἀπέστρεψε τὰ τῶν
ποταμῶν ῥεύματα f 469. 1555 ᵃ41. Ποσειδῶνος ἀπόγονοι
f 164. 1505 ᵇ13. 530. 1566 ᵃ42. 548.1568 ᵇ36. 555.1569
ᵇ42. 595.1575 ᵃ14.

Ποσειδώνειον σ973 ᵃ16. f 238. 1521 ᵇ10.

Ποσειδωνία ἐν Ἰταλίᾳ θ103. 839 ᵃ30.

πόσις, ὁ Πη16. 1335 ᵇ41. πόσις κ̄ ἄλοχος. μέρος οἰκίας
Πα3. 1253 ᵇ6. ἥτις ἂν κτείνῃ πόσιν (Theodect fr 5) Ρβ24.
1401 ᵃ36.

πόσις. ἡ τῦ οἴνυ πόσις οα5. 1344 ᵃ32. μετὰ τὴν (τῦ ὕδατος)
πόσιν Ζιγ12. 519 ᵃ13.

ποσοποιός. ἡ δυὰς ποσοποιόν (Bz, ποσὸν ποιῶν Bk) Μμ8.
1083 ᵃ13 Bz.

πόσος. περὶ χρόνυ, πόσος ἑκάστης ἀρχῆς Πδ15. 1299 ᵃ6.
πόσον ὄντων ἀναιρεῖ ηεη12. 1246 ᵃ5.

ποσός. τὸ ποσὸν in categoriarum numerum refertur, cf κα-
τηγορία 2. eius notio def et dist K 6 Wz. Μδ13 Bz. ι1.
Trdlbg Kat p 79 sqq. ποσὸν λέγεται τὸ διαιρετὸν εἰς ἐνυ-
πάρχοντα, ὧν ἑκάτερον ἢ ἕκαστον ἕν τι κ̄ τόδε τι πέφυκεν
εἶναι Μδ13. 1020 ᵃ7. πᾶν τὸ ποσὸν γιγνώσκεται ἢ ποσὸν
τῷ ἑνὶ Μι1. 1052 ᵇ22, 19. τῦ ποσῦ τὸ μέν ἐστι διωρισμέ-
νον, τὸ δὲ συνεχές Κ6.4 ᵇ20. ποσὸν διαιρετὸν εἰς μὴ συνεχῆ,
εἰς συνεχῆ Μδ13. 1020 ᵃ10. ἐν ἅπασι τοῖς ποσοῖς ἆρ' ἐστι
τι ἀμερές ατ968 ᵃ2. ποσὰ τὰ μὲν ἐκ θέσιν ἐχόντων πρὸς
ἄλληλα τῶν ἐν αὑτοῖς μορίων συνέστηκε, τὰ δὲ ὐκ ἐξ

ἐχόντων θέσιν Κ6. 5 ᵃ15. ποσὰ κυρίως. κατὰ συμβεβηκός Κ6. 5 ᵃ38. Μδ΄13. 1020 ᵃ27. πάθη χ ἕξεις τῦ ποσῦ, οἷον τὸ πολὺ χ τὸ ὀλίγον Μδ΄13. 1020 ᵃ19. — τῶν ἀφωρισμένων ποσῶν ἐδὲν ἐδενὶ ἐναντίον ἐστὶ Κ5. 3 ᵇ32. 6. 5 ᵇ11. τὸ ποσὸν ἐκ ἐπιδέχεται τὸ μᾶλλον χ ἧττον Κ6. 6 ᵃ19. ἴδιον μάλιστα τῦ ποσῦ τὸ ἴσον τε χ ἄνισον λέγεσθαι Κ6. 6 ᵃ26. κατὰ τὸ ποσὸν τὸ μὲν τέλειον τὸ δ' ἀτελές Φγ1. 201 ᵃ6. Μκ9. 1065 ᵇ12. — μεταβολὴ κατὰ τὸ ποσὸν Μλ2. 1069 ᵇ10. τῷ εἴδει ἢ τῷ ποσῷ μεταβαλλόντων τῶν μερῶν μβ3. 357 ᵇ28. ἐκ εἰς τὸ ποσὸν συμβάλλεται τὸ ἄρρεν ἀλλ' εἰς τὸ ποιὸν Ζγα21. 730 ᵃ22. — ποσὸν καθόλυ ἐ γίνεται, ἐ γίνεται τὸ ποσὸν ἀλλὰ τὸ ποσὸν ξύλον ἢ ζῷον Γα5. 322 ᵃ16. Μζ9. 1034 ᵇ15. (πρὸς τὴν γένεσιν) ποσὸν ἐκ ἀνάγκη προϋπάρχειν ἀλλ' ἢ δυνάμει μόνον Μζ9. 1034 ᵇ18. τὸ ποσὸν τῆς ἀορίστυ φύσεως Μκ6. 1063 ᵃ28. ἐν τῷ ποσῷ ἐστὶ τὸ μὲν ὡς εἶδος μᾶλλον, τὸ δ' ὡς ὕλη Οθ4. 312 ᵃ14. ὅταν τὸ μὴ ταὐτὸ ὡσαύτως ἑρμηνεύηται οἷον τὸ ποιὸν ποσὸν ἢ τὸ ποσὸν ποιὸν τ14. 166 ᵇ13. ὕστερον τῷς ἀριθμῶς τὸ ποιὸν τῦ ποσῷ Μμ8. 1083 ᵃ11. οἱ ποσάκις ποσοὶ ἀριθμοὶ Μδ΄14. 1020 ᵇ5. στοιχεῖα συμβλητὰ κατὰ τὸ ποσὸν ἐχ ἢ ποσόν, ἀλλ' ἢ δύνανταί τι Γβ6. 333 ᵃ26. — ὁ χαρακτὴρ ἐτέθη τῦ ποσῦ σημεῖον Πα9. 1257 ᵃ41. ἔστι πᾶσα πόλις ἔκ τε τῦ ποιῦ χ ποσῦ Πβ9. 1296 ᵇ17, 21, 23, 24, 32. ἴσον κατὰ ποσόν, κατ' ἀξίαν Ηθ9. 1158 ᵇ31.

ποσότης. τὰ σχήματα τῶν φυτῶν εἰσὶν ἐν τῇ φύσει χ τῇ ποσότητι τῶν σπερμάτων φτβ8. 828 ᵃ17. τὰ ἄλλα λέγεται ὄντα τῷ τῦ ὄντως ὄντος τὰ μὲν ποσότητας εἶναι, τὰ δὲ ποιότητας Μζ1. 1028 ᵃ19.

ποταγωγίδες καλέμεναι περὶ Συρακύσας Πε11. 1313 ᵇ13.

ποταμεὺς καλεῖται ὁ ἀπηλιώτης σ 973 ᵃ13, 16. f 238. 1521 ᵇ7.

ποταμιαῖος. αὐτόματα ῥεῖ τὰ κρηναῖα χ ποταμιαῖα (v l ποτάμια) μβ1. 353 ᵇ28.

ποτάμιος. ἡ θάλαττά ἐστιν ἅπαν τὸ ποτάμιον ὕδωρ μβ3. 357 ᵃ22. τὰ ποτάμια ὕδατα Ζιζ13. 568 ᵃ4. τὸ ποτάμιον ὕδωρ, opp τὸ θαλάττιον πκγ13. 933 ᵃ12. τὰ πότιμα χ ποτάμια ὕδατα, opp ἢ θάλαττα ῥγ32. 935 ᵃ6. τὰ ποτάμια χ τὰ ἔνυδρα χωρία θ73. 835 ᵇ17. — τῶν ἐνύδρων (ζῴων) τὰ μὲν θαλάττια τὰ δὲ ποτάμια τὰ δὲ λιμναῖα τὰ δὲ τελματιαῖα Ζια1. 487 ᵃ27. ὁ ποτάμιος χοῖρος f 284. 1528 ᵃ32. cf ἵππος p 345 ᵇ58, ἰχθύς p 351 ᵃ47, κροκόδειλος p 410 ᵃ45.

ποταμός. τῶν ποταμῶν φύσις, γενέσεις, ἀπολείψεις al μα13. 14. ποταμοὶ τελευτῶντες εἰς θάλατταν, εἰς ἀλλήλυς μβ2. 356 ᵃ23, 27. οἱ ποταμοὶ ψυχροί, ἢ θάλαττα ὅτε θερμὴ ὅτε ψυχρὰ πκγ13. 933 ᵃ33. κϛ30. 943 ᵇ10. ποταμοὶ ὧν τὸ ὕδωρ λευκὰ δ δὲ μέλανα ποιεῖ τὰ πρόβατα Ζιγ12. 519 ᵃ16. πῶς λέγομεν ποταμὸς τὸς αὐτός Πγ3. 1276 ᵃ37. ῥεύματα ποταμῶν μβ2. 356 ᵃ26. f 469. 1555 ᵃ41. τελματιαῖοι ποταμοὶ Ζγβ5. 741 ᵇ2. ἄνω ποταμῶν μβ2. 356 ᵃ19. cf παροιμία p 570 ᵃ5. γράφασιν ἢ γραφεὶς τὸς ποταμὸς ὠχρὸς πκγ6. 932 ᵃ31. — ὁ τῆς ἀτμίδος ποταμὸς μα9. 347 ᵃ4. — δὶς τῷ αὐτῷ ποταμῷ ἐκ ἔστιν ἐμβῆναι (Heraclit fr 21) Μγ5. 1010 ᵃ14.

ποτέ. ποτὲ ὑπάρχει ἢ ποτὲ ἔ, ἢ ῥάδιον διιδεῖν μδ΄12. 390 ᵃ20. πότε δεῖ τῆ βασιλείαν νομίζειν διωρίσται Πδ΄2. 1289 ᵃ34. διαπορήσειεν ἄν τις τὸ πότε Ζγβ4. 740 ᵃ10.

ποτέ. τὸ ποτέ in numerum categoriarum refertur Κ4. 2 ᵃ2. 9. 11 ᵇ10. Μδ΄7. 1017 ᵃ27 al, cf κατηγορία 2. ποτέ def χρόνος ὡρισμένος πρὸς τὸ [πρότερον] νῦν Φδ΄13. 222 ᵃ25 - ᵇ7

(Bz Ar St I 228). — ποτέ, opp ἀεί· διὰ τί ἐκ ἀεὶ γεννᾷ συνεχῶς, ἀλλὰ ποτὲ μὲν ποτὲ δ' ἔ Γβ9. 335 ᵇ19. συμβαίνει δέ ποτε ταὐτὰ γίνεσθαι ψυχρότατα χ θερμότατα μδ΄11. 389 ᵇ18. ἀεὶ ἀληθεστάτας, ἐ γὰρ ποτὲ (γὰρ ποτε Bk Bz) ἀληθεῖς Μα1. 993 ᵇ29. περὶ τῶν ἀκινήτων ἐκ ἔστιν ἀπάτη κατὰ τὸ ποτέ Μθ10. 1052 ᵃ5. ποτέ, opp ἁπλῶς τβ11. 115 ᵇ13. — ὅσα ἐστὶν ἁλμυρὰ ῥεύματα, τὰ πλεῖστα θερμά ποτε εἶναι δεῖ νομίζειν, εἶτα τὴν μὲν ἀρχὴν ἀπεσβέσθαι τῦ πυρὸς μβ3. 359 ᵇ5. οἷον περὶ Κνίδον φασὶν εἶναί ποτε, ὃ ἐξηραίνετο μὲν ὑπὸ κύνα (εἶναι, ὃ ποτε ἐξηραίνετο ci Schn. εἶναι. ὅτε ἐξηραίνετο ci Aub) Ζιζ15. 569 ᵃ14. τέλος παύσασθαί ποτε (τὴν γῆν) σειομένην μβ7. 365 ᵇ18. ἐ δεῖ μανθάνειν. εἰ μή ποτε χρείας χάριν Πγ4. 1277 ᵇ5. ἵνα μή ποτε συμφωνήσωσιν οἱ πλήσιοι τοῖς πένησιν Πδ΄12. 1297 ᵃ1. πῶς ποτὲ χρὴ λέγειν, τί ποτ' ἐστὶ τὸ ἕν, διὰ τίνα ποτ' αἰτίαν sim Πγ3. 1276 ᵃ18. μλ3. 340 ᵃ25. β9. 369 ᵇ22. αι3. 439 ᵃ10. Μβ4. 1001 ᵃ7. eandem τῆς ἀοριστίας notionem, ac pronominibus interrogativis, addita particula ποτέ tribuit etiam pronominibus demonstrativis, ὅπως τοιόνδε ἢ τοιόνδε ποτὲ τὴν μορφὴν γένηται Ζμα1. 641 ᵃ14, ac praecipue pron relativis, τὰ πρός τι ἐν ἐκείνοις ἐστὶ πρὸς ἅ ποτε τυγχάνει λεγόμενα, πρὸς ἅ ποτε λέγεται τδ4. 125 ᵃ33, 38, ᵇ2. ἀεὶ δ' ἀπὸ ταὐτομάτυ, ἀπὸ τύτυ δ ποτε τῦ ποιεῖν ἀρχὴ τῷ ποιῦντι ἀπὸ τέχνης Μζ7. 1032 ᵇ24. cf praeterea β4. 999 ᵇ14 Bz (ὁπότε Bk). Κ7. 7 ᵇ1, 10. 8. 11 ᵃ36. τζ8. 146 ᵇ8. γ5. 119 ᵃ18. 3. 118 ᵇ19 (ὁπότε Bk, cf Bz Ar St IV 348) (similiter ὡς ποτε usurpatur: ὡς ποτε γίνεται τὸ συνέχον, ὕτω χ τὸ φθεῖν ce Φε3. 227 ᵃ15. cf Κ10. 12 ᵇ12). τὸ νῦν τὸ αὐτὸ ὅ ποτ' ἦν· τὸ δ' εἶναι αὐτῷ ἕτερον Φδ΄11. 219 ᵇ11. inde explicationem habet formula ὅ ποτ' ὄν· ἔνια τῶν τοιύτων ἐδ' ἔστιν ἁπλῶς εἰπεῖν ὅτι θερμὸν ἢ μὴ θερμόν· ὁ μὲν γὰρ ποτε τυγχάνει ὂν τὸ ὑποκείμενον Ζμβ2. 649 ᵃ15. φανερὸν ὅτι τὸ αἷμα ὡδὶ μέν ἐστι θερμόν, ὡ τί ἦν αὐτῷ τὸ αἵματι εἶναι, τὸ δ' ὑποκείμενον χ ὃ ποτε ὂν αἷμά ἐστιν, ἐ θερμόν Ζμβ3. 649 ᵇ24. ἔστι μὲν ὡς (ἢ ὕλη) ἢ αὐτή, ἔστι δ' ὡς [ἢ] ἑτέρα· ὁ μὲν γὰρ λόγος ἐν ᾧ ὑποκειται τὸ αὐτό, τὸ δ' εἶναι δ τὸ αὐτό Γα3. 319 ᵇ3. Philop ad h l. cf praeterea Φδ΄ 11. 219 ᵃ20, ᵇ14, 18, 26, 220 ᵃ8. 14. 223 ᵃ27. Torstrik Rh Mus 12, 161-173. Bz Ar St I 227.

πότερον. τὸ πότερον ἀεὶ ἐν ἀντιθέσει λέγομεν Μι5. 1055 ᵇ32, 1056 ᵃ4. πότερον . . ἤ Πδ΄15. 1299 ᵇ16, 18. γ14. 1284 ᵇ37-39 et saepe. πότερα . . ἤ Ηγ5. 1112 ᵃ18. θ15. 1163 ᵃ10 Fr. ι2. 1164 ᵇ22. κ8. 1178 ᵇ10 al.

ποτέρωθεν ἢ ἀρχὴ τῶν πνευμάτων μβ4. 361 ᵃ25.

ποτέρως ἔχει τὸ ἀληθὲς Πη2. 1324 ᵃ33. ποτέρως ὑποληπτέον, γίγνεται, ἐνυπάρχει, εἰσιν Γα5. 320 ᵃ32. Ογ3. 302 ᵃ17. Φγ4. 203 ᵇ32. Ζγα17. 721 ᵃ32. ποτέρως δίκαιον, ποτέρως ἀσύμβλητοι Ηε10. 1135 ᵇ32. Μμ7. 1081 ᵃ1.

ποτήριον. ἐν τοῖς Δαρείυ ποτηρίοις f 248. 1524 ᵃ19.

Ποτίδαια οβ1347 ᵇ18. — Ποτιδαιάτας αἱ Ἀθηναῖοι ἠνδραποδίσαντο Ρβ22. 1396 ᵃ20.

ποτίζειν. ἐπότισεν ἐκ ὀρθῶς ὁ ἰατρὸς τὸ φάρμακον Φβ8. 199 ᵃ34 (inde pro ἐπὶ σωτηρίᾳ παῖσας ἀποκτεῖναι ἄν Ηγ2. 1111 ᵃ14 scribendum videtur ποτίσας). — αἱ ῥόαι δι' ὕδατος ψυχρῦ ποτιζόμεναι βελτιῶνται φτα7. 821 ᵃ38.

πότιμος. ὕδωρ πότιμον, opp ἁλμυρὸν μα13. 351 ᵃ14. β2. 354 ᵇ18, 355 ᵃ32. Ζιβ14. 505 ᵇ7. πκγ 7. 932 ᵃ39. 8. 932 ᵇ9. 38. 935 ᵇ17. 22. 934 ᵃ8. 30. 934 ᵇ25. 32. 935 ᵃ6. τῶν ἁλμυρῶν ἐν τοῖς ποτιμωτέροις Ζγγ11. 761 ᵇ4. ἐν τῇ θαλάττῃ πότιμον ἔνεστιν Ζιθ2. 590 ᵃ22. γίνεται ἀτμίζυσα ἡ θάλαττα πότιμος κ̣ ὐκ εἰς θάλατταν συγκρίνεται τὸ ἀτμῖζον μβ3. 358 b16. τὸ πότιμον γλυκὺ κ̣ τρόφιμον Ζγγ11. 761 b1. Ζθ2. 590 a20.

πότμος. κ̣ θανεῖν ζηλωτὸς ἐν Ἑλλάδι πότμος f 625. 1583 b11. 5

πότνια συκῇ, falsae σεμνότητος exemplum Ργ7. 1408 a16.

ποτός. τὸ ποτὸν κ̣ ἄποτον, κοινὸν ἁφῆς κ̣ γεύσεως τὸ ποτὸν ψβ10. 422 a31, 34. τὰ ποτὰ κ̣ τὰ σιτία Ηβ2. 1104 a16. γ13. 1118 a31. τὰ ἐδώδιμα κ̣ ποτὰ Οβ13. 295 b33. τῶν ἐν τοῖς καρποῖς χυλῶν οἱ μὲν ποτοί, οἱ δ' ὐ ποτοί φτα5. 10 820 a30. — τὸ ποτόν, opp τροφή Ζμγ3. 671 a11. δέχεσθαι, εἰσδέχεσθαι τὸ ποτὸν Ζμγ3. 664 b7, 10. πιαίνει μάλιστα τὸ πρόβατον τὸ ποτὸν Ζι910. 596 a16.

πότος. ἐν τοῖς πότοις πγ12. 872 b27.

πὖ. τὸ πὖ in numerum categoriarum refertur Κ4. 2 a1. 9. 15 11 b11. Γα3. 317 b10. Μδ7. 1017 a26, cf κατηγορία 2. syn ἔν τινι τόπῳ Φδ5. 212 b9. γ5. 206 a2. Μκ10. 1067 a31. τὰ ὄντα πάντες ὑπολαμβάνουσιν εἶναι πὖ Φδ1. 208 a29. τὸ πᾶν ὐ πὖ· τὸ γὰρ πὖ αὐτὸ τ' ἐστί τι, κ̣ ἔτι ἄλλο τι δεῖ εἶναι παρὰ τὖτο ἐν ᾧ ὅ περιέχει Φδ5. 212 b14. 20 ὐ δοκεῖ ὐσία ὐσίας διαφέρειν τῷ πὖ εἶναι τζ6. 144 b32, 35. μεταβολὴ κατὰ τὸ πὖ Μλ2. 1069 b10, cf μεταβολή p 459 b19. μέχρι πὖ διώρισται τοῖς τόποις μα3. 339 b15. — πὖ, indef, opp ἁπλῶς τβ11. 115 b13. ἑτέρωθί πὖ Ζμγ2. 663 b3. ἐνιαχὖ δέ πὖ Ζμα1. 642 a18. πόρρω πὖ ἀπὸ τῆς γῆς 25 μα8. 345 b5. εἰ μή πὖ κωλύει θαλάττης πλῆθος μβ5. 362 b18. Παρμενίδης μᾶλλον βλέπων ἔοικέ πὖ λέγειν ΜΑ5. 986 b28. ὅή πὖ, cf ὅή p 173 a60.

Πηλυδάμας (Hom X 100) Ηγ11.1116 a23. ημα20.1191 a8.

πὖς. 1. τὸ ὄνομα ἐοίκασιν εἰληφέναι ἀπὸ τῦ πέδυ οἱ πόδες· 30 καλῶ πόδα μέρος ἐπὶ σημείῳ πεζῷ κινητικῷ (κινητικὸν?) κατὰ τόπον Ζπ5. 706 a32, 31. refertur inter τὰ ἀνομοιομερῆ μδ10. 388 a19. Ζια4. 487 a28. Ζγα18. 722 a20, τὰ μέρη, μόρια, μέλη πν7. 484 b25. Ζιδ11. 538 b11. Ζγδ4. 772 b17, τὰ μέρη ὀργανικά, κινητικά Ζπ4. 705 b22. 35 Ζγβ1. 734 b29. πν7. 484 b37, τὰ ἀκρωτήρια, τὰ μόρια ἐξωτερικὰ Ζγδ4. 772 b17. ε6. 786 a27. — πὖς, syn σκέλος saepissime. τῶν ζῴων τὰ μὲν πόδας ἔχει τὰ δ' ἄποδα, ὅσα πόδας ἔχει Ζια5. 489 b19. γ9. 517 a31. Ζπ1. 704 a14. 18. 714 a20. τοῖς ἔχυσι πόδας τὸ ὀπίσθιόν ἐστι σκέλος 40 τὸ κάτωθεν μέρος πρὸς τὸ μέγεθος Ζιβ1. 500 b30. ὐδ' ἐν τῷ πόδας ἔχειν ᾗ μὴ ἔχειν διαφέρει Ζγβ1. 732 b20. — σκέλη κ̣ πόδες ζ2. 468 a20. τῶν ποδῶν τὸ κινητικώτερον μέρος, ἐπὶ τὸ κοῖλον ἔχει τὴν κάμψιν Ζια15. 494 b6. Ζπ13. 712 a21. — a. partes pedis et anatom quaedam. τὸ πο- 45 λύοστεον τῦ σκέλυς πὖς, τὰ ἐν τοῖς ποσὶν ὀστᾶ Ζια15. 494 a11. γ7. 516 b3. φλέβες διὰ τῶν σκελῶν τελευτῶσιν εἰς τὰς πόδας, τείνυσιν εἰς τὸν πόδα, ἐπὶ τὸν ταρσὸν τῦ ποδὸς καθήκυσι Ζιγ4. 515 a10. 2. 512 a16. πλεῖστα δ' ἐστὶ νεῦρα περὶ τὰς πόδας· πόδες ἀσαρκότατοι, διηρθρωμένοι, νευ- 50 ρώδεις Ζιγ5. 515 b21. πς6. 886 a13. φ6. 810 a16. τὸ ὀπίσθιον πόδας πτέρνα, κ̣ τῆς πτέρνης ἔσχατον Ζια15. 494 a11. β8. 502 b18. τῦ ποδὸς ὅσοις τὸ ἐντὸς παχὺ κ̣ μὴ κοῖλον, ἀλλὰ βαίνυσιν ὅλῳ, πανῦργοι· τὰ ἐντός, τὸ κάτω τῦ ποδὸς Ζια15. 494 a16. β8. 502 b7. πλε2. 964 b31. τὸ 55 ἔμπροσθεν τῦ ποδός, τὸ μὲν ἐσχισμένον δακτύλους πέντε, τὸ δὲ σαρκῶδες κάτωθεν στῆθος, τὸ δ' ἄνωθεν ἐν τοῖς πρανέσι νευρῶδες κ̣ ἀνώνυμον Ζια15. 494 a12 Aub. τὸ ἄσχιστον τῦ ποδὸς τῶν δακτύλων, τὸ μεταξὺ τῶν ποδῶν Ζμδ10. 690 b2. 12. 694 b1, 11. οἱ δάκτυλοι, τὰ δάκτυλα, cf δάκτυλος 60 p 165 a23. ἐπὶ τῶν ποδῶν ὀνύχων πλῆθος, κοτυληδόνες κ̣

πλεκτάναι πρὸς τοῖς ποσὶν Ζμδ12. 694 a26. 9. 685 b4. (v ΑΖι ΙΙ tab ΙΙ et ΙΙΙ.) — b. ποδῶν πλῆθος, ὁ τῶν ποδῶν ἀριθμός Ζπ8. 708 b9. Ζμδ8. 683 b26. f 318. 1532 a6. ἄρτιοι Ζια5. 489 b22. Ζπ1. 704 a14. 8. 708 a21, 27, b12. 9. 708 b20. πι26. 893 b20. 30. 894 b17. δεξιός, ἀριστερός, διὰ τί πὖς διαφορὰν ἔχει πρὸς τὰ δεξιὰ κ̣ ἀριστερὰ Ζιδ2. 526 a15. πλα29. 960 a29. δύο Ζια5. 489 b20. ζ37. 581 a3. Ζπ8. 708 a18. f 320. 1532 a24 al. (τρεῖς Ζπ8. 708 a32). τέτταρες Ζια5. 489 b21. δ2. 525 b22. Ζμδ8. 684 a19 al. πλείως, πλείς τετταρων Ζια5. 489 b22. Ζμδ8. 684 a17. Ζπ8. 708 a17 al. ὀκτὼ Ζιδ2. 526 b6. Ζμδ9. 685 a22. f 317. 1531 b30. 315. 1531 a43. πολλοὶ Ζπ17. 713 b32. πόδες (πλεονάζοντα μόρια παρὰ φύσιν) τῶν τεράτων Ζγδ4. 772 b17. — c. εἴη ποδῶν Ζμα3. 642 b24. οἱ πόδες τοῖς τετράποσι πῶς διαφέρυσι Ζμδ10. 690 a4. πρῶτος, πρῶτοι Ζιδ2. 526 a1, 525 b22. — οἱ πρόσθιοι, ἡ τῶν προσθίων χρεία Ζμδ6. 683 a26. 10. 686 a26, 34, 688 a5. β16. 659 a23. οἱ ἔμπροσθεν πόδες, πόδες ἔμπροσθεν περὶ τὴν κεφαλήν, οἱ πόδες ἐπὶ τὸ καλύμενον ἔμπροσθεν Ζιι40. 624 b1. Ζμδ9. 684 b8, 13. οἱ μέσοι, οἱ ἐν μέσῳ πόδες Ζιι40. 624 b1. Ζμδ9. 685 b22. οἱ ὄπισθεν, ὀπίσθιοι Ζμδ10. 688 a8, 5. 13. 697 b5. cf 10. 690 a17, 19. οἱ τελευταῖοι Ζια15. 494 b4. δ2. 526 a4. Ζμδ8. 684 a12. οἱ ἐν τοῖς ὑπτίοις πόδες Ζπ18. 714 b5. — μικροὶ πάμπαν ἐλάττυς, μικροὶ στενοὶ ἄναρθροι, ἐλάχιστοι Ζμδ11. 691 b7. 6. 682 b5. φ6. 810 a17. f 315. 1531 a44. μεγάλοι, μῆκος προσθεῖναι εἰς τὐς πόδας, εὐφυεῖς κ̣ μεγάλοι Ζιδ2. 526 a13, 14, 25, b14. Ζμδ8. 684 a24. Ζπ17. 714 a16. φ6. 810 a15. μείζυς, μέγιστοι Ζμδ6. 683 a26. 9. 685 a22. 10. 690 a27. f 315. 1531 a44. 317. 1531 b30. βραχεῖς Ζιδ1. 524 a23. Ζμδ9. 685 a23, 30. μακροὶ Ζιδ1. 524 a22. Ζπ17. 714 a18. (γραφεὺς ὐκ ἂν ἐάσειε τὸν ὑπερέχοντα πόδα τῆς συμμετρίας ἔχειν τὸ ζῷον Πγ13. 1284 b9. cf ε3. 1302 b37.) ποδὸς διαφοραὶ ποῖον ἦθος σημαίνυσιν φ6. 810 a15-24. μῶνυξ Ζιδ2. 526 a1. Ζμβ16. 659 a26. δίκρυς δίκροοι Ζιδ2. 526 a1, b7. 4. 529 b31, 530 a8. πολυσχιδεῖς, τετραδάκτυλοι, πενταδάκτυλοι, μακροδάκτυλοι Ζμδ10. 690 b7, 688 a5, 9. ἐσχισμένος, διηρθρωμένοι κ̣ νευρώδεις, διηρημένοι μὲν σεσιμωμένοι δέ Ζιδ2. 526 a17. φ6. 810 a16. Ζμδ12. 693 a7. — δασεῖς Ζιδ2. 526 a25, 29. τρίχες ὑπὸ τὐς πόδας, ὑπὸ τοῖς ποσὶ Ζγδ5. 774 a35. Ζιγ12. 519 a23. πλατεῖς, πλατύτεροι, ἀποδῦναι πλάτος τῆς ποσὶν Ζμδ8. 684 a12, 14. Ζμδ2. 526 a14. Ζπ17. 714 a18. — ἀργότεροι πρὸς τὴν πορείαν, εὐφυεῖς κ̣ μεγάλοι, ἡδίυς τε ἰδεῖν ἢ ρωμαλεώτεροι, κομψότεροι Ζμδ8. 684 a6. 11. 691 b14. φ6. 810 a15, 18. 5. 809 b9. — χρήσιμοι, χρήσιμοι πρὸς τὴν νεῦσιν, πρὸς τὸ νεῖν κ̣ πρὸς τὸ βαδίζειν, opp ἄχρηστοι, ἀργοὶ πρὸς τὸ λαβεῖν κ̣ κατασχεῖν Ζπ17. 714 a11 (cf 14), b2. Ζμδ9. 685 a28, 29, 31, b2. δ11. 691 b7. 12. 694 b8. — ἀνώμαλοι, κεχολοβωμένοι Ζιδ2. 526 a15. a1. 487 b24 (v p 629 a9). μεταβάλλοντες, περιττοί, προωσθεὶς Ζπ8. 708 a30, b6. 12. 711 a26. ἰχθυώδεις πάμπαν Ζμδ13. 697 b5. ἀντίστοιχοι Ζπ8. 708 b13. cf 15. 9. 708 b31 (v p 629 a8). ἡγεμόνες, ἡγύμενος, ἠρεμύντες Ζπ17. 713 b32, 714 a6. 12. 711 a22. ἐξεστραμμένοι φ6. 813 a14. simiis ἴδιοι πόδες, εἰσὶ γὰρ οἷον χεῖρες μεγάλαι. simia ἔχει πόδας ὁμοίυς χερσὶ κ̣ ὥσπερανεὶ χειρώεικενς ἐκ χειρὸς κ̣ ποδός, ἐκ μὲν ποδὸς κατὰ τὸ τῆς πτέρνης ἔσχατον, ἐκ δὲ χειρὸς τἆλλα μέρη Ζιβ8. 502 b5, 17. (χαμαιλέοντος) τῶν ποδῶν ἕκαστος διχῇ διήρηται εἰς μέρη θέσιν ὁμοίαν πρὸς αὐτὰ ἔχοντα ὅιαπερ ὁ μέγας ἡμῶν δάκτυλος Ζιβ11. 503 a13. οἱ ὀνομαζόμενοι τῶν

μαλακίων, descr Ζιϑ1. 523 b22, 27 cf A Siebld XII 383.
— d. τῶν ποδῶν ἡ χρῆσις, ἡ ἀπὸ τῶν ποδῶν γινομένη
βοήθεια Ζμβ16. 659 b34, a35. ἡ θέσις, πρόσθεσις Ζπ12.
711 a32. Ζμδ13. 695 b22. ἡ κίνησις, ἡ κίνησις ἡ κατὰ
τόπον ἐν ποσίν, οἰκεία μὲν γάρ ἐστι κίνησις ποδῶν βάδισις 5
Ζπ12. 711 b29. Ζια4. 489 a28 Aub. ψα3. 406 a9. ἡ κάμ-
ψις πν7. 484 b20, 21. ὁ μετεωρισμὸς Ζπ12. 711 b23. ἡ
ἀντιστοιχία π30. 894 a19 (v p 628 b53). ἡ τῶν ἀντιστοίχων
ποδῶν κολόβωσις Ζπ8. 708 b8 (v p 628 b50). ἡ ἔλλειψις
Ζμδ6. 682 b6. — e. διορθοῦσθαι τοῖς ποσίν Ζμδ9. 685 b25. 10
ποδῶν δεῖσθαι, τὸν πόδα κινεῖν Ζπ8. 708 a23. 12. 711 b4.
τὰς πόδας ἐπαίρειν ἢ κάμπτειν, κάμπτειν εἰς τὸ πλάγιον
πν7. 484 b30. cf Ζμδ8. 683 b34. Ζιϑ2. 525 b25. νεῖν
τοῖς ποσίν Ζπ17. 714 a9. οἷον βαδίζειν ἄνευ ποδῶν, βα-
δίζειν ἐπὶ τοῖς δυσὶ ποσίν Ζγβ3. 736 b24. Ζιζ37. 581 15
a3. δ4. 530 a10. ἀπὸ περιττῶν ποδῶν πορείας γίνεσθαι,
ἀπερειδόμενον πρὸς τὸ ὑπὸ τὰς πόδας ποιεῖσθαι τὴν ἅλσιν
Ζπ8. 708 b6. 3. 705 a13. οἱ τοῖς ποσὶν ἐξεστραμμένοις πο-
ρευόμενοι φ6. 813 a14. χρῆσθαι, λαμβάνειν ποσί, τοῖς ποσὶ
προσάγεσθαι Ζμδ10. 687 b28. 11. 691 b9. 9. 685 b10. 20
ἀφαιρεῖν τὰς πόδας Ζιβ17. 508 a11. — f. πόδες δύο ὄφεώς
τινος f320. 1532 a24. πόδες τῶν μαλακοστράκων Ζμδ8.
683 b26. Ζιϑ2. 525 b15, 18, 22, 23, 526 a1, 13, b6, 527 b5,
τῶν μαλακίων v p 443 b9. οἱ ἐχῖνοι οἱ θαλάττιοι χρῶνται
ποσὶ ταῖς ἀκάνθαις Ζμδ5. 681 a9. simia κέχρηται τοῖς ποσὶν 25
ἐπ' ἄμφω, ἢ ὡς χερσὶ ἢ ὡς ποσί Ζιβ8. 502 b10. τῶν
ὀρνίθων οἱ πόδες πρὸς τὴν γαστρὶ τὰς πόδας ἔχοντες πέτονται,
opp ἐκτεταμένος Ζιβ12. 504 a34. τῶν ὀρνίθων οἱ πόδες
ὁρῶνται μεταξὺ τῶν δακτύλων δερμάτινον ὑμένα ἔχοντες
f316. 1531 b23. τοῖς γαμψώνυξι ἢ πρὸ ἔργῳ εἰσὶ ἢ πρὸς 30
τὴν ἁρπαγήν Ζμδ12. 694 b25. — g. ἡ γένεσίς ἐστιν ἢ
κατὰ φύσιν πᾶσιν ἐπὶ κεφαλήν, συγκεκαμμένα δὲ ἢ ἐπὶ
πόδας γίνεται παρὰ φύσιν· τῷ ὑῷ ἡ ἔξοδος οἷον ἐπὶ πόδας
Ζιη8. 586 b7. Ζγγ2. 752 b14. — h. οἰδεῖν, ναρκᾶν τὰς πό-
δας Ζιζ21. 575 b9. πζ6. 886 a10. βράγχος τὸ ποδὸς λαμ- 35
βάνεται Ζιθ21. 603 b1. — i. τὸ στόμα ἐν μέσοις τοῖς ποσί
f315. 1531 b5. δῆλον ἢ ἐν ποσὶ μάλιστα τῶν
τοιούτων (ἐντόμων) Ζιδ10. 537 b10. cf ε8. 542 a9. — πόδες
v l Ζμδ10. 689 b8. — k. formulae. τὰ ἐν ποσίν Ζιε8. 542
a9. Ππβ5. 1263 a18. τὸ κείμενον ἐν τοῖς ποσίν f96. 1493 40
b31. τὰ παρὰ πόδας πιθ14. 164 b19. παρὰ πόδας θ152.
846 a1. — 2. πύς, mensura πιθ39. 921 a14, cf ποδιαῖος,
ποώδης. τὸ φῶς ὅταν γένηται φοινικὸν ἢ ποώδες χ3. 793
b24. ἐν τοῖς φυτοῖς ἀρχὴ τὸ ποώδές ἐστι τῶν χρωμάτων
χ5. 794 b20. μᾶλλον τῷ ὑγρῷ μελαινομένῳ τὸ ποώδες γί- 45
νεται κατακορὲς ἰσχυρῶς ἢ πρασοειδὲς χ5. 795 a3. cf ποω-
δης χ5. 794 b22, 24, 29, 795 a1, 30, 796 a1, 15, b6,
797 a24. 6. 799 a12, v ποιώδης. τὰ χλωρὰ ἢ ποώδη
πλα19. 959 a25. — ὄζειν ποωδέστερον, opp ἥδιον πιβ4.
906 b36. 50
πρᾶγμα. ἢ λόγων ἢ πραγμάτων κοινωνεῖν Ηδ12. 1126 b12
(syn πράξεις 13. 1127 a20). σύστασις τῶν πραγμάτων
πο14. 1453 b2. 6. 1450 a5, 22, 37 (cf τραγῳδία μίμησις
πράξεως σπουδαίας πο6. 1449 b24, σύστασις τοῦ μύθου πο10.
1452 a18, Vhl Poet I 32. Bz Ar St V 19). πράγματα δί- 55
καια, σώφρονα Ηβ3. 1105 b5 (dist ἀνὴρ δίκαιος, σώφρων).
οἱ ἐν τοῖς πράγμασι Πε7. 1307 b10. κύκλος τὰ ἀνθρώπινα
πράγματα Φδ14. 223 b25. πράγματ' ἔχειν ζητοῦντα Οβ13.
294 a24. — τὸ πρᾶγμα, opp ὁ λόγος, τὸ κατὰ τὸν λόγον
τζ7. 146 a3, 13. πρᾶγμα, opp ὄνομα τι16. 175 a8. 19. 177 60
a31. 22. 178 a26. οὐκ ἔστιν αὐτὰ τὰ πράγματα διαλέγεσθαι

φέροντας τι1. 165 a6 (tamen τῶν πραγμάτων τὰ μὲν κα-
θόλου ἐστὶ τὰ δὲ καθ' ἕκαστον ε7. 17 a38. πράγματα ψευδῆ
τίνα Μδ29. 1024 b24). τὸ ἴδιον μόνῳ ὑπάρχει ἢ ἀντικα-
τηγορεῖται τοῦ πράγματος τα5. 102 a19. 8. 103 b8. Stein-
thal Gesch p 204. πρᾶγμα οὐθέν ἐστι παρὰ τὰ αἰσθητὰ
κεχωρισμένον ψγ8. 432 a3. ἡ συμπλοκὴ ἢ ἡ διαίρεσις ἐν
διανοίᾳ ἀλλ' οὐκ ἐν τοῖς πράγμασιν Με4. 1027 b31. ἐπ'
ἐνίων ἡ ἐπιστήμη τὸ πρᾶγμα Μλ9. 1075 a1. ἔψευσται ὁ
ἐναντίως ἔχων ἢ τὰ πράγματα Μθ10. 1051 b5. πράγματα,
opp λόγοι, νόησις Γα8. 325 a18. Φγ8. 208 a15. τὸ πρᾶγμα,
opp τὸ συμβεβηκὸς τι24. 179 a28, 37. πρὸς τὸ πρᾶγμα ἢ
τὴν ἀλήθειαν, opp πρὸς τὸν ἐρωτῶντα Φβ5. 263 a17. οὕτω
ἔχει ἢ ἐπὶ τῶν πραγμάτων Ηι10. 1171 a13. aliter τὸ δί-
καιον διήρηται ἐπί τε τῶν πραγμάτων ἢ οἷς Πιγ9. 1280
a17, 18, 19. διαιρεῖν κατὰ τὸ πρᾶγμα, κατὰ τὰς ἀνθρώπους
Πα15. 1299 b18. — ἢ τῷ πράγματι λέγειν, τὰ ἔξω
τοῦ πράγματος ἀκούειν Ρα1. 1354 a22, 1355 a2. γ14. 1415
b6. πραγματεύεσθαι περὶ τῶν ἔξω τοῦ πράγματος, τὰ ἔξω
τοῦ πράγματος τεχνολογεῖν Ρα1. 1354 a15, b17, 1355 a19.
πρὸς τὸ πρᾶγμα Αβ27. 70 a32, opp πρὸς τοὔνομα τα18.
108 a21. αὐτὸ τὸ πρᾶγμα ᾠδοποίησεν ΜΑ3. 984 a18. —
τὸ πρᾶγμα (i e spatium, quantitas, qualitas, quibus cate-
goriis genera motus distinguuntur) ἐν ᾧ κινεῖται Φε3. 226
b30. 4. 227 b28. — ἐλάττων ἢ ἐν τῷ ἀέρι θερμότης τῆς
ἐν τῷ πράγματι μδ1. 379 a32, b1.
πραγματεία, rei alicuius tractatio via ac ratione instituta,
οὗ γάρ ἐστι δι' ἐπιμελείας ἢ κτῆσις (τῶν διὰ τύχην) οὐδ'
ἐπ' αὐτοῖς δεῖ τῆς αὐτῶν πραγματείας ηεα3. 1215 a15. ἡ
τῶν ὄψων πραγματεία Πβ5. 1339 a40. τοῦ πολιτικοῦ ἢ τοῦ
νομοθέτου πᾶσα ἡ πραγματεία περὶ πόλιν Πηγ1. 1274 b37.
Μχ1. 1059 b18. περὶ ψυχῆς ἢ λύπας πᾶσα ἡ πραγματεία
ἢ τῇ ἀρετῇ ἢ τῇ πολιτικῇ Ηβ2. 1105 a11, 6. περὶ ἀνθρώπων
τελευταῖον λεκτέον διὰ τὸ πλείστην ἔχειν πραγματείαν Ζιε1.
539 a8. τοῦ ἰατροῦ ἢ τοῦ φυσικοῦ σύνορος ἡ πραγματεία αν21.
480 b26. δημηγορικὴ, δικανικὴ πραγματεία Ρα1. 1354 b24.
ρ5. 1426 b27. praecipue usurpatur de disputationibus et
quaestionibus philosophicis, ταῦτα πρὸς μὲν τὰς χρήσεις
οὐδὲν διαφέρει, ἔχει δέ τιν' ἄλλην διανοητικὴν πραγματείαν
Πδ15. 1299 a30. ἡ περὶ τὰς ὅρας πραγματεία τζ1. 139
a24. τοῦ εἰδέναι χάριν ἡ πραγματεία Φβ3. 194 b18. ἡ παρ-
οῦσα πραγματεία ἡ θεωρίας ἕνεκα Ηβ2. 1103 b26 (cf μέ-
θοδος α1. 1094 b11). cf τα1. 100 a18, 23. 2. 101 a26, 6.
102 b38. θ1. 155 b27. ιι. 165 a36. 34. 183 b4, 17, 38.
(interdum non tam tractationem rei quam rationem rei
tractandae videtur significare, τὸ πιστὰς τὰς συνθήκας
παρασκευάζειν οὐδὲν διαφέρει τῆς περὶ τὰς μάρτυρας πραγ-
ματείας Ρα15. 1376 b4.) — inde transfertur ad ipsam
doctrinam philosophicam, ἡ Πλάτωνος ἐπεγένετο πραγμα-
τεία ΜΑ6. 987 a30 (cf ἡ τῶν Ἰταλικῶν φιλοσοφία a31).
οἱ Πυθαγόρειοι προσεγλίχοντο τῷ συνειρομένῃ πᾶσαν αὐτοῖς
εἶναι τὴν πραγματείαν ΜΑ5. 986 a8, ac de singulis etiam
philosophiae partibus usurpatur, ἔχει ἢ μέθοδος ἱκανῶς
παρὰ τὰς ἄλλας πραγματείας τὰς ἐκ παραδόσεως ηὐξη-
μένας τι34. 184 b5. τρεῖς αἱ πραγματεῖαι, ἡ μὲν περὶ τὸ
ἀκίνητον κτλ Φβ7. 198 a30. ἡ φυσικὴ πραγματεία περὶ
κινήσεώς ἐστι Οδ1. 308 a1. ἡ περὶ τὰ ἤθη πραγματεία
Ρα2. 1356 a26. ἡ πραγματεία ἡ περὶ τὴν ῥητορικὴν Ργ1.
1404 a2. ἄλλης πραγματείας ε1. 16 a9. 5. 17 a14. τηγ3.
153 a11. λόγοι ἀλλότριοι τῆς πραγματείας ἢ κενοί ηεα6.
1217 a3. αὕτη ἡ πραγματεία Φθ3. 253 a32. τι34. 183
b34 (sed fere ubique sufficit, voc πραγματεία interpretari

'disputatio, quaestio'). cf Wz ad Aδ13. 96 ᵇ15. Bz ad
MA6. 987 ᵃ30.

πραγματεύεσθαι. ὔτε βυλεύεσθαι δέοι ἂν ὔτε πραγμα-
τεύεσθαι ε9. 18 ᵇ32. πραγματεύεσθαι ⅄ κακοπαθεῖν τὸν
βίον ἅπαντα Ηκ6. 1176 ᵇ29. δ3. 1122 ᵃ9. ὅσα (τῶν ζῴων) 5
πραγματεύεται περὶ τὰ τέκνα Ζγγ10. 759 ᵃ36. ὅσον ἐπι-
δίδωσιν ἡ ὗς, γινώσκυσιν οἱ περὶ ταῦτα πραγματευόμενοι
Ζιθ6. 595 ᵃ22. cf ζ23. 577 ᵇ14. μέχρι ὑγείας πραγμα-
τεύονται οἱ ἰατροί πλ8. 956 ᵃ28. τῷ νομοθέτῃ πραγματευ-
τέον περὶ τὴν τῶν νέων παιδείαν Πθ1. 1337 ᵃ11. ἃ δεῖ 10
πραγματευθῆναι περὶ τὸν λόγον Ρβ26. 1403 ᵃ34. γι. 1403
ᵇ6, 26. πραγματεύεσθαι περὶ τῶν ἔξω τῦ πράγματος Ρα1.
1354 ᵃ16. τῦτο τῷ νομοθέτῃ πραγματευτέον, ὅπως ἄνδρες
ἀγαθοὶ γίνωνται Πη14. 1333 ᵃ14. cf Ρα1. 1354 ᵇ20. ηεα8.
1218 ᵇ3. πραγματεύεσθαι πρός τι Ρα2. 1356 ᵃ17. πραγμα- 15
τεύεσθαι πρὸς οἰκείαις (de oratione judiciali) ρ37. 1442 ᵃ39.
τῶν τὰς τῆς γῆς περιόδυς πραγματευσμένων Πβ3. 1262
ᵃ19. — πραγματεύεσθαι i q quaestionem aliquam via ac ra-
tione instituere (Wz ad Aδ13.96ᵇ15. Bz ad MA6.987ᵃ30),
ἔτι χαλεπώτερον τὸ πραγματευθῆναι ψα1. 402 ᵃ18 (cf μέ- 20
θοδος ᵃ17, 20). πραγματεύεσθαι περί τινος τα14. 105 ᵇ31.
Φβ2. 193 ᵇ31. Μει. 1025 ᵇ9. αν21. 480 ᵇ29. ηεα8. 1218
ᵃ29 al. πρ. περί τι Αδ13. 96 ᵇ15. τα15. 106 ᵃ2. Μει.
1025 ᵇ17. μ4. 1078 ᵇ18. πρ. περὶ τὴν τῦ σώματος γνῶ-
σιν Ηα13. 1102 ᵃ22. διαλέγονται ⅄ πραγματεύονται περὶ 25
φύσεως πάντα ΜΑ8. 989 ᵇ33. λίαν ἁπλῶς ἐπραγματεύ-
θησαν ΜΑ5. 987 ᵃ21. τοιαύτην ὐκ ἐπραγματεύθησαν ἀκρι-
βολογίαν περὶ τὰς φλέβας Ζιγ3. 513 ᵃ9. — aoristus medii
ubique passivae formae πραγματευθῆναι Μν2. 1088 ᵇ25.
αν21.480ᵇ29 al. πραγματευόμενος passive: φορτικαὶ τέχναι 30
αἱ πρὸς δόξαν πραγματευόμεναι μόνον ηεα4. 1215 ᵃ30.

πραγματολογεῖν ρ32. 1438 ᵇ20.

Praepositio eadem ad duo membra pertinens in altero
saepe non iteratur (Wz ad K5. 3ᵇ13), veluti apud rela-
tivum, ἐὰν πρὸς τὸ τυχὸν ἀποδιδῶται ⅄ μὴ πρὸς αὐτὸ ὃ 35
λέγεται (i e πρὸς ὃ λέγεται coll ᵃ31, ᵇ3). K7. 7 ᵃ24, 28.
Αα5. 27 ᵇ28. ψγ4. 430 ᵃ1. Ζμδ12. 692 ᵇ20. Ργ1. 1404
ᵃ38. πο26. 1462 ᵇ3. πκγ4. 940 ᵇ16. post οἷον Ηη6. 1149
ᵃ11. Ρα1. 1355 ᵇ5. in membro copulativo cum superiore
coniuncto per particulam καί: πρὸς ἑαυτὸν κατασκευάσαι 40
εὖ τὸν ἀκροατὴν ⅄ τὸν ἐναντίον (i e πρὸς τὸν ἐναντίον)
φαύλως Ργ19. 1419 ᵇ11. πρὸς τὸ κατασκευάζειν ⅄ ἀνα-
σκευάζειν sim τβ4. 111 ᵃ13. 10. 114 ᵇ28. ε7. 137 ᵃ28 ac
saepe. ⅄ ὐ (μὴ) Ρβ12. 1389 ᵇ7. Πγ2. 1275 ᵇ22. καί . . .
καί Πε10. 1311 ᵃ29. γ11. 1330 ᵇ31. καί (explicativum) 45
Πα8. 1256 ᵃ35. ⅄ δὴ καί Πδ15. 1299
ᵃ34. δέ: ἕνεκα μέντοι τῦ νῦ τὴν τῆς ὀρέξεως ἐπιμέλειαν
ἀναγκαῖον εἶναι, τὴν δὲ τῦ σώματος τῆς ψυχῆς sim Πη15.
1334 ᵇ27. Ζγε7. 787 ᵃ14. ὐθείς . . . ὐδὲ Ηζ5. 1140 ᵃ31.
μηδέ Ρα2. 1357 ᵃ13. ἔτι δέ, ὁμοίως δέ, εἶτα Ηκ10. 1179 50
ᵃ33. 3. 1174 ᵇ21. Ζιγ11. 510 ᵇ5. ὁμοίως δὲ καί Πγ13.
1283 ᵇ31. in membro disiunctivo ἤ . . . ἤ: ἢ πάντας τὺς
ποταμὺς ἐκ μιᾶς κοιλίας ῥεῖν ἢ ἄλλον ἄλλης sim μα13.
349 ᵇ5. τε6. 136 ᵃ14. Ρβ11. 1388 ᵇ22. α5. 1360 ᵇ36.
Πε2. 1302 ᵃ33. ἤ Ργ16. 1417 ᵃ5. in membro adversativo, 55
ὐδὲ δι' ἀληθῶν ἀεὶ ἀλλ' ἐνίοτε ⅄ ψευδῶν sim τθ11. 161
ᵃ27. Πα9. 1258 ᵃ1. γ7. 1279 ᵇ1. 17. 1288 ᵃ23. τζ6. 144
ᵃ35. Αγ4. 73 ᵇ35. Ρα9. 1368 ᵃ4. in comparativis mem-
bris, δι' ἀρετῆς μᾶλλον ἢ κακίας Πβ9. 1271 ᵇ8. ε12.1316
ᵃ19. τθ3. 159 ᵃ5. ἐν ἄλλῳ πεποίηκεν ἢ τῷ ἡρωΐῳ πο24. 60
1460 ᵃ3. πρὸς τὰ παραδειγματώδη ἡ αὐτὴ λύσις ⅄ τὰ

εἰκότα Ρβ25. 1403 ᵃ5. ὥσπερ ⅄ περὶ τὰς πολιτείας, ⅄
τὰς μοναρχίας Πε10. 1311 ᵇ37. β8. 1269 ᵃ9. Ρβ18. 1391
ᵇ15, 17. εἰς ὃ ὥσπερ ἀγγεῖον ἔσχατον ἀφικνεῖται Ζια11.
492 ᵃ18. — praepositio per adverbium a nomine seiuncta,
πρὸς μάλιστα ταύτην Πθ4. 1338 ᵇ15.

πρακτικὸς τῶν καλῶν, τῶν δικαίων Ηα10. 1099 ᵇ31. ε1.
1129 ᵃ8. 9. 1134 ᵃ2. ποιητικὸς ἀγαθῶν ⅄ πρακτικὸς Ρα6.
1362 ᵇ4. δύναμις φυλακτικὴ ⅄ πρακτικὴ τύτων Ρα5. 1360
ᵇ17. βίος πρακτικὸς ⅄ πολιτικὸς, πρακτικὴ ζωὴ τῦ λόγον
ἔχοντος Πη2. 1324 ᵃ40. 3. 1325 ᵇ16. Ηα6. 1098 ᵃ3. οἱ
χαρίεντες ⅄ πρακτικοί (opp φορτικοί, ἀπολαυστικοί) Ηα3.
1095 ᵇ22. μέλη ἠθικά, πρακτικά, ἐνθυσιαστικά Πθ7. 1341
ᵇ34. τὸ ἰαμβικόν (ἰαμβεῖον Vhl) πρακτικόν (natum rebus
agendis Hor A p 82) πο24. 1460 ᵃ1. — πρακτικόν, dist
ποιητικόν ημα35. 1197 ᵃ3. ἕξις πρακτική, ποιητική Ηζ4.
1140 ᵃ4. ὄργανον πρακτικόν, ποιητικόν Πα4. 1254 ᵃ2, 17.
διάνοια πρακτική, ποιητική Ηζ2. 1139 ᵇ1, ᵃ27. πᾶσα διάνοια
ἢ πρακτικὴ ἢ ποιητικὴ ἢ θεωρητική Με1. 1025 ᵇ25. cf ψγ10.
433 ᵃ18 (sed διάνοιαι πρακτικαὶ ὐ μόνον αἱ τῶν ἀποβαι-
νόντων χάριν γιγνόμεναι ἐκ τῦ πράττειν Πη3. 1325 ᵇ18).
ἐπιστήμη θεωρητική, πρακτική, ποιητική τζ6. 145 ᵃ16. θεω-
ρητικῆς φιλοσοφίας τέλος ἀλήθεια, πρακτικῆς δ' ἔργον Μα1.
993 ᵇ21. ἡ πρακτικὴ χρηστική ηεβ1. 1219 ᵇ3. αἱ πρακτικαὶ
τῶν ἐπιστημῶν Ηα1. 1094 ᵇ4. λόγος πρακτικός, θεωρητικός
Πη14. 1333 ᵃ25. νοήσεις πρακτικαί, θεωρητικαί ψα3. 407
ᵃ23. νῦς πρακτικός, opp θεωρητικός ψγ10. 433 ᵃ14. 9. 432
ᵇ27. διαψεύδεσθαι περὶ τὰς πρακτικὰς ἀρχὰς Ηζ13. 1144
ᵃ35. ἀρχὴ τῶν πρακτικῶν ἐν τῷ πράττοντι ἡ προαίρεσις
Με1. 1025 ᵃ23. ἡ φρόνησις ὐ τῶν καθόλυ μόνον, πρακτικὴ
γάρ Ηζ8. 1141 ᵇ16. — πρακτικώτεροι ἔνιοι ὐκ εἰδότες
ἑτέρων εἰδότων Ηζ8. 1141 ᵇ17. 13. 1143 ᵇ24, 27, 1144 ᵃ11.
cf ΜΑ1. 981 ᵇ5. ἡ ὀργὴ πολλάκις πρακτικωτέραν τῦ μίσυς
Πε10. 1312 ᵇ27. — (τὸ πρακτικὸν μέρος τῦ ἐγκωμιαστικῦ
λόγυ τελευταῖον ὁρισάμενοι ρ36. 1441 ᵇ2, sed αὐτὸ τὸ μέ-
ρος Spgl.)

πρανής, (cf πρηνής et Lob Phryn 431). τὰ πρανῆ τῦ σώ-
ματος Ζιβ10. 502 ᵇ31. δ1. 524 ᵇ23. Ζμδ12. 693 ᵃ24. τὸ
πρανὲς τῦ ἀστραγάλυ, τῦ αὐχένος· τὰ πρανῆ τῦ (τῶν ἐχί-
νων) ὀστράκυ· τῶν ἀκρωτηρίων τὰ πρανῆ, opp τὰ ὕπτια
Ζιβ1. 499 ᵇ28, 498 ᵇ29. δ5. 530 ᵇ23. γ12. 519 ᵃ21. —
'apparet in hominis statu recto πρηνῆ et ὕπτια dici anti-
eriora et posteriora, contra in animalium statu humili vel
horizontali esse et dici inferiora et superiora' S II 340. —
1. τῶν ἀνθρώπων. τὰ ὕπτια, opp τὰ πρανῆ, syn τὰ πρό-
σθια, opp τὰ ὀπίσθια Ζμβ14. 658 ᵃ18. cf ᵃ22 et Ζιβ1. 498
ᵇ13. — 2. τῶν ζῴων. τὰ πρανῆ, opp τὰ ὕπτια Ζιβ1.
498 ᵇ20. 10. 502 ᵇ31. δ7. 532 ᵃ30. ε14. 544 ᵇ29. in coitu
πρὸς τὰ πρανῆ τῶν θηλειῶν τὰ ὑπτικὰ τῶν ἀρρένων Ζιε2.
540 ᵃ2. cf ᵇ10. Ζγα14. 720 ᵇ11, 36. 5. 717 ᵇ30. (οἱ τῶν
ἀρρένων πόροι) πρὸς τὰ πρανῆ προσπεφύκασι ⅄ κατὰ τὸν
τόπον τῆς ῥάχεως Ζγα13. 720 ᵃ27. — τὰ πρανῆ, opp τὰ
πρόσθια τῦ σώματος Ζγα13. 720 ᵃ14. τὰ πρανῆ i q τὸ
νῶτον. τὸ ἄκρον τῆς καρδίας πρὸς τῷ στήθει ⅄ ὅλως ἐν τοῖς
πρόσθεν τῦ σώματος· πᾶσι γὰρ ἀσαρκότερον τὸ στῆθος, τὰ
δὲ πρανῆ σαρκωδέστερα, διὸ πολλὴν ἔχει σκέπην τὸ θερμὸν
κατὰ τὸ νῶτον Ζμγ4. 666 ᵇ4. — ἔχυσι τὰ τετράποδα
ζῷα, ὅσα μὲν ὁ ἄνθρωπος μόρια ἔχει ἐν τῷ πρόσθεν, κάτω
ἐν τοῖς ὑπτίοις, τὰ δ' ὀπίσθια ἐν τοῖς πρανέσι Ζιβ1. 498
ᵇ13. τὰ πρανῆ, opp τὰ ὕπτια Ζιβ8. 502 ᵃ23. Ζμβ14.
658 ᵃ17, 28. τὰ πρανῆ, opp τὰ πρόσθια Ζμβ14. 658 ᵃ20.
cf Ζγα13. 720 ᵃ16. — avium τὰ πρανῆ τῦ σώματος, opp

τὰ ὕπτια Ζμδ12. 693 ᵃ24. — reptilium τὰ πρανῆ, opp
τὰ ὕπτια Ζιβ17. 508 ᵃ11, opp ἐπὶ τῇ γαστρὶ Ζγα13. 720
ᵃ21. — piscium τὰ πρανῆ, opp τὰ ὕπτια Ζιβ13. 504 ᵇ15.
α5. 489 ᵇ25. Ζπ18. 714 ᵇ4, 6. (pisces ἔχυσι πτερύγια δύο
ἐν τοῖς πρανέσι, δύο δ᾽ ἐν τοῖς ὑπτίοις, syn πρὸς τῇ κε- 5
φαλῇ· ἡ νάρκη χ̣ ὁ βάτραχος τὰ ⟨μὲν⟩ ἐν τῷ πρανεῖ κάτω
τὰ δ᾽ ἐν τοῖς ὑπτίοις πρὸς τῇ κεφαλῇ Ζμδ13. 696 ᵃ1, 2,
21, cf 23, 27 Langk, cf 30.) τὰ πτερύγια τὰ πρανῆ Ζιγ3.
514 ᵃ2. — τῶν μαλακίων τὰ πρανῆ τῦ κύτυς, τῇ σηπίᾳ
ἐντός ἐστι τὰ στερεὰ (os sepiae) ἐν τῷ πρανεῖ τῦ σώματος 10
Ζιδ1. 525 ᵃ10, 524 ᵇ23. (μύτις) προσπέφυκε πρὸς τὰ πρανῆ
μᾶλλον Ζμδ5. 681 ᵇ19. — τοῖς μαλακοστράκων. τὰ ἐν
τοῖς πρανέσι, ὀφθαλμοὶ (καρκίνῳ) ὑπὸ τὸ πρανὲς εὐθύς Ζιδ2.
525 ᵇ21, 527 ᵇ11. (εἰ μύτις ἦν μεταξὺ τῦ στομάχυ χ̣ τῦ
πρανῦς ἰ ᾳ τῦ ὀπισθίυ Ζμδ5. 681 ᵇ24.) sed in coitu ὅταν 15
τὸ μὲν ὕπτιον τὸ δὲ πρανὲς ἐπαλλάξῃ τὰ ὡραῖα Ζγα14.
720 ᵇ10. — τῶν ἐντόμων τὰ πρανῆ, opp τὰ ὕπτια Ζια1.
487 ᵃ34. δ1. 523 ᵇ14. 7. 532 ᵃ30. — τὰ μονόθυρα σώ-
ζεται τῷ πρανὲς ἔχειν τὸ ὄστρακον Ζμδ5. 679 ᵇ24.
πρᾶξις. ἡ πρᾶξις κίνησις ηεβ3. 1220 ᵇ27, πολυμόρφων τῶν 20
πράξεων χ̣ τῶν κινήσεων ὑπαρχυσῶν τοῖς ζῴοις Ζμβ1. 646
ᵇ15, inde ἑκάστης πράξεως ὡρισμένος ὁ ἐλάχιστος χρόνος
Οβ6. 288 ᵇ33, πρᾶξις μακρὰ Κ6.5 ᵇ2, sed dist κίνησις
Μθ6. 1048 ᵃ21 Bz. syn ἐνέργεια Ηα1. 1094 ᵃ5, 4. 6.1098
ᵃ13. Πη3. 1325 ᵃ32 (Ηχ7. 1177 ᵃ12). ημα35. 1197 ᵃ10. 25
opp πάθος Ηε7. 1132 ᵃ9. ἐν τοῖς πάθεσι χ̣ ταῖς πράξεσι
Ηβ6. 1107 ᵃ5, 8. 9. 1109 ᵃ23. 8. 1108 ᵇ18. ἡ ἀρετὴ περὶ
πάθη χ̣ πράξεις Ηγ1. 1109 ᵇ30. τὰ γὰρ πάθη κατὰ τὰ
πάθη συμβαίνει ποιεῖσθαι πᾶσι τοῖς ζῴοις Ζιι49. 631 ᵇ5.
sed coniungi etiam πάθη et πράξεις ita ut non opposita 30
sed synonyma esse videantur v s πάθος p 556 ᵃ53. — dist
ποίησις: τῆς ποιήσεως ἕτερον τὸ ἔργον, τῆς δὲ πράξεως ὐκ
ἂν εἴη ἔργον Ηζ4. 1140 ᵃ2. 5. 1140 ᵇ6, 4. ημα3. 1197 ᵃ1.
Πα4. 1254 ᵃ5, cf ποιεῖν p 608 ᵃ17, ποίησις p 609 ᵇ17.
πρᾶξις χ̣ τέχνη Ηα5. 1097 ᵃ16. πρᾶξις χ̣ ἔργον v ἔργον 35
p 285 ᵇ15-32. — πρᾶξις, syn ζωή Οβ12. 292 ᵃ21. ἡ τρα-
γῳδία μίμησις πράξεως χ̣ βίου πο6. 1450 ᵃ16. αἱ διαφοραὶ
τῶν ζῴων εἰσὶ κατά τε τὰς βίυς χ̣ τὰς πράξεις χ̣ τὰ ἤθη
Ζια1. 487 ᵃ12, 15, ᵇ34. τὰ ἤθη μεταβάλλει (τὰ ζῷα)
κατὰ τὰς πράξεις Ζιι49. 631 ᵇ7. αἱ πράξεις χ̣ οἱ βίοι κατὰ 40
τὰ ἔθη χ̣ τὰς τροφὰς διαφέρυσιν Ζιθ1. 588 ᵃ17. αἱ περὶ
τὴν τεχνοποιίαν (ὀχείαν) πράξεις, ἡ γεννητικὴ πρᾶξις Ζιθ1.
589 ᵃ3. 12. 596 ᵇ20. ε2. 539 ᵇ20. περὶ τὴν πρᾶξιν τὴν τοι-
αύτην (i e πρὸς τὸ ἀφροδισιάζειν) πγ11. 872 ᵃ23. — αἱ
πράξεις ἐν τοῖς (περὶ τὰ, περὶ τῶν) καθ᾽ ἕκαστον, τὸ τέλος 45
τῆς πράξεως κατὰ τὸν καιρόν ἐστιν ΜΑ1. 981 ᵃ17. Ηγ1.
1110 ᵃ13, ᵇ. ζ8. 1141 ᵇ16. Πβ8. 1269 ᵃ12. τὸ δ᾽ ἕνεκα
(ἕκαστον τῶν ἐ ζῴων μορίων ἐστὶ) πρᾶξίς τις Ζμα5. 645
ᵇ15, cf β1. 647 ᵃ23. 10. 656 ᵃ2. ἐν ταῖς πράξεσι τὸ ὗ
ἕνεκα ἀρχή, ἀρχὴ λογισμῦ, opp ἀρχὴ πράξεως Ηη9. 1151 50
ᵃ16. ηεβ11. 1227 ᵇ33. Φβ9. 200 ᵃ23. Οβ12. 292 ᵇ6. ψβ4.
415 ᵃ19. γο10. 433 ᵃ17 Trdlbg p 531. περὶ τὰς πράξεις
τῶν πραγμάτων, opp πρὸς τὸ γνῶναι ηεα1. 1214 ᵃ12. cf
Ηβ2. 1103 ᵇ30, 26. ἐκ τῶν δύο προτάσεων τὸ συμπέρασμα
γίνεται ἡ πρᾶξις Ζχ7. 701 ᵃ13, 20, 22. πράξεως ἀρχὴ προ- 55
αίρεσις Ηζ2. 1139 ᵃ31. πρᾶξις, coni προαίρεσις Ηα1. 1094
ᵃ1. 5. 1097 ᵃ21. ηεγ6. 1233 ᵃ32. Ρα13. 1374 ᵇ14. ὁ ἄνθρω-
πος πράξεών τινων ἀρχὴ μόνον τῶν ζῴων ηεβ6. 1222
ᵇ19. Ηζ2. 1139 ᵃ20. θεῶν πράξεις τίνες, ὐκ ἐξωτερικαὶ
Ηκ8. 1178 ᵇ10. Πη3. 1325 ᵇ29. ἄστρων πράξεις ποῖαι 60
Οβ12. 292 ᵇ1. ὐχ ὁμοίως αἱ πράξεις ἑκύσιοί εἰσι χ̣ αἱ ἕξεις

Ηγ8. 1114 ᵇ30-1115 ᵃ3. πράξεις μικταὶ (i e μεταξὺ ἑκυ-
σίων χ̣ ἀκυσίων) Ηγ1. 1110 ᵃ12. πέφυκεν αἴτια δύο τῶν
πράξεων εἶναι, διάνοιαν (διάνοια Bk) χ̣ ἦθος πο6. 1450 ᵃ2.
Ηζ2. 1139 ᵃ35. πιθ27. 919 ᵇ36. αἱ πράξεις τῦ ἀνθρώπυ
ἀπὸ θυμῦ χ̣ ἐπιθυμίας Ηγ3. 1111 ᵇ2. αἱ κατ᾽ ἀρετὴν
πράξεις Ηδ2. 1120 ᵃ23. πράξεις καλαὶ αἱ ἀπὸ τῆς ἀρετῆς
ηεα4. 1215 ᵇ3. 5. 1216 ᵃ21. πράξεις σπυδαία, φαύλη Κ5.
4 ᵃ15. ἡ τραγῳδία μίμησις πράξεως σπυδαίας χ̣ τελείας
πο6. 1449 ᵇ24. 7. 1450 ᵇ24, πρᾶξις τελεία τίς πο23. 1459
ᵃ19, ἁπλῆ τίς πο10. 1452 ᵃ14. cf 9. 1451 ᵇ33. — πράξεις
πολιτικαὶ Πβ12. 1273 ᵇ28. ὁ τὴν πρᾶξιν τὴν πρὸς Χάρητα
πράξας Πε6. 1306 ᵃ4. αἱ τῶν περὶ τὰς πράξεις γραφόντων
ἱστορίαι Ρα4. 1360 ᵃ36. αἱ ἐν χρήμασι πράξεις Ηδ4. 1122
ᵃ21. πρᾶξις πολεμική Ηα1. 1094 ᵃ12. ἐνδόξιμοι πράξεις κ6.
399 ᵇ18. πρᾶξις ἐπιστημονική, ἀνεπιστημονική, τεχνική,
ἄτεχνος ηεβ2. 1220 ᵇ25. ὑπηρετεῖν τὰς διακονικὰς πράξεις
Πγ4. 1277 ᵃ37. πράξεις ἀναγκαῖαι Πη12. 1331 ᵇ13. —
ἐνταῦθα τὰ ὀνόματα ὐκ ἐναντία, αἱ δὲ πράξεις ἐναντίαι
ρ27. 1435 ᵇ35. — sensu iudiciali αἱ πράξεις τῶν κατα-
δικασθέντων ΠΣ8. 1321 ᵇ42, 1322 ᵃ7. — (τάξις pro πρᾶξις
ρ2. 1421 ᵇ17 ci Spgl.)
πρᾶος, def Ηβ7. 1108 ᵃ6. δ11. 1125 ᵇ34. ηεγ3. 1231 ᵇ6.
ημα23. 1191 ᵇ36. opp ὀξύθυμος Ρβ5. 1382 ᵇ21. dist ἐγ-
κρατής τῦ5. 125 ᵇ23. πρὶν ἔργα τινὰ Ηε3. 1129 ᵇ22. ζῷα
πρᾶα, coni τιθασσευτικά, δύσθυμα, ὐκ ἐνστατικά Ζια1.
488 ᵃ22, 13. — ἡ τῆς τροφῆς δαψίλεια πραοτέρυς παρέχει
τὺς ἐλέφαντας ΖιΖ18. 572 ᵃ3. ταύτην πραοτέραν θετέον τὴν
ἀπορίαν Πγ3. 1276 ᵃ23. — πράως ἔχειν, opp ὀργίζεσθαι
Ρβ1. 1377 ᵃ23. 3. 1380 ᵃ7. πράως χρῆσθαι Πβ6. 1265
ᵃ36.
πραότης, opp ὀργή Ρβ3. 1380 ᵃ6. πάθος μετὰ σώματος
ψα1. 403 ᵃ17. περὶ πραότητος Ηβ7. 1108 ᵃ6. δ11. ηεβ3.
1220 ᵇ38. γ3. ημα23. def αρ1. 1249 ᵇ26. 2. 1250 ᵃ4. 4.
1250 ᵃ39-44. πῶς ἔχοντες πρᾶοί εἰσι χ̣ πρὸς τίνας πράως
ἔχυσι χ̣ διὰ τίνων πραΰνονται Ρβ3. πραότης τῶν ζῴων
Ζι3. 610 ᵇ21, opp χαλεπότης Ζιθ1. 588 ᵃ21. ι1. 608 ᵃ16,
opp ἀγριότης Ζιι44. 629 ᵇ7, coni ἡμερότης Ζιι48. 631 ᵃ9.
πράσινος. τὸ πράσινον μεταξὺ τῦ λευκῦ χ̣ μέλανος αι4.
442 ᵃ24. τὸ φοινικῦν χ̣ πράσινον χ̣ ἀλυργὸν ὒ γίγνεται
κεραννύμενον μγ2. 372 ᵃ8. τὸ φοινικῦν παρὰ τὸ πράσινον
λευκὸν φαίνεται μγ4. 375 ᵃ8. ἀνακλασθείσης τῆς ὄψεως τὸ
μὲν χρῶμα τῦ ἡλίυ φοινικῦν φαίνεται, τὸ δὲ πράσινον ἢ
ξανθὸν μγ6. 377 ᵇ10. ἡ ἰσχυροτέρα ὄψις εἰς φοινικῦν μετ-
έβαλεν, ἡ δ᾽ ἐχομένη εἰς τὸ πράσινον, ἡ δ᾽ ἔτι ἀσθενε-
στέρα εἰς τὸ ἀλυργόν μγ4. 374 ᵃ32.
πράσιον. ἡ σάλπη βόσκεται πρὸς τὸ πράσιον Ζιθ2. 591 ᵃ16 Aub.
(fort Caulerpa prolifera Ritter Erdkunde XIX 1193.)
πρᾶσις συνάλλαγμα ἑκύσιον Ηε6. 1131 ᵃ3. λέγω ἀπαλλο-
τρίωσιν δόσιν χ̣ πρᾶσιν Ρα5. 1361 ᵃ23. ἀγοραῖον πλῆθος τὸ
περὶ τὰς πράσεις χ̣ τὰς ὠνὰς Πδ4. 1291 ᵃ1, 5, ᵇ20. πρά-
σεις καπηλικαὶ ηεα4. 1215 ᵃ32.
πρασοειδής. μᾶλλον τῦ ὑγρῦ μελαινομένυ τὸ ποιῶδες γίνε-
ται κατακορὲς ἰσχυρῶς χ̣ πρασοειδὲς χ5. 795 ᵃ4.
πρασοκυρίδες (v l πρασυχαρίδες) Ζιε19. 551 ᵇ20. de loco
corrupto S et Aub.
πράσον συμφέρει πρὸς εὐφωνίαν πια39. 903 ᵇ27. ὒ δέχεται
τὸ ἁλυκὸν ὕδωρ πκ1. 923 ᵃ7. (Allium porrum L Sprengel
hist rei herb I 87. Fraas 290. Langkavel 112. hodie τὰ
πράσα, pelasg präs Heldreich 7.)
πράττειν, trans. ὁ τὴν πρᾶξιν τὴν πρὸς Χάρητα πράξας·
ὅσας πράξεις ὁ τύραννος ἔπραξεν Πε6. 1306 ᵃ4. γο10. 1281

[a]22. πράττειν τὰ κοινά Πη2. 1324 [b]1. πράττων δυσὶ ποσὶ χερσί Πγ16. 1287 [b]28. — dist ποιεῖν v p 608 [a]17. opp ἀπρακτεῖν Πη3. 1325 [a]31. ηεβ10. 1226 [b]31, 32. opp φιλοσοφεῖν, τῷ περὶ ἑκάστην μέθοδον φιλοσοφοῦντι ᾗ μὴ μόνον ἀποβλέποντι πρὸς τὸ πράττειν Πγ8. 1279 [b]14. — πράττεται ἕνεκά τυ Φβ8. 199 [a]11. διὰ τίνας αἰτίας τίς τι πράττει Ρα10. 1368 [b]32-1369 [a]7, 1369 [b]22. Ηγ1. 1110 [b]11. τῶν ἄλλων ζῴων πλὴν ἀνθρώπυ ὐδὲν εἴποιμεν ἂν πράττειν ηεβ6. 1222 [b]20. 8. 1224 [a]29. πράττειν δεῖ ταχύ, βυλεύεσθαι δὲ βραδέως Ηζ10. 1142 [b]4. τὰ ὠμῶς πραττόμενα f 551. 1569 [a]29. — πράττειν intr. καλῶς πράττειν, dist τὰ καλὰ πράττειν Πη1. 1323 [b]32. ἄριστα πράττειν Πη1. 1323 [a]17. εὖ πράττειν ηεβ1. 1219 [b]1. ρ1. 1420 [a]5. — perf transitiva vi πέπραχα μτ1. 463 [a]24. Ηγ2. 1110 [b]21, 1111 [a]17. Πγ1. 1274 [b]35. Ρα9. 1367 [b]23. 13. 1373 [b]38. β19. 1392 [b]19. 23. 1400 [a]37, [b]1. πκθ13. 951 [b]36. πέπραγα Ρα9. 1367 [b]32 (sed πεπραχότα Bk[3]). Ηι8. 1168 [b]35. κ9. 1179 [a]11. πο11. 1452 [a]35. ρ36. 1440 [b]12. οβ1346 [a]26. intransitiva vi πεπραχότας ρ35. 1440 [a]36. (πρᾶξαι Ρβ8. 1386 [a]12 recte in ὑπάρξαι mutavit Vahlen). — πρακτέος. περὶ τὰς πράξεις πῶς πρακτέον αὐτάς, ᾗ πρακτέον τὰ τοιαῦτα Ηβ2. 1103 [b]30. δ15. 1128 [b]22. ὐδέτερα πρακτέα Ηδ15. 1128 [b]24. — πρακτός. τὸ πρακτὸν ἐνδέχεται ἄλλως ἔχειν Ηζ5. 1140 [b]3. ψγ10. 433 [a]9. τὸ πρακτὸν διχῶς λέγεται, ὖ ἕνεκα πράττομεν ᾗ τὰ τύτων χάριν πραττόμενα ηεα7. 1217 [a]35. τὰ πρακτὰ τῶν καθ' ἕκαστα ᾗ τῶν ἐσχάτων Ηζ12. 1143 [a]33, 35. ψγ10. 433 [a]17. πρακτόν, dist ποιητόν Ηζ4. 1140 [a]2. 2. 1139 [b]3. ημα35. 1197 [a]11. τῶν πρακτῶν τὰ μὲν [εἰς τὰ] ἀναγκαῖα ᾗ χρήσιμα, τὰ δὲ [εἰς τὰ] καλά Πη14. 1333 [a]32. ἀρχὴ τῆς κινήσεως τὸ ἐν τῷ πρακτῷ διωκτὸν Ζκ8. 701 [b]34. τέλος τῶν πρακτῶν ὃ δι' αὐτὸ αἱρύμεθα, τὸ ἀκρότατον τῶν πρακτῶν ἀγαθῶν (sive τὸ πρακτὸν ἀγαθὸν) Ηα1. 1094 [a]19. 2. 1095 [a]16. 5. 1097 [a]23. cf Μκ1. 1059 [a]36. τὸ πρακτὸν ἀγαθὸν ψγ10. 433 [a]28, [b]16. πρακτὰ ἀνθρώπῳ ηεα7. 1217 [a]31. τὰ ἐφ' ἡμῖν, δι' αὐτῶν, αὐτῷ πρακτά Ηγ5. 1112 [a]31, 34, [b]2. τῶν πρακτῶν τίνες συλλογισμοὶ Ηζ13. 1144 [a]31. τὸ αὐτὸ τὸ πρακτὸν ᾗ τὸ προαιρετὸν Με1. 1025 [b]24. ἡ τῶν νοητῶν φρόνησις ᾗ ἡ τῶν πρακτῶν αι1. 437 [a]3.

Πράτυς Ργ11. 1413 [a]7.

πραΰνεσθαι, opp ὀργίζεσθαι Ρβ3. 1380 [a]5, 7. (τὰ ἄγρια ζῷα) πρὸς ἄλληλα πραΰνεται διὰ τὴν τῦ ποτῦ χρείαν Ζιθ 28. 606 [b]23.

πραΰνσις, def Ρβ3. 1380 [a]8.

πραϋντικός. τὰ πραΰντικά (πραΰνοντα Spgl Vlhn) Ρβ3. 1380 [a]31.

πραΰς. ἤθει πραεῖ, opp πικρῷ ρ38. 1445 [b]17. πραέος σημεῖα φ3. 808 [a]24-27.

πρέπειν, excellere, φ4. 809 [a]18. — πρέπον ἐστί c inf Πγ17. 1288 [a]25. ταύτοτν ἐστι τὸ καλὸν ᾗ πρέπον τε5. 135 [a]13. τὸ πρέπον κατ' ἀξίαν ἐστίν, ἐν κόσμῳ ἐστίν ηεγ6. 1233 [b]7, [a]34. δαπάνη ἐν μεγέθει πρέπυσα Ηδ4. 1122 [a]23. μάλιστα πρέπυσα ᾗ ἐκείνων μάθησις κι1. 391 [a]7. — τὸ πρέπον τῇ λέξει ποθὲν γίγνεται Ργ7. 1404 [b]4, 18. — πρεπόντως τὸ δαπανᾶν Ηδ5. 1122 [b]8. πρεπόντως χρῆσθαι γλώτταις πο22. 1459 [a]4. πρεπόντως τῷ πλύτῳ παρασκευάσασθαι οἶκον Ηδ5. 1123 [a]6. πρεπόντως ἔχειν τινὶ πρός τι Πη11. 1331 [a]13.

πρεπώδης. κάλλιστον ᾗ πρεπωδέστατον Ηδ4. 1122 [b]8. σεμνότερον ᾗ πρεπωδέστερον τὸν θεὸν ἀνωτάτω ἱδρῦσθαι κ6. 398 [b]6.

πρεσβεία. 1. τὸ γεννῆσαν ἄρχον κατὰ πρεσβείαν Πα12. 1259 [b]13. — 2. ἡ τρίτη ἐκκλησία κήρυξι ᾗ πρεσβείαις f 394. 1543 [b]19.

πρεσβεῖον. ἐπιλαμβάνυσι πρεσβείων ηεη10. 1242 [a]6.

πρεσβεύειν. οἱ πρεσβεύσαντες τὰς εὐθύνας ἐδίδοσαν f 405. 1545 [b]43.

πρεσβευταὶ αἱρῦνται Πδ15. 1299 [a]19.

πρέσβυς. πολέμιος δὲ ᾗ ὁ πρέσβυς καλύμενος ᾗ γαλῆ ᾗ κορώνη Ζι1. 609 [a]17 Aub. (verba πολέμιος - καλύμενος ad noctuam retulerunt Gaza Plin Aub cf S II 7. Corvus monedula St. Su 124, 77.) ὁ τροχίλος καλεῖται πρέσβυς ᾗ βασιλεύς· διὸ ᾗ τὸν ἀετὸν αὐτῷ φασι πολεμεῖν Ζι11. 615 [a]19. (Roitelet C II 731. cf S II 85. K 944, 1. i q τροχίλος Cr. Su 114, 52. AZι I 109, 107.) v βασιλεύς.

πρεσβύτερος, πρεσβύτατος. τῷ τὸν χρόνον πλείω εἶναι ᾗ πρεσβύτερον ᾗ παλαιότερον λέγεται Κ12. 14 [a]29. κριοὶ πρεσβύτεροι sim Ζιε14. 546 [a]4, 7, 8. τῶν ἀδελφῶν οἱ πρεσβύτεροι, ὁ πρεσβύτατος, opp οἱ νεώτεροι Πε6. 1305 [b]7, 16. τὰ τῶν πρεσβυτέρων ἔκγονα ἀτελῆ Πη16. 1335 [b]29. πρεσβύτεροι γινόμενοι μᾶλλον νῦν ἔχομεν πλ5. 955 [b]22. τὸ πρεσβύτερον ᾗ τέλειον τῦ νεωτέρυ ᾗ ἀτελῦς ἡγεμονικώτερον Πα12. 1259 [b]3. 2. 1252 [b]21. τιμιώτατον τὸ πρεσβύτατον ΜΑ3. 983 [b]33. οἱ πρεσβύτεροι ᾗ παρηκμακότες ποῖοί τινές εἰσι τὰ ἤθη Ρβ13. — τῶν σοφῶν ᾗ πρεσβυτέρων (i e ἀρχαίων) τινὲς ᾠήθησαν ηεα4. 1215 [a]23.

πρεσβύτης. ὐθ' οἱ πρεσβύται ὐθ' οἱ στρυφνοὶ φιλικοί εἰσι Ηθ6. 1157 [b]14. οἱ πρεσβύται ἀσθενεῖς τὰ ὄμματα ψα4. 408 [b]21. πλα25. 959 [b]38. οἱ πρεσβύται τρέμυσιν πια62. 906 [a]12. λέοντες ὅταν πρεσβύται γένωνται Ζυ44. 629 [b]28. — Σωκράτης ὁ πρεσβύτης ηεα5. 1216 [b]3. ημβ6. 1200 [b]25.

πρεσβυτικός. ἐν τοῖς στρυφνοῖς ᾗ πρεσβυτικοῖς ἧττον γίνεται ᾗ φιλία Ηθ7. 1158 [a]2, cf 6. 1157 [b]14.

πρεσβῦτις. τῶν γυναικῶν αἱ πρεσβύτιδες πι4. 891 [a]27.

πρήθειν. πρῆσεν (Hom Α 481)· Ἀριστοτέλης φησὶν ὡς κινύμενα ὀνόματα γράφει ὁ ποιητής f 129. 1500 [a]25.

πρηνής. τί διαφέρει κοίλην ᾗ ὑπτίαν ἢ πρηνῆ τὴν περιφέρειαν εἶναι ᾗ κυρτὴν μα13. 350 [a]11. πρηνῆ ᾗ ὑπτίαν κινεῖν (τὴν χεῖρα) πν7. 484 [b]29. πρηνεῖς ᾗ ὕπτιοι πίπτυσιν οἱ μεθυσθέντες f 101. 1494 [b]1.

πρηστήρ. 1. περὶ κεραυνῶν πτώσεως ᾗ τυφώνων ᾗ πρηστήρων μα1. 339 [a]4. πρηστήρ def μγ1. 371 [a]16. κ4. 395 [a]24. περὶ πρηστῆρος μγ1. β9. 369 [a]10. πρηστὴρ χθόνιος κ4. 395 [a]10. — 2. σπείραμα πρηστήρων ἤ τινων ἄλλων μεγάλων ὄφεων θ130. 843 [a]31. (Coluber Prester, Diosc ed Sprengel II 71, 675. Lenz Zool d Gr u Röm 469.)

Πρίαμος Ηα10. 1100 [a]8. Ργ14. 1414 [b]38. 15. 1416 [b]3. in versibus ex Iliade allatis Ηη1. 1145 [a]21 (Ω 258). Ρα6. 1362 [b]36 (Α 255), 1363 [a]6 (Β 160). ἐν τῇ τῦ Πριάμυ ἐξόδῳ Ζι32. 618 [b]26. ἐν τῷ Τεύκρῳ (Sophoclis, cf Nck fr trg p 204) Ργ15. 1416 [b]1. — Πριαμικαὶ τύχαι Ηα11. 1101 [a]8.

πρίειν. ἔργον τῦ πρίειν διαίρεσις τοιαδί Φβ9. 200 [b]5. Γβ9. 336 [a]10.

Πριηνεὺς Σάλαρος Βίαντι ἐφιλονείκει f 65. 1486 [b]34. Πριηνέων πολλὺς ὑπὸ Μιλησίων ἀναιρεθῆναι f 534. 1566 [b]42. τὰς Πριηνείας γυναῖκας ὀμνύναι τὸ περὶ Δρῦν σκότος f 534. 1566 [b]44.

πριμάδες (v l πριμάδιαι, πρημμάδες Pik) κρύπτυσιν ἑαυτὰς ἐν τῷ βορβόρῳ Ζιθ15. 599 [b]17 Aub. (primadae Gazae, primadiae Scalig. cf C II 704. S I 632. 'junge Thunfische' K 892, 2. cf AZι I 128, 25.)

πρίν, non addita part ἄν, c coniunctivo aoristi Ζιβ2. 501
b9. πρὶν ἤ c coniunctivo aoristi, non addita part ἄν Ζιγ11.
518 a30. Πδ4. 1291 a20. η17. 1336 b21. Μζ16. 1040 b9
(inde probabile est, pro πρὶν ἤ πιστεύσωσι Πε11. 1314
a18 scribendum esse πιστεύσωσι). — πρὶν ἤ c infinitivo
Ζιγ5. 668 a35. cf Eucken I 5-8.
Principium contradictionis affertur ε12. 21 b3, 17. 14. 24
b9. Αα46. 51 b20. β2. 53 b15, 22. γ11. 77 a10, 30. 32.
88 b1. τβ7. 113 a22. ζ6. 143 b15. θ5. 159 b32. ι25. 180
a26, explicatur Μγ3-6. principium exclusi tertii affertur
Αγ1. 71 a14. 4. 73 b23, explicatur Μγ7.
πρῖνος (Lob Prol 77). τῆς πρίνης ὑφ᾽ αὑτῶν κατακόπτεσθαι
Ργ4. 1407 a4, cf Περικλῆς p 582 a1. (Quercus ilex vel
coccifera L Sprengel h rei h I 103. Fraas 251. Lang-
kavel 96. hodie τὸ πρινάρι, πυρνάρι, pelasg prér Held-
reich 18.)
πριονωτός. τῷ κρανίῳ τὸ πριονωτὸν μέρος ῥαφῇ καλεῖται
Ζιγ7. 516 a15.
πρίσις. ὐχ ἡ πρίσις τῦ πρίονος χάριν γέγονεν, ἀλλ᾽ ὁ πρίων
τῆς πρίσεως Ζμα5. 645 b17, 18.
πρίστις (v l πρίστης) Ζιζ12. 566 b3. (cf Buttmann Lexilo-
gus I 108 et S hist lit piscium 129. S I 451 et in lexico
gr s v. Salmas exer Pl 713a. Bsm ad Orib IV 673. fort
Squalus pristis vel Pristis Antiquorum Müller et Henle 107.
K 745, 7. St. Cr. M 290. ΑΖιΙ 147, 97.)
πρίων. τὸν πρίονα ποιῦν τινα δεῖ εἶναι ἕνεκα τῦ ἔργυ Φβ9.
200 a10, 28, b5. πρίων ἢ τέχνη (exemplum ὀργάνυ ἢ ψυ-
χῆς) ηεγ10. 1242 a13, cf γγ3. 118 b14. ὁ πρίων ὐ διαι-
ρεῖται εἰς πρίονας Ογ8. 307 a31. ὁ πρίων τῆς πρίσεως
χάριν Ζμα5. 645 b17. cf Ζθ7. 652 b14. πρίων ξύλινος ἀνώ-
νυμος μὸ12. 390 a13. Μηα. 1044 a28. ῥινᾶν ἢ χαράττειν
τὸς πρίονας ακ803 a3. πρίων ἀκονώμενος φρίττειν ποιεῖ πζ5.
886 b10. λε3. 964 b37.
πρό. Eucken II 14. 1. de loco. κεῖται πρὸ τῦ ἐγκεφάλυ, πρὸ
τῆς κοιλίας sim Ζμ δ13. 689 a25. 5. 678 b35, 679 a6. β15.
658 a18. γ14. 674 b22, 24 al. πρὸ ὀμμάτων, cf ὄμμα
p 509 b30. — 2. de tempore. πρὸ τῶν μεγάλων σεισμῶν
μβ8. 367 a29, b8 al. πρὸ c genet infinitivi, πρὸ τῦ μάχε-
σθαι, πρὸ τῦ τίκτειν sim Ζιδ9. 536 a27. ζ17. 571 a3. 18.
572 b32. 20. 574 b7. θ13. 598 b28. ι5. 611 b25. πρὸ τῦ
1189 a13. β6. 1202 b15 (πρὸ τῦ ἀκῦσαι, cf πρὶν ἀκῦσαι
Ηη7. 1149 a27). πρὸ τῦ ζῶν ἢ αἴσθησιν εἶναι Κ7. 8 a8,
10. cf p31. 1438 a24. πρὸ τῦ πο15. 1454 b3. 13. 1453
a17 (sed πρῶτον Ac Vhl). Ζικ4. 636 a23. οβ1351 b15. —
πρὸ δυοῖν ἢ τριῶν ἡμερῶν (i e duobus vel tribus diebus ante) 45
Ζιι40. 625 b10. — 3. πρό significat praeferri alteri alte-
rum. ὁ δῦλος ὥσπερ ὄργανον πρὸ ὀργάνων Πα4. 1253 b33.
ἔστι γὰρ (ἡ χεὶρ) ὡσπερεὶ ὄργανον πρὸ ὀργάνων Ζμδ10.
687 a21. δῦλος πρὸ δύλυ, δεσπότης πρὸ δεσπότυ Πα7.
1255 b29, cf παροιμία p 570 a28. — τὸ πρὸς τὸ ζῆν
αἴσθησιν ἔχοντα πολυμορφοτέραν ἔχει τὴν ἰδέαν, ἢ τύτων
ἕτερα πρὸ ἑτέρων μᾶλλον Ζμβ10. 656 a5. — 4. formulae.
πρὸ ὁδῦ, cf ὁδός p 496 a57. πρὸ ἔργυ, cf ἔργον p 286 a9.
προέργυ coniunctim scriptum exhibetur Ζμγ14. 674 b2,
cf πρὐργυ.
προάγειν. εἴ τις συμφύσας τὸς ἄνωθεν ὀδόντας χωρὶς ἢ τὸς
κάτωθεν προαγάγοι μῆκος ποιήσας ἀμφοτέρωθεν εἰς στενόν
Ζμβ16. 659 b25. — ὅταν (ἡ θάλαττα) μηκέτι δύνηται τὰ
ἀπόγεια προάγειν πκς4. 940 b19. προάγειν τινὰ εἰς ὀργήν,
εἰς γέλωτα Ρα1. 1354 a25. γ14. 1415 a37. εἰς πάθος ὑπὸ
τῦ λόγυ προαχθῆναι Ρα2. 1356 a14. προήχθη εἰπεῖν Φβ2.

194 a31. κ6. 397 b17. πιη2. 916 b22. ὁ νομοθέτης προάγε-
ται τὸς πολίτας παῖδας ποιεῖσθαι Πβ9. 1270 b2. οἱ ἐπιεικῶς
τοῖς ἔθεσι προηγμένοι Ηκ10. 1180 a8. — τὰ φυτὰ προάγει
καρπύς, φύλλα, σπέρμα φτα4. 819 a8. 5. 820 b15. 6. 821
a2. προάγειν τὰς τέχνας ἐπὶ μικρόν τι τι34. 183 b29. cf
πο4. 1449 a13, 1448 b23. προήγαγεν αὔξων εἰς τὴν νῦν
δημοκρατίαν Πβ12. 1274 a10. τὰ μαθήματα προήγαγον
ΜΑ5. 985 b24. προάγειν τὰ καλῶς ἔχοντα τῇ περιγραφῇ,
syn διαρθρῦν, ἀναγράφειν Ηα7. 1098 a22. προάγειν τὸν λόγον
ηεβ8. 1224 a8. omisso hoc obiecto vel alio quod facile
cogitatione additur προάγειν videtur intransitivum esse, i q
προϊέναι: εἰ μηκέτι προάγειν δύναται ὁ ἐρωτῶν τθ10. 161
a8, 4. προάγειν ἐκ τῶν ἀσαφεστέρων ἐπὶ τὰ σαφέστερα
Φα1. 184 a19. προαγαγῦσιν ἔσται φανερὸν Πγ12.1282 b35.
cf θ5. 1339 a13. πο4. 1448 b23. οβ1351 b18.
προαγορεύειν. προενίστασθαι ἢ προαγορεύειν τι15. 174 b30.
προενστατέον ἢ προαγορευτέον τι17. 176 b27. ἡ ψυχὴ προ-
μαντεύεται ἢ προαγορεύει τὰ μέλλοντα f 12. 1475 b44. —
ὁ βασιλεὺς προαγορεύει ἀπέχεσθαι μυστηρίων f 385. 1542
a23, 39.
προαγόρευσις. τὰ ὕστερον, ἃ δεῖται προαγορεύσεως ἢ ἀγ-
γελίας πο15. 1454 b5.
προαγωγεία Ηε5. 1131 a7.
προαδικεῖν. μὴ παροξύνεσθαι τοῖς προαδικήσασιν ρ3.1425 b6.
προαιρεῖσθαί τινας ἐκ τῦ πλήθυς Πδ14. 1298 b27. — προ-
αιρῦνται τὴν αὐτὴν κατάστασιν Πε1. 1301 b1. ταύτην
προῃρήμεθα τὴν σκέψιν Πη2. 1324 a21. ἔτι ὦν προειλόμεθα
δύ᾽ ἔστιν εἰπεῖν Ηζ12. 1136 b15. Πε1. 1301 a19. προῃρή-
μεθα ζῷα λαβεῖν εἴδη Πδ4. 1290 b25. ὁ δυνάμενος ἢ προ-
αιρύμενος ἄρχεσθαί ἢ τὰ ἄρχειν Πγ13. 1284 a2. — τῷ προ-
αιρεῖσθαι τἀγαθὰ ἢ τὰ κακὰ ποιοί τινές ἐσμεν Ηγ4. 1112
a2. τῷ προαιρεῖσθαι γὰρ ὁ ἄδικος ἄδικος Ρβ5. 1382 a35.
προελόμενοι, syn προβυλευσάμενοι, dist ἑκόντες Ηε10.1135
b9, 10. Ρα10. 1368 b11. προαιρεῖσθαι, opp φεύγειν πο6.
1450 b11. Ηκ1. 1172 a25. sed cf αἱρεῖσθαι et Vhl Poet
II 75. — rhetor παλιλλογήσομεν προαιρύμενοι p21. 1433
b32 (cf προαίρεσις extr). — προαιρετόν, dist βυλευτόν
Ηγ5. 1113 a3. def τὸ προαιρετὸν βυλευτὸν ὀρεκτὸν τῶν ἐφ᾽
ἡμῖν Ηγ5. 1113 a10. τὰ προαιρετὰ ἢ ἀπὸ διανοίας Φβ5.
197 a2. τὸ αὐτὸ τὸ πρακτὸν ἢ τὸ προαιρετόν Με1. 1025
a24. προαιρετά τινα Ρα6. 1363 a19. ὅθεν γεγονὸς προαιρετόν
Ηζ2. 1139 b6.
προαίρεσις. περὶ προαιρέσεως Ηγ4-7. ηεβ10. ημα17-19.
πόθεν ὠνόμασται Ηγ4. 1112 a17. ηεβ10. 1226 b7. ημα17.
1189 a12. def ἡ προαίρεσις ἂν εἴη βυλευτικὴ ὄρεξις τῶν
ἐφ᾽ ἡμῖν Ηγ5. 1113 a10. ζ2. 1139 a23. ηεβ10. 1226 b17.
ημα17. 1189 a31. ἢ ὀρεκτικὸς νῦς ἡ προαίρεσις ἢ ὄρεξις
διανοητικὴ Ηζ2. 1139 b4. πράξεως ἀρχὴ προαίρεσις (cf ἡ
προαίρεσις ἀρχή, κύριον Μθ2. 1013 a21. 11. 1018 b25. θ6.
1048 a11. προαιρέσεως ἀρχὴ ἀρχή Ηε10. 1134 a20), προ-
αιρέσεως ἀρχὴ ὄρεξις ἢ λόγος ὁ ἕνεκά τινος Ηζ2. 1139 a31,
32 (cf τῶν ἕνεκά τυ τὰ μὲν κατὰ προαίρεσιν τὰ δ᾽ ὐ
κατὰ προαίρεσιν Φβ5. 196 b18). τὰ κινῦντα τὸ ζῷον διά-
νοια ἢ φαντασία ἢ προαίρεσις ἢ βύλησις ἢ ἐπιθυμία· ἡ
προαίρεσις κοινὸν διανοίας ἢ ὀρέξεως Ζικ6. 700 b18, 23. coni
πρᾶξις ἢ προαίρεσις Ηα1. 1094 a2. 5. 1097 a21. ηεγ6. 1233
a32. coni ὁρμή: παρὰ τὴν ὁρμὴν ἢ τὴν προαίρεσιν Μδ5.
1015 a27. coni διάνοια sim: παρὰ τὴν προαίρεσιν ἢ τὴν
διάνοιαν Ηη6. 1148 a9. ἡ προαίρεσις ὐκ ἄνευ διανοίας Φβ5.
197 a7. Μχ8. 1065 a32. κινεῖν τὴν διάνοιαν παρὰ τὴν προ-
αίρεσιν Ζμγ10. 673 a6. ἐναντίον τῇ κατὰ τὴν προαίρεσιν

κινήσει κ̇ κατὰ τὸν λογισμόν Μδ5. 1015 ᵃ33. κινεῖ ἡ ψυχὴ τὸ ζῶον διὰ προαιρέσεως τινος κ̇ νοήσεως ψα3. 406 ᵇ25. opp σύμπτωμα, τύχη Ρα9. 1367 ᵇ25. opp πάθος: ὁ διὰ προαιρέσεως ἀρχήν, ἀλλὰ διὰ πάθος Ηε10. 1134 ᵃ20 (dist ἐπιθυμία Ηγ4. 1111 ᵇ12. ηεη7. 1241 ᵃ20, 18, 26). dist δύναμις (cf infra de προαιρέσει et ἕξει): ὑκ ἐν δυνάμει ὁ ἀλαζών, ἀλλ' ἐν τῇ προαιρέσει Ηδ13. 1127 ᵇ14. διαφέρει ἡ φιλοσοφία τῆς μὲν διαλεκτικῆς τῷ τρόπῳ τῆς δυνάμεως, τῆς δὲ σοφιστικῆς τῷ βίῳ τῇ προαιρέσει Μγ2. 1004 ᵇ25. ὁ γὰρ σοφιστικὸς ὑκ ἐν τῇ δυνάμει ἀλλ' ἐν τῇ προαιρέσει Ρα1. 1355 ᵇ18-21 (cf σοφιστικὴ προαίρεσις τι12. 172 ᵇ11). τὸ 5. 126 ᵃ34, 36, ᵇ10. — ἡ προαίρεσις ὑκ ἔστι τὸ τέλος ἀλλὰ τῶν πρὸς τὸ τέλος ημα17. 1189 ᵃ7. Ηγ5. 1112 ᵇ11, 1113 ᵃ2. 4. 1111 ᵇ27 (opp ἡ βύλησις τῶ τέλως). ηεβ10. 1226 ᵇ9. ἡ προαίρεσις ἀναφέρεται πρὸς τὸ τέλος Ρα8. 1366 ᵃ15. ἡ προαίρεσις ποιά τις Ργ16. 1417 ᵃ18. — ἡ προαίρεσις ἀφ' ἕξεως Ηθ7. 1157 ᵇ31. πάντας ἐπαινῶμεν κ̇ ψέγομεν εἰς τὴν προαίρεσιν βλέποντες μᾶλλον ἢ εἰς τὰ ἔργα, εἰς τὴν πρᾶξιν ηεβ11. 1228 ᵃ12, 2, 17. Ρα13. 1374 ᵇ14. τῇ φύσει εὐφυής, τῇ προαιρέσει φιλόπονός τε κ̇ δί- καιος σβ1345 ᵇ9. ἐν τῇ προαιρέσει ἡ μοχθηρία Ρα13. 1374 ᵃ11. οἱ φαῦλοι κατὰ προαίρεσιν λέγονται τὸ5. 126 ᵃ36 (cf supra προαίρεσις, dist δύναμις). πονηρὸς δ' ὁ· ἡ γὰρ προαίρεσις ἐπιεικής Ηη11. 1152 ᵃ17. τὴν προαίρεσιν ὀρθὴν ποιεῖ ἡ ἀρετή, ἡ φρόνησις Ηζ13. 1144 ᵃ20, 1145 ᵃ4. τῆς ἀρετῆς κ̇ τῷ ἤθως ἐν τῇ προαιρέσει τὸ κύριον Ηθ15. 1163 ᵃ23. ἡ προαίρεσις τῷ ἀγαθῷ κ̇ κακῷ διαιρεῖται Ηγ4. 1111 ᵇ34. ἡ προαίρεσις δοκεῖ μᾶλλον τὰ ἤδη κρίνειν τῶν πράξεων Ηγ4. 1111 ᵇ6. ἕξει δὲ ἦθος ἐὰν ποιῇ φανερὸν ὁ λόγος ἢ ἡ πρᾶξις προαίρεσίν τινα πο15. 1454 ᵃ18. Ρβ21. 1395 ᵇ14. δεῖ (ἐν τῇ γνώμῃ) τὴν προαίρεσιν συνδηλῶν Ρβ21. 1395 ᵃ27. μὴ ὡς ἀπὸ διανοίας λέγειν ἀλλ' ὡς ἀπὸ προαιρέσεως Ργ16.1417 ᵃ24. Vhl Rgf173. — κατὰ προαίρεσιν, παρὰ προαίρεσιν Ηη9.1151 ᵃ7. 6. 1148 ᵃ9. Μδ5. 1015 ᵃ27, 33. Φβ5. 196 ᵇ18. Πγ9. 1280 ᵃ34. ὑκ ἐκ προαιρέσεως (σκαρδαμύττει), ἀλλ' ἡ φύσις ἐποίησε Ζμβ13. 657 ᵇ1. — προαίρεσις c gen obi, ἡ προαίρεσις τῷ συζῆν Πγ9. 1280 ᵇ39. c gen subi, κατὰ τὴν τῷ μονάρχω προαίρεσιν Πγ16. 1287 ᵇ32. (συμβαίνει τὐναντίον τῷ νομοθέτῃ τῆς προαιρέσεως Πβ9. 1271 ᵃ32.) πρὸς τὴν προαίρεσιν τῆς πολιτείας Πβ9. 1269 ᵇ13, cf πρὸς τὴν ὑπόθεσιν 1269 ᵃ32. — προαίρεσις 'id quod disputationi alicui propositum est', τέλος ἔχειν οἰηθεὶς τὴν προαίρεσιν Ηκ10. 1179 ᵃ35. μα1. 339 ᵃ9. γένοιτ' ἂν ἡ ζήτησις κατὰ τὴν ἐξ ἀρχῆς προαίρεσιν Ηα13. 1102 ᵃ13. — rhet ἐκ προαιρέσεως ἀναμιμνήσκειν τί ἐστιν ρ21. 1434 ᵃ3-8.

προαιρετικὸς κ̇ πρακτικὸς τῶν τοιύτων Ηε14. 1137 ᵇ35. εὐχερὴς κ̇ προαιρετικὸς τῶν τοιύτων λόγων Μδ29. 1025 ᵃ3. προαιρετικὸς τῷ πλεονεκτεῖν, καλῶν πράξεων al Πβ7. 1266 ᵇ37. ηεα5. 1216 ᵃ25. γ6. 1233 ᵃ37. ἕξεις προαιρετικαὶ ηεβ5. 1222 ᵃ31. ἡ ἀρετὴ ἕξις προαιρετικὴ Ηβ6. 1106 ᵇ36. ζ2. 1139 ᵃ22. ηεγ1.1230 ᵃ27. μεσότητες προαιρετικαὶ ηεγ1. 1228 ᵃ24.

προαισθάνεσθαι αι1. 436 ᵇ21. χαίρυσι προαισθανόμενοι Ρβ 23. 1400 ᵇ32. προαισθόμενοι κ̇ προϊόντες Ηη8. 1150 ᵇ23.

προακύειν. ὑχ ὁμοίως μεγάλα φαίνεται τοῖς ἤδη προακηκόωσιν ρ19. 1433 ᵃ39. cf Οα10. 279 ᵇ8. ὡς προακήκοας ρ37. 1443 ᵇ28.

προαλγεῖν. ὅσαι γυναῖκες τὴν ὀσφὺν προαλγῦσι, μόλις τίκτυσιν Ζιη9. 586 ᵇ31.

προαναιρεῖν. προανελὼν ἃ ἐρῦσιν Ργ17. 1418 ᵇ11.

προανακινεῖν. ὑδὲν προεξαγκωνίσας ὑδὲ προανακινήσας εὐθὺς

ἄρχεται (Γοργίας τῶ ἐγκωμίω) Ργ14. 1416 ᵃ2.

προανακρίνειν, opp κρίνειν Πδ14. 1298 ᵃ31.

προαναλίσκεσθαι. πολὺ ὕδωρ, ὥστε διαρκεῖν κ̇ μὴ προαναλίσκεσθαι πρὶν ἐπελθεῖν τὸ ὄμβριον πάλιν μα13. 349 ᵇ11.

προαναφέρεσθαι. τὸ θερμὸν προαναφερόμενον τῷ ὑγρῷ πι54. 897 ᵃ28.

προανέρχεσθαι. φθήσεται καταβὰν τὸ προανελθόν μβ3. 356 ᵇ26.

προαποδεικνύναι. καθὼς προαπεδείξαμεν φτβ4. 826 ᵃ9.

προαποθνήσκειν τῶν τέκνων αἱρῦνται τὰ θηρία ηεη1. 1235 ᵃ34.

προαπολείπειν. ὁ προαπολείπυσιν (αἱ περιστεραὶ) τὴν κοινωνίαν, πλὴν ἐὰν χῆρος ἢ χήρα γένηται Ζιη7. 612 ᵇ33. ὅσοις τόποις μικραὶ αἱ ἐπικρεμάμεναι συστάσεις τῶν ὀρῶν, τύτοις προαπολείπει (τὸ ὕδωρ) μα14. 352 ᵇ11. — ἐὰν μὴ προαπολίπωντες τὴν πρᾶξιν, περὶ ἧς ἂν ἐγχειρήσωμεν λέγειν, πάλιν ἑτέραν ἐξαγγείλωμεν ρ31. 1438 ᵃ31.

προαπορεῖν. δῆλον προαπορήσαντι πρῶτον Αδ19. 99 ᵇ19. μα13. 349 ᵃ13 (idem fort c cod E scribendum μβ3. 357 ᵇ26, ἀπορῆσαι Bk). τῷ προηπορηκότι δῆλον Μβ1. 995 ᵇ2. λέγωμεν (λέγωμεν?) προαπορήσαντες ηεβ11. 1227 ᵇ19. προηπορημένον, opp ηὐπορημένον Φδ1. 208 ᵃ35.

προαποτίκτυσιν ἀράχναι εἰς ἀράχνιον Ζιε27. 555 ᵇ7.

προαποφάναι. προαποφῆσαι τὸ διττὸν τι19. 177 ᵃ19.

προάρχεσθαι. μάχεται κ̇ τῷ ἀετῷ ὁ κύκνος αὐτὸς μάχης μὴ προαρξάμενος ζ268. 1526 ᵇ36.

προασκεῖν. τὴν ἕξιν προήσκησαν ἡμῶν Μα1. 993 ᵇ14.

προαυλεῖν. τῦτο προαυλήσαντες συνῆψαν τῷ ἐνδοσίμῳ Ργ14. 1414 ᵇ23.

προαύλιον. προοίμιον ἀρχὴ λόγυ, ὅπερ ἐν ποιήσει πρόλογος κ̇ ἐν αὐλήσει προαύλιον Ργ14. 1414 ᵇ20.

προβαίνειν εὐθέσι τοῖς σκέλεσι, μικρὸν sim Ζιθ24. 604 ᵇ5. ε19. 551 ᵇ7. Ζμδ10. 686 ᵇ31. πάντες ἑστῶτες προβεβήκασι τὰ ἀριστερὰ μᾶλλον Ζπ4. 706 ᵃ7. — ἐκ τύτε (τῆς τῷ ἀγαθῷ ἰδέας) προβὰς ὑπὲρ τῶν καθ' ἕκαστα ἐρεῖ ημα1. 1183 ᵃ39. τὴν μὴ πέρα προβαίνειν Πζ4. 1319 ᵇ1. impers κ̇ τύτον δὴ τὸν τρόπον εἰς ἄπειρον προβαινέτω Φη1. 242 ᵃ23. — αἱ διαφοραὶ προβαίνυσιν ἐν τῷ τόπῳ τύτῳ φται. 815 ᵇ35.

προβάλλειν. 1. proprie, ἵππος ἄμφω τὰ δεξιὰ προβεβληκώς πο25. 1460 ᵇ19. πάντες τὰ ἀριστερὰ προβάλλονται Ζπ4. 706 ᵃ6. συστέλλειν κ̇ προβάλλειν παντοδαπῇ τοιαύτη ὖσα ἡ γλῶττα μάλιστ' ἂν δύναιτο Ζμβ17. 660 ᵃ24. ᾗ μὴ προβέβληται τὸ ὄστρακον Ζμδ5. 679 ᵇ21. τὰ φυτὰ προβάλλονται κλάδυς, φύλλα φτα7. 821 ᵇ17, 9. — 2. metaph, κατὰ τὸ μνημονικὸν παράγγελμα τίθεσθαι τὰ προβαλλόμενα εν1. 458 ᵇ22. πρὸς τὴν ἀπορίαν, ἣν ζητῦσι κ̇ προβάλλυσί τινες Πγ13. 1283 ᵇ35. προβάλλειν, dist προτείνειν: ὑδεὶς ἂν προτείνειε τὸ μηδενὶ δοκῦν ὑδὲ προβάλοι τὸ πᾶσι φανερὸν τα10. 104 ᵃ5. ἐξ ἐνδοξοτέρων ἀποδεικνύναι τὸ προβληθὲν τθ15. 159 ᵇ9.

προβάτειος. τὸ προβάτειον γάλα Ζιγ20. 522 ᵃ22.

πρόβατον. τὸ τῶν προβάτων γένος, πάντα ὅσα ἥμερά ἐστι γένη κ̇ ἄγριά ἐστι Ζγε3. 783 ᵃ5. β7. 746 ᵇ19. Ζια1. 488 ᵃ31. refertur inter τῶν τετραπόδων κ̇ ἐναίμων κ̇ ζωοτόκων τὰ διχηλῆ, τὰ μὴ ἀμφώδοντα Ζια1. 499 ᵇ10. γ21. 523 ᵃ5. ι50. 632 ᵇ2, τὰ κερατοφόρα κ̇ διχαλὰ Ζμγ14. 673 ᵇ33, 674 ᵇ7, τὰ στέαρ ἔχοντα, τὰ πονφάγα Ζιγ17. 520 ᵃ10, 32. θι0. 596 ᵃ13, τὰ πολύγονα, τὰ μὴ μεγάλα, ὁ μέγιστον σῶμα ἔχοντα, τὰ βραχύβια πι61. 898 ᵃ12. 6. 891 ᵇ5. 63. 898 ᵇ34. — a. corporis descr. ἀσθένεια τῶν σωμάτων

π6. 891 ᵇ11. τρίχες, ἔριον, τριχῶν χρῶμα Ζγε3. 783 ᵃ5, 8.
χ6. 797 ᵇ34, 798 ᵃ6 (v l ᵃ60, ᵇ60). ἐκ περιττώματος πλείστη
ἡ τῷ ἀνθρώπῳ θρὶξ ἢ ἡ τῷ προβάτῳ· αἱ τῶν προβάτων
τρίχες ἐκ τῷ ἐπιπολῆς πεφύκασιν· πλῆθος ᶄ πυκνότης τῆς
τριχός· ἐκ ἔχει τρίχα ῥυάδα π23. 893 ᵇ7. 22. 893 ᵃ19. ⁵
21. 893 ᵃ13. 63. 898 ᵇ34. διὰ τί αἱ τρίχες ὅσῳ ἂν μακρό-
τεραι ὦσι, σκληρότεραι γίνονται; διὰ τί μαλακώτεραι ἀνα-
φύονται τιλλόμεναι π23. 893 ᵃ36, 38. 22. 893 ᵃ17. μαλα-
κωτάτη, φ2. 806 ᵇ9. — διαφέρει τὰ κέρατα τῶν θηλειῶν
ᶄ τῶν ἀρρένων Ζμγ1. 662 ᵃ3. cf π36. 894 ᵇ23. μάλιστα 10
διέστηκε τὰ ὄμματα π15. 892 ᵇ14. ἀντὶ τῶν ὀνύχων ἔχει
χηλάς, ὁπλὰς Ζιβ1. 499 ᵇ10. f 241. 1522 ᵇ38. ἔχωσι πλείης
οἱ ἄρρενες τῶν θηλειῶν ὀδόντας Ζιβ3. 501 ᵇ25 Aub. ἔχει δύο
μαστὸς ἐν τοῖς μηροῖς ᶄ τὰς θηλὰς δύο· τὰ ὕδατα· πρὸς
τὰς τόκας ἀλιζόμεναι μείζω τὰ ὕδατα καθιᾶσιν Ζιβ1. 500 15
ᵃ24, ᵇ11. θ10. 596 ᵃ24. ἔχει πλείης κοιλίας (μηρυκάζει),
νέφρους ποίας Ζμγ14. 674 ᵇ7. (Ζιᵃ50. 632 ᵇ2.) Ζμγ12. 673
ᵇ33. 9. 671 ᵇ8. ἐν τόπῳ τινὶ τῆς ἐν Νάξῳ Χαλκιδικῆς ἐκ ἔχει
χολήν Ζιᵃ17. 496 ᵇ26. cf Ζμᵈ2. 677 ᵃ1 Ka. Rose Ar Ps
332. στέαρ, τῷ πλήθει (στέατος) πολὺ ὑπερβάλλει, οἱ 20
ζωμοὶ πήγνυνται Ζμγ9. 672 ᵇ1, 2. Ζιγ17. 520 ᵃ10. τὸ
αἷμα πῶς συνίσταται Ζιγ6. 516 ᵃ6. γάλα· τὸ πρῶτον (γάλα
τῷ ἀνθρώπῳ) ᶄ ἁλμυρόν, ὥσπερ τοῖς προβάτοις· διὰ τί
ἀμέλγονται πλεῖστον γάλα· τὸ περιγινόμενον τῷ περιττώ-
ματος γάλα γίνεται πᾶν Ζιθ10. 596 ᵃ22. η5. 585 ᵃ31. π6. 25
891 ᵃ4, 7. τὸ ὥρον τὸ τῶν θηλειῶν παχύτερον ἔτι ἢ τὸ τῶν
ἀρρένων Ζιζ18. 573 ᵃ18. — b. sexus, coitus, partus. ἀμ-
φότεροι Ζιε14. 546 ᵃ1. οἱ ἄρρενες Ζιβ3. 501 ᵇ25. ε14. 545
ᵃ25. ζ18. 573 ᵃ19. ι3. 610 ᵇ28, vel οἱ κριοί (v h v, adde
Ζιε14. 546 ᵃ4. ζ19. 574 ᵃ4. π36. 894 ᵇ23), ἡγεμὼν v in- 30
fra Ζιβ1. αἱ θηλεῖαι Ζιβ3. 501 ᵇ25. ζ18. 573 ᵃ18, vel
πρόβατα Ζιβ1. 500 ᵃ24, ᵇ11. γ21. 523 ᵃ5. ε14. 545 ᵃ24,
ᵇ31. ζ18. 572 ᵇ31, 573 ᵃ25. 29. 578 ᵇ9. η5. 585 ᵃ31. θ21.
604 ᵃ1. π47. 896 ᵇ26, vel ἡ μήτηρ Ζιζ19. 573 ᵇ32, αἱ
ἰσχύσαι τῶν οἰῶν Ζιζ19. 596 ᵃ31. τὰ ἔκγονα Ζιε14. 546 35
ᵃ6. ζ19. 574 ᵃ5. αἱ νέαι, τὰ νεώτερα, τὰ νέα πρόβατα
Ζιε14. 546 ᵃ5, 6. ζ19. 574 ᵃ15. π23. 893 ᵇ8, ἄρνες v h v.—
ἐπειδὰν ὥρα ἦ ὀχεύεσθαι, ἐπισημαίνει (τὰ καταμήνια) πρὸ
τῷ ὀχεύεσθαι· ᶄ ἐπειδὰν ὀχευθῶσι, γίνεται τὰ σημεῖα (κα-
ταμήνια ci Aub), εἶτα διαλείπει μέχρι ᶇ ἂν μέλλωσι τίκτειν 40
ὀχεύεται, ἕως ἂν ζῇ, διὰ βίν Ζιζ18. 572 ᵇ31. 19.
573 ᵇ30. ε14. 546 ᵃ1. ὀχεύωσιν οἱ κριοὶ τὰς πρεσβυτάτας
πρῶτον, τὰς δὲ νέας ἐ διώκωσιν· αὐτοετὲς ὀχεύεται ᶄ κύει,
οἱ ἄρρενες ὀχεύωσιν ὡσαύτως Ζιε14. 546 ᵃ4, 545 ᵃ24. τὰ
τὸ ἁλυκὸν ὕδωρ πίνοντα πρότερον ὀχεύεται· ὑπομένεσιν 45
ὀχεύοντας ἐκ ὑπομένειν τὸ κριὸς Ζιζ19. 574 ᵃ8, 4. 29.
578 ᵇ9. — ὁ χρόνος τῆς κυήσεως Ζγδ3. 769 ᵇ23. κυΐσκεται
ἐν τρισὶν ἢ τέτταρσιν ὀχείαις, κύοντα πιότερα γίνεται ᶄ
ἐσθίωσι μᾶλλον. κύει πέντε μῆνας Ζιζ19. 573 ᵇ17, 20. 18.
573 ᵃ25. ἂν ὕδωρ ἐπιγένηται μετὰ τὴν ὀχείαν ἀνακυΐσκει 50
(ἀμβλίσκει? ci Aub) ἐὰν κύσῃς πλείης (βαλάνες) ἐσθίωσιν,
ἐκβάλλωσιν· πότε ἐκτιτρώσκει Ζιε19. 573 ᵇ18 Aub. θ21.
604 ᵃ1. ι3. 610 ᵇ35. — τίκτει μέχρι ἐτῶν η', ἐὰν δὲ θε-
ραπεύηται καλῶς ᶄ μέχρι ια', primiparis minores fetus,
τίκτει τὰ μὲν πλεῖστα ξ΄ ἐνίοτε τρία ᶄ δ' (ἤδη ᶄ ε΄ 55
codd, C S Bsm Pik) δ' Ζιε14. 545 ᵇ31, 546 ᵃ5. ζ19. 573
ᵇ19. ἐ χαλεπὰ μετὰ τὸν τόκον π35. 894 ᵇ13. πολυτόκα
Ζγδ3. 770 ᵃ36. πολυτοκώτερα τῶν μεγάλων π6. 891 ᵇ9.
διδυμοτοκῦσι διὰ τίνας αἰτίας· θηλυγόνα, ἀρρενογόνα διὰ
τὰ ὕδατα· λευκὰ τὰ ἔκγονα γίνεται ᶄ μέλανα ἐὰν ὑπὸ τὴν 60
τῷ κριῷ γλώττῃ λευκαὶ φλέβες ὦσιν ᶄ μέλαιναι· ἐὰν ἀμ-

φότεραι, ἀμφότερα· πυρρὰ δ' ἐὰν πυρραί· τῶν ποικίλω.
ποικίλαι αἱ γλῶτται Ζιζ19. 573 ᵇ30, 32 St, 574 ᵃ5. πλδ΄4.
963 ᵇ35. ἄγονα, τέρατα Ζγβ7. 746 ᵇ19. δ3. 769 ᵇ14, 15.
— c. τὸ τῶν προβάτων ἦθος, ἐνύπνιον, φωνή, ζωή. εὔηθες
ᶄ ἀνόητον, κάκιστον, ἀπαθές, δειλότατον Ζιᵃ3. 610 ᵇ22, 24.
π21. 893 ᵃ13. φ2. 806 ᵇ8. — ἐνυπνιάζειν φαίνονται Ζιδ10.
536 ᵇ29. — ἴδιαι φωναὶ πρὸς τὴν ὁμιλίαν ᶄ τὸν πλησια-
σμόν (ὅσοι μαλακὸν ἄτονον φωνῶσι, πραεῖς· ἀναφέρεται ἐπὶ
τὰς οἶς) Ζιδ9. 536 ᵃ15. φ6. 813 ᵇ4. — ζῇ περὶ ἔτη ι΄,
τὰ δὲ πλεῖστα ἐλάττω· αἱ πρεσβύτεραι, τὰ πρεσβύτερα,
αἱ πρεσβύτεραι, τὰ παλαιὰ Ζιζ19. 573 ᵇ23, 574 ᵃ12. ε14.
546 ᵃ7, 4. π23. 893 ᵇ8. — d. νομή, ποίμνη, ποιμνίον, ἡγε-
μών, οἰκία, ποιμήν, alia. αἱ νομαὶ αἱ πρὸς ἑσπέραν συμ-
φέρεσι, τὴν νομὴν ποιῶνται προσερχόμεναι ᶄ μονίμως, ἕρπει
εἰς τὰς ἐρημίας πρὸς ἐδὲν Ζιθ10. 596 ᵃ29, 14. ι3. 610 ᵇ24.
λαμβάνει τὴν τροφήν, ἐσθίει, τροφῇ ἀφθόνῳ Ζιγ17. 520
ᵇ2. ζ18. 573 ᵃ25. 19. 573 ᵇ21. θ21. 604 ᵃ1. 10. 596 ᵃ21.
πίνει, ὕδωρ τῷ μετοπώρῳ τὸ βόρειον τῷ νοτίῳ ἄμεινον Ζιθ10.
596 ᵃ23, 28, cf ᵃ16. δεῖ ἁλίζειν Ζιζ19. 574 ᵃ9. θ10. 596
ᵃ17, 19, 24. — ποίμνη, ποιμένια Ζιζ19. 573 ᵇ25. θ10.
596 ᵃ19. — ἡγεμών v p 313 ᵇ40. — ἐν τῇ οἰκίᾳ συνθέσι
διὰ τὸ ἔθος ἐὰν ψοφῇ. διδάσκωσιν οἱ ποιμένες τὰ πρόβατα
συνθεῖν ὅταν ψοφήσῃ Ζιι3. 611 ᵃ1, 610 ᵇ34. ἐπιμελεῖται
αὐτῶν, ἵν' εὖ πράττωσιν, ὥσπερ νομεὺς προβάτων Ηθ13.
1161 ᵃ14. ὁ ποιμὴν κινεῖ, ἐξελαύνει τὰ πρόβατα Ζιᵃ3. 610
ᵇ26. γ17. 520 ᵇ1. (ἕρπει εἰς τὰς ἐρημίας πρὸς ἐδέν· μά-
λιστα ποιεῖσθαι τὴν πορείαν κύπτοντα Ζιᵃ3. 610 ᵇ24. π15.
892 ᵇ14.) θεραπεύονται καλῶς, κείρονται, ἀμέλγεται μῆ-
νας η΄ Ζιε14. 545 ᵇ32. θ28. 606 ᵃ17. γ21. 523 ᵃ5. τί
πιαίνει τὰ πρόβατα· παχύνεται Ζιθ10. 596 ᵃ24, 16, 26.
κακοθηνεῖν τὰ πρόβατα, opp εὐετηρία Ζιζ19. 574 ᵃ15. τὰ
πρόβατα ὀρύττοντα τὴν γῆν ἔοικε σημαίνειν χειμῶνα, ἀνα-
βαινόμενα δὲ τὰ αὐτὰ πρωὶ χειμῶνα ὁμολογεῖ f 241. 1522
ᵇ38. πολέμιον ταῖς μελίτταις, οἱ λύκοι σφάζωσιν αὐτὰ
Ζιᵈ40. 627 ᵇ5. 6. 612 ᵇ2. θύειν πρόβατα He 10. 1134 ᵇ22.
ὁπότε διαπορευομένῳ προσενέγκοι τις πρόβατον ᶄ μόσχον
οβ1348 ᵃ19. — e. morbi. ἀσθένεια Ζιθ10. 596 ᵇ1. οἱ ἔμ-
πειροί φασι, σχεδὸν ὅσαπερ ἀρρωστεῖ ἄνθρωπος ἀρρωστήματα,
ᶄ ἵππον ἀρρωστεῖ ᶄ πρόβατον· ἀπόλλυνται καταλειπόμενα·
λεπτύνεσιν αἱ ὁδοὶ ᶄ αἱ ταλαιπωρίαι Ζιθ24. 604 ᵇ27. 10.
596 ᵃ30. ι3. 610 ᵇ27. γίνεται περίνεφρα τάχιστα τῶν ζῴων
τὰ πρόβατα πάντων Ζμγ9. 672 ᵇ3. cf ᵃ28, 31. Ζιγ17. 520
ᵃ32 Aub, 33. ἤδη ᶄ ὁ τῆς ξηρᾶς τροφῆς πόρος συμπεφυ-
κὼς γέγονε, atresia ani Ζγδ4. 773 ᵃ26. ἔχει κρότωνας,
inmunis pediculis, ovium a lupis interemptarum lanicio
pediculi gignuntur Ζιε31. 557 ᵃ16. θ10. 596 ᵇ7. — f. di-
stinguntur: τὰ περὶ τὴν Αἰθιοπίαν πρόβατα, ζῇ ᶄ ιβ΄ ᶄ
ιγ΄ ἔτη. ἐν Αἰγύπτῳ μείζω ἢ ἐν τῇ Ἑλλάδι· ἐν Συρίᾳ
τὰς ἔρας ἔχει τὸ πλάτος πήχεις· εὐχειμερώτεραι αἱ πλα-
τύκερκοι οἶες τῶν μακροκέρκων ᶄ αἱ κολεραὶ τῶν λασίων
(v l δασείης, δασεῶν S, δασείων Pik) Ζιζ19. 573 ᵇ28. 28.
606 ᵃ23, 13. 10. 596 ᵇ4 (Ovis platyura cf Hartmann, An-
nalen der Landwirthschaft XLIV 12). δυσχείμεροι ᶄ αἱ
ψίλαι Ζιθ10. 596 ᵇ5, 6. Ζιᵃ3. 610 ᵇ31, 33. ἐν ἐνίοις τό-
ποις, ὅσοι ἀλεεινοὶ εἰσιν ᶄ ἐν οἷς εὐημερῦσι ᶄ τροφὴν ἄφθονον
ἔχωσι, δὶς τίκτωσιν· ἐν Μαγνησίᾳ ᶄ Λιβύῃ τίκτει δὶς Ζιζ9.
573 ᵇ21. π47. 896 ᵃ26. ἐν Λιβύῃ κερατοφόρα Ζιᵃ28. 606
ᵃ18. τὰ Σαυρομάτικα σκληρότριχα Ζγε3. 783 ᵃ14. μέγιστα
τὰ Πυρρικά Ζιγ21. 522 ᵃ24 (Beckm de hist nat vett 22,
adn). ποικίλα πλδ΄4. 963 ᵇ35. oves nigras, albas, rufas
faciunt amnes quidam Ζιγ12. 519 ᵃ17 S et Aub, 18. θ170.

846 ᵇ37. cf π ι7. 891 ᵇ13. f 321. 1532 ᵃ44, cf supra p 635
ᵃ60. τὰ πρόβατα ci Aub (ταῦτα Bk) Ζιγ12. 519 ᵃ12. (Ovis
Aries C Π 141. S 62, 41. ΑΖ ι I 75, 42.)
προβιβάζειν. κάπρος εἴωθεν ὀχεύειν χορτασθεὶς ϗ μὴ προ-
βιβάσας ἄλλην Ζιε14. 546 ᵃ10.
πρόβλημα. 1. proprie. ἀντὶ σαρκὸς ἡ πιμελὴ πρόβλημα
γίνεται τοῖς νεφροῖς Ζμδ9. 672 ᵃ19. ὁ αὐχὴν πρόβλημά
(v l προβολή) ἐστι ϗ σώζει τὴν ἀρτηρίαν Ζμδ10. 686 ᵃ19
(cf Plat Tim 74 B). τῶν φυμάτων τὰ πλατέα ϗ πολὺ πρό-
βλημα ἔχοντα πα34. 863 ᵃ23. — 2. logice, πρόβλημα,
syn τὸ προτεθέν Αβ12. 62 ᵃ21, 30. cf α36. 48 ᵇ34 Wz.
πρόβλημα, syn τὸ πρᾶγμα περὶ ὗ, πρόθεσις, opp ἀπόδειξις
Ργ13. 1414 ᵃ35, 31, 34. πρόβλημα saepe coniungitur cum
v πρότασις, veluti τα4. 101 ᵇ17. 14. 105 ᵇ19 al, sed quo-
modo inter se differant τῷ τρόπῳ Ar exponit τα4. 101
ᵇ29-37 (Alex ad h l, Wz ad 20 ᵇ22), cf προβάλλειν dist
προτείνειν, et τῶν ὡς ἐπὶ τὸ πολὺ προβλημάτων ϗ ὁ συλ-
λογισμὸς ἐκ τῶν ὡς ἐπὶ τὸ πολὺ προτάσεων Αα27. 43 ᵇ34.
— τῶν προβλημάτων τὰ μὲν καθόλου, τὰ δ' ἐπὶ μέρους
τβ1. 108 ᵇ37. προβλήματα ἠθικά, φυσικά, λογικά τα14.
105 ᵇ20sqq. f 109. 1496 ᵃ10. πρόβλημα λογικόν, i e πρὸς
ὃ λόγοι γένοιντ' ἂν συχνοὶ ϗ καλοί τε1. 129 ᵃ30. πρόβλημα
διαλεκτικόν, def, dist et syn θέσις τα11. 104 ᵇ1-5, 29, 35.
προβλήματα (int ἀποδεικτικά) Αδ17. 99 ᵃ6 Wz. πρόβλημα
χαλεπόν, εὐεπιχείρητον, δυσεπιχείρητον Αα26. 42 ᵇ29 sqq.
τὸ πρόβλημα περαίνεται ἐν σχήματί τινι Αα32. 47 ᵇ10, 13.
τὸ πρόβλημα δείκνυται διὰ σχήματός τινος, ἐν ἑκάστῳ
σχήματι Αα4. 26 ᵇ31. 26. 43 ᵃ18. ἐμπίπτει εἰς ἄλλο πρό-
βλημα ϗ σκέψιν ἑτέραν Πβ8. 1268 ᵇ26. περὶ ὧν ὕστερον
τὴν αἰτίαν θεωρητέον· τὸ γὰρ πρόβλημα τοῦτ' ἐκείνοις ταὐτόν
ἐστιν Ζγα18. 724 ᵃ7. cf ψεη11. 1244 ᵃ3, 8. πε40. 885 ᵇ4.
ἔστι δὲ τὸ πρόβλημα καθόλου, διὰ τίν' αἰτίαν ἄγονον ἄρρεν
ἐστὶν Ζγβ7. 746 ᵇ16. cf Πγ13. 1284 ᵇ3. διὸ ϗ τὸ πρό-
βλημά ἐστιν πε14. 882 ᵃ16. ὴ κατὰ θύρας πρὸς τὸ πρό-
βλημα ἀπαντῶσιν Φδ6. 213 ᵇ3. — περὶ προβλημάτων ϗ
λύσεων πο25. 1460 ᵇ6, 21 (cf περὶ ἐπιτιμήσεων ϗ λύσεων
26. 1462 ᵇ18). — τὰ προβλήματα, opus Aristotelicum,
cf Ἀριστοτέλης p 103 ᵇ17.
προβληματικός. ἐν τοῖς προβληματικοῖς εἴρηται υ2. 456 ᵃ29.
cf Ἀριστοτέλης p 103 ᵇ20.
προβολή. ἀπὸ τῶν δεξιῶν ἡ ἀρχὴ τῆς κινήσεως ϗ αἱ προ-
βολαί Ζπ4. 706 ᵃ6, cf προβάλλειν p 634 ᵇ41. — εἴ τι τῶν
ζῴων ἔχει προβολὴν τοῦ ὄμματος πολλήν Ζγε1. 780 ᵇ23. —
τὸ νῶτον σαρκῶδές ἐστιν, ὅπως ᾖ προβολὴ τοῖς περὶ τὴν
καρδίαν σπλάγχνοις Ζμγ9. 672 ᵃ17. cf 11. 673 ᵇ4. Ζγβ1.
733 ᵃ17. — τὰς προβολὰς εἰσάγωσιν οἱ θεσμοθέται f 378.
1540 ᵇ45.
προβοσκίς. μυκτήρ ἐστιν ἡ προβοσκὶς τοῖς ἐλέφασιν Ζμβ16.
659 ᵃ15. — αἱ σηπίαι, τευθίδες ϗ τευθοὶ ἔχουσι δύο προ-
βοσκίδας μακράς, ἐπ' ἄκρων (ἄκρω ci Aub) τραχύτητα
ἔχουσας δικρότυλον (sic interpungendum) Ζιδ1. 523 ᵇ29 Pik
Aub (cf S I 176). τὸ χρῶμα ϗ ἡ σύστασις Ζιδ2. 527 ᵃ23.
deser Ζμδ9. 685 ᵃ33, ᵇ10 (cf A Siebld XII 383). f 317.
1531 ᵇ31, 38, 40. 318. 1532 ᵃ6, 8. syn τὰ μακρὰ τὰ ἀπο-
τείνοντα Ζιδ37. 622 ᵃ1 (A Siebld XII 406). οἱ πολύποδες
οὐκ ἔχουσι τὰς προβοσκίδας, διὰ τί Ζμδ9. 685 ᵇ2. — (τὰ
στρομβώδη) ἔχουσι ϗ προβοσκίδα (ci Pik Aub, προβο-
σκίδας Bk), τῶν κόχλων πῆ Ζιδ4. 528 ᵇ29 Aub. Ζμδ5.
679 ᵇ7. — τῶν μυίων Ζιδ4. 528 ᵇ29, cf S I 206.
προβουλεύειν. ὅταν πράττῃ τις εἰδὼς μέν, μὴ προβουλεύσας
δέ Ηε10. 1135 ᵇ20. προελόμενοι πράττομεν, ὅσα προβουλευ-

σάμενοι Ηε10. 1135 ᵇ10. τὸ προβεβουλευμένον Ηγ4. 1112
ᵃ15. — προβουλεύειν in rebus publicis. πρόβουλοι καλοῦνται
διὰ τὸ προβουλεύειν Πζ8. 1322 ᵇ16. προβουλεύειν τῷ δήμῳ
Πδ15. 1299 ᵇ33, περὶ τινος Πδ14. 1298 ᵇ30.
πρόβουλος. πρόβουλοι ὀλιγαρχικόν, βουλὴ δημοκρατικόν Πδ14.
1298 ᵇ29. 15. 1299 ᵇ31, 36. ζ8. 1322 ᵇ16, 1323 ᵃ9. οἱ
πρόβουλοι (Atheniensium) Ργ18. 1419 ᵃ28.
προβρέχειν. τὰ βαπτόμενα προβρέχουσιν ἐν τοῖς στρυφνοῖς
πκβ11. 931 ᵃ14.
προγαργαλίσαντες ἢ γαργαλίζονται Ηη8. 1150 ᵇ22.
προγενής. εἴ τι εἴρηται καλῶς ὑπὸ τῶν προγενεστέρων Ηκ10.
1181 ᵇ16. cf ψα2. 403 ᵇ27. Ζμα1. 642 ᵃ24. — εὔλογον
τὸν νῦν εἶναι προγενέστατον ϗ κύριον κατὰ φύσιν ψα5.
410 ᵇ14.
προγεύεσθαι. ὀλίγη ἦν χρεία τοῖς ἰχθύσι τῆς γλώττης διὰ
τὸ μὴ ἐνδέχεσθαι μασᾶσθαι μηδὲ προγεύεσθαι Ζμδ11.
690 ᵇ27.
προγευματίζειν. ὅταν προγευματίσας τις ἰσχυρῷ χυμῷ
γεύηται ἑτέρῳ ψβ10. 422 ᵇ7.
προγίνεσθαί τινος, opp παρακολουθεῖν Ηγ4. 1112 ᵃ11. αἴτια
ὡς προγεγενημένα, opp ἅμα Μλ3. 1070 ᵃ21. οἱ προγεγε-
νημένοι φυσιογνώμονες φ1. 805 ᵃ18. — (ἐκ μοχθηρῶν προ-
γεγονότες ρ36. 1441 ᵃ4, προγόνων γεγονότες ci Spgl.)
προγνωρίζειν τι (cf γνωριμώτερον ἡμῖν) τζ4. 141 ᵇ12, 6, 11.
προγιγνώσκειν, προγινώσκειν. προγινώσκουσι χειμῶνα ἢ
ὕδωρ αἱ μέλιτται Ζιι40. 627 ᵇ10. — προγινώσκειν τι,
syn προειδέναι ΜΑ9. 992 ᵇ28, 27. πᾶσα μάθησις διὰ προ-
γιγνωσκομένων ΜΑ9. 992 ᵇ31. Ηζ3. 1139 ᵇ26. Αγ1. 71 ᵃ6.
διχῶς ἀναγκαῖον προγινώσκειν Αγ1. 71 ᵃ11. 2. 71 ᵇ31. προ-
γινώσκειν, dist μᾶλλον γινώσκειν Αγ2. 72 ᵃ28. διὰ τὸ προ-
εγνωῶσθαι μηδὲν Ρβ21. 1394 ᵇ11.
πρόγονοι φύσει ἀρχικὸν ἔκγονον Ηθ13. 1161 ᵃ19. εὐγενεῖς
οἷς ὑπάρχει προγόνων ἀρετὴ ϗ πλῆτος Πε1. 1301 ᵇ4. cf
Ηδ5. 1122 ᵇ31. ἐοικέναι τοῖς προγόνοις, dist πατρί, μητρί
Ζγδ3. 767 ᵇ2, 37, 769 ᵇ7.
προγράφειν. c acc, οἱ πρυτάνεις προγράφωσι κυρίαν ἐκκλη-
σίαν f 395. 1543 ᵇ34. χορηγὸς προέγραψε τὰς εὐπορωτάτας
οβ1352 ᵃ1. c enunciato interrog, οἱ θεσμοθέται προγρά-
φουσι πότε δεῖ δικάζειν sim f 378. 1540 ᵇ43. 394. 1543 ᵇ10.
429. 1549 ᵇ20.
προγύμνασμα. ἂν ἐθίσωμεν ἡμᾶς αὐτὸς ϗ γυμνάσωμεν
ἀναλαμβάνειν αὐτὰς (τὰς κοινὰς δυνάμεις) κατὰ τὰ προ-
γυμνάσματα ρ29. 1436 ᵃ25.
προδεικνύναι. om obiecto intr (cf δηλῶν p 174 ᵃ13), ἡ σηπία
προδείξασα εἰς τὸ πρόσθεν ἀναστρέφεται εἰς τὸν θόλον
Ζιι37. 621 ᵇ34 S.
πρόδηλοι φόβοι, opp αἰφνίδιοι, syn τὰ προφανῆ Ηγ11. 1117
ᵃ19, 21. ἐν τοῖς ζῴοις φανερὰ ϗ πρόδηλος ἡ ζωή φτα1.
815 ᵃ11.
προδιαβάλλειν. προκατέλαβέ μου τὸν λόγον ϗ προδιέβαλεν
ρ19. 1433 ᵇ5. ἄνθρωπον προδιαβεβλημένον ὴ δέχεται ἡ ψυχή
Ργ17. 1418 ᵇ14. κἂν πάνυ ἰσχυρὰ ᾖ τὰ προδιαβεβλημένα
ρ19. 1433 ᵃ38. ἄλλος τόπος τοῖς προδιαβεβλημένοις ϗ ἀν-
θρώποις ϗ πράγμασιν Ρβ23. 1400 ᵃ22.
προδιαλύειν. τὸ πρῶτον πνεῦμα ὡσανεὶ προδιαλύεται πκγ28.
934 ᵇ6.
προδιανοεῖσθαι. ὅταν τις ἀποκτείνῃ μηδὲν προδιανοηθείς,
ἄκοντά φαμεν ποιῆσαι ημα16. 1188 ᵇ30.
προδιασύρειν. πρὸς τἀναντία ἀπαντᾶν λύοντα ϗ προδιασύ-
ροντα Ργ17. 1418 ᵇ9. εἰ ϗ ταῦθ' οὗτος προδιέσυρε λέγων
ρ19. 1433 ᵇ9.

προδιαχωρεῖν. ἀδικῦσιν οἷς ἂν ἐγκεκληκότες ὦσι κ, προδια-
κεχωρηκότες Ρα12. 1373 ᵃ19.

προδιδάσκειν. ἀηδῶν νεοττὸν προδιδάσκυσα Ζιδ9. 536 ᵇ17.

προδιδόναι, i q antea dare, τὴν προδεδομένην τριμήνυ σι-
ταρχίαν δωρεὰν αὐτοῖς διδόναι οβ1350 ᵃ36.

προδιεργάζεσθαι. pass ὑπὸ τῶν στρυφνῶν ἡ γλῶττα προ-
διεργάζεται πκβ11. 931 ᵃ12 (cf διεργασθέν ᵃ14). δεῖ προ-
διειργάσθαι τοῖς ἔθεσι τὴν τῦ ἀκροατῦ ψυχήν Ηκ10. 1179
ᵇ25.

προδιέρχεσθαι. προδιέλθωμεν κ, περὶ τύτυ τὰ παρὰ τῶν
ἄλλων εἰρημένα πρῶτον μα8. 345 ᵃ12.

προδιήγησις, dist διήγησις Ργ13. 1414 ᵃ14.

Προδίκυ διαιρέσεις τβ6. 112 ᵇ22. Προδίκυ ἡ πεντηκοντά-
δραχμος Ργ14. 1415 ᵇ15. Πρόδικος (fort Ἡρόδικος cf h v)
ὁ ἰατρὸς ηεη10. 1243 ᵇ23.

προδιομολογεῖν. προδιομολογῆσθαι Αα44. 50 ᵃ33, 36. προ-
διομολογησόμεθα τα18. 108 ᵇ15. προδιομολογητέον τβ3. 110
ᵃ37 (syn ἐξ ὁμολογίας διαλέγεσθαι ᵃ33, προομολογητέον ᵇ3).
ζ10. 148 ᵇ7. ἐκεῖνο προδιομολογείσθω Ηβ2. 1103 ᵇ34.

προδοξάζειν. μηδενὸς προδοξάσαντος Μγ6. 1011 ᵇ6. προδε-
δοξάσθαι Ρα2. 1356 ᵃ10.

πρόδρομοι κ, ἐτησίαι πότε γίνονται μβ5. 361 ᵇ24. πκε16.
939 ᵇ10. κς12. 941 ᵇ7. 51. 946 ᵃ15.

προδύειν. ὑκ ὤφθη (ὁ ἀστὴρ) ὡς προδεδυκὼς τῦ ἡλίῳ μα6.
343 ᵇ20.

προεγείραντες ἑαυτὺς ὑχ ἡττῶνται ὑπὸ τῦ πάθυς Ηη8.
1150 ᵇ23.

προεγχειρεῖν. ὑπέχειν θέσιν αὐτὸν αὑτῷ δεῖ προεγχειρήσαντα
τθ9. 160 ᵇ15.

προεδρίαν νέμειν τινί Πε8. 1309 ᵃ28. εἶναι ἐν προεδρίᾳ Πδ4.
1292 ᵃ9. προεδρίαι, μέρος τιμῆς Ρα5. 1361 ᵃ35.

πρόεδρος. ὁ ἐπιστάτης κληροῖ προέδρυς ἐννέα sim f 397.
1544 ᵃ16, 30, 9. 394. 1543 ᵇ26. 398. 1544 ᵃ34. πεποίηκε
τὸν τῆς μαντείας πρόεδρον ἀετὸν Ἡσίοδος (cf h v p 321 ᵃ34)
Ζιθ18. 601 ᵇ2.

προεθίζεσθαί τι κ, προπαιδεύεσθαι Πθ1. 1337 ᵃ20.

προειδέναι τι, syn προγιγνώσκειν ΜΑ9. 992 ᵇ27, 28. προ-
ειδέναι ὅτι Αγ1. 71 ᵃ20. προειδέναι τί ἐστιν ὅρος τα5. 102
ᵇ11. ἵνα προειδῶσι περὶ ὗ ὁ λόγος Ργ14. 1415 ᵃ12.

προεικάζοντες τὰ μέλλοντα, ἀναμιμνήσκοντες τὰ γενόμενα
Ρα3. 1358 ᵇ20.

προειπεῖν. τῦτο προειπόντα ἐπειπεῖν τὰ ἔμπροσθεν Ρβ21.
1394 ᵇ31. cf γ13. 1414 ᵃ32. ὅτω προειπὼν ἑτέρυς τινὰς
'οἳ καλέυσιν ἀοιδόν' φησιν Πθ3. 1338 ᵃ26. μὴ προειπὰς
διότι ἀποδέδωκεν τε5. 134 ᵇ13. ὡς προείπομεν, προειρήκαμεν
φτβ8. 828 ᵃ31. 4. 826 ᵃ19. — τὰ προειρημένα Μβ2. 998
ᵃ17. Η1. 1129 ᵃ6. Ρβ1. 1378 ᵃ28. γ19. 1419 ᵇ28. πια14.
900 ᵇ6. 16. 900 ᵇ20, 22 (cf εἴρηται πρότερον, s v Ἀριστο-
τέλης p 96 ᵇ21, 97 ᵃ36). τὸν προειρημένον τρόπον Ζμδ5.
681 ᵇ14. διὰ τὴν προειρημένην αἰτίαν Πδ6. 1292 ᵇ40. τὰς
προειρημένας Ἡρακλέυς στήλας κ3. 393 ᵇ10.

προεισάγειν (de histrionibus) Πη17. 1336 ᵇ29.

προεκβάλλειν. τὸ πωλίον αἱ ἵπποι προεκβάλλυσι πρὸ τῦ
πώλυ Ζιθ24. 605 ᵃ7.

προεκπίπτει τὸ χύμα τῦ πνεύματος πκγ12. 932 ᵇ37.

προεκτιθέναι. εἰς τῦτο προεκτίθεται τοῖς ἐμβρύοις ἡ φύσις
τὴν αἱματικὴν τροφὴν τῆς ὑστέρας Ζγβ7. 746 ᵃ3. — προ-
εκτιθέναι τὸ πρᾶγμα τοῖς ἀκύυσι κ, φανερὸν ποιεῖν def ρ30.
1436 ᵃ40.

προεκτίκτει κάραβος πρὸ ἀρκτύρυ Ζιε17. 549 ᵇ11. προεκτί-
κτυσι τὰ ῷά Ζιε17. 549 ᵃ17 (Aub e ci, προστίκτυσι Bk).

δ2. 526 ᵇ10 (Aub e ci, προεντίκτυσιν Bk).

προεμβάλλειν. πολλοὶ πρὸ τῦ ἀποδοθησομένυ συνδέσμυ
προεμβέβληνται σύνδεσμοι Ργ5. 1407 ᵃ28.

προενεργεῖν. τὰς δυνάμεις, ὅσαι ἔθει κ, λόγῳ, ἀνάγκη προ-
ενεργήσαντας ἔχειν Μθ5. 1047 ᵇ33.

προενίστασθαι κ, προαγορεύειν τι15. 174 ᵇ30. προενστατέον
κ, προαγορευτέον τι17. 176 ᵇ26.

προεντίκτειν. τὰ ἐντός, εἰς ἃ προεντίκτυσιν (προεκτίκτυσιν
Aub e ci) αἱ (τῶν ἀστακῶν) θήλειαι, δασέα τέτταρα Ζιδ2.
526 ᵇ10.

προεξαγκωνίζειν. ὑδὲν προεξαγκωνίσας ὑδὲ προανακινήσας
εὐθὺς ἄρχεται (Γοργίας τῦ ἐγκωμίυ) Ργ14. 1416 ᵃ2.

προεξεργάζεσθαι. ὅπως μὴ προεξησθενηκότι ἡ φλεγμασία ἐπι-
πίπτη πα50. 865 ᵃ36.

προεξεργάζεσθαι. ταύτης τῆς πραγματείας ὑδὲν ἦν προ-
εξειργασμένον τι34. 183 ᵇ35.

προεξίστασθαι. τὴν ἄνω γένυν ἢ προεξεστηκυῖαν ἀλλὰ ἰσορ-
ροπῦσαν τῇ κάτω (ἔχει ὁ λέων) φδ5. 809 ᵇ17.

προεξορμᾶν. ὅσαις ἂν ἐν ταῖς ἀποκαθάρσεσι προεξορμήσωσιν
οἱ καθαρμοὶ Ζιη10. 587 ᵇ1.

προεπίστασθαι πιθ5. 918 ᵃ3. 40. 921 ᵃ32. ὃ προεπίστασθαι
τὸ καθ' ἕκαστον, ἀλλ' ἅμα τῇ ἐπαγωγῇ λαμβάνει Αβ21.
67 ᵃ22. περὶ τύτων ἥκειν προεπισταμένυς, ἀλλὰ μὴ ἀκύ-
οντας ζητεῖν Μγ3. 1005 ᵇ5.

προέργυ coniunctim scriptum exhibetur Ζμγ14. 674 ᵇ2, cf
ἔργον p 286 ᵃ9.

προέρχεσθαι. προέρχεται ὁ ψόφος τῆς κινήσεως μβ8. 368
ᵃ19. — ἐκ μειζόνων εἰς ἐλάσσυς αἱ φλέβες ἀεὶ προέρ-
χονται Ζμγ5. 668 ᵇ1. — ἡ κεφαλὴ ἔξω τῦ κελύφυς προ-
έρχεται Ζιε32. 557 ᵇ14. πλάγια προέρχεται τὰ ἔμβρυα
πάντων Ζιζ22. 576 ᵃ24. προέρχεται ὁ καυλὸς μκ6. 467 ᵃ24.
προέρχεται σπέρμα, γάλα, προέρχονται οἱ ἰχῶρες sim Ζγα5.
717 ᵇ24. γ20. 522 ᵃ6, 20. η9. 586 ᵇ32. κ1. 634 ᵃ28.
πδ7. 877 ᵃ25. — προελθόντα τοῖς χρόνοις, opp εὐθὺς γε-
νόμενα Ηθ14. 1161 ᵇ25. — προελθύσης τῆς τῶν ὄντων
φύσεως Μν4. 1091 ᵃ35. τὸ περὶ τὴν λέξιν ὀψὲ προῆλθεν
Ργ1. 1403 ᵇ36. ἐὰν προεληλυθότος τῦ λόγυ θορυβῶσιν ρ19.
1433 ᵃ14. δῆλον ἔσται τῦτο μᾶλλον προελθῦσιν Οδ2. 308
ᵇ3. ψβ7. 418 ᵃ28. cf α2. 403 ᵇ21. μέχρι τινὸς προέρχονται
Πγ9. 1280 ᵃ10. ζητῦντες τὰς αἰτίας ἐκ τύτων ἐπ' ἐκεῖνα
προῆλθον ΜΑ9. 990 ᵇ6. μ4. 1079 ᵃ2. cf Φθ6. 259 ᵃ32.
ἀδύνατον ἀμφοτέρυς προελθεῖν εἰς τὸ πρόσθεν Μβ1. 995 ᵃ33.

προεσθίειν. τὸ πήγανον προεσθεσθέν πκ34. 926 ᵇ29.

πρόεσις, opp λῆψις Ηβ7. 1107 ᵇ12, 13. — πρόεσις τῦ
σπέρματος, τῆς γονῆς, τῦ ὤρυ, τῶν καταμηνίων, τῦ
θολῦ, τῶν ῷῶν, τῦ περιττώματος Ζιε18. 550 ᵇ12. ηι.
581 ᵃ30. 5. 585 ᵃ35. κ2. 634 ᵇ37. Ζγα2. 728 ᵇ15. δ1.
765 ᵇ21. 8. 776 ᵇ28. Ζμγ2. 663 ᵃ16. δ5. 679 ᵃ14. πδ2.
876 ᵇ1. η13. 888 ᵇ1. κζ11. 949 ᵃ20. πν6. 484 ᵃ15. ἡ τῦ
ἄρρενος πρόεσις ἐν τῇ συνυσίᾳ Ζγβ4. 739 ᵃ26. ἡ εἰσάπαξ
πρόεσις Ζγβ4. 739 ᵃ10. ὅσαις μὴ γίνεται θύραζε τις πρό-
εσις Ζγβ4. 739 ᵃ13. τῶν ἰχθύων ταχεῖα ἡ πρόεσις Ζγγ1.
751 ᵃ29.

προέτειος. ὑκ ἔσται σίκυος τῶν προετείων πκ14. 924 ᵇ6.

προετικός (cf προῖεσθαι). σῶμα προετικὸν σπέρματος Ζικ3.
635 ᵇ37. 7. 638 ᵃ30. προετικώτερον τῦ πνεύματος, opp κα-
θεκτικώτερος πλγ15. 963 ᵃ21. προετικώτερον ἐκκρίσεων, δε-
κτικώτερα τροφῆς πλζ3. 966 ᵃ13. — προετικός, syn μὴ
τιμῶν τὰ χρήματα Ηδ2. 1120 ᵇ15. προετικὸν εἶναι χρημά-
των αρ5. 1250 ᵇ25. προετικὸς τοῖς τυχῦσι, τοῖς φίλοις Ρα9.
1367 ᵇ6. — προετικῶς κ, ἡδέως δαπανᾶν Ηδ4. 1122 ᵇ7.

προευπορεῖν. ὐδὲν ἔχομεν παρὰ τῶν ἄλλων ὔτε προηπορη-
μένον ὔτε προευπορημένον περὶ τῦ τόπυ Φδ1. 208 ᵃ35.

προέχειν. trans, δίκαιον τὸν προέχοντα τάττειν τὴν ἀξίαν Ηι1.
1164 ᵇ9 (syn προλαβών 1164 ᵃ23, 28). — intr, τὸ προέχον
ὐ καταλαμβάνεται Φζ9. 239 ᵇ27. προέχειν δοκεῖ τῆς γλωτ-
της ἡ ἀρτηρία Ζιβ17. 508 ᵃ20. τὸ μὲν ἀνακεχωρηκέναι δοκεῖ
τῆς γραφῆς τὸ δὲ προέχειν αχ801 ᵃ35. ὐδὲν ἀπηρτημένον
ὐδὲ προέχον ἤ σφαῖρα ἔχει Οβ8. 290 ᵇ6. cf πλα6. 957 ᵇ34.
— πάντες περὶ ὧν φοβῦνται μὴ ἄλλως ἀποβῇ, πολὺ τῦ
ἀσφαλεῖ προέχειν πειρῦνται f 157. 1504 ᵇ24. — οἱ πρῳ-
χοντες βίοι Ηα3. 1095 ᵇ18.

προζητεῖν. ὁ προζητήσας (?) ὐδ' ἀναμνησθείς μν2. 451 ᵇ28,
cf Freudenthal Rh M 24, 409.

προηγεῖσθαι. ὁ ἡγεμὼν (τῆς ποίμνης) ὅταν ὀνόματι κληθῇ ὑπὸ
τῦ ποιμένος προηγεῖται Ζιζ19 573 ᵇ27. προηγεῖσθαι ἐδόκει
εἰδώλων βαδίζοντι αὐτῷ μγ4. 373 ᵇ5. σχίζεται, ὅταν ἐπὶ
πλεῖον διαιρῆται ἤ τὸ διαιρῦν διαιρεῖ κ̣ προηγεῖται ἡ διαίρεσις
μὁ9. 386 ᵇ29, 387 ᵃ5. ἀνάγκη πᾶσι (τοῖς ποσὶ) προηγεῖσθαι
(i e omnes pedes praevios habere) Ζπ17.714 ᵃ4. — διερευ-
νήσωμεν τῦτο, ὁ προηγήσατο ἐν τῷ ἡμετέρῳ λόγῳ φτα2.
816 ᵇ23. cf 1. 815 ᵃ13. — ζωγραφία χρωμάτων ἐγκεκρα-
σαμένη φύσεις τὰς εἰκόνας τοῖς προηγγελμένοις ἀπετέλεσε
συμφώνως κ5. 396 ᵇ14.

προήδεσθαι. ὐθεὶς ἐρᾷ μὴ προησθεὶς τῇ ἰδέᾳ Ηι5. 1167 ᵃ5.

προήκειν. οἱ ἔχοντες ἡλικίαν πλέον προήκησαν Πη17. 1336
ᵇ18.

προθερμαίνεσθαι. προτεθερμάνθαι τὸ ὕδωρ μα12. 348 ᵇ32.
ὕδωρ προθερμανθέν f 208. 1515 ᵇ37.

προθέσεις. αἱ προθέσεις τῶν ἀναγεγραμμένων (cf προτιθέναι)
Πζ8. 1322 ᵃ9. — τῦ νοσῦντος κ̣ αἱ τῆς διανοίας προθέσεις
φαῦλαι πλ14. 957 ᵃ30. ὑπὲρ ποιότητος τὴν πρόθεσιν ποιη-
σάμενοι πολλὰ τῶν πρός τι συγκαταριθμύμεθα Κ8. 11 ᵃ21.
ἡ πρόθεσις τῆς πραγματείας τα1. 100 ᵃ18. ἀποδῦναι τὴν ἐξ
ἀρχῆς πρόθεσιν, τέλος ἂν ἔχοι ἡ ἐξ ἀρχῆς πρόθεσις Ρβ18.
1392 ᵃ4. Αα32. 47 ᵃ5. τι34. 183 ᵃ34 (cf προειλόμεθα ᵃ37
et προαίρεσις p 634 ᵃ41). — εἰσὶν ἑπτὰ προθέσεις περὶ ὧν
ἐδημηγορήσαμεν ρ3. 1423 ᵃ21, ᵇ34, 1425 ᵇ31. προθέμενοι τὰς
προθέσεις ρ36. 1440 ᵇ21. ἐκθεῖναι, ποιῆσαι τὴν πρόθεσιν ρ30.
1437 ᵇ35. 36. 1441 ᵃ21. — τὰ πλεῖστα τῦ λόγυ μόρια
προοίμιον πρόθεσις πίστις ἐπίλογος, ἀναγκαῖα πρόθεσις πίστις
Ργ13. 1414 ᵇ8, 7, ᵃ34 (cf προλέγειν, προειπεῖν ᵃ32, 33). —
ἡ εἰκὼν μεταφορὰ διαφέρουσα προθέσει Ργ10. 1410 ᵇ18 (cf
4. 1406 ᵇ20sqq). — τὸ ἐκ τῦ α κινήματος ἅμα κινήσεται
εἰς τὸ α κατὰ τὴν αὐτὴν πρόθεσιν (?) Φθ8. 264 ᵇ11.

προθεσμία. τῶν ὀφειλόντων τῷ δημοσίῳ κατὰ προθεσμίαν
ἐπίπρασκον τὰς ὐσίας f 401. 1545 ᵃ10. χρὴ προφασίζεσθαι
ἤ μέγεθος ἀδικημάτων ἤ προθεσμίαν χρόνυ ρ37. 1442 ᵇ12.

προθετικὸν κ̣ ποιητικὸν ημα18. 1190 ᵃ21. ἡ ἀρετὴ προθε-
τικὴ τῦ τέλυς ημα18. 1190 ᵃ19.

προθησαυρίζειν. πρὸ τῆς κοιλίας μέρος τι ἐν ᾧ προθησαυ-
ρίζυσι τὴν ἀκατέργαστον τροφὴν Ζμγ14. 674 ᵇ24.

Πρόθους, Τενθρηδόνος υἱός f 596. 1576 ᵃ39, 38.

προθυμεῖσθαι. οἱ περὶ τὸ ἀφροδισιάζειν προθυμύμενοι Ζιη1.
581 ᵃ22. οἱ φίλοι εὖ δρᾶν ἀλλήλυς προθυμῦνται Ηθ15.
1162 ᵇ7. περὶ νῦ ἔχει πλείστην ἀπορίαν κ̣ δεῖ προθυμεῖσθαι
κατὰ δύναμιν λαβεῖν Ζγβ3. 736 ᵇ7.

προθυμία τελεσφόρος (Alcidam) Ργ3. 1406 ᵃ3. σημεῖον ἢ
πολλῆς εὐηθείας ἢ πολλῆς προθυμίας Οβ5. 287 ᵇ31.

προθύμως καλεῖν δεῖ τὰς φίλυς εἰς τὰς εὐτυχίας, πρὸς τὰς
ἀτυχῦντας ἰέναι ἄκλητον κ̣ προθύμως Ηι11. 1171 ᵇ15, 21.
προθύμως εὖ πεποιήκασι Ρβ4. 1381 ᵃ13. ὁ δῆμος αὐτὰς

χειροτονῆσαν προθύμως Πε7. 1307 ᵇ13.

πρόθυρα τῦ βασιλέω οἴκυ κ6. 398 ᵃ17.

προϊέναι (πρόειμι). sensu locali et temporali, εἰς τὸ πρόσθεν
προϊέναι μγ1. 370 ᵃ23. προϊὼν ὁ νότος μββ3. 358 ᵃ33. τὰ
ἄστρα μὴ προϊέναι Οβ8. 290 ᵇ9, ᵃ34. προϊῦσαι (ἡ φλὲψ κ̣
ἡ ἀορτὴ) σχίζονται Ζμγ5. 668 ᵇ21. cf 14. 675 ᵇ6, 30, 13.
ὁ σεισμὸς μέχρι μ' ἡμέρας πρόεισι μββ8. 367 ᵇ34. προϊόντος
τῦ χρόνυ μαι4. 353 ᵃ13. προϊύσης τῆς ἡλικίας χ6. 798 ᵇ31.
τὸ ὠχρὸν προϊὸν (i q προϊόντος τῦ χρόνυ) ἀναλίσκεται Ζιζ3.
562 ᵃ13. inde ad incrementa transfertur, προϊῦσι τοῖς ἀν-
θρώποις αὔξεται τὰ κάτωθεν Ζμδ10. 686 ᵇ11, 13. ὁ ὑὸς
προϊῦσιν ἐγγίνεσθαι πέφυκεν, opp εὐθὺς τοῖς παιδίοις Πη15.
1334 ᵇ24, 23. προϊῦσα κ̣ γινομένη μία μᾶλλον ὐδὲ πόλις
ἔσται Πβ2. 1261 ᵃ17. cf 5. 1263 ᵇ33. — de progressu
disputationis et argumentationis. ἐκ τῶν καθόλυ ἐπὶ τὰ
καθ' ἕκαστα δεῖ προϊέναι Φα1. 184 ᵃ24. ὅταν προϊέναι μὴ
δύνηται διὰ τὸ λῦσαι μὴ ἔχειν τὸν λόγον Ηη3. 1146 ᵃ26.
προϊόντος τῦ λόγυ ἐπιδείξει ρ31. 1438 ᵇ7. προϊόντος οἰκειώ-
σιν Αγ24. 85 ᵃ37. προϊῦσιν ἔσται φανερώτερον sim Ηδ3.
1121 ᵃ9. Γα2. 316 ᵃ14. ηεα6. 1216 ᵇ33. πόρρω προϊόντων
κ̣ κέραμος ὠμὸς λέγεται μδ3. 380 ᵇ8. κατὰ μικρὸν ὄτω
προϊόντι φαίνεται Φβ8. 199 ᵃ24. — impers, εἰς ἄπειρον
προϊέναι. opp στήσεται Φδ1. 209 ᵃ26. ηι.242 ᵃ19,ᵇ33. Μχ2.
1060 ᵃ36. Ηα1. 1094 ᵃ20. 5. 1097 ᵇ13 al. ὄτω πρόεισιν ἐπὶ
τὸ ἄπειρον ψα5. 411 ᵇ13. ὄτω προϊὸν Ζγδ3. 769 ᵇ8.

προϊέναι (προίημι). προϊέναι πολλαπλάσιον ἀέρα, syn ὠθεῖν
πιθ2. 917 ᵇ28. — med προϊέσθαι. 1. προϊέσθαι κόπρον, ὖρον,
περίττωμα, θολόν, φῦσαν Ζιε18. 550 ᵃ30. 22. 554 ᵇ1. ᵃ4.
594 ᵃ13. 5. 594 ᵇ23. 26. 605 ᵃ24. Ζμβ4. 650 ᵇ31. δ5.
679 ᵃ16, σπέρμα, γονήν, κάθαρσιν Ζγα6. 718 ᵃ3. 12. 719
ᵇ3. 17. 721 ᵃ30. 18. 725 ᵇ33. 19. 726 ᵃ31. 20. 728 ᵃ31.
δ5. 773 ᵇ32. Ζμζ18. 573 ᵃ22. Ζμδ10. 689 ᵃ12. προϊέσθαί
τινα δύναμιν ἀφ' αὑτῦ Ζγγ11. 761 ᵇ25. μόριον ὐδὲν προ-
ίεται θάτερον εἰς θάτερον Ζιε7. 541 ᵇ33. ὐδὲν προϊέμεναι εἰς
ἀλλήλας τίκτυσιν ᾠά Ζιζ2. 560 ᵇ31. τὸ θῆλυ προϊέται εἰς
τὸ ἄρρεν Ζγα21. 730 ᵃ3. προϊέσθαι αἵματος ῥύσιν, ὑγρότ-
ητα, ἰκμάδα sim Ζιζ18. 573 ᵃ10. Ζγα17. 721 ᵇ5. 20.
728 ᵃ33. γ1. 749 ᵇ15. 11. 761 ᵇ32. προϊέσθαι τὴν χολὴν
πκζ7. 948 ᵇ10. προϊέσθαι τὸ κύημα, ᾠά (τέλεια, ἀτελῆ)
ἔμβρυον, ἔκγονον, ζῷον Ζγα21. 729 ᵇ31. 8. 718 ᵇ7. β1.
733 ᵃ23. γ1. 749 ᵃ17. 7. 757 ᵃ31. δ6. 774 ᵇ5. Ζιε9. 543
ᵃ10 (προϊέσθαι πρωῖα, ὄψια, int ᾠά). ζ22. 576 ᵃ25. κ7.
638 ᵇ9. cf ζ12. 567 ᵃ1. τὸ φυτὸν προϊέται τὰ σπέρματα
κ̣ τὸς καρπὸς Ζμβ10. 655 ᵇ35. — 2. προϊέσθαι, προέσθαι
χρήματα, τὰ ὑπάρχοντα, τιμάς al τῷ φίλῳ sim Ηδ8. 1169
ᵃ20, 26, 30. ρ3. 1425 ᵇ10, non addito dat Ρα9. 1366 ᵇ7.
ρ27. 1435 ᵇ31. 30. 1436 ᵇ24. opp προλαβεῖν Ηι1. 1164
ᵃ23, 35. opp προσίεσθαι ηεγ4. 1232 ᵃ13. ἑταίρῳ προέσθαι
(Fr e cod Κᵇ, δοτέον Bk), opp εὐεργέτῃ ἀνταποδοτέον Ηι2.
1164 ᵇ26. τὰ πλείονος ἄξια ὄντα προήκατο ὁ Γλαῦκος
f 150. 1503 ᵇ11, 12. προϊέσθαι τὸ ζῆν ηεα5. 1215 ᵇ19.
προϊέμενος τὴν δύναμιν προϊέται κ̣ τὸ τυραννεῖν Πε11. 1314
ᵃ37. — θᾶττον ἂν προεῖτο πάντες ταύτην ἐκείνης τὴν δόξαν
ξ1. 974 ᵇ28. — negligere, omittere Ρβ23. 1398 ᵃ2. α3.
1358 ᵇ34 (? cf ὐκ ἀμφισβητεῖν ᵇ31, ὐδὲν φροντίζειν ᵇ37).
εἰ προεῖτο τὴν ἀπορίαν τῶν ἐπιεικῶν ὁ νομοθέτης Πβ11.
1273 ᵇ6. ὅταν προϊῦνται τὸ πρὸς τὴν πολιτείαν Πε7.
1307 ᵇ4. προεμένῳ (syn ἀκράτως βιοτεύειν κ̣ ἀπειθεῖν
τοῖς ἰατροῖς) ὐκέτι ἔξεστι μὴ νοσεῖν Ηγ7. 1114 ᵃ17. —
pass προϊέται ἀπὸ τῆς ἕω τὰ πνεύματα πκζ21. 942 ᵇ3.

προίξ. προῖκας διδόναι, λαμβάνειν Πβ7. 1266 ᵇ3. προῖκες μεγάλαι· προῖκα μετρίαν τετάχθαι Πβ9. 1270 ᵃ25.

προϊστάναι. trans, προστησάμενοι τὴν χεῖρα πρὸ τῶ φωτός πλα28. 960 ᵃ21. — intr, ὁ προϊστάμενος ἀὴρ ψυχρότερος πκδ12. 937 ᵃ23. χολὴ προΐσταται αὐτοῖς (τοῖς θερμοῖς τὴν φύσιν) πολλάκις πδ29. 880 ᵃ23. τὸ δέρμα προεστός (προσεστός ci Bsm, opp ἀφεστός ᵃ22) πι3. 891 ᵃ24. — ὁ βασιλεὺς μυστηρίων προέστηκε f 385. 1542 ᵃ16. προειστήκεσαν τῶν φυγάδων Πγ14. 1285 ᵃ36. τὸν δῆμον ἰσχυρὸν ποιῶσιν οἱ προεστῶτες Πζ4. 1319 ᵇ7.

προϊστορεῖν. νῆσαι τῶν προϊστορημένων μείζως χ3. 393 ᵇ13.

προϊσχναίνω. ὑπὸ τῶ ἀκράτω ἀποθνῄσκωσιν, ἐάν τις προϊσχνάνας (intr, i q antea extenuatus) πολὺ πίῃ πγ23. 874 ᵃ35.

προκαθῆσθαι. ὁ πολύπης ἐπὶ τὸ στόματι προκάθηται τῆς θαλάμης Ζιε18. 550 ᵇ5. ὅταν ἑσμὸς (μελιττῶν) προκάθηται Ζιδ40. 625 ᵇ26. — προκαθῆσθαι τῶ πλήθυς Πζ8. 1322 ᵇ14.

προκαθίζεσθαι. ἐνταῦθα ἡ πύκνωσις (νεφῶν) ἀθροίζεται, ὅπη ἂν προκαθίζεσθαι ἔχῃ πκς56. 946 ᵇ36.

προκαλεῖσθαι. ἐὰν βάλωνται (τῶς ἐν σπηλαίοις ὄντας ἰχθῦς) προκαλέσασθαι πρὸς τὴν θύραν οἱ ἁλιεῖς Ζιθ8. 534 ᵃ17. εἰ δ᾽ ὁ νότος βορέαν προκαλέσσεται πκς46. 945 ᵃ37, cf παροιμία p 570 ᵇ50. καρποί τινες ἀφροδίτην προκαλῶνται φτα7. 822 ᵃ6. — (τῶν ὀρνέων ἔνια) πρὸ τῶ μάχεσθαι προκαλούμενα φθέγγεται Ζιθ9. 536 ᵃ27. εἰ ἰσχυρὸς ἀσθενῆ πατάξαι ἢ πληγῆναι προκαλέσαιτο Ρα15. 1377 ᵃ21. — 'monere, hortari ut', αὐτὰ (τὰ πράγματα) προκαλεῖται παρασκευάζειν ἔνια τῶν συσσιτίων Πη12. 1331 ᵃ22.

προκαταβαίνειν. τὸ ἔμβρυον ἢ γόνιμον, προκαταβαίνει τῷ ὀγδόῳ μηνί· τὰ ἔμβρυα προκαταβαίνει κάτω Ζιη4. 583 ᵇ31, 34.

προκαταλαμβάνειν. ἔοικεν ἀήρ τις προκαταλαμβάνων τὸν τόπον ἢ διὰ τῦτο μὴ δέχεσθαι πκε8. 939 ᵃ8. — προκαταλαμβάνειν τὰ μέλλοντα λέγεσθαι, τὰ ἐπίδοξα λέγεσθαι sim ρ37. 1443 ᵃ6, 40, ᵇ14. 19. 1433 ᵇ1, 13, 15. προκαταλαβεῖν τῆς ἀκρατάς, τῆς δικαστάς ρ30. 1437 ᵇ38. 37. 1442 ᵇ5. προκαταλαβεῖν τῷ λόγῳ (omisso obiecto), syn προλαβεῖν ημβ6. 1203 ᵇ4, 9, 2.

προκατάληψις, rhet (cf προκαταλαμβάνειν) ρ7. 1428 ᵃ8. def ρ19. 1432 ᵇ11-14. περὶ προκαταλήψεως ρ19. 34.

προκατασκευάζειν. ἐκ τῶ προκατεσκευασμένω ληπτέον ἢ θεωρητέον τὴν κρᾶσιν χ2. 792 ᵇ5.

προκαταφέρεσθαι. συναπέρχεται τῇ ὀσμῇ ἢ γῆς μόρια, ἃ προκαταφέρεται διὰ βάρος πιβ2. 906 32.

προκεῖσθαι. ἐν οἷς ὁ πρόκειται (i e non praemittitur, non primo loco ponitur) τῶ λόγω τὸ τί ἐστι τζ5. 142 ᵇ24. — ὁ κατευθύνων τὴν ναῦν ἢ εἰς τὸς προκειμένας λιμένας κατ᾽ αὐτῶν f 13. 1416 ᵃ9. τὸ νῦν ἡμῖν προκειμένη σκέψις ΜΑ8. 989 ᵇ28. ἡ προκειμένη πραγματεία, μέθοδος, τὸ προκείμενον (cf πρόθεσις) Αβ16. 64 ᵇ29, 39. τα1. 100 ᵃ23. 4. 101 ᵇ13. 6. 102 ᵇ38. η3. 153 ᵃ25. τοῖς δόλοις ἆθλον πρόκεισθαι τὴν ἐλευθερίαν Πη10. 1330 ᵃ33. ὑπεναντίον πρὸς τὸν τρόπον τῆς προκειμένης αὐτοῖς πολιτείας (rei publicae, quam sibi proposuerunt) Πβ9. 1269 ᵃ33.

προκηρύττειν. προεκήρυξεν ὠνεῖσθαι τὸν βυλόμενον οβ1350 ᵃ20.

πρόκλησις. ὡκ ἴση πρόκλησις αὕτη (ἡ πρὸς ὅρκον) ἀσεβεῖ πρὸς εὐσεβῆ Ρα15. 1377 ᵃ20. σημεῖα ἐκ τῶν προκλήσεων ρι3. 1431 ᵃ4. αἵ τε μαρτυρίαι ἢ αἱ προκλήσεις ἔγγραφοι ἐνεβάλλοντο ὑπὸ τῶν δικαζομένων εἰς ἐχῖνον f 415. 1547 ᵇ12. cf 414. 1547 ᵃ20. ὁ δῆμος ἀσμένως δέχεται τὴν πρόκλησιν Πθ4. 1292 ᵃ29.

προκολάζειν δεῖ τῷ λόγῳ Ρβ3. 1380 ᵇ19.

προκόμιον. 1. προκόμιον βονάσω Ζιι45. 630 ᵃ35. — 2. ἔφη γράμματα ἥκειν παρὰ βασιλέως κόμας ἀποστεῖλαι εἰς προκόμια οβ1348 ᵃ30.

Προκόννησος σ973 ᵃ20. f 238. 1521 ᵇ13.

προκόπτει τὸ φυτόν φτβ3. 824 ᵇ38.

προκρέμασθαι. ἀπὸ τῶν ὀφθαλμῶν οἷον κύστιδες προκρέμανται φ6. 811 ᵇ14. οἱ τὰ χείλη ἔχοντες παχέα ἢ τὸ ἄνω τῶ κάτω προκρεμώμενον μωροί φ6. 811 ᵃ25.

προκρίνειν Ρα6. 1363 ᵃ17. β23. 1399 ᵃ3. τὸ ἐκ τῆς βωλῆς προκριθέν Ηγ5. 1113 ᵃ4. τὰ προκριθέντα ζῷα (?) φι. 806 ᵃ2. — πρόκριτος. κληρωτοὶ ἐκ προκρίτων Πδ14. 1298 ᵇ9.

προκυλινδεῖσθαι. ὅταν τις θηρεύῃ περιπεσὼν τῇ νεοττιᾷ, προκυλινδεῖται ἡ πέρδιξ τῶ θηρεύοντος Ζιθ8. 613 ᵇ18.

προλάκκιον. ἰχθῦς παρὰ τὴν κοιλίαν ἀποφυάδας ἔχωσιν, ἵν᾽ ἐν ταύταις ὥσπερ ἐν προλακκίοις θησαυρίζοντες (τὴν τροφὴν) συσσήπωσιν Ζμγ14. 675 ᵃ13.

προλαμβάνειν. τὴν ἀξίαν τάξαι πότερόν ἐστι τῶ προεμένω ἢ τῶ προλαβόντος (i e τῶ πρότερον λαβόντος) Η₁1. 1164 ᵃ23, 28. ἡ χελιδὼν δίδωσιν ἑκατέρῳ τῶν τέκνων, διατηρῦσα τὸ προειληφὸς Ζιη7. 612 ᵇ29. — τῷ λόγῳ προλαβεῖν, syn προκαταλαβεῖν ημβ6. 1203 ᵇ2, 4, 9. ἡ διάνοια προσλαβεῖν f 96. 1493 ᵇ33. προλαμβάνοντες ὡς ὅτως ἔχον πρὶν γινόμενον ὅτως ἰδεῖν Ζγδ1. 765 ᵃ28. τῶ χρόνω ἀεὶ προλαμβάνει ἐνέργεια ἑτέρα πρὸ ἑτέρας Μθ8. 1050 ᵇ5. τῶν κηρύκων προλαμβάνωσι τὰ παιδία Ργ8. 1408 ᵇ24.

προλέγειν τὰ μέλλοντα, διεξιέναι τὰ παρεληλυθότα, δηλῶν τὰ παρόντα ρ31. 1438 ᵃ21, 5. cf Ζιι6. 612 ᵇ8. ὁ προλέγων ἕνεκα τῶ ἀποδεῖξαι προλέγει Ργ13. 1414 ᵃ33. — ἡ προλεχθεῖσα αἰτία μχ3. 850 ᵇ3.

προλείπειν. ἐπὶ τὰ προσκεφάλαια εὑρίσκονται (οἱ φθεῖρες) προλελοιπότες τὴν κεφαλήν f 263. 1526 ᵃ35.

προλεπτύνειν. οἱ τράγοι πίονες ὄντες ἧττον ὀχεύουσι· διὸ ἢ προλεπτύνωσιν αὐτὸς Ζγα18. 726 ᵃ1. ἐν μόνοις τοῖς ἀποπεπνιγμένοις τῶν ζώων προλεπτυνθεῖσιν ἔστιν ἱκανῶς καταμαθεῖν τὰς φλέβας Ζιγ3. 513 ᵃ14.

προλιμνάς. ἐν ταῖς προλιμνάσι τῶν ποταμῶν Ζιζ14. 568 ᵃ20.

προλιμοκτονεῖν. σχεδὸν πάντα προλιμοκτονούμενα πιαίνεται Ζιθ6. 595 ᵃ23. πιαίνεται ὗς προλιμοκτονηθεῖσα ἡμέρας τρεῖς Ζιθ6. 595 ᵃ22. 10. 596 ᵃ27.

πρόλοβος. ἔστι δ᾽ ὁ πρόλοβος δέρμα κοῖλον ἢ μέγα, descr Ζμβ17. 508 ᵇ28. (τῶν ὀρνίθων) οἱ μὲν ἔχωσι πρὸ τῆς κοιλίας πρόλοβον, enumerantur, διὰ τί τὰ μὲν ἔχει τὸν καλύμενον πρόλοβον (v l πρόβολον saepius) Ζιβ17. 508 ᵇ27. Ζμδ5. 678 ᵇ35. γ14. 674 ᵇ22. τὸν πρόλοβον μακρὸν ἔχει τὰ μακροσκελῆ ἢ ἕλεια διὰ τὴν τῆς τροφῆς ὑγρότητα Ζμγ14.674 ᵇ31. ἔστι δὲ ὁ ὡκ ἔχει τὸν πρόλοβον εὐρὺν ἀλλὰ τὴν κοιλίαν μακράν· ἔχει ἀντὶ τῶ προλόβω τὸν στόμαχον εὐρὺν ἢ πλατύν· ὀλίγοι ὗτε τὸν πρόλοβον ἔχωσιν ὗτε τὸν στόμαχον εὐρὺν ἀλλὰ σφόδρα μικρόν Ζιβ17. 509 ᵃ7, ᵇ6. f 275. 1527 ᵇ19. ὁ τῶ ὄρτυγος πρόλοβος descr Ζιβ17. 509 ᵃ13. ἔνιοι τῆς κοιλίας αὐτῆς τι ἔχωσιν ὅμοιον προλόβω, syn τῆς κοιλίας αὐτῆς τι ἐπανεστηκός Ζιβ17. 509 ᵃ6. Ζμγ14. 674 ᵇ15. — πρόλοβος ὀρνιθώδης Ζμδ5. 679 ᵇ9 (A Siebld XII 387). τὰ μαλάκια ἔχει τὸν πρόλοβον ὅμοιον ἢ περιφερῆ ὀρνίθων (v l παρεμφερῆ ὄρνιθι, C et Pik) Ζιδ1. 524 ᵇ10 Aub. ὁμοία δ᾽ ἐστὶν ἡ κοιλία προλόβῳ ὄρνιθος ἢ τῶν κόχλων Ζιδ4. 529 ᵃ2. cf Ζμδ5. 678 ᵇ26.

προλοβώδης. ἡ ὑποδοχὴ κοιλιώδης ἢ προλοβώδης Ζμδ5. 678 ᵇ31.

πρόλογος. τὰ τῦ δικανικῦ προοίμια ταὐτὸ δύναται ὅπερ τῶν δραμάτων οἱ πρόλογοι ϗ τῶν ἐπῶν τὰ προοίμια Ργ14. 1415 ᵃ9, 1414 ᵇ20. πρόλογοι κωμῳδίας πο5. 1449 ᵇ4. tragoediae πρόλογος def, μέρος ὅλον τραγῳδίας τὸ πρὸ χορῦ παρόδυ πο12. 1452 ᵇ19.

προλυπεῖσθαι. προλυπηθέντας ἥδεσθαι τῇ ἀναπληρώσει Ηκ2. 1173 ᵇ15. προλυπηθῆναι, πρϙλυπήθη ημβ7. 1204 ᵇ15, 16, 17. προλελυπημένος ϗ κατεψυγμένος Ζικ5. 636 ᵇ22.

προμαλάσσειν. τὰ προμαλαχθέντα ὑγρὰ πβ32. 869 ᵇ30.

προμαντεύεσθαι. ἡ ψυχὴ προμαντεύεται ϗ προαγορεύει τὰ μέλλοντα f 12. 1475 ᵇ43.

προμαραίνεσθαι. τὸ μὲν πρῶτον (τῦ πνεύματος) ὥσπερ προεμαράνθη πκγ11. 932 ᵇ33.

Προμηθεύς (Aeschyli), τραγῳδίας τερατώδυς exemplum πο18. 1456 ᵃ2. Vhl Poet II 47.

προμήκης. ὁ στηριγμός ἐστι χωρὶς φορᾶς προμήκης ἔκτασις ϗ οἷον ἄστρυ ῥύσις κ4. 395 ᵇ7. προμήκης ἐστὶν ἡ τῶν ὄφεων φύσις Ζγα7. 718 ᵃ20. ἐπὶ τὴν ὑρὰν προμήκες τὸ τῶν τοιύτων σῶμα, τὸ ὑροπύγιον προμῆκες, ἢ πρόμηκες (τὸ τῦ βονάσυ σῶμα) Ζμδ13. 696 ᵃ25. Ζυ32. 618 ᵇ33. 45. 630 ᵃ22. σιαγόνες προμήκεις εἰς στενὸν ἀπηγμέναι Ζμβ16. 658 ᵇ29. (ὦτυ) κεφαλὴ προμήκης f 275. 1527 ᵇ18. ἠνυστρον τὸ σχῆμα προμηκέστερον Ζιβ17. 507 ᵇ10. μέτωπον προμηκέστερον φ5. 810 ᵃ2. opp στρογγύλος· τὸ ὅλον (καρδίας) εἶδος ἢ πρόμηκες ἀλλὰ στρογγυλώτερον· τὸ σῶμα τὸ μὲν τῶν καρδίων ϗ τῶν καράβων πρόμηκες, τὸ δὲ τῶν καρκίνων στρογγύλον Ζια17. 496 ᵃ18. ὁ2. 525 ᵇ32. ὀφθαλμοὶ τῷ περιφερεῖς ὅτε ἄγαν προμήκεις φ5. 809 ᵇ20. — σφῆκες προμηκέστεροι τὴν μορφήν, τενθρηνίον προμηκέστερον, καρκίνια προμηκέστερα Ζυ41. 627 ᵇ25. 43. 629 ᵇ2. ὁ4. 530 ᵃ6. — τῶν ἰχθύων οἱ προμήκεις ν ἰχθύς p 351 ᵃ54. — τῶν σελάχων τὰ προμήκη Ζιβ13. 505 ᵃ5. ν γαλεός 1 et Μ 283.

προνεύειν. καλῦνται ἀμυντῆρες τὰ προνενευκότα τῶν φυομένων κεράτων εἰς τὸ πρόσθεν Ζυ5. 611 ᵇ5.

προνοεῖν. ὥσπερ τὸ μέλλον ἔσεσθαι προνοούσης τῆς φύσεως Οβ9. 291 ᵃ24. συμβιβάζων ὡς ἐκ πολλῦ προενόησεν p4. 1426 ᵃ37.

προνοητικός. ἔχειν δύναμιν προνοητικὴν περὶ τὸν αὑτῶν βίον Ηζ7. 1141 ᵃ28.

πρόνοια. τὸν νομοθέτην ὑμῶν τοσαύτην πρόνοιαν ἔχειν p19. 1432 ᵇ40. τὰ ἐκ προνοίας, opp τὰ ἀκύσια Πδ16. 1300 ᵇ26. ημα16. 1188 ᵇ35 (syn ἐκ διανοίας, μετὰ διανοίας, προδιανοηθείς ᵇ26, 28, 30, 38). ηεβ10. 1226 ᵇ38. πκθ13. 951 ᵇ30, 952 ᵃ2. ἐκ προνοίας ἢ τῆς τυχύσης ἀλλὰ μετὰ παρασκευῆς πλείστης ἠδίκησεν p5. 1427 ᵃ4.

πρόξ refertur inter τὰ ζῳοτόκα ϗ τετράποδα, χολὴν ϙκ ἔχει, ἐν τῷ αἵματι ϙκ ἔνεισιν ἵνες, αἷμα ἔξω ϙ πήγνυται Ζιβ15. 506 ᵃ22. γ6. 515 ᵇ34. 19. 520 ᵇ24. Ζμδ2. 676 ᵇ27. β4. 650 ᵇ15. (Dama Gazae, Scalig exercit ad Cardan 207, Salmas exer Pl 158ᵃ, Belon obs I 54. Cervus dama C II 275. S II 486. Su 69, 51. Cervus capreolus Wiegmann 25. K 482. St. Cr. F. ΑΖι I 67, 13. in incert rel ΚαΖι 82, 13.)

πρόξενος τῆς πόλεως Πε4. 1304 ᵃ10. δίκαι προξένων λαγχάνονται πρὸς τὸν πολέμαρχον f 387. 1542 ᵇ9.

προσογκεῖν ν l πλὴ11. 964 ᵇ4, ν προσογκεῖν.

προσοδοποιεῖν πρός τι: πρὸς τὰς ὑστέρον διατριβὰς Πη17. 1336 ᵃ32. προσωδοποίησε ϗ παρεσκεύασε τὸ σῶμα πρὸς τὸ ἱδρῦν πβ11. 867 ᵃ39. προ. τινί: τὸ γῆρας προσωδοποίηκε τῇ δειλίᾳ Ρβ13. 1389 ᵇ31. προσωδοποίηκε τῷ φόβῳ al πλ1. 954 ᵇ12. γ35. 876 ᵃ28. — pass, τὰ ὀλίγαιμα ἤδη προσωδοποίηται πρὸς τὴν φθοράν Ζμβ5. 651 ᵇ10. cf Ζγδ4. 770

ᵇ3. προσωδοποίηται τῷ πάθει τὰ τοιαύτην ἔχοντα τὴν κρᾶσιν Ζμβ4. 650 ᵇ28. προσωδοποίηται ἕκαστος πρὸς τὴν ὀργήν Ρβ2. 1379 ᵃ21. προσωδοποιημένη κίνησις, προσωδοποιῆσθαι τὴν διάνοιαν μ1. 463 ᵃ26, 29. αὑτὸς παρεῖχον τῷ νομοθέτῃ προσωδοπεποιημένυς Πβ9. 1270 ᵃ4. προσωδοποίηνται (οἱ ἄρτοι) τὸ ῥήγνυσθαι πκα17. 929 ᵃ19 (fort προσωδοποίηνται). — med ἢ ταὐτὸ προσοδοποιεῖται ϗ ἐπιτηδείως ἔχειν παρασκευάζει πβ11. 867 ᵃ36. δεῖ προσοδοποιῆσθαι διὰ τὴν κίνησιν πρὸς τὸ ἄνω πάντα τὰ μόρια μᾶλλον Ζμγ9. 671 ᵇ31. — forma perfecti προσωδοποίηκε πλ1. 954 ᵇ12, προσωδοπεποιημένοι Πβ9. 1270 ᵃ4. — (ὡς προσοδοποιεῖ Ργ12. 1413 ᵇ22, ὥσπερ ὁδοποιεῖ ci Spgl).

πρόσοδος (Emped 220) αι2. 437 ᵇ26. ἐν τῇ προσόδῳ τῦ ἔτυς φτβ9. 829 ᵃ28.

προοικονομεῖν. προϙκονόμηται ὑπὸ τῦ θείυ ἡ φύσις ἑκατέρυ οα3. 1343 ᵇ26.

προοιμιάζεσθαι p35. 1440 ᵃ7. μακρῶς Ργ16. 1416 ᵇ33. ἢ τὰ ἐρωτώμενα λέγυσιν ἀλλὰ τὰ κύκλῳ ϗ προοιμιάζονται Ργ14. 1415 ᵇ24. ἔργον ῥητορικῆς κατὰ Θεοδέκτην προοιμιάσασθαι πρὸς εὔνοιαν f 123. 1499 ᵃ27, 32. πεπροοιμιασμένων ηεα7. 1217 ᵃ18. cf φροιμιάζεσθαι.

προοίμιον, dist διήγησις Pα1. 1354 ᵇ18. Κ12. 14 ᵇ3. περὶ προοιμίυ Ργ14. ρ30. προοίμια δικανικά, δημηγορικά Ρ3. 1442 ᵇ28. ἐπῶν προοίμια, δραμάτων πρόλογοι Ργ14. 1415 ᵃ10. Ἐμπεδοκλέυς προοίμιον εἰς Ἀπόλλωνα f 59. 1485 ᵇ12.

προομολογεῖν. προομολογηθέντος τῦ ἀντικειμένυ Αβ11. 61 ᵃ24. προομολογητέον τβ3. 110 ᵇ3, syn προδιομολογητέον ᵃ37.

προορᾶν εἰς τὸ πρόσθεν, ἐφ' ὃ ἡ κίνησις Ζιὁ1. 524 ᵃ14. Ζμβ10. 656 ᵇ31. — ἐὰν μὴ τύχῃ προεωρακὼς (i q πρότερον ἑωρακὼς) πο4. 1448 ᵇ17. ὅσα ἀρχόμενοι προορῶσι Ρβ23. 1400 ᵇ30. προϊόντες ϗ προεγείραντες τὸν λογισμὸν Ηη8. 1150 ᵇ23. τὸ δυνάμενον τῇ διανοίᾳ προορᾶν Πα2. 1252 ᵃ32. πότερον ἐνδέχεται προορᾶν τὸ μέλλοντα υ1. 453 ᵇ21. cf μ1. 462 ᵇ25. 2. 464 ᵃ18, 25.

προορατικοὶ ϗ εὐθύόνειροι μτ2. 463 ᵇ15.

προοχεύειν. τὰ προϙχευμένα ᾠὰ Ζγγ7. 757 ᵇ2.

προπαιδεύειν. ἃ δεῖ προπαιδεύεσθαι ϗ προεθίζεσθαι πρὸς τὰς τῶν τεχνῶν ἐργασίας Πθ1. 1337 ᵃ19.

πρόπαππος f 83. 1490 ᵃ28, 35.

προπαρασκευάζειν πρὸς τὴν τροφήν Ζιη7. 613 ᵃ4.

προπέτεια, εἶδος ἀκρασίας, dist ἀσθένεια Ηη8. 1150 ᵇ19.

προπετής. προπετὴς ἂν ἐγίνετο ἡ βάδισις Ζπ14. 712 ᵃ29. τῷ σχήματι μὴ ὀρθὸς ἀλλὰ μικρῷ προπετέστερος φ3. 807 ᵇ31. τὰ εἴδη προπετές φ3. 808 ᵃ33. (τῆς ἴϋγγος) τὸ σῶμα ἧττον προπετὲς ἐπὶ τὸ πρόσθεν Ζμδ12. 695 ᵃ25. προπετὲς ἡμῶν τὸ σῶμα πε19. 882 ᵇ6. — ἄγειν τὸν ἀκροατὴν προπετῆ Ργ9. 1409 ᵇ31. διὰ θερμότητα προπετέστεροι πια60. 905 ᵇ30. τὰ θήλεα τῶν ἀρρένων κακυργότερα, προπετέστερα, ἀναλκέστερα Ζυ1. 608 ᵇ1. φ5. 809 ᵃ39. οἱ θρασεῖς προπετεῖς Ηγ10. 1116 ᵃ7. syn θρασεῖς, μαινόμενοι ημα9. 1186 ᵇ16, 17. ἀκρατεῖς τὴν προπετῆ ἀκρασίαν Ηη8. 1150 ᵇ26. — προπετεῖς κάτω σπᾶσθαι πε15. 882 ᵃ31. — διορίσασθαι μήτε προπετῶς μήτε ῥαθύμως ηεα2. 1214 ᵇ12.

προπετικὴ (ci, προτρεπτικὴ codd Bk) ἀκρασία, syn ἀπρονόητος ημβ6. 1203 ᵃ30.

προπηλακίζειν (cf S I p LIV), coni ἐπηρεάζειν Πε10. 1311 ᵃ36. ἀνέχεσθαι προπηλακιζόμενον Ηδ11. 1126 ᵃ7. προπηλακίζεσθαι εὐχερῶς ηεγ3. 1231 ᵇ12. — Ἀρίστιππος προεπηλάκιζε τὴν μαθηματικὴν Μβ2. 996 ᵃ33.

προπηλακισμός Ηε5. 1131 ᵃ9. πκη3. 949 ᵇ18. coni ὕβρις, χλευασία τζ6. 144 ᵃ6.

προπίπτειν. τῶν ἰχθύων ἐνίοις προπίπτει ἡ κοιλία εἰς τὸ στόμα Ζιβ17. 507 ᵃ29. — ὁ πορθμὸς ἐπ' αὐτῆς τῆς ἄκρας, ὃς κεῖται πρὸ τῶ προπεπτωκότος τόπω θ103. 839 ᵃ28.

προπολεμεῖν. τὸ προπολεμῶν (μέρος τῆς πόλεως), τὸ προπολεμῆσον, οἱ προπολεμῶντες Πβ6. 1264 ᵇ33. 8. 1267 ᵇ32, 36, 1268 ᵃ35. γ7. 1279 ᵇ3. δ4. 1291 ᵃ7, 19, ᵇ3.

Προποντίς κ3. 393 ᵇ1. ἐν τῇ Προποντίδι Ζιθ13. 598 ᵃ25, ᵇ28.

προπορεύεσθαι. αἲξ προπορεύεται τῶ τὴν ἱερωσύνην ἔχοντος θ137. 844 ᵇ5.

προπράττειν. τὰ προπεπραγμένα ποι8. 1455 ᵇ30.

προπύλαιον τῶ Δηγιῶ ηεα1. 1214 ᵃ2.

πρόρρησις, προρρήσεις, rhet, dist ἀπαγγελία, δήλωσις ρ31. 1438 ᵇ11. 32. 1438 ᵇ25. cf προλέγειν p 639 ᵇ27.

πρόρριζος, v πρόσριζος.

πρός. Eucken II 68-72. — 1. c genetivo. a. πρὸς αἵματος Πβ4. 1262 ᵃ11. πρὸς δείλης (cf ἀπὸ μέσων νυκτῶν ᵇ19) χὴ ἐπὶ μέσας νύκτας πλγ11. 962 ᵇ25. — b. πρὸς ἐνίων ἱδρώτων φρίττομεν πβ34. 870 ᵃ7. ταῦτα πάντα ἔοικεν αὐτῇ πρὸς ἀγαθῶ γινόμενα τὴν δι' αἰῶνος σωτηρίαν παρέχειν κ5. 379 ᵃ30.

2. c dativo. a. locali vi. ἐκ ἂν ἡ σκιὰ πρὸς τοῖς ἄστροις εἴη τῆς γῆς μα8. 345 ᵇ7. ὔπω ἔσται πρὸς τῷ δ', ἀλλ' ἀπολείψει Φζ2. 232 ᵃ30. cf θ8. 264 ᵃ32. 9. 265 ᵃ31. πρὸς τῇ συναφῇ, πρὸς τῇ κεφαλῇ, τῇ ὥρᾳ, τῷ στήθει Ζιδ5. 680 ᵃ23. 13. 696 ᵃ23, 28, 31. γ14. 674 ᵃ11. Ζιβ1. 498 ᵃ1, 500 ᵃ16. πρὸς τῇ ῥινὶ Ζια9. 491 ᵇ23 (cf πρὸς τὴν ῥῖνα ᵇ16). εἶναι πρὸς τῇ ἀρχῇ, πρὸς τῷ τέλει, πρὸς τοῖς δεξιοῖς sim Οβ2. 285 ᵇ24, 33, 34. ζ4. 469 ᵃ32. πρὸς ἀγορᾷ Πη12. 1331 ᵇ10. παντελῶς πρὸς τῇ ἄρκτῳ οἰκῶμεν πκς49. 946 ᵃ2. — b. εἶναι πρός τινι fere i q διατρίβειν περί τι. ὁ ἄρρην ἔλαφος ὖ μίαν διατρίβει Ζιζ29. 578 ᵇ11. πᾶσα ἡ ἐργασία χὴ κίνησίς ἡ ἐσχάτη πρὸς τῇ ὕλῃ Ζγα22. 730 ᵇ7, 5. εἶναι (σχολάζειν) πρὸς τοῖς ἰδίοις, πρὸς τῷ καθ' ἡμέραν, διατρίβειν πρὸς τοῖς ἔργοις, γίγνεσθαι πρὸς τοῖς ἄλλοις μαθήμασιν Πε8. 1308 ᵇ36, 1309 ᵃ5, 8. 11. 1313 ᵇ20, 7. ζ4. 1318 ᵇ13. θ4. 1339 ᵃ5. ηεη14. 1248 ᵇ2. οἱ πρὸς ταῖς δίκαις f 394. 1543 ᵇ16. εἶναι πρὸς τῷ οἰκείῳ πάθει Ρβ8. 1385 ᵇ34. ὁ πρὸς τοῖς ὁρατοῖς (Fritsche, εἰρημένοις codd Bk) ηεη14. 1248 ᵇ2. — c. ad localem vim praep πρός referendum videtur, quod in logicis libris saepe legitur ἐὰν τὸ στερητικὸν (τὸ ὖ καθόλυ) τεθῇ πρὸς τῷ ἐλάττονι (πρὸς τῷ μείζονι) ἄκρῳ sim (i e si propositio minor ponatur negativa) Αα5. 27 ᵃ4. 10. 30 ᵇ14. 16. 36 ᵃ25, ᵇ3sqq Wz. 18. 37 ᵇ29. 19. 38 ᵃ26, ᵇ13. 20. 39 ᵃ5 (τῷ Wz. τὸ Bk). 38. 49 ᵃ37. 45. 50 ᵇ22, 26. β11. 61 ᵇ16 (τῷ Wz. τὸ Bk), 23, 26. τὸ πρὸς τῷ μείζονι, ἐλάττονι ἄκρῳ, i e propositio maior, minor Αα4. 26 ᵇ12. sed eadem vi πρός c acc coniunctum legitur, veluti τὸ καθόλυ κείσθω πρὸς τὸ μεῖζον ἄκρον, εἰ τὸ στερητικὸν τεθείη πρὸς τὸ ἔλαττον ἄκρον sim Αα5. 27 ᵇ13. 9. 30 ᵃ17. 21. 39 ᵇ22. 22. 40 ᵃ33. — d. i q praeter. τῇ ἄλλῃ ἀλογίᾳ χὴ τῦτο ἄτοπον μτ1. 462 ᵇ20. πρὸς τύτοις, πρὸς δὲ τύτοις Οα2. 269 ᵇ2. Πγ14. 1285 ᵇ10. δ11. 1295 ᵇ13 ac saepissime. ἔτι δὲ πρὸς τύτοις τε2. 130 ᵃ5. 3. 131 ᵃ33. 5. 135 ᵃ1 al. his videtur comparari posse τὸ 'ἐκ ἔστιν ἀνδρῶν ὅστις ἔστ' ἐλεύθερος' γνώμη, πρὸς ᾧ (i e coniuncta cum proximo versu) ἐνθύμημα Ρβ21. 1394 ᵇ5.

3. c accusativo. a. locali ac temporali vi. ἀφικνεῖσθαι πρὸς τὸν ἥλιον, φέρεσθαι πρὸς τὴν γῆν μα6. 343 ᵃ20. 9. 347 ᵃ9 al. πρὸς ἄναντες πᾶσιν εἶναι τὴν φοράν μβ2. 356 ᵃ12. πρὸς ἄναντη ῥεῖν πκς7. 940 ᵇ35. sed usurpatur accusativus etiam ubi motus notio delitescit, πρὸς ὀρθήν (int

---

γωνίαν), πρὸς ὀρθάς. πρὸς ὁμοίας γωνίας φέρεσθαι sim Οα5. 272 ᵇ25. β14. 296 ᵇ20, 297 ᵇ19. δ4. 311 ᵇ33. μβ6. 363 ᵇ2. γ3. 373 ᵃ14 al. τὰ πρὸς ἄρκτον, πρὸς τὴν ἕω τὴν χειμερινὴν μα6. 343 ᵃ35. β1. 354 ᵃ25. α13. 350 ᵃ21, 29. τὸ ἕτερον μέρος τὸ πρὸς τὰς ἐσχατιάς, ἕτερον δὲ τὸ πρὸς τὴν πόλιν Πη10. 1330 ᵃ15. πτερύγια ὄντα πρὸς τὰ βράγχια Ζιβ13. 504 ᵇ31. οἱ πρὸς αὐτόν, syn οἱ πλησίον ρ36. 1440 ᵇ39, 1441 ᵃ1. ἐργάζεσθαι πρὸς τὸν λύχνον μγ4. 375 ᵇ27. πρὸς πολὺ πῦρ ἧττον ἱδρῶμεν πβ36. 870 ᵇ21. — τῶν ζῴων τὰ μὲν ὖ πολιῦται πρὸς τὸ γῆρας ἐπιδήλως Ζγε1. 778 ᵃ25, 780 ᵃ20. πρὸς τὴν ἡλικίαν, ἐν ᾗ δύναται τὸ σπέρμα ἐκκρίνειν Ζγε7. 787 ᵇ29. πρὸς ἡμέραν δρόσος πίπτει πκε5. 938 ᵃ34. ὁ ζέφυρος πρὸς τὴν δείλην πνεῖ πκς33. 944 ᵃ10, cf τῆς δείλης ᵃ31. — b. i q adversus, contra. γέρανοι πέτονται πρὸς τὸ πνεῦμα Ζιθ12. 597 ᵃ32. ἡ ἰσχὺς πρὸς τὴν διάσπασιν (i e ἡ ἰσχὺς πρὸς τὸ μὴ διασπᾶσθαι ᵇ17) Οδ6. 313 ᵇ19. τῦτο βοηθεῖ πρὸς ταύτην τὴν φθοράν (i e ὥστε τεύξεσθαι σωτηρίας ᵇ23) αν8. 474 ᵇ24. μάχεσθαι πρὸς τὸν νόμον Ρα15. 1375 ᵇ15. ἀντικρύειν τῷ διψῶντι πρὸς τὸ πιεῖν Ρβ2. 1379 ᵃ12. αἱ μεταβολαὶ γίγνονται πρὸς τὴν καθεστηκυῖαν πολιτείαν Πε1. 1301 ᵇ7. ἀμφισβητεῖν, διαμφισβητεῖν, ἀμφισβήτησις, ἔνστασις, ἔλεγχος πρός τι vel πρός τινα Πη1. 1323 ᵃ24. γ16. 1287 ᵇ35. Φβ3. 253 ᵃ35, ᵇ5. Μζ6. 1032 ᵃ7. ἐπιχειρεῖν πρὸς τὰς ὁρισμὰς, ἐπιχείρημα πρὸς τὴν θέσιν sim τ5. 102 ᵃ15 (coll ᵃ14). β4. 111 ᵇ12, 15. 5. 111 ᵇ32 al. cf ἐπιχειρεῖν p 282 ᵇ58. διαλέγεσθαι πρός τι τη5. 154 ᵃ34, cf διαλέγεσθαι p 182 ᵇ41. πρὸς ἅπαντα ταῦτα ἱκανὴ μία πίστις Φθ3. 254 ᵃ35. πάλιν ἥξωσιν οἱ πρότερον εἰρημένοι λόγοι πρὸς ταύτην τὴν ὑπόθεσιν Ογ5. 304 ᵃ24. — c. cum locali usu, quo motus ad aliquem locum significatur, talia possunt conferri: ἂν πρὸς ἕνα τις τῷ λόγῳ χρώμενος προτρέπῃ Ρβ18. 1391 ᵇ10. περὶ ὑθενός ἐστι πρὸς τῦτον ἡ σκέψις Μγ4. 1008 ᵃ30. περὶ τῶν τοιούτων ἁπλῶς μὲν ἐκ ἔστιν ἀπόδειξις, πρὸς τόνδε δ' ἔστιν Μκ5. 1062 ᵃ3. πρότερον πρὸς ἡμᾶς, opp ἁπλῶς Αγ1. 71 ᵇ34. Ηβ5. 1106 ᵃ28 al. cf πρότερον. γεγυμνάσθαι πρὸς ἑαυτόν, πρὸς ἕτερον τθ1. 155 ᵇ6, 27. 14. 163 ᵇ3. μανθάνειν χρείας χάριν αὐτῷ πρὸς αὐτὸν Πγ4. 1277 ᵇ6. χρῆσθαι τῇ ἀρετῇ, τῇ μοχθηρίᾳ πρὸς ἕτερον Ηε3. 1129 ᵇ32, 1130 ᵃ6. ἡ δικαιοσύνη ἀρετὴ ἐχ ἁπλῶς, ἀλλὰ πρὸς ἕτερον Ηε3. 1129 ᵇ27. ἡς αἰσχύνονται, φιλοτιμῦνται Ρβ4. 1381 ᵇ20, 21. ὀργίζονται τοῖς ὀλιγωρῦσιν ἡς θαυμάζουσιν Ρβ2. 1379 ᵇ24. ὅπερ οἱ δημαγωρεῦντες ἔπαθον πρὸς τὴν Ἑλένην Ηβ9. 1109 ᵇ9. διὰ τὸν πρὸς τὰ θηρία φόβον Ζιζ29. 578 ᵇ17. δίκαι (γραφαὶ) λαγχάνονται πρὸς τὸν ἄρχοντα Πε6. 1341 ᵇ15. 382. 1541 ᵇ15. 383. 1542 ᵃ1 al. — d. πρὸς c acc universe referri aliquid ad aliud significat, etiam referri ad aliquid tamquam ad finem. λόγοι πρὸς τὖνομα, πρὸς τὴν διάνοιαν τι10. 170 ᵇ13. cf ΜΑ3. 985 ᵃ4. πρὸς πολλά (i e multarum rerum ratione habita) τε1. 129 ᵃ22 Wz. πρότερα χὴ ὕστερα λέγεται τῷ ἐγγυτέρω ἀρχῆς τινος ὡρισμένης ἢ ἁπλῶς χὴ τῇ φύσει ἢ πρός τι Μδ11. 1018 ᵇ11. τὰ πρὸς τὸ γένος χὴ τὸ ἴδιον τα6. 102 ᵇ27. δ1. 120 ᵇ12. τὰ πρὸς ὅρον Μζ15. 1040 ᵃ6 Bz. πρὸς ἄλλο, opp πρὸς αἰσθάνεσθαι Ρα7. 1365 ᵇ1, 5. β4. 1381 ᵇ20, 21, 30 al. πρὸς διαγωγήν, πρὸς ἄνεσιν, πρὸς χάριν, πρὸς ἐπήρειαν sim Πθ7. 1341 ᵇ40. γ16. 1287 ᵃ38. Ηδ12. 1126 ᵇ12. 13. 1127 ᵃ18. Ρα1. 1354 ᵇ34. τθ6. 160 ᵃ3. Ζιδ6. 683 ᵃ24 al. (πρὸς ἀνάγκην, syn ἐξ ἀνάγκης, ἀναγκαῖον Πθ4. 1338 ᵇ41, 1339 ᵃ4. Ρα11. 1370 ᵃ16.) ζῆν ἀκολάστως πρὸς ἅπασαν ἀκολασίαν Πβ9. 1269 ᵇ22. βαρέως φέρειν πρὸς τὴν ἀφροδισιαστικὴν χάριν Πε10. 1311 ᵇ16.

V.

αἱρετὰ ἢ φευκτὰ πρὸς τὸ πράττειν Ρβ21. 1394 ᵃ25. τὸ ποιητικὸν ⅋ γεννητικόν, ἢ τοιαῦτα, πρὸς τὸ ποιήμενόν ἐστι ⅋ γεννώμενον Ζγβ6. 742 ᵃ31. μέγα πρὸς φιλίαν τὸ σύντροφον Ηθ14. 1161 ᵇ23. διαφέρει ⱷ μικρὸν πρὸς τὸ σώζεσθαι τὴν κοινωνίαν Πβ5. 1264 ᵃ40. ἕρπει τὸ πρόβατον εἰς 5 τὰς ἐρημίας πρὸς ϑδέν Ζι3. 610 ᵇ24. ὀξεῖς ⅋ πρὸς πᾶν ὀργίλοι ⅋ ἐπὶ παντὶ Ηθ11. 1126 ᵃ18. — εὐλόγως διαφέρονται πρὸς τὴν ἄσκησιν τῆς ἀρετῆς (fere i q περὶ τῆς ἀσκήσεως) Πθ2. 1337 ᵇ3. ὅμοιοι, φιλοτιμότατοι πρὸς ἀρετὴν Πγ15. 1286 ᵇ12. ⅋2. 1324 ᵃ30. γένος ὑπερέχον, ἡγεμονικοὶ 10 πρὸς πολιτικὴν ἀρχὴν Πγ17. 1288 ᵃ9, 12. πολὺ ὑπερέχειν πρὸς τὸ φανερῶς κρεῖττον Πε4. 1304 ᵇ3. πρὸς τὰ δήγματα τῶν θηρίων μεγάλην ἔχωσιν αἱ χῶραι διαφορὰν Ζιθ29. 607 ᵃ13. αἰγωπός, πρὸς ὀξύτητα ὄψεως κράτιστος Ζια10. 492 ᵃ4. — inde πρὸς c acc comparari aliquid cum altero signi-15 ficat, ὡς εἰκάσαι πρὸς μικρὸν μεῖζον μβ8. 366 ᵇ29. ὀλιγότης πυρὸς πρὸς τὸ ὕδωρ μα10. 374 ᵃ14. πρὸς τὰ ζῷα φυτοῖς ἐοίκασι (τὰ ὀστρακόδερμα), πρὸς δὲ τὰ φυτὰ ζώοις Ζγγ11. 761 ᵃ15. αἱ μέσαι ἕξεις πρὸς τὰς ἐλλείψεις ὑπερβάλλωσι, πρὸς τὰς ὑπερβολὰς ἐλλείπωσιν Ηβ8. 1108 ᵇ17. 20 τὸ μέγα ⅋ τὸ μικρὸν τὰ μὲν ἁπλῶς λέγεται, τὰ δὲ πρὸς ἄλληλα Ζγε7. 787 ᵃ12. τούτῳ διαφέρει τὰ μέγιστα γένη πρὸς τὰ λοιπὰ Ζιβ15. 505 ᵇ26. θ1. 588 ᵃ26. ἡ πρὸς τὸ νῦν ἀπόστασις· ἀπόστημα τῷ ἡλίῳ πρὸς τὴν γῆν Φδ14. 223 ᵃ5. Οβ13. 294 ᵃ5. ὥστε μὴ διάδηλον εἶναι τὴν φωνὴν πρὸς 25 τὴν ἐναντίαν σιγὴν Οβ9. 290 ᵇ6. Ζιε16. 549 ᵃ9. ὁρίζεσθαι τὴν δύναμιν πρὸς τὴν ὑπεροχὴν Οα11. 281 ᵃ11, 8. ἔχει ἰδίαν αἰτίαν πρὸς τὰ ζῷα μκ6. 467 ᵃ11. — e. logice λαμβάνειν τι πρὸς τι de referendo ad subiectum aliquod praedicato usurpatur Αα25. 42 ᵃ9. ⅋ καθόλυ ⅋ μὴ καθόλυ (ἐν 30 μέρει) τῶν ὅρων ὄντων πρὸς τὸ μέσον sim Αα6. 28 ᵃ17, ᵇ5. 4. 26 ᵃ17. 5. 27 ᵃ26. λόγος πρὸς ὁρισμόν, λόγως ποιεῖσθαι, διαλέγεσθαι (cf h v p 182 ᵇ38) πρός τι Αα43. 50 ᵃ11 Wz. τβ5. 111 ᵇ36, 37. ι33. 183 ᵃ1-26. 19. 177 ᵃ20 Wz. συλλογισμὸς γίνεται πρός τι Αβ17. 65 ᵇ9, cf συλλογισμός. ἡ 35 πίστις γίνεται τῷ μέσῳ πρὸς τὸ ἄκρον Αβ24. 69 ᵃ12. — aliter usurpatur formula πρὸς ἕν, dist καθ' ἕν (cf κατὰ p 369 ᵃ45), ὁμωνύμως (cf p 514 ᵇ5) Μγ2. 1003 ᵃ33 Bz, ᵇ6, 14. θ16. 1022 ᵃ3. ζ4. 1030 ᵇ3. η3. 1043 ᵃ37. θ1. 1046 ᵃ10. ηεη2. 1236 ᵃ18. 11. 1244 ᵃ26. — f. πρός c acc 40 i q secundum, ad alicuius normam ac legem. ζῆν πρὸς τὸ καλόν, τὸ συμφέρον, τὸ δίκαιον, τὴν πολιτείαν, πρὸς ἄλλον Ηδ3. 1121 ᵇ10. 8. 1124 ᵇ31. ηεα4. 1215 ᵇ12. Πε9. 1310 ᵃ35. Ρα9. 1367 ᵃ32. 12. 1373 ᵇ17. βι3. 1389 ᵇ36. 14. 1390 ᵃ34. κρίνειν πρὸς ὑπόθεσιν Πδ11. 1296 ᵇ9. δεῖ παι-45 δεύεσθαι, πολιτεύεσθαι, τὺς νόμως κεῖσθαι sim πρὸς τὴν πολιτείαν Πε9. 1310 ᵃ14, 20. θ1. 1337 ᵃ14. γ11. 1282 ᵇ10. 4. 1276 ᵇ30. δ14. 1298 ᵇ12. η17. 1336 ᵇ38. τὰ κυρτὰ τῶν σκελῶν ⅋ τῶν βραχιόνων πρὸς ἄλληλα (i e ἀντίστροφα, κατὰ τὸν αὐτὸν λόγον) εἶναι ἐπ' ἀνθρώπων μάλιστα Ζια15. 50 494 ᵇ10 Aub. οἱ τεχνῖται μελετῶσι πρὸς τὸν θεατὴν Πθ6. 1341 ᵇ17. τὴν ζήτησιν ποιεῖσθαι πρὸς τὸ πρᾶγμα, πρὸς τὰ φαινόμενα Οβ13. 294 ᵇ8, 293 ᵃ25, 26. ἂν ὁ γεγραμμένος νόμος ᾗ πρὸς τὸ πρᾶγμα Ρα15. 1375 ᵇ16. — ἀδεῖν πρὸς αὐλόν, πρὸς χορδὰς πιϑ9. 918 ᵃ22, 23. 43. 922 ᵃ1. ὀρχεῖ-55 σθαι πρὸς αὐλὸν f 541. 1567 ᵇ29. ἀγωνίζεσθαι πρὸς κλεψύδραν πο7. 1451 ᵃ8. — πρός fere i q ἀντί. οἶνον πρὸς σῖτον διδόντες ⅋ λαμβάνοντες Παɼ9. 1257 ᵃ27. ὅσα δ' ἐλάττονας ἔχει πόδας, πτηνὰ ταῦτ' ἐστὶ πρὸς τὴν ἔλλειψιν τὴν τῶν ποδῶν Ζμδ6. 682 ᵇ6. 60

μέχρι πρός v μέχρι p 464 ᵇ17.

πρός adverb, τοσῦτον ⅋ ἔτι πρός τι4. 166 ᵃ35.

πρός τι. Trdlbg Kat 117-129. τὸ πρός τι in numerum categoriarum refertur, cf κατηγορία p 378 ᵃ45. definitur et in sua genera distinguitur Κ 7 Wz. Μδ15 Bz. ι6.1056 ᵇ35 Bz. τδ4. 125 ᵃ33. ζ4. 142 ᵃ28. 8. 146 ᵇ2. Φγ1. 200 ᵇ28 (cf τι13. 173 ᵇ6). τὰ πρός τι inter τὰ ἀντικείμενα referuntur, cf ἀντικεῖσθαι p 64 ᵃ20. τὰ πρός τι ἅμα μᾶλλον Αγ24. 86 ᵃ9. τὰ πρός τι πάντα ἀντιστρέφει τζ12. 149 ᵇ12. ⱷ δοτέον τῶν πρός τι λεγομένων σημαίνειν τι χωριζομένας καθ' αὑτὰς τὰς κατηγορίας τι31. 181 ᵇ26. τὰ πρός ἄλληλα πεφυκότα, τόπος ἐκ τῶν πρὸς ἄλληλα Ρβ19. 1392 ᵇ3. 23. 1397 ᵃ23-ᵇ11. τὸ πρός τι πάντων ἥκιστα φύσις τις ἢ ὐσία, ὅτε δυνάμει ὐσία ὅτε ἐνεργείᾳ, παραφυάδι ἔοικε τῦ ὄντος, ὑκ ἔστιν αὐτῦ γένεσις φθορὰ ἀλλοίωσις κίνησις Μν1. 1088 ᵃ23, 30, ᵇ2. κ12. 1068 ᵃ11. Φε2. 225 ᵇ11. η3. 246 ᵇ11. Ηα4. 1096 ᵃ20. cf Κ7. 8 ᵃ13. τῶν λόγων ὅτε τῶν τῶν πρός τι ποιῶν ἰδέας ΜΑ9. 990 ᵇ16 Bz. μ4. 1079 ᵃ12. ἕξις ⅋ διάθεσίς εἰσι τῶν πρός τι Κ9. 11 ᵃ22. τδ4. 125 ᵃ1. τῶν πρός τι ἡ ὕλη· ἄλλῳ γὰρ εἴδει ἄλλη ὕλη Φβ2. 194 ᵇ8. τῶν πρός τι, ὅσα μὴ μόνον τὰ γένη ἀλλὰ ⅋ αὐτὰ πρός τι λέγεται τι13. 173 ᵇ2. sunt alia, quorum genera solum, non species ad τὸ πρός τι referuntur Κ8. 11 ᵃ20. τδ4. 124 ᵇ18. ι31. 181 ᵇ34, aliter Μδ15. 1021 ᵇ6.

προσάγειν ⅋ ἀπάγειν τὸ γεννητικὸν Γβ10. 336 ᵃ17. προσαγαγεῖν τὴν μητέρα ἵν' ὀχεύσῃ Ζιι47. 631 ᵃ3. προσαγαγόντες αὐτοῖς ἑτέρως ἐλέφαντας Ζιζ18. 572 ᵃ3. προσαγαγεῖν πρὸς τὸ στόμα τὰς χεῖρας, τὰς πόρας πρὸς ἀλλήλας Ζιη10. 587 ᵃ27. ι37. 620 ᵇ18. ζ14. 568 ᵃ30. ἐγγὺς προσαγαγόντι (τὸν ἀέρα?) πκς48. 945 ᵇ17. ἡ ὄψις χλωμένη τὸ λευκὸν ποιεῖ φαίνεσθαι ἧττον λευκὸν ⅋ προσαγαγεῖν πρὸς τὸ μέλαν μγ4. 374 ᵇ30. — προσάγειν τι (i e εἰσφέρειν τι) πρὸς τὸν δῆμον Πβ11. 1273 ᵃ6. — παιδιὰς προσάγειν φαρμακείας χάριν Πθ3. 1337 ᵇ41. δῆλον ὅτι προσακτέον (τὴν μυσικὴν?) ⅋ παιδευτέον ἐν αὐτῇ τὺς νέως Πθ5. 1340 ᵇ13. ἡλικία, ⱷτε μὴ προσάγειν μάθησιν καλῶς ἔχει προσάγειν ⱷτε πρὸς πόνυς Πη17. 1336 ᵃ24. — πρὸς τὰ λεγόμενα προσακτέον παραδείγματα sim ρ33. 1438 ᵃ40, 1439 ᵃ7. τὰ λοιπὰ μυθικῶς προσῆκται Μλ8. 1074 ᵇ4. οἱ μὲν ἁπλυστέρως λέγοντες, οἱ δὲ κομψοτέρως τῷ λόγῳ προσάγοντες ὅτι Ογ5. 304 ᵃ13. δεῖ ὅτι μάλιστα προσάγειν (τὰ add W e cod P) ἐγγὺς τῶν πρώτων αἰτίων Ζγδ1. 765 ᵇ5, videtur προσάγειν intr usurpatum esse. — med προσάγεσθαι. προσάγεται τὺς δύο πόδας πρὸς τὸ στόμα Ζιδ2. 526 ᵃ28. προσάγεσθαι τὴν τροφὴν Ζιδ1. 523 ᵇ31. Ζμβ16. 658 ᵇ35. ὑκ ἔστιν ᾧ προσάξεται Ζμδ9. 685 ᵇ10. — αἱ θήλειαι προσάγονται τὰ ἄρρενας εἰς τὰς ὀχείας Ζιε2. 540 ᵃ12. πᾶσαν μηχανὴν μηχανώμενος προσηγάγετο τὸν Σεῖληνον φθέγξασθαί τι f 40. 1481 ᵇ7. προσήγετο τὺς δημοτικώς, τὺς εὐπόρυς Πε4. 1303 ᵇ36. προσάγεσθαι τὺς μέσυς τοῖς νόμοις Πδ12. 1296 ᵇ37.

προσαγνοεῖν. διὰ ταύτην τὴν ἄγνοιαν τοσῦτον προσηγνόησαν Φα8. 191 ᵇ11.

προσαγορεύειν, syn καλεῖν. ἀνάγκη προσαγορεύειν αὐτὴν οἷον καπνόν μβ4. 351 ᵇ31, 29. c duplice acc προσαγορεύειν τὴν τοιαύτην πολιτείαν ὀλιγαρχίαν sim Πδ4. 1290 ᵃ39. α12. 1259 ᵇ1. β3. 1262 ᵃ7, 10, ᵇ1. Φα5. 188 ᵃ11. Μβ2. 996 ᵇ10. πο1. 1447 ᵇ23. προσαγορεύειν ὡς φίλως τὺς σύμπλεως Ηθ11. 1159 ᵇ27. μεταφορᾶς εἶδος, προσαγορεύσαντα τὸ ἀλλότριον ἀποφῆσαι τῶν οἰκείων τι πο21. 1457 ᵇ31. προσαγορεύειν τι ὀνόματι οἰκείῳ, ἀλλοτρίῳ, κοινῷ, ἑνὶ sim τβ1. 109 ᵃ31. 2. 110 ᵃ16. Πδ2. 1289 ᵃ36. ρ22. 1434 ᵃ26. 24. 1435 ᵃ1. 31. 1438 ᵃ35. Ζμα4. 644 ᵃ13. (alia vi dativus usurpatus est ἀριθμῷ ἢ εἴδει ἢ γένει τὸ ταὐτὸν προσαγορευόμεν τα 7. 103 ᵃ8. cf προσαγορεύεσθαι ἔκ τινος Φα 4. 187 ᵇ3.) ἐν (?) τοῖς ἐναντίοις ὀνόμασι τὰ πράγματα προσαγορεύειν ρ22. 1434 ᵃ18, cf τοῖς ἐναντίοις ὀνόμασι προσαγορεύειν ᵃ26. ὕτω προσαγορεύειν τι Πγ 8. 1279 ᵇ28. μα 2. 339 ᵃ30. — 5 pass c nom praedicati, ὅταν ἢ ἢ προσαγορευθῇ πόσις sim Πη 16. 1335 ᵇ40. Φα 4. 187 ᵇ3. Γβ 1. 329 ᵃ20. μϑ 3. 380 ᵇ7. — πέμπτη πολιτεία ἢ προσαγορεύεται τὸ κοινὸν ὄνομα πασῶν Πδ 7. 1293 ᵃ39. οἰκείως προσαγορεύεσθαι Ηδ 1. 1119 ᵃ33. προσαγορευέσθω τα 4. 101 ᵇ23.   10

προσαγωγή. ἡ τῆς τροφῆς προσαγωγή Ζμδ 10. 687 ᵇ26. ἡ προσαγωγὴ τῆς πολλῆς ὑγρότητος φτβ 7. 827 ᵃ23. ἐκ προσαγωγῆς, opp ἀθρόος, syn κατὰ μικρόν Πε 6. 1306 ᵇ14. 8. 1308 ᵇ16. 11. 1315 ᵃ13. η 17. 1336 ᵇ19. πα 20. 861 ᵇ24. ε 14. 882 ᵃ14. λι 953 ᵃ39. opp ἐξαίφνης μβ 8. 368 ᵃ7. ἐκ 15 προσαγωγῆς ἢ ἐν χρόνοις παμμήκεσι μα 14. 351 ᵇ9. τόποι ὑψηλοὶ ἐκ προσαγωγῆς (paulatim adsurgentes) μα 13. 350 ᵇ22.

προσαιρῦνται οἱ ἄρχοντες γραμματέα f 389. 1542 ᵇ38.

προσαισθάνεσθαι. ὅταν ἐνεργῇ τῇ μνήμῃ ὅτι εἶδε τῦτο, 20 προσαισθάνεται ὅτι πρότερον μν 1. 450 ᵃ21.

προσαιτεῖν. Ἄμασις ἐπὶ τῷ φίλῳ προσαιτῦντι ἐδάκρυσεν Ρβ 8. 1386 ᵃ21.

προσάλλεσθαι. πάρδαλις προσαλλομένη (πρὸς τὸ δένδρον) Ζιι 6. 612 ᵃ11. θ 6. 831 ᵃ8. — θύελλα πνεῦμα βίαιον ἢ 25 ἄφνω προσαλλόμενον κ 4. 395 ᵃ7.

προσαναβαίνει ὁ κύκνος πρὸς τὰς πέτρας Ζιι 21. 617 ᵃ26.

προσαναβάλλει τῶν σεισμῶν τινες πνεύματα, πέτρας κ 4. 396 ᵃ6.

προσαναιρεῖν. ἢ τἀληθὲς προσαναιρῦσι Ηκ 1. 1172 ᵇ1. προσ- 30 αναιρεῖται τὸ ἀληθές Αβ 11. 62 ᵃ3.

προσανάλλεσθαι. αἱ ἅμαι θηρευθεῖσαι προσανάλλονται ἢ ἀποπνίγονται τὴν ὁρμιὰν ἐκφεύγωσιν f 291. 1528 ᵇ35.

προσαναπίμπλαναι. ὁ λοιμὸς μάλιστα τῶν νόσων τὰς πλησιάζοντας τοῖς θεραπευομένοις προσαναπίμπλησιν πα 7. 35 859 ᵇ16.

προσαναπληρῦν τὸν ἐνδεέστατον βίον Πα 8. 1256 ᵇ3.

προσαναπτύττεσθαι. τῷ πλάτει τῆς κέρκης προσαναπτυτ- τομένης Ζιι 17. 549 ᵇ2 Aub.

προσαναφέρεσθαι. ὅτι ἂν ἐπιστάξῃ τις αὐτοῖς τῶν τροφω- 40 δῶν ὑγρῶν, προσαναφέρεσθαι συμβαίνει πγ 5. 871 ᵇ19.

προσάντης. φορὰ εἰς τὸ πρόσαντες πθ 4. 889 ᵇ39. — προσ- άντης ζήτησις Ηα 4. 1096 ᵃ12.

προσαπερείδεσθαι. ὁ ἀὴρ ἔξω ὁρμῶν κατὰ φύσιν προσαπε- ρείδεται πρὸς τὸ ἐντὸς ἀπειλημμένον σῶμα πκε 1. 937 ᵇ31. 45

προσαποδιδόναι. παρὰ τῶν ποιῶντα λόγων ἴδιον τὸ ῥηθὲν ὀδὲν προσαποδοτέον τε 2. 130 ᵇ28, cf προσκεῖσθαι ᵇ26.

προσαποκρίνεσθαι. διὰ τὸ μὴ καλῶς ἐρωτᾶν τὸς πυνθα- νομένος ἀνάγκη προσαποκρίνεσθαί τι τὸν ἐρωτώμενον τι 17. 175 ᵇ11. ὃ προσαποκριτέον τῷ ἐρωτομένῳ Μγ 4. 1007 ᵃ17, 19. 50 προσαποκριτέον. καίτοι ἂν (κἂν Bkˢ) τῦτό τις ἔτι προσαπορή- σειεν Πγ 2. 1275 ᵇ39.

προσαποφαίνεσθαι. τῦτο δὲ προσαπεφήνατο ὁ ταῦτα λέγων Μν 2. 1089 ᵇ16.

προσάπτειν. τὰς λαιὰς προσάπτωσιν αἱ ὑφαίνεσαι τοῖς ἱστοῖς 55 Ζγα 4. 717 ᵃ36. ε 7. 787 ᵇ25. προσάπτειν τὰς κύρτας (τῷ δε- λέατι) Ζιε 15. 547 ᵃ29, 31. τὴν Αἴγυπτον τῇ Ἀσίᾳ προσάπτωσι κ 3. 394 ᵃ3. προσάψαι τὴν ἀρχὴν τῷ τέλει (cf Ἀλκμαίων p 33ᵃ18) πιζ 3. 916 ᵃ35. προσάπτειν ἕκαστον τῶν αἰσθητηρίων ἑνὶ τῶν στοιχείων αι 2. 438 ᵇ18. προσάπτειν τὰ τῷ τῷ παντὸς 60 σώματι ταύτας τὰς ἀρχὰς Οβ 2. 284 ᵇ10. ἐκείνῳ (τῷ Θαλῇ)

προσάπτυσι τὸ κατανόημα Πα 11. 1259 ᵃ8. προσάπτειν τῷ ζῆν ἡδονάς τινας, τὴν ἀρετὴν εἰς τὴν εὐδαιμονίαν ηεα 5. 1216 ᵃ33, 34, ᵇ1, τὰ θεωρήματα τοῖς σώμασιν Μμ 8. 1083 ᵇ18, τῷ ὕπνῳ τὴν μεταφορὰν ταύτην υ 2. 455 ᵇ21. cf Ργ 11. 1412 ᵃ4. προσάπτειν τὰ οἰκεῖα, τὰς διαφοράς, προσῆπται τὰ ῥηθέντα πρὸς ἑκάστοις τα 6. 106 ᵃ3, 4. ζ 1. 139 ᵃ29. εἰ τὸ ἔστι προσήπτετο· τὸ ἔστι προσάπτοντες ε 10. 20 ᵃ5. Φα 2. 185 ᵇ30. προσάπτειν τὸ ἀγαθὸν τῷ ἑνὶ Μν 4. 1091 ᵇ33, τὴν ἀνελευθερίαν τινί Ηδ 1. 1119 ᵇ29. προσάπτειν τι τῷ μὴ ὄντι ξ 4. 978 ᵃ35, ᵇ28. — θηρεύει ἡ νάρκη τὰ ἰχθύδια προσ- απτομένη ἢ ναρκᾶν ποιῆσα f 305. 1530 ᵃ14.

προσαρμόζειν, προσαρμόττειν. trans, proprie. ᾗ προσ- ήρμοσται τὸ πηδάλιον τῷ πλοίῳ μχ 5. 850 ᵇ32. cf 24. 855 ᵇ10. metaph, προσαρμόττειν ποίαις ποῖαι πολιτείαι συμφέ- ρωσιν Πδ 15. 1299 ᵃ13. τῦτον τὸν τρόπον προσαρμόζοντα τὴν μέθοδον ποιεῖσθαι φ 4. 809 ᵃ24. — intr proprie, οἱ ὄφεις μικρῷ προσαρμόττοντες μορίῳ Ζγα 7. 718 ᵃ28. metaph, ὁμι- λητικοί, ἢ προσαρμόττωσιν ἑκάστῳ ηεη 2. 1238 ᵇ13.

προσαρτᾶν. μόλυβδον πρὸς τοῖς ὀιστοῖς προσαρτῶντες Ζιι 13. 616 ᵃ11. — ἡ τῶν ὄρχεων φύσις προσήρτηται πρὸς τὰς σπερματικὰς πόρως Ζγε 7. 787 ᵇ26. δύο ψαθυρά ἐστι προσ- ηρτημένα τῷ ἐντέρῳ θωρικά Ζιδ 2. 527 ᵃ30. ὄρνιθες κατὰ τὴν κοιλίαν προσηρτημένοι Ζιε 18. 550 ᵃ20.

προσαυλεῖν. ὅταν προσαυλῇ τις ἅμα ἢ κιθαρίζῃ (πολὺ ἧττον συνίεμεν) διὰ τὸ συγχεῖσθαι τὰς φωνάς ακ 801 ᵇ18. προσ- αυλεῖν, ᾗ πρὸς χορδὰν κινεῖν, dist ὑπὸ τὴν ᾠδὴν κρύειν πιϑ 39. 921 ᵃ26, Westphal Harmonik 1863 p 112.

προσαφοδεύειν. ἀμύνεται (βάτος) λακτίζων ἢ προσαφο- δεύων Ζιι 45. 630 ᵇ9. θ 1. 830 ᵃ18.

προσβαίνειν. ἐὰν πρὸς τὴν γῆν ἐρείσας (ξύλον) ἢ τῷ ποδὶ προσβὰς πόρρωθεν τῇ χειρὶ κατανύῃ μχ 14. 852 ᵇ25.

προσβάλλειν. trans, τὰς τοίχως καταβάλλει ἢ ἐλέφας τὰς ὀδόντας τὰς μεγάλας προσβάλλων Ζιι 1. 610 ᵃ22. τὰ ἄνθη ἡδίστην τοῖς ὁδοιπόρσι προσβάλλειν τὴν ἀναπνοήν θ 113. 841 ᵃ14. — intr, τὰ πνεύματα ἃ ψυχρὰ διὰ τὸ ἀπὸ τῆς θα- λάττης προσβάλλειν πκς 58. 947 ᵃ22. (αἱ τῷ ἡλίῳ αὐγαὶ) πρὸς σκιερὸν ὄντα τὸν ἀέρα προσβάλλωσιν χ 2. 792 ᵃ20. ὁ ἥλιος προσβάλλων τῇ σελήνῃ πιε 7. 911 ᵇ37. ἕκαστον (τῶν αἰσθητῶν) προσβάλλει μέν πως τῇ αἰσθήσει, ὀχ ὕτω δ' ὥσπερ ἐγρηγορότος εν 1. 459 ᵃ4.

προσβιάζεσθαι. ὅταν τις προσβιάζηται πλεονάκις χρώμενος τῷ ἀφροδισιάζειν, ἐνίοις αἱματῶδες ἤδη προελήλυθεν Ζγα 19. 726 ᵇ8.

προσβλέποντι συνεστηκός τι φαίνεται Ζιε 17. 549 ᵃ25.

προσβολή. κόλλησιν εἶπε τὴν τῆς σικύας προσβολὴν Ργ 2. 1405 ᵇ21. πλησίον τῆς τῷ στόματος προσβολῆς (ubi gula applicatur ventri) Ζιβ 17. 507 ᵇ3. τῆς γλώττης μὴ τοι- αύτης ὕσης ὐκ ἂν ἦν φθέγγεσθαι τὰ πλεῖστα τῶν γραμ- μάτων· τὰ μὲν γὰρ τῆς γλώττης εἰσὶ προσβολαί, τὰ δὲ συμβολαὶ τῶν χειλῶν Ζμβ 16. 660 ᵃ6. cf γ 1. 661 ᵇ14. Ζιϑ 9. 535 ᵃ32. ἔστι δὲ φωνήεν μὲν ἄνευ προσβολῆς ἔχον φωνὴν ἀκυστήν, ἡμίφωνον δὲ μετὰ προσβολῆς πο 20. 1456 ᵇ26, 27, 29. Vhl Poet III 224.

προσβόρειος. ἐν τοῖς προσβορείοις, opp ἐν τοῖς νοτίοις Ζιε 15. 547 ᵃ12.

πρόσβορρος. ἐν τοῖς προσβόρροις (ci W, προσβόροις codd PSZ, πρὸς βορρᾶν Bk) Ζγε 3. 783 ᵃ31. cf S Theophr V 489.

πρόσγειος. (τὰ πλανητὰ ἄστρα κινεῖσθαι) ἐν ἑτέροις ἢ ἑτέροις κύκλοις, ὥστε αὐτῶν τὸν μὲν προσγειότερον εἶναι τὸν δὲ ἀνώτερον κ 2. 392 ᵃ16. ἡ θερμότης ἡ ἐκκαίσα τὸν ἀέρα τὸν κεκραμένον μετὰ τῷ προσγείῳ φτα 5. 820 ᵇ22. — νῆσοι πρόσγειοι, dist νῆσοι πόντιαι μβ8. 368 ᵇ33. οἱ πρόσγειοι τόποι θαλάττης Ζιθ13. 598 ᵃ7. (ἰχθύες τινὲς μεταβάλλωσιν) ἐν μὲν τῷ χειμῶνι ἐκ τῦ πελάγυς πρὸς τὴν γῆν. ἐν δὲ τῷ θέρει ἐκ τῶν προσγείων εἰς τὸ πέλαγος Ζιθ12. 597 ᵃ17. 13. 597 ᵇ32. οἱ πρόσγειοι πολύποδες, ἰχθύες, opp οἱ πελάγιοι Ζιθ1. 525 ᵃ15. θ13. 598 ᵃ2, 9. f 308. 1530 ᵇ33. ὁ πρόσγειος βίος σηπίας, καρκίνυ Ζμδ5. 679 ᵃ10. 8. 684 ᵃ4.

προσγελᾶν. ὐδὲ προσγελᾶν δύλοις εἶα Ἀριστοτέλης ποτέ f 179. 1508 ᵇ10.

προσγίνεσθαι, opp ἀπογίνεσθαι Μθ7. 1049 ᵃ10. ξ2. 976 ᵃ28. opp χωρίζεσθαι Γα1. 315 ᵃ16. δυνάμει ἐστὶν ἤδη (τὸ αἰσθητόν), ᶍ ἐνεργείᾳ ἔσται προσγενόμενον, opp χωριστόν αι6. 446 ᵃ14, 13, 11. syn προσέρχεσθαι Γα5. 321 ᵇ26, 27. αὐξάνει τὸ αὖξον προσγινόμενον, ὥστε ἓν γίνεσθαι τὸ ὅλον Φη2. 245 ᵃ13. θ7. 260 ᵃ32. Ζγα18. 723 ᵃ13. προσγίνεται τροφὴ τοῖς ἐμψύχοις πν1. 481 ᵃ4. προσγεγένηνται τοῖς μὲν πένησι τέτταρες τῶν πλησίων, τοῖς δὲ πλυσίοις πέντε τῶν πενήτων Πζ3. 1318 ᵃ35. — τὰ μέν γε τῇ τύχῃ πράσσειν, τὰ δὲ ἡμῖν ἀνάγκῃ ᶍ τέχνῃ προσγίγνεται (Agath fr 8) Ρβ19. 1392 ᵇ9.

προσγλίχεσθαι. εἴ τί πυ διέλειπε προσεγλίχοντο (v l προσεπεγλίχοντο) τῦ συνειρομένῃ πᾶσαν αὐτοῖς εἶναι τὴν πραγματείαν ΜΑ5. 986 ᵃ7 Bz. ὗτοι μὲν ὖν ταύτῃ προσγλιχόμενοι ταῖς ἰδέαις τὰ μαθηματικὰ διαμαρτάνυσιν Μν3. 1090 ᵇ31 Bz.

προσδεῖ τινὶ ἐμπειρίας Ηκ10. 1181 ᵃ12. ὅπῃ ἐλάχιστον προσδεῖ τῆς ἀρετῆς Πα11. 1258 ᵇ39. ὐθὲν προσδεήσει τῦ διότι Ηα2. 1095 ᵇ7. — προσδεῖσθαι. ὁ αὐτάρκης, τὸ τέλειον, ὁ θεὸς ὐδενὸς προσδεῖται Ηι9. 1169 ᵇ6. Μι4. 1055 ᵃ15. ηεη12. 1244 ᵇ8. ἡ εὐδαιμονία προσδεῖται τῶν ἐκτὸς ἀγαθῶν Ηα9. 1099 ᵃ31, ᵇ6. η14. 1153 ᵇ17, 21. ὁ προσδεῖται τῆς ἡδονῆς ὁ βίος ὥσπερ περιάπτυ τινὸς Ηα9. 1099 ᵃ15. ὁ προσδεῖται ὁ ὅμοιος τῦ ὁμοίῳ ημβ11. 1209 ᵃ38, ᵇ1. προσδεῖσθαι ὁμιλίας Ηθ3. 1156 ᵃ28. πότερον ὁ αὐτάρκης προσδεήσεται φίλων ημβ15. 1212 ᵇ25, 29, 33, 1213 ᵇ1. προσδεῖσθαι τῶν κοινῶν Πε8. 1309 ᵃ7, χρόνυ Ηθ4. 1156 ᵇ25, τέχνης τῆς ἐργαζομένης μβ1. 353 ᵇ29, ῥύμματος θ53. 834 ᵃ32. μηδεμιᾶς προσδεῖσθαι βίας ἀνάγκης Οβ1. 284 ᵃ15, cf ᵃ20. προσδέονται (οἱ γαμψώνυχες) τῦ ἄρρενος πρὸς τὴν ὁρμὴν τῆς τῦ σπέρματος ἐκκρίσεως Ζγγ1. 750 ᵃ20. cf 11. 762 ᵇ10. (τῶν ἐντόμων) σῶμα ὁ προσδεῖται ἑτέρυ ἐρείσματος Ζιθ7. 532 ᵇ2. τὸ ἧττον προσδεόμενον θατέρυ Ρα7. 1364 ᵃ5.

προσδεικνύναι. προσδεικτέον ὅτι τὸ2. 122 ᵃ24.

προσδεῖν (προσδεῖ). ὐδὲν ὅστιν ἐστὶν αὐτὸ καθ' αὐτό, ἀλλ' ἢ μόριον ὡς συνεχὲς ἢ ἁπτόμενον ᶍ προσδεδεμένον Ζμβ9. 654 ᵃ35. γλῶττα προσδεδεμένη ᶍ σκληρὰ Ζμβ17. 660 ᵇ9. ναῦς προσδεδεμένη τῷ σκαλμῷ μχ4. 850 ᵇ22.

προσδέχεσθαι. admittere. ὅταν (αἱ βῶς) προσδέχωνται τὴν ὀχείαν Ζιζ21. 575 ᵇ17. ὁ προσδέχεται ἡ ἵππος τὸν ὄνον 02 Ζιζ23. 577 ᵇ15. — exspectare. ἐὰν τἀναντία τύχῃ προσδεχόμενος (syn παρὰ δόξαν) Ρβ2. 1379 ᵃ23. ᾧ γινώσκωσιν οἱ μελιττυργοὶ ὅτι (αἱ μέλιτται) χειμῶνα προσδέχονται (syn προγινώσκυσιν) Ζι40. 627 ᵇ13, 10. — pass ὅταν τις ἢ ἐκκριθῇ ἢ προσδεχθῇ εἴς τι τῶν κατὰ τὸ σῶμα ἀθλημάτων πλ11. 956 ᵇ25.

προσδηλῦν. οἱ ὅροι ὁ προσδηλῦσιν ὅτι δυνατόν Αδ7. 92 ᵇ23, 34. pass προσδηλῦται τι13. 173 ᵇ7.

προσδιαιρεῖσθαι. τὸ προσδιαιρεῖσθαι τὴν λέξιν περίεργον Ργ12. 1414 ᵃ19. τὸ προσδιαιρεῖσθαι καθ' ἡλικίας περίεργον 60 Ρα10. 1369 ᵃ7. προσδιαιρετέον τι17. 175 ᵃ39.

προσδιαλέγεσθαι. τὸ ποιῆσαι ἀδολεσχῆσαι τὸν προσδιαλεγόμενον τι3. 165 ᵇ15.

προσδιηθεῖν. ἡ θάλαττα προσδιηθυμένη ποιεῖ ἁλμυρώτερον πκγ21. 933 ᵇ37.

προσδιορίζειν c enuntiatione interrog πότερον ... ἤ, πῶς sim ε11. 20 ᵇ29. ψα3. 407 ᵇ16. β2. 414 ᵃ23. προσδιορίζειν τι ηεβ3. 1221 ᵇ6. ὐδὲν προσδιορίζειν τυ6. 120 ᵃ8 (cf ἀδιόριστος ᵃ6). ψα3. 407 ᵇ21. ὐκ ἀπόχρη εἰπεῖν, ἀλλὰ προσδιοριστέον ποῖα τις τζ14. 151 ᵃ24. τὸ ἔνυδρον ἔτι προσδιοριστέον Ζιθ2. 589 ᵇ13. προσδιοριστέον ὅτι Ζμβ2. 649 ᵇ1. προσδιωρίσθω ᶍ ταύτῃ τῇ προτάσει τὰ εἰωθότα Μγ3. 1005 ᵇ27, 21. — med τῦτο προσδιορίζεσθαι ὑθὲν ἔτι δεῖ Μθ5. 1048 ᵃ17. ὅσα προσδιοριζόμεθα πρὸς τὰς σοφιστικὰς ἐνοχλήσεις sim ε6. 17 ᵃ36. Μγ3. 1005 ᵇ21. Ηζ3. 1139 ᵇ32.

προσδοκία τῦ μέλλοντος Ζμγ6. 669 ᵃ21. opp μνήμη Ηθ7. 1168 ᵃ18. τὸν φόβον ὁρίζονται προσδοκίαν κακῦ Ηγ9. 1115 ᵃ9.

προσδόκιμος. ὅταν πόλεμος ἦ τις προσδόκιμος ρ3. 1424 ᵇ32. προσδοκίμων ὑσῶν τριήρων πολλῶν πρὸς αὐτόν· εἰ μὴ τῇ ἀληθείᾳ προσδόκιμα ἦν τὰ χρήματα πρὸς αὐτόν· τηρήσας τὰς στρατιώτας ἅπαντας προσδοκίμυς ὄντας οβ1347 ᵃ32. 1350 ᵇ2, 1352 ᵇ29.

προσεγχεῖν. προσεγχέυσιν (οἱ κολυμβῶντες) εἰς τὰ ὦτα ἔλαιον· ἐὰν εἰς τὸ ὖς ὕδωρ ἐγχυθῇ, ἔλαιον προσεγχέοντα πλβ11. 961 ᵃ25. 10. 961 ᵃ18. ὁ οἶνος αὐξάνεται ὕδατος προσεγχυθέντος Ζγα18. 723 ᵃ19. ἡ ἐπυάζυσα προσεγχεῖ τὸ ἐν αὐτῇ θερμόν Ζγγ2. 753 ᵃ20.

προσεδρεύειν. τὴν νομὴν ποιῶνται τὰ πρόβατα προσεδρεύοντα ᶍ μονίμως Ζιθ10. 596 ᵃ14. ὐκ ἐν τῷ αὐτῷ τίκτυσι ᶍ ἐπυάζυσιν (οἱ πέρδικες), ἵνα μή τις κατανοήσῃ τὸν τόπον πλείυ χρόνον προσεδρευόντων Ζι8. 613 ᵇ17. cf ζ14. 568 ᵇ15. οἱ κόλακες ταχέως προσεδρεύσαντες φίλοι μὲν ὐκ εἰσὶ φαίνονται δέ ημβ11. 1208 ᵇ21. ὐθὲν δι' ἑτέρων οἷα τε ποιεῖ ἡ φύσις (τῶν τοιύτων ἀρρένων), ἀλλὰ μόλις αὐτῆς προσεδρευύσης ἰσχύυσιν αἱ κινήσεις Ζγα22. 730 ᵇ29. — προσεδρεύειν τοῖς φιλανοσίαις Πβ4. 1338 ᵇ25. προσεδρεύειν λίαν πρὸς τὸ ἐντελές Πθ2. 1337 ᵇ16. μᾶλλον ἐπιδώωσι τῶν ἰδίων ἑκάστῳ προσεδρεύοντος Πβ5. 1263 ᵃ29.

προσεῖναι. ὁ προσὸν ἢ μὴ προσὸν μηδὲν ποιεῖ ἐπίδηλον, ὐδὲ μόριον τὸ ὅλυ ἐστὶν πθ8. 1451 ᵃ34. δεῖ προσεῖναι ᶍ τὴν τρίτην αἰτίαν (τὴν κίνησιν) Γβ9. 335 ᵇ7. εἰ προσεῖναι ἑτέρῳ μία δυὰς Μμ7. 1081 ᵃ23. ὅσοις κοτυληδόνας πρὸς τοῖς ποσ πρόσεισι Ζμβ9. 685 ᵇ4. cf Ζι37. 621 ᵃ31 Aub. προσύσης δ' αἰσθήσεως (sed apte προϊύσης Aub e cod Aᵃ pr) Ζιθ1 588 ᵇ28. — κρεῖττον ᾧ μὴ πρόσεστι τὸ παθητικὸν ὅλως ᶍ ᾧ συμφυές Πγ15. 1286 ᵃ18. λέγειν τὰ ἴδια τινὶ προσόντ' Ργ16. 1417 ᵃ38. τῶν μὴ προσόντων ἀγαθῶν κτῆσις ρ2 1422 ᵃ5, syn ὑπάρχειν ᵃ4. πορίζεσθαι τὰς μὴ προσύσας ὠφελείας ρ1. 1420 ᵇ11. τῶν μὴ προσόντων συνοικειώυσι dist τῶν ὑπαρχόντων Ργ14. 1425 ᵇ38. ὁ τόπος μετὰ τὴν προσύσης ὑγρότητος αὐτῷ φτβ4. 825 ᵇ27. logice de noti notionem aliquam determinantibus, ὅσα ἄλλα ἀνάγκ προσεῖναι ἐν τῇ διορισμῷ Μθ5. 1048 ᵃ2, 20. cf ζ4. 102 ᵇ19. ἀδίκημα ὑπω, ἐὰν μὴ τὸ ἑκύσιον προσῇ Ηε10. 113 ᵃ23. cf πο14. 1454 ᵃ4. — (προσὴν παρ' ἑκάστοις οβ135 ᵃ8?).

προσεκσπᾶν. τὰ ἐκ τῆς γῆς ἀνασπώμενα, οἷς προσεκσπᾶτό τι ἀλλότριον πθ8. 877 ᵃ38.

προσεκτικός. ὐκ ἀεὶ συμφέρει προσεκτικὸν ποιεῖν τὸν ἀκρ ατήν Ργ14. 1415 ᵃ36, ᵇ3. προσεκτικοὶ τοῖς ἰδίοις, τοῖς θαυμαστοῖς Ργ14. 1415 ᵇ1.

προσέληνοι διὰ τί κατωνομάσθησαν οἱ Ἀρκάδες f 549. 1569 ᵃ2 (Humboldt Kosmos III 480).

προσέλκειν. πρός τινας λόγυς ⸱ δόξας αὐτῶν τὰ φαινόμενα προσέλκοντες ⸱ πειρώμενοι συγκοσμεῖν Oβ13. 293 ᵃ27.

προσελώδης. ἐν τοῖς κοίλοις ⸱ προσελώδεσι τόποις πκγ34. 935 ᵃ22.

προσεμφαίνεσθαι. τῇ περιεχύσῃ γραμμῇ τὸν κύκλον, πλάτος ἔδεν ἐχύσῃ, τἀναντία πως προσεμφαίνεται, τὸ κοῖλον ⸱ τὸ κυρτόν μχ847 ᵇ24.

προσεμφερής τινι, ἡ τενθρηδὼν προσεμφερὴς τῇ ἀνθρήνῃ sim Zц43. 629 ᵃ31. βι. 499 ᵃ3. Zμγ12. 673 ᵇ20.

προσεννοεῖν. ἂν δὲ γινομένων (γενομένων Torstr) ἢ ἐσομένων, τὸν χρόνον προσεννοεῖν ψγ6. 430 ᵇ1.

προσεξαμαρτάνειν. τοιῦτόν τι πάθος, ὥστε καθίστασθαι ⸱ ἄνευ θεραπείας, ἂν μή τι προσεξαμαρτάνῃ αὐτή (ἡ γυνὴ) Zш1. 634 ᵇ1.

προσεξαπατᾶν. τὰ ἀστεῖα τὰ πλεῖστα διὰ μεταφορᾶς ⸱ ἐκ τῦ προσεξαπατᾶν (προσεξαπατᾶν Vict) Pγ11. 1412 ᵃ19. — προσεξαπατᾶν ἑαυτὸς μείζυς ἀπάτας ατ969 ᵇ1.

προσεοικέναι τινί τι, παῖδες προσεοικότες τοῖς γονεῦσι τὰ σύμφυτα, τὰ ἐπίκτητα Zγα17. 721 ᵇ29. φ1. 805 ᵇ15. κόκκυξ κατὰ τὸ χρῶμα προσέοικεν ἱέρακι ZιΖ7. 563 ᵇ22. ταύτῃ προσέοικε τοῖς φυτοῖς Zμδ6. 682 ᵇ29. τρόπον τινὰ προσεοίκασιν ἀλλήλαις (αἱ γενέσεις) Zιε1. 539 ᵃ4.

προσεπηρεάζειν. ὅταν ὁ ἀποκρινόμενος τἀναντία τῷ ἐρωτῶντι παρατηρῇ προσεπηρεάζων τθ11. 161 ᵃ23. cf δυσκολαίνειν.

προσεπιβλέπειν ἄλλην ὁδὸν τῆς ἀναγκαίας Aα28. 45 ᵃ21.

προσεπικτᾶσθαι τιμὴν εὐδαιμονικὸν ⸱ καλόν Pα9. 1367 ᵇ14.

προσεπιπλήττειν δεῖ αὐτὸν αὐτῷ Pγ7. 1408 ᵇ2.

προσεπιτιθέναι. ἄκρα προσεπιτεθέντος καλύπτει πάντα (τὰ ᾠὰ) ⸱ γίνεται τῦτ' αὐτοῖς οἷον σῶμα Zιε17. 549 ᵃ33. οἱ Πυθαγόρειοι δύο τὰς ἀρχὰς κατὰ τὸν αὐτὸν εἰρήκασι τρόπον, τοσῦτον δὲ προσεπέθεσαν ὅτι MA5. 987 ᵃ15. — προσεπιτιθέντες τὴν ἀκρασίαν περὶ ἑκάστυ λέγυσιν Hη6. 1148 ᵇ6 (syn προστιθέντες 1147 ᵇ33, cf h v p 648 ᵇ29, 33, opp ἁπλῶς ἀκρασία 1148 ᵇ8).

προσερείδειν. μακρὸν ἡ φύσις τὸ ἰσχίον ποιήσασα (τοῖς ὄρνισιν) εἰς μέσον προσήρεισεν Zμδ12. 695 ᵃ11. ἐὰν θάτερον τῶν ξύλων ἢ προσηρεισμένον ἢ προστεθειμένον κατὰ τὰς τροχαλίας μχ18. 853 ᵃ35.

προσέρχεσθαι, προσελθεῖν, προσεληλυθέναι, de accedente ad corpus aliquod augmento vel nutrimento, syn προσγίγνεσθαι, προσιέναι, opp ἀπελθεῖν, ὑπεκρεῖν Γα5. 321 ᵇ27, 34, 35, 322 ᵃ2, 12, 19. Zγα18. 723 ᵃ13, 14. 19. 726 ᵇ14, 26. (προσέρχεσθαι ποιεῖ ἓν ἑαυτοῖς πκα6. 927 ᵇ13, fort προσέχεσθαι ποιεῖ ἑαυτοῖς, cf Bsm.)

προσερωτᾶν τὸ ἐνδεὲς τι8. 169 ᵇ35. μὴ προσερωτᾶν τὸ φανερόν· ἑνὸς προσερωτηθέντος συμβαίνει τὸ ἄτοπον Pγ18. 1419 ᵃ7, 1. προσερωτῶντες (unus e modis τῆς παλιλλογίας, cf ἐξ ἐπερωτήσεως) ρ21. 1433 ᵇ22. 37. 1444 ᵇ32, Spgl p 185.

πρόσεσις. οἱ μετὰ τὴν πρόσεσιν τῶν σιτίων ὕπνοι πλ14. 957 ᵃ19.

προσεσπέριος. ἐν τῇ Ἀκαρνάνων τὸ προσεσπέριον ἔχειν Λέλεγας f 433. 1549 ᵇ33.

προσέτι δὲ καὶ θ1. 830 ᵃ9.

προσευθύνυσα ἀρχὴ ⸱ ληψομένη λογισμόν PΖ8. 1322 ᵇ9.

προσεφέλκεσθαι, med. ἐν πολλαῖς πολιτείαις προσεφέλκεται (int πρὸς πολιτείαν) ⸱ τῶν ξένων ὁ νόμος Pγ5. 1278 ᵃ27.

προσέχειν τὸν νῦν, opp ἀμελεῖν Pε12. 1316 ᵇ14. ὧν δεόμενος τυγχάνει τις, τύτοις ⸱ προσέχει Hι1. 1164 ᵃ21. προσέχειν ταῖς δόξαις, τοῖς φαινομένοις, τῷ πολλῷ χρόνῳ ⸱ τοῖς πολλοῖς ἔτεσιν Mκ6. 1062 ᵇ33. ηεα6. 1217 ᵃ11. Πβ5. 1264 ᵃ2. cf HΖ12. 1143 ᵇ11. κείρεσθαι τὸν μύστακα ⸱ προσέχειν τοῖς νόμοις f 496. 1558 ᵇ36. — med προσέχεσθαι, adhaerere. c dat προσέχεσθαι τῷ τοίχῳ sim Zιε23. 555 ᵃ1. 32. 557 ᵇ17. 19. 551 ᵃ20 (cf προσέρχεσθαι p 645 ᵃ47). non addito dat, οἱ πολύποδες ὕτω προσέχονται ὥστε μὴ ἀποσπᾶσθαι sim Zιδ8. 534 ᵇ27. 6. 531 ᵇ2.

προσεχής. τὸ προσεχὲς ἀεὶ τῦ κάτω κόσμυ μα3. 340 ᵇ12.

προσζευγνύναι. ἡ τὸ πηδάλιον προσέζευκται μχ5. 851 ᵃ33.

προσηγορία (quomodo differat a κατηγορία cf Steinthal Gesch p 202). τυγχάνειν ταύτης τῆς προσηγορίας Πγ1. 1275 ᵃ6. ηεα1. 1214 ᵃ16. 4. 1215 ᵇ11. 5. 1216 ᵃ24. κοινωνεῖν τῆς τοιαύτης προσηγορίας ηεα7. 1217 ᵃ25. οἱ ἐν ταῖς τοιαύταις προσηγορίαις Hδ3. 1121 ᵇ21. (καλεῖν τινα) κατὰ τὴν προσηγορίαν τῦ πατρός f 77. 1488 ᵇ41. παλαιὰν εἴληφε τὴν προσηγορίαν μα3. 339 ᵇ22. τὴν κατὰ τὔνομα προσηγορίαν ἔχει K1. 1 ᵃ13. ἀποδιδόναι τὰς προσηγορίας, φάναι ταύτην τὴν πρ. Oα1. 268 ᵃ16, 18. μεταβάλλειν τὰς προσηγορίας ταΖ. 103 ᵃ33. μικρὸν παραλλάσσειν τῇ προσηγορίᾳ τγ5. 119 ᵃ15. τῷ σχήματι τῆς προσηγορίας K5. 3 ᵇ14. κατὰ τὴν τῦ ὀνόματος προσηγορίαν ηεγ5. 1232 ᵃ29. αἱ προσηγορίαι κατὰ ταῦτα μέρη ὄντα Φδ3. 210 ᵇ2. — γενῶν ἔσται ὁ ἀριθμὸς ἢ τύτων ἢ τινος ἄλλης τοιαύτης προσηγορίας Mν1. 1088 ᵃ14.

προσήκειν. ἡ προσήκει (μᾶλλον προσήκει) λέγειν, ἔχει προσήκυσαν σκέψιν sim Hδ15. 1128 ᵇ10. μα3. 341 ᵃ14, 340 ᵃ26. 13. 349 ᵃ31. Πγ18. 1288 ᵇ5. η2. 1325 ᵃ14. ὐδὲν τῶν ὡς γένυς εἰδῶν προσηκόντων Mι8. 1058 ᵃ22. παραγενέσθαι κατὰ τὰς προσηκούσας καιρές ρ3. 1425 ᵃ5. κατὰ τὸ προσῆκον, παρὰ τὸ προσῆκον Pα1. 1355 ᵃ22. ρ35. 1439 ᵇ19, 22. 37. 1445 ᵃ16. — ἡ ὀργὴ τῆς ὀλιγωρίας πρὸς τὸς μὴ προσήκοντας (i e οἷς μὴ προσήκει ὀλιγωρεῖν) Pβ2. 1379 ᵇ12, cf 1378 ᵃ33. — προσηκόντως ἀπορηθῆναι μβ2. 355 ᵃ35, ἐγκαλῶν Πη7. 1328 ᵃ3, λεχθῆναι, κατὰ τὸ ὄνομα Pγ11. 1412 ᵃ3, 11. ὐ προσηκόντως ρ35. 1440 ᵃ30.

προσημαίνειν. προσημαίνει impers, ὅταν ἄνεμος μέλλῃ πνευσεῖσθαι νότος, προσημαίνει μβ8. 367 ᵃ13.

προσήνεμος. τὰ προσήνεμα, opp τὰ κοῖλα Zγε3. 783 ᵃ32. πκ9. 923 ᵇ20. καθεύδειν ἐν προσηνέμῳ, opp ἐν ἐπισκεπεῖ Zц16. 616 ᵇ14 (S II 433).

προσηνής. προσηνέστερα ⸱ μαλακώτερα τὰς ψυχὰς τὰ θήλεα τῶν ἀρρένων φ5. 809 ᵃ31.

προσήπειν. τὰ κρέα κατεσθίει (ἄρκτος) προσήψησα πρῶτον Zιθ5. 594 ᵇ16.

πρόσθεν, cf ἔμπροσθεν, ὄπισθεν. πρόσθε (Simonid fr 163) Pα7. 1365 ᵃ26; apud Ar ubique πρόσθεν scriptum exhibetur. θέσεως (int διαφοραὶ) ἄνω κάτω, πρόσθεν ὄπισθεν Φα5. 188 ᵃ25. Oβ2. 284 ᵇ22. τὸ πρόσθεν τῦ βάθυς ἀρχή Oβ2. 284 ᵇ25. ἡ εἰς τὸ πρόσθεν κίνησις, opp ἡ εἰς τὔπισθεν Φθ8. 261 ᵇ35. Oβ2. 285 ᵃ24. 5. 288 ᵃ5. μγ1. 370 ᵇ23. τὸ (τὰ) πρόσθεν, anterior pars corporis animalium, syn τὸ ἔμπροσθεν, opp τὰ ὄπισθεν πβ14. 867 ᵇ12–18. τῆς καρδίας τὸ ὀξὺ ἐχύσης εἰς τὸ πρόσθεν Zιγ3. 513 ᵃ31. τὸ κοινὸν αἰσθητήριον μέσον τῦ πρόσθεν καλυμένυ ⸱ ὄπισθεν ζ1. 467 ᵇ30.

πρόσθεσις. ἄμφω (τὸ κολλᾶν ⸱ σικύας προσβολὴ) πρόσθεσίς τις Pγ2. 1405 ᵇ3. ἡ τῶν ποδῶν πρόσθεσις πρὸς τὴν ἐπὶ τῷ πεδίῳ κίνησιν χρήσιμός ἐστιν Zμδ13. 695 ᵇ22. —

πρόσθεσίς τις ἡ αὔξησις Φη2. 245 ᵃ27. αὔξησις κατὰ πρόσθεσιν, γίγνεσθαι προσθέσει Γβ6. 333 ᵇ1. Φα7.190 ᵇ6. πρόσθεσις, opp ἀφαίρεσις τβ11. 115 ᵃ26. γ3. 118 ᵇ10. 5. 119 ᵃ23. καθ' ἕκαστα ἡ πρόσθεσις ἢ γνώριμος Ηγ8. 1115 ᵃ1. ἀριθμεῖσθαι κατὰ πρόσθεσιν Μμ7. 1081 ᵇ14, cf 1082 ᵇ35. λόγοι ἐν προσθέσει ἀριθμῶν Μν6. 1092 ᵇ31. τῇ εὐθείᾳ πρόσθεσίς ἐστιν ἀεὶ Οβ4. 285 ᵇ20. ἄπειρον προσθέσει, κατὰ πρόσθεσιν, opp ἀφαιρέσει, κατὰ διαίρεσιν Φγ6. 206 ᵃ15,ᵇ3, 16. 4. 204 ᵃ7. Μκ10. 1066 ᵇ1. α2. 994 ᵇ30. — logice, de praedicato adiiciendo ad subiectum ε12. 21 ᵇ27, 30, de coniungendo vel accidente cum substantia Μζ4. 1029 ᵇ30 Bz. 5. 1030 ᵇ15, 1031 ᵃ4, vel nota determinante cum notione, opp ἀφαίρεσις Αδ5. 92 ᵃ2. τη1. 152ᵇ10sqq. Μγ2. 1003 ᵇ31. inde τὰ ἐκ προσθέσεως, opp τὰ ἐξ ἀφαιρέσεως, τὰ ἀφαιρέσει Αγ27. 87 ᵃ34-36 (Wz ad 81 ᵇ3). Μμ2.1077 ᵇ10. τὰ μὲν ἐξ ἀφαιρέσεως λέγεσθαι τὰ μαθηματικά, τὰ δὲ φυσικὰ ἐκ προσθέσεως Ογ1. 299 ᵃ17. αἱ ἐξ ἐλαττόνων ἐπιστῆμαι ἀκριβέστεραι τῶν ἐκ προσθέσεως λεγομένων, οἷον ἀριθμητικὴ γεωμετρίας ΜΑ2. 982 ᵃ27 Bz. ἀκρατὴς κατὰ πρόσθεσιν (i e cum nota aliqua notionem determinante), opp ἁπλῶς Ηη6. 1148 ᵃ10 Fritsche, cf 1149 ᵃ16. ημβ6. 1202 ᵇ2.

πρόσθετος. τὰ πρόσθετα. τὰ πρόσθετα (cod P Did, τὰ πρόσθεν Bk) ὑγρὰ προστεθέντα ἀφαιρεῖται ξηρά Ζγβ4. 739 ᵇ5. τὰς γυναῖκας βασανίζωσι τοῖς προσθέτοις Ζγβ7. 747 ᵃ8.

προσθεωρεῖν. 1. cf θεωρεῖν 1. ἢ προσθεωρήσαντες τὸ πῦ ἔχωσιν Ζιδ11. 538 ᵃ6 (cf ὦπται ᵃ8). 2. προσθεωρημένον χ2. 792 ᵇ1 (cf τεθεωρημένον ᵃ30). — 2. cf θεωρεῖν 2. προσθεωρητέον τίς ὁ τρόπος τῆς γενέσεως Ογ3. 302 ᵃ27. προσθεωρήσαντας ὅτι οα5. 1344 ᵇ10.

προσθήκη. ἀρχὴ τῆς φύσεως ἡ καρδία, τὸ δὲ κάτω προσθήκη χ τούτῳ χάριν Ζγβ4. 738 ᵇ17. αἱ πίστεις ἐντεχνῶν ἐστι μόνον, τὰ δ' ἄλλα προσθῆκαι Ρα1. 1354 ᵃ14.

πρόσθιος. οἱ πρόσθιοι ὀδόντες (ν ὀδὼς 2), πόδες (ν πῦς p 628ᵃ30), τὰ πρόσθια σκέλη Ζμδ10. 688 ᵃ3 al (τὰ πρόσθια σκέλη saepius in v l, in textu ἐμπρόσθια Bk exhibuit Ζμδ12. 695 ᵃ7. 10. 687 ᵃ6, ᵇ28, 31, 688 ᵇ4). τὰ πρόσθια κῶλα Ζμδ9. 684 ᵇ30. 10. 686 ᵃ24 al. τὸ πρόσθιον ἀρχὴ τῆ πλαγίῳ μᾶλλον Ζμβ13. 657 ᵇ21. ἡ ἐπὶ τὸ πρόσθιον τῶν κώλων ἔκτασις Ζμδ10. 688 ᵃ16 Langk. τὰ πρόσθια τῶν σωμάτων Ζμγ5. 668 ᵇ26. τὰ πρόσθια, opp τὰ ὀπίσθια (ἀνθρώπῳ) Ζια12. 493 ᵃ11. cf Ζγα18. 722 ᵇ29. opp τὰ πρανῆ Ζγα13. 720 ᵃ14. ἔστι τὰ μὲν ἄνω χ πρόσθια πάντων τῶν ζῴων τὰ ἄρρενα κρείττω χ ἰσχυρότερα χ εὐοπλότερα, τὰ πρόσθια πολιοῦνται πρότερα τῶν ὀπισθίων, τὰ πρόσθια τιμιώτερα Ζιδ1. 538 ᵇ3. γ11. 518 ᵃ17. Ζμβ14. 658 ᵃ20, 22. ἐν τοῖς προσθίοις ἢ ὑστέρα, ἐπάνω χ ἐν τοῖς προσθίοις (ν l ἐμπροσθίοις, πρόσθεν) ὁ τῷ ὑγρῷ περιττώματος πόρος Ζγα13. 720 ᵃ15, 719 ᵇ34. τὸ πρόσθιον ν l (ἐμπρόσθιον Bk) Ζμδ13. 695 ᵇ15.

προσιέναι (πρόσειμι). προσιόντες (πρὸς τὸν Ἡράκλειτον) εἶδον ὅτω χ πρὸς τὴν ζήτησιν περὶ ἑκάστῃ τῶν ζῴων προσιέναι δεῖ Ζμα5. 642 ᵃ19, 22. ἐάν τις κινῶν τὸν δάκτυλον προσίῃ ἐπικάμπτων χ ἐκτείνων πάλιν Ζιε30. 556 ᵇ17. τῷ προσιέναι χ ἀπιέναι (αἰτία) ἡ ἔγκλισις Γβ10. 336 ᵇ3, 17, opp ἀπελθεῖν ᵇ8, 9. σάρκας ἐκ τῆς τροφῆς προσιέναι ταῖς σαρξὶ sim (cf προσέρχεσθαι p 645 ᵃ43) Ζγα18. 723 ᵃ11, 725 ᵃ25. Γα5. 322 ᵃ26, 29. — τὴν γένεσιν προσιοῦσαν τοῖς ἀιδίοις (loc corr) ξ2. 975 ᵇ9.

προσίεσθαι τὴν ὀχείαν Ζιζ20. 574 ᵃ33, 575 ᵃ15. τὰ θήλεα τιθασσεύεται θᾶττον χ προσίεται τὰς χεῖρας μᾶλλον Ζιι1.

608 ᵃ26. ὁ αἰσχροκερδὴς ὅτιῶν προσίεται ηεγ4. 1232 ᵃ13. ὁ σικχὸς ὀλίγα προσίεται, ὁ ἄγροικος ὐδὲν γελοῖον προσίεται ηεγ7. 1234 ᵃ7, 9. τὴν ἀρχὴν τῷ ἔργῳ ἡδέως προσίεσθαι πκα4. 928 ᵇ36.

προσιζάνειν. ἡ μέλιττα πρὸς ὐδὲν προσιζάνει σαπρόν Ζιθ8. 535 ᵃ2.

προσίζειν. ἡ μέλιττα πρὸς ὐδὲν προσίζει σαπρόν Ζιθ11. 596 ᵇ15.

προσιστάναι, inhibere, προσιστάναι τὸ πνεῦμα πβ38. 870 ᵃ32, 38, ᵇ2. cf α41. 864 ᵃ13. — pass et intr. χ κεναὶ ὦσαι αἱ ὑστέραι ἄνω προσιστάμεναι πνίγωσιν Ζγα11. 719 ᵃ21 Aub. αἱ τῆς ὀφθαλμίας διὰ συχνῷ χρόνῳ κινῶντες, ἔχωντές τε βάμμα λευκώματος ἀπὶ τῷ ὀφθαλμῷ, ὡς προσεστηκότας (?), ἐννοητικοί φ6. 813 ᵃ29. τὸ δέρμα προσεστός (ci Bsm, προεστός codd Bk, cf ἀφεστός ᵃ22) πι3. 891 ᵃ24.

προσκαθῆσθαι. πόροι προσκαθήμενοι τοῖς ὄρχεσι, πρὸς τῷ ὄρχει Ζιγ1. 510 ᵃ21, 24, 32.

προσκαθίζειν. ὅταν μὴ ἔχωσιν αἱ μέλιτται ὁδὸν ἢ προσπορεύσονται (πρὸς τὰ κηρία), ἢ προσκαθίζωσιν Ζιι40. 625 ᵃ14.

προσκαίειν. ἐν τοῖς ἑψομένοις προσκαίει τὸ πλεῖον πῦρ Ζγδ2. 767 ᵃ20. (τὸ ἑψόμενον) τῇ ὑπερβολῇ προσκεκαῦσθαι λέγεται α3. 381 ᵃ27.

προσκαλεῖν. med ἐδικάζοντο προσκαλούμενοι εἰς δατητῶν αἵρεσιν f 383. 1541 ᵇ33. — pass ὑπέμεινε προσκληθεὶς δίκην εἰς Ἄρειον πάγον Πε12. 1315 ᵇ21.

προσκαταλείφειν. οἱ ἰχνεύμονες πηλῷ προσκαταλείφαντες (τὴν τρώγλην?) Ζιε20. 552 ᵇ28.

προσκαταλλάττεσθαι. οἱ φίλοι ἀφύλακτοί τε πρὸς τὸ ἀδικεῖσθαι χ προσκαταλλάττονται (προκαταλλάττονται ci Vict. cf Spgl) πρὶν ἐπεξελθεῖν Ρα12. 1372 ᵃ19.

προσκατασκευάζειν. med ὅταν ὑπαρχόντων τῶν ἀναγκαίων ἄλλα τινὰ προσκατασκευάζηταί τις τῶν ἀγαθῶν τγ2. 118 ᵃ13. προσκατασκευάζεται ὡς πεῖραν δύναται λαβεῖν τι34. 183 ᵇ1.

προσκατηγορεῖν. τὸ ἔστι προσκατηγορεῖται Αα3. 25 ᵇ22. τὸ ἔστι τρίτον προσκατηγορεῖται ε10. 19 ᵇ19. τῷ μὴ προσκατηγορεῖσθαί τι τὸ εἰς ἄνθρωπος τῷ ἄνθρωπος Μι2. 1054 ᵃ16 Bz.

προσκεῖσθαι. ὐδὲν μόριόν εἰσι τῶν πόρων οἱ ὄρχεις ἀλλὰ πρόσκεινται Ζγα4. 717 ᵃ35. ὥσπερ προσκείμενον δέλεατος χάριν Ζιι37. 620 ᵇ15. οἱ ἀγκῶνες ἐκ πλαγίῳ προσκείμενο Ζμδ10. 688 ᵃ14. προσκείμενον ἢ προσκρεμάμενον μχ24. 856 ᵃ23. ὁ βορέας σφοδρὸς προσκειται τοῖς πλησίον πκας45. 945 ᵃ33. — προσκεῖσθαι i q προστεθεῖσθαι, opp ἀφῃρῆσθαι. (τῇ ἰδίῳ φορᾷ) αὕτη οἷον πρόσκειται Οβ12. 293 ᵃ10. προσκεῖσθω τῷ ἐλάττον ἔχοντι Ηε7. 1132 ᵇ7. 15. 1138 ᵃ19. — τῷ συμβεβηκότι προσκεῖσθαι (adnumerantur) ἢ πρὸς ἄλληλα συγκρίσεις τα5. 102 ᵇ14. ταῖς κυριωτάτα ἀρχαῖς δεῖ προσκεῖσθαι (iniungi) λειτουργίας Πζ7. 1321 ᵃ33 — de inhaerentia τῷ συμβεβηκότος: τῷ αὐτὸ ἄλλῳ προσκεῖσθαι λέγεται ὁ ὁρίζεται Μζ4. 1029 ᵇ30 Bz. — de addita ad notionem nota (cf προσθεσις p 646 ᵃ12) προσκεῖσθαι, τὸ προσκείμενον ε11. 21 ᵃ21. Αα8. 30 ᵃ1. τε2. 13 ᵇ26 (cf προσαποδοῦναι ᵇ28). ζ3. 140 ᵃ33, ᵇ9 (opp ἀφαιρεθῆναι ᵃ33, ᵇ10). 14. 151 ᵇ22 (προσκείμενον περιέργως, opp ἐλλεῖπον). ηεβ8. 1224 ᵇ6. cf Φζ9. 239 ᵇ24. — de coniunctis in oratione vocabulis, τὸ ἔστι τῷ δικαίῳ προσκείσεται ε10. 19 ᵇ30 (cf προστεθεῖσθαι Αα1. 24 ᵇ17). τὰ Ἡράκλειτ διαστίξαι ἔργον διὰ τὸ ἄδηλον εἶναι ποτέρῳ πρόσκειται Ργ5. 1407 ᵇ15. τὸ αὐτὸ πρόσκειται πρὸς τὸν λόγον τὸν κοινὸν ηεα8. 1218 ᵃ11 (cf προστιθέντες τὸ ῥῆμα τὸ αὐτὸ Μζ16.1040ᵇ34)

προσκεφάλαιον. ἐπὶ τὰ προσκεφάλαια εὑρίσκονται οἱ φθεῖρες προλελοιπότες τὴν κεφαλήν f 263. 1526 ᵃ34.

προσκολλᾶν. τὰ δέρματα τῇ γλισχρότητι προσκολλᾶται πθ1. 889 ᵇ16. προσφῦναι δεῖ τὴν τροφὴν ᵹ προσκολληθῆναι τῷ σώματι πκα2. 927 ᵃ20.

προσκόπτειν. τὰ μείζω διαλύεται ῥᾳδίως, προσκόπτει γὰρ πολλοῖς Γα8. 326 ᵃ27. cf Ζκ6. 700 ᵇ13. ἧττον ἂν ὕτως ἐν τῇ πορείᾳ (τὰ σκέλη) ἐμπόδιά τε αὐτὰ αὑτοῖς εἴη ᵹ προσκόπτει Ζπ16. 713 ᵇ9. διὰ τὸ μὴ προσκόπτειν μχ8. 851 ᵇ23. 11. 852 ᵃ32. τροχάζοντες προσκόπτομεν τῷ ἀέρι πε17. 882 ᵇ18. ἡ φωνὴ προσκόψασα τῷ ἐξ ἐναντίας ἀέρι πια45. 904 ᵃ34. καθ' ὅ τι ἂν προσκόψῃ φερόμενος ὁ ἦχος ακ802 ᵃ27, cf 801 ᵃ14.

πρόσκοψις μχ11. 852 ᵃ32.

προσκρέμασθαι. ὅταν προσκείμενον κινῇ ἢ προσκρεμάμενον μχ24. 856 ᵃ23.

προσκρύειν. κατὰ μικρὸν ἅπτεται ὁ κύκλος τῷ ἐπιπέδῳ ᵹ προσκρύει μχ8. 852 ᵃ7. cf πις4. 913 ᵇ10. — διαφέρεσθαι ᵹ ἐκ μικρῶν προσκρύειν ἀλλήλοις Πβ5. 1263 ᵃ18, 20. τῶν φίλων οἱ προσκεκρυκότες Ηι4. 1166 ᵃ6.

πρόσκρυσμα. τὸ ὕδωρ ὐκ ἔχει πολλὰ τὰ προσκρύσματα πρὸς τὴν ὄψιν ὥσπερ ὁ ἀήρ Ζμβ13. 658 ᵃ7.

προσκυνεῖν διδάσκονται ἐλέφαντες τὸν βασιλέα Ζυ46. 630 ᵇ20. τὸ ἐντεῦθεν πνεῦμα ὡς ἱερὸν προσκυνῦσιν πλγ9. 962 ᵃ38.

προσκύνησις, τιμὴ βαρβαρικὴ Ρα5. 1361 ᵃ36.

προσλαμβάνειν, syn κερδαίνειν, opp προστιθέναι Ηε4. 1130 ᵃ25. — ἀριθμῷον προσλαμβάνοντες, κατὰ μερίδα Μμ7. 1082 ᵇ35, 29. τὸ προσλαμβανόμενον μέγεθος Φζ9. 239 ᵇ19. εἴ τις προσλάβοι τῇ κόρῃ τὸ διαφανὲς πᾶν Ζμβ8. 653 ᵇ26. ἡ εὔνοια φιλία εἰ προσλάβοι βύλησιν ημβ12. 1212 ᵃ8. ἡ Καλλίππῳ τέχνη προσλαβῦσα ᵹ τὸ δυνατόν Ρβ23. 1399 ᵃ16. προσλαβεῖν τινὰς ᵹ ποιεῖν πολίτας Πζ4. 1319 ᵇ8. cf δ12. 1296 ᵇ35. προσλαβεῖν (in suas partes trahere) τὸν δῆμον Πε10. 1312 ᵇ17. cf 4. 1303 ᵇ25. προσλαμβάνειν τῆς μὴ χρησίμα τροφῆς Ζγα18. 726 ᵃ23. τὰ σιτία ταχὺ τῷ ἄνω κενῷ προσλαμβάνει (?) πκβ1. 930 ᵃ13. — logice προσλαμβάνειν ὅρος, opp ὅλᾳ λαμβάνειν, ἐντὸς ἐμβάλλεσθαι Αγ12. 78 ᵃ14. 22. 84 ᵃ36. 32. 88 ᵇ5, ᵃ36. αἱ ἀποδείξεις προσλαμβάνεται ἀεὶ μέσον ᵹ ἄκρον εὐθυπορῦσιν ψα3. 407 ᵃ29. προσλαμβάνειν πρότασιν Αβ11. 61 ᵃ20, 38 (προσειλήφθω), ᵇ7. 25. 69 ᵃ28. 27. 70 ᵃ25. προσλαμβάνειν de propositione, quae conversa sumitur, quamquam non conversa data est (Wz I 496) Αα5. 28 ᵃ5. 6. 29 ᵃ16. 25. 42 ᵃ34. β6. 58 ᵇ27. 7. 59 ᵃ12, 22. γένος τό τε πρῶτον ᵹ μετὰ τῶν διαφορῶν τῦτο προσλαμβανόμενον Αδ13. 97 ᵇ4. ὅταν μὴ ἐν τοῖς προσλαμβανομένοις ᾖ ὁ λόγος (?) θ11. 162 ᵃ7. — προσλαμβάνειν i q affigere. τύτων ἡ φύσις οἷον ἧλοι πρὸς τὸ σῶμα προσλαμβάνῃσιν αὐτήν Ζμγ7. 670 ᵃ14. περὶ τὰ ὀστᾶ αἱ σάρκες περιπεφύκασι προσειλημμέναι λεπτοῖς δεσμοῖς Ζμβ9. 654 ᵇ27. cf Ζια17. 497 ᵃ22. ζ11. 566 ᵃ13.

προσλείπειν. τὸ προσλεῖπον τῆς φύσεως ἀναπληρῶν Πη17. 1337 ᵃ2.

πρόσληψις. διὰ προσλήψεως Αβ5. 58 ᵇ9 (Wz cum codd om, ut vocabulum Theophrasteum).

προσλογίζεσθαι. ᾧ προσλογιζόμενοι τὸ ἀπόστημα τῷ ἡλίῳ Οβ13. 294 ᵃ14.

προσμένειν. θερμαίνεται ἡ κοιλία τῷ δένδρῳ, ὅταν προσμείνῃ εἰς αὐτὴν ὁ ἥλιος φτβ10. 829 ᵇ4.

προσνέμειν. τὰς νήσυς προσνέμῃσι ταῖς γείτοσιν ἀεὶ μοίραις κ3. 394 ᵃ4. προσνέμεται (ὑπὸ τῶν φαύλων) ὁ φίλος τοῖς

πράγμασιν, ἃ τὰ πράγματα τοῖς φίλοις ηεη2. 1237 ᵇ33. τοῖς προγόνοις ταῦτα προσνέμεται (Fritzsche, ἀπονέμεται Bk) Ηθ13. 1161 ᵃ18.

προσογκεῖν. τῶν ἀναπνεόντων συμπιεζομένη ἡ κοιλία ταῖς πλευραῖς κάτω, καθάπερ αἱ φῦσαι, προσογκεῖν (προογκεῖν cod Υᵃ Did) φαίνεται πλθ11. 964 ᵇ4.

πρόσοδος. πρόσοδοι, opp ἀναλώματα οβ1346 ᵃ10, 16. (ἀναλίσκειν) τὰς τῶν γνωρίμων προσόδᾳς (dist αἱ ὁσίαι) ταῖς λειτᵃργίαις Πε5. 1305 ᵃ5. αἱ πρόσοδοι τῆς πόλεως Ρα4. 1359 ᵇ24. ποιεῖν πρόσοδον ρ3. 1425 ᵇ21. πρόσοδός τις τῇ πόλει γίγνεται ρ3. 1425 ᵇ23. προσόδων εὐπορία Πδ6. 1293 ᵃ3. ρ2. 1422 ᵃ13. προσόδων μὴ ὐσῶν, διὰ τὸ μὴ εἶναι πρόσοδον Πδ6. 1292 ᵇ33, 38. ζ5. 1320 ᵃ19. προσόδων χάριν πράττειν τι Πη6. 1327 ᵃ29. δύναμις ἡ κυρία τῶν προσόδων Πδ15. 1300 ᵇ10. προσόδων ταμίαι κ6. 398 ᵃ24. σῖτος καλεῖται ἡ διδομένη πρόσοδος εἰς τροφὴν ταῖς γυναιξὶν ἢ τοῖς ὀρφανοῖς f 384. 1542 ᵃ12.

προσοικεῖν λίμνας Πα8. 1256 ᵃ37.

προσοικοδομεῖν. ὁ ἱδρὼς τὸ κακῶς προσῳκοδομημένον ἐστὶν ἐν τῇ σαρκὶ πβ2. 866 ᵇ17.

προσόμοιος τύτων (τῶν γονέων) ὐθενὶ Ζγδ3. 769 ᵇ8.

προσονομάζειν. διὰ τί αἰθέρα προσωνόμασαν τὸν ἀνωτάτω τόπον Οα3. 270 ᵇ22.

προσορίζεσθαι. οἱ χρησμολόγοι ὃ προσορίζονται τὸ πότε Ρυ5. 1407 ᵇ5. εἰ προσοριεῖται τὸ ἐν μέρει Φθ1. 252 ᵃ27.

προσορᾶν. κακοὶ ᵹ προσορῶν τὸν λέοντα τῦτο τὸ ζῷον (τὸ λεοντοφόνον) θ146. 845 ᵃ33.

προσοφλισκάνειν. προσοφλήσει ὁ ὑπάρξας Ηδ8. 1124 ᵇ11.

πρόσοψις. ἕπεται αὐτῷ ὁ πλησίον ἀὴρ διὰ τὴν πρόσοψιν (πρώϊσιν recte ci Bsm) πκε22. 940 ᵃ12.

πρόσπαιος. ἐκ προσπαίᾳ, opp μετὰ συνηθείας Ηι5. 1166 ᵇ35, 34. — προσπαίως εὖνοι γίνονται ᵹ ἐπιπολαίως στέργυσιν, syn ἐκ προσπαίᾳ Ηι5. 1167 ᵃ2.

προσπέτασθαι, προσπέτεσθαι. κατὰ μόνας προσπέταται Ζυ43. 629 ᵃ35. προσπετόμενος, προσπετόμενα Ζυ36. 620 ᵃ30, 32. 1. 609 ᵃ15. θ3. 593 ᵃ8.

προσπιέζειν. προσπιέζᵃσι τὸ ἄνω μέρος πρὸς τὸ κάτω Ζιδ2. 526 ᵃ23. προσπιέζεται τὰ ᾠὰ τύτοις (ἰ e τοῖς χονδρώδεσιν) ἀποτίκτει Ζιε17. 549 ᵇ2.

προσπίπτειν. ἀὴρ πρὸς τὰ σώματα προσπίπτων, ἦχοι πρὸς μαλακὸν προσπίπτοντες ακ800 ᵃ2, 803 ᵇ1. πόλος πρὸς ὃν αἱ γραμμαὶ προσπίπτᵃσιν, προσπεσῶνται μγ5. 376 ᵃ19, 375 ᵇ25. ῥέων ὁ ἄνεμος ᵹ προσπίπτων, προσπίπτειν τὸ σῶμα στερεοῖς ὄγκοις sim μβ8. 366 ᵇ14, 368 ᵃ23. γι.371 ᵃ14, ᵇ10. πη16. 888 ᵇ24. ια7.899 ᵇ24. κς17.942 ᵃ19. λβ2.960 ᵇ14. ἡ ὄψις προσπίπτει πρός τι, πρὸς τὸν ἥλιον sim μγ4. 375 ᵃ3. 6. 377 ᵃ32, ᵇ19, 378 ᵃ3. ἡ νεφέλη λευκὴ ὖσα προσπίπτᵃσα πρὸς τὸ πράσινον μγ4. 375 ᵃ16. ᵹ κίνησις ἐλάττων προσπίπτει τοῖς ὁρωμένοις Ζγε1. 781 ᵃ5. — κυνίδια προσπίπτοντα δάκνει Ργ4. 1406 ᵇ28. ψύλλοι κατεσθίυσιν ἰχθῦς προσπίπτοντες Ζιθ10. 537 ᵃ7. cf Ζμθ5. 681 ᵇ9. προσπίπτειν πρὸς τὴν τροφὴν Ζμθ5. 681 ᵇ3. — τὰ προσπίπτοντα τοῖς βλεφάροις, πρὸς τὰ ὄμματα, τὰ ἔξωθεν προσπίπτοντα Ζμβ3. 657 ᵃ37, 33. 15. 658 ᵇ17. αἱ ἀκάληφαι τρέφονται ὅ τι ἂν προσπέσῃ ἰχθύδιον Ζιθ2. 590 ᵃ27. δ6. 531 ᵇ5. αἰσθάνεσθαι τῶν προσπιπτόντων Ζμθ5. 681 ᵇ4. οἱ νόμοι τὸ καθόλᾳ λέγῳσιν ἀλλ' ὃ πρὸς τὰ προσπίπτοντα ἐπιαίτησιν Πγ15. 1286 ᵃ11.

προσπλεῖν. ἂν οἱ ἁλιεῖς ἀποφηγῇ προσπλεύσωσιν Ζιδ8. 533 ᵇ32. φασί τινες προσπλεύσαντες (πρὸς Λιβύην) Ζιδ28. 606 ᵇ10.

προσποιεῖσθαι μείζω τῶν ὑπαρχόντων sim Ηδ13. 1127 ᵇ9,

18, 21. ηεβ3. 1221 ᵃ25. προσποιῶνται λέγειν τι, βуλεσθαι sim Ργ5. 1407 ᵃ33. Ηκ8. 1178 ᵃ31. ι3. 1165 ᵇ5. προσποιεῖται τοιῶτος εἶναι Ηθ10. 1159 ᵃ15. — προσποίητος. μετ' ὀργῆς προσποιήτᴥ οβ1352 ᵇ9. φιλανθρωπία προσποίητος αρ7. 1251 ᵇ3.

προσποίημα. ἀληθεύειν ἐν λόγοις κ πράξεσι κ τῷ προσποιήματι Ηδ13. 1127 ᵃ20.

προσποίησις ἐπὶ τὸ μεῖζον, ἐπὶ τὸ ἔλαττον Ηβ7. 1108 ᵃ21. προσποίησις παραλείψεως ρ22. 1434 ᵃ24. ἀπατᾶσθαι ὑπὸ τῆς προσποιήσεως. Ηι3. 1165 ᵇ10.

προσποιητικὸς ἀνδρείας Ηγ10. 1115 ᵇ30. προσποιητικὸς τῶν ἐνδόξων Ηδ13. 1127 ᵃ21.

προσπορεύεσθαι. ὅταν μὴ ἔχωσιν αἱ μέλιτται ὁδὸν ἢ προσπορεύσονται (πρὸς τὰ κηρία) Ζιι40. 625 ᵃ13. — προσπορευομένης τῆς νᴗμηνίας, προσπορευομένᴥ τῷ μηνός οβ1353 ᵇ1, 3. — τὰ ἀπὸ τῶν λιμένων κ τῶν ἄλλων τελῶν αὐτοῖς προσπορευόμενα οβ1350 ᵃ7.

προσπορίζειν. προσπεπορίσθω πρὸς τὴν β (int ἡ γραμμή), ἐφ' ἧς τὸ ζ μγ5. 376 ᵃ14.

προσπταίειν. προσπταίσαντα πεσεῖν Ηε15. 1138 ᵇ4. ἐὰν προσπταίσωμεν λυπᴗμεθα ημβ11. 1210 ᵇ38. — οἱ ἰσχνόφωνοι προσπταίουσιν (offendentes, haesitantes lingua) ἐπίσχᴧσιν πια60. 905 ᵇ30. — metaph, τὸ μικρὸν τῆς περιόδᴗ προσπταίειν πολλάκις ποιεῖ τὸν ἀκροατὴν Ργ9. 1409 ᵇ19, 21.

προσπταισμα. πλευρῖτις μείζων νόσος προσπταίσματος Ηε15. 1138 ᵇ3.

προσπυνθάνεσθαι εἴ τι σημαίνει τι13. 173 ᵇ12. cf προσερωτᾶν.

προσραίνειν. κάπτꝰσιν οἱ κέφοι τὸν ἀφρόν, διὸ προσραίνοντες θηρεύꝰσιν Ζιι35. 620 ᵃ14. ἅπαντα μᾶλλον πιαίνει ἅλμη προσρανθέντα Ζιθ10. 596 ᵃ26. ἂν προσρανθῇ τινι (φάρμακον) θ78. 835 ᵇ5.

πρόσρησις. καθ' ἑκάστην πρόσρησιν (i e καθ' ἑκάστην τρόπᴥ προσθήκην Schol 148 ᵇ18, in qualibet modalitate, cf πρόσθεσις ε12. 21 ᵇ27, 30) Αα2. 25 ᵃ3 Wz.

πρόσριζος. ἡ χλωρὶς τὴν νεοττιὰν ποιεῖται ἐκ τᴗ συμφύτᴥ ἕλκᴗσα πρόσριζον (πρόρριζον codd Aᵃ Dᵃ Aub) Ζιι13. 616 ᵃ2.

προσσημαίνειν. ῥῆμά ἐστι τὸ προσσημαῖνον χρόνον ε3. 16 ᵇ6, 8, 9, 13, 18. 10. 19 ᵇ4. πο20. 1457 ᵃ17. τὸ εἶναι προσσημαίνει σύνθεσίν τινα ε3. 16 ᵇ24. τὰ τοιαῦτα τῶν ὀνομάτων προσσημαίνει τὴν προαίρεσιν Ρα13. 1374 ᵃ13. τὸ πᾶς ὐδὲν ἄλλο προσσημαίνει ἢ ὅτι καθόλᴥ ε10. 20 ᵃ13. προσσημαίνειν κ τᴥς ἐναντίᴥς λόγᴥς τζ2. 140 ᵃ19. μὴ προσσημηνάνας τε5. 134 ᵇ18. cf τη5. 155 ᵃ33. ι7. 169 ᵇ11.

προσσπᾶν. γαστροκνημίαι κάτω προσεσπασμέναι φ3. 807 ᵇ1.

προσσπαστικός. ὑστέραι προσσπαστικαὶ ᴥσαι σημαίνεσι καλῶς ἔχειν πρὸς τὸ συλλαβεῖν Ζικ2. 635 ᵃ25, cf 3, 636 ᵃ7.

προσστέλλω. μαλακωτέρα ἡ (τᴥ βονάᴥ) θρὶξ τῆς τᴥ ἵππᴥ κ προσεσταλμένη μᾶλλον Ζιι45. 630 ᵃ25 (S II 518). κοιλία πλατεῖα κ προσεσταλμένη· ἰσχίον προσεσταλμένον φ3. 807 ᵃ34. 37.

πρόσταγμα. κατὰ τὸ πρόσταγμα τᴥ παιδαγωγᴥ ζῆν Ηγ15. 1119 ᵇ13.

προστακτικὸν ἡ ψυχή, opp ὑπηρετικὸν τε1. 128 ᵇ19.

πρόσταξις πατρικὴ Ηκ10. 1180 ᵃ19. κατὰ πρόσταξιν τᴥ τὸ κράτος ἔχοντος ἡγεμόνος κ6. 399 ᵇ9. ποιεῖσθαί τινι τὴν πρόσταξιν τα7. 103 ᵃ35.

προστάτης. προστάτην νέμειν Πγ1. 1275 ᵃ13. μέτοικος προστάτην ᴥκ ἔχων f 401. 1545 ᵃ13. προστάται τᴥ δήμᴥ Πε5. 1305 ᵃ20. cf 6. 1305 ᵃ39, ᵇ7.

προστάττειν. τὸ λογιστικὸν (ἡ φρόνησις, ὁ λόγος, ὁ νόμος)

προστάττει. opp προστάττεσθαι, ὑπηρετεῖν τε1. 129 ᵃ12-15. Ηγ8. 1114 ᵇ30. ε3. 1129 ᵇ19. opp κωλύειν Ηε5. 1130 ᵇ25. ὁ ἀλείπτης ἐξ μνᾶς προστάξει Πβ5. 1106 ᵇ2. πολλὰς ἐπιμελείας ἅμα προστάττειν Πδ15. 1299 ᵇ8. τοῖς κοπιῶσι προστάττωσιν ἐμεῖν πε7. 881 ᵃ12. τύπτειν προστάττꝰσι τύτοις (τοῖς ἐλέφασι) Ζιι1. 610 ᵃ27. ζ18. 572 ᵃ4. — ποιεῖν τὸ προσταττόμενον Ρβ23. 1399 ᵇ13. Ηβ3. 1105 ᵇ16. τύτοις (τοῖς ἐπιμελητᾶις ἐμπορίᴥ) προστέτακται τῶν ἐμπορίων ἐπιμελεῖσθαι f 410. 1546 ᵇ6.

προστέλλειν. ἀναγκαῖον (ζῷά τινα) τᴧς μηρᴧς προστέλλοντα κ ὑποτιθέμενα ὑφ' αὑτὰ τὸν μετεωρισμὸν τᴥ ὅλᴥ σώματος ποιεῖσθαι Ζπ15. 713 ᵃ22.

προστιθέναι, coni περιθεῖναι, ἐναρμόσαι μχ24. 856 ᵃ20. dist ἐπιτιθέναι Ογ1. 299 ᵇ28. opp ἀφαιρεῖν Ηε7. 1132 ᵃ33. opp προσλαμβάνειν Ηε4. 1130 ᵃ25. προσθεῖναι τὸ ἐλλεῖπον Ηα7. 1098 ᵃ25. ὐδενὸς προστεθέντος, syn μονᴥμενον Ηκ2. 1172 ᵇ31. προστιθέμενον ποιεῖ ῥοπὴν Πδ11. 1295 ᵇ38. cf Ηα5. 1097 ᵇ19. opp ἀφαιρεῖν· πρὸς πεπερασμένον ἀεὶ προστιθείς, ἀφαιρῶν sim Φθ10. 266 ᵇ2. Μβ4. 1001 ᵇ8. ὃ ἐκείθεν ἀφαιρεῖ ἡ φύσις, προστίθησιν ἐνταῦθα Ζγγ1. 750 ᵃ4. cf 4. 755 ᵃ35. Ζμγ2. 663 ᵃ9. δ9. 684 ᵇ30, 685 ᵃ26. 10. 689 ᵇ14. (αἱρετώτερον) δυοῖν ὁ τῷ αὐτῷ προστιθέμενον μεῖζον ποιεῖ τὸ ὅλον Ρα7. 1365 ᵇ13. τοῖς εὖ ἔχᴥσιν ἔργοις ᴥτ' ἀφελεῖν ἔστιν ᴥτε προσθεῖναι Ηβ5. 1106 ᵇ11. προστεθείσης τῆς αἰτίας τᴥ διὰ τί Ρβ21. 1394 ᵃ31, ᵇ32. παραλογισμοὶ παρὰ τὸ προστιθέναι τι τι29. — logice de addendo ad subiectum praedicato ε10. 19 ᵇ38 Wz. cf ἢ προστιθεμένη ἢ ἀφαιρᴥμένη τᴥ εἶναι ἢ μὴ εἶναι Αα1. 24 ᵇ17 Wz; saepe de adiicienda nota ad determinandam notionem (cf ἢ προσθετέον Ηα11. 1101 ᵃ16. ε11. 1136 ᵇ3. θ2. 1155 ᵇ34). opp ἀφαιρεῖν Αδ5. 91 ᵇ27. δεῖ ἡ ὁμωνύμως ταῦτα φάναι εἶναι ὄντα, ἢ προστιθέντας ἢ ἀφαιροῦντα Μζ4. 1030 ᵃ33 Βz. ἁπλῶς ἀκρατής, opp προστιθέντας τὸ χρημάτων ἀκρατὴς sim Ηη6. 1147 ᵇ33. ημβ6. 1202 ᵃ38. σκεπτέον περὶ τῶν μαθηματικῶν, μηδεμίαν προστιθέντας φύσιν ἄλλην αὐτοῖς Μμ1. 1076 ᵃ23. Ἐμπεδοκλῆς ᴥ καλῶς τᴥτο εἴρηκε, προστιθεὶς ψβ4. 415 ᵇ28 (Torstr). ᴥς ᴥκ αἰσθανομένων, ἂν μὴ αὐτὸς προσθῇ (i e in maius auxerit) πο26. 1461 ᵇ30. πάντες προστιθέντες ἀπαγγέλλꝰσιν ὡς χαριζόμενοι πο24. 1460 ᵃ18 (inde Ρβ24. 1401 ᵇ7 pro ὄρσῃ ci προσθῇ Vahlen Poet IV 435). — τὸ προσθεῖναι μεσότης (τᴥ ἆραι et τᴥ θεῖναι) πε41. 885 ᵇ8? — προστίθεται (adnumeratur) τὰ ζεφυρικὰ τῷ βορέᾳ μβ6. 364 ᵃ19. — med προσθέσθαι τὴν ἡδονὴ κ πρᾶξαι τὰ φαῦλα ημβ6. 1201 ᵃ2. — (παντὸς τᴥ προστεθέντος μεῖζον Ογ2. 301 ᵇ15, fort προτεθέντος coll α12. 281 ᵃ34). — τὰ πρόσθετα v h v.

προστίκτειν. οἱ χάραδοι προστίκτᴥσιν (προεκτίκτᴥσιν Aub, v h v) ὑπὸ τὴν κοιλίαν Ζιε17. 549 ᵃ17.

προστιμᾶν. ἂν τις ἱερωσύνης ἀμφισβητήσῃ, προστιμᾷ ὁ βασιλεύς f 385. 1542 ᵃ31.

προστρίβειν. πνεῦμα, ἢ προστρίβοντα κ κινᴥντα (ζῷά τινα ἄφωνα) ποιεῖ τᴧς ψόφꝰς Ζιθ9. 535 ᵇ23.

προσυλλογίζεσθαι τὰ συμπεράσματα Αβ19. 66 ᵃ35 Wz. κρύπτοντα προσυλλογίζεσθαι δι' ὧν ὁ συλλογισμὸς τθ1. 156 ᵃ7. προσυλλογιστέον τζ10. 148 ᵇ8.

προσυλλογισμός. περαίνεσθαι διὰ προσυλλογισμῶν Αα25. 42 ᵇ5 Wz, cf Αβ1. 53 ᵃ40. ἐκ προσυλλογισμῶν Αα28. 44 ᵃ22.

προσυπάρχειν. δεῖ δὲ κ τρίτην ἔτι (ἀρχὴν) προσυπάρχειν Γβ9. 335 ᵃ31.

προσυπολαμβάνειν. προσυπολαβόντες τὸ μέσον ὁμοίως ἔχειν πρὸς ἅπαν Οδ1. 308 ᵃ27.

πρόσφατος. πρόσφατόν ἐστι κỳ νέον ὕδωρ τὸ ὑόμενον f 207.
1515 ᵇ24. ἀναθυμιάσεις πρόσφατοι φτβ4. 825 ᵇ38. τὰ πε-
πωκότα πόμα πρόσφατον Ζιγ19. 520 ᵇ31. δέλεαρ πρόσφα-
τον Ζιϑ8. 534 ᵃ12. ἔλαιον πρόσφατον, opp παλαιόν πκα4.
927 ᵃ29. σπέρμα πρόσφατον, opp παλαιότερον, τριετές 5
πκ17. 924 ᵇ28. ᾠρον πρόσφατον πιγ1. 907 ᵇ25. ἐν ᾧ μετα-
βάλλει (ἡ τροφὴ) κỳ ᾠτ' ἔτι πρόσφατος ᾠθ' ἤδη κόπρος
Ζμγ14. 675 ᵇ32. ὅταν ᾐ ἐχεία πρόσφατος ᾐ Ζιγ1. 509 ᵇ31.
ἡ τῶν καταμηνίων ῥύσις ἢ παλαιοτέρα ἢ προσφατωτέρα
Ζγδ1. 764 ᵃ6. ὁ ἐκ τῆς προσφάτᾳ φαντασίας ἀκρατής 10
κμβ6. 1203 ᵇ4. αἱ πρόσφατοι θεωρίαι κỳ μαθήσεις αἰσθηταὶ
μάλιστα κεηβ2. 1237 ᵃ24. κρείττων ἂν ὀξ̓ειεν ἀρχαίας ἀρε-
τῆς πρόσφατος f 83. 1490 ᵃ34. δηλοῖ Ὅμηρος, ᾠτω προσ-
φατος ὢν ὡς εἰπεῖν πρὸς τὰς τοιαύτας μεταβολάς μαι4.
351 ᵇ35. μάρτυρες διττοί, οἱ μὲν παλαιοὶ οἱ δὲ πρόσφατοι 15
Ρα15. 1375 ᵇ27, 1376 ᵃ7.

προσφέρειν. ᾠθὲν κολοβὸν προσφέρομεν πρὸς τὸς θεὸς f 108.
1495 ᵇ7. τὰ πολλὰ (τῆς τροφῆς) ἀλίζοντες προσφέρωσιν
Ζιϑ10. 596 ᵃ19. προσφέρειν λόγον τοῖς λόγα μηδὲν δεομένοις
ηεα3. 1215 ᵃ2. μέχρις ἤδης κᾳφότερα γυμνάσια προσοιστέον 20
Πϑ4. 1338 ᵇ40. — med, προσφέρεσθαι, προσενέγκασθαι τρο-
φήν, σιτίον, τὰ ὑγιιανά, πτισάνην al ζ6.470 ᵃ24. Μκ6.1063
ᵃ29. Ζια11. 492 ᵇ19. Ζμγ8. 671 ᵃ10. ᵇ8. 683 ᵇ36. f 99.
1494 ᵃ9. ημα35. 1196 ᵇ3. 1199 ᵇ28, 29. 10. 1208 ᵃ24.
πβ40. 870 ᵇ12. ποῖα δεῖ προσφέρεσθαι πρὸς τὸ σῶμα Ηζ1. 25
1138 ᵇ30. — θεωρητέον ... πίστιν προσφερομένᾳ χ2. 792
ᵇ15. — pass, προσφερομένων τροφῇ, τὸ προσφερόμενον al4.
441 ᵇ27, 30. Ζιγ21. 522 ᵇ33. Ζμγ3. 664 ᵇ30. — ἡ ἀκα-
λήφη αἰσθάνεται προσφερομένης τῆς χειρός Ζιϑ6. 531 ᵇ2.
ηεβ1. 1220 ᵃ27. — med, ἴσως κỳ κοινῶς προσφέρεσθαι πρός 30
τινα ρ9. 1430 ᵃ2. νομικῶς κỳ ἑταιρικῶς προσφέρεσθαι πεη10.
1243 ᵃ5. (τοῖς βαρβάροις) ὡς ζῴοις προσφερόμενος f 81.
1489 ᵇ31. — τὰ εὐθύγραμμα εἰς τᾤμπροσθεν προσηνέχθη
ἐκκρέυεσθαι (?) πις4. 913 ᵇ19.

προσφιλής. προσφιλὲς ἑκάστῳ τῶν ζῴων τὸ κατὰ φύσιν 35
Ζιϑ2. 591 ᵃ10. cf ϑ140. 844 ᵇ33. πάσαις ἡλικίαις κỳ χρήσις
αὐτῆς (τῆς μυσικῆς) ἐστι προσφιλής Πϑ5. 1340 ᵃ5.

προσφιλονεικεῖν. Δημόκριτος προσεφιλονείκηκε τῇ δόξῃ τῇ
αὑτῇ μα6. 343 ᵇ25.

προσφορὰ τῆς τροφῆς, τᾳ ὑγρᾳ (cf προσφέρεσθαι supra 40
p 649 ᵃ21) Ζμγ8. 671 ᵃ13, 10. πν1. 481 ᵃ7. θ86. 837 ᵃ17.
100. 838 ᵇ28. πια12. 900 ᵃ19. τῆς προσφορᾶς γινομένης
γίνεται ἡδονή. ἅμα τῇ προσφορᾷ ὧν ἐσμεν ἐνδεεῖς κμβ7.
1204 ᵇ24, 26, 29, 31, 35. περὶ αὑτῆς τῆς προσφορᾶς τῶν
αἰτίων τύτων (τᾳ νέκταρος κỳ τῆς ἀμβροσίας) ὑπὲρ ἡμᾶς 45
εἰρήκασιν· εἰ μὲν γὰρ χάριν ἡδονῆς αὐτῶν θιγγάνωσιν Μβ4.
1000 ᵃ14.

πρόσφορος. ἡ φύσις ζητεῖ τὸ πρόσφορον Ζυ12. 615 ᵃ26.
τυγχάνειν τᾳ προσφόρῳ Ηκ10. 1180 ᵇ12.

προσφύειν. 'quidquid aut sero aut praeter naturam corpori 50
accedit neque tamen ita cum eo coniungitur, ut unitatem
cum eo faciat, προσφύεσθαι dicitur: contrarium συμφύ-
εσθαι' S Theophr III 720.

1. πολλὰ (φυτὰ) τὰ μὲν ὐκ ἔχει, τὰ δὲ κỳ ἀφέλοι τις
ἄν, τὰ δὲ προσφύεται· προσφύεται δὲ μάλιστα πλησίον 55
ἀλλήλων Ζγα18. 722 ᵃ14. ὁ 4. 772 ᵇ22. τὰ δὲ προσφύεται
κỳ ἀπολύεται, οἷον γένος τι τῆς ἀκαλήφης· καθ' ὃς (πόρυς)
προσφύεται ἀλλήλοις Ζια1. 487 ᵇ11. ὁ 9. 387 ᵃ3. τῷ ἀτε-
λὲς εἶναι κỳ προσφύεσθαι ταχέως ταῖς πέτραις τοῖς φυτοῖς
παραπλήσιον Ζμδ5. 681 ᵇ6. ὅσα κατὰ μῆκος ἔχει τὸς πό- 60
ρυς, καθ' ὃς προσφύεται ἀλλήλοις μδ9. 387 ᵃ3. — 2. ἄτε

παρὰ φύσιν ὄν, προσπέφυκεν ὥσπερ τὰ φύματα· κỳ γὰρ
ταῦτα λαμβάνει τροφήν, καίπερ ὄντα ὑστερογενῆ κỳ παρὰ
φύσιν Ζγδ4. 772 ᵇ29. προσπέφυκε γάρ, κỳ χωριζόμενα
πολλὰ (ζῷα) διαφθείρεται, οἷον αἱ μὲν πίνναι προσπεφύκα-
σιν, οἱ δὲ σωλῆνες ἀνασπασθέντες ὐ δύνανται ζῆν Ζιϑ1.
588 ᵃ13 Aub. (βατράχυ γλώττης) τὸ ἔμπροσθεν προσ-
πέφυκεν ἰχθυωδῶς, ὁ τοῖς ἄλλοις ἀπολέλυται· προσπέφυκεν
ὁ ὀμφαλὸς μικρὸν κατωτέρον τᾳ στόματος (v l σώματος)
τῆς γαστρός (τῇ γαστρί ci Aub) Ζιϑ9. 536 ᵃ9. ζυ10. 565
ᵃ3. cf f 303. 1530 ᵃ4. 311. 1531 ᵃ13. — εἰ δ' ἔστι τι δι'
ᵑ προσπέφυκε Ζγγ2. 752 ᵃ28. — τὸτε δ' αἴτιον τὸ εἰρη-
μένον, ὅτι προσπέφυκε κατὰ τὴν ἀρχήν· τὸ (ᾠὸν) προσπέ-
φυκὸς ὕστερον ἐξέρχεται, κατὰ τὴν ἀρχὴν δὲ προσπέφυκεν,
ἐν τῷ ὀξεῖ δ' ἡ ἀρχή· ὁ νηρείτης προσπέφυκε νεανικῶς κατὰ
τὸ μέσον Ζγγ2. 752 ᵇ15, ᵃ16. Ζιϑ4. 530 ᵃ15. καθ' ὃ προσ-
πέφυκε τῇ ὑστέρᾳ τὸ ᾠὸν· τὸ σαρκῶδες προσπέφυκε κατὰ
δύο τόπυς τῇ ὑμένι Ζγγ2. 752 ᵃ11. Ζιϑ6. 531 ᵃ19. προσ-
πεφυκέναι ὥσπερ τὰ ἔμβρυα Μδ4. 1014 ᵃ8. cf f 259. 1525
ᵇ29. — ἐπὶ πόρρυς προσπεφύκασιν οἱ ὀδόντες· πλϑ2. 963
ᵇ23. πρὸς ἑκάστῳ (δακτύλῳ) προσπέφυκεν οἷον πλάτη καθ'
ὅλον συνεχής· πρὸς τῇ ὑστέρᾳ ὁ ὀμφαλὸς προσπέφυκεν τὸν
ἤδη τελείῳ· προσπέφυκε προσπέφυκε τὸ ᾠὸν τέλειον
Ζμδ12. 694 ᵇ4. Ζγγ3. 754 ᵇ17, 14. πᾶσι πρὸς τοῖς πρανέσι
προσπεφύκασι κỳ κατὰ τὸν τόπον τῆς ῥάχεως (οἱ τῶν ἀρ-
ρένων πόροι) Ζγα13. 720 ᵃ27. ἡ γένεσις ἐξ ἀκρυ τᾳ ᾠᾳ
ἀλλ' ᾠχ ᾑ προσπέφυκεν πρὸς τὴν ὑστέραν, φλέβες πρὸς τὴν
ῥάχιν μᾶλλον προσπεφύκασι Ζιγ4. 514 ᵇ17. syn ἡ πρόσ-
φυσις τᾳ ᾠᾳ Ζγγ3. 754 ᵇ10, 12. (μύτις) προσπέφυκε πρὸς
τὰ πρανῆ μᾶλλον Ζιϑ5. 681 ᵇ19. πρὸς ἃ (ἃς? cf Ζγδ6.
777 ᵃ26) ὁ ὀμφαλὸς συνάπτει κỳ προσπέφυκεν Ζγβ7. 745
ᵇ33 in v l. — ἐνίοις (γαλεώδεσιν) ἐν τῷ μέσῳ τῆς ὑστέρας
περὶ τὴν ῥάχιν προσπέφυκε τὰ ᾠὰ Ζιζ10. 565 ᵃ15. — ᾑ
προσπέφυκε Ζιϑ6. 531 ᵃ21. ᾑ συνήπται τὸ δίθυρον τῶν κυά-
μων, ταύτῃ προσπέφυκεν Ζγγ2. 752 ᵃ23. τὰ τήθυα προσ-
πέφυκε ταῖς πέτραις τᾳ ὀστράκῳ· ἡ ἀκαλήφη προσπέφυκε
ταῖς πέτραις· (οἵ τε θορικοὶ πόροι κỳ οἱ ὑστερικοὶ) οἱ μὲν
προσπεφύκασι τῇ ὀσφύι οἱ δὲ τῶν θηλειῶν πόροι εὐκίνητοί
εἰσιν Ζιϑ6. 531 ᵃ11, 31. ζι11. 566 ᵃ12. ἡ πλατεῖα (ἕλμινς)
προσπέφυκε μόνη τῷ ἐντέρῳ· σκωλήκια ἃ ὐ προσπέφυκεν
ᵠθενὶ Ζιε19. 551 ᵃ11. 25. 555 ᵃ20 (nulli annexum Gazae,
nulli rei annexi sunt Scalig, qui nulla re continentur S II
411). — 3. ἐν τῷ ὑγρῷ πολλὰ τῷ προσπεφυκέναι ζῇ
Ζια1. 487 ᵇ8. τὰ ζῶντα τῷ προσπεφυκέναι Ζγα1. 715 ᵇ17.
τὰ μονόθυρα διὰ τὸ προσπεφυκέναι σώζεται τῷ πρανὲς
ἔχειν τὸ ὄστρακον Ζμδ5. 679 ᵇ23. — 4. vivipara ἐν τῇ
ὑστέρᾳ ἔχει (τὰ ᾠὰ) κỳ προσπέφυκε· τριχώδη κỳ ἑλμιν-
θώδη προσπεφυκὸτ' (v l πρασώδη τ') ἔχυσαί ποτέ τινες
(ἐγχέλεις) φαίνονται· ᾠσης δικραίας τῆς ὑστέρας (τῶν γα-
λεωδῶν) κỳ προσπεφυκυίας πρὸς τῷ ὑποζώματι Ζιϑ11. 538
ᵃ9, 5 S et Aub. ζυ10. 565 ᵃ17. ὑμὴν τὸ μὲν πλεῖστον προσ-
πεφυκὼς τῇ μήτρᾳ, τῇ δ' ἀφέστηκὶ Ζιη7. 586 ᵃ27. (αἰδοι-
ώδες) μέχρι εἰς μέσην τὴν πλεκτάνην προσπεφυκὸς· ταῦτα
(τὰ κάρφη) σύμφυτα τῷ χιτῶνί ἐστι, ὥσπερ (ὡς γὰρ
ci Aub) κοχλία τὸ ὄστρακον, ᾠτω τὸ ἅπαν τῷ σκωλήκι, κỳ
ᾠκ ἀποπίπτει ἀλλ' ἀποσπᾶται ὥσπερ προσπεφυκότα· (τὰ
ζῷα μικρὰ κỳ ἐρυθρὰ) χρόνον μέν τινα κινεῖται προσπεφυ-
κότα, ἔπειτ' ἀπορραγέντα φέρεται κατὰ τὸ ὕδωρ Ζιε6. 541
ᵇ11. 32. 557 ᵇ20. 19. 552 ᵃ3 S et Aub. οἱ ἐπὶ τῆς κεφαλῆς
προσπεφυκυίας ἔχοντες τὰς τρίχας φ6. 812 ᵇ32. (τὰ σκλη-
ρόφθαλμα) οἷον βλέποντα διὰ τὸ βλεφάρυ προσπεφυκότος·
ἀλλὰ τὸ μόριον (γλῶττα) τοῖς μὲν ἀπολελυμένον τοῖς δὲ

προσπεφυκός Ζμβ13. 657 ᵇ35. 17. 661 ᵃ11, cf supra p 157
ᵃ41. τὸν θολὸν ἐν χιτῶνι ὑμενώδει προσπεφυκότα· ὁ σπέγγος
ᾗ τῷ ζῆν προσπεφυκὼς (τῇ γῇ add nonnulli) μόνον, ἀπο-
λυθεὶς δὲ μὴ ζῆν, ὁμοίως ἔχει τοῖς φυτοῖς· ᾗ εἴ τι τοιῦτον
ἕτερον γένος τῷ προσπεφυκὸς ζῆν μόνον φυτῷ παραπλήσιον 5
Ζμδ5. 679 ᵃ1, 681 ᵃ16, 26. — ἀναγκαῖον τὸ σῶμα εἶναι
μεταξὺ τῇ ἁπτικῇ προσπεφυκός ψβ11. 423 ᵃ16. — τὸ
πεφθὲν ὑπὸ τῆς φύσεως προσφύεται τοῖς σώμασι ᾗ καλεῖται
τροφή πα42. 864 ᵇ8. cf 15. 861 ᵃ5. κα2. 927 ᵃ20.
προσφυή (Lob Phryn 497). τὰ μὲν κινητικὰ αὐτῶν ἐστί, 10
τὰ δ' ἀκίνητα ἐκ τῆς προσφυῆς (v l ἐστιν ἐκ, προσφύσεως,
ἀκίνητα ᾗ προσφυῆ ci Aub) Ζιδ4. 528 ᵃ33. syn διὰ τὸ
προσπεφυκέναι v προσφύειν 3.
προσφυῆς. ἀκίνητα ᾗ προσφυῆ (ci Aub, ἐκ τῆς προσφυῆς
Bk) Ζιδ4. 528 ᵃ33. — φυτὸν προχειρότερον ᾗ προσφυέστερον 15
εἰς ἰατρείαν φτβ6. 826 ᵇ3.
προσφυσᾶν. ἀφιᾶσιν αἱ ἄρκτοι ἐκ τῦ στόματος φλέγμα
πάμπολύ τι, ὃ προσφυσᾷ πρὸς τὰ πρόσωπα τῶν κυνῶν
θ144. 845 ᵃ22.
πρόσφυσις. ἐν γίνεσθαι ἁφῇ ἢ προσφύσει Φε3. 227 ᵃ17. 20
cf Μκ12. 1069 ᵃ12. ἡ πρόσφυσις ἢ ὀμφαλώδης Ζιε18. 550
ᵃ20. ἡ πρόσφυσις τῷ ὀμφαλῷ, τῷ ᾠῷ, τῶν ᾠῶν πρὸς τὴν
κοιλίαν, τῶν κεράτων (syn περιήρμοσται, ἐνήρμοσται) Ζγβ7.
745 ᵇ24. γ3. 754 ᵇ12, 25 Aub. Ζιδ2. 527 ᵃ32. γ9. 517
ᵃ21 (cf β1. 500 ᵃ9. Ζμγ2. 663 ᵇ15. syn ἔκφυσις Theophr 25
f XIII, 2 cf S V 180). τῶν σπόγγων ἡ πρόσφυσις ὅτε καθ'
ἓν ὅτε κατὰ πᾶν ... κατὰ πλεῖω δ' ἐστὶν ἡ πρόσφυσις·
λαμβάνεται ᾗ ἐν ταῖς κόγχαις τοιῦτον (καρκίνιον), ὧν ἐστιν
ἡ πρόσφυσις παραπλησία ᾗ ἐν τοῖς ἄλλοις Ζιε16. 548 ᵇ30,
549 ᵃ1. δ'4. 530 ᵃ11. (τὸ καρκίνιον) πρόσφυσιν ὐκ ἔχει πρὸς 30
τὰ ὄστρακα, opp εὐαπόλυτόν ἐστι Ζιδ4. 530 ᵃ4 Aub. τὰ
σκωληκοτοκῦντα αὐξάνεται δι' αὑτῷ ᾗ ὑ διὰ προσφύσεως
ὐδεμίαν Ζγγ4. 755 ᵃ17. οἱ ὑμένες ἔχωσιν ἀρχὴν τὴν πρὸς
τὸν μυκτῆρα πρόσφυσιν Ζμβ13. 657 ᵇ21. αἱ φλέβες εἰς
τὰ σκέλη τείνωσαι σχίζονται κατὰ τὴν πρόσφυσιν (ὀσφὺν? 35
Aub)· προσπεφύκεν ἡ ἀορτὴ μάλιστα τῇ ῥάχει περὶ τὴν
καρδίαν· ἡ δὲ πρόσφυσίς ἐστι φλεβίοις νευρώδεσι ᾗ μικροῖς
Ζιγ2. 512 ᵃ12. 4. 514 ᵇ21. ἀπὸ τῆς προσφύσεως ἡ τροφή
Ζιε16. 548 ᵇ8. ἐν τῇ προσφύσει κάμπτειν, ἐκ πλαγίᾳ τὴν
τῶν μερῶν πρόσφυσιν ἔχειν Ζπ10. 710 ᵃ4. 15. 713 ᵃ7. — 40
ἀποκρίνειν ὅσον ἀλλότριον ἔνεστιν ἐν τῇ προσφύσει τῆς τρο-
φῆς πβ3. 866 ᵇ21.
προσχεῖν. τοῖς προσχεομένοις θερμῶν ἐξαίφνης φρίκη γίνεται
υ3. 457 ᵇ14. πγ26. 875 ᵃ9. η11. 888 ᵃ31. 20. 889 ᵃ22.
κδ13. 937 ᵃ29.   45
πρόσχημα Καμβύση, Ξέρξη, Δαρείω (σεμνότητος et μεγα-
λοπρεπείας) exemplum) κ6. 398 ᵃ12.
πρόσχισμα. εἰ πρόσχισμα ᾗ κεφαλὶς ᾗ χιτὼν δύναται γε-
νέσθαι, ᾗ ὑποδήματα δυνατὸν γενέσθαι, ᾗ αἱ ὑποδήματα,
ᾗ πρόσχισμα ᾗ κεφαλὶς ᾗ χιτὼν Ρβ19. 1392 ᵃ31 Spgl. 50
(ποιεῖν ὡς φησ.), οἷον ἡ σκυτικὴ ὑπόδημα ἐκ προσχί-
σματος πλ8. 956 ᵇ4.
προσχῦν. ὅπη (ἡ θάλασσα) τοῖς ῥεύμασι πληθύνσα ἐξεραί-
νετο προσχυμένη μα14. 351 ᵇ7. ὁ Βόσπορος ἀεὶ ῥεῖ διὰ τὸ
προσχῶσθαι μα14. 353 ᵃ8.   55
προσχρῆσθαι. τοῖς θεράπσσι πλεῖστα προσχρώμεθα πρὸς τὰς
διακονίας τὰς ἐγκυκλίας Πβ5. 1263 ᵃ20. — ὁριζομένοις τὸ
συνεχὲς συμβαίνει προσχρήσασθαι τῷ λόγῳ τῷ τῦ ἀπείρῳ
sim Φγ1. 200 ᵇ19. μν1. 450 ᵃ2. Αα41. 49 ᵇ34. προσκέ-
χρηται αὐτῷ, ὃ τὸ ἴδιον ἀποδέδωκε τεβ3. 130 ᵇ38, 131 ᵃ5, 60
14, 19 al. — προσχρῶνται πολλάκις οἱ ἐπαινῦντες (i e in-

super, praeter praesentia, utuntur etiam praeteritis et fu-
turis) Ρα2. 1358 ᵇ19. — προσχρῆσθαι. ι q χρῆσθαι ρ7.
1428 ᵃ1 Spgl. — προσχρῆσθαι restituendum videtur ξ1.
974 ᵇ11 ubi προχρῆσθαι Bk e codd.
προσχωρεῖν. οἱ θύννοι πρὸς τὴν ἄμμον τὴν πρὸς τῇ γῇ προσ-
χωρῦσι τῆς ἀλέας ἕνεκεν Ζιθ19. 602 ᵇ1.
πρόσχωρος. πολεμεῖν τοῖς προσχώροις Πβ9. 1269 ᵃ6.
πρόσχωσις. πᾶσα ἡ χώρα (Αἴγυπτος) τῦ ποταμῦ πρόσχω-
σίς ὐσα τὸ Νείλυ· ἐλυώδεις εἶναι τὸς ἐγγύτερον τῆς προσχω-
χώσεως τόπυς· τὰ περὶ Μαιῶτιν λίμνην ἐπιδέδωκε τῇ
προσχώσει τῶν ποταμῶν μα14. 351 ᵇ30, 352 ᵃ4, 353 ᵃ2.
πρόσω. τὴν φωνὴν (ὁ ἄνθρωπος) εἰς τὸ πρόσω διαπέμπει
Ζμγ1. 662 ᵇ22. καλεῖται ῥάχις τὸ λεῖον, ὃ πρόσω αἱ κοτυ-
ληδόνες εἰσὶν Ζιθ1. 524 ᵃ7. — ὕτως εἰς τὸ πρόσω ἕως τῶν
ἀτόμων Ζμα3. 643 ᵃ21.
προσῳδία, accentus, ὀξεῖα, βαρεῖα τι23. 179 ᵃ14, 15. πο25.
1461 ᵃ22 Vahlen Poet IV 369. — spiritus τι20. 177 ᵇ3.
πο25. 1461 ᵃ22. — λόγοι, παραλογισμοὶ παρὰ τὴν προσ-
ῳδίαν τι21. 4. 166 ᵇ1-9. 7. 169 ᵃ27.
πρόσωθεν. τῶν ζῴων (ἄνθρωπος) μόνον πρόσωθεν ὅπωπεν
Ζμγ1. 662 ᵇ21.
πρόσωπον. 1. γρηῢς κατέσχετο χερσὶ πρόσωπα (Hom τ 361)
Ργ16. 1417 ᵇ5. τῶν ἀνθρώπων καλεῖται τὸ μεταξὺ τῆς
κεφαλῆς ᾗ τῦ αὐχένος πρόσωπον, τὸ ὑπὸ τὸ κρανίον ὀνο-
μάζεται πρόσωπον ἐπὶ μόνων τῶν ἄλλων ζῴων ἀνθρώπω·
ἰχθύος γὰρ ᾗ βοὸς ὐ λέγεται πρόσωπον Ζμγ1. 662 ᵇ19.
Ζιθ8. 491 ᵇ9. (πρῶτον μὲν περὶ τὸ τῆς κεφαλῆς κύτος ὑπο-
θέντες αὐτόσε τὸ πρόσωπον ὄργανα ἐνέδησαν ᾗ τῇτῳ πάσῃ
τῇ τῆς ψυχῆς προνοίᾳ ᾗ διέταξαν τὸ μετέχον ἡγεμονίας
τῦτ' εἶναι τὸ κατὰ φύσιν πρόσθεν Plat Tim 45 A.) ἀπὸ
τῆς πράξεως αὐτῆς ὠνομασθέν, ὡς ἔοικε· διὰ γὰρ τὸ μόνον
ὀρθὸν εἶναι τῶν ζῴων μόνον πρόσωθεν ὅπωπε ᾗ τὴν φωνὴν
εἰς τὸ πρόσω διαπέμπει Ζμγ1. 662 ᵇ20. Lewes 316. cf s v
Etymologica p 291 ᵃ42. (τὸ οἴεσθαι διὰ τῦτο ὀρθῶς ἑστάναι
τὸν ἄνθρωπον, ἵν' εἰς τὸν ὐρανὸν ἑτοίμως ἀναβλέπῃ ᾗ λέγειν
ἔχῃ, ἀνταυγέω πρὸς ὅλυμπον ἀταρβήτοισι προσώπις, ἀνθρώ-
πων μέν ἐστιν ὑχ ἑωρακότων ὐδεπώποτε τὸν καλύμενον
ὐρανοσκόπον ἰχθὺν Gal III 182.) τὸ σύνολον πρόσωπον, τὸ
πρόσωπον πᾶν Ζμα5. 645 ᵇ36. β1. 646 ᵇ13 (ἡ τῦ προσώπυ
φύσις Plat Tim 75 D). refertur inter τὰ μόρια, τὰ ἀνο-
μοιομερῆ Ζμα5. 645 ᵇ36. β1. 646 ᵇ13. Ζγα18. 722 ᵃ18,
20, 26. αᵈ10. 388 ᵃ18. 12. 390 ᵃ9. ὐδὲ τὸ πρόσωπον διαι-
ρεῖται εἰς πρόσωπα Ζια1. 486 ᵃ8. Ζμβ2. 647 ᵇ19. — τὰ
μόρια τῦ προσώπυ, τὰ ἐν τῷ προσώπῳ μόρια Ζγδ3. 768
ᵇ35. πλβ1. 960 ᵇ5. τὰ ὦτα ἀναιμότατα τῦ προσώπυ,
ἥκιστα βάθος ἔχει πλβ1. 960 ᵃ36, ᵇ3, μέτωπον, ῥίς v h v.
αὐχὴν τὸ μεταξὺ προσώπυ ᾗ θώρακος Ζια12. 493 ᵃ5. —
ὥστε τὸ σπέρμα ἐστὶ τὸ τῆς χειρὸς ἢ τὸ προσώπυ ἢ
ὅλυ τῦ ζῴυ ἀδιορίστως χεὶρ ἢ πρόσωπον ἢ ὅλον ζῷον· ὐ
γάρ ἐστι πρόσωπον μὴ ἔχον ψυχήν, ὐδὲ σάρξ, ἀλλὰ φθα-
ρέντα ὁμωνύμως λεχθήσεται τὸ μὲν εἶναι πρόσωπον τὸ δὲ
σάρξ· ἀδύνατον πρόσωπον ἢ χεῖρα ᾗ σάρκα εἶναι μὴ ἐνύσης
αἰσθητικῆς ψυχῆς Ζγα19. 726 ᵇ16 (cf 18. 722 ᵃ18, 20, 26).
β1. 734 ᵇ24. 5. 741 ᵃ10. ὅσα περὶ πρόσωπον πλγ965 ᵇ1-
17. διὰ τί τῦ προσώπυ τὰς εἰκόνας ποιῦνται; διὰ τί τὸ
πρόσωπον ἰδίαν μάλιστα, ἀσαρκότατον ὄν; διὰ τί ἐν τῷ
προσώπῳ μάλιστα οἱ ἰονθοι πλγ1. 965 ᵇ2. 2. 965 ᵇ4. 3. 965
ᵇ14. εὐσαρκία, ἀσαρκία Ζια15. 493 ᵇ22 Aub. — ἔνιοι δὲ
οἱ αὐτοὶ ὄντες τὰ ἐπὶ τῶν προσώπων ἤθη τὰ αὐτὰ ἔχυσιν,
τὸ ἦθος τὸ ἐπὶ τῦ προσώπυ μεταβαλεῖν, τὰ σχήματα ᾗ
τὰ παθήματα τὰ ἐπιφαινόμενα ἐπὶ τῶν προσώπων κατὰ τὰς

ὁμοιότητας λαμβάνεται τῷ πάθει, τὸ σχῆμα χ̣ τὸ ἦθος τὸ ἐπὶ τῷ προσώπῳ φ1. 805 b2, 8. 2. 806 b29. 3. 808 a6. cf 807 b11, 27. αἱ τῷ προσώπῳ διαφοραὶ τί σημαίνωσιν φ6. 811 b5-13. τὰ περὶ τὸ πρόσωπον ἰσχνότερα, τὰ πρόσωπα ἰσχνά, τὰ περὶ τὸ πρόσωπον διεξυσμένα, πίονα φ3. 807 b15, 5 808 a18, 27. 6. 811 b6. πρόσωπον σαρκῶδες, ὑπόμακρον, ὑπνῶδες, μικροπρεπές, πρόσωπα μικρά, μεγάλα. τὸ πρόσωπον ἐπιφοινίσσον φ3. 807 b25, 27, 808 a28. 6. 811 b5, 7, 8, 12, 9, 812 a31, cf 32 et π α32. 903 a3. λβ1. 960 b2. τὰ ῥυτιδώδη τῶν προσώπων, τὸ πρόσωπον ῥυτιδῶδες φ3. 808 10 a8, 18. περὶ τὸ πρόσωπον ὕπωχοος, τὸ πρόσωπον σεσηρός φ3. 807 b6, 808 a17. — οἱ ἀπ' οἴνω μεθυσθέντες ἐπὶ πρόσωπον φέρονται, opp ἐξυπτιάζεσθαι f 101. 1494 b5. — τὸ τῶν ζῴων πρόσωπον. ἔνια ἔχει τὸ ὑποκείμενον τῷ προσώπῳ μόριον ἔλαττον, ὅσα στρογγυλοπρόσωπα· τὰ πρόσωπα τῶν 15 κυνοκεφάλων κυνοειδέστερα· τὸ τῷ πιθήκω ἔχει πολλὰς ὁμοιότητας τῇ τῷ ἀνθρώπω· τὸ τῷ χαμαιλέοντος ὁμοιότατον τῷ τῷ χοιροπιθήκω· τὸ τῷ ἀστακῷ ὀξύτερον τῷ καράβω· τὰ πρόσωπα διὰ τὸ ῥαίνεσθαι μέλανα γίνεται αὐτῶν (τῶν ἐλά-φων) Ζι α16. 495 a2. β8. 502 a20, 27. 11. 503 a18. ὅ2. 20 526 b4. ζ29. 579 a2. αἰγῶν, τῷ προσώπῳ τὸν τύπον ὅμοιον ἔχει (τάρανδος) ἐλάφῳ· τὸν κυνῶν προσφυσῶν πρὸς τὰ πρόσωπα θ9. 831 a21. 30. 832 b15. 144. 845 a22. λέοντος τὸ πρόσωπον τετραγωνότερον φ5. 809 b16. — τῆς σελήνης ἀεὶ δῆλόν ἐστι τὸ καλῷμενον πρόσωπον Oβ8. 290 a27. 25

2. τίς δὲ πρόσωπα (τῆς κωμῳδίας) ἀπέδωκεν ἠγνόηται πο5. 1449 b4. τὸ γελοῖον πρόσωπον αἰσχρόν τι χ̣ διεστραμμένον ἄνευ ὀδύνης πο5. 1449 a36. τὰ τραγικὰ πρόσωπα πλα7. 958 a17.

3. πρόσωπον fort i q διάστασις p 189 a34 vel διάστημα 30 p 189 a59. εἰ δὲ συμβλητὸν τῇ γραμμῇ ἡ στιγμή, τὸ δὲ ἐλάχιστον ἐν τρισὶ προσώποις αt972 b5.

πρότασις, def λόγος καταφατικὸς ἢ ἀποφατικὸς τινὸς κατὰ τινος Aα1. 24 a16 Wz. ἀντιφάσεως μιᾶς μόριον ε11. 20 b23. ἀποφάνσεως τὸ ἕτερον μόριον, ἕν καθ' ἑνὸς Aγ2. 72 a8. 35 τι6. 169 a8, 14; sed suum locum nomen πρότασις ibi habet, ubi ἢ ἀποφάνσις pars est syllogismi, πρότασις ἐξ ἧς ὁ συλλογισμός Aγ12. 77 a37. cf Ammon ad Hermen ὡς ἀποφάνσεις μόνον ἐπισκέπεται, ἐν δὲ τοῖς Ἀναλυτικοῖς ὡς μέρη τῶν συλλογισμῶν παραλαμβάνων ἅμα χ̣ ὡς προτά- 40 σεις εἰκότως ἀξίωσε σκοπεῖν· ὡς γὰρ προτεινομένας αὐτὰς ὑπὸ τῶν συλλογιζομένων δι' βυλλομένων τοῖς κοινωνοῖς τῶν λόγων, ὅτως οἱ παλαιοὶ προτάσεις ἐπονομάζωσιν Schol p 96 b26. (ex hac origine nominis πρότασις explicatur ῢ γὰρ ἐν τῷ συλλογισμῷ ἡ πρότασις Μν2. 1089 a25, i e ἡ 45 προτεινομένη ῢ γραφομένη γραμμή Alex cf Μμ3. 1078 a20 Bz.) coni ὑπόθεσις, αἴτημα Aγ25. 86 a35. dist πρόβλημα τα4. 101 b15, 16, 29 Wz et ad 20 b22. — πρότασις καταφατική (sive κατηγορική), ἀποφατική (sive στερητική) Aα2. 25 a3, 7. 13. 32 b1. προτάσεις eiusdem 50 qualitatis dicuntur ὁμοιοσχήμονες v h v. — πρότασις καθ-όλυ, ἐν μέρει, ἀδιόριστος Aα1. 24 a17. 2. 25 a4 al (cf Zeller Gesch II 2. 159, 2). προτάσεων δύο τρόποι Ηη4. 1147 a1. cf Paraphr. πρότασις φθαρτὴ χ̣ μὴ καθόλυ Aγ8. 75 b27. — προτάσεις ἀντικείμεναι (sive ἀντιφατικῶς ἀντικείμεναι), 55 ἐναντίαι, ἀντικείμεναι κατὰ λέξιν ε7. Aβ15. — πρότασις τῷ ὑπάρχειν, τῷ ἐξ ἀνάγκης ὑπάρχειν, τῷ ἐνδέχεσθαι ὑπάρ-χειν Aα2. 25 a1. πρότασις ὑπάρχυσα Aα13. 32 b36, ὑπάρ-χειν λαμβάνυσα Aα15. 33 b38, 35 b16, ὑπάρχειν λαμβα-νομένη Aα15. 35 a26. προτάσεις ἀναγκαῖαι Aα3. 25 a27. 60 9. 30 a15. 10. 30 b8, 18. προτάσεις αἱ κατὰ τὸ ἐνδέχεσθαι

Aα13. 32 a30, b35. 14. 33 b2. 15. 35 a6. προτάσεις ἐνδε-χόμεναι Aα13. 32 b25, 36. 14. 33 b18. προτάσεις ἐνδέχεσθαι λαμβάνυσα Aα15. 33 b38, 35 b16, ἐνδέχεσθαι λαμβανομένη Aα15. 35 a26, ἐνδέχεσθαι σημαίνυσα Aα21. 39 b21. πρό-τασις ὡς ἐπὶ τὸ πολὺ Aα27. 43 b35. quae eiusdem sunt modalitatis προτάσεις dicuntur ὅμοιαι Aα12. 32 a11, ὁμοιό-σχημοι Aα13. 32 b37 (qualitatem, non modalitatem signi-ficari contendit Wz ad 36 a7). — πρότασις ἄμεσος, πρώτη χ̣ ἄμεσος Aβ23. 68 b30. γ2. 72 a7. 23. 85 a1. αἱ ἀποδεικ-τικαὶ ἀρχαὶ dicuntur προτάσεις Μβ2. 996 b31. γ3. 1005 b28. — πρότασις ἀποδεικτική Aα1. 24 a23, 30. γ2. 72 a10. 12. 77 b39, συλλογιστική Aα1. 24 a28 (cf πρότασις ἀντι-φάσεως, i q ἐρώτημα συλλογιστικόν Aγ12. 77 a36), δια-λεκτικὴ def τα10. cf θ2. 158 a16. Aα1. 24 a25, b10. γ2. 72 a9. τὰ τεκμήρια χ̣ τὰ εἰκότα χ̣ τὰ σημεῖα προτάσεις εἰσὶ ῥητορικαί Pα3. 1359 a8. πρότασις ἐπακτική Aγ12. 77 b35 Wz. πρότα ις ἔνδοξος Aβ27. 70 a4. γ6. 74 b23, dist ἀποδεικτικὴ ἀναγκαία Aβ27. 70 a7. δόξαι χ̣ προτάσεις Pβ1. 1377 b18. 18. 1391 b25. — αἱ περὶ ἕκαστον γένος χ̣ εἶδος προτάσεις Pα2. 1358 a18. προτάσεις ἠθικαί, φυσικαί, λο-γικαί τα14. 105 b20sqq. αἱ προτάσεις αἱ ποιητικαὶ Ζκ7. 701 a32. — de conversione τῶν προτάσεων Aα2. 3. 13. 32 a29sqq. 17. 36 b35sqq. β1. 53 a7. numerus τῶν προ-τάσεων et τῶν ὅρων in syllogismis comparatur Aα25. 42 b1-26. ἐκ δύο προτάσεων τὰς συλλογισμός Aα25. 42 a32. ἡ πρώτη, ἡ δευτέρα (ἑτέρα, τελευταία) πρότασις ημβ6. 1201 b25sqq. Ηζ12. 1143 b3. χ5. 1147 b9, paullo aliter ἡ προ-τέρα, ἡ ὑστέρα πρότασις Aγ24. 86 a24. ἀνάγκη πρὸς τὸ ἔσχατον ἄκρον ἀμφοτέρας λαβεῖν τὰς προτάσεις Aβ8. 59 b19. ῢ δοτέον δὶς ταὐτὸν ἐν ταῖς προτάσεσιν Aβ19. 66 a27. τὰς προτάσεις ληπτέον κατὰ τὰς ἑκάστη πτώσεις Aα36. 49 a1. λαβεῖν, ἐκλέγειν, ἐκλέγεσθαι προτάσεις τα13. 105 a23. Pβ18. 1391 b25. α9. 1366 a32. 2. 1358 a23. ποιῆσαι πρότασιν τα13. 105 a27. 14. 105 b3. αὔξειν πρότα-σιν, syn μέσον ἐμβάλλειν Aγ25. 86 b17, 18.

Προτατικὸς τὸ14. 164 b3. — προτατικῶς ἐρωτᾶν τι15. 174 b39.

πρότερεῖν. ἄθλον πρῦταξαν, πρῦτέτακτο πλ11. 956 b17, 20.

προτείνειν. proprie, (ὁ ναυτίλος) προτείνει τὰς πλεκτάνας Ζι δ1. 525 a28. ὅσα τῶν ἀγαλμάτων φιάλην εἰς προτετα-κότα φ δ1353 b23. — logice προτείνειν, tamquam artis vo-cabulum, significat i q πρότασιν ποιεῖσθαι (cf s πρότασις) Aα32. 47 a15, 16. β26. 69 b9. τα10. 104 a5. γ3. 118 b11. ὅ6. 128 b5. θ1. 156 a2, b25, 27, 33. 2. 157 b10. 17. 176 a34. προτείνειν πρότασιν Aα27. 43 b19. θ2. 158 a21. ὅ προτείνων τθ1. 155 b34, 38, 156 a34, b5 al. προτείνειν, dist προβάλλειν· ῢδεὶς ἂν προτείνειε τὸ μηδενὶ δοκῶν ῢδὲ προ-βάλοι τὸ πᾶσι φανερὸν τα10. 104 a5, cf πρότασις. med προτείνεσθαι τθ14. 164 b4. — pass τὸ προτεινόμενον τθ1. 152 b2, 6, 26, 157 a18. 2. 157 b10. 16. 2. 157 b38 al. ἐν οἷς ἀσαφὲς τὸ προτεινόμενον ῢ συγχωρητέον ἁπλῶς τι17. 176 b5. τὰ κατ' ἀντίφασιν προτεινόμενα τα10. 104 a14, 21 Wz. 14. 105 b2. προτατέον τθ1. 155 b30. 11. 161 a29.

πρότερεῖν, opp ὑστερίζειν Ζγ δ6. 775 a26. opp ὑστερίζειν ηεγ3. 1231 b22. προτερεῖ τῇ γενέσει τὸ ἄνω κύτος τῷ κάτωθεν, τὰ χρώματα τὰ φοινικᾶ τῶν μελάνων Ζγ β36. 741 b35. ἡ ὄψις προτερεῖ τῆς ἀκοῆς μβ9. 369 b9. τοῖς ἰσχνοφώνοις ἡ ὁρμὴ τῷ λέγειν προτερεῖ τῆς δυνάμεως πια38. 903 b21. θηρία προτερεῖ τῆς τελειογονίας διὰ τὴν ἀδυναμίαν τῷ ἐκτρέ-φειν Ζγ δ6. 774 b34. — προτερεῖν non addito genet, ἐὰν μή τι προτερῇ (ἐν τῇ κινήσει) διὰ βλάβην τῆς φύσεως Ζιε 14. 544 ᵇ21 (S I 296).

πρότερος, def ἀφ' ὃ μὴ ἀντιστρέφει ἡ τῦ εἶναι ἀκολύθησις Κ12. 14 ᵃ34. ὃ μὴ ὄντος ὐκ ἔσται τἆλλα Φθ7. 260 ᵇ18. Γβ11. 337 ᵇ14. Ρβ19. 1392 ᵃ20. ὅσα ἐνδέχεται εἶναι ἄνευ ἄλλων, ἐκεῖνα δὲ ἄνευ ἐκείνων ὃ Μδ11. 1019 ᵃ2. τὰ ἐγγυτέρω τῆς ἀρχῆς πιζ3. 916 ᵃ23. πολλαχῶς λέγεται Κ12. (Wz ad 14 ᵃ26). Μδ11 Bz. Οβ2. 285 ᵃ22. Ζγβ6. 742 ᵃ19. πιζ3. 916 ᵃ18. πρότερα λόγῳ, χρόνῳ, γενέσει Μζ13. 1038 ᵇ28. χρόνῳ, κατ' ὐσίαν Φθ7. 260 ᵇ18. φύσει, λόγῳ, χρόνῳ Φθ9. 265 ᵃ22. — τὸ πρότερον χ̩ ὕστερον ἐν τόπῳ πρῶτόν ἐστιν Φδ11. 219 ᵃ15. — πρότερον χρόνῳ κατὰ τὴν πρὸς τὸ νῦν ἀπόστασιν Φδ14. 223 ᵃ5, 9 (cf προτέρα θυγάτηρ, opp νεωτέρα Πε10. 1311 ᵇ11). πρότερον χ̩ ὕστερον πῶς ἔσται χρόνε μὴ ὄντος Φθ1. 251 ᵇ10. πρότερον χρόνῳ, syn κατὰ γένεσιν χ̩ χρόνον Μθ8. 1049 ᵇ18, 1050 ᵃ3. αἱ τῶν προτέρων δόξαι ψα2. 403 ᵇ21. — πρότερον κατὰ δύναμιν, κατ' ἐντελέχειαν Μδ11. 1019 ᵃ7. Φθ1. 251 ᵃ15. ἡ κατὰ δύναμιν ἐπιστήμη χρόνῳ προτέρα ἐν τῷ ἑνί, ὅλως δ' ὐδὲ χρόνῳ ψγ5. 430 ᵃ21. 7. 431 ᵃ2. — γενέσει πρότερον, ὐσία ὕστερον· τὸ τῇ γενέσει ὕστερον, τῇ φύσει, τῇ ὐσίᾳ, τῷ εἴδει πρότερόν ἐστι ΜΑ8. 989 ᵃ16. θ8. 1050 ᵃ5. μζ. 1077 ᵃ19, 27. Φθ7. 261 ᵃ14. Ζγβ6. 742 ᵃ21. cf α18. 722 ᵃ24. Μδ11. 1019 ᵃ2. Οβ4. 286 ᵇ16. — πρότερον ὐσίᾳ, dist πρότερον λόγῳ Μμ2. 1077 ᵇ1, 2 Bz, 10. πρότερον λόγῳ def Μθ8. 1049 ᵇ17. cf ι3. 1054 ᵃ29. Φε3. 227 ᵃ19. τὰ γένη τῶν εἰδῶν προτέρα, τὸ καθόλε πρότερον χ̩ τὸ εἶδος, αἱ διαφοραὶ προτέραι Κ13. 15 ᵃ5. Μμ8. 1084 ᵇ5. ι7. 1057 ᵇ10. μέρη τῦ λόγῳ χ̩ εἰς ἃ διαιρεῖται ὁ λόγος προτέρα Μζ10. 1035 ᵇ5. ποίας δυνάμεως ἡ ἐνέργεια προτέρα Μθ8. 1049 ᵇ11 Bz. ὡς ὕλη πρότερον, κατὰ τὸ εἶδος ὕστερον Μμ8. 1084 ᵇ10. ζ10. 1034 ᵇ31. τὸ ὅλον πρότερον τῦ μέρς Πα2. 1253 ᵃ20 (τὰ μέρη πρότερα τῦ ὅλε τὴν φύσιν ατ968 ᵃ10). πρότερον γνώσει Μδ11. 1018 ᵇ31. πρότερον χ̩ γνωριμώτερον διχῶς, ἁπλῶς χ̩ φύσει, πρὸς ἡμᾶς sive ἡμῖν Αγ2. 71 ᵇ33, 72 ᵃ1, 3. 3. 72 ᵇ26. Β23. 68 ᵇ35. τὰ πρότερα χ̩ ἐξ ὧν ἡ ἀπόδειξις, πρότερα τῦ συμπεράσματος Αγ3. 72 ᵇ21. 2. 71 ᵇ21 Wz. cf 25. 86 ᵇ3, 29. 26. 87 ᵃ25. β16. 64 ᵇ32, 33. τζ4. 141 ᵇ4, 35. ἡ προτέρα τῶν προτάσεων Αγ24. 86 ᵃ24. ἡ καταφατικὴ προτέρα χ̩ γνωριμωτέρα τῆς ἀποφατικῆς Αγ25. 86 ᵇ33. πρότερον κατηγορεῖσθαι (praedicari tamquam genus superius? aliter Wz) Αα27. 43 ᵃ30. — ἀεὶ περὶ τὰ πρότερα ἡ ἐπιστήμη Μμ2. 1076 ᵃ35. ἑτέρας χ̩ προτέρας ἡ τῆς φυσικῆς σκέψεως Ογ1. 298 ᵇ20. ἑτέρας χ̩ προτέρας φιλοσοφίας ἔργον Γα3. 318 ᵃ6. — ἐν οἷς τὸ πρότερον χ̩ ὕστερόν ἐστιν, ὐχ οἷόν τε τὸ ἐπὶ τύτων εἶναί τι παρὰ ταῦτα Μβ3. 999 ᵃ6 Bz. ὐκ ἐποίυν ἰδέας ἐν οἷς τὸ πρότερον χ̩ ὕστερον ἔλεγον Ηα4. 1096 ᵃ18. ἀμφοτέρως εἶναι τὰς ἀριθμὰς, τὸν μὲν ἔχοντα τὸ πρότερον χ̩ ὕστερον τὰς ἰδέας Μμ6. 1080 ᵇ12 Bz. cf Zeller Gesch II 1, 433. — τὰς ἐντιμοτέρας προτέρας φάσκειν εἰώθασιν Κ12. 14 ᵇ6 Wz. τῦτο πρότερον χ̩ ποιητῦ ἀμείνονος πο14. 1453 ᵇ3. ἐπιστήμη κυριωτέρα χ̩ προτέρα Μβ2. 997 ᵃ12. πολιτεῖαι ὕστεραι (i e αἱ παρεκβάσεις), πρότεραι Πγ1. 1275 ᵇ1. — πρότερον adverb, οἱ πρότερον ἄνθρωποι μα3. 339 ᵇ20. οἱ πρότερον μα1. 338 ᵃ26. 9. 347 ᵃ6. β2. 354 ᵇ3. Ζμα1. 640 ᵃ10. Πδ13. 1297 ᵇ24. ἀπεφήνατό τις τῶν πρότερον Πδ2. 1289 ᵇ5 (aliter οἱ τὸ πρότερον Πδ6. 1293 ᵃ21 'qui prius dicti sunt'). ἔφαμεν, ἐλέχθη, δέδεικται, εἴρηται, διώρισται πρότερον Αα3. 25 ᵃ36, ᵇ2, 13. 4. 25 ᵇ39, 26 ᵇ18. 5. 27 ᵃ8. 13. 32 ᵇ3. 14. 33 ᵃ10. 25. 42 ᵃ10 al. εἴρηται ἐν τοῖς πρότερον Πε7. 1307

ᵇ2. πρότερον c part praes, πρότερον ἐπαγγελλόμενος νῦν ὐθὲν ἐπιτελεῖ Ηι1. 1164 ᵃ5. — προτέρως χ̩ ὑστέρως ἄλλο ἄλλῳ λέγεται Φβ3. 195 ᵃ30. Μδ2. 1013 ᵇ31.

πρῶτος, πρώτως. usu vulgari, οἱ πρῶτοι εἴτε γηγενεῖς ἦσαν Πβ8. 1269 ᵃ5. (ἅμα ταῖς πρώταις αἰξὶν Ζιζ12. 567 ᵃ5? Aub). πρώτως παρ' αὐτοῖς φανῆναι πύρινον καρπόν θ82. 836 ᵇ24. οἱ ἀρχαῖοι χ̩ πρῶτοι φιλοσοφήσαντες, θεολογήσαντες Ζμα1. 640 ᵇ4. ΜΑ2. 982 ᵇ11 Bz. 3. 983 ᵇ6, 29. ὁ μυθολογήσας πρῶτος Πβ9. 1269 ᵇ28. ψελλιζομένῃ ἔοικεν ἡ πρώτη φιλοσοφία ΜΑ10. 993 ᵃ15. εἴρηται κατὰ τὰς πρώτας λόγος, διώρισται ἐν τοῖς πρώτοις λόγοις Πγ6. 1278 ᵇ18. 18. 1288 ᵃ37. η3. 1325 ᵃ30. Ζμδ6. 682 ᵃ2 al. cf ἀρχὴ p 111 ᵇ27. τὸν πρῶτον λόγον ἐὰν κατηγορῶμεν (opp is qui sequitur λόγος ἀπολογητικός) ὕτω συνθήσομεν ρ37. 1443 ᵇ21. ἐν τῇ πρώτῃ μεθόδῳ περὶ τῶν πολιτειῶν Πδ2. 1289 ᵃ26. (Plato) μετὰ τὴν πρώτην πολιτείαν (in libris de republica expositam) Πβ6. 1265 ᵇ31, ᵃ3. ἡ πρώτη λεχθεῖσα ἀπορία Πγ11. 1282 ᵇ1. ἡ πρώτη λεχθεῖσα ἀπειλία μδ3. 381 ᵃ13 (aliter Ideler II 435). λέγωμεν ἀρξάμενοι (ἀρξάμενοι πρῶτον, ἀρξάμενοι κατὰ φύσιν πρῶτον) ἀπὸ τῶν πρώτων τι1. 164 ᵃ22. Ζμα5. 646 ᵃ3. β5. 655 ᵇ28. πο1. 1447 ᵃ12. ηεα7. 1217 ᵃ19 Fritsche. Wz II 395. cf Ζγβ4. 737 ᵇ25. μα1. 339 ᵃ10. αι1. 436 ᵃ6. Ζμα1. 539 ᵃ2. — ὃ φθείρεται εἰς τὸ τυχὸν πρῶτον Φα5. 188 ᵇ3. — πρῶτον μὲν αὐτὸ τὸ ἕν, ἔπειτα τῶν ἄλλων ἐστί τι πρῶτον ἐν δευτέρῳ δὲ μετ' ἐκεῖνο Μμ7. 1081 ᵃ29. — οἱ πρῶτοι (i q πρόσθιοι) ὀδόντες Ζμδ5. 678 ᵇ10, 679 ᵃ32. οἱ πρῶτοι μαστοὶ i q οἱ ὑπὸ ταῖς μασχάλαις Ζμδ10. 688 ᵇ12, 14. — οἱ πρῶτοι, i e οἱ ἐκ τῦ πρώτε τιμήματος Πβ6. 1266 ᵇ18. — μὴ πωλεῖν ἐξεῖναι τὰς πρώτας (πατρῴας ci Bk²) κλήρς Πζ4. 1319 ᵃ1. — τὸ πρῶτον, ubi τὸ πρότερον exspectes, quia duo tantum inter se comparantur πο24. 1460 ᵃ23 Vhl Poet III 341. τγ5. 119 ᵃ22. — voc πρῶτος, πρώτως usus philosophicus latissimum habet ambitum, ut videatur in significandis summis generibus acquiescendum esse. 1. πρῶτος ubi absolute usurpatur conferri potest cum notione et vario usu nominis ἀρχή. ἥ τε ἀρχὴ πρῶτόν χ̩ τὸ πρῶτον ἀρχή τι1. 121 ᵇ9. ὃ ἄνευ τῶν ἄλλων ὐδέν ἐστιν, ἐκεῖνο δ' ἄνευ τῶν ἄλλων, ἀνάγκη πρῶτον εἶναι Φδ1. 209 ᵃ1. ἅπαντα μετρεῖται τῷ πρώτῳ Φθ9. 265 ᵇ10. πρῶτον λόγῳ, γνώσει, χρόνῳ Μζ1. 1028 ᵃ32 Bz. πρῶτον τὸ τῇ γενέσει τελευταῖον Ζμβ1. 646 ᵃ26, 35. — ἐξ ὧν ἐνυπαρχόντων ἐστὶ πρῶτων. τὰ ὧν πρώτων, ἐξ ὧ πρῶτε ἐστὶ Μβ3. 998 ᵃ23 (πρώτων Bk). η3. 1043 ᵇ30. 4. 1044 ᵃ16. δ3. 1014 ᵃ26. 4. 1014ᵇ18, 27. Φα7. 190 ᵇ17. τγ1. 116 ᵇ20 (v l πρώτων). Γα8. 325 ᵇ18 (idem per adverbia significatur ὅθεν πρῶτον Μδ1. 1013 ᵃ4, 7, 14, cf Bz ad 3. 998 ᵃ23). τὸ πρῶτον ἐνυπάρχον ἑκάστῳ Φβ1. 193 ᵃ10. τὸ ὑποκείμενον πρῶτον, opp τὸ τελευταῖον πρὸς τὸ τέλος Μδ6. 1016 ᵃ20 Bz. ἡ πρώτη ὑποκειμένη ὕλη Φβ1. 193 ᵃ29. ἡ πρώτη ὕλη Μδ4. 1015 ᵃ7. θ7. 1049 ᵃ25. Ζγα20. 729 ᵃ32. χρόνος ὐκ ἔστι πρῶτος ὐθὲ συνεχὲς ὐθέν, ἅπαν γὰρ εἰς ἄπειρα μεριστόν Φζ8. 239 ᵃ21. πρῶτα τῶν ἐνυπαρχόντων τὰ στοιχεῖα Ογ3. 302 ᵃ11. οἰκία πρώτη, κοινωνία πρώτη (i e simplicissima, quae tamquam pars inest aliis), πόλις πρώτη, πλῆθος πρῶτον, ζῷον πρῶτον Πα2. 1252 ᵇ10, 16. 3. 1253 ᵇ6. 5. 1254 ᵃ34. 9. 1257 ᵃ20. δ4. 1291 ᵃ17. η4. 1326 ᵇ8. τὴν γονὴν εἶναι τὴν πρώτην ψυχήν (Hippo dicit) ψα2. 405 ᵇ5. τὸ θρεπτικὸν πρώτη χ̩ κοινοτάτη δύναμις ψυχῆς (quae inest in reliquis et ad eas necessaria requiritur) ψβ4. 415 ᵃ24. cf ἐσχάτη ψυχή Ζγβ5. 741 ᵃ24. ἀριθμὸς πρῶτος, opp σύνθετος Αγ4. 73 ᵃ40.

ΜΑ6. 987 ᵇ34 Bz. ποῖον σχῆμα πρῶτον ἢ ἐν ἐπιπέδοις ἢ ἐν στερεοῖς Οβ4. 286 ᵇ12. πρῶτος συλλογισμὸς ὁ ἐκ τῶν τριῶν δι' ἑνὸς μέσω Μδ3. 1014 ᵇ2. Ρα2. 1357 ᵃ17. Wz I 372 extr. — b. τὸ πρῶτον κινῶν ἀκίνητον, τὸ πρώτως κινῶν Φθ5. 256 ᵃ9, 258 ᵃ30, ᵇ4, 11. 7. 260 ᵃ25, ᵇ16. ἀνωτέρω ἢ 5 πρώτως κινῶν Ζκ4. 700 ᵃ20. κινεῖ μὴ κινύμενον, ὥσπερ τὸ παντελῶς ἀκίνητον ἢ τὸ πάντων πρῶτον Φβ7. 198 ᵇ3. ὁ πρῶτος ὐρανός (sphaera stellarum fixarum) Μλ7. 1072 ᵃ23 Bz. Οβ6. 288 ᵃ15. 12. 292 ᵇ22. περὶ τὴν πρώτην γέ- νεσιν τῆς γῆς μβ3. 357 ᵇ17. τὸ φυσικὸν θερμὸν τὸ πρῶτον 10 πεπτικὸν μκ5. 466 ᵇ32. τὸ πρῶτον καταψυκτικὸν μόριον αν18. 479 ᵃ31. τὸ πρῶτον αἰσθητικόν υ1. 454 ᵃ23. μν1. 450 ᵃ11. — c. τὰ πρῶτα αἴτια τῆς φύσεως μα1. 338 ᵃ20. τότε εἰδέναι φαμὲν ἕκαστον, ὅταν τὴν πρώτην αἰτίαν οἰώμεθα γνωρίζειν ΜΑ3. 983 ᵃ25 Bz. πανταχῶ κυρίως τῶ 15 πρώτω ἡ ἐπιστήμη ἢ ἐξ ᾧ τὰ ἄλλα ἤρτηται ἢ δι' ὃ λέ- γονται Μγ2. 1003 ᵇ16. ἀπὸ τῶ πρώτω ἢ τῆς τῶ πράγμα- τος ἀρχῆς. opp ὅθεν ῥᾷστ' ἂν μάθοι Μδ1. 1013 ᵃ2. τὸ θεῖον ἀμετάβλητον πᾶν τὸ πρῶτον ἢ ἀκρότατον Οα9. 279 ᵃ32. ἐν τοῖς πρώτοις ὐδέν ἐστι παρὰ φύσιν Οβ6. 288 ᵇ19. 20 τὰ ἀΐδια ἢ πρῶτα, opp τὰ γεννητὰ ἢ φθαρτὰ Γβ9. 335 ᵃ29, 24. τὸ πρῶτον σῶμα Οβ12. 291 ᵇ32. ἡ πρώτη κίνησις Οδ3. 310 ᵇ34. — d. πρώτη φιλοσοφία (i e ἡ φιλοσοφία ἡ περὶ τὰ πρῶτα, θεῖα, ἀκίνητα, ἀχώριστα) Με1.1026 ᵃ16 Bz. κ4. 1061 ᵇ19. Οα8. 277 ᵇ10. ἡ πρώτη ἐπιστήμη Μκ4.1061 25 ᵇ30. ὁ πρῶτος φιλόσοφος ψα1. 403 ᵇ16. — e. πρώτως (coni syn κυρίως, ἁπλῶς, καθ' αὑτό) πρῶτος significat ipsam per se rei notionem et naturam (ut quae iam a principio sit et rem constituat) Bz ad Μδ5. 1015 ᵇ11. Obs ad Met p 62. μάλιστα ἢ πρώτως ψυχὴν εἶναι τὸ κινῶν 30 ψα2. 403 ᵇ29. ἡ ψυχὴ τῦτο ᾧ ζῶμεν ἢ αἰσθανόμεθα πρώ- τως ψβ2. 414 ᵃ13. τὸ πρώτως ἢ κυρίως πν3. 482 ᵇ5. φι- λία πρώτως ἢ κυρίως, dist καθ' ὁμοιότητα Ηθ5. 1157 ᵃ30. cf ηεη2. 1236 ᵃ20. ἴσον πρώτως, δευτέρως Ηθ9. 1158 ᵇ31- 33. τὸ πρώτως ἢ [τὸ] μὴ κατ' ἄλλο μεταβάλλον Φε1. 35 224 ᵇ17. τὰ πρώτως λεγόμενα ἕν, τὰ πρῶτα ἢ καθ' αὑτὰ λεγόμενα ἕν. κυριώτατα ἢ πρώτως Μδ 6. 1016 ᵇ8. ιι.1052 ᵃ18. τα7. 103 ᵃ26. τὸ πρώτως λεγόμενον καθό, dist δευ- τέρως Μδ18. 1022 ᵃ17. τὰ πρώτως λεγόμενα τέλεια, ἐναν- τία Μδ16. 1022 ᵃ3. 10. 1018 ᵇ4. πρώτη ἐναντίωσις Μι4. 40 1055 ᵃ32 Bz. τὸ πρώτως ἢ ἁπλῶς ὁρισμός, ἢ τὸ εἶναι μάλιστα ἢ πρώτως ἢ ἁπλῶς τῶν ὐσιῶν ἐστι ΜΖ4. 1030 ᵇ5, ᵃ29. 5. 1031 ᵃ13. τὸ ἀληθῶς ἢ πρώτως ἀγαθόν Ζκ6. 700 ᵇ33. ἡ πρώτη φύσις ἢ κυρίως λεγομένη Μδ4. 1015 ᵃ13. cf Φβ1. 192 ᵇ22. πρῶτον δίκαιον, dist νομικόν Ηε12. 45 1136 ᵃ32-34. ἡ ἀληθινὴ ἢ πρώτη ἀριστοκρατία Πθ8. 1294 ᵃ25. πρώτη ποιότης Μδ14. 1020 ᵇ4. στέρησις ἡ πρώτη (i e ἡ τελεία) Μθ2. 1046 ᵇ15 Bz. τὸ πρῶτον ἢ κυρίως ἀναγκαῖον Μδ5. 1015 ᵇ11 Bz. πέρας πρῶτον Μδ17. 1022 ᵃ5 Bz. ἅπαντα ταῦτ' ἐστι τῶ ξηρῶ ἢ τῶ ὑγρῶ τῶν πρώτων 50 (an πρώτως?) λεχθέντων Γβ2. 330 ᵃ15. πρώτως δυνατόν Μθ8. 1049 ᵇ13 Bz. ἡ πρώτη δύναμις Μθ1. 1046 ᵃ10. ὁ 12. 1020 ᵃ5. τὸ ἔστιν ὑπάρχει τῶ μὲν πρώτως (syn ἁπλῶς) τοῖς δ' ἑπομένοις ΜΖ4. 1030 ᵃ22. τὸ πρώτως ὂν ἢ πρὸς ὃ πᾶσαι αἱ ἄλλαι κατηγορίαι τῶ ὄντος ἀναφέρονται, ἡ ὐσία 55 Μθ1. 1045 ᵇ27. τίς ὐσία ἐστὶν ἡ κυριωτατά τε ἢ πρώτως ἢ μάλιστα λεγομένη Κ5. 2 ᵃ11, sed quoniam dubitatur, quae dicatur κυριώτατα ὐσία ΜΖ3, ambiguitas inest for- mulae πρώτη ὐσία, qua vel significatur res individua, τὸ καθ' ἕκαστον Κ5. 2 ᵇ6, vel τὸ εἶδος αὐτὸ καθ' αὑτὸ χω- 60 ριστὸν ὄν: εἶδος λέγω τὸ τί ἦν εἶναι ἑκάστῳ ἢ τὴν πρώτην

ὐσίαν ΜΖ7. 1032 ᵇ2. λέγω πρώτην ὐσίαν ἢ μὴ λέγεται ιτῶ ἄλλο ἐν ἄλλῳ εἶναι ἢ ὑποκειμένῳ ὡς ὕλῃ ΜΖ11. 1037 ᵇ3. ὁρισμός ἐστιν ἐὰν πρώτω τινός, ἢ ΜΖ4. 1030 ᵃ10. ὁ λόγος ὁ τῆς πρώτης ὐσίας Μι3. 1054 ᵇ1. ἕν εἶναι τὸ ἀγαθὸν ἢ ἀγαθῷ εἶναι, ὅσα μὴ κατ' ἄλλο λέγεται, ἀλλὰ καθ' αὑτὰ ἢ πρῶτα ΜΖ6. 1031 ᵇ14. αἱ πρῶται ὐσίαι ἐνέργειαι ἄνευ δυνάμεώς εἰσ13. 23 ᵃ24. — f. huic usui, quem extremo loco attulimus, cognatus est, quod res ideales ex Platonis doctrina πρῶτα dicuntur. ἡ ἰδέα πρώτη τῶν συνωνύμων ατ968 ᵃ10. πρῶτον μῆκος, πλάτος, βάθος ψα2. 404 ᵇ20 Trdlbg. ἐπιφάνειαι αἱ πρῶται Μκ2. 1060 ᵇ13. ὁ ἀριθμὸς ὁ πρῶτος Μμ6. 1080 ᵇ2. 7. 1081 ᵃ4. cf Bz ad Α6. 987 ᵇ34. πρώτη δυὰς Μμ6. 1080 ᵃ26. 7. 1081 ᵇ30. — g. logice τὸ πρῶτον i q τὸ καθόλυ. τὰ γένη, πότερον ὅσα ἐπὶ τοῖς ἀτό- μοις λέγεται τελευταῖα ἢ τὰ πρῶτα Μβ1. 995 ᵇ30. 3. 998 ᵇ15. ἡ μόνον περὶ τῶς ὐσίας, ἀλλὰ περὶ πάντων ὁμοίως τῶν πρώτων (i e τῶν κατηγοριῶν) ΜΖ9. 1034 ᵇ9 Bz. τὰ πρῶτα ἢ τὰ γένη τῶν ἐναντίων Μι4. 1055 ᵇ27. τὰ πρῶτα ἢ τὰ καθόλυ μάλιστα, opp τὰ ὑπ' ἐκεῖνα Αα28. 44 ᵃ39, ᵇ4. τὰ πρῶτα, syn καθόλυ Αδ19. 100 ᵇ4, 5. λέγω πρῶτον ὃ αὐτὸ μὲν κατ' ἄλλυ, κατ' ἐκεῖνο δὲ μηδὲν ἄλλο Αγ21. 82 ᵇ2. ὅρος πρῶτος, terminus maior syllogismi Αα4. 25 ᵇ33. ἀκρι- βέστεραι αἱ ἐπιστῆμαι αἱ μάλιστα τῶν πρώτων εἰσίν· μά- λιστα ἐπιστητὰ τὰ πρῶτα ἢ τὰ αἴτια ΜΑ2. 982 ᵃ26, ᵇ2. — 2. πρῶτον relatum ad aliud id dicitur, quod alteri ita est proximum, ut nihil intercedat medium. potest haec relatio etiam significari, πρῶτον πρὸς τὸ καθόλυ, πρὸς τὸ καθ' ἕκαστον Αδ17. 99 ᵇ9, plerumque non significatur sed ex contextu sententiarum intelligitur. — a. τόπος ὁ μὲν κοι- νός, ἐν ᾧ ἅπαντα σώματά ἐστιν, ὁ δ' ἴδιος ἐν ᾧ πρώτῳ Φδ2. 209 ᵃ33. 4. 211 ᵃ28. ε3. 226 ᵇ22. Μκ12. 1068 ᵇ26. αν8. 474 ᵃ29. εἶναί τινι πρώτως Φδ3. 210 ᵃ33, ᵇ22, 29. ἐν ᾧ πρώτῳ μετα- βέβληκε τὸ μεταβεβληκός ΦΖ5. 235 ᵇ32, 33, 236 ᵃ7, ᵇ20. τὸ πρῶτον (proximum) κινῶν Φη2. 243 ᵃ3, 14, 245 ᵃ8, 25, ᵇ1, opp ἔσχατον 244 ᵇ4, 245 ᵃ4, cf πρῶτον κινῶν supra p 653 ᵃ4. τὸ κινύμενον πρώτως κατὰ τόπον ἀνάγκη ἅπτε- σθαι ἢ συνεχὲς εἶναι τῶ κινῦντι Φη1. 242 ᵇ24. ὅσα (μόρια) κύρια ἢ ἐν ᾧ πρώτῳ ὁ λόγος ἢ ἡ ὐσία, οἷον εἰ τῦτο καρδία ἢ ἐγκέφαλος ΜΖ10. 1035 ᵇ26. ὕπνω τί τὸ πρῶτον πάσχον Μχ4. 1044 ᵇ16 Bz. τὸ πρῶτον κεχρωσμένα ἴδιον ἐπιφανείας τε3. 131 ᵇ34. ἐν ᾧ πρώτῳ πέφυκεν εἶναι τε2. 129 ᵇ18, 20. ζ9. 147 ᵇ29sqq. 13. 150 ᵃ26-33. πρῶτον φρόνιμον ἴδιον τῶ ἐπιθυμητικῶ sim τε8. 138 ᵇ2, 13. τὸ ὁρῶν πρῶτον ψγ2. 425 ᵇ19. τὸ πρῶτον αἰσθητήριον ψβ11. 422 ᵇ21, 31. 12. 424 ᵃ24. Ζμβ10. 656 ᵇ23. αἰσθητικὸν πρῶτον τὸ πρῶτον ἔναιμον, τοιῦτον δ' ἡ καρδία Ζμβ4. 666 ᵃ34. τὸ περίττωμα τὸ πρῶτον ζ1. 468 ᵃ4. τὰ νοήματα τὰ πρῶτα τίνι διοίσει τῶ μὴ φάντασμα εἶναι ψγ8. 432 ᵃ12. πρώτη ὐσία ἴδιος ἑκάστῳ ἢ ὐχ ὑπάρχει πᾶσιν ἢ τὸ καθόλυ κοινόν ΜΖ13. 1038 ᵇ10. ἐν ᾧ τῇ φωνῇ σημεῖα πρώτως ε1. 16 ᵃ6 Wz. — b. logice πρώτῳ ὑπάρχειν, syn ὐκ ἔστιν ἄλλο μεταξύ Αγ19. 81 ᵇ31, 35, 82 ᵃ11. ὑπάρχειν πρώτῳ, πρώτως Αβ21. 66 ᵇ20 Wz (syn καθ' αὑτό ᵇ22). γ15. 79 ᵃ38. 16. 79 ᵇ25, 38, 80 ᵃ3. τῶ πρώτω ἀποδώδεται cf6. 145 ᵃ28-32. δεικνύναι ἐπὶ τῶ πρώτω Αγ5. 4. 73 ᵇ33. λέγεσθαι κατ' ἄλλο ἢ πρῶ- τον, opp αὐτὸ πρῶτον τε5. 134 ᵇ18-25. ὃ πρῶτόν τι κα- τηγορεῖται Αγ22. 83 ᵇ31. 23. 84 ᵇ32. ὐκ οἰκείως τὸ πρῶτον ἀποδέδοται πτερὸν ὄρνιθος Κ7. 7 ᵃ1. — πρώτη ἢ ἄμεσος πρότασις Αβ23. 68 ᵇ30. πρῶτα ἀναπόδεικτα Αγ2. 71 ᵇ26. 31. 88 ᵃ8 (quamquam haec et similia etiam ad usum voc πρῶτος supra 1, expositum referri possunt). πρῶτα τὰ μὴ δι' ἑτέρων ἀλλὰ δι' αὑτῶν ἔχοντα τὴν πίστιν τα1.100 ᵇ18. πρῶτον αἴτιον Αγ13. 78 ᵃ25, ᵇ4. ἐκ πρώτων δεῖ εἶναι τὴν ἀποδεικτικὴν ἐπιστήμην, coni ἄμεσα sim Αγ2. 71 ᵇ16 Wz, 21sqq (sed cf ταὐτὸν λέγω πρῶτον χ̀ ἀρχὴν 72 ᵃ6). ὁ ψευδὴς λόγος γίνεται παρὰ τὸ πρῶτον ψεῦδος Αβ18. 66 ᵃ16. — πρώτως. cf supra. πρώτως ἐγένετο ἡ τροφὴ τῷ τρέφοντι συνεχής φτα1. 816 ᵇ19. — πρῶτον. τὸ πρῶτον..., εἶτα..., μετὰ δὲ τῦτο μα14. 353 ᵃ11. τὸ πρῶτον..., εἶθ' ὕστερον Πε4. 1304 ᵇ11. τὰ πρῶτα Πδ5. 1292 ᵇ19. πρῶτον ... εἶτα Ζμα1. 639 ᵇ4, 28, 640 ᵃ14, ᵇ2. πρῶτον μὲν ... εἶτα Ζμα1. 640 ᵃ22. γ4. 665 ᵇ28. πρῶτον μὲν ..., ἔπειτα δέ Ζμθ9. 684 ᵇ24. — τὴν πρώτην. τοσαῦτα εἰρήσθω τὴν πρώτην ΜΖ12. 1038 ᵃ35. Πγ15. 1286 ᵃ5. ἐκ πρώτης, syn ἐξ ἀρχῆς πβ32. 869 ᵇ24, 23. ἀπὸ πρώτης πλε9. 965 ᵃ34. χ6. 798 ᵇ26. — πρώτιστον (Parm 132) ΜΑ4. 984 ᵇ26. πρώτιστα (Hes θ 116) Φδ'1. 208 ᵇ31. ΜΑ4. 984 ᵇ28. (ε 405) οα2. 1343 ᵃ21.

προτιθέναι. ἀεὶ πλείων τῦ προτεθέντος χρόνος (i e ἄπειρος) Οα12.281ᵃ34. — i q proponere, in medium afferre, ἐν τοῖς προοιμίοις προθήσομεν τὸ πρᾶγμα sim ρ37. 1441 ᵇ3. 30. 1437 ᵇ40. τὸ ἐγκωμιαστικὸν πάλιν προθέμενοι σκοπῶμεν sim ρ36. 1440 ᵇ5. 3. 1425 ᵇ33. προθεμένοι τὰς προθέσεις ρ36. 1440 ᵇ7. αὐτὸ τὸ μέρος ὁρισάμενοι πάλιν ἕτερον προθησόμεθα ρ33. 1439 ᵃ23 (eodem sensu activum legitur ᵃ30), cf ρ35. 1440 ᵃ7, ᵃ9 (προτιθεμένῃς ci Spgl, προτιθέμενον Bk). 36. 1441 ᵃ21. 37. 1443 ᵇ26. ἀρχὴ ζητήσεως προθέσθαι τὰ μάλιστα δοκῦνθ' ὑπάρχειν ψα2. 403 ᵇ24. τὸ προτεθὲν (id quod propositum est, veluti ad demonstrandum), τὸ προτεθὲν πρόβλημα, ἡ προτεθεῖσα ἐπιστήμη sim Αβ12. 62 ᵃ30 (cf πρόβλημα ᵃ21). 13. 62 ᵇ10. τα1. 100 ᵃ19. 2. 101 ᵃ30, 38. τί προτιθέμεθα, πεφροιμιάσθω τοσαῦτα Ηα1. 1095 ᵃ12. — προτιθέντι ἀνάγκη πολλὰ λέγειν, opp ἐπιλέγοντι ἐν ἱκανῷ Ρβ20. 1394 ᵃ15. προτιθέμενα, opp ἐπιλεγόμενα Ρβ20. 1394 ᵃ12. προθέντα τὸν ἐπίλογον, syn προειπόντα Ρβ21. 1394 ᵇ28, 31. ἂν μὴ προθεὶς εἴπῃς μέλλων πολλὰ μεταξὺ ἐμβάλλειν Ργ5. 1407 ᵇ21. — ἐπιτελεῖν ἃ ἂν προθῆται φ6. 813 ᵇ34. ὁ φαῦλος ὃ προτίθεται ἰδεῖν (ὃ προτίθεται τυχεῖν Bk³) τεύξεται ΗΖ10. 1142 ᵇ18. καλῶς προθέσθαι τὸ τέλος, προθέσθαι τὸ καλόν Ηα18. 1190 ᵃ13, 17. 19. 1190 ᵃ33. — οἱ προτιθέμενοι κατὰ τὰς ἐγγραφάς ΠΖ8. 1321 ᵇ42 (Göttling p 421). — προτιθέναι, praeferre, anteponere, ὀρθῶς ζητῦσιν οἱ τὴν ἀρχαίαν ἀρετὴν προτιθέντες f 85. 1490 ᵇ42.

προτιμᾶν τὴν ἀλήθειαν. τὸ ζῆν Ηα4. 1096 ᵃ16. ηεα5.1215 ᵇ34, τὸ λυσιτελὲς μάλιστα ρ8. 1428 ᵇ22, τινά τινος μᾶλλον ρ3. 1424 ᵃ29.

προτρέπειν. οἷς βοηθεῖν προτρέπομεν ρ35. 1440 ᵃ27. προτρέψοντες, opp κωλύσοντες Ηγ7. 1113 ᵇ26. — med, ὑδεὶς προτρέπεται πράττειν Ηγ7. 1113 ᵇ27. προτρέψασθαι πρὸς καλοκαγαθίαν, ἐπὶ τὴν ἀρετήν, syn παρορμῆσαι, παρακαλεῖν Ηκ10. 1179 ᵇ7, 10, 1180 ᵃ7, 6. — pass, οἱ προτρεπόμενοι ρ35. 1440 ᵃ27.

προτρεπτικὸν εἶδος τῶν λόγων ρ35. 2. 1421 ᵇ9. — προτρεπτικόν, opp ἐμπόδιον ημβ7. 1206 ᵃ24. προτρεπτικὴ (fort προπετικὴ) ἀκρασία, syn ἀπρονόητος, opp ἀσθενικὴ ημβ6. 1203 ᵃ30.

προτροπή, def ρ2. 1421 ᵇ20. συμβαλὴς τὸ μὲν προτροπὴ τὸ δὲ ἀποτροπή Ρα3. 1358 ᵇ8. προτροπαί, ἀποτροπαί Ρα5. 1360 ᵇ10.

προϋπάρχειν. θερμότης ἡ ἐν τῷ πράγματι προϋπάρχουσα

μδ1. 379 ᵇ1. ἀεὶ δεῖ προϋπάρχειν τὴν ὕλην χ̀ τὸ εἶδος ΜΖ9. 1034 ᵇ12. cf γ5. 1009 ᵃ26. Γα3. 317 ᵇ17, 31, τὸ κινῦν τῷ κινυμένῳ Ζκ5. 700 ᵇ1, τὸ ποιητικὸν ὅμοιον Ζμα1. 640 ᵃ30, cf Ζιε15. 546 ᵇ28. δυνάμεις προϋπάρχυσαι, δυνάμει προϋπάρχειν Ζγβ3. 736 ᵇ17, 21. 6. 742 ᵃ12, 744 ᵃ6. τὸ πάθος προϋπάρχει τύτοις Ζμγ4. 667 ᵃ17. εἰς τὸ προϋπάρχον (κύημα) τὸ περίττωμα τρέπεται Ζγδ5. 773 ᵇ19. cf Ζιη4. 585 ᵃ10. ζ2. 560 ᵃ14. ἡ τῶν σωμάτων αὔξησις ἐκ προϋπαρχόντων ἐστὶν Ργ19. 1419 ᵇ22. διαφέρει πολὺ τὰ παρανόμα προϋπάρχειν ἐν ταῖς τραγῳδίαις ἢ πράττεσθαι Ηα11. 1101 ᵃ33. οἱ νόμοι διαμένωσιν οἱ προϋπάρχοντες Πδ5. 1292 ᵇ20. προϋπάρχει ἦθος, φιλία al Ηκ10. 1179 ᵇ30. ὁ δ5. 1122 ᵇ31. ρ35. 1439 ᵇ7. προϋπαρχόντων τῶν πραγμάτων τὰς ἐπιστήμας λαμβάνομεν Κ7. 7 ᵇ24. πᾶσα μάθησις διανοητικὴ ἐκ προϋπαρχύσης γίνεται γνώσεως Αγ1. 71 ᵃ1. προϋπάρχειν γνωρίζοντα, syn προειδέναι, προγιγνώσκειν ΜΑ9. 992 ᵇ25, 27, 28. προϋπάρχυσι στέργοντες χ̀ εὐπειθεῖς τῇ φύσει Ηκ10. 1180 ᵇ6. σκληρὰ προϋπῆρχεν ὄντα μδ6. 383 ᵃ23. cf Ζμβ1. 646 ᵇ29. ἄξια τῶν προγόνων χ̀ τῶν προϋπηργμένων Ρα9. 1367 ᵇ13.

προϋπαρχή. ἀμείψασθαι τὴν πρ. Ηι2. 1165 ᵃ5.

προϋπολαμβάνειν Αβ14. 62 ᵇ36 (cf γνώριμον εἶναι ᵇ35). γ1. 71 ᵃ12 (cf προγιγνώσκειν ᵃ11). ἀλόγως προϋπολαμβάνειν πο25. 1461 ᵇ1. χαίρυσι καθόλυ λεγόμενα ὃ κατὰ μέρος προϋπολαμβάνοντες τυγχάνυσιν Ρβ21. 1395 ᵇ6, 11.

προϋποτίθεσθαι. med, δεῖ πολλὰ προϋποτεθεῖσθαι καθάπερ εὐχόμενος Πη4. 1325 ᵇ38.

πρᾗργ̔ψ Ζμβ8. 653 ᵇ28. ΜΑ3. 983 ᵇ4. cf πρό p 633 ᵃ53.

προφαίνεσθαι. καθάπερ ἐν τοῖς ἐγκυκλίοις φιλοσοφήμασι περὶ τὰ θεῖα πολλάκις προφαίνεται τοῖς λόγοις Οα9. 279 ᵃ31. Bernays Dial 115.

προφανής. ὡς προέφηναν φτβ3. 825 ᵃ34.

προφανής. τὰ προφανῆ, opp αἰφνίδια, syn πρόδηλα Ηγ11. 1117 ᵃ21, 19. — εἴ τι μὴ προφανὲς πν8. 485 ᵃ24. διὰ τὸ προφανῆ εἶναι Κ9. 11 ᵇ11. προτάσεις λίαν προφανεῖς τθ1. 155 ᵇ37. προφανεστάτην ἔχει τὴν δύναμιν μδ10. 388 ᵃ22. — ἐξ αὑτῶν προφανὲς τθ1. 156 ᵃ26. τῦτο φύσει δίκαιον προφανές (?) ημα34. 1195 ᵃ4.

προφασίζεσθαι ὑπέρ τινος ἔκ τινος ρ30. 1437 ᵃ39. νέῳ ἐκ τῶν τοιύτων προφασιστέον ρ30. 1437 ᵇ7. προφασισάμενος ὅτι ρ31. 1438 ᵇ7. προφασιζόμενοι οἱ μὲν τὰς γυναῖκας αὑτοῖς ἀρρωστεῖν f 513. 1562 ᵃ7.

πρόφασις. τὰς ἀπολογίας χ̀ τὰς προφάσεις συντόμως ἐνεγκόντες ρ30. 1437 ᵇ39. προφάσεις εὐλόγως ἐνεγκόντες ρ38. 1445 ᵃ37. προφάσεις πράξεως τινος ρ3. 1425 ᵃ10. μετὰ προφάσεως εὐλόγυ αθ1347 ᵇ25. ὅσα προφάσεως χάριν σοφίζονται πρὸς τὸν δῆμον Πδ13. 1297 ᵃ14. πρόφασις δεῖται μόνον ἡ μοχθηρία (cf παροιμία p 570ᵇ23) Ρα12. 1373 ᵃ3. — ἀρρωστήματα ἀπὸ μικρᾶς προφάσεως πα28.862ᵇ18. — οἱ περὶ Θήβας ὄφεις ἔχυσιν ἐπανάστασιν ὅσον προφάσεως χάριν Ζιβ1. 540 ᵃ5, cf ὅσον σημείυ χάριν Ζιβ8. 502 ᵇ23. ι5. 611 ᵃ31. Ζμγ7. 669 ᵇ29, 670 ᵇ12.

προφέρειν. κατὰ τὸ δίκαιον ὃ προφέρειν εἰώθασιν Πγ17.1288 ᵃ20. οἱ προφέροντες τὰς ἐπονειδίστως τῶν ἡδονῶν Ηκ2. 1173 ᵇ21. ἔχοι ἄν τις προφέρειν (προενεγκεῖν) τὸ τοιῦτο Κ5. 4 ᵃ12. ι24. 179 ᵃ31. πν2. 482 ᵃ14. πολλὰ προενέγκαντι ἀξιωτέον καθόλυ ὁμολογεῖν γ6. 120 ᵃ36. cf β2. 109 ᵇ27. τὰ προφερόμενα τθ2. 157 ᵃ25. προσιστέον τὰ τοιαῦτα τβ3. 110 ᵇ29. — pass προφέρεσθαι ad significandum motum, προσενεχθέντος τῦ σώματος ἡ ἔκτασις τῦ σκέλυς ἔσται Ζπ12. 711 ᵃ29.

προφητεύϑσα ἡ ψυχὴ τοῖς ἀνθρώποις κ1. 391 ᵃ16.
προφθάνει πέψις ἐν τόποις θερμοῖς φτβ3. 825 ᵃ27.
προφοβητικός. δειλοὶ ⟨χ⟩ πάντα προφοβητικοὶ οἱ πρεσβύτεροί εἰσιν Ρβ13. 1389 ᵇ29.
πρόφορος. ὑγρότης ὑδατώδης ἢ αἱματώδης, ὁ καλήμενος 5 ὑπὸ τῶν γυναικῶν πρόφορος Ζιη7. 586 ᵃ30. ('proliferum vocant' Gazae, 'aquam praeviam' vertit Accorambonus, 'primitias' Scalig. 'graece vocant stalsoron' Alberto. cf Galen XIX 176.)
πρόφραγμα. Ἱππίας ⟨χ⟩ τὰς ἀναβαθμὺς ⟨χ⟩ τὰ προφράγματα 10 ἐπυίλησεν οβ1347 ᵃ5.
προχειμάζειν. impers (cf ἀποχειμάζειν p 89 ᵃ5), ἧττόν ἐστι φοβερὸν, ὅταν προχειμάσαντος ἢ ὅταν ἐξ εὐδίας τϑτο συμβῇ πκϛ8. 941 ᵃ17.
προχειρίζεσθαι. med, σκεπτέον προχειρισαμένοις περὶ ἑκάστϑ 15 τϑτων sim Φγ1. 200 ᵇ23. μγ6. 378 ᵇ6. Οα5. 271 ᵇ25. Ζια1. 639 ᵃ18. μγ6. 378 ᵇ6. Οα5. 271 ᵇ25. Ζια1. 639 ᵃ18. προχειρίζεσθαι τὰς πάντων δόξας, τὰς ἄλλας κατηγορίας τα14. 105 ᵃ35. Κ8. 10 ᵇ19. ἐπὶ παραδείγματος προχειρισάμενοι πλ1. 953 ᵃ33. — pass, φανερὸν ἐκ τῶν καθ' ἕκαστα προχειριζομένων Κ5. 2 ᵃ36. 20
πρόχειρος. τὰ πρόχειρα τῶν ἀπόρων ΜΑ2. 982 ᵇ13. ἐὰν πλείω ἔχῃ ταυτά, ἡ ἁπλῶς ἢ τὰ πρόχειρα Μι3. 1054 ᵇ12. ἔχειν ὅρϑς προχείρϑς τθ14. 163 ᵇ21. αἱ χρήσεις ἡμῖν ϑτως πρόχειροι πϛ7. 886 ᵃ19. — ᕔ μὴ ἐδύνατο κρατῆται ἡ φύσις, τὰ προχειρότατα εἰς κύστιν ⟨χ⟩ κοιλίαν ἀποκρίνεται πκ12. 25 924 ᵃ12. φυτὸν προχειρότερον ⟨χ⟩ προσφυέστερον εἰς ἰατρείαν φτβ6. 826 ᵇ3. — de personis, πρόχειρον εἶναι περί τι, coni ἐκ στόματος ἐπίστασθαι τθ14. 163 ᵇ27. — ἐν προχείρῳ (ἐστὶ) τὴν αἰτίαν ἰδεῖν μβ3. 356 ᵇ19. — προχείρως ἔχειν περί τι τθ14. 163 ᵇ25. προχείρως ὁρίζεσθαι, τιθέναι ηεβ4. 30 1222 ᵇ3. τθ1. 156 ᵇ39. τϑτο παντάπασιν ἔοικεν εἰρῆσθαι προχείρως μβ9. 369 ᵇ24.
προχειροτονία περὶ τῆς ὀστρακοφορίας f 396 1544 ᵃ4.
πρόχευμα. καθάπερ ῥέοντος ὕδατος ἰλύς, τἆλλα σπλάγχνα 35 τῆς διὰ τῶν φλεβῶν ῥύσεως τϑ αἵματος οἷον προχευματά ἐστιν Ζυβ1. 647 ᵇ4.
προχρῆσθαι ξ1. 974 ᵇ11. sed cf προσχρῆσθαι p 650 ᵇ3.
προχωννύναι. ταύτας τὰς νήσϑς φασὶ προκεχωκέναι τὸν Ἡριδανὸν θ81. 886 ᵃ30.
προχωρεῖν. διὰ τρίτης προχωρεῖ (τὸ τϑ λέοντος περίττωμα) 40 Ζιθ5. 594 ᵇ22. ἐντεῦθεν προχωρῆσι καρποὶ ⟨χ⟩ φύλλα φτβ7. 827 ᵃ16. ᾗ χιὼν ᕔ ζητεῖ προχωρεῖν ἐπὶ τϑτῳ φτβ3. 825 ᵃ4.
προωθεῖν. αἱ ἄρκτοι ὅταν φεύγωσι τὰ σκυμνία προωθϑσι ⟨χ⟩ ἀναλαβϑσαι φέρϑσιν Ζιϛ. 611 ᵇ32. καταβαίνοντες (καταβαίνοντος?) τῷ ἐμπίπτειν τὸ σῶμα κάτω ⟨χ⟩ προωθεῖν παρὰ 45 φύσιν τὸ πόνος ἐστὶν πτε24. 883 ᵃ37. κατὰ τὸν προωθϑντα πόδα Ζπ12. 711 ᵃ26. τὸ πλεῖον ἀεὶ τὸ πρὸ αὑτϑ ἔλαττον προωθεῖν ἀναγκαῖον Οβ14. 297 ᵃ28. παύεται ὅταν μηκέτι δύνηται ποιεῖν τὸ προωθϑν τὸ φερόμενον ὥστε ὠθεῖν μχ33. 858 ᵃ20. τὴν θάλατταν προωθεῖσθαι ἤδη πόρρωθεν, dist ἀπυι- 50 θεῖσθαι πάλιν εἴσω· προωθεῖσθαι, dist ἀπωθεῖται μβ8. 367 ᵃ15, 16, 368 ᵇ2. ᾗ πλείστην θάλατταν διαιρεῖ ἡ κώπη, ταύτῃ ἀνάγκη μάλιτα προωθεῖσθαι μχ4. 850 ᵇ24. τὸ πνεῦμα διὰ τὸ ἀεὶ προωθεῖσθαι γίνεται πκγ11. 932 ᵇ31, 33. αχ800 ᵃ9. (ἄνεμοι) φθάνϑσι πηγνύντες ἢ προωθϑντες μβ6. 364 55 ᵇ11, 29.
πρόωσις. ἀνισαζομένων τῶν ἐλαττόνων ὑπὸ τῶν μειζόνων τῇ προώσει τῆς ῥοπῆς Οβ14. 297 ᵇ13. σεισμοὶ ἀνατρέποντες κατὰ μίαν πρόωσιν κ4. 396 ᵃ8. κυμάτων ἐπιδρομαί, ποτὲ μὲν ἀντανακοπὴ ἔχϑσαι, ποτὲ δὲ προώσιν μόνον κ4. 396 60 ᵃ20. ἔπεται αὐτῷ ὁ πλησίον ἀὴρ διὰ τὴν πρόωσιν (ci Bsm,

πρόσοψιν codd Bk) πκε22. 940 ᵃ12.
πρύλις. πυρρίχη, ἣν παρὰ Κρησί φησιν Ἀριστοτέλης πρύλιν λέγεσθαι· πρυλεῖς Ἀχιλλέως f 476. 1556 ᵃ33, 36.
πρύμνα ἢ τῶν ἄλλων τι μορίων τῶν τῆς νεὼς Πγ13. 1284 ᵇ10.
πρυτανεία ἐν Μιλήτῳ Πε5. 1305 ᵃ17. ἡ (Ἀθήνησι) πρυτανεία πόσων ἡμερῶν ἐστιν f 393. 1543 ᵃ22, 32. καθ' ἑκάστην πρυτανείαν, ἐπὶ τῆς ἕκτης πρυτανείας τί γίγνεται f 374. 1540 ᵇ8. 396. 1544 ᵃ3.
πρυτανεῖον. εἰς τὸ πρυτανεῖον βαδίζει σιτησόμενος κ6. 400 ᵇ19.
πρυτανεύειν. πόσας ἡμέρας ἑκάστη φυλὴ πρυτανεύει f 393. 1543 ᵃ29, 34. ἡ πρυτανεύϑσα φυλή f 394. 1543 ᵇ27. 397. 1544 ᵃ31. πρυτανεύει ἐκ τῶν πωλητῶν εἷς f 401. 1545 ᵃ19.
πρύτανις ἐν Μιλήτῳ Πε5. 1305 ᵃ18. πρυτάνεις καλῦσι τὸς ἀφωρισμένϑς πρὸς τὰς θυσίας τὰς κοινάς Πζ8. 1322 ᵇ29. πρυτάνεις (Ἀθήνησι), τὸ δέκατον μέρος τῆς βϑλῆς τῶν πεντακοσίων, συνάγϑσι τὴν βϑλὴν ⟨χ⟩ τὸν δῆμον f 393. 1543 ᵃ26. 394. 1543 ᵇ8. 395. 1543 ᵇ31. οἱ καθιστάμενοι ἐπιστάται, ὧν ὁ μὲν ἐκ πρυτάνεων κληρϑμενος f 397. 1544 ᵃ8.
πρωΐ, coni ἀπὸ τῆς ἕω, ὑποφωσκϑσης ἕω πκϛ54. 946 ᵃ35. κε5. 938 ᵃ32.
πρώϊμος. πρωΐμως οἴσει σικύϑς πκ14. 924 ᵇ5.
πρώϊος. διὰ τὸ τὰ μὲν πρώϊα τὰ δ' ὄψια (ᾠά) προΐεσθαι δὶς δοκεῖ τίκτειν (θυννίς) Ζιε9. 543 ᵃ9. κινεῖται ⟨χ⟩ γίγνεται πνεῦμα τῆς ἐκλείψεως πρωιαίτερον μβ8. 367 ᵇ31. κόττυφος πρωαίτατα τίκτει Ζιε13. 544 ᵃ28.
πρῷρα πλοίϑ λεμβώδϑς Ζπ10. 710 ᵃ31. τϑ οἴακος ἀκαριαῖόν τι μεθισταμένϑ πολλὴ ἡ τῆς πρῴρας γίνεται μετάστασις Ζκ7. 701 ᵇ27.
πρωρεύς, dist ἐρέτης, κυβερνήτης Πγ4. 1276 ᵇ23. ὁ πρωρεὺς ἔμψυχον ὄργανον Πα4. 1253 ᵇ29.
Πρωταγόρας. eius de cognitione doctrina Μγ5. 4. 1007 ᵇ22. resp Αγ33. 89 ᵃ26. ψ3. 427 ᵇ3 (cf 2. 426 ᵃ21). ἄνθρωπος πάντων μέτρον Μι1. 1053 ᵃ35. κ6. 1062 ᵇ13. ᕔδὲν αἰσθητὸν μὴ αἰσθανόμενον (αἰσθανομένων Bz) Μθ3. 1047 ᵃ6. Πρωταγόρας ἐλέγχων τὸς γεωμέτρας Μβ2. 998 ᵃ3. τὸ Πρωταγόρϑ ἐπάγγελμα τὸν ἥττω λόγον κρείττω ποιεῖν Ρβ24. 1402 ᵃ25. scriptas fuisse et paratas a Protagora rerum inlustrium disputationes, quae nunc communes appellantur loci f 131. 1500 ᵇ13. πρῶτον μὲν λέγων ἑαυτϑ ἀνέγνω τϑτ περὶ θεῶν f 56. 1485 ᵃ2. genera nominis, modos verbi distinxit τι14. 173 ᵇ19. Ργ5. 1407 ᵇ7. πο19. 1456 ᵇ15. de eius mercede Ηι1. 1164 ᵃ24. τὴν καλϑμένην τύλην, ἐφ' ἧς τὰ φορτία βαστάζϑσιν, εὗρεν f 52. 1484 ᵃ41.
πρωταγωνιστεῖν δεῖ τὸ καλὸν ἀλλ' ᕔ τὸ θηριῶδες Πθ4. 1338 ᵇ30.
πρωταγωνιστὴν τὸν λόγον Αἰσχύλος παρεσκεύασεν πο4. 1449 ᵃ16.
Πρώταρχος Φβ6. 197 ᵇ10.
Πρωτεσίλαος ἐν Χερρονήσῳ ἐτάφη· ἐπίγραμμα ἐπ' αὐτϑ f 597. 1577 ᵃ30. 596. 1576 ᵃ32.
πρωτεύειν. ᕔ πρωτεύϑσι ἄλλοι Ηδ8. 1124 ᵇ23. πρωτεύειν τοῖς ἔργοις, συντιρίζειν τὰς λόγϑς p1. 1420 ᵃ17.
πρῶτον, δρᾶμα σατυρικὸν Αἰσχύλϑ f 575. 1572 ᵇ23, 27.
Πρωτιάδαι, γένος ἐν Μασσαλίᾳ f 508. 1561 ᵇ6.
Πρωτογένεια, Ὀπϑντος θυγάτηρ, Ἠλείϑ βασιλέως f 520. 1563 ᵃ28.
πρωτόκυρος. τῆς πόας τῆς Μηδικῆς ἡ πρωτόκυρος φαύλη Ζιθ8. 595 ᵇ28.

Πρῶτος, Εὐξένη χ̣ 'Αριστοξένης υἱός f 508. 1561 ᵇ6.
πρωτοτόκος ῦς Ζιε14. 546 ᵃ12. αἱ πρωτοτόκοι ταῦ Ζιζ9.
564 ᵃ30. f 274. 1527 ᵇ10.

πταίειν. τῶν μεθυόντων χ̣ τῶν ῥιγώντων ἡ γλῶττα πταίει·
τὸ δὲ μὴ ἀκριβῶς ἐστὶ τὸ πταίειν πγ31. 875 ᵇ19, 28. η14. 5
888 ᵇ8. — οἱ ἑπταικότες, opp οἱ κρατῦντες ἐν τῷ πολέμῳ
ρ3. 1425 ᵇ5. ταύτης (τῆς φιλοσοφίας) προηγμένης ἢ πταίειν
συμβήσεταί σοι περὶ τὰς πράξεις ρ1. 1421 ᵃ19.

πταίρειν, πτάρειν, πτάρνυσθαι. διὰ τί ἄνθρωπος πτάρ-
νυται μάλιστα τῶν ἄλλων ζῴων πλγ10. 962 ᵇ8, 15. ι18. 10
892 ᵇ22, 29. 54. 897 ᵃ1. οἱ πρεσβῦται χαλεπῶς πτάρνυνται
πλγ12. 962 ᵇ28. ἀνακύπτομεν πρὸς τὸν ἥλιον, ὅταν βυλω-
μεθα πτάρειν πλγ15. 963 ᵃ9. ἐὰν τις μέλλων πτάρνυσθαι
τρίψῃ τὸν ὀφθαλμόν, ἧττον πτάρνυται πλγ2. 961 ᵇ27. πότε
εὐλαβώμεθα πτάρειν πλγ11. 962 ᵇ25. πτερῷ τὰς ῥῖνας κνή- 15
σαντες πτάρνυνται πλε8. 965 ᵃ25. ἀδύνατον πτάρειν μὴ
ἐκπνέοντα πλγ1. 961 ᵇ25. πτάραντες (πτάρεντες) χ̣ ἐρή-
σαντες φρίττυσιν πλγ16. 963 ᵃ33. η8. 887 ᵇ35. — formae
in textu Bk hae exhibentur: πτάρνυται, πτάρυνται, πτάρ-
νυσθαι 892 ᵇ22, 897 ᵃ1, 961 ᵇ27, 962 ᵇ8, 28, 965 ᵃ25, πτάρ- 20
νοιντο 892 ᵇ29, πτάρνυντο 962 ᵇ15, πτάρειν 961 ᵇ25, 962
ᵇ25, 963 ᵃ9, πτάραντες 963 ᵃ33, πτάρεντες 887 ᵇ35.

πταρμικόν. τὸς ἐκθνήσκοντας κινῦσι πταρμικῷ πλγ9. 962
ᵇ4. cf Bsm probl ined p 301, 23.

πταρμός. ὁ πταρμὸς διὰ τῆς ῥινὸς γίνεται, πνεύματος ἀθρόυ 25
ἔξοδος· σημεῖον οἰωνιστικὸν χ̣ ἱερὸν μόνον τῶν πνευμάτων
Ζια11. 492 ᵇ6. cf π154. 897 ᵃ11. λγ7. 962 ᵃ21. 9. 962 ᵃ33.
ἀπὸ μέσων νυκτῶν ἄχρι μέσης ἡμέρας ὐκ ἀγαθοὶ πταρμοὶ
πλγ11. 962 ᵇ20. ὁ πταρμὸς ἡμῖν καθεύδυσιν ὐ γίνεται πλγ15.
963 ᵃ5. ὁ πταρμὸς διὰ πλῆθος ὑγρῦ πλα1. 957 ᵃ40, ᵇ4. 30
λγ8. 962 ᵃ25, 31. τρίψαντες τὸν ὀφθαλμὸν παύομεθα τὸν
πταρμὸν πλα1. 957 ᵃ38. λγ8. 962 ᵃ25. ὁ πταρμὸς λυγμὸν
μὲν παύει, ἐρυγμὸν δὲ ὐ παύει πλγ1. 961 ᵇ9. 5. 962 ᵃ1.
17. 963 ᵃ38.

πτελέα. πιαίνονται (βόες) τοῖς φύλλοις τῆς πτελέας Ζιθ7. 35
595 ᵇ11. δάκρυα πτελέας Ζι40. 623 ᵇ29. περὶ τὰς πτελέας
ἁλίσκονται αἱ μῆτραι Ζι41. 628 ᵇ26. τῦ ἐβένυ χ̣ τῆς πτε-
λέας τὸ ξύλον γίνεται μέλαν φτβ9. 828 ᵇ24. cf Nic Da-
masc ed Meyer p 127. (Ulmus campestris L et nemora-
lis Ait Fraas 245. Langkavel 93.) 40

πτέρνα, calcaneus, calx ΑΖι II tab II et III. ἡ πτέρνα ἐκ
τῦ ὄπισθεν, τὸ ὀπίσθιον μέρος τῦ ποδός Ζια15. 494 ᵇ7, ᵃ11
(νl περόνη). cf Gal XIV 708. σείονται τῶν ποδῶν αἱ πτέρ-
ναι πε15. 882 ᵃ31, cf 39. cf Gal XVIII B 445. (τῆς τῦ
πιθήκυ χειρός) τὸ ἔσχατον σκληρότερον, κακῶς χ̣ ἀμυδρῶς 45
μιμύμενον πτέρνην· ἕνα (δάκτυλον) εἰς τὸ ὄπισθεν κείμενον
ἔχυσιν οἱ πλεῖστοι (τῶν ὀρνίθων) ἀντὶ πτέρνης Ζιβ8. 502
ᵇ10, cf 18. 12. 504 ᵃ11. cf Ζμδ12. 695 ᵃ20.

πτέρνις, ὁ (νl πτερνίς, πτέρνης), τῶν ἱεράκων Ζιι36. 620 ᵃ19.
(pernix Gazae, pternis Thomae, pernes Scalig, 'in πέρκης 50
mutatum voluit' Gesner av 42. definiri non potest Su 101,
18. ΑΖι I 37 f.)

πτερόν. refertur inter τὰ ὁμοιομερῆ Ζμβ9. 655 ᵇ17. τὸ πτε-
ρωτὸν πτερῷ πτερωτόν Κ7. 7 ᵃ4. τῶν πτερῶν φύσις Ζπ10.
710 ᵃ17, 25. 11. 710 ᵇ32. Ζγγ1. 749 ᵇ7. ε5. 785 ᵃ23 (Em- 55
pedoclis de ea sententia μδ9. 387 ᵇ5, Emped 276).
δύναμις, πλῆθος Ζμδ6. 682 ᵇ15. 12. 694 ᵃ3. Ζιη2. 582 ᵇ34,
διαφορά Ζγε1. 778 ᵃ20, ἀσθένεια Ζπ10. 710 ᵃ21, ἰδέα,
ποικιλία Ζι13. 615 ᵇ28. ζ9. 564 ᵃ26. τὸ ὑγρὸν ἐν τοῖς
πτεροῖς Ζγε5. 785 ᵃ24. — ἡ πτερότης ἔχει εἴδη· τὸ μὲν 60
ἄσχιστον τὸ δ' ἐσχισμένον ἐστὶ πτερόν· τὸ πτερὸν σχιστὸν

χ̣ ὐχ ὅμοιον τῷ εἴδει τοῖς ὁλοπτέροις· τῶν μὲν γὰρ ἄσχι-
στον τῶν δὲ σχιστόν ἐστι χ̣ τὸ μὲν ἄκαυλον, τὸ δ' ἔχει
καυλὸν Ζμα3. 642 ᵇ28. ὁ12. 692 ᵇ12. — 1. avium. ὁ ἐν
ὄρνιθι πτερόν, τῦτο ἐν ἰχθύι ἐστὶ λεπὶς Ζια1. 486 ᵇ21. cf
Ζγε3. 782 ᵃ18, 783 ᵇ4. Ζμχ4. 644 ᵃ22. 5. 645 ᵇ5. γ7.670
ᵇ4, 16. ὁ1. 676 ᵃ32. Ζιβ12. 504 ᵃ31. ε31. 557 ᵃ13. πδ31.
880 ᵃ38, ᵇ2. (cf τὸ τῶν ὀρνέων φῦλον μετερρυθμίζετο ἀντὶ
τριχῶν πτερὰ φύον ἐκ τῶν ἀκάκων ἀνδρῶν, κύφων δέ, χ̣
μετεωρολογικῶν Plat Tim 91 D.) τὰ πτερὰ ἔχει καυλὸν
ἅπαντα (ἀποτμηθέντα) ὔτ' ἄνωθεν ὔτε κάτωθεν αὐξάνεται
ἀλλ' ἐσχισται Ζιβ12. 504 ᵃ31. γ12. 519 ᵃ26. ἡ τῶν πτε-
ρῶν αὔξησις Ζμβ13. 657 ᵇ8. τὰ πτερὰ μελάντερα, βραχύ-
τατα, καμπύλα, τριχώδη Ζιγ12. 519 ᵃ3. ι32. 618 ᵇ33, 619
ᵃ5. Ζμδ14. 697 ᵇ17 (cf 15). τὸ πτερὸν σκληρόν, μαλακόν
φ2. 806 ᵇ12. ὅταν τὰ πτερὰ τίλλωσιν· τὰ πτερὰ λευκαί-
νεται θ63. 835 ᵃ17. Ζιζ6. 563 ᵃ25. αἱ πτέρυγες χ̣ τὰ
πτερὰ Ζγγ1. 749 ᵇ4. ἐκ τοιαύτ (σχιζοπτέρυ) πτερῦ γίνεται
τὸ ὑροπύγιον Ζμδ13. 697 ᵇ12, cf 13. (ἔποψ) διαπάλλει
πτερὸν κίρκυ λεπάργῳ (Aeschyl fr 297, 4) Ζιι49 B. 633 ᵃ22.
(χελιδών) κἂν ἀπορῆται πηλῦ, βρέχυσα αὐτὴν καλινδεῖται
τοῖς πτεροῖς πρὸς τὴν κόνιν Ζιι7. 612 ᵇ24 (cf Basil VIII 5
τὰ ἄκρα τῶν πτερῶν ὕδατι καταβρέξασα, Müllenhoff, Her-
mes II 257). — ἕνα τῶν ὀρνέων λόφον ἔχυσι, τὰ μὲν αὐτῶν
τῶν πτερῶν (αὐτόπτερον ci Pik) ἐπανεστηκότα Ζιβ13. 504
ᵇ10. — 2. insectorum. τὸ πτερὸν ὐκ ἔχει καυλὸν ὐδὲ σχί-
σιν· ἄσχιστον τῶν ἐντόμων ἐστὶ τὸ πτερὸν χ̣ ἄκαυλον· ὐ
γὰρ πτερὸν ἀλλ' ὑμὴν δερματικὸς Ζιδ7. 532 ᵃ25. Ζμδ6.
682 ᵇ18. τὰ πτερὰ τῶν πολυπτέρων, τῶν τετραπτέρων
Ζμδ6. 683 ᵃ19, ᵇ10. cf Ζιδ7. 532 ᵃ19. α5. 490 ᵇ1. ε19.
551 ᵇ20. ἡ κάμψις γίνεται ὅθεν γε ἡ ἀρχὴ τοῖς μὲν ὁλο-
πτέροις τῦ πτερῦ (νl πίλυ, πτίλυ ci Bsm) τοῖς δ' ὄρνισι τῆς
πτέρυγος Ζπ10.709 ᵇ30. φύει ἡ σχάδων πόδας χ̣ πτερά, τοῖς
πτεροῖς βομβεῖν Ζιε22. 554 ᵃ29 (cf πρὶν πτερὰ ἔχειν ᵇ4).
ι41. 628 ᵇ19. ὅσα τὸ πτερὸν ἔχει ἐν κολεῷ Ζιδ7. 531 ᵇ24,
cf 532 ᵃ23. Ζμδ6. 682 ᵇ14, 15. — ὐκ ἀναφύεται ἐκτιλθὲν
ὔτε τῶν μελιττῶν τὸ πτερὸν ὔθ' ὅσα ἄλλα ἔχει ἄσχιστον
τὸ πτερόν· τῶν πτερῶν συσπωμένων φθείρεσθαι· χ̣ κηφῆνος
πτερὸν ἂν ἀποκνίσας ἀφῇ τις, τῶν λοιπῶν αὐταὶ τὰ πτερὰ
ἀπεσθίυσιν· αἱ μικραὶ μέλιτται ἔχυσι τὰ πτερὰ περιτετριμ-
μένα Ζιγ12. 519 ᵃ27. ε20. 553 ᵃ14. 22. 554 ᵇ5. ι40. 627 ᵃ13.

πτεροπόδες νl (πυγολαμπίδες Bk) Ζιδ1. 523 ᵇ21. cf S
I 175.

πτερορρεῖν Ζγε3. 783 ᵇ17 Aub. om Bk cum quatuor codd.

πτερορρυεῖν. πότε πτερορρυεῖ ὁ ταῶς, ἡ τρυγών Ζιζ9. 564
ᵃ32. θ16. 600 ᵃ23.

πτερότης. ἡ πτερότης ἔχει εἴδη Ζμα3. 642 ᵇ27.

πτερῦσθαι. ἐν πόσαις ἡμέραις πτερῦνται αἱ περιστεραὶ Ζιζ4.
562 ᵇ31. ὡς ὄρνις ὢν (ὁ στρυθός) τὰ κάτωθεν ἐπτέρωται
Ζμδ14. 697 ᵇ21. σκωλήκια πτερώμενα ἐκπέτεται Ζιι40.
625 ᵃ11.

πτερύγιον. 1. pinna piscium (S I 17, 133. M 277. νἰχθύσι
p 351 ᵇ38). ἴδιον ἰχθύσι τὰ πτερύγια Ζιβ13. 504 ᵃ30. Ζμδ13.
695 ᵇ21. Ζπ15. 713 ᵃ10. 18. 714 ᵇ1 (syn τὸ ἀνάλογον μό-
ριον, τὰ ἀνάλογον Ζπ10. 709 ᵇ30. Ζια4. 489 ᵃ29), γίνονται
ὥσπερ αἱ κῶπαι τοῖς πλέυσι τὰ πτερύγια τοῖς ἰχθύσι· διὸ
χ̣ ἐὰν τῶν μὲν τὰ πτερύγια σφαλῇ, ὐκέτι νεύσει Ζμδ12.
694 ᵇ10. πτερύγια τέτταρα Ζια5. 489 ᵇ24, 490 ᵃ30. β13.
504 ᵇ30. Ζμδ13. 695 ᵇ28, cf 23. Ζπ9. 709 ᵇ11-19. πτε-
ρύγια δύο in loc collat et Ζμδ13. 696 ᵃ21, 16, 31, 32.
Ζπ7. 708 ᵃ3, 7. 18. 714 ᵇ4. Ζια5. 489 ᵇ25. πτερύγια πρὸς
τῇ ὐρᾷ, κεφαλῇ, ἐν τοῖς πρανέσιν, ἄνω ἐν τοῖς πρανέσιν,

κάτω ἐν τοῖς ὑπτίοις, ἔν τε τοῖς ὑπτίοις ᾧ ἐγγὺς τῶν πρανῶν, ὑπὸ τῇ γαστρί Ζμδ13. 696 ᵃ31, 32, 23, 21. Ζια5. 489 ᵇ25. ε9. 543 ᵃ13. Ζπ18. 714 ᵇ6, 4. πτερύγια πλατέα ᧞ μακρά, ἐντεθλιμμένα Ζιδ9. 535 ᵇ29. θ15. 599 ᵇ20. νεῖν, κινεῖσθαι πτερυγίοις Ζπ9. 709 ᵇ11. Ζια5. 490 ᵃ30. — φλέβες τείνυσι τοῖς ἰχθύσιν εἰς τὰ πτερύγια τὰ πρανῆ· ὅσα ἄποδα ᧞ ἄχειρά ἐστιν, ἔχει τὰ νεῦρα λεπτὰ ᧞ ἀδηλα· διὸ τῶν ἰχθύων μάλιστά ἐστι δῆλα πρὸς τοῖς πτερυγίοις· (μεταβάλλει ἡ μαινίς·) μάλιστα δ' ἐπίχλός ἐστι περὶ τὰ πτερύγια ᧞ τὰ βράγχια Ζιγ3. 514 ᵃ2. 5. 515 ᵇ26. θ30. 607 ᵇ24. — ἡ θήλεια (θύννος) ὐκ ἔχει ὑπὸ τῇ γαστρὶ πτερύγιον, αἱ χελιδόνες αἱ θαλάττιαι τὰ πτερύγια ἔχυσι πλατέα ᧞ μακρά, οἱ θύννοι ᧞ οἱ ξιφίαι ἔχυσι ζῷά τινα παρὰ τὰ πτερύγια Ζιε9. 543 ᵃ13. οἱ 9. 535 ᵇ29. θ19. 602 ᵃ27. τῶν σελαχῶν ἔνια ὐκ ἔχει πτερύγια Ζια5. 489 ᵇ30. οἱ βάτοι ἀντὶ τῶν πτερυγίων τῷ ἐσχάτῳ πλάτει νέυσιν· ἔνια ὐδὲν ἔχει πτερύγιον· τὰ μακροφυέστερα ὐδὲν ἔχει πτερύγιον ἁπλῶς· ἄποδες οἱ ἰχθύες πάντες. ᧞ γὰρ ἃ ἔχει, καθ' ὁμοιότητα τῶν πτερυγίων ἔχυσιν Ζια5. 489 ᵇ30. Ζμδ13. 696 ᵃ26, 7, 10, 14, 18. Ζπ7. 707 ᵇ31. αν10. 476 ᵃ4. — 2. τῶν μαλακοστράκων pinna caudalis. ἡ ἀπάρτησις τῶν πτερυγίων Ζγα14. 720 ᵇ12. τάχιστα νεῖ ἐπὶ τὴν κέρκον τοῖς ἐν ἐκείνῃ πτερυγίοις Ζια5. 490 ᵃ3. πτερύγια ᧞ τὸ χαράβυ, δ' τῆς κύφης Ζιδ2. 525 ᵇ27, 28. ἔχει ἡ κραγγων πτερύγια ἐφ' ἑκάτερα ἐν τῇ ὐρᾷ· τὰ πτερύγια τὰ ἐν τῷ ὑπτίῳ ἡ μὲν θήλεια (τῶν καρκίνων) μεγάλη ἔχει ᧞ ἐπαλλάττοντα τῷ τραχήλῳ, ὁ δ' ἄρρην ἐλάττω ᧞ ὐκ ἐπαλλάττοντα Ζιδ2. 525 ᵇ29, 526 ᵃ1. οἱ πάμπαν μικροὶ καρκίνοι ὥσπερ πτερύγια ἢ πλάτας ἔχυσι τὰς τελευταίας πόδας Ζμδ8. 684 ᵃ13. — 3. τῶν μαλακίων pinnulae. πτερύγιον ἔχυσι ταῦτα πάντα κύκλῳ περὶ τὸ κύτος Ζμδ9. 685 ᵇ16. Ζιδ1. 523 ᵇ25, 524 ᵃ1, 31 (S II 341. M 262. A Siebld XII 376). — 4. (τὰ ζῷα τὰ) ἄσπίσιν ὅμοια, fort Idalia laciniosa, πτερύγια ἔχοντα πυκνά· (ζῷα) ὅμοια αἰδοίῳ ἀνδρός, Pennatula, ἀντὶ τῶν ὄρχεων πτερύγια ἔχει δύο· οἱ κορδύλοι πτερύγια ἔχυσιν Ζιδ7. 532 ᵇ22, 24. Ζμδ13. 695 ᵇ25. — 5. Federbusch. ὁ ὠτὸς περὶ τὰ ὦτα πτερύγια ἔχει Ζιθ12. 597 ᵇ22. f 276. 1527 ᵇ31. — 6. i q πτερύξ. ἐπ' ἄκρων τῶν πτερυγίων ἐρυθρά Ζιι13. 615 ᵇ30. ἀντὶ πτερυγίων χρήσιμοι οἱ πόδες τοῖς στεγανόποσι τοιῦτοι ὄντες Ζπ17. 714 ᵃ1. — 7. πτερύγια i q τὰ ἄκρα τῶν ἱματίων. ὅταν ῥινώσι τὰς ἀπηρτημένας στολίδας τῶν ἀνδριάντων ἢ τὰ πτερύγια αχ 802 ᵃ39. — πτερύγιον v l Ζμδ12. 693 ᵇ12, 15, 21.

πτερυγωτός. ὄρνις δίπυν ἐστὶ ᧞ πτερυγωτόν Ζμβ16. 659 ᵇ7. ὁ l Ζμδ. 693 ᵇ7. τὰ πτερυγωτά (v l πτερωτά) οἷον οἱ ὄρνιθες αν10. 475 ᵇ22.

πτέρυξ. 1. ala avium. τοῖς ὄρνισιν αἱ πτέρυγες τὸ ἴδιον Ζμδ12. 693 ᵇ12, cf 2, ᵃ27, 695 ᵃ9. Ζπ5. 706 ᵃ28. 15. 712 ᵇ24. Ζιβ1. 498 ᵃ30. 12. 503 ᵇ35. refertur inter τὰ ὄργανικὰ μέρη Ζπ4. 705 ᵇ3. ἡ τῆς κινήσεως ἐργασία τῆς κατὰ τόπον ἐν ποσὶν ᧞ πτέρυξιν ᧞ τοῖς ἀνάλογον· ὄρνις κινεῖται πτέρυξι δυσὶ ᧞ ποσὶ δυσίν, οἱ ὄρνιθες τέτταρσι σημείοις κινήσονται μετὰ τῶν πτερύγων, ἔχυσι τὰς πτέρυγας ἐπὶ τὸ περιφερές· μεταξὺ τῶν πτερύγων ᧞ τῶν σκελῶν ταῦτα τὰ μόρια Ζια4. 489 ᵃ29. 5. 490 ᵃ28. Ζμδ12. 693 ᵇ15, 4, 21. ἡ κάμψις γίνεται ὅθεν γε ᧞ ἀρχὴ τοῖς μὲν ὁλοπτέροις τῦ πτερῦ (v l πίλυ. πτίλυ ci Bsm), τοῖς δ' ὄρνισι τῆς πτέρυγος, τοῖς δ' ἄλλοις τῦ ἀνάλογον μορίῳ Ζπ10. 709 ᵇ30. cf 15. 712 ᵇ25. βίᾳ γὰρ ὐτω κινεῖσθαι τοῖς πτηνοῖς πτέρυγας ον8. 485 ᵃ16. — τοῖς ὄρνισιν ἄνω αἱ πτέρυγες, τοῖς ἰχθύσι

πτερύγια δύο ἐν τῷ πρανεῖ· τοῖς ὄρνισιν αἱ πτέρυγες, τοῖς δ' ἐνύδροις τὰ πτερύγια· ἰχθύες ὔτε σκέλη ὔτε χεῖρας ὔτε πτέρυγας ἔχυσι Ζπ18. 714 ᵇ4. 15. 713 ᵃ10. Ζμδ13. 695 ᵇ3. — φλέβες τείνυσι τοῖς ὄρνισιν εἰς τὰς πτέρυγας Ζιγ3. 514 ᵃ1. ὁ γινόμενος ταῖς πτέρυξι ψόφος ὐ φωνή ἐστι Ζιδ9. 535 ᵇ31. ἡ τῶν πτερύγων ἕξις Ζπ11. 711 ᵃ6. πτέρυγες μεγάλαι ᧞ ἰσχυραί τίσιν Ζμδ12. 693 ᵇ27, 694 ᵃ3. τῶν γαμψωνύχων Ζγγ1. 749 ᵇ4. Ζμδ12. 694 ᵃ9. ἔχυσιν ἔνιοι τῶν βαρέων βοήθειαν ἀντὶ τῶν πτερύγων τὰ πλῆκτρα Ζμδ12. 694 ᵃ12. τὰ μὲν τὰς πτέρυγας εὐθύνοντα ᧞ κάμπτοντα πέταται, syn τὰ πετόμενα Ζπ9. 709 ᵇ10, 9. — ὑπὸ τῇ πτέρυγι τὴν κεφαλὴν ἔχυσαι· (in ovo) ἔχει τὴν πτέρυγα ὑπὲρ τῆς κεφαλῆς Ζιι10. 614 ᵇ24. ζ3. 561 ᵇ31. — κόραξ κρὐων τὰς πτέρυγας ᧞ κροτῶν αὐτάς, (alcedinis) αἱ πτέρυγες, ἀετοὶ ᧞ ὠτίδες τύπτυσι ταῖς πτέρυξι. (aves aquaticae) ῥαίνυσαι ἀπερύκυσι ταῖς πτέρυξι (τὸν ἁλιάετον), ποικίλος στικτὴ πτέρυξ f 241. 1522 ᵇ4. Ζιι14. 616 ᵃ16. 32. 619 ᵃ23. 33. 619 ᵇ17. 34. 620 ᵃ12. 49Β. 633 ᵃ26 (Aeschyl fr 297, 8). — 2. οἱ ἔρωτες ἔχοντες πτέρυγας Ζπ11. 711 ᵃ2. — 3. pedes τῶν κητωδῶν. ὅσα αὐλὸν ἔχει, καθεύδει κρέμα κινῶντες τὰς πτέρυγας Ζιδ10. 537 ᵇ3. αἱ φῶκαι ὡς πεζαὶ πτέρυγας ἔχυσι (τὰς γὰρ ὀπισθεν πόδας ἰχθυώδεις ἔχυσι πάμπαν) Ζμδ13. 697 ᵇ5. — 4. i q πτερύγια piscium. (ἐχενηΐς) ἔχει τὰς πτέρυγας ὁμοίας ποσὶν Ζιβ14. 505 ᵇ21. βαδίζειν ἐπὶ τῶν πτερύγων θ72. 835 ᵇ10. πτερύγων, v l πτέρυγας Ζπ17. 714 ᵃ11. Ζγα14. 720 ᵇ12. Ζια5. 489 ᵇ30.

πτέρωμα. τῶν πτερωμάτων πῶς γίνεται τὰ χρώματα χ6. τὰ πτερώματα πολλὰς ποιῦσι μεταβολὰς χρωμάτων χ2. 792 ᵇ28, ἀλυργῆ φαίνεται χ2. 792 ᵃ24.

πτέρωσις. ὁ ταῶς πότε ἀπολαμβάνει τὴν πτέρωσιν, opp πτερορρύειν Ζιζ9. 564 ᵇ2. τῶν ὀρνίθων ἐν ταῖς ἀρρωστίαις ἐπίχλος ἡ πτέρωσις γίνεται Ζιθ18. 601 ᵇ6. τῆς πτερώσεως εἴδη ᧞ διαφοραί εἰσι Ζμα3. 642 ᵇ24.

πτερωτός. γένος πτερωτόν Ζια5. 490 ᵃ12. β13. 505 ᵃ24. ὁ l 523 ᵇ19. πτερωτῶν Ζιε19. 552 ᵃ20, 551 ᵃ24. 32. 557 ᵇ24. f 328. 1532 ᵇ32. τὸ πτερωτὸν πτερωτῶν Κ7. 7 ᵃ4. τὸ ὑπόποδος τὸ μὲν πτερωτὸν τὸ δὲ ἄπτερον Μζ12. 1038 ᵃ12. — 1. Flugthier. τὰ πτερωτὰ τῶν ζῴων Ζιγ12. 518 ᵇ35. τὰ τετράποδα ᧞ μὴ πτερωτά (veluti τὸ ἐφήμερον) ἔστι τὰ πτερωτὰ ᧞ δερμόπτερα δίποδα πάντα ᧞ ἄποδα (serpentes aliferae) Ζια6. 490 ᵇ20. 5. 490 ᵃ10. — 2. i q ὄρνις Ζμβ12. 657 ᵃ19. γ7. 670 ᵃ33. δ11. 691 ᵃ15. Ζια11. 492 ᵃ25. τὸ πτερωτὸν γένος τῶν ζῴων ὄρνις καλεῖται, πτερωτοὶ ἅπαντες εἰσιν (οἱ ὄρνιθες) ᧞ τῦτ' ἴδιον ἔχυσι τῶν ἄλλων Ζια5. 490 ᵃ12. cf β13. 505 ᵃ24. Ζμδ12. 692 ᵇ9, 12. πτερωτὸ μὲν ὐν ἐστιν ὅσα ἔναιμα Ζια5. 490 ᵃ8. ὁ βαρεῖ τῶν πτερωτῶν Ζμβ13. 657 ᵇ8. τῶν πτηνῶν τὰ μὲν πτερωτά, οἷον ἀετὸς ᧞ ἱέραξ, τὰ δὲ πτιλωτά, τὰ δὲ δερμόπτερα Ζια5. 490 ᵃ5. τὰ πτερωτὰ λεπιδωτὰ φολιδωτά· ὔτε πτερωτὰ ὔτε φολιδωτὰ ὔτε λεπιδωτὰ· τὰ τριχωτά, τὰ μὴ φολιδωτὰ μηδὲ πτερωτὰ Ζμγ3. 664 ᵃ24. 9. 671 ᵃ27. ὁ11. 691 ᵃ15. Ζγε3. 783 ᵇ4. β1. 733 ᵃ12. — 3. ἔστιν ἔντομα ᧞ ἄπτερα ᧞ πτερωτά Ζιδ1. 523 ᵇ18. 8. 534 ᵇ19. Ζμα3. 642 ᵇ33. γ8. 671 ᵃ12. Ζγγ9. 758 ᵇ27. (τῶν ἐντόμων) ᧞ ταὐτὸ γένος ἐστὶ ᧞ πτερῶν ᧞ ἀπτέρων, ᧞ ἀγρίμηκες (τῶν) πτερωτά, ᧞ τῶν πτερῶν συσπωμένων (φθείρονται) Ζιδ1. 523 ᵇ19, 20. ε20. 553 ᵃ14. βομβῦντα φαίνεται τὰ πτερωτά υ2. 456 ᵃ18. πτερωτὰ ζῷα, ἃς καλῦμεν ψυχάς· πτερωτὰ ζῷα ὁμοίως τοῖς εἰρημένοις· ὁ τι τῶν πτερωτῶν ζῴων Ζιε19. 551 ᵃ24, 552 ᵃ20. 32. 557 ᵃ24. f 328. 1532 ᵇ32. —

πτερωτόν, v l πτερωτά Ζμδ12. 693 ᵇ7. αν10. 475 ᵇ22
(Μ 206.)

πτηνός. τῶν ζώων τὰ πεζὰ χ̣ πτηνὰ χ̣ πλωτά Ζια1. 488
ᵃ1. ε8. 542 ᵃ23. η7. 586 ᵃ22. υ1. 454 ᵇ16. Ζγβ6. 743 ᵇ34.
δ4. 771 ᵇ11. Μλ10. 1075 ᵃ17. Παl1. 1258 ᵇ19, τὰ μὲν 5
νευστικὰ τὰ δὲ πτηνὰ τὰ δὲ πεζευτικά Ζγα1. 715 ᵃ27. —
1. Flugthier. τὰ πτηνὰ πόδας ἔχει· πτηνὸν μόνον ἰδέν ἐστιν,
ὥσπερ νευστικὸν μόνον ἰχθύς Ζπ18. 714 ᵃ20. Ζια1. 487
ᵇ21. τῶν χερσαίων τὰ μὲν πτηνά, ὥσπερ ὄρνιθες χ̣ μέλιτ-
ται, τὰ δὲ πεζά· τῶν πτηνῶν τὰ μὲν πτερωτά, οἷον ἀετὸς 10
χ̣ ἱέραξ, τὰ δὲ πτιλωτά, τὰ δὲ δερμόπτερα Ζια1. 487 ᵇ19.
5. 490 ᵃ5. τῶν δεχομένων τὸ ὑγρὸν ἰθὲν ἰτε πεζὸν ἰτε
πτηνὸν Ζιθ2. 589 ᵃ23. τῶν πτηνῶν χ̣ πεζῶν τὰ μὲν ἐξ
ἀέρος τὰ δ' ἐκ πυρός αν13. 477 ᵃ29 (Μ 413). — 2. iq
ὄρνις Ζια1. 488 ᵃ4. ε8. 542 ᵃ29. γ9. 517 ᵇ2. ἡ τῶν πτηνῶν 15
φύσις χ̣ καλυμένων ὀρνίθων Ζμγ6. 669 ᵃ30. (cf τοῖς ὄρνισι
χρησιμωτέρα ἡ ὀξύωπία πτηνοῖς ἶσι πρὸς τὸν βίον Ζμδ 11.
691 ᵃ25.) ἔνυδρα χ̣ πτηνά, οἷον αἰθυια χ̣ κολυμβίς· τὰ
ἔνυδρα, opp τὰ πτηνά Ζια1. 487 ᵃ22. ε8. 542 ᵃ26. τὰ
ἔμβρυα τῶν πτηνῶν Ζγβ7. 746 ᵃ23. τοῖς πτηνοῖς τὸ ὀρρο- 20
πύγιον, τοῖς ἰχθύσι τὸ ἰραῖον Ζμδ9. 685 ᵇ23. cf Ζπ10.
710 ᵃ2, cf 15. — αἱ νυκτερίδες ἐπαμφοτερίζυσι τοῖς πτη-
νοῖς χ̣ πεζοῖς Ζμδ13. 697 ᵇ2, cf 9, 7. — 3. τὰ πτηνά vel
plenius τὰ πτηνὰ τῶν ἀναίμων Ζμδ6. 683 ᵃ9. Ζια5. 490
ᵃ33. τῶν ἐντόμων ἔνια χ̣ πτηνά ἐστιν, τῶν πτηνῶν μὲν 25
ἀναίμων δὲ τὰ μὲν κολεόπτερα τὰ δ' ἀνέλυτρα Ζια6. 490
ᵇ15. 5. 490 ᵃ13. τῶν ἐντόμων πρὸς τοῖς ἄλλοις
μορίοις χ̣ πτερὰ ἔχει· τὰ μὲν ἔχει τῶν πτηνῶν ἔλυτρον τοῖς
πτεροῖς, τὰ δ' ἀνέλυτρα· τὰ μὲν βομβεῖ, οἷον μέλιττα χ̣
τὰ πτηνὰ αὐτ͂ν Ζιδ7. 532 ᵃ19, 23. 9. 535 ᵇ6. τῶν πτηνῶν 30
ὧν μέν ἐστι βίος νομαδικός, τὰ μὲν τετράπτερα τὰ δὲ
δίπτερα· ὅσα ἐλάττονας ἔχει πόδας, πτηνά ἐστι πρὸς
τὴν ἔλλειψιν τὴν τῶν ποδῶν Ζμδ6. 682 ᵇ7, 6. τὸ ἐφήμερον
χ̣ πτηνόν ἐστι τετράπυν ὄν Ζια5. 490 ᵇ3. — πτηναί v l
Ζμδ13. 697 ᵇ9. (Μ 135, 206.)   35

πτῆσις, dist νεῦσις, βάδισις, ἅλσις Ζμα1. 639 ᵇ2. Φη4. 249
ᵃ18. Ηχ3. 1174 ᵃ31. τὰ μὲν πτήσει κινεῖται τὰ δὲ νεύσει
τὰ δὲ πορεία· ἰδ' ἔσται ἰτε πορεία, εἰ μὴ ἡ γῆ μένοι, ἰτε
πτῆσις ἢ νεῦσις, εἰ μὴ ὁ ἀὴρ ἢ ἡ θάλαττα ἀντερείδοι Ζχ1.
698 ᵃ5. 2. 698 ᵇ17. κάμψεώς γε μὴ ἰσης ἰτ' ἂν πορεία 40
ἰτε νεῦσις ἰτε πτῆσις ἦν Ζπ9. 708 ᵇ27. — πτῆσίς ἐστιν
ἡ τῶν ὀρνίθων οἰκεία κίνησις Ζπ15. 712 ᵇ28. ἡ ταχυτὴς τῆς
πτήσεως Ζπ10. 710 ᵃ27. Ζμδ12. 694 ᵃ8. στῆθος ἔχυσιν
ἅπαντες (οἱ ὄρνιθες) ὀξὺ πρὸς τὴν πτῆσιν Ζμδ12. 693 ᵇ16.
cf ὀξὺ πρὸς τὸ εὔτονον (v l εὔτολμον, εὔπορον codd, Gaza 45
et Bsm) εἶναι Ζπ10. 710 ᵃ31. τὰ πτερὰ (struthocameli)
ἰ χρήσιμα πρὸς πτῆσιν Ζμδ14. 697 ᵇ17. τὸ ἰρροπύγιόν ἐστι
τοῖς πτηνοῖς πρὸς τὸ κατευθύνειν τὴν πτῆσιν Ζπ10. 710 ᵃ2,
cf 15. ἐν τῇ πτήσει ἀντ' ἰρροπυγία χρῶνται τοῖς σκέλεσι
Ζμδ12. 694 ᵇ20. κόραξ κρείττων τοῖς ὄνυξι χ̣ τῇ πτήσει, 50
μὴ δύνασθαι τῇ πτήσει πορίζειν αὐτοῖς τροφήν Ζυ1. 609
ᵃ22. 8. 613 ᵇ13. — βραδεῖα ἡ πτῆσις τῶν στελόπτερων Ζπ10.
710 ᵃ16, 20. τῇ πτήσει αἴροντα χ̣ συστέλλοντα· ἀνορρο-
πύγιος ἡ πτῆσις αὐτῶν (insectorum) πάντων ἐστίν Ζιδ9.
535 ᵇ10. 7. 532 ᵃ25.   55

πτήσσειν. ὁ λέων ἐν ταῖς θήραις ὁρώμενος ἰδέποτε φεύγει
ἰδὲ πτήσσει Ζυ44. 629 ᵇ13.

πτητικός. τῷ ὄρνιθι ἐν τῇ ἰσία τὸ πτητικόν ἐστι Ζμδ12.
693 ᵇ13. τῶν ὀρνίθων τίνα γένη πτητικά Ζμδ12. 693 ᵇ27,
694 ᵃ2, 4. Ζγγ1. 749 ᵇ19, 21, 750 ᵇ17. Ζυ8. 614 ᵃ32. 60
β12. 504 ᵇ8. τῶν πτητικῶν ὅσα τὰ σώματα ὀγκώδη, κα-

θάπερ περιστερᾶς Ζγγ1. 749 ᵇ11. διάφορα τοῖς πτητικω-
τέροις χ̣ βραχυτέροις (βραδυτέροις vel βαρυτέροις ci Bsm)
πν8. 485 ᵃ17, syn οἱ τάχιστα πετόμενοι, τὰ πετόμενα Ζπ10.
710 ᵃ26. 15. 713 ᵃ4 (S II 425), opp τὰ μὴ πτητικά Ζπ10.
710 ᵃ7, 12. Ζγγ1. 749 ᵇ2. ἰκ ἐν νεοττιαῖς τίκτει ΖιΖ1.
558 ᵇ31. τύτοις τὰ σώματα ὀγκώδη Ζμδ12. 694 ᵃ11. τὰ
μὲν ἐπίγεια χ̣ μὴ πτητικά· ὅσοι μὴ πτητικοὶ ἀλλ' ἐπίγειοι
Ζμβ13. 657 ᵇ28. Ζυ49Β. 633 ᵃ30. ἔνια δ' ἰ πτητικὰ ἐστιν
ἀλλὰ βαρέα, τὰ βαρῆ χ̣ μὴ πτητικὰ Ζμδ12. 694 ᵃ6. cf
β13. 657 ᵇ8. Ζγγ1. 749 ᵇ13. πτητικοὶ ci Ka et Thurot
Ζμδ12. 693 ᵇ12 (τονικοί Bk). (ΑΖι I 82, 8.)

πτίλον proprie insectorum, cf der Naturforscher Halle 1776
VIII 66. τὰ πτίλα τοῖς ὀλοπτέροις ἐκ τῆ πλαγίῃ προσπέ-
φυκεν Ζπ15. 713 ᵃ10. γίνεται ἐκ περιττωμάτων Ζγε6.
786 ᵇ4.

πτιλωτός. τῶν πτηνῶν τὰ μὲν πτερωτά ἐστι, τὰ δὲ πτι-
λωτά, οἷον μέλιττα χ̣ μηλολόνθη, τὰ δὲ δερμόπτερα· πτι-
λωτὰ δὲ ὅσα ἄναιμα, οἷον τὰ ἔντομα Ζια5. 490 ᵃ6, 9. cf
S I 21. Μ 206. Su 189.

πτισάνη. πτισάνην προσφέρεσθαι ημβ10. 1208 ᵃ24. ἡ πτισάνη
ἐλαίῳ ἐπιχεομένη λευκοτέρα γίνεται πκα1. 927 ᵃ11. πτισάνη
κριθίνη, πυρίνη πα37. 863 ᵃ34 (cf Oribas I 554).

πτίσσειν. οἱ βόες πιαίνονται κριθαῖς χ̣ ἁπλῶς (v l ἁπλαῖς) χ̣
ἐπτισμέναις Ζιθ7. 595 ᵇ10.

πτοεῖν. ἐπτοῆσθαι περὶ τὴν ἐπιθυμίαν, οἱ ὄρτυγες ἐπτόηνται
περὶ τὴν ὀχείαν ΖιΖ18. 571 ᵇ10. i8. 614 ᵃ26. ἰ περὶ πᾶσαν
ἡδονὴν ἐπτόηνται τὰ θηρία ηεγ2. 1231 ᵃ13.

πτόησις. αἱ γυναῖκες πότε παύονται τῆς πτοήσεως (v l προ-
έσεως) Ζγδ5. 774 ᵃ5.

πτολίπορθος (Hom ι 504) Ρβ3. 1380 ᵇ23.

πτόρθος. τὰς ῥίζας πρότερον ἀφιᾶσι τὰ σπέρματα τῶν πτόρ-
θων Ζγβ6. 741 ᵇ36. ἡ καλλιστέφανος ἐλαία ἀφίησι τὰς
πτόρθᾳς συμμέτρᾳς θ51. 834 ᵃ15. περιφερῆ τῶν φυτῶν τὸ
στέλεχος χ̣ οἱ πτόρθοι πις9. 915 ᵃ27. ἀεὶ ἕτεροι οἱ πτόρβοι,
οἱ δὲ γηράσκυσιν μχ6. 467 ᵃ13. (τὸ σπέρμα) ἄνω χ̣ ἐπ'
ἄκροις γίνεται τοῖς πτόρθοις Ζμδ10. 687 ᵃ2.

πτύγξ (Lob Par 110) Ζυ12. 615 ᵇ11. v ὑβρίς.

πτύειν. οἱ πτύοντες χ̣ βήττοντες (πῶς ῥίπτεσι τὸ βάρος) Ζκ4.
700 ᵃ24. ξηρὸν πτύειν πόθεν γίνεται πκζ3. 947 ᵇ35.

πτύελον. τὸ ἐν τῷ στόματι πτύελον Ζγβ7. 747 ᵃ10. ἔστι
τοῖς πλείστοις αὐτῶν (τῶν ἰοβόλων) πολέμιον τὸ τῆ ἀνθρώπῳ
πτύελον Ζιθ29. 607 ᵃ30.

πτύελος. τὸν πτύελον χ̣ τὰς τρίχας παραβάλλων ηεη1. 1235
ᵃ38.

πτύξ. κάραβοι προστίκτυσιν (προεπίκτυσιν Aub) ὑπὸ τὴν
κοιλίαν εἰς τὰς πτύχας Ζιε17. 549 ᵃ17.

πτυρτικός. ὁ Σύβαρις τὸ (fort add ἵππυς) πίνοντας ἀπ'
αὐτῆ πτυρτικὴς εἶναι ποιεῖ θ169. 846 ᵇ35.

πτύσις χ̣ ὅσαι ἄλλαι διὰ τῆ σώματος ἐκκριτικαὶ κινήσεις
Φη2. 243 ᵇ13, 27. τὸ στόμα πτύσεως δεῖται Ζιχ3. 635 ᵇ28.

πτύσσειν. (τῆς τῆ βατράχυ γλώττης) τὸ πρὸς τὸν φά-
ρυγγα ἀπολέλυται χ̣ πέπτυκται (v l ἐπέπτυκται) Ζιδ9. 536
ᵃ11 Aub.

πτυχώδης. (τῶν καρκίνων) τὰ ἐπικαλύμματα τὰ πτυχώδη
Ζιε7. 541 ᵇ27.

πτῶσις. 1. proprie κεραυνῶν πτῶσις μα1. 339 ᵃ3. κινηθείη
ἂν πολὺ πλῆθος ἀέρος ὑπό τινος μεγάλης πτώσεως μβ4.
360 ᵃ33. ἡ πτῶσις τῶν καρπῶν φτα6. 821 ᵃ16. — 2. πτῶ-
σις vocabulum artis grammaticae et logicae. saepe con-
iunguntur αἱ πτώσεις χ̣ τὰ σύστοιχα τγ6. 119 ᵃ38. δ3.
124 ᵃ10. η1. 151 ᵇ30. 3. 153 ᵇ25. 4. 154 ᵃ13. Ρα7. 1364

ᵇ34, sed latius patere τὰ σύστοιχα apparet ex τβ9. 114
ᵃ26-ᵇ5 (ubi ᵇ3 ⰉЉ post δικαίως delendum est). sunt enim
πτώσεις quaecunque ab eodem nomine vel verbo derivan-
tur (cf εἴ πως ἄλλως πίπτει τὔνομα Aα36. 49 ᵃ5), veluti
substantivi casus vel aliqui (cf κλῆσις) ε2. 16 ᵇ1 (dist
ὄνομα ᵇ3, i e nominativus) Wz. K7. 6 ᵇ33. τδ̅4. 124 ᵇ36 sqq.
ε7. 136 ᵇ19 sqq. πο20. 1457 ᵃ18, vel omnes Aα36. 48 ᵇ39,
49 ᵃ1, 4. τι14. 173 ᵇ27-174 ᵃ11. 32.182 ᵃ27, nominis nu-
merus singularis vel pluralis πο20. 1457 ᵃ20, adiectivi
flexio per genera τε4. 133 ᵇ36 sqq. ι14. 173 ᵇ27, per ad-
verbium et gradus comparationis τα15. 106 ᵇ29-107 ᵃ2.
β9. 114 ᵇ3. ε7. 136 ᵇ15-32, eiusdem radicis substantivum,
adiectivum, adverbium, verbum K1. 1 ᵃ13 (cf παρώνυμος)
τα15. 106 ᵇ29. γ3. 118 ᵃ34. 6. 119 ᵃ38 sqq. δ3. 124 ᵃ10.
ε7. 136 ᵇ27. ζ10. 148 ᵃ10-13 (ὄνομα subiectum, λόγος
praedicatum significat). η1.151 ᵇ30. 3. 153 ᵇ25. Pα7. 1364
ᵇ34. β23. 1397 ᵃ20-22. γ9. 1410 ᵃ27, 32, tempora verbi
praeter praesens ε3. 16 ᵇ17. 5. 17 ᵃ10 (sed etiam tempora
verbi reliqua praeter praesens ῥῆμα nuncupantur ε10. 19
ᵇ14), modi verbi praeter indicativum (vel potius omnino
τὰ ὑποκριτικά) πο20. 1457 ᵃ21. cf Steinthal Gesch p 259 sq.
Vahlen Poet III 239. — πτώσεις συλλογισμῷ, i e τρόποι
συλλογισμῷ Aα26. 42 ᵇ30 Wz, 43 ᵃ10. ὁ ὁρισμὸς συλλο-
γισμὸς τῷ τί ἐστι, πτώσει διαφέρων τῆς ἀποδείξεως Aδ̅10.
94 ᵃ12 (cf θέσις ᵃ2). — τὸ ἀγαθὸν ἐν ἑκάστῃ τῶν πτώ-
σεων, i e τῶν κατηγοριῶν ἧεα8. 1217 ᵇ30. τὸ κατὰ τὰς
πτώσεις μὴ ὂν ἰσαχῶς ταῖς κατηγορίαις λέγεται Mν2. 1089
ᵃ27 Bz. Trdlbg Kat p 28. προθεὶς τὰς κατηγορίας σὺν ταῖς
πτώσεσιν αὐτῶν ἧ τᾶς ἀποφάσεσι Ⰹ τοῖς ἀορίστοις ὁμῶ̅
συνέταξεν αὐτῶν τὴν διδασκαλίαν, πτώσεις τὰς ἐγκλίσεις
ὀνομάζων f 113. 1496 ᵇ24, 33, 35.

πτώσσοντα Hγ11. 1116 ᵃ34 (ex Hom B 391, ubi ἐθέλοντα
pro πτώσσοντα legitur).

πτωχεία, argumentum tragoediae πο23. 1459 ᵇ6.

πτωχεύειν. ⰉУ δίκαιον ἐμὲ τὰ ὄντα προϊέμενον ὔτω πτωχεύειν
ρ27. 1435 ᵇ31. (μεταφορὰ) τὸ φάναι τὸν μὲν πτωχεύοντα
εὔχεσθαι, τὸν δὲ εὐχόμενον πτωχεύειν Pγ2. 1405 ᵃ18.

πτωχόμυσος κόλαξ (τῷ κατὰ λέξιν ψυχρῷ exemplum,
πτωχομυσοκόλακας ci Vahlen Rh M 21, 146) Pγ3. 1405
ᵇ37.

πτωχός. ἐν τοῖς ἱεροῖς οἱ πτωχοὶ ᴫ ἄϝασι ᴫ ὀρχῶνται Pβ24.
1401 ᵇ25.

πυγαῖος. τὸ πυγαῖον (τῶν κέπφων) μόνον θινὸς ὄζει Zμ35.
620 ᵃ15.

πύγαργος. 1. (v ὁ τρύγγας), μέγιστος τῶν ἐλαττόνων (ὀρ-
νίθων), ἔστιν ὅσον κίχλη, τὸ ὕραῖον κινεῖ Zιθ3. 593 ᵇ5.
(Tringa ochropus K 868, 10. cf S I 596, II 87, Cr. To-
tanus ochropus Su 147, 123. fort Motacilla alba AZι I 95,
48.) — 2. τῶν ἀετῶν γένος τι, ὁ καλύμενος πύγαργος,
κατὰ τὰ πεδία ᴫ τὰ ἄλση ᴫ περὶ τὰς πόλεις γίνεται, πέ-
τεται ᴫ εἰς τὰ ὄρη ᴫ εἰς τὴν ὕλην διὰ τὸ θάρσος, ἔνιοι κα-
λᴤσιν νεβροφόνον αὐτόν, περὶ τὰ τέκνα χαλεπός Zιθ32. 618
ᵇ19. ζ6. 563 ᵇ6. (albicilla Gazae, hargus Alberto, hargor
Vincent 16 cap 151. cf C II 709. S II 142, 16. G 18.
Aquila fulva vel Haliaëtus albicilla Su 104, 26. K 733, 5.
in incert rel AZι I 83, 1e. Circus cyaneus Cr, quia hodie
πύγαργος i q Circus cyaneus cf E 46, 7.)

πυγηδὸν συνιόντα ζῷα Zι2. 539 ᵇ22. τᴤς βίας νέμεσθαί
φασι ὑποχωρήσαντας πάλιν πυγηδόν (cf παλιμπυγηδόν p 559
ᵃ57) Zμβ16. 659 ᵃ20.

Πυγμαίοις ἐπιχειρεῖν λέγονται γέρανοι Zιθ12. 597 ᵃ6. ὁμοίως

γίνονται ᴫ οἱ πυγμαῖοι (ὥσπερ τὰ μετάχοιρα ᴫ οἱ γῖννοι)
Zγβ8. 749 ᵃ4. cf πι12. 892 ᵃ12.

πυγολαμπίς (Lob Prol 453). refertur inter τὰ ἔντομα,
ταὐτὸ γένος ᴫ πτερωτῶν ᴫ ἄπτερον, οἷον αἱ καλύμεναι πυ-
γολαμπίδες (v l πτερόποδες)· ἐκ τίνων ζῴων (v l πυρολαμ-
πίδες, cf S I 350) Zιδ̅1. 523 ᵇ21. ε19. 551 ᵇ24. (picopides
versio Thomae, pikokpis C ex suo libro, cicindela Gazae
et Scalig. cu-luisant C II 269. fort Lampyris sp Su 195,
4. K 557, 12. AZι I 162, 10. Lampyris noctiluca St. Cr.
cf M 202.) v βόστρυχος 1.

πυελώδης. καρκίνοι λευκοὶ ἐν τοῖς μυσὶ τοῖς πυελώδεσιν ἐμ-
φύονται Zιε15. 547 ᵇ27.

πυετία γάλα ἐστὶ θερμότητα ζωτικὴν ἔχον, ἢ τὸ ὅμοιον εἰς
ἓν ἄγει ᴫ συνίστησι· τὴν καλυμένην πυετίαν τίνα ἔχει. πῇ
τὰ ἔχοντα ἔχει Zγβ4. 739 ᵇ22. cf Zιγ21. 522 ᵇ5, 8. Zμγ
15. 676. βελτίων, ἀρίστη, παλαιοτέρα, συμφέρει πρὸς τὰς
διαρροίας Zιγ21. 522 ᵇ9, 11, 10. cf Galen XII 274. com-
paratur ἡ γονή Zγβ4. 739 ᵇ22, 24. δ4. 772 ᵃ25. v πυτία.

Πυθαγόρας. ἐγένετο τὴν ἡλικίαν Ἀλκμαίων ἐπὶ γέροντι Πυ-
θαγόρα MA5. 986 ᵃ29. Ἰταλιῶται Πυθαγόραν τετιμήκασι
(Alcidamas Mus fr 2 Sauppe) Pβ23. 1398 ᵇ14. Πυθαγόρας
πρῶτος ἐνεχείρησε περὶ ἀρετῆς εἰπεῖν ημι1. 1182 ᵃ11. Πυ-
θαγόρας Τυρρηνός f 185. 1510 ᵃ37. Πυθαγόρα Κύλων Κρο-
τωνιάτης ἐφιλονείκει f 65. 1486 ᵇ29. τῷ λογικῷ ζῴῳ τὸ μέν
ἐστι θεός, τὸ δ' ἄνθρωπος, τὸ δὲ οἷον Πυθαγόρας f 187.
1511 ᵃ44. de eius vita narrationes fabulosae f 186. qui-
bus nutrimentis abstinendum esse praeceperit f 190. Πυ-
θαγόρας ἄλλο τὴν ὕλην ἐκάλει ὡς ῥευστὴν ᴫ ἀεὶ ἄλλο
γιγνόμενον f 201. 1514 ᵃ25.

Πυθαγόρειοι. cf Ἰταλικοί, οἱ περὶ Ἰταλίαν s h v. οἱ καλύ-
μενοι Πυθαγόρειοι Oβ2. 284 ᵇ7. 13. 293 ᵃ20. μκ6. 342 ᵇ30.
8. 345 ᵃ14. MA5. 985 ᵇ23. 8. 989 ᵇ29 (cf Zeller Phil I
245, 2). de doctrina Pythagoreorum Ar peculiarem librum
scripsit MA5. 986 ᵃ12 Bz. doctrinam eorum universe ex-
ponit et refutat MA5. 985 ᵇ23-986 ᵇ4. 8. 989 ᵇ29-990
ᵃ32. μ. ν. cf Rothenbücher, das System der Pythagoreer
nach den Angaben des Ar 1867. Aristotelis de philoso-
phia Pythagorica iudicia: πραγματεύονται περὶ φύσεως
πάντα, κοσμοποιῦσι ᴫ φυσικῶς βύλονται λέγειν MA8. 989
ᵇ33. v3. 1091 ᵃ18. περὶ τᴤ τί ἐστιν ἤρξαντο μὲν λέγειν ᴫ
ὁρίζεσθαι, λίαν δ' ἁπλῶς ἐπραγματεύθησαν, διαλεκτικῆς ὗ
μετεῖχον MA5. 987 ᵃ20, ᵇ32. cf μ4. 1078 ᵇ21. ημι1.1182
ᵇ21. ταῖς ἀρχαῖς ἐκτοπωτέρως χρώνται τῶν φυσιολόγων MA8.
989 ᵇ29. ὅσα εἶχον ὁμολογύμενα δεικνύναι συνάγοντες ἐφήρ-
μοττον MA5. 986 ᵃ2 sqq. — Pythagoreis ὁ ἀριθμὸς ἡ ὐσία
ἁπάντων, οἱ ἀριθμοὶ φύσει πρῶτοι, ἀρχαὶ τῶν ὄντων, ἐξ
ἀριθμῶν τὴν φύσιν, συντιθέασι τὸν ὐρανὸν MA5.
987 ᵃ19, 985 ᵇ26. 8. 990 ᵃ21. β5. 1002 ᵃ12 (resp). δ8.
1017 ᵇ20 (resp). μ1. 1076 ᵃ17. 6. 1080 ᵇ16. 8. 1083 ᵇ11.
v3. 1090 ᵃ32. Oγ1. 300 ᵃ17, 15. τὸν ὅλον ὐρανὸν ἁρμονίαν
εἶναι ᴫ ἀριθμὸν MA5. 986 ᵃ2, 985 ᵇ31. τὸν ἀριθμὸν νομί-
ζυσιν ἀρχὴν εἶναι ᴫ ὡς ὕλην τοῖς ὖσι ᴫ ὡς πάθη τε ᴫ
ἕξεις MA5. 986 ᵃ15, ᵇ6. cf ν6. 1092 ᵇ8, 18. a Platonica
doctrina Pythagorica eo distinguitur, quod Pythagoreis οἱ
ἀριθμοὶ ὗ χωριστοί, ἀλλ' ἐξ ἀριθμῶν ἐνυπαρχόντων τὰ ὄντα·
οἱ ἀριθμοὶ αὐτὰ τὰ πράγματα MA6. 987 ᵇ27, 31. 8. 990
ᵃ15, 32. 9. 990 ᵃ33. ν6. 1080 ᵇ2, 16, 31. 8. 1083 ᵇ8-19.
v3. 1090 ᵃ20-35. Φγ4. 203 ᵇ6. originem eius sententiae
Ar inde repetit, quod Pythagorei ἐν τοῖς ἀριθμοῖς ἐδόκυν
θεωρεῖν ὁμοιώματα πολλὰ τοῖς ὖσι ᴫ γιγνομένοις MA5. 985
ᵇ27, 33. v3. 1090 ᵃ20. μιμήσει τῶν ἀριθμῶν τὰ ὄντα MA6.

987 b11. — τῷ ἀριθμῷ στοιχεῖα τό τε ἄρτιον χ̇ τὸ περιτ-
τόν, τούτων δὲ τὸ μὲν πεπερασμένον τὸ δὲ ἄπειρον, τὸ δ'
ἓν ἐξ ἀμφοτέρων εἶναι τούτων, τὸν δ' ἀριθμὸν ἐκ τῷ ἑνός
ΜΑ5. 986 a17, 987 a13-27. 8. 990 a8. μ6. 1080 b31. cf
γ2. 1004 b31. ν3. 1091 a17. Φα5. 188 b34. γ4. 203 a10. 5
Ηβ5. 1106 b29. f 194. 1513 a9. (idem significare πέρας
ΜΑ8. 990 a8. ν3. 1091 a17 ac πεπερασμένον ΜΑ5. 986
a17, 987 a13. Ηβ5. 1106 b29 ex ipsis his locis apparet;
τὸ πέρας etiam τὸ ἕν appellari ex ΜΑ5. 987 a15-18 col-
ligit Rothenbücher 1 1 p 9-13.) Pythagoreis perinde ac 10
Platoni τὸ ἓν et τὸ ἄπειρον substantiae sunt, non alius
substantiae praedicata ΜΑ5. 987 a16, b23. β1. 996 a6. 4.
1001 a10. ι2. 1053 b12. Φγ4. 203 a4. 5. 204 a33. — ad
hanc principiorum numeri contrarietatem Pyth referunt
συστοιχίας τῶν ἐναντίων ΜΑ5. 986 a22 Bz, 34. τὸ κακὸν 15
τῷ ἀπείρῳ, τὸ δ' ἀγαθὸν τῷ πεπερασμένῃ, τιθέντες ἐν τῇ
τῶν ἀγαθῶν συστοιχίᾳ τὸ ἕν Ηβ5. 1106 b30. α4. 1096 b6.
Μν6. 1093 b12, cf 1092 b26. τὸ κάλλιστον χ̇ ἄριστον μὴ
ἐν ἀρχῇ εἶναι Μλ7. 1072 b31. fort resp ἡ κίνησις κατὰ
τὴν ἀνισότητα χ̇ τὸ μὴ ὂν Φγ2. 201 b20. Μκ9. 1066 a10 20
(Schol 359 b30). — de ipsorum numerorum natura: τέλειον
ἡ δεκὰς εἶναι δοκεῖ χ̇ περιειληφέναι τὴν τῶν ἀριθμῶν φύσιν
ΜΑ5. 986 a8. διὰ τί τέλειος ἀριθμός πιε3. 910 b32-38. τὸ
πᾶν χ̇ τὰ πάντα τοῖς τρισὶν ὥρισται Οα1. 268 a11. περι-
τιθεμένων τῶν γνωμόνων Φγ4. 203 a14. — ad numeros 25
figuras geometricas referunt, ἀνάγκῃ πάντα εἰς τὰς ἀριθμὰς
χ̇ γραμμὰς τὸν λόγον τὸν τῶν δύο φασὶν εἶναι Μζ11.
1036 b8-13. οὐχ οἷόν τε εἶναι μονάδα χ̇ στιγμὴν τὸ αὐτό
Φε3. 227 a28, Schol 401 a4. δοκεῖ τισι τὰ τῷ σώματος
πέρατα εἶναι οὐσίαι (resp?) Μζ2. 1028 b15 Bz. οἱ Πυθαγόρειοι 30
τὴν ἐπιφάνειαν χροιὰν ἐκάλουν αι3. 439 a31. — quoniam ad
numeros omnia referunt (τὸ τοιονδὶ τῶν ἀριθμῶν πάθος
δικαιοσύνη ΜΑ5. 985 b29, καιρός, δίκαιον, γάμος Μμ4.
1078 b22, cf ν5. 1092 b8. 6. 1093 b14), Ar concludit τὰ
διαφέροντα πίπτειν ὑπὸ τὸν αὐτὸν ἀριθμὸν Μν6. 1093 a10, 35
1. ζ11. 1036 b18. cf Α8. 990 a22. — Pythagorei ποιῷσι
γένεσιν τῷ κόσμῳ· φανερῶς γὰρ λέγουσιν ὡς τῷ ἑνὸς συστα-
θέντος τὰ ἔγγιστα τῷ ἀπείρῳ εἵλκετο Μν3. 1091 a13. εἶναι
τὸ ἔξω τῷ οὐρανῷ ἄπειρον Φγ4. εἶναι τὸ κενὸν χ̇ ἐπεισιέναι
αὐτὸ (αὐτῷ Prantl) τῷ οὐρανῷ ἐκ τῷ ἀπείρῳ πνεύματος ὡς 40
ἀναπνέοντι τὸ κενὸν Φδ6. 213 b23. sed quoniam non
ponunt nisi mathematicum numerum, Ar quaerit πῶς ἔσται
ἐξ ἀμεγεθῶν μεγέθη, βαρέα χ̇ κοῦφα ἐκ μὴ ἐχόντων βάρος
Ογ1. 300 a17. ΜΑ8. 990 a13, 18, 21. λ10. 1075 b28. μ6.
1080 b16, 20, 30. 8. 1083 b11. ν3. 1090 a32. τὰ πάθη πῶς 45
ἀριθμοὶ Μν5. 1092 b15. τὸ μέσον τῷ κόσμῳ τιμιώτατον,
Διὸς φυλακὴ (Ζανὸς πύργος) Οβ13. 293 a31, b1, 3. f 199.
1513 b18. φέρεσθαι τὰ θεῖα πάντα συνεχῶς περὶ τὸ μέσον
ψα2. 405 a32. Οβ13. 293 b21. ἀντίχθων ΜΑ5. 986 a12.
Οβ13. 293 a24, b20. οἱ δὲ τὴν σφαῖραν αὐτὴν φασι τὸν 50
χρόνον Φδ10. 218 b1 (resp Pyth Schol 387 b8). ἡ τῶν
φερομένων συμφωνία Οβ9. 290 b15sqq. τὸ δεξιὸν χ̇ τὸ
ἀριστερὸν ἐν τῷ κόσμῳ Οβ2. 284 b7, 285 a10, b25. περὶ
κομητῶν μα6. 342 b30. περὶ γαλαξίᾳ μα8. 345 a14. —
λέγουσί τινες τῶν Πυθαγορείων τρέφεσθαι ἔνια ζῷα ταῖς 55
ὀσμαῖς αι5. 445 a16. — ἔφασάν τινες τῶν Πυθαγορείων ψυ-
χὴν εἶναι τὰ ἐν τῷ ἀέρι ξύσματα, οἱ δὲ τὸ ταῦτα κινῷν
ψα2. 404 a17 Trdlbg. ad Pyth pertinere videtur, quod
quidam statuerunt ἁρμονίαν εἶναι χ̇ ἔχειν τὴν ψυχὴν Πβ5.
1340 b18. ψα4. 407 b30. μῦθοι Πυθαγορικοὶ de metempsy- 60
chosi refutantur ψα3. 407 b13-26. β2. 414 a22. — ἡ δι-

καιοσύνη ἀριθμὸς ἰσάκις ἴσος ημα1. 1182 a14. ΜΑ5. 985
b29. μ4. 1078 b22. δίκαιον τὸ ἀντιπεπονθὸς Ηε8. 1132 b21.
ημα34. 1194 a29. ὥσπερ ἱκέτιν χ̇ ἀφ' ἑστίας ἠγμένην ὡς
ἥκιστα δεῖν ἀδικεῖν τὴν γυναῖκα οα4. 1344 a10. ἡ βροντὴ
ἀπειλῆς ἕνεκα τῶν ἐν τῷ ταρτάρῳ Αδ11. 94 b33. — Py-
thagorei quibus nutrimentis abstinuerint f 190. 189. 1511
b30. ὁ Πυθαγόρειος Πάρων Φδ13. 222 b18. Orphicum car-
men Pythagorei ferunt cuiusdam fuisse Cecropis f 9.
1475 b2.

Πυθαγορικοὶ μῦθοι ψα3. 407 b22. οἱ Πυθαγορικοί f 189.
1511 b30. Ἀριστοτέλης φησὶν ἐν τῷ Πυθαγορικῷ, ἐν τοῖς
Πυθαγορικοῖς f 194. 1513 a9. 199. 1513 b18.

Πύθια Μδ11. 1018 b18. ἐν Ἠλέκτρα οἱ τὰ Πύθια ἀπαγ-
γέλλοντες πο24. 1460 a31. ὁ Πύθια νικήσας f 573. 1572
a31. 574. 1572 a34. — ἡ Πυθία θ24. 832 a21. Ἀριστο-
τέλης τῆς Πυθίας (τὸ γνῶθι σαυτὸν ὑπείληφεν) f 5. 1475
a21. τῆς Πυθίας συνεχῶς χρώσης τοῖς Λάκωσι καταλύειν
τὴν τυραννίδα f 357. 1538 b16. — ὁ Πυθικὸς ἀγών f 594.
1574 b37.

πυθιονίκης Θήρων f 574. 1572 b2. ἐν τῇ τῶν πυθιονικῶν
ἀναγραφῇ f 572. 1572 a27.

πυθμήν. τῶν ἀγγείων ὁ πυθμὴν πκδ5. 936 a32. 8. 936 b13.
Ζεὺς πυθμὴν γαίης (Orph VI 13) κ7. 401 b1. ἡ μήκων τοῖς
μονοθύροις ἐν τῷ πυθμένι Ζμ5. 680 a23. Ζιδ4. 529 a5
(cf S II 356). — ἐξ ἑνὸς σπέρματος ἓν σῶμα γίνεται, οἷον
ἑνὸς πυρὶ εἰς πυθμὴν Ζγα20. 728 b36. — mathem ἐπί-
τριτος πυθμὴν πεμπάδι συζυγείς (Plat Rep VIII 546 C)
Πε12. 1316 a6.

Πυθοκλείδης. παρὰ Πυθοκλείδῃ μυσικὴν διαπονηθῆναι τὸν
Περικλέα f 364. 1539 b21.

Πυθοκλῆς Ἀθηναῖος οβ1353 a15.

Πυθόπολις περὶ τὴν Ἀσκανίαν λίμνην θ54. 834 a34 (cf Ori-
bas I 629).

πυθόχρηστόν τι μαντεῖον Πη12. 1331 a27.

Πυθῶδε ἐλθεῖν τὸν Σωκράτην f 3. 1474 b10.

Πύθων. ὁ Πυθικὸς ἀγὼν ἐπὶ τῷ Πύθωνος φόνῳ f 594. 1574
b37.

Πύθων χ̇ Παμμένης διεφέροντο ηεη10. 1243 b20.

πυκινὸν ῥόον (Emped 356) αν7. 473 b22.

πυκνάκις κινεῖται ἡ ὄψις πγ9. 872 a22. 20. 874 a9.

πυκνός, ν μανός p 445 a60-b12. πυκνὸν χ̇ μανόν, ἀρχαὶ
τῶν παθημάτων ΜΑ5. 985 b11. τὸ πυκνὸν διαιρετὸν Ογ1.
299 b10. τὸ θερμὸν τὰ πυκνὰ ἀραιοῖ πκδ10. 937 a4. —
ἡ πυκναὶ αἱ ψακάδες αἱ μεγάλαι πίπτουσιν μα12. 348 b25.
πυρέττει, πυκνὸν γὰρ ἀναπνεῖ Ρα2. 1357 b18. πλείω τὰ
πυκνότερα ἄστρα μα8. 346 a25. πυκνῷ ἢ λεπταὶ φλέβες
Ζμβ7. 652 b32. σπόγγος πυκνός, dist μανός, λεπτότατος
Ζιε16. 548 a32. μα13. 350 a8. δέρμα πυκνόν, opp μανόν
Ζγε2. 782 a26. πυκνὸν μῖγμα, opp μαλακόν Ζγβ8. 747
a35, b13, 15. πυκνὸν τὸ σπλάγχνον Ζμγ9. 672 a14. τὰ
ἀναίσθητα σκληρὰν ἔχει τὴν καρδίαν χ̇ πυκνὴν Ζμγ4. 667
a14. πυκνὸν νέφος (opp μανόν), πυκνὴ ἀχλύς, πυκνοτέρα
σύστασις τῶν νεφῶν μγ6. 377 b5, 19. β9. 369 a16. διὰ
πυκνοτέρᾳ διαφαινόμενον ἔλαττον φῶς μα5. 342 b5. πνεῦμα
ἀθρόον χ̇ πυκνότερον μγ1. 370 b8. φωναὶ πυκναί, dist ἀραιαί,
μαλακαὶ αχ803 b28, 801 b28.

πυκνόσαρκοι πα20. 861 b29, 36.

πυκνότης, ν μανότης p 445 b14-18. πυκνότης χ̇ μανότης,
πάθη τῶν αἰσθητῶν Μη2. 1042 b23. Ζμβ1. 646 a19. τὸ
βαρὺ χ̇ κοῦφον χ̇ μαλακὸν χ̇ σκληρὸν χ̇ θερμὸν χ̇ ψυχρὸν
πυκνότητες δοκοῦσι χ̇ ἀραιότητες εἶναί τινες Φθ7. 260 b10.

πυκνότης τῶν ὑψηλῶν τόπων μα14. 352 b7. πυκνότης τῦ
ὑμένος Ζμϑ3. 677 b25, τῶν νεφῶν μβ9. 369 a36, χαλκῦ
λεῖν μγ6. 377 b2. — συμβαίνει πολλάκις ὁρῶντας τὴν ἀμ-
φιβολίαν ὀκνεῖν διαιρεῖσθαι διὰ τὴν πυκνότητα τῶν τὰ τοι-
αῦτα προτεινόντων τι17. 175 b34.

πυκνῦν, pass πυκνῦσθαι. κἂν ἐκ μεγάλυ συνέλθοι πυκνύ-
μενον εἰς ἐλάττω τόπον Οβ13. 296 a18. ἐνδέχεται ᶄ
πυκνῦσθαι μὴ εἰς τὸ κενόν (εἰς τὰ ἐνόντα κενὰ συνιόντος
τῦ πυκνυμένυ σώματος), ἀλλὰ διὰ τὸ τὰ ἐνόντα ἐκπυρη-
νίζειν Φϑ7. 214 a33. 6. 213 b18. τὸ ψυχρὸν ᶄ μόνον σκλη-
ρύνει ἀλλὰ ᶄ πυκνοῖ Ζγε3. 783 b1. νέφεσι πυκνοῖσι τὸν
ὐρανὸν καικίας μὲν σφόδρα, λίψ δὲ ἀραιοτέροις μβ6. 364
b24. διὰ τὸ συνίστασθαι αὑτὸν (τὸν ἀέρα) ᶄ πυκνῦσθαι
Ζγβ2. 735 b30. ἀναθυμίασις πυκνυμένη· ὅταν ὕτως ᶢ πε-
πυκνωμένος ὁ ἀήρ· διὰ τὸ ἀεὶ τὰ νέφη πυκνῦσθαι μα4.
342 a21. 7. 344 a4. γ1. 371 a1. τὸ κρυστάλλω εἶναι (ἐστὶ)
τὸ ὕτω πεπυκνῶσθαι Μη2. 1042 b28. πεπηγότος ᶄ πεπυ-
κνωμένυ τῦ ὑγρῦ πη21. 889 a34. πολλῶν κυκωμένων τὰ
ἐλάχιστα ἐμπίπτοντα πυκνοῖ πκγ29. 934 b15. ᶈ δεῖ πυκνῦν
τὴν σάρκα πρὸς ὑγίειαν, ἀλλ' ἀραιῶν· ἡ σὰρξ πυκνῦται,
ἀραιῦται πα52. 865 b18. 29. 863 a3, 4. ε34. 884 a26. λζ3.
966 a13. — πυκνῦται τὸ μέσον Αγ23. 84 b35 Wz. —
πυκνῦν intrans videtur usurpatum esse, ᶢ μάλιστα ἐπύκνωσε
τὸ ὑπέκκαυμα μα7. 344 a30.

πυκνόφυλλος, αἱ μέλαιναι μυρρίναι πυκνοφυλλότεραί εἰσι
τῶν λευκῶν· τὰ ἄγρια πάντα πυκνοφυλλότερα πκ36. 927
a3, 6.

πύκνωσις. πάντων τῶν παθημάτων ἀρχὴ πύκνωσις ᶄ μά-
νωσις· πύκνωσις δὲ ᶄ μάνωσις σύγκρισις ᶄ διάκρισις Φθ7.
260 b8, 11. τὸ τάχος τῆς πυκνώσεως μα12. 348 b11. διὰ
τὸ τὴν πύκνωσιν εἰς τὸ κάτω ῥέπειν τὴν ἀπωθῦσαν μα4.
342 a12. κρατεῖν ᶢ ἐναπολαμβανομένυ θερμῦ μηδ' ἔρχε-
σθαι εἰς πύκνωσιν ὑδατώδη μγ3. 372 b31. τὸ νέφος πύ-
κνωσις ἀέρος τζ8. 146 b29. ἡ πύκνωσις ἀθροίζεται, syn
ἄθροισις νεφῶν πκς56. 946 b36. — πύκνωσίς ἱ q πύκνωμα.
ὅταν εἰς τὴν τοιαύτην πύκνωσιν ἐμπέσῃ ἀρχὴ πυρώδης μα7.
344 a16.

πυκτεύειν. Τυρρηνοὶ πυκτεύυσιν ὑπ' αὐλῷ f 566. 1571 a9.
πύκτης. οἱ πύκται σάρκινοι Ηγ12. 1117 b3.
πυκτικοὶ τίνες λέγονται Κ8. 9 a14, 19, 10 a34. πυκτικὸς ὁ
δυνάμενος ὦσαι τῇ πληγῇ, dist παλαιστικός, παγκρατιαστι-
κός Ρα5. 1361 b25. ὁ πυκτικὸς ᶈ πᾶσι τὴν αὐτὴν μάχην
περιτίθησιν Ηκ10. 1180 b10. — πυκτικὴ ἐπιστήμη Κ8.
10 b3.

Πυλάδης. ἐπίγραμμα ἐπὶ Πυλάδῃ f 596. 1577 a1.
Πυλαιμένης Παφλαγών f 597. 1577 b13
πύλη. ᶢεσαν πύλαι τῦ ἥπατος (porta hepatis) Ζια17. 496 b32.
γ8. 586 b19. cf Plat Tim 71C. — πύλαι Σύριαι σ973 a18.
f 238. 1521 b11.
Πύλος. Νέστωρ κείμενος ἐν Πύλῳ f 596. 1575 b18.
πυλῶνες (τῦ βασιλείυ οἴκυ) πολλοὶ ᶄ συνεχεῖς κ6. 398 a16.
πυλωροὶ ᶢ ὠτακυσταὶ λεγόμενοι οἱ ἑκάστυ περιβόλυ φύλα-
κες κ6. 398 a21.
πύματον κατὰ σῶμα (Emped 344) αν7. 473 b10.
πύνδαξ ἀμφορεὺς πκε2. 938 a13.
πυνθάνεσθαι. τὰς τῆς γῆς περιόδυς ἐκ τῦ πυνθάνεσθαι παρ'
ἑκάστυ ὕτως ἀνέγραψαν μα13. 350 a16. δεῖ πυνθάνεσθαι
παρὰ τῶν ἰατρῶν Ζμβ16. 660 a8. — πυνθάνεσθαι voca-
bulum artis dialecticae, eadem vi usurpatur atque ἐρωτᾶν.
ᶈ τί ποτε βύλεται ὁ ἐρωτῶν πυθέσθαι τθ11. 161 b5. ἐκ τῦ

πυνθάνεσθαί πως ᶄ διὰ τῆς ἐρωτήσεως συμβαίνει τι12.
172 b12. διὰ τὸ μὴ καλῶς ἐρωτᾶν τὰς πυνθανομένυς ἀνάγκη
προσαποκρίνεσθαί τι τὸν ἐρωτώμενον cf τθ2. 158 a25. 10.
161 a4, 8. ι15. 174 b1, a31, 35. 16. 175 a19, 21. 17. 176
b27, 26. 27. 181 a16, 18. πυνθανομένῳ μέν, συλλογιζομένῳ
δέ Αα1. 24 b10, 11.
πύξ (Lob Par 107). πυγὸς διαφοραὶ τί σημαίνυσιν· πὺξ
ἑξεῖα. ὀστώδης, σαρκώδης, πίων φ6. 810 b1-4. cf Rose Ar
Ps 707.
πύξ1 ν κ6. 401 a3. τὸ ἀπὸ τῆς πύξυ μέλι βαρύοσμον θ18.
831 b23. (Buxus sempervirens L Fraas 92. cf Günther
Ziergewächse bei den Alten Progr Bernburg 1861, 10.)
πυοειδὲς γάλα Ζιζ18. 573 a24.
πύον, Schmidt üb Arcadius, Stettin Progr 1864, 15. σαπρότης
τις Ζγδ8. 777 a11. τὸ γλεῦκος ᶄ τὰ ἐν τοῖς φύμασι συνι-
στάμενα πεπέφθαι φαμέν, ὅταν γένηται πύον μδ2. 379
b31. ὅσοι μικροὶ ἐκ τῦ ἔχοντες πύον Ζιε31. 556 b29 (cf Siebld
Zeitsch XIV 35, 36). ὀσμὴν ἔχει τὰ λευκὰ ταῦτα ᶄ ση-
πεδόνος ὕτε πύν Ζικ1. 634 b22. Ἐμπεδοκλῆς ᶢ ὐκ ὀρθῶς
ὑπελάμβανεν ᶢ ὐκ εὖ μετήνεγκε ποιήσας ὡς τὸ γάλα 'μη-
νὸς ἐν ὀγδόατῃ δεκάτῃ πύον ἔπλετο λευκόν' (Emp 336)
Ζγδ8. 777 a10 (cf Aub p 17d. Lob Techn 310.)
πυθύν. μέχρι ᶈ ἂν πηγῇ πεφθῇ τὸ φῦμα αν20. 479 b30.
πῦρ. philosophorum veterum de igne placita: Ἡράκλειτός
φησιν ἅπαντα γίγνεσθαί ποτε πῦρ Φγ5. 205 a4. ὅσοι πῦρ
ἀρχὴν τιθέασιν ΜΑ8. 989 a2. ἐπὶ τῦ μέσυ πῦρ εἶναί φασιν
(Pythag) Οβ13. 293 a21, 31. Ἀναξαγόρας αἰθέρα ταυτὸν
τῷ πυρὶ ἡγήσατο μα3. 339 b22. β9. 369 b15. ὅσοι πῦρ
καθαρὸν εἶναί φασι τὸ περιέχον μα3. 339 b30. τὴν ψυχὴν
πῦρ τιθέασιν Ζμβ7. 652 b8, 13. τὸ πῦρ οἱ μὲν ἐποίησαν
σφαῖραν, οἱ δὲ πυραμίδα Ογ8. 306 b32. 4. 303 a14. — τὸ
πῦρ θερμὸν ᶄ ξηρόν, ᶄ τὸ θερμὸν μᾶλλον ᶢ ᶈ
ξηρὸν Γβ3. 331 a5. cf Κ10. 12 b38. Ηε10. 1134 b26. τὸ
πῦρ ἐστὶν ὑπερβολὴ θερμότητος, ζέσις ξηρῦ θερμῦ Γβ3.
330 b25, 29, 21. μα3. 340 b23. τὸ θερμὸν ᶄ ξηρόν, ὃ λέ-
γομεν πῦρ, ἀνώνυμον γὰρ τὸ κοινὸν ἐπὶ πάσης τῆς καπνώδυς
διακρίσεως μα4. 341 b14. 3. 340 b22. φέρεται τὸ πῦρ ἄνω
Οδ3. 310 b16. 2. 308 b13. a8. 277 a29, b4. Φδ8. 214 b14.
τε2. 130 a13. 8. 137 b37. 9. 139 a14. ὅπυ τὸ πᾶν πῦρ φέ-
ρεται, ᶄ σπινθὴρ (εἷς) εἰς τὸν αὐτὸν τόπον Οα7. 276 a3. τὸ
ὕδωρ ἐστὶ περὶ τὴν γῆν, ὁ δ' ἀὴρ περὶ τὸ ὕδωρ, τὸ δὲ
πῦρ περὶ τὸν ἀέρα Οβ4. 287 a33. μα2. 339 a17. πρῶτον
ὑπὸ τὴν ἐγκύκλιον φορὰν ἐστὶ τὸ θερμόν ᶄ ξηρόν, ὃ λέγομεν
πῦρ μα4. 341 b14. τὸ πῦρ μανὸν εἶναί φασιν Φδ9. 217 a1.
τὸ πῦρ σῶμα λεπτομερέστατον τζ7. 146 a15. ε2. 130 a37,
b29. 4. 132 b21. 5. 134 a31. τὸ πῦρ ἐν τῇ ᶢ
πυρὶ ἐστὶ μα1. 379 a16. Γβ8. 335 a17. μόνον ᶄ μάλιστα
τῦ εἴδυς τὸ πῦρ διὰ τὸ πεφυκέναι φέρεσθαι πρὸς τὸν ὅρον
Γβ8. 335 a19. τὸ πῦρ φαίνεται τὴν μορφὴν ὐκ ἰδίαν ἔχον,
ἀλλ' ἐν ἑτέρῳ τῶν σωμάτων Ζγγ11. 761 b18. ἀήρ, ὃς διὰ
τὴν πληγὴν τῇ κινήσει γίγνεται πῦρ Οβ7. 289 a28. — τὸ
πῦρ ἀεὶ διατελεῖ γινόμενον ᶄ ῥέον ὥσπερ ποταμὸς ζ5. 400
a3. τὸ ὑγρὸν τροφὴ τῷ πυρὶ μβ2. 355 a4. ιμβ11. 1210
a18. φθορὰ πυρὸς σβέσις ᶄ μάρανσις αν8. 474 b13. ζ5.
469 b21. Ογ6. 305 a10. τὸ ἔλαττον πῦρ ὑπὸ τῦ πλείονος
φθείρεται Ἰα7. 323 b8. πγ23. 874 b5. λγ2.961 b31. cf α55.
866 a27. 56. 866 a31. πῦρ ἐπὶ πυρὶ μγ4. 375 a4. χβ44.
472 b5. πὸ28. 880 a21. χβ12. 931 a19. πῦρ ἐπὶ πυρὶ
πα12. 860 b17. 16. 861 a31. ἐκ λίθων ἐκλάμπει πῦρ Ζιγ7.
516 b11. ἕψειν πυρὶ συντόνῳ, opp μαλακῶς Ζιζ2. 560 b2.
πῦρ μαγειρικόν, τεκτονικόν, χαλκευτικόν, χρυσοχοϊκόν πνϑ.

485 a35. πῦρ καλάμινον πγ5. 871 b30. — τὸ πῦρ λαμπρὸν ὂν κ̣ λευκόν μγ4. 374 a6. τὸ πῦρ κ̣ ὁ ἥλιος ξανθά χ1. 791 a3. τὸ φῶς πυρός ἐστι χρῶμα χ1. 791 b7. πῦρ ὁρᾶται κ̣ ἐν σκότει κ̣ ἐν φωτί ψβ7. 419 a23. ποιῶσι πάντες τὴν ὄψιν πυρός αι2. 437 a22. — τὴν θρεπτικὴν δύναμιν 5 ἀδύνατον ὑπάρχειν ἄνευ τῦ φυσικῦ πυρός αν8. 474 b12 (cf θερμός p 326 b15-29, θερμότης p 327 a20-29). δοκεῖ τισὶν ἡ τῦ πυρὸς φύσις ἁπλῶς αἰτία τῆς τροφῆς κ̣ τῆς αὐξήσεως εἶναι ψβ4. 416 a9. τὸ πῦρ ὁμοιότατον ψυχῇ, τὸ πῦρ ἐν ᾧ πρώτῳ ψυχὴ πέφυκεν εἶναι τε2. 129 b11, 18. τὸ οἰ- 10 κεῖον πῦρ, τὸ ἔξω πῦρ μδ1. 379 b3. 3. 381 b18. ὡς τρεφομένῳ τῦ πνεύματι τῦ ἐντὸς πυρὸς αν6. 473 a4. μικρὰ ἡ ῥοπὴ τῦ ψυχικῦ πυρός αν15. 478 a16 (cf Ehrenberg, Monatsberichte der Berl Acad 1851, 414. Rose libr ord 165). τὸ καλύμενον θερμόν, ὅπερ ποιεῖ γόνιμα τὰ σπέρματα, τῦτο 15 δ' ὐχὶ πῦρ Ζγβ3. 736 b35. νόσοι αἱ μὲν ἀπὸ πυρός αἱ δὲ ἀπὸ νοτίδος πα57. 866 b4. — plur πυρὰ καιόμενα θ35. 833 a1. — μὴ τὸ πῦρ μαχαίρᾳ σκαλεύειν (Pythag), ὅπερ ἦν μὴ τὸν ἀνοιδῶντα κ̣ ὀργιζόμενον κινεῖν λόγοις παρατεθηγμένοις f 192. 1512 a42. 20

πυρὰ Πατρόκλῳ f 476. 1556 a32.

Πυραίχμης. ἐπίγραμμα ἐπὶ Πυραίχμῃ f 596. 1577 a18.

πυραλλίς (v l πυραλίς, cf Lob Phryn 338). (πολέμιος) κ̣ τρυγῶν κ̣ πυραλλίς Ζω1. 609 a18. (pirallis Thomae, ignaria Gazae, pyralis Scalig. C II 710. 'eine Art wilder Tauben' 25 K 944, 4. definiri non potest Su 160, 158. AZι I 107, 95. St. Cr. cf S II 7.)

πυραμητός. περὶ τὸν πυραμητόν Ζιζ17. 571 a26.

πυραμιδῦν. τὰ φυτὰ πυραμιδῦται, ὥσπερ πυραμιδῦται τὸ πῦρ φτβ8. 827 b37. 30

πυραμίς, σχῆμα στερεόν Φηβ3. 245 b11. Γβ7. 334 a33. τῶν σχημάτων τμητικώτατον ἡ πυραμίς, τῶν δὲ σωμάτων τὸ πῦρ Ογ5. 304 a12. 8. 306 b33. ἐν τοῖς στερεοῖς δύο μόνα σχήματα συμπληροῖ τὸν τόπον, πυραμὶς κ̣ κύβος Ογ8. 306 b7. τὰ σχήματα σύγκειται ἐκ πυραμίδων Ογ4. 303 a32. 35 5. 304 a15. — αἱ πυραμίδες αἱ περὶ Αἴγυπτον Πε11. 1313 b21.

πυραμοειδὴς κεφαλὴ φυτῶν φτβ7. 827 b16. cf b12. 10. 829 b14.

πυραύστης Ζιθ27. 605 b11. Salmas exer Pl 125a. verba: 40 οἱ δὲ πυραύστην καλῦσιν om Pik. v κλῆρος p 394 a48.

πύργος. τὰ τείχη διειλήφθαι πύργοις κατὰ τόπυς ἐπικαίρυς Πη12. 1231 a21. Ζανὸς πύργος (Pythag), i q Διὸς φυλακή f 199. 1513 b17.

πυρετός. ὁ πυρετὸς νόσυ εἶδός τι τδ3. 123 b36. ὁ ἐν τοῖς 45 ἀνθρώποις πυρετός, τῦτο ἐν τοῖς βυσὶ τὸ κραυρᾶν Ζιθ23. 604 a18. πυρετὸς def πα20. 862 a1. 8. 866 a3. 55. 866 a29. 56. 866 b2. τίνας πυρετὸς συμβαίνει καύσας γίνεσθαι πα20. 861 b34. ἐν τοῖς πυρετοῖς πῶς δεῖ διδόναι τὸ ποτόν πα55. 866 a8. ἄνεσις τῦ πυρετῦ πια22. 901 b11. πυρετοὶ διαλεί- 50 ποντες, τεταρταῖοι πα55. 866 a23. 56. 866 b31 (Plat Tim 86 A). ὑδρωψ κ̣ πυρετοὶ κ̣ ἀποπληξίαι πζ8. 887 a23.

πυρέττειν. σημεῖον ὅτι νοσεῖ, πυρέττει γάρ Ρα2. 1357 b15, 19. cf υ3. 457 a3. ὁ πυρέττων θερμός τι5. 167 b19. ἡ τραχύτης τῆς γλώττης τῦ πυρέττειν σημεῖον μτ1. 462 b31. οἱ 55 φλεγματώδεις κ̣ χολώδεις κ̣ πυρέττοντες καύσυ ΜΑ1. 981 a12. τεταραγμένα αἱ ὄψεις τοῖς μελαγχολικοῖς κ̣ πυρέττυσι κ̣ οἰνωμένοις εν3. 461 a23. 2. 460 b11. τῷ ἀρχομένῳ πυρέττειν ῥῖγος γίνεται πγ33. 875 a12. τῷ πυρέττοντι συμφέρει ἡσυχία κ̣ ἀσιτία Ηκ10. 1180 b9. τῷ πυρέττοντι 60 συμβέβηκεν εἶναι μυσικῷ Ζμβ2. 649 a4. — aor πυρέξειεν

Φε4. 228 a28. perf οἱ πεπυρεχότες πια22. 901 b10.

πυρετώδης. οἱ ξηροὶ νότοι πυρετώδεις πα23. 862 a17. κς50. 946 a4.

πυρήν. τέλος ὁ πυρὴν ἔχει τὸ σπέρμα πκ24. 925 b26. πυρήνες πυραμοειδεῖς φτβ10. 829 b13. οἱ πυρήνες οἱ ἐκ τῶν δακτύλων πηδῶντες μβ9. 369 a23. α4. 342 a10.

Πυρήνη, ὄρος πρὸς δυσμὴν ἰσημερινὴν ἐν τῇ Κελτικῇ μα13. 350 b1.

πυρία. 1. γίνονται οἷον πυρίαι ἐν τῷ αἵματι κ̣ ζέσιν ποιῦσιν ἐν τοῖς θυμοῖς Ζμβ4. 651 a1. πυρίας μεγάλας πγ25. 874 b18 (? locus corr). — 2. i q captura nocturna cum igni seu facibus, θύννοι ἐν ταῖς πυρίαις ἁλίσκονται Ζιθ10. 537 a18.

πυριάματα παρὰ τὰς πόδας προστιθέναι πα55. 866 a24.

πυριατήριον. ἱδρῶσιν ἐν τοῖς πυριατηρίοις πβ11. 867 a30. 29. 869 a19. 32. 869 b20 (cf Oribas II 872, 873).

πυρίκαυστος. τὰ πυρίκαυστα πα54. 866 a6. λη8. 967 b11.

πυρίμαχος. τήκεται ὁ λίθος ὁ πυρίμαχος ὥστε στάζειν κ̣ ῥεῖν μδ6. 383 b5 (Ideler II p 472). ὁ πυρίμαχος καλύμενος λίθος θ48. 833 b27. f 248. 1524 a11.

πύρινος. οἱ πύρινα φάσκοντες τὰ ἄστρα Οβ7. 289 a16. σῶμα πύρινον ἢ ἀέρινον sim ψγ13. 435 a12. Μθ7. 1049 a26. ν5. 1092 b20.

πύρινος, i e ἐκ πυρῦ. πτισάνη κριθίνη ἢ πυρίνη πα37. 863 a35.

Πυριφλεγέθων περὶ Κύμην θ102. 839 a23.

πυρίχρως (Alcidam) Ργ3. 1406 a2.

πυρκαϊά. ἐν ταῖς μικραῖς πυρκαϊαῖς, opp πολλῆς ὕλης καομένης μγ1. 371 b3. τὸν χειμῶνα γενέσθαι ἐκ πυρκαϊᾶς Ζω1. 609 b10. ἡ γῆ πυρκαϊᾶς φλογιζομένη, πυρκαϊαὶ κ̣ φλόγες ἐξ ὐρανῦ γενόμεναι κ5. 397 a29. 6. 400 a29.

πυροειδής. εἴ τι τῷ πυρὶ ὅμοιον, πυροειδές, ἢ πῦρ Γβ3. 330 b24.

Πυρόεις, planeta κ6. 399 a9. 2. 392 a25 (cf Humboldt Kosmos III 467).

πυρός. εὐπεπτότερος ὁ πυρὸς τῆς κριθῆς πκα24. 929 b28. 2. 927 a17. cf πα37. 863 b6. — ἑνὸς πυρῦ εἷς πυθμὴν γίνεται Ζγα20. 728 b35. ὁ μέδιμνος ἔχειν λέγεται τὰς πυρὰς Κ15. 15 b24. πυρὸς μεμῖχθαι πυροῖς, ὅταν ἡτισῦν παρ' ὀντινῶν τεθῇ Γα10. 328 a3. — πυρὸς κ̣ κριθῆς κ̣ πόπανα μόνα τίθεσθαι ἐπὶ τῦ βωμῦ ἄνευ πυρός f 447. 1551 b15 (Tritici sp).

πυρῦν. φλόγα ποιεῖν κ̣ πυρῦν, dist θερμαίνειν Ζμβ2. 649 b5. εἴ τὸ καιόμενον πυρῦται (i e πῦρ γίγνεται) Ογ8. 307 a24. ὁ χρυσὸς μόνος ὐ πυρῦται μγ6. 378 b4. οἱ ἄνθρακες μένυσι πεπυρωμένοι πολὺν χρόνον ζ5. 470 a11. ἢ ἀὴρ ἢ καπνὸς ἢ γῆ φαίνεται τὸ πεπυρωμένον Ζγγ11. 761 b20. πνεῦμα πεπυρωμένον, πυρωθέν μγ1. 371 b6. κ4. 395 a15. 2. 392 b1. οἱ χυμοὶ μεταβάλλωσιν ἀφαιρυμένης τὴν περικαρπίου ὑς τὸν ἥλιον ὐ πυρωμένα α4. 441 a13. πκ4. 923 a18. 6. 923 a26 (opp ὠμός). πυρύμενον κ̣ ὀπτώμενον τὸ ἐν τῷ ᾠῷ ὠχρόν Ζγγ2. 753 b4. σταῖς πυρύμενον πκα10. 927 b39. ξηρὸν τὸ πεπυρωμένον πκα22. 929 b12. τὰ στερεώτατα κάει μάλιστα ἐὰν πυρωθῇ, opp ἐὰν στερηθῇ θερμότητος μδ11. 389 b21. τὸ ὕδωρ εἰς τὸ ἀγγεῖον πυρωθὲν σπᾶται Οδ5. 312 b13. ὐ φαίνεται συνιστάμενον ζῷον ἐν πυρυμένοις Ζγβ3. 737 a2. τὰ μέλανα πυρωθέντα εἰς φοινικὴν μεταβάλλει χ2. 792 a12. — ὅσα πεπύρωται, ἔχει δυνάμει θερμότητα ἐν αὐτοῖς μγ3. 358 b7, a18. δ11. 389 b4. αι2. 437 b22. Ζμβ2. 649 a24. γ9. 672 a5. — φλέψ δύναται πυρῦσθαι Ζιγ5. 515 b18.

Πύρρα. οἱ ἀπὸ Πύρρας Μδ28. 1024 a36.

Πύρρα ἡ ἐν Λέσβῳ Ζγγ11. 763 b1. ὁ εὔριπος ὁ ἐν Πύρρᾳ

Ζιι37. 621 ᵇ12. ὁ εὔριπος ὁ τῶν Πυρραίων, ὁ Πυρραῖος εὔριπος Ζιε15. 548 ᵃ9. 12. 544 ᵃ21. θ20. 603 ᵃ21. Ζμδ 5. 680 ᵇ1. Πυρραῖοι σ973 ᵇ22. f 238. 1522 ᵃ6.

Πυρρικός. τὰ καλέμενα Πυρρικὰ πρόβατα Ζιγ21. 522 ᵇ24.

πυρρίχη παρὰ Κρησὶ πρύλις λέγεται· πρῶτον Ἀχιλλέα ἐπὶ τῇ τῇ Πατρόκλε πυρᾷ τῇ πυρρίχῃ κεχρῆσθαι f 476. 1556 ᵃ34, 32.

πυρριχίζων προηγεῖται ὁ στρατὸς τῶν βασιλέων κηδευομένων f 476. 1556 ᵃ39.

Πύρριχος (?). τὰς καλεμένας Πυρρίχας βῦς Ζιθ7. 595 ᵇ18 (S II 466. Lob Prol 342).

πυρρόθριξ. Κριτίᾳ πυρρότριχι (Solon fr 22) Ρα15. 1375 ᵇ34. οἱ πρὸς ἄρκτον πυρρότριχες ἢ λεπτότριχες πλη2. 966 ᵇ33.

πυρρός. λέοντες πυρροὶ πάντες Ζγε6. 785 ᵇ17. χρυσὸς πυρὶ ὅμοιον ἢ ξανθὸν ἢ πυρρὸν Μι3. 1054 ᵇ13. ἐν τῷ κύτει τῶν καρκίνων πυρρὰ διαπεπασμένα Ζιθ3. 527 ᵇ30. οἱ καρποὶ ἐκ τῇ ποιώδες μεταβάλλοντες μικρὸν ἐπιφοινικίζεσι ἢ γίνονται πυρροὶ χ5. 796 ᵃ2. τριχώματα ἢ πτερώματα πυρρὰ χ6. 797 ᵇ1. τὰ τῶν θαλαττίων τριχώματα ὑπὸ τῆς θαλάττης γίγνονται πυρρὰ χ4. 794 ᵃ24. οἱ τὴν θάλατταν ἐργαζόμενοι πυρροὶ εἰσιν πλη2. 966 ᵇ26. αἱ πυρραὶ θᾶττον πολιῶνται τρίχες τῶν μελαινῶν Ζγε5. 785 ᵃ19. οἱ πυρροὶ ἄγαν πανῦργοι φ6. 812 ᵃ16. ἐπὶ Ἀλεύα τῷ πυρρῷ f 455. 1552 ᵇ36.

Πύρρος ὁ βασιλεύς Ζιγ21. 522 ᵇ25.

πυρρότης. ἡ πυρρότης ἐστὶν ὥσπερ ἀρρωστία τριχός Ζγε5. 785 ᵃ20.

πυρρέλας (v l πυρρερὰς, πυρρωρὰς, πυρελὰς, πύρρος ὕλας. cf Lob Prol 132). refertur inter τὰ σκωληκοφάγα Ζιθ3. 592 ᵇ22. (pirrus ylas vel yras Thomae, rubecula Gazae, byrriola Scalig. 'πυρράκης aut πυρρόλας' ci Salmas exer Pl 168ᵇ. Loxia pyrrhula C II 141. cf S I 588, II 490. Loxia pyrrula vel enucleator K 866, 3. St. Cr. 'certe' Luscinia rubecula Su 111, 44. definiri non potest ΑΖι I 107, 96.)

πυρρὕν. αἱ τρίχες ξηραινόμεναι λεπτύνονται ἢ πυρρῦνται πλη2. 966 ᵇ32.

πυρσεύειν. τῶν φρυκτωριῶν κατὰ διαδοχὰς πυρσευσῶν ἀλλήλαις x6. 398 ᵃ33.

πυρώδης. ἀναθυμίασις ξηρὰ ἢ πυρώδης μγ3. 372 ᵇ33. σύστασις πυρώδης μα8. 344 ᵇ18. ἀρχὴ πυρώδης μα7. 344 ᵃ17. φύσις πυρώδης x2. 392 ᵇ2. τὸ πνεῦμα ἔχει ἢ βάρος πρός τὰ πυρώδη ἢ κυφότητα πρὸς τὰ ἐναντία Ζx10. 703 ᵃ24. πυρώδες μὲν ἢ θερμόν, ἢ μὴν καιόμενον θ37. 833 ᵃ14. διὰ τὸ πυρῶδες, syn διὰ τὴν θερμότητα φ6. 813 ᵇ14, 12. τὰ γλαυκὰ ὄμματα πυρώδη (Emped) Ζγε1. 779 ᵇ15. — de colore, ὁ ἥλιος φαίνεται λευκὸς ἀλλ' ὃ πυρώδης ὢν μα3. 341 ᵃ36. τὸ πυρῶδες ἢ λευκῷ φαίνεται μιγνύμενον μα5. 342 ᵇ8. τὰ πυρώδη φαινόμενα ἢ λάμποντα ψβ7. 419 ᵃ3. ὅταν ἐνῇ τι πυρῶδες ἐν διαφανεῖ αι3. 439 ᵃ19. ὀφθαλμοὶ πυρώδεις φ6. 812 ᵇ7.

πύρωσις. τὸ πνεῦμα τὸ ἐκθλιβόμενον ἐκπυρῦται πυρώσει μβ9. 369 ᵇ6. διὰ τὴν πύρωσιν χρωματίζων μγ1. 371 ᵃ17. — ἐψητά, ὅσα ἔχει ὑγρότητα παθητικὴν ὑπὸ τῆς ἐν τῷ ὑγρῷ πυρώσεως μδ3. 380 ᵇ28. — πύρωσις τῇ σταιτός πκα12. 928 ᵃ24. — τὸ ὕδωρ σβέννυσι τὴν θερμότητα τὴν ἐνυπάρχεσαν (int ἐν τοῖς φυτοῖς) ἀπὸ τῆς πυρώσεως πιβ3. 906 ᵇ29.

πυτία (v l πιτύα) φώκης θ77. 835 ᵇ31 Beckm. cf S Theophr IV 816. Galen XII 274. Rose Ar Ps 354. τὸ γάλα (δια-

κρινόμενον) εἰς ὀρρὸν ἢ πυτίαν (v l πυετίαν, πυτνίαν) μδ 3. 381 ᵃ7 (Ideler II 433 et 487).

Πυτίνη, comoedia Cratini f 578. 1573 ᵃ12.

πώ. ὑδέν πω διώρισται, ὃ γάρ πω sim Ζμγ7. 670 ᵇ30. 10. 673 ᵃ26. Πγ9. 1280 ᵇ23. 11. 1282 ᵇ7. δ15. 1299 ᵃ29. ε5. 1305 ᵃ12 al. εἰ μὲν συνεχές, ἀνάγκη ἅπτεσθαι, εἰ δ' ἅπτεται, ὕπω συνεχές Φε3. 227 ᵃ22.

πώγων. τρίχες ἐν πώγωνι μάλιστα αὔξονται Ζιγ11. 518 ᵇ6. ἄνθρωπω πι25. 893 ᵇ17. ἱππελάφῳ κατὰ τὸν λάρυγγα Ζιβ1. 498 ᵇ34 (cf Wiegmann 28). πώγωνα στρωθίων (nigras maculas circa rostrum Alberto) Ζιι7. 613 ᵃ31 (S II 56).

πωγωνίας, κομήτης ἐπὶ μῆκος ἐσχηματισμένος μα7. 344 ᵃ23.

πωλεῖν, opp ὠνεῖσθαι Ηε7. 1132 ᵇ15. Ρβ23. 1397 ᵃ27. γ9. 1410 ᵃ18. Πβ9. 1270 ᵃ20 (dist διδόναι ἢ καταλείπειν). πωλεῖν τὴν ὑσίαν, τὰς πρώτας κλήρης Πβ7. 1266 ᵇ19. ζ4. 1319 ᵃ11. πωλεῖν τὸ ἐλλιμένιον οβ1350 ᵃ16.

πώλησις, χρῆσις τῇ κτήματος κατὰ συμβεβηκός ηεγ4. 1232 ᵃ3.

πωληταὶ οἱ Ἀθήνησι τί πράττεσιν f 401. 1544 ᵇ45.

πωλίον. 1. iq τὰ τῶν ἵππων ἔκγονα Ζγβ8. 748 ᵃ29 et supra p 344 ᵇ31. — 2. τὸ καλέμενον πωλίον (v l πάλιον) Ζιθ24. 605 ᵃ6 Aub.

πῶλος τῶν ἵππων Ζιζ18. 572 ᵃ28. 22. 577 ᵃ8 Aub. θ24. 605 ᵃ3 (v l πωλίοις). Ζμδ10. 686 ᵃ15. τῶν ἀγρίων ὄνων θ10. 831 ᵃ23. τῶν ἐλεφάντων Ζιι1. 610 ᵃ33. τῶν καμήλων Ζιι47. 630 ᵇ34. θ2. 880 ᵇ8. — Herodici apophthegma, Πῶλος, ἀεὶ σὺ πῶλος εἶ Ρβ23. 1400 ᵇ20.

Πῶλος quid de ἐμπειρίᾳ et ἀπειρίᾳ dixerit ΜΑ1. 981 ᵃ4. Herodici in eum apophthegma Ρβ23. 1400 ᵇ20.

πῶμα. οἷον πῶμα, ὥσπερ πῶμα, veluti ἔχει ἡ ἀρτηρία τὴν ἐπιγλωττίδα οἷον πῶμα αν11. 476 ᵃ34. αι5. 444 ᵇ23. Ζιδ4. 530 ᵃ21. ε17. 549 ᵃ34. πβ12. 867 ᵇ6.

πωμάζειν. πωμάσαι λοπάδα sim Ζιι40. 627 ᵇ8. θ141. 845 ᵃ6. πια8. 899 ᵇ26. πωμασθέντος τῇ αὐλῇ πιε8. 915 ᵃ4.

πώποτε. ὑδεὶς γῦν πώποτε μα13. 351 ᵃ13. Ζγδ4. 771 ᵃ3 al.

πῶρος. 1. λίθος μδ10. 388 ᵇ26, 389 ᵃ14. cf S Theophr IV 544. Oribas I 622. — 2. ἐκ τῇ πύρ πῶρος γίνεται Ζιγ 19. 521 ᵃ21 Aub.

πωρῦν. τὰ τῶν γερόντων (κέρατα) ἐστὶ ξηρὰ ἢ πεπωρωμένα ἢ χαῦνα ακ802 ᵇ8.

πῶς. πῶς ἔχοντες στασιάζεσιν Πε2. 1302 ᵃ20, 31 al. πῶς ποτε χρὴ λέγειν Πγ3. 1276 ᵃ17. τίνα ἔχεσι δύναμιν ἢ πῶς αἴτια Πε3. 1302 ᵇ6, 11 al. πῶς δυνατόν, πῶς γὰρ δυνατόν μα8. 345 ᵇ28. β3. 357 ᵃ19, ᵇ10, 17 al. — πῶς indef, i q τρόπον τινά. ἄλλως ἴσως μα1. 639 ᵇ10. εἴτε ἐκ δυνάμει ὄντος ἦσα εἴτε καί πως ἄλλως Γα3. 317 ᵇ20. εἰ γὰρ μὴ ἔχει πως ὕτως ὃ ἀὴρ μγ3. 372 ᵇ30. τὸ πήγνυσθαι ξηραίνεσθαί πως ἐστιν μδ5. 382 ᵇ1. ἢ τὸ σῶμά πως τῆς ψυχῆς ἕνεκεν Ζμα5. 645 ᵇ19. ἀναγκαῖον μέν πως, μὴ λίαν δ' εἶναι πᾶσι τοῖς ζῴοις Ζμγ7. 670 ᵃ2. opp ὅλως Πβ5. 1263 ᵃ26. opp πάντως Πβ3. 1263 ᵇ31. ὑπάρχει τὸ τί ἐστιν ἁπλῶς μὲν τῇ ὑσίᾳ, πῶς δὲ τοῖς ἄλλοις ΜΖ4. 1030 ᵃ23. ἢ παρὰ ταῦτα ὑδέν [πως] (πως c cod Αᶜ om Spgl) Ρα2. 1356 ᵇ7.

πῶϋ (om Vhl c cod Αᶜ) τελευτᾷ εἰς τὸ υ πο21. 1458 ᵃ16.

πῶϋξ (Lob Phryn 72). Hesych: πώϋξ, ὄρνις ποιός, ὁ Ἀρ. ἐν τῷ περὶ ζῴων. πῶϋξ S (φῶϋξ Bk) Ζιι18. 617 ᵃ9. cf S II 117. Salmas exer Pl 65. v φῶϋξ.

P

ρ, ἡμίφωνον πο20. 1456 b28, cf h v et Vhl Poet III 224. ἄρρενα ὅσα τελευτᾷ εἰς τὸ ν κ̣ ρ ⟨κ̣ σ⟩ πο21. 1458 a9. Vhl Poet III 259, 316.

ῥαβδεύειν. καθαμμίζωσιν ἑαυτὰ κ̣ ψῆττα κ̣ ῥίνη, κ̣ ὅταν ποιήσῃ ἑαυτὰ ἄδηλα, εἶτα ῥαβδεύεται τοῖς ἐν τῷ στόματι, ἃ καλῶσιν οἱ ἁλιεῖς ῥαβδία Ζυ37. 620 b31.

ῥαβδίον. ῥαβδία Ζυ37. 620 b32. cf ῥαβδεύειν.

ῥάβδος. ῥάβδῳ τὴν θάλατταν τύπτειν μγ9. 370 a13. ῥάβδος ὀνομαζομένη λευκόφυλλον, πρὸς τὸ τηρεῖν τὸν γάμον θ158. 846 a28. — τὰ πρανῆ διαποίκιλα ῥάβδοις Ζιδ1. 525 a12. τῶν γραμμοποικίλων πλαγίαις τε ῥάβδοις κεχρημένων πέρκη f 279. 1528 a11. — ῥάβδοι, ἔμφασις ἐν ἀέρι μγ2. 371 b19. 4. 374 a17. x4. 395 a31, 35, explicantur μγ6.

ῥάβδωσις κίονος Hx3. 1174 a24.

ῥαβδωτός. ὄστρακα ῥαβδωτά, οἷον κτείς, opp ἀρράβδωτα Ζιδ4. 528 a25. f 287. 1528 b12.

ῥαγδαῖος. ὕδατα ῥαγδαῖα μα12. 349 a6. κ̣ τῶν βροντῶν αἱ βιαιόταται γίγνονται σκληρόταται κ̣ τῶν ὑδάτων τὰ καλάμενα ῥαγδαῖα τὴν βίαν αx803 a5.

Ῥαδάμανθυς (apud Anaxandridem) Ργ12. 1413 b26. τὸ Ῥαδαμάνθυος δίκαιον Ηε8. 1132 b25. ὑπὸ Ῥαδαμάνθυος παιδευθῆναι τὸν Ἡρακλέα f 475. 1556 a27.

ῥάδιος def, opp χαλεπός Ρα6. 1363 a23. ρ2. 1422 a17. ῥᾴδιον οὐδείν, διορίσαι al μα14. 353 a4. ὁ12. 390 a20. Πγ15. 1286 b26. ὁ15. 1299 a15. Ηγ1. 1110 b8 al. ὀργίσθηναι παντὸς κ̣ ῥάδιον Ηβ9. 1109 a27, 29. ὒ ῥάδιον λῦσαι, εἰ μὴ ῥάδιον δεῖ λέγειν τὸ ἀδύνατον Μμ9. 1085 a29. τίνα τρόπον γίνοιτ᾽ ἂν ἡ θεωρία περὶ αὐτῶν ὁδῷ κ̣ ῥᾷστα Ζμα4. 644 b17. ἡ μέσῃ κτῆσις ῥᾴστη τῷ λόγῳ πειθαρχεῖν Πδ11. 1295 b5. πολιτεία ἀρίστη, δυνατή, ῥᾴων κ̣ κοινοτέρα Πδ1. 1288 b30. αἱ διὰ μαρτύρων ῥᾴδιοι (?) πίστεις πιη3. 916 b34. — ῥᾳδίως μεταβάλλειν Πβ8. 1269 a24. ῥᾳδιέστερον παρεμπίπτειν πβ42. 870 b37.

ῥᾳδιουργός. τὸ ῥᾳδιουργὸν εἶναι ἐν τοῖς λόγοις κ̣ ἐν τοῖς ἔργοις αρ6. 1251 a20.

ῥᾳθυμεῖν πλείω, ἐλάττω, opp πονεῖν Ηζ1. 1138 b28. ἐπιμελεῖσθαι τῶν σωμάτων μὴ ῥαθυμήσας Πη16. 1335 b13.

ῥᾳθυμία ἄμυσος ρ1. 1421 a33. ῥαθυμίαι, coni ἀπονίαι, παιδιαί, ἀναπαύσεις Ρα11. 1370 a14. ἀκολουθεῖ τῇ ἀκολασίᾳ ῥαθυμία αρ6. 1251 a22.

ῥάθυμοι, opp ὀξεῖς ηεη5. 1240 a2. — ὁ μαλακὸς περὶ τὰ ῥάθυμα ἀδικός ἐστι Ρα10. 1368 b18. — ῥαθύμως ἀφεῖσαν ΜΑ4. 985 b20. διορίζεσθαι μήτε προπετῶς μήτε ῥαθύμως ηεα2. 1214 b12. τὸ τοῦ ἀληθῶς Ἐμπεδοκλῆς ῥαθυμότερον ὑπείληφεν Ζγ01. 764 a12. μὴ ῥαθύμως ἔχειν ἀλλὰ διακρίνειν ρ37. 1444 b9. ῥαθυμοτέρως διάγειν Πη16. 1335 b17. (Bk plerumque α exhibet, non ᾳ.)

ῥαιβός. τὸ ῥαιβὸν (coni σιμόν, ῥοικόν) κοιλότητα σκέλους σημαίνει τι31. 182 a2.

ῥαίνειν. ῥαίνεται (αἱ θαλάττιαι ὄρνιθες) ἀπερύκωσι τοῖς πτέρυξι (τὸν ἁλιάετον) Ζυ34. 620 a12. ἄν τις λεπταῖς ῥανίσι ῥαίνῃ εἴς τι τοιῦτον χωρίον, φαίνεται ἶρις μγ4. 374 b1, 3. — pass τὰ πρόσωπα διὰ τὸ ῥαίνεσθαι μέλανα γίνεται Ζιζ 29. 579 a2. ῥαθέντος τῷ παντὸς τόπῳ ὑγρῷ ψυχρῷ πκε5. 938 a35. λίθοι ὕδατι ῥαινόμενοι θ115. 841 a31.

ῥάκος. εἰκάσαι τὸ ἐρείνιον ῥάκει οἰκίας Ργ11. 1413 a6.

ῥάμνος. ὃ ἂν ἀσπάλαθος ᾖ κ̣ ῥάμνος κ̣ ὧν τὰ ἄνθη εὐώδη ἐστίν πιβ3. 906 b11 (Bot Zeitung v Mohl u Schl XIX 118). — τινὰ ἔχωσιν ἀκάνθας, ὡς αἱ ῥάμνοι φτα5. 820

---

a20. cf 'ut ramnus qui alaz arabice dicitur' Albert magn ed Jessen p 83, 'ut alaz' Nic Damasc ed Meyer 20, 10. 'quo nomine veteris aevi scriptores lycium, medii rubum vocare solebant' ib 83.

Rhamnusius Antiphon f 131. 1500 b20.

ῥανίς. ἐν τῷ ὑπὲρ γῆς τόπῳ μικραὶ συνιστάμεναι ῥανίδες μα13. 349 b31. ἀπὸ ῥανίδων μικρῶν, συνεχῶν δὲ γ.νεται ἡ (τῆς ἴριδος) ἀνάκλασις μγ4. 374 a9, 34. cf πα51. 865 b13.

ῥάξ (Lob Phryn 75). ῥάγες βότρυος Ζιε18. 550 a28 (ῥάγες Bk). χ2. 792 b8. αἱ ῥάγες τετρυγημέναι τῶν βοτρύων γλυκύτεραί εἰσι τῶν ἀτρυγήτων πκ23. 925 b15. ῥαξὶ ὁ τῶν ἄλλοις καρποῖς πόθεν ὑπάρχει οἷον ἐμπύρευμα f 217. 1518 a10. θύλακοι μείζως ῥαγῶν Ζιε19. 552 b20.

ῥαπίζειν. δεῖ φθάσαι τὴν κίνησιν τῷ ῥαπίζοντος τὴν θρύλαν τῷ ἀέρος ψβ8. 419 b23. ῥαπιζόμενος ὁ ἀήρ, ῥαπιζόμενα τῷ ὑγρῷ μβ8. 368 a16. 9. 370 a14. — μὴ ὀργίζεσθαι ῥαπιζόμενον ηεβ5. 1222 b2.

ῥαστώνη. (τὰ ἐκ πλαγίᾳ προσπεφυκότα σκέλη) χρήσιμα πρὸς τὴν τῆς ὑποδύσεως ῥαστώνην Ζπ15. 713 a21. θειότατον τὸ μετὰ ῥαστώνης κ̣ ἁπλῆς κινήσεως παντοδαπὰς ἀποτελεῖν ἰδέας x6. 398 b13. — πρὸς ῥαστώνην κ̣ διαγωγήν, opp τὰ ἀναγκαῖα ΜΑ2. 982 b23. κίνησις ἄσχολος κ̣ πάσης ἀπηλλαγμένη ῥαστώνης ἔμφρονος Οβ1. 284 a32. πρὸς ῥαστώνας (ad commoditatem victus) Πα8. 1256 a26.

ῥαφανίς. αἱ ῥαφανῖδες αἱ λεπταὶ δριμύτεραι πκ11. 923 b37. πῶς φυτευόμεναι αἱ ῥαφανῖδες γίνονται ἄπλετοι τὸ πάχος πκ13. 924 a24. ἡ ῥαφανὶς ἐξαίρει πθ6. 890 a25. (Raphanus radicula L. Fraas 123. Langkavel 28.)

ῥάφανος. αἱ καλύμεναι ψυχαὶ γίνονται ἐπὶ τῶν φύλλων τῶν χλωρῶν, κ̣ μάλιστα ἐπὶ τῆς ῥαφάνης, ἣν καλῶσί τινες κράμβην Ζιε19. 551 a15. — ἡ ῥάφανος οὐκ ἔστι τῶν παραβλαστανόντων πκ13. 924 a34, syn ῥαφανίς a24. ἡ ῥάφανος ἄνω ποιεῖ, dist φυσητικὸν τῆς κάτω κοιλίας πιγ6. 908 b3. (Brassica oleracea L. Fraas 121. Langkavel 26. Oribas III 697.)

ῥαφή. τῷ κρανίῳ τὸ πριονωτὸν μέρος ῥαφή (v l ῥαφίς), descr, αἱ ῥαφαὶ αὐταὶ τῶν ὀστῶν συνέχωσι τὴν κεφαλήν Ζιγ7. 516 a15. 5. 515 b14. ῥαφὰς πλείστας ἔχει περὶ τὴν κεφαλὴν (ὁ ἄνθρωπος) κ̣ τὸ ἄρρεν πλείῃς τῶν θηλειῶν ΖμΒ7. 653 a37. τὸ μὲν θῆλυ κύκλῳ ἔχει τὴν ῥαφήν Ζιγ7. 516 a18. α7. 491 b2. τῶν ἀνδρῶν τρεῖς εἰς ἓν συναπτώσας ὡς ἐπὶ τὸ πολύ, τρεῖς ῥαφὰς ἄνωθεν συναπτώσας, τριγωνοειδεῖς Ζια7. 491 b3. γ7. 516 a19 (cf τὸ τῶν ῥαφῶν παντοδαπὸν Plat Tim 76 A. ἡ ῥαφὴ στεφανιαία, λαμβδοειδής, κ̣ κατὰ τὸ μῆκος εὐθεῖα, sutura coronalis lambdoidea sagittalis, Galen II 742). ἤδη ὠμμένη ἐστὶ κεφαλὴ ἀνδρὸς οὐδεμίαν ἔχωσα ῥαφήν (suturarum obliteratio) Ζια7. 491 a5. cf γ7. 516 a20. τὴν κεφαλὴν ἀνθρώπου ἐστι τῶν ζῴων δασύτατον ἐξ ἀνάγκης μὲν διὰ τὴν ὑγρότητα τῷ ἐγκεφάλου κ̣ διὰ τὰς ῥαφάς· τὸ ἄρρεν τῷ θήλεος μακροβιώτερον διὰ τὰς ῥαφὰς ΖμΒ14. 658 b4. π48. 896 a36. — ἔχωσι διάρθρωσίν τινα αἱ καρδίαι παραπλησίαν ταῖς ῥαφαῖς Ζμγ4. 667 a7 (sulcus longitudinalis et circularis). — κατὰ τὴν ὑπογραμμένην ῥαφήν Ζμγ3. 677 b19. cf Ζιγ14. 519 b20.

ῥαφίς. ἀνόδοντα κ̣ λεῖα. ὡς ῥαφίς f 278. 1528 a1, 6.

ῥαχία. εἰ ἔσται τις ῥαχία κύφη, τὸ μὲν ἥμισυ αὐτῆς καταδύσεται ἐν ὕδατι, τὸ δὲ λοιπὸν ὑπερνήξεται φτβ2. 823 b8 cf Nic Damasc ed Meyer 111.

ῥάχις. 1. significat non solum vertebrarum columnam se[c]

etiam τὸν τόπον τῆς ῥάχεως Ζγα 13. 720 ᵃ28, i e τὸ μεσαίτατον τῦ νώτυ παντὸς ἄνωθεν μέχρι γλυτῶν Galen XIV 707. cf XVIIIA 493. a. τί ἐστιν, ἐκ τίνων σύγκειται. νώτυ μέρη ὠμοπλάται δύο κ̣ ῥάχις, σύγκειται ἐκ σφονδύλων Ζιa 15. 493 ᵇ13. γ7. 516 ᵃ11. πᾶσα διῃρημένη κατὰ τὰς σφονδύλυς· ἢ τὸ μῆκος κ̣ τὴν ὀρθότητα συνέχυσα τῶν ζώων ἡ ῥάχις ἐστὶν Ζμβ 6. 651 ᵇ34. 9. 654 ᵇ14 (cf Galen IV 42). ἀρχὴ τῶν ὀστῶν ἡ καλυμένη ῥάχις τοῖς ἔχυσιν ὀστᾶ πᾶσιν· ἀρχὴ κ̣ μένον Ζμβ9. 654 ᵇ12. cf Ζιγ7. 516 ᵃ10. πν7. 484 ᵇ17 (cf 'Aρ. νομίζει πρῶτον τὴν ὀσφὺν γίνεσθαι ὥσπερ τρόπιν νεὼς Galen XIX 331). τείνει ἀπὸ τῆς κεφαλῆς μέχρι πρὸς τὰ ἰσχία· κάτω ἡ περαίνει (ἡ ῥάχις) Ζιγ7. 516 ᵃ12, 35. ἐν πολλοῖς (ὀστοῖς οἱ πόροι) εὔδηλοι, μάλιστα δ' εἰς τὴν ῥάχιν· πολλὰ ἄχονδρα καθάπερ ἡ ῥάχις πν6. 484 ᵃ26, 29. ὁ μυελὸς κατὰ τὴν ῥάχιν ὢν ὑγρασίαν πολλὴν παρέχει, πρὸς τὴν χρείαν καλῶς· αἱ ἀπὸ τῆς ῥάχεως κινήσεις πβ14. 867 ᵇ23. cf πι54. 897 ᵃ7. πν7. 484 ᵃ25, 38. Ζκ9. 702 ᵇ19. 'Εμπεδοκλῆς ὐκ ὀρθῶς εἴρηκε τὴν ῥάχιν τοιαύτην ἔχειν (τὰ ζῷα) ὅτι στραφέντος καταχθῆναι συνέβη Ζμα1. 640 ᵃ21. — b. πῶς ἔχει πρὸς τὰ ἄλλα μόρια. ἀπὸ τῆς ῥάχεως αἱ τε περόναι ἐστὶ κ̣ αἱ κλείδες κ̣ αἱ πλευραὶ Ζιγ7. 516 ᵃ28 Aub. ἀφ' ἧς κ̣ αἱ πλευραὶ πρὸς τὴν σύγκλεισιν πν7. 484 ᵇ18. — ὁ στόμαχος ἐντὸς πρὸ τῆς ῥάχεως, συνεχὴς ὢν πρός τε τὴν ῥάχιν κ̣ τὴν ἀρτηρίαν ὑμενώδεσι δεσμοῖς Ζιa 12. 493 ᵃ9. 16. 495 ᵇ21. ἡ καρδία συνέχεται πρὸς τὴν ῥάχιν πόροις ὑμενώδεσι κ̣ χαλαροῖς· προσπέφυκεν ἡ ἀορτὴ μάλιστα τῇ ῥάχει Ζιγ4. 514 ᵃ31, ᵇ20. φλέβες παρά, κατά, ἐπί, πρὸς τὴν ῥάχιν Ζιγ3. 512 ᵇ15, 513 ᵃ17, ᵇ15, 25, 26. 4. 514 ᵇ17. αἱ φρένες πρὸς τὰ πλευρὰ κ̣ τὰ ὑποχόνδρια κ̣ τὴν ῥάχιν συνηρτημέναι Ζιa 17. 496 ᵇ12. οἱ νεφροὶ πρὸς αὐτῇ τῇ ῥάχει κεῖνται, vena renalis τείνυσα παρ' αὐτὴν τὴν ῥάχιν Ζιγ1. 496 ᵇ35, 497 ᵃ15. γ4. 514 ᵇ37. πόροι (vasa deferentia) ἠρτημένοι ἐφ' ἑκάτερα τῆς ῥάχεως Ζιγ1. 509 ᵇ18. ἡ γονή ἐστι ἀπὸ τῦ ἐγκεφάλυ χωρῦσα διὰ τῆς ῥάχεως πι57. 897 ᵇ26. Etymolog magn v s ὀσφῦς (636, 19) ῥάχις κ̣ ψύα ὡς μὲν 'Aρ. — c. τὰ ζῷα τὰ ῥάχιν ἔχοντα Ζκ9. 702 ᵇ20. πάντα τὰ ζῷα ὅσα ἔναιμά ἐστιν, ἔχει ῥάχιν ἢ ὀστώδη ἢ ἀκανθώδη Ζιγ7. 516 ᵇ23. Ζμδ 9. 654 ᵇ12. ἡ ὕαινα λοφιὰν (χαίτην) ἔχει δι' (καθ') ὅλης τῆς ῥάχεως Ζιζ32. 579 ᵇ16. 95. 594 ᵃ0 ᵇ2. ὁ ἀλλῦς κεῖται τοῖς κήτεσι πρὸ τῆς ἐγκεφάλυ· διελάμβανε γὰρ ἂν ἀπὸ τῆς ῥάχεως αὐτὸν Ζμδ 13. 697 ᵃ26. (χαμαιλέοντος) ῥάχις ἐπανέστηκεν ὁμοίως τῇ τῶν ἰχθύων· (τοῖς ἰχθύσι κ̣ τοῖς ὄφεσι) πόροι ἠρτημένοι ἐφ' ἑκάτερα τῆς ῥάχεως· ἀκανθώδης ἡ ῥάχις τῦ ὄφεως Ζιβ11. 503 ᵃ17. γ1. 509 ᵇ18. 7. 516 ᵇ20. — ἡ τῶν σελάχιων ἡ ῥάχις χονδρώδης μέν ἐστιν, ἔχει δὲ μυελόν· τὸ κατὰ τὴν ῥάχιν ἀνάλογον τοῖς ὀστοῖς χονδρώδες· (ἐν τοῖς μὴ ἔχυσιν ὀστᾶ) ἡ κοίλη ἄκανθα μόνον ἡ τῆς ῥάχεώς ἐστι Ζμδ9. 655 ᵃ37. 6. 652 ᵃ15. Ζιγ8. 517 ᵃ1. περὶ τὴν ῥάχιν προσπέφυκε τὰ ᾠά, μεταχξὺ κατὰ τὴν ῥάχιν Ζιζ10. 565 ᵃ15, 564 ᵇ22. — 2. 'vielleicht die Aussenseite der Fangarme der Polypen' Aub. cf S I 177. χαλεῖται ῥάχις τὸ λεῖον ὃ πρόσω αἱ κοτυληδόνες εἰσίν· (ἡ ἐσχάτη τῶν πλεκτανῶν) ἐπὶ τῇ ῥάχει Ζιδ1. 524 ᵃ7, 525 ᵃ7 Aub.

ραχίτης. ὁ ῥαχίτης μυελὸς συνεχὴς τῷ ἐγκεφάλῳ ἐστίν, ποῖος, ἐν τοῖς μὴ ἔχυσιν ὀστᾶ ἀλλ' ἄκανθαν ὁ ῥαχίτης μόνος ἐστὶ μυελός Ζμβ7. 652 ᵃ30, 26. 6. 651 ᵃ32, 652 ᵃ13. cf Plat Tim 77D, 91A. ὁ ῥαχίτης κ̣ ὁ ἐγκεφάλος πν7. 484 ᵇ21.

ραψῳδεῖν. ἔστι περιεργάζεσθαι τοῖς σημείοις κ̣ ῥαψῳδῦντα

κ̣ διάδοντα πο26. 1462 ᵃ6. Vhl Poet IV 395.
ραψῳδία. εἰς τὴν τραγικὴν κ̣ ῥαψῳδίαν ὀψὲ παρῆλθεν (ἡ ὑπόκρισις) Pγ1. 1403 ᵇ23, 1404 ᵃ23. Χαιρήμων ἐποίησε Κένταυρον μικτὴν ῥαψῳδίαν ἐξ ἁπάντων τῶν μέτρων πο1. 1447 ᵇ22. Welcker Trag III 1091.
'Ρέα. τὰς ἄρκτυς 'Ρέας χεῖρας (ἐκάλει Πυθαγόρας) f 191. 1512 ᵃ30.
ρέγχει ὁ δελφὶς καθεύδων Ζιζ12. 566 ᵇ15. δ10. 537 ᵇ3. αν12. 476 ᵇ20.
ρέζω. τὰ χ' ἔρεξε (Hes fr 217 Gtlg) Hε8. 1132 ᵇ27. μέρμερα ῥέζων (Orph VI 43) x7. 401 ᵇ7.
ρεῖθρον. τῦ θέρυς ναυσίπορον ἔχυσι τὸ ῥεῖθρον 'Ρῆνος κ̣ Ἴστρος θ168. 846 ᵇ31.
ρεῖν. περὶ τὸ μέσον ὕδατός τι πλῆθος, ἐξ ὗ κ̣ τὰ ῥέοντα κ̣ τὰ μὴ ῥέοντα ἀναδίδωσι πάντα μβ2. 356 ᵃ2. δεῖ πηγαῖον εἶναι τὸ ῥέον μβ4. 360 ᵃ31. ἡ θάλαττα φαίνεται κατὰ τὰς στενότητας· ὁ Βόσπορος ῥεῖ μβ1. 354 ᵃ5. α14. 353 ᵃ7. ὥσπερανεὶ παρ' ὀχετὸν τὴν φλέβα ῥέυσαν Ζγβ7. 746 ᵃ18. ῥεῖ μάλιστα ὁ ἀὴρ ῥέων ἐν τοῖς ὑψηλοῖς μα10. 347 ᵃ34. ῥεῖ ὁ ἄνεμος, τὰ πνεύματα, ἡ ἀναθυμίασις μα13. 349 ᵃ34. β4. 360 ᵇ19, 361 ᵃ33. 8. 366 ᵃ4, 367 ᵃ11. — ἔξω ῥεῖν τὸ σπέρμα λευκὸν Ζιζ11. 566 ᵃ4. ἡ (τῶν ὑῶν) κοιλία ῥεῖ Ζιθ21. 603 ᵇ9. — προφασιζόμενοι τὰ πλοῖα ῥεῖν, opp πλοῖα στεγανὰ f 513. 1562 ᵃ8. — τήκεται ὁ λίθος ὁ πυρίμαχος ὥστε κ̣ ῥεῖν μδ6. 383 ᵇ6, 7. — τρίχες ῥέυσιν, coni syn λείπυσιν, ἐλάττυς γίνονται Ζγ11. 518 ᵃ24, ᵇ10. η4. 584 ᵃ24. — usitata metaphora (cf Heraclit fr 21. 22) ῥεῖν mutationem significat, coni syn κινεῖσθαι, μεταβάλλειν, ἀλλοιῦσθαι MA6. 987 ᵃ33. x6. 1063 ᵃ22, 35. μ9. 1086 ᵃ37. Φε4. 228 ᵃ9. θ8. 265 ᵃ6. Oγ1. 298 ᵇ30. ψα2. 405 ᵃ27. — fut ῥευσεῖται, ῥευσῦνται μβ4. 361 ᵃ33. 2. 356 ᵃ16. aor ῥυῆ, ῥυέν μβ8. 368 ᵃ3, ᵇ7, 366 ᵃ4. — ῥευστός, ῥυτός v h v.

ρέπειν (cf ῥοπή). 1. ἀνάγκη ῥέπειν τὰ σώματα πρὸς τὴν γῆν Ζμδ 10. 686 ᵃ32. κάτω ῥέπειν μα4. 342 ᵃ13, 20. υδ. 456 ᵇ27. θ1. 876 ᵃ34. τάχιστα κάτω ῥέπει μα3. 358 ᵇ6. ὅταν κάτωθεν (i e κάτω) ῥέψαντος ἀφέλῃ τὸ βάρος, πάλιν ἀναφέρεται τὸ ζυγὸον μχ2. 850 ᵃ4. ἅπαν τὸ βάρος ῥέπει ἐφ' ἕν μχ26. 857 ᵃ17. καθάπερ ἐν ζυγοῖς ἠρτημένα ἐξ αὐτῦ (τῦ ὀμφαλῦ ἐν ἐμβρύα) ῥέπει ἐπὶ τὸ βάρος Ζγδ9. 777 ᵃ31. — 2. ἐφ' ὁπότερ' ἂν ῥέπῃ κυμαίνων ὁ Τάρταρος, μβ2. 356 ᵃ17. ὅταν τὸ τῦ φερομένυ βάρος ῥέπῃ μᾶλλον τῆς εἰς τὸ πρόσθεν δυνάμεως τῦ ὠθῦντος μχ33. 858 ᵃ21. πάντα ῥέπει μᾶλλον τῷ ἐκ μειζόνων εἶναι σωμάτων Οδ5. 312 ᵇ24. — 3. metaph, ῥέπειν πρὸς τὴν ὑγαρχίαν μᾶλλον Πδ7. 1293 ᵇ20. ῥέπειν πρὸς ἡδονὴν Hκ1. 1172 ᵃ31. η8. 1150 ᵃ16. ῥέπειν μᾶλλον ἐπὶ τὸ ὀργίζεσθαι ηεβ5. 1222 ᵇ4. πᾶσα ἡλικία ῥέπει ἀποκλίνοντος τῦ σώματος ἐπὶ ψύξιν Ζγε4. 784 ᵃ32. ῥέπειν ἐπὶ τὰ μελαγχολικὰ νοσήματα sim Hλ1. 954 ᵇ28. α12. 860 ᵇ16.

ρεῦμα. τὰ ῥεύματα, syn τὰ ῥέοντα ὕδατα μβ2. 356 ᵃ2, 3, 6. τὰ ῥεύματα τῶν ποταμῶν ἐκ τῶν ὀρῶν φαίνεται ῥέοντα μα13. 350 ᵃ2, ᵇ14, 18. ὁ 'Ινδὸς πάντων τῶν ποταμῶν ῥεῦμα πλεῖστον μα13. 350 ᵃ26. οἱ μακρὰν ῥέοντες ποταμοὶ πολλῶν δέχονται ῥεύματα ποταμῶν μβ2. 356 ᵃ26. ὅτε ἐστὶν ἀλμυρὰ ῥεύματα ποταμῶν ἢ κρηνῶν μβ3. 359 ᵇ4. — τὸ 'Αχελῴυς πολλαχῦ τὸ ῥεῦμα μεταβέβληκεν μα14. 352 ᵇ1. ἀποστρέψαι τὰ τῶν ποταμῶν ῥεύματα f 469. 1555 ᵃ42. — ῥεύματα φερόμενα διὰ τῶν εὐρίπων αχ800 ᵇ29. — τὸ τῶν ῥεόντων ὑδάτων κ̣ τὸ τῆς φλογὸς ῥεῦμα μβ3. 357 ᵇ32. αἰθέρος ῥεῦμα κατέχεται (Emped 366) αν7. 474 ᵃ5. —

τὸ περὶ τὴν Αἴτνην ῥεῦμα θ105. 840 ᵃ4. — τὰ ῥεύματα τοῖς σώμασιν ἐκ τῆς κεφαλῆς ἐστι τὴν ἀρχήν· ῥεύματα φλέγματος ἢ ἰχῶρος Ζμβ7. 652 ᵇ34, 653 ᵃ2. ῥεύματα νοσηματικά αι5. 444 ᵃ13. cf πκγ1. 949 ᵇ5. ῥεύματος ἢ πνεύματος ἀπέπτυ πλῆθος εἰς μόρια τῦ προσώπυ παρεμπεσόν Ζγδ3. 768 ᵇ34.

ῥευματικοὶ εἰς τὺς ὀφθαλμὺς πλα5. 957 ᵇ25 (cf Oribas I 663). συμβαίνει (τῶν οἰνοφλύγων) τὺς μὲν ὑδρωπικὺς γενέσθαι, τὺς δὲ ῥευματικύς πιγ5. 871 ᵇ25.

ῥευμάτιον. ἡ ἔμφραξις τῦ φάραγγος ἡ γινομένη ὑπὸ τῦ φλέγματος ἐπικατασπᾷ ῥευμάτιον εἰς αὐτόν πια18. 901 ᵃ3.

ῥευστός. ἡ ὕλη ῥευστή (i e ἀεὶ μεταβάλλυσα) f 201. 1514 ᵃ26.

Ῥήγιον οβ1349 ᵇ17. θ73. 835 ᵇ15. 130. 843 ᵃ6. πῶς εἰς τυραννίδα μετέβαλε Πε12. 1316 ᵃ38. — Ῥηγῖνοι οβ1349 ᵇ22. Ῥηγίνων πολιτεία f 527. Ἀνδροδάμας Ῥηγῖνος Πβ12. 1274 ᵇ23. νόμισμα τῶν Ῥηγίνων, Ἀναξίλας ὁ Ῥηγῖνος f 527. 1565 ᵃ9, 6.

ῥῆγμα. 1. θηρεύονται περὶ τὺς κρημνὺς ἢ τὰ ῥήγματα τῆς γῆς Ζιι41. 628 ᵇ29. πνεῦμα ἄνω φερόμενον κατὰ τὴν ἐκ βυθῦ τινὸς ἢ ῥήγματος ἀνάδοσιν κ4. 395 ᵃ9. — 2. medic. ἐὰν ᾖ ῥῆγμα ἢ φῦσει ἢ ὑπὸ τῆς νόσυ Σικ2. 635 ᵃ4.

ῥηγμίν. ὅταν κυμαίνυσα (ἡ θάλαττα) ἐκβάλλῃ, σφόδρα παχεῖαι ἢ σκολιαὶ γίνονται αἱ ῥηγμῖνες μβ8. 367 ᵇ14. ὥσπερ ῥηγμῖνα ὖσαν ἀέρος τὴν νεφέλην μβ8. 367 ᵇ19.

ῥηγνύναι, pass ῥήγνυσθαι, ῥαγῆναι. βρεχομένην τὴν γῆν ἢ ξηραινομένην ῥήγνυσθαι μβ7. 365 ᵇ7. cf 8. 367 ᵃ4. κέραμος ἐκ πληγῆς ῥαγείς ακ804 ᵃ35. ῥηγνυμένων ἢ ξηραινομένων τῶν ξύλων μβ9. 369 ᵃ34. γι. 371 ᵇ4. πνεῦμα βιαίως ῥηγνύον τὰ συνεχῆ πιλήματα τῦ νέφυς κ4. 395 ᵃ12. ῥήγνυται τὸ κέλυφος Ζιε30. 556 ᵇ9. (τὸ τῶν ὑστερῶν στόμα συμπεφυκὸς) αὐτόματον ἐρράγη Ζγδ4. 773 ᵃ18. ἡ θάλαττα ῥήγνυσι τὰ ὦτα (syn τὸ ὕδωρ προσπῖπτον διακόπτει), τὰ ὦτα ἐν τῇ θαλάττῃ ῥήγνυται τοῖς κολυμβῶσιν πλβ2. 960 ᵃ14, ᵇ8. 11. 961 ᵃ24, 30. ἐπὶ τῶν ἐρρωγότων κεράτων ἢ ἐπὶ τῶν χορδῶν τῶν παρανενευρισμένων (ὁ ἦχος διασπᾶται) ακ804 ᵃ38. — ῥηγνυμένων χειμώνων ἐξαισίων κ5. 397 ᵃ22. μεθ' ὕδατος ἀθρόως ῥαγέντος κ4. 394 ᵇ19. ὅταν ὁρμᾷ τὰ καταμήνια ἢ μέλλῃ ῥήγνυσθαι Ζιη2. 582 ᵇ10, 11. Ζγα19. 727 ᵃ7.

ῥήκτης. τῶν σεισμῶν οἱ χάσματα ἀνοίγοντες ἢ γῆν ἀναρρηγνύντες ῥῆκται καλῦνται κ4. 396 ᵃ5.

ῥῆμα. 1. latiore sensu. ὅταν ἀκύσῃ τὸ πρῶτον ῥῆμα ὅτι ἠδίκησεν ημβ6. 1202 ᵇ18. οἱ ἰσχνόφωνοι πολὺν χρόνον τὸ αὐτὸ ῥῆμα λέγυσιν ακ804 ᵇ30. προστιθέντες τοῖς αἰσθητοῖς τὸ ῥῆμα τὸ αὐτό Μζ16. 1040 ᵇ34. ad hunc usum voc ῥῆμα fort referendum est τζ11. 148 ᵇ36. — 2. ῥῆμά ἐστι τὸ προσσημαῖνον χρόνον, ὖ μέρος ὖδὲν σημαίνει χωρίς, ἢ ἔστιν ἀεὶ τῶν καθ' ἑτέρυ λεγομένων σημεῖον ε3. 16 ᵇ6 Wz. πο20. 1457 ᵃ14. ῥῆμα ἀόριστον τί ε3. 16 ᵇ14. 10. 19 ᵇ10, 11. πτῶσις ῥήματος ε3. 16 ᵇ17. 5. 17 ᵃ10. πο20. 1457 ᵃ19. ἄνευ ῥήματος ὐδεμία κατάφασις ὐδὲ ἀπόφασις ε10. 19 ᵇ12. ὄντων ὀνομάτων ἢ ῥημάτων ἐξ ὧν ὁ λόγος συνέστηκεν Ργ2. 1404 ᵇ26, 6. ὀνόματα ἢ ῥήματα ἢ συνδέσμυς πρῶτα μέρη τῆς λέξεως (ἐποίυ Θεοδέκτης ἢ Ἀριστοτέλης) f 126. 1499 ᵇ22, 29. quod Steinthal Gesch p 237 (cf Trdlbg El § 1). vocabulo ῥῆμα ab Arist praedicati potius quam verbi naturam significari putat, admodum dubium est, quamquam ε10. 20 ᵇ1. 1. 16 ᵃ13,15 adiectivum videtur ῥῆμα nominari.

Ῥήνεια, ἐχθρὰ ταῖς γαλαῖς f 324. 1532 ᵇ6.

Ῥήνος Γερμανὺς παραμείβει θ168. 846 ᵇ29.

ῥῆξις. βίᾳ γενομένης τῆς ῥήξεως (τῦ τῶν ὑστερῶν στόματος συμπεφυκότος), dist αὐτόματον ἐρράγη Ζγδ4. 773 ᵃ19, 18. οἱ κατὰ ῥῆξιν νέφυς γινόμενοι ἄνεμοι ἐκνεφίαι καλῦνται κ4. 394 ᵇ17. ῥῆξις δίνης πκγ4. 931 ᵇ32.

ῥῆσις. ἐφεξῆς θεῖναι ῥήσεις ἠθικὰς ἢ λέξεις ἢ διανοίας εὖ πεποιημένας πο6. 1450 ᵃ29. Vhl Rangfolge p 162. ῥῆσιν ἐξ ἄλλης εἰς ἄλλο ἁρμόττειν πο18. 1456 ᵃ31. ἡ τῆς Μελανίππης ῥῆσις πο15. 1454 ᵃ31.

Ῥῆσος. Ῥῆσον Τρῶες θάψαν f 597. 1577 ᵇ26. — Ῥῆσος ἐν ταῖς διδασκαλίαις ὡς γνήσιον (Εὐριπίδυ) ἀναγέγραπται f 583. 1573 ᵇ5.

ῥητίνη. ἡ ἰξοβόρος ὐκ ἐσθίει ἀλλ' ἢ ἰξὸν ἢ ῥητίνην Ζιι20. 617 ᵃ19. τινὰ τῶν φυτῶν ἔχυσί τι ὑγρὸν ὡς ῥητίνην φτα3. 818 ᵃ4.

ῥητορεῖαι αἱ μὲν παραδειγματώδεις αἱ δὲ ἐνθυμηματικαί Ρα2. 1356 ᵇ20 (cf εἶδος ῥητορείας ᵇ18 ex Aᶜ, εἶδος τῆς ῥητορικῆς Bk). παραδείγμασι χαίρυσιν ἄνθρωποι ἐν ταῖς ῥητορείαις ἢ τοῖς λόγοις μᾶλλον τῶν ἐνθυμημάτων πιη3. 916 ᵇ27.

ῥητορεύειν. λυσιτελὲς μανθάνειν ῥητορεύειν ρ37. 1444 ᵃ33.

ῥητορικός. ἐν τῷ λέγειν ῥητορικὸς ἀδύνατυ εἰπεῖν ὑπερέχει πολύ Ρβ2. 1379 ᵃ2. τοῖς ῥητορικοῖς ὐκ οἰκεῖον ἐπαγωγή Ρβ20. 1394 ᵃ13. ῥητορικὴν ἀπόδειξις ἀπαιτεῖν ἄτοπον Ηα1. 1094 ᵇ27. ὁ οἶνος ῥητορικὺς ἢ θαρραλέυς ποιεῖ πλ1. 953 ᵇ3. — ἡ ῥητορική, ἐν ταῖς ἐντιμοτάταις τῶν δυνάμεων Ηα1. 1094 ᵇ3. Ἀριστοτέλης ἐν τῷ σοφιστῇ φησὶ πρῶτον Ἐμπεδοκλέα ῥητορικὴν εὑρεῖν f 54. 1484 ᵇ28, 32, 35. ῥητορικῆς ἔργον τὸ ἰδεῖν τὰ ὑπάρχοντα πιθανὰ περὶ ἕκαστον Ρα1. 1355 ᵇ10. 2. 1355 ᵇ26. ῥητορικὴ ὐκ ἔστιν ἑνός τινος γένυς ἀφωρισμένυ Ρα1. 1355 ᵇ8, 1354 ᵃ2. ἐπιστήμην λόγων, opp ἐπιστήμην πραγμάτων Ρα4. 1359 ᵇ6-16. ἡ ῥητορικὴ σύγκειται ἔκ τε τῆς ἀναλυτικῆς ἐπιστήμης ἢ τῆς περὶ τὰ ἤθη πολιτικῆς Ρα4. 1359 ᵇ9. 2. 1356 ᵃ25. ἡ ῥητορική ἐστιν ἀντίστροφος τῇ διαλεκτικῇ, ἡ διαλεκτικὴ ἢ ἡ ῥητορικὴ συλλογίζονται τἀναντία Ρα1. 1354 ᵃ1, 1355 ᵃ35. 4. 1359 ᵇ11. β24. 1402 ᵃ27. ὑποδύεται ὑπὸ τὸ σχῆμα τὸ τῆς πολιτικῆς ἡ ῥητορική Ρα2. 1356 ᵃ28. Ηκ10. 1181 ᵃ15. ῥητορικῆς γένη τρία, συμβυλευτικόν, δικανικόν, ἐπιδεικτικόν Ρα3. ἕνεκα κρίσεώς ἐστιν ἡ ῥητορική Ρβ1. 1377 ᵇ21. ἐλάχιστον γάρ ἐστιν ἐνὶ (ἐνὶ ci Vahlen, i e ἑνὶ κριτῇ, ἑνὸς ἀκροωμένυ ἢ κρίνοντος, ἐν Aᶜ Bk) ῥητορικῆς (Aᶜ, ῥητορικοῖς Bk) Ργ12. 1414 ᵃ11. ῥητορικῆς ἢ ποιητικῆς οἰκεία σκέψις ε4. 17 ᵃ5. τῆς ῥητορικῆς ηὐξημένης Πε5. 1305 ᵃ12. τὰ περὶ ῥητορικῆς, libri Aristotelis πο19. 1456 ᵃ35. cf Ἀριστοτέλης p 103 ᵇ55. τὰ ῥητορικά τθ14. 164 ᵃ5. dist διαλεκτικά, ἐριστικά Ρβ24. 1402 ᵃ7, 4, 3. opp τὰ συλλογιστικά, τὰ ἐλεγκτικά τι5. 167 ᵇ8. 15. 174 ᵇ19. τὰ μὲν ῥητορικά ἐστι τοιαῦτα Ρα13. 1375 ᵃ8. — ῥητορικοὶ λόγοι Αγ1. 71 ᵃ9. τι34. 183 ᵇ26. ῥητορικὸς λόγος, dist ποίησις Ργ2. 1404 ᵇ37. συλλογισμοὶ ῥητορικοί, διαλεκτικοί, ἀποδεικτικοί Ρα2. 1358 ᵃ11. Αβ23. 68 ᵇ11. ἀπόδειξις ῥητορικὴ Ρα1. 1355 ᵇ6. — ῥητορικῶς λέγειν, opp πολιτικῶς πο6. 1450 ᵇ8. cf Vahlen Rangfolge p 175.

ῥητός. ἐνεργεῖσθαι ἐπὶ ῥητοῖς, ἡ διὰ τὸ χρήσιμον φιλία ἐπὶ ῥητοῖς Ηθ15. 1163 ᵃ5, 1162 ᵇ26, 31. — γραμμὴ ῥητή, opp ἄλογος ατ968 ᵇ15, 18. — ῥητῶς, ῥητὸν falso videtur additum esse Μδ7. 1017 ᵇ1, 3 Bz.

ῥήτωρ, def ὁ δυνάμενος τὸ ἐν ἑκάστῳ πιθανὸν θεωρεῖν τζ12. 149 ᵇ16. ῥήτορες οἱ μὲν παραδειγματώδεις οἱ δὲ ἐνθυμηματικοί Ρα2. 1356 ᵇ21. οἱ κατὰ τὴν ὑπόκρισιν ῥήτορες, opp γραφόμενοι λόγοι Ργ1. 1404 ᵃ18. cf 12. 1413 ᵇ16, 21,

1414 ᵃ15. οἱ Ἀττικοὶ ῥήτορες Ργ11. 1413 ᵇ1. οἱ Ἀθήνησι ῥήτορες Ργ17. 1418 ᵃ30. ὥσπερ ῥήτορα γράφονται παρανόμων Πα6. 1255 ᵃ8. ῥήτωρ, coni κλέπτης τζ12. 149 ᵇ25. ὁ Δημοκράτης εἴκασε τὰς ῥήτορας ταῖς τίτθαις Ργ4. 1407 ᵃ7. ῥήτωρ, dist φιλόσοφος πιη5. 917 ᵃ3. λ9. 956 ᵇ6. στρα- τηγοί, ῥήτορες Ρβ11. 1388 ᵇ18.

ῥιγαλέος (Emped 124) Γα1. 314 ᵇ22.

ῥῖγος. ὅσα ἐκ ῥίγης κὲ φρίκης πη. ῥίγη κὲ τρόμως παρασκευάζειν πα29. 862 ᵇ29. τῷ ἀρχομένῳ πυρέττειν ῥῖγος γίνεται πγ33. 875 ᵃ12.

ῥιγῶν ἢ πεινῆν Πβ7. 1267 ᵃ4. τυραννῶσιν ὐχ ἵνα μὴ ῥιγῶσιν Πβ7. 1267 ᵃ14. ἐὰν βρεχθῇ ἢ ἄλλως πως ῥιγώσασα ἐκβάλῃ ἡ ὄρνις Ζγγ2. 752 ᵇ5. πῶς ἔχοντες ῥιγῶσιν πη6. 887 ᵇ29. 16. 888 ᵇ21. 20. 889 ᵃ15, 24. γ6. 872 ᵃ1. χζ8. 948 ᵇ13. μάλιστα τὰ ἀκρωτήρια ῥιγῶσιν πη5. 887 ᵇ26. ὁ ὀφθαλμὸς ὐ ῥιγοῖ πλα22. 959 ᵇ16. αι2. 438 ᵃ23. οἱ ῥιγῶντες τρέμωσι πη5. 871 ᵃ29. 26. 874 ᵇ24, καθεύδειν ὐ δύνανται πη2. 887 ᵇ15. 22. 889 ᵇ4, πελιδνοὶ γίνονται πη1. 887 ᵇ10. (de vocali contractionis cf ῥιγῶν 872 ᵃ1, 887 ᵇ29, 948 ᵇ14, ῥιγῶσιν 887 ᵇ26, 889 ᵃ15, 24, 948 ᵇ13, ῥιγῶμεν 888 ᵇ21; ῥιγῦντες 949 ᵃ12, 14, ῥιγῶντες 871 ᵃ29, 874 ᵇ24, 887 ᵇ10, 15, 889 ᵇ4.)

ῥίζα. τὰ ἀνομοιομερῆ, τὰ ὄργανα, οἷον ἐν φυτοῖς ῥίζα μδ10. 388 ᵃ20. ψβ1. 412 ᵇ3. αἱ ῥίζαι τῆς τροφῆς (τῆς αὐξήσεως) ἕνεκα, αἱ ῥίζαι τοῖς φυτοῖς εἰσι τὸ στόμα, ἡ κεφαλή, τὸ ἄνω Φβ8. 199 ᵃ28. ψβ1. 412 ᵇ3. 4. 416 ᵃ4. μκ6. 467 ᵇ2. ζ1. 468 ᵃ10. Ζμβ3. 650 ᵃ21, 25. δ7. 683 ᵇ20. 5. 682 ᵃ20. 4. 678 ᵃ11. 10. 686 ᵇ34 (cf S Theophr V 252). Ζπ4. 705 ᵇ6. — τοῖς φυτοῖς τῆς ὐσίας ἡ ἀρχὴ μέσον βλαστῷ κὲ ῥίζης αν17. 478 ᵇ35. ἐντεῦθεν (ἐκ τῷ μέσῳ) ὅ τε καυλὸς ἐκφύεται κὲ ἡ ῥίζα τῶν φυομένων ζ3. 468 ᵇ22. καλῶμεν τὴν ῥίζαν ὑ μόνον ῥίζαν ἀλλὰ κὲ αἰτίαν ζωῆς φτα4. 819 ᵃ21. ἀπὸ τῆς ἐν τοῖς σπέρμασιν ἀρχῆς ἀφίεται ὅ τε βλαστὸς κὲ ἡ ῥίζα Ζγ4. 739 ᵇ37. τὰς ῥίζας πρότερον ἀφιᾶσι τὰ σπέρματα τῶν πτόρθων Ζγ6. 741 ᵇ36. τὸ λοιπὸν τῷ σπέρματος τροφὴ γίγνεται τῇ βλαστῷ κὲ τῇ ῥίζῃ τῇ πρώτῃ Ζγ2. 731 ᵇ9. αἱ ῥίζαι αἱ μὲν νέαι γίγνονται αἱ δὲ γηράσκωσιν μκ6. 467 ᵃ13. τὰ κατὰ γῆς, καυλοὶ κὲ ῥίζαι λευκαί εἰσιν χ5. 795 ᵃ14. βαρύτερον ἐν ᾧ μέρος ῥίζα τῷ ξύλῳ ἐστὶν μχ1. 850 ᵃ1. ἐσθίειν βοτάνας κὲ ῥίζας Ζιθ 2. 592 ᵃ25 (cf Plat Tim 115A). — metaph, αἱ ῥίζαι τῶν ὀδόντων Ζγε8. 789 ᵃ13. τριχῶν, αἱ ῥίζαι αἱ ὑπόλοιποι τῶν σπόγγων Ζι50. 632 ᵃ17. γ11. 518 ᵇ14. ε16. 548 ᵇ17. τὰ ζῷα ἀφίησιν οἷον ῥίζαν τὸν ὀμφαλὸν εἰς τὴν ὑστέραν Ζγβ7. 745 ᵇ25. cf 4. 740 ᵃ34. ἡ τῷ μεσεντερίῳ φύσις ἐστὶν οἷον ῥίζας ἔχωσα τὰς δι' αὐτῆς φλέβας Ζμ4. 678 ᵃ15. ταύτα τὰ πέντε (σπέρμα, ὑγρότης al) ὡς εἴποι τις ῥίζαι φυτῶν φτβ6. 827 ᵃ6. cf 8. 828 ᵃ25. ἀρχαὶ κὲ ῥίζαι γῆς κὲ θαλάττης μβ1. 353 ᵇ1. ὅθεν φασὶ ταῦτὸν αἷμα κὲ ῥίζαν ᾗ τὰ τοιαῦτα Ηθ14. 1161 ᵇ32. μα- κρήστι κατὰ χθονὰ ὀνέτο ῥίζας (Emped 259) Γβ6. 334 ᵃ5. Ζεὺς πόντε ῥίζα (Orph VI 15) χ7. 401 ᵇ4. — ῥίζα in loc corr Ζιθ26. 605 ᵇ4, ν ὄρυζα p 530 ᵇ55.

ῥιζῦν. πίνναι ἐρρίζωνται Ζιε15. 548 ᵃ5. τὴν γῆν ἐπ' ἄπειρον ἐρρίζῶσθαι λεγῦσιν Οβ13. 294 ᵃ23.

ῥιζοφάγον ὁ ὗς Ζιθ6. 595 ᵃ16. Ζμγ1. 662 ᵇ14, 15.

ῥίζωμα. θεῖων ἔκγονον ῥιζωμάτων (Theodect fr 3) Πα6. 1255 ᵃ37.

ῥικνῦσθαι. ἔντομα φθείρονται ἐρρικνωμένων τῶν μορίων Ζιε20. 553 ᵃ13.

ῥινᾶν. ὅταν ῥινῶσι τὰς ἀπηρτημένας στολίδας τῶν ἀνδριάντων

ακ802 ᵃ38. ὅταν ῥινῶσι κὲ χαράττωσι τὰ σιδήρια κὲ τὰς πρίονας ακ803 ᵃ2.

ῥίνη. 1. lima ακ803 ᵃ2. — 2. ῥίνη (ν l ῥίνα, ῥῖνες Ζιε11. 543 ᵇ9. 5. 540 ᵇ11) refertur inter τὰ θαλάττια. σελάχη, γαλεὸς (σελαχώδη Aub), εἶδος γαλεῶν Ζγβ7. 746 ᵇ6. Ζιε10. 543 ᵃ14. ζ10. 565 ᵇ25. f 293. 1529 ᵃ16. τὸ δέρμα τραχύ, τὰ ἐν τῷ στόματι ῥαβδία, πολὺ τὸ ὑραῖον, χολὴ πρὸς τῷ ἥπατι Ζμδ13. 697 ᵃ6. Ζιι37. 620 ᵇ31 (cf S II 500). ε5. 540 ᵇ11. β16. 506 ᵇ8. — αἱ ῥίναι, κὲ ὅσοις τῶν τοιούτων πολὺ τὸ ὑραῖον, παρατριβόμενα μόνον ὀχεύεται τὰ ὕπτια πρὸς τὰ ὕπτια Ζιε5. 540 ᵇ11. τίκτει δὶς, πότε, ὁ εἰς τόκος γίνεται περὶ ζ' ἢ η' Ζιε10. 543 ᵃ14. 11. 543 ᵇ9 Aub. ζ11. 566 ᵃ20. ἐξαφιᾶσι κὲ δέχονται εἰς ἑαυτὰς τὰς νεοττίας, εὐθηνεῖ (ν l ἀσθενεῖ) δ' αὐτῆς μάλιστα (μᾶλλον ci S) μὲν ὁ γόνος ὁ ὕστερος Ζιζ10. 565 ᵇ25 S. 11. 566 ᵃ22. τῶν ἄλλων ζῴων παρὰ τὰς συγγενείας ὐθὲν ὦπται συνδυαζόμενον, δίνη δὲ δοκεῖ μόνη τῦτο ποιεῖν ᾗ βάτος Ζιζ11. 566 ᵃ27. Ζγβ7. 746 ᵇ6. Μ 352. — εὐημερεῖ ἐν τῷ φθινοπώρῳ μᾶλλον, μεταβάλλει τὴν χρόαν, καθαμιάζει ἑαυτήν, syn ποιεῖ ἑαυτὴν ἄδηλον, quomodo pisces capiat Ζιε10. 543 ᵃ15. ι37. 622 ᵃ13, 620 ᵇ30, 31. (squatina Plin Gazae Scalig, rine Thomae. lime C II 467. Squalus squatina K 483. Squatina vulgaris Ar syn pisc 138. R de pisc 367. F 324, 118. Ermerins anecd med gr 247. Squalus angelus Cuv. KaZι 83, 20. KaZμ 180, 15. in incert rel AZι I 147, 98. cf Rose Ar Ps 304.)

ῥίνιον (Lob Phryn 211). ἐλεήμονές εἰσιν ὅσοι τὰ ῥίνια ἄνωθεν διερσυμένοι φ3. 808 ᵃ34.

ῥινόβατος, ῥινοβάτης, forma et ortus Ζιζ11. 566 ᵃ28. Ζγβ7. 746 ᵇ6. (cf Fab Columnae phytobasanus p 108. Gesner de aquat in squatinoraia, R de pisc 79. Ar synops pisc 28. lime-raie C II 478. S I 450. Raja rhinobatos Cr. K 745, 1. 'non dari huiusmodi piscem' R de pisc 12, 20. in incert rel AZι I 148, 98.)

ῥίον. ῥίῳ ὑλήεντι (Hom ι 191) Ζιζ28. 578 ᵇ2.

Ῥῖπαι. αἱ καλύμεναι Ῥῖπαι μα13. 350 ᵇ7.

ῥιπίζειν. τὰ ἐν κινήσει ὄντες ὥσπερ ῥιπίζονται ὑπὸ τῷ πνεύματος πλη6. 967 ᵃ23. ῥιπιζόμενοι σβέννυνται ταχέως (οἱ ἐν ποταμῷ Πόντῳ λίθοι) θ115. 841 ᵃ31.

ῥίπτειν, ῥιπτεῖν. τὰ ῥιπτούμενα πῶς κινεῖται Φθ10. 266 ᵇ30, 267 ᵇ13. θ8. 215 ᵃ14. cf θ10. 266 ᵃ28. Οβ6. 288 ᵃ23. μα4. 342 ᵃ9. Ζκ2. 699 ᵃ1. μχ34. 858 ᵃ25. πα13. 900 ᵃ23. ὐθὲν πόρρω ῥιπτεῖται ἄνευ βίας πνευματικῆς Ζιη7. 586 ᵃ17. τὰ βίᾳ ῥιπτούμενα ἄνω βάρη κατὰ σταθμὴν πάλιν φέρεται εἰς ταὐτό Οβ14. 296 ᵇ23. διὰ τί παύεται φερόμενα τὰ ῥιφέντα μχ32. 858 ᵃ13. ῥιπτεῖσθαι τὸν αὐτὸν τρόπον τῆς ῥίψεως Φθ5. 257 ᵃ2. ῥῖψαι λίθον Ηγ7. 1114 ᵃ19. ῥῖψαι ἑαυτὸν κατὰ τῶν κρημνῶν Ζιι47. 631 ᵃ6. ῥιπτεῖν τὰ ὅπλα, τὴν ἀσπίδα Ηγ15. 1119 ᵃ30. ε3. 1129 ᵇ21. 4. 1130 ᵃ18. ῥιπτεῖν τὰ σκέλη, syn δρομικὸς Ρα5. 1361 ᵇ25. (ῥιπτεῖν et ῥιπτεῖν ab Ar sine discrimine videntur usurpari, et usitatius quidem ῥιπτεῖν.)

ῥιπτιζόμενον τὸ πῦρ πα55. 866 ᵃ18.

ῥίς. (μυκτήρα· οἱ μὲν ἀξιῦσιν ὕτως ὅλην τὴν ῥῖνα λέγεσθαι, οἱ δὲ μόνον τὴν ῥῖνα, μυκτῆρα δὲ τὰ ἑκατέρωθεν τρήματα Bk Anecd 108, 19. cf Gal XIV 702. ita ubivis Hippocr severe distinguit, rarius Ar; saepe ῥίς et μυκτὴρ syn.) ἀνθρώπῳ ῥίς refertur inter τὰ μόρια ταῦτα εἴδει Ζια1. 486 ᵃ17. προσώπῳ μέρος τὸ μὲν ὂν τῷ πνεύματι πόρος ῥίς· αἱ ῥῖνες ἔχωσιν εἴσω εἰς τὸν φάρυγγα πόρον τινὰ κὲ εἰς τὸν ἔξω ἀέρα· οἱ περὶ τὴν κεφαλὴν κὲ τὴν ῥῖνα πόροι Ζιa11.

492 b5. x5. 637 a28. π54. 897 a34, b6. cf οἱ ὀχετοὶ τῆς ῥινός Plat Tim 78 C, cf 79 E. — μετὰ τὴν ῥῖνα χεῖλη δύο· ὁ μὲν (κανθὸς) πρὸς τῇ ῥινί· αἱ ὀφρύες πρὸς τὴν ῥῖνα τὴν καμπυλότητ' ἔχυσαι· οἱ τὰς ὀφρῦς κατεσπασμένοι πρὸς τῆς ῥινός· οἱ ἐπὶ τῆς κεφαλῆς προσπεφυκυίας ἔχοντες τὰς 5 τρίχας ἐπὶ τῷ μετώπῳ κατὰ τὴν ῥῖνα ἀνελεύθεροι Ζιε11. 492 b25. 9. 491 b23 (Galen XIV 702), 16 (Antig Caryst p 173 Beckm). φ6. 812 b27, 37. — ἀναπνεῖ κ ἐκπνεῖ ταύτη Ζια11. 492 b6. αἱ ῥῖνες κ αἱ ἀκοαὶ λαμβάνουσί τινας ἀπορ- ροίας κατὰ τὰς οἰκείας δυνάμεις πζ7. 887 a19. ἡ αἱμορ- 10 ροῖς ἡ ἐν ταῖς ῥισίν, ἐκ ῥινῶν ῥύσις Ζιγ19. 521 a19, 30. Ζγα19. 727 a13. διὰ τί οἱ κωφοὶ πάντες διὰ τῶν ῥινῶν φθέγγονται· οἱ ἐνεοὶ λαλῦσι διὰ τῶν ῥινῶν· ἔστιν ἡ διὰ τῶν ῥινῶν διάλεκτος γινομένη, ὅταν τὸ ἄνω τῆς ῥινὸς εἰς τὸν ὐρανόν, ἢ συντέτρηται, κοῖλον γένηται πια2. 899 a4, 2. 4. 15 899 a15, 18 (Galen VIII 272). λγ14. 963 a1 (Galen XVI 204). τὸ θερμὸν ἀνακλᾶται ἐπὶ τὰς ῥῖνας· παρὰ φύσιν τῆς ἐκτὸς κλάσεως φορᾶς γινομένης ἐπὶ τὰς ῥῖνας τῷ πνεύ- ματι· ὅταν ἐνταῦθα προϊῶνται, ἐντεῦθεν σπῶσι τῷ πνεύματι οἷον αἱ ῥῖνες, κ αἱ ὑστέραι τὸ σπέρμα πι54. 897 b6, 8. 20 Ζιχ2. 634 b35 (Rose libr ord 172). ὁ ὀφθαλμὸς τριφθεὶς πλείω λαμβάνει θερμότητα τῆς ἐν τῇ ῥινί πλα1. 957 b3. λγ8. 962 a30, cf 2. 961 b30. ὁ πταρμὸς διὰ ταύτης γί- νεται, κἄν τις αὐτὴν τὴν ῥῖνα τρίψῃ παύεται ὁ πταρμός· τὸ περὶ τὸν πταρνύμενον τόπον εἶναι τῆς ῥινὸς κοινωνίαν τῷ 25 πνεύμονι δηλοῖ ἡ ἀναπνοὴ κοινὴ ὖσα· διὰ τί πτερῷ τὰς ῥῖνας κνήσαντες πτάρνυνται Ζια11. 492 b7. πλα1. 957 b3. λγ8. 962 a30. 1. 961 b17. λε8. 965 a25. τὰ δίποδα (ἔμ- βρυα) συγκεκαμμένα, ῥῖνα μὲν μετὰ τῶν γονάτων (ἔχει) Ζιη8. 586 b2. — ῥινὸς διαφοραὶ τί σημαίνωσιν φ6. 811 a28- 30 b4. τῇς παρεκβεβηκυία τὴν εὐθύτητα τὴν καλλίστην πρὸς τὸ γρυπὸν ἢ τὸ σιμὸν Πε9. 1309 b23. ῥὶς σιμὴ vel τὸ σιμόν, usitatum exemplum τῷ συνόλυ ἐξ ὕλης κ εἴδυς, cf σιμός. — Ἡράκλειτος εἴρηκεν (Heracl fr 26), ὡς εἰ πάντα τὰ ὄντα καπνὸς γένοιτο, ῥῖνες ἂν διαγνοῖεν αιδ. 443 a24. — 35 ἀλλ' ἥ γε ὄρνις ὥστε μηθὲν ἂν εἰπεῖν ἔχειν ῥμβ16. 659 b4, 13 (cf Ζιη8. 586 b2 et supra μυκτήρ p477 a17-23. F 284, 69. M 436). ἡ ὕαινα τὴν ὑποποιὸν χεῖρα προσέθηκε τῇ ῥινὶ (ἀνθρώπυ) f 330. 1533 b15. τῷ προστεθῆναι ταῖς ῥισὶν ἀπέρχεται τὸ δαιμόνιον θ166. 846 b25 Beckm. v μυκτήρ. 40 ῥίψ. ἐν ταῖς ῥιψὶν πιε6. 911 b4. πρὸς εὐθείαν προσπίπτυσι τὴν τῷ ῥιπὸς γραμμὴν πιε6. 911 b11 (Lob Par 114). ῥῖψις, def Φη2. 243 a20, 244 a21. cf θ5. 257 a3. ῥίψεως ταχυτής μα4. 342 a2, 6, 7. ποιεῖν ῥῖψιν μα4. 342 a21 (ῥί- ψιν Bk). μχ34. 858 a27. — ῥῖψις τῷ σπέρματος πλ1. 45 954 a1. ῥοά, ῥόα (Lob Prol 76). αἱ οἰνώδεις ῥοαὶ καλύμεναι πιθ43. 922 a9. ἔνια ἄνθος ἔχοντα ἄκαρπά ἐστιν, οἷον ῥόα πκ3. 923 a14. cf ῥοιά. ῥοάς. v l ῥοάδες ἰχθύες (ῥυάδες Bk) Ζιε11. 543 b14. 50 Ῥοδανός μα13. 351 a16, 18. ῥοδιακός. αἱ ῥοδιακαὶ χυτρίδες ἐκ τίνων σύγκεινται f 105. 106. 1494 b42, 36, 1495 a1. ῥόδινον μύρον πιγ11. 909 a4. ῥοδοδάκτυλος ἠὼς μᾶλλον ἢ φοινικοδάκτυλος Ργ2. 1405 55 b19. ῥόδον. ῥόδων ὀσμαί Ηγ13. 1118 a10. ῥόδων αἱ εὐωδίαι ποῖαι πιγ11. 909 a3. xη7. 950 a16. τῶν ῥόδων ὧν ὁ ὀμφαλὸς τραχύς, λεῖος v supra p 513 b55. τὸ ῥόδον φύσει ἀκανθῶ- δες πιβ8. 907 a22. τὰ τῶν ῥόδων φύλλα κατ' ἀρχὰς γί- 60 νεται λευκά χ5. 796 a22. (Rosae L sp var.)

Ῥοδόπη μα13. 350 b18.

Ῥόδος Πβ10. 1271 b37. σ973 a4. f 238. 1521 a36. περὶ Ῥόδον παραβαλόντος ναυτικὴ στόλῳ Ζγγ11. 763 a31. πῶς ἐν Ῥόδῳ ἡ δημοκρατία μετέβαλε Πε3. 1302 b23, 32. 5. 1304 b27. Τληπόλεμος κείμενος ἐν Ῥόδῳ f 596. 1576 a7. — Ῥόδιοι. Ῥοδίων πολιτεία f 528. Ῥόδιοι οἱ μετὰ Τλη- πόλεμ θ107. 840 a23. Ἀριστοτέλης Ῥόδιος, Μέμνων Ρ., Ἀντιμένης Ρ. οβ1348 a35, 1351 b1, 1352 b26.

ῥοή. ῥοαί τε κ δῖναι x4. 396 a23.

ῥόθιος. πνεῦμα ἐνειλύμενον ἐν τῇ γῇ ὅταν κόπτηται μετὰ ῥόθιν βίας x4. 396 a14.

ῥοιά, cf ῥοά. 1. arbor. ῥοιαί (Hom η115) x6. 401 a7. τῆς ῥοιᾶς ὁ καρπὸς κατ' ἀρχὰς γίνεται λευκός χ5. 796 a21. αἱ ῥοιαὶ πῶς βελτίωνται φτα7. 821 a36. cf Bsm prob ined p 326, 28. (Punica granatum L Fraas 79. Langkavel 19. hodie ἡ ῥοϊδιά Heldreich 64.) — 2. fructus. τῶν ῥοιῶν οἱ χυλοὶ φτα5. 820 a31, 39. ἐκ ῥοιᾶς ὀξυτόος καλὰ δένδρα προβαίνυσιν φτα6. 821 a5. ῥοιαὶ κ μῆλα τιθέμενα εἰς χύτρας πκ9. 923 b25. (hodie τὰ ῥοΐδια.)

ῥοιζεῖν. οἱ κτένες ῥοιζῶσιν Ζιθ9. 535 b27.

ῥοῖζος. ῥοίζον κ πολὺν ἦχον ἀφιᾶσι κ ψόφον (οἱ ἀνδριάντες ῥινύμενοι) ακ802 a39. πολλῷ ῥοίζῳ φερόμενον τὸν κλύδωνα προσβάλλειν θ130. 843 a3.

ῥοικός. τὸ ῥοικὸν καμπυλότης ἐν τῷ σκέλει τι31. 181 b38, cf ῥαιβός.

ῥόμβος. ὅσῳ ἂν ὀξύτερος γένηται ὁ ῥόμβος μχ23. 854 b16, 855 a5.

ῥόπαλον. Πειθόλαος τὴν πάραλον ῥόπαλον τῷ δήμυ ἐκάλει Ργ10. 1411 a13.

ῥοπή. 1. inclinatio deorsum. βάρος τό τε ὁποσηνῦν ἔχον ῥο- πὴν κ τὸ ἔχον ὑπεροχὴν ῥοπῆς Μι1. 1052 b29. μεῖζον γί- νεσθαι τὸ μέγεθος τῆς ῥοπῆς ὑπὸ τὸ αὐτὸ βάρος μχ1. 849 b33. ἔχειν ῥοπὴν μέχρι τῷ μέσῳ Οβ14. 297 a28, b7. θάτ- τονος τυγχάνειν φορᾶς τῆς οἰκείας ῥοπῆς Οβ1. 284 a25. inde transfertur, προστιθέμενον (τὸ μέσον ἐν τῇ πολιτείᾳ πρὸς θάτερον μέρος) ποιεῖ βαρὺ κ κωλύει γίνεσθαι τὰς ἐναντίας ὑπερβολὰς Πδ11. 1295 a38. cf similia μικρὰ ἐνίοτε ῥοπὴ αἰτία γίνεται Ζγδ2. 767 a12. εὔσημον ποιεῖν τὴν ῥοπήν, μικρᾶς δεῖσθαι ῥοπῆς, μικρᾶς εἶναι ῥοπῆς πκς26. 942 b38. α17. 861 a31. αν15. 478 a16. 9. 474 b31. ὐ ποιεῖ ῥοπὴν τῆς ζωῆς Ηα11. 1100 b25. ποιεῖ τὴν ῥοπὴν τῷ βέλεσθαι ηεη12. 1246 a19. — id quod facit inclinationem deorsum, i e βάρος μχ2. 850 a13, 15 (coll a18) cf 847 a22. vis gra- vitatis, διὰ τὴν ῥοπὴν παύεται φερόμενα, ἐὰν κρείττων ᾖ τῆς ἰσχύος τῆς ῥιψάσης μχ32. 858 a15 (cf ῥέπειν μχ33. 855 a21). — 2. universe insita alicui rei vis movendi. ταῖς ἐνεργείαις (int τῷ βαρέος κ τῷ κύφυ) ὀνόματα ὐ κεῖται, πλὴν εἴ τις οἴοιτο τὴν ῥοπὴν εἶναι τοιῦτον Οδ1. 307 b33. ῥοπὴν ἔχειν βάρος κ κυφότητος Ογ2. 301 a22, 24. 6. 305 a25. Φδ8. 216 a13. ἅπαντα δεῖται τῆς ἐναντίας ῥοπῆς, ἵνα τυγχάνῃ τῷ μετρίυ Ζμβ7. 652 b17. ὑπὸ μιᾶς ῥοπῆς ὀτρυνομένων ἁπάντων x6. 399 b11. — inde trans- fertur, διὰ τὸ ῥοπὴν ἔχειν (vergere) τὴν γωνίαν τὴν τῷ μεί- ζονος κύκλυ πρὸς τὴν τῷ ἐλάττονος μχ8. 851 b38. cf νεύειν. — 3. metaph i q δύναμις. ἔχει τι μεγάλην ῥοπὴν πρὸς τὸν βίον, πρὸς τὴν ἀρετὴν Ηα1. 1094 a23. 7. 1098 b6. Οβ1. 284 a1. p9. 1429 b5. ἔχειν βρῖθος κ ῥοπὴν πρὸς τὸν βίον Ηα11. 1101 a29. ῥοπὴν ἔχειν κ δύναμιν πρὸς ἀρε- τὴν Ηx1. 1172 a23.

ῥῦς. πυκινὸν ῥόον (Emped 356) αν7. 473 b22. — ῥῦς, def πκγ5. 932 a10. ὅτε ἀπὸ τῆς Ἀσίας ἤονα ποιήσειεν ὁ ῥῦς, τὸ ὄπισθεν λίμνη ἐγίγνετο μα14. 353 a10. — medic, νενοσηκὸς τᾶτο τὸ αἷμα (τὸ τῶν καταμηνίων) καλεῖται ῥᾶς Ζιγ19. 521 a28.

ροφεῖν. τὸ τελευταῖον ῥοφήσασα (ἡ Χάρυβδις) ξηρὰν ποιήσει πάμπαν μβ3. 356 b15.

ρόφημα. τὸ ρόφημα ἐν αὑτῷ σῶμα ἔχει πκθ9. 936 b34. ποῖα δεῖ ῥοφήματα προσφέρεσθαι τὸν πυρέττοντα πα37. 863 b6. cf 50. 865 a38.

ρόφησις. ἕψεσθαι πρὸς ῥόφησιν, dist πρὸς ἐδωδήν μδ3. 381 a2.

ροώδης. ἐν ῥοώδεσι (πετρώδεσι ci Gesn) ὶ βαθέσι τόποις (τόποις om Pik) Ζυ37. 621 a16 ('videntur τόποι ῥοώδεις loci esse fluviis irrigui, quos exemplo Celsi, qui πυρετὸς ῥοώδεις ita fuit interpretatus, licebit fluentes dicere' S Theophr IV 207). ὅπη ἡ θάλαττα ῥοώδης ἢ ἡ χώρα σομφὴ ὶ ὕπαντρος μβ8. 366 a25.

ρύαξ. ὁ ἐν τῇ Αἴτνῃ ῥύαξ θ38. 833 a17 (cf Humboldt Kosmos I 451). — ὁ δελφὶς ὐκ ἔχει ὥσπερ τὰ τετράποδα ἐπιφανεῖς θηλάς, ἀλλ' οἷον ῥύακας δύο, ἐξ ὧν τὸ γάλα ῥεῖ Ζιβ13. 504 b24 Aub.

ρυάς. τᾶ σώματος ῥυάδος (v l ῥυάδης) ὶ μανᾶ γενομένα Ζυγ5. 668 b7 Langk. θρὶξ ῥυάς (v l φυάδα) πι63. 898 a32, 33, 36. v θρὶξ p 334 b10. — οἱ ῥυάδες ἰχθύες (v l ῥοάδες, ῥυαλῶν), ὀσφραίνονται ταχύ, τᾶ θέρους τίκτωσι Ζιδ8. 534 a27, 29. ε11. 543 b14. ζ17. 570 b11. οἱ πλεῖστοι τῶν ῥυάδων εἰς τὸν Πόντον ἐμβάλλωσι τᾶ ἔαρος ὶ θερίζωσι, πότε κομίζωνται ὶ ἡσυχάζωσι Ζιδ13. 598 a28, b22 Aub. captura Ζιδ8. 534 b3. θ13. 598 b29. ῥυάδες, dist ἀγελαῖοι Ζιθ13. 598 a28. cf M 287. (reuzi Alberto, rhyades Thomae, solitariorum genus vel fusaneum genus Gazae, sparsi vel palantes Scalig. cf Gesn de aquatil 258 et 1058. 'pisces migratorii, praecipue ii qui quotannis in Pontum gregatim immigrabant' S I 470, II 435. hist lit pisc 89.

ρύβδην. ἐὰν ἐκπετασθῶσιν οἱ κηφῆνες, προσφέρονται ῥύβδην ἄνω πρὸς τὸν ὐρανόν Ζυ40. 624 a24 Aub.

ρύγχος. a. avium. refertur inter τὰ σκληρὰ ὶ γεώδη τὴν μορφήν, σύνεγγυς κατὰ τὴν ἀφὴν ὀστοῖς Ζγβ6. 743 a15, cf 745 a1. Ζμβ9. 655 b4. cf Ζιγ9. 517 a8. οἱ ὄρνιθες ἔχωσιν ἐν τῇ κεφαλῇ περιττήν ὶ ἴδιον τὴν τᾶ ῥύγχᾶς φύσιν, τᾶτο ἀντὶ χειλῶν ὶ ὀδόντων, ἀντὶ σιαγόνων, τοῖς ὄρνισιν ἐστι τὸ καλούμενον ῥύγχος στόμα Ζμβ12. 692 b16, 18. γ1. 662 a34. β16. 659 b6. Ζιβ12. 504 a21. — τὸ ῥύγχος τῶν ὀρνίθων. ῥύγχος ὀρνιθῶδες, ῥύγχει σκληρότης ἢ μέγεθος Ζμβ9. 655 b4. 16. 659 b26. δ12. 694 a25. στενὸν διὰ τὴν μικρότητα τῆς κεφαλῆς· ὀστῶδες, ὄστινον, ὅπως ἢ χρήσιμον πρός τε τὴν ἀλκὴν ὶ διὰ τὴν τροφήν Ζμβ16. 659 b11, 23–26, 10, 22. δ12. 692 b18. ἐν τῷ ῥύγχει οἱ πόροι τῆς ὀσφρήσεως, τὰ ἄκρα τᾶ ῥύγχᾶς Ζιβ12. 504 a22. Ζμβ 16. 659 b12. γ1. 662 b15. — οιαφέρει τὰ ῥύγχη κατὰ τὰς χρήσεις ὶ τὰς βοηθείας ὶ τᾶς βίᾶς Ζμγ1. 662 a35. δ12. 693 a11. μεγάλα ὶ σκληρά, ἰσχυρὸν ὶ σκληρόν θ79. 836 a9. Ζμγ1. 662 b7. μακρὸν Ζια1. 486 b10. ι24. 617 b25. Ζμδ12. 693 a18. βραχύ Ζια1. 486 b10. μακρὸν ὶ λεπτόν Ζιι14. 616 a18. 21. 617 a27 cf v l. πλατὺ ὶ μακρόν Ζιθ3. 593 b3. πλατύ, εὐθύ Ζμγ1. 662 b12. δ12. 693 a15, 11, 12. γαμψόν, γλαφυρόν, τὰ ἄκρα τᾶ ῥύγχᾶς κεχαραγμένα (cf τὸ ῥύγχος οἷον ὁρμιὰ ὶ τὸ ἄγκιστρον), τὸ ἄνω γαμψόμενον Ζμγ1. 662 b2, 8, 15. δ12. 693 a12, 23. Ζυ32. 619 a17. ὀξύ f 275. 1527 b18. ἄλλον τρόπον χρήσιμον Ζμγ1. 662 b11. v l χαλεπόν Ζυ21. 617 a27. — τοῖς δέρμασι συνακολαθεῖ (ἡ τᾶ ῥύγχᾶς χρόα) χ 6. 797 b20. cf

Ζιγ9. 517 a13. ὑπόχλωρον, φοινικῦν, ἠργμένον ἐκ τῆς κεφαλῆς φοινικὸν Ζιι14. 616 a18. 19. 617 a17. f 272. 1527 a38. — μείζω γίνονται ὶ τὰ ῥύγχη τῶν ὀρνίθων γηρασκόντων, γηράσκωσι τοῖς ἀετοῖς τὸ ῥύγχος αὐξάνεται τὸ ἄνω γαμψύμενον ἀεὶ μᾶλλον Ζιγ11. 518 b34. ι32. 619 a17 (cf ὁ Ἀρ. φησὶ τῷ ἀετῷ γηράσκοντι τὸ ῥύγχος αὐανεσθαι ὶ γαμψῦσθαι Antig Caryst p 92 Beckm). ἡ τοῖς ῥύγχεσι πρὸς ἄλληλα κοινωνία Ζγγ6. 756 b20, v supra κόραξ p 404 b2. τοῖς ῥύγχεσι τιτρώσκειν, ἐξέλκειν θ79. 836 a14. 7. 831 a13. — b. τῶν τετραπόδων ὶ ζωοτόκων ὅσα μὲν ἔχει προμήκεις εἰς στενὸν ἀπηγμένας τὰς σιαγόνας τὸ καλούμενον ῥύγχος Ζμβ16. 658 b30. ῥιζοφάγον μάλιστα ὶ ὗς τῶν ζώων διὰ τὸ πεφυκέναι τὸ ῥύγχος πρὸς τὴν ἐργασίαν ταύτην Ζιθ6. 595 a18. ὁ δελφὶς ὑπερέχων τὸ ῥύγχος Ζιζ12. 566 b15. θ2. 589 b11. — c. ὁ ὄφις ὁ θαλάττιος εἰς τὴν ἄμμον καταδύεται ταχὺ τῷ ῥύγχει διατρυπήσας Ζιι37. 621 a5. — d. piscium. (ἔνια) περιφερῆ ὶ λεπτὴν ἔχοντα τὴν τῦ ῥύγχεος φύσιν Ζμδ13. 696 b33. (ὁ ξιφίας ἔχει) τῦ ῥύγχεος τὸ μὲν ὑποκάτω μικρόν, τὸ δὲ καθύπερθεν ὀστῶδες μέγα, ἴσον τῷ ὅλῳ αὐτῦ μεγέθει f 306. 1530 a18.

ρυθμίζειν. τὸ σχηματιζόμενον ὶ ῥυθμιζόμενον Φχ3. 245 b9. cf Ογ8. 306 b18. πν9. 485 b2. ἐν ὅσοι τετραχόρδοις ῥυθμίζεται τὰ (τῦ ὐρανῦ) μέρη f 43. 1483 a9. — ὐ χρῶνται τοῖς ἐναντίοις, ἐὰν μὴ ῥυθμίσῃ τις (i e eorum sententias in iustam formam redegerit) Μλ10. 1075 b12 Bz.

ρυθμός, dist ἁρμονία, μέλος, μέτρον πο1. 1447 a22, 23, b25. 6. 1449 b29. τῷ ῥυθμῷ μιμεῖται χωρὶς ἁρμονίας ὶ ὀρχηστικὴ πο1. 1447 a26. vocis distinguitur μέγεθος ἁρμονία ῥυθμός Ργ1. 1403 b31. πᾶς ῥυθμὸς ὡρισμένη μετρεῖται κινήσει πε16. 882 b2. ὁ τῦ σχήματος τῆς λέξεως ἀριθμὸς ῥυθμός ἐστιν Ργ8. 1408 b29. τίνες ῥυθμοὶ ποιῆσι τὴν λέξιν εὔρυθμον Ργ8. 1409 a23. τὸ ὑποκείμενον ἐν ῥυθμοῖς βάσις ἢ συλλαβή Μυ1. 1087 b36. Πβ5. 1263 b35. τὰ μέτρα μόρια τῶν ῥυθμῶν ἐστι πο4. 1448 b21. διὰ τί τοῖς ῥυθμοῖς χαίρομεν πιθ38. 920 b29, 33. κατὰ φύσιν ὁ ῥυθμός πο4. 1448 b21. οἱ ῥυθμοὶ ὁμοιώματα τῶν ἠθῶν πιθ29. 920 a3. Πθ5. 1340 a19. ποῖον ἑκάστῳ τῶν ῥυθμῶν ἦθος (veluti dactyli, iambi al) distinguitur Ργ8. 1408 b32sqq. Πθ5. 1340 b8. τίσι ῥυθμοῖς χρηστέον Πθ7. οἱ πολλοὶ ἄδοντες μᾶλλον σώζωσι τὸν ῥυθμὸν ἢ οἱ ὀλίγοι πιθ22. 919 a36. 45. 922 a31. ἐν τῷ βαρυτέρῳ (ἢ βραχυτέρῳ) ῥυθμῷ πληρμελῦντες κατάδηλοι μᾶλλον πιθ21. 919 a31. — ἀναθήματα ὁμοίως ἔχοντα τᾶς ῥυθμᾶς τῶν γραμμάτων θ133. 843 b24. θόλοι περισσοῖς τοῖς ῥυθμοῖς κατεξεσμένοι θ100. 838 b14 ῥυθμῷ διαφέρειν (Democr) ξ2. 975 b29 (cf ῥυσμός). ἡ φύσις ἅμα τοῖς αἰσθητοῖς πάθεσι τὸν ῥυθμὸν ἀποδίδωσι πν9. 485 b9.

ρύμη. ὅπως μήτε κώπης μήτε τῆς ῥύμης τῆς ἁλιάδος ἀφίκηται ὁ ψόφος Ζιθ8. 533 b19. ὁ ἄνθρωπος τὺς πόρυς εὑρεῖς ἔχει, δι' ὧν τὸ πνεῦμα ὶ ἡ ῥύμη εἰσέρχεται πλγ10. 962 b10.

ρύμμα. ὕδωρ ἢ τιν νιτρῶδες, ὥστε τὰ ἱμάτια ῥυπὰ ἑτέρας ῥύμματος προσδεῖσθαι θ53. 834 a32. cf Antig Caryst ed Beckm 215.

ρυπαίνωσι τὸ μακάριον Ηα9. 1099 b2 (cf λυμαίνεσθαι a11. 1100 b28). μεταφέρεσθαι ῥυπαινόντων Ργ2. 1405 a25.

ρυπαρός. βίος ὀλυλοπρεπὴς ὶ ῥυπαρός αρ7. 1251 b13.

ρύπος. ὁ ἐν τοῖς ὠσὶ ῥύπος πικρός, γλυκύς πλβ4. 960 b18. 228. 1519 a40. 264. 1526 a38.

ρύπτειν. πικρὰ ὅτως ἡ λίμνη ὶ ἁλμυρά, ὥστε τὰ ἱμάτια ῥύπτειν μβ3. 359 a22. πλύνει τὸ γλυκύ, ῥύπτει τὸ πικρόν πκγ40. 935 b35.

ῥυπτικός. πλυντικὸν ἢ ῥυπτικὸν ἔγχυμα ξηρότητος αι5. 443
ᵃ1. cf πγ17. 873 ᵇ1. ια39. 903 ᵇ29. κγ40. 935 ᵇ37.

ῥύσις. ἀνωτέρω δεῖ τὴν πηγὴν εἶναι τῆς ῥύσεως· εἰς τὸ κοι-
λότατον ἡ ῥύσις μβ1. 353 ᵇ27. 2. 355 ᵇ17. εἴσω γίγνεται
πάλιν ἡ ῥύσις, ὥσπερ ἄμπωτις μβ8. 366 ᵃ19. ἡ τῶν φλε- 5
βῶν ῥύσις διὰ παντὸς τῷ σώματος Ζμγ5. 668 ᵃ11. β1.
647 ᵇ3. ἡ τῶν καταμηνίων ῥύσις, ῥύσις αἵματος Ζγα19.
727 ᵃ21. δ1. 764 ᵃ5. Ζιζ18. 573 ᵃ10. f 499. 1559 ᵃ35.
γίγνεται ἐκ τῶν ῥινῶν ῥύσις αἵματος Ζγα19. 727 ᵃ13.
Ζιγ19. 521 ᵃ30. πι2. 891 ᵃ16. προΐεσθαι αἵματος ῥύσιν 10
Ζιζ18. 573 ᵃ10. πι2. 891 ᵃ16. — ἔστι πνεῦμα ῥύσις συν-
εχὴς ἐπὶ μῆκος ἀέρος μδ9. 387 ᵃ29. ἡ φωνὴ ῥύσις τίς ἐστι
πια45. 904 ᵃ23. ὁ στηριγμός ἐστι χωρὶς φορὰς προμήκης
ἔκτασις ἢ οἷον ἄστρῳ ῥύσις (ῥῦσις Bk) κ4. 395 ᵇ8.

ῥυσμός, vocabulum Democriteum (cf Democr ed Mullach 15
p 132-135), i q σχῆμα ΜΑ4. 985 ᵇ16 Bz. η2. 1042 ᵇ14.
ψα2. 404 ᵃ7 Trdlg.

ῥυσός. δέρμα ῥυσὸν πκδ10. 937 ᵃ10, 2, τῶν ὀμμάτων (coni
σκληρόδερμα) πλα14. 958 ᵇ32.

ῥυσῶν. συμπιπτόντων (τῶν ὄγκων) ῥυσᾶται τὸ πέριξ δέρμα 20
πκδ10. 937 ᵃ9.

ῥυτιδῶν. τὸ θερμὸν ὕδωρ ὑτιδοῖ πκδ7. 936 ᵇ10. ὥσπερ τὸ
ἄλλο δέρμα, ἢ τὸ τῷ ὄμματος ῥυτιδῶται γηράσκωσιν Ζγε1.
780 ᵃ32, 30. ἐὰν ἀπὸ τῆς γνάθω τὸ δέρμα ἐφελκόμενον
πολὺν χρόνον μένῃ ἐρρυτιδωμένον, παλαιὸν τὸ ζῷον Ζιζ25. 25
578 ᵃ9.

ῥυτιδώδης. μέτωπον ῥυτιδῶδες, opp λεῖον· τὰ ῥυτιδώδη τῶν
προσώπων φ3. 807 ᵇ4, 808 ᵃ8. κάτωθεν τῶν μυκτήρων ἔγ-
κοιλον γίνεται ἢ ῥυτιδῶδες Ζιθ24. 604 ᵃ28.

ῥυτίς. ἡ κάμψις (τῷ δέρματος) ῥυτίς ἐστιν πκδ7. 936 ᵇ12.
ῥυτός. ὕδατα ῥυτά, opp στάσιμα μβ1. 353 ᵇ19.
ῥυώδης v l (ῥυάς Bk) Ζμγ5. 668 ᵇ7.
ῥωγμή. ἀκρίδες ἐκτίκτωσιν ἐν ῥωγμαῖς Ζιε28. 556 ᵃ5. δρυο-
κολάπτης ἀμύγδαλον εἰς ῥωγμὴν ξύλῳ ἐνθεὶς διέκοψε Ζιθ.
614 ᵇ15.
ῥωμαλέοι ὗμοι φ5. 809 ᵇ27.
ῥωμαλεῶν. τὰ θήλεα τῶν ἀρρένων ἧττον ῥωμαλεώμενα φ5.
809 ᵃ32.
ῥώμη. ὀκ ἔτι γίγνεται τῷ κάπρῳ ἐπίδοσις ὀδὲ ῥώμη Ζιε14.
546 ᵃ9.
Ῥώμη. ἐν τῇ Ῥώμῃ φτα7. 821 ᵇ7 (cf Nic Damasc p 103).
ἀλῶναι Ῥώμην ὑπὸ Κελτῶν δῆλός ἐστιν ἀκηκοὼς Ἀριστο-
τέλης f 568. 1571 ᵇ16.
ῥώννυσθαι. Νέστωρ εἰκότως ἔρρωται τῷ γήρᾳ, opp ἐκλελυ-
μένος τῷ σώματι f 172. 1506 ᵇ26. ὗτος ἔρρωται τῷ σώ-
ματι, ἐγὼ δ᾽ ἀρρωστῶν τυγχάνω ρ25. 1435 ᵃ25. μάλιστα
ἐρρώμεθα πρὸς τὸ μηδαμῇ μηδὲν εἶξαι φ5. 809 ᵃ36. ἔρρωσο
ρ1. 1421 ᵇ6. ἐρρωμένος τράχηλος φ3. 807 ᵃ36. φωνὴ ἐρρω-
μένη, opp ἀνειμένη ἢ ἀσθενής φ2. 807 ᵃ23, 24. ἐνύπνια
ἐρρωμένα, opp τεταραγμένα εν3. 461 ᵃ22, 27. — ἐρρω-
μένως τὰς ἐν τοῖς γυμνασίοις ὑπομένων πόνως ρ36. 1441
ᵃ35.
ῥῶπος ναυτικός θ135. 844 ᵃ19.
Ῥωσίων σκόπελος σ973 ᵇ3. f 238. 1521 ᵇ22. τὰ Ῥώσια ὄρη
f 238. 1521 ᵇ12. σ973 ᵃ19 (cf Ταυρόσια).
Ῥωσός, Ῥωσσός. ἐν τῷ Ἰσσικῷ κόλπῳ ἢ περὶ Ῥωσσόν
σ973 ᵃ17. περὶ Ῥωσῶν f 238. 1521 ᵇ10.

Σ

σ. ἡμίφωνον τὸ μετὰ προσβολῆς ἔχον φωνὴν ἀκωστήν, οἷον τὸ 30
σ ἢ τὸ ρ πο20. 1456 ᵇ28. τὰ ὀνόματα ὅσα τελευτᾷ εἰς
τὸ σ ἢ ὅσα ἐκ τύτω σύγκειται πο21. 1458 ᵃ17, 9 Vhl.
cf σίγμα.

σαθέριον (v l σάθριον) refertur inter τὰ τετράποδα, ποιεῖται
τὴν τροφὴν περὶ λίμνας ἢ ποταμώς Ζιθ5. 594 ᵇ31 Aub. 35
(sathrium Thomae, satherium Gazae Scalig. zibellina Aug
Nipho. C II 465. Lutreola L Pallas spicileg zool XIV 42,
Schreber S I 607. St. Cr. K 874, 4. i q κάστωρ Su 55, 29.
cf ΑΖ Ι 70, 26.)

σαθρός. τῶν φωνῶν τίνες εἰσὶ σαθραὶ ἢ παρερρυηκυῖαι ακ804 40
ᵃ32.
σαθρῶς ἱδρυμένος τις Ηα11. 1100 ᵇ7.
σαίνειν. κύνες σαίνωσι τὰς ἀφικνωμένας ὥσπερ τὰς συνηθε-
στάτας θ109. 840 ᵇ5. — ἀληθῆ τὰ λεγόμενα ἢ σαίνει τὴν
ψυχήν Μν3. 1090 ᵃ37. 45
σαίρειν. πρόσωπον σεσηρός φ3. 808 ᵃ17.
σαλάκων, def νεβ3. 1221 ᵃ35. ημα27. 1192 ᵇ2, 3. σαλά-
κωνες, coni ἀπειρόκαλοι ηεγ6. 1233 ᵇ1, 6. coni σόλοικοι,
τρυφεροὶ Ρβ16. 1391 ᵃ4, 3.
σαλακωνεία ημα27. 1192 ᵃ37. 50
σαλαμάνδρα (Lob Par 212 adn). ἡ σαλαμάνδρα, ὥς φασί,
διὰ πυρὸς βαδίζωσα κατασβέννυσι τὸ πῦρ Ζιε 19. 552
ᵇ16. (salamandra Thomae Gazae Scalig. cf C II 737. Su
186, 19. ΑΖι Ι 119, 12. Μ 201, 313. Lewysohn Zool des
Talmud 228. Dietz Schol in Hippocr II 342.) 55
Σαλαμίς. Ὅμηρος μάρτυς περὶ Σαλαμῖνος Ρα15. 1375 ᵇ30.
Σόλων συνῆγε τὸν ὄχλον περὶ Σαλαμῖνος f 139. 1501 ᵇ34.

ἡ περὶ Σαλαμῖνα νίκη Πε4. 1304 ᵃ22. Ρβ22. 1396 ᵃ12. γ10.
1411 ᵃ32. πλ7. 956 ᵃ20. Ξανθίππη κύων ἱστορεῖται ἐμπε-
σεῖν εἰς τὴν Σαλαμῖνα f 360. 1539 ᵃ27. κατὰ τὰς αὐτὰς
χρόνως ἢ ἡ ἐν Σικελίᾳ Καρχηδονίων μάχη πο23. 1459 ᵃ25.
περὶ Ἀθήνας ἐν Σαλαμῖνι Ζιζ15. 569 ᵇ11. — ἐν Σαλα-
μῖνι τῆς Κύπρω f 596. 1575 ᵇ15. — Σαλαμίνιος. ἡ Σα-
λαμινίων νῆσος f 354. 1538 ᵃ13. — ἡ Σαλαμινία πρὸς
τί ἐπέμπετο f 403. 1543 ᵃ42, ᵇ13, 20.
σάλαξ, τὸ τῶν μεταλλέων κόσκινον f 247. 1523 ᵇ17.
Σάλαρος Πριηνεὺς Βίαντι ἐφιλονείκει f 65. 1486 ᵇ33.
σαλεύειν. intr, σαλεύει (ὁ Τάρταρος), syn κινεῖται ἄνω ἢ
κάτω μβ2. 356 ᵃ3. ᾗ μάλιστα ἐμπίπτει (τὸ τῷ καταβαί-
νοντος σῶμα) τῦτο παρέχει τὸν πόνον πε24. 883
ᵃ38. — pass, ἡ κνήμη σαλεύεται πε24. 883 ᵃ34. σαλευό-
μενον τῷ ξύλῳ τὸ ἄκρον κωλύει φέρειν μχ26. 857 ᵃ7. 27.
857 ᵃ26.
σάλευσις. (ξύλω ἄκρον) ἀντισπῶν τῇ σαλεύσει τὴν φοράν
μχ26. 857 ᵃ8. 27. 857 ᵃ24.
σάλπη (v l σάρπη Ζιθ8. 534 ᵃ9. θ13. 598 ᵃ20. ι37. 621 ᵇ7,
οἱ σάλποι Ζιθ8. 534 ᵃ16, σάλπιγξ Ζιε9. 543 ᵃ8). refertur
inter τὰ πολυράβδα ἢ ἐρυθρόγραμμα f 278. 1528 ᵃ4. 309.
1531 ᵃ2, τὰς μάλιστα ὀξυνκώς τῶν ἰχθύων Ζιθ8. 534 ᵃ9.
ἡ σαρκοφάγων, καρχαρόδως ἢ μονήρης ἐστὶν Ζιθ7. 621 ᵇ7.
f 309. 1531 ᵃ3. γίνονται ἐν ταῖς λιμνοθαλάτταις Ζιθ13. 598
ᵃ20. τίκτει τῷ θέρως ἀρχομένω ἐν τοῖς πλείστοις, ἐνιαχῇ δὲ
μετοπώρω· μετοπώρω ἅπαξ Ζιζ17. 570 ᵇ17. ε9. 543 ᵃ8.
11. 543 ᵇ8. f 309. 1531 ᵃ1. δελεάζεται κόπρῳ, τρέφεται
τῇ κόπρῳ ἢ φυκίοις, βόσκεται δὲ ἢ τὸ πράσιον, θηρεύεται

δὲ ᾧ κολοκύνθη μόνη τῶν ἰχθύων Ζιδ 8. 534 ᵃ16. θ2. 591. ᵃ15. f 309. 1531 ᵃ4. (salpa Thomae Gazae Scalig, keleka et celeti Alberto. saupe C II 746. cf R de pisc V 23. S I 576 et hist lit pisc 94, 95. Rose Ar Ps 314. Scomber St. Sparus salpa Cr. K 603, 1. Box salpa Cuv VI 364. AZι I 138, 55. hodie σάλπα E 88, 50. Ritter Erdkunde XIX 1193.)

σάλπιγξ. φωνὴ σύριγγος ᾗ σάλπιγγος Ζιβ1. 501 ᵃ33. τῆς σάλπιγγος φωνὴ πῶς γίνεται σκληροτέρα ακ803 ᵃ24. ὁ ἐλέφας φωνεῖ μετὰ τῦ μυκτῆρος ὅμοιον σάλπιγγι τετραχυ- σμένη Ζιθ 9. 536 ᵇ23. ἐπειδὰν ἡ σάλπιγξ σημήνῃ τῷ στρατοπέδῳ κ6. 399 ᵇ2. — τὸ φάναι τὴν σάλπιγγα εἶναι μέλος ἄλυρον Ργ6. 1408 ᵃ9.

σαμαγόρειος οἶνος f 104. 1494 ᵇ31.

σαμβύκαι, ὄργανα μυσικά Πθ6. 1341 ᵇ1.

Σαμοθράκη ἐκαλεῖτο πρότερον Λευκωσία f 538. 1567 ᵃ35, 38, 40. — Σαμοθρᾴκων πολιτεία f 538.

Σάμος οβ1350 ᵇ4. ἐπιφανὴς πρὸς τῇ Καρίᾳ νῆσος f 529. 1565 ᵇ41. ἔργα Πολυκράτεια Πε11. 1313 ᵇ24. ἡ Σάμυ κληρυχία Ρβ6. 1384 ᵇ32. Αἰσώπη ἐν Σάμῳ λόγος Ρβ20. 1393 ᵇ23. λευκὴ χελιδὼν ἐν Σάμῳ f 531. 1566 ᵇ14. — Σάμιοι Πγ13. 1284 ᵃ39. ε3. 1303 ᵃ36. οβ1347 ᵇ16, 19. Ρβ20. 1393 ᵇ32. ἡ Περικλέους εἰκὼν εἰς Σαμίυς Ργ4. 1407 ᵃ1. Σαμίων πολιτεία f 529-537. οἱ Σάμιοι καταπονηθέντες ὑπὸ τῶν τυράννων f 537. 1567 ᵃ27. Σάμιος Ἀγκαῖος, Μαν- δρόβυλος f 530. 1566 ᵃ43. 532. 1566 ᵇ26.

σανδαράκη. 1. refertur inter τὰ ὀρυκτά μγ6. 378 ᵃ23. ὑπὸ φαρμάκυ διαφθείρεται ᾗ ἵππος ᾗ πᾶν ὑποζύγιον σανδαράκης Ζιθ24. 604 ᵇ29 Aub. h v om Thom Albert, 'quam sandaracam intelligi voluerit Ar, dubium est' S I 667. — 2. ἄλλη τροφὴ μελιττῶν, ἣν ὀνομάζυσί τινες σανδαράκην Ζια0. 626 ᵃ7 Aub et Beckm ad θ p 42.

σανίς. τὰ κεράμια τιθέασιν εἰς σανίδας θ22. 832 ᵃ9.

σάξις (cf σάττειν, συσσάττειν) πκε8. 938 ᵇ29. κα14. 928 ᵇ34.

σαπερδίς (v l ὁ) refertur inter τὺς ποταμίυς ᾗ λιμναίυς τῶν ἰχθύων, κύων ἀγαθὸς Ζιθ30. 608 ᵃ2. cf Bsm probl ined p 330, 13. (saperdis Thom Gazae Scalig. i q κορακῖνος Gesner de aquat v coracino. cf C II 743. S I 692. fort Acipenser huso St. Cr. K 930, 3. in incert rel AZι I 138 56.)

σαπρός. πῦρ ὃ γίνεται σαπρὸν μκ5. 466 ᵃ25. τοῖς πικροῖς χυμοῖς τὰς σαπρὰς ὀσμὰς ἄν τις ἀνάλογον εἴποι· ὥσπερ ἐκεῖνα δυσκατάποτα, ὕτω τὰ σαπρὰ δυσανάπνευστά ἐστιν αισ. 443 ᵇ11. τὸ σαπρὸν ἁλμυρὸν πικρὸν πλβ4. 960 ᵇ19. 45 τὰ σαπρὰ τῶν περικαρπίων πλβ5. 930 ᵇ5. ὁ ἰχθὺς σαπρὸς πλβ11. 960 ᵇ19. οἱ εὐνῦχοι ἑλκώδεις τὰς κνήμας ἴσχυσι ᾧ σαπρὰς πι42. 895 ᵃ32. πνεύμων σαπρός Ζιθ23. 604 ᵃ21. ἡ μέλιττα πρὸς ὐδὲν προσιζάνει σαπρόν, ἀλλὰ πρὸς τὰ γλυκέα Ζιθ8. 535 ᵃ3. σαπρῷ δελέατι δελεάζειν Ζιθ8. 534 50 ᵇ3. ἐν σαπρῷ ζῷα ἐγγίγνεται μδ11. 389 ᵇ5.

σαπρότης ᾗ πέψις ἐναντίον Ζγδ8. 777 ᵃ11. τῇ ἁπλῇ γενέσει ἐναντίον μάλιστα κοινὸν σῆψις· πᾶσα γὰρ ἡ κατὰ φύσιν φθορὰ εἰς τῦθ' ὁδός ἐστιν, οἷον γῆρας ᾗ αὔανσις· τέλος δὲ τῶν ἄλλων ἁπάντων σαπρότης μδ1. 379 ᵃ6. ὁ δὲ εὑρὼς ἐστι σαπρότης ἡγεωδῶς ἀτμίδος κ4. 784 ᵇ10. ἡ πολιὰ ὥσπερ σαπρότης τις τῶν τριχῶν ἐστιν πι34. 894 ᵇ9. πικρότητα ἔχει ἡ σαπρότης πκβ5. 930 ᵇ6.

σαπφείρινον χρῶμα fτβ9. 828 ᵇ35. 'ut lazulum' Nic Damasc p 43, 10.

Σαπφώ, eius versus afferuntur Ρα9. 1367 ᵃ8 (fr 28),

apophthegma Ρβ23. 1398 ᵇ27. Μυτιληναῖοι Σαπφώ τετιμήκασι Ρβ23. 1398 ᵇ12.

σαργῖνος (Lob Prol 207, 208) refertur inter τὺς ἀγελαίυς τῶν ἰχθύων Ζια2. 610 ᵇ6. (definiri non potest S I 287. AZι I 138, 57. K 950, 13. hodie σαργάννος Belone acus L E 91, 128.) v σαρδῖνος.

σάργος (Bk, ubique in v l σαργός). fort dist duo pisces. a. refertur inter τὺς κεστρεῖς, ἄρχεται κύων τῦ Ποσειδεῶνος, κυΐσκεται περὶ τὸν Ποσειδεῶνα μῆνα, κύει λʹ ἡμέρας Ζιε11. 543 ᵇ14, 15, 16. ζ17. 570 ᵃ32, ᵇ1, 3 (hic def non potest). — b. τίκτει δίς. ἔαρος ᾗ μετοπώρυ. μετοπώρυ τίκτει, ἐπινέμεται τὴν τρίγλη Ζιε9. 543 ᵃ7, ᵇ8. θ2. 591 ᵇ19, 21. descr f 282. 1528 ᵃ24. fort i q hodie σάργος, Sargus Rondeletii Cuv E 88, 32. Cuv VI 11. AZι I 138, 58. (cf C II 744. S I 282, 287, 471, 580). — σάργος, v l σαργός (σκάρος Bk) Ζυ37. 621 ᵇ15, cf Aub.

Σαρδανάπαλλος, Σαρδανάπαλος. Σαρδανάπαλος ἀπολαυστικός, μαλακός Ηα3. 1095 ᵇ22 (Σαρδανάπαλλῳ Bkᶻ). ηεα5. 1216 ᵃ16. Πε10. 1312 ᵃ1 (Σαρδανάπαλλον Bkᶻ). Σαρδανάπαλλον ἀδιανοητότερον εἶναι κατὰ τὴν προσηγορίαν τῦ πατρός. Ἀριστοτέλης ἔφη f 77. 1488 ᵇ40.

Σάρδεις. οἱ Ἀθηναῖοι εἰς Σάρδεις ἐνέβαλον Αδ11. 94 ᵇ1.

σαρδῖνος. σαρδῖνας (σαργῖνας Meineke) αὐτὰς (τὰς ἐριτίμας) καλεῖ f 310. 1531 ᵃ8. cf Rose Ar Ps 314. Heitz fragm 182 ᵃ44.

Σαρδώ κ3. 393 ᵃ13. θ100. 838 ᵇ12. οἱ ἐν Σαρδοῖ μυθολογύμενοι καθεύδειν παρὰ τοῖς ἥρωσιν Φδ11. 218 ᵇ24. — Σαρδονικός (πόντος sive κόλπος) μβ1. 354 ᵃ21. — Σαρδόνιον πέλαγος κ3. 393 ᵃ27. cf Rose lib ord 98.

Σαρίμας (?), λόχος Λακεδαιμονίων f 498. 1559 ᵃ26.

σαρκίδιον. τὰ ἔμβρυα σαρκίδιά τι βϨάλλειν ὐκ ὀρθῶς λέγυσιν Ζγβ7. 746 ᵃ20. (ὁ πολύπυς τρέφεται) τοῖς τῶν κογχυλίων σαρκιδίοις f 815. 1531 ᵇ9.

σαρκικός. ὅταν σαρκικώτερα (v l σαρκινώτερα) ἦ τὴν χρόαν τὰ σημεῖα Ζικ2. 635 ᵃ11. σαρκικὸν v l (σαρκῶν Bk) πε7. 881 ᵃ16.

σάρκινοι πύκται Ηγ12. 1117 ᵇ5. σάρκινα μόρια (παρίσθμιον ᾗ ὗλον) Ζια11. 493 ᵃ1, (γλῶττα ᾗ χεῖλα) Ζμβ16. 660 ᵃ11. σαρκινώτερα v l Ζικ2. 635 ᵃ11, v σαρκικός.

σάρκιον. τὰ σάρκια ταῖς πλεκτάναις ἕλκειν, τοῖς ῥύγχεσιν ἐξέλκειν Ζμδ9. 685 ᵇ7. θ7. 831 ᵃ13. — χαμαιλέων πρὸς τῇ κεφαλῇ ᾗ ταῖς σιαγόσιν ὀλίγα σάρκια ἔχει Ζιβ11. 503 ᵇ13, cf χαμαιλέων. οἱ πολύποδες ἐξαιρύντες τὰ σαρκία (τῶν κογχυλίων) τρέφονται τύτοις Ζιθ2. 591 ᵃ2. — μεταξὺ τῶν ὀδόντων σαρκίον γλωττοειδὲς (τοῖς μαλακοστράκοις) ἐστὶν Ζιθ2. 527 ᵃ3. v μαλακόστρακον p 444 ᵇ4.

σαρκοειδής. (ὁ στόμαχος) σαρκοειδὴς (v l σαρκώδης) ὢν τὴν φύσιν Ζια16. 495 ᵇ22. ἀτελῆ ᾗ ἀδιάρθρωτα ᾗ σαρκοειδῆ f 260. 1526 ᵃ7.

σαρκῦν. τὸ μὲν ἐμφυτᾶν τὸ δὲ σαρκῦν τὸ δὲ πιαίνειν τῶν προσφερομένων Ζιθ21. 603 ᵇ30. αἱ τρίψεις σαρκῦσιν πλζ3. 965 ᵇ36. θ. 966 ᵇ10. ε14. 882 ᵃ13. εἰ σεσαρκωμένην εἴχε τὴν κεφαλὴν Ζμβ10. 656 ᵇ10.

σαρκοφαγεῖν. σαρκοφαγῦσι τὰ γαμψώνυχα Ζμγ1. 662 ᵇ1, αἱ ἀνθρῆναι Ζια2. 628 ᵇ33, αἱ τρίγλαι, τὰ μαλακόστρακα Ζιθ2. 591 ᵃ13, 19, 590 ᵇ12. ὁ κεστρεὺς ὐδ' ὅλως σαρκοφαγεῖ f 299. 1529 ᵇ16.

σαρκοφαγία. τυμβωρυχεῖ (ὕαινα) ἐφιέμενον τῆς σαρκοφαγίας τῆς τοιαύτης Ζιθ5. 594 ᵇ4.

σαρκοφάγος. ζῷα σαρκοφάγα, dist καρποφάγα, παμφάγα Ζια1. 488 ᵃ14. θ28. 606 ᵃ27. τῶν τετραπόδων ᾗ ζῳοτόκων τὰ μὲν ἄγρια κ̣ καρχαρόδοντα πάντα σαρκοφάγα Ζιθ5. 594 ᵃ26. τὰ σαρκοφάγα ἔχει τὸ στόμα ἀνερρωγός Ζμγ1. 662 ᵃ31, 32. δ13. 697 ᵃ1, 3, ποίης ὀδόντας Ζμγ1. 661 ᵇ5, ὀστᾶ σκληρότερα Ζμβ9. 655 ᵃ13. πλανᾶται μάλιστα τὰ σαρκοφάγα Ζιθ37. 621 ᵇ5. σαρκοφάγα· λέων Ζιθ5. 594 ᵇ17. Ζμβ9. 655 ᵃ13. δ10. 688 ᵇ4, ὄρνιθες, γαμψώνυχοι Ζιζ5. 563 ᵃ12, 14. θ3. 592 ᵃ29, ἰχθύες Ζιβ2. 591 ᵃ9. 19. 602 ᵃ21. Ζμγ1. 662 ᵃ31, 32, ἀμία, φάγρος al ϝ291. 1528 ᵇ34. 296. 1529 ᵃ44. 297. 1529 ᵇ6. 302. 1529 ᵇ41. 303. 1530 ᵃ3. 311. 1531 ᵃ11. 314. 1531 ᵃ38, οἱ ὄφεις Ζιθ4. 594 ᵃ12, τὰ φολιδωτά, τὰ μαλάκια, ἡ πορφύρα Ζιθ4. 594 ᵃ4. 2. 590 ᵇ20, 2. τῶν ἐντόμων ὅσα σαρκοφάγα μὲν μή ἐστι, ζῇ δὲ χυμοῖς σαρκὸς ζώσης Ζιε31. 556 ᵇ21.

σαρκώδης. ὁ ὀρανός, τόπος, μαστός, οἰσοφάγος, καυλὸς σαρκώδης Ζμβ17. 660 ᵇ34, 35. δ10. 688 ᵃ21. γ3. 664 ᵃ32. Ζιγ1. 511 ᵃ1, 510 ᵇ28. ἡ κεφαλὴ σαρκώδης iq πολύσαρκος, γλῶττα, κοιλία, φύσις τῦ σώματος, ὑστέρα, ὀσφύς, πρόσωπον σαρκῶδες, κνῆμαι, σιαγόνες σαρκώδεις sim Ζμβ10. 656 ᵃ16, 19. γ14. 674 ᵇ3, 675 ᵃ11. Ζιβ17. 508 ᵇ32. θ1. 588 ᵇ19. Ζγα11. 719 ᵃ22. φ3. 807 ᵇ25, 26, 24. τὰ μόρια τὰ σαρκώδη Ζμβ10. 656 ᵃ19. 9. 654 ᵇ33. 5. 651 ᵃ23. (τῶν ὀρνίθων) τὸ στῆθος ὀξὺ κ̣ σαρκῶδες, τὰ τετράποδα τῶν ᾠοτόκων ἔχει τὸ κάτωθεν σαρκῶδες, τὰ ἰσχία σαρκώδη Ζμδ12. 693 ᵇ16. 10. 689 ᵇ14, 21. β13. 657 ᵇ14. Ζιβ1. 499 ᵇ3. τὸ αἰδοῖον σαρκῶδες, dist χονδρῶδες, νευρῶδες Ζιβ1. 500 ᵇ21. σκέλη σαρκώδη, dist ὀστώδη, νευρώδη πι41. 895 ᵃ23. opp ἄσαρκος. τὰ σκέλη ἀνθρώπων σαρκώδη, τὰ δὲ τῶν ἄλλων ἄσαρκα· τὸ νῶτον σαρκῶδες, ἡ ὀσφὺς ἄσαρκος· ἀσαρκότερον τὸ στῆθος, τὰ δὲ πρανῆ σαρκωδέστερα· τὸ ὑραῖον σαρκωδέστερον, ἀσαρκότερον Ζμδ10. 689 ᵇ7, 8, 21. 13. 695 ᵇ13. γ9. 672 ᵃ17. 4. 666 ᵇ4. ϝβ14. 867 ᵇ21. opp ἀκανθῶδες. τὸ ὑραῖον σαρκῶδες Ζμδ13. 695 ᵇ11, 15. — coni μαλακός. τὰ μαλάκια σχεδὸν ὅλα σαρκώδη κ̣ μαλακά· τῶν ἀνθρώπων τὰ χείλη μαλακὰ κ̣ σαρκώδη· τὸ ὅλον σῶμα σαρκωδέστερον κ̣ μαλακώτερον· φώκη σαρκῶδές ἐστι κ̣ μαλακὸν κ̣ ὀστᾶ ἔχει χονδρώδη Ζμβ8. 654 ᵃ13. 16. 659 ᵇ31. Ζιδ2. 526 ᵇ6. ζ12. 567 ᵃ9. — coni ἰσχυρός. ἡ κοιλία ἰσχυρὰ κ̣ σαρκώδης· τὸ διάζωμα σαρκωδέστερον κ̣ ἰσχυρότερον Ζμγ14. 674 ᵇ26. 10. 672 ᵇ24, cf 35. κοιλία σαρκώδης κ̣ στιφρά Ζιβ17. 508 ᵇ32. — coni αἱματώδης, ἔναιμος. ἡ σαρκώδης κ̣ αἱματώδης σύστασις· ὁ πλεύμων σαρκώδης κ̣ ἔναιμος Ζμδ3. 677 ᵇ28. γ8. 671 ᵃ17. — τὸ σαρκῶδες, caro. piscium. ὡς ἡ ἄκανθα ἔχει πρὸς τὸ ὀστῦν ὕτω κ̣ τὸ σαρκῶδες πρὸς τὰς σάρκας Ζιγ16. 519 ᵇ29. τῶν μαλακίων Ζμδ5. 679 ᵇ33. 9. 684 ᵇ18. Ζιδ1. 523 ᵇ3. 2. 525 ᵇ12. τῶν μαλακοστράκων Ζιδ1. 523 ᵇ6. 4. 528 ᵃ2. τῶν ἐντόμων Ζμβ8. 654 ᵃ29. δ6. 682 ᵇ20. Ζιδ1. 523 ᵇ15. τῶν ὀστρακοδέρμων Ζμδ5. 679 ᵇ33. 9. 685 ᵃ7. β8. 654 ᵃ4. Ζιδ1. 523 ᵇ9. 4. 528 ᵃ2, 13, ᵇ3. τῶν τηθύων Ζμδ5. 681 ᵃ27. Ζιδ6. 531 ᵃ18. ἀκαλήφης Ζιδ6. 531 ᵃ33, syn τῦ σώματος σαρκώδης φύσις v supra ᵃ17. τὴν ἐχῖνον, sed ὁ ἐχῖνος ὐδὲν ἔχει σαρκῶδες Ζμδ5. 680 ᵃ6, 12, 679 ᵇ34. — τὸ σαρκῶδες (τῆς κοιλίας), dist δέρμα Ζιβ17. 508 ᵇ33. — τὸ σαρκῶδες i q τὸ γλωττοειδὲς Ζμδ5. 678 ᵇ8, 10, 679 ᵇ6. Ζιδ1. 524 ᵇ4. 5. 530 ᵇ25. — τὸ αἷμα παχύτατον ὑπὸ τῶν σαρκωδῶν (ci Aub, σαρκῶν Bk) ἐγγίνεται Ζιγ2. 512 ᵇ9.

σάρξ (cf Philippson ὕλη 233, 237). refertur inter τὰ ὁμοιομερῆ Γα5. 321 ᵇ19. μδ12. 389 ᵇ24. Ζιαl. 486 ᵃ14. 4. 489 ᵃ24. γ2. 511 ᵇ5. Ζμβ1. 646 ᵃ22. 8. 653 ᵇ20. Ζγα18. 722 ᵃ17, 27, ᵇ34, 724 ᵇ30. β4. 740 ᵇ17. φτα3. 818 ᵃ25, inter τῶν ὁμοιομερῶν τὰ ὑγρὰ ἢ ὅλως ἢ ἕως ἂν ᾖ ἐν τῇ φύσει,

τὰ ὁμοιομερῆ μὲν φυσικὰ δὲ σώματα Ζιαl. 487 ᵃ4. μδ8. 385 ᵃ8 (cf Galen XV 8, XVI 33), inter τὰ μόρια Ζμαl. 642 ᵃ24. 5. 645 ᵃ29. Ζγα18. 723 ᵃ20. ἡ σὰρξ πιεστὸν μδ9. 386 ᵇ8. σὰρξ def τζ14. 151 ᵃ22. — τὸ σῶμα τὸ τῶν σαρκῶν, τὸ τέλος τῶν σαρκῶν Ζγδ1. 764 ᵇ31. Ζιγ17. 520 ᵃ12.

a. ἡ σὰρξ τί ἐστιν. λέγωμεν τί σὰρξ ἢ ὀστῦν μδ12. 389 ᵇ24, 390 ᵇ16. τὰς σάρκας καθ' αὑτὰς Ζγβ4. 740 ᵇ17. μαλακόν, θερμόν Ζμβ8. 654 ᵃ16. πλὸ3. 963 ᵇ31 (cf θερμὴν νοτίδα ἐντὸς ἑαυτῆς ἔχησα Plat Tim 74 C). ἡ τῶν σαρκῶν θερμότης φ6. 813 ᵇ26. τῶν ἀναγκαίων μερῶν ἐστί, τῦ μέσω κ̣ εὐκρατος πε14. 882 ᵃ23, 15. λδ3. 963 ᵇ27. ἡ σάρξ, διὰ τὸ μὴ ζῷον εἶναι, ἀεὶ τῶν ὁμαλῶν· ἔστι διαιρετὴ πάντη, πόρων μεστή Ζικ7. 638 ᵃ34. γ16. 519 ᵇ31. α12. 493 ᵃ15. ὃ μάλιστα δή ἐστι τὸ σῶμα τῶν ζώων, ἡ σάρξ· ἀρχὴ κ̣ σῶμα καθ' αὑτὸ τῶν ζώων ἐστίν· ἀρχαὶ πάντων τῶν (κύστεως ὑμένος τριχῶν πτερῶν κτλ) τε τὸ ὀστῦν κ̣ ἡ σάρξ Ζιγ2. 511 ᵇ5. Ζμβ8. 653 ᵇ21. 9. 655 ᵇ23. τὸ αἷμα κ̣ τὸ ἀνάλογον τήτῳ δυνάμει σῶμα κ̣ σάρξ ἢ τὸ ἀνάλογόν ἐστιν Ζμγ5. 668 ᵃ26. αὐξάνεται ἡ ὕλη τῆς σαρκός· ἡ ὕλη ἑτέρα ὖσα δήλη μᾶλλον τῦ εἴδης ἐνταῦθα ἢ ἐπὶ σαρκὸς κ̣ τῶν ὁμοιομερῶν Γ5. 321 ᵇ26, 31. ἡ σὰρξ ὐκ ἄνευ τῆς ὕλης ἀλλ' ὥσπερ τὸ σιμόν τόδε ἐν τῷδε· ἐπ' ἐνίων ταὐτὸν ἐστι τὸ σαρκὶ εἶναι κ̣ σάρκα ψγ4. 429 ᵇ13, 17. 7. 431 ᵇ15 Trdlbg. τῆς σαρκὸς ἔργον τί ἐστιν Ζγβ1. 734 ᵇ30. — δύναμις συνεκκρινομένη ἐκ τῶν σαρκῶν μβ3. 357 ᵇ5. σαρκῶν ὑπερτεινυσῶν τὴν δύναμιν αὐτῶν πε7. 881 ᵃ16.

b. ἡ σὰρξ ἐκ τίνων στοιχείων σύγκειται. δῆλον ὅτι ἡ σὰρξ τὸν αὐτὸν τρόπον ἐστὶν (ὔτε ἕν τι τῶν στοιχείων ὔτε δύο ἢ τρία ὔτε πάντα ἀλλὰ λόγος τῆς μίξεως αὐτῶν) Ζμαl. 642 ᵃ23 (cf Plat Tim 82 C. Galen I 246). cf φτα4. 819 ᵃ35. λόγος ῷ ἤδη τὸ μὲν σὰρξ τὸ δ' ὀστῦν Ζγβ1. 734 ᵇ34. ψβ11. 423 ᵃ14. α4. 408 ᵃ15. σὰρξ κ̣ ὀστῦν κ̣ ἕκαστον τῶν τοιύτων μορίων ἐστὶ διττόν· κ̣ γὰρ ἡ ὕλη λέγεται κ̣ τὸ εἶδος σάρξ ἢ ὀστῦν Γα5. 321 ᵇ19, 22. ἡ σύνταξις μβ2. 355 ᵇ11. τί θεὸς ἢ ἄνθρωπος ἢ σὰρξ ἢ ὀστῦν ψα5. 409 ᵇ21.

c. σαρκὸς γένεσις (cf Plat Tim 61 C). ἡ φύσις ἐκ τῆς καθαρωτάτης ὕλης σάρκας συνίστησιν· ἡ θερμότης ὔτε ὅ τι ἔτυχε ποιεῖ σάρκα ἢ ὀστῦν ὐθ' ὅπη ἔτυχεν, ἀλλὰ τὸ πεφυκὸς κ̣ ᾗ πέφυκε κ̣ ὅτε πέφυκεν· γίνονται σάρκες ὑπὸ τῦ ψυχρῦ συνισταμέναι, διὸ κ̣ λύονται ὑπὸ πυρὸς Ζγβ6. 744 ᵇ23, 743 ᵃ21, 10 (cf κατὰ φύσιν σάρκες γίγνονται ἀπὸ τῦ παγέντος αἵματος, ὃ πήγνυται χωριζόμενον ἰνῶν· αἷμα νομὴ σαρκῶν Plat Tim 82 D, 80 E. σὰρξ ἐστιν ἐξ αἵματος πεπηγυῖα, ὑγρὰ κ̣ θερμή, σκέπην τε τὴν μαλακότητα παρεχομένη τῷ σώματι Galen XIX 367). ὀγκοτέρα τῆς τροφῆς (fort τῇ τροφῇ Did praef p VIII) γίνεται ἡ σὰρξ διὰ τὴν θερμασίαν· ἡ εἰς τὴν σάρκα διαδιδομένη τροφὴ ὑγρά ἐστι πλζ3. 966 ᵃ3, 4. Ἀναξαγόρας εὐλόγως φησὶ σάρκας ἐκ τῆς τροφῆς προσιέναι ταῖς σαρξὶν Ζγα18. 723 ᵃ11 (v supra p 49 ᵇ10). τὸ γλυκὺ κ̣ πότιμον ἀναλίσκεται διὰ κυφότητα εἰς τὰς σάρκας· τὸ γλυκὺ κ̣ πότιμον ὑπὸ τῆς ἐμφύτω θερμότητος ἑλκυσθὲν εἰς τὰς σάρκας κ̣ τὴν ἄλλην σύνταξιν ἦλθε τῶν μερῶν, ὡς ἕκαστον πέφυκεν Ζμδ1. 676 ᵃ36. μβ2. 355 ᵇ10 (cf M 449, 450). τὸ ὀλίγον ποτὸν διαβρέχει κ̣ εἰς τὰς σάρκας χωρεῖ πα55. 866 ᵃ10.

d. σαρκὸς διαφοραί. σὰρξ οἰκεία Ζμγ3. 665 ᵃ5. ὁμοία, ἀφανὴς πᾶσα Ζιδ6. 531 ᵃ19. 4. 528 ᵃ7. ὀγκοτέρα πλζ3. 966 ᵃ3. ἡ ἐντός, ἡ περικειμένη πλα21. 959 ᵇ7. Ζιδ4. 528 ᵃ6.

Ζμβ9. 655 ᵃ30 (opp τὸ φανερὸν τῆς σαρκός Ζμδ5. 679
ᵇ9, ἡ ἐπιπολῆς σάρξ π27. 893 ᵇ35, 39). εὐκίνητος Ζια11.
492 ᵇ25. εὔκρατος πλδ3. 963 ᵇ27. εὔπνης χ ἀραιά, ἀραιά
πλζ3. 966 ᵃ7. 6. 966 ᵇ15. στιφρά Ζιδ6. 531 ᵇ13. 4. 528
ᵇ22. σκληρὰ χ εὐεκτική, λεία φ2. 806 ᵇ22. πυκνή, σομφή 5
χ πόρων μεστή, μανὴ χ σομφή, γλυκυτέρα, ὑγρὰ λίαν χ
διάχυλος Ζια12. 493 ᵃ15. 11. 492 ᵇ33. θ21. 603 ᵇ19, 32.
διὰ τὴν πυκνότητα στέγει ἡ σάρξ τὸ προσπῖπτον θερμὸν
πλζ4. 966 ᵃ37 (cf Plat Tim 84B, σὰρξ προβολὴ μὲν καυ-
μάτων, πρόβλημα δὲ χειμῶνος 74B). ὑγροτέρα χ ἁπα- 10
λωτέρα (τὰ νοτερὰ τῆς σαρκός χ ἁπαλά Plat Tim 65D),
ὐκ εὐεκτικὴ ὑδὲ πιμελωδὴς σφόδρα φ3. 807 ᵇ12. μαλακή,
μαλακωτέρα, μαλακωτάτη Ζγβ6. 743 ᵇ3. Ζμβ8. 654 ᵃ16.
16. 660 ᵃ11. ϑ5. 678 ᵇ32. — αἱ σάρκες πολλαί Ζιγ16.
520 ᵃ1. ξηραὶ Ζμγ3. 665 ᵃ1. φ6. 813 ᵇ12,24. μαναὶ Ζμγ7. 15
670 ᵇ4. αν5. 472 ᵇ15. ὑγραὶ φ6. 813 ᵇ16, 20. ἐδωδίμαι
Ζμδ5. 680 ᵃ19. — σωζόμεναι αἱ σάρκες Ζμγ5.
668 ᵃ33. ἀδύνατον σάρκα εἶναι ἢ ἄλλο τι μόριον μὴ ἐνούσης
αἰσθητικῆς ψυχῆς· ὐκ ἔστι πρόσωπον μὴ ἔχον ψυχήν, ὑδὲ σάρξ,
ἀλλὰ φθαρέντα ὁμωνύμως λεχθήσεται τὸ μὲν εἶναι πρόσωπον 20
τὸ δὲ σὰρξ Ζγβ5. 741 ᵃ10. 1.734 ᵇ26. Γα5.321 ᵇ32. μϑ12.
390 ᵃ2, 8, 14, 19. ἡ πάντως ὑδὲ αἷμα ὑδὲ σάρξ Ζγα18.
722 ᵇ34, cf ὁμώνυμος p 514 ᵃ56. — ζῷων σάρξ cf Galen
XII 310 (ζῴων σάρκες Ζιθ2. 591 ᵃ21). τὰ ἔχοντα σάρκας,
τὰς σάρκας πολλάς Ζμβ8. 653 ᵇ20. Ζιγ16. 520 ᵃ1. ἐξ ὧν 25
συνέστηκε τὸ τῶν ἀνθρώπων γένος, οἷον αἷμα σάρκες ὀστᾶ
φλέβες χ τὰ τοιαῦτα μόρια· διόπερ ἐξ ὀστῶν χ νεύρων χ
σαρκός (vl σαρκίου) χ τῶν ἄλλων τοιούτων συνεστή-
κασι τὰ ὀργανικὰ τῶν μορίων Ζια5. 645 ᵃ29. β1. 646
ᵇ25. τῆς σαρκός ἔργον τί ἐστιν Ζγβ1. 734 ᵇ30. ἐοικότες 30
σάρκας χ ὄνυχας Ζγα18. 722 ᵃ27. σὰρξ ἐν τοῖς ἐναίμοις
πᾶσίν ἐστι μεταξὺ τῷ δέρματος χ τῷ ὀστῷ Ζι6. 519
ᵇ26 (opp ἐπὶ τῷ φανερῷ τῆς σαρκός Ζμδ5. 679 ᵇ19).
τῶν μεγαλοκοιλίων ὑδὲ ὑδὲ τῶν μεγαλοφλέβων πιᾶν ἐστι
κατὰ σάρκα Ζμγ4. 667 ᵃ30. ὅσοι τῶν μεγάλων, τῶν μι- 35
κρῶν, ὑγραῖς, ξηραῖς σαρξὶ κεχρημένοι εἰσὶν φ6. 813 ᵇ16,
24, 12, 20 (cf Rose Ar Ps 708). (τοῖς κύστιν μὴ ἔχουσι)
τρέπεται τὸ περίττωμα διὰ μανῶν τῶν σαρκῶν εἰς πτερὰ
χ λεπίδας, sed ξηραὶ αἱ σάρκες τῶν λεχθέντων ζῴων (τῶν
φολιδωτῶν χ τῶν πτερωτῶν) Ζμγ7. 670 ᵇ4. 8. 671 ᵃ20. 40
3. 665 ᵃ1. cf 664 ᵇ24. — μαλακωτάτη ἡ σὰρξ τῶν
ἀνθρώπων· πυκνὴ τοῖς ἄρρεσι, ταῖς γυναιξὶ σομφὴ χ
πόρων μεστή Ζμβ16. 660 ᵃ11. Ζια12. 493 ᵃ15. — κἂν
μὲν ὀλίγας (χαλάζας) ἔχῃ ὗς, γλυκυτέρα ἡ σάρξ, ἂν δὲ
πολλάς, ὑγρὰ λίαν χ διάχυλος γίνεται· αἱ βάλανοι ποιῶσιν 45
ὑγρὰν τὴν σάρκα Ζθ21. 603 ᵇ19, 32. — (ἀλεκτρυόνος λό-
φος) ὔτε σάρξ ἐστιν ὔτε πόρρω σαρκὸς τὴν φύσιν Ζι2.
504 ᵇ11 Aub. — χαμαιλέων· σάρκα ὐδαμῇ ἔχει Ζιβ11.
503 ᵇ12 (v σαρκίον). — τὰ σελάχη ἐστὶν ἀπιμελώτατα
χ κατὰ σάρκα χ κατὰ κοιλίαν Ζιγ17. 520 ᵃ19. — ἡ σὰρξ 50
ἡ σαρκοτοειδὴς τῶν μαλακοστράκων Ζμδ5. 679 ᵇ32. — in-
sectorum ἡ τῷ σώματος σὰρξ ὔτε ὀστρακώδης ἐστὶν ὐϑ'
οἷον ἡ ἐντὸς τῶν ὀστρακωδῶν, ὔτε σαρκώδης, ἀλλὰ μεταξὺ
Ζιδ7. 532 ᵃ31. — τῶν ὀστρακωδῶν τὰ μὲν ὐκ ἔχει σάρκα
ὐδεμίαν· τὸ σαρκῶδες, ὅσα σάρκας ἔχει, ὁμοίως ἔχει τοῖς 55
μαλακοστράκοις· διαφορὰς ἔχει κατὰ σάρκα τὴν φύσιν
τὰ δ' ἐντὸς ἔχει τὴν σάρκα ἀφανῆ πᾶσαν πλὴν τῆς κεφα-
λῆς· αἱ σάρκες ὑχ ὁμοίως ἐδώδιμαι πάντων Ζιδ4. 528 ᵃ2,
6, 7. Ζμδ5. 680 ᵇ19. τὰ στρομβώδη ἔχει ἐπιπτύγματ' ἐπὶ
τῷ φανερῷ τῆς σαρκός· ἔχει πάντα τὴν (vl τὸ Pik Aub) 60
ἐξωτάτω ἐν τῷ στόματι τὸ ὀστράκῳ σάρκα στιφρὰν Ζμδ5.

679 ᵇ19. Ζιδ4. 528 ᵇ22. — τευθίς. τὸ σῶμα πᾶν ἐκ μα-
λακωτέρας συνέστηκε σαρκὸς Ζμδ5. 678 ᵇ32. — τῆθυα.
αὕτη ἡ σὰρξ πᾶσιν (αὕτη - πᾶσα Pik Aub) ὁμοία Ζιδ6.
531 ᵃ19. — ἀκαλήφαι τῷ χειμῶνος τὴν σάρκα στιφρὰν
ἔχουσιν Ζιδ6. 531 ᵇ13.

e. τὸ σαρκὶ ἀνάλογον. λέγω δὲ ἀνάλογον τὸ ἀντὶ σαρκὸς
τοῖς ἄλλοις ἐνυπάρχον ζῴοις πιγ4. 908 ᵃ5. τὸ ταύτῃ (ταύ-
ταις) ἀνάλογον Ζμβ1. 647 ᵃ20. Ζγβ6. 743 ᵃ10. τὸ ἀνά-
λογον ψβ11. 422 ᵇ21, 423 ᵃ15. Ζια1. 487 ᵃ5. γ2. 511 ᵇ5.
Ζμβ5. 651 ᵇ4. 8. 653 ᵇ21. γ5. 668 ᵃ26. syn τοιȣτόν τι. τὸ
παραπλήσιον ἔχον τὴν φύσιν τῇ σαρκὶ Ζια4. 489 ᵃ24. γ16.
519 ᵇ26. ν ἀνάλογον p 48 ᵃ35. — αἱ φλέβες χ ἡ σὰρξ
ὅλη τῷ δένδρȣ τὰ τῶν τεττάρων στοιχείων πεφύκασιν φτα4.
819 ᵃ35. 3. 818 ᵃ33. 5. 820 ᵃ37.

f. σάρξ, αἰσθητήριον. ἡ ἁφὴ ἐν ὁμοιομερεῖ ἐγγίνεται μέρει,
οἷον ἐν σαρκὶ ἢ τοιȣτῳ τινι Ζια4. 489 ᵃ24. τὸ τῆς ἁφῆς
αἰσθητήριον Ζμβ1. 647 ᵃ20. 8. 653 ᵇ24 (M 443).
ἡ σὰρξ ὐκ ἔστι τὸ ἔσχατον (τὸ πρῶτον) αἰσθητήριον ψ2.
426 ᵇ15. Ζμβ10. 656 ᵇ35. σῶμα τῶν αἰσθητηρίων Ζγβ6.
744 ᵇ23. ψβ11. 423 ᵇ17, 21, ᵃ1. τὸ μεταξὺ τῷ ἁπτικῷ ἡ
σάρξ· τῷ αἰσθητικῷ τὸ θερμὸν χ τὸ ψυχρὸν κρίνει ὧν
λόγος τις ἡ σάρξ ψβ11. 423 ᵇ26. γ4. 429 ᵇ16. θιγγανό-
μενον ποιεῖ αἴσθησιν, ἡ σὰρξ χ τὸ ἀνάλογον αἰσθητικὸν Ζμβ3.
650 ᵇ5. 5. 651 ᵇ4. ἡ σὰρξ τῷ θερμῷ μᾶλλον αἰσθάνεται ἢ
τῷ ψυχρῷ πλϑ3. 963 ᵇ27. (ἡ γλῶττα) αἰσθάνεται δὲ ὧν ὧν
ἡ ἄλλη σὰρξ πάντων οἷον σκληρῷ θερμῷ χ ψυχρῷ καθ'
ὁτιȣν μέρος Ζια11. 492 ᵇ29. εἰ μὲν ὖν χ ἡ ἄλλη σὰρξ
ᾐσθάνετο τῷ χυμῷ ψβ11. 429 ᵃ19.

g. σαρκὸς πάθη. συνίσταται ἡ σὰρξ χ κομιδῇ ἀπο-
σαρκȣται πα52. 865 ᵇ29. ε34. 884 ᵃ38. λζ3. 966 ᵃ26.
χλλοιωμένης τῆς ἐπιπολῆς σαρκὸς (διακριθείσης σαρκὸς
πνεύμα ἐγγίγνεται Plat Tim 74 E) ἡ σὰρξ δίομβρος γενο-
μένη τὴν κακίστην πρὸς ὑγίειαν διάθεσιν λαμβάνει· ὁ ἥλιος
τὴν σάρκα μελαίνει, ἐπικαίει, οἱ δρόμοι περιψύχουσι τὴν
σάρκα π27. 893 ᵇ35, 29. α41. 870 ᵇ25. λη1. 966 ᵇ22, 24.
λζ6. 966 ᵇ11. αἱ βάλανοι ποιȣσιν ὑγρὰν τὴν σάρκα (ὑός)
Ζιθ21. 603 ᵇ32. ἡ τρῖψις εὔπνων χ ἀραιὰν ποιεῖ τὴν σάρκα,
ἡ σὰρξ τριβομένη πυκνȣται, ἡ παλάμη τῇ τρίψει τὴν σάρκα
ἀραιὰν χ δεκτικὴν αὐτῆς παρασκευάζει πλϑ3. 966 ᵃ7. 5.
966 ᵇ3. 6. 966 ᵇ15. πότε συμβαίνει τὴν σάρκα πυκνȣσθαι·
ὐ δεῖ πυκνὴν τὴν σάρκα πρὸς ὑγίειαν ἀλλ' ἀραιὴν· τῶν μὲν
τῷ ψυχρῷ λυομένων πυκνȣται ἡ σάρξ, τῶν δὲ θερμολυ-
τȣντων ἡ σὰρξ ἀραιȣται π27. 893 ᵇ34. α52. 865 ᵇ18, 27.
53. 866 ᵃ4. ε34. 884 ᵃ26, 35. λζ3. 966 ᵃ14, 23. α29. 863
ᵃ3. πυκνότης. μανότης σαρκός Ηε1. 1129 ᵃ21, 22. ἡ ἐν
ταῖς σαρξὶ μανότης ποιεῖ τὰς πολιάς Ζγε4. 785 ᵇ29. τοῖς
πρεσβύταις μάλιστα πελιȣνται ἡ σάρξ, ὅτι ἐλαχίστην ἔχει
θερμότητα πη1. 887 ᵇ13. πολλαῖς κυούσαις περὶ τὰ σκέλη
οἰδήματα χ ἐπάρσεις γίνονται τῆς σαρκὸς Ζιη4. 584 ᵃ17.
ἡ ἐσχάρωσις χ σῆψις. (ὐ τήκεται), ἀνάκλασις τῆς σαρκὸς
πα33. 863 ᵃ15. ε4. 880 ᵇ38. λζ6. 966 ᵇ17. τοῖς μὲν ἄλλοις
ζῴοις ἐστὶ τὸ δέρμα μέρος τῆς σαρκός, ἀνθρώπῳ δὲ κα-
θάπερ πάθος σαρκός· τὸ τῷ ἀνθρώπῳ καλȣμενον δέρμα σὰρξ
ἂν εἴη π27. 893 ᵇ29, 33. τὸ δέρμα ξηραινομένης τῆς σαρκὸς
γίνεται Ζγβ6. 743 ᵇ6. (τῆς σαρκοειδȣς φύσεως ὑ καταξη-
ραινομένης λέμμα μεῖζον περιγινομένης ἐχωρίζετο, τὸ δέρμα
τὸ νῦν λεγόμενον Plat Tim 75 E. ἡ ξύμφυσις τῷ δέρματος
χ τῆς σαρκὸς 77D). — (ζῷα γίνεται) ἐν σαρκὶ τῶν ζῴων,
οἱ φθεῖρες ἐκ τῶν σαρκῶν Ζιε19. 551 ᵇ6. 31. 556 ᵇ28. —
βέλος ἐνὸν ταῖς σαρξὶ Ζμβ9. 654 ᵇ7.

h. ἡ σὰρξ πῶς ἔχει πρὸς τὰ ἄλλα μόρια. ὑ συνεχές ἐστι

V.   Qqqq

τὸ αἷμα ταύτῃ (τῇ σαρκὶ) ἥδὲ συμπεφυκός Ζμβ3. 650 ᵇ7.
τὸ αἷμα παχύτατον ὑπὸ τῶν σαρκῶν ἐγγίνεται Ζιγ2. 512
ᵇ9. — φλέβες διὰ τῆς σαρκὸς τείνουσι· περὶ τὰς φλέβας
ὡς περὶ ὑπογραφὴν τὸ σῶμα περίκειται τὸ τῶν σαρκῶν
Ζιγ2. 512 ᵇ3. Ζγδ1. 764 ᵇ31. αἱ ἐλάχισται (φλέβες) γί-
νονται σάρκες ἐνεργείᾳ, δυνάμει δ' εἰσὶν οὐδὲν ἧττον φλέβες
Ζμγ5. 668 ᵃ31. γίνεται ὁ αὐτὸς τόπος λεπτῶν μὲν ὄντων
φλέβια, παχυνθέντων δὲ σάρκες Ζιγ2. 515 ᵇ3. cf 16. 520
ᵃ1, 4. Plat Tim 77 D. — περὶ τὰ ὀστᾶ αἱ σάρκες περι-
πεφύκασιν. ἡ σὰρξ ἡ περικειμένη, ἡ περίφυσις τῆς σαρκὸς
Ζμβ9. 654 ᵇ27, 655 ᵃ30. Ζπ10. 710 ᵃ32 (cf τὰ ὀστᾶ σαρξὶ
πάντα κατεσκίασεν ἄνωθεν ὁ θεός Plat Tim 74 D). — ᾗ
μόνον διαφέρει τὰ σπλάγχνα τῆς σαρκὸς τῷ ὄγκῳ τῷ σώ-
ματος, ἀλλὰ κ̅ τῷ τὰ μὲν ἔξω τὰ δ' ἔσω τὴν θέσιν ἔχειν
Ζμγ13. 674 ᵃ5. — πῶς ἔχει τὸ σαρκῶδες πρὸς τὰς σάρκας
Ζιγ16. 519 ᵇ30. — ἐντὸς εἰσέρχεται τὸ ὠχρὸν μετὰ τὸ
ὀμφαλῷ ᾖ περιφύεται ἡ σὰρξ Ζγγ2. 754 ᵃ15. cf 3. 755
ᵃ5. — πάντα τὰ ζῷα τὰ μὲν κατὰ σάρκα ἐστὶ πίονα τὰ
δὲ ἀφωρισμένως· ἡ πιμελὴ γίνεται μεταξὺ δέρματος κ̅
σαρκός, στέαρ δ' οὐ γίνεται ἀλλ' ἢ ἐπὶ τέλει τῶν σαρκῶν·
εὐβοσίᾳ δὲ πλείονι χρωμένων πιμελὴ ἀντὶ σαρκῶν Ζιγ17.
520 ᵃ22, 12. 16. 519 ᵇ34. cf φ3. 807 ᵇ12. ἀντὶ σαρκὸς ἡ
πιμελὴ πρόβλημα γίνεται τοῖς νεφροῖς, ὡς τῆς εἰς τὰς νε-
φροὺς τεταγμένης σαρκὸς οὐκ ἐχούσης χώραν ἀλλὰ διεσπαρ-
μένης εἰς πολλὰ Ζμγ9. 672 ᵃ19, 671 ᵃ29. cf 4. 664 ᵃ30.
Ζιγ17. 520 ᵃ19. — τὸ σπέρμα οὐκ αἷμα κ̅ αἷμα κ̅ σάρκες
Ζγα18. 723 ᵃ17. — physiognom. εὐφυὴς σημεῖον σὰρξ
ὑγροτέρα κ̅ ἀπαλωτέρα, οὐκ εὐεκτικὴ οὐδὲ πιμελώδης σφόδρα·
ἡ σὰρξ ἡ μὲν σκληρὰ κ̅ εὐεκτικὴ φύσει ἀναίσθητον ση-
μαίνει, ἡ δὲ λεία κ̅ εὐφυέα κ̅ ἀβέβαιον φ3. 807 ᵇ12. 2.
806 ᵇ22-25.

Σαρπηδών f 597. 1577 ᵇ30.
σατραπεία οβ1346 ᵃ18.
σατραπεύειν Καρίας, Αἰγύπτου οβ1351 ᵇ36, 1352 ᵃ9, 16.
σατράπης κ6. 398 ᵃ29. οβ1. 1345 ᵇ25.
σατραπικὴ οἰκονομία, dist βασιλικὴ, πολιτικὴ, ἰδιωτικὴ
οβ1345 ᵇ13, 1345 ᵇ28-1346 ᵃ5.
σάττειν. μᾶλλον σάττεται κατὰ μικρὸν σαττόμενον ἅπαν ἢ
ἀθρόον πκε8. 938 ᵇ30. τὸ σαττόμενον ποίαν ἔχει φύσιν μβ7.
365 ᵇ18. σέσακται τὰ ἐν τοῖς πυροῖς· τὰ ἄλευρα ψυχό-
μενα ἧττον σάττεται πια21. 929 ᵃ4. 26. 929 ᵇ35. τὰ ἀγ-
γεῖα σαττόμενα οὐδὲν μεῖζω γίνεται· metaph, τὸ συνεχῶς
προσφερόμενον σάττει μὲν κ̅ πληροῖ τὴν ἐπιθυμίαν πκα14.
928 ᵇ29, 32. — σάττεσθαι videtur scribendum esse πις8.
914 ᵇ24, cf ἅττειν p 121 ᵃ24.
σατυριᾶν. τὸ νόσημα τὸ καλούμενον σατυριᾶν Ζγδ3. 768 ᵇ34.
σατυρικός. τὸ μέγεθος (τῆς τραγῳδίας) ἐκ μικρῶν μύθων
κ̅ λέξεως γελοίας, διὰ τὸ ἐκ σατυρικῆς μεταβαλεῖν, ὀψὲ
ἀπεσεμνύνθη· τὸ πρῶτον τετραμέτρῳ ἐχρῶντο διὰ τὸ σατυ-
ρικὴν κ̅ ὀρχηστικωτέραν εἶναι τὴν ποίησιν πο4. 1449 ᵃ20, 22.
σατύριον (v l σαπείριον) refertur inter τὰ τετράποδα, ποι-
εῖται τὴν τροφὴν περὶ λίμνας κ̅ ποταμοὺς Ζιθ5. 594 ᵇ31 Aub.
(satirium Thomae, satyrium Gazae Scalig. desman Buffon
hist nat XXVI 118 ed min. C II 465. fort Sorex moscha-
tus K 874, 5. i q σαθέριον S I 607. St. Cr. Su 55, 29. ΑΖι
I 70, 26.)
σάτυρος. v l σάτυροι (σαῦραι Bk) Ζγβ1. 732 ᵇ3.
σάτυρος. σατύρου φαίνεται τὸ πρόσωπον (τῶν σατυριώντων)
Ζγδ3. 768 ᵇ36.
Σάτυρος ὁ ὑποκριτής f 604. 1579 ᵇ44. — Σάτυρος ὁ φιλο-
πάτωρ ἐπικαλύμενος Ηη6. 1148 ᵃ34. — Σάτυρος ὁ Κλα-

ζομένιος πγ27. 875 ᵃ34.
σαύρα. refertur inter τετραπόδων ὅσα ᾠοτοκεῖ, τὰ τρωγλο-
δυτικά, τὰ φολιδωτά, τὰ τὴν φύσιν ψυχρὰ ζῷα Ζπ16.
713 ᵇ19. Ζιγ1. 509 ᵇ8, 510 ᵇ35. α1. 488 ᵃ24. 5. 489 ᵇ21.
θ15. 599 ᵃ31. αν10. 475 ᵇ23. Ζγβ1. 732 ᵇ3, 19. μκ5. 466
ᵇ20. flexio pedum Ζιβ1. 498 ᵃ14. Ζπ16. 713 ᵇ19. οἱ ὄρχεις
ἐντὸς πρὸς τῇ ὀσφύϊ, ὑστέρα. τὰ περὶ τὴν κοιλίαν κ̅ τῶν
τῶν ἐντέρων φύσιν Ζιγ1. 509 ᵇ8, 510 ᵇ35. β17. 508 ᵃ5.
προΐεται τέλειον τὸ ᾠὸν Ζγβ1. 732 ᵇ3. φωλεῖ, λέγεται ἔκ-
μηνος εἶναι βίος σαύρας Ζιθ15. 599 ᵃ31. ε33. 558 ᵃ17.
πολέμιοι: arachne, strigidae Ζιι39. 623 ᵃ34. 34. 619 ᵇ22.
αἱ μικραὶ Ζιι39. 623 ᵇ1. μεγάλαι ἐν τοῖς θερμοῖς τόποις
μκ5. 466 ᵇ20. v l σαῦρα Ζιγ1. 509 ᵇ8. σαῦροι Ζγβ1. 732
ᵇ3. Ζπ16. 713 ᵇ19. Ζιθ28. 606 ᵇ6. αν10. 475 ᵇ23. μκ5.
466 ᵇ20. σαύρα Ζιβ1. 498 ᵃ14. σάτυροι Ζγβ1. 732 ᵇ3.
(lacerta ΑΖι I 119, 13. Su 175, 4. ΚαΖμ 14, 55. hodie
σαυράδα E 81. C II 468.) ν σαῦρος. — dist ἐν Ἀραβίᾳ
σαῦραι μείζους πηχυαίων γίνονται Ζιθ28. 606 ᵇ6. (Monitor
sp, praecipue Varanus scincus Merr. ΑΖι I 119, 13ᵃ. Su
176, 4.)
σαυροειδής. τὸ σχῆμα σαυροειδὲς Ζιβ11. 503 ᵃ16.
Σαυροματικὰ πρόβατα Ζγε3. 783 ᵃ14.
σαῦρος. 1. i q σαύρα. cf f 328. 1532 ᵇ26. τὸ τῶν σαύρων
γένος Ζιε4. 540 ᵇ4. M 307. refertur inter τὰ τετράποδα τὰ
ᾠοτόκα τῶν πεζῶν, τὰ τρωγλοδυτικά, τὰ φολιδωτά, τὰ
παμφάγα Ζμγ6. 669 ᵃ29. δ11. 691 ᵃ6. Ζπ15. 713 ᵃ17.
Ζιθ4. 594 ᵃ4. β17. 508 ᵃ10. 12. 504 ᵃ28. flexio pedum
Ζπ15. 713 ᵃ17. Ζιβ11. 503 ᵃ22. οἱ ὄφεις ἔχουσι παραπλήσια
σχεδὸν πάντα αὐτοῖς Ζιβ17. 508 ᵃ10. cf ἡ τῶν ὄφεων φύσις
ὁμοία ἐστὶ σαύρῳ μακρῷ κ̅ κ̅ ἄποδι Ζμδ1. 676 ᵃ26 Langk.
περιπλοκῇ ποιῶνται τὴν ὀχείαν, τίκτουσιν εἰς τὴν γῆν, ἐκλέ-
πεται τὰ τῶν σαύρων αὐτόματα ἐν τῇ γῇ· ἐκδύνει τὸ
γῆρας Ζιε4. 540 ᵇ4. 33. 558 ᵃ14, 16. θ17. 600 ᵇ22. ἔχουσι
ὄρχεις ἐντὸς πρὸς τῇ ὀσφύϊ κ̅ δύο πόρους ἀπὸ τούτων Ζγα3.
716 ᵇ24. τὰ περὶ τὸν στόμαχον κ̅ τὴν ἀρτηρίαν· χροιά· αἱ
κέρκοι ἀποτεμνόμεναι φύονται Ζιβ11. 503 ᵇ12, 5. 17. 508
ᵇ8. γλῶττα Ζιβ17. 508 ᵃ24. Ζμδ11. 691 ᵃ6. β17. 660 ᵇ6.
μύωσι· σπλήν, πλεύμων Ζιβ12. 504 ᵃ28. 16. 506 ᵃ20. 17.
508 ᵃ35. Ζμγ6. 669 ᵃ29. φωλεύει, οὐ διετίζει Ζιβ11. 503
ᵇ28. ε33. 558 ᵃ17. — τὰ ὁμογενῆ (ὁμοιογενῆ Bk) τούτοις
Ζιβ12. 504 ᵃ28. cf M 308. — v l σαῦρα Ζιβ16. 506 ᵃ20.
σαῦραι Ζιε3. 558 ᵃ14. Ζπ15. 713 ᵃ17. Ζγα3. 716 ᵇ24.
σαυρῶν Ζιβ11. 503 ᵃ22. ε4. 540 ᵇ4. 33. 558 ᵃ16. — 2. piscis
ignot σαῦροι (v l σαυροί) τῶν ἀγελαίων Ζιι2. 610 ᵇ5 Aub.
cf C II 458.
σαυρωτήρ (Hom K 153) πο25. 1461 ᵃ3.
σαυσαρισμὸς διὰ τί γίνεται πκζ3. 947 ᵇ35. 'siccitas'
vers ant.
σαφήνεια, syn τὸ εὐπαρακολούθητον Ηβ7. 1108 ᵃ18. τί ποιεῖ
τὴν σαφήνειαν πο22. 1458 ᵃ34. θ1. 157 ᵃ14.
σαφηνίζειν. ὁ κόκκυξ τῇ φωνῇ οὐ σαφηνίζει, ὅταν μέλλῃ
ἀφανίζεσθαι Ζιι49 B. 633 ᵃ12. τῶν ῥιγούντων ἡ γλῶττα οὐ
δύναται σαφηνίζειν πη14. 888 ᵇ10. ἡ ἡλικία ἐν ᾗ σαφηνί-
ζειν ὥρα τοῖς παιδίοις πια27. 902 ᵃ6. — τὰ μὲν τῷ λόγῳ,
τὰ δὲ πρὸς τὴν ὄψιν αὐτῶν σαφηνίζειν δεῖ μᾶλλον Ζμδ5.
680 ᵃ3. ἂν εὖ ποιῇ τις, ἔσται τε ξενικὸν κ̅ λανθάνειν ἐνδέ-
χεται κ̅ σαφηνιεῖ Ργ2. 1404 ᵇ36.
σαφής. ἔοικεν ἀεὶ γίνεσθαι ἠχώ, ἀλλ' ὁ σαφὴς ψβ8. 419 ᵇ28.
ἡ μέση γλῶττα βελτίστη κ̅ σαφεστάτη Ζια11. 492 ᵇ31. ἡ
σαφῆ ἔχουσα τὴν διάρθρωσιν τῆς γλώττης Ζμβ17. 661 ᵃ2. —
λέξεως ἀρετὴ τὸ σαφῆ κ̅ μὴ ταπεινὴν εἶναι πο22. 1458 ᵃ18.

Vahlen Poet III 263. λέξις σαφὴς πόθεν γίνεται Ργ2. π022.
1458 ᵃ18, ᵇ5. σαφεστάτη ἑρμηνεία τζ1. 139 ᵇ14. ἧττον
σαφὲς δι' ἀγνωστοτέρων ὀνομάτων τζ11. 149 ᵃ7. — σα-
φέστερον χ̱ γνωριμώτερον ἡμῖν, φύσει Φα1. 184 ᵃ17. ψβ2.
413 ᵃ12. τὸ σαφές, syn τὸ ἀκριβὲς ἐν ὑπολήψει τβ4. 111 5
ᵃ9. τὸ σαφὲς δεῖ ὑπάρχειν ἐν τοῖς ὅροις Αθ13. 97 ᵇ32. ὃ
σαφὲς τὸ ἴδιον, syn ὃ καλῶς κείμενον τε3. 131 ᵃ34. ἀληθὲς
μέν, ὑθὲν δὲ σαφές, syn ὃ διωρισμένον Ηζ1. 1138 ᵇ26, 33.
οἴεταί τι σαφὲς εἰρηκέναι μβ3. 357 ᵃ25. ἐν ἑτέροις διώρισται
(δεδήλωται) σαφέστερον Ζμβ2. 649 ᵃ33. 1. 646 ᵃ9. σαφές 10
(distincta varia vocabuli alicuius notatione) τα18. 108 ᵃ19.
— σαφῶς. σαφῶς εἰπεῖν (de infantibus) πιπ27. 902 ᵃ6.
cf σαφηνίζειν p 674 ᵇ53. — σαφῶς λέγειν πόθεν γίνεται p26.
31. 1438 ᵃ26-37. — σαφῶς εἰδέναι ποιεῖν, opp οἴησιν ἐμ-
ποιεῖν p15. 1431 ᵃ41. ἀληθῶς μέν, ὃ σαφῶς δέ ηεα6. 1216 15
ᵇ33. ἀμυδρῶς χ̱ ὑθὲν σαφῶς ΜΑ4. 985 ᵃ13. ὃ διώρισται
σαφῶς Γα6. 322 ᵇ9. ὃ σαφῶς, opp γνωρίμως μᾶλλον Ζγβ
8. 747 ᵃ27. — σαφεστέρως ΜΑ5. 986 ᵇ30. — (Wz ad
Αγ10. 76 ᵇ17.)

σβεννύναι, δύο τρόπως ὁρῶμεν φθειρόμενον τὸ πῦρ· ὑπό τε 20
γὰρ τῇ ἐναντίᾳ φθείρεται σβεννύμενον, χ̱ αὐτὸ ὑφ' αὑτῷ
μαραινόμενον Ογ6. 305 ᵃ10. cf x2. 392 ᵇ5. 4. 395 ᵇ10. —
ὁ βορέας τῆς ἀναθυμιάσεως σβέννυσι τὴν θερμότητα μα10.
347 ᵇ4. cf γ1. 371 ᵃ6. — ἡ Μηδικὴ πόα σβέννυσι τὸ
γάλα Ζιγ21. 522 ᵇ25. τότε παύεται χ̱ σβέννυται τὸ γάλα 25
Ζιη11. 587 ᵇ28.

σβέσις. καλῶμεν (τὴν τῇ πυρὸς φθορὰν) τὴν μὲν ὑφ' αὑτῷ
μάρανσιν, τὴν δ' ὑπὸ τῶν ἐναντίων σβέσιν ζ5. 469 ᵇ23.
αν8. 474 ᵇ14. 18. 479 ᵃ33. βροντή σβέσις πυρός μβ9. 370
ᵃ24. 30

σβεστικὸν τὸ ξηρὸν ἧττον τῇ ὑγρῇ πκγ15. 933 ᵃ23.

σέβας Διὸς ξενίᾳ f 625. 1583 ᵇ24.

σέθεν ὑθεὶς ἂν εἴποι ἐν τῇ διαλέκτῳ π022. 1458 ᵇ34.

σείειν. (ὁ λέων τὸν βαλόντα) σείσας χ̱ φοβήσας ἀφίησι πάλιν 35
Ζιμ44. 629 ᵇ26. ἐκ τῶν σφοδρῶν δρόμων ὅταν στῇ τις ἐπ'
ἄκρων τῶν δακτύλων, σείονται αἱ πτέρναι πε15. 882 ᵃ30.
τῇ σώματος σειομένῃ ἢ σύνθεσις π021. 879 ᵃ7. σείεται ἡ
καρδία τῇ θερμῷ ἐξιόντι πα31. 902 ᵇ1. σείεται χ̱ τρέμει
(ἡ φωνή) πια62. 906 ᵃ17. δεῖ τὸ τυπτόμενον ὁμαλὸν εἶναι, 40
ὥστε τὸν ἀέρα ἁθρῶν ἀφάλλεσθαι χ̱ σείεσθαι ψβ8. 420 ᵃ26.
σείεσθαι χ̱ κινεῖσθαι (τὸ τῆς ἀκοῆς αἰσθητήριον) ἅμα κινῶντος
τῷ ὀργάνῳ τὸ πνεῦμα Ζγε2. 781 ᵃ32. τὸ σεῖον τὴν γῆν
πνεῦμα μβ8. 368 ᵇ1. ὃ σεισμὸς ὑθ' εἰσάπαξ πανίεται σεί-
σας μβ8. 367 ᵇ23. τῶν σεισμῶν οἱ εἰς πλάγια σείονται 45
x4. 396 ᵃ1. σείεσθαι τὴν γῆν τυπτομένην κάτωθεν ἄνω δι'
ὅλης sim μβ7. 365 ᵃ32, ᵇ8. 8. 366 ᵇ1, 368 ᵃ31. ῥεῖ χ̱
σείεται (ἡ θάλαττα) κρατυμένη ὑπὸ τῶν πνευμάτων μβ8.
368 ᵇ3. — σείει impers i q σεισμὸς γίγνεται μβ8. 368
ᵇ26, ᵃ12. 50

Σειληνός. ὡς ἔλαβε (Μίδας) τὸν Σειληνὸν f 40. 1481 ᵇ3.

σεῖος (vox Laconica, i q θεῖος) ἀνὴρ Ηη1. 1145 ᵃ29.

σειρά. τὰ πρόσθια σκέλη (τῶν ἐλεφάντων) δεσμεύῃσι σειραῖς
Ζιι1. 610 ᵃ32.

σειρήν (v l εἰρήν). νομαδικὰ τρία (γένη τῶν μελιττωδῶν), 55
σειρὴν ὁ μικρός, φαιός. ἄλλος σειρὴν ὁ μείζων, ὁ μέλας χ̱
ποικίλος, τρίτος ὁ βομβύλιος Ζιι40. 623 ᵇ11. (cf C II 774.
S I 370, 373, II 192, 193. animalia definiri non possunt,
fort Vespae solitariae ΑΖι I 170, 42. Su 221, 31.)

Σειρηνῦσαι νῆσοι f103. 889 ᵃ26. 60

σείριος. ἀνίσχοντος τῇ σειρίῳ Ζιι49Β. 633 ᵃ15.

σεισμός. 1. i q σεισμὸς γῆς τζ8. 146 ᵇ28. περὶ σεισμῶν μβ7. 8.

x4. 395 ᵇ33-396 ᵃ12. ἀνέμῳ, σεισμῷ, βροντῆς ἡ αὐτὴ φύσις
μβ9. 370 ᵃ27. τῶν σεισμῶν οἱ πλεῖστοι χ̱ μέγιστοι νηνεμίᾳ
μβ8. 366 ᵃ5, ἐνίοτε περὶ τὰς ἐκλείψεις σελήνης μβ8. 367
ᵇ19. διὰ τί ἧττον σεισμοὶ ἐν ποντίαις νήσοις ἢ ἐν προσγείοις
μβ8. 368 ᵇ32. ὁ ἐν Ἀχαΐᾳ σεισμὸς χ̱ ἡ τῇ κύματος ἔφο-
δος μα6. 343 ᵇ2. — 2. ὁ σεισμὸς τῶν νεύρων πε15. 882
ᵃ33.

σείστρος (ci Sylb, σίστρος Bk) θ160. 846 ᵃ34.

σέλας. πυρὸς σέλας αἰθομένοιο (Emped 221) αι2. 437 ᵇ27.
— σέλας, φάντασμα ἐν ἀέρι καθ' ὑπόστασιν, dist κατ'
ἔμφατιν x4. 395 ᵃ31. σέλας ἐστὶ πυρὸς ἀθρόον ἔξαψις ἐν
ἀέρι x4. 395 ᵇ3. ἐν τῇ πυρώδει χ̱ ἀτάκτῳ λεγομένῃ φύσει
τὰ σέλα διάττει x2. 392 ᵇ3.

σελαχοειδής. v l σελαχοειδῶν (σελαχωδῶν Bk) Ζιε5. 540
ᵇ24.

σέλαχος. v σελαχώδης. καλεῖται σέλαχος ὃ ἂν ἄπην ὂν
χ̱ βράγχια ἔχον ζῳοτόκον ᾖ Ζιγ1. 511 ᵃ5. εἴ τι τοιῦτον
(ἀκανθῶδες) ἄλλο σέλαχός ἐστιν Ζμ13. 695 ᵇ9. plerum-
que legitur num plur, saepe add voc καλύμενα, τὰ κα-
λύμενα σέλαχη Ζιε5. 489 ᵇ2. γ7. 516 ᵇ16. Ζμβ9.655 ᵃ23.
Ζγβ1. 732 ᵇ1. γ3. 754 ᵃ23 (cf τραχὺ χ̱ λαμπρὸν ἐν τῇ
νυκτὶ τὸ δέρμα τὴν τοιῦτον ἐστὶ ζῴων· διὸ καὶ τινα ἀπὸ
τῇ σέλας ἔχειν ὠνομάσθαι φασὶν αὐτὰ σέλαχη Galen VI
737.) τὸ τῶν καλυμένων σελαχῶν γένος, coni τὸ τῶν ἄλ-
λων ἀπόδων αν10. 476 ᵃ2. refertur inter τὰ ἔνυδρα τῶν
ζῳοτόκων Ζιε5. 489 ᵇ2 Aub, τὰ ἄποδα Ζγβ1. 732 ᵇ22,
τὰς ἰχθῦς Ζιγ17. 520 ᵃ17. δ11. 538 ᵃ29. ε5. 540 ᵇ6.
Ζγγ3. 754 ᵃ23. 5. 755 ᵇ2 (sed οὐ ἄποδα ζῳοτόκα, ὅ ὂν οὐ
ἔχειι χ̱ τὰ σέλαχη. τὰ δ' ῳοτοκεῖ, οἷον τὸ τῶν ἰχθύων
γένος χ̱ τὸ τῶν ἄλλων ὄφεων Ζγβ1. 732 ᵇ22), inter τὰς
πελαγίας, τὰς σαρκοφάγας τῶν ἰχθύων Ζιθ13. 598 ᵃ12. 2.
591 ᵃ10. — a. descr part. ἀλεπίδωτα καὶ τραχέα δ' ἐστὶ
Ζμδ13. 697 ᵃ7. τὰ ὀστᾶ χονδράκανθα Ζιγ7. 516 ᵇ15. 8.
516 ᵇ36. Ζμβ9. 655 ᵃ23. δ13. 696 ᵇ3, 6, 697 ᵃ8. cf Ζιγ8.
517 ᵃ1 Aub. ἔχει βράγχια, ἀκάλυπτα δὲ πάντα αν10. 476
ᵃ2. Ζια5. 489 ᵇ6. β13. 505 ᵃ1, 3, 5. Ζμδ13. 696 ᵇ4. τὰ
πτερύγια, πῶς νεῖ Ζια5. 489 ᵇ30. ἀμφώδοντα, μονοκοιλία,
τὰ σπλάγχνα πάμπαν μικρὰ Ζμδ1. 676 ᵇ4, 3, 5. ἀπιμε-
λώτατα, τὸ ἧπαρ πιμελῶδες, ἔλαιον τῶν ἡπάτων τηκομένων
Ζιγ17. 520 ᵃ19, 17, 18. πρὸς ἄλληλά τε χ̱ πρὸς τὰς ἄλλας
ἰχθῦς ἡ διαφορὰ τῶν ὑστερῶν, ὑστέραι δικραὶ. ὀρνιθώδε-
στεραι Ζιγ1. 511 ᵃ12, 6. Ζι0. 564 ᵇ20 Aub. v ὑστέρα.
— b. physiolog. ψυχρὰ τὴν φύσιν Ζγα10. 718 ᵇ35. β1. 733
ᵃ10. γ3. 754 ᵃ33. ὑγρά, θερμὰ Ζγβ1. 733 ᵃ8, 11. ᵇτω
καθεύδει ἐνίοτε ὥστε χ̱ λαμβάνεσθαι τῇ χειρί, ἔνια δοκεῖ
τρίζειν, ἐπὶ τῶν μικρῶν μεῖζον τὰ θήλεα τῶν ἀρρένων Ζιδ10.
537 ᵃ30. Ζμβ8. 655 ᵃ24. 11. 538 ᵃ29. — c. περὶ γενέσεως.
ὀχεία· κατὰ μὲν τὸ μετόπωρον ἀναμὶξ τὰ ἄρρενα τοῖς θή-
λεσι κατὰ τὴν ὀχείαν, τῇ δ' ἔαρος εἰσπλέῃσι διακεκριμένα,
μέχρι ὃ ἂν ἐκτέκωσι· κατὰ τὴν ὀχείαν ἁλίσκεται πολλὰ
συνεζευγμένα Ζιε5. 540 ᵇ19, 10, 12. 137. 621 ᵇ25, 28. ζῷα
ὀλιγογονώτερα μέν ἐστι διὰ τὸ ζῳοτοκεῖν, (πολυγονώτατον
τῶν σελαχῶν ὁ βάτραχος Ζιζ17. 570 ᵃ32 Aub, 30. τὰ ῳὰ
πῇ γίνεται, τέλειον ῳόν, τὰ ῳὰ μαλακόδερμα χ̱ μονόχροα
Ζιγ1. 511 ᵃ9. α5. 489 ᵇ16. Ζγα10. 718 ᵇ33. γ3. 754 ᵃ23,
32. ζῳοτοκεῖ πρότερον ῳοτοκήσαντα ἐν αὑτοῖς (πλὴν βατράχῳ)
χ̱ ἐκτρέφῃσιν αν10. 564 ᵇ15, 16 Aub. cf a11.
492 ᵃ27. β13. 503 ᵇ3. γ1. 511 ᵃ4. 7. 516 ᵇ15. αν10. 475
ᵇ20. Ζμδ1. 676 ᵇ2. Ζγα10. 718 ᵇ32. β1. 732 ᵇ1. γ3. 754
ᵃ23. 4. 755 ᵃ12. 5. 755 ᵇ2. ἐν τοῖς ἰχθύσι τὰ σέλαχη πρὸς
τὰς ἄλλας ἔχυσι τὴν αὐτὴν διαφορὰν ἣν χ̱ τῶν ὄφεων οἱ

Qqqq 2

ἔχεις πρὸς τὰς ἄλλας ζωοτόκας Ζμδ 1. 676 ᵇ2. — ἐκτίκτει πρὸς τὴν γῆν ἐπανιόντα. ἐπικυΐσκεται κ̣ κύει τὰς πλείστας μῆνας ἓξ Ζιζ 11. 566 ª24. cf 17. 570 ᵇ32. 11. 566 ª15. νεοττοί, τέκνα, σώζεται δὲ μάλιστα ταῦτα διὰ τὸ μέγεθος Ζιζ 10. 565 ᵇ30. 11. 566 ª26. 17. 571 ª1. εἰσὶ δέ τινες οἳ 5 ἑωρακέναι φασὶ κ̣ συνεχόμενα τῶν σελαχῶν ἔνια ὄπισθεν· ἔνιοί φασι πάντας εἶναι ἰχθῦς θήλεις ἔξω τῶν σελαχῶν Ζιε5. 540 ᵇ14. Ζγγ5. 755 ᵇ8, 12. — d. dist τὰ μικρά· τὰ μὲν τραχέα τὰ δὲ λεῖα Ζιδ 11. 539 ª29. β13. 505 ª26. οἱ γαλεοί, τὰ γαλεώδη. τὰ προμήκη Ζια5. 489 ᵇ6. γ1. 511 ª4. 10 β13. 505 ª5. ε5. 540 ᵇ17. οἱ βάτοι. τὰ πλατέα κ̣ κερκοφόρα Ζια5. 489 ᵇ6. β13. 505 ª3. γ8. 517 ª1. ε5. 540 ᵇ6, 8, 10, 12. ζ10. 565 ᵇ28, ὁ βάτραχος v h v. enumerantur Ζια5. 489 ᵇ30. β13. 505 ª3. ε5. 540 ᵇ8, 10, 12, 17. ζ10. 565 ᵇ24-31. Ζμδ 13. 695 ᵇ9. f 277. 1527 ᵇ40, 44. (sela- 15 chea Thomae, cartilaginea Plin Gaz Scalig. cf C II 759. Eichwald de selachis Ar. F 277, 45. ΚαΖμ 50, 10. Μ 280- 283. ΑΖι Ι 123, 1.)

σελαχώδης. v σέλαχος. τὸ τῶν σελαχωδῶν γένος Ζγγ7. 757 ª19, vel οἱ σελαχώδεις ἰχθύες (Ζιβ13. 505 ª7. 17. 508 20 ᵇ23. ε5. 540 ᵇ24. θ2. 591 ᵇ10, 25. Ζμγ7. 669 ᵇ36. Ζγβ4. 737 ᵇ24. γ1. 749 ª19. 5. 755 ᵇ14. 7. 757 ª15, 22. f 305. 1530 ª13) vel τὰ σελαχώδη, opp οἱ ἐν τῷ γένει τῷ τῶν ᾠοτόκων, οἱ μὴ σελαχώδεις, οἱ μὴ ζῳοτόκοι, οἱ ἕτεροι ἰχθύες Ζγγ5. 755 ᵇ14. 7. 757 ª15. Ζιβ13. 505 ª7. Ζμγ7. 669 ᵇ36. 25 referuntur inter τὰ σαρκοφάγα Ζιθ2. 591 ᵇ10. — a. descr part. τὸ στόμα κάτω, ἐν τοῖς ὑπτίοις Ζιθ2. 591 ᵇ27. Ζμδ 13. 696 ᵇ26. ᾧ αὐτῶν τῶν πόρων ἡ συναγωγὴ γίνεται διὰ βραγχίων· ἡ ῥάχις χονδρώδης ἐστίν· δύο δοκοῦσιν ἧπατ' ἔχειν Ζμδ 13. 696 ᵇ10. β9. 655 ª37. γ7. 669 ᵇ36. οἱ πλεῖ- 30 στοι ἀποφυάδας ὅλως οὐκ ἔχουσι, marium appendices Ζιβ17. 508 ᵇ23. ε5. 540 ᵇ25 Aub. ὑστέρα, descr Ζγα11. 719 ª8. β4. 737 ᵇ24. γ1. 749 ª31. 7. 757 ª20. — b. physiolog. φωλεῖ τὰς χειμεριωτάτας ἡμέρας Ζιθ 15. 599 ᵇ29. ὕπτιοι ἀναπίπτοντες, ὕπτια στρεφόμενα, λαμβάνει τὴν τροφήν 35 Ζιθ2. 591 ᵇ25. Ζμδ 13. 696 ᵇ26. ἐν πᾶσι μεῖζον τὸ θῆλυ τῶ ἄρρενος Ζιε5. 540 ᵇ15. — c. περὶ γενέσεως. κατὰ μῆνα τίκται κ̣ ὀχεύεσθαι οἴονται πολλοί· πάντα ἅμα ἔχουσιν ἄνω μὲν πρὸς τῷ ὑποζώματι ᾠά, τὰ μὲν μείζω τὰ δ' ἐλάττω, πολλά, κάτω δ' ἔμβρυα ἤδη Ζιζ 10. 565 ᵇ20, 18. ἐν αὐτοῖς 40 ᾠοτοκήσαντες ζῳοτοκοῦσι, ἔνιοι τέλειον ᾠὸν γεννῶσι Ζγγ1. 749 ª19. 5. 755 ᵇ30. τὸ γένος ὀ πολύσπερμον ὅλως, ὀλιγο- χούτεροι πρὸς τὴν γονήν εἰσιν Ζγγ7. 757 ª19, 22. — d. dist τὰ γαλεώδη, his adnumeratur ἡ νάρκη Ζιε5. 540 ᵇ27. f 305. 1530 ª13. — σελαχώδη ci Aub (ᾠτω κητώδη Bk) 45 Ζια11. 492 ª26.

σελήνη. περιφορὰ τῷ παντός, ἐν ᾧ σελήνη κ̣ ἥλιος κ̣ ἔνια τῶν ἄστρων Οα9. 278 ᵇ17. κάτω σελήνης. ἄνω κ̣ μέχρι σελήνης μα4. 342 ª30. 3. 341 ᵇ6. δεῖ τὸ τοιοῦτον γένος (τὸ τῷ πυρός) ζητεῖν ἐπὶ τῆς σελήνης· αὕτη γὰρ φαίνεται κοι- 50 νωνοῦσα τῆς τετάρτης ἀποστάσεως Ζγγ11. 761 ᵇ21. ἡ σελήνη γίνεται (διὰ τὴν πρὸς τὸν ἥλιον κοινωνίαν) ὥσπερ ἄλλος ἥλιος ἐλάττων Ζγδ 10. 777 ᵇ25. νύκτες ἀλεεινότεραι διὰ τὸ φῶς τῆς σελήνης Ζμδ 5. 680 ª34. cf πκη18. 942 ª25. ὁ μεὶς κοινὴ περίοδος σελήνης κ̣ ἡλίᾳ Ζγδ 10. 777 ᵇ20. κ6. 399 ª6. ὁ ἥλιος 55 ἐν ὅλῳ τῷ ἐνιαυτῷ ποιεῖ χειμῶνα κ̣ θέρος, ἡ δὲ σελήνη ἐν τῷ μηνὶ Ζγδ 2. 767 ª6. β4. 738 ª21. ἡ σελήνη συμβάλλεται εἰς πάσας τὰς γενέσεις ᾗ τελειώσεις Ζγδ 10. 777 ᵇ24. τὰ τῆς σελήνης παθήματα κ̣ τὰ περὶ τὸν ἥλιον ΜΑ2. 982 ᵇ16. εἰσὶ περίοδοι σελήνης πανσέληνοί τε κ̣ φθίσεις κ̣ τῶν μεταξὺ 60 χρόνων αἱ διχοτομίαι· φθίσις κ̣ ἀπόλειψις τῆς σελήνης·

σελήνη πλήρης, σφαιροειδής, διχοτόμος Ζγδ 10. 777 ᵇ21.2. 767 ª5. Οβ11. 291 ᵇ18. 12. 292 ª4. μγ5. 376 ᵇ25. Αγ13. 78 ᵇ5. πιε7. 911 ᵇ35 (cf αὐξάνειν p 122 ᵇ19). τὴν σελήνην εἶναι θῆλυ, ὅτι ἅμα συμβαίνει ταῖς μὲν (γυναιξὶν) ἡ κάθαρ- σις, τῇ δὲ ἡ φθίσις Ζιη2. 582 ª35. τῆς σελήνης ἀεὶ δῆλόν ἐστι τὸ καλούμενον πρόσωπον Οβ8. 290 ª26. cf πιε7. 912 ª9. αἱ ἅλῳ περὶ τὸν ἥλιον κ̣ τὴν σελήνην μα7. 344 ᵇ3. αἱ τῆς σελήνης ἐκλείψεις Οβ14. 297 ᵇ24. διὰ τί τὰς τῆς σε- λήνης ἐκλείψεις πλείως ἢ τὰς τῷ ἡλίᾳ γίγνεσθαί φασιν Οβ13. 293 ᵇ23. ἥλιος ἐκλείπει σελήνης ἀντιφράξει f 203. 1515 ª23. αἱ ἀπὸ τῆς σελήνης σκιαὶ μείζας τῶν ἀπὸ τῷ ἡλίᾳ πιε10. 912 ᵇ4. περὶ τὰς ἐκλείψεις τῆς σελήνης ἐνίοτε συμβαίνει γίγνεσθαι σεισμὸν μβ8. 367 ᵇ20. (cf ἀπολείπειν p 83 ª58, ἐκλείπειν, ἔκλειψις p 229 ª36, 41.) τὴν σελήνην ἑωράκαμεν ὑπελθοῦσαν τὸν ἀστέρα τὸν Ἄρεος Οβ12. 292 ª4. — πρὸ τῷ ἐπιτεῖλαι τὴν σελήνην f 549. 1569 ª1. ἐκπορεύεσθαι πρὸς τὴν σελήνην, opp τὴν ἡμέραν θ15. 831 ᵇ16. τὴν νύκτα ἡσυχάζουσιν, ἐὰν μὴ σελήνη ᾖ Ζιθ13. 598 ᵇ23.

σελήνιον. ὁ πορθμὸς ὁ μεταξὺ Σικελίας κ̣ Ἰταλίας αὔξεται κ̣ φθίνει ἅμα τῷ σεληνίῳ θ55. 834 ᵇ4.

σέλινον. τὰ σέλινα δέχεται τὸ ἁλυκὸν ὕδωρ πκ1. 923 ª6. τῷ σελίνῳ πῶς γίνονται παμμεγέθεις αἱ ῥίζαι πκ8. 923 ᵇ10. ὥσπερ σέλινον ὕλα τῷ σκέλη φορεῖ (cf Poeta incertus p 607 ᵇ36) Ργ11. 1413 ª11, 27. (Apium graveolens cultum L. Fraas 147. Heldreich 39.)

Σελλοί μα14. 352 ᵇ2, cf Γραικοί.

σεμνόθεοι, i q δρυίδαι παρὰ Κελτοῖς f 30. 1479 ª33.

σεμνός. εἰ σεμναὶ θεαὶ Ρβ23. 1398 ᵇ26. σεμνῆς φιλίης ἱδρύ- σατο βωμόν f 623. 1583 ª13. τί ἂν εἴη τὸ σεμνὸν (τᾶ νᾶ) Μλ9. 1074 ᵇ18. — τῶν ποιητῶν οἱ σεμνότεροι, opp οἱ εὐτε- λέστεροι πο4. 1448 ᵇ25. — σεμνός, def μέσος αὐθάδας κ̣ ἀρέσκων ηεγ7. 1233 ᵇ38. ημα29. 1192 ᵇ36. σεμνὸς ἡ με- γαλοπρεπής, dist αὐθάδης Ρα9. 1367 ᵇ1. σεμνός, dist χα- λεπός, βαρύς Πε11. 1314 ᵇ18. Ρβ17. 1391 ª26. — σεμνή, σεμνοτέρα λέξις πο22. 1458 ª21. Ργ2. 1404 ᵇ8. σεμνὸν τὸ αὔθαδες, τὸ σεμνὸν ἄγαν κ̣ τραγικόν Ργ3. 1406 ᵇ3, 7. τραγικώτερον κ̣ σεμνότερον ὑπέλαβον μβ1. 353 ᵇ2. ὁ ἡρῷος ῥυθμὸς σεμνὸς κ̣ λεκτικῆς ἁρμονίας δεόμενος Ργ8. 1408 ᵇ32. — οὐδὲν σεμνὸν Ηγ3. 1146 ª15. ηεγ1. 1228 ᵇ11. Πη3. 1325 ª6. χαλεπὸν κ̣ σεμνόν Ηδ8. 1124 ᵇ21. — σεμνῶς λέγειν περὶ εὐτελῶν, opp περὶ εὐόγκων αὐτοκαβδάλως Ργ7. 1408 ª13.

σεμνότης. ἐντεῦθεν λαμβάνει τὴν σεμνότητα κατὰ τὸ ἀπεῖρα Φγ6. 207 ª19. — ἡ σεμνότης μεσότης αὐθαδείας κ̣ ἀρεσκείας ηεβ3. 1221 ª8. γ7. 1233 ᵇ34. ημα29. 1192 ᵇ30. ἡ σεμνότης μαλακὴ κ̣ εὐσχήμων βαρύτης Ρβ17. 1391 ª28. — σεμνότης τῆς λέξεως Ργ8. 1408 ᵇ35.

σεμνύνεσθαι ἐν τοῖς ταπεινοῖς Ηδ8. 1124 ᵇ21. σεμνύνεσθα κ̣ καλλωπίζεσθαι ἐπί τινι ημα34. 1195 ᵇ19, 22, 23. ρ36 1441 ᵇ25.

Σέριφος θ70. 835 ᵇ3.

σέσελις. ἐπὶ σέσελιν τρέχωσιν ἔλαφοι Ζιι5. 611 ª18.

σεσερῖνος f 278. 1528 ª13.

Σέσωστρις comp cum Minoe Πη10. 1329 ᵇ4, 25. ἐπεχεί- ρησε διορύττειν τὴν ἐρυθρὰν θάλατταν μα14. 352 ᵇ26.

σεύειν. ἐσσύμενος περ (Hom Λ 554. Ρ 663) Ζιι44. 629 ᵇ23

Σεύθης ὁ Θρᾷξ Πε10. 1312 ª14.

σηκός. οἱ πέρδικες δύο ποιοῦνται τῶν ᾠῶν σηκὸς Ζιζ 8. 564 ª21.

σήκωμα. ὅσῳ ἂν μακρότερον ᾖ τὸ μῆκος τῷ μοχλῷ τῷ ἀπ

τῦ ὑπομοχλίυ, τοσύτῳ ἐκεῖ μὲν ῥᾷον κινεῖ, ἐνταῦθα δὲ σή-
κωμα ποιεῖ μχ20. 854 ᵃ13 Cappelle.

Σηλυβριανοί οβ1348 ᵇ32.

σημαίνειν. οἱ διαιτηταὶ τὰς πίστεις ἐμβαλόντες εἰς καδίσκυς
ᾗ σημηνάμενοι f 414. 1547 ᵃ22. — αἱ ἅλῳ σημαίνυσιν 5
ἀνέμυς μα7. 344 ᵇ19. β4. 361 ᵃ28. βέλτιστα τὰ μέσα
ὦτα πρὸς ἀκοήν, ἦθος δ᾽ ὐδὲν σημαίνει Ζια11. 492 ᵃ34. εἰ
μὴ ἄρα εἰς τὸν ἀπόπλυν ἐσήμανεν (τὸ τέρας an ὁ Κάλχας?)
f 140. 1501 ᵇ43. — ἡ φωνὴ σημαίνει τι, ὐδέν εἰ. 16 ᵃ17.
2. 16 ᵃ22, 23, 26 al. τῶν διπλῶν ὀνομάτων τὸ μὲν ἐκ ση- 10
μαίνοντος ᾗ ἀσήμυ, τὸ δ᾽ ἐκ σημαινόντων σύγκειται πο21.
1457 ᵃ33. δεῖ λαβεῖν τί σημαίνει τὖνομα Φδ7. 213 ᵇ30.
cf Πγ4. 1277 ᵃ39. σημαίνει ταὐτὸν μα3. 339 ᵇ23. Πγ7.
1279 ᵃ26. σημαίνειν ἕν, dist καθ᾽ ἑνός Μγ4. 1006 ᵃ32,
ᵇ14, 15. καθάπερ εἰ ὀνόματι σημαίνοιμεν Ζμβ3. 649 ᵇ22 15
(cf dist ὄνομα, λόγος s v λόγος p 433 ᵇ44). saepe σημαί-
νειν coni λέγεσθαι· καθ᾽ αὑτὸ δὲ εἶναι λέγεται ὅσαπερ ση-
μαίνει τὰ σχήματα τῆς κατηγορίας· ὁσαχῶς γὰρ λέγεται,
τοσαυταχῶς τὸ εἶναι σημαίνει Μδ7. 1017 ᵃ23. cf 38. 1024
ᵇ14. β4.1001 ᵇ31. ε2.1026 ᵇ1 al. Prantl Log I 200. ἐνταῦθα 20
ὐδὲν ἄλλο σημαίνοντες τὴν σοφίαν ἢ ὅτι ἀρετὴ τέχνης ἐστὶν
Ηζ7.1141 ᵃ12. — ἐπειδὰν ἡ σάλπιγξ σημήνῃ τῷ στρατοπέδῳ
κ6. 399 ᵃ31, ᵇ2. — σημαίνειν perinde ac δηλῶν (cf p 174
ᵃ13) interdum ita omisso obiecto usurpatur, ut idem fere
sit ac φανερόν ἐστι, φανερὸν γίγνεται. εἰς δὲ τὰ ἔξω ὐδὲν 25
σημαίνει τύτων διὰ τὸ τῦ δέρματος πάχος Ζιϑ8. 533 ᵃ11.
cf ᾗ περὶ αἰσθήσεως τὰ μὲν αὐτῶν ὐδὲ ἓν σημαίνεται (ie
ὐδὲ ἑνὸς αἰσθητήριον φανερὸν παρέχει). τὰ δ᾽ ἀμυ-
δρῶς Ζιϑ1. 588 ᵇ18 Aub. — σημαίνει impers (ie μετα-
βολὴ τῦ ἀέρος γίγνεται Ideler ad Met II 278) πκϛ12.941 30
ᵇ2. 32. 944 ᵃ4.

σημαντικός. τὸ ὑγιεινὸν σημαντικὸν ὑγιείας τα15. 106 ᵇ36.
σημαντικὴ τις ψόφος ἡ φωνὴ ψβ8. 420 ᵇ32. φωνὴ ση-
μαντική, σημαντικὴ κατὰ συνθήκην πο20. 1457 ᵃ1, 5, 9,
11, 12, 14. ε2. 16 ᵃ19, 20, 24. 4. 16 ᵇ26, 27, 31. λόγος 35
σημαντικὸς κατὰ συνθήκην ε4. 17 ᵃ1. — σημαντικῶς
τα15. 106 ᵇ37.

σημάντωρ. πάντα ὑφ᾽ ἕνα σημάντορα δινεῖται κατὰ πρόσ-
ταξιν τῦ τὸ κράτος ἔχοντος ἡγεμόνος κ6. 399 ᵇ9.

σημασία ἦθυς αἱ πράξεις πιϑ27. 919 ᵇ36. 40

σημεῖον. ὁ κηρὸς δέχεται τὸ τῦ δακτυλίυ σημεῖον Ζβ12.
424 ᵃ20. σημεῖα ἔχοντες σημεῖων Ζιϛ6. 585 ᵇ31 (cf στίγμα
ἐν βραχίονι ᵇ33). — signum ex quo quid vel fore vel esse
vel factum esse colligitur. ἂν τὰ ἀπὸ σημείων ᾗ λογίων
καλῶς ἔχῃ Ρβ5. 1383 ᵇ6. τὰ ἐνύπνια ἢ αἴτια ἢ σημεῖα 45
τῶν γιγνομένων ἢ συμπτώματα μτ1. 462 ᵇ27. σημεῖα
ὀράνια πολλὰ τᾶς ἁρπαγῆς μτ2. 463 ᵇ23. ὁμίχλη σημεῖον
εὐδίας sim μα9. 346 ᵇ34. 12. 348 ᵃ33. γίγνεται σημεῖον πρὸ
τῶν σεισμῶν μβ8. 367 ᵇ8. σημεῖα φυσιογνωμονικά, ἐκλογὴ
τῶν σημείων, λαμβάνειν σημεῖα φ6. 1. 805 ᵃ28, 33, ᵇ11. 2. 50
806 ᵃ20. εὐθεῖαι ὀφρύες μαλακὸ ἦθυς σημεῖον sim Ζια9. 491
ᵇ15. 10. 492 ᵃ4. 11. 492 ᵇ1. 9. 491 ᵇ24. ὁ πταρμὸς σημεῖον
οἰωνιστικὸν ᾗ ἱερὸν Ζια11. 492 ᵇ1. τὰ τοιαῦτα ὡς σημεῖα
ὑπολαμβάνυσιν Ζιγ20. 522 ᵃ17. σημεῖα ὑγιείας μδ2. 380
ᵃ1. ὡς σημείῳ εὐπαθείας χαίρυσι τῇ τιμῇ Ηϑ9. 1159 ᵃ21. 55
σημεῖα τῶν ἠθῶν, dist ὀμοιώματα Π65. 1340 ᵃ33. σημεῖα
ὕβρεως, ὀλιγωρίας, βελτίωσεως Ρβ2. 1378 ᵃ31, ᵇ36. 4. 1381
ᵃ7. ἀνδρείας ἔργα ᾗ σημεῖα sim, πράξεις ᾗ σημεῖα Ρα9.
1366 ᵇ30. β6. 1384 ᵃ8. 8.1386 ᵇ2. περιεργάζεσθαι (in imi-
tandis actionibus) τοῖς σημείοις πο26. 1462 ᵃ6. Vahlen Poet 60
IV 395. cf σύμβολον 3. — logice ac rhetorice σημεῖον

def, dist εἰκός, τεκμήριον, παράδειγμα Αβ26. 69 ᵇ37. 27.
70 ᵃ3-ᵇ6 Wz. Ρα2. 1357 ᵃ34, ᵇ1. 3. 1359 ᵃ8. β24. 1401
ᵇ9. 25. 1402 ᵇ14, 20. ρ13 (def ρ13.1430 ᵇ30). dist γνώμη,
ἔλεγχος ρ15. 1431 ᵃ39, ᵇ2. σημεῖον ἄλυτον (i e τεκμήριον),
opp λύσιμον Αβ27. 70 ᵃ29-ᵇ6. cf Ρβ25. 1403 ᵃ2, 4. οἱ
διὰ σημείων συλλογισμοὶ Αγ6. 75 ᵃ33. οἱ κατὰ τὸ σημεῖον
ἀποδείξεις ἐν τοῖς ῥητορικοῖς τι5. 167 ᵇ9. ἀποδείκνυται κατὰ
σημεῖον, opp καθ᾽ αὑτὸ Αδ17. 99 ᵃ3. ὐχ ἱκανῶς πεπιστεύ-
κασι σημείῳ Ηϑ2. 1155 ᵇ14. in afferendis indiciis, ex qui-
bus aliquid colligitur, usitatum σημεῖον δέ· … γὰρ εἰ.
16 ᵃ15 Wz. Αγ4. 73 ᵃ32. δ1. 89 ᵇ27. Φδ11. 219 ᵇ3. αν5.
472 ᵇ21. μα8. 346 ᵃ23. Μγ2. 1004 ᵇ17. Ηε4. 1130 ᵃ16.
Πε10. 1312 ᵇ21. ζ4. 1318 ᵇ17 al. cf Πβ8. 1268 ᵇ38. Ζιε
22. 554 ᵃ1. σημεῖον δ᾽ ἐστίν· καλύμενος γὰρ Ζυ37. 622
ᵃ16 (ἐστίν omittendum ci S II 178). σημεῖον δὲ μέγιστον·
… γὰρ πο13. 1453 ᵃ26. σημεῖον ὅτι … γὰρ Πϑ4. 1338
ᵇ42. Ζιζ15. 569 ᵇ4. σημεῖον δὲ ὅτι Αγ6. 74 ᵇ18. Ζιζ17.
570 ᵇ28. πὸ5. 877 ᵃ11. 13. 878 ᵃ24. σημεῖον δὲ τύτυ ὅτι
(διότι) Φδ12. 221 ᵇ5. μγ3. 372 ᵇ28. cf Ργ2. 1404 ᵇ2.
σημεῖον δ᾽ ἱκανὸν ὅτι μα3. 341 ᵃ31. σημεῖόν ἐστιν ἰσχυρὸν
ὅτι πκζ8.941 ᵃ15. interdum ad σημεῖον subiecti loco nomen
vel infinitivus ponitur, σημεῖον ᾗ τῶν αἰσθήσεων ἀγάπησις,
σημεῖον τὸ δύνασθαι al ΜΑ1. 980 ᵃ21, 981 ᵇ7 Bz. α1.993
ᵃ31. Πϑ11. 1296 ᵃ18. ε6. 1306 ᵃ10. αν12. 476 ᵇ27. f 146.
1503 ᵃ11. πδ26. 879 ᵇ9. πρὸς τὸ μὴ ἐξ ὀχείας γίνεσθαι
σημεῖον ᾗ τὸ τὸν γόνον φαίνεσθαι μικρὸν Ζγγ10. 760 ᵇ33.
τὸ λέγειν τὺς ἀπὸ τῆς ἐπιστήμης λόγυς ὐδὲν σημεῖον Ηη5.
1147 ᵃ19. σημεῖον γεγονέναι ἐπ᾽ αὐτῶν τῶν ἔργων Πβ8.
1268 ᵇ38. σημεῖον ποιεῖσθαί τι τινος Ηβ2. 1104 ᵇ3. πο3.
1448 ᵃ35. Ζυ7. 613 ᵃ30. ζ17. 571 ᵃ8. ρ30.1437 ᵃ18.
— ὅσον (ὥσπερ) σημεῖον χάριν, veluti πίθηκος κέρκον ὐκ
ἔχει, πλὴν μικρὰν τὸ ὅλον, ὅσον σημεῖον χάριν Ζιβ8. 502
ᵇ23. ι5. 611 ᵃ31. Ζμγ7. 669 ᵇ29, 670 ᵇ12 (inde σημεῖυ
χάριν Ζμδ10. 689 ᵇ5 scribendum est pro σμικρῦ χάριν).
— σημεῖον mathem punctum Αγ10. 76 ᵇ5 al. ἀπὸ τῦ αὐτῦ
σημείυ, ἐπί, πρὸς τὸ αὐτὸ σημεῖον μβ6. 364 ᵃ31. γ3. 373
ᵃ4, 5. Φζ9. 240 ᵇ3. τί ἐστιν ἑχόμενα σημεῖον σημεῖᾳ ἢ
στιγμὴ στιγμῆς Γα2. 317 ᵃ11. cf Φϑ8. 264 ᵃ3. ἐντὸς τῶν
ἄκρων ὁτιῶν σημεῖον δυνάμει μέσον Φϑ8. 262 ᵃ23. χρῆσθαι
τῷ ἑνὶ σημείῳ ὡς δυσὶν Φϑ8. 263 ᵃ24, ᵇ12. σημεῖον αἰσθη-
τὸν Γα5. 321 ᵇ14. τῦτο τὸ σημεῖον (ἐν τῷ ᾠῷ καρδία)
πηδᾷ ᾗ κινεῖται Ζιγ3. 561 ᵃ12. τὰ ζῷα κινεῖται τέτταρσι
σημείοις, δυοῖν σημείοιν, πλείοσι σημείοις, πόσοις ἐλαχίστοις
σημείοις sim Ζια5. 490 ᵃ26, 33. Ζμδ12. 693 ᵇ8, 14. 13.
696 ᵃ13. Ζπ1. 704 ᵃ10. 7. 707 ᵃ18, 22, ᵇ14. τὰ πρόσθια
ὀπίσθια δεξιὰ ἀριστερὰ σημεῖα· τὸ μὲν ἠρεμῦν τῶν σημείων,
τὸ δὲ κινεῖσθαι· τὰ κινητικὰ σημεῖα Ζκ1. 698 ᵃ21. 8. 702
ᵃ25. Ζπ7. 707 ᵇ12, 13. Ζμδ13. 696 ᵃ15. — σημεῖον χρόνυ
Φδ8. 262 ᵇ2, 25. Οα12. 283 ᵃ11, 13.

σημειώδης. ἅλῳ σημειώδης μγ3. 373 ᵃ30. τὰ ἐνύπνια ἔχει
τι σημειῶδες μτ1. 462 ᵇ15.

σηπεδών. εἴ τις κατορύξειε κλίνην ᾗ λάβοι δύναμιν ἡ σηπε-
δὼν ὥστε ἀνεῖναι βλαστὸν Φβ1. 193 ᵃ13. αἱ ψύλλαι γί-
νονται ἐξ ἐλαχίστης σηπεδόνος Ζιε31. 556 ᵇ25. ὀσμὴν ἔχει
τὰ λευκὰ ὐ σηπεδόνος, ἀλλὰ δριμυτέραν Ζικ1. 634 ᵇ21. τὸ
γῆρας σηπεδών τι ἐστιν πιϑ7. 909 ᵇ3.

σήπειν. ὑ ἀλέα ἰσχύσασα σήπει Ζιζ16. 570 ᵃ23. ἡ πλεονά-
ζυσα θερμασία ἀναβολαῖ τὰ ᾠὰ οἶον σήπυσα Ζγγ2. 753
ᵃ30. — ἐξελθύσης τῆς ψυχῆς διαπνεῖται ᾗ σήπεται τὸ
σῶμα ψα5. 411 ᵇ9. σήπεται πάντα τἄλλα πλὴν πυρός, γῆ,
ὕδωρ, ἀήρ, τὸ ἀποκριθέν, σπόγγος ὥσπερ τὰ φυόμενα· ἡ

τροφὴ ὃ πεττομένη μδ1. 379 ᵃ14, 15. 3. 381 ᵇ12. Ζιε16.
548 ᵇ27. 19. 552 ᵃ13. Ζγε4. 784 ᵇ12, cf 785 ᵃ4. πκε20.
939 ᵇ27. κς17. 942 ᵃ17 al. ἡ ὑγρότης σήπεται ὑπὸ τῆς
θερμότητος, ἐν τοῖς ψύχεσιν ἧττον σήπεται ἢ ἐν ταῖς ἀλέαις,
ἢ τὸ κινούμενον ἢ ῥέον ἧττον σήπεται τῦ ἀκινητίζοντος Ζγε4. 5
784 ᵇ5. μδ1. 379 ᵃ26, 34. πβ33. 870 ᵃ5. σήπεται πᾶν τὸ
σηπόμενον ὑπ' ἀλλοτρίᾳ θερμῷ, τὸ ἠρεμῦν, κινύμενα πάντα
πβ33. 870 ᵃ1, 3. ιδ7. 909 ᵇ3. κβ4. 930 ᵇ3. ἡ θάλαττα
κατὰ μέρος διαιρυμένη ταχὺ σήπεται· ἡ αὐτὴ αἰτία ἢ τῦ
τὸ πολὺ ἧττον τῦ ὀλίγυ σήπεσθαι μδ1. 379 ᵇ5, 2. τὰ ἄχυρα 10
ἃ σήπει τὰ πεπεμμένα πκβ13. 931 ᵃ24. ἡ ἰλὺς σηπομένη
Ζιε19. 551 ᵇ30. cf Ζγγ11. 763 ᵃ27. ὁ ἰχωρ ὁ σηπόμενος
πκβ13. 931 ᵃ26. τὰ ἔναιμα τάχιστα σήπεται Ζγγ19. 521
ᵃ2. πέττεται ἐν τῇ ἄνω κοιλίᾳ, σήπεται δ' ἐν τῇ κάτω τὸ
ἀποκριθέν μδ3. 381 ᵇ12. τὸ ὑγρὸν ἢ ὀπτώμενον ἢ ἑψόμενον 15
ἢ σηπόμενον ἢ ἄλλως πως θερμαινόμενον· γίνεται ὑδὲν ση-
πόμενον ἀλλὰ πεττόμενον, φαίνεται δὲ ἢ σηπόμενον τὸ
χωριζόμενον μδ2. 379 ᵇ28. Ζγγ11. 762 ᵃ14. Ζμβ9. 654
ᵇ10. ὑγρὰ πρῶτον, εἶτα ξηρὰ τέλος γίγνεται τὰ σηπόμενα·
ξηρότερα γίνεται τὰ σηπόμενα πάντα ἢ τέλος γῆ ἢ κόπρος 20
μδ1. 379 ᵃ9, 22. ζῷα γίνεται ἐκ γῆς σηπομένης ἢ φυτῶν
ἢ περιττωμάτων, ἐκ σηπομένης τῆς ὕλης, ἐκ σηπομένων
ὑγρῶν, ἐν τῇ ἀποκρίσει σηπομένη ἐν τῇ κάτω κοιλίᾳ. ἐγγύ-
νεται τοῖς σηπομένοις (syn ἐν τοῖς σαπροῖς) Ζιε1. 539 ᵃ23.
19. 552 ᵃ13. Ζγα1. 715 ᵃ25, ᵇ28, 5. 16. 721 ᵃ7. Ζμδ1. 379 25
ᵇ7. 11. 389 ᵇ5. πδ13. 878 ᵃ3. τὰ λευκὰ ἢ σεσημμένα
προέρχεται Ζικ1. 634 ᵃ31, cf 27, 33. ὁ οἶνος ὕδωρ σεσημ-
μένον, σαπὸν (Emped 298) τὸ 5. 127 ᵃ18, 19. ὕδωρ σεσημ-
μένον φρβ3. 825 ᵃ9. — ἡ σῆψίς ἢ τὸ σηπτὸν περίττωμα
τῦ πεφθέντος ἐστὶ Ζγγ11. 762 ᵃ15. 30

σήπειον, v σήπιον.

σηπία (v l σιπία Ζιε12. 544 ᵃ2, σηπυία Ζιδ1. 525 ᵃ6. 8. 534
ᵇ25. ε6. 541 ᵃ12, σηπύα cod Aᵃ. 'ut solet'). refertur inter
τὰ ἄναιμα, τὰ θαλάττια, τὸ τῶν μαλακίων γένος Ζιε4.
489 ᵃ33. 6. 490 ᵇ13. ε12. 544 ᵃ2. f 288. 1528 ᵇ21 et sae- 35
pius. — a. descr part. πλατύτερον Ζιδ4. 524 ᵃ25. στόμα
Ζιδ1. 523 ᵇ32. ε6. 541 ᵇ13, 16. f 317. 1531 ᵇ32. ὀφθαλ-
μοί, ὀδόντες. τὸ γλωττοειδὲς f 317. 1531 ᵇ31, 32. Ζμδ17.
661 ᵃ14. πόδες ὀκτώ, βραχεῖς, ἐπὶ τῶν ποδῶν αἱ κοτυλη-
δόνες f 317. 1531 ᵇ29. Ζμδ9. 685 ᵃ16, 23. Ζιδ1. 524 ᵃ23, 40
2. πλεκτάναι Ζιε6. 541 ᵇ13. προβοσκίδες δύο, μακραί f 317.
1531 ᵇ31, 38. Ζμδ9. 685 ᵃ33. Ζιδ1. 523 ᵇ30 Aub. 2. 527
ᵃ23. μυκτήρ, φυσητήρ Ζιε6. 541 ᵇ15, 17, 18. πτερύγια
περὶ τὸ κύτος, πτερύγιον στενὸν Ζιδ1. 524 ᵃ1. Ζμδ9. 685
ᵇ20. τὸ ὄστρακον ἐν τῷ νώτῳ, ἐντὸς τὰ στερεὰ ἐν τῷ 45
πρανεῖ τῦ σώματος, ἃ καλῦσι τὸ σήπιον (v h v) f 317.
1531 ᵇ33. Ζιδ1. 524 ᵇ22. τὸ περὶ τὴν κοιλίαν, κύστις,
ὑστέρα Ζμδ5. 678 ᵇ28. f 317. 1531 ᵇ35. Ζγγ8. 758 ᵃ6.
δύο λευκὰ στιφρὰ Ζιδ4. 529 ᵃ4 Aub. χρῆται τῷ θολῷ
κρύψεως χάριν ἢ ἃ μόνον φοβυμένη Ζιι37. 621 ᵇ29 Aub. 50
cf 33. δ1. 524 ᵇ16, 17. ε18. 550 ᵃ15. Ζμδ5. 679 ᵃ5, 9,
15, 20. f 315. 1531 ᵇ5. 1531 ᵇ34, 41. ἐν τῷ σκότει
πέφυκε λάμπειν ὁ τῆς σηπίας θολός αι2. 437 ᵇ7. — b. phy-
siolog. πῶς νέυσι, νευστικαί, ἀφιᾶσι τὸ ὕδωρ Ζια5. 489
ᵇ35. δ1. 524 ᵃ1. ε6. 541 ᵇ12. Ζμδ9. 685 ᵃ14. αν12. 477 55
ᵃ4. ἀποσαλεύυσι, βαδίζυσι κατὰ ζυγά, ἃ πορεύονται ἐπὶ
τοῖς ποσὶ Ζιδ1. 523 ᵇ33, 524 ᵃ23. ε12. 544 ᵇ5. λέγεται
ὑπό τινων ὡς μεταβάλλει τὸ χρῶμα, ἢ διετίζυσιν. βρα-
χύβιον, ἔνιαι διπήχεις Ζιι37. 622 ᵃ11, 31, ε18. 550 ᵇ14.
δ1. 524 ᵃ27. f 317. 1532 ᵃ1. πανυργότατον Ζιι37. 621 ᵇ28. 60
κρατῦσι τῶν ἰχθύων Ζιδ2. 590 ᵇ33. cf ι37. 622 ᵃ1, 11.

f 317. 1531 ᵇ37. ὅταν τῷ τριώδοντι πληγῇ ἡ σηπία, ὁ μὲ
ἄρρην βοηθεῖ τῇ θηλείᾳ, ἡ δὲ θήλεια φεύγει τῦ ἄρρενο
πληγέντος· τοῖς δελέασιν ἁλίσκονται· τῆς σηπίας τὰ σαρκία
σταθεύσαντες Ζιι1. 608 ᵇ17. δ8. 534 ᵇ25, ᵃ23. f 317. 1531
ᵇ43. — c. περὶ γενέσεως. ὁ ἄρρην, ἡ θήλεια (nusquam ὁ
ἄρρεν, τὸ θῆλυ), πῶς διαφέρυσι Ζιδ1. 525 ᵃ9. ε12. 544 ᵃ5
18. 550 ᵇ19. coitus, descr, κατὰ τὸν φυσητῆρα ἔνιοι ὀχεύ-
εσθαι φασιν αὐτάς Ζιε6. 541 ᵇ1, 12, 18. ὁ ἄρρην, ὅταν
ἐκτέκῃ ἡ θήλεια, ἐπιρραίνει τὰ ὠὰ Ζιζ13. 567 ᵇ8, 10. cf
ε12. 544 ᵃ4 Aub. κύει τῦ ἔαρος, (πᾶσαν ὥραν Bk, πλῆθος
ὠῶν ci Aub), κύυσαι ἄρισται Ζιε18. 550 ᵃ26. 12. 544 ᵃ2.
θ30. 607 ᵇ7. ποιεῖται τὸν τόκον, πῶς, πότε, πρὸς τὴν γῆν
ἐκτίκτει Ζγγ8. 758 ᵃ32. 12. 544 ᵃ2. 17. 549 ᵇ18. 18.
550 ᵇ6. ἀποτίκτει ἐν ἡμέραις ιε', ἐκτίκτει κατὰ τὸν φυση-
τῆρα Ζιε12. 544 ᵃ3. 18. 550 ᵃ26. 6. 541 ᵇ17. τὰ ὠά, στι-
φρά, αὐξάνεται Ζγγ8. 758 ᵃ6. Ζιε18. 550 ᵃ27. 12. 544 ᵃ4,
5 Aub. 18. 550 ᵃ14. (ἃ) δὲ αἱ σηπίαι ἀποτίκτυσι, γίνεται
ὅμοια μύρτοις μεγάλοις ἢ μέλασιν· ἔχει δύο τε τὰ κύτη
ἢ πολλὰ ὠὰ ἐν τύτοις. χαλάζαις ὅμοια λευκαῖς· μακρὸν
ἢ συνεχὲς ἐκ τῶν ὠῶν, syn τὸ ὠὸν συνεχὲς Ζιε18. 550
ᵃ10 Pik Aub, ᵇ10, 13. δ1. 525 ᵃ6. ἐπῳάζει τὰ ὠὰ ἐκτε-
κόντα ἃ ἂν τὰ κυήματα ᾖ, προσπέφυκεν ἢ γιγνομένη σηπία
τοῖς ὠοῖς ὥσπερ ἀράχναι κατὰ τὸ πρόσθεν Ζιε18. 550 ᵇ1, 3. Ζγγ8. 758
ᵃ21. (Sepia officinalis L. C II 757. A Siebld XII 372 sq.
AΖι I 150, 5. M 264 sq. Lichtenstein Abh der Berl Acad
1818. Vogt zool Briefe I 381. Ritter Erdkunde XIX 1192,
1194.)

σηπίδιον. Ζιε18. 550 ᵃ16, 19 Aub, 22, 26, 29, 31, ᵇ16. syn
ἡ γιγνομένη σηπία, αἱ μικραί, v σηπία. (cf Oken Isis 1835
p 499.)

σήπιον (de v l cf Langk ad Ζμ 654 ᵃ21). τῇ σηπίᾳ ἐντός
ἐστι τὰ στερεὰ ἐν τῷ πρανεῖ τῦ σώματος, ἃ καλῦσι σήπιον·
τὸ σήπιον ἰσχυρὸν ἢ πλατύ ἐστι, μεταξὺ ἀκάνθης ἢ ὀστῦ,
ἔχον ἐν αὐτῷ ψαθυρότητα σομφήν· ἔτ' ἄκανθα ἔτ' ὀστῦν ὑθ'
οἷον σήπιον Ζιδ1. 524 ᵇ23, 25. 7. 532 ᵇ1. τὸ ἀνάλογον ταῖς
ἀκάνθαις, τὸ καλύμενον σηπίον Ζμβ8. 654 ᵃ21. cf δ5. 679
ᵃ9. γὰρ λαβεῖν ὑκ ἔστι τὸ αὐτό, ὃ δεῖ καλέσαι σήπειον
ἢ ἄκανθαν ἢ ὀστῦν Ζμδ14. 98 ᵃ21. os sepiae.

σηπτικόν. ἡ ἀσπὶς ἐν Λιβύῃ γίνεται, ἐξ ἧ ὄφεως ποιῦσι τὸ
σηπτικὸν Ζθ29. 607 ᵃ22.

σήραγξ. ἐν ταῖς σήραγξι τῶν πετρῶν. περὶ τὰς σήραγγας
τῶν πετριδίων Ζιε16. 548 ᵃ24. 15. 547 ᵇ21. εἰς μυχίυς σήρ-
ραγγας τῆς γῆς ν4. 395 ᵇ31.

σής. οἱ σῆτες πῦ γίνονται Ζιε32. 557 ᵇ3. (tynea Thomae,
tinea Gazae Scalig. Tinea pellionella, tapetzella, sarci-
tella C II 791. S I 391. Su 205, 20. AΖι I 170, 43. St.
Cr. K 705, 4.)

Σηστὸς τηλία τῦ Πειραιέως Ργ10. 1411 ᵃ13, cf Πειθόλαος.

σήψ. ὄφεις οἱ λεγόμενοι σῆπες. descr θ164. 846 ᵃ11. cf
Beckm p 311. Prantl de coloribus 135. Meyer Gesch d
Bot I 192. tabificus aspis Salmas exer Pl 243ᵇ.

σηψιδαχὶς τὸ φαλάγγιον (cf Πλάτων p 599 ᵇ31) τζ2.
140 ᵃ4.

σῆψις ἐστὶ φθορὰ τῆς ἐν ἑκάστῳ ὑγρῷ οἰκείας ἢ κατὰ
φύσιν θερμότητος ὑπ' ἀλλοτρίας θερμότητος· ἃ μὴν ἀλλ'
ἰδίως λέγεται σῆψις ἐπὶ τῶν κατὰ μέρος φθειρομένων, ὅταν
χωρισθῇ τῆς φύσεως· τῇ ἁπλῇ γενέσει ἐναντίον μάλιστα
κοινὸν σῆψις μδ1. 379 ᵃ16, cf 21, 13, 3. περὶ σήψεως μδ1.
379 ᵃ3-ᵇ9. ἔστιν ἡ σῆψις ἢ ὕδατος ἢ γῆς ἢ τῶν σωμα-
τικῶν πάντων τῶν τοιύτων, διὸ ἢ τῆς γεώδυς ἀτμίδος· ἡ
σῆψις ἢ τὸ σηπτὸν περίττωμα τῦ πεφθέντος ἐστίν· γίνεται

σῆψις ὑπὸ θερμότητος μὲν πᾶσα, ἣ τῆς συμφύτα δέ Ζγε4.
784 ᵇ8, 23, ᵇ6. γ11. 762 ᵃ15. ὅταν ᾖ μάλιστα σῆψις (ἐν
τῇ θαλάττῃ, ἐν τοῖς ποταμοῖς) ΖιΖ16. 570 ᵃ20. ἔνια δὲ
σῆψίς ἐστιν, οἷον τὰ συντηκτά· τὸ τέλος τῆς κατὰ φύσιν
φθορᾶς σῆψίς ἐστιν μδ11. 389 ᵇ8. 1. 379 ᵃ8. παῦλα ἐν
τοῖς φύμασι σῆψις αν20. 480 ᵃ1. αἱ ἐκκρίσεις κ σήψεις
ἀλλότρια τῆς φύσεως ἡμῶν εἰσιν πδ13. 878 ᵃ12. ἄνευ
ἐσχαρώσεως κ σήψεως τῆς σαρκός πα33. 863 ᵃ14. γίνεται
ἡ πολιὰ σήψει τινί· τὰ πνεύματα κωλύει τὴν σῆψιν Ζγε5.
785 ᵃ25. ἡ ἐπιπολάζασα σῆψις ΖιΖ15. 569 ᵃ28. τὰ φυτὰ
γίνονται ἐκ σήψεων· αἱ γὰρ σήψεις κατέχασιν ἀέρα φτβ4.
825 ᵇ13, 14.

Σθένελος. ἐπίγραμμα ἐπὶ Σθενέλῳ κ Εὐρυάλῳ f 596. 1576
ᵇ19. — Σθένελος τραγῳδίας ποιητής f 577. 1572 ᵇ41, eius
ποίησις ταπεινή πο22. 1458 ᵃ21. Vhl Poet III 263.

σιαγών. σιαγόνες δύο Ζια11. 492 ᵇ22. ἡ ἄνω Ζια11. 492
ᵇ24. β1. 501 ᵃ13. δ9. 536 ᵃ17. Ζιιβ17. 660 ᵇ29. δ11.
691 ᵇ6. κ κάτω Ζιδ9. 536 ᵃ16. Ζιιβ17. 660 ᵇ27, 28. δ11.
691 ᵃ28, ᵇ5. vel ἡ ἄνωθεν, ἡ κάτωθεν Ζιγ7. 516 ᵃ24, 25.
Ζιιδ11. 691 ᵇ15. τὸ ὀστῦν τῆς σιαγόνος· (τῶν σιαγόνων)
τὸ πρόσθιον γένειον, τὸ δ' ὀπίσθιον γένυς (cf αἱ σιαγόνες
ἄκραι Plat Tim 75 D)· ἐν ταῖς σιαγόσιν ἔνεστι τὸ τῶν
ὀδόντων γένος Ζιγε8. 789 ᵃ1. Ζια11. 492 ᵇ22. γ7. 516 ᵃ26.
τὰ ἄλλα πάντα κινεῖ τὴν σιαγόνα τὴν κάτω, τοῖς ἄλλοις
ἡ ἄνω ἀκίνητος Ζιιδ11. 691 ᵇ5. β17. 660 ᵇ29 (F 284, 74).
Ζιγ7. 516 ᵃ24. ἄνθρωπος et mammalia κ ἄνω κ κάτω
κινῦσι τὰς σιαγόνας κ εἰς τὸ πλάγιον Ζιιδ11. 691 ᵃ29. οἱ
ἰχθύες, ὄρνιθες κ τὰ ᾠοτόκα τῶν τετραπόδων εἰς τὸ ἄνω
κάτω μόνον κινῦσι τὰς σιαγόνας, sed ἡ ὄρνις ἀντὶ σια-
γόνων ἔχει τὸ καλύμενον ῥύγχος Ζιιδ11. 691 ᵃ30. β16.
659 ᵇ5. ἄνθρωπος ἔχει πώγωνα ἐν ταῖς σιαγόσιν· ἔνια (ζῷα)
ἔχει τὰς σιαγόνας δασείας, τὸ τῶν λοφύρων γένος ἔχει τὰς
σιαγόνας μακράς· σιαγόνες μεγάλαι σαρκώδεις σημείον
ἀναισθήτα πι.25. 893 ᵇ19. Ζιγ11. 518 ᵇ19. α16. 495 ᵃ4.
φ3. 807 ᵇ24. mammalium ὅσα ἔχει προμήκεις εἰς στενὸν
ἀπηγμένας τὰς σιαγόνας Ζιβ16. 658 ᵇ30, cf 33. ἐν τῷ
βράγχιῳ μάλιστα τὰ περὶ τὰς σιαγόνας (ὑῶν) φλεγμαίνει
Ζιδ21. 603 ᵃ32. ἡ τῆ ποταμίῃ κροκοδείλῳ σιαγών, ὁ κροκό-
δειλος p 410 ᵇ5-9. χαμαιλέων ἔχει πρὸς ταῖς σιαγόσιν ὀλίγα
σαρκία Ζιβ11. 503 ᵇ13. βάτραχος ποιεῖ τὴν ὀλολυγόνα,
ὅταν ἰσοχειλῆ τὴν κάτω σιαγόνα ποιήσας ἐπὶ τῷ ὕδατι πε-
ριτείνῃ τὴν ἄνω· δοκεῖ δὲ διαλαμπύνειν τῶν σιαγόνων ἐκ
τῆς ἐπιτάσεως ὥσπερ λύχνοι φαίνεσθαι οἱ ὀφθαλμοί Ζιδ9.
536 ᵃ16 (? cf Aub). τῆ ἀστραγ digitus mobilis ὥσπερ
σιαγών Ζιδ2. 526 ᵃ18. — κινεῖ πάντα τὰ ζῷα τὴν κάτω
σιαγόνα (v l, S et Aub, κάτωθεν γένυν Bk) Ζιχ11. 492
ᵇ23. cf τὸ μὲν κινόμενον ἐν τοῖς ἄνθρωπ στόμα τὴν κάτω
γένυν εἶναι, τὸ δ' ἀκίνητον τὴν ἄνω Galen XVIII A 426.

σίαλον. ὥσπερ κ τῷ στόματι σίαλ πολλαχῆ μὲν κ πρὸς
τὴν φορὰν τῶν σιτίων (σίαλον πολλαχῆ ἀφίεμεν κατὰ τὴν
προσφορὰν ci Pik) Ζιχ3. 635 ᵇ19. ὥσπερ σιάλῳ καταλεί-
φονται (ci Aub, ὥσπερ οἱ ἄλες κ Bk, ὑάλῳ S, ἄλος στίλβῃ
Pik) Ζιε24. 555 ᵃ14 Aub. παραλείφειν τῷ σιάλῳ τὰ παιδία
(cf Δημόκρατης p 174 ᵇ57) Ργ4. 1407 ᵃ8. τὰ βεβρεγμένα
τῶν ζεύγων κ πεπωκότα τὸ σίαλον εὐφωνότερα γίγνεται
αχ802 ᵇ22.

Σιβύλλης θάλαμος κατάγειος ἐν Κύμῃ θ95. 838 ᵃ6. Σ-
βύλλαι κ Βάκιδες πλ1. 954 ᵃ36.

σιγᾶν. σιγῶντα λέγειν, ambigue dictum (Plat Euthyd 300 B)
τι4. 166 ᵃ12. 10. 171 ᵃ8. 19. 177 ᵃ12, 25.

Σίγειον. περὶ τὸ Σίγειον Ζιε15. 547 ᵃ5. 17. 549 ᵇ16. Σί-

γειον antiquum nomen Tarenti θ106. 840 ᵃ15. — Σιγειεῖς
Ρχ15. 1375 ᵇ31.

σιγή, opp φωνή Οβ9. 290 ᵇ27. opp ψόφος ψβ10. 422 ᵃ23.
ὅτι μάλιστα σιγῇ πλεῖν Ζιδ8. 533 ᵇ21.

σιγηλός. ζῷα σιγηλά, opp κωτίλα Ζια1. 488 ᵃ34.

σίγμα. τριῶν ὄντων τόπων (τῇ στόματος) ἐν ἐφ' ἑκάστῳ
ἐπιφέρεται τὸ σίγμα Μν6. 1093 ᵃ24 Bz, cf σ p 670 ᵃ30.

σιγμός. σιγμὸν μικρὸν ἀφιᾶσιν αἱ χελῶναι, συριγμὸν οἱ ὄφεις
Ζιδ9. 536 ᵃ7.

σίγυννον Κυπρίοις μὲν κύριον (ὄνομα), ἡμῖν δὲ γλῶττα πο21.
1457 ᵇ6, Vhl Poet III 247.

σιδηρεύω. συνεπρίατο τὸν σίδηρον ἐκ τῶν σιδηρείων Πα11.
1259 ᵃ25.

σίδηρεος, σιδηρᾶς. εἰ ἦσαν οἱ ἰχθύες σιδηροῖ (fort ὑγροί)
Φδ8. 216 ᵇ19. χαλκῆν ἢ σιδηρᾶν δεῖ εἶναι τὸν πέλεκυν
Ζμα1. 642 ᵃ11.

σιδήριον. κόπτειν σιδηρίῳ ἐξεῖ Ζιι14. 616 ᵃ26. αἰσθέσθαι τὸ
σιδήριον προσιὸν Ζιδ8. 535 ᵃ16. ἐὰν ἐπικαύσῃ τις (τῆς ὄρ-
νιθας) δυσὶν ἢ τρισὶ σιδηρίοις Ζιι50. 631 ᵇ27. ἂν τύχῃ σι-
δήριόν τι ἐν τῷ σώματι (ἐλεφάντων) ἐνόν, ἐκβάλλει τὸ
ἔλαιον, ὅταν πίωσιν Ζιβ26. 605 ᵇ3. πλατέα σιδήρια ἐπιπλεῖ
Οδ6. 313 ᵃ17. ῥινῶν κ χαράττειν τὰ σιδήρια κ τῆς πρίονας
αχ803 ᵃ3.

σιδηρῖτις. μῦς σιτῦνται τὴν γῆν τὴν σιδηρῖτιν f 326. 1532
ᵇ15.

σίδηρος τήκεται, μαλάττεται, χυτόν, ἐλατόν, ἄπιεστον, γῆς
μᾶλλόν ἐστιν μγ6. 378 ᵃ28. δ6. 383 ᵃ31, 32. 7. 384 ᵇ14.
9. 385 ᵇ11, 386 ᵇ10. 10. 388 ᵇ31, 389 ᵃ11. σίδηρος θερ-
μαίνεται βραδύτερον ὕδατος Ζμβ2. 648 ᵇ34. ὁ χαλκὸς κ
σίδηρος ὀσμώδη αι5. 443 ᵃ18. διαφωνεῖ τὸ βαρὺ κ τὸ
σκληρὸν ἐπὶ μολίβδῳ κ σιδήρῳ Φθ9. 217 ᵇ19. ὁ λίθος τὸν
σίδηρον κινεῖ ψα2. 405 ᵃ21. τὴν βαφὴν ἀφίησιν ὁ σίδηρος
Πη14. 1334 ᵃ38. ἀμείνων σίδηρος ὁ ἐλάττω ἔχων τὴν ἀπο-
κάθαρσιν μδ6. 383 ᵃ4. ἰδιαιτάτη γένεσις σιδήρα τῷ Χαλυ-
βικῷ κ τῷ Ἀμισηνῷ θ48. 833 ᵇ22. f 248. 1524 ᵃ5. —
ἀπέκτεινα πρότερον ἐπ' ἐμὲ σίδηρον αἱρόμενον ῥ37. 1444 ᵇ12.
ἐὰν χαλκῷ τις τμηθῇ, ῥᾷον ὑγιάζεται ἢ σιδήρῳ πα35. 863
ᵃ25. — τὸν θεὸν μῖξαι χαλκὸν κ σίδηρον τοῖς τεχνίταις
μέλλωσιν ἔσεσθαι (cf Πλάτων p 598 ᵃ29) Πβ5. 1264 ᵇ14.
σιδηροφορεῖσθαι. οἱ Ἕλληνες ἐσιδηροφορῦντο Πβ8. 1268
ᵇ40.

Σίδηροι Ρβ23. 1400 ᵇ17 (Soph fr 592, Nck σιδήρῳ c Schol).

σίζειν. εἰ βροντᾷ, ἀποσβεννυμένα τῇ πυρὸς ἀνάγκη σίζειν κ
ψοφεῖν Αθ11. 94 ᵇ33. τῆς ἡμέρας σίζειν κ ψοφεῖν τὸν
ἀέρα θερμαινόμενον ὑπὸ τῇ ἡλίᾳ (cf Ἀναξαγόρας p 49 ᵇ45)
πια33. 903 ᵃ8.

Σιθωνία τῆς Θρᾴκης (ci Sylb ex Steph Byz pro Βιθυνία)
θ33. 832 ᵇ27.

Σικανική. ἐν τῇ Σ. τῆς Σικελίας μβ3. 359 ᵇ15.

Σικελία μβ3. 359 ᵇ15. 8. 366 ᵃ26. Πβ10. 1271 ᵇ39. σ973
ᵃ25, ᵇ20. f 238. 1521 ᵇ19, 1522 ᵃ4. inter νήσους ἀξιολόγας
refertur σ3. 393 ᵃ12. ἐν Σικελίᾳ Ζιη6. 586 ᵃ3. Σικε-
λίαν τὴν πόλιν ἐξέχεαν Ργ10. 1411 ᵃ25. Χαλκιδικαὶ πόλεις
περὶ Σικελίαν Πβ12. 1274 ᵃ25. f 560. 1570 ᵇ1. de eius
rebus publicis Πα11. 1259 ᵃ23. ε12. 1316 ᵃ35. πο23.1459
ᵃ26, naturalibus θ40. 833 ᵃ21. 55. 834 ᵇ3. 57. 834 ᵇ8. 81.
836 ᵃ28. 82. 836 ᵇ10. 105. 840 ᵃ2. 111. 840 ᵇ25. 130.843
ᵃ1, 5. 148. 845 ᵇ4. 172. 847 ᵃ3. Ζιγ17. 520 ᵇ1. 20. 522
ᵃ22. θ28. 606 ᵃ5. — comoedia Sic πο3. 1448 ᵃ32. 5.1449
ᵇ7. — Σικελικός (πόντος, κόλπος) μβ1. 354 ᵃ21. Σι-
κελικὸν πέλαγος χ3. 393 ᵃ28. Ζιε8. 542 ᵇ16. Πολύκριτος ὁ

τὰ Σικελικὰ γεγραφώς θ112. 840 ᵇ32. τάλαντον Σικελικόν f 547. 1568 ᵇ27. Σικελικῶν νομισμάτων ὀνόματα f 467. 1555 ᵃ4. — Σικελιώτης. Ἀγαθοκλῆς ὁ βασιλεὺς Σικελιωτῶν θ110. 840 ᵇ23. οἱ Σικελιῶται τὰς δύο χαλκᾶς ἐξᾶντα καλᾶσιν f 467. 1554 ᵇ42.

σικύα. 1. planta. τὸ χρῶμα παραπλήσιον ταῖς σικύαις ταῖς ἐχύσαις τὰς τραχήλας μακρὰς Ζι 14. 616 ᵃ22. (Cucumis prophetarum, Cucurbita pepo Sprengel hist rei herb I 48, 105. Cucumis melo Fraas 103.) — 2. σικύα ἰατρική. ἕλκειν τὰ αἰδοῖα (τὸ σπέρμα) ὥσπερ τὰς σικύας Ζγβ4. 737 ᵇ32. κόλλησιν εἶπε τὴν τῆς σικύας προσβολήν Ργ2. 1405 ᵇ3. cf Oribas II 781.

σίκυος. σικύα σπέρμα Ζιε19. 551 ᵃ12. ὗς πιαίνεται σικύοις Ζιθ6. 595 ᵃ29. τὰς σικύας πῶς δεῖ φυτεῦσαι πκ9. 923 ᵇ17. 14. 924 ᵃ36. 32. 926 ᵇ4. σίκυος ᵡ κολόκυνθα ἄνθος ἔχοντα ἄκαρπά ἐστιν πκ3. 923 ᵃ13. οἱ σικύοι εἰσι σύνθετοι ἐκ σαρκῶν ᵡ κόκκων ᵡ λεμμάτων φτα5. 820 ᵃ38. (σικυός 820 ᵃ38, reliquis locis σίκυος Bk, cf Lob Par 148.) (Cucumis melo Sprengel I 105. C. sativa Fraas 103.)

Σικυών θ58. 834 ᵇ23. f 596. 1576 ᵃ32. eius tyrannis Πε12. 1315 ᵇ13, 1316 ᵃ30. — Σικυώνιοι Ηγ11. 1117 ᵃ27. Σικυωνίων πολιτεία f 539.

σίκχος def, opp παμφάγος πεγ7. 1234 ᵃ6.

σίλφη (v l σίφλη, cf Lob Phryn 300). refertur inter τὰ ἔντομα ὅσα ἐκδύνει τὸ γῆρας Ζιθ17. 601 ᵃ3 Aub. (silpha Gazae Scalig. silphe C II 772. cf S I 641. Blatta orientalis rel Lepisma St. Cr. K 898, 3, Blatta germanica Su 199, 12. in incert rel ΑΖι I 170, 44.)

σίλφιον (ΑΖι I 186). γίνεται ἐν τῷ σιλφίῳ τι ὀφείδιον Ζιθ 29. 607 ᵃ23. Βάττῳ σίλφιον f 485. 1557 ᵃ35, ᵇ7, cf paroimia p 570 ᵃ12.

σίμβλος. ἐκ τῶ σίμβλω τότ' ἐξαιρετέον τὸν κηρόν Ζιι40. 627 ᵃ6.

σιμός. (τῶ ἐγχέλυος) τὸ μὲν γένος μεῖζω κεφαλὴν ἔχει ᵡ μακροτέραν, τὸ δὲ μικρὰν ᵡ σιμοτέραν Ζιθ11. 538 ᵃ13. ὁ ἵππος ὁ ποτάμιος τὴν ὄψιν σιμός Ζιβ7. 502 ᵃ11. σιμός, opp γρυπός Ρα4. 1360 ᵃ29. Πε9. 1309 ᵇ24. τὰ παιδία πάντα σιμὰ πλγ18. 963 ᵇ15. οἱ ὑλότριχες σιμότεροι πλγ18. 963 ᵇ11. οἱ σιμὴν τὴν ῥῖνα ἔχοντες λάγνοι φ6. 811 ᵇ2. τὸ σιμόν, dist κοῖλον, ῥοικόν, ῥαιβόν τι31. 181 ᵇ38. τὸ σιμὸν κοιλότης ἐν ῥινί, usitatum Aristoteli exemplum τῶ συνειλημμένα κατὰ τῆς ὕλης Με1. 1025 ᵇ31 Bz, 32. ζ5.1030 ᵇ29, 31. 10. 1035 ᵃ26. ×7. 1064 ᵃ23. τι13. 173 ᵇ10. 31. 182 ᵃ4. Φα3. 186 ᵇ22. β2. 194 ᵃ6. ψγ4. 429 ᵇ14. 7. 431 ᵇ13 al. — αἱ πρὸς τὸ σιμὸν πορεῖαι, opp αἱ κατάντεις πβ38. 870 ᵇ30, 36, 32, 35. ε41. 885 ᵇ5.

Σῖμος Ἀλεάδης Πε6. 1306 ᵃ30.

σιμότης, opp γρυπότης Ρα4. 1360 ᵃ27. ἡ σιμότης, exemplum τῶ συνειλημμένα μετὰ τῆς ὕλης (cf σιμός), dist κοιλότης ΜΖ5. 1030 ᵇ17 Bz. 10. 1035 ᵃ5. ×7. 1064 ᵃ25. 50 Φβ2. 194 ᵃ13 al.

σιμῶν. τὰ στεγανόποδα ᵡ διηρημένας μὲν ἔχοντα τὰς πόδας σεσιμωμένας δὲ Ζμῶ12. 693 ᵃ7 Fr.

Σιμωνίδης. eius versus afferuntur ΜΑ2. 982 ᵇ30 (fr 5, 10), Ζιε8. 542 ᵇ7 (fr 12), Ρα6. 1363 ᵃ15 (fr 50), 9. 1367 ᵇ19 (fr 111, 3), γ2. 1405 ᵇ24 (fr 7), non addito poetae nomine Ηα11. 1100 ᵇ21. Ργ11. 1411 ᵃ27 (fr 5, 2), Ργ8. 1409 ᵃ14-17 (? fr 27). ὁ Σιμωνίδα μακρὸς λόγος Μν3. 1091 ᵃ7 (cf fr 189). Simonidis apophthegma Ρβ16. 1391 ᵃ8, avaritia Ηδ2. 1121 ᵃ7. Σιμωνίδη Τιμοκρέων ἐφιλονείκει f 65. 1486 ᵇ35. — epigramma ab aliis, non ab Aristotele,

Simonidi adscriptum affertur Ρα7. 1365 ᵃ26. 9. 1367 ᵇ18 (fr 163). Simonidis dictum ὅτι σοφώτατος ὁ χρόνος resp Φϑ13. 222 ᵇ17 (cf fr 19). Σιμωνίδης τίνας ἔλεγε τὰς εὐγενεῖς f 83. 1490 ᵃ22.

σιναμωρία. ζῴων γένος ἄλλο ἄλλῳ διαφέρει ὕβρει ᵡ σιναμωρίᾳ ᵡ τῷ παμφάγον εἶναι Ηη7. 1149 ᵇ33.

σίνηπι (Lob Path II 294). τῶ σινήπιος χυλοὶ θερμοὶ ᵡ δριμεῖς φτα5. 820 ᵃ36. (Sinapis alba L Langkavel p 26.)

Σίνις. λόχος Λακεδαιμονίων f 498. 1559 ᵃ22, 26.

σίννις. Σκίρων σίννις ἀνήρ Ργ3. 1406 ᵃ8, cf Λυκόφρων p 439 ᵇ49.

σινόδων (v l σινώδων, συνώδων, συνόδων, cf Lob Par 248. Oribas I 591. Xenocrates περὶ τῶν ἀπὸ ἐνύδρων τροφῆς ed Cajet de Ancora 4 et 251). refertur inter τὰς ἰχθῦς σαρκοφάγας, προσγείας, ἀγελαίας Ζιθ2. 591 ᵃ11, ᵇ5, 9. 13. 598 ᵃ10. 12. 610 ᵇ5. ἐκβάλλει τὴν κοιλίαν Ζιθ2. 591 ᵇ6 (cf Cuv VI 218). (synodus Thomae, dentex Gazae Scalig. dentale C II 284. cf Gesner s h v. Belon I 174. Ar syn pisc 60. S I 626 et hist lit pisc 93. Wiegmann, Archiv 1840 I 387. Tetraodon hispidus vel mola vel Sparus dentex St. Tetraodon lineatus K 859, 6. Cr. in incert rel ΑΖι I 139, 60.)

σίνος. ὁ καλύμενος ἀστήρ (cf ἀστήρ p 116 ᵃ56) σίνος μέγιστόν ἐστιν ἐν τῷ εὐρίπῳ τῷ τῶν Πυρραίων Ζιε15. 548 ᵃ9 Aub.

Σιντῶν χώραν τῆς Θρᾴκης θ115. 841 ᵃ27. cf Oribas I 602.

σινώδων Bk et Pik Ζιθ13. 598 ᵃ10. v σινόδων.

Σίνων tragoedia π523. 1459 ᵇ7. cf Vhl Poet III 283. Nck fr tr p 200.

Σινώπη σ973 ᵃ24. f 238. 1521 ᵇ17. κατ' Εὔμηλον ᵡ Ἀριστοτέλη Ἀσωπῶ (ἡ Σινώπη) f 540. 1567 ᵇ23. — Σινωπέων πολιτεία f 540.

σίξις (Lob Par 407). ἡ σίξις μικρὰ ζέσις μβ9. 370 ᵃ9. τὸν ψόφον ἀποσβεννυμένα (τάτε τῶ πυρός) ᵡ τὴν σίξιν βροντὴν εἶναι μβ9. 369 ᵇ17.

Σίπυλος μβ8. 368 ᵇ31. θ162. 846 ᵇ3.

Σῖρις. οἱ τὴν Σῖριν κατοικῦντες εἰς τρυφὴν ἐξώκειλαν ᾱχ ἧττον Συβαριτῶν f 542. 1568 ᵃ11.

Σίριτις. τὴν καλυμένην Σίριτιν (ci Bk', codd Σύρτιν) Πη10. 1329 ᵇ21.

Σίρρας Πε10. 1311 ᵇ12.

σίστρος (cf σεῖστρος), βοτάνη παραπλησία ἐρεβίνθῳ θ160. 846 ᵃ34 Beckm. cf Meyer Gesch der Bot II 157. Langkavel p 3.

σισύμβριον. ἐκ τῶν σισυμβρίων σαπέντων σκορπίας γίνεσθαι f 325. 1532 ᵇ11. τὸ σισύμβριον μὴ φυτευθὲν παρὰ τὴν θάλασσαν ἔσται σισύμβριον φτα7. 821 ᵃ31. cf Meyer Nic Damasc p 100. (fort Mentha aquatica L Fraas 177.)

Σίσυφος Ργ11. 1412 ᵃ5. πο18. 1456 ᵃ22. ἀγὼν ἐν Ἰσθμῷ Σισύφῳ νομοθετήσαντος f 594. 1574 ᵇ33.

σιταρκία τριμήνν προσδεδομένη οβ1350 ᵃ36.

σιταρχία (σιταρκία?). δύναι, εἰληφέναι τὴν σιταρχίαν, παραρεῖσθαι τὰς σιταρχίας ᵡ τὰς μισθᾶς οβ1353 ᵇ2, 5, 1351 ᵇ16, 12.

σιτεῖσθαι. σιτησόμενος ×6. 400 ᵇ19 Bsm. σιτύμενος ἄλφιτα ξηρά Ργ9. 1494 ᵃ12, 17. σιτεῖσθαι τὴν γῆν τὴν σιδηρῖτιν f 326. 1532 ᵇ14.

σιτηρεσιάζειν εἰς δίμηνον οβ1353 ᵃ22.

σιτηρός. μέτρα σιτηρὰ ᵡ οἰνηρά Ηε10. 1135 ᵃ2.

σιτίζειν. (ἡ κορώνη) παραπετομένη σιτίζει (τὰς νεοττὰς) Ζιζ6. 563 ᵇ12. f 8. 564 ᵃ18.

σιτίον. τὰ σιτία χ̣ τὰ ποτά Ηβ2. 1104 ᵃ16. γ13. 1118 ᵃ31. τῆς ζῶντας σιτίων δεῖσθαι p14. 1431 ᵃ11. (αἱ ἐγχέλυες) τρέφονται τῇ ἰλύι χ̣ σιτίοις Ζιθ2. 592 ᵃ1.

σιτοδεία. ἐν σιτοδείᾳ οβ1346 ᵇ29, 1348 ᵇ17.

σιτομέτρας αἰρῦνται Πδ15. 1299 ᵃ23.

σιτόπωλος. τῆς σιτοπώλης (v l σιτοπώλας) Ζιζ24. 578 ᵃ1.

σῖτος. ἐπέτεια, οἷον τά τε χεδροπὰ χ̣ ὁ σῖτος Ζγγ1. 750 ᵃ25 (cf Oribas I 573, 582). σῖτος κατὰ πᾶν ἔτος γεννᾶται χ̣ ξηραίνεται, μεταβάλλεται εἰς ἕτερον εἶδος φτα4. 819 ᵇ13. 7. 821 ᵃ31. ὁ σῖτος χ̣ τὰ φυόμενα πάντα τελευταῖον γίνεται ξανθὰ χ5. 797 ᵃ19. ὁ σῖτος ἀποκάεται (i e ὑπὸ ψυχρότητος πήγνυται ᵃ25) πκγ34. 935 ᵃ19. αἱ κύνες ὅταν ἑλμινθιῶσιν ἐσθίουσι τῦ σίτυ τὸ λήιον Ζι6. 612 ᵃ32. — οἱ σῖτοι οἱ ταχὺ ἁδρυνόμενοι χ̣ μὴ πιληθέντες Φε6. 230 ᵇ2. ὁ σῖτος γῆς ἐστι μδ10. 389 ᵃ15. σίτυ ἐξαγωγὴ Ηε8. 1133 ᵇ9, εἰσαγωγὴ εἰς τὸ Ἀττικὸν ἐμπόριον f410. 1546 ᵇ7, φυλακὴ f 396. 1544 ᵃ1. — σῖτος καλεῖται διδομένη πρόσοδος εἰς τροφὴν ταῖς γυναιξὶν ἢ τοῖς ὀρφανοῖς f 384. 1542 ᵃ11.

σιτοφάγος (Hom ι 191) Ζιζ28. 578 ᵇ2.

σιτοφύλακες, ἀρχή τις Ἀθήνησιν f411. 1546 ᵇ11.

σίττη (v l σίππη), aquilae hostis, καταγνύει γὰρ τὰ ᾠὰ τῦ ἀετῦ, mores, descr Ζιι1. 609 ᵇ11, 12. 17. 616 ᵇ22-25. (sytha, sita, speghta Thomae, sitta Gazae, Scalig. sitte C II 774. cf S I 592, II 13, 114. Sitta europaea K 946, 7. St. Cr. Su 121, 72. in incert rel ΑΖι I 107, 97.)

Σιφαί. ἡ λίμνη ἡ ἐν Σιφαῖς Ζμδ13. 696 ᵃ5. Ζιβ13. 504 ᵇ32. Ζπ7. 708 ᵃ5. cf Forchhammer Halcyonia p 23.

σιωπᾶν. ὄρθριαι σιωπῶσιν αἱ μέλιτται Ζιω40. 627 ᵃ24. οἱ φοβύμενοι σιωπῶσιν, opp ἀναβοᾶν πκζ9. 948 ᵇ21.

σιωπή. ὁ δὲ (ἡγεμὼν τῶν περδίκων) πολλάκις σιωπῇ προσέρχεται Ζιω8. 614 ᵃ17.

σιωπηλός, opp λαλίστερος πλ1. 953 ᵇ1.

σκαιός. δεῖ τὰς γνώμας οἰκείας φέρειν τῦ πράγματος, ἵνα μὴ σκαιὸν χ̣ ἀπηρτημένον φαίνηται τὸ λεγόμενον ρ12. 1430 ᵇ7.

σκαίρειν. ὠχρίωσι τὰ πρόσωπα οἱ ἀγωνιῶντες, κινῦνται δὲ χ̣ σκαίρυσι τοῖς ποσὶν πβ31. 869 ᵇ9. σκάρος ἀπὸ τῦ σκαίρειν (κέκληται) f 313. 1531 ᵃ28.

σκαλεύειν τὸ ὖς, τὰ ὦτα πλβ6. 960 ᵇ35. 13. 961 ᵃ37. λγ1. 961 ᵇ16. μὴ τὸ πῦρ τῇ μαχαίρᾳ σκαλεύειν (Pythag, i e μὴ κινεῖν τὸν ὀργιζόμενον λόγοις παρατεθηγμένοις) f 192. 1512 ᵃ42.

σκαληνής. τρίγωνον σκαληνές (v l σκαληνόν), dist ἰσοσκελές, ἰσόπλευρον Αγ5. 74 ᵃ27. Φδ14. 224 ᵃ5, 11.

σκαληνός. τρίγωνον σκαληνόν, dist ἰσοσκελές Αγ23. 84 ᵇ7. cf Theophr f 1, 66.

σκαλίδρις (v l σκαλίδρες, σκανδρίς, ὁ καλίδρις. ὁ καλίδρις C et S in textu, ci σκαλυδρὶς S I 596). τὸ ὡραῖον κινεῖ, ποικιλίαν ἔχει, τὸ δ' ὅλον σποδοειδές Ζιθ3. 593 ᵇ7. (skandris Thomae, calidris Gazae Scalig. le chevalier Belon IV 16. calidris C II 152. Scolopax calidris K 869, 2, Cr. Totanus calidris Su 147, 125. in incert rel ΑΖι I 94, 41.)

σκάλλειν χ̣ σκάπτειν θ91. 837 ᵇ22.

σκαλμός. ὑπομόχλιον ὁ σκαλμὸς γίνεται μχ4. 850 ᵇ11.

Σκάμανδρος f460. 846 ᵃ34. cur Ξανθὸς ab Homero appellatus sit Ζιγ12. 519 ᵃ18, 19.

σκαμμωνία τὴν κοιλίαν λύει, κινεῖ πα43. 864 ᵇ13. 41. 864 ᵃ4. (Convolvulus Scammonia L Fraas 171. Langkavel 53.)

σκάπτειν. ἀρῦντες χ̣ σκάπτοντες Ζιω41. 628 ᵃ9. σκάπτυσι χ̣ σκάλλυσι θ91. 837 ᵇ21.

V.

σκαπτήρ Ηζ7. 1141 ᵃ15, cf Ὅμηρος p 507 ᵃ28.

σκαρδαμύκτης. οἱ σκαρδαμύκται δειλοὶ φ6. 813 ᵃ20.

σκαρδαμυκτικός. οἱ ὀφθαλμοὶ ἢ σκαρδαμυκτικοὶ ἢ ἀτενεῖς ἢ μέσοι Ζια10. 492 ᵃ10. ὀμμάτιον σκαρδαμυκτικὸν βραδέως φ3. 807 ᵇ37.

σκαρδαμύττειν. τῦ σκαρδαμύττειν genera distinguuntur Ζμβ13. 657 ᵃ27, 29, 36, ᵇ15, 19, 22, syn μύειν ᵃ29. τῶν ὀρνίθων ἔνιοι σκαρδαμύττησιν ὑμένι ἐκ τῶν καιθῶν Ζμδ11. 691 ᵃ22. Ζιβ12. 504 ᵃ25, 29. διὰ τί σκαρδαμύσσομεν πλθ12. 964 ᵇ14. ὄμματα ἀσθενῆ χ̣ σκαρδαμύττοντα φ3. 807 ᵇ7. τὰ ταχέως σκαρδαμύττοντα τῶν ὀφθαλμῶν τὰ μὲν δειλὸν τὰ δὲ θερμὸν σημαίνει φ3. 808 ᵃ1. (σκαρδαμύσσειν 657 ᵃ36, 964 ᵇ14 Bk.)

Σκαρίσκος. ἐν τοῖς περὶ τὸν Σκαρίσκον Βυδινοῖς οἰκῦσιν ὃ γίνεσθαι πρόβατον λευκὸν f 321-323. 1532 ᵃ43.

σκάρος. κέκληται ἀπὸ τῦ σκαίρειν f 313. 1531 ᵃ28. refertur inter τὰς ἰχθύας τὰς ἀκανθηροτέρας Ζιι37. 621 ᵇ16 (cf Did praef V). descr f 311. 1531 ᵃ10-17. ὃ καρχαρόδυς Ζιβ13. 505 ᵃ28. Ζμγ1. 662 ᵃ7 (sed καρχαρόδοντα εἶναι f 311. 1531 ᵃ11). ἔχει δύο βράγχια ἐφ' ἑκάτερα τὸ μὲν ἁπλῦν τὸ δὲ διπλῦν Ζιβ13. 505 ᵃ14. f 311. 1531 ᵃ15, κοιλίαν ἑτεροειδῆ Ζιβ17. 508 ᵇ11. τρέφεται φυκίοις Ζιθ2. 591 ᵃ14. f 311. 1531 ᵃ16. δοκεῖ μόνος ἰχθύς μηρυκάζειν Ζιβ17. 508 ᵇ12. θ2. 591 ᵇ22. Ζμγ14. 675 ᵃ3. f 311. 1531 ᵃ16. φθέγγεται f 284. 1528 ᵃ32, cf 35. ὃ γίνεται ἐν τῷ εὐρίπῳ τῷ ὑπὸ τ σάργος, σαργός) Ζιι37. 621 ᵇ15. σκάρος v l, σπάρος Bk, Ζιβ17. 508 ᵇ17. (scarus Plin Thom Gazae Scalig, hodie σκάρος cf E 91, 126. scare C II 749. S II 259. Scarus cretensis K 477. St. Cr. ΚαΖμ 71, 2. Lewes 288. ΑΖι I 139, 61. Ritter Erdkunde XIX 1193. cf Rose Ar Ps 314.)

σκάφη. (ἀναγνώρισις) ἐν τῇ Τυροῖ διὰ τῆς σκάφης πο16. 1454 ᵇ25.

σκεδάννυσθαι. διὰ τὸ τὴν (τῆς ὄψεως) κίνησιν μὴ σκεδάννυσθαι εἰς ἀχανὲς ἀλλ' εὐθυπορεῖν Ζγε1. 781 ᵃ2 (syn διασκεδάννυσθαι ᵃ4). τὸ πνεῦμα διαχεῖται χ̣ σκεδάννυται αχ800 ᵇ28. διὰ τὸ ὑποχωρῆσαν τίκτειν τὴν θήλειαν σκεδάννυται τὸ ᾠόν Ζιζ14. 569 ᵃ1.

σκέλος (τῶν σκελῶν Ζπ12. 711 ᵃ21, cf ᵇ8). 1. latiore quodam usu fere ἡ κῶλον significat. cf Plat Tim 44E et 45A. Galen XIV 708, VII 735. ὃ μόνον μέρος ἀλλὰ χ̣ μέλος ἐστί· κῶλα διμερὲς ἄλλο σκέλος· σκέλη δύο referuntur inter τὰ μέγιστα μέρη Ζια1. 486 ᵃ11. 15. 494 ᵃ4. 7. 491 ᵃ29. σκέλυς partes enumerantur, τὰ τῶν σκελῶν ὀστᾶ Ζια15. 494 ᵃ4, 11. γ7. 516 ᵃ36. φλέβες ἐν τοῖς σκέλεσι Ζιγ2. 511 ᵇ34, 512 ᵃ12. 4. 515 ᵃ3. 3. 514 ᵃ1. σκελῶν μῆκος, αἱ μασχάλαι τῶν ἐμπροσθίων σκελῶν Ζμδ12. 694 ᵃ29. 10. 688 ᵇ6. μεταξὺ τῶν ἐμπροσθίων σκελῶν τὸ στῆθός ἐστιν· ὁ μεταξὺ τόπος τῶν ἔμπροσθεν σκελῶν χ̣ τῶν ὄπισθεν Ζμδ10. 688 ᵃ11, 30) τὸ ἰσχίον Ζκ1. 698 ᵇ4. σκελῶν (κινημένα ἠρεμεῖ) τὸ ἰσχίον Ζκ1. 698 ᵇ4. ὅλη τῦ σκέλυς (κινημένα ἠρεμεῖ) τὸ ἰσχίον Ζκ1. 698 ᵇ4. ὅλη τῦ σκέλυς ἑκάτερον, ἕκαστον τὸ σκέλος, τὰ σκέλη ἑκάτερα Ζια15. 494 ᵃ10. β1. 499 ᵃ20. γ2. 511 ᵇ34. — a. σκελῶν διαφοραί. τὰ πρόσθια σκέλη Ζιβ1. 497 ᵇ19, 24, 25, 498 ᵃ9, 12, 15. β1. 498 ᵃ15, 30. 12. 503 ᵇ14. 10. 502 ᵇ31. γ3. 514 ᵃ1. 7. 516 ᵃ34. ζ22. 576 ᵇ27. Ζμδ10. 688 ᵃ12. 693 ᵃ27, ᵇ10, 11, cf 695 ᵃ9. Ζπ15. 712 ᵇ24. 1. 704 ᵃ24 al, insectorum Ζιδ38. 622 ᵇ32. Ζμδ6. 683 ᵃ29, 31. τὰ ἐμπρόσθια σκέλη Ζιι1. 610 ᵃ31. θ24. 604 ᵇ1. Ζμδ10. 688 ᵃ12, 30, ᵇ6. τὰ ἔμπροσθεν σκέλη Ζιδ28. 606 ᵇ7. Ζμδ10. 688 ᵇ20. τὰ ὀπίσθια σκέλη Ζιβ1. 497 ᵃ24, 498 ᵃ15, 9, 500 ᵇ30. 10. 502 ᵇ31. θ24. 604 ᵇ1.

Rrrr

ι50. 632 ᵃ24. θ10. 831 ᵃ26. Ζμδ10. 688 ᵃ3, insectorum
Ζιθ 28. 606 ᵇ8. Ζμδ6. 683 ᵃ31. τὰ ὄπισθεν σκέλη Ζιβ1.
499 ᵇ26. Ζμδ10. 686 ᵇ16, 690 ᵃ11, τῶν πηδητικῶν Ζιδ7.
532 ᵃ28. insectorum τὰ μέσα, τὰ ἔσχατα σκέλη Ζμδ6.
683 ᵃ31. Ζπ16. 713 ᵃ28, 31, ᵇ5. Ζιβ1. 498 ᵃ18. — τὰ ₅
ἀντικείμενα σκέλη Ζπ9. 708 ᵇ28. τὸ ἀριστερόν, τὸ δεξιὸν
σκέλος Ζιζ3. 561 ᵇ30. πε32. 884 ᵃ16, 17. τὰ σκέλη βραχέα
Ζιζ35. 580 ᵃ30. ι21. 617 ᵃ28. Ζμδ12. 693 ᵃ10, 694 ᵇ23.
Ζπ17. 714 ᵃ12. τὰ μικρὰ φ3. 807 ᵇ8. τὰ μακρὰ f 272.
1527 ᵃ37. Ζμδ12. 693 ᵃ1, cf 694 ᵇ19. Ζιι38. 622 ᵇ32. ₁₀
φ3. 807 ᵇ20, 25. τὰ μέγιστα Ζπ11. 710 ᵇ10. σπιθαμῆς,
ὅσον ἄχρι τῆς πρώτης καμπῆς τῶν δακτύλων Ζιθ28. 606
ᵇ7, 8. — τὰ ἰσχυρά, τὰ σκληρά π41. 895 ᵃ21. Ζπ11.
710 ᵇ10. Ζμδ10. 689 ᵇ28, cf 31. τὰ νευρώδη, ὀστώδη,
ἀκανθώδη Ζιβ1. 499 ᵃ31. Ζμδ10. 689 ᵇ9. π41. 895 ᵃ22. ₁₅
syn ἡ φύσις τῶν σκελῶν νευρώδης Ζγα5. 717 ᵇ20. ἐρρω-
μένα ἢ νευρώδη φ5. 809 ᵇ29. τὰ ἄσαρκα Ζιβ1. 499 ᵃ31.
Ζμδ10. 689 ᵇ8. 12. 695 ᵃ14. τὰ σαρκώδη Ζμδ10. 689ᵇ7,
21. cf Ζιβ1. 499 ᵇ3. π41. 895 ᵃ23. φ3. 807 ᵇ25. — τὰ
σκέλη πάχος ἔχοντα Ζγγ1. 750 ᵃ5. cf Ζπ17. 714 ᵃ17. opp ₂₀
ἡ τῶν σκελῶν λεπτότης ἢ ἀσθένεια Ζγγ1. 749 ᵇ34. — τὰ
εὐθέα, ἠγμένα, ἑπόμενα, χρήσιμα Ζιθ 24. 604 ᵇ6. Ζπ12.
711 ᵃ28. 16. 713 ᵃ31, ᵇ6. Ζμδ 12. 694 ᵇ22. τὰ σκέλη σχε-
δὸν ἀδιάρθρωτα Ζιζ30. 579 ᵃ24. — ὅσα σκέλη ἔχει τῶν
ζῴων i q ὅσα πόδας ἔχει, opp ὅσα μὴ ἔχει σκέλη i q τὰ ₂₅
ἄποδα Ζμδ10. 689 ᵇ9. Ζιγ7. 516 ᵇ27. τοῖς ἔχουσι πόδας
τὸ ὀπίσθιόν ἐστι σκέλος τὸ κάτωθεν μέρος κατὰ τὸ μέγε-
θος, τοῖς δὲ μὴ ἔχουσιν ὠραὶ ἢ κέρκοι ἢ τὰ τοιαῦτα Ζιβ1.
500 ᵇ30. ὅσοις ὑπάρχει κατὰ φύσιν ἢ κατὰ τόπον μετα-
βολὴ τῶν σκελῶν· τὰ ὑπόποδα ἐν ἑκατέρῳ τῶν ἀντικει- ₃₀
μένων σκελῶν ἐν μέρει ἵσταται ἢ τὸ βάρος ἴσχει Ζπ12.
711 ᵃ21, cf ᵇ8. 9. 710 ᵃ26. (ὁ ἄνθρωπος ἢ τὰ τετράποδα)
ἔχουσιν ἀπὸ τῆς ἕδρας βραχὺ τὸ ἰσχίον ἢ τὸ σκέλος εὐθὺς
ἐχόμενον Ζμδ12. 695 ᵃ5. — τὰ περὶ τὰ σκέλη τοῖς ἀν-
θρώποις ἰδίως ἔχει πρὸς τὰ τετράποδα Ζμδ10. 689 ᵇ1. τὰ ₃₅
σκέλη πρὸς τοὺς βραχίονας ἀντίκειται Ζια15. 493 ᵇ24. ἔχει
τὰ σκέλη σαρκώδη Ζμδ10. 689 ᵇ7, 21. cf Ζιβ1. 499 ᵇ3.
ὁ ἄνθρωπος τὰ σκέλη κατὰ λόγον ἔχει πρὸς τὰ ἄνω τοῦ
σώματος μέγιστα τῶν ὑπόποδων ἢ ἰσχυρότατα Ζπ11. 710
ᵇ10. ἐν τοῖς κατάντεσι, διὰ τὸ ὑποφέρεσθαι τοῖς σκέλεσι, ₄₀
τοῖς μηροῖς ἀποστηριζόμενοι πονῶμεν αὑτοὺς· οἱ ἐν ἀντιτύποις
περιπατεῖ τοῖς τε μυσὶ ἢ τοῖς τεταμένοις τῶν σκελῶν
παρέχουσι κόπης· τοῖς εὐνούχοις τὰ σκέλη οἰδεῖ πε19. 882
ᵇ30. 40. 885 ᵃ37. δ3. 876 ᵇ31. πολλαῖς (γυναιξὶ) περὶ τὰ
σκέλη οἰδήματα γίνεται Ζιη4. 584 ᵃ16. τὰ μικρὰ σκέλη, ₄₅
δειλῆ σημεῖον· τὰ σκέλη σαρκώδη, μακρά, ἀναισθήτα φ3.
807 ᵇ8, 20, 25. — τῶν ζῴων ὅσα ἔχει τὰ πρόσθια σκέλη
mammalia ἀντὶ τῶν βραχιόνων ἔχει τὰ πρόσθια σκέλη Ζιγ7.
516 ᵃ34. β1. 497 ᵇ19. (τὰ τῆς ἄρκτου ἔμβρυα) σχεδὸν
ἀδιάρθρωτα ἔχει τὰ σκέλη Ζιζ30. 579 ᵃ24. ἡ πάρδαλις ₅₀
τῶν ἀνδρείων εἶναι δοκούντων θηλυμορφότερόν ἐστιν, ὅτι μὴ
κατὰ τὰ σκέλη φ5. 809 ᵇ37. cameli ἀστράγαλος ἐν τοῖς
ὄπισθεν σκέλεσι Ζιβ1. 499 ᵃ20, ᵇ26. ἔνια ἀμύνονται τοῖς
προσθίοις, τὰ δὲ μώνυχα τοῖς ὀπισθίοις· οἱ ἵπποι πότε τὰ
ὀπίσθια σκέλη ἐφέλκουσιν ἐπὶ τὰ ἐμπρόσθια Ζμδ10. 688 ₅₅
ᵃ2, 3. Ζιδ24. 604 ᵇ1. elephanti Ζιβ1. 497 ᵇ24, 25, 498 ᵃ9,
12. χαλαζώδεις εἰσὶ τῶν ὑῶν αἱ ὑγρόσαρκοι τὰ τε περὶ
τὰ σκέλη ἢ τὰ περὶ τὸν τράχηλον Ζιβ21. 603 ᵇ17. — aves
σκέλη δύο καθάπερ ἄνθρωπος ἔχουσιν, ὑπὸ μέσην τὴν γαστέρα
Ζιβ12. 503 ᵇ32. Ζγα5. 717 ᵇ16. ἡ ἀναπηρία τῶν σκελῶν ₆₀
πδ31. 880 ᵇ6. ι24. 893 ᵇ15. τὰ πλεῖστα σχεδὸν ἀκόλουθον

ἔχει τὸν αὐχένα τοῖς σκέλεσιν· ἀντὶ βραχιόνων ἢ τῶν σκε-
λῶν τῶν προσθίων ἔχουσι τὰς πτέρυγας Ζμδ12. 692 ᵇ22,
693 ᵃ27, ᵇ10, 11, cf 695 ᵃ9. Ζπ15. 712 ᵇ24. Ζιβ1. 498
ᵃ30. 12. 503 ᵇ34. — χαμαιλέοντος, σαυρῶν, κροκοδείλῳ τῷ
ποταμίῳ Ζιβ11. 503 ᵃ22. 1. 498 ᵃ15. — τῶν ἀναίμων ἢ
ὑποπόδων τὰ σκέλη, τὸ πλῆθος τῶν σκελῶν Ζπ16. 713
ᵃ28, ᵇ8. — b. σκελῶν καμπή, κάμψις, πῶς κάμπτεται.
σκελῶν καμπὴ Ζιβ1. 498 ᵃ22. 11. 503 ᵃ22. Ζμδ10. 690
ᵃ11. 12. 693 ᵇ20. Ζπ12. 711 ᵃ28. σκελῶν κάμψις Ζια15.
494 ᵇ5. Ζπ14. 712 ᵃ23. 12. 711 ᵃ12, cf 8. — ὁ ἄνθρωπος
πῶς κάμπτει τὰ σκέλη, ἐπὶ τὴν περιφέρειαν Ζια15. 494
ᵇ10. β8. 502 ᵇ1. Ζπ1. 704 ᵃ19, cf 18, 21. 12. 711 ᵃ15, ᵇ9.
13. 712 ᵃ16, 11. Ζγα20. 728 ᵇ9. mammalia τὰ πρόσθια
σκέλη ἐπὶ τὸ κυρτὸν τῆς περιφερείας κάμπτει. τὰ δ' ὄπι-
σθεν ἐπὶ τὸ κοῖλον Ζπ1. 704 ᵃ24. 12. 711 ᵃ16, ᵇ13, 31. 13.
712 ᵃ11. cf Ζγα20. 728 ᵇ9. οἱ ὄρνιθες τὰ σκέλη καθάπερ
τὰ τετράποδα κάμπτει, ἐπὶ τὸ κοῖλον Ζπ15. 712 ᵇ22,
713 ᵃ1. 1. 704 ᵃ20. cf Ζμδ12. 693 ᵃ2. — c. κινεῖν τὰ
σκέλη, προβαίνειν, εὐθέσι τοῖς σκέλεσι, κατὰ σκέλος βαδί-
ζειν Ζκ10. 703 ᵃ1. Ζιθ24. 604 ᵇ6. β1. 498 ᵇ7, 9 Aub. ὁ
λέων κατὰ σκέλος ὑποχωρεῖ Ζιι44. 629 ᵇ14. ὁ δυνάμενος
τὰ σκέλη ῥιπτεῖν πως ἢ κινεῖν δρομικός Ρα5. 1361 ᵇ2.
ὑποκύψαι ἐπὶ τὰ ὀπίσθια σκέλη θ10. 831 ᵃ26. πέρδιξ κυ-
λίνδεται παρὰ τὰ σκέλη τοῦ θηρεύοντος f 270. 1527 ᵃ5.
θιγγάνειν τῷ σκέλει τῆς κεφαλῆς Ζμδ10. 686 ᵇ16. τὰ
πρόσθια σκέλη συνεπαίρειν, δεσμεύειν σειραῖς· ὅταν κρεμά-
σωσι τῶν ὀπισθίων σκελῶν Ζιζ 22. 576 ᵇ27. ι1. 610 ᵃ31.
50. 632 ᵃ24. κομίζειν κηρίνθον τοῖς σκέλεσι, τὰ προσπί-
πτοντα ἀποκαθαίρουσι τοῖς σκέλεσι, χαρακίζουσι Ζιι40. 623
ᵇ25. Ζμδ6. 683 ᵃ29, 31. τὸ σκέλος αἴροντες ὀρθοῦσι Ζιζ20.
574 ᵃ17, ᵇ19, 24. θ5. 594 ᵇ5.

2. interdum i q femur signif videtur. σκέλη τε ἢ πόδες
ζ2. 468 ᵃ19. (τῶν ὀρνίθων) τὰ πλῆκτρα ἐπὶ τοῖς σκέλεσιν,
opp ἢ ἐπὶ τῶν ποδῶν ὄνυχες Ζμδ12. 694 ᵃ13, 26. ὁ ἄν-
θρωπος ἀντὶ σκελῶν ἢ ποδῶν τῶν προσθίων βραχίονας ἢ
τὰς χεῖρας ἔχει, sed ἀνθρώπῳ ὠδεμία χρεία σκελῶν τῶν
ἐμπροσθίων, ἀλλ' ἀντὶ τούτων βραχίονας ἢ χεῖρας ἔχει Ζμδ
10. 686 ᵃ26, 687 ᵃ6, cf 31. haec distinctio fortasse tenetur
πν7. 484 ᵇ36.

σκέμμα. τὸ σκέμμα σχεδὸν περὶ δυοῖν ἐστιν, ἐν μὲν πότε-
ρον ... ἐν δὲ πότερον ... Πγ15. 1285 ᵇ37 (syn περὶ ὧν
σκεπτέον ἐστὶν ᵇ34).

σκεπάζειν. σκεπάζει ἡ μήτηρ· σκεπάζεται ἐντὸς τοῦ σώματι
ἢ τῆς ἐχούσης Ζγγ3. 754 ᵇ7, 1. σκεπάζεσθαι δεῖ τὰ περὶ
τὴν καρδίαν Ζμδ10. 688 ᵃ20. cf Ζγγ2. 752 ᵃ15. τὰ ἀσθε-
νέστερα μᾶλλον δεῖ σκεπάζειν ἢ φύσις εἴωθεν πι53. 896
ᵇ33. αἱ τρίχες σκεπάζουσι φυλάττουσαι τὰς ὑπερβολὰς τῆς
τε ψύχης ἢ τῆς ἀλέας Ζμβ14. 658 ᵇ6. συμφέρει ἐσκε-
πάσθαι ἢ συνδεδέσθαι τοὺς κροτάφους f 90. 1492 ᵃ31. ὑφ'
αὑτὰ ἔχειν τὰ τέκνα ἢ σκεπάζειν Ζπ12. 711 ᵇ32. τὴν κο-
νίστραν σκεπάζει (ὄρτυξ) φρυγάνοις f 269. 1526 ᵇ42. τρίχες
σκεπαζόμεναι, opp ἀπινεόμεναι Ζιγ11. 518 ᵃ15. τὰς σκε-
παζομένας τρίχας πίλοις ἢ καλύμμασι πολιοῦσθαι θᾶττον
Ζγε5. 785 ᵃ27.

σκέπασμα. τὸ φύλλον περικαρπίῳ σκέπασμα, τὸ δὲ περι-
κάρπιον καρπῷ ψβ1. 412 ᵇ2. ὄνυχες σκέπασμα ἀκρωτηρίων
Ζμδ10. 687 ᵇ24. τὸ σκέπασμα τῷ ὀφθαλμῷ Ζγε1. 780
ᵇ28. σκέπασμα μικρὸν ἀμπίσχειν (infantibus) Πη17. 1336
ᵃ17. ἡ οἰκία σκέπασμα Μη3. 1043 ᵃ32, 33. ψα1. 403 ᵇ4.

σκεπαστικός. ἡ οἰκία ἀγγεῖον σκεπαστικὸν σωμάτων ἢ χρη-
μάτων Μη2. 1043 ᵃ16. τὸ σκεπαστικὸν μόριον Ζγα12. 719ᵇ17.

σκέπειν. δεῖ σκέπεσθαι (v l σκεπάζεσθαι) τὰ ἀκρωτήρια μά-
λιστα Ζμδ10. 690 b9.

σκέπη. δεῖσθαι φυλακῆς ‹χ σκέπης, σωτηρίας ‹χ σκέπης, σκέ-
πης ‹χ καλύμματος Ζγα12. 719 a33, b1. β4. 740 a33.
Ζμδ10. 690 a3. β14. 658 a20. ὅπως ἐν φυλακῇ ‹χ σκέπῃ 5
ᾖ τὸ λειτουργοῦν μόριον Ζμδ10. 689 b29. τὰ φύλλα τῆς τοῦ
καρποῦ ἕνεκα σκέπης Φβ8. 199 a27. σκέπης χάριν αἱ τρίχες
Ζμβ14. 658 a18. ἔχει πολλὴν σκέπην Ζμγ4. 666 b5. δ12.
693 b18. οἱ ὄρχεις ἔχουσι σκέπην δερματικὴν τὴν καλουμένην
ὀσχέαν Ζγα12. 719 b5. τῶν ἀναίμων σκληρόδερμοι οἱ ὀφθαλ- 10
μοί εἰσι, ‹χ τοῦτο ποιεῖ τὴν σκέπην αι2. 438 a25.

σκέπτεσθαι. σκεπτόμεθα τί ἐστιν ἡ ἀρετή Ηβ2. 1103 b28.
σκέψασθαι τὰ περὶ τὰς πράξεις Ηβ2. 1003 b29. σκεπτέον
cum enuntiatione interrog τί ἐστι, πότερον — ἤ, ἆρα al
ε12. 21 a34. Φβ4. 196 b7. Μζ2. 1028 b15. 4. 1029 b25. 15
Ηβ4. 1105 b19. η4. 1146 b8. Πε1. 1301 a25. πῶς δεῖ,
ἄδηλον ‹χ σκεπτέον Ηζ9. 1142. σκεπτέον περί τινος Φγ1.
200 b23. Ηα8. 1098 b9. ζ13. 1144 b1. Μμ1. 1076 a22.
ἐξ ὧν ἄν τις σκέψαιτο περὶ αὐτῶν Ζμα5. 644 b26. —
pass, λέγω τὰς συνδυασμάς, οὓς δεῖ μὲν ἐπισκοπεῖν, οὐκ 20
ἐσχεμμένοι δ' εἰσὶ νῦν Πζ1. 1317 a4.

σκευαστός. τὰ στοιχεῖα τῶν συλλαβῶν ‹χ ἡ ὕλη τῶν σκευα-
στῶν ὡς τὸ ἐξ ἧ αἴτιά ἐστιν Φβ3. 195 a17. Μδ2. 1013
b18.

σκευή. ἡ τῶν τραγῳδῶν ἐν τῇ σκευῇ πρὸς ἀλλήλους ὁμιλία 25
οα4. 1344 a22. ἂν σκευὴν ἔχῃ πολυτελῆ (ὁ ἵππος) αὐτὸς
φαῦλος ᾖ f 89. 1492 a3.

σκευοποιός. περὶ τὴν ἀπεργασίαν τῶν ὄψεων ἡ τοῦ σκευοποιοῦ
τέχνη κυριωτέρα πο6. 1450 b20.

σκεῦος. ἐξενέγκας τὰ σκεύη ἐπώλει οβ1349 b2. ἡ τῶν σκευῶν 30
ὠνὴ ‹χ πρᾶσις Πθ3. 1338 a42. cf Ζμα5. 645 a31. φτβ2.
824 a17. — grammatice, Πρωταγόρας τὰ γένη τῶν ὀνο-
μάτων διῄρει, ἄρρενα ‹χ θήλεα ‹χ σκεύη Ργ5. 1407 b8. τι14.
173 b40, 174 a1, 3 (syn τὰ μεταξύ 173 b28. 4. 166 b12.
ρο21. 1458 a17, Vhl Poet III 258). 35

σκευωρεῖσθαι. ἀμύττουσιν ἄν τινα λάβωσι σκευωρούμενον περὶ
τὰς νεοττιάς Ζυ32. 619 a24.

σκευωρία. ἄρρενες περὶ τὰς νεοττὰς τὴν τῆς θηλείας ποιού-
μενοι σκευωρίαν Ζυ49. 631 b15. οἱ ὄφεις βραδύτερον ἀπο-
λύονται (τῆς ὀχείας) ᾗ μόνον διὰ τὸ μῆκος τῶν πόρων, ἀλλὰ 40
‹χ διὰ τὴν περὶ ταῦτα σκευωρίαν Ζγα7. 718 a33.

σκέψις, syn θεωρία ε4. 17 a6, 7. Μγ3. 1005 a22, 29, 35, b1.
coni θεωρία Ζμβ7. 653 b14. coni πεῖρα τ85. 159 a33, 28.
coni πρόβλημα Πβ8. 1268 b26. δεῖται σκέψεως, coni ἔχει
ἀπορίαν ηεα1. 1214 a10. αἱ σκέψεις, coni οἱ λόγοι Αα13. 45
32 b21. 27. 43 a41. — ποιεῖσθαι τὴν σκέψιν Αγ1. 79 a21.
Φδ4. 211 b4. γ3. 358 b23. Μβ1. 995 b24. Πγ1. 1288
b6. δ10. 1295 a6. ἐπιστῆσαι τὴν σκέψιν Μν2. 1090 a2.
προῃρήμεθα νῦν τὴν σκέψιν Πη2. 1324 a21. ἡ σκέψις ἐστὶν
Αα29. 45 b19. γ22. 84 a11. περὶ τοῦτο δύο εἰσὶν αἱ σκέψεις 50
Πβ9. 1269 a31. ἡ σκέψις ἡμῖν ἐστω κατὰ τὴν αὐτὴν μέ-
θοδον Ηε1. 1129 a5. — σκέψις περί τινος Αγ13. 32 b21.
27. 43 a41. γ 22. 84 a11. μβ3. 358 b23. Ζγδ4. 771 a14.
ΜΑ9. 992 b9. γ3. 1005 a22, b1. 4. 1008 a31. Πδ10. 1295
a6 al. περί τι Αα1. 24 a10. σκέψις τινός (gen obiect) Αα28. 55
46 b25. γ14. 79 a21. ΜΑ5. 986 b13. 8. 989 b29. τινὸς
(gen subiect) Αα1. 24 a10. σκέψις ἔκ τινος Μβ1.
995 b24. σκέψις ἔν τινι Αα29. 45 b19. ἡ ἐν τοῖς λόγοις
σκέψις ΜΑ6. 987 b32. πρώτη σκέψις ἐστὶν ἰδεῖν τί ἐστιν
Πγ1. 1274 b33. σκέψις πότερον Μμ1. 1076 a10. Ζγδ4. 60
771 a14. — τοῦτο ἔχει προσήκουσαν σκέψιν μα13. 349 a31.

οὐδεμίαν ἔχει σκέψιν ἰδίαν Μλ8. 1073 a18. ἔχει φιλοσοφίαν
ἡ σκέψις Φα2. 185 a20. — οἰκεῖον τῇ σκέψει θεωρῆσαι ‹χ
περὶ εὐνοίας ηεη7. 1241 a1. τὰ συγγενῆ ταύτης τῆς σκέψεως
αι21. 480 b22. πρὸς τὴν παροῦσαν σκέψιν ἱκανόν Ζγγ2. 753
b18. ἔξω τῆς νῦν σκέψεως Φε4. 228 a20. οὐκ οἰκεῖα τῆς
παρούσης σκέψεως Ηθ2. 1155 b9. ἐστὶ προτέρας ἢ τῆς φυσι-
κῆς σκέψεως Ογ1. 298 b20. ἡ τοιαύτη σκέψις ἑτέρων
λόγων οἰκειοτέρα ψα3. 407 b12. ὑπολείπει σκέψιν τῇ πολι-
τικῇ ἐπιστήμῃ Ρα4. 1359 b17. τοῖς περὶ γενέσεως λόγοις
ἁρμόττουσαν ἔχει τὴν σκέψιν Ζμβ9. 655 b26. — ταραχώ-
δης ἡ σκέψις Πβ2. 1337 a40.

σκηνή. 1. tentorium. τὰς στρωμνὰς ‹χ τὰς σκηνὰς ἐκ κρόκου
κατασκευάζουσιν θ111. 840 b30. — 2. scena theatri. τὰ
περὶ τὴν Ἕκτορος δίωξιν ἐπὶ σκηνῆς ὄντα γελοῖα ἂν φανείη
πο24. 1460 a15. ἐν τῇ τραγῳδίᾳ οὐκ ἐνδέχεται ἅμα πρατ-
τόμενα πολλὰ μέρη μιμεῖσθαι, ἀλλὰ τὸ ἐπὶ τῆς σκηνῆς ‹χ
τῶν ὑποκριτῶν μέρος μόνον πο24. 1459 b25. ἐπὶ τῶν σκη-
νῶν ‹χ τῶν ἀγώνων τραγικώταται αἱ τοιαῦται φαίνονται
πο13. 1453 a27. — τὰ ἀπὸ σκηνῆς πο12. 1452 b18, 25.
πιθ15. 918 b27. 30. 920 a9. 48. 922 b17.

σκηνογραφίαν Σοφοκλῆς (παρεσκεύασεν) πο4. 1449 a18.

σκηνοπηγία. ἡ τῆς χελιδόνος σκηνοπηγία Ζυ7. 612 b22.

σκηνοποιεῖσθαι ἐκ τῶν κρυστάλλων πρὸς τὰς τῶν ἰχθύων
θήρας μα12. 348 b35.

σκηπτοὶ λέγονται τῶν κεραυνῶν ὅσοι κατασκήπτουσιν εἴς τι
x4. 395 a28, 25.

σκῆπτρα ἐπανατάσις ὁ ὅρκος ἦν Πγ14. 1285 b12.

σκῆψις. ἡ δοτέον ἐπιτιμήσεως σκῆψιν τε3. 131 b11.

σκιά, τὸ μὴ ὁρώμενον (ὑπὸ τοῦ ἡλίου) πισ1. 913 a25. σκιὰ
τῆς γῆς πρὸς τοῖς ἄστροις, σκιὰ πρὸς ἄρκτον, ὑπολείπει,
μεταβάλλει πρὸς μεσημβρίαν μα8. 345 b7. β5. 362 b6, 8.
σκιαὶ ἀπὸ τῆς σελήνης, ἀπὸ τοῦ ἡλίου, τοῦ ἡλίου πιε10. 912
b4. 13. 913 a5. ποιεῖν σκιάν ψβ8. 419 b32. αὔξησις ‹χ φθίσις
τῶν σκιῶν πιε5. 911 a15. 9. 912 a34. τῆς σκιᾶς τὸ ἄκρον
τοῦ ἡλίου τρέμειν φαίνεται πιε13. 913 a5. ἐν τῇ σκιᾷ, opp
ἐν τῷ ἡλίῳ πκθ13. 937 a25. αἱ σκιαὶ φαίνονται μέλαιναι
χ1. 791 a20. "Ονυ οὑ, δράματός τινος ἐπιγραφή f 582.
1573 a43. Meineke fr com I 208.

σκιαγραφία. ἡ σκιαγραφία ‹χ τὰ ἐνύπνια πῶς ψευδῆ Μδ29.
1024 b23 Bz. ἡ δημηγορικὴ λέξις ἔοικε τῇ σκιαγραφίᾳ
Ργ12. 1414 a8.

σκιάζειν. τῇ μὲν ὁ ἥλιος ἀνέχει τῇ δὲ σκιάζει μγ4. 374
b3. ὅταν τὰ κύματα μετεωριζόμενα κατὰ τὴν ἔγκλισιν
σκιασθῇ χ2. 792 a22.

σκίαινα ἔχει λίθον ἐν τῇ κεφαλῇ Ζιθ19. 601 b30 Aub. (skiena
Thomae, umbra Gazae, Scalig. ombre C II 575. hodie σκιὸν
Umbrina vulgaris Cuv V 172. Sciaena cirrosa K 902, 4.
in incert rel AΖι I 139, 62. cf Graff, Bulletin de l'Acad
Petersb II 1863 p 550 cap 3, 12.)

σκιερός. φηγῷ ὑπὸ σκιερᾷ (ex antiquo epigrammate) θ133.
843 b32. — τὸ σκιερὸν μέλαν φαίνεται χ1. 791 a23. 2.
792 a9. ἄνθη σκιερὰ ‹χ ζοφώδη χ4. 794 b4.

σκίλλα φτα5. 820 a25. αἱ σκίλλαι ‹χ οἱ βολβοὶ πκ26. 926
a6. 28. 926 a19. σκίλλης καυλοῖς ἐντίκτουσι τέττιγες Ζιε30.
556 b4. αἱ ἀπὸ σκίλλης ‹χ ἀκαλήφης δήξεις f 210. 1517
b10. (Scilla maritima Fraas 285.)

σκιοειδεῖς ‹χ μελανοειδεῖς καρποί χ5. 795 a33.

Σκιρροφοριών Ζιε11. 543 b7. 17. 549 a15. ζ21. 575 b16.

Σκίρρων καλεῖται ὁ θρακίας ἀπὸ τῶν Σκιρρωνίδων πετρῶν
σ973 b19. f 238. 1522 a3. cf σκίρων.

σκίρων, syn ἀργέστης, ὀλυμπίας μβ6. 363 b25.

Σκίρων σίννις ἀνήρ Ργ3. 1406 ᵃ8.

σκιώδης. χρώματα σκιώδη, χρόαι σκιώδεις χ3. 793 ᵇ5, 8.

σκληρόδερμοι ὀφθαλμοί αι2. 438 ᵃ24. πλα14. 958 ᵇ32. κῶλα σκληρόδερμα Ζπ17. 713 ᵇ26. ᾠὰ σκληρόδερμα Ζιε33. 558 ᵃ4. ζ2. 559 ᵃ15. Ζγα8. 718 ᵇ17. β1. 733 ᵃ18, 21. γ1. 749 ᵃ18. 2. 753 ᵃ2, 754 ᵃ18. κύημα σκληρόδερμον Ζγγ8. 758 ᵃ19. τὰ σκληρόδερμα (ζῷα), οἷον κάραβος Ζια5. 490 ᵃ2. ε18. 549 ᵇ31. Ζμβ13. 657 ᵃ32, ᵇ30, 32, 658 ᵃ1. f 278. 1528 ᵃ2.

σκληρόθριξ. ἀνδρεῖοι ᚃ σκληρότριχες φ2. 806 ᵇ16. τὰ πρό-βατα τὰ Σαυροματικὰ σκληρότριχα, opp μαλακότριχα Ζγε3. 783 ᵇ14.

σκληρός. τὸ σκληρόν, def μὴ ὑπεῖκον εἰς αὑτὸ κατὰ τὸ ἐπί-πεδον, δύναμιν ἔχον τῷ μὴ ῥᾳδίως διαιρεῖσθαι, opp μαλα-κόν μδ4. 382 ᵃ11, 18. Ογ1. 299 ᵇ13. Κ8. 9 ᵃ25. opp μα-λακόν Ζγβ1. 734 ᵇ37. γ2. 752 ᵃ33. ε7. 788 ᵃ30 al. coni κραῦρον Ζγγ2. 752 ᵃ33. coni πυκνόν, ξηρόν, παχύ, πεπηγός Φδ9. 217 ᵇ17. θ7. 260 ᵇ9. Γβ2. 330 ᵃ11. μδ6. 383 ᵃ23. 10. 388 ᵃ28. Ζμβ7. 653 ᵃ22. πκβ10. 931 ᵃ5. coni γεηρόν Ζμβ7. 653 ᵃ26. — μάττειν σκληρὰν ἢ μαλακήν Ργ16. 1416 ᵇ31. — οἱ τὸ σῶμα σκληροί, σώματα σκληρὰ ᚃ σύντονα, opp ὑγρὰ ᚃ μαλακά πγ16. 873 ᵃ34. αχ803 ᵃ14. φ5. 809 ᵇ31 (sed ᵛ3. 457 ᵃ29 et πλ1. 954 ᵃ7, 10 cum Busem e codd scribendum est σκληροί). σὰρξ σκληρὰ ᚃ εὐεκτική, πτερὸν σκληρόν φ2. 806 ᵇ22, 12. τρίχες σκληραί, σκληρότεραι, τριχώματα σκληρά Ζιγ10. 517 ᵇ11, 16. Ζγε3. 782 ᵇ30, 783 ᵇ3. (Ζμβ13. 657 ᵇ12.) π12. 893 ᵃ31, 34. 23. 893 ᵃ37. φ2. 806 ᵇ6. δέρμα σκληρόν, σκληρότερον, βύρσα σκληρά Ζμγ3. 665 ᵃ2. Ζγε3. 783 ᵇ5. Ζιδ6.531 ᵃ11. σκληρὰ σκέλη, ὀδόντες, τὸ περὶ τὴν κεφαλήν, γλῶττα, κοι-λία Ζμδ10. 689 ᵇ28. 5. 679 ᵇ5. β13. 657 ᵇ13. 17. 660 ᵃ32. γ7. 670 ᵇ9. μαστοὶ σκληρότεροι Ζμδ10. 688 ᵃ27. πνεύμων σκληρός αυ17. 479 ᵃ24. — πληγὴ σκληρά, ψόφος σκληρός, φωνὴ σκληρά (dist ὀξεῖα, syn λαμπρά) αχ800 ᵇ11, 801 ᵃ17, ᵇ38, 802 ᵇ29 sqq, 42, 803 ᵃ6. ἐὰν τὰ ὀνόματα ᛁ σκληρὰ ᾖ, μὴ ᛁ τῇ φωνῇ ᛁ τῷ προσώπῳ [ᛁ τοῖς] ἁρμότ-τωσι χρῆσθαι Ργ7. 1408 ᵇ6 (Vhl Rhet p 88). — ἐν σκληρᾷ αὐγῇ ᛁ μαλακῇ χ3. 793 ᵇ17. — οἱ λίαν βραδεῖς ᚃ μνή-μονες· σκληρότεροι γὰρ μν1. 450 ᵇ10. — ἡ δίαιτα ὑπερ-βάλλει ἐπὶ τὸ σκληρὸν Πβ9. 1270 ᵇ33. σκληρός, syn καρ-τερικός, ταλαίπωρος, κακοπαθητικός ηεγ1. 1229 ᵇ2. β3. 1221 ᵃ31. οἱ μηδὲν ἂν εἰπόντες γελοῖον ἄγριοι ᚃ σκληροὶ δοκῦσιν εἶναι Ηδ14. 1128 ᵃ9. — σκληρῶς αὐλεῖν αχ803 ᵃ20. σκληρῶς λέγειν τὰ μαλακά, μαλακῶς τὰ σκληρά Πγ7. 1408 ᵇ9.

σκληρόσαρκος. οἱ σκληρόσαρκοι ἀφυεῖς τὴν διάνοιαν ψβ9. 421 ᵃ25. μόρια σκληρόσαρκα, opp μαλακόσαρκα Ζια1.486ᵇ9.

σκληρόστρακος. τῶν σκληροστράκων λεῖόν ἐστιν ἐντὸς τὸ ὄστρακον Ζιδ4. 528 ᵇ2 Aub.

σκληρότης, πάθημα σωματικόν μδ4. 382 ᵃ9. 12. 390 ᵇ7. opp μαλακότης Ζμα4. 644 ᵇ14. β1. 646 ᵇ18. γ4. 667 ᵃ12. Ζγα18. 722 ᵇ32. β5. 741 ᵇ12 al. σκληρότητες, opp μαλα-κότητες Ζγβ6. 743 ᵇ22. ἡ τῶ δέρματος σκληρότης Ζμβ12. 657 ᵃ18. 13. 657 ᵇ6. δ11. 691 ᵃ14. τῶν ὀστράκων Ζμδ7. 683 ᵇ10. σκληρότης τοιαύτη, ὥστ᾽ ᚃν σαρκωδεστέρα, σαρ-κὸς δὲ ὀστωδεστέρα Ζμβ8. 654 ᵃ29. — ἡ ξηρασία ᚃ σκληρότης ἀξύμφορον πρὸς τὰς κόπας πεδ. 881 ᵃ10. — διὰ σκληρότητα τῶ δεχομένω τὸ πάθος ᚃκ ἐγγίνεται ὁ τύπος, διόπερ ἀμνήμονες μν1. 450 ᵇ4. — παράδειγμα σκληρότητος πο15. 1454 ᵇ14, Vhl Poet II 38, 77.

σκληρόφθαλμος, opp ὑγρόφθαλμος Ζμβ2. 648 ᵃ17. ὄμ-ματα σκληρόφθαλμα Ζιδ2. 526 ᵃ9. ζῷα σκληρόφθαλμα Ζιγ18. 520 ᵇ6. Ζμβ13. 657 ᵇ34, σκληροφθαλμότερα Ζμδ 11. 691 ᵃ24. ὀφθαλμὺς πάντες (οἱ ἰχθύες) ἔχυσιν ἄνευ βλε-φάρων, ᚃ σκληρόφθαλμοι ὄντες Ζιβ13. 505 ᵇ1. τὰ σκλη-ρόφθαλμα ᚃκ ἔχει βλέφαρα ψβ9. 421 ᵇ30. αι5. 444 ᵇ26, φαύλως αἰσθάνεται τῶν χρωμάτων, ἀμυδρῶς βλέπει ψβ9. 421 ᵃ13. Ζιδ10. 537 ᵇ12. Ζμδ6. 683 ᵃ27, κοιμᾶται υ1. 454 ᵇ18.

σκληρύνειν, opp μαλάττειν, coni ξηραίνειν, πηγνύναι μδ1. 378 ᵇ17. πα9. 860 ᵃ17. ε6. 881 ᵃ9. κθ11. 937 ᵃ18. λα14. 958 ᵇ30. cf Ζγγ11. 762 ᵃ29. β2. 736 ᵃ4. φτβ2.823ᵇ30. ὅσα πήγνυται ᚃ σκληρύνεται μδ8. 385 ᵃ23. ὁ πλεύμων, τὰ βράγχια σκληρύνεται αυ17. 479 ᵃ11. ὁ χειμὼν σκλη-ρύνει τὰς σπόγγυς Ζιε16. 548 ᵇ23. (τὰ σελάχη) ᚃ δύνανται σκληρύνειν τὸ πέριξ (τῶν ᾠῶν) Ζγγ13. 754 ᵃ32. (τῶν ἐν-τόμων) τὰ μὴ ἕλικτὰ σκληρύνεται μᾶλλον συνιόντα εἰς τὰς τομὰς Ζμδ6. 682 ᵇ24.

σκληφροί scribendum e codd pro σκληροί ᵛ3. 457 ᵃ29. πλ1. 954 ᵃ7, 10 Bsm.

σκνῖπες. ὁ μὲν ᾽Αρ. μετὰ τῶ σ, οἱ δὲ λοιποὶ χωρὶς τῶ σ Bk Anecd gr III index. v κνῖπες.

σκνιποφάγα (ὄρνεα), ἃ τὰς σκνῖπας θηρεύοντα ζῇ μάλιστα Ζιβ3. 593 ᵃ3.

σκολιόγραπτα (τῶν ἰχθύων) κολίας f 281. 1528 ᵃ20.

σκολιός. σκολιαὶ γίνονται αἱ ῥηγμῖνες μβ8. 367 ᵇ14. — σκολιὰ μέλη (Alcaei) Πγ14. 1285 ᵃ38.

σκολόπαξ ἐπὶ τῆς γῆς καθίζει Ζιθ8. 614 ᵃ33. (Scolopax rusticola, hodie ξυλόκοτα, cf E47, 56 et 52, 43. Lnd 146.) v ἀσπαλώπας.

σκολόπενδρα (v1 σκολόπεδρα Ζιδ7. 532 ᵃ5. cf SI 228. de accentu Lob Par 212 adn). refertur inter τὰ ἄναιμα ᚃ πολύποδα, τὰ ἔντομα ᚃ προμήκη, τὰ μακρὰ ᚃ πολύποδα, τὰ ἔντομα ᚃ ἄπτερα Ζπ7. 707 ᵃ30, 31. 8. 708 ᵇ5. Ζιδ7. 532 ᵃ5. 1. 523 ᵇ18. — dist a. ἡ καλυμένη σκολόπενδρα, ἡ χερσαία α3. 471 ᵇ22. Ζιδ7. 532 ᵃ5. Ζπ7. 707 ᵃ30, πλείως ἔχει πόδας Ζια5. 489 ᵇ22. πορεία πῶς γίνεται, βαδί-ζυσι πρὸς τὰ κνισώδη Ζπ8. 708 ᵃ5 (cf Galen III 177). Ζυ37. 621 ᵃ10. ζῶσι διατεμνόμεναι· κινεῖται τὸ ἀποτμηθὲν ἐπ᾽ ἀμφότερα τὰ ἔσχατα· ᚃ γὰρ ἐπὶ τὴν τομὴν πορεύεται ᚃ ἐπὶ τὴν ἀρὰν Ζπ5. 7. Ζπ7. 707 ᵃ28. αν3. 471 ᵇ22. cf f in schol Nic Ther 812, quod om Rose et Heitz: ᚃ γάρ ἐστιν, ἀλλ᾽ ὡς ᾽Αρ. φησὶν εἰς τυπίσω πολλάκις ἕρπει ᚃ παρέχει δόξαν τῶ δικέφαλος εἶναι. (mille-pieds C II 752. cf S I 227, 230. M 224. Scolopendra K 418. KaΖμ 11, 1. AΖι I 164, 17. fort Scolopendra forficata Su 235, 54. Sc morsitans St. Cr.) — b. ἡ θαλαττία. ἣν καλῶσι σκολόπεν-δραν Ζυ37. 621 ᵃ6. εἰσὶ δὲ ᚃ σκολόπενδραι θαλάττιαι, πα-ραπλήσιαι τὸ εἶδος ταῖς χερσαίαις, τὸ δὲ μέγεθος μικρῷ ἐλάττυς· γίγνονται περὶ τὰς πετρώδεις τόπυς· τὴν δὲ χροιὰν εἰσιν ἐρυθρότεραι ᚃ πολυπόδες μᾶλλον ᚃ λεπτοσκελέστεραι τῶν χερσαίων· ᚃ γίγνονται δ᾽ ᚃδ᾽ αὖται ἐν τοῖς βαθέσι σφόδρα Ζιβ14. 505 ᵇ13, 15,17. ὅταν καταπίῃ τὸ ἄγκιστρον, ἐκτρέπεται τὰ ἐντὸς ἐκτός, ἕως ἂν ἐκβάλῃ τὸ ἄγκιστρον, εἶθ᾽ ὕτως εἰστρέπεται πάλιν ἐντός (cf Rose Ar Ps 302)· βαδίζυσι πρὸς τὰ κνισώδη· τῷ στόματι ᚃ δάκνυσι, τῇ δὲ ἄψει καθ᾽ ὅλον τὸ σῶμα Ζυ37. 621 ᵃ6, 9, 11 Aub. (C II 753. 'ad Nereidum genus scolopendram Ar retulit O F Mül-ler, alii forte cum Aphroditis L comparabunt' S II 173. Nereis vel Aphrodite aculeata K 479. St. Cr. KaΖμ 11, 1. M 225. Nereis Su 235, 54. AΖι I 170, 45.)

σκόλυμος (Lob Prol 171, 298). ἐπὶ τῷ σκολίμῳ μαχλό-

ταται γυναῖκες (Hes ε 582, 586) πδ25. 879 ᵃ28. (Scolymus maculatus L Fraas 201. Heldreich 78.)
σκομβρίδες (vl σκορπίδες Bk) Ζιε11. 543 ᵇ5.
σκόμβρος. refertur inter τὰς ἀγελαίας, ἀσθενής ἐστι, τίκτυσιν οἷον ἐν θυλάκῳ τὰ ᾠά Ζι2. 610 ᵇ7. θ12. 597 ᵃ22. ζ17. 571 ᵃ14. ὀχεύονται, τίκτυσι, ποιῦνται τὴν μετάστασιν, πότε· πῦ ἁλίσκονται Ζιζ17. 571 ᵃ12. θ12. 597 ᵃ22 Aub. 13. 599 ᵃ2. (scombria Thomae, scomber Gazae Scalig. maquereau C II 496. Scomber scomber K. St. Cr. ΑΖι I 139, 63.)
Σκόμβρος ὄρος μαι13. 350 ᵇ17.
σκοπεῖν, med σκοπεῖσθαι. 1. de videndi acie, ὥστε τοῖς μὴ σκοπυμένοις ἀκριβῶς δοκεῖν ταύτην εἶναι γλῶτταν Ζιδ8. 533 ᵃ30. — 2. de agendi consilio, ὁ κυβερνήτης σκοπεῖ τὸ τῶν ἀρχομένων ἀγαθόν Πγ6. 1279 ᵃ5. — 3. σκοπεῖν, coni syn θεωρεῖν, ποιεῖσθαι τὴν θεωρίαν, τὴν σκέψιν, τὴν ζήτησιν, πραγματεύεσθαι περί τι Μχ1. 1059 ᵇ18, 20, 21. 8. 1064 ᵇ19, 22. κ1. 539 ᵃ6, 5. Ζμγ5. 668 ᵃ9. σκοπεῖσθαι, coni syn θεωρεῖν, φιλοσοφεῖν Μζ3. 1029 ᵃ19, 26. Φγ5. 204 ᵇ4, 10. Οα6. 274 ᵃ20. μτ1. 463 ᵃ7. sine discrimine activum et medium usurpari, cernitur etiam ex formulis ὅτω (ὧδε) σκοπῦσι φανερόν Φθ6. 258 ᵇ16. δ2. 209 ᵇ5, ὧδε σκοπυμένοις Οα8. 277 ᵇ13. 9. 277 ᵇ30. Ηε14. 1137 ᵃ34. Αγ32. 88 ᵇ9. Μζ3. 1029 ᵃ19 promiscue usurpatis. σκοπεῖν τι Μγ5. 1010 ᵃ2. κ3. 1061 ᵃ36. 8. 1064 ᵇ19, 22. λ8. 1073 ᵇ5. Πβ9. 1270 ᵃ10. (ἐὰν ἐπιμελῶς σκοπήσωμεν τὰς τῶν παλαιῶν βίβλυς φτα7. 821 ᵇ30.) σκοπεῖν σκοπεῖσθαι περί τινος Ζιε1. 539 ᵃ6. Μβ4. 1000 ᵃ19. γ3. 1005 ᵃ32. κ1. 1059 ᵇ18. Ηα1. 1094 ᵇ15. σκοπεῖν, σκοπεῖσθαι πρός τι Ζγα23. 731 ᵃ34. Ρα1. 1354 ᵇ33. σκοπεῖν ἐν ταῖς δυσὶ προτάσεσι, ἐν ἠρεμῦντι Αθ4. 91 ᵃ33. Φθ4. 211 ᵇ30. σκοπεῖν, σκοπεῖσθαι Μλ8. 1073 ᵇ5. Φθ18. Ρβ22. 1396 ᵃ23. ημα34. 1195 ᵇ36. σκοπεῖν ἐπακτικῶς, opp τῷ λόγῳ δῆλον Φθ3. 210 ᵇ36. σκοπυμένοις λογικῶς, κατὰ λόγον, καθόλυ Φγ5. 204 ᵇ4. Πη1. 1323 ᵇ6. Οα6. 274 ᵃ20.
Σκοπελεὺς καλεῖται ὁ εὖρος σ973 ᵇ3. f 238. 1521 ᵇ22.
σκόπελος Ῥώσιος, Ῥωσίων f 238. 1521 ᵇ22. σ973 ᵇ4.
σκοπός. 1. ἡμεροδρόμοι κ σκοποί κ6. 398 ᵃ31. — 2. σκοπός, syn τέλος. ὁ σκοπὸς κ τὸ τέλος τῶν πράξεων Πη13. 1331 ᵇ27. sed cf πονηρὸς ὁ σκοπὸς πρὸς ὃ ποιῦνται τὸ τέλος Πθ6. 1341 ᵇ15. θεῖναι, θέσθαι σκοπὸν τῇ καλῇς ζῆν ημα19. 1190 ᵃ32. νεα2. 1214 ᵇ7. ὁ σκοπὸς κεῖται (ἔκκειται, πρόκειται) καλῶς, ὀρθῶς Πη13. 1331 ᵇ27, 31. Ρα6. 1362 ᵃ18. καθάπερ τοξόται σκοπὸν ἔχοντες Ηα1. 1094 ᵃ24. ἀποβλέπειν πρὸς σκοπόν, τὰ πρὸς τὸν σκοπὸν συντείνοντα Ηζ1. 1138 ᵇ22. 13. 1144 ᵃ25. ἔχειν σκοπόν τινα φτβ7. 827 ᵃ34. cf α1. 815 ᵇ14. τυγχάνειν τῦ σκοπῦ ΜΑ2. 983 ᵃ22. πιθ9. 918 ᵃ26. 5. 918 ᵃ5. 40. 921 ᵃ34. ἀποτυχεῖν, ἐπιτυχεῖν τῦ σκοπῦ Ηβ5. 1106 ᵇ32. ἡ ἀρετὴ τὸν σκοπὸν ποιεῖ ὀρθόν· ἀν ὁ σκοπὸς ἦ καλός Ηζ13. 1144 ᵃ8, 26. ἡ εὐδαιμονία Ρα5. 1360 ᵇ4. σκοπὸς ἀμφοῖν τὸ καλὸν Ηγ15. 1119 ᵇ16. ὐχ οἱ αὐτοὶ σκοποὶ τοῖς διδάσκυσι κ τοῖς ἀγωνιζομένοις τβ5. 159 ᵃ26. σκοπὸς τυραννικός, βασιλικὸς Πε10. 1311 ᵃ4. — τὸν σκοπὸν τῆς ἀρετῆς εἶναι (i e τὴν ἀρετὴν σκοπεῖν) πρὸς τὸ τέλος ημα18. 1190 ᵃ16.
σκορόδυλαι (Lob Prol 124. cf supra p 404 ᵇ42). γίγνονται ἐκ τῦ ᾠῦ ἃς καλῦσιν οἱ μὲν σκορόδυλας (vl σκοροδύλας), Βυζάντιοι δ' αὐξίδας διὰ τὸ ἐν ὀλίγαις αὐξάνεσθαι ἡμέραις Ζιζ17. 571 ᵃ16. v αὐξίς.
σκόροδον ὐ ποιεῖ δακρύειν, dist κρόμμυον πκ22. 925 ᵇ10.

πῶς φυτεύεται πκ26. 926 ᵃ2. 28. 926 ᵃ16. 27. 926 ᵃ11. τὸ σκόροδον (σύντηξιν ποιεῖ) εἰς τὸ ὗρον πκ10. 949 ᵃ6. cf ιγ6. 908 ᵃ28. χζ10. 949 ᵃ6. τὰ σκόροδα ὄζει μᾶλλον ἐγκαυλῦντα ἢ νέα ὄντα πκ30. 926 ᵃ26. cf α48. 865 ᵃ22. ιβ12. 907 ᵇ7. ἐφθὰ λεαίνει πια39. 903 ᵇ28. (Allium sativum L Fraas 290. Langkavel 113. Heldreich 7.)
σκορπιομάχον, γένος τι ἀκρίδος, ἐν Ἄργει, pugna cum scorpione descr θ139. 844 ᵇ23. (fort Sphex vel Ichneumon sp Beckm p 315.)
σκορπίος. 1. ὁ σκορπίος vel ὁ σκορπίος ὁ χερσαῖος refertur inter τὰ πεζά, τὰ ἔντομα, χηλὰς ἔχει Ζμδ6. 683 ᵃ11. Ζιβ1. 501 ᵃ31. ∂7. 532 ᵃ16, 18. μακρόκεντρον (cod P, Bsm Pik Aub M 229. μακρόκεντρον Bk) Ζιδ7. 532 ᵃ17 Aub. cf Ζιε32. 557 ᵇ10. ἐν τῇ κέρκῳ κέντρον ἔχει, ἐκτός Ζιβ1. 501 ᵃ31. ∂7. 532 ᵃ16. descr Ζμδ6. 683 ᵃ10. generatio, undenos pariunt, fetus matrem consumit Ζιε26. 555 ᵃ23. ἐκ τῶν σισυμβρίων πολλὸν σκορπίων σκορπίως γίνεσθαι f 325. 1532 ᵇ11. cf Rose Ar Ps 337. Galen VI 640. αἱ πληγαὶ τῦ σκορπίω θ139. 844 ᵇ31. cf Bk Aneed gr I 46. πατάσσει ἄνθρωπον, θηρίον, τὰς ὗς, syn πλήττει· ὐ χαλεποὶ περὶ μὲν Φάρον κ ἄλλυς τόπυς· ἐν ἄλλοις τόποις κ ἐν τῇ Καρίᾳ πολλοὶ κ μεγάλοι κ χαλεποὶ γίγνονται, ἁπλετόν τι πλῆθος in Perside Ζιθ29. 607 ᵃ17, 20, 15, 16. θ27. 832 ᵃ27. f 562. 1570 ᵇ21. πάντων χαλεπώτερά ἐστι τὰ δήγματα τῶν ἰοβόλων, ἐὰν τύχῃ ἀλλήλων ἐδηδοκότα, οἷον σκορπίον ἔχις Ζιθ29. 607 ᵃ29 (de vl cf Aub et Rose Ar Ps 342). pugna cum scorpiomacho, descr θ139. cf Beckm, Rose Ar Ps 350. θηρεύειν, θηρεύεσθαι θ24. 832 ᵃ29. cum scorpionibus comparantur μαρτιχόρας, ὁ τῶν θύννων οἶστρος, τὰ ἐν τοῖς βιβλίοις Ζιβ1. 501 ᵃ31. θ19. 602 ᵃ28. ε31. 557 ᵃ28. 32. 557 ᵇ10. (scorpius Thom Scalig, scorpio Gazae. scorpion C II 753. Scorpio europaeus et fort Buthus afer, gibbosus ΚαΖμ 143, 11. Su 231, 49. ΑΖι 170, 46. cf PCG II 329. de vl ὁ χερσαῖος cf M 228.) — 2. piscis. πληκτικός, μονήρης, φυκοφάγος f 312. 1531 ᵃ20. ἔχει πολλὰς ἀποφυάδας, τίκτει δίς, ἐπαμφοτερίζει (πρόσγειος κ πελάγιος) Ζιβ17. 543 ᵃ5. θ19. 593 ᵃ7 (Rose Ar Ps 315). θ13. 598 ᵃ14. (scorpius Thom Scalig. scorpio Gazae. scorpion de mer C II 756. S I 287 et hist lit pisc 116. Cottus scorpius St. Cr. K 492. Scorpaena scrofa ΑΖι I 140, 64.)
σκορπίς. σκορπίδες (vl σκομβρίδες) τίκτυσιν ἐν τῷ πελάγει Ζιε11. 543 ᵇ5. (scombrides Thomae, scorpiones Gazae. femina σκορπίν Ar syn pisc 75. scorpide C II 753. cf S I 286. fort Scorpaena porcus Or. ΑΖι I 140, 64.)
σκορπιώδης. τὸ ζῷον, τὸ ἐν τοῖς βιβλίοις γινόμενον σκορπιώδες, χηλὰς ἔχει Ζιδ7. 532 ᵃ19. cf κ ἐν τοῖς βιβλίοις ἄλλα γίνεται ... τὰ δ' ὅμοια σκορπίοις ἄνευ τῆς ὐρᾶς, μικρὰ πάμπαν Ζιε32. 557 ᵇ10. (scorpiale Thomae, bestiola similis scorpioni Gazae, scorpiunculus Scalig. scorpion de petite espèce C II 756. Phalangium cancroides L S I 230. St. Cr. Chelifer cancroides K 595, 3. ΑΖι I 170, 46ᵇ. M 229. Su 231, 48.)
σκοτεινός. ὁ σκοτεινὸς λεγόμενος Ἡράκλειτος κ5. 396 ᵇ20.
σκότος, τὸ et ὁ. ἡ αὐτὴ φύσις ὁτὲ μὲν σκότος ὁτὲ δὲ φῶς ἐστιν, τὸ φῶς ἐναντίον τῷ σκότει, ὁ σκότος στέρησις τῆς τοιαύτης ἕξεως θ27. 418 ᵃ31, 9. τῷ ἀέρι τὸ μὲν φῶς τὸ δὲ σκότος αι3. 439 ᵇ17. σκότος γίνεται ἐκλείποντος τῦ φωτός, τὸ σκότος ὐ χρῶμα ἀλλὰ στέρησις φωτὸς χ1. 791 ᵃ12, ᵇ2. ἐν σκότει λανθάνει τὰ χρώματα μγ2. 372 ᵃ25. σκότος ἀν ἐγίνετο ἔξω τῆς ἡλιυμένης ψβ8. 419 ᵇ30. — ἐν τοῖς πάγοις μᾶλλον γίνεσθαι σκότον αι2. 437 ᵇ22. — σκότοι

πρὸ τῶν ὀμμάτων, coni πόνοι ἐν τῇ κεφαλῇ Ζιη8. 584 ᵃ3.
— τὰς Πριηνείας γυναῖκας ὀμνύναι τὸ περὶ Δρῦν σκότος
f 534. 1566 ᵇ45.

σκοτᾶν. μὴ κρατεῖν ἑαυτῶν ἀλλὰ πίπτειν σκοταμένους ὑπὸ
δέους θ130. 843 ᵃ18.

Σκοτᾶσαι τῆς Θετταλίας θ117. 841 ᵇ9.

σκοτώδες τῇ τᾶ φωτὸς ἀπουσίᾳ τὸ λειπόμενον πιϑ14. 910
ᵃ21.

σκυζᾶν (i e ὁρμητικῶς ἔχειν πρὸς τὴν ὀχείαν), πάθος τῶν
κυνῶν, τῶν ἵππων Ζιζ18. 572 ᵇ26, ᵃ29. 20. 574 ᵃ30, ᵇ1.

Σκύθης. Σκύθαι Ηγ5. 1112 ᵃ28. οἱ ἐν τῷ Πόντῳ Σκύθαι
Ζγε3. 782 ᵇ33. ἐν Σκύθαις Ζιι33. 619 ᵇ13. περὶ Σκύθας
Ζγβ8. 748 ᵃ25. ὑπὲρ τὴς Σκύθας σφίγγει τὴν οἰκουμένην ὁ
Ὠκεανὸς κ3. 393 ᵇ8. οἱ Σκύθαι εὐθύτριχες, μαλακότριχες
Ζγε3. 782 ᵇ33, 783 ᵃ13. de eorum moribus φ1. 805 ᵃ27.
Πη2. 1324 ᵇ11, 17. Ρα9. 1367 ᵇ10. Ηη8. 1150 ᵇ14. οἱ
Σκύθαι φίλοινοι πγ7. 872 ᵃ4. ἐν Σκύθαις ὀκ εἰσὶν αὐλήταί,
ὀδὲ γὰρ ἄμπελοι Αγ13. 78 ᵇ30. ad naturalem historiam
spectantia Ζιζ22. 576 ᵃ21. ι33. 619 ᵇ13. 47. 631 ᵃ1. Ζγβ8.
748 ᵃ25. θ30. 832 ᵇ7. 141. 845 ᵃ1, 3. πκ21. 925 ᵃ25. —
Σκυθία μα13. 350 ᵇ7. β5. 362 ᵇ22. — Σκυθικός. τὰ
Σκυθικὰ πεδία Ζιθ12. 597 ᵃ5. ἐν τῇ Σκυθικῇ Ζιθ28. 606
ᵇ4. περὶ τὴν Σκυθικὴν μβ3. 359 ᵇ18. Ζιθ25. 605 ᵃ21. 28.
606 ᵃ20.

Scythes Lydus aes conflare monstravit f 506. 1561 ᵃ21.

σκυθρωπός. οἱ σκυθρωπὰ μέτωπα ἔχοντες δυσάνιοι φ6. 812
ᵃ2. οἱ ἀνιώμενοι σκυθρωπότεροί εἰσι ἢ οἱ εὐφραινόμενοι ἱλα-
ροί φ4. 808 ᵇ16. σκυθρωπὸν τὴν φροντίδα τῆς ψυχῆς (Ἀλ-
κιδάμας εἶπε) Ργ3. 1406 ᵃ25.

Σκυλάντιμον (?). ἀπὸ χωρίω Σκυλαντίμω σ973 ᵇ14. cf
Σκυλλήτιον.

σκυλάκιον. τὰ σκυλάκια τῆς κυνὸς Ζιζ20. 574 ᵃ23, 27 et
supra p 418 ᵇ12. cf Oken Isis 1830, 811.

Σκύλαξ Πη14. 1332 ᵇ24.

σκυλεύειν τὼς νεκρὼς (Plat Rep V 469 C) Ργ4. 1406 ᵇ33.

Σκυλητῖνος καλεῖται ὁ ἰάπυξ σ973 ᵇ14, cf Σκυλλήτιον.

σκύλιον. τὰ σκύλια (ν l σκύλλια, σκύλλα), ὃς καλῶσί τινες
νεβρίας γαλεὸς· ἐν μέσῳ τῆς ὑστέρας περὶ τὴν ῥάχιν προσ-
πέφυκε τὰ ὠά· ἰσχυσι τὰ ὀστρακώδη ἐν οἷς ἐγγίνεται
ιψώδης ὑγρότης· ὅταν περιρραγῇ ἢ ἐκπέσῃ τὸ ὄστρακον, γί-
νονται οἱ νεοττοί· ἅπαξ τε ἐνιαυτῶ τίκτει Ζιζ10. 565 ᵃ16,
22, 26. 11. 566 ᵃ19. (scyllium Thomae, canicula Gazae
Scalig. la roussette C II 221. Squalus stellaris et canicula
St. Cr. K 739, 9. Scyllium canicula et catulus AZι I 148,
99. hodie hiuc i q Scyllium canicula E 92, 156. cf
Müller glatt Hai des Ar 9, 14, 59.)

Σκύλλα, tragoedia incerti auctoris πο15. 1454 ᵃ31. ἂν Σκύλ-
λαν αὐλῶσιν πο26. 1461 ᵇ32 (Nck fr trg p 653).

Σκυλλήτιον. ἀπὸ χωρίω Σκυλλητίω (codd Σκυλαντίμω)
f 238. 1521 ᵇ37. — Σκυλλητικὸς κόλπος Πη10. 1329
ᵇ12. — Σκυλλητῖνος (codd Σκυλητῖνος) καλεῖται ὁ ἰάπυξ
f 238. 1521 ᵇ36.

σκυμνίον. τὰ σκυμνία φώκης, ἄρκτυ Ζιι1. 608 ᵇ25. 6. 611
ᵇ32.

σκύμνος. οἱ σκύμνοι θηρίων, ἐλέφαντος Ζιζ6. 563 ᵃ24. 27.
578 ᵃ22. αἱ θήλειαι ἄρκτοι χαλεπαὶ ἀπὸ τῶν σκύμνων,
ἐξάγυσι τὼς σκύμνως Ζιζ18. 571 ᵇ30. θ17. 600 ᵇ2. σκύ-
μνος, γαλεῶν εἶδος f 293. 1529 ᵃ15. cf Rose Ar Ps 304.

σκυμνοτοκεῖν. ἔστιν ἡ νάρκη τῶν σελαχωδῶν ἢ σκυμνοτο-
κώντων f 305. 1530 ᵃ13.

σκυτάλη. 1. αἱ τροχίλιαι ἢ αἱ σκυτάλαι αἱ μείζως τῶν

ἐλαττόνων ῥᾷον ἢ θᾶττον κινῶνται μχ9. 852 ᵃ16. cf σκύ-
ταλον. — 2. σκυτάλη, ἐπιστολὴ Λακωνικὴ f 466. 1554 ᵇ15.

σκύταλον. διὰ τί ἐπὶ τῶν σκυτάλων ῥᾷον τὰ φορτία κομί-
ζεται ἢ ἐπὶ τῶν ἀμαξῶν μχ11. 852 ᵃ29, sed coll 852 ᵃ16
scribendum videtur σκυταλῶν 852 ᵃ29, 31, 34.

σκυτεύς. τέκτονος ἢ σκυτέως ἔργα Ηα6. 1097 ᵇ29. σκυτεῖς,
coni τέκτονες, γεωργοί Πβ2. 1261 ᵃ36 (syn σκυτοτόμος).
δ4. 1291 ᵃ19. — εἰ σκυτεὺς ἢ ἀγαθός, ἢ σκυτεὺς ἀγα-
θός ε11. 20 ᵇ35. τι20. 177 ᵇ14.

σκύτευσις. σκυτοτομικῆς ἢ σκυτεύσεως ὑπόδημα ηεβ1.
1219 ᵃ21.

σκυτική πλ8. 956 ᵇ4. syn σκύτευσις, σκυτοτομικὴ ηεβ1.
1219 ᵃ22. refertur inter βαναύσυς τέχνας Μβ2. 996 ᵃ34.

σκῦτος. ἐκ τῶν δοθέντων σκυτῶν Ηα11. 1101 ᵃ5.

σκυτοτομεῖν Πβ11. 1273 ᵇ12.

σκυτοτομική τι34. 184 ᵃ5. syn σκυτική ηεβ1. 1219 ᵃ20.

σκυτοτόμος Ηα11. 1101 ᵃ4. syn σκυτεύς, coni τέκτων,
γεωργός, οἰκοδόμος Πβ2. 1261 ᵃ36. γ9. 1280 ᵇ21. δ4.
1291 ᵃ13. πῶς κοινωνήσει γεωργῷ, οἰκοδόμῳ Ηε7. 1133
ᵃ7, 32, ᵇ5. ι1. 1163 ᵇ34. ηεη10. 1243 ᵇ31.

σκυτώδεις ἢ γλίσχροι οἱ ἄρρενες πολύποδες Ζιι37. 622 ᵃ21.

σκύφος περιφερόμενος Πη2. 1324 ᵇ17.

σκωλήκιον. ἡ ἀρχὴ τῶν σκωληκίων μικρά, σκωλήκιον ἀκί-
νητον Ζιε19. 552 ᵃ24, 26. κολεοπτέρων τινῶν ἢ ἀνωνύμων
ζῴων, τῶν βομβυκίων, (σκωλήκια ἐν ὑμένι μέλανι), τῶν
ψηνῶν Ζιε20. 553 ᵃ1. 24. 555 ᵃ16. 32. 557 ᵇ26. αἱ ὀρσο-
δάκναι ἐκ τῶν σκωληκίων μεταβαλλόντων, τὰ δὲ σκωλήκια
ταῦτα γίνεται ἐν τοῖς καυλοῖς τῆς κράμβης· οἱ κάνθαροι
ἐπιτίκτυσι σκωλήκια, ἐξ ὧν γίνονται κάνθαροι· οἱ μύρμηκες
τίκτυσι σκωλήκια, ἃ ὀ προσπέφυκεν ὀδενί· οἱ σκορπίοι οἱ
χερσαῖοι τίκτυσι σκωλήκια ᾠοειδῆ πολλά· τὰ ἀράχνια γεννᾷ
σκωλήκια μικρὰ πρῶτον, στρογγύλα κατ᾽ ἀρχὰς Ζιε19.
552 ᵃ30, 18. 25. 555 ᵃ19. 26. 555 ᵃ23. 27. 555 ᵃ28. ἔστι
τι σκωλήκιον ὃ καλεῖται ξυλοφθόρον Ζιε32. 557 ᵇ13. κλῆρος,
τὸ σκωλήκιον τὸ ἀραχνιῶν· κόπρον προίεται, ἕως ἂν ἢ σκω-
λήκιον· ἐκ τῶ τῶν μελιττίων ἢ τῶν κηφήνων γόνυ τὰ σκω-
λήκια γίνεται· ἐν τῷ κηρίῳ τὸ σκωλήκιον μικρὸν ὂν κεῖται
πλάγιον· ἐν τοῖς φθειρομένοις κηρίοις ἃ πτερύμενα ἐκπέταται
(Tineae cerellae larva) Ζιθ27. 605 ᵇ10 (cf ι40. 626 ᵇ17).
ε22. 554 ᵇ1, ᵃ23, 19. ι40. 625 ᵃ10. ἐν τῇ κόπρῳ, ἐν τῇ
γαστρὶ τῶν ἰχθύων, ἐν τῇ ὑστέρᾳ τρίγλης ἃ τὸν γόνον τὸ
γινόμενον κατεσθίει· οἱ θύννοι ἔχυσι παρὰ τὰ πτερύγια οἷον
σκωλήκιον τὸν καλάμενον οἶστρον Ζιζ15. 569 ᵇ18. 17. 570
ᵇ9. θ19. 602 ᵃ27. f 313. 1531 ᵃ34.

σκωληκοειδής. μέγεθος ἔχον σκωληκοειδὲς Ζγγ10. 761 ᵃ2.
τοῖς σκωληκοειδέσι τοῖς πλείστοις τρεῖς ἑπτάδες (ὁ χρόνος
τῆς γενέσεως) Ζιε20. 553 ᵃ4.

σκωληκοτοκεῖν. τὰ ἔντομα σκωληκοτοκεῖ Ζγα21. 729 ᵇ32.
β1. 732 ᵃ29, ᵇ10, 733 ᵃ25, ᵇ13. γ9. 758 ᵃ31-33 al. σκω-
ληκοτοκεῖν, coni ᾠοτοκεῖν, opp ζῳοτοκεῖν Πα8. 1256 ᵇ13.
τὰ ἄναιμα ὀ πάντα σκωληκοτοκεῖ Ζγβ1. 733 ᵃ26.
τὰ σκωληκοτοκῦντα· ἔστι δ᾽ ἅπαντα ἄναιμα τὰ ἔντομα,
διὸ ἢ σκωληκοτοκῦντα θύραζε Ζγγ7. 757 ᵃ30. 4. 755 ᵃ15.
β1. 733 ᵃ26. — τὰ δ᾽ ὅλως ὀκ ἀναπνεῖ τῶν ζῴων, σκω-
ληκοτοκεῖται δὲ ἢ ᾠοτοκεῖται· ὅσα μὴ ζῳοτοκεῖται ἀλλὰ
σκωληκοτοκεῖται ἢ ᾠοτοκεῖται Ζγβ6. 742 ᵃ4. 1. 733 ᵃ28.
γ11. 762 ᵇ21 al. τὰ σκωληκοτοκύμενα Ζιθ17. 601 ᵃ5. Ζγβ6.
741 ᵇ31 al.

σκωληκοτόκος. τὰ σκωληκοτόκα Ζγγ7. 757 ᵃ31. δ6. 774
ᵇ13. Ζια5. 489 ᵃ35. δ11. 538 ᵃ25 al.

σκωληκοφάγα τῶν γαμψωνύχων ἔνια Ζιθ3. 592 ᵇ16.

σκωληκώδης. ἐνίων ζώων τὰ ᾠὰ σκωληκώδη ἐστίν· τὰ σκωληκώδη τῶν ζώων Ζγβ1. 733 ᵃ30. γ11. 763 ᵇ18.

σκώληξ. ἡ τῶν σκωλήκων φύσις Ζγγ9. 758 ᵃ36, ᵇ24. 11. 762 ᵇ27. (ἡ τῶν σκωλήκων φύσις φαύλη ημβ7. 1205ᵃ29.) τὸ ζῷον τέλεον, ὁ δὲ σκώληξ χ̣ τὸ ᾠὸν ἀτελές· εἰς τὸ φα- 5 νερὸν τῶν μὲν τελειωθέντος τῷ κυήματος ζῴων ἐξέρχεται, τῶν δ᾽ ᾠόν, τῶν δὲ σκώληξ Ζγβ1. 733 ᵃ1. Ζια5. 489ᵇ13. διαφέρει δ᾽ ᾠὸν χ̣ σκώληξ· σκώληξ δ᾽ ἐξ οὗ τὸ γινόμενον ὅλη ὅλον γίνεται· σκώληξ ἐστιν ἐξ οὗ ὅλη ὅλον γίνεται τὸ ζῷον διαρθρουμένη χ̣ αὐξανομένη τῷ κυήματος· ἐκ τῶν 10 σκωλήκων ὐκ ἐκ μέρους τινὸς γίνεται τὸ ζῷον ὥσπερ ἐκ τῶν ᾠῶν, ἀλλ᾽ ὅλον αὐξάνεται χ̣ διαρθρούμενον γίνεται τὸ ζῷον Ζγβ1. 732 ᵃ29, 31. cf γ2. 752 ᵃ27. Ζια5. 489 ᵇ9. ε19. 550 ᵇ28 (cf Harvei lib de gen an 77, 243. Ehrenberg üb Formbeständigkeit in der Natur 3). ὅσα ἐκ συν- 15 ουασμῷ τίκτει ζῷον, ἢ ᾠὸν ἢ σκώληκα· σκώληξ δὲ ἐκ συνουασμῷ ζῴων, ἄνευ ὀχείας Ζιδ11. 537 ᵇ28. ε19. 551 ᵃ28. ἐκ τῷ σπέρματος δὲ ἄν τι ἄλλο γένηται οἷον σκώληξ σαπέντος πδ13. 878 ᵃ20. τὰ δὲ συνδυάζεται μὲν χ̣ γεννῶσιν, ὐχ ὁμογενῆ δ᾽ αὐτοῖς ἀλλὰ σκώληκας μόνον· τὰ 20 ἔντομα χ̣ γεννᾷ τὰ γεννῶντα σκώληκας· ἢ ὡς σκώληκος συνισταμένη τὸ πρῶτον ἢ ἐξ ᾠῶν· τὸ τοιοῦτον κύημα σκώληξ ἐστίν Ζγα16. 721 ᵃ6. γ9. 758 ᵇ7. 11. 762 ᵇ31, 33. ἡ γένεσις ἐκ τῷ ᾠῷ ὐχ ὁμοίως γίνεται τοῖς ἐκ τῶν σκωλήκων γινομένοις· ἡ τῷ ᾠῷ αὔξησις ὁμοία τοῖς τῶν σκωλήξιν ἐστιν, ὡς 25 ὄντος τῷ σκωλήκος ἔτι ἐν αὐξήσει ᾠῷ μαλακῷ Ζιζ13. 567 ᵇ31. Ζγγ4. 755 ᵃ14. 9. 758 ᵇ21. τὰ τῶν μαλακοστράκων ᾠὰ αὐξάνεται ὥσπερ οἱ σκώληκες· τὰ ὀστρακόδερμα ποιῦνται τὴν αὔξησιν ὁμοίως τοῖς σκωλήξιν Ζιζ17. 549 ᵃ18. Ζγγ11. 763 ᵃ10. ἐπὶ τὰ ἄνω χ̣ τὴν ἀρχὴν αὐξάνονται οἱ 30 σκώληκες Ζγγ11. 763 ᵃ11. οἱ πόδες ἐπ᾽ ἄκρῳ τοῖς σκωλήξι· πᾶσι δὲ ὡς τοῖς ἄλλοις σκώληξι ἡ ζῴοις τοῖς ἐκ τῶν σκωλήκων περιρρηγνυμένοις ἡ ἀρχὴ γίγνεται τῆς γενέσεως (κινήσεως ci Sylb Pik Aub) ὑφ᾽ ἡλίῳ ἢ ὑπὸ πνεύματος· τὸ ἅπαν (κέλυφος) σύμφυτον τῷ σκώληκι (ξυλοφθόρῳ) v1 ᵇ20. 35 Ζιε32. 557 ᵇ15, 19. 19. 552 ᵃ9, cf 28. Μ 460. ὁ σκώληξ τῆς γενέσεως ἀπὸ τῆς ἀρχῆς μέχρι τῷ τέλους τῆς σκώληκι τρεῖς ἑπτάδες· ἀκινητίζουσιν· ἔνιοι ἔχονται ἐκ τῶν πλαγίων Ζιε20. 553 ᵃ4. 19. 551 ᵇ18 (cf Ζγγ9. 758 ᵇ24). 23. 555 ᵃ11. πᾶσιν ἂν ἐνδέχοιτο τοῖς θηρίοις φαντασίαν ὑπάρχειν· 40 δοκεῖ δ᾽ ὔ, οἷον μύρμηκι ἢ μελίττῃ ἢ σκώληκι ψγ3. 428 ᵃ11. τῶν σκωλήκων οἱ μὲν ἔχωσιν ἐν αὐτοῖς τὸ τοιοῦτον ὅθεν τρεφομένοις ἐπιγίγνεται τοιοῦτον περίττωμα, οἵ τε τῶν μελιττῶν χ̣ σφηκῶν· οἱ δὲ λαμβάνωσι θύραθεν, ὥσπερ αἵ τε κάμπαι χ̣ τῶν ἄλλων τινὲς σκωλήκων Ζγγ9. 758 ᵇ36. cf ν 45 ἐκ τῶν σκωλήκων οἱ μὲν διαϋπνῶσιν ἔλθωσι, καλοῦνται νύμφαι τότε· τὰ πλεῖστα τῶν γινομένων ἐκ τε καμπῶν χ̣ σκωλήκων ὑπὸ ἀραχνίων κατέχεται τὸ πρῶτον Ζιε19. 551 ᵇ2, 552 ᵇ24. δεῖ χ̣ τὰς κάμπας εἴδος τιθέναι σκώληκος χ̣ τὰ τῶν ἀραχνίων, cf γένος τι σκωλήκων Ζγγ9. 758 ᵇ9. 50 cf α18. 723 ᵇ6. — ὅσα γίνεται ἐκ σκωλήκων Ζιε19. 551 ᵃ28. ἐκ σκωλήκων γίνονται οἱ κάραβοι, αἱ μηλολόνθαι, πτερωτά τινα (Tenebriones), αἱ μυῖαι, οἱ κώνωπες, τεττιγομήτρα, χρυσαλλίς Ζιε19. 551 ᵇ16, 552 ᵃ16, 19, 21, ᵇ5. 30. 556 ᵇ6. 32. 557 ᵇ23. ἐκ τινος σκώληκος μεγάλ ὃς ἔχει οἷον κέ- 55 ρατα ἀ̣ διαφέρει τῶν ἄλλων, γίνεται νεκύδαλος Ζιε19. 551 ᵇ9. — enumerantur et descr οἱ σκώληκες τῶν ἀραχνίων, τῶν ἀκρίδων Ζιε27. 555 ᵇ6. 28. 555 ᵇ23, 556 ᵃ1. τῶν μυιῶν, ψυλλῶν (ψυχῶν Bk) Ζιε1. 539 ᵇ11, 12. Ζγα18. 723 ᵇ6. τῶν σφηκῶν, ἀνθρηνῶν Ζιε19. 551 ᵃ29. 23. 555 ᵃ4, 11. ι41. 60 628 ᵃ19. Ζγγ9. 758 ᵇ18, 32. τῶν μελιττῶν· ἐκ τῷ τῶν

βασιλέων γόνῳ ὐ γίνεται σκώληξ ἀλλ᾽ εὐθέως ἡ μέλιττα· τὰ κηρία ἐνίων ὐκ ἴσχει σκώληκας Ζγγ9. 758 ᵇ18, 22. Ζιε19. 551 ᵃ29. 22. 554 ᵃ27, ᵇ19. τῶν ἐντόμων οἱ σκώληκες προϊόντες γίνονται ᾠοειδεῖς Ζγβ1. 733 ᵃ31, cf ᵇ14. τίκτει πάντα τὰ ἔντομα σκώληκας πλὴν γένος τι ψυχῶν Ζιε19. 550 ᵇ26. — διαφέρουσι κατὰ τὸν τόπον. ἐν χιόνι τῇ παλαιᾷ Ζιε19. 552 ᵇ8, 14 (cf S Theophr IV 607. Froriep Notizen 1856 III 102. Humboldt Kosmos I 488). ἐν τῇ γῇ, κόπρῳ (Hippocr übers Grimm IV 633) Ζιε30. 556 ᵇ6. 19. 552 ᵃ21. ἐν ἐρίοις, ἐν τῇ κεφαλῇ ἐλάφῳ Ζιε32. 557 ᵇ5. β15. 506ᵃ26 (Oestrus rufibarbis Meig). ἐν τοῖς βολίτοις, ὀσπρίοις, ξύλοις τοῖς αὔοις, πρὸς πᾶσι τύτοις (καυλοῖς, συκαῖς, ἀπίοις, πεύκαις), ἐκ τῶν δένδρων Ζιε19. 552 ᵃ16, 19, ᵇ3, 551 ᵇ16. ι9. 614 ᵃ35, ᵇ12, 13. θ13. 831 ᵇ9. ἐκ τῆς περὶ τὸ ὄξος ἰλύος Ζιε19. 552 ᵇ5 (cf Zeitschr Naturforscher I 6). — σκώληκες ᾠοειδεῖς vel ᾠώδεις Ζιε1. 539 ᵇ12. 28. 555 ᵇ23, 556 ᵃ1. Ζγβ1. 733 ᵃ31, ᵇ14. ἐρυθροί, δασεῖς, λευκοί, μεγάλοι, μείζους, μικροί, νέοι Ζιε19. 552 ᵇ8, 9, 551 ᵃ16, 30, ᵇ9. 141. 628 ᵃ19. οἱ μὲν εὐθὺς κινητικοί οἱ δ᾽ ἀκίνητοι· δυσκίνητοι πάντες Ζια5. 489 ᵇ16. ε19. 552 ᵇ9. ἐν χιτῶνι Ζιε32. 557 ᵇ6. — τὰ καλύμενα γῆς ἔντερα σκώληκος ἔχει φύσιν Ζγγ11. 762 ᵇ27. — ὁ χυμὸς ἐν τοῖς σκώληξι θλιβομένοις· (ὄρνιθες τινες) ὐ νέμονται σκώληκα ὐδ᾽ ἔμψυχον ὐδέν· picus κόπτει τὰς δρῦς τῶν σκωλήκων χ̣ σκνιπῶν ἕνεκεν, ἵν᾽ ἐξίωσιν· βόσκεται τὰς σκώληκας τὰς ἐκ τῶν δένδρων, θηρεύει τὰς σκώληκας Ζιε27. 555 ᵇ6. θ3. 593 ᵃ1. ι9. 614 ᵃ35, ᵇ12, 13. (cf C II 825. S I 17, 263, 374, II 404, Theophr IV 320. Oken Isis 1821. II 1124. ΑΖγ 14. Su 192a. Landois in Siebold Zeitschr XIV adn).

σκῶμμα, def Ηδ14. 1128 ᵃ30. ηεγ7. 1234 ᵃ16. εὐτραπελία περὶ τὰ σκώμματα Ηδ14. ηαα31. ηεγ7. 1234 ᵃ15. τὰ παρὰ γράμμα σκώμματα Ργ11. 1412 ᵃ29. μᾶλλον οἱ λόγοι τῶν σκωμμάτων πείθυσι τὰς ἀκούοντας ρδ6. 1441 ᵇ16.

σκώπτειν, coni καταγελᾶν, χλευάζειν, ὑβρίζειν Ρβ2. 1379 ᵃ29. χ̣ σκώπτειν ἔνια δεῖ τὰς νομοθέτας κωλύειν (dist λοιδορεῖν) Ηδ14. 1128 ᵃ31. ἐμμελῶς σκώπτειν, μὴ λυπεῖν τὸν σκωπτόμενον, τὸ εὖ σκώπτειν πῶς ὁριστέον Ρβ4. 1381 ᵃ36. ημα31. 1193 ᵃ18. Ηδ14. 1128 ᵃ7, 14, 25. ὥσπερ Ἀναξανδρίδης ἔσκωψεν Ηη11. 1152 ᵃ22. οἱ σκώπτοντες τισιν εἰκάζουσι τὰς μὴ καλὰς Ζγδ3. 769 ᵇ18. — σκώπτειν τινὰ αι5. 443 ᵇ30. ημα31. 1193 ᵃ16. ὁτὲ μὴ σκώπτειν ὃν ἂν κακολογῶμεν ρδ6. 1441 ᵇ15. σκωφθῆναι ημα31. 1193 ᵃ14.

σκωρία ὑφίσταται χ̣ ἀποκαθαίρεται κάτω μδ6. 383 ᵇ1. ὅταν ἐκκαυθῇ τὸ ὑγρόν, ἀσμότεραι αἱ σκωρίαι γίγνονται πάντων αι5. 443 ᵃ19.

σκώψ (Bk Anecd gr III s h v) refertur inter τὰς γαμψώνυχας τῶν νυκτερινῶν, ἐλάττων γλαυκός, dist et descr δύο σκῶπες· οἱ ἀεισκῶπες (v supra p 11 ᵇ1 et Lob Par 293. Path I 590 adn), οἱ ἕτεροι Ζιθ3. 592 ᵇ11, 14, 13. ι28. 617 ᵇ31 Aub. (scops Thomae, asio Gazae Scalig. le petit duc C II 288. cf S II 132, 496. Strix scops St. K 865, 3. Su 97. ΑΖι I 107, 99. Strix scops et otus Cr. cf Lnd 36. hodie χλῶσσος E 44 et 57.)

σμαρίλη i q μαρίλη (v h v) θ41. 833 ᵃ25. πλη8. 967 ᵇ5 (Bsm, μαρίλη Bk. cf Lob Path I 129).

σμαρίς (vl χαρίς) μεταβάλλει τὴν χρόαν Ζιθ30. 607 ᵇ22 Aub. (karis Thomae, cerrus Gazae, smaris Scalig. cf C II 775. S I 691. Parus smaris St. Cr. K 929, 3. hodie μαρίδα Smaris vulgaris. Cuv VI 413. σμαρίδα Smaris vulg, insidiator, chryselis Cuv, gracilis Bonap E 88, 56-59. cf ΑΖι I 140, 65.)

Σμέρδις (Μυτιληναῖος) Πε10. 1311 ᵇ29.

σμῆνος. 1. apium. α. alveare. τῦ σμήνεος ὀροφή, ἔδαφος, στόμα, μυχός, δυσωδία Ζιι40. 624 ᵃ6, 7, 13, 626 ᵇ11, 20. σμήνεος καθαρόν, ἀγαθόν, πλήρη τὰ σμήνη Ζιι40. 623 ᵇ27, 625 ᵃ29. ε22. 554 ᵃ2. ἐν τῷ αὐτῷ σμήνει χ̣ ἐν τῷ ἑνὶ 5 κηρίῳ, σμῆνος ἀλλότριον Ζιι40. 624 ᵃ20, 626 ᵇ13. βλίττεται Ζιι40. 627 ᵇ3. ε22. 554 ᵃ15. αἱ περὶ τὰς ἀρχὰς τῶν κηρίων πρὸς τὰ σμήνη συνύφειαι· ὅταν εἰς τὸ σμῆνος ἀφίκωνται, ὅταν κρέμωνται ἐξ ἀλλήλων ἐν τῷ σμήνει, ἕως ἂν εἰς τὸ σμῆνος εἰσπετασθῇ Ζιι40. 624 ᵃ10, ᵇ6, 5, 627 ᵇ14. 10 ἐκλείπειν τὸ σμῆνος, ἐκβάλλειν ἐκ τῶν σμηνῶν Ζιι40. 626 ᵃ4, 625 ᵃ28. πειρῶνται ἔξω τῦ σμήνεος τῦτο πράττειν (κτείνειν, cf Antig Caryst p 102)· αἱ ἐν Θημισκύρᾳ (μέλιτται) ἐν τῇ γῇ χ̣ ἐν τοῖς σμήνεσι ποιῦνται κηρία Ζιι40. 625 ᵃ33. ε22. 554 ᵇ10. ἐγγίνεται ἐν τοῖς σμήνεσι θηρία ἃ λυμαί- 15 νεται τὰ κηρία, κάμπαι· ἄρκτος τὰ σμήνη καταγινύσσα· ἴκτις κακηργεῖ τὰ σμήνη Ζιϑ27. 605 ᵇ9, 17. 5. 594 ᵇ8. ι6. 612 ᵇ13. — b. examen. ὅλον τὸ σμῆνος, πολύγονον, τὰ εὐθηνῦντα Ζιι40. 626 ᵇ19, 16, 625 ᵃ19, ᵇ28, 627 ᵇ3. ἐὰν μὴ εὐμελιτῇ τὰ σμήνη· ἰσχύει· ἂν διαμείνῃ ἔτη θ΄ ἢ ι΄, 20 εὖ δοκεῖ διαγεγενῆσθαι Ζιι40. 625 ᵃ24, 627 ᵃ29. ε22. 554 ᵇ7. τὸ σμῆνος ἀπολείπει· νοσήσαντος τῦ σμήνεος· ἀπόλλυται τὸ σμῆνος ἐάν τε ἡγεμόνες μὴ ἱκανοὶ ἐνῶσιν, ἐάν τε πολλοὶ ὦσιν ἡγεμόνες· εἰσὶ πλείους ἐν ἑκάστῳ σμήνει ἡγεμόνες Ζιι40. 627 ᵇ15, 626 ᵇ12. ε22. 553 ᵇ16, 15. κηφῆνες ὀλίγοι ἐνόντες 25 ὠφελῦσι τὸ σμῆνος Ζιι40. 627 ᵇ9. — 2. αἱ ἀνθρῶιναι ποιῦσι τὸ σμῆνος ὑπὸ γῆν Ζιι42. 629 ᵃ7.

σμηρίον. ὅτε κατὰ στράγγα ῥεῖ τὸ κόμι, γίνεται ὡς τὸ λεγόμενον σμηρίον φτϑ9. 829 ᵃ21. cf Meyer Nic Damasc p 44, 128. 30

σμικρός. τί διαφέρει σφαίρας λέγειν σμικρὰς ἢ μονάδας μεγάλας ψα5. 409 ᵇ9. pro σμικρῷ γ΄ ἕνεκεν Ζμδ10. 689 ᵇ5 scribendum est σμειῶ γ΄ ἕνεκεν, cf σημειῶν p 677 ᵇ34.

σμικρότης. μεγέθεσιν ὑπερβάλλοντα ἢ σμικρότησιν ἐλλείποντα φ6. 813 ᵇ28. 35

Σμινδυρίδης ὁ Συβαρίτης ηεα5. 1216 ᵃ16.

σμύξων v μύξων.

σμύραινα v μύραινα.

σμύρνα (σμύρνη). ὅσα λέγεται ὡς δάκρυα (cf φτα3. 818 ᵃ5) ψύξει ἐστίν, οἷον σμύρνα· γῆς ἐστίν μδ10. 388 ᵇ20, 40 389 ᵃ13. σμύρνης χ̣ τῶν τοιῦτων ἑτέρων εἰς τὸ ὕδωρ ἐμβληθέντων ἔξονται αἱ ῥοδιακαὶ χυτρίδες f 105. 1494 ᵇ39, 42. ἡ σμύρνη τῶν ἰατρῶν πιβ1. 906 ᵃ25. (Amyris Kafal Forsk Fraas 87. cf Meyer bot Erläut zu Strabo p 139.)

Σμύρνα. τῶν Λυδῶν κρινάντων καταλιπεῖν τὴν Σμύρναν f 66. 45 1487 ᵃ9, 1486 ᵇ45.

σμῦρος. διαφέρει ὁ σμῦρος χ̣ ἡ σμύραινα, descr Ζιε10. 543 ᵃ24, 25, 28. (murus Gazae. mure C II 536. S I 284. fort Ophisurus serpens Lacepède poiss V pl. AZₗ I 136, 48) v μύραινα p 477 ᵇ29. 50

σοβεῖν. ἀναπετύωνται (αἱ τέττιγες) ὅταν σοβήσῃ τις Ζιε30. 556 ᵇ14. ἔχοντες ξύλα σοβῦσι τὸν κάλαμον χ̣ τὴν ὕλην, ἵνα πέτωνται τὰ ὀρνίθια Ζιι36. 620 ᵃ35.

σολοικίζειν, syn τῇ λέξει βαρβαρίζειν τι3. 165 ᵇ20. περὶ τῦ σολοικίζειν τι14. 173 ᵇ17 - 174 ᵃ11. τί ποιεῖ σολοικίζειν 55 Pγ5. 1407 ᵇ18. ὅταν δέῃ ὄνομα μνημονεῦσαι, παρόμοιον μέν, εἰς δ΄ ἐκεῖνο σολοικίζομεν μν2. 452 ᵇ5.

σολοικισμός. παραλογισμοὶ παρὰ σολοικισμόν τι14, eorum λύσις τι32.

σόλοικος, coni syn σαλάκων, τρυφερός Pβ16. 1391 ᵃ4, 3. 60

Σόλων, versus eius afferuntur Πα8. 1256 ᵇ33 (fr 13, 71).

Pα15. 1375 ᵇ32, 34 (fr 22). Σόλων ἔοικε τὴν ἀναγκαιοτάτην ἀποδιδόναι τῷ δήμῳ δύναμιν Πβ12. 1274 ᵃ15 respici videtur fr 5, 1. — de Solonis νόμοις et πολιτείᾳ Πβ7. 1266 ᵇ17. 12. 1273 ᵇ34, 41, 1274 ᵃ3, 11. γ11. 1281 ᵇ32. δ11. 1296 ᵃ19. Pβ23. 1398 ᵇ16. f 350. 1537 ᵃ15, 24. 353. 1538 ᵃ9. 354. 1538 ᵃ13. 377. 1540 ᵃ33. 572. 1572 ᵃ28. 139. 1501 ᵇ33; respici videtur Πδ11. 1296 ᵃ38. — τίνας ἀπεφαίνετο τὰς εὐδαίμονας Ηκ9. 1179 ᵃ9. ὐδένα εὐδαιμονιστέον ἕως ἂν ζῇ Ηα11. 1100 ᵃ11, 15. κεβ1. 1219 ᵇ6.

σομφός. 1. συστάσεις τῶν ὀρῶν σομφαὶ χ̣ λιθώδεις χ̣ ἀργιλώδεις μα14. 352 ᵇ10. χώρα σομφὴ χ̣ ὕπαντρος μβ8. 366 ᵃ25, cf ᵃ35. 7. 365 ᵃ23. ψαθυρότης σομφὴ Ζιδ1. 524 ᵇ26. τὸ καχρύδιον σομφον ὄν πκ8. 923 ᵇ13. σομφός, opp πυκνός, στερρὸς πκ9. 923 ᵇ22, 26. ἡ γλῶττα σαρξ μανὴ χ̣ σομφὴ Ζια11. 492 ᵇ33. ταῖς γυναιξὶ σαρξ σομφὴ χ̣ πόρων μεστή Ζια12. 493 ᵃ16. σομφὴ χ̣ κοῖλον Ζμβ1. 661 ᵃ18. πλεύμων σομφὸς αν1. 470 ᵇ14, 17. 9. 475 ᵃ22. 10. 475 ᵇ24. 15. 478 ᵃ13. Ζια17. 496 ᵇ3. θ4. 594 ᵃ8. Ζμγ6. 669 ᵃ31, 25. 7. 670 ᵇ14. 8. 671 ᵃ10. Ζγβ1. 732 ᵇ35. τὸ γλωττικὸν σομφὸν χ̣ σπαστικὸν τῆς τροφῆς Ζμδ6. 683 ᵃ21. — 2. σομφὴ φωνή, τὸ σομφὸν ἐν τῇ φωνῇ ἀνὰ μέσον λευκῷ χ̣ μέλανος τα5. 106 ᵇ7-12.

σομφότης τῦ πλεύμνεος Ζμγ6. 669 ᵃ16.

σῦς, voc Democriteum. φησὶ γὰρ (Democritus) ὐκ εἰς ἓν ὁρμᾶν τὰ σύς, λέγων σὺς τὴν κίνησιν τῶν ἄνω φερομένων σωμάτων Οδ6. 313 ᵇ5.

Σῦσα κ6. 398 ᵃ14, 34. θ27. 832 ᵃ26. 96. 838 ᵃ23.

σοφία. notionem σοφίας Ar exponit ΜΑ1. 2. Ηζ7. τὴν σοφίαν ἐν ταῖς τέχναις τοῖς ἀκριβεστάτοις τὰς τέχνας ἀποδίδομεν, ἐνταῦθα ὐθὲν ἄλλο σημαίνοντες τὴν σοφίαν ἢ ὅτι ἀρετή τέχνης ἐστίν Ηζ7. 1141 ᵃ9. cf ΜΑ1. 981 ᵃ26. ὡς ἐν ἀνθρώπῳ τέχνη χ̣ σοφία, ὕτως ἐν ἐνίοις τῶν ζῴων ἐστί τις ἑτέρα τοιαύτη φυσικὴ δύναμις Ζιϑ1. 588 ᵃ29. cf Ηζ7. 1141 ᵃ27. ἡ σοφία ἀρετὴ διανοητικὴ Ηζ3. 1139 ᵇ17. cf ηma35. 1197 ᵇ3. ἡδίστη τῶν κατ᾽ ἀρετὴν ἐνεργειῶν ἡ κατὰ τὴν σοφίαν ὁμολογουμένως ἐστὶν Ηκ7. 1177 ᵃ24. ἡ σοφία τί χρήσιμος, πῶς ποιεῖ εὐδαιμονίαν Ηζ13. 1143 ᵇ18, 19, 1144 ᵃ4. ὅσα περὶ φρόνησιν χ̣ νῦν χ̣ σοφίαν πλ. ἡ σοφία universe i q scientia, ὡς κατὰ τὸ εἰδέναι μᾶλλον ἀκολυθῦσαν i τὴν σοφίαν πᾶσιν ΜΑ1. 981 ᵃ27. ἡ ἀκριβεστάτη ἂν τῶν ἐπιστημῶν εἴη ἡ σοφία. ἡ σοφία νῦς χ̣ ἐπιστήμη, ὥσπερ κεφαλὴν ἔχησα ἐπιστήμη τῶν τιμιωτάτων· ἡ σοφία ἐστὶ χ̣ ἐπιστήμη χ̣ νῦς τῶν τιμιωτάτων τῇ φύσει Ηζ7. 1141 ᵃ16, 19, ᵇ3. cf ηma35. 1197 ᵃ23-30. inde σοφία i q φιλοσοφία· ὅλως ζητήσυς τῆς σοφίας περὶ τῶν φανερῶν τὸ αἴτιον ΜΑ9. 992 ᵃ25. χ̣ ταυτην (τὴν φυσικὴν) χ̣ τὴν μαθηματικὴν μέρη τῆς σοφίας εἶναι θετέον Μκ4. 1061 ᵇ33. partes τῆς σοφίας plur numero σοφίαι nuncupantur Μβ1. 995 ᵇ12 Bz (paullo aliter num plur σοφίαι usurpatur Μγ5. 1141 ᵃ31). οἱ σοφώτεροι τὴν ἀνθρωπίνην σοφίαν, opp οἱ διατρίβοντες περὶ τὰς θεολογίας μβ1. 353 ᵇ6, ᵃ35. ἡ σοφιστικὴ ἐστι φαινομένη σοφία ἀλλ᾽ ὐκ ὗσα τι11. 171 ᵇ34, 29. Μγ2. 1004 ᵇ19. ἔστι σοφία τις χ̣ ἡ φυσική, ἀλλ᾽ ὐ πρώτη Μγ3. 1005 ᵇ1. sed etiam non addito adiectivo πρώτη ipsum nomen σοφία significat τὴν πρώτην φιλοσοφίαν, i e τὴν τῶν πρώτων ἀρχῶν χ̣ αἰτιῶν θεωρητικὴν ΜΑ1. 981 ᵇ28. 2. 982 ᵇ9. β2. 996 ᵇ9. κ1. 1059 ᵃ18, 21, 32. cf Bz ad ΜΑ2. 983 ᵃ20. Wz II 295. τῇ σοφίᾳ χ̣ τῇ τιμιωτάτῃ ἐπιστήμῃ Μλ10. 1075 ᵇ20.

σοφίζεσθαι τι17. 176 ᵇ23. πάντως σοφίζεσθαι Πβ1. 1260

ᵇ34. μυθικῶς σοφίζεσθαι Μβ4. 1000 ᵃ18. σοφίζεσθαι τοῖς ἀλλοτρίοις λόγοις ηεα8. 1218 ᵇ24. ὅσα προφάσεως χάριν σοφίζονται πρὸς τὸν δῆμον Πδ13. 1297 ᵃ14. ἐὰν μή τι σοφίζωνται τοιȣ̑τον Πβ5. 1264 ᵃ20. πάντα σοφιστέον ὅπως Πζ4. 1319 ᵇ25. διὸ φασί τινες τῶν σοφιζομένων ᷍ καὶ τὴν 5 σελήνην εἶναι θῆλυ Ζιη2. 582 ᵃ35.
σόφισμα, def τθ11. 162 ᵃ16.σοφίσματα τῶν πολιτειῶν Πε8. 1308 ᵃ2. σοφίσματα ὀλιγαρχικὰ πρὸς τὸν δῆμον, δημοκρατικὰ πρὸς τὰς εὐπόρȣς Πδ13. 1297 ᵃ14-38. ζητεῖν σόφισμα Πζ8. 1322 ᵃ21. σοφίσματος χάριν Πε8. 1307 ᵇ40. 10
σοφισματώδη ἐπιχειρήματα τθ3. 158 ᵃ35.
σοφιστεύειν τι1. 165 ᵃ28.
σοφιστής, περὶ τὸ συμβεβηκός, περὶ τὸ μὴ ὄν Με2. 1026 ᵇ15. κ8. 1064 ᵇ29. dist διαλεκτικός, φιλόσοφος Μγ2. 1004 ᵇ17. Ρα1. 1355 ᵇ20. ὁ σοφιστὴς χρηματιστὴς ἀπὸ φαινο- 15 μένης σοφίας τι1. 165 ᵃ22. προλαβεῖν τὸ ἀργύριον οἱ σοφισταὶ ἀναγκάζονται Ηι1. 1164 ᵃ31. coni διάβολος, κλέπτης τδ5. 126 ᵃ31. οἱ σοφισταὶ τί ἐπαγγέλλονται διδάσκειν Ηχ10. 1180 ᵇ35, 1181 ᵇ12, 15. ὥσπερ οἱ σοφισταὶ διορίζȣσιν ηεη6. 1240 ᵇ24. οἱ σοφισταὶ σοφίζονται ἀλλοτρίοις 20 λόγοις ηεα8. 1218 ᵇ23. τῷ σοφιστῇ ὁμωνυμίαι χρήσιμοι, τῷ ποιητῇ συνωνυμίαι Ργ2. 1404 ᵇ38. οἱ σοφισταὶ πολλάκις ἤττῶνται Ρβ23. 1397 ᵇ25. οἱ σοφισταί (exempla sophismatum afferuntur) Αγ6. 74 ᵇ23. τα11. 104 ᵇ26. Φδ11. 219 ᵇ20. — οἱ Πάριοι λεγόμενοι σοφισταί ρ1. 1421 ᵃ32. 25 Λυκόφρων ὁ σοφιστής Πγ9. 1280 ᵇ11. Πολύειδος ὁ σοφιστής πο16. 1455 ᵃ6. 'Αρίστιππος Μβ2. 996 ᵃ32. ὁ 'Αριστοτέλης σοφιστὰς λέγει τὰς ἑπτὰ σοφὰς f7. 1475 ᵃ31.
σοφιστικός. ὁ σοφιστικός, dist διαλεκτικός, ἐριστικός τι11. ἡ σοφιστική, def φαινομένη σοφία, περὶ τὸ συμβεβηκός, 30 περὶ τὸ μὴ ὄν τι1. 165 ᵃ21. 11. 171 ᵇ28, 34. Μγ2. 1004 ᵇ18 Βz. ε2. 1026 ᵇ14 Βz. κ3. 1061 ᵇ8. 8. 1064 ᵇ28. ἡ σοφιστικὴ dist φιλοσοφία, διαλεκτική Μγ2. 1004 ᵇ23, 26. Ρα1. 1355 ᵇ17 (ὁ σοφιστικός Βk, ἡ σοφιστικὴ Αᶜ). σοφιστικοὶ λόγοι τι1. 165 ᵃ34. Ηγ3. 1146 ᵃ21. Πε8. 1307 ᵇ36. 35 Ρα4. 1359 ᵇ12 (cf ᵇ10). γ2. 1405 ᵇ9. ἐριστικὸς ἅμα ᷍ καὶ σοφιστικὸς λόγος ατ969 ᵇ11. σοφιστικοὶ συλλογισμοὶ ᷍ καὶ ἔλεγχοι τι1. 164 ᵃ20. 8. 169 ᵇ19, 170 ᵃ12. Μζ5. 1032 ᵃ6. θ8. 1049 ᵇ33. σοφιστικὸς τρόπος (ὁ κατὰ συμβεβηκός) Αγ2. 71 ᵇ10. 5. 74 ᵃ28. τβ4. 111 ᵇ32 (v l τόπος). σοφιστικὸς 40 τόπος τι12. 172 ᵇ25. σοφιστικὸν συκοφάντημα τι15. 174 ᵇ9. σοφιστικαὶ ἐνοχλήσεις ε6. 17 ᵃ36. σοφιστικὴ προαίρεσις τι12. 172 ᵇ11. σοφιστικῶς ἥκιστα κατὰ τὴν ὑπόθεσιν τὴν ἐν τοῖς μαθήμασιν ατ969 ᵇ8. — σοφιστικῶς λαμβάνειν τε4. 133 ᵇ16. ἀποκρίνεσθαι Ργ18. 1419 ᵃ14. παραλογίζεται 45 ὁ ἀπορῶν σοφιστικῶς μχ24. 856 ᵃ33.
Σοφοκλῆς. versus afferuntur nomine Sophoclis addito, ἡ Σ. 'Αντιγόνη Ρα13. 1373 ᵇ9 (Ant 456, 457), ἐν τῇ Σ. 'Αντιγόνῃ Ρα15. 1375 ᵃ33 (Ant 456, 458), Σ. ἐκ τῆς 'Αντιγόνης Ργ16. 1417 ᵃ28-33 (Ant 911, 912), ἐν τῷ προλόγῳ 50 Σ. Ργ14. 1415 ᵃ20 (Oed R 774), ὥσπερ Σ. λέγει Μδ5. 1015 ᵃ30 (El 256), οἷ ὁ Σ. Ρβ23. 1400 ᵇ17 (Tyr fr 592 Nck), τὰ Σ. ἰαμβεῖα Ργ9. 1409 ᵇ9 (versus non Sophoclis est, sed Euripidis, fr 519); non addito Sophoclis nomine, ὁ ποιητής Παι13. 1260 ᵃ29 (Ai 293), Ργ14. 1415 55 ᵇ20 (Ant 223, cf Bergk ann crit ad v 241), κ6. 400 ᵇ25 (Oed R 4, 5), ηεη10. 1242 ᵃ37 (fr 684). tragoediae Sophoclis adhibentur addito poetae nomine Φιλοκτήτης Ηη3. 1146 ᵃ19. 10. 1151 ᵇ18, Antigona Αἵμων ὁ Σοφοκλέης Ργ16. 1417 ᵇ19. 17. 1418 ᵇ31. Οἰδίπȣς πο14. 1453 ᵇ31. 60 15. 1454 ᵇ8. 16. 1455 ᵃ18. 26. 1462 ᵇ2. non addito poetae

v.

nomine 'Αντιγόνη πο14. 1454 ᵃ1. 'Ηλέκτρα πο24.1460ᵃ31. Οἰδίπȣς πο11. 1452 ᵃ24, 33. 24. 1460 ᵃ30. Λάκαιναι et Πολυξένη πο23. 1459 ᵇ6, 7 (Nck fr trg p 167, 195), ὁ τραυματίας 'Οδυσσεύς πο14. 1453 ᵇ33 (Nck p 182), Σίνων πο23. 1459 ᵇ7 (Nck p 200. Vhl Poet III 285), Τεῦκρος Ρβ23. 1398 ᵃ4. γ15. 1416 ᵇ1 (Nck p 204), Τηρεύς πο16. 1454 ᵇ36 (Nck p 208), Τυρώ πο16. 1454 ᵇ25 (Nck p 217), Φθιώτιδες et Πηλεύς πο18. 1456 ᵃ1 (Nck p 225, 189). — dictum Sophoclis Ργ15. 1416 ᵃ15. — de arte tragica Sophoclis πο3. 1448 ᵃ26. 4. 1449 ᵃ19. 14. 1453 ᵇ31. 15. 1454 ᵇ8. 16. 1455 ᵃ18. 18. 1456 ᵃ27. 25. 1460 ᵇ33. 26. 1462 ᵇ2.
Σοφοκλῆς orator Ρα14. 1374 ᵇ36. γ18. 1419 ᵃ26.
σοφός. de notione cf σοφία. φύσει σοφός ȣ̓δείς Ηζ6. 1143 ᵇ6 (sed πόλεις, ἃς τὸ σοφὸν ζῷον ἱδρύσατο ἄνθρωπος κ3. 392 ᵇ18). Φειδίαν λιθȣργὸν σοφὸν (λέγομεν) Ηζ7. 1141 ᵃ10. cf ΜΑ1. 981 ᵃ25. Θαλῆς σοφός, φρόνιμος δ' ȣ̓ Ηζ7. 1141 ᵇ4. σοφοί, opp πρακτικοὶ ΜΑ1. 981 ᵇ5. σοφώτατον ἔλεγον τὸν χρόνον, opp ἀμαθέστατον Φδ13. 222 ᵇ17. ὁ σοφὸς αὐταρκέστατος Ηχ7. 1177 ᵇ1. σοφός de philosophia vel de prima philosophia ΜΑ2. 982 ᵃ6-19. cf Ηζ7. 6. 1141 ᵃ2. οἱ σοφώτεροι τὴν ἀνθρωπίνην σοφίαν, opp οἱ διατρίβοντες περὶ τὰς θεολογίας μβ1. 353 ᵇ5, ᵃ35. ȣ̓δεὶς τῶν ἀρχαίων σοφῶν, τῶν σοφῶν τινες Φβ4. 196 ᵃ9. Πα6. 1255 ᵃ12. ημβ15. 1213 ᵃ14. — τὸ γνῶναι τὰ δίκαια ȣ̓δὲν οἴονται σοφὸν εἶναι, syn ȣ̓ χαλεπὸν συνιέναι Ηε13. 1137 ᵃ10. — σοφῶς. τῶν σοφῶς βȣλομένων λέγειν τινές μα13. 349
σπάθησις ᷍ καὶ κέρκισις, εἴδη ἕλξεως Φη2. 243 ᵇ6, 28.
σπαίρειν. ὅταν σπαίρωσιν (οἱ ἰχθύες) αν3. 471 ᵃ30.
σπάλαξ ψγ1. 425 ᵃ11, v ἀσπάλαξ p 115 ᵇ23.
σπᾶν. (ὁ ἀετὸς τὰς νεοττὰς) σπᾷ τοῖς ὄνυξιν Ζιε34. 619 ᵇ31. ὅτε (ἡ χελώνη) σπάσαι τῆς ὀριγάνȣ Ζιι6. 612 ᵃ26. — ὅταν ἡ θήλεια σπάσῃ τῶν ἀποτεταμένων ἀραχνίων ἀπὸ τȣ̑ μέσȣ, πάλιν ὁ ἄρρην ἀντισπᾷ Ζιε8. 542 ᵃ13. — (τὰ παιδία) σπᾷ εὐθὺς τὸν μαστόν Ζιι10. 587 ᵃ33. ȣ̓κέτι προσίεται (ἡ ἵππος τὸν ἡμίονον θηλαζόμενον) διὰ τὸ (ἄγαν Aub) σπᾶσθαι ᷍ καὶ πονεῖν Ζιζ2. 576 ᵇ11. σπᾶν τὸ ὕδωρ, τὴν ὑγρότητα ζ6. 470 ᵃ30. μδ1. 379 ᵃ25. Οδ5. 312 ᵇ9. Ζυβ4. 739 ᵇ12. ἕκαστον τῶν τȣ̑ σώματος τὸ αὑτῷ οἰκεῖον ἐσπακέναι πκβ2. 930 ᵃ21. ὅταν σπάσῃ ἱκανὸν (τȣ̑ σπέρματος ἡ ὑστέρα) Ζικ5. 637 ᵃ4. Ζυβ4. 739 ᵇ8, 18. σπᾶν τὸ πνεῦμα αν5. 473 ᵃ2. σπᾶν τῷ πνεύματι Ζικ2. 634 ᵇ34. cf S I 534.
σπάνιος ὁ θηριώδης, σπάνιον τὸ μέσον Ηι1. 1145 ᵃ30. β9. 1109 ᵃ29. τροφὴ σπάνιος, σπάνια Ζιι1. 608 ᵇ21. ε22. 554 ᵃ5. Ζμδ10. 688 ᵇ4. εἰς τὴν ἀρτηρίαν σπάνιόν τι παραρρεῖ Ζμγ3. 664 ᵇ35. σπάνια γίνεται τὰ τοιαȣ̑τα ἐπὶ τῶν ἄλλων Ζγβ7. 746 ᵃ32. σπάνιον τȣ̑ εὑρεῖν ἄνδρας πολὺ διαφέροντας Πγ15. 1286 ᵇ8. σπάνιον (int ἐστί) τὸ θεῖον ἄνδρα εἶναι Ηι1. 1145 ᵃ27. — σπάνιον, tamquam nomen abstractum, τȣ̑το ᷍ᵠοντο διὰ τὸ σπάνιον μγ2. 372 ᵃ23. αἱ τοιαῦται πράξεις ἐπὶ τῷ σπανίῳ γεγόνασιν, opp πολλάκις ρ9. 1429 ᵇ2. — σπάνιον adv, μεσηρανȣ̑ντος σπάνιόν τι γέγονε (παρήλιος), opp τὰ πλεῖστα γίνεται μγ2. 372 ᵃ14. ȣ̓δέτερον (ȣ̓́τε γυνὴ ȣ̓́τε παῖς) ἴσχει ἰξίας, εἰ μή τι σπάνιον γυνή πι37. 895 ᵃ3. — σπανίως φωνεῖ, ποιεῖται τὴν ὀχείαν al Ζιζ28. 578 ᵃ32. al. 488 ᵇ6. δ80. 836 ᵃ22.
σπάνις τȣ̑ ὕδατος Ζγβ7. 746 ᵇ10, τῶν ἐπιτηδείων οβ1350 ᵇ7. ἐν ἐνίοις τόποις ȣ̓ σπάνις τῆς θεωρίας (τῆς ὑαίνης) Ζγγ6. 757 ᵃ8.
σπανοσιτία θ24. 832 ᵃ20.

σπάραγμα. τῶν φυτῶν γίνεται τὰ μὲν ἀπὸ σπέρματος, τὰ
δ' ἀπὸ σπαραγμάτων ἀποφυτευομένων Ζγγ11. 761 ᵇ28.

σπαράττειν. ἥττον (τῷ σιδήρῳ ὁ χαλκὸς) σπαράττει ⅋ ποιεῖ
πληγήν πα35. 863 ᵃ26.

σπαργανῦσιν ἐρίοις (τὰ ἑπτάμηνα) Ζιη4. 584 ᵇ4.   5

σπάρος (v l σκάρος) ἄνωθεν περὶ τὴν κοιλίαν ἀποφυάδας πολ-
λὰς ἔχει Ζιβ17. 508 ᵇ17. (scarus Thomae Gazae Scalig.
spare C II 778. Sparus maina St, in incert relinq Cr. K
492. ΚαΖι 92, 27. ΑΖι I 140, 66.)

Σπάρτη. Ἀθηναῖοι ἐξὸν αὐτοῖς ἀνοικίσαι τὴν Σπάρτην ρ2.   10
1423 ᵃ7. ἀπὸ τῆς Αἰγειδῶν φρατρίας ἧκόν τινες εἰς Σπάρ-
την f 489. 1557 ᵇ41. ἁ φιλοχρηματία Σπάρτην ὀλεῖ f 501.
1559 ᵇ28, cf παροιμία p 570 ᵇ34. — Σπαρτιᾶται Πβ9.
1270 ᵃ37, ᵇ2, 1271 ᵇ11, 13. ε7. 1306 ᵇ36. pro exemplo
positi ρ25. 1435 ᵃ17. Κλεώνυμος ὁ Σπαρτιάτης θ78. 836   15
ᵃ4. ὁ Σπαρτιάτης (Μενέλαος) f 172. 1506 ᵇ27.

σπαρτίον. 1. παιδία ἀντιτείνοντα εἰς τῦπισθεν τὰ σπαρτία
πη9. 888 ᵃ21. — 2. i q 'funis, ex quo bilancis iugum
dependet' μχ2. 850 ᵃ3, 7. 9. 852 ᵃ20, Cappelle p 166. S
Theophr III 22.   20

σπάρτον. 1. ἀφ' ὧν μέλιτται φέρωσιν, ἔστι τάδε, ἀτρακτυλ-
λίς . . . σπάρτον Ζυ40. 627 ᵃ9. (Spartium scoparium Spren-
gel hist rei herb I 80. S II 216. Spartium junceum Fraas
50. Langkavel 2.) — 2. i q σπαρτίον 2. μχ1. 849 ᵇ23.

σπάσις. πρὸς τὴν τῆς τροφῆς σπάσιν χρήσιμον τὸ ῥύγχος   25
Ζμδ12. 693 ᵃ17. σπάσει πίνειν, dist λάψει, κάψει Ζιθ6.
595 ᵃ9. σπάσις τῆς γονῆς Ζγβ4. 739 ᵇ14. — ἡ σπάσις
πολλὴ τῷ σώματος [⅋] ἡ ἀπὸ τῶν γονάτων γίνεται, διὸ
πονῦμεν τὰ γόνατα πε19. 882 ᵇ27.

σπάσμα. οἱ θέοντες εὐτόνως μάλιστα λαμβάνωσι σπάσματα   30
πε39. 885 ᵃ6. κωλύονται αἱ ὑστέραι, ἐὰν σπάσμα ἔχωσιν
Ζικ4. 636 ᵃ28. cf S II 272.

σπασματώδης κίνησις πε1. 880 ᵇ18.

σπασμός. οἱ τέτανοι ⅋ οἱ σπασμοὶ πνεύματός εἰσι κινήσεις
μβ8. 366 ᵇ26. εἴωθε τὰ παιδία σπασμὸς ἐπιλαμβάνειν   35
Ζιη12. 588 ᵃ3. ἡ λύγξ σπασμός τις πλγ5. 962 ᵃ13.

σπασμωδέστερόν ἐστι διὰ κενῆς ῥίπτειν τὸν βραχίονα πε8.
881 ᵇ1.

σπαστικός. τὸ γλωττικὸν σομφὸν ⅋ σπαστικὸν τῆς τροφῆς
Ζμδ6. 683 ᵃ22. ἡ ὑστέρα σπαστικὴ πρὸς αὑτήν Ζικ7. 638   40
ᵃ20. 1. 634 ᵃ6. τὰς φλέβας σπαστικὰς τῶν θύραθεν ποιεῖ
δυνάμεων πε9. 881 ᵇ15.

σπάταγγος. (τῶν ἐχίνων) ἄλλα δύο γένη τό τε τῶν σπα-
ταγγων (v l σπαταγίων) ⅋ τὸ τῶν καλυμένων βρύσσων·
πελάγιος Ζιδ5. 530 ᵇ4. (spatagius Thomae, spatagus Gazae   45
Scalig. cf C II 414. S I 213. Echinus saxatilis St. Spa-
tangus Cr. K 587, 4. def non potest ΑΖι I 6e.)

σπείραμα. δίναι μεγάλων ὄφεων σπειράματι παρόμοιοι θ130.
843 ᵃ32.

σπείρειν. ὅταν συστῇ τὸ κύημα, παραπλήσιον ποιεῖ τοῖς σπει-   50
ρομένοις Ζγβ4. 739 ᵇ34. σὺ δὲ ταῦτα αἰσχρῶς μὲν ἔσπει-
ρας, κακῶς δὲ ἐθέρισας Ργ3. 1406 ᵇ10 (cf Γοργίας p 161
ᵃ37). σπείρειν καρπόν, φλόγα πο21. 1457 ᵇ27, 29.

σπένδομεν χοὰς τοῖς κατοιχομένοις f 33. 1480 ᵃ12.

σπέρμα. ἐκ τῶ σπέρματος τὰ φύσει γινόμενα συνίσταται   55
Ζγα2. 716 ᵃ8. τὰ οἰκεῖα σπέρματα εἴς τε τὰ φυτὰ ⅋ ζῷα
κ6. 400 ᵇ33.

    1. φυτῶν σπέρμα. τὰ φυτὰ προΐεται, προάγει, ποιεῖ τὰ
    σπέρματα Ζμβ10. 655 ᵇ35. Ζγα23. 731 ᵃ4. φτα6. 821
    ᵃ2, 3. ἐκφέρει, φέρει Ζγα23. 731 ᵃ22. 18. 723 ᵇ16, 726 ᵃ7.   60
    Ζιη1. 581 ᵃ16. ἀπὸ τῶ φυτῶ ἀπήει, ἀποκρίνεται τὸ σπέρμα

Ζγα18. 723 ᵇ19, 12. cf β4. 738 ᵃ4. — τὰ φυτὰ γίνεται
ἐκ, ἀπὸ σπέρματος Ζγα23. 731 ᵃ7. 1. 715 ᵇ26. 20. 728
ᵇ35. γ11. 761 ᵇ28. Ζιε1. 539 ᵃ17, προβαίνωσι, προέρχονται,
γεννῶνται ἐκ σπέρματος φτα6. 821 ᵃ4, 8, 820 ᵇ29. τῶν
φυτῶν ἔνια ζῇ μέχρι σπέρματος πκ7. 923 ᵃ30. διαφέρει
τῇ φύσει τὸ σπέρμα ἐν τοῖς φυτοῖς τε ⅋ ζῴοις· τῆς τῶν
φυτῶν ὑσίας ὑθέν ἐστιν ἄλλο ἔργον ὑδὲ πρᾶξις ὑδεμία πλὴν
ἡ τῶ σπέρματος γένεσις· τῶν φυτῶν ἔργον ὑδὲν ἄλλο φαί-
νεται πλὴν αὐτὸ ποιῆσαι πάλιν ἕτερον, ὅσα γίνεται διὰ
σπέρματος Ζγγ2. 752 ᵃ19. α20. 729 ᵃ3. 23. 731 ᵃ26. Ζιθ1.
588 ᵇ25. dist τὰ σπέρματα γόνιμα, ἀτελῆ, ἀσθενῆ Ζγβ3.
736 ᵃ34. αν17. 478 ᵇ31. φτα6. 821 ᵃ6, εὐώδη πα48. 865
ᵃ19. ἀγαθόν, κρεῖττον, κακόν, χεῖρον φτα6. 821 ᵃ8, 4, 3.
τὸ καλύμενον σπέρμα Ζγα23. 731 ᵃ4. ἐν ὅσοις μὴ κεχώ-
ρισται τὸ θῆλυ ⅋ τὸ ἄρρεν, τύτοις τὸ σπέρμα οἷον κύημά
ἐστιν· τὰ φυτὰ προΐεται ὑ γονὴν ἀλλὰ κύημα τὸ καλύ-
μενον σπέρμα· ὑδὲν ἧττον τά τε σπέρματα ⅋ τὰ κυήματα
τῶν ζῴων ζῆ τῶν φυτῶν ὑ γόνιμα μέχρι τινὸς ἐστιν Ζγα
20. 728 ᵇ33 (cf Sprgl I 179). 23. 731 ᵃ4. β3. 736 ᵃ34.
ἐξ ἑνὸς σπέρματος ἓν σῶμα γίνεται οἷον ἑνὸς πυρῆ εἰς
πυθμὴν Ζγα20. 728 ᵇ35. σπέρμα ⅋ καρπὸς διαφέρει τῷ
ὕστερον ⅋ πρότερον· καρπὸς μὲν γὰρ τῷ ἐξ ἄλλυ εἶναι,
σπέρμα δὲ τῷ ἐκ τύτυ ἄλλο, ἐπεὶ ἄμφω γε ταυτόν ἐστιν·
τὰ φυτὰ προΐεται τὰ σπέρματα ⅋ τὰς καρπὰς Ζγα4. 717
ᵃ22. 18. 724 ᵇ19 Aub. Ζμβ10. 655 ᵇ35. — τὰ μὲν ἀπὸ
σπέρματος ἑτέρων φυτῶν, τὰ δ' αὐτόματα γίνεται· γίνεται
τὰ μὲν ἀπὸ σπέρματος, τὰ δ' ἀπὸ σπαραγμάτων ἀποφυ-
τευομένων, ἔνια δὲ τῷ παραβλαστάνειν· τῶν δένδρων τὰ
μὲν γεννῶνται ἐκ σπέρματος, τὰ δὲ δι' ἑαυτῶν Ζιε1. 539
ᵃ17. Ζγα1. 715 ᵇ26. γ11. 761 ᵇ28. φτα6. 820 ᵇ29, 32.
σπέρμα ἐκφέρειν, προάγειν· ἔτι τὰ ἀποφυτευόμενα ἀπ'
αὐτῶ φέρει σπέρμα, ἔνια δ' ὅλως ὑδὲ φέρει σπέρμα οἷον
ἰτέα ⅋ αἴγειρος· πᾶν φυτὸν ἢ προάγει σπέρμα σύγγενες τῷ
σπέρματι ἐξ ὗ ἀνεφύη ἕκαστον Ζγα23. 731 ᵃ22. 18. 723
ᵇ16, 726 ᵃ7. φτα6. 821 ᵃ2. Ἀλκμαίων: τὰ φυτὰ μέλ-
λοντα σπέρμα φέρειν ἀνθεῖ Ζιη1. 581 ᵃ16. — ἡ ἀρχὴ τῷ
σπέρματος πῆ προσπέφυκεν· ἡ ἀρχὴ ⅋ ἐν τοῖς σπέρμασιν
ἐν αὐτοῖς ἐστὶν ἡ πρώτη· ἡ χώρα ⅋ τὴν ὕλην παρέχουσα ⅋
τὸ σῶμα τοῖς σπέρμασίν ἐστι Ζγγ2. 752 ᵃ19, 23. β4.
739 ᵇ35, 738 ᵇ36. ἐν τοῖς σπέρμασιν ἔνεστί τι τοιῦτον τὸ
φαινόμενον πρῶτον γαλακτῶδες Ζγβ4. 740 ᵇ6 (cf τὰ δια-
βλαστάνοντα γαλακτῶσθαι S Theophr V 257). τὰς ῥίζας
πρότερον ἀφιᾶσι τὰ σπέρματα τῶν πόρθων· αἱ ῥίζαι τοῖς
φυτοῖς στόματος ⅋ κεφαλῆς ἔχυσι δύναμιν, τὸ δὲ σπέρμα
τὐναντίον· ἀτελῆ λέγω οἷον τὰ σπέρματα τῶν φυτῶν, ὅσα
ἄρριζα· σπέρμα, ἓν τῶν πέντε Ζγβ6. 741 ᵇ36. Ζμβ10.
687 ᵃ1. αν17. 478 ᵇ31. φτβ6. 827 ᵃ4. — πῶς ποτὲ γί-
νεται ἐκ τῶ σπέρματος τῶ φυτῶ· ἢ ἐκ τῶν σπερμάτων
γένεσις Ζγβ1. 733 ᵇ24. ζ3. 468 ᵇ17. ὐκ ἀπὸ παντὸς τῶ
φυτῶ ἀπήει τὸ σπέρμα· ἐκ τῶ σπέρματος ⅋ ἐκ μέρους
γίγνεται τὸ φυόμενον· ἡ τῶν σπερμάτων γένεσις συμβαίνει
πᾶσιν ἐκ τῶ μέσυ Ζγα18. 723 ᵇ19. 23. 731 ᵃ7. ζ3. 468
ᵇ19. δῆλον ὅτι ἀπὸ μιᾶς κινήσεως τὸν ἐπέτειον πάντα (τὰ
φυτὰ) φέρει καρπόν· καίτοι πῶς δυνατόν, εἰ ἀπὸ παντὸς
ἀπεκρίνετο τὸ σπέρμα Ζγα18. 723 ᵇ12. ὅμοιον δὲ κἂν
εἴ τις φαίη τοῖς φυτοῖς ὑπὸ τῶ πνεύματος ἑκάστοτε τὸ
σπέρματα ἀποκρίνεσθαι πρὸς τὰς τόπυς ποιεῖ ἢ εἴωθε φέ-
ρειν τὸν καρπόν· τῶν δένδρων τὰ πολυκαρπήσαντα ⅋ τὰ
ἐπέτεια τὴν τροφὴν ἀναλίσκυσιν εἰς τὸ σπέρμα πᾶσαν Ζγβ
738 ᵃ4. γ1. 750 ᵃ26. ἡ τῶ μεγέθυς αὔξησις τρέπεται
εἰς τὸ σπέρμα τύτοις (parvis) Ζγα8. 718 ᵇ15. τὸ σπέρμα

ὅμοιόν ἐστιν ἐγκυμονήσει ζῴα, ἥτις ἐστὶ μίξις ἄρρενός τε
χ̍ θήλεος φτα2. 817 ᵃ30, 35. — τὰ εἴδη τῶν σπερμάτων·
τινὰ κρείττω σπέρμα ποιᾶσι, τινὰ χείρον· ἐκ τινῶν κακῶν
σπερμάτων καλὰ δένδρα προβαίνῃσι· τινῶν δένδρων πάλιν
σπέρμα ἂν ἀσθενὲς γένηται· ἢ προέρχονται ῥᾳδίως ἐκ σπέρ- 5
ματος κακῦ καλὰ δένδρα ἠδὲ ἐκ σπέρματος ἀγαθῦ κακὰ
δένδρα φτβ3. 824 ᵇ11. α6. 821 ᵃ3, 4, 6, 8. τὰ ἐν τῷ περι-
καρπίῳ σπέρματα μδ3. 380 ᵃ14. διὰ τί τὰ μὲν εὐώδη
ἠρητικὰ χ̍ σπέρματα χ̍ φυτὰ πα48. 865 ᵃ19. κνήκη, σικυῦ
σπέρμα Ζιε19. 550 ᵇ27, 551 ᵃ12. κύαμοι χ̍ τὰ τοιαῦτα 10
σπέρματα, τὰ σπέρματα τὰ ξενικὰ Ζγγ2. 752 ᵃ22. β4.
738 ᵃ34. πάντα τὰ σπέρματά εἰσιν ἐκ δύο φλοιῶν· αἱ
ἐλαῖαι ἔχῃσι φλοιὸν σάρκα καί τι ὀστρακῶδες χ̍ σπέρμα χ̍
καρπὸν φτα3. 818 ᵃ34, 33. παντοδαπῶν καρπῶν σπέρματα
θ119. 841 ᵇ33. — τί ἐστι τὸ φυλλορροεῖν; τὸ πήγνυσθαι 15
τὸν ἐν τῇ συνάψει τῦ σπέρματος ὀπὸν Αθ17. 99 ᵃ29 Wz
(σπέρμα᾿ i q τὸ ἄκρον τῦ ὀχάνῃ Io Philop Schol 250 ᵃ15).

2. ζῴων σπέρμα (cf Philippson ὕλη 61). a. σπέρματος
φύσις, τί ἐστιν, sentenciae aliorum. περὶ τῆς τῦ σπέρματος
φύσεως Ζγβ2. 735 ᵃ29. τίς ἐστιν ἡ τῦ σπέρματος φύσις 20
Ζγα17. 721 ᵇ4. 18. 724 ᵃ15. ἡ τῦ λεγομένῃ σπέρματος
φύσις ἡ πρώτη τίς ἐστιν, τὰ περὶ τὸ σπέρμα συμβαίνοντα
Ζγα18. 724 ᵇ22, ᵃ16. σπέρμα, dist γονή Ζγα6. 718 ᵃ13.
18. 724 ᵇ14, coni Ζμβ5. 651 ᵇ14. i q γονή p 160 ᵇ29.
ἀρχή, ἀρχὴ τῆς γενέσεως, γένεσις πι13. 892 ᵃ30. Ζμβ7. 25
653 ᵇ17. a1. 641 ᵇ31. ἔστι τὸ σπέρμα διχῶς, ἐξ ἦ τε χ̍
ᵭ· χ̍ γὰρ ἀφ᾽ ἦ ἀπῆλθε, τῷτο σπέρμα, οἷον ἵππῃ, χ̍ τῷτο
ὃ ἔσται ἐξ αὐτῦ, οἷον ὀρεὺς Ζμα1. 641 ᵇ33, cf 31. ὃ γὰρ
ᵭὴ τι ἔτυχεν ἐξ ἑκάστῃ γίνεται σπέρματος ἀλλὰ τόδε ἐκ
τῷδε, ἠδὲ σπέρμα τὸ τυχὸν ἐκ τῦ τυχόντος σώματος᾿ 30
ἀρχὴ ἄρα χ̍ ποιητικὸν τῦ ἐξ αὐτῦ τὸ σπέρμα Ζμα1. 641
ᵇ27. τὸ σπέρμα τοιῦτον, χ̍ ἔχει κίνησιν χ̍ ἀρχὴν τοιαύτην,
ὥστε παυομένης τῆς κινήσεως γίνεσθαι ἕκαστον τῶν μορίων
χ̍ ἔμψυχον (cf Galen IV 513, 612)· σπέρμα τὸ ἐξ ἀμ-
φοτέρων τὰς ἀρχὰς ἔχον τῶν συνδυασθέντων κτλ· βύλεται 35
τοιῦτον τὴν φύσιν εἶναι τὸ σπέρμα, ἐξ ἦ τὰ κατὰ φύσιν
συνιστάμενα γίνεται πρῶτα, ἦ τῷ ἐξ ἐκείνῳ τι εἶναι τὸ
ποιῶν, οἷον τῷ ἀνθρώπῳ· γίνεται γὰρ ἐκ τύτῳ, ὅτι τῦτό ἐστι
τὸ σπέρμα Ζγβ1. 734 ᵇ22. a18. 724 ᵇ14, ᵃ18. τὸ σπέρμα
φανερὸν ὅτι δυοῖν τύτοιν ἐν θατέρῳ ἐστίν· ἢ γὰρ ὡς ἐξ ἦ 40
ὕλης αὐτῆ ἢ ὡς ἐκ πρώτῳ κινήσαντός ἐστι τὸ γινόμενον·
τῶν δυοῖν δὴ ληπτέον ἐν ποτέρῳ θετέον τὸ σπέρμα, πότερον
ὡς ὕλην χ̍ πάσχον ἢ ὡς εἶδός τι χ̍ ποιῶν, ἢ χ̍ ἄμφῳ· ὅτι
ἦκ ἂν εἴη μέρος, φανερόν· ὁμοιομερὲς μὲν γάρ ἐστιν (cf
μδ̄12. 390 ᵇ16), ἐκ δὲ τύτῳ ἠθὲν σύγκειται· ἔτι ἠδὲ κεχω- 45
ρισμένον· ἀλλὰ μὴν ἠδὲ παρὰ φύσιν, ἠδὲ πήρωμα· ἐν
ἅπασί τε γὰρ ὑπάρχει, χ̍ ἡ φύσις ἐκ τύτῳ γίνεται· ὥστ᾽
ἀνάγκη ἢ συντήγμα ἢ περίττωμα εἶναι Ζγα18. 724 ᵃ35,
ᵇ5, 28-34. μόριόν ἐστιν Ζγα2. 716 ᵃ11, ζῷον ἂν εἴη μικρὸν
Ζγα18. 722 ᵇ4. — τὸ σπέρμα περίττωμα μχ5. 466 ᵇ8. 50
Ζγβ3. 737 ᵃ18. δ1. 766 ᵇ19. α19. 727 ᵃ30. cf γ1. 749 ᵇ8.
β4. 737 ᵇ28. πα50. 865 ᵃ33. τὸ σπέρμα ὑπόκειται περίτ-
τωμα τροφῆς ὂν τὸ ἔσχατον Ζγδ1. 766 ᵇ8 (cf᾽Ar. σπέρμα
εἶναί φησι τὸ περίττωμα τροφῆς χ̍ τῆς ἐσχάτης Galen
XIX 321. IV 557). ἡ τροφὴ εἰς τὸ σπέρμα συγκρίνεται 55
π124. 893 ᵇ16. φανερὸν ὅτι τῆς αἱματικῆς ἂν εἴη περίττωμα
τροφῆς, χρησίμῳ περιττώματος μέρος τι, περίττωμα μετα-
βαλλύσης τῆς τροφῆς, ἐκ τροφῆς Ζγα19. 726 ᵇ10. 18. 725
ᵃ12, 726 ᵃ26. β3. 736 ᵇ26. πγ11. 872 ᵇ21. cf τὸ περίτ-
τωμα ἠ δυνάμενον πεφθῆναι χ̍ γίνεσθαι Ζγα20. 60
728 ᵃ17, cf 19. itaque τὸ παρὰ τῦ ἄρρενος περίττωμα

Ζγδ4. 772 ᵃ18 i q σπέρμα. — τὸ σπέρμα πνεύματος
ἔξοδός ἐστιν πδ30. 880 ᵃ31 (cf Galen XVII B 29). ἐν τῇ
τῦ σπέρματος ἐξόδῳ πρῶτον μὲν ἡγεῖται πνεῦμα Ζιη7. 586
ᵃ15 (cf Harvei libr de gen an 296, 300). — ἦτε διε-
σπασμένων ἐνδέχεται τὸ σῶμα τῦ σπέρματος εἶναι, τὸ μὲν
ἐν τῷ θήλει τὸ δ᾽ ἐν τῷ ἄρρενι, ἦτ᾽ ἐξ ἑκατέρῳ πᾶν ἀπο-
κρινόμενον· ἔτι εἰ μὲν διεσπασμένα τὰ μέρη ἐν τῷ σπέρ-
ματι, πῶς ζῇ; εἰ δὲ συνεχῆ, ζῷον ἂν εἴη μικρὸν Ζγδ1.
764 ᵇ16. α18. 722 ᵇ4. διὰ τί ἦκ εὐθὺς ἐξ ἀρχῆς τὸ σπέρμα
τοιῦτόν ἐστιν ὥστ᾽ ἐξ αὐτῦ δυνατὸν εἶναι γίνεσθαι αἷμα χ̍
σάρκας· τῦ σπέρματος φάναι τι νεῦρον εἶναι χ̍ ὀστῦν λίαν
ἐστὶν ὑπὲρ ἡμᾶς τὸ λεγόμενον Ζγα18. 723 ᵃ15, 21. πότερον
τὸ σπέρμα διὰ τῆς ἀρτηρίας ὡς χ̍ συνθλιβόμενον χ̍ ἐν τῇ
προέσει μόνον πν6. 484 ᵃ14. ἐντὸς πῶς ἔχει χ̍ πῇ διαφέ-
ρῃσι τά τε περὶ τὸ σπέρμα χ̍ τὰ περὶ τὴν κίνησιν Ζμδ10.
689 ᵃ17 (cf Galen XIX 370). (οἱ μὲν ἀρχαῖοι ἔλεγον) τὸ
ἀπὸ παντὸς ἀπιὸν τὸ σπέρμα (Democrit Hippocr cf Galen
ibid 449), ἡμεῖς δὲ τὸ πρὸς ἅπαν ἰέναι πεφυκὸς ἐρῦμεν,
οἱ μὲν σύντηγμα, φαίνεται δὲ περίττωμα μᾶλλον· οἱ ἀρ-
χαῖοι ἐοίκασιν οἰομένοις (τὸ σπέρμα) εἶναι σύντηγμα Ζγα18.
725 ᵃ22, cf 28, 724 ᵇ35. Empedocl sententia Ζμα1. 640
ᵃ22. cf Sprgl I 180. ᾽Αναξαγόρας χ̍ ἕτεροι τῶν φυσιολό-
γων φασὶν ἐν τὸις σπέρμασιν εἶναι ταύτην τὴν ἐναντίωσιν
(τῦ θήλεος χ̍ ἄρρενος) εὐθύς· γίνεσθαι γὰρ ἐκ τῦ ἄρρενος
τὸ σπέρμα, τὸ δὲ θῆλυ παρέχειν τὸν τόπον Ζγδ1.763 ᵇ30.
φασί τινες ἀπὸ παντὸς ἀπιέναι τῦ σώματος τὸ σπέρμα,
syn βαδίζειν, ἀφ᾽ ὅλῃ ἐλθεῖν· ὥστ᾽ εἰ ἐκείνῳ (τῷ ὅλῳ)
σπέρμα χ̍ τῶν μορίων ἑκάστῃ εἴη ἄν τι σπέρμα ἴδιον Ζγα
17. 721 ᵇ11, 14, 18, 23, 27. ὅτι ἀπὸ παντὸς ἔρχεται τὸ
σπέρμα σχεδὸν ἐκ τύτων μάλιστα πιστεύσαί τινες Ζγα17.
721 ᵇ35, cf 18. 722 ᵃ13 et Philop fol 15 εἰ ἐν λέγῃσι…
σπέρμα. ἀπὸ παντὸς τῦ σώματος ἰέναι τὸ σπέρμα, ὥσπερ
τινές φασιν, ἀπὸ πάντων ἔκκρισιν εἶναι τὸ σπέρμα πδ15.
878 ᵇ3. 21. 879 ᵃ6. — ὡς ἀπιόντος ἀφ᾽ ἑκάστῃ τῶν μο-
ρίων σπέρματος, τῦτ᾽ ἐστὶ ψεῦδος· ἦκ ἀπὸ παντὸς ἀπέρ-
χεται Ζγδ3. 769 ᵃ12. cf δ1. 764 ᵇ10. α18. 724 ᵃ12. 21.
730 ᵃ12, 24. Ζιχ5. 637 ᵃ12 (cf φαίνεται χ̍ ᾽Αρ. ἐν τύτοις
ἡμῖν ὁμολογεῖν, ἐπειδὰν φάσκῃ· οἱ μὲν γὰρ τὸ ἀπὸ παντὸς
ἀπιὸν, ἡμεῖς δὲ τὸ πρὸς ἅπαν ἰέναι πεφυκὸς σπέρμα ἐρῦμεν
Galen IV 557). — b. τὸ σπέρμα χ̍ τὸ θῆλυ. θεωρητέον
χ̍ τὰ θήλεα πότερον συμβάλλεται σπέρμα τι ἢ ᵭ, χ̍ εἰ
μὴ σπέρμα, πότερον ἠδ᾽ ἄλλο ἠθέν, ἢ συμβάλλεται μέν τι,
ᵭ σπέρμα δέ Ζγα2. 716 ᵃ9. 17. 721 ᵃ35, ᵇ8. 19. 726 ᵃ31.
18. 723 ᵃ33. sensentiae aliorum: οἱ λέγοντες (Pythag De-
mocr Epicur cf Galen XIX 322) προΐεσθαι χ̍ τὴν γυναῖκα
σπέρμα· ὃ ἀπεργάζεται τὸ σπέρμα τὸ τῦ θήλεος· τὸ τῦ
ἄρρενος σπέρμα χ̍ τῦ θήλεος σπέρματι μιγνύμενον Ζγβ4.
739 ᵇ17. α21. 729 ᵇ26. δ4. 771 ᵃ20. τὸ σπέρμα τῦ
ἄρρενος συμβάλλεται πρὸς τὴν ὕλην μόριον γινόμενον τῦ
κυήματος, χ̍ τῷ τῦ θήλεος σπέρματι μιγνύμενον, τὸ τῦ
θήλεος ὕλην μόνον (ἔχει) Ζγδ4. 771 ᵇ18. 1. 766 ᵇ14. εἴπερ
γὰρ μὴ συμβάλλεται εἰς τὸ σπέρμα χ̍ τὴν γένεσιν
Ζιχ5. 636 ᵇ16. cf 6. 637 ᵇ19. refutatur Ζγα19. 727 ᵃ28,
ᵇ6. 20. 727 ᵇ33. τὸ ἕλκειν φάναι τὺς τόπυς τῆς ὑστέρας
τὸ σπέρμα, χ̍ διὰ τῦτο πλείω γίνεσθαι, ἠθέν ἐστιν Ζγδ4.
771 ᵇ28. — Ar sententia. τί τὸ σημεῖον τὸ τὸ θῆλυ μὴ
προΐεσθαι σπέρμα Ζγα20. 728 ᵃ31. 18. 723 ᵇ1, cf 15, 724
ᵃ8. — ἡ αὐτὴ φύσις σπέρματος χ̍ καταμηνίων. ἐν τοῖς
καταμηνίοις τὸ σπέρμα· ἔστι τὰ καταμήνια σπέρμα ἠ
καθαρὸν ἀλλὰ δεόμενον ἐργασίας· τὰ καταμήνια σπέρμα,
ἠ καθαρὸν δέ· ἐν γὰρ ἦκ ἔχει μόνον, τὴν τῆς ψυχῆς ἀρχὴν

εν2. 460 ᵃ8. Ζγα20. 728 ᵇ22, ᵃ26. β3. 737 ᵃ28. ὅταν ἔλθῃ
τὸ σπέρμα ἀπὸ τῦ ἄρρενος τῶν σπέρμα προϊεμένων συνί-
στησι τὸ καθαρώτατον τῦ περιττώματος (τῦ θήλεος) Ζγβ4.
739 ᵃ6. ἐὰν ἑπτὰ ἐμμείνῃ ἡμέρας (τὸ σπέρμα) φανερὸν ὅτι
εἴληπται· ὅταν λάβηται τὸ σπέρμα τῆς ὑστέρας κ̣ ἐγχρο- 5
νισθῇ, ὑμὴν περιίσταται· ἡ ὑστέρα, τύχῃ ὑγρὰ ἦσα, ἀπο-
φυσᾷ τῦ σπέρματος τὸ ὑγρότερον (cf Galen XIX 322)·
ἔνιαι τῆς μήτρας, πρὸς ὃ πίπτει τὸ σπέρμα, ἀλείφωσιν
ἐλαίῳ· (κάθαρσις μὴ τοσαύτη) ὥστε ἐξικμάζειν τὸ σπέρμα
Ζιη3. 583 ᵃ24, 23. 7. 586 ᵃ18. 2. 582 ᵃ28 Aub. Ζγα19. 727 10
ᵇ25. εἰ μὴ (εἰς ὀρθὸν ἔχῃ τὸ στόμα τῶν ὑστερῶν), ὐχ
ἕλξεται εἰς αὑτὰς τὸ σπέρμα· ὅταν συγγένωνται τῷ ἀνδρί,
ὔτε προΐεμεναι δῆλαι τὸ σπέρμα ὔτε κυΐσκονται Ζικ2. 634
ᵇ28, cf 635 ᵃ2. 3. 636 ᵃ12. ὅταν συλλάβῃ ἡ ὑστέρα τὸ
σπέρμα, εὐθὺς συμμύει ταῖς πολλαῖς· ὔτως ἔχοντος (διὰ τὸ 15
μὴ συμμεμυκέναι τὸ τῆς ὑστέρας στόμα) εὐοδεῖται μᾶλλον
κ̣ τῷ τῦ ἄρρενος σπέρματι Ζιη4. 583 ᵇ29. Ζγβ4. 739 ᵇ35 (cf
Galen XIX 323). ὅταν ἐξίῃ χρονίσαν ἐν τῇ ὑστέρᾳ, παχύ-
τερον ἐξέρχεται, ἐνίοτε δὲ ξηρὸν κ̣ συνεστραμμένον· τὸ
ἐκλύεσθαι σημαίνει προσετικὸν εἶναι τὸ σῶμα σπέρματος 20
ἀεὶ Ζιγ22. 523 ᵃ23. ×3. 635 ᵇ37. — c. τὸ σπέρμα τῦ
ἄρρενος. φαμὲν τὸ σπέρμα τὸ ἄρρενος συνάγον κ̣ δημιουργὸν
τὴν ὕλην τὴν ἐν τῷ θήλει κ̣ τὸ περίττωμα τὸ σπερματικὸν·
λέγω ἄρρεν τὸ δυνάμενον πέττειν κ̣ συνιστάναι τε κ̣ ἐκ-
κρίνειν σπέρμα ἔχον τὴν ἀρχὴν τῦ εἴδυς Ζγδ4. 771 ᵇ22. 25
1. 765 ᵇ11. ἡ φύσις ἡ ἐν τῷ ἄρρενι τῶν σπέρμα προϊε-
μένων χρῆται τῷ σπέρματι ὡς ὀργάνῳ κ̣ ἔχοντι κίνησιν
ἐνεργείᾳ· τὰ τῦ σπέρματος ἔργα· πῶς ποτε γίνεται ἐκ τῦ
σπέρματος τῶν ζῴων ὁτιῶν Ζγα22. 730 ᵇ20. 18. 724 ᵃ16.
β1. 733 ᵇ24. Μη4. 1044 ᵃ35 Bz. λ6. 1071 ᵇ31 Bz. πῶς 30
αἴτιόν ἐστι τῦ γινομένυ τὸ σπέρμα τὸ ἀπὸ τῦ ἄρρενος; τί
συμβάλλεται εἰς τὴν γένεσιν κ̣ πῶς Ζγα21. 729 ᵇ2. 17.
721 ᵇ2. Ζιγ22. 523 ᵃ14. τὸ σπέρμα ποιεῖ ὥσπερ τὰ ἀπὸ
τέχνης ΜΖ9. 1034 ᵃ34. τὸ σπέρμα δυνάμει τοιονδὶ σῶμα
ψβ1. 412 ᵇ27. ἀνάγκη σπέρμα γενέσθαι πρῶτον, ἀλλὰ μὴ 35
εὐθὺς τὰ ζῷα Φβ8. 199 ᵇ8. ἄνθρωπος ἄνθρωπον γεννᾷ κ̣
ὐκ ἔστι τὸ σπέρμα πρῶτον, ἀλλὰ τὸ τέλειον Μν5. 1092
ᵃ17. λ7. 1073 ᵃ1. κ̣ ὅλως ὐθὲν τῶν τῦ ζωῦς ζῴων γεννᾷ
ἀλλ' ἢ τὸ σπέρμα πδ13. 878 ᵃ9. διὰ τί ἐὰν ἐκ τῦ σπέρ-
ματος τῦ ἡμετέρυ γένηται τὸ ζῷον, τῦτο ἡμέτερυν ἔκγονόν 40
ἐστιν· κ̣ ἐκ τῦ σπέρματος δὲ ἄν τι ἄλλο γένηται, οἷον
σκωλὴξ σαπέντος, ὐκ ἔκγονον λεκτέον πδ13. 878 ᵃ1, 19. —
d. πῶς γίνεται τὸ σπέρμα κ̣ πόθεν Ζγα2. 716 ᵃ8. σπέρ-
ματος γένεσις· τὸ μὲν ἓν τὸ σπέρμα λέγειν ἢ ἀφ' ὗ τὸ
σπέρμα, ὐθὲν διαφέρει, ὁμοίως δὲ κ̣ ἀφ' ὗ τὸ σπέρμα ἢ 45
τὸ ποιῆσαν τὸ σπέρμα· ἐξ ὗ ὗ τὸ σπέρμα Ζγα23. 731 ᵃ26.
β1. 734 ᵇ7. πδ13. 878 ᵃ26, cf 28. περὶ τῆς αἰτίας τῦ
σπέρματος τάχ' ἂν εἴη πολλὰ λέγειν Ζγδ1. 764 ᵇ8. ἐξ
ἐναντίων γένεσις ὑπάρχει πᾶσι τοῖς ἐκ τῦ σπέρματος· δοκεῖ
γίνεσθαι ἐκ τῶν γεννώντων· δεῖ γενέσθαι πρότερον, κ̣ τῦτ' 50
ἔργον τῦ γεννῶντος Ζγα18. 724 ᵇ8. 17. 721 ᵇ6. β1. 734
ᵇ1. — ἔνιοί φασιν, ἀφ' ὁποτέρυ ἂν ἔλθῃ σπέρμα πλέον,
τύτῳ γίνεσθαι μᾶλλον ἐοικός, cf ὐ γὰρ ἀπ' ἐκείνυν (τῶν
προγόνων) ἀπεκήλυθεν ὐθὲν τῦ σπέρματος Ζγδ3. 769 ᵃ10,
26. τὸ αὐτὸ σπέρμα θῆλυ ἢ ἄρρεν γίγνεται παθὸν τι πάθος 55
Μι9. 1058 ᵇ23. — μετὰ τῦ σπέρματος δεῖ περίττωμα
συναπέρχεσθαι πδ29. 880 ᵃ25. συναποκρινομένων τῶν σωμά-
των περιττωματικῶν ἐν τοῖς σπέρμασιν ὑγιεινότερα γίνεται
τὰ τῶν παίδων σώματα Ζιη1. 581 ᵇ31, cf 582 ᵃ4. πληρυ-
μένων τῶν πόρων ὑγρότητος τὸ σπέρμα ὑπεξίυν ἐν ἐλάττονι 60
τόπῳ πλείονά τε ὄγκον ποιεῖ κ̣ αἴρει πδ22. 879 ᵃ12. cf 2.

876 ᵇ14, 17. — e. σπέρμα, ψυχή. τὸ σπέρμα πότερον
ἔχει ψυχὴν ἢ ὔ· δῆλον ὅτι κ̣ ἔχει κ̣ ἔστι δυνάμει Ζγβ1.
735 ᵃ5, 9. πότερον ἡ ψυχὴ ἐνυπάρχει τῷ σπέρματι κ̣ τῷ
κυήματι ἢ ὔ, κ̣ πόθεν; ἐνυπάρχει τι ἐν τῇ γονῇ κ̣ σπέρ-
ματι· κ̣ τῦτ' ἔστιν ἢ μέρος τι ψυχῆς ἢ ψυχὴ ἢ ἔχον ἂν
εἴη ψυχήν Ζγβ3. 736 ᵃ31. 1. 733 ᵇ33, cf 734 ᵃ14. τὴν
θρεπτικὴν ψυχὴν τὰ σπέρματα κ̣ τὰ κυήματα τὰ ἀχώ-
ριστα (χωριστὰ Bk) δῆλον ὅτι δυνάμει μὲν ἔχοντα θετέον,
ἐνεργείᾳ δ' ὐκ ἔχοντα, πρὶν κτλ· ἐν τῷ τῆς γονῆς σώματι
συναπέρχεται τὸ σπέρμα τὸ τῆς ψυχικῆς ἀρχῆς Ζγβ3. 736
ᵇ8, cf 18, 737 ᵃ8 Aub. εἰ μὴ κ̣ τὴν ψυχὴν ὕστερον λέγοι
γίνεσθαι, διακρινομένων τῶν σπερμάτων κ̣ εἰς φύσιν ἰόντων
πν1. 481 ᵃ19. τὴν τῆς ψυχῆς ἀρχὴν τὸ τῦ ἄρρενος ἐπιφέρει
σπέρμα· τὸ τῦ ἄρρενος σπέρμα ἀρχὴν ἐν ἑαυτῷ τοιαύτην
οἵαν κινεῖν κ̣ ἐν τῷ ζῴῳ κ̣ διαπέττειν τὴν ἐσχάτην τροφὴν
Ζγβ3. 737 ᵃ33. ὁ1. 766 ᵇ12 Aub. — f. ἡ τῦ σπέρματος
δύναμις Ζκ11. 703 ᵇ26. ἡ τῦ ἄρρενος δύναμις ἡ ἐν τῷ
σπέρματι τῷ ἀποκρινομένῳ Ζγβ4. 739 ᵃ17. ἔτι δὲ δυνάμει
τὸ σπέρμα Ζμα1. 641 ᵇ36. τὸ σπέρμα δυνάμει, ἢ κατὰ
τὸν ὄγκον τὸν ἑαυτῦ, ἢ ἔχει τινὰ δύναμιν ἐν ἑαυτῷ· ὔτε
ἀπὸ πάντων ἐστὶ τὸ σπέρμα τῶν μορίων, ὔτε προΐεται τὸ
ἄρρεν τοιῦτόν τι μόριον ὃ ἔσται ἐνυπάρχον τῷ γεννηθέντι·
ἀλλὰ μόνον τῇ δυνάμει τῇ ἐν τῇ γονῇ Ζγβ19. 726 ᵇ18.
21. 729 ᵇ35, cf 730 ᵃ27. 22. 730 ᵇ10. cf 21. 729 ᵇ3. τῇ
δυνάμει τὸ τῦ ἄρρενος σπέρμα τὴν ἐν τῷ θήλει ὕλην κ̣
τροφὴν ποιάν τινα κατασκευάζει· ἀπὸ τῶν δυνάμεων ὑπάρ-
χυσιν αἱ κινήσεις ἐν τοῖς σπέρμασι πάντων τῶν τοιῦτων
Ζγα21. 730 ᵃ14. ὁ3. 767 ᵇ36. ὐδὲ τὸ τῦ ἄρρενος σπέρμα
ἢ ἡ δύναμις ἡ ἐν τῷ σπέρματι ὐθὲν συνίστησι πλέον·
ἔλαττον τῦ πεφυκότος· εἰ πλέον σπέρμα ἀφίησι τὸ ἄρρεν
ἢ δυνάμεις πλείυς ἐν διαιρυμένῳ τῷ σπέρματι, ὐθὲν ποιήσε
μεῖζον τὸ πλεῖστον, ἀλλὰ διαφθερεῖ καταξηραῖνον Ζγδ4. 772
ᵃ8, 10. εἴπερ ἀφίησιν ὁ ἄρρην εἴτε σπέρμα εἴτε μόριον εἴτε
ἄλλην τινὰ δύναμιν· τὸ σπέρμα τὸ συστὰν ὑπάρχει τοι-
αύτην ἔχον δύναμιν Ζγα15. 720 ᵇ30. Ζμα1. 640 ᵃ23. τὸ
σπέρμα κ̣ ὁ καρπὸς τὸ δυνάμει τοιονδὶ σῶμα ψβ1. 412
ᵇ27. — g. ἡ τῦ σπέρματος πέψις, θερμότης. ἡ διὰ τῦ
σπέρματος θερμότης Ζγα12. 719 ᵇ2. β3. 737 ᵃ4. ἡ τῦ
σπέρματος θερμότης ὐ μόνον συνίστησι ποσὸν ἀλλὰ κ̣ ποιό
τι Ζγδ4. 772 ᵃ23. πέττει ἡ φυσικὴ θερμότης τὸ σπέρμα
ὁ μικρὸν ὂν πολλὴν ἔχει δύναμιν πδ12. 877 ᵇ30. τὰ πεζὰ
κ̣ ζῳοτόκα κ̣ τῇ τῦ συνδυασμῦ πέττυσι τὸ σπέρμα Ζγα6
718 ᵃ6. ὑπὸ τῦ θερμῦ πήγνυται κ̣ παχύνεται· τὸ σπέρμα
πεφθὲν μὲν ἀλλοιότερον ἀποκρίνεται τῦ αἵματος· τὸ σπέρμα
τοῖς θερμοτέροις κ̣ ἄρρεσι τῶν ἐναίμων εὐογκον τῷ πλήθε
Ζιγ22. 523 ᵃ2. Ζγα19. 726 ᵇ6. cf 727 ᵃ36. ὁ1. 766 ᵇ20
τὸ σπέρμα τοιῦτον (θερμὸν κ̣ ὑγρὸν) ἔστι τὴν φύσιν πε31
884 ᵃ8. τὸ σπέρμα τὸ πεπεμμένον θερμότερον, τοιῦτον δὲ
τὸ συνεστός, γονιμώτερον δὲ τὸ συνεστὸς μᾶλλον Ζγγ1
765 ᵇ2. τὸ σπέρμα ἄπεπτον Ζγα19. 726 ᵇ7. — ἡ ψυ
χρότης τῦ σπέρματος Ζγβ8. 748 ᵃ35. (τοῖς μέγα τὸ αἰδοῖς
ἔχυσιν) ὐ γόνιμόν ἐστι τὸ σπέρμα τὸ ψυχρόν, ψύχεται ὁ
τὸ φερόμενον λίαν μακρὰν Ζγα7. 718 ᵃ24. ψυχόμενον γί
νεται ὑγρὸν ὥσπερ ὕδωρ κ̣ τὸ χρῶμα ὕδατος· ὐ πήγνυτα
τιθέμενον ἐν τοῖς πάγοις ὑπαίθριον ἀλλ' ὑγραίνεται Ζγβ2
735 ᵃ30, 35. ὑ τοῖς πάγοις γίνεται μάλπαν λεπτὸν κ̣ ὑδα
τῶδες κ̣ τὸ χρῶμα κ̣ τὸ πάχος Ζιγ22. 523 ᵃ21. τοῖς αἱ
δράσι θηλικοῖς τὸ σπέρμα λεπτὸν κ̣ ψυχρόν· τὰ σπέρματ
τὰ ὑγρὰ (θηλυγόνα μᾶλλον) τῶν συνεστηκότων Ζγβ8. 74
ᵃ2. ὁ2. 766 ᵇ32, 36. ταχὺ διαχεῖται (ἐν τῷ ὕδατι)
λεπτὸν κ̣ ψυχρὸν ἐπιπολῆς Ζγβ8. 747 ᵃ5. σπέρματος μ

κρότης π13. 892 ᵃ32. πλῆθος Ζγα20. 728 ᵃ5. οἱ πλήρεις
πόροι κωλύησι τὴν εἰς τὸ σπέρμα ὑγρότητα διεξιέναι πδ9.
877 ᵇ6. ἀποχώρησις Ζγα18. 726 ᵃ23. ἀπόκρισις Ζγβ4. 737
ᵇ28. πάροδος πδ2. 876 ᵇ21. ἔξοδος πδ7. 877 ᵃ34. ἔκκρισις
Ζγγ1. 750 ᵇ20. cf πδ21. 879 ᵃ6. ἔκχυσις πλ1. 954 ᵃ1.
πρόεσις Ζιη1. 581 ᵃ30. 5. 585 ᵃ35. × 6. 637 ᵇ31. Ζγα20.
728 ᵃ5, ᵇ15. δ8. 776 ᵇ28. πν6. 484 ᵃ14 (opp ἀντοχή Bsm
probl inedita 295, 35). πδ2. 876 ᵇ1. μῖγμα Ζγβ8. 747
ᵃ35. ὄγκος Ζγα19. 726 ᵇ18. cf δ1. 766 ᵇ20. σῶμα Ζγδ1.
764 ᵇ16. Ζικ3. 635 ᵇ37 (cf Galen XIX 322). — h. σπέρ-
ματος διαφοραί. σπέρμα γόνιμον, ἄγονον, ὑγρόν. μέχρι τῶν
τρὶς ἑπτὰ ἐτῶν τὸ μὲν πρῶτον ἄγονα τὰ σπέρματά ἐστιν·
ἔπειτα γόνιμα μὲν μικρὰ δὲ χϳ ἀτελῆ γεννῶσι Ζιη1. 582
ᵃ17. εὐλόγως βασανίζεται ταῖς πείραις τὸ σπέρμα, εἰ ἄγονον,
ἐν τῷ ὕδατι· τὸ μὲν γόνιμον ἐν τῷ ὕδατι χωρεῖ κάτω, τὸ
δ' ἄγονον διαχεῖται Ζγβ8. 747 ᵃ4, 5. Ζιγ2. 523 ᵃ25. τοῖς
μέγα τὸ αἰδοῖον ἔχουσι τὸ σπέρμα χϳ γόνιμόν ἐστι διὰ τίν'
αἰτίαν Ζγα7. 718 ᵃ24. τῶν οἰνοφλύγων τὸ σπέρμα ὐ γό-
νιμον· τὰ ὑγρὰ σπέρματα ὐ γόνιμα, ἀλλὰ τὰ συνεστῶτα
χϳ πάχος ἔχοντα πγ4. 871 ᵃ23, 25. φανερὸν ὅτι παρ' ἀμ-
φοῖν γίνεται πρόεσις τῦ σπέρματος, εἰ μέλλει γόνιμον ἔσε-
σθαι Ζικ6. 637 ᵇ31. ὑγρά ἐστιν ὐ φύσις τῦ σπέρματος
Ζγα13. 720 ᵃ8. σπέρμα γεῶδες, ξηραινόμενον, ξηρόν. μᾶλ-
λον ἕτερον ἑτέρῳ σπέρμα γεωδέστερον, λείπεται τὸ ὕδωρ χϳ
εἴ τι μικρὸν γεῶδες χϳ ἐν τῷ σπέρματι ξηραινομένῳ Ζγβ2.
736 ᵃ6, 735 ᵇ37. ἔτι ξηραίνει ἀπιὼν ιακ5. 466 ᵇ9. σπέρμα
ξηρόν Ζιγ2. 523 ᵃ23. — σπέρμα λευκόν, μέλαν, στιφρόν,
ἀφρῶδες, συναθροισθέν, συστάν. σπέρμα λευκὸν πάντων
Ζιγ22. 523 ᵃ17. Ζγβ2. 736 ᵃ9. ἐξέρχεται μὲν λευκὸν χϳ
παχὺ (στιφρόν), ἂν ᾖ ὑγιεινόν, θύραζε δ' ἐλθὸν λεπτὸν
(ὑγρὸν) γίνεται χϳ μέλαν Ζιγ22. 523 ᵃ19 Aub. Ζγβ2. 735
ᵃ30, ᵇ32. αἴτιον τῆς λευκότητος τῦ σπέρματος Ζγβ2. 736
ᵃ14. syn γονή. Ἡρόδοτος διέψευσται γράψας τὸς Αἰθίοπας
προΐεσθαι μέλαιναν τὴν γονήν Ζιγ22. 523 ᵃ18. Ζγβ2. 736
ᵃ11 (cf Herod III 125). ἀφρώδης ὐ τῦ σπέρματος ὖσα
φύσις Ζγβ2. 736 ᵃ19 (cf Galen XIX 321. Sprgl I 300).
ἔστι τὸ σπέρμα κοινὸν πνεύματος χϳ ὕδατος Ζγβ2. 735 ᵇ37.
πάντων ἐν τῷ σπέρματι ἐνυπάρχει ὅπερ ποιεῖ γόνιμα εἶναι
τὰ σπέρματα, τὸ καλούμενον θερμόν· τῦτο δ' ἐστὶ τὸ ἐμπερι-
λαμβανόμενον ἐν τῷ πνεύματι χϳ ἐν τῷ ἀφρώδει πνεύματι
χϳ ὐ τῦ πνεύματος φύσις Ζγβ3. 736 ᵇ33, 36. συναθροι-
σθὲν προέρχεται τὸ σπέρμα (τοῖς τὸς ὄρχεις ἔξω ἔχυσιν)
Ζγα5. 717 ᵇ25. ὅταν πολὺ τὸ σπέρμα ᾖ ἠθροισμένον ἐπὶ
τὸν τόπον ὅθεν προΐενται Ζικ5. 636 ᵇ26. τὸ σπέρμα τὸ συ-
στάν, τὰ σπέρματα τὰ συνεστῶτα χϳ πάχος ἔχοντα, συνε-
στηκότα Ζμα1. 640 ᵃ28. πγ4. 871 ᵃ25. Ζγβ2. 736 ᵇ32.
γ1. 765 ᵇ12. σπέρμα παχύ. παχύτερον Ζιγ22. 523 ᵃ19, 23.
ἀθρόον Ζγα6. 718 ᵃ7. καθαρὸν Ζγβ3. 737 ᵃ28. α20. 728
ᵃ26. γλίσχρον Ζιγ22. 523 ᵃ16 (cf σπέρμα κολλῶδες Bsm
probl inedita 295, 39). μικρόν, πολύ, πλεῖστον πδ12. 877
ᵇ30. Ζικ5. 636 ᵇ26. α2. 583 ᵃ5. ἴδιον, ἀλλοιότερον πδ9.
ματος Ζγα17. 721 ᵇ27. 19. 726 ᵇ6. — τῦ σπέρματος τὸ
ὑγρότερον Ζιη2. 582 ᵃ28 quid sit nescimus. — i. τὸ σπέρμα
γίνεται ἐν πδ31. 880 ᵇ2, syn τὰ ζῷα ἄρχεται φέρειν τὸ
σπέρμα Ζιε14. 544 ᵇ26. ηι. 581 ᵃ13. Ζγδ8. 776 ᵇ16, opp
σπέρμα φθίνει Ζγγ1. 750 ᵇ1. τὰ ζῷα φέρει σπέρμα Ζγα13.
720 ᵃ10, syn ἔχει σπέρμα Ζγα6. 718 ᵃ9. — τὸ ἄρρεν προΐεται
σπέρμα Ζιγ22. 523 ᵃ13. 15. Ζγα6. 718 ᵃ9. 17. 721 ᵃ30,
33, ᵇ2. 18. 725 ᵇ33. 21. 730 ᵃ24, ᵇ23, 24. 23. 731 ᵃ15. β1.
732 ᵃ16, 22. 4. 739 ᵃ1, 6. γ1. 751 ᵃ19. δ4. 772 ᵃ19. πδ6.
877 ᵃ17, 20. cf Ζγα20. 728 ᵃ10. et om v σπέρμα ᵃ12. τὸ

θῆλυ προΐεται, ὐ προΐεται Ζικ3. 636 ᵃ12. Ζγα18. 724 ᵃ8.
19. 726 ᵃ31. 20. 728 ᵃ31. β4. 739 ᵇ17 (sed ἔνιαι προΐενται
τὸ σπέρμα sc τῦ ἄρρενος Ζιζ18. 573 ᵇ3), syn ἀφίησι Ζια3.
489 ᵃ9. η2. 583 ᵃ5. Ζγα4. 717 ᵇ12, τὸ σπέρμα ἐξέρχεται
Ζιγ1. 509 ᵇ21, 523 ᵃ19, 23. Ζγβ2. 735 ᵇ32. συναπέρχεται
Ζγβ3. 737 ᵃ8. πδ29. 880 ᵃ25, προέρχεται Ζγα5. 717 ᵇ25.
πδ7. 877 ᵃ25. ἀποκρίνεται ἀπό (ὑπό Bsm) Ζγα18. 724
ᵃ12. 19. 726 ᵇ6. β4. 738 ᵇ14, 739 ᵃ17. δ1. 764 ᵇ10. α19.
726 ᵃ31, ἐκκρίνει Ζγδ1. 765 ᵇ11. ε7. 787 ᵇ30. (τὸ σπέρμα
ἐκκρίνεται Ζιε14. 544 ᵇ14. Ζγα13. 719 ᵇ33, διακρίνεται
πν1. 481 ᵃ19), ἔξω ῥεῖ, πορεύεται, ἀπεργάζεται Ζιζ11. 566
ᵃ4. Ζγα6. 718 ᵃ13. 21. 729 ᵇ26. τῦ σπέρματος ἐξιόντος
Ζιη1. 581 ᵃ30. — τὸ σπέρμα ἄπεισιν ἀπὸ Ζγα17. 721 ᵇ11.
18. 724 ᵃ8. δ3. 769 ᵃ12. πδ15. 878 ᵇ3, syn βαδίζει Ζγα
17. 721 ᵇ18, ἔρχεται, ἦλθεν Ζικ5. 637 ᵃ12. γ22. 523 ᵃ19.
Ζγα17. 721 ᵇ23, 35. 21. 730 ᵃ12. β4. 739 ᵃ6. δ3. 769
ᵃ10. ἀπελήλυθεν Ζγδ3. 769 ᵃ26. — τὸ θῆλυ συμβάλλεται
σπέρμα εἰς Ζγα17. 721 ᵃ35. 19. 727 ᵃ28, ἐν Ζγα20. 727
ᵇ33, συμβάλλεται εἰς Ζικ5. 636 ᵇ16. 6. 637
ᵇ19. τὸ σπέρμα συμβάλλεται πρός τι Ζγδ4. 771 ᵇ18. —
ἕλκειν, Ζξικμενῦ τὸ σπέρμα Ζγδ4. 771 ᵇ28. α19. 727
ᵇ25. Ζικ2. 634 ᵇ28. τὸ σπέρμα πίπτει, εἰλήπται, ὅταν λά-
βηται, συλλάβῃ Ζιη3. 583 ᵃ23, 24. 7. 586 ᵃ18. 4. 583 ᵇ29.
ἐκθλίβεσθαι, σπᾶσθαι, ὁρμᾶν Ζγγ5. 755 ᵇ17. β4. 739 ᵇ8.
πδ20. 879 ᵃ2. — k. τὸ πάθος χϳ αἴτιαι τύτυ τῦ πάθυς.
τοῖς κάκιστα διακειμένοις δι' ἡλικίαν ἢ νόσον ὑπάρχει σπέρμα
ἥκιστα· ἢ γὰρ ὅλως ὐκ ἔχυσιν ἢ ὐ γόνιμον Ζγα18. 725
ᵃ9, cf ᵇ13. Empedocl αἰτιᾶται τὸ μῖγμα τὸ τῶν σπερ-
μάτων γίνεσθαι πυκνόν· μαλακῶν ὄντων τῶν σπερμάτων
Ζγβ8. 747 ᵃ35, ᵇ19. σπέρμα αἱματῶδες Ζγα19. 726 ᵇ9.
cf probl inedita Bsm β28. 297 ᵃ48. οἱ εὐεκτικοὶ ὄντες χϳ
γινόμενοι πολύσαρκοι ὐ πιότεροι μᾶλλον προΐενται
σπέρμα Ζγα18. 725 ᵇ33, cf 726 ᵃ4, 9. 19. 727 ᵃ34. — εἰ
ὀδοποιεῖται ὐ ὁρμὴ γινομένη αὐτῦ, ὐ ποιεῖ ὁρμᾶν τὸ σπέρμα.
τὰ τέρατα γίνεται ἐπαλλαττόντων τῶν σπερμάτων ἀλλήλοις
χϳ συγχεομένων ἐν τῇ ἐξόδῳ τῆς γονῆς πδ20. 879 ᵃ2. ι61.
898 ᵃ15. — l. τῶν ζῴων τινὰ προΐεται σπέρμα. θεω-
ρητέον πότερον πάντα προΐεται σπέρμα τὰ ἄρρενα ἢ ὐ πάντα,
χϳ εἰ μὴ πάντα διὰ τίν' αἰτίαν τὰ μὲν τὰ δ' ὒ Ζγα17.
721 ᵃ33. ἀλλὰ μὴν εἰ ζῷ ἢ τὸ ἐν τῷ σπέρματι εὐθὺς ἐνυπάρ-
χειν τι μόριον τὸ ζῷυ ἢ φυτῷ γεγενημένον, ἐκ τινος δυναμένου
ποιεῖν τᾶλλα εἴτε μή, ἀδύνατον, ὐκ ἐκ σπέρματος χϳ
γονῆς γίγνεται Ζγβ1. 734 ᵃ34 Aub. τῶν ζῴων τὰ μὲν
γίνεται ἐν αὐτοῖς τοῖς ζῴοις ὅσα ζῳοτοκεῖται, τὰ δ' ἐν ᾠοῖς χϳ
σπέρμασι χϳ τοιαύταις ἄλλαις ἀποκρίσει Ζγβ1. 733 ᵇ22. δοκεῖ
πάντα γίνεσθαι ἐκ σπέρματος· τὸ σπέρμα τὰ ζῷα φέρει·
τὰ μὲν προΐεται τὸ σπέρμα τὰ δ' ὒ Ζγα17. 721 ᵇ6. 13. 720
ᵃ10. β1. 732 ᵃ16. ὅσα, ἄπερ προΐεται σπέρμα, τὰ προΐεμενα
σπέρμα Ζγβ1. 732 ᵃ22. δ4. 772 ᵃ19. α22. 730 ᵇ23. 17.
721 ᵇ2. τὰ ἔναιμα πάντα προΐεται φανερῶς τὸ σπέρμα· τὰ
ἔναιμα πάντα γίνεται ἀπὸ σπέρματος· τὰ μὲν ἰδόντα τὰ
δὲ μικρᾶς γινομένης θίξεως προΐεται Ζιγ22. 523 ᵃ13. Ζγα17.
721 ᵃ30. β1. 733 ᵇ18. γ1. 751 ᵃ19. ὅσα μὴ προΐεται σπέρμα
τὰ μὲν ὒ γίνεται τῶν ζῴων ἀπὸ σπέρματος· τὰ μὴ προΐε-
μενα σπέρμα πολὺν χρόνον συμπεπλέχθαι πέφυκεν, ἕως ἂν
συστήσῃ τὸ κύημα (v h v) Ζγα22. 730 ᵇ24. 23. 731 ᵃ15.
β1. 733 ᵇ17. γίνεται σηπομένου πολλὰ χϳ ἐκ τῦ σπέρματος
πδ13. 878 ᵃ4. ἐν ὅσοις τῶν γενῶν διώρισται τὸ θῆλυ χϳ τὸ
ἄρρεν, ἐν τύτοις ἀφ' ἑνὸς σπέρματος ἐνδέχεται πολλὰ γί-
νεσθαι ζῷα· τοῖς πολυγόνοις τρέπεται εἰς τὸ σπέρμα ὐ
τροφή· ἢ τῦ μεγέθυς αὔξησις τρέπεται εἰς τὸ σπέρμα τύτοις

(parvis) Ζγα20. 729 ᵃ2. 8. 718 ᵇ15. γ1. 750 ᵃ21. mammalibus ἐστὶν ὁ αὐτὸς πόρος τῷ τε σπέρματος κ̀ τῆς τῷ ὑγρῷ περιττώσεως ἔξωθεν, ἔσωθεν δ᾽ ἕτερος πόρος Ζιε5. 541 ᵃ4. cf Ζγα18. 726 ᵃ16. 13. 719 ᵇ33. ἡ ὑρήθρα δίοδος τῷ σπέρματι τῷ τῷ ἄρρενος Ζια14. 493 ᵇ5. τοῖς ἄρρεσι ⁵ πόροι τοῖς σπέρμα προϊεμένοις, ἄναιμοι δ᾽ ὗτοι Ζγβ4. 739 ᵃ1. συμβαίνει ἐξ ἑνὸς σπέρματος πλείω γίνεσθαι κ̀ μιᾶς συνυσίας Ζγδ3. 770 ᵃ1, cf 4. τὰ ἐκτὸς ἔχοντα (τὲς ὄρχεις) ἢ πρότερον τὸ σπέρμα ἀφίησι πρὶν ἀνασπάσαι τὲς ὄρχεις Ζγα4. 717 ᵇ12. ἡ ἀρχὴ τῷ σπέρμα ἔχειν· ἐχ ἅμα τοῖς ¹⁰ πολλοῖς ἄρχεταί τε τὸ σπέρμα ἐκκρίνεσθαι κ̀ γεννᾶν δύναται ἀλλ᾽ ὕστερον Ζιε14. 544 ᵇ31, 14. — hominis. ἐκ ἐνυπάρχει σπέρμα ὗτ᾽ ἐν τῇ πρώτῃ ἡλικίᾳ ὗτ᾽ ἐν τῷ γήρᾳ ὗτ᾽ ἐν ταῖς ἀρρωστίαις, διὰ τίν᾽ αἰτίαν Ζγα18. 725 ᵇ19, cf τὰ πολύσπερμα ὀλιγόσπερμα ἄσπερμα πάμπαν 726 ᵃ8. ἄν- ¹⁵ θρωπος ἄρχεται φέρειν τὸ σπέρμα περὶ τὰ δὶς ἑπτὰ ἔτη Ζιε14. 544 ᵇ26. cf η1. 581 ᵃ13. cf Ζγδ8. 776 ᵇ16. ἐν τῇ ἡλικίᾳ δύνανται τὸ σπέρμα ἐκκρίνειν Ζγε7. 787 ᵇ30. ἔστι τὰ μὲν λεπτὰ τῶν σπερμάτων ἄγονα, τὰ δὲ χαλαζώδη γόνιμα κ̀ ἀρρενογόνα μᾶλλον, τὰ δὲ λεπτὰ κ̀ θρομβώδη ²⁰ θηλυγόνα Ζιη1. 582 ᵃ30. σπέρμα πλεῖστον κατὰ τὸ ὧμα ἄνθρωπος προΐεται Ζιγ22. 523 ᵃ15. cf η2. 583 ᵃ5. Ζγα20. 728 ᵇ15. πὸ6. 877 ᵃ17, 20. — mammalium. τὰ πεζὰ κ̀ ζῳοτόκα ἐν τῷ συνδυασμῷ πέττυσι τὸ σπέρμα Ζγα6. 718 ᵃ6. ἔστι τῶν μὲν ἐχόντων τρίχας γλίσχρον, τῶν δ᾽ ἄλλων ²⁵ ζῴων ἐκ ἔχει γλισχρότητα Ζγ22. 523 ᵃ16. τοῖς μέγα τὸ αἰδοῖον ἔχυσι ποῖον Ζγα7. 718 ᵃ24. (λέαινα) εἶτ᾽ ὑθὲν τίκτει ἅμα τῆς ἡλικίας ληγύσης φθίνοντος τῷ σπέρματος Ζγγ1. 750 ᵇ1. ψευδὲς δ᾽ ἐστὶ κ̀ ὁ Κτησίας γέγραφε περὶ τῷ σπέρματος τῶν ἐλεφάντων Ζγβ2. 736 ᵃ3. cf Ζιγ22. 523 ³⁰ ᵃ26 Aub. sues, ἔναι ἅμα τῇ καρπίᾳ κ̀ τὸ σπέρμα προΐενται Ζιζ18. 573 ᵇ3. — aves. τὸ σπέρμα γίνεται ἐν τοῖς τοιώτοις πλεῖστον κ̀ τόποις κ̀ ὥραις πὸ31. 880 ᵇ2, cf ι24. ὅσα πρὸς τῷ ὑποζώματι ἔχει τὰς ὑστέρας, καθάπερ ὄρνις κ̀ τῶν ἰχθύων οἱ ζῳοτοκῶντες, ἀδύνατον ἐκεῖ μὴ σπᾶσθαι τὸ σπέρμα, ³⁵ ἀλλ᾽ ἀφεθὲν ἐλθεῖν Ζγβ4. 739 ᵇ8. — pisces. οἱ ἄρρενες τὲς πόρες ἔχυσι θορῦ πλήρεις ὕτως ὥστε θλιβομένων ἔξω ῥεῖν τὸ σπέρμα λευκόν, πεπεμμένον Ζιζ11. 566 ᵃ4. γ1. 509 ᵇ21. Ζγα6. 718 ᵃ7, 9. γ5. 755 ᵇ15. (τὸ ἄναιμον μέρος τῷ πόρε) ὃ δέχεται κ̀ δι᾽ ἢ ἤδη σπέρμα ὂν πορεύεται· οἱ λέ- ⁴⁰ γοντες τὰς κυήσεις εἶναι ἐκ τῷ ἀνακάπτειν τὸ σπέρμα τὲς θήλεις Ζγα6. 718 ᵃ13. γ5. 756 ᵃ6. cf 6. 756 ᵇ28. — ἔντομα κ̀ τὰ μαλάκια ποτέρως προΐεται σπέρμα, ἄδηλον Ζγα17. 721 ᵃ32. — τὰ ὀστρακόδερμα τρόπον μέν τινα ἀπὸ σπέρματος φαίνεται γινόμενα, τρόπον δ᾽ ἄλλον ἐκ ἀπ᾽ αὐτῶν ⁴⁵ σπέρματος, συν ἐνίων προϊεμένων τινὰ δύναμιν ἀφ᾽ αὑτῶν Ζγγ11. 761 ᵃ17, ᵇ25. κήρυκες κ̀ πορφύραι κ̀ τὰ λεγόμενα κηριάζειν οἷον ἀπὸ σπερματικῆς φύσεως προΐενται μυξώδεις ὑγρότητας, σπέρμα δ᾽ ὑθὲν τύτων δεῖ νομίζειν Ζγγ11. 761 ᵇ33. — γίγνεσθαι ἐκ σπέρματος, ἄνευ σπέρματος Μζ7. ⁵⁰ 1032 ᵃ21.

3. i q γόνος. αἱ μέλιτται ἐκ τόπυ τινὸς φέρυσι τὸ σπέρμα Ζγγ10. 759 ᵃ29. v supra p 161 ᵃ3. Δαίμονος ἐπιπόνυ κ̀ Τύχης χαλεπῆς ἐφήμερον σπέρμα f 40. 1481 ᵇ10. ⁵⁵

4. σπέρμα metaph. σπέρματα (i e στοιχεῖα Anaxagorae) Ογ3. 302 ᵇ2. ἐν τοῖς παιδίοις τῶν ὕστερον ἔξεων ἐσομένων ἔστιν ἰδεῖν οἷον ἴχνη κ̀ σπέρματα Ζιθ11. 588 ᵃ33.

(τὸ σπέρμα τῆς γονῆς Ζγβ3. 737 ᵃ11, σῶμα ci Aub. ἡ τῷ σπέρματος ἔκκρισις Ζγγ1. 750 ᵇ20, περιττώματος ex ⁶⁰ aliquot codd Aub.)

σπερμαίνειν. τὰ (ζῷα) σπερμαίνοντα ξηρότερα γίνεται πὸ4. 876 ᵇ39.

σπερματικός. (τὰ ζῷα) σπερματικὰ γινόμενα (i e ἀρχόμενα σπερμαίνειν) πὸ4. 876 ᵇ38. — τὰ πίονα ἧττόν ἐστι σπερματικὰ τῶν ἀπιμέλων Ζγα19. 727 ᵃ33. τὸ σπερματικὸν ζῷον δεῖ θερμὸν κ̀ ὑγρὸν εἶναι Ζγγ1. 750 ᵃ13. τὸ θερμὸν τὴν φύσιν σπερματικὴν ποιεῖ πὸ6. 877 ᵃ21. — σπερματικὸν περίττωμα, σπερματικὴ περίττωσις Ζγα4. 717 ᵃ30, ᵇ5. β6. 743 ᵃ27, 744 ᵃ38. 7. 746 ᵇ28. γ1. 749 ᵇ28. δ3. 767 ᵇ17 al (inde τῆς σπερματικῆς Ζγα18. 725 ᵇ3 intelligendum videtur τῆς σπερματικῆς περιττώσεως, ubi τοῖς σπερματικοῖς ex aliquot codd W). ἀποκρίσεις σπερματικαὶ Ζγα19. 727 ᵃ26. Ζμδ5. 681 ᵇ35. αἱ σπερματικαὶ καθάρσεις Ζγβ7. 747 ᵃ19. σύντηξις σπερματική Ζγα19. 726 ᵇ25. τῆς γονῆς σπερματικὴ δύναμις Ζμβ6. 651 ᵇ21. ὕλη σπερματική Ζγγ1. 750 ᵇ5. ὑγρασία σπερματική Ζγα20. 727 ᵇ36. cf γ1. 750 ᵇ5. κήρυκες οἷον ἀπὸ σπερματικῆς φύσεως προΐενται μυξώδεις ὑγρότητας Ζγγ11. 761 ᵇ32. ἄγονον γίνεται τὸ ἀποχωρῦν διὰ τὸ ὀλίγον ἔχειν τὸ σπερματικὸν Ζγα18. 725 ᵇ16. ὁ περὶ τὲς ὀφθαλμὺς τόπος τῶν περὶ τὴν κεφαλὴν σπερματικώτατός ἐστιν Ζγβ7. 747 ᵃ14. ὄργανα σπερματικὰ Ζγα4. 717 ᵃ12. πόροι σπερματικοὶ Ζγα3. 716 ᵇ17. 13. 720 ᵃ12.

σπερματίτιδες (v l σπερμάτιδες) φλέβες τίνες καλῦνται Ζιγ2. 512 ᵇ8.

σπερμολόγος Ζιθ3. 592 ᵇ28 Aub. cf S I 589. Su 114, 52 et 53. ΑΖιΙ 108, 100.

σπερμοποιεῖν. ἡ ἡλικία ἡ ταχὺ σπερμοποιεῖ Ζικ5. 636 ᵇ34.

Σπερχειός. Δρύοπες ἐκ τῶν περὶ Σπερχειὸν τόπων f 441. 1550 ᵃ48.

σπεύδει τότε ἡ τῷ καρπῦ πεπειρότης φτβ10. 829 ᵇ22.

Σπεύσιππος πλείης ὑσίας τίθησι κ̀ ἀρχὰς ἑκάστης οἰκείας Μζ2. 1028 ᵇ21. resp λ10. 1075 ᵇ37. μ9. 1085 ᵃ31. ν3 1090 ᵇ15. τὸν μαθηματικὸν μόνον τίθησιν ἀριθμὸν ἀποστὰς ἀπὸ τῷ εἰδητικῷ, ἀλλ᾽ ὡς ὑσίαν χωριστὴν resp Μμ1. 1077 ᵃ21. 6. 1080 ᵇ14. 8. 1083 ᵃ21. 9. 1086 ᵃ2. ν2. 1090 ᵃ3 3. 1090 ᵃ25, 3. 4. 1091 ᵇ23. similis de reliquis rebu mathematicis doctrina resp Μμ6. 1080 ᵇ23. ν3. 1090 ᵇ (de τόπῳ sententia ν5. 1092 ᵃ17 fort Speusippi est). ma teriale principium ponit τὸ πλῆθος resp Μμ9. 1085 ᵃ33. ᵇ5. ν1. 1087 ᵇ6, 8. 30. 5. 1092 ᵃ35. δεῖν τὸν ὁριζόμενο πάντα εἰδέναι τὰ ὄντα resp Αδ13. 97 ᵃ8 (cf Schol. Zelle Ι Ι, 1. 652, 1). τὸ ἀγαθὸν κ̀ τὸ ἄριστον ὑστερογενὲς τίθησ Μλ7. 1072 ᵃ31. resp λ10. 1075 ᵃ36. ν4. 1091 ᵃ34, ᵇ3 5. 1092 ᵃ12. τὸ δὲ τῇ ,τῶν ἀγαθῶν συστοιχία τίθησ Ηα4. 1096 ᵇ7 (fort resp Μν4. 1091 ᵇ14). τὴν ἡδονὴν φησιν εἶναι ἀγαθὸν Ηη14. 1153 ᵇ5. resp Ηκ2. 1173 ᵃ6.

Σπεύσιππός τις ἀποπληκτικὸς Ργ10. 1411 ᵃ21.

σπευστικός Ηδ8. 1125 ᵃ14.

σπήλαιον. οἱ πῶροι οἱ ἐν τοῖς σπηλαίοις μδ10. 388 ᵇ2 πολλοὶ τῶν ἰχθύων διατρίβυσιν ἐν σπηλαίοις Ζιδ8. 53 ᵃ17. νεοττεύειν ἐν πέτραις κ̀ σπηλαίοις Ζιι12. 615 ᵇ16. 3 618 ᵇ1.

σπῆλυγξ. οἰκεῖ ὁ αἰγωλιὸς πέτρας κ̀ σπήλυγγας Ζιι17 616 ᵇ26.

σπίζα (v l πίζαι, ἔσπιζα), de accentu Lob Par 408. r refertur inter τὰ σκωληκοφάγα· αἱ σπίζαι τῷ θέρυς ἐν τοῖ ἀλεεινοῖς, τῷ δὲ χειμῶνος ἐν τοῖς ψυχροῖς Ζιθ3. 592 ᵇ1 17. 613 ᵇ3. ὕγξ, κύανος μικρῷ μείζων σπίζης· σπιζίτη ἄνθος ἐστὶν ὅσον σπίζα· ὀρόσπιζος σπίζῃ ὅμοιος κ̀ τὸ με γεθος παραπλήσιος Ζιθ12. 504 ᵃ13. ι21. 617 ᵃ25. θ3. 59

^b19, 25, 26. v l σπίζαι, σπιζίαι Bk Zι36. 620 ^a20. (pinson C II 648. S I 588, II 461. Fringilla caelebs K 474. Su 119, 64. Fringilla, sed species def non potest St. Cr. G 13. AZι I 108, 101 et 94h.)

σπιζίας (v l σπηζίας, στιγξίας, σπίζαι). refertur inter τὸς γαμψώνυχας, σαρκοφάγος· ὅ τε φαβοτύπος κ̣ ὁ σπιζίας, ἱέρακες ἄμφω, διαφέρυσι τὸ μέγεθος πολὺ ἀλλήλων· ἄλλοι δὲ πέρκοι κ̣ σπιζίαι Ζιθ 3. 592 ^b2. ι36. 620 ^a20. (stinxias Thomae, fringillarius Gazae. S I 586, II 461. Falco nisus Cr. St. K 864, 4. Su 101, 20. AZι I 94, 37h.)

σπιζίτης. αἰγιθαλῶν εἶδος, ὁ σπιζίτης μέγιστος, ἔστι γὰρ ὅσον σπίζα Ζιθ3. 592 ^b19. (spizantes Thomae cf S I 588. Parus maior St. K 865, 10. Su 115, 55. AZι I 84, 3^a. Parus maior vel ater Cr.)

σπιθαμή. σκέλη μείζω σπιθαμῆς Ζιθ28. 606 ^b7. τὰ ὦτα αἶγες ἔχυσι σπιθαμῆς Ζιθ28. 606 ^a14. σῶμα δυοῖν σπιθαμαῖν Πε3. 1302 ^b38. διάστημα πέντε πήχεων κ̣ σπιθαμῆς Ζιθ30. 607 ^b34.

σπιθαμιαῖον Πη4. 1326 ^a40. κέρατα τῷ μεγέθει σπιθαμιαῖα ἢ μικρῷ μείζω Ζιι45. 630 ^a33. χρυσίον τὸ μέγεθος σπιθαμιαῖον θ47. 833 ^b21. f 248. 1524 ^a4.

σπίλος. κατά τινας τῆς γῆς σπίλος x3. 392 ^b30.

σπιλώδεις τόποι Ζιε15. 548 ^a2.

σπινθήρ. ὁ αὐτὸς τόπος τῷ μορίῳ κ̣ παντός, οἷον πυρὸς κ̣ σπινθῆρος Φγ5. 205 ^a12, ^b22. Οα7. 276 ^a4.

σπίνος. ὁ καλύμενος σπίνος, ἐξ ὗ φασι πῦρ ἀνάπτεσθαι θ33. 832 ^b29. 41. 833 ^a24. cf S Theophr IV 550.

σπλάγχνον (Philippson ὕλη 39). τὰ σπλάγχνα (τὰ καλύμενα σπλάγχνα, τὰ περὶ τὰ σπλάγχνα αν15. 478 ^a14. Ζμδ1. 676 ^a22) μέρη ἐστὶν Ζγβ1. 734 ^a2. τῇ μὲν ὁμοιομερῆ τῇ δ' ἀνομοιομερῆ· διαιρεῖται εἰς ὁμοιομερῆ τῶν ἄλλων σπλάγχνων ἕκαστον· τὰ ἀνομοιομερῆ ἐκ τῶν ὁμοιομερῶν ἐνδέχεται συνεστάναι, κ̣ ἐκ πλειόνων κ̣ ἑνός, οἷον ἔνια τῶν σπλάγχνων· αὐτοῖς μὲν ὁμοίαν ἔχυσι τὴν τῦ σώματος φύσιν, τοῖς δ' ἄλλοις ἀνομοίαν Ζμβ1. 647 ^b8, ^a15. γ10. 673 ^b3. μδ10. 388 ^a17. ὗ μαθημα ἔχον σπλάγχνον μδ12. 390 ^a9. ἡ τῶν σπλάγχνων φύσις, σῶμα, μορφή, σχῆμα Ζμδ5. 678 ^a31. γ10. 673 ^b2. β1. 647 ^b8. Ζιβ17. 508 ^a16. descr Ζμγ7. πῶς διαφέρει τῆς σαρκός Ζμγ13. 674 ^a4. — enumerantur καρδία, νεφροί, ἧπαρ, πλεύμων, σπλήν Ζμγ4. 667 ^b1-12. τῶν ἀναίμων ὑδὲν ἔχει σπλάγχνον· σπλάγχνον ὑδὲν ἔχει τῶν μαλακίων, ἀλλ' ὃ καλῦσι μύτιν, cf σπλάγχνον δ' ὑκ ἔχει ἀναλογῶν Ζιδ3. 527 ^b3. 7. 532 ^b7. Ζμγ4. 665 ^a30. δ5. 678 ^a28 (cf F 290, 18. Lewes 318). Ζιδ1. 524 ^a14. f 315. 1531 ^b7. τὰ ἔναιμα πάντα σπλάγχνα ἔχει τὰ ἔσωθεν Ζιδ3. 527 ^b2. cf Ζμγ13. 674 ^a4. πε3. 885 ^b33. ἔχυσιν ἔνια τῶν ζῴων πάντα τὸν ἀριθμὸν αὐτῶν. ἔνια δ' ὃ πάντα· πάντα τὰ ἔναιμα δύο τὰ σπλάγχνα ταῦτα μόνον ἔχει (καρδίαν, ἧπαρ)· ὅσα δ' ἀναπνεῖ κ̣ πνεύμονα τρίτον Ζμγ12. 673 ^b12. 7. 670 ^a29. dist 50 τὰ περὶ τὴν καρδίαν, i e καρδία, πλεύμων Ζμβ9. 655 ^a1. γ9. 672 ^a18 et τὰ κάτω τῦ ὑποζώματος i e ἧπαρ, σπλήν, νεφροί Ζμγ7. 670 ^a8, 12. δοκεῖ τῶν σπλάγχνων τὰ μὲν μονοφυῆ (καρδία, πλεύμων) τὰ δὲ διφυῆ (νεφροί), φανεῖν ἂν ἐπαμφοτερίζειν τύτοις τὸ ἧπαρ κ̣ σπλήν· ἔστι δὲ πάντα τὰ δίφυα, διὰ τὴν αἰτίαν Ζμγ7. 669 ^b13, 18, 670 ^a3, 7. πάντα τὰ σπλάγχνα ἐν ὑμένι ἐστὶ Ζμγ11. 673 ^b4. Ζιγ13. 519 ^a33. τίνος ἕνεκέν ἐστιν ἕκαστον Ζμγ10. 673 ^a32. δ5. 678 ^a35. γέγονεν δ' ἐξ ἀνάγκης ἐπὶ τοῖς ἐντὸς πέρασι τῶν φλεβῶν· ἔστι δὲ σπλάγχνα τὰ κάτω τῦ ὑποζώματος κοινῇ μὲν 60 πάντα τῶν φλεβῶν χάριν· τύτων τῶν σπλάγχνων ἡ φύσις

οἷον ἧλοι πρὸς τὸ σῶμα προσλαμβάνυσιν αὐτήν· τὴν φύσιν ἔχει κοινωνῦσαν ταῖς φλεψί, κ̣ τὰ μὲν τῶν φλεβῶν χάριν, τὰ δ' ὑκ ἄνευ φλεβῶν ἐστιν Ζμγ10. 673 ^a33. 7. 670 ^a8, 13. 13. 674 ^a7. cf Ζιγ3. 513 ^a22. αἱματικά ἐστι τὴν μορφήν, τῶν αἱματικῶν ἐστιν ἴδια Ζμβ1. 647 ^b8 (cf Thurot 236). γ10. 673 ^b2. 4. 665 ^b5. συνέστηκεν αὐτῶν ἕκαστον ἐξ αἱματικῆς ὕλης· (ἰκμὰς αἱματική) ἐξ ἧς συνισταμένης κ̣ πηγνυμένης γίνεσθαι τὸ σῶμα τῶν σπλάγχνων· ἐξ ὗ (τῦ αἵματος) συνέστηκεν ἡ τῶν σπλάγχνων φύσις Ζμγ4. 665 ^b10. 673 ^b2. δ5. 678 ^a31. ὑπερβολὴ αἱματώδες ἡ τῶν σπλάγχνων ἕκαστον ἐστιν ἔτι νέων ὄντων Ζμβ6. 651 ^b27. cf γ4. 665 ^b7. μεταβάλλει τὰς χρόας Ζμβ6. 651 ^b26. τὰ περὶ τὰ σπλάγχνα μόρια Ζμγ7. 670 ^a31. — σπλάγχνων διαφοραί. νεφροί, σπλάγχνον πυκνόν, δυσωδέστατον, τῶν σπλάγχνων μάλιστα ἔχυσι πιμελήν Ζμγ9. 672 ^a10, 2, 671 ^b23. Ζιγ17. 520 ^a28. ὁ πνεύμων ἐναιμότατον, τῶν ἄλλων ἡ καρδία μόνον ἔχει αἷμα αν15. 478 ^a14. Ζια17. 496 ^b7. τύτν τῦ σπλάγχνν (ἥπατος) περίττωμα (χολή) Ζμδ2. 677 ^b2, 5. cf Ζιγ17. 520 ^a16. στενὰ κ̣ μακρὰ τὰ σπλάγχνα τῶν ὄφεων Ζιβ17. 508 ^a16. μεγάλα κ̣ αἱματώδη ἔχει τὰ τῶν σελαχῶν ἔμβρυα Ζιζ10. 565 ^b16. μεγάλα, μικρά, πάμπαν μικρά, τίσιν Ζιγ16. 520 ^a2, 2. Ζμδ1. 676 ^b5. ἤδη φανερὰ in fetu Ζιζ3. 561 ^b2. σπλάγχνων πάθη Ζμγ4. 667 ^a32, ^b3-12. inversio viscerum Ζια17. 496 ^b19. β17. 507 ^a22. Ζγδ4. 771 ^b9. — χωριζομένων τῶν σπλάγχνων ποιεῖται κίνησιν, οἷον ὡς αἱ χελῶναι τῆς καρδίας ἀφῃρημένης ζ2. 468 ^b14. τοῖς ἰχθύσιν ἐν τοῖς ὑπτίοις ἡ γαστὴρ κ̣ τὰ σπλάγχνα· ἐλέφας τὰ σπλάγχνα παραπλήσια ἔχει τοῖς ὑείοις Ζιβ13. 504 ^b16. ΙΙ. 507 ^b37. Democriti sententia Ζμγ4. 665 ^a31. — (καλῦσιν αὐτῶν τὸν μυελὸν τὸν ἐν τοῖς δένδροις) ἄλλοι σπλάγχνα φτα4. 819 ^a34. cf Meyer Nic Damasc 75 fin.

σπλήν. ἀπὸ τῦ ἐπισπᾶν κ̣ σπλὴν εἴρηται Probl inedita Bsm α9. 292, 48. refertur inter τὰ σπλάγχνα Ζμγ7. 669 ^b16. συνήρτηται τῇ κάτω κοιλία κατὰ τὸ ἐπίπλοον Ζια17. 496 ^b20. κεῖται ἐν τοῖς ἀριστεροῖς, ὁμοίως ἐν ἅπασι τοῖς ἔχυσι κατὰ φύσιν κ̣ μὴ τερατωδῶς· ἤδη γὰρ ὧπται μετηλλαχότα τὴν τάξιν ἔν τισι τῶν τετραπόδων Ζια17. 496 ^b17. β17. 507 ^a19. Ζμγ7. 670 ^a12. Ζγδ4. 771 ^a9. συνήρτηται τῇ μεγάλη φλεβὶ μόνον· τείνει γὰρ ἀπ' αὐτῆς φλέψ εἰς τὸν σπλῆνα Ζια17. 496 ^b33. cf γ2. 511 ^b29, 512 ^a11, ^b29, 513 ^a6. 4. 514 ^b4, 9. Ζμγ7. 670 ^a15. τὸ ἧπαρ ἔχει ὥσπερ ἀντίζυγον ἐν τοῖς μάλιστ' ἀπηκριβωμένοις τὸν σπλῆνα· φανεῖν ἂν ἐπαμφοτερίζειν (μονοφυής, διφυής)· ἐν τοῖς δεξ' ἀνάγκης ἔχυσι σπλῆνα δόξειεν ἂν οἷον νόθον εἶναι ἧπαρ ὁ σπλήν· ἢ τῦ σπληνὸς φύσις, ὥστ' ἀναγκαῖον μέν πως, μὴ λίαν δ' εἶναι πᾶσι τοῖς ζῴοις Ζμγ4. 666 ^a28. 7. 669 ^b16, 26, 28, 670 ^a1. βοηθεῖ πρὸς τὴν πέψιν τῆς τροφῆς· ἀντισπᾷ ἐκ τῆς κοιλίας τὰς ἰκμάδας τὰς περιττευσάσας, κ̣ δύναται συμπέττειν αἱματώδης ὤν· ἂν ᾖ ὀλιγόθερμος, νοσακερὰ γίνεται πλήρη τροφῆς Ζμγ7. 670 ^a20, ^b4, 7. cf πθ5. 890 ^a11. πάθη Ζμγ4. 667 ^b6. cf Plat Tim 72 C. Galen II 132. — σπλῆνα τὰ πλεῖστα ἔχει ὅσαπερ κ̣ αἷμα Ζιβ15. 506 ^a12. καρδίαν ὑδὲ πώποτε εἴρηται σπλῆνος ζῷον ὑκ ἔχον, τῶν δ' ὑκ ἔχον, κ̣ δύο ἔχον Ζγδ4. 771 ^a3, 773 ^a6. στρογγύλον ἔχει τὰ κερατοφόρα κ̣ διχαλά· τὰ πολυσχιδῆ πάντα μακρόν, τὰ μώνυχα μεταξὺ τύτων κ̣ μικτόν· τῇ μὲν γὰρ πλατὺν ἔχει τῇ δὲ στενόν Ζμγ12. 673 ^b32, 674 ^a1 (cf Gurlt Anat der Haussäugethiere 10). τὴν ὄψιν ἐστὶν ὁ τῶν ἀνθρώπων σπλὴν στενὸς κ̣ μακρός, ὁμοιος τῷ ὑείῳ Ζια17. 496 ^b21. cf Ζμγ12. 674 ^a2 et Hippocr ed Littré I 236. ἐλέφας ἔχει τὸν σπλῆνα ἐλάττω ἢ κατὰ λόγον, βῦς διὰ μέγεθος εὐαυξέστερον κατὰ μῆκος Ζιβ17. 508 ᵃ2 Aub. Ζμγ12. 673 ᵇ34. σπλὴν ὑγρὸς ἐν τοῖς κύστιν ἔχυσι κ̣ πλεύμονα ἔναιμον Ζμγ7. 670 ᵇ18. ἐν τοῖς τετράποσι κ̣ ᾠοτόκοις ὁ σπλὴν μικρὸς κ̣ στιφρὸς κ̣ νεφρώδης, διὰ τίν᾽ αἰτίαν Ζμγ7. 670 ᵇ14. Ζιβ15. 506 ᵃ14-18. ὄφεις ἔχυσιν αὐτὸν μικρὸν κ̣ στρογγύλον ὥσπερ κ̣ οἱ σαῦροι Ζιβ17. 508 ᵃ30 Aub. τὰς ἄμας ἔχειν σπλῆνα ἰσομήκη τῷ ἐντέρῳ f 291. 1528 ᵇ35. χαμαιλέων ὑδαμῆ ἔχει φανερόν. αἰγοκέφαλος ὅλως ὐκ ἔχει Ζιβ11. 503 ᵇ27. 15. 506 ᵃ17. (Philippson ὕλη 42. F 295, 47. M 452.)

σπληνιᾶν. πολλοῖς αἱ κοιλίαι σκληραὶ γίνονται σπληνιῶσιν Ζμγ7. 670 ᵇ9. αἱ ὑλαὶ μέλαιναι τῶν σπληνιώντων πθ5. 890 ᵃ10.

σπληνῖτις, φλέψ descr Ζιγ2. 512 ᵃ6, 29. cf Aub II tab IV et VI.

σπογγεύς. οἱ σπογγεῖς κατακολυμβῶσιν Ζυ37. 620 ᵇ34, διατέμνονται τὰ ὦτα κ̣ τὰς μυκτῆρας πλβ5. 960 ᵇ21.

σπογγιά. (σὰρξ) ἀραιοτέρα γινομένη μᾶλλον δύναται δέχεσθαι ὑγρὸν ὥσπερ σπογγιά πλγ3. 966 ᵃ7. ἡ μεγίστη σπογγιά Ζυ14. 616 ᵃ24.

σπόγγος. in corpore spongiae dist: πόροι κενοί, οἱ ἄλλοι· τὰ κοῖλα Ζιε16. 548 ᵇ31, 549 ᵃ1. ι14. 616 ᵃ30 (cf Plat Tim 70C). τὰ κάτω, opp ἄνωθεν, ὑμὴν περὶ τὰ κάτω, αἱ ρίζαι, αἱ θαλάμαι Ζιε16. 549 ᵃ1, 548 ᵇ32, 16, ᵃ28 Aub. γίνονται ἐν ταῖς σήραγξι τῶν πετρῶν· ἡ πρόσφυσις ποία· τὴν τροφὴν πῆ δέχεται Ζιε16. 548 ᵃ23, ᵇ30 Aub, 5 Aub, 549 ᵃ1, 3. ἄπλυτοι ὄντες κ̣ ζῶντες ἰδεῖν μέν εἰσι μέλανες· ἐὰν ἀπορραγῇ, φύεται πάλιν ἐκ τῦ καταλοίπε κ̣ ἀναπληρῦται Ζιε16. 548 ᵇ18, 30, 549 ᵃ11. δοκεῖ ἔχειν τινὰ αἴσθησιν· σημεῖον δὲ ὅτι χαλεπώτερον ἀποσπᾶται, ἂν μὴ γένηται λαθραίως ἡ κίνησις, ὥς φασιν· εἰσὶ δέ τινες, οἱ περὶ τὐτυ ἀμφισβητῦσιν, ὥσπερ οἱ ἐν Τορώνη Ζιε1. 487 ᵇ9 (cf Dietz schol in Hippocr I 328). ε16. 548 ᵇ10, 14. cf Rose lib ord 209. τὰ τήθυα ζωτικώτερα τῶν σπόγγων Ζμδ5. 681 ᵃ11. τὸ πνεῦμα κ̣ ὁ χειμὼν σκληρύνει κ̣ ἀφαιρεῖται τὴν αὔξησιν· δεῖ δὲ μηδ᾽ ἀλέαν εἶναι σφόδρα· σήπεται γάρ Ζιε16. 548 ᵇ22, 26. παντελῶς ἔοικε τοῖς φυτοῖς, πάμπαν ἔχει φυτῦ δύναμιν Ζιθ1. 588 ᵇ20. Ζμδ5. 681 ᵃ11, cf 16. τρέφει ἐν ἑαυτῷ ζῷα· τῶν σπόγγων ἐν ταῖς θαλάμαις γίνονται πιννοφύλακες· τὰ ἰχθύδια τὰ πετραῖα κατεσθίει τὰς ρίζας τὰς ὑπολοίπυς Ζιε16. 548 ᵇ15, 16, ᵃ28 Aub. — geographica, ὅλως οἱ ἐν τοῖς βάθεσι κ̣ εὐδιεινοῖς μαλακώτατοί εἰσιν· οἱ ἐν Ἑλλησπόντῳ τραχεῖς εἰσι κ̣ πυκνοί· οἵ τ᾽ ἐπέκεινα Μαλέας κ̣ οἱ ἐντὸς διαφέρυσι μαλακότητι κ̣ σκληρότητι· οἱ πρὸς ταῖς ἀκταῖς εἰσι κάλλιστοι, ἂν ὦσιν ἀγχιβαθεῖς Ζιε16. 548 ᵇ21, 24, 25, 28. (sfongus Thomae, spongia Gazae Scalig. Spongia officinalis C II 322. S eclog phys II 59-67. K 408. St. Cr. Ritter Erdkunde XIX 1199. Levysohn Zool des Talmud 342. ΚαΖμ 135, 40. ΚαΖι10, 25. F 310, 44. Lenz Bot d Gr u Röm 752, 4. M 167, 169. AΖι I 182, 24. Spongia auctorum Osc Schmidt die Spongien d adriat Meeres p 2.) — τῶν σπόγγων τρία γένη. 1. ὁ μανός. μέγιστοι γίνονται κ̣ πλεῖστοι περὶ Λυκίαν Ζιε16. 548 ᵃ32, ᵇ19. (fort Spongia equina Schmidt 11 p 2, 20, 23.) — 2. ὁ δὲ πυκνός· ἀσθενέστεροι δ᾽ εἰσὶν τῶν μανῶν διὰ τὸ τὴν πρόσφυσιν εἶναι κατ᾽ ἔλαττον· μαλακώτατοι· οἱ σκληροὶ σφόδρα κ̣ τραχεῖς τράγοι καλῦνται Ζιε16. 548 ᵃ32, ᵇ9, 20, 4. (fort Spongia mollissima, τράγοι fort Hircinia typica Schmidt p 2, 23, 32.) — 3. τρίτος, ὁ καλῦσιν Ἀχίλλειον, λεπτότατος κ̣ πυκνότατος κ̣ ἰσχυρότατος· σπα-

νιώτατος· στιφρότεροι τῶν πυκνῶν· ὃν ὑπὸ τὰ κράνη κ̣ τὰς κνημῖδας ὑποτιθέασι κ̣ ἧττον ἡ πληγὴ ψοφεῖ Ζιε16. 548 ᵃ32, ᵇ3, 20, 2 Aub. (Levysohn ibid 344. Spongia Zimocca Schmidt p 2, 23.) — 4. ἔστι δ᾽ ἄλλο γένος ὁ καλῦσιν ἄπλυσίας v supra p 77 ᵇ26. — spongiae quam vim habeant et qualem usum in medicina Ζυ44. 630 ᵃ7. ὁ σπόγγος πιεστόν, ὐχ ἑλκτόν μδ9. 386 ᵇ7, 17, ᵃ28. ὐκ ἔχει ψόφον ψβ8. 419 ᵇ6. v l ᵇ2. οἱ κολυμβηταὶ σπόγγυς περὶ τὰ ὦτα καταδύνται πλβ3. 960 ᵇ15. περιθέμενον τὰς σπόγγυς κ̣ τὰς ἐγκεντρίδας ἀναδραμεῖν εἰς τὰς τοίχυς τὸν Εὐρύβατον f 73. 1488 ᵃ15, 30. ὁ σπόγγος ἐπισπᾷ τὴν ὑγρότητα, ἐκθλίψαι τὸ ὑγρὸν ἐκ τῶν σπόγγων πβ25. 868 ᵇ31. κε8. 938 ᵇ20. cf μα13. 350 ᵃ7.

σπογγώδης ἡ τῆς γλώττης σάρξ πγ31. 875 ᵇ22.

σποδιὸν χρῶμα f 271. 1527 ᵃ18.

σποδοειδὲς τὸ χρῶμα, τὴν χρόαν Ζυ22. 617 ᵇ4, 8. θ3. 592 ᵇ6, 593 ᵃ13. τῶν γυπῶν ὁ μὲν ἐκλευκότερος, ὁ δὲ σποδοειδέστερος Ζιθ3. 592 ᵇ8.

σπονδή. σπονδὰς ποιεῖσθαι τοῖς θεοῖς f 192. 1512 ᵇ16.

σπονδύλη et σφονδύλη (Lob Phryn 113. cf Prol 126). αἱ σπονδύλαι (v l σφονδύλαι) referuntur inter τὰ ἔντομα, πολὺν χρόνον ὁ συνδυασμός Ζιε8. 542 ᵃ10. σταφυλῖνός ἐστιν ἡλίκον σφονδύλη, γλαῦκες θηρεύυσι σφονδύλας Ζιθ24. 604 ᵇ19. ι34. 619 ᵇ22. (spondila, fondile Thomae, scarabaeus, verticilla Gazae, sphondyla Scalig. Gryllotalpa Mouffeti theatr insectorum 194. Larva scarabaei melolonthae vel similis Jonston hist insect 135. Swenkfeld Theriotroph 557. Spondyle C II 780. S I 275. Carabus, genus St. Cr. K 641, 4. in incert rel Su 237, 57. ΑΖι I 171, 48. cf Oken Isis 1837, 169.)

σπόνδυλος vel σφόνδυλος (cf Langk Schol ad Ζμ p 16, 88), vertebra. σύγκειται ἡ ῥάχις ἐκ σφονδύλων πάσης τῆς ῥάχεως διῃρημένης κατὰ τὰς σφονδύλας Ζιγ7. 516 ᵃ11. ἡ διαίρεσις τῶν σπονδύλων Ζμβ6. 651 ᵇ34. 9. 654 ᵇ16. cf Oribas IV 536. πάντες τετρημένοι Ζιγ7. 516 ᵃ12. — vertebrae cervicis. εὔκαμπτοι κ̣ χονδρώδεις Ζμδ11. 692 ᵃ3. σφόνδυλος ᾗ ἡ κεφαλὴ (ἐλάφυ) προσπέφυκεν, ὁ ὕστατος τῦ τραχήλυ, οἱ ἔσχατοι Ζιβ15. 506 ᵃ28. γ3. 513 ᵇ16, 25. 7. 516 ᵃ14. τοῖς μὲν ἄλλοις ἐστὶ καμπτὸς κ̣ σφονδύλυς ἔχων, οἱ δὲ λύκοι κ̣ λέοντες μονόστυν τὸν αὐχένα ἔχυσιν Ζμδ10. 686 ᵃ21. cf Ζιβ1. 497 ᵇ16. — vertebrae thoracis, abdominis. ἕκαστος ὁ σφόνδυλος, ὁ ὑπὲρ τῶν νεφρῶν σφόνδυλος Ζιγ3. 513 ᵇ30.

Σποράδες (νῆσοι) χ3. 393 ᵃ14.

σποράδην διαχεόμενον τὸ πνεῦμα μγ1. 370 ᵇ5. τὰ λεγόμενα σποράδην συλλέγειν Πα11. 1259 ᵃ4.

σποραδικός. κ̣ τῶν ἀγελαίων κ̣ τῶν μοναδικῶν (ζῴων) τὰ μὲν πολιτικὰ τὰ δὲ σποραδικά ἐστιν Ζια1. 488 ᵃ3. σποραδικὰ θηρία, opp ἀγελαῖα Πα8. 1256 ᵃ28.

σπορᾶς. σποράδες, ὅτω ὀ χοραῖον ᾤκυν Πα2. 1252 ᵇ23. ἡ ἑτέρα χορύδαλος ἀγελαία κ̣ ἡ σπορὰς Ζυ25. 617 ᵇ21. σποράδες ἀστέρες μα7. 344 ᵃ15. 8. 346 ᵃ20, 32 (Ideler I 398).

σπόρος. διεφθάρθαι τὰς σπόρυς (v l, πόρυς Bk) Ζγβ8. 747 ᵃ30 Aub. cf α6. 718 ᵃ15 v l.

σπυδάζειν, opp παίζειν Ηκ6. 1176 ᵇ33. opp εἰρωνεύεσθαι Ρβ2. 1379 ᵇ31. — σπυδάζειν περὶ τιμήν, περὶ χρήματα περὶ μεγάλα al Ηη5. 1148 ᵃ30, 32. δ1. 1119 ᵇ30. 5. 1123 ᵃ2. 8. 1125 ᵃ15. ηεγ5. 1232 ᵇ5. ἐσπυδάκασι, ἐσπυδακὼς περὶ τι Ηδ8. 1168 ᵇ18. ηεγ4. 1232 ᵃ5. ἔνιοι τῶν περὶ τὰς χορείας σπυδαζόντων Ζιη1. 581 ᵃ25. σπυδάζειν περὶ τιμῆς ηεγ5. 1232 ᵇ10. σπυδάζει τις πράττειν τι, ἔχειν τι sim Ηι8.

1168 b25. Ζιε15. 547 a26. ρ1. 1420 a13. σπsδαστέον ὅπως ὁρισθῶσι καλῶς Ηα7. 1098 b5. — τὰς παιδιὰς εἶναι δεῖ μιμήσεις τῶν ὕστερον σπsδαζομένων Πη17. 1336 a34. αἱ ἐσπsδασμέναι παιδιαί Ρα11. 1371 a3. σπsδάζεσθαι ἀλλ' ὐ καταφρονεῖσθαι ΡΒ3. 1380 a26. ἡ κωμωδία διὰ τὸ μὴ σπsδάζεσθαι ἐξ ἀρχῆς ἔλαθεν π5. 1449 b1. βίοι τῶν ἀναγκαίων χάριν σπsδαζομενοι ηα4. 1215 a27. — σπsδαστόν, opp φευκτόν Ηθ16. 1163 b25.

σπsδαῖος. τῷ ἀρετὴν ἔχειν σπsδαῖος λέγεται Κ8. 10 b8. ημα1. 1181 a28. Ηι4. 1166 a13. cf Ηε4. 1130 b5. Πγ4. 1276 b34. η2. 1324 a13. 13. 1332 a22. τε3. 131 b2. f 83. 1490 b3. ἴδιον τs σπsδαίs τὸ κατὰ προαίρεσιν Ρα9. 1367 b21. opp φαῦλος ΗΒ4. 1105 b30. γ6. 1113 a25. Κ5. 4 a20. 10. 12 a13, 13 a22. syn ἐπαινετός Ηη2. 1145 b9. f 83. 1490 a40. τὰ καλὰ ὶ σπsδαῖα πράττειν Ηκ6. 1176 b8. syn ἐπιεικής v h v et quomodo distinguantur σπsδαῖος et ἐπιεικής cf Vhl Poet II 7. σπsδαῖς, syn ἀγαθός Πγ4. 1276 b17. 13. 1283 b7, 1, 22. 16. 1287 b12. η13. 1332 a39. ΡΒ9. 1387 b7. cf 23. 1399 a2, 4. (itaque saepe opponuntur οἱ πολλοί, veluti Πγ11. 1281 b1, 10, 17.) σπsδαῖοι τὴν ψυχήν Πγ15. 1286 b3. ἔργον ἐστὶ σπsδαίον εἶναι ΗΒ9. 1109 a24. μέτρον ἑκάστῳ ἡ ἀρετὴ ἡ ὁ σπsδαῖος Ηι4. 1166 a13. γ6. 1113 a32. x6. 1176 b25. τὸ σπsδαῖον i q τὸ ἀγαθόν Ηε11. 1136 b8. 14. 1137 b4, 5. — notio τs σπsδαίs aeque late patet ac notio τῆς ἀρετῆς. τέλος σπsδαῖον Μδ16. 1021 a25 b24. προαίρεσις σπsδαία Ηζ2. 1139 a25. ἕξις σπsδαία, φαύλη Ηη9. 1151 a27. ἐνέργεια σπsδαίαι, σπsδαιότεραι Ηκ6. 1176 b19, 1177 a5. δύναμις σπsδαία Μθ9. 1051 a5. πρᾶξις σπsδαία, φαύλη Κ5. 4 a16. ἔργον ἀρετῆς ζωὴ σπsδαία ηεΒ1. 1219 a27. τη1. 152 a7. ἡδοναὶ σπsδαῖαι, φαῦλαι Ηη2. 1152 b20, 10. Αα24. 41 b9. ὐ σπsδαίον δοκεῖ ἡ ἡδονή Ηη15. 1154 a31. νομοθέτης σπsδαῖος ΠΒ12. 1273 b36. δ14. 1297 b38. η2. 1325 a8. νόμοι σπsδαῖοι Πη2. 1325 a3. Ηη11. 1152 a21. x10. 1180 a35. πόλις, πολιτεία σπsδαία Πα13. 1260 b17. γ4. 1277 b5. δ15. 1299 a32. τραγωδία σπsδαία, φαύλη π5. 1449 b17. σπsδαῖα κιθαριστής, σπsδαίs κιθαριστῷ τὸ εὖ κιθαρίζειν Ηα6. 1098 a9, 12. σπsδαῖον ὑπόδημα ηεΒ1. 1219 a22. — σπsδαῖα, opp γελοῖα, μετὰ παιδιᾶς Ηκ6. 1177 a3. πο2. 1448 b34, 37. τραγωδία μίμησις πράξεως σπsδαίας πο6. 1449 b24 (cf Bernays Grundzüge p 146. Vhl Poet II 77). μιμῶνται οἱ μιμsμενοι πράττοντας, ἀνάγκη δὲ τsτς ἢ σπsδαίsς ἢ φαύλsς εἶναι πο2. 1448 a2. — σπsδαίως. τὸ τὴν ὑγίειαν ἔχον ὶ σπsδαίως διακείμενον σῶμα· ἵππος σπsδαίως διακείμενος f 89. 1491 b40, 1492 a5.

σπsδαρχιᾶν Πε5. 1305 a31.

σπsδαστικώτεροι ΡΒ17. 1391 a25.

σπsδή. σπsδῆς ὕπο (Soph Ant 223, codd Soph τάχsς) Ργ14. 1415 b20. ἐκ σπsδῆς (festinanter) θ86. 837 a15. μὴ συμπήγνυται διὰ τὴν ἄνωθεν σπsδὴν τὴν ἐφελκsσαν τὸ πλὴν φτΒ7. 827 a32. — σπsδαί, coni ἐπιμέλειαι, συντονίαι Ρα11. 1370 a12. περὶ δύο τsτων αἵ τε σπsδαὶ τυγχάνsσιν ὖσαι ὶ ὁ βίος Ζιθ1. 589 a5. πᾶσαν σπsδὴν ποιητέον ρ1. 1420 b16. ἡ περὶ τὰ τέκνα σπsδὴ ηεη8. 1241 b3. ὅθεν λέγεται μετὰ σπsδῆς ἀποδεικτικῆς Μλ8. 1073 a22. ὐκ ἄξιον μετὰ σπsδῆς σκοπεῖν Μα4. 1000 a19. ἐπαινεῖν μετὰ σπsδῆς, χωρὶς σπsδῆς; Ρα9. 1366 a29. τὴν τῶν ἐναντίων σπsδὴν διαφθείρειν γέλωτι Ργ18. 1419 b3.

Σταβέλβιος ο β1353 b8.

Στάγειρα. ἐκ μὲν Ἀθηνῶν εἰς Στάγειρα, ἐκ δὲ Σταγείρων εἰς Ἀθήνας f 619. 1582 b20, 21.

στάγων. μεταβάλλεται εἰς σταγόνας ἡ ἀτμὶς φτΒ1. 822 b22.

σταδιεύειν. ἥλιος τὰς ἀπὸ ἀνατολῆς μέχρι δύσεως δρόμsς σταδιεύων f 13. 1476 a28.

στάδιον Οα11. 281 a21. ἐν τῷ σταδίῳ ἀπὸ τῶν ἀθλοθετῶν ἐπὶ τὸ πέρας Ηα2. 1095 b1. ἐν τῷ σταδίῳ κινεῖσθαι ἐξ ἐναντίας Φζ9. 239 b33. πλοῖον δυοῖν σταδίοιν Πη4. 1326 a41. περὶ τριακόσια στάδια μα13. 351 a14.

στάζειν. τήκεται ὁ λίθος ὁ πυρίμαχος ὥστε στάζειν ὶ ῥεῖν μδ6. 383 b5. ῥέον ἀλλ' ὐ στάζον προέρχεται ἐν ταύταις (ταῖς θριξὶ) τὸ ὑγρόν Ζγε5. 782 b32. ὁ χυμὸς ὁ στάζων ἐκ τῆς ἀμπέλs φτα3. 818 b35. τὸ κόμι τὸ θερμὸν προέρχεται ἐν τῷ στάζεσθαι φτΒ9. 829 a16.

σταθεύειν. τῶν σηπιῶν τὰ σαρκία σταθεύσαντες ἕνεκα τῆς ὀσμῆς Ζιδ8. 534 a24.

σταθηρός. σταθηρᾶς ὶ συνεχῆς τροφῆς δεῖται τὸ φυτόν φτα2. 817 b28.

στάθμη. τὰ βίᾳ ῥιπτsμενα ἄνω κατὰ στάθμην πάλιν φέρεται εἰς ταὐτό ΟΒ14. 296 b24. εἰς μέσον τῶν τριῶν αἰσθητηρίων συνήγαγεν ἡ φύσις τὰς μυκτῆρας, οἷον ἐπὶ στάθμην θεῖσα μίαν ἐπὶ τὴν τῆς ἀναπνοῆς κίνησιν Ζμβ10. 657 a10.

σταθμός. 1. stabulum. οἱ τῶν ἐλάφων σταθμοὶ deser Ζιζ29. 578 b21. ι5. 611 a20. — 2. statera, pondus. εἰ σταθμὸς πλεῖον ἑλκύσει ΠΒ2. 1261 a27. ἐν βάρει σταθμὸς ὡρισμένος τὸ μέτρον Μν1. 1087 b37. νόμισμα τὸ πρῶτον ἁπλῶς ὁρισθὲν μεγέθει ἢ σταθμῷ Πα9. 1257 a39. θύννος ὐ σταθμὸς ἦν τάλαντα ιε' Ζιθ30. 607 b32. cf 20. 603 a18. ἄγειν (ἔχειν) σταθμὸν ἐλάττω, πλείονα, τὸν αὐτόν μδ6. 383 b3. πκα5. 927 a35. f 223.1518 b38. ἀπογίνεται ἀπὸ τs σταθμs, ὅσον ἕλκει ζῶσα (ὖς), τὸ ἕκτον μέρος εἰς τρίχας ὶ αἷμα Ζιθ6. 595 b2. σταθμῷ ἐλαφρότερα πε7. 881 a20. τὸ μικρὸν ὄθεν ἰσχύει ἐν ξύλῳ σταθμῷ ηεη4. 1239 a15.

σταῖς, σταῖς (Lob Par 88). σταῖς ἕλκτον μδ9. 386 b14. σταῖς, dist μᾶζα πκα8. 927 b23. 9. 927 b33. 15. 929 a6. 23. 929 b18. cf δ21. 879 a10. Λζ5. 966 b6.

σταλαγμός. σταλαγμὸς οἴνs μυρίοις χοεῦσιν ὕδατος ὐ μίγνυται Γα10. 328 a27. πῶς ὁ σταλαγμὸς κατατρίβει τὸν λίθον Φθ3. 253 b15, 18. πια28. 902 b1. οἱ τῶν ὑδάτων σταλαγμοὶ φαίνονται χρυσοειδεῖς τs φωτὸς ἀνακλωμένs χ3. 793 a15. σφῆκες ἐναφιᾶσι γόνον, ὅσον σταλαγμὸν Ζιε23. 554 b30, 555 a7. τὰ ὑπὸ τὰς σταλαγμὰς ἐδάφη χ5. 796 a11. κίονες πεπηγόσι ἀπὸ τινων σταλαγμῶν θ58. 834 b32.

σταλτικός. τὸ θερμὸν ὅλως πεπτικόν ἐστι ὶ ξηραντικόν, τὸ δὲ ψυχρὸν σταλτικόν πκθ14. 937 a39. cf α33. 863 a14.

στασιάζειν (cf στάσις 3). στασιάζειν ὶ φέρεσθαι ἐν τῷ κενῷ τὰς ὐσίας (Democr) διὰ τε τὴν ἀνομοιότητα ὶ τὰς ἄλλας διαφορὰς f 202. 1514 b18. στασιάζειν Ηι6. 1167 a34, b14. οἱ μὲν πλεῖοι στασιάζsσιν, ὁ δ' εἷς ἀστασίαστος Πγ15. 1286 b1. σωτηρία τῇ πόλει τὸ στασιάζειν τὰς βασιλεῖς (Laced) ΠΒ9. 1271 a26. προσκοπεῖν μὴ στασιάσωσιν αἱ πόλεις ρ2. 1422 b36. ἀσθενὲς τὸ στασιάζον Πε6. 1305 b18. στασιάζειν πρὸς ἀλλήλsς, opp τὴν πολιτείαν Πε3. 1302 b7. 5. 1305 a24. οβ1347 b31. ρ3. 1425 b15. στασιάζειν περί τινος, διά τι Πε2. 1302 a32. 3. 1303 b7. β7. 1266 b38. τίνες ἥκιστα στασιάζsσι Πε1. 1301 a39. στασιάζει ἡ τῶν μοχθηρῶν ψυχή Ηι4. 1166 b19.

στασιαστικῶς ο β1349 a3.

στασιαστικῶς χρῆσθαι τοῖς ὀστρακισμοῖς Πγ13. 1284 b22.

στάσιμος. ὕδατα στάσιμα, opp ῥυτά μβ1. 353 b19. πκγ20. 933 b21. στασιμωτέραν ποιεῖν τὴν κίνησιν Ζγα4. 717 a30. λέξις στάσιμος Ηδ8. 1125 a14. τῶν ῥυθμῶν οἱ μὲν ἦθος ἔχsσι στασιμωτέρον, οἱ δὲ κινητικόν Πθ5. 1340 b9. τὸ ἡρωικὸν

μέτρον στασιμώτατον χỳ ὀγκωδέστατον πο24. 1459 ᵇ34. ἡ
δωριστὶ ἁρμονία στασιμωτάτη χỳ μάλιστ' ἦθος ἔχει ἀνδρεῖον
Πθ7. 1342 ᵇ13. cf πιθ48. 922 ᵇ15 (dist πρακτικόν ᵇ13).
τὰ στάσιμα γένη ἐξίσταται εἰς νωθρότητα, τὰ εὐφυᾶ εἰς
μανικώτερα ἤθη Ρβ15. 1390 ᵇ30. τὸ ἠρεμαῖον ἐν τῇ ψυχῇ 5
χỳ στάσιμον αρ4. 1250 ᵃ44. — τὸ στάσιμον def πο12.
1452 ᵇ17, 23.
Stasini versus adhibetur Ρα15. 1376 ᵃ6. β21. 1395 ᵃ16.
στάσις. 1. syn ἀκινησία Φε4. 228 ᵇ6, 3. opp κίνησις, μετα-
βολή τδ6. 127 ᵇ16. Μγ2. 1004 ᵇ29. δ2. 1013 ᵇ25. ε1. 10
1025 ᵇ21. Φβ1. 192 ᵇ14. 3. 195 ᵃ23. Ζγδ10. 777 ᵇ33.
opp πνεῦμα μγ3. 373 ᵃ25. στάσις ἀέρος ἢ νηνεμία πκε4.
938 ᵃ24. ἡ διαλαμβανομένη στάσει κίνησις ἢ μία Φθ8.
264 ᵃ21. ε4. 228 ᵇ6, 3. παρέχειν τὴν στάσιν, syn μὴ πλα-
νᾶσθαι Ζγα13. 720 ᵃ30, 28. — 2. ἡ στάσις χỳ ἡ καθέδρα 15
θέσεις τινές Κ7. 6 ᵇ11. — τῷ φεύγοντι ἐν τῷ δικαστηρίῳ
τὴν δεξιὰν στάσιν διδόασιν πκθ12. 951 ᵃ16. κάμνειν τῇ
στάσει, opp κατακλίνεσθαι Ζιε14. 546 ᵃ26. — ἀνάλογον
ἕξει τῶν πνευμάτων ἡ στάσις μβ5. 362 ᵇ33. — 3. στά-
σεις, coni μάχαι πρὸς ἀλλήλας Πδ11. 1296 ᵃ27. ταραχαὶ 20
πολιτικαὶ Πε2. 1302 ᵃ22. στάσεις (συστάσεις Bk²) χỳ δια-
στάσεις Πδ11. 1296 ᵃ8. στάσεις χỳ διαφοραί Πη16. 1334
ᵇ37. φιλονεικίαι χỳ στάσεις Πε8. 1308 ᵃ31. στάσις χỳ κα-
κουργία Πβ6. 1265 ᵇ12. ἄτιμος ὁ ἐν στάσει πόλεως μηδε-
τέρᾳ μερίδι προσθέμενος f 353. 1538 ᵃ9, 7. στάσις πρὸς 25
ἀλλήλας, πρὸς τὸν δῆμον Πε1. 1302 ᵃ1. στάσιν ποιεῖν,
ἐμποιεῖν, ποιεῖσθαι, κινεῖν Πε4. 1304 ᵇ4. β6. 1265 ᵇ12. 7.
1266 ᵃ38. ε4. 1304 ᵃ36. διαλύειν τὰς στάσεις Πε4. 1303
ᵇ28. αἱ τῶν γνωρίμων στάσεις, γίνονται στάσεις ἐν τοῖς
κυρίοις Πε4. 1303 ᵇ31, 19. πολιτειῶν στάσεως ἀρχαὶ κα- 30
θόλου Πε1. πολιτειῶν στάσεις χỳ μεταβολαὶ ἐκ τίνων γίγνον-
ται, πῶς ἔχοντες στασιάζυσι, τίνων ἕνεκεν, τίνες αἱ ἀρχαὶ
Πε2-4. γίγνονται αἱ στάσεις ἢ περὶ μικρῶν ἀλλ' ἐκ μι-
κρῶν Πε4. 1303 ᵇ17. — στάσις i q στασιῶται: λόγυς ἐποιή-
σατο πρὸς τὴν ἑτέραν στάσιν οβ1348 ᵇ1. — 35
στασιώδης χỳ μοχθηρόν πλ11. 956 ᵇ29.
στασιωτικὸν τὸ μὴ ὁμόφυλον Πε3. 1303 ᵃ25. — στα-
σιωτικῶς ποιεῖσθαι τὴν κόλασιν Πε6. 1306 ᵃ38.
στάτευσις. περὶ στατεύσεως μδ2. 379 ᵇ14. 3. 381 ᵇ16-20.
στατήρ οβ1349 ᵃ28. ἐν Κυρήνῃ χρυσῦν νόμισμα f 486. 1557 40
ᵇ18. στατὴρ Κορίνθιος f 467. 1555 ᵃ1, 9. οἱ Σάμιοι ἐπέ-
γραψαν τοῖς ὀφλȣσιν ἐκ πέντε στατήρων τὴν ἰσοπολιτείαν
f 537. 1567 ᵃ29.
στατικός. ἀρχὴ κινητικὴ ἢ στατικὴ Μθ8. 1049 ᵇ8. cf τδ6.
127 ᵇ16. χỳ τὸ στατικὸν δυνατόν τι Μδ12. 1019 ᵃ35. τὸ 45
ψυχρὸν στατικὸν χỳ συσταλτικὸν χỳ φορὸν κάτω πιγ5.
908 ᵃ24.
σταφυλή. 1. μεθύσκονται ὕες σταφυλῆς στεμφύλων χορ-
τασθέντες f 102. 1494 ᵇ19. οἱ τῶν σταφυλῶν χυλοὶ ποτοί
φτα5. 820 ᵃ30. — 2. ἔσω ἄλλο μόριον σταφυλοφόρον, 50
κίων ἐπίφλεγος· ὃς ἐὰν ἐξυγρανθεῖ φλεγμήνῃ, σταφυλὴ
καλεῖται χỳ πνίγει Ζια11. 493 ᵃ3. cf S I 39, II 292. Ἀρι-
στοτέλης σταφυλοφόρον αὐτὸ καλεῖ, ὅτι φλεγμήναντος στα-
φυλῇ τι ὅμοιον ἐξ αὐτῦ κρεμάννυται· σταφυλὴν γὰρ ἢ τὸ
μόριον, ἀλλὰ τὸ πάθημα χρὴ ὀνομάζειν Rufus p 28. cf 55
Galen XII 960.
σταφύλινος (vl σταφυλῖνος cf Lob Prol 208). (ἵππος) ἐὰν
σταφυλῖνον περιχάνῃ· τῦτο δ' ἐστὶν ἡλίκον σφονδύλη Ζιθ24.
604 ᵇ18 Aub. (stafilion Thomae. staphylin C II 783. cf
S I 665. Curculio paraplecticus St. Staphylinus murinus 60
K 915, 3. Cr. fort Meloe Su 238, 58. in incert rel AZι I

171, 49. — pastinaca Gazae Scalig. 'Scaliger herbam
staphylinum intelligendam censuit' S.)
σταφυλοφόρος Ζια11. 493 ᵃ2. v σταφυλή.
στάχυς. οἱ ὑπερέχοντες τῶν σταχύων Πγ13. 1284 ᵃ30. ε10.
1311 ᵃ21. ἐν σχήματι στάχυος φτα4. 819 ᵇ20.
στέαρ (cf quae s v πιμελή allata sunt). refertur inter τὰ
ὑγρὰ τῶν ὁμοιομερῶν Ζμβ2. 647 ᵇ13. Ζια1. 487 ᵃ3. γ2.
511 ᵇ9 al. λεῖον φαίνεται, γεωδές ἐστι, πῆ γίνεται, ἐν τοῖς
νεφροῖς Ζιζ17. 571 ᵃ34. γ17. 520 ᵃ12. Ζμβ5. 651 ᵃ27. 6.
651 ᵇ30. γ9. 672 ᵃ11, ᵇ1. τὰ στέαρ ἔχοντα, τίνα Ζμδ3.
677 ᵇ15, 28. β5. 651 ᵃ27, 31. Ζιγ17. 520 ᵃ10 al. τὸ τῶν
ἰχθύων στέαρ πιμελῶδές ἐστι, ἔνιοι γόγγροι στέαρ ἔχυσι
Ζιγ17. 520 ᵃ21. ζ17. 571 ᵇ1. ἄρκτυ στέαρ θ67. 835
ᵃ30.
στεατώδης μυελός, ὑμήν, dist πιμελώδης Ζμβ6. 651 ᵇ30,
31, 35, 652 ᵃ7. δ3. 677 ᵇ15. Ζιγ20. 521 ᵇ11. στεατώδης
ἐπίπλοον, κόρη Ζιγ17. 520 ᵃ14. 18. 520 ᵇ4. τὰ στεατώδη
(int ζῷα), syn τὰ στέαρ ἔχοντα, dist τὰ πιμελώδη Ζμβ6.
651 ᵇ30. γ9. 672 ᵃ12, 36. δ3. 677 ᵇ15. Ζιγ20. 521 ᵇ11.
στεγανόπης. γένος στεγανόπων κολοιῶν, ν κολοιός p 402 ᵃ11.
— τῶν ὀρνίθων οἱ στεγανόποδες, τὰ στεγανόποδα (Schwimm-
vögel cf Su 157. ΑΖι I 81, 7) τετραδάκτυλοί εἰσι, βραχὺ
τὸ ὀρρογύγιον Ζμδ12. 695 ᵃ16. Ζιβ11. 504 ᵃ33. τὰ βρα-
χυσκελῆ βραχὺν ἔχει τὸν αὐχένα, χωρὶς τῶν στεγανοπόδων·
τὰ στεγανόποδα τὸν μὲν αὐχένα μακρὸν ἔχυσι, τὰ δὲ σκέλη
πρὸς τὴν νεῦσιν βραχέα· γίνεται αὐτοῖς ὁ μὲν αὐχὴν κα-
θάπερ ἁλιευτικὸς κάλαμος, τὸ δὲ ῥύγχος οἷον ὁρμιὰ χỳ τὸ
ἄγκιστρον Ζμδ12. 692 ᵇ24 (cf 694 ᵇ15), 693 ᵃ6, 22. πό-
δες, δάκτυλοι descr Ζιβ11. 504 ᵃ7. Ζμδ12. 693 ᵃ8. νευσι
τοῖς ποσί, χỳ διὰ μὲν τὸ τὸν ἀέρα δέχεσθαι χỳ ἀναπνεῖν δί-
ποδές εἰσι, διὰ δὲ τὸ ἐν ὑγρῷ τὸν βίον ἔχειν στεγανόποδες
Ζπ17. 714 ᵃ8. τὰ πολλὰ τῶν στεγανοπόδων ἢ ἁπλῶς ἢ
κατὰ τὸ μόριον ταὐτὸ θηρεύονται ζῇ τῶν ἐν τῷ ὑγρῷ ἔνια
ζωδαρίων Ζμδ12. 693 ᵃ20. cf Ζιθ3. 593 ᵃ27. τὰ πλωτὰ
στεγανόποδά ἐστι Ζιβ11. 504 ᵃ7. ὅσα ποηφάγα ὡς ὅσα
παρ' ἕλη ζῇ, καθάπερ τὰ πλωτὰ χỳ στεγανόποδα· ὡς ἐν
τῷ αὐτῷ γένει ὄντα τοῖς στεγανόποσι· οἱ στεγανόποδες
ref inter τὸς πλωτὸς τῶν ὀρνίθων Ζμγ1. 662 ᵇ10. δ12.
693 ᵃ8, 694 ᵇ3. f 268. 1526 ᵇ38. enumerantur Ζιθ3. 593
ᵇ15sq. ᵃ12. dist τὰ βαρύτερα Ζιθ3. 593 ᵃ15 (La-
mellirostres, Pygopodes, Totipalmati). — ὀρνίθας τὸς στε-
γανόποδας φ6. 810 ᵃ24 ci Gesn de av 317, 22 (ὄρτυγας
τὸς στενόποδας Bk), cf ὄρτυξ p 530 ᵇ22.
στεγανός. πλοῖα στεγανά f 513. 1562 ᵃ9. — στεγαναὶ αἱ
ὑλαί, ἀλλ' ȣκ ἀραιαί πδ4. 877 ᵃ2.
στέγειν. οἱ ὑψηλοὶ τόποι πλεῖστον χỳ δέχονται ὕδωρ χỳ στέ-
γȣσι χỳ ποιῦσι μα14. 352 ᵇ9. διὰ πυκνότητα στέγει ἡ
σάρξ τὸ προσπῖπτον θερμὸν πη19. 889 ᵃ11. λζ4. 966 ᵃ37.
— τῇ ἁλυκότητι μᾶλλον ἢ θάλαττα τὸς τε νηχομένας ἐξα-
ναφέρει χỳ στέγει· τὰ βάρη f 209. 1516 ᵃ17.
στέγη. Μάγνητες παρέχυσι τοῖς ἐπιδημȣσι στέγην f 388.
1573 ᵇ45.
στεγνός. ἐν στεγνῷ ποιεῖται ὁ κύψελος τὰς νεοττιὰς ὑπὸ
πέτραις χỳ σπηλαίοις Ζιθ30. 618 ᵃ35. ἐν τῷ στεγνῷ φυλάτ-
τειν, opp εἰς τὴν αἰθρίαν τιθέναι θ138. 844 ᵇ13.
σείρος. δένδρον σεῖρον ἀποκαθίσταται φτα6. 821 ᵃ12.
στέλεχος. τὸ στέλεχος χỳ οἱ κλάδοι μκ6. 467 ᵃ14. τὰ στε-
λέχη τῶν δένδρων χỳ τὰ φύλλα f 332. 1533 ᵇ41. τὸ στέ-
λεχος περιφερές πις9. 915 ᵃ26. ἔποψ εἰσδυόμενος εἰς τὰ
στελέχη τίκτει Ζιζ1. 559 ᵃ10.
στέλλειν. ἐστάλησαν αἱ ἀποικίαι αὗται f 560. 1570 ᵇ2. —

med, τὸ πρὸς τὸν κυβερνήτην τῦ ἱστίῳ μέρος στέλλονται μχ7. 851 ᵇ3.

στέμφυλον. μεθύσκονται ὕες σταφυλῆς στεμφύλων χορτα- σθέντες f 102. 1494 ᵇ19. τὰ στέμφυλα ἐλαίᾳ δεῖται (dictum Androclis, cf ᾿Ανδροκλῆς p 55 ᵃ45) Ρβ23. 1400 ᵃ13.

στεναγμάτων (Soph O R 5) x6. 400 ᵇ26.

στένειν. ὁ δελφὶς ἔξω ζῇ πολὺν χρόνον μύζων κ̀ στένων Ζιθ2. 589 ᵇ9.

στενόπορος ἀκτή (cf Λυκόφρων p 439 ᵇ49) Ργ3. 1405ᵇ36. στενόπορον στόμα, στενόποροι αὐχένες ᾿Ωκεανῦ x3. 393 ᵃ18, 22.

στενόπυς. στενόποδες ὄρτυγες φ6. 810 ᵃ24. cf στεγανόπυς p 698 ᵇ43.

στενοπροσωπότερον θῆλυ ἄρρενος φ5. 809 ᵇ5.

στενός. ἐκ πλατέος κ̀ στενῦ τὸ ἐπίπεδον ΜΑ9. 992 ᵃ12. μ9. 1085 ᵃ11. ν2. 1089 ᵇ13. ὅταν ἐξ εὐρέος εἰς στενὸν βιά- ζηται ὁ ἄνεμος μγ1. 370 ᵇ19. στενώτατος ἰσθμός x3. 393 ᵇ25. γλῶττα στενή, opp πλατεῖα Ζμδ12. 692 ᵇ7. πόδες στενοί φ6. 810 ᵃ18. ὀστῦν πλατύ, στενόν Ζγε8. 789 ᵃ2. φλέψ τείνυσα παρ᾿ αὐτὴν τὴν ῥάχιν διὰ τῶν στενῶν Ζια17. 497 ᵃ15 (cf Aub I 327). ἔντερον στενόν, στενώτερον κ̀ εἱλιγμένον Ζμγ14. 675 ᵃ35, ᵇ1, 8, 18. ὄφεων μορφὴ μακρὰ κ̀ στενή Ζμδ1. 676 ᵇ7. — τὴν τροφὴν ἐπιρρεῖν στενωτέραν Ζγε8. 789 ᵃ4. — ἀπὸ τῶν λεπτῶν χορδῶν τὰ φωνία γί- γνεται λεπτὰ κ̀ στενὰ κ̀ τριχώδη αx803 ᵇ24. — οἱ τῶν γραφικῶν (λόγοι) ἐν τοῖς ἀγῶσι στενοὶ φαίνονται Ργ12. 1413 ᵇ15. — comparativi forma στενότερον Ζμγ14. 675 ᵇ18, 19, sed στενώτερον 675 ᵃ35 al.

στενότης. ῥεῖ ἡ θάλαττα κατὰ τὰς στενότητας μβ1. 354 ᵃ6. σεισμοὶ γίνονται διὰ τὴν στενότητα μβ8. 366 ᵃ30. στενότης τῶν πόρων, τῦ οἰσοφάγυ Ζγε3. 782 ᵇ2. Ζια16. 495 ᵃ20. τὸ φρέαρ ἔχει τὴν στενότητα πια8. 899 ᵇ30.

στενοχωρεῖν. ὅταν τὰ ὕδατα στενοχωρῶνται ἐντός φτβ1. 822 ᵇ27.

στενοχωρὴς ἡ ὑστέρα πρὸς τὸ πλῆθος τῶν ᾠῶν Ζγγ4. 755 ᵃ27.

στενοχωρία. ῥήγνυται τὰ ἀγγεῖα, ἃ δέχονται αἱ φλέβες sim διὰ τὴν στενοχωρίαν Ογ7. 305 ᵇ16. β13. 294 ᵇ26. Ζγβ4. 738 ᵃ15. Ζιε15. 547 ᵃ3. αx800 ᵇ27. αἱ στενοχωρίαι ἀλεεινότεραι πκε19. 939 ᵇ24.

Στεντόρειος κῆρυξ Πη4. 1326 ᵇ7.

στέργειν. πάντα στέργομεν τὰ πρῶτα μᾶλλον Πη17. 1336 ᵇ33. opp δυσχεραίνειν, ἦθος στέργον τὸ καλὸν κ̀ δυσχε- ραῖνον τὸ αἰσχρόν Ηx10. 1179 ᵇ30. opp μισεῖν Πη7. 1328 ᵃ16. syn φιλεῖν Ηθ3. 1156 ᵃ15. 5. 1157 ᵃ31. δ'12. 1126 ᵃ6 ᵇ23, 22. στέρξαι ἐκ τῆς συνηθείας τὰ ἤθη, στέργεσθαι λέγονται, κ̀ αὐτὰς ἀλλὰ τὰ ὑπάρχοντα Ηθ5. 1157 ᵃ11. ιι. 1164 ᵃ10. οἱ γονεῖς στέργυσι τὰ τέκνα ὡς ἑαυτῶν τι ὄντα, πάντες στέργυσι τὰ ἔργα, τὰ ἐπιπόνως γενόμενα μᾶλλον, τὰ χρή- ματα οἱ κτησάμενοι στέργυσι μᾶλλον Ηθ14. 1161 ᵇ18, 25. ιτ. 1168 ᵃ2, 8 (cf ἀγαπᾶν 1167 ᵇ34), 22, 24. ἐκ γενετῆς ἀλλήλας στέργειν Ηθ14. 1162 ᵃ12. αἱ χελιδόνες στέργυσιν ἀλλήλας Ζιι7. 613 ᵃ7. αἱ στέριφαι (ἵπποι) τὰ πωλία στέρ- γυσιν Ζιι4. 611 ᵃ13 Aub. στέργοντες sine obiecto Ηx10. 1180 ᵇ6 (cf Zell ad h l). — δεῖ στέργειν τὴν τύχην νεη10. 1243 ᵇ9.

στερεῖν. τὸ πλῆθος ὐκ ἀγανακτεῖ τῶν ἀρχῶν στερύμενον ρ3. 1424 ᵇ5. ὅσων στερήσονται ἀγαθῶν sim Πβ5. 1263 ᵇ28. ρ37. 1445 ᵃ7. 35. 1440 ᵃ37. — ἐστερῆσθαι, στερηθῆναι sensu philosophico, cf στέρησις. ἐστερῆσθαι λέγομεν ἕκα- στον τῶν τῆς ἕξεως δεκτικῶν, ὅταν ἐν ᾧ πέφυκεν ὑπάρχειν

κ̀ ὅτε πέφυκεν ἔχειν μηδαμῶς ὑπάρχῃ Κ10. 12 ᵃ29. ἐστε- ρῆσθαι, grammatice, dist στέρησις Κ10. 12 ᵃ35, 39. ἐὰν μόνον ἦ ἐστερημένον, dist ἐὰν ᾖ ποτὲ ᾖ ἕν τινι Μι5. 1055 ᵇ21. ὁτὲ μὲν τῷ ἔχειν τι δοκεῖ, ὁτὲ δὲ τῷ ἐστερῆσθαι τοι- ῦτον εἶναι Μδ12. 1019 ᵇ6. τὸ κενὸν τόπος ἐστερημένος σώ- ματος Φδ1. 208 ᵇ27. ἐὰν στερηθῇ θερμότητος μδ11. 389 ᵇ21.

στερεομετρία. τὰ μηχανικὰ πῶς ἔχει πρὸς στερεομετρίαν Αγ13. 78 ᵇ38.

στερεός. στερεὸν κ̀ στιφρόν, opp ὑγρὸν κ̀ μαλακόν Ζγγ3. 754 ᵃ34, 35. οἱ ἐπιτραγίαι ὅσοι (ὅλοι ci Aub) στερεοί εἰσι κ̀ πίονες Ζιδ11. 538 ᵃ16. ὅσα μάλιστα πέπηγε κ̀ στερεώ- τατά ἐστι μδ8. 389 ᵇ20. Ζγγ2. 753 ᵇ9, 8. τὸ στερεώτερον Ζγγ4. 755 ᵃ19. φύσις στερεὰ κ̀ γεώδης Ζγε3. 782 ᵃ30. μδ7. 384 ᵃ28. προσπίπτειν στερεοῖς ὄγκοις μβ8. 368 ᵃ23. τὰ στερεὰ τῶν μαλακίων, cf μαλάκιον p 443 ᵇ22. τὸ στε- ρεὸν τῶν ὀστρακοδέρμων, θραυστὸν κ̀ κατακτόν, ἀλλ᾿ ὐ θλαστόν Ζιδ1. 523 ᵇ10. τὸ στερεὸν τῶν μαλακοστράκων, cf μαλακόστρακον p 444 ᵃ61. — δύο ἀκίνητα σημεῖα, στερεὰ μένοντα x2. 391 ᵇ22. — στερεὰ κέρατα, opp κοῖλα Ζιβ1. 500 ᵃ6. γ9. 517 ᵃ23, 24, 21. Ζμγ2. 663 ᵇ12, 15. Ζγβ8. 747 ᵇ27. στερεόν, syn πλῆρες, opp κενόν (Democr) ΜΑ4. 985 ᵇ7. Φα5. 188 ᵃ22. — στερεὸν mathematice Φβ2. 193 ᵇ24. Οβ4. 286 ᵇ13. γ8. 306 ᵇ7. Μν3. 1090 ᵇ7. τζ4. 141 ᵇ7, 22. σχήματα στερεά Ογ5. 304 ᵃ15. ἡ τετρὰς ἀριθμὸς τῦ στερεῦ (Plat) ψα2. 404 ᵇ24. Μν3. 1090 ᵇ23. ἀριθμὸς στερεός Πε12. 1316 ᵃ8.

στερεότης. δεῖ τὸ ψοφῆσειν μέλλον λεῖον εἶναι κ̀ στερεότητα ἔχειν Ζμγ3. 664 ᵇ2.

στερεῦν. ὕδωρ ἐστὶ τὸ στερεῦν τὰ ὀστρακώδη φτβ1. 822 ᵃ18. — pass, ἔδει ψυχόμενον στερεῦσθαι, syn συνίστασθαι, παχύνεσθαι Ζγβ2. 735 ᵇ2.

στερέωμα. τοῖς ὄφεσιν ἀκανθώδης ἐστὶν κ̀ τῶν ὀστῶν φύσις, πλὴν τοῖς λίαν μεγάλοις· τύτοις δὲ πρὸς τὴν ἰσχὺν ἰσχυ- ροτέρων δεῖ τῶν στερεωμάτων Ζμβ9. 655 ᵃ22.

στέρησις. ἡ βιαία ἑκάστυ ἀφαίρεσις στέρησις λέγεται Μδ22. 1022 ᵇ31. cf σδ1346 ᵇ26. — στέρησις sensu philosophico. ad oppositionis (τῦ ἀντικεῖσθαι) genera, quae quatuor enu- merat, Ar refert ἕξιν κ̀ στέρησιν Κ10. 11 ᵇ18. τα15. 106 ᵇ21. β8. 104 ᵃ7. ποσαχῶς λέγεται Μδ22 Bz. θ1. 1046 ᵃ32. f 119. 120. ὁσαχῶς τὸ ᾶ ἀποφάσεις λέγονται, κ̀ αἱ στερήσεις λέγονται Μδ22. 1022 ᵇ32. Αα46. 52 ᵃ15. Ργ6. 1408 ᵃ7. ἕξις et στέρησις πῶς ἀντίκεινται, et quo- modo ea oppositio differat a relatione (πρός τι) et a con- trarietate Κ10. 12 ᵃ26-13 ᵃ37 Wz (grammatice στέρησις et ἐστερῆσθαι dist Κ10. 12 ᵃ35), quomodo differat a contra- dictione et a contrarietate Μι4. 1055 ᵇ2-29 Bz. cf Trdlbg Kat p 103 sqq. Zeller Gesch II 2, 154, 3. — ἡ στέρησις ἀντίφασίς τίς ἐστιν Μι4. 1055 ᵇ3. στερήσει ἀναγ- καῖον διαιρεῖν κ̀ διαιρῦσιν οἱ διχοτομῦντες, ὐκ ἔστι δὲ δια- φορὰ στέρησις κ̀ στέρησιν ἡ στέρησις· αἱ στερήσεις ὐ τῇ διχοτομίᾳ ὐ ποιήσυσι διαφορὰν Ζμα3. 642 ᵇ21, 22, 643 ᵇ25. τῆς στε- ρήσεως ὐσία ἡ ὐσία ἡ ἀντικειμένη Μζ7. 1032 ᵇ3. ἡ ἀπο- βολαὶ ἢ λήψεις, ἢ ἕξεις ἢ στερήσεις τῶν τοιύτων Μδ10. 1018 ᵃ34. ἄμφω κ̀ ἡ παρυσία κ̀ ἡ στέρησις Μδ2. 1013 ᵇ15. τὸ κενὸν κ̀ ἡ στέρησις ὀκ εἶναι χωρις Φδ8. 215 ᵃ11. τὸ εἶναι τῷ ἀπείρῳ στέρησις Φγ7. 208 ᵃ1. — ἀντι- φάσεως ὐκ ἔστι μεταξύ· στερήσεως δέ τινος ἐστιν Μι4. 1055 ᵇ9. ἔστιν ἡ στέρησις ἀντίφασίς τις ἢ ἀδυναμία διο- ρισθεῖσα ἢ συνειλημμένη τῷ δεκτικῷ Μι4. 1055 ᵇ7 Bz, 11. 5. 1056 ᵃ21, eodem spectat quod στέρησις esse dicitur ἀπόφασις ἀπό τινος ὡρισμένε γένες, τᾶ δεκτικᾶ, τᾶ κατὰ φύσιν ὑπάρχοντος, ἂν πεφυκὸς ᾗ ὅτε πέφυκεν ἔχειν μὴ ἔχῃ sim Μγ6. 1011 ᵇ19. 2. 1004 ᵃ15. ι10. 1058 ᵇ27. δ22. 1022 ᵇ27, 30. Φε2. 226 ᵇ15. τζ3. 141 ᵃ11. f 119. 120 (cf Simpl ad Φα7. Schol 341 ᵇ27 διαφέρει ἡ στέρησις τῆς 5 ἀντιφάσεως τῷ προσσημαίνειν τὸ ἐν ᾧ ἐστίν). ὁ λόγος ὁ αὐτὸς δηλοῖ τὸ πρᾶγμα κ̓ τὴν στέρησιν Μθ2. 1046 ᵇ8. ἀπόφασιν κ̓ στέρησιν μιᾶς ἐστι θεωρῆσαι ἐπιστήμης Μγ2. 1004 ᵃ11 Bz. — τῶν ἐναντίων θάτερον στέρησις Μγ6. 1011 ᵇ18. 2. 1004 ᵇ27. x3. 1061 ᵃ20. 6. 1063 ᵇ17. 11. 1068 ᵃ6. 10 Φε1. 225 ᵇ3. 6. 229 ᵇ25, 26. Αγ4. 73 ᵇ21. ἡ μὲν ἐναν- τίωσις στέρησις ἄν τις εἴη πᾶσα, ἡ δὲ στέρησις ἴσως ε πᾶσα ἐναντιότης Μι4. 1055 ᵇ14. — στέρησις τελεία. πρώτη Μι4. 1055 ᵃ34 Bz. θ2. 1046 ᵇ15. στέρησις ἐξ ἀνάγκης (videtur i q ἀντίφασις significare) Μι5. 1056 ᵃ20 Bz. — 15 in explicandis summis principiis rerum naturae et gene- rationis Ar notione στερήσεως ita utitur, ut inde ambigua eius inter affirmationem et negationem natura appareat; etenim et plenam formae absentiam, quae est τῆς ὕλης natura, στέρησιν appellat, oppositam τῷ εἴδει, quo materia 20 determinetur, ἡ στέρησις ᾗ ἡ ἐναντίωσις συμβεβηκὸς τῇ ὕλῃ Φα7. 190 ᵇ27. ὧν ἡ στέρησις ἄδηλος, οἷον ἐν χαλκῷ σχήματος ὁποιωῦν Μζ7. 1033 ᵃ14. γίγνεσθαι μὲν ὐδέν φαμεν ἁπλῶς ἐκ μὴ ὄντος, ὅμως μέντοι γίγνεσθαι ἐκ μὴ ὄντος, οἷον κατὰ συμβεβηκός· ἐκ γὰρ τῆς στερήσεως, ὅ ἐστι καθ᾽ 25 αὐτὸ μὴ ὄν, ὐκ ἐνυπάρχοντος γίγνεταί τι Φα8. 191 ᵇ15. ἡμεῖς ὕλην κ̓ στέρησιν ἕτερον φαμεν εἶναι, κ̓ τύτων τὸ μὲν ὐκ εἶναι κατὰ συμβεβηκός, τὴν ὕλην, τὴν δὲ στέρησιν καθ᾽ αὐτήν, κ̓ τὴν μὲν ἐγγὺς κ̓ ὐσίαν πως, τὴν ὕλην, τὴν δὲ στέρησιν ὐδαμῶς Φα8. 192 ᵃ3-6, 26; et cum duplicem di- 30 stinguat formarum seriem (συστοιχίαν), alteram meliorem, deteriorem alteram, illam tamquam affirmativam εἶδος, hanc negativam στέρησιν nuncupat: ἕκαστον δὲ διχῶς ὑπ- άρχει πᾶσιν, οἷον τὸ τόδε· τὸ μὲν γὰρ μορφὴ αὐτῆ, τὸ δὲ στέρησις· κ̓ κατὰ τὸ ποιόν· τὸ μὲν γὰρ λευκὸν τὸ δὲ μέ- 35 λαν· κ̓ κατὰ τὸ ποσὸν τὸ μὲν τέλειον τὸ δὲ ἀτελές κτλ Φγ1. 201 ᵃ5. Μκ9. 1065 ᵇ11. ᾗς μὲν μᾶλλον κ̓ διαφοραὶ τόδε τι σημαίνεσι, μᾶλλον ὐσία, ᾗς δὲ στέρησιν, μὴ ὄν, οἷον τὸ μὲν θερμὸν κατηγορία τις κ̓ εἶδος, ἡ δὲ ψυχρότης στέρησις Γα3. 318 ᵇ16, 17. cf β5. 332 ᵃ23. Οβ3. 286 ᵃ25. 40 ὑποκείμενον ὡς τόδε τι, ὑποκείμενον ὡς κατὰ στέρησιν Μη1. 1042 ᵇ3. καθ᾽ ἕξιν κ̓ κατὰ τὸ εἶδος, κατὰ στέρησιν κ̓ φθοράν Μη5. 1044 ᵇ33. ἀρχαὶ τρεῖς, τὸ εἶδος κ̓ ἡ στέρησις κ̓ ἡ ὕλη Μλ4. 1070 ᵇ19, 12. 2. 1069 ᵇ34. 5. 1071 ᵃ9. Φα7. 191 ᵃ14 (sed sufficere, si pro στερήσει ponatur ἀπυσία τᾶ 45 εἴδες ᵃ5). τὴν κίνησιν ἢ εἰς στέρησιν ἀναγκαῖον θεῖναι ἢ εἰς δύναμιν ἢ εἰς ἐνέργειαν ἁπλῶ Φγ2. 201 ᵇ34. ἡ ἠρεμία στέρησις κινήσεώς ἐστι Φθ8. 264 ᵃ27. φαίνεται στέρησίς τις ὁ ὕπνος τῆς ἐγρηγόρσεως υ1. 453 ᵇ26. ἡ στιγμὴ κ̓ πᾶσα διαίρεσις δηλῶται ὥσπερ ἡ στέρησις Ψγ6. 430 ᵇ21. στερήσει 50 θερμῶ, ὑγρῶ μδ8. 385 ᵃ32. 10. 388 ᵃ14. ἡ ψύξις στέρησις θερμότητός ἐστι Ζγβ6. 743 ᵃ36, sed τὸ ψυχρὸν φύσις τις ἀλλ᾽ ὐ στέρησίς ἐστιν, ἐν ὅσοις τὸ ὑποκείμενον κατὰ πάθος θερμόν ἐστι Ζμβ2. 649 ᵃ19, nam ἡ στέρησις εἶδός πως ἐστιν, ἡ στέρησίς ἐστιν ἕξις πως Φβ1. 193 ᵇ19, 20. Μθ12. 55 1019 ᵇ7 Bz.

στερητικός. πρότασις στερητική i q ἀποφατική Αα2. 25 ᵃ6, 3, 12. 3. 25 ᵃ35 ac saepe. εἰ πρὸς τῷ γ τεθείη τὸ στερη- τικόν, opp ἐὰν δὲ κατηγοριᾶι Αα19. 38 ᵇ13 Wz. ἡ δεικτικὴ ἀπόδειξις βελτίων τῆς στερητικῆς Αγ25. ἀμφοῖν ἀπόφασις 60 στερητική Μι5. 1056 ᵃ17 Bz. διαθέσεις στερητικαί, opp ἕξεις

ψβ5. 417 ᵇ15. τῆς ἑτέρας συστοιχίας αἱ ἀρχαὶ διὰ τὸ στερητικαὶ εἶναι ἀόριστοι Φγ2. 201 ᵇ26. Μκ9. 1066 ᵃ15. — στερητικῶς i q ἀποφατικῶς Αα4. 26 ᵇ22, 23. 5. 27 ᵃ27 al. ὡρισμένα πως τὰ χρώματα ἐφ᾽ ὧν λέγεται στε- ρητικῶς ἡ ἀπόφασις αὕτη Μι5. 1056 ᵃ29.

στερίσκεσθαί τινος. τὰ ζῷα στερισκόμενα τᾶ ὑγρᾶ ὐ δύ- ναται ζῆν sim Ζια1. 487 ᵃ18. 4. 489 ᵃ20. ε15. 547 ᵇ17. μόνον γὰρ αὐτὴ κ̓ θεὸς στερίσκεται (Agath fr 5) Ηζ2. 1139 ᵇ10. — στερισκομένε τᾶ αἵματος κ̓ ἀφιεμένε ἔξω (τὰ ζῷα) ἐκθνήσκωσιν Ζιγ19. 521 ᵃ10.

στέριφαι ἵπποι Ζι4. 611 ᵃ12.

στερκτικός σφόδρα ὁ λέων πρὸς τὰ συνήθη Ζυ44. 629 ᵇ11.

στέρνον πια61. 905 ᵇ40. cf Da I 47.

στερρός. ἐν πᾶσι τοῖς ζῳοτοκῦσι τὰ στερρὰ τῶν θηλέων ἀφροδισιαστικά Ζγδ5. 773 ᵇ33, 30 Aub. ἡ μὲν κυματώδης γῆ στερρά, ἡ δ᾽ ἄποθεν χαῦνος πκγ29. 934 ᵇ11. τὸ ὕδωρ ἐστὶ στερρὸν κ̓ οἱ λίθοι στερροί φτβ2. 823 ᵃ4.

στερρότης. ἡ ἵππος διὰ τὴν τῆς φύσεως στερρότητα Ζγδ5. 773 ᵇ27 Aub.

στεφανίτης ἀγών, στεφανίτης τὰ Ὀλύμπια Ρα2. 1357 ᵃ19, 21.

στεφανοποιοί ημβ7. 1206 ᵃ27.

στέφανοι λεύκινοι οβ1353 ᵇ26. στεφάνοις διὰ τί ἐχρῶντο ἐν τοῖς συμποσίοις f 108. 1495 ᵇ18, 13. ὁ βασιλεὺς τὸν στέ- φανον ἀποθέμενος σὺν τοῖς ἐξ Ἀρείε πάγε δικάζει f 385. 1542 ᵃ22. στέφανον μὴ τίλλειν, τετέστι τὺς νόμυς μὴ λυμαίνεσθαι (Pythag) f 192. 1512 ᵇ1. — στέφανος, sidus μβ5. 362 ᵇ10.

στεφανῦν. στεφανῦνται οἱ ἀγωνιζόμενοι, οἱ νικῶντες Ηα9. 1099 ᵃ4. ηεβ1. 1219 ᵇ9. ἕνεκα τᾶ στεφανωθῆναι ὑπὸ τῶν πολιτῶν πόνυς ὑπομένειν ρ4. 1426 ᵃ13. διὰ τί βέλτιον τὴν κεφαλὴν στεφανῦσθαι f 90. 1492 ᵃ30.

στέφειν. θεὸς μορφὴν ἔπεσι στέφει (Hom θ170) f 108. 1495 ᵇ11. τὸ στέφειν πλήρωσίν τινα σημαίνει f 108. 1495 ᵇ9, 20.

στηθικός. κατὰ μέσον τᾶ στηθικᾶ τόπε Ζμγ4. 666 ᵇ7.

στηθίᾳ διαφοραὶ τί σημαίνεσι· στηθία μεγάλα διηρθρωμένα φ6. 810 ᵇ23. Lob Phryn 211.

στῆθος (Da I 47). 1. θώρακος μέρος Ζια12. 493 ᵃ11. cf Ga- len XVIIIA 412, 413. μετὰ τὸν αὐχένα ἐν τοῖς προσθίοις στῆθος διφυὲς μαστοῖς Ζια12. 493 ᵃ12 (cf Plat Tim 69 E). τὸ μέσον μέρος, τῦτο ἐν τοῖς μεγίστοις τῶν ζῴων καλεῖται στῆθος, ἐν δὲ τοῖς ἄλλοις τὸ ἀνάλογον ζ. 468 ᵃ16. cf Ζιδ7. 531 ᵇ28. μεταξὺ τῶν ἀγκώνων τοῖς ἀνθρώποις, τοῖς δ᾽ ἄλλοις τῶν ἐμπροσθίων σκελῶν, τὸ καλύμενον στῆθός ἐστι Ζμδ10. 688 ᵃ13. αἱ συγκλείεσαι πλευραὶ τὸ στῆθος· ἔστι τὸ στῆθος ἐπὶ πλευραῖς ὠκείμενον Ζμβ9. 654 ᵇ35. Ζιγ7. 516 ᵃ29. τὸ ἄνω μέρος τᾶ στήθυς, ὑπὸ τὸ στῆθος Ζια17. 496 ᵃ17, 14. μετὰ τὸ στῆθος ὁ περὶ τὴν κοιλίαν ἐστὶ τόπος ἀσύγκλειστος ταῖς πλευραῖς, ὑπὸ τὸ στῆθος ἡ κοιλία Ζμδ10. 688 ᵇ34. 12. 693 ᵇ18. τᾶ στήθυς τὸ ὄπισθεν νῶτον· στῆθος κ̓ νῶτον, τὸ μὲν ἐκ τῶ πρόσθεν τὸ δ᾽ ἐκ τῶ ὄπισθεν Ζια14. 493 ᵇ12. 15. 494 ᵇ2. cf δ7. 531 ᵇ28. κοινὸν μέρος αὐχένος κ̓ στήθυς σφαγή Ζια14. 493 ᵇ7. ἐκ τᾶ στήθυς αἱ χεῖρες ἤρτηνται πκζ6. 948 ᵃ39. — ἡ καρδία κεῖται πρὸς τῷ στήθει Ζμγ4. 666 ᵇ2, 7. τὰ ὀξέα (τῆς καρδίας) κατὰ τὸ στῆθος, κατὰ μέσον τὸ στῆθος, τὺς ἰχθύσιν ἡ πρὸς τὸ στῆθος ἀλλὰ πρὸς τὴν κεφαλὴν, τοῖς ὄφεσιν ἐπὶ τῶ φάρυγγος ἢ πρὸς τὸ στῆθος Ζια17. 496 ᵃ8, 14. β17. 507 ᵃ4, 508 ᵃ31. οἱ μαστοὶ ἐν τῷ στήθει Ζια1. 486 ᵇ25. β1. 500 ᵃ16, 24. 8. 502 ᵃ34. Ζμδ10. 688 ᵃ30, cf 19, πρὸς τῷ στήθει, syn περὶ τὰς μασχάλας Ζιβ1. 498 ᵃ1, 500 ᵃ19, opp ἐν τοῖς μηροῖς, ἐν

τῇ γαστρί Ζιβ1. 500 ᵃ16, 25. cf α1. 486 ᵇ25. — ἅμα ἡ
ἀνάπνευσις κ̃ ἔκπνευσις γίνεται εἰς τὸ στῆθος, ἐκ τῦ στήθυς
ἡ ἀναπνοὴ κ̃ ἐκπνοή, ἐκ τῦ στήθυς ἡ φωνὴ τρέμει, τὸ
θερμὸν ἠθροῖσθαι εἰς τὸν περὶ τὸ στῆθος τόπον ὄντα εὐσω-
ματωδέστερον Ζια11. 492 ᵇ9, 10. πχζ6. 948 ᵃ38. β31.869
ᵇ14. — τὸ ἀνάλογον τῷ στήθει. (ὄρνις) ἔχει κ̃ νῶτον κ̃ τὰ
ὕπτια τῦ σώματος κ̃ τὸ ἀνάλογον τῷ στήθει· τὰ τετρά-
ποδα κ̃ ᾠοτόκα κ̃ ἔναιμα ἔχει τὸ ἀνάλογον τῷ στήθει
Ζιβ12. 503 ᵇ31. 10. 502 ᵇ32. (ὄφεις) ἔχυσι κ̃ τῷ στήθει
ἀνάλογον μόριον Ζμβ11. 692 ᵃ9. cf τοῖς ἐντόμοις κοινὰ
μέρη τρία, κεφαλή, τὸ περὶ τὴν κοιλίαν κύτος κ̃ τρίτον τὸ
μεταξὺ τύτων, οἷον τοῖς ἄλλοις τὸ στῆθος κ̃ τὸ νῶτον ἐστίν
Ζιδ7. 531 ᵇ28. — ἀνθρώπυ στῆθος. τοῖς ἀνθρώποις ἔχον
πλάτος εὐλόγως, πλατύ Ζμδ10. 688 ᵃ13. Ζιβ1. 497 ᵇ34.
ἀνδρείῳ τὸ στῆθος σαρκῶδές τε κ̃ πλατύ, ἀναίδυς ἀνεσπα-
σμένον φ3. 807 ᵃ36, ᵇ33. τὴν κοιλίαν ἧττον ἰδρῦμεν ἢ τὸ
στῆθος πβ14. 867 ᵇ16. ἀγαθοὶ φαγεῖν οἷς τὸ ἀπὸ τῦ ὀμ-
φαλῦ πρὸς στῆθος μεῖζόν ἐστι κ̃ τὸ ἐντεῦθεν πρὸς τὸν
αὐχένα φ3. 808 ᵇ3. cf πι64. 898 ᵇ1. — ζῴων στῆθος. ὅσα
ἔχει στῆθος Ζια17. 496 ᵃ9, 15. πᾶσιν ἀσαρκότερον τὸ στῆ-
θος, opp τὰ δὲ πρανῆ σαρκωδέστερα Ζμγ4. 666 ᵇ4. τῷ
στήθει τῷ ἀνθρώπυ πάντα τὰ ζῷα ἀνάλογον ἔχει τῦτο
τὸ μόριον ἀλλ' ὐχ ὅμοιον· τὰ δ' ἄλλα στενὸν ἔχει τὸ
στῆθος Ζιβ1. 497 ᵇ32, 34. τοῖς τετράποσι στενὸν τῦτ' ἐστὶ
τὸ μόριον Ζμδ10. 688 ᵃ17. λέοντος στῆθος νεανικόν φ5.
809 ᵇ27. avibus τὸ στῆθος στενὸν ἔχυσιν ἅπαντες ὀξὺ κ̃
σαρκῶδες, syn ἰσχυρὸν κ̃ ὀξὺ Ζμβ16. 659 ᵇ9. δ12. 693
ᵇ15. Ζπ10. 710 ᵃ30, 32. τῶν ὀρνιθίων πν6. 484 ᵃ38. τὰ
γαμψώνυχα ἔχει τὸ στῆθος ἰσχυρότερον τῶν ἄλλων Ζιβ12.
504 ᵃ4. στῆθος καράβων, καρίδων Ζιδ2. 527 ᵃ11, 19, 22.
— τὰ στήθη saepe i q στῆθος διφυές cf Plat Tim 69E,
79C. ἔστι διὰ τῆς ἀρτηρίας ἐκ τῶν στηθῶν ἡ ἀναπνοὴ αν7.
473 ᵃ19. ἕτεραι (φλέβες) διὰ τῶν στηθῶν ὑπὸ τὴν μα-
σχάλην, ἀπὸ τῦ περὶ τὰ στήθη κηρυκώδης ἐστὶν ἐλιγμὸς
(ταῖς καρίσι) Ζιγ2. 512 ᵃ4. δ2. 527 ᵃ28. ὐδὲ τὰ στήθη
γυμνὰ ἔχοντα βαδίζειν ἐν ἡλίῳ πλζ3. 966 ᵃ29. τοῖς συλλε-
γομένοις ἄνω ἔρχεται τὸ θερμὸν περὶ τὰ στήθη, κ̃ λύπη κατά-
ψυξίς ἐστι τῦ τόπυ τῦ περὶ τὰ στήθη πια53. 905 ᵃ13. 13.
900 ᵃ27. ὅσοις τὰ ἀπὸ τῦ ὀμφαλῦ κάτω μείζονα ἢ τὰ
πρὸς τὰ στήθη βραχυβίοι κ̃ ἀσθενεῖς πι64. 898 ᵇ1. cf supra
φ3. 808 ᵇ3. ἐν ἑκατέρῳ γένει τὸ θῆλυ τὰ στήθη ἀσθενέ-
στερα ἔχει, αἱ γυναῖκες τὰ στήθη ψιλὰ ἄγαν ἔχυσι φ5.
809 ᵇ6. 6. 812 ᵇ17. (ὁ θυμώδης) λεῖος περὶ τὰ στήθη, οἱ
περὶ τὰ στήθη ἄγαν δασέως ἔχοντες φ3. 808 ᵃ22. 6. 812
ᵇ14. (ὄρνιθες) τὰ στήθη δασύτατα ἔχυσιν· οἷς περὶ τὰ στήθη
ἐπιφλεγές τὸ στῆθος, τοῖς ὀργιζομένοις ἐπιφλέγεται τὰ
περὶ τὰ στήθη φ6. 812 ᵇ16, 25, 27. θυμὸς ἀνδρῶν ἐν στή-
θεσσιν ἀέξεται (Hom Σ 110) Ρβ2. 1378 ᵇ6.

2. στῆθος ποδός cf Galen XVIIIA 613-15. Oribas IV
538. Daremberg not et extraits I 135, planta. τὸ σαρ-
κῶδες κάτωθεν στῆθος Ζια15. 494 ᵃ13 Aub.

στήλη. ἐποιήσαντο συνθήκας κ̃ στήλην ἐν Ἀλφειῷ κοινὴν ἀνέ-
στησαν f 550. 1569 ᵃ7. — στῆλαι Ἡρακλέυς, Ἡράκλειοι,
cf Ἡρακλῆς p 320 ᵃ28, 31. τὰ ἔξω στηλῶν, ἡ ἔξω στηλῶν
θάλαττα μβ1. 354 ᵃ22, 3. α13. 350 ᵇ3.

στηλίτης. Λεωδάμας ἦν στηλίτης γεγονὼς ἐν τῇ ἀκροπόλει
Ρβ23. 1400 ᵃ32.

στημονίζεσθαι. (ὁ ἀράχνης) ὑφαίνει πρῶτον, εἶτα στημο-
νίζεται ἀπὸ τῦ μέσυ, ἐπὶ δὲ τύτοις ὥσπερ κρόκας ἐμβάλλει,
εἶτα συνυφαίνει Ζι39. 623 ᵃ9.

στημόνιον, dist κρόκη (Plat Legg V 734E) Πβ6. 1265 ᵇ20.

στήμων. αἱ τὰς ἱστὰς ὑφαίνυσαι τὸν στήμονα κατατείνυσι
προσάπτυσαι τὰς καλυμένας λαιάς Ζγε7. 787 ᵇ25.

στηριγμός. ὁ στηριγμός ἐστι χωρὶς φορᾶς προμήκης ἔκτασις
κ̃ οἷον ἄστρυ ῥῦσις κ4. 395 ᵇ7.

στηρίζειν. τὸ αὐτῷ στηριζόμενον κ̃ ἐν αὐτῷ ὂν ἀκίνητον
εἶναι ἀνάγκη· στηρίζειν αὐτὸ αὑτό φησι (Ἀναξαγόρας) τὸ
ἄπειρον Φυ5. 205 ᵇ7, 2, 19. ἐφ' ὕβυ (τῦ κάτω) στηρίζεται
τὸ ἄλλο (τῦ καμηλῦ) σῶμα, ὅταν κατακλιθῇ ἐς γόνατα
Ζιβ1. 499 ᵃ17. τῶν μὲν ἄνω τὸν ἥλιον ὑ κρατεῖν, τῶν δὲ
πρὸς τῇ γῇ στηριζομένων κρατεῖν μγ5. 376 ᵇ23. κομῆται
στηρίζονται κ̃ σβέννυνται πολλάκις κ2. 392 ᵇ4. τῶν σελάων
ἃ μὴ ἀκοντίζεται ἀ δὲ στηρίζεται κ4. 395 ᵇ4.

Στησίχορος πῶς ἐμυνήθη περὶ ἀλκυόνος Ζιε9. 542 ᵇ25 (cf
fr 56). Στησιχόρυ λόγος περὶ Φαλάριδος Ρβ20. 1393 ᵇ9.
ἀπόφθεγμα ἐν Λοκροῖς Ρβ21. 1395 ᵃ1. γ11. 1412 ᵃ22.

στιβαδοποιεῖται χελιδὼν ὥσπερ οἱ ἄνθρωποι Ζιπ7. 612 ᵇ25.
ἡ φυκὶς μόνη τῶν θαλαττίων ἰχθύων στιβαδοποιεῖται Ζιθ30.
607 ᵇ20.

στιβαροῖσι μέλεσσιν (Emp 217) μδ9. 387 ᵇ5.

στιβάς. ἡ φυκὶς τίκτει ἐν τῇ στιβάδι Ζιθ30. 607 ᵇ21.

στίγμα ἔχειν ἐν τῷ βραχίονι Ζγα17. 721 ᵇ32. Ζιη6. 585 ᵇ33.

στιγμή. ὅσον στενῆς αἱματίνη ἐν τῷ λευκῷ ἢ καρδία ΖιΖ3.
561 ᵃ11. καρδία φαίνεται, στιγμὴς ἔχυσα μέγεθος Ζμγ4.
665 ᵃ35. τὰ ποικίλα οἷον στιγμαί εἰσι, dist οἷον γραμμαί
ΖιΖ7. 563 ᵇ24. — στιγμὴ τὸ πάντη ἀδιαίρετον κατὰ τὸ
ποσὸν κ̃ θέσιν ἔχον, στιγμὴ μονὰς θέσιν ἔχυσα, ὑσία θετός
Μδ6. 1026 ᵇ26, 31. μ8. 1084 ᵇ26. κ12. 1069 ᵃ12. ν5.
1044 ᵃ8. Φε3. 227 ᵃ28. ζ1. 231 ᵃ25. Ογ1. 299 ᵇ6. ψα4.
409 ᵃ6. Αγ27. 87 ᵃ36. 32. 88 ᵃ33. τα18. 108 ᵇ26. στιγμῆς
μοναδικῆς τίς διαφορὰ πλὴν θέσις ψα4. 409 ᵃ20. τὸ νῦν τὸ
ἄτομον οἷον στιγμὴ γραμμῆς ἐστιν Ογ1. 300 ᵃ14. Φδ11.
220 ᵃ20. ζ1. 231 ᵃ9. ατ971 ᵃ18, 20. γραμμῆς πέρας, διαί-
ρεσις γραμμῆς τζ4. 144 ᵇ20, 21. Μκ2. 1060 ᵇ15, 18. ν3.
1090 ᵇ6. νγ6. 430 ᵇ20. ατ971 ᵃ18. cf ΦΖ1. 231 ᵇ9. δ11.
220 ᵃ10. ἡ στιγμὴ ἀρχὴ γραμμῆς, ἁπλῶς πρότερον γραμ-
μῆς τα18. 108 ᵇ26, 30. ζ4. 141 ᵇ6. στιγμὴ ὐκ ἔχεται
στιγμῆς, ὐ σύγκειται γραμμὴ ἐκ στιγμῶν Γα2. 317 ᵃ12.
Φθ8. 215 ᵇ18. ατ971 ᵃ6, 20. κινηθεῖσα στιγμὴ ποιεῖ γραμ-
μὴν ψα4. 409 ᵃ4. στιγμὴ πότερον μόριον μεγέθυς ψα3.
407 ᵃ12. Οβ13. 296 ᵃ17. πόλυς ὐθὲν ἔχοντας μέγεθος ἀλλ'
ὄντας ἐσχάτας ὑ στιγμάς Ζχ3. 699 ᵃ22. στιγμῆς ὐκ ἔστι
τόπος Φδ5. 212 ᵇ24. 1. 209 ᵃ11. στιγμὴ ὐκ ἔχει βάρος
Ογ1. 299 ᵃ30. στιγμῆς ὐκ ἔστι γένεσις Μβ5. 1002 ᵃ32,
ᵇ4. η5. 1044 ᵇ22. Ηχ3. 1174 ᵇ12. στιγμὴ ἢ μία κ̃ ἢ δύο
ψγ2. 427 ᵃ10. ἅπτεσθαι κατὰ στιγμήν ψα1. 403 ᵃ14. αἱ
στιγμαὶ πότερον ὑσία ἢ μή Μβ5. 1001 ᵇ7.

στίλβειν. τὸ στίλβον, coni λαμπρόν, opp αὐχμηρὸν κ̃ ἀλαμ-
πές χ3. 793 ᵃ11. ἔστι τὸ στίλβον ὐκ ἄλλο τι ἢ συνέχεια
φωτὸς κ̃ πυκνότης χ3. 793 ᵃ12. οἱ ἀστέρες φαίνονται στίλ-
βειν, οἱ πλάνητες ὐ στίλβυσιν Οβ8. 290 ᵃ18. Αγ13. 78
ᵇ4. φαίνεται τὸ ὕδωρ στίλβειν τυπτόμενον μβ9. 370 ᵃ18.
ἐν τῷ ὀφθαλμῷ ἔνεστι λευκὸν ὑγρὸν σφόδρα στίλβον πρὸς
τὴν αὐγήν ΖιΖ3. 561 ᵃ32 Aub. τὸ οἴνωπον γίγνεται, ὅταν
ἀκράτῳ τῷ μέλανι κ̃ στίλβοντι κραθῶσιν αὐγαὶ ἡεροειδεῖς
χ2. 792 ᵇ7. πτέρωμα εὐανθὲς ὂν κ̃ στίλβον χ2. 792 ᵃ28.

Στίλβων, ὃν ἱερὸν Ἑρμῦ καλῦσιν ἔνιοι, τινὲς δὲ Ἀπόλλωνος
κ2. 392 ᵃ26.

Στίλβων Θηβαῖος Ρβ23. 1398 ᵇ3.

στιλπνοὶ ὀφθαλμοί φ6. 812 ᵇ11. cf Rose Ar Ps 706.

στιφρός. (Lob Techn 56). ᾠὸν στερεὸν κ̃ στιφρὸν Ζγγ3.
754 ᵃ34. τὰ ζῷα μὴ σομφὸν πλεύμονα ἔχοντα μηδὲ στι-

φρόν Ζγβ1. 732 ᵇ35. αἱμάτων πῆξις ὗ στιφρά Ζιγ6. 516
ᵃ2. σάρξ στιφρά Ζιδ4. 528 ᵇ23. 6. 531 ᵇ13. πε40. 885
ᵃ22. cf 14. 882 ᵃ15. κοιλία σαρκώδης ϰ στιφρά Ζιβ17.
508 ᵇ32. καυλὸς στιφρός Ζιγ1. 510 ᵇ28. σπλὴν στιφρός
Ζμγ7. 670 ᵇ13. οἱ Ἀχίλλειοι σπόγγοι στιφρότεροι Ζιε16.
548 ᵇ21. ὄγκοι στιφρότεροι πκ9. 923 ᵇ19. στιφρότερον ποιεῖ
τὸ καταψύχεσθαι πη3. 887 ᵇ20.

στίχος. αἱ περὶ τὰς ἀρχὰς τῶν κηρίων πρὸς τὰ σμήνη συνύ-
φειαι, ὅσον ἐπὶ δύο ἢ τρεῖς στίχας κύκλῳ, κεναὶ μέλιτος
Ζιμ40. 624 ᵃ11.

στλεγγίς. τῇ στλεγγίδι κἂν ἀρύσαιτό τις τζ6. 145 ᵃ23, 24.
στλέγγισμα θ105. 839 ᵇ25. cf Lob Path I 412.

στοὰ βασίλειος, βασιλεία f 374. 1540 ᵃ45. 352. 1537 ᵇ24.

στοιβή. χονδρώδη μόρια μεταξὺ τῶν κάμψεών ἐστιν, οἷον
στοιβή, πρὸς τὸ ἄλληλα μὴ τρίβειν Ζμβ9. 654 ᵇ26.

στοιχεῖν. κατὰ τὸ στοιχοῦν, i e secundum seriem, κατ' ἀκο-
λυθίαν ε10. 19 ᵇ24 Wz.

στοιχεῖον, ποσαχῶς λέγεται Μδ3 Bz. def ἐξ ὗ σύγκειται
πρῶτυ ἐνυπάρχοντος, ἀδιαιρέτυ τῷ εἴδει εἰς ἕτερον εἶδος
Μδ3. 1014 ᵃ26. Ογ3. 302 ᵃ15, 12. cf Μβ3. 998 ᵃ28. Α3.
983 ᵇ10. quod ἀδιαίρετον τῷ εἴδει τὸ στοιχεῖον dicitur cf
coni syn ἁπλᾶ ϰ στοιχεῖα Γα1. 314 ᵃ29, ἀδύνατον ἐκ τῶν
τῷ ποσῷ στοιχείων ὐσίαν εἶναι ϰ μὴ ποσόν ψα5. 410 ᵃ21;
quod πρῶτον ἐνυπάρχον dicitur cf πρότερον τὸ στοιχεῖον ἢ
ὧν ἐστι στοιχεῖον Μλ4. 1070 ᵇ2. μ10. 1087 ᵃ3. ατ968 ᵃ15.
— in explicanda universa rerum natura saepe pro syn
coniuncta leguntur ἀρχὴ ϰ στοιχεῖον, ἀρχαὶ ϰ στοιχεῖα
Φα5. 188 ᵇ28. Γβ1. 329 ᵃ5. ΜΑ3. 983 ᵇ11. 8. 989 ᵇ30.
β1. 995 ᵇ27. 3. 998 ᵃ22. κ1. 1059 ᵇ23. λ4. 1070 ᵃ34. μ7.
1081 ᵃ15. 10. 1087 ᵃ3. ν4. 1091 ᵃ31, αἰτία ϰ στοιχεῖον,
αἴτια ϰ στοιχεῖα ψα2. 405 ᵇ17. Μλ5. 1071 ᵃ25, ἀρχαὶ ϰ
στοιχεῖα ϰ αἴτια Φα1. 184 ᵃ11. Με1. 1025 ᵇ5. η1. 1042
ᵃ5. λ1. 1069 ᵃ26. μ9. 1086 ᵃ21. τὰ αἴτια τὰ πρῶτα ϰ
τὰς ἀρχὰς τὰς πρώτας ϰ μέχρι τῶν στοιχείων Φα1. 184
ᵃ14. Ἀναξαγόραν εἴ τις ὑπολάβοι δύο λέγειν στοιχεῖα ΜΑ8.
989 ᵃ30, cf ἀρχαί ᵇ17. τρία τὰ στοιχεῖα (ὕλη, εἶδος, στέ-
ρησις) Φα6. 189 ᵇ16, cf ἀρχαί ᵇ13, ᵃ30, 19. τὰ στοιχεῖα
τἀναντία λέγυσιν Φα5. 188 ᵇ28. στοιχεῖα τῆς αἰσθητῆς
ὐσίας, τῶν νοητῶν Μλ1. 1069 ᵃ32. 4. 1070 ᵇ7. sed ἀρχὴ
latius quam στοιχεῖον patet: ἐπεὶ δ' ὗ μόνον τὰ ἐνυπάρ-
χοντα αἴτια ἀλλὰ ϰ τῶν ἐκτὸς ὅσα τὸ κινῦν, δῆλον ὅτι
ἕτερον ἀρχὴ ϰ στοιχεῖον, αἴτια δ' ἄμφω· ὥστε στοιχεῖα
μὲν τρία (εἶδος, στέρησις, ὕλη), αἴτιαι δὲ ϰ ἀρχαὶ τέτ-
ταρες Μλ4. 1070 ᵇ23, 25. quamquam etiam formalis causa
dici potest ἐνυπάρχειν, tamen στοιχεῖον plerumque refertur
ad causam materialem: στοιχεῖόν ἐστιν εἰς ὃ διαιρεῖται
ἐνυπάρχον ὡς ὕλην Μζ17. 1041 ᵃ31 Bz. στοιχεῖον ἐξ ὗ
γίγνεται τὰ ὄντα πρῶτυ ϰ εἰς ὃ φθείρεται τελευταῖον, τῆς
μὲν ὐσίας ὑπομενύσης τοῖς δὲ πάθεσι μεταβαλλύσης ΜΑ3.
983 ᵇ10. τὰ ὡς ἐν ὕλης εἴδει λεγόμενα στοιχεῖα ΜΑ4.
985 ᵃ32. cf 5. 986 ᵇ6. τὰ στοιχεῖα ὕλη τῆς ὐσίας Μν2.
1088 ᵇ27. στοιχεῖον, dist ὐσία Μη3. 1043 ᵇ12, dist φύσις
Μδ1. 1013 ᵃ20, dist ἀρχή Μζ17. 1041 ᵇ31. nec tamen
idem plane est στοιχεῖον atque ὕλη, quia ἡ ὕλη δυνάμει
est, στοιχεῖον vero ἐνυπάρχον δυνάμει ϰ ἐνεργείᾳ Ογ3. 302 ᵃ
16. cf Μβ6. 1002 ᵇ33. inde proprio nomine στοιχεῖα
saepissime appellantur quatuor illa corpora simplicissima
(πῦρ, ἀήρ, ὕδωρ, γῆ), quae prodeunt ἐκ τῶν πρώτων ἐναν-
τιώσεων, θερμῦ ψυχρῦ, ὑγρῦ ξηρῦ, quae eadem σωματικὰ
στοιχεῖα, ἁπλᾶ σώματα dicuntur ΜΑ4. 985 ᵃ32. δ4. 1014
ᵇ33. ι1. 1052 ᵇ13. Οα10. 280 ᵃ16. β13. 295 ᵃ30. Γα1.

314 ᵃ29. μα1. 338 ᵃ32 (cf 3. 339 ᵃ36). ψα5. 410 ᵃ28.
αι5. 443 ᵃ9. Ζμα1. 642 ᵃ21. ατ969 ᵃ21 ac saepe. nomen
iam usu receptum esse Ar significat, quod ea dicit τὰ
λεγόμενα, τὰ καλύμενα, τὰ καλύμενα ὑπό τινων στοιχεῖα
Φα4. 187 ᵃ26. γ5. 204 ᵇ33. Μκ10. 1066 ᵇ36. Γβ1. 328
ᵇ31, 329 ᵃ26. μα3. 339 ᵇ5. Ζμβ1. 646 ᵃ13. Ζγβ3. 736
ᵇ31. (principes illas ἐναντιώσεις, θερμὸν ψυχρόν, ὑγρὸν ξη-
ρόν, quae sunt αἰτίαι, ἀρχαὶ τῶν στοιχείων μδ1. 378 ᵇ10,
11. Ζμβ2. 648 ᵇ9, interdum Ar et ipsa στοιχεῖα appellat
Γβ3. 330 ᵃ30, 33. 2. 329 ᵇ13). περὶ τῶν στοιχείων universe
Γβ1-8. ὅτι ἔστι στοιχεῖα ϰ διὰ τί ἐστιν Ογ3. πῶς γί-
γνεται ἐξ ἀλλήλων Ογ6. Γβ4. συμβλητὰ τὰ στοιχεῖα Γβ6.
333 ᵃ19. ποιητικὰ ἀλλήλων ϰ παθητικὰ τὰ στοιχεῖα Γβ2.
329 ᵇ23. πότερον πλείω ἢ ἕν, πεπερασμένα ἢ ἄπειρα Ογ4.
5. ἐκ ἔστιν ἕν, ἐξ ὧν ἅπαντα, ὐδ' ἄλλο παρὰ τὰ τέτταρα
Γβ5. ὗ τοῖς σχήμασι διαφέρει τὰ στοιχεῖα Ογ8. 307 ᵇ19.
τὰ στοιχεῖα τὰ εἰλικρινῆ ἀδιάφορα, ὐκ ἐκ τοῖς ἐκ τῶν στοι-
χείων ἡ διαφορά πλα29. 960 ᵃ30. τοῖς ὁμοιομερέσι τὰ κα-
λύμενα στοιχεῖα τῶν σωμάτων ὕλη ἐστί Ζγα1. 715 ᵃ11.
Ζμβ1. 646 ᵇ6. — τόπος ἑκάστῳ τῶν στοιχείων μβ2. 355
ᵇ1. τριῶν ὄντων τῶν σωματικῶν στοιχείων, τρεῖς ἔσονται ϰ
οἱ τόποι τῶν στοιχείων Οα8. 277 ᵇ14, cf 276 ᵇ9. a quatuor
elementis (Empedocleis) distinguitur τὸ πρῶτον τῶν στοι-
χείων, τὸ ἄνω στοιχεῖον (i e ὁ αἰθήρ, ὁ ὐρανός) Ογ1. 298
ᵇ6. μα1. 338 ᵇ21. 3. 341 ᵃ3. ὐρανὸν ϰ ἄστρων ὐσίαν αἰθέρα
καλῦμεν, στοιχεῖον ὗσαν ἕτερον τῶν τεττάρων ἀκήρατόν τε
ϰ θεῖον κ2. 392 ᵃ8. cf 3. 392 ᵇ35. πάσης ψυχῆς δύναμις
ἑτέρυ σώματος ἔοικε κεκοινωνηκέναι ϰ θειοτέρυ τῶν καλυ-
μένων στοιχείων· τὸ ἐμπεριλαμβανόμενον τῷ σπέρματι
ἀνάλογον τῷ τῶν ἄστρων στοιχείῳ Ζγβ3. 736 ᵇ31, 737 ᵃ1.
— τὰ τῶν ἀριθμῶν στοιχεῖα ex sententia Pythag ΜΑ5.
986 ᵃ1, 18. 6. 987 ᵇ19. Μμ6. 1080 ᵇ32. — etiam in aliis
generibus στοιχεῖον usurpatur ad significandum id quod
est simplicissimum, ex quo reliqua conficiuntur. στοιχεῖα
φωνῆς ἐξ ὧν σύγκειται ἡ φωνὴ ϰ εἰς ἃ διαιρεῖται ἔσχατα,
τὸ φωνῆεν ϰ τὸ ἄφωνον Μδ3. 1014 ᵃ27. β3. 998 ᵃ23.
ζ17. 1041 ᵇ16. ι1. 1053 ᵃ13. 2. 1054 ᵃ1. στοιχεῖόν ἐστι
φωνὴ ἀδιαίρετος, ὗ πᾶσα δέ, ἀλλ' ἐξ ἧς πέφυκε συνετὴ
γίνεσθαι φωνή πο20. 1456 ᵇ22. opp συλλαβή, quae fit
συνθέσει ἐκ τῶν στοιχείων Μζ10. 1034 ᵇ26, 1035 ᵃ11 Bz,
14. 17. 1041 ᵇ16. Ζγα18. 722 ᵃ33. Κ12. 14 ᵇ1. τζ4.141
ᵇ9. ι20. 177 ᵇ5. Φβ3. 195 ᵃ16. ὁ τὰ στοιχεῖα ἐπιστάμενος
τὸ ἔπος οἶδεν Ρβ24. 1401 ᵃ28. τῶν στοιχείων ὁ Κάδμος
εὑρετής, quae et quot fuerint antiquitus f 459. 1553 ᵇ4,
2, 15. — στοιχεῖα τῆς γεωμετρίας, οἷον γραμμὴ κύκλος
τθ3. 158 ᵇ5 Wz (cf ἀρχαί ᵇ39). 14. 163 ᵇ24. στοιχεῖα τῶν
διαγραμμάτων Κ12. 14 ᵃ39 Wz. Μβ3. 998 ᵃ25 Bz. dubi-
tatur utrum significet punctum lineam planum etc (Am-
mon Schol 89 ᵇ9) an simplicissimas quae in reliquis con-
tinentur demonstrationes (Ammon Schol 98 ᵃ6). — τοῖς
τῆς ἀρετῆς στοιχείοις καλλιγραφήσειναι ρ1. 1420 ᵇ17. — τὸ
νόμισμα στοιχεῖον ϰ πέρας τῆς ἀλλαγῆς ἐστιν Πα9. 1257
ᵇ23. — στοιχεῖα τῶν ἀποδείξεων αἱ πρῶται ἀποδείξεις ϰ
ἐν πλείοσιν ἐνυπάρχυσαι, αἱ ἄμεσοι προτάσεις Μδ3. 1014
ᵇ1. Αγ23. 84 ᵇ21 Wz, 22, 26. inde στοιχεῖα significant
'universa quaedam argumenta, ex quibus cum veritatis
specie aliquid vel probetur vel refellatur' Wz ad 84 ᵇ21.
τὸ αὐτὸ λέγω στοιχεῖον ϰ τόπον· ἔστι γὰρ στοιχεῖον ϰ
τόπος εἰς ὃ πολλὰ ἐνθυμήματα εἰσπίπτει Ρβ26. 1403 ᵃ18,
19. 22. 1396 ᵇ22. ἔστι ταῦτα στοιχεῖα τῶν πρὸς τὰς ὄρας
τὸ1. 120 ᵇ13 Wz. cf 121 ᵇ1. 3. 123 ᵃ27. πρὸς ἅπαντας τὰς

ὁρισμὸς ὐκ ἐλάχιστον στοιχεῖον τζ14. 151ᵇ18. εἰς τὸ μῆκος τοῖς προειρημένοις στοιχείοις χρηστέον τι15. 174ᵃ18, 21. στοιχείοις χρώμενον τοῖς ἐκ τῶν ἐναντίων τζ9. 147ᵃ22. σκοπεῖν ἐκ τῶν περὶ τὰ γένη στοιχείων τζ5. 143ᵃ13. στοιχεῖον τῷ τυχεῖν τὸ ἐρωτᾶν sim τι12. 172ᵇ22, 31. ληπτέον στοιχεῖα περὶ ἀγαθῷ ᵏ συμφέροντος ἁπλῶς Ρα6. 1362ᵃ20. δύο στοιχεῖα λέγω κοινὰ κατὰ πάντων ρ37. 1442ᵇ3. τὸ πολλάκις εἰρημένον μέγιστον στοιχεῖον, τὸ τηρεῖν ὅπως κτλ Πε9. 1309ᵇ16. ἡ κρίσις περὶ ἁπάντων τύτων ἐκ τῶν αὐτῶν στοιχείων ἐστὶν Πδ11. 1295ᵃ35.

στοιχειώδης. ἡ τῦτο μὲν ἐκ συνθέσεως, ἐκεῖνα δ᾽ ἐκ διαλύσεως, στοιχειωδέστερα ἐκεῖνα ᵏ πρότερα τὴν φύσιν Γα1. 315ᵃ24. στοιχειωδέστατον πάντων ἐξ ὗ γίγνονται συγκρίσει πρῶτα ΜΑ8. 988ᵇ35.

στοιχηδὸν κεῖται τὸ πλῆθος τῶν ᾠῶν Ζγδ4. 770ᵃ26, syn κατὰ στοῖχον Ζιγ11. 511ᵃ21.

στοῖχος, series. ὁ στοῖχος ἐφ᾽ ᾧ αβγ Μν6. 1092ᵇ34 Bz. πόροι πυκνοὶ ᵏ κατὰ στοῖχον Γα8. 324ᵇ31. τὰ ᾠὰ κατὰ στοῖχον ἐγγίνεται Ζιγ1. 511ᵃ21, syn στοιχηδόν Ζγδ4. 770ᵃ26.

στολίς. ὅταν ῥινῶσι τὰς ἀπηρτημένας στολίδας τῶν ἀνδριάντων ᾖ τὰ πτερύγια ακ802ᵃ38.

στόλος. 1. classis. παραβαλόντος ναυτικῷ στόλῳ Ζγγ11.763 ᵃ31. — 2. appendix. στόλος μικρός, μακρός Ζμβ14. 658 ᵃ33. cf δ10. 689ᵇ5. αἱματῶδές τε φαίνεται τὸ κύημα ᵏ ἔχον στόλον μικρὸν ὀμφαλώδη Ζγγ2. 752ᵇ6. cf Harvei lib de gen an 9.

στόμα. 1. animalium os. (τὸ καλύμενον στόμα ζ1.468ᵃ10. αν11. 476ᵃ20. Ζμδ5. 678ᵇ7, 25.) καλεῖται ᾗ μὲν λαμβάνει (τὸ ᾠ̑ον τροφήν), στόμα· τὸ ἐντὸς στόμα σιαγόνων ᵏ χειλῶν· τὸ δέρμα διαλείπει κατὰ τὸ στόμα Ζια3. 489 ᵃ2. 11. 492ᵇ25 Pik. γ11. 518ᵃ5. τῆς ἀκατεργάστου τροφῆς πόρος ἐστὶ Ζμβ3. 650ᵃ15. τὸ στόμα τὸ περιεχόμενον ὑπὸ τύτων (ὀδόντων) ᵏ συνεστηκὸς ἐκ τύτων· τὸ ὀστῦν τῆς σιαγόνος πρὸς τῷ στόματι στενὸν Ζγγ1. 661ᵃ35. ε8. 789 ᵃ2. (cf Plat Tim 75D. Philippson ὕλη 33. in figura anatomica Ζμθ9. 684ᵇ24.) ὁ τέττιξ μόνον τῶν ἄλλων ζῴων στόμα ὐκ ἔχει ἀλλὰ τὸ γλωττοειδές Ζιδ7. 532ᵇ11. cf Ζμδ5. 682ᵃ19. 12. 692ᵇ18. αν11. 476ᵃ19. χρυσαλλίδες ὗτε στόμα ἔχυσαι ὗτ᾽ ἄλλο τῶν μορίων διάδηλον ὐθέν Ζιε19. 551ᵃ21. — τοῖς ὄρνισιν ἐστι τὸ καλύμενον ῥύγχος στόμα Ζγγ1. 662ᵃ34. — α. ἔχει ᾗ περὶ τὸ στόμα διαφορὰς (τὰ ζῷα) Ζμδ13. 696ᵇ24. Πδ4. 1290ᵇ28, 30,33. (τῶν μαλακοστράκων) τὸ στόμα σαρκωδέστερον ἀντὶ γλώττης, αἱ χελῶναι αἱ θαλάττιαι ἔχυσι τὸ στόμα ἰσχυρότερον πάντων Ζιδ2. 526ᵇ13. θ2. 590ᵇ5. — (τῶν ἰχθύων) ἀκανθωδὴς ἐστιν ὁ τόπος τῷ στόματος πᾶσιν· τὸ μὲν κατ᾽ ἀντικρὺ ἔχει τὸ στόμα ᵏ εἰς τὸ πρόσθεν, τὰ δ᾽ ἐν τοῖς ὑπτίοις Ζμβ17. 660ᵇ17, 23. δ13. 696ᵇ25. σελαχώδεις, δελφῖνες, κητώδεις, ἐχῖνοι οἱ θαλάττιοι, στρομβώδη, λεπάδες κάτω τὸ στόμα ἔχυσι Ζιδ2. 591ᵇ27. δ5. 530ᵇ19, 21, 22. σηπία ἔχει μεταξὺ τῶν προβοσκίδων τὰς ὀφθαλμὸς ᵏ στόμα, πολύπυς τὸ στόμα ᵏ τὰς ὀδόντας ἔχει ἐν μέσοις τοῖς ποσὶν f 317. 1531ᵇ32, 3. ἀκαλήφη ἔχει τὸ στόμα ἐν μέσῳ Ζιδ6. 531ᵃ4. τὰ μαλακόστρακα ἔχει ὑποκάτω τὸ στόμα τῶν ὀφθαλμῶν Ζιδ3. 527ᵇ13. 4. 529ᵇ30. τὰ στρομβώδη τὸ σαρκῶδει Ζιδ4. 530ᵃ23. — ἔχυσι τὰ ζῷα ᵏ τὰ μεγέθη διαφέροντα τῦ στόματος Ζιβ7. 502ᵃ6. (ἰχθύων) τῶν ἄνω τὸ στόμα ἐχόντων τὰ μὲν ἀνερρωγὸς ἔχει τὸ στόμα, τὰ δὲ μύ̈ρον Ζμδ13. 696ᵇ34. τῶν μὲν τὰ στόματα ἀνερρωγότα, τὰ δὲ μικρόστομα, τὰ δὲ μεταξὺ Ζιβ7.

502ᵃ6. τὸ στόμα οἱ μὲν (ἰχθύες) ἀνερρωγὸς ἔχυσι Ζιβ13. 505ᵃ32. ὄνος (ἰχθὺς) στόμα ἔχει ἀνερρωγὸς f 307. 1530 ᵃ24. ὅσα ἔχει στόμα μέγα πα32. 863ᵃ11. λέων ἔχων στόμα εὐμέγεθες φ5. 809ᵇ16. σκάρος ἔχει στόμα μικρὸν f 311. 1531ᵃ12. τὰ μονόθυρα ᵏ δίθυρα στόμα ἔχυσιν ἀλλ᾽ ἐν τοῖς ἐλάττοσι διὰ μικρότητα ἄδηλον Ζιδ4. 529ᵃ27. b. ἡ τῦ στόματος θέσις Ζμγ3. 664ᵃ25. piscis τὴν καρδίαν ἔχει πρὸς τὴν κεφαλὴν ᵏ τὸ στόμα Ζιβ17. 507ᵃ5. αν16. 478ᵇ7. μαλακίων στόμα Ζμδ5. 678ᵇ7, 25. 9. 684ᵇ10, 685ᵃ10. Ζιδ1. 524ᵇ2, 4. ἡ φύσις παρὰ τὸ στόμα τὴν τελευτὴν τῦ περιττώματος συνήγαγε κάμψασα, τὰ μαλάκια κατὰ τὸ στόμα σύμπλεκονται Ζγα15. 720ᵇ18. 14. 720ᵇ16. Ζιε6. 541ᵇ3, 13. τὸ στόμα τῶν ἐχίνων, ἐντόμων, στρομβωδῶν Ζμδ5. 680ᵃ14, 678ᵇ16. 9. 685ᵃ10. κάραβυ, κοχλίᾳ, τηθύων Ζιδ3. 527ᵇ14. 4. 528ᵇ27. 6. 531ᵃ24, cf 22. — c. physiologica. ὅσα περὶ τὸ στόμα ᵏ τὰ ἐν αὐτῷ πλδ. ἐπὶ τῦ στόματος ᾗ μὲν τροφὴ πάντων κοινόν, ᾗ ἀλκὴ τινῶν ἴδιον ὡς ὁ λόγος ἑτέρως, ἔτι τὸ ἀναπνεῖν ᵏ πάντων κοινὸν Ζγγ1. 662ᵃ20-ᵇ16. cf Ζμγ1. 662ᵃ16. τοῖς ἔχυσι τὸν πλεύμονα τῷ καλυμένῳ στόματι (ἡ φύσις χρῆται) πρός τε τὴν τῆς τροφῆς ἐργασίαν ᵏ τὴν ἐκπνοὴν ᵏ τὴν ἀναπνοήν· τοῖς δὲ μὴ ἔχυσι πνεύμονα μηδ᾽ ἀναπνέυσι τὸ στόμα πρὸς τὴν ἐργασίαν τῆς τροφῆς αν11. 476ᵃ20. ἐκ τῶν φλεβῶν εἰς τὰς σάρκας διαδίδοσθαι τὴν τροφήν, ὃ κατὰ τὰ πλάγια ἀλλὰ κατὰ τὸ στόμα, καθάπερ σωλῆνας πν5. 483ᵇ28. — τῦ στόματος χρῆσις, λειτυργία Ζμδ11. 691 ᵇ22. γ14. 674ᵇ10, 20. cf β3. 650ᵃ9. ἡ τῆς τροφῆς ἐργασία ἐν στόματι, ᾗ τῦ στόματος ἐργασία, μίαν τινὰ ἐργασίαν ᾗ τῦ στόματος λειτυργεῖ δύναμις Ζια4. 489ᵃ28. Ζμβ3. 650ᵃ27. γ14. 674ᵇ23. ζ3. 469ᵃ3. — (ἐνίοις ἰχθύσιν) ἐν τῷ στόματι ᾗ ἰσχύς· (κροκοδείλοις) πρὸς ταύτας τὰς χρείας (τῦ λαβεῖν ᵏ κατασχεῖν) ἀντὶ ποδῶν τὸ στόμα ἡ φύσις χρήσιμον ἐποίησε· διαιρεῖν τῷ στόματι ᵏ δάκνειν Ζμδ13. 697ᵃ2. 11. 691ᵇ9, 25, 23. ὁ ψὴν διὰ στομάτων (διαστομῶν ci S Aub) ποιεῖ μὴ ἀποπίπτειν τὰ ἐρινὰ Ζιε32. 557ᵇ28. ἡ τῦ στόματος ἔνδεια Ζμγ14. 674ᵇ29. cf δ11. 691ᵇ20. (ὁ μῦς τῦ κήτυς ὀδόντας ἐν τῷ στόματι ὐκ ἔχει Ζιγ12. 519ᵃ24.) — πλείστην διαφορὰν ἀπεργάζονται τῆς φωνῆς αἵ τε τῦ ἀέρος πληγαὶ ᵏ οἱ τῦ στόματος σχηματισμοί· ὅσων εἰσὶν αἱ γλῶτται ᵏ τὰ στόματα δυσκίνητα ακ800ᵃ23, 21, 29, 801ᵇ8. τὸ πνεῦμα τὸ διὰ τῦ στόματος φυσώμενον ηθ8. 367ᵇ11. διὰ τῦ ἐκ τῦ στόματος θερμὸν ᵏ ψυχρὸν πνέυσι πλδ7. 964ᵃ10, 14, 16. (ἄρχτοι λευκαὶ) ἀφίασιν ἐκ τῦ στόματος φλέγμα θ144. 845ᵃ21. — ἀναπνεῖ τὰ φανερῶς ἀναπνέοντα διὰ τῆς ἀρτηρίας, διά τε τῦ στόματος ἅμα ᵏ διὰ τῶν μυκτήρων. amphibia ἐν τῷ ὑγρῷ ὑπερέχοντα τὸ στόμα διὰ τὴν ἀναπνοὴν αν7. 474ᵃ9, 22. 10. 475ᵃ31 (cf piscium ἔνια ὑπερέχοντα τὸ στόμα μόνον Ζιδ15. 599ᵇ27). (κήτη) δεχόμενα κατὰ τὸ στόμα τὴν θάλατταν ἀφιᾶσι κατὰ τὸν αὐλὸν Ζμδ13. 697ᵃ18. pisces. ᾗ (κατὰ τὰ βράγχια) τὸ ὕδωρ ἀφιᾶσι δεξάμενοι κατὰ τὸ στόμα Ζιδ13. 504ᵇ29. τὸν ἐν τῷ στόματι γινόμενον ἀέρα ἕλκοντας ἀναπνεῖν τὰς ἰχθῦς (Anaxagoras)· ἐκ τῦ περὶ τὸ στόμα περιεστῶτος ὕδατος ἕλκειν τι κενῶ τῷ ἐν τῷ στόματι τὸν ἀέρα (Diogenes) αν2. 471ᵃ1, 3, refutatur 13, 15. 3. 471ᵃ20. (τὰ μαλακόστρακα) τὸ ὕδωρ παρὰ τὸ στόμα, ἀφίησι κατὰ τὰς ἄνω πόρυς τῦ στόματος Ζιδ3. 527ᵇ18, cf 21. 2. 526ᵇ18. — ὅσα ἔχει στόμα, χαίρει ᵏ λυπεῖται τῇ τῶν χυμῶν ἅψει Ζιδ8. 535ᵃ12. — λέγυσι τίκτειν κατὰ τὸ στόμα τὴν γαλῆν Ζγγ6. 756ᵇ16, cf 32, 757ᵃ1. λέγυσι κατὰ τὸ στόμα μίγνυσθαι τὰς τε κόρακας ϗ τὴν ἶβιν, cf ἡ τοῖς ῥύγχεσι πρὸς ἄλληλα κοινωνία Ζγγ6. 756 ᵇ14, 20. — d. στόματος πάθη. ἐκ τῦ στόματος αἱμορροῶδες Ζμγ5. 668 ᵇ18. τὸ ἐν τῷ στόματι πτύελον Ζγβ8. 747 ᵃ10. ὥσπερ ϗ τῷ στόματι σιάλῳ πολλαχῆ, τὸ στόμα πτύσεως Ζικ3. 635 ᵇ19, 28. — διὰ τί οἱ νήστεις δυσῶδες ἔχυσι τὸ στόμα Probl inedit Bsm 298, 11. Εὐριπίδῃ δυσωδία τῦ στόματος Πε 10. 1311 ᵇ34. — e. μόρια στόματος ἐχόμενα. μυκτήρ. ἡ ἐκ τῶν μυκτήρων σύντρησις εἰς τὸ στόμα· ὅταν πίνοντες ἀνασπάσωσί τι τῦ ποτῦ χωρεῖ ἐκ τῦ στόματος διὰ τῶν μυκτήρων ἔξω Ζια16. 495 ᵃ26 Pik, 27. (ὄρνιθες ϗ τὰ τετράποδα ᾠοτόκα) ἔχυσι τὰς πόρας τῶν μυκτήρων πρὸ τῦ στόματος Ζμβ16. 659 ᵇ2. αἱ ῥῖνες (ἔχυσι) τὸν εἰς τὸν ἀέρα (πόρον) μείζω τῦ εἰς τὸ στόμα ϗ φάρυγγα, ἐντεῦθεν σπᾷ τῷ πνεύματι ὥσπερ τοῖς στόμασιν ἢ τοῖς μυκτῆρσι Ζικ5. 637 ᵃ33, 17. cf Plat Tim 79 E. — ὁ ἐν τῷ στόματι ὐρανός αν 7. 474 ᵃ21. — ὑπὸ τὸν ὐρανὸν ἐν τῷ στόματι ἡ γλῶττα Ζμβ17. 660 ᵃ14. δ11. 690 ᵇ19. Ζγε6. 786 ᵃ27. ὁ κυπρῖνος τὴν γλῶτταν ὐχ ὑπὸ τῷ στόματι ἀλλ᾽ ὑπὸ τὸ στόμα κέκτηται (?) f 302. 1529 ᵇ44 (cf Beckmann Beitr zur Gesch der Erfind III 417). — ἐντὸς τῦ στόματος ἐνίοις (ἐντόμων) ἐστὶ τὸ καλέμενον κέντρον Ζμδ5. 682 ᵃ10. — τὸ μὲν διφυὲς τῦ στόματος παρίσθμιον. — τὸ δὲ πολυφυὲς ὖλον Ζια11. 492 ᵇ34. — ἡ ἀρτηρία κεῖται ἐπὶ τὰ ἄνω πρὸς τὸ στόμα, τὸ τῆς ἀρτηρίας τρῆμα τὸ εἰς τὸ στόμα τεῖνον, ἀρχὴ τῆς ἀρτηρίας πρὸς αὐτῷ ἐστι τῷ στόματι Ζια16. 495 ᵃ25, 29. β17. 508 ᵃ19. cf Plat Tim 78 C. — οἰσοφάγος τὸ συνεχὲς αὐτῷ μόριον Ζμβ3. 650 ᵃ16. cf γ3. 664 ᵃ31. (μαλακόστρακα) ἀπὸ τῦ στόματος ἔχει οἰσοφάγον· πόρος εἰς ἄχρι τῆς κοιλίας· (μαλακίοις) μετὰ τὸ στόμα ὁ οἰσοφάγος Ζιδ2. 527 ᵃ4. 4. 530 ᵃ2. 1. 524 ᵇ9. — (ὀστρακόδερμα ἔχει) τῷ στόματος ἐχόμενον πρόλοβον Ζμδ5. 679 ᵇ8. — ὁ στόμαχος ἤρτηται ἄνωθεν ἀπὸ τῦ στόματος, ἀπὸ τῦ στόματος ἀρξάμενος· (μαλακόστρακα ἔχει) εὐθὺς ἐχόμενον τῦ στόματος στόμαχον μικρὸν Ζια16. 495 ᵇ20. β17. 507 ᵃ37. Ζμδ5. 679 ᵃ34. — τὴν κοιλίαν ἔνια ἔχυσι εὐθὺς πρὸς τῷ στόματι Ζμγ14. 674 ᵃ11. ὁ πόρος ὁ διὰ τῦ στόματος εἰσιων εἰς τὴν κοιλίαν φέρει Ζγγ5. 756 ᵇ9. piscibus εὐθὺς ἡ κοιλία πρὸς τῷ στόματι, εὐθὺς πρὸς τὸ στόμα συνάπτει ἡ κοιλία αν3. 471 ᵃ23. Ζιθ2. 591 ᵇ7. β17. 507 ᵃ28. (προσπίπτει ἡ κοιλία εἰς τὸ στόμα τίσι ϗ πότε Ζιβ17. 507 ᵃ30.) τῶν ἐντόμων ἔνια τὴν κοιλίαν μετὰ τὸ στόμα ἔχει Ζμδ5. 682 ᵃ16. τῶν μαλακοστράκων ἡ κοιλία τῦ στόματος ἐχομένη Ζιδ2. 526 ᵇ24. 3. 527 ᵇ24. (ὀστρακοδέρμοις) τῦ στόματος ἔχεται εὐθὺς ἡ κοιλία Ζιδ4. 529 ᵇ18, ᵃ1. — insectis εὐθὺς μετὰ τὸ στόμα ἔντερον, τοῖς μαλακίοις πρὸς τὸ στόμα ἔντερον λεπτὸν Ζιδ7. 532 ᵇ5. 1. 524 ᵇ3. — cephalopoda ἔχει τριχώδη ἄττα ἐν τῷ στόματι· ἡ μύτις κεῖται ὑπὸ τὸ στόμα, παρ᾽ αὐτὸ τὸ στόμα Ζιδ1. 524 ᵇ22, 18. f 317. 1531 ᵇ35. — (ἐχῖνοι ἔχυσι) τὰ μέλανα τὰ ἀπὸ τῦ στόματος πλείω Ζιδ5. 530 ᵇ13. — (τῶν μαλακοστράκων) ὁ πρὸς τῷ στόματι πόδες, ἄλλοι δύο δασεῖς μικρὸν ὑποκάτω τῦ στόματος, τὰ βραγχιώδη τὰ περὶ τὸ στόμα Ζιδ2. 526 ᵃ26, 29, 30, 27. — f. αἱ ῥίζαι τοῖς φυτοῖς στόματος ϗ κεφαλῆς ἔχυσι δύναμιν Ζμδ10. 686 ᵇ35. cf ψβ1. 412 ᵇ3. ζ1. 468 ᵃ10. τὰ φυόμενα λαμβάνει ταῖς ῥίζαις τὴν τροφήν, καθάπερ τὰ ζῷα τοῖς στόμασι Ζπ4. 705 ᵇ8. — g. dicendi usus. ἀπὸ στόματος· ἐξεπίστασθαι rθ14. 163 ᵇ28. διὰ στόματος εἶναι, γίγνεσθαι f 40. 1481 ᵃ41. μν2. 453 ᵃ29. cf Ορ13. 294 ᵃ27 (Emp 241). ἄνευ προαιρέσεως ᾄδομεν ϗ ὐ δύναται ἐκ τῦ στόματος ἐξελθεῖν πια27. 902 ᵃ32. τὰς συγγενεῖς φιλῦσι τῷ στόματι f 567. 1571 ᵃ36. —

θηλάζειν τῷ στόματι Ζιζ27. 578 ᵃ23. τῷ στόματι μεταφέρειν τὰς νεοττὰς Ζγγ6. 757 ᵃ1. εἰσδέχεσθαι τὰ γεννηθέντα εἰς τὸ στόμα f 293. 1529 ᵃ20. columba εἰσπτύει τοῖς νεοττοῖς διιγνὺς τὸ στόμα Ζιι7. 613 ᵃ4. οἱ τροχίλοι εἰσπτόμενοι εἰς τὰ στόματα τῶν κροκοδείλων θ7. 831 ᵃ12. τῷ στόματι ἀποσπάσαι τὰ αἰδοῖα θ10. 831 ᵃ26. pisces κόπτυσιν ὑπὸ τὴν γαστέρα τοῖς στόμασι Ζιε5. 541 ᵃ16. ἐπὶ τὰς τὸ στόμα ἐπικλίνῃ Ζμβ17. 660 ᵇ22. πλησίον προσάγειν τὴν χεῖρα τῦ στόματος πλθ7. 964 ᵃ12. ἡ θύρα τῶν ἡττόνων (ἰχθύων) καταντικρὺ γίνεται τοῖς στόμασι Ζιθ2. 591 ᵇ24. (σηπία, τευθὶς) τὴν νεῦσιν ἡ μὲν ἐπὶ τὸ ὄπισθεν ἡ δ᾽ ἐπὶ τὸ στόμα ποιεῖται Ζιε6. 541 ᵇ16 ('dorsum significat et supinas partes, ut τὸ στόμα pronas' S I 273). — ταῖς σαύραις ἐπιβάλλον περὶ τὸ στόμα περιθέον ἀφίησιν, ἕως ἂν συλλάβῃ τὸ στόμα (?) Ζιι39. 623 ᵇ1.

2. στόμα latiore sensu. — a. ὑστέρας στόμα. μήτρα ὁ καυλὸς ϗ τὸ στόμα τῆς ὑστέρας, τὸ στόμα τῶν ὑστερῶν Ζιγ1. 510 ᵇ14. x 2. 634 ᵇ27, 635 ᵃ21. 3. 635 ᵃ31. Ζγδ4. 773 ᵃ16. ἡ ἀρχὴ μία ϗ τὸ στόμα ἕν, τὰ χείλη τῦ στόματος Ζιγ1. 510 ᵇ11. η 3. 583 ᵃ16. στενὸν, συμμύει Ζγβ4. 739 ᵃ36, 33. αι9. 727 ᵇ23. μὴ ἀνοιγομένη τῦ στόματος Ζικ4. 636 ᵃ32. ἡ γονὴ προίεται ἀπὸ τῦ πρόσθεν τῦ στόματος τῶν ὑστερῶν, δεῖ τὸ στόμα εἰς ὀρθὸν εἶναι, θιγγανόμενον ἔσται τὸ στόμα μαλακώτερον, μαλακὸν Ζικ5. 637 ᵃ15. 2. 635 ᵃ6, 9, 19. στόμα ὑγιεινῶς ἔχον· ἐὰν φῦμα ἐπὶ τῷ στόματι ᾖ· αἷς πως τὸ στόμα συμφύεται· τὸ στόμα τοιαύτη οἷον ὅταν κύωσιν Ζικ2. 635 ᵃ22. 4. 636 ᵃ36, ᵇ1. 7. 638 ᵇ35, 37. (αἱ γυναῖκες) ἔχυσι καυλόν, ὥσπερ οἱ ἄνδρες τὸ αἰδοῖον· ἀλλ᾽ ἐν τῷ στόματι ἀποπνέυσι διὰ τῦτο μικρῦ τε πόρῳ ἀνωτέρω (ἔχυσι ... αἰδοῖον, ἀλλ᾽ τῷ σώματι. ἀποπνέυσι διὰ τῦτο — ν l, Pik, Scalig) Ζικ5. 637 ᵃ22. — b. κοιλίας στόμα Αδ11. 94 ᵇ15. ἐπὶ τῷ στόματι ὀδόντες εἰσι τρεῖς Ζιδ2. 527 ᵃ5. — μικρὸν κατώτερον τῦ στόματος (ν l σώματος S Bsm Pik) τῆς γαστρὸς (τῇ γαστρὶ Aub) Ζιζ10. 565 ᵃ4. — c. τὸ στόμα τῦ ὀστράκυ, τῆς σμήνης Ζιδ4. 528 ᵇ22. ι40. 624 ᵃ13. halcyonis nidi στόμα στενὸν ὅσον εἰσδύσιν μικρὰν, στόμα θαλάμης (πολυπόδων) Ζιι14. 616 ᵃ28. ε18. 550 ᵇ5. τὸ στόμα τῶν ἀγγείων, τῦ κεραλίυ Ζγβ4. 739 ᵇ13. Ζιθ8. 534 ᵃ22. πις8. 914 ᵇ31. — Νείλυ στόματα μα14. 351 ᵇ32. (Ὠκεανῦ) στενόπορον στόμα κατὰ τὰς Ἡρακλείυς στύλας x3. 393 ᵃ18. — στόμα ἕλκυς μέγα mα32. 863 ᵃ11. — στόματος in ν l, σώματος Bk, in vers Guill, σῶμα Bk Ζμβ 16. 659 ᵇ17. Ζικ2. 635 ᵃ28).

στόμαχος (cf Langk Schol ad Ζμ 13, 68. Da I 47). αὐχένος τὸ μὲν πρόσθιον μέρος λάρυγξ, τὸ δ᾽ ὀπίσθιον στόμαχος· τὸ σαρκώδες στόμαχος, ἐντὸς πρὸ τῆς ῥάχεως Ζια12. 493 ᵃ6, 8. τείνει εἰς τὴν κοιλίαν διὰ τῦ διαζώματος· φλέψ μεγάλη παρὰ πᾶν τὸ ἔντερον ϗ τὴν κοιλίαν μέχρι τῦ στομάχυ τεταμένη Ζιβ17. 507 ᵃ25. γ4. 514 ᵇ14. τὸ πνεῦμα τὸ ἐκ τῆς ἀναπνοῆς φέρεσθαι εἰς τὴν κοιλίαν διὰ τῦ στομάχυ, ἀλλὰ πόρον εἶναι παρὰ τὴν ὀσφὺν πν5. 483 ᵃ20. figura anatomica Ζμδ9. 684 ᵇ25. situs et forma descr Ζια16. 495 ᵇ19-24, 496 ᵃ2. εἴδη τύτυ τῦ μορίυ Ζιβ15. 506 ᵃ1, cf 4. τῷ στομάχυ προσβολή, σύντρησις Ζιβ17. 507 ᵇ3, 27. θέσις Ζιβ3. 517. 3. 17. 507 ᵇ27. ὅλος ὁ στόμαχος Ζιβ17. 509 ᵃ4. τὸ κάτω Ζιβ17. 509 ᵃ1, 2. dist ὁ στόμαχος ἁπλῶς ϗ μακρός, μακρός, μακρότερος, σφόδρα μακρός Ζιβ17. 508 ᵃ18, 509 ᵃ10. δ4. 529 ᵃ5. Ζμδ5. 678 ᵇ25. λεπτὸς ϗ μακρός Ζιδ4. 594 ᵃ21. λεπτός f 272. 1527 ᵃ38. εὐρύς, εὐρύτερος Ζιβ17. 509 ᵃ2, 4, 10, 7, 508 ᵇ34. πλατύς

Ζιβ17. 509 ᵃ1, 4, 508 ᵇ34. μικρός Ζιβ17. 507 ᵃ10, 509 ᵃ2.
δ2. 526 ᵇ25. Ζμδ5. 679 ᵃ34. βραχύς, βραχὺς πάμπαν
Ζμγ14. 675 ᵃ9. Ζιδ3. 527 ᵇ23. — κοινὸν (τοῖς ἐναίμοις κ̣
τοῖς ἀναίμοις) πᾶσι κοιλία κ̣ στόμαχος κ̣ ἔντερον· ὅλως πάντα
ὅσα τὸν ἀέρα δεχόμενα ἀναπνεῖ κ̣ ἐκπνεῖ, πάντ' ἔχει στό- 5
μαχον κ̣ τὴν θέσιν τῷ στομάχῳ ὁμοίως ἀλλ' ἀχ ὅμοιον· πάντα
τετράποδα κ̣ ζωοτόκα στόμαχον μὲν κ̣ ἀρτηρίαν ἔχει κ̣
κείμενα τὸν αὐτὸν τρόπον ὥσπερ ἐν τοῖς ἀνθρώποις, ὁμοίως
δὲ κ̣ ὅσα ᾠοτοκεῖ τῶν τετραπόδων, καὶ ἐν τοῖς ὄρνισιν Ζιδ3.
527 ᵇ4 Aub. β15. 506 ᵃ3, 505 ᵇ33. — mammalia. διάφορα 10
κ̣ κατὰ τῷ στομάχῳ τῇ θέσει τὴν σύντρησιν Ζιβ17. 507
ᵇ27 Pik Aub. ruminantes, Ζιβ17. 507 ᵃ37, ᵇ14. aves. οἱ
δὲ προλοβὸν ἐκ ἔχɥσιν, ἀλλ' ἀντὶ τότε τῷ στόμαχον εὐρὺν
κ̣ πλατύν· ἔστιν δ᾿ ἀκ ἔχει ὥτε τὸν στόμαχον εὐρὺν ὥτε τὸν πρό-
λοβον εὐρύν, ἀλλὰ τὴν κοιλίαν μικράν· ὀλίγοι ὥτε τὸν πρό- 15
λοβον ἔχɥσιν ὥτε τὸν στόμαχον εὐρὺν ἀλλὰ σφόδρα μακρόν·
ἔστι δ' αὐτόθι (αὐτόθεν S Pik) μὲν ἀπὸ τῷ στομάχῳ στε-
νώτερος (ὁ πρόλοβος) Ζιβ17. 508 ᵇ34 Aub, 30, 509 ᵃ7, 10
Aub. ὄρτυγος, αἰγοκεφάλυ, γλαυκός, νήττης, χηνός, λάρυ,
καταρράκτυ, ὠτίδος al Ζιβ17. 509 ᵃ1, 14, 2, 4, πορφυρί- 20
ωνος f272. 1527 ᵃ38. ὄφεως, σαύρυ, χαμαιλέοντος Ζιθ4.
594 ᵃ21. β11. 503 ᵇ11. 17. 508 ᵃ18. pisces. στόμαχον οἱ
μὲν ὅλως ἀκ ἔχɥσιν οἱ δὲ βραχύν· πρὸς τῷ στόματι τὰς
κοιλίας εἶναι κ̣ στόμαχον μὴ ἔχειν· στόμαχον ὀλίγοι ἔχɥσι
κ̣ ὅτοι μικρόν· οἱ πλεῖστοι ἀκ ἔχɥσι Ζμγ14. 675 ᵃ9. Ζιθ2. 25
591 ᵇ8. β17. 507 ᵃ10, 27. μαλακίων Ζιθ1. 524 ᵇ13, 18 et
supra p 443 ᵇ15. μαλακοστράκων Ζμδ5. 679 ᵃ34, 681 ᵇ23,
καράβυ καρκίνυ Ζμδ2. 526 ᵇ25. 3. 527 ᵇ23. κόχλα, πορ-
φύρας, κήρυκος Ζμδ5. 679 ᵇ10. Ζιδ4. 529 ᵃ5 Aub. ἐχίνυ
τῇ θαλαττίυ Ζμδ5. 680 ᵃ7, cf 10. Ζιδ5. 530 ᵇ26. 30
στόμιον. cf στόμα 2. στόμια συρίγγων (Emp 345) αν7.
473 ᵇ11. στόμιον ἀμφορέως πκε2. 938 ᵃ9. στόμια γῆς κ4.
395 ᵇ27. θ52. 834 ᵃ20. ποιεῖν τὸ ἀράχνιον ἐπὶ τοῖς στο-
μίοις Ζιι39. 623 ᵃ4 Aub.
στομᾶν. ψύχειν τὸ ὕδωρ κ̣ στομᾶν δοκᾶσι (τὰς ἀκόνας) 35
f205. 1515 ᵃ34.
στόμωμα. τὰ (τῷ σιδήρυ) στομώματα πῶς ποιᾶσιν μδ6.
383 ᵃ33, ᵇ2.
στοργή γονέων πρὸς τέκνα f178. 1507 ᵇ21, 37. — στοργὴ
δὲ στοργήν (Emp 380) ψα2. 404 ᵇ15. Μβ4. 1000 ᵇ8. 40
στοχάζεσθαι. σκοπός τις ἐστίν. ὃ στοχαζόμενοι κ̣ αἱρῦνται
κ̣ φεύγυσιν Ρα5. 1360 ᵇ5. ὧν δεῖ στοχάζεσθαι κ̣ ἃ δεῖ
εὐλαβεῖσθαι συνιστάντας τὰς μυθɥς po13. 1452 ᵇ28. cf 18.
1456 ᵃ20. τίνων δεῖ στοχάζεσθαι τὸν ἀποκρινόμενον, πρὸς
τὸ κατασκευάζειν ὅρον τθ5. 159 ᵃ34. Αθ13. 97 ᵃ23. στο- 45
χάζεσθαι τῷ ἀγαθῷ, τῆς ἡδονῆς, τῷ συμφέροντος, τῆς ἐλευ-
θερίας al Πα1. 1252 ᵃ4 (syn ἕνεκεν, χάριν ᵃ2, 3). δ8.1294
ᵃ16. 12. 1296 ᵇ36. ε11. 1314 ᵃ15. Ηβ9. 1109 ᵃ30. ε3.
1129 ᵇ15. θ11. 1160 ᵃ13. Με2. 1027 ᵃ3. τὰ σκώμματα
στοχάζεται τῆς ἰδέας p36. 1441 ᵇ18. στοχάζεσθαι τῷ κρα- 50
τεῖν, τῷ μὴ λυπεῖν al Πη2. 1324 ᵇ7. Ηθ12. 1126 ᵇ29,
1127 ᵃ8. 14. 1128 ᵃ6. τῷ ὡς ἐπὶ τὸ πολὺ γιγνομένɥ ἐστό-
χασται al εἰρημένα Ζιζ17. 571 ᵃ27. πολλὰ (ζῷα) πρὸς
τὰς ἐκτροφὰς τῶν τέκνων στοχαζόμενα ποιῦνται τὸν συν-
δυασμὸν ἐν τῇ ἀπαρτιζύσῃ ὥρᾳ Ζιε8. 542 ᵃ31. δεῖ στοχάζε- 55
σθαι πῶς τυγχάνεσαι ποῖα προϋπολαμβάνοντες Ρβ21. 1395
ᵇ10. στοχαζόμενοι ἐκ τῷ ταὐτομάτɥ συμβαίνειν τὴν τῷ
ὅλɥ διακόσμησιν f13. 1476 ᵃ30. — τίνων στοχαστέον
τθ6. 159 ᵇ36. τῷ μέσɥ στοχαστέον Πβ7. 1266 ᵇ28.
στοχαστικός. ὁ εὔβɥλος στοχαστικὸς τῷ ἀρίστɥ τῶν πρα- 60
κτῶν Ηζ8. 1141 ᵇ13. ἡ ἀρετὴ στοχαστικὴ τῷ μέσɥ, τῷ

τέλɥς μᾶλλον ἢ τῶν πρὸς τὸ τέλος Ηβ5. 1106 ᵇ15, 28.
9. 1109 ᵃ22. ημα18. 1190 ᵃ27. δύναμις στοχαστικὴ τῆς
ἡδονῆς πιη4. 916 ᵇ38. — στοχαστικῶς ἔχειν πρὸς τὰ
ἔνδοξα Ρα1. 1355 ᵃ17.
Στράβαξ μισθοφόρος Ρβ23. 1399 ᵇ2.
στραβηλος refertur inter τὰ πορευτικά f287. 1528 ᵇ11.
στραγγαλίς. διαμένɥσιν (τῶν τεκɥσῶν γυναικῶν τισίν) εἰς
τὸν ὕστερον χρόνον στραγγαλίδες Ζιη11. 587 ᵇ22.
στραγγυρία. πολλαῖς (γυναιξὶ κυσταις) κ̣ στραγγυρίαι γί-
νονται τὸ τελευταῖον Ζιη4. 584 ᵃ12. στραγγυρίας φάρμακον
Ζιδ5. 530 ᵇ9. ι6. 612 ᵇ16. Ζγε3. 783 ᵃ21. θ12. 831 ᵇ3.
στράγξ (Lob Par 109). κατὰ στράγγα ῥεῖ τὸ κόμι φτβ9.
829 ᵃ20.
στρατεία. ὅσας ἂν στρατεύσωνται στρατείας Πη2. 1324 ᵇ15.
ἐρωτῶνται εἰ τὰς ὑπὲρ τῆς πατρίδος στρατείας ἐστρατεύ-
σαντο f375. 1540 ᵇ22. στρατεία ἐν τοῖς ἐπωνύμοις f429.
1549 ᵃ12.
στρατεύεσθαι στρατείας Πη2. 1324 ᵇ14. στρατεύεσθαι ὑπὲρ
τῆς πατρίδος, τὰς ὑπὲρ τῆς πατρίδος στρατείας f374.
1540 ᵃ43. 375. 1540 ᵇ22. στρατεύεσθαι ἐκ τῷ καταλόγɥ
Πε3. 1303 ᵃ10. τὰς ἀρχὰς αἱρεῖσθαι ἐκ τῶν στρατευομένων
Πδ13. 1297 ᵇ15.
στρατηγεῖν, ie στρατηγὸν εἶναι Πε7. 1307 ᵃ4. 5. 1305 ᵃ11.
στρατηγεῖν ἀπὸ μεγάλων τιμημάτων Πγ11. 1282 ᵃ31,
συνεχῶς Πε7. 1307 ᵇ12, 7. δεῖ στρατηγεῖν στρατηγηθέντα
Πγ4. 1277 ᵇ10.
στρατηγία διὰ βίᾳ, ἀίδιος ἡ Λακωνικὴ βασιλεία Πγ14.
1285 ᵃ15, 7, ᵇ27. 16. 1287 ᵃ5. στρατηγία ὠνητὴ Πβ11.
1273 ᵃ37. ἐν στρατηγίᾳ πολὺ τύχης ἐνυπάρχει ηεη14.
1247 ᵃ6. — στρατηγία ἰ q στρατηγικὴ ηεα8. 1217 ᵇ40.
Πε9. 1309 ᵇ5.
στρατηγικὸς μέν, πονηρὸς δέ Πε9. 1309 ᵇ1. στρατηγι-
κώτερον Ηα4. 1097 ᵃ10. — στρατηγικὴ ἐν ταῖς ἐντιμο-
τάταις τῶν δυνάμεων Ηα1. 1094 ᵇ3, cf 1094 ᵃ13. στρα-
τηγικῆς τέλος νίκη Ηα1. 1094 ᵃ9. Ηα9. 1258 ᵃ12. στρα-
τηγικὴ ἐπιστήμη καιρὸ ἐν πολέμῳ Ηα4. 1096 ᵃ32.
στρατηγοί, coni πολέμαρχοι, πολιτοφύλακες, βασιλεῖς Πζ8.
1322 ᵃ39. β8.1268 ᵃ22. 11.1273 ᵃ30. οἱ βασιλεῖς (heroici)
στρατηγοὶ Πγ14. 1285 ᵇ22. β9. 1271 ᵃ40. στρατηγὸς ἀίδιος
Πγ15. 1285 ᵇ38. ὁ αὐτὸς δημαγωγὸς κ̣ στρατηγὸς Πε5.
1305 ᵃ8. οἱ καθ' ἕκαστον ἐνιαυτὸν χειροτονύμενοι (Ἀθήνησι)
στρατηγοὶ δέκα f390. 1542 ᵇ42. cf 374. 1540 ᵇ7. 378.
1511 ᵇ2.
στράτιος κ̣ τροπαῖυχος ὁ θεὸς ὀνομάζεται κ7. 401 ᵃ22.
στρατιῶται, opp τὰ πολιτικά Ηγ11. 1116 ᵇ15. cf 12.1117
ᵇ17. Πε6. 1306 ᵃ21.
στρατιωτικὸς βίος Πβ9. 1270 ᵃ5. στρατιωτικὴ ἀνδρεία ηεγ1.
1229 ᵃ14, 1230 ᵃ14 sqq. στρατιωτικὸς ἄνθρωπος ηεγ1. 1230
ᵃ6. στρατιωτικὰ κ̣ πολεμικὰ γένη Πβ9. 1269 ᵇ25.
Στρατόνικος ἐμμελῶς ἔφη ηεγ2. 1231 ᵃ11.
Στράττις Εὐριπίδην σκώπτων εἶπε (Phoenissarum fr 1 Mke
II 2 p 780) αι5. 443 ᵇ30.
Στράτων ἰατρός f336. 1534 ᵃ13.
στρεβλη. τὰ αὐτόματα κινεῖται μικρᾶς κινήσεως γινομένης,
λυομένων τῶν στρεβλῶν Ζκ7. 701 ᵇ3, 9.
στρεβλός. εἴ τις, ᾧ μέλλει χρῆσθαι κανόνι, τῦτον ποιήσειε
στρεβλόν Ρα1. 1354 ᵃ26.
στρεβλῦν. στρεβληθέντες τὰς ἀσκὰς κ̣ δεικνύντες ὡς ἰσχυρὸς
ὁ ἀὴρ Φδ6. 213 ᵃ26. ἐπειδάν τινα ἴδωμεν στρεβλύμενον
ἄλλο τι τῶν δεινῶν πάσχοντα πζ7. 887 ᵃ16.
στρέφειν. ἡ ἕλιξ τῇ κύκλῳ κινήσει στρέφει τι μγ1. 371 ᵃ14

V.

ὁ ἁλιάετος τὸν μὴ βυλόμενον (τῶν νεοττῶν εἰς τὸν ἥλιον βλέπειν) κόπτει κỳ στρέφει Ζιι34. 620 ᵃ4 Aub. — metaph ἡ μοχθηρία στρέφει τὴν ἐν τῷ λογισμῷ ἀρετήν sim ηεη13. 1246 ᵇ15, 20, 22, 28. τῇ λέξει μετατιθέναι κỳ στρέφειν Ρα9. 1368 ᵃ3. νόμος ἀμφίβολος ὥστε στρέφειν Ρα15. 1375 5 ᵇ11. — pass, χωρίον τὴν θέσιν πρὸς τὸν ἥλιον ἐστραμμένον μγ4. 374 ᵇ2. ὅταν θᾶττον στραφῇ τὸ (τῆς ἵππυ) ἔμβρυον Ζιζ22. 576 ᵃ21. — τὸ ψιχρὸν θερμαίνει στραφὲν κỳ ἀπελθόν Φθ1. 251 ᵃ32. — κύκλῳ στρέφεσθαι Οα5. 272 ᵃ5, 19, ᵇ14. μγ1. 370 ᵇ32. — metaph, περὶ τὸ αὐτὸ γένος στρέ- 10 φεται ἡ σοφιστικὴ τῇ φιλοσοφίᾳ Μγ2. 1004 ᵇ22. ἐν τύτοις (τετραγώνοις, κύβοις) στρέφεσθαι (ἀνάγκη τὺς ἀριθμὺς?) Μν6. 1093 ᵃ9.

στρέψις. σῳζεσθαι ἐν τῇ στρέψει Ζμδ13. 696 ᵇ28.

στροβιλος. 1. λαῖλαψ κỳ στρόβιλος πνεῦμα εἰλύμενον κάτω- 15 θεν ἄνω κ4. 395 ᵃ7. — 2. στρόβιλος, coni κάλαμος, ὄροφος, θρυαλλίς, πίτυς f 252. 1524 ᵇ37. cf S Theophr V 509.

στρογγυλοπρόσωπος Ζια16. 495 ᵃ2. φ3. 807 ᵇ33. cf S Theophr III 63.

στρογγύλος. μορφὴ στρογγύλη κỳ σφαιροειδὴς Ζγγ8. 758 20 ᵃ9. στρογγύλος, coni κύκλος μβ6. 363 ᵃ28. τὰ στρογγύλα κỳ περιφερῆ τῶν σχημάτων εὐκινητότερα μχ8. 851 ᵇ15. χαλκὸς στρογγύλος, opp γωνιοειδής Γα4. 319 ᵇ13. Μλ3. 1070 ᵃ3. τὰ ἐν τῇ θαλάττῃ ὄστρακα κỳ λίθοι στρογ- 25 γύλα γίνεται πκγ36. 935 ᵃ37. χάλαζα στρογγύλη μα12. 348 ᵃ28, 33. σπλὴν στρογγύλος, dist μακρὸς Ζμγ12. 673 ᵇ32, 674 ᵃ1. καρδίας εἶδος στρογγυλώτερον, dist πρόμηκες Ζια17. 496 ᵃ18. κỳ ἡ πάμπαν στρογγύλον ἀλλ' ἐπὶ θά- τερα ὀξύτερον Ζγγ2. 752 ᵃ12. στρογγύλα, dist πλατέα 30 Οχ6. 313 ᵃ18. κοτύλη στρογγύλη φ3. 807 ᵇ21. τὰ στρογγύλα τῶν ἑλικῶν δυσίατα f 229. 1519 ᵃ46. τῶν λεόντων τὸ στρογγυλώτερον γένος δειλότερον Ζιι44. 629 ᵇ34. — αἱ στρογγύλαι, ν ἕλμινς ρ 239 ᵇ34. — rhet, προστιθέναι τὸ διότι στρογγυλώτατα Ρβ21. 1394 ᵇ33. 35

στρογγυλότης ἐγγίνεται ἐν χαλκῷ Μζ10. 1035 ᵃ14.

στρομβοειδής. ἡ φύσις τῶν στρομβοειδῶν Ζιδ4. 528 ᵇ17. saepius in ν1 ν στρομβώδης.

στρόμβος. 1. τῶν ὀστρακοδέρμων ὁ στρόμβος Ζμδ9. 685 ᵃ6. τὸ ψυ εἴσω τὴν φύσιν ἔχει οἷον οἱ στρόμβοι Ζια11. 40 492 ᵃ17. — 2. μεῖζον ὄστρακον Ζιε15. 548 ᵃ17. αἱ πορφύραι τῶν κογχυλίων διατρυπῶσι τὸ ὄστρακον, οἷον τῶν στρόμβων οἷς δελεάζυσιν αὐτάς Ζμβ17. 661 ᵃ23. καρκίνια ἐν τοῖς στρόμβοις Ζιδ4. 528 ᵃ6, 26. ε15. 548 ᵃ18. ν supra ρ 366 ᵃ45. (strombus Thomae, turbo Gazae Scalig. trompe 45 C II 818. fort Cerithium vulgatum Brug Mr 219. cf AZι I 183, 25 et στρομβώδης.)

στρομβώδης. τὰ στρομβώδη referuntur inter τὰ ὀστρακόδερμα, γένος τι τῶν ὀστρακοδέρμων Ζμδ5. 679 ᵇ16. 7. 683 ᵇ12. 9. 684 ᵇ16, 34. Ζπ4. 706 ᵃ13. 5. 706 ᵇ1. Ζγγ11. 763 50 ᵃ22. Ζιδ4. 528 ᵇ9. τὰ μαλάκια κỳ τὰ στρομβώδη ἔχει αὑτοῖς μὲν παραπλησίως, τοῖς μαλακοστράκοις δ' ἀντε- στραμμένως· τρόπον τινὰ τὰ στρομβώδη διθύροις ἔοικεν· ὁ τοῖς διθύροις ἄμφω, τᾶτο τοῖς στρομβώδεσι τὸ ἕτερον μέρος Ζμδ9. 684 ᵇ34. 5. 679 ᵇ18. cf Ζιδ4. 528 ᵇ17, 530 55 ᵃ22 Aub. τῶν ἐντὸς (μορίων) τρόπον τινὰ παραπλήσιος ἡ φύσις ἐστὶ πάντων Ζιδ4. 528 ᵇ13. ἡ ἑλίκη Ζμδ5. 680 ᵃ22. 9. 684 ᵇ21. Ζγγ11. 763 ᵃ22. Ζιδ4. 528 ᵇ6. ἐντὸς λεῖον τὸ ὄστρακον Ζιδ4. 528 ᵇ3. δεξιὰ πάντ' ἐστὶν Ζπ4. 706 ᵃ13. Ζιδ4. 528 ᵇ9. ἔχει τὰ ἐπιπτύγματ' ἐπὶ τῷ φανερῷ τῆς 60 σαρκὸς ἐκ γενετῆς πρὸς βοήθειαν· τὰ ἐπικαλύμματα Ζμδ5.

679 ᵇ19, 27. Ζιδ4. 528 ᵇ7. ε15. 547 ᵇ4. ἐντὸς ἔχει τὴν σάρκα ἀφανῆ πᾶσαν πλὴν τῆς κεφαλῆς, τὸ σαρκῶδες ἀπο- λέλυται μᾶλλον Ζιδ4. 528 ᵃ11, ᵇ5. τὸ περίττωμα ἐκ τῦ πλαγίυ, ᾗ τελευτὴ τῦ ἐντέρυ παρὰ τὴν κεφαλὴν Ζμδ9. 685 ᵃ10, 11. Ζιδ4. 529 ᵃ15. ἐν τῇ ἑλίκῃ μῆκυν Ζμδ5. 680 ᵃ22. τὰ μέλανα Ζιδ5. 531 ᵃ1. τὸ ἄνω, τὸ κάτω Ζιδ5. 531 ᵇ21. ἐπὶ τὸ αὐτὸ ἔχει τὸ πρόσθιον κỳ τὸ ὀπίσθιον Ζπ5. 706 ᵇ1. ἡ αὔξησις Ζγγ11. 763 ᵃ22. πάντα κινεῖται κỳ ἕρπει· κινεῖται ὐκ ἐπὶ τὴν ἑλίκην ἀλλ' ἐπὶ τὸ καταντικρὺ Ζιδ4. 528 ᵃ33, ᵇ9. Ζπ4. 706 ᵃ14. τὰ χερσαῖα κỳ τὰ θα- λάττια dist Ζιδ4. 529 ᵃ15, cf 528 ᵃ11. μεγέθει ἀλλήλων διαφέρει κỳ τοῖς καθ' ὑπεροχὴν πάθεσι Ζιδ4. 528 ᵇ13, 18. enumerantur Ζμδ5. 679 ᵇ14, 20. Ζπ4. 706 ᵃ15. Ζιδ4. 528 ᵃ11 al. cf M 182, 186, 188.

στρυθίον (Bk, στρυθός S et Pik, 'correxi quod est gene- 15 ricum nomen' S II 56). ὀξέως συγγίνεται· λέγυσί τινες ἐνιαυτὸν μόνον ζῆν τὺς ἄρρενας, τὰς θηλείας μακροβιω- τέρας εἶναι· οἱ ἄρρενες ἴσχυσι τὰ περὶ τὸν πώγωνα μέ- λανα Ζιε2. 539 ᵇ33. ι7. 613 ᵃ29, 31 Aub. ν στρυθός 1.

στρυθός. 1. refertur inter τὰ σκωληκοφάγα, τὰ μικρὰ τῶν 20 ὀρνίθων, τὰ μικρὰ πάμπαν Ζιθ3. 592 ᵇ17. β17. 509 ᵃ9, 23. cf Ζγδ6. 774 ᵇ29. Ζιι14. 616 ᵃ14. πρὸς τοῖς ἐντέροις ἡ χολή, ἀποφυάδες ὀλίγαι κάτωθεν κατὰ τὴν τῦ ἐντέρυ τελευτήν, κοιλία μακρὰ Ζιβ15. 506 ᵇ22. 17. 509 ᵃ23 Aub, 9 Aub. τίκτυσιν ἀτελῆ κỳ τυφλά, πολυτοκώσιν Ζγδ6. 774 ᵇ29. τίκτει κỳ μέχρι ὀκτώ, ὀχευτικὸν κỳ πολύγονον f 273. 1527 ᵃ44. κỳ κονίονται κỳ λύνται Ζιι49Β. 633 ᵇ4. οἱ ἄρ- ρενες βραχυβιώτεροι τῶν θηλειῶν ζ5. 466 ᵇ11. τὺς ἄρρενας τῦ χειμῶνι ἀφανίζεσθαι· μεταβάλλει f 273. 1527 ᵃ44. ἐνίοτε γίνεται τὴν μονοχρόων ἐκ μελάνων τὰ κỳ μελαντέρων λευκά, Albino Ζιγ12. 519 ᵃ6 Aub. (Passer domesticus C II 610. K 484. KaZι 85, 36. St. Cr. Su 119, 65. AZι I 108, 102. Rose Ar Ps 291, 294.) — 2. ὁ στρυθὸς ὁ Λιβυκός, vel ὁ ἐν Λιβύῃ στρυθός. descr, διχηλός· βλεφαρίδας ἔχει· τίκτει πολλὰ Ζμδ14. 697 ᵇ14-26. 12. 695 ᵃ17. β14. 658 ᵃ13. Ζγγ1. 749 ᵇ17. Ζιι15. 616 ᵇ5. (Struthio Camelus C II 610. St. Cr. Su 151, 135. AZι I 109, 103. M 153. Scheye de hist syst av 12. Lenz Zool der Gr u Röm 362.)

στροφεύς. ψόφος σκληρὸς τῶν στροφέων ὅταν ἀνοίγωνται βιαίως ακ802 ᵇ41.

στροφή. (τὸ τῶν ὄφεων σῶμα) ἀφυές ἐστι πρὸς τὴν στρο- φήν Ζμδ11. 692 ᵃ6. — metaph, ἄλλη ἐπιστήμη κυρία ποιεῖ τὴν στροφήν (ci, codd τροφήν) ηεη13. 1246 ᵇ9.

στρόφος. τὰ πνεύματα πόνυς κỳ στρόφυς (tormina) παρέχει πκ34. 926 ᵇ28.

Στρυμονίας καλεῖται ὁ Θρᾳκίας ἄνεμος σ973 ᵇ18. f 238. 1522 ᵃ1.

Στρυμών μα13. 350 ᵇ16. σ973 ᵇ18. f 238. 1522 ᵃ2. ἐν Στρυμόνι Ζιθ2. 592 ᵃ7. ἀπὸ τῦ Στρυμόνος ποταμῦ ἐπὶ τὸν Ἴστρον Ζιθ12. 597 ᵃ10.

στρυφνὸς χυμός, τὸ στρυφνόν, μεταξὺ γλυκέος κỳ πικρῦ, coni δριμὺ αὐστηρὸν ὀξὺ ψβ10. 422 ᵇ13. α4. 442 ᵃ19. πα42. 864 ᵃ24. 49. 865 ᵃ30. κβ11. 931 ᵃ6. στρυφναὶ ὀσμαὶ αι5. 443 ᵇ10. — metaph, coni δύσκολος, πρεσβυτικός, opp φιλικός Ηθ7. 1158 ᵃ3, 2, 6. 6. 1157 ᵇ14. στρυφνὺ ἦθυς ση- μεῖα Ζια9. 491 ᵇ16. τὰ τραγικὰ πρόσωπα κỳ οἱ στρυφνοὶ πῶς διαστρέφυσι τὰς ὀφθαλμὺς πκι7. 958 ᵃ17.

στρυφνότης, παθητικὴ ποιότης Κ8. 9 ᵃ30. ἀλλοιῦνται οἱ καρ- ποὶ εἰς στρυφνότητα φτβ10. 829 ᵇ41.

στρῶμα. παρέχειν τοῖς ἐπιδημῦσι κλίνας, στρώματα f 588.

1574 ᵃ1. (ἡ χλωρὶς ἐν τῇ νεοττιᾷ) στρώματα ὑποβάλλει τρίχας χ̣ ἔρια Ζιι13. 616 ᵃ2.

στρωματόδεσμος. δῆσαι στρωματόδεσμον κ6. 398 ᵃ8.

στρωμνή. τὰς στρωμνὰς χ̣ τὰς σκηνὰς ἐκ κρόκυ κατασκευάζειν θ111. 840 ᵇ30. 5

Στύξ ὅρκος τῶν θεῶν ΜΑ3. 983 ᵇ32.

στυπτηρία Ζιε15. 547 ᵃ20. coni κονία μβ3. 359 ᵇ12. ὄζει θείν χ̣ στυπτηρίας θ127. 842 ᵇ22. cf Beckmann Beitr z Gesch d Erfind II 99.

στυπτηριώδης γῆ πκδ18. 937 ᵇ23. 10

στύραξ. θυμιωμένη στύρακος Ζιδ8. 534 ᵇ25. cf Fraas 194. Meyer bot Erläut zu Strabo 54. Langkavel 64.

Στυρεύς. Ἀλεξάνεμος ὁ Στυρεὺς ἢ Τήιος f 61. 1485 ᵇ41.

στύφειν. τὸ νίτρον στύφει χ̣ ὑ τήκει πα38. 863 ᵇ17. ζ9. 887 ᵇ7. 15

στύφος. γίνεται ὁ χυμὸς τῦ καρπῦ στύφος ὀλίγον φτβ10. 829 ᵇ5.

στύψις. πολλὰς αἱ στύψεις ἐν τῇ βαφῇ ποιῦσι διαφορὰς χ̣ μίξεις χ4. 794 ᵃ29.

σύ. ἐκ εἰώθασι τὰ τοιαῦτα πράττειν ὔτε σὺ ὔτε οἱ σοὶ ὅμοιοι 20 ρ37. 1443 ᵇ36.

Σύαγρος Ὁμήρῳ ζῶντι ἐφιλονείκει f 65. 1486 ᵇ30.

Σύβαρις fluvius θ107. 840 ᵃ23. 169. 846 ᵇ33, 34. — urbs Πε3. 1303 ᵃ29. 896. 838 ᵃ26. — Συβαρῖται τρυφῶντες f 541. 1567 ᵇ28. 542. 1568 ᵃ14. πόθεν τὸ ἄγος συνέβη τοῖς 25 Συβαρίταις Πε3. 1303 ᵃ31. Συβαριτῶν πολιτεία f 541. 542. παρὰ τοῖς Συβαρίταις Φιλοκτήτης τιμᾶται θ107. 840 ᵃ15. Σμινδυρίδης ὁ Συβαρίτης νεα5. 1216 ᵃ17. Ἀλκιμένης ὁ Συβαρίτης θ96. 838 ᵃ15.

ὑβωτης. Ὀδυσσεὺς πῶς ἀνεγνωρίσθη ὑπὸ τῶν συβωτῶν 30 πο16. 1454 ᵇ28.

ὑγγένεια. 1. cf συγγενής 2. εἶδη φιλίας ἑταιρεία οἰκειότης συγγένεια Ρβ4. 1381 ᵇ34. ἡ κατὰ συγγένειαν φιλία ηεη6. 1240 ᵇ35. ἀνελύσθη ἢ κατ᾽ ἄλλην συγγένειαν Πβ3. 1262 ᵃ11. οἱ μὴ πόρρω τῆς συγγενείας ὄντες Πβ4. 1262 ᵃ29. 35 δοκεῖ συγγένειά τις εἶναι Τενεδίοις πρὸς τύτης (τὰς Τενεάτας) f 552. 1569 ᵇ8. — 2. cf συγγενής 3. τὸ μέσον ἐν τῇ αὐτῇ συγγενείᾳ ὑπάρχειν ἀνάγκη Αγ9. 76 ᵃ9. πόρρω ἀφίσταται τῆς συγγενείας περὶ ὧν ὁ λόγος 19. 163 ᵇ36. γεννᾶν κατὰ τὴν συγγένειαν Ζγα1. 715 ᵇ4. τῶν ζῴων τὰ 40 μὲν ἀπὸ ζῴων γίνεται κατὰ συγγένειαν τῆς μορφῆς Ζιε1. 539 ᵃ22. οἱ παρὰ τὴν συγγένειαν (παρὰ τὰς συγγενείας) συνδυαζόμενοι Ζγβ8. 747 ᵃ29. Ζζ11. 566 ᵃ6. ἔχεσθαι τῆς τῶν βλεφαρίδας αἰτίας διὰ τὴν (int πρὸς τὰς τρίχας) συγγένειαν αὐτῶν Ζμβ14. 658 ᵇ12. — ὑπηλλάχθαι τὸ φ 45 εἰς τὸ β κατὰ συγγένειαν f 539. 1567 ᵇ9.

υγγενής. 1. nativus. τρίχες συγγενεῖς, opp ὕστερον γινόμεναι, ὑστερογενεῖς Ζιγ11. 518 ᵃ18-24. ν4. 584 ᵃ24. πб5. 890 ᵃ19 (cf σύμφυτος). σημεῖα ἔχοντες συγγενῆ Ζιη6. 585 ᵇ31. δυνάμεις συγγενεῖς, dist ἔθει, μαθήσει Μθ5. 1047 ᵇ31. 50 ἡ τῆς ἐπιθυμίας ἐνέργεια αὔξει τὸ συγγενὲς Ηγ15. 1119 ᵇ9. cf η7. 1149 ᵇ11. — 2. cognatus (cf γένος 1). διώκων φόνον τῶν αὐτῷ συγγενῶν Πβ8. 1269 ᵃ2. ἐδενὶ τῶν συγγενῶν ἐοικέναι, syn πρόγονοι, οἰκεῖοι Ζγδ3. 767 ᵇ4, 2, 768 ᵇ11. τὴς συγγενέσι τῷ στόματι φιλεῖν αἱ γυναῖκες f 567. 55 1571 ᵃ35. τὸ συγγενές (Aesch fr 298) Ρβ10. 1388 ᵃ7. — 3. συγγενές iq τὸ ἐν ταὐτῷ γένει ὄν (cf γένος 2) Αγ9. 76 ᵃ1, 3, 30. 28. 87 ᵇ4. syn ὁμογενές Γβ2. 329 ᵇ30, 26. ἐκ τῶν συγγενῶν τὰς ὁμοιώσεις μεταφέρειν τὰ ἀνώνυμα ὠνομασμένως Ργ2. 1405 ᵃ35. ζῷα συγγενῆ, ἵπποι χ̣ 60 συγγενῆ ζῷα, κάραβοι χ̣ τὰ συγγενῆ τύτοις sim Ζγβ8.

748 ᵃ17. ὁ10. 777 ᵇ12. γ8. 757 ᵇ33. 10. 761 ᵃ2. Ζιε19. 550 ᵇ30. ι38. 622 ᵇ22. Ζμδ11. 691 ᵇ32. γίγνεσθαι ἐκ συνδυασμῦ τῶν συγγενῶν ζῴων, γίγνεσθαι μὴ ἐκ συγγενῶν ζῴων Ζγα1. 715 ᵇ3. β8. 747 ᵃ31. Ζιε1. 539 ᵃ26. γεννᾶσθαι ἐξ ἑτέρα μὲν συγγενῦς δὲ γένυς Ζγγ10. 760 ᵃ11. ἵππος ἵππῳ χαίρει, ἄνθρωπος ἀνθρώπῳ χ̣ ὅλως τὰ συγγενῆ τοῖς συγγενέσι χ̣ ὁμοίοις πι52. 896 ᵇ11. Ρα11. 1371 ᵇ12, 13. ἀεὶ συγγενὲς τὸ μέτρον, μῆκυς μήκυς. μονάδων μονὰς Μι1. 1053 ᵃ24 Bz. Φδ14. 223 ᵇ13. ἀριθμοὶ χ̣ γραμμαὶ χ̣ τὰ συγγενῆ τύτοις Μμ1. 1076 ᵃ18. πῦρ χ̣ γῆ χ̣ τὰ συγγενῆ τύτοις Οα2. 268 ᵇ29. μα2. 339 ᵃ28, 36. μκ2. 465 ᵃ18. εἰς ταὐτὸ φέρεται τὰ συγγενῆ Ογ2. 301 ᵃ4. cf Φδ5. 212 ᵇ31. σῶμα συγγενές μθ9. 386 ᵇ2. cf Οα3. 270 ᵃ24. διήρηται τὴν ἐναντίων ἕκαστον πρὸς τὴν συντοιχίαν Ζμγ7. 670 ᵇ20. τρίχες χ̣ τὰ συγγενῆ τύτοις Ζγβ6. 745 ᵃ11. ἡ τῶν ὄφεων φύσις ἐστὶ συγγενὴς τοῖς σαύροις Ζμδ1. 676 ᵃ25. ἐπιστῆμαι συγγενεῖς Μβ1. 995 ᵇ12. ὁδεμία γένεσις συγγενὴς τοῖς τέλεσιν (Plat) Ηη12. 1152 ᵇ14. συγγενέστατον τῷ θεῷ ὁ νῆς Ηκ9. 1179 ᵃ26. cf 8. 1178 ᵇ23. saepe dubites utrum συγγενές ipsam ταυτότητα τῦ γένυς an omnino similitudinem et naturae quandam propinquitatem significet. συγγενῆ, coni syn παραπλήσια. ὅμοια τα7. 103 ᵃ18. 10. 104 ᵃ20. τοῖς περὶ γενέσεως λόγοις τὴν αἰτίαν συγγενῆ ὅτι νομίζειν Ζγε8. 788 ᵇ9. συγγενεστάτη τῇ φιλοσοφίᾳ χ̣ μάλιστα πρέπυσα ἡ τύτων μάθησις κ1. 391 ᵃ6. in ambiguitate voc συγγενής quod et cognatum et simile significat, luditur Ρβ23. 1398 ᵃ20, 21.

συγγενικός. 1. i q συγγενής 1. συγγενικαὶ τρίχες πδ18. 878 ᵇ27. — 2. i q συγγενής 2. συγγενικὴ φιλία Ηθ14. ηεη10. 1242 ᵃ1sqq. ημβ12. 1211 ᵇ19. — 3. cf συγγενής 3. εἴδη πρὸς ἄλληλα συγγενικά Ζιδ7. 531 ᵇ22. ἔχει πάντα (τὰ ἔντομα) τὴν μορφὴν συγγενικήν Ζιι40. 623 ᵇ6.

συγγεννᾶν. τὸ φανερὸν συγγεννῶσιν Ζιι50. 632 ᵃ20. cf S Pik Aub ad h l.

συγγνωσθαι. οἰόμενος συγγνώσεσθαι Πε10. 1311 ᵇ40.

συγγίνεσθαι. 1. cf συγγενής 1. φασὶν αὐτὴς (πιννοτήρας) ἅμα συγγίνεσθαι γινομένοις Ζιε15. 547 ᵇ31. παρὰ φύσιν πολλὰ χ̣ τῶν συγγινομένων (eorum quae sunt?) ἐστὶν πδ13. 878 ᵃ17. — 2. οἱ ἄριστα πολιτευόμενοι λόγῳ πρῶτον ἢ τοῖς ἔργοις συγγίνονται (i e χρῶνται, διατρίβυσι περὶ) ρ1. 1420 ᵇ28. — συγγίνεσθαι de coitu. συγγίνεσθαι γυναικὶ Ηε10. 1134 ᵃ20. f 462. 1554 ᵃ12. γυνὴ συγγενομένη ἀνδρὶ χ̣ δόξασα συλλαβεῖν Ζγδ7. 775 ᵇ28. cf α18. 722 ᵃ10. Ζικ2. 634 ᵇ38. 3. 636 ᵃ11.

συγγνώμη. def Ηζ11. 1143 ᵃ23. συγγνώμη ἐστὶν ἐπὶ τοῖς ἀκυσίοις Ηγ1. 1109 ᵇ32. ὁ πρὸς τὴν συγγνώμην ἀπέβλεψεν, ἀλλὰ πρὸς τὸ συμφέρον Πβ12. 1274 ᵇ21. ἀποδῦναι συγγνώμην τινι ημβ6. 1201 ᵃ2. ἔχειν συγγνώμην τινί, περί τι ημβ6. 1201 ᵃ4. Πβ9. 1270 ᵃ10. Ηζ11. 1143 ᵃ22. πῶς χρὴ περιαιρεῖσθαι συγγνώμην, περιαιρετέον τὴν συγγνώμην ρ37. 1443 ᵇ1-12. 5. 1427 ᵃ8. συγγνώμης τεύξεσθαι, τυχεῖν Ρα12. 1373 ᵃ28. ρ5. 1427 ᵃ30. συγγνώμην ἔχειν (i e συγχάνειν συγγνώμης) ρ5. 1427 ᵃ40. συγγνώμην (sc ἐστί) τινι Ηη3. 1146 ᵃ2, 3. συγγνώμην (sc ἐστί) c inf, ταῖς φυσικαῖς ἀκολυθεῖν ὀρέξεσιν Ηη7. 1149 ᵇ4.

συγγνωμονικός. propensus ad ignoscendum Ηζ11. 1143 ᵃ21. συγγνωμονικός τινι Ρβ6. 1384 ᵇ3. opp τιμωρητικός Ηθ11. 1126 ᵃ3. ἔστιν ωφετικὴ ... χ̣ ἡ συγγνωμονικὸν εἶναι, opp κολαστικός, τιμωρητικός αρ8. 1251 ᵇ33. — συγγνωμονικόν, dignum venia Ηη8. 1150 ᵇ8. τῶν ἀκυσίων τὰ μέν ἐστι συγγνωμονικὰ τὰ δ᾽ ὁ συγγνωμονικᾷ He10. 1136 ᵃ5.

συγγνώμων, coni syn εὐγνώμων, συνετός Ηζ12.1143 ᵃ31.

συγγνωρίζειν ἢ συναισθάνεσθαι κεη12. 1244 ᵇ26.

σύγγραμμα. ἐν ἀρχῇ τῷ συγγράμματος (Ἡρακλείτῳ) Ργ5. 1407 ᵇ16. — συγγράμματα ἰατρῶν Ηκ10. 1181 ᵇ2, 5.

συγγράφειν λόγες δικανικὰς ρ37. 1444 ᵇ4. συνέγραψε ποιήσας κεα1. 1214 ᵃ2. — συγγραψαμένες μαρτυρεῖν κελεύσομεν ρ16. 1432 ᵃ10.

συγγραφή. συγγραφαί referuntur inter τὰς ἀτέχνες πίστεις Ρα2. 1355 ᵇ37.

συγγυμνάζεσθαι Ηι12. 1172 ᵃ4.

συγκάειν, συγκαίειν. φασὶ τὴν ὑπόστασιν τὴν γενομένην ἐκ τῆς πλύσεως πολλάκις πλυθεῖσαν συγκαίειν θ48. 833 ᵇ27. f 248. 1524 ᵃ10. συγκάεσθαι τὴν τροφὴν ὑπὸ τῶν θερμῶν χ6. 798 ᵇ17. ὅσοι (λίθοι) ὑπὸ πυρὸς τῆς γῆς συγκαυθείσης γίγνονται μδ6. 383 ᵇ12.

συγκαθαιρεῖν. φορτίον συναναπιθέναι τοῖς βαστάζεσιν, συγκαθαιρεῖν δὲ μή (Pythag) f 192. 1512 ᵇ12.

συγκαθιέναι. intr, συγκαθείσης τῆς θηλείας ἐπιβαίνει τὸ ἄρρεν Ζιε2. 539 ᵇ29, 31, 540 ᵃ22. συγκαθιᾶσιν, opp ἐκτείνονται ρβ31. 869 ᵇ11.

συγκαθίζειν. (ἐλέφας) συγκαθίζει ἢ κάμπτει τὰ σκέλη Ζιβ1. 498 ᵃ9. τίκτει ἡ θήλεια (ἐλέφας) συγκαθίσασα ἐπὶ τὸ ὄπισθεν Ζιζ27. 578 ᵃ21. τὸ σῶμα συγκεκαθικὸς (δειλῷ σημεῖον) φ3. 807 ᵇ5.

συγκαλλύνειν. τὸ διαρριπτόμενον (ἐν τοῖς ἀργυροκοπείοις) συγκαλλύνοντες λαμβάνεσι τὰ λείψανα πκδ9. 936 ᵇ27, cf καλλύνειν.

συγκαμπή. φλέβες διὰ τῶν πήχεων ἐπὶ τὰς καρπὰς ἢ τὰς συγκαμπὰς Ζιγ3. 513 ᵃ3.

συγκάμπτειν. πίθηκος πόδας συγκάμπτει ὥσπερ χεῖρας Ζιβ8. 502 ᵇ11. τὸ κινέμενον ὀτὲ μὲν ἐκτεινόμενον προέρχεται, ὀτὲ δὲ συγκαμπτόμενον Ζργ9. 709 ᵇ5. συγκαμφθέντος, opp ἐκτεταμένε πγ3. 885 ᵇ34. τὰ ἔντομα σῴζεται συγκαμπτόμενα Ζμδ6. 682 ᵇ22. τὰ δίποδα συγκεκαμμένα (ἐν τῇ ὑστέρᾳ) Ζιη8. 586 ᵇ1. συγκεκαμμένον βέλτιον κατακεῖσθαι πς3. 885 ᵇ26. ὄρνιθες τινὲς συγκεκαμμένῳ αὐχένι πέτονται Ζμδ 12. 694 ᵇ28. ὁ βῦς βαίνει σφόδρα ὥστε συγκάμπτεσθαι τὴν βῶν Ζιζ21. 575 ᵃ14.

σύγκαμψις τῷ σκέλες Ζπ12. 711 ᵇ2, τῷ σώματος ἐν ταῖς πορείαις πβ38. 870 ᵇ1. — σύγκαμψις v l (σύμψαυσις Bk) Ζμβ17. 661 ᵇ24.

συγκαταβαίνειν, opp ἀνέρχεσθαι μβ3. 358 ᵇ32. πκγ4. 931 ᵇ32. — ἵνα συγκαταβαίνωσι (ἀνὴρ ἢ γυνὴ) ταῖς ἡλικίαις ἐπὶ τὸν αὐτὸν καιρὸν ἢ μὴ διαφωνῶσιν αἱ δυνάμεις Πη16. 1334 ᵇ34, 1335 ᵃ31. συγκαταβαίνει ἐλαττύμενος (ὁ θορὸς τοῖς ἄρρεσιν) ἅμα τοῖς ᾠοῖς τοῖς ἐν τοῖς θήλεσιν Ζγγ 5. 756 ᵃ25.

συγκατάγειν. ὅταν ἐπὶ γῆς φέρεται ἡ ἕλιξ συγκατάγεσα τὸ νέφος μγ1. 371 ᵃ22. τὰ ῥεύματα συγκατάγει τὴν γῆν πκγ38. 935 ᵇ26. — ὁ βάτραχος συγκατάγει τὰ τριχώδη, opp ἐπαίρει Ζιζ37. 620 ᵇ18.

συγκαταγηράσκει ἢ πολὺν ἐμμένει χρόνον ἡ μύλη Ζγδ7. 776 ᵃ5, 775 ᵇ33. Ζικ7. 638 ᵃ17.

συγκαταθαπτομένης τῇ ἀρετῇ αὐτῶν (τῶν ἐν Σαλαμῖνι τελευτησάντων) τῆς ἐλευθερίας (Lys 2, 60) Ργ10. 1411 ᵃ33, 34.

συγκατακλείειν. μιγνυμένων (τῷ ὑγρῷ ἢ τῷ ἀλφίτῳ) πνεῦμα συγκατακλείεται πκα18. 929 ᵃ27. σῆτες μάλιστα γίνονται ἐν ἐρίοις, ἂν ἀράχνης (?) συγκατακλεισθῇ Ζιε32. 557 ᵇ4 Aub.

συγκατακλίνω. ὑές συγκατακλιθέντες πλησιάζωσιν Ζιε14. 546 ᵃ26.

συγκαταλέγειν. χρὴ δὲ τύτων (i e τῶν ἀστείων) κατα πάντα τὰ μέρη συγκαταλέγειν διαλλάττοντα τὰς λόγες p23. 1434 ᵃ38.

συγκαταμιγνύναι. τὸ ἐκ τῆς γῆς συγκαταμιγνύμενον τῷ ὑγρῷ αἴτιον τῆς ἁλμυρότητος μβ3. 357 ᵇ7.

συγκαταπλέκει (ἡ χελιδὼν) τοῖς τάρφεσι πηλόν Ζιη7. 612 ᵇ23.

συγκαταριθμεῖσθαι, med, ἡμᾶς πολλὰ τῶν πρός τι συγκαταριθμεῖσθαι Κ8. 11 ᵃ22.

συγκατατίθεσθαι, assentiri, συγκαταθήσεται ἡ διάνοι τγ1. 116 ᵃ11.

συγκαταφέρεσθαι. ὑπὸ τῶν ποταμῶν συγκαταφερομέν (γῆν) μβ3. 357 ᵃ17, cf ᵇ2, 358 ᵃ24. τὸ φερόμενον, μεθ' ἀὴρ συγκαταφέρεται πκγ4. 931 ᵇ21.

συγκατέρχεσθαι. ἐπὶ τὴν ἀρχὴν συγκατέρχονται αἱ ἔνεσα κινήσεις εν3. 461 ᵇ12. — οἱ συγκατελθόντες (int ἐκ τῆ φυγῆς) Πδ15. 1300 ᵃ18.

συγκατιέναι. ὅπως συγκατιόντα λεπτύνῃ τὰ ὑγρά πιβ12 907 ᵇ11. κ16. 924 ᵇ25.

σύγκαυσις. τὰ κατοπτηθέντα (κέρατα) παραπλήσιον τὸν ἤχ ἔχωσι τῷ κεράμῳ διὰ τὴν σκληρότητα ἢ τὴν σύγκαυσ ακ802 ᵇ4.

συγκεῖσθαι, συγκείμενος. συγκεῖσθαι δεῖ τὸ ὅλον ἐκ τῷ μερῶν Φθ10. 218 ᵃ7. ἐξ ὧν πρῶτων σύγκειται ἢ εἰς ἔσχατα διαλύεται Γα8. 325 ᵇ19. τὸ ἐκ τῶν στοιχείων συγ κείμενον, opp τὰ στοιχεῖα Μλ4. 1070 ᵇ6. ὅσα ὥσπερ κ ἁλώσεις σύγκειται τῶν σωμάτων μδ9. 387 ᵃ13. σύγκειτ τὰ ἀνομοιομερῆ ἐκ τῶν ὁμοιομερῶν Ζγα18. 722 ᵃ25, 2 cf 724 ᵇ30. ἡ πόλις ἐκ πολλῶν σύγκειται μερῶν Πδ 1290 ᵇ39, 1291 ᵃ13. 3. 1289 ᵇ29. γι. 1274 ᵇ40 (syn τ συνεστῶτα ἐκ μερῶν). ε3. 1302 ᵇ40, 35. πολιτεία συγκε μένη ἐκ δημοκρατίας ἢ τυραννίδος Πβ6. 1266 ᵃ1, 5. – συγκείμεναι (γραμμαί, ἐπιφάνειαι), syn ἀπόμεναι, syn διῃρημέναι Μβ5. 1002 ᵇ2, 1. — logice de coniunctis int se materia et forma, ἐσία συγκειμένη (cf σύνθετος) Μι 1054 ᵇ5, substantia et accidente, subiecto et praed cato Μθ10. 1051 ᵇ4 Bz (huc fort referendum πρότερα τ συγκειμένων τὰ ἀσύνθετα Μμ2. 1076 ᵇ18). τὸ ἔστι τρίτ σύγκειται, syn προσκατηγορεῖται ε10. 19 ᵇ21, 19. cf V Poet III 317. — ὕπω σύγκειται τέχνη περὶ αὐτῶν Ργ 1403 ᵇ35. ἐκ τύτε τῷ τόπε ἡ Κόρακος τέχνη συγκεῖται Ρβ24. 1402 ᵃ17. ὁ μῦθος σύγκειται ἐκ θαυμασίων ΜΑ 982 ᵇ19. μὴ πιστεύειν τοῖς σοφίσματος χάριν πρὸς πλῆθος συγκειμένοις Πε8. 1308 ᵃ1.

συγκεραννύναι. ἡ τῷ χυμῷ τῷ συγκραθέντος θερμότ Ζγγ4. 755 ᵃ21.

συγκεφαλαιῶν. cf κεφαλαιῶσθαι. τὰ λεχθέντα συγκεφ λαιώσαντες ψγ8. 431 ᵇ20. — med, ὡς εἰπεῖν συγκεφ λαιωσαμένες Πζ8. 1322 ᵇ30. — pass, οἱ συγκεφαλαιώμεν τρόποι εἰσὶ τέτταρες Μι1. 1052 ᵃ17 Bz. ἐκ πολλῶν γὰρ ὁλ γον (τὸ σπέρμα) συγκεκεφαλαίωται πδ12. 877 ᵇ31.

συγκεχυμένως, v συγχεῖν.

συγκινδυνεύειν. ἐγκαταλιμπάνειν τὰς συγκινδυνεύοντας τ φόβον Ρα10. 1368 ᵇ19.

συγκινεῖν πκζ11. 949 ᵃ19. — pass, κινεμένων ἡμῶν ἀναγ τὰ ἐν ἡμῖν πάντα συγκινεῖσθαι τβ7. 113 ᵃ30. cf πιθ4 921 ᵇ28. μχ24. 855 ᵇ37.

συγκίνησις. διὰ τί τὰ πνεύματα ψυχρά, ὄντα ἀπὸ τῆς θερμῷ συγκινήσεως πκς48. 945 ᵇ9.

συγκλᾶν. διὰ τὴν στενότητα τῦ τόπυ συγκλώμεναι αἱ εὐθεῖαι καμπύλαι γίνονται πι12. 892 ᵃ15.

συγκλείειν. πρὶν συγκλεῖσαι (τὺς ἰχθῦς τοῖς δικτύοις) Ζιδ8. 533 ᵇ26. αἱ συγκλεῖσαι πλευραὶ τὸ στῆθος Ζμβ9. 654 ᵇ35. cf πν7. 484 ᵇ17. — pass, (τὰ ὄστρακα) τῇ μὲν συμπέφυκε, τῇ δὲ διαλέλυται, ὥστε συγκλείεσθαι χ̣ ἀνοίγεσθαι· συγκέκλεισται ἐπ' ἀμφότερα, ἐπὶ θάτερα Ζιδ4. 528 ᵃ16, 17. Ζμδ7. 683 ᵇ15, 16. συγκλείονται οἱ ὀφθαλμοί, τῆς σαρκὸς οἱ πόροι πδ1. 876 ᵃ34. β23. 868 ᵇ15. συγκέκλεισται ὁ τόπος ὁ περὶ τὸν πνεύμονα πιγ10. 908 ᵇ30. — συγκλειστός. ὖ πολὺ διαφέρει ὖδὲ τὰ μονόθυρα χ̣ δίθυρα, συγκλειστὰ δέ (τὰ πλεῖστα δέ v l, τὰ πλεῖστα S Aub) Ζιδ4. 528 ᵇ15 Aub.

συγκλεισις. ἡ ῥάχις, ἀφ' ἧς χ̣ αἱ πλευραὶ πρὸς τὴν σύγκλεισιν· συναφὴς χ̣ συγκλείσεως χάριν οἷον ἡ κλείς πν7. 484 ᵇ18, 22.

σύγκλητοι, dist ἐκκλησία Πγ1. 1275 ᵇ8.

συγκλυσμός. ἀλλήλοις συμπίπτειν ἐπ' ἀμφοτέρων τῶν ἀκρωτηρίων τὺς κλύδωνας χ̣ ποιεῖν συγκλυσμόν θ130. 843 ᵃ14.

συγκοιμᾶσθαι. Ὅμηρος ὑκ ἐποίησε Μενελάῳ συγκοιμωμένην παλλακίδα f 172. 1506 ᵇ21.

συγκολλᾶν. διὰ τὸ κῦμα τὸ τελευταῖον ἐδαφίζεται χ̣ τὸ ἠρέμα ὑγρὸν συγκολλᾷ πκγ29. 934 ᵇ20. συγκολλᾶται τὰ μέρη τῦ πηλῦ φτβ1. 822 ᵃ23.

συγκομιδή. μετὰ τὰς τῶν καρπῶν συγκομιδάς Ηθ11. 1160 ᵃ26.

συγκόπτειν. συνέκοψάς μυ τὸν υἱόν ρ37. 1444 ᵇ12.

συγκόρυφος. δύο κῶνοι συγκόρυφοι πιε11. 912 ᵇ18.

συγκοσμεῖν. (Πυθαγόρειοι) πρός τινας λόγυς χ̣ δόξας αὑτῶν τὰ φαινόμενα προσῆκοντες χ̣ πειρώμενοι συγκοσμεῖν Οβ13. 293 ᵃ27. cf κοσμοποιεῖν.

συγκραδαίνειν. πνεῦμα πολλὰ μέρη συνεκράδανεν κ4. 395 ᵇ33.

σύγκραμα. ἐν Τήνῳ φιάλιον σύγκραμα ἔχον, ἐξ ὖ πῦρ ἀνάπτυσιν θ33. 832 ᵇ26.

σύγκρασις. εἰ πνοὴν χ̣ γένος ἐκ συγκράσεως ἔχυσι τὰ φυτά φτα1. 815 ᵃ27.

συγκρίνειν. 1. syn συνάγειν, opp διακρίνειν. ἡ φιλία, τὸ νεῖκος συγκρίνει, διακρίνει (Emped) ΜΑ3. 984 ᵃ10. 4. 985 ᵃ24, 26. Φϑ9. 265 ᵇ22. cf 1. 252 ᵃ27. ἡ τῆς ὥρας θερμότης συγκρίνει πέττυσα χ̣ συνίστησιν Ζγγ11. 762 ᵇ15. πεπεμμένον χ̣ συγκεκριμένον ΜΑ8. 989 ᵃ16. τὴν ἀτμίδα ψύχυσι χ̣ συγκρίνυσι πάλιν εἰς ὕδωρ μα13. 350 ᵃ13. συνιόντων χ̣ συγκρινομένων εἰς ὕδωρ· συγκριθῆναι εἰς ὕδωρ τὴν ἀτμίδα sim μβ9. 370 ᵃ30. 3. 358 ᵇ17. α10. 347 ᵃ19. 3. 341 ᵃ4. 4. 342 ᵃ29. θερμότ ἐστι τὸ συγκρῖνον τὰ ὁμογενῆ, ψυχρόν δὲ τὸ ὁμοίως συνάγον χ̣ συγκρῖνον ὁμοίως τά τε συγγενῆ χ̣ τὰ μὴ ὁμόφυλα Γβ2. 329 ᵇ26, 29. cf Ογ8. 307 ᵇ3. συγκρινομένων (τῶν σχημάτων Democr) ὑπὸ τῦ περιέχοντος αν4. 472 ᵃ5. ζῷα γίνεται ἔκ τινων συγκρινομένων, dist ἐξ ἀλλήλων πι13. 892 ᵃ24. — 2. comparare. δεῖ πρὸς ἐνδόξυς συγκρίνειν, syn ἀντιπαραβάλλειν Ρα9. 1368 ᵃ21, 20. συγκρίνειν τι πρὸς τι Πδ11. 1295 ᵃ27. ημα 2. 1184 ᵃ30, 31, 35. ατ972 ᵇ20. cf Lob Phryn 278. ταῦτα πρὸς ἄλληλα συγκριτέον Πδ12. 1296 ᵇ24. δύο περὶ ὧν μὲν συγκρίνειν τ1.3. 154 ᵃ5. τὸ ὡσαύτως ἔχον ἐν πρὸς πλείω συγκρίνεται τε7. 137 ᵃ20. ἐκ τῦ ὑπάρχειν τι συγκρίνεται τε8. 138 ᵇ26. σχεδὸν χ̣ πρὸς τἆλλα συγκρίνεσθαι πάντα (ἐργατικώτατον τὸ τῶν μυρμήκων γένος) Ζυ38. 622 ᵇ20. — πειρατέον τὸ οἰκεῖον ἀπονέμειν χ̣ συγκρίνειν τὰ ἑκάστοις

ὑπάρχοντα κατ' οἰκειότητα Ηι2. 1165 ᵃ32.

σύγκρισις. 1. cf συγκρίνειν 1. γίγνεσθαι χ̣ ἀπόλλυσθαι συγκρίσει χ̣ διακρίσει v διάκρισις p 182 ᵃ15-20. Γα2. 315 ᵇ20, 23. cf Oribas I 591. πύκνωσις χ̣ μάνωσις σύγκρισις χ̣ διάκρισις Φϑ7. 260 ᵇ11. σύγκρισις χ̣ διάκρισις κίνησις κατὰ τόπον Φη2. 243 ᵇ11, 29. ϑ9. 265 ᵇ20. αἱ ἄλλαι συγκρίσεις χ̣ διακρίσεις Φη2. 243 ᵇ8. ἡ σύγκρισις μῖξις Γα6. 322 ᵇ8. περίττωμα τῆς εἰς ὕδωρ συγκρίσεως· ἐκεῖνα ὑποληπτέον συγκρίσεις χ̣ ταῦτα διακρίσεις εἶναι μα9. 346 ᵇ34. β9. 369 ᵇ33. ὁ ἀὴρ πολύκενος ἐστι τὴν σύγκρισιν πκε22. 940 ᵃ5. — σύγκρισις etiam rem concretam significat (cf διάκρισις p 182 ᵃ26, σύγκρισις 2, συστημα v τὴν τοιαύτην σύγκρισιν sim μα8. 346 ᵃ16, 23, 4. 7. 344 ᵇ9. ὅπερ χ̣ ἐνίοις τὸ αἷμα, ἐν τύτοις ἑτέρα ὑπάρχει σύγκρισις Ζγα20. 728 ᵇ2. — 2. cf συγκρίνειν 2. αἱ πρὸς ἄλληλα συγκρίσεις τα5. 102 ᵇ15. γ4. 119 ᵃ1-11. τὴν σύγκρισιν ποιητέον πρός τι τϑ5. 159 ᵇ25.

συγκριτικός. τὸ συγκριτικὸν ὥσπερ ποιητικόν τί ἐστιν μδ1. 378 ᵇ22. συγκριτικὸν χρῶμα, v διακριτικὸν p 182 ᵃ29.

συγκρύειν. (οἱ ἵπποι) τὰ ὀπίσθια σκέλη ἐφέλκυσιν ἐπὶ τὰ ἔμπροσθεν, ὥστε ὀλίγον συγκρύειν Ζιθ24. 604 ᵇ2. ἐλάχιστα συγκρύσιν αχ800 ᵃ5. — metaph, τὸ διαβάλλειν ἀλλήλοις χ̣ συγκρύειν τὸν δῆμον τοῖς γνωρίμοις (τυραννικόν ἐστιν) Πε11. 1313 ᵇ17.

σύγκρυσις. λίθοι γίνονται ἐκ τῆς συγκρύσεως τῶν ὑδάτων τῆς ἰσχυρᾶς φτβ2. 823 ᵇ12.

συγκρύπτειν. ὁ αὐλὸς συγκρύπτει πολλὰ τῶν τῦ ᾠδῦ ἁμαρτημάτων πιϑ43. 922 ᵃ15.

συγκτᾶσθαι. τὴν χώραν ὅλην συγκτήσασθαι Πε7. 1307 ᵃ30.

συγκυβεύειν Ηι12. 1172 ᵃ4.

συγκυκλῶσθαι. μέχρι περ ἂν συγκυκλώσωνται (οἱ ναῦται τὺς ἰχθῦς) Ζιδ8. 533 ᵇ22.

συγκυνηγεῖν Ηι12. 1172 ᵃ4.

συγκύπτειν. περὶ τὴν ὥραν τῆς ὀχείας συγκύπτυσι πρὸς ἄλληλα (αἱ ἵπποι) μᾶλλον ἢ πρότερον Ζιζ18. 572 ᵃ23.

συγκυρεῖν. συνέκυρσε (Emp 260) Φβ4. 196 ᵃ22. Γβ6. 334 ᵃ3.

συγχαίρειν (syn συνήδεσθαι) τῷ φίλῳ, ἑαυτοῖς sim Ηι10. 1171 ᵃ6, 8. 4. 1166 ᵃ8, ᵇ18. non addito dat personae κεη6. 1240 ᵇ8. 11. 1244 ᵃ25.

συγχειλίαι. τὰ χείλη λεπτὰ χ̣ ἐπ' ἄκραις ταῖς συγχειλίαις χαλαρά φ6. 811 ᵃ18, cf 20.

συγχεῖν. συγχεῖσθαι μετὰ τῶν ἄλλων ὑγρῶν Ζικ6. 638 ᵃ2. λύειν χ̣ συγχεῖν τὸ σύμπαν ἄγαλμα κ6. 400 ᵃ3. θ155. 846 ᵃ21. ὁ ἀφρὸς ἐκ πολλῦ μικρῦ γίνεται συγχεόμενος Ζμγ6. 669 ᵃ33. συγχεῖσθαι τῦν τῆς φύσεως πόρων πβ41. 870 ᵇ21. πόροι συγκεχυμένοι χ̣ συμπεφυκότες Ζγβ7. 747 ᵃ12. Ζιγ4. 515 ᵃ23. τήκειν χ̣ συγχεῖν τὴν ἕξιν πβ42. 870 ᵇ33. τέρατα γίνεται ἐπαλλαττόντων τῶν σπερμάτων ἀλλήλοις, χ̣ συγχεομένων πι61. 898 ᵃ15. συγχεῖν τὰ ἴχνη πκς22. 942 ᵇ14. συγχέονται αἱ κινήσεις Ζγδ3. 768 ᵇ10. ἧττον συνίεμεν ὅταν προσαυλῇ τις ἅμα χ̣ κιθαρίζῃ διὰ τὸ συγχεῖσθαι τὰς φωνὰς ὑπὸ τῶν ἑτέρων αχ801 ᵇ18. συγχεῖται ἡ (τῦ παμμίκρῦ) θεωρία ἐγγὺς τῦ ἀναισθήτυ [χρόνυ] γινομένη πο7.1450ᵇ38. συγκεχυμένῳ ὖ διηρθρωμένον γράμμα Ζγια17. 721 ᵇ34. Ζιη6. 585 ᵇ35. τὸν ἄλλων ζῴων τὰ μὲν ὑκ ἔχει (ταῦτα τὰ μόρια), τὰ δ' ἔχει μὲν συγκεχυμένα δ' ἔχει μᾶλλον Ζια15. 494 ᵃ32. ἡμῖν πρῶτον δῆλα χ̣ σαφῆ τὰ συγκεχυμένα μᾶλλον, ὕστερον δ' ἐκ τύτων γίνεται γνώριμα τὰ στοιχεῖα χ̣ αἱ ἀρχαὶ διαιρῦσι ταῦτα Φα1. 184 ᵃ22. — rhet, συγχεῖν τὴν σύνθεσιν τῶν ὀνομάτων, σύνθεσις

τῶν ὀνομάτων συγκεχυμένη def ρ26. 1435 b10, a37. —
συγκεχυμένως τὸν ἀκόλαστον ἀκρατῆ κ̀ τὸν ἀκρατῆ
ἀκόλαστόν φασιν Ηη2. 1145 b16. συγκεχυμένως, opp σα-
φῶς ηεα6. 1216 b35. συγκεχυμένως (συνθεῖναι τὰ ὀνό-
ματα) ρ26. 1435 b6.
συγχορεύειν Πγ13. 1284 b12.
συγχορευτής. ὑπό τινος δαίμονος τῶν συγχορευτῶν ταῖς
Μύσαις f 66. 1486 b41.
συγχωρεῖν. συμπιέζεσθαι μᾶλλον κ̀ συγχωρεῖν ἕτερον ἑτέρῳ
Οβ14. 297 a11. ὁ ἀὴρ συγχωρεῖ κ̀ συστέλλεται πκε22.
940 a5. — ἡμεῖς αὐτῷ μὴ συγχωρῶμεν ηεα1. 1214 a7.
Συέννεσις ὁ Κύπριος ἰατρός Ζιγ2. 511 b23. 3. 512 b12.
συζευγνύναι. 1. συμβαίνει πολλοῖς κ̀ πολλαῖς γυναιξὶ κ̀
ἀνδράσι μετ' ἀλλήλων μὲν συνεζευγμένοις μὴ δύνασθαι
τεκνοποιεῖσθαι, διαζευχθεῖσι δέ Ζιη6. 585 b9. cf Ζγδ2. 767
a25. συζευγνύναι νέας κ̀ νέας Πη16. 1335 a16. συζεῦξαι
τὸν Ἄρη πρὸς τὴν Ἀφροδίτην Πβ9. 1269 b28. κατὰ τὴν
ὀχείαν ἁλίσκεται πολλὰ (σελάχη) συνεζευγμένα Ζιι37. 621
b28. — 2. συζευγνύναι κατὰ διάμετρον ηεη10. 1242 b16.
συνέζευκται ἡ φρόνησις τῇ τοῦ ἤθους ἀρετῇ Ηκ8. 1178 a16.
συνεζεῦχθαι φαίνεται (ἡ ἡδονὴ κ̀ τὸ ζῆν) κ̀ χωρισμὸν ἐ
δέχεσθαι Ηκ5. 1175 a19. ἐπίτριτος πυθμὴν πεμπάδι συζυ-
γεὶς (Plat rep VIII 546C) Πε12. 1316 a6. πηγαὶ κ̀ πο-
ταμοὶ συζεύγνυνται ὅτε γίνεται σεισμός φτβ2. 822 b37.
συνακολουθεῖ ἡ φύσις τῇ ὕλῃ ᾗ συζεύγνυται φτβ2. 823 b7.
συζευξις. 1. γυναικὸς κ̀ ἀνδρὸς συζευξις Πα 3. 1253 b10.
πότε κ̀ ποίας τινὰς δεῖ ποιεῖσθαι τὴν συζευξιν Πη16. πότε
ἄρχεσθαι χρὴ τῆς συζεύξεως Πη16. 1335 b28. — 2. ἡ
τῷ α ὅρῳ τῷ γ συζευξις, ἡ κατὰ διάμετρον συζευξις Ηε7.
1131 b10. 8. 1133 a6. ὅσαιπερ αἱ συζεύξεις τῶν ἀναγκαίων
μορίων εἰσίν Πδ4. 1290 b36, 32 (cf συνδυασμὸς b35). τῶν
τεττάρων στοιχείων ἓξ αἱ συζεύξεις Γβ3. 330 a31.
συζῆν, def κοινωνεῖν λόγων κ̀ διανοίας Ηι9. 1170 b11. cf
δ12. 1126 b11. ηεη12. 1244 b25. ἄνθρωπος πολιτικὸν κ̀
συζῆν πεφυκός Ηι9. 1169 b18. cf ηεη10. 1242 a9. ὀρέγε-
σθαι τοῦ συζῆν, χαίρειν τῷ συζῆν Πγ6. 1278 b21. Ρβ12.
1389 b1. συζῆν τοῖς φίλοις αἱρετώτατον Ηι12. 1171 b32.
θ6. 1157 b19. 7. 1158 a23. διαγωγαὶ τοῦ συζῆν Πγ9. 1280
b38. cf Ηδ13. 1127 a18. — οἱ συζῶντες Ηθ6. 1157 b7,
18. συζῆν μετ' ἀλλήλων Ηθ3. 1156 a27. πλείοσι συζῆν
Ηκ8. 1178 b5.
συζυγίαι τῶν ἐναντίων sim (cf συμπλοκή) τβ7. 113 a12.
Γβ5. 332 b3. αιι. 436 a13. κατὰ τὰς συζυγίας στοιχεῖα
τέτταρα συμβέβηκεν εἶναι μδ1. 378 b11. εἰσὶ διαστάσεις
μὲν ἕξ, συζυγίαι δὲ τρεῖς (ἄνω κάτω, ἔμπροσθεν ὄπισθεν,
δεξιὸν ἀριστερόν) Ζπ2. 704 b20. συζυγία φλεβῶν Ζιη8. 586
b21. κατὰ συζυγίας οἱ πετραῖοι (ἰχθύες) φωλοῦσιν οἱ ἄρ-
ρενες τοῖς θήλεσιν Ζιθ15. 599 b4. cf ι48. 631 b1.
σύζυγος. τῶν ἰχθύων ἔνιά ἐστιν ὃ μόνον ἀγελαῖα ἀλλὰ κ̀
σύζυγα Ζιι6. 610 b8. ἐκ τοῦ ζεύγους τῶν ἀετῶν θάτερον
τῶν ἐκγόνων ἀλλαιεύεται γίνεται παραλλάξ, ἕως ἂν σύζυγα
γίνηται θ60. 835 a1.
συκαλίς (v l συκαλλίς cf Lob Phryn 338 adn. Prol 96).
ἔρις σκωληκοφάγος· αἱ συκαλίδες κ̀ οἱ μελαγκόρυφοι με-
ταβάλλωσιν εἰς ἀλλήλας Ζιθ3. 592 b21. ι49 B. 632 b31, 32.
cf μελαγκόρυφος p 450 b14. (Sicallis vers Thomae, fice-
dula Gazae Scalig. bec-figue C II 117. cf S II 247, 490.
Sylvia ficedula K 866, 1. Cr. Motacilla atricapilla vel Pa-
rus ater St. Muscicapa atricapilla Su 116, 59. fort Parus
sp AZι I 102, 74.)
συκάμινον. βοηθεῖ (τοῖς κάπροις βραγχῶσι) συκάμινα διδό-

μενα Ζιθ21. 603 b14. συκαμίνων κάλαθος Ργ11. 413 a21.
(Morus nigra Fraas 236.)
συκῆ. συκαὶ τε γλυκεραί (Hom η 116. λ 590) κ6. 401 a1.
ἐν ὅτοις (φυτοῖς) τὸ μὲν καρποφορεῖ, τὸ δ' ἄκαρπόν ἐστιν,
οἷον συκῆ κ̀ ἐρινεός Ζγγ5. 755 b1. διὰ τί φυτεύουσι πλησίον
ταῖς συκαῖς ἐρινεὸς Ζιε32. 537 b31, 28. Ζγα1. 715 b25.
πήγνυσι τὸ γάλα ὀπὸς συκῆς Ζιγ20. 522 b2. αἱ πρὸς ταῖς
συκαῖς κάμπαι Ζιε19. 552 b1. f 328. 1532 b33. συκαῖ
ἄγριαι, κηπαῖαι φτα6. 821 a23, 24. αἱ συκαῖ ἔχουσιν ἐκ τῆς
οἰκείας ῥίζης φιτρόν, φύλλα ἐσχισμένα φτα4. 819 b5. 5.
820 a16, οὐκ ἔχουσιν ἄνθη φτβ9. 828 b40. αἱ συκαῖ εὔφοροι
διὰ πολλῶν χρόνων φτα7. 821 b15. ὁ χυμός, οἱ χυλοὶ τῆς
συκῆς φτα3. 818 b34. 5. 820 a34. — πότνια συκῆ (ἀπρε-
πῶς λέξεως exemplum, cf Κλεοφῶν p 393 b53) Ργ7. 1408
a16. (Ficus carica L Fraas 242.)
Συκίνη. περὶ τὴν λίμνην τὴν Βόλβην ἐν τῇ καλυμένῃ Συκίνῃ
Ζιβ17. 507 a17.
σύκινος. φύλλα σύκινα Ζμγ5. 668 a24. ἐκ τῶν συκίνων
ξύλων καπνὸς δριμύτατος f 219. 1518 a37.
σῦκον. σῦκον δ' ἐπὶ σύκῳ (Hom η 121) f 617. 1582 a23,
32. τίνα τῶν ζῴων πιαίνεται σύκοις Ζιθ6. 595 a29. 7. 595
b10. 21. 603 b28. ὅταν τὰ σῦκα ἀρχηται πεπαίνεσθαι Ζιε7.
541 b24. σῦκα ξηραινόμενα ταῖς καμίνοις· τὰ σῦκα λυμαί-
νεται τὸς ὀδόντας πκβ10. 930 b39. 14. 931 a27. σῦκον
ἀλεξιφάρμακον f 218. 1518 a25.
συκοφαντεῖν. ὁ συκοφαντῶν ἀεὶ ἐκ προνοίας ἀδικεῖ πκβ13.
952 a3. συκοφαντεῖν τὰς τὰς οὐσίας ἔχοντας, τὰς πολίτας al
Πε5. 1304 b22. p3. 1424 b13. 37. 1444 a32. πκθ13. 952
a13. — ὡς νῦν συκοφαντοῦσι τὰς ποιητὰς πο18. 1456 a5.
— συκοφαντεῖν in disputando τ2. 139 b26, 35. θ2. 157
a32.
συκοφάντημα μάλιστα σοφιστικόν (in disputando) τι15.
174 b9.
συκοφάντης, coni κλέπτης Ρβ4. 1382 a7.
συκοφαντία ρ3. 1424 a31. συκοφαντίαι κ̀ κινήσεις τῆς πο-
λιτείας Πβ8. 1268 b25. ἀκολουθεῖ τῇ ἀδικίᾳ συκοφαντία αρ7.
1251 b2. γραφαὶ συκοφαντίας f 378. 1541 a3, 40. — τὰ
κατὰ τί καὶ πρὸς τί ἢ προστιθέμενα ποιεῖ τὴν συκοφαντίαν
Ρβ24. 1402 a15. πρὸς τὰς συκοφαντίας τὰς λογικὰς ηεβ3.
1221 b7 (cf ἐνοχλήσεις ε6. 17 a37, δυσχέρειαι Μγ3. 1005
b22).
συκώδης γλυκύτης Ζιι40. 623 b24.
συλᾶν ἱερά Ηδ3. 1122 a6, τὰ πλοῖα οβ1347 b25, τὰς Καρ-
χηδονίας Ρα12. 1372 b27.
συλλαβή. τὰ στοιχεῖα τῶν συλλαβῶν αἴτια ὡς τὸ ἐξ ᾧ
Φβ3. 195 a16. Μθ2. 1013 b18. τὰ στοιχεῖα πρότερα τῶν
συλλαβῶν Κ12. 14 b2. 7. ζ4. 141 b9. τὸ ἐκ τινος συνθετὸν
ὅτως ὥστε ἓν εἶναι τὸ πᾶν, μὴ ὡς σωρὸς ἀλλ' ὡς ἡ συλ-
λαβή (cuius exempla βα, αβ) Μζ17. 1041 b12. η3. 1043
b5. οὐδενὶ τῶν στοιχείων ἐξ ὧν σύγκειται ἡ συλλαβὴ συνώ-
νυμος τζ13. 150 b20. συλλαβή ἐστι φωνὴ ἄσημος (cf ε4
16 b31), συνθετὴ ἐξ ἀφώνου κ̀ φωνὴν ἔχοντος· κ̀ γὰρ τὸ γρ
(i e ἄφωνον et ἡμίφωνον φωνὴν ἔχον ἀκουστὴν 1456 b27
ἄνευ τοῦ α συλλαβὴ κ̀ μετὰ τοῦ α οἷον γρα πο20. 1456
b34 Vahlen Poet III 227. ἔστι δ' ἐν ταῖς συλλαβαῖς ἁμαρ-
τία (? Vhl Poet III 226) Ργ2. 1405 a31. συλλαβή, dis
ὄνομα, στοιχεῖον Ζγα18. 722 a32. ὄνομα ἐπεκτεταμένον
συλλαβῇ ἐμβεβλημένῃ πο21. 1458 a2. ὅμοιά ἐστιν ὀνόματα
τὰ ἐξ ὁμοίων συλλαβῶν p29. 1436 a10. καταμετρεῖται
λόγος συλλαβῇ βραχείᾳ κ̀ μακρᾷ Κ6. 4 b33. cf Μν1
1087 b36.

συλλαμβάνω. ἕως ἂν συλλάβῃ (τῷ ἀραχνίῳ ταῖς μικραῖς
σαύραις) τὸ στόμα Ζι 39. 623 b2. — συλλαβόντι εἰπεῖν
Ρα 10. 1369 b18. — ὁ τῆς γῆς ὄγκος, ἐν ᾧ συνείληπται κ̅
πᾶν τὸ τῦ ὕδατος πλῆθος μα 3. 340 a7. τὸ δι' ὃ συνει-
λημμένον (τῷ αἰσθητηρίῳ). ὥσπερ ἂν εἴ τις προσλάβοι τῇ
κόρῃ τὸ διαφανὲς πᾶν Ζμβ 8. 653 b25. διὰ τί ἐν ὁ ἀριθμὸς
συλλαμβανόμενος; ΜΑ 9. 992 a2. μετὰ τῦ γένες αἱ συλ-
λαμβανόμεναι διαφοραί, τὰ μεταξὺ συλλαμβανόμενα μετὰ
τῶν διαφορῶν Μζ 12. 1037 b31. β 3. 998 b28. ἔνια εὐθὺς
ὠνόμασται συνειλημμένα μετὰ τῆς φαυλότητος Ηβ 6. 1107
a10. ηεβ 3. 1221 b22. ἐν τῇ ὕλῃ συνειλημμένος ὁ λόγος,
συνειλημμένα τὸ εἶδος κ̅ ἡ ὕλη, συνειλημμένον μετὰ τῆς
ὕλης, τῇ ὕλῃ, τῷ δεκτικῷ Μζ 15. 1039 b21. 10. 1035 a25,
28. ε1. 1025 b32 Bz. ι9. 1058 b2. 4. 1055 b8. τὸ συνει-
λημμένον (ie τὸ συνειλημμένον τῇ ὕλῃ, res concreta) Μζ 10.
1035 a23. 11. 1036 a27. — οἱ συνειλημμένοι, compre-
hensi et capti, οβ 1347 b32. — συλλαμβάνειν, conci-
pere. de mulieribus. συλλαμβάνεσι (πάλιν, θᾶττον, μόλις,
ῥᾳδίως) Ζγα 19. 727 b8, 18, 25. β 4. 739 a30. Ζιη 2. 582
b14, 17, 18. 1. 582 a19. 10. 587 b5. 5. 585 b19 (syn εἴλη-
πται med Ζιη 3. 583 a25). ἐὰν (ἕως ἂν, ὅταν) συλλάβωσι
Ζγδ 8. 777 a14. Ζιη 5. 585 b20. 2. 582 b25. 3. 583 a34.
κ 3. 636 a28. ὃ συλλαμβάνεσι θηλαζόμεναι (vl 34), τα-
ράττονται συλλαμβάνεσαι (συλλαβεῖσαι vl) Ζγδ 8. 777 a13.
6. 775 b10. αἱ συλλαμβάνεσι πρότερον, συνειληφυῖαι, αἱ μὴ
δυνάμεναι συλλαμβάνειν Ζγα 19. 727 b26. Ζιη 4. 584 b14,
23. 3. 583 a27. 5. 585 b24. ἀδύνατον συλλαβεῖν, συνέβη
τινὶ γυναικὶ δοξάσῃ συλλαβεῖν Ζγβ 4. 739 a27. δ 7. 775
b28 (cf Oribas III 681, 7). διὰ θεραπείαν συλλαμβάνειν,
σημεῖον τῦ συνειληφέναι, ὑστέρας κατασκευαζ̅ἐν πρὸς τὸ
συλλαμβάνειν Ζιη 5. 585 b25. 3. 583 a14, 20, cf 21. — de
animalibus. ἵππος ἂν συλλάβῃ τὸ πρῶτον· συλλαβεῖν δεῖ
τὴν ἡμίονον Ζιζ 22. 577 a4. 33. 580 b3. Ζγβ 8. 748 b22,
cf 29. δασύπης συλλαμβάνει ἔτι θηλαζομένη Ζιη 4. 585 a6.
— de utero. ὅταν συλλάβῃ ἡ ὑστέρα τὸ σπέρμα, ὃ συλ-
λαμβάνει ἡ θέλει συλλαμβάνειν Ζγα 4. 583 b29. 3. 583
a22, 16. συγγινόμεναι συνελάμβανον, ἀδύνατον συλλαβεῖν
Ζικ 2. 634 b38, 635 a1. — τὰ ὕστερον πολλῷ χρόνῳ συλ-
ληφθέντα Ζιη 4. 585 a9.
συλλέγειν. οἱ πολύποδες μάλιστα κογχύλια συλλέγοντες
τρέφονται τούτοις Ζιθ 2. 591 a1. ἡ ἀτμὶς συνίσταται εἰς
ὕδωρ ἐὰν τις βιληθῇ συλλέγειν μδ 7. 384 a7. — pass,
σχολάζοντες συλλέγονται πολλάκις κ̅ ἅπαντα αὐτοὶ κρί-
νεσιν Πδ 15. 1300 a3. τὸ συλλεχθὲν (ὕδωρ) ἐκ τῦ χειμῶ-
νος εἰς τὰς ὑποδοχὰς μα 13. 349 b6. τὸ ὑγρὸν (τὸ περίτ-
τωμα) συλλέγεται εἰς τὴν κύστιν μβ 3. 357 a33. Ζμγ 3.
664 b15. Ζγδ 8. 776 b4. σπέρμα συνειλεγμένον μέν, μὴ
ἀποκρινόμενον δέ Ζγδ 5. 773 b34. συνελέγη (συνελέχθη) χρή-
ματα, σῖτε πλῆθος οβ 1347 a30, 1348 a34, 1351 a21.
συλλείβειν. οἱ ὑψηλοὶ τόποι κατὰ μικρὰ μὲν πολλαχῇ δὲ
διαπιδῶσι συλλείβεσι τὸ ὕδωρ· ἐν τῇ γῇ ἐκ μικρῶν συλ-
λείβεσθαι (τὸ ὕδωρ) μα 13. 350 a9, 349 b33. τὸ περίττωμα
συλλείβεται εἰς αὐτὴν τὴν ὑστέραν Ζγγ 1. 751 a5.
συλλήβδην κ 4. 395 a28. συλλήβδην πᾶσ' ἀρετή (Theogn.
147) Ηε 3. 1129 b30. usitatum auctori rhetor ad Alex
(Spgl p 110) ρ 2. 1422 a14. 3. 1424 a21, 1425 b11, 28.
4. 1425 b36, 1426 a20, b7. 8. 1428 a29. 9. 1429 b22. 11.
1430 a34. 14. 1431 a20. 18. 1432 b4. 19. 1433 a24. 31.
1438 b10. 35. 1440 a35. 37. 1443 b12, 1445 a19. συλ-
λήβδην εἰπεῖν ρ 3. 1424 a10. 5. 1426 b25. 13. 1430 b38.
συλληπτικός. ὃ συλληπτικὰ τὰ θήλεα ἐκ τῶν ἀρρένων ἀεὶ

Ζγβ 8. 748 a18.
σύλληψις, conceptus. f 259 et 260. cf Rose Ar Ps 382. φύ-
σει ἡ σύλληψις γίνεται μετὰ τὴν τῶν καταμηνίων ἀπαλ-
λαγὴν ταῖς γυναιξὶν (cf ἄριστον δὲ κ̅ ἐπὴν παύσηται Hip-
pocr II 640)· ἡ τῆς συλλήψεως ἀρχὴ λανθάνει τὰς γυ-
ναῖκας· πότε εὐκαίρως ἔχει πρὸς τὴν σύλληψιν Ζιη 2. 582
b11. 4. 584 b21. 3. 583 a19. ἐμποδίζει πρὸς τὰς συλ-
λήψεις Ζικ 4. 636 a37. μετὰ τὴν σύλληψιν ὑκέτι κατὰ φύσιν
(αἱ καθάρσεις)· μετὰ τὰς συλλήψεις τινὰ πάθη Ζιη 3. 583
a31. 4. 584 a2. ἐὰν (εἰ Aub) ἐγγὺς ἡ σύλληψις ἐγένετο
(γένηται S Bsm Pik) Ζιη 4. 585 a12. — αἱ τῶν ὑπηνεμίων
ᾠῶν συλλήψεις, coni αἱ κυήσεις Ζιζ 2. 560 b11.
συλλογὴ τῦ περιττώματος Ζμδ 10. 688 b26. συλλογαὶ τῶν
καρπῶν Ζμγ 1. 662 b8.
συλλογίζεσθαι, propria computandi et consummandi vi,
συλλογιστέον κ̅ ταύτην τὴν διαφορὰν Ηα 11. 1101 a34. ἐκ
τῶν εἰρημένων συλλογίσασθαι δεῖ κ̅ συναγαγόντας τὸ κε-
φάλαιον τέλος ἐπιθεῖναι Μη 1. 1042 a3. — transitum ad
logicam verbi significationem parant: χαίρεσι τὰς εἰκόνας
ὁρῶντες, ὅτι συμβαίνει θεωρῦντας μανθάνειν κ̅ συλλογίζεσθαι
τί ἕκαστον πο 4. 1448 b16. ἰδῦσαι τὸν τόπον συνελογίσαντο
τὴν εἱμαρμένην πο 16. 1455 a10, 7. συλλογίζεσθαι κ̅ συν-
άγειν τι ἐκ τινος Ρα 2. 1357 a8. cf Ζγγ 6. 756 b27. Bz
Zts f öst Gym 1866. 792. — συλλογίζεσθαι, logice, cf συλ-
λογισμός. ἀνάγκη ἡ ἐπαγόντα δεικνύναι
ὁτιῦν Ρα 2. 1356 b2. συλλογίζεσθαί τι κατὰ τινος Αα 23.
40 b30. συλλογίζεσθαί τί τινι Αβ 23. 68 b16. συλλογίσα-
σθαι τὸ καθόλυ διὰ σχήματός τινος Αα 6. 29 a17. συλλο-
γίζεσθαι ἐξ ἀληθῶν ἀληθῆ, ἐκ ψευδῶν ἀληθῆ Αβ 2. 3. 4.
συλλογίζεσθαι ὅριν, ψεῦδος, τὴν ἀντίφασιν, σολοικισμόν
τη 3. 153 a8. θ 10. 160 b23. ι8. 169 b26, 27. 14. 173 b23.
συλλογίζεσθαι τὰ γνωριμώτερα κ̅ πιστότερα Ργ17. 1418
a11. συλλογίζεσθαι δεικτικῶς, opp διὰ τῦ ἀδυνάτυ Αα29.
45 a37, 27, 28, b1, 14, διαλεκτικῶς, ἐνδόξως, opp ἀληθῶς,
κατὰ ἀλήθειαν, πρὸς ἀλήθειαν ρ5. 174 b11. Ρβ26. 1403 a33,
b18-22, ἀκριβέστερον, μαλακώτερον Ρβ22. 1396 b1, ἐριστι-
κῶς Φα3. 186 a6. ὁ ἐριστικὸς συλλογισμὸς φαίνεται συλλο-
γίζεσθαι, συλλογίζεται δ' ὃ τα1. 101 a4. — perf συλλε-
λόγισται, συλλελογισμένος et active usurpatur Αγ19. 81
b22. 1182. 1022 a21, 23, b15. 174 b11. Ρβ26. 1403 a33,
et passive Αα25. 42 a39. τι6. 168 a31. 33. 182 b34, 183
a8. Μθ18. 1022 a21. συλλελογισμένος λόγος, συλλελογι-
σμένα, opp ἀσυλλόγιστος λόγος, ἀσυλλόγιστα τι18. 176
b35, 37, 177 a3. Ρα2. 1357 a8, b24. συλλογίζεται passive,
ὃδ' ἡ διὰ τῶν διαιρέσεων ὁδὸς συλλογίζεται Αδ5. 91 b12.
— συλλογισθῆναι, συλλογισθεὶς λόγος pass Αδ5. 91 b24.
τι33. 183 a14. Μγ7. 1012 a20.
συλλογιμαῖα ὕδατα κ̅ ὑποστάσεις, dist πηγαῖα μβ1.353 b23.
συλλογισμός, interdum latiore sensu usurpatur perinde ac
συλλογίζεσθαι, v h v p 711 b18. (ἀνάγκη ἡδὺ εἶναι.) πᾶν
ὃ ἂν ᾖ μεμιμημένον ἤ, κἂν ἢ μὴ ἡδὺ αὐτὸ τὸ μεμιμη-
μένον· ὃ γὰρ ἐπὶ τούτῳ χαίρει, ἀλλὰ συλλογισμός ἐστιν
ὅτι τοῦτο ἐκεῖνο, ὥστε μανθάνειν τι συμβαίνει Ρα11. 1371
b9. συγχωρήσειν συλλογισμῷ πο16. 1455 a4. Vhl Poet
II 29. cf ἀλλ' ὑχ εὑρίσκοντες διὰ τίνα αἰτίαν ἔνιαι τῶν
αἰσθήσεων ἐν τῇ κεφαλῇ τοῖς ζῴοις εἰσί, τῦτο δ' ὁρῶντες
ἰδιαίτερον ὃν τῶν ἄλλων μορίων, ἐκ συλλογισμῦ πρὸς ἀλ-
ληλα συνδυάζεσιν Ζμβ12. 657 a27. cf Ζγγ6. 756 b18. —
sed plerumque συλλογισμός artis vocabulum est ad signi-
ficandam conclusionem logicam. 1. συλλογισμῦ notio ac
natura. doctrinae de syllogismo ipse Ar auctor est τι34.

184 ^b1. συλλογισμός ἐστι λόγος ἐν ᾧ τεθέντων τινῶν ἕτερόν
τι τῶν κειμένων ἐξ ἀνάγκης συμβαίνει τῷ ταῦτα εἶναι
Αα1. 24 ^b18 Wz, ^a12. τα1. 100 ^a25. ι1. 165 ^a1. Ρα2. 1356
^b17. dist ἀναγκαῖον: ὁ συλλογισμὸς πᾶς ἀναγκαῖον, τὸ δ᾽
ἀναγκαῖον ᚱ πᾶν συλλογισμὸς Αα32. 47 ^a33, 23, 27. συλ- 5
λογισμός et συμπέρασμα quomodo differant, veluti ὁ συλ-
λογισμὸς τᔤ συμπεράσματος (i e ratiocinatio per quam
conclusio ad quam tendimus efficitur Wz) τθ1. 156 ^a20,
cf s v συμπέρασμα, sed interdum συλλογισμός usurpatur
pro v συμπέρασμα Αα9. 30 ^b16 (coll 8. 30 ^a5). ψα3. 407 10
^a27. συλλογισμός i q deductio ad absurdum Αβ14. 63 ^a1,
4, 5 Wz. — τὸ ἐνθύμημα συλλογισμός τις Ρα1. 1355 ^a8.
2. 1356 ^b3, 17. ὁ ἔλεγχος ἀντιφάσεως συλλογισμός Αβ20.
66 ^b11. τι1. 165 ^a1, 2. Ρβ22. 1396 ^b26. συλλογισμός, opp
ἐπαγωγή, quae sit utriusque natura, qui usus Αα24. 42 15
^a3. γι1. 71 ^b5. τα12. θ2. 157 ^a18. Ηζ3. 1139 ^b29. cf φτα4.
819 ^b15, 26. ὁ ἐξ ἐπαγωγῆς συλλογισμός Αβ23. 68 ^b15.
— συλλογισμὸς διὰ τίνων ᔤ πότε ᔤ πῶς γίνεται Αα4-6.
(ἐκ πόσων ᔤ ποίων ποιεῖσθαι δεῖ τᔤς συλλογισμάς Ρα10.
1368 ^b2.) πᔤς συλλογισμὸς διὰ τριῶν ὅρων Αα25. συλλο- 20
γισμοὶ οἱ πρῶτοι ἐκ τριῶν ὅρων διᔤ ἑνὸς μέσᔤ Μδ3. 1014
^b2 Bz (cf ὁ πρῶτος συλλογισμός Ρα2. 1357 ^a17). ἅπας
συλλογισμὸς ἐκ προτάσεων ἀρτίων, ἐξ ὅρων δὲ περιττῶν
Αα25. 42 ^b2. ημβ6. 1201 ^b26. ἐν ἅπαντι συλλογισμᔤ δεῖ
κατηγορικόν τινα τῶν ὅρων εἶναι ᔤ τὸ καθόλᔤ ὑπάρχειν 25
Αα24. 41 ^b6. ἐν ἅπαντι συλλογισμᔤ ᚱ ἀμφοτέρας ᚱ τὴν
ἑτέραν πρότασιν ὁμοίαν ἀνάγκη γίγνεσθαι τᔤ συμπεράσματι
Αα24. 41 ^b27. ὁ συλλογισμὸς ἐκ τῶν καθόλᔤ Ηζ3. 1139
^b29. ἀρχὴ συλλογισμᔤ τὸ τί ἐστιν, ἡ ᔤσία Μμ4. 1078 ^b24.
ζ9. 1034 ^a31 Bz. ἀρχὴ συλλογισμᔤ πρότασις ἄμεσος Αγ23. 30
84 ^b39. ἀρχὴ συλλογισμᔤ, i e propositio maior Αγ5. 86
^b30. συλλογισμὸς τᔤ ὅτι, τᔤ διότι Αγ13. συλλογισμός
ἐστιν ἀπὸ τᔤ ὕστερον γεγονότος Αδ12. 95 ^a28sqq. —
2. syllogismi figurae. σχῆμα πρῶτον Αα4, δεύτερον Αα5,
τρίτον Αα6. τέλειος συλλογισμὸς ὁ μηδενὸς ἄλλᔤ προσδεό- 35
μενος, ἐπιτελεῖται διὰ τῶν ἐξ ἀρχῆς ληφθέντων Αα1. 24
^a13, ^b23. 4. 25 ^b34, 26 ^a20, 28 ^b30 (cf φανερὸς συλλογι-
σμός Αα14. 33 ^a31), opp ἀτελής Αα1. 24 ^a13, ^b24. 5. 28
^a4sqq. 6. 29 ^a15. 14. 33 ^a20. 15. 34 ^a4 (cf 35 ^a4, 13). 16.
36 ^a6. τέλειος συλλογισμὸς ᔤκ ἔστιν ἐν τᔤ δευτέρῳ ᔤδ᾽ 40
ἐν τᔤ τρίτῳ σχήματι Αα5. 27 ^a1. 6. 28 ^a15. ἔστιν ἀναγ-
γεῖν πάντας τᔤς συλλογισμᔤς εἰς τᔤς ἐν τᔤ πρώτῳ σχή-
ματι καθόλᔤ συλλογισμᔤς Αα7. 29 ^b1-25. πάντα τὰ προ-
βλήματα δείκνυται διὰ τᔤ πρώτᔤ σχήματος Αα4. 26 ^b31.
τὸ πρῶτον σχῆμα ἐπιστημονικὸν μάλιστα Αγ14. ἀνάγειν 45
(ἀναλύειν) τᔤς συλλογισμᔤς εἰς τὰ προειρημένα σχήματα
Αα32, εἰς ἀλλήλᔤς Αα45. — 3. syllogismi genera distin-
guuntur. συλλογισμοὶ τᔤ ὑπάρχειν, τᔤ ἐξ ἀνάγκης ὑπάρ-
χειν, τᔤ ἐνδέχεσθαι ὑπάρχειν Αα8. 29 ^b29-35, expli-
cantur Αα8-22. συλλογισμὸς ἀναγκαῖος, i e τᔤ ἐξ ἀνάγκης
ὑπάρχειν Αα9. 30 ^a16. — πᔤς συλλογισμὸς ᚱ ὑπάρχον τι
ᚱ μὴ ὑπάρχον δείκνυσι, ᔤ τᔤτο ᚱ καθόλᔤ ᚱ κατὰ μέρος,
ἔτι ᚱ δεικτικῶς ᚱ ἐξ ὑποθέσεως Αα23. 40 ^b23. οἱ καθόλᔤ
συλλογισμοί Αα27. 29 ^b2 (aliter οἱ ἐν μέρει συλλογισμοί
Αα38. 49 ^b2 Wz). συλλογισμὸς στερητικός, opp δεικτικὸς 55
i e affirmativus Αα23. 85 ^a3, 2. sed plerumque inter se
opponuntur ὁ δεικτικὸς et ὁ εἰς τὸ ἀδύνατον συλλογισμός
Αα23. 40 ^b27, 41 ^a22. (idem significare τὸν εἰς τὸ ἀδύ-
νατον et τὸν διὰ τᔤ ἀδύνατον συλλογισμὸν apparet ex
Αβ14. 62 ^b29. cf ἀδύνατον p 11 ^a14-28. ὁ συλλογισμὸς 60
ᔤ τὸ ἀδύνατον, i e ὁ συλλογισμὸς τᔤ ἀδύνατᔤ Αβ11. 61

^b25, 31. 12. 62 ^a29. 13. 62 ^b9. 14. 63 ^a11 Wz). ὁ διὰ τᔤ
ἀδύνατᔤ συλλογισμὸς Αβ11-14. α15. 34 ^b30. def β11.
61 ^a18. τᔤ διὰ τᔤ ἀδύνατᔤ συλλογισμᔤ ᚱ χρηστέον δια-
λεγομένῳ τθ2. 157 ^b35. συλλογισμὸς ἐξ ἀντικειμένων προ-
τάσεων Αβ15. συλλογισμοὶ δι᾽ ἀντιστροφῆς Αβ8-10,
comparantur cum συλλογισμοῖς διὰ τᔤ ἀδύνατᔤ Αβ11. 61
^a21-33. 14. 63 ^b16-18. συλλογισμοὶ ἐξ ὑποθέσεως Αα29.
45 ^b16, 20. 44. 50 ^a16-28. συλλογισμοὶ κατὰ μετάληψιν,
κατὰ ποιότητα Αα29. 45 ^b17 Wz. — συλλογισμὸς καθόλᔤ
μᔤλλον ἀποδείξεως, ᔤ μὲν γὰρ ἀπόδειξις συλλογισμός τις,
ὁ συλλογισμὸς δὲ ᔤ πᔤς ἀπόδειξις Αα24. 25 ^b29. συλλο-
γισμὸς ἀποδεικτικός, syn ἐπιστήμη Αα13. 32 ^b18. συλλο-
γισμὸς ἀποδεικτικὸς sive ἐπιστημονικὸς ἐκ τίνων ἐστίν Αγ6.
2. 71 ^b18sqq. συλλογισμοὶ ἀποδεικτικοί, διαλεκτικοί, ῥητο-
ρικοὶ Αβ23. 68 ^b10, 11. Ρα2. 1358 ^a11. συλλογισμὸς λο-
γικός, i q διαλεκτικός, opp ἀπόδειξις Αδ9. 93 ^a15 Wz (sed
aliter λογικὸς συλλογισμός Ρα1. 1355 ^a14, ubi opp τοῖς
ἐνθυμήμασι). διαλεκτικὸς συλλογισμὸς ὁ ἐξ ἐνδόξων συλλο-
γιζόμενος τα1. 100 ^a30. συλλογισμὸς διαλεκτικός, syn κατὰ
δόξαν Αα30. 46 ^a9. συλλογισμὸς v p. 170 ^a40. ὁ
συλλογισμὸς ἐκ τῶν ὡς ἐπὶ πολὺ προτάσεων Αα27. 43 ^b35.
συλλογισμοὶ ἐριστικοί, σοφιστικοὶ τα1. 101 ^a4. ι11. 171 ^b8.
8. 169 ^b19. Πβ3. 1261 ^b30. συλλογισμὸς ἄλυτος, λύσιμος
Αβ27. 70 ^a29, 34. συλλογισμὸς ἀσθενὴς ᚱ διαίρεσις Αα31.
46 ^a33. συλλογισμὸς ἀσύναπτος Αα25. 42 ^a21. συλλογισμὸς
φαινόμενοι τι8. 169 ^b18. Ρβ24. 1400 ^b34. (ὁ ἐριστικὸς
συλλογισμὸς φαίνεται συλλογίζεσθαι, συλλογίζεται δ᾽ ᔤ
τα1. 101 ^a4.) συλλογισμὸς ψευδὴς διχῶς τι18. 176 ^b31.
συλλογισμὸς τᔤ ψευδᔤς Αα29. 45 ^b6. β11. 61 ^b2. συλλο-
γισμὸς ἀπατηκός ᚱρ16. 80 ^b15. πῶς συμβαίνει ἀπατᔤσθαι
περὶ τᔤς συλλογισμᔤς Αα33. 34. — ἡ καθ᾽ ἑκάστην ἐπι-
στήμην οἰκεῖος συλλογισμὸς Αγ12. 77 ^a39. συλλογισμὸς
γεωμετρικός, ἰατρικός, πολιτικός τι9. 170 ^a32. Ρβ22. 1396
^a5. συλλογισμοὶ τῶν πρακτῶν describuntur Ηζ13. 1144
^a31. — 4. dicendi usus. ποιεῖσθαι τὸν συλλογισμὸν ἔκ
τινων τα1. 101 ^a14. Ρα10. 1368 ^b2. ποιεῖν τὸν συλλογισμὸν
κατά τινος Αα8. 30 ^a10. ποιεῖν τὸν συλλογισμὸν τᔤ πλεο-
ναχῶς λεγομένᔤ τε2. 130 ^a7. διελόμενον αὐτὸν ποιῆσαι συλ-
λογισμὸν τζ2. 139 ^b30. σκέψεις ἄχρειαι πρὸς τὸ ποιεῖν
συλλογισμὸν Αα28. 44 ^b26. ποιεῖν τὸν συλλογισμὸν (de ter-
minis ad efficiendum syllogismum idoneis Αα25. 42 ^a22.
συνάπτειν τὸν συλλογισμὸν πρός τι Αβ24. 69 ^a18, 19.
συλλογισμός ἐστί τινος πρός τι Αα23. 41 ^a1, 40 ^b39. 29.
45 ^b5. β5. 58 ^a4. ὁ πρὸς ταύτην ἔσται συλλογισμός (?)
Αβ17. 65 ^b9. εὐπορεῖν συλλογισμὸν πρὸς τὸ τιθέμενον Αα27.
43 ^a20. συλλογισμός ἐστί τινος κατά τινος Αα23. 41 ^a3.
συλλογισμὸς γίνεται τῆς αβ, τᔤ α ᔤ τᔤ γ Αβ8. 60 ^a8.
10. 60 ^b12, 14, 31, 32. ᔤδὲν διαφέρει πρὸς τὸ γενέσθαι τὸν
ἑκατέρᔤ συλλογισμὸν Αα1. 24 ^a26. περαίνεται ὁ συλλογι-
σμὸς Αβ17. 65 ^b7. ὁ συλλογισμὸς κατακινκνᔤται, ἀᔤχεται
Αγ14. 79 ^a30 Wz. οἱ ἐν τᔤτοις τοῖς σχήμασι συλλογισμοί,
οἱ ἐν τᔤ πρώτῳ σχήματι καθόλᔤ συλλογισμοὶ Αα23. 40
^b17, 18. ἀνάγειν, ἀναλύειν τᔤς συλλογισμᔤς εἰς τὰ σχή-
ματα, εἰς ἀλλήλᔤς Αα32. 45. δείκνυσθαι διὰ σχήματός
τινος Αα4. 26 ^b31. ἐκ συλλογισμᔤ διαψευδόμενοι Ζγγ6.
756 ^b18.

συλλογιστικός λόγος Αα25. 42 ^a36. συλλογιστικὴ πρότα-
σις Αα1. 24 ^a28, def τθ8. 160 ^a35, dist ἀποδεικτική. δια-
λεκτικὴ Αα1. 24 ^b13. συλλογιστικὸν ἐρώτημα, i q πρότασις
ἀντιφάσεως Αγ12. 77 ^a36. συλλογιστικαὶ ἀρχαὶ Μγ3.
1005 ^b7. συλλογιστικὴ ἀρχὴ ἄμεσος Αγ2. 72 ^a15. — ἡ

γυμνασία ποιήσει τινὰ συλλογιστικώτερον τθ14. 163 ᵇ30.
— συλλογιστικῶς λέγειν Ρβ24. 1401 ᵃ8. συλλογιστι-
κῶς τελειῶν τὴν ἐρώτησιν τι5. 167 ᵃ13.
σύλλογοι σχολαστικοί Πε11. 1313 ᵇ3, πολιτικοί ρ38. 1445
ᵃ40, κοινόταται (coni σύνοδοι) πκθ14. 952 ᵇ14.
συλλυπεῖν τὸς φίλυς αὐτοῖς Η̄11. 1171 ᵇ7. pass συλ-
λυπεῖσθαι τῷ φίλῳ νεη6. 1240 ᵃ37.
σῦλον. εἴ τις τῶν πολιτῶν ἢ μετοίκων σῦλον ἔχει κατὰ πό-
λεως ἢ ἰδιώτε ὀβ1347 ᵇ23.
συμβαίνειν. 1. convenire, quadrare. ἀνάγκη εἰς μίαν δόξαν
συμβαίνειν δύο ἁμαρτίας Μμ8. 1083 ᵇ4. — ὡς Σπεύ-
σιππος ἔλυεν ἆ συμβαίνει ἡ λύσις Ηη14. 1153 ᵇ5. ἐπὶ
τύτων συμβαίνει τὸ λεχθέν ψγ2. 426 ᵃ25. τὰ φαινόμενα
συμβαίνει Οβ14. 297 ᵃ4. cf Φδ8. 214 ᵇ25.
2. evenire. ὃ δὴ καθ' ἕνα συμβαίνει τῶν ἀστέρων, τῦτο
δεῖ λαβεῖν γιγνόμενον περὶ ὅλον τὸν ὐρανόν μα8. 346,
pariter atque hoc loco συμβαίνειν fere pro syn coniungitur
cum v γίγνεσθαι μα8. 346 ᵃ6. Ζγα17. 721 ᵇ17, 16. β4.
739 ᵃ28. cf Πβ3. 1261 ᵇ24. inde τὰ συμβαίνοντα saepe
significat rerum quae fiunt et eveniunt evidentiam (syn
ἔργα, τὰ φαινόμενα, opp ὁ λόγος), φανερὸν ἐκ τῶν συμ-
βαινόντων (ἐκ τῦ συμβαίνοντος, ἐπὶ τῶν συμβαινόντων) Πε10.
1310 ᵇ14. 1. 1302 ᵃ4. Ζγγ1. 750 ᵃ21 (cf 5. 755 ᵇ23). αι3.
439 ᵃ29. 2. 438 ᵇ12. ὅπερ χ̦ φαίνεται συμβαῖνον Ζγα20.
729 ᵃ31. β4. 739 ᵃ20. μβ3. 357 ᵇ16. ἐκ τῦ θεωρεῖν τῦτο
πολλάκις συμβαίνον Αγ31. 88 ᵃ3. ἀδύνατα ἐκ τῶν συμ-
βαινόντων Ζγγ10. 759 ᵃ25. μαρτύρια (τεκμήρια) τὰ συμ-
βαίνοντα Ζγα18. 725 ᵇ4. 19. 727 ᵃ32. δ̦2. 766 ᵇ28. συμβαί-
νει (συμβέβηκε) τι εὐλόγως, ὥσπερ εὔλογον, κατὰ λόγον,
ὁμολογύμενον τῷ λόγῳ, ὁμολογύμένως πρὸς τὰς θέσεις
μα3. 341 ᵃ27. Φδ̦12. 220 ᵇ4. Ηη13. 1153 ᵃ24. αι6.446
ᵃ28. Ζγγ2. 753 ᵃ27. α20. 729 ᵃ9. 21. 729 ᵇ21. Πη7.1328
ᵃ12. Γα8. 325 ᵇ15. καίτοι συμβαίνει γ' ἐναντίως ΜΑ6.
988 ᵃ1 Bz (syn φαίνεται ᵃ3). ὐκ εἶχε λόγον τὰ συμβαί-
νοντα Ζγγ10. 760 ᵇ18. αἴσθησιν ἔχειν, ἐμπειρικῶς ἔχειν τῶν
συμβαινόντων Ζγγ1. 779 ᵃ18. Βε6. 742 ᵃ18. ὐκ εἴληπται τὰ
συμβαίνοντα ἱκανῶς Ζγγ10. 760 ᵇ30. cf β2. 735 ᵇ8. τῦτο
εὖ μεμηχάνηται πρὸς τὸ συμβαῖνον ἡ φύσις Ζγβ6. 745
ᵃ32. μαντευόμενοι τὸ συμβησόμενον ἐκ τῶν εἰκότων Ζγδ1.
765 ᵃ27. — constructiones v συμβαίνειν. εἰ πολλάκις ἡ
ὁμιλία συμβαίνει ἡ ἀρχὴ τῆς τελειώσεως ὑπὸ θερμότητος
συμβαίνει sim Ζγα18. 723 ᵇ35. 20. 728 ᵃ9. 22. 730 ᵃ33.
δ̦1. 764 ᵇ35. μὸ2. 379 ᵇ22. αι. 338 ᵇ20, 339 ᵃ5. 12. 348
ᵇ2. β4. 361 ᵇ32. 8. 367 ᵃ31. μτ2. 463 ᵇ25. Πδ̦12. 1297
ᵃ11. η16. 1335 ᵃ7 al. συμβαίνει τί τινι, veluti πολλοῖς ᴵ
ζώοις συμβαίνει διάφορά Ζγα18. 725 ᵇ19. 19. 727 ᵃ32.
μβ3. 358 ᵃ2. γ4. 373 ᵇ4. Πε3. 1303 ᵃ31. τζ4. 141 ᵇ10.
συμβαίνει τι περὶ τι, veluti τὰ συμβαίνοντα περὶ τὴν γέ-
νεσιν τῆς χαλάζης μα12. 347 ᵇ34. 2. 339 ᵃ21, 27. 6. 342
ᵇ33. 9. 346 ᵇ18. 14. 352 ᵃ16. β2. 355 ᵃ3. 7. 365 ᵃ34. γ2. 50
371 ᵇ21. 4. 373 ᵃ34, 374 ᵇ16. εν2. 459 ᵃ24. Ζγα18. 724
ᵃ16. 20. 728 ᵇ12. 21. 729 ᵇ33. γ10. 759 ᵃ25, 760 ᵇ18.
Πγ10. 1281 ᵃ36. 13. 1283 ᵇ20 al. Η̄4. 1166 ᵃ9 Fritsche.
συμβαίνει τι περὶ τινος μα7. 344 ᵃ8. συμβαίνει τι ἐπί τινος,
veluti ἐπὶ πάντων, ἐπ' ἀμφοτέρων Ζγβ5. 741 ᵇ19. ε8. 788
ᵇ18. μβ3. 358 ᵇ29. αι4. 352 ᵃ15. Ζιβ3. 501 ᵇ15. ζ10.
565 ᵇ1. συμβαίνει τι c adverbio, veluti ὧδε, ὕτως, ὁμοίως,
ὅντινα τρόπον, κατὰ φύσιν, ὡς ἐπὶ τὸ πολὺ μαℤ. 344 ᵃ8.
14. 353 ᵃ9, 12. 1. 338 ᵇ20. μχ847 ᵃ11. μβ8. 367 ᵃ27.
Ζγδ10. 777 ᵃ35. συμβαίνει cum praedicato ἄπιστ' ἀληθῆ
πολλὰ συμβαίνει βροτοῖς (Eurip fr 400) Ρβ23. 1397 ᵃ19.

V.

ὐδὲν ἄλλο συμβήσεται νενομοθετημένον Πβ5. 1264 ᵃ9 (syn
τοῖς ἔργοις ᵃ5). συμβαίνει c inf, veluti ἀπ' ἀμφοῖν συμ-
βαίνει πήγνυσθαι, συμβαίνει τὰ σώματα μεγάλα γίνεσθαι
μδ̦7. 384 ᵇ6. 11. 389 ᵇ18. 2. 379 ᵇ32. α8. 346 ᵇ4. β6.
363 ᵃ24. Ζγδ8. 748 ᵇ19. α17. 721 ᵇ19. Πα6. 1255 ᵃ28.
β3. 1262 ᵃ5. 6. 1265 ᵇ9. 7. 1266 ᵇ23. θ5. 1340 ᵃ14 al.
συμβαίνει τοῖς ἀπόροις γίγνεσθαι εὐπόροις sim Πε8. 1309
ᵃ7. δ̦11. 1296 ᵃ29. πολλαχῦ συμβέβηκεν ὥστε c inf Πδ̦5.
1292 ᵇ12.
3. συμβαίνειν ab eveniendi serie et ordine saepe trans-
fertur ad concludendi necessitatem. — a. συλλογισμός
ἐστι λόγος ἐν ᾧ τεθέντων τινῶν ἕτερόν τι τῶν κειμένων ἐξ
ἀνάγκης συμβαίνει τῷ ταῦτα εἶναι Αα1. 24 ᵇ19. 13. 32
ᵃ29. τι6. 168 ᵃ21. συμβαίνειν ἐξ ἀνάγκης Φα4. 187 ᵃ36.
σ. ἐκ συλλογισμῦ, λογικῶς ἐπισκοπῦσι Φδ̦7. 214 ᵃ2. θ8.
264 ᵃ9. σ. διὰ τῶν Ρα2. 1356 ᵃ9. ὃ συμβαίνει ἐκ
τῶν κειμένων τθ2. 156 ᵇ38. ἐκ τῶν ἐξ ἀνάγκης ἀναγκαῖον
τὸ συμβαῖνόν ἐστι νεβ6. 1223 ᵃ1. ὐδὲν συμβαίνει ἀναγ-
καῖον Αα4. 26 ᵃ4, 6. 18. 37 ᵇ22. σ̦υμβαίνει ψεῦδος, ὐδὲν
σ. ψεῦδος Αα17. 37 ᵃ36. 23. 41 ᵃ40. Οα12. 281 ᵇ23.
συμβαίνει ἀδύνατον, σ. τὸ ἀδύνατον, σ. ἀδύνατον
ε13. 22 ᵇ28. Αα17. 37 ᵃ29. 23. 41 ᵃ25. τι29. 181 ᵃ32.
Οα12. 281 ᵇ15. συμβαίνει ἀδύνατα, ἔνια (πολλὰ) ἀδύνατα
sim Μβ2. 998 ᵃ9. 6. 1002 ᵇ31. ι6. 1056 ᵇ5. (A9. 990 ᵇ27).
Ογ1. 299 ᵃ12, 3. δ̦2. 309 ᵇ11. Γα2. 315 ᵇ21. Ζγα18. 722
ᵃ3. συμβαίνει ἄτοπον, ὐδὲν ἄτοπον συμβαίνει ε19. 18 ᵇ26.
Αα41. 49 ᵇ33. Φα2. 185 ᵃ12. 3. 186 ᵃ10. η1. 242 ᵇ21,
243 ᵃ2. ὐδὲν ἄλογον συμβαίνει Οβ8. 289 ᵇ34. συμβαίνει
ἀπορία, δυσχέρεια Ηε14. 1137 ᵇ6. Μν4. 1091 ᵇ22. συμ-
βαίνει τὸ λεχθέν Οα11. 280 ᵇ5. συμβαίνει ἀντιστρόφως
Φθ9. 265 ᵇ8. τὸ συμβαῖνον Αα15. 34 ᵇ2, 26. τὸ συμβηη-
σόμενον τζ10. 148 ᵇ9. θ1. 155 ᵇ14, 156 ᵃ26, ᵇ29. συμβαίνει
(συνέβαινε, συμβήσεται) c inf, veluti μὴ εἶναι ἀγαθόν
Ηη13. 1152 ᵇ25. ε7. 1131 ᵇ13. Αα22. 40 ᵃ30. Φζ5. 236
ᵃ16. μὸ̦1. 378 ᵇ11. Ζγβ4. 740 ᵇ16. Μβ4. 1000 ᵇ3. η1.
1042 ᵃ12. συμβαίνει λέγειν, λέγεσθαι Ζγα18. 722 ᵇ24, ᵃ3.
συμβαίνει ὥστε δοκεῖν αι2. 437 ᵇ8. συμβαίνει ὅτι ἀδύνατόν
ἐστι κινηθῆναι Οα3. 270 ᵃ5. inde συμβαίνει usurpatur ubi
factis ex aliqua hypothesi conclusionibus ipsa hypothesis
refutatur Αα29. 45 ᵃ39. γ3. 72 ᵇ32, 35. αν6. 473 ᵃ14. ita
συμβαίνειν usurpatur ubi concludendo aliorum philosopho-
rum placita refutantur ΜΑ1. 989 ᵃ22 Bz, ᵇ1, 16. 9. 990
ᵇ12. β2. 998 ᵃ9, 17 al. — b. inde συμβαίνειν, συμβεβη-
κέναι, συμβεβηκός id dicitur, quod cum non insit ipsi
alicuius rei notioni, tamen concludendo ex ea necessario
colligitur. λέγεται χ̦ ἄλλως (cf 4) συμβεβηκός, οἷον ὅσα
ὑπάρχει ἑκάστῳ καθ' αὐτὸ μὴ ἐν τῇ ὐσίᾳ ὄντα, οἷον τῷ
τριγώνῳ τὸ δύο ὀρθὰς ἔχειν Μὸ30. 1025 ᵃ30 Bz (exemplum,
quod h 1 adhibetur, usitatum in ea re est Ζμα3. 643 ᵃ30.
Αγ5. 74 ᵃ25. Ζγβ3. 110 ᵇ22 al. cf τρίγωνον). τὸ τριγώνῳ
ᴵ τὰ πάθη χ̦ τὰ καθ' αὐτὰ συμβεβηκότα δηλοῖ ἡ ἀπόδειξις
Αγ7. 75 ᵇ1 (syn τὰ καθ' αὐτὰ ὑπάρχοντα 6. 75 ᵃ30). ad di-
stinguendum hunc usum v συμβεβηκός ab eo qui infra (4)
afferetur, interdum Aristoteles vel καθ' αὐτὸ addit, τὸ
συμβεβηκὸς καθ' αὐτό, τὰ συμβεβηκότα καθ' αὐτά Αγ22.
83 ᵇ19. 7. 75 ᵇ1. 6. 75 ᵃ18. Φβ2. 193 ᵇ27. γ4. 203 ᵇ33.
Ζμα3. 643 ᵃ28. Μβ1. 995 ᵇ20, 25. 2. 997 ᵃ20, πολλὰ συμ-
βέβηκε καθ' αὐτὰ τοῖς πράγμασιν Μμ3. 1078 ᵃ5, vel si-
miles formulas τὰ συμβεβηκότα τῷ ὄντι καθ' ὅσον ἐστὶν
ὂν Μκ3. 1061 ᵇ4 (syn πάθη ᵃ34), τῷ εὐθεῖ ἢ εὐθὺ πολλὰ
συμβαίνει ψα1. 403 ᵃ13, τὰ κοινῇ συμβεβηκότα πᾶσι

Ζμα1. 639 ᵃ18, περὶ τῶν συμβεβηκότων κατὰ τὴν τοιαύτην αὐτῆς ὐσίαν Ζμα1. 641 ᵃ24, τῶν κατὰ συμβεβηκὸς ἰδίων ἀπόδειξις ψα1. 402 ᵃ15 (syn ἴδια πάθη ᵃ9). saepe συμβέβηκε, συμβεβηκός simpliciter, non addito καθ' αὑτό, dicitur et lectori e disputationis perpetuitate notio definienda permittitur, Καλλίας, ᾧ συμβέβηκε χ̣ ἀνθρώπῳ εἶναι ΜΑ1. 981 ᵃ20 Bz. τοῖς νέοις συμβέβηκεν ὀργίλοις εἶναι Ρα10. 1369 ᵃ9. cf φ1. 805 ᵇ33. ὅσα συμβέβηκε περὶ ψυχήν ψα1. 402 ᵃ8 Trdlbg. cf οβ1345 ᵇ18. τὰ συμβεβηκότα ψα1. 402 ᵇ18, 21, 23, 26 Trdlbg. 5. 409 ᵇ14. λέγειν τὐς ὅρὐς χ̣ αὐτῶν χ̣ τῶν συμβεβηκότων Φβ2. 194 ᵃ3. τὰ συμβεβηκότα περὶ ἕκαστον γένος Μβ2. 997 ᵃ29, 33. τὰ συμβεβηκότα περὶ ἕκαστον γένος, ὅσα καθ' αὑτὰ ὑπάρχει τοῖς ζῴοις Ζμα5. 645 ᵇ1. πάθη ταῦτα χ̣ συμβεβηκότα μᾶλλον ἢ ὑποκείμενα τοῖς ἀριθμοῖς Μν1. 1088 ᵃ17. τὰ πάθη χ̣ τὰ συμβεβηκότα χωρίζοιτ' ἂν τῆς ὐσίας ΜΑ8. 989 ᵇ3. ἡ ἀποδεικτικὴ σοφία ἡ περὶ τὰ συμβεβηκότα Μκ1. 1059 ᵃ33, 30. γ2. 1004 ᵇ7. 1. 1003 ᵃ25 Bz. γεωμμετρία περὶ τὰ συμβεβηκότα πάθη τοῖς μεγέθεσιν Ρα2. 1355 ᵇ30.

4. συμβεβηκός, id quod fortuito alicui substantiae inhaeret ac vere de ea praedicatur. — a. συμβεβηκὸς λέγεται ὃ ὑπάρχει μέν τινι χ̣ ἀληθὲς εἰπεῖν, ὐ μέντοι ὐτ' ἐξ ἀνάγκης ὐτ' ἐπὶ τὸ πολύ Μδ30. 1025 ᵃ14 Bz. ε2. 1026 ᵇ32. κ8. 1065 ᵃ1. συμβεβηκός, ὃ μήτε ὅρος μήτε ἴδιον μήτε γένος, ὑπάρχει δὲ τῳ πράγματι, χ̣ ὃ ἐνδέχεται ὑπάρχειν ὀτῳῶν ὄν ἑνὶ χ̣ τῳ αὐτῳ̃ χ̣ μὴ ὑπάρχειν τα5. 102 ᵇ3-26. 8. 103 ᵇ17. ᵈ1. 120 ᵇ34. τὰ συμβεβηκότα ὐκ ἀναγκαῖα Αγ6. 74 ᵇ12, 75 ᵃ31. ὐκ ἀναγκαῖον ἀλλ' ἀόριστον τὸ κατὰ συμβεβηκός Μκ8. 1065 ᵃ25. ὐκ ἀναγκαῖον τὸ συμβεβηκός, ἀλλ' ἐνδεχόμενον μὴ εἶναι Φβ5. 256 ᵇ10. τὰ συμβεβηκότα ἐνδέχεται μὴ ὑπάρχειν Αγ6. 75 ᵃ20. τζ6. 144 ᵃ26. Μι10. 1059 ᵃ2. τὸ ὁπότερ' ἔτυχε χ̣ τὸ κατὰ συμβεβηκὸς Με2. 1027 ᵃ17. τὸ συμβεβηκὸς ἐγγύς τι τῳ̃ μὴ ὄντος Με2. 1026 ᵇ21. ὥσπερ ὄνομά τι μόνον τὸ συμβεβηκός ἐστιν Με2. 1026 ᵇ13. — ἀεὶ τὸ συμβεβηκὸς καθ' ὑποκειμένου τινὸς σημαίνει τὴν κατηγορίαν Μγ4. 1007 ᵃ35. Φα3. 186 ᵃ34. συμβεβηκός, opp πρᾶγμα τι24. 179 ᵃ28, 37. τὸ πρὸς τι παραφυᾶδί ἔοικε χ̣ συμβεβηκότι τῳ̃ ὄντος Ηα4. 1096 ᵃ22. τῳ̃τῳ διώρισται ὐσία χ̣ τὸ συμβεβηκός· τὸ γὰρ λευκὸν τῳ̃ ἀνθρώπῳ συμβέβηκεν, ὅτι ἔστι μὲν λευκὸς ἀλλ' ὐχ ὅπερ λευκὸν Μγ4. 1007 ᵃ31, 32. (λευκόν, μυσικόν, quod sit συμβεβηκὸς τῳ̃ ἀνθρώπῳ, usitatum in hoc τῷ̃ συμβεβηκότος genere exemplum Μζ6. 1031 ᵇ22. ᵈ11. 1018 ᵇ34 et cf μυσικός). — τὸ συμβεβηκὸς (i e τὸ μὴ καθ' αὑτὸ συμβεβηκός) ποσαχῶς λέγεται Μδ7. 1017 ᵃ19-22 Bz. ἔστι τῶν συμβεβηκότων ἄλλα ἄλλων πορρωτέρων χ̣ ἐγγύτερον Φβ3. 195 ᵇ1. Μδ2. 1014 ᵃ4. τὸ συμβεβηκὸς ὐ συμβεβηκότι συμβεβηκός, εἰ μὴ ὅτι ἄμφω συμβέβηκε ταὐτῳ̃ Μγ4. 1007 ᵇ3. τὸ συμβεβηκὸς λαμβανόμενον μετὰ τῦ ᾧ συμβέβηκεν sim τε4. 133 ᵇ15-134 ᵃ4. — τὸ συμβεβηκὸς ὐ καθ' αὑτὸ Αγ4. 73 ᵇ4, 9, 11 (cf ὐ καθὸ ὑγιάζεται τὴν ἰατρικὴν ἔχει, ἀλλὰ συμβέβηκε τὸν αὐτὸν ἰατρὸν εἶναι χ̣ ὑγιαζόμενον Φβ1. 192 ᵇ25). τὰ συμβεβηκότα ὐ καθ' αὑτὰ ἀλλ' ἐπὶ τῶν καθ' ἕκαστα ἁπλῶς λέγεται Μδ9. 1018 ᵃ1. συμβεβηκός, opp ὁρισμὸς Αγ12. 78 ᵃ11, dist γένος, ἴδιον, τί εί25. Αα27. 43 ᵇ7. 31. 46 ᵇ27. τα4. 101 ᵇ17. τῶν συμβεβηκότων μὴ καθ' αὑτὰ ὐκ ἔστιν ἐπιστήμη ἀποδεικτικὴ Αγ6. 75 ᵃ19. ἐπιστήμη ὐκ ἔστι τῳ̃ συμβεβηκότος Με2. 1027 ᵃ20. κ8. 1064 ᵇ18, 31. τὸ συμβεβηκὸς ὐδὲν μέλει τῇ τέχνῃ Ηε15. 1138 ᵇ2. ἡ διαλεκτικὴ χ̣ ἡ σοφιστικὴ τῶν συμβεβηκότων εἰσὶν Μκ3. 1061 ᵇ8. τῶν κατὰ συμβεβηκὸς χ̣ τὸ αἴτιον κατὰ

συμβεβηκὸς Με2. 1027 ᵃ7. ᵈ30. 1025 ᵃ25. ἡ ὕλη αἰτία τῦ συμβεβηκότος Με2. 1027 ᵃ14. — παραλογισμοὶ παρὰ τὸ συμβεβηκὸς τι5. 166 ᵇ28-36. 6. 168 ᵃ34-ᵇ10 (eorum λύσις τι24). τόπος φαινομένῳ ἐνθυμήματος διὰ τὸ συμβεβηκὸς Ρβ24. 1401 ᵇ15. — b. κατὰ συμβεβηκός. τὸ ὂν λέγεται τὸ μὲν κατὰ συμβεβηκός, τὸ δὲ καθ' αὑτὸ Μδ7. 1017 ᵃ7. Φβ5. 196 ᵇ25. περὶ τῦ κατὰ συμβεβηκὸς ὄντος Με2-4. τῶν κατὰ συμβεβηκὸς ὄντων ὐκ ἔστι γένεσις χ̣ φθορὰ Με2. 1026 ᵇ23. τῦ κατὰ συμβεβηκὸς ὄντος ὐκ εἰσὶν αἰτίαι τοιαῦται οἷαί περ τῦ καθ' αὑτὸ ὄντος Μκ8. 1065 ᵃ6. γίνεσθαι κατὰ συμβεβηκὸς Φα5. 188 ᵃ34. ἓν λέγεται τὸ μὲν κατὰ συμβεβηκός, τὸ δὲ καθ' αὑτὸ Μδ6. 1015 ᵇ16. saepissime cum formula κατὰ συμβεβηκὸς coniuncta legitur oppositi significatio: κατὰ συμβεβηκός, opp καθ' αὑτὸ Ζγε3. 783 ᵃ36. Πγ7. 1279 ᵃ1. Ηε15. 1138 ᵇ1, 4. η5. 1147 ᵇ2. 10. 1151 ᵃ33, ᵇ2. 12. 1152 ᵇ9. θ10.1159 ᵇ20. κ8. 1178 ᵇ30. ὐδὲν κατὰ συμβεβηκός ἐστι πρότερον τῶν καθ' αὑτὸ Φβ6. 198 ᵃ7. Μκ10. 1065 ᵇ2. τὸ μὲν καθ' αὑτὸ αἴτιον ὡρισμένον, τὸ δὲ κατὰ συμβεβηκὸς ἀόριστον Φβ5. 196 ᵇ28, 26. ὑπάρχειν πρώτως καθ' αὑτὸ χ̣ μὴ κατὰ συμβεβηκὸς Φβ1. 192 ᵇ23. τῶν πρώτων χ̣ καθ' αὑτὰ λεγομένων ἕν, ἀλλὰ μὴ κατὰ συμβεβηκὸς Μι1. 1052 ᵃ19. κατὰ συμβεβηκός, opp δι' αὑτὸ Ηθ9. 1159 ᵃ18. 4. 1156 ᵇ11. πάντα χ̣ τὰ οἰκείως λεγόμενα χ̣ τὰ κατὰ συμβεβηκὸς Μδ2. 1014 ᵃ8. Φβ3. 195 ᵇ4. κατὰ συμβεβηκός, opp ἁπλῶς ΜΑ7. 988 ᵇ15. Ηθ6. 1157 ᵇ4. ἐπίστασθαι ἁπλῶς, ἀλλὰ μὴ τὸν σοφιστικὸν τρόπον τὸν κατὰ συμβεβηκὸς Αγ2. 71 ᵇ10 Wz. ἀποδέδεικται ἁπλῶς, κατὰ συμβεβηκὸς Αδ17. 99 ᵃ3. κατὰ συμβεβηκός, opp φύσει ψα3. 406 ᵃ14. ἀναγκαῖον κατὰ συμβεβηκός, opp πρὸς τὴν ἕνεκά τυ αἰτίαν Ζγδ3. 767 ᵇ14. τὰ πάθη διαιρετὰ διχῶς, κατ' εἶδος, κατὰ συμβεβηκὸς Ογ1. 299 ᵃ21, 22. ex oppositis eiusmodi notionibus κατὰ συμβεβηκὸς etiam tum explicationem habet, ubi oppositio non est addita, veluti μδ5. 382 ᵇ7. Ζγδ3. 767 ᵇ28. Ηγ13. 1118 ᵃ10. ε10. 1135 ᵃ26, ᵇ6. 11. 1136 ᵃ25. 13. 1137 ᵃ12, 23. ζ3. 1139 ᵇ35. η13. 1152 ᵇ34. 15. 1154 ᵇ17. θ5. 1157 ᵃ35. Πγ8. 1279 ᵇ36. μχ24. 856 ᵃ15. — κατηγορεῖν κατὰ συμβεβηκὸς (veluti τὸ λευκὸν ἐκεῖνο ἄνθρωπός ἐστιν, ubi substantia praedicatum est accidentis, κατηγορίαι παρὰ φύσιν Schol 175 ᵃ29, dist κατηγορεῖν ἁπλῶς) Αα27. 43 ᵃ34 Wz. γ19. 81 ᵇ24sqq, 82 ᵃ20 (opp κατηγορία propria nominis vi). 22. 83 ᵃ16, 20. cf Steinthal Gesch p 222, 228.

συμβάλλειν. 1. συμβεβληκότες τὰ βλέφαρα Ζιγ3. 514 ᵃ8. συμβάλλυσι κάτω τὰ ὦτα πρὸς τὴν γῆν Ζιθ28. 606 ᵃ15. συμβάλλειν τὰς ἀκτῖνας, τὸν κύκλον μα8. 345 ᵇ6. γ5. 376 ᵇ24. τὰ βαλαύστια ταῖς ἐλαίαις συμβάλλυσιν, ὅταν συμφυτεύωνται φτα6. 821 ᵃ25. — intr, φλέψ συμβάλλει τι πρότερον ἀποσχίσει τῆς φλεβός, ταῖς ἑτέραις φλεψίν Ζιγ3. 514 ᵃ12. 4. 514 ᵇ1. φλέβες συμβάλλυσιν εἰς ἓν Ζμγ5. 668 ᵇ24. ἢ συμβάλλυσιν αἱ γένυες τῆς κεφαλῆς Ζιγ3. 514 ᵃ9. — ἐὰν μὴ (ἐάν πη?) συμβάλλωσιν οἱ φαῦλοι, ἢ φίλοι ἑαυτοῖς, ἀλλὰ διίστανται ηεη15. 1239 ᵇ15. — 2. συμβάλλειν, comparare. ταῦτα δεῖ πρὸς ἄλληλα συμβάλλειν sim Οδ6. 313 ᵇ18. Πβ5. 1263 ᵇ26. pass συμβάλλεσθαι, comparari Γβ6. 333 ᵃ27. Πγ15. 1286 ᵃ28. ατ972 ᵇ18. — 3. med συμβάλλεσθαι, conferre. τὰ θήλεα πότερον συμβάλλεται σπέρμα τι ἢ ὒ Ζγα17. 721 ᵃ35. πλεῖον λαμβάνυσι οἱ συμβαλλόμενοι πλεῖον Ηθ16. 1163 ᵃ32. ὐθέν, μικρὸν συμβάλλεσθαι Ηγ1. 1110 ᵃ2, ᵇ3. ᵈ14. 1128 ᵇ2. κ10.1181 ᵃ10. μβ3. 358 ᵇ3. συμβάλλεσθαι πρός τι μα12. 348 ᵇ30.

Ηδ8. 1124 a20. η15. 1154 a23. Πζ2. 1317 b16. Ζγα17.
721 b3. (συμβάλλεται ταύτῃ πρὸς τὴν ἐλευθερίαν τὴν κατὰ
τὸ ἴσον Πζ2. 1317 b16?) πλεῖστον (πλεῖστον μέρος, μέ-
γάλα, μέγα μέρος, πολλά, τί, ὐδέν) συμβάλλεσθαι πρός τι
Πη11. 1330 b13. αι1. 437 a12. ψα1. 402 a5, b21. οα2.
1348 b3. Ργ1. 1403 b17. α2. 1356 a12. Πβ9. 1270 a14.
ημβ10. 1208 a30. Ζμγ1. 661 b15. 12. 673 b25. Ζγα19.
726 a34. Ζιγ22. 523 a14. συμβάλλεσθαι εἴς τι, πλεῖστον
(ὐδέν) συμβάλλεσθαι εἴς τι Ηχ10. 1180 a32. γεα1. 1214
b1. γ7. 1234 a30. Ργ6. 1407 b26. Πγ9.1281 b4. 12. 1283
a1, 2. συμβάλλεσθαί τί τινι Ηα11. 1101 b5. ΜΑ9. 991 a9.
λ10. 1076 a2. μ5. 1079 b13. φτα6. 821 a24 (?). — 4. συμ-
βάλλειν i q συνιέναι, coniicere, intelligere. συμβαλόντες
τὸν χρησμόν f 489. 1558 a10. ὅπερ ὺ δυνηθεὶς συμβαλεῖν
Ὅμηρος f 66. 1487 a28.

συμβιβάζειν. cf συμβαίνειν 3, p 713 b10. syn συμπεραί-
νεσθαι, συλλογίζεσθαι τη5. 154 a36, 155 a25. ϑ3. 158 b27.
11. 161 b37. ι28. 181 a22. cf ατ969 a27. συμβιβάζων ὡς
ἐκ πολλὺ προενόησεν sim p4. 1426 a37. 36. 1441 a6. 37.
1443 a26. χρὴ ὴ εἰκάζοντα συμβιβάζειν p4.1426 b3. pass,
ρητέον συμβιβασθέντας ὁμοίως πρὸς ἅπαντας ὅτι ὐκ ἀναγκαῖον
τι24. 179 a30.

σύμβιος Ηι11. 1171 a23.

συμβιῶν Ηϑ11. 1126 a31. ι3. 1165 b30. ημβ15. 1213 a29.
πῶς συμβιωτέον ἀνδρὶ πρὸς γυναῖκα Ηϑ14. 1162 a29. συμ-
βιώσαντες, συμβιώσεσθαι μετά τινος ρ1. 1421 a37. ημβ15.
1212 b31, 1213 a28.

συμβλάπτειν. βραχεῖς ὄντες (οἱ τὺ ποδὸς δάκτυλοι) ἧττον
(ἂν) συμβλάπτοιντο Ζμδ10. 690 b6.

συμβλητικὸν πρὸς τὴν τῶν ἐνυπνίων φαντασίαν πλ14. 957
a29.

συμβλητός. μονάδες συμβληταὶ ὁποιαὶῶν ὁποιαισῶν Μμ6.
1080 a20 (Bz ad μ6). μονάδες συμβληταὶ ὴ ἀδιάφοροι
Μμ7. 1081 a5. συμβλητὰ κατὰ τὸ μᾶλλον τα15. 107 b13.
πᾶν ἀγαθὸν πρὸς πᾶν ἀν εἴη συμβλητόν Πγ12. 1283 a4, 8.
συμβλητά τὰ στοιχεῖα κατὰ τὸ ποσόν, ἢ δύνανται Γβ6.
333 a19, 21, 24, 26, 31. κίνησις ποία ποίᾳ συμβλητή Φη4.
τὰ συμβλητὰ μὴ ὁμώνυμα, τὸ συνώνυμον πᾶν συμβλητόν
Φη4. 248 b9, 249 a4. τα15. 107 b17. πάντα συμβλητὰ δεῖ
πως εἶναι, ὧν ἐστιν ἀλλαγή Ηε8. 1133 a19.

συμβοηθεῖν τινι ρ37. 1445 a10.

συμβόλαιον. ποιεῖσθαι τὸ συμβόλαιον p14.1431 a17. ἀρχὴ
πρὸς ἣν ἀναγράφεσθαι δεῖ τὰ ἴδια συμβόλαια Πζ8. 1321
b34. πιστοὶ πρὸς τὰ συμβόλαια Πγ13. 1283 a33. πλεονεξία
ἐστὶν ἡ περὶ τὰ συμβόλαια πλημμέλεια αρ7. 1251 a33.
τῶν ἀρχείων ὅσα περὶ τὰ συμβόλαια ποιεῖται τὴν ἐπιμέ-
λειαν Πη12. 1331 b7. δύναμις ἡ τῶν περὶ τὴν ἀγορὰν
συμβολαίων κυρία Πϑ15. 1300 b12. δίκαι περὶ συμβολαίων
Πβ5. 1263 b20. γ1. 1275 b9. αἱ περὶ τὰ συμβόλαια δι-
καιολογίαι ρ2. 1421 b13. περὶ τῶν πρὸς ἄλλας πόλεις συμ-
βολαίων πῶς ἐνδέχεται λόγῳ χρήσασθαι ρ3. 1424 b28-30.
τῶν ἑκρσίων συμβολαίων δίκας μὴ εἶναι Ηι1. 1164 b13 Fr.
τὸ δίκαιον ἐν ἰσότητι συμβολαίων ημα34. 1193 b24. τὰ
συμβόλαια ὐ βὐλονται διαλύειν Πγ3. 1276 a10. τὸ ἀκριβὲς
ἐπὶ τῶν συμβολαίων ἀνελεύθερον εἶναι δοκεῖ Μα3. 995 a11.

συμβολή. 1. (τὰ γράμματα) τὰ μὲν τῆς γλώττης εἰσὶ συμ-
βολαί, τὰ δὲ συμβολαὶ τῶν χειλῶν Ζμβ16. 660 a6. συμ-
βολαὶ τῶν νεύρων αχ802 b16. εἰς τὰς συμβολὰς τῶν κε-
φαλῶν πν5. 483 b33. εἰς φωνήεντα τελευτᾶν ταῖς συμβολαῖς
ὴ ἀπὸ φωνήεντος ἄρχεσθαι p24. 1434 b35. — 2. συνθῆκαι
ὴ συμβολαί Ρα4. 1360 a15.

σύμβολον. 1. pars. ἀφ᾽ ἑκατέρας διαιρέσεως ὥσπερ σύμ-
βολον λαμβάνοντας συνθετέον Πϑ9. 1294 a35. ὥστε καθάπερ
ἐκ συμβόλων συνίσταιτο ἀν ὁ ἀὴρ ὑγρὸς ὴ θερμός μβ4.
360 a26. ὡς σύμβολα ὀρέγεται ἀλλήλων τὰ ἐναντία γεη5.
1239 b31. ὅσα στοιχεῖα ἔχει σύμβολα πρὸς ἄλληλα, ταχεῖα
τύτων ἡ μετάβασις Γβ4. 331 a24, 34. 5. 332 a32. ἐν τῷ
ἄρρενι ὴ τῷ θήλει οἷον σύμβολον ἐνεῖναι (cf Ἐμπεδοκλῆς
p 242 a42) Ζγα18. 722 b11. — 2. pactum. συνθῆκαι περὶ
τῶν εἰσαγωγίμων ὴ σύμβολα περὶ τῦ μὴ ἀδικεῖν Πγ9.
1280 a39, 37. ἀπὸ συμβόλων κοινωνεῖν Πγ1. 1275 a10.
δίκαι ἀπὸ σύμβόλων f 378. 1541 a10. 9. 380. 1541 b3. —
3. σύμβολον, syn σημεῖον. τὰ ἐν τῇ φωνῇ τῶν ἐν τῇ ψυχῇ
παθημάτων σύμβολα ε1. 16 a4 (Wz, Steinthal p 182-186.
syn σημεῖον a6). 14. 24 b2. τὰ ὀνόματα σύμβολα ἀντὶ τῶν
πραγμάτων ε2. 16 a28. τι1. 165 a8. αι1. 437 a15. ἃ ἴσασι
σύμβολα γίνεται ἐκείνων ὧν ὐκ ἴσασι Ργ16. 1417 b2. ὁ
τόπος τὸ σύμβολα λέγειν Ργ15. 1416 a36. — τὸ παρα-
διδόμενον τοῖς εἰσιῦσιν εἰς τὸ δικαστήριον σύμβολον f 420.
1548 a13, 19. — 4. σύμβολα Πυθαγόρᾳ f 192. 1512 a40.

συμβυλεύειν, dist ἐπαινεῖν ὴ ψέγειν, κατηγορεῖν ὴ ἀπολο-
γεῖσθαι Ρβ18. 1391 b22. 1396 a7 (cf 12, 16, 22), 30
(cf 28, 29), 25 (cf 26). dist ἐπιδείκνυσθαι, ἀμφισβητεῖν
Ρβ18. 1391 b25. περὶ τίνων ἐστὶ τὸ συμβυλεύειν Ρα4. ρ3.
τῷ συμβυλεύειν σκοπὸς τὸ συμφέρον Ρα6. 1362 a17. πῶς
δεῖ τὸν σύμβυλον συμβυλεύειν f 136. 1501 a31. χρῶνται
πάντες τῷ μεῖὸν ὴ αὔξειν συμβυλεύοντες Ρβ18. 1391 b32.
— med, οἱ συμβυλευόμενοι ρ3. 1425 a37.

συμβύλευμα Περιάνδρυ πρὸς Θρασύβυλον Πε10.1311 a20.

συμβυλευτικὸν γένος τῶν λόγων, dist δικανικόν, ἐπιδει-
κτικὸν Ρα3. 1358 b7. ἐν τοῖς συμβυλευτικοῖς εἴρηται Ρβ18.
1391 b21.

συμβυλή. τῆς συμβυλῆς (in rebus publicis) μεταδιδόναι
πᾶσι Πϑ14. 1298 b33. ποιεῖσθαι τὴν συμβυλὴν ἐπί τινι
f 136. 1501 a32. — συμβυλῆς τὸ μὲν προτροπὴ τὸ δὲ
ἀποτροπή Ρα3. 1358 b8. περὶ τίνων ἐστὶ συμβυλή Ρα4.
ρ3. ἔχει κοινὸν εἶδος ὁ ἔπαινος ὴ αἱ συμβυλαί Ραθ. 1367
b36. τὰς κατὰ τὸ εἰκὸς γινομένας συμβυλὰς ἀπίστως ποιεῖν
ρ9. 1429 b33.

συμβυλία. ἡ Περιάνδρυ Θρασυβύλῳ συμβυλία Πγ13. 1284
a27. καθ᾽ ἑκάστην συμβυλίαν ρ3. 1423 a17.

σύμβυλος. ἀπιστῦντες ἡμῖν αὐτοῖς συμβύλης παραλαμβά-
νομεν εἰς τὰ μεγάλα Ηγ5. 1112 b10. πῶς δεῖ τὸν σύμ-
βυλον συμβυλεύειν f 136. 1501 a31. — οἱ καλύμενοι σύμ-
βυλοι (apud Thurios) Πε7. 1307 b14.

Σύμβυθεν (Hom Β 671) Ργ12. 1414 a3.

συμμαχέσασθαι. συμμαχεσάμενοι πρὸς τὸν δῆμον, πρὸς τὸν
βάρβαρον Πϑ15. 1300 a18. Ρβ22. 1396 a18.

συμμαχία, dist πόλις, ἡ συμμαχία βοηθείας χάριν, ἕνεκα
τῦ συμφέροντος Πβ2. 1261 a24sqq. γ9. 1280 a34, b8, 23.
Ηϑ5. 1157 a27. γραφαὶ περὶ συμμαχίας Πγ9. 1280 a40.
βυλεύεσθαι περὶ συμμαχίας Πϑ14. 1298 a4, 26. περὶ συμ-
μαχιῶν πῶς ἐνδέχεται λόγῳ χρήσασθαι ρ3. 1423 a24, 1424
b27-1425 a8.

συμμαχικός. ἐν τῷ συμμαχικῷ (Isocr) Ργ17. 1418 a32.

σύμμαχος. περὶ συμμάχων πῶς ἐνδέχεται λόγῳ χρήσασθαι
ρ3. 1424 b27-1425 a8.

συμμέθεξις τῶν χαλεπῶν γεη12. 1245 b34.

συμμεθιστάναι. ὺ μένων (ὁ νότος) ἐν ταυτῷ τόπῳ συμ-
μεθίστησι ὴ τὴν τῦ ἀέρος κίνησιν πκς2. 940 b5.

συμμένειν. αἴτιον τῦ ἐν εἶναι ὴ συμμένειν Μμ2. 1077 a24.
τῦ συμμένειν τὰς ὐσίας (Democr) μετ᾽ ἀλλήλων τίς ἡ

αἰτία f202. 1514 ᵇ25. ἡ φιλία, ἡ πόλις συμμένει ρ39. 1446 ᵇ9. He8. 1132 ᵇ34, 1133 ᵃ2. ἐκ ἴσου ἐδὲ συμμένει He8. 1133 ᵃ12. μὴ δύνασθαι τὴν φωνὴν συμμένειν μηδὲ διατείνειν ἐπὶ πολὺν τόπον αχ800 ᵇ30.

συμμεταβάλλειν τὰς τόπας μβ3. 358 ᵇ33. — intr, συμμεταβάλλειν τινί vel omisso dativo Φθ5. 256 ᵇ17. 10. 267 ᵇ2. Ηα11. 1100 ᵃ28. Ζιβ11. 503 ᵇ7. κ1. 634 ᵇ11. Ζγα2. 716 ᵇ4, 11. β6. 845 ᵃ21. ημα10. 1178 ᵇ2. μχ8. 851 ᵇ17. (συμμεταβάλλει v1, μεταβάλλει Bk Ζμβ6. 651 ᵇ25.)

συμμεταπίπτειν. ἡ διὰ τὸ συμφέρον φιλία συμμεταπίπτει τῷ συμφέροντι ημβ11. 1209 ᵇ16.

συμμετέχειν βυλῆς, τῶν χαλεπῶν Πη10. 1330 ᵃ21. ηεη12. 1245 ᵇ35, 38.

σύμμετοχος. ἐδεμία τῶν τοιύτων φύσεων χωρίζεται τῆς συμμετόχυ αὐτῆς φται. 816 ᵇ19.

συμμετρεῖσθαι μχ20. 853 ᵇ39.

συμμετρία (cf σύμμετρος). 1. συμμετρία ἀριθμῶ ἢ ἀριθμός ἴδιον πάθος Μγ2. 1004 ᵇ11. ὁ μαθηματικὸς τῶν ποσῶν τὰς συμμετρίας ᾗ ἀσυμμετρίας σκοπεῖ Μκ3. 1061 ᵇ1. ἐκ ἴσων ἰσότης μὴ ὄυσης συμμετρίας He8. 1133 ᵇ18. — 2. ἡ ὑγίεια συμμετρία θερμῶν ᾗ ψυχρῶν ἐστιν Φη3. 246 ᵇ5, 21. τζ2. 139 ᵇ21. 6. 145 ᵇ8. ἐν τῇ τῦ ἄρρενος μίξει ᾗ τῆ θήλεος δεῖ τῆς συμμετρίας Ζγδ2. 767 ᵃ23. 4. 772 ᵃ17. τὴν τῆς θερμότητος συμμετρίαν εἰς τὴν κίνησιν παρασκευάζομεν Ζγβ6. 743 ᵃ33. ἐχ ᾗ αὐτὴ συμμετρία ἐν πᾶσίν ἐστιν Ηκ2. 1173 ᵃ26. τῆς ὑπερβαλλύσης τῆς συμμετρίας Πγ13. 1284 ᵇ9. αὐξάνειν παρὰ τὴν συμμετρίαν Πε8. 1308 ᵇ12. cf 3. 1302 ᵇ36 (syn παρὰ τὸ ἀνάλογον 1302 ᵇ34).

σύμμετρος. 1. γραμμαὶ σύμμετροι αἱ τῷ αὐτῷ μέτρῳ μετρύμεναι ατ968 ᵇ6. ὁ ἀριθμὸς σύμμετρος Μδ15. 1021 ᵃ5. μήκος σύμμετρον Αα31. 46 ᵇ10. γραμμαὶ σύμμετροι μήκει, δυνάμει ατ970 ᵃ2. βάρη σύμμετρα ἢ ἀσύμμετρα Οα6. 273 ᵇ10. πόροι σύμμετροι πρὸς ἀλλήλυς Γα8. 324 ᵇ35. τὸ νόμισμα ὥσπερ μέτρον σύμμετρα ποιεῖ He8. 1133 ᵇ16, 19. τὸ σύμμετρόν ἐστιν ἐν πιζ1. 915 ᵇ39. ἀδύνατον τὸ τὴν διάμετρον σύμμετρον εἶναι (τῇ πλευρᾷ), usitatum exemplum Αα23. 41 ᵃ27 Bz. γ2. 71 ᵇ26. 33. 89 ᵃ30. Φδ12. 221 ᵇ25. Οα11. 281 ᵃ7. Μγ8. 1012 ᵃ33 (Bz ad Α2. 983 ᵃ16). δ7. 1017 ᵃ35. 12. 1019 ᵇ24. 29. 1024 ᵇ20. Ρβ19. 1392 ᵃ18. — 2. σύμμετρος, opp ὑπερβάλλων, ἐλλείπων Ηβ2. 1104 ᵃ18. ημα5. 1185 ᵇ20. β11. 1210 ᵃ21. ψυχρότερα τῆς συμμέτρυ κράσεως sim Ζμβ7. 652 ᵇ35. Ζγε1. 779 ᵇ27. ἐν τῷ σύμμετρον ἢ ἀσύμμετρον εἶναι τὸ ἀπὸ τῆς γυναικὸς ᾗ τῦ ἀνδρὸς ἀπιὸν Ζγα18. 723 ᵃ29. cf 19. 727 ᵇ12. πολιτεία ἀρίστη ᾗ γίνεται ἄνευ συμμέτρυ χορηγίας Πη4. 1325 ᵇ37. σύμμετρος γίνεται ἡ θερμότης μβ5. 362 ᵃ4. σύμμετρα τὰ θερμὰ ᾗ ψυχρὰ Αγ13. 78 ᵇ18sqq. τῦτο (ὁ θώραξ) σύμμετρον πρὸς τὸ κάτω Ζμδ10. 686 ᵇ7. σύμμετρα πρὸς ἄνθρωπον sim ηεγ1. 1229 ᵇ17. Πδ14.1298 ᵇ25. ᵇ29 σύμμετρον τῷ καιρῷ Ρα8. 1366 ᵃ21. ημβ16. 1213 ᵇ17. ἀποστῆναι τῦ συμμέτρυ (int πρὸς τὴν τῆς ὄψεως δύναμιν) ημβ6. 1213 ᵇ8. συμμετρότερον ἀράχνιον, dist μακροσκελέστερον Ζυ39. 623 ᵃ29 Aub. — οἱ μικροὶ ἀστεῖοι ἢ σύμμετροι, καλὸ δ' ἒ Ηδ7. 1123 ᵇ7. — συμμέτρως ἔχειν τα15. 107 ᵇ9. Ζγβ4. 739 ᵇ3. cf Ζγγ2. 752 ᵃ33. ἐνταῦθα τὸ μόριον ὑπέκειτο συμμέτρως μάλιστα Ζμδ10. 686 ᵃ13. ἀφίησι τὰς πόρθυς εἰς τὰς στεφάνυς συμμέτρως θ51. 834 ᵃ15.

συμμηχανᾶσθαι, pass, ταύτῃ συμμεμηχανῆσθαι ᾗ τὸ εἶδος [ᾗ] τῆ φύσει τῆς χειρός Ζμδ10. 687 ᵇ6.

συμμιγνύναι. trans, συμμιγνῦναι τὸ τῶν ἀπόρων πλῆθος ᾗ τὸ τῶν εὐπόρων Πε8. 1308 ᵇ29. συμμιγνύντα τὰς δυνάμεις αὐτῶν (τῶν τῦ λόγυ εἰδῶν) ρ6. 1427 ᵇ32. ὅπως μὴ διαφθαρῇ τὸ ρεῦμα τῦ ποταμῦ συμμιγείσης τῆς θαλάττης μα14. 352 ᵇ30. οἷον ἂν ᾖ τὸ συμμιχθέν, τοιῦτον ποιεῖ τὸν χυμόν μβ3. 358 ᵇ22. περίττωμα συμμίγνυται, σπέρμα ἒ συμμίγνυται, συμμιγνυμένυ ἀεὶ πλείονος αἵματώδυς Ζγα18. 726 ᵃ12. 21. 730 ᵃ11. γ1. 751 ᵇ33. cf S II 436. — intr, πλείυς θάλατται πρὸς ἀλλήλας ἒ συμμιγνύυσαι κατ' ἐδένα τόπον μβ1. 354 ᵃ1.

σύμμιξις. πάθη τἆλλα (τῦ ὕδατος) διά τινα σύμμιξιν τῦ ὕδατός ἐστιν μβ3. 358 ᵇ21, cf ᵃ5. τῶν δὲ ποικίλων (ζῴων) ᾗ γιγνομένων ἐκ συμμίξεως τῇ μὲν λευκὸν τῇ δὲ μέλαν φαίνεται ὂν (τὸ δέρμα) Ζγε5. 785 ᵇ5.

συμμίσγειν. συμμισγομένων ᾗ συνδιακρινομένων ἀλλήλοις ξ2. 977 ᵃ3.

συμμύειν. κτένες χάσκυσι ᾗ συμμύυσιν Ζιθ8. 535 ᵃ18. ὅταν συλλάβῃ ἡ ὑστέρα τὸ σπέρμα, εὐθὺς συμμύει· συμμέμυκε τὸ τῆς ὑστέρας στόμα sim Ζιη4. 583 ᵇ29. 2. 582 ᵇ19. κ2. 635 ᵃ30. Ζγα19. 727 ᵇ22. β4. 739 ᵃ32. δ5. 774 ᵃ26. πόροι συμμύυσι, συμμεμύκασιν, opp ἀναστομῦνται πβ8. 867 ᵃ16. 9. 867 ᵃ20. 20. 868 ᵃ18. ὄμμα συμμύον, συμμεμυκὸς φδ. 807 ᵇ2, 36. πχ22. 925 ᵃ29. συμμύειν (?) αχ802 ᵃ39.

συμπάθεια. ὅσα ἐκ συμπαθείας πζ.

συμπαθεῖν δοκεῖ ἀλλήλοις ἡ ψυχὴ ᾗ τὸ σῶμα φ4. 808 ᵇ11.

συμπαθής. ἅπαν ἂν συμπαθὲς ἓν ἑνὸς μορίυ πονήσαντος Ζμδ10. 690 ᵇ4. τὸ ἐν τῇ καρδίᾳ θερμὸν ᾗ ᾗ ἀρχὴ συμπαθέστατόν ἐστιν Ζμβ7. 653 ᵇ6. ἀκρούμενοι τῶν μιμήσεων γίγνονται πάντες συμπαθεῖς Πθ5. 1340 ᵃ13. συμπαθής ἐστιν ὁ ἀκροατὴς τῷ ἄδοντι πιδ40. 921 ᵃ36. ἡ ψυχή τε ᾗ τὸ σῶμα συμπαθῆ, ἒ μέντοι συνδιατελῦντα ἀλλήλοις φδ. 808 ᵇ19. ἐν ταῖς μέθαις ἡ ψυχὴ συμπαθὴς γινομένη πταίει πγ31. 875 ᵇ29 (cf συμπάσχειν ᵇ32). — αἱ γυναῖκες (βοτάνην τινὰ περιάψασαι) ὑπὸ τῶν ἀνδρῶν συμπαθέστερον ἐρῶνται θ163. 846 ᵇ9.

συμπαρακολυθεῖν. τὰ τῆς ἐλάττονος φλεβὸς μέρη, συμπαρακολυθῦντα τοῖς τῆς μεγάλης Ζιγ4. 514 ᵃ24. — ἄτοπον τὸ τῷ ἀδίκῳ συμπαρακολυθεῖν τὴν φρόνησιν, syn παρακολυθεῖν ημβ3. 1199 ᵃ25, 27. cf παρακολυθεῖν p 564 ᵃ28-38.

συμπαραλαμβάνειν. ἄτερος συμπαρελάβετο τὰς ἐκτὸς τῆς πολιτείας ὡς ἐπηρεασθεὶς Πε4. 1304 ᵃ16. συμπαραλαμβάνειν τὰς τῶν προτέρων δόξας, πρὸς ἐγκώμιον κυνὸς τὸν ἐν ἐρανῷ κύνα, γνώμας, τὸ ἴδιον al ψα2. 403 ᵇ22 (v1 συμπεριλαμβάνειν) Ρα3. 1358 ᵇ24, 27. β24. 1401 ᵃ16. p8. 1428 ᵃ37, ᵇ7. 23. 1434 ᵃ37. 26. 1435 ᵇ21. συμπαραλαμβάνειν πρὸς εὐδαιμονίαν τὴν ἐκτὸς εὐετηρίαν, τὴν φιλίαν Ηα9. 1098 ᵇ26 (v1 συμπεριλαμβάνυσι). ημβ11. 1208 ᵇ6. συμπαραληπτέον τὰς ἐλαττώσεις ρ37. 1442 ᵃ15. συμπαραληπτέα ἡ φιλία ημβ11. 1208 ᵇ6. (inde συμπαραλαμβάνειν pro συμπεριλαμβάνειν scribendum videtur πο6. 1450 ᵃ21. ρ32. 1438 ᵇ26. Vhl Rgfolge 158 n 10.)

συμπαρανεύειν. ὅταν ἀμφίβολα λέγωσιν (οἱ μάντεις), συμπαρανεύυσιν (οἱ πολλοί) Ργ5. 1407 ᵃ37.

συμπαρεῖναι. ἐκ τῶν συμπαρόντων ἡμῖν ἢ τοῖς ἐναντίοις (πολλὰ ποιήσομεν σημεῖα) ρ13. 1431 ᵃ3.

συμπαρέπεσθαι. ἀμιγεστέρα γίνεται ἡ ὀσμὴ τῶν συμπαρεπομένων ὀσμῶν πιβ4. 907 ᵃ1.

συμπαρορμᾶν. συμβάλλεσθαι ᾗ συμπαρορμᾶν πρὸς τὸ τὴν ψυχὴν ἐπιτελεῖν τὸ αὐτῆς ἔργον ημβ10. 1208 ᵃ16, cf συνεργεῖν ᵃ18.

σύμπας. τὸ σύμπαν, syn τὸ σύνολον, opp μέρος τε5. 135
ᵃ22-ᵇ6. ἡ σύμπασα γῆ, opp μία βῶλος Οα7. 276 ᵃ3. εἷς
τις συμπάντων ὑπερέχων Πγ18. 1288 ᵃ35. ὁ σύμπας οὐρα-
νός κ6. 397 ᵇ27. τὸ σύμπαν, τὰ σύμπαντα, i e ὁ κόσμος
κ6. 399 ᵃ14, 18, ᵇ10. 1. 391 ᵇ4. cf πᾶς p 571 ᵇ54.
συμπάσχειν τινί ρ8. 1428 ᵇ3 Spgl. τοῖς τῆς ψυχῆς παθή-
μασι τὸ σῶμα συμπάσχει φ1. 805 ᵃ6. cf Αβ27. 70 ᵇ16.
πγ31. 875 ᵇ32. τῷ κυρίῳ τῶν ἄλλων πάντων αἰσθητηρίων
πεπονθότος τι συμπάσχειν ἀναγκαῖον ᴋ τὰ λοιπά υ2. 455
ᵃ34. ὅταν δοξάσωμέν τι δεινόν, εὐθὺς συμπάσχομεν ψγ3.
427 ᵇ22.
συμπείθειν. οἱ ῥητορικοὶ λόγοι συμπείθουσιν Αγ1. 71 ᵃ9. cf
Ζγδ3. 769 ᵇ21. συμπείθειν, συμπεῖσαί τινα Ηδ11. 1126
ᵃ4. Πζ3. 1318 ᵇ3. καλῶς ἔχει συμπείθειν ἑαυτοὺς τὰς πα-
τρίους λόγους ἀληθεῖς εἶναι Οβ1. 284 ᵃ2. συνεπείσθησαν Πε7.
1307 ᵇ15. συνεπείσθη c inf Πδ11. 1296 ᵃ38.
συμπέμπειν. πρὸς τοὺς πολίτας ὠφελίμως (ἔξεσιν αἱ θυσίαι),
ἐὰν ἱππεῖς ᴋ ὁπλῖται διεσκευασμένοι συμπέμπωσιν ρ39.
1446 ᵇ5.
συμπεραίνεσθαι, logice, τὶ κατά τινος Αβ19. 66 ᵃ38.
ῥᾷον ἐν συμπεράνασθαι ἢ πολλά τη5. 154 ᵃ33. ἀγαπητὸν
ἐκ τῶν ὡς ἐπὶ τὸ πολὺ λεγόντας τοιαῦτα ᴋ συμπεραίνεσθαι
Ηα1. 1094 ᵃ22. — pass, τὸ συμπεραινθέν Ηη3. 1146 ᵃ26.
5. 1147 ᵃ27. ἔστω συμπεπερασμένον Αα25. 42 ᵃ8. συμ-
πεπερασμένος λόγος τθ11. 162 ᵃ4. 12. 162 ᵃ36. ἡ λύσις τῇ
μὲν ὅτι ψευδὴς τῇ δὲ ὅτι οὐ συμπεραίνεται (sc ὁ λόγος?)
Φα3. 186 ᵃ24. συμπεραίνεται, συμπεραινόμενος pass τθ11.
161 ᵇ20. 12. 162 ᵇ2, 4, 5sqq. — (οὐ συμπεπερασμένῳ χρόνῳ
ατ969 ᵃ27, fort τὸ τε πεπερασμένῳ χρόνῳ.) — συμπε-
ραίνειν, intr, τοῦτο συμπεραίνει ᴋ ἐπεκτείνεται εἰς τὴν τοῦ θή-
λεος χώραν ᴋ ὑποδοχὴν Ζιε5. 541 ᵃ2.
συμπεραντικῶς εἰπεῖν τι15. 174 ᵇ11 (cf συμπερασμα-
τικῶς).
συμπέρασμα, conclusio Αα8. 30 ᵃ5. 9. 30 ᵃ29, 35. 17. 37
ᵇ2. 20. 39 ᵃ6, 12, ᵇ8, 13, 16, 19, 21 ac saepissime. opp
προτάσεις, αἱ ὑποθέσεις, αἱ ἀρχαί Αα15. 34 ᵃ21-23. Φβ3.
195 ᵃ18. Μδ2. 1013 ᵇ20. Ζχ7. 701 ᵃ11.
dist συλλογισμός (συλλογισμός est ea ratiocinatio, per
quam efficitur τὸ συμπέρασμα) Αα24. 41 ᵇ29, 27. 25. 42
ᵃ5, 13, 37, ᵇ4, β4. 57 ᵃ39. γ26. 87 ᵃ15, 16-21, et omnino
Αα2-4 ubi συμπέρασμα ἀληθές ubivis ad veritatem con-
clusionis, non ad formam syllogismi refertur. συμπέρασμα
τῆς ἀποδείξεως Αδ10. 93 ᵃ8. ὥσπερ συμπερασμαθ᾽ οἱ λόγοι
τῶν ὅρων εἰσίν ψβ2. 413 ᵃ16. οὐ δεῖ τὸ συμπέρασμα ἐπε-
ρωτᾶν Ργ18. 1419 ᵇ1. δεῖ ἐκ τῶν κειμένων συμβαίνειν τὸ
συμπέρασμα τι6. 168 ᵃ21. συμπέρασμα ἀναγκαῖον (i e τῷ
ἐξ ἀνάγκης ὑπάρχειν) Αα9. 30 ᵃ29, 35, ᵇ3, 19. 16.35 538 al.
τὸ συμπέρασμα τι κατά τινος ἐστι Αβ1. 53 ᵃ8 (sed Αβ1.
53 ᵃ17 συμπέρασμα non conclusionem significat, sed eum
terminum ad quem tendit conclusio, subiectum conclu-
sionis, Wz). ποιεῖν συμπέρασμα Αα25. 42 ᵇ20. τὸ συμ-
πέρασμα χρᾶται ταῖς ἀρχαῖς Αα27. 43 ᵇ34.
συμπερασματικῶς τὸ τελευταῖον εἰπεῖν Ρβ24. 1401 ᵃ3 (cf
συμπεραντικῶς).
συμπεριάγεσθαι. (ἡ ἀναθυμίασις) συμπεριάγεται περὶ τὴν
γῆν ὑπὸ τῆς φορᾶς τῆς κύκλῳ ματ7. 344 ᵃ12.
συμπεριλαμβάνειν πολλὴν ἀναθυμίασιν ξηρὰν μβ3. 358
ᵃ33. τὰ ἐκ τοῦ πλαγίᾳ (ἐπικαλύμματα) οὐ δύναται συμ-
περιλαμβάνειν (τὰ ᴕά) Ζιε17. 549 ᵃ33. δύνανται αἱ ἀναθυ-
μιάσεις συμπεριλαβεῖν τὴν αἰτίαν τῆς τῶν βοτανῶν ὑπάρ-
ξεως φτβ3. 824 ᵇ7. — ἐν τῷ τοῦ ἑτέρου λόγῳ συμπεριει-

ληφθαι ᴋ θάτερον τζ4. 142 ᵃ31. οἱ ἔξωθεν συμπεριλαμβά-
νοντες ηεη5. 1239 ᵇ7 (syn οἱ ἔξωθεν περιλαμβάνοντες ᴋ ἐπὶ
πλέον λέγοντες 1. 1235 ᵃ5). — (pro συμπεριλαμβάνειν
πο6. 1450 ᵃ21. ρ32. 1438 ᵇ26 scribendum videtur συμ-
παραλαμβάνειν, Vhl Rgfolge 158.)
συμπεριοδεύειν. πολλαὶ ἀμπώτεις λέγονται ᴋ κυμάτων
ἄρσεις συμπεριοδεύειν ἀεὶ τῇ σελήνῃ κ4. 396 ᵃ26.
συμπεριπατεῖν. ἀπολείπησιν (οἱ ἐξωτέρω ἀποκάμπτοντες τοῦ
τέρματος) τοὺς συμπεριπατοῦντας Ργ9. 1409 ᵇ24.
συμπεριστρέφεσθαι. τῶν ἄστρων τὰ ἁπλανῆ τῷ σύμπαντι
οὐρανῷ συμπεριστρέφεται κ2. 392 ᵃ10.
συμπεριφέρειν. τὸ καρκίνιον ὅταν εἰσδύσῃ, συμπεριφέρει τὸ
ὄστρακον Ζιε15. 548 ᵃ19.
συμπέττειν. ἡ γῆ συμπέττει τῇ θερμότητι, πάντα συμ-
πέττεται ὑπὸ τῆς ἐν τῇ γῇ θερμότητος Ζγγ2. 753 ᵃ19, 752
ᵇ33. — τὸ ἐπ᾽ ἐκεῖνο μέρος συμπέττει τὸ παρακείμενον
ἧπαρ Ζμδ3. 677 ᵇ34. ὁ σπλὴν δύναται συμπέττειν· (χά-
ραβος) συμπέψασα τῇ γλώττῃ λείχουσα (τὰ τυφλὰ ᴋ
ἀλυπῆ) ἐκθερμαίνει ᴋ συμπέττει· αἱ μέλιτται ἐπικάθηνται
ἐπὶ τοῖς κηρίοις ᴋ συμπέττουσι Ζμγ7. 670 ᵇ6. Ζιε17. 549
ᵇ7. ζ34. 580 ᵃ10. ι40. 625 ᵃ6. ταῖς ὄρνισι λαβοῦσα ἡ ὑστέρα
συμπέττει Ζικ6. 638 ᵃ3. ἡ φύσις ἐπωάζουσα ᴋ συμπέττουσα·
ἡ ἐν τῷ ζώῳ θερμότης ἀποκρίνουσα ᴋ συμπέττουσα Ζγγ2.
752 ᵇ17. 11. 762 ᵇ8. θερμότης ἐλάττων ἢ ὥστε ὁμαλύναι
ᴋ συμπέψαι μδ3. 381 ᵃ20. ὁ ἄκρατος θερμότερος ὢν συμ-
πέττει τὰ λοιπά πγ3. 871 ᵃ21. 22. 874 ᵃ33. — ἡ τροφὴ
συμπεπεμμένη διὰ λυτρῶν μδ2. 379 ᵇ23. τὸ συμπεπτό-
μενον, τὸ ὑγρὸν συμπεττόμενον Ζιζ2. 560 ᵇ17. Ζγγ2.
753 ᵇ2. ἡ θάλαττα συμπεττομένη Ζιθ2. 590 ᵃ21 Aub. τὸ
τόπος συμπεττόμενος Ζμδ3. 677 ᵇ27.
συμπηγνύναι. ὅταν τὸ περὶξ ἢ ᴕ ψυχρὸν ᴋ συνάγῃ ᴋ συμ-
πηγνύῃ τὸ σῶμα av4. 472 ᵃ34. — pass, ἡ μελίκηρα, ὥσπερ
ἂν αἱ ἐκ λεπυρίων ἐρεβίνθων λευκῶν πολλὰ συμπαγείη
Ζιε15. 546 ᵇ21. ὅταν συμπαγῶσιν αἱ ἀναθυμιάσεις φτβ3.
824 ᵇ7.
σύμπηξις. ἡ σύμπηξις τοῦ ἐνόντος ὑγροῦ ἐργάζεται τὴν ψυ-
χρότητα κ4. 394 ᵃ35. ἀπὸ τοῦ ὕδατος ἡ σύμπηξις (τῆς
βοτάνης ἐστίν) φτβ1. 822 ᵃ15.
συμπιέζειν. τὸ ἔλαττον συμπιέζει τὸ πλέον πκα26. 929
ᵇ39. — pass, τὸ ἔλαττον ὑπὸ τοῦ μείζονος ὠθούμενον οὐχ
οἷόν τε κυμαίνειν, ἀλλὰ συμπιέζεσθαι μᾶλλον ᴋ συγχωρεῖν
ἕτερον ἑτέρῳ Οβ14. 297 ᵃ11. συμπιέζεσθαι ἀναγκαῖον τὰς
ἀκοὰς διασπωμένης τοῦ στόματος πια44. 904 ᵃ21. ἡ κοιλία
συμπιεζομένη ταῖς πλευραῖς κάτω πλδ11. 964 ᵇ3.
συμπιεσμός. διὰ τὸν ἐντὸς συμπιεσμὸν σχίζει τὴν γῆν ἡ
ἀτμίς φτβ1. 822 ᵇ28.
συμπιλεῖσθαι. opp συνεπεκτείνεσθαι Φθ9. 216 ᵇ29, dist
μεθίστασθαι Φθ8. 216 ᵃ31. τὸ αὐτὸ μέγεθος οὐ δοκεῖ συμ-
πιληθὲν γίνεσθαι βαρύτερον Ογ7. 305 ᵇ7. τῆς ἐν τοῖς ψυ-
χροῖς συμπιλεῖσθαι πλδ8. 909 ᵇ23. ὁ ἀὴρ ὁ συμπιληθεὶς ἐν
τῇ χιόνι φτβ3. 825 ᵃ11.
συμπίλησις τῆς ὑγρότητος φτβ4. 826 ᵃ18.
συμπίνειν Ηι12. 1172 ᵃ3. ηεη12. 1245 ᵃ13. συμπίνειν μετά
τινος Πε10. 1311 ᵃ40.
συμπίπτειν. 1. οἱ ὀφθαλμοὶ μικροὶ γίνονται ᴋ συμπίπτουσιν
Ζιζ3. 561 ᵃ21. Ζιδ4. 743 ᵇ35. opp λαμβάνειν αὔξησιν
Ζγγ6. 744 ᵃ14, 17, 16, 743 ᵇ35, 33. 7. 744 ᵃ8. αἱ φλέβες,
οἱ πόροι συμπίπτουσιν Ζιγ2. 511 ᵇ15. Ζγδ8. 777 ᵃ25. πλγ12.
962 ᵇ29. λδ12. 964 ᵇ10 (opp ἀνεώχθαι ᵇ12). ὁ ὀμφαλὸς
συμπίπτει, συμπεπτωκὼς ἀπόλλυται Ζγγ2. 754 ᵃ10. Ζιζ3.
562 ᵃ6. συμπίπτει ᴋ γίνεται ῥυτὰ πκδ10. 937 ᵃ2. αἱ κοιλίαι

τῷ νέφϣς συμπίπτϣσι πϰϛ6. 940 ᵇ31. ὁ ἀὴρ συμπίπτει, syn
συϛέλλεται πϰε22. 940 ᵃ6. αἱ θερμαὶ φύσεις ἐν τῷ θέρει
συμπίπτϣσιν πϑ25. 879 ᵃ32. — 2. αἱ παράλληλοι ϣ συμ-
πίπτϣσιν Αγ12. 77 ᵇ23. 5. 74 ᵃ14. οἱ πόροι παρ' ἀλλήλϣς
εἰσὶ ϰ ϣ συμπίπτϣσιν, πλεῖστον ἀπήρτηνται ἀλλήλων ϰ ϣ
συμπίπτϣσιν Ζια16. 495 ᵃ15, 18. τὸ ϣροπύγιον καθ' ὃ συμ-
πίπτϣσιν ὀχεύοντες Ζϣ50. 631 ᵇ26. ϣ κατὰ τὸ αὐτὸ συνέπεσε
τὸ πέρας τϣ αἰδοίϣ ϰ ὁ τϣ περιττώματος πόρος Ζγϑ4. 773
ᵃ21. ϣ συμπίπτει ἡ ὄψις πλα25. 960 ᵃ1. ἀμφοῖν ἔχοντες
τυγχάνομεν αἴσθησιν, ᾗ ϰ ὅταν συμπέσωσιν ἀναγνωρίζομεν ϣ
ψγ1. 425 ᵃ23. — ϰ ἄλλα πολλὰ δεῖ συμπεσεῖν μγ2. 372
ᵃ25. συμπίπτει ἅμα τῷ μὲν συνήεσθαι τῷ δὲ συνάχθε-
σθαι Ηι10. 1171 ᵃ7 (hi duo loci etiam ad proximum signi-
ficationis genus, 3, referri possunt). 3. συμπίπτειν
perinde ac συμβαίνειν eveniendi significationem habet. a. cf
συμβαίνειν 3. τϣτο εὐλόγως συμπίπτει Με2. 1026 ᵇ13.
πᾶσι τύτοις συμπίπτει λέγειν ἀδύνατα μα6. 343 ᵃ21. ϣδὲν
ἀδύνατον συμπίπτει Αα9. 30 ᵇ4. διαψεύδεσθαι συμπεσεῖται
Αα34. 48 ᵃ1 (cf ἀπατᾶσθαι συμβήσεται 48 ᵃ32). ϣτω συν-
έπιπτεν ἐπὶ τϣ πρώτϣ σχήματος, ϰ ἐπὶ τύτων ἀναγκαῖον
συμπίπτειν Αα22. 40 ᵃ16, ᵇ8 (syn συμβαίνειν ᵃ30). τϣτο
ἐπ' ἐνίων ϣ συμπίπτει τε5. 134 ᵇ27. — b. cf συμβαίνειν 2.
ἀπαγγείλας τὸ συμπεσὸν Πγ13. 1284 ᵃ32. τϣτϣ συμπε-
σόντος f 508. 1561 ᵇ2. τὰ παρὰ φύσιν συμπίπτοντα Ζγϑ9.
778 ᵃ9. 8. 776 ᵃ19. μχ1. 849 ᵇ11 (syn συμβαίνειν ᵃ9). οἷον
ἐν Βοσπόρῳ ποτὲ συνέπεσεν μγ2. 372 ᵃ15. τϣτο ἐν τῷ
τρέχειν μάλιστα συμπίπτει πη16. 888 ᵇ26. τὸ ἀνάλογον
συμπίπτει τύτοις ἐν θαλάσσῃ χ4. 396 ᵃ17. ἐπὶ τῶν γενῶν
τῶν ἀνθρώπων ταυτὸ τϣτο συμπίπτει φ2. 806 ᵇ15. συμ-
πίπτειν c dativo et inf, ὅσοις ἂν συμπέσῃ αἷμα ἐμέσαι
sim Ζιη11. 588 ᵃ1. τι14. 174 ᵃ8. πϰθ13. 952 ᵃ5, c acc et
inf, veluti τὰς δὲ διαφθαρῆναι συνέπεσεν Ζγϑ4. 773 ᵃ19.
μα7. 344 ᵃ20, 345 ᵃ5. 13. 349 ᵃ22. β4. 360 ᵇ28. — saepe
accedit fortuiti notio, ἐὰν ἴσοι συμπέσωσιν (i e τύχωσιν
ὄντες) Πϛ3. 1318 ᵃ39. ϣ τύτϣ ἕνεκα γενέσθαι, ἀλλὰ συμ-
πεσεῖν Φβ8. 198 ᵇ27. ἀπὸ ταὐτομάτϣ συνέπεσεν Οβ8. 289
ᵇ22. ἀπὸ τύχης συνέπεσεν Ρβ7. 1385 ᵇ2. διὰ τύχην τϣτο
συμπίπτϣσιν Πβ9. 1270 ᵇ20. ὅταν ϣτω συμπέσῃ (opp διὰ
λόγον ᵃ23) τῷ ἀνδρείῳ, ὥστε ὅλως μὴ φοβεῖσθαι ημα20.
1191 ᵃ26.

συμπλάττειν. κάθηνται ἐν τοῖς σφηκίοις ἀεὶ μήτραι, συμ-
πλάττϣσαι ϰ διοικϣσαι τὰ ἔνδον Ζιϰ41. 628 ᵃ34. cf Ζγγ10.
761 ᵃ7.

συμπλείονες Πγ15. 1286 ᵇ36.

συμπλέκεσθαι. ἡ ψυχὴ τῷ κινεῖσθαι αὐτὴ ϰ τὸ σῶμα
κινεῖ διὰ τὸ συμπεπλέχθαι πρὸς αὐτό ψα3. 406 ᵇ28. τὰ
σκέλη σαρκώδη ϰ συμπεπλεγμένα ϰ συνδεδεμένα φ3. 807
ᵇ21. — συμπλέκεσθαι de coitu. τὰ φαλάγγια συμπλέ-
κεται ἀντίπυγα, τὰ μαλάκια κατὰ τὸ στόμα Ζιε8. 542
ᵃ16 Aub. 6. 541 ᵇ3 Aub. Ζγα15. 720 ᵇ16, 17. συμπλέ-
κονται πρὸς ἀλλήλϣς ἐνίοτε ϰ πάνυ μέγας γλάνις πρὸς μι-
κρόν ΖιΖ14. 568 ᵃ29. τὰ μὴ προϊέμενα σπέρμα πολὺν χρόνον
συμπεπλέχθαι πέφυκεν Ζγα23. 731 ᵃ15.
21. 729 ᵇ29, 30. — grammatice, ὀνόματα συμπεπλεγμένα
(πεπλεγμένα Wz), opp ἁπλᾶ ε1. 16 ᵃ23. — logice saepe
usurpatur de coniungendis in eandem notionem pluribus
notis, ἐπεὶ κινητικὸν ἐδόκει ἡ ψυχὴ εἶναι ϰ γνωριστικόν,
ϣτως ἔνιοι συνέπλεξαν ἐξ ἀμφοῖν ψα2. 404 ᵇ29. τοῖς συμ-
πλέξασιν εἰς τὸ αὐτὸ κίνησιν ϰ ἀριθμὸν ψα5. 409 ᵇ11. τὴν
ἀσωτίαν ἐπιφέρομεν ἐνίοτε συμπλέκοντες (cf πολλὰς ἅμα
κακίας ἔχει ᵇ34) Ηϑ1. 1119 ᵇ30. πῦρ ϰ γῆ ϰ ἀὴρ ϰ ὕδωρ

μετ' ἐναντιοτήτων συμπεπλεγμένα ἐστίν Φαϛ. 189 ᵇ5. ἔτι
συμπλεκόμενα ϰ ταῦτα κἀκεῖνα λεχθήσεται, οἷον ϣ Πολύ-
κλειτος ϣδὲ ἀνδριαντοποιός, ἀλλὰ Πολύκλειτος ἀνδριαντοποιός,
opp ἁπλῶς λεγόμενα Φβ3. 195 ᵇ10, 15. Μϑ2. 1014 ᵃ13,
19. τὰ συμπεπλεγμένα ε12. 21 ᵃ38. τζ10. 148 ᵇ23 sqq
(veluti γραμμὴ πεπερασμένη εὐθεῖα). συμπεπλεγμέναι
κατηγορίαι, opp ἁπλαῖ Αα37. 49 ᵃ8. cf Ζμα3. 643 ᵇ30.
συμπεπλεγμένη δόξα ε14. 23 ᵇ25. cf Μχ5. 1062 ᵇ5. 6.
1063 ᵇ23. συμπλέκεται, συμπλακήσεται τὰ ἐναντία ἀλλή-
λοις τβ7. 112 ᵇ27-32. de coniungendo praedicato cum
subiecto vel accidente cum substantia, ϣδὲ γὰρ πλείω συμ-
πλέκεται δυοῖν Μγ4. 1007 ᵇ2.

σύμπλεξις. ἢ τὸ σχιζόμϣν μόνον, ἢ πᾶσα ἡ σύμπλεξις,
οἷον εἴ τις συνθείη ὑπόμϣν δίπϣν σχιζόπϣν Ζμα3. 644 ᵃ4.
cf συμπλέκεσθαι p 718 ᵃ55.

Συμπληγάδες θ105. 839 ᵇ29.

συμπληγάς. μυρίων γνόφων συμπληγάδες χ2. 392 ᵇ13.

συμπληρϣν. ἐν τοῖς ἐπιπέδοις τρία σχήματα δοκεῖ συμπληρϣν
τὸν τόπον, syn ἀναπληρϣν Ογ8. 306 ᵇ6, 4. ἐνίοις (τὸ γεω-
δὲς) συμπληροῖ τὸ μεταξὺ τῶν ποδῶν Ζμϑ12. 694 ᵇ1. ϣτ'
ἀὴρ ϣτε πῦρ συμπεπλήρωκε μόνον τὸν μεταξὺ τόπον μα3.
340 ᵃ18. τῶν ἴων ἀπέραντόν τινα τόπον συμπεπληρῶσθαι
θ82. 836 ᵇ16. — συνεπλήρωσε τὸ ὅλον ὁ θεός, ἐντελεχῆ
ποιήσας τὴν γένεσιν Γβ10. 336 ᵇ31. συμπληρϣμένης φτα2.
817 ᵇ37.

συμπλήρωμα. τὸ συμπλήρωμα στενώτερον ποιεῖ τὸν φά-
ρυγγα πια18. 901 ᵃ4.

συμπλήρϣσις. ἡ τροφὴ τϣ νεοσσϣ μέχρι αὐτῆς τῆς ὥρας
τῆς συμπληρώσεως φτα2. 817 ᵃ34. κόσμος ἐλαττϣμένος ϰ
ϣ τέλειος κατὰ τὴν συμπλήρϣσιν φτα2. 817 ᵇ37.

συμπλοϊκαὶ ϰ φυλετικαὶ φιλίαι Ηϑ14. 1161 ᵇ13.

συμπλοκή. τῇ τύτων (τῶν ἀτόμων Democr) συμπλοκῇ ϰ
περιπλέξει πάντα γεννᾶσθαι Ογ4. 303 ᵃ7. ὄργανον συμπλο-
κῆς χάριν, opp χρήσιμον πρὸς τὴν γένεσιν Ζγα15. 720 ᵇ34.
sed de coitu χρονιωτέρα ἡ συμπλοκὴ πάντων τῶν ζῳοτόκων
Ζιε5. 540 ᵇ21. — logice (cf συμπλέκεσθαι p 718 ᵃ55) de
coniungendis in eandem notionem pluribus notis, ϣδὲ συμ-
πλοκῇ δόξης ϰ αἰσθήσεως φαντασία ἂν εἴη ψγ3. 428 ᵃ25.
διαφορὰ ἤτοι ἁπλῆ ἢ ἐκ συμπλοκῆς τὸ τελευταῖον ἔλαβεν
εἶδος Ζμα3. 643 ᵇ16. ἀποδίδοται τὸ ἴδιον ἐκ συμπλοκῆς
τη5. 154 ᵇ16. εἴ τις ἁπλῶς φύσει τὰς συμπλοκὰς γίνεσθαι
(i e τὰ πλείω κατηγορϣμένα ὡς ἓν κατηγορεῖσθαι) ε11. 21
ᵃ5. συμπλοκή (συμπλοκαί) τῶν ἐναντίων ποσαχῶς τβ7. 113
ᵃ1. ζ9. 147 ᵃ33. ηϑ. 153 ᵃ30. de coniungendo praedicato
cum subiecto (cf σύνθεσις), συμπλοκὴ νοημάτων ἐστὶ τὸ
ἀληθὲς ἢ ψεῦδος ψϑ8. 432 ᵃ11. Μχ8. 1065 ᵃ22. Κ10. 13
ᵇ10. opp διαίρεσις Με4. 1027 ᵇ29. λέγεσθαι κατὰ συμ-
πλοκήν, ἄνευ συμπλοκῆς, κατὰ μηδεμίαν συμπλοκήν Κ2. 1
ᵃ16. 4. 1 ᵇ25. 10. 13 ᵇ10.

σύμπλϣς. τὰς σύμπλϣς Ηϑ11. 1159 ᵇ28.

συμπνεῖν. στασιωτικὸν τὸ μὴ ὁμόφυλον, ἕως ἂν συμπνεύσῃ
Πε3. 1303 ᵃ26.

συμπολεμεῖν Πβ6. 1264 ᵇ36, 38.

συμπολιτεύεσθαι ϰ κοινωνεῖν πόλεως, opp ἀπολελύσθαι
τῆς πολιτικῆς κοινωνίας Πη2. 1324 ᵃ15.

συμπομπεύειν ρ3. 1423 ᵇ3, 1424 ᵃ5.

συμπονεῖν τινι πβ5. 867 ᵃ1. δ2. 876 ᵃ39, ᵇ2. ἐάν τι πονήσῃ
μέρος, συμπονεῖ τὸ ὅλον πβ22. 883 ᵃ14.

συμπορεύεσθαι ἐπί τινι συμφέροντι Ηϑ11. 1160 ᵃ9.

συμποσιαρχεῖν Πβ12. 1274 ᵇ12.

συμπόσιον. ἀπρεπὲς ἥκειν εἰς τὸ συμπόσιον σὺν ἱδρῶτι πολλῷ

ἢ κονιορτῷ f 175. 1507 ᵇ12.

συμπράττειν τινὶ τἀγαθά Ρβ4. 1381 ᵇ23. συμπρᾶξαί τινι ἀγαθά, dist βέλεσθαί τινι ἀγαθά, συνθέλειν Ηι5. 1167 ᵃ1, 9. absol, opp ἀντιπράττειν μκ3. 465 ᵇ27. Ρβ2. 1379 ᵃ14, 13.

συμπρεσβευτὰς ἐξέπεμπον τὰς ἐχθρὰς Πβ9. 1271 ᵃ24.

συμπρίασθαι πάντα τὸν σίδηρον Πα11. 1259 ᵃ24.

συμπροϊέναι (συμπροίημι). τὴν ναῦν προσδεδεμένην τῷ σκαλμῷ συμπροϊέναι μχ4. 850 ᵇ22.

σύμπτωμα, coni syn πάθος τδ5. 126 ᵇ36, 39. τὰ συμπτώματα ὅτ᾽ ἀεὶ ὅθ᾽ ὡς ἐπὶ τὸ πολὺ γίνεται μτ1. 463 ᵇ10, 31, ᵃ2. opp τίνος ἕνεκα αν5. 472 ᵇ26, 24. ψγ12. 434 ᵃ32 (Trdlbg p 548), coni τέρας Ζγδ4. 770 ᵇ6. dist αἴτια, σημεῖα μτ1. 462 ᵇ27sqq. δι᾽ ἄλλα συμπτώματα φυσικά Ζγδ10. 777 ᵇ8. cf Ζιι40. 626 ᵃ29. ἔκ τινων φυσικῶν συμπτωμάτων Κ8. 9 ᵇ15. ἀπὸ συμπτώματος γίγνεσθαι Πε6. 1306 ᵇ6. ἀπὸ συμπτώματος, syn ἀπὸ τύχης, opp κατὰ προαίρεσιν, ἐν προαιρέσει Φβ8. 199 ᵃ1. Πβ12. 1274 ᵃ12. Ρα9. 1367 ᵇ24. ταῦτα ἔοικε συμπτώμασιν Μν6. 1093 ᵇ11. Ζιι37. 620 ᵇ35. οἰωνισάμενος τὸ σύμπτωμα Πε4. 1304 ᵃ1.

σύμπτωσις. αἱ μὴ δυνάμεναι συλλαμβάνειν ἐὰν ἢ διὰ θεραπείαν συλλάβωσιν ἢ δι᾽ ἄλλην σύμπτωσιν Ζιη6. 585 ᵇ25.

συμφάναι. ἄλλα λέγοντος συνέφησεν ἄν ΜΑ10. 993 ᵃ23. ὁ λόγος συμφήσει ταῦτα ημβ6. 1203 ᵃ27. ἐνδόντες τῷ λόγῳ συμφάσιν ἀληθὲς εἶναι τὸ συλλογισθὲν Μγ7. 1012 ᵃ19.

συμφανές ἐστί τι ἐκ τᾶ λόγᾱ Ηα10. 1099 ᵇ25. ψα2. 405 ᵇ22, δι᾽ αὐτῆς τῆς ἀρχῆς Ηα7. 1098 ᵇ7. μάλιστα τᾶτο συμφανές ἐστιν ἐπὶ τῆς ῥίνης ακ803 ᵇ10. συμφανὲς δὲ ἢ ὅτι φ4. 808 ᵇ27. συμφανῆ ποιεῖν τὴν τῆς ᾠδῆς ἁμαρτίαν πιθ43. 922 ᵃ17.

σύμφασις. τὰς κομήτας σύμφασιν εἶναι τῶν πλανήτων ἀστέρων μαθ6. 342 ᵇ28.

συμφέρειν. συμφερόμενον ἢ διαφερόμενον (Heracl fr 45) x5. 396 ᵇ21. — πολλοὶ πολλὰ συνεηνόχασι μέρη (τῆς τέχνης) τε34. 183 ᵇ33. — συμφέρειν πρός τι, πρὸς πολιτείαν, πρὸς οἰκονομίαν Πβ10. 1272 ᵃ30. 6. 1265 ᵇ25. Ζιε3. 558 ᵃ4. (aliter συμφέρειν πρός τι de removendo malo aliquo, συμφέρειν πρὸς τὰς διαρροίας Ζιγ21. 522 ᵇ10.) συμφέρειν τινί. ἐστὶν ὃ συμφέρει τῷ μέρει ἢ τῷ ὅλῳ Πα6. 1255 ᵇ10. ποίαις ποῖαι πολιτεῖαι συμφέρουσιν Πδ15. 1299 ᵃ14. πότερον ἀσύμφορον ἢ συμφέρει ταῖς πόλεσιν Πδ10. 1295 ᵃ6. συμφέρειν τινὶ πρός τι f 170. 1506 ᵇ2. συμφέρειν absol, τίς πολιτεία συμφέρει Ρα4. 1360 ᵃ31. ἔστιν ὅπῃ συμφέρει ταῖς αὐταὶ αὐταῖς ἢ ὅπῃ διαφέρουσιν Πδ15. 1299 ᵇ28. ἐπὶ τῶν ἄλλων ἐπιστημῶν τᾶτο συνενήνοχεν Πβ8. 1268 ᵇ34. τῷ παίνεσθαι συμφέροντος Ζμγ9. 672 ᵃ35. — τὸ συμφέρον. Ἡράκλειτος τὸ ἀντίξᾱν συμφέρον λέγει Ηθ2. 1155 ᵇ5. συμφέρον def, dist καλόν Ρβ13. 1390 ᵃ1. α6. 1362 ᵃ20. opp βλαβερόν Πα2. 1253 ᵃ14. 5. 1254 ᵇ7. dist ἀναγκαῖον Πα5. 1254 ᵃ22. dist δίκαιον Πε8. 1308 ᵃ13. δίκαιον τὸ κοινῇ συμφέρον Ηθ11. 1160 ᵃ14. Πγ12. 1282 ᵇ17. τὸ κοινῇ συμφέρον Ηι3. 1129 ᵇ15. Πγ6. 1278 ᵇ22, 1279 ᵃ17. τὸ κοινὸν συμφέρον Πγ7. 1279 ᵃ29, 34, 37. συμφέρον τινὶ vel τινός. ὁ μὲν τύραννος τὸ ἑαυτῷ συμφέρον σκοπεῖ, ὁ δὲ βασιλεὺς τὸ τῶν ἀρχομένων Ηθ12. 1160 ᵇ2. τὸ τῷ δεσπότῃ, τῷ μοναρχᾶντος, τῶν βελτιόνων συμφέρον Ηθ12. 1160 ᵇ30. Πγ7. 1279 ᵇ7. 13. 1283 ᵇ39, 41. — στοιχεῖα περὶ ἀγαθᾶ ἢ συμφέροντος ἁπλῶς Ρα6. 1362 ᵃ17. συμφέρον πῶς δεῖ πολλαχῶς λαμβάνειν p. 1422 ᵃ14 sqq, ᵇ25-1423 ᵃ8. — συμφερόντως ἔχει τοῖς πράγμασι Πβ9. 1270 ᵇ20. συμφερόντως πράττειν p30. 1436 ᵇ22.

συμφερώτερον, coni κάλλιον, ἥδιον τγ3. 118 ᵇ32.

συμφεύγειν. τοῖς φοβηθμένοις κάτω συμφευγόντων τᾶ αἵματος ἢ τᾶ θερμᾶ πκζ3. 947 ᵇ28.

συμφθίνειν. τὰ ὀστᾶ συμφθίνει τῷ σώματι ἢ τοῖς μέρεσιν Ζγβ6. 745 ᵃ16.

συμφιλοσοφεῖν Ηι12. 1172 ᵃ5.

συμφοιτητής Ηθ14. 1162 ᵃ33.

συμφορεῖσθαι, med, τὸ χρυσίον θ26. 832 ᵃ24. ὁ ἔποψ τίκτει ἐδὲν συμφορᾱμενος, syn ἢ ποιεῖται νεοττιάν Ζιζ1. 559 ᵃ10, 8. — συμφορητὸς ἐστίας, συμφορητὰ δεῖπνα Πγ15. 1286 ᵃ29. 11. 1281 ᵇ3.

συμφράδμονες (Hom Β 372) Πγ16. 1287 ᵇ15.

συμφράττειν. ὁ ἀὴρ συμφράττεται πια61. 906 ᵃ1. τὰ περὶ τὰς κλεῖδας εὐλυτώτερα μᾶλλον ἢ συμπεφραγμένα φ5. 809 ᵇ27. cf 6. 811 ᵃ8, 810 ᵃ22. — ἡ ἀναπνοὴ συμφράττει πλθ9. 964 ᵃ31, dubium utrum συμφράττει intr usurpatum an scribendum sit συμφράττεται coll φραχθῇ, ᵃ28.

συμφρονεῖν. ἡ ψυχὴ τὰ πλεῖστον ἀλλήλων ἀφεστῶτα τοῖς τόποις τῇ διανοίᾳ συμφρονῆσεν x1. 391 ᵃ14.

συμφύειν. ἡ θερμότης ἢ ψυχρότης ὁρίζεσθαι ἢ συμφῦσαι ἢ μεταβάλλεσθαι τὰ ὁμογενῆ ἢ τὰ μὴ ὁμογενῆ μδ1. 378 ᵇ15. (τὸ ῥύγχος) ὥσπερ ἂν εἴ τις ἀφελὼν ἀνθρώπᾳ τὰ χείλη ἢ συμφύσας τὰς ἄνωθεν ὀδόντας χωρὶς ἢ τὰς κάτωθεν προαγάγοι μῆκος ποιήσας Ζμβ16. 659 ᵇ24. — intr συμφύεσθαι, συμφῦναι, συμπεφυκέναι. ᾧ τῷ τυχόντι συμφύεται τὸ τυχόν αι2. 438 ᵇ1. συμπεφυκότα μὲν ἀπαθῆ, ἁπτόμενα δὲ παθητικὰ ἢ ποιητικὰ ἀλλήλων Φδ5. 212 ᵇ31. Μθ1. 1046 ᵃ28. ᾧ συμφύεται ἀκροποσθία, βλεφαρίς, τὸ λεπτόν, ψιλὸς ὑμήν, κύστις, φλέψ Ζια13. 493 ᵃ28. γ5. 515 ᵇ19. 11. 518 ᵃ1. 13. 519 ᵇ5, 16. Ζμβ13. 657 ᵇ3 (cf Hippocr ed Littré I 71). τὸ ἀριστερὸν ὗς θᾶττον συμφύεται πλβ7. 960 ᵇ40. συμφύεται τὰ κυήματα· συμφύεσθαι ἢ ἐπαλλάττειν τὰ μόρια Ζγδ3. 770 ᵃ14. 4. 769 ᵇ35. συμπεφυκέναι ἢ προσπεφυκέναι ὥσπερ τὰ ἔμβρυα Μδ4. 1014 ᵃ21. βελόνη ἔχει διαφυσίν, ὅταν δ᾽ ἐκτέχῃ, συμφύεται ταῦτα πάλιν· ὁ ὀμφαλός, ᾗ ἂν ἀποδεθῇ, συμφύεται Ζιζ13. 567 ᵇ26. ηι0. 587 ᵃ15. ὅτε ὥσπερ ζῷα ὄντα πλείω συμφύεσθαι ὥστ᾽ εἶναι πάλιν ἓν Ζγα18. 722 ᵇ23, cf 21. ἐοίκασι τῷ ἔντομα πολλοῖς ζῳοῖς συμπεφυκόσιν ζ2. 468 ᵇ10. λέγεται τὸ ἔντερον ὀλίγῳ συμφύεσθαι τῇ ἄρκτῳ ἢ διὰ τᾶτο γεύεσθαι τᾶ ἄρᾳ πρὸς τὸ ἀφίστασθαι τὸ ἔντερον ἢ διευρύνειν Ζιθ17. 600 ᵇ10. ἅπαντα τὰ τοιαῦτα (ἀνάπυκτα) τῇ μὲν συμπεφύκασι τῇ δὲ διαλέλυται Ζιδ4. 528 ᵃ16. Ζμδ7. 683 ᵇ17. (ὀδόντες) διὸ ἢ πάλιν δύνανται φύεσθαι ἐκπεσόντες· ἅπτονται γάρ, ἀλλ᾽ ἢ συμπεφύκασι τοῖς ὀστοῖς Ζγβ6. 745 ᵇ6 (cf ἀλλ᾽ ὅτι γε ἢ συμπεφύκασιν ἤτοι τοῖς φατνίοις, οἱ ἐξαιρούμενοί τε ἢ αὐτομάτως ἐκπίπτοντες δηλᾶσιν Galen II 738). atresiae: τὸ στόμα τῶν ὑστερῶν συμπεφυκός· ὁ τᾶς ξηρᾶς τροφῆς πόρος συμπεφύκεν· ἐν εἶναι τὸ ζῷον τὸ τερατῶδες ἢ πλείω συμπεφυκότα Ζγδ4. 773 ᵃ16, 25, 8. πόροι συγκεχυμένοι ἢ συμπεφυκότες, τὰς μὲν συμπεφυκέναι τῶν πόρων τὰς δὲ παρεκτετράφθαι Ζγβ8. 747 ᵃ12. δ4. 773 ᵃ14. τὸ αὐτὸ μόριον (τᾶ πεττίγων) ἔχει στόμα ἢ γλῶτταν συμπεφυκός Ζμδ5. 682 ᵃ19. συμπεφυκέναι διὰ τὴν τῶν κυημάτων σύναψιν Ζγδ4. 773 ᵃ12. (v l συμπέφυκεν Ζμδ12. 694 ᵇ4, προσπέφυκεν Bk.) — τὰ ἄλφιτα συμφύεται μᾶλλον ἢ συνθλίβεται πρὸς ἄλληλα πκα16. 929 ᵃ15. συμφύεται ὁ σίδηρος τῇ ἄμμῳ θ48. 833 ᵇ23. f 248. 1524 ᵃ6. συμφύεται πα33. 863 ᵃ17. ἢ συμφύεται τὰ πεπηγότα μα12. 348 ᵃ12. μέχρι τινὸς ἐξᾶσαν τὴν ὄψιν συμφύεσθαι αι2. 438 ᵃ27. — τῶν ἐρωντων ἐπιθυμᾶντων συμφῦναι ϗ γενέσθαι ἐκ δύο ὄντων ἀμφοτέρȣς ἕνα Πβ4. 1262 b13. συνείρȣσι μὲν τȣ̀ς λόγȣς, ἴσασι δ' ȣ̓· δεῖ γὰρ συμφῦναι. τȣ́τῳ δὲ χρόνȣ δεῖ Ηη5. 1147 a22.

συμφυής. ἔστιν ἡ γλῶττα (τῶν κροκοδείλων) τῇ κάτω σιαγόνι συμφυής Ζμβ17. 660 b28. τὰ ζῳοτοκȣ̃ντα ἔχει συμφυὲς ἐν αὑτῷ τὸ γιγνόμενον ζῷον Ζγβ4. 737 b17. τέττιξ ἔχει (γλωττοειδὲς) μακρὸν ϗ συμφυὲς ϗ ἀδιάσχιστον Ζιδ7. 432 b12. εἰ δὲ ϗ συμφυὲς γένοιτο τὸ κάλυμμα ψβ11. 423 a5. cf Ζιδ1. 525 a22. f 287. 1528 b15. συμφυὲς εἶναι μᾶλλον τȣ̀ς μηρȣ̀ς πε26. 883 b17. ξηραίνεται ὅσα ὕδωρ ἔχει εἴτ' ἐπακτὸν εἴτε συμφυές μδ5. 382 b11. ἀκοῇ συμφυὴς ἀήρ (ἀκοὴ συμφυὴς ἀέρι Bk) ψβ8. 420 a4, 12. καθαρώτερον ὃ τῇ ψυχῇ συμφυές πν1. 481 a17. κρεῖττον ᾧ μὴ πρόσεστι τὸ παθητικὸν ἢ ᾧ συμφυές Πγ15. 1286 a18. ἀνελευθερία συμφυέστερον τοῖς ἀνθρώποις τῆς ἀσωτίας Ηδ3. 1121 b14. — συμφυὴς μάλιστα γίνεται τῷ φθόγγῳ ὁ ἀπὸ τῆς ὑπάτης ἦχος διὰ τὸ σύμφωνος εἶναι πιθ24. 919 b16. — συμφυὲς ἕκαστον ϗ ἓν ὂν ἀπαθές Γα9. 327 a1. cf Φθ4. 255 a12. πιγ2. 907 b31. λε1. 964 b24. — συμφυῶς. ȣ̃τως ἔχει πρὸς ἄλληλα σῶμά τε ϗ ψυχὴ συμφυῶς φ1. 805 a10.

συμφυλάττειν. ὤμνυον οἱ θεσμοθέται συμφυλάξειν τȣ̀ς νόμȣς f 374. 1540 b1.

σύμφυλος (cf συγγενής). αἵ τε μέλιτται ϗ τὰ σύμφυλα ζῷα ταύταις Ζμδ6. 682 b10. — κεραυνοὶ ϗ τἆλλα ἃ δὴ τȣ́τοις ἐστὶ σύμφυλα κ4. 394 a19.

συμφυσᾶν. ἐκ τȣ́τȣ (τȣ̃ λεπτομερεστάτȣ) συντιθεμένȣ φασὶ γίγνεσθαι τἆλλα καθάπερ ἂν εἰ συμφυσωμένȣ ψήγματος Ογ5. 304 a21.

σύμφυσις, dist ἁφή, φύσει ἕν Φε3. 227 a33. Μκ12. 1069 a12. δ4. 1014 b22. ζ16. 1040 b15. σύμφυσις δέ (ἐστιν), ὅταν ἄμφω ἐνεργείᾳ ἓν γένωνται Φδ5. 213 a9. σύμφυσις ὀστῶν πυκνή Ζιε15. 547 a16. γ11. 518 b8 (cf ἡ σύμφυσις ἕνωσις ὀστῶν φυσική Galen II 734. 738). (ἀνάγκη τὰ κέρατα) μηδὲ τὴν σύμφυσιν ἔχειν πυκνὴν ϗ σκληρὰν ϗ δύσφορον ακ802 a26. ὁ ἐλέφας ἔντερον ἔχει συμφύσεις ἔχον· (de umbilico avium) εἰς τὸ ἔντερον ἡ σύμφυσις γίνεται Ζιβ17. 507 b35. Ζμδ12. 693 b25F. σύμφυσις, dist παραφύσεις πολυτοκία τέρατα Ζγδ4. 773 a4 (cf Aub ad h l et S II 313, 366, 396).

συμφυτικός. τȣ̃ ἐναίμȣ (i e medicamenti supprimentis sanguinem) ἀρετὴ τὸ ξηραντικὸν εἶναι ϗ συμφυτικόν πα33. 863 a14.

σύμφυτον. ἡ χλωρίς τὴν νεοττιὰν ποιεῖται ἐκ τȣ̃ συμφύτȣ Ζιι13. 616 a1 Aub.

σύμφυτος. 1. cf συμφύεσθαι. περὶ αὐτὸ (τὸ ξυλοφόρον σκωλήκιον) κάρφη, ὥστε δοκεῖν προσέχεσθαι βαδίζοντι· ταῦτα δὲ σύμφυτα τῷ χιτῶνί ἐστιν Ζιε33. 557 b18. ἡ ἀλγηδὼν διάστασις τῶν συμφύτων μερῶν μετὰ βίας τζ6. 145 b2, 13. — 2. σύμφυτος, insitus a natura, opp ἐπακτός, ἐπίκτητος, ὑστερογενής sim. ȣ̓ μόνον τὰ σύμφυτα προσεοικότες γίνονται τοῖς γονεῦσιν οἱ παῖδες, ἀλλὰ ϗ τὰ ἐπίκτητα Ζγα17. 721 b29. σύμφυτον ὕδωρ ἐν γάλακτι, syn συμφυές, opp ἐπακτόν μδ5. 382 b12. ὑγρὰ σύμφυτα τοῖς ζῴοις, opp ὑστερογενῆ (γάλα, γονή) Ζιγ20. 521 b17. ὑγρότης σύμφυτος, opp ἐπακτός Ζγγ1. 750 a8. θερμὸν σύμφυτον, opp ἐπίκτητον πε21. 883 a7. πνεῦμα σύμφυτον, opp θύραθεν Ζμγ6. 669 a1, 668 b35, opp τὸ ἐμπνεόμενον υ2. 456 a12, 17. ὄργανον σύμφυτον, opp ἀφαιρετόν ηεη9. 1241 b22. σημεῖα σύμφυτα, opp ἐπίκτητα πο16. 1454 b22. σύμφυτος θερμότης φυσική ζ4. 469 b7. τὸ σύμφυτον θερμόν, ἡ σύμφυτος θερμότης υ3. 458 a27. Ζγε4. 784 b7. πα9. 860 a34. πνεῦμα σύμφυτον Ζμβ16. 659 b17. γ6. 669 a1. Ζγβ6. 744 a3. Ζκ10. 703 a10. πν3. 482 a33. τὰ σύμφυτα τοῖς ζῴοις ὑγρά Ζμβ7. 653 b9. ἡ ζωὴ κίνησις γένȣς θρεπτȣ̃ σύμφυτος παρακολȣθȣ̃σα (ὅρος Διονυσίȣ) τζ10. 148 a28. σύμφυτος δύναμις κριτική, ἣν καλȣ̃σιν αἴσθησιν Αδ19. 99 b35. αἴσθησις σύμφυτος ψα3. 406 b30. Ζιθ12. 596 b24. ηεγ2. 1230 b18. ἐπιστήμη σύμφυτος ΜΑ9. 993 a1. τὸ μιμεῖσθαι σύμφυτον τοῖς ἀνθρώποις ἐκ παίδων ἐστίν πο4. 1448 b5. — ἡ τροφὴ ϗ αὔξησις τȣ̃ συμφύτȣ πν2. 482 a8, 22. αἱ θήλειαι ἑνός τινος στερισκόμεναι τῶν συμφύτων Ζγγ2. 753 a17. ὁρῶμεν ἀεί τι κινȣ́μενον ἐν τῷ ζῴῳ τῶν συμφύτων Φθ2. 253 a12.

συμφωνεῖν, proprie πιθ23. 919 b2, 5. — metaph, ȣ̓κ ἀεὶ ἡ ὄρεξις ϗ ὁ λόγος συμφωνεῖ ηεβ8. 1224 a25. δέον ἐπὶ τȣ́των συμφωνεῖν Ηβ7. 1107 a32. διαφωνεῖν ἀλλήλοις ϗ συμφωνεῖν Πη13. 1331 b30. οἱ πλȣ́σιοι συμφωνȣ̃σι τοῖς πένησι sim Πδ12. 1297 a1. γ13. 1284 b14. συμφωνεῖν τῷ λόγῳ, τοῖς λόγοις Ηγ15. 1119 b16. κ9. 1179 a17. πρὸς ἄλληλα συμφωνεῖν τὴν ἀρίστην συμφωνίαν Πη15. 1334 b10. cf ημβ7. 1206 b12. ψυχὴ συμφωνȣ̃σα κατὰ πάντα τὰ μέρη αρ8. 1251 b28. — τȣ̃το ὅτι ȣ̓κ ἀσφαλές ἐστι συμφωνȣ̃σιν (uno ore perhibent) θ101. 838 b34.

συμφωνία πᾶσα ἐν φθόγγοις τδ3. 123 a37. ζ2. 139 b37. dist ὁμοφωνία Πβ5. 1263 b35. συμφωνία ὀξέος ϗ βαρέος μῖξις τοιαδί Μη2. 1043 a10. αι7. 447 b3. ψγ2. 426 b6. ἡ συμφωνία κρᾶσίς ἐστι λόγον ἐχόντων ἐναντίων πρὸς ἄλληλα πιθ38. 921 a2. 41. 921 b8. ἐν ἀριθμοῖς εὐλογίστοις ὀλίγαι συμφωνίαι αι3. 440 a2, 439 b31-33. ἡ συμφωνία λόγος, λόγος ἀριθμῶν ἐν ὀξεῖ ἢ βαρεῖ ψγ2. 426 a27, 29. ΜΑ9. 991 b14. ν5. 1092 b14. οἱ τῶν συμφωνιῶν λόγοι (in sideribus, Pyth) Οβ9. 290 b22. ἡ διὰ πασῶν καλλίστη συμφωνία πιθ35. 920 a27. ἡ διὰ πασῶν συμφωνία ᾄδεται μόνη πιθ18. 918 b40 Bojesen. ἐν τῇ διὰ πασῶν ἡ αὐτὴ ἡ σύμφωνος τῇ συμφωνίᾳ πιθ17. 918 b35. ταῖς συμφωνίαις χαίρȣσι πάντες πιθ38. 920 b29, 921 a2. ἡ συμφωνία ȣ̓κ ἔχει ἦθος πιθ27. 919 b34. πῶς λύεται ἡ συμφωνία ψβ12. 424 a31. ȣ̓χ ἅμα ἀφικνȣ̃νται (οἱ ἐν ταῖς συμφωνίαις φθόγγοι), φαίνονται δέ αι7. 448 a20. cf ακ804 a2. τὸ συγχεῖσθαι τὰς φωνὰς ἐπὶ τῶν συμφωνιῶν φανερόν ἐστι ακ801 b20. — τὸ ξψζ συμφωνίας φασὶν εἶναι Μν6. 1093 a20. — ἡ σωφροσύνη συμφωνία τδ3. 123 a34. ζ2. 139 b34. συμφωνεῖν πρὸς ἄλληλα τὴν καλλίστην συμφωνίαν Πη15. 1334 b10.

σύμφωνος. ἥδιον τὸ ἀντίφωνον τȣ̃ συμφώνȣ, τὸ σύμφωνον τȣ̃ ὁμοφώνȣ πιθ16. 918 b30. 39. 921 a7. τὸ ἀντίφωνον σύμφωνόν ἐστι διὰ πασῶν πιθ39. 921 a8. cf 24. 919 b17. ἐν τῇ διὰ πασῶν ἡ αὐτὴ ἡ σύμφωνος τῇ συμφωνίᾳ πιθ17. 918 b35. σύμφωνοι ψόφοι Οβ9. 290 b13. — φέρεσθαι συμφώνȣς φορὰς (Plat) ψα3. 406 b31. ἀποφαίνεσθαι συμφώνȣς λόγȣς Οβ1. 284 b4. τῶν ἐναντίων ἡ φύσις γλίχεται ϗ ἐκ τȣ́των ἀποτελεῖ τὸ σύμφωνον κ5. 396 b8. — σύμφωνον ἔσται, i q συμβήσεται, λόγον ἔχει φτα1. 815 a24, 26.

συμψαύειν. τὰ δὲ (ᾠὰ δίδυμα) ȣ̓κ ἔχει ταύτην τὴν διάφυσιν, ἀλλὰ συμψαύȣσιν Ζιζ3. 562 a27. τὰς ȣ̓σίας (Democr) περιπλέκεσθαι περιπλοκὴν τοιαύτην, ἣ συμψαύειν αὐτὰ ϗ πλησίον ἀλλήλων εἶναι ποιεῖ f 202. 1514 b21.

σύμψαυσις. σύγκειται (ȣ̃τος ὁ τόπος τȣ̃ στόματος) ἐκ τῆς συμψαύσεως τῶν βραγχίων Ζμβ17. 660 b24.

σύμψηφος. ὁ λόγος ὕστερος ἐπιγινόμενος ϗ σύμψηφος ὢν τοῖς πάθεσι ημβ7. 1206 b25. 6. 1203 b27.

σύν. rarissimum esse apud Ar praepositionis σύν usum et prope ubivis eius loco usurpari praep μετά observavit Eucken II 29. ἡ μὲν ὕτως ἐστὶν ὀσία σὺν τῇ ὕλῃ συνειλημμένος ὁ λόγος Μζ15. 1039 ᵇ21 (cf συνειλημμένον μετὰ τῆς ὕλης Με1. 1025 ᵇ33). ὁ σὺν τῷ αἰτίῳ λόγος ὕτος Μη4. 1044 ᵇ15 (cf ἐὰν μὴ μετὰ τῆς αἰτίας ᾖ ὁ λόγος ᵇ12). σὺν τῇ ὕλῃ οἱ λόγοι αὐτῶν Μι9. 1058 ᵇ17 (cf λόγος μετὰ τῆς ὕλης ζ11. 1037 ᵃ27 al). φερόμενα σὺν ψόφῳ πολλῷ μα12. 348 ᵃ24. αἱ καμπαὶ τέτταρες, ἢ δύο σὺν τοῖς πτερυγίοις Ζια5. 490 ᵃ32. πόδας οἱ μὲν κάραβοι ἐφ' ἑκάτερα ἔχυσι πέντε σὺν ταῖς ἐσχάταις χηλαῖς· ὁμοίως δὲ ἢ αἱ καρχίνοι δέκα τὰς πάντας σὺν ταῖς χηλαῖς Ζιδ2. 525 ᵇ15, 17. ἑξάποδα τὰ τοιαῦτα πάντ' ἐστὶ σὺν τοῖς ἁλτικοῖς μορίοις Ζμδ6. 683 ᵇ3 (cf τέτταρσι σημείοις κινήσονται μετὰ τῶν πτερύγων Ζμδ12. 693 ᵇ15). — etiam in libris pseudepigraphis raro praep σύν legitur. σὺν κόσμῳ κ6. 398 ᵇ23. σὺν πολλῷ βρόμῳ θ130. 843 ᵃ7. ἔχειν εὐωδίαν σὺν αὐτῇ πιβ3. 906 ᵇ23. ᾄσαι τὴν παραμέσην σὺν ψιλῇ τῇ μέσῃ πιβ12. 918 ᵃ38. ἀποδώσειν σὺν τόκῳ οβ1351 ᵇ11. ἐξέρχεται ἀναθυμίασις σὺν ὑγρότητι φτβ5. 826 ᵃ25. — cf Eucken II 29, 30.

συναγανάκτησις. περὶ τὴν ὠδῖνα δεινὴ ἡ τῦ ἄρρενος θεραπεία ἢ συναγανάκτησις Ζιι7. 612 ᵇ35.

συνάγειν. διώρυξι συνάγειν τὸ ὕδωρ, ἡ θάλαττα εἰς μικρὸν συνάγεται, συνάγειν ἢ ἀντιπεριστᾶναι τὸ θερμόν μα13. 350 ᵃ1. β1. 354 ᵃ7. δ5. 382 ᵇ9. συνῆκται αὐτῶν τὸ ὄπισθεν πρὸς τὸ ἔμπροσθεν· ἡ φύσις ἅπαντα συνήγαγεν εἰς ἓν sim Ζμδ9. 684 ᵇ14. γ1. 662 ᵃ21. β16. 659 ᵇ23. 10. 657 ᵃ9. Ζγα15. 720 ᵇ19. συνάγειν τὰ βλέφαρα, τὰ ὄμματα πλα7. 958 ᵃ21. 8. 958 ᵃ38. 15. 958 ᵇ36. 16. 959 ᵃ3. συνάγειν, opp διοίγειν· συνάγεται ἢ διοίγεται ὁ φάρυγξ sim Ζμγ3. 664 ᵇ25. Ζιβ12. 504 ᵇ5. ε16. 548 ᵃ30, 31. ἡ δύναται τὰ μόρια κινεῖν ἐδ' αἴρειν ἡ συνάγειν αν17. 479 ᵃ13. ὁ ὄφις (ἡ φώκη) συνάγει ἑαυτὸν ἢ συστέλλει Ζιθ4. 594 ᵃ19. ζ12. 567 ᵃ8. συνάγει τὰ περὶ τὰ πλευρά Ζιβ11. 503 ᵇ25. συνάγων ἑαυτὸν ἐκθλίβει τὸ πνεῦμα αχ800 ᵃ36, ᵇ5. ἡ φιλότης (Emped) συνάγει, εἰς ἓν συνάγει, τὸ νεῖκος διακριτεῖ Φθ1. 252 ᵃ27. Γα1. 315 ᵃ6. Μβ4. 1000 ᵇ11. τὸ σπέρμα τὸ τῦ ἄρρενος συνάγον ἢ δημιυργῦν τὴν ὕλην τὴν ἐν τῷ θήλει Ζγδ4. 771 ᵇ21. συνάγειν τὰ σώματα, ψυχρὸν τὸ συνάγον ἢ συγκρῖνον (πηγνύον, συμπηγνύον) ψα2. 404 ᵃ10, 15. Γ2. 329 ᵇ29. αν4. 472 ᵃ34. ἡ κύκλῳ περιφέρεια, τὸ κοῖλον συνάγεται Φθ9. 217 ᵇ12. διὰ τὸ συνάγεσθαι τὰς γραμμάς, syn διὰ τὸ ὀξυτέραν γίνεσθαι τὴν γωνίαν μχ23. 855 ᵃ18, 17. εἰς ὀξὺ συνηγμένα πα34. 863 ᵃ24. ὤμοι πρὸς τὸ στῆθος συνηγμένα φ6. 810 ᵇ29. ἡ κύκλῳ φορὰ τῷ μήκει συνηγμένη Οβ6. 288 ᵃ25. — τὰ κακά, τὸ κοινῇ συμφέρον, ὁ κοινὸς φόβος συνάγει τὰς ἀνθρώπυς Ρα6. 1362 ᵇ38. Πγ6. 1278 ᵇ22. ε5. 1304 ᵇ23. διὰ τὸ συναγαγεῖν ἐγίνοντο βασιλεῖς Πγ14. 1285 ᵇ7. συνάγειν τὴν βυλήν, τὸν ὄχλον f 394. 1543 ᵇ9. 395. 1543 ᵇ1. 397. 1544 ᵃ15. τὰς θηλείας περιβάλλονται συνάγοντες Ζιε5. 541 ᵃ21. — συνάγειν τὰς εἰσφορὰς ἢ τὰς λειτυργίας Πε11. 1314 ᵇ15. ἃ ὑπολαμβάνομεν ἀξιόλογα εἶναι, συναγηόχαμεν οβ1346 ᵃ25. συναγωγὼν τὰς εὐδοκιμῦντας τῶν νόμων, θεωρῆσαι δὲ συνηγμένων πολιτειῶν Ηκ10. 1181 ᵃ16, ᵇ17. πάντα σχεδὸν εὕρηται, ἀλλ' ἃ συνῆκται Πβ5. 1264 ᵃ4. συνάγειν τῶν παραδειγμάτων ὅ τι πλεῖστα sim ρ9. 1429 ᵇ35. 3. 1425 ᵃ1. 37. 1445 ᵃ17. 8. 1428 ᵇ24. συνάγειν ἀρχάς τινας, opp χωρίζειν, ποίας ἀρχὰς ἁρμόττει συνάγειν εἰς ὀλίγας, εἰς μίαν ἀρχὴν Πδ15. 1299 ᵇ1, 13. ζ1. 1317 ᵇ36. 8. 1321 ᵇ11.

συνάγειν τὰ παρ' ἑκατέροις Πδ13. 1297 ᵃ39. εἴ τις ἢ συνάγοι τὰς τόπυς εἰς ἓν Πγ9. 1280 ᵇ13. συνακτέον τὰ τῶν ἰδίων ἱερῶν εἰς ὀλίγα ἢ κοινά Πζ4. 1319 ᵇ24. τῷ συνῆχθαι (in picturis pulchris) τὰ διεσπαρμένα χωρὶς εἰς ἓν Πγ11. 1281 ᵇ13. συνάγει (Emped) τὰ τέτταρα στοιχεῖα εἰς τὰ δύο Γβ3. 330 ᵇ20. συναγαγεῖν (αὐτὰ) πρὸς τὰς εἰρημένας αἰτίας ΜΑ5. 986 ᵇ5. πρὸς τέτταρα στοιχεῖα πέντ' ὅσας τὰς αἰσθήσεις συνάγειν αι2. 437 ᵃ21. cf Ζγβ6. 745 ᵃ32. ἄμφω εἰς ταὐτὸ συνακτέον ηεη2. 1236 ᵇ36. ἢ εἰκάζυσι δὲ ὕτως, οἷον πιθήκῳ αὐλητήν, λύχνῳ ψακαζομένῳ μύωπα· ἄμφω γὰρ συνάγεται Ργ11. 1413 ᵃ4 (?). — συλλογίζεσθαι ἢ συνάγειν (ratiocinando colligere, concludere, demonstrare) Ρα2. 1357 ᵃ8. Μη1. 1042 ᵃ3. συνάγειν τὴν αἰτίαν Ζγδ1. 764 ᵃ28. συνάγειν ἐξ ἀναγκαίων, ἐξ εἰκότων, ἐνθύμημα συνηγμένον ἔκ τινος Ρβ22. 1395 ᵇ25, 1396 ᵃ2, ᵇ27, 28. 25. 1402 ᵇ15. συνάγειν ἀδύνατα, ψεῦδος τι24. 179 ᵇ21, 25. Ογ1. 299 ᵇ12. ΜΑ9. 991 ᵃ18. μ5. 1079 ᵇ22. cf ν6. 1093 ᵇ15, 25. συνάγειν εἰς τὰ ὕτως ἄδοξα τι12. 173 ᵃ27. συνάγειν ἐπί τινος τι22. 178 ᵃ33. συνακτέον ὅτι c ind Ρα15. 1377 ᵇ6. συνάγειν ὡς c gen absol Πβ12. 1274 ᵃ25.

συναγείρειν. τὸ θερμὸν ἡμῶν ἐν τῷ θέρει διέσπαρται, ἐν δὲ τῷ φθίνοντι καιρῷ συναγείρεται πάλιν f 222. 1518 ᵇ32.

συναγελάζειν. τῶν ἰχθύων οἱ μὲν συναγελάζονται μετ' ἀλλήλων ἢ φίλοι εἰσίν Ζιι2. 610 ᵇ1, 2, 11. ἰχθύες συναγελαζόμενοι f 291. 1528 ᵇ33. 297. 1529 ᵇ6. 318. 1532 ᵃ5.

συναγελαστικοὶ ἰχθύες f 302. 1529 ᵇ42.

συναγοράζειν. συνηγόρασαν τὸν σῖτον πάντα οβ1347 ᵇ5.

συναγορεύειν τῇ συμμαχίᾳ, τῷ νόμῳ ρ3. 1424 ᵇ35, 16 (opp διακωλύειν 1425 ᵃ1).

συναγρίς (vl συναγρις). τέτταρα ἐφ' ἑκάτερα ἁπλᾶ ἔχει βράγχια, χολὴ πρὸς τοῖς ἐντέροις Ζιβ13. 505 ᵃ15. 15. 506 ᵇ16 (synagris vers Thomae, Scalig. dentex Gazae. synagris C II 789. Sparus dentex K 477, Cr. hodie συνακρίδα i q Dentex vulgaris cf E 88. 44. ΑΖι I 140, 67. def non potest St. ΚαΖι 78, 18. cf Wiegmann Archiv 1840 I 387.)

συναγωγὴ ἡ διαστολὴ τῆς αὐτῆς ὕλης Φδ9. 217 ᵇ15. ἡ τῶν ὀφθαλμῶν συναγωγή πδ2. 876 ᵇ10. ἡ συναγωγὴ τῶν βραγχίων, τῆς ἐπιγλωττίδος Ζμδ13. 696 ᵇ10. γ3. 665 ᵃ5. τὸ ἐκπνεῦσαι συναγωγὴ συντόνῳ τόπῳ πλθ8. 964 ᵃ22. ὐκ ἔπεστι πῶμα τῇ ἀρτηρίᾳ, ἀλλὰ τῇ συναγωγῇ τὸ αὐτὸ ποιῶσιν αν11. 476 ᵇ1. ἡ τῶν κιόνων συναγωγὴ ἡ πρὸς τὸ ἔδαφος· ἔστι γὰρ ταύτῃ στενώτατον θ58. 834 ᵇ33. — αἱ συναγωγαὶ πάντων τῶν τρόπων, syn συνδυασμός Πζ1. 1316 ᵇ40, 1317 ᵃ3. — τῶν νόμων ἢ τῶν πολιτειῶν συναγωγαί Ηκ10. 1181 ᵇ7. ἡ ἔλεγχος συναγωγὴ τῶν ἐναντίων ἐστίν Ργ9. 1410 ᵃ22. cf β23. 1400 ᵇ26.

συναγωνίζεσθαι. τὸν χορὸν δεῖ μόριον εἶναι τῦ ὅλυ ἢ συναγωνίζεσθαι, μὴ ὥσπερ [παρ'] Εὐριπίδῃ ἀλλ' ὥσπερ [παρὰ] Σοφοκλεῖ πο18. 1456 ᵃ26.

συνᾴδειν. μία ἐκ πάντων ἁρμονία συνᾳδόντων κ6. 399 ᵃ12. συνᾴδειν τινὶ πιθ40. 921 ᵃ36. — συνᾷδον ἢ διᾷδον (Heraclit fr 45) κ5. 396 ᵇ21. — συνᾴδειν τοῖς ἔργοις, τῷ λόγῳ sim Ηκ9. 1179 ᵃ21 (syn συμφωνεῖν ᵃ16, opp διαφωνεῖν ᵃ22). 10. 1181 ᵃ21. α8. 1098 ᵇ20. τῷ ἀληθεῖ πάντα συνᾴδει τὰ ὑπάρχοντα, opp διαφωνεῖν Ηα8. 1098 ᵇ11.

συναθροίζειν. πορφύραι συναθροιζόμεναι εἰς ταὐτό Ζιε15. 546 ᵇ18. πάντες συναθροιζόμενοι, opp καθ' ἕνα Μα1. 993 ᵇ3. — τὰ ἀπὸ τῶν προσόδων γινόμενα συναθροίζοντας ἀθρόα χρὴ διανέμειν τοῖς ἀπόροις Πζ5. 1320 ᵃ37. πολὺ συναθροιζόμενον τὸ θερμὸν ζ5. 469 ᵇ30. ὅσαις γυναιξὶ συναθροίζεται ἰκμὰς τοσαύτη Ζιη2. 582 ᵇ15. προέρχεται τὸ σπέρμα συναθροισθέν Ζγα5. 717 ᵇ25. ἐφ᾽ ἕνα τόπον συναθροιζόμενον τὸ βάρος πε11. 881 ᵇ30.

συνάθροισις. ἡ τῶν καταμηνίων ἔκκρισις χ̱ συνάθροισις Ζγβ 4. 739 ᵇ10.

συναιρεῖν. πρὸς ὓς (δικαστὰς) τὸ φιλεῖν ἤδη χ̱ τὸ μισεῖν χ̱ τὸ ἴδιον συμφέρον συνήρηται πολλάκις, ὥστε μηκέτι δύνασθαι θεωρεῖν ἱκανῶς τὸ ἀληθές Ρα1. 1354 ᵇ9. — ὒ ταὐτὸ (σημαίνει) χ̱ (διῃρημένον χ̱) συνῃρημένον τι31. 181 ᵇ33 (χ̱ διῃρημένως χ̱ συνῃρημένως Alex Schol 319 ᵃ5).

συναίρειν. ὁ νότος τοιῦτός ἐστιν οἷος νεφέλας χ̱ ὕδωρ πολὺ συναίρειν πκς46. 945 ᵃ39. συναίρῃ vl Ζγα18. 725 ᵇ12, συναιπῇ Bk.

συναισθάνεσθαι τῦ ἀγαθῦ, τῷ φίλῳ ὅτι ἔστιν Ηι9. 1170 ᵇ4, 10. τὰ ἔντομα ὄντα πόρρω συναισθάνεται (ἔντομα ἀποζώντων πόρρωθεν αἰσθάνεται ci Pik Aub) Ζιδ8. 534 ᵇ18. τῆς ἀκοῆς ὒ δυναμένης συναισθάνεσθαι τὰς διαλείψεις ακ803 ᵇ36. συναισθάνεσθαι ὡς πλεῖστοι (πλείστοις codd et Bk) ηεη12. 1245 ᵇ22. τὸ συζῆν τὸ συναισθάνεσθαι χ̱ τὸ συγγνωρίζειν ἐστὶν ηεη12. 1244 ᵇ25.

συναίσθησις ηεη12. 1245 ᵇ24.

συναίτιος. συναίτιοί πως Ηγ7. 1114 ᵇ23. συναιτία τῇ μορφῇ Φα9. 192 ᵃ13. συναίτιον αι4. 441 ᵃ29. συναιτίων πως, dist ἁπλῶς αἴτιον ψβ4. 416 ᵃ14. συναίτιον πάθυς τινός, dist αἴτιον Ζγε3. 782 ᵃ26, 783 ᵇ21, 18. cf Ζικ1. 634 ᵃ17. ἀναγκαῖον λέγεται, ὒ ἄνευ ὐκ ἐνδέχεται ζῆν ὡς συναιτίῳ Μδ5. 1015 ᵃ21 Bz.

συνακμάζειν. Λυκῦργον Ἰφίτῳ συνακμάσαι f 490. 1558 ᵃ15.

συνακολυθεῖν. τὸν βασιλέα ὃν κατέλιπον, ἐὰν συνακολυθήσῃ, διαφθείρυσιν (αἱ μέλιτται) Ζιι40. 625 ᵃ25. ἐὰν ἀποφεύγῃ, συνακολυθῦσιν εἰς βυθόν Ζιι48. 631 ᵃ25. — συνακολυθεῖν ἀεὶ ταῦτ᾽ ἀλλήλοις, syn ἅμα συμβαίνειν Ζγδ1. 764 ᵇ24, 22. ἁπλᾶ τῶν χρωμάτων ἐστὶν ὅσα τοῖς στοιχείοις συνακολυθεῖ· χυλὸς διαφόρυς συμβαίνει τοῖς ἄνθεσι χ̱ τοῖς καρποῖς συνακολυθεῖν χι. 791 ᵃ1, 10. 5. 796 ᵇ22. ὅταν συνακολυθήσῃ πολλὴ ἔκκρισις μγι. 370 ᵇ10. — συνακολυθεῖν ταῖς τύχαις Ηα11. 1100 ᵇ5. — μέχρι τύτυ συνηκολυθήκασι (int τύτυ τῷ λόγῳ, ταύτῃ τῇ δόξῃ) χ̱ τῶν ἄλλων οἱ πλεῖστοι Φα5. 188 ᵇ26. — logice (cf ἀκολυθεῖν p 26 ᵃ25, ἕπεσθαι p 266 ᵃ61), συνακολυθεῖ τῷ γ τὸ α Αα46. 52 ᵇ11. συνακολυθῦσιν αἱ ἀρχαὶ Μμ9. 1085 ᵃ16.

συνακόλυθος. ὅταν ὁ αὐτὸς σύνδεσμος συνακόλυθος ᾖ p26. 1435 ᵇ2 (cf ἀκολυθεῖν ᵃ39).

συνακύειν. ἄλογον ἐδόκει τὸ μὴ συνακύειν ἡμᾶς τῆς φωνῆς ταύτης Οϑ9. 290 ᵇ24.

συναλγεῖν (syn συνάχθεσθαι, coni συγχαίρειν, συνήδεσθαι, συζῆν) τῷ φίλῳ, ἑαυτῷ, ἀλγῦντι sim Ηι4. 1166 ᵃ7, 27, ᵇ18. 10. 1171 ᵃ7, 8. ηεη6. 1240 ᵃ33. non addito dativo personae Ηι11. 1171 ᵃ29, 32, ᵇ11. ηεη6. 1240 ᵇ9. 11.1244 ᵃ25. Ρβ2. 1379 ᵇ23. συναλγεῖν τῇ διανοίᾳ πζ7. 887 ᵃ16. c dat causali συναλγεῖν τοῖς λυπηροῖς, συνήδεσθαι τοῖς ἀγαθοῖς Ρβ4. 1381 ᵃ5.

συναλείφειν. αἰσχρὸν τὸ τἀγαθὰ μὲν ὑπεραίνειν τὰ δὲ φαῦλα συναλείφειν Ρβ6. 1383 ᵇ33. τὰ μὲν ἄνω (τῆς γῆς) συναλήλιφθαι διὰ τὰς ὄμβρυς (Ἀναξαγόρας φησίν), ἐπεὶ φύσει γε πᾶσαν ὁμοίως εἶναι σομφήν μβ7. 365 ᵃ21.

συναληθεύειν. τὰς κατὰ διάμετρον ἀντιφάσεις ὐκ ἐνδέχεται συναληθεύειν ε10. 19 ᵇ36.

συναλίζειν. ἐκβληθέντων κεραμίων εἰς τὴν θάλατταν, χρόνῳ

γινομένῃ χ̱ βορβόρῳ περὶ αὐτὰ συναλισθέντος Ζγγ11. 763 ᵃ33.

συνάλλαγμα. ἐν συναλλάγμασι χ̱ χρείαις χ̱ πράξεσι παντοίαις Ηκ8. 1178 ᵃ12. συναλλάγματα ἑκύσια ἀκύσια, λαθραῖα βίαια Ηε5. 1131 ᵃ2-9. Ρα15. 1376 ᵇ12. ηεη10. 1243 ᵃ10. εἶδος δικαιοσύνης τὸ ἐν τοῖς συναλλάγμασι διορθωτικὸν Ηε5. 1131 ᵃ1. 7. 1131 ᵇ25. ἡ περὶ τὰ συναλλάγματα πραγματεία Ρα1. 1354 ᵇ25. πράττειν τὰ ἐν τοῖς συναλλάγμασι Ηβ1. 1103 ᵇ14. ἐν τοῖς συναλλάγμασι περὶ τῦ γενέσθαι ἀμφισβητῦντες Ηε10. 1135 ᵇ29. συναλλάγματα ἴδια, ἔχοντα μέγεθος, μικρὰ Πϑ16.1800 ᵇ23, 32. ζ2.1317 ᵇ28. συναλλαγμάτων ἀναγραφαί Πζ8. 1322 ᵇ34.

συναλλάττειν χ̱ παρακαταθήκας ἀποδιδόναι Ηκ8. 1178 ᵇ11. συναλλάττειν, opp διαλύεσθαι Ηϑ15. 1162 ᵇ25, 33. δεῖ στέργειν τὺς κατὰ πίστιν συναλλάξαντας Ηϑ15. 1162 ᵇ30. συναλλάττυσιν ὡς ἀγαθοὶ ηεη10. 1243 ᵃ11. συναλλάττυσιν ἢ κατὰ προαίρεσιν ἢ ἀκυσίως p39. 1446 ᵇ38.

συναλλοιῦν. ἡ τῆς ψυχῆς ἕξις ἀλλοιυμένη συναλλοιοῖ τὴν τῦ σώματος μορφήν φ4. 808 ᵇ12.

σύναμα. (τὰ δένδρα) προάγυσι τὺς καρπὺς πρὸ τῶν φύλλων ἢ σύναμα τοῖς φύλλοις ἢ μετὰ τὰ φύλλα φτβ7. 827 ᵃ8.

σύναμμα. εἰ μέλλει ἰσχυρῶς ὥσπερ σύναμμα ἰσχυρὸν συνδεῖν Ζμδ10. 687 ᵇ15. τὰς ὄρχεις εἶναι σύναμμα πολλῶν ἀρχῶν Ζγε7. 788 ᵃ10.

συναμπρεύειν. ἡμίονος ἀφειμένος ἤδη διὰ τὸ γῆρας συναμπρεύων ἢ παραπορευόμενος παρώξυνε τὰ ζεύγη Ζιζ24. 577 ᵇ31.

συναμφότεροι. χρημάτων ἢ τιμῆς ἢ συναμφοτέρων sim Πβ7. 1266 ᵇ37. αι3. 440 ᵇ8. p16. 1431 ᵇ35. συναμφότερα τὰ ἄκρα Πδ12. 1296 ᵇ39. τὸ συναμφότερον (i e ὐσία et ποσόν), οἷον ποσὴ σάρξ Γαδ. 322 ᵃ21. τὸ συναμφότερον χ̱ συμπεπλεγμένον (ex duabus propositionibus contrariis) Μκ5. 1062 ᵇ4.

συνάμφω. ὅροι τῦ συνάμφω (i e τῦ εἴδυς χ̱ τῆς ὕλης) Μη2. 1043 ᵃ22. εἰ ἑκάτερον ἀληθές, ὒ δεῖ χ̱ τὸ συνάμφω (i e coniunctum ex utraque notione praedicatum) ἀληθεύειν ε11. 20 ᵇ37.

συναναβαίνειν. τὸ ἁλμυρὸν ὕδωρ βαρύ ἐστι χ̱ ὒ συναναβαίνει· τῷ γλυκεῖ φτβ3. 824 ᵇ14.

συναναγκάζει ἡ χρεία Πκ8. 1256 ᵇ7. συνηναγκάσθησαν Ρβ7. 1385 ᵇ2.

συναναθυμιᾶσθαι. πολὺ χ̱ τῦ γεώδυς συναναθυμιᾶται χ̱ γίνεται καπνὸς πιβ11. 907 ᵃ38.

συναναιρεῖν. ἀρχὴ τὸ συναναιρῦν Μκ1. 1060 ᵃ1 Bz. συναναιρεῖ τὸ γένος χ̱ ἡ διαφορὰ τὸ εἶδος, syn πρότερον εἶναι τζ4. 141 ᵇ28. δ2. 123 ᵃ15. Μκ1. 1059 ᵇ30, 38. συναναιρεῖ ἄλληλα τὰ πρός τι Κ7. 7 ᵇ19, cf ᵇ27, 37, 8 ᵃ4. τῆς ἡδονῆς ὔσης τέλυς ἀναιρεῖται μὲν ἡ δικαιοσύνη, συναναιρεῖται δὲ τῇ δικαιοσύνῃ χ̱ τῶν ἄλλων ἀρετῶν ἑκάστη f 75. 1488 ᵇ9.

συνανακρίνειν. δέκα συνήγοροι, οἵ τινες συνανακρίνυσι τοῖς λογισταῖς f 407. 1546 ᵃ29.

συναναλίσκειν. τὺς λεγομένυς ἅλας συναναλῦσαι (cf παροιμία p 570 ᵇ8) Ηθ4. 1156 ᵇ27. — pass συναναλίσκεσθαι ρ3. 1424 ᵃ3. 39. 1446 ᵇ2.

συναναστομῦν. τὸ ἔξω πέλαγος πρὸς τὸν Ἑλλήσποντον συνανεστόμωται τῇ καλυμένῃ Προποντίδι κ3. 393 ᵇ1.

συνανατιθέναι φορτίον τοῖς βαστάζυσιν, συγκαθαιρεῖν δὲ μή f 192. 1512 ᵇ11.

συναναφέρεται ἐν μέρει (ἀὴρ) τῷ ἀναθυμιωμένῳ πυρὶ μα3. 341 ᵃ7.

συναναχορεύει ὐρανὸς πᾶσι τοῖς ἄστροις κ2. 391 ᵇ18.

συνανείργειν. (σώματα, σχήματα Democr) συνανείργοντα τὸ συνάγον ἢ πηγνύον ψα2. 404 ª15 Trdlbg.

συνανέχειν, intr. δι' ὅλης τῆς ἡμέρας συνανασχόντες δύο παρήλιοι διετέλεσαν μέχρι δυσμῶν μγ2. 372 ª15.

συνανθρωπεύεσθαι. ζῷα συνανθρωπευόμενα Ζιε8. 542 ª7. ζ18. 572 ª6. θ14. 599 ª21.

συνανθρωπίζει τῶν ζῴων τινὰ Ζια1. 488 b3.

συνανύειν. ὕσης τῆς φορᾶς ἐν μεγάλῳ τόπῳ ἢ βραδείας, ἢ συνανύει ἀφικνυμένη (ἀφικνυμένη?) ἐπὶ τὸ φρονοῦν φ6. 813 b19.

συναπαίρειν, intr. ὅταν ἐντεῦθεν ἀπαίρωσιν, ἡ γλωττὶς συναπαίρει Ζιθ12. 597 b16.

συναπαντήσαντος εἰς τὸν τόπον ὄχλυ πολλῦ θ56. 834 b6.

συναπεργάζεσθαι. ἀνάγκη τὰς συναπεργαζομένας σχήμασι ἢ φωναῖς ἐλεεινοτέρας εἶναι Ρβ8. 1386 ª31. ὅσα δυνατὸν ἢ τοῖς σχήμασι συναπεργαζόμενον πο17. 1455 ª29. Vhl Poet II 42, 80. δεῖ τὰς μύθας συνιστάναι ἢ τῇ λέξει [συν]απεργάζεσθαι ὅτι μάλιστα πρὸ ὀμμάτων τιθέμενον πο17. 1455 ª22.

συναπέρχεσθαι. συναπέρχεταί τι μετά τινος, μετὰ τῶ θερμῶ τὸ ὑγρὸν συναπέρχεται συνεξατμίζον αἱ μδ6. 383 ª19. πδ29. 880 ª26. συναπέρχεταί τί τινι, τῇ ὀσμῇ ἢ γῆς μόρια πιβ2. 906 ª31. ἢ ἕτεραι μεμιγμέναι δυνάμεις τύτοις (τοῖς σπέρμασι) συναπέρχονται Ζγα18. 725 b14. τὸ τῆς γονῆς σῶμα, ἐν ᾧ συναπέρχεται τὸ σπέρμα τὸ τῆς ψυχικῆς ἀρχῆς Ζγβ 3. 737 ª8.

συναπιέναι. ὅταν συναπίῃ ἄλλα περιττώματα Ζγα18. 725 b12. ἢ λαμβάνονται (οἱ ἀθληταὶ) νόσῳ, ἢ ταχὺ συναπίασιν (i e moriuntur) πα28. 862 b23.

συναποβιάζεσθαι. ἐὰν ᾖ συναποβιάζωνται (τὴν τῆς φωνῆς μεταβολὴν) ταῖς ἐπιμελείαις Ζιη1. 581 ª24. κατέσπασε (τὴν τῶ πνεύματος ὁρμὴν) ἢ κατέπνιξε ἢ συναπεβιάσατο πλγ5. 962 ª7.

συναποδημεῖν Πε11. 1314 b13.

συναπόδημος. αἱ τῶν συναποδήμων κοινωνίαι Πβ5. 1263 ª17.

συναποθνήσκειν ηεη6. 1240 b10. οἱ συναποθνήσκειν μέλλοντες Ρβ6. 1385 ª11. — συγκαταγηράσκει ἢ συναποθνήσκει τῦτο τὸ πάθος Ζγδ7. 775 b34. Ζικ7. 638 ª18, 36.

συναποκρινομένων τῶν τοιύτων (περιττωμάτων) ἐν τοῖς καταμηνίοις Ζιη1. 581 b30.

συναποκτιννύναι τὰς ἐρωμένας ηεη12. 1246 ª23.

συναπολαύειν. εὐτυχήστε ζητῦσι τὰς συναπολαυσομένας ηεη12. 1244 b18. ἐργάζεται ἢ θηρεύει ἡ θήλεια, ὁ δ' ἄρρην συναπολαύει Ζιθ39. 623 ª24. — αἱ τῶν γνωρίμων στάσεις συναπολαύειν ποιῦσι τὴν ὅλην πόλιν Πε4. 1303 b32. τὸ ἀσύμμετρον ἃ συναπολαύει τῶν μερῶν πε22. 883 ª15.

συναποφέρεσθαι. αἱ ὀσμαὶ ἐγγύθεν ἧττον εὐώδεις, ὅτι πλησίον συναποφέρεται τὸ γεῶδες πιβ9. 907 ª25.

συνάπτειν, trans. ἔχυσί τι κοινὸν (αἱ ἀρχαὶ) τὸ συνάπτον αὐτὰς f16. 1477 ª4. συνάψαι μάχην θ107. 840 ª25. συνάπτυσι τὸ πρότερον νῦν τῷ ὑστέρῳ νῦν ἢ ἓν ποιῦσι Φθ11. 218 b25. συνάψαι τῷ προοιμίῳ τὸν λόγον Ργ14. 1414 b26. ρ32. 1438 b16. συνάπτειν τῷ μέτρῳ τὸ ποιεῖν πο1. 1447 b13. εἴ τι συνάπτει ἢ διαιρεῖ ἡ διάνοια Με4. 1027 b32. συνάπτειν τὴν πρώτην ὁμόνοιαν, συνάψειας ὕλα ἢ ὑχὶ ὕλα (Heraclit fr 45) x5. 396 b11, 20. ἀδύνατα συνάψαι πο22. 1458 ª27. συνάπτειν τὰς κατηγορίας Αα23. 41 ª12. συνάπτειν τὸν συλλογισμὸν πρὸς τὸ ἄκρον Αβ24. 69 ª18, 19,

cf 17. 65 b33. συνάψαι ταῦτα εἰς ταὐτόν Μμ9. 1086 ª35. cf θ2. 1046 b22. μηθὲν συνάπτοντας πρὸς τὴν τῶν ἀριθμῶν φύσιν Μμ4. 1078 b10. — pass. δύο κύκλοι δισσαχῇ συνημμένοι ψα3. 406 b32. ἢ συνῆπται τὸ δίθυρον τῶν κυάμων Ζγγ2. 752 ª21. διὰ τὸ τὰς πλευρὰς συνάπτεσθαι ἀλλήλαις κατὰ τὸν τόπον τῦτον Ζμδ10. 688 ª28. συναπτόμενον ἢ συνεχὲς Ζμδ9. 658 b18. ἵνα πως συναφθῶσι (τὰ φύλλα ἀμφοτέρων) φτα6. 821 ª15. συνῆπται τἀγαθῷ τὸ αὐτῷ ἀγαθὸν ηιβ11. 1209 ª5. ἀρχὴ συνημμένη, coni οἰκεία ηια1. 1183 b4. — intrans. sensu locali. τὸ ἄνω ἢ τὸ κάτω συνάπτει αν17. 478 b34. τρεῖς ῥαφὰς ἄνωθεν συνάπτύσας Ζιγ7. 516 ª9. αἱ γραμμαὶ ἐφ' ἓν σημεῖον συνάπτύσιν μγ3. 373 ª15. συνάπτειν εἰς τι, πόροι εἰς ἓν συνάπτοντες sim Ζιβ17. 508 ª13. α7. 491 b3. γ1. 509 b18, 28. εδ3. 540 ª30. Ζμβ10. 656 b19. Ζγα3. 716 b20. πν5. 483 b25. συνάπτειν πρός τι μια8. 345 ª24. Ζιβ11. 503 ª16. 17. 507 ª28. δ5. 530 b14. Ζγβ4. 740 ª34. 6. 744 ª2. δ6. 775 ª19 (β7.745 b33 v l). Κ6. 4 b26, 29, 36. συνάπτειν τινί, συνάπτειν τῇ ἀρχῇ τὸ πέρας al Φη2. 245 ª23. θ8. 264 b27. μβ5. 362 b16. συνάπτειν ἀλλήλοις Οβ14. 298 ª15. Ζιβ17. 507 ª5. γ4. 515 ª13. αx803 b39. αν16. 478 b9. — metaph. συνάπτει ἐν αὐτῇ πάνθ' ὅσα τοῖς φίλοις δεῖ ὑπάρχειν Ηθ4. 1156 b18, cf 5. 1157 ª34. λόγος πρὸς μῦθον συνάπτειν Ζιζ35. 580 ª15. τῷ γένει αἱ ἰδέαι συνάπτυσιν Μηι1. 1042 ª16. συνάπτει πρὸς τὴν εἰρημένην ἀμφισβήτησιν Πγ3. 1276 ª7. διὰ πλειόνων συνάπτειν πρός τι (de notionum inter se ratione) Αα23. 41 ª19, 1. — συναπτέον τῦτο πρὸς τὰς παλαι λόγυς Φθ3. 254 ª16. — συνάπτεσθαι. συναπτὰς ποιεῖν τὰς πράξεις ρ32. 1438 b18. 33. 1438 b32.

συναπωθεῖται (τὰ περὶ τὴν κοιλίαν ὑγρά) ὑπὸ τῦ ἐν τῷ ὕπνῳ γινομένυ πνεύματος πλγ15. 963 ª20.

συναρράττονται μὲν ἀνέμων παντοίων, πιπτόντων δὲ ἐξ ὐρανῦ κεραυνῶν x5. 397 ª20.

συναριθμεῖσθαι τινι Πζ3. 1318 ª38. συναριθμεῖσθαι Ρα7. 1363 b19 (cf ἐνυπάρχον b9, 20). τι5. 167 ª25 (Wz, syn ἐναριθμεῖσθαι τι8. 170 ª8). Ηβ3. 1105 b1. ημα2. 1184 ª16, 20. inde explicandum est Ηα5. 1097 b17. cf Rassow Progr 1862 p 5-10.

συναρμόζειν, συναρμόττειν. trans. τὰς πλεκτάνας πρὸς τὰς πλεκτάνας συναρμόττοντες Ζιε6. 541 b4. κύχλοι συναρμοσθέντες μχ24. 856 ª17. γυναῖκες συναρμοσθεῖσαι (matrimonio iunctae) ηιθ0. 840 b14. — intr, εἰ ἀγαθοὶ συναρμόττωσιν ἀλλήλοις ηεη2. 1238 ª38. συναρμόττει τὰ κοῖλα τοῖς πυκνοῖς ἀλλήλων Ζγβ8. 747 b1. cf Ζμβ9. 654 b19. ὕτω συναρμόζειν, ὥστε μηθὲν συγγενὲς παραδέχεσθαι ψα4. 408 ª8. συνεχὲς γίνεται πιπτύσης ἄμμυ ἕως ἂν συναρμόσῃ πκγ29. 934 b19. — εἰς τὴν νῦν σκέψιν ἃ συναρμόττει περὶ αὐτῶν ὁ λόγος ΜΑ5. 986 b13.

συναρπάζειν. οἱ ἱέρακες ἐπὶ τῆς γῆς καθημένην τύπτυσι τὴν περιστερὰν ἢ συναρπάζυσιν Ζιι36. 620 ª24. ἡ ἀκαλήφη αἰσθάνεται ἢ συναρπάζει προσφερομένης τῆς χειρὸς Ζιδ6. 531 b1.

συναρτᾶν. συνηρτῆσθαί τινι, veluti ὁ πλεύμων συνήρτηται τῇ μεγάλῃ φλεβί Ζια16. 495 b6, 12, ª30. 17. 496 b19. συνηρτῆσθαι πρός τι, φρένες πρὸς τὴν ῥάχιν συνηρτημέναι al Ζια17. 496 b12. γ1. 509 ª35. ζ3. 562 ª7. Ζπ6. 707 ª7. δίδυμα μέν, συνήρτηται δ' εἰς ἓν Ζμγ7. 670 ª7. ὀστᾶ συνηρτημένα ἀφ' ἑνὸς Ζιγ7. 516 ª8. αἱ ὄψεις δύο ὗσαι ἐξ ἑνὸς συνηρτημέναι πλα7. 957 b40. ὅσων ἡ κίνησις μὴ συνήρτηται πρὸς τὴν ἀρχὴν Ζγβ6. 744 ª35. — metaph. ὑκ ἔστιν εἰς ἄιδιον συναρτῆσαι τῆς τοιαύτης ἀποδείξεως τὴν

ἀνάγκην Ζμα1. 640 ᵃ6. συνηρτημέναι αἱ ἀρεταὶ χ̣ τοῖς
πάθεσι Ηκ8. 1178 ᵃ19. τῷ ἀθανάτῳ τὸ ἀθάνατον συνηρτη-
μένον Οα3. 270 ᵇ9.
συνάρτησις τῶν φλεβῶν χ̣ νεύρων πε26. 883 ᵇ22.
συνάρχειν. οἱ συνάρχοντες Πβ10. 1272 ᵇ4.
συναρχία. βωλεύονται αἱ συναρχίαι συνιῶσαι Πδ14. 1298
ᵃ14.
σύναρχος. τὰς φίλως ποιῶνται συνάρχως Πγ16. 1287 ᵇ31.
συναυλία. τὴν συναυλίαν ταύτην (int γαμικὴν) ποιεῖσθαι
Πη16. 1335 ᵃ38.
συναύξειν. ἡ φύσις δαπανᾷ τὸν θορὸν πρὸς τὸ συναύξειν τὰ
ᾠά Ζγγ7. 757 ᵃ26. συναύξει τὴν ἐνέργειαν ἡ οἰκεία ἡδονή Ηκ5.
1175 ᵃ30, 36. 7. 1177 ᵇ21. ῥᾷον προστιθέναι χ̣ συναύξειν
τὸ λοιπὸν τι34.183 ᵇ26. ὐκ ἀνάγκη συναύξεσθαι τὸν τόπον
Φδ5. 212 ᵇ24.
συναύξησις. περὶ γενέσεως χ̣ συναυξήσεως τῶ ὀστράκω
Ζω37. 622 ᵇ15.
συναφή. συναφή (ἰ η στιγμὴ ἢ ἅπτονται ἀλλήλων κύκλος χ̣
εὐθεία) ατ971 ᵇ17, cf σύναψις ᵇ22, 25. τὸ ὄργανον ἐκ δύο
σύγκειται μοχλῶν, ὑπομόχλιον ἐχόντων τὸ αὐτό, τὴν συν-
αφὴν ἐφ' ἧς τὸ ἁ μχ22. 854 ᵃ39, cf σύναψις μχ21. 854
ᵃ23, Cappelle p141. ἐπὶ συναφῆς χ̣ συγκλείσεως χάριν,
οἷον ἡ κλεὶς πν7. 484 ᵇ22. μῆκων τοῖς διθύροις πρὸς τῇ
συναφῇ Ζμδ5. 680 ᵃ24, syn ἐν τῷ γιγγλυμώδει Ζιδ4.
529 ᵃ32. cf S II 356.
συναφής. Ὠκεανὸς περιλαμβάνων κόλπης ἀλλήλοις συναφεῖς
κ3. 393 ᵃ21. ὐκ εἰσὶ συναφεῖς (αἱ καρδίαι) ὥς τινος ἐκ
πλειόνων συνθέτω, ἀλλὰ διαρθρώσει μᾶλλον Ζμγ4. 667 ᵃ7.
συναφιέναι μετὰ τῶ ὕδατος χ̣ γῆν πκγ3. 935 ᵇ24. συν-
αφιέναι ὑγρότητα λεπτὴν πκ22. 925 ᵇ9.
συνάχθεσθαί τινι, syn συναλγεῖν, coni συνήδεσθαι Ηι10.
1171 ᵃ8, 7. συνάχθεσθαι ἐπί τινι χ̣ ἐλεεῖν Ρβ 9. 1386
ᵇ14.
σύναψις, cf συναφή. ἡ σύναψις τῶν στιγμῶν ατ971 ᵇ22,
25, 970 ᵃ20. τὸ β ἐπὶ τῆς διαμέτρω ἔσται κατὰ τὴν σύνα-
ψιν τῶν πλευρῶν μχ23. 854 ᵇ39. ἡ ὀδοντάγρα δύο μοχλοὶ
εἰσιν ἀντικείμενοι, ἐν τὸ ὑπομόχλιον ἔχοντες τὴν σύναψιν
τῆς θερμαστρίδος μχ21. 854 ᵃ23, 28. ἐν τῷ παρατρίβεσθαι
ἀπολαμβάνει πάλιν τὴν χρόαν ἐν τῇ συνάψει χ̣ συνεχείᾳ
χ3. 793 ᵇ2. ἐν τύτοις ἐστὶ τὸ συνεχές, ἐξ ὧν ἕν τι πέφυκε
γίνεσθαι κατὰ τὴν σύναψιν Φε3. 227 ᵃ15. Μχ12. 1069 ᵃ9.
συμπεφυκέναι διὰ τὴν τῶν κυμάτων σύναψιν Ζγδ4. 773
ᵃ12. παθήματα τὰ ἥπατα περὶ τὴν σύναψιν τῇ μεγάλῃ
φλεβὶ Ζμγ4. 667 ᵇ8. cf Ζιγ3. 513 ᵇ13. α17. 496 ᵃ32.
φυλλορροεῖ ἐστι τὸ πήγνυσθαι τὸν ἐν τῇ συνάψει τῶ σπέρ-
ματος ὀπὸν Αδ17. 99 ᵃ29. — οἱ τὴν σύναψιν (ἰ ἄθροισμα
ἀστέρων) λέγοντες (τὸν κομήτην εἶναι) μα6. 343 ᵇ8.
συνδάκνειν. ὁ γλάνις τῷ ὀδόντι τῷ σκληροτάτῳ συνδάκνων
διαφθείρει τὰ ἄγκιστρα Ζω37. 621 ᵇ2. κινεῖ τὸν αὐχένα ὁ
κροκόδειλος, ἵνα μὴ συνδάκῃ (τὸν τροχίλον) Ζω6. 612 ᵃ24.
συνδεῖν. εἰ μέλλει ἰσχυρῶς ὥσπερ σύναμμα ἰσχυρὸν συνδεῖν
Ζμδ10. 687 ᵇ16. ἢ μὲν τοῦτο, διὰ τὸ συνδεῖν τὸ νῦν, ἢ δὲ
συνδεῖ, ἀεὶ τὸ αὐτό Φδ13. 222 ᵃ15. τὰ ἄφωνα πρὸς τὰ
φωνήεντα συνδεῖν ρ24. 1434 ᵇ38. Φειδίαν τὸ ἑαυτῶ πρό-
σωπον ἐντυπώσασθαι χ̣ συνδῆσαι τῷ ἀγάλματι κ6. 399
ᵇ35. — pass, ἐσκευάσθαι χ̣ συνδεδέσθαι τὰς κροτάφως
πρὸς τοῖον οἶνον Φ90. 1492 ᵃ31. τύτῳ (τῷ ὑπομοχλίῳ) ἀκο-
λυθεῖ τὸ πλοῖον διὰ τὸ συνδεδέσθαι μχ5. 851 ᵃ2. ὀστᾶ
(κῶλα) συνδέονται νεύροις Ζιγ5. 515 ᵇ12. Ζμβ9. 654 ᵇ25,
18. διὰ τῆς τῶν φλεβῶν ἐπαλλάξεως συνδεῖται τῶν σω-
μάτων τὰ πρόσθια τοῖς ὄπισθεν Ζμγ5. 668 ᵇ26. ὠμοπλάται

ὔτε λίαν συνδεδεμέναι ὔτε παντάπασιν ἀπολελυμέναι φ3.
807 ᵃ35, cf ᵇ21. τὸ λύτρον τὰς συνδεδεμένας τὸ σῶμα χ̣
σκληρὰς εὐκινήτως ποιεῖ πγ16. 873 ᵃ33.
συνδειπνεῖν ἅμα ηεη12. 1246 ᵃ7.
σύνδεσις. ἡ τῶν κροτάφων σύνδεσις f90. 1492 ᵃ26.
σύνδεσμος. ὁ τῶν ἐντέρων σύνδεσμος Ζμγ7. 670 ᵃ10. (ἡ
ῥάχις δεῖται συνδέσμων διὰ τὰς διαλήψεις Ζμβ6. 652 ᵃ16.
ὄντων τεττάρων τρόπων τῆς κάμψεως κατὰ τὰς συνδέσμως
Ζπ13. 712 ᵃ2. ἡ κίνησις τῶν συνδέσμων ὡδὶς ἐστιν Ζικ6.
638 ᵇ9. (cf Philippson ὕλη 13.) — σύνδεσμος τὰ τέκνα
δοκεῖ εἶναι Ηθ14. 1162 ᵃ27. τῶν φθόγγων ἡ μέση ὥσπερ
σύνδεσμός ἐστι πιθ20. 919 ᵃ26. — λόγος συνδέσμῳ εἷς
ε5. 17 ᵃ9, 16. πο20. 1457 ᵃ29. Ζμα3. 643 ᵇ18, καθάπερ
ἡ Ἰλιὰς Μη6. 1045 ᵃ13. ζ4. 1030 ᵇ9. Αδ10. 93 ᵇ36. —
grammatice σύνδεσμος def πο20. 1456 ᵇ38. f126. 1499
ᵇ22, 29. Vhl Poet III 229, 306-312. ὁ σύνδεσμος ἓν ποιεῖ
τὰ πολλὰ Ργ12. 1413 ᵇ32. τὴν λέξιν ἀνάγκη εἶναι ἢ εἰρο-
μένην χ̣ τῇ συνδέσμῳ μίαν χ̣ κατεστραμμένην Ργ9. 1409
ᵃ24. χρὴ τὰς συνδέσμως ὀλίγως ποιεῖν, τὰ πλεῖστα δὲ
ζευγνύναι ρ23. 1434 ᵇ13. ἑλληνίζειν, τὸ ἀποδιδόναι τὰς
συνδέσμως ὡς πεφύκασι πρότεροι χ̣ ὕστεροι γίγνεσθαι ἀλ-
λήλων Ργ5. 1407 ᵃ20. ρ26. 1435 ᵃ38. cf πιθ20. 919 ᵃ23.
videtur tamen σύνδεσμος non solum vocabula coniungentia
sed etiam coniuncta inter se orationis membra significare
Ργ5. 1407 ᵃ24, 27, ᵇ12.
σύνδετος. σύνδετα τὰ περὶ τὰς ὠμοπλάτας (σημεῖον εὐφυὴς)
φ3. 807 ᵇ15.
σύνδηλος. ἀεὶ ὁ μείζων μέχρι τῶ σύνδηλος εἶναι καλλίων
ἐστὶ κατὰ τὸ μέγεθος πο7. 1451 ᵃ10, cf δεῖ συνορᾶσθαι
τὴν ἀρχὴν χ̣ τὸ τέλος πο24. 1459 ᵇ19.
συνδηλῶν. δεῖ τῇ λέξει (int ἐν τῇ γνώμῃ) τὴν προαίρεσιν
συνδηλῶν Ρβ21. 1395 ᵃ27.
συνδιάγειν τῷ φίλῳ, ἑαυτῷ Ηι4. 1166 ᵃ7, 23, μετ' ἀλλή-
λων Ηθ6. 1157 ᵇ22. syn συνδιημερεύειν Ηθ15. 1162 ᵇ14,
16. Ρβ4. 1381 ᵃ30.
συνδιακρίνειν. συμμισγομένων χ̣ συνδιακρινομένων ἀλλή-
λοις ξ2. 977 ᵃ4.
συνδιαιρεῖσθαι ἐν ταῖς ἀτυχίαις ηεη1. 1235 ᵇ9.
συνδιαρθρῶν. εἴ τις ἀκολυθήσειε συνδιαρθρῶν ἃ βώλεται λέ-
γειν (Ἀναξαγόρας) ΜΑ8. 989 ᵇ5.
συνδιατελεῖν. ἡ ψυχή τε χ̣ τὸ σῶμα συμπαθῇ, ὐ μέντοι
συνδιατελῶντα ἀλλήλοις φ4. 808 ᵇ19.
συνδιατιθέναι. Λυκῦργον Ἰφίτῳ συνδιαθεῖναι τὴν Ὀλυμ-
πιακὴν ἐκεχειρίαν f490. 1558 ᵃ15.
συνδιαφθείρειν. τὰ ὕστερον συλληφθέντα συνδιαφθείρει τὸ
προϋπάρχον (κύημα) Ζιη4. 585 ᵃ10.
συνδιημερεύειν μετά τινος Ηι4. 1166 ᵇ14. ηεη1. 1235 ᵃ1.
syn συνδιάγειν Ηθ15. 1162 ᵇ16, 14. Ρβ4. 1381 ᵃ30.
συνδιορθῶν χ̣ συσχηματίζειν τὰς ἀσαφεῖς τῶν ὁρισμῶν τζ14.
151 ᵇ7.
συνδιψῆν διψῶντι ηεη6. 1240 ᵃ38.
συνδοκεῖ χ̣ ἡμῖν Πη10. 1330 ᵃ4. συνδοκεῖ, συνδόξειεν ἂν
πολλοῖς ψα3. 407 ᵇ5. Οβ13. 293 ᵃ28. Πβ11. 1273 ᵃ23.
ξ2. 976 ᵇ14. συνδοκεῖ πᾶσι Πη10. 1330 ᵃ3.
συνδοξάζειν. νόμοι συνδεδοξασμένοι ὑπὸ πάντων Πε9. 1310
ᵃ15.
σύνδυλος Ηη6. 1148 ᵇ26.
συνδρομή. εὐλαβεῖσθαι ἐκέλευε μὴ πολλὰς ποιήσωσι τὰς
συνδρομὰς ἐκκλησίας Ργ10. 1411 ᵃ29. — αἵματος συν-
δρομὴ εἰς τὸν πληγέντα τόπον ἐρύθημά ἐστι πθ3. 889 ᵇ30.
14. 891 ᵃ5.

συνδρόμως (i e συμμέτρως) ἔχειν πρὸς ἀλλήλας Σιϰ 5. 636 ᵇ13.

συνδυάζειν. de coniungendis duabus rebus, notis, conditionibus, συνδυάζεσι πρὸς τὴν ἱππιϰὴν δύναμιν ϰ) τὴν ὁπλιτιϰήν Πζ7. 1321 ᵃ17. συνδυαζόμενος ὁ πρίων τῇ τεϰτονιϰῇ τγ 3. 118 ᵇ15. τὸ ϰοῖλον ϰ) τὸ ϰυρτόν, συνδυαζόμενα ϰ) λαβόντα σύνθεσιν, τῷ εὐθεῖ ἀντίϰειται Θα4. 271 ᵃ1. τὰ ἐναντία (veluti τὸ ὑγρόν et τὸ ξηρόν) ἃ πέφυϰε συνδυάζεσθαι Γβ3. 330 ᵃ31. cf 5. 332 ᵇ30. τὰ τῆς ἀσωτίας (i e duae notae, quibus ἀσωτίας notio constituitur) ἃ πάνυ συνδυάζεται Ηδ3. 1121 ᵃ15. cf ϰμα17. 1189 ᵃ24. Ηβ 5. 1157 ᵃ35. ε6. 1131 ᵇ8, 9. ταῦτα (i e τὰ τῆς δημοϰρατίας ϰ) τῆς ὀλιγαρχίας ἴδια) ποιεῖ τὰς πολιτείας ἐπαλλάττειν Πζ1. 1317 ᵃ1. cf δ15. 1300 ᵃ19. 16. 1301 ᵃ7. ὥστε ϰ) συνδυασθέντων (sc τῷ ἐναίμῳ ϰ) τῷ πεζῷ) ἐν τοῖς ἐναίμοις ϰ) πεζοῖς τὰ μαϰροβιώτατα τῶν ζῴων ἐστὶν μϰ4. 466 ᵃ13. ἐπεὶ δὲ ϰαθ' ἕϰαστον δῆλον πῶς λεϰτέον, ϰ) συνδυαζόμενον (fort συνδυαζομένων, i e coniunctis duabus conditionibus) πῶς λεϰτέον δῆλον Ρα15. 1377 ᵃ30. τίνος ἔσται ὁρισμὸς τῶν ὐχ ἁπλῶν ἀλλὰ συνδεδυασμένων (i e ἅπερ εἰσὶ τόδε ἐν τῷδε), οἷον ἀριθμὸς περιττῷ Μζ5. 1030 ᵇ16 Bz, 1031 ᵃ6. cf π2. 1043 ᵃ4. Ζμβ2. 649 ᵃ15. ἐϰ συλλογισμῷ πρὸς ἀλλήλα συνδυάζειν Ζμβ10. 656 ᵃ27. — de coniungendis duobus hominibus vel animalibus, ἀνάγϰη πρῶτον συνδυάζεσθαι τὰς ἄνευ ἀλλήλων μὴ δυναμένας εἶναι Πα2. 1252 ᵃ26. cf η16. 1335 ᵇ24. ηεη10. 1242 ᵃ24. ὅταν περὶ τὴν ὀχείαν ὧσιν (οἱ ἰχθύες), συνδυάζονται, syn σύζυγα Ζιζ17. 570 ᵃ28. ι2. 610 ᵇ8. S II 481. praecipue de coitu animalium, τὰ συνδυαζόμενα Ζιζ13. 567 ᵃ29. Ζγβ1. 732 ᵇ13. α16. 721 ᵃ11. ὅσα συνδυάζεται, ὅσα γίνεται ἐϰ ζῴων συνδυαζομένων, ὅσα μὴ ἐϰ ζῴων συνδυαζομένων Ζγα16. 721 ᵃ2, 5, 9. 1. 715 ᵇ9, ᵃ24. ζῷα δυνάμενα, πεφυϰότα συνδυάζεσθαι, ὅσα συνδυάζεσθαι πέφυϰε Ζγα1. 715 ᵇ12. 16. 721 ᵃ24. 18. 724 ᵇ13. τὰ πλεῖστα ὅτι ὐ συνδυάζεται φανερὸν Ζγα14. 720 ᵇ7. ὅσα ἀπὸ ταὐτομάτου γίνεται, ἐϰ τ὘των συνδυαζομένων, ἐϰ ταὐτὸ δ' οὐϰ ἐϰ θ὘δενὸς ἀλλ' ἀτελές Ζιε1. 539 ᵇ9. cf Ζγβ1. 732 ᵇ13. ὅσα ἢ ἐϰ συνδυασμῷ γίνεται ἢ αὐτὰ συνδυάζεται Ζγβ1. 732 ᵇ11. συνδυαζόμενα ὁρᾶται, ὧπται Ζγγ5. 755 ᵇ34. 8. 757 ᵇ34. 11. 762 ᵃ33. α4. 717 ᵃ19. συνδυάζεται πολὺν χρόνον Ζγγ 10. 760 ᵇ35. συνδεδυασται μέχρι ἂν συστήσῃ τὸ σπέρμα τὸ ἐξ ἀμφοτέρων τὰς ἀρχὰς ἔχον τῶν συνδυασθέντων Ζγα21. 729 ᵇ30. cf 23. 731 ᵃ16. 18. 724 ᵇ15. οἱ ϰαρϰίνοι ϰατὰ τὰ πρόσθια ἀλλήλων συνδυάζονται· (τέττιγες) ὕπτιοι συνδυαζόμενοι ἀλλήλοις· ἐνίοτε συνδυάζονται ϰ) ἐπὶ τὰ πρανῆ τὰ μαλάϰια Ζιε16. 541 ᵇ26. 30. 556 ᵃ26. Ζγα15. 720 ᵇ3. παρὰ τὰς συγγενείας ὐθὲν ὧπται συνδυαζόμενον· τὰ παρὰ τὴν συγγένειαν συνδυαζόμενα Ζιζ11. 566 ᵃ27. Ζγβ8. 747 ᵇ29. coni μίγνυσθαι: ἡ ὄψις τῶν μιγνυμένων ϰ) συνδυαζομένων· τὰ ζῷα συνδυάζεται ϰ) μίγνυται Ζγα23. 731 ᵃ13, ᵇ6. cf β7. 746 ᵇ12. coni εὐημερεῖν: οἱ ὄρτυγες συνδυάζονται ἢ εὐημερῶσιν Ζιθ12. 597 ᵇ10. αἱ περιστεραὶ ὐ συνδυάζεσθαι θέλωσι πλείοσιν Ζιζ7. 612 ᵇ33. συνδυαζόμενα φαίνεται ἀλλήλοις· συνδυαζόμενον ἄλλο γένος ἄλλῳ· συνδυαζόμενον τὸ ἄρρεν τῷ θήλει· ἔνια τῶν ἀρρένων ϰ) συνδυαζομένων τοῖς θήλεσι Ζγβ7. 746 ᵇ12. γ10. 759 ᵃ18 (cf ᵇ12). 8. 757 ᵇ34. α21. 729 ᵇ23. cf τὸ θῆλυ ϰ) τὸ ἄρρεν συνδυαζόμενα· δοϰῶσιν οἱ ἐνβάται γίνεσθαι ἐϰ ῥίνης ϰ) βάτου συνδυαζομένων Ζγα21. 731 ᵃ27. β7. 746 ᵇ6.

συνδυασμός. coniunctio duarum notarum, ὅταν ληφθῶσι τ὘των πάντες οἱ ἐνδεχόμενοι συνδυασμοί, ποιήσεσιν εἴδη

ζῴων, ϰ) τοσαῦτ' εἴδη ζῴων ὅσαιπερ αἱ συζεύξεις Πδ4. 1290 ᵇ35. cf ζ1. 1317 ᵃ3 (syn συναγωγή 1316 ᵇ40). δ9. 1294 ᵇ2 (syn σύνθεσις ϰ) μῖξις ᵃ36). 15. 1300 ᵃ31. — coitus, ὁ τῶν νέων συνδυασμὸς φαῦλος πρὸς τεϰνοποίαν Πη16. 1335 ᵃ11. ἡ ἐνέργεια τῷ συνδυασμῷ Ζγα4. 717 ᵃ26. οἰϰεῖος, ἐνδεχόμενος Ζγβ8. 748 ᵇ15. Ζιε2. 539 ᵇ26. Ζιε2. χρόνιος, χρονιώτερος (cf χρονιωτέρα ἡ συμπλοϰή), πολὺν χρόνον ὁ συνδυασμός ἐστι τῶν τοι὘των (ἐντόμων) Ζγγ5. 755 ᵇ34. 8. 758 ᵃ4. Ζιε5. 540 ᵇ21. 8. 542 ᵃ8. ταχὺς Ζγα5. 717 ᵇ29. γ5. 756 ᵃ31. — ἐν τῷ συνδυασμῷ πέττειν τὸ σπέρμα Ζγα7. 718 ᵃ6. ποιεῖσθαι τὸν συνδυασμὸν Ζιε2. 539 ᵇ26. 5. 540 ᵇ7. 8. 542 ᵃ31. ὁρμᾶν, ὁρμητιϰῶς ἔχειν πρὸς τὸν συνδυασμόν Ζιε8. 542 ᵃ24. ζ18. 572 ᵃ9. τὸ ὄργανον, μόριον, μόριον χρήσιμον πρὸς τὸν συνδυασμόν Ζγα5. 717 ᵇ14. 2. 716 ᵃ26. Ζμδ10. 689 ᵃ25. — ὁ συνδυασμὸς ϰατὰ τ὘το γίνεται τῷ ἄρρενι πρὸς τὴν θήλειαν· τὰ μὲν προίεται σπέρμα τὰ δ' ἐν τῷ συνδυασμῷ· γίνεται ὁ συνδυασμὸς ϰατὰ φύσιν τίσιν Ζγα15. 720 ᵇ29. β1. 732 ᵃ16. 7. 746 ᵃ29. γίνεται ἀπὸ συνδυασμῷ πάντα ὅλως Ζγγ1. 749 ᵃ15. τῶν ζῴων τὰ μὲν ἐϰ συνδυασμῷ γίνεται θήλεος ϰ) ἄρρενος Ζγα1. 715 ᵃ18, ᵇ3. cf β1. 732 ᵇ10, 733 ᵇ19. Ζιε1. 539 ᵃ27. 11. 543 ᵇ17. 19. 551 ᵃ28. ἐϰ τῷ συνδυασμῷ ἡ γένεσις Ζγγ11. 762 ᵃ34. ὅσα ἐϰ συνδυασμῷ τίϰτει Ζιδ11. 537 ᵇ28. τὰ μαλάϰια ἐϰ τῷ συνδυασμῷ ϰ) τῆς ὀχείας ᵂὸν ἴσχει λευϰόν· διὰ τὴν περιφέρειαν τῷ ϰοιλίας θτος ἁρμόττει ὁ συνδυασμὸς αὐτοῖς· ἕτερον γένος τῶν ἐϰ συνδυασμῷ γινομένων ᵃἵππῳ ϰ) ὄνῳ Ζιε18. 549 ᵇ29. 8. 542 ᵃ17. ζ36. 580 ᵇ2. ὧπται πολλάϰις ὁ συνδυασμὸς αὐτῶν Ζγγ10. 761 ᵃ8. 5. 756 ᵃ34.

συνδυαστιϰὸν ἄνθρωπος τῇ φύσει μᾶλλον ἢ πολιτιϰόν Ηθ14. 1162 ᵃ17.

σύνδυο ἔδοξε χορηγεῖν τὰ Διονύσια f 587. 1573 ᵇ32.

σύνεγγυς. de loco, οἱ σύνεγγυς τόποι, τὰ σύνεγγυς μβ3. 358 ᵃ34. 4. 360 ᵇ14. θ 82. 836 ᵇ17. σύνεγγυς εἶναι ἀλλήλοις, opp διεστάναι, πόρρω ἀφεστηϰέναι Κ8. 10 ᵃ21. Ζμδ13. 696 ᵃ13. αϰ801 ᵃ40. σύνεγγυς ἀλλήλων Κ5. 541 ᵃ8. — de tempore et actione, φοβῶνται ἐὰν μὴ πόρρω ἀλλὰ σύνεγγυς φαίνηται ὥστε μέλλειν Ρβ5. 1382 ᵃ25. οἱ σύνεγγυς τἀγαθὰ ϰεϰτημένοι, opp οἱ ἐϰ πάλαι πλύσιοι f 85. 1490 ᵇ34. τὸ σύνεγγυς ἢ πόρρω τὸν ἀρχηγὸν εἶναι Εθ14. 1162 ᵃ31. ἐϰ τῷ εὐχερῶς λέγειν τὰ αἰσχρὰ γίνεται ϰ) τὸ ποιεῖν σύνεγγυς Πχ17. 1336 ᵇ6. τὸ μὴ σύνεγγυς τῆς ϰοινωνίας Πη9. 1280 ᵇ24. σύνεγγυς δὲ τ὘των ἐστὶ (i e συνεχές, ἐφεξῆς ἐστιν, ἕπεται) τὸ διαπορῆσαι Μβ6. 1002 ᵇ32. — de qualitate, σύνεγγυς ϰατὰ τὴν ἀφήν εἰσι τίνος ὀστισὶ αἱ ὁπλαί Ζμβ9. 655 ᵇ2. ὡς σύνεγγυς ὦν ϰ) ταὐτόν τῷ νεμεσᾶν Ρβ9. 1386 ᵇ17. ληπτέον ϰ) τὰ σύνεγγυς ὡς ταῦτα ὄντα Ρα9. 1367 ᵃ33. cf Φγ6. 207 ᵃ13. Ηγ4. 1111 ᵇ20. Πζ8. 1321 ᵇ40. α9. 1257 ᵇ35 (τὸ σύνεγγυς αὐτῶν, cf ἡ γειτνίασις ᵃ2). σύνεγγυς ἀλλήλοις, coni syn παραπλήσιον μιϰρὸν διαφέρειν Ζμδ5. 681 ᵃ15. opp ἐναντία, τὰ πολὺ διεστῶτα, διωρισμένα Πε12. 1316 ᵃ20. τγ1. 116 ᵃ1. Ηϰ5. 1175 ᵇ32. ἡ ὁμωνυμία σύνεγγυς ἐστι, opp τὰ πόρρω Ηε2. 1129 ᵃ27. σύνεγγυς τινι Πβ11. 1273 ᵇ27. ζ6. 1320 ᵇ22. ταύτης ἐχομένη ϰ) σύνεγγυς Πζ8. 1321 ᵇ18. ἐϰ τῶν μέσων ϰ) τῶν σύνεγγυς, opp ἐϰ τῆς δημοϰρατίας τῆς νεανιϰωτάτης ϰ) ἐξ ὀλιγαρχίας Πδ11. 1296 ᵃ5. (hac vi σύνεγγυς interdum pro adiectivo usurpari videtur, ϰαλῶνται ἐπιστάται ϰ) μνήμονες ϰ) τ὘τοις ἄλλα ὀνόματα σύνεγγυς Πζ8. 1321 ᵇ40. cf ᵇ18. Ηγ4. 1111 ᵇ20.) — τὰ σύνεγγυς, syn τὰ συνεχῆ, eae notiones et protases, quae in contextu concludendi vicinae sibi sunt et contiguae Αβ 19. 66 ᵃ37 (Wz, cf 17. 65 ᵇ21, 24). τθ1. 153 ᵇ13, 15.

συνεδρεία. ὡς οἱ μάντεις τὰς συνεδρείας ᾳ διεδρείας λέγυσιν ηεη2. 1236 ᵇ10. cf συνεδρία.

συνεδρεύειν. οἱ συνηδρευκότες ἤδη τῷ λόγῳ σοφοί ΜΑ5. 987 ᵃ2.

συνεδρία. ὅθεν τὰς διεδρίας ᾳ τὰς συνεδρίας οἱ μάντεις λαμβάνυσιν Ζι1. 608 ᵇ28. cf συνεδρεία.

συνέδριον. ἐξίασι ᾳ ἐκκλησιασταὶ εἰς συνέδρια τὰ προσήκοντα κ6. 400 ᵇ18.

σύνεδρος. σύνεδρα ζῷα τὰ εἰρηνῦντα πρὸς ἄλληλα, δίεδρα τὰ πολέμια Ζι1. 608 ᵇ29.

συνεθίζειν τινά, c inf, δρᾶν τι sim π39. 1445 ᵇ26. Ζιζ19. 573 ᵇ27. συνεθίζεσθαι μηθὲν ὅτως ὡς τὸ κρίνειν ὀρθῶς Πθ5. 1340 ᵃ16. πρὸς τὰ ψύχη συνεθίζειν ἐκ παίδων σμικρῶν Πη17. 1336 ᵃ13. οἷς ἂν συνεθισθῶσιν πιη6. 917 ᵃ15. ἄγει ἡ φώκη τὰ τέκνα εἰς τὴν θάλατταν πολλάκις, συνεθίζυσα κατὰ μικρὸν Ζιζ12. 567 ᵃ6. τὰ αὐτὰ συνεθιζομένοις ἡδέα φαίνεται πκα14. 928 ᵇ23.

συνειδέναι. συνειδότες ἑαυτοῖς ἄγνοιαν Ηα2. 1095 ᵃ25. διὰ τὸ συνειδέναι αὐτῷ τὴν δειλίαν Ζιι29. 618 ᵃ26. ὁ συνειδὼς αὑτῷ ὅτι ἄξιός ἐστι ημα26. 1192 ᵃ26. σύνοιδεν αὐτὸς αὑτῷ ἔχοντι ρ8. 1428 ᵃ30. — οἱ συνειδότες πεποιηκότι τι δεινὸν Ρβ5. 1382 ᵇ6. τὸς ἀκούοντας συνειδότας ληψόμεθα περὶ τῦ πράγματος ρ8. 1428 ᵃ33. ἐὰν συνειδῶμεν ὅτι πάντες ἔλεῦσι ρ35. 1439 ᵇ26.

συνεῖναι, dist φιλεῖσθαι Αβ 22. 68 ᵇ3, 4. — de coitu i q ὁμιλεῖν, συνδυάζεσθαι. τὸ συνεῖναι μόνον ἀφελεῖν τῶν ἐρώντων Πβ4. 1262 ᵃ33. τῦ μὴ γεννᾶν ἀλλήλοις συνόντας (ἄνδρα ᾳ γυναῖκα) τί τὸ αἴτιον Ζικ1. 633 ᵇ13. cf 2. 634 ᵇ36. αἱ θήλειαι (αἴλυροι) ἀφροδισιαστικαὶ ᾳ συνῦσαι κράζυσιν Ζιε2. 540 ᵃ13.

συνείρειν. trans, θερμαινόμενοι ῥᾷον συνείρυσι τὸν λόγον πια54. 905 ᵃ19. 55. 905 ᵃ23. 60. 905 ᵇ37. συνείρειν τὸς λόγυς, dist εἰδέναι Ηη5. 1147 ᵃ21. συνείρειν τὸς λόγυς, opp διαλῦσαι τι16. 175 ᵃ30. cf 63. 158 ᵃ37. Μα3. 995 ᵃ10. μηθένα τρόπον δύνασθαι συνεῖραι Μν6. 1093 ᵇ27. λεκτέον ἀπὸ τῶν εἰρημένων συνείροντας Ζγα2. 716 ᵃ4. μακροποιεῖν ᾳ συνείρειν Μν3. 1090 ᵇ30. συνείρειν εἰς τὸ πρόσω μτ2. 464 ᵇ4. — pass, συνείρεσθαι τὸ ἐφεξῆς Ζγβ5. 741 ᵇ9. μάλιστ' ἂν συνείροιτο τὸ εἶναι Γβ10. 336 ᵇ33. προσεγλίχοντο τῇ συνειρομένῃ πᾶσαν αὐτοῖς εἶναι τὴν πραγματείαν ΜΑ5. 986 ᵃ7. — intr, de terris inter se cohaerentibus μβ5. 362 ᵇ29. συνείρειν κινύμενον, dist ἀνακάμψαι πάλιν Φθ8. 262 ᵃ16. τί τὸ αἴτιον τῦ συνείρειν τὴν γένεσιν Γα3. 318 ᵃ13. τοιαῦται ἀρχαὶ αἱ ἐπὶ πολὺ δύνανται συνείρειν Γα2. 316 ᵃ8.

συνεισδῦναι. τὴν ἀλώπεκα ἐισδῦναι εἴς τινα ὑπόνομον ᾳ τὸν κύνα συνεισδῦναι αὐτῇ θ99. 838 ᵇ5.

συνεισιέναι. ἀναπνέοντος ᾳ εἰσιόντος τῦ ἀέρος συνεισιέναι ταῦτα (τὰ σφαιροειδῆ Democr) αν4. 472 ᵃ9. ἅμα τῷ ὑγρῷ τῶν χρωμάτων συνεισιόντων εἰς τὸς τῶν βαπτομένων πόρυς χ4. 794 ᵃ26.

συνεισπίπτειν. εἰσιόντος τῦ ὕδατος βίᾳ ὠθῦν συνεισπίπτει (ὁ ἀήρ?) εἰς τὸν αὐλὸν αὐτῷ πις8. 915 ᵃ8.

συνεκβάλλειν. Περίανδρον συνεκβαλῶν τοῖς ἐπιθεμένοις ὁ δῆμος Πε4. 1302 ᵃ32. τὰς φάττας ᾳ αὐτὰς συνεκβάλλειν ἐκείνῳ (τῷ κόκκυγι) τὸς ἰδίυς νεοττὺς θ3. 830 ᵇ18. — δασεῖαι εἰσι τῶν φωνῶν ὅσαις ἔσωθεν τὸ πνεῦμα εὐθέως συνεκβάλλομεν μετὰ τῶν φθόγγων ακ804 ᵇ9.

συνεκθλίβεται ἐντεῦθεν (ἐκ τῶν ἰσχίων) ὅσον εὔτηκτον τῆς τροφῆς ἔνεστιν πδ2. 876 ᵇ1.

συνεκκλύζειν. διὰ τύτων (τῶν φυτῶν) τὸ ὑγρὸν διηθύμενον ᾳ μεθ' ἑαυτῦ συνεκκλύζον ἁπάσας λαμβάνει τὰς τῶν χρωμάτων δυνάμεις χ5. 795 ᵇ6. ὁτὲ δὲ (ἡ γονὴ) συνεκκλύζεται διὰ τὸ πλῆθος (τῶν καταμηνίων) Ζγα19. 727 ᵇ16.

συνεκκρίνειν. τὰς ἐξόδυς αὐτῶν (τῶν περιττώσεων) ἠθροισμένῳ τῷ πνεύματι συνεκκρίνυσιν Ζγβ4. 737 ᵇ35. τῷ ἱδρῶτι συνεκκρινομένης (τοιαύτης δυνάμεως) ἐκ τῶν σαρκῶν μβ3. 357 ᵇ4. συνεκκρίνεται περίττωσις ἐν τοῖς καταμηνίοις αἱ Ζγα19. 727 ᵃ17. μβ3. 357 ᵇ4. γι. 370 ᵇ15. πδ16. 878 ᵇ16.

συνεκπέττειν. χειμῶνος τὰ περιττώματα ὐ συνεκπέττεται πβ21. 868 ᵃ30.

συνεκπίμπρησιν ὁ πρηστὴρ τὸν ἀέρα μγ1. 371 ᵃ17.

συνεκπίπτειν. ἐὰν ᾳ τὸ ὕστερον συνεκπέσῃ, ἐρίῳ ἀποδεῖται ἀπὸ τῦ ὑστέρᾳ ὁ ὀμφαλὸς Ζιη10. 587 ᵃ13. ταῦτα μὲν ὖν (ὄμβρος, χάλαζα al) ἐκ τῆς ὑγρᾶς ἀναθυμιάσεως πέφυκε συνεκπίπτειν (ν l συνεμπίπτειν) χ4. 394 ᵇ6.

συνεκτικός. ἡ τῶν ὅλων συνεκτικὴ αἰτία κ6. 397 ᵇ9.

συνεκτίκτειν ἱκανὴν τροφὴν Πα8. 1256 ᵇ10. ὅσα (τῶν ὀρνέων) μὴ δαψιλῆ τροφὴν συνεκτίκτει τοῖς τέκνοις Ζγδ6. 774 ᵇ30.

συνελίττεσθαι. συνελίττεται τὰ μῆκος ἔχοντα τῶν ἐντόμων Ζμδ6. 682 ᵇ22. χαμαιλέων κέρκον ἔχει συνελιττομένην ἐπὶ πολύ Ζιβ11. 503 ᵃ20.

συνεμπίπτειν. ὑδεὶς οἶδεν ἀνθρώπων εἰ τι τοιῦτον (ἁμαρτία τις) αὐτῷ συνεμπέσοι ρ37. 1444 ᵃ14. cf συνεκπίπτειν.

συνενῦν. στενώτερον τὸν τόπον ἔχυσιν αἱ αἰσθήσεις, συνενωμένον (συνηνωμένον Bsm) τε τῷ τὴν τροφὴν δεχομένῳ φ6. 810 ᵇ21.

συνεξάγειν. οἱ ἔμετοι συνεξάγυσι τὸ γλίσχρον πβ22. 868 ᵇ7. λζ2. 965 ᵇ30.

συνεξατμίζειν. trans, ὑπὸ τῦ ἐντὸς θερμῦ συνεξατμίζοντος τὸ ὑγρὸν ξηραίνεται μδ5. 382 ᵇ20, 24. — intr, ἐκθλιβομένυ τῦ θερμῦ συνεξατμίζει τὸ ὑγρόν sim Ζγε3. 783 ᵃ17. 2. 752 ᵃ35. Ζμβ4. 650 ᵇ18, 651 ᵃ9. μδ1. 379 ᵃ24. 6. 383 ᵃ19, 30.

συνεξεμεῖν. ἡ πορφύρα συνεξεμεῖ τὸ ἄνθος Ζιε15. 547 ᵃ27.

συνεξέρχεσθαι. τοῖς πεμπομένοις (εἰς Δελφὺς) συνεξελθεῖν f 443. 1550 ᵇ41. — μετὰ τῦ θερμῦ συνεξέρχεται τὸ ὑγρόν Ζγε3. 783 ᵃ36. μδ10. 388 ᵇ28. ἐὰν μὴ συνεξέλθῃ εὐθὺς τὸ ὕστερον, ἀποτέμνεται ἀποδεθέντος τῦ ὀμφαλῦ Ζιη10. 587 ᵃ17. cf Ζγγ2. 752 ᵃ29.

συνεξιδρῦν. διὰ τί τὰ πολλὰ τῶν μύρων συνεξιδρῦσαι δυσώδη πιγ11. 908 ᵇ34.

συνεξιέναι. τῦ ὑγρῦ συνεξιόντος τῷ θερμῷ sim μδ10. 388 ᵇ14. πκα6. 927 ᵇ13. Λβ10. 961 ᵃ22.

συνεξικμάζειν. ἡ κίνησις ᾳ ἄλλα περιττώματα συνεξικμάζει μετὰ τῦ ἱδρῶτος πε27. 883 ᵇ28.

συνεξορμᾶν. ὁ ἥλιος ᾳ παύει ᾳ συνεξορμᾷ τὰ πνεύματα μβ5. 361 ᵇ14.

συνεπαινεῖν. κόλαξ ὁ πλείω συνεπαινῶν ηεβ3. 1221 ᵃ26. — συνεπαινεῖσθαι δεῖ ἐν τοῖς ἐπιδεικτικοῖς τὸν ἀκροατὴν Ργ14. 1415 ᵇ28.

συνεπαίρειν τὰ πρόσθια σκέλη Ζιζ22. 576 ᵇ27.

συνεπεκτείνεσθαι, opp συμπιλεῖσθαι Φθ9. 216 ᵇ29.

συνεπέσθαι. Ἴωνας συνεπομένυς (τοῖς Ἡρακλείδαις) εἰς Ἄργος f 449. 1551 ᵇ38. ὁ κύκλῳ ἀὴρ συνέπεται τῇ φορᾷ μβ4. 361 ᵃ24. — τοῖς ἀποβαίνυσι συνεπόμενος Ηδ12. 1127 ᵃ4.

συνεπηχεῖ πᾶς ὁ χορὸς κατάρξαντος κορυφαίυ κ6. 399 ᵃ15.

συνεπιβαίνειν. τὰς ἀσθενεστέρας ἑαυτῦ κωλύει συνεπιβαίνειν (ὁ σάργος) Ζιθ2. 591 b21.

συνεπιβάλλειν. τὸ τῦ τοίχυ μῆκος λαμβάνομεν μὴ συνεπιβάλλοντες αὐτῦ τῷ πλάτει f 24. 1478 b16.

συνεπιβλάπτεσθαι ταύτῃ τὴν πολιτείαν Πβ9. 1270 b16.

συνεπικοσμεῖν τὸν λόγον τθ1. 157 a11, τὸν βίον Ηα11. 1100 b26.

συνεπιμαρτυρεῖν κ6. 400 a15.

συνεπινεύειν τι7. 169 a33.

συνεπισκέπτεσθαι. ἐκ τῶν ἀπορυμένων λόγων συνεπισκεψάμενοι ημβ6. 1200 b22.

συνεπισπᾶσθαι, med. οἱ ἐν ἀκμῇ πλείω συνεπισπῶνται τὸν ἀέρα πια62. 906 a6. ὁ ἀὴρ συνεπισπᾶται τὸ ἐκ πλαγίυ κινῦν τὴν θάλατταν πκγ4. 931 b22.

συνεπίστασθαι. ὃ συνεπίσταται (intelligit) ὁ ὡδὶ ἐπιστάμενος τι9. 177 a29, 27, 13.

συνεπιτείνειν, intr. ταῦτα (τὰ φαντάσματα) ἐνίοτε συνεπιτείνει τοῖς πάθεσιν ὕτως ev2. 460 b13.

συνεπιτελεῖν. κἂν διά τινος τῶν ἐκτὸς βοηθείας (ἡ πέψις) συνεπιτελεσθῇ μδ2. 379 b23.

συνεπιτίθεσθαι. συνεπέθετο χ Ἑλλανοκράτης Πε10. 1311 b17.

συνεπιφέρειν. ἑκάστη τῶν διαφορῶν συνεπιφέρει τὸ οἰκεῖον γένος τζ6. 144 b17, 29, 30. cf θ2. 157 b23. Αα26. 52 b7.

συνεπιψηφίσαι τὰ δόξαντα τοῖς γέρυσιν Πβ10. 1272 a11.

συνεπύλωσις. τὰ καθαρὰ ἕλκη συνεπυλώσεως δεῖται μόνον πα49. 865 a31.

συνεπυρίζειν τὴν φοράν, συνεπυρίζεται ἡ φορὰ μχ23. 855 a13, 20. τὴν κατὰ φύσιν κίνησιν (ὁ ἀὴρ) συνεπυρίζει Ογ2. 301 b29. οἱ ἰχθύες ἐκπλέυσι θᾶττον διὰ τὸ τὸ πνεῦμα ἐπυρίζειν Ζιθ13. 598 b9.

συνεπωθάζει ὁ ἄρρην τῇ θηλείᾳ Ζιε27. 555 b14.

συνεραν. πολλὰ συνεράσας τις ᾠὰ εἰς κύστιν Ζγγ1. 752 a4. Ζιζ2. 560 a31.

συνεργάζεται ἡ ὁμοιότης πρὸς τὸ συνεχῆ τὴν κίνησιν εἶναι πε1. 880 b23. συνεργάζεται ἡ ὥρα (int πρὸς τὸ τελεῦν τὰ ᾠὰ) Ζγγ2. 753 a18.

συνεργεῖν τινί Ηγ11. 1116 b31. ημα35. 1198 a7. φ5. 809 b38. αἱ ἀρεταὶ συνεργῦσι μετ' ἀλλήλων ημβ3. 1200 a10. τῦτο ὐδὲν συνεργεῖ πρὸς τὴν εὐδαιμονίαν ημα4. 1185 a35. ἐν τῷ συζῆν συνεργεῖν νεη12. 1245 b4. συνεργᾶν, opp πρὸς εὐπάθειαν Ηι11. 1171 b20.

συνεργία πδ2. 876 b15. εὔνοιαι χ συνεργίαι οα3. 1343 b17.

συνεργός. ὁ χρόνος εὑρετὴς ἢ συνεργὸς ἀγαθός Ηα7. 1098 a24. συνεργὸς ἔχων Ηκ7. 1177 a34. ἡ εὐτυχία συνεργὸς τῇ εὐδαιμονίᾳ ημβ8. 1207 b18. συνεργὰ χ χρήσιμα Ηα10. 1099 b28. συνεργὸς πρός τι τα11. 1034 b3, 9. συνεργὰ ἀλλήλοις τὸ θῆλυ χ τὸ ἄρρεν οα3. 1343 b19.

συνερείδειν. διὰ τὸ μὴ συνερείδεσθαι τὴν ἀρτηρίαν ακ801 a2. ἐν τοῖς βυθοῖς συνερηρεισμένη γῆ πᾶσα χ πεπιεσμένη συνέστηκεν α3. 392 b33.

συνέρχεσθαι. σύν τε δύ' ἐρχομένω (Hom Κ 224) Πγ16. 1287 b14. — συνέρχονται οἱ ἄνθρωποι τῦ ζῆν ἕνεκεν, κτημάτων χάριν, syn κοινωνεῖν Πγ6. 1278 b24. 9. 1280 a26. γίνεσθαι συνελθόντας ὥσπερ ἕνα ἄνθρωπον τὸ πλῆθος Πγ11. 1281 b5, 1, cf 1282 a17. 9. 1280 b25, 29. de coitu, συνέρχεται χ μίγνυται τῷ θηλεῖ τὸ ἄρρεν Ζγβ1. 732 a9. τὰ ἔντομα συνέρχεται μὲν ὄπισθεν, εἶτ' (?) ἐπιβαίνει τὸ ἔλαττον ἐπὶ τὸ μεῖζον Ζιε8. 541 b34. — ἑωράκαμεν ἀστέρα τὸν τῦ Διὸς τῶν ἐν τοῖς διδύμοις συνελθόντα τινὶ δὶς ἤδη χ ἀφανίσαντα μα6. 343 b31. πλείυς αἱ φοραὶ συνεληλύθασιν εἰς ἓν Οβ6. 288 a16. ὅταν αἱ ἀναθυμιάσεις συνέλθωσιν εἰς ἓν μβ8. 368 b16. ἂν μὴ ὕτω συνέλθῃ (int τῷ πεπηγότι σώματι τὸ ὑγρόν) μδ8. 385 a28.

συνεσθίειν νεη12. 1245 a13. ἔθος πλείονας τῶν δέκα μὴ συνεσθίειν f 461. 1553 b43.

σύνεσις, universe, iq ἐπιστήμη, γιγνώσκειν. ἑκάστη τῶν ἀρχῶν ἄγνοια πλείων ἢ σύνεσις ὑπάρξει (syn γιγνώσκειν) ψα5. 410 b3. ὐδεμίαν περὶ τῦ ἀριθμῦ σύνεσιν ἔχοιμεν ἄν f 11. 1475 b29. περὶ τύτων καλῶς ἔχει ζητεῖν τὴν ἐπὶ πλεῖον σύνεσιν Οβ12. 292 a15. ὑπὲρ τὴν ἡμετέραν εἶναι δόξειεν ἂν σύνεσιν εὑρεῖν μτ1. 462 b26. τὰ τέκνα σύνεσιν λαβόντα Ηθ14. 1161 b14. τῆς περὶ τὴν διάνοιαν συνέσεως ἔνεσιν ἐν πολλοῖς (τῶν ἄλλων ζῴων) ὁμοιότητες· ὡς γὰρ ἐν ἀνθρώπῳ τέχνη χ σοφία χ σύνεσις, ὕτως ἐνίοις τῶν ζῴων ἐστί τις ἑτέρα τοιαύτη φυσικὴ δύναμις Ζιθ1. 588 a23, 29. objective: οἱ περὶ τὴν σύνεσιν ταύτην (i e οἱ περὶ τὴν μαντικὴν τέχνην) Πθ7. 1342 b8. — sensu morali, def, ἡ σύνεσις κριτικὴ μόνον Ηζ11. 1143 a9. ημα35. 1197 b11-17. comparatur cum notionibus ἐπιστήμη, δόξα, γνώμη, φρόνησις, νῦς Ηζ11. etymol Ηζ11. 1143 a16. ὐδὲ τὴν ἐκλογὴν τῶν ἀρίστων νόμων ὖσαν συνέσεως Ηκ10. 1181 a18. τὸ βυλευόμενον, ὅπερ ἐστὶ συνέσεως πολιτικῆς ἔργον Πδ4. 1291 a28.

συνεστηκότως, v συνιστάναι.

συνεστραμμένως, v συστρέφειν.

συνετός, def, comparatur cum notionibus ἐπιστήμη, δόξα, φρόνησις Ηζ11. ημα35. 1197 b13-17. λόγος συνετός ρ1. 1420 b12. (τῶν ζῴων) τὰ συνετώτερα χ κοινωνῦντα μνήμης Ζιθ1. 589 a1. τῶν ἀναίμων ἔνια συνετώτερα ἔχει τὴν ψυχὴν ἐνίων ἐναίμων Ζμβ4. 650 b24. — φωνὴ συνετή (iq σημαντική) π20. 1456 b23. Vhl Poet III 221. ψεῦδος χ ὐ συνετόν Αα38. 49 a22. — συνετῶς διαλέγεσθαι πια27. 902 a17.

συνευωχεῖσθαι νεη12. 1245 b5.

συνεφέλκειν. τὸ συνεφέλκεσθαι πῶς συμβαίνει Φη2. 244 a11. ῥεῖ κύκλῳ (ὁ ἀὴρ) διὰ τὸ συνεφέλκεσθαι τῇ τῦ ὅλυ περιφορᾷ πα3. 341 a2. τὰς ἀδιαιρέτυς σφαίρας συνεφέλκειν χ κινεῖν τὸ σῶμα πᾶν ψα3. 406 b21. συνεφέλκονται χ οἱ ὄρχεις αὐτοῖς (φοβυμένοις) πκζ11. 949 a16.

συνέχεια. ἐπίπονος ἡ συνέχεια τῆς κινήσεως Μθ8. 1050 b26. cf Γβ10. 336 b3. αι6. 445 b30. ἡ συνέχεια τῶν ἀπὸ τῦ γένυς κατὰ τὴν διαίρεσιν διαφορῶν Ζμα3. 643 b33. ἐκ τῶν ἀψύχων εἰς τὰ ζῷα μεταβαίνει κατὰ μικρὸν ἡ φύσις, ὥστε τῇ συνεχείᾳ λανθάνειν τὸ μεθόριον αὐτῶν Ζιθ1. 588 b5. καταφανὴς ἐγίνετο ἂν ἡ συνέχεια πάντων (τῶν νεύρων) Ζιγ5. 515 b6. ὐκ ἔχει συνέχειαν ὐδεμίαν πρὸς τὰ αἰσθητικὰ μόρια ὁ ἐγκέφαλος Ζμβ7. 652 b3. ἡ ῥάχις μία μὲν διὰ τὴν συνέχειαν, πολυμερὴς δὲ τῇ διαιρέσει τῶν σπονδύλων Ζμβ9. 654 b15. ὥστ' εἶναι διὰ τὴν συνέχειαν ὥσπερ ὁρμαθὸν νεοττίων Ζιζ1. 559 a7. τὸ ὄστρακον φυλακῇ τῆς συνεχείας (τῶν ὀστρακοδέρμων) Ζμβ8. 654 a5. (συνέχεια ὑσίας φτβ3. 825 a37.) coni syn συνάφις χ3. 793 b2. ἐν συνεχείᾳ, λόγῳ Φα3. 186 a28. pro concreto, τῆς ἐξ ἁπάντων τῶν ἐνόπτρων συνεχείας (i e τῦ συνεχῦς ἐπιπέδυ) ὁρωμένης μγ4. 373 b26. — τὸ νῦν ἐστι συνέχεια χρόνυ Φδ13. 222 a10 (cf συνεχὴς 1). — κατὰ συνέχειαν πν3. 842 a35. κατὰ τὴν συνέχειαν πιζ1. 916 a9.

συνέχειν. 1. trans, συνέχειν τὴν κοινωνίαν, τὴν πολιτείαν sim Πβ9. 1270 b17 (cf 10. 1272 a32). γ6. 1278 b25. Ηθ1. 1155 a23. ε8. 1133 a27, b7. ἥ τε μεγάλη φλὲψ χ ἡ ἀορτὴ κάτω ἐναλλάσσυσαι συνέχυσι τὸ σῶμα Ζμγ5. 668 b21.

τί συνέχει τὴν ψυχήν ψα5. 411 ᵇ6. omisso obiecto, τὸ
δίκαιον, ἡ χρεία, τὸ κοινὸν συνέχει Ηε8. 1132 ᵇ32, ᵃ27.
θ14. 1162 ᵃ29. τὸ συνέχον ‹ φυλάττον ἐκτὸς τὸ γεῶδές
ἐστιν Ζμβ8. 654 ᵃ4. — pass, συνεχόμενος (circumdatus,
clusus) ὑμενίῳ πόρος μακρός Ζιδ4. 529 ᵃ17. — συσχε- 5
θεῖσαν τὴν κόρην ὑπὸ τῆς ὠδῖνος f 66. 1487 ᵃ4. — συνέχεσθαι,
dist ἅπτεσθαι τὸ2. 122 ᵇ29, 30. συνέχεται τὰ τῷ συνεχῶς
πέρατα Φε3. 227 ᵃ10. Μκ12. 1069 ᵃ5. ἀνέλκυσι πολλάκις
οἱ ἁλιεῖς περὶ τὸ δέλεαρ ὥσπερ σφαῖραν συνεχομένων αὐτῶν
(ἰχθύων) Ζιδ10. 537 ᵃ12. συνέχεσθαι ἐν τῇ ὀχείᾳ πολὺν 10
χρόνον, syn συμπεπλέχθαι Ζγα23. 731 ᵃ19. Ζιε2. 540 ᵃ24.
— 2. intr, φλὲψ εἰς ἣν αἱ πλεῖσται συνέχυσιν sim Ζιγ2.
512 ᵃ27. δ5. 530 ᵇ27. ταὐτὸ πέρας τῶν συνεχυσῶν γραμ-
μῶν ατ970 ᵇ28.

συνεχής continuitatem significat vel eam qua quid cum 15
proximis et contiguis rebus cohaeret, vel qua ipsius rei
partes in unitatem coaluerunt. 1. συνεχής, contiguus. c dat
τὸ συνεχὲς σῶμα τῇ ἐσχάτῃ περιφορᾷ, ὁ κόσμος ὁ συνεχὴς
ταῖς φοραῖς, τῷ πυρὶ ὁ ἀὴρ συνεχής sim Οα9. 278 ᵇ17.
μα2. 339 ᵃ22. 3. 341 ᵃ3. 8. 346 ᵇ11. συνεχὲς εἶναι τῷ κι- 20
νῆντι Ψη1. 242 ᵇ26. ἣ συνεχές ἐστι (syn ἀσύναπτον) τὸ
ψεῦδος τῇ φάσει τὸ ἐξ ἀρχῆς Αβ17. 65 ᵇ20, 21, 14. c gen
συνεχὲς τῷ Κρητικῷ τὸ Αἰγύπτιον πέλαγος. κ3. 393 ᵃ29. ὁ
συνεχὴς ὑπ' αὐτὴν ἀὴρ μα7. 344 ᵃ11. συνεχὲς ἀπό τινος,
πρός τι Ζμβ9. 654 ᵇ12, 8. Ζια16. 495 ᵇ20. Ζγε1. 781 ᵃ9. 25
non significata ea re, quam quid contingit, οἱ ἀσκοὶ ἄνω
φέρουσι τὸ συνεχές Φθ9. 217 ᵃ3. ἕκαστον τὸ αὐτὸ χρῶμα
ἀποδίδωσι τῷ συνεχεῖ μγ4. 373 ᵇ28. ἀπὸ μικροτάτων συνε-
χῶν δὲ ῥανίδων μγ4. 374 ᵃ34. dist ἅπτεσθαι Οβ4. 287
ᵃ34. opp διῃρημένον Φδ4. 211 ᵃ30. Πα5. 1254 ᵃ29. συνε- 30
χεῖς ὄρχεις ‹ οὐκ ἀπηρτημένοι Ζιγ1. 509 ᵇ13. λέκιθοι συνε-
χεῖς, opp διωρισμένοι Ζγδ4. 770 ᵃ18, 16. — 2. συνεχής,
continuus, def Φε3. 227 ᵃ10-ᵇ. Μκ12. 1069 ᵃ5-14. δ6.
1016 ᵃ5 Bz, 7. 26. 1023 ᵇ32. συνεχῇ ὧν τὰ ἔσχατα ἕν
(dist ἁπτόμενον, ἐφεξῆς) Φε3. 227 ᵃ10, 21. Μκ12. 1269 35
ᵃ5, 10. Φε4. 228 ᵃ29. ζ1. 231 ᵃ22. θ6. 259 ᵃ16,19. ατ971
ᵇ29. τὸ συνεχὲς εἰς ἄπειρον διαιρετόν, διαιρετὸν εἰς ἀεὶ διαι-
ρετά sim Φα2. 185 ᵇ10. γ1. 200 ᵇ20. ζ1. 231 ᵃ22, 24, ᵇ6.
2. 232 ᵃ24, ᵇ24, 233 ᵃ17,31. 8. 239 ᵃ22. θ8. 263 ᵃ28. Οα1.
286 ᵃ6, 29. (cf α16. 445 ᵇ27, 28?) τὸ συνεχὲς ἄπειρον κατὰ 40
διαίρεσιν Φζ2. 233 ᵃ25. γ1. 200 ᵇ18. τὸ συνεχὲς ἔν τι ἐκ
πλειόνων ὑπαρχόντων, μάλιστα μὲν δυνάμει, εἰ δὲ μή,
ἐνεργείᾳ Μδ26. 1023 ᵇ32. cf Ζγδ4. 772 ᵃ26, 25. α18.
722 ᵇ4. Ζμβ9. 654 ᵇ1.) τὸ συνεχὲς τοιῦτον ὥστ' εἶναί τι
συνώνυμον μεταξὺ τῶν περάτων Φζ3. 234 ᵃ8. συνεχὲς λέ- 45
γεται ᾧ κίνησις μία καθ' αὑτὸ Μδ6. 1016 ᵃ5. — συνεχὲς
καθ' αὑτό, φύσει, opp βίᾳ, δεσμῷ Μδ6. 1016 ᵃ1, 7. ζ16.
1040 ᵇ15. ι1. 1052 ᵃ19. συνεχές τι ‹ συμφυές Φθ4. 255
ᵃ12. — τῷ ποσῷ τὸ μέν ἐστι διωρισμένον, τὸ δὲ συνεχές
Κ6. 4 ᵇ20, 23 Wz. συνεχές, opp διῃρημένον ηεβ3.1220ᵇ22. 50
opp διαλεῖπον Ζμβ9. 654 ᵇ6. συνεχὲς ἐφ' ἕν, ἐπὶ δύο, ἐπὶ
τρία Φδ10. 218 ᵃ23. Μδ13. 1020 ᵃ11. κ3. 1061 ᵃ33. 4.
1061 ᵇ24. ἐν συνεχεῖ εὑρίστῳ Μι6. 1056 ᵇ12. — κίνησις
συνεχής, dist ἐχομένη Φθ8. 262 ᵃ1. 10. 267 ᵃ24 (cf ὕτω
ἂν ἐγίγνετο συνεχὲς ‹ κύκλος Πε12. 1316 ᵃ29. τὸ συνεχές, 55
opp τὸ ἀνακάμπτον Φθ8. 262 ᵇ22). ἄνεμοι γίνονται, πνεύσι
συνεχής, ῥύσις συνεχής, ἔκκρισις συνεχής, ἡ φλὸξ φέρεται
συνεχής sim μβ5. 362 ᵃ11, 26, 363 ᵃ7. 8. 365 ᵇ27, 366 ᵃ6.
γ1. 370 ᵇ10, 30, 371 ᵃ32. δ9. 387 ᵃ29. πκς22. 942 ᵇ14.
ἔχειν αὔξησιν συνεχῆ Ζγβ6. 745 ᵃ35. ἐνέργεια συνεχεστέρα, 60
συνεχεστάτη Ηι9. 1170 ᵃ7. κ7. 1177 ᵃ21. ἐπίπονον τὸ συνε-

χὲς τῆς νοήσεως Μλ9. 1074 ᵇ29. πονηρία συνεχής, ἣ συ-
νεχής Ηη9. 1150 ᵇ34. — χρόνος συνεχής Φδ11. 219 ᵃ13.
12. 220 ᵇ2. ζ8. 239 ᵃ22. — μέγεθος συνεχές Φδ11. 219
ᵃ12. μγ4. 373 ᵇ26 al. συνεχὴς θάλαττα, χώρα, ὑγρόν δι'
ὅλυ συνεχές μα13. 352 ᵇ31. β4. 360 ᵇ6. δ9. 387 ᵇ28,29.
τὸ συνεχὲς τῷ νέφρυς, τῆς πυκνότητος, τῆς πυκνώσεως μγ1.
370 ᵇ30. 3. 372 ᵇ23. β9. 369 ᵇ3. δεῖ νοεῖν συνεχῆ τὰ
ἔνοπτρα μγ3. 373 ᵃ19. ὕτε περίττωμα ὕτε τῶν συνεχῶν
μορίων Ζμβ7. 652 ᵇ1 Fr (cf συνεχὲς ‹ κολλῶδες Ζγγ8.
758 ᵃ17). — ἀναλογία συνεχής Ηε6. 1131 ᵃ33, ᵇ15. —
συνεχῶς κινεῖσθαι Φε3. 226 ᵇ27, γίγνεσθαι μβ9. 369 ᵇ23.
4. 360 ᵃ34, πνεῖν, ῥεῖν, ἀθροίζεσθαι sim μα8. 346 ᵃ22, ᵇ8.
13. 349 ᵇ17. β2. 355 ᵇ30. 5. 362 ᵃ30. συνεχῶς ἐνεργεῖν,
θεωρεῖν Ηκ4. 1175 ᵃ5, 22. συνεχέστατα καταζῆν ἐν ταῖς
κατ' ἀρετὴν ἐνεργείαις Ηα11. 1100 ᵇ16. συνεχῶς ἄρχειν,
στρατηγεῖν, λειτουργεῖν Πγ6. 1279 ᵃ14. 14. 1285 ᵇ14. δ4.
1291 ᵃ37 (opp κατὰ μέρος). ετ. 1307 ᵇ12. ἀεὶ νέος συνε-
χῶς μβ2. 355 ᵃ15. — τῷ συνεχῶς εἶναι πᾶσαν οἰκυμένην
μβ5. 362 ᵇ29. — συνεχῇ μα13. 351 ᵃ15 (Ideler, συνεχῆ
Bk, συνεχῶς cod H).

συνέψειν. τῷ ὑγρῷ συνεψομένῳ μᾶλλον, τῆς ὑπαρχύσης ἐν
τοῖς καρποῖς ὑγρασίας συνεψομένης ὑπὸ τῷ ἡλίῳ χ5. 795
ᵇ16, ᵃ24. τῷ ἄνθυς συνεψηθέντος ἱκανῶς sim χ5. 797 ᵃ7,
795 ᵇ20. αἱ ῥοδιακαὶ χυτρίδες γίνονται σμύρνης σχοίνυ κτλ
συνεψηθέντων f 105. 106. 1494 ᵇ43. — τὸν Μοσσύνοικον
χαλκὸν λαμπρότατον εἶναι, γῆς τινὸς αὐτῷ γινομένης ‹
συνεψομένης αὐτῷ θ62. 835 ᵃ11. f 248. 1524 ᵃ34.

συνηγορεῖν τινί, τοῖς καθεστῶσι, συνηγορῆσαι περὶ τῶν ἀρι-
στείων τῇ ἡδονῇ. Ρβ20. 1393 ᵇ23. ρ37. 1444 ᵃ20. 3. 1423
ᵇ10. Ηα12. 1101 ᵇ28. συνηγορεῖν ὑπέρ τινος Ρα14. 1374
ᵇ36. omisso obiecto ἐπὶ μισθῷ συνηγορεῖν ρ37. 1444 ᵃ35.
(δεῖ τύτων ἕκαστα συνηγορεῖν ὡς εἰς βραχύτατα ρ11. 1430
ᵃ36, Cas ci συναγαγεῖν, Spgl ci ἑκάστοις.)

συνηγορίαι περὶ τῶν συμμάχων ρ3. 1425 ᵃ7.

συνήγορος Πζ8. 1322 ᵇ11. δέκα συνήγοροι κληρωτοὶ συνα-
νακρίνωσι τοῖς λογισταῖς f 407. 1546 ᵃ28, 33.

συνήδεσθαι πολλοῖς, syn συγχαίρειν Ηι10. 1171 ᵃ8, 6. συνή-
δεσθαι ‹ συναλγεῖν ἑαυτῷ Ηι4. 1166 ᵃ27. συνήδεσθαι τὰ
φορτικά, τὰς θειοτέρας ἡδονάς ηεη12. 1245 ᵃ37, 39. συνή-
δεσθαι c dativo causali, συνήδεσθαι τοῖς ἀγαθοῖς, συναλγεῖν
τοῖς λυπηροῖς Ρβ4. 1381 ᵃ4.

συνηδύνειν, opp λυπεῖν Ηδ12. 1126 ᵇ30, 32, 33, 1127 ᵃ3, 7.

συνήθεια. προσδεῖσθαι χρόνυ ‹ συνηθείας Ηθ4. 1156 ᵇ26. cf
φ4. 809 ᵃ2. εὔνοια χρονιζομένη ‹ εἰς συνήθειαν ἀφικνυμένη
Ηι5. 1167 ᵃ12. ποιεῖν συνήθειαν πε12. 882 ᵃ1. συνήθεια ‹
φιλία Ζγγ2. 753 ᵃ12. πολιτικὴ συνήθεια Ηκ10. 1181 ᵃ11
(cf ἐμπειρία ᵃ12). τῇ διὰ τῆς ἐπαγωγῆς συνηθείᾳ γνωρίζειν
τα14. 105 ᵇ27. δρᾶν διὰ συνήθειαν ἀπὸ ἕξεως Ρα1. 1354
ᵃ7. cf Ζγε1. 779 ᵃ20. γνώριμα διὰ τὴν συνήθειαν Ζια16.
494 ᵇ21. ποιεῖν τι κατὰ συνήθειαν ρ8. 1428 ᵇ8. — ὅπως
αἱ συνήθειαι αἱ πρότερον διαζευχθῶσιν Πζ4. 1319 ᵇ26. αἱ
βόες νέμονται καθ' ἑταιρείας ‹ συνηθείας· αἱ συνήθειαι γί-
νονται ταῖς βυσὶν ὥσπερ ταῖς ἵπποις, ἧττον δέ Ζι4. 611 ᵃ4.
ζ21. 575 ᵇ19. S II 483. I 479.

συνήθης. τῶν ζῴων τὰ μὲν ἐν αὑτοῖς τοῖς συνήθεσι τόπος
εὑρίσκεται τὰς βοηθείας Ζι12. 596 ᵇ29. ὁ λέων πρὸς τὰ
σύντροφα ‹ συνήθη σφόδρα στερκτικός Ζι44. 629 ᵇ11. τὰς
λύκας φασὶ συνήθεις εἶναι τοῖς ποιμέσιν τὴν θήραν τῶν
ἰχθύων Ζι36. 620 ᵇ6. συνήθης, syn γνώριμος, opp ἀσυνή-
θης, ἀγνώς, ὀθνεῖος Ηδ12. 1126 ᵇ25. ρ8. 1429 ᵃ3. — τὸ
σύνηθες ‹ τὸ ἐθιστὸν Ρα10. 1369 ᵇ16. σύνηθες ‹ λεγόμενον

τὸ τοιῦτον τθ1. 156 ᵇ20. τὸ σύνηθες γνωριμώτερον, ἢ λυ-
πηρόν, ἡδύ Μα3. 995 ᵃ3. Ηx10. 1179 ᵇ35. Ρα10. 1369
ᵇ16. πθ5. 918 ᵃ8. συνηθές τινί ἐστι c inf Οβ13. 294 ᵇ8.
Πδ11. 1295 ᵇ17. — συνήθης ταῖς Ἡρακλειτείοις δόξαις,
ταῖς περὶ τῆς ἀνακλάσεως δόξαις ΜΑ6. 987 ᵃ32. μβ9. 370
ᵃ16. ἢ ῥάδιον γνῶναι τῷ μὴ παρεπομένῳ μηδὲ συνήθει
σφόδρα Ζιζ18. 573 ᵃ14. λαβεῖν τὸν μὴ συνήθη, ἧττον διά-
δηλον τῷ μὴ συνήθει sim Ζιγ12. 519 ᵃ9. ζ11. 566 ᵃ8. 20.
574 ᵇ17. — (pro v συνήθεις πο23. 1459 ᵃ25 scribendum
videtur συνθέσεις, v h v.)

συνήκειν. διαφύεσιν εἰς ἓν συνήκασι Ζια16. 495 ᵇ10. τὰ
ὄπισθεν συνήκοντα εἰς στενόν Ζπ10. 710 ᵇ2.

συνημερεύειν, coni συζῆν Ηθ3. 1156 ᵇ4. συνημερεύειν τινί,
coni συζῆν, συνδιάγειν Ηθ6. 1157 ᵇ15, 20, 18, 22. συνη-
μερεύειν ἀλλήλοις, coni χαίρειν ἀλλήλοις Ηθ7. 1158 ᵃ9.
συνημερεύειν μετά τινος, μετ' ἀλλήλων Ηι9. 1169 ᵇ21. 10.
1171 ᵃ5, ἔν τινι Ηι12. 1172 ᵃ5. (συνημερεύειν v l, συνδιη-
μερεύειν Βk Ηθ15. 1162 ᵇ16.)

συνημερεύσεις ἀλλήλοις Ηι5. 1239 ᵇ19.

συνημερευταὶ ξενικοί, πολιτικοί Πε11. 1314 ᵃ10.

συνηρεφὲς ὄστρακον Ζμδ5. 679 ᵇ29. ἐπικάλυμμα συνηρε-
φέστερον Ζιδ3. 527 ᵇ33. ε7. 541 ᵇ31.

συνηχεῖν. τὰ χαλκεῖα ἢ τὰ κέρατα συνηχῦντα ποιεῖ τὰς ἀπὸ
τῶν ὀργάνων φθόγγας σαφεστέρᾱς αx801 ᵇ9.

συνθεῖν. διδάσκεσιν οἱ ποιμένες τὰ πρόβατα συνθεῖν ὅταν ψο-
φήσῃ Ζυ3. 610 ᵇ34, 611 ᵃ1. ἵνα φοβηθέντες συνθέωσιν εἰς
ταὐτό (οἱ ἰχθύες) Ζιθ. 533 ᵇ24. — συνθεῖ εἰς τὴν καρ-
δίᾱν τὸ θερμόν πκζ6. 948 ᵇ5. εἰ μὴ πανταχόθεν ὁμοίως
συνθεῖ πρὸς τὸ μέσον τὰ μόρια αὐτῆς (τῆς σφαίρας)
Οβ14. 297 ᵃ26.

συνθέλειν, coni εὐνῶς γίνεσθαι Ηι5. 1167 ᵃ1.

συνθερμαίνειν. συνθερμαίνεσι τὰς νεοττίᾱς ἀμφότεροι (θῆλυ
ἢ ἄρρεν) Ζιζ4. 562 ᵇ21. ἐπειδὰν ἅπαξ συνθερμανθῇ (ὁ περὶ
τὸ σῶμα ἀήρ), ὑκέτι ἐνοχλεῖ πη16. 888 ᵇ23. συνθερμαινό-
μενον τὸ ἐπιπολῆς ὑγρόν πλη3. 966 ᵇ37.

σύνθεσις. ἡ τῶν λίθων σύνθεσις ἑτέρα τῆς τῦ κίονος ῥαβδώ-
σεως Ηx3. 1174 ᵃ23. τὰ παλαιὰ οἰκοδομήματα διεστῶσαν
ἔχει τὴν σύνθεσιν τῶν μορίων πι4. 891 ᵃ34. αἱ ὀφρύες ἐπὶ
συνθέσει ὀστῶν Ζμβ15. 658 ᵇ19. συνθέσεις λέγω τὰς γωνίᾱς
πιε1. 910 ᵇ14. γίγνεσθαι συνθέσει, dist μετασχηματίσει,
ἀλλοιώσει Φα7. 190 ᵇ8. cf Μη2. 1042 ᵇ16. ex συνθέσεως ἡ
φύσιν εἶναι τὴν πρώτην σύνθεσιν Μδ4. 1014 ᵇ37. cf Ζμα5.
645 ᵃ35. τριῶν ὑσῶν τῶν συνθέσεων πρώτην ἄν τις θείη τὴν
ἐκ τῶν καλυμένων ὑπό τινων στοιχείων Ζμβ1. 646 ᵃ12.
opp διάλυσις Ογ6. 304 ᵇ29. συνθέσει, ὥσπερ συλλαβὴ
Μν6. 1092 ᵃ26. σύνθεσις, dist κρᾶσις, μίξις Γαι0. 328 ᵃ8,
sed coni τὴν ἁρμονίᾱν κρᾶσιν ἢ σύνθεσιν ἐναντίων εἶναι
ψα5. 407 ᵇ31. ἡ σύνθεσις ἢ μίξις δημοκρατίας ἢ ὀλιγαρ-
χίᾱς Πδ9. 1294 ᵇ36. ἢ γὰρ ὁπωσῶν ἔχοντα τὰ στοιχεῖα
σάρξ ἐστιν, ἀλλὰ λόγῳ τινὶ ἢ συνθέσει ψα5. 410 ᵃ2. ἡ
πᾶσα κοινωνίᾱ ἐν συνθέσει Πγ3. 1276 ᵇ7. συνθέσεως genera
distinguuntur τζ14. 151 ᵃ20-32. 13. 150 ᵇ22. — (αἱ πλεκ-
ταναι) δύναμιν ἔχεσι ἢ σύνθεσιν (fortasse fere i q δύνα-
μιν τῦ συνέχειν) τοιαύτην Ζμδ9. 685 ᵇ4 Fr. — σύνθεσις
materiae et formae Φβ3. 195 ᵃ21. Μδ2. 1013 ᵃ20, η6.
1045 ᵇ11. — σύνθεσις praedicati et subiecti, ἐν οἷς ἢ τὸ
ψεῦδός ἐς τὸ ἀληθές, σύνθεσίς τις ἤδη νοημάτων ὥσπερ ἓν
ὄντων ψγ6. 430 ᵃ27, ᵇ2. opp διαίρεσις ε1. 16 ᵃ12 Wz. Με4.
1027 ᵇ19. x11. 1067 ᵇ26. Φε1. 225 ᵃ21. aliter dicuntur
παραλογισμοὶ παρὰ τὴν σύνθεσιν τι4. 166 ᵃ23-32, quorum
λύσις τι20. — σύνθεσεις ὀνομάτων τρεῖς, μία μὲν εἰς φω-

νήεντα τελευτᾶν ταῖς συμβολαῖς ἢ ἀπὸ φωνήεντος ἄρχε-
σθαι ρ24. 1434 ᵇ34. aliter σκόπει σύνθεσιν ὀνομάτων, ὅπως
μήτε συγκεχυμένη μήτε ὑπερβατὴ ἔσται ρ26. 1435 ᵃ36,
ᵇ10. τῆς ἑρμηνείᾱς τὴν σύνθεσιν ἅπασαν ἴσμεν ρ29. 1436
ᵃ22. λέγω λέξιν αὐτὴν τὴν τῶν μέτρων (ὀνομάτων ci) σύν-
θεσιν, dist μελοποιίᾱ πο6. 1449 ᵇ35. — λέγω μῦθον τὴν
σύνθεσιν τῶν πραγμάτων πο6. 1450 ᵃ5, 32 (syn σύστασις
v h v). μὴ ὁμοίᾱς ἱστορίᾱς τὰς συνθέσεις (ci, ἱστορίᾱς τὰς
συνήθεις codd) εἶναι πο23. 1459 ᵃ22. σύνθεσις τραγῳδίᾱς
ἁπλῆ, πεπλεγμένη πο13. 1452 ᵇ31. ἡ σύνθεσις τῆς παρα-
βολῆς ηεη12. 1245 ᵇ13. — rhetorice, ἡ σύνθεσις ὑπεροχὴν
δείκνυσι πολλὴν Ρα7. 1365 ᵃ17, cf συντιθέναι ἢ ἐποικοδο-
μεῖν ᵃ16.

σύνθετος. ὁ δῆμος γίνεται μόναρχος σύνθετος εἷς ἐκ πολλῶν
Πδ4. 1292 ᵃ11. τὸ σύνθετον μέχρι τῶν ἀσυνθέτων ἀνάγκη
διιρεῖν Πα1. 1252 ᵃ19. εἰδέναι τὸ σύνθετον ὑπολαμβά-
νομεν, ὅταν εἰδῶμεν ἐκ τίνων ἢ πόσων ἐστί Φα4. 187 ᵇ12.
τὰ μὴ ἁπλᾶ τῶν ὄντων ἀλλὰ σύνθετα (cf exemplum οἰκίᾱς
ᵇ17) Φα5. 188 ᵇ10. ἡ ἐπὶ πεπερασμένης εὐθείᾱς ἀνακάμ-
πτυσα (κίνησις) συνθετὴ ἢ δύο κινήσεις Φθ9. 265 ᵃ21. τὸ
ἄπειρον ὔτε σύνθετον ὔτε ἁπλῦν Φγ5. 204 ᵇ11. Μx10.
1066 ᵇ26. σύνθετος eandem fere habet varietatem usus
ac nomen σύνθεσις, v h v. τὸ σύνθετον, syn τὸ ἐκ τῶν στοι-
χείων συγκείμενον, τὸ μικτόν, opp στοιχείων Μλ4. 1070 ᵇ8.
Γβ8. 335 ᵃ9, 334 ᵇ31. τὰ σώματα τὰ σύνθετα ἢ ὡρισμένα
ὔκ ἄνευ πήξεως, syn τὸ ὡρισμένον ἢ συνεστηκός μδ5. 382
ᵃ26, 25. σύνθετα μόρια, ὅσα εἰς ἀνομοιομερῆ διαιρεῖται,
opp ἀσύνθετα Ζια1. 486 ᵃ6. μόρια σύνθετα ἢ ἀνομοιομερῆ,
opp ἁπλᾶ ἢ ὁμοιομερῆ Ζυβ1. 647 ᵃ2. (ἓν ἓν τῷ διαιρετὴν
εἶναι (τὴν χεῖρα) ἢ συνθετὴν εἶναι, ἐν τύτῳ δ' ἐκεῖνο ὐκ ἔστιν
Ζμδ10. 687 ᵇ8 Fr?). χώματός σύνθετα, opp ἁπλᾶ χ2.
792 ᵃ33. φωνὴ συνθετή, opp στοιχεῖον φωνὴ ἀδιαίρετος
πο20. 1456 ᵇ22, 35, 1457 ᵃ11, 14, 23. — τρόποι ὀνομάτων
τρεῖς, ἁπλῶς, σύνθετος. μεταφέρων ρ24. 1434 ᵇ34. — λόγος
σύνθετος, opp ἁπλῆ ἀπόφανσις ε5. 17 ᵃ22. — ἀναγνώρισις
συνθετὴ ἐκ παραλογισμῦ τῦ θεάτρυ πο16. 1455 ᵃ12. Vhl
Rhet 72. — οἱ σύνθετοι ἀριθμοὶ ἢ μὴ μόνον ἐφ' ἓν ὄντες, ἀλλ'
ὧν μίμημα τὸ ἐπίπεδον ἢ τὸ στερεόν, opp πρῶτοι Μθ14.
1020 ᵇ4. Αγ4. 73 ᵃ40. cf Schol 203 ᵇ20sqq. — τὸ σύν-
θετον, ἡ σύνθετος (συνθέτη, συνθετὴ) ὐσίᾱ, id quod com-
positum est ex materia et forma vel ex substantia et
accidente Μδ24. 1023 ᵃ31. ζ4. 1029 ᵇ23 Bz. η3. 1043
ᵃ30. θ10. 1051 ᵇ19, 27. λ9. 1075 ᵃ8 Bz. ψα5. 410 ᵃ1.
β1. 412 ᵃ16. Ηx7. 1177 ᵇ28 (opp τὸ θεῖον). 8. 1178 ᵃ20.
— feminini forma exhibetur σύνθετος Μη3. 1043 ᵃ30,
συνθέτη ψβ1. 412 ᵃ16, συνθετὴ Φθ9. 265 ᵃ21. Ζμδ10.
687 ᵇ8. Μθ10. 1051 ᵇ27. πο16. 1455 ᵃ12. 1456 ᵇ35,
1457 ᵃ11, 14, 23.

συνθεωρεῖν τὸ καθ' ἑκάτερον Αβ21. 67 ᵃ37, cf συνορᾶν.
τὰς εἰκόνας αὐτῶν (τῶν ἀτιμοτέρων) θεωρῦντες χαίρομεν ὅτι
τὴν δημιυργήσασαν τέχνην συνθεωρῦμεν Ζμα5. 645 ᵃ12. —
συνθεωρεῖν ἢ συνευωχεῖσθαι ηεη12. 1245 ᵇ4.

συνθήκη. ἡ συνθήκη νόμος ἐστὶ ἴδιος ἢ κατὰ μέρος Ρα15.
1367 ᵇ7. ὁ νόμος συνθήκη ἢ ἐγγυητὴς ἀλλήλοις τῶν δι-
καίων Πγ9. 1280 ᵇ10. συνθήκη, opp φύσει κοινὸν δίκαιον
Ρα13. 1373 ᵇ8. κοινωνεῖν νόμῳ ἢ συνθήκης Ηθ13. 1161 ᵇ7.
συνθῆκαι ἢ συμβολαί Ρα4. 1360 ᵃ15. συνθῆκαι ἢ σύμ-
βολα Πγ9. 1280 ᵃ38. τὰ συμβόλαια κατὰ τάξεις ἢ συν-
θήκᾱς κοινάς γίγνεται ρ3. 1424 ᵇ29. αἱ συνθῆκαι τρόπαιον
κάλλιον τῶν ἐν τοῖς πολέμοις Ργ10. 1411 ᵇ16. συνθῆκαι,
πίστις ἄτεχνος Ρα15. 1376 ᵃ33-ᵇ31. οἱ ὑπὸ τὰς συνθήκᾱς

Πγ9. 1280 ^{b}3. παρὰ τὰς συνθήκας Πγ13. 1284 ^{a}41. κατὰ
συνθήκην, συνθήκη, syn νομικόν, opp φύσει He10. 1134
^{b}32, 35. 8. 1133 ^{a}29. φωνὴ σημαντικὴ κατὰ συνθήκην, λό-
γος σημαντικὸς κατὰ συνθήκην, opp φύσει ε2. 16 ^{a}19, 27.
4. 16 ^{b}26, 17 ^{a}2. διὰ συνθήκης ὡμολογημένοι συλλογισμοί, 5
syn ἐξ ὑποθέσεως Αα44. 50 ^{a}18, 16.

σύνθημα. παρεγγυᾶν τὸ σύνθημα κ6. 399 ^{b}6.

συνθηρεύειν παραλαμβάνωσι τὺς ἱέρακας θ118. 841 ^{b}18.

συνθλᾶν. φανερὰ (ἡ τῆς ἀνδράχνης ὑγρότης) ἐὰν συνθλασθῇ
χρόνον τινά πα38. 863 ^{b}13. inde συνθλασθῇ ci Prantl πζ9.
887 ^{b}3, συντεθῇ Bk.

συνθλίβειν. ἀνάγκη κινεῖν ἕτερον ἢ ἕλκοντα ἢ ὠθοῦντα ἢ αἴ-
ροντα ἢ πιέζοντα ἢ συνθλίβοντα Pα5. 1361 ^{b}17. μαλακὰ
τὰ κινήματα, ὥστε ἂν τις ἅψηται συνθλίβεσθαι Ζιε28. 555
^{b}26. ἐνδέχεται πυκνοῦσθαι διὰ τὸ τὰ ἐνόντα ἐκπυρηνίζειν, 15
οἷον ὕδατος συνθλιβομένου τὸν ἐνόντα ἀέρα Φδ7. 214 ^{b}1. τὸ
ὑγρὸν συνθλίβεσθαι ὑπὸ τῷ ψυχρῷ μδ7. 384 ^{b}9. ἡ ἀναθυ-
μίασις εἰς ἓν συνθλιβομένη ᾗ πηγνυμένη μγ7. 378 ^{a}30.
φασὶ ψυχρὸν τὸ μεγαλομερὲς διὰ τὸ συνθλίβειν ᾗ μὴ διιέναι
διὰ τῶν πόρων Ογ8. 307 ^{b}12. (τὸ πνεῦμα καταβαῖνον) 20
συνθλίβει τὸν πόρον δι' οὗ ἡ ἀναπνοὴ γίνεται υ3. 457 ^{a}13.
ὅταν κρατῇ τὸ περίεχον συνθλίβον αν4. 472 ^{a}12. πότερον τὸ
σπέρμα διὰ τῆς ἀρτηρίας ὡς καὶ συνθλιβόμενον πν6. 484
^{a}14. εἰς τὴν κοιλίαν ἡ τοιαύτη συνθλίβεται ὑπόστασις πι43.
895 ^{b}2. συμφύεται μᾶλλον ᾗ συνθλίβεται πρὸς ἄλληλα 25
πκα16. 929 ^{a}15.

συνθρήνως ᾗ προσίεται ὁ ἀνδρώδης Hι11. 1171 ^{b}9.

συνιέναι (σύνειμι). ὁ δῆμος συνιὼν χρηματίζει sim Πδ15.
1300 ^{a}1. 14. 1298 ^{a}14, 17, 20, 29. γ15. 1286 ^{a}26 al. ἄλλα
ἄλλοθεν συνιόντος f 139. 1501 ^{b}33. — ἐκ κεχωρισμένων 30
συνιόντα ᾗ δυνάμενα χωρίζεσθαι πάλιν Γα10. 327 ^{b}28. cf
ΜΑ4. 985 ^{a}28. Ζγβ4. 739 ^{b}26. τῶν στοιχείων εἰς ἄλληλα
συνιόντων Οα10. 280 ^{a}16. συνιόντος τῷ σωματώδει ἐκκρί-
νεται τὸ ὑγρόν Ζγβ4. 739 ^{b}26. συνιέναι εἰς αὑτό, συνιέναι
εἰς τὰ ἑαυτῷ κενά, συνιέναι ᾗ πιλεῖσθαι μδ9. 386 ^{a}30, ^{b}3. 35
Φδ6. 213 ^{b}16, 18. 9. 216 ^{b}24. Ζμδ6. 682 ^{b}24. πα58. 905
^{b}11. συνιόντων τῶν πόρων μδ3. 381 ^{b}1. πλεύμονος συνιόν-
τος, opp αἰρομένου Ζμγ6. 669 ^{a}17. ἐπὶ πολὺ δύναται ἐκ-
τείνεσθαι ᾗ συνιέναι μδ9. 387 ^{a}14. Ζμδ10. 689 ^{a}30. συν-
ιέναι ᾗ ψύχεσθαι μα4. 342 ^{a}19. β9. 370 ^{a}4. 8. 367 ^{b}5. 40
συνιόντων τῶν νεφῶν, συνιόντων ᾗ συγκρινομένων τῶν νεφῶν
εἰς ὕδωρ μβ6. 364 ^{b}33. 9. 369 ^{a}27, 370 ^{a}30. — συνιέναι
de coitu. ζῷα συνιόντα ὄπισθεν, πυγηδὸν Ζιε2. 540 ^{a}10,
539 ^{b}32. ζ33. 579 ^{b}30.

συνιέναι (συνίημι), ξυνιέναι. μᾶλλον ἑνὸς ἀκύοντες συνίεμεν 45
ἢ πολλῶν ἅμα ταὐτὰ λεγόντων αν801 ^{b}16. ἐκ ἂν ἀκού-
σειεν ὡδ' ἂν συνείη Ηκ10. 1179 ^{b}27. ὁ ἔμπειρος ἅμα τῷ
θεάσασθαι συνίησιν ὅτι f 13. 1476 ^{a}24. ἂν μὴ σαφὲς ᾖ τὸ
ῥηθέν, φατέον μὴ συνιέναι τθ7. 160 ^{a}22. cf α5. 102 ^{b}11.
ξυνιέναι, τί τὸ λεγόμενόν ἐστι Αγ1. 71 ^{a}13, 7 Wz. 2. 71 50
^{b}32. τίς συνίησιν ἄλλον ἀριθμόν f 11. 1475 ^{b}30. συνεὶς
ἑαυτῷ τί ποτε λέγει Μκ5. 1062 ^{a}35, 12. τὺς ὅρυς ξυνιέσθαι
δεῖ Αγ10. 76 ^{b}37. περὶ οὗ οἱ νόμοι λέγωσιν, ὃ χαλεπὸν ξυν-
ιέναι Hε13. 1137 ^{a}11. — τὸ μανθάνειν λέγεται ξυνιέναι
ὅταν χρῆται τῇ ἐπιστήμῃ Ηζ11. 1143 ^{a}13, 18. — ὁ ὁτιῶν 55
ξυνιείς τῶν ὄντων Μγ3. 1005 ^{b}15. — (συνιέτω ημβ10.
1208 ^{a}26, corr.)

συνιζάνειν. intr, τὸ σύμφυτον πνεῦμα ἀναφυσώμενον ᾗ
συνιζάνον φαίνεται υ2. 456 ^{a}13. — trans, συνιζάνοντες ᾗ
καταπνίγοντες, ὥσπερ ἐκεῖ τὰς φύσας, opp αἴροντες αν17. 60
474 ^{a}14, 12.

συνίζειν. intr, opp αἴρεσθαι αν19. 479 ^{b}14. 21. 480 ^{b}2, 3,
17. τὸ ἄλφιτον βρεχθὲν ᾗ τριβόμενον συνίζει πκα9. 927
^{b}34. — transitive usurpatum videtur αν9. 475 ^{a}8. 17. 479
^{a}27, opp αἴρειν. (πβ20. 868 ^{a}18 incertum utrum trans
an intr accipiendum sit.)

συνίζησις. τῶν σεισμῶν οἱ συνιζήσεις ποιοῦντες εἰς τὰ κοῖλα
χασματαίαι καλοῦνται κ4. 396 ^{a}3.

συνικνεῖσθαι. τὰ τῶν ἐκγόνων συνικνεῖσθαι τοῖς γονεῦσιν
Ηα11. 1100 ^{a}30, 1101 ^{a}25.

συνιστᾶν, cf συνιστάναι. ἡ ὕλη ἐξ ἧς συνιστᾷ τὴν γένεσιν
ἡ φύσις Ζγδ8. 777 ^{a}6. τὸ μέλι συνιστᾷ μὲν ἀλλ' ἐπιξη-
ραίνει πκα11. 928 ^{a}9.

συνιστάναι, συστῆσαι, intr et pass συνίστασθαι, συστα-
θῆναι, συστῆναι, συνεστηκέναι, συνεστάναι. — συνεστηκέναι
ἐκ μορίων ἐχόντων θέσιν, μὴ ἐχόντων θέσιν Κ6. 5 ^{a}16. τὰ
ὅλα μὲν συνεστῶτα δὲ ἐκ πολλῶν μορίων Πγ1. 1274 ^{a}40.
συσταθέντος τοῦ ἑνὸς ἐξ ἐπιπέδων Μν3. 1091 ^{a}15. τὰ συνι-
στάμενα μεγέθη ΜΑ8. 990 ^{a}26. μ6. 1080 ^{b}21. τρίγωνον
συνίσταται ἐκ τριῶν ὀρθεσιῶν εὐθειῶν ατ970 ^{a}9. γραμμαί
τινες ᾗ συσταθήσονται (concurrent, coibunt) πρὸς σημεῖόν
τι μγ5. 376 ^{a}2, ^{b}2, cf ^{a}9. τὰ σώματα συνιστᾶσιν (cf ποιεῖν
p 609 ^{a}15) ἐξ ἐπιπέδων Ογ1. 299 ^{a}3. συνιστάναι τὴν ψυ-
χὴν ἐκ τῶν ἐναντίων ψα2. 405 ^{b}24, 16. συστῆσαι τὸν
ὐρανόν Ογ2. 301 ^{a}17. ἐκ τῶν τοιούτων σωμάτων συνιστᾶσι
τὴν φύσιν πάντες Ζμα1. 640 ^{b}17. ἐξ ὧν ὁ κόσμος συνέ-
στηκεν ΜΑ8. 990 ^{a}22. Οα6. 274 ^{a}27. τὸν οὐρανὸν ἀπὸ τύχης
συστῆναι Ζμα1. 641 ^{b}22. — πέφυκε τὸ μὲν θερμὸν δια-
κρίνειν, τὸ δὲ ψυχρὸν συνιστάναι Γβ9. 336 ^{a}4. ἐναλλὰξ
συνιστάναι ᾗ διαλύειν Οα10. 280 ^{a}12. συνεστῶτα διαλυ-
θήσεται ᾗ διαλελυμένα συνέστη Οα10. 279 ^{b}28. ἡ θερμότης
συγκρίνει πέττυσα ᾗ συνίστησιν Ζγγ11. 762 ^{b}15. ἀήρ,
ἀτμίς, ἀχλύς, νέφος, ὕδωρ συνίσταται (συνεστός) μα3.
340 ^{a}25. 4. 342 ^{a}1. 7. 344 ^{a}36. 9. 346 ^{b}29. 12. 349 ^{a}3. β2.
354 ^{a}20. γ3. 373 ^{a}1. δ6. 382 ^{b}28. ἐκ τῶν μορίων συνι-
σταμένων γίνεται ἡ ψακάς μγ4. 373 ^{b}16. πρὶν συστῆναί τι
πλῆθος (ἀναθυμιάσεως) μα10. 347 ^{b}10. ὁ ἀήρ, ἡ ἀτμὶς
συνίσταται εἰς ὕδωρ, εἰς ὑγρόν, εἰς ψακάδας, εἰς νέφος
μα3. 340 ^{a}34. 8. 344 ^{b}24. 13. 349 ^{b}23. β2. 355 ^{a}32. 3.
358 ^{b}20. 4. 360 ^{a}1. γ3. 372 ^{b}16, 17. 4. 373 ^{b}20. πκς 19.
942 ^{a}33. πνεῦμα συνεστηκός, opp διεσκεδασμένον αχ801
^{b}36. φωνὴ συνεστῶσα, opp κενή αχ800 ^{b}36. τὰ συνε-
στῶτα, opp συνεστηκός, syn πεπηγώς μδ5. 382 ^{a}25, 23. 10.
388 ^{b}9. 9. 387 ^{a}4. β3. 358 ^{a}10. ὁ ὀπὸς συνίστησι τὸ γάλα
Ζγβ3. 737 ^{a}14. α20. 729 ^{a}13. θερμότης ζωτική, ἣ τὸ
ὅμοιον εἰς ἓν ἄγει ᾗ συνίστησιν Ζγβ4. 739 ^{a}24. (ὅπως ἡ
χολὴ τῆς ψυχῆς τὸ περὶ τὸ ἧπαρ μόριον δάκνουσα μὲν
συνιστῇ, λυομένη δ' ἵλεως ποιῇ Ζμδ2. 676 ^{b}25?) συνί-
σταται (τὸ περίττωμα) ᾗ γίνεται πεπεμμένη τροφὴ τοῖς
ζῴοις Ζγδ8. 776 ^{b}34. ὅσα γῆς πλεῖον ἔχει, συνίσταται ᾗ
παχύνεται ἑψόμενα Ζγβ2. 735 ^{b}1. συνίστασθαι, coni syn
πυκνοῦσθαι, παχύτερον γίνεσθαι Ζγβ2. 735 ^{b}30. συνίσταται
ᾗ πήγνυται ὑπὸ τῶν ψυχρῷ τὰ δὲ θερμῷ sim Ζγβ6. 743
^{a}5. Ζμγ10. 673 ^{b}1. Ζιγ6. 516 ^{a}5. τὸ συνεστηκὸς ᾗ πάχος
ἔχον Ζγβ7. 747 ^{a}7. σωματώδες δεῖ εἶναι τὸ συστησόμενον
αν5. 445 ^{a}22. σπέρμα συνεστηκός, συνεστός, opp ὑγρὸν
Ζγδ2. 766 ^{b}33. 1. 765 ^{b}3, 4. πῦ τῶν ἰχθύων αἱ σάρκες
συνεστᾶσι μᾶλλον Ζιθ13. 598 ^{a}8. πολὺν χρόνον συνεστα-
πλέχθαι πέφυκεν, ἕως ἂν συστήσῃ τὸ κύημα Ζγα23. 731
^{a}16, 18. 21. 729 ^{b}31. ὄρνιθες συνιστᾶσι τὰ ψά. συστῆσαι
τὸ ζῷον Ζγα21. 730 ^{a}32. 19. 727 ^{b}15. τὸ σπέρμα συνί-
στησι τὸ καθαρώτατον τῷ περιττώματος Ζγβ4. 739 ^{a}7, cf

740 ^{b}33. γ1. 751 ^{b}31. δ3. 767 ^{b}19. 4. 772 ^{a}9. τὸ σπέρμα
τὸ συστάν Ζμα1. 640 ^{a}23. cf Ζιε1. 539 ^{a}18. τὸ συνιστά-
μενον ἐκ τῆς ἐν τοῖς θήλεσιν ὕλης sim Ζγβ4. 738 ^{b}12. 3.
736 ^{a}28, 737 ^{a}13. α21. 729 ^{b}6, 730 ^{a}26. ὅταν συστῇ τὸ
κύημα ἤδη Ζγβ4. 739 ^{b}33. cf ὁ 1. 765 ^{a}3 Aub. συνίσταται
τὰ ᾠά Ζιζ2. 560 ^{a}26, ^{b}19. 10. 564 ^{b}22. 13. 567 ^{a}28. Ζγγ2.
753 ^{a}3. εἰσελθύσης γονῆς τὰ ζῷα συνίσταται χ λαμβάνει
μορφήν Ζγβ1. 733 ^{b}20. cf γ2. 753 ^{b}3. τὸν ἐγκέφαλον συνι-
στασθαι μόλις Ζγβ6. 744 ^{a}22. πρῶτον τῶν χρωμάτων ἐν
τοῖς φυομένοις τὸ πυῶδες συνίστασθαι χ 5. 794 ^{b}26. συνί- 10
σταται κυήματα χ αὐτόματα Ζγγ1. 749 ^{a}35. τίνα τῶν
ζῴων συνίσταται αὐτόματα Ζγγ1. 763 ^{a}25, 761 ^{b}24.
Ζιε31. 556 ^{b}26. συνεστάναι (συνεστηκέναι) ἔκ τινος, veluti
ἐκ τῆς αὐτῆς ὕλης Ζμβ1. 647 ^{a}35, 646 ^{b}11. 2. 647 ^{b}23.
α5. 645 ^{a}25. γ4. 665 ^{b}6. δ5. 678 ^{b}32. 10. 689 ^{a}27 al. 15
συνεστάναι καλῶς, ἐναντίως, πρός τι sim Ζγγ10. 760 ^{a}35,
^{b}10. ε7. 788 ^{a}16. Ζμδ10. 687 ^{a}23. 5. 679 ^{b}32. θ8. 654
^{a}11. 16. 659 ^{b}7. τὰ ὑπὸ φύσεως συνιστάμενα. τὰ φύσει
συνεστηκότα, opp τὰ κατὰ τέχνην ἔργα Ζγδ6. 775 ^{a}22.
Ζμα1. 639 ^{b}16. τὰ φύσει (κατὰ φύσιν) συνιστάμενα Φβ1. 20
193 ^{a}36. θ4. 254 ^{b}31. Οα10. 279 ^{b}14. γ2. 300 ^{b}28. ψβ4.
416 ^{a}16. Ζμα1. 640 ^{b}4. Μζ9. 1034 ^{a}33. αἱ φύσει συνε-
στῶσαι ὑσίαι Γβ1. 328 ^{b}33. Μζ17. 1041 ^{b}30. μ6. 1080
^{b}18. τὰ φύσει συνεστῶτα Φβ1. 192 ^{b}13. θ1. 250 ^{b}15.
Οα1. 268 ^{a}4. Ζμα5. 644 ^{b}22. 5. 645 ^{a}14. β2. 648 ^{b}2. 25
Μη3. 1043 ^{b}22. εἰ μή τι συνέστηκε παρὰ φύσιν Παι2.
1259 ^{b}2. — συνιστάναι (συστῆσαι, συστήσασθαι) πόλιν,
πολιτείαν Πγ13. 1284 ^{b}18. 18. 1288 ^{a}40. ζ5. 1319 ^{b}33.
οα1. 1343 ^{a}7. συνιστάναι πολιτείαν τινὰ ἐκ δημοκρατίας χ
μοναρχίας Πβ6. 1266 ^{a}23. ἐκ τίνων, τίνος χάριν συνέστηκε 30
πόλις Πγ16. 1287 ^{a}12. 12. 1283 ^{a}14. 6. 1278 ^{b}16. πολι-
τεία συνεστηκυῖα (συνεστῶσα) καλῶς, κατ' εὐχήν, παρὰ
τὸ δίκαιον Πδ3. 1290 ^{a}35. 2. 1289 ^{b}14, ^{a}33. η4. 1325 ^{b}36.
14. 1332 ^{b}28. τὸ κοινὸν πᾶν διὰ τῦ δικαίῳ συνέστηκεν ηεη9.
1241 ^{b}15. — συνιστάναι (συστῆσαι) τὸν μῦθον, τὰς μύ- 35
θας, τὰς μύθας δραματικάς, τὴν Ὀδύσσειαν, συνίστασθαι
πράγματα πο9. 1451 ^{b}12. 13. 1452 ^{b}28. 17. 1455 ^{a}22. 23.
1459 ^{a}18. 8. 1451 ^{a}29. 6. 1450 ^{a}37. 1. 1447 ^{a}9. μῦθοι εὖ
συνεστῶτες, ὅτω συνιστάναι τὸν μῦθον πο7. 1450 ^{b}32. 14.
1453 ^{b}4. Vhl Poet I 31, 32. ἱστορίαι περὶ ἓν συνεστηκυῖαι 40
πιη9. 917 ^{b}9. συστῆσαι τὸν λόγον, τὰς λόγας Οβ1. 284
^{a}21. ρ3. 1425 ^{b}32. πρὸς κριτὴν ὁ λόγος συνέστηκεν Ῥβ18.
1391 ^{b}17. εἶδός τι (λόγων) συνίσταται ρ5. 1427 ^{a}33. 38.
1445 ^{a}31. τὰ σχήματα τῦ συλλογισμῦ ὐκ ἐνδέχεται δι'
ἄλλων συσταθῆναι Αα27. 45 ^{b}40. τὴν ὅλην τέχνην συνεστή- 45
σατο ρ5. 396 ^{b}19. αἱ τέχναι συνέστησαν Ῥγ1. 1404 ^{a}22.
ΜΑ1. 981 ^{b}24. ἐκ πόσων ἡ δύναμις αὕτη (ἡ σοφιστικὴ)
συνέστηκεν τι1. 165 ^{a}35. ἡ ὄψις, δι' ἧς αἱ ἡδοναὶ συνί-
στανται πο26. 1462 ^{a}16. — συστησόμεθα φιλίαν πρός τινα
ρ39. 1446 ^{b}6. — συστῆσαι τὰς δανείσαντας τοῖς ναυάρχοις 50
οβ1351 ^{a}16. — συστῆσαι τὰς γνωρίμας (cf συνιστάναι
Πε5. 1305 ^{a}4, 1304 ^{b}23. συστήσας ἐπίθεσιν Πε7. 1306 ^{b}35.
συνέστησαν οἱ γνώριμοι ἐπὶ τὸν δῆμον, συστάντες τινές sim
Πε3. 1302 ^{b}23. 5. 1304 ^{b}27, 30. β6. 1266 ^{a}27. 10. 1272
^{b}3, sed ὐ δεῖ συνεστάναι πρὸς τὰς τυχόντας, syn διαλέ- 55
γεσθαι, γυμνάζεσθαι τθ14. 164 ^{b}12, 8, 9. — κοπιώδεις οἱ
βραχεῖς τῶν περιπάτων, τὰς πολλάκις συνίστανται (? con-
sistunt, cf ἵστασθαι πε12. 881 ^{b}38) χ ὐχ ὁμαλῶς κινῦνται
περὶ τὰς καμπάς πε35. 884 ^{b}9. — συνίστασθαι, συστῆναι,
fere i q δείκνυσθαι, συλλογίζεσθαι φτα1. 815 ^{a}23, 25, ^{b}28, 60
^{a}13. 2. 817 ^{b}29. — pro ν συνέστηκεν Ηη13. 1153 ^{a}7 fort

διέστηκεν scribendum est). — συνεστηκότως μᾶλλον χ
ὀδυρτικωτέρως ἔχειν Πθ5. 1340 ^{b}1.
συνιτικός. ὐχ ἅπαν τὸ μανότερον διτικώτερον, ὐδὲ συνιτι-
κώτερον εἰς αὐτό, syn δυνάμενον εἰς αὐτὸ συνιέναι πια58.
905 ^{b}14, 16, cf συνιέναι p 730 ^{a}34.
συννέμεσθαι. τὰ ἄγρια ὐ συννέμονται τοῖς θήλεσι πρὸ τῆς
ὥρας τῦ ὀχεύειν Ζιζ18. 572 ^{b}21.
συννέφεια. οἱ νότοι μικροὶ πνέοντες ὐ ποιῦσιν ἐπίνεψιν [ἤτοι
συννέφειαν] πκς38. 944 ^{b}26.
συννεφεῖν. εἰ συννεφεῖ, εἰκὸς ὗσαι Ῥβ19. 1393 ^{a}6.
συννεφής. οἱ συννεφεῖς μέτωπον ἔχοντες αὐθάδεις φ6. 811
^{b}34.
συννοεῖν. ὅταν ἄρχωνται ἐκδύνειν οἱ ὄφεις, ἀπὸ τῶν ὀφθαλ-
μῶν ἀφίσταται πᾶσι πρῶτον, ὥστε δοκεῖν γίνεσθαι τυφλὸς
τοῖς μὴ συννοῦσι τὸ πάθος Ζιθ17. 600 ^{b}29. μὴ συννοεῖν ὅτι
Οβ13. 295 ^{a}33. μα8. 345 ^{a}19. συννοῆσαι ὅτι Πγ13. 1284
^{a}32.
σύννοια. μετὰ συννοίας πιθ4. 917 ^{b}39.
σύννομος. ταῦροι, τράγοι σύννομοι Ζιζ18. 571 ^{b}22, 572 ^{b}17.
αἱ σύννομοι ἵπποι Ζι4. 611 ^{a}10. ζ18. 572 ^{b}10.
συννοσεῖν. νενοσηκότος τῦ δέρματος χ ἡ θρὶξ συννοσεῖ Ζγε4.
784 ^{a}30.
σύννυς. σύννυν γενέσθαι Πβ7. 1267 ^{a}36. βλέμμα σύννυν
πλα7. 958 ^{a}18. πρόσωπον σύννυν φ3. 808 ^{a}5.
σύνοδος κοινὴ Πη12. 1331 ^{b}10. ζ4. 1319 ^{a}32. β9. 1271 ^{a}28.
ρ3. 1424 ^{b}9 (cf συνάγειν τὸν ὄχλον ^{b}7). αἱ ἀρχαῖαι θυσίαι
χ σύνοδοι Πθ11. 1160 ^{a}26. κοινόταται συλλογαὶ χ σύνοδοι
πκθ14. 952 ^{b}14. σύνοδοι διαλεκτικαὶ τθ4. 159 ^{a}32. —
σύνοδος i q συνοδασμός, ὀχεία· ἡ ἀληθινὴ σύνοδος τῶν ᾠο-
τόκων ἰχθύων ὀλιγάκις ὁρᾶται Ζιε5. 541 ^{a}31. — τῶν πλα-
νήτων πρὸς αὐτὰς σύνοδοι μα6. 343 ^{b}30. χειμέριοι αἱ σύνοδοι
τῶν μηνῶν μᾶλλον ἢ αἱ μεσότητες Ζγβ4. 738 ^{a}22, 20. —
ὁ ὕπνος ἐστὶ σύνοδός τις τῦ θερμῦ εἴσω τθ. 457 ^{b}1. —
ἡ σύνοδος (τῦ εἴδυς χ τῆς ὕλης) Μζ8. 1033 ^{b}17 Bz. ἡ τῶν
μορίων σύνοδος Ζγδ1. 764 ^{b}7.
συνόδυς. 1. τὰ μὴ καρχαρόδοντα, syn τὰ μὴ καρχαρόδοντα, opp
τὰ καρχαρόδοντα cf Μ 319. τὰ συνόδοντα σπάσει (πίνει),
οἶον ἵπποι χ βόες Ζιθ6. 595 ^{a}9. — 2. i q συνόδων, v h v.
συνοζεῖν. τὰ μεμιγμένα αὐτοῖς συνοζει ἐν οἷς ἐστιν πιβ3.
907 ^{a}3.
συνοικεῖν. intr. ἀπάτης χάριν τῶν συνοικῶντων Πγ5. 1278
^{a}39. Ἴωνας αὐτοῖς συνοικῆσαι f 449. 1551 ^{b}37. — συνοικεῖν,
syn ἔχειν γυναῖκα Κ15. 15 ^{b}30. Ηθ14. 1162 ^{a}21. —
trans, Τροιζηνίοις Ἀχαιοὶ συνῴκησαν Σύβαριν Πε3. 1303
^{a}29, 32.
συνοικείωσις. μᾶλλον συνῳκείωται τὸ ἀφ' ὗ τῷ γεννηθέντι
Ηθ14. 1161 ^{b}21. οἱ συγγενεῖς συνῳκείωνται Ηθ14. 1162
^{a}2. δοκεῖ συνῳκειῶσθαι ἡδονῇ τῷ γένει ἡμῶν sim Ηχ1.
1172 ^{a}20. 5. 1175 ^{a}29. 8. 1178 ^{a}15.
συνοικείωσις μὴ προσόντων ρ4. 1425 ^{b}38.
συνοικίζειν. Ἐρέτρια συνῴκισε τὰς περὶ Παλλήνην πόλεις
f 560. 1570 ^{a}42.
σύνοικοι, dist ἔποικοι Πε3. 1303 ^{a}28.
σύνολκος. τὸ κεχρύδιον θερμὸν ὂν χ σομφὸν κατέχει σύνολ-
κον τὴν τροφήν πκ8. 923 ^{b}13.
σύνολος. ῥῖνα χ ὀφθαλμὸν χ τὸ σύνολον πρόσωπον Ζμα5.
645 ^{b}36. τὸ σύνολον σῶμα, opp τὰ τῦ σώματος μόρια
Ζμα5. 645 ^{b}16. Ζγδ1. 764 ^{b}29, 28. Ζιλ7. 491 ^{a}28. ὅ τε
σύνολος ὑρανὸς χ τὰ μόρια αὐτῦ Ογ1. 298 ^{a}31. τὸ σύν-
ολον, syn σύμπαν, opp μέρος τε5. 135 ^{a}21, 22, 25, 27,
30. ἡ τῦ παντὸς φύσις πεπέρανται τὸν σύνολον ὄγκον Οα2.

268 ᵇ12. — τὸ σύνολον μῖγμα opponitur eius elementis, ποιεῖ τὸ τῦ οἴνῦ ἔργον τὸ σύνολον μῖγμα (οἴνῦ χ̣ ὕδατος) Γα5. 321 ᵇ2. τὸ σύνολον τίνι γνωριεῖ, opp τὰ ἐξ ὦν ψα5. 409 ᵇ31. — substantia concreta, quoniam Aristoteli composita est ex materia et forma, ἡ σύνολος (συνόλη Μζ 11. 1037 ᵃ26) ῦσία, τὸ σύνολον appellatur. ἡ ῦσία ἐστὶ τὸ εἶδος τὸ ἐνόν, ἐξ ῦ χ̣ τῆς ὕλης ἡ σύνολος λέγεται ῦσία Μζ 11. 1037 ᵃ30, 25, 26. 10. 1036 ᵃ2. x2. 1060 ᵇ24. Ζμα1. 640 ᵇ26. λέγω δὲ σύνολον ὅταν κατηγορηθῇ τι τῆς ὕλης Μβ1. 995 ᵇ35. 4. 999 ᵃ33 Bz (Wz ad ε7. 17 ᵃ39). ad hunc usum v σύνολος referendum videtur quod legitur εὐθὺς μετὰ τῆς τελευταίας διαφορᾶς τῦ συνόλῦ μὴ διαφέρειν εἴδει τῦτο Αθ13. 97 ᵃ39 (τὸ σύνολον est res concreta, de qua definienda agitur; ab ea definitio, consummata per genus et differentias, non distinguitur εἴδει). etiam ῦσία coniuncta cum accidente σύνολον, σύνολος ῦσία dicitur, σύνολον δὲ λέγω τὸν ἄνθρωπον τὸν λευκόν Μμ2. 1077 ᵇ8. ἐν τῇ συνόλῳ ῦσία οἶον ῥινὶ σιμῇ Μζ 11 1037 ᵃ32. — quae inter materiam et formam, eadem inter genus et differentiam ratio (cf γένος p 152 ᵃ6), inde τὸ σύνολον id quod compositum est ex genere et differentia τε2. 130 ᵃ12. — τὸ σύνολον pro adverbio usurpatum idem fere atque ὅλως significat. ἥδιον χ̣ λευκότερον χ̣ τὸ σύνολον κάλλιόν ἐστι τὸ ἐαρινὸν τῦ μετοπωρίνῦ Ζιι40. 626 ᵇ30. πυκνότερον χ̣ γλισχρότερον τῦ σπόγγῳ χ̣ τὸ σύνολον πλευμονῶδες Ζιε16. 549 ᵃ4. ὑγίειαι χ̣ νόσοι τοῖς ἑτερογενέσιν ἕτεραι χ̣ τὸ σύνολον ῦχ αἱ αὐταὶ πᾶσιν Ζιθ18. 601 ᵃ26. περὶ σύνθεσιν χ̣ διαίρεσιν, τὸ δὲ σύνολον περὶ μερισμὸν ἀντιφάσεως Με4. 1027 ᵇ19. ἐποποιία χ̣ τραγῳδία . . . τυγχάνῦσιν ῦσαι μιμήσεις τὸ σύνολον, διαφέρῦσι δὲ ἀλλήλων τρισίν πο1. 1447 ᵃ16. Vhl Poet I 34.

συνομνύναι. φησὶ μὲν φιλεῖν ὑμᾶς, συνώμοσε δὲ τοῖς τριάκοντα Ρβ23. 1400 ᵃ18.

συνομοιοπαθεῖ ὁ ἀκύων ἀεὶ τῷ παθητικῶς λέγοντι Ργ7. 1408 ᵃ23.

συνομολογεῖν πάντας τοῖς ῥηθησομένοις ηεα6. 1216 ᵇ29. συνομολογήσαντος (τῦ ἀνθρώπῳ) Ρβ20. 1393 ᵇ17. ἔστω συνομολογύμενον, συνωμολογημένον Γβ1. 329 ᵃ6. Πη1. 1323 ᵇ23.

συνοπτικός. διερευνῆσαι ἐρεύνῃ συνοπτικῇ φτα7. 821 ᵇ32.

σύνοπτος Πβ12. 1274 ᵃ38. σύνοπτον τοῖς μακρὰν ἀπέχῦσι θ130. 843 ᵃ9.

συνορᾶν. δεῖ συνορᾶσθαι τὴν ἀρχὴν χ̣ τὸ τέλος πο24. 1459 ᵇ19. συνορᾶν (συνιδεῖν) τὸ ἀνάλογον, τὰ ὅμοια, ἅμα πολλά, τὴν ὁμωνυμίαν Μθ6. 1048 ᵃ37 Bz. τα17. 108 ᵃ16, ᵇ20. ᵢ15. 174 ᵃ18. ζ10. 148 ᵃ34. συνορᾶν τὰ διαπεφορημένα τῶν εἰδώλων μτ2. 464 ᵇ13. συνορᾶν διὰ πολλῶν, λογίζεσθαι πόρρωθεν Ρα2. 1357 ᵃ4. συνορᾶν ἐκ τῆς περὶ τὰ ἴδια ἐμπειρίας Ρα4. 1359 ᵇ31. ἐπὶ πάντων ὕτως ἔχον συνιδόντες Ηθ13. 1127 ᵃ17. — εἰ ἐκ τῦ συνδυασμῦ ἡ γένεσις αὐτῶν ἐστὶν ἢ μή, ὅπω συνῶπται ἱκανῶς sim ἢ συνῶπται μέχρι γε τῦ νῦν, ῦ συνεωράκει) Ζγγ11. 762 ᵃ34. α16. 721 ᵃ17. β5. 741 ᵃ34. δ1. 764 ᵃ36. Ζιε32. 557 ᵇ25. ζ35. 580 ᵃ20. ᵢ50. 632 ᵇ3. (διὰ ταχυτῆτα) ῦ δυνάμεθα συνορᾶν τὸν τῆς ἀναπνοῆς ῥυθμὸν πε16. 882 ᵇ11. τὰ ὁμολογύμενα συνορᾶν Γα2. 316 ᵃ5. τὰ κενὰ τῦ πολέμυ συνωράκασι Ηγ11. 1116 ᵇ7. συνιδεῖν τὰς καιρὰς αρ4. 1250 ᵃ33. — τὸ αἴτιον ἐκ τῶν νῦν λεχθέντων συνίδοι τις ἂν Ζγδ4. 772 ᵇ11. cf χ6. 799 ᵇ20. ῦθενὶ συνέβη τὴν τοιαύτην συνιδεῖν αἰτίαν ΜΑ3. 984 ᵇ2. συνιδεῖν ποία πολιτεία ἀρίστη, ᵈ πότερον ὑπὸ ποτέρῦ κινεῖται Ηχ10. 1181 ᵇ21. Φη1. 241

ᵇ32 (cf τα14. 105 ᵇ11 Wz). συνίδοι ἂν τις ὅτι φ1. 805 ᵃ9. τῦτο ῦχὶ συνεωράκεσαν, ὅτι Ζγγ5. 755 ᵇ27. συνίδοι ἄν τις ὑπὲρ τύτῦ ῦτως ημβ7. 1205 ᵃ8. — δύνασθαι, ῦ δύνασθαι συνορᾶν τα1. 100 ᵇ30. 17. 108 ᵃ14. 18. 108 ᵇ20. γ2. 117 ᵃ6. θ2. 158 ᵃ5. 14. 163 ᵇ10. ᵢ5. 167 ᵃ38. ῥάδιον, χαλεπὸν (sc ἐστὶ) συνιδεῖν τᵢ15. 174 ᵃ18. Γα1. 314 ᵇ13. αι4. 442 ᵇ3. αχ803 ᵃ18. χ5. 796 ᵃ21, ᵇ18. 6. 797 ᵇ24. ῦκ ἐπιπολῆς τὸ συνιδεῖν τθ2. 158 ᵃ4.

συνορίζειν χ̣ συγκρίνειν, συνορίζειν χ̣ ἐνῦν, opp διακρίνειν Ογ8. 307 ᵃ33, ᵇ2.

σύνορος. σύνοροι πολιτεῖαι Ηθ12. 1160 ᵇ17. σύνορος ἡ πραγματεία τῦ ἰατρῦ χ̣ τῦ φυσικῦ αν21. 480 ᵇ25. ταῦτα σύνορα ἀλλήλοις χ̣ ἐγγὺς ἔχει τὰς διαφορὰς ηεη9. 1241 ᵇ16.

συνῦσία ψυχῆς σώματι Μη6. 1045 ᵇ9, 13. — εἰς τὰς συνῦσίας χ̣ διαγωγὰς παραλαμβάνῦσι τὴν μυσικὴν Πθ5. 1339 ᵇ22. — συνῦσία, coitus πὸ2. 876 ᵃ38. dist φιλεῖσθαι Αβ22. 68 ᵇ3. ποιεῖσθαι τὴν συνῦσίαν, χρῆσθαι ταῖς συνῦσίαις Πη16. 1335 ᵃ26, 24. ἀδικία ἀνδρὸς αἱ θύραζε συνῦσίαι γενόμεναι οα4. 1344 ᵃ12. ἡ πρὸς τὰς ἄρρενας συνῦσία, syn ὁμιλία Πβ9. 1269 ᵃ27, 29. τὰ ὀργανικὰ πρὸς τὴν συνῦσίαν μόρια, ἡ ἡδονὴ ἐν τῇ συνῦσίᾳ Ζγβ4. 739 ᵇ15. α20. 728 ᵃ9. ἡ πρὸς ἄνδρα συνῦσία Ζιχ3. 635 ᵇ17. ἀποτελεῖν τὴν συνῦσίαν Ζιι47. 630 ᵇ35. δέονται τῆς ἀλλήλων συνῦσίας Ζγα18. 722 ᵇ17. cf Ζιη2. 582 ᵇ22. ἄνευ τῆς τῦ ἄρρενος προέσεως ἐν τῇ συνῦσίᾳ ἀδύνατον συλλαβεῖν, τὸ θῆλυ συμβάλλεται σπέρμα ἐν τῇ συνῦσίᾳ Ζγβ4. 739 ᵃ26. α20. 727 ᵇ34. ἀπὸ μιᾶς συνῦσίας ἔνια γεννᾷ πολλὰ Ζγα18. 723 ᵇ13. cf δ3. 770 ᵃ1. 4. 773 ᵇ11.

σύνοφρυς. οἱ συνόφρυες δυσάνιοι φ6. 812 ᵇ25.

συνοχή, εἶδός τι τῆς ἅψεως τϕ2. 122 ᵇ26-30. cf συνέχεσθαι p 728 ᵃ6. ὁ νυσταγμὸς ἐστι συνοχὴ τῆς κινήσεως φτα2. 816 ᵇ39. διορίσασθαι τὰς συνοχὰς τὰς περιπιπτύσας τοῖς φυτοῖς φτα3. 818 ᵃ40.

συντάγματα Δώρια, Φρύγια Πδ13. 1290 ᵃ22.

σύνταξις τῆς πολιτείας, τῶν νόμων Πη2. 1325 ᵃ3. β6. 1265 ᵇ26. 9. 1271 ᵇ2. ἐξέτασις χ̣ σύνταξις τῶν πολιτῶν Πζ8. 1322 ᵃ36. ἄνευ συντάξεως ἄχρηστον τὸ ὁπλιτικὸν Πδ13. 1297 ᵇ19, cf ᵇ28. — δεῖ γυμνάζεσθαι περὶ τὰς λόγυς ἐκ τῆς προτέρας συντάξεως pϕ39. 1446 ᵃ34. — abstr pro concr, εἰς τὰς σάρκας χ̣ τὴν ἄλλην σύνταξιν ἦλθε τῶν μερῶν μβ2. 355 ᵇ10.

συντάραξις διαφόρων γινομένων τῶν περιττωμάτων πα4. 859 ᵃ26.

συνταράττειν. ἡ κάμηλος ῦδ' ἀπὸ τῶν ποταμῶν πρότερον πίνει ἢ συνταράξαι Ζιθ8. 596 ᵃ1.

σύντασις τῶν σκελῶν ἐν τῇ ὁμιλίᾳ Ζγα5. 717 ᵇ19, τῦ αἰδοίῳ πὸ23. 879 ᵃ15. 26. 879 ᵇ17. συντάσεις ἐμποιεῖν τοῖς νεύροις πε40. 885 ᵃ38. τὰ θήλεα συντάσει ἐρεῖ, τὰ δὲ ἄρρενα ῦ πι20. 892 ᵇ36.

συντάττειν. συντέτακται τὰ περὶ τὴν πολιτείαν Πβ11. 1273 ᵃ28. συντάξαι, συντάττεσθαι, συντετάχθαι πρὸς τέλος τι, πρὸς τὰς πολέμυς al Πη14. 1333 ᵇ7. 2. 1324 ᵃ34, ᵇ8. β7. 1267 ᵃ20. ζ1. 1316 ᵇ33. ηεα2. 1214 ᵇ10. ὀλιγαρχικῶς συντεταγμένον Πζ1. 1317 ᵃ6. τί σημεῖον πολιτείας συντεταγμένης Πβ11. 1272 ᵇ30. — εἰσφέρειν τὸ συντεταγμένον Πη10. 1330 ᵃ7. — (συντάττῃ πη21. 889 ᵇ1, scribendum συσσάττῃ coll 938 ᵇ21.)

συντείνειν. trans, συντείνειν τὸ πνεῦμα πβ1. 866 ᵇ9. cf πια15. 900 ᵇ8. βιάζεται συντεῖνον τῷ πνεύματι πι20. 893 ᵃ2. ὅταν συντείνῃ, opp χαλαρὰ ὄντα Ζμδ9. 685 ᵇ8. οἱ κλαίοντες συντέτανται πια50. 904 ᵇ25. ταχυτέρα ἡ ἀπὸ

συντεταμένῃ φωνῇ πια 56. 905 ᵃ26. — intr, συντείνειν
πρὸς τὴν καρδίαν, πρὸς τὸν ἄνω τόπον, ἐνταῦθα ζ 3. 469
ᵃ20, 16, 13. υ 2. 455 ᵃ34. cf πσ́ 15. 878 ᵇ5. συντείνειν πρὸς
σκοπόν, πρὸς τέλος, πρὸς εὐδαιμονίαν, πρὸς τὸ γνῶναι μό-
νον, πρὸς τὴν ἐντελέχειαν al Ηζ 13. 1144 ᵃ25. Πη 2. 1325
ᵃ15. θ 3. 1337 ᵇ27. 5. 1340 ᵃ6. Μθ 8. 1050 ᵃ23. λ 8. 1074
ᵃ18. Ζγε 1. 778 ᵃ34. Ζκ 2. 698 ᵇ11. τα 11. 104 ᵇ1. γ 1.
116 ᵇ25. πσ 23. 1459 ᵃ27. Ρβ 2. 1378 ᵇ12. ρ 3. 1425 ᵃ33.
ηεα 1. 1214 ᵃ11. 3. 1215 ᵃ9. 5. 1216 ᵃ32. συντείνειν εἰς
τέλος, εἰς δικαιοσύνην, εἰς τὴν ἀναγκαίαν χρῆσιν al ηεβ 10.
1226 ᵇ11. η 7. 1241 ᵃ18. Ηδ́ 13. 1127 ᵃ34. Πδ́ 4. 1291
ᵃ26. Ρα 5. 1360 ᵇ9. β 5. 1382 ᵃ30. 17. 1391 ᵃ31. αρ 2.
1250 ᵃ4. τἀναντία, εἰς ταὐτὸ δὲ συντείνοντα οα 3. 1343
ᵇ29.

συντέλεια χρημάτων ρ 3. 1423 ᵇ1.

συντελεῖν. πρὸς ἓν ἅπαντα συντελεῖ Ηα 4. 1096 ᵇ28. συν-
τελεῖν εἰς (πρὸς) μίαν ἀρχὴν Ζμγ 5. 667 ᵇ22. 7. 669 ᵇ19.
τὰ εἰς (πρὸς) τὴν γένεσιν συντελοῦντα μόρια Ζιγ 1. 509 ᵃ29.
Ζμδ 3. 678 ᵃ23. Ζγα 1. 715 ᵃ12. 13. 720 ᵃ36. 14. 720 ᵇ3.
τροφὴ ἄχρηστος, ἀφ' ἧς μηδὲν ἔτι συντελεῖται εἰς τὴν φύσιν
Ζγα 18. 725 ᵃ5. ὠφέλιμα τὰ τούτων ποιητικὰ κ̩ εἰς ταῦτα
συντελοῦντα f 110. 1496 ᵃ38. τὰ συντελοῦντα εἰς τὴν τέχνην
τι 1. 165 ᵃ37. τὸ πρὸς ἀνδρείαν συντελοῦν χρῶμα φ 6. 812
ᵃ14. βοτάνη συντελοῦσα πρὸς ἀμβλυωπίαν ἄριστα θ 171.
847 ᵃ2. — συντελεῖν τι τῶν ὑπὸ τῷ λόγῳ παραγγελθέντων
ρ 1. 1420 ᵇ26. περὶ τὰς θυσίας μικρὰ συντελεῖν ρ 30. 1437
ᵇ21. συντελεῖν ἀργύριον οβ 1353 ᵃ2, 9. θυσία τῷ Διῒ συν-
τελεῖται θ 137. 844 ᵃ35. — ὅταν ταῦτα πάντα συντε-
λεσθῶσι, γεννᾶται φυτὸν φτβ 6. 826 ᵃ40.

συντελής. περὶ τῆς διαφορᾶς τῆς κοιλίας κ̩ τῶν συντελῶν
μορίων Ζμγ 14. 674 ᵃ22.

σύντηγμα. ἀνάγκη δὴ πᾶν, ὃ ἂν λαμβάνωμεν ἐν τῷ σώ-
ματι ἢ μέρος εἶναι τῶν κατὰ φύσιν ἢ τῶν παρὰ φύσιν,
οἷον φῦμα ἢ περίττωμα ἢ σύντηγμα ἢ τροφήν· σύντηγμα
λέγω τὸ ἀποκριθὲν ἐκ τ τ αὐξήματος ὑπὸ τῆς παρὰ φύσιν
ἀναλύσεως· τὰ συντήγματα τῶν παρὰ φύσιν τι Ζγα 18.
724 ᵇ26, 27, 725 ᵃ1. τὸ σύντηγμα γίνεται ὥσπερ τροφὴ
ἄπεπτος υ 3. 456 ᵇ35. συντήγματος δύναμις Ζγα 18. 725
ᵃ1. dist περίττωμα Ζγα 18. 724 ᵃ26, 725 ᵃ30, 35. περιττώ-
ματα κ̩ συντήγματα πα 41. 864 ᵃ18. 43. 864 ᵇ24. οἱ ἀρ-
χαῖοι ἐοίκασιν οἰομένοις εἶναι σύντηγμα (τὸ σπέρμα)· τὸ
γὰρ ἀπὸ παντὸς ἀπιέναι φάναι διὰ τὴν θερμότητα πο 13.
τῆς κινήσεως συντήγματος ἔχει δύναμιν· ἀνάγκη (σπέρμα)
ἢ σύντηγμα ἢ περίττωμα εἶναι· τεκμήριον τ τ μὴ σύντηγμα
εἶναι Ζγα 18. 724 ᵃ35, 34, 725 ᵃ23, 28. τόπος συντήγματι μὲν
ὐθεὶς ἀποδέδοται κατὰ φύσιν, ἀλλὰ ῥεῖ ὅπῃ ἂν εὑοδήσῃ
τ τ σώματος· σύντηγμα μὲν πλέον ἀναγκαῖον εἶναι τοῖς
μεγάλοις, περίττωμα δ' ἔλαττον· τὸν αὐτὸν τρόπον κ̩ τὸ
τελευταῖον περίττωμα τῷ πρώτῳ συντήγματι ταὐτόν ἐστι
Ζγα 18. 725 ᵃ34, 30. 19. 726 ᵇ29. οἱ κοπιῶντες διὰ τὸν
κόπον κ̩ τὴν κίνησιν συντήγματος θερμοῦ πλήρεις εἰσὶν πε 31.
884 ᵃ13. cf ἥ τε κίνησις κ̩ ὁ πόνος ἅπαν ἐξήρανε τὸ σύν-
τηγμα κ̩ ἐξέπεψε Theophr frgm VII § 6. (colliquamentum.
cf Philippson ὕλη 61. 'Säfefluss' ΑΖγ p 88.)

συντήκειν. τὰ ζῷα τροφὴν μὴ λαμβάνοντα συντήκει αὐτὰ
ἑαυτά μχ 5. 466 ᵇ29. συντήκεται αὐτὸ ὑφ' αὑτ τ τὸ θερ-
μὸν αν 17. 479 ᵃ10. συντηκόμενον φθείρεται πᾶν κ̩ ἐξίστα-
ται τῆς φύσεως συντήκεσθαι εἰς τὸ ὅρον Ζγα 18. 725 ᵃ27,
726 ᵃ14. οἱ θῖνοι φαῦλοι οἱ γέροντες, πολὺ γὰρ συντήκε-
ται τῆς σαρκὸς Ζιθ 30. 607 ᵇ29. — κακὸς κακ τ συντέτη-
χεν (Eur fr 298 Nck) ηεη 2. 1238 ᵃ34. — συντηκτός.

σῆψις, οἷον τὰ συντηκτά μδ 11. 389 ᵇ8.

συντηκτικός. 1. act, τὸ ἁλμυρὸν συντηκτικὸν γλώττης ψβ 10.
422 ᵃ19. ὁ κόπος συντηκτικὸν υδ. 456 ᵇ35, διὰ κατάψυξιν
περιττωματικὴν ἢ συντηκτικὴν αν 20. 479 ᵇ21. θρηπτικά,
μᾶλλον μέντοι συντηκτικά πα 48. 865 ᵇ23. κ 16. 924 ᵇ22
(syn τηκτικά πιβ 12. 907 ᵇ8). τῶν νόσων αἱ μακραὶ κ̩ συν-
τηκτικαὶ πιγ 5. 871 ᵇ10. — 2. pass, τὸ πλεῖστον γένος
τῶν πολυπόδων ὑ διετίζει, κ̩ γὰρ φύσει συντηκτικόν ἐστιν
Ζιι 37. 622 ᵃ15.

σύντηξις. ἡ σύντηξις ἀεὶ νοσώδης, βλάπτει Ζγα 18. 726 ᵃ21,
24. σύντηξις σπερματικὴ Ζγα 19. 726 ᵇ24. ἡ κατὰ τὸ
ἄλλο σῶμα γινομένη χολὴ περίττωμά τί ἐστιν ἢ σύντηξις
Ζμδ 2. 677 ᵃ13. διὰ τὴν σύντηξιν, διὰ τὰς συντήξεις πα5.
859 ᵇ2. 12. 860 ᵇ20. ἡ γινομένη ὑπὸ τ τ θερμ τ σύντηξις
πκ 22. 925 ᵃ35. ἡ σύντηξις περίττωμα πε 7. 881 ᵃ24. αἱ
ἀτροφίαι κ̩ αἱ συντήξεις πλζ 3. 966 ᵃ10.

συντηρεῖν. ἐν τῷ ἰδίῳ γένει τὴν ζωὴν διὰ γενέσεως συντηρεῖ
ἡ φύσις φτα 1. 816 ᵃ8.

συντιθέναι. ἕκαστον ἐν ἄλλῳ χρόνῳ διαλύεται κ̩ συντίθεται
τῶν μορίων Ογ 6. 304 ᵇ30. συνθεῖναι διαγράμματα, opp
ἀναλύειν τι 16. 176 ᵃ28. ἂν ὅτως συντεθῇ (τὰ τῆς ἀναλο-
γίας), δικαίως συνῳδάζει Η 6. 1131 ᵇ8. καθόλυ συνθέντας
τὰ καθ' ἕκαστα κεφαλαιωσαμένους εἰπεῖν ημβ 9. 1207 ᵇ21.
ἅμα συνθεῖναι δύο ἐν τῷ λόγῳ νεη 12. 1244 ᵇ35. συνθεὶς
τὰ ἑτέροις εἰρημένα ξ 5. 979 ᵃ14. συνθεῖναι τὰς διαφοράς,
τῇ εὐπορίᾳ τὴν ὀλιγότητα sim Πη 8. 1279 ᵇ26. δ 1. 1289
ᵃ11. 15. 1300 ᵃ11. ἀφ' ἑκατέρας διαιρέσεως σύμβολον
λαμβάνοντας συνθετέον Πδ́ 9. 1294 ᵃ35. τὸ συντιθέμενον
(ἐξ ὑσίας κ̩ ποσ τ), opp ἀφαιρεῖν τα 15. 107 ᵃ37. — οἱ
τὰς τέχνας τῶν λόγων συντιθέντες Ρα 1. 1354 ᵃ12. περὶ
ὀλίγας οἰκίας αἱ κάλλισται τραγῳδίαι συντίθενται πο 13. 1453
ᵃ19. cf σύνθεσις ρ 729 ᵇ9. ὁ τὸν μῦθον συνθεὶς Ζιζ 31. 579
ᵇ4. συντιθέναι de coniungendo per propositionem af-
firmantem praedicato cum subiecto, opp διαιρεῖν Μγ 7.
1012 ᵃ4. δ 29. 1024 ᵇ19. θ 10. 1051 ᵇ10. cf ἄλλος τόπος
τὸ διῃρημένον συντιθέναι λέγειν Ρβ 24. 1401 ᵃ24. — rhe-
torice, τὸ συντιθέναι κ̩ ἐποικοδομεῖν ὥσπερ 'Επίχαρμος Ρα 7.
1365 ᵃ16. — ἡ ἐνέργεια τ τ ὄνομα ἡ πρὸς τὴν ἐντελέχειαν
συντιθεμένη Μθ 3. 1047 ᵃ31, cf συντείνει πρὸς ἐντελέχειαν
8. 1050 ᵃ23. — med, συνθέσθαι πρός τινα Πα 9. 1257
ᵃ35. συνθέσθαι παρὰ τὸν νόμον Ρα 15. 1375 ᵇ10. — (συν-
τεθῇ πζ 9. 887 ᵇ3, συνθλασθῇ ci Prantl coll πα 38. 863
ᵇ13.)

συντινάσσειν. πνεῦμα μετὰ βίας τὴν γῆν συνετίναξεν κ 4.
395 ᵇ35.

συντιτρᾶν. ἅπαντα εἰς ἄλληλα συντέτρηται ὑπὸ γῆς μβ 2.
355 ᵇ34. συντέτρηνται πᾶσαι αὗται (αἱ κοιλίαι) πρὸς τὸν
πλεύμονα sim Ζιγ 3. 513 ᵃ35. πλγ 17. 963 ᵇ7. 14. 963 ᵃ3.
συντετρῆσθαι τὴν ὄσφρησιν τῷ στόματι κατὰ τὸν ὐρανὸν
πιγ 2. 907 ᵇ28. συντετρημένων τῶν μυκτήρων αν 7. 474 ᵃ21.

συντομία τῆς λέξεως, opp ὄγκος Ργ 6. 1407 ᵇ28, 26. αἱ
παροιμίαι φιλοσοφίας ἐγκαταλείμματα περισωθέντα διὰ συν-
τομίαν κ̩ δεξιότητα f 2. 1474 ᵇ8.

σύντομος. βέλτιον μὴ κύκλῳ περιιέναι παρέντας τὴν σύντο-
μον Ζγδ 4. 770 ᵃ2. λέξις, opp ἀδόλεσχεῖν Ργ 12. 1414 ᵃ25.
σύντομος ἀνάμνησις ρ 21. 1433 ᵇ29. σύντομα ἐπεισόδια
πο 17. 1455 ᵇ16. κοινόν τι ἐπὶ πάντων ἡ σύντομον Μζ 17.
1041 ᵃ20. συντομώτερος ἂν εἴη ὁ λόγος Ηκ 6. 1176 ᵃ33.
— συντόμως, opp μακρῶς Ργ 15. 1416 ᵇ5. opp δια-
ρθ ντα λόγῳ Ργ 18. 1419 ᵃ21. syn ἐπιζευγνύναι Ργ 6. 1407
ᵇ36, 35. συντόμως εἰπεῖν, λεκτέον, ποιεῖσθαι μνείαν νεα 8.

1217 b19. Γα3. 317 b14 (opp ἐπὶ πλεῖον). Πδ2. 1289 b23. συντόμως ἢ κεφαλαιωδῶς ἐπεληλύθαμεν ΜΑ7. 988 a18. cf Πζ1. 1317 a16. συντομώτερον Αγ22. 84 a8. — καρποί τινες σήπονται συντόμως, opp βραδέως φτα7. 822 a3.

συντονία. ἀνιέναι τὴν τῦ πνεύματος συντονίαν αk803 a26. διὰ τὸ μὴ γίνεσθαι μετὰ συντονίας τὴν τῦ ἀέρος πληγήν sim αk804 b24, 800 b11, 26. πε9. 881 b13. ια15. 900 b9. ἡ ἀρχὴ ἐξ ἧς ὑπάρχει τῷ σώματι ἡ συντονία Ζγε7. 788 a9. νέοις ἐπιτέταται, γηράσκουσιν ἀνίεται ἡ συντονία Ζγε7. 787 b14. συντονία τῦ αἰδοίῳ Ζιε2. 540 a6. πδ20. 879 a3. ιγ6. 908 b7. cf Ζιζ28. 578 b8. — τὸ ἀσχολεῖν συμβαίνει μετὰ πόνυ ἢ συντονίας Πθ3.1337 b40. πρὸς ἄνεσιν ἢ πρὸς τὴν τῆς συντονίας ἀνάπαυσιν Πθ7. 1341 b41. τὰς ἐπιμελείας ἢ τὰς σπυδὰς ἢ τὰς συντονίας λυπηρὰς Ρα11. 1370 a12.

σύντονος. κατατείνας χορδὴν σύντονον Ζγε7. 787 b23, 16. σχῆμα σύντονον ἐν ταῖς κινήσεσιν φ3. 807 b10. σύντονον φέρεσθαι αk801 b36. σύντονον πῦρ, opp μαλακόν Ζιζ2. 560 b2. ἀπὸ τῶν συντόνων ὀξεῖα ἡ φωνή πια50. 904 b23. ἐν τοῖς μέλεσι τὸ βαρὺ τῶν συντόνων βέλτιον Ζγε7. 786 a1. ἀπὸ συντόνων σωμάτων ῥιπτεμένων ταχὺ φέρεται πια13. 900 a23. σώματα σκληρὰ ἢ σύντονα, opp ὑγρὰ ἢ μαλακὰ αk803 a14. τῦ ἀπέπτυ ὑπόστασις μονιμωτάτη ἢ σύντονος πια19. 861 b19. ἁρμονίαι σύντονοι, opp ἀνειμέναι Πθ7. 1342 b21. τῶν μελῶν τὰ σύντονα ἢ παρακεχρωσμένα Πθ7. 1342 a24. — σύντονος, syn σπευστικός Ηδ8. 1125 a15. — ποιῆσαι τὴν πολιτείαν συντονωτέραν Πε4. 1304 a21. παρεκβάσεις συντονώτεραι τῆς πολιτείας, opp ἀνειμέναι, μαλακαί Πδ3. 1290 a27. — συντόνως τρέχειν πε16. 882 b1. συντονώτερον βαδίσαι ημα15. 1188 b22. συντονώτερον ἐπιτίθενται διὰ τὸ μὴ χρῆσθαι λογισμῷ Πε10. 1312 b28. — ἐκλύεσθαι τὸ τελευταῖον συντόνως αk804 b15.

συντρέφειν. κόκκυξ συντρεφόμενος τοῖς νεοττοῖς Ζιι29. 618 a25. τὸ ἡδὺ ἐκ νηπίυ ἡμῖν συντέθραπται Ηβ2. 1105 a2. — τὰ συντρεφόμενα ζῷα, i q τὰ συνανθρωπευόμενα Ζγβ6. 744 b20. Ζιι50. 629 b3.

συντρέχειν. ἐὰν βροντήσαντος ὑπολειφθῇ τις (ὄις) ἢ μὴ συνδράμῃ Ζιι3. 610 b35. ὅταν βύλωνται (οἱ ἁλιεῖς τὺς ἰχθῦς) συνδραμεῖν Ζιθ8. 533 b23. — τὸ αἷμα συντρέχει εἰς τὴν καρδίαν, opp διαχεῖται εἰς τῆς καρδίας εἰς ἅπαντα τὰ μέρη f233. 1520 a14. — χρὴ συντρέχειν ἐπὶ τῦ οἴκυ ταῦτα πάντα, σχέϊν γυναικὸς πρὸς ἄνδρα, στοργὴν γονέων πρὸς τέκνα κτλ f178. 1507 b20. — κάμπτεται τὸ εὐθύ, ἐὰν ἐξατμίζηται, ἢ συντρέχει ὥσπερ ἐπὶ τῦ πυρὸς καομένη ἡ θρὶξ Ζγε3. 782 b27.

σύντρησις. ἡ καρδία τὴν σύντρησιν ἔχει πρὸς τὸν πλεύμονα αν16. 478 a26. ἡ ἐκ τῶν μυκτήρων σύντρησις εἰς τὸ στόμα Ζια16. 495 a25. cf β17. 507 b27 Aub.

συντρίβειν. κλᾶται ἢ συντρίβεται ἢ ὅλως φθείρεται Μδ12. 1019 a29. οἱ ἄρρενες πέρδικες τὰ ᾠὰ διακυλινδῦσι ἢ συντρίβυσιν Ζιι8. 613 b27. ζ9. 564 b4. f270. 1527 a9. ὀστᾶ σκληρὰ συντριβόμενα Ζιγ7. 516 b11.

σύντριμμα. ἐὰν μή τι ἔχῃ σύντριμμα τὸ ξύλον αk802 a34:

σύντροφοι ἢ παιδευθέντες ὁμοίως Ηθ14. 1162 a13. ἔστι λέων πρὸς τὰ σύντροφα σφόδρα φιλοπαίγμων Ζιι44. 629 b11. — τὸ σύντροφον μέγα πρὸς φιλίαν Ηθ14. 1161 b34. περὶ τῶν ζῴων εὐπορῦμεν μᾶλλον πρὸς τὴν γνῶσιν διὰ τὸ σύντροφον Ζμα5. 644 b29.

συνυπάρχειν ηεη9. 1241 b27.

συνυπηρετῦσιν οἱ ἔσχατοι πόδες πρὸς τὸ φέρειν (τὸ τῦ σώματος φορτίον) Ζμδ9. 685 a21.

συνυπονοεῖν. συνυπονοῦντες τίθεμεν, syn ὐ σαφῶς, κολοβῶς, opp κυρίως τι17. 176 a39.

συνυφαίνειν. ὁ ἀράχνης ὑφαίνει πρῶτον, εἶτα στημονίζεται, ἐπὶ τύτοις ὥσπερ κρόκας ἐμβάλλει, εἶτα συνυφαίνει Ζιι39. 623 a11. τὰ κέρατα (τῶν βοῶν) ἢ τὰ ὦτα ἐκπεφυκέναι τὴν αὐτὴν ἔκφυσιν ἢ εἶναι συνυφασμένα f321. 1532 a40. — ἄλλο ἄλλῳ μέρει συνάπτειν ἢ συνυφαίνειν τὸν λόγον ρ33. 1439 a31.

συνύφειαι (vl συνυφεῖαι συνηφεῖαι συνυφύαι). αἱ περὶ τὰς ἀρχὰς τῶν κηρίων πρὸς τὰ σμήνη συνύφειαι Ζιι40. 624 a11. cf S II 198.

συνυφής. αἱ μέλιτται κάτω συνυφεῖς ποιῦσιν ἕως τῦ ἐδάφυς ἱστὺς πολλὺς Ζιι40. 624 a6 Aub. — ὁ ναυτίλος ἔχει μεταξὺ τῶν πλεκτανῶν ἐπὶ (ἐπισπαστόν ci Pik) τι συνυφές, syn ἀραχνιῶδες Ζιι37. 622 b10, 12.

συνῳδίνειν. οἱ συνωδίνοντες ὄρνιθες ηεη6. 1240 a36 Fritzsche.

συνῳδός τινι λόγος Ηα9. 1098 b30. λόγοι συνῳδοὶ τοῖς ἔργοις Ηx1. 1172 b5.

συνωθεῖν. ὁ βορέας πολλὰ συνωθεῖ νέφη πκς56. 947 a1. τὰ μέρη τῦ ἀέρος συνωθεῖ τὸν τόπον φτβ2. 823 a7. ὅταν εἰς ταὐτὸν συνωσθῶσι τὰ νέφη μβ4. 361 a1. συνωθύμενον τὸ θερμόν, ἡ συνεωσμένη θερμότης f248. 1524 a26. υ3. 458 a10. — intr usurpatum videtur συνῶσαι θ99. 838 b8.

συνώθησις τῆς θερμότητος φτβ9. 829 a2.

συνωνυμία. τῷ ποιητῇ συνωνυμίαι (cf συνώνυμος 2) χρήσιμοι, τῷ σοφιστῇ ὁμωνυμίαι Ργ2. 1404 b39.

συνώνυμος, συνωνύμως. 1. συνώνυμα λέγεται, ὧν τό τε ὄνομα κοινὸν ἢ ὁ κατὰ τὔνομα λόγος τῆς ὐσίας ὁ αὐτός Κ1. 1 a6 Wz. 5. 3 b7. τζ10. 148 a23-b22. f114. 1497 a8, 18. συνώνυμον τὸ γένος ἢ τὸ εἶδος, συνωνύμως τὰ γένη κατηγορεῖται τῶν εἰδῶν τδ3. 123 a28. 6. 127 b5. 6. β2. 109 b6 (cf συνώνυμοι ἀστρολογία ἥ τε μαθηματικὴ ἢ ἡ ναυτική Αγ13. 78 b40 Wz). ἀδικία παρὰ τὴν ὅλην ἄλλην ἐν μέρει, συνώνυμος, ὅτι ὁ ὁρισμὸς ἐν τῷ αὐτῷ γένει Ηε4. 1130 b1. συνώνυμον τὸ εἶδος (int τοῖς καθ' ἕκαστα) τθ4. 154 a18. τὰ πολλὰ τῶν συνωνύμων τοῖς εἴδεσιν ΜΑ6. 987 b10 Bz. cf ατ968 a10. ὑπάρχει ταῖς ὐσίαις ἢ ταῖς διαφοραῖς τὸ πάντα συνωνύμως ἀπ' αὐτῶν λέγεσθαι Κ5. 3 a34. ἑκάστη ἐκ συνωνύμυ γίγνεται ὐσία Μλ3. 1070 a5. ἐγέννησε τὸ συνώνυμον, οἷον ἄνθρωπος ἄνθρωπον· ἡ γένεσις ἐκ ζῴων συνωνύμων Ζγβ1. 735 a20. α16. 721 a3. 18. 722 b35 (cf συγγενῆ β8. 747 a29). ἐν ἅπαντα ἔσται συνώνυμα γὰρ Μγ4, 1006 b18. τὰ ὁμοιομερῆ, ὧν ἕκαστυ συνώνυμον τὸ μέρος ἐστίν Γα1. 314 a20. Ζμβ9. 655 b21. ἢ συνώνυμον τὸ ὅλον θατέρῳ τζ13. 150 b19. ἕκαστον μάλιστα αὐτὸ τῶν ἄλλων, καθ' ὃ ἢ τοῖς ἄλλοις ὑπάρχει τὸ συνώνυμον Μα1. 993 b25. τὸ συνώνυμον συμβλητὸν τα15. 107 b17. τὸ συνεχὲς τοιῦτον ὥστ' εἶναί τι συνώνυμον μεταξὺ τῶν περάτων Φζ3. 234 a9. cf θ5. 257 b12. — εἴπερ συνώνυμον ἦν τὸ λευκὸν τὸ ἐφ' ἑκατέρῳ λεγόμενον (i e si non modo nomen idem, sed etiam eadem notio est) τα15. 107 b4 Wz. — 2. συνώνυμα dicuntur nomina diversa, quae eandem vel fere eandem notionem habent, τὸ πορεύεσθαι ἢ τὸ βαδίζειν ἢ κύρια ἢ συνώνυμα ἀλλήλοις Ργ2. 1405 a1, inde explicandum τθ13. 162 b38 (ita Alex, aliter Trdlbg elem § 42). ι5. 167 a24.

συνωρίς. ἀναβαίνει συνωρίδα x6. 399 b5.

σύνωσις. ἡ μὲν δίωσις ἄπωσις, ἡ δὲ σύνωσις ἕλξις Φη2. 243 b5. τὸ πνεῦμά ἐστι σύνωσις ἀέρος πκγ11. 932 b30.

ἀναπήδησις (καρδίας) ἐστὶν ἡ γινομένη ἄντωσις πρὸς τὴν τῦ ψυχρῦ σύνωσιν αν20. 480 ᵃ14, 479 ᵇ19.

συοφόρβιον Ζιζ18. 571 ᵇ19.

Συράκυσαι. ἐν Συρακύσαις Ζιζ2. 559 ᵇ2. de rebus publicis Πα10. 1259 ᵃ30. ε3. 1302 ᵇ32. 4. 1303 ᵇ20, 1304 ᵃ27. 6. 1306 ᵃ1. 10. 1310 ᵇ30. 11. 1313 ᵇ13, 26. 12. 1315 ᵇ35, 1316 ᵃ33. geographica θ56. 834 ᵇ5. 172. 847 ᵃ3. ρ9.1429 ᵇ16. ἐπιστήμην δυλικὴ οἵαν περ ὁ ἐν Συρακύσαις ἐπαίδευεν Πα7. 1255 ᵇ24. — Συρακύσιοι οβ1349 ᵇ4. ρ9. 1429 ᵇ18, 20. de eorum rebus publicis Πγ15. 1286 ᵇ40. ε3. 1303 ᵃ38. 10. 1312 ᵇ8. Δίων ὁ Συρακύσιος ρ9. 1429 ᵇ16. Διονύσιος Συρακύσιος οβ1349 ᵃ14. Μακαρὸς ὁ Συρακύσιος πλ1. 954 ᵃ38. Πόλλις ὁ Συρακοσίων βασιλεύς f 543. 1568 ᵃ25. Εὐριπίδυ ἀπόκρισις πρὸς τὺς Συρακοσίυς Ρβ6. 1384 ᵇ16. Συρακυσίων πολιτεία f 543-547. 444. 1551 ᵃ21. Συρακύσιοι pro exemplo cuiuslibet populi ρ30. 1436 ᵇ2. 33. 1439 ᵃ25.

ϲυρειν (Lob Path I 127). τὰ ὄπισθεν τῶν γαμψωνύχων συνήκοντα εἰς στενόν, ἵν' ἐπακολυθῆ τοῖς ἔμπροσθεν, μὴ σύροντα τὸν ἀέρα διὰ τὸ πλάτος Ζπ10. 710 ᵇ3. — συρο-μένοις ci πιϛ4. 913 ᵇ19, cf ϲυρεῖν p 494 ᵇ52.

Συρία geωδης. εὐώδης πιβ3. 906 ᵇ18. ιγ4. 908 ᵃ14. ἡ Συρία ἡ ὑπὲρ Φοινίκης Ζιζ24. 577 ᵇ23. Φοίνικες ἡ Συρίας τὴν παραλίαν οἰκῦντες θ132. 843 ᵇ9. Αἰγαὶ αἱ κατὰ Συρίαν σ973 ᵇ3. f 238. 1521 ᵇ21. μάγος τις ἐλθὼν ἐκ Συρίας εἰς Ἀθήνας f 27. 1479 ᵃ13. memorabiles ibi bestiae θ10. 831 ᵃ22. 146. 845 ᵃ28. 149. 845 ᵇ8 (ἐν Μεσοποταμία τῆς Συρίας). οἱ ἐν Συρία λέοντες Ζιζ31. 579 ᵇ9. αἱ ἐν Συρία καλύμεναι ἡμίονοι Ζια6. 492 ᵃ2. ζ24. 577 ᵇ23. 36. 580 ᵇ1. τὰ ἐν Συρία πρόβατα Ζιθ28. 606 ᵃ13. — Σύριος. πόα Μηδική, Συρία Ζυ40. 627 ᵇ17. Σύριαι πύλαι σ973 ᵃ18. f 238. 1521 ᵇ11. Σύριος πέλαγος κ3. 393 ᵃ30. — Σύροι θ150. 845 ᵇ14. Εὐαίσης Σύρος οβ1352 ᵃ9.

Συριάνδος (Μυριανδεύς ci Rose) καλεῖται ὁ ἀπηλιώτης σ973 ᵃ17. f 238. 1521 ᵇ11.

συριγμός. ἀφίησι συριγμόν, ὥσπερ οἱ ὄφεις Ζιθ9. 536 ᵃ6. ἡ χαλκὶς ψοφεῖ οἷον συριγμόν θ9. 535 ᵇ9.

συριγξ. 1. αὐλῶν συρίγγων θ' ὁμαδόν (Hom K13) πο25.1461 ᵃ18. ἡ τῶν συρίγγων (τέχνη) πο1. 1447 ᵃ26. φωνὴ σύριγγος ᾳ σάλπιγγος Ζιβ1. 501 ᵃ33. cf πιθ14. 918 ᵇ12. 23. 919 ᵇ4. κἂν κατασπάσῃ τις τὰς σύριγγας κἂν δὲ ἐπιλάβῃ αχ804 ᵃ14. — 2. ὁ πνεύμων συρίγγων πλήρης αν15. 478 ᵃ13. cf 21. 480 ᵇ1. λίφαιμοι σαρκῶν σύριγγες (Emp 344) αν7. 473 ᵇ10. μερίζεται τὸ πνεῦμα κατὰ τὰς ἀρτηρίας εἰς τὰς σύριγγας Ζμγ3. 664 ᵃ28. παρ' ἑκάστην τὴν σύριγγα πόροι φέρυσι τῆς μεγάλης φλεβός· ἡ ἀορτὴ κατὰ στενωτέραν σύριγγα πολλῷ κοινωνεῖ (τῇ μεγάλῃ φλεβί)· ἡ ἐπὶ τὸν πλεύμονα τείνυσα φλὲψ παρ' ἑκάστην σύριγγα τείνει· οἱ πόροι τῶν ἀπὸ τῆς ἀρτηρίας συρίγγων τεινυσῶν Ζια17.496 ᵇ3. γ3. 513 ᵇ5, 18, 24. cf Plat Tim 70C. ('arteriae asperae fistulae in pulmone, bronchia' Philippson ὕλη 52, 1. S I 132. Daremberg not et extraits I 130, 30.)

συρικτής, coni θαυματοποιός, μῖμος πιη6. 917 ᵃ8.

Σύριος. Φερεκύδης ὁ Σύριος Ζιε31. 537 ᵃ4.

συρίττειν. ἁλίσκονται θηρευόμεναι αἱ ἔλαφοι συριττόντων ᾳ ἀδόντων Ζυ5. 611 ᵇ26.

σύρματα ἐλέσθαι μᾶλλον ὄνον ἢ χρυσόν Ηκ5. 1176 ᵃ7.

συρμός. οἱ συρμοὶ οἱ γινόμενοι ἐν τοῖς ἀνυπερβλήτοις χειμῶσιν θ130. 843 ᵃ11.

σύρραξις. ἡ τῶν κλυδώνων σύρραξις πρὸς ἀλλήλας θ130. 843 ᵃ16.

συρράπτειν. τῆς καπρίας μικρὸν ἀποτέμνοντες συρράπτυσιν Ζυ50. 632 ᵃ26.

συρρεῖν κατὰ μικρὸν ἐκ πολλῶν νοτίδων μα13. 350 ᵇ28. cf β1. 353 ᵇ22. πέφυκεν ἀεὶ συρρεῖν τὸ ὕδωρ εἰς τὸ κοιλότερον Οβ4. 287 ᵇ6. cf πιϛ8. 915 ᵃ5. κε8. 939 ᵃ1. ἀθροίζεται ᾳ συρρεῖ τὰ κατὰ φύσιν περιττώματα Ζγα18. 725 ᵇ4. cf Ζμγ9. 671 ᵇ22. τὸ συρρυὲν ὑγρόν, περίττωμα πη14. 888 ᵇ11. γ34. 876 ᵃ17.

σύρρευσις ὕδατος Ζιε19. 551 ᵇ28.

συρρηγνύναι. (τὸ αἰδοῖον) τὸ μὲν ἐξωτάτω τρῆμα συνερρωγὸς εἰς ταὐτό Ζια17. 497 ᵃ25.

συρριζῦσθαι. τὰ φυτὰ κάτω συρριζύμενα ψβ4. 415 ᵇ29.

σύρρυς ψυχρῶν ᾳ ὑγρῶν περιττωμάτων Ζικ7. 638 ᵇ19.

Σύρτις. τὴν καλυμένην Σύρτιν (Σιρῖτιν Bk²) Πη10.1329 ᵇ21. τὰς καλυμένας Σύρτεις κ3. 393 ᵃ25.

σῦς. σῦν ἄγριον (Hom I 539) Ζιζ28.578 ᵇ1. σῦς διαλυμαινόμενος τὴν χώραν f 530. 1566 ᵃ22. ὅπυ ἂν ἦ κοχλίας, σῦς ὐκ ἔστιν Ζυ37. 621 ᵃ1. ὐκ ἔστι σῦς ἄγριος ἐν Λιβύῃ πάσῃ Ζιθ28. 606 ᵃ7 (cf Herod IV 192). ἐν Μακεδονία τὺς σῦς εἶναι μώνυχας θ68. 835 ᵃ35. συῶν ἡ περὶ τὰ ἀφροδίσια ἕξις φ4. 808 ᵇ36. 6. 812 ᵇ28. — συός vl, ὑός Bk Ζμγ1. 662 ᵇ14.

σύσκιοι τόποι, σύσκια ἄλση Ζιζ28. 578 ᵃ27. ε30. 556 ᵃ25.

συσπᾶν. οἱ φοβύμενοι συσπῶσι τὰ αἰδοῖα, opp ἀνίεσθαι πκζ11. 949 ᵃ9, 11. 7. 948 ᵃ10. συσπᾶσαι τὸ δέρμα πη12. 888 ᵃ39. νόσος διὰ φλεγμασίαν συσπάσασα (τὴν ὑστέραν) Ζικ2. 635 ᵃ4. ἡ γλῶττα συσπᾶται Ζιβ17. 508 ᵃ21. συσπᾶται (ἡ κεφαλή) πάλιν εἰς τὸ ἐντὸς Ζιδ4. 528 ᵇ27 (sed fort συσπᾶται pro med accipiendum et τὴν κεφαλὴν intelligendum est). πτερῶν συσπωμένων Ζιε20. 553 ᵃ14. ὦμοι δύσλυτοι συνεσπασμένοι φ6. 811 ᵃ4.

σύσπασις. ἡ ὑλότης σύσπασις δι' ἔνδειαν τῦ ὑγρῦ Ζγε3. 782 ᵇ18.

συσπειρᾶν. μέλιτται περὶ τὸν βασιλέα συνεσπειραμέναι Ζυ40. 625 ᵇ8 (Lob Phryn 204).

συσσάττει ὥστε πυκνῦσθαι πκε8. 938 ᵇ28; inde scribendum συσσάττῃ πη21. 889 ᵇ1, ubi συντάττῃ e codd exhibet Bk.

συσσείειν. τὰ μὲν (τῆς τροφῆς) συσσείεται κάτω πλζ6. 966 ᵇ12.

συσσήπειν ᾳ πέττειν τὴν τροφήν Ζμγ14. 675 ᵃ13.

σύσσηψις. φύονται ᾳ τἆλλα τὰ ὀστρακόδερμα ἐξ ἰλύος ᾳ συσσήψεως (vl σήψεως) Ζιε15. 546 ᵇ24. cf Ζγγ11. 762 ᵃ28.

συσσιτεῖν μετ' ἀλλήλων Πζ2. 1317 ᵇ38.

συσσίτια (Cretensium, Laced, Ital, Plat) Πβ5. 1263 ᵇ41. 6. 1265 ᵇ41. 9. 1271 ᵃ33, 35. 10. 1272 ᵃ1, 12, 20, 26. 11. 1272 ᵇ34. θ9. 1274 ᵇ27. η10. 1329 ᵇ5. συσσίτια τὰ καλύμενα φιδίτια Πβ9. 1271 ᵃ26. 11. 1272 ᵇ34. συσσίτια τῶν γυναικῶν Πβ6. 1265 ᵃ8. 7. 1266 ᵃ35. 12. 1274 ᵇ11. συσσίτια τῶν ἱερέων, τῶν ἀρχείων Πη12. 1331 ᵇ5, ᵃ25. περὶ συσσιτίων Πη10. 1330 ᵃ3-13. μερίζειν τὴν πόλιν εἰς συσσίτια, εἰς φρατρίας ᾳ φυλὰς Πβ5. 1264 ᵃ8. μήτε συσσίτια ἐὰν μήτε ἑταιρίαν Πε11. 1313 ᵃ41.

σύσσιτοι ᾳ συνημερευταὶ Πε11. 1314 ᵃ10.

συσσωματοποιεῖται τὰ εἰσιόντα πνεύματα κ4. 396 ᵃ14.

σύστασι δὲς συνίσταται συστάδες Πη11. 1330 ᵇ29.

σύστασις eandem habet varietatem usus ac συνίστασθαι (cf h v) et in quolibet genere vel ipsam actionem et formam τῦ συνίστασθαι significat, vel eam rem quae ἐκ τῦ συνίστασθαι concreta est. ὑγρὸν κατὰ σύστασιν φερόμενον κ4. 394 ᵃ24. σύστασις ἀνώμαλος, πυκνοτέρα τῶν νεφῶν μγ6. 377 ᵇ5. β9. 369 ᵃ16, 18. σύστασις ἰσχυρά πκϛ8. 941 ᵃ5, 15. 59. 947 ᵃ27, ταχεῖα μα5. 342 ᵇ14. διαλύειν τὰς συστάσεις (ἱ ε τὰ συνεστῶτα), σύστασις πυρώδης, συστάσεις τῶν ὅρων λιθώδεις sim μα3. 340 ᵃ30. 4. 341 ᵇ3. 7. 344 ᵇ18. 8. 345 ᵇ34, 346 ᵃ13. 10. 347 ᵃ35. 14. 352 ᵇ10. 5 γ3. 373 ᵃ28. χ3. 793 ᵃ22. οἱ πλάττοντες ἐκ πηλῦ ζῷον ἤ τινος ἄλλης ὑγρᾶς συστάσεως Ζμβ9. 654 ᵇ30. — τῶν στοιχείων συνιόντων ὐχ ἡ τυχῦσα τάξις γίγνεται χ σύστασις Θα10. 280 ᵃ17, 25. ἡ τῶν ὅλων σύστασις κ5. 396 ᵇ23. κατὰ φυσικὴν σύστασιν, ἡ κατὰ φύσιν σύστασις Κ8. 10 9 ᵇ18, 22. τῶν κατὰ φύσιν συνεστώτων ἢ ταῦτά ἐστι μόρια τῆς ὅλης συστάσεως Πη8. 1328 ᵃ23. τὸ μὲν ὕλη τὸ δ᾽ ὐσία τῆς συστάσεώς ἐστι Οβ13. 293 ᵇ15. σώματος ὐσία τις ἄλλη παρὰ τὰς ἐνταῦθα συστάσεις Θα2. 269 ᵃ31. ἐν ταῖς ἐξ ἀρχῆς συστάσεσι τὰ βηγενῆ Φβ8. 199 ᵇ5. — fre- 15 quens nominis σύστασις usus in describenda animalium natura. ἡ πρώτη σύστασις τῶν μορίων Ζγβ6. 744 ᵇ28, 745 ᵇ4. 7. 746 ᵇ35. Ζμγ4. 665 ᵇ9. δευτέρα σύστασις ἐκ τῶν πρώτων ἢ τῶν ὁμοιομερῶν φύσις ἐν τοῖς ζῴοις ἐστίν, οἷον ὀστῦ χ σαρκὸς χ τῶν ἄλλων τῶν τοιύτων· τρίτη δὲ 20 χ τελευταία κατ᾽ ἀριθμὸν ἡ τῶν ἀνομοιομερῶν, οἷον προσώπυ χ χειρὸς χ τῶν τοιύτων, syn σύνθεσις Ζμβ1. 646 ᵃ20, cf 12, ᵇ9. σύστασις μαλακὴ χ μυξώδης, ὑγιεινή, σαρκώδης χ αἱματώδης Ζμβ9. 655 ᵃ37. δ᾽2. 677 ᵃ19. 3. 677 ᵇ28. ὑγρὰ χ θερμή, γεοειδὴς χ ὑγρά, γεωδεστέρα Ζγα20. 25 728 ᵇ16. 23. 731 ᵇ13. Ζμβ9. 655 ᵇ15. αὐτομάτη, ὁμοειδής Ζγγ11. 761 ᵇ26, 762 ᵇ19. ἡ σύστασις τῆς γενέσεως Ζιθ2. 590 ᵃ9, τῶν ζῴων Ζμγ7. 670 ᵃ19. Ζγδ1. 766 ᵃ24. ἡ ἐξ ἀρχῆς τῶν ζῴων σύστασις αν21. 480 ᵃ20. κτένες ἐν τοῖς ἀμμώδεσι λαμβάνει τὴν σύστασιν Ζιε15. 547 ᵇ14. ὅμοια 30 τὸ χρῶμα χ τὴν σύστασιν Ζιδ2. 527 ᵃ23. σύστασις σώματος, ὄρχεων Ζγα20. 728 ᵇ16. γ1. 751 ᵇ4. α4. 717 ᵃ15, χόνδρυ, ἥπατος Ζμβ9. 655 ᵃ37. δ᾽2. 677 ᵃ19, καταμηνίων, κυημάτων Ζγα19. 727 ᵇ32. 20. 729 ᵃ22. γ1. 750 ᵇ10. τῦ ὀργάνυ αν19. 479 ᵇ15. ἡ σύστασις (τῶν ᾠῶν) Ζιε19. 553 35 ᵃ7, τῶν φυτῶν Ζγγ11. 762 ᵇ19. ἡ ἐξ ἀρχῆς σύστασις Ζιθ2. 590 ᵃ2. Ζγγ7. 757 ᵃ27, 762 ᵃ7. ἡ τῶν ζῴων τὸ περίττωμα τῆς συστάσεως τροφή ἐστιν· ἡ ἐξ ἀρχῆς τάξις τῆς συστάσεως Ζγβ4. 740 ᵇ8. δ8. 776 ᵇ5. ἡ ἐν τῷ κάτω μορίῳ σύστασις· τελευταῖα ταῦτα (ὄνυχες, ὁπλαί) 40 λαμβάνει τὴν σύστασιν· τὰ ἐν αὐτῇ τῇ συστάσει τὴν διαφορὰν λαμβάνοντα Ζγγ11. 763 ᵃ14. β6. 744 ᵇ26. ε1. 778 ᵇ15. ἡ σύστασις τῶν ζῴων ἐκ τοιύτων συνέστηχεν Οβ6. 288 ᵇ12. cf Vhl Poet I 33. ἐνδέχεται μὴ κάεσθαι συστάσεις τινὰς ζῴων Ζιε19. 552 ᵇ15. τὰ πολυτόκα τῶν ζῴων 45 εὐθὺς ἀφίησι τὸ μὲν ἄλλο δυναάμενον πλείω συνίστασθαι μεριζόμενον, τὸ δὲ θῆλυ τοσῦτον ὥστε πλείυς γίνεσθαι συστάσεις Ζγδ4. 772 ᵃ21. τὰ ὀστρακόδερμα συνίσταται χ γεννᾶται ἐκ τινος συστάσεως γεοειδῦς χ ὑγρᾶς· ἡ τῶν ὀστρακοδέρμων φύσις ἀπὸ συστάσεως αὐτομάτης· ἐκ τῆς τοιαύτης 50 συστάσεως ἡ τῶν ὀστρακοδέρμων γίνεται φύσις Ζγα3. 731 ᵇ13. γ11. 761 ᵇ26, 762 ᵃ28, syn σύσσηψις Ζιε15. 546 ᵇ24. (τῶν ἐντόμων) τὰ γιγνόμενα αὐτόματα ἐκ τοιαύτης γίγνεται πρώτον συστάσεως Ζγγ9. 758 ᵇ8. αἱ μεγάλαι συστάσεις τῶν ζῴων χ τῶν ἄλλων Ζγδ10. 777 ᵇ11. 55 ξηραὶ συστάσεις ἐν τῇ κύστει Ζιγ15. 519 ᵇ19. πλείω, δύο ἐξ ἑνὸς γίνονται συστάσεις ἔχυσαι τὴν αὐτὴν κίνησιν· ἀθροίζεσθαί τινα σύστασιν εἰς τὸν ὑστερικὸν τόπον Ζγδ4. 772 ᵃ21, ᵇ20. β4. 738 ᵇ7. ἡ τρῖψις κωλύει συστάσεις γίνεσθαι κατὰ τὸ σῶμα πλζ3. 966 ᵃ8. — ἐξ ὧν φύσει ἡ σύστασις 60 τῆς πόλεως Πδ11. 1295 ᵇ28. η13. 1332 ᵃ30. — ἡ σύ-

στασις τῦ μύθυ, τῶν πραγμάτων πο10. 1452 ᵃ18. 6. 1450 ᵃ15. 14. 1453 ᵇ2. Vhl Poet I 33. ποίαν δεῖ εἶναι τὴν σύστασιν τῶν πραγμάτων πο7. ἡ καλλίστη τραγῳδία ἐκ ταύτης τῆς συστάσεώς ἐστιν πο13. 1453 ᵃ23. ἔχειν διπλὴν τὴν σύστασιν πο13. 1453 ᵃ31. συστάσεις ἐλάττης, τῆς συστάσεως τὸ μῆκος, σύστασις μακρά πο24. 1459 ᵇ21, 17, 1460 ᵃ3. — ὅπυ πολὺ τὸ μέσον, ἥκιστα συστάσεις (στάσεις Bk¹) χ διαστάσεις γίνονται τῶν πολιτειῶν Πδ11. 1296 ᵃ8. — σύστασις in canendo πιθ4. 917 ᵇ37.

συστέλλειν. 1. συνάγει ἑαυτὸν χ συστέλλει ὁ ὄφις Ζιθ4. 10 594 ᵃ19. ζ12. 567 ᵃ8. συστέλλειν, opp προωθεῖν μβ8. 368 ᵇ3. συστέλλειν χ προβάλλειν τὴν γλῶτταν Ζμβ17. 660 ᵃ23. γλῶττα συστέλλεται εἰς ἑαυτήν Ζιβ12. 504 ᵃ16. ῥᾳδίως αὑτὸν συστέλλειν, coni μαλακότης ακ800 ᵇ19. συστέλλεσθαι, opp ἐκτείνεσθαι ακ800 ᵃ4, opp αὐξάνεσθαι Ζκ7. 15 701 ᵇ15. συγχωρεῖ ὁ ἀὴρ χ συστέλλεται πκε2. 940 ᵃ6. cf Ζκ10. 703 ᵃ22. συστέλλεται (συνεσταλμένον) εἴσω τὸ θερμὸν πα29. 863 ᵃ3, 862 ᵇ33. 25. 862 ᵃ36. β33. 869 ᵇ33. κζ1. 947 ᵇ2. 9. 948 ᵇ34. λγ15. 963 ᵃ22. τὸ θερμὸν ὑποφεῦγον χ συστελλόμενον αν20. 479 ᵇ24. ἰχθὺς συστέλλεσθαι κατὰ γῆς θ73. 835 ᵇ18. — 2. ὅταν ἐπὶ τὸ ταπεινότερον συστέλλωμεν ρ3. 1423 ᵇ24. συστελλόμενοι, syn φοβύμενοι πχ11. 949 ᵃ17, 9, 11.

συστένειν. γύναια τοῖς συστένῆσι χαίρυσι Ηι11. 1171 ᵇ10.

σύστημα. cf σύστασις, Vhl Poet I 33. τὸ ἐκ πάντων τῶν ᾠῶν σύστημα (cf πολλὰ συνεράσας τις ᾠὰ εἰς κύστιν) Ζγγ1. 752 ᵃ7. cf 4 et Ζιζ2. 560 ᵃ31. syn σύστασις: ἀρχὴ τῦ ζῴυ χ τῦ συστήματος· τὰ ἐν αὐτῷ ζῳοσκύντα τρόπον τινὰ μετὰ τὸ σύστημα τὸ ἐξ ἀρχῆς ᾠοειδὲς γίνεται Ζγβ4. 740 ᵃ20. γ9. 758 ᵇ3. πόλις χ πᾶν ἄλλο σύστημα Η8. 1168 ᵇ32. — μὴ ποιεῖν ἐποποιικὸν σύστημα τραγῳδίαν πο18. 1456 ᵃ11.

συστοιχία, series notionum, quae eodem genere continen- tur, sive ita ut altera earum notionum alteri subiecta sit, ἐκ τῆς αὐτῆς συστοιχίας, ἐξ ἑτέρας συστοιχίας Αβ21. 66 ᵇ27, 35 (Wz ad 66 ᵇ19). γ15. 79 ᵇ7, 8. 17. 80 ᵇ27, 81 ᵃ21. 29. 87 ᵇ6, 14. αἱ συστοιχίαι ἐπαλλάττυσιν (duae series ita comparatae sunt, ut altera cum altera aliquid commune habeat) Αγ15. 79 ᵇ7, 11 Wz, sive ita ut eundem in hoc genere teneant ordinem, ἐν τῇ αὐτῇ συστοιχίᾳ πάντα τὰ ἐναντία τῆς κατηγορίας, ὅσα εἰδει διάφορα χ μὴ γένει Μι8. 1058 ᵃ13. 3. 1054 ᵇ35 Bz. omnino series notionum, quae aliquo modo inter se cognatae sunt, veluti τὰ δίκαια, ὁ δίκαιος, ἡ δικαιοσύνη sim τβ9. 114 ᵃ26-ᵇ25, cf σύστοιχος, πτῶσις. Trdlbg Kat 28. ac Pythagorei quidem notiones quasdam primarias in duas distinxerant series, quarum altera ad πέρας, altera ad τὸ ἄπειρον referretur ΜΑ5. 986 ᵃ23 Bz. ν6. 1093 ᵇ12 Bz. Ηα4. 1096 ᵇ6. ηεη12. 1245 ᵃ2 (Rothenbücher Syst d Pythag p 61). similiter Aristo- teles notiones quasdam primarias in duas disposuit series, quarum altera complecteretur τὸ καταφάσει δηλύμενα, altera τὰ ἀποφάσει vel στερήσει δηλύμενα: τῶν ἐναντίων ἡ ἑτέρα συστοιχία στέρησις Μγ2. 1004 ᵇ27 Bz. κ9. 1066 ᵃ15. Φγ2. 201 ᵇ25. γένεσις κατὰ τὰ ἐν τῇ ἑτέρᾳ συστοι- χίᾳ λέγεται, opp φθορά Γα3. 319 ᵃ15. διήρηται τῶν ἐναν- τίων ἕκαστον πρὸς τὴν συγγενῆ συστοιχίαν Ζμγ7. 670 ᵇ21. νοητὴ ἡ ἑτέρα συστοιχία καθ᾽ αὑτήν (nimirum τὰ κατα- φάσει δηλύμενα, quoniam τὰ ἀποφάσει δηλύμενα necessa- rio ad κατάφασιν referuntur) Μλ7. 1072 ᵃ31 Bz. λαμ- βάνειν ἐκ τῆς αὐτῆς συστοιχίας Φα5. 189 ᵃ1.

σύστοιχος. σύστοιχα ea sunt, quae in eadem serie (cf κατὰ

στοῖχον Γα8. 324 ᵇ31) continentur, opp ἀντίστοιχα: τάς τε
ἀντιστοίχης κ̣ τὰς συστοίχης τῶν ἐν τοῖς μέρεσι κινήσεως ἀρ-
χάς Ζπ6. 707ᵃ11. inde σύστοιχα quae eodem genere conti-
nentur τὸ α ἐν ὅλῳ ἐστὶ τῷ θ συστοίχῳ ὄντι Αγ15. 79ᵇ10,
et omnino quae aliqua generis vel analogiae ratione inter
se connexa sunt, τὰ ἁπλᾶ σώματα, οἷον πῦρ κ̣ γῆν κ̣ τὰ σύ-
στοιχα τύτοις (τύτων) Ογ1. 298 ᵃ30. 3. 302 ᵃ29. Γαl. 315
ᵃ21. μα3. 340 ᵃ5. ὡς δ' αὕτως ἑαυταῖς κρίνυσι τὰ σύστοιχα,
οἷον ὡς ἡ γεῦσις τὸ γλυκύ, ὕτως ἡ ὄψις τὸ λευκὸν αιτ. 447
ᵇ30. τὸ γλυκὺ κ̣ τὸ λευκὸν καλῶ σύστοιχα, γένει δ' ἕτερα
αιτ. 448 ᵃ16. διῄρηται τῶν ἐναντίων ἕκαστον πρὸς τὴν συγ-
γενῆ συστοιχίαν, οἷον δεξιὸν ἐναντίον ἀριστερῷ κ̣ θερμὸν
ἐναντίον ψυχρῷ· κ̣ σύστοιχα γὰρ ἀλλήλοις εἰσὶ τὸν εἰρη-
μένον τρόπον Ζμγ7. 670 ᵇ22. opp ἐναντία τζ9. 147 ᵃ22.
σύστοιχα, coni πτώσεις, cf πτῶσις p 658ᵇ59. σύστοιχα i q
πτώσεις τθ1. 156 ᵃ28. — σύστοιχός τινι Ογ1. 298 ᵃ30. 3.
302 ᵃ29. Ζμγ7. 670 ᵇ22, τινός Γαl. 315 ᵃ21. τβ9. 114
ᵃ30 Wz. — συστοίχως. διαφέρει τὰ συστοίχως μὲν λεγό-
μενα ἐν ἄλλῳ δὲ γένει τῶν ἐν ταὐτῷ γένει αιτ. 448 ᵃ14.

συστομώτερα, opp μεγαλόστομα Ζμγ1. 662 ᵃ24, 26.
συστρατιῶται Ηθ11. 1159 ᵇ28, 1160 ᵃ16.
σύστρεμμα. ὄμβρων συνεχῆ συστρέμματα κ4. 394 ᵃ32.
συστρεμμάτιον ὕδατος θ29. 832 ᵇ4 (σύστημά τι ci Schrö-
der J Jahrb 97, 218).
συστρέφειν. οἱ δελφῖνες συστρέψαντες ἑαυτὸς φέρονται ὥσπερ
τόξευμα Ζιι48. 631 ᵃ27, 32, cf συστρέφεσθαι Ζιζ15. 569
ᵇ18 Aub. (ὁ ἄρρην ἵππος) συστρέψας εἰς ταὐτὸ (int
τὰς θηλείας ἵππας) κ̣ περιδραμὼν κύκλῳ Ζιζ18. 572 ᵇ18
(cf S II 437). συστρέφειν τὰς τὰς ὖσας ἔχοντας, syn συν-
άγειν Πε5. 1304 ᵇ23. ἄνθρωπαι συστραφεῖσαι· συστρέφονται
αἱ ἅμιαι Ζιι42. 629 ᵃ19. 37. 621 ᵃ16. νέφος ἐστὶ πάχος
ἀτμῶδες συνεστραμμένον Ζιγ22. 523 ᵃ24. ἡ ἀναθυμίασις εἰς τὴν
φλόγα συνεστραμμένη φέρεται μβ9. 369 ᵃ34. νότοι κυμα-
τοειδεῖς κ̣ συνεστραμμένοι πκς16. 942ᵃ7. — ἐκ τῶν τοι-
ύτων σύστωμον τὰ πλήθη συστρέφεται ρ3. 1424 ᵇ9. — rhet,
τὰ ἐνθυμήματα συστρέφειν δεῖ Ργ18. 1419 ᵃ19. — συν-
εστραμμένως εἰπεῖν Ρβ24. 1401 ᵃ5.
συστροφή. διαφέρειν τῇ συστροφῇ πλθ7. 964 ᵃ18.
συσφίγγει τὴν χιόνα ἀὴρ φτβ3. 825 ᵃ7. εἰ συσσφιγχθῇ ἡ
γῆ φτβ6. 826 ᵇ15.
συσχηματίζειν ἡ συνδιορθῶν τὰς ἀσαφεῖς ὁρισμὸς πρὸς τὸ
ἔχειν ἐπιχείρημα τζ14. 151 ᵇ8.
συχναῖς φτβ2. 823 ᵃ20.
συχνός. κ̣ ἕτεροι συχνοὶ τῶν γνωρίμων πλ1. 953 ᵃ28. —
συχνὸν ἀποπτας, opp ἐκ τῶν συνεγγυς τόπων Ζιζ32. 619ᵃ32.
σφαγή, κοινὸν κατρος αὐχένος κ̣ στήθος Ζιαl4. 493 ᵇ7. σφα-
γαί. (φλέβες) ἄνω εἰς τὴν κεφαλὴν παρὰ τὰς κλείδας διὰ
τῶν σφαγῶν Ζιγ2. 511 ᵇ35, 512 ᵃ20, 27 (cf ΑΖι II tab II).
σφαγῖτις. αἱ ἀρχαὶ τύτων τῶν φλεβῶν, ἢ σχίζονται τὸ
πρῶτον, καλῦνται σφαγίτιδες Ζιγ3. 514 ᵃ4, cf 512 ᵇ20.
'venae anonymae' Aub.
σφάζειν, cf σφάττειν. φρονίμως δοκεῖ ἡ γαλῆ χειρῦσθαι
τὰς ὄρνιθας· σφάζει γὰρ ὥσπερ οἱ λύκοι τὰ πρόβατα Ζιι6.
612 ᵇ2.
σφαῖρα. ἐκ τῦ κηρῦ κ̣ τῦ εἴδυς ἡ σφαῖρα Ζγα21. 729 ᵇ17.
σφαίρας σχῆμα τὸ ἴσον ἀπέχειν τῦ μέσυ τὸ ἔσχατον Οβ14.
297 ᵃ25. ἑκάστη σφαῖρα σῶμα τυγχάνει ὂν Οβ12. 293 ᵃ8.
ἡ σφαῖρα πρῶτον τῶν στερεῶν σωμάτων Οβ4. 285 ᵇ4-33.
ἐκ ἔστι σφαῖρα ἄπειρος Οα5. 272 ᵇ20. ἡ σφαῖρα πῶς κι-
νεῖται ἅμα κ̣ ἠρεμεῖ Φθ9. 265 ᵇ2. ζ9. 240 ᵃ29. ἡ σφαῖρα

πρὸς τὴν ἐν τῷ αὐτῷ κίνησιν χρησιμώτατον, πρὸς δὲ τὴν
εἰς τὸ πρόσθεν ἀχρηστότατον Οβ8. 290 ᵇ2. 11. 291 ᵇ16. ἡ
ἀνακλασθεῖσα σφαῖρα Φθ4. 255 ᵇ28. τὸ πῦρ σφαῖραν ἢ
πυραμίδα ἐποίησαν Ογ8. 306 ᵇ33. 4. 303 ᵃ14. ἡ σφαῖρα ἐξ
ὀκτὼ μορίων Ογ4. 303 ᵇ1 Prtl. ἡ περὶ τὴν γῆν σφαῖρα ἡ
τῦ ἀέρος, τῦ πυρός, τῦ κυκλικῦ σώματος, τῦ ὅλη σφαῖρα
μα4. 341 ᵇ20. β2. 354 ᵇ24. Οβ7. 289 ᵃ30. Φδ10. 218
ᵇ6, 1. τῆς ὅλης σφαίρας τὸ μὲν ἄνω τὸ δὲ κάτω μβ7.
365 ᵃ23. αἱ τῶν ἄστρων σφαῖραι πόσαι, πῶς κείμεναι
Μλ8 Bz. Οβ4. 287 ᵃ9. 12. 293 ᵃ7. νικᾷ ἐνίοτε (ὄρεξις) κ̣
κινεῖ τὴν βύλησιν, ὁτὲ δ' ἐκείνη ταύτην, ὥσπερ σφαῖρα
ψγ11. 434 ᵃ13 (? Trdlbg p 541 sqq). σφαῖρα fort machi-
nam vel tabulam pictam coeli significat μα8. 346 ᵃ33. —
σφαῖρα τῦ ὀφθαλμῦ πλα7. 958 ᵃ7. — σφαῖρα ἢ λήκυθος
δῶρα παιδικὰ Ηδ5. 1123 ᵃ15. ἠχὼ γίνεται ὅταν πάλιν ὁ
ἀὴρ ἀπωσθῇ ὥσπερ σφαῖρα ψβ8. 419 ᵇ27. — ἀνέλκυσι
πολλάκις ἐπ' ἀλιεῖς περὶ τὸ δέλεαρ ὥσπερ σφαῖραν συνεχο-
μένων (ἰχθύων) Ζιὸ10. 537 ᵃ11. — ἡ τῆς ἀκανθυλλίδος
νεοττιὰ πέπλεκται ὥσπερ σφαῖρα λινῆ Ζιι13. 616 ᵃ5 Aub.
— ἡ (τῆς ἀλκυόνος) νεοττιὰ παρομοία ταῖς σφαίραις ταῖς
θαλαττίαις Ζιι14. 616 ᵃ20 Aub.

σφαιρικῶς. πέντε στοιχεῖα ἐν πέντε χώραις σφαιρικῶς ἐγκεί-
μενα κ3. 393 ᵃ1.
σφαιρίον. τὰ Δημοκρίτυ σφαιρία ψα4. 409 ᵃ12.
σφαῖρισις. ἀστραγαλίσεις κ̣ σφαιρίσεις Ρα11. 1371 ᵃ2.
σφαιροειδής, def ξ4. 978 ᵃ23. 3. 977 ᵇ1. ἡ γῆ κυρτὴ κ̣
σφαιροειδής τβ7. 365 ᵃ31. α3. 340 ᵇ36. Φβ2. 193 ᵇ30.
πιε4. 911 ᵃ9. ὁ ἥλιος, ἡ σελήνη, τὰ ἄστρα σφαιροειδῆ Αγ13.
78 ᵇ4sqq. Οβ8. 290 ᵃ7. πιε8. 912 ᵃ28. σφαιροειδὴς ὁ ὑρα-
νός, ὁ κόσμος Οβ4. 286 ᵇ10. Φβ2. 193 ᵇ30. ὁ ἐχῖνος
σφαιροειδὴς· τὰ ὀστρακόδερμα σφαιροειδῆ· (τῶν πολυπό-
δων) ἡ μορφὴ στρογγύλη τὴν ἰδέαν κ̣ σφαιροειδὴς Ζμδ5.
680 ᵇ9, 11, 17. 7. 683 ᵇ13. Ζγγ8. 758 ᵃ9. ὀφθαλμοὶ με-
γάλοι κ̣ σφαιροειδεῖς Ζιζ13. 567 ᵇ30 Aub. — τῦ σφαιρο-
ειδῦς δύο κινήσεις, κύλισις κ̣ δίνησις Οβ8. 290 ᵃ9. τὸ πῦρ,
ἡ ψυχὴ σφαιροειδές, εὐκινητότατον (Democr) ψα2. 404 ᵃ2,
6, 405 ᵃ12. αν4. 472 ᵃ5.
σφαιρῦν. ἐσφαιρῦσθαι τὸ δόρυ Ηγ2. 1111 ᵃ13.
σφαίρωμα μχ20. 853 ᵇ32.
σφακελίζειν. ψιλύμενα τὰ ὀστᾶ τῶν ὑμένων σφακελίζει
Ζιγ13. 519 ᵇ6. λέγεται σφακελίζειν κ̣ ἀστρόβλητα γίνεσθαι
τὰ δένδρα ζ6. 470 ᵃ31.
σφακελισμός. σφακελισμῦ τί τὸ αἴτιον· πρόβατα διὰ τὸν
σφακελισμὸν ταχέως ἀναιρῦνται Ζμγ9. 672 ᵃ33, ᵇ4. ποιεῖν
σφακελισμύς· σφακελισμὸς γινόμενος ὑπὸ τῆς ξηρᾶς ψυ-
χρότητος πκ10. 860 ᵇ5. 9. 860 ᵃ19.
σφάλλεσθαι. σώματι ἰσχυρῷ ἄνευ ὄψεως κινυμένῳ συμ-
βαίνει σφάλλεσθαι ἰσχυρῶς Ηζ13. 1144 ᵇ11. ἡ γλῶττα
σφαλλομένη πταίει πγ31. 875 ᵇ21. — ἐὰν τῶν ὀρνίθων τὰ
πτερύγια σφαλῇ, ὑκέτι πέτονται Ζμδ12. 694 ᵇ11.
σφᾶς. παρέχυσι σφᾶς αὐτὰς τοῖς ἄρρεσι Ηκ6. 1176 ᵇ15. στατι-
άσαι πρὸς σφᾶς αὐτύς ρ3. 1425 ᵇ15.
σφάττειν ἑαυτὸν δι' ὀργήν Ηε15. 1138 ᵃ10.
σφενδονᾶν. ἐν τῷ σφενδονᾶν ἡ χεὶρ γίνεται κέντρον μχ12.
852 ᵇ7. οἱ Λίγυες ἐν σφενδονῶσιν θ90. 837 ᵇ16.
σφενδόνη. 1. πορρωτέρω τὰ βέλη φέρεται ἀπὸ τῆς σφεν-
δόνης ἢ ἀπὸ τῆς χειρός μχ12. 852 ᵃ38. cf αχ800 ᵇ13. —
2. δακτύλιοι μὴ ἔχοντες σφενδόνην Φγ6. 207 ᵃ3.
σφετερίζεσθαί τι τῶν ἀλλοτρίων πκθ14. 952 ᵃ29.
σφετερισμός. ἐπὶ βλάβῃ ἡ σφετερισμῷ ἑαυτῦ Ρα13. 1374
ᵃ16.

Aaaaa

σφετεριστής, opp ἐπίτροπος Πε11. 1315 ᵇ2.

σφέτερος. τοῖς σφετέροις τέκνοις, τὸς σφετέρυς υἱεῖς Ηϰ10. 1180 ᵃ31, 1181 ᵃ5. σφετέρας τῆς χώρας Πε3. 1303 ᵃ32. τὰ ζῷα εἰς τὰ σφέτερα ἤδη διεξερπύσει ϰ6. 398 ᵇ33. ἑκατέρων τὸ σφέτερον αὐξανόντων Πε7. 1307 ᵃ22. πρὸς τὸ σφέτερον αὐτῶν συμφέρον Πδ11. 1296 ᵃ36. 10. 1295ᵃ21. γ6. 1279 ᵃ19.

σφηϰία. τὰς σφηϰίας ἐξαιρῶσι Ζυ40. 626 ᵃ12.

σφηϰίον. σφηϰία πλεῖστα ϰ μέγιστα, πολλὰ ϰ μεγάλα, μιϰρὰ ϰ ὀλίγα, ἄνω ἐπὶ τῶ σφηϰίῳ ἐπιπολῆς, ϰάθηνται ἐν τοῖς σφηϰίοις, ἐν τοῖς πλείστοις σφηϰίοις ἔνεισιν αἱ μήτραι Ζυ41. 628 ᵃ17, ᵇ24, 25, ᵃ19, 33, 35. cf S II 224.

σφηϰίσϰος. τοῖς διϰαστηρίοις χρῶμα ἐπιγέγραπται ἐφ' ἑϰάστῳ ἐπὶ σφηϰίσϰῳ τῆς εἰσόδα f 420. 1548 ᵃ16.

σφηϰών, v σφηϰωνεύς.

σφηϰωνεύς. οἱ ἡγεμόνες (σφῆϰες) πλάττονται τὰ ϰηρία ϰ συνίστανται ὥς ϰαλῶσι σφηϰωνεῖς (σφηϰῶνας ci) τῶς μιϰρῶς Ζυ41. 628 ᵃ13.

σφήν. τῷ σφηνὶ ὄντι μιϰρῷ μεγάλα βάρη δύσταται μχ17. 853 ᵃ19.

σφηνῶν. τὸ σφηνύμενον, dist σφήν μχ17. 853 ᵃ27.

σφήξ (v l σφῆγξ Ζια1. 487 ᵃ32, 488 ᵃ10. 4. 489 ᵃ32). refertur inter τὰ ζῷα πολιτιϰά, ἄναιμα Ζια1. 488 ᵃ10. 4. 489 ᵃ32. ἔντομα. ἔντομα ϰ πτερωτά ζ2. 468 ᵃ26. Ζια1. 487 ᵃ32. δ1. 523 ᵇ19. 7. 532 ᵃ16. ι38. 622 ᵇ21. Ζγα16. 25 721 ᵃ5, ὀλόπτερα, ἀνέλυτρα, ὅσα βομβεῖ υ2. 456 ᵃ14. Ζπ10. 710 ᵃ11. αν9. 475 ᵃ6, τὰ συγγενῆ ζῷα ταῖς μελίτταις Ζγγ10. 761 ᵃ3. cf Ζιδ7. 531 ᵇ23. ι38. 622 ᵇ22. 40. 623 ᵇ6, 7 (cf Bk Anecd gr I 404). ἔχυσιν ἐν ἑαυτοῖς τὰ ϰέντρα Ζμδ6. 683 ᵃ9. Ζιδ7. 532 ᵃ16. cf θ140. 844 ᵇ34. 30 operariae: οἱ ἐργάται, οἱ ἐργάται σφῆϰες, οἱ σφῆϰες Ζυ41. 628 ᵃ22, 23, 25, 28. 31 (S II 222). ἡγεμόνες, ἡγεμόνες περυσινοὶ et νέοι Ζιε23. 554 ᵇ23. ι41. 628 ᵃ11, 22, 24, 26, μήτρα. πλῆθος μητρῶν Ζυ41. 628 ᵃ30, 35, ᵇ25, 27. ἡ γένεσις τῶν σφηϰῶν· ὠμμένοι εἰσὶν ὀχευόμενοι ἤδη· συνδιάζεται ϰ ἡ γένεσις αὐτῶν ἐστὶν ἐϰ ζῴων συνιωνύμων Ζυ41. 628 ᵃ11, ᵇ14. Ζγα16. 721 ᵃ5. ἐν ϰεχωρισμένοις ϰυτταρίοις ὁ τόϰος Ζγδ3. 770 ᵃ28. γόνος Ζιε23. 554 ᵇ30, 555 ᵃ2. ι41. 628 ᵇ17. (syn σφῆϰες, οἱ νέοι σφῆϰες Ζυ41. 628 ᵃ14, 18, 27.) σϰώληϰες, νέοι, μείζως Ζγγ9. 759 ᵃ1, 758 ᵇ32, 18. 40 Ζιε23. 555 ᵃ4. 19. 551 ᵃ30. ι41. 628 ᵃ19. νύμφαι Ζιε23. 555 ᵃ3, 5. τῶν σφηϰῶν οἱ μὲν ἄϰεντροι, θήλειαι, οἱ δὲ ϰέντρον ἔχυσιν, ἄρρενες· τεϰμήριον τύτω· quid de eorum aculeo quidam opinentur Ζυ41. 628 ᵇ3, 6, 7. 42. 629 ᵃ25. γῆρας, πάθος Ζυ41. 628 ᵃ28, 30. — ζῷα ἐργατιϰώτατα Ζυ38. 45 622 ᵇ21. γίνονται μᾶλλον ἐν ταῖς αὐχμοῖς ϰ ἐν ταῖς χωραις ταῖς τραχείαις Ζυ41. 628 ᵇ9. ποιῶσι ϰηρία τῷ γόνῳ ἐν τρωγλαις, ὑπὸ γῆν, πότε· γίνονται ὑπὸ γῆν· γλαφυρώτερον πολλῷ τὸ τῶν ἀνθρηνῶν ἐστιν ἢ τὸ τῶν σφηϰῶν ϰηρίον Ζιε23. 554 ᵇ22, 25, 29. ι41. 628 ᵇ10. ϰηρία Ζυ41. 628 50 ᵃ12, ᵇ11. σπηλαῖα Ζυ41. 628 ᵇ23. ἡ σφηϰία τὸ σφηϰίον v h v. ζῇ ϰ τὴν τροφὴν ἔχει ἐν τῇ γῇ· ἡ τροφή, ποῖα· συλλέγυσιν, ἐσθίυσι Ζια1. 487 ᵃ32. ι41. 628 ᵇ12, 26. θ140. 844 ᵇ32. ϰ οἱ σφῆϰες διαιρεθέντες ζῶσι· vespae apes impugnant· πῶ Ζιδ7. 531 ᵇ32. ι40. 626 ᵃ8, 14, 55 627 ᵇ5. 41. 628 ᵇ29. (vespa Plin Thomae Gazae Scalig. guêpe C II 406. vespa vulgaris St. Cr. K 694, 3. Su 216, 28. ΑΖγ 35, 78. ΑΖι I 171, 50. ΚαΖι 8, 18. cf Lenz Zool der Gr 556-559.) — τῶν σφηϰῶν δύο γένη Ζυ41. 627 ᵇ23. α. οἱ ἡμερώτεροι vel οἱ ἥμεροι Ζυ41. 627 ᵇ32, 628 ᵃ1. 60 τύτων δύο γένη: οἱ ἡγεμόνες, ὃς ϰαλῶσι μήτρας, ϰ οἱ ἐρ-

γάται Ζυ41. 628 ᵃ1. (Vespa vulgaris. Vespa rufa Su 218.) — b. οἱ ἄγριοι, descr Ζυ41. 627 ᵇ23-33, 628 ᵃ29, ᵇ16. ϰ τύτων δύο γένη: αἱ μήτραι ϰ οἱ ἐργάται Ζυ41. 627 ᵇ32. (Vespa crabro, silvestris, tectorum, gallica K 694, 3. 1032, 1. Vespa crabro Su 218. ΑΖι I 171, 50.) — praeterea dist οἱ σφῆϰες οἱ ἰχνεύμονες ϰαλύμενοι, ἐλάττυς τῶν ἑτέρων· ἀποϰτείνυσι τὰ φαλάγγια, γόνος Ζιε20. 552 ᵇ26-30. (Sphegidae. Beckmann de hist nat vett 132. Ammophila sabulosa Cr. cf ἰχνεύμων p 353 ᵃ16.) σφὴξ ὁ ἐπέτειος, refertur inter τὰ ἀγελαῖα Ζυ40. 623 ᵇ10. οἱ ἐν Ναξῳ σφῆϰες, mores θ140. 844 ᵇ32.

σφίγγειν. ὁ Ὠϰεανὸς σφίγγει τὴν οἰϰυμένην ϰ3. 393 ᵇ9.

σφίγξ. πῶ γάρ ἐστι τραγέλαφος ἢ σφίγξ Φδ1. 208 ᵃ31.

σφόδρα, opp ἠρέμα Ηγ2. 1111 ᵃ6. τὸ μὲν σφόδρα παθητιϰόν, τὸ δὲ ἠρέμα Γα10. 328 ᵇ6. σφόδρα, ἠρέμα ὅμοιον τγ2. 117 ᵇ23. φίλος σφόδρα, ἐπιειϰὴς δὲ ἠρέμα ϰεη11. 1243 ᵇ7. σφόδρα adiectivis et adverbiis, quibuscum coniunctum est, saepe postponitur, ὀλίγοι σφόδρα, ἀλιμύρον σφόδρα, πόρρω σφόδρα Πδ11. 1295 ᵇ2, 1296 ᵃ1. ε6. 1305 ᵇ3. μβ3. 359 ᵇ13. Ζιβ11. 503 ᵃ19, 32. 14. 505 ᵇ18 (cf ᵇ11). Ρβ5. 1382 ᵃ26 al. σφόδρα c substantivis, ἐν τοῖς σφόδρα ψύχεσι ϰ σφόδρα ἀλέαις Ζιθ13. 599 ᵃ19. σφόδρα cum verbis, σφόδρα ἐπιβλέπειν ΜΖ7. 1033 ᵃ21. σφόδρα τι ἐννοεῖν ἢ φοβεῖσθαι αι7. 447 ᵃ16. δημοϰρατία ἐπιτεινομένη σφόδρα Ρα4. 1360 ᵃ27. ἠρεμῶσι σφόδρα Ζιδ10. 537 ᵃ15. σφόδρα ἀναϰλίνειν Ζμδ11. 690 ᵇ25. σφόδρα δοϰεῖ σημεῖον εἶναι ΖιΖ21. 575 ᵇ18.

σφοδρός. βορέας σφοδρὸς πρόσϰειται πϰς45. 945 ᵃ32. ἡδονὴ σφοδρὰ γίνεται ἐν τῇ ὁμιλίᾳ τῇ τῶν ἀφροδισίων Ζγα18. 723 ᵇ33. δόξα σφοδρὰ τῷ βέβαιον εἶναι ϰ ἀμετάπειστον ημβ6. 1201 ᵇ6. — σφοδροτέρα ϰίνησις, τρῖψις, ἡδονή Φη2. 243 ᵃ20, 244 ᵃ23. ϰ4. 394 ᵃ31 (opp ἤπιος ᵃ30). θ19. 831 ᵇ28. πϰη6. 949 ᵇ34. σφοδροτέρα ὁμοιότης τα7. 103 ᵃ22. σφοδροτέρα ὄντα, opp ἀσθενεῖν πια40. 903 ᵇ30. — πνεῦμα σφοδρότατον μβ8. 365 ᵇ31, 32, 366 ᵃ31. ρεύματα σφοδρότατα αϰ802 ᵇ36. πόνοι σφοδρότατοι Ζιη9. 586 ᵇ30. — σφοδρῶς ὀργισθῆναι, opp ἀνειμένως, dist μέσως Ηβ4. 1105 ᵇ27. πατάξαι σφοδρῶς αϰ800 ᵇ9. σφοδρῶς μάχονται ἐλέφαντες, σφοδρῶς βαίνει (i e ὀχεύει) βῶς Ζυ1. 610 ᵃ15. ζ21. 575 ᵃ14. πνεῦμα σφοδρῶς ἐϰϰαινύμενον ϰ4. 395 ᵃ14. σφοδρῶς ἀποφαίνεσθαι ὑπέρ τινος Κ7. 8 ᵇ22. — ἐπὶ τὸ μᾶλλον ἢ σφοδρότερον ἁμαρτάνειν Ρβ12. 1389 ᵇ3. σφοδρότερον τύπτειν μχ15. 852 ᵇ36. σφοδρότερον ϰ μὴ ϰατὰ μιϰρὸν ϰάμπτειν πη18. 889 ᵃ3.

σφοδρότης, dist ταχυτὴς Ηη8. 1150 ᵇ27. ὑπερβολαὶ μειραϰιώδεις· σφοδρότητα γὰρ δηλῶσιν Ργ11. 1413 ᵃ29. σφοδρότης ϰινήσεως πε15. 852 ᵃ30. τῶν φθόγγων ὀξύτης σφοδρότης πια14. 900 ᵃ33. ἡ σφοδρότης τῆς (ἐν τῇ συνυσίᾳ) ἡδονῆς Ζγα17. 721 ᵇ15. σφοδρότης ὑπολήψεως τδ5. 126 ᵇ15.

σφονδύλη v σπονδύλη.

σφόνδυλος v σπόνδυλος et Da I 14.

σφραγίζεσθαι. οἱ σφραγιζόμενοι τοῖς δαϰτυλίοις μν1.450ᵃ32.

σφραγίς. τὴν δημοσίαν σφραγῖδα φυλάττει ὁ ἐπιστάτης f 397. 1544 ᵃ14, 30. — τὰς τῶν δαϰτυλίων σφραγῖδας (ἀδύνατον εἶναι σαφεῖς), ὅταν μὴ διατυπωθῶσιν ἀϰριβῶς αϰ801 ᵇ4. ϰ γίνεται μνήμη, ϰαθάπερ ἂν εἰς ὕδωρ ῥέον ἐμπιπτύσης τῆς ϰινήσεως ϰ τῆς σφραγίδος μν1. 450 ᵇ3. τῶν λίθων ἡ σφραγίς, ὁ ϰαλύμενος ἄνθραξ μδ9. 387 ᵇ17 Ideler. — τὸ ὗρον χρήσιμον πρὸς τὰς σφραγῖδας θ76. 835 ᵇ30 Bkm.

σφυγμός. σφυγμός, σφυγμοί, coni τρόμος, τρόμοι μβ 8.
366 b15, 368 a6, b25. τρεῖς αἱ κινήσεις τῦ ἐν τῇ ἀρτηρία
πνεύματος, ἀναπνοή, σφυγμός, τρίτη δ᾽ ἡ τὴν τροφὴν ἐπά-
γῦσα κ̣ κατεργαζομένη· τρία ἐστὶ τὰ συμβαίνοντα περὶ
τὴν καρδίαν, πήδησις κ̣ σφυγμὸς κ̣ ἀναπνοή πν4. 482 b15.
αν20. 479 b19. ἡ τῦ σφυγμῦ κίνησις κ̣ τῇ αἰσθήσει φα-
νερά· ἀνάγκη τὸ ἐκπνευματύμενον διὰ τὴν ἐναπόληψιν ποιεῖν
σφυγμόν· ὑδὲν (ποιεῖ) πρὸς τὴν ἀναπνοήν πν4. 482 b17,
32, 36, cf 483 a5. ὁ σφυγμὸς ἰδιός τις, ὅμοιος κ̣ ὁ αὐτός,
πότε πν4. 482 b29, 483 a2, cf 6. (cf Rose Ar lib ord 167,
168.) ἐν τῇ καρδίᾳ ἡ τῦ ἀεὶ προσιόντος ἐκ τῆς τροφῆς
ὑγρῦ διὰ τῆς θερμότητος ὄγκωσις ποιεῖ σφυγμόν αν20.
480 a3.

σφυγμώδης. ἡ σφυγμώδης κ̣ ἡ ἀναπνευστικὴ κίνησις πν4.
483 a11.

σφύζειν. σφύζει τὸ αἷμα ἐν ταῖς φλεψίν Ζιγ19. 521 a6
(Rose lib ord 165). σφύζυσιν αἱ φλέβες πᾶσαι, σφύζει (ἡ
καρδία) μᾶλλον τοῖς νεωτέροις τῶν πρεσβυτέρων αν20. 480
a11, 9. cf τὰ σφύζοντα Plat Phaedr 251 D.

σφύξις, ἡ τῦ ὑγρῦ θερμαινομένῦ πνευμάτωσις, ἡ συμβαί-
νῦσα σφύξις τῆς καρδίας αν20. 480 a14, 479 b27. τὸ
πνεῦμα τὸ σύμφυτον ποιεῖται ἐνίοις μὲν τὴν σφύξιν, τοῖς
δὲ τὴν ἀναπνοὴν κ̣ εἰσπνοήν Ζγε2. 781 a25.

σφύρα. ἡ σφύρα κ̣ ὁ ἄκμων Ζγε8. 789 b11.

σφύραινα (v l φύραινα) refertur inter τὺς ἀγελαίυς Ζιι2.
610 b5. (sudis Plinio. firena vers Thomae, malleolus Ga-
zae, sphyrena Scalig. sphyrene C II 781. cf Rondelet et
Belon ap Gesn s v, Artedi syn pisc 112. Esox sphyraena
Cr. K 950, 9. fort Sphyraena vulgaris Cuv III 326. AZι
I 140, 68, et syn κέστρα Atheniensibus.)

σφυράς. περιττώματα, ὑγρὸν κ̣ σφυράδες Ζιη8. 586 b9.
'stercora globosa' S I 549.

σφυρόν, τὸ ἔσχατον (μέρος) ἀντικνημίν, κωλήνων μέρος Ζια
15. 494 a10. γ7. 516 b1. ἑκάτερον τῶν σφυρῶν, τὸ ἔξω
τῶν σφυρῶν, τὰ ἔξωθεν σφυρά, τὰ σφυρὰ τὰ εἴσω Ζια15.
494 b7. γ3. 512 b16, 18, 23, 26. τὰ ἔχοντα σφυρόν· (ἐλέ-
φας) πρὸς τοῖς ὀπισθίοις σκέλεσι σφυρὰ ἔχει βραχέα Ζιγ7.
516 b2. β1. 497 b25. κνῆμαι περὶ σφυρὸν παχεῖαι· ὅσοις
τὰ περὶ τὰ σφυρὰ νευρώδη τε κ̣ διηρθρωμένα εἰσίν· ὅσοι
τὰ σφυρὰ σαρκώδεις κ̣ ἄναρθροι φ3. 807 b23. 6. 810 a24,
26. (cf AZι II tab II. Galen II 774. Da I 48.)

σχάδων (de accentu S I 368). τῶν μελιττῶν. αἱ θυρίδες
τῶν σχάδων· σχαδόνος (v l σχαλώνας, χλαδόνας) ἐργά-
ζονται· σχαδόνας (v l σχάδωνας, σχάνδοντας) ἀρίστας ποι-
ῦσιν, ὅταν μέλι ἐργάζωνται Ζιι40. 624 a8, 627 a30. ε22.
554 a15. — φύει ἡ σχάδων (ἰσχάδων) πόδας κ̣ πτερά,
πότε Ζιε22. 554 a29. — τῶν σχάδονων κ̣ σφηκῶν αἱ σχά-
δονες (v l σχάδωνες, σχάδοντες) Ζιε23. 555 a8.

σχάζειν (Lob Phryn 219). βοηθεῖ ἐάν τις σχάσῃ ὑπὸ τὴν
γλῶτταν (τῶν ὑῶν βραγχώντων) Ζιθ21. 603 b15.

σχαστήρια. διὰ μιᾶς ὀργάνυ σχαστηρίας πολλὰς κ̣ ποικίλας
ἐνεργείας ἀποτελεῖν κ6. 398 b15.

σχεδόν, modeste affirmantis (cf ἴσως) Ρα5. 1360 b4, 17.
Φθ3. 254 a11 al. εἴρηται. διώρισται σχεδόν, εἴρηται σχεδόν
ἱκανῶς sim Αα12. 32 a16 Wz. 30. 46 a29. τη5. 155 a38.
Κ15. 15 b32. ψα5. 409 b23. Ζμβ3. 650 a2. γι. 662 b18.
Πε1. 1301 a19. 5. 1305 a2. 7. 1307 b25. 10.1311 a23. 12.
1315 b41. η7. 1328 a19. σχεδὸν ταῦτ᾽ ἐστί sim Πγ16.
1287 b36. Κ8. 10 a26. 12. 14 b9. Φβ3. 195 a3. Μδ2. 1013
b4. ταὐτὰ σχεδόν Πγ18. 1288 b1. σχεδὸν ἕκαστον Αα27. 60
43 a33. πάντα (πᾶσαι) σχεδόν, σχεδὸν πάντες μα13. 350

b21. Ζμβ2. 649 a24, 650 a23. γ14. 675 a26. δ13. 696
a3 al. σχεδὸν οἱ πλεῖστοι Πδ11. 1296 a21. μα13. 350 b34.
δ8. 384 a18. σχεδὸν ὁμοίως, παραπλησίως Ζμβ17. 660
a15, b14. σχεδὸν ἀλλοτριώτατος Κ12. 14 b7. σχεδὸν ὡς
εἰπεῖν Αγ14. 79 a20. Πε10. 1310 b14. Ρβ5. 1382 b28.
σχεδὸν ἴσως τγ2. 118 a13. (σχεδόν δέ τι Φθ3. 253 b6, sed
τι om codd E F H K.)

Σχερίαν ὀνομασθῆναι τὴν Κέρκυραν f 469. 1555 a43.

σχέσις. 1. σχέσις ἀνδρὸς πρὸς γυναῖκα, coni στοργὴ πατρὸς
πρὸς τέκνα f 178. 1507 b36, 21. — 2. σχέσις τῶν ἐπιμηνίων
Ζικ7. 638 b17.

σχετλιασμός, coni δείνωσις Ρβ21. 1395 a9.

σχῆμα, figura, veluti geometrica. παθημάτων ἐναντιώσεις,
οἷον χρώματος κ̣ σχήματος Ζια1.486 b6. κοινὰ τῶν αἰσθήσεων
σχῆμα μέγεθος κίνησις εν1. 458 b5. μέγεθός τι τὸ σχῆμα
ψγ1. 425 a18. σχῆμα ὑκ ἔστι παρὰ τὸ τρίγωνον κ̣ τὰ
ἐφεξῆς ψβ3. 414 b21. Μβ3. 999 a9. σχήματι ὑδὲν ἐναν-
τίον Ογ8. 307 b8. αι4. 442 b19. dist τάξις θέσις (Democr
Leuc, ῥυσμός, ι q σχῆμα ΜΑ4. 985 b16) Φα5. 188 a24.
Οα7. 275 b32. dist χρῶμα. χαίρειν χρώμασιν ἢ σχήμασιν
Ηγ13. 1118 a4. τῶν ἐνόπτρων ἐν ἐνίοις μὲν κ̣ τὰ σχήματα
ἐμφαίνεται, ἐν ἐνίοις δὲ τὰ χρώματα μόνον μγ2. 372 a33.
4. 373 b19. α5. 342 b12. τὸ ὅμοιον ἔν τε χρώμασι κ̣ σχή-
μασι Αδ13. 97 b35. σχήματος γένη γωνία εὐθὴ περιφερὲς
Φα5. 188 a25. εἴδη τῶν σχημάτων, ὁποιονῦν σχῆμα Μβ3.
999 a9. 5. 1002 a21. τὸ τῆς γραμμῆς σχῆμα πκι1. 940
a25. ἐπὶ τῶν ἐπιπέδων. εὐθύγραμμον ἀλύνιον περιφερόγραμμον,
τρίγωνον τετράγωνον Οβ4. 286 b13. γ4. 303 a31.
Μδ14. 1020 a35. 28. 1024 b1. ι2. 1054 a3. ν6. 1092 b12.
ἡ τῦ σχήματος περιφέρεια Ζγγ9. 758 b10. πρῶτον τῶν
ἐπιπέδων σχημάτων ὁ κύκλος Οβ4. 286 b18. Αγ24. 86 a1.
ατ968 a13. πε6. 911 b4. ποταμοὶ παραγέντες ἐν πεδίῳ ὑγρῷ
ματι θ168. 846 b32. σχῆμα στερεόν, σφαιροειδές. τῆς χαλ-
κῆς σφαίρας. στρογγύλος τῷ σχήματι, τὰ σχήματα τῶν
τόπων Μδ28. 1024 b1. λ3. 1070 a23. Ογ5. 304 a14. β4.
286 b10, 12. μα12. 348 a33. β8. 368 a3. τὸ πρῶτον σχῆμα
τῦ πρώτα σώματος Οβ4. 287 a3. ὑγρῷ ἰδίον, σῶμα τὸ εἰς
ἅπαν σχῆμα ἀγόμενον ἕν τε2. 130 b35. τὰ εὐμετάβλητα
σχήμασιν ἢ χρώμασιν ἢ κράσεσιν Ρα12. 1373 a30. ἡ μορφὴ
τὸ σχῆμα τῆς ἰδέας Μζ3. 1029. σχῆμα, coni syn μορφή
Κ8. 10 a11. Φη3. 245 b2, 246 a1. ἡ τῦ σχήματος
μορφή Ζμα1. 640 b34. β1. 647 a33. — inde σχῆμα om-
nino formam formaeque rationem et varietatem significat.
σχῆμα τῦ σώματος ὀρθὸν σύντονον φ3. 807 a32, b10, 31.
τὸ σχῆμα τῦ σωματος Ζιγ5. 515 a35. Ζμδ9. 684 b19,
τῶν μορίων Ζιω10. 689 a20, τῆς ὑστέρας Ζικ10. 566 a2
32. 579 b20. Ζγβ3. 770 a26, ὀστράκν ΖιζΖ10. 565 a24 Aub,
νεοττιᾶς Ζιι14. 616 a22. τὸ σχῆμα τῆς θέσεως (τῶν ἐμ-
βρύων ἐν τῇ ὑστέρα) Ζγγ8. 785 a24. Ζιη8. 586 a34. καθ-
εύδειν ἔν τινι σχήματι Ζιβ1. 498 a12. τὰ σχήματα τῶν
σπλάγχνων πλασθῆναι διὰ τὸν τόπον Ζμδ1. 676 b9. δια-
φέρειν τοῖς σχήμασιν Ζγα2. 716 b3. ἀκριβέστερον ἂν θεω-
ρηθείη τοῖς σχήμασιν ἐκ τῶν ἀνατομῶν Ζιγ1. 511 a13.
κοσμεῖσθαι ἐσθῆτι κ̣ σχήματι Ηδ9. 1125 a30. τὰ σχήματα
κ̣ τὰ παθήματα τὰ ἐπιφαινόμενα ἐπὶ τῶν προσώπων τί
σημαίνει φ2. 806 b28. δῆλον εἶναι τότε ὅμοια σχήματ᾽ ἐστιν
ὁ ἄνθρωπος, ὡς ὄντος αὐτῷ τῷ τε σχήματι κ̣ τῷ χρώματι
γνωρίμυ· καίτοι κ̣ ὁ τεθνεὼς ἔχει τὴν αὐτὴν τῇ σχήματος
μορφήν Ζμα1. 640 b33. cf Ζια1. 486 b6. τὰ γιγνόμενα
σχήματα κ̣ χρώματα σημεῖα μᾶλλον τῶν ἠθῶν, ὑχ ὁμοι-
ώματα Πε5. 1340 a34. κ̣ χρώμασι κ̣ σχήμασι πολλὰ

μιμῶνται ἀπεικάζοντες πο1. 1447ᵃ19. ϰ τοῖς σχήμασι (vultu, gestu) συναπεργάζεσθαι· ἀδὲν δεῖσθαι τῶν σχημάτων πο17. 1455ᵃ29. 26. 1462ᵃ3. τὰς συναπεργαζομένας σχήμασι ϰ φωναῖς ϰ ὅλως ἐν ὑποϰρίσει ἐλεεινοτέρας εἶναι Ρβ8. 1386ᵃ32. τὰ στοιχεῖα (soni singularum litterarum) διαφέρει σχήμασι τῦ στόματος πο20. 1456ᵇ31. ἔχειν σχῆμα βασιλείας Ηθ12. 1160ᵇ25. ϰ τῦτ᾿ εἶναι σχῆμά τι (speciem quandam) δημοϰρατίας Πζ4. 1318ᵇ26. ἥϰειν εἰς τὸ τῆς ἀρετῆς σχῆμα ημα2. 1183ᵇ26. οἱ σοφισταὶ ταυτὸν ὑποδύονται σχῆμα τῷ φιλοσόφῳ sim Μγ2. 1004ᵇ18. Ρα2. 1356ᵃ28. τετάχθαι ἐν μείζονι σχήματι Πζ8. 1322ᵃ31. cf α12. 1259ᵇ8. ἐν μύθῳ σχήματι Μλ8. 1074ᵇ2. τῷ σχήματι τῆς προσηγορίας Κ5. 3ᵇ14. ποιεῖσθαι εἰρωνείας (ci Spgl, ἐρωτήσεως Bk) σχῆμα ρ37. 1444ᵇ33. σχῆμα τῆς λέξεως vel de grammatica vocabulorum forma et de verborum modis ϰατὰ τὰ ὑποϰριτιϰά (Bernays, Rh. Mus. 8, 589) πο19. 1456ᵇ9. τι22. 4.166ᵇ10-19 (cf λέξις ρ426ᵃ57, similiter σχῆμα ϰαταφατιϰὸν usurpatur de propositionibus, quae cum negent affirmantium habent formam Αα3. 25 ᵇ20. 13. 32 ᵃ32, cf ὁμοιοσχήμων) vel de forma elocutionis, τὸ σχῆμα τῆς λέξεως δεῖ μήτε ἔμμετρον μήτε ἄρρυθμον εἶναι Ργ8. cf 10. 1410ᵇ28. β24. 1401ᵃ7. Vhl Poet III 217. τῦ εἰς δύο λέγειν σχήματα (formae, species) τάδε ρ25. 1435ᵃ5. σχήματα ϰωμῳδίας πο4. 1448ᵇ36, 1449ᵃ6. 5. 1449ᵇ3. τὰ σχήματα τῆς ϰατηγορίας, τῶν ϰατηγοριῶν (cf τὰ γένη τῶν ϰατηγοριῶν) ν ϰατηγορία ρ 378ᵃ12, 32. — ἄγειν εἰς σχήμα ἀναλογίας (proportionis) Ηε8. 1133ᵇ1. —

σχήματα συλλογισμῦ (quae Ar videtur primus dixisse, ϰαλῶ δὲ τὸ τοιῦτον σχῆμα πρῶτον Αα4. 26ᵇ33) significant omnino rationem, quae inter propositiones intercedit, sive fit syllogismus sive non fit Αα5. 26ᵇ35 Wz. ϑ17. 99 ᵃ30 Wz. angustiore sensu eas significant figuras, quibus in vera syllogismus conficitur, σχῆμα πρῶτον Αα4, δεύτερον Αα5, τρίτον Αα6, μέσον i e δεύτερον Αα7. 29ᵇ15, τελευταῖον i e τρίτον Αα7. 29ᵃ36. de ratione, quae inter has tres figuras intercedit, σ συλλογίζεσθαι ρ 712ᵃ34. συλλογίζεσθαι, δείϰνυται, συλλογισμὸς γίνεται, τελειῦται διὰ σχήματός τινος Αα6. 29ᵃ17. 7. 29ᵃ36. 5. 27ᵃ36. 6. 28ᵃ22. 7. 29ᵃ31. 26. 42ᵇ32 al. δείϰνυται, συλλογισμὸς γίνεται ἐν σχήματί τινι, οἱ ἐν σχήματί τινι συλλογισμοί Αα26. 42 ᵇ30, 31. 4. 26ᵇ7. 23. 40ᵇ17 al. οἱ ἐϰ τῦ αὐτῦ σχήματος συλλογισμοί Αα7. 29ᵇ28.

σχηματίζειν. τὸ ἐν τοῖς ἐναντίοις σχηματίζυσι Φα6. 189 ᵇ9. σχηματίζειν τὰ ἁπλᾶ σώματα, τὸν ὄγϰον Ογ8. 306ᵇ3. Γα10. 327ᵇ15. σχηματίζειν τὸ πῦρ (Plat) Ογ5. 304ᵇ2. τὸ σχηματιζόμενον ϰ ῥυθμιζόμενον Φη3. 245ᵇ9. τὸ ἐσχηματισμένον γίνεται ἐξ ἀσχηματίσυνης Φα5. 188ᵇ19. ἔϰ τινος ἐνυπάρχοντος ϰ σχηματισθέντος τὸ ὅλον ἐστὶ Ζγα18. 724 ᵃ25. τὰ ϰατὰ φύσιν ἐσχηματισμένα Ογ4. 302ᵇ26. ἡ φωνή ἐστιν ἀήρ τις ἐσχηματισμένος πια23. 901ᵇ16. 51. 904ᵇ27. cf αϰ800ᵃ3. ὅπως ἂν τὸ ἀναθυμιώμενον τύχη ἐσχηματισμένον μα7. 344ᵃ21. ὅσα ἐϰ τῦ πῶς ϰεῖσθαι ϰ ἐσχηματίσθαι συμβαίνει πς1. 885ᵇ15-7. 886ᵃ21. — οἱ σχηματιζόμενοι ῥυθμοὶ τῶν ὀρχηστῶν πο1. 1447ᵃ27. — τῶν ὀφθαλμῶν τὸν μὲν ἔσω, τὸν δὲ σχηματίζυσι πλα7. 958ᵃ23. σχηματίσεις. οἱ πλατεῖς ἰχθύες ϰαθεύδυσιν ἐν τῇ ἄμμῳ, γιγνώσϰονται δὲ τῇ σχηματίσει τῆς ἄμμυ Ζιδ10. 537ᵃ26. σχηματισμός. οἱ ϰατὰ μῆνα σχηματισμοὶ τῆς σελήνης Οβ14. 297ᵇ26. πλείστην διαφορὰν φωνῆς ἀπεργάζονται οἱ τῦ στόματος σχηματισμοὶ αϰ800ᵃ23 (cf σχῆμα πο20. 1456 ᵇ31).

σχιδανόπυς. referuntur inter τὰς σχιδανόποδας ὄρτυξ, πέρδιξ, πορφυρίων, ταώς, ὠτίδες f 269. 1526ᵇ41. 270. 1526 ᵇ46. 272. 1527ᵃ36. 274. 1527ᵇ6. 275. 1527ᵇ16. ᾽σχιδανόποδα sunt quae Ar σχιζόποδα᾿ Rose Ar Ps 288.

σχίζειν. σχίζεται, ὅταν ἐπὶ πλεῖον διαιρῆται ἢ τὸ διαιρῦν διαιρεῖ, ϰ προηγεῖται ἡ διαίρεσις id 9. 386ᵇ28. cf μχ25. 856ᵇ7. σχίζειν τῷ πελέϰει Ζμα3. 642ᵃ10. τὸ τῦτον γίνεσθαι τὸν τρόπον σχιζομένων τῶν σωμάτων ἄτοπον Γα9. 327ᵃ15. τὸ ὑγρὸν ἐϰπνευματωμένον σχίζει τὸν ἅλα πια26. 902ᵃ3. — ᾿ δ᾿ λήγυσιν ἤδη διὰ τὸ σχίζεσθαι εἰς ἀχανές αἱ ἀϰτῖνες μα3. 340ᵃ31. ᾗ σχίζεται ὁ Ἴστρος Ζιθ13. 598ᵇ16. φλὲψ διχῇ σχίζεται, σχίζονται αἱ φλέβες ἀπό τινος, ἐπί τι σχίζονται αἱ φλέβες Ζιγ3. 513ᵇ17, 14, 514ᵃ20. 4. 514 ᵇ15, 18. 2. 512ᵃ18. η8. 586ᵇ20. Ζμγ5. 668ᵇ21. cf Ζγβ 7. 745ᵇ33 v l. — πτερὸν ἐσχισμένον, opp ἄσχιστον Ζμα3. 642ᵇ28. τὸ ἐμπρόσθιον τῦ ποδὸς ἐσχισμένον Ζια15. 494 ᵃ12. cf Ζμδ10. 690ᵃ25, ᵇ3, 5. γλῶττα ἐσχισμένη Ζιβ17. 508ᵃ27. Ζμβ10. 657ᵃ2. αἱ ἔλαφοι τὸ ὗς ἐσχισμέναι εἰσὶν Ζιζ29. 578ᵇ28. πολὺ τὸ μέρος ἑϰάτερον (τῦ πνεύμονος) ἀπ᾿ ἀλλήλων ἔσχιστα, ὥστε δοϰεῖν δύο ἔχειν πνεύμονας Ζια16. 495ᵇ4. ἐσχισμένον ἧπαρ, αἰδοῖον, ϰύημα, νῦτρ, ὑστέρα, ϰοιλία al Ζιβ17. 507ᵃ13. ε30. 556ᵃ28. Ζιη3. 583 ᵇ9, 22. Ζγα14. 720ᵇ15. Ζμδ5. 680ᵇ28. πι14. 892ᵇ3. φύλλα ἐσχισμένα φτα5. 820ᵃ15. τῶν ἰσχάδων γλυϰύταται αἱ δίχα ἐσχισμέναι, dist ἀσχιδεῖς, πολυσχιδεῖς πϰβ9. 830 ᵇ32. — ἔσχισται impers i q σχίσις ὑπάρχει: ἔσχισται αὐτοῖς (τοῖς τέττιξι) τὸ τῦ ὑπάζωμα αν9. 475ᵃ19. — σχιστός. σχιστὸν et τὸ δυνάμενον σχίζεσθαι et τὸ ἐσχισμένον significat. περὶ σχιστῦ μδ8. 385ᵃ16. 9. 386ᵇ25-387ᵃ3, dist τμητόν 9. 387ᵃ7. ἡ τῦ νεύρα φύσις σχιστὴ ϰατὰ μῆϰος, ἡ φύσις τῆς τριχὸς ἐστι σχιστή, σαρξ σχιστὴ Ζιγ5. 515ᵇ15. 11. 517ᵇ21. δ1. 524ᵇ7. μόρια ϰαμπτὰ ϰ σχιστά Ζιγ9. 517ᵃ10. γένος ἕτερον ὑμένων ὔτε σχιστὸν ὔτε τατὸν Ζιγ13. 519ᵃ32. πτερὸν σχιστόν, ἄσχιστον Ζμδ 12. 692ᵇ12, 14.

σχιζοποδία Ζμα3. 643ᵇ31. ἡ σχιζοποδία ποδότης τις Μζ 12. 1038ᵃ15.

σχιζόπυς. τῦ ὑπόποδος τὸ μὲν σχιζόπυν τὸ δ᾿ ἄσχιστον Μζ12. 1038ᵃ14. ἐνίων ἔσται διαφορὰ μία μόνη, τὰ δ᾿ ἄλλα περίεργα, οἷον ὑπόπυν δίπυν σχιζόπυν· συμπεπλεγμένα, οἷον τὸ πολυσχιδὲς πρὸς τὸ σχιζόπυν Ζμα2. 642ᵇ8. 3. 643ᵇ32. ἡ γαλῆ ϰ τἆλλα τὰ σχιζόποδα Ζγγ6. 756ᵇ34. τετραδάϰτυλοί εἰσι πάντες οἱ ὄρνιθες ὁμοίως οἱ στεγανόποδες τοῖς σχιζόποσι Ζμδ12. 695ᵃ17 (sed σχιδανοπόδων ϰ τριδαϰτύλων f 275. 1527ᵇ16). (τῶν ὀρνίθων) ὅσοι σχιζόποδες, περὶ αὐτὸ τὸ ὕδωρ βιοτεύυσιν Ζιθ3. 593ᵃ28. ι12. 615ᵃ26. syn πολυσχιδῆ et πολυδάϰτυλα Μ 320, 295. cf σχιδανόπυς.

σχιζόπτερος. σχιζόπτερον, opp ὁλόπτερον Αδ13. 96ᵇ39. ἀδὲν (ὄρνειν) ἔχει ϰρονύγιον μὴ σχιζόπτερον Ζμδ13. 697 ᵇ11. τὰ σχιζόπτερα Ζπ10. 710ᵃ5. cf Μ 206.

σχίσις. ἡ σχίσις τῆς σαρϰός, τῆς ἀρτηρίας, ἑϰάτερας τῆς φλεβὸς Ζμβ8. 654ᵃ17. Ζια17. 496ᵃ5. γ4. 514ᵇ29. ἡ σχίσις ϰ τὸ διχαλὸν ϰατ᾿ ἔλλειψιν τῆς φύσεώς ἐστι, τὰ διχαλὰ δύο ἔχει σχίσεις ὄπισθεν Ζμγ2. 663ᵃ31. Ζιβ1. 499 ᵇ14. ἡ σχίσις ἡ τὰ ὠὰ ἄνω πρὸς τῷ ὑποζώματι Ζιγ1. 511ᵃ2. τὸ πτερὸν ἀϰ ἔχει ϰαυλὸν ἀδὲ σχίσιν, syn ἄσχιστον τὸ πτερὸν Ζιδ7. 532ᵃ26. γ12. 519ᵃ28.

σχίσμα. διὰ μέσυ τῶν σχισμάτων Ζιβ1. 499ᵃ27.

σχισμή. ἐὰν τῇ (τῆς ῥίζης) σχισμῇ λίθος ἐμβληθῇ, εὔφορον γίνεται τὸ δένδρον φτα6. 821ᵃ13.

σχοινίλος (v l σχοινῖλος, σχοινιλός, σχοίνικλος, σχοινίκλος cf
Lob Prol 115) περὶ ποταμὸς ᾗ λίμνας βιοτεύει Ζιθ3. 593
ᵇ4. (skinilus versio Thomae, Junco Gazae, schoeniclus
Scalig. Jonco, l'alouette de mer Belon IV 24. cf Brisson
V 211. C II 819. Emberiza schoeniclus Turner ap Gesn.
St. Cr. K 868, 7. Motacilla alba Su 118, 63. Motacilla
melanocephala ΑΖι I 95, 48. cf Lnd 81. S I 595. II 87,
461.)

σχοινίον. ὅταν παρὰ τῆς ἑτέρας τροχαλίας ἐπιβληθῇ τὸ σχοι-
νίον μχ18. 853 ᵇ5. αἲξ σχοινίῳ δεδεμένη θ137. 844 ᵇ5.

σχοινίων ᾗ κόρυδος φίλοι Ζιι1. 610 ᵃ8. (skinium vers Tho-
mae, Junco Gazae, schoenio vel Juncarius Scalig. Jonc
C II 456. cf S II 20. fort Sylvia arundinacea K 948, 5.
Cr. fort i ᵖ σχοινίλος St. in incert rel Su 161, 160. ΑΖι
I 109, 104.)

σχοῖνος. τόπος ἐν ᾧ πεφύκασι κάλαμος ᾗ σχοῖνος μβ3. 359
ᵇ1. αἱ ῥοδιακαὶ χυτρίδες γίνονται σμύρνης, σχοίνϑ ἄνϑϑς κτλ.
συνεψηθέντων f 105. 1494 ᵇ39, 42. (fort Juncus mariti-
mus L Fraas 294.)

σχολάζειν, opp ἐργαζόμενον ζῆν, ἡ τῶν ἰδίων ἐπιμέλεια
Πθ4. 1291 ᵇ26. 6. 1292 ᵇ28, 32, 1293 ᵃ5, 6, 18. ᵃ8. 1256
ᵃ32. Ηθ11. 1160 ᵃ27. σχολάζειν πρὸς τοῖς ἰδίοις Πεθ. 1308
ᵇ36. ἀφείϑη σχολάζειν τῷ τῶν ἱερέων ἔθνος ΜΑ1. 981 ᵇ24,
23. ἀσχολούμεθα ἵνα σχολάζωμεν Ηχ7. 1177 ᵇ5. Πθ3. 1337
ᵇ34. σχολάζειν καλῶς, ἐλευθερίως, σωφρόνως Πθ3. 1337
ᵇ31. η5. 1326 ᵇ31. ὁ νομοθέτης ᵊ παιδεύσας δύνασθαι σχο-
λάζειν Πη14. 1334 ᵃ9, 1333 ᵇ1. cf β9. 1271 ᵇ5. 11. 1273
ᵃ25, 33. — ὅπως ἐπὶ τῶν τελείων ζῴων ὁ λόγος σχολάζῃ
μᾶλλον Ζμδ5. 682 ᵃ34. — ἕως ἂν σχολάσωσιν Ζιε15.
547 ᵃ28 (? Aub).

σχολαίως ἰέναι πρὸς εὐπάθειαν, opp προθύμως Ηι11. 1171
ᵇ24. σχολαίως ποιεῖσθαι τὴν λῆψιν Ζμϑ11. 691 ᵇ21. σχο-
λαιότερον κινεῖσθαι, opp θᾶττον x6. 399 ᵃ4.

σχολαστικοὶ σύλλογοι Πε11. 1313 ᵇ4. τὸ σχολαστικὸν Ηχ7.
1177 ᵇ22. σχολαστικώτεροι γιγνόμενοι διὰ τὰς εὐπορίας
Πθ6. 1341 ᵃ28. αἱ σχολαστικώτεραι ᾗ μᾶλλον εὐημερϑσαι
πόλεις ΠΖ8. 1322 ᵇ37.

σχολή. διῄρηται ὁ βίος εἰς ἀσχολίαν ᾗ εἰς σχολήν Πη14.
1333 ᵃ31. σχολῇ ᾗ διαγωγῇ, ἡ ἐν τῇ σχολῇ διαγωγὴ ᾗ
ἐν τῇ διαγωγῇ σχολή (?) Πη15. 1334 ᵃ16. θ3. 1338 ᵃ21,
10. σχολὴ τέλος ἀσχολίας Πη14. 1333 ᵃ36. 15. 1334 ᵃ15.
ἡ εὐδαιμονία ἐν τῇ σχολῇ Ηχ7. 1177 ᵇ4. δεῖ ἀρετᾶς ὑπ-
άρχειν εἰς τὴν σχολήν Πη15. 1334 ᵃ14. θ13. 1338 ᵃ10, 21.
cf η9. 1329 ᵃ1. ᵊ σχολῆ δϑλοῖς Πη15. 1334 ᵃ21, cf παρ-
οιμία p 570 ᵃ27. σχολὰς μὴ ἐπιτρέπειν πρὸς σωτηρίαν
τυραννίδος Πε11. 1313 ᵇ3. ἡ τῶν ἀναγκαίων σχολή Πβ9.
1269 ᵃ35. — κατὰ σχολὴν ἰδεῖν, opp προϊδεῖν τι18. 177
ᵃ8. — ἑτέρας ἔργον σχολῆς ταῦτα Πη1. 1339 ᵇ39. —
σχολῇ γε. εἰ μὴ τϑτων, σχολῇ τῶν γε ἄλλων sim
Μβ3. 999 ᵃ10. 4. 1001 ᵃ23. Ρβ23. 1397 ᵇ13.

σῴζειν τὰ ἔνδον, dist πορίζειν τὰ ἔξωθεν oα3. 1344 ᵃ3. τὸ
σῳζόμενον ᾗ τὸ ἐλλεῖπον oα9. 1345 ᵃ24. φύσις τις, ἐξ ἧς
γίγνεται τἄλλα, σῳζομένης ἐκείνης ΜΑ3. 983 ᵇ18. σῴζεται
ἀεὶ τὸ ἴσον μβ2. 356 ᵃ21. τϑ μήκϑς σῳζομένϑ syn μέ-
νοντος μϑ9. 386 ᵃ2, 21. πολιτεία πῶς ἂν γένοιτο ᾗ γενο-
μένη σῴζοιτο Πδ̄1. 1288 ᵇ30. ποῖα σῴζει ᾗ ποῖα φθείρει
τὴν δημοκρατίαν, τὴν πολιτείαν Πε1. 1301 ᵃ24. 8. 1307 ᵇ29.
9. 1309 ᵇ36. β9. 1270 ᵇ21. θ9. 1294 ᵇ36. τίνες τῶν πο-
λιτῶν μάλιστα σῴζονται Πδ̄11. 1295 ᵇ29. σῴζειν τὴν
ἀρχήν, opp διαφθείρειν Ηθ9. 1151 ᵃ16, 25. σῴζειν τὰ σώ-
ματα, opp βλάπτειν Ζμβ4. 738 ᵃ28, 30. μὴ σῴζεσθαι εἰς

αὔξην τὰ ἔκγονα Ζιη2. 582 ᵇ21. δεῖ πρὸς τὸ σῴζεσθαι
σκληρόδερμα εἶναι sim Ζγα9. 718 ᵇ17. 18. 722 ᵇ18, 23.
β1. 733 ᵃ19, 23 al. δεῖ σῴζεσθαι τὸ γένος Ζγδ3. 767 ᵇ9.
σῴζειν τὸν ῥυθμόν πιϑ22. 919 ᵃ36. 45. 922 ᵃ31. σῴζειν τὴν
ὑπόθεσιν (cf διαφυλάττειν) Ογ7. 306 ᵃ29. σῴζειν τῷ λόγῳ
(cogitatione et notione tenere) Γα5. 321 ᵃ17, ᵇ12. ἀλλὰ
σῴζει (confirmat) τὸ τϑ ποιήσαντος ὄντως x6. 400 ᵇ24.

Σωκράτης. doctrinae eius theoreticae capita οἱ ἐπακτικοὶ
λόγοι (cf παραβολὴ τὰ Σωκρατικὰ Ρβ20. 1393 ᵇ4) ᾗ τὸ
ὁρίζεσθαι καθόλυ ΜΑ6. 987 ᵇ1-4. μ4. 1078 ᵇ17, 28, 30.
9. 1086 ᵇ3. Ζμα1. 642 ᵃ28. διὰ τί Σωκράτης ἠρώτα ἀλλ'
ϑκ ἀπεκρίνετο τι34. 183 ᵇ7. doctrina moralis, τὰς ἀρετὰς
ἐπιστήμας, φρονήσεις, λόγϑς ἐποίει Ηζ13. 1144 ᵇ18, 29.
γ11. 1116 ᵇ4. ηεα5. 1216 ᵇ2-20. γ1. 1229 ᵃ15, 1230 ᵃ7.
η13. 1246 ᵇ34. ηΜα1. 1182 ᵃ15, 1183 ᵇ8-18. 20. 1190
ᵇ28. 35. 1198 ᵃ10. Σωκράτει ζητήσεως ταύτης ἀρχὴν ἐνέ-
δωκε τὸ γνῶθι σαυτόν f 4. 1475 ᵃ3. ϑκ εἶναι ἀκρασίαν Ηη3.
1145 ᵇ23. 5. 1147 ᵇ15. ημβ6. 1200 ᵇ25. ϑκ ἐφ' ἡμῖν τὸ
σπϑδαίϑς εἶναι ἢ φαύλϑς ημα9. 1187 ᵃ7 (cf Ηγ7. 1113
ᵇ14?). dicta Socratis περὶ πτυελϑ̄ γεη1. 1235 ᵃ37, περὶ
εὐγενείας f 83. 1490 ᵃ21. ϑκ ἔφη βαδίζειν ὡς Ἀρχέλαον
Ρβ23. 1398 ᵃ24, refutat Meletum Ργ18. 1419 ᵃ8. cf β23.
1398 ᵃ15 (fort refertur ad Plat Apol 27B), ᵊ χαλεπὸν
Ἀθηναίϑς ἐν Ἀθηναίοις ἐπαινεῖν Ρα9. 1367 ᵇ9. γ14. 1415
ᵇ30 (fort refertur ad Plat Menex 235D, 236A, cf Ueberweg
Plat p 143). Aristippi dictum in Socratem et Platonem
Ρβ23. 1398 ᵇ31. λόγϑς Σωκρατικὰ ἔχϑσιν ἤθη Ργ16. 1417
ᵃ20, comparantur cum mimis Epicharmi πο1. 1447 ᵇ11.
Ἀλεξαμενὸς τϑ Τήϊϑ τὰς προτέρϑς γραφέντας τῶν Σωκρα-
τικῶν διαλόγων f 61. 1486 ᵃ12. Σωκράτει ἐφιλονείκει Ἀν-
τίλοχος Λήμνιος f 65. 1486 ᵇ26. — Σωκράτης εἴρων Ηδ13.
1127 ᵇ25, μεγαλόψυχος Αδ13. 97 ᵇ21, μελαγχολικός πλ1.
953 ᵃ27. eius filii degeneraverunt Ρβ15. 1390 ᵇ31. eius
mulieres f 84. 1490 ᵇ9, 18. Πυθῶδε ἐλθεῖν τὸν Σωκράτην
f 3. 1474 ᵇ10. μάγον ἐλθόντα εἰς Ἀθήνας καταγνῶναι τά
τε ἄλλα Σωκράτϑς κτλ f 27. 1479 ᵃ14. Σωκράτης ὁ πρε-
σβύτης, ὁ γέρων ηεα5. 1216 ᵇ2 Fritzsche. η1. 1235 ᵃ37.
ημβ6. 1200 ᵇ25. — Σωκράτης ὁ Θεοδέκτϑ Ρβ23. 1399
ᵃ8. — Σωκράτης Platonicus (cf s v Πλάτων) Γβ9. 335 ᵇ10.
Πα13. 1260 ᵃ22. β1. 1261 ᵃ6, 12, 16. 3. 1261 ᵇ19, 21. 4.
1262 ᵇ6, 9. 5. 1263 ᵇ30, 1264 ᵃ12, 27, 29, 38, ᵇ7, 13, 24.
6. 1264 ᵇ29, 37, 1265 ᵃ3, 11. δ4. 1291 ᵃ12, 19. ε12. 1316
ᵃ2, ᵇ27. θ7. 1342 ᵃ33, ᵇ23. nomina Σωκράτης et Ἰσο-
κράτϑς inter se confusa Ρβ23. 1399 ᵇ10 (Ἰσοκράτης ci
Spgl Bk'). — Σωκράτης saepissime positus pro exemplo
τϑ τινὸς ἀνθρώπϑ Κ10. 13 ᵇ14-30. 11. 14 ᵃ10-14. ε7.
17 ᵇ28, 29, 18 ᵃ2. 10. 20 ᵃ25. 11. 21 ᵃ2. Αα27. 43 ᵃ35.
τθ10. 160 ᵇ27. 15. 166 ᵇ33. Φε4. 228 ᵃ3. ΜΑ3. 983
ᵇ13 Bz. 9. 991 ᵃ25, ᵇ11. β6. 1003 ᵃ11. γ2. 1004 ᵇ2. 4.
1007 ᵇ5. δ29. 1024 ᵇ30. ζ6. 1032 ᵃ8. 8. 1033 ᵇ24, 1034
ᵃ6. 10. 1035 ᵇ31. Ρα2. 1356 ᵇ29, 33, 1357 ᵇ12. β4. 1382
5. Ζμα4. 644 ᵃ25. Ζγδ3. 767 ᵇ25, 768 ᵃ6, 24, 29, 32,
ᵇ14.

Σωκράτης ὁ νεώτερος ΜΖ11. 1036 ᵇ25 Bz.

σωλήν (v l αἱ Ζιθ1. 588 ᵇ15). τὸ τῶν σωλήνων γένος Ζμδ7.
683 ᵇ17. refertur inter τὰ δίθυρα, τὰ λείϑστρακα, τὰ μὴ
μεταβάλλοντα Ζμδ7. 683 ᵇ17. Ζμβ17. 12. ε15. σωλῆνες
548 ᵃ5. cf f 287. 1528 ᵇ9. ὁμοίως συγκέκλεισται ἐπ' ἀμ-
φότερα, syn ἐπ' ἄμφω συμπέφυκεν Ζιϑ4. 528 ᵃ18. Ζμδ7.
683 ᵇ17. ἐν τοῖς ἀμμώδεσι λαμβάνϑσι τὴν σύστασιν, ἀρ-
ρίζωτοι διαμένϑσι, fugiunt admota ferramenta, ad **sonum**

mergere dicuntur, ὃ δύνανται ζῆν ἀνασπασθέντες (abstracti Guil, itaque ἀποσπασθέντες ci S) Ζιε15. 547 ᵇ13, 548 ᵃ5. ὅ8. 535 ᵃ14. θ1. 588 ᵇ15. — ἐκ τῶν φλεβῶν εἰς τὰς σάρκας διαδίδοσθαι τὴν τροφήν, ὃ κατὰ τὰ πλάγια ἀλλὰ κατὰ τὸ στόμα, καθάπερ σωλῆνας πν5. 483 ᵇ28. (solin vers Thomae, unguis Gazae, digitellus Scalig. solen C II 776. Solenes K 577, 10. KaΖμ 145, 2. AΖι I 183, 26. cf M 193. Lewes 293 et Naturstudien am Seestrande 355.)

σῶμα. mathematice. οὐδὲν μᾶλλον περὶ τῶν μαθηματικῶν λέγεσι (Pythag) σωμάτων ἢ περὶ τῶν αἰσθητῶν ΜΑ8. 990 ᵃ16. πλῆθος πεπερασμένον ἀριθμός, μῆκος δὲ γραμμή, πλάτος δὲ ἐπιφάνεια, βάθος δὲ σῶμα Μδ13. 1020 ᵃ14. σῶμα τὸ τριχῇ (πάντη, πάντη ἢ τριχῇ) διαιρετόν, τὸ ἐπὶ τρία διαιρετόν, τὸ τρεῖς (πάσας) ἔχον διαστάσεις Οα1. 268 ᵃ7, 8, ᵇ6. 7. 274 ᵇ19. β2. 284 ᵇ23, 10. Φγ5. 204 ᵇ20. Μχ10. 1066 ᵇ32. ὅ6. 1016 ᵇ28. τζ5. 142 ᵇ24. τὸ σῶμα ἀπετελέσθη ἐν τρισὶν Οα2. 268 ᵇ25. σώματα, coni syn μεγέθη Οα1. 268 ᵃ2. 2. 268 ᵇ14. γ1. 298 ᵇ3. τὸ σῶμα μόνον τῶν μεγεθῶν τέλειον Οα1. 268 ᵃ22. σώματος λόγος τὸ ἐπιπέδῳ ὡρισμένον Φγ5. 204 ᵇ5. Μχ10. 1066 ᵇ23. cf αι2. 439 ᵃ32, ᵇ11. ἀναιρυμένε ἐπιπέδε ἀναιρεῖται σῶμα Μδ8. 1017 ᵇ19. αἱ ἐπιφάνειαι διαιρέσεις τῶν σωμάτων Μχ2. 1060 ᵇ15. cf K6. 5 ᵃ4. οὐδὲν στιγμῆ τῶν σωμάτων ἐστὶν Οβ13. 296 ᵃ17. αἱ ἐν τῷ σώματι μονάδες, στιγμαί ψα4. 409 ᵃ21, 25, 26, ᵇ7. εἰσί τινες (Plat) συντιθέντες (τὰ σώματα) χὴ διαλύοντες εἰς ἐπίπεδα χὴ ἐξ ἐπιπέδων Ογ1. 298 ᵇ34. μήκη τίθεμεν (Plat) ἐκ μακρῦ χὴ βραχέος, χὴ ἐπίπεδον ἐκ πλατέος χὴ στενῦ, σῶμα δ' ἐκ βαθέος χὴ ταπεινῦ ΜΑ9. 992 ᵃ13. ἀπορία, πότερον τὰ σώματα χὴ τὰ ἐπίπεδα χὴ αἱ στιγμαὶ ὐσίαι τινές εἰσιν ἢ ὔ Μβ5. 1001 ᵇ27. τὸ μὲν σῶμα ὐσία τις· ἤδη γὰρ ἔχει πως τὸ τέλειον· αἱ δὲ γραμμαὶ πῶς ὐσίαι; Μμ2. 1077 ᵃ31.

physice. σῶμα, opp ἀσώματον Γα5. 321 ᵃ8, 6. τὰ ἄτομα σώματα (Democr) Φθ9. 265 ᵇ29. εἰ πᾶν σῶμα εἰς ἄπειρον διαιρεῖται, ἆρα χὴ τὰ παθήματα αι6. 445 ᵇ3. ὐκ ἔστι σῶμα ἄπειρον· ὐδὲν ἄρα ὅλως σῶμα ἔξω τῦ ὐρανῦ Οα5. 6. 7. 274 ᵃ30, 275 ᵇ6, 9. Φγ5. 204 ᵇ0. Μχ10. 1066 ᵇ32. Ζχ4. 699 ᵇ27. πᾶν σῶμα αἰσθητὸν ἐν τόπῳ Φγ5. 205 ᵇ31. Μχ10. 1067 ᵃ28. ἀδύνατον δύο σώματα ἅμα ἐν τῷ αὐτῷ εἶναι ψ37. 418 ᵇ17. Γα5. 321 ᵃ8. σῶμα κοινὸν ὐδέν, opp σῶμα τοιονδί Γα5. 320 ᵇ23. πᾶν σῶμα αἰσθητὸν ἔχει δύναμιν ποιητικὴν χὴ παθητικὴν χὴ ἀμφω Οα7. 275 ᵇ5. σῶμα ἅπαν ἁπτόν ψγ12. 434 ᵇ12. — πέφυκέ τις ὐσία σώματος ἀλλη παρὰ τὰς ἐνταῦθα συστάσεις, θειοτέρα χὴ προτέρα τύτων ἁπάντων Οα2. 269 ᵃ31. ἡ πρώτη ὐσία τῶν σωμάτων Οα3. 270 ᵇ11. τὸ πρῶτον σῶμα (πρῶτον δὲ σῶμα τὸ ἐν τῇ ἐσχάτῃ περιφορᾷ) Οβ4. 287 ᵃ3. 12. 291 ᵇ32. μα3. 340 ᵃ20. τὸ ἀίδιον τὸ ἄνω σῶμα ψβ6. 418 ᵇ9, 13. Ζχ4. 699 ᵇ25. τὸ θεῖον σῶμα, τὰ θεῖα σώματα· σῶμα θειότερον τῶν καλυμένων στοιχείων· τὰ φερόμενα θεῖα σώματα κατὰ τὸν ὐρανὸν Οβ3. 286 ᵃ11. 12. 292 ᵇ32. κ2. 391 ᵇ16. 2. 392 ᵃ30. Ζγβ3. 736 ᵇ30. Μλ8. 1074 ᵃ30. τὸ κύκλῳ φερόμενον σῶμα Οα3. 269 ᵇ31. τὸ κύκλῳ σῶμα Οα3. 270 ᵃ33. 9. 279 ᵇ3. τὸ κυκλικὸν σῶμα Οβ7. 289 ᵃ30. τὸ ἐγκύκλιον σῶμα, τὰ ἐγκύκλια σώματα Οβ3. 286 ᵃ12, ᵇ7. 8. 290 ᵃ1. σῶμα φυσικὸν τὸ ἐν τῇ ἐσχάτῃ περιφορᾷ τῦ παντὸς Οα9. 278 ᵇ12. ἡ τῦ πέριξ σώματος φύσις Οβ4. 287 ᵇ19. τὸ κύκλῳ φερόμενον σῶμα ὐκ ἔστιν ἄπειρον· ἄφθαρτόν ἐστιν, ἀναλλοίωτον, ὔτε βάρος ἔχει ὔτε κυφότητα Οα3. 5. — πρῶτον μὲν τὸ δυνάμει σῶμα αἰσθητὸν ἀρχή, δεύτερον δ' αἱ ἐναντιώσεις, λέγω δ' οἷον θερμότης χὴ ψυ-

χρότης, τρίτον δ' ἤδη πῦρ χὴ ὕδωρ χὴ τὰ τοιαῦτα Γβ1. 329 ᵃ33. ἁπταί εἰσιν αἱ διαφοραὶ τῦ σώματος ἢ σῶμα· λέγω δὲ διαφορὰς αἳ τὰ στοιχεῖα διορίζησι, θερμὸν ψυχρόν, ξηρὸν ὑγρόν ψβ11. 423 ᵇ27. τὰ καλύμενα στοιχεῖα τῶν σωμάτων Ζγα1. 715 ᵃ11. αι2. 437 ᵃ20. haec στοιχεῖα τέτταρα τῶν σωμάτων (cf στοιχεῖον p 702 ᵃ56) nuncupantur τὰ ἁπλᾶ σώματα Οα2. 268 ᵇ26, 28. (cf β3. 286 ᵃ9.) γ1. 298 ᵃ29. 8. 306 ᵇ3. Γβ3. 330 ᵇ2, 8. ψβ4. 416 ᵃ28. ΜΑ3. 984 ᵃ6. ὅ8. 1017 ᵇ10. η1. 1042 ᵃ9, τὰ πρῶτα σώματα Γβ3. 330 ᵇ6, τὰ φυσικὰ σώματα χὴ ἁπλᾶ Φδ1. 208 ᵇ8. (cf α4. 187 ᵃ14. 6. 189 ᵇ3-6), τὰ φυσικὰ σώματα Μζ2. 1028 ᵇ10 Bz. (πῦρ μόνον τῶν σωμάτων ἢ τῶν στοιχείων ψβ4. 416 ᵃ11. cf γ1. 425 ᵃ12.) ἐξ ὑγρῦ χὴ ξηρῦ ἐστι τὸ ὡρισμένον σῶμα οἰκείῳ ὅρῳ μδ4. 382 ᵃ2. 5. 382 ᵃ23. ὐκ ἔστι σῶμα αἰσθητὸν παρὰ τὰ στοιχεῖα καλύμενα Φγ5. 204 ᵇ32. Μχ10. 1066 ᵇ36. τὸ πειρᾶσθαι τὰ ἁπλᾶ σώματα σχηματίζειν ἄλογόν ἐστι Ογ8. 306 ᵇ3. πᾶν τὸ φυσικὸν σῶμα κινήσεως ἀρχὴν ἔχει Ογ5. 304 ᵇ14. 2. 301 ᵃ21. α7. 274 ᵇ4. cf Φδ1. 288 ᵇ8. τῦ τε ἁπλῦ σώματος ἁπλῆ ἡ κίνησις χὴ ἡ ἁπλῆ κίνησις ἁπλῦ σώματος Ογ2. α2. 269 ᵃ3, 268 ᵇ28. 7. 274 ᵇ3. γ4. 303 ᵇ5. 3. 302 ᵇ7. ψα3. 406 ᵃ29. τὰ αἰσθητὰ σώματα ἢ πάντα ἢ ἔνια βάρος ἔχει Ογ1. 299 ᵃ27. 2. 301 ᵇ6, 12. σώματα ἰσοβαρῆ τι νί Οα6. 273 ᵇ25. τὰ ἁπλᾶ σώματα πῶς γίνεται ἐξ ἀλλήλων Γβ4. ἁπλᾶ σώματα, opp σύνθετα, μικτὰ Οα2. 268 ᵇ26. 5. 271 ᵇ17. Γβ8. 334 ᵇ31. ἅπαντα τὰ μικτὰ σώματα ἐξ ἁπάντων σύγκειται τῶν ἁπλῶν Γβ8. κυρωτάται διαφοραὶ σωμάτων αἵ τε κατὰ τὰ πάθη χὴ τὰ ἔργα χὴ τὰς δυνάμεις Ογ8. 307 ᵇ20. αἱ τῶν σωμάτων διαφοραὶ πεπερασμέναι Ογ4. 302 ᵇ32. Γβ2. 329 ᵇ17, syn πάθη τῶν σωμάτων Ζμβ1. 646 ᵃ20. cf πάθος p 556 ᵇ27-35. — τὸ ξηρὸν χὴ ὑγρὸν ὕλη, τύτων δὲ σώματα μάλιστα γῆ χὴ ὕδωρ μδ11. 389 ᵃ31. 5. 382 ᵇ3. οἴεσθαι τὴν θάλατταν ἀρχὴν εἶναι τῦ παντὸς ὕδατος μβ2. 354 ᵇ4. cf α13. 350 ᵇ35. ἡ γῆ ξηραινομένη ἀναθυμιᾶται, τῦτο δ' ἦν ἄνεμος σῶμα μβ4. 360 ᵇ32. πυκνότερον ἡ θάλαττα χὴ μᾶλλον σῶμα πκγ7. 932 ᵇ2. huic usui talia videntur conferenda esse: περὶ τὰς φλέβας ὡς περὶ ὑπογραφὴν σώματος περίκειται τὸ τῶν σαρκῶν Ζγδ1. 764 ᵇ30. ὃ μάλιστα δή ἐστι τὸ σῶμα τῶν ζώιων, ἡ σὰρξ χὴ τὸ τύτῳ ἀνάλογον Ζιγ2. 511 ᵇ5. οἷον ἐξάνθημα γίνεται τὸ σῶμα τὸ τῆς κοτυληδόνος Ζγβ7. 746 ᵃ6. τὸ σῶμα τὸ τῆς ὑστέρας, τῶν νεφρῶν, τῶν σπλάγχνων, τῶν αἰσθητηρίων, τῆς ἀρτηρίας Ζγδ1. 765 ᵃ14. Ζμ. 744 ᵇ24, ᵃ1. Ζιγ4. 514 ᵇ32. Ζμγ9. 671 ᵇ13, 21. 10. 673 ᵇ1, 3. 13. 674 ᵃ5. πν5. 483 ᵃ25. ἐν τῇ τῦ γάλακτος πήξει τὸ σῶμα τὸ γάλα ἐστίν, ὁ δ' ὀπὸς τὸ τὴν ἀρχὴν ἔχον τὴν συνιστάσαν Ζγα20. 729 ᵃ12, cf infra p 744 ᵇ33. σῶμα σαρκῶδες ἀντὶ γλώττης Ζιδ5. 530 ᵇ25. σῶμα χονδρῶδες Ζμγ3. 664 ᵃ36. περὶ ἐνθυμημάτων, ὅπερ ἐστὶ σῶμα τῆς πίστεως Ρα1. 1354 ᵃ15.

σῶμα de corpore animantis vivi. τὰ τῶν ζώιων σώματα ψα5. 410 ᵃ30. Ζγβ4. 738 ᵃ19. πιδ4. 909 ᵃ29. σώματα, opp ἀήρ, γῆ πα8. 860 ᵃ4, 10. ὅλον τὸ σῶμα Ζιβ1. 503 ᵃ15. γ19. 521 ᵃ10. Ζμβ14. 658 ᵃ28. Ζγα17. 721 ᵇ21. δ1. 765 ᵇ7. 3. 767 ᵇ1. φ2. 806 ᵃ32. πδ15. 878 ᵇ7. ὅσα περὶ ὅλον τὸ σῶμα πλζ. τὸ ὅλον σῶμα Ζιδ2. 526 ᵇ12. ε8. 542 ᵃ5. η10. 587 ᵃ35. Ζμγ4. 666 ᵇ2. Ζπ15. 713 ᵃ24. πγ31. 875 ᵇ20. ε15. 882 ᵃ33. τὸ σῶμα ὅλον, σῶμα ὅλον Ζμα4. 644 ᵇ8. χ6. 797 ᵇ19. τὸ σῶμα τὸ σύνολον, τὸ σύνολον σῶμα Ζια7. 491 ᵃ28. Ζμα5. 645 ᵇ16. Ζγδ1. 764 ᵇ29. ἅπαν τὸ σῶμα Ζιβ1. 498 ᵇ26. Ζμβ3. 650 ᵃ18. γ5. 667

ᵇ21. πε40. 885 ᵃ19. θ15. 890 ᵃ21. τὸ σῶμα πᾶν Ζιγ5.
515 ᵃ35. η4. 584 ᵃ3. Ζμδ5. 678 ᵇ32. Ζπ9. 709 ᵃ30. 11.
710 ᵇ28, 30. πᾶν τὸ σῶμα αν14. 477 ᵇ24. Ζικ3. 636 ᵃ2.
5. 637 ᵃ12. Ζμβ4. 651 ᵃ14. γ5. 668 ᵃ11. Ζπ8. 708 ᵃ29.
Ζγα17. 721 ᵇ9, 12. πα20. 861 ᵇ36, 38. 25. 862 ᵇ3. δ15.   5
878 ᵇ3. (παρήμπισχον τὴν τῦ σώματος αἰσχύνην apud Al-
cid, i q τὸ σῶμα Ργ3. 1406 ᵃ29.) metaph ἵνα ἔχῃ (ὁ λό-
γος) ὥσπερ σῶμα κεφαλήν Ργ14. 1415 ᵇ8. cf Plat Phaedr
264 C. — τῷ σώματι saepissime opp corporis partes. σῶμα,
opp μόρια αν8. 474 ᵃ29. ζ1. 467 ᵇ15. Ζμα4. 644 ᵇ8. γ5.   10
668 ᵃ11. 7. 670 ᵃ10, 11. Ζγα17. 721 ᵇ9, 12, 21. δ1. 765
ᵇ7. 3. 767 ᵇ1. opp μέρη Ζια7. 491 ᵃ28. Ζγα18. 724 ᵇ23.
β6. 745 ᵃ16. δ1. 765 ᵇ32. χ6. 797 ᵇ19. φ2. 806 ᵃ32. opp
τὰ κῶλα Ζμιγ4. 665 ᵇ23. opp πόδες Ζιε32. 557 ᵇ16. πβ31.
869 ᵇ18. δ5. 877 ᵃ10. opp σκέλη Ζπ11. 710 ᵇ30. opp   15
κέρκος Ζιβ11. 503 ᵇ8. opp πτερύγια Ζπ9. 709 ᵇ14. opp
κεφαλή Ζιε32. 557 ᵇ16. Ζμγ10. 673 ᵃ29. δ11. 692 ᵃ1.
Ζγγ3. 754 ᵃ27. πβ6. 867 ᵃ5. ζ5. 886 ᵇ30. ι62. 898 ᵃ21.
opp ὀφθαλμοί Ζιβ11. 503 ᵇ8. πθ2. 889 ᵇ20. ιδ14. 910 ᵃ22.
λα18. 959 ᵃ20. (τὸ περὶ τὸν ὀφθαλμὸν σῶμα πλδ12. 964   20
ᵇ15.) opp γλῶττα πγ31. 875 ᵇ20. opp τράχηλος, τὰ περὶ
τὸν θώρακα Ζιβ12. 504 ᵃ17. β2. 526 ᵇ12. opp στῆθος
Ζμδ11. 692 ᵃ10. opp κοιλία πε14. 882 ᵃ28. opp πλευρά
Ζιβ11. 503 ᵇ27. opp χολή, αἷμα, ὑστέραι Ζμδ2. 677 ᵃ12.
γ4. 666 ᵃ26. Ζικ1. 634 ᵇ2. — τῦ σώματος φύσις Ζγγ3.   25
754 ᵃ26. Ζπ8. 708 ᵃ16, ἰδέα φ5. 810 ᵃ7, ὕλη Ζμβ4. 651
ᵃ14. Μζ1. 1037 ᵃ5. Ζγβ4. 738 ᵇ27. ὁ ἀὴρ κ̀ τὸ ὕδωρ
ὕλη τοῖς σωμάτοις Ζμα1. 640 ᵇ16. τὸ αἷμα ὕλη τοῖς σώ-
μασι Ζγγ1. 751 ᵇ1. σχῆμα Ζιγ5. 515 ᵃ35. Ζμα4. 644 ᵇ8.
δ9. 684 ᵇ19. φ3. 807 ᵃ32. μορφή, τύπος Ζμδ1. 676 ᵇ6.   30
φ4. 808 ᵇ13, 18, 25. 2. 806 ᵃ32. ἀρχή Ζμγ4. 666 ᵃ26. αἱ
ἐσχάται περιφέρειαι Ζπ9. 709 ᵇ18. ὄγκος, πολὺς ὄγκος
Ζμγ13. 674 ᵃ5. δ6. 682 ᵇ9. 14. 697 ᵇ26. Ζγα3. 717 ᵃ7.
β2. 736 ᵃ8. σωμάτων ὄγκος Ζγα19. 727 ᵃ19. διαφορά,
διαφοραὶ Ζκ7. 701 ᵇ31. Ζμδ10. 689 ᵃ22. κρᾶσις Ζμγ6.   35
669 ᵃ10. πγ4. 871 ᵃ24 (cf Theophr de sensu § 35, 58,
de sud § 6). ἄλλη τις σωμάτων μίξις πν4. 482 ᵇ24. ἡ περὶ
τὸ σῶμα ἀλεώρα Ζμδ10. 687 ᵃ29. σώματος διάθεσις Ζγδ2.
767 ᵃ30. πλ14. 957 ᵃ28, διακόσμησις Ζγβ4. 740 ᵃ8, ἕξις
Ζικ1. 634 ᵇ4, 12, σύστασις Ζγα20. 728 ᵇ16. γ1. 751 ᵇ3,   40
σύνθεσις πδ21. 879 ᵃ7, ἀπόκρισις, καθαίρεσις, ἔλλειψις
Ζγβ4. 738 ᵇ4, ᵃ31. α19. 727 ᵃ24, χρεία Ζμδ10. 689 ᵃ26,
βάρος Ζμδ10. 690 ᵃ29. Ζπ8. 708 ᵇ2. 10. 710 ᵃ18, μέγε-
θος σώματος, μεγέθη σωμάτων Ζμγ14. 674 ᵃ28. δ5. 679
ᵃ34. Ζζ18. 573 ᵃ11. γ21. 522 ᵇ13. Ζγβ4. 738 ᵇ29. φ6.   45
813 ᵇ28, μικρότης, σμικρότητες Ζγα3. 717 ᵃ15. 1. 749
ᵇ29. φ6. 813 ᵇ28, ξηρότης Ζγα20. 728 ᵇ5. εὐαγωγία κ̀
εὐφυΐα σωμάτων φ6. 814 ᵃ4, μῆκος Ζμδ10. 686 ᵃ16,
πλῆθος Ζγγ1. 749 ᵇ23, 20, ἰσχνότης κ̀ παχύτης κ̀ εὐτρο-
φία Ζιη1. 581 ᵇ26. εὐτροφία σωμάτων Ζγβ7. 746 ᵇ26. δ6.   50
775 ᵇ19, εὐεξία Ζγδ6. 774 ᵇ25, πιότης Ζιγ4. 515 ᵃ22,
σπάσις πολλὴ ει9. 882 ᵇ28. σάρξ, σαρκῶν σύριγγες κατὰ
σῶμα τέτανται αν7. 473 ᵇ10 (Emped v 344). πόροι πθ9.
877 ᵇ5. (πολυπόδος φυσητήρ, ὅς ἐστι πόρος τῷ σώματι
f 315. 1531 ᵇ13.) κατὰ λόγον τῦ σώματος Ζιε8. 542   55
ᵃ5. β1. 500 ᵃ21, ᵇ8. πδ6. 877 ᵃ18. λ3. 955 ᵇ5. — ἡ εἰς
τὸ σῶμα αὔξησις Ζγγ1. 749 ᵇ21. κατὰ τὸ σῶμα εὖ εν-
τομαὶ Ζια1. 487 ᵃ33. σῶμα εὖρν Ζιη1. 581 ᵇ19. πδ11.
877 ᵇ18. εὔπνν πλζ3. 966 ᵃ16, 18. τὸ εὔπνν μᾶλλον
ὑγιεινόν πε34. 884 ᵃ28. α52. 865 ᵇ20. εὐπνύστερα κ̀ ἀραι-   60
ότερα, εὐπνύστατα πη10. 888 ᵃ26. Ζμγ12. 673 ᵇ23. ψγ12.

434 ᵃ28, ᵇ9. 13. 435 ᵃ11. διπλῦν ἐστι τὸ σῶμα, τὸ μὲν
δεξιὸν τὸ δ᾽ ἀριστερόν Ζμβ10. 656 ᵇ33. cf γ2. 663 ᵃ20.
Ζγδ1. 765 ᵇ2. πλα18. 959 ᵃ20. μέγα, μικρόν, ἢ μέγιστον
Ζγα18. 725 ᵃ32. Ζμδ12. 694 ᵃ9. πι6. 891 ᵇ5. τὸ σῶμα
μέγεθος ἔχει Ζγδ5. 774 ᵃ19. 6. 774 ᵇ28. ἰσχυρόν, σαρκῶ-
δες, ὀγκῶδες, ὀγκωδέστερον φ2. 806 ᵇ24. Ζιδ6. 531 ᵇ1.
Ζιγ11, 32. πολυμερές Ζμδ7. 683 ᵇ4. σφαιροειδές
(ἐχίνν, ἐπὶ τῶν ἄλλων ὀστρέων τῦ σώματος κύκλος εἷς)
Ζμδ5. 680 ᵇ10. τὸ σῶμα ἡμῶν ἐστι περιφερέστερον ἢ εὐ-
θύτερον πε11. 881 ᵇ33. στρογγύλον Ζιδ1. 525 ᵇ33. προ-
μῆκες Ζμδ13. 696 ᵃ25. Ζιδ1. 525 ᵇ32. προπετές Ζπ11.
710 ᵇ28. πε19. 882 ᵇ36. πρανές Ζμβ14. 658 ᵃ28 (cf δα-
σεῖς τὰ πρανῆ Ζιβ8. 502 ᵃ23). σκληρόν, ξηρότερον Ζμδ6.
682 ᵇ27, cf 20. πβ40. 870 ᵇ6. Ζιδ1. 523 ᵇ16. 7. 532 ᵇ2.
ἀραιόν, cf ἀραιοτάτη τῦ σώματος σάρξ πβ8. 867 ᵃ15. 40.
870 ᵇ8. ιδ16. 910 ᵇ5. λα21. 959 ᵇ9. περιττωματικὸν Ζιη1.
581 ᵇ30. ἀκάθαρτον πε27. 883 ᵇ27. συγκεκαθικὸς φ3. 807
ᵇ5. ἀτελέστερον Ζιη1. 582 ᵃ21. προσσπαστικὸν Ζικ3. 636
ᵃ7. τὸ σῶμα ἀρριγότατον ὁ ὀφθαλμός αι2. 438 ᵃ22 (cf ὁ
ὀφθαλμὸς μόνον τῦ σώματος ἢ ῥιγοῖ πλα22. 959 ᵇ15). τὰ
σώματα διερὰ πα9. 860 ᵃ28. τὸ ἀναγκαῖον σῶμα Ζμγ4. 665
ᵇ23. — τῦ σώματος et τῶν στοιχείων quae sit ratio. οὐχ
οἷόν τε ἁπλῦν εἶναι τὸ τῦ ζῴν σῶμα ψ14. 434 ᵇ9, ᵃ28.
13. 435 ᵃ11. ἡ τῦ σώματος οἰκεία θερμότης πυγ5. 871 ᵇ1
(cf ἡ τοῖς ἐμψύχοις σώμασιν ἐνυπάρχνσα θερμότης Theophr
de igne § 44). κρατεῖ τὸ σῶμα τῆς τροφῆς διὰ τὴν θερ-
μασίαν πε1. 885 ᵇ18. ἡ θερμότης ὀρθοῖ τὰ σώματα μᾶλ-
λον Ζμγ6. 669 ᵇ5. cf 10. 689 ᵇ20, 690 ᵃ29 (ὀρθὸς τὸ
σῶμα φ3. 808 ᵃ20). αὐξητικώτατον τῶν ἐν τῷ σώματι
τὸ θερμὸν πλζ3. 965 ᵇ37. αὐτὸ τὸ πῦρ διαχαλᾷ τὸ πεπη-
γὸς ἐν τῷ σώματι πζ3. 886 ᵇ3. ὁ ἀὴρ ὁ περὶ τὸ σῶμα
πη16. 888 ᵇ22. ε17. 882 ᵇ16. ἐξ ἀέρος ἢ ὕδατος ἀδύνατον
συστῆναι τὸ ἔμψυχον σῶμα ψβ11. 423 ᵃ13. cf Ζμα1.
640 ᵇ16. σώματος ὑγρότης Ζγα7. 718 ᵃ31. ἡ ἐκ τῦ σώ-
ματος ὑγρότης Ζικ1. 634 ᵃ15. σῶμα ὑγρόν, ὑγρότερον
πα22. 862 ᵃ15, 8. 20. 861 ᵇ23. 52. 865 ᵇ20. ε34. 884 ᵃ39.
κς17. 942 ᵃ17. β42. 870 ᵇ29. ι11. 900 ᵃ11. ὑγρὸν ἐν τοῖς
σώμασι· τὰ σώματα ἐκδέχεται τὸ θέρος πολλὴν ἔχοντα
ἀλλοτρίαν ὑγρότητα Ζμβ4. 651 ᵃ11. πα8. 859 ᵇ23. τῦ σώ-
ματος (v l σωματίν) ῥυάδος κ̀ μανῦ γενομένν Ζμγ5. 668
ᵇ7. ὁ ἐγκέφαλος, ὑγρότατος κ̀ ψυχρότατος τῶν ἐν τῷ
σώματι μορίων α2. 438 ᵇ30. πάντα τὰ φύσει ὑγρὰ ἐν
τῷ σώματι Ζιγ20. 521 ᵇ6. τὸ ὑγρὸν ἐν τῷ σώματι βάρος
ποιεῖ πγ15. 873 ᵃ21. τὸ ἐκ τῦ σώματος ὑγρὸν κ̀ πνεῦμα
πλη3. 967 ᵃ5, cf 7. τὸ γεηρὸν ἐν τοῖς σώμασιν Ζγβ6. 745
ᵇ20. — σώματος χρῶμα, κύτος φ3. 807 ᵇ3. πι11. 892 ᵃ4.
ιδ14. 910 ᵃ22. Ζγβ9. 684 ᵇ8, 685 ᵃ24. Ζιδ3. 527 ᵇ9. σῶμα
λευκέρυθρον κ̀ καθαρόν φ3. 807 ᵇ17. ἐπίπυρρος τὸ σῶμα
φ3. 807 ᵇ32. ὁλόχροα, ὧν τὸ σῶμα ὅλον τὴν αὐτὴν ἔχει
χρόαν Ζγε6. 785 ᵇ20. αἱ ἐν τῷ σώματι τρίχες πη15. 888
ᵇ16. κατὰ τὸ σῶμα τριχῶν πλῆθος Ζγα20. 728 ᵇ20. δασύ,
δασὺ λίαν Ζιβ1. 478 ᵇ26. Ζμβ14. 658 ᵃ36. αἱ τρίχες αἱ πυρ-
ραὶ ἐπὶ τῦ σώματος, τὰ πρὸς τῷ σώματι μελάντερα τρι-
χώματα χ6. 797 ᵇ35, 798 ᵃ5, 10 (cf ἡ τῦ ἡλίν θερμότης
μελαίνει τὰ σώματα Theophr de igne § 32). αἱ τρίχες κ̀
τὸ σῶμα κ̀ τὰ ὥρα Ζιη2. 582 ᵇ5. ἄνθρωπος ψιλότατον
κατὰ τὸ σῶμα τῶν ζῴων πάντων Ζγβ6. 745 ᵇ17. —
σώματος τροφή Ζιη2. 583 ᵃ10. τὸ μὲν τρέφον ἐστὶν ἡ πρώτη
ψυχή, τὸ δὲ τρεφόμενον τὸ ἔχον αὐτὴν σῶμα ψβ4. 416
ᵇ22. ἡ τροφὴ προσφύεται τοῖς σώμασι, κρατεῖ τὸ σῶμα
τῆς τροφῆς διὰ τὴν θερμασίαν πα42. 864 ᵇ8. ϛ1. 885 ᵇ18.

σῶμα ὑπὸ σώματος τρέφεται τὸ δὲ πνεῦμα σῶμα πν1.
481 ᵃ9. ἕκαστον τῶν τῷ σώματος τὸ αὐτῷ οἰκεῖον ἐσπα-
κέναι πκβ2. 930 ᵃ21. τὰ ἐν τῷ σώματι ὑπάρχοντα ἐφόδια
πγ5. 871 ᵇ23. — σώματος μόρια αν7. 473 ᵇ4. Ζπ15.713
ᵃ14. Ζμδ7. 683 ᵇ23. Ζιδ2. 525 ᵇ24. τὰ αἰσθητικά, παρα- 5
λελυμένα μόρια αι2. 439 ᵃ4. Ηα13. 1102 ᵇ20. τὰ ἐν τῷ
σώματι μόρια, . μέρη Ζμγ4. 667 ᵃ33. Ζγα20. 728 ᵇ19.
αι2. 438 ᵇ30. μέρη πε7. 881 ᵃ19. ὄργανα ταῖς δυνάμεσι
τὰ μέρη τῷ σώματος Ζγα2. 716 ᵃ25. τὸ ὑποκείμενον μέρος
Ζπ9. 709 ᵇ8. τὸ πρόσθεν Ζμγ4. 666 ᵇ3. cf Plat Tim 45A. 10
τὸ μέρος τὸ ἔμπροσθεν Ζπ12. 711 ᵇ14. 15. 712 ᵇ31. τὰ
πρόσθια καὶ τὰ πρανῆ Ζγα13. 720 ᵃ14. τὸ πρανές Ζιδ1.
524 ᵇ23. τὸ ἄνω μέρος, τὰ ἄνω μέρη Ζμδ10. 688 ᵇ26.
Ζγε1. 779 ᵃ26. Ζπ11. 710 ᵇ7, cf 11, 14. πα20. 861 ᵇ31.
διῃρημένη τῷ σώματος τῷ τ' ἄνω καὶ κάτω ζ1. 467 ᵇ32. 15
ἡ καρδία ἀκρόπολις τῷ σώματος Ζμγ7. 670 ᵃ26. τὰ πρανῆ
καὶ τὰ ὕπτια Ζμδ12. 693 ᵃ24. τὰ ὕπτια Ζιβ12. 503 ᵇ31. τὰ
δεξιά, ἀριστερά Ζγδ1. 765 ᵇ2. πλα18. 959 ᵃ20. τὰ σύμ-
μετρα πε22. 883 ᵃ11. τὰ ἀκρωτήρια φ2. 806 ᵇ33. 3. 807
ᵃ33, ᵇ8. τὰ πλάγια Ζμγ7. 670 ᵃ14. τὰ κοῖλα, τὰ ἔξω, 20
τὰ ἔσω πβ28. 869 ᵃ18. λβ11. 961 ᵃ28. λα21. 959 ᵇ6.
ἀπὸ τῶν ἄριστα ᾠκοδομημένων τῷ σώματος ὁ ἥλιος φέρει
(an ἀφαιρεῖ? Bk) πλζ3. 966 ᵃ31. — τὸ σῶμα τῷ θήλεος,
τῷ ἄρρενος. ὀργᾷ τὸ σῶμα· ἐὰν ὀργῶντα τύχῃ τὰ σώματα
πρὸς τὴν ὁμιλίαν ψα1. 403 ᵃ22. Ζγγ1. 751 ᵃ18. cf πζ2. 25
886 ᵃ32. ἐξ ἑνὸς σπέρματος ἓν σῶμα γίνεται Ζγα20. 728
ᵇ35. ἕκαστον τῶν ψῶν οἷον σῶμα τι τῷ ζῴ ὂν Ζμδ5.
680 ᵇ29. cf Ζικ6. 638 ᵃ4. καθαίρεται τὸ σῶμα πε28. 883
ᵇ34. τὸ πλῆθος τῆς καθάρσεως ἔλαττον ἢ κατὰ τὸ σῶμα
Ζιζ20. 574 ᵇ7. αἱ ἀποκρίσεις τῶν περιττωμάτων τὰ σώ- 30
ματα σῴζουσι Ζγβ4. 738 ᵃ28. τὸ σῶμα βαρύνεται, syn αἱ
γυναῖκες βαρύνονται, ὀλίγαις τισὶ συμβαίνει βέλτιον ἔχειν
τὸ σῶμα κυήσαις Ζιη2. 582 ᵇ4. 584 ᵃ3, 22. — σώματος
ὑγιές, νοσερόν. σώματος εὐκρασία καὶ ὑγίεια Ζμγ12. 673
ᵇ26. ὑγιὴς τῷ σώματι πκθ10. 951 ᵃ8. ἀσθένεια, ἀτροφία 35
καὶ σύντηξις πι6. 891 ᵇ11. η9. 888 ᵃ10. σῶμα ἀγαθόν, ὑγί-
αινον Ζικ2. 635 ᵃ28. 1. 634 ᵃ14, 17, ᵇ6. τὸ σῶμα μᾶλλον
ὑγιεινὸν πε34. 884 ᵃ28. α52. 865 ᵇ20. ὑγιεινότερον, ἰσχυρό-
τερον καὶ νοσερώτερον Ζιη1. 581 ᵇ32, 582 ᵃ3. σῶμα γυμνα-
ζόμενον Οβ12. 292 ᵃ24. ἡ κατὰ τὸ σῶμα ἀγωνία πλ11. 40
956 ᵇ16. γηράσκον καὶ φθῖνον Ζγβ6. 745 ᵃ12. νόσοι καὶ τἆλλα
παθήματα τὰ ἐν τοῖς σώμασι μέλλοντα γίγνεσθαι μτ1.
463 ᵃ19 (sed παθήματα σώματος, πάσχειν τὸ σῶμα uni-
verse de affectionibus ψα1. 403 ᵃ19. φ1. 805 ᵃ5. 4. 808
ᵇ33). ἀναρμοστία τῷ ἐμψύχῳ σώματος νόσος f 41. 1482 45
ᵃ9. cf Πε3. 1302 ᵇ35. σώματος θεραπεῖαι φ4. 808 ᵇ24.
ἀνωμαλία τις περὶ τὸ σῶμα ταραχώδης· ἡ ἐν τῷ σώματι
ταραχὴ τὸ ἐν τῷ σώματι καῦμα πυρετός ἐστι· ἐν τοῖς
σώμασι πνῖγη καὶ καύματα πκζ3. 948 ᵃ12. λ14. 957 ᵃ31.
α8. 860 ᵃ5, 4. κάμνει, ἐξερεύγεται, φθίνει καὶ ἐλαττῦται Ζικ1. 50
634 ᵇ9, 10. πλζ3. 966 ᵃ2. τὰ σώματα εὐημερεῖ μᾶλλον
Ζγα18. 725 ᵇ11. αἱ ὧραι τροπαὶ τῷ σώματος Ζγε3. 784
ᵃ15. τὰ σώματα διάκειται τῇ ὥρα πα9. 860 ᵃ15. ἐπὶ ταὐτὸ
ῥέπει αὐτοῖς (τοῖς χολώδεσι) τὸ σῶμα καὶ αἱ ὧραι πα12.
860 ᵇ17. τὸ σῶμα χεῖρον διακεῖσθαι Πθ2. 1337 ᵇ12. τὰ 55
νοσώδη τὴν φύσιν σώματα μκ1. 464 ᵇ29. τὰ νενοσηκότα
πι27. 894 ᵃ1. ἐν τῇ μέθῃ σφάλλεται· ὁ οἶνος κεραννύμενος
τῷ σώματι ποιεῖ τὸ ἦθος ποιούς τινας ἡμᾶς πυ31. 875 ᵇ20.
λ1. 955 ᵃ34. φαρμάκοις καθαίρειν τὸ σῶμα φ4. 808 ᵇ22.
τὸ λῦτρον τῆς συνδεδεμένης τὸ σῶμα καὶ σκληρὰς εὐκινήτης 60
ποιεῖ πγ16. 873 ᵃ34. μαστιγῶν τὸ σῶμα πλατεῖ νάρθηκι

πκζ3. 948 ᵃ10. οἱ τοῖς σώμασι περικλώμενοι καὶ ἐντριβό-
μενοι φ6. 813 ᵃ16. θάνατος ἡ τῶν τοιούτων σχημάτων ἐκ τῷ
σώματος ἔξοδος αν4. 472 ᵃ15. μανῷ καὶ κατεψυγμένῳ παντὸς
τῷ σώματος πα25. 862 ᵇ3. τῷ σώματος ἀραιωμένῳ, σφόδρα
θερμαινομένῳ, ἐκθερμαινομένῳ πλη5. 967 ᵃ16. β36. 870 ᵃ23.
κζ3. 947 ᵇ37. Ζμγ5. 668 ᵇ5 (cf περισταμένῃ τῷ θερμῷ
ἐκ τῷ ἄλλῳ σώματος εἰς τὸν ἐντὸς τόπον· πῦρ ἐν τοῖς σώ-
μασιν ἐμποιεῖν· ἡ παντὸς τῷ σώματος ὑπερβάλλουσα θερ-
μότης ἐστὶ πυρετός πλ14. 957 ᵃ10. α56. 866 ᵃ32. 20. 861
ᵇ38. β22. 868 ᵃ36). τῷ σώματος καταψυχομένῳ, σβε-
σθέντος καὶ ψυχθέντος πγ17. 873 ᵇ16. 5. 871 ᵇ3 (cf κράμβῃ
ψύχει τὸ σῶμα καὶ ὑ ἱδρῶς καὶ αἱ ἰδίαις καταψύχει τὰ σώματα·
κατεψύκται τὸ σῶμα τῶν φοβωμένων· τὰ σώματα θιγγα-
νόντων ψυχεινότερα τῷ θέρῃς ἢ τῷ χειμῶνος πγ17. 873 ᵇ8.
λε4. 965 ᵃ3, 1. κζ9. 948 ᵇ24). ξηραινομένων τῶν σωμάτων
πα12. 860 ᵇ18 (cf κατεξηραμμένῃ τῷ σώματος Theophr
de lassit 5). καὶ τὰ σώματα ἰσχναίνει τῶν παιδίων Ζιη1. 581
ᵇ4. φθειρομένῃ τῷ σώματος μκ2. 465 ᵃ30, cf 25. ἡ μετα-
βολὴ ἰσχυρὰ ὦσα τὰ σώματα φθείρει πα8. 860 ᵃ7. τῷ σώ-
ματος προσενεχθέντος Ζπ12. 711 ᵃ30. μιχθέντος συχνῷ τῷ
ἄλλῳ σώματι· ἀεὶ ῥέοντος, cf ἀεὶ ἔοικεν ἀπορρεῖν τι τῷ
σώματος πε7. 881 ᵃ16. λζ1. 965 ᵇ20. β22. 868 ᵃ35. 28.
869 ᵃ15.

σώματι et ψυχῇ quae intercedat ratio, cf ψυχή 2 et 4.
ὐκ ἂν εἴη τὸ σῶμα ψυχή Ψβ1. 412 ᵃ17, 20. ζ1.467 ᵇ13.
(σῶμά τι λεπτομερὲς ἡ ψυχή Democr ψα5. 409 ᵃ32.) ἡ
ψυχή ἐστι τὸ τί ἦν εἶναι τῷ τοιῳδὲ σώματι, ἡ ἐντελέχεια
ἡ πρώτη σώματος φυσικῷ δυνάμει ζωὴν ἔχοντας (ὀργανικῷ)
ὑσία, αἰτία, ἀρχὴ τῷ ζῶντος (ἐμψύχῳ) σώματος ψβ1. 412
ᵇ20, 27, ᵇ5, 8, 11, 27, 413 ᵃ3. Μξ10. 1035 ᵇ14 Bz. 11.
1037 ᵃ5. η3. 1043 ᵃ35sqq. Ζγβ4. 738 ᵇ27. ὐκ ἔστι καθ'
ὑποκειμένη τὸ σῶμα, μᾶλλον δ' ὡς ὑποκειμένου καὶ ὕλη
ψβ1. 412 ᵃ8. τὸ σῶμα τὸ δυνάμει ὂν ψβ1. 413 ᵃ2. (in
generatione τὸ θῆλυ παρέχεται τὸ σῶμα καὶ τὴν ὕλην, τὸ
ἄρρεν τὸ εἶδος καὶ τὴν ἀρχὴν τῆς κινήσεως Ζγα20. 729 ᵃ11,
12. β8. 748 ᵃ33. τὸ σῶμα τῷ σπέρματος, dist ἡ ἐν αὐτῷ
δύναμις καὶ κίνησις Ζγα21. 729 ᵇ5. cf 19. 726 ᵇ20. β3.737
ᵃ7, 11 Aub.) ὑ δεῖ ζητεῖν εἰ ἓν ἡ ψυχὴ καὶ τὸ σῶμα, ὥσπερ
ὐδὲ τὴν ἑκάστου ὕλην καὶ τὸ ὗ ὕλη ψβ1. 412 ᵇ6. cf 2. 414
ᵃ23. α3. 407 ᵃ15. μκ2. 465 ᵃ31. Μη6. 1045 ᵇ11. τζ14.
151 ᵃ21. ὐκ ἔστιν ἡ ψυχὴ χωριστὴ τῷ σώματος ψβ1. 413
ᵃ4. (ὁ νῦς ὗ μετὰ σώματος, ὗ μέμικται τῷ σώματι ψα3.
407 ᵃ4, 2.) τὸ ζῷον σῶμα ἔμψυχον, ζωὴν ἔχον ψγ12.
434 ᵇ12. Ζγβ4. 738 ᵇ19. cf ψβ11. 423 ᵃ13. 4. 416 ᵇ10.
12. 424 ᵇ14. υ1. 454 ᵃ14. Ζικ10. 703 ᵃ6. Ζγγ11. 762 ᵃ32.
τὸ σῶμα τῆς ψυχῆς ἕνεκεν Ζμα5. 645 ᵇ19. ημβ10. 1208
ᵃ10. βέλτιον ἡ ψυχὴ τῷ σώματος Ζγβ1. 731 ᵇ29. cf Πθ4.
1291 ᵃ25. ἡ ψυχὴ ἀρχὴ φύσει, τὸ σῶμα ἀρχόμενον, ὑπη-
ρετικόν Πα5. 1254 ᵃ35, ᵇ1, 4. τε1. 128 ᵇ18. τὸ σῶμα ὄρ-
γανον (ὄργανον σύμφυτον) τῆς ψυχῆς Ζμα1. 642 ᵃ11.
ψα3. 407 ᵃ26. β4. 415 ᵇ18. κεη9. 1241 ᵇ18, 22. τὸ αὐτὸ
συμφέρον σώματι καὶ ψυχῇ Πα6. 1255 ᵇ10. ἅμα τῇ τε
διάνοια καὶ τῷ σώματι διαπονεῖν ὗ δεῖ Πθ4. 1339 ᵃ8. ἡ
ψυχὴ καὶ τὸ σῶμα συμπαθῆ ἀλλήλοις· ἐν τῷ σώματι ση-
μεῖα τῷ ἤθης φ4. 1. 805 ᵃ1, 6, 9, 14. κοινὰ τῆς ψυχῆς καὶ
τῷ σώματος οἷον αἴσθησις καὶ μνήμη καὶ θυμὸς καὶ ἐπιθυμία κτλ
αι1. 436 ᵃ8. τῷ σώματι ἐγγίνονται κινήσεις ὑπὸ τῷ παθ-
έχοντος, τούτων δ' ἔνιαι τὴν διάνοιαν καὶ τὴν ὄρεξιν κινῶσιν
Φθ2. 253 ᵃ16. θυμοὶ καὶ ἐπιθυμίαι ἀφροδισίων ἐπίδηλως καὶ
τὸ σῶμα μεθιστᾶσιν Ηη5. 1147 ᵃ16. κάλλος σώματος,
ψυχῆς Πα5. 1254 ᵇ39. σώματος ἀρεταί Ρα5. 1361 ᵇ3-35.

ἀγαθὰ ἐκτός, ἐν τῷ σώματι, ἐν τῇ ψυχῇ Πη1. 1323ᵃ26. περὶ τὰς φυλακὰς τῶν σωμάτων Πζ8. 1322ᵃ1. τὰ σώματα τῶν δύλων, τῶν ἐλευθέρων ποῖα Πα5. 1254ᵃ29, ᵇ29. τιμήσασθαι τὸ σῶμα διμναῖον οβ1347 ᵃ22, 1349 ᵇ21. — σώματος κίνησις Ζμγ2. 663 ᵇ11. πε16. 882 ᵇ9, μετεωρισμός, καμπαὶ Ζπ15. 713 ᵃ24. 10. 710 ᵃ1, σύγκαμψις πβ38. 870 ᵇ1, ταχυτής Ζμδ5. 681 ᵇ5. Ζγγ2. 663 ᵃ3. σῶμα πορευτικόν ψ12. 434 ᵃ33. Οβ8. 290 ᵇ8. κάμπτεται τὸ σῶμα Ζμβ9. 654 ᵇ15. τὸ σῶμα κινεῖται φορᾷ ψα3. 406 ᵇ1, cf ᵃ20. ὅταν ἐν κινήσει ᾖ τὸ σῶμα· τῦτο πάσχει τὸ σῶμα ὑπὸ τῶν κινήσεων πβ24. 868 ᵇ19. ς1. 885 ᵇ20. ἀναρριπτύμεν ἄνω τὸ σῶμα, ἡ φορὰ ὀρθὴ κατὰ φύσιν παντὶ τῷ σώματι πε19. 882 ᵇ7. 40. 885 ᵃ16. ἡ θερμότης ὀρθοῖ τὰ σώματα μᾶλλον Ζμγ6. 669 ᵇ5. cf δ10. 689 ᵇ20, 690 ᵃ29. ποιῦνται τοῖς σώμασι τὴν βάδισιν ὀρθὴν Ζπ11. 710 ᵇ17. καταβαίνοντες τῷ ἐμπίπτειν τὸ σῶμα κάτω πε24. 883 ᵃ37. ῥέπει τὰ σώματα πρὸς τὴν γῆν Ζμδ10. 686 ᵃ32. — σῶμα, αἴσθησις. ἡ αἴσθησις διὰ σώματος γίνεται τῇ ψυχῇ αι1. 436 ᵇ7. ἡ αἴσθησις κίνησίς τις διὰ τῦ σώματος τῆς ψυχῆς ἐστιν υ1. 454 ᵃ9, 8. ἡ ψυχὴ ἐν παντὶ τῷ αἰσθανομένῳ σώματι ψα5. 409 ᵇ2. γ12. 434 ᵇ8, cf ᵃ33. τὸ αἰσθητικὸν ἐκ ἄνευ σώματος ψγ4. 429 ᵇ5. ἐν τῷ σώματι ποιεῖν αἴσθησιν διὰ τὸν ὕπνον μτ2. 464 ᵃ15. (τὰ αἰσθητὰ) ὅτε σώματα, ἀλλὰ πάθος κ κίνησίς τις, ὅτ' ἄνευ σώματος αι6. 446 ᵇ25. cf ψβ12. 424 ᵇ11, 14. 10. 422 ᵃ10. τὰ σώματα τῶν αἰσθητηρίων Ζγβ6. 744 ᵇ24. ὁ ὀφθαλμὸς σῶμα μόνον ἴδιον ἔχει τῶν αἰσθητηρίων Ζγβ6. 744 ᵃ5.

v l et ci. σῶμα, στόμα ΖιΖ10. 565 ᵃ4. Ζμγ7. 669 ᵇ19. χρωτός Bk, σώματος v l Ζιε31. 557ᵃ6. σπέρμα Bk, σῶμα ci Aub Ζγβ3. 737 ᵃ11. σῶμα Bk, χρῶμα ci Prtl χ1. 791 ᵇ17.

σωματικός. σωματικὴ ἀρχή, ὐσία, φύσις ΜΑ5. 987 ᵃ4. 8. 989 ᵇ23. Φδ7. 214 ᵃ12. Γα5. 320 ᵇ22. ψα2. 404 ᵇ31. Ζγγ11. 761 ᵃ34. ὕλη σωματικὴ κ χωριστή Γβ1. 329 ᵃ9. σωματικὰ στοιχεῖα Οα8. 277 ᵇ14. μα1. 338ᵃ23. ψα5. 410 ᵃ28. ατ969 ᵃ21. σωματικὴ κίνησις Φη1. 242 ᵇ25. σωματικὰ παθήματα (πάθη), σκληρότης μαλακότης αι μδ4. 382 ᵃ8. Ζμα4. 644 ᵇ13, cf πάθος p 556 ᵇ29. οἱ ἀρχαῖοι τὸ νοεῖν σωματικὸν ὥσπερ τὸ αἰσθάνεσθαι ὑπολαμβάνυσιν ψγ3. 427 ᵃ26. — μανότερον κ ἧττον σωματικὸν πα36. 863 ᵃ32, cf σῶμα p 742 ᵇ36. τὰ σωματικὰ ὑγρὰ Ζγγ11. 762 ᵃ23. cf ε4. 784 ᵇ9. — σωματικαὶ ἔργα, opp ψυχικὰ Ηα12. 1101 ᵇ33. σωματικὴ ἐνέργεια Ζγβ3. 736 ᵇ22, 29. cf Ψγ10. 433 ᵇ19. σωματικαὶ ὑπηρεσίαι τῶν δύλων Πα13. 1259 ᵇ26. σωματικὰ πάθη Ηχ2. 1173 ᵇ9. σωματικὰ πάθη, dist οἱ τῆς ψυχῆς φόβοι πν4. 483 ᵃ4. θάρρη κ φόβοι κ ἀφροδισίων κ τἆλλα τὰ σωματικὰ Ζχ8. 702 ᵃ3. σωματικαὶ ἀπολαύσεις Ηθ6. 1148 ᵃ5. Πα9. 1258 ᵃ3. ε11. 1314 ᵇ28, ἠδοναὶ, ἐπιθυμίαι, λῦπαι Ηβ2. 1104 ᵇ5. γ13. 1117 ᵇ29. η7. 1149 ᵇ26. 8. 1150 ᵃ24. 11. 1151 ᵇ35. 14. 1153 ᵇ33. ι8. 1168 ᵇ17. Πβ9. 1270 ᵇ35. νεη12. 1245 ᵃ21. μμβ6. 1202 ᵇ8. σωματικῶν ἠδέα Ηη11. 1152 ᵃ5, cf 6. 1147 ᵇ25. τοῖς σωματικοῖς χαίρειν Ηη1. 1151 ᵇ23. περὶ θάνατον κ τὰς σωματικὰς πηρώσεις αρ6. 1251 ᵃ12.

ωμάτιον. δόξειεν ἂν ὐδὲν διαφέρειν μονάδας λέγειν ἢ σωμάτια μικρὰ ψα4. 409 ᵃ11. (τευθίδος) τὸ ὅλον σωμάτιον τρυφερώτ᾿ κ ὑπομηκέστερον f 318. 1532 ᵃ9. ἐρυθρὰ ἄττα σωμάτια Ζιδ1. 525 ᵃ2. τῦ σώματος (v l σωματίϋ Bsm) ῥυάδος κ μανῦ γενομένα Ζμγ5. 668 ᵇ7. — (τὸ ἐν τῷ ἡλίῳ θερμαινόμενον ὕδωρ ὐκ ἔστιν ὑγιεινότερον) ἐπεὶ τὸ σωμάτιον φρίττειν ποιεῖ πχδ14. 937 ᵃ36.

σωματοειδής. τὴν ἐπαγγελίαν ἢ τὴν δήλωσιν ἐπὶ τῷ φροιμίῳ σωματοειδῆ τάττειν, opp παρ᾿ ἕκαστον συναπτὰς ποιεῖν ρ32. 1438 ᵇ24, 18. cf 37. 1442 ᵇ31. — σωματοειδῶς τάττειν τὸς λόγυς ρ29. 1436 ᵃ29.

σωματῦσθαι. ἧττον εὔλογον τὸν ἀέρα σωματῦσθαι αι5. 445 ᵃ23. σωματῦταί τε μᾶλλον κ συμπίπτει ὁ ἐγκέφαλος Ζγβ6. 744 ᵃ17. (τῆς τῦ ἄρρενος γονῆς) τὸ πεπεμμένον πάχος ἔχει κ σεσωμάτωται μᾶλλον Ζγβ4. 739 ᵃ12.

σωματώδης. ὁ μέλας οἶνος θερμότερος κ σωματωδέστερος πλ1. 953 ᵇ30. ἡ τροφὴ σωματώδης Ζγγ2. 753 ᵇ26. cf αι5. 445 ᵃ21. ἡ ὀσμὴ ὐ σωματώδης πα48. 865 ᵃ21. ιβ12. 907 ᵇ6. κ16. 924 ᵇ20. ἡ τῆς ψυχῆς ἀρχὴ πολλῷ δὴ δυσκίνητός ἐστι κ σωματώδης Ζμδ10. 686 ᵇ28. ἡ θάλαττα ὑγρά τε κ σωματώδης πολλῷ μᾶλλον τῦ ποτίμῳ· σωματωδέστερόν ἐστι τὸ θαλάττιον ὕδωρ τῦ ποταμίῳ Ζγγ11. 761 ᵇ9, cf 1. πκγ13. 933 ᵃ10. cf 7. 932 ᵇ2. μβ3. 359 ᵃ15. τὸ αἷμα σωματῶδες Ζμβ5. 651 ᵃ27. αἷμα σωματωδέστερον, opp καθαρώτατον υ3. 458 ᵃ12. τὸ ταύτῃ (τῇ σαρκὶ) ἀνάλογον σωματωδέστατόν ἐστι τῶν αἰσθητηρίων· μόνον ἢ μάλιστα τῦτ᾿ ἐστὶ σωματῶδες τῶν αἰσθητηρίων Ζμβ1. 647 ᵃ20. coni γεώδης. τὸ αἰσθητήριον (ὂς) καθαρὸν κ ἥκιστα γεῶδες κ σωματῶδες Ζγε2. 781 ᵇ20. τὸ σωματῶδες κ γεῶδες πλεῖον ὑπάρχει τοῖς μείζοσι τῶν ζῴων Ζμγ2. 663 ᵇ24. πλείονος γινομένης τῦ βάρυς κ τῦ σωματιῶδυς ἀνάγκη ῥέπειν τὰ σώματα Ζμδ10. 686 ᵃ32. νανώδεσιν ὖσι πρὸς τὸ ἄνω τὸ βάρος κ τὸ σωματῶδες ἐπίκειται πᾶν Ζμδ10. 689 ᵇ26, cf 13. ἄνω τὸ σωματῶδες πρὸς τὴν κεφαλὴν ἰόντα ποιεῖ τὸν ὕπνον πιζ7. 917 ᵃ36. cf υ3. 457 ᵇ20, 458 ᵃ26. τὸ σωματῶδες τῆς γονῆς Ζγβ3. 736 ᵃ26. πᾶν γάλα ἔχει ἰχμῶρα ὑδατῶδη, ὃ καλεῖται ὀρρός, κ σωματῶδες, ὃ καλεῖται τυρός Ζιγ20. 521 ᵇ27. τοῖς ὑγροῖς μὲν σωματώδεσι δὲ θερμαινομένοις περιΐσταται· σωνιόντων τῦ σωματώδυς ἐκκρίνεται τὸ ὑγρόν Ζγβ3. 737 ᵃ35. 4. 739 ᵇ26. ἔστι δ᾿ ὑγρὸν κ σωματῶδες ἅμα τῦτο τὸ μόριον (μύτις) Ζμδ5. 681 ᵇ22. τὴν τε ποιῦσαν ποιεῖ κ σωματωδῶν δ᾿ ὑσῶν ἀσθενεστέρα (τὴν τ᾿ ἐκποιῦσαν ποιεῖ κ σωματώδη ὖσαν ἀσθενεστέραν ci Pik) Ζιχ3. 635 ᵇ38.

σῶς. εἰσέφερον τὸ ἐπίγραφεν ἕκαστος σῶον τῇ πόλει οβ1347 ᵃ24.

σωρεύειν. ἅπαντες, ὅταν ὑπάρχῃ τι, πρὸς τῦτο σωρεύειν εἰώθασιν Ρβ15. 1390 ᵇ18. πῶς γίνεται κ φθείρεται τὸ σωρευόμενον μέγεθος Γα8. 325 ᵇ22.

σώρευσις. ἄτοπος γίγνεται ἡ σώρευσις Μμ2. 1076 ᵇ29.

σωρός. τὸ ἔκ τινος σύνθετον ὕτως ὥστε ἓν εἶναι τὸ πᾶν, ἀλλὰ μὴ ὡς σωρὸς ἀλλ᾿ ὡς ἡ συλλαβὴ ΜΖ17. 1041 ᵇ12. 16. 1040 ᵇ9 Bz. cf η3. 1044 ᵃ4. 6. 1045 ᵃ9. Φδ5. 212 ᵇ6. εἰ σωρὸν ἢ ὁρμαθὸν ψάμμυ τύπτοι τις φερόμενον ταχὺ ψβ8. 419 ᵇ24.

Σωσίβιος Ἀναξαγόρᾳ ἐφιλονείκει f 65. 1486 ᵇ33.

Σωσίστρατος πο26. 1462 ᵃ7.

σωστικόν. τὸ ποιητικὸν ἢ σωστικὸν τζ12. 149 ᵇ34. σωστικὸν κ ποιητικὸν ἀγαθῦ ημα2. 1183 ᵇ6. ἡ δικαιοσύνη νόμων σωστική τζ12. 149 ᵇ38. τὸ ἴσον σωστικὸν πως ὁμονοίας χ5. 397 ᵃ3. ἡ θάλαττα σωστικωτέρα τῦ θερμῦ πκγ7. 932 ᵇ3.

σώτειρα. τὰ τῆς σωτείρας ἱερὰ Ργ18. 1419 ᵃ3.

σωτήρ ἁπάντων ὁ θεὸς χ6. 397 ᵇ20. 7. 401 ᵃ24.

σωτηρία φθορᾷ ἐναντίον Πε8. 1307 ᵇ30. τὸ πάσχειν τὸ μὲν φθορά τις ὑπὸ τῦ ἐναντίου, τὸ δὲ σωτηρία τῦ δυνάμει ὄντος ψβ5. 417 ᵇ3. τὰ ὀνόματα τίθενται (τῇ ἑβδόμῃ) ὡς πιστεύοντες μᾶλλον τῇ σωτηρίᾳ Ζιη12. 588 ᵃ10. — αἰσθήσεις τοῖς πορευτικοῖς σωτηρίας ἕνεκα αι1. 436 ᵇ20. ὑπάρχει ὁ ἐγκέφαλος τοῖς ζῴοις πρὸς τὴν τῆς φύσεως ὅλης σωτηρίαν sim, πρὸς σωτηρίαν, σωτηρίας χάριν, σωτηρίας ἕνεκεν Ζμβ7. 652 ᵇ7. 8. 653 ᵇ34. 9. 654 ᵇ35, 655 ᵇ7. 11. 657 ᵃ35. 16. 659 ᵇ27. γ9. 672 ᵃ15 al. περὶ τιμὴν ἢ χρήματα ἢ σωτηρίαν Ηε4. 1130 ᵇ2. cf Πγ4. 1276 ᵇ26, 28. — ὁδῶν σωτηρία καὶ διόρθωσις Πζ8. 1321 ᵇ21. — περὶ σωτηρίας τῶν πολιτειῶν, τίνες φθοραὶ καὶ τίνες σωτηρίαι τῶν πολιτειῶν Πε8. δ2. 1289 ᵇ24. ει. 1301 ᵃ23. ζ1. 1317 ᵃ38. ἐν τοῖς νόμοις ἡ σωτηρία τῆς πόλεως Ρα4. 1360 ᵃ20. ἀκρόπολις σωτηρίας (ἡ ῥητορική) ρ1. 1421 ᵃ1. — ἐπὶ σωτηρίᾳ γε τῆς ἀληθείας Ηα4. 1096 ᵇ14. — τὸ αὔταρκες καὶ ἡ σωτηρία (ie τὸ ἀΐδιον ᵇ16) Μν4. 1091 ᵇ18 Bz. σωτηρία τῶν ἄστρων, τῷ οὐρανῷ μβ2. 355 ᵃ20. Οβ1. 284 ᵃ20. ὁ θεὸς συνέχων τὴν τῶν ὅλων ἁρμονίαν καὶ σωτηρίαν κ6. 400 ᵃ4, cf 397 ᵇ16, 398 ᵃ4, ᵇ10.

σωτήριος. σωτήρια τῆς ἀρχῆς Πε11. 1314 ᵃ13. ἐλπὶς τῶν σωτηρίων Ρβ5. 1383 ᵃ17.

σωφρονίζειν. ἡ φρόνησις σωφρονίζουσα τὰ πάθη ημα35. 1198 ᵇ20. πῶς καθίστανται μᾶλλον καὶ σωφρονίζονται τῶν γυναικῶν αἱ πρὸς ὁμιλίαν ἀκόλαστοι Ζιη1. 582 ᵃ26.

σωφρονικός τβ11. 115 ᵇ15. οἱ πρεσβύτεροι σωφρονικοί Ρβ13. 1390 ᵃ14. σωφρονικὸς εὐθὺς ἐκ γενετῆς Ηζ13. 1144 ᵇ5.

Σωφρονίσκος, υἱὸς Σωκράτους f 84. 1490 ᵇ12.

σωφροσύνη, ἀρετὴ ἐπιθυμητικὴ τε6. 136 ᵇ13. ἡ σωφροσύνη συμφωνία τδ3. 123 ᵃ34. ζ2. 139 ᵇ33. def, opp ἀκολασία Ρα9. 1366 ᵇ13. def αρ1. 1249 ᵇ27. 2. 1250 ᵃ7. 4. 1250 ᵇ6-12. ἡ σωφροσύνη μεσότης ἀκολασίας καὶ ἀνωνύμου Ηβ7. 1107 ᵇ4-8. μεσότης ἀκολασίας καὶ ἀναισθησίας ηεβ3. 1221 ᵃ2. γ2. 1231 ᵃ38. ημα22. 1191 ᵃ37. etymol ὡς σῴζουσα τὴν φρόνησιν Ηζ5. 1140 ᵇ11. dist ἐγκράτεια Ηη11. 1151 ᵇ13. περὶ σωφροσύνης Ηγ13-15. ηεγ2. ημα22. ὅσα περὶ σωφροσύνην πκη1. 949 ᵃ24-8. 950 ᵃ19. — ἀνδρὸς καὶ γυναικὸς ἑτέρα σωφροσύνη Πγ4. 1277 ᵇ21. σωφροσύνη περὶ τὰς γυναῖκας Πβ5. 1263 ᵇ9. σωφροσύνη, dist δικαιοσύνη ἀρχική Πγ4. 1277 ᵇ17.

σώφρων (cf σωφροσύνη), dist ἐγκρατής Ηη11. 1152 ᵃ1 (cf 2. 1145 ᵇ14). ημβ6. 1203 ᵇ12. σώφρονος ἔργα τίνα Ηε3. 1129 ᵇ21. τὰ θηρία οὔτε σώφρονα οὔτ᾽ ἀκόλαστα λέγομεν Ηη7. 1149 ᵇ31. πράττειν τὰ σώφρονα Ηβ3. 1105 ᵃ28. ημα34. 1193 ᵇ4. τὸ πρῶτον σῶφρον ἴδιον τῷ ἐπιθυμητικῷ τε8. 138 ᵇ4. — λίθος σώφρων ἐν Μαιάνδρῳ καλούμενος κατ᾽ ἀντίφρασιν θ167. 846 ᵇ26. — σωφρόνως ζῆν Πβ6. 1265 ᵃ30-35. τῇ οὐσίᾳ σωφρόνως καὶ ἐλευθερίως χρῆσθαι ἔστιν Πβ6. 1265 ᵃ37.

Σώφρων. Σώφρονος καὶ Ξενάρχου μῖμοι πο1. 1447 ᵇ10. f 61. 1486 ᵃ3. cf Bernays Trag p 186.

T

ταγή. πότε καὶ τί παρὰ τῶν σατραπῶν ἐν τῇ ταγῇ ἐκλαβόντι αὐτῷ (τῷ βασιλεῖ) λυσιτελήσει διατίθεσθαι οβ1345 ᵇ25. cf Hesych s v ταγή.

τάγμα. 1. lex, institutum, τάγμα ὀλιγαρχικόν, δημοκρατικὸν Πθ9. 1294 ᵇ6. — 2. vectigal, τάγμα τι ἀνατιθέναι εἰς τὸ ἱερὸν οβ1349 ᵃ24.

ταινία. 1. redimiculum. ὅταν τις αὐτὰ (τὰ χαλκεῖα) ταινίᾳ διαδήσῃ, παύεσθαι συμβαίνει τὸν ἦχον ακ802 ᵃ40. — 2. piscis. ἡ καλουμένη ταινία δύο βράγχια ἔχει Ζιβ13.504 ᵇ33. (tainia Thomae, vitta Gazae Scalig. cf C II 789. Cepola taenia *Bloch* (C rubescens *Cuv*) St. Cr. K 476. KaZι 76, 7. Monochirus Pegusa *Risso* Bsm in indice ad Schol Theocr Nic Opp ed Did p 659. Cobitis taenia AZι I 141, 69. cf M 277.)

ταλαιπωρία. λεπτύνουσι (τὰ πρόβατα) οἱ ὁδοὶ καὶ αἱ ταλαιπωρίαι Ζιθ10. 596 ᵃ30.

ταλαίπωρος, syn σκληρός, κακοπαθητικός ηεβ3. 1221 ᵃ21. — ταλαιπώρως ζῆν Πβ6. 1265 ᵃ32.

ταλαντεύειν. trans, διὰ τὸ. ταλαντεύεσθαι (τὴν θάλατταν κατὰ τὰς στενότητας) δεῦρο κἀκεῖσε πολλάκις μβ1. 354 ᵃ8. — intr, οὕτω γὰρ αὐτῶν ἀνισάζειν τε δύναται τὸ βάρος καὶ μὴ ταλαντεύειν ἐπὶ θάτερα μᾶλλον Ζπ8. 708 ᵇ14.

ταλαντιαῖος. ἐν ἀέρι βαρύτερον ἔσται ταλαντιαῖον ξύλον μολίβδου μναϊαίου Οδ4. 311 ᵇ3. — ταλαντιαίως καθίστανται τοὺς ἐγγύας τῶν εἴκοσι ταλάντων οβ1350 ᵃ19.

τάλαντον. τάλαντα ἆραι ἑκατὸν Οα11. 281 ᵃ9. τὸ τάλαντον (in voc Homerico ἀτάλαντον) πῶς ἐξηγεῖται Ἀριστοτέλης f 138. 1501 ᵇ8, 15, 18. — ὁ ἕνα προδοὺς καὶ πόλιν, ὥσπερ ὁ ὀβολὸν ἀποστερήσας καὶ τάλαντον πκθ6. 950 ᵇ26. τὸ Σικελικὸν τάλαντον ἐλάχιστον ἴσχυσεν f 547. 1568 ᵇ27.

ταλάντωσις. τὴν ἐν τῷ πελάγει μικρὰν ταλάντωσιν ἐκεῖ (διὰ τὴν στενότητα τῆς γῆς) φαίνεσθαι μεγάλην μβ1. 354 ᵃ11. cf Meineke vind Strabon 27.

ταλαρίσκος, τάλαρος. ἐάν τις χειμῶνος φυτεύσῃ σπέρμα σικύου ἐν ταλαρίσκοις..., ἐὰν ὡς ἔχει ἐν τοῖς ταλάροις εἰς τὴν ἱκνουμένην ὥραν εἰς τὴν γῆν φυτεύσῃ πκ14. 924 ᵇ11, 13.

Ταλθύβιος. ἐπίγραμμα ἐπὶ Ταλθυβίῳ f 596. 1576 ᵇ25.

ταμίαι καὶ ἀποδέκται Πζ8. 1321 ᵇ33. ταμίαι τῶν ἱερῶν χρημάτων Πζ8. 1322 ᵇ25. οἱ παρὰ τοῖς Ἀθηναίοις ταμίαι τί πράττουσιν f 402. 1545 ᵃ22, 27, 29, 34. προσόδων ταμίαι κ6. 398 ᵃ24. ταμίας ἐφ᾽ ἑκάστη τῶν νεῶν οβ1347 ᵇ10.

ταμιεία πλείονος ἀρετῆς δεῖται Πε9. 1309 ᵇ7. (τῶν μυρμήκων ἔστιν ἰδεῖν) τὴν ἀπόθεσιν τῆς τροφῆς καὶ ταμιείαν Ζιη38. 622 ᵇ26.

ταμιεῖον. ἡ τοῦ ταμιείου θέσις οα6. 1344 ᵇ33. ὤμνυον οἱ θεσμοθέται ἐπὶ τῷ λίθῳ ὑφ᾽ ᾧ τὰ ταμιεῖα f 374. 1540 ᵇ1.

ταμιεύειν καὶ τὰς μεγίστας ἀρχὰς ἄρχειν Πγ11. 1282 ᵃ31. — med, ὅταν ὑπολίπωσιν αἱ βάλανοι, ἀποκρύπτουσα (ἡ κίττα) ταμιεύεται Ζιδ13. 615 ᵇ23. ὅπως ταμιεύῃ καὶ φύσις καὶ μὴ ἀθρόος ᾖ ἡ ἔξοδος τοῦ περιττώματος Ζμγ14. 675 ᵇ21. τὸ μαλακὸν ὄργανον δύναται ταμιεύεσθαι καὶ παντοδαπῶν γίνεσθαι Ζγε7. 788 ᵃ30, 32. ὁ πνεύμων ταμιεύεται ὡς ἂν βούληται διὰ τὴν μαλακότητα ακ800 ᵇ18. (ὁ πορφυρίων) τῶν λαμβανομένων εἰς τὴν τροφὴν ταμιεύεται μικρὰς τὰς ψωμίδας f 272. 1527 ᵃ39. πάντα κατεργάζεται τῇ θερμότητι ταμιευόμενα (?) πλ1. 953 ᵇ22. — pass, οὐχ ὥσπερ τὸ ἀγγεῖα ταμιευόμενον εἶναι πηγήν μβ1. 353 ᵇ21. cf α13. 350 ᵇ27. ταμιευομένης ἐκ τῆς λεκίθου τῆς τροφῆς αὐτοῖς Ζγδ4. 770 ᵃ21.

Ταναγρικός. Ἀριστόδικος ὁ Ταναγρικός f 367. 1539 ᵇ37.

Τάναϊς μαι3. 350 ᵃ24. 14. 353 ᵃ16. κ3. 393 ᵇ26, 30.

τανaός. τανaώτερον (Emp 224) αι2. 437 ᵇ30.

ταξιαρχεῖν Πγ4. 1277 ᵇ11.

ταξιαρχία Πζ8. 1322 ᵇ3.

ταξίαρχος οβ1350 ᵇ10. κ6.399 ᵇ7. οἱ δέκα ταξίαρχοι (Ἀθήνησι) τῶν ὁπλιτῶν προΐστανται f 374. 1540 ᵇ10. 391.1543 ᵃ9. 392. 1543 ᵃ19.

τάξις, dist θέσις, σχῆμα, haec tria γένη τῶν ἐναντίων Φα5.

188 ᵃ24. ΜΑ4. 985 ᵇ17 (τάξις ι q διαθιγή Democr). Κ6. 5 ᵃ29, 32. τὰ ζῷα διαφέρει τῇ θέσει ἢ τῇ τάξει (τῶν μερῶν) Ζια6. 491 ᵃ17. (μέρη) μετηλλαχότα τὴν τάξιν Ζια17. 496 ᵇ19. ὁ ἀὴρ πῶς ἔχει τάξει πρὸς τἆλλα τὰ λεγόμενα στοιχεῖα μα3. 339 ᵇ5. τάξις ὐκ ἔστιν ἐν τῇ ὐσίᾳ Μζ12. 1038 ᵃ33 Bz. ὐχ ἡ τυχῦσα τάξις ἀ σύστασις Οα10. 280 ᵃ17. τάξις πᾶσα λόγος Φθ1. 252 ᵃ13 (cf τάξεις ἀ ἀριθμοί, τάξις ἀ ἠρεμία νεα8. 1218 ᵃ19, 23). εὐμνημόνευτα ὅσα τάξιν τινὰ ἔχει μν 2. 452 ᵃ3. τάξεις ὀνομάτων τέσσαρες ρ24. 1434 ᵇ38. περὶ τάξεως λόγων, τῶν τῦ λόγῳ μερῶν Ργ13-19. β26. 1403 ᵇ2. ρ30-38. περὶ τάξεως ἀ πῶς δεῖ ἐρωτᾶν τθ. — κατ' ἐνιαυτὸν ἢ κατά τινα ἄλλην τάξιν ἢ χρόνον ἄρχειν Πβ2. 1261 ᵃ34. τὰ συμβόλαια ἀ τὰς τάξεις κατὰ συνθήκας κοινὰς γίγνεσθαι ρ3.1424 ᵇ29. αἱ περὶ τῶν πολεμικῶν ἐμπειρίαι ἀ τάξεις Πδ13. 1297 ᵇ21. τῶν μοναρχιῶν ἡ κατὰ τάξιν τινὰ βασιλεία. ἡ ἀόριστος τυραννὶς Ρα8. 1366 ᵃ2. — ἡ τάξις νόμος, ὁ νόμος τάξις ἐστίν, ἡ τάξις τῶν νόμων Πγ16. 1287 ᵃ18. η4. 1326 ᵃ30. β10. 1271 ᵇ29, 32. 5. 1263 ᵃ23 (cf ἄδικον τάξει, opp φύσει Ηε10. 1135 ᵃ10). ἡ πολιτεία τῆς πόλεως τάξις, τάξις ταῖς πόλεσι περὶ τὰς ἀρχὰς ἐστιν, ἡ τάξις πᾶσα τῆς πολιτείας, ἡ πολιτικὴ τάξις Πγ6. 1278 ᵇ9. δ1. 1289 ᵃ15. 3. 1290 ᵃ8. ε7. 1307 ᵇ18. β8. 1269 ᵃ10. cf β6. 1264 ᵇ31. 10. 1272 ᵃ4, 10. γ11. 1281 ᵇ39. δ1. 1289 ᵃ1. ζ1. 1316 ᵇ32. η2.1324 ᵃ24. ἐν τῇ πόλει ὅταν ἅπαξ στῇ ἡ τάξις Ζκ10. 703 ᵃ31. ἡ βελτίστη, ἀρίστη, ὀλιγαρχικὴ τάξις Πε9. 1309 ᵇ33. β9. 1269 ᵃ32. δ11. 1296 ᵃ40. 14. 1298 ᵇ5. τάξις Κρητική, Λακωνική, Καρχηδονίων, Ἱπποδάμου Πβ10. 1271 ᵃ40. 11. 1273 ᵃ21. 8. 1268 ᵃ15. δ9. 1294 ᵇ21. ἀρχαία τῶν συσσιτίων ἡ τάξις Πη10. 1329 ᵇ6. — ἡ τῦ κόσμυ τάξις ἀίδιός ἐστιν Οβ14. 296 ᵃ34. τῆς ΜΑ10. 1075 ᵃ13, 14. καταστήσαι εἰς ταύτην τὴν τάξιν τὸ πᾶν Φβ4. 196 ᵃ28. Ογ2.300 ᵇ23. ἡ τάξις ἀ ὁ κόσμος Ογ2. 301 ᵃ10. cf β12. 292 ᵃ12. ἡ φύσις αἰτία πᾶσι τάξεως Φθ1. 252 ᵃ12. Ογ2. 301 ᵃ5. ἀεὶ τὸ κατὰ φύσιν ἔχει τάξιν Ζγγ10. 760 ᵃ31. κατά τινα τάξιν νομίζειν χρὴ ταῦτα γίγνεσθαι ἀ περίοδον μα14. 351 ᵃ25. cf 9. 347 ᵃ5. β3. 358 ᵃ25, 26. παρὰ τὴν τάξιν ταύτην, syn παρὰ τὸ ὡς ἐπὶ τὸ πολὺ Ζγδ4. 770 ᵇ14, 12. διὰ τὴν ἐξ ἀρχῆς τάξιν τῆς συστάσεως (τῦ τῶν ζῴων σώματος) Ζγδ8. 776 ᵇ5. — τὰ γυμνάσια ἔχει τὴν τάξιν (locum) ἐνταῦθα Πη1. 1331 ᵃ37, ᵇ6. ἕκαστα τῶν ζῴων ἐν τοῖς οἰκείοις τόποις ἔχει τὴν τάξιν αν13. 477 ᵃ31. λαβεῖν τὴν τῦ ἀνδρὸς τάξιν, εἶναι ἐν ἀρετῆς τάξει ημα34. 1194 ᵇ15. 35. 1198 ᵃ27. 2. 1183 ᵇ35. ἡ ἑτέρα συστοιχία ἐν τῇ τῦ αἱρετῦ (ἑτέρᾳ Bk) τάξει νεη12. 1245 ᵃ2. τὴν τάξιν ἀπέλαβεν ἐν τοῖς ὁμοιομερέσι Ζμβ9. 655 ᵇ22. τὸ τέταρτον γένος βύλεται κατὰ τὴν τῦ πυρὸς εἶναι τάξιν Ζγγ11. 761 ᵇ17. ὁ λὶψ ἐκ τῆς χειμερίῃ τάξεως πκς26. 943 ᵃ1. τὸ θῆλυ ἀ δῆλοῦ τὴν αὐτὴν ἔχει τάξιν, opp διώρισται Πα2. 1252 ᵇ6, 1. φανερὰ τῶν ἱερέων ἡ τάξις Πη9. 1329 ᵃ28. — τάξις militum κ6. 399 ᵇ2. λείπειν τὴν τάξιν Ηε3. 1129 ᵇ20. — τάξεις ci Spgl, πράξεις Bk ρ2. 1421 ᵇ17.

ταπεινός. σῶμα ἐκ βαθέος ἀ ταπεινῦ ΜΑ9. 992 ᵃ13. μ9. 1085 ᵃ11. ν2. 1089 ᵇ13. χώρα ταπεινοτέρα ἀ κοιλοτέρα μα14. 352 ᵇ32. — θεωρία ταπεινοτέρα, opp τιμιωτέρα Ζμα1. 689 ᵃ1. ἐπὶ τὸ ταπεινότερον, opp ἐπὶ τὸ μεγαλοπρεπέστερον ρ3. 1423 ᵃ32, ᵇ24. — οἱ δεόμενοι, οἱ ἐν ἐνδείᾳ ταπεινοί, ταπεινότεροι Ρβ3. 1380 ᵃ28. Πδ11. 1295 ᵇ18. ἐν τοῖς ταπεινοῖς σεμνύνεσθαι φορτικόν Ηδ8. 1124 ᵇ22. οἱ ταπεινοὶ κόλακες Ηδ8. 1125 ᵃ2. ταπεινὸς πρὸς τὰς ὀλιγωρίας νεγυ2. 1231 ᵇ12. διάνοια ταπεινή Πθ2. 1337 ᵇ14. δυσχέρειαι

μικραὶ ἀ ταπειναί ρ3. 1425 ᵃ30. — λέξις ταπεινή, opp κεκοσμημένη Ργ2. 1404 ᵇ6. πο22. 1458 ᵃ32. coni σαφὴς πο22. 1458 ᵃ18. λέξεως ἀρετὴ μήτε ταπεινὴν μήτε ὑπὲρ τὸ ἀξίωμα, ἀλλὰ πρέπυσαν εἶναι Ργ2. 1404 ᵇ3. — ταπεινῶς ὁμιλεῖν ἔργον κολακείας Πε11. 1313 ᵇ41. — ταπεινῶς λέγειν, opp ἀγαμένως Ργ7. 1408 ᵃ19.

ταπεινότης. Θεμιστοκλεῖ ὐκ ἔπρεπε, διὰ τὴν προϋπάρξασαν ταπεινότητα νεγυ6. 1233 ᵇ13. — syn μικροψυχία Ρβ6. 1384 ᵇ4. cf αρ7. 1251 ᵇ15, 25.

ταπεινῦν. οἱ Ἀθηναῖοι ἐταπείνωσαν τὺς Χίυς παρὰ τὰς συνθήκας Πγ13. 1284 ᵃ41. ταπεινῦν, opp αὐξάνειν νεη11. 1244 ᵃ6. ταπεινῦν τῷ λόγῳ, opp αὐξάνειν, syn διασύρειν ρ3. 1425 ᵃ26. 4. 1426 ᵃ19. 18. 1432 ᵃ39. 37. 1443 ᵃ10. — οἱ ταπεινύμενοι πρός τινα ἀ μὴ ἀντιλέγοντες Ρβ3. 1380 ᵃ21. τεταπεινῶσθαι ὑπὸ τῦ βίᾳ, opp μεγαλόψυχον εἶναι Ρβ12. 1389 ᵃ32. 13. 1389 ᵇ25. Πε11. 1315 ᵇ6.

ταπείνωσις, opp αὔξησις Ζμδ10. 689 ᵃ25. — rhet, ταπείνωσις διὰ τίνων γίγνεται ρ4.1426 ᵃ19-ᵇ20. ταπεινώσεις, opp αὐξήσεις ρ7. 1428 ᵃ2. cf 4. 1425 ᵇ39.

Ταπροβάνη πέραν Ἰνδῶν × 3. 393 ᵇ14. cf Humboldt krit Unters I 116.

τάρανδος (νλ ταράνδρος, τάνανδρος) descr θ30. 832 ᵇ8. f 332. 1534 ᵃ3. cf Rose Ar Ps 364. S Theophr IV 812. (Cervus alces L Beckm p 68.)

Ταραντῖνοι θ78. 836 ᵃ6. 106. 840 ᵃ11. f 571. 1572 ᵃ7. instituta publica Πζ5. 1320 ᵇ9. Ταραντίνων πολιτεία f 548.

Τάρας θ32. 832 ᵇ21. 106. 840 ᵃ6. σ973 ᵇ14. f 238. 1521 ᵇ36. περὶ Τάραντα Ζιι48. 631 ᵃ10. res publicae Πβ4. 1291 ᵇ23. ε3. 1303 ᵃ3. 7. 1306 ᵇ31. ἐπὶ τῦ νόμμῳ ἐντετυπῶσθαι Τάραντα τὸν Ποσειδῶνος δελφῖνι ἐποχύμενον f 548. 1568 ᵇ36.

ταράττειν. ὅταν θηρεύωσι, ταράττυσι τὸ ὕδωρ Ζιθ2.592 ᵃ6. ὄψεις καθαραί, τεταραγμέναι πκς8. 941 ᵃ2. οἱ ἄνεμοι ταράττυσιν οἱ ἐξ ἐναντίας τὰ ὄμματα πε13. 882 ᵃ10. 37. 884 ᵃ31. τὸ φάρμακον πρὶν ταράξαι (τὴν κοιλίαν) καταφέρεται πα48. 864 ᵇ23. ἐνίοις ὅταν δείσωσιν ἡ κοιλία ταράττεται Ζμδ5. 679 ᵃ26. ταράττεται ὁ ἐγκέφαλος Ζγε1. 780 ᵃ23. ταράττονται συλλαβὲται αἱ πλεῖσται τῶν γυναικῶν Ζγδ6. 775 ᵇ10. ταράττεται ἡ τῶν ὀρνέων πτέρωσις ἐν ταῖς ἀρρωστίαις Ζιθ18. 601 ᵇ6. ὁτὲ δὲ τεταραγμέναι φαίνονται αἱ ὄψεις ἢ τερατώδεις ἢ ὐκ ἐρρωμένα τὰ ἐνύπνια εν3. 461 ᵃ21. οἱ ἔνωχροι ἀ τεταραγμένοι τὸ χρῶμα δειλοί Φε6. 812 ᵃ17. ταράττει τὴν διάνοιαν ἀ τὴν αἴσθησιν Ζμγ10. 672 ᵇ30. τεταραγμένϲϲ ἀ φοβυμένῳ (τῦ βονᾷσῳ), opp ἀτάρακτυ ὄντος Ζιι45. 630 ᵇ11. — ὁ δεῖ ταράττεσθαι, μή τις φήσῃ Κ8. 11 ᵃ20 Wz. ὁ δεῖ ταράττεσθαι ὅτι κτλ Φθ7. 261 ᵇ16. μὴ ταραττέτω ἡμᾶς Κ5. 3 ᵃ29. ταραττόμενοι ἧττον δύνανται φυλάξασθαι τι15. 174 ᵃ20 (cf ταραχή. θορυβεῖν).

ταραχή. τῦ πνεύματος ἀ τῆς ταραχῆς ὁ ἥλιος αἴτιος, opp αἰθρία πκε7. 938 ᵇ6, 5. ἐν τοῖς τικτομένοις (τὰ μόρια) ἔχει πολλὴν ἀ παντοδαπὴν ταραχὴν Ζγδ4. 771 ᵃ11. διὰ ταραχὴν ἀ φλεγμασίαν αἱματικὴν εν2. 460 ᵃ6. ἀπεψία διὰ τὴν ταραχήν, ἢ γίνεται διὰ τὴν ποικιλίαν τῦ ὕδατος πα16. 861 ᵃ12. μετὰ ταραχῆς προσφέρεσθαι σιτίον πκ34. 926 ᵇ25. ταῖς γυναιξὶ μὴ γινομένης τῆς καθάρσεως ταραχὴν παρέχει Ζγδ6. 775 ᵇ1, cf νόσυς συμβαίνυσιν ᵇ9. — ταραχαὶ πολιτικαὶ ἀ στάσεις πρὸς ἀλλήλυς Πε2. 1302 ᵃ22. cf Ζγα18. 724 ᵃ33. — καθίσταται ἡ ψυχὴ ἐκ τῆς φυσικῆς ταραχῆς Φη3. 247 ᵇ18, 27, 248 ᵃ1, 26. γίνονται φανεραὶ (αἱ αἰσθήσεις) καθισταμένης τῆς ταραχῆς εν3. 461 ᵃ8. ὁ φόβος, ἡ αἰσχύνη ἐστὶ λύπη τις ἢ ταραχὴ Ρβ5. 1382 ᵃ21. 6. 1383 b14. 9. 1386 b24. — τὰ πράγματα ταῦτα ὐκ ὄντα ἀληθῆ παρέχει τὴν ταραχὴν αὐτοῖς Μμ9. 1086 a2. ταῦτα πολλὴν ἔχει ταραχὴν Πβ8. 1268 b4. τὴν πολυμάθειαν πολλὰς ταραχὰς ποιεῖν f 51. 1484 a39. omisso subiecto πολλὴν ἔχει ταραχήν Πβ4. 1262 b27.

ταραχώδης. αἱ μεταβολαὶ πάντων ταραχώδεις μβ5. 361 b34. ὥρα ταραχώδης ϰ ἀνώμαλος πκζ13. 941 b32. πέψις ταραχώδης παι5. 861 a6. ἀνωμαλία περὶ τὸ σῶμα ταραχώδης πκζ3. 948 a12. — λύπη ταραχώδης ὁ φθόνος Ρβ9. 1386 b18 (cf ταραχή). — ταραχώδης ἡ κρίσις, ἡ σκέψις Πβ8. 1268 b11. θ2. 1337 a40.

ταριχεία. ταὐτὸ τῦτο δρῶσι περὶ τὰς ταριχείας μβ3. 359 a16. οἱ θύννοι εἰς ταριχείας φαῦλοι οἱ γέροντες Ζιθ30. 607 b28.

ταριχεύειν. ταριχεύοντες τὰς θύννας θ136. 844 a31. ταριχεύειν, syn ἁλίζειν πκα5. 927 a36. σῴζεται ἄσηπτα τὰ τεταριχευμένα πκα5. 927 a39. τῶν μυρρίνων ταριχευομένων, μὴ τεταριχευμένων πκ31. 926 a34. 33.

ταριχηραὶ ὀσμαί, κεράμιον ταριχηρόν Ζιδ8. 534 a19, 21.

τάριχος. ἡ τῦ ταρίχυ ὀδμή πκη7. 950 a15.

ταρσὸς τῦ ποδός Ζιγ2. 512 a7, 17. cf Daremberg not et extraits I 135, 125. Da I 48.

Τάρταρος, πηγὴ τῶν ὑδάτων μβ2. 356 a1, 18. cf Πλάτων p 598 b22. ἀπειλῆς ἕνεκα τοῖς ἐν ταρτάρῳ (Pythag) Αδ11. 94 b34.

Ταρτησσὸς ποταμός μαι13. 350 b2. — Φοίνικες ἐπὶ Ταρτησσὸν πλεύσαντες θ135. 844 a17.

τάσις. πάντα διαφέρει ταῖς πρότερον εἰρημέναις διαφοραῖς, τάσει, ἕλξει, θραύσει, σκληρότητι, μαλακότητι μδ12. 390 b7. τὸ νεῦρον (ἡ ἀορτή, ὁ στόμαχος al) ἔχει τάσιν, τάσιν πολλήν. τοιαύτη Ζιγ5. 515 b16, a31. α16. 495 b23. Ζμβ6. 652 a19. 8. 654 a16. 13. 657 b15. πε14. 882 a18. ἡ τάσις τῶν πόρων Ζγε7. 788 a3. ὁ οἰσοφάγος, ἔχων νευρώδη τάσιν Ζμγ3. 664 a32. (τῶν μορίων) τὰ μὲν τάσιν ἔχειν δεῖ τὰ δὲ κάμψιν Ζμβ1. 646 b19. τὸ ἀσφαλὲς ϰ τὴν τάσιν (δεῖ εἶναι) ἐν τοῖς ὄπισθεν Ζμδ10. 690 a18. πρὸς τὴν ἰσχὺν ϰ τὴν τάσιν χρησιμώτερον Ζμγ10. 672 b26. ἐν τῇ κατασπάσει τῇ τάσει τῦ οἰσοφάγυ γίνεται ἡ χάρις Ζμδ11. 691 a1.

τάττειν, sensu locali, τὰ πνεύματα τῦτον τέτακται τὸν τρόπον μβ6. 364 a5, 27. εἰς τὴν σφαῖραν τάξαι sim μαι8. 346 a33. 3. 340 a19. τέτακται τὰ αἰσθητήρια τῇ φύσει καλῶς· τὸ τῶν ὀσμῶν αἰσθητήριον ἐνίοις κατὰ τὴν γλῶτταν τεταγμένον sim Ζμβ10. 656 b27. δ6. 683 a1. γ8. 671 a29. — iubere, instituere, ὕτω τάττει ὁ λόγος Ηγ15. 1119 b17. de institutis publicis et legibus sim τὴν νομοθεσίαν τῦ σχολάζειν ἕνεκα τάττειν Πη14. 1334 a5. τοῖς ἐλευθέροις ἡ βελτίστη τροφὴ τέτακται Ζγβ6. 744 b18. τὰ ὑπὸ τῦ νόμҳ τεταγμένα Ηε5. 1138 a6. τὰ ταττόμενα νόμιμα Πη2. 1325 a11. τάττειν τὰ περὶ τὰ τέκνα sim Πβ4. 1262 b6. 7. 1266 a37. ε8. 1308 b32. τάττειν ζημίαν, τίμημα, ἀξίαν Πθ9. 1294 a38, 39. 13. 1297 a38. 14. 1298 b17. ε6.1306 b9. Ηι1. 1164 a22, b9, 16. εἰσφέρειν τὸ τεταγμένον Πδ10. 1272 a14. τεταγμένα ἐλάμβανον οἱ παράσιτοι f 510. 1561 b23. τάξασθαι τὴν ταφήν Πβ12. 1274 a39. ἀρχαὶ τεταγμέναι ἐπί τινι, ἐν σχήματι μείζονι, οἱ ὑπὸ τὴν τῆς βασιλείας ἡγεμονίαν ταττόμενοι, δήλҳς τάττειν πρὸς ὑπηρεσίας Πδ14. 1298 a29. 15. 1299 a24. ε7. 1307 b13. ζ8. 1322 a32. ρ1. 1420 a21. universe τετάχθαι dicuntur, quaecunque normae cuidam et legi subiecta sunt, ὐδὲν τέτακται τῶν τοιύτων ἀκολυθεῖν Ρα10. 1369 a26. φύσει ὅσων ἡ αἰτία ἐν αὑτοῖς ϰ τεταγμένη Ρα10. 1369 b1. αἱ ἀρχαὶ ἢ τεταγμέναι

ἢ ἄτακτοι· εἰ τεταγμέναι αἱ ἀρχαί, ἢ ἐξ ἑαυτῶν ἐτάχθησαν ἢ ὑπὸ ἔξωθέν τινος αἰτίας f 16. 1476 b44, 1477 a2. τὸ τεταγμένον ϰ τὸ ἀεὶ ὡσαύτως ημβ8. 1207 a3. τὸ τεταγμένον ϰ τὸ ὡρισμένον πολὺ μᾶλλον φαίνεται ἐν τοῖς ὐρανίοις ἢ περὶ ἡμᾶς Ζμα1. 641 b18. cf Ζγε1. 778 b3. ἀκριβῶς ἡ περίοδος ἢ τέτακται ταῖς γυναιξίν Ζγβ4. 738 a17. τὸ τεταγμένον, opp τὸ ἄτακτον Οα10. 280 a8. αι3. 440 a4. ψυχή, ἠρεμαίαις ϰ τεταγμέναις κινήσεσι χρωμένη αρ8. 1251 b27. χώρα τεταγμένη, χρόνοι τεταγμένοι Γβ10. 337 a15. μβ2. 355 a28. τεταγμένως συμβαίνειν, γίγνεσθαι sim μβ3. 358 a2. Ρα10. 1369 a34. κ5. 397 a13. πιθ38. 920 b34. κϛ12. 941 a38. — τάττειν de notionum ordine logico, εἰς ταὐτὸ τάττειν τὴν εὐτυχίαν τῇ εὐδαιμονίᾳ Ηα9. 1099 b7. τάττειν τὴν ἕξιν εἰς τὴν ἀκολυθῦσαν δύναμιν τῇ 5. 125 b21. εἰς ταύτας τάξειεν ἄν τις τὴν ξενικὴν φιλίαν Ηθ14. 1161 b15. cf ημβ8. 1207 a13. Πθ3. 1338 a14. 5. 1339 a20, b14. ηεα4. 1215 a32. Πλάτων τὴν σοφιστικὴν περὶ τὸ μὴ ὂν ἔταξεν Με2. 1026 b15. ἡ βασιλεία τέτακται κατὰ τὴν ἀριστοκρατίαν Πε10. 1310 b32. ἡ κατὰ τὴν ὅλην ἀρετὴν τεταγμένη δικαιοσύνη Ηε5. 1130 b19. τεταγμένον κατὰ τὸ εἶναι, syn λεγόμενον κατὰ τὸ εἶναι τε7. 137 a31-33. τὰ ἑτερογενῆ ϰ μὴ ὑπ᾽ ἄλληλα τεταγμένα Κ3. 1 b16. — τακτός. ἀπὸ τινος τακτῦ, opp ἀπὸ παντὸς τε1. 128 b37. τακτὸν ἐπικεφάλαιον δῦναι οβ1348 a32. κατά τινας χρόνυς τακτὺς ϰ τὺς αὐτὺς ἀεὶ Ζιθ15. 599 b4.

Ταυλαντίνων (coni ed Ddt pro Ἀτλαντίνων) χώρα θ127. 842 b14. — Ταυλαντῖνοι ἐν Ἰλλυριοῖς θ22. 832 a5.

ταυρᾶν. αἱ βόες ταυρῶσιν (ν l ταυρῶσιν) Ζιζ18. 572 a31.

Ταυρομένιον. περὶ Ταυρομένιον ἀκύεσθαι βροντῇ παραπλήσιον ψόφον f 591. 1574 a19.

ταῦρος, cf βῦς. — μέγεθος Ζιι45. 630 a21. κέρατα, ὀρύτει Ζιδ11. 538 a23. ι45. 630 b6. Ζμγ1. 662 a3. πι36. 894 b23. ὁ Αἰσώπυ Μῶμυς διαμέμφεται τὸν ταῦρον Ζμγ2. 663 a36. cf fab 155 Halm. αἷμα Ζιγ19. 520 a27, 521 a4. Ζμβ4. 651 a4 (cf Oribas I 645). φωνή Ζγε7. 786 b23, 787 b9. φ2. 807 a19. οἱ πρεσβύτεροι, ὁ νικῶν, μάχαι Ζιζ21. 575 a16, 21. 18. 571 b21, 572 b16. ὁ ἐκτμηθεὶς Ζιγ1. 510 b3. Ζγα4. 717 b3. πότε ἀπόλλυνται οἱ ταῦροι (τράγοι ci C), τὺς ταύρης αἱ βόες ὐχ ὑπομένυσι Ζιι3. 611 a2 Aub. ε2. 540 a6. cf ζ18. 572 b4. θυμώδης ϰ ἐκστατικός, αὐθάδης, ἀνδρεῖος Ζμβ4. 651 a2. φ6. 811 a14, b35. 2. 807 a19. ἄρκτος λύκυς κόραξ πολέμιοι Ζιι1. 609 b1, 5. θ5. 594 b11-15. ταῦροι ἱεροὶ (βύμυκοι) πκε2. 937 b39, 938 a2. ταῦρος χρύσειος θ175. 847 b1. cf Su 59, 36. ταῦρος in ν l (τράγος Bk) Ζιζ19. 573 b32.

Ταῦρος ϰ Ταυρόσια (τὰ Ῥώσια ci Rose) ὄρη σ973 a18. f 238. 1521 b12.

ταυτοποιεῖν ἀλλήλοις Ηθ14. 1161 b31.

ταυτότης ϰ ἐναντιότης Μβ1. 995 b21. ἡ ταυτότης ἑνότης τις Μδ9. 1018 a7. ἡ πρὸς ἐκεῖνα ταυτότης Ηθ14. 1161 b31. ἡ ταυτότης τῶν β ϰ τῶν θ Αα28. 45 a22.

ταφή. ὕτω τάξασθαι τὴν ταφήν Πβ12. 1274 a39. χωρίον ἀφωρισμένον εἰς ταφήν ρ3. 1424 a35.

τάφος, dist ἱερόν Ηδ6. 1123 a10. ὀβελίσκοι περὶ τὸν τάφον Πη2. 1324 b20. ἡ κάππαρις ἐπὶ τῶν τάφων πκ12. 924 a5. ἐπὶ τῦ τάφῳ Ἰόλεω (cf Ἰόλεως f 343 b6) f 92. 1492 a42. χαῖρε δὶς ἡβήσας ϰ δὶς τάφυ ἀντιβολήσας, Ἡσίοδ f 525. 1563 b38. — τάφυ μέρος τιμῆς Ρα5. 1361 a35.

τάφρος. ἐν ταῖς ὀχετείαις αἱ μέγισται τῶν τάφρων διαμένυσιν· αἱ τάφροι πρὶν ἢ τὴν ἰλὺν ἐξαιρεθῆναι Ζμγ5. 668 a28, 35.

τάχα. ἀμφισβητῶντες προστιθέασιν ἀεὶ τὸ ἴσως κ̣ τάχα Ρβ13.
1389ᵇ19. τάχα δὲ κ̣ ἡ τῦ πυρὸς φύσις, εἰ ἔτυχε, τοι-
αύτη τις ἐστίν· ἴσως γὰρ τὸ ὑποκείμενόν ἐστι καπνὸς
Ζμβ2. 649ᵃ20. sed saepe τάχα non tam dubitantis est,
quam cum modestia quadam affirmantis (cf ἴσως p 347
ᵇ32), veluti Φε5. 229ᵃ28 (syn ἴσως ᵃ29). θ1. 252ᵃ10.
Οβ13. 294ᵃ12. μα9. 347ᵃ7. 13. 349ᵃ29. Ηα3. 1095
ᵇ30. 4. 1096ᵇ35. 6. 1097ᵇ24. 11. 1100ᵃ31, 1101ᵃ27. 13.
1102ᵃ6. θ2. 1155ᵇ17. ι7. 1167ᵇ26. 8. 1168ᵇ14. κ10.
1180ᵇ23. Πγ11. 1281ᵃ42. 15. 1286ᵇ34. δ2. 1289ᵇ18.
τάχα ἂν c ind imperf φτα2. 817ᵃ19. τάχα δὲ ἴσως
πκβ14. 931ᵃ31. λα19. 959ᵃ30.

τάχος διχῶς λέγεται Μι1. 1052ᵇ29. τάχος κ̣ βραδυτὴς ὐκ
εἴδη κινήσεως ὐδὲ διαφοραὶ Φε4. 228ᵇ29. τάχος τῆς πυ-
κνώσεως, τῆς ἐκκρίσεως, τῆς ξηρότητος μα12. 348ᵇ11. γι.
370ᵇ9. β5. 361ᵇ22. τῷ τάχει παραλλάττειν μα4. 342
ᵃ33. θᾶττον τάχος τῦ μείζονος κύκλυ Οβ8. 289ᵇ35. τὸ
τάχος ἕξει τὸ τῦ ἐλάττονος πρὸς τὸ τῦ μείζονος ὡς τὸ
μεῖζον σῶμα πρὸς τὸ ἔλαττον Ογ2. 301ᵇ11. — τοῖς ἐλά-
φοις τάχος (βοήθειαν ἡ φύσις) προσέθηκεν Ζμγ2. 663ᵃ10.
οἱ πένταθλοι πρὸς βίαν κ̣ πρὸς τάχος ἅμα πεφύκασιν
Ρα5. 1361ᵇ11. γαστρίμαργα εἰς τάχος, dist εἰς πλῆθος
Ζμγ14. 675ᵇ28. — τὰ τάχη τὰ τῆς πληγῆς τὰ ἕτερα
τοῖς ἑτέροις συνακολυθῶντα ακ803ᵇ32. — ὡς τάχος i q
ταχέως: κατὰ βυθῶν ὡς τάχος χωρεῖ ὁ ναυτίλος f 316.
1531ᵇ27.

ταχυβάμων φ6. 813ᵇ7.

ταχυγονία κ̣ πολυγονία τῶν μυῶν Ζιζ37. 580ᵇ27.

ταχυδρομία πε9. 881ᵇ7.

ταχύνειν, intr φτβ7. 827ᵃ14. 9. 828ᵇ12.

ταχύς, opp βραδύς, def Φδ10. 218ᵇ15. τὸ θᾶττον, θᾶττον
κινεῖσθαι def Φζ 2. 232ᵃ25. δ14. 222ᵇ33. μχ1. 848ᵇ6.
ατ968ᵃ24. τῦ θᾶττον φέρεσθαι αἴτιαι Φδ8. 215ᵃ25. Οαδ.
277ᵃ29, ᵇ4. θᾶττον τὸ τῦ μείζονος κύκλυ τάχος Οβ8. 289
ᵇ34. τὸ ταχὺ ὀξὺν ποιεῖ τὸν ψόφον πια40. 903ᵇ32. 6. 899
ᵃ26. 21. 901ᵃ34. ιβ50. 922ᵇ39. ταχεῖαν ποιεῖται τὴν με-
ταβολὴν, τὴν κίνησιν Ζμβ16. 659ᵃ5. 13. 657ᵇ17. δ13.
696ᵇ8. ἡ τῦ βλεφάρυ χρῆσις ταχεῖαν ἔχει τὴν ἐργασίαν
Ζμβ13. 657ᵇ33. ταχεῖα γίνεται ἡ ἐπιθυμία Ζμγ14. 675
ᵃ23. ταχεῖαν ποιεῖται τὴν αἴσθησιν Ζμβ7. 653ᵇ6. ὅσα τα-
χείας ποιεῖται τὰς φαντασίας μα5. 342ᵇ21. — οἱ ταχεῖς
κ̣ εὐμαθεῖς πότερον μνήμονες ἢ ἀναμνηστικοί μν1. 449ᵇ8,
450ᵇ8. — διήγησις ταχεῖα Ργ16. 1416ᵇ30. — διὰ τα-
χέων. τὰ γεγονότα ἄρτι ἢ μέλλοντα διὰ ταχέων Ρβ8.
1386ᵇ1. τὰ μὲν εὐθὺς τὰ δὲ διὰ ταχέων Ζιη10. 587ᵃ29.
cf 3. 583ᵇ23. ζ. 1558ᵇ21. — ταχὺ adverb. πράττειν
ταχὺ, βυλεύεσθαι βραδέως Ηζ10. 1142ᵇ4. βυλεύεσθαι
ταχύ, opp πολὺν χρόνον Ηζ10. 1142ᵇ27. ταχὺ γίνεται
φίλυς, διδόναι τιμὰς Ηθ7. 1158ᵃ5. Πε8. 1308ᵇ13. ταχὺ
μεταβάλλειν, γελᾶν Ζμβ2. 649ᵃ28. γ10. 673ᵃ4. — ἐπεὶ
θᾶττον Πγ13. 1284ᵃ40. — ὅτε θᾶττον Ζιζ7. 563ᵇ17. —
τήκεσθαι πολὺ τάχιον f 248. 1524ᵃ23. — ταχέως ἀπόλ-
λυσθαι, ἀφανίζεσθαι Πδ11. 1296ᵃ17. μβ2. 355ᵇ13. —
ὁρίζεσθαι πολιτικῶς κ̣ ταχέως (παχέως interpretes et Schn)
Πγ2. 1275ᵇ25. — ὁ ἀὴρ παθὼν ταχέως ('fortasse'? cf
Torstrik ad h l) αἰσθητὸς γίνεται ψβ12. 424ᵇ18.

ταχυτὴς τῆς πήξεως, τῆς μεταβολῆς μα12. 348ᵇ31. β3.
357ᵇ34. ταχυτὴς θαυμαστὴ κ̣ ὁμοία ῥίψει μα4. 342ᵃ5.
ἡ ὄψις ἢ τῦ ἐλάττονος ὑπερέχει, ἡ δὲ ταχυτὴς ἢ τῦ πλεί-
ονος Οα11. 281ᵃ26. ἡ εὐθυτης (τῦ ἐντέρυ ποιεῖ) ταχυτῆτα
ἐπιθυμίας Ζμγ14. 675ᵇ26. — ὀξυφωνία κ̣ ταχυτὴς Ηθ8.

1125ᵃ16. τῶν ζῴων τισὶ ταχυτῆτα σώματος πρὸς σωτη-
ρίαν ἡ φύσις δέδωκεν Ζμγ2. 663ᵃ2. — διὰ ταχυτῆτα ὐκ
ἀναμένυσι τὸν λόγον Ηη8. 1150ᵇ27. — τὰς ταχυτῆτας
ἐκ τῶν ἀποστάσεων ἔχειν τὰς τῶν συμφωνιῶν λόγυς Οβ9.
290ᵇ21.

ταχυτόκος, opp ὧν πολυχρόνιος ἡ κύησις πι9. 891ᵇ25.

Ταῷ τῷ Αἰγυπτίων βασιλεῖ οβ1350ᵇ33, 1353ᵃ20 (fort
Ταχῷ, cf Schn ad h l, Ddf Steph thes).

ταώς. ταῶνος Ζιζ2. 559ᵇ29. τῷ ταῷ Ζπ10. 710ᵃ23. οἱ
ταῷ (v l ταῶνες ταόνες) Ζιζ9. 564ᵃ31. τοῖς ταῷς (v l ταοῖς
ταῶσιν) Ζπ10. 710ᵃ6. descr Ζιζ9. 564ᵃ25. f 274.1527ᵇ5.
refertur inter τὰ φθονερὰ κ̣ φιλόκαλα. τὰ ποικίλα τῷ
γένει, τὰ μὴ πτητικὰ Ζια1. 488ᵇ24. Ζγε6. 785ᵇ23. χ6.
799ᵇ11. Ζπ10. 710ᵃ6. ὑροπύγιον, ὑπηνέμια Ζπ10. 710
ᵃ6, 23. Ζιζ2. 559ᵇ29. (pavo vers Thom Gazae Scalig.
paon C II 608. Pavo cristatus K 414. KaΖι 18, 75. St. Cr.
Lenz Zool der Gr u Röm- 321. Su 139, 109. AΖι I 109,
105.)

τέ adiunctivum. raro usurpatur ad coniungenda singula vo-
cabula, veluti Ηθ8. 1158ᵇ10, 13; saepe ad coniungendas
enunciationes, veluti Ηγ4 1112ᵃ9. δ7. 1123ᵇ31. η14.
1153ᵇ7. θ1. 1155ᵃ11, 16, 30. ι1. 1164ᵇ1, 4, 13. χ2.
1173ᵇ4, 1174ᵃ4 al. Zell II 116. ita ubi enumerantur plura
deinceps argumenta, τέ usurpatur perinde fere atque ἔτι,
ἔτι δέ Πε11. 1314ᵇ28, 36, 1315ᵃ4 (cf ἔτι 1314ᵇ19,23,
38, ἔπειτα ᵇ14). te Αγ24. 85ᵇ18. praecipue series
enumerandi clauditur per ὅλως τέ ΜΑ1. 981ᵇ7. 8. 989
ᵃ26. 9. 990ᵇ17, 992ᵇ18. β2. 997ᵃ15. γ5. 1010ᵃ20, ᵇ30.
ι4. 1055ᵃ22. μ4. 1079ᵃ14. Πη1. 1323ᵇ13. Αγ24. 85
ᵇ7. τζ13. 150ᵃ15. ι10. 171ᵃ1. Γα2. 315ᵃ26. — τέ cor-
relativum. rarius inter se opponuntur τέ . . . τέ, veluti Ηβ2.
1104ᵃ20. δ10. 1125ᵇ8. ι11. 1172ᵃ22. κ5. 1175ᵃ20. 7.
1177ᵃ21. Πη5. 1327ᵃ4, longe frequentius τέ . . . καὶ, ut
opus non sit exempla afferre. interdum τέ . . . καὶ usur-
pantur, ubi simplex καὶ expectes, πειτήκοντα τε κ̣ πέντε
Μλ8. 1074ᵃ11, 13. μεταξὺ τῶν δεῦρό τ' ἔσται κ̣ αὐτῶν
ΜΑ9. 991ᵇ30. β2. 997ᵇ2. 997ᵇ24, 29. cf Hartung
Part I 100 sq. — a praeparativo τέ interdum ad alias
particulas transitur, veluti τέ . . . ἔτι Φη4. 248ᵃ19-22,
τέ . . . ἔτι δὲ Ζιβ17. 508ᵃ17, 18. Ρα1. 1355ᵃ21, 24, τε . . .
δὲ ψβ11. 422ᵇ23, 25. μι1.462ᵇ20, 22. Μα2. 994ᵇ18 Βz.
ζ16. 1040ᵇ6 Bz. θ3. 1046ᵇ33, 35. Οα11. 281ᵃ8. Πα8.
1256ᵃ23, 29. τε . . . ὁμοίως δὲ κ̣ Πα8. 1256ᵃ23, 29. β9.
1269ᵃ36, 38. — τέ interdum ei vocabulo additur, quod
utrique membro commune est, μεταξὺ τε τῶν εἰδῶν κ̣
τῶν αἰσθητῶν Μκ1. 1059ᵇ6. αἵ τε γὰρ ὐσίαι πρῶται τῶν
ὄντων, κ̣ εἰ πᾶσαι φθαρταί, πάντα φθαρτά (i e αἱ γὰρ
ὐσίαι πρῶταί τε . . κ̣) Μλ6. 1071ᵇ5. αἵ τ' οἰκήσεις μεμη-
χάνηνται πρὸς τὰς βίας κ̣ τὰς σωτηρίας τῶν τέκνων (i e
αἱ οἰκήσεις . . . πρὸς τε τὰς βίας κ̣ τὰς σ) Ζυ11. 614
ᵇ31. φύσει τε (γὰρ) ἀρχικὸν πατὴρ υἱῶν κ̣ προγόνων ἐ
γόνων κ̣ βασιλεὺς βασιλευομένων (i e φύσει γὰρ ἀρχικὸν
πατήρ τε υἱῶν κ̣ . . .) Ηθ13. 1161ᵃ18. insolentior etiam
particulae τέ collocatio φαίνεται δὲ τὰ μιγνύμενα πρότερόν
τε ἐκ κεχωρισμένων συνιόντα κ̣ δυνάμενα χωρίζεσθαι πάλιν
(i e συνιόντα τε ἐκ πρότερον κεχωρισμένων κ̣ δ. χ. π.)
Γα10. 327ᵃ28. ἀλλὰ μὴν ὐδὲ διαγωγήν τε (Bkᵃ om τε,
alii ci γε) παισὶν ἁρμόττει κ̣ ταῖς ἄλλαις ἡλικίαις ἀποδι-
δόναι ταῖς τοιαύταις Π5. 1339ᵃ29. cf η3. 1325ᵃ19. α11.
1259ᵃ13. τέ om Ideler cum codd H N μα7. 344ᵃ7. —
τὲ δή, sequente part καί Φα3. 186ᵃ4. Ζγα21. 729ᵇ8.

Πβ5. 1263 b7, non sequente altero membro Ηθ3. 1156
a17 Fritzsche, Zell. — τὲ γάρ apud Ar saepe ita usur-
patur, ut particula τέ manifesto praeparativam vim habeat
eamque sequatur καί, veluti Πα6. 1255 a28. 12. 1259 b1.
β4. 1262 b7 al. sed aliquot locis (K8. 9 b35 Wz. Φα3.186
b19. μβ8. 366 b3 codd HL. Ζγα21. 729 b9. β7. 747 a13.
Ηθ13. 1161 a18. 16. 1163 a29. Πα8. 1254 a23. η14.1338
a12) consopita particulae τέ vi praeparativa τε γάρ idem
fere significare ac ἢ γάρ vel γάρ contendunt Fritzsche ad
Ηθ13. 1161 a18, Klotz ad Devar p 752; plerisque locis,
licet non sequatur enunciatio ab ipsa particula καί exorsa,
servari tamen vim praeparativam particulae τέ demonstrat
Eucken I 17 sqq; sed relinquuntur certe loci quidam, in
quibus coniunctis particulis τε γάρ non aliam apparet vim
inesse, quam simplici γάρ vel ἢ γάρ, veluti ψα2. 405
a2. Πη14. 1333 a1. ζ4. 1318 b32. Αγ9. 75 b41. Ζμγ1.
661 b28. cf Bz Zts f öst Gym 1867 p 672-682.

τέγγειν. γενομένη τοιαύτη (ἡ σάρξ) τέγγει τὰς ἰδρῶτας
πβ32. 869 b25. — τέγγεσθαι, dist τήκεσθαι μδ9. 385 b23.
— τεγκτόν, dist τηκτόν μδ9. 385 b13. περὶ τῦ τεγκτῦ
μδ8. 385 a13. 9. 385 b13-26.

Τεγέα π□24. 1460 a32. εἰς Τεγέαν (Simonid fr 165 Bgk)
Ρα7. 1365 a27. ἐκ Τεγέης Ἀγαπήνωρ f 596. 1576 b5. —
Τεγεατῶν πολιτεία f 549. 550. οἱ λακωνίζοντες τῶν Τε-
γεατῶν f 550. 1569 a11, 15, 5.

τείνειν. trans, τῆς τριχὸς ἰσχυρῶς μὲν ὁμοίως δὲ πάντῃ τει-
νομένης Οβ13. 295 b32. χορδὴ τεταμένη νευρίνη Ζγε7. 787
b17. — αὐχένα ἔχει (τὰ ὄρνεα) τεταμένον τῇ φύσει Ζμδ7.
692 b20. περὶ τὸν διὰ παντὸς τεταμένον πόλον (Plat Tim
40B) Οβ13. 293 b31. δι᾽ αἰθέρος ἠνεκέως τέταται· πύμα-
τον κατὰ σῶμα τέταται (Emp 439, 344) Ρα13. 1373
b17. αν7. 473 b10. διὰ τῦ μέσυ τείνεται φλέψ Ζγ3. 513
b3. οἱ ὀμφαλοὶ τείνονται π□46. 896 a15. ἀπὸ τῦ ὀμφαλῦ
τέταται φλὲψ πρὸς τὸν ὑμένα Ζιζ3. 561 b5. φλὲψ τετα-
μένη ἔκ τινος, διά τινος Ζιγ3. 513 b33. a17. 496 b14. οἱ
ἀπὸ τῶν νεφρῶν τεταμένοι πόροι Ζια17. 497 a19 (cf καυλὸς
ὁ ἐπὶ τὴν ὀρύθραν τεταμένος a20). σωφροσύνης (ἐστὶ) τὸ τετά-
σθαι περὶ τὸν βίον ὁμοίως ἔν τε μικροῖς ἢ μεγάλοις αρ4.
1250 b10. — intr, φλέβες (πόροι, στόμαχοι al) τείνυσιν ἐκ
τῆς καρδίας, εἰς τὸ στόμα, ἐπὶ τὴν ὀρύθραν, διὰ τῆς κοιλίας,
ὑπὸ τὰς μαστύς, παρὰ τὴν ῥάχιν sim Ζια11. 492 a20. 16.
495 a30. 17. 497 a15, 20. β17. 507 b15. γ2. 511 b32, 512
a10, 12, 13, 15, 27, 32. 3. 513 a23, b26. ζ3. 561 a23 al.
πότερον ἀσκεῖν δεῖ τὰ χρήσιμα πρὸς τὸν βίον ἢ τὰ τείνοντα
πρὸς ἀρετὴν ἢ τὰ περιττὰ Πθ2. 1337 a41, cf 5. 1339 a22.
πρὸς ἀλήθειαν τείνει ταῦτα Ρα7. 1365 b15. αἱ διαφοραὶ τῆς
καρδίας τείνυσί πῃ ἢ πρὸς τὰ ἤθη Ζμγ4. 667 a12. τείνειν
εἰς ταὐτὸ Ηζ12. 1143 a25. περὶ τῶν εἰς τὸ τέλος τεινόντων
ηεβ10. 1226 b11. — τατός. ὑμένων γένος ἕτερον, ὖτε
σχιστὸν ὖτε τατόν (v l τιλτόν, cf S I 159. II 327) Ζιγ13.
519 a32.

τειχίον. ἔνια τῶν κολεοπτέρων ἐκ πηλῦ τρώγλας ποιῦνται
μικρὰς ἢ πρὸς τάφοις ἢ τειχίοις Ζιε20. 553 a1, 552 b28.
οἱ ἐν τοῖς τειχίοις ἀναπαυόμενοι πε29. 883 b39.

τειχοποιοί Πζ8. 1321 b26.

τεῖχος. ὅτι δεῖ τὴν πόλιν τείχη ἔχειν Πη11. 1330 b32-1331
a18. περιβαλεῖν τεῖχος, ἢ τοῖς τείχεσι μία ἡ πόλις Πγ3.
1276 a27, 26. τὸ ξύλινον τεῖχος Ρα15. 1376 a2.

τεκμαίρεσθαί τινι Οβ14. 298 a12. τεκμαίρεσθαί τινι περὶ
τινος φ1.805 b10. τεκμαίρεσθαι seq inf p10.1430 a17.
τεκμαίρεσθαι absol, ὅταν κατανοήσωσιν ἔν τινι τόπῳ πολλὺς

(ἰχθῦς) ἀθρόυς ὄντας, ἐκ τοσύτυ τόπυ τεκμαιρόμενοι κα-
θιᾶσι τὰ δίκτυα, ὅπως μὴ ἀφίκηται ὁ ψόφος Ζιθ8. 533
b18.

τέκμαρ ἢ πέρας ταὐτὸν κατὰ τὴν ἀρχαίαν γλῶτταν Ρα2.
1357 b9.

τεκμήριον. τέτταρά ἐστιν, ἐξ ὧν τὰ ἐνθυμήματα, εἰκός,
παράδειγμα, τεκμήριον, σημεῖον Ρβ25. 1402 b14-1403 a16.
α3. 1359 a7. τὰ δι᾽ ἀναγκαίν ἢ ὄντος διὰ τεκμηρίν Ρβ25.
1402 b19. α2. 1357 b4, 7. τεκμήριον τὸ εἰδέναι ποιῦν Αβ27.
.70 b2 Wz. τὰ τεκμήρια ἢ τεκμηριώδη ἐνθυμήματα κατὰ
τὸ ἀσυλλόγιστον ὑκ ἔσται λῦσαι Ρβ25. 1403 a10. τοῖς
αὐτοῖς τεκμηρίοις ἢ ταῖς αὐταῖς ἀνάγκαις Οα8. 277 a11.
(aliter τεκμήριον def, τεκμήριά ἐστιν, ὅσα ἂν ἐναντίως ἢ
πεπραγμένα τῷ περὶ ὗ ὁ λόγος ἢ ὅσα ὁ λόγος αὐτὸς ἑαυτῷ
ἐναντιῦται ρ10. 1430 a14, Spgl p 161. dist παράδειγμα,
ἐνθύμημα ρ15. 1431 a27, 29, Spgl p 167.) — οἷς ἂν χρή-
σαιτό τις τεκμηρίοις Ζγα17. 721 b13. μέγιστον τύτων τεκ-
μήριον τεθεωρήκαμεν Ζγ18. 723 b19. τεκμήρια τὰ συμ-
βαίνοντα τοῖς εἰρημένοις Ζγδ2. 766 b28. ποιῦντες τεκμήριον,
ὅτι Οβ13. 294 a1. τεκμήριον τῦ φέρεσθαι τὸ κτλ sim Οα8.
277 a27. Ζγα18. 725 a28. ταῦτα τεκμήριον ἱκανόν ... γὰρ
μα14. 352 b24. τεκμήριον τῦ εἶναι ... γὰρ μβ3. 359 a11.
τύτυ δὲ τεκμήριον· ... γὰρ Ζγβ6. 744 a11. τεκμήριον
δέ· ... γὰρ Πη16. 1335 a15. cf σημεῖον p 677 b9, μαρ-
τύριον p 446 a60.

τεκμηριώδη ἐνθυμήματα, coni τεκμήρια (v h v) Ρβ25.
1403 a11.

τεκνογονία. πρὸς τὰς τεκνογονίας ἤδη εὐκαίρως ἔχυσιν Ζιη1.
582 a28.

τέκνον. 1. hominum. τέκνα προσεοικότα τοῖς γονεῦσι ἢ τὰ
ἐπίκτητα Ζγα17. 721 b33. τέκνον ἕως ἂν ἢ πηλίκον, ὥσπερ
μέρος αὐτῦ Ηε10. 1134 b10. καθάπερ ἀποικισθὲν τέκνον
ἀπὸ πατρός Ζγβ4. 740 a7. οἱ γονεῖς στέργυσι τὰ τέκνα ὡς
ἑαυτῶν τι ὄντα Ηθ14. 1161 b19-30, 1162 a4-8. οἱ βασιλεῖς
(τῶν μελιττῶν) τὸς κηφῆνας κολάζυσιν ὡς τέκνα Ζγ10.
760 b20. σύνδεσμος τὰ τέκνα δοκεῖ εἶναι Ηθ14. 1162 a27.
οἱ πατέρες φιλῦσι τὰ τέκνα μᾶλλον ἢ φιλῦνται ὑπ᾽ αἱ μη-
τέρες τῶν πατέρων ηεη8. 1241 b5. ἢ περὶ τὰ τέκνα σπυδὴ
ηεη8. 1241 b3. τὰ τέκνα μέρη οἰκίας Πα3. 1253 b7. ἄρχειν
τῶν τέκνων βασιλικῶς Πα12. 1259 a39. τάττειν τὸ πλῆθος
τῶν τέκνων Πβ7. 1266 b10. — κοινωνεῖν τέκνων ἢ γυναι-
κῶν (Plat) Πβ1. 1261 a4. 7. 1266 a34. — 2. animalium.
αἴσθησις ἐπιμελητικὴ τῶν τέκνων Ζγγ2. 753 a8. φοβεῖσθαι
περὶ τῶν τέκνων· τὰ δὲ (ζῷα) περὶ τὰς τροφὰς ἐκπονεῖται
τῶν τέκνων· ἡ ἐκτροφὴ τῶν τέκνων Ζιζ11. 566 a26. 18.
573 a30. 81. 588 b33. ε8. 542 a31. τὰ τελεώτερα ἢ θερ-
μότερα τῶν ζῴων τέλειον ἀποδίδωσι τὰ τέκνα κατὰ τὸ
ποιῦν· (γάλα) ὅσον τοῖς τέκνοις ἱκανόν Ζγβ1. 733 b2. Ζιγ20.
522 a32. — ὁ δασύπυς τὰ μὲν τῶν κυημάτων ἀτελῆ πολ-
λάκις ἔχει, τὰ δὲ προΐεται τετελειωμένα τῶν τέκνων Ζγβ5.
774 b4. δελφίνων, θηλάζεται ὑπὸ τῶν τέκνων παρακολα-
θέντων, τὴν αὔξησιν ποιῦνται ταχεῖαν Ζιβ13. 504 b5. ζ12.
566 b17, 18. φωκαινῶν, ὑῶν Ζιζ12. 566 b17. 18. 573 b4.
φαττῶν, τρυγόνων, περιστερῶν· ὅσα μὴ δαψιλῆ τροφὴν
συνεκτίκτει τοῖς τέκνοις Ζγδ6. 774 b30. σελαχῶν, σκορπίων,
ἀραχνῶν Ζιζ11. 566 a26. ε26. 555 a25.

τεκνοποιεῖσθαι. συμβαίνει πολλοῖς ἢ πολλαῖς γυναιξὶ ἢ
ἀνδράσι μετ᾽ ἀλλήλων μὲν συνεζευγμένοις μὴ δύνασθαι
τεκνοποιεῖσθαι, διαζευχθεῖσι δέ Ζιη5. 585 b10.

τεκνοποιητική (τεκνοποιηκή ci Dind Steph thes), coni δεσπο-
τική, γαμική Πα3. 1253 b10.

τεχνοποιία κοινότερον τοῖς ζῴοις Ηθ14. 1162 ᵃ19. ἓν μέρος τῆς ζωῆς (τοῖς ζῴοις) αἱ περὶ τὴν τεχνοποιίαν πράξεις Ζιθ1. 589 ᵃ3. (οἱ τῶν μελιττῶν βασιλεῖς) μέγεθος ἔχουσιν, ὥσπερ ἐπὶ τεχνοποιίαν συστάντος τοῦ σώματος αὐτῶν Ζγγ10. 760 ᵇ10. οἱ ἄνθρωποι ὂ μόνον τῆς τεχνοποιίας χάριν συνοικοῦσι Ηθ14. 1162 ᵃ21. οα3. 1343 ᵇ15. οὐδὲν ἠλιθιώτερον τεκνοποιίας Ρβ21. 1395 ᵇ10. ποίας κχὶ πότε δεῖ ποιεῖσθαι τὴν τεκνοποιίαν Πη16. πρὸς τὴν παῦλαν τῆς τεκνοποιίας συγκαταβαίνειν εὐκαίρως Πη16. 1335 ᵃ31. ἀφεῖναι τὴν τεκνοποιίαν ἀόριστον, νόμοι περὶ τεκνοποιίαν Πβ6. 1265 ᵃ40, ᵇ7, 10. 9. 1270 ᵃ40.

τεκνοτροφεῖν. φέρει ὕδωρ μέλιττα, ὅταν τεκνοτροφῇ Ζιι40. 625 ᵇ26.

τεκνοτροφία. χαλεπωτέρα ἡ θήλεια (περιστερὰ) περὶ τὴν τεκνοτροφίαν τοῦ ἄρρενος Ζιζ4. 562 ᵇ23.

τεκνοῦν. act, ἀρχὴ τοῖς ἄρρεσι τοῦ τεκνοῦν Ζιη5. 585 ᵃ34. med, ἀρχὴ ταῖς γυναιξὶ τοῦ τεκνοῦσθαι Ζιη5. 585 ᵃ34, cf S I 542. de coniuncto utroque parente usitatum activum, τέκνα ἐοικότα τοῖς τεκνώσασι sim Ζγδ3. 767 ᵃ37. α1. 715 ᵇ10. 18. 724 ᵃ6, sed usurpatur etiam medium, ἐὰν ἀμφότεροι μὴ δύνωνται τεκνοῦσθαι Ζιχ4. 636 ᵇ8. — metaph, ὥτε γὰρ ὅμοιον ὑφ' ὁμοίου προσήκειν τεκνωθῆναι μᾶλλον ἢ τεκνῶσαι ξ3. 977 ᵃ17. κχὶ τὸ μὴ ὂν τεκνοῦσθαι κχὶ τὸ ὂν φθείρεσθαι ξ1. 974 ᵃ22.

τέκνωσις. αἱ (τῶν ζῴων) πράξεις ἅπασαι περί τε τὰς ὀχείας κχὶ τὰς τεκνώσεις εἰσὶν Ζιθ12. 596 ᵇ21. μόρια πρὸς τὴν τέκνωσιν κχὶ τὸν συνδυασμὸν Ζγα2. 716 ᵃ25. δέονται θεραπείας ὡς ἐμποδιζόντων πρὸς τὴν τέκνωσιν Ζιχ1. 634 ᵃ35. εἰς τὴν τέκνωσιν καταναλίσκεται ἡ τροφὴ Ζγγ1. 749 ᵇ30. οἱ (τῶν μελιττῶν) βασιλεῖς ὥσπερ πεποιημένοι ἐπὶ τέκνωσιν Ζγγ10. 760 ᵇ8. ὁ κόκκυξ φρόνιμον ποιεῖται τὴν τέκνωσιν Ζιι29. 618 ᵃ26.

τεκταίνεσθαι, med. οἱ τεκταινόμενοι, dist οἱ πλάττοντες Ζγα22. 730 ᵇ30.

τεκτονικός. ἡ τεκτονικὴ Ζμα22. 730 ᵇ14. β7. 652 ᵇ14. εἴ τις φαίη τὴν τεκτονικὴν εἰς αὐλὸς ἐνδύεσθαι ψα3. 407 ᵇ25. τὸ τεκτονικὸν πν9. 485 ᵃ35.

τέκτων Πβ2. 1261 ᵃ36. γ9. 1280 ᵇ20. Ηα6. 1097 ᵇ28. ὁ τέκτων πῶς ἐπιζητεῖ τὴν ὀρθὴν Ηα7. 1098 ᵃ29. τέκτονος βέλτιον κυβερνήτης κρινεῖ πηδάλιον Πγ11. 1282 ᵃ22. ὁ τέκτων, dist ἡ ὕλη, τὸ ὄργανον, τὸ ἔργον Ζγα18. 723 ᵇ30. 21. 729 ᵇ16. 22. 730 ᵇ6. β6. 743 ᵃ25. Ζμβ7. 652 ᵇ14. α1. 641 ᵃ6.

Τελαμών Ργ15. 1416 ᵇ3. — Τελαμωνιάδης (Hom Λ 542) Ρβ9. 1387 ᵃ34. — Τελαμώνιος Αἴας f 596. 1575 ᵇ10.

τελέθουσι (Emp 329) Ζγα18. 723 ᵃ25.

τελεῖν. τελειομένου χρόνοιο (Emp 178) Μβ4. 1000 ᵇ15. ἐκ τοῦ γιγνομένου τὸ γεγονὸς ἢ ἐκ τοῦ ἐπιτελουμένου τὸ τετελεσμένον Μα2. 994 ᵃ26. ὑπὸ τῆς τοῦ πυρὸς θερμότητος, ὅταν τελεσθῇ, ὀπτὸν γίνεται μδ3. 361 ᵃ26. ἐν τοῖς ἔτεσι τοῖς δὶς ἑπτὰ τετελεσμένοις Ζιη1. 581 ᵃ14. — αἱ χόραι θυσίαι τινὰ τελοῦσαι f 443. 1550 ᵇ45. — τελεῖν τὸ θητικόν, τὰ τέλη f 350. 1537 ᵃ20. 375. 1540 ᵇ21.

τελειογονία. ἄγονον εἰς τελειογονίαν· ὅλως προτερεῖ τῆς τελειογονίας διὰ τὴν ἀδυναμίαν τοῦ ἐκτρέφειν Ζγβ8. 748 ᵇ7. δ6. 774 ᵇ34.

τελειογόνος. ὁ ἄνθρωπος ἐπὶ τὸ πολὺ μονοτόκον κχὶ τελειογόνον, opp ζῷα πολυτόκα κχὶ ὂ τελειογόνα Ζγδ4. 770 ᵃ33, ᵇ1. cf τελεόγονος.

τέλειος et τέλεος. τέλειον ποσαχῶς Μδ16. ὅταν κατὰ τὸ εἶδος τῆς οἰκείας ἀρετῆς μηδὲν ἐλλείπῃ μόριον τοῦ κατὰ φύσιν μεγέθους Μδ16. 1021 ᵇ21. ιδ. 1055 ᵃ11, 12. Φγ6.

207 ᵃ9. ηδ3. 246 ᵃ14, ᵇ28. Οβ4. 286 ᵇ19. syn ὅλος, ὅλον κχὶ τέλειον ἢ τὸ αὐτὸ πάμπαν ἢ σύνεγγυς τὴν φύσιν ἐστὶν Φγ6. 207 ᵃ13, 9. ε4. 228 ᵇ13. πο7. 1450 ᵇ24. 23. 1459 ᵃ19. syn τὰ πάντα κχὶ τὸ πᾶν κχὶ τὸ τέλειον ὂ κατὰ τὴν ἰδέαν διαφέρουσιν ἀλλήλων Οα1. 268 ᵃ21. opp ἀτελής Αα1. 24 ᵃ13 (cf συλλογισμὸς τέλειος). Φγ1. 201 ᵃ6. Μχ9. 1065 ᵇ12. Οβ1. 284 ᵇ7. Πα12. 1259 ᵇ3. ηεη2. 1237 ᵃ30. opp πήρωμα ψβ4. 415 ᵃ27. γ9. 432 ᵇ23. τέλεια κχὶ ὅλα, opp κολοβά f 108. 1495 ᵇ8. — συλλογισμὸς τέλειος, opp ἀτελής Αα1. 24 ᵃ13. 4. 25 ᵇ34, 26 ᵃ20, 28, def Αα1. 24 ᵃ22. 4. 26 ᵇ30. 5. 27 ᵃ16. τέλειος συλλογισμὸς οὐκ ἔστιν ἐν τῷ δευτέρῳ σχήματι Αα5. 27 ᵃ1. ἐναντίωσις, διαφορά, στέρησις τελεία Μι4. 1055 ᵃ16, 35. 5. 1056 ᵃ14. 8. 1058 ᵃ15. ἁπλῆ κχὶ τελεία γένεσις, dist ἀλλοίωσις Γα2. 317 ᵃ17, 22. ἐνέργεια τελεία Ηχ4. 1174 ᵇ16. ἐνέργεια κχὶ χρῆσις ἀρετῆς τελεία Πη13. 1332 ᵃ9. οὐδεμία ἐνέργεια τέλειος ἐμποδιζομένη Ηη14. 1153 ᵇ16. τελεία ἀρετή, δικαιοσύνη, φιλία Ηε8. 1129 ᵇ26, 31 (τελεία τῆς ἀρετῆς χρῆσις coni Trdlbg). ημα34. 1193 ᵇ10. β3. 1200 ᵃ3. 11. 1210 ᵃ8. Πα13. 1260 ᵃ17. γ4. 1276 ᵃ32. ἀρετὴ ἀρίστη κχὶ τελειοτάτη Ηα6. 1098 ᵃ17. πέπανσις τελεία μδ3. 380 ᵃ13. τέλειος πόλις Πα2. 1252 ᵇ28. μέγεθος Φε2. 226 ᵃ31. μέγεθος τέλειον (v l τέλειον) Ζιζ12. 566 ᵇ19. τέλειος ἀνὴρ Πα12. 1259 ᵇ3 (coni syn πρεσβύτερος). 13. 1260 ᵃ32. ημα4. 1185 ᵃ3. μόσχοι τῶν τελείων βαρύτερον φθέγγονται Ζιε14. 545 ᵃ20. τέλειος χρόνος, μῆκος βίῳ τέλειον, βίος τέλειος, ζωὴ τελεία Ηα11. 1101 ᵃ13. χ7. 1177 ᵇ25. ημα4. 1185 ᵃ5. κεβ1. 1219 ᵃ36. ζῷα τέλεια κχὶ ἔναιμα Ζμδ5. 682 ᵃ34. 6. 682 ᵇ31. β10. 655 ᵇ29. cf ζῷον p 311 ᵇ18. τὰ τελειώτερα τῶν ζῴων τέλειον ἀποδίδωσι τὸ τέκνον Ζγβ1. 733 ᵇ1, cf ᵃ2. δ1. 763 ᵇ21. ὅσα ἄποδά ἐστι τέλεια Ζια4. 489 ᵃ31. κυήματα τέλεια Ζια5. 489 ᵇ7. — αὐλοὶ τέλειοι ακ804 ᵃ11. — ἐπεὶ πλείω φαίνεται τὰ τέλη, δῆλον ὡς οὐκ ἔστι πάντα τέλεια· ἁπλῶς τέλειον τὸ καθ' αὑτὸ αἱρετὸν ἀεὶ κχὶ μηδέποτε δι' ἄλλο Ηα5. 1097 ᵃ28, 33. τὸ τέλειον ἀγαθὸν αὔταρκες, cf ζωὴ τελεία κχὶ αὐτάρκης Ηα5. 1097 ᵇ8, 20. χ3. 1174 ᵃ15. ημα2. 1184 ᵃ8. Πγ9. 1280 ᵇ34, 1281 ᵃ1. τέλειον τέλος Μα2. 1184 ᵃ13, 17. ὁ σπουδαῖος τέλειος ηεη2. 1237 ᵃ30. αἱ τέχναι κχὶ αἱ ἐπιστῆμαι αἱ μὴ κατὰ μόριον γιγνόμεναι ἀλλὰ περὶ γένος ἕν τι τέλειαι οὖσαι Πθ1. 1288 ᵇ11. — ὁ κύκλος γραμμὴ μία μάλιστα, ὅτι ὅλη κχὶ τελέως Μδ6. 1016 ᵇ17. Φθ8. 264 ᵇ28. — ἡ τραγῳδία τελείας κχὶ ὅλης πράξεως μίμησις πο6. 1449 ᵇ25. 7. 1450 ᵇ24. 23. 1459 ᵃ19. — πρότερον κχὶ φύσει κχὶ λόγῳ κχὶ χρόνῳ τὸ τέλειον τοῦ ἀτελοῦς Φθ9. 265 ᵃ23. Οβ4. 285 ᵇ22. Μν5. 1092 ᵃ15 (aliorum sententia contraria ᵃ13). — τελειότερος, τελειότατος Ηα5. 1097 ᵃ30. Μν5. 1092 ᵃ13. τελειοτάτη ἐνέργεια Ηχ4. 1174 ᵇ20-22. — μεῖζον κχὶ τελεώτερον Ηα1. 1094 ᵇ8. — τελείως σπουδαῖος ημα 34. 1193 ᵇ9. τελείως εἰς τὴν ἐναντίαν ἕξιν ἀποκαθίστανται Κ10. 13 ᵃ29. κχὶ τελείως (i e cum maxime) φασι τοῦτο γίγνεσθαι ϑ150. 845 ᵇ10. — τελέως μετέχειν τινος, opp ἀτελῶς πως Πγ1. 1275 ᵃ12. ἀκρατὴς τελέως, syn ἁπλῶς ημβ6. 1202 ᵇ9. σπουδαῖος τελέως ηεη2. 1237 ᵃ7. τελέως μεταβάλλειν Κ10. 13 ᵃ26. χ6. 797 ᵇ9. ἐξαιρεῖται τελέως τὸ ὑγρὸν Γβ8. 385 ᵃ2. τελέως ἕξομεν τὴν μέθοδον τα3. 101 ᵇ5. — (femininum plerumque legitur τελεία, aliquoties τέλειος. διαφορὰ τέλειος Μι4. 1055 ᵃ16. πόλις τέλειος Πα2. 1252 ᵇ28. ἐνέργεια τέλειος Ηη14. 1153 ᵇ16. κίνησις τέλειος Φε4. 228 ᵇ12. γραμμὴ τέλειος Μδ6. 1016 ᵇ17. Φθ8. 264 ᵇ28. adiectivum plerumque scribitur per diphthongum ει τέλειος, sed aliquoties τέλεος legitur,

τελέα ἀρετή Πα13. 1260 ᵃ17. ἡ εὐδαιμονία τέλεον (πλέον codd), ζωή τελέα (sed τελεία Mᵇ) ηεβ1. 1219 ᵃ36. μέγεθος τέλεον ΖιΖ12. 566 ᵇ19. ζῷα τέλεα Ζια4. 489 ᵃ31. τελειώτερον (sed τελείοτερον Hᵃ Kᵇ Mᵇ) Hα1. 1094 ᵇ8. τελεώτερα ζῷα Ζγβ1. 733 ᵇ1 (sed τελειότερον 733 ᵃ2). ζῷα τελεώτατα (v l τελείοτατα) Ζγδ1. 763 ᵇ21. τελειώτατος φ6. 813 ᵇ33. adverbii forma τελέως locis supra adhibitis sine v l exhibetur.)

τελειότης μεγέθυς ἢ ἀτέλεια Φθ7. 261 ᵃ36. ἡ τῷ μεγέθυς τελειότης Φγ6. 207 ᵃ21.

τελειοτοκεῖν. μόνον πολυτόκον ὂν ἡ ὗς τελειοτοκεῖ Ζγδ6. 774 ᵇ17.

τελειῶν et τελεῦν. 1. trans. τελεῖ τὴν ἐνέργειαν ἡ ἡδονή Hχ4. 1174 ᵇ23, 24, 31, 1175 ᵃ15, 17. ὃ τελειώσει τὸ εἶδος· τελειωθήσεται τὸ εἶδος Hχ3. 1174 ᵃ16, 18. τὰ ἕτερα τῷ εἴδει ὑφ' ἑτέρων τελειῶσθαι Hχ5. 1175 ᵃ23, 26. αἱ ἡδοναὶ συμβαίνυσι τελευμένων (v l τελειωμένων) Hη15. 1154 ᵇ1. ὅπως ἡ περὶ τἀνθρώπινα φιλοσοφία τελειωθῇ Hχ10. 1181 ᵇ15. — οἱ ἀτελεῖς συλλογισμοὶ τελειῶνται προσλαμβανομένων τινῶν, τελειῶνται διὰ τῷ πρώτῳ σχήματος, διὰ τῶν ἐν τῷ πρώτῳ σχήματι καθόλυ συλλογισμῶν sim Aα6. 29 ᵃ16, 30 (syn ἐπιτελεῖν ᵇ6, 20). 7. 29 ᵃ30, ᵇ3. 16. 36 ᵇ25. 19. 39 ᵃ2. 22. 40 ᵇ6, 15. 23. 40 ᵇ18. δεικτικῶς τελειῶσθαι Aα7. 29 ᵃ33. συλλογιστικῶς τελειώσας τὴν ἐρώτησιν τι5. 167 ᵃ13. — τετελείωταί τε ἢ γέγονεν μδ2. 379 ᵇ20. ἡ φορά ἤδη τετελειωμένων κίνησίς ἐστι Φθ7. 260 ᵇ33. τὰ ᾠὰ τελειῶται (τελειῶται) ἔξω, ἐντός· τελειωθέντος (τελειωθέντος) τῷ ᾠῷ sim Ζγα13. 720 ᵃ3. γ1. 749 ᵃ27, 750 ᵇ27. 2. 752 ᵃ29, ᵇ10. 7. 757 ᵃ29. ΖιΖ 2. 560 ᵇ20. κύημα (ἔμβρυον) τελευμενον, τελειωθέν Ζια5. 489 ᵇ12. Ζγβ4. 740 ᵃ27. 7. 746 ᵃ1. δ8. 776 ᵃ31. συμβαίνει τελειῶσθαι τὰς γενέσεις Ζμβ1. 646 ᵇ10. ἡ δύναται τελεῦν ἐν αὑτῇ ἡ ὄρνις (τὸ ζῷον) Ζγγ2. 752 ᵇ21. τὴν αὔξησιν λαμβάνοντος ἢ τελειυμένη τῷ ζώῳ Ζγγ2. 752 ᵇ18. συμβαίνει μὴ τελειῶσθαι τὸ γινόμενον Ζγδ2. 767 ᵃ22. τῶν ζῳοτόκων τὰ μὲν ἀτελῆ προΐεται ζῷα τὰ δὲ τελειωμένα Ζγδ6. 774 ᵇ6. ἐν τοῖς ἐναίμοις τὸ μὲν ἄρρεν τὸ δὲ θῆλυ τελειωθέν ἐστιν Ζγα1. 715 ᵃ21. — τετελειωμένος, τελειωθείς, opp ἀτελής, νέος, παῖς sim Πα8. 1256 ᵇ9. θ5. 1339 ᵃ33. Φθ7. 261 ᵃ17. Ζια15. 494 ᵃ34. β1. 500 ᵇ26, 32, 501 ᵃ2. Ζμδ10. 686 ᵇ7. ηεη2. 1237 ᵃ29. πι46. 896 ᵃ18. τελειώμενος διὰ τῷ ἔθυς, διὰ πεφυκὸς Hβ1. 1103 ᵃ25. τελειωθέν, opp χωρισθὲν νόμῳ ἢ δίκης Πα2. 1253 ᵃ31. — δεῖ τὴν περίοδον ἢ τῇ διανοίᾳ τετελειῶσθαι Ργ9. 1409 ᵇ8, cf ᵃ31. — 2. intr, ᾗ μὲν φυτόν, τετελέωκεν (τὸ ὑπηνέμιον), ᾗ δ' ᾗ φυτόν, ἡ τετελέωκεν Ζγγ7. 757 ᵇ24.

τελείωμα τῆς οἰκίας Φη3. 246 ᵃ17.

τελείωσις, τελέωσις. τελείωσις τῆς οἰκίας Φη3. 246 ᵃ26. ἡ ἀρετή τελείωσις, αἱ ἀρεταὶ τελειώσεις, αἱ δὲ κακίαι ἐκστάσεις Φη3. 246 ᵇ2, 28, 247 ᵃ2. Μδ16. 1021 ᵇ20. εἰς τελέωσιν (v l τελείωσιν) ἄγεσθαι τῆς φύσεως Hη13. 1153 ᵃ12. τελείωσις τῶν συλλογισμῶν Aα25. 42 ᵃ35. ἡ πέψις τελείωσις μδ2. 379 ᵇ18. 3. 380 ᵃ12, 30 (opp ἀτέλεια). ἀρχὴ τῆς τελειώσεως μδ2. 379 ᵇ21. ἡ κεῖται ὄνομα καθ' ἑκάστην τελείωσιν μδ3. 380 ᵃ19. ἡ τῷ σπέρματος τελείωσις πκ7. 923 ᵇ4. ὀχ ἅμα πάντα λαμβάνει τελέωσιν (v l τελείωσιν) τὰ ᾠά· ἐν χρόνῳ τινι τελειώσεται Ζιε10. 543 ᵃ19. ζ3. 561 ᵃ5. τελείωσις κυήματος, τῶν μορίων, τὸν τόκον Ζγδ8. 776 ᵇ1. Ζιη3. 583 ᵇ24. 4. 584 ᵃ34, ᵇ26. συμβαίνει διὰ τὴν πολυτοκίαν ἐμποδίζειν τὰς τελειώσεις ἀλλήλων Ζγδ4. 770 ᵇ26. ἡ τῶν τέκνων αἴσθησις ἐπιμελητική, τοῖς μὲν (τῶν ζῴων) μέχρι τῷ τεκεῖν μόνον, τοῖς δὲ ἢ περὶ τὴν τελείωσιν

Ζγγ2. 753 ᵃ10.

τελεόγονος. γενομένη τῷ χρόνῳ τῷ καθήκοντος τὰ μὲν τελεόγονα ἔτεκε, τὸ δὲ πενταμηνον Ζιη4. 585 ᵃ18.

τελεόμηνος. συνέβη τεκύσῃ τινι πρῶτον μὲν ἑπτάμηνον, ὕστερον δὲ δύο τελεόμηνα τεκεῖν Ζιη4. 585 ᵃ20.

τελεσιυργεῖν. τῶν ζῴων τὰ μὲν τελεσιυργεῖ ἢ ἐκπέμπει θύραζε ὅμοιον ἑαυτῷ Ζγβ1. 732 ᵃ25, 733 ᵃ7. εἰ ἐν αὑτοῖς ἐτελεσιύργων (τὰ ᾠά) Ζγα8. 718 ᵇ10. — pass, τὰ κάτω ἐν τῇ ὑστέρᾳ ἅμα πέττεται ἢ τελεσιυργεῖται ΖιΖ10. 565 ᵇ23.

Τελεσταγόρας, Νάξιος f 517. 1562 ᵇ15, 20, 23.

τελεστικός, syn ἀνυστικός φ6. 813 ᵃ4. ἡ μέση φύσις πρὸς τὰς αἰσθήσεις κρατίστη ἢ τελεστικωτάτη, οἷς ἂν ἐπιθῆται φ6. 813 ᵇ31.

τελεσφόρος προθυμία, πειθώ (apud Alcidam), exempla τῷ κατὰ τὴν λέξιν ψυχρῷ Ργ3. 1406 ᵃ3, 4.

τελετή τῶν τῆς σωτείρας ἱερῶν Ργ18. 1419 ᵃ3. τὰ μυστήρια πασῶν τιμιωτάτη τελετή Ρβ24. 1401 ᵃ15.

τελευταῖος. οἱ τελευταῖοι πόδες (τῶν καρκίνων) Ζμδ8. 684 ᵃ12. ἐν τῷ μεταξὺ τῷ τελευταίῳ ἢ δύο τῶν πρώτων, ἐν τῷ καλυμένῳ ἐχίνῳ Ζμγ15. 676 ᵇ9. — μάλιστα ποιεῖ ὅμοια τὰ τελευταῖα τῶν ὀνομάτων ρ29. 1436 ᵃ8. περὶ τῆς τελευταίας εἴπαμεν δημοκρατίας ἐν ταῖς δημοκρατίαις Πδ5. 1292 ᵇ8. — ἄμφω κινεῖν φαμέν, ἢ τὸ τελευταῖον ἢ τὸ πρῶτον τῶν κινύντων, ἀλλὰ μᾶλλον τὸ πρῶτον Φθ5. 256 ᵃ9. ἐξ ὗ γίγνεται πρῶτα ἢ εἰς ὃ φθείρεται τελευταῖον ΜΛ3. 983 ᵇ9. τὸ ὑποκείμενον ἢ τὸ πρῶτον ἢ τὸ τελευταῖον πρὸς τὸ τέλος Μθ6. 1016 ᵃ20. τῆς μάλιστ' ὐσίας ἡ τελευταία ὕλη Μλ3. 1070 ᵃ21. τὸ αἷμα τοῖς ἐναίμοις ἐστὶ τελευταία τροφή ζ3. 469 ᵃ1. Ζμγ15. 676 ᵃ9. — εἰ τὰ γένη (ἀρχαί), πότερον ὅσα ἐπὶ τοῖς ἀτόμοις λέγεται τελευταῖα ἢ τὰ πρῶτα Μβ1. 995 ᵇ30. τὸ τελευταῖον τῷ γένυς εἶδος Μθ10. 1018 ᵇ5. στέρησις μὴ τῷ ὅλῳ λόγῳ, τῷ τελευταίῳ δὲ εἶδος Μχ3. 1061 ᵃ24. ἡ τελευταία διαφορά ἡ ὐσία τῷ πράγματος ἔσται ἢ ὁ ὁρισμός ΜΖ12. 1038 ᵃ19. ἀεὶ βαδίζων ἐπὶ τὴν ἐσχάτην ἀφικνεῖται, ἀλλ' ὐκ ἐπὶ τὴν τελευταίαν ἢ τὸ εἶδος Ζμα3. 644 ᵃ3, 643 ᵇ35, ᵃ22. — ὀλιγαρχία ἄκρατος ἢ τελευταία· ἡ τελευταία δημοκρατία Πε10. 1312 ᵇ35. δ14. 1298 ᵃ31. τέταρτον εἶδος δημοκρατίας ἡ τελευταία τοῖς χρόνοις ἐν ταῖς πόλεσι γεγενημένη Πδ6. 1293 ᵇ1. — τελευταῖον, τὸ τελευταῖον, postremo Πδ8. 1293 ᵇ27. μα14. 353 ᵃ6. β3. 356 ᵇ15, 14, 11.

τελευτᾶν. 1. trans, τὸν βίον ἐτελεύτησεν Πβ10. 1271 ᵇ39. — 2. intr, ὐκ ἔχει ἀρχὴν ὅθεν ἐγένετο, ὐδὲ τελευτὴν εἰς ὃ γινόμενον ἐτελεύτησέ ποτε ξ1. 974 ᵃ11. πᾶσαι αἱ φλέβες τελευτῶσιν εἰς μίαν φλέβα μεγάλην Ζιγ4. 514 ᵇ13. αἱ φλέβες τελευτῶσιν ἰνώδεσι φλεβίοις Ζιγ4. 514 ᵇ27. αἱ φλέβες τελευτῶσιν εἰς τὰς ὄρχεις, εἰς μήνιγγα sim Ζιγ3. 512 ᵇ3, 31. Ζμβ7. 652 ᵇ29. δ5. 680 ᵃ10. ποταμοὶ τελευτῶντες εἰς τὴν θάλασσαν μβ2. 356 ᵃ23. τὸ ἔντερον τελευτᾶν πρὸς τὴν ἔξοδον τῆς τροφῆς ΖιΒ17. 507 ᵃ32. ᾗ τελευτᾷ τῦτο τὸ μόριον Ζμγ14. 674 ᵃ10. μίαν (διχοτομίαν) κατὰ μίαν (διαφοράν) τελευτᾶν Ζμα3. 644 ᵃ10. ἡ κατὰ μέρος πρότασις εἰς τὴν αἴσθησιν τελευτᾷ Αγ24. 86 ᵃ29. οἱ μὲν (φυσικοὶ) τελευτῶσιν εἰς τὰ περὶ ἰατρικῆς, οἱ δ' (ἰατροὶ) ἐκ τῶν περὶ φύσεως ἄρχονται περὶ τῆς ἰατρικῆς αι1. 436 ᵃ21. εἰς φωνήεντα τελευτᾶν ταῖς συμβολαῖς ἢ ἀπὸ φωνήεντος ἄρχεσθαι ρ24. 1434 ᵇ35, 37. ὅσα (ὀνόματα) εἰς τὸ ο ἢ τὸ ν τελευτᾷ sim τι14. 174 ᵃ1. πο21. 1458 ᵃ9. — τελευτᾶν, obire, mori. ὅσα διὰ νόσον φαίνεται τελευτῶντα τῶν ζῴων Ζμγ4. 667 ᵇ11. τελευτήσαντος τῷ χαμαιλέοντος ἡ χροιά ποία ἐστὶν

Ζιβ 11. 503 ᵇ10. οἱ τελευτῶντες i q mortui, οἱ παῖδες τῶν ἐν τῷ πολέμῳ τελευτώντων Πβ 8. 1268 ᵃ8. cf δ᾽ 6. 1293 ᵃ29. Ζμγ 9. 671 ᵇ15.

τελευτή. ἔνια (κῶλα) ὅμοια ἔχοντα τὴν ἀρχὴν τὴν θατέρῳ τῇ τελευτῇ θατέρου Ζμβ 9. 654 ᵇ24. κέκαμπται ἡ τελευτὴ 5 πρὸς τὴν ἀρχήν Ζμδ 9. 685 ᵃ1. cf Ζγα 15. 720 ᵇ18. τελευτὴ μᾶλλον ὕδατος ἡ ἀρχὴ ἡ θάλαττα μβ 2. 356 ᵃ35. ἀρχὴ τῆς φορᾶς ἡ τελευτὴ τῆς διαδρομῆς μα 7. 344 ᵃ31. — τελευτὴ τῆς λέξεως ἁρμόττει ἡ ἀσύνδετος Ργ 19. 1420 ᵇ2. τελευτὴν ἤτοι γνώμην ἢ ἐνθύμημα παντὶ τῷ λόγῳ ἐπι- 10 θήσομεν ρ 36. 1441 ᵇ10. παλιλλογία χρῆσθαι ἡ περὶ τῶν μερῶν ἡ περὶ τῶν ὅλων λόγων τὰς τελευτάς ρ 21. 1433 ᵇ31. γνωμολογικὰς ποιεῖσθαι τὰς τελευτάς ρ 33. 1439 ᵃ6. — τελευτή ἐστιν ὃ αὐτὸ μετ᾽ ἄλλο πέφυκεν εἶναι μετὰ δὲ τοῦτο ἄλλο οὐδέν, dist ἀρχή, μέσον πο 7. 1450 ᵇ29, 27, 15 31. — τελευτή i q θάνατος Ζγβ 5. 741 ᵇ18. 6. 745 ᵃ33. τελευταί, opp γενέσεις Ζγδ 10. 778 ᵃ6, 777 ᵇ30. τελευτὴ ἡ φθορὰ βίαιος ἡ τῷ θερμῷ σβέσις αν 18. 479 ᵃ32. ἡ τελευτὴ κατὰ μεταφορὰν λέγεται τέλος, ὅτι ἄμφω ἔσχατα Μδ 16. 1021 ᵇ28. 20

τέλμα. τῆς βατράχου ἐκ τῶν τελμάτων θηρεύουσιν Ζιι 40. 626 ᵃ11. γίνονται ἰχθύων γένη τινὰ ἐν τέλμασιν Ζιζ 15. 569 ᵃ13. τελματαῖος. τῶν στασίμων (ὑδάτων) τὰ μὲν συλλογιμαῖα ἡ ὑποστάσεις, οἷον τὰ τελματιαῖα ἡ ὅσα λιμνώδη μβ 1. 353 ᵇ24. ποταμοὶ τελματιαῖοι Ζγβ 5. 741 ᵇ2. ζῷα τελμα- 25 τιαῖα, dist λιμναῖα, ποτάμια, θαλάττια Ζια 1. 487 ᵃ27. οἱ τελματιαῖοι βάτραχοι Ζιι 40. 626 ᵃ9.
τελματώδης. ἐν ἐνίαις τελματιώδεσι λίμναις Ζιζ 16. 570 ᵃ8.
τέλος. 1. finis, τὸ ἔσχατον. ἡ φύσις ἀεὶ ζητεῖ τέλος, syn φεύγει τὸ ἄπειρον Ζγα 1. 715 ᵇ16, 15. ἔστιν ἀηδὲς διὰ τὸ 30 ἄπειρον· τὸ γὰρ τέλος πάντες βούλονται καθορᾶν Ργ 9. 1409 ᵃ31. ἐπειδὴ οὐχ οἷόν τε εἰς ἄπειρον, ἔσται πάσης φορᾶς Μλ 8. 1074 ᵃ30. ἡ αἴδιος ἡ τέλος οὐκ ἔχουσα ἀλλ᾽ ἀεὶ ἐν τέλει μα 2. 339 ᵃ26. ἐξ ἀρχῆς εἰς τέλος μα 14. 351 ᵇ13. κατὰ Σόλωνα χρεὼν τέλος ὁρᾶν Ηα 11. 1100 ᵃ11, 32. ἡ 35 τελευτὴ κατὰ μεταφορὰν λέγεται τέλος, ὅτι ἄμφω ἔσχατα Μδ 16. 1021 ᵇ29. — πρὸς τῷ τέλει τῷ ἐντέρῳ sim Ζμγ 14. 675 ᵃ16, 35, ᵇ1. διὰ τέλους μα 8. 346 ᵃ33. 13. 349 ᵇ12. x 5. 397 ᵇ5. ψ 9. 432 ᵇ21. Ζιζ 4. 562 ᵇ13. 24. 577 ᵇ23. η 2. 582 ᵇ20. εἰς τέλος Ζιε 13. 544 ᵃ29. 14. 545 ᵇ9. εἰς τὸ τέλος 40 Πε 1. 1302 ᵃ7. τέλος, adverbii instar, i q postremo μα 13. 349 ᵇ32. 14. 351 ᵇ2, 353 ᵃ14. β 1. 353 ᵇ10. 3. 356 ᵇ11. 7. 365 ᵇ17. δ 1. 379 ᵃ9, 23. 12. 390 ᵇ21. Ζιε 18. 550 ᵃ22. ζ 10. 565 ᵃ6. 15. 569 ᵇ30. η 8. 586 ᵇ12. ι 32. 619 ᵃ18. Ζγδ 3. 769 ᵇ9, 11. Πβ 10. 1271 ᵇ39. δ 2. 1289 ᵇ22. ε 3. 1303 ᵃ23. 45 ζ 8. 1322 ᵇ36. Ρα 4. 1360 ᵃ26 al.
2. operis alicuius perfectio et absolutio. ἔχει τέλος ἱκανῶς ὁ προειλόμεθα τι 34. 183 ᵇ15. cf μα 1. 339 ᵃ8. Πα 13. 1260 ᵇ21. συναγαγόντας τὸ κεφάλαιον τέλος ἐπιθεῖναι Μη 1. 1042 ᵃ4. δεῖ ὁρίζεσθαι πρὸς τὸ τέλος ἡ τὴν ὑπεροχὴν τὴν 50 δύναμιν Οα 11. 281 ᵃ11, 19. ἐν τοῖς πρώτοις, ὥσπερ ἡ πλείστα, ἔσχε τέλος μγ 4. 374 ᵇ5. Ζμβ 1. 646 ᵇ8. ἡ ἡδονὴ ἡ τέλος, ἀλλὰ γένεσις Ηη 12. 1152 ᵇ23. ὕστατον γίνεται τὸ τέλος, τὸ δ᾽ ἴδιόν ἐστι τὸ ἑκάστῃ γενέσεως τέλος Ζγβ 3. 736 ᵇ4. τὰ ἐλάττω πρὸς τὸ τέλος ἔρχεται θᾶττον Ζγδ 6. 775 ᵃ20. 55 (στερισκόμενα τὰ σώματα τοῦ ἐκ τῆς τροφῆς γινομένου τέλους Ζγα 18. 725 ᵇ8, i e quod postremum ex alimento conficitur. τέλος εὐπεψίας αἱματικῆς πιμελὴ ἡ στέαρ ἐστὶ Ζμγ 9. 672 ᵃ4.) ἐπὶ τῶν κακῶν τὸ τέλος ἡ ἡ ἐνέργεια χεῖρον τῆς δυνάμεως Μθ 9. 1051 ᵃ16. ἡ ἀρχὴ ἡ τέλος νοῦς ἐν 60 Ηζ 12. 1143 ᵇ10. τοιοῦτον, ὅπερ ἀναγκαῖον ὑπάρχειν ἐν τοῖς

ζώοις, τὸ πάσης ἔχον τῆς φύσεως ἀρχὴν ἡ τέλος Ζγβ 6. 742 ᵇ1. ἀπὸ τοῦ τέλους ἅπαντα προσαγορεύειν δίκαιον ψβ 4. 416 ᵇ23. κατὰ τὸ ἔχειν τὸ τέλος τέλεια Μδ 16. 1021 ᵇ25. οὐδὲν ὄφελος γίνεσθαι μὲν δίκας, ταύτας δὲ μὴ λαμβάνειν τέλος Πζ 8. 1322 ᵃ6. τέλος εἴχεν ἡ δίκη f 414. 1547 ᵃ19. λήψονται τέλος αἱ πράξεις Πζ 8. 1322 ᵃ16. ὅτι ἂν δόξῃ τοῖς πλείοσι, τοῦτ᾽ εἶναι ἡ τέλος Πζ 2. 1317 ᵇ6. ἡ αὐτὴ ἀρχὴ πολλάκις ἔχει τὸ τέλος ἡ τὴν εἰσφορὰν Πζ 8. 1322 ᵇ13. τῷ ζῆν ἡ μὴ ζῆν τὸ τέλος ἐστὶν ἐν τῷ ἀναπνεῖν αν 21. 480 ᵇ19. τὸ τέλος τῆς πράξεως κατὰ τὸν καιρόν ἐστιν Ηγ 1. 1110 ᵃ13.
3. τέλος i q ὁ σκοπός, τὸ οὗ ἕνεκα. ὁ σκοπὸς πρὸς ὃν ποιοῦνται τὸ τέλος Πθ 6. 1341 ᵇ15. τὸν σκοπὸν κεῖσθαι ἡ τὸ τέλος τῶν πράξεων ὀρθῶς Πη 13. 1331 ᵇ28. συντείνειν πρὸς τέλος τι, ἀπαντᾶν πρὸς τὸ τέλος Πη 2. 1325 ᵃ15. α 9. 1258 ᵃ14. τὸ τέλος μέγιστον ἁπάντων πο 6. 1450 ᵃ23. τὸ οὗ ἕνεκα τέλος, τοιοῦτον δὲ ὃ μὴ ἄλλου ἕνεκα, ἀλλὰ τἆλλα ἐκείνου Μα 2. 994 ᵇ9. τέλος, coni syn τὸ οὗ ἕνεκα, οὗ ἕνεκα (τινος), τίνος ἕνεκα Μα 2. 994 ᵇ16. β 2. 996 ᵃ26. δ 2. 1013 ᵃ33. x 1. 1059 ᵃ38. Φβ 2. 194 ᵃ27-29. 3. 194 ᵇ32. 7. 198 ᵇ3, 199 ᵃ8. 9. 200 ᵃ22, 34. Πα 2. 1252 ᵇ34. η 14. 1333 ᵃ10. Ρα 7. 1363 ᵇ16. Αγ 24. 85 ᵇ29. ηεα 8. 1218 ᵇ10. β 1. 1219 ᵃ10, 11 al. πρὸς τὴν οὗ ἕνεκα τὴν ἡ τὴν τὸ τέλος αἰτίαν Ζγδ 3. 767 ᵇ14. τὸ τέλος, causa finalis, una est e quatuor summis causis ac principiis ΜΑ 9. 982 ᵇ32 Bz al (cf ἀρχή p 112 ᵇ38, αἰτία p 22 ᵇ29, G Schneider, de causa finali Aristotelea 1865). tres causae, finalis formalis movens, saepe ad unum redeunt Φβ 7. 198 ᵃ24. Ζγα 1. 715 ᵃ5 al (cf αἰτία p 22 ᵇ46). τέλος idem ac τὸ εἶδος (λόγος, ὁρισμός) Μη 4. 1044 ᵇ1. δ 4. 1015 ᵃ11. Φβ 8. 199 ᵃ30. 9. 200 ᵃ34. Γα 7. 324 ᵇ18. μδ 2. 379 ᵇ25. Ζγα 1. 715 ᵃ8. ε 1. 778 ᵇ10. τέλος idem atque ἡ κίνουσα αἰτία Ζμα 1. 641 ᵃ27. 9. 200 ᵃ33 (cf ἀνάγκη p 43 ᵇ60, ἕνεκα p 250 ᵇ29). — ἡ φύσις τέλος ἡ οὗ ἕνεκα Φβ 2. 194 ᵃ28. Πα 2. 1252 ᵇ32, cf τύχη. ὁ λόγος ἡμῖν ἡ ὁ νοῦς τῆς φύσεως τέλος Πη 15. 1334 ᵇ15. ὡς ἡμῶν ἕνεκα πάντων ὑπαρχόντων· ἐσμὲν γὰρ πως ἡ ἡμεῖς τέλος Φβ 2. 194 ᵃ34. τέλος ἡ ἐνέργεια τὸ ἔργον Μθ 8. 1050 ᵃ9, 21. ηεβ 1. 1219 ᵃ8. ημβ 12. 1211 ᵇ27-33. — τὸ τέλος ἡ τὸ οὗ ἕνεκα πράξεώς τινός ἐστι τέλος Μβ 2. 996 ᵃ26. τὸ τῶν πρακτῶν τέλος Ζκ 6. 700 ᵇ25, 27. τῆς μὲν νοήσεως τέλος ἡ ἀρχή, τῆς δὲ πράξεως ἡ τῆς νοήσεως τελευτὴ ηεβ 11. 1227 ᵇ33. τέλος τῆς ποιητικῆς ἐπιστήμης τὸ ἔργον, τῆς δὲ φυσικῆς τὸ φαινόμενον κυρίως κατὰ τὴν αἴσθησιν Ογ 7. 306 ᵃ16. διαφορὰ τῶν τελῶν, τὰ μέν εἰσιν ἐνέργειαι, τὰ δὲ παρ᾽ αὐτὰς ἔργα τινά Ηα 1. 1094 ᵃ3. εἴ τι τέλος τῶν πρακτῶν ὃ δι᾽ αὑτὸ βουλόμεθα, τοῦτ᾽ ἂν εἴη τἀγαθὸν ἡ τὸ ἄριστον Ηα 1. 1094 ᵃ18. τὸ τέλος, coni syn τὸ ἀγαθόν, τὸ ἄριστον, τὸ βέλτιστον Ηα 5. 1097 ᵃ21, 23. ζ 13. 1144 ᵃ32. Ρα 7. 1364 ᵇ25. Πα 2. 1252 ᵇ34, 1253 ᵃ1. ηεα 8. 1218 ᵇ10. β 1. 1219 ᵃ10. τζ 8. 146 ᵇ10. Μδ 2. 1013 ᵇ26. υ 2. 455 ᵇ24. τῷ ποιοί τινες εἶναι τὸ τέλος τοιόνδε τιθέμεθα Ηγ 7. 1114 ᵇ24. ὁ τὴν πολιτικὴν φιλοσοφῶν τοῦ τέλους ἀρχιτέκτων Ηη 12. 1152 ᵇ2. τὰ τῶν ἀρχιτεκτονικῶν τέλη πάντων ἐστὶν αἱρετώτερα τῶν ὑπ᾽ αὐτά Ηα 1. 1094 ᵃ14. τέλος, i q finis, ἡ εὐδαιμονία ημα 2. 1184 ᵃ13, 17. τέλος ὅ φησι (Plato) τῇ πόλει δεῖν ὑπάρχειν Πβ 2. 1261 ᵃ13. τέλος τῆς τέχνης Πα 9. 1257 ᵇ26-29. — τὸ τέλος, opp τὰ πρὸς τὸ τέλος Ρα 6. 1362 ᵃ18. Πα 9. 1257 ᵇ26. η 2. 1325 ᵃ7. γ 9. 1280 ᵇ39. τβ 3. 110 ᵇ18, 35, 111 ᵃ1. γ 1. 116 ᵇ22. οὐχ ὡς ἐν τέλει (cf Πη 14. 1333 ᵃ10) ἀλλ᾽

ὡς πρὸς τὸ τέλος ηεη5. 1239 ᵇ27. τριῶν ὄντων, ἑνὸς μὲν
τῦ τέλυς, δευτέρυ δὲ τῶν τύτυ ἕνεκα, τρίτη δὲ τῦ χρη-
σίμυ κ̣ ᾧ χρῆται τὸ τέλος Ζγβ6. 742 ᵃ28. cf Zeller Gesch
II 2, 248.

4. vectigal, tributum, Ρβ23. 1397 ᵃ26. οβ1345 ᵇ30.
εἰσφορὰ τῶν τελῶν Πε11. 1313 ᵇ26. ὁ μὴ δυνάμενος τῦτο
τὸ τέλος φέρειν Πβ9. 1271 ᵃ37. εἰ τὰ τέλη τελῦσιν f 375.
1540 ᵇ21. διοικῦσιν (οἱ πωληταὶ) τὰ πιπρασκόμενα τῆς πό-
λεως πάντα, τέλη κ̣ μέταλλα f 401. 1545 ᵃ3. ἐπιβάλλειν
τέλος οβ1349 ᵇ11, 1352 ᵃ20. τέλη ἀγοραῖα οβ1346 ᵃ2. —
classis, ordo civium. τρίτον τέλος ἡ καλυμένη ἱππάς Πβ12.
1274 ᵃ20. Σόλων εἰς τέτταρα διεῖλε τέλη τὸ πᾶν πλῆθος
Ἀθηναίων f 350. 1537 ᵃ16, 23.

τελώνης. ὁ τελώνης Διομέδων Ρβ23. 1397 ᵃ25.

τεμενίζειν. Ἡρακλῆς τεμένισσε θ133. 843 ᵇ27. cf G Her-
mann opusc V 180.

τέμενος. τεμένη, μέρος τιμῆς Ρα5. 1361 ᵃ35. Βυζάντιοι
δεηθέντες χρημάτων τὰ τεμένη τὰ δημόσια ἀπέδοντο οβ1346
ᵇ13.

τέμνειν γραμμήν Οα5. 272 ᵃ14. τέμνειν γραμμὴν πρὸς ὀρ-
θὴν μβ6. 363 ᵇ2. τετμήσθω ἡ γραμμὴ ὡς ἡ μη πρὸς τὴν
μκ, εἰς ἄνισα μγ5. 376 ᵃ10. Ηε7. 1132 ᵃ25. εἴ τι τμη-
θήσεται μέτρον ὡρισμένην γραμμῆ ατ968 ᵇ17. — ἢ τέ-
μνειν ἀλλ' ἐπιπωματίζειν τὸν ἀέρα Οβ13. 294 ᵇ15. κίσηρις
τεμνομένη πζ5. 886 ᵇ10. medic. ποῖα δεῖ κάειν ἢ ποῖα δεῖ
τέμνειν πα32. 863 ᵃ10. 34. 863 ᵃ19. τγ1. 116 ᵇ9. cf Wel-
cker kl Schr III 209. — οἱ μὲν τέμνυσιν εἰς δύο τὸ μέ-
σον, οἱ δ' ἀνόμοιον ποιῦσιν Γβ3. 330 ᵇ18. ἢ νεωλκῶν
τέμνεται ἰσχὺς εἰς τὸν ἀριθμὸν κ̣ τὸ μῆκος Φη5. 250 ᵃ18.
τέμνεται ἡ ἐπιστήμη εἰς (ὥσπερ κ̣ ci Torstr) τὰ πράγ-
ματα Ψγ8. 431 ᵇ24. — τεμνόμενος (κενόμενος ci Spgl)
Ηκ2. 1173 ᵇ12. — τμητὸς Μδ15. 1020 ᵇ29. περὶ τμητῦ
μδ8. 385 ᵃ17. 9. 387 ᵃ3-11. dist σχιστόν μδ9. 387 ᵃ7. —
ῥυθμὸς, κ̣ τὰ μέτρα τμητὰ Ργ8. 1408 ᵇ30.

Tempora verbi. Praesentis temporis infinitivus, ubi indi-
cativus vel imperfecti vel aoristi erat ponendus, τὰ πλεῖστα
θερμὰ ποτε εἶναι δεῖ νομίζειν, εἶτα τὴν ἀρχὴν ἀπεσβέσθαι
τῦ πυρὸς μβ3. 359 ᵇ5. οἱ δὲ τὸν ἥλιον τύτον τὸν κύκλον
φέρεσθαί ποτέ φασιν μα8. 345 ᵃ16. cf Πβ8. 1269 ᵃ6. —
Imperfecto interdum respicitur ad ea quae antea dispu-
tata sunt, τῦτο δ' ἦν ἀλλοίωσις (i e τῦτο δ' ἐστὶν ἀλλοί-
σις, ὡς πρότερον ἐλέγομεν) Γα1. 314 ᵇ25. cf μβ3. 357 ᵃ22.
Ρα6. 1363 ᵃ9. β3. 1380 ᵇ19. πα1. 859 ᵃ2. — Aoristi vis
inchoativa manifesto apparet, ἡσθῆναι μὲν ἔστι ταχέως
ὥσπερ κ̣ ὀργισθῆναι, ἥδεσθαι δ' ὒ ἢ Ηκ2. 1173 ᵃ34 (cf με-
ταβάλλειν, ἐνεργεῖν ᵇ2, 3). εἰ δυνατὸν ἄνθρωπον ὑγιασθῆναι,
κ̣ νοσῆσαι Ρβ19. 1392 ᵃ11. cf α2. 1355 ᵇ39. 12. 1372 ᵃ6.
εἰ συννεφεῖ, εἰκὸς ὗσαι Ρβ19. 1393 ᵃ7. πολλὰ βυλευθέντα
καλῶς τῶν πραχθῆναι δεόντων διελύθη μτ2. 463 ᵇ27. inde
explicatur aoristus post ν ἐλπίζειν, οἴεσθαι de tempore fu-
turo usurpatus, ὅταν ἔχῃ ὕτως ὥστ' ἀναμνησθῆναι τοιαῦτα
συμβεβηκότα ἢ ἔσεσθαι γενέσθαι Ρβ8. 1386 ᵃ1. πρὸς δὲ
εὐφυεῖς εἰσι κ̣ ἔμπειροι· ῥᾷον γὰρ κατορθῦσαι (cod Aᵇ,
κατορθῶσειν Bk) οἴονται Ρα6. 1363 ᵃ35. Vahlen Zts f öst
Gym 1868 p 14. — Futuro saepe id significatur quod
non tempore, sed concludendo consequens est, ἔσται i q
συμβαίνει εἶναι (de conditionali usu futuri cf Bz Obs ad
Met p 62-67). et in apodosi quidem usurpatum futurum
vel referri potest ad conditionem non veram, ut idem
significet atque imperfectum cum part. ἄν, veluti ὐκ ἔστι
πᾶσα δύναμις τῶν ἐναντίων, οἰονεὶ τῦ ὑγιεινῦ κ̣ τῦ νοσώ-

δυς· ἅμα γὰρ ἔσται τὸ αὐτὸ ὑγιεινὸν κ̣ νοσῶδες Αα44.
50 ᵃ22. β2. 53 ᵇ23. 16. 65 ᵃ8. γ15. 79 ᵇ11. τι9. 170 ᵃ27
(δεήσει). Φζ5. 236 ᵃ4. Ργ8. 1408 ᵇ31. μβ5. 363 ᵃ11.
Ηη3. 1146 ᵃ5. πιε4. 911 ᵃ27. εἰς ἄπειρον πρόεισι Ηα1.
1094 ᵃ20. 5. 1097 ᵇ13 al (cf ἄπειρος p 74 ᵇ47), vel id signi-
ficat, quod potest esse, veluti ἐὰν δ' ἡ μὲν αβ πρότασις ὅλη
ληφθῇ ἀληθής, ἡ δὲ βγ ὅλη ψευδής. ἔσται συλλογισμὸς
ἀληθής· ὐδὲν γὰρ κωλύει τὸ α τῷ β κ̣ τῷ γ παντὶ ὑπάρ-
χειν κτλ Αβ2. 54 ᵃ29. cf β2. 54 ᵇ3, 35, 55 ᵃ5, 20, 29. 3.
55 ᵇ38, 56 ᵃ3, ᵇ21, 57 ᵃ30 (quibus locis omnibus futurum per
ὐδὲν γὰρ κωλύει, ἐγχωρεῖ, ἐνδέχεται explicatur). γ16. 80 ᵃ25.
τε5. 134 ᵇ8, 14 al. futurum conditionale transfertur in pro-
tasin, veluti ληπτέον τι μέσον ἀμφοῖν, ὃ συνάψει τὰς κατη-
γορίας, εἴπερ ἔσται τῦδε πρὸς τόδε συλλογισμός (i e εἴπερ
μέλλει εἶναι συλλογισμός, si volunt, si ponunt esse syllo-
gismum) Αα23. 41 ᵃ12. γ11. 77 ᵃ6. 16. 80 ᵃ31. 23. 84 ᵇ16.
Μλ6. 1071 ᵇ12, 17. Ηγ6. 1113 ᵃ19 al. inde explicantur
et eae enunciationes, quae et in protasi et in apodosi
futurum conditionale habent Πβ8. 1268 ᵃ36-39, et enun-
ciationes interrogativae per fut conditionale, ποῖος γὰρ
ἔσται ἀριθμὸς αὐτοάνθρωπος; (i e ποῖος ἀριθμὸς μέλλει εἶναι
αὐτοάνθρωπος; qualem numerum esse volunt αὐτοάνθρωπον?)
Μμ7. 1081 ᵃ8, 13, ᵇ27, 28. κ2. 1060 ᵇ1. αι3. 439 ᵃ17.
cum hoc usu indicativi conferendus est usus participii fut,
ἀναγκαῖον εἶναί τι τὸ κινῆσον τὰς μονάδας ψα4. 409 ᵃ16.
Φδ14. 223 ᵃ23. — futurum sine particula εἰ ad signifi-
candam aliquam hypothesin, τὸ δὴ α οἰσθήσεται (i e pona-
mus A ferri) διὰ τῦ β Φδ8. 215 ᵇ1.

τέναγος. ὄστρεα φύεται ἐν τενάγεσιν Ζιε15. 548 ᵃ1. περὶ
Ναυπλίαν τῆς Ἀργείας περὶ τὸ τέναγος πολλοὶ τυφλοὶ
ἐλήφθησαν ἰχθύες Ζιθ19. 602 ᵃ9.

Τενέα, κώμη τῆς Κορινθίας f 552. 1569 ᵇ6.

Τένεδος Ρβ24. 1401 ᵇ18. τὸ πορθμευτικὸν πολύοχλον ἐν
Τενέδῳ Πδ4. 1291 ᵇ25. βασιλεύς τις ἐν Τενέδῳ f 551.
1569 ᵃ24. — οἱ Τενέδιοι Περιάνδρῳ μάρτυρι ἐχρήσαντο
Ρα15. 1375 ᵇ31. τοῖς Τενεδίοις συγγένεια πρὸς τὰς Τενεάτας
f 552. 1569 ᵇ8. Τενέδιος πέλεκυς f 551. 1569 ᵃ21, 30, 37,
cf παροιμία p 570 ᵇ26. Τενεδία πολιτεία f 551. 552.

τενθρηδών (Ahrens δρύς u seine Sippe p 36). descr. re-
fertur inter τὰ ἀγελαῖα, γένος τι τῶν κηριοποιῶν Ζιι43.
629 ᵃ31. 40. 623 ᵇ10. (tenthridon Thomae, teredo Gazae,
tenthredo Scalig. cf S II 227, 516. le grugeur C II 406.
Apis terrestris St. Cr. K 1039, 3. Vespae sp Su 219, 29.
AZι I 171, 51. anthredon ci Hermol Barbarus corollar
p 31, 2, 26.)

Τενθρηδών. σῆμα Προθόυ, Τενθρηδόνος υἱῦ f 596. 1576 ᵃ39.

τενθρήνιον. τὸ τενθρήνιον αὐτῶν (τῶν τενθρηδόνων) πολὺ
μεῖζόν ἐστι τῶν σφηκίων κ̣ προμηκέστερον Ζιι43. 629 ᵇ1.

Τέννης. συγγένειά τις Τενεδίοις πρὸς τύτυς (τὺς Τενεάτας)
ἀπὸ Τέννυ τῦ Κύκνυ f 552. 1569 ᵇ9.

τένων, ἕτερον νεῦρον διπτυχὲς Ζιγ5. 515 ᵇ9. minus recte:
musculus sternocleidomastoideus K 524. 3. Achillessehne
Aub. cf S I 139. Oribas I 661. Galen XIV 703. Da I 29.

τερηδών. 1. ἐγγίνονται ἐν ξύλῳ κ̣ κάμπαι ἐν τοῖς σμήνεσιν. ἃς
καλῦσι τερηδόνας. Ζιθ27. 605 ᵇ17. (teredo Gazae, harde
Scalig. cf C II 200. Tineae mellonellae larva St. Cr. K 920.
AZι I 164, 16. cf Su 205 et 206.) — 2. αἱ λεγόμεναι
τερηδόνες ἐν τῇ ἄνω κοιλίᾳ f 231. 1519 ᵇ18.

τέρας. τὰ τέρατα ἁμαρτήματα ἐκείνυ τῦ ἕνεκά τυ Φβ8.
199 ᵇ4. τὸ τέρας ὐκ ἀναγκαῖον πρὸς τὴν ἕνεκά τυ κ̣ τὴν
τῦ τέλυς αἰτίαν Ζγδ3. 767 ᵇ13. ἔστι τὸ τέρας τῶν ἀνο-

μοίων, τῶν παρὰ φύσιν τι Ζγ4. 770 b5, 9. τὸ τέρας
ἀναπηρία τις Ζγ3. 769 b30. πολλὰ τῶν τεράτων σύμ-
φυσις Ζγ4. 773 a3. διὰ τί Δημόκριτος ἔφησε τὰ τέρατα
γίγνεσθαι Ζγ4. 769 b31. cf π161. 898 a14. ἐοικότα ἠδ'
ἀνθρώπῳ τὴν ἰδέαν ἀλλ' ἤδη τέρατα· ὁ μὴ ἐοικὼς τοῖς
γονεῦσιν ἤδη τρόπον τινὰ τέρας ἐστίν Ζγ3. 767 b5, 6. ἠδὲ
ἄνθρωπος ἀλλὰ ζῷόν τι μόνον φαίνεται τὸ γιγνόμενον, ὃ δὴ
ὶ λέγεται τέρατα Ζγ3. 769 b10. τέρατα πολυμερῆ μορ-
φὴν ἔχοντα Ζγ3. 769 b26, 22. τέρατα τίκτησι μάλιστα
τὰ τετράποδα τὰ μὴ μεγάλα π161. 898 a9. τέρατα, dist
ἔκγονα πὸ13. 878 a21. χολὴ τοσαύτη ὥστε δοκεῖν τέρας
εἶναι τὴν ὑπερβολὴν Ζμδ2. 677 a1. ἃ πολλοὶ τέρατα νομί-
ζησιν εἶναι πια27. 902 a8. τὰ τοιαῦτα ὡς τέρατα κρίνεται
Ζιβ17. 507 a23. κρίνειν ἐν τέρασιν ΖιΖ22. 576 a2. τεθῆναι
ἐν τέρατος λόγῳ ΖιΖ2. 559 b20. διὰ τί ὁ Κάλχας, εἰ μὲν
ἠδὲν ἦν τέρας τὸ γενόμενον, ἐξηγεῖται ὡς τέρας f140.1501
b41.
τερατολογεῖν. οἱ τερατολογῦντες μβ8. 368 a25.
τερατοσκόπος Ἀντιφῶν f65. 1486 b28.
τερατοτοκεῖν. προωδοποίηται τῇ φύσει τὸ τερατοτοκεῖν Ζγδ
4. 770 b4.
τερατώδης. δοκεῖ τερατῶδη εἶναι (ἐὰν διτοκῇ τὰ μονοτόκα),
ὅτι γίνεται παρὰ τὸ ὡς ἐπὶ τὸ πολὺ ὶ τὸ εἰωθός Ζγδ4.
772 a36. πεπονθέναι τι τερατωδῶς· τὸ ἐκλείπειν ἢ προσεῖναί
τι τερατωδῶς Ζγδ4. 770 b8, 9. πάθος τερατῶδες Ζιε14.
544 b21. ζῷον τερατῶδες ἐν ᾗ πλείω συμπεφυκότα Ζγδ4.
773 a8. ᾠὸν τερατῶδες ΖιΖ3. 562 b11. νεοττοὶ τερατώδεις
διὰ τὸ σπανιώτερον τὸ τερατῶδες ἐπὶ τῶν ὀφέων Ζγδ4.
770 a19, 25. γενόμενα δύναται ζῆν, κἂν τερατώδη γένηται
Ζιη4. 584 b9. πλὴν ἐάν τι τερατῶδες ᾖ ΖιΖ21. 575 b13. εἰ
μή τι συμβέβηκε τερατῶδες Ηεγ2. 1231 a4. — τεταραγ-
μέναι φαίνονται αἱ ὄψεις ὶ τερατώδεις εν3. 461 a21. οἱ μὴ
τὸ φοβερὸν διὰ τῆς ὄψεως ἀλλὰ τὸ τερατῶδες μόνον πα-
ρασκευάζοντες, ἠδὲν τραγῳδίᾳ κοινωνῦσιν πο14. 1453 b9.
(τὸ τερατῶδες ci Schöll πο18. 1456 a2, τέταρτον ὅης cod
Ac, Vhl Poet II 47.) λέγειν τερατῶδές τι ὶ ἄπιστον, τερα-
τωδέστερον θ101. 838 b32, 839 a2. 118. 841 b16. — τε-
ρατωδῶς, opp κατὰ φύσιν Ζια17. 496 b18.
τερετίζειν. ἡ φωνή. οἷον τερετιζόντων πιθ10. 918 a30.
τερετίσματα τὰ εἴδη (ideae Plat) Αγ22. 83 a33.
τέρην. τέρεν αἷμα, τέρεν δέμας (Emp 348, 353, 364) αν7.
473 b14, 19, 474 a3.
τερθρεύεσθαι τθ1. 156 b38.
τέρθρον. ῥινῶν ἔσχατα τέρθρα (Emp 346) αν7. 473 b12.
τέρμα. πλήτῃ δ' ἠθὲν τέρμα (Solon f 13, 71) Πα8. 1256 a
b33. οἱ ἐξωτέρω ἀποκάμπτοντες τῦ τέρματος Ργ9. 1409
b23.
τέρμινθος. ἔλαιον ἐκ τῆς τερμίνθυ θ88. 837 a33. (Pistacia
terebinthus L Fraas 83. Langkavel 9. Hehn 307.)
Τέρπανδρος τὴν νήτην προσέθηκε πιθ32. 920 a17. Λέσβιος
ᾠδός f502. 1560 a2, cf παροιμία p570 b4. οἱ ἀπόγονοι
τῦ Τερπάνδρυ f502. 1560 a16.
τέρπειν τινά, opp λυπεῖν Ηδ14. 1128 a27. κ5. 1176 a11.
sine obiecto, ἐγκαλεῖν τῇ μὴ τέσποντι Ηθ15. 1162 b15.
τὸ παρὰ δόξαν τέρπει, opp λυπεῖν Ρβ2. 1379 a24. cf Ηκ5.
1175 a6. τέρπησιν (Hom ρ 385) Πθ3. 1338 a27. τέρπεται
(Hom ο 400) Ρα11. 1370 b5.
τέρψις, coni χαρά, εὐφροσύνη τβ6. 112 b23. dist κέρδος
Ηι1. 1164 a19.
τεταγμένως, cf τάττειν.
τέτανος. τέτανοι ὶ σπασμοί μβ8. 366 b26. λαμβάνει ἵππης

ὶ τέτανος ΖιΘ24. 604 b4.
τεταρταῖος. τεταρταῖοι πυρετοί πα56. 866 a31. δυσεντερίαι
ὶ τεταρταῖοι χρόνιοι πα19. 861 b4.
τεταρτημόριον (int ὀβολῦ) Πη1. 1323 a31.
τέταρτος Πβ6. 1266 a17. δ14. 1298 a28. 16. 1300 b21 al.
τετραγωνίζειν, μέσης εὕρεσις Μβ2. 996 b21 Bz. τὸν κύ-
κλον, διὰ μηνίσκων Αβ25. 69 a31. τι11. 171 b16, 172 a7
Wz. ὁ κύκλος πῶς ἂν τετραγωνισθείη ηεβ10. 1226 a29.
τετραγωνισμὸς ἑτερομήκης, μέσης εὕρεσις ψβ2. 413 a17,
19. τετραγωνισμὸς κύκλυ Κ7. 7 b31, διὰ τμημάτων, διὰ
μηνίσκων, Βρύσωνος, Ἀντιφῶντος Φα2. 185 a16. Αγ9. 75
b41 Wz. τι11. 171 b15, 172 a3, 7 Wz.
τετράγωνος. ἡ χλαῖνα τετράγωνον ἱμάτιον f458. 1553 a28.
τὸ τετράγωνον Οαδ. 272 b19. γ8. 306 b6. opp ἑτερόμηκες
Κ8. 11 a10. ΜΑ5. 986 a25. ἐν τετραγώνῳ τρίγωνον ψβ3.
414 b31. τὸ τετράγωνον γνώμονος περιτεθέντος ηὔξηται
Κ14. 15 a30. ἀριθμοὶ τετράγωνοι Μν6. 1093 a7. Αγ10. 76
b8. — τὸν ἀγαθὸν ἄνδρα φάναι τετράγωνον μεταφορά
Ργ11. 1411 b27. Ηα11. 1100 b21. — πρόσωπον τετρα-
γωνότερον φδ5. 809 b16.
τετραδάκτυλος. πόδες τετραδάκτυλοι Ζμδ10. 688 a5. ὄρ-
νιθες τετραδάκτυλοι Ζμδ12. 695 a15. Ζιβ12. 504 a9.
τετράδραχμος. ὄντος μεδίμνυ τῶν ἀλφίτων τετραδράχμυ
οβ1347 a33.
τετραήμερον. αἱ μεταβολαὶ γίνονται κατὰ τρίημερον ἢ τε-
τραήμερον Ζιε19. 553 a10. cf τετρήμερον.
τετράθυρος. οἱ ἡγεμόνες συνίστανται ὡς καλῦσι σφηκωνεῖς
τὰς μικράς, οἷον τετραθύρυς ἢ ἐγγὺς τύτων Ζιι41. 628 a13.
τετραίνειν. τέτρηνται (Emp 345) αν7. 473 b11. σφόνδυλοι
τετρημένοι· κοιλίαι εἰς τὸν πνεύμονα τετρημέναι Ζιγ7. 516
a13. a17. 496 a22. ὁ τετρημένος πίθος Πζ5. 1320 a21.
οα6. 1344 b25, cf παροιμία p570 b2. — τρητός. ὀστῦν
τῇ μὲν ἄτρητον τῇ δὲ τρητὸν Ζιγ7. 516 a27.
τετρακισμύριοι. πλάτος βραχὺ ἀποδέον τετρακισμυρίων
σταδίων κ3. 393 b20.
τετρακόσιοι. ἐν τοῖς τετρακοσίοις οἱ περὶ Φρύνιχον Πε6. 1305
b27. ἐπὶ τῶν τετρακοσίων Πε4. 1304 b12. καταστῆσαι τὲς
τετρακοσίας Ργ18. 1419 a28. οἱ τετρακόσιοι πότε κατέ-
στησαν f372. 1540 a25.
τετραλογία, ἡ Ὀρέστεια, ἡ Πανδιονίς f575. 1572 b21.
576. 1572 b35.
τετραμερὴς τῇ δυνάμει πεφυκυῖα (ἡ ἁρμονία) δύο μεσό-
τητας ἔχει f43. 1483 a5.
τετράμετρον. τροχερὸς ῥυθμὸς τὰ τετράμετρα Ργ8. 1409
a1. τὸ ἰαμβεῖον (ἰαμβικὸν Bk) ὶ τετράμετρον κινητικά, ὶ
τὸ μὲν ὀρχηστικὸν τὸ δὲ πρακτικόν πο4. 1459 b37. Vhl
Poet III 291. τὸ μέτρον (τῆς τραγῳδίας) ἐκ τετραμέτρυ
ἰαμβεῖον ἐγένετο πο4. 1449 a21. Ργ1. 1404 a31.
τετράμηνος. ὗες ὀχεύυσι τετράμηνοι Ζιε14. 545 b1. κατα-
μήνια διαλείποντα δίμηνον ὶ τετράμηνον ὶ ἑξάμηνον ΖιΖ18.
573 a13.
τετραξός. γραμμαὶ τετραξαῖ Μμ2. 1076 b32.
τετραπήχεις τὸ μῆκος κλῖναι μχ25. 856 b4.
τετραπλάσιος. ἧπαρ τετραπλάσιον τῦ βοείυ Ζιβ17. 508 a1.
τετράπλευρον μχ1. 848 b20. πιε6. 911 b3.
τετραπλῆς. τριπλῆν ὶ τετραπλῆν ὄνομα πο21. 1457 a34.
τετραποδίζειν. ὁ ἄνθρωπος παιδίον ὂν ἕρπει τετραποδίζον
Ζιβ1. 501 a3.
τετράπολις Ἀττική f449. 1551 b38.
τετράπης. μέγεθος τετράποδος, opp ὄρνιθος Ζμδ14. 697
b23. οἱ πίθηκοι δασεῖς τὰ πρανῆ ὡς ὄντες τετράποδες, ὗτ'

ἰσχία ἔχει ὡς τετράπυν ὂν ὔτε κέρκον ὡς δίπυν· διατελεῖ τὸν πλείω χρόνον τετράπυν ὂν μᾶλλον ἢ ὀρθόν· ὡς μὲν δίπυς ὢν ὁρᾷν (ὐκ ἔχει) ὡς δὲ τετράπυς ἰσχία Ζιβ8. 502 ᵃ23, ᵇ21. Ζμδ10. 689 ᵇ34. τῶν γαμψωνύχων τετραπόδων ὁ λέων· τάρανδος ὢν τετράπυς f 265. 1526 ᵇ5. 332. 1534 ᵃ4. ἡ φώκη ὥσπερ πεπηρωμένον τετράπυν ἐστί, τετράπυν ὂν ᴣ ζωοτόκον ὐκ ἔχει ὦτα, τετράπυν κακῶς δ᾽ ἐστὶν Ζιβ1. 498 ᵃ32. Ζγε2. 781 ᵇ23. Ζπ19. 714 ᵇ13. αἱ νυκτερίδες ὡς μὲν πτηνὰ ἔχυσι πόδας ὡς δὲ τετράποδα ὐκ ἔχυσι, ᴣ ταῦτα τετράποδα κακῶς δ᾽ ἐστὶν Ζμδ13. 697 ᵇ8. Ζπ19. 714ᵇ13. παντὸς τετράποδος τὰ κρέα χείρω, ὅπη ἑλώδη χωρία νέμονται ἢ ὄπη. μετεωρότερα Ζιθ10. 596 ᵇ2. ὁ στρυθὸς ὁ Λιβυκὸς δίπυς μέν ἐστιν ὡς ὄρνις, διχαλὸς δ᾽ ὡς τετράπυς Ζμδ14. 697 ᵇ22, 15. ὁ κορδύλος, τετράπυν ἐστὶν ὡς ᴣ πεζεύειν πεφυκός Ζιθ2. 589 ᵇ28. τὸ καλύμενον ζῷον ἐφήμερον τέτ- ταρσι ᴣ ποσὶ ᴣ πτερίοις κινεῖται ᴣ πτηνόν ἐστι ᴣ τετράπυν ὄν Ζια5. 490 ᵇ3. τὰ ἄναιμα τῶν ὑποπόδων πολυποδᾶ ἐστι ᴣ ὐθὲν αὐτῶν τετράπυν Ζπ16. 713 ᵃ27.

τὰ ζῷα τὰ τετράποδα vel τὰ τετράποδα πάντα vel τὰ τετράποδα Ζιβ1. 498 ᵇ5. δ11. 537 ᵇ30. α5. 490 ᵃ29, ᵇ4. Ζγα5. 717 ᵇ15. π26. 893 ᵇ24. referuntur inter τὰ ἔναιμα, τὰ ὑπόποδα, τὰ πόδας ἔχοντα αι5. 444 ᵃ21. Ζπ19. 714 ᵇ12. Ζγβ1. 732 ᵇ24. ἔστι γὰρ τὰ τετράποδα [ᴣ μὴ πτερωτὰ Aub] ἔναιμα πάντα Ζια6. 490 ᵇ19. τῶν ζῴων τὰ μὲν ἄποδα τὰ δὲ δίποδα τὰ δὲ τετράποδα τὰ δὲ πολύ- ποδα· τὰ πεζὰ ᴣ τὰ δίποδα ᴣ τετράποδα· ἄοικα πολλὰ τῶν ἐντόμων ᴣ τῶν τετραπόδων Ζπ1. 704 ᵃ13. Ζιδ11. 537 ᵇ27. αι1. 488 ᵃ23. ὅσα ἐπὶ τὸ αὐτὸ τὸ πρόσθεν ἔχει ᴣ τὸ ἄνω, τετράποδα ᴣ πολύποδα ᴣ ἄποδα· τὰ τετρά- ποδα (τὸ ἄνω ἔχει) ἐπὶ τὸ μέσον, ᴣ τὰ πολύποδα ᴣ ἄποδα Ζπ5. 706 ᵃ30, ᵇ7. κατὰ διάμετρον κινεῖται Ζια5. 490 ᵇ4, cf ᵃ29. β1. 498 ᵇ5. ἄναπνοήν αι5. 444 ᵃ21. τὸ ὄργανον τὸ πρὸς τὸν συνδυασμόν, τὸ θῆλυ ᴣ τὸ ἄρρεν Ζγα5. 717 ᵇ15. Ζιδ11. 537 ᵇ27. dist τῶν τετραπόδων τὰ ζωοτόκα ᴣ τὰ ᴣωτόκα. ὔτε τὰ τετράποδα πάντα ᴣωτοκεῖ (ἵππος ... ᴣ ἄλλα μυρία ᴣωοτόκα) ὔτε ᴣωοτοκεῖ πάντα (σαῦραι ... ᴣ ἄλλα πολλὰ ᴣωοτοκῦσι) Ζγβ1. 732 ᵇ17.

1. Mammalia (cf M 315).

πᾶν τὸ τῶν ζωοτόκων ᴣ τε- τραπόδων γένος· τῷ γένει τῷ τῶν τετραπόδων ζῴων ᴣ ᴣωοτόκων εἴδη μέν ἐστι πολλὰ ἀνώνυμα δέ Ζιθ10. 536 ᵇ29. α6. 490 ᵇ31 (τετράπων τὸ γένος Plat Tim 92 A). — ᴣωοτόκα ἐστὶ τῶν τετραπόδων ἔνια· ἔναιμα, πανθ᾽ ὅσα ᴣ ἄποδά ἐστι τέλεα ὄντα ἢ δίποδα ἢ τετράποδα· ὅσα τετρά- ποδα ᴣ ἔναιμα ᴣ ᴣωοτόκα· τὰ ἔναιμα ᴣ ᴣωοτόκα τῶν τετραπόδων· τὰ τετράποδα ᴣ ἔναιμα Ζιε1. 539 ᵃ15. α4. 489 ᵃ32. β1. 501 ᵃ10. Ζμβ17. 660 ᵃ31. αν11. 476 ᵃ33. τὰ τετράποδα ᴣ τρίχας ἔχοντα· ὅσα ἐστὶ ᴣωοτόκα ᴣ δί- ποδα ἢ τετράποδα Ζιβ1. 498 ᵇ25. γ1. 510 ᵇ15. dist τῶν τετραπόδων ᴣ ἐναίμων ᴣ ᴣωοτόκων τὰ μὲν πολυσχιδῆ τὰ δὲ δισχιδῆ τὰ δὲ ἀσχιδῆ Ζιβ1. 499ᵇ6 (cf infra ᵇ27). τὰ μὲν ἀμφώδοντα, τὰ δ᾽ ὔ (i e τὰ κερατοφόρα)· ἔνια ὐκ ἀμ- φώδοντα ᴣ ἀκέρατα· πάντα τὰ κερατοφόρα, τετράποδά ἐστιν Ζιβ1. 501 ᵃ10, 500 ᵃ2. — τὰ τετράποδα ᴣ ᴣωοτόκα Ζιβ1. 497 ᵇ13. γ1. 509 ᵇ10. θ5. 594 ᵃ25. Ζμβ16. 658 ᵇ27. δ11. 690 ᵇ17. Ζπ12. 711 ᵇ12. 15. 713 ᵃ3. τὰ τετρά- ποδα τὰ ᴣωοτόκα Ζγ1. 509 ᵇ7. β1. 704 ᵃ23. τὰ ᴣωο- τόκα τετράποδα Ζιε14. 544 ᵇ18. ιι. 608 ᵃ24. τὰ ᴣωοτόκα ᴣ τετράποδα Ζιβ13. 505 ᵃ33. θ17. 600 ᵃ28. 19. 602 ᵇ14. τὰ ᴣωοτόκα ᴣ τετράποδα ᴣῷα, τὰ τετράποδα ᴣῷα ᴣ ᴣωο- τόκα Ζιθ9. 536 ᵃ32. β1. 497 ᵇ18 Aub. τὰ ᴣωοτόκα τῶν τετραπόδων Ζιβ1. 498 ᵃ6. 10. 502 ᵇ33. 15. 505ᵇ28. Ζμγ6.

669 ᵇ6. δ11. 691 ᵃ29. τῶν τετραπόδων τὰ ᴣωοτόκα Ζιζ12. 566 ᵇ6. τὰ ᴣωοτοκῦντα τῶν τετραπόδων Ζγα8. 718 ᵇ3. τὰ τετράποδα ᴣῷα τῶν ᴣωοτόκων Ζμβ9. 655 ᵇ13. ὅσα τετράποδα ᴣ ᴣωοτόκα Ζιβ1. 498 ᵇ16. 15. 505 ᵇ32. — τὰ ᴣῷα τὰ τετράποδα Ζιε11. 543 ᵇ25. ι6. 612 ᵃ2. τὰ τετρά- ποδα τῶν ᴣῴων Ζιε5. 541 ᵃ23. Ζμδ10. 688 ᵃ18. τὰ τε- τράποδα ᴣῷα Ζιβ1. 498 ᵇ11. Ζμδ9. 684 ᵇ23. Ζπ11. 710 ᵇ26. ἅπαντα τὰ τετράποδα Ζιζ18. 573 ᵃ21. τὰ τετράποδα ἅπαντα Ζιζ18. 573 ᵃ9. π53. 896 ᵇ34. τὰ τετράποδα πάντα, πάντα τὰ τετράποδα Ζιζ18. 573 ᵃ27. ι3. 610 ᵇ24. β1. 499 ᵃ31. τὰ τετράποδα πν8. 485 ᵃ25. Ζια11. 492 ᵃ31. 17.496 ᵇ19, 27. β1. 498 ᵃ28, 499 ᵃ13. 8. 502 ᵃ17, 25, 31, 33, ᵇ15. 13. 503 ᵇ23, 33. 17. 507 ᵃ22. γ3. 513 ᵇ36. 7. 516ᵇ17. 11. 518 ᵇ30. 21. 522 ᵇ30, 523 ᵃ5. δ2. 527 ᵃ16. 4. 528ᵇ32. 7. 532 ᵃ20. ε2. 539 ᵇ26, 540 ᵃ15. ζ10. 565 ᵇ6, 12, 16. 12. 567 ᵃ3. 18. 573 ᵃ17. 22. 576 ᵃ23. η8. 586 ᵃ35, ᵇ8. θ21. 603 ᵃ30. 26. 605 ᵇ6. ι44. 630 ᵃ14. 50. 632 ᵃ5, ᵇ12. κ6. 637 ᵇ38. Ζμβ11. 657 ᵃ12. 14. 658 ᵃ16, 19. γ1. 662 ᵇ13. 9. 671 ᵇ8. δ9. 685 ᵃ18. 10. 686 ᵃ35, ᵇ12, 687 ᵇ27, 688 ᵃ15, 689 ᵃ31, ᵇ2, 6, 16, 25, 690 ᵃ4. 12. 693 ᵃ25, ᵇ3, 5, 20, 695 ᵃ4, 7, 15. Ζπ12. 711 ᵃ16. 13. 712 ᵃ10. 15. 713 ᵃ1. Ζγα5. 717 ᵇ30. β8. 748 ᵃ21. γ1. 751 ᵃ17. 2. 753 ᵃ13. 6. 756 ᵇ15, 30. 11. 762 ᵇ28. ε2. 781 ᵇ14. θ9. 831 ᵃ20. π41. 895 ᵃ22. 53. 896 ᵇ30. 54. 897 ᵃ11. — ἔνια τῶν τετραπό- δων Ζμβ13. 658 ᵃ1, syn τὰ τετράποδα Ζιθ2. 591 ᵇ23. — dist τῶν τετραπόδων τὰ πολυδάκτυλα· τὰ μώνυχα, τὰ διχαλά, τὰ πολυσχιδῆ· τὰ ὀπισθυρητικά Ζμβ16. 659 ᵃ23. δ10. 690 ᵃ5. ε7. 541 ᵇ21. Ζγβ6. 742 ᵃ8. τὰ ἄγρια ᴣ τε- τράποδα, τὰ τετράποδα ᴣ ἄγρια ᴣῷα, τὰ τετράποδα τὰ ἄγρια Ζιι5. 611 ᵃ15. θ5. 594 ᵇ28. Ζγε6. 786 ᵃ30. τὰ με- γάλα τετράποδα, τὰ τετράποδα τὰ μὴ μεγάλα Ζιγ21. 522 ᵇ20. π161. 898 ᵃ9. τὰ νέα ᴣ τὰ παλαιὰ τετράποδα Ζιζ25. 578 ᵃ6, 8. ι50. 632 ᵃ6. — descr part corp. γεω- δεστέραν ἔχει πάντα τὴν σύστασιν ἢ τὸ τῶν ἀνθρώπων γένος Ζμβ9. 655 ᵇ15. κεφαλὴν μὲν ἔχει ᴣ αὐχένα Ζιβ1. 497 ᵇ13. ὀφθαλμοί, βλεφαρίδες Ζμβ13. 658 ᵃ1. Ζιβ8. 502 ᵃ31, 33. ὗς Ζια11. 492 ᵃ31. Ζμβ11. 657 ᵃ12. Ζγε2. 781 ᵇ14. σιαγών, ὀδόντες Ζμδ11. 691 ᵃ29. Ζιβ1. 501 ᵃ10. θ5. 594 ᵃ25. ῥάχις Ζιγ7. 516 ᵇ17. τὰ ἄνω τὰ κάτω πολὺ μείζονα, τὰ ὕπτια ᴣ τὰ πρανῆ Ζιβ8. 502 ᵇ15. 1. 498ᵇ11. Ζμδ12. 693 ᵃ25. δέρματα, τρίχες, μεταβάλλει τὰ χρώ- ματα Ζιδ4. 528 ᵇ32. γ11. 518 ᵇ30. β1. 498 ᵇ6. ι44. 630 ᵃ14. Ζγε6. 786 ᵃ30. Ζμβ14. 658 ᵃ16, 19. σκέλη Ζιβ1. 499 ᵃ31. δ7. 532 ᵃ29. Ζμδ10. 690 ᵃ4. 12. 695 ᵃ15. Ζπ11. 710 ᵇ26. π41. 895 ᵃ22. σκελῶν καμπὴ Ζιβ1. 498 ᵃ6. 12. 503 ᵇ33. Ζμδ12. 693 ᵃ5, 20. Ζπ1. 704 ᵃ23. 13. 712 ᵃ10. 15. 713 ᵃ1. τὰ πρόσθια σκέλη Ζιβ1. 497 ᵇ18 Aub. γ3. 513 ᵇ36. Ζμδ10. 686 ᵃ35, 687 ᵇ27, 688 ᵃ15. 12. 695 ᵃ4, 7. Ζπ12. 711 ᵃ16, ᵇ12. τὰ ὀπίσθια Ζμδ9. 685 ᵃ18. cf Ζιδ6. 689 ᵇ2. Ζγα20. 728 ᵇ8. π53. 896 ᵇ30, 34. ἰσχία ὐκ ἔχει, ὐδὲν ὥσπερ κέρκον Ζμδ10. 689 ᵇ25, 6. μαστοί, θηλαί Ζμδ10. 688 ᵃ18. Ζιβ13. 503 ᵇ23. ζ12. 567 ᵃ3. ὄρ- χεις Ζιγ1. 509 ᵇ7, 8, 10. — τὰ ἐντὸς Ζιβ15. 505 ᵇ28. ἀρτηρία αν11. 476 ᵃ33. situs viscerum, ὑστέρα Ζια17. 496 ᵇ19, 27. γ1. 510 ᵇ15, cf 23. Ζγα8. 718 ᵇ3. σπλήν. ὔρον Ζιθ17. 507 ᵃ22. ζ18. 573 ᵃ21, 17. — τὸ θῆλυ ᴣ τὸ ἄρ- ρεν, συνδυασμός, ὀχεία Ζικ6. 637 ᵇ38. ε2. 539 ᵇ26, 540 ᵃ15. ζ18. 573 ᵃ27. Ζγα5. 717 ᵇ30. cf γ1. 751 ᵃ17. κατα- μήνια Ζιζ18. 573 ᵃ9. Ζγβ8. 748 ᵃ21. γένεσις, τόκος, ἔμ- βρυα (τυφλά) Ζγγ11. 762 ᵇ28. 6. 756 ᵇ15, 30. β6. 742 ᵃ8. Ζιζ22. 576 ᵃ23. 10. 565 ᵇ6, 12, 16. η8. 586 ᵃ35, ᵇ.

τέρατα, τὰ ἐκτεμνόμενα πι61. 898 ᵃ9. Ζιι50. 632 ᵃ6. —
βίος, φωλεία, ἦθος Ζιϑ5. 594 ᵇ28. 17. 600 ᵃ28. ι3. 610 ᵇ24.
φωνή Ζιϑ9. 536 ᵃ32. ι50. 632 ᵃ5. Ζμβ17. 660 ᵃ31. τοῖς
τετράποσιν ἄκοπον τὸ ἑστάναι· τὸ τῆς ὀσφρήσεως αἰσθητή-
ριον Ζμϑ10. 689 ᵇ16. β16. 658 ᵇ27. τὰ πολύποδα βρα-
δύτατα καίτοι τὰ τετράποδα θάττω τῶν διπόδων πνϑ. 485
ᵃ25. νόσοι Ζιϑ21. 603 ᵃ30. ϑδὲ πάνυ κορυζᾷ ϑδὲ πτάρ-
νυται πι54. 897 ᵃ11.

2. Reptilia (cf M 303). τῶν ἐναίμων ζῴων ᾠοτόκων
τὰ μέν ἐστι τετράποδα τὰ δ' ἄποδα· τὰ τετράποδα ⳤ
ἔναιμα ⳤ ᾠοτόκα· τὰ τετράποδα μὲν ᾠοτόκα δὲ ⳤ ἔναιμα·
ϑδὲν ᾠοτοκεῖ χερσαῖον ⳤ ἔναιμον μὴ τετράπον ὂν ἢ ἄπυν
Ζμϑ11. 690 ᵇ13, cf 692 ᵇ1. Ζιε33. 557 ᵇ32. β10. 502
ᵇ28, 29. τῶν τετραπόδων τὰ ᾠοτόκα αν11. 476 ᵇ1. τῶν
τετραπόδων ὅσα ᾠοτόκα vel ᾠοτοκεῖ vel plenius ὅσα ᾠο-
τοκεῖ τὸ ᾠὸν τὸ σκληρόδερμον, ὅσα μὴ ζῳοτοκεῖ ἀλλὰ ᾠο-
τοκεῖ Ζιγ1. 509 ᵇ7. Ζγγ5. 755 ᵇ29. 3. 754 ᵃ17. Ζπ1. 704
ᵇ5. ὅσα τετράποδα ᾠοτοκεῖ, τὰ τετράποδα τῶν ᾠοτόκων
Ζγβ1. 732 ᵇ3. α8. 718 ᵇ16. τὰ τετράποδα τὰ ᾠοτόκα
Ζμγ7. 670 ᵇ13. τὰ τετράποδα μὲν ᾠοτόκα (ᾠοτοκοῦντα) δέ
Ζιϑ17. 508 ᵃ4. γ1. 510 ᵇ34. 7. 516 ᵇ20. Ζμγ6. 669 ᵃ28.
δ1. 676 ᵃ23. τὰ τετράποδα ⳤ ᾠοτόκα Ζιε3. 540 ᵃ27.
Ζμγ12. 673 ᵇ19, 28. δ11. 691 ᵃ5, 10. Ζπ15. 713 ᵃ16.
Ζγα6. 721 ᵃ18. γ2. 752 ᵇ32, 34. τὰ ᾠοτόκα τῶν τετρα-
πόδων Ζιβ15. 505 ᵇ29. ι50. 631 ᵇ23. Ζμβ13. 657 ᵃ26, 29.
δ11. 691 ᵃ31. Ζγα4. 717 ᵇ5. τὰ (ὅσα) ᾠοτόκα ⳤ τετρά-
ποδα Ζιβ15. 506 ᵇ6. δ9. 536 ᵃ5. Ζμγ7. 670 ᵇ1. δ13.
697 ᵃ13. Ζγα12. 719 ᵇ11. ὅσα ᾠοτοκεῖ τῶν τετραπόδων,
τὰ ᾠοτοκοῦντα τετράποδα Ζιβ15. 505 ᵇ35. 13. 505 ᵃ23.
Ζγα3. 716 ᵇ21, 718 ᵇ4. raro τὰ τετράποδα, om ᾠοτόκα,
veluti Ζμϑ11. 692 ᵇ1. Ζπ16. 713 ᵇ18. Ζγα6. 718 ᵃ10. γ2.
753 ᵃ1, 5. Ζιϑ4. 594 ᵃ5. referuntur inter τὰ δεχόμενα τὸν
ἀέρα ⳤ πλεύμονα ἔχοντα Ζγβ1.
732 ᵇ3 (ὅσα ᾠοτοκεῖ ἢ δίποδα ὄντα ἢ τετράποδα Ζιγ1.
509 ᵇ24), τὰ πεζὰ Ζιε3. 540 ᵃ27. Ζμγ6. 669 ᵃ28, τὰ
φολιδωτὰ Ζιϑ4. 594 ᵃ5. Ζγα12. 719 ᵇ11 (sed τῶν τετρα-
πόδων τὰ ᾠοτόκα ⳤ φολιδωτὰ Ζμβ12. 657 ᵃ21 et ἔνια
τῶν ᾠοτοκούντων τετραπόδων φολίδας ἔχει Ζιβ13. 505 ᵃ23).
descr eorum part corp Ζιβ10. 502 ᵇ28. φωνή, ῥάχις, σια-
γών, σκελῶν καμπή Ζιϑ9. 536 ᵃ5. γ7. 516 ᵇ20. Ζμϑ11.
691 ᵃ31. Ζπ1. 704 ᵇ5. πάντα πολυδάκτυλα ⳤ πολυσχιδῆ,
παμφάγα Ζιϑ10. 502 ᵇ34. θ4. 594 ᵃ5. πλεύμων, τὰ
ἐντός, χολή, σπλήν, κοιλία, σπλάγχνα Ζια16. 495 ᵇ3. β15.
505 ᵇ29, 6, ᵃ18. 17. 508 ᵃ4. Ζμϑ1. 676 ᵃ23. — τὸ θῆλυ
ⳤ τὸ ἄρρεν, ἡ σπερματικὴ περίττωσις, ὀχεία, γενέσεις
Ζγα16. 721 ᵃ18. 4. 717 ᵇ5. Ζιε3. 540 ᵃ27. 33. 557 ᵇ32.
ὑστέραι Ζιϑ10. 520 ᵇ34. Ζγα8. 718 ᵇ4. οἱ ὄρχεις ἐντὸς Ζιγ1.
509 ᵇ7, 24. ι50. 631 ᵇ23. Ζγα3. 716 ᵇ21. 6. 718 ᵃ10. 12.
719 ᵇ11. τέλειον ᾠὸν Ζγα8. 718 ᵇ16. β1. 732 ᵇ3. γ2. 752
ᵇ32, 34, 753 ᵃ1, 5. 5. 755 ᵇ29. — dist τὰ τρωγλοδυτικὰ
τῶν τετραπόδων ⳤ ᾠοτόκων Ζπ15. 713 ᵃ16. cf 16. 713 ᵇ18.

τετράπτερος. τὰ τετράπτερα descr Ζμϑ6. 682 ᵇ8. Ζια5.
490 ᵃ16. δ7. 532 ᵃ21, cf M 206.

τετράς Μμ7. 1081 ᵇ16 al. ἐκ τῆς τετράδος τὰ στερεὰ ποι-
ϑσιν Μν3. 1090 ᵇ23.

τετραστάτηρον ⳤ στατὴρ ⳤ ἡμιστάτηρον ἐν Κυρήνῃ χρυσᾶ
νομίσματα f 486. 1557 ᵇ18.

τετραχόρδον. τῷ μὲν ἄνω τετραχόρδῳ τελευτῇ, τῷ δὲ κάτω
ἀρχῇ πιϑ47. 922 ᵇ8. ἐν δυσὶ τετραχόρδοις ῥυθμίζεται τὰ
μέρη (μέλη codd) f 43. 1483 ᵃ9.

τετραχῶς λέγεται τὰ αἴτια ΜΑ3. 983 ᵃ26. ἔστι λόγον κω-

λῦσαι συμπεράνασθαι τετραχῶς τϑ10. 161 ᵃ1.

τετρήμερος. μετὰ τὴν τετρήμερον Πγ15. 1286 ᵃ13. cf τε-
τράκήμερον.

τετρήρη Καρχηδόνιοι πρῶτοι κατεσκεύασαν f 558. 1570 ᵃ29.

τέτριξ τίκτει ἐν τῇ γῇ Ζιζ1. 559 ᵃ2. (tetrix Thomae Gazae
Scalig C II 797. S I 399, cannepetiere Belon observ 1, 9.
Tetrao tetrix vel Otis tetrix St. Cr. K 715. def non po-
test AZι I 109, 106.) dist, descr ἡ τέτριξ, ἣν καλῶσιν
Ἀθηναῖοι ὤραγα Ζιζ1. 559 ᵃ12 (v l τέτιξ). τέτραξ Lob
Par 141 adn. cf S I 401. def non ausus est Scalig. Pra-
ticola rubetra Su 112, 47.)

τετταράκοντα. οἱ τετταράκοντα (Ἀθήνησι κατὰ δήμους δι-
κασταὶ) πρότερον ἦσαν τριάκοντα f 413. 1546 ᵇ38, 40.

τετταρακοσταῖος. τὸ ἄρρεν (κύημα) ὅταν ἐξέλθῃ τετταρα-
κοσταῖον Ζιη3. 583 ᵇ14.

τέτταρες (τέσσαρες Πδ15. 1300 ᵃ23) τέτταρα, τεττάρων,
τέτταρσι, τέτταρας Πδ9. 1270 ᵇ4. γ14. 1285 ᵇ20. δ4.
1291 ᵃ12, 22. 7. 1293 ᵃ37, 42 al. — διὰ τεττάρων, dist
διὰ πασῶν, διὰ πέντε πιϑ17. 918 ᵇ38. 23. 919 ᵇ11. 34. 920
ᵃ24. 41. 921 ᵇ1, 3.

τεττιγομήτρα. ὁ (τῶν τεττίγων) σκώληξ αὐξηθεὶς ἐν τῇ
γῇ γίνεται τεττιγομήτρα Ζιε30. 556 ᵇ7 Aub, 10. (nympha.)

τεττιγόνιον. εἶδος τεττίγων, ὑμένα φανερὸν ᾿κ ἔχει, καλῶσι
δέ τινες τὰς μὲν μεγάλας ⳤ ᾄδοντας ἀχέτας τὰς δὲ μι-
κρὰς τεττιγόνια (v l τριγόνια) Ζιϑ7. 532 ᵇ17. ε30.556 ᵃ20.
(tettigonium Thomae, cicadaster Gazae Scalig. cigalette
C II 232. cf S I 382. fort Cicadae minores, veluti atra,
montana, annulata, flexuosa Su 201, 13. AZι I 162, 7.)

τέττιξ. τὸ τῶν τεττίγων γένος Ζμϑ5. 682 ᵃ18, 24. refertur
inter τὰ ἔντομα Ζιϑ7. 532 ᵇ10. στόμα ᾿κ ἔχει, ἀμυδρῶς
ὁρᾷ Ζιϑ7. 532 ᵇ10. ε30. 556 ᵇ19. τὸ γλωττοειδές, descr
Ζμϑ5. 682 ᵃ18. Ζιϑ7. 532 ᵇ12 Aub. ἐν τῇ κοιλίᾳ ᾿κ ἔχει
περίττωμα, τὸ ὄπισθεν ὀξὺ Ζιϑ7. 532 ᵇ14. ε30.556 ᵃ30.
— γίνονται ἐκ ζῴων τῶν συγγενῶν, συνωνύμων Ζιε19.
550 ᵇ32. Ζγα16. 721 ᵃ4. ὁ ἄρρην, ἡ θήλεια, συνδυασμὸς
ποῖος, τίκτει πῇ, πῶς (cf Plat Sympos 191)· ἐντίκτουσι δὲ
[ⳤ Aub] ἐν τοῖς καλάμοις, διατρυπῶντες τὰς καλάμους ⳤ ἐν
τοῖς τῆς σκίλλης καυλοῖς· ᾠὰ λευκὰ Ζιε30. 556 ᵃ27 Aub, 26,
30, ᵇ11-13, 2, 14. ὁ σκώληξ, τὰ κυήματα καταρρεῖ εἰς τὴν
γῆν, πότε γίνονται ἐκ τῆς τεττιγομήτρας Ζιε30. 556 ᵇ6, 5,
9. ὅταν ἐξέλθωσι, καθιζάνουσιν ἐπί τε τὰς ἐλαίας ⳤ κα-
λάμοις· περιπραχέντος τῷ κελύφει ἐξέρχονται ἐγκαταλιπόν-
τες ὑγρότητα μικρὰν Ζιϑ17. 601 ᵃ6, 9 (Siebld anat compar
625. Milde 12). — βομβεῖ αν9. 475 ᵃ6. ᾄδειν λέγεται,
ᾄδουσι, τίνες Ζιϑ9. 535 ᵇ7. ε30. 556 ᵇ11. ϑ17. 601 ᵃ10.
αν9. 475 ᵃ18. Rose 804 ᵃ24 Beckm. Rose Ar Ps 367.
αν804 ᵃ23. (cf Sturz de voc an III 7, 9. IV 9. S eclog
phys II 50. Landois 106, 107, 153, 157, 158.) ὅπως μὴ
οἱ τέττιγες χαμόθεν ᾄσονται (Stesichori apophthegma, Bergk
poet lyr p 996) Ρβ21. 1395 ᵃ2. γ11. 1412 ᵃ23. — τροφή,
τῇ δρόσῳ τρέφεται μόνον (ὃ λέγουσιν οἱ γεωργοί) Ζμϑ5.
682 ᵃ25. Ζιϑ7. 532 ᵇ13. ε30. 556 ᵇ15. τὸ μὲν μετόπω-
ρον ἡδύς οἱ ἄρρενες, μετὰ δὲ τὴν ὀχείαν αἱ θήλειαι· ἀνα-
βαίνουσιν ἐπὶ τὸν δάκτυλον· ἐν τοῖς ψυχροῖς ᾿ὐ γίνονται ᾿δ'
ἐν τοῖς συσκίοις ἄλσεσιν· γίνονται πολλοὶ ὅταν ἐπομβρία
γένηται Ζιε30. 556 ᵇ13, 19 Aub, 5, ᵃ24, cf Theophr f VI
54. ἔνθα μὲν γίνονται ἔνθα δ' ᾿ Ζιε28. 605 ᵇ27
Aub. cf ε30. 556 ᵃ21, 23, 22. Milde 13. — dist δύο γένη
οἱ μὲν μικροὶ οἱ πρῶτοι φαίνονται ⳤ τελευταῖοι ἀπόλυνται,
οἱ δὲ μεγάλοι οἱ ᾄδοντες οἱ ⳤ ὕστερον γίνονται ⳤ πρότερον
ἀπόλλυνται· ὁμοίως ἔν τε τοῖς μικροῖς ⳤ τοῖς μεγάλοις οἱ

μὲι διηρημένοι εἰσὶ τὸ ὑπόζωμα, οἱ ᾄδοντες, οἱ δὲ ἀδιαίρετοι, οἱ ἠκ ᾄδοντες, ἱ q ἀχέται (ν ἀχέται p 130 ᵇ52), τεττιγόνια· τῶν τεττίγων τι γένος τῇ τρίψει τῦ πνεύματος ψοφεῖ Ζιε30. 556 ᵃ14, cf ᵇ12, ᵃ17. ϑ9 535 ᵇ8. syn πλείω εἴδη, πῶς διαφέρει Ζιδ7. 532 ᵇ14. Μ 223, 346. (cicada Plin Thom Gazae Scalig. cigale C II 229. cf S I 382. Lenz Zool der Gr 548. Singcicade Su 200, 14. AZι I 161, 7. Milde Singcicaden Breslau 1866 p 20, 21. Landois in Siebld Zeitschr XVII.)

τευθίς. αἱ καλόμεναι τευθίδες Ζμδ5. 678 ᵇ29. 9. 685 ᵇ19. referuntur inter τὰ νευστικά, πελάγια, συναγελαζόμενα Ζιδ9. 685 ᵃ14. 1. 524 ᵃ33. Ζμδ5. 679 ᵃ14. f 318.1532 ᵃ4, τὰ μαλάκια Ζια6. 490 ᵇ13. ε6. 541 ᵇ1. ϑ2. 590 ᵇ33. 30. 607 ᵇ7. f 288. 1528 ᵇ21. τὸ κύτος, τὸ σῶμα μακρότερον, τὸ ὅλον σωμάτιον τρυφερὸν ᾧ ὑπομηκέστερον Ζμδ 9. 685 ᵃ24. Ζιδ1. 524 ᵃ25 (v l τεφθίς). f 318. 1532 ᵃ9. τῇ τευθίδι ἐλλείπει τὸ κύκλῳ πτερύγιον, τὸ πτερύγιον πλατύτερον ᾧ ὕ στενὸν Ζιδ1. 524 ᵃ32. Ζμδ9. 685 ᵇ19. cf S II 507. πόδες descr Ζμδ9. 685 ᵃ23. f 318. 1532 ᵃ7. προβοσκίδες δύο descr Ζμδ9. 685 ᵃ33, ᵇ1. f 318. 1532 ᵃ6, 8. Ζιδ1. 523 ᵇ29. ἐντὸς ἐστι τὰ στερεὰ ἐν τῷ πρανεῖ τῦ σώματος, syn τὸ ξίφος λεπτὸν ᾧ χονδρωιδέστερον, τὸ ὄστρακον μικρὸν λίαν ᾧ χονδρωῶδες Ζιδ1. 524 ᵇ22, 26. Ζμβ8. 654 ᵃ21. δ5. 679 ᵃ22. f 318. 1532 ᵃ11. αἱ κοιλιώδεις ὑποδοχαὶ Ζμδ5. 678 ᵇ30. ἔχει ἄνωθεν τὸν θολὸν ἐπὶ τῇ μύτιδι μᾶλλον, ἐν τῇ μύτιδι, διὰ φόβον ἀφίησι τὸν θολὸν Ζμδ5. 679 ᵃ7. f 318. 1532 ᵃ10. Ζιδ7. 621 ᵇ30. διαφέρεσι τῷ σχήματι τῶν τευθίδων οἱ τευθοι Ζιδ1. 524 ᵃ30, 25. κρατεῖ τῶν μεγάλων ἰχθύων Ζιδ2. 590 ᵇ33. πῶς διαφέρει ἡ ἄρρην τευθὶς τῆς θηλείας, coitus Ζιε18. 550 ᵇ17 (v l τευθός). 6. 541 ᵇ1, 12. πῶς νεῖ Ζια5. 489 ᵇ35 Aub. τὸ ᾠὸν συνεχές, ἐξ ἑνὸς ᾠῦ μία τευθὶς Ζιε18. 550 ᵇ12, 16. Ζγγ8. 758 ᵃ6. κύεσται ἅρισται, πελάγια ἀποτίκτεται Ζιδ30. 607 ᵇ7. ε18. 550 ᵇ12. (teuthis Thom, lolligo Gazae, lolliguncula Scalig. calmar (petit) C II 154. Loligo vulgaris St. Cr. AZι I 150, 6 et A Siebld XII 376, 381. cf M 264 sq. Rose Ar Ps 323.)

τευθός. οἱ τευθοί (v l τεῦθοι) referuntur inter τὰς ἀγελαίας τῶν ἰχθύων Ζιι2. 610 ᵇ6. 'an recte' S II 24. Cresswell in indice. — τευθός in v l (τευθίς Bk) Ζιε 18. 550 ᵇ17. οἱ μεγάλοι τευθοί (v l τεῦθοι) Ζμδ9. 685 ᵇ18. v τεῦθος.

τεῦθος (τευθοί Bk in textu semel exhibuit Ζμδ9. 685 ᵇ18, v l τεῦθοι). ὁ καλόμενος τεῦθος Ζιδ1. 524 ᵃ25. refertur inter τὰ μαλάκια Ζια6. 490 ᵇ13. μέγεθος χρῶμα ὀδόντες κοιλία descr f 319. 1532 ᵃ14. προβοσκίδες, τὸ στερεὸν ἐν τῷ πρανεῖ τῦ σώματος, πλατύτερον τὸ ὀξύ· τὸ κύκλῳ πτερύγιον περὶ ἅπαν ἐστι τὸ κύτος Ζιδ1. 523 ᵇ30, 524 ᵇ22, ᵃ31 Aub. cf Ζμδ9. 685 ᵇ16. τῶν τευθίδων οἱ τευθοὶ ἐπὶ πολὺ μείζς, γίγνονται ᾧ πέντε πήχεων τὸ μέγεθος· (ζῷον) πελάγιον, βραχύβιον Ζιδ1. 524 ᵃ25, 26, 32. ε18. 550 ᵇ14. διαφέρεσι τῷ σχήματι τῶν τευθίδων οἱ τευθοὶ Ζιδ1. 524 ᵃ30. ἔστι δὲ τὸ γένος ὀλίγον τῶν τευθων Ζιδ1. 524 ᵃ29. cf M 266. οἱ μεγάλοι τευθοί (v l τεῦθοι) Ζμδ3. 685 ᵇ18. (teuthos Thomae, lolius Gazae Scalig. calmar (grand) C II 154. Loligo media K. St. Cr. Sepioteuthis Blainv vel Chondrosepia loliginiformis Leuckart AZι I 150, 6 et in Siebld Zeitschr XII 382. cf F 314, 74. M 266. KaZμ150,6.)

Τεῦκρος. ἐπίγραμμα ἐπὶ Τεύκρῳ f 596. 1575 ᵇ15. ἐν τῷ Τεύκρῳ (Sophoclis ut videtur, Nck p 204) Ρβ23. 1398 ᵃ4. γ15. 1416 ᵇ1.

τευκτικός. ἡ εὐβυλία τευκτικὴ ἀγαθῦ Ηζ10. 1142 ᵇ22.

Τευμησσός Ργ6. 1408 ᵃ3.

τεύχειν. οἵ τ' αὐτῷ κακὰ τεύχει ἀνὴρ ἄλλῳ κακὰ τεύχων (cf Δημόκριτος p 176 ᵃ41) Ργ9. 1409 ᵇ28. Διὸς δ' ἐκ πάντα τέτυκται (Orph VI 11) κ7. 401 ᵃ29.

τεῦχος, syn σμῆνος Ζιι40. 625 ᵃ26. — βόραι, ὅτι τὸ τεῦχος μέγα ἔχωσιν ᾧ δέχονται τὴν τροφήν φ6. 810 ᵇ19.

τέφρα. καυστὰ ὅσα εἰς τέφραν διαλύεται τῶν σωμάτων μδ9. 387 ᵇ14, coni syn κονία Ζμβ2. 649 ᵃ25. γ9. 672 ᵃ6. ἡ τέφρα περίττωσις ἐν τοῖς καομένοις, δυνάμει θερμότητα ἔχει, ἐνεργείᾳ ξηρόν μβ3. 385 ᵃ14, ᵇ9. δ11. 389 ᵃ28, ᵇ2. Ζμβ3. 649 ᵇ14. τὰ τῶν παλαιωμένων νεκρῶν σώματα ἐξαίφνης τέφρα γίνεται ἐν ταῖς θήκαις μδ12. 390 ᵃ23. (σεισμός) τὸν φέψαλον ᾧ τὴν τέφραν ἀνῆκεν μβ8. 367 ᵃ5. ἐν τῇ τέφρα χρονισθέντα (τὰ μικρὰ ζῷα) ἀνίσταται αν9. 475 ᵇ5. ἡ τέφρα διὰ τί πικρά· τὸ διὰ τῆς τέφρας διηθύμενον ὕδωρ πικρόν, ἀλμυρόν αι4. 442 ᵃ28, 441 ᵇ5. μβ1. 353 ᵇ15. 3. 357 ᵃ31. δ11. 389 ᵇ2. τὸ περὶ τῆς τέφρας, ἡ δέχεται ἴσον ὕδωρ ὅσον τὸ ἀγγεῖον τὸ κενὸν Φϑ6. 213 ᵇ21. 7. 214 ᵇ4. πκε8. 938 ᵇ27. cf κονία p 403 ᵃ38. — τῇ τέφρα τῇ Φρυγίᾳ χρῶνται πρὸς τὲς ὀφθαλμὰς θ58. 834 ᵇ30. — ἡ διασπορὰ κατακαυθέντος Σόλωνος τῆς τέφρας ἀπίθανος f 354. 1538 ᵃ13.

τεφρός. γέρανος τεφρὰ ὅσα Ζιγ12. 519 ᵃ2. ἡ τρυγών, χρῶμα τεφρόν f 271. 1527 ᵃ19. τὸ χρῶμα (βόνασος) ἔχει τι μέσον τεφρῦ ᾧ πυρρῦ Ζιι45. 630 ᵃ28.

τεχνάζειν, def Ηζ4. 1140 ᵃ11. ἐν τοῖς ποιητοῖς μᾶλλον ἢ ἐν τοῖς πρακτοῖς ημα35. 1197 ᵃ13. — τεχνάζει τοιόνδε οβ1350 ᵇ19. ἑαυτοῖς ἐτέχνασαν τεύχεσθαι μονοπωλίαν Πα11. 1259 ᵃ32. τεχναστέον ὅπως ἂν εὐπορία γένοιτο Πζ5. 1320 ᵃ35. τεχνάζωσιν οἱ ἀλφργοπῶλαι πρὸς τὸ παρακρύεσθαι ἱστάντες μχ1. 849 ᵇ34. — τεχναστός. ἐν τοῖς τεχναστοῖς ὑπάρχει τὸ ἐξ ὑποθέσεως ἀναγκαῖον, ἡ τέχνη ἀρχὴ Ζμα1. 639 ᵇ25, 640 ᵃ28, 641 ᵇ13.

τέχνασμα πόθν p29. 1436 ᵃ7.

τέχνη. opp τύχη et ταὐτόματον ΜΑ1. 981 ᵃ5. ζ7. 1032 ᵃ13. θ7. 1049 ᵃ4. λ3. 1070 ᵃ6. Ηζ4. 1140 ᵃ19 (Agath fr 6). μβ1. 353 ᵇ28. πο14. 1454 ᵃ11. sed τρόπον τινὰ περὶ τὰ αὐτά ἐστιν ἡ τύχη ᾧ ἡ τέχνη Ηζ4. 1140 ᵃ18. Σρα1. 640 ᵃ28. Μζ9. 1034 ᵃ9. Ρα5. 1362 ᵃ2. β19. 1392 ᵇ6, 8. cf Πα11. 1258 ᵇ26. — τέχνη, dist φύσις μδ3. 381 ᵇ4. 12. 390 ᵇ14. Ζγγ11. 762 ᵃ17 al. ἡ μὲν τέχνη ἀρχὴ ἐν ἄλλῳ, ἡ δὲ φύσις ἀρχὴ ἐν αὐτῷ Μλ3. 1070 ᵃ7 Bz. ζ7. 1032 ᵃ13. 8. 1033 ᵇ8. Ηζ4. 1140 ᵃ15. Ζγβ4. 740 ᵃ28. τὰ κατὰ τέχνην, τὰ ὑπὸ τέχνης, τὰ ὑπὸ τῆς τέχνης δημιουργόμενα, τὰ τέχνῃ γινόμενα, τὰ τῆς τέχνης ἔργα sim, dist τὰ κατὰ φύσιν, τὰ φύσει συνεστηκότα (γινόμενα), τὰ φύσει sim Φβ1. 193 ᵃ31. 8. 199 ᵃ17. Ζμα1. 639 ᵇ15, 20. Ζγβ1. 734 ᵃ31, ᵇ21. γ11. 762 ᵃ16. Ρζ7. 17. 6. 775 ᵃ21. Μλ3. 1070 ᵃ17. Πη14. 1333 ᵃ23. Ηκ5. 1175 ᵃ24 al. ἡ κατὰ τέχνην διάθεσις, opp ἡ ὑσία Φβ1. 193 ᵃ16. ἡ τέχνη τὰ μὲν ἐπιτελεῖ ἃ ἡ φύσις ἀδυνατεῖ ἀπεργάσασθαι, τὰ δὲ μιμεῖται Φβ8. 199 ᵃ15. ἡ τέχνη μιμεῖται τὴν φύσιν Φβ2. 194 ᵃ21. μβ3. 381 ᵇ6. κ5. 396 ᵇ12. cf πο4. 1447 ᵃ16. τέχνη κρατεῖ ὧν φύσει νικώμεθα (Antiph fr 4) μχ847 ᵃ20. τὰ γεγραμμένα διὰ τέχνης διαφέρει τῶν ἀληθινῶν τῷ συνῆχθαι τὰ διεσπαρμένα χωρὶς εἰς ἓν Πγ11. 1281 ᵇ12. μᾶλλόν ἐστι τὸ ὗ ἕνεκα ᾧ τὸ καλὸν ἐν τοῖς τῆς φύσεως ἔργοις ἢ ἐν τοῖς τῆς τέχνης Ζμα1. 639 ᵇ20. τὰς ἐργασίας αὐτῶν θεωρῦντες χαίρομεν ὅτι τὴν δημιουργήσασαν τέχνην συνθεωρῦμεν Ζμα5. 645 ᵃ12. cf πο4. 1448 ᵃ16. Vhl Poet I 10. — ἐμπειρίαι ᾧ τέχναι Πγ11. 128 ᵃ1. (βέλτιον ἀπεργάζονται οἱ ποποιημένοι τι ἔργον ᾧ τέχνην Πθ5. 1339 ᵃ37.)

τέχνη, dist ἐμπειρία: ἡ μὲν ἐμπειρία τῶν καθ᾽ ἕκαστόν ἐστι γνῶσις, ἡ δὲ τέχνη τῶν καθόλȣ ΜΑ1. 980 b28 Bz, 981 a16, 5. Αα30. 46 a19 Wz, 22. cf Ηx10. 1180 b20. ȣδεμία τέχνη σκοπεῖ τὸ καθ᾽ ἕκαστον Ρα2. 1356 b29. τὸ κατὰ συμβεβηκὸς ȣδὲν μέλει τῇ τέχνῃ Ηε15. 1138 b2. ἡ τέχνη γίνεται μαθήσει Μθ5. 1047 b33. 3. 1046 b37. ȣθ᾽ ὑπὸ τέχνης ȣθ᾽ ὑπὸ παραγγελίαν ȣδεμίαν πίπτει Ηβ2. 1104 a7. πάντα τὰ γινόμενα κατὰ τέχνην ἢ φύσιν λόγῳ τινί ἐστιν Ζγδ2. 767 a17. τῶν ποιητικῶν ἐν τῷ ποιȣντι ἡ ἀρχὴ ἢ νȣς ἢ τέχνη ἢ δύναμίς τις Με1. 1025 b22. ἡ τέχνη τὸ εἶδος Μζ9. 1034 a24 Bz. 7. 1032 a32, b11. λ3. 1070 a15, 30. 4. 1070 b33, ἀρχὴ ᾗ εἶδος τȣ γινομένȣ Ζγβ1. 735 a2, μορφὴ τῶν γινομένων ἐν ἄλλῳ Ζγβ4. 740 b28, λόγος τȣ ἔργȣ ὁ ἄνευ τῆς ὕλης Ζμα1. 640 a31, 639 b15. ὅσα φύσει γίγνεται ἢ τέχνῃ, ὑπ᾽ ἐνεργείᾳ ὄντος γίνεται ἐκ τȣ δυνάμει τοιȣτȣ Ζγβ1. 734 b21, a31. ἡ τέχνη ἕξις τις μετὰ λόγȣ ποιητική, dist πρακτική Ηζ4. 1140 a6-23. ημα35. 1197 a12. cf distincta inter se τέχνην et φρόνησιν Ηζ5. 1140 b22, τέχνην et πρᾶξιν Ηα5. 1097 a16. ὡς ἐν ἀνθρώπῳ τέχνη χ σοφία, ȣτως ἐνίοις τῶν ζώων ἐστί τις ἑτέρα τοιαύτη φυσικὴ δύναμις Ζιθ1. 588 a29. — τέχνη, dist ἐπιστήμη: ἐπιστήμη περὶ τὸ ὄν, τέχνη περὶ τὴν γένεσιν Αθ19. 100 a8. ΜΑ1. 981 b26 Bz. Ηζ3. 4. itaque saepe τέχνη et δύναμις coniunguntur Μζ8. 1033 b8. ε1. 1025 b22. Ηη13. 1153 a25. Πβ8. 1268 b36. θ1. 1337 a19. Ρα2. 1358 a6. τι9. 170 a36. verumtamen τὴν τέχνην τῆς ἐμπειρίας οἰόμεθα μᾶλλον ἐπιστήμην εἶναι ΜΑ1. 981 b8. cf Αα30. 46 a22. inde τέχναι vocantur ποιητικαὶ ἐπιστῆμαι Μλ9. 1075 a1 (Alex ad h l p 689, 17). x 7. 1064 a1. θ2. 1046 b3 Bz. Α1. 982 a1. Ογ7. 306 a16. τθ1. 157 a11; et τέχνη atque ἐπιστήμη (φιλοσοφία) pro syn coniunguntur Αα30.46 a22. ΜΑ1. 981 a3. λ8. 1074 b11. Ηα1. 1094 a7, 18. Πγ12. 1282 b14. δ1. 1288 b10. η13. 1331 b37. Ρβ19. 1392 a26, ipsae doctrinae theoreticae τέχνης nomine continentur Αγ1. 71 a4. Μβ2. 997 a5. αἱ μαθηματικαὶ τέχναι συνέστησαν ΜΑ1. 981 b24. τῶν ἰατρῶν οἱ φιλοσοφωτέρως μετιόντες τὴν τέχνην αι1. 436 a21, ac promiscue ad significandas et artes et doctrinas τέχνη et ἐπιστήμη usurpatur τι9. 170 a30, 31. 11. 172 a28, 29. Ηα1. 1094 a18. cf coniuncta inter se τέχνη χ μέθοδος Ηα1. 1094 a1, τέχνη χ παιδεία, τέχνη χ διάνοια, τέχνη χ ἐπιμέλεια Πη17. 1337 a2. 7. 1327 b25. Ρβ19. 1392 b6. — genera τέχνης distinguuntur ἀρχικώτεραι, ὑπηρετȣσαι ΜΑ2. 982 a14. 1. 981 a30 Bz, ἀρχιτεκτονικαί, αἱ ὑπ᾽ αὐτάς· ἡ χρωμένη, ἡ ποιητικὴ Ηα1. 1094 a14. Φβ2. 194 b1. Μδ1. 1013 a13. οα1. 1343 a5. αἱ ἐξ ἀνάγκης, αἱ ἀναγκαῖαι τέχναι Πδ4. 1291 a3. πλ10. 956 b13. βάναυσοι, φορτικαί, ἑδραῖαι, μισθαρνικαὶ τέχναι Πθ2. 1337 b9 (definitur τέχνη βάναυσος). δ4. 1291 a1. ηεα4. 1215 a28. Ρα9. 1367 a31. τέχνη μυρεψικὴ al Ηη13. 1153 a26. — τέχνη, ratio et doctrina artis (Kunstlehre), praecipue instituto oratoria, οἱ τὰς τέχνας τῶν λόγων συντιθέντες, ἡ Καλλίππȣ, Κόρακος, Παμφίλȣ, Θεοδώρȣ τέχνη sim Ρα1. 1354 a12. β23. 1399 a16, 1400 a4, b16. 24. 1402 a17. γ1. 1403 b35. 16. 1416 b20. ρ1. 1421 a40. τὰ ἀπὸ τέχνης τι34. 184 a3. αἱ τέχναι συνέστησαν, ἥ τε ῥαψῳδία χ ἡ ὑποκριτικὴ ȣπω σύγκειται τέχνη περὶ αὐτῶν Ργ1. 1404 a22, 1403 b35.

τεχνικός πια62. 906 a17. τεχνικὸς χ θεωρητικὸς Ηx10. 1180 b20. τεχνικώτατος κριτὴς ἐνυπνίων μτ2. 464 b5. οἱ τεχνικώτατοι χ ἀδικώτατοι Ργ15. 1416 b6. τεχνικαί τινες τῶν μαιῶν γενόμεναι Ζιη10. 587 a22. τροχίλος εὐβίοτος χ τεχνι-

κός Ζιι11. 615 a19. τῶν ἀραχνίων οἱ (ἀραχνῶν ἔνιοι Aub) γλαφυρώτατοι χ τεχνικώτεροι περὶ τὸν βίον Ζιι38. 622 b23. — τεχνικὸν ὄργανον Πθ6. 1341 a18. ὄργανα τεχνικὰ ἢ φυσικὰ μδ3. 381 a10. τεχνικὴ παιδεία ἡ πρὸς τὰς ἀγῶνας Πθ6. 1341 b10. τεχνικὴ πρᾶξις, opp ἄτεχνος ηεβ3. 1220 b26. τεχνικώτατοι τῶν ἐργασιῶν ὅπη ἐλάχιστον τῆς τύχης Πα11. 1258 b36. τεχνικώταται ἀφορμαὶ ρ39. 1445 b29. — τὸ τεχνικὸν Φβ1. 193 a32. doctrina ac vis artis Ρα2. 1355 b35. εἴ τι τεχνικὸν (βέλτιον ci Hampke Philol 24, 170) περὶ ἕκαστον τῶν ῥηθέντων Πα1. 1252 a22. — τεχνικῶς χρῆσθαί τινι ρ18. 1433 b11. τεχνικῶς διοικεῖν οβ1346 a21. τεχνικῶς ἡ τῆς ἀκανθυλλίδος ἔχει νεοττιὰ Ζιι13. 616 a4. τεχνικώτερον γίγνεσθαι (opp ἁπλῶς) Πα9. 1257 b4. τεχνικώτατα μετιέναι ρ8. 1429 a20.

τεχνίτης δοκεῖ σοφώτερος εἶναι τῶν ἐμπείρων ΜΑ1. 981 b31, a26 (cf τέχνη p 759 a1). εὔλογον χ τοῖς μὴ τεχνίταις μέν (i e artis medicae non gnaris), σκοπȣμένοις δέ τι χ φιλοσοφȣσιν μτ1. 463 a7. οἱ τεχνῖται χ ὅλως οἱ ἐπιστήμονες τι6. 168 b6. οἱ τεχνῖται Ηα4. 1097 a7, cf αἱ ἐπιστῆμαι a4. εἰ μηδ᾽ οἱ ἄλλοι τεχνῖται φαȣλοι, οἱ φιλόσοφοι Ρβ23. 1397 b23. — τεχνίτης πρὸς ὄργανον πῶς ἔχει ηεη9. 1241 b10. 10. 1242 a28. ὁ τεχνίτης τὸ οἰκεῖον ἔργον ἀγαπᾷ Ηι7. 1167 b34. — οἱ ὑποκριταὶ αὐτὸς τεχνίτας καλȣσιν Ργ2. 1405 a24. Διονυσιακοὶ τεχνῖται πλ10. 956 b11. — βάναυσος τεχνίτης Πα13. 1260 a40. γ4. 1277 b1, et ipsum v τεχνίτης per se usurpatur ad significandos opifices Πα13. 1260 a38. β4. 1262 b26. 5. 1264 a27, b15, 23. 7. 1267 b15. 8. 1267 b32, 1268 a16, 30. γ5. 1278 a25. δ4. 1291 b4. η9. 1329 a36.

τεχνογράφος ρ1. 1421 a39.

τεχνολογεῖν τὰ ἔξω τȣ πράγματος Ρα1. 1354 b17, 1355 a19. ἔνιοι τῶν τεχνολογȣντων Ρα2. 1356 a11.

τέως. ἡ θήλεια ἀφίησι φωνὴν λαμπροτέραν ἢ τέως, ἄχρι ἐτῶν εἴκοσι· μετὰ μέντοι τὸν χρόνον Ζιε14. 545 a12. τέως πᾶσαν τὴν τελείωσιν βραδύτερον ἀπολαμβάνει τὸ θῆλυ τȣ ἄρρενος· ὅταν δὲ γένηται Ζιε5. 583 b23. οἱ ἀκρατεῖς ἐφ᾽ ᾧ προῄρηνται, ταῦτα τέως βȣλονται ημα13. 1188 a29. ȣσης τῆς Σικελίας τέως ἀγόνȣ λαγῶν f 527. 1565 a7. τέως ὀλίγον ὑπνώττȣσιν φτα2. 816 b38.

Τέως. ἐν Τέῳ σ973 a20. f 238. 1521 b14. — Τήϊος Γλαύκων Ργ1. 1403 b27, Ἀλεξάνεμος f 61. 1485 b41, 1486 a11. τῇ. τῇ μὲν ἀληθές ἐστι τῇ δ᾽ ȣ sim μx3. 465 b10. υ2. 455 a11. μδ9. 387 b30. Ζμα2. 642 b6. ΜΑ8. 988 b34. πσθ. 1448 a25. ρ6. 1427 b35. 9. 1430 a8. τῇ μὲν τῇ δὲ μή, opp πάντη Γαθ. 325 a9, 8. 9. 327 a6, 7. Οα1. 269 b10.

τήγανον. τὸ ἐπὶ τῶν τηγάνων ὀπτᾶται μδ3. 380 b17. cf Oribas I 561.

τήθη, τηθή. τήθη, dist μήτηρ, οἱ ἄνωθεν Ζγδ3. 768 a20 (v l τίθη). ἡ Τίμωνος τήθη f 38. 1481 a6.

τῆθος, τό, refertur inter τὰ ὄστρεα, ἀρραβδωτον λειόστρακον f 287. 1528 b10, 12. v τήθυον et S I 222.

τήθυον (v l τηθέν τήθεα Ζιδ6. 531 a18, 29, 8. 4. 528 a20. 9. 535 a24, τήθυαι τηθύια τιθύα Ζιε15. 547 b21, τηθύα τίθυα τίθεα Ζιθ1. 588 b20. δ4. 528 a20. τήθεια Aldina. cf S I 219). τὸ γένος τῶν τηθύων Ζμδ5. 680 a5. cf 681 a25, vel τὰ καλύματα τηθύα Ζιδ6. 531 a4. 8. 528 a20. θ1. 588 b20. Ζμδ5. 680 a5. refertur inter τὰ ἀκίνητα τῶν ὀστρακοδέρμων, μικρὸν τῶν φυτῶν διαφέρει τὴν φύσιν, σωτικώτερον τῶν σπόγγων, ȣδὲν τῆς σαρκὸς γυμνόν, ἥκιστα τὴν ὄσφρησιν φαίνεται ἔχειν, statio Ζμδ5. 680 a5, 681 a9, cf 25. Ζιδ4. 528 a20. 9. 535 a29. ε15. 547 b21. descr Ζμδ5. 681 a28.

Ζγγ11. 763 ᵇ14 et plenius Ζιδ 6. 531 ᵃ8-30. (tethya, tenthua Thomae, tubera vel verticula vel calli Gazae, tethya Scalig. téthyes C II 796. cf S I 219-224. τηθυον i q τὸ τῆθος Athenaei Lister de bivalvibus 93. Ascidia *L* Bohadsch Beschr minderbekannt Seethiere 1776, 120-130. Cuvier règne an Mollusq 79. Oken Isis 1829 p 1097-99. 1832 p 60. F 311, 47. Ascidiae simplices H 676. ΚαΖμ 134, 39. ΑΖ₁ I 183, 27. Ascidia phusa St. Cr. cf M 171, 177, 179.) dist τὸ μὲν ὠχρὸν τὸ δ' ἐρυθρόν Ζιδ 6. 531 ᵃ30. fort Cynthia papillata *Sav* et C claudicans *Sav* Aub ibid.

Τηθὺς χ 'Ωκεανὸς γενέσεως πατέρες ΜΑ3. 983 ᵇ30.

Τήϊος ν Τέως.

τήκειν, τήκεσθαι. τὸ τήκεσθαι τὸ πεπηγός, εἶδός τι τῦ ὑγραίνεσθαι μδ 6. 382 ᵇ29. καίει χ τήκει τὸ καυστὸν χ τηκτὸν 15 ἡ φλόξ Ζμβ 2. 648 ᵇ27. τήκεται (ἐτάκη) θερμῷ (ὑπὸ θερμῦ, ὑπὸ πυρὸς) οἱ εἰργασμένος σίδηρος, ὁ λίθος ὁ πυρίμαχος, χάλκωμα, μόλυβδος, μολυβοὶς, ὕδωρ πεπηγός al μδ 6. 383 ᵃ28, 32, ᵇ5. 7. 384 ᵇ14. 8. 385 ᵃ32. 10. 388 ᵇ33, 389 ᵃ9. γ1. 371 ᵃ26. β5. 362 ᵃ5. Οβ7. 289 ᵃ24. θ50. 834 ᵃ6. 20 f 248. 1524 ᵃ25. cf πκγ 22. 934 ᵃ2. τήκεσθαι πυρί, dist μαλάττεσθαι Ζγβ 6. 743 ᵃ16. μδ 6. 383 ᵃ31. ἡ κίνησις δύναται ἐκπυρῦν, ὥστε χ τὰ φερόμενα τηκόμενα φαίνεσθαι πολλάκις μα3. 341 ᵃ18. τήκεται ὑγρῷ, οἷον νίτρον, ἅλες μδ 8. 385 ᵃ30. 10. 389 ᵃ21. χ 4. 461 ᵇ16. πκγ 22. 934 ᵃ1, 25 dist τέγγεσθαι μδ 9. 385 ᵇ22. στύφει (ἡ κονία χ τὸ νίτρον) χ ἃ τήκει πα 38. 863 ᵇ18. ζ9. 887 ᵇ7. ὁ τὰς ἱδρῶτας ἐμποιῶν τήκει τὴν χ συγχεῖ τὴν ἕξιν πβ 42. 870 ᵇ33. τὰς ἐχίδνας τήκεσιν ἡμέρας τινὰς θ 141. 845 ᵃ3. — τηκτός. τηκτὰ τινα μδ 8. 385 ᵃ12, 20-33. cf Μδ 4. 1015 ᵃ10. 24. 1023 30 ᵃ28. τηκτόν, dist φλογιστόν μδ 9. 387 ᵇ25, dist τεγκτόν μδ 9. 385 ᵇ13.

τηκτικός. λέγεται μᾶλλον θερμὸν ὑφ' ἃ μᾶλλον θερμαίνεται τὸ ἁπτόμενον, ἔτι τὸ τηκτικώτερον τῦ τηκτῦ χ τῦ καυστῦ καυστικώτερον Ζμβ 2. 648 ᵇ17. — τὰ μὴ εὐώδη ὑργητικά, 35 μᾶλλον μέντοι τηκτικὰ πιβ 12. 907 ᵇ8.

Τηλεβόας, Λέλεγος θυγατριδὸς f 433. 1549 ᵇ38. 503. 1506 ᵃ34. — Τηλεβόαι, παῖδες Τηλεβόυ, ᾤκησαν Λευκάδα f 433. 1549 ᵇ38, 33.

Τηλέγονος ὁ ἐν τῷ τραυματίᾳ 'Οδυσσεῖ (fort Sophoclis, 40 Nauck fr tr p 182) πο14. 1453 ᵇ33.

Τηλεκλέης τῦ Μιλησίυ πολιτεία Πδ 14. 1298 ᵃ13.

Τηλέμαχος εἰς Λακεδαίμονα ἐλθών πο25. 1461 ᵇ5. Τηλέμαχος ἔγημε Ναυσικάαν f 463. 1554 ᵃ32.

Τήλεφος aptum tragoediae argumentum πο13. 1453 ᵃ21. 45 Τήλεφος Εὐριπίδυ φησί (Eur fr 700) Ργ 2. 1405 ᵃ28.

τηλία. μὴ ἀπελαύνειν τὸν ἡμίονον τὰς σιτοπώλας ἀπὸ τῶν τηλιῶν Ζιζ 24. 578 ᵃ1 S. Πείθολαος Σηστὸν τηλίαν τῦ Πειραιέως ἐκάλει Ργ10. 1411 ᵃ14.

τηλικαῦτα. τηλικαῦτα τὸ μέγεθος ὥστε Γα8. 326 ᵇ16. λί- 50 μνας ᾧ τηλικαύτας ὥστε μα3. 350 ᵇ32. ἀπὸ τιμημάτων τηλικύτων ὥστε Πδ 4. 1292 ᵃ40. πότερον τηλικαῦτά ἐστι τὰ μεγέθη χ τὰ χρώματα τοιαῦτα οἷα φαίνεται Μγ 5. 1010 ᵇ4. ὕπω Μέμφιος ὕσης ἢ ὅλως ἢ ᾧ τηλικαύτης μα14. 352 ᵃ1. τηλικαύτη ὑπερβολή Πγ17. 1288 ᵃ27. τηλικαῦται 55 ὑπεροχαί αι6. 446 ᵃ7.

τήμερον Φδ 10. 218 ᵃ29.

τηνικαῦτα μβ5. 361 ᵇ36. 8. 366 ᵃ20. Ηα 11. 1100 ᵃ16. πκδ 2. 936 ᵃ17 al.

τῆνος. τόκα μὲν ἐν τήνων ἐγὼν ἦν, τόκα δὲ παρὰ τήνοις 60 ἐγών (Epicharm ed Lorenz p 273) Ργ9. 1410 ᵇ5.

Τῆνος ἡ νῆσος θ33. 832 ᵇ26. 151. 845 ᵇ21. νῆσος Κυκλάς, ἀπὸ οἰκιστῦ Τήνυ f 553. 1569 ᵇ23. — Τηνίων πολιτεία f 553.

τῆξις. περὶ τήξεως μδ 6. 7.

τηρεῖν. 1. observare. οἱ πάλαι τετηρηκότες τὰς ἀστέρας Οβ12. 292 ᵃ8. ὑθεὶς τῶν ἁλιέων ὑθὲν τηρεῖ τοιῦτον (τῶν ἰχθύων συνδυασμόν) τῦ γνῶναι χάριν Ζγγ5. 756 ᵃ33. τηρήσας τὰς σατράπας οβ1352 ᵇ29. τηρεῖν καιρόν, τὴν βοήθειαν Ρβ5. 1382 ᵇ10. αν4. 472 ᵃ22. τηρεῖν τὸ ἀεὶ πρὸς πολλὰς χρόνυς τε1. 129 ᵃ26 (cf παρατηρεῖν ᵃ23). οἱ πλείυς τηρήσωσιν ἀλλήλυς Πε11. 1315 ᵃ9. τετηρηκυὶς εὐωδέστερον γινόμενον τὸ ἔλαιον f 215. 1517 ᵇ23. sine obiecto μὴ τηρώντων Ηι6. 1167 ᵇ13. τὴν θήραν ποιεῖ ἡ ἀράχνη τηρῦσα· τηρεῖ ἕως ἂν ἐμπεσόν τι κινηθῇ Ζυ39. 623 ᵃ13, 5. — 2. syn σώζειν. πῶς ἂν τηρηθείη χ σώζοιτο ἄνευ φίλων Ηθ1. 1155 ᵃ9. ἐτήρησεν ἀβλαβεῖς τὰς νεανίσκυς κ6. 400 ᵇ5. τηρεῖν μᾶλλον τὰς ἐπιτηδείας τόπυς Ρα4. 1360 ᵃ11. ἐκύρωσε χ περὶ τὸ ἰδίῳ παιδὸς τηρηθῆναι τὸν νόμον f 551. 1569 ᵃ28. — 3. τηρεῖν τι i q φυλάττεσθαί τι, cavere aliquid Αβ19. 66 ᵃ29, 33. Ρα1. 1355 ᵃ3. Πε8. 1308 ᵇ34. τηρεῖν ὅπως c fut, ὅπως μή c coniunct Πε9. 1309 ᵇ16. 8. 1307 ᵇ31. Ζυ39. 623 ᵃ27.

Τηρεὺς Σοφοκλέης πο16. 1454 ᵇ36 (Nauck fr tr p 208).

τήρησις. ἀφυές ἐστι (τὸ τῶν ὄφεων σῶμα) πρὸς τὴν τῶν ὄπισθεν τήρησιν Ζμδ 11. 692 ᵃ7. ἡ τῆς πολιτείας τήρησις Πε8. 1308 ᵃ30.

τητᾶν. ἐνίων τητώμενοι Ηα9. 1099 ᵇ2.

Τηΰγετος ὄρος θ163. 846 ᵇ7.

τίγρις. φασὶν ἐκ τῦ τίγριος (v l ἀγρίυ) χ κυνὸς γίνεσθαι τὰς 'Ινδικάς, syn τὸ θηρίον, θηρίον τι κυνῶδες Ζιθ 28. 607 ᵃ4, cf 8. Ζγβ 7. 746 ᵃ35. (fort Felis tigris *L* Su 45, 16. ΑΖ₁ I 75, 43. ΑΖγ 198, 3. K 925. St. Cr. cf C II 805. Lewysohn Zool des Talmud 70, 369.)

Τίγρις f159. 846 ᵃ31.

τιθασσεύειν (τιθασεύειν Ζγγ6. 756 ᵇ22). μετὰ ταῦτα τιθασσεύεται ὁ ἐλέφας χ πειθαρχεῖ Ζυ1. 610 ᵃ29. τὸ θῆλυ τιθασσεύεται θᾶττον Ζυ1. 608 ᵃ25. τιθασσευόμενος δρυοκολάπτης, κολοιὸς Ζυ9. 614 ᵇ14. Ζγγ6. 756 ᵇ22.

τιθασσευτικός. ζῶια πρᾶα χ τιθασσευτικά, οἷον ἐλέφας Ζια1. 488 ᵇ22.

τιθασσός. τιθασσοὶ ἔλαφοι, τιθασσον γίνεται μᾶλλον ἡ περιστερά Ζιε2. 540 ᵃ8. 13. 544 ᵇ2. τιθασσοὶ πέρδικες, opp ἄγριοι Ζιη8. 614 ᵃ9. ὁ κίγχλος, ὅταν ληφθῇ, τιθασσότατος Ζυ12. 615 ᵃ22. πάντων τιθασσότατον χ ἡμερώτατον τῶν ἀγρίων ὁ ἐλέφας Ζιιε6. 630 ᵇ18. — τιθασσῶς. πρὸς τὰς ἀνθρώπυς ἂν ἔχειν τιθασσῶς τὰ νῦν φοβύμενα χ ἀγριαίνοντα Ζυ1. 608 ᵇ31.

τιθέναι, med τίθεσθαι. 1. ἀντίγραφα κατὰ φρατρίας τιθέσθωσαν Πε8. 1309 ᵃ11. 2. τεθέντος παρ' αὐτῷ νομίσματος Πα11. 1259 ᵃ23. πίνυσιν αἱ μέλιτται τιθέμεναι τὸ θῆλυ Ζυ40. 626 ᵇ26. — ἂν τὸ μέρος μὴ χωρὶς τιθῆται Φδ 8. 214 ᵇ27. ἐν ἡλίῳ τεθῆναι πις1. 913 ᵃ20. εἰς τὸ κοινὸν τιθέντες τὰ ἴδια Ηθ14. 1162 ᵃ23. τίθεσθαί τι πρὸ ὀμμάτων μν1. 450 ᵃ6. εν1. 458 ᵇ23. πο17. 1455 ᵃ23. — εἴη ἂν τὰ 'Ηροδότυ εἰς μέτρα τεθῆναι πο9. 1451 ᵇ2. — 2. τίθεσθαι, θέσθαι νόμυς Ηε10. 1134 ᵇ21. Πγ13. 1283 ᵇ38, 1284 ᵃ17. δ1. 1289 ᵃ14. 6. 1293 ᵃ26. τιθέναι νόμον Πβ8. 1268 ᵃ6. δ12. 1296 ᵇ36. cf β 8. 1268 ᵃ41. f40. 1481 ᵃ39. τιθέναι τῦτο τὸ πλῆθος Πβ6. 1265 ᵇ8 (syn ὁρίζειν ᵇ6). οἱ τιθέμενοι (νόμυς) Ρα15. 1376 ᵇ18. θεῖναι ἀγῶνα f 594. 1574 ᵇ29, 35. ᾧ ἔτει ὁ Μέλητος Οἰδιπόδειαν ἔθηκεν f 585. 1573 ᵇ21.

ἐκκλησία τοῖς βαλομένοις ἱκετηρίαν θεμένοις λέγειν ἀδεῶς
f 394. 1543 b18. τίθεσθαι ὄνομα Ργ13. 1414 b16. Ζιη12.
588 a9. — 3. statuere aliquid apud animum, ponere (cf
eundem significationis transitum s v ποιεῖν). et usurpatur
quidem τιθέναι ac τίθεσθαι vel ubi quid non demonstratum
ponitur tamquam fundamentum demonstrationis, τεθέντων
τινῶν ἕτερόν τι τῶν κειμένων ἐξ ἀνάγκης συμβαίνει Ααl.
24 b19. ἐὰν θῶμεν τὸ δυνατὸν εἶναι, οὐδὲν ἀδύνατον συμ-
βήσεται sim Φθ5. 256 b11. ηl. 243 a1. Οα12. 283 a17,
b15, 281 b23. Γα2. 316 b8. ταῦτα θεμένοις οὐχ ἧττον συμ-
βαίνει ἀδύνατον Γα2. 316 b16, vel ubi omnino statuendi et
contendendi vim habet, τιθέναι, opp ἀναιρεῖν, ἀρνεῖσθαι
Αβ14. 62 b30. τθ5. 159 b29. μηδὲν τιθέντες ἀναιρῶσι τὸ
διαλέγεσθαι Μκ6. 1063 b11. οἱ τιθέμενοι τὰς ἰδέας, ἰδέας
εἶναι, ἃ τιθεμεν εἴδη τβ7. 113 a28. ζ6. 143 b24, 31. 8. 146 b
b6. η4. 154 a19. Μβ6. 1002 b14. f 183. 1509 b19. ὁ θεὶς
(θέμενος) πυρὸς ἴδιον εἶναι τὸ ὁμοιότατον ψυχῇ sim, syn
ἀποδῦναι τε2. 129 b9, 8. 3. 131 a8, 10, 35, 36, b33, 36. 4.
132 b28. τὸ τιθεμενον (id quod ponitur ad demonstran-
dum) Ααl. 7. 43 a20. — constructionis formae. a. c acc
obiecti, μὴ τίθεσθαι μηδὲν μηδ' ἀξιῶν ἀξίωμ' sim Αα9.
252 a24. θέσθαι ἀρχήν Αγ6. 74 b13. τίθενται εἴδη δύο Πδ3.
1290 a21 (syn τιθέασιν a17). εἴ τις ταῦτα θείη, ταῦτα
θετέον, ταῦτα ἔϑη Μκ6. 1063 a29. Οα10. 279 b18. Ργ18.
1419 a33. cf Ηα6. 1098 a6. μν1. 450 a6. ἂν δὲ θῇ (sc τὸ
ἄλογον ἐν τῇ συστάσει τῦ μύθυ) πο24. 1460 a34. — b. ob-
iecto additur acc praedicati, εὐδαιμονίαν τέλος τίθεμεν sim
Ηα11. 1101 a19. 12. 1102 a4. γ3. 1111 b3. 7. 1114 b24.
ψα5. 409 b28, 410 a26, b25. Ζμβ7. 652 b7. ὃ πᾶν πρό-
βλημα διαλεκτικὸν θετέον sim τα10. 104 a5. 5. 102 a5. ιδ.
168 b20. Ζμα3. 643 a5. Ηκ6. 1176 b4. Πδ3. 1299 a17.
οἱ τὰς ἰδέας αἰτίας τιθέμενοι sim ΜΑ9. 990 b1. μδ5. 382
b3. τιθέασι τὴν ἐπιείκειαν τῦ λέγοντος ὡς οὐδὲν συμβαλλο-
μένην πρὸς τὸ πιθανόν Ρα2. 1356 a11. interdum obiectum
non significatur per substantivum ὃ δεῖ τιθέναι δημοκρα-
τίαν, ὅπη κύριον τὸ πλῆθος Πδ4. 1290 a30. cf Ηζ13.1143
b28. — c. obiectum determinatur adverbio vel locutione
adverbiali (nom c praep), εἰ τῦτο θήσομεν ὕτως Ζγα18.
723 a31. ἐάν τις ὕτω τιθῆται τὸ ἴδιον τε4. 132 b28. εἰ μὴ
τύτε χάριν φρένιμον θετέον Ηζ13. 1143 b28. περὶ ποῖα τῶν
ἀκρατῶν θετέον Ηη4. 1146 b10. τιθέναι ἐν ἐπαίνῳ Ρα3. 1359
a2 ἐν πρώτοις τιθέναι ψα1. 402 a4. ἐν τίνι μέρει θετέον
ἕκαστος Πγ5. 1277 b38. Ἵππωνα θεῖναι μετὰ τύτων ΜΑ3.
984 a4. θεῖναί τι ἐν γένει, εἰς γένος, εἰς εἶδος Φγ2. 201
b19. Μκ9. 1066 a10. θ2. 122 b18, 25. Οα7. 532 b19.
cf γένος p 150 b45. τίθημι τὴν τῶν κακῶν ἀπαλλαγὴν ἐν
ἀγαθοῖς Ρα10. 1369 b23. ἃ ἐν τέρατος λόγῳ τιθέασιν Ζιζ2.
559 b20. ἐν ποτέρῳ τὸ σπέρμα θετέον, πότερον ὡς ὕλην ἢ
ὡς εἶδός τι Ζγα18. 724 b5. εἰς ταύτας καὶ τὴν ξενικὴν φι-
λίαν τιθέασιν Ηθ3. 1156 a30. ὅτ' εἰς δύναμιν ὅτ' εἰς ἐνέρ-
γειαν ἔστι θεῖναι τὴν κίνησιν sim Φγ2. 201 b29, 34, 24.
Μκ9. 1066 a19, 23. Ηδ3. 1121 a12. κ6. 1176 b1. τιθέντες
ἐν τῇ τῶν ἀγαθῶν συστοιχίᾳ τὸ ἕν Ηα4. 1096 b6. εἰς μίαν
φύσιν τιθέντες τὰ εἴδη καὶ τὰ μαθηματικά Μλ1. 1069 a35.
πότερον θετέον εἰς παιδείαν τὴν μυσικήν Πθ5. 1339 b21.
d. seq acc c inf. τὸ μὲν παρὰ φύσιν ἐθήκαμεν κινεῖσθαι
Φθ4. 254 b35. ἕτερον ἐτέθη γίνεσθαι Ζγβ8. 748 a7. δεῖ τι-
θέναι καὶ τὸ φαινόμενον ἀγαθὸν ἀγαθῦ χώραν ἔχειν Ζκ6. 700
b28. τίθενται γνωρίζειν τὸ ὅμοιον τῷ ὁμοίῳ ψα5. 409 b26.
— e. sine obiecto, vel addito adverbio, θετέον ὕτως Ηα11.
1100 a12. ὕτω τιθεμένοις Οβ4. 286 b34. πῶς θέμενον Μβ3.

998 a20, vel absolute περὶ νόμων ἐντεῦθεν καὶ τιθέναι καὶ
λέγειν εὐπορήσομεν ρ3. 1424 b26. — (θήσεσθαι ξ2. 975 b3
ex Emped v 104. fort θεύσεσθαι.) — θετός (cf θέσις 2).
οὐσία θετός Αγ27. 87 a36 (opp ἄθετος, syn θέσιν ἔχειν 32.
88 a34). μονὰς θετός, opp ἄθετος Μδ6. 1016 b30, 26.
τιθήνη. ἡ γῆ τιθήνη τζ2. 139 b33. τὴν τιθήνην καὶ τὴν ὕλην
(Plat Tim 52 D) Γβ1. 329 a23.
τίκτειν. 1. τὰ ζῳοτόκα. τίκτειν ἓν δίδυμα τρία τέτταρα
πέντε, φαῦλα, οὐκ ἀθρόα, πάμπαν μικρά sim Ζιη4. 584
b30, 585 a13. 2. 582 b20. ζ33. 579 b33. Ζγγ6. 756 b33.
τάχιστα, μόλις Ζιη9. 586 b30, 31. χαλεπώτερον, opp εὐ-
τοκεῖν, εὐτοκωτέρας γίνεσθαι Ζιγ21. 522 b29. πᾶσαν ὥραν,
κατὰ μῆνα sim Ζιζ33. 579 b32. ὅσῳ ἂν ᾖ ἐγγυτέρω ἡ
θήλεια τῦ τίκτειν Ζγγ5. 756 a10. τὰ ἄλλα τετράποδα
κατακείμενα τίκτει, ἡ δ' ἵππος ὀρθὴ στᾶσα προΐεται τὸ
ἔκγονον Ζιζ22. 576 a23. τὴν γαλὴν τίκτειν κατὰ τὸ στόμα
Ζγγ6. 756 b15. ὁ λέων τίκτει sim Ζγγ1. 750 a31. ἑτέρα δέ
τινι (feminae) συνέβη τεκύσῃ πρῶτον μὲν ἑπτάμηνον ὕστερον
δὲ δύο τελεόμηνα τεκεῖν· ἐκτιτρώσκυσαι δέ τινες τὸ μὲν
ἐξέβαλον τὸ δ' ἔτεκον, μία τις ἐν τέτταρσι τόκοις ἔτεκεν
κ' Ζιη4. 585 a20, 23, 584 b35. σημεῖον ὅτι τέτοκεν, ὅτι
γάλα ἔχει Ρα2. 1357 b15. — 2. τὰ ᾠοτόκα. τὰ τέλεια
ᾠὰ τίκτοντα, τὰ ἀτελὲς τίκτοντα τὸ ᾠόν, τὰ πλεονάκις ἢ
ἅπαξ τίκτοντα sim Ζγα8. 718 b23. β1. 733 a28. γ4. 755
a10. Ζιζ5. 563 a13 al. οἱ ἰχθύες καὶ τἆλλα τὰ τίκτοντα
Ζμδ8. 684 a24. τίκτειν πλεῖω δυοῖν, πολλά, πολλάκις, ἐν
ἀλλοτρίαις νεοττιαῖς, παραχρῆμα sim Ζμδ10. 688 b2. Ζγγ1.
749 b16, 22, 750 a15, 751 a16. τοῖς μὲν μέχρι τῦ τεκεῖν
μόνον, τοῖς δὲ καὶ περὶ τὴν τελέωσιν Ζγγ2. 753 a10. τὰ
τῶν ὀρνέων ᾠὰ δεῖται τῆς τεκύσης Ζγγ2. 753 a7. cf ἡ τρέ-
φυσα supra p 528 b5. οἱ ὄρνιθες οὐ τὰ ὑπηνέμια τίκτυσιν
sim Ζγβ5. 741 a17 al. τὸ ᾠὸν ἐξέρχεται μὲν ἔτι μα-
λακόν (πόνον γὰρ ἂν παρεῖχε τικτόμενον), ἐξελθὸν δ' εὐθὺς
πήγνυται Ζγγ2. 752 a34. — 3. τὰ ἄναιμα. τίκτει πάντα
τὰ ἔντομα σκώληκας πλὴν γένος τι ψυχῶν· ἡ τίκτειν τὰς
μελίττας Ζιε10. 550 b26, 21. 553 a19. καθάπερ ἐν τοῖς
ὀστρακοδέρμοις καὶ φυτοῖς τὸ μὲν τίκτον ἐστὶ καὶ γεννῶν, τὸ
δ' ὀχεύον οὐκ ἔστιν Ζιδ11. 538 a19.
τίλλειν τὰς τρίχας ημβ6. 1202 a21. αἱ τιλλόμεναι τρίχες
ἀναφύονται μαλακώτεραι, σκληρότεραι πι22. 893 a18. τίλ-
λειν τὰ πτερὰ θ63. 835 a17. προσπετόμενα (τὰ ὀρνίθια)
τίλλυσι τὴν γλαῦκα Ζιι1. 609 a15, cf b31 (coni τύπτειν).
κόκκυξ τίλλεται ὑπὸ τῶν μικρῶν ὀρνέων Ζιι29. 618 a29.
— στέφανον μὴ τίλλειν (Pythag), τυτέστι τὺς νόμυς μὴ
λυμαίνεσθαι f 192. 1512 b1.
τίλσις τριχῶν, coni ὀνύχων τρώξεις Ηη6. 1148 b27.
τίλων. ὃν καλῦσι τίλωνα (v l τύλωνα ψίλωνα ψίλωνα), τί-
κτει πρὸς τοῖς αἰγιαλοῖς· ἀγελαῖος· ἐν τίλωνι (v l τριχῶνι
vel τριλῶνι, τίλλωνι) ἑλμὶς ἐγγινομένη Ζιζ14. 568 b25.
b20. 602 b26. (thron et tilon Thom, tillon et fullon Ga-
zae, tilon Scoto, cylona Alberto. cf C II 806. S I 648.
Cyprinus brama K 755, 5. St. Cr. def non potest ΑΖι I
141, 70. cf Kner, Sitzungsber d Wien Akad 1864. L
p 336.)
Τίμαιος ὁ Λοκρὸς θ178. 847 b7. — Τίμαιος, Platonis dia-
logus Φδ. 209 b12, 210 a2. Οα10. 280 a30. β13. 293
b32. γ1. 300 a1. 2. 300 b17. 8. 306 b19. δ2. 308 b4. Γα2.
315 b30. 8. 325 b24. β1. 329 a13. 5. 332 a29. ψα2. 404
b16. 3. 406 b26. αι2. 437 b11, 15. αν5. 472 b6. cf Πλάτων
p 598 a60.
τιμαλφεῖν τὺς θεάς Πη17. 1336 b19.

τιμᾶν τῷ ἴσῳ sim Ηκ1. 1164 ᵇ17, 20, ᵃ25. δεῖ πάντα τετι-
μῆσθαι Ηε8. 1133 ᵇ15. τιμήσασθαι· τὸ σῶμα διμναῖον
οβ1347 ᵃ23. τιμᾶσθαι κατ᾽ ἐνιαυτόν, ὅλας τὰς κτήσεις
Πε8. 1308 ᵃ40. ζ4. 1319 ᵃ17. — οἱ δικασταὶ ζημίας τι-
μῶσιν ρ5. 1427 ᵇ3. ὃ τιμήσειν ἐλάττονος ἢ ὃ ὁ παθὼν
ἐτίμησεν Ρα14. 1375 ᵃ1. — τιμᾶσθαι, opp ἀτιμάζεσθαι
Πε3. 1302 ᵇ12. dist φιλεῖσθαι Ηθ9. 1159 ᵃ16 sqq. τιμηθη-
σόμενοι Ηθ9. 1125 ᵃ32. οἱ μὴ τιμώμενοι ταῖς πολιτικαῖς
ἀρχαῖς, syn ἄτιμοι Πγ10. 1281 ᵃ30. τιμᾶν τὰ χρήματα
δι᾽ αὑτά, τὴν χρηματιστικήν Ηδ2. 1120 ᵇ16, ᵃ32, 1121 ᵃ5. 10
Πα11. 1259 ᵃ6. κατ᾽ ἀλήθειαν ὁ ἀγαθὸς μόνος τιμητέος
Ηδ8. 1124 ᵃ25.

Τίμαρχος, ὁ Νικοκλέους τῷ Κυπρίῳ πατήρ f 484. 1557 ᵃ24.
τιμή, pretium, aestimatio Ρβ2.1378ᵇ31.οβ1346ᵇ33. θ58.834
ᵇ21. ὁ πλῦτος οἷον τιμή τις τῆς ἀξίας τῶν ἄλλων Ρβ16. 15
1391ᵃ1. — honor, τιμή def Ρα5. 1361 ᵃ27 - ᵇ2. 7.1365ᵃ8.
ἡ τιμὴ τῆς ἀρετῆς ἆθλον, γέρας, μέγιστον τῶν ἐκτὸς ἀγα-
θῶν Ηδ7. 1123 ᵇ35, 20. ε10. 1134 ᵇ7. θ16. 1163 ᵇ4. λαμ-
βάνειν τὴν τιμὴν Πγ12. 1283 ᵃ14. τιμὴ ὑπό τινος Ηθ9.
1159 ᵃ22. τιμὴ πατρική, μητρική Ηι2. 1165 ᵃ26, 27. οἱ 20
μεγίστης τιμῆς ὑπὸ τῷ δαιμονίῳ τετυχηκότες ρ1. 1421 ᵃ9.
— θεοὶ οἱ εἰληχότες τὴν περὶ γενέσεως τιμήν Πη16. 1335
ᵇ16. ὁ ἐπίτροπος λαμβάνει ταύτην τὴν τιμήν (munus)
Πα7. 1255 ᵇ36. ὅσαι θυσίαι ἀπὸ τῆς κοινῆς ἑστίας ἔχουσι
τὴν τιμὴν Πζ8. 1322 ᵇ28. — τιμὴ τῷ ἄρχοντι φύσει πρὸς 25
τὸ ἀρχόμενον νεη10. 1242 ᵇ19. τιμῆς τέλος βίῳ πολιτικῷ,
ἐν τῷ τιμῶντι μᾶλλον ἢ ἐν τῷ τιμωμένῳ Ηα3. 1095 ᵇ23,
25 (cf Haecker, Eintheilungsprincip d Nic Eth p 17).
τιμὴ μικρὰ ϗ μεγάλη διχῶς ηεγ5. 1232 ᵇ17. τιμαὶ πολι-
τικαὶ Πγ13. 1283 ᵇ14. τιμὰς λέγομεν εἶναι τὰς ἀρχὰς 30
Πγ10. 1281 ᵃ31. ἐν τιμαῖς εἶναι, μετέχειν τιμῶν, τιμαὶ
δίδονται κατ᾽ ἀρετήν, κατ᾽ ἀξίαν, τιμαὶ μικραὶ μεγάλαι
πολυχρόνιοι Πβ8. 1268 ᵃ21. γ5. 1278 ᵃ20. δ4. 1290 ᵇ12.
13. 1297 ᵇ7. ε6. 1305 ᵇ4. 8. 1308 ᵇ13. στασιάζειν διὰ
τιμήν, opp διὰ κέρδος Πε3. 1302 ᵇ10-14. 2. 1302 ᵃ32, 39. 35
β7. 1266 ᵇ39. — εἰς τιμὰς ἀνορᾶν (Emp 178) Μβ4.
1000 ᵇ14.
τίμημα. πολλαπλασίῳ τιμήματος ἄξιαι γίγνονται αἱ αὐταὶ
κτήσεις Πε6. 1306 ᵇ13. τὰ ὑπὲρ τῦτο τὸ τίμημα (δέκα
δραχμάς) τοῖς διαιτηταῖς παραδιδόασιν (οἱ τετταράκοντα) 40
f 413. 1547 ᵃ9. — τῷ τιμήματος τὸ πλῆθος ὁρίσασθαι
Πδ13. 1297 ᵇ2. τὸ ταχθὲν τίμημα Πε6. 1306 ᵇ9. οἱ ἔχον-
τες, φέροντες τίμημα, opp οἱ ἄποροι Πδ13. 1297 ᵃ20. γ12.
1283 ᵃ17. θεσμοθετῶν ἀνάκρισις, εἰ τὸ τίμημα ἔστιν αὐ-
τοῖς f 374. 1540 ᵃ44. ὅταν κτήσωνται τὸ τίμημα Πδ6. 45
1292 ᵇ30. καθιστάναι τὰς ἀρχὰς ἢ τιμήματι ἢ ἀρετῇ ἢ
ἀρετῇ Πδ15. 1300 ᵃ16. ἀπὸ τιμήματος (ἀπὸ τιμημάτων)
εἶναι τὰς ἀρχάς, βουλεύειν, ποιήσασθαι τὰς εἰσφορὰς Πδ4.
1291 ᵇ39. 5. 1292 ᵃ39. 9. 1294 ᵇ10, 13. ε6. 1306 ᵇ8. ρ3.
1425 ᵇ25. 39. 1446 ᵇ18. f 560. 1570 ᵇ4. ἡ ἀπὸ τιμημά- 50
των πολιτεία Ηθ12. 1160 ᵃ33. ρ39. 1446 ᵇ25. ἀπὸ τιμη-
μάτων τῶν ὡρισμένων, μακρῶν, μετριωτέρων, μικρῶν, βρα-
χέων· ἀπὸ τιμήματος πλείονος, μικρῦ, ὑθενὸς Πβ7. 1266
ᵇ23. γ5. 1278 ᵃ23. δ5. 1292 ᵇ1. 14. 1298 ᵃ36. γ11.1282
ᵃ30. δ4. 1291 ᵇ39. ε7. 1307 ᵃ28. δ9. 1294 ᵇ3. ε3. 1303 55
ᵃ23 (Bk⁷). καθιστάναι τὰς ἀρχὰς sim ἐκ τῶν μεγίστων
τιμημάτων, ἐκ τῷ πρώτῳ τιμήματος Πβ6. 1266 ᵃ13, 21,
15. αἱ ἀρχαὶ ἐκ τιμημάτων μεγάλων εἰσὶν ἢ ἑταιριῶν Πε6.
1305 ᵇ32. ἴσοι πάντες οἱ ἐν τῷ τιμήματι Ηθ12. 1160 ᵇ19.
— ἡ διὰ τὰ τιμήματα γιγνομένη μεταβολὴ τῆς πολιτείας 60
Πε8. 1308 ᵃ35 sqq.

τίμησις. αἱ τιμήσεις κατέστησαν, ἐλάττω ποιεῖν τὴν τίμησιν
Πε8. 1308 ᵇ2, 6. ὑπερβάλλειν ταῖς τιμήσεσι Πζ4. 1319
ᵃ19. — τίμησις τί χρὴ παθεῖν ἢ ἀποτῖσαι πκθ16. 953 ᵃ4.
τιμητής. τιμηταὶ ζημίας οἱ δικασταί ρ5. 1427 ᵇ6.
τίμιος, opp εὔωνος οβ1345 ᵇ13. — τίμιον, dist ἐπαινετόν
Ηα12. ημα2. 1183 ᵇ19-37. syn τέλειον, θεῖον, καλόν Ηα12.
1102 ᵃ1, 4. ΜΑ2. 983 ᵃ5. ε1. 1026 ᵃ21, 20. λ9. 1074
ᵇ21, 26, 30. ψα1. 402 ᵃ1. Krische Forsch p 258. ἐν τῇ
διαιρέσει τῶν ἀγαθῶν τίμια μὲν τῶν ἀγαθῶν εἶπεν εἶναι τὰ
ἀρχικώτερα, ὡς θεὸς γονεῖς εὐδαιμονίαν f 110. 1496 ᵃ34.
τὸ ἀΐδιον καλὸν ϗ τὸ ἀληθῶς ϗ πρώτως ἀγαθὸν θειότερον
ϗ τιμιώτερον ἢ ὥστ᾽ εἶναι πρός τι ἕτερον Ζκ6. 700 ᵇ34. τί-
μιον τὸ καθόλυ ὅτι δηλοῖ τὴν αἰτίαν Αβ31. 88 ᵃ5, 6. ἡ
ἀρχὴ τίμιον Ζπ5. 706 ᵇ12. τὸ βέλτιον ϗ τὸ τιμιώτερον
πρότερον εἶναι τῇ φύσει δοκεῖ Κ12. 14 ᵇ4. ἐπιστήμης ἕνεκεν
ἡ αἵρεσις τιμία τῷ ζῆν ηεα5. 1216 ᵃ15. — τιμιώτατον
γένος τῶν ὄντων, ϗ τιμιωτάτη ἐπιστήμη περὶ τὸ τιμιώτατον
γένος ΜΑ2. 983 ᵃ5. ε1. 1026 ᵃ21. κ7. 1064 ᵇ4. λ10.1075
ᵇ20. Ηζ7. 1141 ᵃ20 Fritzsche. ὑσίαι τίμιαι ϗ θεῖαι Ζμα5.
644 ᵇ24. θεωρία ϗ μέθοδος ὁμοίως ταπεινοτέρα τε ϗ τι-
μιωτέρα Ζμα1. 639 ᵃ2. τῆς γνώσεως τὸ τίμιον, dist τὸ
ἄτιμον Ζγα23. 731 ᵃ34. τιμιώτερον τὸ ποιῦν τῷ πάσχοντος
ψγ5. 430 ᵃ18. ἡ ψυχὴ ϗ τῆς κτήσεως ϗ τῷ σώματος
τιμιώτερον Πη1. 1323 ᵇ17. τὸ κύκλῳ φερόμενον τιμιωτέραν
ἔχει τὴν φύσιν Οα2. 269 ᵇ16. β8. 290 ᵃ32. φορὰ τιμιω-
τέρα Οβ5. 288 ᵃ4. τόπος τιμιώτατος μβ1. 353 ᵇ5. ζῷα
τίμια ϗ ἀτιμότερα, τιμιώτερα, ψυχὴ τιμιωτέρα ψα2. 404
ᵇ4. αν13. 477 ᵃ16, 17. Ζγβ1. 732 ᵃ17. γ11. 762 ᵃ24.
μόρια τῶν ζῴων τιμιώτερα, opp ἀτιμότερα, ἀναγκαῖα
Ζμγ10. 672 ᵇ21. 4. 665 ᵇ20. 5. 667 ᵇ34. Ζγβ6. 744 ᵇ12,
14. — ἡ εὐγένεια παρ᾽ ἑκάστοις τίμιος Πγ13. 1283 ᵃ36.
τῶν δαπανημάτων οἷα λέγομεν τὰ τίμια Ηδ5. 1122
ᵇ19.
τιμιότης. δυνάμει ϗ τιμιότητι ὑπερέχειν Ηκ7. 1178 ᵃ1. δια-
φέρουσι τιμιότητι αἱ ψυχαὶ ϗ ἀτιμίᾳ ἀλλήλων Ζγβ3. 736
ᵇ31. διὰ τὴν τιμιότητα τῷ γνωρίζειν (τὰ ἀγένητα ϗ ἄ-
φθαρτα) ἥδιον ἢ τὰ παρ᾽ ἡμῖν ἅπαντα Ζμα5. 644 ᵇ32.
Τιμόθεος, dux Atheniensis οβ1350 ᵃ23. ρ25. 1435 ᵃ14. —
Τιμόθεος νόμων ποιητής πο2. 1448 ᵃ15. Μα1. 993 ᵇ15.
Timotheus resp (fr 14) Ργ4. 1407 ᵃ17. 11. 1413 ᵃ6, 1412
ᵇ35. πο21. 1457 ᵇ22, coll Athen X 433c.
τιμοκρατία. ἡ τιμοκρατία χειρίστη Ηθ12. 1160 ᵃ36. dist
δημοκρατία Ηθ12. 1160 ᵇ17, 18.
τιμοκρατική. πολιτεία Ηθ12. 1160 ᵃ34, 1161 ᵃ3.
Τιμοκρέων Σιμωνίδῃ ἐφιλονείκει f 65. 1486 ᵇ35.
Τιμόμαχος, ἡγεμὼν Αἰγειδῶν f 489. 1557 ᵇ43.
Τιμοφάνης ἐν Κορίνθῳ τύραννος ἐγένετο Πε6. 1306 ᵃ23. —
Τιμοφάνης Mitylenaeus Πε4. 1304 ᵃ7.
Τίμωνος ἢ τηθή f 38. 1481 ᵃ5.
τιμωρεῖν τινι Πε10. 1311 ᵇ21. Ρβ24. 1401 ᵃ10. — τιμω-
ρεῖσθαι ὑπέρ τινος Ρα12. 1372 ᵇ4. κολάζειν ϗ τιμωρεῖσθαι
Ηγ7. 1113 ᵇ23.
τιμωρητικός. ὃ τιμωρητικὸς ὁ πρᾶος Ηδ11. 1126 ᵃ2. ἔστι
τῷ ὀργίλῳ εἶναι τιμωρητικόν αρ6. 1251 ᵃ6. τιμωρητικός,
opp ἵλεως, εὐμενικός, συγγνωμονικός αρ8. 1251 ᵇ32. 5.
1250 ᵇ11. — τὰ τιμωρητικὰ διὰ θυμὸν πράττεται Ρα10.
1369 ᵇ12.
τιμωρία, opp ὠφέλεια Ρα12. 1372 ᵇ1. dist κόλασις Ρα10.
1369 ᵇ12. ἡ τιμωρία παύει τῆς ὀργῆς Ηδ11. 1126 ᵃ22.
ὑπέχειν τιμωρίαν ρ5. 1427 ᵃ18. ἐπάγειν τὰς τιμωρίας ρ5.
1427 ᵇ2. ὁρμᾶν πρὸς τὴν τιμωρίαν Ηη7. 1149 ᵃ31.

τιμωρός. δίκη τῶν ἀπολειπομένων τῦ νόμῳ τιμωρός κ7. 401
b28.

τινάσσεσθαι. ἡ γῆ σεισμοῖς τινασσομένη κ5. 397 ᵃ28.

τίς indef. pronominis indefiniti et vis et collocatio eandem
apud Ar habet varietatem atque apud alios scriptores. 5 τίς.
ποιοί τινες, ὁποῖοί τινες, ποῖα τις Πγ9. 1280 ᵇ2. 15. 1286
ᵇ24. μγ4. 373 ᵃ33. τὰ ἤθη ποιά ἄττα Ρβ15. 1390 ᵇ15.
τῶν πολιτῶν ἕνα τινά Πγ16. 1287 ᵃ20. ἅπαντες ἅπτονται
δίκαιῶ τινός, ἀλλὰ μέχρι τινὸς προέρχονται Πγ9. 1280ᵃ10, 21.
εἰσὶ δέ τινες οἳ Πε1. 1301 ᵇ2. τισὶ μὲν συμφέρει, τισὶ δ᾽ ὒ 10
συμφέρει Πγ14. 1284 ᵇ40. ἐπὶ μὲν τινων ἔχει, ἐπὶ δὲ τινων
ὒχ ἔχει ͅΠγ17. 1287 ᵇ17. τὸ μέν τι ἐν τῦτῳ εἶναι, τοδ᾽ ἐν
θατέρῳ τῦ μεταβάλλοντος Φζ4. 234 ᵇ16. ταχ᾽ ἄν τι (aliquid)
λέγοιεν οἱ λέγοντες ὕτως μα13. 349 ᵃ29. ἔχϒσι μὲν
ἄν τι πᾶσαι δίκαιον Πε1. 1301 ᵃ36. μικρὰ ὄντα ἁπλῶς 15
ὅμως μείζω τινῶν ἑτέρων ἐστὶν Ογ1. 299 ᵇ4. ἄφρονα ὥσπερ
τι παιδίον ἢ μαινόμενον Πη1. 1323 ᵃ33. τὴν σελήνην, ὁμοίως
δὲ κ περί τι (fere i q ἕνα) τῶν ἄλλων ἄστρων μγ3. 372
ᵇ14. τινὰ γὰρ ἐκ γενετῆς ὔτε ὄψιν ἔχει ὔτε ὀδόντας Κ10.
12 ᵃ33. — genetivi sing forma et τινός et τῦ exhibetur, 20
veluti ἕνεκά τϒ Φβ5. 196 ᵇ19, 21. Μχ8. 1065 ᵃ26. Ζγ3.
767 ᵇ13, ἕνεκά τινος Ζμα1. 639 ᵇ14 (ἕνεκα τίνος ci Euecken
II 19). μέχρι τινός Οβ13. 294 ᵇ6. Ηη8. 1150 ᵃ17. Πγ9.
1280 ᵃ10, 21. 12. 1282ᵇ18, μέχρι τϒ Γβ2. 316ᵇ32. (μέχρι
τῦ exhibet Bk Ηε13. 1137 ᵃ30). — in omittendo pron 25
indef τίς, τί Ar easdem fere leges observat ac reliqui
scriptores, cf Persona p 589 ᵇ47, ad exempla ibi allata
insolentioris omissionis adde Γα4. 319 ᵇ11. — pronomine
indef Ar utitur ad circumscribendas notiones abstractas,
τὸ ἕνεκά τϒ, τὸ πρός τι (cf ἕνεκα, πρός τι). τινί, dist πρός 30
τι ψγ7. 431 ᵇ12 Trdlbg p 531. — peculiaris philosophicae
dictioni est usus pron indef ad significandam τὴν ἀτομό-
τητα (τὸ τί προσκείμενον παραστατικόν ἐστι τῆς τῦ ὑπο-
κειμένϒ ἀτομότητος) ita quidem ut vel significetur τὸ καθ᾽
ἕκαστον, vel εἶδός τι distinctum ab universo genere. (tran- 35
situm ad hunc usum ea videntur parare exempla, in quibus
τινές, τίς et πάντες inter se opponuntur, veluti ἤτοι πᾶσι τοῖς
πολίταις ἀποδιδόασι πάσας τὰς κρίσεις ἢ τισὶ πάσας ἢ τινὰς
μὲν πᾶσι τινὰς δὲ τισὶν Πδ14. 1298 ᵃ9. ὒχ ἡ αὐτὴ ἀρετὴ
ἁπλῶς ἂν εἴη πολίτϒ κ ἀνδρός. τινὸς μέντοι πολίτϒ Πγ4. 1277 40
ᵃ23.) ὁ τίς ἄνθρωπος (i e ὁ καθ᾽ ἕκαστον ἄνθρωπος) τω ζῷον
sim Κ5. 3 ᵇ26 Wz. 2. 1 ᵃ25, ᵇ4. ε11. 21 ᵃ19, 31. τὸ ᾽ι.
121 ᵃ38. ε1. 128 ᵇ20. 3. 131 ᵇ12. 5. 134 ᵇ21, 135 ᵃ30, 34.
9. 147 ᵃ24-27 al. τόδε τι cf ὅδε p 495 ᵇ44. ὅπερ ἐκεῖνό
τι, ὅπερ αὐτό τι, ὅπερ ὄν τι cf ὅσπερ p 534 ᵃ7-18. τινὰ δύας, 45
opp αὐτὴ δυάς (i e ἡ ἰδέα) τθ11. 162 ᵃ28, 30. ἡ τις δυάς, opp
αὐτὴ δυὰς Μα9. 991 ᵃ5 Bz. πότερον (κινητέϒσι οἱ νόμοι) τῷ
τυχόντι ἢ τισὶν Πβ8. 1269 ᵃ26, inde explicatur pronomi-
nis τίς usus ad significandam ἔκθεσιν in syllogismis Αα2.
25 ᵃ16 Wz. Β. 30 ᵃ9. τῷ ἁπλῶς διαφέρει τῷ τινί ψγ7. 431 50
ᵇ12. ἡδονή τις ἀγαθόν ἐστι τῷ ἁπλῶς ὑπάρχειν, τινὶ μὴ ὑπάρχειν
(ad significandam propositionem particularem) Αα 2. 25
ᵃ11, 13 sqq. 28. 44 ᵇ11, 16 al. ἔστι φαινόμενον ἐνθύμημα
παρὰ τὸ μὴ ἁπλῶς εἰκός, ἀλλὰ τὶ εἰκὸς Ρβ24. 1402 ᵃ8,
16. τὸ πρώτως ὄν κ ὒ τὶ ὄν ἀλλ᾽ ὄν ἁπλῶς ἢ εἶναι 55
εἴη Μζ1. 1028 ᵃ30. πᾶσαι αὗται (αἱ ἐπιστῆμαι) περὶ ὄν τι,
κ γένος τι περιγραψάμεναι περὶ τϒτο πραγματεύονται·
πότερον ἢ πρώτη φιλοσοφία καθόλϒ ἐστὶν, ἢ περί τι γένος
κ φύσιν τινὰ μίαν· ἡ μὲν γεωμετρία κ ἀστρολογία περὶ
τινὰ φύσιν εἰσὶν Με1. 1025 ᵇ8, ᵃ24, 27. ἡ ὒκ ἐξ ὑποκει- 60
μένϒ εἰς ὑποκείμενον μεταβολὴ κατ᾽ ἀντίφασιν γένεσίς ἐστιν,

ἡ μὲν ἁπλῶς ἁπλῆ, ἡ δὲ τινὸς τίς sim Φε1. 225 ᵃ14, 19.
Μχ11. 1067 ᵇ23, 24. Γα3. 317 ᵇ3. (pro indef pronomine
τι scribendum interrog τί Φε 2. 226 ᵃ13. cf Μχ12. 1068
ᵇ12. Bz Ar St I 215.)

τίς. pronomine interrogativo τί Ar utitur in formulis qui-
busdam, quibus notiones philosophicas significat, τὸ διὰ
τί, syn αἰτία, cf διά p 177 ᵃ50. τὸ τί iq ὒσία cf infra
p 764 ᵃ41. praecipue notatu dignae sunt formulae τὸ τί
ἐστι et τὸ τί ἦν εἶναι.

τί ἐστιν. qui quaerit τί ἐστι πῆξις κ τῆξις μδ7.
384 ᵇ22, τί ἐστι τὸ τετραγωνίζειν Μβ2. 996 ᵇ20, τί ἐστιν
εὐδαιμονία Ρα5. 1360 ᵇ7 al, is ipsam rei naturam quaerit,
τί ἐστιν ὁ χρόνος κ τίς αὐτῷ ἡ φύσις Φδ10. 218 ᵃ31, non
quaerit eius accidentia, τὸ συμβεβηκός Αγ27. 43ᵇ7. τὸ᾽ι.
120 ᵇ21 (quamquam τὰ συμβεβηκότα alio sensu, i e τὰ
καθ᾽ αὐτὸ συμβεβηκότα, συμβάλλεται μέγα μέρος πρὸς
τὸ εἰδέναι τὸ τί ἐστιν ψα1. 402 ᵇ22). ad eam quaestionem
qua respondetur formula τὸ τί ἐστι nominis vim induit,
cuius usus eandem habet varietatem, ac verbi εἶναι et no-
minis ὒσία. ac quoniam ὒσία ἥ τε ὕλη κ τὸ εἶδος κ τὸ
ἐκ τϒτων Μζ10. 1035 ᵃ2, τὸ τί ἐστιν et significare potest
ὕλην Μη2. 1043 ᵃ15. ψα1. 403 ᵃ30, ᵇ1, et τὸ σύνολον
Μη2. 1043 ᵃ18, 24. ζ7. 1033 ᵃ2. ε1. 1025 ᵇ31, 1026 ᵃ4.
ψα1. 403 ᵃ30, ᵇ8, et τὸ εἶδος, cf ll ll. sicuti autem ὒσία
πρώτως κ κυρίως cernitur in ea forma, quae notione ac
definitione exprimitur, ita prope ubivis τὸ τί ἐστι ad for-
mam rei notione definiendam pertinet: κατηγορεῖσθαι ἐν
τῷ τί ἐστι Αα27. 43 ᵇ7. γ22. 82 ᵇ37, 39, 83 ᵇ5. δ4. 91
ᵃ15, 22, 23. 13. 96 ᵃ22, ᵇ2, 36, 97 ᵃ24. τα5. 102 ᵃ32. 18.
108 ᵇ22. δ1. 120 ᵇ21, 29. 2. 122 ᵃ5, 6, 14-17, 21, 32, 36-
ᵇ2 al. λέγεσθαι ἐν τῷ τί ἐστιν Αδ4. 91 ᵃ19, 20 (cf λέγε-
σθαι ἐν τῷ ὁρισμῷ τα8. 103 ᵇ13, 14). Μδ18. 1024 ᵇ5.
ὑπάρχειν ἐν τῷ τί ἐστιν Αγ4. 73 ᵃ34. 6. 74 ᵃ8. 22. 84ᵃ14.
δ4. 91 ᵃ18. Μδ18. 1022 ᵃ27. ἐνυπάρχειν ἐν τῷ τί ἐστι
Αγ22. 84 ᵃ13, 25. λαμβάνειν ἐν τῷ τί ἐστιν Αδ5. 91 ᵇ28.
13. 96 ᵇ4, 97 ᵇ1. κατηγορεῖν ἐν τῷ τί ἐστι τα13. 132 ᵃ10, 15,
17, 20. itaque ponitur ἐν τῷ τί ἐστι et genus et diffe-
rentiae, κατηγορεῖται ἐν τῷ τί ἐστι τὰ γένη κ αἱ διαφοραί
τα3. 153 ᵃ18. 5. 154 ᵃ27, et γένος quidem primo loco, τὸ
πρῶτον ἐνυπάρχον, ὃ λέγεται ἐν τῷ τί ἐστι, τϒτο γένος
Μδ28. 1024 ᵇ5. τα8. 108 ᵇ22. cf 9. 103 ᵇ36. δ5. 128
ᵃ24. ψα1. 402 ᵃ23. τὸ γένος βϒλεται τὸ τί ἐστι σημαίνειν
κ πρῶτον ὑποτίθεται τῶν ἐν τῷ ὁρισμῷ λεγομένων τζ5.
142 ᵇ27, 24. εἰς τὸ τί ἐστι θεὶς τε3. 132 ᵃ10, 15, 17, 20,
cf εἰς τὸ γένος θεὶς τζ1. 139 ᵃ28, 29. τὰ ἐν τῷ τί ἐστι
κατηγορούμενα ἀναγκαῖα Αδ13. 96 ᵇ1. τὸ τί ἐστιν ἅπαν
καθόλϒ κ κατηγορικόν Αδ3. 90 ᵇ4. γ14. 79 ᵃ28. si quis
τὰ ἐν τῷ τί ἐστι κατηγορούμενα et omnia compleverit et
suo ordine posuerit, τὸ τί ἦν εἶναι vel τὸν ὁρισμὸν consti-
tuit Αγ22. 82 ᵇ37-39. τα3. 153 ᵃ14-17, τὸ τί ἦν εἶναι τὸ
ἐκ τῶν ἐν τῷ τί ἐστιν ἴδιον (Wz, ἰδίων Bk) Αγ6. 92 ᵃ7,
sed τὸ τί ἐστιν opponitur τῷ ἰδίῳ Αα27. 43 ᵇ7. quoniam
igitur τὸ τί ἦν εἶναι angustiorem habet ambitum quam
τὸ τί ἐστιν, etiam ubi haec formula ad significandam for-
mam restringitur (veluti ἐν formulis κατηγορεῖσθαι ἐν τῷ τί
ἐστι, veluti in formulis κατηγορεῖσθαι ἐν τῷ τί ἐστι
sim (cf distinctas has formulas ὁ νϒς ὒ πᾶς, ἀλλ᾽ ὁ τϒ τί
ἐστι κατὰ τὸ τί ἦν εἶναι ἀληθὴς ψγ6. 430ᵇ28), sed nihil im-
pedit, quominus per τὸ τί ἐστι significentur πάντα τὰ ἐν τῷ
τί ἐστι κατηγορούμενα, i e legitur interdum τὸ τί ἐστι, vel ubi
τὸ τί ἦν εἶναι exspectes, vel coniunctum pro synonymo cum

τῷ τί ἦν εἶναι Αθ4. 91 ᵃ25, 15 (cf 6. 92 ᵃ7), 35 (cf ᵇ2).
7. 92 ᵇ4 (cf 6. 92 ᵃ7). 8. 93 ᵃ20, 19, quibus addendum
est, quod ὁρισμὸς et τὸ τί ἐστι et τὸ τί ἦν εἶναι δηλὺν
dicitur, cf ὁρισμός p 524 ᵇ55. — τὸ τί ἐστι coni syn
ὐσία Αα31. 46 ᵃ37. γ4. 73 ᵃ36, 37. δ3. 90 ᵇ30. 6. 92 ᵃ6. 5
7. 92 ᵃ34. τα18. 108 ᵇ4-6. ψα1. 402 ᵃ13. ΜΑ8. 988 ᵇ29.
ζ9.1034ᵃ31, 32. syn λόγος Αγ22.84ᵃ16,13,14 (cf ὁ λόγος
ὁ λέγων, δηλῶν τὸ τί ἐστι Αγ4. 73 ᵃ36, 38. δ10. 93 ᵇ39.
Μδ13.1020ᵃ19. κατὰ τὴν τ̈ τί ἐστιν ἀπόδοσιν τὸ6.128ᵃ24).
syn ὁρισμός Φβ7. 198 ᵃ16,17. ὁ ὁρισμὸς τί ἐστι δηλοῖ Αδ 3. 10
91 ᵃ1. 10. 93 ᵇ29, 39. πεοὶ τ̈ τί ἐστιν ἤρξαντο λέγειν χ̇
ὁρίζεσθαι ΜΑ5. 987 ᵃ20. ε1. 1026 ᵃ4. πότερον ἐστι τὸ τί
ἐστιν ὁρίσασθαι Μη3. 1043 ᵇ25. syn εἶδος Φβ2. 194 ᵇ10,
etiam ubi εἶδος non simpliciter speciem ac formam, sed
causam formalem significat (id quod negat Trdlbg Kateg 15
p 37) ΜΑ6. 988 ᵃ10. 8. 988 ᵇ29. Φβ7. 198 ᵃ25, ᵇ3. —
τί ἐστι, dist ὅτι, διότι, εἰ ἔστιν Αδ1. cf γ2. 72 ᵃ23, sed
τῆς αὐτῆς διανοίας τό τε τί ἐστι δῆλον ποιεῖν χ̇ εἰ ἔστιν
Με1. 1025 ᵇ18, ἐν τίσι ταὐτὸ τὸ τί ἐστι χ̇ τὸ διὰ τί ἐστιν
Αθ2. 90 ᵃ15, 31. cf μδ12. 390 ᵇ17. ἐπίστασθαι μάλιστα 20
φαμὲν τὸν τί ἐστι γνωρίζοντα Μβ2. 996 ᵇ17. ζ1. 1028
ᵃ36. χ7. 1064 ᵃ19. τὴν τ̈ τί ἐστι ἐπιστήμην διὰ μόνα
τ̈ πρώτα σχήματος θηρεῦσαι δυνατόν Αγ14. 79 ᵃ24. τῆς
ἐπιστήμης χ̇ τί ἐστι γνωρίσαι χ̇ τὰ συμβεβηκότα (int τὰ
καθ' αὐτὸ συμβεβηκότα) αὐτοῖς Μγ2. 1004 ᵇ7 (cf 1003 25
ᵇ34). ε1. 1026 ᵃ32, 36 Bz. Φβ2. 193 ᵇ27. ψα1. 402 ᵇ17.
τὸ τί ἐστι ἀρχὴ συλλογισμῶ, ἀποδείξεως Μμ4. 1078ᵇ24,
29. ζ9. 1034 ᵃ32. χ7. 1064 ᵃ19. Αδ3. 90 ᵇ31. ψα1. 402
ᵇ26. Ρβ23. 1398 ᵃ27. (τὸ τί ἐστιν ὐκ ἔστιν ἐρωτήσις δια-
λεκτική ε10. 20 ᵇ27.) ἀρχὴ ἐν τοῖς ἀκινήτοις τὸ τί ἐστιν 30
Ζγβ6. 742 ᵇ33. τὸ τί ἐστιν ὐκ ἔστιν ἀπόδειξις, τὸ τί ἐστι
πῶς δείκνυται Μβ2. 997 ᵃ31. ε1. 1025 ᵇ14. χ7. 1064 ᵃ7,
9. Αα31. 46 ᵃ36. δ3-8. τὰ ἁπλᾶ χ̇ τὰ τί ἐστι Με4.
1027 ᵇ28. — quemadmodum ὐσία et naturam alicuius rei
significat et substantiam eam, quae primum obtinet inter 35
categorias locum, ita τὸ τί ἐστι etiam substantiam signi-
ficat Μδ7. 1017 ᵃ25. 28. 1024 ᵇ13. ζ1. 1028 ᵃ11, 14. ι2.
1054 ᵃ15. Ηα4. 1096 ᵃ20. τι22. 178 ᵃ21 al. ὐδεμία δια-
φορὰ σημαίνει τί ἐστι (quamquam altero sensu διαφορὰ
dicitur κατηγορεῖσθαι ἐν τῷ τί ἐστιν), ἀλλὰ μᾶλλον ποιόν τι 40
τὸ2.122 ᵇ16 (eodem sensu usurpatur τὸ τί Με1. 1026
ᵃ36 Bz. θ1. 1045 ᵇ31. ι2. 1054 ᵃ18. λ2. 1069 ᵇ9. ν2.1089
ᵇ8. Ηα4. 1096 ᵃ24. Αγ24. 85 ᵇ20, sed nusquam τὸ τί ἦν
εἶναι). utraque τ̈ τί ἐστι significatio, ut vel notio sit vel
substantia, distinguitur Μζ4. 1030 ᵃ18 Bz, ab altera ad 45
alteram transitur τα9. 103 ᵇ22, 27, vix distinguas utra
significatione τὸ τί ἐστι accipiendum sit Αγ2. 83 ᵃ21. —
de notione τ̈ τί ἐστι cf Zeller II 2, 146, 1 et quos ille
affert, Trdlbg Kat 34. Steinthal Gesch 216.
τί ἦν εἶναι. εἶναι cum dativo constructum, τὸ ἑνὶ εἶναι, 50
τὸ ἀνθρώπῳ εἶναι sim, quid significet cf p 221 ᵃ34. inde
intelligitur quam vim habeat quaestio τί ἐστι τὸ ἱματίῳ
εἶναι Μζ4. 1029 ᵇ28, qua in formula quod prope ubivis
Aristoteles imperfectum usurpat, τί ἦν αὐτῷ τὸ αἵματι
εἶναι; Ζμβ3. 649 ᵇ22, τί ἦν εἶναι κύκλῳ al, non improba- 55
bili ratione ad τὸ πρότερον φύσει pertinere suspicantur,
cf Schwegler Metaph IV 372 sqq. Wz Org II 400. ad eam
quaestionem, τί ἦν εἶναι, quod respondetur, praeposito ar-
ticulo τό, τὸ τί ἦν εἶναι, substantivi naturam induit, pa-
riter atque in formula τὸ τί ἐστι, cf p 763 ᵇ17. ea res, 60
de cuius natura substantiali agitur, plerumque casu da-

tivo formulae τί ἦν εἶναι postponitur, veluti τὸ τί ἦν εἶναι
ἑκάστῳ Μζ4. 1029 ᵇ13, 20 al, interdum inter vocabula
ἦν et εἶναι interponitur τὸ τί ἦν αὐτῷ εἶναι Ζπ8.708ᵃ12;
obscurata videtur formulae origo, cum aliquoties pro
dativo genetivus ponitur τί ἦν εἶναι τῆ ἑνός, ἑκάστῳ Μζ6.
1032 ᵃ3. 7. 1032 ᵇ2. sed quod uno loco accusativus legi-
tur, τὸ τί ἦν εἶναι ἕκαστον Μζ4. 1029 ᵇ13, ex corruptela
ortum videtur; item quod semel legitur τί ἦν Μζ4. 1029
ᵇ27 suspectum est, nec videtur εἶναι omitti potuisse, τί
ἦν εἶναι. numerus pluralis τὰ τί ἦν εἶναι Μζ6. 1031 ᵇ9,
29. — quae sit τὸ τί ἦν εἶναι notio Ar exponit Μζ4.
ἐν ᾧ χ̇ ἐνέσται λόγῳ αὐτό, λέγοντι αὐτό, ὐτος ὁ λόγος
τ̈ τί ἦν εἶναι ἑκάστῳ Μζ4. 1029 ᵇ20 Bz. λέγω ὐσίαν ἄνευ
ὕλης τὸ τί ἦν εἶναι Μζ7. 1032 ᵇ14. γ4. 1007 ᵃ26, 21.
δ17. 1022 ᵃ9. λ8. 1074 ᵃ35 (cf Α7. 988 ᵃ34. Ηβ6.1107
ᵃ6), ubi quidem ὐσία non primam categoriam, sed natu-
ram substantialem significat. τὸ τί ἦν εἶναι χ̇ κατὰ τὸν
λόγον ὐσία Μζ10. 1035 ᵇ16, 13. ψβ1. 412 ᵇ10. cf τὸ τί
ἦν εἶναι ἑκατέρῳ κατὰ τὸν λόγον Αγ33. 89 ᵃ32 Wz. (coni
syn τὸ τί ἦν εἶναι et ὐσία Αδ4. 91 ᵇ8. τζ5. 143 ᵃ18.
Μδ17. 1022 ᵃ8. ζ13.1038ᵇ14.) itaque τὸ τί ἦν εἶναι idem
est atque εἶδος, forma, causa formalis, εἶδος λέγω τὸ τί
ἦν εἶναι ἑκάστᵈ χ̇ τὴν πρώτην ὐσίαν Μζ7. 1032 ᵇ2. 10.
1035 ᵇ32, 16. 17. 1041 ᵃ28. η3. 1043 ᵇ1. 4. 1044 ᵃ36.
Α3. 983 ᵃ27 (7. 988 ᵃ34). 10. 993 ᵃ18. δ2.1013ᵃ27, ᵇ22.
Φβ2. 194 ᵇ26, 195 ᵃ20. ψβ1. 412 ᵃ20, ᵇ11 (cf
coni syn μορφή Γβ9. 335 ᵇ35, ψα1. 414 ᵃ16, 9. 412 ᵃ8.
ψβ1. 412 ᵇ15). inde synonyma τῷ τί ἦν εἶναι sunt ἐνέρ-
γεια: τὸ γὰρ τί ἦν εἶναι τῷ εἴδει χ̇ τῇ ἐνεργείᾳ ὑπάρχει
Μη3. 1043 ᵇ1, et ἐντελέχεια ψβ1. 412 ᵃ27, ᵇ5,9,11. Μλ8.
1074 ᵃ35. ac sicuti esse ubi ταὐτὸ τὸ εἶδος χ̇ τὸ ὐ ἕνεκα (cf
αἰτία p22ᵇ46), ita ibidem τὸ τί ἦν εἶναι χ̇ τὸ ὐ ἕνεκα ταὐτὰ
Μη4. 1044 ᵇ1. — τὸ τί ἦν εἶναι ὑπάρχει πρώτως μὲν χ̇
ἁπλῶς τῇ ὐσίᾳ (i e primae categoriae, ad quam signifi-
candam τὸ τί ἐστι, τὸ τί usurpatur, nusquam τὸ τί ἦν
εἶναι), εἶτα χ̇ τοῖς ἄλλοις Μζ4. 1030 ᵃ29 Bz, ᵇ5, ᵃ3. 5. 1031
ᵃ12. ὐκ ἔσται ὐθενὶ τῶν μὴ γένεις εἰδῶν ὑπάρχον τὸ τί ἦν
εἶναι Μζ4. 1030 ᵃ12. (τὰ συμβεβηκότα non pertinere ad
τὸ τί ἦν εἶναι cf Οα9. 278 ᵃ3. Μδ29. 1024 ᵃ29.) τὸ τί ἦν
εἶναι ὐ γίγνεται ὐδ' ἔστιν αὐτ̈ γένεσις Μζ8. 1033 ᵇ7. ἐπὶ
τίνων ταὐτόν ἐστι χ̇ ἐπὶ τίνων ὐ ταὐτὸν τὸ τί ἦν εἶναι χ̇
ἕκαστον Μζ6. 11. 1037 ᵃ33. ἐν καθ' αὐτὸ λεγομένων τὸ τί ἦν
εἶναι Μδ18. 1022 ᵃ26. — ἐπιστήμη ἑκάστᵈ ἐστιν ὅταν
τὸ τί ἦν εἶναι ἐκείνῳ γνῶμεν Μζ6. 1031 ᵇ6, 20 (cf τὸ τί ἐστι
p764ᵃ20). is λόγος, quo τὸ τί ἦν εἶναι exprimitur (ὁ λόγος ὁ
τ̈ τί ἦν εἶναι Μδ2. 1013 ᵃ27. 29. 1024 ᵇ29. ζ4. 1029ᵇ20.
ὁ λόγος ὁ δηλῶν τὸ τί ἦν εἶναι Μδ6. 1016 ᵃ34. ὁ λόγος
ὁ τὸ τί ἦν εἶναι λέγων Μδ6. 1016 ᵃ33, 1017 ᵃ6 Bz. Ηβ6.
1107 ᵃ6) est ὁρισμός Μζ5. 1031 ᵃ12. δ8. 1017 ᵇ21. η1.
1042 ᵃ17, ὁρισμός ἐστι λόγος ὁ τὸ τί ἦν εἶναι σημαίνων
τη5. 154 ᵃ31, vel ὅρος τα5. 101 ᵇ39. 4. 101 ᵇ22. 8. 103
ᵇ10. η3. 153 ᵃ15. inde saepe pro syn coniuncta leguntur
τὸ τί ἦν εἶναι et ὁρισμός Μα2. 994 ᵇ17. ζ4. 1030 ᵃ17, ᵇ5.
5. 1030 ᵇ26, 1031 ᵃ9. η3. 1044 ᵃ1. τη3. 153 ᵃ14, τὸ τί
ἦν εἶναι et ὁρίζεσθαι Αγ22. 82 ᵇ37-39. τζ1. 139 ᵃ33. 4.
141 ᵇ23. τὸ τί ἦν εἶναι τὸ ὁρίσασθαι τὴν ὐσίαν ὐκ ἦν
Ζμα1. 642 ᵃ25. quemadmodum ὁρισμός ὐκ ἔστι μὴ ὐσιῶν
Αδ7. 92 ᵇ29. Μζ5. 1031 ᵃ1, ita τὸ τί ἦν εἶναι ἐστιν ὅσων
ὁ λόγος ἐστιν ὁρισμός Μζ4. 1030 ᵃ6 Bz. δ8. 1017 ᵇ21. τὸ
τί ἦν εἶναι, dist τὸ καθόλᵈ, τὸ γένος Μζ3. 1028 ᵇ34, quo-
modo differant inter se τὸ τί ἦν εἶναι et τὸ τί ἐστι cf

p 763 ᵇ47. τὸ τί ἦν εἶναι τὸ ἐκ τῶν ἐν τῷ τί ἐστιν ἴδιον Αδ 6. 92 ᵃ7. ἀπολείπων διαφορὰν ἡντινῶν ὖ λέγει τὸ τί ἦν εἶναι τζ 8. 146 ᵇ31. τὸ τί ἦν εἶναι ἴδιον τα4. 101 ᵇ19, sed distinguitur ab angustiore et propria notione τῦ ἰδίῳ τα4. 101 ᵇ22. 5. 102 ᵃ18. 8. 103 ᵇ9-12. τε3. 131 ᵇ37-132 ᵃ9. 4. 133 ᵃ1, 6, 9. cf ἴδιος p 339 ᵇ15.

Τισίας π134. 183 ᵇ31. f 131. 1500 ᵇ10.

τίτανος. ὅσα γῆς, ὡς ἐπὶ τὸ πολὺ θερμά, οἷον τίτανος ᚦ τέφρα μδ 11. 389 ᵃ28. ὅμοιον τῇ τιτάνῳ μδ 6. 383 ᵇ8.

τιτθεύεσθαι. γάλα πελιώτερον βέλτιον τοῖς τιτθευομένοις Ζιγ21. 523 ᵃ10. (τὸ γενόμενον ἐκ τῦ ᾠῦ) ὖτε ἀπὸ τῆς μητρὸς τιτθεύεται δι' αὑτῆ τε ὐκ εὐθὺς δύναται πορίζεσθαι τὴν τροφήν Ζγγ2. 754 ᵃ13.

τίτθη. αἱ τίτθαι, εὔσαρκοι Ζιη10. 587 ᵇ17. 12. 588 ᵃ5 (v l τιτθοί). τοῖς παιδίοις ὖ συμφέρۧσιν οἶνοι ὖδὲ ταῖς τίτθαις υ3. 457 ᵃ15. ὁ Δημοκράτης εἴκασε τὺς ῥήτορας ταῖς τίτθαις Ργ4. 1407 ᵃ7.

τιτρώσκειν. τρῶσαι, dist κεντῆσαι Ηε10. 1135 ᵇ15. — (ἡ περιστερὰ) τιτρώσκει τὸ ᾠὸν τῇ προτεραίᾳ ἢ ἐκλέπει Ζιζ4. 562 ᵇ20.

Τιτυός. ὐκ ἂν κινήσειεν ὖτε ὁ Τιτυὸς ὖθ' ὁ Βορέας πνέων Ζχ2. 698 ᵇ25.

τιφή. ἐκβάλλۧσιν (αἱ ὗες) τὰς χαλάζας ταῖς τιφαῖς (τίφαις Aub) Ζιθ21. 603 ᵇ26 Aub.

τλῆναι πόνۧς μαλερὺς ἀκάμαντας f 625. 1583 ᵇ12. οἵτινες ἔτλησαν(Isocr 4, 96) Ργ7. 1408 ᵇ17.

Τληπόλεμος θ107. 840 ᵃ24. Ἡρακλείδην εὐήνορα Τληπόλεμον f 597. 1577 ᵇ19. ἐπίγραμμα ἐπὶ Τληπολέμۧ f 596. 1576 ᵃ7.

τμῆμα γραμμῆς μεῖζον, ἔλαττον Ηε7. 1132 ᵃ26, 27. μχ1. 849 ᵃ37. τμῆμα τῦ κύκλۧ Οβ8. 290 ᵃ4. μα6. 343 ᵃ12. Μζ10. 1034 ᵇ25. αἱ τۧ τμήματος γωνίαι τα Α24. 41 ᵇ18. τμῆμα μεῖζον ἡμικυκλίۧ μγ1. 371 ᵇ27. 5. 375 ᵇ17, 377 ᵃ6, 16. τμῆμα ἡλίۧ, σελήνης χ4. 395 ᵃ33. δύο τμήματα τῆς δυνατῆς οἰκεῖσθαι χώρας μβ5. 362 ᵃ32. ὁ τετραγωνισμὸς ὁ διὰ τῶν τμημάτων Φα2. 185 ᵃ16.

τμῆσις ψβ1. 412 ᵇ28. dist σχέσις μδ9. 386 ᵇ30.

τμητικός πκγ37. 935 ᵇ9. opp τμητός Μδ15. 1020 ᵇ29. δύναμις τμητικὴ πν9. 485 ᵃ29. τῶν σχημάτων τμητικώτατον ἡ πυραμίς Ογ5. 304 ᵃ12.

Τμῶλος ὄρος θ174. 847 ᵃ8.

τοί. μὴ τοί γۧ Πε8. 1308 ᵇ15. 11. 1315 ᵃ10. ὕτω τοι (τοιαῦται Spgl e codd) διαβολαὶ γενήσονται p30. 1437 ᵃ38. — cf ἤ p 313 ᵃ29, ad ἢ γάρ τοι ... ἤ adde Ζγβ1. 734 ᵃ16.

τοιγὰρ ἀοίδιμος ἔργοις f 625. 1583 ᵇ22.

τοιγαρῦν. τοιγαρῦν ἐσώζοντο πολεμῦντες Πβ9. 1271 ᵇ3. τοίγαρῦν postpositum, ἤδη τοιγαρῦν ἔγνωμεν φτβ2. 824 ᵃ34. 5. 826 ᵃ30.

τοίνυν eandem habet usus varietatem atque ὖν (cf h v), siquidem vel concludendo inservit, λείπεται τοίνυν, φανερὸν τοίνυν, δῆλον τοίνυν, ἀνάγκη τοίνυν Φγ2. 202 ᵃ1. Πα13. 1260 ᵃ2. Ζμα1. 641 ᵃ15, 642 ᵃ23. 3. 643 ᵃ16. γ8.671 ᵃ7. δ5. 680 ᵇ16 al. ὅτι μὲν τοίνυν ... φανερὸν sim Πα8.1256 ᵇ37. γ3. 1261 ᵇ27. 10. 1281 ᵃ27. η9. 1329 ᵃ34. 13.1332 ᵇ8 al, vel traducendo ad novam cogitationem, veluti Φα2.185 ᵇ3, 9. Πα13. 1259 ᵇ18, 1260 ᵃ7. in apodosi τοίνυν υ2. 455 ᵃ13, εἰ τοίνυν Αθ8. 93 ᵃ6, ἐπεὶ τοίνυν ημα23.1191 ᵇ34. Bz Ar St II 72, 75, 103. — in quibus libris Aristotelicis rarior sit usus particulae τοίνυν, in quibus frequentior cf Euecken I 51, 46.

τοιόσδε. πᾶς ἐπιθυμεῖ τροφῆς, τὸ δὲ τοιᾶσδε ἢ τοιᾶσδε ὐκέτι

πᾶς Ηγ13. 1118 ᵇ12. ὁ δεσπότης ὖ λέγεται κατ' ἐπιστήμην, ἀλλὰ τῷ τοιόσδ' εἶναι Πα7. 1255 ᵇ21. ὅτι ξηρὸν τὸ τοιόνδε Ηη4. 1147 ᵃ7. — τοιόνδε etiam ad antecedentia refertur, τὸ μὲν ὂν φράζειν ἐν κεφαλαίῳ τὸ πρᾶγμα τοιόνδε ἐστίν p30. 1436 ᵇ4. 21. 1434 ᵃ3. cf Spgl p 186.

τοιοσδί. ἐνδέχεται ᚦ περὶ τῶν αἰσθητῶν μεγεθῶν εἶναι ᚦ λόγۧς ᚦ ἀποδείξεις, μὴ ᚦ δὲ αἰσθητά, ἀλλ' ᚦ τοιαδί Μμ3. 1077 ᵇ2. πᾶσαν ἐπιστήμην εἶναι τῶν καθόλۧ ᚦ τῦ τοιۧδὶ Μχ2. 1060 ᵇ21. (ὕλη) σώματος ἤδη τοιۧδί, σῶμα γὰρ κοινὸν ὐδέν Γα5. 320 ᵇ22. ᚦ (ἔσται) τὸ τοιۧδὶ εἶναι ᚦ τοσۧδὶ ταὐτόν Φα2. 185 ᵇ25. ὅταν τοιۧνδὶ ἢ τοσۧνδὶ γένηται τὸ ὑγρόν μδ2. 379 ᵇ27. ἐν αὐγῇ τοιᾳδὶ ἢ τοιᾳδὶ μγ4. 375 ᵃ24. ἀνάγκη ἄρα τοιۧνδὶ εἶναι ᚦ ἐκ τοιۧνδὶ Ζμα1. 642 ᵃ13.

τοιῦτος. τοιῦτοι δέκα (Hom Β 372) Πγ16. 1287 ᵇ14. τοιۧτον ἕτερον ε9. 18 ᵇ26. μβ3. 359 ᵃ35. δ3. 380 ᵃ14. τοιۧτον ὑπὲρ μα8. 345 ᵇ36. — τοιῦτος etiam ad ea quae sequuntur refertur p22. 1434 ᵃ27, 19. — τοιῦτος c articulo, τὸ τοιῦτο, ἡ τοιαύτη σύστασις al Φζ3. 233 ᵇ35. πο6.1449 ᵇ27. 13. 1453 ᵃ3, 28. 14. 1453 ᵇ16, 1454 ᵃ11. 16. 1455 ᵃ19. Πθ7. 1342 ᵃ13, 16, 17, 29. Ζμγ2. 664 ᵃ9. δ5. 678 ᵃ11, 16. 10. 690 ᵃ8 ἀl. πρὸς τὸν θεατὴν τὸν τοιῦτον τοιۧτῳ τινὶ χρῆσθαι τῷ γένει τῆς μۧσικῆς Πθ7. 1342 ᵃ27. Bernays Trag p 196. — ᚦ ἄλλα τὰ τοιαῦτα, ὅσα ἄλλα τοιαῦτα, ᚦ τὰ τοιαῦτα (τῶν τοιۧτων, τοῖς τοιۧτοις) μγ7. 378 ᵃ24. δ12. 390 ᵇ22. 8. 384 ᵇ33, 385 ᵃ6. πο4.1448 ᵇ30. 22.1458 ᵃ30. Γβ5. 332 ᵃ5. Φδ1. 208 ᵇ9. Ζιγ9. 517 ᵃ19. Ζγγ11. 761 ᵃ25. Ηζ5. 1140 ᵇ8. 7. 1141 ᵇ4. Vahlen Poet I 43. quae formula etiam usurpatur, ubi cum constructione verborum antecedentium non congruit, veluti ὀργιζόμεθα ἐφ' οἷς δεῖ ᚦ ὡς δεῖ ᚦ πάντα τὰ τοιαῦτα Ηδ11. 1126 ᵇ6. — (πρὸς ἃ τοιῦτοι Ρα6. 1363 ᵇ1, πρὸς ἃ φιλοτοιῦτοι ci Vahlen).

τοιۧτότροπος. μάντεων ᚦ φαρμακοπωλῶν ᚦ ἄλλων τῶν τοιۧτοτρόπων οβ1346 ᵇ22. οἷον ἀμφορεῖς ᚦ τὰ τοιۧτότροπα θ52. 834 ᵃ29. — τοιۧτοτρόπۧς φτα4. 819 ᵇ28. β1. 822 ᵇ25. 2. 824 ᵃ3. 4. 825 ᵇ34. 7. 827 ᵃ38, ᵇ15. 9. 828 ᵇ21.

τοῖχος οἰκίας Πη11. 1331 ᵃ6. Ηε15. 1138 ᵃ25. Φθ4. 255 ᵇ28. opp ἔδαφος θ8. 831 ᵃ18. τοῖχος ἰσχυρὸς πκθ14. 952 ᵃ21. τὺς τοίχۧς καταβάλλει ὁ ἐλέφας Ζιι1. 610 ᵃ21. ἀναδραμεῖν εἰς τὺς τοίχۧς f 73. 1488 ᵃ16. εἴ τις ἐν γῇ βαδίζει παρὰ τοῖχον Ζπ9. 709 ᵃ5. τὰ ἐν τοῖς τοίχοις κονιάματα χ1. 791 ᵇ27. οἱ τὺς κανάβۧς γράφοντες ἐν τοῖς τοίχοις Ζγβ6. 743 ᵃ2, cf κάναβος. τὸ τῦ τοίχۧ μῆκος πῶς λαμβάνομεν f 24. 1478 ᵇ15. τοῖχοι νεὼς μχ4. 850 ᵇ19. τοῖχοι ἀγγείων μβ3. 359 ᵃ3. σφήκεις ἐναφιᾶσι γόνον εἰς τὸ πλάγιον τῦ κυττάρۧ ᚦ προσέχεται τῷ τοίχۧ Ζιε23. 555 ᵃ1.

τοιχωρυχεῖ ὐδεὶς τὸν ἑαυτῦ τοῖχον Ηε15. 1138 ᵃ25.

τόκα μὲν ... τόκα δέ (Epicharm ed Lorenz p 273) Ργ9. 1410 ᵇ5.

τοκετός. ἐνιαύσιος ὁ τοκετὸς τῶν ἡμιόνων Ζγβ8. 748 ᵇ22. τοκετὺς v l, τόκۧς Bk Ζιη11. 587 ᵇ19.

τοκισμός, εἶδος τῆς χρηματιστικῆς Πα11. 1258 ᵇ25.

τοκισταὶ κατὰ μικρὸν ἐπὶ πολλῷ, εἶδος τῆς ἀνελευθερίας Ηδ3. 1121 ᵇ34.

τόκος. 1. partus. α. animalium. ὥρα, χρόνος, τελείωσις τῦ τόκۧ Ζιζ17. 571 ᵃ25. η4. 584 ᵃ34 Aub. ἀνάγκη ἐν τῷ θήλει ὑπάρχειν τὸν τόκον Ζγα22. 730 ᵇ5. τοῖς ζῳοις ὐκ ἐπίπονοι γίνονται οἱ τόκοι Ζιη9. 587 ᵃ1. τῶν μὲν ἐνιαύσιος ὁ τόκος τῶν δὲ δεκάμηνος ὁ πλεῖστος, πολυχρόνιος ὁ τῶν ἐλεφάντων ἐστὶ τόκος Ζγδ10. 777 ᵇ13. τὰ ζῷα μοναχῶς ποιεῖται

τὴν τῦ τόκῳ τελείωσιν· εἶς γὰρ ὥρισται τῦ τόκῳ χρόνος πᾶσιν Ζιη4. 584 ᵃ34 Aub (cf infra ᵃ18). ποιεῖσθαι τὸν τόκον, πλεονάκις, ταχέως, ἐπὶ τοῖς ἄστροις, πρὸς αὐτά Ζιε8. 542 ᵃ25, 30. 19. 550 ᵇ25. ζ14. 568 ᵃ18. Ζγγ8. 757 ᵇ32, 758 ᵃ13. ποιεῖσθαι τὺς τόκυς, παρὰ τὰς ὀδύς, ἐν τῇ γῇ Ζιζ17. 5 570 ᵃ25. 29. 578 ᵇ16. θ2. 589 ᵃ18. ἡ ἐν τοῖς τόκοις κάθαρσις, πολλὴν ποιῦσι τὴν διαφορὰν οἱ τόποι κατὰ τὺς τόκυς Ζιζ20. 574 ᵇ4. ε11. 543 ᵇ29. cf ζ17. 571 ᵃ25. μετὰ τὸν τόκον χαλεπωτέρα ἡ θήλεια, ἐν ἔτος διαλιπῦσα ὀχεύεται ἡ κάμηλος, τὸ γάλα ἴσχει ὑς Ζιζ4. 562 ᵇ24. ε14. 546 ᵇ6, 10 ᵃ17. π35. 894 ᵇ12. ἰχθύων, ἐντόμων τόκος sim Ζιε11. 543 ᵇ29. 19. 550 ᵇ25 al. ὁ τῶν σφηκῶν γόνος ὃ δοκεῖ ἐκ τῦ τόκῳ (v l γόνῳ, ex gono Gaza) γίνεσθαι, ἀλλ᾽ εὐθὺς μεῖζον εἶναι ἢ ὡς σφηκὸς τόκος Ζιι41. 628 ᵇ18 Aub (cf infra ᵃ32). —
b. hominis. ὁ χρόνος τῦ τόκῳ Ζγδ7. 775 ᵇ30. 8. 776 ᵃ16. 15 τὸ πλῆθος τῶν τόκων τῆς τελειώσεως τοῖς ἀνθρώποις ταύτην ἔχει διαφοράν, syn τῷ ἀνθρώπῳ πολλοὶ χρόνοι Ζιι4. 584 ᵃ26, cf ᵃ35 (cf supra ᵃ2). ἡ αὔξησις ὃ γίνεται μετὰ τὺς τρεῖς τόκυς, μετὰ τὺς τόκυς (τὸν τόκον) αἱ καθάρσεις, μετὰ τὺς τόκυς τὸ γάλα πληθύνεται, μετὰ τὸν τόκον τις συγγε- 20 νομένη Ζιη1. 582 ᵃ25. 3. 583 ᵃ29. 10. 587 ᵇ2. 11. 587 ᵇ19 (cf Ζγδ8. 776 ᵃ16). 6. 586 ᵃ10. αἱ πλησιάζυσαι πρὸ τῶν τόκων τοῖς ἀνδράσι Ζιη4. 584 ᵃ30. σπάσματα ἐν τῷ τόκῳ, αἱ νέαι ἐν τοῖς τόκοις πονῦσι μᾶλλον, μία τις ἐν τέτταρσι τόκοις ἔτεκεν εἴκοσιν Ζιι4. 636 ᵃ30. η1. 582 ᵃ20. 4. 584 25 ᵇ35 (cf Ant Caryst ed Beckm p 158). Πη16. 1335 ᵃ17. αἱ γυναῖκες αἱ τοῖς τόκοις χρώμεναι πλείοσι Ζιη1. 582 ᵃ23, cf 27. 3. 583 ᵇ28. τὰ μὴ γόνιμα ἐν τοῖς τόκοις (τόποις ci Pik) ὐκ ἐκφέρυσι Ζιη4. 583 ᵇ33 Aub. — 2. proles. ὁ τόκος τῶν μελιττῶν χ σφηκῶν Ζγδ3. 770 ᵃ29. ὁ τῶν σφη- 30 κῶν γόνος ὃ δοκεῖ ἐκ τῦ τόκῳ γίνεσθαι ἀλλ᾽ εὐθὺς μεῖζον εἶναι ἢ ὡς σφηκὸς τόκος Ζιι41. 628 ᵇ18. cf supra ᵃ14. διὰ τὴν τροφὴν εἰσπλέυσι (δελφῖνες) χ διὰ τὸν τόκον (v l ποτόν) Ζιθ13. 598 ᵇ4. — 3. usura, fenus. ὁ τόκος γίνεται νόμισμα νομίσματος, ὥστε μάλιστα παρὰ φύσιν ἐστὶ τῶν χρημα- 35 τισμῶν Πα10. 1258 ᵇ7, cf ᵇ5, 8, 25. nomen explicatur ᵇ5 sqq. τόκοι ἐπίτριτοι, ἐπιδέκατοι Ργ10. 1411 ᵃ17. οβ1346 ᵇ32. τόκυς κομίζεσθαι ρ12. 1430 ᵇ28.

τολμηρὰ πολλὰ οἱ μοιχοὶ δρῶσιν Ηγ11. 1117 ᵃ2.

τομή. τομαὶ τῶν ἐντόμων: τὰ μὴ ἑλικτὰ τῶν ἐντόμων σκλη- 40 ρύνεται μᾶλλον συνιόντα εἰς τὰς τομάς Ζμδ6. 682 ᵇ25. — τομῇ de vulnere recidendo ττ1. 116 ᵇ10. Ηε13.1137 ᵃ15. ημβ3. 1199 ᵃ33. χ ἐπὶ τὴν τομὴν πορεύεται (τὰ διαιρεθέντα ἔντομα) χ ἐπὶ τὴν ὑράν Ζιὃ7. 532 ᵃ4. τὴν (τῶν ὀρχεων) τομὴν θριξὶ βύσιν Ζιι50. 632 ᵃ18. — τῶν βιβλίων 45 ἡ τομή ὗσα ἐπίπεδος πιϛ6. 914 ᵃ25. — ὅσοι τὴν διὰ χειρὸς τομὴν ἔχυσι δι᾽ ὅλης, μακροβιωτατοι π49. 896 ᵃ37. λδ10. 964 ᵃ33. — τομή χρόνυ, dist χρόνος Φθ8. 262 ᵇ20. ζ6. 237 ᵃ9. τομαὶ χ διαιρέσεις αἱ γραμμαὶ ἐπιφανειῶν Μκ2. 1060 ᵇ14. ὐκ ἀριθμήσει τὰς (τῆς γραμμῆς) τομάς 50 Μα2. 994 ᵇ25. ἡ μέση τομὴ τῶν ἀτόμων ατ970 ᵇ4. τομὴ σφαίρας, κώνυ μγ5. 375 ᵇ32. πιε7. 912 ᵃ13. — τομή, divisio logica Μζ12. 1038 ᵃ28 (cf διαίρεσις), aliter ἄπειρος ἡ τομή (int τῆς προτάσεως διὰ τῦ μέσυ Schol 247 ᵃ46) Αδ12. 95 ᵇ30 Wz. 55

τομίας. οἱ τομίαι τῶν βοῶν, προβάτων, ὑῶν, πῶς γίνονται Ζιζ21. 575 ᵇ1. 28. 578 ᵃ33, ᵇ3.

τονιαῖος. τὴν νῦν παραμέσην καλυμένην ἀφήρην χ τὸ τονιαῖον διάστημα πιθ47. 922 ᵇ6.

τονικοὶ οἱ ὄρνιθές εἰσι κατὰ τὰς πτέρυγας Ζμδ12. 693 ᵇ12. 60

τόνος. ὁ ῥαθύμως διακείμενος τόν τε τόνον ἀνίησι χ βαρὺ

φθέγγεται, opp ἐπιτείνειν τὸν τόνον φ2. 807 ᵃ17, 15. cf πια15. 900 ᵇ12, 8. ἐν τόνοις ἀνειμένοις χ βαρέσιν αχ804 ᵃ26. κατὰ τὸν μέσον τόνον τύτων (τῦ βαρέος χ τῦ ὀξέος) Ζγε7. 787 ᵃ6. ἡ μέση μέσα εἶχε τόνον τῶν ἄκρων πιθ47. 922 ᵇ9. ἀνάγκη μὴ ὡς ἐν λέγοντα τῷ αὐτῷ ἤθει χ τόνῳ εἰπεῖν Ργ12. 1413 ᵇ31. ἐν τῇ φωνῇ, οἷον πῶς τοῖς τόνοις δεῖ χρῆσθαι (coni ὀξεῖα, βαρεῖα, μέση φωνή) Ργ1. 1403 ᵃ31. ἡ συμφωνία χ ὁ τόνος λύεται κρινομένων σφόδρα τῶν χορδῶν ψβ12. 424 ᵃ32. σκληραί εἰσι τῶν φωνῶν ὅσαι βιαίως πρὸς τὴν ἀκοὴν προσπίπτυσι· διὸ χ μάλιστα παρέχυσι τὸν τόνον αχ802 ᵇ31.

τοξεύειν. ὅταν ἔλαφον τοξεύσωσιν θ86. 837 ᵃ15. αἶγες ἄγριαι ὅταν τοξευθῶσι ζητῦσι τὸ δίκταμνον Ζιι6. 612 ᵃ4. θ4. 830 ᵇ20.

τόξευμα. συστρέψαντες ἑαυτὺς (οἱ δελφῖνες) φέρονται ὥσπερ τόξευμα Ζιι48. 631 ᵃ28. τὸ δίκταμνον ἐκβλητικὸν τῶν τοξευμάτων ἐν τῷ σώματι Ζιι6. 612 ᵃ5. θ4. 830 ᵇ22.

τοξικόν, φάρμακον θ86. 837 ᵃ13.

τόξον σκληρὸν ὃ δύναται μακρὰν βάλλειν αχ800 ᵇ14. νευρὰν τοῖς τόξοις ποιεῖν ἔκ τινος Ζιε2. 540 ᵃ19. τὰ τόξα τὰ Ἡράκλεια θ107. 840 ᵃ19. τὸ τόξον φόρμιγξ ἄχορδος Ργ11. 1413 ᵃ1, cf Theognis p 324 ᵃ34.

τοξότης. ψιλοὶ ἢ τοξόται Πζ8. 1322 ᵇ1. καθάπερ τοξόται σκοπὸν ἔχοντες Ηα1. 1094 ᵃ23.

τοξοφόρων Περσῶν βασιλεύς· f 624. 1583 ᵃ27.

τοπικός. ὕλη τοπική, dist γεννητὴ χ φθαρτὴ Μη1. 1042 ᵇ6 Bz. τοπικὴν κίνησιν ὐχ εὑρίσκομεν ἐν τοῖς φυτοῖς φτα1. 815 ᵇ24. — τοπικὸς τρόπος τῆς ἐκλογῆς Ρβ22. 1396 ᵇ21. τὰ τοπικά, libri Aristotelis, cf Ἀριστοτέλης p 102 ᵃ40.

τόπος. 1. ἐν Χαλκίδι τῆς Εὐβοίας κατά τινα τόπον τῆς χώρας Ζμὃ2. 677 ᵃ3. πάντα περασμένας διέστηκε τόπυς ἀλλήλων μδ2. 339 ᵃ27. διωρίσθαι τοῖς τόποις μδ3. 339 ᵇ15. μόρια μεθεστῶτα τὺς τόπυς Ζγδ4. 771 ᵃ2. κατέχειν, ἐπέχειν τόπον τινά μβ2. 355 ᵇ2, 18. παρέχειν τόπον Ζγα19. 726 ᵃ35. συμμεταβάλλειν τὺς τόπυς μβ3. 358 ᵇ33. συνάγειν τὺς τόπυς Πγ9. 1280 ᵇ14. κοινωνεῖν τῦ τόπῳ Πβ1. 1260 ᵇ41. ὁ τόπος διεζεύχθη Πυ3. 1276 ᵃ21. κατὰ τόπον, κατ᾽ ἄλλον τόπον Πδ15. 1299 ᵇ14, 17. adiectiva, quibus ὁ τόπος determinatur, vel ad mathematicas eius rationes pertinent, τόπος μικρός, πλείων μβ8. 368 ᵇ14. 5. 363 ᵃ16. ὁ ἄνω, ἀνυτάτω, ὁ δεύτερος τόπος μα3. 339 ᵇ37, 340 ᵃ25, ᵇ30. 4. 342 ᵃ17. 9. 346 ᵇ16. ὁ μεταξύ, μεταξὺ τῶν τροπικῶν τόπος sim μα3. 340 ᵃ18. 6. 343 ᵃ8. ὁ περὶ τῆς γῆς, περὶ τὰ νέφη, ὁ ὑράνιος τόπος μβ1. 353 ᵇ7. α10. 347 ᵇ12. κ1. 391 ᵃ9. ἑκάτερος τῶν τόπων (i e πρὸς τὸν ὅρον, πρὸς τὸ μέσον) Γβ3. 330 ᵇ31. οἱ κατὰ φύσιν τόποι Ζιι15. 494 ᵃ27. τόπος οἰκεῖος, ἀλλότριος Φθ3. 255 ᵇ34. Οα7. 276 ᵃ12. μβ2. 355 ᵃ34. τῦ ὅλῳ χ τῷ μέρει ὁμοειδεῖς οἱ τόποι Φγ5. 205 ᵇ21. τόποι ἀνόμοιοι Φγ5. 205 ᵃ20. Μκ10. 1067 ᵃ16; vel ad diversam regionum naturam, τόποι κοῖλοι, ἔφυδροι, ἔνυγροι, ἔνυδροι, ἑλώδεις, πηλώδεις, ξηροί, ὀρεινοί, τραχεῖς, σπιλώδεις, λιθώδεις, ὑψηλοί, πεδινοί, μαλακοί sim μα10. 347 ᵃ31. 13. 350 ᵃ7. 14. 351 ᵃ19. Πη11. 1331 ᵃ5 (syn χώρα). cf β10. 1272 ᵇ17. ε3. 1303 ᵇ8 (syn χώρα). Ζιε15. 548 ᵃ2. 17. 549 ᵇ18. ζ15. 569 ᵇ10. θ2. 589 ᵃ19, 590 ᵇ23. 29. 607 ᵃ10 al. τόποι ἀλεεινοί, θερμοί, καλῶς κεκραμένοι, ψυχροί, χειμερινοί Πη7. 1327 ᵇ21. Ζγβ8. 748 ᵃ24. Ζιε13. 544 ᵇ9. ζ19. 573 ᵇ21. θ12. 597 ᵃ1, 2, 27. 13. 598 ᵃ6. τόποι εὐριπώδεις, ῥοώδεις, βαθεῖς, πρόσγειοι Ζγγ11. 763 ᵇ2. Ζιι37. 621 ᵃ16. θ13. 598 ᵃ7. τόποι συνήθεις, ἐπιτήδειοι ἐντίκτειν Ζιθ12. 596 ᵇ29. 13. 598 ᵇ4. τόποι ἰσχυροί, ἐρυμνοί

Πη11. 1330 ᵇ21, 18. ὁ Ἑλληνικὸς τόπος μα14. 352 ᵃ35. τόπος ad significandas animalium partes, ὁ πρὸς τῷ διαζώματι τόπος Ζγγ1. 750 ᵇ14. ὁ περὶ τὰ ὄμματα τόπος φ6. 814 ᵇ3. ὁ περὶ τὴν καρδίαν (τὴν κοιλίαν, τὰς φρένας, ὁ τῆς καρδίας) τόπος Ζμβ10. 656 ᵃ28. 7. 652 ᵇ20. γ10. 672 ᵇ15, 673 ᵃ11. δ10. 688 ᵇ34. ὁ πρὸ τῆς κοιλίας τόπος Ζυ10. 640 ᵇ29 Aub (cf Aub I 104). ὁ ἐκτὸς τῦ σώματος τόπος Ζγα12. 719 ᵃ34. οἱ ἄνω, κάτω τόποι Ζγε1. 779 ᵃ6. Ζμβ7. 653 ᵃ16. γ2. 663 ᵇ34. τριῶν ὄντων τόπων (τῦ στόματος) Μν6. 1093 ᵃ24. φέρεται ἕκαστον πρὸς τὸν οἰκεῖον τόπον Ζγβ4. 737 ᵇ29, 739 ᵃ3. τόπος εὔπνυς, πολύσαρκος, σαρκώδης Ζμβ8. 653 ᵇ2. 10. 656 ᵃ20. δ10. 688 ᵃ21. τόπος ἐπίκαιρος τῷ ζῆν Ζγα1. 719 ᵃ16. τόπος κύριος πκζ2. 947 ᵇ20. οἱ πρὸς μῖξιν χρήσιμοι τόποι Ζγβ7. 746 ᵇ22. ὁ τόπος ὁ γόνιμος Ζιη1. 581 ᵇ23. τόπος ὑστερικός, πνευματικὸς Ζγβ4. 738 ᵇ7. ε2. 781 ᵇ1, στηθικὸς Ζμγ4. 666 ᵇ7, θρεπτικός υ3. 457 ᵃ32, αἰσθητικὸς μν2. 453 ᵃ24, νοερός, ᾧ φρονῦμεν πᶜ1. 954 ᵃ35, 955 ᵃ1. cf οἱ λέγοντες τὴν ψυχὴν εἶναι τόπον εἰδῶν ψ4. 429 ᵃ27.

2. notio τῦ τόπῳ. προσαγορεύει Δημόκριτος τὸν τόπον τοῖσδε τοῖς ὀνόμασι, τῷ τε κενῷ χ τῷ ὀθενὶ χ τῷ ἀπείρῳ f202. 1514 ᵇ11. φασί τινες εἶναι τὸ κενὸν τὸν τόπον τῶν σωμάτων ὕλην, ὁ ψόγῳ χ τὸν τόπον, χ καλῶς Φδ7. 214 ᵃ14. Platonis de τόπῳ sententia Μν5. 1092 ᵃ17-21, suam de notione τῦ τόπῳ doctrinam exponit Ar Φδ1-5. (usitatum in explicanda ea notione voc τόπος, aliquoties pro synonymo χώρα legitur Φδ1. 208 ᵇ7, 209 ᵃ8. 2. 209 ᵇ15. Οδ2. 309 ᵇ26, 24, 25.) αἰσθητὸν (κινητὸν) ὐδὲν μὴ ἐν τόπῳ Οα7. 275 ᵇ11. δ2. 309 ᵇ26. Φυ5. 205 ᵃ10. δ5. 212 ᵇ29. ἔστι τι ὁ τόπος Φδ1. 208 ᵇ10. ἴσος ἑκάστῳ ὁ τόπος χ ἕκαστον Φδ4. 211 ᵃ27. γ5. 205 ᵃ33. cf Οα6. 273 ᵃ13. ὁ τόπος ὔτε σῶμα ὔτε μόριον σώματος ὔτε ἕξις, ἀλλὰ χωριστὸς ἑκάστυ Φδ1. 209 ᵃ6. 2. 209 ᵇ27. 4. 211 ᵇ34. ὁ τόπος τῶν συνεχῶν ἐστιν Κ6. 5 ᵃ8. ὁ τόπος ἀκίνητον Φε1. 224 ᵇ5, 12. δ4. 212 ᵃ18. ὁ τόπος ἐστὶ τὸ τῦ περιέχοντος πέρας ἀκίνητον πρῶτον, οἷον ἀγγεῖον ἀμετακίνητον Φδ4. 212 ᵃ21, 15, 5, 32. 2. 209 ᵇ1, 28. Οδ3. 310 ᵇ7. εἶναι ἐν τόπῳ κατὰ δύναμιν, κατ' ἐνέργειαν Φε5. 212 ᵇ4. τόπος κοινός, ἴδιος Φδ2. 209 ᵃ32. μένει ἕκαστον ἐν τῷ οἰκείῳ τόπῳ Φδ5. 212 ᵇ33. τόπος ὐκ ἔστιν ἔξω τῦ ὐρανῦ Οα9. 279 ᵃ12. ἔστιν ὁ τόπος ὐχ ὁ ὐρανός, ἀλλὰ τῦ ὐρανῦ τι τὸ ἔσχατον χ ἁπτόμενον τῦ κινητῦ σώματος πέρας ἠρεμῦν Φδ5. 212 ᵇ18. — ἅμα κατὰ τόπον λέγεται ὅσα ἐν ἑνὶ τόπῳ ἐστὶ πρώτῳ Φε3. 226 ᵇ22. Μχ12. 1068 ᵇ26. cf Γα5. 321 ᵃ8. χωριστὸν τόπῳ, dist λόγῳ Γα5. 320 ᵇ25. τῷ εἶναι διαιρετόν, τόπῳ δὲ χ ἀριθμῷ ἀδιαίρετον ψγ2. 427 ᵃ5. — φορὰ ἡ μεταβολὴ κατὰ τόπον Μλ2. 1069 ᵇ13. Φθ7. 260 ᵃ28. — τόπυ διαφοραί (ἐναντιότητες), εἴδη, μέρη) τἄνω χ κάτω χ ἔμπροσθεν χ ὄπισθεν χ δεξιὸν χ ἀριστερὸν Φγ5. 205 ᵇ31. δ1. 208 ᵇ12. θ8. 261 ᵇ34, 36, 262 ᵃ6. Οα4. 271 ᵃ5, 26. Γα6. 323 ᵃ6. Μχ10. 1067 ᵃ29. cf διάστημα, διάστασις. — τόποι sensu dialectico et rhetorico. οἱ τόποι εἰσὶν οἱ κοινὰ περὶ δικαίων χ φυσικῶν χ περὶ πολιτικῶν χ περὶ πολλῶν διαφερόντων εἴδει, οἷον ὁ τῦ μᾶλλον χ ἧττον τόπος ... λέγω δ' εἴδη μὲν τὰς καθ' ἕκαστον γένος ἰδίας προτάσεις, τόπυς δὲ τὰς κοινὰς ὁμοίως πάντων Ρα2. 1358 ᵃ12,32. τὸ αὐτὸ λέγω στοιχεῖον χ τόπον· ἔστι γὰρ στοιχεῖον χ τόπος, εἰς ὃ πολλὰ ἐνθυμήματα ἐμπίπτει Ρβ26. 1403 ᵃ18. 22. 1396 ᵇ22, 1395 ᵇ21. cf τα18. 108 ᵇ33. β2. 109 ᵃ34. ζ5. 142 ᵇ20. 3. 153 ᵃ25. 5. 155 ᵃ37, et definitionem Theophrasteam τῦ τόπυ Schol 252 ᵃ10. τόποι τῶν δεικτικῶν Ρβ23. τόποι φαινο-

μένων ἐνθυμημάτων Ρβ24. ὁ ἐκ τῦ παραλειπομένυ τόπος ρ37. 1443 ᵇ30. τόποι ἐκ τῶν συστοίχων χ τῶν πτώσεων τη4. 154 ᵃ12. οἱ πρὸς ταὐτὸν τόποι τοσῦτοι τη2. 152 ᵇ36. τόποι τῦ ἀσαφῶς τζ2. 139 ᵇ19. τόπον εὑρεῖν ὅθεν ἐπιχειρητέον τη1. 155 ᵇ4, 7. τὰς τόπυς ληπτέον ὅτι μάλιστα καθόλυ τη5. 119 ᵃ12. θ1. 155 ᵇ17. ἐκ τύτων τῶν τόπων ἐπισκεπτέον τζ1. 139 ᵃ37, 75. οἱ ἔλεγχοι ἐκ τύτων τῶν τόπων εἰσὶν τι4. 166 ᵇ20. cfΡβ25. 1402 ᵃ33. διδόναι τόπον ἐπιχειρήματος τβ6. 112 ᵇ4. τόποι ἀνασκευαστικοὶ τη2. 152 ᵇ37. κατασκευάζοντες, κατασκευαστικοί, χρήσιμοι πρὸς τὸ δεικνύναι τε4. 132 ᵃ25. η2. 153 ᵃ2. γ4. 119 ᵃ2. ἐπικαιρότατοι, ἐνεργότατοι τη4. 154 ᵃ12, 16, 22. ἐπικαιρότατοι χ κοινοὶ τη6. 119 ᵃ36. τόπος εὐφυέστατος χ δημοσιωτάτου τι1. 165 ᵃ5. τόπος an τρόπος scribendum sit cf τρόπος. — ἐν τῷ μνημονικῷ οἱ τόποι τεθέντες εὐθὺς ποιῦσι μνημονεύειν τθ14. 163 ᵇ29. ἀπὸ τόπων δοκῦσιν ἀναμιμνήσκεσθαι ἐνίοτε μν2. 452 ᵃ13.

τόρνος. καθάπερ τῆς ἐν τόρνῳ κυκλοφορυμένης σφαίρας κ2. 391 ᵇ22.

Τορώνη. ἐν Τορώνῃ Ζιε16. 548 ᵇ15. περὶ Τορώνης Ζιγ21. 523 ᵃ7. δ5. 530 ᵇ10.

τοσαυτάκις τοσῦτος ὅσος ὁ τῷ μορίῳ χρόνος πολλαπλασιασθεὶς τῷ πλήθει τῶν μορίων Φζ7. 237 ᵇ32.

τοσαυταπλάσιον πιθ2. 917 ᵇ23. κα22. 929 ᵇ14.

τοσαυταχῶς χ τὸ πέρας λέγεται, ὁσαχῶς ἡ ἀρχή sim Μδ17. 1022 ᵃ11. 7. 1017 ᵃ24. Φβ3. 195 ᵃ3. Ζμβ2. 648 ᵇ24.

τόσος. ὅσῳ μᾶλλον ..., τόσῳ μᾶλλον ατ969 ᵃ25. ἡ ὑγρότης ἐστὶ τόση ὥστε φτβ7. 827 ᵃ30.

τοσόσδε. τοσόνδε γὰρ μέγεθος εἰ κρεῖττον τοσῦδε, τοσόνδε δῆλον ὡς ἴσον Πγ12. 1283 ᵃ8. — ὔτε κινεῖ ὔτε κινεῖται τὸ εἶδος ὔτε ὁ τόπος ἢ τὸ τοσόνδε Φε1. 224 ᵇ6.

τοσοδί. ἔσται τὸ τοιῳδὶ εἶναι χ τοσῳδὶ ταὐτὸν Φα2. 185 ᵇ25. ὅταν τοιονδὶ γένηται χ τοσονδὶ τὸ ὑγρόν μδ2. 379 ᵇ28.

τοσῦτος. τοσῦτον ὕδωρ· τοσῦτον τῦ ὕδατος πλῆθος μα12. 348 ᵃ13. β1. 353 ᵃ13. 2. 355 ᵇ21. τῷ τιμήματος τὸ πλῆθος ἁπλῶς μὲν ὁρισαμένοις ὐκ ἔστιν εἰπεῖν τοσῦτον ὑπάρχειν Πδ13. 1297 ᵇ3. ἄστρων τοσῦτον χ τὸ πλῆθος χ τὸ μέγεθος ὄντων μβ2. 355 ᵃ20. τοσῦτοι τὸ πλῆθος Πγ13. 1283 ᵇ12. ἀναγκαῖον πολιτείας εἶναι τοσαύτας, ὅσαι περ τάξεις Πβ3. 1290 ᵃ11. ἔλαττον τοσῦτῳ ὅσῳ sim μβ3. 358 ᵇ14. Ζμγ5. 667 ᵇ35. τοσῦτον ὥστε μγ6. 378 ᵃ3. ὅσον ἀνάγκη, τοσῦτον λέγωμεν μγ4. 374 ᵃ17. τοιαῦτα χ τοσαῦθ' ἡμῖν εἰρήσθω μβ1. 354 ᵃ34. ἐπὶ τοσῦτον εἰρήσθω Πδ15. 1300 ᵃ9, cf εἰπεῖν p 221 ᵇ56.

τότε, opp νῦν Φε1. 1305 ᵃ10. β6. 1265 ᵇ2. μα14. 352 ᵇ2. β3. 357 ᵇ15 al. ὅταν ... τότε Πγ16. 1287 ᵃ40. μδ3. 380 ᵃ13. ἐὰν ... τότε Πε8. 1308 ᵇ37. cf β6. 1265 ᵇ2. τότε ... ὅταν Ζγβ4. 737 ᵇ11. 6. 745 ᵇ8.

τυτέστιν f85. 1490 ᵇ42.

τράγαιναι v αἴξ p 18 ᵃ7.

τραγᾶν. τὰς ἀμπέλυς, ὅταν μὴ φέρωσι, τραγᾶν καλῦσιν ἀπὸ τῦ πάθυς τῶν τράγων Ζιε14. 546 ᵃ3. Ζγα18. 725 ᵇ34, 726 ᵃ2.

τραγέλαφος. πῆ ἐστι τραγέλαφος ἢ σφίγξ; Φδ1. 208 ᵃ30. cf ε1. 16 ᵃ16 Wz. Αα38. 49 ᵃ24. δ7. 92 ᵇ7.

τραγήματα διὰ τί ἐδεστέον πκβ6. 930 ᵇ12. τραγήματα, syn τρωγάλια, dist ἐδέσματα, βρώματα f100. 1494 ᵃ27, 29, 33, 35.

τραγηματίζειν ἐν τοῖς θεάτροις Ηκ5. 1175 ᵇ12.

τραγηματισμός. ἐνδορπισμός τις ὁ τραγηματισμός ἐστιν f 100. 1494 ᵃ32.

τραγίζειν. γίνεται (τοῖς ἀρχομένοις ἡβᾶν) ὃ καλῦσί τινες τραγίζειν, ὅταν ἀνώμαλος ᾖ ἡ φωνή Ζγε7. 788 ᵃ1. Ζιη1. 581 ᵃ21. cf S I 530. Oken Isis 1828 p 849. αἱ φωναὶ παχεῖαι (sed cf ὁμοία φαινομένη ταῖς παρανενευρισμέναις χ τραχείαις χορδαῖς Ζιη1. 581 ᵃ20) γίγνονται χ τῶν τραγιζόντων χ τῶν βραγχιώντων χ μετὰ τὰς ἐμετὰς ακ804 ᵃ17.

τραγικός. χορὸς τραγικός, κωμικός Πγ3. 1276 ᵇ5. τὰ τραγικὰ πρόσωπα χ οἱ στρυφνοὶ πλα7. 958 ᵃ17. τῶν μεταφορῶν αἱ μὲν ἀπρεπεῖς διὰ τὸ γελοῖον, αἱ δὲ διὰ τὸ σεμνὸν ἄγαν χ τραγικόν Ργ3. 1406 ᵇ8, 16. τραγικώτερον ὕτω χ σεμνότερον ὑπέλαβον ἴσως εἶναι τὸ λεγόμενον μβ1. 353 ᵇ1. τραγικὸν τῦτο χ φιλάνθρωπον· τό τε γὰρ μιαρὸν ἔχει χ ὒ τραγικόν, ἀπαθὲς γάρ πο18. 1456 ᵃ21. 14. 1453 ᵇ39. Vhl Poet II 24, 59. ἐπὶ τῶν σκηνῶν χ τῶν ἀγώνων τραγικώταται αἱ τοιαῦται (συστάσεις) φαίνονται· τραγικώτατός γε τῶν ποιητῶν φαίνεται (Εὐριπίδης) πο13. 1453 ᵃ27, 29. Vhl Poet II 16. ἡ παρακαταλογὴ ἐν ταῖς ᾠδαῖς τραγικόν, syn παθητικόν πιθ6. 918 ᵃ10, 11. — οἱ τραγικοί (πῶς ποιῶσι τὰς προλόγας) Ργ14. 1415 ᵃ18. — πότερον βελτίων ἡ ἐποποιικὴ μίμησις ἢ ἡ τραγική πο26. εἰς τὴν τραγικὴν χ ραψῳδίαν ὀψὲ παρῆλθεν (ἡ ὑπόκρισις) Ργ1. 1403 ᵇ22.

τράγιον. τὸ τράγιον τμηθὲν χ φυτευθὲν παρὰ τὴν θάλασσαν τυχὸν ἔσται σισύμβριον φτα7. 821 ᵃ29. cf Meyer Nic Damasc p 99. Oribas I 556.

τράγος. 1. ὁ ἄρρην αἴξ v αἴξ 17 ᵇ53. βρωμᾶται, τράγος (v l ταῦρος) διδυμοτόκος, τὰ πρόσωπα (ἐλάφων) διὰ τὸ φαίνεσθαι μέλανα γίνεται ὥσπερ τῶν τράγων Ζιζ29. 579 ᵃ1, 3 Aub. 19. 573 ᵇ32. οἱ τράγοι πίονες ὄντες ἧττον γόνιμοί εἰσιν, syn τὸ πάθος τῶν τράγων Ζιε14. 546 ᵇ1. Ζγα18. 726 ᵃ1, 2. περὶ τὰς καιρὰς τῆς ὀχείας μάχονται πρὸς ἀλλήλες, ἴδιαι φωναὶ Ζιζ18. 571 ᵇ21. ὁ 9. 536 ᵃ15. οἱ δασείας ἔχοντες τὰς κνήμας λαγνοί· ἀναφέρεται ἐπὶ τὰς τράγας φ6. 812 ᵇ14. — τράγοι ci C (ταῦροι Bk) Ζιω3. 611 ᵃ2 Aub. — 2. τράγοι σπόγγοι v σπόγγος 2. — 3. τράγοι μαινίδες ἄγριοι v μαινίς p 442 ᵃ30.

τραγῳδεῖν. πρόσκειται ἐν τύτῳ (τῷ Ζήνωνος λόγῳ ὃς καλεῖται Ἀχιλλεύς) ὅτι ὐδὲ τὸ τάχιστον τετραγῳδημένον ἐν τῷ διώκειν τὸ βραδύτατον Φζ9. 239 ᵇ25.

τραγῳδία. ἡ τῆς τραγῳδίας ποίησις (εἶδός τι τῆς ποιήσεως) πο1. 1447 ᵃ13. ἀντιποιῦνται τῆς τε τραγῳδίας χ τῆς κωμῳδίας οἱ Δωριεῖς πο3. 1443 ᵃ30. ὑπεκρίνοντο αὐτοὶ τὰς τραγῳδίας οἱ ποιηταὶ τὸ πρῶτον Ργ1. 1403 ᵇ24. tragoediae origo et incrementa πο4. 1449 ᵃ1-30. τῆς τραγῳδίας πρὸς τὴν κωμῳδίαν τίς ἡ διαφορά πο2. 1448 ᵃ16. cf 4. 1449 ᵃ1, 2. (ἐκ τῶν αὐτῶν τραγῳδία χ κωμῳδία γίνεται γραμμάτων Γα2. 315 ᵇ14. περὶ τραγῳδίας πο6-22. 25. 26. τραγῳδία def: ἔστιν ὖν τραγῳδία μίμησις πράξεως σπυδαίας χ τελείας, μέγεθος ἐχύσης, ἡδυσμένῳ λόγῳ χωρὶς ἑκάστῳ τῶν εἰδῶν ἐν τοῖς μορίοις, δρώντων χ ὐ δι' ἀπαγγελίας, δι' ἐλέυ χ φόβυ περαίνεσα τὴν τῶν τοιύτων παθημάτων κάθαρσιν πο6. 1449 ᵇ24 (Bernays Trag). cf 7. 1450 ᵇ24. 11. 1452 ᵇ1. (διαφέρει πολὺ τὰ παράνομα χ δεινὰ προϋπάρχειν ἐν ταῖς τραγῳδίαις ἢ πράττεσθαι Ηα11. 1101 ᵃ33.) τραγῳδίας μέρη ἕξ, μῦθος ἤθη διάνοια λέξις ὄψις μελοποιία πο6. 1450 ᵃ8 (Vhl Rgfolge). τὰ πράγματα χ ὁ μῦθος τέλος τῆς τραγῳδίας πο6. 1450 ᵃ23, 16. cf 18. 1456 ᵃ7. νῦν περὶ ὀλίγας οἰκίας αἱ κάλλισται τραγῳδίαι συντίθενται πο13. 1453 ᵃ19. αἱ τῶν νέων τῶν πλείστων ἀήθεις τραγῳδίαι

εἰσίν, syn ὐδὲν ἔχειν ἦθος πο6. 1450 ᵃ25, 28. τραγῳδίας μέρη κατὰ τὸ ποσὸν χ εἰς ἃ διαιρεῖται κεχωρισμένα πο12. L Schmidt, Jahn Jahrb 75, 713 sqq. πάσης τραγῳδίας τὸ μὲν δέσις τὸ δὲ λύσις πο18. 1455 ᵇ24. τραγῳδίας εἴδη τέσσαρα πο18. 1455 ᵇ32. 24. 1459 ᵇ9. Vhl Poet II 47. ὐδὲ οἱ τὰς τραγῳδίας ποιῦντες ἔτι χρῶνται τὸν αὐτὸν τρόπον (τῇ ξενικῇ λέξει) Ργ1. 1404 ᵃ29. τραγῳδίας μῆκος πο5. 1449 ᵇ12. 7. 1451 ᵃ6. χρὴ μὴ ποιεῖν ἐποποιικὸν σύστημα τραγῳδίαν πο18. 1456 ᵃ2. ὐκ ἔοικεν ἡ φύσις ἐπεισοδιώδης ὖσα ὥσπερ μοχθηρὰ τραγῳδία Μν3. 1090 ᵇ20. cf πο9. 1451 ᵇ33. tragoedia comparatur cum epica poesi πο26. τὰ εἴδη ταῦτα δεῖ ἔχειν τὴν ἐποποιίαν τῇ τραγῳδίᾳ πο24. 1459 ᵇ9.

τραγῳδοδιδάσκαλος. οἱ μὲν ἀντὶ τῶν ἰάμβων κωμῳδοποιοὶ ἐγένοντο, οἱ δὲ ἀντὶ τῶν ἐπῶν τραγῳδοδιδάσκαλοι πο4. 1449 ᵃ5.

τραγῳδός. ἡ διὰ τῆς κοσμήσεως ὐδὲν διαφέρυσά ἐστι τῆς τῶν τραγῳδῶν ἐν τῇ σκευῇ πρὸς ἀλλήλυς ὁμιλία οα4. 1344 ᵃ21. ἐπὶ Καλλίυ σύνδυο ἔδοξε χορηγεῖν τὰ Διονύσια τοῖς τραγῳδοῖς χ κωμῳδοῖς f 587. 1573 ᵇ33.

τράπεζα. εἰ τις ἐπὶ τράπεζαν μεγάλην περιτείνειεν ὕδατος κύαθον μβ2. 355 ᵇ8. Μάγνητες παρέχυσι τοῖς ἐπιδημῦσι στέγην, κλίνας, στρώματα, τράπεζαν f 588. 1574 ᵃ2. ἡ κακῶς ἔοικεν εἰπεῖν ὁ πρῶτος δευτέραν προσαγορεύσας τράπεζαν (τὰ τραγήματα) f 100. 1494 ᵃ31. — τῶν νομισμάτων τὴν καταλλαγὴν ἀπέδοντο μιᾷ τραπέζῃ οβ1346 ᵇ25.

τραπέζιον. τραπέζια, dist τρίγωνα πιε4. 911 ᵃ7.

Τραπεζὺς ἡ ἐν τῷ Πόντῳ θ18. 831 ᵇ22.

τραυλίζειν. δηλοῖ δ' ὅσοις μὴ λίαν ἀπολέλυται (ἡ γλῶττα)· ψελλίζονται γὰρ χ τραυλίζυσι, τῦτο δ' ἐστὶν ἔνδεια τῶν γραμμάτων Ζμβ17. 660 ᵃ26. (παιδία) ψελλίζυσι χ τραυλίζυσι τὰ πολλὰ Ζιθ9. 536 ᵇ8.

τραυλός. ἡ γλῶττα ἢ λελυμένη ἢ καταδεδεμένη, ὥσπερ τοῖς ψελλοῖς χ τοῖς τραυλοῖς Ζια11. 492 ᵇ33. ὖτε τὰ παιδία δύνανται διαλέγεσθαι σαφῶς ὐθ' ὅσοι φύσει τραυλοὶ τυγχάνυσιν ὄντες ακ801 ᵇ7. διὰ τί ὐ μόνον ἰσχνόφωνοι, ἀλλὰ χ τραυλοὶ χ ψελλοὶ οἱ παῖδες πια30. 902 ᵇ22 (cf τραυλότης). 38. 903 ᵇ23.

τραυλότης, τῷ γράμματός τινος μὴ κρατεῖν, χ τῦτο ὐ τὸ τυχόν πια30. 902 ᵇ23.

τραῦμα. τὰ εἰς τὴν κοιλίαν τραύματα Ζμγ3. 664 ᵇ18. ἀδύνατον νεκρῶν τραύματα μύειν f 159. 1504 ᵇ44.

τραυματίας. ὁ Τηλέγονος ὁ ἐν τῷ τραυματίᾳ Ὀδυσσεῖ (fort Sophoclis, Nck fr tr p 182) πο14. 1453 ᵇ34.

τραυματίζειν πλβ13. 961 ᵇ6. τραυματιζομένυ τῷ τόπῳ συμβαίνει αὐτὸν χ ἕλκεσθαι πο2. 893 ᵃ26.

τράχηλος. 1. collum, cervix cf Plat Tim 75D. Galen XIV 703. περιστρέφειν τὸν τράχηλον εἰς τὐπίσω· γυναῖκες χαρισίαν τοῖς τραχήλοις περιάπτυσι Ζιβ12. 504 ᵃ16. θ163. 846 ᵇ8. τὰ μόρια τὰ περὶ τὸν τράχηλον Ζμδ10. 685 ᵇ34. Ζιθ21. 603 ᵇ17. ι14. 616 ᵃ17. φ6. 812 ᵃ28 al. ὁ σφόνδυλος τῦ τραχήλυ, ὁ ὕστατος τῦ τραχήλυ σφόνδυλος Ζιγ3. 513 ᵇ25, 16. τὸ πρόσθεν τῦ τραχήλυ θ137. 844 ᵇ8. τὸ ἀπὸ τῦ ἀκροστηθίυ πρὸς τὸν τράχηλον φ6. 810 ᵇ18. ἡ τῦ τραχήλυ κίνησις, εἰ ἐν τὸ ὀστῦν πιυ7. 484 ᵇ32. φλέβες ἐν τῷ τραχήλῳ, ἐπὶ τῦ τραχήλυ Ζιγ2. 512 ᵃ25 (cf διὰ τῶν σφαγῶν ᵃ27). 3. 513 ᵇ15, 25, 514 ᵃ12. φ6. 812 ᵃ28. πλε8. 965 ᵃ28. τὸ θερμὸν ἐξ ἀνακλάσεως σχιζόμενον τὸ μὲν ἐπὶ τὸν τράχηλον χ τὴν κεφαλὴν φέρεται πι54. 897 ᵃ6. τράχηλος ἐρρωμένος ὒ σφόδρα σαρκώδης (ἀνδρείυ σημεῖον), τὰ περὶ τὰς ὠμοπλάτας χ τράχηλον ἰσχνότερα (εὐφυῦς), τρά-

χῆλος παχύς (ἀναισθήτῳ), ὅσοι τὸν τράχηλον παχύν, λεπτὸν
ἔχουσιν, οἷς τράχηλος παχὺς χ πλέως, εὐμεγέθης μὴ ἄγαν
παχύς, λεπτὸς μακρός, βραχὺς ἄγαν φ3. 807 ᵃ35, ᵇ14,
25. 6. 811 ᵃ10-17. — ὑῶν λέοντος ταύρῳ ἐλάφῳ λύκῳ
Ζιθ21. 603 ᵇ17. φ5. 809 ᵇ24, 811 ᵃ15, 14, 16, 17. θ110.
840 ᵇ22. — πάντα τὰ τὸς τραχήλυς ἔχοντα μακρὸς φθέγ-
γονται βιαίως, οἷον οἱ χῆνες χ γέρανοι χ ἀλεκτρυόνες ακ800
ᵇ22 (cf Theophr fragm 89, 5). ὠτίδων τράχηλος λεπτός
f 275. 1527 ᵇ18. τὰ περὶ τὸν τράχηλον πτερώματα, ξανθὰ
χ6. 798 ᵃ12, 799 ᵃ3. ἴυγγος ἀλκυόνος κόρακος Ζιβ12. 504
ᵃ16. ι13. 616 ᵃ17. θ137. 844 ᵇ8. οἱ τῶν περιστερῶν τρά-
χηλοι χρυσοειδεῖς, ὁ τῆς περιστερᾶς τράχηλος διαφόρων χρω-
μάτων φαντασίαν ποιεῖ· προσβαλλύσης τῷ τραχήλῳ τῆς
(τῷ ἡλίῳ) ἀκτῖνος τοῖς μὲν κυανὸς φαίνεται τοῖς δὲ χρυ-
σίζων τοῖς δὲ μέλας ἄλλοις ἀλλοῖος χ 3. 793 ᵃ15. 6. 799
ᵇ20 v l. — ὄφεως Ζιβ12. 504 ᵃ16. ι6. 612 ᵃ35. (cf Da-
remberg not et extraits 126, 19. Sonnenburg 12.) —
2. cauda, postabdomen crustaceorum. (κάραβος ἔχει) πτε-
ρύγια πρὸς τῷ τραχήλῳ, τὰ περὶ τὸν τράχηλον καλύμενον
('ex usu vulgi' S) διῄρηται μὲν ἔξωθεν πενταχῇ Ζιδ2. 526
ᵃ3, ᵇ8 (cf Young on the Malakostr of Ar p 244). — 3. fort
vocabulum artis purpurariorum. 'der hinter dem Kopf lie-
gende dünnere Theil des Körpers' Aub. (αἱ πορφύραι) τὸ
ἄνθος ἔχυσιν ἀνὰ μέσον τῆς μήκωνος χ τῷ τραχήλῳ Ζιε15.
547 ᵃ16, cf 24 (cf A Schmidt griech Papyrusurkunden
135 adn. Oribas I 594). — 4. fort i q καυλός p 380 ᵃ11.
σκώληκες περὶ τὸν τράχηλον (τῶν ἀκρίδων) Ζιε28. 556 ᵃ2
S et Aub (cf καυλὸς τῆς κύστεως Ζια17. 497 ᵃ24 et ὁ
τράχηλος τῆς ὑποδοχῆς κύστεως Alex Aphr probl ed Usener
I κβ). — 5. ὁ πολύπυς, ζῷον, τὸν τράχηλον ἀσθενές Ζιι37.
622 ᵃ34. — 6. αἱ σικύαι αἵ ἔχυσι τὸς τραχήλυς μακρὸς
Ζι14. 616 ᵃ23.

τραχύνειν. ὁ οἰσοφάγος σαρκώδης, ὅπως μαλακὸς ᾖ χ ἐν-
διδῷ χ μὴ βλάπτηται τραχυνόμενος ὑπὸ τῶν κατιόντων
Ζμγ3. 664 ᵃ35. τὸ ὕδωρ ὅταν τραχυνθῇ, καθάπερ ἡ τῆς
θαλάττης φρίκη (μέλαν φαίνεται) χι. 791 ᵃ21. (τὸ ψυχρὸν
συνίστησι χ τραχύνει τὸ ὑγρόν, τὸ δὲ θερμὸν ἐκπνευματοῖ
πα53. 866 ᵃ2?) τραχύνεσθαι διὰ τί συμβαίνει τὰς φωνάς,
διὰ τὸ τετραχύνθαι τὴν ἀρτηρίαν ακ803 ᵇ2-18, 804 ᵇ18.
πια22. 901 ᵇ7. σάλπιγξ τετραχυσμένη Ζιδ9. 536 ᵇ23.

τραχυντικὸν τὸ αὐστηρόν, opp τὸ γλυκὺ λεαντικὸν χ γλί-
σχρον πγ13. 872 ᵇ6.

τραχυόστρακα, opp λειόστρακα Ζιδ4. 528 ᵃ23. f 287.
1528 ᵇ12.

τραχύπυν ἡ πελειάς Ζιε13. 544 ᵇ4.

τραχύς. λεῖον μὲν τῷ ἐπ' εὐθείας πως τὰ μόρια κεῖσθαι,
τραχὺ δὲ τῷ τὸ μὲν ὑπερέχειν τὸ δὲ ἐλλείπειν K8. 10 ᵃ23.
τόποι (χῶραι) τραχεῖς, τὰ τραχέα Ζιθ29. 607 ᵃ10. ι41.
628 ᵇ10. ε17. 549 ᵇ17, 14. σπόγγοι τραχεῖς Ζιε16. 548
ᵇ4, 24. κεφαλὴ ἀκανθώδης χ σφόδρα τραχεῖα Ζγγ3. 754
ᵃ28. σῶμα τραχύ· δέρμα τραχύ· τῶν σελαχῶν τὰ μὲν
τραχέα ἐστὶ τὰ δὲ λεῖα· κέρας τραχύτερον Ζιβ11. 503
ᵃ20. 13. 505 ᵃ26. ε16. 548 ᵇ4, 24. ι5. 611 ᵃ35. Ζμδ13.
697 ᵃ7, 6. τραχεῖαν ἄσιλλαν (Simonid fr 163) Pα7.
1365 ᵃ26. 9. 1367 ᵇ19. ψόφοι τραχεῖς ακ803 ᵇ12. φωναὶ
τραχύτεραι ακ802 ᵇ3. φωναὶ τραχεῖαι χ λεῖαι πια11.
900 ᵃ10. ἡ φωνὴ (τοῖς ἡβῶσι) μεταβάλλειν ἄρχεται ἐπὶ
τὸ τραχύτερον χ ἀνωμαλέστερον, ὁμοία ταῖς παρανενευρι-
σμέναις χ τραχείαις χορδαῖς Ζιη1. 581 ᵃ18, 20.

τραχύτης, opp λειότης, referuntur inter τὰς τῶν σωμάτων
διαφοράς (cf πάθος p 556 ᵇ29) Ζιβ1. 646 ᵃ19. 2. 648 ᵇ6

(τραχύτητες). α4. 644 ᵇ14. τραχύτης τῷ σώματος, τῆς κέρκυ,
τῆς γλώττης Ζμδ5. 681 ᵇ5. Ζγγ3. 754 ᵃ30. Ζιζ10. 565
ᵇ28. μτ1. 462 ᵇ31. f 293. 1529 ᵃ22. τραχύτης τῆς ἀρτηρίας
ακ804 ᵃ18. τραχύτης φωνῆς, opp λειότης ψβ12. 422 ᵇ31.
Ζγε7. 786 ᵇ10, 788 ᵃ27 (syn τραχυφωνία 788 ᵃ22). πια11.
900 ᵃ14.

τραχυφωνία Ζγε7. 788 ᵃ22, cf τραχύτης φωνῆς.

τρεῖν. τρεῖ (Hom Λ 554. P 663) Ζυ44. 629 ᵇ23.

τρεῖς, τρία. τὰ τρία πάντα, τὸ πᾶν χ τὰ πάντα τοῖς τρισὶν
ὥρισται (Pythag) Oα1. 268 ᵃ9, 11. cf μγ4. 374 ᵇ34. πκϛ9.
941 ᵃ24. ἤδη δὲ ἀπέδωκε τῶν τοιύτων (ἱ ε τῶν ἐν τῷ
σώματι σημείων) τι διὰ τριῶν (ἱ ε ἐν τῷ τρίτῳ γένει)
Ζιη6. 585 ᵇ32.

τρέμειν. τῆς σκιᾶς τὸ ἄκρον τῷ ἡλίῳ τρέμειν φαίνεται πιε13.
913 ᵃ5. Σοφοκλῆς ὑκ ἔφη τρέμειν ἵνα δοκῇ γέρων, ἀλλ'
ἐξ ἀνάγκης Pγ15. 1416 ᵃ15. σείεται χ τρέμει ἡ φωνή
πια62. 906 ᵃ17. 31. 902 ᵇ30. οἱ φοβύμενοι (οἱ πρεσβῦται)
τρέμυσι, μάλιστα τρέμυσι τὴν φωνὴν πια62. 906 ᵃ12. κζ1.
947 ᵇ12. 6. 948 ᵃ35. 7. 948 ᵇ6.

τρέπειν. οἱ τόποι ἐφ' ὃς τρέπεται (ὁ ἥλιος) χ ἀφ' ὧν μβ4.
361 ᵃ15. ὅταν ὁ ἥλιος τραπῇ θᾶττον Ζυ3. 611 ᵃ5. τρα-
πείσης τῆς ὥρας Ζυ41. 628 ᵇ26. — τὴν αἰτίαν εἰς τὸν
ἐναντίον τρέποντες, syn ἀντιστρέφειν ρ37. 1442 ᵇ22, 6. —
τὸ περίττωμα τρέπεται εἰς τὸ σῶμα, εἰς τὴν κάθαρσιν, εἰς
τὸς μαστὸς Ζμγ7. 670 ᵇ15. β13. 657 ᵇ9. Ζιη2. 582 ᵇ32,
583 ᵃ3. 4. 584 ᵃ9. — τρεπτός. μετὰ τὴν αἰθερίαν χ θείαν
φύσιν συνεχής ἐστιν ἡ δι' ὅλων παθητή τε χ τρεπτή κ2.
392 ᵃ33.

τρέφειν. νεῖκος ἑνὶ μελέεσσιν ἐθρέφθη (Emp 177) Μβ4. 1000
ᵇ14. τρέφεσθαι, dist γίγνεσθαι: ἡ φλὸξ γίγνεται χ ὑ
τρέφεται ὑ γὰρ ἡ αὐτὴ ὑσα διαμένει ὑθένα χρόνον ὡς
εἰπεῖν μβ2. 355 ᵃ10, cf 17, 354 ᵇ34. dist αὐξάνεσθαι: τρέ-
φεται μὲν ἕως ἂν σώζηται ἡ φθίνη (φθίνον ci Prtl), αὐ-
ξάνεται δὲ ὑκ ἀεὶ Γα5. 322 ᵃ24, 23, 21. ἅπαντα τρέφεται
τοῖς αὐτοῖς ἐξ ὧνπερ ἐστίν, ἅπαντα δὲ πλείοσι τρέφεται
Γβ8. 335 ᵃ10. τὸ μὲν τρέφον ἐστὶ ἡ πρώτη ψυχή, τὸ δὲ
τρεφόμενον τὸ ἄγχον αὐτὴν σῶμα ψβ4. 416 ᵇ21, 10. Ζμβ7.
652 ᵇ11. τὰ παιδία τρέφονται ἐν ταῖς ὑστέραις Ζγβ7. 746
ᵃ19. τρέφεσθαι ἐκ τὸ ὠῦ, ἐκ τὸ ὠχρῦ Ζγγ3. 755 ᵃ4. 1.
751 ᵇ8. τὸ περίττωμα μιγνύμενον τροφῇ καθαρᾷ τρέφει
Ζγα18. 725 ᵃ17. cf 20. 728 ᵃ30. πάντα τρέφεται τῷ γλυκεῖ
αι4. 442 ᵃ2. σαρκοφάγοι χ μηδενὶ τρέφεσθαι καρπῷ Ζμδ1.
662 ᵇ2. τρέφεσθαι τῇ δρόσῳ Ζιε30. 556 ᵇ16. ἡ τρέφυσα
(τὸς τὸ κόκκυγος νεοττὸς) ὄρνις Ζυ29. 618 ᵃ16. τὰ οἴκοι
τρεφόμενα· οἱ τρέφοντες ἀλεκτορίδας Ζυ50. 632 ᵇ6. ζ9.
564 ᵇ3. ἄριστον πρὸς τὸ πιαίνειν χ τρέφειν ὑ ἐρεβίνθοι Ζιθ21.
603 ᵇ27. — ἀεί τι ἡ Λιβύη τρέφει καινόν Ζγβ7. 746 ᵇ8,
cf παροιμία p 570 ᵇ6. — τρέφεσθαι ἐκ κοινῆς, ἀπὸ τῆς πόλεως
Πβ10. 1272 ᵃ20. δ6. 1293 ᵃ19. χώρα ἀπέραντος, ἐξ ἧς
θρέψονται ἀργοὶ πεντακισχίλιοι Πβ6. 1265 ᵃ16. περὶ τῆς
ἀποθέσεως χ τροφῆς τῶν γιγνομένων, ἔστω νόμος μηθὲν
πεπηρωμένον τρέφειν Πη16. 1335 ᵇ21. τραφῆναι καλῶς δεῖ
χ ἐθισθῆναι Ηκ10. 1180 ᵃ15. ἐν ἄλλοις τεθραμμένοι νόμοις
Πη6. 1327 ᵃ14. — τρέφειν intrans videtur usurpatum esse
φτβ6. 826 ᵇ5.

τρεψίχρως πολύπυς f 289. 1528 ᵇ24.

τρῆμα. τὸ τῆς ἀρτηρίας τρῆμα τὸ εἰς τὸ στόμα τεῖνον· τρή-
ματα διὰ παντός ἐστι τῷ πλεύμονος. ἀεὶ ἐκ μειζόνων εἰς
ἐλάττω διαδιδόμενα· (αἰδοίῳ) τὸ μὲν ἐξωτάτω τρῆμα συν-
ερρωγὸς εἰς ταὐτό, μικρὸν ὑποκάτω· τὸ μὲν ὢν εἰς τὸς
ὄρχεις φέρει τῶν τρημάτων, τὸ δ' εἰς τὴν κύστιν Ζια16.

495 ᵃ29, ᵇ10. cf γ3. 513 ᵇ18, 21. α17. 497 ᵃ25, 27. τρήματα πυκνά (Emp 355) αν7. 493 ᵇ21. — ἡ διὰ μέσης τῆς σύριγγος τρήματος φωνὴ τῇ δι' ὅλης τῆς σύριγγος συμφωνεῖ διὰ πασῶν πιθ23. 919 ᵇ4.

τρηματώδη ζῷα, opp ἄτρητα Ζιa1. 488 ᵃ25.

τρῆσις. μεταξὺ τῶν τρήσεων ἡ καλομένη ἐπιγλωττίς Ζιa16. 495 ᵃ28. διὰ τῆς τῶν πόρων τρήσεως (ci Prtl, κινήσεως codd Bk) Γa8. 326 ᵇ7.

τριάκοντα. οἱ τριάκοντα, ἐπὶ τῶν τριάκοντα, ἐν τοῖς τριάκοντα Ἀθήνησι Ρβ23. 1400 ᵃ18, 33. Πε6. 1305 ᵇ25. ἡ τῶν τριάκοντα ὀλιγαρχία, οἱ τριάκοντα τύραννοι f 413. 1546 ᵇ43. 372. 1540 ᵃ26. τριάκοντα τυράννους κατέλυσεν Ρβ24. 1401 ᵃ34.

τριακοντάμηνος ὄνος, ἵππος Ζιε14. 545 ᵇ21. ζ22. 576 ᵃ3.

τριακοντέτης (vl τριακονταέτης) βίος ἵππων μακρότατος Ζιζ22. 576 ᵃ30.

τριακόσιοι Πδ4. 1290 ᵃ35.

τριάς, def Αβ13. 96 ᵃ35. τῇ τριάδι διὰ τί ὥρισται τὸ πᾶν Οα1. 268 ᵃ13. cf πκς9. 941 ᵃ25. αὐτὴ τριάς, ἡ τριὰς ἡ πρώτη Μμ6. 1080 ᵃ27. 7. 1081 ᵇ31. ἐκ τριάδος τὰ ἐπίπεδα (Plat) Μν3. 1090 ᵇ23.

τριάς, νόμισμα Σικελικόν f 467. 1554 ᵇ44, 1555 ᵃ6.

Τριβαλλοὶ τὰς πατέρας θύουσι τβ11. 115 ᵇ23, 26.

τρίβειν ἀμφορέως τὸν πύνδακα πκε2. 938 ᵃ14. τρῖψαι τὸν ὀφθαλμόν, τὴν ῥῖνα πλα1. 957 ᵃ38, ᵇ2, 3 (cf Did probl ined 299, 29). λγ2. 961 ᵇ27. Ἀγκαῖος τρίψας βότρυν f 530. 1566 ᵃ19. ὅπως μὴ ἀμβλύνωνται (οἱ ὀδόντες) τριβόμενοι πρὸς ἀλλήλους Ζμγ1. 661 ᵇ22. τὰ χονδρώδη οἷον σταιβή, πρὸς τὸ ἀλλήλα μὴ τρίβειν Ζμβ9. 654 ᵇ26. αἱ ἀκρίδες τοῖς πηδαλίοις τρίβουσαι ποιοῦσι τὸν ψόφον Ζιδ9. 535 ᵇ12. τὰ μέρη τριβόμενα σαρκοῦται πε14. 882 ᵃ13. τῇ καθέξει τῷ πνεύματος ἢ τριβόμενοι γυμναζόμεθα ᾗ τρίβοντες πβ5. 867 ᵃ3. — στὰς τριβόμενον, μᾶζαι (ἄρτοι) σφόδρα τετριμμέναι, μᾶζα ὅσῳ ἂν μᾶλλον τριφθῇ πκα15. 929 ᵃ6. 17. 929 ᵃ41. 2. 927 ᵃ20. 8. 927 ᵇ21. — τοῖς πειρωμένοις τρίβεσθαι περὶ τὴν τῷ σπέρματος πρόεσιν ἡδονὴ γίνεται Ζιη1. 581 ᵃ29 S. — τρίβεσθαι ὑπὸ πόνῳ ηεγ1. 1228 ᵇ32.

τριβή. τριβῇ ζητεῖν (opp τέχνῃ, μέθοδος) τι34. 184 ᵇ2.

τριγενῆ γίγνεται τὰ ἔντομα Ζγγ9. 759 ᵃ3.

τρίγλη (vl τρίγλα Ζιθ13. 598 ᵃ21. 2. 591 ᵇ19. ε9. 543 ᵃ5. cf S I 282. Dietz ad Hippocr morb sacr 128). etymol f 313. 1531 ᵃ26. cf Rose Ar Ps 316. refertur inter τὰς προσγείους, γίνονται ἐν ταῖς λιμνοθαλάτταις Ζιθ13. 598 ᵃ10, 21, inter τὰς ἀγελαίας, syn συναγελαστική Ζιζ17. 570 ᵇ22. ι2. 610 ᵇ5. f 313. 1531 ᵃ32. ἢ πλανᾶται, παντόστικτος, καρχαρόδους, σαρκοφάγος Ζιθ37. 621 ᵇ7. f 313. 1531 ᵃ32, 33. ἢ φυκίοις τρέφονται ἢ ὀστρείοις ἢ βορβόρῳ ἢ σαρκοφάγωσιν ἔχει ἀποφυάδας πολλὰς Ζιθ2. 591 ᵃ12. βι17. 508 ᵇ17. ἡ τρίγλη δύναται ὀρύττειν· ὁ σάργος ἐπινέμεται τῇ τρίγλῃ Ζιθ2. 591 ᵇ19. (οἱ φθεῖρες οἱ θαλάττιοι) γίνονται πανταχῇ, μάλιστα δὲ περὶ τὰς τρίγλας (τρυόγλας Ald, C, Aub) Ζιε31. 557 ᵃ26 Aub. γίνεταί τινα σκωλήκια αὐτῇ ἐν τῇ ὑστέρᾳ f 313. 1531 ᵃ34. ἀκμάζουσι τῷ μετοπώρῳ· τρίγλης ἐνίοτε ἀπέχεσθαι τοὺς Πυθαγορικοὺς Ζιι37. 621 ᵇ21. f 189. 1511 ᵇ39, 1512 ᵃ3. τίκτει περὶ τὸ μετόπωρον, ἐπὶ τῷ πηλῷ, μόνη τρίς, τρίτον τεκοῦσα ἄγονος Ζιζ17. 570 ᵇ22-25. ε9. 543 ᵃ5. f 313. 1531 ᵃ24, 33. (trema, treilia Thom, mullus Plin Gazae Scalig. surmulet C II 787. cf Ar syn pisc 71. Oken Isis 1818 II 1188. Ritter Erdkunde XIX 1194. Mullus surmuletus et barbatus K. St. Cr. AZι

I 141, 71.)

τριγλίς f 189. 1511 ᵇ34. i q τρίγλη.

τρίγλυφον, μέρος ναῷ Ηκ3. 1174 ᵃ26.

τριγμός. ἰχθύες τριγμὸν ἀφιᾶσιν, ὃς λέγουσι φωνεῖν· δελφὶς τριγμὸν ἀφίησιν Ζιδ9. 535 ᵇ16, 32. ἢ μόνον ᾄδει ὁ πέρδιξ, ἀλλὰ ἢ τριγμὸν ἀφίησιν Ζιι8. 614 ᵃ22.

τριγονία. θεσμοθετῶν ἀνάκρισις, εἰ Ἀθηναῖοί εἰσιν ἑκατέρωθεν ἐκ τριγονίας f 374. 1540 ᵃ41.

τριγωνοειδεῖς ῥαφαὶ τῷ κρανίῳ Ζιγ7. 516 ᵃ19.

τρίγωνον, τὸ ἐν τοῖς μαθηματικοῖς ἔσχατον Ηζ9. 1142 ᵃ28. ψβ3. 414 ᵇ31. ἐν τοῖς ἐπιπέδοις τρία σχήματα συμπληροῖ τὸν τόπον, τρίγωνον ἢ τετράγωνον ἢ ἑξάγωνον Ογ8. 306 ᵇ6. ἡ τῶν τριγώνων παραιώρησις Ογ7. 306 ᵃ21. εἰ ἐκ τριγῶν δοθεισῶν εὐθειῶν συνίσταται τρίγωνον ατ970 ᵃ9. τρίγωνα, opp σφαιροειδῆ πιε4. 911 ᵃ7, 9. τριγώνα εἴδη, ἰσόπλευρον, σκαληνές (σκαληνόν), ἰσοσκελές Αγ5. 74 ᵃ27. Φδ14. 224 ᵃ4. τὸ τρίγωνον δυσὶν (sive δύο) ὀρθαῖς ἴσας ἔχει (sive ἔχει τὰς γωνίας), τὸ τρίγωνον δύο ὀρθὰς ἔχει, τῇ τριγώνῳ δύο ὀρθαί, τὸ τρίγωνον δύο ὀρθαῖς ἴσον, τὸ τρίγωνον δυσὶν (δύο) ὀρθαῖς, τὸ τρίγωνον δύο ὀρθαί, usitatum Aristoteli exemplum Αα35. 48 ᵃ36. β 21. 67 ᵃ15, 17 Wz, 19, 25. γ1. 71 ᵃ19. 4. 73 ᵇ31, 32. 5. 74 ᵃ25, 28, 39. 9. 76 ᵃ7. 23. 84 ᵇ7. 24. 85 ᵇ5sqq, 86 ᵃ25. 31. 87 ᵇ35. δ3. 90 ᵇ8, 91 ᵃ4. 7β3. 110 ᵇ6, 22. ιε. 168 ᵃ40. 10. 171 ᵃ14. Φβ9. 200 ᵃ17, 30. θ1. 252 ᵇ2. Οβ4. 286 ᵇ35. ψα1. 402 ᵇ20. μν1. 449 ᵇ20. Ζμα3. 643 ᵃ29. Ζγβ6. 742 ᵇ26. Μδ30. 1025 ᵃ32 Bz. θ9. 1051 ᵃ24. 10. 1052 ᵃ6. μ10. 1086 ᵇ35. Ηζ5. 1140 ᵇ14 Zell. ημα1. 1187 ᵃ12. 10. 1187 ᵃ39, ᵇ3. 17. 1189 ᵇ11. ηεβ6.1222 ᵇ32. 11. 1227 ᵇ32. πλ7. 956 ᵃ16. εἰ ἕτερόν ἐστι τρίγωνον ἢ τρίγωνον δύο ὀρθὰς ἔχον Μι2. 1026 ᵇ12. — τρίγωνον, ὄργανον μουσικόν Πθ6. 1341 ᵃ41. ἐν τοῖς τριγώνοις ψαλτηρίοις πιθ23. 919 ᵇ12 Bojesen.

τρίγωνος καρδία σκάρῳ, λαβράκος al f 296. 1529 ᵇ2. 303. 1530 ᵃ5. 311. 1531 ᵃ13. 314. 1531 ᵃ39.

τριδάκτυλος. ὠτὸς ἐστι τῶν τριδακτύλων f 275. 1527 ᵇ16.

τριετηρίς Πε8. 1308 ᵇ1.

τριετὴς ἵππος Ζιε14. 545 ᵇ13, 546 ᵇ5. τριετὲς σπέρμα, opp πρόσφατον πκ17. 924 ᵇ28. κάπροι ὀχεύουσι μέχρι ἐπὶ τριετές Ζιε14. 545 ᵇ3, 546 ᵃ7.

τρίζειν. τῶν περδίκων οἱ μὲν κακκαβίζουσιν οἱ δὲ τρίζουσιν Ζιδ9. 536 ᵇ14. ἴυγξ τῇ φωνῇ τρίζει Ζβ12. 504 ᵃ19. τῶν σελαχωδῶν ἔνια δοκεῖ τρίζειν Ζιδ9. 535 ᵇ25. κύκλωψ περιιᾶσα ἡ ἀκρὶς τρίζει περὶ τὸν σκορπίον θ139. 844 ᵇ26.

τριμέρον. αἱ μεταβολαὶ γίνονται κατὰ τριήμερον ἢ τετραήμερον Ζιε19. 553 ᵃ10.

τριηραρχεῖν οβ1347 ᵃ11, λαμπρῶς Ηδ5. 1122 ᵇ23.

τριηραρχίαι Πζ8. 1322 ᵇ4.

τριήραρχος Πε5. 1304 ᵇ29. ἢ τὸ αὐτὸ δαπάνημα τριηράρχῳ ἢ ἀρχιθεώρῳ Ηδ4. 1122 ᵃ24.

τριήρης. εἰρεσία (εἰρεσίαι) τῶν τριήρων μβ9. 369 ᵇ10. Ζιδ8. 533 ᵇ6. — αἱ τριήρεις μύλωνες ποικίλοι Ργ10. 1411 ᵃ23.

τριηρικός. τὸ τριηρικόν, εἶδος πλήθους Πδ4. 1291 ᵇ23.

Τρίκκη. ἐν Τρίκκῃ f 596. 1576 ᵃ13.

τρίλοβος. ἧπαρ τρίλοβον σκάρῳ f 311. 1531 ᵃ13.

τριμερὴς ψυχή τε4. 133 ᵃ31. τριμεροῦς τῆς ψυχῆς λαμβανομένης κατὰ Πλάτωνα αρ1. 1249 ᵃ30.

τρίμετρον. εἴ τις διὰ τριμέτρων ἢ ἐλεγείων ἢ τῶν ἄλλων τινῶν τῶν τοιούτων ποιοῖτο τὴν μίμησιν ποι1. 1447 ᵇ11.

τρίμηνος. (ὄρνεά τινα) ὀχεύεσθαι ἢ γεννᾶν τρίμηνα ὄντα Ζιζ4. 562 ᵇ28. — ἡ προδεδομένη τριμήνου σιταρχία οβ1350 ᵃ36.

τριόδȣς. τριόδȣσι διακόπτειν ἰχθύας θ89. 837 ᵇ14. τῆς σηπίας
θηρευθείσης τριόδοντι f 317. 1531 ᵇ44. cf τριώδȣς.
Τριόπιον Πβ10. 1271 ᵇ36.
τριόρχης (v l τρίορχις cf Lob Par 242), ἱεράκων κράτιστος,
φρῦνον ⅋ ὄφιν κατεσθίει, ἔστι δὲ τὸ μέγεθος ὅσον ἰκτῖνος
⅋ φαίνεται διὰ παντός Ζυ36. 620 ᵃ17. 1. 609 ᵃ24. θ3. 592
ᵃ3. (triochis Thom, buteo Gazae Scalig. buse C II 148.
cf S II 162, 163. Falco buteo K 864, 5. St. Cr. ΑΖι I 93,
37ᵃ. Buteo vulgaris et Falco communis Su 100, 12. cf
Lnd 21. E 46, 4.)
τρίπηχυν Φγ5. 206 ᵃ4. ψα3. 406 ᵃ18.
τριπλάσιον, opp τριτημόριον Μδ15. 1020 ᵇ27.
τριπλⱶν ὄνομα πο21. 1457 ᵃ34. — τριπλῶς ἡ τῶν δέν-
δρων εὐπορία ἀκολȣθεῖ φτβ7. 827 ᵃ7.
Τρίπολις τῆς Φοινίκης σ973 ᵃ13. f 238. 1521 ᵇ6. — Τρι-
πολιτικὸς κόλπος σ973 ᵃ19. f 238. 1521 ᵇ12.
τρίπȣς. ⅋ κλίνη ⅋ τρίπȣς τὸ ξύλον ἐστίν, ὅτι δυνάμει ταῦτά
ἐστιν Ζμα1. 641 ᵃ32.
Τριπτόλεμος θ131. 843 ᵇ4.
τρίς. τὸ τρὶς πάντη Οα1. 268 ᵃ10 (cf τρεῖς).
τρισμύριοι Πβ9. 1270 ᵃ30.
τρισσαχῇ μα13. 351 ᵃ15.
τρίστοιχοι ὀδόντες Ζιβ1. 501 ᵃ27.
τριταῖος ὁ βορέας λήγει πκ⋆14. 941 ᵇ34. ἐν ὑμέσιν, οἳ πε-
ριρρήγνυνται τριταῖοι Ζιε34. 558 ᵃ30. (ἡ μέλιττα) εὐθὺς
νέα ȣσα, ὅταν ἐκδύῃ, ἐργάζεται τριταῖα Ζυ40. 625 ᵇ25.
ᾠὰ τριταῖα ὄντα Ζμγ4. 665 ᵃ35.
τριτημόριον, opp τριπλάσιον Μδ15. 1020 ᵇ27.
τριτοπάτωρ, πάππȣ ἢ τήθης πατήρ f 376. 1540 ᵇ26.
τρίτος. ἐπὶ τȣ τρίτȣ ἀριθμȣ ἐπὶ πολλῶν συμβαίνει τελειȣσθαι
τὰς γενέσεις Ζμβ1. 646 ᵇ9. Ζγγ10. 760 ᵃ34. ἡ τρίτη (int
χορδή), i q παραμέση πιθ7. 918 ᵃ15 (cf 47. 922 ᵇ5). 32.
920 ᵃ16. ἡ τρίτη (int ἡμέρα) κρίσιμος πκ⋆14. 941 ᵇ35.
οἱ τρίτοι (i e οἱ ἐκ τῆς τρίτης τιμήματος) Πβ6. 1266 ᵃ16.
ἡ τρίτη ȣσία, ἡ ἐξ ὕλης ⅋ μορφῆς Μη2. 1043 ᵃ18, 28. ὁ
τρίτος ἄνθρωπος (argumentatio ad refellendam Platonis de
ideis doctrinam) ΜΑ9. 990 ᵇ17 Bz. ζ13. 1039 ᵃ2. ⰼ1.
1059 ᵇ8. ⰼ4. 1079 ᵃ13. τι22. 178 ᵇ36sqq. f 183. 1509
ᵇ23, 26. — adv τρίτον (in enumerandis orationis mem-
bris) Πε2. 1302 ᵃ21.
τριτοστάτης, dist παραστάτης Μδ11. 1018 ᵇ28.
τριττός, opp μοναχός Μμ2. 1076 ᵇ30. τριτταὶ φιλίαι (tria
amicitiae genera) Ηθ15. 1162 ᵃ34. — τριττῶς λέγειν
περί τινος (codd περιττῶς) p3. 1423 ᵃ30.
τριττύς, τὸ τρίτον μέρος τῆς φυλῆς (Ἀθήνησιν) f 347.1536
ᵇ5, 7, ᵃ48. 349. 1537 ᵃ4.
τρίχα. τῶν ἔμπροσθεν ποδῶν τὰ μὲν πρὸς αὑτὸν τρίχα (v l
τριχῇ), τὰ δ᾽ ἐκτὸς δίχα διῄρηται Ζιβ11. 503 ᵃ27, 29.
τριχᾷς, κιχλῶν εἶδος, ὀξὺ φθέγγεται, τὸ μέγεθος ὅσον κότ-
τυφος Ζυ20. 617 ᵃ20. (pilosa Thom, pilaris Gazae, tri-
chas Scalig cf S II 121, 491. Turdus trichias St. Turdus
pilaris Cr. K 981, 7. Turdus musicus G 4. Su 108, 37.
ΚaΖι I 96, 51ᵇ. cf M 302.)
τριχῇ διαιρετόν Οα1. 268 ᵃ24. Μδ6. 1017 ᵇ27. τριχῇ διαι-
ρεῖσθαι, διῃρήσθω τα7. 103 ᵃ7. 8. 103 ᵇ1. τριχῇ νενεμημέ-
νων τῶν ἀγαθῶν Ηα8. 1098 ᵇ13.
τριχία. ἂν ἐν τῷ πόματι λάβωσι (γυναῖκες) τρίχα, πόνος
ἐγγίνεται ἐν τοῖς μαστοῖς, ὃ καλȣσι τριχιᾶν Ζιη11. 587
ᵇ26.
τριχίας. ἐκ τῶν τριχίδων (γίγνονται) τριχίαι, migratio descr
οἷς τίκτει Ζιζ15. 569 ᵇ26. θ13. 598 ᵇ12 (v l τριχαῖοι). ε9.

543 ᵃ5. cf f 285. 1528 ᵇ1. (sardella Thom, sarda Gazae,
trichia Plin Scalig. trichias C II 815. cf S I 628. Clupea
sprattus K 645, 4. St. Cr. Clupea sardina Cuv XX 21. in
incert rel ΑΖι I 141, 72. cf Rose Ar Ps 298.)
τρίχιον. οἱ ȣλότριχες ⅋ οἷς ἐπέστραπται τὸ τρίχιον ὡς ἐπὶ
τὸ πολὺ σιμότεροι πλγ18. 963 ᵇ10.
τριχίς. ἐκ τῶν μεμβράδων (γίγνονται) τριχίδες, ἐκ δὲ τῶν
τριχίδων τριχίαι Ζιζ15. 569 ᵇ25. cf f 285. 1528 ᵇ1, 3. fort
i q τριχίας.
τριχοειδής. ὁ βάτραχος τοῖς πρὸ τῶν ὀφθαλμῶν ἀποκρεμα-
μένοις, ὧν τὸ μῆκός ἐστι τριχοειδές Ζυ37. 620 ᵇ14 Aub.
cf τριχώδης.
τριχȣσθαι. ἢ πᾶς ἄνθρωπος ἄρρην τὸ γένειον τριχȣται Αδ12.
96 ᵃ10. (ὁ τάρανδος) παχύδερμος, τετριχωμένος f 332.
1534 ᵃ5. — τριχωτός. τὰ μόρια τῶν ζῴων τὰ μὲν τρι-
χωτά ἐστι τὰ δὲ φολιδωτὰ τὰ δὲ λεπιδωτὰ Ζμδ12. 692
ᵇ11. τὸ δέρμα τριχωτόν Ζμγ3. 664 ᵇ24. (κεφαλῆς μόριον)
τὸ τριχωτὸν κρανίον καλεῖται Ζια7. 491 ᵃ30. τὰ τριχωτά,
syn τὰ τρίχας ἔχοντα Ζμγ3. 664 ᵃ6. v θρίξ 6.
τρίχρως φαίνεται ἡ ἶρις μγ4. 375 ᵃ1. 2. 371 ᵇ33.
τριχώδης. τȣ στρȣθȣ τὰ πτερὰ τριχώδη. αἱ βλεφαρίδες τρι-
χωδέστεραι Ζμδ14. 697 ᵇ17, 20. (οἱ ὄφεις ἔχȣσι τῆς γλώτ-
της) τὸ ἄκρον λεπτὸν ⅋ τριχῶδες Ζμβ17. 660 ᵇ8. ᵈ11.
691 ᵃ7. πόροι τριχώδεις προσγίνονται τοῖς ὀστράκοις ΖιΖ10.
565 ᵃ25. ἀπὸ τῶν λεπτῶν χορδῶν ⅋ τὰ φωνία γίγνεται
λεπτὰ ⅋ στενὰ ⅋ τριχώδη ακ803 ᵇ24. — τὰ τριχώδη.
(τὸ καρκινίον ἔχει) περὶ τὸ στόμα καθαπερεὶ τριχώδη ἄττα
πλείω Ζιδ4. 529 ᵇ30. Ζυ37. 620 ᵇ17. τὰ τριχώδη πᾶσιν
(τοῖς ὀστρακοδέρμοις) ὑπάρχει κύκλῳ τȣτοις Ζιδ4. 529 ᵃ32.
(ἡ σηπία ἔχει) τριχώδη ἄττα ἐν τῷ σώματι Ζιδ1. 524
ᵇ21. οἱ φάσκοντες ὅτι (αἱ ἐγχέλεις) τριχώδη ⅋ ἑλμινθώδη
προσπεφυκότ᾽ ἔχȣσαί ποτέ τινες φαίνονται Ζιδ11. 538 ᵃ5.
τρίχωμα et hominis et animalium. τὰ τριχώματα διαφέ-
ρȣσι ⅋ πρὸς αὑτὰ τοῖς ἀνθρώποις κατὰ τὰς ἡλικίας ⅋ πρὸς
τὰ γένη τῶν ἄλλων ζῴων Ζγγ3. 781 ᵇ30. τὰ τριχώματα
τί σημαίνȣσιν· τριχώματα μαλακά, σκληρά φ2. 806 ᵇ6-21.
3. 807 ᵃ31. τὸ τρίχωμα ἔχει ἢ λατȣς σκληρόν Ζιθ5. 595
ᵃ4. χρῶμα τȣ τριχώματος (βοάσιν) ξανθὸν Ζιδ5. 630 ᵃ26.
(τȣ δασύποδος) ὑπερβάλλει τȣ τριχώματος τȣ πλήθος
Ζγδ5. 774 ᵃ34. τῶν τριχωμάτων πῶς γίνεται τὰ χρώματα
χ6. 4. 794 ᵃ23. οἱ Λύδιοι ἀγαπῶσι τὸ τρίχωμα φορεῖν
οβ1348 ᵃ29.
τριχωμάτιον μαλακόν· μὴ λίαν σκληρὸν μηδὲ λίαν μέλαν
φ3. 807 ᵇ5, 18.
τριχῶς λέγεσθαι (cf διχῶς) Αβ21. 67 ᵇ4, διῃρῆσθαι Ζιθ2.
590 ᵃ13, cf τριχῇ. κινεῖται τὸ κινȣμενον πᾶν τριχῶς, ἢ τῷ
κατὰ συμβεβηκὸς ἢ τῷ μέρος τι ἢ τῷ καθ᾽ αὑτό Φε2.
226 ᵃ19.
τρίχωσις τῆς ἥβης Ζιη1. 581 ᵃ14. ε14. 544 ᵇ25. Ζγα20.
728 ᵇ27. τρίχωσις πολιῶν ἢ γενείȣ Ζγα18. 722 ᵃ7. ηι.
582 ᵃ32.
τρῖψις (de accentu Lob Par 412). τρῖψις ὀφθαλμȣ, γονῆς
πλα1. 957 ᵃ40. cf Did probl ined p 299, 25. δ14. 878
ᵃ38. αἱ ἐν τοῖς γυμνασίοις διὰ τρίψεως ⅋ θερμασίας γι-
νόμεναι ἡδοναί Ηγ13. 1118 ᵇ6. διὰ τί αἱ τρίψεις σαρκȣσιν
πλζ3. 965 ᵇ36. 6. 966 ᵇ10. φωνὴν ἀφιέναι (βομβεῖν) τῇ
τρίψει τῶν βραγχίων υ2. 456 ᵃ19. Ζιθ9. 535 ᵇ21, 11. οἷον
τρῖψιν ȣσαν τὴν τȣ ἀέρος ἁφὴν εν2. 460 ᵃ16. ὑπὸ τῆς τρί-
ψεως (ἐλαίȣ ὕδατι μιγνυμένȣ) ἐγκατακλείεται πνεῦμα
Ζγβ2. 735 ᵇ23. — τρῖψιν μᾶλλον δέχεται τὸ ἄλευρον
πκα22. 929 ᵇ12. cf 17. 929 ᵃ19.

τριώβολον οβ1347 ᵃ35. f421. 1548 ᵃ23.

τριωδὺς (vl τριόδυς). τύπτεσθαι (πληγῆναι) τριώδοντι, τριώ-
δυσιν Ζιδ10. 537 ᵃ27, 28, 30. ιι. 608 ᵇ17. cf τριόδυς.

Τροία θ107. 840 ᵃ16. πιζ̅ 3. 916 ᵃ19. Τροία ποτὲ ἐλήφθη
Φδ13. 222 ᵃ26. (ἥρωες κείμενοι) ἐν Τροίᾳ f 596. 1575ᵃ38, 5
ᵇ24, 1576 ᵃ4, ᵇ13, 28, 1577 ᵃ18. ὁ ἐν Τροίᾳ ἀγών, ὃν
Ἀχιλλεὺς ἐπὶ Πατρόκλῳ ἐποίησεν f 594. 1574 ᵇ36. οἱ ἀπὸ
Τροίας ἐλθόντες, ἀνακομισάμενοι f 542. 1568 ᵃ12. 567.
1571 ᵃ21.

Τροιζηνίοις Ἀχαιοὶ συνῴκησαν Σύβαριν Πε3. 1303 ᵃ29. 10
Τροιζηνίοις χρησμὸς ἐγένετο Πη16. 1335 ᵃ20. ὠνομάζετο
παρὰ Τροιζηνίοις ἄμπελος Ἀνθηδονιὰς χ̅ Ὑπερειάς f 554.
1569 ᵇ33. Τροιζηνίων πολιτεία f 554-556.

τρόμος. ἀδύνατον κινεῖσθαι εἰς τἀναντία, ὁ δὲ τρόμος τοιῦτος
πιε13. 913 ᵃ7. (τῶν σεισμῶν τινες λέγονται) παλματίαι, 15
τρόμῳ πάθος ὅμοιον ἀπεργαζόμενοι· ὥσπερ ἐν τῷ σώματι
ἡμῶν χ̅ τρόμων χ̅ σφυγμῶν αἴτιόν ἐστιν ἡ τῦ πνεύματος
ἐναπολαμβανομένη δύναμις x 4. 396 ᵃ10. Δμβ8. 366 ᵇ15,
368 ᵇ23. τρόμοι, coni ἐρυθήματα, ὠχρότητες Ζκ7. 701
ᵇ32, coni ῥῖγα παρ29. 862ᵇ30. λύτταν ἐπιγίνεσθαι χ̅ τρόμον 20
εὖ μάλα ἰσχυρὸν (τῷ ὑφ' ὕδρυ πληγέντι) f 327. 1532ᵇ22.
τρόμος τῆς ὄψεως, syn κραδαίνεσθαι Οβ8. 290 ᵃ23, 22.
τρόμος τῆς φωνῆς (τῶν φοβυμένων) πια62. 906 ᵃ14. ἕως
τύτυ προελθὼν (τῦ ἤχυ) ὁ τρόμος, ὅταν προσκόψῃ πρὸς τὸ
μαλακόν, αὐτῦ ποιεῖται κατάπαυσιν ακ802 ᵃ42. 25

τροπαία. ἡ τροπαία ἐστὶν ἀπογείας ἀναστροφή (παλίρροια,
ἀνάκλασις) πκς5. 940 ᵇ22, 25. 40. 945 ᵇ6, 1.

τρόπαιον πολὺ κάλλιον αἱ συνθῆκαι τῶν ἐν τοῖς πολέμοις
γινομένων Ργ10. 1411 ᵇ16.

τροπαιῦχος διὰ τί ὀνομάζεται ὁ θεός x7. 401 ᵃ23. 30

τροπή. διαφέρειν (τὰ ἄτομα Democr) τροπῇ, ὅ ἐστι θέσις
Μη2. 1042 ᵇ14. Α4. 985 ᵇ17. Γα9. 327 ᵃ18. cf Δημόκρι-
τος p 175 ᵇ12. — τροπαὶ iq μεταβολή· εἰ τῇ προτέρᾳ
ἡμέρᾳ ἐγένετο τῆς τροπῆς, ἅμα ἄρα μεταβάλλει Πε12.
1316 ᵃ17. — ἐν μάχῃ τροπῆς γενομένης ἑνὸς στάντος ἕτερος 35
ἔστη Αδ19. 100 ᵃ12. πιη7. 917 ᵃ32. κς8. 941 ᵃ11. οἱ ἐν
ταῖς τροπαῖς διψῶσιν πκς3. 948 ᵃ1. — ἀναγκαῖον γίγνεσθαι
παρόδυς χ̅ τροπὰς τῶν ἐνδεδεμένων ἄστρων Οβ14. 296 ᵇ4.
τροπαὶ ἡλίυ χ̅ σελήνης μβ1. 353 ᵇ8, cf Ἀναξαγόρας p 49
ᵇ44. διὰ τὰς τροπὰς Ζγδ2. 767 ᵃ7. περὶ τὰς τῦ ἡλίυ 40
τροπὰς ΜΑ2. 983 ᵃ15. τροπὰς ἄρα ἀνάγκη γενέσθαι Γβ11.
337ᵇ12. τροπὴ θερινή μβ6. 364ᵇ2. τροπαὶ θεριναί, χειμεριναί
μβ6. 364ᵇ2, 3. Ζιθ13.598ᵇ25. Ζγβ7. 748ᵃ28. ἐν ταῖς πρὸς
τὰς θερινὰς (χειμερινὰς) τροπὰς ἡμέραις μγ5. 377 ᵃ20, 25.
περὶ τροπάς, περὶ τὰς τροπάς, περὶ τροπὰς θερινάς. περὶ τροπὰς 45
τὰς χειμερινάς Ζιε30. 556 ᵇ8. 8. 542 ᵇ15, 4. 11. 543 ᵇ12.
ὑπὸ τροπὰς θερινάς Ζιε19. 552 ᵇ19. πρὸ τροπῶν Ζιε8. 542
ᵇ6, 9. 543 ᵃ11. εὐθὺς ἐκ τροπῶν Ζιε9. 542 ᵇ20. μετὰ τρο-
πάς, μετὰ τροπὰς χειμερινάς, μετὰ τὰς τροπὰς ἀμφο-
τέρας Ζιε8. 542 ᵇ7. ζ17. 570 ᵇ27. πκς12. 941 ᵇ14. α26. 50
862 ᵇ7. ὅταν αἱ τροπαὶ γένωνται εὐδιειναί, νότιοι Ζιε8. 542
ᵇ6, 11. τῦ ἡλίυ ὄντος περὶ τροπὰς (χειμερινὰς) ἢ ἐπὶ
θερινῇς τροπῇς πια6. 343 ᵇ1, 6, ᵃ15. — τῷ τόπῳ ὑποκεῖ-
σθαι ὄντι ὑψηλῷ χ̅ ἔξω τροπῶν (iq ἔξω τῶν τροπικῶν,
cf μα7. 345 ᵃ6. 8. 346 ᵃ14) χ̅ πλήρει χιόνος πκς15. 942 55
ᵃ1. — τροπαί iq τροπαῖαι πκς4. 940 ᵇ16. 5. 940 ᵇ21,
cf 23.

τροπικός. αἱ ἐν τῷ χειμῶνι τροπικαὶ ἡμέραι· δύο μῆνες οἱ
ἐν τῷ χειμῶνι τροπικοὶ Ζιε13. 544 ᵃ33. ζ1. 588 ᵇ14. κύκλοι
τροπικοί· οἱ πολλοὶ τῶν κομητῶν ἐκτὸς γίνονται τῶν τροπι- 60
κῶν al μα8. 346 ᵃ14, 18. 7. 345 ᵃ6. 6. 343 ᵃ9. x2.393ᵃ12.

ὕτε τῷ τροπικῷ (τῷ νοτίῳ add e ci Ideler) πλησιάζοντος
ὕτ' ἐπὶ θεριναῖς τροπαῖς ὄντος τῦ ἡλίυ μα6. 343 ᵃ14.

τρόπις πλοίυ Μδ1. 1013 ᵃ5.

τρόπος. ὃν τρόπον ἐστὶ τὸ μὲν ποιητικὸν τὸ δὲ παθητικόν·
τὸν δὲ τρόπον λέγω τὸ ὡς χ̅ ὓ χ̅ ὅτε Ζγβ4. 740 ᵇ22.
τὸν τρόπον ζητῦμεν, ὓ τὸ ὑποκείμενον Γα3. 318 ᵇ8. λέγε-
σθαι κατὰ δύο τρόπυς, κατὰ τὸν κυριώτατον, δημοσιώτα-
τον, καθ' ἕτερον τρόπον Αα13. 32 ᵇ5. τη1. 151 ᵇ29, 152
ᵇ31. θ12. 162 ᵃ35. καθ' ἕτερον τρόπον λέγεσθαι, iq πολ-
λαχῶς, ὁμωνύμως λέγεσθαι τα15. 106 ᵃ2, 21. πλεοναχῶς
λεγομένυ οἱ συγκεφαλαιώμενοι τρόποι εἰσὶ τέτταρες Μι1.
1052 ᵃ17. διαφέρει τῷ τρόπῳ ἡ πρότασις τῦ προβλήματος
(eadem est natura ac notio, sed dicendi forma ac ratione
differunt) τα4. 101 ᵇ29. cf γ1.116 ᵃ36, Wz ad Αα1. 24 ᵃ16.
τὸν ὑφηγημένον ἤδη τρόπον λέγοντες μγ1. 371 ᵇ4. cf Πα8.
1256 ᵃ2. γίγνεσθαι, συμβαίνειν, τετάχθαι, ἔχειν τῦτον τὸν
τρόπον μγ4. 374 ᵃ31, 373 ᵇ29. α14. 353 ᵃ9. β6. 364 ᵃ6.
γίγνεσθαι, ὑπάρχειν κατὰ τρόπον τινὰ Πδ15. 1299 ᵇ13.
μα3. 340 ᵃ15. cf Πγ4. 1276 ᵇ36. τρόπον ἄλλον ἢ τὸν
αὐτὸν Ζγβ6. 742 ᵇ34. αἱ ὀλιγαρχίαι μεταβάλλυσι διὰ δύο
τρόπυς τὰς φανερωτάτυς Πε6. 1305 ᵃ37. δι' ἄλλα τρόπυ
ρ37. 1442 ᵇ25. τρόπον τινὰ Πγ13. 1284 ᵃ37, opp κυρίως
Γα4. 320 ᵃ3. ὅσα μὴ δοκεῖ ἔχειν (τὸ αἰσθητήριον), οἷον ἔνιοι
τῶν ἰχθύων, χ̅ ὗτοι τρόπον τινὰ γλίσχρον ἔχυσιν Ζμβ17.
660 ᵇ13. — οἱ λόγοι τῶν ἠθῶν χ̅ τῶν τρόπων εἰσὶν εἰκόνες
ρ36. 1441 ᵇ19. ἐν τοῖς πλείστοις τῶν ἄλλων ζώων ἴχνη
τῶν περὶ τὴν ψυχὴν τρόπων Ζιθ1. 588 ᵃ20. τὸν τρόπον τῦ
μάρτυρος διαβάλλειν ρ16. 1431 ᵇ33. τρόποι μελῶν πιθ38.
920 ᵇ32. κατασκευάσματα εἰς τὸν Ἑλληνικὸν τρόπον δια-
κείμενα τὸν ἀρχαῖον θ100. 838 ᵇ13. — τρόποι saepe iden
fere significant atque εἴδη. τρόποι ἀρχῆς, syn εἴδη ἀρχῆς
Πγ6. 1278 ᵇ31, 16 (Bernays Dial p 53), cf δ15. 1300 ᵃ12
τρόποι τῶν αἰτίων, τῆς αἰτίας Μβ2. 996 ᵇ5. Δ2. 1013ᵇ29
(ᵇ17 τρόποι an τόποι praeferendum sit dubitatur coll Φβ3
195 ᵃ15). Φβ6. 198 ᵃ2. Ζγδ3. 769 ᵃ8. ει. 780 ᵇ13. δύ·
τρόποι τῶν πίστεων, τῶν γνωμῶν ρ8. 1428 ᵃ16. 12. 1430
ᵇ1. τρόποι ὀνομάτων τρεῖς, ἢ ἁπλῶς ἢ συνθέτες ἢ μετα-
φέρων ρ24. 1434 ᵇ33. τρόποι ἀμφότεροι ἀποδείξεως (δει-
κτικῶς, διὰ τῦ ἀδυνάτυ) Αβ14. 63 ᵇ19. ὁ τρόπος τῆς ἀπο-
δείξεως χ̅ τῆς ἀνάγκης ἕτερος ἐπί τε τῆς φυσικῆς χ̅ τῶ
θεωρητικῶν ἐπιστημῶν Ζμα1. 640 ᵃ1. ὁ τρόπος ὁ τῆς με
θόδυ Ζμα1. 642 ᵇ5. τρόποι συλλογισμῦ (iq σχή
ματα, figurae) Αα28. 45 ᵃ4, 7. τρόποι (πτώσεις Wz) συλ
λογισμῦ i e modi figurarum Αα26. 43 ᵃ10. ὁ τρόπος τῆ
ἀντιθέσεως ὁ αὐτός Κ10. 12 ᵇ3, 11. — κατὰ τρόπον ι
apte, ut decet τζ2. 139 ᵇ31 Wz. 10. 148 ᵇ2. θ3. 158 ᵇ27
4. 159 ᵃ24. Ζμα1. 640 ᵇ9. Ζμβ1. 358 ᵃ9. ημβ3.1199ᵃ10
12. (α18. 1190 ᵃ25?) οβ1345ᵇ7. — ἡ νάρκη ναρκᾶν ποιε
ὅσα ὧν ἂν κρατήσειν μέλλῃ ἰχθύων, τῷ τρόπῳ ὃν ἔχει ε
τῷ στόματι λαμβάνυσα Ζμ37. 620 ᵇ20, loc corr, cf Aut
τροφαλίς. γίνεσθαι ἐξ ἀμφορέως αἰγείυ γάλακτος τροφα
λίδας ὀβολιαίας μιᾶς δευτῆς εἰκοσιν Ζιγ20. 522 ᵃ31, 15.

τροφή. Ar lib περὶ τροφῆς ν Ἀριστοτέλης p 104 ᵇ16.
τροφὴ πρὸς ἔμψυχόν ἐστι ψβ4. 416 ᵇ9 (sed latiore sens
dicitur τὸ ὑγρὸν τροφὴ τῷ πυρὶ sim μβ2. 355 ᵃ5, 4, ε
ζ5. 469ᵇ25. ημβ11. 1210 ᵃ19, et universe τὸ ἐναντί
τροφὴ τῷ ἐναντίῳ Φθ7. 260 ᵃ31. Γα5. 322 ᵃ1. ψβ4. 41
ᵃ21). τὸ πεφθὲν ὑπὸ τῆς φύσεως καλεῖται τροφὴ πα4
864 ᵇ9. ἡ τροφὴ ὕλη· ἀναγκαῖόν τι, ὕτε εἶναι ὕτε αὐξα
νεσθαι ἐνδέχεται ἄνευ τροφῆς Ζμβ4. 651 ᵃ14. 10. 655 ᵇ3
α1. 642 ᵃ7, 8. cf Γβ8. 335 ᵃ15. πάσχει τι ἡ τροφὴ ὑ

τῦ τρεφομένῳ ἀλλ' ὃ τῦτο ὑπὸ τῆς τροφῆς· πότερον ἡ τροφὴ τὸ τελευταῖον προσγινόμενον ἢ τὸ πρῶτον· ἔστιν ἕτερον τροφῇ κ̣ αὐξητικῷ εἶναι, ἡ μὲν γὰρ ποσόν τι τὸ ἔμψυχον, αὐξητικόν, ἡ δὲ τόδε τι κ̣ ὐσία τροφή· στερηθὲν τροφῆς ὐ δύναται εἶναι· ἡ τροφὴ τὸ σῶμα τὸ ἁπτὸν ψβ4. 5 416 a35, b3, 12, 13, 23, 20. γ12. 434 b19. ὃ συμβάλλεται εἰς τροφὴν τὸ ὀσφραντόν αι5. 445 a28. τῆς τροφῆς τὸ μὲν θρεπτικὸν τὸ δ' αὐξητικὸν Ζγβ6. 744 b33. — genetivus τροφῆς suspensus a nominibus: τροφῆς σκέψις κ̣ θεωρία, ἡδονή, αἴσθησις Ζμβ7. 653 b14. 13.657 b26. 17.661 a8, 10. 10 ὃ 11. 690 b29. 5. 678 b12. ψβ3. 414 b7. ἄφεσις κ̣ λῆψις αν11. 476 b10. ἐπιμέλεια, ἐπιθυμία Ζu1. 609 a2. Ζγα4. 717 a24. Ζμβ17. 661 a7. εἴσοδος Ζμβ17. 660 b31. ὃ 10. 686 a12. διάδοσις Ζπ4. 705 a32. σπάσις κ̣ χ̣υρά Ζμδ12. 693 a17. ἐπίσπασις, ἐπιφορά πν2. 482 a15. 3. 482 b10. cf 15 4. 483 a14. κίνησις Ζμδ10. 688 b29. προσφορά υ3. 458 a22. πν1. 481 a7, cf 9. ὑποδοχή, προσαγωγή Ζμγ3. 664 b4. δ5. 682 a18. 10. 687 b26. εὐπορίαι (τροφῆς εὐπορεῖν), δαψίλεια, δύναμις, αὐτάρκεια Ζιθ12. 596 b21. 19. 602 a21. ζ18. 572 a2. Ζμγ14. 674 a28. Ζγδ8. 776 b8. πλῆθος Ζγδ3. 20 768 b30. χ6. 797 b29. πλῆθος κ̣ ὑπερβολή, ὑπερβολή Ζμγ5. 668 b13. πα46. 865 a2. ε33. 884 a24. ι62. 898 a23. εὐ-βοσία κ̣ ἀφθονία ΖιϚ22. 575 b33. μικρότης, ὀλιγότης χ5. 797 a1. 6. 797 b25, 798 a29 (cf b3, b3), 799 a11. ἔνδεια χ6. 798 a11. πγ26. 875 a6. κ9.888 a1. ποίησις, κατεργασία, 25 χρῆσις Ζμγ14. 675 b23, 5. δ6. 685 b37. ἐργασία αν11. 476 a21, 23. Ζια4. 489 a27. Ζμβ3. 650 a8. 9. 655 b9. γ1. 661 b1. 14. 675 a19. Ζγε8. 788 b23. cf β6. 743 b32. ζ3. 469 a4. αἱ ἁρμόττυσαι ἐργασίαι περὶ τὴν τροφὴν κ̣ τῦ γινομένῳ περιττώματος Ζμγ14. 675 b13. ἡ εἰς μικρὰ διαί- 30 ρεσις Ζμβ3. 650 a12. ἀπόλαυσις Ζιθ8. 595 b25. Ζγβ6. 743 b32. πκη7. 950 a1. ἀπόθεσις κ̣ ταμιεία Ζu38. 622 b26. ἀναίσθησις Ζμδ10. 689 a1. ἕλκυσις φτα1. 816 b13. πέψις, εὐπεψία, ἀπεψία Ζμγ7. 670 a21. δ8. 677 b31. μδ3. 381 b7, 9, 380 a28. ἀναθυμίασις υ3. 456 b19. αι5. 444 a12. 35 Ζμγ10. 672 b17. φτα2. 816 b34. πρόσφυσις πββ3. 866 b21. ὑγρότης Ζμγ14. 674 b32, cf 34. syn ἡ ὑγρότης ἡ εἰς τὴν τροφήν Ζμδ5. 681 a30. — τὰ πρὸς (περὶ) τὴν τροφὴν μόρια Ζμδ5. 682 a9, 678 b4, 681 b13. ἡ γεῦσις περὶ (διὰ) τὴν τροφήν αι1. 436 b15, 16. ἡ διὰ τῆς τροφῆς βοήθεια ζ6. 40 470 a21. ἡ λαιμαργία ἡ περὶ τὴν τροφήν Ζμδ13. 696 b31. τὸ ἐκ τῆς τροφῆς βάρος υ3. 458 a25. ἡ ἀπὸ τῆς τροφῆς θερμότης ενϑ. 461 a14. ἡ ἐκ τῆς τροφῆς αὐξησις κ̣ δια-μονὴ πν1. 481 a27, cf 17. — genetivus suspensus a no-mine τροφῆς vel capientem vel praebentem alimentum rem 45 significat, veluti ἡ τροφὴ τῶν ἰχθύων, τῶν τέκνων Ζιϑ2. 592 a28. 17. 612 b27, τῦ νεύρῳ, τῦ ὀστῷ πν6. 484 a31, 24. ἡ τῦ ὕδατος τροφὴ Ζγδ2. 767 a32 al. — τροφή coni c adiectivis, ποία τις ἡ τροφή Ζγδ2. 767 a29. τροφὴ ὀλίγη Ζιϑ8. 606 a27. πδ31. 880 b5. ι12. 892 a9. 24. 893 b14. 50 χβ3. 930 a31, cf 34. σπανία Ζιϑ28. 606 a26. ι1. 608 b21. βραχεῖα χ6. 798 a12. ἀραιά Πη16. 1335 b13. ἐλάττων, ἐλαχίστη χ6. 798 a32, a7. χείρων, βελτίστη Ζγβ6. 744 b18, 12. πολλή Ζγβ7. 746 a7. ε8. 789 a19. χ4. 457 b18. χ6. 799 a13. πδ21. 879 a10. ι24. 893 b15. χβ3. 930 a34, 55 36. πλείων Ζμδ5. 682 a18. γ8.671 a3. 14.675 b16. Ζγδ8. 777 a2. πκ9. 923 b27. πλείστη Ζu41. 628 b12. Ζγα18. 725 a18. χ6. 798 b30. ἄφθονος ΖιϚ19. 573 b22. ε31. 557 a32. ϑ28. 606 a26. διαρκὴς, περιττεύυσα Ζγδ6. 40. 626 a2. 32. 619 a21. ὀγκοτέρα πλζ3. 966 a2. δαψιλής, ἱκανή Ζγδ6. 60 774 b30, 26. γ2. 752 b20. Ζμδ5. 825 a25. ἁπλῆ, ποικίλη

Ζιϑ21. 603 b28. Ζγε6. 786 b2. πα15. 861 a5, 7 (Oribas I 611). ὁρῶμεν ὅτι τὴν τροφὴν δεῖ εἶναι σύνθετον αι5. 445 a18. οἰκεία Ζu37. 621 b4. Ζγε8. 789 b2. Πη17. 1336 a8. φτα1. 816 b15. ψώδης, σωματώδης, γαλακτώδης, ἀκανθώδης ΖιϚ7. 565 b9. Ζγγ2. 753 b26. Ζμδ11. 692 a14. γ14. 674 b2. ἡ ἔσωθεν, ἡ ἐντὸς Ζγδ10. 778 a10. πη9.888 a3. ἡ θύραζε Ζγδ8. 776 a17. ἡ θύραθεν υ3. 456 b3. Ζγβ4. 740 b4. 6. 745 a4. Ζμβ16. 659 a18. cf δ4. 678 a6. syn ἀπὸ τῶν ἐκτός πν6. 484 b13. ἡ τροφὴ φανερῶς ἐπείσακτον Ζγα18. 724 b33. ἡ χρησίμη, ἡ χρήσιμος Ζγα18. 725 b2, 726 a24, 27, 29, b1. ἄχρηστος Ζγα18. 725 a14. β4. 738 a36. ἀκατέργαστος Ζμβ3. 650 a15. γ14. 674 b25. ἄπεπτος υ3. 456 b35. ψβ4. 416 b5. ΖιϚ17. 508 b29. πχ25. 925 b32. εὔπεπτος πι22. 893 a33, cf 14. πεπεμμένη ψβ4. 416 b5. Ζγβ6. 744 b12. δ8. 776 b34. πχ12. 924 a15. ἐκπεττομένη χ6. 798 a17, b15, 799 a11. ἐπίκτητος κ̣ αὐξη-τικὴ Ζγβ6. 745 a3. τροφώδης πι22. 893 a30. εὐλέαντος Ζμγ14. 674 b33. καθαρά, καθαρωτάτη Ζγα18. 725 a17. 20. 728 a30. β6. 744 b12. Πγ11. 1281 b37. κοινή πν2. 482 a10. νεαρά, κοπρώδης κ̣ ἐξικμασμένη, νοσώδης, ἡδεῖα, γλυκεῖα Ζμγ14. 675 b29. πὃ26. 879 b3. αι5. 444 a16. μβ2. 355 b7. σπερματικὴ Ζγα18. 725 b3 Aub. πᾶσα τροφὴ υ3. 457 a5. μβ2. 356 b2. πν1. 481 a20. 2. 481 b30. Ζβ6. 595 a19. Ζμβ3. 650 a32. μέλι, τροφὴ μελιττῶν, κήρινθος, (σανδαράκη) ἄλλη τροφὴ Ζγγ10. 759 a34. ΖιϚ22.553 b26, 554 a5. ι40. 623 b18, 23, 626 a6. πν6. 484 b7. ἡ τροφὴ ἑτέρα Ζιϑ8. 535 a1. ἡ ἐκεῖ τροφὴ Ζμδ10. 689 b23. — τροφὴ ὑγρά, ξηρά Ζιη1. 581 b3. αι5. 444 a16. αν11. 476 a30. Ζμγ8. 671 a3. Ζγα18. 726 a18. Ηγ13. 1118 b15. πι56. 897 b20. 59. 897 b35. λζ3. 966 b5. φτα1. 816 b16. (πότιμος μβ2. 355 b12, syn τρέφεται τῷ ποτίμῳ Ζιθ2. 590 a19. cf ποτὸς κ̣ τροφή, τὰ σῖτα κ̣ τὸ ποτόν, ἐδέσματα κ̣ ποτά πκη5. 949 b31. 6. 949 b34. λϑ9. 964 a25. ι1.954 a2. διὰ τὴν τροφὴν κ̣ διὰ τὸν ποτόν (v 1 τόκον Bk) Ζιϑ13. 598 b4 sq.) — μβ2. 356 b3, 355 b7. 3. 358 a8. Ζμβ2. 647 b28. Ζγα13. 720 a8. 18. 725 b2. β4. 737 b34. — πη9.881 a1. Ζγα18. 725 b1. 13. 719 b34, 720 a4. δ4. 773 a25. Ζμβ2. 647 b28. ἡ τροφὴ δ' ὑγρόν πν6. 484 a23. ἡ τῦ ὕδατος τροφὴ γίνεται Ζγβ6. 860 b27. cf 15. 861 a9. ἡ τῦ ὕδατος τροφή, ἐν πᾶσίν ἐστι τροφὴ τῦτο (τὸ ὕδωρ) κ̣ ἐν τοῖς ξηροῖς· τροφὴ τοῖς ζῴοις τὰ ἐκ τύτων (ὕδατος κ̣ γῆς)· ἡ τροφὴ κ̣ τὸ αἷμα μικτὸν ἐξ ἀμφοῖν Ζγδ2. 767 a32, 33. γ11. 762 b12. Ζμγ5. 568 a11. ποιεῖ τῆς γῆς τὰ ὑγρὰ ᾗ δριμέα τοιαύτην τὴν ὁμιλίαν μᾶλλον Ζιη2. 583 a12. τὸ ἀεὶ προσιὸν ἐκ τῆς τροφῆς ὑγρόν αν20. 480 a3. τὰ γλυκέα ἅπαντά ἐστι τροφὴ sim πκβ3. 930 a34. μβ3. 357 a34. Ζγδ8. 776 a28. ἔλαιον μέλι γάλα κ̣ τὰ τοιαῦτα τῆς τρο-φῆς πα42. 864 b1. cf 47. 865 a10. Πη17. 1336 a8. τροφὴ τῷ σώματι (τεττίγων, ἐφημέρων) ἡ ἐκ τῦ πνεύ-ματος ὑπομένυσα ὑγρότης, syn τῇ δρόσῳ τρέφεται μόνον Ζμδ5. 682 a25. Ζιϑ7. 532 b13. ἡ ἐσχάτη τροφή (Wz I 379), syn ὑστάτη, τελευταία, πρώτη. ἡ ἐσχάτη τροφή, τὸ αἷμα κ̣ τὸ ἀνάλογον υ3. 456 a34. ζ4. 469 a32. πν1. 481 a12. Ζμδ4. 678 a7. β4. 651 a15. Ζγβ3. 737 a20. 4. 740 a21. δ1. 766 b14. cf a18. 726 a27, 29. 19. 726 b3. ψβ4. 416 b3. ἡ ὑστάτη Ζγα20. 728 a19. δ1. 766 a33. ἡ τελευταία ζ3. 469 a1. Ζμβ3. 650 a34. Ζγα19. 726 b10. ἡ πρώτη Ζγα18. 725 a14, b10. β4. 740 b4. 6. 744 b12 (sed diversa vi ἡ πρώτη εἰσιὼσα Ζμβ17. 508 b29). τὸ ἐκ τῆς τροφῆς γινόμενον τέλος Ζγα18. 725 b8. — ἡ αἱματικὴ Ζμβ6.652 a22. Ζγα19. 726 b10. β7. 745 b28, 746 a3, vel ἡ αἱμα-

τώδης Ζμδ̄3. 677 ᵇ26, ἡ φυσικὴ Ζγβ̄6. 744 ᵇ30. — τροφή
coni cum verbis, ἡ τροφὴ εἰσέρχεται ζ1. 468 ᵃ2. Ζγβ̄4.
740 ᵇ4. μβ̄2. 355 ᵇ7, syn ἡ εἰσιᾶσα, παρεισιᾶσα (v supra
p 773 ᵇ59). πορεύεται εἰς, διὰ Ζμγ̄3. 664 ᵃ21. δ̄4. 678 ᵃ11.
10. 689 ᵇ23. Ζιη̄2. 583 ᵃ9. ἄνω φέρεται υ3. 457 ᵃ5. τρέ- 5
πεται εἰς Ζγγ̄1. 750 ᵃ2. διηθεῖται χ6. 797 ᵇ22 (v διηθεῖν
p 195 ᵃ56). ἡ τροφὴ ἀποκρίνεται καταναλίσκεται ἀναλίσκεται·
ὁ λέων ἀναλίσκει, τὸ θερμὸν καταναλίσκει τὴν τροφὴν Ζγδ̄6.
774 ᵇ20. γ1. 749 ᵇ30. α18. 725 ᵃ33. ε8. 789 ᵇ2. Ζμδ̄12.
694 ᵃ10, ᵇ19. 10. 688 ᵇ4. ζ5. 469 ᵇ30, cf 470 ᵃ2. μερι- 10
ζομένη εἰς, μεταβάλλɥσα Ζμβ̄6. 652 ᵃ22. Ζγβ̄3. 737 ᵃ20,
736 ᵇ27. συμπέττεται μδ̄2. 379 ᵇ23. ἐπιρρεῖ πκ26. 926
ᵃ10. cf χ6. 797 ᵇ29, 798 ᵇ32, 799 ᵃ13. πολλῆς ἐμπιπτɥσης
τροφῆς υ3. 457 ᵇ18. ὑπονοστεῖ ἄνωθεν εἰς τὰ κάτω πε9.
881 ᵇ12. ὑποχωρεῖ ἔξω Ζιζ̄2. 590 ᵃ30. ὑπολείπɥσα, ὑπο- 15
μένɥσα χ6. 799 ᵃ2, 4, 18, 5. 798 ᵃ15. ζ5. 469 ᵇ25. Ζμδ̄5.
682 ᵃ25. διαδίδοται πκα13. 928 ᵇ10. λζ̄3. 966 ᵃ5 (v supra
p 178 ᵇ21). ἡ διδομένη τροφή Ζμγ̄2. 664 ᵃ2. ἡ γινομένη
Ζγδ̄8. 777 ᵃ24. β̄6. 7. 444 ᵇ18. Ζμδ̄10. 689 ᵇ31. — τὴν
τροφὴν λαμβάνει τὰ ζῷα υ3. 456 ᵃ33. Ζιϛ̄6. 612 ᵃ22. 20
Ζμδ̄7. 683 ᵇ22, 20. 13. 696 ᵇ27. Ζγβ̄7. 746 ᵃ7. δ̄8. 777
ᵃ2. πα5. 859 ᵇ4, τὸ θερμόν, πᾶν τὸ αὐξανόμενον ζ5. 469
ᵇ25. Ζμβ̄3. 650 ᵃ3, τὸ ᾠόν, τὰ φύματα, τὰ μόρια, ἡ θρὶξ
Ζγᾱ21. 730 ᵃ17. δ̄4. 772 ᵇ30. χ6. 798 ᵇ21. πδ̄18. 878
ᵇ31. τὸ ἔμβρυον λαμβάνει τὴν τροφὴν διὰ τὸ ὀμφαλɥ, διὰ 25
τῶν φλεβῶν Ζγγ̄2. 752 ᵃ26. β̄7. 745 ᵇ28. 4. 740 ᵃ35. ἔνια
λαμβάνει τὴν τροφὴν ἐκ τɥ βάθɥς, ἐκ τɥ ὑγρɥ, τὸ σῶμα
λήψεται τὴν τροφὴν ἐκ τῆς κοιλίας, τὰ ᾠὰ ἐκ τɥ ὠχρɥ
Ζμδ̄12. 693 ᵃ19. 13. 697 ᵃ31. β̄3. 650 ᵃ19. Ζγγ̄1. 751 ᵇ6.
ἀπὸ μικρῶν πολλὴν λαμβάνει τὸ σῶμα (sc τροφήν) πκβ̄3. 30
930 ᵃ34. λαμβάνειν τὴν τροφὴν ἐν τῷ ὑγρῷ, ἐν τῷ ξηρῷ
Ζμδ̄13. 697 ᵃ20. Ζιθ̄2. 589 ᵇ26. cf Ζμδ̄5. 678 ᵇ6. ὅλως
μὴ λαμβάνειν τροφὴν πα5. 859 ᵇ3. τὸ σῶμα ἀπολαμβάνει
πολλὴν τροφὴν πκβ̄3. 930 ᵃ36. ἡ λαμβανομένη τροφὴ Ζμδ̄10.
688 ᵇ4. ἀπολαύειν τροφῆς Ζιε̄31. 557 ᵃ32. πα5. 859 ᵃ4. 35
τὰ ζῷα χρῶνται τροφῇ ψβ̄4. 415 ᵃ26. Ζιη̄1. 581 ᵇ3. θ11.
596 ᵇ16, 19. ι41. 628 ᵇ12. 42. 629 ᵃ2. Ζμδ̄5. 678 ᵇ20.
τὰ δ' ἰχθύσι χρῶνται τροφῇ· αἱ μέλιτται μέλιτι χρῶνται
τροφῇ· τροφῇ χρῶνται οἱ Λάκωνες τοῖς ὄφεσι Ζιᾱ1. 488
ᵃ19, 18, 25. ᵇ24. 832 ᵃ20, syn ζῷσιν ἀπὸ Ζιᾱ1. 488 ᵃ19. 40
τροφὴν προσφέρειν, εἰσφέρειν, ἡ τροφὴ προσφερομένη, εἰσφε-
ρομένη, ἐπιφερομένη πα50. 865 ᵃ35. Ζιω41. 628 ᵃ23. Ζμγ̄3.
664 ᵇ31. 5. 668 ᵇ13. χ6. 797 ᵇ33. ἡ τροφὴ φέρεται εἰς
πα42. 864 ᵃ31. μὴ ποιεῖν ἁπλῆν τὴν τροφήν· ἡ τροφὴ ποιεῖ
πολεμίας χ̣ τɥτɥς Ζιθ̄21. 603 ᵇ28. ι1. 609 ᵇ21. ἔνια ποι- 45
εῖται τὴν τροφὴν ἐκ τῆς γῆς, ἐκ τῶν ἐνύδρων τόπων, περὶ
λίμνας, ἐν τῷ ὑγρῷ Ζιθ̄2. 589 ᵃ23, 17, 19. 5. 594 ᵇ29. α1.
487 ᵃ17, 19, 24. αν12. 476 ᵇ24, cf 477 ᵃ1. τροφὴν ποιεῖται
τῆς ὄψεις ὁ ἀετός Ζιᾱ1. 609 ᵃ4. ἔνια πορίζεται τὴν τροφὴν
ἐκ τɥ ὑγρɥ, ῥᾳδίως Ζιᾱ1. 487 ᵇ1. Ζγγ̄1. 749 ᵇ25. προσ- 50
δέχεσθαι τὰς τροφὰς χ̣ τὰς χειροηθείας φ5. 809 ᵃ32. δέ-
χονται τὴν τροφήν, opp ἀφίησιν, ἐκπέμπει ανϛ̄. 473 ᵃ13.
12. 477 ᵃ9. 11. 476 ᵇ2. Ζιδ̄6. 531 ᵃ23. Ζμβ̄10. 655 ᵇ31.
γ14. 674 ᵃ14, syn καταδέχονται, ἐκδέχονται αν11. 476
ᵃ29, ᵇ7. πα50. 865 ᵃ2. παρεισδέχονται τὸ ὑγρὸν ἅμα τῇ 55
τροφῇ Ζμγ̄1. 662 ᵃ10. ἡ σὰρξ ἐπιδέχεται τὴν τροφὴν πλζ̄3.
966 ᵃ5. τὰ ζῷα προσάγεται, λαμβάνɥσι χ̣ προσάγονται,
ἀναλαμβάνɥσι χ̣ προσάγονται τὴν τροφήν πι56. 897 ᵇ20
(cf 59. 897 ᵇ35). Ζιδ̄1. 524 ᵃ4, 523 ᵇ32. Ζμβ̄16. 658 ᵇ5.
δ̄6. 683 ᵃ2, 5. cf 8. 684 ᵃ1. ἕλκειν τὴν τροφὴν Ζγγ̄3. 754 60
ᵇ26. β̄3. 736 ᵇ11. φτα1. 816 ᵇ11. τὰ ζῷα, τὰ μόρια, τὸ

πῦρ ἔχει τροφήν Ζιᾱ1. 487 ᵃ31. γ21. 522 ᵇ32. ε19. 573
ᵇ22. Ζγᾱ19. 727 ᵇ14. γ11. 762 ᵇ32. δ̄6. 774 ᵇ26. πκβ̄3.
930 ᵃ31, cf 34. χ6. 798 ᵇ21, cf 30. μβ̄2. 355 ᵃ4. τὸ τɥ
ἄρρενος σπέρμα τὴν ἐν τῷ θήλει ὕλην χ̣ τροφὴν ποιῶν τινα
κατασκευάζει· οἱ τόποι παρασκευάζɥσιν αὐτῷ (τῷ ἡλίῳ) 5
τὴν τροφήν· ἡ τροφὴ παρασκευάζει ἐνεργεῖν Ζγᾱ21. 730
ᵃ15. μβ̄2. 355 ᵃ2 Ideler. ψβ̄4. 416 ᵇ19. εἰσπνύει τοῖς νεοτ-
τοῖς διιɥγνὺς τὸ στόμα προπαρασκευάζων πρὸς τὴν τροφὴν
Ζιɥ7. 613 ᵃ5. ἀποτίθεσθαι, προεκτίθεσθαι τὴν τροφὴν Ζιω32.
619 ᵃ21. Ζμδ̄10. 688 ᵃ25. Ζγβ̄7. 746 ᵃ3. ἀνασπᾶν, ἐπι- 10
σπᾶσθαι τὴν τροφὴν Ζμβ̄17. 661 ᵃ19. Ζιδ̄7. 532 ᵃ8. χ6.
798 ᵃ20. ἄνθρωπος ἥκιστα ἐκπονεῖ τὴν τροφὴν πδ̄6. 877
ᵃ19. οἱ φυκιοφάγοι τροφῆς εὐπορῶσιν· ὁ ἐχῖνος ɥ πλήρɥτɥ
τῆς τροφῆς τὸ ἄγγειον Ζιθ̄19. 602 ᵃ21. Ζμδ̄5. 680 ᵇ3.
προαισθάνεσθαι ἀπολείπειν ὑπάρχειν παρέχειν ἀκολɥθεῖν διώ- 15
κειν αι1. 436 ᵇ21. Ζιω40. 626 ᵃ2. 1. 608 ᵇ34. θ7. 595 ᵇ9.
2. 590 ᵃ17. δ̄8. 535 ᵃ1. κομίζειν τὴν τροφὴν Ζιζ̄8. 564
ᵃ18. τὴν μὲν τροφώδη τῆς σαρκὸς ἐκλελοιπέναι πᾶσαν τρο-
φὴν πι22. 893 ᵃ30. ἃ ἐμβάλλɥσιν εἰς τροφὴν αὐταῖς Ζιθ̄20.
603 ᵃ18. τῆς τροφῆς ἡ μὲν σβέννυσι τὸ γάλα, οἷον ἡ Μη- 20
δικὴ πόα Ζιγ̄21. 522 ᵇ25.

τροφή i q alitura, nutritio, Ernährung. διὰ τῆς πέψεως
ἡ τροφὴ γίνεται τοῖς ζῴοις αν8. 474 ᵃ27. τροφή, dist αὔ-
ξησις Γα5. 322 ᵃ23, 25. αι4. 441 ᵇ28. ἐν τοῖς περὶ τὴν
τροφὴν (in ratione cibi capiendi)· ἀναλισκομένων τῶν πε- 25
ριττωμάτων τῶν ἐμποδιζόντων τὴν τροφὴν Ζγᾱ4. 717 ᵃ23.
δ̄6. 775 ᵇ16. (τοῖς σπόγγοις) ἀπὸ τῆς προσφύσεως ɥσα ἡ
τροφὴ Ζιε16. 548 ᵇ8. ὃ χ̣ πρὸς τὴν τροφήν ἐστι χρήσιμον
Ζιθ̄21. 603 ᵇ26. τῶν ζῴων ἔνια χ̣ περὶ τὰς τροφὰς ἐκ-
πονεῖται τῶν τέκνων Ζιδ̄1. 588 ᵇ32. ι7. 612 ᵇ27. μέρος 30
τιμῆς τροφαὶ δημόσιαι Ρα5. 1361 ᵃ36. ρ3. 1424 ᵃ37. Πβ̄8.
1268 ᵃ9. περὶ τροφῆς πόλεως Ρα4. 1360 ᵃ12-17. interdum
vel coniuncta est aliturae et alimenti significatio vel du-
bium utram potius intellegas.

τροφή i q alimentum, nutrimentum, Nahrungsmittel,
Nahrungsstoff. 1. τῶν φυτῶν. τροφὴ τοῖς φυτοῖς ὕδωρ χ̣
γῆ· τὸ μὲν ἀρχὴ τὸ δὲ τροφὴ γίνεται ἡ πρώτη τοῖς ἐκ-
φυομένοις Ζγγ̄11. 762 ᵇ12, 20. cf Γβ̄8. 335 ᵃ10. ἀρχὴ τῆς
τροφῆς τοῖς φυτῶν, ἐν τῇ ἀρχῇ τροφὴ γίνεται τῆς ῥίζης 40
φτα2. 817 ᵃ24, 39. τροφήν, ἀναγκαῖόν τι Ζμᾱ1. 642 ᵃ7. τὰ
φυτὰ λαμβάνει τὴν τροφὴν ἐκ τῆς γῆς· ῥίζα ἐστὶν ɥ τὴν
τροφὴν λαμβάνει sim Ζγβ̄4. 740 ᵃ26, 739 ᵇ37. ζ1. 468 ᵃ9,
11. Ζπ4. 705 ᵇ6. Ζμβ̄3. 650 ᵃ20. 10. 655 ᵇ35. δ̄4. 678
ᵃ12, 14. αἱ ῥίζαι ɥ ἄνω ἀλλὰ κάτω ἕνεκα τῆς τροφῆς 45
Φβ̄8. 199 ᵃ29. ἕλκειν τροφὴν φτα1. 816 ᵇ11, ἴσχειν, ἔχειν,
πλήρη τροφῆς, ἔχɥσι τροφὴν ἅπαντα ἐν αὐτοῖς πκ32. 926
ᵇ13. 26. 926 ᵃ3. 28. 926 ᵃ28. κα2. 927 ᵃ19. ἡ τροφὴ ὑπο-
λείπɥσα, εὐτελὴς χ̣ μοχθηρά, ἐπιτηδεία χ5. 797 ᵃ15, cf 19,
30. φτα2. 817 ᵇ27, 15. ἡ περιɥσία τῆς τροφῆς ɥ ποιɥσα 50
βλαστάνειν πκ26. 926 ᵃ5. 28. 926 ᵃ18. τὸ λοιπὸν τροφὴ
γίγνεται τῷ βλαστῷ χ̣ τῇ ῥίζῃ τῇ πρώτῃ· ἐν αὐτοῖς τοῖς
ζῴοις χ̣ τοῖς φυτοῖς ὕστερον ἐκ τῆς τροφῆς ποιεῖ τὴν αὔ-
ξησιν· αἱ τραγῶσαι ἄμπελοι διὰ τὴν τροφὴν ἐξυβρίζɥσι
Ζγᾱ23. 731 ᵃ8. β̄4. 740 ᵃ31, cf 18. 725 ᵇ35. ἡ ἐν τῷ πε- 55
ρικαρπίῳ τροφή· ἡ ἐν τοῖς περικαρπίοις τροφῆς πέψις πέπανσις
λέγεται· ἡ πέπανσις κατὰ τὴν τροφὴν αὐτῶν μδ̄3. 380
ᵃ28, 12. φτβ̄8. 828 ᵃ22. δεῖ τὴν (τɥ ᾠɥ) τροφὴν σωμα-
τώδη ɥσαν ὑγρὰν εἶναι καθάπερ τοῖς φυτοῖς· τοῖς πολυ-
γόνοις τρέπεται ἡ τροφή· ἐν τῷ σπέρματι χ̣ τῇ περὶ τɥς 60
καρπɥς γενέσει ἔνεστι μὲν ἡ τροφή, δεῖται δ' ἐργασίας·
τῶν δένδρων τὰ πολλὰ πολυκαρπήσαντα λίαν ἐξαυαίνεται

μετὰ τὴν φοράν, ὅταν μὴ ὑπολειφθῇ τῷ σώματι τροφή Ζγγ2. 753 ᵇ26, cf 29. 1. 750 ᵃ21, 23, cf 25. α20. 728 ᵃ28.

2. τῶν ζώων. a. πόθεν λαμβάνει τὴν τροφήν; διαιρεῖσθαι τὰ ζῷα ταῖς τροφαῖς Ζιθ2. 590 ᵃ15. ἡ τροφὴ πᾶσιν ἐξ ὑγρῦ χ̣ ξηρῦ Ζμβ3. 650 ᵃ3. αι4. 441 ᵇ26. cf Πα10. 1258 ᵃ23. λαμβάνει τὴν τροφὴν ἐν τῷ ὑγρῷ. ἐκ τῦ ὑγρῦ Ζμδ13. 697 ᵃ20, 31, syn πορίζεσθαι, ποιεῖσθαι, δέχεσθαι τὴν τροφὴν ἐκ τῦ ὑγρῦ, ἐν τῷ ὑγρῷ sim Ζια1. 487 ᵇ1, ᵃ17, 24. θ2. 589 ᵃ17, 19. αν12. 477 ᵃ9, 476 ᵇ24, 477 ᵃ1. 10 ποιεῖσθαι τὴν τροφὴν περὶ λίμνας ἢ ποταμὺς Ζιθ5. 594 ᵇ29. αὐχὴν μακρὸς χρήσιμος πρὸς τὴν τροφὴν τὴν ἐκ τῦ ὑγρῦ Ζμδ12. 693 ᵃ9. β16. 659 ᵃ3. τῶν ἐντόμων ὅσα ὑγρῷ χρῆται τῇ τροφῇ Ζμδ5. 678 ᵇ20. τὰ μὲν δέχεται τὸ ὕδωρ διὰ τὴν τροφήν Ζι92. 589 ᵇ16, 19, 21. — ἔνια τὴν τροφὴν 15 ἐκ τῆς γῆς ποιεῖται, syn λαμβάνει τὴν τροφὴν (ἐν τῷ ξηρῷ), πεζεύωσι περὶ τὴν τροφήν Ζιθ2. 589 ᵃ23, 25, ᵇ26. πόδας τροφῆς χάριν χ̣ ἀναστάσεως πν8. 485 ᵃ18. τῶν ἐντόμων ἔνια ζῇ χ̣ τὴν τροφὴν ἔχει ἐν τῇ γῇ Ζια1. 487 ᵃ31. θησαυριστικά τινα τῆς τροφῆς ἐστίν· ἀπὸ τῶν ζώων ἡ τροφὴ 20 τοῖς ὠμοφάγοις Ζια1. 488 ᵃ20. ιι. 608 ᵇ27. ἡ τροφὴ διὰ μάχης τοῖς σαρκοφάγοις· τοῖς γαμφώνυξιν ἄνωθεν ἡ θεωρία τῆς τροφῆς· ἰχθύες λαίμαργοι πρὸς τὴν τροφήν Ζμβ9. 655 ᵃ13. 13. 657 ᵇ26. γ14. 675 ᵃ20. αἱ φιλίαι χ̣ οἱ πόλεμοι διὰ τὰς τροφάς Ζι1. 610 ᵃ34. ἡ τροφὴ ἐκ τῦ ἀέρος πν8. 25 485 ᵃ19. ἡ τροφὴ ἡ ἀπὸ τῆς ὀσμῆς αι5. 444 ᵃ17. —

b. ἡ τροφὴ πῶς ἔχει ἐν τοῖς τῆς πέψεως ὀργάνοις (cf omnino ψβ4. 416 ᵃ20-ᵇ31. αι4. 441 ᵇ26-442 ᵃ12). τροφῆς δεῖται τῶν ζώων ἕκαστον αν11. 476 ᵇ16. Ζγβ4. 740 ᵃ20. π67. 898 ᵇ22. προσδεῖσθαι τροφῆς πνβ3. 930 ᵃ33. ὑγιεινὸν 30 τὸ τῆς τροφῆς ὑποστέλλεσθαι· ἐναντίον τῇ τροφῇ φάρμακον πα42. 864 ᵇ7. 46. 864 ᵇ36. ε33. 884 ᵃ22. ἐν ταῖς οἰκονομίαις τῆς γινομένης τροφῆς ἡ μὲν βελτίστη τέτακται τοῖς ἐλευθέροις, ἡ δὲ χείρων χ̣ τὸ περίττωμα ταύτης οἰκέταις, τὰ δὲ χείριστα χ̣ τοῖς συντρεφομένοις διδόασι ζώοις Ζγβ6. 35 744 ᵇ18. πάντων ἐστὶ τῶν ζώων κοινὰ μόρια ᾧ δέχεται τὴν τροφὴν χ̣ εἰς ὃ δέχεται· καθ᾿ ὃ εἰσέρχεται μόριον ἡ τροφὴ ἄνω καλῶμεν· καταδέχονται τὴν τροφήν Ζια2. 488 ᵇ30. Ζμβ10. 655 ᵇ31. ζ1. 468 ᵃ2. αν11. 476 ᵇ2, 7, α29. τὰ ζῷα λαμβάνει τὴν τροφὴν τοῖς στόμασι, ἐπὶ τῦ στό- 40 ματος ἡ τροφὴ πάντων κοινόν Ζπ4. 705 ᵃ8. Ζμδ7. 683 ᵇ22, 20. γ1. 662 ᵃ21. ἡ εἰσιῦσα τροφὴ (παρεισιῦσα) ποιεῖ κατάψυξιν ζ6. 470 ᵃ23, 26. Ζμγ3. 664 ᵇ28, ᵃ33. δ5. 681 ᵇ25. Ζγγ11. 762 ᵇ7, 14. υ3. 456 ᵇ3. αν11. 476 ᵃ30 (sed aliter Ζμδ4. 678 ᵃ17. Ζγδ8. 777 ᵃ25). ἡ εἰσφερομένη 45 Ζμγ5. 668 ᵇ13. ἐὰν προσφερομένης τῆς τροφῆς ἀναπνεύσῃ τις, βῆχας χ̣ πνιγμὺς ποιεῖ Ζμγ3. 664 ᵇ31. διαιρεῖν χ̣ λεαίνειν τὴν τροφήν· ἡ τροφὴ δεῖται διαιρέσεως Ζμγ14. 674 ᵇ21. 3. 664 ᵇ33. β3. 655 ᵃ10. δ5. 678 ᵇ35. αν11.476 ᵇ12. ὀδοῦσι κατεργάζεται τὴν τροφήν Ζιβ3. 501 ᵇ31. cf Ζμγ1. 50 661 ᵇ16. Ζγε8. 788 ᵇ5. τῆς τροφῆς χάριν τῆς ἐν τοῖς χυμοῖς ἐστιν ἡ αἴσθησις Ζμβ17. 661 ᵃ3. ἡ ἀρτηρία τῷ διακεῖσθαι ἐν τῷ πρόσθεν ὑπὸ τῆς τροφῆς ἐνοχλεῖται· διὰ τῦ οἰσοφάγυς ἡ τροφὴ πορεύεται εἰς τὴν κοιλίαν Ζμγ3. 664 ᵇ21, ᵃ21, cf 23. (οἱ ὄρνιθες) ἐν τῷ προλόβῳ προθησαυρίζυσι 55 τὴν ἀνατέργαστον τροφήν Ζμγ14. 674 ᵇ25. ἐν τῇ κάτω (σκωλήκων) ἡ τροφὴ τοῖς ἄνω Ζγγ11. 763 ᵃ11. πᾶσι τοῖς ζώοις τόπος δεκτικὸς τῆς τροφῆς, ἢ δέχεται τὸ τῆς τροφῆς αι5. 445 ᵃ24. ζ2. 468 ᵃ14. ὁ τόπος ὁ τῆς τροφῆς δεκτικὸν μέρος Ζμβ3. 650 ᵃ32. γ14. 674 ᵇ19. 10. 672 ᵇ23. 60 δ7. 683 ᵇ24. Ζια2. 489 ᵃ4. (τὸ δεχόμενον μόριον τὴν τρο-

φήν, τὸ δεχόμενον τὴν τροφήν, τῆς τροφῆς δεκτικώτερα Ζμδ5. 681 ᵇ34. αν8. 474 ᵇ1. ζ2. 468 ᵇ8. πλ3. 966 ᵃ12. τὸ τῆς τροφῆς ἐργαστικὸν χ̣ δεκτικὸν Πὁ4. 1290 ᵇ27.) ἐν τῇ ἄνω κοιλίᾳ κατὰ τὴν πρώτην εἴσοδον τῆς τροφῆς νεαρὰν ἀναγκαῖον εἶναι τὴν τροφήν, κάτω δὲ προϊῦσαν κοπρώδη χ̣ ἐξικμασμένην Ζμγ14. 675 ᵇ29. ἐν τοῖς τῶν ζώων σώμασι τῆς τροφῆς εἰσελθῦσης γλυκείας ἡ τῆς ὑγρᾶς τροφῆς ὑπό- στασις χ̣ τὸ περίττωμα πικρὸν ὂν χ̣ ἁλμυρὸν μβ2. 355 ᵇ7. ἡ τῆς τροφῆς ἐν τῷ σώματι πέψις· πέττει τὴν τροφὴν ἡ κοιλία· ὁ περὶ τὸ ὑπόζωμα τόπος, ἡ τροφὴ πέττεται, συμ- πέττεται μὁ3. 381 ᵇ7. 2. 379 ᵇ23. ζ4. 469 ᵇ12, ᵃ32. Ζμγ14. 675 ᵃ13, 674 ᵇ28. Ζγα8. 718 ᵇ21. cf γ11. 763 ᵃ16. Ζιδ11. 538 ᵃ10. ἡ τῆς κοιλίας δύναμις ἐργασίαν τινὰ λειτυργεῖ περὶ τὴν τροφήν ζ3. 469 ᵃ4. cf 7. 653 ᵃ9. τὸ ἄνω τὸ κύριον τῦ ζώῦ, τὸ κάτω τῆς τροφῆς χ̣ τῦ περιττώματος Ζγδ8. 776 ᵇ6. εἰς τὰ κάτω ὑπονοστεῖ ἄνωθεν χ̣ ἡ τροφὴ χ̣ τὰ περιτ- τώματα, ἡ ἐκ τῦ πυρὸς τροφὴ μάλιστα τοῖς σώμασιν ἁρ- μόττει πε9. 881 ᵇ12. κα2. 927 ᵃ17. ἡ τροφὴ ὑπολείπϋσα, καταξηραίνεται ταχέως χ6. 798 ᵃ15, ᵇ15, 799 ᵃ2, 4, 18, ᵇ2. πγ6. 875 ᵃ14. τὰ ἕτερα χ̣ δέξασθαι τὴν εἰσελθῦσαν τρο- φὴν χ̣ τὴν ἐξικμασμένην ἀναγκαῖον ἐκπέμψαι Ζμγ14. 674 ᵃ14, cf 17. τὸ τελευταῖον ἐκ πλείστης τροφῆς ὀλίγιστον Ζγα18. 725 ᵃ18. — c. τροφῆς περιττώματα μβ2. 356 ᵇ2. αι5. 445 ᵃ19. πν1. 481 ᵃ20. Ζια2. 488 ᵇ34. Ζμβ7. 653 ᵇ13, 11. cf Rose lib ord 176. εἰ αἱ τροφαὶ αἴτιαι τῆς μετα- βολῆς, εὐλόγως αἱ ποικίλαι τροφαὶ παντοδαπωτέρας ποιῦσι τὰς κινήσεις χ̣ τὰ περιττώματα τῆς τροφῆς Ζγε6. 786 ᵇ2. ὁ αὐτὸς λόγος (τόπος ci Furlan) τῆς τροφῆς χ̣ τῦ περιτ- τώματος πν2. 481 ᵇ28. τὸ περίττωμα τῆς ἀχρήστυ τροφῆς· ἡ περίττωσις τῆς ὑγρᾶς χ̣ τῆς ξηρᾶς τροφῆς Ζγβ4. 738 ᵃ36, 737 ᵇ34. ἡ τῆς ὑγρᾶς τροφῆς περίττωσις Ζγα13. 720 ᵃ8. cf μβ2. 356 ᵇ3. 3. 358 ᵃ8. ἡ τῆς τροφῆς (ξηρᾶς, ὑγρᾶς) ὑπόστασις, τὸ τῆς τροφῆς ὑπόλειμμα μβ3. 357 ᵇ8. Ζμβ2. 647 ᵇ28. Ζγα18. 724 ᵇ27. ὁ τῆς ξηρᾶς τροφῆς πόρος, ὁ τῆς ποτίμυ τροφῆς τόπος, ἡ ἔξοδος τῆς τροφῆς Ζγα13. 719 ᵇ34, 720 ᵃ4. δ4. 773 ᵃ25. μβ2. 355 ᵇ12. Ζιβ17.507 ᵃ32. itaque ἡ τροφὴ saepius i q περίττωμα cf ΖιΖ2. 590 ᵃ30 et ΑΖ I 203. syn τοιῦτον Ζγγ9. 758 ᵇ33 (τροφήν ci Aub minus recte). — d. τροφή, θερμόν. καθάπερ χ̣ τἆλλα δεῖται τροφῆς, κἀκεῖνο (τὸ θερμόν)· χ̣ γὰρ τοῖς ἄλλοις ἐκεῖνο τῆς τροφῆς αἴτιόν ἐστιν αν21. 480 ᵃ17. τὸ θερμὸν χ̣ δεῖται τροφῆς χ̣ πέττει τὴν τροφὴν ταχέως Ζμδ5. 682 ᵃ23, 681 ᵃ4. καταναλίσκει τὴν τροφὴν τὸ θερμόν· ἐργάζεται χ̣ πέττει τὴν φυσικὴν θερμῦ τὴν τροφὴν πάντα, μάλιστα τὸ κυριώτατον (ἡ καρδία) ζ5. 469 ᵇ30 (cf 470 ᵃ2), 12. συγ- κάεσθαι τὴν τροφὴν ὑπὸ τῦ θερμῦ χ6. 798 ᵇ17. ἐκ τῆς περὶ τὴν τροφὴν ἀναθυμιάσεως γίνεται τὸ πάθος τῦτο (ὁ ὕπνος) υ3. 456 ᵇ19. — τὸ θερμὸν κατέχει σύνολκον τὴν τροφὴν χ̣ προΐησι ἄνω· τὸ ἐκτὸς θερμὸν ἐξατμίζει τὴν εὔπεπτον τροφήν πκ8. 923 ᵇ14. ι22. 893 ᵃ33, cf ᵇ1. ἡ τῦ θερμῦ τροφὴ ἀναιρημένη ἢ λεπτυνομένη· τροφὴ μὲν γὰρ ὑγρὸν τῷ θερμῷ πυ5. 871 ᵇ11. 26. 875 ᵃ14. — e. οἱ τρόποι διαφέρυσι διὰ τὸς τόπυς ἐν οἷς λαμβάνυσι τὴν τροφήν· ἅπαν λήψεται τὸ σῶμα τὴν τροφὴν ἀπὸ τῆς κοιλίας χ̣ τῆς τῶν ἐντέρων φύσεως Ζμδ5. 678 ᵇ6. 3. 650 ᵃ19. τὸ σῶμα ἀπολαμβάνει πολλὴν τροφήν· τροφὴ τῷ σώματι πκβ3. 930 ᵃ36. η9. 888 ᵃ7. εἰς τὸ σῶμα μέγα ὂν ἀναλίσκεται τὸ

πλεῖστον τῆς τροφῆς, ὥστ᾿ ὀλίγον γίνεται τὸ περίττωμα
τῶν ἄλλων μορίων γίνεται ἕκαστον ἐκ τῆς τροφῆς, τὰ μὲν
τιμιώτατα ἐκ τῆς πεπεμμένης ᾳ καθαρωτάτης ᾳ πρώτης
τροφῆς. τὰ δ᾿ ἀναγκαῖα μέρη ἐκ τῆς χείρονος Ζγα18. 725
ᵃ33. β6. 744 ᵇ12. cf Ζμβ2. 647 ᵇ25. διαδοθείσης τῆς τρο- 5
φῆς ἐν τοῖς ἄλλοις μέρεσιν πκα13. 928 ᵇ10. ἡ εἰσιοῦσα
τροφή Ζμδ4. 678 ᵃ17 (cf p 774 ᵃ3). μόρια ὅσα κατ᾿
ἀρχὰς ἔχει τροφήν, ὅσα βραχεῖαν τὴν τροφὴν λαμβάνει,
τόπος ὁ δυνάμενος ὁμοίως ἐπισπᾶσθαι τὴν τροφήν χ6. 798
ᵃ12, ᵇ21, cf 30, ᵃ20. ὁ πέττει τὴν τροφὴν ὁ τόπος (ἡ κε- 10
φαλή) πδ18. 878 ᵇ31. (ἐπίπλοον) τόπος πλήρης ἐστὶ τροφῆς
Ζμδ3. 677 ᵇ24 (τροφῆς τὰ πλήρη πι47. 896 ᵃ28. cf Ζμγ7.
670 ᵇ7). — ἡ τροφή πᾶσιν αἷμα Ζμβ6. 652 ᵃ6. πι60.
898 ᵃ7. cf πυ1. 481 ᵃ12, 13. 6. 484 ᵇ7 et supra p 773 ᵇ2.
τὸ αἷμα τροφῆς ἕνεκεν ὑπάρχει τοῖς ἐναίμοις Ζμβ3. 650 15
ᵇ2, cf 12. εἰ τὸ αἷμα τροφή ἐστιν Ζγβ4. 740 ᵇ3, 4 Aub.
ἡ τροφή ἐξ ἧς ἤδη γίνεται τὰ μόρια τοῖς ζῴοις, ἢ τὸ αἷ-
ματος φύσις ἐστὶν αν8. 474 ᵇ3 (τὰ ἄνω πλήρη τῆς τροφῆς
τοῖς παιδίοις υ3. 457 ᵃ18, cf s5, 458 ᵃ22. εν3. 461 ᵃ12, 462
ᵇ4). ἡ πρόσφυσις τῆς τροφῆς πρὸς αἷμα πβ3. 866 ᵇ21. 20
cf α42. 864 ᵇ9. — εἰς τὰς φλέβας ἐκ τῆς κοιλίας οἷον διὰ
ῥιζῶν πορεύεται ἡ τροφή Ζμδ4. 678 ᵃ11, cf ᵇ17. φλέβες
ὑπερπληρούμεναι ἐκ τῆς τροφῆς· διὰ τῶν φλεβῶν ᾳ τῶν
πόρων διαπιδύουσα ἡ τροφή Ζγβ4. 738 ᵃ12, cf 36. 6. 743
ᵃ9. τῆς θύραθεν τροφῆς εἰσιούσης εἰς τοὺς δεκτικοὺς τόπος 25
γίνεται ἡ ἀναθυμίασις εἰς τὰς φλέβας υ3. 456 ᵇ3. ἡ τροφή
φέρεται εἰς τὰς φλέβας πα42. 864 ᵃ31. — ἡ τῷ νεύρῳ
τροφή πν6. 484 ᵃ31. — ἐκ τῆς ἐπικτήτου τροφῆς ᾳ τῆς
αὐξητικῆς ὄνυχες τρίχες κτλ Ζγβ6. 745 ᵃ8. ἀναλίσκεσθαι
τὴν τροφὴν εἰς τὰ ὅπλα ᾳ τὴν βοήθειαν Ζμδ12. 694 ᵃ10. 30
λαμβάνεται τροφήν αἱ τρίχες πδ18. 878 ᵇ31. cf χ6. 797
ᵇ29, 33. διὰ τῷ δέρματος ἡ τροφή εἰς τὴν ἐκτὸς περιοχὴν
διηθεῖται χ6. 797 ᵇ22, cf 798 ᵇ32. ἡ διδομένη τροφή εἰς
τῆς ὀδόντας τότως εἰς τὴν τῶν κεράτων αὔξησιν ἀναλίσκεται
Ζμγ2. 664 ᵃ2. — τίς ἡ τῷ ὀστῷ τροφή, (ἀπὸ τῷ ὀστῷ ἢ 35
τροφή) πν6. 484 ᵃ24, 21. τῶν ζῴων αὐξανομένων ἐκ τῆς
φυσικῆς τροφῆς λαμβάνει τὴν αὔξησιν (τὰ ὀστᾶ) Ζγβ6.
744 ᵇ30. ἐμπεριλαμβανομένης τῆς τροφῆς ἐξ ἧς γίνεται
τὰ ὀστᾶ· ἡ αἱματικὴ τροφὴ ἡ εἰς ὀστᾶ ᾳ ἄκανθαν μερι-
ζομένη Ζμβ6. 652 ᵃ5, 22. ἐκ τῆς τροφῆς τῆς εἰς τὰ ὀστᾶ 40
διαδιδομένης γίνονται οἱ ὀδόντες· εἰς τὴν αὔξησιν (αὐτῶν)
ἀναλίσκεται ἡ τροφή τὴν οἰκείαν Ζγβ6. 745 ᵇ7. (cf Ζμγ2.
664 ᵃ2). ε8. 789 ᵇ2. ἐνίοις ἤδη γεγένηται οἱ ἔσχατοι παν-
τελῶς (ὀδόντες) διὰ τὸ πολλὴν εἶναι τροφήν ἐν τῇ εὐρυ-
χωρίᾳ τῷ ὀστῷ Ζγε8. 789 ᵃ19. — σάρκας ἐκ τῆς τροφῆς 45
προσιέναι ταῖς σαρξὶν (Anaxag) Ζγα18. 723 ᵃ11. ταῖς εὐ-
σάρκοις πορεύεται εἰς τὴν τροφὴν τῷ σώματος τὸ πολὺ τῆς
ἐκκρίσεως Ζιη2. 583 ᵃ9. ὀγκωτέρα τῆς τροφῆς (τῇ τροφῇ
ci Bsm) γίνεται ἡ σάρξ διὰ τὴν θερμασίαν· ἡ σὰρξ ἐπιδέ-
χεται τὴν τροφὴν μᾶλλον διὰ τὴν ἀραίωσιν· ἡ εἰς τὴν 50
σάρκα διαδιδομένη τροφή ὑγρά ἐστι· τὴν μὲν τροφώδη τῆς
σαρκὸς ἐκλελοιπέναι πᾶσαν τροφήν πλζ3. 966 ᵃ2, 5. ι22.
893 ᵃ30. ἡ εἰς τὰ σκέλη γιγνομένη (καταναλισκομένη)
τροφή· ἡ ἐκεῖ τροφή πορευομένη εἰς ταῦτα (ἰσχία) ἀναλί-
σκεται Ζμδ12. 694 ᵇ19. 10. 689 ᵇ31. 23. — ἡ τροφή κάτω 55
ὀλίγη πδ31. 880 ᵇ5. — ἡ γονή περίττωμά ἐστι τροφῆς ᾳ
τῆς ἐσχάτης Ζγα19. 726 ᵇ3. — τὸ σπέρμα περίττωμα
μεταβαλλούσης τῆς τροφῆς ἐστίν, (syn μεριζομένης τῆς
ἐσχάτης τροφῆς), χρησίμη τροφῆς τῆς ἐσχάτης, τῆς αἱ-
ματικῆς ἄν εἴη περίττωμα τροφῆς τὸ σπέρμα τῆς εἰς τὰ 60
μέρη διαδιδομένης τελευταίας Ζγβ3. 736 ᵇ27, 737 ᵃ20. α18.

726 ᵃ27, cf 29, ᵇ10. τοῖς πολυγόνοις τρέπεται εἰς τὸ σπέρμα
ἡ τροφή Ζγγ1. 750 ᵃ21. cf δ6. 774 ᵇ20. — ἡ εἰς τὸ ἔμ-
βρυον τροφή Ζγδ6. 775 ᵇ24. ἡ διὰ τῷ ὀμφαλῷ τροφή
Ζγδ8. 777 ᵃ23, cf 25. β7. 745 ᵇ28. γ2. 752 ᵃ26, syn ἡ
εἰσιοῦσα, ἡ παρὰ τῷ θήλεος, ἄλλοθεν λαμβάνειν τὴν τροφήν
Ζγδ8. 777 ᵃ25. β6. 745 ᵃ4. 4. 740 ᵃ25. cf 7. 746 ᵃ3, 7.
δ8. 777 ᵃ2. πρώτως ἐγένετο ἡ τροφή τῷ τρέφοντι συνεχής
φτα1. 816 ᵇ20. διὰ τῶν φλεβῶν λαμβάνει τὸ κύημα τὴν
τροφήν· τὴν τροφήν ῥᾷον ἕλκειν ἐκ τῆς ὑστέρας πόροις τισὶν
Ζγβ4. 740 ᵃ35. γ3. 754 ᵇ26. ὅταν ἀπολυθῶσιν ἐκ τῆς ἐν
αὐτοῖς τροφῆς· τὰ χωριζόμενα τῶν κυημάτων ἕλκει τὴν
τροφήν Ζγβ4. 740 ᵇ11. 3. 736 ᵇ11. τῆς τροφῆς τῆς σπερ-
ματικῆς (τοῖς σπερματικοῖς v l et Aub) ὑστέραι ᾳ αἰδοῖα
ᾳ μαστοὶ Ζγβ4. 725 ᵇ3. τὸ τῷ ἄρρενος σπέρμα τὴν εἰς
τῷ θήλει ὕλην ᾳ τροφήν ποιάν τινα κατασκευάζει· ἐν τῇ
ὕλῃ τῶν ζῴων τὸ περίττωμα τῆς συστάσεως τροφή ἐστι
Ζγα21. 730 ᵃ15. β4. 740 ᵇ8. τροφὴ ὑψώδης τῷ τῶν γα-
λεωδῶν ἐμβρύῳ Ζιζ10. 565 ᵇ9. — λαμβάνει τροφὴν τὸ
ᾠὸν ἕως ἂν αὐξάνηται· ἐν τῷ ᾠῷ ᾳ ἱκανὴ τροφὴ πρὸς τὴν
αὔξησιν· ἐν τῷ ᾠῷ ἡ τροφὴ ἐγγίνεται ἐν τοῖς ζῳοτόκοις
γαλακτώδης ὑπάρχουσα Ζγα21. 730 ᵃ17. γ2. 752 ᵇ20.
Ζμδ11. 692 ᵃ14. ὅσα δίχροά ἐστι τῶν ᾠῶν τὴν τροφὴν
λαμβάνει ἐκ τῷ ὠχρῷ Ζγγ1. 751 ᵇ6, cf 23. 2. 752 ᵇ27,
753 ᵇ3, 11, 24, 754 ᵃ8, 12, 14. α23. 731 ᵃ7. β1. 732 ᵃ31.
φτα2. 817 ᵃ33. ἡ ὄρνις συνεκτίκτει τὴν τροφὴν ἐν τῷ ᾠῷ
Ζγγ2. 752 ᵇ21. cf δ6. 774 ᵇ30. ἡ τροφὴ ὁμοία γίνεται τοῖς
ἰχθυδίοις ἐν τῇ κοιλίᾳ ὥσπερ τοῖς τῶν ὀρνίθων νεοττοῖς, syn
μικρόν τι τῷ ᾠῷ λείπεται ΖιΖ10. 565 ᵃ10. 3. 562 ᵃ15. εἰς
τὴν τέκνωσιν (gallinâceis) καταναλίσκεται ἡ τροφή· ἡ εἰς
τὰ κῶλα τροφὴ τρέπεται τοῖς τοιούτοις εἰς περίττωμα σπερ-
ματικόν Ζγγ1. 749 ᵇ30, 750 ᵃ2. δεῖ τὴν τροφὴν σωματώδη
(τῷ ᾠῷ) ὦσαν ὑγρὰν εἶναι καθάπερ τοῖς φυτοῖς Ζγγ2. 753
ᵇ26, cf 29. — τοῖς ζῳοτοκουμένοις ἐν ἄλλῳ μορίῳ γίνεται
ἡ τροφή, τὸ γάλα, ἐν τοῖς μαστοῖς· ἡ φύσις ἀποτίθεται
ἐνταῦθα τοῖς γεννωμένοις τροφήν, ὅπῃ γὰρ κίνησις γίνεται τῆς
τροφῆς, ἐντεῦθεν ᾳ λαβεῖν ἐστιν αὐτοῖς δυνατόν Ζμδ10.
688 ᵃ25, ᵇ20. τῆς τροφῆς χάριν τὸ γάλα τῆς θύραζε ἐποί-
ησεν ἡ φύσις τοῖς ζῴοις· τὸ γάλα γίνεται χρήσιμον πρὸς
τὴν γινομένην τροφὴν Ζγδ8. 776 ᵃ17, 777 ᵃ24. cf ε8. 788
ᵇ23. φύσει ἀπὸ τῆς μητρὸς ἡ τροφή οα2. 1343 ᵇ1. Πα10.
1258 ᵃ35. — ᾳ τὰ φύματα λαμβάνει τροφὴν Ζγδ4. 772
ᵇ30, cf 28. — τὰ περὶ τῷ κοιλίαν πιότατα· πότερον ὅτι
ἐγγύς ἐστι τῆς τροφῆς πε5. 881 ᵃ1. cf 14. 882 ᵃ21. —
οὐδὲ τροφῆς χάριν γίνεται ἡ ἀναπνοή αν6. 473 ᵃ3, 12. cf 11.
476 ᵃ29. ἐν τῇ κινήσει τῇ τῷ πνεύματος ἐκθερμαίνεται ἡ
τροφή· (πνεῦμον) εἰ μὴ δεῖταί τινος κινήσεως ᾳ οἷον τρο-
φῆς· (τῷ πνεύματος ἐν τῇ ἀρτηρίᾳ) ἡ κίνησις ᾳ τὴν τροφὴν
ἐπάγουσα ᾳ κατεργαζομένη πν2. 481 ᵇ15. 3. 482 ᵇ1. 4. 482
ᵇ15, 20. ἡ αὔξησις ᾳ ἡ τροφὴ τῷ πνεύματος· τοῖς μὴ
ἀναπνευστικοῖς τίς ἡ τροφὴ τῷ συμφύτῳ· τοῖς ἐνύδροις τίς
ἡ τροφὴ ᾳ αὔξησις τῷ συμφύτῳ πν2. 482 ᵃ27, 8, 22, 24,
25. Ἀριστογένης τροφὴν οἴεται ᾳ τὸ πνεῦμα πεττόμενον
πν2. 481 ᵃ29.

τροφή, i q educatio Ηκ10. 1179 ᵇ34, 1180 ᵃ1, syn
ἀγωγή 1179 ᵇ31, ἐπιμέλεια 1180 ᵃ1. τροφή ᾳ ἐπιτηδεύ-
ματα Ηκ10. 1180 ᵃ26. τὰ περὶ τὴν τροφὴν τῶν παίδων
(Laced) Πδ9. 1294 ᵇ21, 27. β8. 1268 ᵇ2.
τροφίας. οἱ τροφίαι ἵπποι Ζιθ24. 604 ᵃ29.
τρόφιμος. γάλα τροφιμώτατον τὸ πλεῖστον ἔχον τυρόν Ζιγ21.
523 ᵃ11. ἡ ἐκ τῷ πυρῷ τροφή μᾶλλον τρόφιμος ἢ ἡ ἐκ
τῶν κριθῶν· αἱ τετριμμέναι μᾶζαι τροφιμώτεραι πκα2.

927 ªh18, 22. τὸ πότιμον (ὑγρὸν) γλυκὺ ἢ τρόφιμον Ζγγ11.
761 ᵇ1. cf ai4. 442 ª27. λίαν τρόφιμον εἶναι τὸ γλυκὺ ai4.
442 ª11. ὃ παντὸς ξηρῦ ἀλλὰ τῦ τροφίμῳ οἱ χυμοὶ πάθος
εἰσὶν ai4. 441 ᵇ24. ἡ τρόφιμος ἢ μὴ νοσώδης (ἀναθυμία-
σις) καταφέρεται συνισταμένη υ3. 458 ª4. τρόφιμόν τι 5
φυτόν φτβ4. 826 ª10.
τροφός. Ὀδυσσεὺς πῶς ἀνεγνωρίσθη ὑπὸ τῆς τροφῦ πο16.
1454 ᵇ27.
τροφώδης. ὅτι ἂν ἐπιστάξῃ τις αὐτοῖς (τοῖς μαράνσει νο-
σῦσι) τῶν τροφωδῶν ὑγρῶν πγ5. 871 ᵇ19. συμβαίνει 10
σκληρὰς ἀνιέναι τὰς τρίχας, διὰ τὸ τὴν τροφώδη τῆς σαρκὸς
ἐκλελοιπέναι πᾶσαν τροφὴν πι22. 893 ª29.
τροχάζειν γυμνόν, ἐν ἱματίῳ, ἐν τῷ πνεύματι πβ30. 869
ª25 (syn τρέχειν ª33). 24. 868 ᵇ18. xθ12. 937 ª23. coni
περιπατεῖν ημα17. 1189 ª10. ὅταν ἀναβῇ τις, τροχάζει (ὁ 15
ἵππος), ἕως ἂν μέλλῃ τις κατασχεῖν Ζιθ24. 604 ᵇ12.
τροχαῖος. ὁ τροχαῖος κορδακικώτερος Ργ8. 1408 ᵇ36, cf τε-
τράμετρον. στάσιμον, μέλος χορῷ τὸ ἄνευ ἀναπαίστυ ἢ
τροχαίυ πο12. 1452 ᵇ24.
τροχαλία (i q τροχιλέα) μχ18. 853 ª36, ᵇ2. cf τροχιλέα. 20
τροχερός ῥυθμὸς τὰ τετράμετρα Ργ8. 1409 ª1.
τροχίζεσθαι, in rota cruciari Ηη14. 1153 ᵇ19. — currere,
in orbem moveri πκγ39. 935 ᵇ29 (v l τροχάζεσθαι).
τροχιλέα. περὶ τὸ κέντρον (ὁ κύκλος κυλίεται) ὥσπερ αἱ
τροχιλέαι, τῦ κέντρου μένοντος sim μχ8. 851 ᵇ19. 9. 852 25
ª15. τροχιλέα (v l τροχιλαία) μχ18. 853 ª32, 39, ᵇ7,
τροχίλος (v l τροχίλος, τροχεῖλος, τρόχλος, τράχηλον. cf
S II 44. Lob Par 115). 1. λόχμας ἢ τρώγλας οἰκεῖ, δυσ-
άλωτος ἢ δραπέτης ἢ τὸ ἦθος ἀσθενής, εὐβίοτος ἢ τεχνι-
κός, καλεῖται πρέσβυς ἢ βασιλεὺς, τῷ πολεμίοις Ζιι1. 30
615 ª17, 18, 20. 1. 609 ᵇ12. (trochilus Plin Thom Gazae
Scalig. roitelet C II 731. Sylvia troglodytes et regulus
K 971, 7. Cr. Troglodytes europaeus St. Su 114, 52. ΑΖι
I 109, 107. cf Lnd 75. Schiller Thier und Kräut Buch
des Mecklenb Volks II 17.) — 2. περὶ τὰς λίμνας ἢ τὰ ς 35
ποταμὸς βιοτεύει, crocodilus repurgat Ζιθ3. 593 ᵇ11, cf 1.
ι6. 612 ª21 Aub. θ7. 831 ª11 Beckm. νεη2. 1236 ᵇ9. cf
Herod II 68. Antig Caryst ed Beckm 68. (Charadrius
aegyptiacus Cr. K 958, 3. Pluvianus aegyptius (Charadrius
melanocephalus) Su 148, 128. H II 425. ΑΖι I 110, 108. 40
Leunis Synops der Zool 269. Oken Naturgesch VI 693.
cf Oken Isis 1832 II 959.)
τροχίσκος. ὃς ἀνατιθέασιν ἐν τοῖς ἱεροῖς ποιήσαντες τροχίσκους
χαλκῦς τε ἢ σιδηρῦς μχ848 ª25. ποιεῖν ἐξ αὐτῦ (τῦ μέ-
λιτος) τὸς ἐνοικῦντας ἄνευ κηρῦ τροχίσκυς θ19. 831 ᵇ27. 45
τροχός. ὥσπερ ὁ τροχὸς ὁ τῆς ἁμάξης κυλίεται· ὥσπερ ὁ
κεραμεικὸς τροχὸς κυλίνδεται μχ8. 851 ᵇ18, 20. τὸ ἁμάξιον
κύκλῳ κινεῖται τῷ ἀνίσως ἔχειν τὸς τροχὸς Ζκ7. 701 ᵇ5.
τρόχος. fabulosa quaedam narrat Herodorus Ζγγ6. 757 ª3 sq.
animal dubium cf ΑΖγ8. S I 519. Hehn 449, 75. 50
τρύγγας, ὁ, v l (πύγαργος Bk) Ζιθ3. 593 ᵇ5. cf S I 596.
II 87, 462. Su 161, 161.
τρυγᾶν. αἱ ῥάγες τετρυγημέναι τῶν βοτρύων γλυκύτεραί εἰσι
τῶν ἀτρυγήτων πκ23. 925 ᵇ15.
τρυγώδης οἶνος f 555. 1570 ª1.   55
τρυγώδης. ἡ ὀρίγανος τὸ ὑδατῶδες ἢ τὸ τρυγῶδες (τῦ οἴνυ)
ἀναδέχεται πκ35. 926 ᵇ35.
τρυγών. 1. avis (v l τρυγόνων θ3. 830 ᵇ13). γένος τι τῶν
περιστερειδῶν, εἶδός τι τῶν περιστερῶν Ζιθ3. 544 ᵇ7, cf 1.
f 271. 1527 ª14. refertur inter τὰ περιστεροειδῆ, τὰ καρ- 60
ποφαγῦντα ἢ ποοφαγῦντα, τὰ ὀλιγοτοκῦντα Ζιζ4. 562 ᵇ4.

θ3. 593 ª16. Ζγθ6. 774 ᵇ30. ἐλάχιστον τῶν τοιύτων Ζιε13.
544 ᵇ7. cf f 271. 1527 ª18. Ζιθ3. 593 ª9. ι22. 617 ª32
(cf M 341). τὸ χρῶμα τεφρὸν f 271. 1527 ª19. νεοττεύυσιν
ἐν τοῖς αὐτοῖς τόποις ἀεί, διτοκῦσι, τίκτει δύο ὡς ἐπὶ τὸ
πολύ, τὰ δὲ πλεῖστα τρία, ἐν τῷ ἔαρι, ὃ πλεονάκις ἢ δίς,
ἔνιοί φασιν ὀχεύεσθαι ἢ γεννᾶν ἢ τρίμηνα ὄντα Ζιι7. 613
ª25. ζ1. 558 ᵇ23. 4. 562 ᵇ4 Aub, 6, 9, 28. ἐπῳάζωσιν ἀμ-
φότεροι ἢ ὁ ἄρρην ἢ ἡ θήλεια διαγνῶναι δ' ὃ ῥάϊον τὴν
θήλειαν ἢ τὸν ἄρρενα, ἀλλ' ἢ τοῖς ἐντός· ἔχει τὸν ἄρρενα
ἡ θήλεια τὸν αὐτὸν ἢ ἄλλον ἢ προσίεται Ζιι7. 613 ª14.
ἡ πολυπλήθεια αὐτῶν, ἔγκυα γίνεται ιδ' ἡμέρας ἢ ἐπῳάζει
ἄλλις τοσαύτας, πτερῦνται ἐν ιδ' ἡμέραις Ζιε6. 562 ᵇ29,
30, 31. ἐν ταῖς τῶν τρυγόνων νεοττιαῖς ἐντίκτυσιν οἱ κόκ-
κυγες θ3. 830 ᵇ13. ἴδιον τὸ μὴ ἀνακύπτειν πίνυσας, ἐὰν
μὴ ἱκανὸν πίωσιν· ἴδιον τὸ ἀποψοφεῖν. ποιῦνται ἢ περὶ τὴν
ἕδραν κίνησιν ἰσχυρὰν ἅμα τῇ φωνῇ Ζιι7. 613 ª13. 49 B.
633 ᵇ7 (S II 251. haec fort Psophila crepitans vel Rallus
crex Cr). τόπος τῆς νομῆς, βίος, ζωὴ ἢ ἡ ' ἔτη, πτερορ-
ρυεῖ, σφόδρα πίειρα, παχεῖα, πότε Ζιι1. 609 ª19. 7. 613 ª22.
θ16. 600 ª23. φίλος κόττυφος· πολέμιοι πυραλλίς, χλωρεὺς
Ζιι1. 610 ª13, 609 ª18, 25. ἀγελάζονται πότε, τῦ θέρυς
φαίνεται, τῦ χειμῶνος ἀφανίζεται, φωλεῖ Ζιθ12. 597 ᵇ7
Aub, 4, 6. 3. 593 ª17. 16. 600 ª22, 20. ι7. 613 ᵇ2. f 271.
1527 ª19. (turtur Thom Gazae Scalig. tourterelle C II
814. Columba. turtur L. St. Cr. G 48. K 651, 4. Su 137,
105. ΑΖι I 815, 88d. cf M 300. Rose Ar Ps 288. Lnd 120.
E 51, 25. hodie τρυγώνιον vel τριγόνι.)
2. piscis. refertur inter τὸς πελαγίας Ζιθ13. 598 ª12,
τῶν σελαχῶν τὰ πλατέα ἢ κερκοφόρα f 277. 1527 ᵇ40.
Ζμδ13. 695 ᵇ9, 28. Ζια5. 489 ᵇ31. ε5. 540 ᵇ8. ζ10. 565
ᵇ28. 11. 566 ᵇ1. cf θ13. 598 ª12. ἀκανθῶδές τι μακρὸν τὸ
ὑραῖόν ἐστιν Ζμδ13. 695 ᵇ10. ὐκ ἔχει πτερύγια, αὐτοῖς νεῖ
τοῖς πλατέσι, coitus, ζωοτοκῦσιν ᾠοτοκήσαντες, ὃ δέχεται
(τὸ ἔμβρυον) διὰ τὴν τραχύτητα τῆς κέρκυ, καταχρύπτει
αὑτὴν πυῖ· αἴσχονται ἔχοντες κεστρέας πολλάκις ὄντες
αὐτοὶ βραδύτατοι, τὸν τάχιστον τῶν ἰχθύων Ζια5. 489 ᵇ31,
32 Aub. ε5. 540 ᵇ8. ζ11. 566 ᵇ1. 10. 565 ᵇ28 Aub. ι37.
620 ᵇ24 Aub, 25. (turtur Thom, pastinaca Plin Gazae Sca-
lig. pastenaque C II 613. Ar syn pisc 140. Trygon pasti-
naca Adans K 418. St. Cr. F 320, 108. ΚαΖμ 175, 1.
ΚαΖι 24, 10. ΑΖι I 148, 100.)
3. animal ignotum, refertur inter τῶν πεζῶν τὰ τετρά-
ποδα ἢ ᾠοτόκα, ejus coitus descr Ζιε3. 540 ª31 Aub. τρι-
γόνες Ald pr, φρῦνοι (i Gesn de quadrup 62. (turtur Thom
pastinaca Gazae, Scalig. cf C II 815. S I 267 et Natur-
gesch d Schildkröten 161. M 312. K 633, 7.)
τρύξ. οἱ οἶνοι ἧττον μαλακοί, ἐὰν ἐν τῇ τρυγὶ πλείω χρόνον
ἐάσῃ τις πκ35. 926 ᵇ37.
τρυπᾶν. ὑελος τετρυπημένη Αγ31. 88 ª14. ποιεῖν βόμβον διὰ
τῶν καλάμων τῶν τετρυπημένων αν9. 475 ª17. τετρύπηται
τὸ ὄστρακον Ζιθ4. 529 ᵇ17. 5. 530 ᵇ28. τὸ ὗς συμφύεται
ὅταν τρυπηθῇ πλβ7. 961 ª1. ψῆφοι τετρυπημέναι, opp πλή-
ρεις, ἄτρυποι f 424. 1548 ᵇ8, 16. 425. 1548 ᵇ22. 426.
1548 ᵇ38.
τρύπανον, dist τρύπησις νεη10. 1242 ª17. πέλεκυς ἢ τρύ-
πανον, ὄργανα τέκτονος Ζμα1. 641 ª9.
τρυπήματα τὰ ἐν τῇ κλίνῃ μχ25. 856 ᵇ12, 22, 33. τὰ τῆς
κλεψύδρας πιζ8. 914 ᵇ19.
τρύπησις, exemplum ἐνεργείας νεη10. 1242 ª18.
τρυφᾶν Πδ15. 1300 ª7. opp πεπονηκέναι, γεγυμνάσθαι Πε9.
1310 ª23. opp ἐπιπόνως, γλίσχρως ζῆν Πβ6. 1265 ª34.

7. 1266 b26. ὁ τρυφῶν def, syn μαλακός Ηη8. 1150 b2.
οἱ τρυφῶντες ἢ οἱ ἐν ἐξουσίᾳ μᾶλλον ὄντες Ρβ6. 1384 a1.
τρυφερός, def ηεβ3. 1221 a29. coni σαλάκων Ρβ16. 1391
a3. — ἡ κόπρος τὰς ἀμυγδάλας ποιεῖ μείζους χ̣ τρυφεράς
f 255. 1525 b6. τὸ ὅλον (τῆς τευθίδος) σωμάτιον τρυφερὸν 5
χ̣ ὑπομηκέστερον f 318. 1532 a9. — τρυφερῶς χ̣ ἀκο-
λάστως ζῆν Πβ9. 1269 b23.
τρυφερότης, opp κακοπάθεια, καρτερία ηεβ3. 1221 a9.
τρυφή, def, syn ἀκρασία, μαλακία Ηη8. 1150 b3. 1. 1145
a35. opp γλισχρότης Πη5. 1326 b38. τρυφὴ ἀκολυθεῖ τῇ 10
ἀκολασίᾳ αρ6. 1251 a22. μεγαλοψυχίας τὸ μὴ θαυμάζειν
τρυφήν αρ5. 1250 b36. εἰς τρυφὴν χ̣ τὸ καλῶς ζῆν, opp
ἐξ ἀνάγκης Πδ4. 1291 a4. διὰ τρυφὴν ᾐό᾽ ἐν τοῖς διδα-
σκαλείοις ἄρχεσθαι σύνηθες αὐτοῖς Πδ11. 1295 b17. οἱ
ταχὺ διὰ τρυφὴν ἡβῶντες Φε6. 230 b2. 15
τρύχος. δι᾽ ἱματίων (θιελθὼν ὁ κεραυνὸς) ᾐ κατέκαυσεν, ἀλλ᾽
οἷον τρύχος ἐποίησεν μγ1. 371 a28.
τρωγάλιον. τὰ τραγήματα λέγεσθαι ὑπὸ τῶν ἀρχαίων τρω-
γάλια f 100. 1494 a36, 28.
τρώγλη. (ἔνια τῶν ζώων) οἰκοῦσι τρώγλας, ποιοῦνται τρώγλας 20
μικράς sim Ζυ11. 615 a17. ε20. 552 b28, 31. 23. 554 b25.
θ72. 835 b8. (Ζιε31. 557 a26 τρίγλας codd Bk, τρώγλας
ci Ald C Aub.)
τρωγλοδυτεῖν. τρωγλοδυτεῖ τὰ μὲν τοῖς τόκοις, τὰ δὲ χ̣
τῷ βίῳ παντὶ Ζπ17. 713 b20. ᾐδὲν ὁμοίως τρωγλοδυτεῖ 25
τῶν ζῳοτόκων Ζμγ6. 669 b7.
τρωγλοδύτης. τρωγλοδύται ἀλώπηξ, ὄφις, καρκίνος Ζυ1.
610 a12. Ζμδ8. 684 a5. cf Ζπ17. 713 b28. οἱ Πυγμαῖοι
τρωγλοδύται εἰσὶ τὸν βίον Ζπ12. 597 a9 Aub.
τρωγλοδυτικά. τὰ τρωγλοδυτικὰ τῶν τετραπόδων χ̣ ᾠο- 30
τόκων, descr et enum, ἡ βλαισότης Ζπ15. 713 a16. 16.
713 b18, 10 (v l τρωγλόδυτα). dist τὰ ὑπέργεια Ζια1.
488 a23. cf M 101.
τρωγλοδύτις. τίνα ζῷά ἐστι τρωγλόδυτα Ζμδ11. 691 a26.
τρώξεις ὀνύχων, coni τίλσεις τριχῶν Ηη6. 1148 b28. 35
Τρώς. Τρῶες Ρβ22. 1396 b17. θ106. 840 a14. f146. 1503
a8. 154. 1504 a9, 13. ἐνὶ Τρώεσσ᾽ (Hom Θ 148) Ηγ11.
1116 a25. Τρωάδες αἱ ληφθεῖσαι θ109. 840 b8. τί
ἐτολμήθη ταῖς Τρωάσι περὶ τὴν Ἰταλίαν f 567. 1571 a39.
Τρωάδες, argumentum tragoediae πο23. 1459 b7. Vhl Poet
III 283, 285. — Τρωικὸν πεδίον πο25. 1461 a18. ἐπὶ
τῆς Τρωικῆς Ἴδης f 13. 1476 a14. τὰ Τρωικὰ πρότερα τῶν
Μηδικῶν Μδ11. 1018 b16. ἐπὶ τῶν Τρωικῶν μα14. 352
a10.
τρῶσις. αἱ περιωδυνίαι χ̣ τρώσεις πο11. 1452 b13. 45
Τύανα θ152. 845 b33.
τυγχάνειν. κατὰ ταύτας (int τὰς πράξεις) χ̣ τυγχάνουσι χ̣
ἀποτυγχάνουσι πάντες πο6. 1450 a3. Vhl Poet I 21. c gen,
τυγχάνειν τῷ σκοποῦ, τῷ δέοντος πιθ9. 918 a25. 5. 918 a5.
40. 921 a34. Ηα1. 1094 a24. ἐὰν τῷ μέσα τύχωσι, τῷ 50
δικαίῳ τευξόμενοι Ηε7. 1132 a23. τυγχάνειν τῷ μέσῳ, τῷ
εὖ Ηβ9. 1109 b13, 26. τυχεῖν τῆς ἀρίστης πολιτείας Πδ1.
1288 b25. τυγχάνειν τιμῆς Πβ8. 1268 a8. οἱ μεγίστης
τιμῆς ὑπὸ τῷ δαιμονίῳ τετυχηκότες ρ1. 1421 a10. τὰ φρο-
νήσεως τυγχάνοντα ζῷα αι1. 437 a1. ᾐό᾽ ὀνόματος τετυ- 55
χήκασιν, ᾐ τέτευχεν ὀνόματος Ηβ7. 1107 b7. γ3. 1119 a10.
τὰ ζῷα τούτων τῶν μορίων τέτευχε, πλειόνων τετύχηκε με-
ρῶν Ζμβ2. 647 b15. ᾐ6. 683 a18. τετυχηκέναι φαύλης
κράσεως, ταύτης τῆς φήμης Ζμγ1. 2. 673 b30. Ζγγ6. 756
b24. εἰ τῷτο τυχεῖν δεῖ ζητήσεως Πγ4. 1276 b18. τυγχάνειν 60
συγγνώμης ρ5. 1427 a30. μικρᾶς τυχὸν κινήσεως μα3. 341

b20. τυγχάνειν ταύτης τῆς προσηγορίας ηεα1. 1214 a16.
4. 1215 b11. 5. 1216 a23. — τυγχάνειν c part. τυγχά-
νομεν εἰρηκότες, τετύχηκε εἴδη πλείω ὄντα al Πε1. 1301
a38. 2. 1302 a19. ζ1. 1316 b36 et saepissime; non addito
part verbi εἶναι: τί ποτε τυγχάνει τὸ δηλούμενον τζ14.
151 b11. οἱ εἰρημένοι τρόποι πολλοὶ τυγχάνουσιν Οβ13. 294
a11. δύο μέρη τετύχηκεν Πζ3. 1318 a31. εἴ τις ἄλλη τε-
τύχηκεν ἀριστοκρατικὴ χ̣ συνεστῶσα καλῶς Πε2. 1289
b16. οἱ ἐπ᾽ ἐξουσίας τυγχάνοντες ηεα4. 1215 a36. τί πράτ-
τοντες χεῖρον οἱ πολῖται τυγχάνουσι ρ3. 1423 b26. ὡς τυ-
χόντα (i e πῶς διακείμενα) Φδ6. 813 b29. — ὁποῖοί τινες
ἔτυχον Πγ15. 1286 b25. ὅ τι ἔτυχεν Φβ4. 196 a31. ὅ τι
ἂν τύχωσι τοιοῦτον ὑπολαμβάνουσιν Μδ1. 1013 a6. τῆς ἑτέ-
ρας προτάσεως. πλὴν ᾐχ ὁποτέρας ἔτυχεν Αα9. 30 a17. β2.
53 b28. ὁπότερ᾽ ἔτυχε, τὸ ὁπότερ᾽ ἔτυχεν, ὁπότερον ἔτυχεν,
ὁποτέρως ἔτυχεν, opp ἐξ ἀνάγκης, ὡς ἐπὶ τὸ πολύ, ὡς ἂν
ἀπὸ τύχης, ἐπ᾽ ἔλαττον, κατὰ συμβεβηκός ε9. 18 b6, 7,
8, 15 sqq. τβ6. 112 b1-20. Με2. 1027 a17. 3. 1027 b13.
κ8. 1065 a12. Κ10. 12 b40, 13 a3, 11. ὅπως ἔτυχε, τὸ
ὅπως ἔτυχε Μκ8. 1064 b36 (opp ἐξ ἀνάγκης), 1065 a9.
Φβ8. 199 b14. πκθ13. 952 a5. ὅπως ἂν τύχῃ Φβ4. 196
a22. ᾐδὲν ὡς ἔτυχε γίγνεται τῶν κατὰ φύσιν Ογ2. 301
a11. ὡς ἔτυχε Ζμα1. 641 b20 (syn ἄλλοτ᾽ ἄλλως). Οβ5.
287 b25 (coni syn ἀπὸ ταὐτομάτου). ηεη2. 1236 b25 (syn
ὡς ὁμώνυμοι). ημβ8. 1207 a1 (syn ἀτάκτως). ὡς ἂν τύχῃ
ημβ8. 1207 a9. ὅπῃ δὴ ἔτυχεν ἀφικνυμένας μτ2. 464 a12.
δεῖ μηθ᾽ ὁπόθεν ἔτυχεν ἄρχεσθαι μηθ᾽ ὅπῃ ἔτυχε τελευτᾶν
πο7. 1450 b32. — εἰ οὕτως ἔτυχε Κ7. 8 b12 Wz. Ηγ6. 1113
a19, 22. 7. 1114 a15. ι1. 1164 a4. εἰ ἔτυχεν τι4. 166 a19.
Φδ9. 217 a25. η5. 250 a15, b6. Ζμβ2. 649 a20. Ημ14. 1153
b13. πο25. 1460 b36 Vhl. ἐὰν τύχῃ ψα1. 403 b13. ὅταν τύχῃ
Ηη10. 1151 b10. cf Bz Zts f öst Gym 1866, 746. — ὁ τυχών.
ὁ μὴ κἂν ὁ τυχὼν εἴπειεν Γα2. 315 b2. μα13. 349 a16. ὁ τυ-
χών, οἱ τυχόντες Πββ. 1261 b34. 8. 1269 a6. 9. 1270 b29.
10. 1272 a30. ε8. 1308 a34 (opp πολιτικὸς ἀνήρ), 1309 a9
(opp γνώριμοι). Ζγδ3. 767 b2. φτα1. 816 a17. μετ᾽ ἐπι-
θνείων χ̣ τῶν τυχόντων Η19. 1169 b21. τοῖς ἐν ἀξιώματι χ̣
τοῖς τυχοῦσιν Ηθ12. 1126 b36. τὸ τυχὸν ἀνδράποδον κ6.
398 a10. ὑστερίζειν τῶν τυχόντων ρ1. 1420 a18. οἱ τυγ-
χάνοντες, opp οἱ δόξαντες εἶναι σοφοί ξ1. 975 a10. τὸ τυ-
χὸν Οδ3. 310 a26, 31. Φα5. 188 a33 (syn ὁτιῶν). Ζγδ3.
768 a2. Ηζ13. 1144 a33. τὸ τυχὸν χ̣ μικρὸν μόριον Ζμα1.
644 b34. τὸ τυχὸν πρῶτον Φα5. 188 b3. δεικνύναι τὸ κα-
θόλυ ἐπὶ τῷ τυχόντος χ̣ πρώτῳ Αγ4. 73 b33. ᾐ εἰς τὰ
τυχόντα διαίρεσις μδ9. 386 a13. παντὶ χ̣ τῷ τυχόντι ἐφί-
στασθαι ἔργῳ κ6. 398 a14. ὁ τυχὼν οἶνος μδ9. 387 b12. αἱ
τυχῦσαι ὧραι, ὁ τυχὼν χρόνος μβ7. 365 a35. Πε3. 1303
a26. ἡ τυχῦσα ἡλικία Πγ11. 1282 a31. τὸ τυχὸν πλῆθος
Πε3. 1303 a26. μ4. 1326 a18. τὸ τυχὸν σῶμα, σπέρμα,
ψυχρόν Ζμα1. 641 b28. β5. 651 b12. — τυχόν, i e εἰ
ἔτυχε ηεη2. 1238 a20. φτα3. 818 b3. 6. 821 a20. 7. 821
a30. — τυχόντως Ζγδ4. 770 b15. opp καλῶς Η18.
1169 a24. opp δικαίως Ηδ8. 1124 b6. opp ἕνεκά τινος
Ζμα5. 645 a23.
Τυδείδης (Hom Θ 149) Ηγ11. 1116 a26. Τυδεΐδαι θ106.
840 a7.
Τυδεὺς Θεοδέκτου πο16. 1455 a9 (Nauck fr tr p 624).
τύλη, ἐφ᾽ ἧς τὰ φορτία βαστάζουσιν f 52. 1484 a42.
τυλωθ. τετυλωμένης τῆς μήτρας ἔμπροσθεν τῶν καθάρσεων
f 259. 1525 b29.
τυμβωρυχεῖ ἡ ὕαινα Ζιθ5. 594 b4.

τύμμα. μίτυς φάρμακόν ἐστι τυμμάτων ἢ τῶν τοιούτων ἐμπυημάτων Ζι40. 624 ᵃ16.

τυμπανοειδής. τοῖς μὲν δοκεῖ (ἡ γῆ) εἶναι σφαιροειδής, τοῖς δὲ πλατεῖα ἢ τὸ σχῆμα τυμπανοειδής ΟΒ13. 293 ᵇ34.

τύμπανον. τυμπάνων ἢ κυμβάλων ἦχος θ101. 838 ᵇ34. ὕσης (τῆς γῆς) οἷον τυμπάνη μβ5. 362 ᵃ35.

Τυνδάρεος (Τυνδάρεϛ ci pro Πινδάρῳ) histrio πο26. 1461 ᵇ35.

Τυνδαρίδαι Ρβ23. 1397 ᵇ21. — Τυνδαρὶς Κλυταιμνήστρη f 596. 1575 ᵃ33.

τύπανος. ἡ κορώνη (ἀποκτείνει) τὸν καλούμενον τύπανον Ζι1. 609 ᵃ27. (tympanius Thom ideoque K 945, 1: Trommeltaube. tympanus Gazae. Tapynus, 'eam puto esse avicu- lam quae ab Italis misellus vocatur' Scalig. animal ignotum C II 819. S II 480. Su 162, 164. ΑΖι I 110, 109.)

τύπος. ἡ κίνησις ἐνσημαίνεται οἷον τύπον τινὰ τῷ αἰσθήματος μν1. 450 ᵃ31. διὰ σκληρότητα τοῦ δεχομένου τὸ πάθος οὐκ ἐγγίνεται ὁ τύπος μν1. 450 ᵇ5. ὑλὰς ἐχόντων τῶν γεννησάντων ἤδη τινὲς ἔσχον τῶν ἐκγόνων τὸν τύπον τῆς ὑλῆς Ζγα17. 721 ᵇ32. — ὁ τύπος ὅλος τοῦ σώματος φ2. 806 ᵃ20 ᵃ32. τῷ προσώπῳ τὸν τύπον ὅμοιον ἔχειν θ30. 832 ᵇ15. — καθάπερ ἐν τύπῳ τὰ σχήματα (τῶν σπλάγχνων) πλασθῆναι διὰ τὸν τόπον Ζμδ1. 676 ᵇ9. τὰ μὲν τῶν ζῴων πολλὰς μήτρας ἢ τύπος ἔχει π14. 892 ᵇ2. — τύπῳ εἰπεῖν sim, quasi delineare aliquid, antequam accuratius describatur (Trdlbg Elem p 50). τύπῳ ταύτῃ διωρίσθω ἢ ὑπογεγράφθω ψβ1. 413 ᵃ9. παχυλῶς ἢ τύπῳ Ηα1. 1094 ᵇ20. καθόλου λεχθὲν ἢ τύπῳ Ηα11. 1101 ᵃ27. τύπῳ μὲν εἴπωμεν πρῶτον, ὕστερον δὲ περὶ ἕκαστον γένος ἐπιστήσαντες ἐρῶμεν Σμα1. 487 ᵃ12. τύπῳ ἢ ἐπὶ κεφαλαίῳ λέγομεν (opp ἀκριβέστερον) Ηβ7. 1107 ᵇ14. τύπῳ τε ἢ οὐκ ἀκριβῶς λέγεσθαι Ηβ2. 1104 ᵃ1. τύπῳ περιλαβεῖν (opp ἀκριβὴς λόγος) τα1. 101 ᵃ19, 21 Wz. Ηγ12. 1117 ᵇ21. τύπῳ εἰρήσθαι (opp διασαφηθῆναι) ψβ4. 416 ᵇ30. τύπῳ ἱκανὸν εἰπεῖν ἢν ἐπιστήσασι μᾶλλον λεκτέον Πη16. 1335 ᵇ5. cf praeterea τύπῳ γε περιλαβεῖν, ὡς τύπῳ περιλαβεῖν, τύπῳ τινὶ ληπτέον, ὡς τύπῳ λαβεῖν Ηα1. 1094 ᵃ25. γ12. 1117 ᵇ21. τα14. 105 ᵇ19. 7. 103 ᵃ7. Πγ4. 1276 ᵇ19. ὡς ἐν τύπῳ ὑποκείσθω, εἰρήται Ηε1. 1129 ᵃ1. ΠΖ8. 1323 ᵃ10. εἰρήται νῦν ὡς ἐν τύπῳ, γεύματος χάριν, δι᾽ ἀκριβείας δὲ ὕστερον ἐροῦμεν Ζια6. 491 ᵃ8. τύπῳ εἰρήται, εἰρήσθω ΜΖ3. 1029 ᵃ7. Ηγ8. 1114 ᵃ27. 5. 1113 ᵃ13. ὡς τύπῳ εἰπεῖν Κ10. 11 ᵇ20. τύπῳ, ὅσον τύπῳ διελθεῖν Ηκ6. 1176 ᵃ31. τα1. 101 ᵃ23. τύπῳ διορίσθαι, διαιρετέον Γ2. 1302 ᵃ19. τα6. 103 ᵃ1. ὡς ἐν τύπῳ διελέσθαι οβ1345 ᵇ12. ὡς τύπῳ φράζοντος πιζ3. 916 ᵃ35. — plur, τὰς τύπους μόνον εἰπόντες (opp ἡ περὶ ἕκαστον ἀκριβολογία) Πθ7. 1341 ᵇ31. ἱκανῶς εἰρήται τοῖς τύποις Ηκ10. 1179 ᵃ34. Eucken II 26.

τυποῦν. τυποῦνται οἱ κλάδοι ἢ φύεται τὰ φύλλα φτβ8. 828 ᵃ30.

τύπτειν. τὸ τύπτον ἅμα ἢ αὐτὸ τύπτεται μβ8. 368 ᵃ18. οἱ ἀγύμναστοι τύπτουσι καλὰς πληγάς ΜΑ4. 985 ᵃ15. τυπτήσει ἄνθρωπον τι5. 168 ᵃ6. τὴν θάλατταν ῥάβδῳ τις τύπτει μβ9. 370 ᵃ13. κόραξ ἐπιπετόμενος τύπτει τὸν ταῦρον Ζι1. 609 ᵇ6. αἱ μέλιτται τύπτουσι μάλιστα τὰς μεμυρισμένας θ21. 832 ᵃ5. σείεσθαι τὴν γῆν τυπτομένην κάτωθεν ἄνω μβ7. 365 ᵃ32. ἐξάπτεσθαι τυπτομένων καθάπερ ἐκ λίθων πῦρ Ζμβ9. 655 ᵃ15. — τύπτειν sine obiecto, pneuma ἄνωθεν τύπτον ἐξαίφνης κ4. 395 ᵃ6. τὸ πνεῦμα τύπτει μάλιστα διὰ τὸ τάχος μβ8. 365 ᵃ33. οἱ βασιλεῖς μελιττῶν οὐ τύπτουσιν· αἱ τύπτουσαι μέλιτται ἀπόλλυνται sim Ζιε21.

553 ᵇ6. ι40. 626 ᵃ17. Ζμδ6. 683 ᵃ17. οἱ μεθύοντες ἂν τυπτήσωσι (ἄν τι πταίσωσι ci Mur) πλείω ζημίαν ἀποτίνουσιν Πβ12. 1274 ᵇ20.

τυπώδης. ὡς εἰς τυπώδη μάθησιν κ6. 397 ᵇ12.

τυραννεῖν τινων Πε6. 1305 ᵃ41, χρόνον τινὰ Πε12. 1315 ᵇ24. Πεισίστρατος δὶς ἔφυγε τυραννῶν Πε12. 1315 ᵇ31. — τυραννεῖν οὐχ ἵνα μὴ ῥιγῶσιν Πβ7. 1267 ᵃ14. Ἰάσων ἔφη πεινῆν ὅτε μὴ τυραννοῖ Πγ4. 1277 ᵃ24.

τυραννεύειν. ἐτυράννευσεν (v l ἐτυράννησεν) Πε12. 1315 ᵇ32.

τυραννικός. δεσποτικὸς ἢ τυραννικὸς τρόπος τῆς πολιτείας Πη2. 1324 ᵇ2. σκοπὸς τυραννικὸς τίς Πε10. 1311 ᵃ4. 11. 1315 ᵃ41. τυραννικὸν οὐκ ἔστι κατὰ φύσιν, dist δεσποστόν, βασιλευτόν, πολιτικὸν Πγ17. 1287 ᵇ39. ἀρχαὶ τυραννικαί, dist βασιλικαὶ Πδ10. 1295 ᵃ16. μοναρχίαι τυραννικαὶ ἢ δεσποτικαὶ Πγ14. 1285 ᵇ2. ὀλιγαρχία δυναστευτικὴ ἢ μοναρχία τυραννικὴ Πδ14. 1298 ᵃ33. βασιλεία φθείρεται τῷ τυραννικώτερον διοικεῖν Πε10 1313 ᵃ2. ἡ δυναστικωτάτη ἢ τυραννικωτάτη τῶν ὀλιγαρχιῶν ΠΖ6. 1320 ᵇ32. τυραννικὴ δύναμις Πγ14. 1285 ᵃ19. τυραννικὴ φυλακή, opp βασιλικὴ Πγ14. 1285 ᵃ25. τὰ τυραννικὰ κατασκευάσματα δημοτικὰ ΠΖ4. 1319 ᵇ27. — οἱ Συρακόσιοι μετὰ τὰ τυραννικὰ Πε3. 1303 ᵃ38.

τυραννίς μοναρχία ἀνυπεύθυνος, δεσποτική, ἄοριστος Πδ10. 1295 ᵃ19. γ7. 1279 ᵇ6. 8. 1279 ᵇ16. Ρα8. 1366 ᵃ2, 6. ἡ τυραννὶς ἀκύρως Πδ10. 1295 ᵃ22. Τυραννὶς def, dist βασιλεία Πε10. 1310 ᵇ2-1311 ᵃ22. γ7. 1279 ᵇ6. Ηθ12.1160 ᵇ7. eius εἴδη Πδ10. ἡ τυραννὶς παρέκβασις βασιλείας Πγ7. 1279 ᵇ5. δ2. 1289 ᵃ28. Ηθ12. 1160 ᵇ1. μεη9. 1241 ᵇ31. μοναρχίαι ἢ τυραννίδες, opp βασιλείαι Πε10. 1313 ᵃ4. τυραννίδες ἢ βασιλεῖαι, opp πολιτεῖαι Πε10. 1312 ᵇ4. δυναστεῖαι ἢ βασιλεῖαι ἢ τυραννίδες Μδ1. 1013 ᵃ13. ἡ τυραννὶς ἥκιστα πολιτεία, χειρίστη Πδ8. 1293 ᵃ28. 2. 1289 ᵇ2. β6. 1266 ᵃ2. ἡ τυραννὶς ἐξ ὀλιγαρχίας τῆς ὑστάτης σύγκειται ἢ δημοκρατίας Πε10. 1310 ᵇ3. τυραννὶς, coni δῆμος ἔσχατος, ὀλιγαρχία ἄκρατος Πδ11. 1296 ᵃ2. 5. 1292 ᵇ8. 4. 1292 ᵃ18. αἱ ἔσχαται δημοκρατίαι εἰσὶ τυραννίδες διαιρεταὶ Πε10. 1312 ᵇ37. πόθεν μεταβάλλουσιν εἰς τυραννίδας Πγ15. 1286 ᵇ16. δ11. 1296 ᵃ4. ε5. 1305 ᵃ8,15,21. 6. 1305 ᵇ41, 1306 ᵃ23. 8. 1308 ᵃ21, 22 (ἐπιτίθεσθαι τυραννίδι Πε5. 1305 ᵃ21. 6. 1305 ᵇ41. μεταστῆσαι τὴν ἀρχὴν εἰς τυραννίδα Περίανδρος f 473. 1556 ᵃ10. ἡ τυραννὶς τίνων στοχάζεται Πε11. 1314 ᵃ15-29. κατὰ τίνας τρόπους σῴζεται Πε11. 1313 ᵃ34-1315 ᵇ10. γ13. 1284 ᵃ26. πόθεν φθείρεται Πε10. 1312 ᵃ39-ᵇ38. ἡ τυραννὶς πασῶν τῶν πολιτειῶν ὀλιγοχρονιωτάτη Πε12. 1315 ᵇ11-39. — οἱ αἰσυμνῆται αἱρετὴ τυραννίς Πγ14. 1285 ᵃ32.

τύραννος. 1. τύραννος τὸ ἑαυτῷ συμφέρον σκοπεῖ Ηθ12. 1160 ᵇ2. βιάζεται ὧν κρείττων Πγ10. 1281 ᵃ23. τὰς τυράννους φυλάττει ξενικὸν Πγ14. 1285 ᵃ26. τύραννοι πρῶτον γίγνονται Πε10. 1134 ᵇ1-8. τύραννοι ἐκ δημαγωγῶν Πε5. 1305 ᵃ9. χαρίζεσθαι τῷ δήμῳ ὥσπερ τυράννῳ Πβ12. 1274 ᵃ6. ἐκάλουν αἰσυμνήτην ἢ τύραννον Πγ15. 1286 ᵇ39. οἱ τύραννοι οὐ λέγονται ἄρχειν Ηδ2. 1120 ᵇ25. — τίμιον ἀποκτεῖναι τύραννον Πβ7. 1267 ᵃ16. ἡ τῶν τυράννων ἐκβολὴ Ἀθήνησι Πγ2. 1275 ᵇ36. οἱ τριάκοντα τύραννοι παρ᾽ Ἀθηναίοις f 372. 1540 ᵃ26. — 2. τύραννος, avis, descr Ζθ3. 592 ᵇ23. (tyrannus Thom Gazae Scalig. roitelet hupé C II 733. Motacilla regulus L. S I 588. Cr. St. K 866, 7. Regulus cristatus Su 114, 51. hic et ignicapillus ΑΖι I 110, 110. cf Lnd 96.)

τυρεία. γάλα χρήσιμον εἰς τυρείαν Ζιγ21. 523 ᵃ6.

τυρεύειν. τὸ γάλα τῶν ἡμέρων τυρεύεται Ζιγ20. 521 ᵇ30, 522 ᵇ2.

τύρευσις. γάλα χρήσιμον εἰς τύρευσιν Ζιγ20. 522 ᵃ26, 33. Τύριοι οβ1353 ᵃ16.

τυρός. χωρίζεται ὁ ὀρρὸς χ̣ ὁ τυρός μδ7. 384 ᵃ22. ὕδωρ τὸ 5 λοιπόν, ὥσπερ τὸ γάλα τῷ τυρῷ ἐξαιρεθέντος μδ7. 384 ᵃ30. ὁ τυρὸς γῆς μδ10. 388 ᵇ12. πᾶν γάλα ἔχει ἰχῶρα ὑδατώδη, ὁ καλεῖται ὀρρός, χ̣ σωματῶδες, ὁ καλεῖται τυρός Ζιγ20. 521 ᵇ28. πλείω ἔχει τυρὸν τὸ παχύτερον τῶν γα-λάκτων· τὸ ὀλίγον ἔχον τυρὸν ἄτροφον Ζιγ20. 521 ᵇ28, 522 10 ᵃ24. μδ7. 384 ᵃ24. Φρύγιος τυρός Ζιγ20. 522 ᵃ29.

Τυρρηνία οβ1349 ᵇ33. τὸ πρὸς Τυρρηνίαν Ὀπικοὶ (Αὔσονες) ᾤκων Πη10. 1329 ᵇ18. νῆσος Αἰθάλεια, πόλις Οἰναρία ἐν τῇ Τυρρηνίᾳ θ93. 837 ᵇ26. 94. 837 ᵇ32. Ὀδυσσεὺς κείμε-νος ἐν Τυρρηνίᾳ f 596. 1575 ᵇ27. — ὁ Τυρρηνικός (sc 15 κόλπος) μβ1. 354 ᵃ21. τὸ Τυρρηνικὸν πέλαγος θ105. 839 ᵇ21. 130. 843 ᵃ3. f 567. 1571 ᵃ25. — Τυρρηνοὶ Πγ9. 1280 ᵃ36. θ93. 837 ᵇ31. Τυρρηνῶν τρυφή f 565. 1571 ᵃ3. 566. 1571 ᵃ8. Πυθαγόρας Τυρρηνὸς ἦν f 185. 1510 ᵃ37.

Τυρρίας. ἐν Κύπρῳ περὶ τὸν καλύμενον Τυρρίαν (Κύριον vel 20 Στιρίαν ci Beckm) θ43. 833 ᵇ31. f 248. 1523 ᵇ26.

Τυρταῖυ ποίησις ἡ καλυμένη Εὐνομία Πε7. 1306 ᵇ39.

Τυρώ (Sophoclis) πο16. 1454 ᵇ25. Nck fr tr p 217.

τύφεσθαι χ̣ θυμιᾶσθαι μβ5. 362 ᵃ7.

τυφλίναι ὄφεις ν ὄφις p 550 ᵇ11.　　　　　　　　25

τυφλός. τυφλὸν τὸ μὴ ἔχον ὄψιν, πεφυκὸς χ̣ ὅτε πέφυκεν Μθ3. 1047 ᵃ8. Κ10. 12 ᵃ32. τζ6. 143 ᵇ34. τυφλός, dist ἑτερόφθαλμος Μδ22. 1023 ᵃ4. φρονιμώτεροι οἱ τυφλοὶ τῶν ἐνεῶν χ̣ κωφῶν αι1. 437 ᵃ16. cf νεη14. 1248 ᵇ1. οἱ ἐκ γε-νετῆς τυφλοὶ πλα5. 957 ᵇ23. cf Didot probl ined p 303, 8. 30 ἐκ τυφλῶν τυφλοί Ζιη5. 585 ᵇ30. τυφλὰ γίνεται τῇ κυνὶ τὰ σκυλάκια· τίκτειν τυφλά Ζιζ20. 574 ᵃ23. Ζγδ4. 770 ᵇ2. 6. 774 ᵇ15. ἰχθύες τυφλοί Ζιθ19. 602 ᵃ9. — τῶν φω-νῶν τίνες εἰσι τυφλαὶ χ̣ νιφώδεις ακ800 ᵃ14. — ὐδὲν πε-ραίνει πρὸς τὸν ἐγκέφαλον, ἀλλὰ τὰ μὲν τυφλά, τὰ δὲ 35 φέρει μέχρι τῶν βραγχίων Ζιδ8. 533 ᵇ3, Philippson ὕλη p 38.

τυφλότης, στέρησις ὄψεως Κ10. 12 ᵃ27, 36, ᵇ19. τζ9. 147 ᵇ34. ε6. 136 ᵃ2.

τυφλῶν. ἄν τις τὸν ἑτερόφθαλμον τυφλώσῃ Ρα7. 1365 ᵇ18. 40 τρυγόνες τετυφλωμέναι Ζιι7. 613 ᵃ23.

τυφῶν. ὁ οἶνος τετυφωμένος ποιεῖ, opp μανικῆς πγ16. 873 ᵃ23.

τυφῶν. τυφῶνες μα1. 339 ᵃ3. χ2. 392 ᵇ11. τυφῶν def μγ1. 371 ᵃ2. χ4. 395 ᵃ24. πῶς γίνεται μγ1. 371 ᵃ9. πότε ὐ 45 γίνεται μγ1. 371 ᵃ3. περὶ τυφώνων μγ1.

τύχη latiore sensu plerumque coniunctum legitur cum ν αὐτόματον, ἡ τύχη χ̣ τὸ αὐτόματον, ἀπὸ ταυτομάτυ χ̣ ἀπὸ τύχης sim Φβ5. 196 ᵇ31. Ζμα1. 641 ᵇ22. ΜΑ3. 984 ᵇ14. ζ7. 1032 ᵃ29 al. notio τύχης explicatur Φβ4-6. 50 γινόμενα φύσει πάντα γίγνεται ἢ ἀεὶ ὡδὶ ἢ ὡς ἐπὶ τὸ πολύ, τὰ δὲ παρὰ τὸ ἀεὶ χ̣ ὡς ἐπὶ τὸ πολὺ ἀπὸ ταυτο-

μάτυ χ̣ ἀπὸ τύχης Γβ6. 333 ᵇ7, 15. Οβ8. 289 ᵇ27. 12. 283 ᵃ33. Αγ30. 87 ᵇ19 Wz. νεη14. 1247 ᵃ32. πιε3. 910 ᵇ31. τύχη, opp φύσις Μζ7. 1032 ᵃ12 sqq, 29. λ3. 1070 ᵃ6. Ζμα1. 641 ᵇ22. Πα2. 1253 ᵃ3. ἀπὸ τύχης, opp ἐξ ἀνάγκης ε9. 18 ᵇ5, 16 (syn ὁπότερ᾽ ἔτυχεν). Ρα10. 1368 ᵇ34. τὰ ἀπὸ τύχης ὁμώνυμα Ηα4. 1096 ᵇ7. ἀπὸ τύχης χ̣ ἀταξίας Ζμα1. 641 ᵇ23. ἡ τύχη πῶς τῷ ἀορίστῳ χ̣ ἀόριστον Φβ5. 197 ᵃ9-21. 4. 196 ᵃ1. Μχ8. 1065 ᵃ32. ἔστιν αἴτιον ὡς συμβεβηκὸς ἡ τύχη, ὡς δ᾽ ἁπλῶς ὐδενὸς Φβ5. 197 ᵃ14. 8. 199 ᵇ23. Μχ8. 1065 ᵃ34. ἡ τύχη αἰτία κατὰ συμβεβηκὸς ἐν τοῖς κατὰ προαίρεσιν τῶν ἕνεκά τυ Φβ5. 197 ᵃ5. Μχ8. 1065 ᵃ30. τύχη χ̣ τέχνη περὶ τὰ αὐτὰ Ηζ4. 1140 ᵃ18. Ρα5. 1362 ᵃ2. Ζμα1. 640 ᵃ28, 32. τύχη, opp τέχνη ΜΑ1. 981 ᵃ5. ζ7. 1032 ᵃ12 sqq, 29. θ7. 1049 ᵃ4. λ3. 1070 ᵃ6. πο14. 1454 ᵃ11. Ηζ4. 1140 ᵃ19 (Agath fr 6). ἡ τύχη πότερον φύσις ἢ νῦς ἢ λόγος ὀρθὸς ἢ ἐπι-μέλειά τις θεῶν νμβ8. 1206 ᵇ38-1207 ᵃ18. ὗ πλεῖστος νῦς χ̣ λόγος, ἐνταῦθα ἐλαχίστη τύχη, ὗ δὲ πλείστη τύχη, ἐν-ταῦθ᾽ ἐλάχιστος νῦς νμβ8. 1207 ᵃ5. τύχη, opp προαίρεσις: ἀπὸ τύχης ὐδὲν ἕνεκά τυ γίνεται Αδ1. 95 ᵃ8. εἰ ἔστιν ἀρετή, ὐκ ἔστι τύχη f 88. 1491 ᵇ19. τὰ συμπτώματα χ̣ τὰ ἀπὸ τύχης ὡς ἐν προαιρέσει ληπτέον Ρα9. 1367 ᵇ24. τὸ θαυμαστὸν ὕτως (i e ἐξ αὐτῶν τῶν πράξεων, cf ἐπί-τηδες ᵃ7) ἔξει μᾶλλον ἢ εἰ ἀπὸ τῷ αὐτομάτυ χ̣ τῆς τύχης πο9. 1452 ᵃ6. πο14. 1454 ᵃ11. ἀπὸ τύχης Φβ5. 197 ᵃ33. τῷ ἀπὸ τύχης ὐκ ἔστιν ἐπιστήμη Αγ30. 87 ᵇ19. ὕστερον τὸ αὐτό-ματον χ̣ ἡ τύχη χ̣ νῦ χ̣ φύσεως Φβ6. 198 ᵃ10. ἡ τύχη παράλογον τι Φβ5. 197 ᵃ18. Ρα5. 1362 ᵃ7. ἡ τύχη αἰτία ἄλογος νεη14. 1247 ᵇ7. (cf ἀπὸ τύχης f 508. 1561 ᵃ46.) τῶν ἀγαθῶν ποῖά ἐστιν ἀπὸ τύχης Ρα5. 1362 ᵃ6. 10. 1369 ᵃ32. β15-17. 12. 1389 ᵃ1. Πη1. 1323 ᵇ28. τύχη ἀγαθή, dist εὐτυχία Φβ5. 197 ᵃ25, 26. Μχ8. 1065 ᵃ35. — angu-stiore sensu τύχη a τῷ αὐτομάτῳ distinguitur: ἐν τοῖς ἁπλῶς ἕνεκά τυ γινομένοις, ὅταν μὴ τὸ συμβάντος ἕνεκα γένηται ᾗ ἔξω τὸ αἴτιον, τότε ἀπὸ ταυτομάτυ λέγομεν ἀπὸ τύχης δέ, τύτων ὅσα ἀπὸ ταυτομάτυ γίνεται τῶν προαιρετῶν τοῖς ἔχυσι προαίρεσιν Φβ6. 197 ᵇ20-22. Μχ8. 1065 ᵃ30. τὸ ἀπὸ τύχης πᾶν ἀπὸ ταυτομάτυ, τῦτο δ᾽ ὐ πᾶν ἀπὸ τύχης Φβ6. 197 ᵃ37. περὶ τὰ πρακτὰ ἡ τύχη Φβ6. 197 ᵇ3. — plerumque γίγνεσθαι ἀπὸ τύχης dicitur (cf αἰτία ἡ τύχη χ̣ τὸ ἀπὸ τύχης Φβ5. 196 ᵇ12), sed etiam διὰ τύχης Φβ4. 195 ᵇ32. Ρα10. 1368 ᵇ34. συμβαίνει ἐνίοτε τῦτο χ̣ διὰ τύχας Πε3. 1303 ᵃ3. πολλῶν γινομένων κατὰ τύχην Ηα11. 1100 ᵇ22. τὸ μὲν λαβεῖν εὐχῆς ἔργον ἐστί, τὸ δὲ συμβῆναι τύχης Πη12. 1331 ᵇ22. — Τύχη. Δαίμονος ἐπίπονυ χ̣ Τύχης χαλεπῆς ἐφήμερον σπέρμα f 40. 1481 ᵇ9.

τυχηρός. χορηγία τυχηρά Πδ11. 1295 ᵃ28.

τυχόντως, cf τυγχάνω p 778 ᵇ52.

τωθάζειν. τωθάσαι Φβ4. 1381 ᵃ34.

τωθασμός. θεοὶ τοιῦτοι, οἷς τὸν τωθασμὸν ἀποδίδωσιν ὁ νό-μος Πη17. 1336 ᵇ17.

τώς (Parm 147) Μγ5. 1009 ᵇ23.

Υ

υ. εἰς τὸ υ πέντε ὀνόματα τελευτᾷ πο21. 1458 ᵃ16. εἴ τις ἐπεκτείνας λέγοι τὸ υ (nominis φύσις) Μδ4. 1014 ᵇ17 Bz. ὕαινα. ὃν καλῶσιν οἱ μὲν γλάνον οἱ δ᾽ ὕαιναν, descr Ζιθ5. 55 594 ᵃ31-ᵇ5. ζ32. 579ᵇ. Ζγγ5. 757 ᵃ3-13 (cf Didot praef II adn 2). f 330. 1533 ᵇ10-26. μεγάλην τὴν καρδίαν ἔχει

Ζιγ4. 667 ᵃ20. γένος τι ἐν τῇ Ἀραβίᾳ descr θ145. 845 ᵃ24-27 Beckm. (Yena Thomae, hyaena Gazae Scalig. la civette Belon observat II 20. Hyaena striata C II 443. S I 519, 604. St. Cr. K 872, 5. AZ ι I 75, 44. Su 44, 11. cf Rose Ar Ps 347. Hartmann, Koner Zeitschr der

Ges f Erdkunde III 59. Lewysohn Zool des Talmud 77.)

Ὑακίνθια. τοῖς Ὑακινθίοις f 489. 1558 ᵃ1.

ὕαλος, cf ὕελος. διὰ τί διὰ τῆς ὑάλυ διορᾶται πκε 9. 939 ᵃ14. ἀχλὺς ἐπὶ τῆς ὑάλυ (v l ὑέλυ) χ3. 794 ᵃ5.

Ὑάντειαν ὁ Λοκρὸς ἔκτισεν f 520. 1563 ᵃ39.

ὕβος. 1. ὁ καλύμενος ὕβος ἐπὶ τῷ νώτῳ τῆς καμήλυ, αἱ Βάκτριαι δύο ἔχυσιν ὕβυς Ζι β1. 499 ᵃ14, 15. — 2. ἄλλον ἔχυσιν ὕβον ἐν τοῖς κάτω Ζι β1. 499 ᵃ16, Brustschwiele.

ὑβρίζειν, def Ρα13. 1374 ᵃ14. syn καταγελᾶν, χλευάζειν, σκώπτειν, ὀλιγωρεῖν Ρβ2. 1379 ᵃ30, 1378 ᵇ23. ὑβρίζειν χ̣ πλεονεκτεῖν Πε3. 1302 ᵇ6. 7. 1307 ᵃ20. ὐδεὶς ὑβρίζει λυπύμενος Ηη7. 1149 ᵇ20. ὑβρίζειν τινά, ὑβρισθείς, ὑβρισμένος Ηβ13. 1297 ᵇ7. ε11. 1314 ᵇ24. 4. 1304 ᵃ2. 10. 1311 ᵇ23. ρ3. 1424 ᵇ13. f 517. 1562 ᵇ24. ὑβρίζειν εἴς τινα Πε8. 1309 ᵃ22. — οἱ Εἵλωτες ἀνιέμενοι ὑβρίζυσι χ̣ τῶν ἴσων ἀξιῦσιν ἑαυτὸς τοῖς κυρίοις Πβ9. 1269 ᵇ9. — οἱ ὑβριζόμενοι (cinaedi) ἐκ παίδων Ηη6. 1148 ᵇ30. — ὑβρίζειν lege prohibitum Ηε3. 1129 ᵇ22. ὁμολογῦσι πατάξαι ἀλλ᾽ ὐχ ὑβρίσαι Ρα13. 1374 ᵃ3.

ὕβρις, def Ρβ2. 1378 ᵇ23. 23. 1398 ᵃ25. αρ7. 1251 ᵃ34. — ὕβρις εἶδός τι ὀλιγωρίας Ρβ2. 1378 ᵇ15, εἶδός τι ἀδικίας αρ7. 1251 ᵃ10. ἡ ὕβρις πολυμερής Πε10. 1311 ᵃ30. ὕβρις, coni προπηλακισμός, χλευασία, σιναμωρία τζ6. 1444 ᵃ6. Ηη7. 1149 ᵇ24. ὕβρις αἰτία τῦ στασιάζειν Πε10. 1302 ᵇ2. ἀδικήματα δι᾽ ὕβριν, dist διὰ κακυργίαν Πδ11. 1295 ᵇ11. δίκαι ὕβρεως Πβ8. 1267 ᵇ39. πκθ16. 953 ᵃ3. f 379. 1541 ᵃ11. τίκτει κόρος ὕβριν f 89.1492 ᵃ11, cf παροιμία p 570 ᵇ60.

ὑβρίς (v l ὕβρις Lob Par 41). eius vita moresque descr. ἡμέρας μὲν ὐ φαίνεται (ὗν Bk cf Bsm praef V) Ζι12. 615 ᵇ10, 12. (Ydris Thomae, obris Scoto, om Gaza et Scalig. cf C II 443. S II 96. Strix bubo Su 96, 8 et 97. def non pot K 973, 6. St. Cr. ΑΖ ι I 107, 94). v πνύγξ p 658 ᵇ37.

ὑβριστής. ὑβρισταί, coni ὑπερήτοι Ηδ8. 1124 ᵃ29. coni χλευασταί, ὀλίγωροι, θρασεῖς, ὑπερήφανοι Ρβ3. 1380 ᵃ29. 5. 1383 ᵃ1. 16. 1390 ᵇ33. ὑβρισταὶ χ̣ μεγαλοπόνηροι. opp κακῦργοι χ̣ μικροπόνηροι Πδ11. 1295 ᵇ9. τί ποιεῖ ὑβριστὰς Πι15. 1334 ᵃ28. οἱ δεῖ ὑβριστὰς εἶναι Ρβ21. 1395 ᵃ1, cf Στησίχορος p 701 ᵇ15.

ὑβριστικός. ἀδικήματα ὑβριστικά, opp κακυργικά Ρβ16. 1391 ᵃ19. διάθεσις ὑβριστική Ρβ8. 1385 ᵇ31. ἡδονὴ μὴ ὑβριστικὴ Ρβ3. 1380 ᵇ5.

ὑγίεια vs ὑγίεια.

ὑγιάζειν, syn ἰατρεύειν Ηε13. 1137 ᵃ24. Μδ2. 1014 ᵃ22. ὑγιάσαι τὸς κάμνοντας Πγ16. 1287 ᵃ37. τὰς νόσυς πα2. 859 ᵃ4. ὑγιάζεσθαι τὴν αὐτὴν ὑγίανσιν Φε4. 228 ᵃ1. ὑγιάζεσθαι, opp νοσάζεσθαι Φε5. 229 ᵇ4, opp ἀναιρεῖσθαι Ζγα 18. 726 ᵃ13, opp νοσῆσαι Ζι θ6. 605 ᵃ31. ὑγιασθῆναι. opp κάμνειν, νοσῆσαι Ζι γ11. 518 ᵃ14. Ζγε4. 784 ᵇ24. Ρβ19. 1392 ᵃ11. τῶν χελιδόνων ἐάν τις ἔτι νέων ὄντων ἐκκεντήσῃ τὰ ὄμματα, πάλιν ὑγιάζονται Ζγ6. 774 ᵇ32. ὁ ἰατρὸς ὐ βυλεύεται εἰ ὑγιάσει Ηγ5. 1112 ᵇ13. τὸ ὑγιάζεσθαι ὑγιείας ἕνεκεν αἱρύμεθα τγ2. 119 ᵃ19. — ὑγιάζειν, ὑγιάζεσθαι frequens Ar exemplum κινήσεως vel ἐνεργείας, veluti Φε1. 224 ᵃ25. Μκ11. 1067 ᵇ4. Φε4. 228 ᵃ1. η4. 249 ᵃ30 Οα 8. 277 ᵃ16. Γα7. 324 ᵇ1. Ζγα21. 729 ᵇ21. ὑγιάζει ὁ ἰατρεύων τὸν καθ᾽ ἕκαστον ΜΑ1. 981 ᵃ18. δ2. 1014 ᵃ22. Φβ3. 195 ᵇ19. ὁ ὑγιάζων ὑγιάζεται, ὑγιάζει ὁ οἰκοδόμος, ὁ ὑγιαζόμενος τρέχει al. exempla τῦ κατὰ συμβεβηκός et μεταβολῆς τῦ μεταβάλλοντος Με2. 1026 ᵇ37. Φβ1. 192 ᵇ25. θ5. 256 ᵇ32, 33, 257 ᵇ5. ε2. 226 ᵃ22. — ὑγιαστὸν Φε5. 257 ᵃ17. ταὐτὸ ὑγιαστὸν χ̣ τὸ νόσυ δε-

κτικόν Οδ3. 310 ᵇ29. ταὐτὸ τὸ νοσερὸν χ̣ τὸ ὑγιαστόν, τὸ δ᾽ εἶναι ὐ ταὐτόν Οδ4. 312 ᵃ20.

ὑγιαίνειν λῷστον (ex epigr Deliaco) ηεα1. 1214 ᵃ5. ὑγιαίνων Μδ7. 1017 ᵃ28. ὑγιανεῖ Μζ7. 1032 ᵇ18. ὑγιάναντες χ̣ ἰσχύσαντες Ζγε4. 784 ᵇ30. ὁ ἰατρὸς αἴτιος τῦ ὑγιαίνειν Ηκ4. 1174 ᵃ26. βυλόμενοι ὑγιαίνειν ὐ μανθάνομεν ἰατρικὴν Ηζ13. 1143 ᵇ32. διὰ τὸ ὑγιαίνειν Ζγε8. 789 ᵇ14. def σύμμετρα εἶναι τὰ θερμὰ χ̣ ψυχρὰ Αγ13. 78 ᵇ18. τὸ αἷμα γλυκὺ τὸ ὑγιαῖνον Ζμδ2. 677 ᵃ29. σπέρμα ὑγιαῖνον (Aub, ὑγιεινόν Bk) Ζι γ22. 523 ᵃ19. — ὑγιαντὸν Φε1.224 ᵃ30.

Ὑγιαίνετος, v Ὑγιαίνων.

Ὑγιαίνων. Εὐριπίδης πρὸς Ὑγιαίνοντα (Ὑγιαίνετον ci Valck) ἐν τῇ ἀντιδόσει Ργ15. 1416 ᵃ29, cf Εὐριπίδης p 300 ᵃ14.

ὑγίανσις Μκ12. 1068 ᵃ30. ηε β1. 1219 ᵃ15 (Fr, ὑγίασις Bk). def ἡ εἰς ὑγίειαν μεταβολὴ Φε5. 229 ᵃ26. ὑγιάζεσθαι τὴν αὐτὴν ὑγίανσιν Φε4. 228 ᵃ2. ὑγίανσις, opp νόσανσις Φε6. 230 ᵃ22. cf 2. 225 ᵇ31.

ὑγίασις ηε β1. 1219 ᵃ15, cf ὑγίανσις.

ὑγιαστικὸν χ̣ ὑγίαζον Φ95. 257 ᵃ17. ἡ ὑγίεια οἷον ἐνέργεια τῦ ὑγιαστικῦ ψ32. 414 ᵃ10.

ὑγίεια Μλ3. 1070 ᵃ23. 4. 1070 ᵇ28. Πα10. 1258 ᵃ32 al. dist εὐεξία τε7. 137 ᵃ4. coni ἰσχὺς Ηβ2. 1104 ᵃ14. coni ἰσχύς, κάλλος τγ1. 116 ᵇ17 (Bernays Dial p 146). coni εὐκρασία τῦ σώματος Ζμγ12. 673 ᵇ26. opp νόσος Ζμβ2. 648 ᵇ6. ὑγίειαι χ̣ νόσοι Ζι θ18. 601 ᵃ25. ὁ μεθ᾽ ὑγιείας θερμός, opp ὁ πυρέττων Ζμβ2. 649 ᵃ5. def συμμετρία θερμῶν χ̣ ψυχρῶν τζ2. 139 ᵇ21. 6. 145 ᵇ8. Φγ3. 246 ᵇ4, 21. πα3. 859 ᵃ12. cf Ηβ2. 1104 ᵃ17. σώματος ἀρετή, ποιητικὴ ἡδονῆς Ρα5. 1361 ᵇ3, 6. 6. 1362 ᵇ15. τέλος ἰατρικῆς Ηα1. 1094 ᵃ8. Ζμα1. 639 ᵇ17, 640 ᵃ4, 29. πλ8. 956 ᵃ28. τέλος τῦ περιπατεῖν Φβ3. 194 ᵇ33. Μδ2. 1013 ᵃ34. τὰ ἐμποδίζοντα τὴν ὑγίειαν Ζι1. 582 ᵃ1. συμφέρειν χ̣ πρὸς τὴν ἄλλην ὑγίειαν χ̣ πρὸς τὰς τόκυς Ζι θ18. 601 ᵃ27. πρὸς ὑγίειαν ἔχει βοήθειαν Ζμβ5. 651 ᵃ1. ὐ δεῖ πυκνὴν τὴν σάρκα πρὸς ὑγίειαν πε34. 884 ᵃ26. ἀπὸ τῆς ὑγιείας ὐ πράττεται τὰ ἐναντία Ηε1. 1129 ᵃ15. σημεῖα ὑγιείας μδ2. 380 ᵃ1. κακίστη πρὸς ὑγίειαν διάθεσις πδ41. 870 ᵇ26. πρὸς βοήθειαν ὑγιείας ὀσμὴ γέγονεν αι5. 444 ᵃ14. — ἡ ἄνευ ὕλης ὑγίεια Μλ3. 1070 ᵃ17. — commentatio περὶ ὑγιείας χ̣ νόσυ incipi videtur αν21. 480 ᵇ22-30. περὶ ὑγιείας χ̣ νόσυ liber Aristotelis, cf Ἀριστοτέλης p 104 ᵃ47. — (in libris Problematum saepe exhibetur ὑγίεια, veluti 859 ᵃ11, 865 ᵇ18, 870 ᵇ26, 888 ᵃ29, 956 ᵃ29, 32, ᵇ1, 962 ᵇ6, interdum ὑγίεια 966 ᵃ14.)

ὑγιεινοὶ λέγονται τῷ δύναμιν ἔχειν φυσικὴν τῦ μηδὲν πάσχειν ὑπὸ τῶν τυχόντων ῥᾳδίως Κ8. 9 ᵃ21. ὑγιεινὰ πολλαχῶς λέγεται, ἀλλ᾽ ἅπαν πρὸς ὑγίειαν Μγ2. 1003 ᵃ35. κ5. 1060 ᵇ37. τα15. 106 ᵇ34. ὑγιεινὸν ὑγίειας ποιητικόν, φυλακτικόν, σημαντικόν τα15. 106 ᵇ35. β2. 110 ᵃ19. opp νοσῶδες Αβ26. 69 ᵇ17. Ρβ24. 1401 ᵃ30. ηε γ1. 1228 ᵇ31. syn εὐεκτικὸν Ηζ13. 1143 ᵇ25. ὑγιεινὸν ἐν ἰατρικῇ, εὐεκτικὸν ἐν γυμναστικῇ Ηε15. 1138 ᵃ30. γάλα ὑγιεινότερον, dist τροφιμώτερον Ζι γ21. 523 ᵃ10, 12. σπέρμα ὑγιεινὸν (Bk, ὑγιαῖνον v l Aub) Ζι γ22. 523 ᵃ19. ὅσοις ἡ τῦ ἥπατος σύστασις ὑγιεινὴ Ζμδ2. 677 ᵃ19. ἡ πιμελὴ περίττωμα δι᾽ εὐθβοΐαν ὑγιεινὸν Ζγα18. 726 ᵃ6. ὑγιεινὰ μὲν οἴες τῶν αἰγῶν Ζι θ10. 596 ᵇ6. ἐν τοῖς καταμηνίοις ὑγιεινότερα τὰ σώματα γίνεται Ζι η1. 581 ᵇ32. τίνες χῶραι ὑγιεινότεραι Πη11. 1330 ᵃ40. — τὸ ἄρρεν γένος πρὸς μὲν τὰς ἡσυχίας χεῖρον πρὸς δὲ τὰς κινήσεις ὑγιεινὸν (fort ἰσχυὸν?) οα3. 1344 ᵃ6. — ὑγιεινῶς, ὑγιείας ποιητικῶς, φυλακτικῶς,

σημαντικῶς τα15. 106 ᵇ36. ὑγιεινῶς βαδίζειν Hε1. 1129
ᵃ16. ὑγιεινοτέρως ἔχειν αι5. 444 ᵃ23.

ὑγιής. ποιῆσαι ὑγιᾶ τὸν κάμνοντα τῆς νόσου τῆς παρύσης
Πγ11. 1281 ᵇ41. Zγα18. 724 ᵃ27. τὸ ἐν (Melissi) ὑγιές
τε κ̣ ἄνοσον ξ1. 974 ᵃ19. — μηθὲν ὑγιὲς λέγειν Μν3.
1091 ᵃ9. μηθὲν ὑγιὲς εἶναι τῶν λεγομένων, τῶν πραττο-
μένων ρ10. 1430 ᵃ18. τὰ τοιαῦτα ὡς φαῦλα ἀποτρεπόμενοι
τῷ ὑγιεῖ ἐνστῶμεν λόγῳ φτα1. 815 ᵇ18. — εὑρίσκυσι τὸ
ἔδαφος κ̣ τὺς τοίχυς ὑγιεῖς θ123. 842 ᵃ33.

ὑγραίνειν. τὸ ὑγραίνεσθαί ἐστιν ἐν μὲν τὸ ὕδωρ γίγνεσθαι 10
συνιστάμενον, ἐν δὲ τὸ τήκεσθαι τὸ πεπηγὸς μδ6. 382
ᵇ28 sqq. φαίνεται ἡ θερμότης κ̣ ψυχρότης ὑγραίνεσαι κ̣
ξηραίνεσαι μδ1. 378 ᵇ17. cf πκδ14. 937 ᵇ3, ᵃ38. ὑγραί-
νεσθαι, opp ξηραίνεσθαι Ζμβ7. 653 ᵇ3. μδ5. 382 ᵃ30. ἡ γῆ
ξηρὰ ὖσα ὑγραίνεται μβ3. 357 ᵇ16. ζωδάρια γίνεται ἐν 15
ξηροῖς ὑγραινομένοις κ̣ ἐν ὑγροῖς ξηραινομένοις Ζιε32. 557
ᵇ11. ἀναγκαῖον ὑγρανθῆναι τὸ γευστικὸν αἰσθητήριον ψβ10.
422 ᵇ3, 2, 4. ὑγραινομένων τινῶν τόπων θερμὴ φλεγμασία
γίνεται πα6. 859 ᵇ8. ἐν τῷ ἔαρι ἔτι ὑγρὸς (ὁ ἀὴρ), ἐν δὲ
τῷ μετοπώρῳ ἤδη ὑγραίνεται μα12. 348 ᵇ29. ὑγραίνεσθαι, 20
opp πήγνυσθαι ΖιΖ2. 560 ᵃ23. Ζγγ2. 753 ᵇ1, 3, 8. β2.
735 ᵃ36. τῦ στερεωτέρα ὑγραινομένη, τῦ δ' ὑγρῦ πνευμα-
τυμένη Ζγγ4. 755 ᵃ19. cf πκς15. 942 ᵃ2. ἡ ξανθὴ χολὴ
χωριζομένη ὑγραίνεται Ζμβ3. 649 ᵇ32, 33.

ὑγρασία. νόσημα τι, ὅταν ὑγρασία πολλὴ ἐν τῷ σώματι ᾖ 25
Ζιε31. 557 ᵃ1. ὑγρασία, syn ὑγρὰ ἀπόκρισις Ζγα20. 727
ᵇ36. cf ΖιΖ18. 572 ᵇ28. ὅταν ὦσιν ὑγρασίας πλήρη πολλῆς
ὅ τε πνεύμων κ̣ ἡ ἀρτηρία ακ801 ᵃ12. cf πκ27. 926 ᵃ13.
28. 926 ᵃ17. τὰ τῶν νέων κέρατα ἀπαλὰ κ̣ πολλὴν ἔχει
ἐν αὐτοῖς ὑγρασίαν ακ802 ᵇ9. ὁ μυελὸς κατὰ τὴν ῥάχιν 30
ὦν ὑγρασίαν πολλὴν παρέχει πβ14. 867 ᵇ23. ἐν ταῖς κε-
φαλαῖς ὅταν ὑγρασία γένηται πα10. 860 ᵇ4. ἡ ἐν τοῖς
καρποῖς ὑπάρχυσα (ἐμμένυσα) ὑγρασία χ5. 795 ᵃ24, 7.

ὑγροκέφαλοι οἱ παῖδες πα16. 861 ᵃ17.

ὑγροκοιλία τὰ μακροσκελῆ τῶν ζώων Ζυ50. 632 ᵇ11. 35

ὑγρορροεῖν. ἕως ἂν ὑγρορροῇ, ἢ συμφύσεται πα33. 863 ᵃ17.

ὑγρός, cf ξηρός. 1 (cf ὑγρότης 1). ὑγρὸν ποσαχῶς λέγεται,
dist δυνάμει ὑγρόν, διερόν, ἐβρεγμένον Γβ2. 330 ᵃ12-29.
Ζμβ3. 649 ᵇ9-35. τὸ ὑγρὸν κ̣ τὸ ξηρόν πάσχοντα, παθη-
τικά, ὕλη (opp τὸ θερμὸν κ̣ ψυχρὸν ποιῦντα) Γβ2. 329 40
ᵇ25. μδ1. 378 ᵇ13, 18, 23. 4. 381 ᵇ23. 8.384 ᵇ29. 10.388
ᵃ22. 11. 389 ᵃ30. ὑγρὸν τὸ ἀόριστον οἰκείῳ ὅρῳ εὐόριστον
ὄν, ξηρὸν δὲ τὸ εὐόριστον μὲν οἰκείῳ ὅρῳ, δυσόριστον δέ
Γβ2. 329 ᵇ30. α10. 328 ᵇ4. μδ4. 381 ᵇ29. τε2. 130 ᵇ35.
τὸ ὑγρὸν τῷ ξηρῷ αἴτιον τῦ ὁρίζεσθαι μδ4. 381 ᵇ31. τὸ 45
ὑγρὸν ἀπίεστον μδ9. 386 ᵇ11. ὑγρόν, opp πεπηγὸς μδ10.
389 ᵃ3. ὑγρὸν μέλι, opp ἐνιστᾶται Ζιε22. 554 ᵃ8, 9. ὑγρόν,
opp στερεόν ΖιΖ3. 561 ᵃ31, 32. διατμιζομένα κ̣ πνευμα-
τυμένα τῦ ὑγρῦ Oγ7. 305 ᵇ15. τὸ διατμίζον ὑγρόν μα7.
344 ᵇ23. ἀναθυμίασις ὑγροτέρα, opp πνευματώδης μα4. 50
341 ᵇ12. ἐνιαυτὸς ὑγρός, syn ἔπομβρος, νότιος πα22. 862
ᵃ13. 21. 862 ᵃ5. 10. 860 ᵇ6. ἡ ὀσμὴ τῦ ξηρῦ, ὁ χυμὸς
τῦ ὑγρῦ ψβ9. 422 ᵃ6. τὸ ἔγχυμον ὑγρόν αι5. 442 ᵇ29. κ̣
ὁ ἀὴρ ὑγρὸν τὴν φύσιν ἐστὶν αι4. 443 ᵇ5, 3. τὸ ὑγρὸν
τροφὴ τῦ πυρός ημβ11. 1210 ᵃ19. πγ5. 871 ᵇ12. 26. 875 55
ᵃ14. πάντων τὰ σπέρματα τὴν φύσιν ὑγρὰν ἔχειν, τὸ δ'
ὕδωρ ἀρχὴν τῆς φύσεως εἶναι τοῖς ὑγροῖς ΜΑ3. 983 ᵇ27.
τιθέμεθα ὑγρὸν σῶμα ὕδωρ, ξηρὸν δὲ γῆν μδ5. 382 ᵇ3, 4.
382 ᵃ3. τὸ ὑγρόν, i q τὸ ὕδωρ Γβ8. 335 ᵃ3, 1. δέχεσθαι
κ̣ ἀφίεναι τὸ ὑγρόν, syn τὸ ὕδωρ Ζια1. 487 ᵃ18, 20. θ2. 60
589 ᵃ22, 13, 16, ᵇ19, 21, 24. ζῆν ἐν τῷ ὑγρῷ, opp ζῷα

χερσαῖα Ζια1. 487 ᵇ8, 9. cf αν14. 477 ᵇ25. — εἴδη τῦ
ὑγρῦ: τῶν ὑγρῶν ὅσα μὲν ἐξατμίζεται, ὕδατος, ὅσα δὲ
μή, ἢ γῆς ἢ κοινὰ γῆς κ̣ ὕδατος, οἷον γάλα, ἢ γῆς κ̣
ἀέρος, οἷον ξύλον, ἢ ὕδατος κ̣ ἀέρος, οἷον ἔλαιον μδ10.
388 ᵃ29, cf 388 ᵃ29-389 ᵃ23. παχύνεται τὸ ἐξ ὕδατος κ̣
γεώδυς συνιστάμενον ὑγρόν Ζγβ2. 735 ᵇ9. ὑγρὸν οἰνῶδες
πγ15. 873 ᵃ17. ὑγρὸν αἱματῶδες Ζιγ1. 510 ᵃ24. in cor-
pore animantium ὑγρὰ enumerantur αἷμα, μυελός, ἐγκέ-
φαλος Ζιγ20. 521 ᵇ17, 6, 4, 7. Ζγβ6. 743 ᵇ31, 744 ᵃ12,
16, 28. Ζμβ14. 658 ᵇ8 (cf ὑγρὰ μόρια, opp ξηρὰ Ζμβ2.
647 ᵇ20. ἐν τοῖς ψυχροῖς τόποις ὑδατωδέστερον τὸ ὑγρὸν
τὸ ἐν τοῖς ζῴοις ἐστὶν μχ5. 466 ᵇ23), γάλα, γονή, σπέρμα,
καταμήνια, θορός Ζιγ20. 521 ᵇ18. Ζγβ7. 746 ᵇ29. 4. 739
ᵃ8, 9, ᵇ26. 3. 737 ᵃ12. 2. 735 ᵃ31, 34, ᵇ35. α13. 720 ᵃ8.
γ1. 750 ᵃ13. 5. 756 ᵃ10. τὸ ὑγρὸν τῦ ὠῦ, τὸ λευκόν· τὰ
ᾠὰ τὰ ὑπηνέμια ὑγρότερα τῶν γονίμων sim Ζιζ2. 559 ᵇ27,
25. 3. 561 ᵇ12. Ζγγ1. 752 ᵃ1. 3. 754 ᵃ35. δεῖ μὴ ἐν ὑγρῷ
τὸ ζῷον (τὸ ἔμβρυον) εἶναι ἀλλὰ κεχωρισμένον Ζγβ4. 739
ᵇ30. cf 7. 746 ᵃ25. γ1. 751 ᵃ1. ΖιΖ3. 561 ᵇ10. τὸ ἐν τῇ
κύστει ὑγρόν Ζιγ15. 519 ᵇ18. Ζμγ9. 671 ᵇ21. περιττώματα
ὑγρά, cf περίττωμα p 587 ᵇ6. τὰ καταβαίνοντα ὑγρά (ve-
luti ἱδρώς) Ζμβ15. 658 ᵇ15. ὐχ ἱδρῶτα ('Αλκιδάμας λέγει)
ἀλλὰ τὸν ὑγρὸν ἱδρῶτα Ργ3. 1406 ᵃ21, cf 'Αλκιδάμας
p 33 ᵃ3. τὸ πνεῦμα ὑγρὸν τὴν φύσιν, ὅτι ἐξ ὕδατος Ζγβ2.
736 ᵃ2. τροφὴ ὑγρὰ κ̣ ξηρὰ Ηγ13. 1118 ᵇ10, cf τροφὴ
p 773 ᵇ28. πάντα ἐξ ὑγρῦ λαμβάνει τὴν αὔξησιν Ζμβ2.
647 ᵇ26. ζωτικὸν τὸ ὑγρόν Ζγβ1. 733 ᵃ11. — τῶν σω-
μάτων τῶν δεδημιυργημένων τὰ μὲν ὑγρά, τὰ δὲ μαλακά,
τὰ δὲ σκληρά μδ10. 388 ᵃ27. τὰ μὲν ξηρὰ σκληρά, τὰ
δὲ ὑγρὰ μαλακά πκβ10. 931 ᵃ5. τὸ ὑγρὸν παλαιύμενον κ̣
καταξηραινόμενον μελαίνεται χ5. 794 ᵇ29. γῆ ὑγρὰ πα21.
862 ᵃ5. ζῷα ἔν τε τοῖς ξηροῖς ὑγραινομένοις κ̣ ἐν τοῖς
ὑγροῖς ξηραινομένοις, syn ἐκ ξηροτάτων ὑγρῶν, ἐκ τινος
συστάσεως γεοειδῦς κ̣ ὑγρᾶς Ζιε32. 557 ᵇ12. Ζγα16. 721
ᵃ7. 23. 731 ᵇ13. μήτε κατάξηρον ὖσαν τὴν γλῶτταν αἰσθά-
νεσθαι μήτε λίαν ὑγράν ψβ10. 422 ᵇ6, 7. τῶν χειλῶν μὴ
ὄντων ὑγρῶν ὐκ ἂν ἦν φθέγγεσθαι τὰ πλεῖστα τῶν γραμ-
μάτων Ζμβ16. 660 ᵃ4. τὸ ὑγρὸν τῦ ὀφθαλμῦ, ὦ βλέπει,
ἡ κόρη· ὁ ὀφθαλμὸς ὑγρὸν κ̣ ψυχρόν· τὸ ὑγρὸν τὸ ἐν τοῖς
ὄμμασιν Ζια9. 491 ᵇ21. Ζγβ6. 744 ᵃ6, 13, 20. Ζμβ13.
657 ᵃ31 (sed aliter οἱ ὑγρῶς ἔχοντες τὺς ὀφθαλμύς· εὐ-
φυῶς ὄμμα χαροπόν, ὑγρόν μγ4. 374 ᵃ22. φ3. 807 ᵇ19,
cf ὑγρόφθαλμος). κοιλίαι ὑγραί· ἡ κοιλία ἀεὶ ὑγρά Ζμγ14.
674 ᵇ34. Ζιυ18. 617 ᵃ1. δέρματα ὑγρότερα, opp παχύτερα
Ζιγ10. 517 ᵇ13. σάρκες ὑγραί, ὑγρότεραι, syn κεχυμέναι,
ἀπαλαί, opp συνεστάναι μᾶλλον Ζιθ13. 598 ᵃ9, 8. 21. 603
ᵇ32 (cf Oribas III 709). φ3. 807 ᵇ12, 808 ᵃ25. 5. 809 ᵇ11.
6. 813 ᵇ16. ὅλον τὸ σῶμα ὖτε λίαν σκληρὸν ὖτε λίαν ὑγρὸν
φ5. 809 ᵇ31. cf πα52. 865 ᵇ30. ε34. 884 ᵃ38. ὑγρότερα
τὰ σώματα κ̣ ὀγκωδέστερα, opp ξηρότερα· ζῷα θερμότερα
τὴν φύσιν κ̣ ὑγρότερα κ̣ μὴ γεώδη sim Ζγγ1. 749 ᵇ31,
751 ᵇ11, 12. β1. 732 ᵇ31. α20. 728 ᵇ17. Ζιε14. 546 ᵃ20.
η1. 582 ᵃ14. 2. 583 ᵃ7. τὰ ἔνυδρα τῶν πεζῶν ἧττον μα-
κρόβια, ὐχ ὅτι ὑγρὰ ἁπλῶς, ἀλλ' ὅτι ὑδατώδη μχ5. 467
ᵃ1. κ̣ οἱ λίαν ταχεῖς κ̣ οἱ λίαν βραδεῖς ὐδέτεροι φαίνονται
μνήμονες· οἱ μὲν γάρ εἰσιν ὑγρότεροι τῦ δέοντος, οἱ δὲ
σκληρότεροι μν1. 450 ᵇ9. — 2 (cf ὑγρότης 2). ὑγρότερον
ἀναγκαῖον αὐτῶν (τῶν σελαχῶν) εἶναι τὴν κίνησιν Ζμβ9.
655 ᵃ24. ταχυτῆτι διαφέρει (ὁ θὼς) διὰ τὸ ὑγρὸς εἶναι κ̣
πηδᾶν πόρρω ΖιΖ35. 580 ᵃ30.

ὑγρόσαρκος. χαλαζώδεις εἰσὶ τῶν ὑῶν αἱ ὑγρόσαρκοι Ζιθ21.

603 ᵇ16. ὑγροσαρκότερα τὰ θήλεα Ζιδ 11. 538 ᵇ9.

ὑγρότης. 1 (cf ὑγρός 1). interdum ὑγρότης abstracti nominis vim retinet, ut τὴν τῦ ὑγρῦ φύσιν significet, πρὸς πολλὴν θερμότητα ἀντίκειται πλείων ὑγρότης χ̔ ψυχρότης Ζμβ7. 653ᵃ33. ὅταν κρατηθῇ ἡ ὑγρότης μδ 2. 379 ᵇ33. πρόλοβος μακρὸς διὰ τὴν τῆς τροφῆς ὑγρότητα Ζμγ14. 674 ᵇ32. (ad hunc usum talia vix videntur referenda esse, ὅταν ἔχῃ τὸ ξηρὸν ὑγρότητα μβ5. 362 ᵃ10. ἡ τῦ ἀέρος ὑγρότης μγ4. 374 ᵃ24, i e τὸ ἐν τῦ ἀέρι ὑγρόν.) sed plerumque ὑγρότης pro concreto nomine usurpatum (cf γλισχρότης p 156 ᵇ45) significat i q τὸ ὑγρόν vel εἶδός τι τῦ ὑγρῦ. ὑγρότης παθητική, syn ὑγρόν μδ 3. 380 ᵇ27, 25. ἡ ἑλκομένη ὑγρότης, syn ὕδωρ μαδ. 343 ᵇ3, 9. ὑγρότης ὑδατώδης μδ 8. 385 ᵇ1. Ζιη7. 586 ᵃ29, σινηρὰ πγ15. 873 ᵃ19, μυξώδης Ζιγ5. 515 ᵇ16 Aub et Ka. ε18. 550 ᵃ13. πν7. 485 ᵃ2 (ὑγρότητες μυξώδεις Ζγγ11. 761 ᵇ33), γλίσχρα Ζιγ11. 518 ᵇ14, λευκή Ζιγ1. 510 ᵃ26. ζι8. 572 ᵇ29, ὠχρά Ζι2. 527 ᵃ18, θερμή, θερμὴ χ̔ περιττωματικὴ Ζγε3. 783 ᵇ17. Ζμγ 10. 672 ᵇ29, ἀόριστος μδ3. 380 ᵃ29, αἱματική, αἱματώδης Ζγδ8. 777 ᵃ7. α 19. 726 ᵇ34. Ζιη7. 586 ᵃ29, ἰχωροειδὴς Ζιζ3. 561 ᵇ22, μυελοειδὴς Ζιγ8. 517 ᵃ2, χολώδης Ζιβ15. 506 ᵇ3, γαλακτιώδης Ζιε5. 540 ᵇ31, ᾠώδης Ζιζ10. 565 ᵃ23, σύμφυτος, ἐπακτός Ζγγ 1. 750 ᵃ8, ζωτικὴ Ζκ11. 703 ᵇ23. ὑγρότης appellatur τὸ αἶμα, ὁ ἰχώρ, τὸ γάλα, τὰ καταμήνια al Ζια4. 489 ᵃ20. γ6. 515 ᵇ28. 11. 518 ᵇ9. ζ3. 561 ᵇ27. η11. 587 ᵇ23, 32. Ζμβ4. 650 ᵇ23. Ζγα17. 721 ᵇ15. β4. 739 ᵃ20. 6. 744 ᵃ9. δ4. 771 ᵇ23. μν2. 453 ᵃ23. ἡ ὑγρότης ἡ ἐν τοῖς ᾠοῖς Ζγγ2. 753 ᵃ34. ἡ ἐνταῦθα παλίρροια τῆς ὑγρότητος Ζμγ7. 670 ᵇ8. αἱ θερμότεραι ἡμέραι ξηραίνουσι τὰς ὑγρότητας πκς11. 941 ᵃ36. — 2 (cf ὑγρός 2). οἱ ὄφεις τῇ ὑγρότητι χρῶνται τῦ σώματος περιελιττόμενοι ἀλλήλοις Ζγα7. 718 ᵃ30. (ἄρκτος) ἀναβαίνει τὰ τῦ δένδρα διὰ τὴν ὑγρότητα τῦ σώματος Ζιθ5. 594 ᵇ6. — metaph, ἀκολυθεῖ τῇ ἐλευθεριότητι τῦ ἤθους ὑγρότης αρ5. 1250 ᵇ32.

ὑγρόφθαλμος, opp σκληρόφθαλμος Ζμβ2. 648 ᵃ18. οἱ ἰχθύες ὑγρόφθαλμοι Ζμβ13. 658 ᵃ3, 9.

ὑδαρής οἶνος Γα5. 322 ᵃ32. Ζιγ12. 588 ᵃ7. πγ3. 871 ᵃ22. 18. 873 ᵇ24, 35. μελίκρατον ὑδαρὲς Μν6. 1092 ᵇ30. περιττώματα ὑδαρῆ πκη1. 949ᵃ38. καταμήνια ὑδαρέστερα Ζικ1. 634 ᵇ17. ἰχῶρες ὑδαρεῖς Ζιη9. 586 ᵇ33. ὄμμα ὑδαρὲς τῶν προβάτων Ζγε1. 779 ᵃ32. οἱ καρποὶ πρόσφατοι ὄντες ὑδαρέστεροι πν30. 926 ᵃ31. — metaph, φιλία ὑδαρής Πβ4. 1262 ᵇ15. μῦθος ὑδαρὴς πο26. 1462 ᵇ7.

ὑδαρώδης. ἐν ὑδαρώδεσι (v l ὑδρώδεσι) τόποις φτβ6. 826ᵇ10.

ὑδάτιον. διαιρεῖσθαι εἰς ἐλάττω ὑδάτια Γα2. 317 ᵃ28. ζῷα ἅπαντικὰ πρὸ τὰ ὑδάτια Ζιθ28. 606 ᵇ21. τοῖς ποταμίοις ὑδατίοις (v l ὕδασιν Bk) Ζιζ13. 568 ᵃ4.

ὑδατοειδής χ3. 793 ᵇ30.

ὑδατοθρέμμονες ἰχθῦς (Emp 130) χ6. 399 ᵇ28. Μβ4. 1000 ᵃ31.

ὑδατώδης, dist ὑγρός μκ5. 467 ᵃ1, 466 ᵇ25. ὑγρότης ὑδατώδης μδ 8. 385 ᵇ1. Ζγε3. 782 ᵃ28 (dist λιπαρά). Ζιη7. 586 ᵃ29 (dist αἱματώδης). φύσις ὑγρὰ χ̔ ὑδατώδης Ζγβ3. 737 ᵃ12. ἐκ τῶν πνευματικῶν ὑδατώδη, ἐκ δὲ τύτων τὰ γεηρὰ συνίσταται μδ3. 380 ᵃ23. τὸ ἑνὸν ὑδατῶδες πνεῦμα γίνεται Ζγβ2. 735 ᵇ15. ἡ αἱμάτης ἢ πνευματικὴ ἢ ὑδατώδης μδ3. 380 ᵃ29, ᵇ16. πύκνωσις ὑδατώδης μγ3. 372 ᵇ31. νέφος ὑδατωδέστερον μγ6. 377 ᵇ6. ἄνεμος ὑδατώδης, opp αἴθριος, ξηρός μβ3. 358 ᵇ2. 6. 364 ᵇ21. πα25. 862 ᵃ17. χς27. 943 ᵃ6. 50. 946 ᵃ4. ἀτμὸς ὑδατώδης πιβ34. 907 ᵃ2. τὰ ξύλα ὀσμώδη, χ̔ τύτων τὰ ὑδατώδη ἧττον αι5.

443 ᵃ16, 20. πήγνυται τὰ ὑδατώδη Ζγβ2. 735 ᵃ34. μδ 8. 385 ᵇ1. ὑδατωδέστερα, ὅσα τήκεται ὑπὸ πυρὸς μδ10. 388 ᵇ33. τῦ αἵματος τὸ ὑδατῶδες ὖ πήγνυται, dist τὸ γεωδες Ζμβ4. 650 ᵇ16, 651 ᵃ17. ἰχὼρ ὑδατώδης Ζιγ20. 521 ᵇ27. ἀπομύττεσθαι ὑδατώδη π154. 897 ᵇ31. δειλότερα ζῷα τὰ λίαν ὑδατώδη Ζμβ4. 650 ᵇ27. ἡ ὀρίγανος ἐξαίρει τὸ ὑδατῶδες χ̔ τὸ τρυγῶδες πκ35. 926 ᵇ34, 39. — τὸ κάτω ἡμισφαίριον τῆς πομφόλυγος ἀποτέμνεται ὑπὸ τῦ ἐπιπέδυ τῦ ὑδατώδης πις2. 913 ᵃ32. — τὸ εὐδίοπτον τῆς θαλάττης γλαυκὸν φαίνεται, τὸ δ᾽ ἧττον ὑδατῶδες· ὄμμα γλαυκόν, dist ὑδατῶδες Ζγε1. 779 ᵇ32, 30.

ὕδερος. ὑδέρῳ χ̔ φθίσει ἔοικεν ἡ μοχθηρία Ηη9. 1150 ᵇ33. ἁλίσκεσθαι ὑδέροις ἢ φθόαις θ152. 846 ᵃ3. ὑδέρῳ νοσήματι τελευτῆσαι f 444. 1551 ᵃ20.

ὕδνον. μύκητες χ̔ ὕδνα χ̔ τὰ ὅμοια φτβ4. 825 ᵇ18. (Tuber. Fraas 319.)

ὑδραγωγία. ποιεῖν, κατασκευάζειν τὰς ὑδραγωγίας μα13. 349 ᵇ35. Ζμγ5. 668 ᵃ14.

ὑδρεύεσθαι. ἀπὸ τελμάτων ὑδρεύονται αἱ μέλιτται Ζιι40. 626 ᵃ11.

ὑδρία. ἐπὶ θύραις τὴν ὑδρίαν Ρα6. 1363 ᵃ7, cf παροιμία p 570 ᵃ44.

ὕδρος. refertur inter ὅσα τὴν μὲν τροφὴν ποιεῖται χ̔ τὴν διατριβὴν ἐν τῷ ὑγρῷ, ὖ μέντοι δέχεται τὸ ὕδωρ ἀλλὰ τὸν ἀέρα χ̔ γεννᾷ ἔξω· τὰ ἄποδα· ἐπὶ τῷ ἥπατι ἔχυσι (τὴν χολήν) αν10. 475 ᵇ27. Ζια1. 487 ᵃ23. β17. 508 ᵇ1. ὑπὸ τῦ ὕδρυ πληγέντα παράχρημα ὀσμὴν βαρυτάτην ἀπεργάζεσθαι λέγει Ἀρ. ὕδρος μεταβάλλεται εἰς ἕξιν ξηραινομένων τῶν λιμνῶν f 327. 1532 ᵇ18. 328. 1532 ᵇ33. (Ydros Thomae, natrix Gazae Scalig. serpentes magni Alberto. serpent d᾽eau C II 771. Coluber natrix K 407. St. Cr. Su 184, 14. def non potest KaΖι 7, 13. ΑΖι I 119, 14. cf Cuv leçons d᾽anat comp IV 2, 481. M 310. E 75: Coluber viperinus hodie νεροφίδον vel οἴχενδρα fort i q ἔχιδνα vett vel ἔχις in f 328. 1532 ᵇ33.)

Ὑδρόεσσα ἐκλήθη ἡ Τῆνος διὰ τὸ κατάρρυτον εἶναι f 553. 1569 ᵇ24.

ὑδροφορεῖν. αἱ μέλιτται ὑδροφορῦσιν Ζιι40. 625 ᵇ19.

ὑδρωπιᾶν. τὸ ὕδωρ ἐξεληλυθέναι τοῖς ὑδρωπιῶσιν Ζγε8. 789 ᵇ14.

ὑδρωπικός, dist ῥευματικός πγ5. 871 ᵇ24.

ὕδρωψ. 1. i q ὕδερος. ἀπὸ ὑδρωπος χ̔ πυρετῶν ὖχ ἁλίσκονται οἱ πλησιάζοντες πζ8. 887 ᵃ23. — 2. liquor amnii. ὕδρωψ ἐξέρχεται Ζιη9. 587 ᵃ6.

ὕδωρ. τὸ ὕδωρ ψυχρὸν χ̔ ὑγρόν Γβ3. 330 ᵇ5. ὕδωρ ψυχρῷ μᾶλλον ἢ ὑγρῷ Γβ3. 381 ᵃ4. τὸ βαρύτατον χ̔ ψυχρότατον γῆ χ̔ ὕδωρ μαδ3. 340 ᵇ20. ὕδωρ πυρὶ ἐναντίον Γβ8. 335 ᵃ5. ὑδὲ τὸ πῦρ θερμαίνει τὸ ὕδωρ μᾶλλον, ὅσπερ ἂν ᾖ πλέον, ἀλλ᾽ ἔστιν ὅρος τῆς θερμότητος Ζγδ4. 772 ᵃ13. τὸ ὕδωρ θερμότερον ἐνίοτε τῆς φλογὸς γινόμενον χ̔ κατακάει τὰ ξύλα πκθ3. 936 ᵃ21. λ1. 954 ᵃ16. — ὕδωρ πλὴν γῆς πᾶσιν ὑφίσταται Οδ5. 312 ᵃ26, 25. 4. 311 ᵃ28. μα3. 340 ᵇ20. τὸ ὕδωρ ἐστὶ περὶ τὴν γῆν, ὁ δ᾽ ἀὴρ περὶ τὸ ὕδωρ Οβ4. 287 ᵃ32. τὰ φερόμενα ἐν τῷ δινυμένῳ ὕδατι εἰς τὸ μέσον τελευτῶσι φέρεται μχ35. 858 ᵇ4. τὸ ἐν τοῖς κυάθοις ὕδωρ κύκλῳ τῦ κυάθυ κινύμενον ὖ φέρεται κάτω Οβ13. 295 ᵃ19. ἐν ὕδατι κυφότερον ταλαντιαῖον ξύλον μολίβδυ μναιαῖῳ Οδ4. 311 ᵇ4. τὸ ὕδωρ εἰς τὸ ἀγγεῖον πυρωθὲν σπᾷται, γῆ δ᾽ ὖ Οδ5. 312 ᵇ13, 9. ἡ τῦ ὕδατος ἐπιφάνεια σφαιροειδής· ἀεὶ συρρεῖ τὸ ὕδωρ εἰς τὸ κοιλότερον Οβ4. 287 ᵇ1, 6. — μόνον τῶν ἁπλῶν εὔοριστον τὸ ὕδωρ Γβ8. 335 ᵃ1, 334 ᵇ34. ὕδατὸς φύσιν ἐκ ἐνδέχεται κεχωρισμένην εἶναι τῷ περὶ τὴν γῆν ἱδρυμένῳ σώματος μα3. 339 ᵇ9. ὕδατος εἴδη οἶνος ὅρον ὀρρὸς ⟨χ⟩ ὅλως ὅσα μηδεμίαν ἢ βραχεῖαν ἔχει ὑπόστασιν μδ5. 382 ᵇ13. εἰ πάντα τὰ τηκτὰ ὕδωρ Μδ4. 1015 ᵃ10. 24. 1023 ᵃ29. ὅσα ὕδατος μόνον, ταῦτα πήγνυσι τὸ ψυχρὸν Ζμβ2. 649 ᵃ30, 650 ᵇ29. ὕδωρ μόνον θερμαινόμενον ὐ παχύνεται αι4. 441 ᵃ27. αι3. 380 ᵃ34. (ἡ παχύτης τῷ ὕδατος Ζμβ13. 658 ᵃ9.) τὸ ὕδωρ ἐλαίῳ μιγνύμενον γίγνεται παχὺ ⟨χ⟩ λευκὸν Ζγβ2. 735 ᵇ21. τὸ ὕδωρ ἄβλαστον, ἄπιεστον, ἀνέλκτον, ὐ μαλακὸν, ψαθυρὸν μδ9. 386 ᵃ18, ᵇ10, 15. 4. 382 ᵃ13. αι4. 441 ᵃ25. λεπτότατον τῶν πάντων ὑγρῶν τὸ ὕδωρ, ⟨χ⟩ αὐτῷ τῷ ἐλαίῳ αι4. 441 ᵃ23. τὸ ὕδωρ διαφανές, ἄχροον α2. 438 ᵇ6. πκγ9. 932 ᵇ23. de colore aquae χ1. 791 ᵃ3. 5. 794 ᵇ26. πκγ23. 934 ᵃ13. λη1. 966 ᵇ24. — τὸ ὕδωρ ὕλη ἀέρος, ὁ δ' ἀὴρ οἶον ἐνέργειά τις ἐκείνῳ Φδ5. 213 ᵃ2. γίγνεται ὕδωρ ἐξ ἀέρος ⟨χ⟩ ἀὴρ ἐξ ὕδατος διακριθέντος μα3. 340 ᵃ24, 10. Γβ6. 333 ᵃ22. τὸ ἀναχθὲν ὕδωρ μβ2. 355 ᵃ26. ὕδωρ ὐ θυμιατὸν ἀλλ' ἀτμιστὸν μδ9. 387 ᵇ8. ἀτμὶς συνίσταται εἰς ὕδωρ μα3. 340 ᵃ35, ᵇ29, 341 ᵃ4. εὐφυλακτότερον ⟨χ⟩ εὐπιλητότερον τὸ ὕδωρ τῷ ἀέρος α12. 438 ᵃ16. — aquae genera varia. ὕδατος χυμοὶ πόθεν γίγνονται μβ3. 359 ᵇ4sqq. χρήνη τις ὕδατος ὀξέος μβ3. 359 ᵇ17. ὕδωρ ὕδατος διὰ τί διαφέρει Ζγδ2. 767 ᵃ28. μεταβάλλωσι τὰς χρόας τῶν τριχῶν κατὰ τὰς τῶν ὑδάτων μεταβολάς Ζιγ12. 519 ᵃ10, 12. Ζγε6. 786 ᵃ4. ὕδατα θηλυγόνα, ἀρρενογόνα Ζιζ19. 573 ᵇ33. τὸ μεταβάλλειν τὰ ὕδατα νοσώδες πα13. 860 ᵇ26. 14. 860 ᵇ34. ὕδωρ λιμνάσαν μα14. 352 ᵇ16. ὕδατα ῥυτά, στάσιμα μβ1. 353 ᵇ18. σωματωδέστερον τὸ θαλάττιον ὕδωρ τῷ ποταμίῳ πκγ13. 933 ᵃ12. ὑδάτων ⟨χ⟩ ναμάτων πλῆθος οἰκεῖον Πη11. 1330 ᵇ4. ὕδωρ πότιμον, ὕδατα πότιμα μα13. 351 ᵃ15. β3. 357 ᵃ22. Ζιβ14. 505 ᵇ7. θ2. 592 ᵃ2. τὸ πότιμον ⟨χ⟩ τὸ γλυκύτερον ὕδωρ Ζιθ13. 598 ᵇ5. ὕδατα γλυκέα Ζιζ13. 567 ᵇ17. ἐν θαλάττῃ, opp ἐν τοῖς γλυκέσιν ὕδασιν Ζια5. 490 ᵃ25. ὅσα περὶ τὸ ἁλμυρὸν ὕδωρ ⟨χ⟩ θάλατταν πκγ. ἁλμυρὰ ὕδατα αι4. 441 ᵇ3. τὸ ἁλμυρὸν ὕδωρ ἐκ ἀπόρρυτον πκγ20. 933 ᵇ21. ὕδωρ ἁλυκόν Ζιζ19. 574 ᵃ8, δυσῶδες Ζιθ9. 595 ᵇ29. ἁλυκὰ ⟨χ⟩ μοχθηρὰ ὕδατα πγ8. 872 ᵃ10. 19. 874 ᵃ1. διὰ τί ἡ μὲν θάλαττα κάεται, τὸ δὲ ὕδωρ ὐ πκγ15. 933 ᵃ17. ὕδωρ καθαρόν, ἀκέραιον, opp θολερόν, ταράττειν (ἀνατρέπειν) τὸ ὕδωρ β2. 592 ᵃ3, 5, 6. 11. 596 ᵇ18. 24. 605 ᵃ10, 15. ὕδωρ γεώδη ἔχον ὑπόστασιν Ζιε19. 551 ᵇ29. τὰ βαρύσταθμα ὕδατα φαῦλα Ηζ9. 1142 ᵃ22. κυφότης τῷ ὕδατος f 258. 1525 ᵇ12. τὰ ἀπὸ χιόνος ⟨χ⟩ κρυστάλλῳ ὕδατα φαῦλα f 206. 1515 ᵇ15. τὰ ἀτέραμνα ὕδατα Ζγδ2. 767 ᵃ34. ὅσα περὶ τὰ θερμὰ ὕδατα πκδ. ὕδωρ προθερμανθὲν ψύχεται μᾶλλον f 208. 1515 ᵇ37. — ὕδωρ i q ὑετός. τὸ ὑόμενον ὕδωρ μα13. 349 ᵇ32. χ5. 794 ᵇ23. ὕδωρ ὄμβριον Ζιζ15. 569 ᵇ16, 570 ᵃ9. ὕδατα ὄμβρια Πη11. 1330 ᵇ6. πρόσφατόν ἐστι ⟨χ⟩ νέον ὕδωρ τὸ ὑόμενον f 207. 1515 ᵇ24. etiam ὕδωρ per se, non addito adiectivo, ὑετὸν significat, ὕδατα ⟨χ⟩ χειμῶνες μβ4. 361 ᵃ12. προγιγνώσκειν χειμῶνα ⟨χ⟩ ὕδωρ Ζιι40. 627 ᵇ11. ὕδωρ ⟨χ⟩ χιὼν ⟨χ⟩ χάλαζα μα11. 347 ᵇ13. ὕδωρ (ὕδατα) νότιον, βόρειον, μετοπωρινὸν μβ3. 358 ᵃ28. Ζιε29. 556 ᵃ10. 910.596 ᵃ27. 19.601 ᵇ23. ὕδατα 55 μέτρια, λαβρά, λαβρότερα, ἀθρούστερα, ῥαγδαῖα μβ4. 360 ᵇ10. α12. 348 ᵇ10, 349 ᵃ5. πκς36. 944 ᵇ19. καταβαίνει, κάτεισιν ὕδωρ μβ4. 361 ᵃ15. 2. 355 ᵃ26. α13. 349 ᵇ32, 350 ᵃ10. ὕδωρ πολὺ ἐξ ὑρανῦ γίγνεται Ζιζ15. 569 ᵇ15. ὕδωρ (ὕδατα) γίγνεται μβ4. 360 ᵃ3, ᵇ29. Ζιθ28. 606 ᵇ26. 60 ὕδωρ ἐπιγίγνεται Ζιζ19. 573 ᵇ18. πα19. 861 ᵇ6. εἰς ὕδωρ

ἐλθεῖν μγ4. 372 ᵇ24. ὕδατος σημεῖον μγ1. 372 ᵇ22. γ6. 377 ᵇ24. μετὰ τὰ ὕδατα πκς61. 947 ᵃ37, ᵇ2. — ⟨τὸ⟩ ὕδατος τὸ τῶν ἐνύδρων γένος αν13. 477 ᵃ29. τὸ ὕδωρ αὐτὸ μόνον ἄμικτον ἐκ ἐθέλει τρέφειν αι5. 445 ᵃ21. ὕδωρ ἥδιστα εἰς ἑαυτὰς λαμβάνωσιν αἱ μέλιτται Ζιθ11. 596 ᵇ17. ὕδωρ δέχεσθαι, ἀφίεσθαι Ζιδ3. 527 ᵇ16, 20. ζ12. 566 ᵇ27. θ2. 589 ᵃ12, 16, ᵇ14. — πάντων τὰ σπέρματα τὴν φύσιν ὑγρὰν ἔχειν, τὸ δ' ὕδωρ ἀρχὴν τῆς φύσεως εἶναι τοῖς ὑγροῖς ΜΑ3. 983 ᵇ27. ζωτικώτερον γῆς ὕδωρ Ζγγ11. 761 ᵃ28. — μέτρον τι ὕδατος· διανέμειν τὸ ὕδωρ τῷ διώκοντι, τῷ φεύγοντι, τοῖς δικάζωσιν f 423. 1548 ᵃ40, 43. — διδόναι γῆν ⟨χ⟩ ὕδωρ Ρβ23. 1399 ᵇ11. ἄριστον μὲν ὕδωρ (Pind Ol 1, 1) Ρα7. 1364 ᵃ28. ὅταν τὸ ὕδωρ πήγῃ, τί δεῖ ἐπιπίνειν Ηη3. 1146 ᵃ35, cf παροιμία p 570 ᵇ27.

ὕειν. ὕει ὁ Ζεὺς ἐχ ὅπως τὸν σῖτον αὐξήσῃ Φβ8. 198 ᵃ18. — impers εἰ συννεφεῖ, εἰκὸς ὕσαι Ρβ19. 1393 ᵃ7. ὅταν ὕσῃ Ζια1. 487 ᵇ30. ὕσαντος τις. 167 ᵇ7. μβ4. 360 ᵇ38. — pass, τὸ ὑόμενον ὕδωρ μα13. 349 ᵇ4, 32. β3. 358 ᵇ14. χ5. 794 ᵇ22. πρόσφατόν ἐστι ⟨χ⟩ νέον ὕδωρ τὸ ὑόμενον f 207. 1515 ᵇ24. — τὰ λάχανα καίπερ ὑδρευόμενα ὅμως ἐπιδίδωσιν ὑόμενα πλέον Ζιθ19. 601 ᵇ13.

ὕειος σπλήν Ζια17. 496 ᵇ21. ὑεία κοιλία, θρὶξ Ζια16. 495 ᵇ27. γ12. 519 ᵃ24. f 319. 1532 ᵃ18. ὕειον γάλα, ὑεῖα ὀστᾶ, κρέα Ζιζ20. 574 ᵇ13. 34. 580 ᵃ4. γ20. 521 ᵇ15. θ26. 605 ᵇ1 (cf Rose lib ord 213).

ὕελος ὕδατος, τήκεται γὰρ θερμῷ μδ10. 389 ᵃ8 (v l ὕαλος). διὰ τί διὰ τῆς ὑέλῳ διορᾶται πια58. 905 ᵇ6. ὕελος τετρυπημένη Αγ31. 88 ᵃ14.

ὑέτιος ἄνεμος πκς7. 940 ᵇ33. 56. 946 ᵇ32. 19. 942 ᵃ29.

ὑετός, def χ4. 394 ᵃ31. dist ψακάδες μα9. 347 ᵃ12. dist δρόσος μα11. 347 ᵇ17. ποῖ ὑετῷ μα11. ὑετῶν γένεσις ποῖα Ζμβ7. 653 ᵃ4-8. τῷ ἐν Αἰθιοπίᾳ ὑετῷ γένεσις ποῖα f 236. 1520 ᵇ32. ὑετὸς πότε γίνεται μγ1. 370 ᵇ12. ὑετὸς πεπηγώς πκς60. 947 ᵃ29.

υἱιδῦς. ὁ μὲν υἱὸς ἐκ ἐγένετο ὁ δ' υἱιδῦς (v l υἱιδὖς) ἔχων (στίγμα) ἐν τῷ αὐτῷ τόπῳ Ζιη5. 585 ᵇ34. cf Salmas Pl ex 28.

υἱός. ἐκ ἄρχωσιν ἅμα πατὴρ ⟨χ⟩ υἱός Πε6. 1305 ᵇ9, 16. τῶν τελευτώντων διαδέχεσθαι τὰς υἱεῖς Πδ6. 1293 ᵃ30. τὸν γεννήσαντα τρεῖς υἱοὺς ἄφρυρον εἶναι Πβ9. 1270 ᵇ3. ὁ υἱὸς ὥσπερ μέρος ἐστὶ τὸ πατρὸς ημα34. 1194 ᵇ14. ὅμοιός τις υἱὸς τῷ πατρὶ Ζγα18. 723 ᵇ32. — υἱῇ Ηη7. 1149 ᵇ11. υἱῷ, υἱόν Ηθ8. 1158 ᵇ16. 16. 1163 ᵇ19. οἱ υἱοὶ Πβ3.1261 ᵇ33. οἱ υἱεῖς Πγ4. 1277 ᵃ18. υἱῶν Ηθ13. 1161 ᵃ19. υἱέσιν Ηθ8. 1158 ᵇ22. 12. 1160 ᵇ29. Πε4. 1304 ᵃ8. τὰς υἱὰς Πβ9. 1270 ᵇ3. τὰς υἱεῖς Πδ6. 1293 ᵃ30. Ηθ12. 1160 ᵇ24. χ10. 1181 ᵃ6.

ὑλαγμός. δηλῶσιν οἱ κύνες τῷ ὑλαγμῷ ὅτι ἐνυπνιάζωσιν Ζιθ10. 536 ᵇ30.

ὑλακτεῖν. τὸν κύνα ὑλακτῦντα ἤχον μέγαν ποιεῖν θ99. 838 ᵇ5. ὑλακτικὸς ὁ κύων φ2. 807 ᵃ19.

ὕλη, sensu vulgato, ἄν ἦ τι τοιῦτον ἐκβεβλημένον, οἶον ὕλη, κλήματα ἢ λίθοι Ζιε18. 550 ᵇ8. νέμεσθαι τὴν φυσμένην ὕλην Ζιθ2. 591 ᵇ12. ὅταν αἱ μέλιτται ἐρυσιβώδη ἐργάζωνται ὕλην Ζιι40. 626 ᵇ24. 827. 605 ᵇ18. κατοικῶσιν ἐν τοῖς ὄρεσι ⟨χ⟩ τῇ ὕλῃ Ζιι11. 615 ᵃ15. 32. 618 ᵇ21, 28. (ῥινεα) ἐπιλυγαζόμενα ὕλην Ζιζ1. 559 ᵃ2. ὕλη φλοιώδης ⟨χ⟩ ἀραχνώδης Ζιε23. 554 ᵇ28. τῆς περὶ ξύλα ὕλης Πη5. 1327 ᵃ8. τοῖς τῆς ὕλης κλάδοις ἀπέκρυψεν (Alcidam) Ργ3. 1406 ᵃ28. ὅ τι ἂν ὑπὸ ῥεύματος ληφθῇ ⟨χ⟩ μὴ προσπέσῃ πρὸς ὕλην Ζιζ14. 569 ᵃ3.

ὕλη tamquam artis vocabulum ad significandam mate-
riam (cf Engel, Rh Mus 7. 391-418. Wz Org II 402. Bz
ad Μη4. 5) primus Ar videtur usurpasse. 1. origo no-
tionis. ὕλην esse ponendam ad explicandam mutationem
docetur Φα6-10. Μλ1. 1069 ᵇ2 - 2. 1069 ᵇ34. cf Φϑ4. 211
ᵇ33. Μζ8. 1033 ᵇ13. itaque ὕλη tam late patet quam
mutatio, ἐν παντὶ τῷ γενομένῳ ὕλη ἔνεστιν Μζ7. 1032 ᵃ20.
8. 1033 ᵇ19. 9. 1034 ᵇ12. η5. 1044 ᵇ27. λ2. 1070 ᵃ24.
Γα1. 314 ᵇ27, διὰ τὴν ὕλην ἀεὶ φθορὰ ϰ γένεσις ὐχ ὑπο-
λείπει Γα3. 318 ᵃ9, ὅσα ἄνευ τῦ μεταβάλλειν ἐστὶν ἢ μή, 10
ὐκ ἔστι τύτων ὕλη Μη5. 1044 ᵇ29. cf ζ10.1035ᵃ26 (inde
explicatur ὐδενὸς γὰρ ἄνευ κινήσεως ὁ λόγος αὐτῶν. ἀλλ᾽
ἀεὶ ἔχει ὕλην Με1. 1026 ᵃ3), et ὕλη quidem κυρίως ϰ
ὑποκείμενον γενέσεως ϰ φθορᾶς δεκτικόν, τρόπον δέ τινα ϰ
ταῖς ἄλλαις μεταβολαῖς Γα4. 320 ᵃ2. cf 1. 314 ᵇ27. Μλ2. 15
1070 ᵃ24. atque ὑπόκειται ἡ ὕλη mutationi, tamquam μία,
ἡ αὐτὴ τῶν ἐναντίων (τοῖς ἐναντίοις) Φϑ9. 217 ᵃ22. Γα1.
314 ᵇ27. 7. 324 ᵇ6 (cf β1. 329 ᵃ30). Οβ3. 286 ᵃ25. Μι4.
1055 ᵃ30 (unde fit ut ἡ ὕλη μέσον esse dicatur Γβ5. 332
ᵃ35), ipsa vero ὕλη ἡ μία ὐδενὶ ἐναντίον Μλ10. 1073ᵃ34, 20
et falluntur qui τὸ ἕτερον τῶν ἐναντίων ὕλην ποιῦσιν Μν1.
1087 ᵇ5 (quod legitur μχ3. 465 ᵇ30 εὐθὺς ἡ ὕλη τὸ ἐναν-
τίον ἔχει explicandum videtur esse ex ᵇ11 ἀδύνατον τῷ
ὕλην ἔχοντι μὴ ὑπάρχειν πως τὸ ἐναντίον).
  2. definitio notionis. ἡ καθ᾽ αὐτὴν μήτε τὶ μήτε ποσὸν 25
μήτε ἄλλο μηθὲν λέγεται οἷς ὥρισται τὸ ὄν Μζ3. 1029
ᵃ20. ὃ καθ᾽ αὑτὸ ὐκ ἔστι τόδε τι ψβ1. 412 ᵃ7. ἡ μὴ τόδε
τι ὖσα ἐνεργείᾳ δυνάμει ἐστὶ τόδε τι Μη1. 1042 ᵃ27 (τόδε
τι ὖσα τῷ φαίνεσθαι Μλ3. 1070 ᵃ9 Bz), itaque ἀποφάσει
δηλῦται Μι8. 1058 ᵃ23. cf η3. 1043 ᵇ13, est enim ὕλη τὸ 30
ἀόριστον Φϑ2. 209 ᵇ9. Μγ4. 1007 ᵇ28. ζ11. 1037 ᵃ27. θ7.
1049 ᵇ1. μ10. 1087 ᵃ16. ὥ ἀκριβῶ ἡ φύσις διὰ τὴν τῆς
ὕλης ἀοριστίαν Ζγδ10. 778 ᵃ6 (quocum conferendum est,
quod τὸ ἄπειρον dicitur αἴτιον ὡς ὕλη et τῆς τῦ μεγέθης
τελειότητος ὕλη Φγ6. 207 ᵃ22. 7. 207 ᵇ35. Πλάτων τὴν 35
ὕλην ϰ τὴν χώραν ταὐτό φησιν Φϑ2. 209 ᵇ11. φασί τινες
εἶναι τὸ κενὸν τὴν τῦ σώματος ὕλην. ὥπερ ϰ τὸ κενόν, ϰ
καλῶς Φϑ7. 214 ᵃ13, 15), τὸ ἄμορφον. τὸ ἀειδὲς Φα7.
191 ᵃ10. Ογ8. 306 ᵇ17 (inde pro ἡ ὕλη ἡ ἀριθμητὴ Φα7.
190 ᵇ20 ci Bz ἡ ἀρύθμιστος Ar St I 57. cf Φη3. 245 ᵇ9), 40
itaque, quia unice τὸ εἶδος cognoscitur, ἡ ὕλη ἄγνωστος
καθ᾽ αὑτὴν Μζ10. 1036 ᵃ8, ὕλη Φγ6. 207 ᵃ26, ἐπιστητὴ
κατ᾽ ἀναλογίαν Φα7. 191 ᵃ10, ἀναίσθητος Γβ5. 332 ᵃ35
(aliud est αἰσθητὴ ὕλη, opp ἡ τῦ εἴδυς ὕλη Μδ24.
1023 ᵇ2). 45
  3. synonyma. ὕλη idem est ac δύναμις. τῆς ὕλης φύσις
τοιαύτη ὥστ᾽ ἐνδέχεσθαι ϰ εἶναι ϰ μή Μζ15. 1039 ᵇ29.
δυνατὸν ϰ εἶναι ϰ μὴ εἶναι ἕκαστον, τῦτο δ᾽ ἐστὶν ἐν
ἑκάστῳ ὕλη Μζ7. 1032 ᵃ22. Οα12. 283 ᵇ4. ὡς ὕλη τοῖς
γενητοῖς ἐστιν αἴτιον τὸ δυνατὸν εἶναι ϰ μὴ Γβ9. 335 ᵃ32. 50
ἡ ὕλη δύναμις ψβ1. 412 ᵃ9. 2. 414 ᵃ16. ἡ ὕλη δυνάμει
ἕκαστον Μν4. 1092 ᵃ3. θ8. 1050 ᵃ15. ν1. 1088 ᵇ1. ψγ5.
430 ᵃ10. v praeterea Φϑ9. 217 ᵃ22, 23, 33. μα3. 340 ᵇ15.
Μγ4. 1007 ᵇ28. 5. 1009 ᵃ33. η1. 1042 ᵃ27. 2. 1042 ᵇ9,
1043 ᵃ16. 6. 1045 ᵃ23, ᵇ18. θ8. 1050 ᵇ27. κ2. 1060 ᵃ21. 55
λ2. 1069 ᵇ14. 4. 1070 ᵇ12. 5. 1071 ᵃ10. μ10. 1087 ᵃ16.
— ἡ ὕλη ἐστὶ τὸ δεκτικόν Γα4. 320 ᵃ2. 10. 328 ᵇ11. ψβ2.
414 ᵃ10. Μι4. 1055 ᵃ30, sive Platonico vocabulo τὸ παν-
δεχὲς Ογ8. 306 ᵇ19. ἡ ὕλη ἥ ὕλη παθητικόν Γα7. 324 ᵇ18.
μδ10. 388 ᵃ21. 11. 389 ᵃ30. τῆς ὕλης τὸ πάσχειν ϰ κι- 60
νεῖσθαι Γβ9. 335 ᵇ30. μα2. 339 ᵃ29. — ἡ ὕλη τὸ πρῶτον

ὑποκείμενον ἑκάστῳ, τὸ ὑποκείμενον ἔσχατον. τὸ ὑποκεί-
μενον Φα9. 192 ᵃ31. Μδ18. 1022 ᵃ18. 8. 1017 ᵇ24. Πα8.
1256 ᵃ8. v praeterea Ογ8. 306 ᵇ17. Γα4. 320 ᵃ2. μα2.
339 ᵃ29. ψβ1. 412 ᵃ19. 2. 414 ᵃ14. ΜΑ3. 983 ᵃ29. ζ11.
1037 ᵇ4. η2. 1042 ᵇ9. λ3. 1070 ᵃ11. sed latius patet notio
τῦ ὑποκειμένυ quam τῆς ὕλης Μζ13. 1038 ᵇ6. η4. 1044
ᵇ9. θ7. 1049 ᵃ36. ἡ ὑποκειμένη ὕλη Φβ1. 193 ᵃ29. Ζμα1.
640 ᵇ8. β1. 646 ᵃ35. — ἡ ὕλη ὡς τὸ ἐξ ὗ αἴτιόν ἐστι
Φβ3. 195 ᵃ17, 19. Μδ2. 1013 ᵃ18, 21. Πα8. 1256 ᵃ8
(sed non ὥσπερ ἐξ ἀγγείυ Ογ7. 305 ᵇ5), et quidem
ἐξ ὗ ἐνυπάρχοντος Φα9. 192 ᵃ31. β3. 194 ᵇ24. Ζγα17.
724 ᵃ24. ΜΑ5. 986 ᵇ6. β3. 998 ᵇ13. η2. 1043 ᵃ21 (sed
latius quam ὕλη patet τὸ ἐξ ὗ Μδ2. 1023 ᵃ27. ζ8.
1033 ᵃ25), vel εἰς ὃ διαιρεῖται ἐνυπάρχον Μζ17. 1041 ᵇ32,
cf ἄλλο ἐν ἄλλῳ Μζ11. 1037 ᵇ2; itaque ὕλη τὸ περιεχό-
μενον Οϑ4. 312 ᵃ15, μέρος, μόριον Φγ6. 207 ᵃ28. Μζ10.
1035 ᵃ27. μ8. 1084 ᵇ20. — ὕλη τὸ ἐξ ἀνάγκης, ἐν ὕλῃ
τὸ ἀναγκαῖον Ζμα1. 642 ᵃ17, coll ᵃ2. Φβ9. 200 ᵃ14. Αϑ11.
94 ᵃ22, cf ἀνάγκη p 42 ᵇ13.
  4. opposita. ὕλη una est ex quatuor summis rerum
causis sive principiis (cf ἀρχή p 112 ᵇ40, αἰτία p 22 ᵇ29,
52), ἡ ἐν ὕλης εἴδει τιθεμένη, λεγομένη αἰτία ΜΑ3. 983
ᵇ7 Bz, 984 ᵃ17. 4. 985 ᵃ32. 5. 987 ᵃ7. Γα3. 318 ᵃ9. μα2.
339 ᵃ29, ac sola per se non sufficit ad explicandam rerum
naturam (ὐ γὰρ ἥ γε ὕλη κινήσει αὑτὴ ἑαυτήν. ἀλλὰ τε-
κτονικὴ Μλ6. 1071 ᵇ30. et de antiquissimis philosophis,
qui μίαν τινὰ φύσιν ὡς ὕλην τιθέασι cf ΜΑ8. 988 ᵇ23. 3.
983 ᵇ7, 984 ᵃ17. οἱ ἀρχαῖοι φυσιολόγοι ὐχ ἑώρων πλείυς
ὐσίας, ἀλλὰ μόνον τὴν τῆς ὕλης ϰ τὴν τῆς κινήσεως ϰ
ταύτας ἀδιορίστως Ζγε1. 778 ᵇ9). reliquae tres causae
quoniam πολλάκις ἔρχονται εἰς ἕν Φβ7. 198 ᵃ24, oppositum
τῇ ὕλῃ praecipue est τὸ εἶδος, ἡ μορφή, τὸ τί ἐστιν, ὁ
λόγος: δεῖσθαι γὰρ διαιρετὸν εἶναι ἀεὶ τὸ γιγνόμενον ϰ εἶναι
τὸ μὲν τόδε, λέγω δ᾽ ὅτι τὸ μὲν ὕλην τὸ δ᾽ εἶδος Μζ8.
1033 ᵇ13. εἰ γίγνεται ... ἀεὶ δεῖ προϋπάρχειν τὴν ὕλην ϰ
τὸ εἶδος Μζ9. 1034 ᵇ12. ἡ ὕλη ἐστὶ δυνάμει, ὅτι ἔλθοι ἂν
εἰς τὸ εἶδος Μθ8. 1050 ᵃ15. v praeterea Φβ1. 193 ᵃ29. 8.
199 ᵃ31. Οδ4. 312 ᵃ15. Γα7. 324 ᵇ18. 10. 328 ᵇ11. β9.
335 ᵃ30. μδ12. 390 ᵇ18. ψα1. 403 ᵇ1. β1. 412 ᵃ9. 2. 414
ᵃ10, 14, 16. Ζμα5. 645 ᵃ32, 33. β1. 646 ᵃ35. Μδ8. 1017
ᵇ24. 25. 1023 ᵇ22. ζ10. 1035 ᵃ2. 11. 1036 ᵇ6, 1037 ᵃ10.
17. 1041 ᵇ8. η2. 1043 ᵃ13, 21, 27. 6. 1045 ᵃ23, ᵇ18. ι3.
1054 ᵃ35. λ4. 1070 ᵇ12. 5. 1071 ᵃ10. μ8. 1084 ᵇ20. τὸ
κατὰ τὴν ὕλην, τὸν λόγον. τὸ εἶδος etc, ἡ κατὰ τὴν ὕλην,
τὸν λόγον ὐσία Γα2. 317 ᵃ24. Ζμα1. 640 ᵇ29. ΜΑ5. 986
ᵇ20. 6. 988 ᵃ10. μ8. 1084 ᵇ9. τὸ εἶδος ϰ τὸ παράδειγμα
Φβ3. 194 ᵇ24. τὸ περιέχον ϰ τὸ πέρας Οβ3.-293 ᵇ15.
ὁ ᵃ4. 312 ᵃ13. ἡ τέχνη λόγος τῦ ἔργυ ἄνευ τῆς ὕλης ἐστὶ
Ζμα1. 640 ᵃ32. πᾶσα ἡ ἐργασία ϰ ἡ κίνησις ἡ ἐσχάτη
πρὸς τῇ ὕλῃ, οἷον ἡ οἰκοδόμησις ἐν τοῖς οἰκοδομυμένοις
Ζγα2. 730 ᵇ7. opposita τῷ εἴδει et ipsa στέρησις est,
sed distincta ab ὕλῃ: ὕλην ϰ στέρησιν ἕτερόν φαμεν εἶναι
Φα9. 192 ᵃ3, 5, 6. ἀρχαί εἰσι τρεῖς, τὸ εἶδος ϰ ἡ στέρησις
ϰ ἡ ὕλη Μλ4. 1070 ᵇ19. 2. 1069 ᵇ34. cf ζ8. 1033 ᵃ25.
— quoniam ἡ ὕλη idem est ac δύναμις, pariter ac τὸ
εἶδος opponitur ἡ ὕλη τῷ ἐνεργείᾳ, ἡ ἐντελεχείᾳ: διχῶς
ὑπόκειται, ἢ τόδε τι ὂν ... ἢ ὡς ἡ ὕλη τῇ ἐντελεχείᾳ
Μζ13. 1038 ᵇ6. v praeterea ψβ1. 412 ᵃ9. 2. 414 ᵃ10,16.
Μγ4. 1007 ᵇ28. 5. 1009 ᵃ33. η1. 1042 ᵃ27. 1043 ᵃ6, 13,
21, 27. 6. 1045 ᵃ23, 34, ᵇ18. θ8. 1050 ᵇ27. λ5. 1071 ᵃ10.
μ1. 1076ᵃ9. 3. 1078 ᵃ30. 10. 1087 ᵃ16. ὕλη, opp τὸ ἔργυ

V.

Ggggg

Πα8. 1256 ᵃ8. — ubi τῇ ὕλῃ opponitur ἡ ἐσία, vel definitur distincte ἡ κατὰ τὸν λόγον ἐσία Μμ8. 1084 ᵇ9, vel intelligitur Φα7. 191 ᵃ11. Οβ13. 293 ᵇ15. Ζμα1. 641 ᵃ26. Μβ3. 998 ᵇ13. ζ11. 1037 ᵃ27. 17. 1041 ᵇ18. ν5.1092 ᵇ18. τῷ μὲν χρόνῳ προτέραν τὴν ὕλην ἀναγκαῖον εἶναι χ̄ τὴν γένεσιν, τῷ λόγῳ δὲ τὴν ἐσίαν χ̄ τὴν ἑκάστη μορφὴν Ζμβ1. 646 ᵃ35. pariter τῇ ὕλῃ opp ἀρχή, φύσις ψγ5. 430 ᵃ19. μβ8. 368 ᵃ33. Μλ3. 1070 ᵃ9. ἀρχὴ ἡ φύσις μᾶλλον τῆς ὕλης Ζμα1. 642 ᵃ17. — πάθος quamquam proprie κατηγορεῖται τῆς ἐσίας, cf Μζ13. 1038 ᵇ6. θ7. 1049 ᵇ1, tamen etiam τῇ ὕλῃ similiter ac τὸ εἶδος opp πάθη, ἕξεις, διαθέσεις Γα1. 314 ᵇ17. 7. 324 ᵇ18. αν14.477 ᵇ17, 478 ᵃ7. ΜΑ5. 986 ᵃ17. λ3. 1070 ᵃ9. cf πάθος p 556 ᵃ60-ᵇ42. ὁτὲ μὲν ὑπάρχειν τὴν παθητικὴν ὕλην ὁτὲ δὲ μὴ τοιαύτην ἢ τοιαύτην Ζκ11. 704 ᵃ1. — ex materia et forma constat τὸ συνειλημμένον τῇ ὕλῃ, συνειλημμένον τὸ εἶδος χ̄ ἡ ὕλη Μζ11. 1037 ᵇ4. 10. 1035 ᵃ26, ἡ σύνολος ἐσία Μζ11. 1037 ᵃ30, ἡ μετὰ τῆς ὕλης ἐσία Μη3. 1044 ᵃ11. κ7. 1064 ᵃ23, τὸ ἐκ τέτων, τὸ ὅλον τὸ ἐκ τέτων ψβ1. 412 ᵃ9. Μζ10. 1035 ᵃ2. μ8. 1084 ᵇ11. ἡ ἐν τῇ ὕλῃ μορφή, τὰ ἐν τῇ ὕλῃ τὸ εἶδος (τὴν μορφὴν) ἔχοντα Οα9. 278 ᵃ24. Γα5. 321 ᵇ21. 7. 324 ᵇ4. τὸ εἶδος ἐν τῇ ὕλῃ Ζμα3. 643 ᵃ24. ἐξ ἐ̓ ὡς ὕλης γίνεται ἔνια λέγεται, ὅταν γένηται, ἐκ ἐκείνε, ἀλλ' ἐκείνινον Μζ7. 1033 ᵇ6. λέγομεν παρωνυμιάζοντες χαλκῦν Φη3. 245 ᵇ9. ὁμωνύμως τῷ πάθει προσαγορεύειν τὴν ὕλην Φη3. 246 ᵃ1, 22.

5. inter ὕλην et ἐσίαν quae intercedat ratio. ἐ γίγνεται ἔτε ἡ ὕλη ἔτε τὸ εἶδος, λέγω δὲ τὰ ἔσχατα Μλ3. 1069 ᵇ35. ἄφθαρτον χ̄ ἀγένητον ἀνάγκη τὴν ὕλην εἶναι Φαγ. 192 ᵃ28. Μβ4. 999 ᵇ12. — ἡ ὕλη ἐ χωρίζεται (ἐ χωριστή, ἀχώριστος) τῶν πραγμάτων vel τῶν ἐναντιώσεων Φδ2. 209 ᵇ3. α4. 211 ᵇ36. 7. 214 ᵃ15. 9. 217 ᵃ24. Γα5. 320 ᵇ16. β1. 329 ᵃ9, 24, 30. 5. 332 ᵃ35. Μζ10. 1035 ᵃ8. 11. 1036 ᵇ23. 12. 1038 ᵃ6. ἐκ ἔστι τοιῦτον σῶμα αἰσθητὸν παρὰ τὰ στοιχεῖα καλέμενα Φγ5. 204 ᵇ32 (cf τὸ εἶδος ἐ χωρίζεται τῦ πράγματος Φδ2. 209 ᵇ23. τὰ πάθη τῆς ψυχῆς ἀχώριστα τῆς φυσικῆς ὕλης ψα1. 403 ᵇ18. τὰ πάθη τῆς ὕλης τὰ μὴ χωριστὰ ψα1. 403 ᵇ10). — ὕλη et εἶδος suapte natura in unitatem coeunt. ἐ δεῖ ζητεῖν εἰ ἓν ἡ ψυχὴ χ̄ τὸ σῶμα ... ἐδ' ὅλως τὴν ἑκάστε ὕλην χ̄ τὸ ἐ ὕλη ψβ1. 412 ᵇ8. α5. 410 ᵇ11. εἰ τὸ αὐτό ἡ ὕλη χ̄ ἡ ἐντελέχεια Φδ5. 213 ᵃ6. ἡ ἐσχάτη ὕλη χ̄ ἡ μορφὴ ταὐτό Μη6. 1045 ᵇ18. — τὴν ὕλην esse ἐσίαν demonstratur Μη1. 1042 ᵃ32-ᵇ6. cf δ8. 1017 ᵇ24. ζ3. 1029 ᵃ10-30 Bz. 10. 1035 ᵃ2. η1. 1042 ᵃ32. 2. 1042 ᵇ9. 4. 1044 ᵃ15. θ7. 1049 ᵃ36. μ2. 1077 ᵃ36. ἡ ὕλη πρότερον τῆς ἐσίας κατὰ δύναμιν Μθ11. 1019 ᵃ9. cf Ζμβ1. 646 ᵃ35. sed τὸ εἶδος τῆς ὕλης πρότερον χ̄ μᾶλλον ὄν, τιμιώτερον, κυριώτερον τῆς ὑλικῆς φύσεως Μζ3. 1029 ᵃ6,29. Οβ13. 293 ᵇ15. Ζμα1. 640 ᵇ29. β1. 646 ᵃ35. ἡ μορφὴ τέλος Φβ8. 199 ᵃ31; propterea dicitur ἡ ὕλη ἐσία πως Φα9. 192 ᵃ6, et ἐσία opponitur ὕλη (cf supra 4). — per ὕλην fit, ut sint τὰ καθ' ἕκαστον, πλείω τὸν ἀριθμὸν, ἀδιάφορα τὸ εἶδος. ὅσων ἡ ἐσία ἐν ὕλη ἐστίν. πλείω χ̄ ἄπειρα ὄντα τὰ ὁμοειδῆ Οα9. 278 ᵃ19. ὅσα ἀριθμῷ πολλά, ὕλην ἔχει Μλ8. 1074 ᵃ34. ἐ ποιεῖ διαφορὰν ἡ ὕλη Μι9. 1058 ᵇ6. δ3. 1054 ᵃ35. ζ8. 1034 ᵃ7. 10. 1035 ᵇ30. 15. 1039 ᵇ29. Οα9. 278 ᵃ9. ἡ διαφορὰ τὸ εἶδος ἐν τῇ ὕλῃ Ζμα3. 643 ᵃ24. — ἡ ὕλη αἰτία ἡ ἐνδεχομένη παρὰ τὸ ὡς ἐπὶ τὸ πολὺ ἄλλως τῦ συμβεβηκότος Με2. 1027 ᵃ13. cf ἡ ὕλη αἰτία τῦ εἶναι χ̄ μὴ Οα12. 283 ᵇ5.

6. ὕλης genera distinguuntur. ἐν ἁπάσῃ τῇ φύσει ἐστί τι τὸ μὲν ὕλη ἑκάστῳ γένει ψγ5. 430 ᵃ10. ἄλλα ἄλλων αἴτια χ̄ στοιχεῖα, τῷ καθόλυ δὲ λόγῳ (τῷ ἀνάλογον) ταῦτα, εἶδος στέρησις ὕλη Μλ4. 1070 ᵇ17. 5. 1071 ᵃ4, 29. ἡ ἐνέργεια ἄλλη ἄλλης ὕλης χ̄ ὁ λόγος Μη2. 1043 ᵃ13. τῶν πρός τι ἡ ὕλη· ἄλλῳ γὰρ εἴδει ἄλλη ὕλη Φβ2. 194 ᵇ9. cf πκ12. 924 ᵃ7. — quae alterius ὕλης forma est, eadem alterius potest formae ὕλη esse Οδ4. 312 ᵃ17. 5. 312 ᵇ20. inde ἡ πρώτη ὕλη opponitur τῇ ἐσχάτη ὕλῃ. ὃ μηκέτι κατ' ἄλλο λέγεται ἐκεῖνον, τῦτο πρώτη ὕλη Μθ7. 1049 ᵃ26 (sed quoniam ἡ πρώτη ὕλη λέγεται διχῶς, ἢ ἡ πρὸς αὐτὸ πρώτη ἢ ἡ ὅλως πρώτη Μδ4. 1015 ᵃ7, πρώτη ὕλη dicitur etiam ea, quae rei definitae proxima est Μη4. 1044 ᵃ16, 23 Bz Schwgl. δ4. 1014 ᵇ32. Φβ1. 193 ᵃ29). ἡ ἐσχάτη ὕλη χ̄ ἡ μορφὴ ταὐτό Μη6. 1045 ᵇ18 (sed Μλ3. 1069 ᵇ5 ἡ ἐσχάτη ὕλη i q ἡ πρώτη), syn τελευταία Μλ3. 1070 ᵃ21. syn οἰκεία, ἴδιος ὕλη ψβ2. 414 ᵃ26. μδ2.-379 ᵇ20. Μη4. 1044 ᵇ2. πῶς τῇ αὐτῇ πλείες ὕλαι Μη4. 1044 ᵃ20. — quae ex prima materia definita sunt quatuor στοιχεῖα. et ipsa dicuntur τέτταρες ὕλαι Οδ5. 312 ᵃ30. (βέλτιον ἴσως ἐκ τῶν δυνάμεων λέγειν· ὑγρὸν γὰρ χ̄ ξηρὸν χ̄ θερμὸν χ̄ ψυχρὸν ὕλη τῶν συνθέτων σωμάτων ἐστὶ Ζμβ1. 646 ᵃ17.) in iis ἀεὶ τὸ ἀνώτερον πρὸς τὸ ὑφ' αὑτὸ ὡς εἶδος πρὸς ὕλην Οδ3. 310 ᵇ15, 33. 4. 312 ᵃ16, 17. Φδ5. 213 ᵃ1. Γαʒ. 318 ᵇ32. β8. 335 ᵃ19. μα3. 340 ᵇ15. δ10. 388 ᵃ21. 11. 389 ᵃ30 (cf ἡ ὕλη ἡ τὸ θερμὸν τρέφεται πγ5. 871 ᵇ5. καικίας ἔχει πολλὴν ὕλην χ̄ ἀτμίδα ἣν προωθεῖ Μβ6. 364 ᵇ28). ὁ ἀὴρ χ̄ τὸ ὕδωρ ὕλη τῶν σωμάτων Ζμα1. 640 ᵇ16. ὕλη τῶν μερῶν τῶν ὁμοιομερῶν Ζμβ2. 647 ᵇ22. ὕλη τοῖς ζῴοις τὰ μέρη, παντὶ μὲν τῷ ὅλῳ τὰ ἀνομοιομερῆ, τοῖς δ' ἀνομοιομερέσι τὰ ὁμοιομερῆ, τέτοις δὲ τὰ καλέμενα στοιχεῖα τῶν σωμάτων Ζγα1. 715 ᵃ9. τὸ ἄρρεν χ̄ τὸ θῆλυ τῇ ζωῇ οἰκεία μὲν πάθη, ἀλλ' ἐ κατὰ τὴν ἐσίαν, ἀλλ' ἐν τῇ ὕλῃ χ̄ τῷ σώματι Μι9. 1058 ᵇ23 (quamquam τὸ ἄρρεν χ̄ θῆλυ διαφέρει κατὰ τὸν λόγον Ζγα2. 716 ᵃ18. cf ψβ4. 415 ᵃ26). τὸ θῆλυ ὕλην, παρέχει ὕλην Ζγα2. 716 ᵃ7. 20. 729 ᵃ11, 32. β1. 732 ᵃ5. 4. 738 ᵇ20. γ1. 750 ᵇ4. δ4. 772 ᵃ2. ΜΑ6. 988 ᵃ5. δ28. 1024 ᵃ35 Bz (ἀλλὰ τῦτ' ἔστιν ἡ ὕλη, ὥσπερ ἂν εἰ θῆλυ ἄρρενος χ̄ αἰσχρὸν καλῦ· πλὴν ἐ καθ' αὑτὸ αἰσχρὸν ἀλλὰ κατὰ συμβεβηκός Φα9. 192 ᵃ22). ἡ αὐτὴ ἡ τρέφησα ἡ ἐξ ἧς συνίσταται τὴν γένεσιν ἡ φύσις· ἔστι δὲ τῦτο ἡ αἱματικὴ ὑγρότης τοῖς ἐναίμοις Ζγδ8. 777 ᵃ5. cf γ2. 752 ᵇ19, (ἄνθρωπος ἄνθρωπον χ̄ φυτὸν γεννᾷ φυτὸν ἐκ τῆς περὶ ἕκαστον ὑποκειμένης ὕλης Ζμβ1. 646 ᵃ35. γίγνεσθαι ἐκ συνδυασμῦ, opp ἐκ σηπομένης τῆς ὕλης Ζγα1. 715 ᵇ5). αἱ τροφαὶ μάλιστα διαφέρεσι κατὰ τὴν ὕλην ἐξ ἧς συνεστήκασι (τὰ ζῷα) Ζιθ1. 589 ᵃ6. cf 2. 590 ᵃ9. ἡ τροφὴ ὕλη, τὸ δ' αἷμα ἡ ἐσχάτη τροφή· τὸ αἷμα παντὸς ὕλη Ζμβ4. 651 ᵃ14. γ5. 668 ᵃ21. αἱματικὴ ὕλη Ζμγ4. 665 ᵇ6, 8. (τέρατα γίγνεται) τῆς ὕλης ἐ κρατημένης Ζγδ3. 769 ᵇ12. ἡ φύσις ἐκ τῆς καθαρωτάτης ὕλης τῶν αἰσθητηρίων τὰ σώματα συνίστησιν Ζγβ6. 744 ᵇ23. — τὸ σῶμα ὕλη τῆς ψυχῆς ψβ1. 412 ᵃ19. Μζ11. 1037 ᵃ6. χ̄ ἐν τῇ ψυχῇ δεῖ ὑπάρχειν ταύτας τὰς (τῆς ὕλης χ̄ τῦ εἴδους) διαφοράς, ἔστιν ὁ μὲν τοιῦτος νῦς τῷ πάντα γίνεσθαι, ὁ δὲ τῷ πάντα ποιεῖν ψγ5. 430 ᵃ13. — ἐν τῷ ποιῷ χ̄ ἐν τῷ ποσῷ ἐστί τὸ μὲν ὡς εἶδος μᾶλλον τὸ δ' ὡς ὕλη Οδ4. 312 ᵃ15. γένει διαφέρει ὧν μὴ ἐστι κοινὴ ἡ ὕλη μηδὲ γένεσις εἰς ἄλληλα, οἷον ὅσων ἄλλο σχῆμα τῆς κατηγορίας Μι3. 1054 ᵇ28. ὕλη κυρίως τὸ ὑποκείμενον γενέσεως χ̄ φθορᾶς δεκτικόν, τρόπον δέ τινα χ̄ τὸ ταῖς ἄλλαις

μεταβολαῖς Γα4. 320 ᵃ2. 1. 314 ᵇ27. inde ὕλη γεννητή, γεννητὴ κ̣ φθαρτή, i e ὕλη γενέσεως, dist τοπική, κατὰ τόπον κινητή, πόθεν ποῖ Μη1. 1042 ᵇ6 Bz. 4. 1044 ᵇ7. θ8. 1050 ᵇ22. λ2. 1069 ᵇ26. ἐν τοῖς ἀϊδίοις ὕλην τοπικὴν ὑπάρχειν ὐθὲν κωλύει Μθ8. λ2. 1069 ᵇ25 (quamquam ταύτας 5 δεῖ τὰς ὐσίας εἶναι ἄνευ ὕλης, ἀϊδίως γὰρ δεῖ Μλ6. 1071 ᵇ21). ὡ̣ ἐξ ἀμεγέθης ὕλης δεῖ εἶναι τὴν αὔξησιν Γα5. 320 ᵇ32. ὕλη τῦ βαρέος, τῦ κύφυ Οδ4. 312 ᵃ17. 3. 310 ᵇ31. ἡ φωνὴ ὕλη τῦ λόγυ Ζγε7. 786 ᵇ21. Μζ12. 1038 ᵃ7. ἡ τῶν ποακτῶν ὕλη Ηε14. 1137 ᵇ19. τῷ νομοθέτῃ δεῖ τὴν 10 οἰκείαν ὕλην ὑπάρχειν ἐπιτηδείως ἔχυσαν Πη4. 1326 ᵃ1, 4. — ὕλης notio a rebus sensibilibus transfertur ad res cogitabiles. αἱ αἰσθηταὶ ὐσίαι πᾶσαι ὕλην ἔχυσιν Μη1. 1042 ᵃ25. ἔσται γὰρ ὕλη ἐνίων κ̣ μὴ αἰσθητῶν Μζ11. 1036 ᵇ35. ὕλη ἡ μὲν αἰσθητὴ ἡ δὲ νοητή Μζ10. 1036 ᵃ9 Bz 15 (cf 1035 ᵃ17). 11. 1037 ᵃ4. η6. 1045 ᵃ34, 36. ἡ τῶν μαθηματικῶν ὕλη Μκ1. 1059 ᵇ16 Bz. ζ10. 1036 ᵃ9. εἰ πλείυς αἱ ὕλαι, κ̣ ἑτέρα μὲν γραμμῆς, ἑτέρα δὲ τῦ ἐπιπέδυ, κ̣ ἄλλη τῦ στερεῦ Μμ9. 1085 ᵇ1. in definitionibus et notionibus τὸ γένος ὕλης locum habet, αἱ διαφοραὶ εἴδυς Φβ9. 20 200 ᵇ7. Μδ6. 1016 ᵃ28. 24. 1023 ᵇ2. 28. 1024 ᵇ9 Bz, 4. ζ12. 1038 ᵃ6. η6. 1045 ᵃ34. 18. 1058 ᵃ23. inde explicatur, quod ὕλη transfertur ad eam rem, quae tamquam γένος alicui disputationi vel disciplinae subiecta est, εἰ κατὰ τὴν ὑποκειμένην ὕλην διασαφηθείη· κατὰ τὴν ὕλην οἱ 25 λόγοι ἀπαιτητέοι Ηα1. 1094 ᵇ12. 7. 1098 ᵃ28. β2. 1104 ᵃ3.

ὑλήεις. ῥίῳ ὑλήεντι (Hom ι 191) Ζιζ28. 578 ᵇ2.

ὑλικός. ὑλικὴ ὐσία Μη4. 1044 ᵃ15. θ7. 1049 ᵃ36. μ2. 1077 ᵃ36. ὑλικὴ ἀρχή, ὑλικὴ φύσις Ζμα1. 640 ᵇ5, 29. τὸ κατὰ τὴν ὑλικὴν ἀρχὴν συνιστάμενον Ζγγ11. 762 ᵇ1. τὸ ὑλικῶν 30 ὐθέποτε καθ᾽ αὑτὸ λεκτέον Μζ10. 1035 ᵃ8. — ὑλικῶς. διττὸν τὸ ὄν, τὸ μὲν ἐντελεχείᾳ τὸ δ᾽ ὑλικῶς Μμ3. 1078 ᵃ31.

ὑλοκοπῦσα ζῇ ἡ σίττη Ζιι17. 616 ᵇ25.

ὑλονόμοι μέλιτται, dist αἱ τὰ ἥμερα νεμόμεναι Ζι40. 624 35 ᵇ29.

ὑλοτομία Πα11. 1258 ᵇ31.

ὑλωροί. coni ἀγρανόμοι Πζ8. 1321 ᵇ30. γ12. 1331 ᵇ15.

ὑμένιον (v l ὑμήν). λεπτὰ κ̣ ἰνώδη ὑμένια· συνεχόμενος ὑμενίῳ πόρος. syn ἐν ὑμένι ἐστὶ λεπτῷ Ζια17. 497 ᵃ21. 40 ὁ̣4. 529 ᵃ17, 21.

ὑμενοειδὴς ἡ κύστις Ζιγ15. 519 ᵇ13.

ὑμενώδης φλέψ Ζιγ3. 513 ᵇ8, κοιλία Ζιδ2. 527 ᵃ5. πλεύμων Ζμγ6. 669 ᵃ34, χιτὼν Ζμδ5. 679 ᵃ1. ὑμενώδεις δεσμοί Ζια16. 495 ᵇ21, πόροι Ζιγ4. 514 ᵃ32, ὑστέραι Ζιγ1. 45 510 ᵇ23. Ζγγ11. 719 ᵃ24. 14. 720 ᵇ14. ξηρῦ κ̣ ὑγρῦ μίγματος θερμαινομένυ τὸ ἔσχατον ἀεὶ δερματιῶδες γίνεται κ̣ ὑμενῶδες Ζμδ3. 677 ᵇ24. τὸ πρὸς τῷ ὑποζώματι ὑμενῶδες· τὰ λεπτὰ κ̣ ὑμενώδη Ζιγ1. 510 ᵇ9. α17. 496 ᵇ13 (speculum Helmontii ΚαΖ ι49, 15). τὸ διάζωμα πρὸς μὲν 50 τὰς πλευρὰς σαρκωδέστερον κ̣ ἰσχυρότερον, κατὰ μέσον δ᾽ ὑμενωδέστερον Ζμγ10. 672 ᵇ25.

ὑμήν. ὑμένα περιτείνειν περί τι ψβ11. 423 ᵃ3, cf ᵇ9. — 1. plantarum. ὑμὴν λεπτὸς τῶν καλάμων αν9. 475 ᵃ18, membrana interior Sacchari Ravennae. — 2. animalium. 'besonders 55 seröse Häute' ΚαΖμ 51, 13. 'Membran' ΑΖ Ι 349, 80. σκεπάσματα εἰσὶν οἱ ὑμένες Galen V 592. εἰσὶ δὲ κ̣ ὑμένες ἐν τοῖς ζῴοις πᾶσι Ζιγ13. 519 ᵃ30. τῆς αὐτῆς μορφῆς (νεύρῳ) ἐστὶ κ̣ δέρμα κ̣ φλὲψ κ̣ ὑμὴν κ̣ πᾶν τὸ τοιῦτον γένος Ζγβ3. 737 ᵇ5. Ζμβ9. 655 ᵇ17. Ζιγ2. 511 ᵇ7. Bsm 60 probl ined p 295, 11. Galen XV 8. ab his et simi-

libus dist ὑμήν Ζιγ13. 519 ᵃ31. 14. 519 ᵇ14. cf ε16. 548 ᵇ32. 28. 555 ᵇ25. η3. 583 ᵇ16. ὅμοιός ἐστιν ὁ ὑμὴν δέρματι πυκνῷ κ̣ λεπτῷ, ὅτε γάρ ἐστι σχιστὸν ὅτε τατὸν, ἔχει γὰρ τάσιν (om Bk) Ζιγ13. 519 ᵃ31 Aub, ᵇ14 Aub. cf δέρμα p 171 ᵃ11. χιτὼν ὑμὴν μήνιγξ syn, dist cf Oribas III 700. — ὑμένος διαφοραί. ὑμὴν λεπτὸς αν9. 475 ᵃ3, 18. Ζιγ13. 519 ᵃ33. ὁ4. 529 ᵃ21. ζ11. 566 ᵃ13. Ζγγ9. 758 ᵇ4. f 316. 1531 ᵇ22. μαλακὸς Ζγγ2. 752 ᵃ32 (cf ὑμὴν ἅπας ἀκριβῶς ἐστι λεπτὸς κ̣ μαλακός, σύνδεσμος δὲ κ̣ σκληρὸς Galen V 204). ἰσχυρός Ζια16. 494 ᵇ29. β11. 503 ᵇ21, γ13. 519 ᵇ2. Ζμγ11. 673 ᵇ9. παχὺς Ζια17. 496 ᵃ5. γ13. 519 ᵇ3. δερματώδης, δερματικὸς f 316.1531 ᵇ24. Ζμδ6. 682 ᵇ18. ἄδηλος, μικρός, μέγιστος Ζιγ13. 519 ᵃ33, ᵇ2. Ζμγ11. 673 ᵇ9. χορροειδής, πιμελώδης, στεατώδης Ζιζ3. 561 ᵇ32, 562 ᵃ2. α17. 496 ᵃ5. Ζμδ3. 677 ᵇ14. ψιλός, νευρώδης, μέλας, κοινός, ἴδιος, ὑστερικός, αἱματώδης Ζιγ13. 519 ᵇ5. δ6. 531 ᵃ17. ε24. 555 ᵃ16. ζ10. 565 ᵃ8, ᵇ11. Ζγα3. 717 ᵃ5. γ2. 753 ᵇ35. — descr Ζιγ13. 519ᵃ. a. περὶ ἕκαστον τῶν σπλάγχνων ὁ ὑμήν ἐστι κ̣ ἐν τοῖς μείζοσι κ̣ ἐν τοῖς ἐλάττοσι ζῴοις· ἀλλ᾽ ἄδηλοι ἐν τοῖς ἐλάττοσι διὰ τὸ πάμπαν εἶναι λεπτοὶ κ̣ μικροί· πάντα τὰ σπλάγχνα ἐν ὑμένι ἐστίν, descr Ζιγ13. 519 ᵃ33. Ζμγ11. 673 ᵇ4, 6, peritonaeum. ὑμὴν λεπτὸς Ζιζ11. 566 ᵃ13, duplicatura peritonaei. ἡ καρδία ἔχει ὑμένα πιμελώδη κ̣ παχύν, ὁ περὶ τὴν καρδίαν Ζια17. 496 ᵃ5. γ13. 519 ᵇ4. Ζμγ11. 673 ᵇ9, pericardium. chamaeleontis ὑμένες πολλοὶ κ̣ ἰσχυροὶ (pulmo Plin. πλεύμονες ἰσχυροὶ ci ΚαΖι 72, 6. cf S II 302) Ζιβ11. 503 ᵇ21, pulmonis appendices. ἔστι κ̣ τὸ ἐπίπλοον ὑμήν, τοῖς μὲν στεατώδης τοῖς δὲ πιμελώδης· ἡ πυκνότης τῦ ὑμένος Ζιγ14. 519 ᵇ7. Ζμδ3. 677 ᵇ14, 25, omentum gastrocolicum. τὸ μεσεντέριόν ἐστιν ὑμὴν Ζμδ4. 677 ᵇ36, mesenterium. ἔστι κ̣ ἡ κύστις ὑμενοειδὴς μέν, ἄλλο δὲ γένος ὑμένος· ἔχει γὰρ τάσιν Ζιγ14. 519 ᵇ14 Aub, vesica. τῶν μαλακίων· τῷ αὐτῷ ὑμένι περιεχόμενον ἔχει τὸν πόρον (θολὸν Aub) Ζιδ1. 524 ᵇ19. τὸ ὑγρὸν ἐν ὑμένι κείμενον i q μῦτις Ζμδ5. 681 ᵇ17. τὰ τήθυα ὑμένα ἔχει νευρώδη περὶ τὸ σαρκῶδες (Aldina, Aub, ὀστρακῶδες Bk) Ζιδ6. 531 ᵃ17 Aub, 20, muskulöser Sack. τῶν κόχλων ὁ πόρος μακρὸς κ̣ λευκὸς ἐν ὑμένι ἐστὶ λεπτῷ, syn συνεχόμενος ὑμενίῳ Ζιδ4. 529 ᵃ21, cf 17 (v ὑμένιον). — b. ὁ ὑμὴν περὶ ἕκαστον τῶν ὀστῶν. διακοπεὶς οὐ συμφύεται ψιλὸς ὑμήν, ψιλάμενά τε τὰ ὀστᾶ τῶν ὑμένων σφακελίζει Ζιγ13. 519 ᵃ33, ᵇ5, periosteum, cf περίοστεοι ὑμένες Galen XIX 367. — c. ὑμένες τὸν ἐγκέφαλον δύο περιέχυσιν, ὁ μὲν περὶ τὸ ὀστῦν ἰσχυρότερος (dura mater), ὁ περὶ αὐτὸν τὸν ἐγκέφαλον ἥττων ἐκείνυ, syn μήνιγξ (pia mater) Ζια16. 494 ᵇ29. cf γ13. 519 ᵇ2. Ζμγ11. 673 ᵇ9. cf ὁ περικράνιος ὑμὴν Galen XII 522. — d. (ἔνιοι ὄρνιθες) σκαρδαμύττυσιν ἐκ τῶν κανθῶν ὑμένι Ζμβ13. 657 ᵃ30, ᵇ16, 18. ὁ11. 691 ᵃ23, membrana nictitans. ὁ ἐπιπολῆς ἐστιν, ὑμὴν αἰσθητηρίυ ὁ ἐπιπολῆς ἐστιν, ἐν ὠσὶ Ζγε2. 781 ᵇ4. πλβ13. 961 ᵇ1. syn ὁ χιτών, veluti μυκτήρων Galen III 920, II 863. — f. in generatione animalium. distinguuntur in mammalibus hominibusque: οἱ ἐπανακαμπόντες πόροι κ̣ προσκαθήμενοι τῷ ὄρχεσιν ὑμένι περιειλημμένοι εἰσὶ τῷ αὐτῷ Ζιγ1. 510 ᵃ22, cf 23, tunica vaginalis. περίστανται κύκλῳ ξηραινομένων τῶν γεννῶν ὑμένες· μεταξὺ τῆς ὑστέρας κ̣ τῦ ἐμβρίυ τὸ χόριον κ̣ οἱ ὑμένες εἰσὶν· ῥηγνυμένων τῶν ὑμένων Ζγβ4. 739 ᵇ27, 31. 7. 745 ᵇ35 (cf 746 ᵃ18, 24). Ζιη9. 587 ᵃ7. ὅταν λαβῆται τὸ σπέρμα τῆς ὑστέρας κ̣ ἐγχρονισθῇ, ὑμὴν περίσταται, φλεβίοις μεστός Ζιη7. 586 ᵃ19, 20, 21,

25, decidua Aub, amnion Philippson ὕλη 64. ἄλλος ὑμήν Ζιη7. 586 ᵃ27, amnion. εἰσὶ περὶ τὴν συζυγίαν ἑκατέραν τῶν φλεβῶν ὑμένες Ζιη8. 586 ᵇ22, gelatina Whartoniana. — avium, ἐν τοῖς μείζοσι δῆλος ὁ ὑμὴν (τῆς ὑστέρας) ἐστὶ μᾶλλον ἢ φυσώμενος διὰ τῦ αὐλῦ αἴρεται ἢ κολπῦται· τὸ γινόμενον ὄστρακον τὸ πρῶτον μαλακὸς ὑμήν ἐστιν Ζιγ1. 510 ᵇ31. Ζιγγ2. 752 ᵃ32. ὁ τῦ ὀστράκυ ὑμὴν sim Ζιζ3. 561 ᵇ17, 32. 10. 564 ᵇ27, Eischaalenhaut. ὑπὸ τύτῳ ὁ ἐντὸς ὑμήν. ὃς ὁρίζει τὸ λευκὸν ἢ τὸ ὠχρὸν ἀπὸ τύτυ· διώρισται τό τε ὠχρὸν ἢ τὸ λευκὸν χωρὶς ὑμέσιν· ὅσων ἂν αἱ λέκιθοι διορίζωνται κατὰ τὸν ὑμένα· ὧν ἡ λέκιθος τῷ ὑμένι ἃ διαιρεῖται (τέρατα) Ζιγγ2. 752 ᵇ9, 753 ᵇ13. Ζιζ2. 560 ᵃ27. Ζιγδ3. 770 ᵃ16. πι61. 898 ᵃ19. ὁ μὲν ὀμφαλὸς εἰς τὸν ὑμένα τὸν περιέχοντα τὸ ὠχρόν, ὁ δ' ἕτερος εἰς τὸν ὑμένα τὸν χοροειδῆ, ὃς κύκλῳ περιέχει τὸ ζῷον ἔστιν δ' ὗτος περὶ τὸν ὑμένα τὸν τῦ ὀστράκυ Ζιγγ2. 753 ᵇ21. ὁ ὑμὴν ὁ περιέχων τὸ ὠχρόν sim Ζιζ3. 561 ᵇ6, 9, 24, Dotterhaut. ὁ χοροειδὴς ὑμήν Ζιζ3. 561 ᵇ32. ὁ ἐξωτάτω ὑμὴν ὁ αἱματώδης, αἱματικὰς ἶνας ἔχων (syn χιτών)· ὁ περιέχων ὅλος, μεθ' ὑγρότητος ἰχωροειδῦς· ὁ ἕτερος ὑμὴν χοροειδὴς ὤν, ὁ περὶ τὸ ὠχρόν Ζιγγ2. 753 ᵇ35. Ζιζ3. 561 ᵃ15, cf 14, ᵇ8, 21, 562 ᵃ2, allantois. ἄλλος ὑμὴν περὶ αὐτὸ ἤδη τὸ ἔμβρυον, χωρίζων Ζιζ3. 561 ᵇ22, 19, 9, amnion. τύτυ τι τῦ ὑμένος κατ' ἀρχὰς ὀμφαλῶδές ἐστι κατὰ τὸ ὀξὺ ἢ ἀπέχει ἔτι μικρῶν ὄντων οἷον αὐλὸς Ζιγγ2. 752 ᵇ2. — piscium, ὑμήν ὁ περιέχων τὸ ᾠὸν ἢ τὸ ἰχθύδιον, syn κέλυφος Ζιζ14. 568 ᵇ10, cf 9. 13. 567 ᵇ29. squalinorum περιέχεται τὸ ἔμβρυον ἢ τὸ ᾠὸν ὑμένι κοινῷ (äussere Eischale), ἄλλος ὑμὴν ὃς περιέχει ἰδίᾳ τὸ ἔμβρυον, vel ὑμένες ἴδιοι (Eiweisshaut) Ζιζ10. 565 ᵃ8, 9, ᵇ11. — in ovis ἀναίμων περιέχεται τὸ ὑγρὸν ὑμένι λεπτῷ Ζιγγ3. 758 ᵇ4. — ὑμὴν ὑστερικὸς τῶν μαλακίων Ζιγα3. 717 ᵃ5, Eierstockshaut, cf A Siebld XII 396. — echinorum τὰ ᾠὰ ἐν ἄλλῳ ὑμένι Ζιδ5. 530 ᵇ29. cf Ζμδ5. 680 ᵃ13. Mo 94. — g. τῶν ὀρνίθων οἱ πόδες μεταξὺ τῶν δακτύλων δερμάτων ὑμένα ἔχοντες f 316. 1531 ᵇ24, syn τὸ συνυφὲς τὸ μεταξὺ τῶν δακτύλων Ζιι37. 622 ᵇ11. — ναυτίλῳ αἱ πλεκτάναι μεταξὺ αὑτῶν λεπτὸν ὑμένα ἔχυσι διαπεφυκότα f 316. 1531 ᵇ22. polypi ὁ μεταξὺ τῶν ποδῶν ὑμήν Ζιδ1. 524 ᵃ18 Aub. cf i37. 622 ᵇ10 et Antig Caryst ed Beckm p 100. — h. ἐν ὑμένι ἐστί, δι' ὗ διηθεῖ τὸ πότιμον ἢ λαμβάνει τὴν τροφὴν (τὸ ὀστρακόδερμον) Ζμδ7. 683 ᵇ21, Körperhaut. — apis, τὸν ὑμένα περιρρήξας ἐκπέταται· (τῶν βομβυκίων) τὰ σκωλήκια λευκὰ ἐν ὑμένι μέλανι· (ἀκρίδων) σκώληκες περιλαμβάνονται ὑπὸ τινὸς γῆς λεπτῆς ὥσπερ ὑμένος Ζιε22. 554 ᵃ30. 24. 555 ᵃ16, 17. 28. 555 ᵇ25 Aub, fort Larvenhülle. — τοῖς μακροβιωτέροις τῶν ἐντόμων ὑπὸ τὸ διάζωμα διέσχισται, ὅπως διὰ λεπτοτέρω ὄντος τῦ ὑμένος ψύχηται ἢ ἐν αὐτῷ τῷ ὑποζώματι, τῷ ἐμφύτῳ πνεύματι αἴροντι ἢ συνίζοντι, συμβαίνειν πρὸς τὴν ὑμένα γίνεσθαι τρίψιν αν9. 475 ᵃ3, 9, 16. fort Körpertheil zwischen thorax und abdomen, Landois in Siebld Zeitschr XVII 106, 134. cf M 437. — i. insectorum ala ὐκ ἔστι πτερὸν ἀλλ' ὑμήν δερματικὸς Ζμδ6. 682 ᵇ18. — k. τὰς ἀχέτας ὑπὸ τὸ διάζωμα διηρθρῶσθαι ἃ ἔχειν ὑμένα, (ὁ τέττιξ) ψοφεῖ τῷ ὑμένι τῷ ὑπὸ τὸ ὑπόζωμα Ζιδ7. 532 ᵇ16. 9. 535 ᵇ7, Trommelhaut, Landois ibid 157, 158.

ὑμνεῖν. αἱ ὑμνύμεναι φιλίαι ἐν δυσὶ λέγονται Ηι10. 1171 ᵃ15.

ὕμνος. ὕμνας ἢ ἐγκώμια ποιεῖν, opp ψόγας πο4. 1448 ᵇ27. ὁ δὲ (εἰς Ἑρμείαν) ὕμνος ἔχει τῦτον τὸν τρόπον f 625. 1583 ᵇ4.

ὑοβοσκοί Ζιθ21. 603 ᵇ5.

ὑοσκύαμος, ἀνθρώποις δηλητήριον φτα5. 820 ᵇ5. f 338. 1354 ᵇ10. (Hyoscyamus niger L. Fraas 169. Langkavel 51.)

ὑπάετος Ζιι32. 618 ᵇ32. v περκνόπτερος.

ὑπάγειν. trans, τὰς ἁμάξας θᾶττον κινυμένας ὑπάγυσιν ἢ ἀρχομένας μχ31. 858 ᵃ4. — ἄρρενας ὑπάγοντες τὰς θηλείας (κεστρέας) περιβάλλονται συνάγοντες Ζιε5. 541 ᵃ20. — ἐὰν πέρδιξ ὑπ' ἀνθρώπυ ὀφθῇ, ἀπὸ τῶν ᾠῶν ὑπάγει (int τὸν ἄνθρωπον), syn ἀπάγει Ζιη8. 613 ᵇ32, 33. — intr, ἐὰν λέων διὰ πλῆθος ἀναγκασθῇ τῶν θηρευόντων ὑπαγαγεῖν, βάδην ὑποχωρεῖ· λέων ὑπάγει βάδην Ζιι44. 629 ᵇ14, 17. — ὑπάγοντα τὰ θήλεα δέχονται τὴν γονήν Ζιε2. 540 ᵃ7.

ὑπαγορεύειν. γράψαι τὸ ὑπαγορευθέν τζ5. 142 ᵇ32.

ὑπαγωγή. ἡ ἔλαφος τὴν ὀχείαν ποιεῖται τὰ πλεῖστα ἐξ ὑπαγωγῆς Ζιζ29. 578 ᵇ27 Aub, cf τὰς ἄρρενας ἐλάφας αἱ θήλειαι ὐχ ὑπομένυσιν Ζιε2. 540 ᵃ5.

ὑπαίθριος. τὸ σπέρμα τιθέμενον ἐν τοῖς πάγοις ὑπαίθριον Ζιγβ2. 735 ᵃ35.

ὑπαίτιος. τῆς πενίας ὐκ ἐγὼ ἀλλ' ὁ τύτυ τρόπος ὑπαίτιος ἔσται p19. 1433 ᵃ34.

ὑπακύειν, opp προτείνειν τὸ6. 128 ᵇ5. syn ἀποκρίνεσθαι τθ11. 161 ᵇ15. coni ὑπολαμβάνειν τι7. 169 ᵃ34. — λόγῳ ὑπακύειν δύνασθαι, dist λόγον ἔχειν καθ' αὑτό Πη14. 1333 ᵃ18.

ὑπαλείφειν. ἔλαιον ὑπαλειφθέν πλη3. 967 ᵃ4.

ὑπάλλαγμα τῆς χρείας τὸ νόμισμα Ηε8. 1133 ᵃ29.

ὑπαλλάττειν. ἐπὶ τῶν ὀβελῶν ὑπηλλάχθαι τὸ φ εἰς τὸ β f 539. 1567 ᵇ9.

ὑπάλληλος. ἕτερα τῷ εἴδει λέγεται ὅσα ταὐτῦ γένυς ὄντα μὴ ὑπάλληλά ἐστιν Μδ10. 1018 ᵇ1.

ὑπανάστασις. ὑπαναστάσει τιμᾶν τὰς πρεσβυτέρας Ηι2. 1165 ᵃ28 Fritzsche.

Ὕπανις ποταμὸς περὶ Βόσπορον τὸν Κιμμέριον Ζιε19. 552 ᵇ18.

ὕπαντρος. χώρα σομφὴ ἢ ὕπαντρος μβ8. 366 ᵃ25. πκγ5. 932 ᵃ8.

ὕπαρ πλι14. 957 ᵃ18.

ὕπαρξις. διὰ τὴν τροφὴν ἢ διὰ τὴν μακρότητα τῆς οἰκείας ὑπάρξεως φτα2. 817 ᵇ17.

ὑπάρχειν. 1. ᾗ ἄρχειν. ὁ ἀδικῶν ὑπάρχει Ηε11. 1136 ᵇ13. ὁ ὑπάρξας προσοφλήσει Ηδ8. 1124 ᵇ12. ὐδὲν ποιήσας ἄξιον τῶν ὑπηργμένων ὀφείλει Ηθ16. 1163 ᵇ21. χάριτας τῶν ὑπηργμένων ἀποδῦναι p37. 1445 ᵃ1. — 2. ὑπάρχειν, fere i q esse. εἰ μηδὲν τοιῦτον ὑπῆρχεν, ὐκ εἶχε λόγον τὰ συμβαίνοντα Ζιγι10. 760 ᵇ17. cf 11. 762 ᵃ2. τὰ ἐντὸς ὑπάρχοντα μόρια Ζμδ5. 682 ᵃ30. τύτων ὑπαρχόντων, δεῖ τίθεσθαι ὡς ὑπάρχοντα, χρηστέον ὡς ὑπάρχυσιν sim μβ8. 365 ᵇ23. 1. 353 ᵇ17. γ2. 372 ᵇ11. Οβ13. 295 ᵃ2. μν2. 451 ᵃ20. ὥσπερ ἂν μᾶλλον αἱ διαθέσεις (πλῦτος, ἰσχύς κτλ) καθ' ὑπερβολὴν ὑπάρχωσι f 89. 1492 ᵃ14. coni μὴ παρτιcip ἐκ γενετῆς ὑπάρχυσι στέργοντες ἀλλήλας, αἱ πράξεις εὐθὺς ὑπάρχυσι τοιαῦται ὦσι sim Ηθ14. 1162 ᵃ12. πο10. 1452 ᵃ13. μα3. 340 ᵃ17. Ζμα1. 640 ᵃ23. etiam sine participio adiectivum pro praedicato additur, ὑπάρχει ἡ γῆ καθ' αὑτὴν ξηρά μβ8. 365 ᵇ24. ὑπάρχοντος τῷ τόπῳ σαρκώδυς Ζμδ10. 688 ᵃ21. ὑπάρξαντος τοιαύτῃ τῦ μικτηῖρος Ζμβ16. 659 ᵃ20. ἀνάγκη τοιάνδε τὴν ὕλην ὑπάρξαι, εἰ ἔσται οἰκία Ζμα1. 639 ᵇ26. — ὡς ὑπάρχει (τὰ ζῷα) τῷ ἔχειν τὰ μόρια, ὅτω ἢ τῷ ἔχειν τὰ ἐν τύτοις ὀστᾶ Ζιγ7. 516 ᵇ25 Aub (cf ἔχειν p 306 ᵃ4). impers, περὶ τὰς μήτρας ὑπεναντίως ἐν τοῖς ἄλλοις ζῴοις ὑπάρχει Ζιβ1. 500 ᵃ13. —

ὑπάρχειν i q esse in re ac veritate, ἐκ τῶν πολλῶν λόγων ἀθεώρητοι τῶν ὑπαρχόντων ὄντες Γα2. 316 ᵃ9. cf Οβ14. 297 ᵇ22. πρὸς ἀλήθειαν ἐκ τῶν ὑπαρχόντων δεῖ σκοπεῖν Αγ19. 81 ᵇ23. opp στέρησις Μδ2. 1046 ᵇ10. — modalitatis genera distinguuntur ὑπάρχειν, ἐξ ἀνάγκης ὑπάρχειν, ἐνδέχεσθαι (sive ἐνδέχεσθαι ὑπάρχειν) Αα8. 29 ᵇ29. 12. 32 ᵃ6. 14. 33 ᵃ9. πρότασις ἐν τῷ ὑπάρχειν Αα2. 25 ᵃ5. 17. 37 ᵃ39. πρότασις ὑπάρχουσα, opp ἐνδεχομένη Αα13. 32 ᵇ36. — distinguuntur diversa tempora, αἴτιος τῶν ὑπαρξάντων ἢ ὑπαρχόντων ἢ μελλόντων Ρβ6. 1384 ᵃ15. κατὰ τὸν ὑπάρχοντα (i e παρόντα) καιρὸν ρ1. 1421 ᵃ26. — 3. ὑπάρχειν c dat (vel c praep ἐν, vel ita ut cogitatione addatur casus nominis) ea dicuntur, quae quasi in possessione alicuius sunt sive res externae sive ποιότητες et πάθη τῷ ὑποκειμένῳ. ὑπάρχει ἐν τῇ γῇ πολὺ πῦρ, ὑπάρχει δυνάμει ἕκαστον ἐν ἑκάστῳ μβ4. 360 ᵃ5. α3. 339 ᵃ1. τοῖς ἄλλοις ἡ τῶν ὀδόντων φύσις εἰς τὴν τῆς τροφῆς ἐργασίαν ὑπάρχει Ζμγ1. 661 ᵇ11. τὸ γεῶδες πλεῖον ὑπάρχει τοῖς μείζοσι τῶν ζώων Ζμγ2. 663 ᵇ25. οἱ ἄριστα πολιτευόμενοι ἐκ τῶν ὑπαρχόντων αὐτοῖς Πη1. 1328 ᵃ18. ὁ γὰρ αὐτὸς ἔστεργεν, ἀλλὰ τὰ ὑπάρχοντα (int κάλλος, χρήματα), ὁ μόνιμα ἦν Ηι1. 1164 ᵃ11 (τὰ ὑπάρχοντα, i e τὰ χρήματα, ut ἡ οὐσία Μδ3. 1121 ᵃ34. Ρβ10. 1387 ᵇ27). ὑπάρχειν τῷ γένει, ὑπάρχει ὅλῳ τῷ γένει ἐν ᾗ φύσει τὸ μίαν ἔχειν χρόαν Ζγβ8. 748 ᵃ15. ε6. 785 ᵇ30. τὸ τῇ εἶναι τῷ εἴδει ᾗ τῇ ἐνεργείᾳ ὑπάρχει Μη3. 1043 ᵇ2. δοκεῖ ἡ οὐσία ὑπάρχειν φανερώτατα τοῖς σώμασιν Μζ2. 1028 ᵇ8. cf praeterea μδ1. 378 ᵇ31. Ηε12. 1136 ᵇ27. θ9. 1294 ᵇ38. Ρβ2. 1396 ᵃ6 al. τὸ αὐτὸ ἅμα ὑπάρχειν τε ᾗ μὴ ὑπάρχειν ἀδύνατον τῷ αὐτῷ Μγ3. 1005 ᵇ19 et omnino γ3-6. — haec significatio verbi ὑπάρχειν sicuti ad rem et veritatem ita pariter ad cogitationem et enunciationem refertur, ut discerni vix possit, ubi ab altero ad alterum transeatur (cf Steinthal Sprachw p 198. 225). τὸ ὑπάρχειν τόδε τῳδε, syn τὸ ἀληθεύεσθαι τόδε κατὰ τῦδε Αα37. 49 ᵃ6. ὑπάρχειν παντί, syn κατὰ παντὸς κατηγορεῖσθαι, ἐν ὅλῳ εἶναι Αα4. 26 ᵃ2, 5, 8, 24, ᵇ33, 37 al. τὰ καθόλου ὑπάρχοντα Ζμα4. 644 ᵃ25, cf Sylb p 356 ᵇ45. ὑπάρχειν τινί, syn κατηγορεῖσθαι κατά τινος Αα2 et saepe, syn ἕπεσθαι Αα28. 44 ᵃ15, 13 (idem significat ὑπάρχειν κατά τινος ε3. 16 ᵇ13 Wz. Αβ22. 67 ᵇ28. ὑπάρχειν ἐπί τινος ε2. 16 ᵃ32. 3. 16 ᵇ15). ὑπάρχει τινὶ δίποδα εἶναι τβ1. 109 ᵃ14. ὑπάρχειν, syn συμβεβηκέναι Φδ4. 255 ᵃ28, 254 ᵇ9. Μδ7. 1017 ᵃ21. φι. 1805 ᵇ33. cf τβ2. 109 ᵃ35. ὑπάρχειν, syn τὸ ὑποκείμενον παθεῖν τι Μζ12. 1037 ᵇ16. ὑπάρχειν κατά τι, opp ἁπλῶς Αγ9. 76 ᵃ5. τβ1. 109 ᵃ20. ὑπάρχειν κατὰ τοῦτο πρῶτον Αγ5. 74 ᵃ36, ᵇ2. ὑπάρχειν τινὶ πρώτῳ sive πρώτως, opp ἔστι τι μεταξύ Αγ5. β21. 66 ᵇ20, 22. γ19. 81 ᵇ31, 35, 82 ᵃ11. 15. 79 ᵃ38. ὑπάρχειν ἀτόμως, syn τὸ μὴ εἶναι μέσον, opp κατ' ἄλλο ὑπάρχειν Αγ15. 79 ᵃ34 sqq. ὑπάρχειν μᾶλλον Αγ2. 72 ᵃ29. ὑπάρχειν καθ' αὑτό, τὰ ὑπάρχοντα καθ' αὑτό, syn συμβεβηκότα καθ' αὑτό, πάθη καθ' αὑτό Μδ30. 1025 ᵃ31, 30 Bz. γ2. 1004 ᵇ5 Bz. 1. 1003 ᵃ22. ε1. 1025 ᵇ12, 1026 ᵃ32. ζ5. 1030 ᵇ23. Φβ1. 192 ᵇ35. δ4. 210 ᵇ33 (cf ubi καθ' αὑτό additum non est Φδ4. 211 ᵃ9. 1. 208 ᵃ34). ὑπάρχειν κατ' οὐσίαν ᾗ κατὰ τὸ εἶδος Αδ3. 89 ᵃ20. (aliter ὑπάρχειν τινὶ Μζ15. 1040 ᵃ15 i q non esse in complexu notionis, sed esse in eius ambitu videtur significare, cf Bz.) ὑπάρχειν ἐν τῷ τί ἐστι Μδ18. 1022 ᵃ28. ὑπάρχειν τι τούτων ὅσα τί ἐστι σημαίνει, ὑπάρχειν τι τῶν πρός τι ἢ ποσῶν τ22. 178 ᵃ6, 7. τὸ ὑπάρχειν τοσαυ-

ταχῶς λέγεται, ὁσαχῶς τὸ εἶναι, ὁσαχῶς αἱ κατηγορίαι διήρηνται Αα36. 48 ᵇ4. 37. 49 ᵃ6. — (μηδὲν μᾶλλον ὑπάρχειν ταῖς ἀπόροις ἢ ταῖς εὐπόροις Πδ4. 1291 ᵇ32. corr cf Stahr.)

ὑπαρχή. τοιοῦτόν τι γίνεται ᾗ τὸ ἐξ ἀρχῆς ἐν τῇ τῆς ἐπιστήμης ὑπαρχῇ Φη3. 247 ᵇ29. — ἐξ ὑπαρχῆς. a. i q de integro, αὐξάνονται αἱ τρίχες ᾗ τεθνεώτων. ὁ μέντοι γίνονταί γ' ἐξ ὑπαρχῆς Ζγβ6. 745 ᵃ18. πάλιν ὥσπερ ἐξ ὑπαρχῆς ἐπανίωμεν sim ψβ1. 412 ᵃ4. Ζμδ10. 685 ᵇ29. Ρα1. 1355 ᵇ24. — b. i q ab initio. αἱ πόλεις μείζους γεγόνασι τῶν ἐξ ὑπαρχῆς Πδ6. 1293 ᵃ2. τὸ ἄνω ἐξ ὑπαρχῆς ἔλαττον Ζγβ6. 741 ᵇ32. τὴν ἐξ ὑπαρχῆς λαμβάνει γένεσιν Ζθ2. 590 ᵃ21. τὰ ἐξ ὑπαρχῆς εὑρισκόμενα, opp τὰ παρ' ἑτέρων ληφθέντα τι34. 183 ᵇ20, 18. αἱ κρόκαι στρογγύλαι εἰσὶν ἐκ μακρῶν τῶν λίθων τὸ ἐξ ὑπαρχῆς ὄντων μχ15. 852 ᵇ31.

ὕπαρχος οβ1348 ᵃ18.

Ὑπάτη τῆς Αἰνιανικῆς χώρας θ133. 843 ᵇ16.

ὑπάτοπος. ἐστιν ὑπάτοπον ᾗ μακρὸν τὸ περὶ ἑκάστου λέγειν χωρὶς Ζμα4. 644 ᵃ35.

ὕπατος. Ζῆν ὕπατον (Hom Θ 22) Ζχ4. 700 ᵃ1. ὕπατος διὰ τί ὠνόμασται ὁ θεός χ6. 397 ᵇ25. — ἡ νήτατη. cf νήτη et νεάτη. ἡ μέση βαρεῖα πρὸς τὴν νήτην ᾗ ὀξεῖα πρὸς τὴν ὑπάτην Φε1. 224 ᵇ34. ἀπὸ τῆς ὑπάτης ἐπὶ τὴν νήτην εἰ μεταβαίνοι τῷ ὀλιγίστῳ, ἥξει πρότερον εἰς τὰς μεταξὺ φθόγγους Μι7. 1057 ᵃ22. διπλασία ἡ νήτη τῆς ὑπάτης πιθ23. 919 ᵇ1. 35. 920 ᵃ29. ἐὰν τις ψιλὰς τὴν νήτην ἐπιλάβῃ, ἡ ὑπάτη μόνη δοκεῖ ἀντηχεῖν πιθ24. 919 ᵇ15. 42. 921 ᵇ14. μᾶλλον ἡ ὑπάτη ἀποδίδω τὸ ἀντίφωνον ἢ ἡ νήτη πιθ7. 918 ᵃ17. τὴν νήτην χαλεπῶς, τὴν δὲ ὑπάτην ῥαδίως (ᾄδουσιν) πιθ4. 917 ᵇ35.

ὑπείκειν. σκληρὸν τὸ μὴ ὑπεῖκον εἰς αὑτό, opp ἀντιπεριίστασθαι μδ4. 382 ᵃ11, 12, 13. cf γ1. 370 ᵇ21. Φδ8. 215 ᵃ22. (ὄρνεα) μακροσκελῆ διὰ τὸ ἐν ὑπείκοντι εἶναι τὸν βίον Ζμδ12. 694 ᵇ15. πρὸς ἀντιπίπτον ἡ πληγὴ γίνεται ᾗ ὁ πρὸς ὑπεῖκον πλβ13. 961 ᵇ4. (ὁ βορέας, διὰ τὸ ὑπείκειν ἡμᾶς αὐτῷ πκ41. 945 ᵃ9, ὑποικεῖ ci Sylb.) — metaph, ὁ δοκεῖ λόγῳ ὑπείκειν ἀ πάθος Ηκ10. 1179 ᵇ29. ὀκ ἀξιοῖ ἑαυτὸν ἄρχειν ἀλλ' ὑπείκει πεγ5. 1233 ᵃ29.

ὑπεικτικός. τὸ ὑπεικτικὸν μαλακόν Γα8. 326 ᵃ14.

ὑπεῖναι. τύτεις διὰ τὸ μέγεθος οἷον ἐρείσματος χάριν ὀστῶν ὑπεστιν Ζγα4. 666 ᵇ20. β9. 654 ᵇ33. ὕλην ὅτι ὑπεῖναι τῷ γινομένῳ ᾗ τῷ μεταβάλλοντι Φε2. 226 ᵃ10. Μλ1. 1069 ᵇ6. συμβαίνει μηδὲν ὁρᾶν διὰ τὴν ἔτι ὑπῶσαν κίνησιν ἐν τοῖς ὄμμασιν ὑπὸ τῦ φωτός ε ν2. 459 ᵇ10. ὕπεστι δέ τις εὐλάβεια (τῇ δειλίᾳ), opp ἀκόλουθεῖ τῇ δειλίᾳ μαλακία αρ6. 1251 ᵃ15, 14. οἷον τινὰ ἐλπίδα ὑπεῖναι σωτηρίας Ρβ5. 1383 ᵃ6. ᾗ χαρᾷ ὑπῶσα ἣν ἂν κρατεῖν τῆς ποιήσεως εἴασεν f 168. 1506 ᵃ32.

ὑπεισδύεσθαι. γενομένης τῆς αὐξήσεως ὑπεισδυομένων στερεῶν Γα8. 325 ᵇ4.

ὑπεκδεῖν. ὑπεκθεῖ αὔξιμον ὕδωρ (Emped 363) αν7. 474 ᵃ2.

ὑπέκκαυμα, materia idonea combustioni vel ignibus gignendis. εἰς πολὺ πῦρ ἐὰν ὀλίγον ἐμπέσῃ ὑπέκκαυμα, φθάνει πολλάκις πρὶν καπνὸν ποιῆσαι κατακαυθέν μβ5. 361 ᵇ19. ἐπὶ πῦρ ὑπέκκαυμα ὑποβάλλεσθαι αν6. 473 ᵃ5. (μαραίνονται) οἱ λύχνοι, ὅταν μὴ ἔχωσιν ὑπέκκαυμα μηδ' ἔλαιον πγ26. 875 ᵃ6. δεῖ νοῆσαι οἷον ὑπέκκαυμα τοῦτο τὸ νῦν εἴπομεν πῦρ περίστασθαι τῆς περὶ τὴν γῆν σφαίρας ἔσχατον, ὥστε μικρᾶς κινήσεως τυχὸν ἐκκάεσθαι μα4. 341 ᵇ19, 24, 25, 29 Ideler. ταχὺ διὰ τὴν εὐφυΐαν τῦ ὑπεκκαύματος διαδίδωσιν ἐπὶ μῆκος μα7. 344 ᵃ29, 31. ἐν ὑπεκκαύματι καθαρῷ μα7. 344 ᵇ14. — metaph, ὑπέκκαυμα τῆς νόσυ, ὑπεκκαύματα τῷ ψύχει πα7. 859 ᵇ19. 11. 860 ᵇ14.

ὑπεκκεῖσθαι. εἴ τί ποτ᾿ ἦν αὐτοῖς ἀποκεκρυμμένον ἢ ὑπεκκείμενον οβ1351 ᵃ36.

ὑπεκρεῖν. (ἐν τῇ τῆς σαρκὸς αὐξήσει) τὸ μὲν ὑπεκρεῖ τὸ δὲ προσέρχεται Γα5. 321 ᵇ27.

ὑπεναντίος. τὰς κάμψεις τῶν κώλων ὑπεναντίας ἔχυσι χ̣ ἑαυταῖς χ̣ ταῖς τῦ ἀνθρώπυ καμπαῖς Ζιβ1. 498 ᵃ4. ὑπεναντίον τῦ μανθάνοντος τῇ δόξῃ, syn ἐναντίον Αγ10. 76 ᵇ33, 31. ὑπεναντία ταῖς βυλήσεσιν τθ9. 160 ᵇ20. ὑπεναντίον τῇ αὐτῶν (αὑτῶν Vhl) οἰκήσει πο25. 1461 ᵇ3, 23. ὑπεναντία τοῖς μαθήμασιν, πᾶσι τοῖς εὐλόγοις Ογ1. 299 ᵃ4. Μμ9. 1085 ᵃ15. ὑπεναντίος τοῖς ἐγκλήμασιν ρ37. 1442 ᵃ25 (explicatur ᵃ28-31). ἐν μιᾷ πόλει δύο πόλεις ὑπεναντίαι ἀλλήλαις Πβ5. 1264 ᵃ25. λόγοι ὑπεναντίοι ἀλλήλοις, δόξαι ὑπεναντίαι ἀλλήλαις Γα7. 323 ᵇ2 (cf ὑπεναντία non addito ἀλλήλοις ᵇ16). ξι. 974 ᵇ19. ηεη1. 1235 ᵇ3. μχ847 ᵇ21. ἔχει ἅπαντα τρόπον τινὰ ὀρθῶς χ̣ ὐδὲν ὑπεναντίον ἑαυτοῖς Ηε14. 1137 ᵇ17. τὰ λαμβανόμενα πρότερον χ̣ ὕστερον ὑπεναντία ἐστὶν Οα10. 280 ᵃ6. ὑπεναντίον πρός τι Πβ9. 1270 ᵃ39. η6. 1327 ᵃ17. 9. 1328 ᵇ41. μχ847 ᵃ14. βλαβεροὶ οἱ γαμψοὶ ὄνυχες, ὑπεναντίοι ὄντες πρὸς τὴν πορείαν sim Ζμδ12. 694 ᵃ19, 693 ᵃ3. ὗλαι ὑπεναντίαι, syn ἐναντίαι Οδ2. 309 ᵇ32, 34. τὰ αὐτὰ τάττει εἰς ἀμφοτέρας τὰς διαιρέσεις ἄτοπον, ὑπεναντίας ὔσας Ζιθ2. 589 ᵇ12. πάθος ὑπεναντίον νϑ. 457 ᵃ27. εἰ μὴ τοῖς ἄλλοις ὁμολογῶν ὁ νόμος ἀλλ᾿ ὑπεναντίος ἐστὶν ρ3. 1424 ᵇ21. ἐὰν ὑπεναντίαι ὦσιν αἱ βάσανοι χ̣ μετὰ τῦ ἀμφισβητοῦντος Ρα15. 1377 ᵃ1. — τὰ ὑπεναντία abs, i e ea quae inter se non concinunt Vahlen Poet IV 383. εὑρίσκοι ἄν τις τὸ πρέπον χ̣ ἥκιστ᾿ ἂν λανθάνοι[το] τὰ ὑπεναντία πο17. 1455 ᵃ26. cf Γα7. 323 ᵇ16. ὑπεναντία ὡς εἰρημένα πο25. 1461 ᵇ10 Vhl 1 l. — οἱ ὑπεναντίοι, hostes ὀβ1350 ᵃ32. — ὑπεναντίως. ὑπεναντίως ἔχυσι τὰ περὶ τὰς ὑστέρας ἔνια τῶν ζῴων Ζγα12. 719 ᵃ28. κεῖνται ὑπεναντίως αἱ ὑστέραι τοῖς τε ζῳοτοκῦσι χ̣ τοῖς ᾠοτοκῦσιν Ζγα12. 719 ᵇ18. τὰ ἄρρενα ὑπεναντίως ἔχει ἀλλήλοις Ζιβ1. 500 ᵇ17. ὑπεναντίως ὑπάρχει ἐν τοῖς ἄλλοις ζῴοις πρὸς αὐτά τε χ̣ πρὸς τὸν ἄνθρωπον Ζιβ1. 500 ᵃ13. εἴ τι νενομοθέτηται ὑπεναντίως πρὸς τὴν ὑπόθεσιν Πβ9. 1269 ᵃ33. οἱ πόδες ὑπεναντίως ἔχυσιν ἢ τοῖς ἄλλοις Ζμδ9. 685 ᵃ13. (ὑπεναντίως ci Twining, ὑπεναντία ὡς codd Βκ πο25. 1461 ᵇ16.)

ὑπεναντιῦσθαι. τὰ μὲν ὑπεναντιῦται, τὰ δ᾿ ὅμοια φαίνεται ὄντα ηεη6. 1240 ᵃ12. σημεῖα μὴ ὁμολογῦμενα ἀλλ᾿ ὑπεναντιώμενα φ2. 807 ᵃ26.

ὑπεναντίωμα, τῷ ἁπλῶς δόντι ὐδὲν ὑπεναντίωμα συμβαίνει τι30. 181 ᵇ5. ὅταν ὄνομά τι ὑπεναντίωμά τι δοκῇ σημαίνειν πο25. 1461 ᵃ31. (ὑπεναντίωμα v l, ἐναντίωμα Βκ Ζμδ 12. 695 ᵃ18.)

ὑπεναντίωσις. εἰς τὴν κατὰ φύσιν χ̣ κατὰ νόμον ὑπεναντίωσιν ἄγειν τι12. 173 ᵃ28. ταῦτα τινὰς ἀπορίας τε χ̣ ὑπεναντιώσεις ἔχει ψα5. 409 ᵇ22. cf μχ847 ᵇ22. ηεη12.1246 ᵃ13. ὑπεναντιώσεις, fere i q διαφοραὶ Ζγα8. 718 ᵇ5. δ2. 767 ᵃ26.

ὑπεξάγειν. intr. ὅταν μὴ δύνηται ὑπεξάγειν (ὁ ἀήρ?) διὰ τὸ πλῆθος πε21. 883 ᵃ5. cf κς 56. 946 ᵇ37. διὰ τὸ μὴ ὑπεξάγειν ἀλλ᾿ αὑτῷ προσκόπτυσαν ἀνειλεῖσθαι τὴν φωνὴν ακ804 ᵃ19.

ὑπεξαιρεῖν. ὑπεξαιρήσομεν τὰς ἐπιφερομένας δυσχερείας ρ19. 1432 ᵇ13.

ὑπεξαίρεσθαι μικρὰ εὐτυχήσαντα μικροψυχίας ἐστίν αρ7.

1251 ᵇ19.

ὑπεξιέναι. ἀεὶ τῦ μὲν ἐπιγινομένῃ νάματος τῦ δ᾿ ὑπεξιόντος Πυ3. 1276 ᵃ39. ἅμα ἐνδέχεται ὑπεξιέναι ἀλλήλοις, ὐδενὸς ὄντος διαστήματος χωριστῦ παρὰ τὰ σώματα τὰ κινύμενα Φδ7. 214 ᵃ29. σπέρμα ὑπεξιόν· τὸ πνεῦμα ὐ φθάνει ὑπεξιόν al πδ²22. 879 ᵃ12. ια60. 905 ᵇ34. ι43. 895 ᵇ10.

ὑπεπιμόριον, opp ἐπιμόριον Μδ²15. 1021 ᵃ2 Bz.

ὑπέρ. cf Eucken II p 47-49. 1. c gen. a. locali sensu, i q super. ὑπὲρ τῦ ὁρίζοντος μα6. 343 ᵃ23, ᵇ15. ὑπὲρ γῆς, ὑπὲρ τῆς γῆς τε3. 131 ᵇ26, 27, 29. ζ4. 142 ᵇ4. μα6. 343 ᵃ12. 9. 346 ᵇ29. 13. 349 ᵇ22, 30. γ5. 377 ᵃ25 al. ὑπὲρ κεφαλῆς, veluti τὰ ὑπὲρ κεφαλῆς ἄστρα, μετεωρότερον χ̣ ὑπὲρ κεφαλῆς Οβ14. 298 ᵃ1. μβ5. 362 ᵇ11. Ζμδ10. 688 ᵃ11. πιε9. 912 ᵇ3 (ὑπὲρ τῆς κεφαλῆς), sed ὑπὲρ τῆς κεφαλῆς τὴν πτέρυγα ἔχει, τὴν κεφαλὴν ὑπὲρ τῦ δεξιῦ σκέλυς sim Ζιζ3. 561 ᵇ29. αν12. 477 ᵃ5. — i q ultra, veluti ὑπ᾿ αὐτὴν τὴν ἄρκτον ὑπὲρ τῆς ἐσχάτης Σκυθίας μα13. 350 ᵇ7. Ζιζ24. 577 ᵇ23. Ζγβ8. 748 ᵃ26. πκς44.945 ᵃ22. — b. ὑπέρ τινος, ad defendendum aliquem, ὑπὲρ αὑτῶν ἢ τῶν φίλων στασιάζωσιν Πε2. 1302 ᵃ33. sed latiore sensu λέγειν, διεξέρχεσθαι, σκέπτεσθαι sim ὑπὲρ τύτων idem significat ac περὶ τύτων, veluti Κ9. 11 ᵇ8, 10. 10. 11 ᵇ15. τα10. 104 ᵃ32. γ1. 116 ᵃ5, 7. θ2. 157 ᵃ21. Φη2. 243 ᵃ10. Ηα4. 1096 ᵇ30. γ5. 1112 ᵃ20, 21. θ2. 1155 ᵇ16. κ1.1172 ᵃ26; frequentior hic usus apud auctorem libri ρ, prope ubivis ὑπέρ τινος pro περί τινος legitur in Magnis Moralibus (cf Ramsauer progr 1858 p 4).

2. c acc. a. locali sensu. i q super. raro hac vi usurpatum περί apud Ar legitur. ἡμικύκλιον ἀποληφθήσεται τῦ κύκλυ ὑπὸ τῦ ὁρίζοντος τὸ ὑπὲρ γῆν (γῆς ci Eucken) γιγνόμενον μγ5. 375 ᵇ28. cf ὑπὲρ τῦτο μα3. 340 ᵇ26. τῶν πολύων ὁ μὲν ὑπὲρ ἡμᾶς φαινόμενος· τὸ ὑπὲρ ἡμᾶς ἡμισφαίριον sim Οβ2. 285 ᵇ15. 7. 289 ᵃ33 (v l ἡμῶν). δ1. 308 ᵃ26. ὐκ ἔστιν ὐδεμία μεταβολὴ τῶν ὑπὲρ τὴν ἐξωτάτω τεταγμένων φορὰν Οα9. 279 ᵃ20. ὑπέρριζον μονοφυές τὸ μὲν ὑπὸ τὸν ὀμφαλὸν ἧτρον, τὸ δ᾿ ὑπὲρ τὸν ὀμφαλὸν ὑποχονδριον Ζια13. 493 ᵃ20. ὑπὲρ δὲ τὸν ἐγκέφαλον (v l τῦ ἐγκεφάλυ) λεπτότατον ὀστῶν Ζια16. 495 ᵃ9. — i q ultra. ὑπὲρ τὴν Μαιῶτιν λίμνην, ὑπὲρ τὰς Σκύθας τε χ̣ Κελτικήν, ὑπὲρ τὰς Κελτὰς κ3. 393 ᵇ7, 8, 13. περὶ Θρᾴκην τὴν ὑπὲρ Ἀμφίπολιν θ118. 841 ᵇ15. ὑπὲρ τὸν Ἐλαιατικὸν κόλπον σ973 ᵃ10. f 238. 1521 ᵇ2. in ipsis Ar libris huius usus exempla non videntur reperiri. — b. ultra numerum aliquem vel aliquam mensuram. ἐν ἔτεσιν ὑπὲρ τὰ πεντήκοντα μγ2. 372 ᵃ28. ὑπὲρ τὰς εἴκοσιν (ἡμέρας) Ζιζ3. 561 ᵇ26. — τοῖς πολὺ ὑπὲρ αὐτὺς τῇ δυνάμει ὐκ ὀργίζονται Ρα11. 1370 ᵇ14. λέγυμεν δέ τι (φοβερὸν) χ̣ ὑπὲρ ἄνθρωπον Ηγ10. 1115 ᵇ8. τῶν δυνάμεων ἔνιαι ὑπὲρ ἡμᾶς εἰσιν γεγ1. 1229 ᵇ20. ὑπὲρ τὰς αἰσθήσεις τὰς ἡμετέρας, ὑπὲρ τὴν ὑμετέραν σύνεσιν Μμ2. 1077 ᵃ30. μτ1. 462 ᵇ25. ὑπὲρ ἡμᾶς εἰρήκασιν Μβ4. 1000 ᵃ15 Bz. λίαν ἐστὶν ὑπὲρ ἡμᾶς τὸ λεγόμενον Ζγα18. 723 ᵃ22. β8. 747 ᵇ8. τὴς μέγα τι χ̣ ὑπὲρ αὑτὺς λέγοντας θαυμάζωσιν Ηα2. 1095 ᵃ25.

ὕπερα, τά. insecta, generatio descr Ζιε19. 551 ᵇ6. (ippa Guil, superae Gazae, hyperia Scalig. hyperes C II 444. cf S I 345. Geometrae sp K 680, 1. St. Cr. Su 204, 18. ΑΖι I 169, 40.)

Ὕπερα, i q Ὑπέρεια f 555. 1570 ᵃ2, 1569 ᵇ45.

ὑπεραγανακτεῖν f 157. 1504 ᵇ27.

ὑπεραγαπᾶν τὰ οἰκεῖα ποιήματα Ηι7. 1168 ᵃ2.

ὑπεραίρειν. αὐξάνεσθαι χ̣ ὑπεραίρειν τὰ ἀγγεῖα θ67. 835

ᵃ32. ἐὰν ὑπεραίρῃ τῆς ὐσίας τὸ μέγεθος ὁ τῶν τέκνων ἀριθμός Πβ7. 1266 ᵇ11. ἰδιαζόμενος ὐδεὶς ἂν αὐτῶν (τῶν ἀδόντων) διαλάμψειεν ὑπεράρας τὸ πλῆθος πιθ45. 922 ᵃ36.

ὑπεραλγεῖν τινι Ρβ3. 1380 ᵇ33. λίαν ὑπεραλγεῖν, opp παντελῶς ἀναλγήτως ἔχειν ημα7. 1186 ᵃ20. ὑπεραλγεῖν ἀλγὐντι παρόντα, κολακείας σημεῖον Ρβ6. 1383 ᵇ33.

ὑπεράλλονται δελφῖνες πλοίων μεγάλων ἱστὑς Ζιι48. 631 ᵃ22.

ὑπεράνω τὑτων τῶν μορίων σχίζεται ἡ ὅλη φλέψ Ζιγ3. 513 ᵇ32. τὸ ἔλαιον ὑπεράνω τὑ ὕδατος ἄνεισιν φτβ2. 823 ᵃ40.

ὑπεραποθνήσκειν ὑπὲρ τῆς πατρίδος Ηι8. 1169 ᵃ20, 25, ὑπὲρ τέκνων ρ1. 1421 ᵃ31.

ὑπερασθενής, opp ὑπερίσχυρος Πδ11. 1295 ᵇ8.

ὑπερβαίνειν τὸ ὅρος μαι3. 350 ᵃ21. — πολλὰ ἀνήρηκε δίκαια ᵡ ὑπερβέβηκε Ρα14. 1375 ᵃ9. — λεκτέον περὶ κύστεως νῦν, ὑπερβάντας τὸν ἐφεξῆς τῶν μορίων ἀριθμὸν Ζμγ7. 670 ᵇ29. ὑπερβαίνειν τὰ γένη, syn μὴ εἰς τὸ ἐγγυτάτω γένος θεῖναι τζ5. 143 ᵃ15sqq. ὑπερβεβηκέναι τι τῆς ὐσίας Αδ5. 91 ᵇ27. ὑπερβάντες τὴν αἴσθησιν ᵡ παριδόντες αὐτὴν ὡς τῷ λόγῳ δέον ἀκολυθεῖν Γαβ8. 325 ᵃ13. — ὑπερβατός· τὰ πολλὰ τῶν ἐνυπνίων συμπτώμασιν ἔοικε, μάλιστα δὲ τὰ ὑπερβατὰ πάντα μτ1. 463 ᵇ1. cf 2. 464 ᵃ1. — σκόπει τὴν σύνθεσιν τῶν ὀνομάτων, ὅπως μήτε συγκεχυμένη μηθ' ὑπερβατὴ ἔσται ρ26. 1435 ᵃ37. — ὑπερβατῶς τιθέναι τὰ πραχθέντα, opp ἐπὶ τὰ ἐχόμενα ἑξῆς τάττειν ρ31. 1438 ᵃ28, 29. 36 (Spengel p 216).

ὑπερβάλλειν. trans. excedere, de loco vel de tempore, ὁ κύκλος ἐν ᾧ τὸ γάλα φαίνεται πολὺ τῆς τροπικῆς ὑπερβάλλει μαι8. 346 ᵃ18. (fort trans, Εὐρύβατον λαβεῖν τὸν ὄροφον ᵡ ὑπερβάλλοντα διὰ τῦ τέγης καταπηδῆσαι f 73. 1488 ᵃ18.) αἷς ἂν τὰ καταμήνια ὑπερβάλῃ τὸν χρόνον τὖτον Ζιη5. 585 ᵇ3. cf νι1. 454 ᵃ26. — de magnitudine, ὑπερβάλλειν τὴν ἰσότητα, τὸ κατὰ φύσιν, τὸ πρέπον μαι3. 340 ᵃ4. Ηγ13. 1118 ᵇ17. ηεβ3. 1221 ᵃ35. ὑπερβάλλειν τὸν τῆς γῆς ὄγκον μαι3. 349 ᵇ17. ὑπερβάλλεια ταῖς ὀδόεσι τὸ πλῆθος τῆς κτήσεως Ηδ2. 1120 ᵇ27. ὁ φθονερὸς ὑπερβάλλων τὖτον Ηβ7. 1108 ᵇ4. λέξει πάντας ὑπερβέβηκεν Ὅμηρος πο24. 1459 ᵇ17. (fort trans, ᾔει αὐτὸς χρήματα βαλὼν τῷ πλήθει ηο1352 ᵇ1.) — intrans. τὸ αἷμα ὑπερβάλλον εἰς τὸ τόπυς τὖτυς λεπτὀτερον Ζιγ2. 512 ᵇ9. — ὑπερβάλλον θερμόν, opp ἠρέμα θερμόν Γαβ8. 326 ᵃ12. μδ6. 383 ᵃ31. ἰσχυρὰ ᵡ ὑπερβάλλυσα ἡδονή Ηη8. 1150 ᵇ7. τὰ καύματα, ἡ τῦ ἀέρος φύσις, ὕδατα ὄμβρια ὑπερβάλλει μβ5. 362 ᵇ16. αβ. 340 ᵃ36. Ζιθ19. 602 ᵃ3. τὸ μέγεθος, τὸ πλῆθος, ἡ χολή, ἡ θερμότης ὑπερβάλλει al Ζμβ16. 659 ᵃ7. δ2177 ᵃ6. Ζγα18. 725 ᵃ20. 20. 728 ᵃ6. δ5. 774 ᵃ34. β4. 738 ᵃ6. γυμνάσια ὑπερβάλλοντα Ηβ2. 1104 ᵃ15. ὑπερβάλλειν, opp ἐλλείπειν Ζγδ8. 776 ᵃ18. τὰ τιμήματα, τὰ ἀγαθὰ ὑπερβάλλει, opp ἐλλείπει Πε8. 1308 ᵇ4. ηι. 1323 ᵇ11. ὑπερβάλλειν, ἐλλείπειν, opp τὸ μέτριον Ρβ14. 1390 ᵇ8. ὑπερβάλλον πλῆθος θ136. 844 ᵃ29. Καλλιππίδης (histrio) ὡς λίαν ὑπερβάλλων (modum excedens, exsuperans) πίθηκος ἐκαλεῖτο πο26. 1461 ᵇ34. — τὰ ὑπερβάλλοντα φθείρει, λυπεῖ ψγ2. 426 ᵃ30, ᵇ7. — ὑπερβάλλειν τῷ πλήθει, τῷ πάχει, τῇ συνεχείᾳ, τῷ θαρρεῖν, τῷ φοβεῖσθαι al, opp ἐλλείπειν Ζμβ5. 651 ᵇ2. γ9. 672 ᵇ2. Ζιε15. 548 ᵃ12. ι46. 630 ᵇ21. Ηγ10. 1115 ᵇ28, 34. δ14. 1128 ᵃ4. β6. 1107 ᵃ4. ηεβ3. 1221 ᵃ20. γι. 1228 ᵇ2 al. πρότερα τῇ ὐσίᾳ ὅσα χωριζόμενα τῷ εἶναι ὑπερβάλλει Μμ2. 1077 ᵇ3. — ὑπερβάλλειν κατὰ τὴν διαίρεσιν, μετρῦντα, opp ἐλλείπειν Φζ4. 235 ᵃ7, 4. 2. 233 ᵇ3. Οαβ6. 273 ᵇ12. cf ἐλάχιστος χρόνος

κατὰ τὸ μὴ ὑπερβάλλειν Οβ6. 288 ᵇ34. ὑπερβάλλειν κατὰ μέγεθος, κατὰ τὴν λῆψιν Πη4. 1326 ᵃ38. Ηδ3. 1121 ᵇ32. ποταμοὶ κατὰ πλῆθος ᵡ κατὰ μέγεθος ὑπερβάλλοντες μαι3. 350 ᵃ28. — ὑπερβάλλειν τὴν δειλίαν Ζιι29. 618 ᵃ29. — ὑπερβάλλειν ἐπὶ τὴν αὔξην, ἐπὶ τὴν καθαίρεσιν, ἐπὶ τὸ σκληρόν, ἐπὶ θάτερα Φγ6. 206 ᵇ29. Πβ9. 1270 ᵇ33. παι1. 860 ᵇ10. — ὑπερβάλλειν πρὸς παιδιάν. πρὸς ἡδονὰς αἱρετάς al Ηη8. 1150 ᵇ18. 6. 1147 ᵇ31. ηεβ3. 1221 ᵃ33. aliter praep πρός accipienda est: αἱ μέσαι ἕξεις πρός (i e comparatae cum) μὲν τὰς ἐλλείψεις ὑπερβάλλυσι (i e ὑπερβολαί εἰσι), πρὸς δὲ τὰς ὑπερβολὰς ἐλλείπυσι Ηβ8. 1108 ᵇ17. — ὑπερβάλλειν c gen comparativo. ὑχ ὑπερβάλλει τὰ πνεύματα τῶν ὑψηλοτάτων ὀρῶν μαι3. 341 ᵃ1, Ideler ad h l p 355. κοιλία ὑ πολὺ ὑπερβάλλυσα τῦ ἐντέρυ sim Ζιγ14. 675 ᵃ30. Ζγδ5. 774 ᵃ23. Ζιβ11. 503 ᵇ22. ὑπερβάλλειν παντὸς ὡρισμένυ, παντὸς λόγυ Φγ6. 206 ᵇ18, 19, 21. 7. 207 ᵃ34, ᵇ3, 4, 12. θ10. 266 ᵇ3, 15, 20. θ8. 215 ᵇ22. ὑπερβάλλειν τῶν περιεχομένων στερεῶν Οδ2. 309 ᵃ31. ὑπερβάλλειν τῦ δέοντος Ηβ6. 1107 ᵃ4. τὸ ὑπερβάλλον τῆς μεσότητος, τῆς συμμετρίας, τῆς τῶν πολλῶν ἕξεως, τῆς ἐνδείας al μδ4. 382 ᵃ20. Πγ13. 1284 ᵇ8. ᵡ4. 1326 ᵇ10. Ηη11. 1152 ᵃ25. ημα9. 1186 ᵇ13. — ὑπερβεβλημένως χαίρειν Ηγ13. 1118 ᵃ7. — med ὑπερβάλλεσθαι, differre, ὑ διὰ ῥαθυμίαν ὑπερεβαλόμην ρ1. 1420 ᵃ8. cf 31.1438 ᵇ6. ὑπερβεβλημένως ᵡ ὑπερβάλλειν.

ὑπερβιβάζειν, opp ἑξῆς τὰ πραχθέντα ὀνομάζειν ρ24. 1435 ᵃ2. cf ὑπερβατῶς s v ὑπερβαίνειν p 791 ᵃ24.

ὑπερβολή. de loco, cf ὑπερβάλλειν p 791 ᵃ27. ὑπερβολή i q altitudo supra horizontem μα6. 342 ᵇ32, cf ἐπαναβαίνειν ᵇ34. — de magnitudine, ἡ ὑπερβολὴ δισσή, ᵡ γὰρ τῷ ποσῷ ᵡ τῷ ποιῷ Ζμγ5. 668 ᵇ14. ἐπώλει μόνος ᵡ πολλὴν ποιήσας ὑπερβολὴν τῆς τιμῆς Παι1. 1259 ᵃ26. τέλειον τὸ κατὰ τὸ εὖ μὴ ἔχον ὑπερβολήν Μθ16.1021 ᵇ15. εἰς ἄπειρον ζητῦσι τὴν ὑπερβολήν Πηι. 1323 ᵃ38. ἀδικεῖν διὰ τὰς ὑπερβολάς, ᵡ διὰ τὰ ἀναγκαῖα Πβ7. 1267 ᵃ13. συμβήσεται λέγειν ὑπερβολὴν ὑπερβάλλειν τὸ 5. 126 ᵇ28. ὑπερβα' ᵡ θερμόν. ὄμβρων, ὑπερβολαὶ ὕδατος μαι3. 340 ᵇ23 (cf δ3. 381 ᵃ27). 14. 352 ᵃ31, ᵇ3. β3. 356 ᵇ33. ὑπερβολαὶ ψύχυς, ἀλέας· καθ' ἑκατέραν ὑπερβολήν· ἐν ταῖς ὑπερβολαῖς ἁπάσαις Ζμβ14. 658 ᵇ6. δ5. 680 ᵃ30. Ζιθ13. 598 ᵃ1. 12. 597 ᵃ22. 18. 601 ᵃ24. τόποι ὑδέμιᾳ διαφέρυσιν ὑπερβολῇ μβ7. 365 ᵇ15. ὑπερβολὴ τροφῆς (coni πλῆθος), ἐκκρίσεως, αἵματος sim Ζμγ5. 668 ᵇ13. Ζγβ4. 738 ᵃ15. γι. 750 ᵃ30. δ1. 765 ᵇ23. ὑπερβολὴ περισσωματικὴ Ζμγ2. 663 ᵇ31. ὑπερβολὴ τῦ μεγέθυς Ζγδ10. 777 ᵇ16. Ζμγ2. 663 ᵃl. φ6. 813 ᵇ26. δι' ὑπερβολὴν χρημάτων, opp δι' ἔνδειαν ηεηι5. 1249 ᵇ20. ὑπερβολὴ μοχθηρίας Ρηγ3. 1406 ᵃ32. οἱ ἀκμάζοντες μεταξὺ τῶν νέων ᵡ πρεσβυτέρων τὸ ἦθος ἔσονται, ἑκατέρων ἀφαιρῦντες τὴν ὑπερβολήν Ρβ14. 1390 ᵃ30. ὑπερβολὴ ἀπολαυστικὴ Πα9. 1258 ᵃ7. — αἱ ὑπερβολαὶ φθείρυσι ψβ12. 424 ᵃ29. 11. 424 ᵃ15, 4. γι3. 435 ᵇ15. Ηβ2. 1104 ᵃ12. ημα5. 1185 ᵇ13. παι. 859 ᵃ1. ιδ1. 909 ᵃ15 (αἱ ἐναντίαι ὑπερβολαὶ σῳζυσιν, ἐπανισῦσιν εἰς τὸ μέτριον αν14. 477 ᵇ15, 478 ᵃ4. παι2. 859 ᵃ5. ἵνα ἰσάζῃ τὴν θατέρυ ὑπερβολὴν θάτερα Ζμβ7. 652 ᵃ33, 31. τὸ εὔτονον συμμετρίᾳ ἔχει πρὸς ἀμφοτέρας τὰς ὑπερβολάς, τῦ ὀξέος ᵡ τῦ βαρέος Ζγε7. 786 ᵇ9); inde ἡ ὑπερβολὴ (cf ὑπεροχή) et ἡ ἔλλειψις (interdum ἔνδεια) κακίαι sunt, τὸ μέσον sive τὸ μέτριον ἀρετή Ηβ5. 1106 ᵃ29. 7. 1107 ᵇ6, 9, 19, 22 sqq saepissime. εθ9. 1134 ᵃ8. Ρα9. 1367 ᵇ1. ιδ3. 123 ᵇ28 (opp ἔνδεια). β7. 113 ᵃ6 (opp ἔνδεια). ὁ τὰς ὑπερβολὰς διώκων τῶν ἡδέων ἢ καθ' ὑπερβολάς· διώκειν τὰς καθ' ὑπερβολὴν ἡδονάς Ηη8. 1150 ᵃ19. 9. 1151 ᵃ12. ὑπερβολῆς ὐκ ἔστι μεσότης Ηβ6. 1107 ᵃ25. ἡ ἀκολασία ὑπερβολὴ σωφροσύνης ημα9. 1186 ᵇ32. quamquam non ubique ὑπερβολή nimium significat, sed etiam summum ac perfectum alicuius rei modum, ἐξ ἀνθρώ- 5 πων γίνονται θεοὶ δι' ἀρετῆς ὑπερβολὴν Ηη1. 1145 ᵃ24. διαφέρων κατ' ἀρετῆς ὑπερβολὴν Πγ13. 1284 ᵃ4. ὑπερβολὴ φιλίας Ηι4. 1166 ᵇ1. θ7. 1158 ᵃ12 (aliter accipiendum est φιλία καθ' ὑπερβολήν, i e καθ' ὑπεροχήν, opp κατ' ἰσότητα ηεη3. 1238 ᵇ18 Fr. 4. 1239 ᵃ18). δυνατόν, ἀδύνατον καθ' 10 ὑπερβολήν Οα11. 281 ᵃ16, 25 (syn ὑπεροχή ᵃ15, 19). ὅσῳ ἂν αὗται μᾶλλον αἱ διαθέσεις καθ' ὑπερβολὴν ὑπάρχωσιν f 89. 1492 ᵃ14. inde ὑπερβολή τιθέναι, τὸ καθ' ὑπερβολήν usurpatur de superlativo adiectivorum gradu τε9. 139 ᵃ9, 17. 5. 134 ᵇ24. — ἐν ὑπερβολῇ εἶναι Πα9. 1258 ᵃ6. εἰς 15 ὑπερβολήν Πη1. 1323 ᵇ3 (opp μετριάζειν ᵇ4). ημβ3. 1200 ᵃ14, 18. καθ' ὑπερβολήν Πδ11. 1295 ᵇ18. θ103. 839 ᵃ31. πι62. 898 ᵃ23. δύο ὐσῶν κακιῶν, τῆς μὲν καθ' ὑπερβολὴν τῆς δὲ κατ' ἔλλειψιν Ηβ8. 1108 ᵇ12. 9. 1109 ᵃ21. συλλογισμοὶ καθ' ὑπερβολήν Αγ13. 78 ᵇ29 Wz. — ὑπερβολῇ 20 pro adverbio usurpatur, ὑπερβολῇ ἀγαθὸν σμῆνος, ὑπερβολῇ αἱματῶδες σπλάγχνον Ζμ40. 625 ᵃ29. Ζμβ6.651 ᵇ26. ὑπερβολὴ σπάνιον, ὀχυρόν θ30. 832 ᵇ8. 94. 837 ᵇ33. — ὑπερβολαί rhetor Ργ11. 1413 ᵃ19, 29 (μειρακιώδεις). ἐξ ὑπερβολῆς ρ12. 1430 ᵇ9.

Ὑπερβόρεοι. ἐξ Ὑπερβορέων εἰς Δῆλον Ζιζ35. 580 ᵃ18.

ὑπέργειος. τοῖς τόποις τὰ μὲν (τῶν ζῴων) τρωγλοδυτικὰ τὰ δ' ὑπέργεια Ζια1. 488 ᵃ24.

Ὑπέρεια. Ὑπέρειαν ἐκάλουν τὴν νῆσον (Καλαυρίαν) f 555. 1569 ᵇ45. — Ὑπερείας ἄμπελος f 554. 1569 ᵇ34.

ὑπερείδειν. τοῖς τετράποσι πρὸς τὸ βάρος σκέλη ἐμπρόσθια ὑπερήρεισται Ζμδ12. 695 ᵃ7. τὰ σκέλη ὑπερηρεισμένα φέρει τὸ σῶμα πᾶν Ζπ11. 710 ᵇ30.

Ὑπερείδᵘ (ci Ruhnken h cr or gr p 71 pro Εὐριπίδᵘ) ἀπόκρισις πρὸς τῆς Συρακυσίας Ρβ6. 1384 ᵇ16.

ὑπερειπεῖν. συναγαγὼν ἐκκλησίαν πολλὰ τῇ κεκομμένῃ νομίσματος ὑπερεῖπεν οβ1349 ᵃ34.

ὑπέρεισμα. τοῖς μεγάλοις ἰσχυροτέρων δεῖ τῶν ὑπερεισμάτων Ζμβ9. 655 ᵃ10.

ὑπερεπαινεῖν Ρβ6. 1383 ᵇ33.

ὑπερευγενής Ρδ11. 1295 ᵇ6.

ὑπερευδαιμονεῖν. οἱ ὑπερευδαιμονεῖν οἰόμενοι Ρβ8. 1385 ᵇ21.

ὑπερέχειν. trans, ὑπερέχειν τὸ στόμα (τὸ ῥύγχος, τὸν αὐλὸν) διὰ τὴν ἀναπνοὴν αν10. 475 ᵇ31. 12. 476 ᵇ20. Ζιζ12. 566 ᵇ15. θ2. 589 ᵇ11. δ10. 537 ᵇ1. — intr, proprie ὑπερέχει αὐτῶν (τῶν σωλήνων) μικρόν, opp καταδύεσθαι Ζιθ8. 535 ᵃ16. οἱ ὑπερέχοντες τῶν σταχύων, τὰ ὑπερέχοντα τῶν ὑπερῴων sim Πγ13. 1284 ᵃ30. οβ1347 ᵃ4, 1348 ᵃ24. Κ8. 10 ᵃ23. universe def Ὑπερέχειν ⟨τὸ⟩ τοσῦτον ᾧ ἔτι Ρα7. 1363 ᵇ8. Μδ15. 1021 ᵃ6. Φδ8. 215 ᵇ16. opp λείπεσθαι, ἐλλείπειν Πδ12. 1296 ᵇ23. θ4. 1338 ᵇ25. Ρβ10. 1388 ᵃ4, 12. μκ5. 466 ᵇ1. ὑπερέχειν τινός τινι τγ116 ᵇ31. δ4.125 ᵃ20. Φδ8. 215 ᵇ14. Ηδ4. 1122 ᵃ22. ε7. 1132 ᵃ26, 34,ᵇ1, 4. Ρβ10. 1388 ᵃ4. ὑπερέχειν τινὶ τι Αα25. 42 ᵇ7. ὑπερέχειν τι Πδ12. 1296 ᵇ25. ὑπερέχειν τινὸς Ζγε7. 787 ᵃ16. Πγ17. 1288 ᵃ26. θ4. 1338 ᵇ25. Ρβ10. 1388 ᵃ12. Φδ12. 221 ᵇ30. Οδ2. 309 ᵃ14. πκγ22. 934 ᵃ7. ὑπερέχειν τινὶ Πδ12. 1296 ᵇ23. Μδ11. 1018 ᵇ22. Ηβ5. 1106 ᵃ34. θ12. 1160 ᵇ4. ημβ11. 1210 ᵃ38, 39, ᵇ3, 15 (ἔν τινι ᵇ18). ὑπερέχειν κατά τι Πγ12. 1282 ᵇ34, 29. 17. 1288 ᵃ9. δ4. 1290

ᵇ15. μκ5. 466 ᵇ1. ὑπερέχειν διά τι Φα4. 187 ᵇ3. ὑπερέχειν absol Μμ8. 1084 ᵃ17. Οα11. 281 ᵃ26. Πε4. 1304 ᵇ2 (mutata distinctione). πο25. 1461 ᵇ13 (puncto posito post ὑπερέχειν Vahlen Poet IV 380, 426). ἀγαθὸν ᾧ ὑπερέχον Ηθ14. 1162 ᵃ5. ὁ ὑπερέχων, praestans, οἱ ὑπερέχοντες, viri potentiores in civitate Ηθ7. 1158 ᵃ34. Πε8. 1308 ᵇ18. 11. 1313 ᵃ40. γι3. 1284 ᵃ33. δ11. 1296 ᵃ24. logice maiorem i q maiorem ambitum habere (cf ὑπερτείνειν) Αδ17. 99 ᵃ24. — ὑπερέχεσθαι def Ρα7. 1363 ᵇ8. Μδ15. 1021 ᵃ6. ὑπερέχεσθαί τινι Ηβ5. 1106 ᵃ34. θ7. 1158 ᵃ35. Φδ8. 215 ᵇ12, κατά τι Πγ9. 1281 ᵃ8. τὸ ὑπερεχόμενον, opp τὸ ὑπερέχον τε6. 135 ᵇ20. Μδ15. 1021 ᵃ6. ιδ. 1057 ᵃ14. νι. 1087 ᵇ18. ὁ ὑπερεχόμενος, opp ὁ ὑπερέχων νεη9. 1241 ᵇ37. 10. 1242 ᵇ15. Ηθ7. 1158 ᵃ36. ὑπερεχόμενος φίλος ὁ κόλαξ Ηθ9. 1159 ᵃ14. — (τὸ ὑπερέχον, fort τὸ ὑπάρχον φ6. 813 ᵇ16.)

ὑπερζεῖν. ὐχ ὑπερζεῖ τῇ χειμῶνος ὁμοίως ᾧ τῇ θέρᾳ τὸ ὕδωρ πκδ6. 936 ᵃ37. (τὰ γαμψώνυχα) θερμὰ ὄντα τὴν φύσιν οἶον ὑπερζεῖν ποιεῖ τὴν ὑγρότητα τὴν ἐν τοῖς ᾠοῖς Ζγγ2. 753 ᵃ33. — τὰ παιδία ὑπερζεῖ τῷ πάθει πα19. 861 ᵇ8.

ὑπέρζεσις, ἡ ἀναβολὴ τῶν πομφολύγων πκδ6. 936 ᵇ1, 8.

ὑπέρζεστα ὕδατα, dist χλιαρά, εὖ ἔχοντα κράσεως κ4. 395 ᵇ25.

ὑπερήμεροι τῶν γάμων αἱ παρθένοι Ργ10. 1411 ᵃ20, cf Ἀναξανδρίδης p 50 ᵃ2.

Ὑπέρης f 555. 1569 ᵇ44. 554. 1569 ᵇ35.

ὑπερήφανοι ᾧ ὑβρισταὶ Ρβ16. 1390 ᵇ33. ὑπερηφάνως εὐπραγῦντας τῆς Κερκυραίης γενέσθαι f 470. 1555 ᵇ20. ὑπερηφανώτεροι ᾧ ἀλογιστότεροι Ρβ17. 1391 ᵃ33.

ὕπερθεν. τὸ ὕπερθεν αὐτῆς (τῆς γῆς) πᾶν τε ᾧ πάντῃ πεπερατωμένον κ2. 391 ᵇ14.

ὑπερθερμαίνεσθαι πα12. 860 ᵇ19, 22. ὑπερθερμανθέντες, opp ὑπερψυχέντες νεη5. 1239 ᵇ35, 34.

ὑπέρθυρον ᾧ ὑδὸς θέσει διαφέρωσιν Μη2. 1042 ᵇ19.

ὑπεριδεῖν. c gen, τῶν μὲν ζῴων φροντίσαι, τῶν δ' ὕτω τιμίων ὑπεριδεῖν Οβ8. 290 ᵃ32. — c acc, ὑπεριδὼν τὴν τῶν πολλῶν ὁμιλίαν διέτριβε καθ' αὑτόν Ρβ24. 1401 ᵇ21. δοκεῖ δὲ ὑπεριδεῖν ὅσα εἶπον (locus corr, cf v l, Spgl) Ργ12. 1414 ᵃ1.

ὑπέρινοι γίνονται ᾧ οἱ ὄρνιθες ᾧ τὰ φυτά Ζγγ1. 750 ᵃ29.

ὑπερίπταται ὐδὲν ὄρνεον θ81. 836 ᵃ33.

ὑπερίσχυρος. opp ὑπερασθενής Πδ11. 1295 ᵃ6.

ὑπέρκαλος Πδ11. 1295 ᵇ6.

ὑπερκεῖσθαι. τὸ γλυκὺ ὕδωρ τῇ θαλαττίᾳ ὑπερκεῖσθαι ἀπεδείξαμεν φτβ2. 824 ᵃ35. ὑπερκειμένων αὐτῇ (τῇ λίμνῃ) πυκνῶν δένδρων θ102. 839 ᵃ17. ἔν τινι ὑπερκειμένῳ αὐτοῖς (τοῖς Χαλυψὶ) νησιδίῳ θ26. 832 ᵃ23.

ὑπέρκροπος γενομένη ἡ πάρδαλις θ6. 831 ᵃ9.

ὑπερμεγέθη ἐν τῇ ἐρυθρᾷ θαλάττῃ τὰ ὀστρακόδερμα Ζιθ28. 606 ᵃ12.

ὑπερνήχονται τῇ ὕδατος λίθοι τινές, τὸ ἔλαιον φτβ2. 823 ᵃ41, 31.

ὑπερξηραίνεσθαι. οἱ πρότερον εὐκραεῖς (τόποι) ὑπερξηραινόμενοι τότε γίγνονται χείρυς μα14. 352 ᵃ7.

ὑπέρξηρος ὑστέρα Ζικ3. 636 ᵃ17. ὑπέρξηρα αν14. 477 ᵇ28.

ὑπέρογκος. τὰ ὑπέρογκα τῶν βελῶν βιαιοτάτην φέρεται τὴν φορὰν ακ802 ᵇ34.

ὑπερομβρία, ὑπερομβρίαι, opp αὐχμός, αὐχμοί, coni ψύχος μβ8. 368 ᵇ17, 16, 366 ᵇ9. 7. 365 ᵇ10. Ζιθ19. 602 ᵃ7.

ὑπερόπτης Ηϑ7. 1124ᵃ20. syn ὑβριστής Ηϑ8. 1124ᵃ29.
coni ἀχϑής ημβ3. 1200ᵃ15.

ὑπερόριος. τὰ ὑπερόρια, opp τὰ κατὰ πόλιν ϰ̣ τὰ ἔνδημα
Πγ14. 1285ᵇ14, 18. ὑπερόριος πόλεμος, opp ἔνδημοι πρά-
ξεις κ6. 399ᵇ18. — ἀρχαὶ ἐνυπνίων ὑπερόριαι ἢ τοῖς χρόνοις
ἢ τοῖς τόποις ἢ τοῖς μεγέθεσιν μτ2. 464ᵃ1.

ὑπεροχή. ὑπεροχὴ ϰ̣ ἔλλειψις πάϑη ἀριϑμῷ ἡ̃ ἀριϑμός Μγ2.
1004ᵇ12. ἀμφοτέρας ἕξει τὰς ὑπεροχὰς τὸ ἕτερον ἄκρον
Ηε8. 1133ᵇ2. καϑ' ὑπεροχὴν ϰ̣ ἔλλειψιν ἀσύμμετρον, opp
κατὰ λόγον αι3. 439ᵇ30, 440ᵇ20. ὑπεροχὴ ϰ̣ ἔλλειψις,
summa genera τῶν ἐναντίων in rerum natura Φα4. 187
ᵃ16. 6. 189ᵇ10. ΜΑ9. 992ᵇ6. η2. 1042ᵇ25, 35. διαφέρει
τὰ πλεῖστα (τῶν ζῴων γένη) τῶν μορίων ἐν αὐτοῖς πλήϑει
ϰ̣ ὀλιγότητι ϰ̣ μεγέϑει ϰ̣ σμικρότητι ϰ̣ ὅλως ὑπεροχῇ ϰ̣
ἐλλείψει· διαφέρειν καϑ' ὑπεροχὴν ϰ̣ ἔλλειψιν· τὸ μᾶλλον
ϰ̣ ἧττον ὑπεροχὴν ἄν τις ϑείη Ζια1. 486ᵇ8, 17,
ᵃ22. Ζμβ12. 692ᵇ4. Ζγβ3. 737ᵇ6. δ4. 771ᵇ36. ὅσα δια-
φέρει καϑ' ὑπεροχὴν ϰ̣ τὸ μᾶλλον ϰ̣ ἧττον Ζμα4. 644ᵃ17,
20. 5. 645ᵇ24. cf γ8. 671ᵃ1. Ζιδ4. 528ᵇ14. ἡ κατὰ
λόγον ἢ ὑπεροχὴ τῶν ἀρρένων (φασιανῶν) ἀλλὰ πολλῷ μεί-
ζων f 589. 1574ᵃ6. τὰ ἐναντία μιγνύμενα φϑείρει τὰς
ὑπεροχὰς ἀλλήλων Γβ7. 334ᵇ12. ἅμα τὴν αὐτὴν ὑπεροχὴν
εἰς πολλοὺς τόπους διανέμειν ἀδυνατεῖ ἡ φύσις Ζμβ9. 655
ᵃ27. cf γ2. 663ᵃ33. Ζγδ4. 771ᵃ31. δεῖ ὁρίζεσϑαι τὴν
δύναμιν πρὸς τὸ τέλος ϰ̣ τὴν ὑπεροχὴν Οα11. 281ᵃ10-12.
ἢ τῆς αἰσϑήσεως ὑπεροχὴ Ζμα5. 645ᵃ2. τὸ τάχος ὑπεροχὴ κινή-
σεως Μι1. 1052ᵇ30. ὑπεροχὴ μεγέϑους, τῶν ὄγκων Οδ3.
310ᵇ21. μα3. 340ᵃ9. κ1. 391ᵇ3. περὶ ϑερμῷ ϰ̣ ψυχρῷ
ϰ̣ τῆς ὑπεροχῆς αὐτῶν Ζμβ2. 649ᵇ8. ἡ τῆς ὕλης ὑπεροχῇ
Ζγδ4. 772ᵇ24. ἡ τῇ μάχῃ ὑπεροχὴ κρατήσασα Ζγδ1.
764ᵇ20. ὑπεροχὴ (i e maior numerus) τῶν ἴσων μορίων
Οδ2. 308ᵇ9. ὑπεροχὴ ἀγαϑῶν γίνεται τὸ προστιϑέμενον
Ηα5. 1097ᵇ18 (cf τὸ ὑπερέχον διαιρεῖται εἰς τε τὴν ὑπερ-
οχὴν ϰ̣ τὸ ὑπερεχόμενον Φδ8. 215ᵇ16). ὑπεροχῇ τῷ πλήϑους
Πδ6. 1293ᵃ4. 12. 1296ᵇ19. οἱ ἐν ὑπεροχαῖς εὐτυχημάτων
ὄντες Πδ11. 1295ᵇ14. ἀεὶ τὸ κρατοῦν ἐστιν ἐν ὑπεροχῇ
ἀγαϑῷ τινος Πα6. 1255ᵃ15. γ12. 1282ᵇ24. 13. 1284ᵇ27.
τὸ βέλτιον ἐν ὑπεροχῇ Ζγε7. 787ᵃ2. ἡ κατ' ἀρετὴν ὑπεροχὴ
Ηα6. 1098ᵃ11. cf Πϑ2. 1289ᵇ1. γ12. 1282ᵇ34. — φιλίαι ἐν ὑπεροχῇ,
i e varia τῆς ὑπεροχῆς genera Πγ13. 1284ᵇ16. 17. 1288
ᵃ23. δ3. 1290ᵃ12. 4. 1291ᵇ12. ὑπεροχὴ in civitate, syn
ἰσχύς Πδ13. 1297ᵇ18. 8. 1293ᵃ41. 11. 1296ᵃ31. ε2.
1302ᵇ2. 3. 1302ᵇ15-21. 7. 1307ᵃ19. ἐφίεσϑαι τῆς ἀνισό-
τητος ϰ̣ τῆς ὑπεροχῆς Πε2. 1302ᵃ27. κατὰ τὴν ὑπεροχὴν
Πη1. 1323ᵇ14. διαφέρεσϑαι τῷ ποσῷ ϰ̣ ταῖς ὑπεροχαῖς
Πη1. 1323ᵃ35 (cf ὑπερβολή ᵃ38). — φιλίαι ἐν ὑπεροχῇ,
καϑ' ὑπεροχήν, opp ἐν ἰσότητι Ηϑ8. 1158ᵇ12 Fritzsche. 13.
1161ᵃ12, 20. 15. 1162ᵃ36. ηεη3. 4 (ηεη3. 1238ᵇ18 codd
ὑπερβολήν, sed cf 1238ᵇ33, 1239ᵃ4, 11, 22, 27, ᵇ5). μικραὶ
ὑπεροχαί ηεη4. 1239ᵃ13.

ὑπερπέτεσϑαι. αἱ πέρδικες ἔγκυοι γίνονται ὑπερπετομένων
(τῶν ἀρρένων) Ζιε5. 541ᵃ28. ὅταν ὑπερπτῶνται (οἱ πελε-
κᾶνες) τὸ ὄρος Ζϑ12. 597ᵃ12.

ὑπερπηδᾶν. μήτε στάσεως γινομένης μήϑ' ὑπερπηδῶντος τοῦ
ἐλάττονος μηϑὲν σημεῖον μχ24. 855ᵇ26. — κἂν ὑπερπη-
δήσῃ τις εἰς τὰ γενόμενα Μεз. 1027ᵇ6.

ὑπερπιμπλάναι. πίνειν ἕως ἂν ὑπερπλησϑῇ Ηγ13. 1118
ᵇ17. διὰ τὸ ὑπερπεπλῆσϑαι ἢ δύναται πέτεσϑαι (φώρ) Ζιι40.
625ᵇ4.

ὑπερπίπτειν. διότι κοίλη τὰ κάτω ἡ Αἴγυπτός ἐστι, διὸ
V.

ὑπερπίπτει αὐτῆς (ὁ νότος) πκ⸗44. 945ᵃ25.

ὑπερπληρῦσϑαι. ὑπερπληρωμένων (τῶν φλεβῶν) ἐκ τῆς τρο-
φῆς Ζγβ4. 738ᵃ12. δύναται (ὁ λέων ἀτιτεῖν) διὰ τὸ ὑπερ-
πληρῦσϑαι Ζιϑ5. 594ᵇ20.

ὑπερπλήσιος, opp ὑπέρπτωχος Πδ11. 1295ᵇ7.

ὑπέρπτωχος, opp ὑπερπλήσιος Πδ11. 1295ᵇ7.

ὑπέρπυρος αν14. 477ᵇ29.

ὑπερτείνειν. trans, τὴν ἀνϑρωπίνην φύσιν Ηγ1. 1110ᵃ25.
τὴν δύναμίν τινος πε7. 881ᵃ16. ὑπερτείνει τοῖς χρόνοις τὴν
Μίνω βασιλείαν Πη10. 1329ᵇ24. — intr, ὑπερτείνειν τῷ
πλήϑει, ταῖς οὐσίαις· τῷ πλήϑος, τῷ τίμημα ὑπερτείνειν Πδ6.
1293ᵃ30. 11. 1296ᵃ16. 12. 1296ᵇ28 (cf ᵃ32), 38. ζ3.
1318ᵃ37. ὑπερτείνειν τῇ ἀλυπίᾳ, τῷ καλῷ Ηι11. 1171ᵇ8.
2. 1165ᵃ4. ὅταν ὑπερτείνῃ ὁ κίνδυνος Ηγ11. 1116ᵇ16. ἡ
γένεσις ὑπερτείνει πι65. 898ᵇ8. (ὁ ἥλιος ὑπερτείνει πιε9. 912
ᵃ37?). ἐ gen compar, μέχρις ἂν ὑπερτείνῃ τὸ πλῆϑος τῶν
μέσων Πζ4. 1319ᵇ13. — logice, ὑπερτείνειν, opp κατηγο-
ρεῖσϑαι ἐπ' ἴσων, ἀντιστρέφειν Αα14. 33ᵃ39. β23. 68
ᵇ24. 27. 70ᵇ34. γ22. 84ᵃ25. — pass, ὅταν ὑπερτείνηται
δυνάμει (fort ὑπερτείνῃ τῇ δυνάμει) πγ5. 871ᵃ39.

ὑπερτιμᾶν. ἠγορακέναι τὰ ἀγοράσματα οβ1352ᵇ7.

ὑπερυγραίνεσϑαι. γῆ ὑπὸ τῶν ὑδάτων ὑπερυγραινομένη
διαπίπτει μβ7. 365ᵇ11.

ὑπέρυϑρος f 315. 1531ᵇ5. τῶν δρυοκολαπτῶν ἓν γένος ἔχει
ὑπέρυϑρα μικρά Ζιϑ9. 614ᵇ8.

ὑπερφαίνεσϑαι. πολλάκις ὑπερφαίνεται (int τῷ ὕδατος) πρὸς
τῇ γῇ τὸ τῆς σηπίας κύτος Ζιε18. 550ᵇ3. οἱ ἱέρακες ἄνω-
ϑεν ὑπερφαινόμενοι καταδιώκωσι (τὰ ὀρνίϑια) Ζιι36. 620ᵇ2.

ὑπερφιλεῖν Ηι1. 1164ᵃ3.

ὑπερφυής. ποιεῖ ὑπερφυᾶ τῷ μεγέϑει τὸν ψόφον Οβ9. 291
ᵃ21.

ὑπερχεῖσϑαι. τὴν λίμνην ἀναζεῖν ϰ̣ ὑπερχεῖσϑαι ϑ89. 837ᵇ9.
ὑπερχεῖται (τὸ ὕδωρ)· ἐὰν ἅπαξ ὑπερχυϑῇ τὸ ὕδωρ πκε8.
939ᵃ5. ὑπερχεῖται (τοῖς νέοις τὸ ὑγρὸν περίττωμα), syn
ἐνρυϑσιν πγ34. 876ᵃ18. ὑπερχεῖται (ὁ ἀὴρ) εἰς τὸ ἀχανὲς
ἔξω μβ3. 367ᵃ19.

ὑπέρχεσϑαι. τὴν σελήνην ἑωράκαμεν ὑπελϑοῦσαν τὸν ἀστέρα
τὸν Ἄρεος Οβ12. 292ᵃ4. — ὑπελϑόντος τοῦ ἀέρος (fort i q
ὑποχωρήσαντος), πῇ ποτ' οἰσϑήσεται (ἡ γῆ) Οβ13. 295ᵃ22.

ὑπερχωρεῖν. αἱ κινήσεις ἢ διὰ πολλὰ εἶσαι ῥαδίως ἀφικνοῦνται
πρὸς τὸν νῦν· εἶσαι τε ϰ̣ κατὰ μικρὸν ὑπερχωρῦσιν (fort
ὑπεκχωρῦσιν vel ὑποχωρῦσιν) φ6. 813ᵇ33.

ὑπερψύχεσϑαι. ὑπερψυχϑέντες, opp ὑπερϑερμανϑέντες ηεη5.
1239ᵇ34, 35.

ὑπερῷα. στόματος μέρη τὸ μὲν ὑπερῷα (v l ὑπερώα) τὸ δὲ
φάρυγξ Ζια11. 492ᵇ26. cf Galen XVIIA 821, Philippson
ὕλη 34ᵇ. Daremberg not et extraits I 129, 27. Da I 48.
Oribas III 699.

ὑπερῷον. Ἱππίας τὰ ὑπερέχοντα τῶν ὑπερῴων ἐπώλησεν
οβ1347ᵃ4.

ὑπέχειν δίκην Πγ1. 1275ᵃ9. ρ16. 1432ᵃ7. τιμωρίαν οὐχ
ὑφέξειν ρ5. 1427ᵃ18. ὑπέχειν λόγον Ραι. 1354ᵃ5. Μγ6.
1011ᵃ22. Αβ19. 66ᵃ32. ται. 100ᵃ20. β5. 112ᵃ5. λόγου
ὑφεκτέον Αγ12. 77ᵇ3, 5. ὑπέχειν ϑέσιν ϰ̣ ὁρισμόν τϑ9. 160
ᵇ14. ὑπέχειν ὑπόϑεσιν τϑ3. 158ᵃ31. 9. 160ᵇ17. λόγου χάριν
ὑπέχειν, opp τὰ δοκοῦντα λέγειν τϑ9. 160ᵇ22.

ὑπήκοος. ποιεῖ τοὺς πολίτας ὑπηκόους τῶν νόμων Ηαι3. 1102
ᵃ10. οἱ Ἀϑηναῖοι ἀπὸ συμβόλων ἐδίκαζον τοῖς ὑπηκόοις
f 380. 1541ᵇ4.

ὑπηνέμιος. ὑπηνέμια ᾠά, v ᾠόν. οὐδὲν διαφέρει τὸ ζῷον (τῷ
ζῴῳ ci Pik, Bsm) τὸ ὑπηνέμιον τῷτῷ Ζιχ6.637ᵇ21, cf 638ᵃ23.

ὑπήνεμος. ὑπηνέμως ποιεῖται τὰς νεοττεύσεις Ζιζ1. 559 ᵃ3. τίκτειν πρὸς τοῖς αἰγιαλοῖς ἐν ὑπηνέμοις Ζιζ14. 568 ᵇ26.

ὑπήνη. τὴν ὑπήνην κ̣ τὸ γένειον δασὺ ἔχειν Ζιγ11. 518 ᵇ18. cf Da I 48.

ὑπηρεσία. τῷ θεῷ ὐδὲν δεῖ ὑπηρεσίας τῆς παρ' ἐτέρων κ6. 398 ᵇ11. ὑπηρεσίαι Ηθ7. 1158 ᵃ17. ὑπηρεσίαι σωματικαί Πα13. 1259 ᵇ26. — ὅσα ἐστὶ ζῷα πορευτικά, πρόσκειται κ̣ μόρια τὰ πρὸς ταύτην τὴν ὑπηρεσίαν ζ2. 468 ᵃ19, cf δεῖ ὐν τοιαύτης ὑπηρεσίας κ̣ ἰσχύος Ζμγ4. 666 ᵇ15. κατὰ τὰς ὑπηρεσίας τὰς ἔξωθεν κινητικὰς διαφέρει (τὰ ἔντομα) τῶν ἐναίμων Ζμδ9. 684 ᵇ33.

ὑπηρετεῖν φίλῳ, αὑτοῖς Ηι2. 1164 ᵇ25. Πε9. 1309 ᵇ12. ὑπηρετεῖν τὰς διακονικὰς πράξεις Πγ4. 1277 ᵃ36. ὑπηρετεῖν τὰ φιλικά, τὰ χρήσιμα, μέγα, μεῖζω, ἴσα, ἔλαττον, ὑπηρετηκότες τοιῦτόν τι νεη2. 1237 ᵇ19. 10. 1243 ᵃ22. 11. 1244 ᵃ2. Ηθ10. 1159 ᵇ5. Ρβ7. 1385 ᵃ33, 34, ᵇ1, 7, 8. οἱ πολλοὶ θεράποντες ἔνιοτε χείρω ὑπηρετῦσι τῶν ἐλαττόνων Πβ3. 1261 ᵇ37. τὸ πρᾶγμα τὸ ὑπηρετηθέν νεη10. 1243 ᵃ16. — ὐκ ἂν ὑπηρέτει αὐτοῖς ὁ αὐχὴν πρὸς τὴν ἀπὸ τῆς γῆς νομὴν Ζμδ12. 693 ᵃ1. τὸ πνεῦμα ἀνάγκη δυσταμίευτον εἶναι κ̣ μὴ ῥαδίως ὑπηρετεῖν, ἀνωμάλως ὑπηρετεῖν ακ800 ᵇ32, 801 ᵃ5. — τὸ ἐπιθυμητικὸν ὑπηρετεῖ, syn προστάττεται τε1. 129 ᵃ12 sqq. ὑπηρετῶν, opp ἀρχιτέκτων ηma35. 1198 ᵃ35. ὑπηρετῦσα ἐπιστήμη, opp ἀρχικωτέρα ΜΑ2. 982 ᵃ16 (Bz ad 1. 981 ᵃ30). — ὑπηρετητέον Ηι2. 25 1164 ᵇ25.

ὑπηρέτης, opp ἀρχιτέκτων ηma35. 1198 ᵇ1. ὁ ὑπηρέτης ἐν ὀργάνυ εἴδει ταῖς τέχναις Πα4. 1253 ᵇ30. — τύτης καταστατέον νομοφύλακας κ̣ ὑπηρέτας τοῖς νόμοις Πγ16. 1287 ᵃ21.

ὑπηρέτησις. εἰς ὑπηρετήσεις ἔργων αἰσχρῶν Ρβ6. 1384 ᵃ18.

ὑπηρετικός, opp ἀρχιτέκτων ηma35. 1198 ᵇ2. τὸ σῶμα ὑπηρετικόν, opp προστακτικόν τε1. 128 ᵇ19. ἀνδρία ὑπηρετική, opp ἀρχική Πα13. 1260 ᵃ23. ἐπιμέλειαι ὑπηρετικαί, dist πολιτικαί, οἰκονομικαί Πδ15. 1299 ᵃ24. — ὑπηρετικοὶ τῷ νόμῳ Ρα9. 1366 ᵇ13. ἡ χρηματιστικὴ ὑπηρετικὴ τῆς οἰκονομικῆς Πα8. 1256 ᵃ5. τοῖς τῆς ψυχῆς ἔργοις ὑπηρετικώτατον τῶν σωμάτων τὸ θερμόν ἐστι Ζμβ7. 652 ᵇ10.

ὑπηχεῖν. ἐάν τις ψήλας τὴν νήτην ἐπιλάβῃ, ἡ ὑπάτη μόνη δοκεῖ ὑπηχεῖν πθ42. 921 ᵇ15.

ὑπιέναι. τὰ πίπτοντα τῶν κηρίων ὀρθῦσιν αἱ μέλιτται κ̣ ὑφιστᾶσιν ἐρείσματα, ὅπως ἂν δύνωνται ὑπιέναι Ζιι40. 625 ᵃ13. — ὑπιὸν τὸ θερμὸν ἐν μὲν τῷ φόβῳ κάτω, ἐν δὲ τῷ θανάτῳ κάτωθεν ἄνω πθ7. 877 ᵃ32.

ὕπνος. περὶ ὕπνου κ̣ ἐγρηγόρσεως υ1-3. Ζιδ10. ὅσα αὐξήσεως κ̣ φθίσεως μετέχει μόνων τῶν ζώντων, τύτοις ὑχ ὑπάρχει ὕπνος ὐδ' ἐγρήγορσις, οἷον τοῖς φυτοῖς υ1. 459 ᵃ16. Ζγε1. 779 ᵃ2. ὐθεὶς ὕπνος ἀνέγερτος Ζγε1. 779 ᵃ3. υ1. 454 ᵇ14. ὕπνυ κοινωνεῖ τὰ ζῷα πάντα υ1. 454 ᵇ23. cf Ζιια1. 639 ᵃ20. 2. 648 ᵇ5. ἄνευ αἰσθήσεως ὐχ ὑπάρχει ὐθ' ὕπνος ὐτ' ἐγρήγορσις υ1. 454 ᵇ29. ὕπνος πότερον ἀδυναμία αἰσθήσεως τζ6. 145 ᵇ1. ὁ ὕπνος στέρησις τῆς ἐγρηγόρσεως υ1. 453 ᵇ27. ὐκ ἔστιν ὁ ὕπνος ἡτισῦν ἀδυναμία τῦ αἰσθητικῦ υ3. 456 ᵇ9, 18. 2. 455 ᵇ4. ὁ ὕπνος τῦ αἰσθητικῦ μορίυ ἐστὶν οἷον δεσμός κ̣ ἀκινησία υ1. 454 ᵇ10, 55 26. διὰ τί καθεύδει κ̣ ἐγρήγορε κ̣ διὰ ποίαν τιν' αἴσθησιν ἢ ποίας υ2. 455 ᵃ4-ᵇ13. ὁ ὕπνος κ̣ ἡ ἐγρήγορσις πάθος τῦ κυρίυ τῶν ἄλλων πάντων αἰσθητηρίων κ̣ πρὸς ὃ συντείνει τἆλλα· ἐν τῷ πρώτῳ ᾧ αἰσθάνεται πάντων υ2. 455 ᵃ26, 33, ᵇ10. ὁ ὕπνος κατάληψις τῦ πρώτυ αἰσθητηρίυ πρὸς τὸ 60 μὴ δύνασθαι ἐνεργεῖν υ3. 458 ᵃ28. ὁ ὕπνος ἀδυναμία δι'

ὑπερβολὴν τῦ ἐγρηγορέναι υ1. 454 ᵇ4. ὁ ὕπνος ἀνάπαυσις, σωτηρίας ἕνεκα υ2. 455 ᵇ20. 3. 458 ᵃ31. ὁ ὕπνος ἠρέμησις, ἀκινησία πιη1. 916 ᵇ15. 7. 917 ᵃ31. ς5. 886 ᵃ7. περὶ τῶν αἰτιῶν ὕπνυ κ̣ ἐγρηγόρσεως, πόθεν ἡ ἀρχὴ γίνεται τῦ τ' ἐγρηγορέναι κ̣ τῦ καθεύδειν υ2. 455 ᵇ13-3. 458 ᵃ32. cf Φθ2. 253 ᵃ19. ὁ ὕπνος σύνοδός τις τῦ θερμῦ εἴσω κ̣ ἀντιπερίστασις φυσική υ3. 457 ᵇ1, 20. ποιεῖ τὸν ὕπνον τοῖς ζώοις τῦτο τὸ μόριον πᾶσι τοῖς ἔχυσιν ἐγκέφαλον, τοῖς δὲ μὴ ἔχυσι τὸ ἀνάλογον Ζμβ7. 653 ᵃ10, 17. ἂν βάρος γένηται περὶ τὴν κεφαλὴν δι' ὕπνον ἢ μέθην Ζγβ6. 744 ᵇ7. ἐν τοῖς ὕπνοις μάλιστα ἐνεργεῖ τὸ θρεπτικόν Ηα13. 1102 ᵃ14. υ3. 458 ᵇ21-32. Ζγε1. 779 ᵃ14 sqq. ἀργία τις ὁ ὕπνος τῆς ψυχῆς ᾗ λέγεται σπυδαία κ̣ φαύλη Ηα13. 1102 ᵇ8, 6. ηεβ1. 1219 ᵃ25, ᵇ19 (μάλιστα ἐν τοῖς ὕπνοις ἡ ψυχὴ κινεῖται πλ14. 957 ᵃ8). ὁ ὕπνος οἷον τῦ ζῆν κ̣ τῦ μὴ ζῆν μεθόριον Ζγε1. 778 ᵇ29. ὁ ὕπνος ἀνάλογον τῷ ἔχειν κ̣ μὴ ἐνεργεῖν ψβ1. 412 ᵃ25 (cf καθεύδειν p 355 ᵇ29). ὕπνος τῶν ἐμβρύων κ̣ τῶν παιδίων Ζγε1. 778 ᵇ20-779 ᵃ26. — ἐν τοῖς βαθυτάτοις ὕπνοις πγ34. 876 ᵃ25. ὕπνος λαμβάνει τινὰς ἐὰν ἄρξωνται ἀναγινώσκειν πιη1. 916 ᵇ1. 7. 917 ᵃ18, 31.

ὑπνῦν. ᾧ τὸν ἐγρηγορότα γνωρίζομεν, τύτῳ κ̣ τὸν ὑπνῦντα υ1. 454 ᵃ2. ὅταν ἐν τῷ ὑπνῦν καθ' ἑαυτὴν γένηται ἡ ψυχή f 12. 1475 ᵇ42.

ὑπνώδης. ὑπνωδέστεροι γινόμεθα ἐν τοῖς ἑλώδεσι πιθ11. 909 ᵇ37. πρόσωπον ὑπνῶδες, ὑπνωδέστερον φ3. 808 ᵃ4, 28.

ὑπνώσσειν. καρηβαρῦσιν κ̣ ὑπνώσσοντες Ζμβ7. 653 ᵃ14. — ὑπνώττειν ἀπὸ τῦ ἀναβαίνειν ἀναθυμίασιν ἀπὸ τῆς τροφῆς φτα2. 816 ᵇ35. τὰ φυτὰ ὔτε ὑπνώττυσιν ὔτε γρηγορῦσιν φτα2. 816 ᵇ28.

ὑπνωτικός. 1. οἱ φλεβώδεις ὐχ ὑπνωτικοί υ3. 457 ᵃ26. ὑπνωτικώτεροι οἱ νέοι τῶν πρεσβυτέρων, χειμῶνος ἢ θέρυς, ὑπνωτικώτατοι μετὰ τὰ σιτία πγ34. 876 ᵃ20. 25. 874 ᵇ17. ια17. 900 ᵇ32. — ἐὰν αἰσθάνηται τῦ πάθυς ἐν ᾧ ἡ αἴσθησις τὸ ὑπνωτικὸν εν3. 462 ᵃ4. — 2. τὰ ὑπνωτικά, οἷον μήκων μανδραγόρας οἶνος υ3. 456 ᵇ29, 457 ᵇ8.

ὑπό. cf Eucken II 73-75. 1. c gen. a. locali vi non videtur usurpari nisi ὑπὸ γῆς, ὑπὸ τῆς γῆς μα14. 352 ᵇ6. Ζιε28. 555 ᵇ27. Οβ13. 294 ᵃ3. πκγ21. 933 ᵇ37, sed longe frequentior usus est accusativi ὑπὸ γῆν. — b. causalis usus praep ὑπό apud Ar non differt ab usu aliorum scriptorum.

2. c dat. a. locali vi raro legitur usurpatum. ὑπὸ τοῖς ὄρεσίν ἔχειν τὰς πηγάς μα13. 350 ᵇ27. ὑπὸ τῷ μετώπῳ ἀφρύες διφυεῖς Ζια9. 491 ᵇ14, 18 (cf ὑπὸ τὸ κρανίον 8. 491 ᵇ9). ὑπὸ ταῖς μασχάλαις Ζμδ10. 688 ᵇ5, 14. ὑπὸ τῇ γῇ Οβ13. 295 ᵃ28. οἰκεῖν ὑπὸ τῷ βορέα, ὑπὸ ταῖς ἄρκτοις πκς2. 940 ᵃ37. φ2. 806 ᵇ16 (cf ὑπὸ τὴν ἄρκτον infra p 795 ᵃ3). — αἱ γωνίαι αἱ ἀπὸ τῶν ἀκτίνων ὑπὸ ταῖς ἴσαις περιφερείαις πιε9. 911 ᵃ16. — b. ὑπ' αὐλῷ πυκτεύυσιν οἱ Τυρρηνοί f 566. 1571 ᵃ9.

3. c. acc. a locali vi ὑπό c acc saepissime et de motu et de statu usurpatur. τὸν ἥλιον μὴ φέρεσθαι ὑπὸ γῆν ἀλλὰ περὶ γῆν μβ1. 354 ᵃ30. τὸ ὑπὸ τὴν γῆν ὡρμημένον πνεῦμα μβ8. 368 ᵇ9. (sed μάλιστα ὑπὸ τὴν γῆν πνεῖν πκς22. 942 ᵇ15 non potest aliud significare quam ἐπὶ τὴν γῆν, ἐπὶ τῆς γῆς 52. 946 ᵃ19, 32.) ἐκδίδωσι ὑπὸ τὴν ἐγκύκλιον φορὰν ἐστι τὸ θερμόν sim μα4. 341 ᵇ13. 7. 344 ᵃ9. 3. 340 ᵇ15. Οβ7. 289 ᵃ30. οἱ ψόφοι οἱ ὑπὸ τὴν γῆν γινόμενοι μβ8. 368 ᵃ14, 16. ὑπὸ γῆν λίμναι τινὲς ἀποκεκριμέναι μα13. 349 ᵇ29. τὰ ἔλη ὑπ' ὄρη κεῖσθαι συμβαίνει μα13. 350 ᵇ21. ὑπὸ τῦτον τὸν

(ἐρυμνότερον) τόπον Πη12. 1331 ᵃ30. ἡ ὑπὸ τὸν Καύκασον
λίμνη μα13. 351 ᵃ8. ὑπὸ τὸν ἥλιον εἶναι μβ6. 364 ᵃ25.
γ6. 378 ᵃ3. οἱ ὑπὸ τὴν ἄρκτον τόποι μβ5. 362 ᵃ17. α13.
350 ᵇ6. ὑπὸ τὸ δέρμα ἔχειν ὀφθαλμὺς ψγ1. 425 ᵃ11. ὑπὸ
τὴν κεφαλὴν ὁ αὐχὴν sim Ζμγ3. 664 ᵃ13. 14. 674 ᵃ9. β14.
658 ᵃ26. 16. 659 ᵇ20. 17. 660 ᵃ14. Ζια8. 491 ᵇ9 al. —
τὸ γ ὑπὸ τὸ β, τὸ δ' ὑπὸ τὸ α Αα46. 51 ᵇ38, 39 Wz, de
externo ordine τῆς διαγραφῆς. ὑπὸ χεῖρα μβ9. 369
ᵇ33. θ52. 834 ᵃ28. — b. circa aliquod tempus. ὑπὸ τὸν
Λακωνικὸν (Μεσσηνιακὸν) πόλεμον Πε3. 1303 ᵃ10. 7. 1306
ᵇ38. ὑπὸ τὸν καιρὸν τῦτον. ὑπὸ τὸν αὐτὸν καιρὸν Ζιθ10.
537 ᵃ15. Ζγγ5. 756 ᵃ8. ὑπὸ τροπὰς θερινάς Ζιε19. 552
ᵇ18. ὑπὸ κύνα Φβ8. 199 ᵃ2. Ζιε15. 547 ᵃ14. ζ12. 566
ᵇ21. 15. 569 ᵃ14. θ13. 599 ᵃ17 al. ὑπὸ τὴν ἐαρινὴν ὥραν
Ζιζ2. 560 ᵃ7. ὑπὸ τὴν ὀπώραν Ζιδ13. 615 ᵇ30. — c. εἶναι
ὑπό τι significat subiectum esse aliquid alterius imperio.
τῶν ἀγελαίων ζῴων τὰ μὲν ὑφ' ἡγεμόνα ἐστί, τὰ δ'
ἄναρχα Ζιa1. 488 ᵃ10. ὑφ' ἕνα σημάντορα κ6. 399 ᵇ9. οἱ
ὑπὸ τὴν σὴν βασιλείαν καθεστῶτες ρ1. 1420 ᵃ24. οἱ ὑπὸ
τὰς συνθήκας Πγ9. 1280 ᵇ3. τριηραρχίαι ὑπὸ τὰς ναυαρ-
χίας Πζ8. 1322 ᵇ4. ὑπὸ τὴν ἱππικὴν ἡ χαλινοποιικὴ Ηα1.
1094 ᵃ10, 12, 13. πᾶσαι αὗται αἱ κοινωνίαι ὑπὸ τὴν πολι-
τικὴν ἐοίκασιν εἶναι Ηθ11. 1160 ᵃ21 Fritsche. τὰ ὑπὸ τὴν
αἵρεσιν Ηβ2. 1104 ᵃ35. ὑπὸ τὴν αἴσθησιν πίπτειν τζ4.141
ᵃ10. τὰ ὑπὸ τὴν αἴσθησιν, τὰ ὑπὸ τὴν αὐτὴν αἴσθησιν Ηκ4.
1174 ᵇ15, 19, 23. Φη2. 244 ᵇ19. αι7. 447 ᵃ30, ᵇ21, 448
ᵃ3. τὰ ὑπὸ τὴν αὐτὴν δύναμιν, ὑπὸ μίαν δύναμιν Μδ10.
1018 ᵃ29. ι4. 1055 ᵃ31. Ηα1. 1094 ᵇ3. ὑπὸ τέχνην πίπτει
Ηβ2. 1104 ᵃ7. τὰ ὑπὸ τὴν ἐπιστήμην, ὑπὸ μίαν ἐπιστήμην,
ὑπὸ τὴν τέχνην Μκ3. 1060 ᵇ34, 1061 ᵇ15. 7. 1063 ᵇ37.
Αγ10. 76 ᵃ39. τι11. 172 ᵃ1. ὑπὸ τὴν αὐτὴν μέθοδον τα5.
102 ᵃ9, 37. τὰ ὑπὸ τὴν ἀρχήν, ὑπὸ μίαν ἀρχὴν Αβ16. 64
ᵇ36. τι11. 172 ᵃ14. Γβ10. 337 ᵃ22. Μκ2. 1060 ᵃ30. ηεα8.
1218 ᵇ11, 13. — inde logice ὑπό c acc subiectam generi
speciem significat. τὰ ἐπάνω τῶν ὑπ' αὐτὰ γενῶν κατη-
γορεῖται Κ3. 1 ᵇ21. ὑπό τι εἶναι Κ10. 12 ᵇ6. Αα9. 30 ᵃ40.
10. 30 ᵇ13. 11. 31 ᵃ30, 37, ᵇ17 etc. τι1. 152 ᵃ29 (syn πε-
ριέχεσθαι ᵃ16, 19). δ2. 121 ᵇ25 (opp περιέχειν). Ηθ11.
1160 ᵃ21. ὑπὸ ταὐτὸ γένος vel εἶδος τα7. 103 ᵃ13, 14.
ζ3. 140 ᵃ26, 30 (syn ἐν ταὐτῷ γένει ᵃ28, 31), ᵇ17, 21, 25.
τὰ ὑπὸ μίαν κατηγορίαν Ηα4. 1096 ᵃ32. ὑπὸ τὸν αὐτὸν
ἀριθμὸν πίπτειν Μγ6. 1093 ᵃ10. εἶναι ὑπὸ μίαν διχοτομίαν
Ζμα3. 644 ᵃ9. ὑπὸ τὴν αὐτὴν διαίρεσιν τδ1. 121 ᵃ6. ζ13.
151 ᵃ14. ὑπὸ τὸ καθόλυ, τὸ αὐτὸ καθόλυ, τὸν λόγον, τὸν
ὁρισμόν, τὸ ὄνομα Ρα2. 1357 ᵇ35. Αγ1. 71 ᵃ19. τα6. 102
ᵇ30. 15. 107 ᵃ18, ᵇ19, 27, 34. ζ12. 149 ᵃ39. σΝ1. 156 ᵃ11.
θ1. 156 ᵇ17. 7. 160 ᵃ32. θάτερον ὑπὸ θάτερον, ὑπ' ἄλληλα
Κ3. 1 ᵇ16, 21. Αβ2. 54 ᵃ32. γ7. 75 ᵇ15. 13. 78 ᵇ36, 79
ᵃ13. 17. 81 ᵃ27. Γβ2. 330 ᵃ28 (τὰ ὑφ' αὐτὰ Μζ10. 1035
ᵃ30, corr, cf Bz).
ὑποβάλλειν. (τὴν νεοττιὰν ποιημένη ἡ χλωρὶς) στρώματα
ὑποβάλλει τρίχας ἢ ἔρια Ζιι13. 616 ᵃ2. ἀναπνέοντος ὥσπερ
ἐπὶ πῦρ ὑπέκκαυμα ὑποβάλλεσθαι αν6. 473 ᵃ5. γένη τινὰ
λίθων ταῖς ῥίζαις ὑποβάλλειν ζ6. 470 ᵃ33. ὑποβάλλειν τὸν
δάκτυλον ὑπὸ τὴν ὄψιν (ὑπὸ τὸν ὀφθαλμόν, τῷ ὀφθαλμῷ)
Μκ6. 1063 ᵃ8 Bz. αν3. 461 ᵇ31. πλα7. 958 ᵃ25. — ὑπο-
βάλλειν ἐπίτηδες (int πρὸς τὸ θηλάζειν) ὓς καλῦσιν ἱππο-
θήλας Ζιζ23. 577 ᵇ16. — τοῖς ἀπειρηκόσι διὰ χρόνυ ὐ
ῥᾴδιον ἄδειν τὰς συντόνυς ἁρμονίας, ἀλλὰ τὰς ἀνειμένας ἡ
φύσις ὑποβάλλει (suggerit) τοῖς τοιώτοις Πθ7. 1342 ᵇ22.
— ὑποβεβλημένης τινὸς τὸν αὐτῆς υἱὸν Ρβ23. 1400 ᵃ24.

τὰς ἐξ αὐτῶν γεννηθέντας οἱ γεννήσαντες τῶν ὑποβαλλο-
μένων (i e qui subditicios sibi assumpserunt) μᾶλλον φι-
λῦσιν ρ1. 1421 ᵃ29. Εὐριπίδης τὸ δρᾶμα (Μήδειαν) δοκεῖ
ὑποβαλέσθαι παρὰ Νεόφρονος διασκευάσας f 592. 1574 ᵃ23.
ὑπόβλαισα σκέλη εἰς τὸ ὄπισθεν Ζπ16. 713 ᵃ30.
ὑποβλέπειν. ἐν τῷ καθεύδειν ὑποβλέποντες, ὃ ἠρέμα ἑώρων
φῶς τῷ λύχνῳ καθεύδοντες, ἐπεγερθέντες ἐγνώρισαν εν3.
462 ᵃ22. διεστραμμένοι (int τὺς ὀφθαλμύς), διὸ ὑποβλέ-
πυσι ἢ συνάγυσι τὰ ὄμματα πλα7. 958 ᵃ21. ὁ δ' ᾤχετό
με ὑποβλέψας Ργ16. 1417 ᵃ38.
ὑποβολή. οἷον ἐν ταῖς ὑποβολαῖς (ci, ὑπερβολαῖς codd Bk)
αἱ γυναῖκες ποιῦσιν ηεχ4. 1239 ᵃ37.
ὑποβολιμαῖος. ὥσπερ ὑποβολιμαίυς ποιεῖ τὺς ἑαυτῦ νεοττὺς
ὁ κόκκυξ Ζιι29. 618 ᵃ28.
ὑπογάστριον. χαμαιλέοντος πλευρὰ κάτω καθήκει συνά-
πτοντα πρὸς τὸ ὑπογάστριον Ζιβ11. 503 ᵃ17 Aub. ἐὰν μὴ
εἰς ὀρθὸν βλέπωσιν αἱ ὑστέραι ἀλλ' ἢ πρὸς τὰ ἰσχία ἢ
πρὸς τὴν ὀσφὺν ἢ πρὸς τὸ ὑπογάστριον Ζικ2. 634 ᵇ40.
ὑπογλωτίς. μηρῷ ἢ γλωτῷ τὸ ἔξω ὑπογλωτὶς Ζια14. 493
ᵇ10.
ὑπογλώττιον Ζιβ15. 506 ᵃ28.
ὑπογράφειν. ὑπογέγραφά σοι τὰς θέσεις τῶν ἀνέμων σ973
ᵃ22. οἱ γραφεῖς ὑπογράψαντες ταῖς γραμμαῖς ὕτως ἐνα-
λείφυσι τοῖς χρώμασι τὸ ζῷον Ζγβ6. 743 ᵇ23. ἐκ τῆς καρ-
δίας τὰς δύο φλέβας πρῶτον ἡ φύσις ὑπέγραψεν Ζγβ4.
740 ᵃ29. cf δ1. 764 ᵇ30. πρὸς τὴν ἀνάμψιν ὑπέγραψε
ταῦτα ἡ φύσις Ζμβ8. 654 ᵃ24. κατὰ τὴν ὑπογεγραμμένην
οἷον ῥαφὴν Ζμδ3. 677 ᵇ18. — τοῖς τιμιωτέροις ὑπέγραψεν
ἡ φύσις τὴν βοήθειαν Ζιβ14. 658 ᵃ23. — τύπῳ ταύτῃ
θεωρείσθω ἢ ὑπογεγράφθω περὶ ψυχῆς ψβ1. 413 ᵃ10. κα-
θάπερ ὑπέγραψη πρότερον τι26. 181 ᵃ2. ἔστιν ἐν ἐνίαις πό-
λεσιν ὕτως ὑπογεγραμμένον Πβ5. 1263 ᵃ31.
ὑπογραφή (cf διαγραφή). θεωρείσθω ἐκ τῆς ὑπογραφῆς ε13.
22 ᵃ22. μα8. 346 ᵃ32. β6. 363 ᵃ26. Ζιγ1. 510 ᵃ30. ηεβ3.
1220 ᵇ37. ἐπίστασθαι διὰ συλλογισμῶν ἢ παραδειγμάτων
ἢ ὑπογραφῶν φτα9. 819 ᵇ16. — ἐν ταῖς οἰκοδομίαις παρὰ
πᾶσαν τὴν τῶν θεμελίων ὑπογραφὴν λίθοι παραβέβληνται
Ζμγ5. 668 ᵃ17. φλέβες, περὶ ἃς ὡς περὶ ὑπογραφὴν τὸ
σῶμα περίκειται τὸ τῶν σαρκῶν Ζγδ1. 764 ᵇ30.
ὑπόγυιοι τῇ ὀργῇ, opp κεχρονικότες Ρβ3. 1380 ᵇ6. ἐξ ὑπο-
γυία γίγνεσθαι, opp ἐκ πολλῦ χρόνυ σκεψάμενον Ρα1.
1354 ᵇ3. β22. 1396 ᵇ6. ὅσα θάνατον ἐπιφέρει ὑπόγυια ὄντα
(Paraphr: αἰφνιδίως ἐπερχόμενα) Ηβ9. 1115 ᵃ34. — ὑπό-
γυιότατον πρὸς αὐτάρκειαν Πζ8. 1321 ᵇ16.
ὑπόγυος. ἔν τε τοῖς ἄνω ἢ τοῖς ὑπογύοις εἴρηται λόγοις
Ζγγ7. 757 ᵃ28. ὑπογύ ὕσης τῆς ἑορτῆς σβ1347 ᵃ28.
ὑποδεής. ἔστι ταῖς μελίτταις ἢ ἄλλη τροφή, ἣν καλῦσί τινες
κήρινθον· ἔστι δὲ τῦτο ὑποδεέστερον Ζιι40. 623 ᵇ24. νῆσοι
ὑποδεέστεραι, opp ἀξιόλογαι κ3. 393 ᵃ14, 12. ὁ νῦς ὅταν τι
νοήσῃ σφόδρα νοητόν, ὐχ ἧττον νοεῖ τὰ ὑποδεέστερα ψγ4.
429 ᵇ4.
ὑποδεικνύναι. ὐχ οἷόν τε μὴ καλῶς ὑποδεικνύντος καλῶς
μιμεῖσθαι σα6. 1345 ᵃ9. Ὅμηρος ἢ τὰ τῆς κωμῳδίας σχή-
ματα πρῶτος ὑπέδειξε ποι4. 1448 ᵇ37. ὅπερ Εὐριπίδης ποιεῖ
ἢ ὑπέδειξε πρῶτος Ργ2. 1404 ᵇ25. τὰ ἐπίδοξα λέγεσθαι
ὡς δεῖ προκαταλαμβάνων ρ19. 1433 ᵃ33. δεῖ
ταῦτα ὑποδεικνύειν ρ37. 1443 ᵃ32. κατὰ τὸν ὑποδεδειγμένον
(cf ὑφηγεῖσθαι) τρόπον θεωρητέον πάσας τὰς τῶν χρωμάτων
διαφοράς χ2. 792 ᵇ11.
ὑποδεῖν. τὰς εἰς πόλεμον ἰὺσας (καμήλυς) ὑποδῦσι καρβα-
τίνοις Ζιβ1. 499 ᵃ29. ὑποδησάμενος (ci Reiske, ὑποδυσά-

μενος codd) ἐγκεντρίδας f 73. 1488 ᵃ29. τὸν ἀριστερὸν πόδα
ὑποδέδενται οἱ Αἰτωλοί, τὸν δὲ δεξιὸν ἀνυποδετῶσιν f 64.
1486 ᵇ22. ὑποδέδεται Κ4. 2 ᵃ3. ἀναγκαῖον τὸ ζῷον ὑποδε-
θεμένον ἀεὶ καθευδειν ᚘ πάντα πράττειν Ζμδ 10. 687 ᵃ28.
ὑποδερίς. τὰ (τῶν ὄφεων) ᴤὰ ἀλλήλοις συνεχῆ ἐστίν, ὥσπερ 5
αἱ τῶν γυναικῶν ὑποδερίδες Ζιε34. 558 ᵇ2.
ὑπόθεσις ὑποδήματος Πα9. 1257 ᵃ9. Οα4. 271 ᵃ32.
ὑποδέχεσθαι χ5. 396 ᵇ6, syn εἰσδέχεσθαι Πε3. 1303 ᵃ36,
35.
ὑπόδημα δυνατὸν γενέσθαι, εἰ πρόσχισμα ᚘ κεφαλὶς ᚘ χι- 10
τῶν δύναται γενέσθαι Ρβ19. 1392 ᵃ32. ἡ σκυτικὴ ποιεῖ
ὑπόδημα ἐκ προσχίσματος πλ8. 956 ᵇ4. ἐκ τῶν ὀσθέντων
σκυτῶν κάλλιστον ὑπόδημα ποιεῖν.Ηα11. 1101 ᵃ5. ὑπό-
δημα σπυδαῖον ηεβ1. 1219 ᵃ23. ὑποδήματος ὑπόδεσις Πα9.
1257 ᵃ9. Οα4. 271 ᵃ32. φορεῖν ὅμοια ὑποδήματα Ζγα18. 15
723 ᵇ31. — ὑποδήματος χρῆσις καθ᾽ αὑτό, κατὰ συμβε-
βηκός ηεγ4. 1231 ᵃ1. Πα9. 1257 ᵃ9-13.
ὑποδιδόναι. ἔξω δεῖ τι εἶναι τῷ ζῴῳ ἀκίνητον· εἰ γὰρ ὑπο-
δώσει ἀεί, ὥσπερ τοῖς ἐν τῇ ἄμμῳ πορευομένοις, ᚘ πρόεισιν
Ζκ2. 698 ᵇ15. 20
ὑπόδικος. ὁ νομοθέτης ὑποδίκυς ἐποίησε τὸς ἐξαμαρτάνοντας,
opp ἀφῆκε ρ5. 1427 ᵃ13. ᚘχ ὑπόδικα τὰ εἰκότα Ρα15.
1376 ᵃ22.
ὑποδοχή. 1. receptio. ξένων ὑποδοχαὶ ᚘ ἀποστολαί Ηδ5.
1123 ᵃ3. — ἐμποδίζειν περὶ τὴν ὑποδοχὴν τῆς τροφῆς· 25
κοῖλον πρὸς τὴν ὑποδοχὴν τῦ αἵματος Ζμγ3. 664 ᵇ4. 4. 666
ᵃ1. διευρύνεται (τὸ λιμνίον) εἰς πεντήκοντα ἀνδρῶν ὑπο-
δοχήν θ112. 841 ᵃ3. — 2. receptaculum. κατασκευάζειν
ὑποδοχὰς ὕδασιν Πη11. 1330 ᵇ16. cf μα13. 349 ᵇ7. ἡ
κύστις ὑποδοχὴ τῦ ὑγρῦ πα40. 863 ᵇ33. ὑποδοχὴ τῆς τρο- 30
φῆς, τῇ περιττώματος· ὑποδοχαὶ ἁπλαί, εὐρύχωροι, κοιλι-
ώδεις Ζμα1. 640 ᵇ14. γ14. 675 ᵇ27. δ5. 682 ᵃ17, 678 ᵇ30
(cf Langk Schol p 33, 14). αἵματος ὑποδοχή, ὑποδοχὴ
πρώτη, ὑποδοχαί Ζμγ4. 666 ᵇ31 (F 292, 31. M 425), 23,
ᵃ8, 28. ὁ μαστὸς ὑποδοχὴ ᚘ ὥσπερ ἀγγεῖόν ἐστι γάλακτος 35
Ζμδ11. 692 ᵃ12. ὑποδοχὴ αἵματός τινος (ἡ ὑστέρα) Ζγδ1.
764 ᵇ32. τὰ θήλεα ἔχει ὑποδοχήν (fere i q ὑστέραν) Ζγα18.
722 ᵇ14. ἡ τῦ θήλεος χώρα ᚘ ὑποδοχή Ζιε5. 541 ᵃ3 Aub.
ὑποδύειν, ὑποδύεσθαι. διὰ τὸ ὑπὸ ταῖς πέτραις ὑποδεδυ-
κέναι (τὰ ἰχθύδια) Ζιδ8. 534 ᵃ2. ὑποδύεται ὑπὸ τὸ σχῆμα 40
τὸ τῆς πολιτικῆς ἡ ῥητορικὴ Ρα2. 1356 ᵃ27. οἱ διαλεκτικοὶ
ᚘ σοφισταὶ ταύτην ὑποδύονται σχῆμα τῷ φιλοσόφῳ Μγ2.
1004 ᵇ18. — (ἐγκεντρίδας ὑποδυσάμενος f 73. 1488 ᵃ29,
sed ὑποδησάμενος ci Reiske.)
ὑπόδυσις. (σκέλη ἐπὶ τῇ γῇ κατατεταμένα) πρὸς τὴν τῆς 45
ὑποδύσεως ῥαστώνην Ζπ15. 713 ᵃ20.
ὑποδωριστί. οἱ ἐν τραγῳδίᾳ χοροὶ ᚘθ᾽ ὑποδωριστί ᚘθ᾽ ὑπο-
φρυγιστί ᾄδυσιν· ἡ ὑποδωριστὶ ἦθος ἔχει μεγαλοπρεπὲς ᚘ
στάσιμον πιθ48. 922 ᵇ10, 14. 30. 920 ᵃ8.
ὑποζευγνύναι. ὅσα διαφέρει τῶν γενῶν κατὰ τὸ μᾶλλον 50
ᚘ τὸ ἧττον, ταῦτα ὑπέζευκται ἑνὶ γένει Ζμα4. 644 ᵃ18.
ὑποζύγιον μβ3. 359 ᵃ18. οβ1347 ᵇ18. διαφθείρεται ᚘ ἵππος
ᚘ πᾶν ὑποζύγιον Ζιθ24. 604 ᵇ28, 20. ὡς ἂν πίνῃ τὰ ὑπο-
ζύγια τὸ ὕδωρ, ὅτω ᚘ πρὸς τὴν ἀπόλαυσιν ἔχει τῆς τρο-
φῆς Ζιθ8. 595 ᵇ24. ὑποζύγια σκιρτῶντα ᚘ βοῶντα f 241. 55
1523 ᵃ10. πάντων τῶν ὑποζυγίων τὰ τριχώματα γίνεται
λευκὰ χ6. 798 ᵃ17. λύπῃ κολάζεσθαι ὥσπερ ὑποζύγιον
Ηχ10. 1180 ᵃ12.
ὑπόζωμα, v διάζωμα (᾽Αρ. ὠνόμαζεν ὑπόζωμα τὸ μόριον
τῦτο τῦ ζῴυ Galen VIII 328 et schol ad h l ap Darem- 60
berg not et extraits p 114). num pluralis Ζγα11. 719

ᵃ15, 23. γ6. 756 ᵇ30. — 1. septum transversum. ὁ τόπος
ὁ περὶ τὸ ὑπόζωμα, syn ὁ τόπος ἐπίκαιρος ὢν τῷ ζῆν· ἡ
ἀρχὴ τῆς φύσεως ἐντεῦθεν, τὸ ἄνω τῦ ὑποζώματος τὸ
κύριον τῦ ζῴῳ ἐστί Ζγα8. 718 ᵇ21. 11. 719 ᵃ16. β4. 738
ᵇ16. 8. 747 ᵃ20. δ8. 776 ᵇ5. cf Ζμδ 5. 681 ᵃ35. τὰ σπλάγ-
χνα τὰ κάτω τῦ ὑποζώματος· ὑπὸ τὸ ὑπόζωμα κεῖται ἡ
κοιλία Ζμγ7. 670 ᵃ8. 14. 674 ᵃ9. vena cava inferior τείνει
διὰ τῦ ὑποζώματος, vena phrenica εἰς τὸ ὑπόζωμα τε-
λευτᾷ Ζιγ4. 514 ᵃ30, 36. αἱ σπερματικαὶ καθάρσεις ἀπὸ
τῦ ὑποζώματος εἰσὶν Ζγβ8. 747 ᵃ19. cf δ8. 776 ᵇ9. τοι-
αῦτα (ᴤά, τέρατα) ἐν ἀλεκτρυόνι διαιρυμένῳ ὑπὸ τὸ ὑπό-
ζωμα Ζιζ2. 559 ᵇ18 Aub. οἱ ἰχθύες πόρυς δύο ἔχυσιν ἀπὸ
τῦ ὑποζώματος ἠρτημένας· ἀπὸ τῦ ὑποζώματος οἷον μαστοὶ
λευκοὶ Ζιγ1. 509 ᵇ17. cf ζ11. 566 ᵃ5. 10. 565 ᵃ21 Aub et
Müller glatt Hai 9. αἱ ὑστέραι τοῖς μὲν πρὸς τῷ ὑποζώ-
ματι τοῖς δὲ κάτω sim Ζγα3. 717 ᵃ2. 8. 718 ᵇ1, 23, 24. 11.
719 ᵃ7, 23, 30. 12. 719 ᵇ5. 720 ᵃ20. 20. 728 ᵃ36. β4.
739 ᵇ6. γ1. 749 ᵃ29. 6. 756 ᵇ30. δ5. 774 ᵃ8. Ζιγ1. 510
ᵇ21, 14, 22, 29, 511 ᵃ2, 7, 9, 10, 21. ζ2. 559 ᵇ8. 10. 564
ᵇ20, 21, 565 ᵃ18, 29, ᵇ18. ἀδύνατον ζῷα γίγνεσθαι πρὸς τοῖς
ὑποζώμασι Ζγα11. 719 ᵃ15. — 2. 'Einschnürung zwischen
Metathorax und Hinterleib' ΚαΖμ 64, 6. Landois in Siebld
Zeitsch XVII 106, cf F 284, 71. Langk ad Ζμβ16. 659
ᵇ16 et Schol p 23, 9. τὰ ἔντομα διὰ τῦ ὑποζώματος αἰ-
σθάνονται τῶν ὀσμῶν· τὸ ἐν τῷ ὑποζώματι ὑγρόν (v l θερ-
μόν)· ἡ τροφὴ ἐν τῷ μορίῳ τῷ ὑπὸ τὸ ὑπόζωμα· εἰ διὰ
τῦ ὑποζώματος αὐτοῖς γίνεται ταύτη δῆλον ὅτι ᚘ ἡ τῦ
ἀέρος εἴσοδος Ζμβ16. 659 ᵇ16. αν9. 475 ᵇ4. Ζγγ11. 763
ᵃ17. πν2. 482 ᵃ17. πάντα ταῦτα ψοφεῖ τῷ ὑμένι τῷ ὑπὸ
τὸ ὑπόζωμα· βομβῦντα φαίνεται τὰ πτερωτὰ τῇ τρίψει
τῦ πνεύματος προσπίπτοντος πρὸς τὸ ὑπόζωμα τῶν ὁλο-
πτέρων Ζιθ9. 535 ᵇ8. υ2. 456 ᵃ19. τῶν τεττίγων οἱ ἄδοντες
διηρημένοι εἰσὶ τὸ ὑπόζωμα Ζιε30. 556 ᵃ18. cf αν9. 475
ᵃ20. ἐν αὐτῷ τῷ ὑποζώματι συμβαίνει πρὸς τὸν ὑμένα
γίνεσθαι τρίψιν αν9. 475 ᵃ9 (cf Landois 107, 134. M 437).
τὰς ἀχέτας ὑπὸ τὸ ὑπόζωμα (v l, Aub, διάζωμα Bk) διη-
ρῆσθαι Ζιθ7. 532 ᵇ16. — ὑπόζωμα v l (ὄστρακον Bk)
Ζιζ10. 564 ᵇ28.
ὑποθερμαίνεσθαι. ψυχομένων ἐνίων τόπων ἕτεροι ὑποθερ-
μαίνονται πθ7. 877 ᵃ26.
ὑπόθεσις, id quod ponitur tamquam fundamentum. in arte
rhetorica eam rem significat de qua agitur, ἵνα γινώσκωσι
περὶ ὧν ὁ λόγος παρακολυθῶσί τε τῇ ὑποθέσει ρ30. 1436
ᵃ36. ἡ ὑπόθεσις ἐλάττων Ργ2. 1404 ᵇ15. πρὸς ὑπόθεσιν
λέγειν Ρβ18. 1391 ᵇ13. cf ρ2. 1421 ᵇ32. — in doctrina
politica (quoniam ἐν ταῖς πράξεσι τὸ ᴤ ἕνεκα ἀρχή, ὥσπερ
ἐν τοῖς μαθηματικοῖς αἱ ὑποθέσεις Ηη9. 1151 ᵃ17) ὑπόθεσις
non multum differt a notionibus τέλος et ὅρι. ὑπόθεσις
τῆς δημοκρατικῆς πολιτείας ἐλευθερία· τύτυ γὰρ στοχά-
ζεσθαί φασι πᾶσαν δημοκρατίαν Πζ2. 1317 ᵃ40 sqq. πάντα
ἀνάγειν ἄν τις τὰ τυραννικὰ πρὸς ταύτας τὰς ὑποθέσεις
Πε11. 1314 ᵃ28, cf εἰς τὰς μὲν ὅρυς ἀνάγεται πάντα τὰ
βυλήματα τῶν τυράννων ᵃ25. ὑπεναντίως πρὸς τὴν ὑπόθεσιν
ᚘ τὸν τρόπον τῆς προκειμένης πολιτείας, syn πρὸς τὴν προ-
αίρεσιν τῆς πόλεως Πβ9. 1269 ᵃ32, ᵇ13. ἅπαντα τὰ οἰκεῖα
συναγαγεῖν πρὸς τὴν ὑπόθεσιν Πζ1. 1317 ᵃ36. ἐνδέχεται
διημαρτηκέναι τὸν λόγον τῆς βελτίστης ὑποθέσεως Πη15.
1334 ᵇ11. cf Πε11. 1314 ᵃ38. β11. 1273 ᵃ4. 9. 1271 ᵃ41.
5. 1263 ᵇ30. 2. 1261 ᵃ16. — logice ὑποθέσεις eae sunt
propositiones, sive demonstratae sive non demonstratae,
quibus positis aliquid demonstratur, ὅθεν γνωστὸν τὸ πρᾶγμα

πρῶτον ἀρχὴ λέγεται τῦ πράγματος, οἷον τῶν ἀποδείξεων
αἱ ὑποθέσεις· αἱ ὑποθέσεις τῦ συμπεράσματος Μδ1. 1013
ª16 Bz. 2. 1013 ᵇ20. Φβ3. 195 ª18. ὑποθέσεις, coni syn
ἀρχαί Αγ19. 81 ᵇ14. Μμ9. 1086 ª15. ηεϑ10. 1227ª8. 11.
1227 ᵇ30. Ργ17. 1418 ª25, 26. Ηη9. 1151 ª17. αἱ ἐξ
ἀρχῆς ὑποθέσεις Αα1. 24 ᵇ10. ἰδίας· κ̣ ὃ μαθηματικὰς ὑπο-
θέσεις λέγωσιν Μμ9. 1086 ª11. 8. 1083 ᵇ6. ληπτέον ὑπό-
θεσιν ἑτέραν, syn λαβεῖν ἀρχὴν ηεη2. 1235ᵇ30, 25. ὑπόθεσιν
λαβῦναι τὸ τί ἐστι Με1. 1025 ᵇ11. λαβεῖν ὑπόθεσιν Οβ4.
287 ᵇ5. Ζγδ3. 768 ᵇ6. ὑπόθεσις, seq ὅτι Οβ4. 287 ᵇ5.
Φβ3. 253 ᵇ5. αἱ περὶ τὰς κινήσεις ὑποθέσεις Οα8. 276 ᵇ8.
εἴ τις ἡμῖν ἐάσει τὰς πρώτας ὑποθέσεις Οα7. 274 ª34.
σώζειν τὰς ὑποθέσεις Ογ7. 306 ª30 (cf διαφυλάττειν).
κινεῖν τὰς ὑποθέσεις Οα8. 277 ª9. γ1. 299 ª6. ἀνελεῖν τὴν
ὑπόθεσιν ηεβ6. 1222 ᵇ28. — sed in syllogismis, cum pro-
positiones proprie appellantur τὰ τεθέντα, τὰ κείμενα
Αα1, nominis ὑπόθεσις vim Ar in angustiorem ambitum
restringit. 'hypothetica dicitur demonstratio quae non
recta pergit a propositionibus ad id quod colligi debet, sed
quae, ut efficiat quod vult, alia quaedam praeter ipsas pro-
positiones, ut sibi concedantur' (cf ὑπόθεσις, syn ὁμολογία,
συνθήκη Αα23. 41 ª40. 44. 50 ª16, 18. τγ6. 119 ᵇ35. Ηε8.
1133 ᵇ21, ª29) 'postulat' Wz ad 40 ᵇ25. ὑπόθεσις, dist
αἴτημα, ἀξίωμα, θέσις, ὁρισμός, ὅρος Αγ10. 76 ᵇ23, 32,
35, 77 ª3. 25. 86 ª34. 2. 72 ª20 (Wz ad ª15). Μγ3.1005
ᵇ16 Bz. συλλογίσασθαι ἐξ ὑποθέσεως Αα29. 45 ᵇ16, 20. 44.
50 ª16. ἀποδεῖξαι ἐξ ὑποθέσεως Αδ6. 92 ª7, 20. ἐξ ὑπο-
θέσεως ἐπίστασθαι, opp ἁπλῶς. κυρίως Αγ3. 72 ᵇ15. 22.
83 ᵇ39 Wz, 84 ª6. πᾶσα ἀπόδειξις δείκνυσιν ἢ δεικτικῶς ἢ
ἐξ ὑποθέσεως, τὴν δ' ἐξ ὑποθέσεως μέρος τὸ διὰ τῶ ἀδυ-
νάτω Αα23. 40 ᵇ25 Wz. 44. 50 ª16. ὑπόθεσις in syllogismo
indirecto (apagogico) Αβ14 (Wz ad 63 ª8). α5. 28 ª7. 15.
34 ᵇ29, 22. ἡ ἐξ ἀρχῆς ὑπόθεσις Αα23. 41 ª32. ὑποθέσεως
ἀντίφασις Αβ15. 64 ᵇ14, 16. — ἐξ ὑποθέσεως, opp ἁπλῶς.
ἀναγκαῖον ἐξ ὑποθέσεως (syn ἀναγκαῖον τύτων ὄντων Αα10.
30 ᵇ32 Wz. 13. 32 ᵇ9 Wz. Γβ10. 336 ª16) Φβ9. 199 ᵇ34.
Γβ11. 337 ᵇ26. υ2. 455 ᵇ26. ὑπάρχει τὸ μὲν ἁπλῶς (ἀναγ-
καῖον) τοῖς ἀιδίοις, τὸ δ' ἐξ ὑποθέσεως κ̣ τοῖς ἐν γενέσει
πᾶσιν Ζμα1. 639 ᵇ24, 642 ª9. ἀδύνατον κ̣ δυνατὸν ἐξ ὑπο-
θέσεως, cf. ἀδύνατον Οα10. 12. 281 ª5. βύλεσθαι ἐξ ὑπο-
θέσεως, syn ἁπλῶς ηεη2. 1238 ᵇ6. τὴν εὐδαιμονίαν φαμὲν εἶναι ἐνέργειαν
κ̣ χρῆσιν ἀρετῆς τελείαν, κ̣ ταύτην ὐκ ἐξ ὑποθέσεως ἀλλ'
ἁπλῶς· λέγω δ' ἐξ ὑποθέσεως τἀναγκαῖα (i e ὧν ὐκ ἄνευ
τὸ εὖ, cf Μδ5. 1015 ᵇ4), τὸ δ' ἁπλῶς τὸ καλῶς Πη13.
1332 ª10. ἡ ἐξ ὑποθέσεως πολιτεία· δεῖ γὰρ κ̣ τὴν ὀφει-
σαν δύνασθαι θεωρεῖν Πδ1. 1288 ᵇ28 (cf ποίας τινὰς δεῖ
τὰς ὑποθέσεις εἶναι περὶ τῆς μελλύσης κατ' εὐχὴν συνε-
στάναι πόλεως Πη4. 1325 ᵇ35). οἱ παῖδες πολῖται ὐχ ἁπλῶς,
ἀλλ' ἐξ ὑποθέσεως Πγ5. 1278 ª5. ὐ τῷ γεωμέτρῃ θεω-
ρῆσαι τί τὸ ἐναντίον ἀλλ' ἡ ἐξ ὑποθέσεως (i e quatenus
pertinet ad τὸ ὑποτεθὲν τῇ γεωμετρίᾳ) Μγ2. 1005 ª13 Bz.
— πρὸς ὑπόθεσιν, opp ἁπλῶς. ἄνδρες ἄριστοι, δίκαιοι ἁπλῶς,
πρὸς ὑπόθεσιν (πρὸς τὴν ὑπόθεσιν) Πδ7. 1293 ᵇ4. κ9.1328
ᵇ39. πρὸς ὑπόθεσιν κρίνειν Πδ11. 1296 ᵇ10. πρὸς μὲν τὴν
ὑπόθεσιν ὀρθῶς λέγωσιν, ἁπλῶς δ' ὐκ ὀρθῶς Μμ7. 1082 ª5
ᵇ32. λέγω πλασματῶδες τὸ πρὸς ὑπόθεσιν βεβιασμένον
Μμ7. 1082 ᵇ3. — ὐδὲν τούτων ἐνδέχεται λέγειν κατὰ τὰς
ὑποθέσεις Μν3. 1090 ª27. κατὰ τὴν ὑπόθεσιν τὴν ἐν τοῖς
μαθήμασιν ατ969 ᵇ8. κατὰ τὴν αὐτὴν ὑπόθεσιν Πδ16.
1300 ᵇ14.

ὑποθήκη. 1. syn συμβυλή Ρα9. 1368 ª2, 1367 ᵇ36, dist
ἔπαινος Ρα9. 1368 ª5. ἡ Βίαντος ὑποθήκη Ρβ13. 1389 ᵇ23.
— 2. pignus οβ1348 ᵇ21.

ὑποικεῖν. ὁ βορέας, διὰ τὸ ὑποικεῖν (ci Sylbg, ὑπείκειν codd
Bk) ἡμᾶς αὐτῷ κ̣ εἶναι τὴν οἴκησιν πρὸς ἄρκτον, εὐθὺς
μέγα πνεῖ πκς41. 945 ª9.

ὑποκάειν. εἰ μηδὲ τὸ ὑποκαόμενον τρέφεται πῦρ μβ2. 355
ª17.

ὑποκάπτειν. τὸν νεοττὸν τῦ κόκκυγος ὑποκάπτοντα τὰ προσ-
φερόμενα φθάνειν Ζι29. 618 ª23.

ὑποκαταβαίνει ἡ κονία πκε8. 938 ᵇ31.

ὑποκάτω, locali sensu, ὁ ὑποκάτω κύκλος, τὸ ὑποκάτω
τεταγμένον ἄστρον sim κ2. 392 ª21. 6. 399 ª11. Οβ6. 288
ª16. Μλ8. 1074 ª4. οἱ ὑποκάτω πόδες Ζιϑ2. 526 ª13. μι-
κρὸν ὑποκάτω Ζια17. 497 ª26. τὸ μὲν ὑποκάτω ὠχρόν, τὸ
δ' ἐπάνω κυάνεον Ζu13. 615 ᵇ28. cf 6. 612 ᵇ12. c gen
ὑποκάτω τῦ ὁρίζοντος μγ5. 377 ª4, τῆς κοιλίας, τῆς καρ-
δίας sim Ζιγ1. 540. 3. 514 ª29. ϑ2. 526 ª26. β15.
506 ª28. α13. 493 ª32 al. φτα4. 819 ª9 (opp ἐπάνω). —
logice, τὸ ὑποκάτω γένος, opp τὸ ἐπάνω τ̣5. 143 ª21,
25, 27. τὰ ὑποκάτω, opp τὰ ἐπάνω τδ2. 122 ª9, 15, 14.
ζ4. 142 ᵇ11, 14.

ὑποκάτωθεν, opp κατὰ τὸ αὐτό Ζγδ4. 773 ª22.

ὑποκεῖσθαι, ὑποκείμενον. 1. sensu locali. τὴν οἰκυμένην
ὑποκεῖσθαι πρὸς τῦτον τὸν τόπον μβ6. 364 ª7. πρὸς τύτῳ
τὴν οἰκυμένην τῷ τόπῳ ὑποκεῖσθαι ὄντι ὑψηλῷ πκς15. 941
ᵇ39. ἐὰν κάτωθεν ἢ τὸ ὑποκείμενον μχ2. 850 ª21. τὰ τε-
τράποδα, ὑποκειμένων τεττάρων ἐρεισμάτων Ζμδ10. 689
ᵇ18. ἀναγκαῖον πρὸς τὸ ἑστάναι δύνασθαι τὸν μηρὸν ὅτω
ὑποκείμενον ἔχειν Ζπ15. 712 ᵇ32. (ἡ φύσις) ὑπέθηκε μόριον
τὸ τὴν τῆς τροφῆς εἴσοδον δημιυργῦν· ἐνταῦθα γὰρ ὑπέ-
κειτο συμμετέρως μάλιστα Ζμδ10. 686 ª12. ἅπαντα εἰς
τὸ ὑποκείμενον μέχρι τινὸς ὡ οἷον εἰς ὑπεῖκον προέρχεται
Ζπ10. 709 ᵇ27. — 2. ὑπόκειταί τι, i e positum aliquid est
(sive sumptum modo et concessum sive demonstratione fir-
matum) tamquam fundamentum ex quo alia concludantur.
ὑποκεῖσθαι, syn δίδοσθαι Αβ27. 70 ᵇ16, 7, 12, syn κεῖσθαι
Φζ2. 232 ᵇ25, coll ε4. 228 ª29, syn τιθέμεθα μδ6. 382
ᵇ6, 3. ὑποκείσθω τῦτο νῦν, ὕστερον δὲ πειρατέον δεῖξαι sim
Οβ3. 286 ª30, 21. α3. 269 ᵇ18. Φϑ7. 260 ᵇ24. Ζμδ10.
689 ª10, 13. τῦτο ὑποκείσθω Φδ11. 219 ª30. al. 436 ª5.
7. 447 ª17. Ηβ2. 1103 ᵇ32. ὡς ἐν τύπῳ ὑποκείσθω ταῦτα
Ηε1. 1129 ª11. ὑποκείσθω δύο τὰ λόγον ἔχοντα Ηζ2. 1139
ᵇ6. ὑποκείσθωσαν ὅροι Αα4. 26 ᵇ6. ὑπέκειτο in syllogismo
directo Αα5. 27 ª8, 35. ὑπέκειτο, ἀλλ' ὑπέκειτο in syllo-
gismo indirecto Αα2. 25 ª19. 5. 27 ᵇ1, 19. 6. 28 ᵇ27,
29 ª6. 15. 34 ª41, ᵇ6. 16. 36 ª15, 38 al. Φη1.242ª9. ὑπο-
κειμένων τύτων (τὰ λοιπὰ θεωρητέον sim) Φδ4. 211 ª6.
Ρβ4. 1381 ª3. Ζγδ1. 766 ª16. Π̣2. 1317 ᵇ17. ὑπόκεινται
γὰρ αἰτίαι τέτταρες Ζγα1. 715 ª4. ἡμεῖς λέγομεν ἐκ τῶν
ὑποκειμένων Φϑ9. 217 ª21. ἡμῖν ἐκ τῶν ὑποκειμένων κ̣
διωρισμένων λεκτέον Μλ8. 1073 ª23. δῆλον ἐκ τῶν ὑποκει-
μένων ηεϑ1. 1219 ª29. πολιτεία ἀρίστη ἁπλῶς, dist ἀρίστη
ἐκ τῶν ὑποκειμένων Πδ1. 1288 ᵇ26. διὰ τῶν ὑποκειμένων
ὅρων Αα1. 24 ᵇ26. ἐν τοῖς ὑποκειμένοις, ὐκ ἐν τοῖς ἐξ ἀρ-
χῆς Αα29. 45 ᵇ17 Wz. εἰ τις τοῖς ὑποκειμένοις πιστεύοι
Οα3. 270 ᵇ13. πρὸς τὸν ὑποκείμενον αὐτοῖς ὅρον Πη13. 1331
ᵇ36. λέγωμεν ἀναλαβόντες τὴν ὑποκειμένην ἀρχὴν ἡμῖν
μα8. 345 ᵇ32. πῶς κίνησις ἔσται πέρατος κ̣ ἄπειρ μόνον
ὑποκειμένων ΜΑ 9. 990 ª9. — ὑποκεῖσθαι cstr cum part
ὅτι, veluti ὑποκείσθω ὅτι βίος ἄριστος ὁ μετ' ἀρετῆς Πη1.
1323 ᵇ40. οα3. 1343 ᵇ9. ηεβ1. 1218 ᵇ37; cum acc et inf

ὑποκεῖσθω ἡμῖν εἶναι τὴν ἡδονὴν κίνησίν τινα sim Ρα11.
1369 ^{b}33. Φα2. 185 ^{a}12. μα7. 344 ^{a}8. β6. 363 ^{a}30; cum
nom et inf, ὑπόκειται ἡ ἀρετὴ εἶναι ἡ τοιαύτη ἕξις sim
Ηβ2. 1104 ^{b}27. ηεβ1. 1220 ^{a}22. 5. 1222 ^{a}6. Ρα2. 1357
^{a}11; cum partic verbi εἶναι, veluti τοιόνδε ζῷον ὑπόκειται
ὄν Ζγε1. 778 ^{b}17. δ1. 766 ^{b}8; cum praedicato, omisso
participio verbi εἶναι, veluti ἡ τῇ δέρματος φύσις ὑπό-
κειται γεώδης Ζγε3. 782 ^{a}29. Φζ2. 232 ^{b}25. Γα5. 321
^{a}29. μδ6. 382 ^{b}6. ηεβ1. 1219 ^{a}10. πο11. 1452 ^{b}1. ὑπό-
κειται ἡ ὀργὴ τῆς ὀλιγωρίας πρὸς τὰς μὴ προσήκοντας Ρβ2.
1379 ^{b}11. — 3. ὑποκεῖσθαι, positum esse (τὸ ὑποκείμενον
id quod positum est) tamquam fundamentum cui alia in-
haereant. μεταβάλλει τετραχῶς· ἢ γὰρ ἐξ ὑποκειμένε εἰς
ὑποκείμενον, ἢ ἐξ ὑποκειμένε εἰς μὴ ὑποκείμενον κτλ· λέγω
δὲ ὑποκείμενον τὸ καταφάσει δηλύμενον Φε1. 225 ^{a}6. Μκ11.
1067 ^{b}15. δεῖ τι ἀεὶ ὑποκεῖσθαι τὸ γινόμενον Φα7. 190 ^{a}15,
34 (syn ὑπομένειν ^{a}18). διὰ τὸ ὑπομένειν τὸ ὑποκείμενον
τὸν Σωκράτη αὐτόν, opp ἀποβάλλειν τὰς ἕξεις ΜΑ3. 983
^{b}16. γίγνεται ἅπαν τὸ γιγνόμενον ἐκ φθείρεσθαι ὑποκειμένε
τινὸς Οα3. 270 ^{a}15, 16. ἕτερόν τι δεῖ ὑποκεῖσθαι ἐξ ὗ ἔσται
πρῶτα ἐνυπάρχοντος Ζγα18. 724 ^{b}4. ἔν τι ὑπόκειται εἰς ὃ
ἀναλύονται ἔσχατον μα3. 339 ^{b}2. περὶ τῦ ὑποκειμένε, ὅτι
διχῶς ὑπόκειται, ἢ τόδε τι ὄν, ὥσπερ τὸ ζῷον τοῖς πάθεσιν,
ἢ ὡς ὕλη τῇ ἐντελεχείᾳ Μζ13. 1038 ^{b}5. in hoc Aristote-
lico usu vocc ὑποκεῖσθαι, ὑποκείμενον tria potissimum ge-
nera distingui possunt, siquidem τὸ ὑποκείμενον vel est ἡ
ὕλη quae determinatur per formam, vel ἡ ὐσία cui inhaerent
πάθη, συμβεβηκότα, vel subiectum logicum cui tribuuntur
praedicata; sed quoniam ὕλη et ipsa ad notionem ὐσίας
refertur (cf ὐσία p 545 ^{a}27, ὕλη p 786 ^{a}43), primum genus
ab altero, et quoniam εἶναι (ὑπάρχειν) et λέγεσθαι (κατηγο-
ρεῖσθαι) arte inter se cohaerent, alterum genus a tertio
non ubique certis finibus est distinctum. a. τὸ ὑποκεί-
μενον i q ἡ ὕλη. τὸ ὑποκείμενόν ἐστι καθ' ὗ τὰ ἄλλα λέ-
γεται, ἐκεῖνο δὲ αὐτὸ μηκέτι κατ' ἄλλα Μζ3. 1028 ^{b}36 Bz.
saepe ὕλη et τὸ ὑποκείμενον pro syn coniuncta legun-
tur, ἡ ὕλη ἡ τὸ ὑποκείμενον ΜΑ3. 983 ^{a}30 Bz. δ18.1022
^{a}19. ψβ1. 412 ^{a}18. 2. 414 ^{a}14. τὸ ὑποκείμενον ὃ λέγομεν
ὕλην Μδ28. 1024 ^{b}9. Πα8. 1256 ^{a}9. ἡ ὑποκειμένη ὕλη
Φβ1. 193 ^{a}29. μδ1. 378 ^{b}33. Ζμβ1. 646 ^{a}35. α1.640 ^{b}8.
ᾗ μὲν ὡς ὕλη ὑπόκειται, τὸ δὲ συντίθεται Γα1.315 ^{a}21. ἡ ὡς
ὑποκειμένη ὕλη ἢ ὡς ὕλη ὐσία Μη2. 1042 ^{b}9. ἡ ὑποκειμένη
ὐσία ΜΑ4. 985 ^{b}10. γίγνεται πᾶν ἔκ τε τῦ ὑποκειμένε κ
τῆς μορφῆς Φα7. 190 ^{b}20 (sed etiam μορφὴ dicitur ὑπο-
κείμενον Μζ3. 1029 ^{a}4 Bz. τίνος δ' εἰς ὑποκειμένην τινὰ μορ-
φὴν τὸ τέλος ἐστὶ τῆς πέψεως μα2. 379 ^{b}26). δειδὲς ἢ
ἄμορφον δεῖ τὸ ὑποκείμενον εἶναι Ογ8. 306 ^{b}17. ἡ ὑποκει-
μένη φύσις ἐπιστητὴ κατ' ἀναλογίαν Φα7. 191 ^{a}8. ὡς ἐν
ὕλης εἴδει, ... τὸ γὰρ ὑποκείμενον κ πάσχον τύτον προσ-
αγορεύομεν τὸν τρόπον μα2. 339 ^{a}29. cf Γα6. 322 ^{b}17, 19.
cf praeterea τὸ ὑποκείμενον i q ὕλη ΜΑ3. 984 ^{a}22. η1.
1042 ^{a}13. ν1. 1088 ^{a}18. Φα4. 187 ^{a}13. 7. 190 ^{b}2, 24. γ7.
208 ^{a}1 (coll ^{a}3, 207 ^{b}35) al. ἔστιν ὕλη μάλιστα μὲν κ
κυρίως τὸ ὑποκείμενον γενέσεως κ φθορᾶς δεκτικόν, τρόπον
δέ τινα κ τὸ ταῖς ἄλλαις μεταβολαῖς, ὅτι πάντα δεκτικὰ
τὰ ὑποκείμενα ἐναντιώσεών τινων Γα4. 320 ^{a}2, 4. perinde
atque ὕλη πρώτη, ἐσχάτη (cf ὕλη p 786 ^{b}8), etiam τὸ ὑποκεί-
μενον distinguitur πρῶτον, ἔσχατον (τελευταῖον) Μδ6.1016
^{a}19, 23. 8. 1017 ^{b}24. 16.1022 ^{a}19. Φβ1. 193 ^{a}29. — genus
quasi materia per differentias determinatur (cf ὕλην p 787
^{a}19, γένος p 152 ^{a}6), τὸ γένος ἓν τὸ ὑποκείμενον ταῖς διαφοραῖς

Μδ6. 1016 ^{a}26. 28. 1024 ^{b}3 (alia ratione singulae res,
quae aliquo genere continentur, ὑποκείμενα dicuntur, cf
infra c). πᾶσα ἀποδεικτικὴ περὶ γένος τι ὑποκείμενον θεωρεῖ
τὰ καθ' αὐτὰ συμβεβηκότα Μβ2. 997 ^{a}20, 6. — b. τὸ
ὑποκείμενον i q ἡ ὐσία. μάλιστα δοκεῖ εἶναι ὐσία τὸ ὑπο-
κείμενον τὸ πρῶτον· τί ποτ' ἐστὶν ἡ ὐσία, ὅτι τὸ μὴ καθ'
ὑποκειμένε ἀλλὰ καθ' ὗ τὰ ἄλλα Μζ3. 1029 ^{a}1, 8. η1.
1042 ^{a}26. 4. 1044 ^{b}9. ὐθενὸς ὑποκειμένε κατηγορεῖται ἡ
ὐσία μκ3. 465 ^{b}6. τύτῳ διαφέρει τὸ καθόλυ κ τὸ ὑποκεί-
μενον τῷ εἶναι τόδε τι κ μὴ εἶναι Μθ7. 1049 ^{a}28. αἱ ἀρ-
χαί, κ αἱ ἐν τοῖς λόγοις κ αἱ ἐν τῷ ὑποκειμένῳ Μβ1.
996 ^{a}2. (ὐκ ἐν συνεχέσι κ ὑποκειμένης ἡ τῆς διανοίας κί-
νησις ατ969 ^{b}1.) τὸ ὑποκείμενον πρότερον, διὸ ἡ ὐσία πρό-
τερον Μδ11. 1019 ^{a}5. πότερον τὸ ἓν κ τὸ ὄν ὐσίαι εἰσίν,
ἢ δεῖ ζητεῖν τί ποτ' εἰσὶν ὡς ὑποκειμένης ἄλλης φύσεως
Μβα. 1001 ^{a}8. εἴπερ ὐσία τὸ ἄπειρον κ μὴ καθ' ὑποκει-
μένε Φγ5. 204 ^{a}24. Μκ10. 1066 ^{b}14. ὅσα αἱ εἰρημέναι
δυνάμεις ἐργάζονται ἐξ ὑποκειμένων τῶν φύσει συνεστώτων
ἤδη μδ2. 379 ^{b}11. ἐν δυσὶν ἡ κίνησις ὑποκειμένοις Φε6.
229 ^{b}30. — τῷ ὑποκειμένῳ, τῇ ὐσίᾳ, quae est τόδε τι,
καθ' αὐτό, opponitur τὸ πάθος, τὸ συμβεβηκός, veluti ὅταν
ὑπάρχῃ ἡ πάθη τι τῷ ὑποκειμένῳ ὁ ἄνθρωπος al Μζ12.
1037 ^{b}16. β5.1001 ^{b}31. γ4. 1007 ^{a}35. 5. 1010 ^{b}34. ν1.
1087 ^{a}35, ^{b}1. Γα4. 319 ^{b}8. Αγ4. 73 ^{b}5, 8. ἐν ὅσοις τὸ
ὑποκείμενον κατὰ πάθος θερμόν ἐστι Ζμβ2. 649 ^{a}19, cf 21.
3. 649 ^{b}23. τὸ πάθος, τὸ συμβεβηκὸς dicitur ἐν ὑποκει-
μένῳ εἶναι· ἐν ὑποκειμένῳ δὲ λέγω, ὃ ἔν τινι μὴ ὡς μέρος
ὑπάρχον ἀδύνατον χωρὶς εἶναι τῦ ἐν ᾧ ἐστιν, οἷον ἡ τὶς
γραμματικὴ ἐν ὑποκειμένῳ ἐστὶ τῇ ψυχῇ Κ2. 1 ^{a}24. κοινὸν
κατὰ πάσης ὐσίας τὸ μὴ ἐν ὑποκειμένῳ εἶναι Κ5. 3 ^{a}7, 31.
ἐν ὑποκειμένῳ λέγεσθαι τὸ6. 127 ^{b}1. καθ' ὑποκειμένε cf
sub c. — c. τὸ ὑποκείμενον i q subiectum logicum, opp
τὸ κατηγορύμενον Αα1. 24 ^{b}29. 28. 43 ^{b}40 al. ὅσα κατὰ
τῦ κατηγορυμένε λέγεται, πάντα κ κατὰ τῦ ὑποκειμένε
ῥηθήσεται Κ3. 1 ^{b}12, 24. 5. 3 ^{b}5. τὸ ὑποκείμενον ἀρχὴ κ
πρότερον δοκεῖ τῦ κατηγορυμένε εἶναι Φα6. 189 ^{a}31. εἰ ἀκό-
λυθεῖ τῇ τῦ ὑποκειμένε ἐπιδόσει ἡ τῦ συμβεβηκότος ἐπί-
δοσις τβ10. 115 ^{a}3. καθ' ὑποκειμένε λέγεσθαι et ἐν ὑπο-
κειμένῳ εἶναι Κ2. 1 ^{a}20 Wz, 21, 24. 5. 2 ^{a}12, 13, 3 ^{a}7, 8, 9
Aristoteles ita distinguit, ut per formulam ἐν ὑποκειμένῳ
εἶναι accidens substantiae, per formulam καθ' ὑποκειμένε
λέγεσθαι praedicatum subiecto, genus speciei rebusque
singulis opponatur (cf Steinthal Gesch p 210 sq); sed quo-
niam accidens praedicatur de substantia, ea quae sunt ἐν
ὑποκειμένῳ saepe dicuntur καθ' ὑποκειμένε λέγεσθαι veluti
Φα2. 185 ^{a}32. 6. 189 ^{a}30. γ5. 204 ^{a}24. τε4. 132 ^{b}22 Wz.
Γα4. 319 ^{b}8. ΜΑ9. 990 ^{b}31 Bz. β5. 1001 ^{b}31. γ4. 1007
^{a}35. ζ3. 1029 ^{a}8. κ10. 1066 ^{b}14. μ4. 1079 ^{a}27. ν1.1087
^{a}35, ^{b}1. Αγ4. 73 ^{b}5, 8 al (τὰ μαθήματα περὶ εἴδη ἐστίν·
ὐ γὰρ καθ' ὑποκειμένε τινός· εἰ γὰρ κ καθ' ὑποκειμένε
τινός τὰ γεωμετρικά ἐστιν, ἀλλ' ὐχ ᾗ γε καθ' ὑποκειμένε
Αγ13. 79 ^{a}8, 9); contra vero numquam genus id quod
καθ' ὑποκειμένε λέγεται dicitur ἐν ὑποκειμένῳ εἶναι· τὸ
γένος καθ' ὑποκειμένε τῦ εἴδυς, ὐκ ἐν ὑποκειμένῳ τῷ εἴδει
τὸ6. 127 ^{b}1-3. — ad hanc quam proxime exposuimus
vim voc ὑποκείμενον referri potest duplex eius nominis
usus; etenim τὸ ὑποκείμενον, τὰ ὑποκείμενα significat eas
res singulas, quae continentur notionis alicuius universalis
ambitu, vel ad quas ea notio refertur et a quibus suspensa
est; et τὸ ὑποκείμενον non solum est enunciati logici sub-
iectum, sed omnino ea res, de qua in disputatione aliqua

vel doctrina agitur. ὁ τὴν καθόλυ ἐπιστήμην ἔχων οἶδέ πως πάντα τὰ ὑποκείμενα ΜΑ2. 982 ᵃ23 Bz, cf ᵇ4. ἠδὲ ὁρισμὸς χ̣ ἀπόδειξις ὗτε τὸ αὐτὸ ἂν εἴη ὗτε θάτερον ἐν θατέρῳ· χ̣ γὰρ ἂν τὰ ὑποκείμενα (i e τὰ ὑπὸ τὴν ἀπόδειξιν χ̣ τὸν ὁρισμὸν πίπτοντα, aliter Wz) ὁμοίως εἴχεν Αδ̓3. 91 ᵃ11. 5 λευκῦ ὄντος τῦ ὑποκειμένυ λέγοντες αὐτὸ εἶναι λευκόν Μκ6. 1063 ᵇ21. ἐν τῷ ὁρισμῷ τῦ ὑποκειμένυ τα8. 103 ᵇ13. ἑκάστη αἴσθησις τῦ ὑποκειμένυ αἰσθητῦ ἐστιν ψ2. 426 ᵇ9, 10, 425 ᵇ14. Ζγε2. 781 ᵃ17. Μι1. 1053 ᵇ3. γνωρίζονται πολλάκις αἱ ἕξεις ἀπὸ τῶν ὑποκειμένων, οἷον ἐκ τῶν εὐεκτι- 10 κῶν ἡ εὐεξία Ηε1. 1129 ᵃ19 (τὰς φωνὰς ἐκπέμπομεν ἀλ- λοίας διὰ τὰς τῶν ὑποκειμένων ἀγγείων διαφορᾶς αx800 ᵃ18). θεωρῆσαι τὴν φύσιν τῶν πραγμάτων τῶν ὑποκειμένων ταῖς ἀρεταῖς ηεα6. 1216 ᵇ14. cf ημα35. 1196 ᵇ18, 23. β6. 1202 ᵇ6. οαl. 1343 ᵃ2. τῶν πραγμάτων (veluti τῦ πολίτυ 15 ἐν οἷς τὰ ὑποκείμενα (i e singulae πολιτεῖαι, ad quas re- fertur πολίτυ notio) διαφέρει τῷ εἴδει, ὐθέν ἐστιν, ἡ τοι- αῦτα, τὸ κοινόν Πγ1. 1275 ᵃ35. τῶν φθαρτῶν φθαρτὰς εἶναι δεῖ τὰς ἀρχάς, ὅλως δ᾽ ὁμογενεῖς τοῖς ὑποκειμένοις Ογ7. 306 ᵃ11. τὸν τρόπον ζητῦμεν, ἀλλ᾽ ὐ τὸ ὑποκείμενον 20 Γα3. 318 ᵇ9. ἑκάστη τέχνη περὶ τὸ αὐτῇ ὑποκείμενόν ἐστι διδασκαλική Ρα2. 1355 ᵇ29, cf 1358 ᵃ22. 1. 1355 ᵃ36. τὰ πράγματα τὰ ὑποκείμενα ταῖς ἐπιστήμαις ηεα6. 1216 ᵇ14. τὸ πρέπον ἕξει ἡ λέξις ἐὰν ᾖ τοῖς ὑποκειμένοις πράγμασιν ἀνάλογον Ργ7. 1408 ᵃ11. ἐν ἑκάστοις τὴν ἀκρίβειαν ἐπιζη- 25 τεῖν δεῖ κατὰ τὴν ὑποκειμένην ὕλην Ηα7. 1098 ᵃ28. 1. 1094 ᵇ12.

ὑποκίρνασθαι. ὑ μόνον τῶν ἐμβαλλομένων ἢ ὑποκιρναμένων ἀναλαμβάνυσι τὰς ὀσμάς εν2. 460 ᵃ30.

ὑπόκοιλος. μέτωπον τετράγωνον, ἐκ μέσυ ὑποκοιλότερον φ5. 30 809 ᵇ21.

ὑποκορίζεσθαι τί ἐστι Ργ2. 1405 ᵇ28.

ὑποκορισμός, ὃς ἔλαττον ποιεῖ χ̣ τὸ κακὸν χ̣ τὸ ἀγαθὸν Ργ2. 1405 ᵇ28.

ὑποκυφίζει τὴν ἀναθυμίασιν ὁ ἀὴρ φτβ2. 823 ᵃ19. 35

ὑποκρίνεσθαι, respondere, τὰ τοιαῦτα ὗτω δεῖ ὑποκρίνεσθαι ρ37. 1444 ᵇ18. — αὐτοὶ οἱ ποιηταὶ ὑπεκρίνοντο τὰς τρα- γῳδίας Ργ1. 1403 ᵇ23. οἱ ὑποκρινόμενοι, histriones Ηγ5. 1147 ᵃ23. θ31. 832 ᵇ19. ὑποκρίνεσθαι τὸ βασιλικὸν Πε11. 1314 ᵃ40. cf 9. 1310 ᵃ40. — de actione oratoris. τὸ με- 40 ταβάλλειν τὸ αὐτὸ λέγοντας προσδοποιεῖ τῷ ὑποκρίνεσθαι Ργ12. 1413 ᵇ23, cf 28. — μηδ᾽ ὑποκρινόμενον ἐξαπατᾶν (?) ηεη10. 1243 ᵇ8.

ὑπόκρισις. μέλεσιν ἢ ὑποκρίσει χαίρειν Ηγ13. 1118 ᵃ8. ὗπω ἐπικεχείρηται τὰ περὶ τὴν ὑπόκρισιν Ργ1. 1403 ᵇ22. ὅπυ 45 μάλιστα ὑποκρίσεως, ἐνταῦθα ἥκιστα ἀκρίβεια ἔνι Ργ12. 1414 ᵃ15, cf 1413 ᵇ18. οἱ κατὰ τὴν ὑπόκρισιν ῥήτορες Ργ1. 1404 ᵃ18. — φωναῖς, ἐσθῆτι (αἰσθήσει cod Αᵇ Vhl) χ̣ ὅλως τῇ ὑποκρίσει ἐλεεινοτέρυς εἶναι Ρβ8. 1386 ᵃ32.

ὑποκριτὴς κακός (opp ἁπλῶς κακός) Ηη6. 1148 ᵇ8, ἐντελὴς 50 Πη17. 1336 ᵇ30. ὑποκριτής τις νικᾷ Ηγ4. 1111 ᵇ24, προ- εισάγει Πη17. 1336 ᵇ30. ὑποκριτὴς τῆς τραγῳδίας Πη17. 1336 ᵇ28. τὸ τῶν ὑποκριτῶν πλῆθος πόσον πο4. 1449 ᵃ16. 5. 1449 ᵇ5. ὑποκριταί, dist χορός πιθ15. 918 ᵇ28, sed τὸν χορὸν ἕνα δεῖ ὑποκρίνεσθαι τῶν ὑποκριτῶν πο18. 1456 ᵃ26. 55 οἱ ὑποκριταὶ πῶς φωνασκῦσιν πια22. 901 ᵇ2. 46. 904 ᵇ4, ποῖα δράματα διώκυσιν Ργ12. 1413 ᵇ11. οἱ ὑποκριταὶ μεῖ- ζον νῦν δύνανται τῶν ποιητῶν Ργ1. 1403 ᵇ34, sed ἡ τῆς τραγῳδίας δύναμις χ̣ ἄνευ ὑποκριτῶν ἐστιν πο6. 1450 ᵇ19. Σάτυρος ὁ ὑποκριτής f 604. 1579 ᵇ44. 60

ὑποκριτικός. ἔστι φύσεως τὸ ὑποκριτικὸν εἶναι Ργ1. 1404

ᵃ15. — ἡ ὑποκριτική Ργ1. 1404 ᵃ13. πο19. 1456 ᵇ10. coni ἡ ῥαψῳδία Ργ1. 1404 ᵃ23. dist ἡ ποιητική πο26. 1462. ᵃ5. — τὰ ὑποκριτικὰ ἀφηρημένης τῆς ὑποκρίσεως φαίνεται εὐήθη Ργ12. 1413 ᵇ17, 21. πτώσεις κατὰ τὰ ὑποκριτικά. οἶον κατ᾽ ἐρώτησιν ἢ ἐπίταξιν πο20. 1457 ᵃ21. Vhl Poet III 240. — ὑποκριτικωτάτη λέξις, ἀγωνιστική, opp γραφική. ἀκριβεστάτη Ργ12. 1413 ᵇ9.

ὑποκύπτειν. ὑποκύψας ἐπὶ τὰ ὀπίσθια σκέλη θ10. 831 ᵃ25.

ὑπόκωφος ναύκληρος (Plat rep VI 488Β) Ργ4. 1406 ᵇ35.

ὑπολαῖς (in accentu libri maxime fluctuant Lob Par 378 adn). ὁ κόκκυξ ἐν ἀλλοτρίαις τίκτει νεοττιαῖς ... ἐν ὑπο- λαΐδος (v l ὑπολλίδος), ἐντίκτει τῇ τῆς ὑπολαΐδος (v l ὑλα- ΐδος) νεοττιᾷ Ζυ29. 618 ᵃ10. ζ7. 564 ᵃ2. (Ypolais Thomae, curuca Gazae Scalig. fauvette C II 329. Sylvia hortensis vel curruca St. Cr. Κ 735, 2. def non potest Su 111, 45. ΑΖι I 110, 111.)

ὑπολαμβάνειν, i q ὑποδέχεσθαι. οἱ ἐκβαλλόμενοι νεοττοὶ βοῶσι, χ̣ ὗτως ὑπολαμβάνει αὐτὸς ἡ φήνη sim Ζυ34. 619 ᵇ34. 36. 620 ᵇ5. — ἐρομένης ὑπολαβὼν φησὶ Ρβ23. 1397 ᵇ6. κἀκεῖνος ὑπολαβὼν ... ἔφη f 40. 1481 ᵃ43. — dictum aliquid in aliquam sententiam accipere. ὁ γὰρ ὥσπερ ὁ ἀκύων ὑπέλαβεν Ργ11. 1412 ᵃ30. cf 9. 1409 ᵇ11. πο25. 1461 ᵃ35. Vhl Poet IV 421. ὑπὸ τῦ ἀκύοντος ὑπολαμ- βάνεται δεδωκέναι τι22. 178 ᵃ20. cf Αα15. 34 ᵃ17. τὰ ἐνθυ- μήματα λέγοντας ἡμίσια, ὥστε τὸ ἥμισυ αὐτὸς ὑπολαμ- βάνειν ρ23. 1434 ᵃ36. — sumere ac statuere aliquid pro vero. ὑπολαμβάνειν ἁπλῶς, dist λαβεῖν ὑπό- ληψιν διὰ συλλογισμῦ Αγ16. 79 ᵇ26. distinguitur a mera cogitandi actione, ᾧ διανοεῖται χ̣ ὑπολαμβάνει ἡ ψυχή ψγ4. 429 ᵃ23, a dubitatione, εἰ μηθὲν ὑπολαμβάνειν, ἀλλ᾽ ὁμοίως ἔχειν Μγ4. 1008 ᵇ10, a dictione, ὑκ ἀναγκαῖον ἅ τις λέγει, ταῦτα χ̣ ὑπολαμβάνειν Μγ3. 1005 ᵇ25. syn τιθέναι Μβ3. 998 ᵃ22. quoniam quod quis pro vero statuit apud animum non est necessario verum (ἐὰν ὑπολάβῃ νύκτωρ Ἀθήνησιν εἶναι ὢν ἐν Λιβύῃ Μγ5. 1010 ᵇ10. ἀπάγει ἀπὸ τῦ ἀληθῦς χ̣ ποιεῖ ὑπολαμβάνειν ΜΖ11. 1036 ᵇ26. cf μ2. 1077 ᵃ15. τοιαῦτ᾽ αὐτοῖς ἔσται τὰ ὄντα οἶα ἂν ὑπολάβωσιν Μγ5. 1009 ᵇ27. τῇ διανοίᾳ ὑπολαβεῖν, coni ἐννοίας χάριν Μλ8. 1073 ᵇ13), ὑπολαμβάνειν, dist ἐπίστασθαι, εἰδέναι, coni οἴεσθαι, veluti οἴεσθαι μὲν εἰδώς, ἐὰν ὑπολάβῃ ὡς ἀναγκαῖον τὸ μὴ ἀναγκαῖον Αγ6. 75 ᵃ15. β21. 66 ᵇ30, 31. Wz ad ᵇ19. Πα3. 1253 ᵇ17. syn δοξάζειν Μγ5. 1009 ᵃ10. ὑποληπτόν i q δοξαστόν Αα39. 49 ᵇ6. τὰ ὑπολαμβανόμενα, i e αἱ ὑπολήψεις (v h v) Φὁ6. 213 ᵃ15. cf Πα3. 1253 ᵇ17. — coniungitur ὑπολαμβάνειν c acc ob- iecti, ὑπολαβεῖν τὴν ἀρχὴν Πε1.1301 ᵃ25. τὰς αὐτὰς αἰτίας ὑποληπτέον μγ6. 377 ᵃ29. ὑπολαμβάνειν χ̣ ὑποκρίνεσθαι τὐναντίον Πε9. 1310 ᵃ10. ὑπολαβεῖν πλῆθος ὡρισμένον Μλ8. 1073 ᵇ13. τί χρὴ περὶ τῶν ἄλλων ὑπολαβεῖν Ζμβ2. 648 ᵃ34. c acc obiecti et praedicati, τὰ τοιαῦτα ὡς εὐφυεῖς ὑπολαμβάνυσι Ζιγ20. 522 ᵃ17. cf Ηε1. 1145 ᵇ2. x9.1179 ᵃ22. ψα1. 402 ᵃ1. ποῖοί τινες ὑποληφθησόμεθα κατὰ τὸ ἦθος Ρα9. 1366 ᵃ26. ὑπολαμβάνειν ὡς αἰτίαν ὗσαν Ζμδ2. 677 ᵃ5. περὶ πάντων ὑπολαμβάνειν ὡς ἁπάντων (ὗτως) ἐχόντων Ζμδ2. 676 ᵇ34. c acc et inf, τὸς θεὸς μάλιστα ὑπειλήφαμεν μακαρίυς εἶναι ΜΗκ8. 1178 ᵇ9, 18. η3. 1146 ᵃ29. 5. 1147 ᵃ23. 6. 1148 ᵇ11. Πβ3. 1262 ᵃ15. ε2. 1302 ᵃ27 (syn νομίζειν ᵃ25). 7. 1307 ᵇ15. μα3. 340 ᵇ30. β2. 355 ᵇ33. 9. 369 ᵇ35. ὁ2. 379 ᵇ14. μτ1. 462 ᵇ14. Ζμβ2. 648 ᵃ14. τὸ θεῖον ὑπολαμβάνεται βοηθεῖν Ρβ5. 1383 ᵇ8. saepe adverbiis determinatur ὑπολαμβάνειν, sive additur περί τινος, sive non additur, ὅτως (ὡς, πῶς) ὑπολαμβάνειν Ζμα1. 640 ᵇ31. ΜΑ3. 983 ᵇ30, 984 ᵇ20. 6. 987 ᵇ1. β4. 1001 ᵇ19. μ4. 1078 ᵇ11. μβ1. 353 ᵇ2. 7. 365 ᵇ16. Πδ3. 1290 ᵃ23, ὁμοίως μβ3. 358 ᵇ31, τὸν αὐτὸν τρόπον Ζιε21. 553 ᵃ18, ὀρθῶς, ἐκ ὀρθῶς Ηχ3. 1145 ᵇ21, 26. Ζμδ2. 677 ᵃ5. γ4. 665 ᵇ28. ξ1. 974 ᵇ11. καλῶς ὑπολαμβανόμενον Ργ1. 1404 ᵃ1. λίαν ἀρχαίως ὑπολαμβάνειν Πγ11. 1330 ᵇ33.

ὑπόλειμμα. λέγω περίττωμα τὸ τῆς τροφῆς ὑπόλειμμα Ζγα18. 724 ᵇ27. μχ3. 465 ᵇ18. τὰ ὑπολείμματα ᶄ περιττώματα· τὰ ὑπολείμματα ᶄ τὰ περιττωματικὰ Ζγβ6. 744 ᵇ15, 31. τὰ ὑπηνέμια ἐστιν ὑπολείμματα ἐκ προτέρας ὀχείας Ζγγ1. 751 ᵃ11. Ζιζ2. 559 ᵇ21. γίνεται (ἡ ὀμίχλη) ἐξ ἀρχῆς νέφης ἢ ἐξ ὑπολείμματος x4. 394 ᵃ22. cf πκς8. 941 ᵃ19. ὑπόλειμμα τῷ ἐν τῇ ἐνεργείᾳ αἰσθήματος εν3. 461 ᵇ21.

ὑπολείπειν. 1. relinquere. pass, ἀφαιρουμένων μῆκος ᶄ πλάτης ᶄ βάθος ὅθεν ὁρῶμεν ὑπολειπόμενον Μζ3. 1029 ᵃ17. τῷ ὑγρῷ τὸ ὑπολειφθὲν γέγονε θάλαττα μβ5. 357 ᵇ3. 356 ᵇ23. τὸ ὑπολειπόμενον τῶν ᾠῶν Ζιζ4. 562 ᵇ11. ἰκμὰς τοσαύτη, ὅση ταῖς γονίμοις ὑπολείπεται μετὰ τὴν κάθαρσιν Ζιη2. 582 ᵇ16. cf Ζμδ3. 681 ᵃ30. τὸ ὑπολειπόμενον μέρος f 156. 1504 ᵃ43, ᵇ3. ὅμοιον τὸ προσελθὸν πρὸς τὰ μέρη τῷ ὑπολειφθέντι Ζγα19. 726 ᵇ15, cf 727 ᵇ17. — tardius aliis moveri, remanere in via, πάντα τὰ φερόμενα τὴν φορὰν τὴν ἐγκύκλιον ὑπολειπόμενα φαίνεται ᶄ κινούμενα πλείης μιᾶς φορᾶς ἔξω τῆς πρώτης σφαίρας Οβ14. 296 ᵃ35. οἱ πλανώμενοι πάντες ἐν τῷ κύκλῳ ὑπολείπονται τῷ τῶν ζῳδίων sim μα6. 343 ᵃ24, 4, 6, 7, 17, ᵇ17, 22. 7. 344 ᵇ11. ἐπειδήπερ ὑπολείπεται ὁ κομήτης ᶄ εἰς ἄλλης τόπης μα6. 343 ᵃ29. εἰς τὸν ἐντὸς ἀεὶ κύκλον ὑπολείπεσθαι μχ35. 858 ᵇ24 (cf ἀπολείπεσθαι ᵇ20, μεθίστασθαι ᵇ28). — inde explicatur: δεῖ ὅτε λίαν ὑπολείπεσθαι ταῖς ἡλικίαις τὰ τέκνα τῶν πατέρων ὅτε λίαν πάρεγγυς εἶναι Πη16. 1334 ᵇ39. εἰ τοσῦτον γένοιτο διάφοροι τὸ σῶμα ὅσον αἱ τῶν θεῶν εἰκόνες, τὰς ὑπολειπομένας (inferiores) πάντες φαῖεν ἂν ἀξίας εἶναι τύτοις δελεύειν Πα5. 1254 ᵇ35. — med, sibi relinquere. παραδῶναι τὰς ἰδιώτας τὸν σῖτον, ὑπολειπόμενον ἑκάστῳ ἐνιαυτῷ τροφήν οβ1348 ᵇ36. — 2. deficere. ὅταν ὑπολίπωσιν· αἱ βάλανοι· ὅταν ὑπολίπῃ τὸ μέλι Ζιι13. 615 ᵇ22. 40. 626 ᵇ6. ὑπολειπούσης τῆς τροφῆς ζ5. 469 ᵇ24. χ6. 798 ᵇ15, 799 ᵃ18 (opp πλεοναζύσης). μγ26. 875 ᵃ14. cf Ζμβ3. 658 ᵃ36. ὅταν ὑπολίπῃ τὸ περίττωμα, ᶄ αἱ τρίχες ὑπολείπωσιν Ζγβ6. 745 ᵃ15. πρὶν ἢ ὑπολείπειν ἢ μεταβάλλειν τὴν σκιὰν πρὸς μεσημβρίαν μβ5. 362 ᵇ8. μηδέποτε ὑπολείπειν τὸ ὕδωρ ᶄ τὴν θάλασσαν Πμ11. 1330 ᵇ7. μβ3. 356 ᵇ5, 11. ἐχ ὑπολείπει γένεσις ᶄ φθορά, ἡ διαίρεσις, ὁ χρόνος Φγ4. 203 ᵇ19, 24. δ13. 222 ᵃ29, ᵇ6. ζ5. 236 ᵇ14. Ογ4. 303 ᵃ27. 7. 305 ᵇ20. Γα3. 318 ᵃ10, 20, 22, 319 ᵃ28. β10. 336 ᵇ26 (cf ἐπιλείπειν ᵇ1). μα4. 353 ᵃ15. Μθ6. 1048 ᵇ16. — ὑπολείποι ἂν ὁ αἰὼν διαριθμῦντα· ἐχ ὑπολείπει αὐτὸν ὁ λόγος Ρα13. 1374 ᵃ33. γ17. 1418 ᵃ34.

ὑπόλειψις. συνάγει (ἡ φύσις) εἰς τὸ γῆρας τὴν ὑπόλειψιν τῶν ὀδόντων Ζγβ6. 745 ᵃ33. ὑπόλειψις τῆς συντήξεως πε30. 884 ᵃ2.

ὑπόλευκον χρῶμα Ζιδ2. 526 ᵃ11.

ὑπόληψις. ἐκ πολλῶν τῆς ἐμπειρίας ἐννοημάτων μία καθόλυ γίγνεται περὶ τῶν ὁμοίων ὑπόληψις ΜΑ1. 981 ᵃ7 Bz. τὰ θηρία ἐχ ἔχει τῶν καθόλυ ὑπόληψιν Ηη5. 1147 ᵇ5. ὑπολήψεως διαφοραὶ ἐπιστήμη ᶄ δόξα ᶄ φρόνησις ᶄ ψ3. 427 ᵇ17, 25, 28 Trdlbg. dist ἐπιστήμη Αγ33. 88 ᵇ37, 89 ᵃ39. 60 τζ11. 149 ᵃ10. Wz ad 66 ᵇ19, cf ἐπιστήμη p 279 ᵃ4. περὶ

ὧν μηδὲν ἴσμεν, ὅμως λαμβάνομεν ὑπόληψίν τινα. Ργ16. 1417 ᵇ10. ὑπολήψει ᶄ δόξῃ ἐνδέχεται διαψεύδεσθαι Ηζ3. 1139 ᵇ17. cf ημα35. 1197 ᵃ30. ἀπάτη κατὰ τὴν ὑπόληψιν Αβ21 Wz. τῆς ἀπλῆς ὑπολήψεως ἀπλῆ ἡ ἀπάτη Αγ16. 79 ᵇ28. syn δόξα ηεη1. 1235 ᵃ20, 29. Μγ5. 1010 ᵃ10. ἡ περὶ τὰς ἰδέας ὑπόληψις Μλ8. 1073 ᵃ17. Α9. 990 ᵇ23. μ4. 1079 ᵃ19 (cf ἡ περὶ τῶν ἰδεῶν δόξα Μμ4. 1078 ᵇ13). ἀρχαία ᶄ δημοτικὴ ὑπόληψις μα3. 339 ᵇ20. ΜΑ8. 989 ᵃ12 (cf ἀρχαία ᶄ παλαιὰ δόξα ΜΑ3. 984 ᵃ1). διεξελθεῖν τὰς τῶν ἄλλων ὑπολήψεις Οα10. 279 ᵇ6. cf μα8. 345 ᵇ10. αἱ ὑπολήψεις ἃς ἔχομεν περὶ τὸ σοφὸ ΜΑ2. 982 ᵃ6 Bz. vulgatae ὑπολήψεις quam vim habeant μτ1. 462 ᵇ14-16. ἔχειν ὑπόληψιν ΜΑ2. 982 ᵃ6. Πε1. 1301 ᵃ37. θ5. 1339 ᵇ7. λαβεῖν ὑπόληψιν ΜΑ3. 983 ᵇ22, 25. μβ2. 354 ᵇ22. Ργ16. 1417 ᵇ10. τὴν ὑπόληψιν λαμβάνειν διὰ συλλογισμῦ Αγ16. 79 ᵇ27. πόθεν ἡ ἀρχὴ τῆς ὑπολήψεως Μκ6. 1062 ᵇ21. σώζειν, διαφθείρειν, διαστρέφειν τὴν ὑπόληψιν Ηζ5. 1140 ᵇ13. διὰ τὴν ὑπόληψιν (i e ὅτι τῦτο ὑπολαμβάνωσιν) Ζιη4. 584 ᵇ12. κατά, παρὰ τὴν ὑπόληψιν Πε1. 1301 ᵃ37. Ηη5. 1146 ᵇ28. πο18. 1456 ᵃ15. ὑπόληψις ἰσχυρά, ἠρεμαία Ηη3. 1145 ᵇ36, 1146 ᵃ1. ἡ πίστις ὑπόληψις σφοδρὰ τὸ5. 126 ᵇ18, 15, cf πίστις p 595 ᵇ10. ᶄ τῷ Δίωνος ὑπόληψις (sententia, consilium) Πε10. 1312 ᵃ34. ἐκ τῆς ὑπολήψεως ἢ τῆς ὑποψίας κατακρίνειν ρ37. 1442 ᵇ19. ὑπόληψιν δυσχερῆ ἀπολύσασθαι Ργ15. 1416 ᵃ4.

ὑπολογεῖν τινος, syn φροντίζειν Πη3. 1325 ᵃ39.

ὑπόλοιπος. ἐκ εὐθὺς ἀναλύσει τὴν ὕλην ... ἕως ἂν ἂν ἀναλωθῇ τὰ ὑπόλοιπα τύτων μβ8. 368 ᵃ11. ἐν τῷ καθεύδειν τὰ φαντάσματα ᶄ αἱ ὑπόλοιποι κινήσεις αἱ συμβαίνεται ἀπὸ τῶν αἰσθημάτων εν3. 461 ᵃ18 (cf ὑπόλειμμα p 800 ᵃ14). περὶ δὲ τῶν ὑπολοίπων εἴπωμεν ἔργων τῆς ἐκκρίσεως sim μγ1. 370 ᵇ3. Ζμδ10. 685 ᵇ30. ρ18. 1432 ᵇ8. — ἔστι δ' ἡ ἐνέργεια ἐν ταῖς ἐπιθυμίαις τῆς ὑπολοίπη (Bk, v l ὑπολύπη, ἐπιλοίπη, ὑπολύπη Zell, fort ἐπιλύπη coll Ηx5. 1175 ᵇ18. ᶄ13. 1153 ᵃ32, 35) ἕξεως ᶄ φύσεως Ηη13. 1152 ᵇ35, cf ἐπίλυπος.

ὑπόλυπος v l Ηη13. 1152 ᵇ35, Zell II 310. cf ὑπόλοιπος.

ὑπόμακρος. πρόσωπον σαρκῶδες, ὑπόμακρον ἱκανῶς φ3. 807 ᵇ26.

ὑπομένειν. intrans, ὑπομένει διὰ βάρος, opp ἀνάγεται μβ2. 355 ᵃ34. τὸ θερμὸν περὶ τὴν γῆν ὑπομένειν πκε21. 940 ᵃ2. ὑπομένωσιν οἱ τέττιγες, opp ἀναπέτονται Ζιε30. 556 ᵇ18, 14. ὑπομένειν, opp φεύγειν Ζu45. 630 ᵇ8. — ὑπομένειν μέχρι τινός, opp λείπειν τὰς χώρας μα14. 351 ᵇ17. τὸ ὑπομένην (i e τὸ ὑπόλοιπον) ὑγιές Ηη15. 1154 ᵇ18. ὅταν ὑπομένῃ πληγεὶς ὁ ἀὴρ ᶄ μὴ διαχυθῇ ψβ8. 419 ᵇ21. ἡ ἐκ τῷ πνεύματος ὑπομένυσα ὑγρότης Ζμδ6. 682 ᵃ26. ὑπομένει τὸ ζῆν, opp φθείρεται ζ4. 469 ᵇ14. ἡ ὕλη ὑπομένει, τὸ δ' ἐναντίον ἐχ ὑπομένει Μλ2. 1069 ᵇ7. 3. 1070 ᵃ25. β5. 1002 ᵃ3. Φα7. 190 ᵃ10. 9. 192 ᵃ13. τὸ μὴ ὑπομένον ἐκ ἂν ἔχοι θέσιν Κ6. 5 ᵃ28. — trans, c acc, ὑπομένειν πάντα, τὰ φοβερά, τὰ λυπηρά, κινδύνως, πολεμίως Ηβ2. 1104 ᵃ20. γ1. 1110 ᵃ21, 22, 26. 10. 1115 ᵇ18, 23, 33. 11. 1116 ᵃ12,15, 1117 ᵃ17. 12. 1117 ᵃ35. Ζιθ29. 607 ᵃ12. ημα 20. 1190 ᵇ26, 1191 ᵃ6, κεραυνὸς τὸ φερόμενα ᶄ τὰ φερόμενα ηεγ1.1229 ᵇ27, ᵃ17, τὴν πληγὴν Ζιθ9. 614 ᵇ16 al, ἀρχήν, τυραννίδα, τὸ ἄρχεσθαι Πβ5. 1264 ᵃ19. γ14. 1285 ᵃ22. δ10. 1295 ᵃ22. 13. 1297 ᵇ28. ζ4. 1318 ᵇ18, κάματον x6. 397 ᵇ23. τί ἀντὶ τίνος ὑπομενετέον Ηγ1. 1110 ᵃ30. ὑπομένειν λόγον, ἐναντιώσεις, τὸ συμβαῖνον Μγ4. 1006 ᵃ26. v 2. 1090 ᵃ2. Ογ7. 306 ᵃ13. (accusativus eius rei, quam quis ὑπομένει,

interdum omittitur, ubi obiectum per se intelligitur Πγ15.
1286 b13. ηεγ1. 1230 a13, 17. ημα 20. 1191 a29 al. μά-
χιμοι αἱ γέρανοι· ὑπομένϫσι γάρ Ζιι12. 615 b18. ἐπιδέξιοι
ϫ τωθάσαι ϫ ὑπομεῖναι Ρβ4. 1381 a34.) ὑπομένειν τὴν
ὀχείαν Ζιγ20. 522 a7 (cf ὑπομένει ἡ πέρδιξ. ἵνα ὀχευθῇ
Ζιι8. 614 a25), sed etiam ipsum ὑπομένειν significat pati
coitum, ὑπομένειν τῆς ἐλάφϫς, τὸς κριὸς, τὸς ἐπιχειρϫ̂ντας
ὀχεύειν ὄρνιθας sim Ζιε2. 540 a5. ζ29. 578 b7. 19. 574 a4.
ι49. 631 b18. — ὑπομένϫσι c partic, ὑπομένϫσι κρατϫ̂μενοι,
ἀρχόμενοι, ὑπέμεινε προσκληθείς Πδ11. 1296 b2. ηθ. 1329
a11. ε12. 1315 b21. cf Ηθ15. 1163 a9. ηεϫ2. 1236 b16.
πολυπόδες ὑπομένϫσι τεμνόμενοι Ζιδ8. 534 b28. — c infin,
ἐν μέρει ἄρχειν ϫκ ἂν ὑπομείνειαν Πδ12. 1297 a4. ἀνα-
κάμψαι ϫδεὶς ἂν ὑπομείνειν ηεα5. 1215 b23.
ὑπομενετικὸς κινδύνων ηεγ5. 1232 a26, πρὸς λύπας ηεγ1.
1229 b5. ὑπομενετικώτερος τῶν δεινῶν Ηγ9. 1115 a25.
ὑπομήκης. τὸ ὅλον (τῆς τευθίδος) σωμάτιον τρυφερὸν ϫ
ὑπομηκέστερον f 318. 1532 a9.
ὑπομίμησκε τῆς δικαστὰς ὅτι p37. 1443 a16. ὑπομνη-
στέον τῆς εὐμετείας p30. 1436 b29.
ὑπόμνημα τῶν τῆς πόλεως ἔργων Ργ10. 1411 b10. εὑπο-
ρήσεις ἐκ τῶνδε τῶν ὑπομνημάτων σοι γεγραμμένων p1.
1421 b15.
ὑπομνηστευσάμενος θυγατέρα· ὁ ὑπομνηστευθεὶς πατήρ
Πε4. 1304 a14, 15.
ὑπομονή, opp ἀκολάθησις Ργ9. 1410 a4. ἡ ὑπομονὴ ϫ τὸ
μὴ ἀμύνεσθαι Ρβ6. 1384 a21.
ὑπομονητικὸς τῆς κατὰ φύσιν ἐνδείας αρ5. 1250 b14, cf
ὑπομενετικός.
ὑπομόχλιον μχ3. 850 a35. 20. 854 a10. 21. 854 a28. πδ23.
879 a17.
ὑπονεῖν. ἐφάνησαν δελφῖνες δελφίνσκον μικρὸν τεθνηκότα
ὑπονένοντες ϫ μετεωρίζοντες Ζιι48. 631 a18.
ὑπονοεῖν. ὑπένησαν οἱ ἄνθρωποι εἶναί τι θεόν, τὸ καθ᾿ ἑαυτὸ
(εἶναί τι θεῖον καθ᾿ ἑαυτὸ ὂν ci Bernays Dial p 105) f 12.
1476 a4.
ὑπόνοια, dist αἰσχρολογία Ηθ14. 1128 a24. Bernays Rh M
8, 570.
ὑπόνομος, cuniculus. οἱ τὰς ὑδραγωγίας ποιϫ̂ντες ὑπονόμοις
ϫ διώρυξι συνάγϫσιν μαι3. 350 a1. ἀσυμφανὴς ὑπόνομος
ϫ82. 836 b20. εἰσελθεῖν εἰς τινα ὑπόνομον ϫ99. 838 b5.
ὑπονοστεῖν. reverti, τὸν ἥλιον ὑπονοστεῖν μβ8. 367 a24. —
subsidere, ἔδει τϫ̂τα συμβαίνοντος ὑπονοστϫ̂σαν πολλαχϫ̂
φαίνεσθαι τὴν γῆν μβ7. 365 b12. τὸ ὑγρὸν εἰς τὴν κύστιν
ὑπονοστεῖ sim πκδ4. 936 a31. ε9. 881 b11.
ὑποπέμπων (subornans) τινὰς ἥρωτα οβ1352 a3.
ὑποπίπτειν. νεανίσκοι ὑποπιόντες ἐκώμασαν πρὸς αὐτόν f 517.
1562 b22.
ὑποπίπτειν. πάντα τὰ φυτὰ τοῖς τοιϫ̂τοις ὑποπίπτϫσιν ὀνό-
μασιν φτα4. 819 b2.
ὑποπλάσσειν. ὅταν ὑποπλασθῇ (?) ὑπὸ τῆς πηγῆς τὸ ὕδωρ ἐν
τῷ ἀέρι προθερμανθέν. περιψύχεται ταχέως f 208. 1516 a3.
ὑποπνεῖν. διὰ τί ἐὰν μετεώρϫ ὦσιν οἱ πόδες, μᾶλλον ῥιγϫ̂-
σιν; πότερον ὑποπνεῖ μᾶλλον πη6. 887 b30.
ὑποποιήσασθαι τὰς ἐρωμένας τὰς ἑταίρα Πε4. 1303 b24.
ὑποπόρφυρον χρῶμα Ζιι14. 616 a15.
ὑπόπϫς (Lob Par 250. M 79). ἡ λεκτέον τϫ̂ ὑπόποδος τὸ
μὲν πτερωτὸν τὸ δ᾿ ἄπτερον ΜΖ12. 1038 a10-18. (περί-
εργον τὸ λέγειν) ὑπόπην ὅπην σχιζόπην Ζμα2. 642 b8.
3. 643 b36. τὰ ὑπόποδα. ἅπαν τὸ ὑπόπην ἐξ ἀνάγκης ἄρ-
τις ἔχει τὰς πόδας. πῶς ἵσταται Ζπ11. 710 b11. 19. 714

b12. 8. 708 a21. 9. 708 b27. τῶν ἐναίμων ὅσα κατὰ τὸ
μῆκος ἀσύμμετρά ἐστι πρὸς τὴν ἄλλην τϫ̂ σώματος φύσιν
ϫ̂θὲν αὐτῶν οἷον θ᾿ ὑπόπην εἶναι Ζπ8. 708 a17. τὰ ἀμφώ-
δοντα ϫ ζῳοτόκα ϫ ὑπόποδα· τὰ ἄναιμα τῶν ὑποπόδων
Ζιγ1. 511 a32. Ζπ16. 713 a26. τὰ ὀστρακόδερμα τῶν ἐνύ-
δρων ὑπόποδα (ϫχ ὑπόποδα ci Furl) διὰ τὸ βάρος πν8.
485 a21.
ὑπόπτερα θηρία Ζιε19. 552 b12.
ὑποπτεύειν. τὰς ἰατρὰς ὅταν ὑποπτεύωσι πιστευθέντας τοῖς
ἐχθροῖς Πγ16. 1287 a39. ἐάν τις ὑποπτεύηται εἰς πονηρίαν
τινὰ p30. 1437 a1. — ὑποπτεύσειεν ἄν τις Ἡσίοδον πρῶτον
ζητῆσαι τὸ τοιϫ̂τον ΜΑ4. 984 b23. ὅτι ὅλως ϫκ ἔστιν, ἐκ
τῶνδέ τις ἂν ὑποπτεύσειεν Φδ10. 217 b33.
ὑπόπτης. ἔστι τὸ ἦθος λέων ϫχ ὑπόπτης ϫδενός Ζιι44. 629
b10.
ὑπόπτως ἔχειν περὶ τὰ προσφερόμενα πκ34. 926 b22.
ὑποπύγιον v l Ζμ12. 694 b16.
ὑπόπυον ἀμέλγανται (αἶγές τινες) Ζιγ20. 522 a10.
ὑπόπυρρος χρόα Ζιι14. 616 a21. βασιλέων (μελιττῶν) γόνος
ὑπόπυρρος Ζιε22. 554 a25.
ὑπορρεῖν. ἐπειδὰν (τὸ κῦμα) πάλιν εἰς τὴν ὑπορρέϫσαν θά-
λασσαν κατενεχθῇ θ130. 843 a21.
ὑπόρριζος. τῆς γαστρὸς ῥίζα ὀμφαλός· ὑπόρριζον δὲ τὸ μὲν
δίφυὲς λαγών, τὸ δὲ μονοφυὲς τὸ ὑπὸ τὸν ὀμφαλὸν ἦτρον
Ζια13. 498 a18.
ὑποσημαίνειν ἔοικε ϫ τϫ̂νομα Ηγ4. 1112 a16. δ4. 1122
a23. πιε1. 910 b13.
ὑπόσομος. (ϫ τῶν ἐναίμων) ἔνια πόρρωθεν ἅπαντα πρὸς τὴν
τροφὴν ὑπόσομα γινόμενα ↓β9. 421 b12.
ὑποσπᾶν. ὁ τὸ ὑφιστάμενον ϫ κωλύον κινήσας ἔστι μὲν ὡς
κινεῖ ἔστι δ᾿ ὡς ϫ̂, οἷον ὁ τὸν κίονα ὑποσπάσας Φθ4. 255
b25. Οδ3. 311 a10. καταπίπτϫσιν ὑποσπωμένϫ τϫ̂ θερμϫ̂
τϫ̂ ἀνάγοντος ϫ3. 457 b24. cf πε15. 882 a37.
ὑπόσταλσις ci S Ζιβ1. 499 a21, cf ὑπόστασις p 801 b59.
ὑπόστασις. 1. τὰς προσθίϫς πόδας τὰ πολυδάκτυλα τῶν
τετραπόδων ἀντὶ χειρῶν ἔχϫσιν, ἀλλ᾿ ϫ̂ ὅλως ἕνεχ᾿ ὑπο-
στάσεως τϫ̂ βάρϫς Ζμβ16. 659 a24. — 2. ὑπόστασις et
subsidendi actionem significat (τὸ μὲν πνεῦμα τὸν σεισμὸν
ἐποίησεν, ἡ δ᾿ ὑπόστασις τϫ̂ κύματος τὸν κατακλυσμὸν
μβ8. 368 b12) et plerumque id quod subsidendo remanet,
sedimentum, τῶν στασίμων (ὑδάτων) τά μὲν συλλογίμαια
ϫ ὑποστάσεις, τὰ δὲ πηγαῖα μβ1. 353 a23. ὅπϫ ἂν ϫ̂ρε-
ρείνσις γίγνηται ὕδατος γεώδη ἔχϫσα ὑπόστασιν· ἐν τοῖς
(ὕδασιν) ἔχϫσι παντοδαπὴν ὑπόστασιν Ζιε19. 551 b19, 552
a12. ὕδατος εἴδη τοιάδε, οἶνος, ϫ̂ρον, ὀρρός, ϫ ὅλως ὅσα
μηδεμίαν ϫ βραχεῖαν ἔχει τὴν ὑπόστασιν μδ5. 382 b14. οἱ
δέ φασι (τὰς Χάλυβας) τὴν ὑπόστασιν τὴν γενομένην ἐκ
τῆς πλύσεως (τῆς ἐκ τῶν ποταμῶν ἄμμϫ) πολλάκις πλυ-
θεῖσαν συγκαίειν θ48. 833 b25. τὰ μὲν ὡς ὕλη τῶν μερῶν
τῶν ἀνομοιομερῶν ἐστιν, τὰ δὲ τροφῇ τϫ̂τοις, τὰ δὲ πε-
ριττώματα συμβέβηκεν εἶναι τϫ̂των, οἶον τήν τε τῆς ξηρᾶς
τροφῆς ὑπόστασιν ϫ τὴν τῆς ὑγρᾶς τοῖς ἔχϫσι κύστιν
Ζμβ2. 647 b28. ἡ τῆς τροφῆς ὑπόστασις δι᾿ ἀπεψίαν μβ3.
357 b8. ἡ ἐν τῇ κοιλίᾳ ϫ ἐν τοῖς ἐντέροις ὑπόστασις· ἡ
τῆς ξηρᾶς τροφῆς (ἡ ξηρὰ) ὑπόστασις Ζμδ2. 677 a15.
β2. 647 b28. Ζγα18. 726 a21. πιδ3. 895 b3 (syn ὑπόστημα
b10). τῶν θερμοτάτων κατὰ τὴν κοιλίαν ζῴων συμβαίνει
θερμοτάτην εἶναι τὴν ὑπόστασιν μβ3. 385 b11, 9. (διὰ τὴν
ὑπόστασιν) τῆς κοιλίας Ζιβ1. 499 a21, ὑπόσταλσιν ci S, cf
κοιλία p 396 a25.) ἡ τῆς ὑγρᾶς τροφῆς ὑπόστασις, ἡ εἰς
τὴν κύστιν, ἡ ἐκ τῶν νεφρῶν γιγνομένη ὑπόστασις, τὸ ϫ̂ρον

μβ2. 355 ᵇ8. 3. 358 ᵃ8. Ζμβ2. 647 ᵇ28. γ9. 671 ᵇ20. 8.
671 ᵃ21. πβ3. 866 ᵇ26. cf Galen XIX 584 sq. δυσώδης
ἡ ὑπόστασις τῷ ἰδρῶτος πδ12. 877 ᵇ37. β3. 866 ᵇ26. ἡ
τῆ ἀπέπτῳ ὑπόστασις μονιμωτάτη ἐστὶ κ̀ σύντονος γίνεται
τῷ σώματι, καθάπερ ἡ μέλαινα χολή πα19. 861 ᵇ19. — 5
3. καθ' ὑπόστασιν fere i q κατ' ἐνέργειαν, τῷ ὄντι· τῶν
ἐν ἀέρι φαντασμάτων τὰ μέν ἐστι κατ' ἔμφασιν τὰ δὲ
καθ' ὑπόστασιν κ4. 395 ᵃ30.
ὑποστατικός. ὑποστατικώτεροι, dist πολυπνούστεροι ηεβ5.
1222 ᵃ33.　　　　　　　　　　　　　　　　　　　　　　10
ὑποστέλλεσθαι, med. ὑποστέλλονται (τῷ ἱστίῳ μέρος) μχ7.
851 ᵇ10, 7. — διὰ τί ὑγιεινὸν τὸ τῆς τροφῆς μὲν ὑπο-
στέλλεσθαι, πονεῖν δὲ πλείω πκ46. 864 ᵇ36. ε33. 884 ᵃ22.
τοιοῦτος ὢν οἷος ὑποστελλόμενός τι τῶν ἀγαθῶν πρὸς τὸ μὴ
εἶναι αὐτῷ, ὐκ ἂν δόξειε καλὸς κ̀ ἀγαθὸς εἶναι ημβ9. 15
1208 ᵃ1.
ὑπόστημα. 1. cf ὑπόστασις 1. τὸ μὲν ὐθὲν ὅλως ὑπόστημα
ἔχει ἐφ' ᾧ τὸ τῷ σώματος ἕξει βάρος Ζπ8. 708 ᵇ2. —
2. cf ὑπόστασις 2. (ἔχει θερμότητα) οἷον κονία κ̀ τέφρα,
κ̀ τὰ ὑποστήματα τῶν ζῴων Ζμβ2. 649 ᵃ25. cf μβ3. 20
385 ᵇ11, 9. τῶν ὑστερογενῶν (τοῖς ζῴοις ὑγροῖς) τά τε
περιττώματα τῆς τροφῆς ἐστι, τό τε τῆς κύστεως ὑπό-
στημα κ̀ τὸ τῆς κοιλίας, κ̀ παρὰ ταῦτα γονή Ζμβ7. 653
ᵇ11. τὰ ὑποστήματα τῆς κοιλίας κ̀ τῆς κύστεως Ζια1.
487 ᵃ6. Ζμγ7. 670 ᵇ26. δ2. 677 ᵇ8. cf π43. 895 ᵇ10 (syn 25
ὑπόστασις ᵇ3). τοῖς ὄρνισι τὸ ὑπόστημα τὸ λευκὸν ἐπὶ τῷ
περιττώματος γεῶδες Ζμδ5. 679 ᵃ18. ὑπόστημα ἐν τῇ
κοιλίᾳ ὠχρὸν Ζιζ3. 562 ᵃ9.
ὑποστρέφειν. ἃ δυνάμενα τὰ γεώδη ὑποστήματα ῥᾳδίως
ὑπεξιέναι, πρὸς ἄλληλα ὑποστρεφόμενα λίθος γίνεται πι43. 30
895 ᵇ10.
ὑποσυγχεῖν. αἱ τραχύτεραι κ̀ μικρὸν ὑποσυγκεχυμέναι φωναί
ακ802 ᵃ4.
ὑπόσχεσις. ἀπαιτεῖν τὰς ὑποσχέσεις Ηε1. 1164 ᵃ17.
ὑποσχίζειν Ζιγ2. 512 ᵃ30 e cod Aᵃ Aub. 4. 514 ci Aub, 35
cf ἀποσχᾶν, ἀποσχάζειν p 86 ᵇ37, 36.
ὑποτάσσειν. φύλαρχος, ὑποτεταγμένος τῷ ἱππάρχῳ f 392.
1543 ᵃ13.
ὑποτείνειν. trans, ὑποτέταται (τὸ τῶν ὀρνίθων ἰσχίον) μέχρι
μέσης τῆς γαστρὸς Ζμδ12. 695 ᵃ2. — intr, μείζων ἡ 40
γραμμή, ὑπὸ γὰρ τὴν μείζω γωνίαν ὑποτείνει τὴν τε τρι-
γώνα μγ5. 376 ᵃ13. ἡ ὑποτείνασα (i e ἡ ὑπὸ τὴν ὀρθὴν τῷ
τριγώνῳ γωνίαν ὑποτείνασα) Ζπ9. 709 ᵃ1, 20.
ὑποτέμνεσθαι, med. (τῶν ποταμῶν οἱ μακρὰν ῥέοντες διὰ
κοίλης) πολλῶν δέχονται ῥεύματα ποταμῶν, ὑποτεμνόμενοι 45
τῷ τόπῳ κ̀ τῷ μήκει τὰς ὁδὰς μβ2. 356 ᵃ27.
ὑποτιθέναι. σπόγγον ὑπὸ τὰς κνημῖδας ὑποτιθέασιν Ζιε16.
548 ᵇ3. ὅταν ὑποθῇ τις ὑπὸ τὸν ὀφθαλμόν, δύο φαίνεται
πγ20. 874 ᵃ9. πρὸς τὴν ἀσφάλειαν τὰς προσθίας πόδας ὑπέ-
θηκεν ἡ φύσις τοῖς τετράποσιν Ζμδ10. 686 ᵃ34. cf 12. 50
695 ᵃ11. ἀλεκτορίδι ὑποτιθέασιν ᾠὰ Ζιζ3. 564 ᵇ3, 7. ἡ θή-
λεια αἴλυρος ὑποτίθησιν ἑαυτήν (πρὸς ὀχείαν) Ζιε2. 540 ᵃ11.
— ὑποθεῖναι τοῖς ἐναντίοις φύσιν τινά, τὴν ὕλην Φα6. 189
ᵃ28, 19. γ4. 203 ᵃ17. Γα1. 314 ᵇ26. ΜΑ7. 988 ᵃ25. τὸ
γένος πρῶτον ὑποτίθεται τῶν ἐν τῷ ὁρισμῷ λεγομένων τζ5. 55
142 ᵇ28. τοιοῦτον ἦθος ὑποτιθεὶς πο15. 1454 ᵃ27. ὑποθεῖναι
τὰ ὀνόματα πο17. 1455 ᵇ12. (cf 9. 1451 ᵇ13 v l.) Vhl Poet
II 45. — med ὑποτίθεσθαι. φιλόσοφός τις ὑποτιθέμενος ὑπὸ
τὴν ψάλαθον ᾠὰ Ζιζ2. 559 ᵇ3. (τὰ τρωγλοδυτικὰ) ἀναγκαῖον
τὰς μηρὰς προστέλλοντα κ̀ ὑποτιθέμενα ὑφ' αὐτὰ τὸν με- 60
τεωρισμὸν τῷ ὅλῳ σώματος ποιεῖσθαι Ζπ15. 713 ᵃ23. —

suadere, praecipere, γραμματικόν τι ποιῆσαι ἄλλῃ ὑποθε-
μένῃ Ηβ3. 1105 ᵃ23. ἃ ἐν τῷ συμβυλεύειν ὑπόθοιο ἂν
Ρα9. 1367 ᵇ37. — proponere, περὶ ἀέρος εἰπόντες ὥσπερ
ὑπεθέμεθα μα3. 340 ᵃ23. ρ18. 1432 ᵇ5. — ὑποθετέον (pro
fundamento disputationis ponendum est) πρῶτον τίνος χά-
ριν συνέστηκε πόλις Πγ6. 1278 ᵇ15. τὰ κοινὰ συμβεβηκότα
πᾶσι κατά τι κοινὸν ὑποθέμενοι Ζμα1. 639 ᵃ19. αἱ ἀπο-
δείξεις ὑποτιθέμεναι κ̀ λαμβάνουσαι τὸ τί ἐστι Αδ3. 90 ᵇ31.
αἱ ἐπιστῆμαι λαμβάνουσι τὸ τί ἐστιν αἱ μὲν δι' αἰσθήσεως
αἱ δ' ὑποτιθέμεναι Μχ7. 1064 ᵃ8. ἔδει ἢ ὁρίσασθαι ἢ ὑπο-
θέσθαι ἢ ἀποδεῖξαι Γβ6. 333 ᵇ25. νοήσαντας κ̀ ὑποθεμένης
ὅτι μγ4. 374 ᵇ9. ὁ ὑποτιθέμενος, i e ὁ ἀξιώσας τὴν ὑπό-
θεσιν τιγ6. 120 ᵃ3. ἰδίας ὑποθέσεις ὑποθέμενος Μιδ8. 1083
ᵇ6. ὑποθετέον τὸ ἀντικείμενον (in syllogismo indirecto)·
ἐὰν τὸ ἐναντίον ὑποτεθῇ· ψεῦδος τὸ ὑποτεθέν Αβ11. 61 ᵇ18,
21, 24 sqq saepissime (syn ὑποκείσθω ᵇ25, εἰ ληφθείη ᵇ30).
ὑποτεθέντων ἂν τὸ ὂν ΜΑ5. 986 ᵇ14. τὴν φύσιν ὑποτιθέμεθα,
ἐξ ὧν ὁρῶμεν ὑποτιθέμενοι, μάταιον ὐθὲν ποιῆσαν Ζγε8.
788 ᵇ20, 21. ᾗ μόνον τὸ λεχθὲν ἔργον ὑπεθέμεθα τῆς
πραγματείας τι34. 183 ᵇ4. καθ' ἕκαστον τῶν ἔργων ἄλλης
ὑποθετέον Πη9. 1328 ᵇ28. τὸ πρότερον ὑποτεθὲν φανερὸν
ἔσται Φθ7. 261 ᵃ9. ὑποτίθεσθαί τι, περί τινος καλῶς, κατὰ
λόγον Μι3. 1054 ᵇ33. Φθ1. 250 ᵇ22. ὃ ἂν ὁ φρόνιμος ὑπο-
θῆται πο25. 1461 ᵇ18. ὑποτίθεσθαί τι ψεῦδος, ἀδύνατον
Οα12. 281 ᵇ14. Μν2. 1089 ᵃ22. Πηβ. 1325 ᵇ2. δεῖ ὑποτί-
θεσθαι κατ' εὐχήν, ἀλλ' ὐκ ἀδύνατον Πβ6. 1265 ᵃ17.
ὑποτιμᾶν. κἂν ἐλεγχθῇς τι τὴν πόλιν ἀδικῶν, ἀποθνήσκειν
ὑποτιμῶ ρ30. 1437 ᵃ17. — med, τὰς φόρας πράσσεσθαι
ἐκέλευσεν ὅσας αὐτοὶ ὑπετιμήσαντο οβ1353 ᵃ12, 1347 ᵃ22.
ὑποτριόρχης (Lob Par 378). οἱ πλατύτεροι (πλατύπτεροι
S Bsm Pik) ἱέρακες ὑποτριόρχαι καλῶνται Ζιθ6. 620 ᵃ19.
(ypotriorcha Thom, subbuteo Gazae Scalig. sous-buse C
II 778. cf S II 163. i q Buteo vulgaris Cr. 'grasmücken-
artige Falken' K 996, 5. in incert rel Su 101, 19. ΑΖι
94, 37q.)
ὑποτυπῦν. ὑποτυπῦσαι πρῶτον, syn περιγράφειν, opp ἀνα-
γράφειν· προάγειν, διαρθρῦν Ηα7. 1098 ᵃ21. ὑποτυπωσά-
μενοι τὴν ὐσίαν πρῶτον τί ἐστι Μζ2. 1028 ᵇ31 (cf τύπῳ
εἴρηται 3. 1029 ᵃ7).
ὕπηλος. (ἕλκη τινὰ) καίειν δεῖ, ὅτω γὰρ ὐκ ἔσται ὕπηλα
πα32. 863 ᵃ12.
ὑπηργεῖν χάριν δεομένῳ Ρβ7. 1385 ᵃ18 (syn ὑπηρετεῖν ᵃ33,
34, ᵇ1).
ὑπηργία. ἐν οἷς μὴ γίνεται ὁμολογία τῆς ὑπηργίας Ηι1.
1164 ᵃ24. ἀνάγκη εἰς ταῦτα ἔχειν τὴν ὑπηργίαν ἢ εἰς ἴσα
Ρβ7. 1385 ᵃ29.
ὑποφαίνειν. trans, ἰχθύες ἡσυχάζοντες κ̀ τὰ λευκὰ ὑπο-
φαίνοντες Ζιθ10. 537 ᵃ21. ὑποφαίνοντες (ἀποφαίνοντες Spgl
e cod D) κεφαλαιωδῶς ἐφ' οἷς εὖ πεποιήκαμεν τὰς ἀδι-
κούντας ρ37. 1444 ᵇ36. — (ὁ ἵππος ὁ ποτάμιος) ἔχει χαυ-
λιόδοντας ὑποφαινομένως Ζιβ7. 502 ᵃ12. — τοῖς λεχθεῖσιν
ἀμφισβήτησίς τις ὑποφαίνεται Ηα4. 1096 ᵇ18. — intr,
ἐὰν ὑποφαίνῃ ἀπορία μέλιτος Ζυ40. 625 ᵃ23.
ὑποφαύσκοντος ἡλίῳ, opp ἐγγύτερω ὄντος πη17. 888 ᵇ27.
ὑποφέρειν. ἐὰν ὑποφέρηται (si subtrahatur, recedat) τῆτο
(τὸ ὑποκείμενον τῷ κινουμένῳ) θᾶττον ἢ ὥστ' ἔχειν ἀπερεί-
σασθαι Ζπ3. 705 ᵃ9. (οἱ ἵπποι ἁρωστῆντες) τὰ ὀπίσθια
σκέλη ἐφέλκουσιν ἐπὶ τὰ ἔμπροσθια κ̀ ὑποφέρειν Ζυ24.
604 ᵇ1. ἐν τοῖς κατάντεσι, διὰ τὸ ὑποφέρεσθαι τοῖς σκέλεσι,
τοῖς μηροῖς ἀποστηριζόμενοι πονῶμεν πε19. 882 ᵇ29. —
ὑποφέρεσθαι, ὑποφέρειν, dist φέρεσθαι, φέρειν μχ1. 848 ᵇ15.

23. 855 ᵃ12, 23. — ἡ καρδία χαλεπὸν πάθος ὀδὲν ὑπο-
φέρει Ζμγ4. 667 ᵃ34. ὁ τόπος ἐπίκαιρος ὢν τῷ ζῆν ὀκ ἂν
δύναιτο ταῦθ᾽ ὑπενεγκεῖν Ζγα11. 719 ᵃ17. ὅταν ἀπολάβη
πολλὴν τροφήν, ὀκέτι δύναται ἐσθίειν διὰ τὸ μὴ ὑποφέρειν
πκβ3. 930 ᵃ37. ὑπενεγκεῖν πόλεμον, μίαν πληγὴν Πβ7.
1267 ᵃ27. 9. 1270 ᵃ33.

ὑποφεύγειν. τῆς νηρείτας ὑποφεύγειν, ἐὰν φθέγγωνται οἱ
θηρεύοντες Ζιθ8. 535 ᵃ22. — τὸ θερμὸν ὑποφεῦγον χ̣ συ-
στελλόμενον αν20. 479 ᵇ23. cf Ζμβ7. 653 ᵃ15.

ὑποφρυγιστί. οἱ ἐν τραγῳδίᾳ χοροὶ ὀθ᾽ ὑποδωριστὶ ὀθ᾽
ὑποφρυγιστὶ ᾄδουσιν πιθ48. 922 ᵇ10. 30. 920 ᵃ8. ἡ ὑπο-
φρυγιστὶ ἐνθουσιαστικὴ χ̣ βακχική, πρακτικὸν ἔχει τὸ ἦθος
πιθ48. 922 ᵇ22, 12.

ὑποφύεσθαι. μὴ βάλλειν πρότερον (ὀδόντας) πρὶν ὑποφυῶσιν
ἐντὸς ἴσοι Ζιβ2. 501 ᵇ9. γίνεται ἅμα τῆς ἑτέρας ὑποφυο-
μένης ἡ τῆς ἑτέρας ὁπλῆς ἀποβολὴ Ζιδ24. 604 ᵃ25.

ὑποφωσκύσης ἔω χ̣ ἤδη πρωί, opp τῆς νυκτὸς πκε5. 938
ᵃ32.

ὑποχεῖν. ἑξῆς ταύτης (τῆς πυρώδυς φύσεως) ὁ ἀὴρ ὑποκέ-
χυται χ2. 392 ᵇ6.

ὑποχείριος πῶς γίνεται τοῖς θηρεύουσιν ἡ πάρδαλις θ6. 831 ᵃ9.

ὑπόχλωρον τὸ ῥύγχος τῆς ἀλκυόνος Ζιι14. 616 ᵃ18.

ὑποχόνδριον τὸ ὑπὲρ τὸν ὀμφαλόν· τὸ δὲ (κοῖλον v l, Aub)
κοινὸν ὑποχονδρίῳ χ̣ λαγόνος χολᾶς· αἱ καλύμεναι φρένες
πρὸς τὰ πλευρά χ̣ τὰ ὑποχόνδρια χ̣ τὴν ῥάχιν συνηρτη-
μέναι Ζια13. 493 ᵃ20, 21. 17. 496 ᵇ12. cf ΑΖὶ II tab II.
πάθη ὑποχόνδρια πλ1. 953 ᵇ25.

ὑποχωρεῖν. οἱ βόες νέμονται ὑποχωροῦντες παλιμπυγηδὸν (πά-
λιν πυγηδὸν Bk) Ζμβ16. 659 ᵃ20. ἐὰν λέων διὰ πλῆθος
ἀναγκασθῇ τῶν θηρευόντων ὑπαγαγεῖν, βάδην ὑποχωρεῖ Ζιι44.
629 ᵇ14. εἰς τὰ βαθέα ὑποχωροῦσιν αἱ ἐγχέλυες Ζιθ2. 592
ᵃ27. τῆς θηλείας ἀφιείσης τὸ ᾠὸν χ̣ ὑποχωρύσης ἐπακολου-
θοῦντες (οἱ ἄρρενες ἰχθύες) ἐπιρραίνουσι τὸν θορὸν Ζιζ14. 568
ᵇ30. ὀκ ἂν κινηθῆναι μὴ εἴς τι ὑποχωρῆσαν· ὑποχωρῆσαι
δὲ ἀνάγκη εἶναι ἤτοι εἰς πλῆρες ἰὸν ἢ εἰς κενὸν ξ1. 974
ᵃ16. — τὸ θερμὸν ἐξαθύνεται χ̣ ὑποχωρεῖ ῦ3. 457 ᵇ17.
πθ12. 890 ᵇ36. πόρος, ἡ ὑποχωρεῖ ἔξω ἡ τροφὴ Ζιθ2. 590
ᵃ30. cf πα40. 863 ᵇ35. ἔκπικρον ὑποχωρεῖ πῶ29. 880 ᵃ24.
τὰ βαρέα εἰς τὸ κάτω ὑποχωρεῖ, ὑποκεχώρηκε πιθ6. 909
ᵃ38. cf α18. 861 ᵇ8.

ὑποχώρησις (cf ὑπόστασις 2). ὅσα χ̣ ὑποχωρήσεις χ̣ ὅλως
τὰ περιττώματα μὃ3. 380 ᵃ1, ᵇ5. ὁ ἄνθρωπος πλείω τὴν
ὑποχώρησιν ποιεῖται τὴν ὑγρὰν τῆς ξηρᾶς πι59. 897 ᵇ33.
οἱ ὄφεις ὅλα (ζῷα) κατὰ τὴν ὑποχώρησιν προΐενται Ζιθ4.
594 ᵃ13.

ὑποψία. ἐκ τῆς ὑπολήψεως ἡ τῆς ὑποψίας κατακρίνειν ρ37.
1442 ᵇ19. ὑποψίαν λαβεῖν φ123. 842 ᵃ34. νεωτερισμὸν ὑπο-
ψίαν παρέχειν f154. 1504 ᵃ16. ὑποψία τις ἐγένετο f168.
1506 ᵃ31.

ὕπτιος, cf πρηνής, πρανής. χ̣ πρηνεῖς χ̣ ὕπτιοι πίπτουσιν οἱ
μεθυσθέντες f101. 1494 ᵇ1, 2. ὀδὲν τῶν ἄλλων ζῴων ὕπτιον
κατάκειται πι16. 892 ᵇ16. ὁμῶς χυγχίσασα ἡ ἄρκτος ταύρῳ
ὑπτία καταπίπτει Ζιδ5. 594 ᵇ12. ὀρυγοκολάπτης, ἀσκαλα-
βώτας πορεύονται ὕπτιοι ἐπὶ τοῖς δένδρεσι· τέττιγα ὕπτιοι
συνᾳδαζόμενοι πρὸς ἀλλήλοις (ἰχθύες) παραπίπτοντες τὰ
ὕπτια πρὸς τὰ ὕπτια Ζιθ9. 614 ᵇ3. ε30. 556 ᵃ26. 5. 540 ᵇ7.
οἱ σελαχώδεις ὕπτιοι ἀναπίπτοντες λαμβάνουσιν Ζιθ2. 591
ᵇ26. cf Ζμθ13. 696 ᵇ25 Fr. τὰ ὕπτια τῷ (τῶν μαλακίων)
σώματος, ἐν τοῖς ὑπτίοις Ζγα15. 720 ᵃ24 Aub. Ζμὃ5. 679
ᵃ4 Fr. 8. 684 ᵃ19. πρηνῆ χ̣ ὑπτίαν κινεῖν τὴν χεῖρα πν7.
484 ᵇ29. φ3. 808 ᵃ14. ὁ πολύπυς ἅπτεται χ̣ κατέχει ταῖς

πλεκτάναις ὑπτίαις Ζιδ1. 524 ᵃ18. ὁ πραῦς ὕπτιος τῷ
σχήματι φ3. 808 ᵃ26, cf 807 ᵇ11. ὅσοι τὸ μετάφρενον
ὕπτιον ἔχουσιν φ6. 810 ᵇ32. περιφέρεια κοίλη χ̣ ὑπτία, opp
πρηνὴς χ̣ κυρτὴ, μα13. 350 ᵃ11.

ὑπωπιάζειν. ὑπωπιασμένος Ργ11. 1413 ᵃ20.

ὑπώπιον. ὅσα περὶ ὑπώπια χ̣ ὑλὰς χ̣ μώλωπας πθ. τὰ
ὑπώπια διαλύεται προσέχωσι τὰ χαλκᾶ πθ10. 890 ᵇ20.
ἐρυθρόν τι τὸ ὑπώπιον Ργ11. 1413 ᵃ21.

ὑπώρεια. φεύγειν πρὸς τὰς ὑποκειμένας ὑπωρείας θ130. 843
ᵃ29.

ὕπωχρος. ἰχῶρες ὑδαρεῖς ὕπωχροι Ζιη9. 586 ᵇ33. τὸ λευκὸν
(τῷ ᾠῷ) γίνεται παχὺ χ̣ ὕπωχρον Ζιζ3. 561 ᵇ15. περὶ τὸ
πρόσωπον ὕπωχρος φ3. 807 ᵇ7. οἱ ἐν τοῖς ἑλώδεσιν ὕπωχροι
πιδ12. 910 ᵃ4.

Ὑρκανία θάλαττα μβ1. 354 ᵃ3. ᵃ3. κ3. 393 ᵇ6, 24, 27.

ὗς. 1. sus et sus scrofa domesticus. ἡ ὗς (genus masc ra-
rius, veluti Ζιζ24. 577 ᵇ27. θ29. 607 ᵃ12. nom plur ὗς
v l ibid et ε14. 545 ᵇ1. cf ἰχθύς p 350 ᵃ51) vel τὸ τῶν
ὑῶν γένος Ζια1. 488 ᵃ31. β1. 499 ᵇ12. 7. 502 ᵃ9. γ1. 509
ᵇ14. Ζμγ2. 663 ᵃ7. Ζγε3. 782 ᵇ7 refertur inter τὰ ζῳο-
τόκα χ̣ τετράποδα, τὰ τετράποδα χ̣ τρίχας ἔχοντα Ζιγ1.
510 ᵇ17. θ21. 603 ᵃ30. β1. 498 ᵇ27, τὰ πολυσχιδῆ Ζμγ12.
674 ᵃ2 (v l μῦς). δ10. 688 ᵃ35, τὰ διχαλὰ μὲν ἀμφώ-
δοντα δὲ Ζμγ14. 674 ᵃ28. Ζιβ17. 507 ᵇ16. Ζγδ4. 771
ᵃ24 (cf 2), τὰ πολυτόκα, πολύγονα, πολύτεκνα, χαλεπὰ
μετὰ τὸν τόκον Ζμδ10. 688 ᵃ35. π61. 898 ᵃ12. 14. 892
ᵃ38. 35. 894 ᵇ13, τὰ πιμελώδη Ζιγ17. 520 ᵃ27, τὰ νωθρό-
τερα Ζμγ4. 667 ᵃ11, συνανθρωπεύομενα Ζιε8. 542 ᵃ29.
ζ18. 572 ᵃ7. — α. descr part exter. ἅπαν τὸ σῶμα δασύ,
παχυδερμότερον, παχυτριχώτερον, ὀκ ἀποβάλλει τὰς χειμε-
ρινὰς τρίχας Ζιβ1. 498 ᵇ27. Ζγε3. 782 ᵇ5. π21. 893 ᵃ5.
αἱ μέλαιναι Ζιη29. 607 ᵃ18, cf Bsm probl ined II ρμδ᾽
στόμα, μυκτῆρες Ζιβ7. 502 ᵃ9. θ21. 603 ᵇ11. ῥύγχος, δύ-
ναται ὀρύττειν, εὖ πέφυκε τὸ ῥύγχος πρὸς τὴν ἐργασίαν
ταύτην Ζιγ1. 662 ᵇ14, 13. Ζμθ6. 595 ᵃ17. ὀδοὺς ὀθένα
βάλλει· τῶν ὀδόντων, ἔχυσι πλείυς οἱ ἄρρενες τῶν θηλειῶν
ὀδόντας, οἱ ἄρρενες χαυλιόδοντας ἔχυσι, χαυλιόδοντας αἱ θή-
λειαι ὀκ ἔχυσι τῶν ὑῶν (v l ἐνίων) Ζιβ1. 501 ᵇ4 (cf Bsm
probl ined p 318, 28. H II 601), ᵃ15. 3. 501 ᵇ21. δ11.
538 ᵇ21. Ζμγ1. 661 ᵇ18. 2. 663 ᵃ7. περὶ τὴν γαστέρα (ἐν
τῇ γαστρὶ) μαστοὶ πλάγιοι χ̣ πολλοὶ, ὁ πάντες ὁ ἴσοι
Ζιδ10. 688 ᵃ35. Ζιβ1. 500 ᵃ27. διχαλόν· ἡ ὗς ἐπαμφο-
τερίζει, διὸ χ̣ χαλλιαστράγαλόν ἐστι Ζμγ2. 663 ᵃ7. Ζιβ1.
499 ᵇ21, 12. αἱ ὄρχεις πρὸς τῇ ἕδρα, ἐκ τῷ ὄπισθεν συνε-
χεῖς χ̣ ὀκ ἀπηρτημένοι εἰσὶν Ζγα3. 716 ᵇ30. Ζιγ1. 509
ᵇ14. — b. part interior. σάρξ v h v p 673 ᵃ44, Oribas I 584,
585. ὁ ἐγκέφαλος λιπαρὸς Ζιγ17. 520 ᵃ27 Aub. καρδία,
σπλὴν μακρὸς Ζμγ4. 667 ᵃ11. 12. 674 ᵃ2 (v l μῦς). τῶν
ὑῶν (v l μυῶν) ἔνιοι χολὴν μὴ ἔχειν Ζιβ15. 506 ᵃ23 ('oft
durch Lebersubstanz verdeckt' Meckel vergl Anat IV 595).
ἡ ὑστέρα ἐστὶ κάτω τῷ ὑποζώματος οἶον ... ύ (om non-
nulli) Ζιγ1. 510 ᵇ17. ἡ κάπρια (ovaria?) Ζιυ50. 632 ᵃ21,
26. ἔχει μίαν κοιλίαν, θερμήν. μεῖζω καί τινας ἔχουσαν
μετρίας πλάκας Ζιβ17. 507 ᵇ16, 19, 20. θ6. 595 ᵃ30.
Ζμγ14. 675 ᵃ27. τῶν ζῴων τῷ μὲν ὁ ὁμοίαν ἔχει κοιλίαν
Ζιβ17. 507 ᵃ23 Aub, cf 508 ᵃ8. Ζμγ14. 675 ᵃ27. opp ἡ
τῷ κυνός v κύων p 418 ᵃ57. — c. nomina suum. verres:
ὗς Ζιθ9. 536 ᵃ15. ζ18. 572 ᵃ7. ὁ ὗς Ζγα3. 716 ᵇ30. φ6.
811 ᵃ24. ὁ ἄρρην Ζιε14. 546 ᵃ20. θ29. 607 ᵃ13. ι50. 632
ᵃ24. ὁ γηράσκων, οἱ ἀδύνατοι Ζιε14. 546 ᵃ22, 23. κάπρος
v h v p 363 ᵇ30. scrofa: ὗς Ζιε14. 546 ᵃ12. ἡ ὗς Ζιε14.

546 ᵃ27. ζ18. 573 ᵃ31, ᵇ11. ἡ θήλεια, ἡ θήλεια ὗς Ζμγ1. 661 ᵇ26. Ζιε14. 546 ᵃ25. θ29. 607 ᵃ12. ι50. 632 ᵃ21. τετοκυῖα ἡ ὗς, γηράσκυσα ΖιΖ18. 573 ᵇ11, ᵃ33. ε14. 546 ᵃ16. γραῖαι πότε γίνονται Ζιε14. 546 ᵃ14 v infra ᵃ31. ἐκτέμνεται ᾗ ἡ καπρία τῶν θηλειῶν ὑῶν Ζυ50. 632 ᵃ21, 5 26 (cf Lewysohn Zool des Talmud 147). pulli: καλλίχοιροι, τέκνα, δέλφακες χρησταί, ἐπαυξανόμεναι ΖιΖ18. 573 ᵇ12, 13. ἔκγονα, νέα, γαλαθηναί Ζιε14. 546 ᵃ17, 16. θ21. 603 ᵇ25. μετάχοιρον v h v. — d. de generat. ὁ ἄρρην γεννᾷ μὲν ὀκτάμηνος, φαῦλα μέντοι πρὶν γενέσθαι ἐνιαύσιος 10 Ζιε14. 545 ᵃ28. — ὀχεύει κ̀ ὀχεύεται πρῶτον ὀκτάμηνος· ποιεῖται τὴν ὀχείαν κ̀ τὸν τόκον πᾶσαν ὥραν· πολλάκις ποιῶνται τὰς ὀχείας κ̀ κατὰ μίαν ὥραν· ἂν ὀργῶσαν βιβάσῃ, μία ὀχεία ἀρκεῖ Ζιε14. 545 ᵃ28. 8. 542 ᵃ29. ζ18. 572 ᵃ7, 573 ᵇ9. πι47. 896 ᵃ22. ἐὰν εὐτραφὴς ᾖ, θᾶττον 15 ὁρμᾷ πρὸς τὰς ὀχείας, ἢ νέα κ̀ γηράσκυσα· ὁ ἄρρην, ἐὰν εὐτραφὴς ᾖ, πᾶσαν ὥραν ὀχεύειν δύναται, κ̀ μεθ᾽ ἡμέραν κ̀ νύκτωρ· εἰ δὲ μή, μάλιστά γ᾽ ἕωθεν Ζιε14. 546 ᵃ16, 20. ἐνιαχῇ αἱ ὗες ὀχεύονται μὲν κ̀ ὀχεύεσι τετράμηνοι, ὥστε δὲ γεννᾶν κ̀ ἐκτρέφειν ἑξάμηνοι· γηράσκων ἧττον ἀεὶ 20 ὀχεύει· οἱ ἀδύνατοι πῶς ὀχεύεσι Ζιε14. 545 ᵇ1, 546 ᵃ22, 23. — κυΐσκονται ἐκ μιᾶς ὀχείας, ἀλλὰ πολλάκις ἐπιβιβάσκεσι· κύει δ᾽ μῆνας· αἱ κυήσεις ὀλιγοχρόνιοι· κυΐσκεται μάλιστα, ἐπειδὰν θυμῶσα καταβάλλῃ τὰ ὦτα, εἰ δὲ μή, ἀναθυᾷ πάλιν ΖιΖ18. 573 ᵃ34, 31. ε8. 542 ᵃ29. 14. 25 546 ᵃ27. ἔγκυος ὗς ἐὰν πιαίνηται σφόδρα, ἔλαττον ἴσχει τὸ γάλα μετὰ τὸν τόκον Ζιε14. 546 ᵃ16. — τίκτει ἡ θήλεια μὲν ἐνιαυσία· τίκτει ἐλάχιστα, ὅταν ᾖ πρωτοτόκος· δευτεροτόκος δ᾽ ὅσα ἀκμάζει· γηράσκυσα δὲ τίκτει μὲν ὁμοίως, ὀχεύεται δὲ βραδύτερον· ὅταν δὲ πεντεκαιδεκαετὴς 30 ὦσιν, ὑκέτι γεννῶσιν ἀλλὰ γραῖαι γίνονται (v l ἀγριαίνονται, C S Pik, ἄγονοι γίνονται Aub) Ζιε14. 545 ᵃ28, 546 ᵃ12 Aub. cf ζ18. 573 ᵃ33. τίκτυσι τὰ πλεῖστα κ᾽ πλὴν ἂν πολλὰ τέκωσιν, ὃ δύνανται ἐκτρέφειν πάντα ΖιΖ18. 573 ᵃ32. μόνον πολυτόκον ὂν ἡ ὗς (v l μῦς) τελειστοκεῖ Ζγθ6. 774 ᵇ17. — 35 τὰ ἔκγονα κατὰ μὲν τὴν ἡλικίαν βέλτιστα ἐν ἀκμῇ, κατὰ δὲ τὰς ὥρας, ὅσα τῇ χειμῶνος ἀρχομένῃ γίνεται· χείριστα δὲ τὰ θερινά· κ̀ γὰρ μικρὰ κ̀ λεπτὰ κ̀ ὑγρὰ Ζιε14. 546 ᵃ17 Aub. τῷ πρώτῳ τὸν πρῶτον παρέχει μαστὸν ΖιΖ18. 573 ᵇ6. Ζμθ10. 688 ᵇ11. cf Bsm probl ined II ρμς᾽. 40 θηλαζόμεναι λεπτότεραι γίνονται Ζιθ6. 595 ᵇ3. — e. de aetate et vita, de propria natura ac consuetudine suis, hostes. ζῶσιν αἱ πλεῖσται περὶ ἔτη ιε᾽. ἔνιαι δὲ κ̀ τῶν κ᾽ ὀλίγον ἀπολείπυσιν ΖιΖ18. 573 ᵇ15. — ἴδιαι φωναὶ πρὸς τὴν ὁμιλίαν κ̀ τὸν πλησιασμόν, ἥττον μάχονται (οἱ ἄρρενες) πρὸς 45 ἀλλήλυς διὰ τὴν ἀφθονίαν τῆς ὁμιλίας, cf θυμώδεις κ̀ ἐκστατικοὶ Ζιθ9. 536 ᵃ15. ζ18. 572 ᵃ7. Ζμβ4. 651 ᵃ2. αἱ θήλειαι δάκνυσιν Ζμγ1. 661 ᵇ26. — χρονιωτέρα ἡ πέψις, πέττεται καλῶς τὴν τροφήν, θερμότατον (ζῷον) Ζμγ14. 675 ᵃ28. π21. 893 ᵃ6, cf Bsm probl ined p 319, 2. 326, 28. τροφὴ ἁπλῆ, 50 ποικίλη Ζιθ21. 603 ᵇ28. cf ζ18. 573 ᵇ10. cf ι37. 621 ᵃ1 (Lewysohn Zool des Talmud 146). εὐχερέστατον πρὸς πᾶσαν τροφὴν τῶν ζῴων ἐστίν· εὐωχεῖν τὰς ὗς· νέμεσθαι βύλονται κατὰ τὰς ἡλικίας Ζιθ6. 595 ᵃ18, 24, 31 Aub et Pik. ῥιζοφάγος, διὰ τί Ζμγ1. 662 ᵇ12. Ζιθ6. 595 ᵃ17. μεθύσκονται ὗες σταφυλῆς στεμφύλων χορτασθέντες f 102. 1494 ᵇ18. τὰς ὗς ἐμβάλλειν (ἐπὶ τὰς μῦς)· ἀνορύττυσι τὰς μυωπίας· ἐσθίει τὰς ὄφεις ΖιΖ37. 580 ᵇ24, 25. ι1. 609 ᵇ30. ὑδὲ τῶν ὑῶν (v l οἰῶν) ὑδεμία τολμᾷ γεύσασθαι τῆς κόπρυ 60 τῶν ἀνθρώπων, οἵτινες δι᾽ ἐκ τῶν χρ.θῶν τύτων μάζαν φαγόντες ἢ ἄρτον ἀφοδεύωσι, τῷ θνήσκειν θ116. 841 ᵇ6. cf

ὗς χαίρει τοῖς δυσώδεσιν Bsm probl ined II ρμζ᾽. ρνγ᾽. οἱ πραγματευόμενοι, πιαίνοντες, ὑβοσκοὶ Ζιθ6. 595 ᵃ22, 25. 21. 603 ᵇ5. πῶς πιαίνονται κ̀ τίσιν, ἐν ξ᾽ ἡμέραις, πότε ταχέως Ζιθ6. 595 ᵃ21-29, 20, 19, ᵇ2, 27 (cf Bsm probl ined II ρλε᾽). κ̀ ἡ ἀτρεμία πιαίνει κ̀ τὸ λύεσθαι ἐν πηλῷ Ζιθ6. 595 ᵃ30, 31 Aub (Pik p XXI). οἱ ζωμοὶ οἱ τῶν πιόνων ὗ πήγνυνται Ζγ17. 520 ᵃ9. — μάχεται κ̀ λύκῳ· ὄφις ὑὶ πολέμιον· ἤδη ὦπται λέων κ̀ ὑὶ ἐπιτίθεσθαι μέλλων, κ̀ ὡς εἶδεν ἀντιφρίξαντα, φεύγων Ζιθ6. 595 ᵇ1. ι1. 609 ᵇ28, cf 30. 44. 630 ᵃ2. οἱ σκορπίοι τὰς ὗς κ̀ τύτων τὰς μελαίνας μᾶλλον ἀποκτείνυσιν, ἥκιστα αἰσθάνονται τῶν ἄλλων ὀχημάτων Ζιθ29. 607 ᵃ18. — f. morbi et remedia Ζιθ21. 603 ᵃ30 sq. νοσεῖν ἐν τῇ κυήσει· θυμῶσαν ὑ δεῖ εὐθὺς βιβάζειν, πρὶν ἂν μὴ τὰ ὦτα καταβάλῃ· εἰ δὲ μή, ἀναθυᾷ πάλιν ΖιΖ24. 577 ᵇ27. 18. 573 ᵇ7. κραυρὰν, βράγχος, χαλαζᾷ Ζιθ21. 603 ᵇ7, 13, 16, ᵃ31, 604 ᵃ2, cf Bsm probl ined II ρμδ᾽. καπρία· ἔνιαι ἅμα τῇ καπρίᾳ κ̀ τὸ σπέρμα προΐενται· τὸ πάθος ὅπερ ἐπὶ τῶν ὑῶν (v l τινῶν) λέγεται τὸ καπρίζειν ΖιΖ18. 573 ᵃ2 Aub, 3, 572 ᵃ16 Aub (om Pik). oculo amisso cito exstinguuntur, φθεῖρες μεγάλοι κ̀ σκληροὶ ΖιΖ18. 573 ᵇ14 (cf Antig Caryst ed Beckm p 161). ε31. 557 ᵃ17. — g. signa physiognomica et natura suum petita φ6. 811 ᵃ24, 30, ᵇ29, cf 812 ᵇ28. (sus Thom Gazae Scalig Plin. porc C II 685. Sus scrofa domesticus AZι I 75, 45. Su 78, 60. E 26.)

2. ὑες; μώνυχες v μῶνυξ p 479 ᵇ55. locis ab Aub Ζιβ1. 499 ᵇ12 collatis addas Oken, Isis 1823 I 366 sq. ΚαΖι 60, 18.

3. ὗς ἄγριος (Lob Phryn 381 adn). πάντα ὅσα ἥμερά ἐστι γένη κ̀ ἄγρια ἐστιν, οἷον ὗες· διαφέρυσιν οἱ ἄγριοι βόες τῶν ἡμέρων ὅσον περ οἱ ὗες οἱ ἄγριοι πρὸς τὰς ἡμέρας Ζιαι1. 488 ᵃ31. β1. 499 ᵃ5. — a. nomina suum. ὁ ἄρρην, ἡ θήλεια ΖιΖ28. 578 ᵃ25, 28, 31, 32. οἱ τομίαι πῶς γίνονται, νέοι ΖιΖ28. 578 ᵇ3, ᵃ33. — b. de generat. ἅπαξ ὀχεύεται, τῦ χειμῶνος ἀρχομένυ, χαλεπώτατοι καίπερ ἀσθενέστατοι περὶ τὸν καιρὸν τῦτον ὄντες διὰ τὴν ὀχείαν πι47. 896 ᵃ22 (Bsm probl ined II ρμα᾽). ΖιΖ28. 578 ᵃ25. 18. 571 ᵇ13. — τίκτυσι τῦ ἔαρος ἀποχωρύσαι εἰς τὰς δυσβατωτάτυς τόπυς κ̀ ἀποκρήμνυς μάλιστα κ̀ φαραγγώδεις κ̀ συσκίυς· τὸ πλῆθος τῶν τικτομένων κ̀ ὁ χρόνος τῆς κυήσεως, ὁ αὐτὸς κ̀ ἐπὶ τῶν ἡμέρων ὑῶν ἐστιν ΖιΖ28. 578 ᵃ26, 29. — c. mores, hostes. refertur inter τὰ θυμώδη κ̀ ἐνστατικὰ κ̀ ἀμαθῆ· ἀνδρειότατον κ̀ τρίχα σκληροτάτην ἔχει Ζιαι1. 488 ᵇ14. φ2. 806 ᵇ10. μάχονται πρὸς ἀλλήλυς, ἐξελαύνονται ἐκ τῶν συοφορβίων, ὅτω σφοδρὸς ὥστε πολλάκις ἀμφότεροι ἀποθνήσκυσι ΖιΖ18. 571 ᵇ19 Aub, 15. διατρίβει ὁ ἄρρην ἐν ταῖς ὑσὶν ὡς ἐπὶ τὸ πολὺ ἡμέρας λ᾽· θωρακίζοντες ἑαυτὸς κ̀ ποιῶντες τὸ δέρμα ὡς παχύτατον ἐκ παρασκευῆς (Panzer oder Harnischschweine Bechstein I 772) ΖιΖ28. 578 ᵃ28. 18. 571 ᵇ16 (cf Bsm probl ined p. 319, 7). οἱ τομίαι μείζυς γίνονται κ̀ χαλεπώτεροι· τὰς φωνὰς παραπλησίως ἔχυσι τοῖς ἡμέροις, πλὴν μᾶλλον ἡ θήλεια ὁ δ᾽ ἄρρην σπανίως ΖιΖ28. 578 ᵃ33, 31. — ἡ ἄρκτος ἐπιτίθεται κ̀ τοῖς ἀγρίοις ὑσὶ Ζιθ6. 594 ᵇ10. — d. νόσημα κνησμὸς εἰς τὰς ὄρχεις ΖιΖ28. 578 ᵇ3 (Bsm probl ined II ρμβ᾽). (porcus silvestris Thom, sus ferus Gazae Scalig. sanglier C II 741. cf Su 80, 62. ΚαΖι 17, 69.)

4. οἱ ἐν τῷ Ἄθῳ ὗες (v l ὗς), ἐν τῇ Ἰνδικῇ ὗτε ἄγριοι ὗτε ἥμερος ὗς Ζιθ29. 607 ᵃ12. 28. 606 ᵃ9 Aub, cf ᵃ7 Aub. ὗες in loc corr Ζιθ6. 595 ᵃ15 Aub. — ὗς Bk, v l σῦς v h v. v l μῦς Ζιβ15. 506 ᵃ23. Ζμγ12. 674 ᵃ2. Ζγθ6. 774

ᵇ17. v l ἐνίων, τινῶν Ζιδ̅11. 538 ᵇ21. ζ18. 572 ᵃ16 (om Pik). v l οἰῶν θ116. 841 ᵇ6. ὗς in v l cf οἶς 502 ᵃ36, 38, 39, 40, 43. — v σῦς.

ὕσπληξ v l Ζμγ14. 674 ᵃ28. cf Lob Phryn 71.

ὑστέρα, ὑστέραι. τὸ μόριον ἣν καλοῦσιν ὑστέραν· καλεῖται τήτων τὰ μὲν ὑστέρα ἢ δελφύς, μήτρα δ' ὁ καυλὸς ἢ τὸ στόμα τῆς ὑστέρας Ζγδ1. 764 ᵃ30. cf β4. 739 ᵇ11. Ζιγ1. 510 ᵇ13 Aub. KαΖι 100 (cf Plat Tim 91 B. Galen XVI 177, ΧVΙΙ B 280, XIX 362). τῦ θήλεος ἴδιον μέρος ὑστέρα, τῷ θήλει ὄργανον ἡ ὑστέρα Ζια13. 493 ᵃ25. Ζγδ1. 766 ᵃ4. cf α2. 716 ᵃ33 (itaque τὸ ἔχον ὑστέραν i q τὸ θῆλυ Ζγγ5. 755 ᵇ36. Ζιγ1. 510 ᵇ5). τήτῳ τῷ μορίῳ τὸ θῆλυ διαφέρει τῦ ἄρρενος Ζιγ1. 766 ᵇ25. cf Ζια17. 497 ᵃ31. ὑποδοχὴ αἵματός τινος, τῆς σπερματικῆς τροφῆς ὑστέραι Ζγδ1. 764 ᵇ33. α18. 725 ᵇ3. deser Ζιγ1. 510 ᵇ5-511 ᵃ34. Ζγα8. 718 (M 456. Lewes 167. AΖι I 34, 507. II 31, 36. AΖγ 4, 5, 14. KαΖι 19, 6. Philippson ὕλη 62. Janus, Zeitschr f Gesch u Lit der Medicin II 219 adn). ὑστέρας φύσις, σῶμα, διάστασις. εὐρυχωρία, μέγεθος Ζγδ1. 766 ᵇ25, 765 ᵃ15. β4. 738 ᵇ37. δ5. 774 ᵃ21, 773 ᵇ23. ὄψις, σχῆμα, ἕξις, διάθεσις, ὄγκος Ζια17. 497 ᵃ32. ζ10. 565 ᵃ12. κ1. 634 ᵃ37. 7. 638 ᵃ26, 13. ὁ τῶν ὑστερῶν τόπος, syn ὑστερικὸς τόπος Ζγβ4. 738 ᵃ9, ᵇ7, 739 ᵇ9. γ1. 749 ᵃ21. δ4. 771 ᵇ28, 31. ὑστέρα, syn τὰ (τὸ) περὶ τὰς ὑστέρας Ζιγ1. 511 ᵃ17. κ1. 633 ᵇ15, 634 ᵇ24. Ζγα3. 716 ᵇ13. 8. 718 ᵇ35.

1. uteri partes. ἡ ἀρχὴ μία ἢ τὸ στόμα ἕν, οἷον καυλὸς σαρκώδης ἢ χονδρώδης Ζιγ1. 510 ᵇ11. cf KαΖι 100, 24. ὑστέρας στόμα, χεῖλε Ζγβ4. 739 ᵃ37. δ4. 773 ᵃ16. Ζικ2. 634 ᵇ27. 3. 635 ᵃ31. 5. 637 ᵃ16. ή3. 583 ᵃ16 et saepius. καυλός Ζιγ1. 510 ᵇ34, 28. τὸ ἔμπροσθεν, τὸ πρόσθεν Ζικ5. 637 ᵃ27, 32, 34. τὸ μόριον Ζιζ10. 565 ᵃ15. τὰ ἄνω, ἡ προΐστα κάτω, τὸ πλάγιον, τὸ κάτω μέρος, τὰ κάτω Ζγα8. 719 ᵃ27. 13. 720 ᵃ19. Ζιζ10. 565 ᵇ7, 23. ἐπ' ἄκρων αἱ ὑστέραι τῶν καλουμένων κεραὶῶν εἱλιγμὸν ἔχωσιν αἱ τῶν πλείστων (tubae Fallopii) ἀκρόταται (ἀωρόταται ci Pik) Ζιγ1. 510 ᵇ19. κ7. 638 ᵇ1. δικρόαι, syn διμερεῖς Ζιγ1. 510 ᵇ1. Ζγα 3. 717 ᵃ8, 716 ᵇ32. ἡ ὑστέρα διμερὴς, ἑκάτερον τὸ μέρος Ζγα 8. 718 ᵇ11. ΖιΖ 10. 565 ᵇ2, ᵃ17. τὸ δεξιὸν, τὸ ἀριστερὸν μέρος Ζγδ1. 765 ᵃ18, 763 ᵇ34. ΖιΖ10. 565 ᵃ14. γ1. 510 ᵇ10. syn ἡ σχίσις Ζιγ1. 511 ᵃ1. ὀμφαλός, κοτυληδόνες, χόριον, ὑμένες χωρίζοντες Ζγβ7. 745 ᵇ26, 32, 35, 746 ᵃ10, 25 et saepius.

2. ὑστερῶν φλέβες. τὰς φλέβας ὖ διὰ τὴν ὑστέραν εὔλογον γενέσθαι ποίας τινας, ἀλλὰ μᾶλλον δι' ἐκείνας τὴν ὑστέραν· φλέβες πρὸς τὴν ὑστέραν, σχίζονται πάντη κατὰ τὴν ὑστέραν Ζιγ1. 764 ᵇ21. cf β7. 746 ᵃ11. 4. 740 ᵃ29, 34. v l ad 7. 745 ᵇ33. φλέβες περὶ τὸν τῶν ὑστερῶν τόπον· τίνες τελευτῶσιν εἰς τὰς ὑστέρας (syn ὑστερικὸς τόπος) Ζγβ4. 738 ᵃ9, 12, 14, ᵇ7. Ζιγ2. 512 ᵇ5. φλεβῶν πέρατα πρὸς τὰς ὑστέρας (arteria uterina)· αἱ ὑστέραι πέρατα φλεβῶν πολλῶν εἰσι Ζγβ7. 745 ᵇ29. ὅσων ἡ ὑστέρα μὴ μίαν φλέβα ἔχει ἀλλὰ πυκνὰς πολλάς· τείνει ἀπὸ μὲν τῆς μεγάλης φλεβὸς ὑδεμία εἰς τὰς ὑστέρας, ἀπὸ δὲ τῆς ἀορτῆς πολλαὶ ἢ πυκναί Ζγβ7. 745 ᵇ31. Ζιγ4. 515 ᵃ6 Aub. φλεβῶν ἀρχὴ ἐκ τῆς ὑστέρας Ζιη8. 586 ᵇ13.

3. ζωοτόκων ὑστέρα, uterus. ἡ ὑστέραι τῶν ἐχόντων ὑστέρα ζῴων ὖτε τὸν αὐτὸν τρόπον ἔχωσιν ὖθ' ὁμοῖαι πάντων εἰσίν. ἀλλὰ διαφέρει ἢ τῶν ζωοτοκῦντων πρὸς ἄλληλα ἢ τῶν ὠοτοκῦντων Ζιγ1. 510 ᵇ5. ἔχει τὰ περὶ τὰς ὑστέρας ὑχ ὁμοίως πᾶσι, πολλαὶ ὑπεναντιώσεις ἢ κατὰ

λόγον, sim Ζγα3. 716 ᵇ13. 8. 718 ᵃ36, ᵇ5, 35, 37. 11. 719 ᵃ28. δ1. 764 ᵃ15. Ζια17. 497 ᵃ35. γ1. 511 ᵃ28 (M 322). αἱ ὑστέραι τίνας ἔχωσι διαφορὰς ἢ διὰ τίνας αἰτίας· ἐν τοῖς ζῳοτοκουμένοις ἢ ὠοτοκουμένοις ἡ ὑστέρα ἐν τῇ μητρί ἐστιν, ἐν δὲ τοῖς ὠοτοκουμένοις ἀνάπαλιν, ὥσπερ ἂν εἴ τις εἴποι·τὴν μητέρα ἐν τῇ ὑστέρα εἶναι· situs· ἐπὶ τῆς γαστρός Ζγγ1. 749 ᵃ27, 30-34. 2. 754 ᵃ5. α12. 719 ᵇ25 (cf Galen II 887). ἡ θέσις τῶν ὑστερῶν, ἐπὶ τοῖς ἐντέροις· ἔχωσι πάντα τὰ ἐντὸς διὰ τί πέφυκε μᾶλλον κάτω ἢ ἄνω Ζια17. 497 ᵃ33. Ζγα12. 719 ᵇ18, ᵃ31. 8. 718 ᵃ25. ἐπὶ τῆς ὑστέρας ἡ κύστις, ὀρήθρα ἔξω τῶν ὑστερῶν (μήτρα ἐξέχησα τῶν ὑστερῶν ci Pik), τόπος μεταξὺ τῆς ὑστέρας ἢ κοιλίας Ζια17. 497 ᵃ33. 14. 493 ᵇ5. x7. 638 ᵇ29. τοῖς ζῳοτόκοις ἐν τοῖς προσθίοις αἱ ὑστέραι· τὰ ἔχοντα κάτω τρὸς Ζγα13. 720 ᵃ10. γ3. 754 ᵃ22. οἱ ἄνθρωποι ἢ τὰ πεζὰ πάντα κάτω πρὸς τοῖς ἄρθροις ἔχωσι Ζγα8. 718 ᵃ38. 3. 716 ᵇ33. cf γ1. 751 ᵃ29. Ζιγ1. 510 ᵇ8 (cf τὸ κάτω αὐτῆς πέρας κατὰ τὸ αἰδοῖον τῆς γυναικὸς ἔχει Galen II 889). ὅσα μὲν πρὸς τῷ ὑποζώματι ἔχει τὰς ὑστέρας, ὅσα δ' ὖ Ζγβ4. 739 ᵇ7. α3. 716 ᵇ33. 11. 719 ᵃ24. 8. 718 ᵃ22. 20. 728 ᵃ36. ἡ ὑστέρα τῶν ζῳοτόκων ἢ διπόδων ἢ τετραπόδων ἐστὶ κάτω τῦ ὑποζώματος, sed mammalia ἔχει τὴν ὑστέραν ἄνωθεν τῆς κοιλίας Ζιγ1. 510 ᵇ16, 511 ᵃ23 S et Aub. ἔνια μὲν ἔχει κάτω ἐν τῇ ὑστέρα, τὰ δ' ἄλλα λείαν ἔχει τὴν ὑστέραν· ὅσα λείαν ἔχει τὴν ὑστέραν, (ὁ ὀμφαλὸς προσπέφυκε) πρὸς τῇ ὑστέρα ἐπὶ φλεβός· τὸν ὀμφαλὸν πρὸς τὴν ὑστέραν ἔχει Ζγβ7. 745 ᵇ32, 746 ᵃ10. Ζιγ1. 511 ᵃ29, 33 Aub. η8. 586 ᵃ34. 7. 586 ᵃ23. τὸ ἰδὸν τελευτᾷ ἀπὸ τῆς ὑστέρας ἢ διὰ τῦτο ὖκ ἀπόλλυται ἀπὸ τῆς ὑστέρας Ζγβ4. 737 ᵇ22. ἐν τῇ ὑστέρα ἔχει (τὰ ἔμβρυα) ἢ προσπεφυκότα, ἀλλ' ὖκ ἐν τῇ γαστρὶ Ζιδ̅11. 538 ᵃ9 Aub. (ὁ πόρος ὁ διὰ τῦ στόματος εἰσιὼν εἰς τὴν κοιλίαν φέρει ἀλλ' ὖκ εἰς τὰς ὑστέρας Ζγγ5. 756 ᵇ10. 6. 756 ᵇ27). — de leone ἡ λεχθεὶς μῦθος (Herodot III 108) περὶ τῦ ἐκβάλλειν τὰς ὑστέρας τίκτοντα ληρώδης ἐστὶ ΖιΖ31. 579 ᵇ2. ἡ γαλῆ τὸν αὐτὸν τρόπον ἔχει τοῖς τετράποσι τὰς ὑστέρας· ἔχει ἡ ὕαινα ἢ θήλεια ἢ ὑστέραν Ζγγ6. 756 ᵇ32. Ζιγ32. 579 ᵇ26. ἡ τῆς ἵππυ ὑστέρα πι9. 891 ᵇ31. Δημόκριτος φησι διεφθάρθαι τὰς πόρνας τῶν ἡμιόνων ἐν ταῖς ὑστέραις, τὸ πηρωθὲν ἐν τῇ ὑστέρα καλεῖται μετάχοιρον· μετάχοιρον γίνεται ὅπη ἂν τύχη τῆς ὑστέρας Ζγβ8. 747 ᵇ30, 749 ᵃ2. ΖιΖ18. 573 ᵇ6.

4. ὠοτόκων ὑστέρα. ὁμοίως ἔχωσιν οἱ τῶν ἀρρένων πόροι ταῖς τῶν ὠοτόκων ὑστέραις Ζγα13. 720 ᵃ26. πάντα ἔχει τὴν ὑστέραν κάτωθεν πρὸς τῇ ὀσφύι Ζιγ1. 511 ᵃ24. ὅσα εἰς τὸ φανερὸν μὲν ζῳοτοκεῖ ἐν αὑτοῖς δ' ὠοτοκεῖ, ἐπαμφοτερίζει· τὸ μὲν γὰρ κάτωθεν πρὸς τὴν ὀσφὺν τῆς ὑστέρας μέρος ἐστίν, τὸ δὲ περὶ τὰ ὠὰ Ζγα13. 720 ᵃ26. τῶν ὠοτοκύντων ὖχ ὁμοίως ἁπάντων ἔχωσιν αἱ ὑστέραι Ζιγ1. 510 ᵇ20. ὅσα ὠοτοκεῖ ἀτελὲς ὠὸν ὖχ ὑπὸ τῇ γαστρὶ ἀλλὰ πρὸς τῇ ὀσφύι ἔχωσι τὰς ὑστέρας ἢ τοῖς πρανέσιν· τίνα τρόπον ἐκ τῆς ὑστέρας συμβαίνει (ἡ αὔξησις τῶν ὠῶν) Ζγα13. 720 ᵃ2, cf 16. γ2. 752 ᵃ25. ἐν τοῖς τετράποσι ἢ ὠοτόκοις ὁ καυλὸς κάτωθεν εἰς ἢ σαρκωδέστερος, ἡ δὲ σχίσις ἢ τὰ ὠὰ ἄνω πρὸς τῷ ὑποζώματι Ζιγ1. 510 ᵇ34, 511 ᵃ1, cf S Naturgesch der Schildkr 161.

ὀρνίθων ὑστέρα ΖιΖ10. 564 ᵇ21. γ1. 511 ᵃ7. cf Ζγγ6. 756 ᵇ29, πρὸς τῷ ὑποζώματι Ζιγ1. 510 ᵇ21. Ζγδ5. 774 ᵃ8. γ1. 751 ᵃ5. α8. 718 ᵇ3. τοῖς θήλεσι κάτω καταβαίνωσιν Ζγδ5. 774 ᵃ12. ἡ τῶν ὀρνίθων ὑστέρα κάτωθεν μὲν ἔχει τὸν καυλὸν σαρκώδη ἢ στιφρὰν (oviductum), τὸ δὲ πρὸς

τῷ ὑποζώματι ὑμενῶδες ⁊ λεπτὸν πάμπαν (ovarium),
ὥστε δόξαι ἂν ἔξω τῆς ὑστέρας εἶναι τὰ ᾠά Ζιγ1. 510
ᵇ28, cf νl et Pik (ΚαΖι 100, 28). τὰ ᾠά ἀνάγκη ἐν τῇ
ὑστέρα εἶναι, καθ᾽ ὃ προσπέφυκε τῇ ὑστέρα τὸ ᾠόν· τὸ
τῶν ὀρνίθων ᾠὸν χωρίζεται τῆς ὑστέρας Ζγα8. 718 ᵇ22. 5
γ2. 752 ᵃ11. 3. 754 ᵇ10, 13 (cf Müller 12). τὸ ἐπιρρέον
διὰ τῆς ὑστέρας τοῦτο αὔξει τὸ ᾠόν· τὸ καταμηνιῶδες πε-
ρίττωμα συλλείβεται εἰς αὐτὴν τὴν ὑστέραν Ζγγ1. 751
ᵃ8, 6. ἡ ὄρνις εἰς τὴν ὑστέραν προίεται· ταῖς ὄρνισι λαβούσα
ἡ ὑστέρα συμπέττει Ζικ6. 637 ᵇ36, 638 ᵃ2.   10

6. τῶν ὄφεων ovarium: ἡ τῶν ὄφεων ὑστέρα μακρὰ ⁊
δικρόα, situs Ζιβ17. 508 ᵃ13. γ1. 511 ᵃ18. oviductus: echid-
nae παραπλησίως ἔχει τὰ περὶ τὴν ὑστέραν τοῖς σελάχεσιν
Ζιγ1. 511 ᵃ17. cf Ζγα8. 719 ᵃ5.

7. piscium ovarium: ἔχουσι ⁊ ὑστέρας αἱ θήλειαι, ἐν ταῖς 15
ὑστέραις ἀδύνατον αὐτοῖς λαμβάνειν ὅλην τὴν αὔξησιν διὰ
τὴν πολυτοκίαν, στενοχωρεῖ ἡ ὑστέρα πρὸς τὸ πλῆθος τῶν
ᾠῶν Ζιζ11. 566 ᵃ7. Ζγγ5. 755 ᵇ16, 20, 22. 4. 755 ᵃ24, 27.
ἔχουσι τὰς ὑστέρας διαφόρως Ζιζ10. 564 ᵇ18. — a. οἱ ᾠο-
τοκοῦντες τὴν ὑστέραν ἔχουσι δικρόαν ⁊ κάτω Ζιζ13. 567 20
ᵃ17. 10. 564 ᵇ20. Ζγα8. 718 ᵇ2. τὴν ὑστέραν εἶναι πλήρη
πᾶσαν ᾠῶν, ὥστ᾽ ἐν γε τοῖς μικροῖς τῶν ἰχθύων δοκεῖν ᾠά
μόνον εἶναι δύο· διὰ τὴν μικρότητα ⁊ τὴν λεπτότητα ἄδη-
λος ἐν αὐτοῖς ἡ ὑστέρα· ὑστέραι λεπταὶ ⁊ ὑμενώδεις ⁊
μακραί Ζιζ13. 567 ᵃ22. γ1. 510 ᵇ22 Aub. cf Ζγα8. 718 25
ᵇ11. γ5. 756 ᵇ11. — b. σελαχῶν ὑστέραι, Muttergänge,
uterus (Müller glatt Hai des Ar 9), ovarium Aub. τὰ
σελάχη ἔχει τὰς ὑστέρας ὀρνιθωδεστέρας, αὐτῶν δὲ τούτων
πρὸς ἄλληλά τε ⁊ πρὸς τὰς ἄλλας ἰχθῦς ἡ διαφορὰ τῶν
ὑστερῶν· τὴν ὑστέραν ἀνομοίαν ἔχουσι ⁊ τοῖς ζῳοτόκοις ⁊ 30
τοῖς ᾠοτόκοις Ζιζ10. 564 ᵇ20. γ1. 511 ᵃ12. Ζγα8. 719 ᵃ5.
ἄνω πρὸς τῷ ὑποζώματι ἔχουσι τὰς ὑστέρας Ζγα8. 718 ᵇ1.
γ7. 757 ᵃ20. δικρόα ἡ ὑστέρα ὁμοίως ⁊ πρὸς τὸ ὑπόζωμα
τείνει· διὰ μέσου τῶν δικρόων κάτωθεν ἀρξαμένη μέχρι πρὸς
τὸ ὑπόζωμα τείνει Ζιγ1. 511 ᵃ6 Aub, 8. ἐνίων ἀπολέλυται 35
τὰ ᾠά τῆς ὑστέρας Ζγγ3. 754 ᵇ18, cf 28. ἐνίοις ἐν τῷ
μέσῳ τῆς ὑστέρας περὶ τὴν ῥάχιν προσπέφυκε τὰ ᾠά·
αὕτης δικρόας τῆς ὑστέρας ⁊ προσπεφυκυίας πρὸς τῷ ὑπο-
ζώματι περιέρχεται (τὰ ᾠά) εἰς ἑκάτερον τὸ μέρος Ζιζ10.
565 ᵃ15, 17 Aub. ἔχει ἡ ὑστέρα οἷον μαστὸς λευκούς Ζιζ10. 40
565 ᵃ19 Aub. πρὸς τῇ ὑστέρα ὁ ὀμφαλὸς προσπέφυκε τῶν
ἤδη τελείων Ζγγ3. 754 ᵇ17, cf 30. Ζιη7. 586 ᵃ25. πρότερον
ἔτεινον οἱ πόροι (Nabelstrang) τοῦ ᾠοῦ περὶ ἐκεῖνο πρὸς τὴν
ὑστέραν Ζγγ3. 754 ᵇ32. ἡ ὑστέρα ποῦ ἔχει τὰ ᾠά Ζιζ10.
564 ᵇ21. μεταστάντος τοῦ ᾠοῦ ἐξ ἄλλου τόπου τῆς ὑστέρας 45
εἰς ἄλλον· τὸ ᾠὸν πρὸς τῇ ὑστέρα προσπέφυκε Ζγγ1. 749
ᵃ21. 3. 754 ᵇ14. τὰ ἔμβρυα τὰ κάτω ἐν τῇ ὑστέρα ἅμα
πέττεται ⁊ τελειοῦργεῖται· οἱ λεῖοι τὰ μὲν ᾠά μεταξὺ
τῶν ὑστερῶν, περιστάντα δὲ (περιιόντα Aub) ταῦτα εἰς ἑκα-
τέραν τὴν δικρόαν τῆς ὑστέρας καταβαίνει ⁊ τὰ ζῷα γί- 50
νεται τὸν ὀμφαλὸν ἔχοντα πρὸς τῇ ὑστέρα Ζιζ10. 565 ᵇ23
Aub, 2. σκωλήκια ἐν τῇ τῆς τρίγλης ὑστέρα f 313. 1531
ᵃ34.

8. μάλιστα ἀδιόριστον ἐπὶ τῶν πολυπόδων ἐστίν, ὥστε
δοκεῖν μίαν εἶναι Ζγα3. 717 ᵃ6. τὰ μαλάκια ⁊ τὰ μαλακ- 55
όστρακα: φανερόν ἐστι τὸ μὲν ἄρρεν ὄν, τὸ δ᾽ ἔχον ὑστέ-
ραν· ἔχουσι τὰς ὑστέρας· ὑστέραι ὑμενώδεις παρὰ
τὸ ἔντερον, ἔνθεν ⁊ ἔνθεν ἐσχισμέναι, syn ὑστερικὸν μόριον·
δικρόα ἡ τῶν καράβων ὑστέρα· ταῖς σηπίαις ⁊ ταῖς τευ-
θίσι δύο τὰ ᾠά φαίνεται διὰ τὸ διηρθρῶσθαι τὴν ὑστέραν 60
⁊ φαίνεσθαι δικρόαν Ζγα3. 717 ᵃ4. 14. 720 ᵇ14, 25. γ5.

---

755 ᵇ36. 8. 758 ᵃ7, 11. δικρόαι ⁊ αἱ τῶν ἐντόμων, ἐν δὲ
τοῖς ἐλάττοσιν ἄδηλοι· τὰ ἔντομα ἔχει τὸ ταῖς ὑστέραις
ἀνάλογον μόριον ἐσχισμένον Ζγα3. 717 ᵃ8. 16. 721 ᵃ21.
β4. 739 ᵃ19 (cf τῶν ζῴων τὰ μὲν ἔχει ὑστέραν τὰ δὲ τὸ
ἀνάλογον, τὸ ἀνάλογον τῇ ὑστέρα τὸ ὄστρακον τῷ ᾠῷ Ζια3.
489 ᵃ14. Ζγγ2. 754 ᵃ1).

9. physiologica quaedam. ὑστέραι- κάθαρσις, ἀπόκρισις,
πρόεσις, ἔκκρισις. πρὶν ἐλθεῖν τὰς καθάρσεις εἰς τὰς ὑστέρας
Ζιη11. 587 ᵇ35. μετὰ τὴν κάθαρσιν συμμύει τὸ στόμα τῶν
ὑστερῶν Ζγα19. 727 ᵇ23. cf ὁ 5. 774 ᵃ25, 773 ᵇ15. Ζιη2.
582 ᵇ19. opp αἱ ὑστέραι χάσκουσιν Ζιη4. 583 ᵇ35. περὶ
αὐτὴν τὴν ὑστέραν δεῖ συμβαίνειν τοιαῦτα μετὰ τὴν κά-
θαρσιν Ζια3. 635 ᵃ32. ἡ ἐν ταῖς ὑστέραις ἀπόκρισις τῷ θή-
λεος ὑπὸ τῆς τοῦ ἄρρενος γονῆς· ἡ προτέρα πρόεσις τῆς
ὑστέρας ἄγονος μᾶλλον Ζγβ4. 739 ᵇ20, ᵃ10. ἡ τῶν ὑστε-
ρῶν ἔκκρισις ταῖς μὲν γίνεται ταῖς δ᾽ οὒ (secretum glan-
dularum Cowperi), syn ὑγρασία, ἰκμὰς Ζγα20. 728 ᵃ1,
34. β4. 739 ᵇ1. — ὑστέρα-σπέρμα. ἡ μίξις ὁ ἐν τῇ
ὑστέρα τῆς θηλείας πια61. 898 ᵃ16. σπέρμα εἰς τὰς ὑστέ-
ρας ἐλθόν· ἂν τύχῃ συμμέτρως ἔχουσα ⁊ θερμὴ διὰ τὴν
κάθαρσιν ἡ ὑστέρα, εἴσω σπᾷ (τὸ σπέρμα) Ζγα20. 729 ᵃ8.
β4. 739 ᵇ4. ἐνίοτε τῷ πνεύματι τὸ σπέρμα Ζγα2. 634 ᵇ35.
προϊεμέναι ἔξω συμβαίνει ταῖς ὑστέραις πάλιν εἴσω σπᾶν·
προίενται οὐκ εἰς αὐτάς αἱ ὑστέραι, ἀλλ᾽ ἔξω, οὐ ⁊ ὁ ἀὴρ
Ζγβ4. 739 ᵇ17. Ζικ6. 637 ᵇ32. cf 5. 637 ᵃ15. ἕλκει τὸ
ὑγρὸν θερμανθεῖσα· ἕλκειν φάναι τὰς τόπους τῆς ὑστέρας
τὸ σπέρμα Ζγγ1. 751 ᵃ1. ὁ4. 771 ᵇ28. οὐχ ἕλκειν εἰς αὐ-
τὰς τὸ σπέρμα· πνεύματι ἕλκει τὸ προσελθὸν ἔξωθεν αὐτῇ·
ἕλκει ἄνωθεν Ζικ2. 634 ᵇ28. 3. 636 ᵃ4. 6. 637 ᵇ33. 7. 638
ᵃ7. εἰ μηδ᾽ ἀπὸ τῆς ὑστέρας σπέρμα γίνεται· ἐν ταῖς
ὑστέραις χωρίζεσθαι (τὸ σπέρμα) ἀδύνατον· σπέρμα χρο-
νίσαν ἐν τῇ ὑστέρα· ὅταν ληφθῇ τὸ σπέρμα τῆς ὑστέρας
⁊ ἐγχρονισθῇ Ζγα18. 723 ᵇ1, 14. Ζγγ22. 523 ᵃ23. η7. 586
ᵃ18. ὅταν συλλάβῃ ἡ ὑστέρα τὸ σπέρμα, εὐθὺς συμμύει
ταῖς πολλαῖς· ποτὲ καταβαίνουσι κάτω· πρὸς τὸ συλλαμ-
βάνειν δεῖ κατασκευάζειν τὰς ὑστέρας Ζιη4. 583 ᵇ29. 2.
582 ᵇ24. 3. 583 ᵃ20. καταβεβηκυῖαι αἱ ὑστέραι εἰσὶν ἐγγὺς Ζγβ4.
739 ᵃ31 Aub. — ὑστέρα-ἔμβρυον. δεῖ τὸ ἔμβρυον ἐν τῇ
ὑστέρα εἶναι, ἐν ταῖς ὑστέραις ἐστὶ τὸ γινόμενον, δεκτικὴ
ἡ ὑστέρα τοῦ διδομένου Ζγγ2. 754 ᵃ4. α12. 719 ᵃ33. Ζικ3.
635 ᵇ2. ἀνάγκη τὰς μελλούσας ζῷον ἕξειν ἰσχυροτέρας εἶναι,
διὸ σαρκώδεις εἰσὶν αἱ τοιαῦται μᾶλλον· πῶς ἔχει τὰ ἔμ-
βρυα πρὸς τὴν ὑστέραν· μεταξὺ τῆς ὑστέρας ⁊ τοῦ ἐμβρύου
τὸ χόριον ⁊ οἱ ὑμένες εἰσὶν Ζγα11. 719 ᵃ22. γ2. 753 ᵇ35.
β7. 745 ᵇ35. σχῆμα τῶν ἐμβρύων ἐν τῇ ὑστέρα Ζιη8.
586 ᵃ35. ἐπὶ γίνεται δίδυμα θῆλυ ⁊ ἄρρεν ἅμα ἐν τῷ
αὐτῷ μορίῳ πολλάκις τῆς ὑστέρας· τὴν ὑστέραν τὰ μὲν
ἄρρενα ἐν τοῖς δεξιοῖς εἶναι τὰ δὲ θήλεα ἐν τοῖς ἀριστεροῖς
(Anaxag)· τὰ μὲν εἰς θερμὴν ἐλθόντα τὴν ὑστέραν ἄρρενα
γίνεσθαί φησι τὰ δ᾽ εἰς ψυχρὰν θήλεα (Empedocl) Ζγδ1.
764 ᵃ34, 765 ᵃ18, 763 ᵇ34, 764 ᵃ3, cf 17. Ζιζ10.565 ᵇ14.
τὴν τροφὴν ῥᾷον ἕλκειν ἐκ τῆς ὑστέρας πόροις τισίν· ὅταν
ἔλθῃ ἡ ἐσχάτη τροφὴ εἰς τὴν ὑστέραν· τὸ ἔμβρυον χρῆται
τῇ ὑστέρα τῷ λαμβάνειν τροφήν· οἱ λέγοντες τρέφεσθαι τὰ
παιδία ἐν ταῖς ὑστέραις διὰ τοῦ σαρκιδίου τι βδάλλειν· προ-
εκτίθεται τοῖς ἐμβρύοις ἡ φύσις τὴν αἱματικὴν τροφὴν τῆς
ὑστέρας· ὅταν νοσήσῃ τὸ κύημα ἐν τῇ ὑστέρα Ζγγ3.754 ᵇ26.
β3. 737 ᵃ21. 4. 740 ᵃ25, 35. 7. 745 ᵃ19, 746 ᵃ4. 8.749 ᵃ1.
στρέφονται αἱ ὑστέραι Ζιη9. 587 ᵃ8.

10. ὑστέρας ὑγίεια ⁊ πάθη. οὐθὲν αἴτιαι αἱ ὑστέραι, οὐθὲν
αἴτιον ἐν ταῖς ὑστέραις Ζικ1. 634 ᵇ4, 13. καλῶς ἔχουσιν αἱ

ὑστέραι χ̞ ποιῶσι τὸ αὑτῶν ἔργον, πότε· εἰ ἡ ὑστέρα εὖ
ἔχει τῇ ἐπικαίρῳ τόπῳ· αἱ μάλιστα καλῶς πεφυκυῖαι. φαί-
νεται ἀνοιγομένη καλῶς ἡ ὑστέρα χ̞ συμμύσσα Ζιχ2. 635
ᵃ17. 1. 634 ᵃ1, 633 ᵇ30. 3. 635 ᵇ26. 4. 636 ᵃ38. ὑστέρα ἡ
πόνον τε μὴ παρέχυσα, χ̞ ὃ ἐκείνης ἐστί, τῶθ᾽ ἱκανῶς ἀπερ- 5
γαζομένη· αὐτὰς τὰς ὑστέρας δεῖσθαι θεραπείας Ζιχ1. 633
ᵇ22, 634 ᵇ11. — ὑστερῶν σκληρότης. θερμότης χ̞ ψυχρό-
της πι9. 891 ᵇ30. Ζγδ1. 764 ᵇ1, 765 ᵃ10. ὑστέρα ἀντι-
σπαστική, θερμὴ χ̞ ξηρά, ψυχρά, ξηρά, ὑπέρξηρος Ζιχ7.
638 ᵃ31, 19, ᵇ3. 3. 636 ᵃ1, 2, 17. ἀκολυθεῖ τῇ τῦ σώματος 10
ἕξει, ἰσχύει, ἐφυγραίνεται, αἴρεται· ἐξανεμῦσθαι, αἴτιον τῦ
πάθυς ἡ ὑστέρα· πάσχει τῦτο τὸ πάθος Ζικ1. 634 ᵇ4. 3.
636 ᵃ3, 13, 22, 635 ᵇ26. πνευματικαὶ γενόμεναι ἔμπροσθεν
αἱ ὑστέραι. ἐὰν μὴ εἰς ὀρθὸν βλέπωσιν· ὑγραίνονται ἐργα-
ζόμεναι ὅταν τύχωσιν ὑγροτέρας διαθέσεως Ζιη4. 584 ᵇ22. 15
χ2. 634 ᵇ39. 3. 635 ᵇ24. μύλη, φῦμα ἐπὶ τῦ στόματος·
γίνονται σπάσματα ἐν ταῖς ὑστέραις χ̞ φλεγμασία διατει-
νομένης τῆς ὑστέρας· πνιγμοὶ χ̞ ψόφος ἐν ταῖς ὑστέραις
Ζιχ7. 638 ᵃ31. 4. 636 ᵃ35, 29. η2. 582 ᵇ11. χ̞ κεναὶ ῆσαι
αἱ ὑστέραι ἄνω προσιστάμεναι πνίγυσιν Ζγα11. 719 ᵃ21 20
(cf πλανώμενον πάντη κατὰ τὸ σῶμα Plat Tim 91 C, Ga-
len VIII 425, XVI 179, Lewes 344). ἡ ὑστέρα πλείω ἀπο-
διδῦσα (ὑγρότητα) σημαίνει φλεγματικόν τι πάθος ἐπι-
φλεγμαίνυσα· ἐὰν μὴ φαίνηται εἰς φλεγμασίαν ἀφικνυμένη
ἐν τοῖς αὑτῆς ἔργοις Ζιχ1. 634 ᵃ25. 7. 638 ᵃ33. 4. 636 ᵃ34. 25
συμφέρει μηθὲν ἐπεῖναι βάρος ἐπὶ ταῖς ὑστέραις Ζγα12.
719 ᵇ28. ὁ περὶ τὸν κοιλίαν τόπος ἀσύγκλειστος ταῖς πλευ-
ραῖς ὅπως ἂν ἐμποδίζωσι … τὰς ὑστέρας τὰς περὶ τὴν
κίνησιν Ζμῦ10. 689 ᵃ3. ὁ βαρύνει τὴν ὑστέραν· ἡ ὑστέρα
ὅθεν βλάπτει Ζιχ7. 638 ᵃ35. 1. 633 ᵇ30. 30

11. γαστὴρ iq ὑστέρα Ζιζ22. 576 ᵇ8.

ὑστεραία. τῇ ὑστεραίᾳ μα6. 343 ᵇ21.

ὑστερεῖν, opp προτερεῖν, dist ἰσοδρομεῖν Ζγδ6. 775 ᵃ26.
ὑστερεῖν τῶν καιρῶν τι16. 175 ᵃ26.

ὑστερίζειν. ὅσων τοσῦτον ὑστερίζυσιν ὥσθ᾽ ἅμα εἰρημένων 35
γνωρίζειν Ρβ23. 1400 ᵇ32. γ10. 1410 ᵇ25. non addito ge-
netivo comparativo τι15. 174 ᵃ19. Οδ2. 310 ᵃ10. Ζγδ4.
770 ᵃ22. 5. 773 ᵇ12. ὑστερίζειν Φθ8. 262 ᵇ16. — ὑστερί-
ζειν τοῖς λόγοις, opp πρωτεύειν τοῖς ἔργοις ρ1. 1420
ᵃ18. ὑστερίζειν χ̞ προτερεῖν, opp ἡ μέση ἕξις ηεγ3. 1231 40
ᵇ23.

ὑστερικός. τὸ ὑστερικὸν μόριον et ὁ ὑστερικὸς τόπος iq αἱ
ὑστέραι, ὁ τῶν ὑστερῶν τόπος Ζγα15. 720 ᵇ21, 25. β4.
738 ᵇ7, ᵇ9. ὑμένες ὑστερικοὶ Ζγα3. 717 ᵃ5. οἱ ὑστερικοὶ
πόροι, opp οἱ θορικοί, τῶν ἐγχελύων, τῶν μαλακοστράκων, 45
τῶν μαλακίων Ζιζ. 16. 570 ᵃ5. 11. 566 ᵃ11. ὁ2. 527 ᵃ13.
Ζγα15. 720 ᵇ31. μόνον ὑστερικόν ἐστι γυνὴ τῶν ἄλλων
ζῴων Ζγδ7. 776 ᵃ10.

ὑστερογενής. τρίχες ὑστερογενεῖς Ζιγ11. 518 ᵃ21, 32, ᵇ3.
ι50. 631 ᵇ32. Ζγε3. 784 ᵃ17. ὑγρὰ ὑστερογενῆ, γάλα χ̞ 50
γονὴ Ζμβ7. 653 ᵇ10. Ζιγ20. 521 ᵇ18. τὸ βρέγμα ὑστερο-
γενές Ζιχ7. 491 ᵃ32. τὰ φύματα λαμβάνει τροφήν, καίπερ
ὄντα ὑστερογενῆ χ̞ παρὰ φύσιν Ζγδ4. 772 ᵇ30. — αὐτὸ
τὸ ἀγαθὸν χ̞ τὸ ἄριστον πότερον ἀρχαὶ ἢ ὑστερογενῆ Μν4.
1091 ᵃ33.

ὕστερος, ὑστέρως, cf πρότερος. ὕστερον ἐρῦμεν μα7. 344
ᵇ18. μικρὸν ὕστερον τῶν Μηδικῶν Πε3. 1303 ᵃ5. πρῶτον,
εἶθ᾽ ὕστερον Πε4. 1304 ᵇ11. ἐὰν τὰς ὑστέρας λόγυς ἔχωμεν
ρ19. 1433 ᵃ40. — τὸ ζῷον καθόλυ ἤτοι ὐθέν ἐστιν ἢ ὕστε-
ρον ψα1. 402 ᵇ8. — ἡ ὑστέρα τῶν προτάσεων Αγ24. 86 60
ᵃ24. — ὕστερον, syn ἀγνωστότερον Αβ16. 64 ᵇ32. —

ὕστατον, ὃ ἄλλῳ μηδενὶ ὑπάρχει Αγ21. 82 ᵃ39. — ἡ
φορὰ γενέσει ὑστάτη τῶν κινήσεων, ὥστε πρώτη ἂν εἴη
κατὰ τὴν ὑσίαν Οδ3. 310 ᵇ34. — τὸ ὕστερον, partus
secundinus. τῦ ὑστέρυ τὰ ἔσω ἐκτὸς ἰσχοντος· ἐὰν χ̞ τὸ
ὕστερον συνεκπέσῃ· πότε ἀποδεῖται ἀπὸ τῦ ὑστέρυ ὁ ὀμ-
φαλός· ἐὰν μὴ συνεξέλθῃ εὐθὺς τὸ ὕστερον Ζιη9. 587 ᵃ8
Aub. 10. 587 ᵃ13, 14, 17. syn τἆλλα Ζιζ12. 567 ᵃ1 (vl
γάλα, lac Gazae, secundas partus reddit Plin IX 15).

ὕστριξ, ὁ. ἡ SI 24 (vl ἀστρίξ, στρίξ, ὗς τρίχες). refertur
inter τὰ ζῳοτόκα χ̞ τετράποδα, φωλεύει χ̞ κύει ἴσας ἡμέ-
ρας χ̞ τἆλλα ὡσαύτως τῇ ἄρκτῳ Ζιζ30. 579 ᵃ29. θ17.
600 ᵃ28. ἔχει τὰς ἀκανθώδεις τρίχας· τὰ βάλλοντα ταῖς
θριξὶν οἷον αἱ ὑς τρίχες Ζιχ6. 490 ᵇ29. ι39. 623 ᵃ33 Aub.
(ystrix Thom, hystrix, porcus spinus Gazae Scalig. porc-
épic C II 690. Hystrix cristata AZι I 75, 46. Su 55, 30.
KaZι 29, 14. cf Rose Ar Ps 369. Beckm ad θ p 61. Ritter
Erdkunde XIX 1194, E 12.)

ὕφαιμος. ἐάν τις τρίχας ἐκτίλλῃ ἐκ τῆς λοφιᾶς (ὑὸς χαλα-
ζώσης). ὕφαιμοι φαίνονται Ζιθ21. 603 ᵇ23. ἐὰν φλέβιά τινα
ῥαγῇ, ὕφαιμος ἡ συνδρομὴ γίνεται πθ14. 891 ᵃ5. βλέφαρα
ὕφαιμα χ̞ παχέα φ3. 807 ᵇ29. ἀναιδὲς τὸ χρῶμα ὕφαι-
μον φ3. 807 ᵇ32. — metaph, αἱ μὲν ὀξεῖαι (χροιαὶ ση-
μαίνυσι) θερμὸν χ̞ ὕφαιμον, αἱ δὲ λευκέρυθροι εὐφυΐαν φ2.
806 ᵇ4.

ὑφαίνειν. τὰς λείας προσάπτυσιν αἱ ὑφαίνυσαι τοῖς ἱστοῖς
Ζγα4. 717 ᵃ36. αἱ τὰς ἱστὰς ὑφαίνυσαι Ζγε7. 787 ᵇ24.
(τὰ βομβύκια) πρώτη λέγεται ὑφῆναι Παμφίλη Ζιε19.
551 ᵇ15. — ὁ ἀράχνης πῶς ὑφαίνει τὸ ἀράχνιον Ζιι39.
623 ᵃ8, 25. cf ε8. 542 ᵃ13.

ὑφαιρεῖν. εἴ τις τῶν φερομένων μορίων αὑτῆς, πρὶν πεσεῖν,
ὑφαιρῇ τὴν γῆν, οἰσθήσεται κάτω μηθενὸς ἀντερείσαντος
Οβ13. 294 ᵃ18. cf ὑφαιρεῖν.

ὑφάντης, inter necessarias partes civitatis refertur Πδ4.
1291 ᵃ13. ὑφάντῃ δεῖ ὑπάρχειν τὴν ὕλην ἐπιτηδείαν Πη4.
1325 ᵇ41. α8. 1256 ᵃ9. ὑκ ὠφελεῖται τὴν ἰδέαν εἰδὼς Ηα4.
1097 ᵃ8. exemplum ἀμοιβῆς Ηι1. 1163 ᵇ35.

ὑφαντική Πα8. 1256 ᵃ6. ὑφαντικῆς χρήσασθαι ἐρίοις Πα10.
1258 ᵃ25.

ὑφαρπάζειν. ἡ κορώνη κατεσθίει ὑφαρπάζυσα αὑτῆς (τῆς
γλαυκὸς) τὰ ᾠά Ζιι1. 609 ᵃ10. ἐκκρύεσθαι, καθάπερ ὧν
τῆς κολυμβρης ὑφαρπαζ̔υσιν πιϛ4. 913 ᵇ20.

ὑφή. ἀράχνης πάλιν ἄρχεται τῆς ὑφῆς Ζιι38. 623 ᵃ21.

ὑφηγεῖσθαι. δεῖ πειρᾶσθαι λαμβάνειν κατὰ γένη τὰ ζῷα,
ὡς ὑφήγηνθ᾽ οἱ πολλοὶ διορίσαντες ὄρνιθος γένος χ̞ ἰχθύος
Ζμα3. 643 ᵇ11. τῦθ᾽ ὑφηγεῖται χ̞ ὁ κοινὸς νόμος οα4.
1344 ᵃ10. — pass. πρὸς εὐθὺς ὑφηγημένα περὶ τὴν ψυχὴν
Πα13. 1260 ᵃ4. τὸν ὑφηγημένον ἤδη τρόπον λέγοντες μγ1.
370 ᵇ4. κατὰ τὸν ὑφηγημένον τρόπον μα1. 339 ᵃ7. Ηβ7.
1108 ᵃ3. Πα8. 1256 ᵃ2. κατὰ τὴν ὑφηγημένην μέθοδον
Πα1. 1252 ᵃ17. Ζγγ9. 758 ᵃ28.

ὑφήγησις. κατὰ τὴν ὑφήγησιν τῦ λόγυ ρ1. 1420 ᵇ25.

ὑφημιόλιον, opp ἡμιόλιον Μδ15. 1021 ᵃ1.

ὑφιζάνειν. αἱ ἀλεκτορίδες ὑφιζάνυσιν αὑταί, ἐὰν μὴ ὀργᾷ
ὁ ἄρρην Ζιχ6. 637 ᵇ8.

ὑφίζειν. ὑφιζάντος (ci, ἐφιζάντος codd Bk) τῆς ἰλύος Ζιε16.
549 ᵃ10.

ὑφιστάναι, ὑφίστασθαι. 1. cf ὑπόστασις 1. τὰ πίπτοντα
τῶν κηρίων ὀρθῦσιν αἱ μέλιτται χ̞ ὑφιστᾶσιν ἐρείσματα
Ζιι40. 625 ᵃ12. οἱ πλάττοντες ἐκ πηλῦ ζῷον ὑφιστᾶσι τῶν
στερεῶν τι σωμάτων Ζμβ9. 654 ᵇ30. ὡς περὶ βάρος ἐχόν-
των ἁπάντων τῶν ἄνω σωμάτων ὑπέστησαν αὑτῷ μυθικῶς

ἀνάγκην ἔμψυχον Οβ1. 284 ᵃ23. ὐκ ἔστι δύναμις ἐν τῷ
ἀέρι ἵνα ὑποστήσῃ τὰ μέρη τῦ ὕδατος φτβ6. 826 ᵇ12. —
ὁ τὸ ὑφιστάμενον ᴋ̇ κωλῦον κινήσας Φθ4. 255 ᵇ24, cf ὑπο-
σπᾶν p 801 ᵇ30. ἐὰν κάτωθεν ὑποστῇ τὸ σπαρτίον, syn
ἐὰν κάτωθεν ᾖ τὸ ὑποκείμενον μχ2. 850 ᵃ5, 21. τὸ ὑφε-
στὸς τῷ βάρει Ζπ9. 708 ᵇ31. 11. 710 ᵇ8. — 2. ὑφίστα-
σθαι, subsistere. ἐν τῷ φεύγειν ἀνάπαυσιν ποιῦνται τῶν
δρόμων, ᴋ̇ ὑφιστάμενοι μένωσιν ἕως ἂν πλησίον ἔλθῃ ὁ
διώκων Ζιζ29. 579 ᵃ13. οἱ θέοντες λαμβάνωσι σπάσματα,
ὅταν τις θέωσιν αὐτοῖς ὑποστῇ πε39. 885 ᵃ7, 10. ὑφίσταται
τὰ νέφη, opp προωθεῖται πκζ7. 940 ᵇ36. — 3. ὑφίστασθαι,
subsidere, cf ὑπόστασις 2. βαρὺ μὲν ἁπλῶς τὸ πᾶσιν
ὑφιστάμενον, κῦφον δὲ τὸ πᾶσιν ἐπιπολάζον Οδ4. 311 ᵃ17,
29, 312 ᵃ6. cf ᵃ3. 269 ᵇ24. 8. 277 ᵇ15. 9. 278 ᵇ30. μα2.
339 ᵃ17. 4. 341 ᵇ12. φαίνεται ὑφισταμένη ἐν τοῖς ἀγγείοις
ἁλμυρὶς μβ3. 357 ᵇ3, 358 ᵇ27. Ζμδ1. 676 ᵃ34. πκγ18.
933 ᵇ16. ὑφίσταται ᴋ̇ ἀποκαθαίρεται κάτω ἡ σκωρία μδ6.
383 ᵃ34, cf ὑπόστασις p 801 ᵇ44. ἠθμένων μάλιστα ὑφί-
σταται τὸ παχύτατον ᴋ̇ βαρύτατον πκγ20. 933 ᵇ27. cf 32.
935 ᵃ8. ἐκεῖ (ἐν τῇ κύστει) ὑφίσταται τὰ ἄπεπτα τῶν
ὑγρῶν πα 40. 863 ᵇ32, cf ὑπόστασις p 801 ᵇ60. ἐνίοις αἴτιον
τῦ μὴ ὑφίστασθαι μηθὲν ἡ ἰσχυρότης, ὥσπερ ἐλαίᾳ μδ5.
382 ᵇ15. τὸ ὑφιστάμενον (an ἐφιστάμενον?) ἐπάνω τῦ αἵ-
ματος, ὃ δή ἐστιν ὑδατῶδες θ141. 845 ᵃ7. — 4. ὑφε-

στάναι ἱ q ὑπάρχειν, cf ὑπόστασις 3. ὁ ἄνθρωπος ὁ κατ'
ἰδίαν ὑφεστώς (ie ὁ καθ' ἕκαστον) f 183. 1509 ᵇ24. —
5. κἂν μὴ διαφθείρας δοκῇ λόγῳ ὑποστὰς αὐτὸς ἠδικη-
κέναι (Eur fr 794) p19. 1433 ᵇ12.
ὑφορᾶσθαι. med. ἔστι τὸ ἦθος ὁ λέων ὐχ ὑπόπτης ὐδενός
ὐδ' ὑφορώμενος ὐδέν Ζιι44. 629 ᵇ10. ὑφορώμενοί τινας
δυσχερείας, syn ὑπόπτως ἔχοντες πκ34. 926 ᵇ21.
ὑφορμος. ἐν τοῖς ὑφόρμοις ἁλκυὼν ἀφανίζεται εὐθὺς Ζιε9.
542 ᵇ23.
ὑφυγρος. εὐίδρωτα ὅσα ὕφυγρα ᴋ̇ ἀραιά, ἡ δὲ κεφαλὴ τοι-
αύτη πβ17. 867 ᵇ35. λς2. 965 ᵇ5.
ὑψηλός. τόποι ὑψηλοί, opp πεδινοί Ζιι32. 619 ᵃ25. οἱ ὀρεινοὶ
ᴋ̇ ὑψηλοὶ τόποι μα13. 350 ᵇ7. 10. 347 ᵃ35, 31. τὰ ὑψη-
λότατα ὄρη μα3. 341 ᵃ1. εὗρεν ὑψηλοτέραν ὗσαν τὴν θά-
λατταν τῆς γῆς μα14. 352 ᵇ27. — τὰ ὑψηλά. ἐφ' ὑψη-
λῶν καθίζει Ζιι32. 619 ᵃ4. ἐπὶ τοῖς ὑψηλοῖς, ἐν τοῖς σφόδρα
ὑψηλοῖς, ἀπὸ τῶν ὑψηλῶν μα1. 348 ᵃ23, 21. 13. 350 ᵃ2.
ἐκ τῶν ὑψηλοτέρων τῶν πρὸς ἄρκτον μβ1. 354 ᵃ25.
ὕψος. τῷ ὕψει οἱ πῶλοι τῶν ἵππων μικρὸν ἐλάττυς εἰσὶν
Ζμδ10. 686 ᵇ14. ἐπὶ πολὺ τόπον τῦ ὕψυς μα10. 347
ᵃ33. ἀποστάντων διὰ τὸ ὕψος ᴋ̇ τὸ μέγεθος κ1. 391 ᵃ5.
— metaph, Δαρεῖυ πρόσχημα εἰς σεμνότητος ᴋ̇ ὑπεροχῆς
ὕψος μεγαλοπρεπῶς διεκεκόσμητο κ6. 398 ᵃ12.
ὑψῦ πέτεσθαι Ζιι32. 619 ᵇ5.

Φ

φαβοτύπος (v l φοβότυπος, βαφότυπος, bafotypus Thomae.
sim comm Ζμβ13. 657 ᵇ2 Langk). ἱεράκων γένος τι. ὅ τε
φαβοτύπος ᴋ̇ ὁ σπιζίας διαφέρυσι τῷ μέγεθει πολὺ ἀλλή-
λων Ζιθ3. 592 ᵇ2. (Falco communis K 864, 3. F palum-
barius L St. Cr. Astur palumbarius, syn φασσοφόνος Su
101, 17. ΑΖι I 37e. cf S I 586. Lnd 30.)
φαγέδαινα (Aeschyl fr 249. Eur fr 790) πσ22. 1458 ᵇ23.
φαγεῖν. ὐθὲν ἂν διέχοι φαγεῖν ἢ μὴ φαγεῖν Μκ6. 1063 ᵃ31.
τὰ φαγεῖν δυνάμενα τῶν τετραπόδων βδάλλεται πολὺ Ζιγ
21. 522 ᵇ30. ἀγαθοὶ φαγεῖν οἷς τὸ ἀπὸ τῦ ὀμφαλῦ πρὸς
στῆθος μεῖζόν ἐστιν ἢ τὸ ἐντεῦθεν πρὸς τὸν αὐχένα φ3.
808 ᵇ2. — οἱ ἰχθύες πότε φαγεῖν χείριστοι Ζιθ30. 607 ᵇ13.
φάγιλος. φάγιλόν φησιν Ἀριστοτέλης τὸν ἀμνὸν εἶναι f 464.
1554 ᵇ2.
φάγρος. φάγροι (v l φαῦροι) ἐπαμφοτερίζυσι (πρόσγειοι, πε-
λάγιοι), μάλιστα πονῦσιν ἐν τοῖς χειμῶσιν, ἔχυσι λίθον
(hodie: otolith) ἐν τῇ κεφαλῇ Ζιθ13. 598 ᵃ13. 19. 601 ᵇ30.
παραπλήσια ὑσὶ φάγρον ἐρυθρῖνον ἥπατον· σαρκοφάγον
αὐτὸν εἶναι ᴋ̇ μονήρη. καρδίαν τε ἔχειν τρίγωνον ἀκμάζειν
τε ἔαρος f 295. 1529 ᵃ41. 314. 1531 ᵃ37. (fagrus Thomae;
phager, pagrus Gazae; pagrus Scalig. pagre C II 605.
Ar syn pisc 64. Sparus pagrus K 885, 8. St. Cr. Pagrus
vulgaris Cuv VI 146. fort Dentex macrophthalmus ΑΖι I
142, 73.)
Φαέθων. ἡ λεγομένη ἐπὶ Φαέθοντος φθορά μα8. 345 ᵃ15. κ6.
400 ᵃ31. θ81. 836 ᵇ2. ὁ τῦ Φαέθοντος Διὸς λεγόμενος κύ-
κλος κ2. 392 ᵃ25.
Φαίακες f 170. 1506 ᵃ45. Φαίηκες (Hom ζ 327) Ργ14.
1415 ᵇ26.
Φαῖδρος Platonis Ργ7. 1408 ᵇ20, cf Πλάτων p 598 ᵇ25.
Φαίδων Platonis ΜΑ9. 991 ᵇ3. μ5. 1080 ᵃ2. Γβ9. 335 ᵇ10.
μβ2. 355 ᵇ32. cf Πλάτων p 598 ᵇ19-22.
φαίνειν. φαίνειν πηγὰς πρότερον ὐκ ὗσας κ4. 396 ᵃ7. ἦρι μὲν

φαίνοντι (Aeschyl fr 297, φανέντι ci Nck) Ζιι49Β. 633
ᵃ22. — φαίνεσθαι. φάττα ᴋ̇ περιστερὰ ἀεὶ φαίνονται,
τρυγὼν τῦ θέρυς ἀφανίζεται Ζιθ3. 593 ᵃ17. ὁ διὰ παντὸς
φαινόμενος κύκλος μβ6. 363 ᵇ32 Ideler. φαίνεσθαι πρότερον,
opp γίνεσθαι πρότερον Ζγβ6. 741 ᵇ26, 25. τὴν ἀστραπὴν
ὐκ εἶναι φασιν, ἀλλὰ φαίνεσθαι μβ9. 370 ᵃ12. ἔδει ποτὲ
φαίνεσθαι ᴋ̇ ἄνευ κόμης τὸν ἀστέρα μα6. 343 ᵃ28. τύτων
ὐ φαινομένων τὸ νῦν. κωλύεσθαι γὰρ μα8. 345 ᵃ28. εἰς
τρόπυς τῶν χρωμάτων τὸ φαίνεσθαι δι' ἀλλήλων αι3. 440
ᵃ7. ἐγγὺς φαινόμενα τὰ πάθη ἐλεεινά ἐστιν Ρβ8. 1386
ᵃ29. τί γὰρ ἂν εἴη τῦ λέγοντος ἔργον, εἰ φανοῖτο ἠδέα ᴋ̇
μὴ διὰ τὸν λόγον πο19. 1456 ᵇ8. Vhl Poet III 302. —
φαίνεσθαι quoniam significat 'videri, apparere, sensibus
percipi', vel opponi potest ipsi rei ac veritati, vel evi-
dentiam sensuum et translato inde sensu cogitandi con-
cludendique evidentiam potest significare. φαίνεσθαι c part
i q manifestum, apertum, evidens esse, ἐμπεριειλημμένα
ζῷα ἐν τῷ ἠλέκτρῳ φαίνεται μδ10. 388 ᵇ22. αἱ ἀποδείξεις
φαίνονται πᾶσαι ὑποτιθέμεναι τὸ τί ἐστιν Αδ3. 90 ᵇ31. ὐ
φαίνεται συμβαῖνον ἐκ τῶν λόγων Πβ2. 1261 ᵃ12 al. φαί-
νεσθαι c inf i q videri, φαίνεται συλλογίζεσθαι, συλλογί-
ζεται δ' ὐ' τα1. 101 ᵃ3 al. sed haud raro φαίνεσθαι c inf
perinde ac cum part significat 'apparere, apertum esse',
ὥστε ἅπερ αὐτῷ ᴋ̇ ἄλλῳ βυλόμενος τύτῳ φαίνεται φίλος
εἶναι Ρβ4. 1381 ᵃ11. ᴋ̇ ἄνευ δὲ λόγυ φαίνονται οἱ μεγα-
λόψυχοι περὶ τιμὴν εἶναι Ηδ7. 1123 ᵇ22. cf τι33. 182 ᵇ22.
Γα7. 323 ᵇ16. μγ4. 374 ᵃ9. ψβ2. 414 ᵃ24. αν21. 480 ᵃ26.
ΖιΣ3. 561 ᵇ4. Η2. 1165 ᵃ18. φαίνεσθαι absolute positum
sine part vel inf modo est i q 'videri', ὐ γὰρ ὗσα ἀγα-
θὸν ἢ ἡδονὴ φαίνεται Ηγ6. 1113 ᵇ1. ὐ συνεχής, ἀλλὰ φαί-
νεται Φθ10. 267 ᵃ14. ὐδὲ λέγομεν, ὅταν ἐνεργῶμεν ἀκριβῶς
περὶ τὸ αἰσθητόν, ὅτι φαίνεται τῦτο ἡμῖν ἄνθρωπος ψγ3.
428 ᵃ13. cfΗβ8. 1108 ᵇ19. θ8. 1158 ᵇ11. τα10. 104 ᵃ30.

μα3. 339 ᵇ35, modo i q 'apparere', sive agitur de sensuum evidentia, ἣν ἂν ἐνταῦθα παρὰ ἀέρα ⟨ πῦρ ⟨ γῆν ⟨ ὕδωρ· φαίνεται δ' ὐδέν Φγ5. 204 ᵇ35. cf Οϑ5. 313 ᵃ6. ὅπερ ⟨ φαίνεται κατὰ τὴν αἴσθησιν Ζγα2. 716 ᵃ31. εἰ τὖτο φαίνοιτο ἀρχύντως Ηα2. 1095 ᵇ6. cf Γβ3. 330 ᵇ2. μβ1. 354 ᵃ11. α3. 339 ᵇ20. μν1. 450 ᵇ8. μκ5. 466 ᵃ20. αν5. 472 ᵇ33. ΜΑ6. 988 ᵃ3. Ηα6. 1097 ᵇ31. γ13. 1117 ᵇ27, sive de cognoscendi concludendique firmitate, φανείη δ' ἂν τᨂτο ⟨ ἐκ τᨂ συνᨂκεῖσθαι Ηκ5. 1175 ᵃ29, ᵇ2. ⟨ ἐφ' ἑκάστῳ δὲ θεωρᨂντι τᨂτ' ἂν φανείη Ηκ5. 1176 ᵃ5. καθ' ὃς τρᨂπῆς δείκνυται ὅτι ἔστι τὰ εἴδη, κατ' ὐθένα φαίνεται τᨂτων Μμ4. 1079 ᵃ5. πρὸς τὸ φανῆναι τὸ ἀναγκαῖον Αα1. 24 ᵇ24. cf Κ5. 4 ᵃ21. 15. 15 ᵇ31. τϑ5. 126 ᵃ16. Ηα1. 1094 ᵃ28. 3. 1095 ᵇ31, 1096 ᵃ9. 5. 1097 ᵃ16, 25, 28. 6. 1097 ᵇ31. 12. 1101 ᵇ23. γ13. 1117 ᵇ27. η11. 1151 ᵇ29. ϑ2. 1156 ᵃ2. 13. 1161 ᵃ10. Ργ15. 1416 ᵃ26 (πεφήνασιν) al. utroque sensu φαίνεσθαι et finitimum usu esse potest verbo δοκεῖν et ab eo distingui, cf δοκεῖν p 203 ᵃ7-23. Wz II 327. τὸ φαίνεσθαί ἐστι τὸ δοξάζειν ὅπερ αἰσθάνεται μὴ κατὰ συμβεβηκός· φαίνεται δὲ ⟨ ψευδῆ, περὶ ὅτ᐀ν ἅμα ὑπόληψιν ἀληθῆ ἔχει, οἶον φαίνεται μὲν ὁ ἥλιος ποδιαῖος, πεπίστευται δ' εἶναι μείζων τῆς ὀικᨂμένης ψγ3. 428 ᵇ1. — eadem usus diversitas cernitur in participio φαινόμενος. 1. φαινόμενος, opp ὤν, ἀληθής. ἡ λύσις φαινομένη ἀλλ' ὐκ ἀληθής Ρβ25. 1402 ᵇ23. ὐκ ἀληθὲς ἀλλὰ φαινόμενον Ρβ24. 1402 ᵇ26. φαινόμενον ἀγαθόν, ἡδύ τε8. 146 ᵇ36. ϑ3. 195 ᵃ26. Μϑ2. 1013 ᵇ28. φαινομένη σοφία τι11. 171 ᵇ28. Μγ2. 1004 ᵇ19. φαινομένη ἀπόδειξις τι11. 171 ᵇ28. φαινόμενος συλλογισμός, ἔλεγχος, σολοικισμός τα1. 100 ᵇ25. ι8. 169 ᵇ18. 9. 170 ᵇ9. 14. 173 ᵇ26. φαινόμενον ἔνδοξον τα1. 100 ᵇ26. φαινόμενον πιθανόν Ρα1. 1355 ᵇ15. elliptice τὴν τῶν λυπηρῶν ⟨ φαινομένων (sc λυπηρῶν) ἀπαλλαγήν Ρα10. 1369 ᵇ26. ὅταν ἀληθὲς ᾖ τὸ φαινόμενον (sc ἀληθὲς) δείξωμεν Ρα2. 1356 ᵃ20. — 2. φαινόμενος i q manifestus. a. sensu manifesta, τὰ φαινόμενα κατὰ τὴν αἴσθησιν ἀναιρεῖν Ογ4. 303 ᵃ22. τὴν φυσικὴν τὸ φαινόμενον ἀεὶ κυρίως κατὰ τὴν αἴσθησιν Ογ7. 306 ᵃ17. ὁ διὰ παντὸς φαινόμενος κύκλος μβ6. 363 ᵇ32 (Ideler I 564). τῶν φαινομένων θειότατον Μλ9. 1074 ᵇ16 Bz, cf φανερός p 810 ᵇ40. τὰ παρ' ἡμῖν ἐν ὀφθαλμοῖς φαινόμενα Οβ4. 287 ᵇ17. ἀποδᨂναι τὰ φαινόμενα, ὁμολογεῖν, ὁμολογᨂμενα λέγειν τοῖς φαινομένοις Μλ8. 1073 ᵇ36. γεη2. 1236 ᵃ26. Γα8. 325 ᵃ26. Ογ7. 306 ᵃ7. ὁ 2. 309 ᵃ26. Αγ33. 89 ᵃ5. Ζγγ10. 760 ᵇ33. τὰ φαινόμενα συμβαίνει Οβ14. 297 ᵃ4. συμβαίνειν ἔοικεν ἐκ τῶν φαινομένων Ζγγ10. 759 ᵃ11. ἐναντία λέγειν πρὸς τὰ φαινόμενα, βιάζεσθαι τὰ φαινόμενα Γα1. 315 ᵃ4. γεη2. 1236 ᵇ22. ἐκ τῶν φαινομένων Μν3. 1090 ᵇ20. cf Αα30. 46 ᵃ20. γ13. 78 ᵇ39. Protagoras et atomistae τὰ φαινόμενα contendunt esse τὰ ὄντα ⟨ τὰ ἀληθῆ Μγ5. 1009 ᵇ1, 1010 ᵇ1. 6. 1011 ᵃ20. Γα2. 315 ᵇ10. ψα2. 404 ᵃ29. γ3. 427 ᵇ3. eo sensu τὰ φαινόμενα saepe τῷ λόγῳ opponuntur, ἔοικε δ' ὅ τε λόγος τοῖς φαινομένοις μαρτυρεῖν ⟨ τὰ φαινόμενα τῷ λόγῳ Οα3. 270 ᵇ4. παρὰ τὴν ἐν τῷ λόγῳ ἀλήθειαν ⟨ παρὰ τὰ φαινόμενα ψβ7. 418 ᵇ24. τὰ φαινόμενα, opp τὸ διὰ τί ⟨ αἱ αἰτίαι Ζμα1. 639 ᵇ8, 10, 640 ᵃ14, 15. κατὰ τὸ φαινόμενα δῆλον γ3. 469 ᵃ23 (syn κατὰ τὴν αἴσθησιν γ2. 468 ᵃ22, opp κατὰ τὸν λόγον γ2. 468 ᵃ23. 3. 469 ᵃ28). cf μβ5. 362 ᵇ14. Οβ13. 293 ᵃ26. ΜΑ5. 986 ᵇ30. ι5. 1056 ᵃ13. ν1. 1087 ᵇ2. Ρβ22. 1396 ᵃ34, ᵇ3. ηεα6. 1216 ᵇ28, 1217 ᵃ13. Ηϑ7. 1123 ᵇ22. — b. translato inde usu ab externis sensibus ad animi cogitationem τὸ φαινόμενον i q

τὸ δοκᨂν, τὸ ἔνδοξον est. τᨂ φαινομένᨂ ⟨ ἐνδόξᨂ Αα1. 24 ᵇ11. Ηγ1. 1145 ᵇ3, 5. τϑ5. 159 ᵇ21, 18. φαινόμεναι προτάσεις τα14. 105 ᵇ1, 2 (coll 104 ᵃ8-15). ἐκ τῶν νῦν φαινομένων ὑπολάβοι τις ἂν ὧδε συμβαίνειν μα7. 344 ᵃ8 (cf Alex ad h l). ΜΑ8. 989 ᵇ20. τὸ φαινόμενον ἡμῖν εἴπωμεν Οϑ1. 308 ᵃ6. Ζμα5. 645 ᵃ5. — φαινομένως θεωρεῖν, opp κατὰ τὸ πρᾶγμα τι11. 171 ᵇ7.

Φαίνων (Lob Par 347). ὁ τᨂ Φαίνοντος ἅμα ⟨ Κρόνᨂ καλύμενος κύκλος κ2. 392 ᵃ23.

φαιός. τὸ φαιὸν ἀνὰ μέσον τᨂ λευκᨂ ⟨ μέλανος Κ10. 12 ᵃ18. τα15. 106 ᵇ6. Μι5. 1056 ᵃ30. cf Plat Tim 68 C. τὸ λευκὸν ⟨ τὸ μέλαν μιχθέντα φαιὸ ποιεῖ φαντασίαν χ2. 792 ᵃ8. εἰς ὃ μεταβάλλει τὸ πρῶτον κατὰ τὴν μεταβολήν, οἶον ἐκ τᨂ λευκᨂ τὸ φαιόν, ἢ τὸ μέλαν Φζ4. 234 ᵇ18. Μι7. 1057 ᵃ25. τὸ φαιὸν λευκὸν πρὸς τὸ μέλαν ⟨ μέλαν πρὸς τὸ λευκόν Φε1. 224 ᵇ34. 5. 229 ᵇ17. ἑπτὰ εἴδη χρωμάτων, ἄν τις τιθῇ, ὥσπερ εὔλογον, τὸ φαιὸν μέλαν τι εἶναι αι4. 442 ᵃ22. — σειρὴν ὁ μικρὸς φαιός Ζι40. 623 ᵇ11. — metaph. αἱ καλᨂμεναι φαιαὶ φωναὶ ακ802 ᵃ2. cf τα15. 106 ᵇ7, 12 (syn σομφή), v λευκός p 428 ᵇ24, μέλας p 451 ᵇ13.

φαιότης γίνεται ἐν τόποις σφόδρα θερμοῖς φτϑ9. 828 ᵇ15.

φάκελος, φάκελλος (Lob Path 107) δεσμῷ ἕν Μϑ6. 1016 ᵃ1. η2. 1042 ᵇ17.

φακῆ ⟨ ἔτνος ἐκπαφλάζᨂσιν πκϑ9. 936 ᵇ24. ὅταν φακῆν ἕψητε, μὴ ἐπιχεῖν μύρον αι5. 443 ᵇ31, cf παροιμία p 570 ᵇ29 (Oribas I 569).

φακοειδὲς ἢ ᨂοειδὲς σχῆμα Οβ4. 287 ᵃ20.

φαλάγγιον. 1. animal. refertur inter τὰ ἔντομα, ὅσα συνδυάζεται Ζιϑ11. 538 ᵃ27. ε8. 542 ᵃ12. 19. 550 ᵇ31. Ζγα16. 721 ᵃ4. ἡ περιφέρεια τῆς κοιλίας Ζιε8. 542 ᵃ16. v κοιλία p 396 ᵃ40. μείζω τὰ θήλεα τῶν ἀρρένων, ὁ ἄρρην, ἡ θήλεια, ⟨ τεκᨂϑα Ζιϑ11. 538 ᵃ27. ε8. 542 ᵃ13, 14. 27. 555 ᵇ13, 14, 15. πῶς ὀχεύεται, συνέρχεται ⟨ συμπλέκεται ἀντίπυγα, συνδυασμός, ὁ ἄρρην συνεπιψᨂζει τῇ θηλείᾳ Ζιε8. 542 ᵃ11, 12, 15, 17. 27. 555 ᵇ14. γίνεται ἐκ ζώων τῶν συγγενῶς, εἶναι πολὺ πλῆθος, ἐνίοτε τ', πῶς ἐξέρπει τὰ φαλάγγια Ζιε19. 550 ᵇ31. 27. 555 ᵇ12, 15. 18. 550 ᵃ5. (τὰ νέα περὶ τὴν τεκᨂσαν) πῶς περιέχυνται, fetus matrem consumit saepe et patrem qui matrem incubantem adiuvat Ζιζ17. 571 ᵃ5. ε27. 555 ᵇ14. δύναται ἄσιτα πολὺν χρόνον ζῆν, ex phalangio quomodo ichneumon suum genus procreet Ζιϑ4. 594 ᵃ22. ε20. 552 ᵇ27. αἱ ἔλαφοι δηχθεῖσαι ὑπὸ φαλάγγι᐀υ Ζυ5. 611 ᵇ21 Aub. φαλάγγιον σηψιδακές τζ2. 140 ᵃ4, v Πλάτων p 599 ᵇ31. (falangium, aranea Thomae, phalangium Gazae Scalig. phalange petite C II 629. M 226. Αζγ 36. Salmas ex Pl 70, 71.) — dist πολλὰ γένη Ζυ39. 622 ᵇ28 (cf φαλάγγι᐀ν ἤ τι τοιᨂτον Ζυ5. 611 ᵇ21). α. τῶν ὀηκτικῶν δύο γένη ibid. τὸ μὲν ἕτερον καλεῖται ψύλλα (fort Attus scenicus K 1009, 2. St. Su 234 α 1. Αζι1 160, 4, la. ψύλλα C II 707, 628.) τὸ δ' ἕτερον (Krebsspinne K, Argyroneta aquatica Su, fort Galeodes araneoides AZι.) — b. τὰ δ' ἄλλα πάντα, ὅσα παρατίθενται οἱ φαρμακοπῶλαι τὰ μὲν ὐδεμίαν τὰ δ' ἀσθενῆ ποιεῖ τὴν δῆξιν Ζυ39. 622 ᵇ34. cf fort ἀγαθὸν τᨂτο πίνειν ἀλλ' ἔστιν ἀηδές Ζυ5. 611 ᵇ22. c. ἄλλο ἐστὶ τῶν καλᨂμένων λύκων γένος v supra p 439 ᵇ29. — d. ᨂσα ὑφαίνει ἀράχνια Ζιε8. 542 ᵃ13. Sedentariae. — 2. tela φαλαγγίων, fort syn γύργαθος. τὰ αὐξηθέντα περιέχει κύκλῳ τὸ φαλάγγιον, ἐν φαλάγγιον Ζιε27. 555 ᵇ13 Aub, 16.

φάλαγξ. 1. acies. διασπᨂν τὰς φάλαγγας Πε3. 1303 ᵇ14. πρὸ τῆς φάλαγγος, dist ἐπὶ τοῖς κέρασιν f 147. 1503 ᵃ24. —

2. iugum bilancis μχ1. 849 b36. genus quoddam staterae μχ20. 853 b25, 29, Cappelle p 174. 242. — 3. phalanx digiti. δακτύλη τὸ ἄκαμπτον φάλαγξ Ζια15. 493 b29. — 4. ἰχνεύμων κ̀ φάλαγξ πολέμιοι· θηρεύει γὰρ τὰς φάλαγγας ὁ ἰχνεύμων Ζικ1. 609 a5. (falanx Thom, phalanx Gazae Scalig, salangor (avis) Alberto. phalange C II 628. 'hoc loco est pro phalangio' S II 4. 'Nestspinne' K 943. in incert rei omnes.)

φάλαινα (vl φάλλαινα Ζια5. 489 b4. ὁ10. 537 b1. θ2. 589 b1. Ζγβ1. 732 b26. φάλλαινα, φάλλενα Ζμγ6. 669 a8). refertur inter τὰ ζωοτόκα ἄποδα, ἔνυδρα, κητώδη, τὰ ἀναφυσῶντα κήτη Ζγβ1. 732 b26. a8. 718 b31. Ζια5. 489 a4. γ20. 521 b24. ζ12. 566 b3. θ2. 589 b1. αν12. 476 b15. Ζμγ6. 669 a8. ὁ13. 697 a16. ἔχει μαστὸς, πτέρυγας, τὸν αὐλὸν φυσητῆρα ἐν τῷ μετώπῳ, βράγχια ὐκ ἔχει Ζια20. 521 b24. ὁ10. 537 b3, a31. a5. 489 b4. ζ12. 566 b3. θ2. 589 b1. Ζμδ13. 697 a16. αν12. 476 b15. πῶς καθεύδει· ἀναπνεῖ· τίκτει ἢ δύο τὰ πλεῖστα κ̀ πλεονάκις, ἢ ἕν Ζιὁ10. 537 b1. θ2. 589 b6. ζ12. 566 b7. (balaena Thom Gazae Scalig, chalene Alberto, calane Vincent speculum nat 17, 2. baleine C II 114. cf Gesner in balaena. S I 16, 158. eclog phys II 37. hist lit pisc 155. fort Physeter macrocephalus K 417. St. Cr. cf F 321, 122. Delphini spec var KaΖι 21, 5. Su 87, 68. fort Delphinus Tursio AΖι I 76, 47. cf AΖγ 37. M 289. Lewysohn Zool des Talmud 158.)

φαλακρός, opp κομήτης K10. 13 a35. οἱ φαλακροὶ κ̀ κολοβοὶ Μὁ27. 1024 a28. τὰ ὄπισθεν ἢδεὶς γίνεται φαλακροὶ Ζιγ11. 518 a27. τίνες ἢ γίνονται φαλακροὶ Ζιγ3. 782 a10. Ζιγ11. 518 b20. ι50. 632 a4. πι57. 897 b23. λα5. 957 b23.

φαλακρότης, λειότης κατὰ κορυφήν Ζιγ11. 518 a28. eius causae Ζιγ3. 783 b8 -784 a21.

φαλακρῦσθαι. φαλακρῦνται ἐπιδήλως οἱ ἄνθρωποι μάλιστα τῶν ζῴων· φαλακρῦνται οἱ ἄνθρωποι τὰ ἔμπροσθεν τῆς κεφαλῆς Ζιγε3. 783 b8, 782 a14, 8. οἱ ἰδίαν ἔχοντες ἧττον φαλακρῦνται Ζιγ11. 518 b26.

φαλαρίς (vl φαληρίς, φαραλίς) refertur inter τὰ βαρύτερα τῶν στεγανοπόδων, περὶ ποταμὸς κ̀ λίμνας ἐστὶ Ζιθ3. 593 b16. ἀλλάττεσθαι ὡς τῶν κοσσύφων κ̀ φαλαρίδων ἀπολευκαινομένων κατὰ καιρὸς f 273. 1527 b2. (faleris Thom, phalaris Gazae Scalig. C II 629. cf S I 599 et script rei rust II 2, 458. Fulica atra K 869, 12. St. Cr. fort Mergus albellus Su 155, 144. cf AΖι I 110, 112.)

Φάλαρις Πε10. 1310 b28. Ηη6. 1148 b24, 1149 a13. ημβ6. 1203 a23. λόγος Στησιχόρε περὶ Φαλάριδος Ρβ20. 1393 b9, 11, 23.

Φαλέας Χαλκηδόνιος, eius πολιτεία examinatur Πβ7. 12. 1274 b9 (cf Oncken Staatslehre des Ar p 210).

φαληριᾶν. φαληριόωντα (Hom N 799) Ργ11. 1412 a8.

φαληρικὴ ἀφύη v μεμβράς p 453 b60.

φαλλικόν. γενομένη ἡ μὲν (τραγῳδία) ἀπὸ τῶν ἐξαρχόντων τὸν διθύραμβον, ἡ δὲ ἀπὸ τῶν τὰ φαλλικὰ πο4. 1449 a11.

φάναι. Πίνδαρος ἔφησεν 'ὦ μάκαρ κτλ' Ρβ24. 1401 a17. — διπλῆν εἶναί φαμεν τὴν κίνησιν sim μα2. 339 a14. 3. 339 a36 al. ὡς φαμεν μγ7. 378 a19. (φησί ad afferendam adversarii sententiam frequens in Moralibus Magnis cf Persona p 590 a4.) κ̀ γὰρ δὴ φήσομεν μα3. 339 b28. ἢ καλῶς ἔχει τὸ αἰσθητὴν γένεσιν φάναι εἶναι Ηη13. 1153 a13. ἀνάγκη τὸ συμπερανθὲν ἔνθα μὲν φάναι τὴν ψυχήν, ἐν δὲ ταῖς ποιητικαῖς πράττειν εὐθύς Ηη5. 1147 a27. τὰ ποῖα φατέον βίαια, τίνας φατέον πολίτας εἶναι al Ηγ1. 1110 b1.

γ6. 1113 a23. 7. 1113 b18. ε10. 1135 b5, 8. Πγ7. 1279 a31. Ρα15. 1377 a23 al. οἱ πρῶτοι τὰς ἰδέας φήσαντες εἶναι Μμ4. 1078 b12. cf Γβ1. 329 a15. ἡ δόξα ἄνευ αἰσθήσεως ἢδεὶν ἂν φήσειεν ὅτ' ἀληθῶς ὅτε ψευδῶς εν1. 458 b12. φήσειεν ἂν τις Πη4. 1326 a15. cf K8. 11 a20. — Ar φάναι et καταφάναι distinguit, τὸ μὲν θιγεῖν κ̀ φάναι Μθ10. 1051 b24 Bz (cf φάσις), sed quemadmodum in vulgari usu φάναι affirmandi notionem habet, syn ὁμολογεῖν, opp ἀρνεῖσθαι (cf Ρβ20. 1393 b16. γ18. 1419 a11. οβ1348 a31), ita Ar saepissime φάναι pro καταφάναι usurpat, φάναι ἢ (κ̀) ἀποφάναι, φατέον ἢ ἀποφατέον sim ε9. 18 b2, 7. 12. 21 b20. 13. 22 b12. Αγ4. 73 b23. 11. 77 a10, 22, 30. 32. 88 b1. π11. 171 b3. 12. 172 b18. 15. 174 b36. 17. 175 b23. 30. 181 a39. Μβ1. 995 b9. γ4. 1008 a4, 36. 8. 1012 b11 al. — frequens usus aoristi primi ἔφησεν - ἀπέφησεν, φήσας καταφήσας - ἀποφήσας, φήσειεν, προαποφῆσαι Αγ1. 71 a14. τζ13. 150 a22, 27. ηι. 152 b13. θ2. 158 a11, 20. ι5. 166 b35. 15. 174 b36. 17. 175 b4, 17, 36. 19. 177 a19. ε13. 22 b31. Μγ4. 1008 a13 al, quamquam non desunt formae aoristi secundi φάντος τι22. 178 b2 (cf φήσαντος b3). φάς - ἀποφάς ε9. 18 b7. τι30. 181 b23. — med φάμενοι θ8. 214 b31. Μν3. 1090 b18. θ22. 836 b26. φάσθαι (Hom ι 504) Ρβ3. 1380 b23. — (φημί falso exhibetur π20. 1457 a7. cf Vhl Poet III 311.)

φανερόμισος Ηθ8. 1124 b26.

φανερός. τᾶτο δ' ἐστὶ κ̀ τοῖς ὄμμασιν ἰδεῖν φανερόν μα8. 346 a21. τὸ φανερά, opp εἴ τι κατὰ βάθος ἄδηλον ἡμῖν ἐστίν μα3. 339 b12. ἕως ἂν καταστῇ ὁ λέων εἰς φανερόν (i e in campum apertum), opp τὰ δασέα Ζιμ44. 629 b16. αἱ ὀχετεῖαι ἀφανίζονται τῇ ἰλύι, opp πάλιν φανεραὶ γίνονται Ζμγ5. 668 a30. ἐπιπτύγματ' ἐπὶ τῷ φανερῷ τῆς σαρκός Ζμδ3. 679 b19. ὁ ἀσπάλαξ ὐκ ἔχει εἰς τὸ φανερὸν δήλες ὀφθαλμὸς, ὐκ ἔχει ὀφθαλμὸς ἐν τῷ φανερῷ Ζια9. 491 b30. ὅσα εἰς φανερὸν (εἰς τὸ φανερὸν) ζωοτοκεῖ Ζιγ1. 511 a25, 3. Ζγβ1. 732 a32. ἀφεῖσθαι τῆς εἰς τὸ φανερὸν γεννήσεως Πη16. 1335 b36. ὁρᾶσθαι κ̀ ἐν φανερῷ ἀναστρέφεσθαι Ρβ6. 1385 a18. τὸ λίαν ἐν φανερῷ κ̀ ἐν ὀφθαλμοῖς Ρα12. 1372 a13. β6. 1384 a35. μηδενὸς ὄντος μεταξὺ φανερῷ (i e corpus visu manifestum) Αὁ8. 93 a38. τὰ φανερὰ τῶν θείων Με1. 1026 a18 Bz. τὰ θειότατα τῶν φανερῶν Φβ4. 196 a33 (cf τῶν φαινομένων θειότατον Μλ9. 1074 b16). τῶν ἐναργῶν τι κ̀ φανερῶν, οἷον ἡδονὴ πλῦτος τιμή Ηα2. 1095 a22. ἐκ τῶν ἀσαφῶν μὲν φανερωτέρων δὲ γίγνεται τὸ σαφὲς κ̀ κατὰ τὸν λόγον γνωριμώτερον ψβ2. 413 a11. ἡ σοφία ζητεῖ τῶν φανερῶν τὸ αἴτιον ΜΑ9. 992 a25. δεικνύναι τὰ φανερὰ διὰ τῶν ἀδήλων ἄτοπον Ρβ1. 193 a5. μάχεται τοῖς φανεροῖς ὁ ἀμφισβητῶν Φθ3. 254 a8. τὸ φανερὸν τᾶτο λίαν ἐστὶ τοῖς φανεροῖς ἀμφισβητεῖν Φθ3. 253 b29. — φανερός, opp ἐπίβυλος Ηη7. 1149 b15, 14. — ἐπὶ τῶν ἀνθρώπων (τὰ ἤθη, τὰ περὶ τὴν ψυχήν) φανερωτέρας ἔχει τὰς διαφοράς Ζιθ1. 588 a20. φανεραὶ δόξαι, opp ἀποκεκρυμμέναι τι12. 172 b36, 173 a6. φανερὰ μαθήματα (quae certam quandam viam ac rationem sequuntur et quorum aditus omnibus patet Wz) Αγ32. 88 b17. διὰ τῶν εἰλημμένων προτάσεων ἢ γίνεται φανερὸς συλλογισμός Αα14. 33 a31. τρόπος φανερώτατοι Πε6. 1305 a38. cf ὁ8. 1293 b32. — φανερὸν ποιεῖν τι Πβ10. 1272 b21. γ13. 1283 b27. πο15. 1454 a18. φανερὸν τᾶτο κ̀ πιθανόν μβ3. 357 b32. φανερὸν δὲ τᾶτο ἐστὶν ... γὰρ χ5. 795 a30, 797 a3. 6. 797 b26, 798 a13, b13, 28. φανερὸν ἐκ τύτων (διὰ τύτων) ὅτι Αγ22. 84 a8. μα6. 343 b32. 8. 345 b30. β3. 358 a4.

Πϑ 6. 1292 ᵇ23. φανερὸν ὅτι idem fere videtur significare ac formula δῆλον ὅτι: τὸ γένος ὐχ ὑποτίθεται εἶναι, ἂν ᾖ φανερὸν ὅτι ἔστιν· ὐ γὰρ ὁμοίως δῆλον ὅτι ἀριθμός ἐστι χ ὅτι ψυχρόν ἐστιν Αγ10. 76 ᵇ17 (aliter Wz ad h l). — φανερῶς. τᵒτο ὤπται ἤδη ὑπό τινων φανερῶς Ζιβ13. 504 ᵇ26. φανερῶς κεῖσθαι περί τι μβ2. 354 ᵇ10. πρὶν φανερῶς ἐλυθέναι τὸν ἄνεμον μβ4. 361 ᵃ29. τὰ φανερῶς ἀναπνέοντα διὰ τῆς ἀρτηρίας αν7. 474 ᵃ8. ἐπὶ τῶν ἄλλων αἰσθητηρίων φανερωτέρως ἐστὶν ἡ αἴσθησις διμερής Ζμβ10. 657 ᵃ2. φανερός, opp λάθρα, λαθραίως Πε10. 1311 ᵃ16. ρ12. 1430 ᵇ17. ἐπαινεῖν φανερῶς, opp ἀφανῶς, ἰδίᾳ Ρβ23. 1399 ᵃ28, 30. τὸ φανερὸν κρεῖττον Πε4. 1304 ᵇ3. φανερῶς ἔνιοι δειλοὶ ὄντες ὅμως ὑπομένᵘσι μεγ1. 1230 ᵃ19.

φανερόφιλος Ηϑ8. 1124 ᵇ27.

φανέρωσις τῆς ψυχρότητος, τῆς ἑνώσεως φτβ9. 828 ᵃ41. 1. 822 ᵃ20.

φανός. τὴν σελήνην ἑωράκαμεν ὑπελθᵘσαν τὸν ἀστέρα τὸν Ἄρεος χ ἀποκρυφθέντα μὲν κατὰ τὸ μέλαν αὐτῆς, ἐξελθόντα δὲ κατὰ τὸ φανὸν χ λαμπρὸν Οβ12. 292 ᵃ6. αἱ μεγάλαι μέλιτται φαναὶ χ λαμπραὶ Ζιι40. 627 ᵃ14.

φαντάζεσθαι. 1. ἰ φαίνεσθαι, ἐμφανὲς γίγνεσθαι. φανταζομένην αὐτᾡ τὴν Ἀθηνᾶν κατὰ τὸν ὕπνον θ108. 840 ᵃ31. — 2. cf φαντασία 2. ταῦτα δοκεῖν ὐκ ὀρθῶς· πολλὰ γὰρ χ ἄλλα κατὰ τὴν αἴσθησιν φαντάζεσθαι Ε1. 974 ᵇ6. τὸ ὀρεκτὸν κινεῖν τᾡ νοηθῆναι ἢ φαντασθῆναι ψγ10. 433 ᵇ12. ἡ ὁρμὴ πρὸς τὸ φαντασθὲν πάθος πζ2. 886 ᵃ35. τὰ ἐναντιώσεως φαντασθείη ἂν τᾡ πρὸς τὸ κακοποιᵒν αὐτῆς ἀτενίζοντι τὴν διάνοιαν ὐδ᾽ εἶναι τὸ παράπαν Φα9. 192 ᵃ15. — φαντασσός. μνημονευτὰ καθ᾽ αὐτὰ ὅσα φαντὰ μνι1. 450 ᵃ24.

φαντασία, διὰ τὸ τὸ ὄνομα ἀπὸ τᵘ φάρς εἴληφεν ψγ3. 429 ᵃ3. — verbo φαίνεσθαι rei obiectae species significatur, quatenus sensu animove percipitur; ex hac duplice v φαίνεσθαι notione explicatur, quod descendens inde v φαντάζεσθαι (v h v) ac nomen φαντασία modo speciem rei obiectae significat sive veram sive fallacem, i ᵘ τὸ φαίνεσθαι, modo eam actionem, qua rerum imagines animo informamus. 1. φαντασία i ᵘ τὸ φαίνεσθαι. a. de rebus sensibilibus. φαίνεται μὲν ὁ ἥλιος ποδιαῖος, ἀντίφησι δὲ πολλάκις ἕτερόν τι πρὸς τὴν φαντασίαν εν2. 460 ᵇ19. διὰ τὸ τῆς τῶν ἀστρων φαντασίας φανερὸν ὅτι περιφερής ἡ γῆ Οβ14. 297 ᵇ31. cf 13. 294 ᵃ7. τὴν φαντασίαν τῆς λαμπρότητος εἶναι τὴν ἀστραπὴν μβ9. 370 ᵃ15. διὰ πολλᵘ χρόνᵘ τὴν φαντασίαν κομήτη εἶναι μα6. 342 ᵇ32. τοιαῦτα φάσματα τὰ ταχείας ποιεῖται τὰς φαντασίας μα5. 342 ᵇ23. ἡ τᵘ γαλακτος φαντασία μαϑ. 339 ᵃ35. φαντασίαν μήκεος ἐμφαίνειν διὰ τὸ τάχος κ4. 395 ᵇ6. ἡ κατὰ τὴν μετάστασιν πρώτη φαντασία (?) πκς12. 941 ᵇ22. ἡ τᵘ χρώματος (τᵘ μέλανος, τᵘ λευκᵘ al) φαντασία, ἐμποιεῖν (ποιεῖν) χρώματος φαντασίαν μγ4. 374 ᵇ8. 2. 372 ᵇ8. αιϑ. 50 439 ᵇ6. χ1. 791 ᵇ17 (cf φαίνεται μέλαν ᵃ13, 17). ᵇ17 (pro σώματος legendum χρώματος). 2. 792 ᵃ6, 8, ᵇ15. 3. 793 ᵃ25. διαμένειν τὴν τῶν σχημάτων φαντασίαν πιε4. 911 ᵃ13. — (φαντασία spectrum, μήτε δαιμόνιον μήτε φαντασίαν ἀντιναϑᵘ φοβεῖσθαι θ160. 846 ᵃ37.) — b. de rebus cogitatis. πάντες ἐφίενται τᵘ φαινομένᵘ ἀγαθᵘ, τῆς δὲ φαντασίας ὐ κύριοι (i e ὐκ εἰσὶ κύριοι τᵘ φαίνεσθαί τι ἀγαθὸν) Ηγ 7. 1114 ᵃ32, ᵇ3. ἀποδιδόναι κατὰ τὴν φαντασίαν (i e κατὰ τᵘτο ὃ φαίνεται ἡμῖν) περὶ τῶν συμβεβηκότων ψα1. 402 ᵇ23. ἔστι δὲ τὰ μὲν παρὰ τὴν λέξιν ἐμποιᵘντα τὴν φαντασίαν (int τᵘ ἐλέγχειν) ἐξ τῶν ἀριθμὸν τια. 165 ᵇ25.

παρὰ τᵘ λόγᵘ τὴν ἔλλειψιν ἡ φαντασία γίγνεται τι6. 168 ᵇ29. ὐθὲν τῶν λεγομένων ἐνδόξων ἐπιπόλαιον ἔχει παντελῶς τὴν φαντασίαν (i e εὐθὺς φαίνεται ψευδές) τα1. 100 ᵇ27 Wz. πράγματα ψευδὴ ὅσα ἐστι μὲν ὄντα, πέφυκε μέντοι φαίνεσθαι ἃ μή ἐστιν· ταῦτα ἐστι μέν τι, ἀλλ᾽ ὐχ ὦν ἐμποιεῖ τὴν φαντασίαν· ἡ ἀπ᾽ αὐτῶν φαντασία μὴ ὄντος Μϑ29. 1024 ᵇ24, 26, 1025 ᵃ6 (ex ipsa formula ἐμποιεῖν φαντασίαν apparet, quam prope coniunctus hic usus sit cum eo, qui infra, 2, proponitur). ἅπαντα φαντασία ταῦτ᾽ (int τὰ τῆς λέξεως) ἐστὶ χ πρὸς τὸν ἀκροατὴν Ργ1. 1404 ᵃ11. — 2. φαντασία, imaginatio. quae est verbalium nominum natura (cf αἴσθησις 3) φαντασία modo facultatem vel actionem imaginandi, modo id quod inde efficitur, imagines animo informatas significat, nec potest ubique altera significatio ab altera prorsus seiungi. a. notio. φαντασία τί ἐστι ψγ3. 427 ᵇ29-429 ᵃ9. dist αἴσθησις ψγ3. 428 ᵃ5-16. αἱ αἰσθήσεις ἀληθεῖς ἀεί, αἱ δὲ φαντασίαι γίνονται αἱ πλείς ψευδεῖς ψγ3. 428 ᵃ12. Μγ5. 1010 ᵇ3. φαντασία χ ὅτε μὴ αἰσθάνεταί τις ψγ3. 428 ᵃ7, 16. 2. 425 ᵇ25. ἡ τῶν ἐνυπνίων φαντασία πλ14. 957 ᵃ29. cf ηεβ1. 1219 ᵇ24. αἴσθησις πᾶσι τοῖς θηρίοις ὑπάρχει, φαντασία δ᾽ ᵘ ψγ3. 428 ᵃ10. (αἴσθησις δ᾽ ᵘ αἴσθησιν, ὐ φαντασίαν ἢ ὄρεξιν ψβ2. 413 ᵇ22, χ φαντασίαν om ci Freudenthal φαντασία bei Arist p 8). φαντασία ἕτερον χ αἰσθήσεως χ διανοίας· αὐτή τε ὐ γίγνεται ἄνευ αἰσθήσεως χ ἄνευ ταύτης ὐχ ὑπόληψις ψγ3. 427 ᵃ14 (latiore sensu φαντασία usurpatur: φαντασία δὲ γίνεται ἡ διὰ νοήσεως ἢ δι᾽ αἰσθήσεως Ζκ8. 702 ᵃ19). τὰ θηρία ὐκ ἔχει τῶν καθόλυ ὑπόληψιν, ἀλλὰ τῶν καθ᾽ ἕκαστα φαντασίαν χ μνήμην Ηη5. 1147 ᵇ5. — φαντασία, dist ἐπιστήμην, νᵘς ψγ3. 428 ᵃ16-18. ἐν τοῖς ἄλλοις ζώιοις ὐ νόησις ὐδὲ λογισμός ἐστιν, ἀλλὰ φαντασία· νᵘς μὲν πᾶς ὀρθός, ὄρεξις δὲ χ φαντασία χ ὀρθὴ χ ὐκ ὀρθὴ ψγ10. 433 ᵃ12, 27. ὐκ ἀναμένει τὸν λόγον, διὰ τὸ ἀκολᵘθητικοὶ εἶναι τῇ φαντασίᾳ Ηη8. 1150 ᵇ28. sed quoniam ὐδέποτε νοεῖ ἄνευ φαντάσματος ἡ ψυχή ψγ7. 431 ᵃ17, νοεῖ et φαντασία coniunguntur, εἰ δ᾽ ἐστι τὸ νοεῖν φαντασία τις ἢ μὴ ἄνευ φαντασίας μ1. 403 ᵃ8, 9. τὸ νοεῖν τὸ μὲν φαντασία δοκεῖ εἶναι, τὸ δὲ ὑπόληψις ψγ3. 427 ᵇ28. εἴ τις τὴν φαντασίαν τιθείη ὡς νόησίν τινα ψγ10. 433 ᵃ10. ὁ λόγος ἢ ἡ φαντασία ἐδήλωσεν Ηη7. 1149 ᵃ32. cf φαντασία, coni νᵘς, νόησις, διάνοια Ζκ6. 700 ᵇ17. 7. 701 ᵃ30, 36, 701 ᵇ18. 8. 701 ᵇ35. 11. 703 ᵇ18. φαντασία χ ἡ αἴσθησις τὴν αὐτὴν τῇ νᵘ χώραν ἔχυσιν Ζκ6. 700 ᵇ19. — φαντασία, dist δόξα ψγ3. 428 ᵃ18-ᵇ10. τῶν θηρίων ὐθενὶ ὑπάρχει πίστις, φαντασία δὲ πολλοῖς ψγ3. 428 ᵃ22. ὐκ ἐν ταύτῃ τῇ ψυχῇ ἡ φαντασία χ ἡ δόξα κεη2. 1235 ᵇ29. sed latiore sensu φαντασία et δόξα syn coni, ἡ φαντασία χ ἡ δόξα κινήσεις τινὲς εἶναι δοκᵘσιν Φϑ3. 254 ᵃ29. προσέχειν ταῖς δόξαις χ ταῖς φαντασίαις τῶν πρὸς αὐτᵘς διαμφισβητᵘντων Μκ6. 1062 ᵇ34 Bz. Wz I p 444. cf supra 1b. huc fortasse referenda φαντασία ἡ κατὰ μεταφορὰν λεγομένη ψγ3. 428 ᵃ2, Freudenthal l l p 17. — φαντασία et μνήμη: τᵘ αὐτᵘ τῶν τῆς ψυχῆς ἐστιν ἡ μνήμη, ὕπερ χ ἡ φαντασία μνι1. 450 ᵃ23 (cf μνήμην et φαντασσός). τῶν καθ᾽ ἕκαστα φαντασία χ μνήμην Ηη5. 1147 ᵇ5. — φαντασία def, κίνησις ὑπὸ τῆς αἰσθήσεως τῆς κατ᾽ ἐνέργειαν γιγνομένη ψγ3. 429 ᵃ1 (γιγνομένης Bk). εν1. 459 ᵃ17. ἡ φαντασία ἐστιν αἴσθησίς τις ἀσθενῆς Ρα11. 1370 ᵃ28. — φαντασία πᾶσα ἢ λογιστικὴ ἢ αἰσθητικὴ ψγ10. 433 ᵇ29. ἡ μὲν αἰσθητικὴ φαντασία χ ἐν τοῖς ἄλλοις ζώιοις ὑπάρχει, ἡ δὲ βυλευτικὴ ἐν τοῖς λογιστικοῖς ψγ11.

434 ᵃ6 Trdlbg. inter τὰ κινῦντα τὸ ζῷον refertur φαντασία, coni αἴσθησις, νόησις, ὄρεξις, προαίρεσις Ζκ6. 700ᵃ5, ᵇ17. 7. 701ᵃ30, 33, 36, ᵇ18. 8. 701ᵇ35, 702ᵃ19. 11. 703 ᵇ10, 18. — b. ad v φαντασία obiectum imaginationis additur, φαντασία τῦ μέλλοντος κακῦ, τῦ ὑπάρχειν, τῆς ὑπεροχῆς al Ρβ5. 1382ᵃ21. α11. 1370ᵃ28, ᵇ33, 1371ᵃ19. πκζ4. 948ᵃ18. περὶ ἀδοξίας φαντασία ἐστὶν ἡ αἰσχύνη Ρβ6. 1384ᵃ23. γίγνεται φαντασία ἑκάστῳ ὅτι τοιῦτός ἐστιν Ρα11. 1371ᵃ9. — c. non facultatem vel actionem imaginandi significari, sed singulas imagines animo obversantes, praecipue apparet ubi plur φαντασίαι usurpatur, ἀπελθόντων τῶν αἰσθητῶν ἔνεισιν αἱ αἰσθήσεις κỳ φαντασίαι ἐν τοῖς αἰσθητηρίοις ψ2. 425ᵇ25. μνημονεύει ὀψὲ τὰς φαντασίας τὰ παιδία Ζιη10. 587ᵇ11. τὰ ἄλλα ζῷα ταῖς φαντασίαις ζῆ κỳ ταῖς μνήμαις ΜΑ1. 980ᵇ26 Bz. προσέχειν ταῖς δόξαις κỳ ταῖς φαντασίαις Μκ6. 1062ᵇ34. αἱ φαντασίαι βελτίυς αἱ τῶν σπυδαίων, εἰ μὴ διὰ νόσον νεβ1. 1219ᵇ24. ἀλλοιῦσιν αἱ φαντασίαι κỳ αἱ αἰσθήσεις κỳ αἱ ἔννοιαι Ζκ7. 701ᵇ16. sed etiam numerus singularis interdum ita est accipiendus, ὁ τόπος διὰ τοιαύτης τινὸς εἶναι δοκεῖ φαντασίας Φδ4. 211ᵇ34. ἡ φωνή ἐστι ψόφος μετὰ φαντασίας τινὸς ψβ8. 420ᵇ32 (i e σημαντικῦς τινος ᵇ33). ὁ ἐκ τῆς προσφάτυ φαντασίας ἀκρατής ημβ6. 1203ᵇ5.

φάντασμα. 1. cf φαντασία 1a. τὰ ἐν ἀέρι φαντάσματα κ4. 395ᵃ29. — 2. cf φαντασία 2, p 811ᵇ11. εἰ δὴ ἐστιν ἡ φαντασία καθ' ἣν λέγομεν φάντασμά τι ἡμῖν γίγνεσθαι ψγ3. 428ᵃ1. ἡ φαντασία ὥσπερ αἰσθήματά τινα, πλὴν ἄνευ ὕλης ψγ8. 432ᵃ9. (τὰ φαντάσματα τὰ νυκτερινά, τὰ καθ' ὕπνον φαντάσματα μτ1. 463ᵃ29. ενι. 458 ᵇ18. Ηα13. 1102ᵇ10.) τὸ φάντασμα τῆς κοινῆς αἰσθήσεως πάθος ἐστί μν1. 450ᵃ10. φάντασμά τι τύτων (τῶν φθαρέντων) ἐστὶν ΜΑ9. 990ᵇ14. μ4. 1079ᵃ11. τὸ ἐν ἡμῖν φάντασμα δεῖ ὑπολαβεῖν ὡ αὐτό τι καθ' αὐτὸ εἶναι θεώρημα κỳ ἄλλυ φάντασμα μν1. 450ᵇ25. φαντάσματος, ὡς εἰκόνος ὃ φάντασμα, ἕξις ἡ μνήμη μν1. 451ᵃ15. ὐδέποτε νοεῖ ἄνευ φαντάσματος ἡ ψυχή ψγ7. 431ᵃ17. 8. 432ᵃ8. μν1. 449 ᵇ31. τῇ διανοητικῇ ψυχῇ τὰ φαντάσματα οἷον αἰσθήματα ὑπάρχει ψγ7. 431ᵃ15, ᵇ2, 4, 7.

φανταστικός. τὸ αὐτὸ τῷ αἰσθητικῷ τὸ φανταστικόν, τὸ δ' εἶναι φανταστικῷ κỳ αἰσθητικῷ ἕτερον ενι. 459ᵃ16, 458 ᵇ30. ψγ9. 432ᵃ31. εἰσὶ κινήσεις φανταστικαὶ ἐν τοῖς αἰσθητηρίοις εν3. 462ᵃ8.

φάος. ἡ φαντασία τὸ ὄνομα ἀπὸ τῦ φάυς εἴληφεν ψγ3. 429ᵃ3.

φαραγγίτης διὰ τί ὁ ἰάπυξ καλεῖται ὑπό τινων σ973ᵇ15. f 238. 1521ᵇ38.

φαραγγώδεις τόποι Ζιζ28. 578ᵃ27.

φάραγξ. ὅτι εἰσὶ τοιαῦται φάραγγες κỳ διαστάσεις τῆς γῆς, δηλῶσιν οἱ καταπινόμενοι τῶν ποταμῶν μα13. 350ᵇ36. ἔκ τινος φάραγγος τῶν κατὰ τὸ Παγγαῖον σ973ᵇ16. f 238. 1521ᵇ39. ἀλώπεκα ἀπωσθῆναι εἰς φάραγγα Ρβ20. 1393 ᵇ25. ὐθ' εὐθέως ἔυθεν πορεύεται ὁ φέαρ ἢ εἰς φάραγγα, ἀλλὰ φαίνεται εὐλαβύμενος Μγ4. 1008ᵇ16.

φαρμακεία. τὴν ἔλαφον ἀποκρύπτειν τὸ ἀριστερὸν κέρας ὡς ἔχον τινὰ φαρμακείαν Ζιι5. 611ᵃ30 Aub. αἱ ἄνω φαρμακεῖαι πρὸς τὰς κάτω κοιλίαν πλγ5. 962ᵃ3. 17. 963ᵇ1. — αἱ περὶ τὰς φαρμακείας Ζιζ18. 572ᵃ22 (syn φαρμακίδες 22. 577ᵃ13). ἡ φαρμακεία κόλασις ἰατρική νεα3. 1214 ᵇ33. ἡ φαρμακεία συνάλλαγμα ἀκύσιον λαθραῖον Ηε5. 1131 ᵃ6. — metaph, παιδιὰς προσάγειν φαρμακείας χάριν Πβ3. 1337ᵇ41.

φαρμάκεια. ἡ σίττη λέγεται φαρμάκεια εἶναι διὰ τὸ πολύιδρις εἶναι Ζιι17. 616ᵇ23 (S II 491).

φαρμακεύειν i q φάρμακα διδόναι Ηε13. 1137ᵃ25. — φαρμακεύεσθαι, dist γυμνάζεσθαι νεη2. 1237ᵃ15. cf τβ11. 115ᵇ26. φαρμακευθῆναι τβ3. 111ᵃ2.

φαρμακίς. αἱ φαρμακίδες ζητῦσι τὸ ἱππομανές Ζιζ22. 577 ᵃ13.

φάρμακον. 1. medicamentum, venenum. def πα42. 864 ᵃ30, ᵇ11. 47. 865ᵃ6. opp τροφή πα42. 864ᵇ7. οα5. 1344 ᵇ10. φάρμακον στραγγυρίας, ἐμπυημάτων Ζιι6. 612ᵇ16. 40. 624ᵃ16, ἐπιληψίας f 331. 1533ᵇ31, βασκανίας πκ34. 926ᵇ20. ὀφείλειν ἐν τῇ Ἰνδικῇ, ὃ φάρμακον ὐκ ἔχυσιν Ζιθ29. 607ᵃ34. (ἐλάφυ χόριον) δοκεῖ εἶναι φάρμακον Ζιι5. 611ᵇ26. τῦτο τὸ φάρμακον (παρδαλιαγχές) διαφθείρει λέοντας Ζιι6. 612ᵃ9, 7. ἕψειν τὰ φάρμακα μδ3. 381ᵃ3. ἐπότισεν ὐκ ὀρθῶς ὁ ἰατρὸς τὸ φάρμακον Φβ8. 199ᵃ35. — metaph, φάρμακον ἡσυχίας Πβ11. 1273ᵇ23. φάρμακον πρός τι λαμβάνειν Πζ7. 1321ᵃ16. — 2. pigmentum. ἐναλείφειν τοῖς καλλίστοις φαρμάκοις χύδην ποδ. 1450ᵇ2.

φαρμακοποσίαι πε28. 883ᵇ33.

φαρμακοπῶλαι ἐργαζόμενοι (coni θαυματοποιοί, μάντεις) οβ1346ᵇ22. (τὰ φαλάγγια) ὅσα παρατίθενται οἱ φαρμακοπῶλαι sim Ζιι39. 622ᵇ34. θ4. 594ᵃ23.

φαρμακώδη τινα πα40. 863ᵇ32. 47. 865ᵃ15. (πισσόκηρος) ἀμβλύτερον κỳ ἧττον φαρμακῶδες τῆς μίτυς Ζιι40. 624ᵃ18.

Φαρνάβαζος. ἐπὶ Φαρνάκυ τῦ Φαρναβάζυ πατρός Ζιζ36. 580ᵇ7.

Φαρνάκης ὁ Φαρναβάζυ πατήρ Ζιζ36. 580ᵇ7.

Φάρος. περὶ Φάρον Ζιθ29. 607ᵃ14. πόλις πρὸς τῷ Φάρῳ οβ1352ᵃ30. ἡ Φάρος, ἔνθα τότε τῆς Αἰγύπτυ τὸ ἐμπόριον ἦν f 161. 1505ᵃ13.

Φάρσαλος. ἐν Φαρσάλῳ Ζιι31. 618ᵇ14. ἡ ἐν Φαρσάλῳ πολιτεία Πε6. 1306ᵃ10. ἡ ἐν Φαρσάλῳ Δικαία ἵππος Πβ3. 1262ᵃ24. Ζιη6. 586ᵃ13.

φάρυγξ (ὁ, ἡ cf Langk Schol ad Ζμ 26, 151. Da I 48). στόματος μέρος Ζια11. 492ᵇ27 (def Galen XIX 359. XVIIIB 264, 961. XIV 715). ὄργανον τῇ ἀναπνοῇ ψβ8. 420ᵇ23 Trdlbg. ἥξειν ἔχυσιν εἴσω εἰς τὸν φάρυγγα πόρον Ζικ5. 637ᵃ29, cf 33. ὧν χάριν ὁ αὐχὴν πέφυκεν ταῦτα δ' ἐστὶν ὅ τε φάρυγξ κỳ ὁ οἰσοφάγος· ὁ φάρυγξ τῦ πνεύματος ἕνεκεν πέφυκεν· διὰ τύτυ γὰρ εἰσάγεται τὸ πνεῦμα τὰ ζῷα κỳ ἐκπέμπει ἀναπνέοντα κỳ ἐκπνέοντα Ζμγ3. 664ᵃ16, 17. in serpente ἐπὶ τῦ φάρυγγος ἡ καρδία Ζιβ17. 580ᵃ30. (τοῖς ἀγόνοις ὁ πόρος) ὀλίγος ὢν ταχὺ φέρεται δι' εὐρέος τῦ ἄνω φάρυγγος πια34. 903ᵃ34 (opp ὑὸς στενὸς φάρυγξ Bsm probl ined p 318, 33). Φιλόξενος γεράνυ φάρυγγα εὔχετο ἔχειν πιη7. 950ᵃ4. Ηγ13. 1118 ᵃ32. νεγ2. 1231ᵃ16, 14 Fritzsche, cf Rose Ar Ps 90. κεῖται ἔμπροσθεν τῦ οἰσοφάγυ ἐξ ἀνάγκης, συνέστηκεν ἐκ χονδρώδυς σώματος, ὃ μόνον ἀναπνοῆς ἕνεκέν ἐστιν ἀλλὰ κỳ φωνῆς· φωνεῖ ὐδενὶ τῶν ἄλλων μορίων ὐδὲν πλὴν τῷ φάρυγγι Ζμγ3. 665ᵃ10, 19, 664ᵃ35, ᵇ1. Ζιθ9. 535ᵃ29. φύνϋσιν, ὡς ἂν δι' αὐτῆ τῷ φάρυγγος τὸ πνεῦμα βιαζόμενον ακ804ᵇ26. ἐνίοις τῶν ζῷων ἀντὶ τῆς ἐπιγλωττίδος συνάγεται κỳ διοίγεται Ζμγ3. 664ᵇ26. deest piscibus Ζιθ9. 535ᵇ15. ψβ8. 421ᵃ4. τὸ περὶ τὸν φάρυγγα μέρος ranarum Ζιθ9. 536ᵃ10. ἔχει τὸν φάρυγγα τραχύνει f 214. 1527 ᵇ14. ῥυπτικὸν τῦ φάρυγγος· συμφράττεται τὸ περὶ τὸν φάρυγγα ὑπὸ τῦ ψυχρῦ πια39. 903ᵇ29. 61. 906ᵃ1.

Φασηλίς. Λυρμαντεῖς οἱ κατὰ Φασηλίδα σ973ᵃ8. f 238. 1521ᵃ40.

φασιανός (Lob Phryn 460. Oribas I 588. v l φασσιανός) refertur inter τὰς ὰ πτηγικὰς ἀλλ' ἐπιγείας· οἱ καλύμενοι φασιανοί, ἐὰν μὴ κονιῶνται, διαφθείρονται ὑπὸ τῶν φθειρῶν· κονιστικοί, τὰ ᾠὰ κατεστιγμένα (?) Ζιι49 B. 633 ᵇ2. ε31. 557 ᵃ12. ζ2. 559 ᵃ25. τῶν φασιανῶν ὰ κατὰ λόγον ἢ ὑπεροχὴ τῶν ἀρρένων ἀλλὰ πολλῷ μείζων f 589. 1574 ᵃ5. (fasianus Thom, phasianus Gazae Scalig. faisan C II 329. Phasianus colchicus K 703, 8. St. Cr. Su 138, 108. AZɩ I 110, 113. cf Hehn 263.)

φάσις. 1. (cf φαίνεσθαι.) ὁ Ἑρμᾶ ἀστὴρ πολλὰς ἐκλείπει φά- σεις μα6. 342 ᵇ34. — 2. (cf φάναι.) τὸ ὄνομα ἢ ῥῆμα φάσις ἔστω μόνον ε5. 17 ᵃ17. 4. 16 ᵇ27 (Wz ad 32 ᵃ28), dist κατάφασις et ἀπόφασις, quae esse nequeunt ἄνευ συμπλοκῆς Κ4. 2 ᵃ5; ita περὶ τὰ ἀσύνθετα φάσιν esse statuit Ar, ὰ γὰρ ταὐτὸ κατάφασις κὴ φάσις Μθ10. 1051 ᵇ25 Bz. sed hoc discrimen plerumque Ar ipse non servat, est enim φάσις vel i q κατάφασις (cf φάναι p 810 ᵇ7): ἡ φάσις τι κατὰ τινος ὥσπερ ἡ κατάφασις ψ6. 430 ᵇ26. φάσις ἢ (κὴ) ἀπόφασις, φάσεις κὴ ἀποφάσεις ε12. 21 ᵇ21. Αα17. 37 ᵃ12. 46. 51 ᵇ20, 33, 34, 52 ᵇ22, 23, ᵃ25. β11. 62 ᵃ14, 15. 14. 62 ᵇ37. 15. 63 ᵇ34. τε6. 136 ᵃ5 sqq. β13. 163 ᵃ15. ι25. 180 ᵃ26. 31. 181 ᵇ30. γ4. 1008 ᵃ9, 34. 7. 1012 ᵃ14. αἱ ἀντικείμεναι φάσεις (i e κατάφασεις) Αα19. 38 ᵇ4, vel φάσις tamquam universalior notio κατάφασιν et ἀπόφασιν complectitur et omnino enunciationem signi- ficat, αἱ ἀντικείμεναι φάσεις (i e κατάφασις et ἀπόφασις) ε12. 21 ᵇ18. Μγ6. 1011 ᵇ14 Bz. χ5. 1062 ᵃ6, 10. 6. 1063 ᵇ16. ὰ πάσας ψευδεῖς ὰὸ' ἀληθεῖς τὰς φάσεις δυνατὸν εἶναι Μχ6. 1063 ᵇ31. ἡ φάσις ἡ ἐξ ἀρχῆς, syn θέσις, ὑπόθεσις Αβ17. 65 ᵇ20, 14, 22. συμβαίνει ἐναντίας εἶναι τὰς φάσεις Ξ1. 975 ᵃ1. ἡ δέξα ὰ ζήτησις ἀλλὰ φάσις τις ἤδη Ηζ10. 1142 ᵇ14. προσέχειν δεῖ τῶν ἐμπείρων ταῖς ἀναποδείκτοις φάσεσιν Ηζ12. 1143 ᵇ12. ὁ ὅρκος φάσις ἀναπόδεικτος ρ18. 1432 ᵃ33.

Φᾶσις potamός f158. 846 ᵃ28. οἱ ἐκ τῆ Φάσιδος ἢ Βορυ- σθένεος καταπλέοντες f 72. 1488 ᵃ4. — ἐν Φάσει ἐστὶ βοΐδια μικρὰ Ζιγ21. 522 ᵇ14.

φάσκειν. φάσκων, φάσκοντες, ὁ φάσκων, οἱ φάσκοντες Κ5. 3 ᵃ31. μβ2. 355 ᵃ22. Ζμβ1. 647 ᵃ13. δ'2. 677 ᵃ30. Ηη15. 1154 ᵇ8. θ2. 1155 ᵇ2. Πὸ4. 1292 ᵃ31. ε4. 1304 ᵇ13. Ρβ4. 40 1382 ᵃ17. 23. 1399 ᵇ7. γ10. 1411 ᵃ7, 12 al. ὰ φάσκοντος Ρβ23. 1398 ᵃ6. γ18. 1419 ᵃ9. φάσκειν μβ7. 365 ᵃ33 (syn λέγειν ᵃ31). Κ5. 3 ᵃ31. Ρβ6. 1384 ᵃ6. imperativus φάσκε ρ8. 1429 ᵃ6.

φάσμα. φαίνεταί ποτε συνιστάμενα νύκτωρ αἰθρίας ὕσης πολλὰ φάσματα ἐν τῷ ὰρανῷ μα5. 342 ᵃ35, ᵇ22 (cf Epi- curi fragm ed Orelli p 69). περὶ τῶν ἐκπυρυμένων κὴ κι- νυμένων φασμάτων μα1. 338 ᵇ23.

φάσσα v φάττα.

φασσοφόνος (v l φασσόφωνος). ὁ φασσοφόνος καλύμενος refertur inter τὸ τῶν ἱεράκων γένος, ἐστὶ μέγεθος ὅσον κύμινδις Ζυ36. 620 ᵃ18. 12. 615 ᵇ7. fort i q φαβοτύπος p 808 ᵃ25.

φάτνη τῇ ὄνυ Ζιι1. 609 ᵇ20. δι' ὦν λήψεται τὸ σῶμα τὴν τροφήν, ὥσπερ ἐκ φάτνης, ἐκ τῆς κοιλίας Ζμβ3. 650 ᵃ19. cf Plat Tim 70 E.

φατρία τῶν Αἰγειδῶν f 489. 1557 ᵇ40, 1558 ᵃ7. cf φρατρία.

φάττα (φάσσα f 271 ter, Ζιθ16. 600 ᵃ24 (v l τιθασσῶν), v l Ζιβ17. 508 ᵇ28. θ3. 830 ᵇ18). refertur inter τὰ καρποφά- γὲντα ὴ ποσφαγὲντα (om nonnulli codd) τὰ ἄγροικα, ὀλι- γοτοκὲντα, τὰ περιστεροειδῆ Ζιθ3. 593 ᵃ16. α1. 488 ᵇ2. ζ4.

562 ᵇ3. Ζγδ6. 774 ᵇ30 (cf Bsm praef VII). γένος τι, μέ- γιστον γένος, τῶν περιστεροειδῶν f 271. 1527 ᵃ14. Ζιε13.544 ᵇ5. ἀλέκτορος τὸ μέγεθος ἔχει, χρῶμα σποδιὸν f 271. 1527 ᵃ17, 18. διαγνῶναι ὰ ῥάδιον τὴν θήλειαν κὴ τὸν ἄρρενα, ἀλλ' ἢ τοῖς ἐντός· πρόλοβον ἔχει· ὅταν ὀχεύωσι, σφόδρα μεγά- λας ἴσχυσι (τὰς ὄρχεις) Ζιι7. 613 ᵃ16. β17. 508 ᵇ28. γ1. 510 ᵃ6. πολυχρονιωτέρα, ζῶσι κέ, λ', μ' ἔτη Ζιι7. 1527 ᵃ21, 23. Ζιζ4. 563. ᵃ1. ι7. 613 ᵃ18. πρεσβυτέρων γινομέ- νων αὐτῶν οἱ ὄνυχες αὐξάνονται, ἀλλ' ἀποτέμνυσιν οἱ τρέ- φοντες· αἱ γηράσκυσι Ζιι7. 613 ᵃ19, 21. οἱ αὐχμοὶ συμ- φέρυσι· ποτε ἀγελάζονται· ἀπαίρυσιν· ἀεὶ φαίνονται· ἔνιαι μὲν φωλῶσιν ἔνιαι δ' ὰ φωλῶσιν, ἀπέρχονται δ' ἅμα ταῖς χελιδόσιν· ποτε φθέγγονται Ζιθ16. 601 ᵃ28. 12. 597 ᵇ7, 3. 3. 593 ᵃ16. 16. 600 ᵃ24. ι49 B. 633 ᵃ6. — τὰς φάττας ἔνιοί φασιν ὀχεύεσθαι κὴ γεννᾶν κὴ τρίμηνα ὄντα· ἔγκυα γί- νεται ιδ' ἡμέρας κὴ ἐπῳάζει ἄλλας τοσαύτας· τίκτει β' ὡς ἐπὶ τὸ πολύ, τὰ δὲ πλεῖστα γ', ἐν τῷ ἔαρι, ὰ πλεονάκις ἢ δὶς Ζιζ4. 562 ᵇ27, 30, 3, 5, 6, 9. cf 1. 558 ᵇ22. ἐπῳάζυσιν ἀμφότεροι κὴ ὁ ἄρρην κὴ ἡ θήλεια, non ultra binos pullos educat, ἡ πολυπληθεια αὐτῶν Ζιι7. 613 ᵃ15. ζ4. 562 ᵇ10, 29. ἔχει τὸν ἄρρενα τὸν αὐτὸν κὴ ἄλλον ὰ προσίεται· ὰκ ἀπολείπυσιν ἕως θανάτυ, ἀλλὰ καὶ τελευτήσαντος χηρεύει ὁ ὑπολειπόμενος Ζιι7. 613 ᵃ14. f 271. 1527 ᵃ24. ὁ νεοττός· ποτε ἐκβάλλει τὰς ἰδίας νεοττύς· τὰς κόκκυγάς φασιν ἐν ταῖς τῶν φαττῶν (v l φαβῶν) νεοττιαῖς ἐντίκτειν Ζιζ4. 562 20. θ3. 830 ᵇ18, 12. (fatga, fassa Thom, palumbes Gazae Scalig. le grand ramier C II 717. cf Gesner de av, in palumbe. S I 294, II 133. Columba palumbus K 413. St. Cr. KaZɩ16, 64. AZγ30; haec et syn φαψ G 47. Su 136 102. AZɩ I 106, 88 ε, 473 adn. cf M 300, 341. Rose Ar Ps 288. Lnd 119. Hehn 240. E 51, 23. hodie φάσα.)

Φαῦλος τὸν κύκλον Ργ16. 1417 ᵃ15 Spgl.

φαῦλος. οἱ φαῦλοι πάντες κατὰ προαίρεσιν λέγονται τὸ 5. 126 ᵃ27. φαῦλος τὸ ἦθος, syn μοχθηρός, ἀγεννής, opp σπυ- δαῖος Ηὸ3. 1121 ᵃ25. ηεβ4. 1221 ᵇ32, 1222 ᵃ1. ὁ φαῦλος μάχεται ἀεὶ ἑαυτῷ ηιβ1. 1211 ᵃ40. ηεη5. 1239 ᵇ13. φαῦ- λος κοινωνός τθ11. 161 ᵃ37. φαῦλος, opp ἐπιεικής, χρηστός Ηγ7. 1113 ᵇ14. ε7. 1132 ᵃ2. Πα10. 1258 ᵃ27. β7. 1267 ᵇ7. γ11. 1282 ᵃ25. cf Ηθ5. 1157 ᵃ17. ηεβ4. 1222 ᵃ1. Ρβ9. 1387 ᵇ13. ἕξις φαύλη, opp σπυδαία Ηη9. 1151 ᵃ28. χρόα φαύλη Ζιι18. 616 ᵇ35. τροφὴ φαύλη, opp χρηστή Ζμβ3. 650 ᵇ1. φαύλη κρᾶσις, περίττωσις Ζμγ12. 673 ᵇ30, 23. καθάρσεις φαῦλαι κὴ πλήρεις νοσηματικῶν περιττωμάτων Ζγβ7. 746 ᵇ30. τύχη φαύλη, opp ἀγαθὴ Φβ5. 197 ᵃ26. Μχ8. 1065. ᵃ35. πολιτεῖαι φαῦλαι, opp ἐπιεικεῖς Πὸ2. 1289 ᵇ8, 11. 1. 1288 ᵇ33. λόγος φαῦλος, v λόγος p 435 ᵇ33. πρᾶξις φαύλη, opp σπυδαία Κ5. 4 ᵃ16. φαῦλαι ἐπιθυμίαι Ηη11. 1152 ᵃ2. φαῦλον, syn φευκτόν, ψεκτόν Ηη6. 1148 ᵇ4. 6. 2. 1145 ᵇ10. πλείω τὰ φαῦλα τῶν καλῶν ἐν τῇ φύσει ΜΑ4. 985 ᵃ2. φαῦλον (sc ἐστι) c inf Πβ7. 1266 ᵇ13. γ16. 1287 ᵃ34. φαῦλον πρός τι Ηη13. 1153 ᵃ18. — μιμῦνται οἱ μιμύμενοι πράττοντας, ἀνάγκη δὲ τύτυς ἢ σπυδαίυς ἢ φαύλυς εἶναι πο2. 1448 ᵃ2. 4. 1448 ᵇ26. μίμησις φαυλοτέ- ρων μέν, ὰ μέντοι κατὰ πᾶσαν κακίαν πο5. 1449 ᵃ32. cf σπυδαῖος p 697 ᵃ40. — φαύλως κὴ παρὰ φύσιν ἔχειν Πα5. 1254 ᵇ2. φαύλως γνωστά, syn ἠρέμα Μζ4. 1029 ᵇ10, 9. φαύλως ἄνθρωπος ὀσμᾶται, syn αἴσθησις ὰκ ἀκριβὴς ψβ9. 421 ᵃ10. φαύλως βλέπειν, opp ὀξύτατον Ζιβ10. 503 ᵃ11. διελεῖν μὲν δύνανται (ὀδῦσι), φαύλως δὲ διελεῖν Ζμγ14. 675 ᵃ6.

φαυλότης. τῆς ἀρτηρίας τὴν φαυλότητα τῆς θέσεως ἰατρευ-

κεν ἡ φύσις Ζμγ3. 665 ᵃ8. φαυλότης, opp ἐπιείκεια Ηκ5.
1175 ᵇ25. ἔνια εὐθὺς ὠνόμασται συνειλημμένα μετὰ φαυ-
λότητος Ηβ6. 1107 ᵃ10. ἀσινεστέρα ἡ φαυλότης τῦ μὴ
ἔχοντος ἀρχήν Ηη7. 1150 ᵃ5. φαυλότης μοναρχίας ἡ τυραν-
νίς Ηθ12. 1160 ᵇ10.   5

φαψ. refertur inter τὰ καρποφαγῦντα κ ποοφαγῦντα (om
nonnulli codd) Ζιθ3. 593 ᵃ15. γένος τι τῶν περιστερῶν,
μέσον περιστερᾶς κ οἰνάδος· φαψ (v l, φάττα Bk) ἀεὶ φαί-
νεται f 271. 1527 ᵃ14,16,20. Ζιθ3. 593 ᵃ16. ἐκ ἀνακύπτυσι
πίνυσαι (fassis Guilel, φάσσαν Athen 9, 394e)· νεοττεύυσιν 10
(v l φλάβες) ἐν τοῖς αὐτοῖς τόποις ἀεὶ Ζιζ7. 613 ᵃ12, 25.
τῶν φαβῶν (v l φάβων, φλάβων) ἡ θήλεια, ὁ ἄρρην, πότε
ἐπωάζυσι Ζιζ8. 564 ᵃ18. κόκκυξ ἐντίκτει μάλιστα ἐν ταῖς
τῶν φαβῶν (v l φάβων, φλάβων. flavarum Guil, φαττῶν
S in textu) νεοττιαῖς Ζιζ7. 563 ᵇ32. cf ι29. 618 ᵃ10 (v l 15
φάβων, βαφῶν). θ3. 830 ᵇ12 v l. (le petit ramier C II 717.
i q φάττα cf φάττα p 813 ᵇ29.)

Φεβόλ, νῆσος κατὰ τὸν Ἀραβικὸν κειμένη κόλπον κ3. 393 ᵇ15.

φέγγος. τὸ φέγγος τὸ τῆς ἡμέρας, τὸ μεθ' ἡμέραν μβ9.
370 ᵃ21. Μαι. 993 ᵇ10. ὅ ποτε νυκτερινὸς βορέας τρίτον 20
ἵκετο φέγγος πκ9. 941 ᵃ21, cf παροιμία p 570 ᵇ54. τὸ φέγ-
γος τῦ γάλακτος μα8.346 ᵃ26. τὸ φέγγος ἀμυδρὸν ἐγένετο,
ἀπέτεινε (ἐπανῆλθε) μέχρι τινός, διελύθη μα6. 343 ᵇ13, 22.

φείδεσθαι τῶν εὐπόρων ἐν ταῖς δημοκρατίαις Πε8. 1309 ᵃ15.
— φειδόμενος non addito obiecto i q parcus, ἐξελαύνυσι 25
κ τὰς ἀργὰς αἱ μέλιτται κ τὰς μὴ φειδομένας Ζιι40.
627 ᵃ20.

Φειδίας λιθυργὸς σοφὸς Ηζ7. 1141 ᵃ10. κ6. 399 ᵇ33. θ155.
846 ᵃ17.

Φειδίππος. ἐπίγραμμα ἐπὶ Φειδίππῳ f 596. 1576 ᵇ31.   30

φειδωλία, καθ' ἣν ἀδάπανοι γίνονται τῶν χρημάτων εἰς τὸ
δέον, εἶδος ἀνελευθερίας αρ7. 1251 ᵇ7, 4.

φειδωλός, εἶδός τι τῆς ἀνελευθερίας Ηδ3. 1121 ᵇ22. ηεγ4.
1232 ᵃ12.

φείδων, ἀγγεῖόν τι ἐλαικρὸν ἀπὸ τῶν Φειδωνίων μέτρων ὠνο- 35
μασμένον f 440. 1550 ᵃ4.

Φείδων ὁ Κορίνθιος Πβ6. 1265 ᵇ12. ὁ περὶ Ἄργος τύραννος
Πε10. 1310 ᵇ26. — Φειδώνια μέτρα f 440. 1550 ᵃ44.

φενακίζειν. φενακίζει τὸ κύκλῳ πολὺ ὂν (ὅταν τις ἐν ποιήσει
κ ἀμφίβολα λέγῃ) Ργ5. 1407 ᵃ35.   40

φέναξ, coni διάβολος τδ5. 126 ᵇ8.

Φενεὸς θ58. 834 ᵇ24.

φεραῖος refertur inter τὸς κεστρεῖς, πρὸς τῇ γῇ ὃ νέμεται,
τροφῇ χρῆται τῇ ἀφ' αὑτῦ γενομένῃ μύξῃ f 299. 1529 ᵇ17, ·
18, 19. cf Rose Ar Pˢ 308. v κεστρεύς p 385 ᵃ53 et pe- 45
ραίας p 577 ᵃ52.

φέρειν. ὅταν ἐρυσιβώδη τὰ ἄνθη ἡ ὕλη ἐνέγκῃ Ζιθ27. 605
ᵇ19. ὅταν τὸ θέρος ἐνέγκῃ εὖ Ζιθ21. 603 ᵇ13. φέρειν τρίχα
σκληροτάτην φ2. 806 ᵇ10. πότε ἄρχεται πρῶτον σπέρμα
φέρειν τὸ ἄρρεν Ζιη1. 581 ᵃ12. ε14. 544 ᵇ30. ὅταν ὀχευθῇ 50
ἡ θήλεια ἐλέφας, φέρει ἐν τῇ γαστρί Ζιζ27. 578 ᵃ18. φέρειν
i q κύειν Ζιγ8. 748 ᵃ20 (cf ἐξενεγκεῖν εἰς τέλος ᵇ30). —
ἀφ' ὃ φέρυσι τὸ μέλι αἱ μέλιτται Ζιε22. 554 ᵇ15. τὰς
μελίττας φασὶν ὃ τίκτειν ἠδ' ὀχεύεσθαι, ἀλλὰ φέρειν τὸν
γόνον ἀπὸ τῶν ἀνθῶν Ζιε1. 553 ᵃ19. — sustinere, ferre 55
πολέμους, ἁμαρτίας, εὐτυχίαν al Πη6. 1327 ᵃ21. ζ6. 1320
ᵇ38. ε8. 1308 ᵇ14. αρ2. 1250 ᵃ14. 4. 1250 ᵃ40. 5. 1250
ᵇ35. — φέρειν (creare, instituere) ἄρχοντας Πβ6. 1266
10. ε5. 1305 ᵃ33. — οἱ φθονεροὶ πάντας οἴονται τὰ αὑτῶν
φέρειν (auferre) Ρβ10. 1387 ᵇ29. — φέρειν φόρυς, τίμημα 60
Πβ10. 1272 ᵃ18. γ12. 1283 ᵃ18. — φέρειν βοήθειαν (τῷ

λόγῳ) Οα10. 279 ᵇ32. φέρειν πίστεις, ἀποδείξεις, αἰτίας,
ἐνθυμήματα, προφάσεις, εἰκόνας, μεταφοράς, γνώμας, ἐλατ-
τώσεις, ἔνστασιν, λύσιν al Αγ11. 77 ᵃ25. 14. 79 ᵃ19. 4. 73
ᵃ33. 6. 74 ᵇ19. 12. 77 ᵇ34, 38. Φθ1. 252 ᵃ25. Μγ3. 1005
ᵃ26. Ρβ18. 1391 ᵇ25. 22. 1396 ᵇ31, 1397 ᵃ6. 25. 1402
ᵃ31. γ4. 1406 ᵇ25. 17. 1417 ᵇ23, 25, 33. ρ8. 1428 ᵇ25,
38. 9. 1429 ᵇ34. 12. 1430 ᵇ3 (cf φράζειν τὰς αἰτίας ᵇ5),
7. 19. 1432 ᵇ21. 30. 1436 ᵇ34, 1437 ᵇ40. 31. 1438 ᵇ2. 33.
1438 ᵇ39. 35.1440 ᵃ23. 37.1443 ᵇ39. 38. 1445 ᵃ38 al.
φέρειν ὄνομά τι ἐπί τι, τὴν πραότητα ἐπὶ τὸ μέσον, τὸν
φιλότιμον ὀκ ἐπὶ τὸ αὐτό Μκ5. 1062 ᵃ16. Ηγ15. 1119
ᵃ33. δ11. 1125 ᵇ28. 10. 1125 ᵇ15. φέρειν προσηκόντως τὸ
ὄνομα Ργ11. 1412 ᵇ11. — φέρειν τὴν διάνοιαν ἐπί τι πα18.
108 ᵃ23. — φέρειν intrans, φέρυσι πόροι (φλέβες) εἰς τὸν
ἐγκέφαλον, πρὸς ἑκάστην τὴν σύριγγα, διὰ τῦ ὀστράκυ,
ἀπὸ τῆς κύστεως sim Ζια16. 495 ᵃ11. 17. 496 ᵃ33, ᵇ4. γι.
510 ᵃ27. 4. 514 ᵇ30. δ6. 531 ᵃ22. ὅσα εἰς ἀτιμίαν φέρει
κ ὄνειδος, εἰς ἀδοξίαν, μοχθηρίαν, ἀρετήν, τὴν πολιτείαν Ρβ6.
1383 ᵇ14, 1384 ᵃ18. γ16. 1417 ᵃ3. ρ6. 1427 ᵇ20. Πδ16.
1300 ᵇ21. αἱ πρὸς τὸ τέλος φέρυσαι πράξεις Πη13. 1331
ᵇ29. φέρειν πρὸς τὸ μὴ φοβεῖσθαι Πζ5. 1320 ᵃ24. τὰ φέ-
ροντα πρὸς τὸ κοινὸν Πζ5. 1320 ᵃ8. — δαίμων κατ' εὔ-
νοιαν φέρων (fr trg adesp 57) Ρβ23. 1399 ᵇ22. — φέ-
ρεσθαι i p κινεῖσθαι κατὰ τόπον Γα5. 320 ᵃ20. μα7. 344
ᵃ13. Φθ7. 261 ᵃ21. 8. 261 ᵇ29. ἅπαν τὸ φερόμενον ἢ ὑφ'
αὑτῦ κινεῖται ἢ ὑπ' ἄλλυ Φη2. 243 ᵃ11, 21. κυρίως φέ-
ρεσθαι λέγεται, ὅταν μὴ ἐφ' αὑτοῖς ᾖ τὸ στῆναι τοῖς με-
ταβάλλυσι τὸν τόπον Φε2. 226 ᵃ34. τὰ φερόμενα κατὰ τὸν
ὀρανόν, τὰ ἐγκυκλίως φερόμενα ΜΑ5. 986 ᵃ10. 8. 990 ᵃ11.
μα2. 339 ᵃ12. ὑπομένειν τὸς κεραυνὸς φερομένυς, τὰ φε-
ρόμενα ηεγ1. 1229 ᵇ27, ᵃ17. πνεῦμα, ἀήρ, πῦρ, φλόξ,
τὸ θερμὸν φέρεται μβ8. 365 ᵇ33, 366 ᵃ3. 9. 369 ᵃ21. γ1.
371 ᵃ32. δ7. 383 ᵇ26. ἡ θάλασσα φερομένη ὑπὸ πνεύματος
μβ8. 368 ᵇ1. ἡ ὄψις φέρεται πρὸς τὸν ἥλιον, τὴν γῆν al μα6.
343 ᵃ13. γ6. 378 ᵃ5, 10. — φέρεσθαι κατὰ φύσιν, παρὰ
φύσιν Οβ3. 295 ᵇ22, ἄνω, κάτω μδ7. 383 ᵇ26. β9. 369
ᵃ21, ἐς τὸν αὐτὸ τόπον Οα8. 277 ᵇ4, def Οθ3. ἐς ἄπειρον
Οα8. 277 ᵃ29. δ4. 311 ᵇ32, πάντῃ Φδ8. 215 ᵃ24. (τὰ θηρία
ὁμόσε τῇ πληγῇ φέρεται ηεγ1. 1230 ᵃ23.) φέρεσθαι κύκλῳ
Οα5. 272 ᵃ15. μα3. 340 ᵇ11. β4. 359 ᵇ34 (cf ὃ ταὐτὸν
κύκλῳ φερόμενον κ κύκλον Φθ8. 262 ᵃ15), ἐπ' εὐθείας Φθ9.
265 ᵇ13, παρ' ἄλληλα πρὸς ὁμοίας γωνίας, πρὸς ὀρθὴν Οβ14.
296 ᵇ19. δ4. 311 ᵇ34. πιζ4. 913 ᵇ8, ἐπὶ τὴν περιφέρειαν
μχ1. 849 ᵃ6, ἀνωμάλως, ἐν λόγῳ τινὶ Φθ9. 265 ᵇ13. μχ1.
848 ᵇ11, 26. τῦ θᾶττον φέρεσθαι τινες αἰτίαι Φδ8. 215 ᵃ25.
θ9. 265 ᵇ14. — φέρεσθαι τινα Φδ8. 215 ᵃ17. πιζ13.
915 ᵇ20. φέρεσθαι φορᾶς συμφώνως, φορὰν ἔμψυχον, βίαιον
ψα3. 406 ᵃ30. Οβ9. 291 ᵃ23. φέρεσθαι τὴν αὐτήν, τὴν
οἰκείαν φοράν Οβ8. 289 ᵇ12, 290 ᵃ1. φέρεσθαι δύο, πλείυς
φορὰς μα4. 342 ᵃ25. Οβ12. 293 ᵃ1. Ζγε3. 782 ᵇ21. μχ23.
854 ᵇ16. φέρεται δύο φορὰς ἡ γράφυσα τὸν κύκλον μχ1.
848 ᵇ9. φέρεσθαι εὐθεῖαν, τὴν γῦ γραμμήν Φθ9. 265 ᵃ18.
Ογ2. 301 ᵃ27. πιζ3. 913 ᵇ2. φέρεσθαι κύκλον (cf supra
κύκλῳ φέρεσθαι), κύκλῳ γραμμήν, τὸν μείζω κύκλον Οβ8.
289 ᵇ18. 9. 913 ᵇ3 (cf 12. 915 ᵇ13). κϛ29. 943 ᵃ37.
φέρεσθαι τὴν ἄπειρον Φζ10. 241 ᵇ10. φέρεσθαι ἴσον, μείζω,
τὸ ἴσον χωρίον Ογ2. 301 ᵃ33, 28. Φθ8. 216 ᵃ15. — τὸ
ἐν μὴ φερμένῳ φερόμενον ποιεῖ ψόφον Οβ9. 291 ᵇ16. —
metaph, ἐπὶ ταὐτὸ φέρονται ὅσοι λέγυσι ψα2. 404 ᵃ21. —
ἐνήνεκται, ἐνηνέχθη, ἐνήνεχθω Φζ2. 233 ᵇ28, 22. Οβ8. 289
ᵇ12 al. ἐνεγκὼν Ρβ25. 1402 ᵃ31. ρ30. 1437 ᵇ40 al. οἰσθή-

σεται Φγ5. 205 ᵃ13. δ8. 214 ᵇ18, 21 al. ἐνεχθήσεται Φγ5.
205 ᵇ12. — οἰστέον πρόφασιν, παραδείγματα al ρ8. 1428
ᵇ38. 30. 1436 ᵇ34. 33. 1438 ᵇ39. οἰστέαι αἱ εἰκόνες, αἱ με-
ταφοραί Ργ4. 1406 ᵇ25.

Φερεκύδης Μν4. 1091 ᵇ9. Φερεκύδης ὁ Σύριος τίνι νόσῳ
διεφθάρη Ζιε31. 557 ᵃ3. Φερεκύδης Θάλητι ἐφιλονείκει f 65.
1486 ᵇ33.

φερέσβιος ἡ γῆ χ2. 391 ᵇ13.

Φερητιάδης Εὔμηλος f 596. 1576 ᵇ2.

Φερσεφάασσῃ θ133. 843 ᵇ27. cf G Hermann op V 180.

φερωνύμως. ὑπὸ τοῦ φερωνύμως ἂν κορυφαῖ προσαγορευ-
θέντος κ6. 399 ᵃ19.

φεύγειν. φυγέειν κύνας (Hom Β 393) Πγ14. 1285 ᵃ14. —
ξηρότης πεφευγότος τοῦ αἵματος πχζ3. 948 ᵃ4. — φεύγειν
κ̀ διώκειν ἡδονὰς κ̀ λύπας, πάντα καθ' ἡδονὴν κ̀ λύπην ψγ7. 15
431 ᵃ10 (coni καταφάναι κ̀ ἀποφάναι). Ηβ2. 1104 ᵇ22.
κεβ4. 1221 ᵇ33. πλ7. 956 ᵇ26. φεύγειν ὑπερβολὴν, syn
ζητεῖν τὸ μέσον Ηβ5. 1106 ᵇ6. ἡ φύσις φεύγει τὸ ἄπειρον
Ζγα1. 715 ᵇ15. φεύγειν, opp αἱρεῖσθαι Ρα5. 1360 ᵇ5. cf
αἱρεῖσθαι, opp ὀρέγεσθαι Ρα10. 1368 ᵇ28. φεύγειν ζημίαν 20
Πε2. 1302 ᵃ33. φεύγωσι τὸ ποιεῖν, τὸ ἀναγράφεσθαι Ηθ16.
1163 ᵇ27. Πδ13. 1297 ᵃ27. φεύγωσιν ἑαυτὰς Ηι4. 1166
ᵇ14 Fritzsche. — φεύγειν δίκην κλοπῆς, φεύγειν φόνον, ὁ
φεύγων (non addito genetivo) ρ37. 1442 ᵃ34. Ρβ24. 1402
ᵃ19. Πβ8. 1269 ᵃ3. δ16. 1300 ᵇ28. πχθ12. 951 ᵃ18. 13. 951 25
ᵇ2. ἴσων γενομένων τῶν ψήφων ὁ φεύγων νικᾷ (in 1433
ᵃ6. πχθ13. 951 ᵃ21. — οἱ φεύγοντες, exules, Πε5. 1304
ᵇ37. — φευκτέον τὴν μοχθηρίαν Ηι4. 1166 ᵇ27. —
φευκτόν, syn φαῦλον, κακόν, dist ψεκτόν, ὃ σπουδαστὸν
Ηγ6. 1148 ᵇ4-6. 14. 1153 ᵇ2. θ16. 1163 ᵇ25. opp αἱρε- 30
τόν, διωκτὸν Αβ2. 68 ᵃ28-39. τε6. 135 ᵇ15. Ηγ15. 1119
ᵃ23. Ζχ8. 701 ᵇ34, cf αἱρετόν p 18 ᵇ15. τῶν περὶ τὰ ἤθη
φευκτῶν τρία εἴδη Ηη1. 1145 ᵃ16. φευκτὰ ἄμφω Ηγ3.
1111 ᵃ34. φευκτότερον τγ11. 116 ᵇ5.

φευκτιάν. ἐν ᾧ πάντες φευκτιῶσιν f 129. 1550 ᵃ29. 35

φευκτικός. οὐχ ἕτερον τὸ ὀρεκτικὸν κ̀ φευκτικὸν ὅτ' ἀλλήλων
ὅτε τοῦ αἰσθητικοῦ ψγ7. 431 ᵃ13.

φέψαλος. τὸν φέψαλον κ̀ τὴν τέφραν ἀνῆκεν μβ8. 367 ᵃ5.

φηγός. φηγῷ ὑπὸ σκιερᾷ (ex antiquo epigrammate) θ133.
843 ᵇ32. 40

φήμη (Hes ε763) Ηη14. 1153 ᵇ27. φήμη κ̀ γνώμη (ex
Isocr Paneg § 186 φήμη κ̀ μνήμη) Ργ7. 1408 ᵇ16. διὰ
τὸ κ̀ ὀχευόμενα φαίνεσθαι ταύτης ὃ τετυχήκασι φήμης (αἱ
περιστεραί) Ζγγ6. 756 ᵇ24. — ποιεῖσθαί τι φήμην ἀγαθὴν
πλγ9. 962 ᵇ7. 45

φήνη. ἡ καλουμένη φήνη refertur inter τὰς ὄρνιθας γαμψ-
ώνυχας, σαρκοφάγας, magnitudo descr, τὸ χρῶμα σποδοειδὲς
Ζιθ3. 592 ᵇ5. ι32. 619 ᵃ13. mores, ἐπαργεμός τ' ἐστὶ κ̀
πεπήρωται τὰ ὀφθαλμῶ (S II 160, 499), τὸν ἐκβληθέντα
(νεοττὸν τοῦ ἀετῶ) δέχεται κ̀ ἐκτρέφει Ζιι34. 619 ᵇ23 Aub, 50
24, 34. ζ6. 563 ᵇ27. ἐξ ἁλιαιέτων φήνη γίνεται, ἐκ δὲ
τούτων περκνοὶ κ̀ γῦπες θ60. 885 ᵃ2 (cf Ζιι32. 619 ᵃ10).
(fena Thomae, ossifraga Plin Gazae Scalig. kym, cyfred
Alberto. orfraie i e Falco ossifragus L C II 577. cf S I 586
II 154, 158, 460, 498. Vultur cinereus Gm K 732, 4, St. 55
Cr. Su 106, 32, AZι I 82b. Falco albicilla G 19. cf E 53,
Lnd 9. syn φήνς Dioscoridis cf Sprengel II 440, Beckm
ad θ p 129, Oken Isis 1830 p 1040.)

φθάνειν, c partic, φθάνει διεξιών, ἔφθασε διηθηθέν, φθήσεται
καταβὰν al μγ1. 371 ᵃ22, 24, 27. α13. 349 ᵇ14. β3. 356 60
ᵇ26. 5. 361 ᵇ17. 6. 364 ᵇ11. Ζιι29. 618 ᵃ22 Ζγα18. 725

ᵇ22 al. c inf, τὸ ξύλον φθάνει γίνεσθαι μέλαν φτϑ9. 828
ᵇ23. — φθάνειν abs, φθάσαι πρὶν ἀδικηθῆναι sim Πε3.
1302 ᵇ23. Ρα12. 1373 ᵃ23.

φθαρτικός, syn διαλυτικός, opp ποιητικός, γεννητικός τβ9.
114 ᵇ17. ὁ4. 124 ᵃ25. η1. 152 ᵃ1. 3. 153 ᵇ32. φθαρτικὰ
ἀλλήλων τὰ ἐναντία Φχ9. 192 ᵃ21. Οβ3. 286 ᵃ33. Μν4.
1092 ᵃ2. χεη1. 1235 ᵇ5. τὸ ψυχρὸν φθαρτικὸν μδ5. 382
ᵇ7. δύναμις, ἀρχὴ φθαρτικὴ Μδ12. 1019 ᵇ11. τὸ δίκαιον
ὃ φθαρτικὸν πόλεως Πγ10. 1281 ᵃ20. ἡ κακία φθαρτικὴ
ἀρχῆς Ηζ5. 1140 ᵇ19. — τὰ ζῷα διώκουσι τὴν τροφὴν κ̀
φεύγουσι τὰ φαῦλα κ̀ τὰ φθαρτικὰ αι1. 436 ᵇ21. τὸ φθαρ-
τικὸν τῆς ὑπαρχούσης φύσεως λυπηρόν, opp τὸ ποιητικὸν
Ρα11. 1370 ᵃ2. φαντασία μέλλοντος κακοῦ φθαρτικοῦ ἢ λυ-
πηροῦ Ρβ5. 1382 ᵃ22 (syn δύναμιν ἔχειν μεγάλην τοῦ φθείρ-
ειν ᵃ29). cf 8. 1385 ᵇ13. ὅσα τῶν λυπηρῶν κ̀ ὀδυνηρῶν
φθαρτικά, syn ἀναιρετικὰ Ρβ8. 1386 ᵃ5, 6, 7. προσδοκία
τοῦ πείσεσθαί τι φθαρτικὸν πάθος Ρβ5. 1382 ᵃ30. πάθος
ἐστὶ πρᾶξις φθαρτικὴ ἢ ὀδυνηρά ρο11. 1452 ᵇ11. τὸ γελοῖόν
ἐστιν ἁμάρτημά τι κ̀ αἶσχος ἀνώδυνον κ̀ ὃ φθαρτικὸν ρο5.
1449 ᵃ35. φοβερὰ ὅσα φαίνεται ποιητικὰ λύπης φθαρτικῆς
χεγ1. 1229 ᵃ35. — φθαρτικῶς τηβ. 153 ᵇ2.

φθέγγεσθαι. ἡ λύρα φθέγγεται Μδ12. 1019 ᵇ15. — τὸ
ἔμβρυον, ὁ νεοττὸς (τῶν ὀρνίθων) φθέγγεται Ζιζ3. 561 ᵇ27,
562 ᵃ19. τῶν ἀλκυόνων ἡ μὲν φθέγγεται Ζιθ3. 593 ᵇ9. οἱ
μὲν σκώπες εἰσὶν ἄφωνοι, οἱ δὲ φθέγγονται Ζιι28. 618 ᵃ5.
ὅτε θᾶττον φθέγγεται ὁ κόκκυξ Ζιζ7. 563 ᵇ17. ἐν τῷ θέρει
ᾄδει κόττυφος, τοῦ χειμῶνος παταγεῖ κ̀ φθέγγεται θορυβω-
δὲς Ζιι49 Β. 632 ᵇ17. (θηρίον τι) φθέγγεται ὅμοιον φωνῇ
ἅμα σύριγγος κ̀ σάλπιγγος Ζιβ1. 501 ᵃ32. — ἐξελθόντα
τὰ παιδία εὐθὺς φθέγγεται Ζιη10. 587 ᵃ27. (οἱ ἁλιεῖς θη-
ρεύωσιν) ὃ φθεγγόμενοι ἀλλὰ σιωπῶντες Ζιθ8. 535 ᵃ21. —
(οἱ ἀπερρωγότες τὰς φωνὰς) φθέγγονται μὲν ἀλλ' ὃ δύ-
νανται γεγωνεῖν διὰ τὸ μὴ γίνεσθαι μετὰ συντονίας τὴν τοῦ
ἀέρος πληγήν, ἀλλὰ μόνον φωνῶσιν αχ804 ᵇ23. ἐπιτείνειν
τὸν φθόγγον κ̀ ὀξὺ φθέγγεσθαι, ἀνιέναι τὸν τόνον κ̀ βαρὺ
φθέγγεσθαι φ2. 807 ᵃ16, 17, 20. μικρὸν μελέα, ὀξὺ βαρὺ
φθέγγεσθαι, ὀξύτερον φθέγγονται τὰ νεώτερα, τὸ θῆλυ
(sed αἱ βόες βαρύτερον τῶν ταύρων), οἱ ἀσθενοῦντες sim Ζιγε7.
786 ᵇ15, 18, 23, 788 ᵃ32. πια13. 900 ᵃ20. 15. 900 ᵇ7. 16.
900 ᵇ16. 18. 901 ᵃ1. 21. 901 ᵃ31. 24. 901 ᵇ25. 32. 902 ᵇ36.
53. 905 ᵃ5. 34. 903 ᵃ8. 40. 903 ᵇ30. 62. 906 ᵃ4. ὃ μεῖζον
κ̀ κάλλιον τοῦ παντὸς χοροῦ φθεγγόμενος Πγ13. 1284 ᵇ12.
μικρὸν κ̀ ἀμενηνὸν φθέγγεσθαι πια6. 899 ᵃ32. οἱ κωφοὶ διὰ
τῶν ῥινῶν φθέγγονται πια2. 899 ᵃ4. 4. 899 ᵃ15. — φωνεῖ
μὲν ὃ ἑνὶ τῶν ἄλλων μορίων ὃ ὃ ἐν πλὴν τῷ φάρυγγι· διὸ
ὅσα μὴ ἔχει πνεύμονα, ὃ ὃ φθέγγεται Ζιδ9. 535 ᵃ30. μό-
νος (τῶν ἰχθύων) φθέγγεσθαι σκάρον κ̀ τὸν ποτάμιον χοῖρον
f 284. 1528 ᵃ32. ἀδύνατον φθέγγεσθαι κεφαλὴν κεχωρισμέ-
νης τῆς ἀρτηρίας Ζμγ10. 673 ᵃ14, 16 (Hom Κ 457), 23.
φθέγγεσθαι γράμματα Ζιβ12. 504 ᵇ2. φθέγγεσθαι κ̀ λέγειν
πιϑ9. 895 ᵃ8. εἰ ὁμοίως ἅπαντες κ̀ ψεύδονται κ̀ ἀληθῆ λέ-
γουσιν, ὅτε φθέγξασθαι ὅτ' εἰπεῖν τῷ τοιούτῳ ἔστιν Μγ4.
1008 ᵇ8. οἷς φθέγξασθαι ταὐτὸν ὄνομα τζ3. 141 ᵃ5 (syn
εἴρηκε 140 ᵇ27). μάλιστα πάντων τῶν μέτρων ἰαμβεῖα
φθέγγονται λέγοντες Ργ8. 1408 ᵇ35. οἱ ταῦτα
ῥαῦτα ἐνθουσιάζοντες Ργ7. 1408 ᵇ17. προσηγάγετο τὸν Σει-
ληνὸν φθέγξασθαί τι πρὸς αὐτὸν f 40. 1481 ᵇ8. — ἔφθεγ-
κται trans, ἡ γραμμὴ ἣν ὁ γεωμέτρης ἔφθεγκται Αγ10. 77
ᵃ2. pass, τοῦτο τοὔνομα θείως ἔφθεγκται παρὰ τῶν ἀρχαίων
Οβ9. 279 ᵃ23.

φθείρ. Μ 223, 87. 1. refertur inter τὰ ἔντομα σαρκοφάγα

Ζιε31. 556 b22. ἐκ τῶν σαρκῶν γίνονται, ἐξ ἄλλων φθορᾶς ᴂ ἐξ ἀρχῆς, ἐν τῷ σώματι διαφθειρομένης τῆς τροφῆς Ζιε31. 556 b28. πκ12. 924 a8. cf ἐκ σήψεως δηλονότι Ermerins Anecd med gr 135. ἐξ αἵματος διαφθαρέντος Theophr c pl II 9, 6. Mercurialis var lect II 4. γίνονται οἷον ἴονθοι μικροί, ᴂκ ἔχοντες πύον· τύτꞷς ἄν τις κεντήσῃ, ἐξέρχονται Ζιε31. 556 b29. cf Antig Caryst ed Beckm 144. Siebld Zeitschr XIV 27, 35, 36. XV 499. fort Acariasis. ζῇ χυμοῖς σαρκὸς ζώσης, ἐκ τῶν φθειρῶν ὀχευομένων αἱ κονίδες Ζιε31. 556 b22. 1. 539 b10 Aub. (pediculus Plin Thom Gaz Scalig. pou C II 703. Pediculus capitis et vestimenti L Su 228, 44. ΑΖι I 171, 52. Lenz Zool der Gr u Röm 536.) – dist a. οἱ ἐν τοῖς πολλοῖς γιγνόμενοι Ζιε31. 557 a5. παισὶν ὖσιν αἱ κεφαλαὶ γίνονται φθειρώδεις, τοῖς δ' ἀνδράσιν ἧττον· γίνονται ᴂ αἱ γυναῖκες τῶν ἀνδρῶν μᾶλλον φθειρώδεις· ὅσοις ἂν ἐγγίνωνται ἐν τῇ κεφαλῇ, ἧττον πονῶσι τὰς κεφαλὰς Ζιε31. 557 a7, 9. οἱ φθεῖρες ἐν τῇ κεφαλῇ ἐν ταῖς μακραῖς ᴂ φθίνꜱσι νόσοις μελλόντων τελευτᾶν τῶν πασχόντων, ἀλλ' ἐπὶ τὰ προσκεφάλαια εὑρίσκονται προλελοιπότες τὴν κεφαλὴν f 263. 1526 a32. cf πα16. 861 a10, 18 et διὰ τί ἐν τῇ κεφαλῇ μάλιστα γίνονται Bsm probl ined p 307, 16. ᴂ ἐν νόσοις τίσι γίνεται πλῆθος φθειρῶν Ζιε31. 557 a4. – νόσημα Ζιε31. 557 a1 Aub. cf νόσημα νεανικὸν piscium Ζιθ20. 622 b29, 31. (fort Argas persicus Aub.) – b. ἔστι γένος φθειρῶν οἳ καλῶνται ἄγριοι, σκληρότεροι, δυσαφαίρετοι ἀπὸ τꜱ χρωτὸς Ζιε31. 557 a4. (morpion C II 703. Pediculus pubis L. K 703, 4. Su 230, 44. Ixodes ricinus ΑΖι I 535, cf 172, 52.)

2. ἐγγίνονται ᴂ τῶν ἄλλων ζῴων ἐν πολλοῖς, φθεῖρες· πάντες ἐν τοῖς ἔχꜱσιν ἐξ αὑτῶν γίνονται τῶν ζῴων Ζιε31. 557 a11, 18. — a. τῶν τρίχας ἐχόντων Ζιε31. 557 a14 Aub. τῶν βοῶν Ζιε31. 557 a15 (fort P vituli vel eurysternus Nitz). τῶν ὑῶν φθεῖρες μεγάλοι ᴂ σκληροὶ Ζιε31. 557 a17 (fort Haematopinus suis Leach). ἐν τοῖς κυσὶν οἱ κυνοραῖσται v h v. γίνονται μᾶλλον ὅταν μεταβάλλωσι τὰ ὕδατα οἷς λꜱῶνται Ζιε31. 557 a19. πρόβατα, αἶγες ᴂ ἔχꜱσι Ζιε31. 557 a16 (cf ἱμάτια φθειρωδέστερα Ζιθ10. 596 b9. ignotus Ar Trichodectes sphaerocephalus al). ὄνος ꜱκ ἔχει Ζιε31. 557 a14 (minus recte, cf Redi de generat insect tab 21. Charleton exercit insecta 52. Pediculus asini Fabr). — b. ᴂ ἐν ὄρνισιν ἔχꜱσιν, οἳ φασιανοὶ διαφθείρονται ὑπὸ τῶν φθειρῶν Ζιε31. 557 a11, 13 (Philopterus, Liotheum Nitz sp var Dermanyssus avium Dug). — c. insectorum. Ζιε31. 557 a13 Aub. Acarina quaedam. — d. ἰχθύων. ἐν δ' εἴδꜱς ἐστι τῶν φθειρῶν τῶν θαλαττίων, ᴂ γίνονται πανταχꜱ· ꜱκ ἐκ τῶν ἰχθύων γίνονται ἀλλ' ἐκ τῆς ἰλύος. εἰσὶ τὰς ὄψεις ὅμοιοι τοῖς ὄνοις τοῖς πολύποσι, πλὴν τὴν ꜱρὰν ἔχꜱσι πλατεῖαν Ζιθ10. 537 a5. ε31. 557 a22 Aub, 24, 23 (Ichthyophthira quaedam ΑΖι I 537). ὁ τῶν θύννων οἶστρος· ꜱ οἶστρος p 502 a28. φθεῖρες ὑπὸ τὰ βράγχια τῆς χαλκίδος γινόμενοι πολλοὶ ἀναιρꜱσι Ζιθ20. 602 b29 (Chondracanthus Müll vel alia Siphonostomata parasitica).

3. piscis, eius mores, vita, descr Ζιε31. 557 a30 S. (Naucrates ductor S in Ar hist lit pisc 27. cf H II 710. K 705, 2. ΑΖι I 537. Echeneis sp Su 87.)

φθείρειν, φθείρεσθαι. 1. notio. φθείρεσθαι, syn διαλύεσθαι τη3. 153 b31, opp ἐμμένειν Ζγβ1. 734 a7, dist εἶναι, γίγνεσθαι τε7. 137 a21sqq. τὸ νῦν μὴ ὂν πρότερον δὲ ὂν ἀνάγκη ἐφθάρθαι ποτέ Φθ10. 218 a14. φθείρεσθαι ἁπλῶς, opp ꜱχ ἁπλῶς, τοδὶ Γα3. 318 a27-319 b5. ἀεὶ τῶν μὲν φθειρομένων τῶν δὲ γινομένων Πγ3. 1276 a36. ἅπαντα τὰ γινόμενα

ᴂ φθειρόμενα φαίνεται Οα10. 279 b20. φθείρεσθαι ἀνάγκη ὑποκειμένꜱ τέ τινος ᴂ εἰς ἐναντίον Οα3. 270 a15. μκ3. 465 b9. ἅπαντα φθείρεται εἰς ταῦτ' ἐξ ὧν ἐστιν Μβ4. 1000 b25 (cf ἡ γραμμὴ διαιρꜱμένη εἰς τὰ ἡμίση φθείρεται Μζ10. 1035 a18). φθειρόμενα ᴂ ἐξιστάμενα τῆς φύσεως, opp ἔχειν τὴν φύσιν, εἶναι ἐν τῇ φύσει μθ11. 389 b10, 9, 14. cf Ζγα18. 725 a27. (πρόσωπον, σάρξ) φθαρέντα ὁμωνύμως λεχθήσεται τὸ μὲν εἶναι πρόσωπον τὸ δὲ σάρξ Ζγβ1. 734 b25. ἀεὶ ἔσται τꜱ μὲν φθείρεσθαι τὸ ἐφθάρθαι πρότερον, τꜱ δ' ἐφθάρθαι τὸ φθείρεσθαι Φζ6. 237 b18. τὸ ἐφθαρμένον ᴂ τὸ γεγονὸς ἐν ἀτόμῳ τὸ μὲν ἐφθάρθαι τὸ δὲ γεγονέναι Φζ5. 236 a5. πολλὰ τῶν αὐτὰ ἑαυτὰ κινꜱντων φθείρεται, τὰ δ' ἐπιγίνεται Φθ6. 259 a2. φθείρεται τι ᴂ μηδὲν (ι e μὴ) κινꜱμενον Φθ13. 222 b24. φθειρομένης τῆς ἀρχῆς ꜱκ ἔστιν ἐξ ꜱ γένοιτ' ἂν βοήθεια τοῖς ἄλλοις ἐξ αὐτῆς ἠρτημένοις Ζμγ4. 667 a34. — 2. usus varius. θερμότης ἡ φθείρασα τὴν οἰκείαν θερμότητα μθ11. 389 b6. τί ἔσται τὸ φθερꜱν μκ3. 465 b8. ὑπερβάλλοντα τῷ πλήθει φθείρει ᴂ βλάπτει Ζμβ5. 651 b2. ἡ ἀρετὴ ᴂ ἡ μοχθηρία τὴν ἀρχὴν ἡ μὲν φθείρει ἡ δὲ σώζει Ηη9. 1151 a15. ποῖα σώζει ᴂ ποῖα φθείρει τὴν δημοκρατίαν Πε9. 1309 b36. δι' ὧν φθείρονται ᴂ δι' ὧν σώζονται αἱ πολιτεῖαι Πε8. 1307 b28. ꜱκ ἐνδέχεται φθειρομένꜱ τꜱ δύλꜱ σώζεσθαι τὴν δεσποτείαν Πγ6. 1278 b36. — φθαρτός. τὸ φθαρτόν, opp ἄφθαρτον Οα11. 280 b20 al. φθαρτόν ἐστι τὸ πρότερον μὲν ὄν, νῦν δὲ μὴ ὂν ᴂ ἐνδεχόμενον ποτε ὕστερον μὴ εἶναι Οα12. 281 b27, 283 a28. 11. 280 b20-25. φθείρεται ἄρα ποτέ τὸ φθαρτόν, ᴂ εἰ γενητόν, γέγονεν Οα12. 283 a28. εἰ γενητὸν ἢ φθαρτόν, ꜱκ ἀΐδιον· τὸ γενητὸν ᴂ τὸ φθαρτὸν ἀκολꜱθꜱῖν ἀλλήλοις· τὰ φθαρτὰ ᴂ γενητὰ ᴂ ἀλλοιωτὰ πάντα Οα12. 282 a23, b9, 283 b20. ꜱκ ἔστι φθαρτὸν κατὰ συμβεβηκὸς Μι10. 1059 a2, 7. ἕτερον τῷ γένει τὸ φθαρτὸν ᴂ ἄφθαρτον Μι10. 1058 b28. πρότερον ᴂ φύσει ᴂ λόγῳ ᴂ χρόνῳ τꜱ φθαρτꜱ τὸ ἄφθαρτον Φθ9. 265 a23. ꜱσία ἀΐδιος, ꜱσία φθαρτὴ Μλ1. 1069 a31. ꜱσία φθαρτὴ ἄνευ τꜱ φθείρεσθαι Μη3. 1043 b15. ὕλη γεννητὴ ᴂ φθαρτή, dist τοπικὴ Μη1. 1042 b9. — τὰ φθαρτά, opp τὰ εἴδη (Plat) ΜΑ9. 992 b17. φθαρτὰ τὰ κατὰ μέρος Αγ24. 85 b18. τῶν φθαρτῶν ꜱκ ἔστιν ἐπιστήμη ꜱδ' ἀπόδειξις ἁπλῶς Αγ8. 75 b24. φθαρτὴ πρότασις Αγ8. 75 b27 Wz.

φθειρίσασθαι f 66. 1487 a23.

φθειρώδης v φθείρ p 816 a14-16, 37.

φθίνειν, intr. φθίνει τὸ φθῖνον ἀπογινομένꜱ τινός· συνεχὲς τὸ φθῖνον Φη2. 245 a14, 15. τρέφεται μὲν ἕως ἂν σώζηται τὸ φθῖνον (Prantl e cod L, φθίνῃ Bk) Γα5. 322 a24. πᾶν ἀκμάζει φθίνειν ἀναγκαῖον πα14. 351 a30. τῶν σωμάτων γηρασκόντων ᴂ φθινόντων Ζγβ6. 745 a12. ἅμα τῆς ἡλικίας ληγꜱσης φθίνοντος τꜱ σπέρματος Ζγγ1. 750 a35. — μηνὸς φθίνοντος Αδ15. 98 a31. φθινόντων τῶν μηνῶν Ζγβ4. 738 a17. περὶ φθίνοντας τꜱς μῆνας Ζιη2. 582 a34. σελήνη φθίνꜱσα Οβ11. 291 b20. — φθιτόν. τꜱ φθιτꜱ ἐντελέχεια φθίσις Φγ1. 201 a13.

φθινοπωρινὴ ἰσημερία Ζιε11. 543 b9. θ12. 596 b30. φθινοπωρινὰ ἐνύπνια f 232. 1519 b28.

φθινόπωρον, syn μετόπωρον πα27. 862 b11, 12. ὅταν τὸ ἔαρ ᴂ τὸ θέρος ᴂ τὸ φθινόπωρον γένηται ἔπομβρον, ὁ δὲ χειμὼν εὐδιεινὸς Ζιη19. 601 b25. ἐν τῷ θέρει [ᴂ] πρὸς τὸ φθινόπωρον Ζιι37. 622 a23. πρὸ τꜱ φθινοπώρꜱ Ζιι40. 625 a31. ἀρχομένꜱ τꜱ φθινοπώρꜱ Ζιε10. 543 a15. περὶ τὸ φθινόπωρον ΖιΖ11. 566 a23. τꜱ φθινοπώρꜱ Ζιε13. 544 b10. ζ7. 571 a18. η3. 593 a18. ι23. 618 a1. ἡ οἴνας φθινοπώρꜱ μόνῳ φαίνεται f 271. 1527 ᵃ21. μετὰ τὸ φθινόπωρον Ζιι49Β. 633 ᵃ1.

φθινύθειν. λαοὶ μὲν φθινύθϑσι (Hom I 593, ubi vulgo nunc exhibetur ἄνδρας μὲν κτείνϑσι, cf Z 327) Ρα7. 1365 ᵃ14.

φθισιᾶν. cf φθίσις 2. οἱ κοπιῶντες ϗ φθισιῶντες πε31. 884 ᵃ6. ἐφθισίασεν πκη1. 949 ᵃ27.

φθισικός. οἱ φθισικοὶ ϗ κοπιῶντες πε31. 884 ᵃ11 (cf φθίσις 2).

φθίσις. 1. ἡ κατὰ τὸ ποσὸν κίνησις αὔξησις ϗ φθίσις Φε2. 226 ᵃ31. η2. 243 ᵃ10. γ1. 201 ᵃ14. Γα5. 320 ᵃ14, ᵇ31. ψα3. 406 ᵃ13. Ζμα1. 639 ᵃ21. Μλ2. 1069 ᵇ11. αὔξη ϗ φθίσις Γα4. 319 ᵇ22. φθίσεως πέρας ἡ τϑ τϑ (τϑ κατὰ τὴν οἰκείαν φύσιν τελείᾳ μεγέϑει) ἔκστασις Φζ10. 241 ᵇ1. διαιρεῖται ἡ φθίσις εἰς ἄπειρα Φδ3. 253 ᵇ22. cf η2. 245 ᵃ15. τὸ τῆς φθίσεως αἴτιον ἀφαίρεσίς τις Φη2. 245 ᵃ28. ποιεῖσϑαι φθίσιν τϑ ποσϑ Γα5. 322 ᵃ33. αὔξησις ϗ φθίσις τῶν σκιῶν πιε5. 911 ᵃ15. — φθίσις σελήνης Ζιη2. 582 ᵇ2. ἡ φθίσις ϗ ἡ ἀπόλειψις τῆς σελήνης Ζγδ2. 767 ᵃ4, opp πλήρωσις Ζιη2. 582 ᵇ2. τῆς σελήνης ὅτε ἐκλειπϑσης ὅτε ἐν αὐξήσει ὅσης ἢ φθίσει πιε11. 912 ᵇ24. — 2. φθίσις, νόσος συνεχὴς Ηη9. 1150 ᵇ33. αἱ ἐν τοῖς ζώιοις ἀδυναμίαι πᾶσαι παρὰ φύσιν, οἷον γῆρας ϗ φθίσις Οβ6. 288 ᵇ16. τρίχες αὔξονται ἐν ταῖς φθίσεσιν Ζιγ11. 518 ᵇ21. νόσοι τινὲς τελευτῶσιν εἰς φθίσεις πα10. 860 ᵇ1. ἀπὸ φθίσεως οἱ πλησιάζοντες ἁλίσκονται πζ8. 887 ᵃ22.

Φθιώτιδες, tragoedia ethica (Soph) πο18. 1456 ᵃ1.

φθόγγος. πεπέρανται τὰ εἴδη ϗ χρώματος ϗ φθόγγων αι6. 445 ᵇ22. φθόγγος λύρας, αὐλῶν πιϑ43. 922 ᵃ11. οἱ ἀπὸ τῶν ὀργάνων φθόγγοι ακ801 ᵇ10. φθόγγος βαρύς, μαλακός, ἠρεμαῖος πιϑ49. 922 ᵇ31. συμφωνία εὔλογον ἐχόντων φθόγγον πρὸς ἀλλήλους π.ϑ41. 921 ᵇ9. ἁρμονία τῶν αὐτῶν φθόγγων ὅτὲ μὲν Δωρίος ὅτὲ δὲ Φρύγιος Πγ3. 1276 ᵇ8. — ἡ τϑ φθόγγϑ φορὰ κατ' εὐθυωρίαν ακ802 ᵃ30-37. ἐπιτείνειν τὸν φθόγγον φ2. 807 ᵃ15. ϑκ ἐν ταῖς τῶν φθόγγων ἀφαῖς τὸ λιγυρὸν τῆς φωνῆς ἐστιν ακ804 ᵃ27. — φθόγγος, dist φωνή ακ800 ᵃ22, 24, 801 ᵇ2, 804 ᵇ9, quae notio latius patet, interdum usurpatur ubi φωνή intelligitur, ὅταν ἕτερον δέῃ φθόγγον εἰπεῖν, χαλεπῶς τὴν γλῶτταν μεταφέρϑσιν ακ804 ᵇ29. ἐπὶ τῶν φθόγγων στοιχείων ἂν ἦν τὰ ὄντα ἀριθμὸς ϗ τὸ ἓν στοιχεῖον φωνῆεν Μι2. 1054 ᵃ1 (coll 1. 1053 ᵃ13. δ3. 1014 ᵃ27).

φθόη ι q φθίσις 1. βράγχοι ϗ φθόαι γίνονται πα10. 860 ᵇ7 (syn φθίσις ᵇ1). ἀλίσκεσθαι ὑδέροις ϗ φθόαις θ152. 846 ᵃ3.

φθονεῖν. εἰ πέφυκε φθονεῖν τὸ θεῖον ΜΑ2. 982 ᵇ32 Βz. τὸ φθονεῖν φαῦλον ϗ φαύλων Ρβ11. 1388 ᵃ34. τὸ φθονεῖν τῷ πλησίον τῆς νίκης ἐστὶν ρ37. 1445 ᵃ19. φθονεῖν, opp καταφρονεῖν Πδ11. 1295 ᵇ22. ἐπὶ τίσι φθονϑσι ϗ τίσι ϗ πῶς ἔχοντες αὐτοὶ Ρβ10. — φθονεῖν τινι τιμωμένῳ Πε4. 1304 ᵃ36. pass φθονήσονται ρ37. 1445 ᵃ15. — ὦ παῖδες, μὴ φθονεῖϑ' ὥρας ἀγαθϑῖσιν ὁμιλίαν f 93. 1492 ᵇ30.

φθονερός, dist ἐπιχαιρεκακία, νέμεσις ημα28. 1192 ᵇ18, 24 (cf φθόνος).

φθονερός, def, dist ἐπιχαιρέκακος, νεμεσητικός Ηβ7. 1108 ᵇ4. ημα28. 1192 ᵇ24. ηεγ7. 1233 ᵇ18 (paullo aliter β3. 1221 ᵃ3, 38). ὁ αὐτός ἐστιν ἐπιχαιρέκακος ϗ φθονερός Ρβ9. 1387 ᵃ1. (τῶν ζῴων ἔνια) φθονερὰ ϗ φιλόκαλα Ζια1. 488 ᵇ23.

φθόνος, dist ἐπιχαιρεκακία, νέμεσις Ηβ7. 1108 ᵇ1. cf ηεβ3. 1221 ᵃ3. ημα28. 1192 ᵇ18, 24. def τβ2. 109 ᵇ36. Ρβ9. 1386 ᵇ19. 10. 1387 ᵇ22. α5. 1362 ᵃ6. ὁ φθόνος εἰς ἀδικίαν συμβάλλεται ηεγ7. 1234 ᵃ30. ἐπὶ τίσι φθονϑσι ϗ τίσι ϗ

πῶς αὐτοὶ ἔχοντες Ρβ10. πῶς δεῖ ἐμποιεῖν φθόνον ρ35. 1440 ᵃ34-39. αἱ κατεσπασμέναι ὀφρύες φθόνϑ σημεῖον Ζια9. 491 ᵇ18.

φθορά. 1. φθορᾶς notio. φθαρτῷ ἐντελέχεια φθορά Φγ1. 201 ᵃ15. φθορὰ διάλυσις ϑσίας τη3. 153 ᵇ31. ἡ ἐξ ὑποκειμένϑ εἰς ϑχ ὑποκείμενον μεταβολὴ φθορά Φε1. 225 ᵃ18. Μκ11. 1067 ᵇ11. ἡ φθορὰ ἐκ τϑ ὄντος εἰς τὸ μὴ ὄν, opp γένεσις Ζγβ5. 741 ᵇ23. γενέσεως ϗ φθορᾶς μετέχειν, opp ἀγένητα ϗ ἄφθαρτα Ζμα5. 644 ᵇ24. ἡ φθορὰ ϑκ ἔστι κίνησις· ἐναντίον μὲν γὰρ κινήσει ἡ κίνησις ἢ ἠρεμία, ἡ δὲ φθορὰ γενέσει ἐναντίον Φε1. 225 ᵃ20-ᵇ3. Μκ11. 1067 ᵇ37. γένεσις ἡ ἁπλῆ ϗ φθορὰ ἡ κατὰ τόδε μεταβολή, dist ἀλλοίωσις, αὔξησις φθίσις, φορά (cf κίνησις 2) Μλ2. 1069 ᵇ11. Γα2. 317 ᵃ26. γένεσις ϗ φθορὰ περὶ τὸ δυνατὸν εἶναι ϗ μὴ εἶναι Γβ9. 335 ᵇ4. ὅταν μηδὲν ὑπομένῃ ϑ θάτερον πάθος ἢ συμβεβηκὸς ὅλως, γένεσις, τὸ δὲ φθορά Γα4. 320 ᵃ2, 319 ᵇ18. φθορὰ ἁπλῆ, dist φθορά τις Γα3. 318 ᵃ12, 315 ᵃ26. ἡ εἰς τὸ μὴ ὂν ἁπλῶς ὁδὸς φθορὰ ἁπλῆ, ἡ δ' εἰς τὸ ἁπλῶς ὂν γένεσις ἁπλῆ Γα3. 318 ᵇ10, 319 ᵃ29. ἡ θατέρϑ γένεσις ἀεὶ ἐπὶ τῶν ϑσιῶν ἄλλϑ φθορὰ ϗ ἡ ἄλλϑ φθορὰ ἄλλϑ γένεσις Γα3. 319 ᵃ21. Μα2. 992 ᵇ17. ἴσος ὁ χρόνος τῆς φθορᾶς ϗ τῆς γενέσεως τῆς κατὰ φύσιν Γβ10. 336 ᵇ19. τϑ εἴδϑς ϑκ ἔστι γένεσις ϗ φθορά, τϑ συνόλϑ μόνϑ γένεσις ϗ φθορά ἐστι Μλ3. 1070 ᵃ15. η1. 1042 ᵃ30. ἐν τοῖς ἐναντίοις ἡ γένεσις ϗ ἡ φθορά Οα3. 270 ᵃ22. ἡ φθορὰ εἰς τϑναντίον Ζγδ1. 766 ᵃ14. γενέσεως ϗ φθορᾶς ϑδὲν αὐτὸ αὑτῷ αἴτιον Ζκ5. 700 ᵃ35. φθορὰ ϗ ἔκστασις, opp τελείωσις Φη3. 246 ᵃ16, 247 ᵃ20. κατὰ στέρησιν ϗ φθοράν, opp κατὰ τὸ εἶδος Μη5. 1044 ᵇ33. τὸ πάσχειν τὸ μὲν φθορά τις ὑπὸ τϑ ἐναντίϑ, τὸ δὲ σωτηρία ψβ5. 417 ᵇ3. τελευτῇ πάσης ἐστὶ τινος φθορά Φγ4. 203 ᵇ. ἔστω ἐπί τινος ἐνδεχόμενον ὥστ' εἶναί ποτε ϗ μὴ εἶναι ἄνευ γενέσεως ϗ φθορᾶς Φθ6. 258 ᵇ18. τίνα λέγειν εἰώθαμεν ὑπὸ χρόνϑ φθοράν Φδ13. 222 ᵇ25. τῶν φυσιολόγων τινὲς ὅλως ἀνεῖλον γένεσιν ϗ φθοράν Ογ1. 298 ᵇ5. — 2. usus varius. πᾶσιν ἡ φθορὰ γίνεται διὰ θερμϑ τινος ἔκλειψιν αν17. 478 ᵇ32. ἡ φθορὰ ὀλιγαιμία τίς ἐστιν Ζμβ5. 651 ᵇ11. κωλύειν τὴν ἀπὸ τῶν ἄλλων ζῴων φθορὰν Ζμγ2. 663 ᵃ5. ὅλων τῶν γενῶν ἀπώλειαι ϗ φθοραί μα14. 351 ᵇ12. — οἱ πρῶτοι εἴτε γηγενεῖς εἴτε ἐκ φθορᾶς τινος ἐσώθησαν Πβ8. 1269 ᵃ5. παλαιᾶς φιλοσοφίας ἐν ταῖς μεγίσταις ἀνθρώπων φθοραῖς ἀπολομένης ἐγκαταλείμματα f 2. 1474 ᵇ7. — τίνες φθοραὶ ϗ σωτηρίαι τῶν πολιτειῶν Πδ2. 1289 ᵇ24. ε1. 1301 ᵃ22. 8. 1307 ᵇ29. ζ1. 1317 ᵃ38.

φθοροποιοὶ βοτάναι, opp ἰατρικαὶ φτα7. 821 ᵇ35.

φθόρος. πύρωσις ἡ μὲν ὅλως ποιεῖ φθοράν, ἡ δὲ διαστροφήν πϑ26. 879 ᵇ26.

φιάλη μδ12. 390 ᵇ13. φιάλης ὕλη ἄργυρος Φβ3. 194 ᵇ25. Μδ2. 1013 ᵃ26. ὅσα τῶν ἀγαλμάτων φιάλην εἶχε προετάκοτα σβ1353 ᵇ23. φιάλην κεκραμένην ᾧ βϑλοιτο δϑναι f 508. 1561 ᵃ44. ἡ φιάλη ἀσπὶς Διονύσϑ, ϗ ἀσπὶς φιάλη Ἄρεως, φιάλη ἄοινος Ργ4. 1407 ᵃ16. 11. 1412 ᵇ55. πο21. 1457 ᵇ21, 22, 32, cf Τιμόθεος p 762 ᵇ40.

φιάλιον ϑ33. 832 ᵇ26.

φιδίτια Πβ9. 1271 ᵃ27. 10. 1272 ᵃ2. 11. 1272 ᵇ34. τὰ καπηλεῖα τὰ Ἀττικὰ φιδίτια Ργ10. 1411 ᵃ25.

φιλάγαθος, dist φίλαυτος ημβ14. 1212 ᵇ18.

Φιλαγίδϑ ποιήματα (Φιλαινίδος G A Becker) μτ2.464 ᵇ2.

Φιλαίχμη. Φιλόβοια, ἣν τινες Φιλαίχμην ἐκάλεσαν f 515. 1562 ᵃ30.

φιλαλήθης Ηδ13. 1127 ᵇ4. ηεγ7. 1234 ᵃ3.

Φιλάμμων. ὥσπερ Φιλάμμων ζυγομαχῶν τῷ κωρύκῳ Ργ11. 1413 ᵃ12, 24. cf Meineke com IV 603. V 117.

φιλανθρωπία ἀκολυθεῖ τῇ ἐλευθεριότητι αρ5. 1250 ᵇ33. ἀκολυθεῖ τῇ ἀδικίᾳ φιλανθρωπία προσποίητος αρ7. 1251 ᵇ3.

φιλάνθρωπος. τὸς φιλανθρώπως ἐπαινῦμεν Ηθ1. 1155 ᵃ20. ἀκολυθεῖ τῇ ἀρετῇ τὸ φιλάνθρωπον εἶναι αρ 8. 1251 ᵇ35. νομοθεσία φιλάνθρωπος Πβ 5. 1263 ᵇ15. ζῷα φιλάνθρωπα ἀσκαλώπας, θώς Ζι26. 617 ᵇ26. 44. 630 ᵃ9 (S II 131). — τὸ φιλάνθρωπον (i e id quod movet τὴν ὡς πρὸς ἄνθρωπον φιλότητα, cf Vhl Poet II 13) πο13. 1453 ᵃ2, 1452 ᵇ38. τραγικὸν τῦτο κ̀ φιλάνθρωπον πο18. 1456 ᵃ21.

φιλάργυρος def ηεγ4. 1232 ᵃ4. f 178. 1508 ᵃ1.

φιλάρετος Ηα9. 1099 ᵃ11.

φιλαρχεῖν v1 pro φυλαρχεῖν Πδ̓11. 1295 ᵇ12.

φίλαυλοι Ηκ5. 1175 ᵇ3.

φίλαυτος et laudatur et vituperatur Ηι8. Πβ 5. 1263 ᵇ2. πότερον ὁ σπυδαῖος φίλαυτος ημβ13. τὸν ἀγαθὸν δεῖ φίλαυτον εἶναι Ηι8. 1169 ᵃ12. ημβ13. 1212 ᵇ6. φίλαυτοι μᾶλλον ἢ δεῖ Ρβ13. 1389 ᵇ35, 37. cf α11. 1371 ᵇ20.

φιλεῖν. τὸ φιλεῖν ὁμώνυμον τα15. 106 ᵇ3. τὸ φιλεῖν def Ρβ4. 1380 ᵇ35. syn αἱρεῖσθαι, ἐπιθυμεῖν ηεη2. 1236 ᵃ12, 1235 ᵇ20. syn κήδεσθαι Πβ4. 1262 ᵇ23. opp ἐχθαίρειν Ηδ12. 1126 ᵇ23. φιλεῖν καὶ ἀμφοτέρως, πείθεσθαι δὲ τοῖς ἀκριβεστέροις Μλ8. 1073 ᵇ16. τὸ φιλεῖν τε κ̀ μισεῖν πάθη μετὰ σώματος ψα1. 403 ᵃ18. — τίνας φιλῦσι κ̀ μισῦσι κ̀ διὰ τί Ρβ4. ρ35. 1439 ᵇ18. φιλεῖν κατὰ τὸ ἡδύ, τὴν κατὰ τὸ ἀγαθὸν φιλίαν ημβ1. 1209 ᵃ18. κατὰ τὴν φιλίαν τὸ φιλεῖν μᾶλλον ἢ τὸ φιλεῖσθαι ηεη4. 1239 ᵃ34. cf Ηθ10. 1159 ᵃ35. 9. 1159 ᵃ27. τὸ φιλεῖν ἐνέργεια, βέλτιον ἢ τὸ φιλεῖσθαι ημβ11. 1210 ᵇ5-22. πότερον δεῖ φιλεῖν ἑαυτὸν μάλιστα ἢ ἄλλον τινά Ηι8. ημβ14. — φιλεῖν τῷ στόματι πλ1. 953 ᵇ16. f 567. 1571 ᵃ36. ὑπὸ τῦ ἐρωμένυ φιληθείς ψ93. 1492 ᵇ26. — τῶν φυτῶν τινα ὃ φιλῦσι χωρίζεσθαι ἀπὸ τῆς γῆς φτα5. 820 ᵃ12. — τὸ φιλεῖσθαι def Ρα11. 1371 ᵃ21. τὸ φιλεῖσθαι ἐγγὺς τῦ τιμᾶσθαι Ηθ9. 1159 ᵃ16sqq. φιλεῖσθαι, dist συνεῖναι Αβ22. 68 ᵇ3, 4. τὸ φιλύμενον πότερον τὸ ἡδὺ ἢ τὸ ἀγαθόν ηεη2. 1235 ᵇ19-30. — φιλητέον μάλισθ᾽ ἑαυτόν Ηι8. 1168 ᵇ10. ὃ φιλητέον πονηρόν Ηι3. 1165 ᵇ15, 14. φιλητέον τὸ ἑκάστῳ ἀγαθόν, φιλητὸν τὸ ἁπλῶς ἀγαθόν ημβ11. 1208 ᵇ36-1209 ᵃ16. — φιλητὸν τί Ηθ2. 1155 ᵇ17sqq. ι3. 1165 ᵇ15. syn αἱρετόν Ηθ7. 1157 ᵇ26. ι7. 1168 ᵃ6. φιλητὸν τὸ ἁπλῶς ἀγαθόν, dist φιλητέον ημβ11. 1208 ᵇ36-1209 ᵃ16. ὑκ ἀντιφιλεῖται, ὑθὲν ἔχων φιλητόν Ηι1. 1164 ᵃ4. 4. 1166 ᵇ17.

φιλερασταί Ρα11. 1371 ᵇ24.

φιλεργία ἄνευ ἀνελευθερίας Ρα5. 1361 ᵃ8.

φιλεριστής, syn ἐριστικοί, dist σοφιστικοί τι11. 171 ᵇ26, 30 sqq.

φιλεταιρία, opp φιλοχρηματία Ρα7. 1364 ᵇ2.

φιλέταιρος ρ37. 1442 ᵃ11. φιλέταιρος (φιλεταῖρος Bk), opp φιλοχρήματος Ρα7. 1364 ᵇ1. φιλέταιροι, coni φιλόφιλοι Ρβ12. 1389 ᵃ37. ἀκολυθεῖ τῇ ἀρετῇ τὸ φιλέταιρον εἶναι αρ8. 1251 ᵇ35.

φιλευτράπελοι (cod Aᶜ Vahlen, εὐτράπελοι Bk) Ρβ12. 1389 ᵇ11. ἀκολασίας ἐστὶ τὸ φιλευτράπελον εἶναι αρ6. 1251 ᵃ20.

φιληδής Ηθ5. 1157 ᵃ33.

Φιλήμων ὁ ὑποκριτὴς Ργ12. 1413 ᵇ25. — Philemonis, poetae comici, versus affertur Πα7. 1255 ᵇ29, Meineke com IV 17.

φίλησις. ἡ μὲν φίλησις ποιήσει ἔοικεν, τὸ φιλεῖσθαι δὲ τῷ πάσχειν Ηι7. 1168 ᵃ19. φίλησις, dist φιλία Ηι5. θ2. 1155

ᵇ27. 7. 1157 ᵇ29. 8. 1158 ᵇ24. αἱ φιλήσεις κ̀ αἱ φιλίαι (i e τὰ εἴδη τῆς φιλήσεως κ̀ τῆς φιλίας) Ηθ3. 1156 ᵃ6. 8. 1158 ᵇ19.

φιλητικός Πη7. 1327 ᵇ39. πλ1. 953 ᵇ15. def ηεη4. 1239 ᵃ27. opp φιλότιμος ηεη4. 1239 ᵃ27-31. φιλητικός τινος Ηγ13. 1117 ᵇ30. ζῷα θυμικὰ κ̀ φιλητικὰ κ̀ θωπευτικά Ζια1. 488 ᵇ21. — τὸ φιλητικὸν Πη7. 1327 ᵇ41.

φιλία, comitas, μεσότης ἀπεχθείας κ̀ κολακείας, ἄνευ τῦ στέργειν Ηβ7. 1108 ᵃ27. δ12. ηεβ3. 1221 ᵃ7. γ7. 1233 ᵇ30. ημα32. — φιλία, cognatio, πο14. 1453 ᵇ19, 31. cf 11. 1452 ᵃ31. — φιλία, amicitia, quoniam est ἀρετή τις ἢ μετ᾽ ἀρετῆς, ἠθική τις ἕξις Ηθ1. 1155 ᵃ4. ηεη1. 1234 ᵇ28, ἀναγκαιότατον εἰς τὸν βίον, τῶν μεγίστων ἀγαθῶν Ηθ1. 1155 ᵃ4 sqq. ηεη1. 1234 ᵃ32, συνέχει τὰς πόλεις Ηθ1. 1155 ᵃ22. Πβ4. 1262 ᵇ7, 10, propterea ad disciplinam moralem pertinet Ηθ1. 1155 ᵃ3. ηεη1.1234 ᵇ22. περὶ φιλίας exponitur Ηθι. ηεη1-12. ημβ11-17. def Ηθ2. 1155 ᵇ33. ημβ11. 1208 ᵇ28-36. Πγ9. 1280 ᵇ38 (cf κοινωνία γὰρ ἡ φιλία Ηιι2. 1171 ᵇ3. Πδ̓11. 1295 ᵇ23.) ἡ φιλία ἐν τῷ φιλεῖν μᾶλλον ἢ ἐν τῷ φιλεῖσθαι Ηθ9. 1159 ᵃ27. 10. 1159 ᵃ33. ηεη4. 1239 ᵃ33. ἡ φιλία πότερον ἐν τῷ ἐπιθυμητικῷ ἢ τῷ λογιστικῷ τὸ 5. 126 ᵃ12. ἡ φιλία ἐνέργειά τις ημβ12. 1211 ᵇ31. dist εὔνοια, ὁμόνοια Ηθ2. 1155 ᵇ33. ι5. 1167 ᵃ11. 6. 1167 ᵇ2. ηεη7. ημβ12. 1212 ᵃ1-13. dist φίλησις Ηθ7. 1157 ᵇ29. ι5. — τίνας φιλῦσι κ̀ διὰ τί Ρβ4. πῶς δεῖ ἐμποιεῖν φιλίαν ρ35. 1439 ᵇ18-21. πότερον ἐν ὁμοίοις ἐγγίνεται ἢ ἐν ἐναντίοις Ηθ2. 1155 ᵃ32-ᵇ8. ηεη1. 1225 ᵃ6, 13. 5. 1239 ᵃ8, 9. 12. 1245 ᵃ18. ημβ11. 1208 ᵇ8-19, 1210 ᵃ5-24. πότερον οἷόν τε μοχθηρὰς ὄντας φίλυς εἶναι Ηθ2. 1155 ᵇ11. — φιλίας εἴδη τρία, διὰ τὸ ἀγαθόν, διὰ τὸ χρήσιμον, διὰ τὸ ἡδύ· μήτε ὡς εἴδη ἑνὸς γένυς μήτε πάμπαν ὁμωνύμως Ηθ2. 1157 ᵇ2. θ3-5. ηεη2. 1236 ᵃ17. ημβ11. 1209 ᵃ21. (φιλίαι, i e εἴδη φιλίας ηεη5. 1239 ᵇ10. 10. 1242 ᵇ2. Ηθ3. 1156 ᵃ7. 11. 1159 ᵇ34 al.) ἐν τίσιν ἐγγίνεται ἕκαστον τῶν τριῶν εἰδῶν ημβ11. 1209 ᵇ17-20. ἡ δι᾽ ἀγαθὸν (δι᾽ ἀρετὴν) φιλία πρώτη, τελεία, βεβαιοτάτη, ἀμετάπτωτος, τῶν σπυδαίων, τῶν βελτίστων Ηθ4. ηεη2. 1236 ᵇ1, 2, 15, 19, 24, 1237 ᵃ33, 1238 ᵃ11, 30. 5. 1239 ᵇ1, ημβ11. 1209 ᵇ11, 14, 1210 ᵃ8, ἠθικὴ ηεη7. 1241 ᵃ10 (cf Ηι1. 1164 ᵃ12), ὃ γίνεται ἐν πολλοῖς, ὐκ ἄνευ πείρας ηεη2. 1237 ᵇ35, 1238 ᵃ1. πότερον δεῖ ἐν αὐτῇ ἡδονὴν εἶναι ημβ11. 1209 ᵇ37-1210 ᵃ5. Ηθ4. 1156 ᵇ22. reliqua amicitiae genera λέγονται κατὰ συμβεβηκός Ηθ3. 1156 ᵃ16. ηεη5. 1239 ᵇ15, cf φιλίαι ἐξ ὁμοιοπαθείας ημβ11. 1210 ᵇ22-32. ἡ διὰ τὸ χρήσιμον φιλία (sive ἡ χρησίμη φιλία ηεη7. 1241 ᵃ5. 10. 1243 ᵃ35) Ηθ3.1156 ᵃ20-30. ηεη2. 1236 ᵃ33-37. 10. 1243 ᵃ35. ημβ11. 1210 ᵃ9-23, ἐξ ἐναντίων δοκεῖ γίγνεσθαι Ηθ10. 1159 ᵇ12. τῆς κατὰ τὸ χρήσιμον φιλίας ἡ μὲν ἠθικὴ (ἑταιρικὴ) ἡ δὲ νομικὴ (πολιτικὴ) Ηθ15. 1162 ᵇ23. ηεη10. 1242 ᵇ31, 35, 36, 1243 ᵃ31. μόνη ἡ πολιτικὴ κ̀ παρ᾽ αὐτὴν παρέκβασις ὃ μόνον φιλίαι, ἀλλὰ κ̀ ὡς φίλοι κοινωνῦσιν ηεη10. 1242 ᵃ10. ἡ διὰ τὸ ἡδὺ φιλία Ηθ3.1156 ᵃ31-ᵇ6. 7. 1158 ᵃ18. ηεη2. 1236 ᵃ37-39, 1238 ᵃ35. φιλίαι ἀνομοιοειδεῖς (αἱ μὴ κατ᾽ εὐθυωρίαν φιλίαι ηεη10. 1243 ᵇ15, 17), i e ὅταν ὁ μὲν διὰ τὸ ἡδὺ φιλῇ, ὁ δὲ διὰ τὸ χρήσιμον Ηι1. 1163 ᵇ32, 1164 ᵃ7. ημβ11. 1210 ᵃ34. — cum his tribus amicitiae generibus conferendae sunt aliae quaedam amicitiae distinctiones. εἴδη φιλίας ἑταιρεία οἰκειότης συγγένεια Ρβ4. 1381 ᵇ34. φιλία ἑταιρικὴ Ηθ6. 1157 ᵇ23. 14. 1162 ᵇ12. ι10. 1171 ᵃ15, συγγενικὴ Ηθ14. 1161 ᵇ12. ηεη10. 1242 ᵃ1. ημβ12. 1211 ᵇ19, φυσικὴ

Ηθ16. 1163 b24. (πόλεμοι κỳ φιλίαι τῶν ζῴων Ζι1. 2. τῶν ζῴων τοῖς μάλιστα κοινωνῦσι φρονήσεως κỳ πρὸς τελευτέντα τὰ τέκνα γίνεται συνήθεια κỳ φιλία Ζγγ2. 753 a13.) φιλίαι πολιτικαί, φυλετικαί, συμπλοϊκαί, κοινωνικαί Ηθ14. 1161 b12 sqq. γεη7. 1241 a32. 10. 1242 a1sqq, παιδικαί 5 Ηι3. 1165 b26, ξενική ημβ11. 1211 a12. δεσπότη πρὸς δῦλον πῶς ἐστὶ φιλία Ηθ13. 1161 b5. Πα6. 1255 b13. — in quolibet e tribus amicitiae generibus discrimen intercedit, ut φιλία aut sit ἐν ἰσότητι (κατ' ἰσότητα, κατ' ἴσα, κατὰ τὸ ἴσον) aut ἐν ὑπεροχῇ (ἐν ἀνισότητι, καθ' ὑπεροχήν) Ηθ8. 10 13. 1161 a20. γεη3. 4. 10. 1242 b3, 21. ημβ11.1210a5-24, 1211 b4-17. — ἡ ταυτὸν ἡ ἐγγύς τι ἡ δικαιοσύνη κỳ ἡ φιλία γεη1. 1234 b31. φιλίας τοσαῦτα εἴδη ὅσα δικαίɣ κỳ πολιτείας Ηθ11-13. 16. 1163 b15. γεη9. ημβ11. 1211 a6-15. — de amicitia ἀπορίαι quaedam exponuntur. φιλία πρὸς αὐτὸν 15 πότερόν ἐστιν ἢ ὐκ ἔστιν Ηι4. ημβ11. 1210 b32-1211 a6, 15-b3. Πβ5. 1263 b1. περὶ αὐταρκείας κỳ φιλίας, πῶς ἔχɣσι πρὸς τὰς ἀλλήλων δυνάμεις Ηι9. γεη12. ημβ15. φιλία πότερον πρὸς πολλὰς ἅμα εἶναι δύναται γεη2. 1238 a9. 12. 1245 b19. Ηθ7. 1158 a10 (cf φιλία ὑδαρής Πβ4. 20 1262 b15). τῶν ἐν ἐξɣσίαις αἱ φιλίαι ποῖαι Ηθ7. 1158 a27-36. πῶς γίγνεται ἐγκλήματα κỳ μέμψεις ἐν τῇ φιλίᾳ Ηθ15. 16. ημβ11. 1210 a24-b5. περὶ τῦ διαλύεσθαι τὰς φιλίας ἢ μή Ηι3. — φιλία, nimium alicuius rei studium. διὰ τὴν φιλίαν τύτων (i e τῶν ἀρχῶν) ταὐτὸ ποιεῖν ἐοίκασι 25 τοῖς τὰς θέσεις διαφυλάττɣσιν Ογ7. 306 a12. — φιλία et νεῖκος Empedocli αἰτία συγκρίσεως κỳ διακρίσεως Φθ1. 250 b28. Γβ6. 333 b12, 21, 32. ΜΑ7. 988 a33. Ζμα1. 640b8. ἐπὶ τῆς φιλίας Γβ6. 334 a7. ἡ φιλία (Empedocli) αἰτία τῶν ἀγαθῶν ΜΑ4. 985 a3. Δι0. 1075 b2. — σεμνῆς φι- 30 λίης ἱδρύσατο βωμὸν f623. 1583 a13. Μῦσαι, Διὸς ζɣγòς σέβας αὔξεται φιλίας τε γέρας βεβαῖ f625. 1583 b25.

φιλικός. οἱ πρεσβῦται ὐ φιλικοί Ηθ6. 1157 a14. — πότερον ἔστι τι μέτρον φιλικῦ πλήθɣς Ηι10. 1170 b30. φιλικὴ ἡδονή γεη2. 1237 b3. δικαιοσύνη φιλική, τῶν δικαίων τὸ μάλιστα 35 φίλων εἶναι δοκεῖ γεη10. 1243 a34. 1. 1234 a21. Ηθ1. 1155 a28. — ἡ κοινωνία, ἡ ὁμοία φιλικόν Πθ11. 1295 b24. Ηι6. 1167 a22, 25. οα4. 1344 a18. — ποιεῖν τὰ φι-λικὰ πρὸς ἀλλήλɣς Ηθ4. 1156 b30. γεη2. 1237 b19. cf Ηθ14. 1162 a16. ι4. 1166 a1. φιλικὰ κỳ ποιητικὰ φιλίας 40 Ηθ7. 1158 a4, 10. — φιλικώτατον τὸ συζῆν Ηι10. 1171 a2. — φιλικῶς ἔχειν, διακεῖσθαι πρός τινα Πβ8. 1268 a24. Ηι4. 1166 b26, ἐνεργεῖν Ηθ6. 1157 b10, ὁμιλεῖν γεη10. 1243 a9. ἡ κτῆσις τῇ χρήσει φιλικῶς γινομένη κοινή Πη10. 1330 a1. 45

Φιλῖνόν τινα μήτε ποτῷ χρήσασθαι μήτε ἐδέσματι ἄλλῳ ἢ μόνῳ γάλακτι f590. 1574 a10.

φίλιος διὰ τί ὀνομάζεται ὁ θεός x7. 401 a22. σῶς (Ἀρετῆς) ἕνεκεν φιλίɣ μορφᾶς f625. 1583 b20.

Φίλιπποι, urbs Macedoniae θ42. 833 a28. f248. 1523b21. 50

φίλιππος Ηα9. 1099 a9.

Φίλιππος ἐπιβɣλευθεὶς ὑπὸ Παυσανίɣ Πε10. 1311 b2. τὰς Θηβαίɣς διιέναι Φίλιππον εἰς τὴν Ἀττικήν Ρβ23. 1397 b31. — Φίλιππος, oratio Isocratis Ργ17. 1418 b27. — Φίλιπ-πος ὁ κωμῳδοδιδάσκαλος ψα3. 406 b17. 55

φιλογέλοιος, coni εὐτράπελος Ηθ13. 1390 a23. ἀκολασίας ἐστὶ τὸ φιλογέλοιον εἶναι αρ6. 1251 a19.

φιλόγελως, φιλογέλωτες Ρβ13. 1390 a24. 12. 1389 a10.

φιλογέωργος γέγονεν Ἀγχαῖος f530. 1566 a15.

φιλόγλυκος γεβ10. 1227 b10 (Bk c codd, φιλόγλυκυς 60 Fritzsche e ci Sylb).

φιλόγλυκυς τβ3. 111 a3. γεβ10. 1227 b10 (Fritzsche, φιλόγλυκυς Bk). πγ28. 875 b3.

φιλογύναιοι κỳ θηλύγονοι φ3. 808 a36.

φιλογυμναστεῖν ρ4. 1426 a9.

φιλογυμναστικαὶ ἕξεις γεβ5. 1222 a31.

φιλοδίκαιος Ηα9. 1099 a11.

φιλοδικεῖν Ρα12. 1373 a35.

φιλόδικος Ρβ23. 1400 a19. ρ37. 1444 a30.

φιλοδοξεῖν κỳ φιλοτιμεῖσθαι ἐπί τινι Ρβ10. 1387 b35.

φιλόδοξοι περί τι Ρβ10. 1387 b33.

φιλόζωοι οἱ πρεσβύτεροι Ρβ13. 1389 b32. μεγαλόψυχος ὕθ' ὁ τὸ ζῆν περὶ πολλῦ ποιɣμενος ὕθ' ὁ φιλόζωος αρ5. 1250 b39.

φιλόθεοι Ρβ17. 1391 b2.

φιλόθεωρος Ηα9. 1099 a10.

φιλόθηροι οἱ ζɣνοί· τῶν κυνῶν οἱ φιλοθηρότατοι φ6. 810b4, 6.

φιλοίκειοι (ci Bk¹, φίλοι cod Aᶜ), coni φιλόφιλοι, φιλέταιροι Ρβ12. 1389 a37.

φιλοικοδόμοι Ηx5. 1175 a34.

φίλοικος. ἀκολɣθεῖ τῇ ἀρετῇ τὸ φίλοικον εἶναι αρ8. 1251 b35.

φίλοινοι Ρα11. 1371 a18. τίνες φίλοινοι πχ4. 948 a13. γ7. 872 a3. 28. 875 b3.

φιλόκαλος Ηα9. 1099 a13. δ10. 1125 b12. ἦθος εὐγενὲς κỳ φιλόκαλον Ηx10. 1179 a9. τῇ ἐλευθεριότητι, τῇ ἀρετῇ ἀκολɣθεῖ τὸ φιλόκαλον εἶναι αρ5. 1250 b34. 8. 1251 b36. — ζῷα φθονερὰ κỳ φιλόκαλα, οἷον ταὼς Ζια1. 488 b24.

φιλοκίνδυνος Ηθ8. 1124 b7.

Φιλοκλῆς. ἐπὶ ἄρχοντος Φιλοκλέɣς ὀλυμπιάδι ὀγδοηκοστῇ ἔτει δευτέρῳ f575. 1572 b25.

φιλοκόλακες οἱ πολλοί Ηθ9. 1159 a14. Ρα11. 1371 b23.

Φιλοκράτης Ρβ3. 1380 b8.

Φιλοκτήτης παρὰ τοῖς Συβαρίταις τιμᾶται θ107. 840 a16. τὸν Νικήρατον ἔστι φάναι Φιλοκτήτην εἶναι δεδηγμένον ὑπὸ Πράτɣος Ργ11. 1413 a7. ἐπίγραμμα ἐπὶ Φιλοκτήτɣ f596. 1576 a25. — Φιλοκτήτης, argumentum traegoediae petitum ἐκ τῆς μικρᾶς Ἰλιάδος πο23. 1459 b5. Φιλοκτήτης Αἰσχύλɣ, inde versus affertur πο22. 1458 b22 (Aesch fr 249). Φιλοκτήτης Σοφοκλέɣς Ηγ3. 1146 a20. η10. 1151 b18, Εὐριπίδɣ, inde versus afferuntur πο22. 1458 b20 (Eur fr 790). ρ19. 1433 b11 (Eur fr 794), Θεοδέκτɣ Ηη8.1150 a9 (Nck fr trg p 624).

φιλόκυβοι φ3. 808 a31.

Φιλόλαος ὁ Κορίνθιος, νομοθέτης Θηβαίων Πβ12. 1274 a31, 41, b2. — Φιλόλαος Pythagoreus ἔφη εἶναί τινας λόγɣς κρείττɣς ἡμῶν γεβ8. 1225 a33.

φιλολογία. ὅσα περὶ φιλολογίαν πιη916 b1-917 b36.

φιλόλογος. οἱ Λακεδαιμόνιοι ἥκιστα φιλόλογοι ὄντες Ρβ23. 1398 b14.

φιλολοίδορος πγ27. 875 a35. φιλολοιδόρɣ σημεῖα φ3. 808 a32. 6. 811 a27. γυνὴ φιλολοίδορος μᾶλλον Ζια1. 608 b10.

φιλόλɣτρος ὅλως ὁ ἵππος Ζιθ24. 605 a12.

φιλομάθεια, ἡδονὴ ψυχικὴ Ηγ13. 1117 b29.

φιλομαθής. ὁ φιλομαθὴς περὶ τὰ θεωρήματα ἐνεργεῖ Ηx5. 1175 a14.

Φιλομήλα. αἰσχρόν γε ὦ Φιλομήλα (Γοργίɣ τὸ εἰς τὴν χελιδόνα) Ργ3. 1406 b17.

φιλόμɣσοι Ηx5. 1175 a34.

φιλόμυθος. ὁ φιλόμυθος φιλόσοφός πως ἐστιν ΜΑ2. 982 b18 Bz. — φιλόμυθος, syn διηγητικός, ἀδόλεσχης sim Ηγ13. 1117 b34. ὅσῳ μονώτης εἰμί, φιλομυθότερος γέγονα f618. 1582 b12, 14.

820 φιλονεικεῖν

φιλοσοφία

φιλονεικεῖν τινί p19. 1433 ᵃ10. f 65. 1486 ᵇ28. ἐφιλονείκησαν αὐτὸς οἱ ἐχθροί Πε6. 1306 ᵇ1.

φιλονεικία. διὰ φιλονεικίαν δημαγωγεῖν Πε6. 1305 ᵇ23. φιλονεικίαι χ στάσεις Πε8. 1308 ᵃ31. φιλονεικία in disputando τι15. 174 ᵃ20. διὰ φιλονεικίαν ἀντιλέγειν f 10. 1475 ᵇ11.

φιλόνεικοι, coni δυσέριδες Ρβ4. 1381 ᵃ32. in disputando πιη2. 916 ᵇ21.

φιλόνικος Ρα6. 1363 ᵇ1. 10. 1368 ᵇ21. 11. 1370 ᵇ33. β12. 1389 ᵃ12. coni μεγαλόψυχος φ5. 809 ᵇ35.

φιλόξενος. τῇ ἐλευθεριότητι, τῇ ἀρετῇ ἀκολυθεῖ τὸ φιλόξενον εἶναι αρ5. 1250 ᵇ34. 8. 1231 ᵇ35.

Φιλόξενος poeta dithyramborum Πθ7. 1342 ᵇ9. πο2. 1448 ᵃ15. — ἀνεγνωκότες ἤδει πλὴν εἰ τὸ Φιλοξένυ δεῖπνον ὐδ' ὅλον f 72. 1488 ᵃ5. Bgk poet lyr p 1267. — Φιλόξενος ὁ Ἐρυξίδος ηεγ2. 1231 ᵃ17. πκη7. 950 ᵃ3. respici videtur Ηγ13. 1118 ᵃ32, cf v l. — Φιλόξενος Μακεδὼν Καρίας σατραπεύων οβ1351 ᵇ36.

φιλοπαίγμων σφόδρα πρὸς τὰ συνήθη ὁ λέων Ζιι44. 629 ᵇ11.

φιλοπάτωρ (cf Σάτυρος) Ηη6. 1148 ᵇ1. — φιλοπάτορες θ162. 846 ᵇ6.

φιλόπικρος ηεβ10. 1227 ᵇ11.

φιλόπολις ρ37. 1442 ᵃ10.

φιλοπονεῖν, dist εὐφυεῖς εἶναι τγ2. 118 ᵃ22. ἐκ τῦ μὴ φιλοπονεῖν ἐπ' ἀρρωστίαν ἐμπίπτειν ρ4. 1426 ᵃ10. — φιλοπονεῖσθαι περὶ μεταφορῶν Ργ2. 1405 ᵃ6.

φιλοπονία ἀκολυθεῖ τῇ ἀνδρείᾳ αρ4. 1250 ᵇ6. οἱ Λάκωνες προσήδρευον ταῖς φιλοπονίαις Πθ4. 1338 ᵇ25. τίνες κύνες διαφέρυσιν ἀνδρείᾳ χ φιλοπονίᾳ Ζιι1. 608 ᵃ32. — τὴν ἐν τῇ φιλοσοφίᾳ φιλοπονίαν ἀγαπᾷν ρ36. 1441 ᵃ36.

φιλοπόνηρος Ηι3. 1165 ᵇ15.

φιλόπονος χ δίκαιος οβ 1345 ᵇ9. opp ἀπολαυστικός ηεβ5. 1222 ᵃ38.

φιλοποσία πιγ7. 872 ᵃ6.

φιλοπότης τις ἐν Συρακύσαις Ζιζ2. 559 ᵇ2. φιλοπόται πκζ4. 948 ᵃ19.

φιλόποτος. πολλοὶ τῶν φιλοπότων πιγ23. 874 ᵃ37.

φιλοπραγμοσύνη, syn πολυπραγμοσύνη τβ4. 111 ᵃ10.

φίλος (cf φιλία). comis, μέσος ἔχθρας χ κολακείας, ὁ ὡς δεῖ ἡδὺς ὢν Ηβ7. 1108 ᵃ27. ηεγ7. 1233 ᵇ34. ημα32. 1193 ᵃ24, 27. — cognatus ποι4. 1453 ᵇ15, cf ᵇ20, 31. — amicus, τῶν ἐκτὸς ἀγαθῶν μέγιστον, τῶν ἡδέων Ηι9. 1169 ᵇ10. Ρα11. 1371 ᵃ17. coni χρήματα, εὐτυχήματα al Πε8. 1308 ᵇ18. ὁ11. 1295 ᵇ14. def Ηι4. 1066 ᵃ2-10. ηεη2. 1236 ᵃ14. 6. 1240 ᵃ23-30. Ρα5. 1361 ᵇ36. β4. 1381 ᵃ1. φίλων ἀρετὴ τὸ φιλεῖν ἔοικεν Ηθ10. 1159 ᵃ34. syn ὀρεκτός ηεη6. 1240 ᵇ20. dist εὔνης Ηθ7. 1158 ᵃ7. ηεη7. 1241 ᵃ11-13. dist κόλαξ Ηκ2. 1173 ᵇ32. — φίλος πότερον ὁ ὅμοιος τῷ ὁμοίῳ sim cf φιλία p 818 ᵇ26. ὅ γε φίλος ἴσος χ ὅμοιος Πγ16. 1287 ᵇ33. — φίλοι καθ' ἕξιν, κατ' ἐνέργειαν Ηθ6. 1157 ᵇ5sqq. φίλοι δι' αὐτὸς μόνοι οἱ ἀγαθοὶ Ηθ5. 1157 ᵃ18. φίλοι κατ' ἀρετήν ηεη11. ὁ πρῶτος φίλος, opp φίλον καθόλυ μᾶλλον (i e latiore sensu) ηεη2. 1236 ᵇ28. 5. 1239 ᵇ6. ἄνευ χρόνυ βύλονται φίλοι, ἀλλ' ὐκ εἰσὶν ηεη2. 1237 ᵇ17. φίλοι ἁπλῶς, δι' αὑτάς, opp κατὰ συμβεβηκός, τῷ ὡμοιῶσθαι τύτοις Ηθ6. 1157 ᵇ5 sqq. οἱ ἡδονὴν χ διὰ τὸ χρήσιμον χ φαύλυς ἐνδέχεται φίλυς εἶναι ἀλλήλοις Ηθ5. 1157 ᵃ17. ηεη2. 1236 ᵇ11. φίλοι ἠθικοί, χρήσιμοι, πολιτικοί al ηεη10. 1243 ᵇ2, 4 sqq. — φίλοι ἐν ἰσότητι, καθ' ὑπεροχήν Ηθ15. 1162 ᵃ35. φιλίαι ἀμφότεραι, αἵ τε κατ'

ἰσότητα χ αἱ καθ' ὑπεροχήν, φίλοι δ' οἱ κατὰ τὴν ἰσότητα ηεη4. 1239 ᵃ4, 20. — ἀπορίαι de amicis. περὶ τῦ αὐτὸν αὑτῷ φίλον εἶναι ἢ μή ηεη6 (cf φιλία p 819 ᵇ15). πότερον ὁ σπυδαῖος τῷ φαύλῳ φίλος, ὁ φαῦλος τῷ φαύλῳ ημβ11. 1208 ᵇ23-26, 1209 ᵃ4-ᵇ11. πότερόν ἐστιν ἔργον φίλον γενέσθαι ἢ ῥάδιον γενέσθαι ημβ11. 1208 ᵇ20-22. ἆρα ὡς πλείστας φίλας ποιητέον Ηι10. ημβ16. φίλον εἶναι πολλοῖς κατὰ τὴν τελείαν φιλίαν ὐκ ἐνδέχεται, διὰ τὸ χρήσιμον δὲ χ τὸ ἡδὺ πολλοῖς ἀρέσκειν ἐνδέχεται Ηθ7. 1158 ᵃ10sqq. πολιτικὸς φίλον εἶναι πολλοῖς Ηι10. 1171 ᵃ17. πῶς δεῖ φίλῳ χρῆσθαι ημβ17. πότερον ἐν εὐτυχίαις μᾶλλον δεῖ φίλων ἢ ἐν ἀτυχίαις Ηι11. 9. 1169 ᵇ14. — proverbia, ὁ φίλος ἕτερος αὐτός, ἄλλος αὐτὸς Ηι4. 1166 ᵃ31. 9. 1170 ᵇ7. ηεη12. 1245 ᵃ30, 35. κοινὰ τὰ φίλων Ηθ11. 1159 ᵇ31. -8. 1168 ᵇ8. Πβ5. 1263 ᵃ30. ηεη2. 1237 ᵇ33, 1238 ᵃ16. cf παροιμία p 570 ᵃ39, 54. ὐθεὶς φίλος ᾧ πολλοὶ φίλοι ηεη12. 1245 ᵇ20. — ὐκ ἔστιν ἐκείνην γε τὴν φιλίαν φίλος ημβ11. 1209 ᵃ36. τὸς φιλτάτυς φίλυς Πη1. 1323 ᵃ32. — ὐκ ἐξεῖναι ἀποδημεῖν Λακεδαιμονίοις ὅπως μὴ ἐθίζωνται ἄλλων νόμων εἶναι φίλοι f 500. 1559 ᵇ19.

φιλοσκώπτην εἶναι ἀκολασίας ἐστὶν αρ6. 1251 ᵃ19.

φιλοσοφεῖν. φιλοσοφεῖν λέγεται χ τὸ ζητεῖν αὐτὸ τῦτο εἴτε χρὴ φιλοσοφεῖν εἴτε χ μή, ὡς εἶπεν αὐτὸς ἐν τῷ Προτρεπτικῷ, ἀλλὰ χ τὸ τὴν φιλόσοφον θεωρίαν μετιέναι f 50. 1483 ᵇ30, Bernays Dial p 118. — 1. φιλοσοφεῖν latiore sensu, coni syn ζητεῖν, σκοπεῖσθαι, εἰς ἐπίσκεψιν ἐλθεῖν Πη11. 1331 ᵃ16. αρι1. 463 ᵃ7. ΜΑ3. 983 ᵇ2. πρὸς ὀλιγοσιτίαν πολλὰ πεφιλοσόφηκεν ὁ νομοθέτης Πβ10. 1272 ᵃ22. φιλοσοφεῖν περὶ πολιτείας, περὶ τῆς ἀληθείας Πη10. 1329 ᵃ41. ΜΑ3. 983 ᵇ2. Ογ1. 298 ᵇ12. φιλοσοφεῖν περὶ τὴν παιδείαν ταύτην Πθ5. 1340 ᵇ6. φιλοσοφεῖν περὶ ἑκάστην μέθοδον Πγ8. 1279 ᵇ13. φιλοσοφεῖν τὴν πολιτικήν Ηη12. 1152 ᵇ1. — 2. φιλοσοφεῖν angustiore sensu, i q philosophari. πότερον χρὴ φιλοσοφεῖν ἢ μή f 50. 1484 ᵃ8, 18. φιλοσοφεῖν μὲν τῷ βασιλεῖ ὐχ ὅπως ἀναγκαῖον ἀλλὰ χ ἐμποδών, τὸ δὲ φιλοσοφῦσιν ἀληθινῶς ἐντυγχάνειν εὐπειδῆ f 79. 1489 ᵇ16. χ ταύτῃ ἁμαρτάνωσιν οἱ περὶ αὐτῶν σκοπύμενοι ὡς ὐ φιλοσοφῦντες (cf περὶ ὧν τῷ φιλοσόφῳ ἐπισκέψασθαι τἀληθές) Μγ2. 1004 ᵇ9. πῶς ὐκ ἄξιον ἀθυμῆσαι τὸς φιλοσοφεῖν ἐπιχειρῦντας Μγ5. 1009 ᵇ37. μάλιστ' ἂν ὁ τοιῦτος ἴδιος τρόπος εἴη τῦ πεφιλοσοφηκότος, syn ἴδιον ὑπολαμβάνομεν φιλοσοφίας φ 2. 807 ᵃ9, 10. ἐπὶ τὸν λόγον καταφεύγοντες οἴονται φιλοσοφεῖν Ηβ3. 1105 ᵇ13, 19. αὐτοὶ πολιτεύονται ἢ φιλοσοφῦσιν Πα7. 1255 ᵇ37. διὰ τὸ θαυμάζειν οἱ ἄνθρωποι ἤρξαντο φιλοσοφεῖν ΜΑ2. 982 ᵇ13. οἱ πρότερον φιλοσοφήσαντες Ογ1. 298 ᵇ12. ΜΑ3. 983 ᵇ2. οἱ πρῶτοι φιλοσοφήσαντες ΜΑ2. 982 ᵇ11 Βz (cf ἡ πρώτη φιλοσοφία 10. 993 ᵃ16). 3. 983 ᵇ6 (cf οἱ πρῶτοι θεολογήσαντες ᵇ29). οἱ ἀρχαῖοι χ πρῶτοι φιλοσοφήσαντες περὶ φύσεως Ζμα1. 640 ᵇ5. ἐπὶ Σωκράτυς πρὸς τὴν χρήσιμον ἀρετὴν χ τὴν πολιτικὴν ἀπέκλιναν οἱ φιλοσοφῦντες Ζμα1. 642 ᵃ30.

φιλοσόφημα. τὸ ἀπορεῖν εἰκότως ἐγένετο φιλοσόφημα πᾶσιν Οβ13. 294 ᵃ19. ἐν τοῖς ἐγκυκλίοις φιλοσοφήμασι Οα9. 279 ᵃ30, cf Ἀριστοτέλης p 105 ᵃ31. — φιλοσόφημα συλλογισμὸς ἀποδεικτικός, dist ἐπιχείρημα, σόφισμα, ἀπόρημα τθ11. 162 ᵃ15.

φιλοσοφία. 1 (cf φιλοσοφεῖν 1). investigatio. ἔχει τυτ' ἀπορίαν χ φιλοσοφίαν πολιτικήν Πυ12. 1282 ᵇ13. ἔχει γὰρ φιλοσοφίαν ἡ σκέψις Φα2. 185 ᵃ20 (cf ἔχει ἐπίστασιν Μν2. 1089 ᵃ24). ὅσα ἔχει φιλοσοφίαν μόνον θεωρητικὴν ηεα1.

1214 ᵃ13 Fritsche. ἡ τῶν λόγων φιλοσοφία ρ1. 1421 ᵃ16
(Isocratis dicendi rationem notat Spgl ad h l). — scien-
tia, cognitio. ἑκάστης τέχνης κ̓ φιλοσοφίας Μλ8. 1074 ᵇ11
(et 1073 ᵇ5 ex lectione Bki). φιλοσοφίας διψὴν Οβ12.
291 ᵇ27. (λόγοι) χρήσιμοι πρὸς φιλοσοφίαν τι16. 175 ᵃ5.
— virtus intellectualis, dist ἀνδρεία al, ἀνδρίας κ̓ καρτε-
ρίας δεῖ πρὸς τὴν ἀσχολίαν, φιλοσοφίας δὲ πρὸς τὴν σχολήν
Πη15. 1334 ᵃ23. — 2 (cf φιλοσοφεῖν 2). philosophia Πα11.
1259 ᵃ10. β5. 1263 ᵇ40. Ρβ2. 1379 ᵃ34. 20. 1394 ᵃ6.
οα6. 1345 ᵃ17. ρ36. 1441 ᵃ36. κ1. 391 ᵃ2. φ2. 807 ᵃ10 al.
ἡ φιλοσοφία ἐπιστήμη τῆς ἀληθείας Μα1. 993 ᵇ20, dist
διαλεκτική, σοφιστική Μγ2. 1004 ᵇ26. πρὸς μὲν φιλοσοφίαν
κατ᾽ ἀλήθειαν περὶ αὐτῶν πραγματευτέον, διαλεκτικῶς δὲ
πρὸς δόξαν τα14. 105 ᵇ30. γέγονε τὰ μαθήματα τοῖς νῦν
ἡ φιλοσοφία ΜΑ9. 992 ᵃ33 Bz. ἐκ τῆς οἰκειοτάτης φιλο-
σοφίᾳ τῶ νμαθηματικῶν ἐπιστημῶν Μλ8. 1073 ᵇ4 Bz. ἡ φι-
λοσοφία θαυμαστὰς ἡδονὰς ἔχει Ηκ7. 1177 ᵃ25. Πβ7. 1267
ᵃ12. — ἡ ἐν φιλοσοφίᾳ διατριβή Πθ7. 1342 ᵃ31. οἱ κατὰ
φιλοσοφίαν, οἱ ἐκ φιλοσοφίας, οἱ ἐν φιλοσοφίᾳ Φα8. 191
ᵃ24. Πθ7. 1341 ᵇ28, 33. ὐκ ἐάσω ὑμᾶς δὶς εἰς φιλοσο-
φίαν ἁμαρτεῖν f 617. 1582 ᵃ28, 19. (ἡ διαλεκτικὴ χρήσιμος)
πρὸς γυμνασίαν, πρὸς τὰς ἐντεύξεις, πρὸς τὰς κατὰ φιλο-
σοφίαν ἐπιστήμας τα2. 101 ᵃ27, 34. πρὸς γνῶσιν κ̓ τὴν
κατὰ φιλοσοφίαν φρόνησιν τθ14. 163 ᵇ9. οἱ κατὰ φιλοσο-
φίαν λόγοι Πη12. 1282 ᵇ19. ἐπέσκεπται κ̓ ἐν τοῖς ἐξωτε-
ρικοῖς λόγοις κ̓ ἐν τοῖς κατὰ φιλοσοφίαν ηεα8. 1217 ᵇ23,
cf ᾿Αριστοτέλης p 105 ᵃ10. τῶν δύο τρόπων τῶν διωρισμέ-
νων ἐν τοῖς κατὰ φιλοσοφίαν Ζμα1. 642 ᵃ6, cf ᾿Αριστο-
τέλης p 99 ᵇ32. ἐν τοῖς περὶ φιλοσοφίας λεγομένοις ψα2.
404 ᵇ19, cf ᾿Αριστοτέλης p 98 ᵇ59 et Addenda ad h l.
εἴρηται δ᾽ ἐν τοῖς περὶ φιλοσοφίας Φβ2. 194 ᵃ36, cf ᾿Αρι-
στοτέλης p 104 ᵇ29. — 3. addito ad nomen φιλοσοφία
adiectivo aliave determinatione vel (a) disciplinae phi-
losophicae distinguuntur, vel (b) diversorum philosophorum
placita. a. τοσαῦτα μέρη φιλοσοφίας ἐστὶν ὅσαιπερ αἱ
ὐσίαι Μγ2. 1004 ᵃ3. φιλοσοφία dist θεωρητική, πρακτική,
ποιητική· τρεῖς ἂν εἶεν φιλοσοφίαι θεωρητικαί, μαθηματική,
φυσική, θεολογική Με1. 1025 ᵇ25, 1026 ᵃ18 (cf Φβ7. 198
ᵃ29 et ἐπιστήμη p 279 ᵇ41). κ7. 1064 ᵇ1-14. ἡ περὶ τὰ
θεῖα φιλοσοφία Ζμα5. 645 ᵃ4. πρώτη φιλοσοφία Φα9. 191 ᵇ
ᵃ36. β2. 194 ᵇ14. Οα8. 277 ᵇ10. Με1. 1026 ᵃ16, cf
1061 ᵇ19, cf πρῶτος p 653 ᵃ23. (φιλοσοφία simpliciter i q
πρώτη φιλοσοφία Μκ3. 1061 ᵇ5. 4. 1061 ᵇ25.) φυσικὴ φι-
λοσοφία· φυσικὴ κ̓ δευτέρα φιλοσοφία Ζμβ7. 653 ᵃ9. α1.
641 ᵃ36. μκ1. 464 ᵇ33. ΜΖ11. 1037 ᵃ15. ἄλλης ἂν εἴη
φιλοσοφίας οἰκειότερον Ηα4. 1096 ᵇ31. ἡ τοιαύτη φιλοσοφία
ΜΑ3. 983 ᵇ21. Φγ4. 203 ᵃ2. ἡ προκειμένη φιλοσοφία Μκ1.
1059 ᵇ21. ἡ περὶ τὰ ἀνθρώπινα φιλοσοφία Ηκ10. 1181
ᵇ15. — b. ἡ τῶν ᾿Ιταλικῶν φιλοσοφία, αἱ εἰρημέναι φιλο-
σοφίαι ΜΑ6. 987 ᵃ31, 29. ἡ πρώτη φιλοσοφία (i e ἡ φι-
λοσοφία τῶν πρώτων φιλοσοφησάντων) ΜΑ10. 993 ᵃ16, cf
φιλοσοφεῖν p 820 ᵇ46. παλαιᾶς φιλοσοφίας ἐγκαταλείμ-
ματα f 2. 1474 ᵇ6.

φιλόσοφος et adiectivi et substantivi vi usurpatur. 1 (cf
φιλοσοφία 1). νέος ὤν τω φιλόσοφος ἐγένετο ρ36. 1441 ᵃ33.
— 2 (cf φιλοσοφία 2. 3). φιλοσοφεῖν λέγεται κ̓ τὸ τὴν
φιλόσοφον θεωρίαν μετιέναι f 50. 1483 ᵇ33. ἡ δημιουργήσασα
φύσις ἀμηχάνως ἡδονὰς παρέχει τοῖς δυναμένοις τὰς αἰτίας
γνωρίζειν κ̓ φύσει φιλοσόφοις Ζμα5. 645 ᵃ10. φιλόσοφον
τὸ διὰ τί περὶ ἑκάστου μέθοδον ηεα6. 1216 ᵇ39. τῶν ὐσιῶν
ἂν δέοι τὰς ἀρχὰς κ̓ τὰς αἰτίας ἔχειν τὸν φιλόσοφον sim

Μγ2. 1003 ᵇ19, 1004 ᵃ6, 34, ᵇ16. 3. 1005 ᵃ21, ᵇ6, 11.
Πα11. 1259 ᵃ17. πο4. 1448 ᵇ13 (sed ἡ τῷ φιλοσόφῳ ἐπι-
στήμη τῷ ὄντος ἦ ὂν καθόλυ κ̓ ὐ κατὰ μέρος Μκ3. 1060
ᵇ31, 1061 ᵇ10, ubi ὁ φιλόσοφος, cf 4.1061 ᵇ19, idem signi-
ficat atque ὁ πρῶτος φιλόσοφος ψα1. 403 ᵇ16). ὁ φιλό-
σοφος περὶ αὐτὰ τὰ εἴδη τῶν πραγμάτων διατρίβει πλ9.
956 ᵇ7. φιλοσοφώτερον κ̓ σπυδαιότερον ποίησις ἱστορίας
ἐστὶν πο9. 1451 ᵇ5. εἰσί τινες πολιτεῖαι αἱ μὲν ἰδιωτῶν αἱ
δὲ φιλοσόφων κ̓ πολιτικῶν Πβ7. 1266 ᵃ32. οἱ ἀρχαῖοι φι-
λόσοφοι Οα5. 271 ᵇ3 (cf οἱ πρῶτοι φιλοσοφήσαντες s v φι-
λοσοφεῖν p 820 ᵇ46, φιλοσοφία p 821 ᵃ50). φιλόσοφος, dist
διαλεκτικός, σοφιστής τθ1. 155 ᵇ8. Μγ2. 1004 ᵇ18, 16.
κ3. 1061 ᵇ10, dist ῥήτωρ πιη5. 917 ᵃ3. λ9. 956 ᵇ6, coni
τεχνίτης Ρβ23. 1397 ᵇ24. βίος φιλόσοφος, syn θεωρητικός,
dist πολιτικός, πρακτικός, ἀπολαυστικός Πη2. 1324 ᵃ29, 32.
Ηα3. 1095 ᵇ19. ηεα4. 1215 ᵃ36, ᵇ1. — φιλοσόφως. οἱ
φιλοσόφως λεγόμενοι λόγοι ηεα6. 1216 ᵇ36. οἱ φιλοσοφω-
τέρως τὴν τέχνην μετιόντες αι1. 436 ᵃ20.

Philosophus incertus. Aristoteles in quaestionibus et
philosophicis et naturalibus sententias aliorum philosopho-
rum vel medicorum haud raro ita respicit ut nomina
auctorum omittat. multa huius generis sub ipsis philo-
sophorum nominibus, veluti Empedoclis Parmenidis Pla-
tonis, attuli, addita nota qua respici, non nominari philo-
sophum significetur. supersunt tamen aliquot loci quos
vel invitus supra omiseram vel quia dubitabam cui po-
tissimum auctori aliqua sententia assignanda videretur.
qua in re amicissime adiutus singulari Jacobi Bernays
doctrina iam subiungam quae probabiliter videantur defi-
niri posse.

τὴν ὑποκειμένην ὕλην οἱ μέν φασιν εἶναι μίαν, οἷον ἀέρα
τιθέντες ἢ πῦρ ἤ τι μεταξὺ τύτων, σῶμά τε ὂν κ̓ χω-
ριστόν, οἱ δὲ πλείω τὸν ἀριθμὸν ἑνός, οἱ μὲν πῦρ κ̓ γῆν,
οἱ δὲ ταῦτά τε κ̓ ἀέρα τρίτον, οἱ δὲ κ̓ ὕδωρ τύτων τέ-
ταρτον ὥσπερ ᾿Εμπεδοκλῆς Γβ1. 329 ᵃ1. trium elemento-
rum auctorem Philop ad h l Ionem philosophum nominat,
quod confirmatur coll Isocr 15, 266. Harpocrat s v ῎Ιων,
nec refutatur argumento a Zellero allato (Gesch I 509),
siquidem in recensendis sententiis non temporis ordinem,
sed seriem numeri elementorum Ar sequitur. sed movet
sane dubitationem, quod paullo infra Γβ3. 330 ᵇ16 (cf
Prtl ad h l) eiusdem, ut videtur, ternarii elementorum nu-
meri Πλάτων ἐν ταῖς διαιρέσεσιν auctor nominatur. — quis
ex antiquissimis philosophis posuerit principium ὕδατος
μὲν λεπτότερον, ἀέρος δὲ πυκνότερον, vel ἀέρος λεπτότερον,
πυρὸς δὲ πυκνότερον cf ᾿Αναξιμάνδρου p 50 ᵃ33. — ὡς
τινες ὑπολαμβάνυσι διὰ τὸ πεφυκέναι φέρεσθαι τὸ ὅμοιον
πρὸς τὸ ὅμοιον Ζγβ4. 740 ᵇ13. 5. 741 ᵇ10, communis haec
sententia multis philosophis, Anaximandro, Anaxagorae
(Zeller I 159, 2), Empedocli (v 323, 338 sq), Democrito
(Zeller I 606, 1), Platoni (Tim 81 AB). — ἀλλ᾽ ὐχ κ̓
ἁπλῆ κ̓ τελεία γένεσις συγκρίσει κ̓ διακρίσει ὥρισται, ὡς
τινες φασιν, τὴν δ᾽ ἐν τῷ συνεχεῖ μεταβολὴν ἀλλοίωσιν
Γα2. 317 ᵃ18, atomistas respici colligitur coll Γα2. 315
ᵇ6 Δημόκριτος κ̓ Λεύκιππος ποιήσαντες τὰ σχήματα τὴν
ἀλλοίωσιν κ̓ τὴν γένεσιν ἐκ τύτων ποιῦσι. διακρίσει μὲν κ̓
συγκρίσει γένεσιν κ̓ φθοράν, τάξει δὲ κ̓ θέσει ἀλλοίωσιν.
εἰ γὰρ διακρίνεσθαι δύναται κατὰ τὰς ἁφάς, ὥσπερ φασί
τινες Γα9. 327 ᵃ12, Leucippus et Plato, cf Γα8. 325 ᵇ29
ἐκ δὴ τύτων (πῶς) αἱ γενέσεις κ̓ αἱ διακρίσεις Λευκίππῳ
μὲν δύο τρόποι ἂν εἶεν, διά τε τὸ κενὸν κ̓ διὰ τῆς ἁφῆς,

Πλάτωνι δὲ κατὰ τὴν ἀφὴν μόνον. — ἀδύνατον γάρ ἐστι
μιχθῆναί τε ἕτερον ἑτέρῳ, καθάπερ λέγουσί τινες Γα10. 327
ᵃ35, Zenonem ac Megaricos significari Prtl ad h l pro-
babiliter colligit. — τὸ κωλῦον κατὰ τὴν αὐτὴν ὁρμὴν τι
κινεῖσθαι ἢ πράττειν ἔχειν λέγεται τοῦτο αὐτό, ὡς οἱ ποιηταὶ 5
τὸν Ἄτλαντα ποιῶσι τὸν οὐρανὸν ἔχειν ὡς συμπεσόντ' ἂν
ἐπὶ τὴν γῆν, ὥσπερ καὶ τῶν φυσιολόγων τινές φασιν Μδ 23.
1023 ᵃ21; Alexandrum quod scribet ad h l οὗτοι καὶ τῶν
φυσικῶν ὅσοι διὰ τὴν δίνην μένειν τὸν κόσμον λέγουσι καὶ μὴ
συμπίπτειν, λέγοιεν ἂν αὐτῶν ὑπὸ τῆς δίνης ἔχεσθαι Empe- 10
doclem intelligere apparet coll Οβ1. 284 ᵃ20-26 διὰ τὴν
δίνησιν ... καθάπερ Ἐμπεδοκλῆς φησίν. Simplicius de coelo
ad h l (Schol p 491 ᵇ5, 14) praeter Empedoclem etiam
Anaxagoram et Democritum affert. — ἀεὶ ἐνεργεῖ ἥλιος
καὶ ἄστρα καὶ ὅλος ὁ οὐρανός, καὶ οὐ φοβερὸν μή ποτε στῇ, ὃ 15
φοβοῦνται οἱ περὶ φύσεως Μθ8. 1050 ᵇ24, ὡς Ἐμπεδοκλῆς
καὶ οἱ περὶ αὐτὸν οἴονται Ps Alex ad h l; ac sane Aristo-
teles quod scribit ἔτι σῴζεσθαι τοσοῦτον χρόνον, καθάπερ
Ἐμπεδοκλῆς φησίν Οβ1. 284 ᵃ26 videri potest illum φό-
βον μή ποτε στῇ significasse. — εἰσὶ δέ τινες οἵ φασι τὸν 20
καλούμενον ἀέρα κινούμενον καὶ ῥέοντα ἄνεμον εἶναι ... καὶ τὸν
ἄνεμον εἶναι κίνησιν ἀέρος μα13.349ᵃ16; ante Hippocratem
(ἄνεμός ἐστιν ἠέρος ῥεῦμα Hippocr π φυσῶν, I 402 Lin-
den), cuius mentionem facit Olympiodorus ad h l (Ideler
I 241), idem Anaximander statuit, Ἀναξίμανδρος ἄνεμον 25
εἶναι ῥύσιν ἀέρος Plut Plac 3, 7. — διὰ τοῦτο καλῶς ὑπο-
λαμβάνειν οἷς δοκεῖ μήτ' αὐτὸν ἄνεμον σῶμά τι μήτε σῶμά τι
ἢ ψυχὴ ψβ2. 414 ᵃ19, significatae potest sententia
eorum, qui animam ἁρμονίαν τινὰ τοῦ σώματος esse sta-
tuebant (Plat Phaed 85E), quamquam vix probabile est 30
eos solos respici.

διαφέρει δὲ ἴσως οὐ μικρὸν ἐν κτήσει ἢ χρήσει τὸ ἄριστον
ὑπολαμβάνειν Ηα9. 1098 ᵇ32, notionem summi boni (τῆς
εὐδαιμονίας) a Xenocrate propositam respici colligas coll
Clem Strom II 22. 419A Ξενοκράτης τε ὁ Χαλκηδόνιος τὴν 35
εὐδαιμονίαν ἀποδίδωσιν κτῆσιν τῆς οἰκείας ἀρετῆς καὶ τῆς
ὑπηρετικῆς αὐτῇ δυνάμεως, cf Zeller II 1. 681, 1. — τῷ
δὲ περὶ τοὺς ναυάρχους νόμῳ καὶ ἑτέροι τινὲς ἐπιτετιμήκασιν,
ὀρθῶς ἐπιτιμῶντες· στάσεως γὰρ γίνεται αἴτιος Πβ9. 1271
ᵃ38, Critiae tyranni Λακεδαιμονίων πολιτείαν vel similes 40
libros respici probabile est.

τὰς φωνὰς ἁπάσας συμβαίνει γίγνεσθαι καὶ τὰς ψόφους
... οὐ τῷ τὸν ἀέρα σχηματίζεσθαι, καθάπερ οἴονταί τινες
ακ800 ᵃ3, cf Δημόκριτος καὶ τὸν ἀέρα φησὶν εἰς ὁμοιοσχή-
μονα θρύπτεσθαι σώματα καὶ συγκαλινδεῖσθαι τοῖς ἐκ τῆς 45
φωνῆς θραύσμασιν Plut Plac 4, 19, τὴν φωνὴν εἶναι (Demo-
critus statuit) πυκνμένα ἀέρος καὶ μετὰ βίας εἰσιόντος
Theophr de sensu 55. — ἄλογον δὲ ὅλως τὸ ἐξιόντι τινὶ
τὴν ὄψιν ὁρᾶν, καὶ ἀποτείνεσθαι μέχρι τῶν ἄστρων, ἢ μέχρι
τινὸς ἐξιοῦσαν συμφύεσθαι, καθάπερ λέγουσί τινες αι2. 438 50
ᵃ27, Platonem significari intelligitur coll Theophr de
sensu 5 Πλάτων ... ἐξιοῦσαν μέχρι τινὸς συμφύεσθαι τῇ
ἀπορροῇ, cf Plat Tim 45D πρὸς ἀνόμοιον ἐξιὸν ἀλλοιοῦταί τε
αὐτὸ καὶ ἀποσβέννυται (τῆς νυκτός), ξυμφυὲς οὐκέτι τῷ
πλησίον ἀέρι γιγνόμενον, ἅτε πῦρ οὐκ ἔχοντι. — ἀεὶ γὰρ 55
πονεῖ τὸ ζῷον, ὥσπερ καὶ οἱ φυσικοὶ λόγοι μαρτυροῦσι, τὸ
ὁρᾶν καὶ τὸ ἀκούειν φάσκοντες εἶναι λυπηρόν. ἀλλ' ἤδη συνή-
θεις ἐσμέν, ὥς φασιν Ηη15. 1154 ᵇ7, respicitur Anaxago-
ras, cf καίτοι πολλάκις αἰσθανόμεθα λυπούμεθα κατ' αὐτὴν
τὴν αἴσθησιν, ὡς δ' Ἀναξαγόρας φησὶν ἀεί· πᾶσαν γὰρ 60
αἴσθησιν εἶναι μετὰ λύπης Theophr de sensu 17. 29. 31-34;

quam vim consuetudo habere dicatur ad minuendum do-
lorem, apud Theophrastum non legimus significatum. —
διὸ καὶ δοκεῖ τισιν αἰσθάνεσθαι τὰ ζῷα διὰ τὸν ἐγκέφαλον
ζ 3. 469 ᵃ22; Anaxagoras (primum formari iudicavit in-
fantis) cerebrum, unde omnes sunt sensus Censor d die
nat 6; eodem pertinere videtur τῷ διακινεῖσθαι τὸν ψόφον
ἄχρι τοῦ ἐγκεφάλου Theophr de sensu 28. (Alcmaeon sta-
tuit) ἁπάσας τὰς αἰσθήσεις συνηρτῆσθαί πως πρὸς τὸν
ἐγκέφαλον Theophr de sensu 26. — δοκεῖ δέ τισιν ἡ τοῦ
πυρὸς φύσις ἁπλῶς αἰτία τῆς τροφῆς καὶ τῆς αὐξήσεως εἶναι
ψβ4. 416 ᵃ9, Heraclitum respici conicias coll Simpl ad
Phys 6a τὸ ζῳογόνον καὶ δημιουργικὸν καὶ πεπτικὸν καὶ διὰ
πάντων χωροῦν καὶ πάντων ἀλλοιωτικὸν τῆς θερμότητος θεα-
σάμενοι ταύτην ἔσχον τὴν δόξαν. ἐπειδή φασί τινες (τὸ
σπέρμα) ἀπὸ παντὸς ἀπιέναι τοῦ σώματος Ζγα17. 721 ᵇ11.
18. 723 ᵇ28, 724 ᵇ35, 725 ᵃ21. πδ15. 878 ᵇ4; ita statue-
runt Hippocrates (de aere aq et loc 36. I 348 Linden)
ὁ γόνος πανταχόθεν ἔρχεται τοῦ σώματος, et Democritus,
Δημόκριτος· ἀφ' ὅλων τῶν σωμάτων καὶ τῶν κυριωτάτων
μερῶν ὁ γόνος τῶν σαρκικῶν ἰνῶν Plut Plac 5, 3. — ση-
μεῖον δ' ὅτι οὐ τοιοῦτο σπέρμα προίεται τὸ θῆλυ οἷον τὸ
ἄρρεν, οὐδὲ μιγνυμένων ἀμφοῖν γίνεται, ὥσπερ τινές φασιν
Ζγα19. 727 ᵇ7. 20. 727 ᵇ33; respici videtur Hippocrates
(de morbis IV init, II 120 Linden), τοῦ ἀνθρώπου ἐς τὴν
γένεσιν ἀπὸ πάντων τῶν μελέων τοῦ ἀνδρὸς καὶ τῆς γυναικὸς
ἐλθὸν τὸ σπέρμα. Plutarchus Plac 5, 5 καὶ τὰς θηλείας
προΐεσθαι σπέρμα existimare refert Pythagoram Democri-
tum Hipponem. — τῶν ἀρχαίων τινὲς φυσιολόγων τί μετὰ
τί γίγνεται τῶν τῷ ἐμβρύῳ μορίων ἐπειράθησαν λέγειν
Ζγβ6. 742 ᵃ16; de ea re quid iudicaverint Empedocles,
Hippo, Democritus, Anaxagoras, Diogenes Apolloniates
refert Censor d die nat 6, cf Plut Plac 5, 17. — φασὶ
γὰρ καὶ μὲν ἐν τοῖς σπέρμασιν εἶναι ταύτην τὴν ἐναντίωσιν
(τὴν τοῦ ἄρρενος καὶ τοῦ θήλεος) εὐθύς, οἷον Ἀναξαγόρας καὶ
ἕτεροι τῶν φυσιολόγων Ζγδ1. 763 ᵇ31; Parmenidem intel-
ligi probabile est coll Plut Plac 5, 7. — οἱ εἰς τοῦ πλεῖον
ἢ ἔλαττον ἀπιέναι ἀπὸ τοῦ ἄρρενος ἢ θήλεος, καὶ διὰ τοῦτο
γίγνεσθαι τὸ μὲν θῆλυ τὸ δ' ἄρρεν, οὐκ ἂν ἔχοιεν ἀποδεῖξαι
κτλ Ζγδ3. 769 ᵃ19, cf Δημόκριτος τὰ μὲν κοινὰ μέρη ἐξ
ὁποτέρου ἂν τύχῃ, τὰ δ' ἰδιάζοντα καθ' ἐπικράτειαν Plut
Plac 5, 7. — διὰ τίν' αἰτίαν ὅμοια καὶ ἀνόμοια γίγνεται τοῖς
γονεῦσιν· ἔνιοι μὲν γὰρ φασιν, ἀφ' ὁποτέρου ἂν ἔλθῃ σπέρμα
πλέον, τούτῳ γίγνεσθαι μᾶλλον ἐοικός Ζγδ3. 769 ᵃ9, cf
Ἐμπεδοκλῆς ὁμοιότητα γίγνεσθαι κατ' ἐπικράτειαν τῶν
σπερματικῶν γόνων Plut Plac 5, 11. — οἱ λέγοντες τρέ-
φεσθαι τὰ παιδία ἐν ταῖς ὑστέραις διὰ τοῦ σαρκιδίον τι
βδάλλειν οὐκ ὀρθῶς λέγουσιν Ζγβ7. 746 ᵃ19, Diogenes et
Hippo existimarunt esse in alvo prominens quiddam, quod
infans ore adprehendat et ex eo alimentum ita trahat
ut, cum editus est, ex matris uberibus Censor d die nat 6.
φιλόστοργος φ5. 809 ᵇ35. τὸ τῶν ἵππων γένος φύσει φι-
λόστοργον Ζιι4. 611 ᵃ12. — φιλοστόργως ὁ γλάνις μένει
πρὸς τοῖς ᾠοῖς Ζιι37. 621 ᵃ29.
φιλότεκνος Ρα11. 1371 ᵇ24. φιλοτεκνότεραι αἱ μητέρες Ηι7.
1168 ᵃ25. ὁ δελφὶς ζῷον φιλότεκνον Ζιζ12. 566 ᵇ23.
φιλότης. ἡ ἰσότης καὶ ὁμοιότης φιλότης Ηθ10. 1159 ᵇ3. ἰσό-
της φιλότης Ηθ8. 1168 ᵇ8. θ7. 1157 ᵇ36. ηεη6. 1240 ᵇ2.
9. 1241 ᵇ13. cf παροιμία p 570 ᵃ46. — φιλότης (Emped)
opp νεῖκος Φθ1. 252 ᵃ26. Μβ4. 1000 ᵇ11. ἐπὶ τῆς φιλό-
τητος Οχ2. 300 ᵇ30, 301 ᵃ16. Ζγα18. 722 ᵇ19, 26.
φιλοτιμεῖσθαι περί τι ρ3. 1423 ᵇ5. φιλοτιμοῦνται c inf

ηεη12. 1246 ᵃ21. ἐφ' ὅσοις ἔργοις χ̣ πρὸς ὓς φιλοτιμῶνται
Ρβ10. 1388 ᵃ1, 8.
φιλοτιμία, ψυχικὴ ἡδονή Ηγ13. 1117 ᵇ29. περὶ φιλοτιμίας
Ηδ10. cf β7. 1107 ᵇ31. διὰ φιλοτιμίαν βύλονται φιλεῖσθαι
μᾶλλον ἢ φιλεῖν Ηθ9. 1159 ᵃ13. ημβ11. 1210 ᵇ13. ἐπιτί-
θεσθαι διὰ φιλοτιμίαν Πε10. 1312 ᵃ21. ἐμποιεῖν ἑκαστίαν
φιλοτιμίαν εἰς τὰς κοινὰς λειτυργίας ρ3. 1424 ᵃ24. φιλο-
τιμία, opp φιλοχρηματία Πβ9. 1271 ᵃ18.
φιλότιμος Πβ9. 1271 ᵃ14. ε8. 1308 ᵃ9. Ρα11. 1371 ᵇ24.
τῶν ἀνθρώπων οἱ φιλοτιμότατοι πρὸς ἀρετήν Πη2. 1324 ᵃ30.
φιλότιμος, opp φιλοχρήματος Πε11. 1315 ᵃ19. Ρα5. 1361
ᵃ39. opp φιλητικός ηεη4. 1239 ᵃ27-31. cf οἱ φιλότιμοι
ὑπεροχῆς ὀρέγονται ημβ11. 1210 ᵇ16, 17. φιλότιμος def
τζ8. 146 ᵇ21, ambiguus vocabuli usus Ηβ7. 1107 ᵇ31sqq.
περὶ φιλοτίμων Ηδ10. 1125 ᵇ9sqq.
φιλοτοιᾶτος Ηα9. 1099 ᵃ9. γ13. 1118 ᵇ22. δ10.1125ᵇ16.
Ρα6. 1363 ᵇ19. (ci Vahlen, Bk τοιῶτοι).
φιλουγιεῖς ηεβ5. 1222 ᵃ32.
φιλόφιλοι Ηθ1. 1155 ᵃ29. 10. 1159 ᵃ34. coni φιλέταιροι
Ρβ12. 1389 ᵃ36. οἱ σφόδρα φιλόφιλοι Ρβ4. 1381 ᵇ27. τῇ
ἐλευθεριότητι, τῇ ἀρετῇ ἀκολυθεῖ τὸ φιλόφιλον εἶναι αρ5.
1250 ᵇ33. 8. 1251 ᵇ35.
φιλοφρόνως δέξασθαι τὰς νεανίσκας f 517. 1562 ᵇ24.
φιλοχρηματία. τῶν ἀδικημάτων τὰ πλεῖστα συμβαίνει διὰ
φιλοτιμίαν χ̣ διὰ φιλοχρηματίαν Πβ9. 1271 ᵃ18. συμβάλ-
λεσθαι πρὸς τὴν φιλοχρηματίαν Πβ9. 1270 ᵃ14. φιλε-
ταιρία καλλίων φιλοχρηματίας Ρα7. 1364 ᵇ2. ἁ φιλο-
χρηματία Σπάρταν ὀλεῖ f 501. 1559 ᵇ28, cf παροιμία
ρ 570 ᵇ34.
φιλοχρήματος def Πβ5. 1263 ᵇ4. τζ8. 146 ᵇ25. opp δο-
τικός Ηδ3. 1121 ᵇ15. dist φιλότιμος Πε11. 1315 ᵃ18.
Ρα5. 1361 ᵃ39. φιλοχρήμαται χ̣ χρηματισταὶ οἱ ἐν ταῖς
ἀρχαῖς Πε12. 1316 ᵃ40. ποιεῖν τὴν πόλιν ὅλην φιλοχρήματον
Πβ11. 1273 ᵃ39. τὴν πόλιν πεποίηκεν ἀχρήματον, τὸς δ'
ἰδιώτας φιλοχρημάτυς Πβ9. 1271 ᵇ17. ὁ Πάνδαρος φιλο-
χρήματος f 146. 1503 ᵃ11.
φιλοχωρεῖ ὁ λεωδὸς ᵘ ἂν οἰκῇ Ζιι1. 610 ᵃ11.
φιλοψευδής ηεγ7. 1234 ᵃ3.
φιλοψυχία ἀκολυθεῖ τῇ δειλίᾳ αρ6. 1251 ᵃ15.
φίλτρον ημα16. 1188 ᵇ32, 33. ἐχεννίδι χρῶνταί τινες πρὸς
οἴκας χ̣ φίλτρα Ζιβ14. 505 ᵇ20.
φιλυδρός ἐστιν ὁ ἵππος Ζιθ24. 605 ᵃ13.
φίλυπνοι τίνες υ3. 457 ᵃ22. φ3. 808 ᵇ6-9. 6. 811 ᵇ16.
φιλῳδός, opp ᾠδικός ηεη2. 1238 ᵃ37 (ci Cas, codd φει-
δωλός).
Φίλωνος, Φίλωνι, πτώσεις ὀνόματος ε2. 16 ᵃ33.
Φινείδαι, tragoedia incerti poetae πο16. 1455 ᵃ10 (Nck fr
trg p 654).
φιτρός def φτα4. 819 ᵃ22. δένδρα τινὰ ἔχυσι φιτρύς φτα3.
818 ᵃ7.
φλεβικοὶ πόροι Ζιγ1. 510 ᵃ14. ζ3. 561 ᵃ13, 17. Ζμβ1.
647 ᵇ2.
φλέβιον ᵘδὲν δῆλον Ζμγ5. 668 ᵃ34. sed ᵘτε μικρὸν ᵘτε
μέγα φλέβιον τελευτᾷ εἰς τὸν ἐγκέφαλον Ζιγ3. 514 ᵃ19.
ἐὰν χ̣ φλέβιά τινα ραγῇ πθ14. 891 ᵃ4. ἡ ἐν τοῖς φλεβίοις
θερμότης χ̣ τῶν φλεβίων ἀναστομωθέντων χ̣ τὰ φλέβια χ̣ τὰς
πέρας τῶν φλεβίων, ἢ τὰ φλέβια πέρας ἔχει τῷ μήκυς
Ζμβ15. 658 ᵇ21, 22. αἱ ἀπορραμαὶ τῶν φλεβίων εἰς τὴν
κύστιν καθήκυσιν (hypogastricae art vesicales) Ζια17. 497
ᵃ17. (τῶν ὀφθαλμῶν ἑκάτερος) κεῖται ἐπὶ φλεβὶς Ζια11.
492 ᵃ22 Aub. τὰ φλέβια τὰ περὶ τὸν ἐγκέφαλον Ζγβ6.

744 ᵃ4. αι5. 444 ᵃ11. ἐν τοῖς φλεβίοις τῆς καρδίας χ̣ τῶν
ὀμμάτων (chamaeleontis) ἐστὶν αἷμα βραχὺ παντελῶς
Ζιβ11. 503 ᵇ16. τὰ φλέβια τῆς ἀορτῆς πολλὴ ἐλάττω· τῦ
πλεύμονος ᵘδὲν μόριον ἐν ᾧ ᵘ τρῆμά τ' ἔνεστι χ̣ φλέβιον
Ζιγ4. 514 ᵃ26. 3. 513 ᵇ21. φλέβια ἀπήρτηται πρὸς τὴν
ὑστέραν ὁ καλύμενος ὀμφαλός Ζγβ4. 740 ᵃ29. ἀπὸ ταύτης
(v azygos) τείνυσι φλέβια παρά τε τὴν πλευρὰν ἑκάστην
(v intercostales) χ̣ πρὸς ἕκαστον τὸν σφόνδυλον (earum
radices et lumbalis adscendens), κατὰ δὲ τὸν ὑπὲρ τῶν
νεφρῶν σφόνδυλον σχίζεται διχῇ (v azygos et hemiazygos)
Ζιγ3. 513 ᵇ29. ἀφανίζεται φλέβια εἰς τὸν σπλῆνα (lienales)
Ζιγ4. 514 ᵇ4. γίνεται δ' αὐτὸς τόπος λεπτῶν μὲν ὄντων
φλέβια, παχυνθέντων δὲ σάρκες Ζιγ5. 515 ᵇ3, cf ᵃ34. 16.
519 ᵇ33. φλέβια λεπτά, λεπτὰ πάμπαν, πολλὰ λεπτά πν5.
483 ᵇ29. Ζιγ1. 509 ᵇ27. 3. 514 ᵃ15. αι6. 495 ᵃ24. ἰνώδη,
νευρώδη χ̣ μικρὰ Ζιγ4. 514 ᵇ27, 20. χολιώδη Ζμδ2. 676
ᵇ28, cf 677 ᵃ22. — διευρυνομένων τῶν φλεβίων χ̣ τῶν
πόρων ψβ9. 422 ᵃ3. καθ' ἑκάτερον (ci Bsm, τῶν μυκτή-
ρων) διέσχιται τὸ φλέβιον, δι' ᵘ πνεῦμα ῥεῖ· ῥίνες, τόποι
τῶν φλεβίων πλγ3. 961 ᵇ34. 8. 965 ᵃ25 (ὀχετοὶ τῆς ῥινὸς
Plat Tim 78C). — φ φλέψ.
φλεβονευρώδης αὐλός τείνει ἐξ ἄκρυ τῆς καρδίας εἰς τὸ
μέσον αν16. 478 ᵇ6. cf Μ 428.
φλεβοτομία. ποιῶνται φλεβοτομίας Ζιγ3. 512 ᵇ17, 24.
φλεβώδης. σὰρξ νευρώδης χ̣ φλεβώδης Ζια15. 494 ᵃ7. φλε-
βώδεις οἱ ὀφθαλμοί, ἡ περὶ τὸν ἐγκέφαλον μῆνιγξ, ἡ
καρδίας φύσις εν2. 460 ᵃ5. Ζια16. 495 ᵃ8. Ζμγ4. 665 ᵇ17.
ᵘτε φλεβώδεις ὁμοίως γλαφυρώτερά τε χ̣ λειότερα τὰ θήλεα
τῶν ἀρρένων Ζγα19. 727 ᵃ16. (τῶν ἀνδρῶν) οἱ ὑγροὶ χ̣
λεῖοι χ̣ μὴ φλεβώδεις Ζιη1. 582 ᵃ15. φλεβώδεις χ̣ μὴ εὔ-
σαρκοι πα34. 863 ᵃ23. οἱ φλεβώδεις ᵘχ ὑπνωτικοί υ3. 457
ᵃ26. — θερμότατον χ̣ οἷον φλεβωδέστατον τὸ ἐν τῷ νεύρῳ
πν5. 484 ᵃ4.
φλέγμα (etymol, descr Galen II 130, XV 325). refertur
inter τὰ ὁμοιομερῆ, περίττωμα ἐστὶ τῆς χρησίμυ (πρώτης)
τροφῆς Ζιγ2. 511 ᵇ10. αι. 487 ᵃ6. Ζμδ2. 677 ᵇ18. Ζγα18.
725 ᵃ15. τζ3. 140 ᵇ7-13. πδ16. 878 ᵇ16. Bsm probl ined
p 311, 32. τῶν κατὰ τὸν ἄνθρωπον ἡ χολὴ μέν ἐστι θερ-
μόν, τὸ δὲ φλέγμα ψυχρόν πα29. 862 ᵇ28 (cf Hippocr
morb sacr ed Dietz 165). τὸ περίττωμα ψυχόμενον διὰ
τὴν (τῦ ἐγκεφάλυ) δύναμιν ῥεύματα ποιεῖ φλέγματα χ̣
ἰχῶρος Ζμβ7. 653 ᵃ2. ἐν τῇ ἀναφορᾷ τῦ θερμῦ τῇ πρὸς
τὸν ἐγκέφαλον ἡ περιττωματικὴ ἀναθυμίασις εἰς φλέγμα
συνέρχεται υ3. 458 ᵃ3. λείπεται τὸ ὕδωρ χ̣ εἴ τι μικρὸν
γεῶδες ὥσπερ ἐν φλέγματι χ̣ ἐν τῷ σπέρματι ξηραινομένῳ
Ζγβ2. 735 ᵇ36. φλέγματος πέπανσις· αἵματα ἰχωροειδῆ,
τῦτο δὲ φλέγμα ἢ ὕδωρ· φλέγμα πιεστὸν μὲν ᵘκ ἔστιν,
ἑλκτὸν δὲ μδ3. 380 ᵃ21. 7. 384 ᵃ32. 9. 386 ᵇ16. φλέγμα-
τος πρώτη ὕλη τὰ γλυκέα χ̣ λιπαρὰ Μη4. 1044 ᵃ18, 21.
μιγνύμενον τροφῇ καθαρᾷ τρέφει χ̣ πονῦσι καταναλίσκεται
Ζγα18. 725 ᵃ17. συμφέρει πρὸς τὰ φλέγματα νοσή-
ματα λαγνεία πα50. 865 ᵃ32. δ16. 878 ᵇ14. ᵘκ ἀποκα-
θαρθέντος τῦ φλέγματος τὴν ὑπερβολὴν πα9. 860 ᵃ24.
ἀκαρίαἴᾳ φλέγματος καταρρέοντος μτ1.463 ᵃ14. ῥεῖ φλέγμα
κατὰ τὰς μυκτῆρας παχὺ χ̣ πυρρόν (μηλὶς ὄνων) Ζιθ25.
605 ᵃ17. ἄρκτοι τίνες ἀφιᾶσιν ἐκ τῦ στόματος φλέγμα
πάμπολύ τι, ᾧ προσφυᾶ πρὸς τὰ πρόσωπα τῶν κυνῶν
ὡσαύτως δὲ χ̣ τῶν ἀνθρώπων, ὥστε ἀποπνίγειν χ̣ ἀποτυ-
φλῦν θ144. 845 ᵃ21. cf Rose Ar Ps 347. — φλέγμα in
v l, φλέβα, βρέγμα Bk υ3. 458 ᵃ3. Ζμβ7. 653 ᵃ35.
φλεγμαίνειν, intr. ἐὰν ὁ κίων ἐξυγρανθεὶς φλεγμήνῃ, στα-

φυλὴ καλεῖται κ̣ πνίγει Ζια11. 493 ᵃ3. μάλιστα τὰ περὶ
τὰ βράγχια κ̣ τὰς σιαγόνας (ὑῶν) φλεγμαίνει Ζιθ21. 603
ᵃ32. ἐὰν φλεγμαίνῃ ἡ τομὴ Ζιυ50. 632 ᵃ19. πάντες οἱ τόποι
φλεγμαίνοντες ἕλκυσιν ὑγρότητα Ζιχ1. 634 ᵃ23.

φλεγμασία. ἡ φλεγμασία ὑπερβολὴ θερμότητος ὅσα ποιεῖ 5
τὰς πυρετὰς πα6. 859 ᵇ10. cf 44. 864 ᵇ28. γινομένων τῶν
καταμηνίων διὰ ταραχὴν κ̣ φλεγμασίαν αἱματικὴν εν2.
460 ᵃ7. φλεγμασία διατεινομένης τῆς ὑστέρας· μάλλον ἐπι-
σπῶνται τὸ ὑγρὸν ὑστέραι διά τινα φλεγμασίαν Ζιχ4. 636
ᵃ29. 1. 634 ᵃ21. οἷον ἐξάνθημα κ̣ φλεγμασία γίνεται τὸ 10
σῶμα τὸ τῆς κοτυληδόνος Ζγβ7. 746 ᵃ5.

φλεγματικός. ἡ ὑστέρα πλείω ἀποδιδῦσα σημαίνει φλεγ-
ματικόν τι πάθος Ζιχ1. 634 ᵃ26.

φλεγματώδης κάθαρσις Ζιζ29. 578 ᵇ19. 20. 574 ᵇ5 (coni
παχεῖα). οἱ φλεγματώδεις ἢ χυλώδεις ἢ πυρέττοντες καύσῳ 15
(εἴδη τινὰ νοσώντων) ΜΑ1. 981 ᵃ11. ἐὰν βόρειον γένηται τὸ
θέρος κ̣ αὐχμῶδες τὸ μετόπωρον, συμφέρει τοῖς φλεγ-
ματώδεσι κ̣ ταῖς γυναιξὶν πα11. 860 ᵇ9.

Φλεγραῖον καλύμενον πεδίον μβ8. 368 ᵇ31.

φλέψ. def τὸ μόριον ἐν ᾧ πέφυκε (τὸ αἷμα) ἐγγίνεσθαι, 20
τῦτο καλεῖται φλέψ Ζιγ2. 511 ᵇ3. cf Philippson ὕλη 28-33.
Oribas III 704. Galen XIX 365. τὸ τῶν φλεβῶν γένος,
vel φλέψ, vel αἱ τῦ σώματος φλέβες Ζμγ5. 667 ᵇ19, 668 ᵃ6.
πκγ37. 935 ᵇ16. refertur inter τὰ ὁμοιομερῆ ξηρὰ κ̣ στερεά
μδ10. 388 ᵃ17. Ζιγ2. 511 ᵃ3. α1. 487 ᵃ7. Ζμβ2. 647 ᵇ17, 25
19. cf φτα4. 819 ᵃ34. ἡ τῶν φλεβῶν φύσις συνεχής· τῆς
αὐτῆς μορφῆς ἐστὶ κ̣ δέρμα κ̣ φλέψ κ̣ ὑμήν· ἐντὸς τῆ
φύσις αὐτῶν· διαιρεῖται ἐπὶ μῆκος μόνον, ταχὺ διαρρήγνυν-
ται Ζμβ2. 647 ᵇ19. 9. 654 ᵃ32. Ζγβ3. 737 ᵇ5. Ζιγ2. 511
ᵇ20. 3. 513 ᵃ16. 16. 519 ᵇ31. πν5. 483 ᵇ15. — τὰ μόρια 30
τῆς φλεβός, syn ἀποφυάδες, rami Ζμβ9. 654 ᵇ2. Ζιγ3.
513 ᵇ12, 14. Ζμγ5. 667 ᵇ17 al. μόριον τῶν φλεβῶν ἡ
καρδία Ζμγ4. 665 ᵇ33. Ζιγ3. 513 ᵃ21, cf ᵇ4. αἱ ἀρχαὶ τῶν
φλεβῶν, αἱ μέγισται ἀρχαί, αἱ σχίσεις, ἀποσχίσεις, syn
τόποι, τὰ πέρατα vel ἡ περαίνυσι Ζιγ3. 514 ᵃ3, 513 ᵇ33. 35
2. 511 ᵇ21 (cf 23). 4. 514 ᵇ29, 35, 515 ᵃ4. Ζγβ7. 745
ᵇ29, 33 v l. ἄκρα, τὰ τελευταῖα Ζιγ2. 512 ᵃ7. 5. 515 ᵃ30.
αἱ πλάγιαι φλέβες πν5. 483 ᵇ29. ἡ εὔροια, ῥύσις, ἐνάλλαξις,
συζυγία τῶν φλεβῶν υ3. 457 ᵃ26. Ζμγ5. 668 ᵃ11, ᵇ26.
Ζιη8. 586 ᵇ22. ἡ στενοχωρία, στενότης, λεπτότης Ζγβ4. 40
738 ᵃ15. υ3. 458 ᵃ8. ἡ συνάρτησις τῶν φλεβῶν κ̣ τῶν
νεύρων πε26.883 ᵇ22. οἱ πόροι τῶν φλεβῶν v h v. color Ζιζ
19. 574 ᵃ6. — 1. φλεβῶν διαφοραί. φλέβες μεγάλαι Ζιγ2.
512 ᵃ20. 3. 513 ᵇ12. 4. 514 ᵇ13, 515 ᵃ7. 16. 520 ᵃ1. Ζμγ4.
667 ᵃ23. Ζγβ7. 745 ᵇ31. ἡ καλυμένη μεγάλη v infra ᵇ61, 45
syn ἡ μείζων Ζιγ3. 513 ᵃ15, 26. ἡ μεγίστη (v l μεγάλη),
αἱ μέγισται, syn αἱ πρῶται, αἱ ἀρχηγοί, αἱ κυριώταται
Ζια17. 496 ᵃ26. γ2. 512 ᵃ13, 9, 511 ᵇ32, 15. 4. 515 ᵃ17.
Ζμγ4. 666 ᵇ25. ἡ ἔχυσα μέγεθος, αἱ πολλῷ λειπόμεναι τῷ
μεγέθει Ζγβ7. 746 ᵃ10. γ4. 514 ᵇ24. τὸ ἄλλο πλῆθος 50
τῶν φλεβῶν, ἡ μικρά, ἡ ἐλάττων ἢ ἐλάττες, αἱ ἐλάχι-
σται (vasa capillaria) Ζιγ4. 515 ᵃ17, 514 ᵇ4, ᵃ24. 3. 513
ᵃ20. 16. 520 ᵃ1. Ζμγ5. 668 ᵇ1, ᵃ30. παχεῖα, μικρὸν ἧττον
παχεῖα Ζιγ2. 512 ᵃ13. 4. 514 ᵇ4. αἱ λεπταί, λεπταὶ κ̣ πο-
λυοζοι, λεπτότεραι Ζιγ2. 512 ᵃ19, 9, 8, ᵇ1. αἱ λεπτότεραι, 55
πυκναὶ κ̣ λεπταί, πολλαὶ κ̣ λεπταὶ πν5. 483 ᵇ29. Ζγβ2.
738 ᵃ37, 14, 11. Ζμβ7. 652 ᵇ32. Ζιγ4. 514 ᵃ34. πολλαὶ
κ̣ πυκναί, πυκναὶ πολλαί Ζιγ4. 515 ᵃ6. α16. 495 ᵇ33.
Ζγβ7. 745 ᵇ31. βραχεῖα, πλατεῖα Ζιγ4. 514 ᵃ33. στεναὶ
υ3. 457 ᵃ23 (Plat Tim 66A). κοῖλαι, κοίλη κ̣ νευρώδης 60
Ζιγ 4. 515 ᵃ7, ᵇ27 (ποικίλαι ci Aub), 36. α17. 497 ᵃ14.

ἄκοιλα, νευρώδης, ὑμενώδης κ̣ δερματώδης Ζιγ5. 515 ᵃ30.
3. 513 ᵇ8. πλήρεις αν7. 473 ᵇ2. σπαστικαὶ πε9. 881 ᵇ14.
διάδηλος, opp ἄδηλος, ἀφανίζεται Ζιγ4. 515 ᵃ25, 514 ᵇ4.
2. 511 ᵇ15 al. — 2. anatom. a. sententiae aliorum. Syen-
nesis Ζιγ 2. 511 ᵇ23-30 (cf Sprgl I 293. Da I 49). Dio-
genis Ζιγ2. 511 ᵇ30-512 ᵇ11 (cf Διογένης p 198 ᵇ22, v
Aub II tab IV. Sprgl ibid). Polybi Ζιγ3. 512 ᵇ12-513 ᵃ7
(cf Aub II tab V. Sprgl I 233). Empedocli, γίνεσθαι
τὴν ἀναπνοὴν κ̣ ἐκπνοὴν διὰ τὸ φλέβας εἶναί τινας, ἐν
αἷς ἔνεστι μὲν αἷμα, ὃ μέντοι πλήρεις εἰσὶν αἵματος, ἔχυσι
δὲ πόρυς εἰς τὸν ἔξω ἀέρα αν7. 473 ᵇ2. Anaxagorae sen-
tentia, cf Ἀναξαγόρας p 49 ᵇ54. ἐκ ὀρθῶς οἱ περὶ Ἀνα-
ξαγόραν ὑπολαμβάνυσι τὴν χολὴν ὑπερβάλλυσαν ἀπορ-
ραίνειν πρός τε τὸν πλευμόνα κ̣ τὰς φλέβας κ̣ τὰ
πλευρά Ζμδ2. 677 ᵃ7. — πάντες ὁμοίως τὴν ἀρχὴν αὐ-
τῶν ἐκ τῆς κεφαλῆς κ̣ τῦ ἐγκεφάλυ ποιῦσιν· οἱ ἐν τῇ
κεφαλῇ λέγοντες τὴν ἀρχὴν τῶν φλεβῶν ἐκ ὀρθῶς ὑπέ-
λαβον Ζιγ3. 513 ᵃ11. Ζμγ4. 665 ᵇ28. τῶν πρότερον εἰρη-
κότων τινὲς ὐ καλῶς λέγυσιν, αἴτιον τῆς ἀγνοίας τὸ δυσθεώ-
ρητον τῶν φλεβῶν· ἡ ἀκριβολογία περὶ τὰς φλέβας Ζιγ2.
511 ᵇ13, 19. 3. 513 ᵃ10,12. — b. Ar sententia. cf M 425,
429. ἀρχὴ ἔοικεν εἶ τῷ αἵματος φύσις κ̣ ἡ τῶν φλεβῶν·
πᾶν ζῷον ἔχει αἷμα κ̣ ἐν ᾧ γίγνεται φλέβα Ζιγ2. 511
ᵇ10. α4. 489 ᵃ22 Aub. ἄνευ φλεβὸς ἐκ ἔστιν αἷμα· (τὸ
αἷμα κ̣ τὸ ἀνάλογον) ταῦτα ἐν φλεβὶ κ̣ τῷ ἀνάλογον κεῖ-
ται Ζμγ5. 668 ᵃ34, 6. πᾶν αἷμα ἐστιν ἐν ἀγγείῳ, ἐν ταῖς
καλυμέναις φλεψίν sim α8. 474 ᵇ7. Ζμβ3. 650 ᵃ33, ᵇ8.
γ4. 667 ᵃ27, cf ἀγγεῖον p 5 ᵃ22. (κατὰ φύσιν ἀποκρίνεται)
αἷμα εἰς φλέβας πϑ 26. 879 ᵇ5. αἵματος τόπος αἱ φλέβες·
μόρια δεκτικὰ τῷ αἵματι αἱ καλύμεναι φλέβες· ὑποδοχὴ
αἵματος υ3. 456 ᵇ1. Ζγβ4. 738 ᵃ9. υ1. 764 ᵇ33. — c. αἱ
φλέβες πόθεν ἤρτηνται τὰς ἀρχάς Ζμγ4. 515 ᵃ14. πασῶν
τῶν φλεβῶν ἐκ τῆς καρδίας αἱ ἀρχαί Ζμγ4. 666 ᵃ31, 665
ᵇ16. cf β1. 647 ᵇ5. 9. 654 ᵇ11. Ζγβ8. 776 ᵇ12. υ3. 456
ᵇ1. ζ3. 468 ᵇ32. αν8. 474 ᵇ5, 7. ἐκ τῆς καρδίας τὰς δύο
φλέβας κ̣ φύσις ὑπέργραψεν Ζγβ4. 740 ᵃ28. ἐκ τῆς καρ-
δίας ἐποχετεύεται τὸ αἷμα εἰς τὰς φλέβας, εἰς δὲ τὴν
καρδίαν ἐκ ἄλλοθεν Ζμγ4. 666 ᵃ7. ἐν τῇ καρδίᾳ μόνῃ τῶν
σπλάγχνων κ̣ τῦ σώματος αἷμα ἄνευ φλεβῶν ἐστὶ Ζμγ4.
666 ᵃ4, ignotae igitur sunt Ar arteriae et venae corona-
riae cordis Ka. αἷ φλέβες κ̣ φύσις κ̣ διατείνει φλέψ· αἱ
φλέβες φαίνονται ἐκ τῆς καρδίας ὅσαι κ̣ ὐ διὰ ταύτης
Ζμγ4. 665 ᵇ16, 32, cf 666 ᵃ30. ἡ φλέψ (ἱ q ἡ μεγάλη
φλέψ) διὰ τῆς καρδίας τείνει Ζιγ3. 513 ᵇ6. αἱ φλέβες ἐν-
τεύθεν ἤργμέναι Ζμγ4. 666 ᵃ1. cf αν20. 480 ᵃ12. συνεχής
ἐστιν ἡ τῶν φλεβῶν φύσις ἀπὸ μιᾶς ἀρχῆς Ζιγ3. 515 ᵃ34.
εἴτε φλέψ ὐ τις κεχωρισμένη κ̣ μὴ συνεχὴς πρὸς τὴν
ἀρχήν, ἐκ ἂν ἔσωζε τὸ ἐν αὐτῇ αἷμα· φλέψ ὐδεμία αὐτὴ
καθ᾽ αὑτήν ἐστι, ἀλλὰ πᾶσαι μόριον μιᾶς εἰσίν· μόριον κ̣
ἀρχὴ τῶν φλεβῶν ἐστὶν ἡ καρδία Ζμβ9. 654 ᵇ7 (cf ᵃ33),
2. γ4. 665 ᵇ33. (cf Hecker, encycl Wörterb d medicin
Wissensch III 223. Sprgl Beitr z Gesch d Med I 3, 206).
ἡ μεγάλη φλέψ κ̣ ἡ ἀορτὴ ἐκ τῆς καρδίας πρῶται δέ-
χονται τὸ αἷμα, αἱ δὲ λοιπαὶ τύτων ἀποφυάδες εἰσὶν Ζμγ5.
667 ᵇ15, 20, cf 31. Ζιγ3. 513 ᵃ21. δύο φλέβες εἰσὶν ἐν
τῷ θώρακι, ἡ μὲν μείζων (ἱ q ἡ μεγάλη, vena cava su-
perior et inferior), ἡ δ᾽ ἐλάττων, ἡ ἀορτὴ Ζιγ3. 513 ᵃ15-
20. ἡ ἀρτηρία συνήρτηται κ̣ τῇ μεγάλῃ φλεβὶ κ̣ τῇ ἀορτῇ·
(καρδίας ὑμὴν) ἡ προσπέφυκε τῇ φλεβὶ τῇ μεγάλῃ κ̣ τῇ
ἀορτῇ Ζια16. 495 ᵇ7. 17. 496 ᵃ6. cf υ3. 458 ᵃ18. αἱ ἀρχη-
γοὶ φλέβες δύο εἰσίν, ἥ τε μεγάλη καλυμένη κ̣ ἡ ἀορτή,

ἑκατέρα ὖσα ἀρχὴ τῶν φλεβῶν ἢ διαφορὰς ἐχυσῶν· βέλτιον ἢ τὰς ἀρχὰς αὐτῶν κεχωρίσθαι· ὅσῳ τιμιώτερον ἢ ἡγεμονικώτερον τὸ ἔμπροσθεν τῦ ὄπισθεν, τοσύτῳ ἢ ἡ μεγάλη φλὲψ τῆς ἀορτῆς Ζμγ4. 666 b25, 29 Ka. 5. 668 a1. F 275, 32. ἔχει ἐν ἅπασι μὲν ὗτω τοῖς ἐναίμοις ζῴοις τὸ περὶ τὰς ἀρχὰς ἢ τὰς μεγίστας φλέβας· ἐν τοῖς τεθνεῶσι τῶν ζῴων ἄδηλος ἡ φύσις τῶν κυριωτάτων φλεβῶν διὰ τὸ συμπίπτειν εὐθύς Ζιγ4. 515 a17. 2. 511 b15. ἐκ μειζόνων εἰς ἐλάσσυς αἱ φλέβες ἀεὶ προέρχονται, ἕως τῦ γενέσθαι τῆς πόρυς ἐλάσσυς τῆς τῦ αἵματος παχύτητος· αἴτιον τῦ εἰς τὸ πᾶν διαδεδόσθαι τὸ σῶμα τὰς φλέβας Ζμγ5. 668 b1, a4. cf πν5. 483 b29. — d. ἡ μεγάλη φλέψ, ἡ φλὲψ ἡ μεγάλη, ἡ μεγάλη καλυμένη, vel om μεγάλη Ζιγ4. 514 a26. 3. 513 b6. a17. 496 a34, 6. ζ3. 562 a4. Ζμγ9. 671 b12, 672 b5, 7. Ζγγ2. 753 b20. ε7. 787 b27. υ3. 458 a18 et saepe. τὴν μεγάλην φλέβα ἅπαντα ἔχει τὰ ἔναιμα φανερῶς· ἡ μεγάλη φλὲψ ἐν πᾶσι μάλιστα διάδηλος, ἢ τοῖς μικροῖς Ζμγ5. 668 a2. Ζιγ4. 515 a25. ἐν τοῖς ἔμπροσθεν κεῖται· ἄνω μὲν ἢ κάτω αἱ φλέβες εἰσὶν αὗται (ἡ ἐμπροσθία ἢ μείζων iq ἡ μεγάλη φλέψ), ἐν μέσῳ δ' αὐτῶν ἡ καρδία· ἡ ἀορτὴ στενωτέρα ταύτης (τῆς μεγάλης φλεβός)· αὕτη ὑμενώδης ἢ δερματώδης Ζμγ5. 668 a1. Ζιγ3. 513 a26, b8. τὰ μέρη τῆς μεγάλης· ὡς ὖσης τῆς (καρδίας) κοιλίας μορίυ τῆς φλεβός· (ἡ καρδία) κατὰ τὴν μεγίστην κοιλίαν ἐξήρτηται τῇ μεγίστῃ φλεβί (v l μεγάλῃ, iq τῇ μεγάλῃ φλεβί) Ζιγ4. 514 a25. 3. 513 b4. a17. 496 a26. — πρὸς τίνα τείνει τὰ τῆς μεγάλης φλεβὸς μόρια; πρῶτον μὲν πρὸς τὸν πλεύμονα ἄσχιστος ἢ μεγάλη ὗσα φλέψ. vena pulmonalis· ὁ πλεύμων ὐκ ἐν αὑτῷ (ἔχει τὸ αἷμα) ἀλλ' ἐν ταῖς φλεψίν· ἐν τῷ πνεύμονι παρ' ἑκάστην τῶν συρίγγων παρατέτανται φλέβες (vasa pulmonalia et bronchialia), syn παρ' ἑκάστην τὴν σύριγγα πόρυς φέρυσι τῆς μεγάλης φλεβός Ζιγ3. 513 b1, 12. a17. 496 b4, 8. αν21. 480 b8. σχίζεται ἀπ' αὐτῆς μόρια δύο, τὸ μὲν ἐπὶ τὸν πλεύμονα, τὸ δ' ἐπὶ τὴν ῥάχιν ἢ τὸν ὕστατον τῦ τραχήλυ σφόνδυλον (vena intercostalis suprema Aub, vena azygos Ka). ἡ ἐπὶ τὸν πλεύμονα τείνυσα φλὲψ (venae bronchiales) εἰς διμερὴ ὄντ' αὐτὸν διχῇ σχίζεται (vena lumbalis) Ζιγ3. 513 b14. ἡ ἐπὶ τὸν σφόνδυλον τῦ τραχήλυ τείνυσα, 'ἀπὸ δὲ φλέβα πᾶσαν ἔκερσεν' Ζιγ3. 513 b25, 27 (Hom Ν 546). ἀπὸ τῆς τῦ καρδίας τεταμένης (vena cava superior) πάλιν ἢ ὅλη σχίζεται εἰς δύο τόπυς (venae anonymae) Ζιγ3. 513 b33. παρ' ἑκάστην πλευρὰν ἢ ἀρτηρίαν ἢ φλέβα παρακεῖσθαι πν5. 483 b31 Bsm. αἱ μὲν φέρυσιν εἰς τὰ πλάγια (vena scapularis, intercostalis prima, mammaria interna) ἢ κλεῖδα (subclavia), κἄπειτα διὰ τῶν μασχαλῶν (axillaris) εἰς τὰς βραχίονας (πρόσθια σκέλη, πτέρυγας, πτερύγια τὰ πρανῆ) Ζιγ3. 513 b34. αἱ ἀρχαὶ τύτων ἢ σχίζονται τὸ πρῶτον καλῦνται σφαγίτιδες (vena cava eiusque rami, venae anonymae)· ἡ δὲ σχίζονται εἰς τὸν αὐχένα εἰσὶ ἢ αἱ μεγάλαι φλεβός, παρὰ τὴν ἀρτηρίαν τείνυσαι (venae iugulares communes)· ὗτω τείνυσαι φέρυσι μέχρι τῶν ὤτων (v cephalica posterior s interna) Ζιγ3. 514 a3, 4, 8. αἱ ἐν τῷ αὐχένι, ἐπὶ τῦ τραχήλυ, περὶ τὰς κροτάφυς φλέβες Ζιθ24. 604 b5. υ2. 455 b7. φ6. 812 a29. πλε8. 965 a28. αἱ ἐπὶ τῆς κεφαλῆς φλέβες πν3. 881 b14. βι7. 867 b37. λς2. 965 b7. υ3. 457 b21. Ζιθ24. 604 b5. πάλιν ἐντεῦθεν εἰς τέτταρας σχίζονται φλέβες, ὧν μία μέν, descr (v iugularis externa, brachiales superficiales, cephalica vel basilica)· μία δ' ἑτέρα ἐπὶ τὸν ἐγκέφαλον τείνει ἢ σχίζεται εἰς πολλὰ ἢ λεπτὰ φλέβια εἰς

τὴν μήνιγγα (v iugularis interna cum v cerebralibus)· τῶν λοιπῶν τῶν ἀπὸ τῆς φλεβὸς σχισθεισῶν φλεβῶν αἱ μὲν τὴν κεφαλὴν κύκλῳ περιλαμβάνυσιν (v faciales), αἱ δ' εἰς τὰ αἰσθητήρια ἀποτελευτῶσι ἢ τὰς ὀδόντας λεπτοῖς πάμπαν φλεβίοις (v auriculares, ophthalmicae, alveolares cett) Ζιγ3. 514 a10, 15, 21. ἐκ τῦ ἐγκεφάλυ φλὲψ τείνει εἰς αὐτό (ἑκάτερον τῶν ὤτων), Carotis interna. ὁ ἐγκέφαλος ὐδεμίαν ἔχων ἐν αὑτῷ φλέβα Ζια11. 492 a20. 16. 495 a5. ἡ λεπτότης ἢ στενότης τῶν περὶ τὸν ἐγκέφαλον φλεβῶν υ3. 458 a8. cf πι2. 891 a15. Ζμβ10. 656 b18. Ζγβ6. 743 b24. πυκναὶ ἢ λεπταὶ φλέβες περιέχυσι τὸν ἐγκέφαλον (arteriae meningeae et sinus venosi durae matris)· ἀφ' ἑκατέρας τῆς φλεβός, τῆς τε μεγάλης ἢ τῆς ἀορτῆς, τελευτῶσιν αἱ φλέβες εἰς τὴν μήνιγγα τὴν περὶ τὸν ἐγκέφαλον Ζμβ7. 652 b32 Ka, 28 F et Ka. φλεβῶν ἐστι κενὸν τὸ ὄπισθεν κύτος, occiput Ζμβ10. 656 b26. φλέβες ὑπὸ τῇ γλώττῃ Ζιζ19. 574 a6. — πρὸς τίνα τείνει τὸ ὑποκάτω τῆς καρδίας μέρος τῆς μεγάλης φλεβός (v cava inferior s posterior); μετέωρον διὰ τῦ ὑποζώματος· ἀπὸ ταύτης (v hepatica) δύο ἀποσχίσεις εἰσίν, ὧν ἡ μὲν εἰς τὸ ὑπόζωμα τελευτᾷ (v phrenica inferior)· τὸ διάζωμα ἔχει δι' αὑτῦ ἢ φλέβας τεταμένας (art phrenicae superiores et inferiores cum v) Ζιγ4. 514 a29, 35. a17. 496 b14. — ἔτι τὰ σπλάγχνα τὰ κάτω τῦ ὑποζώματος κοινῇ μὲν πάντα τῶν φλεβῶν χάριν ... καθάπερ ἄγκυραι ἀπὸ τῆς μεγάλης φλεβός· ἀπὸ τῦ φλεβὸς τῆς μεγάλης εἰς αὐτά (ἧπαρ σπλῆνα νεφρὺς) μόνον διατείνασι φλέβες Ζμγ7. 670 a9, 12, 16 Ka. διὰ τῶν ἄλλων σπλάγχνων διέχυσιν αἱ φλέβες· τῶν ἄλλων μορίων ἕκαστον ἐν ταῖς φλεψὶν ἔχει τὸ αἷμα· τὰ σπλάγχνα ἔχει τὴν φύσιν κοινωνῦσαν ταῖς φλεψὶ ἢ τὰ μὲν τῶν φλεβῶν χάριν τὰ δ' ἄνευ φλεβῶν ἐστι Ζμγ4. 665 b32, cf 666 a30, 4. 13. 674 a7. τὴν μεγάλην φλέβα εἰς τὰ πλάγια τῦ σώματος τὸ δ' ἧπαρ ἢ ὁ σπλήν, εἰς τὰ ὄπισθεν οἱ νεφροὶ (προσλαμβάνυσι)· εἰς τὸ ἧπαρ ἢ τὸν σπλῆνα ὐδεμία τείνει ἀπὸ τῆς ἀορτῆς φλέψ (ignotae Ar art hepaticae et lienales) Ζμγ7. 670 a15. Ζιγ4. 514 a28. — διὰ τῦ ἥπατος διέχει ἡ ἀπὸ τῆς μεγάλης φλεβὸς φλέψ, ᾗ αἱ πύλαι εἰσὶ τῦ ἥπατος (v portae)· βραχεῖα μὲν πλατεῖα δέ, ἀφ' ἧς πολλαὶ ἢ λεπταὶ εἰς τὸ ἧπαρ ἀποτείνυσαι ἀφανίζονται (v hepatica c ramis Aub, v portae Ka) Ζια17. 496 b31. γ4. 514 a30. cf Ζμγ4. 666 a30. προσπέφυκε τῇ μεγάλῃ φλεβὶ τὸ ἧπαρ (14 v hepaticae) Ζια17. 496 b33. τὸ ἧπαρ ὑποδοχὴν αἵματος ὐκ ἔχει ἐν ἑαυτῷ ἀλλ' ἐν φλεβί· ἥπατος σύναψις τῇ μεγάλῃ φλεβὶ Ζμγ4. 666 a30, 67 a7 Ka. — ἡ δὲ (v l b20) πάλιν ἀπελθῦσα εἰς τὸν βραχίονα τὸν δεξιὸν συμβάλλει ταῖς ἑτέραις φλεψὶ κατὰ τὴν ἐντὸς καμπήν (non invenitur)· ἐκ τῶν ἀριστερῶν αὐτῆς (v cava inferior) μικρὰ μὲν παχεῖα δὲ φλὲψ τείνει εἰς τὸν σπλῆνα, ἢ ἀφανίζεται τὰ ἀπ' αὐτῆς φλέβια εἰς τῦτον (v lienalis)· συνήρτηται ὁ σπλὴν τῇ μεγάλῃ φλεβὶ μόνον, τείνει γὰρ ἀπ' αὐτῆς φλὲψ εἰς τὸν σπλῆνα (eadem) Ζιγ4. 514 a37, b4 Aub. α17. 496 b33. ἕτερον μέρος τῆς μεγάλης φλεβὸς ἀποσχισθὲν ἀναβαίνει εἰς τὸν ἀριστερὸν βραχίονα (non invenitur) Ζιγ4. 514 b6, ἔτι δ' ἄλλαι ἀποσχίζονται, αἱ μὲν εἰς τὸ ἐπίπλοον (v coronaria ventriculi inferior), ἡ δ' ἐπὶ τὸ πάγκρεας (v pancreaticoduodenalis)· ἀπὸ ταύτης (v pancreat) πολλαὶ φλέβες διὰ τῦ μεσεντερίυ τείνυσι (v mesentericae), πᾶσαι αὗται εἰς μίαν φλέβα μεγάλην τελευτῶσι, παρὰ πᾶν τὸ ἔντερον ἢ τὴν κοιλίαν μέχρι τῦ στόματος τεταμένην, ἢ περὶ ταῦτα τὰ μόρια πολλαὶ ἀπ' αὐτῶν σχίζονται φλέβες (quaenam

sint nescimus) Ζιγ4. 514 ᵇ9 Aub, 12, cf 25. Ζμβ3. 650
ᵃ29 Ka. δ4. 678 ᵃ1, 15. τείνꙶσι ἐ ἀπὸ τῆς ἀορτῆς εἰς τὸ
μεσεντέριον φλέβες, πολλῷ λειπόμεναι τῷ μεγέθει, στεναὶ
ἐ ἰνώδεις (art mesenteriae, art coeliaca), λεπτοῖς γὰρ ἐ
κοίλοις (ποικίλοις Aub) ἐ ἰνώδεσι τελευτῶσι φλεβίοις (ana- 5
stomoses arteriarum intestinalium) Ζιγ4. 514 ᵇ24, 27 Aub.
cf α16. 495 ᵇ33, 34. 17. 496 ᵃ26. — φέρꙶσιν εἰς τῆς νε-
φρꙶς πόροι ἐκ τῆς μεγάλης φλεβὸς ἐ τῆς ἀορτῆς (art et
v renales) Ζια17. 497 ᵃ5. cf γ4. 514 ᵇ32. Ζμγ7. 670 ᵃ18.
9. 672 ᵇ7, 671 ᵇ1. μέχρι τῶν νεφρῶν μία ꙶσα ἡ μεγάλη 10
φλὲψ τείνει, φέρꙶσι ἐ εἰς τꙶς νεφρꙶς ἀπὸ τῆς μεγάλης
φλεβὸς φλέβες (v renales) Ζιγ4. 514 ᵇ16, 32. cf Ζμγ9.
671 ᵇ3, 12. ἐκ μέσꙶ τῶν νεφρῶν ἑκατέρꙶ φλὲψ κοίλη ἐ
νευρώδης ἐξήρτηται, descr (fort v iliaca communis, hypo-
gastrica usque ad ischiadicam) Ζια17. 497 ᵃ14. cf γ4. 514 15
ᵇ36 Aub. ἡ μεγάλη φλὲψ σχίζεται εἰς δύο ὥσπερει λάβδα
ἐ γίνεται εἰς τꙶπισθεν μᾶλλον τῆς ἀορτῆς (v iliacae). αἱ
σχίσεις τείνꙶσιν εἰς τὸ ἰσχίον ἑκάτερον ἐ καθάπτꙶσιν εἰς τὸ
ὀστꙶν (v hypogastrica et cruralis) Ζιγ4. 514 ᵇ18 Aub, 29.
cf φέρꙶσι πόροι ꙶς ἐκ τῆς φλεβὸς ἐ ἐκ τῆς ἀορτῆς εἰς τὸ 20
ὀστꙶν· ꙶ τὰ ὀστέα δὲ καθάπτειν τὰ νεῦρα ꙶ τὰς φλέβας
πν6. 484 ᵃ25 Bsm. 5. 483 ᵇ32. — ἄλλοι πόροι φέρꙶσιν ἐκ
τꙶ κοίλꙶ τῶν νεφρῶν (ureteres) ꙶδὲν κοινωνꙶντες τῇ με-
γάλη φλεβί Ζιγ4. 514 ᵇ35 Aub. οἱ σπερματικοὶ πόροι προσ-
ήρτηνται ἐκ τῆς φλεβός, ἧς ἡ ἀρχὴ ἐκ τῆς καρδίας· οἱ 25
πόροι (ductus seminales) ᥍ τοῖς ἰχθύσι ᥍ τοῖς ὄρνισι προσπε-
φύκασι πρὸς τῇ ὀσφύϊ ... μεταξὺ ⟨τῶν ἐντέρων ᥍ Aub⟩
τῆς μεγάλης φλεβός, ἀφ᾽ ἧς τείνꙶσι πόροι εἰς ἑκάτερον
τῶν ὄρχεων· οἱ πόροι δίκροοι ἀπὸ τꙶ ὑποζώματος ᥍ τῆς
μεγάλης φλεβὸς ἔχοντες τὴν ἀρχὴν Ζγε7. 787 ᵇ27. Ζιγ1. 30
509 ᵇ34. ζι. 566 ᵃ5. — τείνει ἀπὸ τῆς μεγάλης φλεβὸς
ꙶδεμία εἰς τὰς ὑστέρας (ignorat Ar v spermaticas)· τεί-
νꙶσιν ἀπὸ τῆς ἀορτῆς πολλαὶ ᥍ πυκναὶ φλέβες (art ute-
rinae)· περὶ τὸν τῶν ὑστερῶν τόπον σχίζονται ἄνωθεν αἱ
δύο φλέβες, ἥ τε μεγάλη ᥍ ἡ ἀορτή Ζιγ4. 515 ᵃ5, 6. 35
Ζγβ4. 738 ᵃ10, 11, cf 740 ᵃ33. 7. 745 ᵇ29. πδ15. 878 ᵇ5.
cf Swammerdam uteri muliebris fabrica Lugd Bat 1679 tab.
τὰς φλέβας ꙶ διὰ τὴν ὑστέραν εὔλογον γενέσθαι ποιάς
τινας, ἀλλὰ μᾶλλον δι᾽ ἐκείνας τὴν ὑστέραν Ζγδ1. 764
ᵇ30. — τείνꙶσιν ἀπὸ τῆς ἀορτῆς ᥍ τῆς μεγάλης φλεβὸς αἱ 40
ἀπὸ τῶν σχιζομένων ᥍ ἄλλαι, αἵ εἰσιν ꙶτε τᾶς βυβῶνας
πρῶτον μεγάλαι ᥍ κοῖλαι, τελευτῶσιν εἰς τꙶς πόδας ᥍ τꙶς
δακτύλꙶς (art et v iliaca externa, femoralis, earumque
rami Ka, art cruralis Aub)· ᥍ πάλιν ἕτεραι διὰ τῶν βυ-
βώνων ᥍ τῶν μηρῶν φέρꙶσιν ἐναλλάξ (rami art femoralis 45
Ka, anastomoses v saphenae Aub)· (αὗται) συνάπτꙶσι
περὶ τᾶς ἰγνύας ταῖς ἑτέραις φλεψί (quaenam sint nesci-
mus) Ζιγ4. 515 ᵃ7, 10, 13. διεστῶσαι δ᾽ ἄνωθεν ἥ τε με-
γάλη φλὲψ ᥍ ἡ ἀορτή, κάτω δ᾽ ἐναλλάσσꙶσαι συνέχꙶσι
τὸ σῶμα (art et v iliacae communes)· διὰ τῆς τῶν φλε- 50
βῶν ἐναλλάξεως συνδεῖται τῶν σωμάτων τὰ πρόσθια τοῖς
ὄπισθεν Ζμγ5. 668 ᵇ20 F et Ka, 21, 26, cf 27. πν5. 483
ᵇ35. — e. ἡ ἀορτή v h v et Sprgl I 302, 322, 364. Hip-
pocr ed Littré I 203, 209 sq. — f. ποῖαι αἱ τῶν ἐμβρύων
φλέβες ἐν τῇ ὑστέρᾳ v supra 1 ᵃ33. αἱ φλέβες οἷον ῥίζαι 55
πρὸς τὴν ὑστέραν συνάπτꙶσι, δι᾽ ὧν λαμβάνει τὸ κύημα
τὴν τροφήν Ζγδ4. 740 ᵃ33. ἔστιν ὁ ὀμφαλὸς φλέψ, τοῖς
μὲν μία, τοῖς δὲ πλείꙶς τῶν ζῴων· ἔστιν ὁ ὀμφαλὸς ἐν
κελύφει φλέβεσ· τῶν ἀμφωδόντων ὅσων ἡ ὑστέρα μὴ μίαν
φλέβα μεγάλην ἔχει διατείνꙶσαν ἀλλ᾽ ἀντὶ μιᾶς πυκνὰς 60
πολλάς, ταῦτα ἐν ταῖς ὑστέραις ἔχει τὰς κοτυληδόνας·

ἀποτέτανται αἱ φλέβες αἱ διὰ τꙶ ὀμφαλꙶ ἔνθεν ᥍ ἔνθεν ᥍
σχίζονται πάντη κατὰ τὴν ὑστέραν, ᾗ δὲ περαίνꙶσι, ταύτη
γίνονται αἱ κοτυληδόνες (Sprgl I 363)· (τοῖς ꙶκ ἔχꙶσι κοτυ-
ληδόνας) ὁ ὀμφαλὸς τείνει εἰς φλέβα μίαν, αὕτη δὲ τέ-
ταται διὰ τῆς ὑστέρας ἔχꙶσα μέγεθος Ζγβ4. 740 ᵃ30. 7.
745 ᵇ26, 31, 33 v l, 746 ᵃ10. πότε συμπίπτꙶσιν αἱ φλέβες
περὶ ᥍ ὁ ὀμφαλὸς ἔτι χιτꙶν· ἐκ τῆς καρδίας αἱ φλέβες
διατεταμέναι· ꙶπω διωρισμένων τῶν φλεβῶν φαίνεται ἔχꙶσα
αἷμα (ἡ καρδία τῶν ἐμβρύων) Ζγδ8. 777 ᵃ26. β6. 743
ᵃ1. αν20. 480 ᵃ8. — ὁ ὑμὴν φλεβῶν μεστός (fort deci-
dua) Ζιη7. 586 ᵃ21 Aub Ka. ὁ ὀμφαλός· ὅσα λείαν ἔχει
τὴν ὑστέραν, πρὸς τῇ ὑστέρᾳ ἐπὶ φλέβας· ὁ ὀμφαλός ἐστι
κέλυφος περὶ φλέβας, ꙶν ἡ ἀρχὴ ἐκ τῆς ὑστέρας ἐστί,
τοῖς μὲν ἔχꙶσι τὰς κοτυληδόνας ἐκ τῶν κοτυληδόνων, τοῖς
δὲ μὴ ἔχꙶσιν ἀπὸ φλεβός· εἰσὶ τοῖς μὲν μείζοσιν, οἷον τοῖς
τῶν βοῶν ἐμβρύοις, τέτταρες αἱ φλέβες, τοῖς δ᾽ ἐλάττοσι
δύο, τοῖς δὲ πάμπαν μικροῖς, οἷον ὄρνισι, μία φλέψ· τεί-
νꙶσιν εἰς τὰ ἔμβρυα αἱ μὲν δύο διὰ τꙶ ἥπατος πρὸς τὴν
φλέβα τὴν μεγάλην (v umbilicales), αἱ δὲ δύο πρὸς τὴν
ἀορτήν (art umbil)· εἰσὶ περὶ τὴν συζυγίαν ἑκατέραν τῶν
φλεβῶν ὑμένες, περὶ δὲ τꙶς ὑμένας ὁ ὀμφαλός (tela cel-
lulosa cum gelatina Whartoniana) Ζιη8. 586 ᵃ34, ᵇ13 Aub,
16 K (838, 2), 18, 22. — in ovo. (ἐν τοῖς ὄρνισιν) εἰς τὸ
ἔντερον ἡ σύμφυσις (τꙶ ὀμφαλꙶ) γίνεται, ᥍ ꙶχ ὥσπερ ἐν
τοῖς ζῳοτόκοις τῶν φλεβῶν τι μόριόν ἐστιν Ζμδ12. 693
ᵇ26, cf F 318, 96. ΚαΖμ 170, 6. δεκαταίꙶ ὄντος αἱ φλέβες
αἱ ἀπὸ τῆς καρδίας φαινόμεναι τείνꙶσι πρὸς τꙶ ὀμφαλꙶ
ἤδη γίγνονται· ἀπὸ τꙶ ὀμφαλꙶ τέταται φλέψ, ἡ μὲν
πρὸς τὸν ὑμένα τὸν περιέχοντα τὸ ᾠχόν (art et v om-
phalo-mesenterica), ἡ δ᾽ ἑτέρα εἰς τὸν ὑμένα τὸν περι-
έχοντα ὅλον τὸν ὑμένα (art et v umbilicalis) Ζιζ3. 561
ᵇ4, 5, cf 20, 25. (εἰκοσταίꙶ) ἄμφω (ὀμφαλοὶ) ἤστην ἀπὸ
τε τῆς καρδίας ᥍ τῆς φλεβὸς τῆς μεγάλης Ζιζ3. 562 ᵃ4.
συστάσης πρώτης τῆς καρδίας, ᥍ τῆς μεγάλης φλεβὸς ἀπὸ
ταύτης ἀφορισθείσης δύο ὀμφαλοὶ ἀπὸ τῆς φλεβὸς τείνꙶσι
Ζγγ2. 753 ᵇ19. (in ovis piscium et avium) αἱ φλέβες
ὁμοίως τείνꙶσιν ἐκ τῆς καρδίας πρώτων Ζιζ10. 564 ᵇ31, cf
Aub II tab VI. — ἐν τῷ γένει τῶν φλεβῶν dist quasi
species quaedam, διατείνει αὐτὴν (τὴν πορφύραν) οἷον φλέψ·
τꙶτο δοκεῖ εἶναι τὸ ἄνθος Ζια15. 547 ᵃ19. — mollusca et
entoma ꙶτε φλέβας ἔχει ꙶτε κύστιν ꙶτ᾽ ἀναπνέꙶσιν Ζμδ5.
678 ᵃ36. — g. τὸ ἀνάλογον Ζμγ5. 668 ᵃ6. τῶν μικρῶν
᥍ μὴ πολυαίμων οἱ δ᾽ ὀλίγας ᥍ ταύτας ἶνας ἀντὶ φλε-
βῶν ἔχꙶσιν· αἱ ἶνές εἰσι μεταξὺ νεύρꙶ ᥍ φλεβός (Sprgl I
355) Ζιγ4. 515 ᵃ25 Aub, ᵇ27, cf 29 et φλέβες στεναὶ ᥍
ἰνώδεις, φλέβια ἰνώδη Ζιγ4. 515 ᵇ24, 27 (Sprgl I 356).

3. physiologica quaedam et pathologica. πῶς εἰσέρχεται
διὰ τῶν φλεβῶν ἀπὸ τῆς εἰσιꙶσης τροφῆς εἰς τὰ μόρια τὸ
διαδιδόμενον εἰς τὰς φλέβας Ζμδ4. 678 ᵃ17. τῆς μὲν θύ-
ραθεν εἰσιꙶσης εἰς τꙶς δεκτικꙶς τόπꙶς γίνεται ἡ
ἀναθυμίασις εἰς τὰς φλέβας, ἐκεῖ οἷα ἀναβάλλεται ἐξαι-
ματꙶται ᥍ πορεύεται ἐπὶ τὴν ἀρχήν υ3. 456 ᵇ4 (cf Plat
Tim 80 D). διὰ τῶν φλεβῶν ᥍ τῶν ἐν ἑκάστοις πόρων
διαπιδύꙶσα ἡ τροφή Ζγβ6. 743 ᵃ8. ἡ ἐσχάτη τροφή (τὸ
αἷμα) εἰς τὰς φλέβας ἐκ τῆς κοιλίας πορεύεται Ζμδ4. 678
ᵃ10. σφίζει τὸ αἷμα ἐν ταῖς φλεψὶν ἐν ἅπασι πάντη ἅμα
τοῖς ζῴοις Ζιγ19. 521 ᵃ6. cf αν20. 480 ᵃ11. (γίνονται) ἐν
ταῖς φλεψὶν αἵ τ᾽ ἄλλαι αἱμορροΐδες ᥍ αἱ τῶν καταμηνίων·
τὸ αἷμα ἐκκρίνεται διὰ λεπτοτάτων φλεβῶν εἰς τὰς ὑστέ-
ρας Ζγα20. 728 ᵃ22. β4. 738 ᵃ14. cf πι2. 891 ᵃ15. Coste
hist du développement tab Ia. fig 2. — δῆλον ὡς ἐκ τῆς

φλεβὸς ὁλκῇ τινὶ κ̣ πέψει (τρέφεται τὸ σῶμα)· τὸ δέρμα
ἐκ φλεβὸς κ̣ νεύρȣ κ̣ ἀρτηρίας, ἐκ φλεβὸς ὅτι κεντηθὲν
αἷμα ἀναδίδωσιν (cf Littré Hippocr I 203)· τὰς φλέβας
ἔχειν πόρȣς, ἐν αἷς τὸ θερμὸν ὂν θερμαίνειν τὸ αἷμα πι1.
481 ᵃ11. 5. 483 ᵇ15, 19. εἰς τὸ ἔντερον κ̣ εἰς τὴν κοιλίαν 5
αἵ τε φλέβες κ̣ αἱ ἀρτηρίαι συνάπτȣσιν, ᾇς εἰκὸς εἶναι τὴν
τροφὴν ἕλκειν· ἐκ τῶν φλεβῶν εἰς τὰς σάρκας διαδίδοσθαι
τὴν τροφήν· θερμὸν εἶναι ἐν νεύρῳ κ̣ ἀρτηρία κ̣ φλεβὶ·
αἷμα κατέχειν ἐν τῇ φλεβὶ τὸ θερμὸν οἷον ἀποστέγον· ἐκ
φλεβὸς κ̣ ἀρτηρίας τὴν σάρκα τρέφεσθαι πι5. 483 ᵇ25, 26, 10
484 ᵃ4, 11, 33. — τῶν φλεβῶν αἱ μὲν μέγισται διαμέ-
νȣσιν, αἱ δ᾽ ἐλάχισται γίνονται σάρκες ἐνεργείᾳ, δυνάμει δ᾽
εἰσιν ȣ̓δὲν ἧττον φλέβες· εἰσὶν ἐν τοῖς ἔχȣσι τὰς σάρκας
πολλὰς αἱ φλέβες ἐλάττȣς, τοῖς τὰς φλέβας ἔχȣσι με-
γάλας αἱ σάρκες ἐλάττȣς· περὶ τὰς φλέβας ὥσπερ περὶ 15
ὑπογραφὴν τὸ σῶμα περίκειται τὸ τῶν σαρκῶν· ἐν τοῖς
καταλελεπτυσμένοις ȣ̓δὲν ἄλλο φαίνεται παρὰ τὰς φλέβας
Ζμγ 5. 668 ᵃ30. Ζιγ16. 520 ᵃ1. Ζγδ1. 764 ᵇ30. Ζμγ5.
668 ᵃ23. cf Ζιγ5. 515 ᵃ34. — κατὰ τὴν αἴσθησιν φανερὸν
πάντα τἆλλα τȣ̀τȣ (τȣ̀ ἁπτικȣ̀) χάριν ὄντα, λέγω δ᾽ οἷον 20
... φλέβες· τὸ αἰσθητικὸν ἄνω ἔρχεται αἱρομένων τῶν
φλεβῶν Ζμβ8. 653 ᵇ32. πια41. 903 ᵇ37. οἱ τὰς ἐν τῷ
αὐχένι φλέβας καταλαμβανόμενοι ἀναίσθητοι γίνονται ȣ2.
455 ᵇ7. οἷς τὰ περὶ τὸν τράχηλον κ̣ τὰς κροτάφȣς αἱ φλέ-
βες κατατεταμέναι εἰσί, δυσόργητοι φ6. 812 ᵃ29. ψυχραὶ 25
αἱ μεγάλαι φλέβες Ζμγ4. 667 ᵃ23. cf μεγαλόφλεβος, opp
τῶν ἀδηλοφλέβων· αἱ φλέβες στεναί, ὥστ᾽ ȣ̓ ῥᾴδιον διαρ-
ρεῖν κατιὸν τὸ ὑγρόν ȣ3. 457 ᵃ23. αἱ φλέβες δύνανται πυ-
ρȣ̀σθαι Ζιγ5. 515 ᵇ18. διατείνονται τȣ̀ ὑγρȣ̀ ȣ̓ δυναμένȣ
ἐξιέναι· πταρέντες κ̣ ȣ̓ρήσαντες φρίττȣσιν, ὅτι κενȣ̀νται αἱ 30
φλέβες πβ24. 868 ᵇ26. π8. 887 ᵇ36. λγ16. 963 ᵃ34, cf 36.
γίνεται ὁ ὕπνος τȣ̀ σωματώδȣς ἀναφερομένȣ ὑπὸ τȣ̀ θερμȣ̀
διὰ τῶν φλεβῶν πρὸς τὴν κεφαλήν· οἱ φλεβώδεις ȣ̓κ
ὑπνωτικοὶ δι᾽ εὐροιαν τῶν φλεβῶν, πολὺ τὸ πνεῦμα κατα-
βαῖνον πάλιν τὰς φλέβας ὀγκȣ̀ ȣ3. 457 ᵃ21, ᵃ26, 13, cf 35
πλε8. 965 ᵃ23. ἀναθυμιωμένα διὰ τῶν φλεβῶν ἄνω ἡ τροφὴ
διὰ τῆς ἀορτῆς κ̣ τῆς φλεβὸς εὐθὺς ἀπαντᾷ τὸ πάθος πρὸς
τὴν καρδίαν Ζμγ7. 652 ᵇ36. γ9. 672 ᵇ5. (φάρμακα) φέ-
ρονται καθ᾽ ὥσπερ ἡ τροφὴ πόρȣς εἰς τὰς φλέβας· τὸ
πνεῦμα κατεχόμενον πληροῖ τὰς φλέβας· πονȣ̀νται ὑπὸ τȣ̀ 40
πνεύματος αἱ φλέβες ἐμφυσώμεναι· τὰς πόρȣς συμμεμυ-
κέναι ποιȣ̀σι· σκληροὶ οἱ πλείȣς τῶν μελαγχολικῶν κ̣ αἱ
φλέβες ἐξέχȣσιν πα42. 864 ᵃ32. β1. 866 ᵇ11. 20. 868 ᵃ17.
λ1. 954 ᵃ7. τῶν ἰσχνοφώνων ȣ̓τε περὶ τὰς φλέβας ȣ̓τε περὶ
τὰς ἀρτηρίας ἐστὶ τὸ πάθος, ἀλλὰ περὶ τὴν κίνησιν τῆς 45
γλώττης αχ804 ᵇ27. τὰς φλέβας ἔχειν πλα5. 957 ᵇ26.
equis morbidis αἱ φλέβες τέτανται πᾶσαι κ̣ κεφαλὴ κ̣
αὐχήν Ζιβ24. 604 ᵇ5.

4. plantarum φλέβες. τῶν ἀμπελίνων τε κ̣ συκίνων φύλ-
λων αὐαινομένων λείπονται μόνον Ζμγ5. 668 ᵃ23. 50
μέρη τινὰ τȣ̀ δένδρȣ εἰσὶν ἁπλᾶ, ὡς ὁ χυμὸς κ̣ οἱ δεσμοὶ
κ̣ αἱ φλέβες· ᾗ αἱ φλέβες κ̣ ἡ σάρξ ὅλη τȣ̀ δένδρȣ ἐκ
τῶν δ᾽ στοιχείων πεφύκασι φτα3. 818 ᵃ11, 6. 4. 819 ᵃ34.
cf Nic Damasc ed Meyer 64, 76.

5. καθάπερ ἐν τοῖς μεταλλευομένοις διατείνȣσι τȣ̀ παθη- 55
τικȣ̀ φλέβες συνεχεῖς Γα9. 326 ᵇ35. κατὰ τὰς φλέβας ἐκ
τῆς ἠπείρȣ ῥεῖ ἐπὶ τὴν θάλατταν τὸ γλυκὺ ὕδωρ πκγ37.
935 ᵇ10, cf 38. 935 ᵇ24. cf πεφύκασι τὰ ζῷα ἐκ τȣ̀ ὀμ-
φαλȣ̀, ὁ δ᾽ ὀμφαλὸς ἐκ τῆς φλεβὸς ἐφεξῆς ἀλλήλοις,
ὡσπερανεὶ παρ᾽ ὀχετὸν τὴν φλέβα ῥȣ̀σαν Ζγβ7. 746 ᵃ17 60
(cf Plat Tim 79 A).

νl φλέβα (φλέγμα Bk) ȣ3. 458 ᵃ3. νl φλέβες (φρένες
Bk) Ζια17. 496 ᵇ11. νl φρένες, ci Guil Pik Aub (φλέ-
βες Bk) ibid 15. νl νευρῶν, ci Aub, φλεβῶν Bk, νεφρῶν
Bsm Ζιγ4. 515 ᵃ1. φλέγες νl πι2. 891 ᵃ15. νl φλεβῶν
(φλεβίων Bk) ψβ9. 422 ᵃ3. Ζια17. 497 ᵃ17.

φλεώς, ἀφ᾽ ȣ̓ φέρȣσι μέλιτται Ζυ40. 627 ᵃ8. cf Lob Phryn
294. Fraas 298.

φλογίζειν. ἡ γῆ πυρκαϊαῖς κατὰ μέρος φλογιζομένη κ5.
397 ᵃ29. — φλογιστός. τῶν καυστῶν τὰ μὲν φλογιστὰ
ἐστι τὰ δ᾽ ἀφλόγιστα μδ9. 387 ᵇ18. φλογιστόν, dist τη-
κτόν. θυμιατόν μδ9. 387 ᵇ25, 31.

φλογμός, syn τὸ τȣ̀ πυρὸς (τῆς Αἴτνης) ῥεῦμα κ6. 400 ᵇ4.
θ154. 846 ᵃ14.

φλογοειδὲς χρῶμα χ2. 792 ᵃ28. φ6. 812 ᵃ23. ἡ κονία
ξανθὴ γίνεται, τȣ̀ φλογοειδȣ̀ς κ̣ μέλανος ἐπιχρωζόντος τὸ
ὕδωρ χ1. 791 ᵃ8.

φλογώδης κ̣ λεπτομερὴς ȣ̓σία χ2. 392 ᵃ35. ὁ ἐν τῇ Αἴτνῃ
ῥύαξ ȣ̓ φλογώδης θ38. 833 ᵃ17.

φλοιός. φλοιὸς κ̣ τῶν ἄλλων ἕκαστον τῶν ὁμοιομερῶν μδ8.
385 ᵃ9. cf 10. 388 ᵃ19, 13, 18. φλοιὸς γῆς μᾶλλον ἢ 10.
389 ᵃ13. ὁ φλοιὸς τȣ̀ φυτȣ̀ ὅμοιός ἐστι φυσικῶς δέρματι
ζῴȣ φτα3. 818 ᵃ19, 7. βάπτεσθαι φλοιοῖς χ4. 794 ᵃ18. ὁ
τῆς δρυὸς φλοιὸς ἀντιφάρμακον τοξικῷ τινι θ86. 837 ᵃ19.
— φλοιὸς ὁ περικυκλῶν τὸν καρπόν φτα3. 818 ᵃ15. αἱ
ἐλαῖαι ἔχȣσι φλοιὸν σάρκα καί τι ȣ̓στρακῶδες φτα3. 818
— τὰ σπέρματά εἰσιν ἐκ φλοιὸ φλοιῶν φτα3. 818 ᵃ35. —
ἀφιᾶσιν αἱ ἀράχναι τὸ ἀράχνιον ἀπὸ τȣ̀ σώματος οἷον φλοιὸν
Ζυ39. 623 ᵃ32. — ὁ νεοττὸς (τῶν ὄφεων) ἄνω ἐπιγίνεται
(τȣ̀ ᾠȣ̀), κ̣ ȣ̓ περιέχει φλοιὸς ὀστρακώδης Ζιε34. 558 ᵃ28.
φλοιώδη. τὸ τῶν σφηκῶν κηρίον σύγκειται ἐκ φλοιώδȣς κ̣
ἀραχνιώδης ὕλης Ζιε23. 554 ᵇ27.

φλόμος κ̣ πᾶσαι βοτάναι πικραί φτβ3. 825 ᵃ3 (cf Lob
Phryn 112, 162. Fraas 190, 8. vibex Nicol Damasc ed
Meyer p 32, 28).

φλόξ. μάλιστα πῦρ ἡ φλόξ, αὕτη δ᾽ ἐστὶ καπνὸς καιόμενος
Γβ4. 331 ᵇ25. μ9. 388 ᵃ2. τζ7. 146 ᵃ16. cf ε8. 138ᵇ19.
ἡ φλὸξ πνεύματος ξηρȣ̀ ζέσις μα4. 341 ᵇ21 (cf Bernays
Heraklit Br p 126). τὸ πῦρ ὅταν μετὰ πνεύματος ᾖ,
γίγνεται φλὸξ κ̣ φέρεται ταχέως μβ8. 366 ᵃ3. δ9. 388
ᵃ2. τὸ τῆς φλογὸς σχῆμα μβ3. 357 ᵇ32. ἡ φλὸξ διὰ συν-
εχȣ̀ς ὑγρȣ̀ κ̣ ξηρȣ̀ μεταβαλλόντων γίνεταί κ̣ ȣ̓ τρέφεται
μβ2. 355 ᵃ9. καίει μᾶλλον τὸ καθ᾽ αὐτὸ θερμόν, οἷον ἡ
φλὸξ τȣ̀ ὕδατος τȣ̀ ζέοντος, θερμαίνει δὲ κατὰ τὴν ἁφὴν
τὸ ζέον μᾶλλον Ζμβ2. 649 ᵃ9, 648 ᵇ26. σβέννυνται ἡ ὑγρῷ
ἢ θερμῷ· τὸ θερμὸν κ̣ ξηρόν, οἷον δοκεῖ τό τ᾽ εἶναι αν-
θρακώδεσιν εἶναι πῦρ κ̣ ἡ φλὸξ αι2. 437 ᵇ18. ἡ ἐλάττων
φλὸξ κατακαίεται ὑπὸ τῆς πολλῆς κατὰ συμβεβηκός μχ3.
465 ᵃ23. 5. 466 ᵇ30. ζ5. 469 ᵇ33. λεπτομερέστερον τὸ φῶς
κ̣ τῆς φλογὸς τε5. 134 ᵇ34. ζ7. 146 ᵃ17. ȣ̓κ ἔστι τῆς
φλογὸς λαβεῖν τι μέγεθος, ὡς κ̣ ἡ θερμότης κ̣ λευκότης
ἔνεστιν Φθ9. 217 ᵇ6. ἐν τῷ μέλανι τὸ λευκὸν πολλὰς ποιεῖ
ποικιλίας, οἷον ἡ φλὸξ ἐν τῷ καπνῷ μα5. 342 ᵇ19. τὸ ἐκ
χλωρῶν ξύλων πῦρ ἐρυθρὰν ἔχει τὴν φλόγα μγ4. 373 ᵇ6.
αἱ καπνώδεις φλόγες χρῶμα ἔχȣσι φοινικȣ̀ν χ2. 792 ᵃ13.
— φλὸξ δοκεῖ κάεσθαι μα5. 342 ᵇ3. φλὸξ ἐκπιμπραμένη
μαθ. 346 ᵇ12. φλὸξ ἐφέρετο συνεχὲς μγ1. 371 ᵃ32. ἀνι-
έναι, παρέρχεσθαι, ποιῆσαι φλόγα μδ9. 387 ᵇ13, 20, 29.
σπείρων φλόγα (fr trag adesp 60) πο21. 1457 ᵇ30. —
αἱ φλόγες αἱ καθ᾽ ὑπὸ κατὰ τὸν ȣ̓ρανὸν μα4 Ideler. κ6.
400 ᵃ30. φλόγες ἀκοντίζονται κ2. 392 ᵃ3.

φλύκταινα. τὰ δήγματα τῆς μυγαλῆς χαλεπά· γίνονται δὲ

φλύκταιναι· ἐὰν κύησα δάκῃ, ἐκρήγνυνται αἱ φλύκταιναι Ζιθ24. 604 ᵇ20, 22.

φοβεῖν. ἐάν τις βάλλῃ μὲν μή, ἐνοχλῇ δὲ λέοντα, σείσας καὶ φοβήσας ἀφίησι πάλιν Ζυ44. 629 ᵇ26. — φοβεῖσθαι. ὅταν φοβηθῶσι καὶ δείσωσι (τὰ μαλάκια) Ζμδ5. 679 ᵃ5. φοβεῖσθαι περὶ τῶν τέκνων Ζιζ11. 566 ᵃ25. πρὸς τὰς ἀνθρώπης ἃν ἔχῃ τιθασσῶς τὰ νῦν φοβούμενα καὶ ἀγριαίνοντα (τῶν ζῴων) Ζυ1. 608 ᵇ31. — φοβεῖσθαι, dist αἰδεῖσθαι Πε11. 1314 ᵇ19. ἀδύνατον ἅμα φοβεῖσθαι καὶ ὀργίζεσθαι Ρβ3. 1380 ᵃ33. ποῖα φοβοῦνται καὶ τίνας καὶ πῶς ἔχοντες Ρβ5. 1382 ᵃ21-1383 ᵃ12. τίνα δεῖ φοβεῖσθαι Ηγ9. ὅσα ἐφ᾽ αὑτῶν φοβῶνται, ταῦτα ἐπ᾽ ἄλλων γιγνόμενα ἐλεῶσιν Ρβ8. 1386 ᵃ27. — ἃ φοβοῦνται μὴ ὑπάρχειν αὑτοῖς Ρβ4. 1381 ᵃ37. — διὰ τί οἱ φοβούμενοι τρέμησι, διψῶσι, ῥιγῶσι, ὠχριῶσι, σιωπῶσι, φθέγγονται ὀξύ, συσπῶσι τὰ αἰδοῖα, λύονται αὐτοῖς αἱ κοιλίαι πκζ1. 947 ᵇ1. 2. 947 ᵇ15. 3. 947 ᵇ27. 6. 948 ᵃ35. 7. 948 ᵇ8. 8. 948 ᵇ13. 9. 948 ᵇ21, 23, 26. 10. 948 ᵇ35, 37. 11. 949 ᵃ9, 11. ια32. 902 ᵇ37. 53. 905 ᵃ5, 7. β26. 869 ᵃ4. f233. 1520 ᵃ11. — fut φοβήσεται Ηγ10. 1115 ᵇ11.

φοβερά. τίνα Ηγ9. 10. ηγ1. 1229 ᵃ32-ᵇ25. Ρβ5. 1382 ᵃ28. διχῶς λέγεται, τὰ μὲν ἁπλῶς, τὰ δὲ τινὶ ηεγ1. 1228 ᵇ18-26, 1229 ᵇ18. τὰ ὑπὲρ ἄνθρωπον, τὰ κατ᾽ ἄνθρωπον φοβερά Ηγ10. 1115 ᵃ7, 29. ημα20. 1190 ᵇ17. φοβερόν, opp ἄφοβον ψβ9. 421 ᵃ15. dist οὐκ ἀσφαλές Πγ11. 1281 ᵇ29. φοβερά ἐστιν ὅσα ἐφ᾽ ἑτέρων γιγνόμενα καὶ μέλλοντα ἐλεεινά ἐστιν Ρβ5. 1382 ᵇ26. φοβερά καὶ ἐλεεινὰ ποῖα μάλιστα γίνεται πο9. 1452 ᵃ2-11. cf 13. 1452 ᵇ36, 1453 ᵃ1. φοβερὸν καὶ ἐλεεινὸν ἐκ τῆς ὄψεως, ἐξ αὐτῆς τῆς συστάσεως τῶν πραγμάτων πο14. 1453 ᵇ1. — ἃ φοβερὸν (sc ἐστὶ) μὴ Μθ8. 1050 ᵇ23. Πδ12. 1296 ᵇ40. — φοβερώτατον Ηγ9. 1115 ᵃ26.

φοβερότης. ἡδὺ εἶναι δοκεῖν μετὰ φοβερότητος Ρα5. 1361 ᵇ12.

φοβητικός, opp ἄφοβος ηεγ1. 1228 ᵇ5. τὰς ἐλεήμονας καὶ τὰς φοβητικὰς καὶ τὰς ὅλως παθητικὰς Πθ7. 1342 ᵃ12. ἀναίμων ὄντων (τῶν μαλακίων) καὶ διὰ τῦτο κατεψυγμένων καὶ φοβητικῶν Ζμδ5. 679 ᵃ25.

Φόβιος, εἷς τῶν Νηλειδῶν, τότε κρατῶν Μιλησίων f515. 1562 ᵃ29, 43.

φόβος, def Ηγ9. 1115 ᵃ9. ηεγ1. 1229 ᵃ40. Ρβ5. 1382 ᵃ21. ὁ φόβος πάθος τι μετὰ σώματος ψα1. 403 ᵃ17. φόβοι καὶ θάρρη ἔνεισιν ἐν τοῖς ζῴοις Ζιθ1. 588 ᵃ22. ὁ φόβος ἐν τῷ θυμοειδεῖ τὸδ5. 126 ᵃ8. ὁ φόβος κατάψυξίς τις δι᾽ ὀλιγαιμίαν Ζμδ11. 692 ᵃ23. β4. 650 ᵇ27. Ρβ13. 1389 ᵇ32. πβ31. 869 ᵇ7. ι60. 898 ᵃ6. ια36. 900 ᵇ37. λ1. 954 ᵇ13. ὁ φόβος διψητικόν πκζ3. 947 ᵇ39. ὅσα περὶ φόβον καὶ ἀνδρείαν πκζ1. 947 ᵇ11-11. 949 ᵃ20. ὁ φόβος περὶ ποῖα καὶ περὶ τίνας Ρβ5. 1382 ᵃ21-1383 ᵃ12. φόβος ἀδοξίας Ηδ15. 1128 ᵇ11. φόβος ἰσχυρός, ἀσθενὴς ηεγ1. 1228 ᵇ13, 14. μεγάλης φόβης καὶ πολλὰς ποιεῖσθαι (fort φοβεῖσθαι) ηεγ1. 1228 ᵇ15. φόβης παρασκευάζειν, ἀπολύεσθαι Πε8. 1308 ᵃ28. Ργ14. 1415 ᵇ18. στασιάζειν, ἐπιβυλεύεσθαι διὰ φόβον Πε2. 1302 ᵇ2. 5. 1304 ᵇ24. 10. 1311 ᵇ36. συνάγει καὶ τὰς ἐχθίστας ὁ κοινὸς φόβος Πε5. 1304 ᵇ24. (ἔλαφ) ὁ πρὸς τὰ θηρία φόβος Ζιζ29. 578 ᵇ17. φόβον ἐπικεκρεμάσθαι μείζονα f17. 1477 ᵃ18. — ἀνδρεία μεσότης περὶ φόβας καὶ θάρρη, cf ἀνδρεία. — ἡ τραγῳδία δι᾽ ἐλές καὶ φόβυ περαίνησα τὴν τῶν τοιύτων παθημάτων κάθαρσιν πο6. 1449 ᵇ27. ἔλεος περὶ τὸν ἀνάξιον, φόβος περὶ τὸν ὅμοιον πο13. 1453 ᵃ5.

φοῖδες. τὰς φοῖδας (i e φῳδας cf Lob Phryn p 88, Par 93) καλυμένας πλη7. 967 ᵃ27.

φοινικίας ventus, def μβ6. 364 ᵃ4, 17. cf σ973 ᵇ5. f238. 1521 ᵇ24.

φοινίκιον, instrumentum musicum πιθ14. 918 ᵇ8.

φοινίκιος. ἡ ἐντὸς ἶρις τὴν μεγίστην ἔχει περιφέρειαν φοινικίαν μγ2. 372 ᵃ4.

φοινικῆς (Lob Path I 457, II 136. Techn 181). ἡ τῦ ἁλυργῦ καὶ φοινικιῦ κρᾶσις χ2. 792 ᵇ2. φύλλα φοινικιῦντα χ5. 796 ᵃ32. cf praeterea φοινικῦς χ5. 796 ᵇ9, 13, φοινικιῶν χ3. 793 ᵃ7, ᵇ24. 5. 795 ᵇ29, 796 ᵃ14, 25, 29, ᵇ4, 15, 24. 6. 799 ᵃ15, ᵇ3, φοινικιά χ5. 796 ᵃ10, 797 ᵃ28, φοινικιοῖ χ5. 795 ᵇ1, et φοινικῆς extr.

φοινικὶς νέῳ πρέπει Ργ2. 1405 ᵃ13. φοινικὶς, ἔνδυμα Λακωνικὸν ὁπότε εἰς πόλεμον ἴοιεν f499. 1559 ᵃ37, 33.

φοινικοδάκτυλος φαυλότερον λέγεται ἢ ῥοδοδάκτυλος Ργ2. 1405 ᵇ20.

φοινικόρυγχος ὁ χοραλίας Ζυ24. 617 ᵇ17.

φοινίκυρος (vl φοινίκυρος, φοινικυρός C) Ζυ49Β. 632 ᵇ28, 29. (finikurus Thom, ruticilla Gazae, phoenicurgus Scalig. rouget C II 735.) v ἐρίθακος.

φοινικῦς. τὸ φοινικῦν μεταξὺ λευκῦ καὶ μέλανος Μι7. 1057 ᵃ25. αι4. 442 ᵃ23. ὁ ἥλιος καθ᾽ αὑτὸν μὲν λευκὸς φαίνεται, διὰ δ᾽ ἀχλύος καὶ καπνῦ φοινικῦς αι3. 440 ᵃ12. μγ4. 373 ᵇ8, 374 ᵃ4, ᵇ11. cf α5. 342 ᵇ7, 11, 20. χ2. 792 ᵃ9. ἀνακλασθείσης τῆς ὄψεως τὸ μὲν χρῶμα τῦ ἡλίῳ φοινικῦν φαίνεται, τὸ δὲ πράσινον καὶ ξανθὸν μγ6. 377 ᵇ10. τὸ φοινικῦν καὶ πράσινον καὶ ἁλυργὸν ἃ γίγνεται κεραννύμενον μγ2. 372 ᵃ7 (cf χ2. 792 ᵇ2). τὸ φοινικῦν παρὰ τὸ πράσινον λευκὸν φαίνεται μγ4. 375 ᵃ8. φοινικῦν, coni ἁλυργὸν (ἁλυργές) αι4. 442 ᵃ23. χ2. 792 ᵃ7. ἥδιστα τῶν χρωμάτων οἷον τὸ ἁλυργῦν καὶ φοινικῦν αι3. 440 ᵃ1. φοινικῦν, dist ἁλυργῦν χ2. 792 ᵇ10, ᵃ28, 25. ἡ ἰσχυροτέρα ὄψις εἰς φοινικῦν χρῶμα μετέβαλεν, ἡ δ᾽ ἐχομένη εἰς τὸ πράσινον, ἡ δ᾽ ἔτι ἀσθενεστέρα εἰς τὸ ἁλυργῦν μγ4. 374 ᵃ31. φοινικῦν, dist πορφυρῦν εν2. 459 ᵇ16. μγ4. 374 ᵃ28, 32. ὁ τύραννος (avis) φοινικῦν λόφον ἔχει, ὁ κόττυφος φοινικῦν ῥύγχος Ζυ19. 617 ᵃ17. Ζιθ3. 592 ᵇ34 (cf Su 22) — cf praeterea φοινικῆς χ2. 792 ᵃ11, 13, 14. 5. 795 ᵇ27. 6. 799 ᵃ10 et φοινικῆς.

Φοινικώδης, μία τῶν Αἰόλυ καλυμένων νήσων θ132. 843 ᵇ7.

φοῖνιξ. φοίνικες κ6. 401 ᵃ1. τὰς φοίνικας ὁ ἐλέφας κατατείνει ἐπὶ τῆς γῆς Ζυ1. 610 ᵃ23. ὁ φοῖνιξ μακροβιώτατος ἐν τοῖς φυτοῖς μκ4. 466 ᵃ10. φοίνικος ξύλον ποῖον f220. 1518 ᵇ7. φοίνικες ὐκ ἔχυσιν ἄνθη φτβ9. 828 ᵇ40. φοίνικος ἀνόρχων, ὃς τινες εὐνάχυς καλῦσιν, οἱ δὲ ἀπύρηνς f250. 1524 ᵇ24. ὁ φοῖνιξ πῶς ἐκτείνεται φτβ9. 829 ᵃ3. οἱ τῶν φοινίκων καρποὶ μελιηδεῖς ἔχυσι χυλὸς φτα5. 820 ᵃ34. — φοῖνιξ iq κλάδος φοίνικος. ὁ λαβὼν τὸν φοίνικα ἐν τοῖς ἀγῶσιν ημα34. 1196 ᵃ36. — φοῖνιξ iq καρπὸς φοίνικος πκ24. 925 ᵇ24 (cf Lob Prol 76). οἱ φοίνικες πῶς μεταβάλλεσι τὰ χρώματα χ5. 795 ᵇ26-30. (Phoenix dactylifera L Fraas 275. Langkavel 117. Hehn 180.)

Φοῖνιξ καὶ Νέστωρ f172. 1506 ᵇ23.

Φοῖνιξ. Κάδμος ὁ Φοῖνιξ λιθοτομίαν ἐξεῦρεν f459. 1553 ᵇ25. Φοίνικες θ134. 844 ᵃ9. 135. 844 ᵃ17. 136. 844 ᵃ24. Ζιθ20. 603 ᵃ21. eorum nomen explicatur θ132. 843 ᵇ9, 11. Φοίνικες εὗρον τὰ στοιχεῖα f459. 1553 ᵇ2, 6. — Φοίνισσαι, tragoedia (Eur) Ηι6. 1167 ᵃ33. — Φοινικικός. ἀναγέγραπται ἐν ταῖς Φοινικικαῖς ἱστορίαις θ134. 844 ᵃ11. — Φοινίκη σ973 ᵃ13, ᵇ5. f238. 1521 ᵇ6, 23. περὶ τὴν Φοι-

νίκην, περὶ Φοινίκην Ζιδ 2. 525 b7. ε5. 541 a19. ἡ Συρία ἡ
ὑπὲρ Φοινίκης Ζιζ 24. 577 b23.

φοινίσσειν. κατὰ γλῶσσαν τὴν Περραιβῶν τὸ αἱμάξαι φοι-
νίξαι θ132. 843 b14 (cf Lob Par 413).

φοιτᾶν. ἀεὶ φοιτῶν· ἐχ ὡς ἐπὶ τὸ πολὺ φοιτῶν εἰς τὸ χω-
ρίον Ρα5. 1362 a10. Φβ5. 196 b36. τὰ λοιπὰ γένη (τῶν
ἀετῶν) ὀλιγάκις εἰς πεδία ἢ ἄλση φοιτᾷ Ζιι32. 618 b22.
ὅσα ἐπιψάζει φοιτῶντα τῶν ᾠοτόκων Ζγγ2. 752 b34. ε33.
558 a6. αἱ καθάρσεις φοιτῶσι, τὰ καταμήνια φοιτᾷ Ζιη3.
583 a26. 2. 582 b4. Ζγα19. 727 b27. τὰ κύματα πρότερον
φοιτᾷ ἐνίοτε τῶν ἀνέμων πκγ2. 931 a38. 28. 934 b4. ἐκεῖ-
θεν (ἐκ τῇ περὶ τὰ νέφη τόπῳ) τρία φοιτᾷ σώματα συνι-
στάμενα διὰ τὴν ψῦξιν, ὕδωρ ἢ χιων ἢ χάλαζα μα11.
347 b12. (ἡ δύναμις) διήκουσα ἢ φοιτῶσα ἔνθα μὴ καλὸν
κ6. 398 a5.

φολιδωτός. τὸ δέρμα τριχωτὸν ἢ μὴ φολιδωτόν, ἰχθυῶδες
ἢ φολιδωτόν, ἄρρηκτον φολιδωτόν Ζμγ3. 664 b24. Ζγα12.
719 b8. Ζιβ10. 503 a11. — τὰ φολιδωτὰ (Μ 303, 305,
156. ΑΖιΙ 114), ἔστι δ' ἡ φολὶς ὅμοιον χώρα λεπίδος·
τῶν φολιδωτῶν ἐδὲν βλεφαρίδας ἔχει· ὅσα φολιδωτά, ἔχει
τὸν πόρον τῆς ἀκοῆς φανερὸν Ζμδ11. 691 a16. β14. 658
a12. Ζιβ12. 504 a27. 10. 503 a7. α11. 492 a25. τὰ ᾠο-
τόκα ἢ τετράποδα τῶν φολιδωτῶν, syn τῶν τετραπόδων
τὰ ᾠοτόκα ἢ φολιδωτά, τὰ τετράποδα τῶν ᾠοτόκων φο-
λιδωτά ἐστι Ζγα12. 719 b11. Ζμβ12. 657 a21. 13. 657
b11 (sed ἔνια τῶν ᾠοτοκούντων τετραπόδων φολιδας ἔχει
Ζιβ13. 505 a23). τῶν ᾠοτόκων τὰ τὲ πτερυγωτά, οἷον ὄρ-
νιθες, ἢ τὰ φολιδωτά· οἱ ὄρνιθες ἢ τὰ φολιδωτὰ αν10.
475 b22. Ζγβ1. 733 a6. τὰ μὲν τριχωτὰ τὰ δὲ φολιδωτὰ
τὰ δὲ λεπιδωτά, οἱ δ' ὄρνιθες πτερωτοί· τὰ λεπιδωτὰ ἢ
τὰ φολιδωτὰ Ζμδ7. 692 b11. cf Ζμγ8. 671 a12. 9. 671
a27. Ζγβ1. 733 a12. Ζια11. 492 a25. β10. 503 a7. γ10.
517 b15. inter τὰ φολιδωτὰ referuntur τὸ τῶν ὄφεων γέ-
νος, σαῦροι ἢ τἆλλα τὰ ὁμογενῆ τότοις, ἀσκαλαβῶται,
χελῶναι, ἐμύς, κροκόδειλοι οἱ ποτάμιοι, σαῦραι Ζιγ17. 508 a
a11. α6. 490 b24. θ15. 599 a31. 17. 600 b19. 4. 594 a4.
β12. 504 a27. Ζμγ8. 671 a15, 28, 21. Ζγα3. 716 b15.
μκ5. 466 b20.

φολίς (Μ 304). ἔστι δ' ἡ φολὶς ὅμοιον χώρα λεπίδος, φύσει
δὲ σκληρότερον Ζμδ11. 691 a16. Ζια6. 490 b22 Aub. τὸ
περιγινόμενον περίττωμα τρέπεται τὸ σῶμα ἢ τὰς φο-
λίδας, ὥσπερ εἰς τὰ πτερὰ τοῖς ὄρνισιν Ζμγ7. 670 b16.
cf δ1. 676 a30. η2. 582 b33. φολίδας ἔχει ὅσα πεζὰ ἢ
ᾠοτόκα, τῶν τετραπόδων ὅσα ᾠοτόκα, ἔνια τῶν ᾠοτοκούντων
τετραπόδων Ζια10. 517 b8. α6. 490 b22. β13. 505 a23.
ἄλλοις (ὄφεσι) χλοάζεσά ἐστιν ἡ φολὶς θ164. 846 b14. οἱ
ὄρνιθες ἔτε φολίδας ἔτε τρίχας ἔχυσιν ἀλλὰ πτερὰ Ζιβ12.
504 a30.

φονικός. δίκαι φονικαί Πγ1. 1275 b10. f 385. 1542 a36.
περὶ τὰ φονικὰ Πβ8. 1269 a1. 12. 1274 b24. φονικῷ εἴδη
τέτταρα Πδ16. 1300 b24.

φόνιος. φονίοις ἐν ἀγῶσι f 624. 1583 a28.

φόνος. διώκειν φόνον, φεύγειν φόνε, ἔνοχος τῷ φόνῳ Πβ8.
1269 a2, 3. δ16. 1300 b28. οἱ ἐφέται δικάζυσιν ἀκυσίε
φόνε f 417. 1547 b28. λαγχάνονται αἱ τῇ φόνε δίκαι πρὸς
τὸν βασιλέα· ὁ βασιλεὺς τὰς τῇ φόνε δίκας εἰς Ἄρειον
πάγον εἰσάγει f 385. 1542 a34, 21. φόνοι ἀκύσιοι, ἑκάσιοι
Πβ4. 1262 a26. — φόνον (i e αἷμα) κεύθειν (Emp 346)
αν7. 473 b12.

φοξίνοι (vl φοξῖνοι, φοξινοί Lob Prol 207, φορξῖνοι), refe-
runtur inter τὰς ποταμίας, εὐθὺς γεννώμενοι ἢ μικροὶ ὄντες

κυήματ' ἔχυσιν, πῇ τίκτυσι Ζιζ13. 567 a31. 14. 568 a21.
cf Etym magn s h v ὡς Ἀρ. φησί. (foxinus Thom, pho-
xinus Gazae Scalig. choccinos Alberto. phoxin C II 635.
Cyprinus phoxinus K 750, 1. St. Cr. 'impossible à recon-
naître' Cuv XIII 368. S I 457. ΑΖιΙ 142, 74.)

φοξός. οἱ τὰς κεφαλὰς φοξοὶ ἀναιδεῖς φ6. 812 a8.

Φόξος, τύραννος ἐν Χαλκίδι Πε4. 1304 a29.

φορά. 1. a. ἡ κατὰ τόπον κίνησις ἢ τὸ κοινὸν ἢ τὸ ἴδιον
ἀνώνυμος, ἔστω δὲ φορὰ καλύμενη τὸ κοινὸν Φε2. 226 a33.
τὸ 2. 122 b27, 33, 123 a5. φορὰ ἡ κατὰ τόπον κίνησις Φθ7.
260 a28. η2. 243 a6. Μλ2. 1069 b12. ψα3. 406 a13. Γα4.
319 b32. ὅσα μὴ γεννητὰ κινητά φορᾷ Μλ2. 1069 b26.
ἡ φορὰ γένεσις ποθέν ποι Οδ4. 311 b33. ταύτης (i e τῆς
κατὰ τόπον κινήσεως) τὸ μὲν φορὰ τὸ δ' αὔξησις ἢ φθίσις
Φδ4. 211 a15. cf Ζμα1. 641 b7. αἱ φοραὶ εἰς τὸ μεταξὺ
πρῶτον ἀφικνοῦνται αι6. 446 b29. ἡ φορητῇ ἐντελέχεια φορά
Φγ1. 201 a15. ἡ φορὰ διὰ τὸ φερόμενον γνωρίμων Φδ11.
219 b30. — b. μία φορὰ τῇ ἑνὸς ἢ ἁπλὴ τῇ ἁπλῇ Οβ14.
296 b31. φορὰ ἔμψυχος, βίαιος Οβ9. 291 a23. φορὰ οἰ-
κεία Οβ8. 290 a2. φοραὶ βιαιότεραι κ4. 394 b5. — τέτ-
ταρα εἴδη τῆς ὑπ' ἄλλυ φορας, ἕλξις ὦσις ὄχησις δίνησις
Φη2. 243 a16, 24. φορᾶς διαφοραὶ κατ' εἴδη πτήσις βάδισις
ἅλσις ἢ τὰ τοιαῦτα Ηκ3. 1174 a30. πληγὴ ἀπὸ τῆς φο-
ρᾶς μθ9. 386 b1. — c. ἡ φορὰ πρώτη ἐστι τῶν κινήσεων
Φθ7. 260 a20-261 a26. η2. 243 a11. δ1. 208 a32. Γβ10.
336 a19. ἐφ' ἑνὸς ὅτων τῶν ἐχόντων γένεσιν ἡ φορὰ
ὑστάτη τῶν κινήσεων Φθ7. 260 b31. ἡ φορὰ γενέσει ὑστάτη
τῶν κινήσεων, πρώτη κατὰ τὴν ὑσίαν Οδ3. 310 b33. —
πᾶσα φορὰ ἢ κύκλῳ ἢ ἐπ' εὐθείας ἢ μικτὴ Φθ9. 265 a14.
Οα2. 268 b17. φορὰ ἀπὸ τῇ μέσυ, ἐπὶ τὸ μέσον, περὶ τὸ
μέσον Οα2. 268 b19. φορὰ ἄνω, κάτω Φγ1. 201 a7. Μκ9.
1065 b13. μα12. 348 b22. ἔστιν ἑκάστῃ φορά τις τῶν
ἁπλῶν σωμάτων φύσει Φδ8. 214 b13. τῶν ἐπὶ τῆς εὐθείας
φορῶν ἡ πρὸς τὸν ἄνω τόπον τιμιωτέρα Οβ5. 288 a3. ἁπλαῖ
κινήσεις ἐκ εἰσὶν ἄπειροι Ογ4. 303 b6. ἡ ἐναντία φορὰ ἐκ
τῇ ἐναντίᾳ Οα4. 271 a21, 28. ἡ ἐπ' εὐθείας
φορὰ ἐ συνεχὴς ἐπ' ἀΐδιον Φθ8. 262 a12-263 a3. cf Γβ10.
337 a7. ἡ ἀνώμαλος φορὰ ἢ ἄνεσιν ἔχει ἢ ἐπίτασιν ἢ
ἀκμήν Οβ6. 288 a19. τῇ κύκλῳ φορᾷ ἐδὲν ἐναντίον Οα4.
ἐκ ἐνδέχεται ἄπειρον εἶναι φοραν πλὴν τῆς κύκλῳ Φζ10.
241 b20. τῆς φορᾶς ἡ κυκλοφορία πρώτη Φθ8. 9. 7. 261
a28. Μλ7. 1072 b8, 1073 a12. ἡ τῇ ὑρανῇ φορὰ συνεχὴς
ἢ ὁμαλὴς ἢ ἀΐδιος, μέτρον τῶν κινήσεων Οβ4. 287 a23.
α2. 269 b7. Γβ10. 336 a15. ἡ τῇ παντὸς ἡ ἁπλὴ φορὰ
Μλ7. 1073 a29 Bz. ἡ πρώτου ὑρανός ἢ ἡ πρώτη φορά Οβ6.
288 a15. τὰ ὑπὸ τὴν ἐγκύκλιον φορὰ μα4. 341 b14. τὰ
ὑπὲρ τὴν ἐξωτάτω τεταγμένα φοράν Οα9. 279 a20. ἄστρα
ἐν τῇ αὐτῇ ἐνδεδεμένα φορᾷ Οβ12. 292 a14. ἡ ἄνω φορά,
αἱ ἄνω φοραὶ μα1. 338 a21. 3. 339 b18. φοραὶ τῶν πλανή-
των Μλ8. ἡ κύκλῳ φορά μα3. 340 b32. ἡ τῇ ἡλίυ, τῶν
ἄστρων φορά μα1. 338 b22. 3. 341 a20. 6. 343 a10. 8. 346
a12 al. ἡ φορὰ τῇ κόσμυ τῇ περὶ τὴν γῆν μα7. 344 b12. —
d. αἱ φοραὶ τῶν φυσικῶν σωμάτων Φδ1. 208 b8. ἡ τῇ ὕδατος,
τῇ ὑγρῇ φορά μα12. 348 b18. 14. 352 b12. εἰς τὸν κοιλίαν
φορά μα2. 384 b22. 40. 864 a2. φορὰ (προσφορὰ Pik) τῶν
σιτίων (?) Ζικ3. 635 b20. τὰ φυτὰ ἐ μετέχει φορᾶς ψα5.
410 b23. φορᾶς αἴτιον ἐ τὸ νοητικὸν Ζμα1. 641 b7. φοραὶ
τῶν χειρῶν ὑπτίαι ἢ ἔκλυτοι φ3. 808 a13. φοραὶ τῶν ἰχθυ-
δίων· φέρεται ὥσπερ ἐξ ὕπνυ τινὸς Ζιδ10. 537 a17. —
e. εὐθεῖα φορὰ μχ1. 848 b27. λοξὴ φορὰ μα4. 342 a27.
πκ48. 945 b33. ποιεῖσθαι λοξὴν τὴν φοράν πκε14. 939 b4.

κινεῖσθαι φοράν τινα μα7. 344 b10. φέρεσθαι φοράν τινα Οβ14. 296 a34. 8. 289 b12. πιϛ13. 915 b20. φέρεσθαι δύο, πλείνς φοράς μα4. 342 a25. Φθ6. 259 b31. Οβ12. 293 a1. Ζγε3. 782 b21. μχ 23. 854 b16. φέρεσθαι ἐν δύο φοραῖς μχ1. 848 b24. ἐκ δύο φορῶν γεγένηται ὁ κύκλος μχ8. 852 a8. — 2. φορά i q fructuum latio, ubertas fructuum, ubertas. δένδρα πολυκαρπήσαντα ἐξαυαίνεται μετὰ τὴν φοράν Ζγγ1. 750 a23. κατανοήσας ἐλαιῶν φορὰν ἐσομένην Πα11. 1259 a11. Ζιε21. 553 a22. ἅμα συμβαίνει ἐλαιῶν φορὰ ᾑ ἐσμῶν Ζιε22. 553 b23. φορὰ βατράχων, ἀραχνίων πα22. 862 a10. κϛ61. 947 a38. γίγνεται τοιαύτη τῇ ὑγρῷ φορὰ μα14. 352 b12. — φορά τίς ἐστιν ἐν τοῖς γένεσιν ἀνδρῶν Ρβ15. 1390 b25.

φορβάδες ἵπποι Ζιθ24. 604 a22, v ἵππος p 345 b35.

Φόρβας. Ἀμβρακία ἡ θυγάτηρ Φόρβαντος τῷ Ἡλίῳ f 437. 1550 a23.

φορβειά. περιεζῶσθαι τὴν φορβειάν Πη2. 1324 b16.

φορεῖν ὑποδήματα ὁμοῖα Ζγα18. 723 b32. μὴ φορεῖν χρυσὸν τὰς γυναῖκας οβ1349 a9, 23 (cf χρυσοφορεῖν a24). Λυκίας ὁρῶν ἀγαπῶντας τὸ τρίχωμα φορεῖν οβ1348 a29. — σαφῶς Σίδηρῳ ᾑ φορῦσα τὔνομα (Soph fr 592) Ρβ23. 1400 b17. — φορητός. τῷ φορητῷ (ᾑ φορητὸν ἐντελέχεια) ἡ φορά Φγ1. 201 a15.

φόρημα. ἡ χλαῖνα φόρημα ἡρωικῶν f 458. 1553 a27.

Φορκίδες, tragoedia (Aeschyli) πο18. 1456 a2.

φόρμιγξ. τόξον φόρμιγξ ἄχορδος Ργ11. 1413 a1, cf Theognis p 324 b24.

φορμίς. αἱ πορφύραι ἐνίοτε ἐν ταῖς φορμίσιν ἐκτίκτῃσιν Ζιε15. 547 a2.

Φόρμις πο5. 1449 b6.

φορμός. (κεχαρισμένος) ὁ ἐν Λυκείῳ τὸν φορμὸν δὰς Ρβ7. 1385 a28.

φορός. τὸ ψυχρὸν φορὸν κάτω, opp ἀνωφερὲς πιγ5. 908 a24.

φόρος. φόροι ᾡς φέρῃσιν οἱ περίοικοι Πβ10. 1272 a18. βασιλεὺς αἰτεῖ τὸς φόρῃς οβ1348 a7.

φορτηγεῖ ἡ τῷ θερμῦ φύσις Πβ38. 870 a36.

φορτηγία, μέρος ἐμπορίας Πα11. 1258 b23 (cf Büchsenschütz Besitz u Erwerb 456 Anm).

φορτικὸς θεατής, opp ἐλεύθερός ᾑ πεπαιδευμένος Πθ7. 1342 a20. 6. 1341 b16. φορτικώτεραι κινήσεις, opp ἐλευθεριώτεραι Πθ5. 1340 b10 (cf Bernays Rh Mus 8, 595). οἱ πολλοὶ ᾑ φορτικώτατοι, opp οἱ χαρίεντες Ηα3. 1095 b16, 22. syn οἱ τυχόντες ημβ11. 1209 b20. φορτικός, syn βωμολόχος Ηδ14. 1128 a5. ηεγ7. 1234 a8. φορτικόν, opp ὐκ ἀγενές Ηδ8. 1124 b22. τέχναι φορτικαὶ αἱ πρὸς δόξαν πραγματευόμεναι μόνον ηεα4. 1215 a28. Μελίσσῳ λόγος φορτικὸς ᾑ ὐκ ἔχων ἀπορίαν Φα2. 185 a10. 3. 186 a8. cf οἱ φορτικώτεροι ψα2. 405 b2. ἡδονὴ φορτική Πθ6. 1341 b12. τὰ φορτικὰ συνήδεσθαι ηεη12. 1245 a37. φορτικὸς ἔπαινος Ηκ8. 1178 b16. φορτικὴ (τέχνη) ἡ ἅπαντα μιμημένη πο26. 1461 b29, 1462 a4. Vhl Poet IV 392. 430sqq. δοκεῖ φορτικὸν (τὸ περὶ τὴν ὑπόκρισιν) Ργ1. 1404 a1. — φορτικῶς θεωρεῖν Μβ4. 1001 b14. τὴν ψυχὴν τιθέασι πῦρ φορτικῶς τιθέντες Ζμβ7. 652 b8. φορτικῶς ἀποκλῖναι πρός τι Πη14. 1333 b9.

φορτικότης τῶν ἀκροατῶν Ρβ21. 1395 b1.

φορτίον φέρειν, κομίζειν μα10. 347 a31. πε29. 883 b38. μχ11. 852 a29, ἔχειν Ζμβ10. 656 b10. δ9. 685 a19. τὸ φορτίον ἐπὶ τῷ κινημένῳ δεῖ ἐπικεῖσθαι Ζπ4. 706 a2. φορτίον συνανατίθεται τῷ βαστάζοντι, συγκαθαιρεῖν δὲ μή f 192. 1512 b11. — τὰ φορτία ἀθρόα πεπρᾶσθαι οβ1347 b13.

φορυτός. σηπίαι ἀποτίκτῃσι πρὸς τὸν φορυτόν Ζιε17. 549 b6.

σφῆκες τὰ κηρία πλάττῃσιν ἐκ φορυτῦ ᾑ γῆς Ζιι41. 628 b11. τὰς ἐγχωρίᾳς συνάγειν ἐκ τῦ φορυτῦ τὸ κιννάμωμον Ζιι13. 616 a12.

φράγμα. τὰ μαλάκια οἷον φράγμα πρὸ τῦ σώματος ποιῦνται τὴν τῦ ὑγρῦ μελανίαν ᾑ θόλωσιν· τὰ μονόθυρα γίνεται ἀλλοτρίῳ φράγματι τρόπον τινὰ δίθυρον Ζμδ5. 679 a6, b25. τὰ μὲν (τῶν ζῴων) ἔχει φράγμα ᾑ ὥσπερ ἔλυτρον τὰ βλέφαρα ψβ9. 421 b29.

φραγμός. ἡ φύσις οἷον παροικοδόμημα ποιήσασα ᾑ φραγμὸν τὰς φρένας Ζμγ10. 672 b20. τῶν ἐντόμων ἔνια ἔχει φραγμὸν πρὸ αὐτῶν (ἔλυτρα τοῖς πτεροῖς) Ζμδ6. 682 b17, cf 14.

φράζειν. φράζειν ἐν κεφαλαίῳ τὸ πρᾶγμα, τὰς αἰτίας συντόμως, τὰς πράξεις αὐτὰς ψιλάς ρ30. 1436 b4. 12. 1430 b5. 32. 1438 b27. ὡς τύπῳ φραζόντων, opp διακριβῦν πιζ3. 916 a36. προϊόντα πειρᾶσθαι δεῖ φράζειν τὸν λόγον Ζγβ1. 731 b22. ἀκριβέστερον φράσαι φ2. 806 b1. οἱ μετὰ σπηδῆς διαγράψαντες ἑνὸς τόπῳ φύσιν, οἷά τινες ἤδη πεποιήκασι, φράζοντες οἱ φὴν Ὄσσαν x1. 391 a20. — φυλάξασθαι τοῖς νόμοις φράζοντας ᾑ διορίζοντας τίνας ὒ δεῖ ἐπιμίσγεσθαι Πη6. 1327 a38.

φράσις. Ὁμηρικὸς Ἐμπεδοκλῆς ᾑ δεινὸς περὶ τὴν φράσιν γέγονεν f 59. 1485 b8.

φρατήρ. φρατέρων κοινωνία (φρατόρων Fr e cod Mb) ηεη9. 1241 b26. cf φράτωρ.

φρατρίαι, coni κηδεῖαι, φυλαί, δῆμοι Πη9. 1280 b37. β5. 1264 a8. δ15. 1300 a25. ε8. 1309 a12. φρατρίαι ἕτεραι πλείνς ποιηνται Πζ4. 1319 b24. ἡ φυλὴ διήρηται εἰς τρία μέρη, τριττὺς ᾑ ἔθνη ᾑ φρατρίας f 347. 1536 b7, 1, 13, 18. cf φατρία.

φράττειν. πεφραγμένων τῶν πόρων πκγ37. 935 b14. κἂν ἔτι φραχθῇ πλδ9. 964 a28.

φράτωρ. φράτορα ᾑ φυλέτην προσαγορεύει Πβ3. 1262 a12. Φράτορες (Φράτερες Meineke com II 749), comoedia Leuconis f 579. 1573 a26, cf Λεύκων p 428 a28.

φρέαρ. οἱ ἐκ τῶν ὀρυγμάτων ᾑ φρεάτων ἐνίοτε ἀστέρας ὁρῶσιν Ζγε1. 780 b21. ᾑὸ εὐθέως ἕωθεν πορεύεται εἰς φρέαρ ἢ εἰς φάραγγα Μγ4. 1008 b15. ἐὰν φρέαρ ἢ λάκκος ᾖ ἐν τῇ οἰκίᾳ πια8. 899 b26. σικυὸς περὶ φρέαρ φυτευθεὶς πκ14. 924 a36, 37. ἀσκαρίδες γίνονται ἐν τῇ ἰλύι τῶν φρεάτων Ζιε19. 551 b28. ἀτμίζει τὰ φρέατα βορείοις μᾶλλον ἢ νοτίοις μα10. 347 b9. τὰ ἐπὶ τοῖς φρέασι κηλώνεια μχ28. 857 a34. ἐν τοῖς φρέασι τὸ πότιμόν τε ᾑ ἐπιπολῆς ἁλμυρώτερον τῦ εἰς βάθος πκγ30. 934 b24.

φρεατιαῖα ὕδατα, χειρόκμητα μβ1. 353 b26.

Φρεαττώ. τὸ ἐν Φρεαττοῖ δικαστήριον Πδ16. 1300 b29.

φρήν. ἡ φρὴν ἀνώνυμος (Eur Hippol 612) Ργ15. 1416 a31. ἐπὶ φρένα βάλλεις f 625. 1583 b13. — φρένες καλῦνται ὡς μετέχῃσαί τι τῦ φρονεῖν Ζμγ10. 672 b31 (cf Lob Techn 84). τὸ διάζωμα ὃ καλῦνται φρένες· τὸ διάζωμα, αἱ καλύμεναι φρένες (v l φλέβες) Ζιβ15. 506 a6. α17. 496 b11. Ζμγ10. 672 b11, 13. τῦτο δὲ ἐν τῶν περὶ τὰ σπλάγχνα μορίων ἐστίν· ὁ τόπος ὁ περὶ τὰς φρένας Ζμγ7. 670 b31. 10. 673 a11, cf 28. οἷον παροικοδόμημα ᾑ φραγμὸν ποιήσασα (ἡ φύσις) τὰς φρένας Ζμγ10. 672 b20. cf Plat Tim 70 A E, 77 B. φλέψ εἰς τὸ ὑπόζωμα τελευτᾷ ᾑ τὰς καλυμένας φρένας Ζιγ4. 514 a36 (uncis inclus Bsm ed Pik). εἰσὶ δ' αἱ τῶν ἀνθρώπων φρένες (v l, ci Pik Aub, φλέβες Bk) παχεῖαι ὡς κατὰ λόγον τῦ σώματος Ζιγ7. 496 b15. τυπτόμενοι εἰς τὰς φρένας γελῶσιν πλε6. 965 a15. (Philippson ὕλη 40 adn. Da I 50.)

φρίκη. τὸ ὕδωρ, ὅταν τραχυνθῇ, καθάπερ ἡ τῆς θαλάττης

φρίκη (μέλαινα ἡμῖν φαίνεται) χ1. 791 ᵃ21. πκγ23. 934
ᵃ14. ὅταν γένηται ἀλλοίωσις περὶ τὴν καρδίαν, πολλὴν ποιεῖ
τῇ σώματος διαφορὰν ἐρυθήματι κ̣ ὠχρότητι κ̣ φρίκαις
Σκ7. 701 ᵇ32. τοῖς προσχεομένοις τὸ θερμὸν ἐξαίφνης φρίκη
γίνεται υ3. 457 ᵇ15. πγ26. 875 ᵃ10. η11. 888 ᵃ34. τὰς 5
χειμερινὰς κόπας ἀλείμματι ἰᾶσθαι δεῖ διὰ τὰς φρίκας κ̣
τὰς γινομένας μεταβολὰς πα39. 863 ᵇ21. ε38. 884 ᵇ34.
ὅσα ἐκ ῥίγος κ̣ φρίκης πη887 ᵇ10-889 ᵇ7.
φρικώδης. δυσταμένος (τὰς κλύδωνας) ὕτω βαθεῖαν κ̣ φρι-
κώδη τὴν ἄποψιν ποιεῖν, ὥστε πολλὰς μὴ κρατεῖν ἑαυτῶν 10
θ130. 843 ᵃ16.
φριξός. τρίχες φριξαί φ5. 809 ᵇ25. 6. 812 ᵇ28.
φρίττειν. τὸ ἄρρεν (τῶν φυτῶν) γένος ἐστὶ τραχύτερον κ̣
σκληρότερον κ̣ μᾶλλον φρῖτον φτα2. 817 ᵃ8. ὀχευθεῖσαι αἱ
ὄρνιθες φρίττυσι κ̣ ἀποσείονται Ζιζ2. 560 ᵇ8. φρίττυσιν αἱ 15
τρίχες ἐν τῷ δέρματι πη12. 888 ᵃ38. λε5. 965 ᵃ8. πτα-
ρέντες κ̣ ὑρήσαντες φρίττυσιν πη8. 887 ᵇ35. λγι6. 963 ᵃ33.
τῶν διὰ τῆς ἀκοῆς λυπηρῶν ἔνια φρίττειν ἡμᾶς ποιεῖ, οἷον
πρίων ἀκονώμενος πζ5. 886 ᵇ9. μετὰ τὰ σιτία φρίττομεν
πολλάκις πλε9. 965 ᵃ33. πρὸς ἐνίων ἰδρώτων φρίττομεν 20
πβ34. 870 ᵃ8. cf κ14. 937 ᵃ36. μᾶλλον φρίττομεν ἑτέρα
θιγόντος πως ἢ αὐτοὶ ἡμῶν πλε1. 964 ᵇ22. οἱ ἔκφοβοι γι-
νόμενοι φρίσσυσιν φ6. 812 ᵇ30. δεῖ κ̣ ἄνευ τῇ ὁρᾶν ὕτω
συνεστάναι τὸν (τῆς τραγῳδίας) μῦθον ὥστε τὸν ἀκούοντα
τὰ πράγματα γινόμενα κ̣ φρίττειν κ̣ ἐλεεῖν ἐκ τῶν συμ- 25
βαινόντων πο14. 1453 ᵇ5.
φροιμιάζεσθαι. τὸν αὐτὸν τρόπον φροιμιαζόμενοι ρ35.1439
ᵇ37. τί φροιμιάζῃ (Eur Iph T 1162) Ργ14. 1415 ᵇ21.
ὀλίγα φροιμιασάμενος Ὅμηρος εὐθὺς εἰσάγει ἄνδρα ἢ γυ-
ναῖκα πο24. 1460 ᵃ10. φροιμιασάμενοι ἐκ τῶν ρ38. 1445 30
ᵇ6. — pass, πεφροιμίασται τὰ νῦν εἰρημένα Πη4. 1325
ᵇ33. πεφροιμιάσθω τοσαῦτα Ηα1. 1095 ᵃ12. ἐπὶ τοσῦτον
ἔττω πεφροιμιασμένα Πη1. 1323 ᵇ37. ἐν τοῖς πεφροιμια-
σμένοις Μβ1. 995 ᵇ5. — φροιμιαστέον ρ36. 1440 ᵇ6. 38.
1445 ᵃ35.   35
φροίμιον ρ32. 1438 ᵇ24.
φρονεῖν κ̣ αἰσθάνεσθαι ταὐτὸν εἶναί φασιν οἱ ἀρχαῖοι, ἐκ
ἔστι ταὐτὸν ψγ3. 427 ᵃ21, 28, ᵇ7. cf υ2. 455 ᵇ23. Ζγα23.
731 ᵇ1. δεῖ τὰ φρονέμενα εἶναι, κ̣ τὸ μὴ ὄν, εἴπερ μή
ἔστι, μηδ' φρονεῖσθαι ξ6. 980 ᵃ9. τῷ ἠρεμῆσαι καὶ 40
τὴν διάνοιαν ἐπίστασθαι κ̣ φρονεῖν λέγομεν Φη3. 247 ᵇ11.
φρονεῖν, syn σοφὸν εἶναι Ρα11. 1371 ᵇ27. φρόνησις, ἐπι-
στήμη, δόξα, εἴδη τῇ νοεῖν ὀρθῶς ψγ3. 427 ᵇ9, Trdlbg
p 452. τὸ μόριον τῆς ψυχῆς, ᾧ γινώσκει τε κ̣ ψυχὴ κ̣
φρονεῖ ψγ4. 429 ᵃ11 (Trdlbg p 463). ἔργον τῇ θειοτάτῃ 45
τὸ νοεῖν κ̣ φρονεῖν Ζμδ10. 686 ᵃ29. — φρονεῖν μικρόν,
μικρὰ Πε11. 1313 ᵇ8, 1314 ᵃ16, 29. φρονεῖν ἀνθρώπινα
Ηκ7. 1177 ᵇ32. θνατά, ἀθάνατα φρονεῖν (cf Ἐπίχαρμος
p 282 ᵇ48) Ρβ21. 1394 ᵇ25. — καλῦνται φρένες ὡς μετ-
έχυσαί τι Ζμγ3. 672 ᵇ31. ὁ τόπος ᾧ φρονῦμεν πλ1. 955 ᵃ1. 50
μεν πλ1. 955 ᵃ1. τῆς τῇ αἵματος φορὰς μικρὸν τόπον
κατεχύσης κ̣ αἱ κινήσεις ταχὺ ἀφικνῦνται ἐπὶ τὸ φρονῦν
φ6. 813 ᵇ8, 11, 20, cf ᵇ15, 32. — (τῶν εὖ φρονῦντων
ηεη12. 1244 ᵇ6, εὐφραινόντων ci Sylb.)
φρόνημα ἔχων ἐλεύθερον Πε11. 1314 ᵃ3. φρόνημα κ̣ πίστις 55
Πε11. 1314 ᵇ2. — χαλεποὶ κ̣ φρονημάτων πλήρεις Πβ5.
1264 ᵃ34.
φρονηματίας Πε11. 1313 ᵃ40.
φρονηματίζειν. φρονηματισθέντες ἐκ τῶν ἔργων Πθ6.1341
ᵃ30. cf β12. 1274 ᵃ13. πεφρονηματισμένοι διὰ τὸ γενέσθαι 60
ποτ' ἐπ' ἀρχῆς Πγ13. 1284 ᵇ2. cf ε7. 1306 ᵇ28.

φρόνησις. τίνες ὑπελάμβανον φρόνησιν εἶναι τὴν αἴσθησιν
Μγ5. 1009 ᵇ13. φρόνησις, dist αἴσθησις Ζγα23. 731 ᵃ35.
τῶν ζῴων τὰ μάλιστα κοινωνῦντα φρονήσεως Ζγγ2. 753
ᵃ12. cf Ζυ1. 608 ᵃ15. Bz ad ΜΑ1. 980 ᵇ21. — φρόνησις
latiore sensu, syn γνῶσις, ἐπιστήμη. εἴπερ ἔσται τις γνῶσις
κ̣ φρόνησις Ογ1. 298 ᵇ23. εἴπερ ἐπιστήμη τινὸς ἔσται κ̣
φρόνησις Μμ4. 1078 ᵇ15. ἡ τοιαύτη φρόνησις (ι ε ἡ φιλο-
σοφία) ἤρξατο ζητεῖσθαι ΜΑ2. 982 ᵇ24 Bz. τῆς αὐτῆς
φρονήσεώς ἐστι ἰδεῖν, syn τῆς αὐτῆς ἐπιστήμης Πδ1. 1289
ᵃ12, 1288 ᵇ22. ἥ τε τῶν νοητῶν φρόνησις κ̣ ἡ τῶν πρα-
κτῶν αι1. 437 ᵃ3. ἡ κατὰ φιλοσοφίαν φρόνησις τθ14. 163
ᵇ9. cf ζ3. 141 ᵃ7. Αβ2. 54 ᵇ14. — sed plerumque an-
gustiore sensu φρόνησις refertur ad τὰ πρακτά. dist ἐπι-
στήμη, τέχνη, νῦς, σοφία Ηζ5. 1140 ᵇ2. 9. 1142 ᵇ23-30.
ημα35. 1197 ᵃ32sqq. ὁ κατὰ φρόνησιν λεγόμενος νῦς ψα2.
404 ᵇ5. περὶ φρονήσεως Ηζ5. 7-9. 13. ημα35. pl. def αρ1.
1249 ᵇ26. 2. 1250 ᵃ3. 4. 1250 ᵃ30-39. φρόνησίς ἐστιν ἀρετὴ
διανοίας, καθ' ἣν βυλεύεσθαι εὖ δύνανται περὶ ἀγαθῶν, εἰς
εὐδαιμονίαν Ρα9. 1366 ᵇ20. cf 7. 1364 ᵇ18, 1363 ᵇ14. αι1.
437 ᵃ1. τε7. 137 ᵃ14. ἡ φρόνησις ἀρετὴ μορίν λογιστικῷ
τῆς ψυχῆς Ηζ12. 1143 ᵇ15. 5. 1140 ᵇ26. 13. 1144 ᵃ1. τε6.
136 ᵇ11. ζ6. 145 ᵃ29. ἡ φρόνησις ἕξις μετὰ λόγυ ἀληθὴς
περὶ τὰ ἀνθρώπινα ἀγαθὰ πρακτικὴ Ηζ5. 1140 ᵇ20. cf 8.
1141 ᵇ16, 21, 8. ὅτι τῶν καθόλυ μόνον, ἀλλὰ δεῖ κ̣ τὰ καθ'
ἕκαστα γνωρίζειν Ηζ8. 1141 ᵇ14. ἡ φρόνησις ἕξις προαιρε-
τικὴ κ̣ πρακτικὴ τῶν ἐφ' ἡμῖν ὄντων, ὥσπερ ἀρχιτέκτων
τις, ὥσπερ ἐπίτροπος ημα35. 1197 ᵃ1, 14, 1198 ᵃ32-ᵇ8, 9.
ἡ φρόνησις ὀρθὸς λόγος περὶ τῶν πρακτῶν Ηζ13. 1144 ᵇ28.
φρόνησις δοκεῖ μάλιστ' εἶναι ἡ περὶ αὐτὸν κ̣ ἕνα Ηζ8.
1141 ᵇ30. ἡ πολιτικὴ κ̣ ἡ φρόνησις ἡ αὐτὴ μὲν ἕξις, τὸ
μέντοι εἶναι ὅ ταὐτὸν αὐταῖς Ηζ8. 1141 ᵇ23. μα8. 1218
ᵇ14 (cf ἡ φρόνησις ἄρχοντος ἴδιος ἀρετὴ Πγ4. 1277 ᵇ25,
28. φρόνησις, opp δύναμις Πη9. 1329 ᵃ15, 9). — ἡ φρό-
νησις ἀρετή ἐστιν ημα35. 1198 ᵃ22-32. cf coni φρόνησις κ̣
ἀρετή Πα2. 1253 ᵃ34. γι1. 1281 ᵇ4. φασί τινες πάσας
τὰς ἀρετὰς φρονήσεις εἶναι Ηζ13. 1144 ᵇ18. συνέζευκται
ἡ φρόνησις τῇ τῇ ἤθυς ἀρετῇ κ̣ αὕτη τῇ φρονήσει· ὅχ οἷον
τε ἀγαθὸν εἶναι κυρίως ἄνευ φρονήσεως ὅδε φρόνιμον ἄνευ
τῆς ἠθικῆς ἀρετῆς Ηκ8. 1178 ᵃ16-19. ζ13. 1144 ᵇ31.
Trdlbg hist Beitr II 384. Hartenstein hist philos Abhdlg
p 279. (ἐξ ἑκάστη ἀρετῇ κ̣ φύσει κ̣ ἄλλως μετὰ φρονή-
σεως ηεγ7. 1234 ᵃ29. φρονήσεως ὅδὲν ἰσχυρότερον ηεη13.
1246 ᵇ34. τὴν φρόνησίν φασί τινες μέγιστον ἀγαθὸν εἶναι
ηεα1. 1214 ᵃ32.) ἡ ἀρετὴ τὸν σκοπὸν ποιεῖ ὀρθόν, ἡ δὲ φρό-
νησις τὰ πρὸς τῦτον Ηζ13. 1144 ᵃ8, 21, 1145 ᵃ5. dist δει-
νότης Ηζ13. 1144 ᵃ28. η11. 1152 ᵃ11-14. (ἡ φρόνησις με-
σότης πανυργίας κ̣ εὐηθείας ηεβ3. 1121 ᵃ12.) πότερον
φρόνησις παρακολυθεῖ τῷ ἀδίκῳ ημβ3. 1199 ᵃ20-ᵇ10. εἰς
ταὐτὸ τείνυσι φρόνησις, γνώμη, σύνεσις, νῦς Ηζ12. 1143
ᵃ25sqq. φρόνησις, dist σύνεσις Ηζ11. 1143 ᵃ8. dist εὐβα-
λία Ηζ10. 1142 ᵇ33. — τόποι τῇ σώματος, ἐφ' ὧν φρο-
νήσεως πλείστη ἐπιπρέπεια γίνεται, τίνες εἰσὶν φ6. 814 ᵇ8.
φρόνιμος, cf φρόνησις. τῷ καθίστασθαι τὴν ψυχὴν ἐκ τῆς
φυσικῆς ταραχῆς φρονιμόν τι γίνεται κ̣ ἐπιστῆμον Φη3. 247
ᵇ18, 24. — τὸ φρόνιμον ὅτι τὸ λογιστικὸν τε5. 134 ᵃ34.
8. 138 ᵇ2. φρονίμυ τὸ ὠφέλιμον διώκειν, ἀγαθὸ τὸ καλὸν
διώκειν Ργ16. 1417 ᵃ26. φρονίμυ τὸ δύνασθαι καλῶς βυ-
λεύσασθαι περὶ τὰ αὑτῷ ἀγαθὰ κ̣ συμφέροντα πρὸς τὸ εὖ
ζῆν Ηζ5. 1140 ᵃ25. (dist φρόνιμος περί τι Ηζ5. 1140 ᵃ29.)
τὸν φρόνιμον δεῖ γινώσκειν τὰ καθ' ἕκαστα Ηζ12. 1143
ᵃ34. ὁ περὶ αὑτὸν εἰδὼς κ̣ διατρίβων φρόνιμος Ηζ9. 1142

ᵃ1. 7. 1141 ᵃ26. τὸν πολιτικὸν ἀναγκαῖον εἶναι φρόνιμον Πγ4. 1277 ᵃ15. ἀδύνατον φρόνιμον εἶναι μὴ ὄντα ἀγαθόν Ηζ13. 1144 ᵃ36. φρόνιμος, coni syn ἀγαθός τγ1. 116 ᵃ15. Πγ4. 1277 ᵃ15. (cf ἅπερ ὁ φρόνιμος ἂν κελεύσειε χ ἡ ἀρετή ηεγ5. 1232 ᵃ36.) φρόνιμος, dist δεινός, πανᵘργος Ηζ13. 1144 ᵃ27. η11. 1152 ᵃ7-14. ημβ6. 1204 ᵃ6-18. — ᵘδεὶς φύσει φρόνιμος τβ11. 115 ᵇ17. τῶν θηρίων ἔνια φρόνιμα, φρονιμώτερα χ μαθητικώτερα Ηζ5. 1141 ᵃ27. ΜΑ1. 980 ᵇ22, 21 Bz. (τῶν ζῴων) ὅσα φρονιμώτερα, opp τὰ χείρονα Ζγγ2. 753 ᵃ11. ἐν τοῖς ἡμέροις χ φρονιμωτέροις οα3. 1343 ᵇ16. (τῶν ζῴων) τὰ μὲν φρόνιμα χ δειλά Ζια1. 488 ᵇ15. τῶν ἀγρίων χ τετραπόδων ἡ ἔλαφος ᵘχ ἥκιστα φρόνιμον Ζυ5. 611 ᵃ16. δοκεῖ ὁ κόκκυξ φρόνιμον ποιεῖσθαι τὴν τέκνωσιν Ζυ29. 618 ᵃ25. φρόνιμα πολλὰ περὶ τὰς γεράνᵘς δοκεῖ συμβαίνειν Ζυ10. 614 ᵇ18. αἱ μέλιτται χ ἄλλα τοιαῦτα ζῷα φρονιμώτερα τὴν φύσιν ἐστὶν ἐναίμων πολλῶν Ζμβ2. 648 ᵃ6. τῶν ἐναίμων τὰ ψυχρὸν ἔχοντα χ λεπτὸν αἷμα φρονιμώτερα τῶν ἐναντίων ἐστὶν Ζμβ2. 648 ᵃ8. φρονιμώτατον τῶν ζῴων ὁ ἄνθρωπος Ζγβ6. 744 ᵃ30. Ἀναξαγόρας φησὶ διὰ τὸ χεῖρας ἔχειν φρονιμώτατον εἶναι τῶν ζῴων ἄνθρωπον· εὔλογον δὲ διὰ τὸ φρονιμώτατον εἶναι χεῖρας λαμβάνειν Ζμδ10. 687 ᵃ8, 9, 18.

φροντίζειν, opp ὀλιγωρεῖν, παριδεῖν, ὑπεριδεῖν Πη10. 1330 ᵃ20, 19. β3. 1261 ᵇ36 (syn ἐπιμέλεια ᵇ33). μβ2. 355 ᵃ19. Οβ8. 290 ᵃ32. opp λυπεῖν Ηδ12. 1126 ᵇ27. syn κήδεσθαι Ρβ6. 1383 ᵇ19 (cf 4. 1381 ᵃ12), 1384 ᵃ32. — φροντίζειν τινός, τᵘ καλᵘ, τῆς πολιτείας, τῶν ζῴων, συνήθων χ ὀθνείων al Ηδ3. 1121 ᵇ1. 12. 1126 ᵇ27. Πε8. 1308 ᵃ28. γ9. 1280 ᵇ2, 6. Ρβ6. 1383 ᵇ19. Οβ8. 290 ᵃ32. μβ2. 355 ᵃ19. ᵘδὲν φροντίζειν τινός αι5. 445 ᵃ2. φροντίζειν πρός τι Πη3. 1325 ᵃ40. μὴ φροντίζειν ἐπιορκήσαντος ρ18. 1432 ᵃ40. φροντίζειν τί δοκεῖ ἀν σπᵘδαίῳ ηεγ5. 1232 ᵇ6. ᵘδὲν φροντίζᵘσιν ὡς ἄδικόν ἐστιν Ρα3. 1358 ᵇ37.

φροντίς. σκυθρωπὸς φροντὶς τῆς ψυχῆς Ργ3. 1406 ᵃ25, cf Ἀλκιδάμας p 33 ᵃ2.

φροντιστικὴ διάνοια μτ2. 464 ᵃ23. τὰ θήλεα περὶ τὴν τῶν τέκνων τροφὴν φροντιστικώτερα Ζυ1. 608 ᵇ2.

φρᵘδος. εἴπερ ᵘν ἀεί τι τῶν ὄντων ἀπέρχεται, διὰ τί ποτ' ᵘκ ἀνήλωται χ φρᵘδον τὸ πᾶν Γα3. 318 ᵃ17. εἰ γὰρ τὰ σώματα συνέστηκεν ἐκ πυρός, πάλαι φρᵘδον ἀν ἦν ἕκαστον τῶν ἄλλων στοιχείων μαδ. 340 ᵃ2. χρόνᵘ δὲ γενομένᵘ τὸ ἐναπολειφθὲν ᵘ λιμνάσαν ὕδωρ ξηρανθέν ἐστιν ἤδη φρᵘδον μα14. 353 ᵃ1.

φρᵘρεῖν. οἱ ἐκεῖ φρᵘρᵘντες στρατιῶται οβ1351 ᵃ28.

φρᵘρός. κρεῖττω γενέσθαι τῶν φρᵘρῶν, εὐδοκιμεῖν παρὰ τᵘ πλήθει τῶν φρᵘρων Πε7. 1307 ᵃ32, ᵇ9. πολίτας φρᵘρᵘς ᵘᵘναι εἰς χωρία τινὰ οβ1351 ᵃ9. ἐφήβᵘ ἡ φρᵘρῶν τάξις τις Πζ8. 1322 ᵃ28. — φύλακες (Plat) οἷον φρᵘροί Πβ5. 1264 ᵃ26.

φρύγανον. ἐν μέσῳ τῷ ποταμῷ φρυγάνοις χ λίθοις περιφράξαντες ὅσον στόμα καταλείπᵘσιν Ζιβ20. 603 ᵃ9. ὁ ὄρτυξ τὴν κονίστραν σκεπάζει φρυγάνοις διὰ τᵘς ἱέρακας f 269. 1526 ᵇ43.

Φρύγες. παρὰ Φρυξὶ πικέριον καλεῖσθαι τὸ βᵘτυρον f 593. 1574 ᵃ29. — Φρυγία. ἐν Φρυγίᾳ x4. 395 ᵇ30. Ζιγ9. 517 ᵃ28. περὶ τὴν Φρυγίαν Ζιβ24. 617 ᵇ19. εἰς Φρυγίαν Ζιζ36. 580 ᵇ6. οἱ κατὰ Φρυγίαν τόποι σ973 ᵃ24. f 238. 1521 ᵇ18. κατὰ Δορύλαιον (ci) τῆς Φρυγίας f 238. 1521 ᵇ37. σ973 ᵇ15. — Φρύγιος. ἁρμονία Φρύγιος Πγ3. 1276 ᵇ9. ὁ διθύραμβος Φρύγιον Πθ7. 1342 ᵇ7. συντάγματα Φρύγια Πδ3. 1290 ᵃ22. τέφρα Φρυγία θ58. 834 ᵇ30. Φρύγιος

τυρός Ζιγ20. 522 ᵃ28.

Φρύγιος. Φόβιος παρεχώρησε Φρυγίῳ τῆς ἀρχῆς f 515. 1562 ᵃ45.

φρυγιστί. τίθενται εἴδη δύο ἁρμονιῶν, τὴν δωριστὶ χ τὴν φρυγιστί Πθ3. 1290 ᵃ21. ἐνθᵘσιαστικῶς (ποιεῖ) ἡ φρυγιστί Πθ5. 1340 ᵇ5. ἔχει τὴν αὐτὴν δύναμιν ἡ φρυγιστὶ τῶν ἁρμονιῶν ᾗπερ αὐλὸς ἐν τοῖς ὀργάνοις· ἄμφω γὰρ ὀργιαστικὰ χ παθητικά Πθ7. 1342 ᵇ2, 6.

φρυκτός. αἰσθανόμενος τὸν φρυκτὸν ὅτι πῦρ ψγ7. 431 ᵇ5. φρυκτωριῶν ἐπόπτηρες x6. 398 ᵃ31.

φρύνη, refertur inter τὰ ᾠοτόκα χ τετράποδα, μικρὸν πάμπαν ἔχει τὸν σπλῆνα, τᵃ μέλανα ἐν ταῖς φρύναις (vl φρύνοις) Ζιβ15. 506 ᵃ19. δ5. 530 ᵇ34. ἐνίων τὰ σώματα φαύλης τετύχηκε κράσεως οἷον φρύνης Ζμγ12. 673 ᵇ31. cf S hist amphib I 182. (fyrnus, frinus Thom, rubeta Gazae Scalig. grenouille de haie C II 392. Bufo vulgaris St. Cr. B III 75. ΑΖι I 120, 15. cinereus K 482. ΚαΖι 82, 10. Su 186, 18. cf M 312. E 69). v φρύνος.

Φρῦνις musicus comparatus cum Timotheo Μα1. 993 ᵇ16.

Φρύνιχος, poeta tragicus, διὰ τί οἱ περὶ Φρύνιχον ᾖσαν μᾶλλον μελοποιοὶ πιθ31. 920 ᵃ11. — ἐν τοῖς τετρακοσίοις οἱ περὶ Φρύνιχον ἰσχυσαν Πε6. 1305 ᵇ27.

φρυνοειδής. οἱ μικροὶ βάτραχοι οἱ φρυνοειδεῖς πα22. 862 ᵃ11.

φρυνολόγος, φρυνολόχος C et S. refertur inter τὸ τῶν ἱεράκων γένος Ζυ36. 620 ᵃ21 Aub. ('Rostweihe' oder Ringelweihe' K 996, 8. 'perhaps the buzzard' Cr. in incert rel Su 102, 22. ΑΖι I 94 k.) cf λεῖος p 425 ᵇ7, ἱέραξ p 340 ᵇ41.

φρῦνος. τριόρχης κατεσθίει αὐτᵘς· ὁ φρῦνος πῶς ἀπόλλυσι τὰς μελίττας Ζυ1. 609 ᵃ24. 40. 626 ᵃ31 Aub. i q φρύνη.

φυγαδεύειν. κολᵘειν τᵘς ὑπερέχοντας χ φυγαδεύειν Πγ13. 1284 ᵃ37. ε10. 1311 ᵃ17. φυγαδεύειν, dist ὀστρακίζειν, opp θιαιτᵘσαι Πγ17. 1288 ᵃ25. οβ1347 ᵇ34.

φυγάς. οἴχεται φυγάς (?) f 615. 1582 ᵃ4. φυγάδες Πγ14. 1285 ᵃ36, ἐκβάλλειν φυγάδας Πε3. 1303 ᵃ35. οβ1346 ᵇ7. οἱ Ἀθήνησι φυγάδες κατῆλθον ρ9. 1429 ᵇ9. οἱ ἄτιμοι χ φυγάδες πότερον πολῖται Πγ1. 1275 ᵃ21.

φυγή. εἰς τὸ ἐναντίον ἡ φυγὴ (τᵘ αἵματος) πκζ7. 948 ᵇ12. — ὅπερ ἐν διανοίᾳ κατάφασις χ ἀπόφασις, τᵘτ' ἐν ὀρέξει δίωξις χ φυγὴ Ηζ2. 1139 ᵃ22. ψγ7. 431 ᵃ12. φυγή, opp αἵρεσις Ηβ2. 1104 ᵇ31. ημα35. 1197 ᵃ2. β3. 1199 ᵃ5. φυγαί, opp ἐπιθυμίαι Ηη8. 1150 ᵃ10. — φυγή, exilium, Πθ9. 1294 ᵇ34. 14. 1298 ᵇ6.

φύειν τρίχας, ὀδόντας, βλεφαρίδας, πόδας, πτερά, κέρατα Ζιγ11. 518 ᵃ33. ε22. 554 ᵃ29. ιε. 611 ᵃ31. 50. 632 ᵃ11. Ζγε3. 784 ᵃ9. Κ10. 13. 436. θ58. 834 ᵇ30. φύειν φύλλα Ζγε3. 784 ᵃ13. φύειν χρυσίον θ42. 833 ᵃ30. f 248. 1523 ᵇ23. τῆς φύσεως ποτε φυσᵘσης φαύλης Πε12. 1316 ᵃ18. — pass et intrans φύεσθαι, φῦναι, πεφυκέναι. 1. φύεσθαι λέγεται ὅσα αὔξησιν ἔχει δι' ἑτέρᵘ ἅπτεσθαι Μδ4. 1014 ᵇ20. ἐκ τῶν φυσαμένων χ γιγνομένων κατὰ φύσιν μβ3. 358 ᵃ17. τὸ φυόμενον ἐκ τινος εἰς τι ἔρχεται ἢ φύεται Φβ1. 193 ᵇ17. cf Φθ1. 250 ᵇ30 (Emp 70). Ζγδ10. 777 ᵇ35. τὸν γόνον φυόμενον αὐτόματον Ζγγ10. 759 ᵃ13, 30. φύεσθαι ἐξ ἰλύος ἢ συστάψεως, πρὸς πέτρᾳ, ἐν ταῖς ρίζαις al Ζιε15. 546 ᵇ23. 1. 543 ᵇ17. 16. 548 ᵇ18, 5. ζ15. 569 ᵃ22, 24. ὑπὸ τὴν κεφαλὴν ὁ αὐχὴν πεφυκώς ἐστιν Ζμγ3. 664 ᵃ13. ὀδόντας, τρίχες πάλιν δύνανται φύεσθαι Ζγβ6. 745 ᵇ6. π27. 893 ᵇ28. 29. 894 ᵃ13. ἅπαντα νέμεται τᵘς τόπᵘς ἐν οἷς ἀν φυῶσι Ζυ37. 621 ᵇ4. — εἴ τις ἐξ ἀρχῆς τὰ πράγματα φυόμενα βλέψειεν Πα2. 1252 ᵃ24. — τόπος

ἐν ᾧ πεφύκασι κάλαμος ἢ σχοῖνος μβ3. 359 b1. cf Ζιθ19.
601 b24. τὰ φυόμενα, i e τὰ φυτὰ ψβ2. 413 a25, 33.
αι4. 441 b7. Ζιε11. 543 b24. θι9. 601 b12. Ζγα23. 731 a8.
γ9. 759 a7. ε3. 783 a30 (sed Ζιε16. 548 b8 τὰ φυόμενα
etiam σπόγγας complectitur). — 2. significatur indoles
a natura insita, distincta ab iis quae sunt ἐπίκτητα cf
φύσις 2d. φῦναι δεῖ ὥσπερ ὄψιν ἔχοντα· ἐστὶν εὐφυὴς ᾧ
τᾶτο καλῶς πέφυκεν Ηγ7. 1114 b6, 8. hunc in modum
praecipue perf πέφυκα, πεφυκώς usurpatur. τῷ κάλλιστα
πεφυκότι σώματι Πθ1 1288 b14. ἥπερ πέφυκεν ἀρχὴ ταύ-
της τῆς σκέψεως Πβ1. 1260 b37. cf 2. 1261 a26. τῶν μο-
ρίων πέφυκεν (i e φύσει ἐστιν) ἕτερον ἑτέρῳ πρότερον Ζγβ6.
742 a19. εὖ (μᾶλλον, μάλιστα) πεφυκέναι πρὸς ἀρετήν,
πρὸς τάχος, πρὸς ἡδονήν ρ36. 1441 a7. Ρα5. 1361 b11.
Ηβ8. 1109 a13. saepe πέφυκα, πεφυκώς coniungitur c inf
τὸ μὲν πέφυκεν ἀπὸ τᾶ μέσα φέρεσθαι, τὸ δὲ πρὸς τὸ
μέσον Οθ1. 308 a14 (cf ἡ φωνὴ φύσιν ἔχει ἄνω φέρεσθαι
πια45. 904 a23, v φύσις 2h). φησὶ τὸν αἰθέρα πεφυκότα
ἄνω φέρεσθαι μβ7. 365 a20). τὸ πεφυκὸς ἔχειν, ἔχεσθαι,
συνιέναι, κινεῖσθαι Μδ12. 1019 b17. 22. 1022 b23, 24.
Ζγδ4. 771 a7. μδ9. 386 b7, 9. πέφυκέ τι γνωρίζεσθαι δι'
αὐτῆ, κατ' ἠδενὸς ὑπάρχειν Αβ16. 64 b34, 65 a2. a27.43
a32. τὸ πεφυκὸς ὑπάρχειν (syn ἢ ἐξ ἀνάγκης ἢ ὡς ἐπὶ τὸ
πολύ, cf φύσις 2a) Αα13. 32 b7-10. 3. 25 b14. cf prae-
terea exempla constructionis c inf Μx12. 1068 b22, 28.
Ηε10. 1134 b14. ζ13. 1144 a21. Πγ17. 1288 a8. πο6.
1450 a1. νεβ1. 1219 b30. γ2. 1230 b4 al (ad eandem for-
mam referuntur loci quales sunt Φβ8. 199 a10. θ4. 255
b15. πο4. 1448 b22 ubi infinitivus ex contextu suppletur).
— πέφυκεν impersonaliter usurpatum, i q κατὰ φύσιν συμ-
βαίνει. ὃ πέφυκε μίαν ὅτως εἶναι τὴν πόλιν Πβ2. 1261 b7.
ἐνταῦθα πέφυκεν ἡ δημοκρατία Πδ12. 1296 b26. cf
πο6. 1450 a2. Vhl Poet I 22. ad eundem usum referendi
videntur huiusmodi loci: τὸ λέγειν ὅτι πέφυκεν ὅτως Φθ1.
252 a6. λείπεται τοίνυν, ὅπερ ἔοικε πεφυκέναι (i e κατὰ
φύσιν εἶναι), πείθεσθαι τῷ τοιῦτῳ Πγ13. 1284 b32. ἢ πέ-
φυκεν, ὡς πέφυκεν Ργ6. 1279 a11. μβ4. 360 b2. ἡ
συνίσταται πλέον ἢ ἔλαττον τῦ πεφυκότος Ζγδ4. 772 a9.
ἁμαρτάνομεν ἐπὶ τὰς πεφυκυίας ὁδὸς ημα17. 1189 a28. —
πεφυκότως λέγειν, opp πεπλασμένως Ργ2. 1404 b19.
φύκης, ὁ, φυκὴν Athen. ὁ ἄρρην φύκης τῆς θηλείας πῶς δια-
φέρει Ζιζ13. 567 b20. cf S I 457 et hist lit 170. v φυκίς.
φυκίον. φυκία ἀφ' οὗ τρέφονται ἰχθύες Ζιζ37. 620 b32. cf
f 311. 1531 a16. λίθας ἢ ἰλὺν ἢ φυκία νέμονται· τρέφεται
κεστρεὺς φυκίοις ἢ ἄμμῳ Ζιθ2. 590 b11, 591 a22. ἐκτί-
κτειν περὶ τὰ φυκία Ζιε18. 550 b7. ζ17.
570 b25. — φύεται ἐξ αὐτῆς ὥσπερ τὰ φυκία (?) μικρὰ
σφόδρα ἢ ἐρυθρά Ζιε19. 552 a2 Aub. οἱ δέ τινες φασι
τῦτο ἄνθος εἶναι τι φυσικὸν τὸ φυκίον Ζιζ13. 568 a6 Aub
(i q φῦκος).
φυκιοφάγοι ἰχθύες Ζιθ19. 602 a20. cf φυκοφάγος.
φυκίς (v l φύκις, φωκίς, φύκες, φυκίδια). refertur inter τὰς
ωτοτόκας ἰχθῦς, σαρκοφάγας, θαλαττίας Ζιζ13. 567 b19.
θ2. 591 b16. 30. 607 b20. ἀκανθοστεφῆ εἶναι ἢ ποικιλό-
χροα f 279. 1528 a10. διαφέρει ὁ ἄρρην φύκης τῆς θηλείας
τῷ μελάντερος εἶναι ἢ μείζας ἔχειν τὰς λεπίδας· μετα-
βάλλειν τὴν χρόαν· τὸν μὲν γὰρ ἄλλον χρόνον λευκήν ἐστι,
τῦ δ' ἔαρος ποικίλη Ζιζ13. 567 b20. θ30. 607 b18. αἱ
μικραὶ δὶς τίκτασι, μόνη τῶν θαλαττίων ἰχθύων στιβαδο-
ποιεῖται ἢ τίκτει ἐν τῇ στιβάδι, victus Ζιζ13. 567 b19.
θ30. 607 b20. 2. 591 b13. (fykys Thom, phuca pusilla

Gazae, fucilla Scalig. fochidon Alberto. phycis C II 635.
cf S I 457, 690. Gobius niger Cuv IV 151, XII 7. hist des
scienc nat I 157. K 751, 5. Cr. M 274. Lewes 220. hic
vel Gasterosteus spinachia ΑΖι I 142, 75.)
φῦκος (Lob Techn. 292). τῆς θαλάττης πρὸς τοῖς τοιούτοις
τόποις ὅ ἂν ᾖ φῦκος Ζιζ16. 570 a21. (τὰ μαλάκια) νέμονται
τὸν πηλὸν ἢ τὸ φῦκος Ζιθ2. 591 b11. τόποι ἔρημοι θρύω ἢ
φύκη πλήρεις θ136. 844 a27. ἐπιγίνεται ἐπὶ τοῖς ὀστράκοις
ὥσπερ φῦκός τι ἢ βρύον Ζιθ20. 603 a17. ἐπιφέρεται τι
κατὰ τὸν Ἑλλήσποντον ὃ καλῦσι φῦκος Ζιζ13. 568 a5 Aub.
τῶν μυρρινῶν ταριχευομένων τῷ φύκει πκ31. 926 a34.
(cf Fraas 272, 319.)
φυκοφάγοι ἰχθύες f 300. 1529 b26, 312. 1531 a21. cf φυ-
κιοφάγος.
φυκώδης. οἱ φυκώδεις (τόποι) συμφέρασι (τοῖς ἰχθύσι πρὸς
εὐθηνίαν) Ζιθ19. 602 a19.
φυλακή. φυλακαὶ ἢ σωτηρίαι, opp φθοραὶ ἢ στερήσεις αι1.
437 b5. φυλακῆς ἕνεκα τῶν ὀδόντων Ζμβ16. 659 b32,
660 a2, cf πρὸς σωτηρίαν τῶν ὀδόντων b27. φυλακῆς ἕνεκεν,
χάριν Ζμβ9. 654 b34. Ζγγ2. 752 b35, πρὸς φυλακὴν ἢ
σκέπην τῆς ἕδρας Ζμδ10. 690 a2. cf β16. 659 b28. ὅπως
ἔχῃ τὴν σκέπην ἢ τὸ λειτυργικὸν μόριον Ζμδ10. 689 b28.
φυλακὴ τῆς συνεχείας Ζμβ8. 654 a5. φυλακὴν ἔχυσι τῆς
ὄψεως τὰ βλέφαρα Ζμβ15. 657 a26, 30. (τὰ περὶ τὴν
καρδίαν ἢ τὸν ἐγκέφαλον) δεῖται πλείστης φυλακῆς· ἡ γὰρ
φυλακὴ περὶ τὰ κύρια Ζμγ11. 673 b10, 11. β14. 658 b9,
χρημάτων λῆψις ἢ φυλακή Ηδ1. 1120 a9. φυλακὴ ἢ τα-
μιεῖα Πε9. 1309 b6 — περὶ φυλακῆς τῆς χώρας πῶς δεῖ
συμβελεύειν Ρα4. 1360 a6-11. f 396. 1544 a1. δύναμις
κυρία τῆς φυλακῆς Πδ15. 1300 b10. φυλακὴ βασιλική,
τυραννική Πε14. 1285 a24. ε10. 1311 a7, 11. τυραννίδος
τέλος φυλακή Ρα8. 1366 b6. φυλακὴν αἰτεῖ ὁ ἐπιβελεύων
τυραννίδι Ρα2. 1357 b36. φυλακὰς διδόναι Πγ15. 1286
b37. ἐγχειρίζειν τὴν φυλακὴν στρατιώταις Πε6. 1306 a28.
φυλάττειν νυκτερινὴν φυλακὴν Πε8. 1308 a29. φυλακαὶ τῶν
σωμάτων (in carceribus) Πζ8. 1322 a1. — κοινὴ φυλακὴ
μοναρχίας τὸ φυλακὴν ποιεῖν ἕνα μέγαν Πε11. 1315 a8
(syn σωτηρία 1314 a35). φυλακὴν ποιεῖσθαι πρός τι Πε8.
1307 b39. — φυλακὴ Διός (Pyth) Οβ13. 293 b3. f 199.
1513 b19. — Κότυς τὸς ἀποσταλέντας εἰς φυλακὴν ποιή-
σας (?) οβ1351 a30.
φυλακτήριον Πη12. 1331 a20, b16. τόπος τῶν φυλακτηρίων
Ρα4. 1360 a9. διατρίβωσιν ἐν φυλακτηρίοις οἱ ἐφηβοι f 428.
1549 a10.
φυλακτικός, opp ληπτικός Ηδ2. 1120 b15. φυλακτικὸς ὀρ-
γῆς, ἐγκλημάτων νεβ3. 1221 b14. Ρβ4. 1381 b4. δύναμις
φυλακτική Ρα8. 1366 a37 (dist ποριστική). 5. 1360 b16
(coni πρακτική) νεγ1. 1230 a25. τὸ ποιητικὸν ἢ φυλακτι-
κόν τινος Ρα6. 1362 a28, 1363 b15. Ηε3. 1129 b14.
(τῶν ζῴων) τὰ μήτε αἰσθητικὰ τὰ δὲ φυλακτικά· ζῷα
αἰσχυντηλὰ ἢ φυλακτικά Ζια1. 488 b8, 9, 23. φυλακτικός,
syn εὐλαβής, opp πιστευτικός Ρα12. 1372 b28. — φυ-
λακτικώτερος, opp ἀμυντικώτερος οα3. 1344 a1. — φυ-
λακτικῶς τα15. 106 b37.
φύλαξ. αἰτεῖν φύλακας Πγ15. 1286 b39. ὁ ἄρχων φύλαξ
τῦ δικαίυ Ηε10. 1134 b1. — φύλακες sensu Platonico
Πβ4. 1262 b1, 26. 5. 1264 a10, 26, 32, b16, 22. 6.
1265 a1.
φυλαρχεῖν Πδ11. 1295 b12 (v l φιλαρχεῖν). οβ1347 a11.
φυλαρχίαι Πζ8. 1322 b5.

V.

φύλαρχος Πε 1. 1301 b22. φύλαρχοι ('Αθήνησι) δέκα, εἷς ἀπὸ φυλῆς ἑκάστης, τῶν ἱππέων προΐστανται f 392. 1543 a17, 12. 391. 1543 a8. 374. 1540 b10.

φυλάττειν, opp κτᾶσθαι Πγ4. 1277 b22. τὸ συνέχον ᷍ φυλάττον· φυλάττειν τὸ θερμόν Ζμβ 8. 654 a4, 7. φυλάττειν τὴν πολιτείαν, τὰς νόμας Πθ 1. 1337 a15. γ 15. 1286 b33. οἱ φυλάττοντες Πε 11. 1314 b11, 13. φυλάττειν νυκτερινὴν φυλακήν Πε 8. 1308 a29. — φυλάττειν, cavere, arcere, defendere, τὸ μικρόν, τὸ φαῦλον, πάντα Πε 8. 1307 b32. ζ 4. 1318 b40. ε 11. 1313 b2. τὰς παραβαίνοντας, τὰς στάσεις Πθ 1. 1289 a19. ε 8. 1308 a32. φυλακτέον τὴν ἡδονήν Ηβ 9. 1109 b7. pass, ἡ φυλακὴ ὑπὸ τῷ 'Αλεξάνδρῳ ἐντυγχάνειν ἐφυλάττετο τοῖς αἰχμαλώτοις f 142. 1502 a37. — φυλάττεσθαι med, cavere, τἀδικήματα (syn εὐλαβεῖσθαι) Ρα 12. 1372 a27, 28. νέων ἀνδρῶν αἴνιγμα φυλάξαι f 66. 1487 a17. c inf φυλάττῃ λέγειν ρ 36. 1441 b20. αἱ ἔλαφοι πότε φυλάττονται ὁρᾶσθαι Ζυ 5. 611 a28. absol Πη 6. 1327 a39.

φυλετεύειν πολλὰς ξένας Πγ 2. 1275 b37.

φυλέτης ᷍ φράτωρ Πβ 3. 1262 a13. φυλέται Ηθ 11. 1160 a18.

φυλετικαὶ φιλίαι, coni πολιτικαί, συμπλοϊκαὶ Ηθ 14. 1161 b13. — φυλετικῶς φυσήσαντες ἑαυτὰς τι 1. 164 a27.

Φυλεύς. μεγάθυμε Φυλέος υἱῷ f 596. 1576 a30.

φυλή. φυλαὶ ᷍ ὅλως μέρος (τῆς πόλεως) Πε 4. 1304 a35. δ 14. 1298 a16. φυλαί, opp πᾶς ὁ δῆμος Πε 5. 1305 a33. κατὰ φυλὰς ᷍ δήμας ᷍ φρατρίας Πδ 15. 1300 a25. ε 8. 1309 a12. β 5. 1264 a8. φυλαὶ ἕτεραι ποιητέαι πλείας Πζ 4. 1319 b23. φυλαὶ 'Αθήνησι τέσσαρες f 347. 1536 b6, a47. 349. 1537 a2.

Φυλή ρ 9. 1429 b9.

φυλλοβολεῖν. διὰ τί τῶν φυτῶν τὰ μὲν ἀείφυλλά ἐστι, τὰ δὲ φυλλοβολεῖ Ζγε 3. 783 b10 sqq. τὰ φυλλοβολήσαντα πάλιν φύει φύλλα Ζγε 3. 784 a12.

φύλλον. τὰ φύλλα γῆς μᾶλλον μδ 10. 389 a13. τὰ φύλλα referuntur inter τὰ ἀνομοιομερῆ, τὰ τῶν φυτῶν ὄργανα μδ 10. 388 a20. φτα 3. 818 a12, 15. τὸ φύλλον περικαρπίῳ σκέπασμα ψβ 1. 412 b2. Φβ 8. 199 a25. φλέβες ἐπὶ τῶν ἀμπελίνων τε ᷍ συκίνων φύλλων Ζμγ 5. 668 a24. τῶν ἐλαιῶν πυκνότης τῶν φύλλων Ζυ 40. 624 b10. τῶν φύλλων τὰ χρώματα πῶς γίνεται χ 5. 797 a14-30. — τὰ μέρος ἀπορρεῖ τὰ φύλλα τοῖς φυτοῖς πᾶσι Ζγε 3. 783 b14. φύειν ᷍ ἀποβάλλειν τὰ φύλλα Ζγε 3. 784 a17, 13. διὰ τί τὰ τῶν δένδρων φύλλα πίπτει φτβ 9. 828 a32. α 4. 819 b35. τῇ ἀπορροῇ τῶν φύλλων ζῷα εἶναι τὰ φυτὰ ἐκλαμβάνων 'Αναξαγόρας φτα 1. 815 a19. — (κάμπαι) γίνονται ἐπὶ τῶν φύλλων τῶν χλωρῶν Ζιε 19. 551 a14.

φυλλορροεῖν. τῷ φαλακρᾶσθαι ᷍ τῷ φυλλορροεῖν τί τὸ αἴτιον Ζγε 3. 783 b17. cf φυλλοβολεῖν. τὰ πλατύφυλλα φυλλορροεῖ Αδ 16. 98 a37 sqq Wz.

φυλοβασιλεῖς τέσσαρες f 349. 1537 a3.

φῦμα (cf Salmas ex Pl 28 G. S Theophr. III 720. ΑΖγ 86 adn. Plat Tim 85 C. nascentia Alberto ed Jessen p 183). refertur inter τὰ παρὰ φύσιν ᷍ ὑστερογενῆ, προσπέφυκε, λαμβάνει τροφήν Ζγα 18. 724 b25. δ 4. 772 b29 (v l φυτά). Ζιη 5. 585 b30. ᷍ γὰρ ὅσα ἐν τῷ σώματι γίνεται, τῷ σώματος θετέον, ἐπεὶ ᷍ φύματα γίνεται, ἃ αἴρασι ᷍ ἐκβάλλυσιν πδ 13. 878 a14. φυμάτων ᷍ φλέγματος πέπανσις μδ 3. 380 a21. 2. 379 b31. οἱ νεφροὶ πολλάκις φαίνονται λίθων μεστοὶ ᷍ φυμάτων ᷍ δοθιήνων Ζμγ 4. 667 b4. ἐὰν φῦμα ἐπὶ τῷ στόματι (τῆς ὑστέρας) ᷑ Ζικ 4. 636 a35.

τῶν νοσημάτων ὅσα ποιῆσι τὸν πνεύμονα σκληρὸν ἢ φύμασιν ἢ περιττώμασιν ἢ θερμότητος νοσηματικῆς ὑπερβολῇ αν 17. 479 a24. ἡ συμβαίνασα σφύξις τῆς καρδίας ὁμοία φύμασίν ἐστι (v l ἐμφυσήμασιν, ἐμφύμασιν), ἣν ποιῶνται κίνησιν μετ' ἀλγηδόνος διὰ τὸ παρὰ φύσιν εἶναι τῷ αἵματι τὴν μεταβολήν αν 20. 479 b28, cf 34. καίειν τὰ πλατέα τῶν φυμάτων ᷍ πολὺ πρόβλημα ἔχοντα πα 34. 863 a22.

φύραμα. κυφότερον τὸ φύραμα γίνεταί ᷎ ἄμφω, τό τε ὑγρὸν ᷍ τὸ ἄλφιτον πκα 18. 929 a25.

φυρᾶν. ἄλευρον μελικράτῳ φυραθὲν πκα 11. 928 a6.

φῦσα. 1. follis. αἱ φῦσαι αἱ ἐν τοῖς χαλκείοις αν 7. 474 a12. 21. 480 a21. cf αχ 800 b2. πλθ 11. 964 b3. — 2. flatus ventris. φῦσά ἐστιν ἀπὸ τῆς κάτω κοιλίας πνεῦμα· φύσης ᷍ ἐρυγμᾶ ἔξοδοι πλγ 9. 962 a35, 32. αἱ φῦσαι ᷍ οἱ ἐρυγμοὶ οἱ τῶν ἀπέπτων δυσώδεις εἰσὶν πιγ 4. 908 a3. φύσας ἐγγίνεσθαι ἄνευ πάθας Ζικ 3. 635 b4. λέων προΐεται τὴν φύσαν σφόδρα δριμεῖαν Ζιθ 5. 594 b23. ἀφιέναι φῦσαν πιθ 8. 877 a36. τὰς ἐλέφαντας ἐνοχλεῖσθαι ὑπὸ φυσῶν Ζιθ 22. 604 a12. ὅπως ἥκιστα λυπήσωσιν αἱ φῦσαι πς 3. 885 b30.

φυσᾶν. τὸ πνεῦμα τὸ διὰ τῷ στόματος φυσώμενον μβ 8. 367 b1. φυσῶσι μὲν ψυχρόν (cf φυσασμός a17), ἀάζωσι δὲ θερμόν· τὸ φυσῶν κικεῖ τὸν ἀέρα ἐκ ἀθρόυς, διὰ στενῷ τῷ στόματος πλθ 7. 964 a11, 13. εἰκάζειν τινὰ αἰγὶ φυσῶντι πῦρ Ζγδ 3. 769 b19. ἀρτηρία φυσωμένη, ὑμὴν φυσώμενος Ζια 16. 495 b8, 14. γ 1. 510 b32. ἀσκὸς πεφυσημένος Οδ 4. 311 b9. πκε 1. 937 b31. κβ 4. 930 b1. τὸ πεφυσημένον ἧττον ὑπείκει πλβ 2. 960 b2. ὅσοι ἐκ τῶν πλευρῶν περίογκοί εἰσιν, οἷον πεφυσημένοι φ 6. 810 b15. ἐάν τις τὸ δέρμα (πρεσβυτέρῳ βοὸς) ἐντεμὼν φυσήσῃ (i e ἐμφυσήσῃ πνεῦμα, cf ἐμφυσᾶν et φυσητικός) Ζιθ 7. 595 b8. — metaph, φυλετικῶς φυσήσαντες ἑαυτὰς ᷍ ἐπισκευάσαντες τι 1. 164 a27.

φυσασμός, dist ἀασμός πλθ 7. 964 a17.

φυσητήρ, syn αὐλός, μυκτήρ S I 273. a. cetaceorum, ὅσα ἔχει φυσητῆρα Ζιζ 12. 566 b3, 13. — b. μαλακίων. ἐκτίκτει κατὰ τὸν φυσητῆρα καλύμενον, καθ' ὃν ἔνιοι ᷍ ὀχεῖεσθαί φασιν αὐτάς Ζιε 6. 541 b17 Aub. f 315. 1531 b12. cf A Siebld XII 398.

φυσητικός. πιαίνονται (βόες) τοῖς φυσητικοῖς Ζιθ 7. 595 a6. φυσητικὸν τῆς ἄνω κοιλίας πιγ 6. 908 b1.

φυσιασμός, ψόφος τις ἐν τῷ ἐκπνεῖν γινόμενος πια 41. 904 a2.

φυσικός. 1. ὥσπερ τέχνη λέγεται τὸ κατὰ τέχνην ᷍ τὸ τεχνικόν, ὅτω ᷍ φύσις τὸ κατὰ φύσιν λέγεται ᷍ τὸ φυσικόν Φβ 1. 193 a33 (ὄργανα φυσικά, opp τεχνικά μδ 3. 381 a11). φυσικὸν τὸ ὁμοίως ἔχειν ἐν ἁπάσαις (cf φύσις 2a) Φθ 7. 261 b25. πιε 3. 910 b31. φυσικώτατον τῶν ἔργων τοῖς ζῶσιν τὸ ποιῆσαι ἕτερον οἷον αὐτό ψβ 4. 415 a26. τὸ κινεῖν ἐν τοῖς φυσικοῖς, opp ἐν τοῖς ἀπὸ διανοίας Μλ 4. 1070 b30. ἐν πᾶσι τοῖς φυσικοῖς ἔνεστί τι θαυμαστόν· ὡς ἐν ἅπασι (τοῖς ζώοις) ὄντος τινὸς φυσικῷ ᷍ καλῷ Ζμα 5. 645 a17, 23. τῦτον τὸν τρόπον ὅτε περὶ τῶν ἄλλων δεῖ ζητεῖν ὅτε περὶ τῶν φυσικῶν Ζγβ 8. 748 a14. — πᾶσαι αἱ φυσικαὶ ὑσίαι ἢ σώματα ἢ μετὰ σωμάτων γίγνονται Ογ 1. 298 b3. Μη 1. 1042 a8 (cf φύσις 3a). σώματα φυσικά Φδ 1. 208 b8. Οα 2. 268 b14. 7. 274 b5. γ 5. 304 b4. πθ 8. 385. a10. ψβ 1. 412 a13. Μζ 2. 1028 b10 Bz. σώματα φυσικά, opp μαθηματικά Ογ 1. 299 a16, 18. Μν 3. 1090 a32. γραμμὴ φυσική, opp μαθηματική Φβ 2. 194 a10-12. ἡ φυσικὴ ὕλη τῶν ζώων ψα 1. 403 b17. φυσικὴ γένεσις μα 14. 351 b9. δ 1. 378 b32. Ζμα 1. 639 b12. Ζγα 18. 724 b8. Μζ 7. 1032 ᵃ16 Bz. φυσικὴ κίνησις μα1. 338 ᵃ21. Ογ2. 301 ᵃ20 (opp βᵃα. παρὰ φύσιν). 5. 304 ᵇ20. Ζπ6. 706 ᵇ30. ἀλλοιώσεις φυσικαί, opp βίαιοι Φε6. 230 ᵇ4. ποιεῖν, πάσχειν τὰς φυσικὰς ποιήσεις Γα2. 315 ᵇ6. φυσικαὶ ἐναντιώσεις, ἀρχαὶ τῶν φυσικῶν στοιχείων (θερμὸν ψυχρόν al) Φϑ9. 217 ᵃ23. Ζμβ2. 648 ᵇ9. κατὰ δύναμιν φυσικὴν ἢ ἀδυναμίαν λέγεσθαι Κ8. 9 ᵃ16. τὰ φυσικὰ παθήματα τῶν ἐν τῇ διανοίᾳ φ2. 806 ᵃ2. cf Αβ27. 70 ᵇ9, 10. κατὰ φυσικὴν σύστασιν Κ8. 9 ᵇ18. θερμότης φυσικὴ μϑ1. 379 ᵇ7. 3. 380 ᵃ20. ζ4. 469 ᵇ8, 12. Ζμβ3. 650 ᵃ14. Ζγβ1. 732 ᵇ32. δ1. 766 ᵃ35. 2. 766 ᵇ34. ἀρχὴ θερμῷ φυσικὴ Ζμβ3. 650 ᵃ7. αἱμορροῒς φυσικὴ, opp διὰ νόσον Ζγα20. 728 ᵃ25. ἀναπηρία φυσικὴ ἡ θηλύτης Ζγδ6. 775 ᵃ16. συμπτώματα φυσικὰ Ζγδ10. 777 ᵇ8. — φυσικαὶ ἐπιθυμίαι, ὀρέξεις, syn κοιναί, opp ἴδιοι, ἐπίθετοι Ηγ13. 1118 ᵇ9, 15, 19. η7. 1149 ᵇ4. ὁ θυμὸς φυσικώτερον τῶν ἐπιθυμιῶν τῶν τῆς ὑπερβολῆς Ηη7. 1149 ᵇ6. πάθη, ὅσα ἀναγκαῖα ἢ φυσικὰ Ηε10. 1135 ᵇ21. φυσικὴ ἀκρασία, ἁμαρτία ημβ6. 1202 ᵃ26. ἔνεστί τις ἐν τῷ ζῆν γλυκύτης φυσικὴ Πγ6. 1278 ᵇ30. ἀρετὴ φυσικὴ, dist ἐθιστή, κυρία Ηζ13. 1114 ᵇ3-17. η9. 1151 ᵃ18. ηεγ7. 1234 ᵃ27. ἡ φυσικὴ ὁρμὴ πρὸς ἀρετὴν ημα35. 1198 ᵃ7. ποία ἀνδρεία φυσικωτάτη Ηγ11. 1117 ᵃ5. ηεγ1. 1229 ᵃ23. δίκαιον φυσικόν, opp νομικόν Ηε10. 1134 ᵇ19 sqq. φιλία φυσικὴ (πατρὸς πρὸς υἱόν) Ηθ16. 1163 ᵇ24. ἔστι τῦτο φυσικόν, ἔχει γέ τι ἢ φυσικὸν sim Πβ5. 1263 ᵇ1. Ηγ13. 1118 ᵇ13. ζ12. 1143 ᵇ6. ηεη8. 1241 ᵃ40. αἰτίαι φυσικαὶ (αἱ γεννήσασαι τὴν ποιητικήν) πο4. 1448 ᵇ15. δόξειεν ἂν φυσικώτερον εἶναι τὸ αἴτιον Ηι7. 1167 ᵇ29. — 2. φυσικαὶ προτάσεις, dist ἠθικαί, λογικαί τα14. 105 ᵇ20-29. οἱ φυσικοὶ λόγοι Ηη15. 1154 ᵇ7. φυσικὰ προβλήματα f 109. 1496 ᵃ10. ὃ φυσικὸς ὁ τρόπος Μα3. 995 ᵃ16. φυσικὴ σκέψις Ογ1. 298 ᵇ20, θεωρία Αγ33. 89 ᵇ9. Ζμα1. 642 ᵃ27, μέθοδος Ζπ2. 704 ᵇ13. ἡ φυσικὴ φιλοσοφία μκ1. 464 ᵃ33. Ζμβ7. 653 ᵃ9. Μζ11. 1037 ᵃ14. ἡ φυσικὴ ἐπιστήμη Ογ7. 306 ᵃ16. Ζμα1. 641 ᵃ35, ᵇ1. Με1. 1025 ᵇ19. plerumque brevius ἡ φυσικὴ nuncupatur, veluti Με1. 1026 ᵃ13 al. ἡ φυσικὴ θεωρητική, ἢ πρακτικὴ ἢ δὲ ποιητικὴ Με1. 1025 ᵇ19, 26. Ζμα1. 640 ᵃ2. theoreticae disciplinae φυσικὴ μαθηματικὴ θεολογικὴ Μκ7. 1064 ᵇ2, cf φιλοσοφία p 821 ᵃ37. comparata cum θεολογικῇ ἡ φυσικὴ δευτέρα φιλοσοφία est Μγ3. 1005 ᵇ1. ζ11. 1037 ᵃ14. Ογ1. 298 ᵇ20. ἡ φυσικὴ, dist ἡ μαθηματικὴ Μκ1. 1059 ᵇ16. Ζμα1. 641 ᵇ11. (τὰ φυσικώτερα τῶν μαθημάτων, οἷον ὀπτικὴ ἢ ἁρμονικὴ ἢ ἀστρολογία Φβ2. 194 ᵃ7.) ἡ φυσικὴ περὶ ἀχώριστα μὲν ἀλλ᾽ ἐκ ἀκίνητα, περὶ τὰ κινήματα ἔχοντα ἀρχὴν ἐν αὐτοῖς, ἡ περὶ τὰ φαινόμενα κατὰ τὴν αἴσθησιν Με1. 1026 ᵃ13 Bz. κ3. 1061 ᵇ6. 4. 1061 ᵇ29. 7. 1064 ᵃ31. λ1. 1069 ᵃ36. α3. 995 ᵃ18. Ογ7. 306 ᵃ16. δ1. 308 ᵃ1. Φβ7. 198 ᵃ28. περὶ τίνος ψυχῆς θεωρεῖν τῆς φυσικῆς ἐστιν Ζμα1. 641 ᵃ34, cf ᵃ21. Με1. 1026 ᵃ5. ψα1. 403 ᵃ28. μέχρι τῦ τὴν φυσικῆς ἐστιν εἰπεῖν περὶ νόσυ ἢ ὑγιείας μκ1. 464 ᵇ33. Ζμβ7. 653 ᵃ9. cf αι1. 436 ᵃ17. αν21. 480 ᵇ23. — ὁ φυσικὸς (i e ὁ πραγματευόμενος τὴν φυσικὴν φιλοσοφίαν) ψα1. 403 ᵃ28. αι1. 436 ᵃ17. αν21. 480 ᵇ23. Ζμα1. 641 ᵃ21. Με1. 1026 ᵃ5. Φβ3. 253 ᵃ35, ᵇ5 al. ἔστιν ἔτι τῦ φυσικῦ τις ἀνωτέρω Μγ3. 1005 ᵃ34. περὶ τὰ ἔχοντα ἐν αὑτοῖς ἀρχὴν κινήσεως ἡ τῦ φυσικῦ πραγματεία sim Μκ1. 1059 ᵇ18. 7. 1064 ᵃ15. ψα1. 403 ᵇ7, 11. Ζμα1. 639 ᵇ8. προσήκυσα τοῖς φυσικοῖς ἡ περὶ τῦ ἀπείρυ θεωρία Φγ4. 203 ᵇ3. περὶ πασῶν τῶν αἰτιῶν εἰδέναι τῦ φυσικῦ Φβ7. 197 ᵃ22. 9. 200 ᵃ32. β2. 194 ᵃ15-ᵇ15. Μζ11. 1037 ᵃ16. διαφερόντως ἂν

ὁρίσαιντο φυσικός τε ἢ διαλεκτικὸς τὴν ὀργήν ψα1. 403 ᵃ29. φυσικός, dist μαθηματικός Φβ2. 193 ᵇ22-194 ᵃ12. dist ὀπτικός Αγ13. 79 ᵃ12. — οἱ φυσικοί, i e philosophi Socrate superiores aetate, inprimis Ionici, Empedocles, Anaxagoras, Leucippus, Democritus (cf φυσιολόγοι et φύσις 3 a) Φα2. 184 ᵇ17. 3. 186 ᵃ20. 4. 187 ᵃ12, 28. γ5. 205 ᵃ5. αν1. 470 ᵇ6. 4. 472 ᵇ2. κ6. 399 ᵇ25. Ζγβ5. 741 ᵇ10. 6. 741 ᵇ38. γ6. 756 ᵇ17. Μγ3. 1005 ᵃ31. λ6. 1071 ᵇ27. 10. 1075 ᵇ27. μ4. 1078 ᵇ19. — τὰ φυσικά, i q libri Aristotelis de philosophia physica, εἴρηται, δέδεικται ἐν τοῖς φυσικοῖς Μη1. 1042 ᵇ8. Φθ10. 267 ᵇ21. 1. 251 ᵃ9. cf Ἀριστοτέλης p 102 ᵃ53. εἴρηται ἐν τῇ μεθόδῳ τῇ τῶν φυσικῶν Μμ1. 1076 ᵃ9. ἐπιτομὴ φυσικῶν i e π1-67. — φυσικῶς. 1. cf φυσικός 1. φυσικῶς κινεῖν, κινεῖσθαι Φγ1. 201 ᵃ24. Οδ1. 307 ᵇ32. — 2. cf φυσικός 2. φυσικῶς θεωρεῖν, λέγειν, ἀποδιδόναι τὸ διὰ τί, ἐπιβλέπειν τὴν αἰτίαν Ογ1. 298 ᵇ18. 5. 304 ᵃ25. Φβ7. 198 ᵃ23. γ5. 204 ᵇ10. Μκ10. 1066 ᵇ26. ν3. 1091 ᵃ18. Ηη5. 1147 ᵃ24. ἧττον ἴσως δῆλον φυσικῶς μϑ12. 390 ᵃ16. dist καθόλυ Οα10. 280 ᵃ32. 12. 283 ᵇ17. dist λογικῶς Γα2. 316 ᵃ11. — φυσικώτερον λέγειν Γβ9. 335 ᵇ25. φυσικώτερον ἐπιζητεῖν, ἐπισκοπεῖν Ηθ2. 1155. ᵇ2. ι9. 1170 ᵃ13.

φυσιογνωμονεῖν πῶς δυνατόν Αβ27. 70 ᵇ7, 13, 25, 32. τρεῖς τρόποι καθ᾽ ὃς ἐπεχείρησαν φυσιογνωμονεῖν οἱ προγεγενημένοι φυσιογνώμονες φ1. 805 ᵃ20-806 ᵃ18. 5. 810 ᵃ11. ἐκ τίνων φυσιογνωμονεῖσιν φ2. 806 ᵃ26-33. 1. 805 ᵃ20. οἱ κατὰ τὰ ἤθη μόνον φυσιογνωμονῦσιν φ1. 805 ᵇ1. ὑχ ὅλον τὸ γένος τῶν ἀνθρώπων φυσιογνωμονῦμεν, ἀλλά τινα ἐν τῷ γένει φ2. 807 ᵃ29. — pass, τὰ φυσιογνωμονύμενα φ2. 806 ᵃ37. σημεῖα, τὰ ζῷα τὰ φυσιογνωμονύμενα φ2. 806 ᵃ25. 1. 805 ᵇ24.

φυσιογνωμονία def φ2. 806 ᵃ22.

φυσιογνώμων τις Ζγδ3. 769 ᵇ20. σημεῖα οἷς χρῆται ὁ φυσιογνώμων φ1. 806 ᵃ14, 17. οἱ προγεγενημένοι φυσιογνώμονες φ1. 805 ᵃ18. 2. 806 ᵃ33.

φυσιολογεῖν. οἱ πρῶτοι φυσιολογήσαντες Ογ1. 298 ᵇ29. φυσιολογεῖν περὶ πάντων ΜΑ8. 988 ᵇ27. Τίμαιος φυσιολογεῖ τὴν ψυχὴν κινεῖν τὸ σῶμα ψα3. 406 ᵇ26.

φυσιολογία. ἐν τῇ φυσιολογίᾳ τῇ περὶ τῶν φυτῶν αι4. 442 ᵇ25.

φυσιολόγος. τὸν Ἐμπεδοκλέα φυσιολόγον μᾶλλον ἢ ποιητὴν καλεῖν δίκαιον πο1. 1447 ᵇ19. οἱ φυσιολόγοι (cf οἱ φυσικοί, φυσικός p 835 ᵇ3) Φγ4. 203 ᵇ15. 5. 205 ᵃ27. 6. 206 ᵇ23. δ6. 213 ᵇ1. θ8. 265 ᵃ3. Οβ14. 297 ᵃ13. αι4. 442 ᵃ30. Ζμα1. 641 ᵃ7. β1. 647 ᵃ11. Ζγδ1. 763 ᵇ31. 3. 769 ᵃ7. ΜΑ5. 986 ᵇ14. 8. 989 ᵇ30, 990 ᵃ3. 9. 992 ᵇ4. δ23. 1023 ᵃ21. κ6. 1062 ᵇ22. Ηγ5. 1147 ᵇ8. ηεη1. 1235 ᵃ9. οἱ πρότερον φυσιολόγοι ψγ2. 426 ᵃ20, Trdlbg p 437. οἱ ἀρχαῖοι φυσιολόγοι αι4. 441 ᵇ2. Ζγβ6. 742 ᵃ16. ε1. 778 ᵇ7.

φύσις ποσαχῶς λέγεται Μδ4. Φβ1. — 1. φύσις, rerum universitas. περὶ τῆς τῦ παντὸς φύσεως εἴτ᾽ ἄπειρος εἴτε πεπέρανται Οα2. 268 ᵇ11. γεννῆσαι, κατασκευάζειν τὴν τῶν ὄντων φύσιν ΜΑ3. 984 ᵇ9. Φα6. 189 ᵃ27. σκοπεῖν, πραγματεύεσθαι περὶ τῆς ὅλης φύσεως Μγ3. 1005 ᵃ33. Α6. 987 ᵇ2. Πβ8. 1267 ᵇ28. πᾶσαν ὁρῶντες ταύτην κινυμένην τὴν φύσιν Μγ5. 1010 ᵃ7. ἐν ἁπάσῃ τῇ φύσει ἐστὶ τὸ μὲν ὕλη ἑκάστῳ γένει ψγ5. 430 ᵃ10. cf ἅπασα φύσις Πα5. 1254 ᵃ31. οἱ κατὰ φύσιν τόποι Ζια15. 494 ᵃ27 (syn τὸ πᾶν ᵃ29). τὰ πρῶτα αἴτια τῆς φύσεως μα1. 338 ᵃ20. ἔνιοι τὴν φύσιν ἐξ ἀριθμῶν συνιστᾶσιν Ογ1. 300 ᵃ16.

2. ἡ φύσις ἀρχή τις ἢ αἰτία τῦ κινεῖσθαι ἢ ἠρεμεῖν ἐν

ᾧ ὑπάρχει πρώτως καθ' αὑτὸ ⅃ μὴ κατὰ συμβεβηκός· ἡ φύσις ἢ ὐσία ἡ τῶν ἐχόντων ἀρχὴν κινήσεως ἐν αὐτοῖς ᾗ αὐτά sim Φβ1. 192 ᵇ21, 13. γ1. 200 ᵇ12. θ3. 253 ᵇ5. 4. 254 ᵇ17. Οα2. 268 ᵇ16. Μδ4. 1015 ᵃ14, 1014 ᵇ19. ε1. 1025 ᵇ20 Bz. Ηζ4. 1140 ᵃ15. Ρα10. 1369 ᵃ35. φύσις μέν ἐστιν ἡ ἐν 5 αὑτῷ ὑπάρχυσα κινήσεως ἀρχή, δύναμις δ' ἡ ἐν ἄλλῳ ἢ ἄλλο Ογ2. 301 ᵇ17. cf Μζ8. 1033 ᵃ8. θ8. 1049 ᵇ8 Bz. ἡ μὲν τέχνη ἀρχὴ ἐν ἄλλῳ, ἡ δὲ φύσις ἀρχὴ ἐν αὑτῷ Μλ3. 1070 ᵃ7 Bz. ζ8. 1033 ᵇ8. Ζγβ1. 735 ᵃ3. φύσις, opp τέχνη μδ12. 390 ᵇ14. Ζγγ11. 762 ᵃ18. δ6. 775 ᵃ22. Πη14. 10 1333 ᵃ23. μχ847 ᵃ21. μιμεῖται ἡ τέχνη τὴν φύσιν μδ3. 381 ᵇ6. τῶν γιγνομένων τὰ μὲν φύσει γίγνεται, τὰ δὲ τέχνῃ, τὰ δὲ ἀπὸ ταὐτομάτυ Μζ7. 1032 ᵃ12. φύσις, opp τύχη Ρα10. 1369 ᵃ35, 32. πᾶσα ⅃ φύσις ⅃ τύχη x5. 396 ᵇ6. 7. 401 ᵃ26. — ὡς ἔστιν ἡ φύσις, πειρᾶσθαι δεικνύναι 15 γελοῖον Φβ1. 193 ᵃ3. — ὅσα φύσει γίγνεται ἢ τέχνη, ὑπ' ἐνεργεία ὄντος γίνεται ἐκ τῦ δυνάμει τοιύτυ Ζγβ1. 734 ᵇ21, ᵃ31. — ea φύσις, quae est causa motrix ἐν αὐτῷ ᾗ αὐτό, vel tamquam una cogitatur rerum universitatem 20 complexa, ita quidem ut a divino numine vix distinguatur (cf 2c), τὸ μὲν ὂν τῆς φύσεως δῆλον ὡς ὐκ ἐφ' ἡμῖν ὑπάρχει, ἀλλὰ διά τινας θείας αἰτίας ὑπάρχει Ηχ10. 1179 ᵇ21. πάντα φύσει ἔχει τι θεῖον Ηι4. 1153 ᵇ32. ἡ φύσις αἰτία τῶν ὁμοιομερῶν μδ12. 390 ᵇ14. τὰ ὅλα ἔργα τῆς 25 φύσεως μδ12. 389 ᵇ28. ἡ φύσις δημιυργεῖ, ἐπικεκόσμηκεν, ὑπέγραψεν, ποιεῖ sim Ζμα5. 645 ᵃ9. β14. 658 ᵃ23, 32. 16. 659 ᵇ35. ηεη14. 1247 ᵃ10. ἡ φύσις μεταβαίνει συνεχῶς ἀπὸ τῶν ἀψύχων εἰς τὰ ζῷα Ζμδ5. 681 ᵃ12. Ζθ1. 588 ᵇ5. παρὰ τῆς φύσεως εἰληφότες ὥσπερ νόμας ἐκείνης 30 Οα1. 268 ᵃ13; vel singulis rebus naturalibus sua ac propria tribuitur, veluti ἡ ποιῦσα δύναμις ἡ φύσις ἡ ἑκάστυ, ἐνυπάρχει, ἡ φύσις ⅃ ἐν ζῴοις πᾶσιν Ζγβ4. 741 ᵃ1. ἡ φύσις ἡ ἐν τῷ ἄρρενι τῶν σπέρμα πρόϊεμένων Ζγα22. 730 ᵇ19. quamquam non ubique certo iudicari potest, 35 utram significationem praeferendam putes, omnino tamen quae sub litt a-d afferemus ad τὴν καθόλυ φύσιν, quae sub litt e-i, ad τὴν καθ' ἕκαστα ἢ οἰκείαν φύσιν referentur. — a. ἡ φύσις τῦ ἀεὶ, πανταχῦ τὴν αὐτὴν ἔχει δύναμιν, ἀεὶ τὸν αὐτὸν ἔχει τρόπον sim Ρα11. 1370 ᵃ7 40 (opp ἔθος). Ηε10. 1134 ᵇ25. Φβ9. 200 ᵃ16. μχ 847 ᵃ15. τὸ κατὰ φύσιν ἔχει τάξιν, ἐκ τῶν ἀτάκτων τῶν φύσει sim Ζγγ10. 760 ᵃ31. ε1. 778 ᵇ4. Φθ1. 252 ᵃ12, 17. Ρα10. 1369 ᵃ35. ἡ τάξις ἡ οἰκεία τῶν αἰσθητῶν φύσις ἐστὶν Ογ2. 301 ᵃ6. πάντα τὰ φύσει ἢ ἀεὶ ὕτω γίνεται ἢ ὡς ἐπὶ τὸ 45 πολύ Φβ8. 198 ᵇ35. Ογ2. 301 ᵃ7. Γβ6. 333 ᵇ5. Αα3. 25 ᵃ14 sqq Wz. 13. 32 ᵇ19. Ζμγ2. 663 ᵇ27. Ζγδ8. 777 ᵃ20. ημβ8. 1206 ᵇ38 (δεῖ τὴν φύσιν θεωρεῖν εἰς τὰ πολλὰ βλέποντα Ζμγ2. 663 ᵇ27. τὸ πολλάκις φύσιν ποιεῖ μν2. 452 ᵃ30), opp τὰ ἀπὸ ταὐτομάτυ ⅃ ἀπὸ τύχης, τὸ ὡς 50 ἔτυχεν Φβ8. 198 ᵇ5. Οβ8. 289 ᵇ26. Γβ6. 333 ᵇ5. Ρα10. 1369 ᵃ35. Ζμα5. 645 ᵃ24. — b. ἡ φύσις αἰτία ὡς ἕνεκα τυ, ἡ φύσις τέλος ἐστί sim Β8. 2. 194 ᵃ28. Πα2. 1252 ᵇ32. μδ2. 379 ᵇ25. Ζμα1. 641 ᵇ12-30. 5. 645 ᵃ24 (inde consequitur ut τὸ τῇ γενέσει ὕστερον τῇ φύσει πρότερον 55 sit Φθ7. 261 ᵃ14. 9. 265 ᵃ22. Ζμβ1. 646 ᵃ25, 26. ΜΑ8. 989 ᵃ16. ατ968 ᵃ11). ἡ φύσις ἕνεκά τυ ποιεῖ, τῦτο δ' ἀγαθόν τι υ2.455 ᵇ17. itaque φύσις coniungitur cum διανοίᾳ et νῷ, τὸ ἕνεκά τυ ἐν τοῖς φύσει γιγνομένοις ἢ ἀπὸ διανοίας ἐστὶν Μχ8. 1065 ᵃ27. ὥσπερ τὸ μέλλον ἔσε- 60 σθαι προνούσης τῆς φύσεως Οβ9. 291 ᵃ24 (cf σκαρδα- μύσσει ὁ ἄνθρωπος ὅπως τὰ προσπίπτοντα κωλύῃ, ⅃ τῦτο

ὐκ ἐκ προαιρέσεως, ἀλλ' ἡ φύσις ἐποίησε Ζμβ13. 657 ᵇ1, cf ᵇ37. 16. 659 ᵃ12, ᵇ35). ὥσπερ ὁ νῦς ἕνεκά τυ ποιεῖ, τὸν αὐτὸν τρόπον ⅃ ἡ φύσις ψβ4. 415 ᵇ17. cf Φβ6. 198 ᵃ4, 10. 5. 196 ᵇ22. Μχ8. 1065 ᵃ27. pariter φύσις cum τέχνη componitur, ἀρχὴ ὁ λόγος ὁμοίως ἔν τε τοῖς κατὰ τέχνην ⅃ ἐν τοῖς φύσει συνεστηκόσιν Ζμα1. 639 ᵇ16. εἰ τὰ κατὰ τέχνην ἕνεκά τυ, δῆλον ὅτι ⅃ τὰ κατὰ τὴν φύσιν Φβ8. 199 ᵃ18, ᵇ30. Ζμα1. 639 ᵇ30. μᾶλλόν ἐστι τὸ ὗ ἕνεκα ⅃ τὸ καλὸν ἐν τοῖς τῆς φύσεως ἔργοις ⅃ ἐν τοῖς τῆς τέχνης Ζμα1. 639 ᵇ20, ac de natura perinde ac de artifice sapiente loquitur Aristoteles, ἡ φύσις δημιυργεῖ, ὑπογράφει, εὐλόγως δημιυργεῖ, εὐλόγως ποιεῖ sim Ζμβ9. 654 ᵇ31. Ζγβ6. 743 ᵇ23. 4. 740 ᵃ28. α23. 731 ᵃ24. ε2. 781 ᵇ22. Ζμγ2. 663 ᵃ33. 4. 665 ᵇ21. δ10. 686 ᵃ8. ἡ φύσις ἅμα τήν τε δύναμιν ἀποδίδωσιν ἑκάστῳ ⅃ τὸ ὄργανον, ἡ φύσις ἀεὶ διανέμει ἕκαστον τῷ δυναμένῳ χρῆσθαι sim Ζγδ1. 766 ᵃ5. Ζμδ12. 694 ᵇ13. 10. 687 ᵃ10. 8. 684 ᵃ28. γ14. 675 ᵇ12. 1. 661 ᵇ30. Πα10. 1258 ᵃ35. ὅπυ μή τι ἐμποδίζει ἕτερον ἔργον τῆς φύσεως Ζγα8. 718 ᵇ26. Ζμβ15. 658 ᵇ23. — γεννᾶν ἕτερον οἷον αὐτὸ παντὸς φύσει τελεία ἔργον ⅃ ζῴῳ ⅃ φυτῷ Ζγβ1. 735 ᵃ18. ημα10. 1187 ᵃ30. (τὰ μὲν ἐκ σπέρματος γίνεται, τὰ δ' αὐτομ ατιζύσης τῆς φύσεως Ζγα1. 715 ᵇ27.) ἡ φύσις ὥσπερ διαυλοδρομεῖ ⅃ ἀνελίττεται ἐπὶ τὴν ἀρχὴν Ζγβ5. 741 ᵇ21. ἡ φύσις ἀναπληροῖ ταύτῃ τῇ περιόδῳ τὸ ἀεὶ εἶναι αα3. 1343 ᵇ24. ἴσως ⅃ τῶν ἐναντίων ἡ φύσις γλίχεται x5. 396 ᵇ7. ὀρθῶς ἔοικεν ἡ φύσις τὸ μέλλον ἔσεσθαι ἀγένητον ⅃ ἄφθαρτον ἐξελέσθαι ἐκ τῶν ἐναντίων Οα3. 270 ᵃ20. — c. ὁ θεὸς ⅃ ἡ φύσις ὐδὲν μάτην ποιῦσιν Οα4. 271 ᵃ33. ἡ φύσις ὐδὲν μάτην (ἀλόγως, ὡς ἔτυχε) ποιεῖ, ὐδὲ περίεργον, ὐδ' ἐλλεῖπον (πενιχρῶς), ὐδ' ἀτελές, ἀλλὰ πάντα πρὸς τὸ ἄριστον ἀποβλέπυσα Οβ8. 290 ᵃ31. 11. 291 ᵇ13. ψ9. 432 ᵇ21 Trdlbg. 12. 434 ᵃ31. αν10. 476 ᵃ13. Ζμβ13. 658 ᵃ8. γ1. 661 ᵇ24. δ6. 683 ᵃ24. 11. 691 ᵇ4. 12. 694 ᵃ15. 13. 695 ᵇ19. Ζπ2. 704 ᵇ15. 8. 708 ᵃ9. 12. 711 ᵃ18. Ζγβ4. 739 ᵇ19. 5. 741 ᵇ4. 6. 744 ᵃ37. ε8. 788 ᵇ20. Πα2. 1252 ᵇ1, 1253 ᵃ9. 8. 1256 ᵇ21. f 221. 1518 ᵇ20. ἡ φύσις ὐκ ἐπεισοδιώδης, ὥσπερ μοχθηρὰ τραγῳδία Μν3. 1090 ᵇ19. ἡ φύσις ὐδὲν ποιεῖ παρὰ φύσιν Ζπ11. 711 ᵃ7. — ἡ φύσις φεύγει τὸ ἄπειρον Ζγα1. 715 ᵇ14. Φθ6. 259 ᵃ11. ἡ φύσις ὀρέγεται τῦ βελτίονος Γβ10. 336 ᵇ28. Οβ14. 297 ᵃ16. Φθ7. 260 ᵇ23. 6. 259 ᵃ11. ἡ φύσις αὐτὴ ζητεῖ τὸ πρόσφορον sim Ζιι12. 615 ᵃ25. Ζμβ8. 653 ᵇ28. 8. 654 ᵃ25. Ζγβ1. 733 ᵃ33. Πα5. 1254 ᵇ7. ὐδὲν τῶν παρὰ φύσιν καλόν Πη3. 1325 ᵇ10. cf α5. 1254 ᵇ7. ἡ φύσις ἀγαθὸν τῷ γένει ημβ7. 1205 ᵃ34. ποτέρως ἔχει ⅃ τὸ ὅλυ φύσις τὸ ἀγαθὸν ⅃ τὸ ἄριστον Μλ10. 1075 ᵃ11 Bz. verum ἡ φύσις non simpliciter et absolute τὸ βέλτιστον efficit, sed ἐκ τῶν ἐνδεχομένων, ἐκ τῶν δυνατῶν τὸ βέλτιστον Οβ5. 288 ᵃ2. ζ4. 469 ᵃ28. Ζμβ14. 658 ᵃ23. δ10. 687 ᵃ16. Ζγε8. 788 ᵇ20. Ζπ2. 704 ᵇ15. 8. 708 ᵃ9. Ηα10. 1099 ᵇ21. πιζ10. 915 ᵃ34; etenim πᾶν ἡ φύσις ἢ διὰ τὸ ἀναγκαῖον ποιεῖ ἢ διὰ τὸ βέλτιον Ζγα4. 717 ᵃ15. αν3. 471 ᵇ26. (cf ἀνάγκη p 43 ᵃ60-ᵇ13). attamen etiam iis quae δι' ἀνάγκην sunt πρὸς τὸ βέλτιστον utitur natura, ὥσπερ οἰκονόμος ἀγαθὸς ἡ φύσις ὐδὲν ἀποβάλλειν εἴωθεν ἐξ ὧν ἔστι ποιῆσαί τι χρηστόν Ζγβ6. 744 ᵇ16. ἡ φύσις ἅμα τῷ τοιύτῳ περιτ τώματι καταχρῆται πρὸς βοήθειαν ⅃ σωτηρίαν αὐτῶν Ζμδ5. 679 ᵃ29. cf quod saepe ἡ φύσις παραχρῆσθαι, καταχρῆσθαι, παρακαταχρῆσθαί τινι dicitur Ζμβ16. 659 ᵃ21, 34. γ1. 662 ᵇ18. 2. 663 ᵇ22, 23. 9. 671 ᵇ1. 14. 674 ᵇ5. δ2. 677

ᵃ16. 10. 688 ᵃ23, 689 ᵃ5, 690 ᵃ1. Ζγβ4. 738 ᵇ1. ἡ φύσις
ὃ δύναται πολυχοεῖν ὕτως ὥστ' ἐπαμφοτερίζειν Ζγδ8. 777
ᵃ16. γ1. 749 ᵇ8. ἡ φύσις πανταχῆ λαβῦσα ἑτέρωθεν ἀπο-
δίδωσι πρὸς ἄλλο μόριον Ζμβ14. 658 ᵃ35. 9. 655 ᵃ26, 28.
Ζγγ1. 750 ᵃ3. δ̓4. 771 ᵃ29. Ζπ17. 714 ᵃ16. ἡ φύσις ἰά- 5
τρευχε τὴν φαυλότητα τῆς θέσεως. ἀναλαμβάνει τὴν ἔν-
δειαν, ἀναμάχεται τῷ πλήθει τὴν φθορὰν sim Ζμγ14. 674
ᵇ29, 675 ᵇ21. 2. 663 ᵃ17. 3. 664 ᵇ21, 665 ᵃ8. β̓7. 652 ᵃ31,
ᵇ21. 13. 657 ᵇ37. Ζγγ4. 755 ᵃ32. 10. 759 ᵇ3, 760 ᵇ27.
— ex repugnantia τῆς ἀνάγκης explicatur quod ἡ φύσις 10
βύλεται μὲν τῦτο διοικεῖν πολλάκις, ὃ μέντοι δύναται Πα6.
1255 ᵇ3. cf φύεται ἡ φύσις Πα 5. 1254 ᵇ27. Ζγγ 2. 753
ᵃ8. 7. 757 ᵃ25. δ̓9. 778 ᵃ5. Ζμδ5. 682 ᵃ6. Ζιε8. 542 ᵃ20.
τῆς φύσεώς ποτε φυώσης φαύλης κ̀ κρείττυς τῆς παιδείας
Πε12. 1316 ᵃ8. τοσύτω τιμιωτέραν ἔχον τὴν φύσιν ὅσωπερ 15
ἀφέστηκε τῶν ἐνταῦθα πλεῖον Οα2. 269 ᵇ19. κατὰ φύσιν
μὲν. ἀτακτοτέραν μέντοι τῆς τῶ πρώτε στοιχείε τῶν σω-
μάτων μα1. 338 ᵇ20. — d. κατὰ φύσιν, sive φύσει, opp
παρὰ φύσιν sive βία, nam τὸ βία κ̀ παρὰ φύσιν ταυτόν
Ογ2. 300 ᵃ23. Ζγε8. 788 ᵇ27. Μδ̓5. 1015 ᵇ15. κινεῖσθαι, 20
φέρεσθαι κατὰ φύσιν, opp παρὰ φύσιν, βίᾳ Φδ̓8. 215 ᵃ2,
4, 214 ᵇ14. ε6. 230 ᵃ19, 20, 22, 25. θ̓4. 255 ᵃ29. Οα2.
269 ᵃ8, 9. 3. 270 ᵃ3. 7. 276 ᵃ11. 8. 276 ᵃ23. β̓6. 288 ᵃ21.
13. 295 ᵇ23. 14. 296 ᵃ33. γ2. 300 ᵃ26, 301 ᵇ20. Γβ6. 333
ᵇ27, 29. μα4. 342 ᵃ25. ψα3. 406 ᵃ22, 407 ᵇ1. Μλ6. 1071 25
ᵇ35. μεταβάλλειν, γίγνεσθαι, ὑπάρχειν, ἔχειν, πράττειν κατὰ
φύσιν, opp παρὰ φύσιν Γβ1. 328 ᵇ27. δ̓β6. 197 ᵇ34. Μι1.
1052 ᵃ1. ζ8. 1033 ᵇ33. Ζια9. 491 ᵇ18, 33. Ζγα18. 725
ᵃ2. δ̓4. 770 ᵇ12. Ζμβ10. 656 ᵃ11. Ρα10. 1368 ᵇ35. γέ-
νεσις κατὰ φύσιν, παρὰ φύσιν Ζιη8. 586 ᵇ6, 7. τὰ παρὰ 30
φύσιν (τῷ σώματος πάθη) Ζιγ6. 585 ᵇ30. ὀδὲν παρὰ φύσιν
ἀΐδιον, ὕστερον τὸ παρὰ φύσιν τῦ κατὰ φύσιν, ἔκστασίς
τις ἐν τῇ γενέσει τὸ παρὰ φύσιν τῦ κατὰ φύσιν Οβ3. 286
ᵃ18. 19. α2. 269 ᵇ10. cf f16. 1477 ᵃ1. — τὰ κατὰ φύ-
σιν ἔχοντα, opp τὰ διεφθαρμένα Πα5. 1254 ᵇ36, 37. κατὰ 35
φύσιν κ̀ μὴ τερατωδῶς Ζια17. 496 ᵇ18. βλάβη τῆς φύ-
σεως Ζιε14. 544 ᵇ22. πηρωμένη φύσις, ἡ φύσις κεκολόβωται
Ζιδ̓8. 533 ᵃ12. Ζμγ8. 671 ᵃ16. φύσει, opp πάθει Ζγε5.
785 ᵇ2. 6. 786 ᵃ9. φύσει, opp κατὰ συμβεβηκός ψα3.
406 ᵃ15, cf 2. 403 ᵇ25. φύσει, opp νόμῳ Ηα1. 1094 ᵇ16. 40
ε8. 1133 ᵃ30, ᵇ21. ημα34. 1194 ᵇ30 sqq. Πα3. 1253 ᵇ20.
4. 1254 ᵃ14. 5. 1254 ᵇ19, 21, 1255 ᵃ1. 6. 1255 ᵇ14. γ6.
1278 ᵇ33. τι12. 173 ᵃ7-18, 29, 30. φύσις, dist ἔθος Πη13.
1332 ᵃ40. ΜΑ1. 891 ᵇ4. Ρα11. 1370 ᵃ7. Ηη6. 1148 ᵇ18.
11. 1152 ᵃ31. πκη1. 949 ᵃ28, τὰ κατὰ φύσιν, opp τὰ ἀν 45
ἔθει f119. 1498 ᵃ35. cf ἔθος p 217 ᵃ1-9. φύσει, dist προ-
αιρέσει οβ1345 ᵇ9. cf Ζμβ13. 657 ᵇ1. φύσει, opp ἐπί-
κτητον τγ1. 116 ᵇ11. ὅσα φύσει ἡμῖν παραγίνεται, τὰς
δυνάμεις τύτων πρότερον κομιζόμεθα, ὕστερον δὲ τὰς ἐνερ-
γείας ἀποδίδωμεν Ηβ1. 1103 ᵃ26. ὀδεμία τῶν ἠθικῶν ἀρε- 50
τῶν φύσει· ἀγαθοὶ, σοφοὶ δ̓ γίνόμεθα φύσει Ηβ1. 1103
ᵃ19. 4. 1106 ᵃ10. ζ12. 1143 ᵇ6. — e. nomen φύσις usur-
pari de peculiari rei alicuius naturali indole ex locis ta-
libus cognoscitur: καλῶς ἔχει ταῦτα τὰ αἰσθητήρια πρὸς
τὴν ἰδίαν φύσιν ἑκάστυ Ζμβ11. 657 ᵃ11. ἡ ἐν ἑκάστῳ 55
οἰκεία κ̀ κατὰ φύσιν θερμότης μδ 1. 379 ᵃ17. πρὸς παιδείαν
ἢ φύσεως δεῖται κ̀ χορηγίας τυχηρᾶς Πδ̓11. 1295 ᵃ28.
φύσει τὸν βασιλέα διαφέρειν δεῖ, τῷ γένει δ̓ εἶναι τὸν αὐτὸν
Πα12. 1259 ᵃ15 (contra φύσις latius patet, γένος angu-
stiorem habet ambitum, ὅσα μὴ τῆς φύσεως ἔργα κοινὰ 60
μηδ̓ ἴδια τῷ γένυς ἑκάστῳ Ζγε1. 778 ᵃ30, τὰ φύσει μο-

νόχροα μὲν ὄντα, τῷ γένει δὲ πολύχροα Ζγε6. 786 ᵃ3). —
f. hoc sensu τὴν φύσιν (τὰς φύσεις) vel τῇ φύσει addi-
tur ad adiectiva qualitatis. ἡ ἀτμὶς ψυχρὸν τῇ οἰκεία φύσει
μβ4. 360 ᵃ24. ἄνθρωποι ὑγρότεροι τὰς φύσεις Ζιη2. 588
ᵃ7. σομφὸν τὴν φύσιν Ζμβ17. 661 ᵃ18. ἀὴρ λευκότερος
τὴν φύσιν μγ4. 374 ᵃ33. αἱ γυναῖκες λευκότεραι τὴν φύσιν
Ζιη2. 583 ᵃ11. χονδρώδης, πιμελώδης τὴν φύσιν Ζια16.495
ᵃ23, ᵇ30. διχαλὰ κατὰ φύσιν Ζιβ1. 499 ᵇ17. νέφροι ὅμοιοι
τὴν φύσιν τοῖς βοείοις Ζια17. 496 ᵇ35. ὅτε σὰρξ ἐστιν ὅτε
πόρρω σαρκὸς τὴν φύσιν Ζιβ12. 504 ᵇ12. τὸ τῆς ἰκτίδος
αἰδοῖον ὀχ ὅμοιον τῇ φύσει τῶν λοιπῶν ζώων θ12. 831 ᵇ2.
σελήνη ἀσθενεστέρα τὴν φύσιν μγ5. 376 ᵇ26. τὰ τελεώτερα
τὴν φύσιν ζῷα Ζγβ1. 732 ᵇ28. τὸ ἀεὶ σῶμα θέον θεῖον
τὴν φύσιν μα3. 339 ᵇ26. — g. φύσις determinatur addito
adiectivo qualitatis, veluti ἔχει τι τὴν φύσιν θερμήν, τῶν
ἰχθύων ἡ φύσις ἐστὶν ἔνυδρος. hunc in modum coniuncta
legimus ἡ φύσις θερμή, ψυχροτέρα, ὑγρά, ξηρά, αὖος,
στερεά, γεώδης, ἀέριος Ζμα1. 640 ᵇ9. β̓9. 655 ᵇ12. γ7.
670 ᵃ21. 9. 672 ᵃ24. Ζγα13. 720 ᵃ8. β̓1. 733 ᵃ13, ᵇ8. δ̓1.
765 ᵇ28. ΜΑ 3. 983 ᵇ26 Bz. χ4. 394 ᵃ14. 3. 392 ᵇ14, 32.
παθ. 860 ᵃ28. φύσις εὐπλαστοτέρα Ζγγ11. 761 ᵃ34. φύσις
σκληρά, προμήκης, ὁμαλὴ κ̀ λεία, λεπτή, διφυής Ζμβ9.
655 ᵃ12. Ζγα7. 718 ᵃ21. αχ802 ᵃ19. αν15.478ᵃ19. Ζμγ7.
670 ᵃ3. φύσις πεζή, νευστική, ἔνυδρος Ζμγ6. 669 ᵃ12.
δ̓13. 695 ᵇ18, 696 ᵃ20. αν 16. 478 ᵃ33. φύσις κινητική,
ὀχευτικὴ κ̀ πολύγονος ΜΑ3. 984 ᵇ7. Ζγγ1. 749 ᵇ5. φύ-
σις σαρκώδης, αἱματική, φλεβώδης, ὀλίγαιμος, σπερμα-
τική, ἀκανθώδης Ζιη1. 588 ᵇ19. Ζμβ1. 647 ᵇ1. 17. 660 ᵇ25.
γ4. 665 ᵇ17. Ζγγ11. 761 ᵇ32, 25. δ̓8. 776 ᵇ12. φύσις
μόνιμος, πολυχρόνιος Ζιζ19. 574 ᵃ11. 22. 577 ᵃ16. Ζμδ̓7.
683 ᵇ5. μκ6. 467 ᵃ10. φύσις φαύλη ημ7. 1205 ᵇ29.
ἀσθενής Ζμδ̓12. 694 ᵃ28. ἀτελεστέρα Ζγβ4. 737 ᵇ8 (cf
τελεώτερα τὴν φύσιν 1. 732 ᵇ28). φύσις κρατίστη κ̀ τελε-
στικωτάτη φ6. 813 ᵇ30. φύσις ἁπλῆ, ἐπιεικὴς Ηη15.1154
ᵇ30. φύσις ἀποτετελεσμένη Ζιι1. 608 ᵇ7. ἔχει τὴν φύσιν
περιττοτάτην Ζιδ̓6. 531 ᵃ8. φύσις θεία Ζμδ̓10. 686 ᵃ28.
διὰ μοχθηρὰς φύσεις Ηη6. 1148 ᵇ18. γενναιοτέρας φύσεως
Ζγε7. 786 ᵇ35. μὴ εὖ συγκεῖσθαι τὴν φύσιν τῶν χελωνῶν
αν17. 479 ᵃ7. φύσις μονόκωλος Πη7. 1327 ᵇ35. ἡ φύσις
ἡ τηλικαύτη (i e τῶν νέων) Πδ̓5. 1340 ᵇ14. φύσις ἡδεῖα ἢ
λυπηρά αι5. 444 ᵃ7. φύσις λάλος κ̀ μελαγχολικὴ μτ2.463
ᵇ17. — h. φύσις coniungitur c genetivo. ἐξ ὧν συνέστη-
κεν ἡ τῶν ἐγκυκλίως φερομένων σωμάτων φύσις μα2. 339
ᵃ13. ἡ τῦ πέριξ σώματος φύσις Οβ4. 287 ᵇ20. ἡ τῦ πυ-
ρός, τῦ ἀέρος, τῦ ὕδατος, τῆς γῆς, τῦ θερμῦ φύσις μα3.
340 ᵃ36. 4. 341 ᵇ18. ψβ4. 416 ᵃ9. αι4. 441 ᵇ11. 5. 444
ᵃ21. Ζμβ7. 653 ᵃ31. Ζγα2. 716 ᵃ15. γ4. 755 ᵃ20. Ζιθ2.
589 ᵃ26. ἡ τῶν πνευμάτων ἀρχὴ κ̀ φύσις μβ4. 360 ᵃ13. ἡ
τῆς ἀτμίδος, τῦ φωτός, τῦ χρώματος φύσις μα3. 340 ᵇ27.
αι3. 439 ᵃ27. χ5. 796 ᵇ16. ζωγραφία χρωμάτων ἐγκερα-
σαμένη φύσεις χ5. 396 ᵇ14. ἡ τῶν ὁμοιομερῶν, τῦ ἐλαίᾳ,
τῦ αἵματος, τῶν φλεβῶν, τῶν ὀστῶν, τῶν ὀδόντων, τῶν
κεράτων, τῶν ὀνύχων, τῦ δέρματος φύσις μδ̓12. 389ᵇ25.
7. 383 ᵃ21. ψα2. 405 ᵇ7. αν8. 474 ᵇ5. Ζιγ2. 511 ᵇ11. 3.
513 ᵃ16. Ζμβ1. 646 ᵃ21. 3. 650 ᵃ1. 6. 651 ᵇ20, 652 ᵃ3. 8.
653 ᵇ33. 9. 654 ᵃ32, ᵇ5, 13, 655 ᵇ8. γ1. 661 ᵃ36. 2. 663
ᵃ35. δ̓12. 694 ᵃ22. Ζγα12. 719 ᵇ6. ἡ τῦ σπέρματος, τῶν
καταμηνίων, τῦ γάλακτος φύσις Ζγβ2. 735 ᵃ29. α20. 729
ᵃ32. Πα8. 1256 ᵇ15. ἡ τῶν ἐντέρων, τῶν σπλάγχνων, τῶν
μελῶν. τῶν βραγχίων φύσις Ζμδ̓5. 678 ᵃ29, 31. β̓3. 650
ᵃ20. 13. 657 ᵇ20. Ζιε18. 550 ᵃ6. αν11. 476 ᵃ25. ἡ φύσις

ἡ τῶν ὀρνίθων Ζμβ16. 659 ᵇ6. ἡ ἰδέα τῦ θηρίῳ χ̀ ἡ φύσις τοιαύτη Ζιι45. 630 ᵇ13. διαφέρειν κατὰ τὴν τῦ ὅλυ σώματος φύσιν Ζιθ2. 589 ᵇ33. ἡ τῶν φυτῶν φύσις ὅσα μόνιμος, ἡ πολυειδὴς Ζμβ10. 655 ᵇ37. (differt ab his exemplis φύσις collective usurpatum, ὕδατος φύσιν συνεστηκυῖαν χ̀ ἀφωρισμένην ἐχ ὁρῶμεν μα3. 339 ᵇ9. ἡ τῶν πτηνῶν φύσις, syn γένος Ζμγ6. 669 ᵃ31, 30. λοιπὸν περὶ τῆς ζωικῆς φύσεως εἰπεῖν Ζμα5. 645 ᵇ6.) — haud raro in exemplis, qualia attulimus, notio voc φύσις adeo delitescit, ut meram periphrasin nominis esse putes (veluti ἐντὸς ἡ τῶν φλεβῶν φύσις Ζιγ2. 511 ᵇ20. ἡ τῶν βραγχίων φύσις αν11. 476 ᵃ25 al. cf Wz I p 283); manere tamen vocabulo φύσις suam vim tum maxime apparet, ubi vel praeter genetivum attributivum additur adiectivum praedicativum, vel alio modo qualitatis notio significatur. ἔοικε χ̀ ἄλλη τις φύσις τῆς ψυχῆς ἄλογος εἶναι, μετέχυσα μέντοι πῃ λόγυ Ηα13. 1102 ᵇ13. ἡ τῦ πνεύματος φύσις τοιαύτη μβ8. 366 ᵇ1. ἡ τῦ ὕδατος φύσις ἄχυμος αι4. 441 ᵃ3. ἀδηλος ἡ φύσις τῶν φλεβῶν Ζιγ2. 511 ᵇ14. ἡ τῶν νεύρων φύσις ἀ συνεχής, σχιστή· ἡ τῶν τριχῶν φύσις ὀλιγόθερμος sim Ζιγ5. 515 ᵃ33, ᵇ5, 15. 11. 517 ᵇ21. Ζμβ9. 655 ᵃ20. γ9. 672 ᵃ15. Ζγα5. 717 ᵇ20. ε4. 784 ᵇ4. ἡ τῶν ἐνυπνίων φύσις δαιμονία μτ2. 463 ᵇ14. τὸ ὡς εἴσω τὴν φύσιν ἔχει οἷον οἱ στρόμβοι Ζια11. 492 ᵃ17. κατὰ τὴν τῶν ὀστῶν φύσιν Ζιγ9. 517 ᵃ18. ἡ φωνὴ φύσιν ἔχει ἄνω φέρεσθαι πια45. 904 ᵃ23 (cf φύειν 2). φύσις ἐστὶ τῦ ὕδατος ὑπεράνω βαίνειν γῆς φτβ2. 823 ᵇ2. τίς ἡ τῦ ἀέρος, τῦ αἵματος, τῶν καταμηνίων φύσις sim μα3. 339 ᵇ4. β1. 353 ᵃ32. Ζμβ2. 648 ᵃ20, 21. Ζγα17. 721 ᵇ4. 18. 724 ᵇ22. ἡ αὐτὴ φύσις σπέρματος χ̀ καταμηνίων εν2. 460 ᵃ8. ἔχειν τὴν αὐτὴν (μίαν, κοινήν, παραπλησίαν) φύσιν, εἶναι τῆς αὐτῆς φύσεως αν20. 479 ᵇ18. Ζια16. 494 ᵇ24. γ8. 516 ᵇ31. 9. 517 ᵃ7. δ4. 528 ᵇ12, 17. Ζμα4. 644 ᵇ3. β9. 655 ᵃ32. χηλὴν τὴν αὐτὴν ἔχει κέρατι φύσιν Ζμγ2. 663 ᵃ29. ἐχ αὐτὴ ἥ τε τῦ ἀνέμυ φύσις χ̀ τῦ ὑομένυ ὕδατος, syn ἕτερον τὸ εἶδος μβ4. 360 ᵃ19 (cf infra p 839 ᵃ16). τὴν αὐτὴν εἶναι φύσιν ἐπὶ μὲν γῆς ἄνεμον, ἐν δὲ τῇ γῇ σεισμόν, εἶναι γὰρ τὴν ὑσίαν ταὐτόν μβ9. 370 ᵃ26 (cf infra p 839 ᵃ29). ὁ ἐγκέφαλος τὴν φύσιν ἔχει κοινὴν ὕδατος χ̀ γῆς Ζμβ7. 652 ᵇ22. μεταξὺ σαρκὸς χ̀ νεύρυ τὴν φύσιν ἔχει τὰ μαλάκια Ζμβ8. 654 ᵃ15. — i. notio τῆς καθ' ἕκαστον χ̀ οἰκείας φύσεως ibi conspicua est, ubi aliquid esse in sua natura vel restitui in naturam suam dicitur. ἀπολαμβάνειν, ἀπειληφέναι, ἔχειν τὴν φύσιν μγ3. 372 ᵇ21. Φθ7. 261 ᵃ19. Ρα11. 1370 ᵃ5. υ2. 455 ᵇ27. ἡ χ̀ τὴν ἰδίαν ἀπολαβῦσα φύσιν f 12. 41 1475 ᵇ43. ἄπεπτον χ̀ ἀκράτητον εἶναι ὑπὸ τῆς φύσεως μδ7. 384 ᵃ33. ἐξίστασθαι τῆς φύσεως, opp εἶναι ἐν τῇ φύσει, ἔχειν τὴν φύσιν μδ11. 389 ᵇ9, 11, 14. Γα7. 323 ᵇ29. Φβ1. 193 ᵇ1. cf μδ2. 379 ᵇ35. (ad alia genera translatum, ἡ τραγῳδία ἔσχε τὴν αὐτῆς φύσιν· λεξέως γενομένης αὐτῇ ἡ φύσις τὸ μέτρον εὗρεν πο4. 1449 ᵃ15, 24. 24. 1460 ᵃ4. Vhl Poet I 45.) ἔοικεν ἡ φύσις ὥσπερανεὶ διεστράφθαι Ζιθ2. 589 ᵇ29. χωρίζεσθαι τῆς φύσεως μδ1. 379 ᵃ14. Ζμβ3. 649 ᵇ31. ἕως ἂν ᾖ ἐν τῇ φύσει Ζια1. 487 ᵃ3. Ζμβ2. 647 ᵇ12. ἰέναι εἰς τὸ κατὰ φύσιν Ρα11. 1370 ᵃ4. εἰς φύσιν ἰέναι πν1. 481 ᵃ19. κατάστασις εἰς τὴν ὑπάρχυσαν φύσιν Ρα11. 1369 ᵇ35. εἰς φύσεως κατάστασιν πκη1. 949 ᵃ32. φύσις ἀναπληρυμένη, καθεστηκυῖα Ηη13. 1153 ᵇ2-4. ημβ7. 1205 ᵇ21-24. εἶναι τὴν φύσιν αὐτῶν μάλιστα μίαν ζ2. 468 ᵇ12. ἡ τῆς φύσεως αὐτῶν (τῶν ἐνύδρων) θερμότης Ζμβ2. 648 ᵃ27. ὑπάρχει ὁ ἐγκέφαλος

πρὸς τὴν τῆς φύσεως ὅλης σωτηρίαν Ζμβ7. 652 ᵇ7. ἡ καρδία ἀρχὴ τῆς φύσεως τοῖς ἐναίμοις Ζμγ4. 666 ᵃ21 (cf ἡ καρδία ἀρχὴ τῆς ζωῆς 3. 665 ᵃ12). ἡ φύσις ἐκ τῦ σπέρματος γίγνεται Ζγα18. 724 ᵇ33. cf β7. 747 ᵃ20. ἀπὸ τῆς φύσεως χ̀ τῶν καλῶς ἐχόντων ἡ ἀπόκρισις γίνεται Ζιη1. 582 ᵃ3, 581 ᵇ30.

3. a. τῶν φύσει συνεστώτων τὰ μέν ἐστι σώματα χ̀ μεγέθη, τὰ δ' ἔχει σῶμα χ̀ μέγεθος Οα1. 268 ᵃ4. κίνησις ἄπαυστος, οἷον ζωή τις ὖσα τοῖς φύσει συνεστῶσι πᾶσι Φθ1. 250 ᵇ14. τὰ φύσει συνεστῶτα, συνιστάμενα μδ1. 379 ᵃ6. Ζγβ1. 734. 416 ᵃ16. Ζμα1. 640 ᵇ4. αἱ φύσει συνεστῶσαι ὑσίαι Γβ1. 328 ᵇ32. Ζμα5. 644 ᵇ22. τὰ κατὰ φύσιν συνιστάμενα σώματα Ογ2. 300 ᵇ28. τὰ ὑπὸ φύσεως συνιστάμενα Ζγδ6. 775 ᵃ22. τὰ φύσει γινόμενα χ̀ φθειρόμενα Γα1. 314 ᵃ1. φύσει τά τε ζῷα χ̀ τὰ μέρη αὐτῶν χ̀ τὰ φυτὰ χ̀ τὰ ἁπλᾶ τῶν σωμάτων Φβ1. 192 ᵇ9, 193 ᵇ6. Μθ4. 1015 ᵃ6. τὰ φύσει λεγόμενα Ογ1. 298 ᵃ27. τὰ φύσει Ογ8. 307 ᵇ21. Μλ3. 1070 ᵃ5, 17. — ὥσπερ τέχνη λέγεται τὸ κατὰ τέχνην, ὕτω χ̀ φύσις τὸ κατὰ φύσιν λέγεται Φβ1. 193 ᵃ32. ἐν τινι γένος τῦ ὄντος ἡ φύσις Μγ3. 1005 ᵃ34 (cf πᾶσα ψυχὴ φύσις Ζμα1. 641 ᵇ9). ἡ περὶ φύσεως ἱστορία Ογ1. 298 ᵇ2. ἡ περὶ φύσεως ἐπιστήμη Φα1. 184 ᵃ15. γ4. 202 ᵇ30. Οα1. 268 ᵃ1. εἴρηται ἐν τοῖς περὶ φύσεως ΜΑ8. 989 ᵃ24 Bz (cf Ἀριστοτέλης p 102 ᵃ54). οἱ περὶ φύσεως λόγοι ΜΑ8. 990 ᵃ7. λεκτέον τῷ περὶ φύσεως θεωρητικῷ Ζμα1. 641 ᵃ29. οἱ περὶ φύσεως φυσικοί, οἱ φυσιολόγοι Φα4. 187 ᵃ35 (syn οἱ φυσικοί ᵃ12). β2. 193 ᵇ29. γ4. 203 ᵃ16. θ1. 250 ᵇ16. αι1. 436 ᵃ20. Μβ4. 1001 ᵃ12. γ4. 1006 ᵃ3. θ8. 1050 ᵇ24. κ6. 1062 ᵇ26 (syn φυσιολόγοι ᵇ21). οἱ περὶ φύσεως λέγοντες πι13. 892 ᵃ25. οἱ περὶ φύσιν Ζιγ3. 513 ᵃ9. — b. μεταφορᾷ ἤδη χ̀ ὅλως πᾶσα ὑσία φύσις λέγεται διὰ ταύτην, ὅτι χ̀ ἡ φύσις ὑσία τίς ἐστιν Μδ4. 1015 ᵃ12. ita φύσις eadem vi usurpatur atque ὑσία 3b, p 544 ᵇ10. εἰ ἔστιν ἑτέρα φύσις χ̀ ὑσία χωριστὴ χ̀ ἀκίνητος Μκ7. 1064 ᵇ11. εἰ ἔτεραι μὴ εἰσιν ὑσίαι μηδὲ φύσεις ἕτεραι πρότεραι ΜΖ6. 1031 ᵃ30. ὖτε τὰ γένη φύσεις τινὲς χ̀ ὑσίαι χωρισταὶ τῶν ἄλλων εἰσὶν Μι2. 1053 ᵇ21. τὸ πρός τι ἥκιστα φύσις τις ἢ ὑσία τῶν κατηγοριῶν ἐστί Μν1. 1088 ᵃ23 (sed latiore sensu τὸ πρός τι μία φύσις τῶν ὄντων ὥσπερ χ̀ τὸ τί χ̀ τὸ ποιὸν Μν2. 1089 ᵇ7, βύλεται μὲν δὴ τὸ ψεῦδος χ̀ ταύτην τὴν φύσιν λέγει Μν2. 1089 ᵃ20). εἴπερ ἐστὶν ὁ ἀριθμὸς φύσις τις χ̀ μὴ ἄλλη, τίς ἐστιν αὐτῇ ἡ ὑσία ἀλλὰ τῦτ' αὐτὸ Μμ6. 1080 ᵃ15. cf Β4. 1001 ᵃ8, 13. πότερον ὡς ὑσία ἢ συμβεβηκὸς καθ' αὐτὸ φύσει τινί Φγ4. 203 ᵇ33. ὡς αὐτήν τινα λέγει καθ' αὑτὴν φύσιν ὖσαν Μν2. 1090 ᵃ13. cf γ1. 1003 ᵃ27. Αγ24. 85 ᵃ33. τὸ φάναι εἶναί τινας φύσεις παρὰ τὰς ἐν τῷ ὑρανῷ Μβ2. 997 ᵇ6. ὁ κόσμος σύστημα ἐξ ὑρανῦ χ̀ γῆς χ̀ τῶν ἐν τύτοις περιεχομένων φύσεων κ2. 391 ᵇ10. φύσις, coni syn γένος τι11. 172 ᵃ37, 16. περὶ τινος φύσεως ἀφωρισμένης, opp περὶ πάντων Ζμα1. 639 ᵃ10, 8. τιθέναι εἰς μίαν φύσιν, χρῆσθαι ὡς μιᾷ φύσει, πρὸς ἓν χ̀ μίαν τινὰ φύσιν Μλ1. 1069 ᵃ35. Α4. 985 ᵇ2. γ2. 1003 ᵃ34. τὰς ἄλλας δυνάμεις χ̀ φύσεις Μμ2. 1076 ᵇ2. τὸ κενόν, ὃ διορίζει τὰς φύσεις (i e τὰ ὄντα, τὰ σώματα) Φδ6. 213 ᵇ25, 27. ὁμοιώματα παρὰ τὰς ἀληθινὰς φύσεις Πθ5. 1340 ᵃ19. ἡ ἶρις ἀ φύσις, ἀλλὰ τῆς ὄψεως πάθος πιβ3. 906 ᵇ5. cf φτα1. 816 ᵇ18. ἡ τῦ ἀγαθῦ, τῦ κακῦ, τῦ ἀορίστυ, τῦ κενῦ φύσις Μα2. 994 ᵇ13. β2. 996 ᵃ23. λ10. 1075 ᵇ7. γ5. 1010 ᵃ4. πκε22. 940 ᵃ10. β. — c. quam varietatem usus in voc ὑσία notavimus (cf ὑσία 3 init,

et 3e-g), eadem cernitur in nomine φύσις. ita φύσις signi-
ficat materiam (cf ϋσία 3e), δοκεῖ φύσις εἶναι τὸ πρῶτον
ἐνυπάρχον ἑκάστω ἀρρύθμιστον καθ' αὑτό· φύσις λέγεται
ἡ πρώτη ἑκάστω ὑποκειμένη ὕλη sim Φβ1. 193 ᵃ9, 28. α8.
191 ᵇ34. Μδ4. 1014 ᵇ26,33, 1015ᵃ7. ζ7. 1032ᵃ22. unde 5
colligatur φύσιν esse τὴν πρώτην ὑποκειμένην ὕλην Ar ex-
ponit Φβ1. 193 ᵃ9-30. μίαν τινὰ φύσιν ὡς ὕλην τιθέασι
ΜΑ8. 988 ᵇ22. ἡ φύσις ἡ αὐτὴ μένει τῇ μεταθέσει, ἡ δὲ
μορφὴ ὔ Μδ26. 1024ᵃ4. ἡ αὐτὴ φύσις ὁτὲ μὲν σκότος
ὁτὲ δὲ φῶς ἐστι ψβ7. 418 ᵇ31. ἡ ὑποκειμένη φύσις Φα7. 10
191 ᵃ8. Γα6. 322 ᵇ19. φύσις, opp μορφή Ζμβ1.646ᵃ33.
opp ἕξις, syn ὕλη αν14. 477 ᵇ16, 15, 17. — d. φύσις λέ-
γεται ἡ τῶν φυομένων γένεσις Μδ4. 1014 ᵇ16. ἡ φύσις ἡ
λεγομένη ὡς γένεσις ὁδός ἐστιν εἰς φύσιν Φβ1. 193 ᵇ12.
hoc sensu Empedocles φύσις usurpavit v 98, 101. Γα1. 15
314 ᵇ7. ξ2. 975ᵇ8. — e. φύσις i q εἶδος, μορφή. cf ϋσία 3f.
ἡ φύσις διχῶς, τό τε εἶδος ϗ ἡ ὕλη Φβ2. 194 ᵃ12, 16, 27.
8. 199 ᵃ30. 1. 193 ᵇ3. Ζμα1. 641 ᵃ25. unde colligatur τὸ
εἶδος potius φύσιν esse, Ar exponit Φβ1. 193 ᵃ30-ᵇ5.
ἀρχὴ ἡ φύσις μᾶλλον τῆς ὕλης Ζμα1. 642 ᵃ17, 641 ᵃ31, 20
640 ᵇ28. Φβ1. 193 ᵇ6. ΜΖ17. 1041 ᵇ30. ὔπω φαμὲν φύσιν
ἔχειν, ἂν μὴ ἔχῃ τὸ εἶδος ϗ τὴν μορφήν Μδ4. 1015 ᵃ5.
cf ζ7. 1032 ᵃ23. ἡ κατὰ τὸ εἶδος λεγομένη φύσις ΜΖ7.
1032 ᵃ24. (ἀρτίω προστιθὲν τὸ ἒν περιττὸν ποιεῖ, περιττῷ
δὲ ἄρτιον, ὃ ὐκ ἠδύνατο, εἰ μὴ ἀμφοῖν ταῖν φύσεοιν με- 25
τεῖχε f194. 1513 ᵃ12.) ὅταν μὴ κρατήτῃ τὴν κατὰ τὴν
ὕλην ἡ κατὰ τὸ εἶδος φύσις Ζγδ4. 770 ᵇ17. αἱ φύσεις τῆς
ὕλης αν14. 477 ᵃ30. φύσις τῦτο σημαίνει, ὃ ϗ κατὰ λόγον
ἐστιν Ογ8. 306 ᵇ15. φύσις, coni syn ϋσία Μδ4. 1014 ᵇ36.
ι2. 1053 ᵇ9. ψα1. 402 ᵃ7 (opp ὅσα συμβέβηκε). Οβ4. 30
286 ᵇ11 al (cf ϋσία 3f). coni syn τόδε τι Μλ3. 1070 ᵃ11.
syn εἶναι c dat ψβ7. 418 ᵇ2, 419 ᵃ9. φύσιν μίαν (Δημό-
κριτος) ἐξ ἐκείνων (τῶν ἀτόμων) κατ' ἀλήθειαν ὐδ' ἡντιναῦν
γεννᾶ f 202. 1514 ᵇ22. ἡ ϋσία κατὰ τὸ ποιόν, τῦτο δὲ τῆς
ὡρισμένης φύσεως Μκ6. 1063 ᵃ28. τὸ ὕδωρ ἀρχὴ τῆς φύ- 35
σεως ταῖς ὑγροῖς ΜΑ3. 983 ᵇ27. δεῖ ἑκάστου θετικὸν τοι-
ῦτον, ὃ φύσει βύλεται εἶναι ϗ ὃ ὑπάρχει Οβ14. 297 ᵇ22.
ὅτυ πλεῖστον ἕκαστον ἔχει, τῦτο δοκεῖν εἶναι τὴν φύσιν τῦ
πράγματος Φα4. 187 ᵇ6. — φύσις, coni syn ἕξις, opp
στέρησις Ημα1. 1152 ᵇ28, 36. ι4. 1153 ᵇ29. ψβ5.417 ᵇ16. 40
Ζμβ2. 649 ᵃ18. — ἐντελέχεια ἡ φύσις τις ἑκάστη Μη3.
1044 ᵃ9. φύσει, opp δυνάμει Ζγβ4. 740 ᵇ19. — ἡ φύσις
ὐχ ἡ πρώτη ἀλλ' ἡ ἐν τέλει π45. 895 ᵇ28. — f. quem
latiorem voc ϋσία usum significavimus sub v ϋσία 3g,
idem referendus est ad v φύσις (ceterum cf supra φύσις 45
2e-h). τίς ἡ τῦ χρόνυ, τῦ στοιχείυ, τῦ ὅλυ, τῦ ψευδῦς
al φύσις (i e λόγος, ὁρισμός) Φδ10. 218 ᵃ31. Ογ3. 302
ᵃ15. Πα4. 1254 ᵃ13 (coni δύναμις). ται. 101 ᵃ1. ρ9. 1429
ᵇ25. τὴν αὐτὴν εἶναι φύσιν, μίαν ἔχειν φύσιν sim Οα7. 275
ᵇ32. Γα1. 314 ᵃ5. 8. 326 ᵃ32. Φγ7. 207 ᵇ22. Μκ10. 1067 50
ᵃ34. β2. 998 ᵃ6. γ2. 1003 ᵇ3. κοινὴ φύσις ϗ δύναμις
αι3. 439 ᵃ23. ποιός τις τὴν φύσιν, σύνεγγυς τὴν φύσιν
Πη1. 1323 ᵇ26. Φγ6. 207 ᵃ14. οἷς πλείονος ἀξίαν τὴν κτῆ-
σιν εἶναι συμβέβηκε τῆς ἰδίας φύσεως, ἀθλίυς τύτυς εἶναι
δεῖ νομίζειν f 89. 1492 ᵃ9. ἡ ἁρμονία ἐστιν ὐρανία τὴν 55
φύσιν ἔχυσα θείαν ϗ καλὴν ϗ δαιμονίαν f 43. 1483 ᵃ4. ὁ
κατ' αὐτὴν τὴν φύσιν τῦ πράγματος ὅρος πο7. 1451 ᵃ9.
κατὰ φύσιν ποιεῖσθαι τὴν μέθοδον, ἀρξάμενοι κατὰ φύσιν
πρῶτον ἀπὸ τῶν πρώτων sim Ζια6. 491 ᵃ11. πο1. 1447
ᵃ12. Φα7. 189 ᵇ31. Γα8. 325 ᵃ2. ΜΑ5. 986 ᵇ12. Ργ1. 60
1403 ᵇ19. ἅπτεσθαι τῆς φύσεως, λέγειν τι περὶ τῆς φύ-

σεως Γα7. 324 ᵃ15. Μα1. 993 ᵇ2 Βz. φύσις, coni syn
ἀλήθεια Φα8. 191 ᵃ25. ημα34. 1196 ᵇ2. — φύσει (τῇ
φύσει, κατὰ φύσιν) πρότερα, ὕστερα, γνωριμώτερα, σαφέ-
στερα, ἀγαθά, ἡδέα, syn ἁπλῶς, opp πρός τι, πρὸς ἡμᾶς,
ἑκάστῳ Μδ11. 1018 ᵇ11, 32 Βz, 1019 ᵃ2. ζ4. 1029 ᵇ8.
Φα1. 184 ᵃ17, 18. Αβ23. 68 ᵇ35. γ2. 71 ᵇ34sqq. Ημ13.
1153 ᵃ5. Ρα9. 1366 ᵇ38. ηεη15. 1248 ᵇ27-30, 40, 1249
ᵃ25. φύσει ἅμα Κ7. 7 ᵇ15. 13. 14 ᵇ27. κατὰ φύσιν, syn
καθ' αὐτό ηεγ4. 1232 ᵃ8, 1231 ᵇ29. cf Ηε10. 1135 ᵃ5.
φυσιῦν. διάθεσις διὰ χρόνυ πλῆθος ἤδη πεφυσιωμένη ϗ ἀνία-
τος Κ8. 9 ᵃ2.
Φυσκεῖς. ἔκτισε (Λοκρός) πόλεις Φυσκεῖς ϗ Τάντειαν f 520.
1563 ᵃ39.
Φύσκος, ἀφ' ὕ οἱ Λέλεγες, οἱ νῦν Λοκροί· Φύσκυ τῦ Ἀμ-
φικτύονος υἱὸς ἦν Λοκρὸς f 519. 1563 ᵃ24. 520. 1563 ᵃ32.
φυσώδης. ποιεῖ γάλα ϗ τὰ φυσωδῶν ἕνα προσφερόμενα
Ζιγ21. 522 ᵇ32. cf φυσητικός. βλαβερὸν ὁ οἶνος ὁ μέλας
ϗ τὰ πλεῖστα τῶν φυσωδῶν Ζιη12. 588 ᵃ7. οἱ ἐλέφαντες
κάμνυσι τοῖς φυσιώδεσι νοσήμασιν Ζιθ26. 605 ᵃ23.
φυτεύειν φυτόν θ51. 834 ᵃ16. φυτεύυσι πλησίον ταῖς συ-
καῖς ἐρινεὰς Ζιε32. 557 ᵃ30. τίνα φυτὰ συμφέρει φυτεύειν
περὶ τὰ σμήνη Ζιι40. 627 ᵇ16. πολλὰς ἐφύτευσεν ἀμπέλυς
Ἀγκαῖος f 530. 1566 ᵃ16. — γεωργία πεφυτευμένη, opp
ψιλή Πα11. 1258 ᵇ18, 1259 ᵃ1.
φύτευσις. γῆς ἀρόσεις ϗ φυτεύσεις κ6. 399 ᵇ17.
φυτευτής. οἱ φυτευταὶ χρῄζυσι τῦ καιρῦ τῦ ἔτυς φτα7.
821 ᵇ3.
φυτικὸν μόριον τῆς ψυχῆς Ηα13. 1102 ᵃ32, ᵇ29. — τῶν
ζώων τινὰ χρὴ φυτικὰ καλεῖν Ζμδ5. 681 ᵃ33.
φυτόν. εἴρηται ἐν τῇ θεωρίᾳ τῇ περὶ φυτῶν Ζιε21. 539 ᵃ21 al,
cf Ἀριστοτέλης p 104 ᵇ38. — τὰ φυόμενα i q τὰ φυτὰ
ψγ12. 434 ᵃ26. Ζιε11. 543 ᵇ24 al. cf φύειν p 833 ᵃ2. —
1. φυτὸ ϋσία. τὰ φυτὰ φύσει ἐστί Φβ1. 192 ᵇ10. ἡ ἐν
τοῖς φυτοῖς ἀρχὴ ψυχή τις ἔοικεν εἶναι ψα5. 411 ᵇ28. τὰ
φυτὰ ζῇ, ζωὴν ἔχει ψα5. 410 ᵇ23. ζ1.467 ᵇ24,34. Ζμβ10.
655 ᵇ32. δ5. 681 ᵃ20. Ζγβ1. 732 ᵃ12. Φθ7. 261 ᵃ16.
φτα1. 815 ᵃ10, 11. τὰ φυτὰ ἔχει ψυχὴν θρεπτικήν, τοῖς
φυτοῖς ὑπάρχει τὸ θρεπτικὸν μόνον ψβ2. 413 ᵃ25-ᵇ2, 8.
3. 414 ᵃ33, 415 ᵃ2. γ9. 432 ᵃ29. 12. 434 ᵃ26. ἡ ἐν τοῖς
φυτοῖς ψυχὴ αὐξήσεως ἀρχή Ζμα1. 641 ᵇ6. Οα3. 270
ᵃ32. ἡ θρεπτικὴ ψυχὴ ἡ αὐτή ἐστι ᾗ ἡ γεννῶσαν ἕτερον
οἷον αὑτὸ Ζγβ1. 735 ᵃ16,19. 4. 741 ᵃ1. τῶν φυτῶν ἔργον
ὐδὲν ἄλλο πλὴν οἷον αὑτὸ ποιῆσαι πάλιν ἕτερον· τῆς τῶν
φυτῶν ϋσίας ὐδέν ἐστιν ἄλλο ἔργον πλὴν ἡ τῦ σπέρματος
γένεσις Ζιθ1. 588 ᵇ24. Ζγα23. 731 ᵃ25. 4. 717 ᵃ22. Ζμβ1.
646 ᵃ34. ψβ4. 415 ᵃ29. Πα2. 1252 ᵃ29. φτα2. 817 ᵇ10.
τὰ φυτὰ μέλλοντα σπέρμα φέρειν ἀνθεῖν πρῶτον Ἀλ-
κμαίων φησὶν Ζιη1. 581 ᵃ15. — τὰ φυτὰ ϗ τὰ ζῷα Ζμα1.
640 ᵇ12 5. 644 ᵇ28. δ10. 687 ᵃ4 al. διαφέρει τὸ ζῷον τῦ
φυτῦ αἰσθήσει, τὰ φυτὰ ὐκ ἔχει αἴσθησιν, τῷ αἰσθητικῷ
χωρίζεται τὸ θρεπτικὸν ἐν τοῖς φυτοῖς sim ψα5. 410 ᵇ23,
411 ᵇ28. β3. 415 ᵃ2. ζ1.467 ᵇ24. Ζμδ5. 681 ᵃ20. Ζγβ5.
741 ᵃ9. φτα1. 815 ᵇ19. (Ἀναξαγόρας ϗ Δημόκριτος ϗ
Ἐμπεδοκλῆς ϗ νῦν ϗ γνῶυν εἶπον ἔχειν τὰ φυτὰ φτα1.
815 ᵇ17.) διὰ τί τὰ φυτὰ ὐκ αἰσθάνεται ψβ12. 424 ᵃ33-ᵇ3
γ13. 435 ᵇ1. τὰ φυτὰ ὐ μετέχει φορᾶς, ὐκ ἔχει ἀρχὴν τὴν
κατὰ τόπον κινήσεως· ἡ τῶν φυτῶν φύσις μόνιμος ψα5.
410 ᵇ23. γ9. 432 ᵇ18. Ζμα1. 641 ᵇ6. β10. 655 ᵇ37.
Φθ7. 261 ᵃ16. φτα1. 816 ᵃ26. τὰ φυτά, quoniam ψυχὴν
θρεπτικὴν habent, αἰσθητικὴν vero et κινητικὴν non habent,
τὸ μὲν ἄνω ϗ κάτω ἔχει, τὸ δὲ πρόσθεν ϗ ὄπισθεν ϗ τὸ

δεξιὸν ἠ ἀριστερὸν ἐκ ἔχει Οβ2. 284ᵇ17, 27, 285ᵃ18.
ζ1. 467ᵇ34. Ζπ4. 705ᵃ29-ᵇ31. Ζμδ10. 686ᵇ34. τοῖς
φυτοῖς ἐχ ὑπάρχει ὕπνος ἠ ἐγρήγορσις, ἠ γὰρ ἔχυσι τὸ
αἰσθητικὸν μόριον (cf ὕπνος) υ1. 454ᵃ17, ᵇ27. Ζγε1. 779
ᵃ2. φτα2. 817ᵇ20. τὴν ἐξ ἀρχῆς διάθεσιν (τῶν ζῴων) ἐχ
ὕπνον ἀλλ' ὅμοιον ὕπνῳ δεῖ νομίζειν, οἷανπερ ἔχει ἠ τὸ
τῶν φυτῶν γένος· τὰ ἔμβρυα ζῇ φυτῦ βίον Ζγε1. 778
ᵇ35, 779 ᵃ1. β3. 736ᵇ13. γ2. 753ᵇ28. ὁ καθεύδων διὰ
βίν ζῇ φυτῦ βίον Ηκ6. 1176ᵃ34. ὁ μηθενὸς ἔχων λόγον
ὅμοιος φυτῷ Μγ4. 1006ᵃ15, 1008ᵇ11. — τὰ φυτὰ τῶν
ζῴων ἔνεκεν Πα8. 1256ᵇ16. φτα2. 817ᵇ25. μετὰ τὸ τῶν
ἀψύχων γένος τὸ τῶν φυτῶν πρῶτόν ἐστιν, ἐκ τῶν φυτῶν
εἰς τὰ ζῷα συνεχὴς ἡ μετάβασίς ἐστιν· ἔνια τῶν ζῴων
(veluti τὰ ὀστρακόδερμα) μεταξύ ἐστι τῦ ζῴυ ἠ τῦ φυτῦ,
ἐπαμφοτερίζει ἠ φυτῷ ἠ ζῴῳ τὴν φύσιν Ζιθ1. 588ᵇ4-14, 15
17. Ζμδ5. 681 ᵃ9-17, ᵇ2. 6. 682ᵇ29. 10. 686ᵇ34. Ζγα23.
731 ᵇ9. comparantur plantis ὀστρακόδερμα, ἀκαλήφαι,
σπόγγοι, ὅσα τῷ προσπεφυκέναι ζῇ Ζιδ11. 537ᵇ31, 538
ᵃ18. 6. 531ᵇ10. Ζμδ5. 681ᵃ11, 26, ᵇ7. τῶν φυτῶν ἔνια
(ὥσπερ ἠ τῶν ἐντόμων) διαιρέμενα φαίνεται ζῶντα, ὡς 20
ἔσης τῆς ἐν τὲτοις ψυχῆς ἐντελεχείᾳ μὲν μιᾶς, δυνάμει
δὲ πλειόνων ψβ2. 413ᵇ16. α4. 409ᵃ9. 5. 411ᵇ19. μχ6.
467ᵃ18. ζ2. 468ᵃ30, ᵇ1, 6. Ζμδ6. 682ᵇ30. τὰ φυτὰ
πανταχῇ ἔχει ἠ ῥίζαν ἠ καυλὸν δυνάμει μχ6. 467ᵃ23. —
2. φυτῦ ὄργανα. μέρη διάφορα φτα3. 4. ἠ ἐν τοῖς 25
φυτοῖς ἐστι μέλη (μέρη?) ὁμοιομερῆ φτα3. 818ᵃ17. ἠ ἐν
τοῖς φυτοῖς ἔνεστι τὸ ἕνεκά τυ, ἧττον δὲ διήρθρωται Φβ8.
199ᵇ10. τὰ τῶν φυτῶν ὄργανα ὡς ἕνεκα τῆς ψυχῆς ὄντα·
ὄργανα τὰ τῶν φυτῶν, φύλλα περικάρπιον ῥίζαι ψβ4. 415
ᵇ20. 1. 412ᵇ1. Φβ8. 199 ᵃ27. ἐν φυτοῖς ξύλον φλοιὸς 30
φύλλα ῥίζα μδ10. 388ᵃ19. ἠ τῶν φυτῶν φύσις ἠ πολυ-
ειδής ἐστι τῶν ἀνομοιομερῶν· πρὸς γὰρ ὀλίγας πράξεις ὀλί-
γων ὀργάνων ἡ χρῆσις Ζμβ10. 655ᵇ37. Φβ8. 199ᵇ10.
φτα1. 816ᵇ7. αἱ ῥίζαι τοῖς φυτοῖς τὸ ἄνω, ἡ κεφαλή, τὸ
στόμα εἰσὶν Φτα8. 416 ᵃ4. μχ6. 467 ᵇ2. ζ1. 468 ᵃ10. 35
Ζμδ4. 678ᵃ11. 7. 683ᵇ20. Ζπ4. 705ᵇ6. 5. 706ᵇ5. —
ἀδύνατον φυτὸν ὁπηλικῦνὦν εἶναι κατὰ μέγεθος ἢ μικρότητα
Φα4. 187ᵇ16. φυτὰ χαμαίζηλα, opp δένδρα Ζιζ1. 559
ᵃ14. τῶν φυτῶν τινὰ ἄνω προχωρῦσι, τινὰ κάτω. τινὰ μέ-
σον φτβ8. 827ᵇ32. — 3. φυτῶν τροφή. ἐξ ὕδατος τὰ 40
ὁμοιομερῆ σώματα συνίσταται ἠ ἐν φυτοῖς ἠ ἐν ζῴοις
μδ8. 384ᵇ31. τὰ φυτὰ ἐκ γῆς πλείονος γέγονεν (cf ψγ13.
435ᵇ1), διὰ ἐν γῇ ἔχει τὴν τάξιν, ἐκ ἐν θαλάττῃ αν13.
477 ᵃ28, ᵇ27. Ζγγ11. 761 ᵃ28, 31, ᵇ13. τροφὴ τοῖς φυ-
τοῖς ὕδωρ ἠ γῆ Ζγγ11. 762ᵇ12. 2. 753ᵇ28. Ζμβ3. 650 45
ᵃ3. Γβ8. 335 ᵃ12. τὸ ὄμβριον συμφέρει τοῖς ἐκ τῆς γῆς
φυομένοις Ζιθ19. 601ᵇ12. τὰ φυτὰ διὰ τὴν τῆς τροφῆς
πέψιν ἀναγκαῖον ἔχειν ἀρχὴν θερμὴν φυσικήν Ζμβ3. 650 ᵃ6.
ζ6. 470 ᵃ20. μδ1. 378ᵇ31 (cf τὰ ζῷα ἠ φυτὰ τρέ-
φεται τῷ γλυκεῖ αι4. 442 ᵃ8). μικρὸν αὐξάνεται τὰ φυτὰ 50
τὸ καθ' ἡμέραν πᾶν Ζγα18. 725 ᵃ19. πόθεν ἠ πῶς γίνονται
οἱ χυμοὶ τοῖς τῶν φυτῶν καρποῖς αι4. 441 ᵃ3-ᵇ8. ζῆν φυ-
τῶν χυλοῖς Ζιθ11. 596ᵇ14. τῶν φυτῶν τὰ χρώματα πῶς
γίνεται χ5. — τὸ ἔμβρυον χρῆναι τῇ ὑστέρᾳ ἠ τῇ ἐχύσῃ,
ὥσπερ γῇ φυτόν, τῦ λαμβάνειν τροφὴν (ταῖς ῥίζαις) τοῖς 55
ζῴοις ἡ κοιλία ἠ ἡ τῶν ἐντέρων δύναμις γῆ ἐστιν Ζγβ4.
740 ᵃ26, 34, ᵇ10, 738ᵇ34 sqq. 7. 745 ᵃ25. Πη16. 1335
ᵇ19. Ζμδ4. 678ᵃ11. 7. 683ᵇ20. τὰ φυτὰ λαμβάνει τὴν
τροφὴν κατειργασμένην ἐκ τῆς γῆς ταῖς ῥίζαις, διὸ ἠ πε-
ρίττωμα ἐ γίνεται τοῖς φυτοῖς Ζμβ3. 650 ᵃ22. 10. 655 60
ᵇ32. Ζιθ6. 531ᵇ10. (περιττώματα γίνεται ἠ ἐν αὐτοῖς ἠ

ἔξω ὥσπερ τοῖς φυτοῖς αι5. 445 ᵃ20, cf Zeller II, 2, 397).
— τῶν φυομένων πολλὴν αἱ χῶραι, τὰ ὕδατα θερμὰ ἢ
ψυχρὰ ποιῦσι διαφοράν Ζιε11. 543 ᵇ24. Ζγε6. 786 ᵃ5.
πᾶν φυτὸν τεττάρων δεῖται, σπέρματος διωρισμένυ, τόπυ
ἁρμοδίυ, ὕδατος συμμέτρυ ἠ ἀέρος ὁμοίυ φτβ6. 826 ᵃ38.
φυτὰ ἥμερα, ἄγρια πι45. 896 ᵃ7. κ12. 924 ᵃ1-23. φυτὰ
κατοικίδια, κηπαῖα, ἄγρια φτα4. 819ᵇ27. — 4. φυτῶν
γένεσις. τῶν ζῴων ἠ φυτῶν γένεσις ἀεί ἐστι, διὰ τὸ ὕτως
(τῷ εἴδει) μετέχειν τῦ ἀιδίυ Ζγβ1. 732 ᵃ1. ἐπὶ τῶν φυ-
τῶν τὰ μὲν ἐκ σπέρματος γίνεται, τὰ δ' ὥσπερ αὐτοματι-
ζύσης τῆς φύσεως· γίνεται γὰρ ἡ ἐκ τῆς γῆς σηπομένης ἢ
μορίων τινῶν ἐν τοῖς φυτοῖς Ζγα1. 715ᵇ25. Ζιε1. 539 ᵃ17.
ἡ τῶν φυτῶν τῶν ἀπὸ ταὐτομάτυ γιγνομένων σύστασις
ὁμοειδής ἐστι Ζγγ11. 762 ᵇ18. τῶν φυτῶν τὰ μὲν γίνε-
ται ἀπὸ σπέρματος, τὰ δ' ἀπὸ σπαραγμάτων ἀποφυτευ-
ομένων, ἔνια δὲ τῷ παραβλαστάνειν Ζγγ11. 761 ᵇ27. φυ-
τῶν γένεσις ἐκ σπερμάτων, ἐμφυτείαι, ἀποφυτείαι ζ3.
468 ᵇ17-28. ἔστι ἠ ἐν τοῖς ἐπιγείοις φυτοῖς ἔνια τοιαῦτα,
ἃ ἠ ζῇ ἠ γίνεται ἐν ἑτέροις φυτοῖς Ζμδ5. 681 ᵃ21. —
ἐν τοῖς φυτοῖς ἐκ ἔστι τὸ θῆλυ ἠ ἄρρεν ἀλλ' ἢ κατ' ἀνα-
λογίαν, ἐ κεχώρισται τὸ θῆλυ ἠ ἄρρενος Ζγα1. 715ᵇ19-28.
18. 724ᵇ16. 23. 731ᵃ1, 21, 28, ᵇ8. β1. 732 ᵃ12. 4. 741
ᵃ3. γ10. 759 ᵇ30. δ1. 763 ᵇ24. Ζιδ11. 538 ᵃ18. cf φτα2.
ἐν τοῖς φυτοῖς ὑπάρχει τὰ μὲν καρποφόρα δένδρα τῦ αὐτῦ
γένους, τὰ δ' αὐτὰ μὲν ἐ φέρει, συμβάλλεται δὲ τοῖς φέ-
ρυσι πρὸς τὸ πέττειν Ζγα1. 715ᵇ22. cf γ5. 755 ᵇ9. ἔνια
φυτὰ ὅλως ἐδὲ φέρει σπέρμα, οἷον ἰτέα ἠ αἴγειρος Ζγα18.
726 ᵃ7. ἐν τοῖς φυτοῖς τὰ μὲν εὔφορά ἐστι τὰ δ' ἄφορα
Ζιδ11. 537 ᵇ31. — ἠ αἱ ὖσίαι ἐξ ὑποκειμένυ τινὸς γίνον-
ται, οἷον τὰ φυτὰ ἠ τὰ ζῷα ἐκ σπέρματος Φγ7. 190 ᵇ4.
τὸ σπέρμα ἠ ὁ καρπὸς δυνάμει τοιονδὶ σῶμα ψβ1. 412
ᵇ27. ἠ ἐπὶ τῶν φυτῶν τὸ σπέρμα ἐκ ἀπὸ πάντων τῶν
μορίων γίγνεται Ζγα18. 722 ᵃ11, 723 ᵇ18. τὰ φυτὰ ἐκ
τῆς γῆς λαμβάνει πεπεμμένην τὴν τροφήν, ἀντὶ δὲ τύτυ
προΐεται τὰ σπέρματα ἠ τὺς καρπύς Ζμβ10. 655 ᵇ32. ἐν
τοῖς φυτοῖς τὸ σπέρμα ὥσπερ κύημά ἐστιν Ζγα20. 728
ᵇ32, 35, 729 ᵃ4. cf γ7. 757 ᵇ19, 24. τὰ φυτὰ ἀπὸ μιᾶς
κινήσεως (κυήσεως?) τὸν ἐπέτειον πάντα φέρει καρπόν Ζγα18.
723 ᵇ10. πῶς γίνεται ἐκ τῦ σπέρματος τὸ φυτὸν Ζγα1.
733 ᵇ24 sqq. τὰ τῶν φυτῶν σπέρματα πῶς ἔχει τὴν ἀρχήν
Ζγγ2. 752 ᵃ18-23. β4. 740ᵇ34-37. τοῖς φυτοῖς (ὐσίας
ἀρχὴ) μέσον βλαστῦ ἠ ῥίζης, τῶν δὲ ζῴων τοῖς ἐναίμοις
ἡ καρδία αν17. 478 ᵃ35. τῦ σπέρματος ἐκ μέρυς γίγνεται
τὸ φυόμενον, τὸ δὲ λοιπὸν τροφὴ γίγνεται τῷ βλαστῷ ἠ
τῇ ῥίζῃ τῇ πρώτῃ Ζγα3. 731 ᵃ8. β4. 740 ᵇ6. συμβαίνει
ἠ περὶ τῶν φυτῶν τὸ προτερεῖν τῇ γενέσει τὸ ἄνω κύτος
τῦ κάτωθεν· τὰς γὰρ ῥίζας πρότερον ἀφιᾶσι τὰ σπέρματα
τῶν πτόρθων Ζγβ6. 741 ᵇ35. τέρατα πῶς γίνεται ἐν τοῖς
φυτοῖς Ζγδ4. 770 ᵃ15, ᵇ18. — τῶν φυτῶν τὰ μὲν πολύ-
σπερμα τὰ δ' ὀλιγόσπερμά ἐστιν Ζγα18. 725 ᵇ26-29. πο-
λύγονα τὰ μικρὰ ἐνίοτε τῶν φυτῶν Ζγγ1. 749 ᵇ27. δ4.
771 ᵇ13. τὰ πολύγονα τῶν φυτῶν τὴν τροφὴν ἀναλίσκυσιν
εἰς τὸ σπέρμα Ζγγ1. 1. 750 ᵃ21-30. α18. 718 ᵇ14. —
5. φυτῶν νεότης, γῆρας, βίυ χρόνος, φθορά. ἐναντίως
τὰ τῶν φυτῶν ἠ ζῴων ἀκμήν ἔχει ἠ γῆρας μα14. 351
ᵃ27. τοῖς φυτοῖς αὔανσις, ἐν δὲ τοῖς ζῴοις καλεῖται τῦτο
γῆρας αν17. 478 ᵇ28. τῶν φυτῶν τὰ μὲν ἐπέτειον τὰ
δὲ πολυχρόνιον ἔχει τὴν ζωὴν μχ1. 464 ᵇ25. 4. 466 ᵃ4.
πχ7. 923 ᵃ30. ὅλως τὰ μακροβιώτατα ἐν τοῖς φυτοῖς
ἐστιν, οἷον ὁ φοῖνιξ μχ4. 466 ᵃ9. 6. 467 ᵃ6. νέα δεὶ
τὰ φυτὰ γίνεται, διὸ πολυχρόνια μχ6. 467 ᵃ12 sqq.

ποῖα φυτὰ μακροβιώτερα μχ 5. 466 ᵃ27. 6. 467 ᵃ34. ἡ φθορὰ γίνεται διὰ θερμῦ τινος ἔκλειψιν αν 17. 478 ᵇ32. τὰ φυτὰ πῶς φθείρεται δι' ὑπερβολὴν ψύχυς ἢ θέρυς ζ 6. 470 ᵃ27-32. — τῶν φυτῶν τὰ μὲν ἀείφυλλα τὰ δὲ φυλλοβολεῖ Ζγε 3. 783 ᵇ10-22. τῶν φυτῶν τὰ λιπαρὰ ἀείφυλλα μᾶλλον Ζγε 3. 783 ᵇ19. — τῶν φυτῶν τὰ πλείονα φυτεύονται ἐν ἔαρι φτα 7. 821 ᵇ3. — φυτόν i q tradux, viviradix, ἀπὸ ταύτης τῆς ἐλαίας φυτὸν λαβὼν ἐφύτευσεν Ὀλυμπίασιν θ 51. 834 ᵃ16, 21. — cf Wimmer phytolog Arist. Meyer Gesch der Bot I 94-146.

Φωκαία, Φωκαεύς οβ 1348 ᵃ35, 36. Εὔξενος ὁ Φωκαεύς· Φωκαεῖς οἱ ἐν Ἰωνίᾳ ἔκτισαν Μασσαλίαν f 508. 1561 ᵃ38, 39, ᵇ9. — Φωκαιέων πολιτεία f 557. Ἐξήκεστος ὁ Φωκαιέων τύραννος f 557. 1570 ᵃ18.

φώκαινα. τίκτει ἓν ἢ δύο, διαφέρει δελφῖνος, descr, γάλα ἔχει καὶ θηλάζεται Ζιζ 12. 566 ᵇ9 (v l φώκη), 10 (v l φώκη), 16. γίνεται ἐν τῷ Πόντῳ, πολλοὶ δελφίνων τι γένος εἶναί φασι τὴν φώκαιναν Ζιθ 13. 598 ᵇ1. ζ 12. 566 ᵇ9, 12. (fokena Thom, phocaena i e tirsio Gazae, phocaena Scalig, phocene C II 630. Delphinus phocaena K 746, 1. St. Cr. Su 87, 67. AZιζ 27. AZι I 76, 48. cf M 290. E 28. Oken Isis 1835 p 722.)

Φωκεῖς Πε 4. 1304 ᵃ10. Ρβ 23. 1398 ᵃ1. — Φωκικός. ἐξ Ἄβας τῆς Φωκικῆς f 559. 1570 ᵃ36. — Φωκίς. ἐπίγραμμα ἐπὶ Πυλάδυ ἐν Φωκίδι f 596. 1577 ᵃ1.

φώκη. refertur inter τὰ ζῳοτόκα καὶ τετράποδα, ὅσα ἔχει τρίχας, τὰ ἄγρια ζῷα Ζια 5. 489 ᵇ1. 11. 492 ᵃ26. β 15. 506 ᵃ23. ζ 12. 566 ᵇ31. θ 5. 594 ᵇ30. Ζμβ 12. 657 ᵃ22. Ζγε 2. 781 ᵇ23, τὰ κήτη Ζιγ 20. 521 ᵇ24 (cf M 150), τὰ ἐπαμφοτερίζοντα ζῷα Ζμβ 12. 566 ᵇ27, 29, 31. θ 2. 589 ᵃ27. Ζμδ 13. 697 ᵇ1. — τὸ σῶμα σαρκῶδές ἐστι καὶ μαλακὸν Ζιζ 12. 567 ᵃ9. 11. ζῷον λίχνον (ἰσχνόν Bk) Ζμδ 11. 691 ᵃ9. ὐκ ἔχει ὦτα ἀλλὰ πόρυς μόνον Ζγε 2. 781 ᵇ23. cf Ζια 11. 492 ᵃ28, 26. Ζμβ 12. 657 ᵃ22, τὺς ὀδόντας πάντας καρχαρόδοντας καὶ ὀξεῖς, ὡς ἐπαλλάττυσα τῷ γένει τῶν ἰχθύων Ζμδ 13. 697 ᵇ6. Ζιβι. 501 ᵃ22 Aub. ἔχει τὴν γλῶτταν ἐσχισμένην, δικρόαν Ζιβ 17. 508 ᵃ27 Aub. Ζμδ 11. 691 ᵃ8 (F 317, 89). ἔχει τὺς πόδας κεκολοβωμένυς, ὥσπερ πεπηρωμένον τετράπον Ζια 1. 487 ᵇ23 Aub. β 1. 498 ᵃ31. cf Ζμδ 13. 697 ᵇ4. β 12. 657 ᵃ22. Ζπ 19. 714 ᵇ12. εὐθὺς ἔχει μετὰ τὴν ὠμοπλάτην τὺς πόδας ὁμοίυς χερσίν· πενταδάκτυλοι γάρ εἰσι, καὶ ἕκαστος τῶν δακτύλων καμπὰς ἔχει τρεῖς καὶ ὄνυχα ὐ μέγαν· οἱ ὀπίσθιοι πόδες πενταδάκτυλοι μέν εἰσι καὶ τὰς καμπὰς καὶ τὰ ὄνυχας ὁμοίυς ἔχυσι τοῖς προσθίοις· τῷ δὲ σχήματι παραπλήσια ταῖς τῶν ἰχθύων ὐραῖς εἰσιν, syn τὰς ὀπίσθεν πόδας ἰχθυώδεις ἔχυσι πάμπαν Ζιβι. 498 ᵃ32, ᵇ2 (Sonnenburg 17). Ζμδ 13. 697 ᵇ5. ὐ δύναται ἀπερείδεσθαι τοῖς ποσίν, συνάγει καὶ συστέλλει ἑαυτήν, καὶ κατὰ γῆν φέρεται ἀλλ' ὐ βαδίζει, κινεῖται ὁμοίως οἷον εἴ τις ἀποκόψειε τῶν ὑποπόδων τὰ σκέλη Ζιζ 12. 567 ᵃ8, 7. Ζπ 19. 714 ᵇ12. μικρὰν ἔχει τὴν κέρκον, ὁμοίαν τῇ τῦ ἐλάφυ Ζιβι. 498 ᵇ14. — τὰ ὀστᾶ χονδρώδη Ζιζ 12. 567 ᵃ9 Aub (S I 454)· ὐ δέχεται τὸ ὕδωρ ἀλλ' ἀναπνεῖ· χολὴν ἐκ ἔχει, syn τὸ χόριον καὶ τᾶλλα (se- cundos partus) προίεται ὥσπερ πρόβατον Ζιζ 12. 566 ᵇ32. — ὁ ἄρρην, ἡ θήλεια, τὰ τέκνα Ζιι 1. 608 ᵇ22. ζ 12. 567 ᵃ2, 5, 13 al. ὀχεύεται καθάπερ τὰ ὀπισθυρητικά, καὶ συνέχονται ἐν τῇ ὀχείᾳ πολὺν χρόνον Ζιε 2. 540 ᵃ23 Aub. τίκτει ἐν ᾗ δύο, τὰ δὲ πλεῖστα τρία· πότε· ἐν τῇ γῇ μέν, πρὸς αἰγιαλοῖς δέ Ζιζ 12. 567 ᵃ1, 3, 566 ᵇ29. αν 10. 475 ᵇ30. θηλάζεται ὑπὸ τῶν τέκνων καθάπερ τὰ τετράποδα· πότε ἄγει τὰ τέκνα εἰς τὴν θάλατταν· ἀφίησι φωνὴν ὁμοίαν βοΐ· πῦ καθεύδει Ζιζ 12. 567 ᵃ2, 5, 12, 566 ᵇ29. αν 10. 475 ᵇ30. διατρίβει καὶ ποιεῖται τὸν βίον ἐν τοῖς ὕδασι αν 10. 475 ᵇ29. cf Ζιζ 12. 566 ᵇ30. θ 2. 589 ᵃ27. 5. 594 ᵇ30. Ζγε 2. 781 ᵇ23. μάχαι πρὸς ἀλλήλας Ζιι 1. 608 ᵇ22. ἀποκτεῖναι φώκην χαλεπὸν βιαίως, ἐὰν μή τις πατάξη παρὰ τὸν κρόταφον Ζιζ 12. 567 ᵃ10 (cf Denkschr der Philomathie in Neisse 1863 p 96 adn). φασὶ καὶ τὴν φώκην ἐξεμεῖν τὴν πυτίαν θ 77. 835 ᵇ31. Beckm et Antig Caryst 39. cf f 331. 1533 ᵇ32. — φώκη v l (φώκαινα Bk) Ζιζ 12. 566 ᵇ9, 10, (φωνή Bk) ι 19. 617 ᵃ13. φώκη in textu, v l τὺς φώκας, φωνὴν Ζιι 1. 608 ᵇ22. θ 77. 835 ᵇ31. (bos marinus Thom, vitulus marinus Plin Gazae Scalig. koki Alberto. phoque C II 632, cf Lobstein anat phocae Aristotelis. Phoca pusilla Buff Beckm θ 151. Ph vitulina et monachus St. Cr. Pelagius monachus F 297, 56. AZγ 27. AZι 76, 49. KaΖμ 57, 3. K 409. Su 51, 25. Blasius Säugethiere 246. cf Ausland 1860 No 1. Lenz Zool d Gr u Röm 148. M 149. E 18).

Φωκυλίδης. eius versus affertur (fr 12 Bgk) Πθ 11. 1295 ᵇ33.

φωλεά. τὰ ἐν ταῖς φωλεαῖς διαρκῦντα θ 73. 835 ᵇ21.

φωλεία. περὶ φωλείας τῶν ζῴων Ζιθ 13-17. φωλεία comparatur τῷ ἐκτοπισμῷ Ζιθ 13. 599 ᵃ6. ποιῦνται τὰ ζῷα τὰς φωλείας πρὸς τὴν βοήθειαν καὶ τὰς ὑπερβολὰς τῆς ὥρας ἑκατέρας Ζιθ 13. 599 ᵃ8.

φωλεῖν, syn κρύπτειν ἑαυτύς, dist ἐκτοπίζειν Ζιθ 16. 600 ᵃ10, 14, 15. φωλεῖ τῶν μὲν ὅλον τὸ γένος, ἐνίων δὲ τὰ μὲν δ᾽ ὖ Ζιθ 13. 599 ᵃ9. τῶν φωλύντων ἔνια τὸ γῆρας ἐκδύνυσιν Ζιθ 17. 600 ᵇ15. φωλῶσι τὰ ὀστρακόδερμα πάντα Ζιθ 13. 599 ᵃ11, τὰ ἔντομα πάντα Ζιθ 14. 599 ᵃ20, οἱ κάραβοι Ζιθ 17. 601 ᵃ15, σφῆκες Ζιι 41. 627 ᵇ30, τίνες τῶν ἰχθύων Ζιθ 14. 599 ᵇ2-600 ᵃ10, πολλοὶ τῶν ὀρνίθων, τίνες Ζιθ 16. 600 ᵃ10, 19, 20. 13. 593 ᵃ18. αν 49 B. 532 ᵇ37, τῶν ζῳοτόκων ὕστριχες καὶ ἄρκτοι Ζιθ 17. 600 ᵃ28. — ἐν τῇ Ἰνδικῇ τὰ ἄναιμα καὶ τὰ φωλῦντα (φολιδωτὰ ci Aub) πάντα μεγάλα Ζιθ 28. 606 ᵃ9.

φωλεός. ἐξελθεῖν ἐκ τῦ φωλεῦ Ζιι 6. 611 ᵇ34. ἐξιέναι ὥσπερ ἐκ φωλεῦ τινος, ἀποσπᾶσθαι ἀπὸ τῶν φωλεῶν Ζιι 37. 622 ᵇ4, ᵃ28.

φωλεύειν. πτερορρυεῖν, φαλακρῦσθαι τὰ φωλεύοντα τῶν ζῴων Ζγε 3. 783 ᵇ11, 24, 784 ᵃ12. φωλεύυσι πορφύραι Ζιε 15. 547 ᵃ15, χαμαιλέων, οἱ σαῦροι Ζιβ 11. 503 ᵇ27, πολύπυς Ζιε 12. 544 ᵃ8, αἱ μῆτραι (κατὰ γῆς), αἱ ἀνθρῆναι Ζιι 41. 628 ᵃ8. 42. 629 ᵃ14, κάνθαροι (ἐν κόπρῳ) Ζιε 19. 552 ᵃ17, τῶν ἐντόμων ὅσα μὴ φωλεύει Ζιε 9. 542 ᵃ29. τῶν ὀρνέων τίνα φωλεύει Ζιε 9. 542 ᵇ21, 27. ι 23. 617 ᵇ15. θ 63. 835 ᵃ30. φωλεύυσιν ἄρκτος, ὕστριχες Ζιθ 30. 579 ᵃ26, 29. θ 67. 835 ᵃ31. — τὴν Τίμωνος ἐν Κιλικίᾳ τηθὴν φωλεύειν τῦ ἔτυς ἑκάστυ δύο μῆνας f 38. 1481 ᵃ6.

φωλίς. τῇ καλυμένῃ φωλίδι (v l φωλίδα Lob Prol 454) ἡ μύξα, ἣν ἀφίησι, περιπλάττεται περὶ αὐτὴν καὶ γίνεται καθάπερ θάλαμος Ζιι 37. 621 ᵇ8. (folida Thom, pholis Gazae Scalig C II 632. Blennius pholis St. Cr. K 1002, 6. def non possunt AZι I 143, 76. S II 175.)

V.   Ooooo

φωνασκεῖν. οἱ φωνασκοῦντες ἔωθεν ⟨κ⟩ νήστεις τὰς μελέτας ποιῦνται πια 22. 901. ᵇ1.

φωνεῖν. τῶν ἀψύχων ὐθὲν φωνεῖ, ἀλλὰ καθ' ὁμοιότητα λέγεται φωνεῖν ψβ 8. 420 ᵇ6. μὴ δύνασθαι φωνεῖν ἀναπνέοντα μηδ' ἐκπνέοντα ἀλλὰ κατέχοντα ψβ 8. 421 ᵃ2, cf 420 ᵇ16. πια 14. 900 ᵇ1. — φωνεῖ μικρὸν ὁ κνιπολόγος Ζιθ 3. 593 ᵃ14. μᾶλλον ἢ θήλεια φωνεῖ ὖς Ζιζ 28. 578 ᵃ32. ταῦτα (τὰ σελάχη sim) φωνεῖν ὐκ ὀρθῶς ἔχει φάναι, ψοφεῖν δέ Ζιθ 9. 535 ᵃ25. ὅσα γλῶτταν μὴ ἔχει ἀπολελυμένην ὔτε φωνεῖ ὔτε διαλέγεται Ζιθ 9. 535 ᵇ2. — (οἱ ἀπερρωγότες τὴν φωνὴν) φθέγγονται μὲν ἀλλ' ὐ δύνανται γεγωνεῖν διὰ τὸ μὴ γίνεσθαι μετὰ συντονίας τὴν τῦ ἀέρος πληγὴν, ἀλλὰ μόνον φωνῦσιν αχ 804 ᵇ25. οἱ ἰσχνόφωνοι φωνῦσι μέν, λόγον δ' ὐ δύνανται συνείρειν πια 55. 905 ᵃ22. φωνεῖν μέγα βαρύτονον, μαλακὸν ἄτονον, ὀξὺ ⟨κ⟩ ἐγκεκραγὸς φ 6. 813 ᵃ31, ᵇ3, 5.

φωνή. a. ψόφος, φωνή, διάλεκτος, λόγος. περὶ φωνῆς ψβ 8. 420 ᵇ5-421 ᵃ6. περὶ φωνῆς τῶν ζῴων Ζιθ 9. ὅσα περὶ φωνῆς πια. φωνὴ ⟨κ⟩ ψόφος ἕτερόν ἐστι ⟨κ⟩ τρίτον τύτων διάλεκτος Ζιθ 9. 535 ᵃ27. ἡ φωνὴ ψόφος τίς ἐστιν ἐμψύχυ ψβ 8. 420 ᵇ5. Ζγε 7. 786 ᵇ24 (cf φθόγγος, dist φωνή αχ 800 ᵃ22, 24, 801 ᵇ2, 804 ᵇ9). ἡ πληγὴ τῦ ἀναπνεομένυ ἀέρος ὑπὸ τῆς ἐν τύτοις τοῖς μορίοις ψυχῆς πρὸς τὴν καλυμένην ἀρτηρίαν φωνή ἐστιν ψβ 8. 420 ᵇ29 (cf Plat Tim 67B). δι' ἧς ἡ φωνὴ ⟨κ⟩ ἡ ἀναπνοή, ἀρτηρία Ζια 12. 493 ᵃ7. ἡ φωνὴ ⟨κ⟩ καλυμένη φάρυγξ ⟨κ⟩ ἀρτηρία ὑ μόνον ἀναπνοῆς ἕνεκά ἐστιν ἀλλὰ ⟨κ⟩ φωνῆς Ζμγ 3. 664 ᵇ1. τὰ φωνήεντα ἡ φωνὴ ⟨κ⟩ ὁ λάρυγξ ἀφίησιν Ζιθ 9. 535 ᵃ32. ἡ φωνὴ ἀήρ τις ἐσχηματισμένος ⟨κ⟩ φερόμενος πα 23. 901 ᵇ16. 51. 904 ᵇ27. ι 935. 920 ᵃ4. πολλὰ τῶν ζῴων ὐκ ἔχυσι φωνήν, οἷον τά τε ἄναιμα ⟨κ⟩ τῶν ἐναίμων ἰχθύες ψβ 8. 420 ᵇ10. τὰς φωνὰς ἐκπέμπομεν ἀλλοίας διὰ τὰς τῶν ὑποκειμένων ἀγγείων διαφορὰς ⟨κ⟩ διὰ τὰς τῦ στόματος σχηματισμὺς αχ 800 ᵃ11-22, 1, 803 ᵇ27. σημαντικός τις ψόφος ἐστὶν ἡ φωνὴ ψβ 8. 420 ᵇ33. εἰσὶν ἑκάστοις τῶν ζῴων ἴδιαι φωναὶ πρός τὴν ὁμιλίαν ⟨κ⟩ τὸν πλησιασμόν Ζιθ 9. 536 ᵃ14. ἡ φωνὴ ὕστατον τελευτᾷ τοῖς ἀνθρώποις τῶν φθεγγομένων πια 57. 905 ᵃ30. — φωνὴ θηρίων, veluti βοός, μόσχυ, φώκης, ἐλάφυ θηλείας. ἵππυ, ὑός, ὀρνίθων al Ζιθ 9. ε14. 545 ᵃ4, 6, 15. ζιζ 567 ᵃ12. 28. 578 ᵇ30. θ3. 593 ᵃ6, 10. ι12. 615 ᵇ5 (κύκνου ἀᾴδυσι φωνῇ γοωῴει), 19 (ἡ κίττα φωνὰς μεταβάλλει πλείστας). 17. 616 ᵇ30, 31. 20. 617 ᵇ9. αχ 800 ᵃ25, 29. πκε 2. 938 ᵃ1. δελφῖνι φωνή ἐστιν Ζιθ 9. 536 ᵃ2. περὶ τὴν ὥραν τῆς ὀχείας τὴν φωνὴν ἀφιᾶσιν ἀλλοιοτέραν ἢ κατὰ τὸν ἄλλον χρόνον Ζιζ 18. 572 ᵃ24. ὁ γινόμενος ταῖς πτέρυξι ψόφος ⟨κ⟩ φωνή ἐστιν Ζιθ 9. 535 ᵇ31, inde τὴν δοκῦσαν φωνὴν ἀφιᾶσιν (οἱ ἰχθύες) Ζιθ 9. 535 ᵇ21. sed minus accurate φωνὴ usurpatur ὅταν ἄφεσις μέλλῃ γίγνεσθαι μελιττῶν, φωνὴ μονωτὶς ⟨κ⟩ ἴδιος γίνεται ἐπί τινας ἡμέρας Ζιδ 40. 625 ᵇ9. — διάλεκτος φωνῆς τῇ γλώττῃ διάρθρωσις Ζιδ 9. 535 ᵃ31. τίνων ἡ γλῶττα ἄχρηστος πρὸς τὴν τῆς φωνῆς ἐργασίαν Ζμβ 17. 660 ᵇ4, 661 ᵃ11. (τὰ ἔναιμα ⟨κ⟩ ζῳοτόκα τῶν τετραπόδων βραχεῖαν τῆς φωνῆς ἔχει διάρθρωσιν Ζμβ 17. 660 ᵃ31. ὐκ ἔχει ὁ δελφὶς γλῶτταν ἀπολελυμένην ὐδὲ χείλη ὥστε ἄρθρον τι τῆς φωνῆς ποιεῖν Ζιθ 9. 536 ᵃ4.) ὡς ὐχ ὁμοίας φύσει τῆς διαλέκτυ ὐσης ⟨κ⟩ τῆς φωνῆς, ἀλλ' ἐνδεχόμενον πλάττεσθαι Ζιθ 9. 536 ᵇ18, cf ᵇ9. οἱ ἄνθρωποι φωνὴν μὲν τὴν αὐτὴν ἀφιᾶσι, διάλεκτον δ' ὐ τὴν αὐτήν Ζιθ 9. 536 ᵇ19. πιθ 38. 895 ᵃ6. — ἡ φωνὴ τῦ λυπηρῦ ⟨κ⟩ ἡδέος ἐστὶ σημεῖον, διὸ ⟨κ⟩ τοῖς ἄλλοις ὑπάρχει ζῴοις, opp λόγος Πα 2. 1253 ᵃ10, 14. λόγῳ χρῆσθαι μόνυς τῶν ζῴων τὺς

ἀνθρώπυς, τῇ δὲ λόγυ ὕλην εἶναι τὴν φωνὴν Ζγε 7. 786 ᵇ21. πια 55. 905 ᵃ21. ὁ ἐν τῇ φωνῇ λόγος Ζγε 8. 788 ᵇ5. ὁ διὰ τῆς φωνῆς λόγος ἐκ τῶν γραμμάτων σύγκειται Ζμβ 16. 660 ᵃ3. οἷα ἡ κίνησις εἰσῆλθε διὰ τῦ αἰσθητηρίυ, τοιαύτη πάλιν διὰ τῆς φωνῆς γίνεται ἡ κίνησις, ὥσθ' ὁ ἤκυσε τῦτ' εἰπεῖν Ζγε 2. 781 ᵃ29. φωνῆς ἄνευ λόγυ ἀσήμυ πιθ 10. 918 ᵃ29. — φωνῆς στοιχεῖα Μδ 3. 1014 ᵃ27. ι1. 1053 ᵃ13, 17, 26. τὰ γράμματα πάθη ἐστὶ τῆς φωνῆς πιθ 39. 895 ᵃ12. στοιχεῖόν ἐστι φωνὴ ἀδιαίρετος, ἐξ ἧς πέφυκε συνετὴ γίνεσθαι φωνή, eius genera φωνῆεν, ἡμίφωνον, ἄφωνον πο 20. 1456 ᵇ24-34. Vhl Poet III 224. συλλαβὴ ἐστι φωνὴ ἄσημος, συνθετὴ ἐξ ἀφώνυ ⟨κ⟩ φωνὴν ἔχοντος πο 20. 1456 ᵇ35. φωναὶ ἄσημοι Ργ 2. 1405 ᵃ35. σύνδεσμός ἐστι φωνὴ ἄσημος, ἢ κτλ πο 20. 1456 ᵇ38, 1457 ᵃ1. ὄνομα ἐστι φωνὴ σημαντικὴ κατὰ συνθήκην, ἧς μηδὲν μέρος ἐστὶ σημαντικὸν κεχωρισμένον ε 2. 16 ᵃ19. (Ἀναξαγόρας γε τὴν οἰκείαν φωνὴν ἠγνόησεν Γα 1. 314 ᵃ13, i e non recte intellexit propriam vocabuli ἀλλοιῦσθαι vim.) τὰ ἐν τῇ φωνῇ ἀκολύθει τοῖς ἐν τῇ διανοίᾳ, σύμβολα τῶν ἐν τῇ ψυχῇ ε1. 16 ᵃ3 Wz (Steinthal Gesch p 181). 14. 23 ᵃ32, 35, 24 ᵇ1. λόγος (protasis, enunciatum) ἐστὶ φωνὴ σημαντικὴ, ἧς τῶν μερῶν τι σημαντικόν ἐστι κεχωρισμένον ε 4. 16 ᵇ26, 32. φωνὴ μία, καταφάσεις δὲ πολλαί ε 11. 20 ᵇ20. ἐν τῷ Σοφοκλέυς Τηρεῖ ἡ τῆς κερκίδος φωνή πο 16. 1454 ᵇ37 Susemihl. — b. φωνῆς διαφοραί. φωνῆς τίνες διαφοραί, τί τὸ αἴτιον Ζγε 7. φωνῆς διαφοραὶ τί σημαίνυσιν φ 2. 806 ᵇ26, 27, 807 ᵃ13-25. 6. 813 ᵃ31-ᵇ6. ἀπότασις τῆς φωνῆς Ζιε 14. 545 ᵃ17. φωνὴ ἐπιτεινομένη, ἀνειμένη φ 2. 806 ᵇ27. ἐπίτασις ⟨κ⟩ πίεσις τῆς φωνῆς πιθ 3. 917 ᵇ33. φωνῆς ὀξύτης ⟨κ⟩ βαρύτης, φωνὴ ὀξεῖα, ὀξυτέρα, βαρεῖα, βαρυτέρα Ζγε 1. 778 ᵃ18. Ζιε 14. 545 ᵃ6. ι 20. 617 ᵇ9. Ηθ 8. 1125 ᵃ13. Ργ 1. 1403 ᵇ29, 30. αχ 803 ᵃ6. φ 2. 806 ᵇ26, 27. πια 3. 899 ᵃ12. 6. 899 ᵃ22. 16. 900 ᵇ23. 17. 900 ᵇ29. 61. 905 ᵇ38. 19. 901 ᵃ8. ὐ μόνον ὀξύτης ⟨κ⟩ βαρύτης, ἀλλὰ ⟨κ⟩ μέγεθος ⟨κ⟩ μικρότης ⟨κ⟩ λειότης ⟨κ⟩ τραχύτης φωνῆς ψβ 11. 422 ᵇ31. φωνὴ μεγάλη, μικρά, μέση Ργ 1. 1403 ᵇ27-29. φωνὴ μικρὰ λεπτὴ ἀμεννή, μεγάλη πολλή, μείζων Ζιε 14. 545 ᵃ7 sqq. θ3. 593 ᵃ10. ι 20. 617 ᵇ9. αχ 803 ᵇ18, 28. πια 3. 899 ᵃ12. 6. 899 ᵃ30. 16. 900 ᵇ23. 52. 905 ᵃ3. 62. 906 ᵃ20. φωνὴ πνευματώδης ⟨κ⟩ ἀσμενής φ 2. 807 ᵇ5. παμπλείων ὁ ὄγκος γίγνεται τῆς φωνῆς διὰ τὸ πλῆθος τῦ πνεύματος αχ 804 ᵃ15. φωναὶ ἀραιαὶ ἢ πυκναί, ἢ μαλακαὶ ἢ σκληραί, ἢ λεπταὶ ἢ παχεῖαι αχ 803 ᵇ28, παχεῖαι διὰ τί αχ 804 ᵃ8. φωνὴ λεία διὰ τί Ζγε 7. 788 ᵃ23. φωναὶ πῶς τραχύνονται, τραχύτεραι ⟨κ⟩ μικρὸν ὑποσυγκεχυμέναι αχ 803 ᵇ2-18, 802 ᵃ3. πια 11. 900 ᵃ10. φωναὶ σαφεῖς, ἀσαφεῖς αχ 801 ᵇ1-32. φωναὶ λαμπραὶ αἱ σαφεῖς ⟨κ⟩ πυκναὶ ⟨κ⟩ καθαραὶ ⟨κ⟩ πόρρω δυνάμεναι διατείνειν αχ 801 ᵇ28, 800 ᵃ15. Ζιι 17. 616 ᵇ30. ε14. 545 ᵃ7 sqq. φωνὴ λευκή, μέλαινα, φαιά, σομφή τα 15. 106 ᵃ25, ᵇ6, 8, 107 ᵃ12, ᵇ36. αχ 802 ᵃ2. φωναὶ ἀμαυραὶ αχ 802 ᵃ19. φωναὶ λιγυραί Ζιι 17. 616 ᵇ31. αχ 804 ᵃ21. φωνὴ γοωῴει Ζιι 12. 615 ᵇ5. φωναὶ σκληραί, φωνὴ σκληροτέρα ⟨κ⟩ λαμπροτέρα, σκληροτέρα ⟨κ⟩ διεσπασμένη αχ 802 ᵇ29-803 ᵇ2, 801 ᵇ38, ᵃ17. φωνὴ μαλακωτέρα, opp σκληροτέρα αχ 801 ᵇ34, 803 ᵃ8, 33. φωναὶ ὀξείαις μαλακαῖς κεκλασμέναις διαλέγεσθαι φ 6. 813 ᵇ34. φωναὶ ἀπαλώτεραι αχ 803 ᵃ42. φωναὶ κωφαί, τυφλαί, νεφώδεις, ἀποπεπνιγμέναι αχ 801 ᵇ32, 800 ᵃ14, 15. φωνὴ κενὴ ⟨κ⟩ μὴ συνεστῶσα αχ 800 ᵇ36. φωναὶ σαθραὶ ⟨κ⟩ παρερρυηκυῖαι αχ 804 ᵃ32-ᵇ8. φωνῆς ἀπλότης αχ 801 ᵃ19. συγχεῖσθαι τὰς φωνὰς ὑπὸ τῶν ἑτέρων αχ 801 ᵇ19. διὰ τί ἀπορρήγνυσθαι συμβαίνει τὰς φωνάς, φωναὶ ἀπερρωγυῖαι

αχ804 b11, 20. πια12. 900 a16. 22. 901 a35. 46. 904 b1.
τὸ θῆλυ ποίαν ἔχει φωνήν, φωνὴ θηλυκὴ Ζιε14. 544 b32,
545 a4. Ζγε7. 787 b21. π36. 894 b20. φωνῆς μεταβολή,
ἡ φωνὴ μεταβάλλει, ὃ καλοῦσί τινες τραγίζειν, ὅταν ἄρ-
χωνται σπέρμα φέρειν Ζιε14. 544 b23, 29. η1. 581 a17, 23.
Ζγδ8. 776 b15. ε7. 787 b31, 788 a1. ἡ φωνὴ τρέμει, τρό-
μος τῆς φωνῆς πια31. 902 b30. 62. 906 a14. τὴν φωνὴν
διαπέμπειν εἰς τὸ πρόσθεν Ζμγ1. 662 b22. — ἡ ὑπόκρισις
ἐν τῇ φωνῇ, ἡ φωνὴ πάντων μιμητικώτατον τῶν μορίων
ἡμῖν Ργ1. 1403 b27, 1404 a21. — c. φωνή, ἀκοή. ἡ φωνὴ
χ̣ ἡ ἀκοή ἐστιν ὡς ἓν ἐστι χ̣ ἔστιν ὡς οὐχ ἓν τὸ αὐτὸ
ψγ2. 426 a27. ἡ ἀκοὴ εἰσαγγέλλει τὰς τοῦ ψόφου διαφορὰς
μόνον, ὀλίγοις δὲ ζῴοις χ̣ τὰς τῆς φωνῆς αι1. 437 a11.
τῶν ὀξυτέρων φωνῶν πορρωτέρον ἀκούσιν πια47. 904 b7. ἡ
φωνὴ διέρχεται διὰ τῶν στερεῶν πια58. 905 a36. ἡ φωνὴ
φέρεται κάτω, ἄνω πια8. 899 b35. 45. 904 a23. — ἡ φωνὴ
πῶς λέγεται ἀόρατος Φγ4. 204 a4. 5. 204 a12, 17. Μχ10.
1066 a36, b11. — d. φωνὴ τῶν ἀψύχων. τῶν ἀψύχων
οὐδὲν φωνεῖ, ἀλλὰ καθ' ὁμοιότητα λέγεται φωνεῖν ψβ8. 420
b6. ἐναρμόνιος ἡ φωνὴ φερομένων κύκλῳ τῶν ἄστρων Οβ9.
290 b23, 24. φθέγγεσθαι ὅμοιον φωνῇ ἅμα συρίζοντος χ̣
σάλπιγγος Ζιβ1. 501 a32. φωνὴ σύριγγος πιθ23. 919 b4.
φωναὶ τοῦ ὀργάνου αχ803 a39, 42. φωνὴ αὐλοῦ αχ801 b34,
χορδῆς αχ803 b37. πιθ18. 919 a4, 7.

φωνήεις. 1. ζῷα φωνήεντα, dist ψοφητικά, ἄφωνα Ζια1. 488
a32. — 2. στοιχεῖον φωνῆεν χ̣ ἀδιαίρετος, ταύτης δὲ μέρη τό
τε φωνῆεν χ̣ τὸ ἡμίφωνον χ̣ τὸ ἄφωνον πο2ο. 1456 b25.
Vhl Poet III 224. στοιχεῖα τὸ φωνῆεν χ̣ τὸ ἄφωνον Μζ17.
1041 b17. δ6. 1016 b22. ι2. 1054 a2. τὰ φωνήεντα ᾗ
φωνῇ χ̣ ὁ λάρυγξ ἀφίησι, τὰ δ' ἄφωνα ᾗ γλῶττα χ̣ τὰ
χείλη Ζιδ9. 535 a31. ἔστι φωνῆεν ἄνευ προσβολῆς ἔχον
φωνὴν ἀκουστὴν πο2ο. 1456 b26. γραμματικὴ ἐκ φωνηέντων
χ̣ ἀφώνων γραμμάτων κρᾶσιν ποιησαμένη χ5. 396 b17. cf
πι39. 895 a10. ἑπτὰ φωνήεντα Μν6. 1093 a13. φωνῆεν
βραχύ, μακρόν, μακρότερον πο21. 1458 a15, 11, 1. εἰς φω-
νήεντα τελευτᾶν, ἀπὸ φωνήεντος ἄρχεσθαι, μὴ ἑξῆς τιθέναι
τὰ φωνήεντα τῶν γραμμάτων ρ24. 1434 b35. 26. 1435 a33.

φωνίον. ἀπὸ τῶν λεπτῶν χορδῶν χ̣ τὰ φωνία γίγνεται λεπτὰ
αχ803 b24.

φώρ. 1. ἔγνω φὼρ τε φῶρα χ̣ λύκος λύκον ηεη1. 1235 a9,
cf παροιμία ρ570 b35. — 2. εἶδός τι τῶν μελιττῶν. ὁ
φὼρ ὁ καλούμενος, γένος τρίτον τῶν μελιττῶν, μέλας χ̣
πλατυγάστωρ, ἐκ τίνων γίνονται, κακουργοῦσι Ζιε22. 553
b9 Aub. ι40. 625 a5 (v l φλῶρες), 34, 624 b25. (for Thom,
fur Gazae, Scalig. abeille voleuse C II 58. 'schlechte Droh-
nen' K 689, 3. the thief Cr. in incert rel Su 215, 25.
ΑΖι I 172, 53.)

φωρᾶν. φωράσαντες Πε7. 1306 b30. φωραθέντες Πε3. 1303
a34. φωραθῆναι θ78. 836 a5. — τὰ φαινόμενα εἴδωλα φω-

ράσει τις ἐγειρόμενος κινήσεις ὕσας εν3. 462 a11. ὅπως
φωραθῇ τὰ τοιαῦτα (μὴ καλῶς ὡρισμένα) τζ4. 142 b2.
φῶς. σώματα φωτῶν (Hom μ 67) θ105. 839 b33.
φῶς, dist πῦρ, φλόξ, ἄνθραξ τε5. 134 b29sqq. ζ7. 146 a16.
περὶ φωτὸς ψβ7. φῶς ἐστιν ἡ ἐνέργεια τοῦ διαφανοῦς ᾗ δια-
φανές ψβ7. 418 b9, 419 a11. ᾗ φωτὸς φύσις ἐν ἀορίστῳ
τῷ διαφανεῖ ἐστιν αι3. 439 a27. τὸ φῶς οἷον χρῶμά ἐστι
τοῦ διαφανοῦς, ὅταν ᾖ ἐντελεχείᾳ διαφανὲς ὑπὸ πυρὸς ἢ τοιούτου
οἷον τὸ ἄνω σῶμα ψβ7. 418 b11. τὸ φῶς χρῶμα τοῦ δια-
φανοῦς κατὰ συμβεβηκός αι3. 439 a18. τὸ φῶς πυρός ἐστι
χρῶμα χ1. 791 b7. τῷ εἶναί τι φῶς ἐστίν, ἀλλ' ἢ κίνησίς
τις αι6. 446 b27. ἆρα πρότερον ἀφικνεῖται τὸ φῶς εἰς τὸ
μεταξὺ πρὶν πρὸς τὴν ὄψιν αι6. 446 a20-447 a11. τὸ φῶς
ποιεῖ τὸ ὁρᾶν αι6. 447 a11. τὸ φῶς λεπτομερέστατον, δίεισι
διὰ πόρων Αδ11. 94 b29sqq. τὸ φῶς κατ' εὐθεῖαν φέρεται,
ὁ δὲ ψόφος χ̣ οὐκ εὐθύ πια49. 904 b17, 15. κε9. 939 a11.
ἡ αὐτὴ φύσις ὁτὲ μὲν σκότος ὁτὲ δὲ φῶς ἐστιν ψβ7. 418
a31. ὥσπερ ἐκεῖ (i e ἐν τῷ ἀέρι) τὸ μὲν φῶς τὸ δὲ σκό-
τος, οὕτως ἐν τοῖς σώμασιν ἐγγίγνεται τὸ λευκὸν χ̣ τὸ μέλαν
αι3. 439 b17. τρόπον τινὰ τὸ φῶς ποιεῖ τὰ δυνάμει ὄντα
χρώματα ἐνεργείᾳ χρώματα ψγ5. 430 a16. τὸ φῶς ἀεὶ
ἀνακλᾶται, ἀλλ' οὐχ οὕτως ὥσπερ ἀφ' ὕδατος ἢ χαλκοῦ ἢ
καί τινος ἄλλου τῶν λείων ψβ8. 419 b29. διὰ πυκνοτέρου
διαφαινόμενον ἔλαττον φῶς μαδ5. 342 b6. ἀναρρηγνυμένῃ τῇ
φωτὸς ἐκ κυανέου χ̣ μέλανος (i e διακοπτομένου τῆς τοῦ
φωτὸς συνεχείας ὑπὸ μέλανός τινος ἢ κυανῆ) μαδ5. 342 b15.
Ideler I 378. τὸ τοῦ λύχνου φῶς οὐ λευκὸν ἀλλὰ πορφύρουν
φαίνεται κύκλῳ χ̣ ἰριῶδες μγ4. 374 a27. ὅλως τὸ μὴ
ὁρώμενόν ἐστι τῇ φύσει μέλαν (ἁπάντων γὰρ τῶν τοιούτων
ἀνακλᾶταί τι φῶς μέλαν) χ1. 791 a15, cf 19, 26. ἔστι τῆς
ἡμέρας ὁ ἀὴρ πεπληρωμένος ὑπὸ τοῦ φωτὸς χ̣
τῶν ἀκτίνων πια33. 903 a13. — ἐν φωτὶ ζῆν, τίκτειν, opp
νυκτερόβια, εἰς τὸ σκότος ἀπάγειν Ζια1. 488 a26. ζ23.
577 b2. τῆς νυκτός, opp πλείονος γενομένῃ τοῦ φωτὸς Ζιθ19.
602 b11. ὅπως ὀξύτερα βλέψῃ στρέφοντα πρὸς τὸ φῶς χ̣
δεχόμενα τὴν αὐγὴν Ζμβ13. 658 a2. τὰ γλαυκὰ ὄμματα
μᾶλλον κινεῖται ὑπὸ τοῦ φωτὸς χ̣ τῶν ὁρατῶν· ἀσθενὲς τὸ
νυκτερινὸν φῶς Ζγε1. 780 a2, 6. φῶς εἶναι τὸ γάλα ἄστρων
τινῶν μαδ8. 345 a26. νύκτες ἀλεεινότεραι διὰ τὸ φῶς τῆς
σελήνης Ζμδ5. 480 a34. σελήνη, ὅταν μήπω ᾖ πάμπαν
ἀπολελοιπὸς τὸ φῶς μβ8. 367 b22. πρὸς τὸ φῶς τὸ τῶν
λύχνων Ζιδ10. 537 b12. — metaph, τὸν νῦν ὁ θεὸς φῶς
ἀνῆψεν ἐν τῇ ψυχῇ Ργ10. 1411 b12.

Φωσφόρος χ2. 392 a27. 6. 399 a8.

φῶϋξ (v l φώϋξ, θῶϋξ, πώϋξ S, Lob Path II 189). μά-
λιστα ὀφθαλμοβόρος, πολέμιος τῇ ἅρπῃ Ζυ18. 617 a9 Aub.
(foyx Thom. phoix Gazae Scalig C II 631. cf S II 117.
Ardea purpurea K 980, 6. St. Cr. haec vel nycticorax Su
151, 134. Ardeae sp ΑΖι I 111, 114.)

X

Χαβρίας Ρα7. 1364 a21. γ10. 1411 b6. eius inventa oeco-
nomica οβ1350 b33, 1353 a19.
χαίνειν. ἐὰν διὰ πολλοῦ ἀφιῶμεν (τὸ πνεῦμα) χανόντες πκς48.
945 b18. οἱ γελῶντες ἀνέντες τὸν τόνον γελῶσι χ̣ κεχη-
νότες πια15. 900 b12.
χαίρειν. opp ἀγανακτεῖν Πε8. 1308 b35. ὅπως χαίρωσιν,
opp διὰ τἀναγκαῖα Πβ7. 1267 a5. — χαίρειν ἡδονήν τινα,
μίαν χ̣ ἁπλῆν ἡδονήν, τὴν ἀπ' ἐλπίδος ἡδονήν Ρα11. 1370

b16. Ηη12. 1152 b17. 15. 1154 b26. ηεθ8. 1224 b17. χαί-
ρειν ταῖς ἄνευ λυπῶν ἡδοναῖς Πβ7. 1267 a8. διὰ τί χαί-
ρομεν τὰς εἰκόνας θεωροῦντες Ζμα5. 645 a12. χαίρειν ὠμοῖς
κρέασιν Ηη6. 1148 b21. χαίρειν ἐπί τινι Ηη15. 1154 b5.
αὐτοὶ ἐφ' αὑτοῖς χαίρουσι Ρβ23. 1400 b31. εἰ βούλοιτο δι'
αὑτῶν χαίρειν Πβ7. 1267 a11. τὸ χαίρειν, syn ἡδονή (int
ἐν τῇ ὁμιλίᾳ τῇ τῶν ἀφροδισίων), χαρά Ζγα18. 724 a1,
723 b32. — χαιρέτω τὰ εἴδη Αγ22. 83 a33. ἁψάμενοι

χαίρειν ἐῶσι ΦΒ8. 198 b15.

Χαιρήμων, versus eius afferuntur ΡΒ23. 1400 b24. πγ16.
873 a25 (fr 4. 16). eius Κένταυρος μικτὴ ῥαψῳδία ἐξ ἁπάν-
των τῶν μέτρων πο1. 1447 b21 Susemihl. ἔμιξε ἰαμβικὸν χ̣
τετράμετρον πο24. 1460 a2. ἀναγνωστικός Ργ12. 1413 b13.

χαίτη. def, opp λοφιά, τὰ χαίτην ἔχοντα ΖιΒ1. 498 b28,
499 b32. ΖμΒ14. 658 a31. cf Bsm probl ined p 316, 37.
χαίτη βαθεῖα χ̣ πυκνή Ζιι45. 630 a27. θ1. 830 a10. ἱππε-
λάφῳ, παρδίῳ, τῷ ἵππῳ τῷ ποταμίῳ, ὑαίνης ΖιΒ1. 498 b32.
7. 502 a10. θ5. 594 a32. ἵππῳ Ζιθ24. 604 b14. ιι45. 630
a24. β7. 502 a10. βονάσῳ (βολίνθῳ) ΖιΒ1. 500 a1. ιι45. 630
a24. θ1. 830 a10. τῷ ἄρρενος λέοντος ΖιΒ1. 498 b28. ζ31.
579 b11. ΖμΒ14. 658 a31. διὰ τί ὁ ἄνθρωπος χαίτην ὐκ
ἔχει πι25. 893 b17. χαίτας Bk, κάλας v l et editores Ζιθ28.
606 a16. v κάλη.

χάλαζα. 1. περὶ χαλάζης μα12. πῶς γίγνεται χάλαζα μα11.
347 b28. ὅσα πέπηγεν ὑπὸ ψυχρᾶ, ὕδατος, οἶον κρύσταλλος
χιὼν χάλαζα μδ10. 388 b12. ἡ χάλαζα κρύσταλλος μα12.
347 b36. χάλαζα γίγνεται νιφετῷ συστραφέντος χ̣ βρίθος
ἐκ πιλήματος εἰς καταφορὰν ταχυτέραν λαβόντος x4. 394
b1. σηπίας ᾠὰ χαλάζαις ὅμοια λευκαῖς Ζιδ1. 525 a7. —
2. αἱ πρὸς τῇ ἀρχῇ τῷ ὠχρῷ χάλαζαι, descr Ζιζ2. 560
a28 Aub. S I 410. Oken Isis 1829, 405. — 3. ὑῶν, ἐν
τίσι μέρεσι πλεῖσται γίγνονται, γαλαθηναὶ ὐκ ἔχωσιν αὐτάς,
remedium, ἔστιν ἡ χάλαζα οἰονεὶ ἰόνθος ἄπεπτος ἐν τοῖς
ἐντός Ζιθ1. 603 b18-25 Aub. πλὸ4. 963 b34, 39, 40. cf
S I 655. Oribas I 617. (Cysticercus cellulosae.)

χαλαζᾶν. χαλαζᾷ μόνον τῶν ζῴων ὧν ἴσμεν ὗς Ζιθ21. 604
a2, 603 b21, 23.

χαλάζιος. δοκεῖ τῷ Ἀριστοτέλει χ̣ λέγει ὅτι ὐδὲ τὸ πρῶτον
σπέρμα γόνιμόν ἐστιν ὐδὲ τὸ τελευταῖον καταβαλλόμενον,
ἀλλὰ τὸ μέσον ὅπερ χαλάζιον ὀνομάζει ἐκ τὰ κατὰ σύ-
στασιν ἐοικέναι τῇ χαλάζῃ Schol in Hippocr et Galen ed
Dietz II 479. cf χαλαζώδης.

χαλαζώδης. 1. cf χάλαζα 1. τίνες τῶν ἀνέμων χαλαζώ-
δεις εἰσὶν μβ6. 364 b22, 365 a1. τῶν σπερμάτων τὰ χα-
λαζώδη γόνιμα χ̣ ἀρρενογονία Ζιη1. 582 a30. — 2. cf
χάλαζα 3. χαλαζώδεις τῶν ὑῶν οἱ ὑγρόσαρκοι Ζιθ21. 603
b16. cf Bsm probl ined p 317, 43.

χαλαρός. πόροι φλεβὸς χαλαροί Ζιγ4. 514 a32. (πλέγματια)
χαλαρὰ ὄντα, opp ὅταν συντείνῃ Ζμδ9. 685 b8. οἷς τὰ
χείλη λεπτὰ χ̣ ἐπ' ἄκραις ταῖς συγχειλίαις χαλαρά φ6.
811 a19.

Χαλδαίᾱς γεγενῆσθαι παρὰ Βαβυλωνίοις χ̣ Ἀσσυρίοις f 30.
1479 a31.

χαλεπαίνειν τινί Πε4. 1303 b24. τοῖς Δελφοῖς συνέβη τὸ
δαιμόνιον χαλεπῆναι f 445. 1531 a31. χειμαίνει ὁ χειμαζό-
μενος χ̣ χαλεπαίνει ὁ ὀργιζόμενος ἀληθινώτατα πο17. 1455
a31. syn ὀργίζεσθαι Ηδ11. 1126 a1 (cf 1125 b31), 27.
εὐθὺς χαλεπαίνειν Ηη7. 1149 a34. ἔστιν ὅτε τοῖς χαλεπαί-
νονσιν ἀνδρώδεις ἀποκαλᾶμεν Ηβ9. 1109 b17. ἥκιστα χα-
λεπαίνυσιν οἱ ἡγεμόνες (τῶν μελιττῶν) χ̣ τύπτυσιν Ζιι40.
626 a23.

χαλεπός. χαλεπὸν ὁρίζεται ἢ λύπῃ ἢ πλήθει χρόνῳ, opp
ῥάδιον Ρα6. 1363 a24. χαλεπώτερόν εἶναι τὴν ἴασιν Ζμγ9.
671 b11. χαλεπὸν ἰδεῖν, ποιεῖν sim Πβ11. 1296 b7. Βγ7.
1266 b1. μέγα τι χ̣ χαλεπὸν ληφθῆναι ὁ τόπος Φδ4. 212
a8. τὰ εἰρημένα λύειν ὐ χαλεπόν Ζγα18. 722 a2. ἔν τι
τῶν ἀδυνάτων ἢ χαλεπῶν Πθ6. 1340 b24. Κ7. 8 a30.
πάντων χαλεπώτατον ἢ ἀδύνατον Ζμα3. 642 b34. — ἡ
καρδία χαλεπὸν πάθος ὐδὲν ὑποφέρει Ζμγ4. 667 a33. βῆχας

χαλεπὰς ἐμποιεῖ Ζμγ3. 664 b6. τὰ χαλεπὰ κατὰ τὸν βίον
Πγ6. 1278 b26. ἀποβάλλυσιν ἔλαφοι τὰ κέρατα ἐν τόποις
χαλεποῖς χ̣ δυσεξευρέτοις Ζιι5. 611 a26. — χαλεπός def,
opp πρᾶος, syn ἀργίλος, ἄγριος, θυμώδης Ηδ11. 1126 a26.
ηεΒ3. 1221 b13. γ3. 1231 b8, 17, 26. dist σεμνός Πε11.
1314 b18. Δαίμονος ἐπίπονα χ̣ Τύχης χαλεπῆς ἐφήμερον
σπέρμα f 40. 1481 b9. ζῷα χαλεπὰ μετὰ τὸν τόκον πι35.
894 b12. τὰ θήλεα χαλεπώτατα, ὅταν ἐκτέκωσι πρῶτον, οἱ
δ' ἄρρενες περὶ τὴν ὀχείαν sim ΖιζΖ18. 571 b11, 23, 27, 30.
4. 562 b22. 28. 578 a33. τῶν μελιττῶν τινες χαλεπώτεραι
Ζιι40. 624 b30. τοῖς τέκνοις γίγνονται χαλεποὶ οἱ ἀετοὶ Ζιζ6.
563 a26. ἄκριτος χ̣ χαλεπὸς ὁ Ἰξρίων μβ5. 361 b30. —
χαλεπῶς. πορίζεσθαι τὴν τροφὴν χαλεπῶς, opp ῥᾳδίως
Ζγγ1. 749 b25. τὰ γκμψώνυχα πάντα χαλεπῶς (v l, φαύ-
λως Bk) πορεύεται Ζμδ12. 694 a20.

χαλεπότης, opp πραότης, syn θυμός Ηη7. 1149 b7. ηεγ3.
1231 b5. χαλεπότης θυμώδης, νοσηματώδης Ηη6. 1149 a6.
ὁ κακῶς εἰπὼν διὰ χαλεπότητα Ηε4. 1130 a18. (ἐν πολλοῖς
τῶν ἄλλων ζῴων ἔνεσι) πραότης χ̣ χαλεπότης Ζιθ1. 588
a22. ἡ χαλεπότης ἐν τοῖς Δράκοντος νόμοις Πβ12. 1274 b17.

χαλινοποιική (v l χαλινοποιητική) Ηα1. 1094 a11.

χαλινός. χαλινὸν λαβεῖν, ἔχειν ΡΒ20. 1393 b16, 21. κατὰ
τὸν κυνόδοντα ἐμβάλλεται ὁ χαλινός Ζιζ22. 576 b18.

χαλινῦν ἵππον x6. 399 b5.

χάλιξ. περὶ τῶν χαλίκων ἢ τῶν ἀκόνων, ὃς ἐμβάλλοντες εἰς
τὸ ὕδωρ ψύχειν αὐτὸ χ̣ στομᾶν δοκῦσιν f 205. 1515 a33.

χαλκεῖον. αἱ φῦσαι αἱ ἐν τοῖς χαλκείοις αν7. 474 a13. 21.
480 a21. — ἀπὸ τῶν ἰωμένων χαλκείων (v l χαλκίων,
χαλκῶν) λεπτὸς ὁ καπνὸς χ3. 793 b6.

χάλκειος. χρύσεα χαλκείων (Hom Z 236) Ηε11. 1136 b10.

χαλκεύειν. κεχαλκευμένα θ93. 837 b28.

χαλκεὺς καλεῖται τὸ σίδηρον ἐργαζόμενος πο25. 1461 a29.
ὁ χαλκεὺς ποιεῖ χαλινὸν ηεβ1. 1219 b4. ὁ χαλκεύς, μέρος
ἀναγκαῖον τῆς πολιτείας (Plat) Πδ4. 1291 a15.

χαλκευτικός. πῦρ χαλκευτικόν, dist τεκτονικόν, μαγειρικόν
πν9. 485 a35. — ἡ χαλκευτική Ζμδ6. 683 a24. Ζγε8.
789 b10.

Χαλκηδόνιοι πρῶτοι τετρήρη κατεσκεύασαν f 558. 1570 a28.
eorum inventum oeconomicum οβ1347 b20. Χαλκηδονίων
πολιτεία f 558. Φαλέας ὁ Χαλκηδόνιος Πβ7. 1266 a39.

Χαλκηδών. ἐν Χαλκηδόνι Ζγα17. 721 b33.

χαλκίς. 1. ἰ ᾳ ζιγνίς p 309 b10. — 2. ἰ ᾳ κύμινδις Ζιι12.
615 b20 (Hom Ξ 291). cf κύμινδις p 414 b54. — 3. duo
genera piscium quae ex Ar scriptis dist et def non pos-
sunt. χαλκίς (χαλκεύς ci S Pik) ψοφεῖ οἶον συριγμὸν Ζιθ9.
535 b18. τῇ χαλκίδι νόσημα ἐμπίπτει νεανικόν (φθείρει ὑπὸ
τὰ βράγχια) Ζιθ20. 602 b28. v φθείρ p 816 a50. refertur
inter τὰς σαρκοφάγας. πλανᾶται Ζιι37. 621 b7. χαλκίδες
τίκτυσιν ἅπαξ Ζιε9. 543 a2. χαλκὶς (v l χάλκης) τίκτει τρὶς
Ζιζ14. 568 a18. τίκτει ἐν τοῖς βαθέσιν (v l χάλκις, γλαυ-
κίς) Ζιζ14. 568 a24. cf ΑΖι I 143, 77.

Χαλκίς. περὶ Χαλκίδα Ζι6. 531 b12. ἐν Χαλκίδι τῆς Εὐ-
βοίας Ζμδ2. 677 a3. ἐν Χαλκίδι τυραννὶς Φόξα, Ἀντιλέ-
οντος Πε4. 1304 a29. 12. 1316 a31. Χαλκὶς ἀποικίας ἔστει-
λεν ἀξιολόγως εἰς Μακεδονίαν f 560. 1570 a41, 44. —
Χαλκιδεῖς. Ἐρετριεῖς χ̣ Χαλκιδεῖς Πδ3. 1289 b39. Χαλ-
κιδέων πολιτεία f 559. 560. οἱ ἐπὶ Θρᾴκης Χαλκιδεῖς Πβ12.
1274 b24. τὸν ὑπὸ τῷ ἐρυμένῳ φιληθέντα τῶν ἀπὸ Θρᾴκης
Χαλκιδέων γενέσθαι πεμφθέντα τοῖς ἐν Εὐβοίᾳ Χαλκιδεῦσιν
ἐπίκυρον f 93. 1492 b27, 28, 31. Χαλκιδέων ἄποικοι ἐν
Ἀμφιπόλει Πε3. 1303 b2, ἔποικοι Πε6. 1306 a3. χ̣ τῆς Ἰτα-

λίας; κ Σικελίας πολλὰ χωρία Χαλκιδέων ἐστίν f 560. 1570
b2. — Χαλκιδικός. ἡ ἐν Εὐβοία Χαλκιδική Ζια17. 496
b25. ἡ ἐπὶ Θράκης Χαλκιδική θ120. 842 a5. Ζιγ12. 519
a14. Χαλκιδικὴ πόα θ20. 832 a1. Χαλκιδικαὶ πόλεις αἱ περὶ
Ἰταλίαν κ Σικελίαν Πβ12. 1274 a24.

χαλκῖτις λίθος Ζιε19. 552 b10.

χαλκοειδής (color) χ3. 793 a26.

χαλκὸς θλαστόν, ἐλατόν, χυτόν, τηκτόν, ὖ φλογιστὸν μγ6.
378 a28. δ8. 385 a33. 9. 386 a17, b18, 387 b25. 10. 389
a7. μῖξις χαλκῦ κ καττιτέρυ Γα10. 328 b8, 12. Ζγβ8.
747 b3. χαλκῦ χαλκὸς ὁ πλείων βαρύτερος Οθ2. 308 b7.
ὁ χαλκὸς ὀσμώδης, φαρμακώδης αι5.443 a18. πα35. 863 a29.
ἐὰν χαλκῦ τις τμηθῇ, ῥᾷον ὑγιάζεται ἢ σιδήρῳ πα35. 863
a25. 36. 863 a31. κόπτειν χαλκόν οβ1350 a24. χαλκὸς ὕλη
ἀνδριαντοποιῷ Πα8. 1256 a10. Ζμα1. 640 b25. Ζγα18.724
a23. χαλκὸς κολυμβητής θ58. 834 b22. ὁ ἐν Ἰνδοῖς, ὁ
Μοσσύνοικος χαλκὸς θ62. 835 a9. f 248. 1524 a32, 16. τὸ
ἄνθος τῦ χαλκῦ φάρμακον θ58. 834 b30. — ἄξιος στα-
θῆναι χαλκῦς ὖκ ἄξιος ὢν χαλκῦ Ργ9. 1410 a33. — ἔμι-
ξεν ὁ θεὸς χαλκόν (Plat Rep III 415A) Πβ5. 1264 b14.

χαλκότυποι Οθ9. 290 b28. Πα2. 1252 b7.

χαλκυργική. ὑπηρετικὴ τῇ ἀνδριαντοποιίᾳ Ρα8. 1256 a6.

χαλκῦς σταθῆναι ἄξιος Ργ9. 1410 a33. καθάπερ ἐργάζονται
τὸς ἵππυς τὸς χαλκὸς τὸς τὰ πρόσθια ᾐρκότας τῶν σκελῶν
Ζπ11. 710 b19. πέλεκυν ἀνάγκη χαλκὸν ἢ σιδήρυν εἶναι
Ζμα1. 642 a11. χαλκῆ ἢ ξυλίνη χεὶρ ὁμωνύμως Ζμα1.
640 b36. — οἱ Σικελιῶται τὸς δύο χαλκὸς ἐξάντα κα-
λῦσιν f 467. 1554 b42. — Διονύσιος ὁ χαλκῦς Ργ2. 1405
a33.

χάλκωμα. χαλκώματα διάφορα (ἐν Μοσσυνοίκοις) θ62.835
a13. f 248. 1524 a36. ἀσπίδος τὸ χάλκωμα ἐτάκη, τὸ δὲ
ξύλον ὖδὲν ἔπαθεν μγ1. 371 a26.

Χάλυβες θ26. 832 a23. — Χαλυβικὸς σίδηρος θ48. 833
b22. f 248. 1524 a6.

χαμάδις ῥέει (Hom Γ 300) f 143. 1502 b10.

χαμαὶ τίκτει ὁ κόκκυξ, opp ἐπὶ δένδρων Ζι29. 618 a10.

χαμαίζηλος. ἡ τέτριξ ὖτ᾽ ἐπὶ τῆς γῆς νεοττεύει ὖτ᾽ ἐπὶ
τοῖς δένδρεσιν, ἀλλ᾽ ἐπὶ τοῖς χαμαιζήλοις φυτοῖς Ζιζ1. 559
a13.

χαμαιλέων ἰσχνότατος τῶν ᾠοτόκων κ πεζῶν, ὀλιγαιμό-
τατος πάντων, πολύμορφος, μεταβάλλει τὰς χρόας, descr
Ζμδ11. 692 a20, 22. θ30. 832 b14. f 332. 1534 a2. Ζιβ11.
(Chamaeleon africanus ΑΖι I 120, 16. ΚαΖι 71, 1. Su 177,
8.) — metaph, χαμαιλέοντά τινα τὸν εὐδαίμονα ἀποφαί-
νοντες Ηα11. 1100 b6.

χαμαιτύποι ἱέρακες, dist μετεωρόθηροι Ζι36. 620 a31 Aub.

χαμόθεν. ὅπως μὴ οἱ τέττιγες χαμόθεν ᾄδωσιν Ρβ21. 1395
a2. γ11. 1412 a23. cf Στησίχορος p 701 b15.

χάννη (χάννα Ζιβ2. 591 b6. v l χάνη, χάννα, χαύνη), refertur
inter πελαγίυς ἰχθύς, τὸς σαρκοφάγυς μόνυς, ἐκβάλλει
τὴν κοιλίαν Ζιθ13. 598 a13. 2. 591 a10, b6. cf Galen I 173,
174. ποικιλερυθρομέλαινα, ποικιλόγραμμος f 280. 1528 a15.
cf Rose Ar Ps p 296, 14. τὸ ὀχεῦον ὖκ ἔστι, ᾠὰ φαί-
νεται ἔχυσα, πᾶσαι ἁλίσκονται κυήματα ἔχυσαι Ζιθ11. 538
a19, 21. ζ13. 567 a27. τ5. 755 b21. 10. 538 a9.
(khanna Thom. hiatula Gazae. channa Scalig. serran C
II 771. cf S I 456. Cavolini Erzeugung der Fische, deutsch
v Zimmermann p 85 et tab 13, 14. Cuv et Valenciennes
hist des poissons II 163, 166. VI 132. Perca cabrilla L
K 618, 8. St. Cr. Serranus communis Cuv M 274, 286, cf
461. Serranus scriba Cuv ΑΖγ 32-34. ΑΖι I 143, 78. Le-

wes 212. hodie: chani Turcarum, χάνι Constantinopoli (cf
Fo 36), χάννος (Sonnini I 281. E 87, 13), canna Neapol
i q Serranus cabrilla.)

Χαονία μββ3. 359 a25.

χάος. λέγει γῦν Ἡσίοδος 'πάντων μὲν πρώτιστα χάος γένετ᾽'
(Hes θ 116), ὡς δέον πρῶτον ὑπάρξαι χώραν τοῖς ὖσι Φδ1.
208 b31. ΜΑ4. 984 b28. f1. 975 a12. 2. 976 b16. ὖκ ἦν
ἄπειρον χρόνον χάος ἢ νὺξ Μλ6. 1072 a8. οἱ ποιηταὶ οἱ ἀρ-
χαῖοι βασιλεύειν φασὶν ὖ τὸς πρώτυς, οἷον νύκτα ἢ χάος,
ἀλλὰ τὸν Δία Μν4. 1091 b6.

χαρά inter exempla τῶν παθῶν enumeratur ψα1. 403 a18.
Ηβ4. 1105 b22. dist τέρψις, εὐφροσύνη τβ6. 112 b23.
παρέχειν χαρὰν ἀβλαβῆ Πθ7. 1342 a16. ἡδέα τὰ χαρὰν
ἐργαζόμενα ρ2. 1422 a17. πρὸς τῷ τέλει (τῇ πλησιασμῷ)
ἡ χαρά Ζγα18. 724 a1 (syn ἡδονὴ σφόδρα 723 b32). 20.
727 b35.

χαράδρα. τὰς οἰκήσεις τῶν ὀρνίθων τινὲς περὶ τὰς χαράδρας
κ χηραμὸς ποιῦνται Ζι11. 614 b35.

χαραδριός. ὁ καλύμενος χαραδριὸς refertur inter τὰ ἄγρια
ὄρνεα, τὰς οἰκήσεις περὶ τὰς χαράδρας κ χηραμὸς ποιεῖται
κ πέτρας, τὴν χρόαν κ τὴν φωνὴν φαῦλος, φαίνεται νύκ-
τωρ, ἡμέρας ἀποδιδράσκει Ζι11. 615 a1. b3. 593 b15.
(kalandra, kalandus Thomae, cf S I 599. rupex, hiaticula
Gazae. charadrius Scalig. oiseau de roche C II 574. cf
S II, 80, 462, 488. Charadrius oedicnemus St. Cr. K 869,
11. Su 148, 127. ΑΖι I 111, 115. cf Lnd 132. E 47,49.
hodie τυρλίδα.)

χαρακίζειν. ἀεὶ χαρακίζησιν (αἱ μυῖαι) τοῖς προσθίοις σκέ-
λεσιν, syn ἀποκαθαίρειν Ζμδ6. 683 a30, 29.

χαρακῦν. κύκλῳ τὸ ὄστρακον συνηρεφὲς κ κεχαρακωμένον
ταῖς ἀκάνθαις Ζμδ5. 679 b29.

χαρακτήρ. ἐπιβάλλει χαρακτῆρα, ὁ χαρακτὴρ ἐτέθη τῦ ποσῦ
σημεῖον Πα9. 1257 a40, 41. ἐπικόπτειν χαρακτῆρα, κόψαι
ἕτερον χαρακτῆρα οβ1349 b31, 1347 a10. — οἷα ἡ κίνησις
εἰσῆλθε διὰ τῦ αἰσθητηρίυ, τοιαύτη πάλιν, οἷον ἀπὸ χαρα-
κτῆρος τῦ αὐτῦ κ μιᾷ σφραγῖδι, διὰ τῆς φωνῆς γίνεται κ κίνησις
Ζγε2. 781 a28. φωνὴ ἐλάττων μέν, ὁμοία δὲ τὸν χαρα-
κτῆρα πα59. 905 b25.

χαράκωμα. αἱ βλεφαρίδες τῶν πρὸς τὰ ὄμματα προσπι-
πτόντων ἕνεκεν, οἷον τὰ χαρακώματα ποιῦσί τινες πρὸ τῶν
ἐργμάτων Ζμβ15. 658 b18.

χαράττειν. τῷ ῥινὶ τὰ σιδήρια αχ803 a3. ἔχυσι τὰ ῥιζο-
φάγα τῶν ὀρνέων τὰ ἄκρα τῦ ῥύγχυς κεχαραγμένα Ζμγ1.
662 b16. — ἐν νομίσματι Βάττυ ἐχάραξαν οἱ Λίβυες
f 485. 1557 a36. ἐπὶ τῦ νομίσματος τῶν Τενεδίων κεχα-
ράχθαι πέλεκυν f 551. 1569 a10.

Χάρης Πε6. 1306 a7. — Ρα15. 1376 a10. γ10. 1411 a6. 17.
1418 a31. — Χάρης ὁ Πάριος. ἔστι γεγραμμένα Χάρητι
τῷ Παρίῳ περὶ γεωργίας Πα11. 1258 b40.

Χαρίδημος Ὠρείτης Ρβ23. 1399 b2. οβ1351 b19.

χαρίεις. τὸν φιλόντα κ ὖ ποιῦντα ὖδεὶς δυσχεραίνει, ἀλλ᾽
ἐὰν ᾖ χαρίεις ἀμύνεται εὖ δρῶν Ηθ15. 1162 b10. — χα-
ρίεντές ἐστι κ νῦν ἐχόντων γνωρίμων ΠΖ5. 1320 b7. ὖκ
ἀεὶ συμβαίνει χαρίεντας εἶναι τὸς μετέχοντας τῦ πολιτεύ-
ματος Πδ13. 1297 b9. cf β7. 1267 a1, 40. — οἱ εἰρημέ-
νοι χαριέστεροι τὰ ἤθη φαίνονται Ηδ3. 1127 b23, 31. χαρίεις
κ ἐλευθέριος, εὐτράπελος Ηδ14. 1128 a31, 15. — οἱ χα-
ρίεντες, syn οἱ σοφοί, opp οἱ πολλοί Ηα2. 1095 a18, 21.
οἱ χαρίεντες κ πρακτικοί, opp οἱ πολλοὶ κ φορτικώτατοι
Ηα3. 1095 b22, 16. τῶν ἰατρῶν οἱ χαρίεντες Ηα13. 1102
a21. μτ1. 463 a5. τῶν περὶ φύσεως πραγματευθέντων οἱ

χαριέστατοι αν 21. 480 ᵇ29. Μκ 2. 1060 ᵃ25 Bz. οἱ χαριέστεροις λέγοντες Μλ10. 1075 ᵃ26. χαριέστατα λέγυσι τῶν ἀρχαίων οἱ φάσκοντες Ζμδ 2. 677 ᵃ30.

χαρίζεσθαι. τὸ χαρίσασθαι κ̣ βοηθῆσαι φίλοις ἥδιστον Πβ 5. 1263 ᵇ5. ἀνθυπηρετῆσαι δεῖ τῷ χαρισαμένῳ κ̣ πάλιν αὐτὸν 5 ἄρξαι χαριζόμενον Ηε 8. 1133 ᵃ5. ἀγαθά, ἃ χαριῶνται τοῖς φίλοις, opp ἃ ἀπεχθήσονται τοῖς ἐχθροῖς Ρα 6. 1363 ᵃ33. χαρίσασθαι τοῖς ἐρωμένοις ρ4. 1426 ᵃ15. χαρίζεσθαι τῷ δήμῳ ὥσπερ τυράννῳ Πβ12. 1274 ᵃ6. τὸ θαυμαστὸν ἡδύ· σημεῖον δέ, πάντες γὰρ προστιθέντες ἀπαγγέλλυσιν ὡς χα- 10 ριζόμενοι πο24. 1460 ᵃ18. — χαριστέον, opp ἀνταποδοτέον Ηι2. 1164 ᵇ32. — διὰ τὸν καιρὸν κεχαρισμένοι Ρβ7. 1385 ᵃ27. μηδὲν (τῆς ζωικῆς φύσεως) παραλιπόντας μήτε ἀτι- μότερον μήτε τιμιώτερον· κ̣ γὰρ ἐν τοῖς μὴ κεχαρισμένοις αὐτῶν πρὸς τὴν αἴσθησιν κατὰ τὴν θεωρίαν ὅμως ἡ δημι- 15 υργήσασα φύσις ἀμηχάνυς ἡδονὰς παρέχει Ζμα5. 645 ᵃ7.

Χαρικλῆς. οἱ περὶ Χαρικλέα Πε6. 1305 ᵇ26.

Χαρίλαος. ἡ Χαριλάυ ἐν Λακεδαίμονι τυραννίς Πε12. 1316 ᵃ34.

Χάριλλος. Λυκῦργος τὴν Χαρίλλυ ἐπιτροπείαν καταλιπὼν 20 Πβ10. 1271 ᵇ25.

χάριν. cf Eucken II 20. syn ἕνεκα. τῶν ἐσομένων χάριν, syn τῶν ἐσομένων ἕνεκεν Πβ5. 1339 ᵇ36, 37. ὖ χάριν τὰ λοιπὰ πράττεται Ηα5. 1097 ᵃ18. 12. 1102 ᵃ3. ὦν χάριν ὁ αὐχὴν πέφυκεν Ζμγ3. 664 ᵃ15. β9. 654 ᵇ4. τὰ λοιπὰ μόρια τύ- 25 των τε χάριν κ̣ ἕνεκα τῆς κινήσεως προσέθηκεν ἡ φύσις Ζμδ9. 684 ᵇ29. ἅμα τῷ τὴν φλεβῶν χάριν κ̣ πρὸς τὴν τῦ περιττώματος ἔκκρισιν Ζμγ9. 671 ᵃ1. — ex frequentissimo huius praep usu pauca exempla attulisse sufficiet. ἀλκῆς χάριν Ζμγ1. 661 ᵇ2. 2. 662 ᵇ27. δ5. 678 ᵇ21. βοη- 30 θείας, σκέπης, σωτηρίας χάριν Ζμβ9. 655 ᵇ5, ᵃ1. 13. 657 ᵃ35. 14. 658 ᵃ18. 15. 658 ᵇ14. γ1. 661 ᵇ25, 662 ᵃ26. ἐρείσματος χάριν Ζμβ16. 659 ᵃ28. μαρτυρίᾳ χάριν εἴπομεν μα13. 350 ᵇ19. σοφίσματος, προφάσεως, τῶν ἀναγκαίων χάριν Πε8. 1307 ᵇ40. δ13. 1297 ᵃ14. 4. 1291 ᵃ18. Ζιβ1. 35 500 ᵃ5. παραδείγματος (ὅσον παραδείγματος) χάριν λάβωμεν Ρα5. 1360 ᵇ7. 9. 1366 ᵃ33. εἴρηται ὡς ἐν τύπῳ, γεύματος χάριν Ζια6. 491 ᵃ8. σημείᾳ χάριν, ν σημεῖον ρ 677 ᵇ31. λόγυ χάριν τθ9. 160 ᵇ22. Πγ9. 1280 ᵇ8 (opp ὡς ἀληθῶς). Μγ5. 1009 ᵃ21. 7. 1011 ᵇ2. Ηζ13. 1144 ᵃ33. 40 Ζιβ1. 500 ᵃ5 (coni κατὰ μεταφοράν). νόμᾳ χάριν, cf νόμος p 489 ᵃ25. — χάριν plerumque ipsi nomini postponitur; aliquoties antepositum legitur, χάριν ἀναπαύσεως Πθ1. 1337 ᵇ39. 5. 1339 ᵇ19. χάριν ἄλλων Πθ3. 1338 ᵃ13. χάριν τῦ βελτίονος Ζγγ4. 755 ᵃ23. χάριν ἡδονῆς Μβ4. 1000 ᵃ16. cf 45 Πβ11. 1273 ᵃ8. θ162. 846 ᵇ5. interdum interposito verbo χάριν a nomine dirimitur, ἐρείσματός εἰσι χάριν Ζμβ16. 659 ᵃ28. βοηθείας ἔχυσι χάριν Ζμβ9. 655 ᵇ5. ὖ τῆς αὐτῦ μεταχειρίζεται χάριν ἀρετῆς Πθ6. 1341 ᵇ11.

χάρις. ῥῖς ἔτι καλὴ κ̣ χάριν ἔχυσα πρὸς τὸ ἰδεῖν Πε9. 1309 50 ᵇ25. ἔχει ἑκάτερα (τά τε φθαρτὰ κ̣ τὰ ἄφθαρτα) χάριν Ζμα5. 644 ᵇ31. τὴν χάριν τῆς ζωῆς (τῶν φυτῶν) εἶναι διὰ τὰς δύο δυνάμεις φτα2. 817 ᵇ14. — χάρις, def Ρβ7. 1385 ᵃ17. τίσι χάριν ἔχυσι κ̣ ἐπὶ τίσι κ̣ πῶς αὐτοὶ ἔχοντες Ρβ7. πῶς δεῖ χάριν ἐμποιεῖν ρ35. 1439 ᵇ21-24. ἵν' 55 ἀνταπόδοσις ᾖ· τῦτο γὰρ ἴδιον χάριτος Ηε8. 1133 ᵃ4sqq. ἡ χάρις τῷ διδόντι Ηδ1. 1120 ᵃ15. χάριτας τῶν ὑπηργμέ- νων ἀποδῦναι ρ37. 1445 ᵃ1. κομίζεσθαι τὰς χάριτας Ηι7. 1167 ᵇ24. τιμῦ ὀφείλεσθαι χάριν (ex poeta incerto) Ρβ23. 1397 ᵃ16. πανδήμυ χάριτος δημιυργός (apud Alcidam) 60 Ργ3. 1406 ᵃ26. συνηγορεῖν ἐπὶ χάρισιν, ἐπὶ χρήμασιν ρ37.

1444 ᵃ39. ἀκροᾶσθαι πρὸς χάριν Ρα1. 1354 ᵇ34. πολλὰ πρὸς ἐπήρειαν κ̣ χάριν πράττειν Πγ16. 1287 ᵃ38. — βαρέως φέρειν πρὸς τὴν ἀφροδισιαστικὴν χάριν Πε10. 1311 ᵇ17. ἐν τῇ καταπόσει τῇ τάσει τῦ οἰσοφάγυ γίνεται ἡ χάρις, syn τῶν ἐδεστῶν ἐν τῇ καθόδῳ ἡ ἡδονὴ Ζμδ11. 691 ᵃ1, 690 ᵇ30.

Χαρίσιος. ἐν ὄρει Τηυγέτῳ βοτάνη καλυμένη χαρισία θ163. 846 ᵇ7 Beckm.

Χάριτες. Χαρίτων ἱερὸν ἐμποδὼν ποιῦνται Ηι8. 1133 ᵃ3. ἐπεὶ αἱ Χάριτες θεαί f 609. 1580 ᵇ37.

χαροπός. τὸ καλύμενον (τῇ ὀφθαλμῦ) μέλαν τοῖς μέν ἐστι μέλαν, τοῖς δὲ σφόδρα γλαυκόν, τοῖς δὲ χαροπόν, ἐνίοις δὲ αἰγωπόν Ζια10. 492 ᵃ3, διὰ τίν' αἰτίαν Ζγε1. 779 ᵇ14, ᵃ32 (inde ipsi homines dicuntur γλαυκοὶ κ̣ χαροποὶ κ̣ μελαν- όφθαλμοι Ζγε1. 779 ᵃ35). ὄμμα χαροπὸν ὑγρόν, ὀφθαλμοὶ χαροποὶ ἔγκοιλοι, ποίυ ἤθυς σημεῖον φ3. 807 ᵇ1, 19. 5. 809 ᵇ19. 6. 812 ᵇ5.

Χάροπος. Νιρέα τὸν Χάροπυ παῖδα f 596. 1576 ᵃ6.

Χάρυβδις μβ3. 356 ᵇ13.

Χάρων. Χάρωνα τὸν τέκτονα ποιεῖ λέγοντα Ἀρχίλοχος Ργ17. 1418 ᵇ30.

Χαρώνδας νομοθέτης Πα2. 1252 ᵇ14. β12. 1274 ᵃ23, 30, ᵇ5. δ11. 1296 ᵃ21. 13. 1297 ᵃ23.

χάσκειν. αἱ ὑστέραι χάσκυσιν, opp συμμύυσιν Ζιγ4. 583 ᵇ31, 35. κτένες χάσκυσι κ̣ συμμύυσιν Ζιδ8. 535 ᵃ18. χα- σκυσῶν (τῶν κογχῶν) ἐξαιρεῖν τὰ κρέα Ζιι10. 614 ᵇ29. χάσκει κ̣ ἡ θήλεια (πέρδιξ) κ̣ ὁ ἄρρην, κ̣ τὴν γλῶτταν ἔξω ἔχυσι περὶ τὴν τῆς ὀχείας ποίησιν Ζιε1. 541 ᵃ29. αἶγες χάσκυσιν εἰσδεχόμεναι τὰ πνεύματα θ9. 831 ᵃ21.

χάσμα. σεισμοὶ χάσματα ἀνοίγοντες κ̣ γῆν ἀναρρηγνύντες κ4. 396 ᵃ4. χρυσίον κατορωρυγμένον, χασμάτων τεττάρων ὄντων θ47. 833 ᵇ20. f 248. 1524 ᵃ3. χάσματα θαλάσσης κ̣ ἀναχωρήματα κ4. 396 ᵃ18. φάσματα ἐν τῷ ὑρανῷ, οἷον χάσματά τε κ̣ βόθυνοι κ̣ αἱματώδη χρώματα μα5. 342 ᵃ35, ᵇ14, 17, 22.

χασμώμενοι. χασμώμενοι κ̣ ἐκπνέοντες ἧττον ἀκύυσιν ἢ ἐμ- πνέοντες Ζγε2. 781 ᵃ30. πια29. 902 ᵇ9. 44. 904 ᵃ16. λβ13. 961 ᵃ39, 37. ἐὰν περὶ τὸν τόκον ἀνασπάσωσι χασμησάμεναι, δυστοκῦσιν αἱ γυναῖκες Ζγα11. 719 ᵃ19. διὰ τί τοῖς χα- σμωμένοις ἀντιχασμῶνται πζ1. 886 ᵃ24.

χασματίαι (καλῦνται τῶν σεισμῶν) οἱ συνιζήσεις ποιῦντες εἰς τὰ κοῖλα κ4. 396 ᵃ4.

χάσμη. ἡ χάσμη πνεῦμα κ̣ ὑγρὰ κίνησίς ἐστιν πζ1. 886 ᵃ26. τὸ ἐξιὸν πνεῦμα ἐν τῇ χάσμῃ πια29. 902 ᵇ10.

χαυλιόδυς (χαυλιόδων vl novies), brocchus. ὀδόντες κ̣ χαυ- λιόδοντες Ζιδ10. 503 ᵃ10. δ11. 538 ᵇ16. Ζμγ1. 661 ᵇ31. 2. 663 ᵇ35 (cf 664 ᵃ11). δ8. 684 ᵃ30. ἅμα χαυλιόδοντα κ̣ κέρας ὐδὲν ἔχει ζῷον Ζιβ1. 501 ᵃ19. τὰ χαυλιόδοντας ἔχοντα· αἱ θήλειαι τῶν ὑῶν ὐκ ἔχυσι χαυλιόδοντας Ζμγ1. 661 ᵇ18, 26. Ζιδ11. 538 ᵇ21. β1. 501 ᵃ15. cf Bsm probl ined 320, 25. ὁ ἵππος ὁ ποτάμιος ἔχει χαυλιόδοντας ὑπερ- φαινομένυς· οἱ ἄνω χαυλιόδοντες Ζιβ7. 502 ᵃ12. δ8. 533 ᵃ15. — ὐδὲν τῶν ζῴων ἐστὶν ἅμα καρχαρόδυν κ̣ χαυλιό- δυν· τὰ χαυλιόδοντα· τὰ καρχαρόδοντα κ̣ χαυλιόδοντα, dist τὰ καρχαρόδοντα τῶν χαυλ. Ζμγ1. 661 ᵇ23, 18. 2. 663 ᵃ7. β9. 655 ᵇ11. M 319. Lob Par 248, 366.)

χαῦνος. proprie, ἅλες ὐ χονδροὶ ἀλλὰ χαῦνοι κ̣ λεπτοὶ ὥσ- περ χιὼν μβ3. 359 ᵃ32. γῆ χαῦνος, opp στερρά πκγ29. 934 ᵇ11. κέρατα μαλακώτερα κ̣ χαυνότερα ακ802 ᵃ21, κέρατα ξηρὰ κ̣ πεπωρωμένα κ̣ χαῦνα ακ802 ᵇ8. — me- taph, χαῦνος def, ὁ μεγάλων ἑαυτὸν ἀξιῶν ἀνάξιος ὤν

Ηϑ7. 1123 ᵇ9. 9. 1125 ᵃ18, 27. ηεη5.1233ᵃ11, 27. ημα26.
1192 ᵃ31. χαῦνοι κỳ ἀνόητοι φ6. 810 ᵇ32.

χαυνότης, metaph def Ηβ7. 1107 ᵇ23. ηεβ3. 1221 ᵃ10.
γ5. 1233 ᵃ11. περὶ χαυνότητος Ηϑ9.. ηεγ5. ημα26.

χαυνῦσθαι τιμώμενον μικροψυχίας ἐστίν αρ7. 1251ᵇ18.

χέδροπος, χεδροπός. δῆλον ἐπὶ τῶν χεδροπῶν (τὸ προσπε-
φυκέναι τὴν ἀρχὴν τῷ σπέρματος ἐν τοῖς περικαρπίοις) Ζγγ2.
752 ᵃ21. οἱ καρποί, οἷον τὰ χέδροπα μῦ10. 389 ᵃ15. τὰ
ἐπέτεια, οἷον τά τε χεδροπὰ κỳ ὁ σῖτος Ζγγ1. 750 ᵃ24. τὰ
τῶν χεδρόπων ἐψήματα κỳ τῶν ἄλλων καρπῶν Ζμβ7. 653
ᵃ24 (Oribas I 574).

χέδρωψ. ἐσθίει ἡ ἄρκτος κỳ τὸς καρπὸς τὸς χεδροπας (v l
χεδροπὸς) Ζιϑ5. 594 ᵇ7.

χεῖλος. 1. labium superius et inferius. ὑπὸ τὸς μυκτῆρας ἡ
τῶν χειλῶν ἐστι φύσις τοῖς ἔχεσι τῶν ἐναίμων ὀδόντας· 15
φυλακῆς ἕνεκα κỳ μᾶλλον ἔτι διὰ τὸ εὖ χεῖλη δύο· σὰρξ
εὐκίνητος· τὸ ἐντὸς στόμα σιαγόνων κỳ χειλῶν Ζμβ16.
659 ᵇ30, 20, 28, 660 ᵃ10. Ζια11. 492 ᵇ25. cf Plat Tim
75D. χειλῶν δύναμις, συμβολαὶ Ζμβ5. 682 ᵃ11. β16.
660 ᵃ7. τὸ ἄνω, τὸ κάτω χεῖλε φ6. 811 ᵃ19, 26 al. χεῖλη 20
ὑγρά, ἀνθρώπῳ μαλακὰ κỳ σαρκώδη κỳ δυνάμενα χωρίζεσθαι,
σάρκινα, εὔσαρκα Ζμβ16. 660 ᵃ4, 11, 659 ᵇ24, 31. πλε7.
965 ᵃ22. χειλῶν διαφοραὶ τί σημαίνεσιν φ6. 811 ᵃ18-28.
λεπτά, σκληρά, παχέα, ἐπ' ἄκραις ταῖς συγχειλίαις χαλαρά,
χεῖλος μετέωρον φ6. 811 ᵃ22, 24, 18. 3. 808 ᵃ32. εὐκίνη- 25
τότατον κỳ ἥκιστα ἐναίμων πκζ7. 948 ᵇ9. τὰ ἄφωνα ἡ
γλῶττα κỳ τὰ χεῖλη (ἀφίησιν) ἐγκλίνειν τὸ χεῖλος Ζιϑ9.
535 ᵇ1 Aub, cf 536 ᵃ3. β10. 503 ᵃ5. πιέζειν τὰς γλῶττας
τοῖς χείλεσιν ακ801 ᵇ39. (οἱ πρεσβῦται ἵπποι τὸ κάτω χεῖ-
λος προτείνεσι Bsm probl ined 323, 43). τὸ ἄνω τῷ κάτω 30
προκρεμάμενον φ6. 811 ᵃ25. τοῖς ὀργιζομένοις τὸ κάτω
χεῖλος σείεται· οἱ φοβ<ούμενοι τρέμεσι τὸ κάτω χεῖλος· τὸ
κάτω χεῖλος ἀλλ' ὃ τὸ ἄνωθεν κάτω κρέμαται ἢ ῥέπει· κỳ
ἐν τοῖς θυμοῖς ἀποκρεμάννυται τὸ χεῖλος· διὰ τί ποτε τὰ
χεῖλη μάλιστα γαργαλιζόμεθα πε15. 882 ᵃ39. κζ6. 948 35
ᵃ36, ᵇ1, 4. 7. 948 ᵇ7, 9. λε7. 965 ᵃ18, 20, 21. κροκο-
δείλῳ, ἰχθύσιν Ζιϑ10. 503 ᵃ5. τοῖς ὄρνισι τὸ ῥύγχος ἀντὶ
χειλῶν κỳ ὀδόντων cf ὄονις p 527 ᵇ46. (sed τῶν στρουθίων
τὰ περὶ τὰ χεῖλη σκληρὰ Ζιϑ7. 613 ᵇ1. S II 56.) — 2. pe-
ristoma τῶν ὀστράκων, τὰ χεῖλη, dist τὰ λεπτοχειλῆ et 40
τὰ παχυχειλῆ Ζιϑ4. 528 ᵃ28. — 3. τῷ τῶν ὑστερῶν στό-
ματος, τὰ χεῖλη λεῖα, παχέα, τραχύτερα, λεπτὰ Ζιη3. 583
ᵃ16, 17, 18, 21 Aub. — 4. τῶν ποταμῶν κỳ λιμνῶν περὶ
τὰ χεῖλη Ζῖ16. 570 ᵃ22. cf θ45. 833 ᵇ16. 150. 845 ᵇ11.

χειμάζειν. 1. trans. Ὀδυσσεὺς ἀφικνεῖται χειμασθεὶς πο17. 45
1455 ᵇ21. χειμαζόμενον ἐπικαθέεσθαι Διοσκύροις ηεη12.
1245 ᵇ33. — metaph, χειμαίνει ὁ χειμαζόμενος κỳ χα-
λεπαίνει ὁ ὀργιζόμενος ἀληθινώτατα πο17. 1455 ᵃ31. —
2. intr, καθάπερ τῶν ἀνθρώπων οἱ πολλῆς χώρας κρατῦντες
θερίζεσι μὲν ἐν τοῖς ψυχροῖς χειμάζεσι δ' ἐν τοῖς ἀλεεινοῖς· 50
ὅτω κỳ τῶν ζῴων τὰ μὲν χειμάζεσι μεταβάλλειν τὸς τόπος
Ζιθ12. 596 ᵇ27, 597 ᵇ4. 13. 598 ᵃ25,

χειμαίνει ὁ χειμαζόμενος κỳ χαλεπαίνει ὁ ὀργιζόμενος ἀλη-
θινώτατα πο17. 1455 ᵃ31.

χείμαρρος (τῶν ἐν Αἴτνῃ κρατήρων) ἀνὰ τὴν γῆν φερο- 55
μένων χείμαρρος δίκην χ6. 400 ᵃ34. θ154. 846 ᵃ10.

χειμασία. μετὰ τὸν ὑετὸν ἐν ταῖς τοιαύταις χειμασίαις πίπτει
τὰ πνεύματα πκς3. 940 ᵇ15.

χειμερινός. περὶ τροπὰς ὄντος τῷ ἡλίῳ χειμερινὰς μα6. 343
ᵇ6. τροπαὶ χειμεριναὶ μβ6. 364 ᵇ3. γ5. 377 ᵃ24. δυσμὴ 60
(δύσις) χειμερινή, dist ἰσημερινή, θερινή μβ6. 363 ᵇ6. κ4.

394 ᵇ27. ἀνατολὴ χειμερινή, ἀνατολαὶ χειμεριναὶ μβ6.
363 ᵇ5. κ4. 394 ᵇ24. μέγιστον ὄρος τῶν πρὸς τὴν ἕω τὴν
χειμερινὴν μα13. 350 ᵃ31. ἐν τοῖς χειμερινοῖς τόποις μα10.
347 ᵃ18. Ζγβ8. 748 ᵃ23. — τίνα τῶν ζῴων ἀποβάλλει
τὰς χειμερινὰς τρίχας πι21. 893 ᵃ5. — αἱ μὲν καθαραὶ
δύσεις εὐδιεινὸν σημεῖον, αἱ δὲ τεταραγμέναι χειμερινὸν
πκς8. 941 ᵃ2, cf χειμέριος.

χειμέριος. χειμερίην διὰ νύκτα (Emp 221) αι2. 437 ᵇ27.
χειμέριον κατὰ μῆνα (Simonid fr 12) Ζιε8. 542 ᵇ8. φω-
λεῖσι τὰς χειμεριωτάτας ἡμέρας, τέτταρας μῆνας τὸς χειμε-
ριωτάτος Ζιθ14. 599 ᵃ24. 15. 599 ᵃ33, ᵇ29. διάγεσι τῷ
θέρες κỳ χειμῶνος, τῷ δὲ χειμῶνος ἐν ἀλεεινοῖς Ζιι7. 613
ᵇ2. ὄντος τῷ ἡλίῳ ἐν χειμερίῳ μέρει τῷ κόσμῳ πκς26. 942
ᵇ34. αἱ γέρανοι ἂν ἴδωσι νέφη κỳ χειμέρια Ζιι10. 614 ᵇ21.
χειμέριοι αἱ σύνοδοι τῶν μηνῶν μᾶλλον ἢ αἱ μεσότητες
Ζγβ4. 738 ᵃ21. χειμεριώτερος ὁ μὴν φθίνων Αδ15. 98 ᵃ32.

χειμών. tempestas, procella. ὅταν κλύδων κỳ χειμὼν ᾖ
ἀποσαλεύεσιν ὥσπερ πλοῖον ὅταν χειμὼν ᾖ Ζμδ9. 685 ᵃ32,
35. ῥηγνυμένων χειμώνων ἐξαισίων x5. 397 ᵃ22. γίνεται
προσιόντος μὲν τῷ ἡλίῳ ἀναθυμίασις τῷ ὑγρῷ, ἀπιόντος δὲ
ὕδατα τὸ χειμῶνος· διὰ μὲν ἐν τὴν φορὰν τὴν ἐπὶ τροπὰς
κỳ ἀπὸ τροπῶν θέρος τε γίνεται κỳ χειμὼν μα8. 361 ᵃ12,
13. — tempus hibernum. τὰ χειμῶνος ἔργα συμβαίνει
γίνεσθαι, τύτων δέ ἐστιν ὁ ὄμβρος πκς26. 942 ᵇ35. χειμῶν,
dist ἔαρ, θέρος, μετόπωρον πα8. 859 ᵇ21. 9. 860 ᵃ12. 20.
861 ᵇ22 al. χειμὼν ξηρὸς κỳ βόρειος ματ. 344 ᵇ35. ἀκμαι-
ότατος ὁ χειμών, τὸ λοιπὸν γὰρ ἔαρ ἐστὶν πα17. 861
ᵃ25. τοῖς ἀνθρώποις κατὰ τὴν ἡλικίαν γίνεται χειμὼν κỳ
θέρος κỳ ἔαρ κỳ μετόπωρον Ζγε3. 784 ᵃ18, 783 ᵇ26. ἐν χει-
μῶνι, ἐν τῷ χειμῶνι, opp περὶ τὸς θερινὰς χρόνας Πβ8.
1267 ᵇ27. μβ4. 361 ᵇ6. τῷ χειμῶνος, opp ἐν τῷ θέρει
Ζμδ5. 680 ᵇ1. χειμῶνος, τῷ χειμῶνος, dist ἔαρος, θέρους,
μετοπώρου, ὀπώρας μα12. 348 ᵃ1. β4. 360 ᵃ2. πια17. 900
ᵇ29. 56. 905 ᵃ24. 61. 905 ᵇ38. κϑ13. 937 ᵃ31. τὸ συλ-
λεχθὲν ἐκ τῷ χειμῶνος ὕδωρ μα13. 349 ᵇ6. ἐκ τῷ χει-
μῶνος ('vi frigoris' Ideler?) μα10. 347 ᵇ3.

χεῖν. εἴπερ ἐφέρετο τὰ σώματα τύτων (τῶν ἀστέρων) ἐν
ἀέρος πλήθει κεχυμένῳ κατὰ τὸ πᾶν Οβ9. 291 ᵃ19. —
αἱ σάρκες συνεστᾶσι μᾶλλον τῶν προσγείων ἰχθύων, τῶν
δὲ πελαγίων ὑγραί εἰσι κỳ κεχυμέναι Ζιϑ13. 598 ᵃ9. ἀνα-
χλιανθέντα τὰ χεῖλα κεῖται ὁ χυμός, opp πέπηγεν πκβ7. 930
ᵇ18. χέεται (τὸ κόμι) κỳ πέπηγεν ὅμοιον λίθοις φτϑ9. 829
ᵃ18. — χυτός. ὅσα μεταλλεύεται κỳ ἔστιν ἢ χυτὰ ἢ ἐλατὰ
μγ6. 378 ᵃ27. τὸ στέαρ ἐστὶ θραυστὸν πάντῃ κỳ πήγνυται
ψυχόμενον, ἡ δὲ πιμελὴ χυτόν κỳ ἄπηκτον Ζιγ17. 520 ᵃ8.
ἐν ὑγρῷ κỳ χυτῷ οἷον βαφῇ τις κỳ πλύσις ἡ ὀσμὴ αι5.
445 ᵃ14. ἄργυρος χυτός ψα3. 406 ᵇ19. μδ8. 385 ᵇ5. —
τῶν ἰχθύων καλῦνται χυτοὶ οἱ τῷ δικτύῳ περιεχόμενοι Ζιε9.
543 ᵃ1, cf M 287.

χείρ refertur inter τὰ σύνθετα, ὅσα εἰς ἀνομοιομερῆ διαι-
ρεῖται Ζια1. 486 ᵃ17. Ζμβ1. 646 ᵇ14. Ζγα18. 722 ᵃ18, 20,
26, ᵇ32. cf πλα29. 960 ᵃ29, 31, τὰ μόρια τὰ ἐξωτερικά
Ζγε6. 786 ᵃ27. α22. 730 ᵇ16. δ4. 772 ᵇ17, τὰ ἀκρωτήρια
τῷ σώματος φ3. 807 ᵇ9. χεὶρ μέλος ἐστὶ Ζια1. 486 ᵃ11.
διαιρετὴ ἦ πολυσχιδής, συνθετὴ· λεπταὶ κỳ μακραὶ· ἀσαρ-
κόυατα κỳ νευρωδέστατα Ζμδ10. 687 ᵇ7, 8. φ3. 807 ᵇ9.
πς6. 886 ᵃ12. χεὶρ κỳ πὸς διαφορὰν ἔχει πρὸς τὰ δεξιὰ κỳ
ἀριστερά· ἑκατέρα ἡ χεὶρ πλα29. 960 ᵃ29. Ζιγ2. 512 ᵃ5.

1. manus descr. βραχίονος χείρ, χεὶρ κỳ ὅλος ὁ βραχίων·
τῶν τεττάρων τὰ δύο σημεῖα τοῖς μὲν πτέρυγες τοῖς δὲ
χεῖρες κỳ βραχίονές εἰσι Ζμβ1. 646 ᵇ14. Ζια15. 493 ᵇ27.

1. 486 ᵃ11. Ζπ 5. 706 ᵃ29. ἄρθρα χειρὸς κ̣ βραχίονος καρπός, τὸ ἄκρον τῆς χειρός Ζια 15. 494 ᵃ2. Ζπ 8. 702 ᵇ3. θέναρ v h v. δάκτυλοι p 165 ᵃ6, 20. ἡ ἄλλη (ὕλη v l Gaza C Pik) χεὶρ κ̣ δάκτυλοι Ζιγ 2. 512 ᵃ8. ὄνυχες ἐπὶ τῶν χειρῶν, διὰ τίν' αἰτίαν Ζμδ 10. 690 ᵇ9 cf ὄνυξ p 517 ᵃ4. 5 οἱ ἐπὶ τῶν χειρῶν ὄνυχες Bsm probl ined II ξέ. Galen III 234. τῆς χειρὸς τὸ εἴσω ἀναρθρότατον, syn τὸ καμπτόμενον μέρος πι49. 896 ᵇ3. λθ 10. 964 ᵃ38. Ζμδ 10. 690 ᵇ1. τὸ ἔξω τῆς χειρὸς νευρῶδες κ̣ ἀνώνυμον Ζια 15. 494 ᵇ1. cf ὑποθέναρ, χειρὸς στῆθος Galen XIV 704. φλέβες Ζιγ 2. 512 ᵃ5, 10 9. 3.514 ᵃ14. πλεῖστα νεῦρα περὶ τὰς χεῖρας, ὀστᾶ Ζιγ 5. 515 ᵇ21. 7. 516 ᵃ33. ἡ ἐν τῷ ἀγκῶνι κερκὶς ἕνεκα τῆς στροφῆς τῷ ἀγκῶνος κ̣ τῆς χειρός πν 7. 484 ᵇ29, cf 36.

2. latiore quodam usu χείρ idem fere quod τὸ πρόσθιον κῶλον significat, cf Da I 51. ὐδὲν ἴδιον ὄνομα τοιῦτον ἔχο- 15 μεν ἄκρας χειρός, ὁποῖον πύς ἐστι χωρὶς τῷ σκέλες· χεῖρα ὐκέτι ἁπλῶς ὠνόμασεν Ἱπποκράτης ἀλλ' ἄκραν προσέθηκε Galen XVIII B 431. cf l 34 αἱ καλύμεναι χεῖρες. itaque χεῖρες opp σκέλη· ἰχθύες ὖτε σκέλη ὖτε χεῖρας ὖτε πτέρυγας ἔχυσι φ 3. 807 ᵇ9. Ζμδ 13. 695 ᵇ3. cf Plat Tim 45 A. 20 τὰ παιδία κ̣ τὰς χεῖρας παρατεταμένας (ἔχει) παρὰ τὰς πλευράς Ζιη 10. 587 ᵃ26 ('χεῖρας h l bracchia esse monuit Scalig' S I 552). syn χεῖρα ὅλη Galen l l. χεῖρες ἐκ τῷ στήθεος ἤρτηνται πκ̣ 6. 948 ᵃ39 (cf ἀπὸ τῶν ὤμων αἱ χεῖρες ἔρχονται παρηρτημέναι ἑκατέρα τῇ καθ' αὑτὴν 25 πλευρᾷ Galen XIV 704) et saepius.

3. fere eadem vi χείρ usurpatur de pedibus animalium, Ζμδ 11. 691 ᵇ14, 13 (Greiffuss). ἡ ὕαινα ἐν τῇ ἀριστερᾷ χειρὶ ἔχει δύναμιν ὑπνοποιὸν f 330. 1533 ᵇ11, cf 15. — simiarum manus. ἔχυσι χεῖρας κ̣ δακτύλυς κ̣ ὄνυχας ὁμοίως 30 ἀνθρώπῳ πλὴν πάντα ταῦτα ἐπὶ τὸ πριμωδέστερον Ζιβ 8. 502 ᵇ3, descr ᵇ7, 17. cf Galen II 534. Lewes 327.

4. χειρὸς ἔργα κ̣ πράξεις. ὁ ἄνθρωπος ἀντὶ σκελῶν κ̣ ποδῶν τῶν προσθίων βραχίονας κ̣ τὰς καλυμένας (v l 18) χεῖρας ἔχει· συμμεμηχάνηται κ̣ τὸ εἶδος τῇ φύσει τῆς χει- 35 ρὸς Ζμδ 686 ᵃ27, cf 687 ᵃ7, ᵇ6. τὰ μέρη διωρισται τῷ δύνασθαί τι ποιεῖν, οἷον γλῶττα κ̣ χεὶρ Ζγα 18. 722 ᵇ32. Anaxag: διὰ τὸ χεῖρας ἔχειν φρονιμώτατον εἶναι τῶν ζῴων ἄνθρωπον Ζμδ 10. 687 ᵃ8 (cf Galen III 168, Zeller I 696. II 2, 436), Ar sentent ᵃ17, 22. αἱ χεῖρες ὄργανόν εἰσιν· ἡ 40 χεὶρ ἔοικεν εἶναι ὐχ ἓν ὄργανον ἀλλὰ πολλά· ἔστι γὰρ ὡσπερεὶ ὄργανον πρὸ ὀργάνων Ζμδ 10. 687 ᵃ10, 20, ᵇ2. (explic Galen III 8. cf Waitz II 294. Trdlbg 526). ἡ χεὶρ ὄργανόν ἐστιν ὀργάνων ψ 8. 432 ᵃ1. ὅπως ἀμφιδέξιοι γίνωνται, ὡς δέον μὴ τὴν μὲν χρησίμην εἶναι τοῖν χεροῖν τὴν δὲ ἄχρηστον 45 Πβ 12. 1274 ᵇ14. οἱ μόναρχοι ὀφθαλμὼς πολλὼς ποιῦσιν αὑτῶν κ̣ χεῖρας κ̣ πόδας Πγ 16. 1287 ᵇ30, 28. ὐδὲ ἡ χεὶρ ὐδ' ἄλλο τῶν μορίων ὐδὲν ἄνευ ψυχῆς ἢ ἄλλης τινὸς δυνάμεώς ἐστι χεὶρ ὐδὲ μόριον ὐθέν, ἀλλὰ μόνον ὁμώνυμον· ἀδύνατον δὲ ὁπωσῦν διακειμένην, οἷον χαλκὴν ἢ ξυ- 50 λίνην, πλὴν ὁμωνύμως Ζγα 19. 726 ᵇ22. β 1. 734 ᵇ30. Ζμα 1. 640 ᵇ35, cf 641 ᵃ6. Μζ 11. 1036 ᵇ31. (χεὶρ ζῴυ νευρόσπαστ' κ 6. 398 ᵇ18.) ἡ ψυχὴ κινεῖ τὰς χεῖρας· ἀδύνατον πρόσωπον ἢ χεῖρα ἢ σάρκα εἶναι ἢ ἄλλο τι μόριον μὴ ἐνύσης αἰσθητικῆς ψυχῆς· αἱ χεῖρες κινῦσι τὰ ὄργανα· ἡ ἀρχὴ 55 ἡ κινῦσα Ζγα 22. 730 ᵇ16, 18. β 5. 741 ᵇ10. Ζκ 8. 702 ᵃ33-ᵇ11. Φε 1. 224 ᵃ33. τῶν (δακτύλων τῶν χειρῶν) τὸ λαμβάνειν ἔργον κ̣ πιέζειν, ὥστε δεῖ μακρὸυς ἔχειν· εἰ μὴ ἦν χεὶρ ὅλως, ὐκ ἂν ἦν λῆψις· ἑτέρα πρὸς τὸ πιέσαι τῇ χειρὶ χρήσιμος δύναμις κ̣ πρὸς τὸ λαβεῖν Ζμδ 10. 690 ᵃ32, 60 687 ᵇ12. β 1. 646 ᵇ24. πῶς ὅμοια τὰς χεῖρας τὰ ἔκγονα.

γίνεται, πῶς γίνεται τέρατα Ζγα 19. 726 ᵇ15. 18. 722 ᵃ26. δ 4. 772 ᵇ17. — ταῦροι χεῖρας ὐκ ἔχυσι (ὁ Αἴσωπε Μῶμος διαμέμφεται) Ζμγ 2. 663 ᵇ8. — χειρὸς κινήσεις. χρῆσθαι χερσί, προσάγειν πρὸς τὸ στόμα τὰς χεῖρας Ζιβ 8. 502 ᵇ11, 10. η 10. 587 ᵃ28. ἡ χεὶρ περιλαμβάνει Ζμδ 10. 690 ᵇ1. παρασείειν τὰς χεῖρας, κινεῖν τὴν βακτηρίαν ἐν τῇ χειρί Ζπ 3. 705 ᵃ18. Ζκ 8. 702 ᵃ34. ἀνατείνειν τὰς χεῖρας πρὸς τὸν ὐρανόν κ 6. 400 ᵃ16. τρέμυσι τὰς χεῖρας, ναρκᾷν χεῖρας πκ̣ 6. 948 ᵃ36, 39. cf 948 ᵇ7, 9. ς 6. 886 ᵃ10. γίνεταί τις ἀπέρεισις ἐν τῇ διατάσει πρὸς τὰς χεῖρας κ̣ τῆς καρπῆς Ζπ 3. 705 ᵃ19. αἱ φοραὶ τῶν χειρῶν φ 3. 808 ᵃ14. — dicendi formulae. οἱ ζῶντες ἀπὸ τῶν χειρῶν οἱ χερνῆτες Πγ 4. 1277 ᵇ1. οἱ μὲν τῶν γραφικῶν (λόγοι) ἐν τοῖς ἀγῶσι στενοὶ φαίνονται, οἱ δὲ τῶν ῥητόρων εὖ λεχθέντες ἰδιωτικοὶ ἐν ταῖς χερσίν (i e ἀναγιγνωσκόμενοι) Ργ 12. 1413 ᵇ16. ὁ δὴς ὥσπερ εἰς τὴν χεῖρα τὴν (τῷ πράγματος, τῷ μύθῳ) ἀρχὴν Ργ 14. 1415 ᵃ14. εἴ τις οἴοιτο τὸ ὕδωρ κ̣ τὴν χιόνα κ̣ τὴν χάλαζαν ἐνυπάρχοντα πρότερον ἐκκρίνεσθαι κ̣ μὴ γίνεσθαι, οἷον ὑπὸ χεῖρα ποιήσης ἀεὶ τῆς συγκρίσεως ἕκαστον αὐτῶν μβ 9. 369 ᵃ33. ἡ πάμπαν ἀγοραῖα (φιλία) ἐκ χειρὸς εἰς χεῖρα Ηθ 15. 1162 ᵇ26. ηεη 10. 1242 ᵇ27. διὰ χειρὸς ἔχειν μᾶλλον τὴν πολιτείαν Πε 8. 1308 ᵃ27. ἄρχειν χειρῶν ἀδίκων Ρβ 24. 1402 ᵃ2. ρ 37. 1444 ᵇ13. κτεῖναι ἐν χειρὸς νόμῳ Πγ 14. 1285 ᵃ10.

5. vitae brevis signa plures in manu incisurae nec perpetuae; contra longae vitae in manu una aut duae incisurae longae f 261. 1526 ᵃ18, 20. τοῖς μὲν μακροβίοις (τὸ τῆς χειρὸς θέναρ διήρηται) ἑνὶ ἢ δυσὶ δι' ὅλυ, τοῖς δὲ βραχυβίοις δυσὶ κ̣ μὴ δι' ὅλυ· ὅσοι τὴν διὰ τῆς χειρὸς τομὴν ἔχυσι δι' ὅλης μακροβιώτεροι Ζια 15. 493 ᵃ33. πι 49. 896 ᵃ37. λθ 10. 964 ᵃ33.

6. τὸ ἀνάλογον τῆς χειρός. cf M 338. πρὸς τὴν ἀσφάλειαν ἀντὶ βραχιόνων κ̣ χειρῶν τῆς προσθίυς πόδας ὑπέθηκεν ἡ φύσις τοῖς τετράποσι, τοῖς πολυδακτύλοις Ζμδ 10. 686 ᵃ34, cf 687 ᵇ31. β 16. 659 ᵃ24. Galen III 176. τοῖς μώνυξιν ὧκ ἔχει τὰ πρόσθια σκέλη ἀνάλογον τοῖς ἀνύσιν κ̣ ταῖς χερσί Ζμδ 10. 688 ᵃ4. Galen III 175. τοῖς ἐλέφασιν ὁ μυκτὴρ ἀντὶ χειρῶν κ̣ Ζμδ 12. 692 ᵇ17. β 16. 658 ᵇ36, 659 ᵃ2. manus elephantorum Plin VIII 29. τοῖς κροκοδείλοις ἡ χρῆσις τῷ στόματος ἀνάλογον τῇ χειρί Ζμδ 11. 691 ᵇ14. οἱ καρκίνοι ἀντὶ χειρὸς ἔχυσι τὰς χηλὰς Ζμδ 11. 691 ᵇ17. cf 8. 683 ᵇ33. Ζια 1. 486 ᵇ20. οἱ πολύποδες τὰς πόδας κ̣ τὰς προβοσκίδας ἔχυσι πρὸς ἀλκὴν κ̣ τὴν ἄλλην βοήθειαν ἀντὶ χειρῶν Ζμδ 9. 685 ᵇ12. ἡ φύσις πολλοῖς τῶν ζῴων τὰς χεῖρας χρείας παρέξοντα τὸν τράχηλον ἀπειργάσατο Galen III 613, cf Ζμδ 12. 693 ᵃ8, 18.

χειροήθεια. προσδέχεσθαι τὰς χειροηθείας φ 5. 809 ᵃ33.

χειρόκμητος Οβ 4. 287 ᵇ16. μδ 3. 381 ᵃ30. χειρόκμητα τὰ φρεατιαῖα, syn χειροποίητος μβ 1. 353 ᵇ25, 33. τὰ χειρόκμητα, syn τὰ ποιύμενα, opp τὰ φύσει συνεστῶτα Φβ 1. 192 ᵇ30. f 17. 1477 ᵃ11. Bernays Dial 166.

χειροποίητος. στόματα χειροποίητα ma 14. 351 ᵇ33. ἡ θάλαττα ὐ χειροποίητος, syn χειρόκμητος μβ 1. 353 ᵇ33, 25.

χειροτέχναι Ηζ 8. 1141 ᵇ29. opp ἀρχιτέκτονες ΜΑ 1. 981 ᵃ31 Bz, ᵇ1.

χειροτονεῖν ἅπερ ἂν αὐτοῖς δοκῇ p 19. 1432 ᵇ31. χειροτονεῖν τὴς στρατηγὺς (ἐξυσίαν ἔχυσιν οἱ θεσμοθέται) f 374. 1540 ᵇ7. μετὰ τῶν ἐπιμελητῶν ὡς ὁ δῆμος ἐχειροτόνησεν f 385. 1542 ᵃ30. χειροτονεῖν προθύμως τινὰ στρατηγόν Πε 7. 1307 ᵇ12. στρατηγὸν χειροτονητέον τὸν πολεμικόν Ηι 2. 1164 ᵇ24. — χειροτονῆται ἀρχαί, opp κληρωταί p 3. 1424 ᵃ14.

χειροτονίας ἐστερῆσθαι ρ39. 1446 b22. οἱ θεσμοθέται τὰς εἰσαγγελίας εἰσαγγέλλωσιν εἰς τὸν δῆμον ὴ τὰς χειροτονίας f 378. 1540 b44.

χειρⱳργεῖν. πότερον δεῖ μανθάνειν αὐτὸς ᾄδοντάς τε ὴ χειρⱳργⱳντας ἢ μή Πθ 6. 1340 b20. 7. 1342 a3.

χειρⱳργικός. ὄργανα μⱳσικά, τὰ δεόμενα χειρⱳργικῆς ἐπιστήμης Πθ 6. 1341 b1.

χειρⱳσθαι. χειρώσασθαι τὰς νήσας, Αἴγυπτον Πβ 10. 1271 b38. Ρβ 20. 1393 a32. φρονίμως δοκεῖ ἡ γαλῆ χειρⱳσθαι τὰς ὄρνιθας Ζυ 6. 612 b1.

χείρων, χείριστος, cf κακός p 359 a11. χείρων, opp βελτίων Πη11. 1282 a16. τὸ χεῖρον τⱳ βελτίονος ἕνεκέν ἐστι Πη14. 1333 a2. ἡμ 10. 1208 a13, 17. μεταλαμβάνειν ὴ τⱳ χείρονος ὴ τⱳ βελτίονος Ζγβ1. 731 b28. πρὸς τὸ βέλτιον ἢ χεῖρον Ζμβ 2. 648 a16. βέλτιον κεχωρίσθαι τὸ κρεῖττον τⱳ χείρονος Ζγβ1. 732 a5. τὰ χείρονα (τῶν ζῴων), opp τὰ φρονιμώτερα Ζγγ 2. 753 a9, 10. χεῖρον, syn βλαβερόν Ρα3. 1358 b24, 22. ⱳ χεῖρον, melius, Πβ11. 1272 b35. ⱳ χεῖρον ἐπελθεῖν, ἐπισκέψασθαι Ηδ 13. 1127 a14. Πζ 1. 1316 b28. — χείριστος. ὅταν τέκῃ· διὸ ὴ χείριστοι (int ad comedendum) γίνονται, ⱳ γὰρ νέμονται κατὰ τⱳτον τὸν χρόνον Ζιε 12. 544 a14. cf 13. 544 b11. 14. 546 a8. τότε χείριστον ἔχⱳσι τὸ ἄνθος Ζιε 15. 547 a21. συνέστηκεν ὁ ἄνθρωπος ⱳ καλῶς ἀλλὰ χείριστα Ζμδ 10. 687 a24. χείριστα λέγεται, ἀνάγκη γὰρ εἰς μίαν δόξαν συμβαίνειν δύο ἁμαρτίας Μμ 8. 1083 b2.

Χείρων ηεγ 1. 1230 a2.

χειρωνάξιον οβ 1346 a4.

χελιδονία. οἱ μελισσεῖς ... τὰς χελιδονίας (ci Aub, χελιδόνας codd Bk) τὰς πλησίον τῶν σμηνῶν ἐξαιρⱳσι Ζυ40. 626 a12 ('χελιδόνας est pro χελιδόνων νεοττιὰς' S II 211).

χελιδών. 1. avis. refertur inter τῶν ὀρνέων τὰ ἄγρια, τὰ μικρά Ζιε 13. 544 a26. β17. 509 a8. cf Ζγδ 6. 774 b29, τὰ σαρκοφάγα Ζιζ 5. 563 a13. θ3. 592 b16. τὰ μονότοκα Ζιγ 12. 519 a6. cf χ6. 799 b17, τὰ πολυτόκα ὴ ὅμοια τῷ ἄποδι Ζγδ 6. 774 b29. Ζια 1. 487 b26. ι30. 618 a32 (cf Müllenhoff, Hermes II 254). εὔπτερον ὴ κακόπⱳν ἐστίν, ἡ κνήμη ⱳ δασεῖα, χολὴ πρὸς τοῖς ἐντέροις, κοιλία μακρὰ Ζια 1. 487 b21. ι30. 618 a33. β16. 506 b21. 17. 509 a8. 40 — ἀμφότερα (mas et femina), οἱ νεοττοί, ἔτι νέοι ὄντες, τὰ τέκνα Ζυ 7. 612 b28, 31, 27. β 17. 508 b5. ζ 5. 563 a14. δὶς τίκτει, τίκτⱳσιν ἀτελῆ ὴ τυφλὰ Ζιε 13. 544 a26 Aub. Ζγδ 6. 774 b29. δὶς νεοττεύει, νεοττιὰ ἐκ πηλⱳ, ἡ σκηνοπηγία τις, στιβαδοποιεῖται Ζιζ 5. 563 a13. 1. 559 a5. 17. 612 a5 b21 Aub, 25. ἡ χελιδὼν φύσει ποιεῖ τὴν νεοττιὰν Φβ 8. 199 a26. τροφὴ τῶν τέκνων, συνήθεια, διδάσκⱳσιν αὐτὰ Ζυ 7. 612 b27, 28 Aub, 31. — ἀπέρχονται, ἅμα ταῖς φάσσαις, ἤδη ὠμμέναι πολλαί εἰσιν ἐν ⱳψ ἀγείρεις ἐψιλωμέναι πάμπαν Ζιθ 16. 600 a19 Aub, 25, 16 (cf Wiegmann, Archiv 1839, II 402, Humboldt Ansichten II 60). ἀδικⱳσι τὰς μελίττας Ζυ40. 626 a8, cf 12 Aub. ἐάν τις ἐκκεντήσῃ τὰ ὄμματα τῶν νεοττῶν, φασὶ φύεσθαι πάλιν Ζιβ 17. 508 b5. ζ 5. 563 a14. Ζγδ 6. 774 b31. χελιδὼν λευκή (Albino-Varietät) Ζιγ 1. 519 a7. χ6. 798 a27. f 531. 1566 b14, 16, 19, 20 (S I 426). χελιδὼν μία ἔαρ ⱳ ποιεῖ Ηα 6. 1098 a18 cf παροιμία p 570 b38. χελιδόνας ἐν οἰκίᾳ μὴ δέχεσθαι (Pythag), τⱳτέστι λάλⱳς ἀνθρώπⱳς ὁμωροφίⱳς μὴ ποιεῖσθαι f 192. 1512 b9. τὸ Γοργίⱳ εἰς τὴν χελιδόνα Ργ3. 1406 b15. (hirundo Plin Thom Gazae Scalig. hirondelle C II 421. Hirundo urbica et rustica St. Cr. Su 122, 74. ΚαΖι 11, 40. Hi-

rundo rustica G 27. Κ 410. ΑΖγ 23. ΑΖι I 111, 116. cf E 54. Lnd 117.)

2. piscis. αἱ χελιδόνες αἱ θαλάττιαι ῥοίζⱳσι, πέτονται μετέωροι Ζιθ 9. 535 b27. cf v l β15. 506 b16. (Yrundo Thomae, hirundo Gazae Scalig. hirondelle de mer C II 427. cf R. X 1. Gesner de aquat in h v. Ar syn pisc 73. Exocoetus volitans K 484, St. Cr. Dactylopterus volitans Cuv Cuv IV 118, 11. J Müller, Archiv 1857. 253, 273. ΑΖι I 143, 79. hodie χελιδονόψαρον E 88, 28.)

χελλών f 299. 1529 b17. v χελών.

χελών (v l χελλών, χαλών, cf S I 288, 576). refertur inter τὰς κεστρέας, πότε ἄρχεται κύειν, πρὸς τῇ γῇ νέμεται, τροφῇ χρῆται ἄμμῳ ὴ ἰλύι Ζιε11. 543 b15. ζ17. 570 b2. f 299. 1529 b17, 19. ὁ κέφαλος, ὃν καλⱳσί τινες χελῶνα· τῶν κεστρέων ὁ μέν τις κέφαλος, ὁ δὲ χελλών Ζιθ2. 591 a23. cf ζ17. 570 b2. f 299. 1529 b17. (khelo Thomae, labeo Gazae Scalig. grosses-lèvres C II 398. def non potest K 648, 1. St. Cr. ΑΖι I 130, 31.)

χελώνη. refertur ad τὸ γένος τῶν ᾠοτόκων ὴ πεζῶν Ζμβ8. 654 a9. γ6. 669 a29, τὰ τρωγλοδυτικὰ τῶν τετραπόδων ὴ ᾠοτόκων Ζιε15. 713 a16. Ζιβ15. 506 a19. 16. 506 b27. 17. 508 a4. γ1. 509 b8, 510 b35. 15. 519 b15. θ9. 536 a8. 23. 540 a29. 5. 541 a11, τὰ φολιδωτὰ αν10. 475 b23. Ζγα3. 716 b25. Ζμγ8. 671 a15, 21. δ11. 691 a17. Ζιθ17. 600 b21. — τὰ σώματα φαύλης κράσεως Ζμγ 12. 673 b31. τὸ δέρμα ὀστρακῶδες, syn ὀστρακώδης ὴ πυκνὸν τὸ περιέχον (i e τὸ χελώνιον) Ζιθ17. 600 b21. Ζμγ8. 671 a19. cf β8. 654 a8. μαναὶ αἱ σάρκες Ζμγ8. 671 a20. τὰ σκέλη πῶς προσπεφυκότα Ζπ15. 713 a18. κοιλία ἁπλῆ ὴ μία Ζιβ17. 508 a7. τῆς καρδίας ἀφηρημένης ποιεῖται κίνησιν ζ2. 468 b15. cf 17. 479 a5. Langk Schol Ζμ p 19, 6. Lewes 114. πλεύμων ξηρὸς ὴ μικρός, μεῖζον ὴ κατὰ λόγον, ὀλίγαιμος, ἔχων ὀλίγην θερμότητα Ζμγ6. 669 a29. 8. 671 a18. αν1. 470 b20. cf 10. 475 b23. ἧπαρ φαύλον παντελῶς Ζμγ12. 673 b31. σπλὴν μικρὸς πάμπαν Ζιβ15. 506 a19. κύστις Ζιγ15. 519 b15 Aub. ε5. 541 a9. Ζμγ8. 671 a15, 24 (F 296, 53). δ1. 676 a29 (Langk Schol Ζμ 32). Ζγα13. 720 a6. eius ὑπόστασις Ζμγ8. 671 a22. ὄρχεις ἐντὸς Ζιγ1. 509 b8. Ζγα3. 716 b25. ὑστέρα, descr Ζιγ1. 510 b35. πόροι Ζγα3. 716 b25. v infra 1 b61. μέλανα ὴ τραχέα ἀπὸ τⱳ ἐντέρα Ζιθ4. 529 a23. cf 5. 530 b34. — ἡ θήλεια Ζιε5. 541 a10. v l b61. coitus Ζιε3. 540 a30 Aub. τίκτει ἐν τῷ ξηρῷ, ᾠὸν τέλειον, κατορύττει τὰ ᾠὰ σκληρόδερμα ὴ δίχροα, πῶς ἐπωάζει, ἐκλέπεται τὰ ᾠὰ τῷ ὑστέρῳ ἔτει αν10.475 b30. Ζγβ1. 732 b4. 33. 558 a4. Ζιε 7. — ἡ κίνησις νωθὴς ἰσχυρῶς, ἀφίησι σιγμὸν μικρὸν Ζιβ11. 503 b9. θ9. 636 a8. πολὺν χρόνον μένⱳσιν ἐν τοῖς ὑγροῖς, πῇ καθεύδει αν1. 470 b18. cf 10. 475 b28, 30. ὅταν ἔχεως φάγῃ ἐπεσθίει τὴν ὀρίγανον Ζυ4. 612 a24, 28 Aub. Ηιι 831 a27. Beckm. cf Müllenhoff, Hermes II 257. (tortuca Thomae, testudo Gazae Scalig. tortue C II 811. S Naturgesch der Schildkröten p 72, 113, 123, 161, 166, 226. Duméril et Bibron Erpétologie II 42, 56. M 311. ΚαΖι 82, 8. ΚαΖμ 45, 5. F 296, 53. Su 174, 1. hodie ἀχελώνα E 72.) — dist ἡ χελώνη ὴ θαλαττία ὴ ἡ χερσαία Ζιε3. 540 a29. β17. 508 a5. 16. 506 b27. αν10. 475 b28. a. ἡ θαλαττία. τὸ στόμα ἰσχυρότερον πάντων· οἱ νεφροὶ ὅμοιοι τοῖς βοείοις Ζιθ2. 590 b5 Aub. β16. 506 b29. σαρκώδης ὴ ἔναιμος ὁ πλεύμων ὴ ὅμοιος τῷ βοείῳ Ζμγ8. 671 a17. κύστις μεγάλη Ζμγ8. 671 a24 (cf Schol p 30). Ζιβ16. 506 b27 Aub. ἡ θαλαττία (ci S Pik, θήλεια Bk) ἕνα πόρον ἔχει, καίτοι

κύστιν ἔχυσα· τίκτυσιν ἐν τῇ γῇ ὅμοια τοῖς ὄρνισι τοῖς
ἡμέροις κỵ κατορύξασαι ἐπῳάζυσι τὰς νύκτας· πολὺ πλῆθος
ᾠῶν, εἰς ἑκατὸν Ζιε5. 541 ᵃ10 Aub. 33. 558 ᵃ11, 13. ζῆν
ᾗ δύνανται χωριζόμεναι τῆς τῦ ὕδατος φύσεως· πότε πονῦσι
κỵ ἀπόλλυνται· τὰ κογχύλια νέμονται· κỵ πόαν νέμεται 5
Ζιθ2. 589 ᵃ26, 590 ᵇ4, 7 Aub. (Chelonia cephalo B III 61,
tab VII et VIII. St. Cr. ΑΖι I 120, 17. cf E 71. S ibid
122, 220, 226. F 296, 54. Chelonia caretta Su 174, 2.)
— b. αἱ χερσαῖαι ἔχυσι κύστιν μικρὰν πάμπαν Ζμγ8. 671
ᵃ25. v Schol p 30. (Testudo graeca et marginata.) 10
χελώνιον. ἐπόντων τῶν χελωνίων (v l χελωνιδίων) αν17. 479
ᵃ6. ἡ μαλακότης τῦ χελωνίυ Ζμγ9. 671 ᵃ32 (χελώνειον
Schol ad Ζμ p 31, 2). syn τὸ δέρμα ὀστρακῶδες, τὸ πε-
ριέχον v χελώνη p 849 ᵇ27.
χερνής. χερνῆτες Πγ4. 1277 ᵃ38. 15
χερνητικός. τὸ χερνητικόν (πλῆθος εἶδος) Πδ4. 1291 ᵇ25.
χερσαῖος (M 140). opp ἔνυδρος Ζια1. 487 ᵃ16. 148. 631
ᵃ22. τζ 6. 144 ᵇ37. ὁ πέρδιξ χερσαῖος f 270. 1526 ᵇ46.
(τρόπον τινὰ ἅμα χερσαῖος κỵ ἔνυδρος Ζμδ11. 690 ᵇ22.)
τὰ φυτὰ ὡσπερανεὶ ὄστρεα χερσαῖα, τὰ δ᾽ ὄστρεα ὥσπερ- 20
ανεὶ φυτὰ ἔνυδρα Ζγγ1. 761 ᵃ31. opp θαλάττιος. ἐχῖνοι,
κοχλίαι χερσαῖοι Ζγε3. 781 ᵇ35. Ζιδ4. 528 ᵃ8. χερσ-
σαῖα, στρομβώδη χερσαῖα Ζμγ8. 671 ᵃ18. 9. 671 ᵃ28.
Ζιβ17. 508 ᵃ5. δ4. 529 ᵃ15 al. opp ἔνυδροι, θαλάττιοι,
ὄφεις χερσαῖοι Ζιβ14. 505 ᵇ6, 9, 14, 17. μύες χερσαῖοι 25
θ125. 842 ᵇ7. opp ποτάμιοι, κροκόδειλοι οἱ χερσαῖοι Ζιε33.
558 ᵃ15. cf Ζμδ11. 690 ᵇ22 al. — τὰ χερσαῖα, Land-
thiere. τῶν χερσαίων ὐδὲν μόνιμον Ζια1. 487 ᵇ7, cf Lewes
277. dist τὰ μὲν πτηνὰ τὰ δὲ πεζὰ Ζια1. 487 ᵇ18. τὰ
μὲν δέχεται τὸν ἀέρα κỵ ἀφίησιν, syn τῶν χερσαίων ὅσα 30
πνεύμονας ἔχει· τὰ ἔντομα· πολλὰ ἐκ τῦ ὑγρῦ τὴν τροφὴν
πορίζεται Ζια1. 487 ᵃ28, 30, 32, 34.
χερσεύειν. πλείως εἰσὶν οἱ πρότερον ἔνυδροι (τόποι) νῦν δὲ
χερσεύοντες μα14. 352 ᵃ23. — pass, ὐκ ἀεὶ ταῦτα ὕτε
χερσεύεται τῆς γῆς ὕτε πλωτά ἐστιν μα14. 353 ᵃ25. 35
χέρσος. ὐκ ἀεὶ τὰ μὲν γῆ τὰ δὲ θάλαττα διατελεῖ. ἀλλὰ
γίγνεται θάλαττα μὲν ὅπυ χέρσος, ἔνθα δὲ νῦν θάλαττα,
πάλιν ἐνταῦθα γῆ μα14. 351 ᵃ24. ἐγχώσεως γενομένης
ἐγένοντο λίμναι κỵ χέρσος, χρόνῳ δὲ γενομένῳ τὸ ἐναπολει-
φθὲν κỵ λιμνάσαν ὕδωρ ξηρανθέν ἐστιν ἤδη φρῦδον μα14. 40
352 ᵇ34.
χηλή. v ὁπλή. ὅπλον κỵ ὄργανον Ζμδ10. 687 ᵇ3. — 1. τὰ δι-
εσχιδῆ ἀντὶ τῶν ὀνύχων χηλὰς ἔχει Ζιβ1. 499 ᵇ9. σύνεγγυς
κατὰ τὴν ἁφὴν τοῖς ὀστοῖς, τὴν αὐτὴν ἔχει κέρατι φύσιν
Ζμβ9. 655 ᵇ4. γ2. 663 ᵃ29. cf Ζιγ9. 517 ᵃ8. τὰ χρώματα 45
τῆς χηλῆς Ζιγ9. 517 ᵃ12, 15. χ6. 797 ᵇ19. γίνονται γηρα-
σκόντων μείζυς Ζιγ11. 518 ᵇ33, cf 35. struthiocamelus ὑ
δακτύλυς ἔχει ἀλλὰ χηλάς Ζμδ14. 697 ᵇ22. — 2. Schee-
renfuss. πρὸς τὸ λαβεῖν χρήσιμον δεῖ εἶναι τὴν χηλήν· χεὶρ
πρὸς χηλὴν ἔχει κατ᾽ ἀναλογίαν· κάμπτονται εἰς τὸ ἐντὸς 50
Ζμδ11. 691 ᵇ19. cf 8. 683 ᵇ33. Ζια1. 486 ᵇ20. δ2. 525
ᵇ26. — οἱ κάραβοι κỵ οἱ καρκίνοι τὴν δεξιὰν ἔχυσι χηλὴν
μείζω κỵ ἰσχυροτέραν· οἱ καρκίνοι τὸ ἄνωθεν τῆς χηλῆς
κινῦσι μόριον ἀλλ᾽ ὐ τὸ κάτωθεν· ἀντὶ χειρὸς ἔχυσι τὰς
χηλὰς Ζμδ8. 684 ᵃ27, 683 ᵇ31. 11. 691 ᵇ18. cf Ζπ19. 55
714 ᵇ17. Ζιδ2. 525 ᵇ17. 3. 527 ᵇ5, 7. οἱ ἀστακοὶ ὁποτέραν
ἂν τύχωσιν ἔχυσι μείζω τῶν χηλῶν Ζμδ8. 684 ᵃ33, 34.
Ζιδ2. 525 ᵃ32, 526 ᵇ16. αἱ καρίδες ὐκ ἔχυσι χηλάς Ζμδ8.
684 ᵃ16. — χηλὰς ἔχει τὸ ἐν τοῖς βιβλίοις γινόμενον σκορ-
πιῶδες Ζιδ7. 532 ᵃ18. — 3. manus cheliformis. (καρκίνοι, 60
κάραβοι) τῇ δικρόᾳ χηλῇ προσάγυσι πρὸς τὸ στόμα τὴν

τροφὴν Ζιθ2. 590 ᵇ25. dentes in chelis v ὀδὺς p 498 ᵃ42.
χήμη (Lob Phryn 387). αἱ χῆμαι ἐν τοῖς ἀμμώδεσι λαμ-
βάνυσι τὴν σύστασιν Ζιε15. 547 ᵇ13. (chemae Thomae,
chamae Gazae Scalig. chames C II 190. cf S II 369, 375,
377. Chama St. K 663, 9. fort Donax Mr 245. in incert
rel ΑΖι I 184, 28.)
χήν, refertur inter τὰ μεγάλα, μείζω, βαρύτερα τῶν στε-
γανοπόδων Ζιζ6. 563 ᵃ29. γ1. 509 ᵃ30. θ3. 593 ᵇ22, τὰ
αἰσχυντηλὰ κỵ φυλακτικὰ Ζια1. 488 ᵇ23. πάντα τὰ τὺς
τραχήλυς ἔχοντα μικρὰς φθέγγονται βιαίως, οἷον οἱ χῆνες
ακ800 ᵇ23. ἔστι τι διὰ μέσυ τῶν σχισμάτων (ποδὸς) τοῖς
χησίν, στόμαχος εὐρὺς κỵ πλατύς, ἀποφυάδες ὀλίγαι κά-
τωθεν κατὰ τὴν τῦ ἐντέρυ τελευτήν, αἰδοῖον φανερώτερον
ὅταν ἡ ὀχεία πρόσφατος ᾖ Ζιβ1. 499 ᵃ28. 17. 509 ᵃ3, 21,
ᵇ30. ὀχευθεῖσαι κατακολυμβῶσιν, αἱ θήλειαι ἐπῳάζυσι
μόναι, λ᾽ ἡμέρας Ζιζ2. 560 ᵇ10. 8. 564 ᵃ10. 6. 563 ᵃ29.
ἀνόχευτοι νεοττίδες τίκτυσαι ὑπηνέμια Ζιζ2. 559 ᵇ23, 29.
cf Ζγγ1. 751 ᵃ12. (anser Thom Scalig. anser vel anser
maior Gazae. oie C II 602. Anser cinereus var domesticus
K 414. St. Cr. ΚαΖι 18, 74. ΑΖι I 111, 117. Su 153,137.)
— dist ὁ μικρὸς χὴν ὁ ἀγελαῖος Ζιθ3. 593 ᵇ22. 12. 597
ᵇ30. (fort Anser ferus vel cinereus ΑΖι ibid. A albifrons
vel segetum Su 153, 138. cf S I 600. hodie ἀγριόχηνα
E 52, 57 et 58. Lnd 157.)
χηναλώπηξ refertur inter τὰ βαρύτερα τῶν στεγανοπόδων·
ᵗᾠὰ ὑπηνέμια Ζιθ3. 593 ᵇ22. ζ2. 559 ᵇ29. (cinalopex Tho-
mae, vulpanser Gazae Scalig. oie-renard C II 603. Anas
tadorna L. Gesner s h v. S I 601. K 719, 2. St. Cr. fort
Chenalopex aegyptiaca Cuv regn an. ΑΖι I 112, 118. in
incert rel Su 153, 140.)
χήνειος. χήνειον ᾠόν Ζιε33. 558 ᵃ22.
χηραμός. τὰς οἰκήσεις τῶν ὀρνίθων τινὲς περὶ τὰς χαράδρας
κỵ χηραμὺς ποιῦνται Ζιι11. 614 ᵇ35.
χηρεύειν. τελευτήσαντος χηρεύει ὁ ὑπολειπόμενος ὄρνις f 271.
1527 ᵃ11.
χῆρος, χήρα. ὁ προαπολείπυσι περιστεραὶ τὴν κοινωνίαν, πλὴν
ἐὰν χῆρος ἢ χήρα γένηται Ζιι7. 612 ᵇ34.
χηρῶν. Ἀταρνέυς ἔντροφος ἀελίυ χήρωσεν αὐγάς f 625. 1583
ᵇ21.
χθαμαλοπτῆται φρυνολόγοι Ζιι36. 620 ᵃ21.
χθαμαλός. φυτά τινα ἐν χθαμαλοῖς τόποις ζῶσιν φτα4.
820 ᵃ6.
χθόνιος κỵ ὑράνιος Ζεὺς κ7. 401 ᵃ25. χθόνιος πρηστὴρ τί ἐστιν
κ4. 395 ᵃ10.
χθὼν ἐπίπυρος (Emp 211) ψα5. 410 ᵃ4.
χιλιετὴς βίος ἢ μυριετὴς Ζγβ6. 745 ᵃ34.
χίλιοι Πβ3. 1261 ᵇ33. 9. 1270 ᵃ31. δ4. 1290 ᵃ34 al.
Χίλων Ρβ23. 1389 ᵇ3 (μηδὲν ἄγαν). Χίλωνος τὸ ἐγγύα
πάρα δ᾽ ἄτα νομίζυσι f 6. 1475 ᵃ27. — Χιλώνειος.
ἅπαντα ἀεὶ τὸ μᾶλλον ὑ σφοδρότερον ἁμαρτάνυσι (οἱ νέοι)
παρὰ τὸ Χιλώνειον Ρβ12. 1389 ᵇ3.
χίμαιρα. τίνα ποιεῖ γάλα τῇ χιμαίρᾳ Ζιγ21. 523 ᵃ1. in in-
cert rel omnes. cf Müller, Kuhn Zeitschr XIX 43.
χίμεθλον. ἔχων ὑπὸ ποσσὶ χίμεθλα Ργ11. 1412 ᵃ31, cf
Poeta incertus p 607 ᵇ4.
χίμετλον. τοῖς χιμέτλοις κỵ τὸ ψυχρὸν ὕδωρ συμφέρει κỵ
τὸ θερμόν πα53. 865 ᵇ38. 54. 866 ᵃ5.
Χίος Πα11. 1259 ᵃ13. δ4. 1291 ᵇ24. ε6. 1306 ᵇ5. — Χῖος
Πγ13. 1284 ᵃ40. ε13. 1303 ᵃ34. Χίοί τινες Ζγγ11. 763
ᵇ1. eorum inventum oeconomicum οβ1347 ᵇ35. Χίοι Ὅμη-
ρον ὐκ ὄντα πολίτην τετιμήκασι Ρβ23. 1398 ᵇ11. Δημό-

κριτος ὁ Χῖος Ργ9. 1409 b26. Ἱπποκράτης ὁ Χῖος μα6.
342 b36. πωλεῖσθαι τὰ Λέσβια κ̣ Χῖα θ104. 839 b7. —
μυρίας ἀστραγάλως Χίως (v l Κώως) βαλεῖν ἀμήχανον
Οβ12. 292 a29. τὰ χῖα καλώμενα Ζιβ1. 499 b29, cf κῶος
p 420 b5.

χιτών. 1. pars calcei. εἰ πρόσχισμα κ̣ κεφαλὶς κ̣ χιτὼν
δύναται γενέσθαι, κ̣ ὑποδήματα δυνατὸν γενέσθαι Ρβ19.
1392 a31, 33. — 2. membrana. ὁ ἔσχατος χιτὼν τῆς
καρδίας αν20. 480 a4. ὁ ὀμφαλός ἐστι χιτὼν Ζγδ8. 777
a26. ὁ θολὸς ἐν χιτῶνι ὑμενώδει Ζμδ5. 679 a1 (A Siebld
XII 388). σκώληξ ἐν χιτῶνι ἀραχνιώδει Ζιε32. 557 b16,
18, 20. τῷ ᾠῷ οἱ χιτῶνες οἱ περιέχοντες Ζιζ3. 561 a14. οἱ
χιτῶνες οἱ περιέχοντες τὸ κοίλωμα πν4. 483 b23. κερατο-
ειδὴς λεγόμενος χιτὼν Bsm probl ined p 332, 45.

χιών. περὶ χιόνος μα11. κ4. 394 a32. χιὼν πέπηγεν ὑπὸ
ψυχρᾷ μδ10. 388 b11. cf τὸ δ5. 127 a14. χιὼν κ̣ πάχνη
ταὐτόν, ἀλλὰ τὸ μὲν πολὺ τὸ δ᾽ ὀλίγον μα11. 347 b16.
ἅλες χαύνοι κ̣ λεπτοὶ ὥσπερ χιὼν μβ3. 359 a33. ἡ χιὼν
ἐστιν ἀφρός Ζγβ2. 735 b21. ἡ χιὼν λευκὴ φύσει Κ10. 12
b38. πονῶσιν αἱ ἀγελαῖαι βόες μᾶλλον ὑπὸ τῆς πάχνης
μετανιστάμεναι ἢ ὑπὸ χιόνος Ζιθ7. 595 b16. σκώληκες ἐν
χιόνι παλαιᾷ Ζιε19. 552 b7. τὰ ἀπὸ χιόνος κ̣ κρυστάλλω
ὕδατα φαῦλα f 206. 1515 b14 (Oribas I 624). — χιόνες,
coni νέφη, ὄμβροι, χάλαζαι κ4. 394 a16.

Χιωνίδης (ci, Χωνίδης codd) πυ3. 1448 a34.

χλαῖνα, dist χλαμύς f 458. 1553 a25 (Oribas III 683).

χλαμύς, dist χλαῖνα f 458. 1553 a25.

χλευάζειν, coni καταγελᾶν, σκώπτειν, ὑβρίζειν Ρβ2. 1379
a29. μήτε παθὼν μήτε χλευασθεὶς ὑπό τινων πκθ14. 952
b22.

χλευασία, coni ὕβρις, προπηλακισμός τζ6. 144 a6.

χλευαστής, coni ὑβριστής, ὀλίγωρος Ρβ3. 1380 a19. οἷς ἡ
διατριβὴ ἐπὶ ταῖς τῶν πέλας ἁμαρτίαις, οἷον χλευασταῖς κ̣
κωμῳδοποιοῖς Ρβ6. 1384 b10.

χλιαίνειν. κατὰ μικρὸν χλιαίνειν, dist πρὸς τὸ πῦρ φέρειν
πη18. 888 b40. χλιαίνειν ἀρτῶς, syn ἐπιθερμαίνειν, dist ὀπτᾶν
πκα25. 929 b31, 33. τὰ κέρατα τῶν νέων (βοῶν) χλιαινό-
μενα τῷ κηρῷ ἄγεται ῥᾳδίως ὅπη ἄν τις ἐθέλη Ζιθ7. 595
b12. ἔστιν ἡ ὀργὴ ἀπὸ τοῦ πυρός· πολὺ γὰρ τὸ πῦρ κατ-
έχοντες εἴσω χλιαίνονται πη20. 889 a17. — πιαίνειν κ5.
397 b1 codd, fort χλιαίνειν, cf πιαίνειν p 593 a15 et Did
praef p XIII.

χλιαρός. τὰ χλιαρὰ τῶν ναμάτων κ4. 395 b24. τὸ σῶμα
ἡμῶν ἀτμίδα τινὰ χλιαρὰν ἀφίησιν ἀφ᾽ ἑαυτῷ πι36. 884
b17.

χλοάζειν. φυτὰ χλοάζοντα φτα5. 820 b20. νεάζειν κ̣ χλο-
άζειν τὰ φυτὰ φτα1. 815 a33. — ἡ χλοάζουσα χροιά
φτβ8. 827 b17. φολὶς χλοάζουσα θ164. 846 b13.

χλοερός. χροιὰ χλοερά φτβ8. 827 b29.

χλοερότης φτβ8. 827 b19.

χλόη. πιαίνονται βόες χλόη κυάμων Ζιθ7. 595 b7. πεποίκιλται
ἡ γῆ χλόαις μυρίαις κ3. 392 b17.

χλύνην σῦν ἄγριον (Hom I 539) Ζιζ28. 578 b1.

χλωρεύς. πολέμιοι τῶν ὀρνίθων ποικιλίδες κ̣ κορυδῶνες κ̣
πίπρα κ̣ χλωρεύς, τρυγὼν κ̣ χλωρεύς· ἀποκτείνει γὰρ τὴν
τρυγόνα ἡ χλωρεύς Ζιι1. 609 a7, 25, 26. (khloreus Thomae,
luteus et lutea Gazae, chloreus Scalig. C II 222. cf S II
9, 480, 490. fort Falco lanarius K 943, 7. Cr. i q χλω-
ρίων Gesner s h v. in incert rel Su 161, 163. AZι I 112,
119.)

χλωρίς. inter τὰ σκωληκοφάγα refertur ἡ καλυμένη χλωρίς

διὰ τὸ τὰ κάτω ἔχειν ὠχρά, ἡλίκον κόρυδος, ᾠὰ δ᾽ ἦ ε΄,
νεοττιὰ descr, κόκκυξ τίκτει ἐπὶ δένδρου ἐν τῇ τῆς χλω-
ρίδος καλυμένης νεοττιᾷ Ζιθ3. 592 b17. ι13. 615 b32 Aub.
29. 618 a11 Anb. (khlaris Thomae, luteola Gazae, vireola,
chloris Scalig. verdier C II 832. S II 101, 461, 481, 490.
Loxia (Fringilla) chloris L K 865, 8. Su 120, 66. AZι I
112, 120. Motacilla fitis vel Loxia chloris St. Cr. cf Lnd
61. hodie φιάρι E 44, 20.)

χλωρίων. descr, πολέμιος κρὲξ χλωρίωνι (v l χλωριῶνι, χλω-
ριώνι, χλωρεείόνι), ὃν ἔνιοι μυθολογῦσι γενέσθαι ἐκ πυρκαϊᾶς
Ζυ22. 617 a28. 15. 616 b11 (v l χλωρός). 1. 609 b10. (khlo-
ris Thomae, vireo Gazae, floriotus Alberto, vireo, virido
Scalig. chlorion C II 223. cf S II 123, 481, 490 sq. Orio-
lus galbula K 946, 6. St. Su 117, 61. AZι I 112, 121.
fort i q χλωρεύς Cr. cf Lnd 82. hodie κιτρινοπῦλι συκο-
φάγος E 51, 12.)

χλωρός. χλωρὰ ξύλα, φύλλα, δένδρα, κιττός μβ4. 361 a19.
γ4. 374 a5. Ζιε19. 551 a15. ι5. 611 b19, 20. πιβ3. 906 b8
(opp αὖα). τὰ σφόδρα χλωρὰ ἄκαυστα μδ9. 387 a22. οἱ
σίκυοι, ἐάν τις εἰς φρέαρ ἀποστεγάσῃ, γίνονται δι᾽ ἔτυς
χλωροὶ πκ14. 924 a38. metaph, χλωρὰ κ̣ ἔναιμα τὰ πράγ-
ματα Ργ3. 1406 b9, cf Γοργίας p 161 a37. — ὃ κελεύω
τὸ χρῶμα χλωρός· ἀλκυὼν τὸ χρῶμα χλωρὸν ἔχει Ζιθ3.
593 a9. ι14. 616 a5. τὰ ὕδατα χρονιζόμενα κατ᾽ ἀρχὰς
γίνεται χλωρά· μελαινόμενον τὸ ὑγρὸν κ̣ τῷ χλωρῷ κε-
ραννύμενον γίνεται ποιῶδες χ5. 794 b27, 797 a23. τὰ χλωρὰ
κ̣ πωῶδη πλα19. 959 a25.

χνῦς. (θηρίον τι) ἐντίκτει τι χνῦ ἀνάπλεων Ζιθ27. 605 b15.

χόανος. ἐν εὐστέρνοις χοάνοισιν (Emp 211) ψα5. 410 a4.

Χοάσπης μα13. 350 a24.

χοή. χοαὶ κεκμηκότων κ6. 400 b22. σπένδομεν χοὰς τοῖς κα-
τοιχομένοις f 33. 1480 a12.

Χοηφόροι Aeschyli. ἡ ἐν Χοηφόροις ἀναγνώρισις πο16. 1455
a4. φέρεσι τὴν Ὀρεστείαν αἱ διδασκαλίαι Ἀγαμέμνονα,
Χοηφόρας, Εὐμενίδας, Πρωτέα σατυρικόν f 575. 1572 b22,
26.

χοῖνιξ. ὑπὲρ τοῦ ἀποθανόντος φέρειν χοίνικα κριθῶν οβ1347
a16. μηδ᾽ ἐπὶ χοίνικος καθῆσθαι (Pyth), οἷον μὴ ἀργὸν ζῆν
f 192. 1512 b4.

χοιρείαν κόπρον ἐπιθεῖναι ταῖς (φυτῶν τινων) ῥίζαις f 255.
1525 b5. φτα7. 821 a36.

Χοιρίλος, epicus, versus eius afferuntur Ργ14. 1415 a4, 16
(cf Ἀσία p 115 a6). οἰστέον παραδείγματα οἰκεῖα κ̣ ἐξ ὧν
ἴσμεν, οἷα Ὅμηρος, μὴ οἷα Χοιρίλος τθ1. 157 a16.

χοιροπίθηκος. τὸ τοῦ χαμαιλέοντος πρόσωπον ὁμοιότατον τῷ
τοῦ χοιροπιθήκου Ζιβ11. 503 a19. fort leg κερκοπιθήκου Har-
duin ad Plin VIII, 51. S I 75, 93. τῷ τῷ χοῖρα ἢ πιθή-
κῳ ci Salmas Pl ex 613. AZι I 71, 27. (choriopithikus Tho-
mae, simia porcaria Gazae, simia quae rostrum prae se
fert porcinum Scalig. cochon-singe C II 236. Simia ro-
strata vel porcaria St. Cr. K 470. in incert rel Su 40, 4.
KaZι 71, 2. cf M 323.)

χοῖρος. τὰ μετάχοιρα ἐν τοῖς χοίροις Ζγβ8. 749 a2, 3. οἱ
πρῶτοι γενόμενοι τῶν χοίρων Ζμδ10. 688 a12. v ὗς.

χολάς τὸ κοινὸν ὑποχονδρίῳ κ̣ λαγόνος Ζια13. 493 a21, cf S
I 39. Da I 25.

χολή (nusquam in Ar scriptis legitur num plur. αἱ χολαὶ
Plat Tim 82E. Bsm probl ined 297, 1. i q χολῆς εἴδη
Plat Tim 83C). — 1. fel (Philippson ὕλη 41. F 304, 7.
S I 106. cystis fellea Alberto). περὶ χολῆς, διὰ τίν᾽ αἰτίαν
τὰ μὲν ἔχει τὰ δ᾽ οὐκ ἔχει τῶν ζῴων· τόπος οὗ τοῖς ἔχρυσιν

ἐπιφύεται ἡ χολή Zμβ2. Zιβ15. 506 ᵃ20-ᵇ24. 17. 508
ᵃ35-ᵇ2. ἔχει χολὴν τὰ πολλὰ τῶν ἐναίμων ζῴων· πῦ·
enumerantur Zμδ2. 676 ᵇ16, 677 ᵃ4, 24. Zια17. 496 ᵇ23.
β15. 506 ᵃ20, ᵇ6. 17. 508 ᵃ35. τὰ μὲν ὅλως ὐκ ἔχει χολὴν
sim, enumerantur, syn τὸ ἧπαρ ἄχολον, τὰ ἄχολα Zμδ2.
676 ᵇ26, 677 ᵃ34. γ12. 673 ᵇ24. Zια17. 496 ᵇ26. β15.
506 ᵃ22, 31, ᵇ5. Zγδ4. 771 ᵃ6. ἐν τοῖς γένεσι τοῖς αὐτοῖς
τὰ μὲν ἔχειν φαίνεται τὰ δ' ὐκ ἔχειν, enumerantur Zμδ2.
676 ᵇ29-677 ᵃ5. χολὴ ἰσομήκης τῷ ἐντέρῳ f 291. 1528
ᵇ34. τὸ ὑπὸ τῇ χολῇ τῦ ἥπατος γλυκύτατόν ἐστι Zμδ2.
677 ᵃ24. τῶν ἀρχαίων οἱ φάσκοντες αἴτιον εἶναι τῦ πλεῖω
ζῆν χρόνον τὸ μὴ ἔχειν χολήν Zμδ2. 677 ᵃ32. — 2. bilis.
refertur inter τὰ ὑγρὰ τῶν ὁμοιομερῶν, τὰ θερμὰ χ̔̄ χο-
χος ἔχοντα Zια1. 487 ᵃ4. Zμδ2. 647 ᵇ13. 3. 649 ᵇ31, τὰ
περιττώματα Zμβ2. 649 ᵃ26. δ2. 677 ᵃ12, 14, 26. Zιγ2.
511 ᵇ10. ἀποκάθαρμά ἐστι, σύντηξις Zμδ2. 677 ᵃ30, 14.
dist φλέγμα πα29. 862 ᵇ28. φλέγματός ἐστι πρώτη ὕλη
τὰ γλυκέα ἢ λιπαρά, χολῆς δὲ τὰ πικρά Μη4. 1044 ᵃ19.
χολὴ ἐπὶ τῦ ἥπατος ἢ ἔν τισι φλεβίοις sim Zμδ2. 677 ᵃ21.
Zιβ15. 506 ᵇ7-24. χολὴ ὑπερβάλλυσα Zμδ2. 677 ᵃ6. προΐ-
εσθαι χολὴν πιζ7. 948 ᵇ10. Anaxag sent χολὴν αἰτίαν ὖσαν
τῶν ὀξέων νοσημάτων refut Zμδ2. 677 ᵃ6, 9. cf πα6. 859
ᵇ5. Plat Tim 84 D. Hippocr ed Littré I 19. Da II 36. Ar-
chives des Missions scient. Paris 1864 II 75. οἱ λέγοντες
τὴν φύσιν τῆς χολῆς αἰσθήσεώς τινος εἶναι χάριν ὐ καλῶς
λέγυσιν Zμδ2. 676 ᵇ22 (cf Langkavel Schol ad Zμ p 33, 1.
v Πλάτων p 598 ᵇ17). χολὴ πολλή f 298. 1529 ᵇ11. cf Bsm
probl ined 311, 37. dist ἡ χολὴ ξανθή χ̔̄ μέλαινα Zιγ2.
511 ᵇ10 Aub (cf Rose lib ord 176). ὑγραίνεται ἡ ξανθὴ
Zμβ3. 649 ᵇ35. χολὴ πικρὰ χ̔̄ ξανθή ψγ1. 425 ᵇ1, 3. cf
Bsm p 311, 34, 27. ὁ χυμὸς χ̔̄ ἡ κρᾶσις ἡ τῆς μελαίνης
χολῆς πλ1. 953 ᵇ23. ἡ μέλαινα vδ.457 ᵃ31. πα19. 861
ᵇ20. λ1. 953 ᵃ13, 19, 954 ᵃ15, 21, 955 ᵃ30, 36. f 311.
1531 ᵃ14. cf Bsm 297, 1. 311, 26, 28 (cf Oribas I 653).
— 3. χολὴ ἐν τῇ τῆς ἐλάφυ κέρκῳ Zιβ15. 506 ᵃ24. v
ἔλαφος p 235 ᵃ33.

χολοβάφινος. τὰ χολοβάφινα χρυσᾶ φαίνεται κατὰ τὴν
αἴσθησιν τι1. 164 ᵇ24.

χολώδης. ὑγρότης χολώδης Zιβ15. 506 ᵇ3. ὐκ ἔχει ἡ κά-
μηλος ἀποκεκριμένην χολήν, ἀλλὰ φλέβια χολώδη μᾶλλον
Zμδ2. 676 ᵇ28. — τοῖς φλεγματώδεσιν ἢ χολώδεσιν ἢ
πυρέττυσι καύσῳ τί συμφέρει ΜΑ1. 981 ᵃ12. πα12. 860
ᵇ15.

χονδράκανθος. (τῶν ἰχθύων) τὰ ζῳοτοκῦντα χονδράκανθά
ἐστιν, οἷον τὰ σελάχη Zιγ7. 516 ᵇ15. cf 8. 516 ᵇ36. Zμδ13.
697 ᵃ8, 696 ᵇ4, 6. β9. 655 ᵃ23.

χόνδρος. 1. cartilago. refertur inter τὰ στερεὰ χ̔̄ ξηρὰ τῶν
ὁμοιομερῶν Zια1. 487 ᵃ8. χόνδρυ φύσις, descr Zιγ8. ὁ χόν-
δρος ὀστῦν πλγ18. 963 ᵇ14. τῆς αὐτῆς φύσεως τοῖς ὀστοῖς,
ἀλλὰ τῷ μᾶλλον διαφέρει χ̔̄ ἧττον· ὐκ αὐξάνεται ἂν ἀπο-
κοπῇ Zιγ8. 516 ᵇ31, 33. τὸ ἀνάλογον τῷ ὀστῦ ἐν τοῖς
ἰχθύσι τοῖς μὲν ἄκανθα τοῖς δὲ χόνδρος Zμβ8. 653 ᵇ36.
Zιγ2. 511 ᵇ7. μαλακὴ χ̔̄ μυξώδης ἡ τῦ χόνδρυ σύστασις
Zμβ9. 655 ᵃ37. χόνδροι ἄτρητοι, ἀμύελοι Zιγ8. 516 ᵇ35.
Zμβ9. 655 ᵃ35. τὸ ὖς ἐκ χόνδρυ χ̔̄ σαρκὸς σύγκειται, τῦ ὖς
μυκτῆρος διάφραγμα χόνδρος, περὶ ἔνια ἀκρωτήρια τῶν
ὀστῶν χόνδροι Zια11. 492 ᵃ16. γ8. 517 ᵃ4. αἱ τῆς κυνὸς
θηλαὶ ποτὲ χόνδρον ἴσχυσι Zιζ20. 574 ᵇ16. μεταξὺ τῶν τῶν
μαλακίων ὀφθαλμῶν μικρὸς χόνδρος Zιδ1. 524 ᵇ3, cf Mo
146. — 2. granum, alica. ὁ χόνδρος πλεῖον ὕδωρ δέχεται
ἢ οἱ πυροὶ ἐξ ὧν ὁ τοιῦτος ἐγένετο χόνδρος πκα21. 929

ᵇ1, 3. cf Oribas I 559, 619.

χονδρός (Lob Path I 406 adn). ἄλες, ὐ χονδροὶ ἀλλὰ χαῦνοι
χ̔̄ λεπτοὶ ὥσπερ χιῶν μβ3. 359 ᵃ32. ἄλφιτον ἀραιὸν χ̔̄ χον-
δρόν πκα9. 927 ᵇ35.

χονδρότυπος. τῦ μαλακοκρανέως κεφαλὴ μεγάλη χονδρό-
τυπος Zιι22. 617 ᵇ2.

χονδρώδης. ὑστέρας καυλὸς σαρκώδης σφόδρα χ̔̄ χονδρώδης,
δεσμοὶ χονδρώδεις, πλευμονος διαφύσεις χονδρώδεις Zιγ1.
510 ᵇ12. αι6. 495 ᵇ13, 9. ἡ ἀρτηρία χονδρώδης τὴν φύσιν,
syn τὸ χονδρῶδες μέρος αὐχένος ἡ ἀρτηρία, συνέστηκεν ἐκ
χονδρώδης σώματος Zια16. 495 ᵃ23. 12. 493 ᵃ7. Zμγ3.
664 ᵃ36. ἐλέφας ἔχει (τὸ τῦ μυκτῆρος ἄκρον) χονδρῶδες
Zιβ1. 497 ᵇ30 (SI 61). τὸ αἰδοῖον χονδρῶδες χ̔̄ σαρκῶδες,
opp νευρῶδες, ὀστῶδες Zιβ1. 500 ᵇ20, 22. cf α13. 493
ᵃ30. Zμδ10. 689 ᵃ29. χονδρώδη μόρια μεταξὺ τῶν κάμ-
ψεων οἷον στοιβῇ Zμβ9. 654 ᵇ25. ὀστᾶ χονδρώδη Zιζ12.
567 ᵃ9. Zμβ9. 655 ᵃ29. αἱ τευθίδες ἔχυσι τὸ στερεὸν χον-
δρῶδες χ̔̄ λεπτόν, λεπτὸν χ̔̄ χονδρωδέστερον, μικρὸν λίαν χ̔̄
χονδρῶδες Zμδ5. 679 ᵃ23. Zιδ1. 524 ᵇ27. f 318. 1532
ᵃ11. τὰ χονδρώδη τῶν καράβων, pedes spurii Zιε17. 549
ᵃ23, 25, ᵇ1. τὸ ἀνάλογον τοῖς ὀστοῖς χονδρῶδες ἐν τοῖς σε-
λάχεσι Zιγ8. 517 ᵃ2. v χονδράκανθος. τὸ χονδρῶδες περὶ
τὴν τῦ πολυπόδος κεφαλὴν γίνεται σκληρὸν Zιδ1. 524 ᵇ29,
'lederartige runde Scheibe' Mo 146.

χορδή. πότερον τῆς μιᾶς χορδῆς εἷς χ̔̄ ὁ αὐτὸς φθόγγος ἢ
ἀεὶ ἕτερος, ὁμοίως ἐχύσης χ̔̄ κινυμένης Φθ2. 252 ᵇ33. κρυ-
ομένων σφόδρα τῶν χορδῶν ψβ12. 424 ᵃ32. κατατείνων
χορδὴν σύντονον· χορδὴ τεταμένη νευρίνη Zγε7. 787 ᵇ23, 17.
βέλτισται τῶν χορδῶν εἰσιν αἱ λειότεραι χ̔̄ τοῖς πᾶσιν ὁμα-
λώταται ακ802 ᵇ14-18. αἱ παρανενευρισμέναι χ̔̄ τραχεῖαι
χορδαί Zιβ1. 581 ᵃ20. ακ804 ᵃ38. πια31. 902 ᵇ35. αἱ κα-
τεστραμμέναι χορδαὶ τὰς φωνὰς ποιῦσι σκληροτέρας ακ803
ᵃ28. αἱ λεπτότεραι χορδαὶ ὀξύτεραι· χορδαὶ ἐπιτεινόμεναι
ὀξύτερον φθέγγονται πια19. 901 ᵃ18. ιβ35. 920 ᵇ3. χορδαὶ
ἀντίφωνοι πιθ18. 919 ᵃ2. ἑπτὰ χορδαὶ ἡ ἁρμονία Μν6. 1093
ᵃ14 (cf ἁρμονία p 106 ᵇ6). πιθ32. 920 ᵃ16. πρὸς χορδὰς
τὸ αὐτὸ μέλος ᾄδυσιν ἀμφοτέρως πιθ9. 918 ᵃ23, Bojesen
p 75.

χορδότονον. τῶν χορδῶν μᾶλλον τὰ πρὸς αὐτῷ τῷ ζυγῷ
χ̔̄ τῷ χορδοτόνῳ κατατετάσθαι ακ803 ᵃ41.

χορεία. ἔνιοι τῶν περὶ τὰς χορείας σπυδαζόντων Zιη1. 581
ᵃ25. θεασάμενοι ἀστέρων εὐτάκτυς τινὰς χορείας f 13.
1476 ᵃ28.

χορεύειν χ̔̄ συνάδειν x6. 399 ᵃ12. τὸ παλαιὸν οἱ ἐλεύθεροι
ἐχόρευον πιθ15. 918 ᵇ21.

χορευτής, κορυφαῖος χ̔̄ παραστάτης Πγ4. 1277 ᵃ11. οἱ χο-
ρευταὶ φωνασκῦσι νήστεις ὄντες πια22. 901 ᵇ2.

χορηγεῖν οβ1347 ᵃ11. χορηγεῖν κωμῳδοῖς Ηδ6. 1123 ᵃ23.
σύνδυο ἔδοξε χορηγεῖν τὰ Διονύσια τοῖς τραγῳδοῖς χ̔̄ κω-
μῳδοῖς f 587. 1573 ᵇ32. ὑπὲρ τεσσαράκοντα ἔτη γενόμενον
χορηγεῖν παισίν f 431. 1549 ᵇ14. χορηγεῖν λαμπρῶς Ηδ4.
1122 ᵇ22. κεχορηγημένος τοῖς ἐκτὸς ἀγαθοῖς Ηα11.
1101 ᵃ15. x9. 1179 ᵃ11. 7. 1177 ᵃ30. ἀρετὴ κεχορηγημένη
Πδ2. 1289 ᵃ33. η1. 1323 ᵃ41. σῶμα κάλλιστα πεφυκὸς
χ̔̄ κεχορηγημένον Πδ1. 1288 ᵇ14. τὰ συμφορητὰ δεῖπνα
τῶν ἐκ μιᾶς δαπάνης χορηγηθέντων βελτίω Πγ11. 1281 ᵇ3.
βοτάναι βοήθειαν χορηγῆσαι· βοήθειαν χορηγεῖ ὁ ἥλιος φτα7.
821 ᵇ34. β6. 826 ᵇ38.

χορηγία. χορηγίαι χ̔̄ λαμπαδαρχίαι, λειτυργίαι δαπανηραὶ
Πε8. 1309 ᵃ19. — ἡ ἀρετή, τὸ ζῆν καλῶς δεῖται χορη-
γίας, χορηγίας συμμέτρυ, τυχηρᾶς, τῆς ἐκτὸς χορηγίας

(cf λειτυργεῖν) Πα6. 1255 ᵃ14. δ1. 1288 ᵇ40. 11. 1295
ᵃ28. η4. 1325 ᵇ38. 13. 1331 ᵇ41. Ηκ8. 1178 ᵃ24. τὸ διὰ
τῆς ὄψεως (in tragoediis) ἀτεχνότερον κ̀ χορηγίας δεόμενόν
ἐστιν πο14. 1453 ᵇ8. cf Vahlen Poet II 20. πολιτικὴ χορ-
ηγία Πη4. 1326 ᵃ5. πολλὴ χορηγία γίγνεται τῶν εὐτυχη- 5
μάτων Πη14. 1333 ᵇ17.

χορηγοί, dist πολιτικαὶ ἀρχαί Πδ15. 1299 ᵃ19. ὁ ἄρχων
ἔχει ἐπιμέλειαν χορηγοὺς καταστῆσαι εἰς Διονύσια κ̀ Θαρ-
γήλια f 381. 1541 ᵇ21.

χορικός. χορικαὶ ᾠδαί πιθ15. 918 ᵇ14. χορικὰ μέλη, χορικόν, 10
def πο12. 1452 ᵇ21, 22, 16. χορικὸν ἐν τραγῳδίᾳ ὔτε ὑπο-
δωριστὶ ὔτε ὑποφρυγιστὶ πιθ30. 920 ᵃ9.

χοροειδὴς ὑμήν Ζιζ 3. 561 ᵇ32, 562 ᵃ3, cf χοροειδὴς et
χόριον.

χόριον (v l saepius χωρίον, χόριον) cf ΑΖι II 18. ΑΖγ 14, 15. 15
οἱ μὲν ὑμένες τὰ δὲ χόρια, διαφέροντα τῷ μᾶλλον κ̀ ἧτ-
τον, ὁμοίως ἐνυπάρχωσιν ἔν τε τοῖς ᾠοτόκοις ταῦτα κ̀ ζῳο-
τόκοις Ζιγβ 4. 739 ᵃ31 Aub. — μεταξὺ τῆς ὑστέρας κ̀ τῦ
ἐμβρύυ τὸ χόριον κ̀ οἱ ὑμένες· τοῖς ζῳοτοκυμένοις τὸ χό-
ριον περιρρήγνυται· τῶν ἐμβρύων τὰ μὲν περιέχυσιν οἷον 20
ὑμένες, τὰ δὲ χόρια Ζιγβ 7. 745 ᵇ35, cf 746 ᵃ19. Ζιθ18.
601 ᵃ5, 1. η7. 586 ᵃ26. ἡ φώκη πῶς προΐεται τὸ χόριον·
ἡ ἔλαφος, ἡ ἵππος εὐθὺς ἐσθίει αὐτὸ Ζιζ 12. 566 ᵇ32. 22.
577 ᵃ7. 15. 611 ᵃ18, ᵇ24. — περὶ τὸ ὠχρὸν κ̀ τὸ χόριον
τὸ ὄστρακον τῦ ὠῦ περιπέφυκεν· ὁ ὀμφαλὸς συμπίπτει ὁ 25
περὶ τὸ χόριον· ὁ ἕτερος ὀμφαλὸς τείνει εἰς τὸ περιέχον χό-
ριον, syn τὸ ἔξω χόριον Ζιγγ 2. 754 ᵃ1, 10, 753 ᵇ30. Ζιζ 3.
562 ᵃ6. — οἱ ἰχθύες ὐκ ἔχυσι τὸν ἕτερον ὀμφαλὸν τὸν εἰς
τὸ χόριον τείνοντα, ὅ ἐστιν ὑπὸ τὸ περιέχον ὄστρακον Ζιγγ3.
754 ᵇ5 (cf Müller glatt Hai 11). χόριον κ̀ ὑμένες ἴδιοι 30
περὶ ἕκαστον γίνονται τῶν ἐμβρύων Ζιζ 10. 565 ᵇ11. —
τὸ ἔσχατον χόριον v l Ζιη7. 586 ᵃ26.

χοροδιδάσκαλος Πιγ13. 1284 ᵇ11.

χοροειδὴς (ἰ q χοριοειδής) ὑμήν Ζιγγ 2. 753 ᵇ23.

χορός Πιγ13. 1284 ᵇ12. οβ1353 ᵇ17. κ6. 399 ᵃ15. Ἀρίων 35
πρῶτος τὸν κύκλιον ἤγαγε χορὸν f 627. 1584 ᵇ1. τὸν χορὸν
δεῖ ὑπολαβεῖν ἕνα τῶν ὑποκριτῶν πο18. 1456 ᵃ25. ὁ χορὸς
κηδευτὴς ἄπρακτος πιθ48. 922 ᵇ26. τὰ τῦ χορῦ ἠλάττωσεν
Αἰσχύλος πο4. 1449 ᵃ17. χορὸς τραγικός, κωμικός Πιγ3.
1276 ᵇ4. οἱ ἐν τραγῳδίᾳ χοροὶ ὑθ᾽ ὑποδωριστὶ ὑθ᾽ ὑποφρυ- 40
γιστὶ ᾄδυσιν πιθ48. 922 ᵇ10. χορὸν κωμῳδῶν ὀψέ ὁ ἄρχων
ἔδωκεν πο5. 1449 ᵃ1. — χοροὶ μελετῶσι νήστεις ὄντες
πια46. 904 ᵇ3.

χορτάζειν. ὀχεύειν εἴωθε κάπρος χορτασθεὶς Ζιε14. 546 ᵃ9.
ὕες σταφυλῆς στεμφύλοις χορτασθέντες f 102. 1494 ᵇ19. 45

χόρτος. τὸν χόρτον εἰς μέλι βάπτοντες Ζιθ20. 605 ᵃ28.
τάφρον καταστεγάσαντες χόρτῳ κ̀ λίθοις Ζιθ20. 603 ᵃ5.

χῦς, ἰ q χοεύς. βλίττεται σμῆνος χοᾶ ἢ τρία ἡμίχοα, τὰ δ᾽
εὐθηνῦντα δύο χοᾶς ἢ πέντε ἡμίχοα Ζιι40. 627 ᵇ3, 4. τῦ
ἐλαίῳ εἰς χόα ὄντα δραχμῶν τεττάρων f 1347 ᵃ35. χω- 50
ρεῖ τέσσαρας χόας η129. 842 ᵇ5. σταλαγμὸς οἴνῳ μυ-
ρίοις χοεῦσιν ὕδατος ὃ μίγνυται Γα10. 328 ᵃ27.

χῦς (ἰ q χόος). αἱ ἀνθρῆναι τὸ σμῆνος μεῖζον ποιῦσιν ἐκφέ-
ρυσαι τὸν χῦν Ζιι42. 629 ᵃ11.

χρᾶν. 1. κομίζεσθαι ἀξιοῖ τὸ ἴσον, ὡς ὐ δεδωκὼς ἀλλὰ χρή- 55
σας Ηθ15. 1162 ᵇ33. — 2. τῆς Πυθίας συνεχῶς τῦτο
χρώσης τοῖς Λάκωσι μαντευομένοις f 357. 1538 ᵇ18. ἐν
Δελφοῖς ἐπηρώτα τὸν θεὸν πρότερον κεχρημένος Ὀλυμπίασιν
Ρβ23. 1398 ᵇ33.

χρεία. ἐν χρείᾳ εἶναί τινος Πα9. 1258 ᵃ16. ε11. 1313 ᵇ29. 60
ἐν χρείᾳ εἶναι Ηι11. 1171 ᵇ22. ε8. 1133 ᵇ7. διὰ τὴν τῦ

ποτῦ χρείαν Ζιθ28. 606 ᵇ24. τὰ ἐν χρείᾳ μείζονι χρήσιμα,
οἷον τὰ ἐν νόσοις Ρα7. 1365 ᵃ33. χρεία ἐστὶ φίλων, ἀργυ-
ρίϣ Ηι11. 1171 ᵇ24. οβ1351 ᵇ10. τὰ ἀναγκαῖα ἡ χρεία
διδάσκει αὐτῇ Πη10. 1329 ᵇ27. χρείαν ἔχων λύσασθαι
θ112. 841 ᵃ1. — ἡ πολεμική, εἰρηνικὴ χρεία, αἱ πολεμικαὶ 5
χρεῖαι, ἡ ἀλλήλων ἀναγκαία χρεία Πα5. 1254 ᵇ32. 3. 1253
ᵇ16. η8. 1328 ᵇ11. ζ8. 1322 ᵃ34, 1321 ᵇ16. ἀπαντᾶν εἰς
τὰς χρείας Ηθ7. 1158 ᵃ8. κατὰ τὰς χρείας κ6. 398 ᵃ26.
ἡ χρεία πάντα μετρεῖ, συνέχει Ηε8. 1133 ᵃ27, ᵇ7. κ̀ χω-
ρὶς τῆς χρείας ἀγαπῶνται δι᾽ αὐτὰς αἱ αἰσθήσεις ΜΑ1. 10
980 ᵃ22. χρείας χάριν πρὸς αὑτὸν Πιγ4. 1277 ᵇ5.
ἡ χρεία τῶν δῦλων κ̀ τῶν ἄλλων ζῴων παραλλάττει μι-
κρὸν Πα5. 1254 ᵇ24. τριχὸς χρείαν παρέχυσιν ἀλλ᾽ ὐ πο-
δῶν Ζιια6. 490 ᵇ30. ἡ φύσις καταχρῆται ἀντὶ τῆς τῶν
προσθίων ποδῶν χρείας Ζιμβ16. 659 ᵃ22. πρὸς ταύτας τὰς 15
χρείας τὸ στόμα χρήσιμον· τῆς αὐτῆς ἕνεκα χρείας τῆς
νεφρὸς ἔχυσι κ̀ τὴν κύστιν Ζιμδ10. 691 ᵇ8. γ7. 670 ᵇ28.
ὐδεμία χρεία ποδῶν τῶν ἐμπροσθίων· ὀλίγη χρεία τύτοις
τῆς γλώττης Ζιμδ10. 687 ᵃ6. 11. 690 ᵇ26. χρήσιμον τὸ
μὲν πρὸς τὸν συνδυασμόν, τὸ δὲ πρὸς τὴν τῦ ἄλλυ σώμα- 20
τος χρείαν Ζιμδ10. 689 ᵃ26. — ἱκανῶς πρὸς τὴν παρῦσαν
χρείαν, opp ἀκριβέστερον Οα3. 269 ᵇ21. — ἡ πρὸς ἀλλή-
λυς χρεία (i e ὁμιλία) Ρα15. 1376 ᵇ13.

Χρεμέτης ποταμός μα13. 350 ᵇ12. Humboldt Kosmos
II 412. 25

χρέμυς (v l χρέμυς), piscis, refertur inter τὰ λιθοκέφαλα
f 278. 1528 ᵃ2 (Rose Ar Ps 296). v χρομίς.

χρέμψ (χρέψ cod P, om nonnulli, Gaza, Aub. cf Lob Par
119.) refertur inter τὰς μάλιστα ὀξυηκόυς τῶν ἰχθύων
Ζιθ8. 534 ᵃ8 Aub. (kiremis Thom, chremps Scalig, C II 30
228. cf S I 237. quis sit nescimus.)

χρέος. ὃ τὸ χρέος, ὐ φίλος· ὐ γὰρ δανείζει, ἐὰν ᾖ φίλος,
ἀλλὰ δίδωσιν πκθ 2. 950 ᵃ31. ἀναγράφεσθαι τὰ χρέα εἰς
τὸ δημόσιον οβ1347 ᵇ35.

χρεών (i q χρή Ηα1. 1094 ᵃ28, ᵇ23. 10. 1100 ᵃ11. ι8. 1168 35
ᵇ11. κ8. 1178 ᵇ10. Ζμγ1. 661 ᵇ27. εἰ χρεὼν εἴη κ6. 398 ᵃ8.

χρή. αἴτια χρὴ νομίζειν· τίνα χρὴ λαβεῖν φύσιν al μα2. 339
ᵃ29. 7. 344 ᵇ19. 3. 339 ᵇ3. Πε9. 1309 ᵃ33 al. καίτοι ἐχρῆν
μβ7. 365 ᵇ16.

χρῄζειν. ζῇ ἐν ταῖς τοιαύταις δημοκρατίαις ἕκαστος ὡς βύ- 40
λεται κ̀ εἰς ὃ χρῄζων (?), ὥς φησιν Εὐριπίδης (f 883) Πε9.
1310 ᵃ33. — τὸ τρεφόμενον χρῄζει θερμότητος κ̀ ψυχρό-
τητος sim φτα1. 816 ᵇ14. 7. 821 ᵇ2.

χρῆμα. χρήματα λέγομεν πάντα ὅσων ἡ ἀξία νομίσματι με-
τρεῖται Ηδ1. 1119 ᵇ26. χρήματα, coni φίλοι Πε8. 1308 45
ᵇ18. coni τιμῇ Πβ7. 1266 ᵇ37. χρήματα κοινά, ἱερά Ηε7.
1131 ᵇ29. Πβ9. 1271 ᵇ11. ε4. 1304 ᵃ3. ἡ παράδοσις τῶν
χρημάτων Πε8. 1309 ᵃ11. ἀπαλείφυσιν (οἱ ἀποδέκται) τὰ
καταβαλλόμενα χρήματα f 400. 1544 ᵇ27. — χρημάτων
χρῆσις, κτῆσις Ηδ1. 1120 ᵃ8, 9. χρῆμα διχῶς λέγομεν 50
(χρῆσις καθ᾽ αὑτό, κατὰ συμβεβηκός) ηεγ4. 1231 ᵇ37. —
θεῖόν τι χρῆμα ἡ φιλοσοφία κ1. 391 ᵃ1.

χρηματίζειν περί τινος Πδ15. 1300 ᵃ1. Ρα4. 1359 ᵇ3.
χρηματίζειν περὶ ὧν ὅτι προβυλεύζεται Πδ14. 1298
ᵇ29. — προγράφυσιν οἱ πρυτάνεις ὑπὲρ ὧν δεῖ χρηματίζειν 55
f 394. 1543 ᵇ11. ἐπώνυμος ἄρχων· ἀφ᾽ ὗ ἡ πόλις χρημα-
τίζει (? cf ᵇ13) f 381. 1541 ᵇ20. — χρηματίζεσθαι ἀπὸ
τῶν κοινῶν Πιγ15. 1286 ᵇ15. Ηθ16. 1163 ᵇ8. αὔξυσιν οἱ
χρηματιζόμενοι τὸ νομίσμα Πη9. 1257 ᵇ34. ἐν πολλαῖς
ὀλιγαρχίαις ὐκ ἔξεστι χρηματίζεσθαι Πε12. 1316 ᵇ4. 60

χρηματισμός. ἡ διατριβὴ περὶ τὸν χρηματισμὸν Πα9. 1258

ᵃ5. φαῦλα πρὸς χρηματισμόν Ηη13. 1153 ᵃ18. δόξης χάριν τῆς εἰς χρηματισμόν τι11. 171 ᵇ27. — universe i q χρῆσις τῶν κτημάτων ηεγ4. 1232 ᵃ7.

χρηματισταὶ χ̣ φιλοχρήματοι Πε12. 1316 ᵃ40. ὁ σοφιστὴς χρηματιστής τι1. 165 ᵃ22. χρηματιστὴς βίος Ηα3. 1096 ᵃ5.

χρηματιστικός. ἐστι τῦ χρηματιστικῦ θεωρῆσαι πόθεν χρήματα Πα8. 1256 ᵃ15. — χρηματιστικαὶ τέχναι, κοινωνίαι ηεα4. 1215 ᵃ31. η9. 1241 ᵇ26. περὶ χρηματιστικῆς Πα8-11. χρηματιστική, dist οἰκονομική, καπηλική al Πα3. 1253 ᵇ14. 9. 1257 ᵇ18. ἡ σοφιστικὴ χρηματιστικὴ τι11. 171 ᵇ28. βυλευόμεθα περὶ τῶν κατὰ χρηματιστικήν Ηγ5. 1112 ᵇ4. ἡ χρηματιστική, i e universe ἡ χρῆσις τῶν κτημάτων ηεγ4. 1231 ᵇ39-1232 ᵃ8. τὰ χρηματιστικά ηεα7. 1217 ᵃ39. — τὸ Θάλεω χρηματιστικόν Πα11. 1259 ᵃ20. τὸ χρηματιστικόν (pars civitatis), dist τὸ πολεμικόν al Πδ4. 1291 ᵇ21.

χρῆσθαι, opp κτᾶσθαι Πα7. 1255 ᵇ32. χρῆσθαι τῇ ἐπιστήμῃ, syn ἐνεργεῖν ηεβ9. 1225 ᵇ12. χρῆσθαι, opp ποιεῖν Πυ4. 1277 ᵃ35. Φβ2. 194 ᵇ2. — χρῆσθαι τῷ ἁλὶ δαψιλεστέρῳ, γάλακτι πλείονι Ζιη4. 585 ᵃ27. 12. 588 ᵃ4. χρῆσθαι κοιναῖς ταῖς γυναιξὶν Πβ3. 1261 ᵇ25. χρῆσθαι καθαρωτάτῳ αἵματι, ξηραῖς σαρξὶν αν13. 477 ᵃ21. φ6. 813 ᵇ12, 17, 21, 24. χρῆσθαι λάβρως τῇ βρώσει Ζιθ5. 594 ᵇ18. ἀγχίνως χρήσασθαι χ̣ λόγῳ χ̣ ἔργῳ αρ4. 1250 ᵃ34. χρῆσθαι ἀφροδισίοις, τόκοις πλείοσιν, ὀλίγῃ κινήσει Ζιη1. 581 ᵇ15, 582 ᵃ27. 3. 583 ᵇ28. Ζμδ8. 684 ᵃ8. πρὸς τὸ χρῆσθαι τῷ λόγῳ χ̣ ταῦτα (ὀδόντες, χείλη) Ζμβ16. 659 ᵇ33. κεχρῆσθαι διαφοραῖς τισιν Μη2. 1042 ᵃ31. φ4. 809 ᵃ8. — τοῖς μὲν Ἕλλησιν ἡγεμονικῶς, τοῖς δὲ βαρβάροις δεσποτικῶς χρώμενος f 81. 1489 ᵇ30. χρῆσθαι πολιτικώτερον τοῖς ἀπογόνοις Πδ1. 589 ᵃ2. εὖ, μετρίως χρήσθαί τινι Πε8. 1308 ᵃ5. 12. 1315 ᵇ15. χρῆσθαι σφίσιν αὐτοῖς καλῶς Πε6. 1306 ᵃ12. — χρῆσθαι τῇ ἡλικίᾳ τινὸς Πε10. 1311 ᵇ18. — ὐδὲν αὐτοῖς διὰ τὴν λειότητα δύνανται χρῆσθαι (syn ὐ δύνανται κρατεῖν) Ζιθ2. 590 ᵇ19, 15. — πολλοὶ ὕτω χρῶνται (i e ὕτω νομίζυσι, τύτῳ τῷ ἔθει χρῶνται) τῶν βαρβάρων f 155. 1504 ᵃ25. — constr, χρῆται τῷ ὑποδήματι, ἀλλ᾽ ὐ τὴν οἰκείαν χρῆσιν Πα9. 1257 ᵃ12. χρῶνται ποσὶ ταῖς ἀκάνθαις Ζμδ5. 681 ᵃ9. χρῆσθαί τινι μέσῳ χ̣ τελευτῇ χ̣ ἀρχῇ Φθ8. 262 ᵇ5. χρῆσθαί τινι ὡς τινι (καθάπερ τινί), veluti χρῆσθαι τῇ ἀρετῇ πρὸς αὐτόν, πρὸς ἕτερον Ηε3. 1129 ᵇ32, 1130 ᵃ6. χρῶνται ποσὶν ἵν᾽ ᾖ χρήσιμα πρὸς πορείαν Ζμδ10. 687 ᵇ28. τροφῇ χρῶνται ἀλλήλυς ἐσθίοντες Ζιθ2. 592 ᵃ24. τὰ ἀπὸ τῶν ἄλλων τελῶν αὐτοῖς προσπορευόμενα ἐχρῶντο εἰς διοίκησιν τῆς πόλεως οβ1350 ᵃ7. — χρηστέον τινὶ Πα13. 1102 ᵃ27. ι3. 1165 ᵇ24. Πη3. 1325 ᵃ13. — (τῶν γραμμοποικίλων πλαγίαις τε ῥάβδοις κεχρημένων f 279. 1528 ᵃ12, κεχρωσμένων ci Heitz.)

χρήσιμος, def δι᾽ ὃ γίνεται ἀγαθόν τι ἢ ἡδονή Ηθ2. 1155 ᵇ19. χρήσιμον χ̣ ἄλλυ χάριν, opp δι᾽ αὐτὰ ἀγαπᾶσθαι Ηα3. 1096 ᵃ7. τὸ χρήσιμον, dist τὸ τέλος, τῶν τύτυ ἕνεκα χ̣ κινητικὴ ἀρχή Ζιγβ6. 742 ᵃ32, 28, 29. ἡ μὲν φύσις ἀεὶ τὸν αὐτὸν ἔχει τρόπον χ̣ ἁπλῶς, τὸ δὲ χρήσιμον μεταβάλλει πολλαχῶς μχ847 ᵃ16. χρήσιμον εἴς τι, πρός τι τα2. 101 ᵃ25. Ζιζ22. 576 ᵃ15. Ζμβ1. 646 ᵇ18. 17. 660 ᵃ19. δ11. 691 ᵃ32. Ζγγ10. 760 ᵇ13. Πβ9. 1271 ᵇ3. Ρβ1.1377 ᵇ18. Ηθ7.

1158 ᵃ30 al. εἰς ἄλλον καιρὸν χρήσιμος ἡ σκέψις Πυ3. 1276 ᵃ31, χρήσιμον ἐπί τι Ζμδ11. 691 ᵇ1, 24 al. χρήσιμον ἐπὶ τύτων Ζμγ1. 661 ᵇ27. sed saepe omissa re ad quam referatur, τὰ τότε ἀργὰ νῦν χρήσιμα γέγονεν μα14. 352 ᵃ14. cf δ2. 379 ᵇ29. τὸ γάλα πότε γίνεται χρήσιμον Ζιζ18. 573 ᵃ34. cf Ζγδ8. 776 ᵃ16. τροφὴ χρησίμη, opp ἄχρηστος Ζγα18. 725 ᵃ4, 7. cf δ1. 765 ᵇ29. ὡς δέον τὴν μὲν χρήσιμον εἶναι τοῖν χεροῖν τὴν δὲ ἄχρηστον Πβ12. 1274 ᵇ14. τὰ χρήσιμα, dist τὰ ἀναγκαῖα Πδ15. 1299 ᵃ32. χρήσιμα et ἀναγκαῖα, opp καλά, ἐλευθέρια Πη14. 1333 ᵃ36. θ3. 1338 ᵇ2. Ρα5. 1361 ᵃ16. παιδεία ἀναγκαία, χρησίμη, opp ἐλευθέριος, καλή Πθ3. 1338 ᵃ31. εἰ περὶ πολιτείας τἆλλα λέγυσι καλῶς, τῶν γε χρησίμων διαμαρτάνυσιν Πδ1. 1288 ᵇ36. — ἡ διὰ τὸ χρήσιμον φιλία Ηθ10. 1159 ᵇ13 sqq. ἡ χρησίμη et ἡ χρήσιμος φιλία ηεη10. 1243 ᵃ2, ᵇ31. — fem χρησίμη τγ2. 117 ᵇ1, 2 (cf χρησίμη ᵃ37). Πβ12. 1274 ᵇ14. χρησιμωτέρα τι34. 183 ᵇ21. χρησιμώτερος, χρησιμώτατος Ζμγ2. 663 ᵇ19. δ11. 691 ᵃ25, ᵇ11, 15. — feminini forma et χρήσιμος et (fort paullo rarius) χρησίμη exhibetur. — χρησίμως Ζμα4. 644 ᵇ19.

χρῆσις, dist κτῆσις Ηα9. 1098 ᵇ32. δ1. 1120 ᵃ8. Πβ5. 1263 ᵃ3. ἡ χρῆσις ὑπερέχει (opp κτῆσις) Ρα7. 1364 ᵃ27. (τῆς αὐτῆς χρήσεως κτῆσις? Πα9. 1257 ᵇ37.) ἑκάστυ κτήματος διττὴ χρῆσις Πα9. 1257 ᵃ6. ηεγ4. 1231 ᵇ38. — χρῆσις, opp γνῶσις. τὰ πρὸς τὴν χρῆσιν, τὰ πρὸς τὴν γνῶσιν Πα11. 1258 ᵇ10. χρήσεως ἕνεκα, διὰ τὸ εἰδέναι ΜΑ2. 982 ᵇ21. αἱ μὴ πρὸς χρῆσιν ἐπιστῆμαι ΜΑ1. 981 ᵇ20. ὁρίζεσθαί τι πρὸς τὴν χρῆσιν Πυ2. 1275 ᵇ22. πρὸς τὰς χρήσεις ὐδὲν διαφέρει Πδ15. 1299 ᵃ28. — χρῆσις, opp ἔργον. τῶν μὲν ἔσχατον ἡ χρῆσις, τῶν δὲ ἕτερον παρὰ τὴν χρῆσιν τὸ γιγνόμενον ἔργον Μθ8. 1050 ᵃ24, 25, 30, 34. Πα4. 1254 ᵃ3. cf Ζμα5. 645 ᵇ18. ὅσων ἐστὶν ἔργον ἡ τῦ σώματος χρῆσις Πα5. 1254 ᵇ18. πρὸς τὴν ἀναγκαίαν χρῆσιν (συν πρὸς τὰς τοιαύτας ἐργασίας) Πα5. 1254 ᵇ29. δ4. 1291 ᵃ26. — χρῆσις πολιτικαὶ Πβ7. 1267 ᵃ22. χρήσεις νόμων ×6. 399 ᵇ18. — χρῆσις, syn ἐνέργεια, opp ἕξις Μθ8. 1050 ᵃ30, 35. ηεβ1. 1219 ᵃ14 (cf Ηα1. 1094 ᵃ4), 16, ᵇ2, 1220 ᵃ33. ημα3. 1184 ᵇ11, 16. 4. 1184 ᵇ31, 32, 34, 35. β10. 1208 ᵃ34-ᵇ2. Ηα9. 1098 ᵇ32, 33. ἀρετῆς ἐνέργεια χ̣ χρῆσις Πη8. 1328 ᵃ28. 13. 1332 ᵃ9 (cf χρῆσις σπυδαίαι ᵃ24). ἡ χρῆσις βέλτιον τῆς ἕξεως ηεβ1. 1219 ᵃ18. ημα3. 1184 ᵇ11, 15. 4. 1184 ᵇ32. ἀρετῆς χρῆσις, πρὸς ἄλλον Ηε3.1129 ᵇ31. 5. 1130 ᵇ20. ἡ χρῆσις τῶν εὐτυχημάτων Ηα11. 1100 ᵇ7. πρὸς ὀλίγας πράξεις ὀλίγων ὀργάνων ἡ χρῆσις Ζμδ10. 656 ᵃ2. ὥσπερ τῶν ἐκτὸς μορίων ὐ πᾶσι τῶν αὐτῶν χρῆσις Ζμγ4. 665 ᵇ3. πόρρωθεν ἡ χρῆσις τῆς ὄψεως sim Ζμβ13. 657 ᵇ25, 32, 658 ᵃ4. 17. 660 ᵇ19. δ11. 691 ᵇ22. ἀφηρημένης τῆς τῶν ποδῶν χρήσεως Ζμβ16. 659 ᵃ33. πρὸς ὠφέλειαν χ̣ χρῆσιν Ζμδ10. 690 ᵃ3. πρὸς ἄλλην χρῆσιν, πρὸς τὰς ἄλλας χρήσεις sim Ζμβ15. 658 ᵇ24. δ10. 687 ᵇ26. γ1. 661 ᵇ7. Ζγβ6. 742 ᵃ36. τὸ γνωμολογεῖν ταύτην ἔχει τὴν χρῆσιν, κοινὰς πᾶσι τοῖς εἴδεσι τὰς χρήσεις ἔχει Ρβ21. 1395 ᵇ12. γ18. 1419 ᵇ2 ρ7. 1428 ᵃ11. ἡ τῶν διαιρέσεων χρῆσις ἀσυλλόγιστος Αδ5. 91 ᵇ23. — ἡ πρὸς ἀλλήλυς χρῆσις Πυ9. 1280 ᵃ36. ἡ τῶν ἀφροδισίων χρῆσις, αἱ πρὸς ἄνδρα χρήσεις sim Ζιη1. 581 ᵇ13. ×4. 636 ᵃ39. Πβ4. 1262 ᵃ34. f 172. 1506 ᵇ33. πδ5. 887 ᵃ15.

χρῆσις, mutui datio, Ηε5. 1131 ᵃ4.

χρησμολόγοι, μάρτυρες περὶ τῶν ἐσομένων Ρα15. 1376 ᵃ1.

ἃ προσορίζονται τὸ πότε Ργ5. 1407 ᵇ5. — Σίβυλλα ἡ χρησμολόγος θ95. 838 ᵃ6.

χρησμὸς γίγνεταί τινι Πη16. 1335 ᵃ19. χρησμὸς περὶ τῶν Ἀνθηδονίων f 555. 1569 ᵇ45.

χρησμῳδεῖν. (τῶν στομίων) τὰ μὲν ἐνθυσιᾶν ποιεῖ τὰς ἐμπελάζοντας τὰ δὲ χρησμῳδεῖν κ4. 395 ᵇ28.

χρηστικὸς τῶν ὑπαρχόντων οα6. 1344 ᵇ26. δεσποτικὴ ἐπιστήμη ἡ χρηστικὴ δύλων Πα7. 1255 ᵇ31. ἡ πρακτικὴ χρηστική ἐστιν ηεβ1. 1219 ᵇ3.

χρηστοήθης Ρβ21. 1395 ᵇ17.

χρηστός. ὐκ ἔστιν ὑφαντικῆς ἔρια ποιῆσαι, ἀλλὰ χρήσασθαι αὐτοῖς ⅂ γνῶναι δὲ τὸ ποῖον χρηστὸν ἢ ἐπιτήδειον ⅂ φαῦλον ⅂ ἀνεπιτήδειον Πα10. 1258 ᵃ27. τροφὴ χρηστή, opp φαύλη Ζμβ3. 650 ᵇ1. τῶν ὑῶν αἱ μὲν εὐθὺς καλλίχοιροι μόνον, αἱ δ᾽ ἐπαυξανόμεναι τὰ τέκνα ⅂ τὰς δέλφακας χρηστὰς γεννῶσιν Ζιζ18. 573 ᵇ13. ἀμυγδάλη ⅂ ῥοιὰ μεταβάλλουσιν ἀπὸ τῆς ἰδίας κακίας διὰ γεηπονίαν εἰς τὸ χρηστότερον φτα7. 821 ᵃ36. — αἱ χρησταὶ μέλιτται, dist κηφῆνες, ἡγεμών Ζιι40. 624 ᵇ23, 30, 625 ᵃ16, 32, ᵇ33, cf μέλιττα p 453 ᵃ25. — ἦθος χρηστόν. περὶ τὰ ἤθη δεῖ στοχάζεσθαι (ἐν τῇ τῆς τραγῳδίας συστάσει) πρῶτον, ὅπως χρηστὰ ἦ᾽ ἕξει τὰ ἤθη χρηστά, ἐὰν φανερὸν ποιῇ ὁ λόγος ἢ ἡ πρᾶξις προαίρεσιν χρηστήν· ἐστι δὲ ἐν ἑκάστῳ γένει, ⅂ γὰρ γυνὴ ἐστι χρηστὴ ⅂ δῦλος, καίτοι τύτων τὸ μὲν χεῖρον, τὸ δὲ ὅλως φαῦλόν ἐστιν πο15. 1454 ᵃ17. (τὸ ἐλεεῖν ⅂ τὸ νεμεσᾶν) πάθη ἤθυς χρηστᾶ, syn ἐπιεικής Ρβ9. 1386 ᵇ13, 32. μάλιστα τὸ σπυδαῖας εἶναι ἐν τοῖς τοιύτοις καιροῖς ὄντας ἐλεεινόν, syn ἐπιεικής Ρβ8. 1386 ᵇ5, 35. (οἱ νέοι) ἐλεητικοὶ διὰ τὸ πάντας χρηστὺς ⅂ βελτίυς ὑπολαμβάνειν Ρβ12. 1389 ᵇ8. ἐκεῖνος ἔκρινε πασῶν μὲν ὑσῶν ἐπιεικῶν, οἷον ὀλιγαρχίας τε χρηστῆς ⅂ τῶν ἄλλων, χειρίστην δημοκρατίαν, φαύλων δὲ ἀρίστην Πδ2. 1289 ᵇ7. ⅂ 4. 1319 ᵃ34. κρίνειν ὀρθῶς τὰ χρηστὰ ⅂ τὰ μὴ χρηστὰ τῶν μελῶν Πθ5. 1339 ᵇ3. χρηστός et σπυδαῖος quomodo distinguantur cf Vhl Poet II 77.

χρηστὺς ποιεῖν, significat i q ἀποκτείνειν apud Arcades et Lacedaemonios f 550. 1569 ᵃ5, 9, 14.

χρηστότης ⅂ κακία καρπῶν φτα4. 819 ᵇ36. 7. 821 ᵇ40. χρηστότης ἀκολυθεῖ τῇ ἀρετῇ αρ8. 1251 ᵇ33.

χρηστοφιλία def Ρα5. 1361 ᵇ35-39, 1360 ᵇ20.

χρηστόφιλος def Ρα5. 1361 ᵇ38.

χρίειν. τῷ παρδαλείῳ χρίσαντες τὸ ἱερεῖον θ6. 831 ᵃ5.

χρίσις. ἡ τῦ ἐλαίῳ εἰς ἱμάτιον χρίσις, syn ἡ εἰς τὸ ἱμάτιον ἄλειψις πλη3. 966 ᵇ35, 39.

χρόα, cf χρῶμα. χρόα, syn χροιά πθ2. 889 ᵇ21. 7. 890 ᵃ35. 45 ὅσα πρὸς χρόαν πλη. — χρόα ἁπλῆ Ζγε6. 785 ᵇ28. χρόαι μὴ καθαραὶ διὰ τὸ μὴ ἐν ἀριθμοῖς εἶναι αι3. 440 ᵃ5. αἱ χρόαι ἅπασαι μεμιγμέναι ἐκ τριῶν, τῷ φωτὸς ⅂ δι᾽ ὧν φαίνεται τὸ φῶς ⅂ τῶν ὑποκειμένων χρωμάτων χ3. 793 ᵇ33. χρόα τριχῶν al Ζγε1. 778 ᵃ25. 3. 782 ᵃ4. — ἐκ τῦ τὴν χρόαν μέλαιναν Ζγβ2. 736 ᵃ11. μγ3. 372 ᵇ25. ἕως ἀν εἰς τὴν μέλαιναν ἔλθῃ χρόαν ⅂ ἀφανισθῇ εν2. 459 ᵇ17. χρωματίζεται ὁ αὐτὸς ἀὴρ παντοδαπὰς χρόας μα5. 342 ᵇ5. ἔχειν χρόαν φοινικὴν, φαύλην, μοχθηρὰν, παντοδαπήν μγ4. 374 ᵃ33. Ζιι8. 616 ᵇ35. 15. 616 ᵇ12. βι4. 505 ᵇ10. λαμβάνειν παντοδαπὰς χρόας μβ3. 359 ᵇ11. μεταβάλλειν τὴν χρόαν, τὰς χρόας Ζιγ12. 519 ᵃ8, 10. ι37. 622 ᵃ14. Ζμβ4. 650 ᵇ32. 6. 651 ᵇ26. Ζγβ6. 745 ᵃ22. ε5. 785 ᵇ11. πι7. 891 ᵇ14. ἐπαλλάττειν τὴν χρόαν Ζγδ4. 769 ᵇ35. — ἡ φαντασία τῆς χρόας αι3. 439 ᵇ6.

χροιά, cf χρῶμα, χρόα. λευκότης ⅂ μελανία ⅂ αἱ ἄλλαι

χροιαὶ Κ8. 9 ᵇ9. τῷ πυρρῷ ἢ ὠχρῷ ἢ ταῖς τοιαύταις χροιαῖς Κ8. 10 ᵇ17. cf χ3. 793 ᵃ27. χροιὰν ὕ φησιν εἶναι Δημόκριτος Γα2. 316 ᵃ1. τὴν χροιὰν ἐρυθρότεραι Ζιβ14. 505 ᵇ15. ἔχειν χροιὰν μέλαιναν, ὠχρὰν Ζιι40. 627 ᵃ13. βι11. 503 ᵇ10. τῆς χροιᾶς ἡ μεταβολὴ πῶς γίγνεται τῷ χαμαιλέοντι Ζβ11. 503 ᵇ2. χροιαὶ ὀξεῖαι, λευκέρυθροι φ2. 806 ᵇ4. αἱ χροιαὶ τί σημαίνυσιν φ2. 806 ᵇ3. 3. 807 ᵃ31-808 ᵇ10. 6. 812 ᵃ12-ᵇ12. — ἀπορροίας εἶναι τὰς χροιάς (χροίας Bk, v1 χρόας) ἄτοπον αι3. 440 ᵃ16. — οἱ Πυθαγόρειοι τὴν ἐπιφάνειαν χροιὰν ἐκάλυν αι3. 439 ᵃ31. cf Μν3. 1091 ᵃ16.

χρόμις et χρομίς (v1 χρέμις, χρενίς, χρωμίς, χρῶμις) refertur inter τὺς χυτύς. τὺς μάλιστα ὀξυφωνὺς τῶν ἰχθύων, ἅπαξ τίκτει, ἔχει λίθον ἐν τῇ κεφαλῇ, ἀφίησιν ὥσπερ γρυλισμὸν Ζιε9. 543 ᵃ2. δ8. 534 ᵃ9. 9. 535 ᵇ17. θ19. 601 ᵇ30. (chromis Thom Gazae Scalig C II 228. cf S I 237, 644 et hist lit pisc 98. Sciaena nigra K 603, 2, St. Cr. Sciaena aquila Cuv V 41. J Müller Archiv 1857 p 259, 263, 275. AΖι I 144, 82.) v chromis

χρονίζειν. intr, ὅταν ἐξίῃ (τὸ σπέρμα) χρονίσαν ἐν τῇ ὑστέρᾳ Ζιγ22. 523 ᵃ23. ὅταν χρονίζῃ τῦτο τὸ πάθος Ζικ7. 638 ᵇ17. ἂν χρονίζωσι Ζιδ10. 537 ᵃ7 Aub. ἐνδιατρίβειν (τὰς ἰχθῦς ἐν τῷ διελεῖν τὴν τροφήν) ὐχ οἷον τε χρονίζοντας Ζμγ14. 675 ᵃ7. χρονιζόντων ἐν τῇ γενέσει Ζγγ4. 755 ᵃ28. χρονίζοντος τῦ ἐμπεριειλημμένυ ὕδατος φτβ2. 823 ᵇ21. κεχρονικότες ⅂ μὴ ὑπόγυιοι τῇ ὀργῇ ὄντες Ρβ3. 1380 ᵇ5. ἐν τύτῳ χρονιστέον Ργ7. 1417 ᵇ30. — trans pass, τὸ πρῶτον (γάλα) παχύ ἐστι, χρονιζόμενον δὲ γίνεται λεπτότερον Ζιζ20. 574 ᵇ11. ὕδωρ παλαιύμενον ⅂ χρονιζόμενον sim χ6. 797 ᵇ5, 798 ᵇ9. 5. 794 ᵇ26, 795 ᵃ12. ἡ εὔνοια χρονιζομένη ⅂ εἰς συνήθειαν ἀφικνυμένη γίνεται φιλία Ηι5. 1167 ᵃ11. χρὴ τὰς διαφορὰς ὅτι τάχιστα διαλύειν ⅂ μὴ χρονίζεσθαι ρ3. 1424 ᵇ7. τὸ μνημονεύειν καθ᾽ αὐτὸ ὐχ ὑπάρχει πρὶν χρονισθῆναι μν2. 451 ᵃ30. τὸ ὅρον ὅσυ ἂν χρονίζηται ἐν τῷ σώματι πιγ1. 907 ᵇ22. cf κα4. 927 ᵃ31. αν9. 475 ᵇ5.

χρονικὴ ἀσθενείᾳ ⅂ βαρείᾳ φτα3. 818 ᵇ7.

χρόνιος ἀπυσία, ἀναβολή, εὐπορία Ηη6. 1157 ᵇ11. Ρα12. 1372 ᵃ35. Πζ5. 1320 ᵃ35. ὀπώρα χρόνιος Ζιθ28. 606 ᵇ2. τεταρταῖοι χρόνιοι γίνονται πα19. 861 ᵇ5. τῶν χρονίων (i e τῶν μακροβίων) ζῴων ⅂ τὰς γενέσεις εὔλογον εἶναι χρονιωτέρας Ζγδ9. 777 ᵃ34. χρονιωτέρα γένεσις Γβ4. 331 ᵇ11. χρονιωτέρα γίνεται ἡ πέψις, ἡ συμπλοκή, χρονιώτερος ὁ συνδυασμὸς Ζμγ14. 675 ᵃ28. Ζιε5. 540 ᵇ21. Ζγγ8. 758 ᵃ4. χρόνιον εἶναι τὸν συνδυασμὸν Ζγγ5. 755 ᵇ34. (πολὺ χρονιώτερον ⅂ μονιμώτερον Κ8. 8 ᵇ28 Bk. πολυχρονιώτερον Wz.) — χρονιώτερα ⅂ ἀπολύεται ἐστιν (i e μετὰ πλείω χρόνον λύονται) Ζγγ5. 756 ᵇ2. χρονίως τι δρᾶν Γα10. 328 ᵃ35.

χρόνος. 1. nominis χρόνος idem est apud Ar usus atque apud alios scriptores, ut pauca exempla attulisse sufficiat. χρόνῳ, χρόνῳ ποτέ μδ9. 387 ᵃ26. Πζ10. 1297 ᵇ10. ἀναβάλλεται τῷ χρόνῳ πάντα μα14. 353 ᵃ24. εἰς χρόνον Ηθ15. 1162 ᵇ27. σπάνιον τὸ διὰ χρόνυ· τὰ διὰ χρόνυ ἡδέα ἐστὶν Ρα11. 1371 ᵃ31, 29. διὰ πολλῦ χρόνυ μα6. 342 ᵇ31. κατά τινα χρόνον μβ3. 356 ᵇ33. ὑ διαμένει ὐδένα χρόνον μβ2. 355 ᵃ11. ἐν χρόνῳ μβ2. 355 ᵃ26. μικρὸν χρόνον Ζμβ17. 660 ᵇ17. ἐν τοσῷδε, ἐν ἐλάττονι χρόνῳ μα12. 348 ᵇ19, 21. τὸ ἐξαίφνης τὸ ἐν ἀναισθήτῳ χρόνῳ Φδ13. 222 ᵇ15. cf πγ10. 872 ᵇ10. (συγχεῖται ἡ θεωρία ἐγγὺς τῦ ἀναισθήτυ χρόνυ γινομένη πο7. 1450 ᵇ39, χρόνυ om ci Bz Ar St I 96.) χρόνοι μακροί· ἐν χρόνοις παμμήκεσιν μα14. 351 ᵇ20, 9. πολὺν χρόνον, ἐπὶ πολὺν (πλείω) χρόνον μα5. 342 ᵇ13. 12.

348 ᵃ28. 14. 352 ᵇ4, ᵃ3. εὑρῆσθαι πολλάκις ἤδη ἐν τῷ πολλῷ χρόνῳ Πη10. 1329 ᵇ26. χρὴ προσέχειν τῷ πολλῷ χρόνῳ ⅃ τοῖς πολλοῖς ἔτεσιν (ἔθνεσιν ci Bernays, cf Σιμωνίδης in Addendis) Πβ5. 1264 ᵃ2. ἐπὶ τῶν ἀρχαίων χρόνων, ἐν τοῖς ἀρχαίοις χρόνοις Πδ3. 1289 ᵇ36. ε4. 1303 5 ᵇ20. ἐκ πολλῶν ἐτῶν ⅃ παλαιῷ χρόνῳ f 40. 1481 ᵃ42, Vahlen Rh M 22, 146. ἐν τῷ παντὶ χρόνῳ Πδ16. 1300 ᵇ30. διὰ χρόνα πλῆθος, τῷ πλήθει τᾶ χρόνα μα14. 351 ᵇ21. Πβ8. 1269 ᵃ22. Ηθ14. 1161 ᵇ24. ἀναβολὴ χρόνα Ρα12. 1372 ᵃ34. ἀρχαὶ διῃρημέναι κατὰ χρόνον Πγ1. 1275 10 ᵃ24. cf β2. 1261 ᵃ34. ἔν τισι τεταγμένοις χρόνοις μβ2. 355 ᵃ28. ὁριζομένοις χρόνοις ρ39. 1446 ᵃ25. ἐν χρόνοις τισίν, cf κατὰ τὰς τότε καιρὰς ρ14. 1431 ᵃ16, 18. ἐν χρόνοις διαιρημένοις εἰς τὸν τῶν ἑβδομάδων ἀριθμὸν Ζιζ17. 570 ᵃ30. χρόνα (τᾶ χρόνα) προϊόντος Ζιε32. 557 ᵇ22. μα14. 353 ᵃ30. 15 τὰ μὲν γενόμενα εὐθύς, τὰ δὲ προελθόντα τοῖς χρόνοις (v l προελθόντος) Ηθ14. 1161 ᵇ25. δημοκρατία ἡ τελευταία τοῖς χρόνοις Πδ6. 1293 ᵃ1. πολὺ ὑπερτείνει τοῖς χρόνοις τὴν Μίνω βασιλείαν ἡ Σεσώστριος Πη10. 1329 ᵇ24. ταῦτα λέγουσιν ἀσκεπτότερον τοῖς χρόνοις λέγοντες Πβ12. 1274 20 ᵃ30. — χρόνος ἐσόμενος, παρελθών Φθ1. 251 ᵇ22, παρήκων, μέλλων Φζ3. 234 ᵃ14, παρών, παρεληλυθὼς π20. 1457 ᵃ18, παρών, παροιχόμενος ρ6. 1427 ᵇ17. 30.1437 ᵃ1, Spgl p 150. οἱ χρόνοι διῄρηνται ε5. 17 ᵃ24. ὁ πέριξ χρόνος, οἱ ἐκτὸς χρόνοι, i e οἱ ἐκτὸς τᾶ νῦν ε10. 19 ᵇ19. 3. 16 25 ᵇ18 Wz. cf 6. 17 ᵃ29. — περὶ τὰς θερινὰς χρόνοις Πβ8. 1267 ᵇ27. οἱ περὶ τὴν ὥραν χρόνοι Πη16. 1335 ᵃ27. ὁ τᾶ ζῆν χρόνος Πη16. 1334 ᵇ34. οἱ χρόνοι τῆς κυήσεως ἑκάστῳ τῶν ζῴων τεταγμένοι· χρόνοι κυήσεως ἴσοι, διαφέροντες Ζγδ10. 777 ᵃ32sqq. 3. 769 ᵇ23. β4. 738 ᵇ29. οἱ χρόνοι τῆς 30 ὀχείας Ζιε14. 545 ᵃ23, τελειώσεως (τῶν ὀρνίθων) Ζιε19. 553 ᵃ2. κατὰ τὰς ἰχνευμένας χρόνας τᾶ περιττώματος Ζγγ1. 750 ᵇ13. εἷς ὥρισται τᾶ τόκα χρόνος Ζιη4. 584 ᵃ35. cf Ζγδ7. 775 ᵇ30. 8. 776 ᵃ16. ὁ χρόνος τῆς ἐπωάσεως Ζιζ6. 563 ᵃ28, τῆς γενέσεως (τῶν ἐντόμων) Ζιε19. 553 ᵃ2. — 35 ἑκάστης πράξεως ὡρισμένος ὁ ἐλάχιστος χρόνος κατὰ τὸ μὴ ὑπερβάλλειν Οβ6. 288 ᵇ33. χρόνος λέγεται δεικνύναι τὸν φιλαίμενον ηεη2. 1238 ᵃ15. λέγειν εἰώθαμεν ὅτι κατατήκει ὁ χρόνος ⅃ γηράσκει πάνθ᾽ ὑπὸ τᾶ χρόνα, ⅃ ἐπιλανθάνεται διὰ τὸν χρόνον, ἀλλ᾽ ὖ μεμάθηκεν Φδ12. 221 ᵃ31. 40 cf πια28. 902 ᵇ1. — 2. notio περὶ τᾶ χρόνα. cf Torstrik Philol 26, 446-523. ἀπορίαι περὶ τᾶ χρόνα Φδ10. 217 ᵇ29-218 ᵃ31, notio quaeritur Φδ10-14. τῷ ποσῷ εἶναι ἐκεῖνο (ὃ ἐκινήθη) ⅃ ἡ κίνησις ποσή, ὁ δὲ χρόνος τῷ ταύτην Μδ13. 1020 ᵃ23. ἀδύνατον χρόνον χωρὶς κινήσεως εἶναι Γβ10. 337 45 ᵃ23. χρόνος᾽ οὔτε ὠδὲ κενὸν ὠδὲ χρόνος ἐστὶν ἔξω τῶ ὠρανῶ Οα9. 279 ᵃ12. ἀκολοθεῖ τῇ κινήσει ὁ χρόνος Φδ11. 219 ᵇ16. 12. 220 ᵇ25. ὁ χρόνος ὠτε κίνησις ὠτ᾽ ἄνευ κινήσεως Φδ11. 219 ᵃ1. ὁ χρόνος πάθος τι κινήσεως Φθ1. 251 ᵇ28. αἱ μὲν κινήσεις ἕτεραι ⅃ χωρίς, ὁ δὲ χρόνος πανταχῦ ὁ 50 αὐτός Φδ14. 223 ᵇ11. ὁ χρόνος ἄτομος τῷ εἴδει Φη4. 249 ᵃ15. χρόνος ταχὺς ⅃ βραδὺς ὖ λέγεται, πολὺς δὲ ⅃ ὀλίγος ⅃ μακρὸς ⅃ βραχύς Φδ12. 220 ᵇ1. χρόνος ἄλλος ἢ ὁ αὐτός Φδ13. 222 ᵃ30sqq. ὁ χρόνος ἀριθμός ἐστι κινήσεως κατὰ τὸ πρότερον ⅃ ὕστερον, ἀριθμὸς ὐχ ᾧ ἀριθμῦμεν ἀλλ᾽ ὁ 55 ἀριθμύμενος Φδ11. 219 ᵇ1, 220 ᵃ24. 12. 220 ᵇ8. 14. 223 ᵃ33. Φθ1. 251 ᵇ12, 11. Οα9. 279 ᵃ14. ὐ μόνον τὴν κίνησιν τῷ χρόνῳ μετρῦμεν, ἀλλὰ ⅃ τῇ κινήσει τὸν χρόνον διὰ τὸ ὁρίζεσθαι ὑπ᾽ ἀλλήλων Φδ12. 220 ᵇ25, 221 ᵇ22. ὁ χρόνος συνεχής, διαιρετὸς εἰς ἀεὶ διαιρετά Φδ11. 219 ᵃ13. 12. 220 60 ᵃ24. ζ1. 2. 8. 239 ᵃ8, 9, 21. (4. 235 ᵃ11, 15.) θ8. 264 ᵇ7.

ψγ6. 430 ᵇ9. Κ6. 5 ᵃ6. χρόνος ἐλάχιστος ὐκ ἔστιν Οα6. 274 ᵃ9. ὐχ οἷόν τε εἰς ἄτομος χρόνας διαιρεῖσθαι τὸν χρόνον Φθ8. 263 ᵇ28. τομὴ χρόνα, dist χρόνος Φθ8. 262 ᵇ21. σημεῖον χρόνα Φθ8. 262 ᵇ2, 264 ᵃ3. εἰ ἄπαν ἐν χρόνῳ μετρεῖται, ἐν δὲ τῷ νῦν μηθέν Φζ10. 241 ᵃ15. cf θ8. 262 ᵃ30. ὐθ᾽ ὁ χρόνος ἐκ τῶν νῦν ὐθ᾽ ἡ γραμμὴ ἐκ στιγμῶν ὐθ᾽ ἡ κίνησις ἐκ κινημάτων· τὸ μεταξὺ τῶν νῦν χρόνος Φζ10. 241 ᵃ3. 9. 239 ᵇ1. 1. 231 ᵇ10. 6. 237 ᵃ6. δ10. 218 ᵃ8. 11. 219 ᵃ29. Κ6. 5 ᵃ7. ατ971 ᵃ18. cf ψγ6. 430 ᵇ18. κατὰ μίαν δύναμιν ⅃ ἄτομον χρόνον μίαν ἀνάγκη εἶναι τὴν ἐνέργειαν αι7. 447 ᵇ18. ὁ χρόνος ἄπειρος ἐπ᾽ ἀμφότερα, ἀγένητος, ἄφθαρτος Φθ1. 251 ᵇ26, 20, 14. 8. 263 ᵃ15, 21. Μλ6.1071 ᵇ7. μα14. 353 ᵃ15, 18. ατ969 ᵃ19. τὸ ἐν χρόνῳ εἶναί τί ἐστιν Φδ12. 221 ᵃ9sqq. cf ζ3. 234 ᵇ8. 5. 236 ᵃ36. 6. 236 ᵇ20. ὅσα μήτε κινεῖται μήτ᾽ ἠρεμεῖ ὐκ ἔστιν ἐν χρόνῳ· τὰ ἀεὶ ὄντα, ᾗ ἀεὶ ὄντα, ὐκ ἔστιν ἐν χρόνῳ Φδ12. 221 ᵇ21, 4. φθορᾶς μᾶλλον καθ᾽ αὑτὸν αἴτιος ὁ χρόνος ἢ γενέσεως Φδ13. 222 ᵇ19. 12. 221 ᵇ2. ὁ χρόνος αὐτὸς εἶναι δοκεῖ κύκλος τις· ὁ χρόνος μετρεῖται τῇ κυκλοφορίᾳ Φδ14. 223 ᵇ29, 33, 22. ὁ χρόνος πῶς ἔχει πρὸς τὴν ψυχήν Φδ14. 223 ᵃ16-29. χρόνος χρόἣς ἀναίσθητος αι7. 448 ᵃ24-ᵇ15. — πρότερον (ὕστερον) χρόνῳ, κατὰ χρόνον, dist λόγῳ, κατὰ λόγον Ζμα1. 640 ᵃ24. β1. 646 ᵃ35. Φθ9. 265 ᵃ23. ψγ7. 431 ᵃ2. Μζ1. 1028 ᵃ33. μ8. 1084 ᵇ16, cf πρότερον p 652 ᵃ9, λόγος p 435 ᵃ6.

χρονοτριβεῖν, ὄνομα διπλῦν εὐσύνθετον Ργ3. 1406 ᵃ37.

χρυσαλλίς (v l χρυσαλίς praefert Lob Phryn 338. Prol 96. S I 343). κάμπαι αὐξηθεῖσαι ἀκινητίζυσι ⅃ μεταβάλλυσι τὴν μορφήν, ⅃ καλῦνται χρυσαλλίδες, σκληρὸν ἔχυσι τὸ κέλυφος, ἁπτόμεναι κινῦνται, προσέχονται πόροις ἀραχνιώδεσιν ὖτε στόμα ἔχυσαι ὖτ᾽ ἄλλο τῶν μορίων διάδηλον ὠθέν, ὠθενὸς ὖτε γεύονται ὖτε προΐενται περίττωμα Ζιε19. 551 ᵃ19, 26. ἀκινητίζυσιν αἱ καλύμεναι ὑπό τινων χρυσαλλίδες, ᾠώδης γίνεται ὁ σκώληξ (ἡ γὰρ χρυσαλλὶς καλυμένη δύναμιν ᾠῦ ἔχει) Ζγγ9. 758 ᵇ31. β1. 733 ᵇ14. ξυλοφθόρος γίνεται χρυσαλλὶς ὥσπερ αἱ κάμπαι Ζιε22. 557 ᵇ23. (pupa obtecta, aurelia specierum quarundam. cf Su 193e.)

χρύσειος ταῦρος θ175. 847 ᵇ1.

χρυσεοκόμα Ἑκάτε (ex poeta incerto) Ργ8. 1409 ᵃ15.

χρύσεος, χρυσῆς. χρύσεα χαλκείων (Hom Ζ 236) Ηε11. 1136 ᵇ10. ἀνδριάντα χρυσῦν ἰσομέτρητον ἀναθήσειν ἐν Δελφοῖς f 377. 1540 ᵇ35.

χρυσιδάριον ἀντὶ χρυσίυ Ἀριστοφάνης ἐν τοῖς Βαβυλωνίοις (fr 30) σκώπτει Ργ2. 1405 ᵇ31.

χρυσίζει ἡ γῆ θ45. 833 ᵇ8.

χρυσίον. φύειν χρυσίον θ42. 833 ᵃ30. χρυσίον κατορωρυγμένον᾽ ἀναφῦναι χρυσίον f 248. 1524 ᵃ2, 4. χρυσίον ἄσημον θ47. 833 ᵇ18.

χρυσῖτις (Lob Par 466). ἡ λεγομένη χρυσοκόμην ἢ χρυσῖτις φτβ7. 827 ᵃ11. barba Iovis Nicol Damasc cf Meyer p 122. (fort Chrysocoma linosyris L Fraas 207. Günther Ziergewächse der Alten, Bernburg 1861 p 21.)

χρυσοειδής. τὸ χρυσοειδὲς γίνεται, ὅταν τὸ ξανθὸν ⅃ τὸ ἡλιῶδες πυκνωθὲν ἰσχυρῶς στίλβῃ χ3. 793 ᵃ13, 16. καλὸν τὸ χρυσοειδὲς μέλι Ζιι40. 627 ᵃ2.

χρυσοκόλλα. τὸ χρυσοκόλλης μέταλλον θ58. 834 ᵇ20.

χρυσοκόμη. ἡ λεγομένη χρυσοκόμη ἢ χρυσῖτις φτβ7. 827 ᵃ11. v χρυσῖτις.

χρυσομῆτρις (v l ῥυσομῆτρις, χρυσομίτρις Sylb. cf Lob Par 215). ἡ καλυμένη χρυσομῆτρις refertur inter τὰ ἀκανθοφάγα, ἐπὶ τῶν ἀκανθῶν νέμεται, ἐν ταύτῃ καθεύδει ⅃

νέμεται ταῦτα Ζιβ3. 592 b30. (krisomettris Thomae, au-
rivittis Gazae, rhysometris Scalig. bonnet d'or C II 139.
cf S I 590. Fringilla serinus K 866, 13. St. Cr. def non
potest AZι I 113,122. fort Fringilla carduelis Su 120, 68.)
χρυσός τήκεται θερμῷ, μόνος ὁ πυρᾶται μδ10. 389 ª7. γ6.
378 b4. ὁ χρυσός ἄοσμον αι5. 443 ª17. — χρυσός ὁ κα-
λήμενος ἄπυρος θ45. 833 b7. f 248. 1523 b34. — metaph,
μέμικται ταῖς ψυχαῖς ὁ παρὰ τῷ θεῷ χρυσός (cf Plat
Rep III 415A) Πβ5. 1264 b12, 13.
χρυσοφορεῖν οβ1349 ª24.
χρύσοφρυς (v l χρυσόφρυς) πρόσγειός ἐστι, σαρκοφάγος
μόνον Ζιθ13. 598 ª10. 2. 591 b9. δύο μὲν πτερύγια ἔχει
ἐν τοῖς πρανέσι, δύο δὲ κάτω ἐν τοῖς ὑπτίοις· ἀποφυάδες
ὀλίγαι Ζια5. 489 b26. β17. 508 b20, 21. τίκτει μάλιστα
ὃ ἂν ποταμοὶ ῥέωσιν, πότε, γίνεται ἐν ταῖς λιμνοθαλάτταις
Ζιε10. 543 b3. ζ17. 570 ª20. θ13. 598 ª21. λαμβάνεται
τριῶδοντι ἡμέρας πολλάκις διὰ τὸ καθεύδειν, φωλεῖ, πονεῖ
τῷ χειμῶνος Ζιδ10. 537 ª28. θ14. 599 b33. 19. 602 ª11.
(aurata Thom Gazae Scalig. dorade C II 285. Chrysophrys
(Sparus) aurata Cuv VI 83, 89, 90, 96. K 418. St. Cr.
KaZι 23, 4. AZι I 144, 83. M 277. hodie τζειπύρα, τζη-
πύρα B 97. E 88, 37.)
χρυσοχοϊκὸν πῦρ, dist χαλκευτικόν, μαγειρικόν πν9. 485
ª34.
χρώζειν θ50. 834 ª8. f 248. 1524 ª24. πλη9. 967 b17.
ἔχρωσε μέν, ἔχρωσε δ' ὃ μγ1. 371 ª24. — pass, χρώ-
ζεσθαι χ3. 793 b3. πι43. 895 ª6. κεχρῶσθαι τούτοις τοῖς
χρώμασιν μγ4. 375 ª6. ἐπιφανείας ἴδιον τὸ κεχρῶσθαι τα3.
131 b34. 5. 134 ª23. 8. 138 ª23. κεχρωσμένος ν χρῆσθαι
p 854 ª52. cf χρωννύναι.
χρῶμα ὁμώνυμον, τό τε ἐπὶ τῶν σωμάτων ὃ τὸ ἐν τοῖς
μέλεσιν τα15. 107 b28. — χρῶμα, syn χρόα Ζιγ9. 517
ª11, 13. Ζγε6. 785 b17, 20. μα5. 342 ª7, 5. syn χροιά
αι4. 440 b26. φ2. 806 b3, 5. — περὶ χρωμάτων cf Prantl
Farbenlehre p 80-159. — τὸ χρῶμα ποιόν τι τα9. 103
b32. ₫1. 120 b38. τὸ χρῶμα παθητικὴ ποιότης K8. 9 b9.
τὰ χρώματα παθήματα Ζια1. 486 b6. αι6. 445 b4. τὸ
χρῶμα συμβεβηκὸς τό1. 120 b21. Μγ4. 1007 ª32. ἴδιά
ἐστι τῶν αἰσθήσεων οἷον χρῶμα ψόφος χυμός εν1. 458 b6.
περὶ χρώματος τί ἐστιν ψβ7. αι3. χρώματος δεκτικὸν τὸ
ἄχρων ψβ7. 418 ª26. τὸ χρῶμα ἐστι μᾶλλον, τὸ δ' ἐστιν
ἐπὶ τῷ καθ' αὑτὸ ὁρατῷ ψβ7. 418 ª29. ὃ ταὐτὸν χρῶμα
ὃ ὁρατόν Φγ1. 201 b4. Μκ9. 1065 b32. τὸ ἐν φωτὶ ὁρώ-
μενον χρῶμα ψβ7. 419 ª8. τὸ χρῶμα κινητικόν ἐστι τῦ
κατ' ἐνέργειαν διαφανῦς ψβ7. 418 ª31, 419 ª9. χρῶμα ἀν
εἴη ἐν τῷ διαφανεῖ ἐν σώματι ὡρισμένῳ πέρας τα3. 439
b11. ἐν τῷ πρώτῳ πέφυκε γίγνεσθαι, οἷον τὸ χρῶμα ἐν τῇ
ἐπιφανείᾳ Μθ18. 1022 ª17. cf τε3. 131 b33. 5. 134 ª22.
8. 138 ª15. πάντα τὰ σώματα μετέχει χρώματος αι1. 437
ª7. τὸ ἐνεργείᾳ χρῶμα ἢ ψόφος πῶς ἐστι τα3. 439 ª14. — τὸ χρῶμα γέ-
νος τῦ λευκῦ ὃ μέλανος ὃ τῶν ἀνὰ μέσον χρωμάτων ἁπάν-
των τό3. 123 b26. Β2. 109 ª38. K11. 14 ª21. Φε4. 227
b7. cf Μι2. 1053 b29. τὸ λευκὸν ὃ μέλαν ἐναντία, ἔστι
δὲ τὸ μὲν διακριτικὸν χρῶμα ὃ τὸ συγκριτικὸν χρῶμα
Μι7. 1057 b9. τὰ χρώματα ἐκ λευκῦ ὃ μέλανος Φα5. 188
b24. αι4. 442 ª12. ποσαχῶς ἐνδέχεται ἄλλα χρώματα γί-
γνεσθαι παρὰ τὸ λευκὸν ὃ τὸ μέλαν (παρ' ἄλληλα θέσει,
ἐπιπολάσει, μίξει) αι3. 439 b18-440 b25. τὰ ἐν ἀριθμοῖς
εὐλογίστοις χρώματα ἥδιστα αι3. 439 b32. διὰ τί πεπέ-
ρανται τὰ εἴδη χρώματος αι6. 445 b21. ὡρισμένα πως τὰ

χρώματα Μι5. 1056 ª28. (τὸ πολυειδὲς ὃ τὸ ἄπειρον τῶν
χρωμάτων διὰ πόσα συμβαίνει γίνεσθαι χ3. 729 b34.) χρω-
μάτων εἴδη ἑπτὰ αι4. 442 ª20. ἔστι δὲ τὰ χρώματα ταῦτα
(τὰ τρία τῆς ἰρίδος) ἅπερ μόνα σχεδὸν ὃ δύνανται ποιεῖν
οἱ γραφῆς μγ2. 372 ª6. — μέλας τὸ χρῶμα μδ6. 383
b8. ἰσχυρὰ χρώματα Ζγε1. 780 ª13. τὰ μάλιστα δυνά-
μενα τὰς ὄψεις κινεῖν εἶναι συμβαίνει τῶν χρωμάτων λαμ-
πρότατα αχ801 b25. χρῶμα αἱματῶδες, χρώματα αἱμα-
τώδη Ζιη10. 587 ª31. μα5. 342 ª36. χρῶμα καθαρὸν ὃ
ἔναιμον Ζμγ12. 673 b22. χρώματα σκιώδη χ3. 793 b5.
χρῶμα κινναβάρινον Ζιβ1. 501 ª30. τὰ ἔγχριστα εἰς τὰς
ὀφθαλμούς χρώματα Ζγ7. 747 ª10. χρώματα ἁπλᾶ χ1.
791 ª1, σύνθετα χ2. (cf χ2. 792 ª32.) τῶν χρωμάτων οὐδὲν
ὁρῶμεν εἰλικρινὲς οἷον ἐστιν, ἀλλὰ πάντα κεκραμένα ἐν ἑτέ-
ροις χ3. 793 b12. χρώματος κρᾶσις χ3. 793 b26. χρώματα
ταῖς αὐγαῖς κεραννύμενα χ2. 792 b26. — τὸ φῶς πυρὸς
ἐστι χρῶμα χ1. 791 b7. ἰλύος σηπομένης χρώματα Ζιε19.
551 b30, 552 ª25. cf χ1. 791 b25, 792 ª1. 5. 794 b20, 24,
30, 795 ª11, b7. χρώματα φυτῶν, καρπῶν Ζγὁ4. 770 b20.
χ5. χρώματα τῶν ζώων Ζγβ6. 743 b21. ε6. 4. 784 ª23.
Ζιγ12. 519 ª5. 9. 800 b14 sqq. ι37. 622 ª9. 49 B.
632 b12. χρώματα τῦ δέρματος, τῶν τριχωμάτων, τῶν
πτερωμάτων Ζγε1. 778 ª19, 4. 5. 785 b5. 6. 786 ª23. Ζιγ9.
517 ª11. χ 6. cf πολιός. πολιᾶσθαι. χρῶμα τῶν ὀδόντων
Ζιγ9. 517 ª9. β2. 501 b12. ζ20. 575 ª11. Ζγβ6. 745
ª22. χρῶμα γλώσσης Ζγε6. 786 ª21. Ζιγ11. 518 b17.
χρῶμα προσώπου K8. 9 b22 sqq. Αβ27. 70. πια53.
905 ª13. ιθ12. 910 ª3. κζ6. 948 ª37. λη3-5. χρώματος
διαφοραὶ τί σημαίνουσιν φ6. 812 ª12-b12. 2. 806 b3. 3. 807
ª31-808 b10. (χρῶμα αὐχμηρότερον 3. 807 b2, ὕποχρον
b7, λευκέρυθρον ª7, ὕφαιμον b32, ἐπίφλεγες
6. 812 ª26 al. Prantl 11 p 144). χρῶμα τῦ ὀφθαλμῦ ψγ2.
425 b22. χρωμάτων τῶν ὀφθαλμῶν διαφοραὶ Ζγε1. 779
ª26 sqq. Ζιθ19. 602 ª5. πι11. 892 ª1. ὄμμα χλωρόν, χα-
ροπὸν φ3. 807 b23, 19. — ὑπογράψαντες ταῖς γραμμαῖς
διαλείψαντι τοῖς χρώμασι τὸ ζώον Ζγβ6. 743 b24. μετα-
βολαὶ χρωμάτων K8. 9 b12. Ζμδ5. 679 ª13. μεταβάλλειν
τὸ χρῶμα Ζιε18. 550 ª31. θ30. 607 b16, 21. ι37. 622 ª9.
49 B. 632 b15. μεταβάλλειν ἀπὸ τῶν ἰσχυρῶν χρωμάτων
Ζγε1. 780 ª10. — τῶν ἐνόπτρων ἐν ἐνίοις μὲν αἱ σχή-
ματα ἐμφαίνεται, ἐν ἐνίοις δὲ αἱ χρώματα μόνον μγ2.
372 ª34. 4. 373 b18. χρῶμα, dist σχῆμα Ζμα1. 640 b29,
33. τῶν χρωμάτων ἡ φαντασία μγ4. 374 b8, 375 ª4. ἔχειν
τὴν τῶν χρωμάτων αἴσθησιν Ζιθ8. 533 ª16. μία ὃ συνε-
χὴς ἡμῖν ἡ φωνὴ φαίνεται καθάπερ ὃ ἐπὶ τῶν χρωμάτων
αχ803. b38.
χρωματίζειν τι Ζμγ3. 664 b16. Ζγβ7. 747 ª10. μδ9.
387 ª31. τὸν ἀέρα τῇ πυρώσει χρωματίζων μγ1. 371
ª17. χρωματίσας μόριον Γα10. 328 b13. — pass, χρω-
ματίζεσθαι αι3. 439 b1, 2. τροπῇ χρωματίζεσθαι (Democr)
Γα2. 316 ª2. χρωματίζεται ὁ αὐτὸς ἀὴρ παντοδαπὰς χρώ-
μα5. 342 b4. χρωματισθέν μβ9. 369 b7. κεχρωμάτισται
Φη4. 249 ª6. ψγ2. 425 b22. κεχρωματισμένον μγ4. 374
ª15, b26. 6. 378 ª25.
χρωννύναι. cf χοώζειν. ad χρωννύναι referri possunt formae
ἔχρωσε, κεχρώσται.
χρώς (cf Da I 24). φθείρει, δυσαφαίρετοι ἀπὸ τῦ χρωτός (v l
σώματος) Ζιε31. 557 ª6. ὅ τε χοὼς ὃ τὰ δέρματα γί-
νεται μέλανα χ6. 797 b4, 6. cf Theophr fragm 20, 43.
τὸν χρῶτα μεταβάλλει ὁ χαμαιλέων θ30. 832 b14. ὅταν
ἐπὶ λείᾳ χρωτὸς συμβῇ τοῦτο τὸ χρῶμα (τὸ λευκέρυθρον)

φ2. 806 ᵇ5. πότε οἱ χρῶτες ὄζωσι πδ12. 877 ᵇ21. — λι-
λαιόμενα χρόος ἆσαι (Hom Λ 574. Ο 317) Ργ11. 1412
ᵃ1. βροτέῳ χροΐ (Emped 359) αν7. 473 ᵇ25.

χύδην. τὰ καλούμενα ᾠά (οἱ ἐχῖνοι ἔχυσι) κύκλῳ ἀπὸ τῦ
στόματος μέλαν᾽ ἄττα διεσπαρμένα χύδην Ζμδ5. 680 ᵃ14. 5
ἐναλείφειν τοῖς καλλίστοις φαρμάκοις χύδην πο6. 1450 ᵇ2.
Vhl Rgfolge p 166 sq. νόμιμα χύδην κείμενα Πη2. 1324
ᵇ5. τὰ μέτρα μᾶλλον μνημονεύυσι τῶν χύδην Ργ9. 1409ᵇ7.

χυλός. φυτῶν ᾳ καρπῶν χυλοί (v l χυμοί) Ζιε11. 596 ᵇ15.
cf Plat Tim 115Α. φυτῶν χυλοί, καρπῶν πολλῶν ὁ χυλός 10
γίνεται οἰνωπός· οἱ τῶν ζῴων χυλοί χ5. 796 ᵃ23, 9, ᵇ17.
4. 794 ᵃ21. ἔχει τινα ὀξύτητα ὁ τῆς ἀνδράχνης χυλός
πζ9. 887 ᵇ6 (cf χυμός πα38. 863 ᵇ16). τῶν χυλῶν τῶν
ἐν τοῖς καρποῖς οἱ μέν εἰσι ποτοί, οἱ δὲ ἀ ποτοί φτα5. 820
ᵃ29. αἱ ὀσμαὶ ᾳ οἱ χυλοί (v l χυμοί, ci Prantl 177) πολὺ 15
διάφοροι τοῖς ἄνθεσι ᾳ τοῖς καρποῖς χ5. 796 ᵇ21. οἱ χυλοὶ
κραθέντες τῷ ὕδατι ᾳ ἑτέροις χυλοῖς (χυμοῖς utrobique ci
Turneb) αχ802 ᵃ15. οἱ χυλοί, iura Bsm probl ined 314,
34, 36. v χυμός. — v l χυλοί (χυμοί Bk) Ζμβ17. 660 ᵇ5.

χύμα (Lob Par 420). ψυχαὶ τίκτυσι σκληρόν, ὅμοιον κνήκι 20
σπέρματι, ἔσω δὲ χύμα (v l χῦμα et ἔγχυμα, quod probat
Aub) Ζιε19. 550 ᵇ27.

χυμός. (cf Orion Etym p 163. Burchard comm de Demo-
criti de sensibus phil p 17, 2. S ad Theophr V 546. III 78.
Galen XI 449: ὑπὸ τῶν περὶ Ἀρ ᾳ Θεόφραστον ἡ γευστὴ 25
δύναμις ὀνομάζεται χυμὸς ἀπὸ τῦ μ τῆς δευτέρας συλλα-
βῆς ἀρχομένης· ἡ δ᾽ ἐξ ὑγρῦ ᾳ ξηρῦ σύστασις ὑπὸ θερ-
μότητος πεφθέντων χυλός· παρὰ μέντοι τοῖς παλαιοτέροις
Ἀττικοῖς ᾳ Ἴωσιν ἑκατέρα διὰ τῦ μ γέγραπται ὡς παρὰ
Πλάτωνι ᾳ τοῖς παλαιοῖς κωμικοῖς. Philippson ὕλη 237. 30
Lewes 253. Meyer Gesch d Bot I 125, 103, 119, 76.
Albert magn ed Jessen 196.) — χυμός vel τὴν τῦ
γευστῦ δύναμιν, saporem significat, veluti ὐχ ὑπὸ τῆς τῦ
θερμῦ δυνάμεως λαμβάνει (τὸ ὕδωρ) ταύτην τὴν δύναμιν
ἣν καλῦμεν χυμόν αι4. 441 ᵃ22 al, vel eam materiam, cui 35
ea δύναμις inest, veluti ἀκρατεῖς περὶ τὰ πόματα ᾳ τὸς
χυμάς Ζμδ11. 691 ᵃ2, οἱ οἶνοι ᾳ πάντες οἱ χυμοὶ μββ3.
358 ᵇ19, εἴ τις κεράσειε πολλὺς χυμὸς εἰς ἓν ὑγρόν Ζγδ3.
769 ᵃ30. γ4. 755 ᵃ21 al (cf eandem usus ambiguitatem
in voc ὑγρότης p 783 ᵃ2, 9). ad illam notionem pleraque 40
pertinent, quae priore loco afferemus (1), ad alteram,
quae posteriore (2), quamquam non ubique certo distingui
possunt. τὴν τῦ γευστῦ ἐνέργειαν (quemadmodum ἡ τῦ
ἀκυστῦ ἐνέργεια appellatur ψόφησις) ἀνώνυμον esse Ar dicit
ψγ2. 426 ᵃ15. — 1. περὶ χυμῦ sententiam Emped αι4. 45
441 ᵃ5, 7, Democriti αι4. 442 ᵇ12, 22, suam Ar exponit
ψβ10. αι4. ἴδια (τῶν αἰσθήσεων), οἷον χρῶμα ψόφος χυμὸς
εν1. 458 ᵇ6. ὡς χρῶμα τὸ ὁρατόν, ὕτω τὸ γευστὸν ὁ χυ-
μός ψβ10. 422 ᵃ17. ὁ χυμὸς ἕν τι τῶν ἁπτῶν ἐστιν ψβ3.
414 ᵇ11. ἡ γεῦσις (ἀνάγκη ἅμα φθείρεσθαι ᾳ σώ- 50
ζεσθαι) ψγ2. 426 ᵃ18, 21. ἔστι τῦτο χυμὸς τὸ γιγνόμενον
ὑπὸ τῦ εἰρημένυ ξηρῦ πάθυς ἐν τῷ ὑγρῷ τῆς γεύσεως τῆς
κατὰ δύναμιν ἀλλοιωτικὸν εἰς ἐνέργειαν αι4. 441 ᵇ19. ᾳ
παντὸς ξηρῦ ἀλλὰ τῦ τροφίμυ οἱ χυμοὶ ἢ πάθος εἰσὶν ἢ
στέρησις αι4. 441 ᵇ24. cf 1. 436 ᵇ17. ὐθὲν ποιεῖ χυμῦ αἴ- 55
σθησιν ἄνευ ὑγρότητος, ἀλλ᾽ ἔχει ἐνεργείᾳ ἢ δυνάμει ὑγρό-
τητα ψβ10. 422 ᵃ17, 10. Μθ6. 1016 ᵃ22. ὁ χυμὸς οἷον
ἥδυσμά τι τύτων (τῶν ἐδεστῶν ᾳ τῶν ποτῶν) ἐστιν ψβ3.
414 ᵇ13. αι4. 442 ᵃ9. τὸ ὁμοιομερὲς διαφέρει ἀλλήλων κατὰ
τὴν ἁφήν, ἔτι ὀσμαῖς ᾳ χυμοῖς ᾳ χρώμασι μδ10. 388 ᵃ12. 60
καομένη ἡ γῆ παντοδαπὰς λαμβάνει μορφὰς ᾳ χρόας χυ-

μῶν μβ3. 359 ᵇ12. οἷον ἄν τι ᾖ τὸ συμμιχθέν, τοιῦτον
ποιεῖ τὸν χυμόν μββ3. 358 ᵇ22, ᵃ11, 5, 357 ᵃ16. 2. 356 ᵃ13.
γ6. 378 ᵇ1. αι4. 441 ᵇ5. οἱ χυμοὶ πάντες πάχος ἔχυσι
μᾶλλον αι4. 441 ᵃ28. χυμὸς θαλάττης, χυμοὶ κρηνῶν, ρευ-
μάτων al μβ2. 354 ᵇ1. 3. 357 ᵃ9, 358 ᵃ11, ᵇ22, 359 ᵇ9.
αι4. 441 ᵇ7. — χυμός et ὀσμή inter se comparantur. δεῖ
ἀνάλογον εἶναι τὰς ὀσμὰς τοῖς χυμοῖς αι5. 443 ᵇ8. χυμὸς ᾳ
ὀσμὴ σχεδὸν ταὐτὸ τὸ πάθος, ὐκ ἐν τοῖς αὐτοῖς δ᾽
ἐστιν ἑκάτερον αὐτῶν αι4. 440 ᵇ29. cf 5. 445 ᵃ30. ἔστι δ᾽
ἡ ὀσμὴ τῦ ξηρῦ, ὥσπερ ὁ χυμὸς τῦ ὑγρῦ ψβ9. 422 ᵃ6.
ὅπερ ἐν τῷ ὕδατι ὁ χυμός, τῦτ᾽ ἐν τῷ ἀέρι ᾳ ὕδατι ἡ
ὀσμὴ αι5. 443 ᵇ12. ἐναργέστερόν ἐστιν ἡμῖν τὸ τῶν χυμῶν
γένος ᾳ τὸ τῆς ὀσμῆς αι4. 440 ᵇ30. ψβ9. 421 ᵃ18. —
χυμῦ εἴδη ᾳ διαφοραί. τὰ εἴδη τῶν χυμῶν ψβ9. 421 ᵃ18
(eadem dicuntur τὰ γένη τῶν χυμῶν αι4. 441 ᵃ17, cf γένος
p 151 ᵃ57). διὰ τί πεπέρανται τὰ εἴδη τῶν χυμῶν αι6.
445 ᵇ22. 3. 440 ᵇ24. τὰ εἴδη τῶν χυμῶν, ὥσπερ ᾳ ἐπὶ
τῶν χρωμάτων, ἁπλᾶ μὲν τἀναντία, τὸ γλυκὺ ᾳ τὸ πι-
κρόν, ἐχόμενα δὲ τῦ μὲν τὸ λιπαρόν, τῦ δὲ τὸ ἁλμυρόν·
μεταξὺ δὲ τύτων τό τε δριμὺ ᾳ τὸ αὐστηρὸν ᾳ στρυφνὸν
ᾳ ὀξύ ψβ10. 422 ᵇ11. αι4. 442 ᵃ12-26. (Burchard l 1
p 19-22, 31. Plat sentent cf Galen XIX 457.) ἑπτὰ εἴδη
τῶν χυμῶν, ἴσα τε τοῖς χυμῶν εἴδη ᾳ τὰ τῶν χρωμά-
των quomodo numerentur αι4. 442 ᵃ20. ἁλμυρότης, ὀξύτης,
πικρότης τῦ χυμῦ μβ3. 358 ᵃ5. πα38. 863 ᵇ16. ε27. 883
ᵇ32. Bsm probl ined 312, 43. χυμὸς λιπαρός, ἁλμυρὸς
πκγ9. 932 ᵇ21, 18. χυμὸς οἰνώδης αθ9. 387 ᵇ12. cf πγ28.
875 ᵇ2. τὸ ὑγιὲς αἷμα ἔχει τὸν χυμὸν γλυκὺν Ζιγ15. 521
ᵇ19 (Lewes 289). — τῶν χυμῶν αἴσθησις, αἰσθητήριον. ἡ
τῶν χυμῶν (ἐν τοῖς χυμοῖς) αἴσθησις Ζμδ11. 690 ᵇ29.
β17. 660 ᵃ19, 661 ᵃ4, ἠρτημένη πρὸς τὴν καρδίαν Ζμβ10.
656 ᵃ31 (Plat sentent cf Galen XI 446). τῆς γεύσεως
ἐστιν ἡ κρίσις τῶν χυμῶν Ηγ13. 1118 ᵃ27. τὸ ὑπερβάλλον
φθείρει ἐν χυμοῖς τὴν γεῦσιν ψγ2. 426 ᵃ31. cf 13. 435 ᵇ12.
β10. 422 ᵇ8. ἡ ἡδονὴ τῶν χυμῶν Ζμβ17. 660 ᵇ10, cf τῶν
ἐδεστῶν ἡδονὴ sim Ζμδ11. 690 ᵇ30. Ζιδ8. 533 ᵃ33, 535
ᵃ2. τῶν χυμῶν τὸ αἰσθητήριον (τὸ αἰσθητικὸν μόριον) ᾳ
γλῶττα Ζιδ8. 533 ᵃ24, 26. αι11. 492 ᵇ27, 30 Aub. Ζμβ17.
660 ᵇ12, ᵃ1. δ11. 690 ᵇ29. ἔχειν γλῶτταν μακρὰν πρὸς
τὴν τῶν χυμῶν γεῦσιν Ζμβ17. 660 ᵇ5. τῶν ζῴων τινὰ
ἔχει τὴν τῶν χυμῶν αἴσθησιν Ζιδ8. 533 ᵃ17, 32, 535 ᵃ13,
9, 11. cf αἴσθησις p 20 ᵃ50, αἰσθητήριον p 21 ᵃ48. τὰ ἔν-
τομα (μέλιττα, κωνωψ) τίσι χαίρει χυμοῖς Ζιε22. 554 ᵃ13.
θ11. 596 ᵇ17, 13. δ8. 535 ᵃ2.

2. χυμοὶ τῶν φυτῶν. εὐλόγως ἐν τοῖς φυομένοις τὸ τῶν
χυμῶν γίνεται γένος μάλιστα· φαίνονται οἱ χυμοὶ ὅσοιπερ
ἐν τοῖς περικαρπίοις, ὅτοι ὑπάρχοντες ᾳ ἐν τῇ γῇ αι4. 441
ᵇ8, ᵃ30, 12, 442 ᵇ24. τῶν φυομένων οἱ μὲν χυμοὶ ἐκ εὐθὺς
ἐδώδιμοι οἱ δὲ εὐθύς· ὅσων βρωτὸς μὲν ὁ χυμὸς ἰσχυρό-
τερος δέ πκ4. 923 ᵃ18. 6. 923 ᵃ27. λεπτοὶ οἱ χυμοὶ τῶν
ὑμῶν ᾳ γλυκεῖς μᾶλλον ᾳ θερμοί, ᾳ ἄβρωτοι ᾳ ἄποτοι
μδ3. 380 ᵇ2. χυμοὶ ἀπεπτότεροι πδ12. 877 ᵇ13, 22. οἱ
παρὰ φύσιν χυμοὶ ἄπεπτοι Bsm probl ined 292, 38. τινὰ
μέρη τῦ δένδρυ εἰσὶν ἁπλᾶ, ὡς ὁ χυμὸς ὁ εὑρισκόμενος ἐν
αὐτοῖς· ὁ χυμὸς ὁ ἐν τοῖς μεγάλοις δένδροις ἐν τισὶ μέν
ἐστιν οἷον τὸ γάλα, ἐν τισὶ δ᾽ ὅμοιος ὑγρᾷ πίσσῃ· οἱ κλάδοι
γεννῶνται ἀπ᾽ αὐτῦ τῦ χυμῦ τῶν δένδρων 3. 818 ᵃ10,
ᵇ33. 4. 819 ᵃ32. τῆς ἀνδράχνης ὁ χυμὸς (χυλὸς πζ9. 887
ᵇ6) παύει αἱμωδίαν πα38. 863 ᵇ16. τὸς χυμὸς τῶν ἀνθῶν
ἡ μέλιττα κομίζει sim Ζιε22. 554 ᵃ13. θ11. 596 ᵇ17, 13.
δ8. 535 ᵃ2. — χυμοὶ τῶν ζῴων. τῶν ἐντόμων τινὰ ζῇ

χυμὸς σαρκὸς ζώσης Ζιε31. 556ᵇ22. τῇ καρδίᾳ τοιῶτον
(ἱ ἐ οἷον χολή ἐστι) ὐδένα πλησιάζειν οἷόν τε χυμόν Ζμδ2.
677ᵇ4. χυμοὶ μοχθηροί, ὀξεῖς κ̅ πικροὶ κ̅ ἀλμυροί, γλυ-
κεῖς, μελαγχολικοί, ἄπεπτοι πε27. 883ᵇ29. ι22. 893ᵃ35.
ιη1. 916ᵇ6. 7. 917ᵃ21. κ6. 923ᵃ26. γη8. 872ᵃ13. ὁ χυ-
μὸς κ̅ ἡ κρᾶσις ἡ τῆς μελαίνης χολῆς πνευματικά ἐστιν
πλ1. 953ᵇ23. τὰ ὑγρὰ ἕψεσθαι λέγομεν, οἷον γάλα κ̅
γλεῦκος, ὅταν ὁ ἐν τῷ ὑγρῷ χυμὸς εἰς εἶδός τι μεταβάλλῃ
μδ3. 380ᵇ32. ὁ τοιῶτος χυμός, ἱ q πυετία Ζμγ15. 676
ᵃ16. χυμὸς ὠχρὸς ἐν τῷ κύτει καρκίνω· ὁ χυμὸς ἐν τοῖς
σκώληξιν, ἐν τοῖς ἀραχνίοις, παχὺς κ̅ λευκός Ζιδ3. 527
ᵇ29 Aub. ε27. 555ᵇ5. — καράβω χυμὸς ὅμοιος τῇ μυτίδι
Ζιδ2. 527ᵇ2 (fort 'Magensäcke' Aub, cf κοιλία δικρόα
Ζιδ3. 527ᵇ24).

δῆλόν ἐστιν εὐθέως (τὸ μέλι) τὸ ἀπὸ τῶ χυμῶ (Bk,
θύμω ci Pik Aub) Ζιε22. 554ᵃ10.

χυτικός. καταπλάσματος ἀρετὴ τὸ χυτικὸν εἶναι πα30.
863ᵃ6.

χυτός, cf χεῖν p 847ᵇ43.

χύτρα, μῆλα τιθέμενα εἰς χύτρας πκ9. 923ᵇ26. ἕψειν ἐν
χύτραις, χύτραις ἑψημέναι χ5. 795ᵇ14. θ34. 832ᵇ31.
πε36. 884ᵇ14.

χυτρίδιον θ141. 845ᵃ5.

χυτρίς. αἱ ῥοδιακαὶ χυτρίδες f 105. 106. 1494ᵇ36, 42.

Χύτρος. ἐν Κλαζομεναῖς οἱ ἐπὶ Χύτρω (?) Πε3. 1303ᵇ9.

χωλός. αἴγιβαν τὸν πόδα χωλός ἐστι Ζιι15. 616ᵇ10. ὁ λη-
φθεὶς λέων χωλός Ζιλ4. 629ᵇ30. διὰ τί ἄνθρωπος γίνεται
ἐκ γενετῆς χωλὸς μάλιστα τῶν ἄλλων ζῴων πι41. 895
ᵃ20. γίνονται κ̅ ἐκ χωλῶν χωλοί Ζιη6. 585ᵇ29. οἱ χωλοὶ
λάγνοι πδ31. 880ᵇ5.

χῶμα. ἄποπτος ἀπὸ τῶ χώματος Πβ12. 1274ᵃ41.

Χῶνες Πη10. 1329ᵇ21.

Χωνίδης πο3. 1448ᵃ34, cf Χιωνίδης.

χωννύναι. πορθμὸν χωσθέντος (Emp 359) αν7. 473ᵇ25.

χώρα, coni syn τόπος Φδ1. 208ᵇ7, 209 ᵃ8. 2. 209ᵇ15. τὸ
κενὸν χώρα σώματος Γα8. 326ᵇ19. ἄλογον τὸ χώραν τῷ
κενῷ ποιεῖν, ὥσπερ ὐκ αὐτὸ χώραν τινὰ ὖσαν, syn τόπος
Οδ2. 309ᵃ24, 25, 26. ἕκαστον ἔχει βάρος ἐν τῇ αὐτῇ
χώρᾳ Οδ5. 312ᵇ3, cf ᵇ7. τὸ ἐπιπολάζον φέρεται πρὸς τὸ
ἔσχατον τῆς χώρας, ἐν ᾗ ποιήνεται τὴν κίνησιν Οδ4. 312ᵃ5.
ὁ θεὸς ἐπὶ τῆς ἀνωτάτω χώρας ἵδρυται κ6. 398ᵇ7. ἡ τῶ
γάλακτος (coelestis) χώρα μα7. 345ᵃ9. ἡ κύκλῳ χώρα,
κατὰ συνεχῆ χώραν μβ4. 360ᵇ8, 6. τὴν αὐτὴν ἐπέχειν
χώραν Οβ4. 287ᵃ17. — Πλάτων (Tim 25A) τὴν ὕλην
κ̅ τὴν χώραν ταὐτό φησιν Φδ2. 209ᵇ12. τὸ κακὸν εἰς τὴν
ἀγαθῶ χώρα (Plat) Μν4. 1092ᵃ1 Bz. τὸ χάος (Hes θ116)
χώραν τοῖς ὖσιν ξ2. 976ᵇ17. — (ὁ ποτάμιος κροκόδειλος)
ὐκ ἔχει γλῶτταν, ἀλλὰ χώραν γλώττης μόνον Ζμδ11.
690ᵇ21, 23. τὸ ὀστρακῶδες ἐκτὸς ἔχυσιν ἐν τῇ χώρᾳ τῆ
τῶ δέρματος Ζιδ2. 525ᵇ13. ἐστὶν ἡ φολὶς ὅμοιον χώρᾳ
λεπίδος, φύσει δὲ σκληρότερον Ζμδ11. 691ᵃ16. Ζια6.
490ᵇ23 (Aub?). ἡ τῶ θήλεος χώρα κ̅ ὑποδοχή Ζιε5. 541
ᵃ2. τὰ θήλεα παρὰ τὸ ἕτερον τὴν τῶν ὠῶν χώραν ἔχυσιν
Ζιδ2. 526ᵇ31. εὐρυχωρέστερα ὄντα μεῖζω χώραν ἔχει
τοῖς ὠοῖς sim Ζμδ8. 684ᵃ25. β6. 652ᵃ16. γ8. 671ᵃ29.
ἡ θέσις (τῆς καρδίας) ἔχει ἀρχικὴν χώραν Ζμγ4. 665ᵇ18.
οἱ εὔποροι κατέχυσι χώραν καλῶν κἀγαθῶν Πθ8. 1294ᵃ19.
ᵴ δ' ἕνεκα συνέστηκε, τὴν τῆ καλῆ χώραν εἴληφεν Ζμα5.
645ᵃ25. cf μζ7. 1204ᵃ35. ἡ φαντασία κ̅ ἡ αἴσθησις
τὴν αὐτὴν τῷ νῷ χώραν ἔχει, κριτικὰ γάρ Ζκ6. 700ᵇ20. 60
χώραν ποιεῖν ἐν τῷ ἀκροατῇ τῷ μέλλοντι λόγῳ Ργ17.

1418ᵇ16. χώραν ἐπιχειρήματος ἡ σκέψις ποιεῖ τι12. 172
ᵇ23. ἡ τοιαύτη λέξις χώρα ἐστὶν ἐνθυμήματος Ρβ24. 1401
ᵃ6, cf τόποι τῶν φαινομένων ἐνθυμημάτων, εἰς μὲν ὁ παρὰ
τὴν λέξιν 1400ᵇ37. κατὰ χώραν εἴασεν ὁ νομοθέτης ἔχειν
πκθ13. 951ᵇ18. — χῶραι ἀλεειναί μα12. 348ᵃ19. αἱ
χῶραι κ̅ αἱ ὧραι ἀλεειναί μα12. 349 ᵃ4. χῶραι τραχεῖαι
Ζιε41. 628ᵇ10. διαφέρει χώρα χώρας κ̅ ὕδωρ ὕδατος Ζιδ2.
767ᵃ28. τῶν φυομένων κ̅ τῶν ζῴων τῶν τετραπόδων
πολλὴν αἱ χῶραι ποιῶσι διαφορὰν πρὸς τὴν τῶ σώματος
εὐημερίαν, syn τόποι. Ζιε11. 543ᵇ25, 28. cf θ29. 607ᵃ14,
9. (μεταβάλλει) ὥσπερ τὰ σπέρματα τὰ ξενικὰ κατὰ τὴν
χώραν· αὕτη γὰρ ἡ τὴν ὕλην παρέχυσα κ̅ τὸ σῶμα τοῖς
σπέρμασίν ἐστιν Ζγβ4. 738ᵇ35. (τὸ δέρμα χώρας ἔχει
δύναμιν διὰ τὸ πάχος Ζγε5. 785ᵇ13.) ὖτε χῶραι ὖτε ὧραι
αἱ τυχῦσαι μβ7. 365ᵃ35. ὥρας ἢ χώρας σημεῖον μα11.
347ᵇ24. χώρα σομφὴ κ̅ ὑπαντρος μβ8. 366ᵃ25. χώρα
δυνατὴ οἰκεῖσθαι μβ5. 362ᵃ33. ἡ μέλισσα καλῶς οἰκεῖσθαι
κ̅ πόλις κ̅ χώρα Πη14. 1284ᵇ39. ὅταν μὴ εὐφυῶς ἔχῃ
ἡ χώρα πρὸς τὸ μίαν εἶναι πόλιν Πε3. 1303ᵇ8. τὸν νομο-
θέτην βλέπειν δεῖ πρός τε τὴν χώραν κ̅ τὺς ἀνθρώπυς Πβ6.
1265ᵃ20. πῶς δεῖ διανέμεσθαι τὴν χώραν Πη10. 1329
ᵇ39-1330ᵃ33. β8. 1267ᵇ34. οἱ πολλῆς χώρας κρατῶντες
Ζιθ12. 596ᵇ26. χώρα εὐσύνοπτος, εὐβάνθητος, εὐπαρακό-
μιστος Πηδ5. 1327ᵃ5. συγκαταχτήσασθαι τὴν χώραν ὅλην,
συναγαγεῖν, πορίσαι χώραν, χώρα ἥκεν εἰς ὀλίγυς, εἰς
ᾧ ἔστι τινι χώρας sim Πε7. 1307ᵃ29. γ14. 1285ᵇ8. 13.
1283ᵃ32. βθ9. 1270ᵃ18. δ4. 1291ᵃ20. ἀνάδαστον ποιεῖν
τὴν χώραν Πε7. 1307ᵃ2. κατά τινα τόπον τῆς χώρας (τῶν
Χαλκιδέων) Ζμδ2. 677ᵃ3. χώρα, opp πόλις, διεσπάρθαι
κατὰ χώραν Πζ4. 1319ᵃ33, 31. β5. 1263ᵃ37. τὸ
κατὰ τὴν χώραν πλῆθος, οἱ τὴν χώραν ἐργαζόμενοι, opp
οἱ ἀγοραῖοι Πζ4. 1319ᵃ38. ρ3. 1424ᵃ28. χώρα, opp θά-
λαττα, καλῶς κεῖσθαι πρός τε τὴν θάλατταν κ̅ πρὸς τὴν
χώραν Πηδ5. 1327ᵃ5. 12. 1331ᵇ3.

χωρεῖν. trans. ἀχάνη μέτρον ἐστὶν Ὀρχομένιον τεσσαράκοντα
πέντε μεδίμνυς χωρῦν Ἀττικὰ sim f 525. 1564ᵇ26, 28.
θ129. 842ᵇ35. — intr. ὅταν ἀθρόον χωρῇ τὸ πνεῦμα μγ1.
371ᵇ1. ὁμόσε χωρήσασα ἄρκτος τῷ ταύρῳ Ζιθ5. 594ᵇ12.
σπέρμα γόνιμον εἰ ὕδατι χωρεῖ κάτω Ζιγ22. 520ᵇ25.
κατὰ βυθῶ ὡς τάχος χωρεῖ ὁ ναυτίλος Ζιδ16. 1531ᵇ27.
τὸ γόνιμον εἰς βυθὸν χωρεῖ Ζγβ8. 747ᵃ6. τὸ ὀλίγον ποτὸν
εἰς σάρκας χωρεῖ πα55. 866ᵃ10. — impers. αἱ μέλιτται
τὺς κηφῆνας ἀποκτείνυσιν, ὅταν μηκέτι χωρῇ αὐταῖς ἐργα-
ζομέναις Ζιθ40. 626ᵇ11.

χωρίζειν, χωριστός. sensu locali, Ὑρκανία κεχωρισμένη
τῆς ἐρυθρᾶς θαλάττης μβ1. 354ᵃ3. κεχωρισμένοι τοῖς τό-
ποις Ηθ6. 1157ᵇ8. πολὺ χωρισθέντος Ηθ9. 1159ᵃ5 (syn
ἐὰν πολὺ διάστημα γίγνηται 1158ᵇ23). προσγίνεσθαι κ̅
χωρίζεσθαι πάλιν Γα1. 315ᵃ16. δεῖ τὸ χεῖρον ἀπὸ τὴν πλήθυς
χωρίζεσθαι Πζ4. 1319ᵇ1. ὑδατος φύσις ὐκ ἔστι κεχωρισμένη
τῆ περὶ τὴν γῆν ἱδρυμένη σώματος μα3. 339ᵇ10. cf δ5.
382ᵇ19. χωρίζεται ὁ ὀρρὸς κ̅ ὁ τυρὸς μδ7. 384ᵃ19, 22,
23. ὑμὴν περὶ αὐτὸ ἤδη ἐν ἐμβρύον, χωρίζων πρὸς τὸ
ὑγρόν Ζιζ3. 561ᵇ23. cf Ζγβ4. 739ᵇ30, 740ᵇ2. 3.736ᵇ11.
γ3. 754ᵇ12. ἢ μόριον ἢ κεχωρισμένον Ζγβ1. 734ᵃ6. κε-
χωρισμένον τὸ λευκὸν κ̅ τὸ ὠχρὸν (τῶ ὠῶ) Ζγγ3. 754ᵇ22.
τὰ πλωτὰ ἔχει διηρθρωμένυς κ̅ χωριστὺς δακτύλυς Ζιβ12.
504ᵃ8. χωριστὸν ἔχει τὸ σκεπαστικὸν μόριον Ζγα12. 719
ᵇ17. εἰ φλέψ τίς ἐστι κεχωρισμένη κ̅ μὴ συνεχὴς πρὸς τὴν
ἀρχήν· ἐστιν κεχωρισμένον· πιότης κεχωρισμένη Ζμβ9.
654ᵇ10, 4, 655ᵃ35. Ζιγ17. 520ᵃ23. ἀδύνατον φθέγγεσθαι

κεχωρισμένης τῆς ἀρτηρίας Ζμγ10. 673 ᵃ24. ἐν τοῖς φυτοῖς
ἢ ἐνίοις τῶν ζώων ᵘ κεχώρισται τὸ θῆλυ ἢ τὸ ἄρρεν
Ζγα18. 724 ᵇ16. 20. 728 ᵇ32. 23. 730 ᵇ33 (syn διώρισται
729 ᵃ1), 731 ᵃ10. β1. 732 ᵃ5. 4. 741 ᵃ3. 5. 741 ᵇ2 al. χω-
ρισθῆναι τῆς φύσεως μδ1. 379 ᵃ14. 11. 389 ᵇ14 (syn ἐξί- 5
στασθαι ᵇ11). κεχώρισται ἢ τὸ βραχύβιον ἢ τὸ νοσῶδες
μκ1. 464 ᵇ27. ὁ ἀνδρεῖος ᵘ ὁ ἀναιδὴς τὰς διανοίας πολὺ
κεχωρισμένοι φ1. 805 ᵇ4. χωρίζειν i q μερίζειν: χωρίζειν
τὴν κόπρον· ἐν τῇ κόπρῳ τῇ χωριζομένῃ κατὰ μέρος Ζιε19.
552 ᵃ23, 21. χωρίζειν, coni syn μερίζειν Πβ5. 1264 ᵃ7. 10
cf Ηθ3. 1121 ᵇ19. Ζγα18. 723 ᵇ14. — ratione et notione
distinguere, τὸ καθ᾽ αὑτὸ ἴδιον παντὸς χωρίζει, πρὸς ἅπαντα
χωρίζει τε1. 128 ᵇ35 (syn διορίζειν ᵇ37). χωρίζειν ἢ δια-
σπᾶν Ζμα2. 642 ᵇ18. τὸ χωρίζον ἀπό τινος, opp τὸ πᾶσιν
ὑπάρχον, κοινόν τε3. 132 ᵃ13. ζ3. 140 ᵃ28-30. χωρίσαντας 15
ἀπὸ τῶν ὠφελίμων τὰ καθ᾽ αὑτὰ Ηα4. 1096 ᵃ14. τὸν ἴδιον
τῆς οὐσίας ἑκάστης λόγον ταῖς περὶ ἕκαστον οἰκείας διαφο-
ραῖς χωρίζειν εἰώθαμεν τα18. 108 ᵇ6. εἰ μὴ πρὸς ἅπαντα
χωρίζεται (int τᵘτο ᵘ τὸ ἁπλῶς ἴδιον ἀποδέδοται) τε2. 129
ᵃ25. χωρίζειν c gen, τὸ παρεπόμενον ἀεὶ χαλεπὸν χωρίσαι 20
τᵘ μὴ γένος εἶναι τό6. 128 ᵃ39. haec vis voc χωρίζεσθαι,
χωριστός plenius significatur add λόγῳ, κατὰ λόγον, εἴδει,
τῷ εἶναι, quibus opp τόπῳ, χρόνῳ, ἀριθμῷ, μεγέθει (κατὰ
μέγεθος), ἁπλῶς ψβ2. 413 ᵇ14, 26, 29. γ2. 427 ᵃ3. 4. 429
ᵃ11. 9. 432 ᵃ20 (Trdlbg p 527). Μδ6. 1016 ᵇ2 (8. 1017 25
ᵇ25 Bz). η1. 1042 ᵃ29, 31. Φβ1. 193 ᵇ4. 2. 194 ᵇ12. Γα5.
320 ᵇ24. χωριστὸν ἁπλῶς id dicitur quod suapte natura
et per se in re ac veritate est, ᵘθεν τῶν ἄλλων χωρι-
στόν ἐστι παρὰ τὴν ᵘσίαν Φα2. 185 ᵃ31, coni τόδε τι·
τὸ χωριστὸν ἢ τὸ τόδε τι ὑπάρχειν δοκεῖ μάλιστα τῇ ᵘσίᾳ 30
Μζ3. 1029 ᵃ28. τόδε τι σημαίνειν ἢ εἶναι χωριστὰ ἢ ᵘσίας
Μζ14. 1039 ᵃ32. cf β3. 999 ᵃ19. ε1. 1060 ᵃ12, ᵇ2. τὸ
χωριστὸν ἢ τί ἐστι Φβ2. 194 ᵇ14. περὶ τὴν ᵘσίαν τὴν κατὰ
τὸν λόγον ὡς ἐπὶ τὸ πολύ, ᵘ χωριστὴν μόνον Με1. 1025
ᵇ28. inde de Platone solennis formula ἐχώρισε τὰ εἴδη, 35
ποιεῖ τὰς ἰδέας χωριστὰς παρὰ τὰ καθ᾽ ἕκαστα Μζ16.
1040 ᵇ28. μ9. 1086 ᵃ33, ᵇ4. 2. 1076 ᵇ3. 4. 1078 ᵇ30. 6.
1080 ᵇ1. κ2. 1060 ᵃ8. Ηα4. 1096 ᵇ33. ηεα8. 1217 ᵇ15.
— ᵘτος ὁ νᵘς χωριστὸς ἢ ἀπαθὴς ψγ5. 430 ᵃ17. cf
β2. 413 ᵇ26, 29. Ηκ8. 1178 ᵃ22. πότερον ἐνδέχεται τὴν 40
ψυχὴν χωριστὴν εἶναι ψα1. 403 ᵃ11. cf Ζγβ3. 737 ᵃ9. f 12.
1475 ᵇ45. ἡ ὕλη ᵘ χωριστὴ Γβ1. 329 ᵃ25, 10. τὸ εἶδος ᵘ
χωριστὸν ὂν ἀλλ᾽ ἢ κατὰ τὸν λόγον Φβ1. 193 ᵇ4. cf 2.
194 ᵇ12. τῶν παθῶν ᵘθὲν χωριστὸν Γα10. 327 ᵇ22. 3. 317
ᵇ10, 33. μκ3. 465 ᵇ14. τὸ κενόν, ὁ τόπος ᵘ κεχωρισμένον 45
(ἀποκρινόμενον καθ᾽ αὑτό), ᵘ χωριστὸν Ογ8. 302 ᵃ1. Φδ8.
216 ᵃ15. 4. 211 ᵃ3. ᵘκ ἔστι διάστημα ἕτερον τῶν σωμά-
των ᵘτε χωριστὸν ᵘτε ἐνεργείᾳ ὂν Φδ6. 213 ᵃ32 (cf ἡ ἐν-
τελέχεια χωρίζει Μζ13. 1039 ᵃ7 Bz). τὸ ἄπειρον ᵘ χωρι-
στὸν ἐνεργείᾳ ἀλλὰ γνώσει Μθ6. 1048 ᵇ15. τὰ μαθηματικὰ 50
ἀχώριστα, χωριστὰ τῇ νοήσει, θεωρεῖται ἢ χωριστά Με1.
1026 ᵃ9, 15. κ1. 1059 ᵇ13. μ3. 1078 ᵃ22. Φβ2. 193 ᵇ34.
οἱ Πυθαγόρειοι τὸν μαθηματικὸν ἀριθμὸν τιθέασιν, ᵘ κεχω-
ρισμένον Μμ6. 1080 ᵇ17. — τῶν μορίων ᵘθὲν κεχωρισμένον
ἐστίν Μζ1. 1040 ᵇ5. τὸ κτῆμα ὄργανον χωριστόν, ὁ δᵘλος 55
οἷον ἔμψυχον κεχωρισμένον δὲ μέρος Πα4. 1254 ᵃ17. 6.
1255 ᵇ12. τὸ τέκνον ἕως ἂν πηλίκον ᾖ ἢ μὴ χωρισθῇ· τὰ
τέκνα οἷον ἕτεροι αὐτοὶ τῷ κεχωρίσθαι Ηε10. 1134 ᵇ11.

θ14. 1161 ᵇ29. ημα34. 1194 ᵇ15. εἰ μὴ αὐτάρκης ἕκαστος
χωρισθείς Πα3. 1253 ᵃ26. διὰ τὸ μὴ χωρίζεσθαι φαίνεταί
τισι ταύτον Ηκ5. 1175 ᵇ35. τὸ χωρίζεσθαι adhibetur ad
demonstrandam naturam τᵘ συμβεβηκότος Φβ1. 192 ᵇ26.
α3. 186 ᵇ28, 22. — χωρίζονται ἀλλήλων αἱ ἀρεταὶ Ηζ3.
1144 ᵇ33. ποίας ἀρχὰς ἁρμόττει συνάγειν ἢ ποίας χωρίζειν
Πζ8. 1321 ᵇ11. διαφορὰς τισὶ ἢ πάθεσι χωρίζεσθαι Γα1.
315 ᵃ9. — ᵘ δοτέον τῶν πρός τι λεγομένων σημαίνειν τι
χωριζομένας καθ᾽ αὑτὰς τὰς κατηγορίας (i e ἄνευ τᵘ πρός
ὃ λέγονται) τι31. 181 ᵇ27. — δείκνυται κατ᾽ ἀμφοτέρας
τρόπᵘς ἢ ᵘκ ἐνδέχεται χωρίζεσθαι τὸν ἕτερον Αβ14. 63
ᵇ20. — (χωριζόντων ξ1. 974 ᵃ28, χωρᵘντων ci Bz. τὰ
χωριστὰ Ζγβ3. 736 ᵇ9, τὰ ἀχώριστα ci Ddt Aub.)

χωρίον τοῦτον, ὃ τὴν θέσιν πρὸς τὸν ἥλιον ἐστραμμένον ἐστὶ
μγ4. 374 ᵇ1. νέμεσθαι χωρία ἑλώδη, μετεωρότερα Ζιθ10.
596 ᵇ3. — χωρίων κτῆσις Ρα5. 1361 ᵃ13. χωρίον δημά-
σιον, ἰδιωτικόν ρ3. 1424 ᵃ35. οβ1346 ᵇ16. λαμβάνειν χω-
ρίον τι Πβ7. 1267 ᵃ33. — mathem, ἐν ἴσῳ χρόνῳ πλέον
κινεῖσθαι χωρίον μχ9. 852 ᵃ18. τὸ ἀπὸ τῆς διαμέτρου χω-
ρίον ατ970 ᵃ15. ὁμοίως διαιρεῖ τὴν τε γραμμὴν ἢ τὸ χω-
ρίον τθ3. 158 ᵇ32, 34.

χωρίς, cf χωρίζειν, χωρὶς λέγεται ὅσα ἐν ἑτέρῳ τόπῳ ἐστί,
opp ἅμα, ἐν τῷ αὐτῷ τόπῳ Φε3. 226 ᵇ22. Μκ12. 1068
ᵇ26. β2. 998 ᵃ18. ε13. 22 ᵃ39. τίθεσθαι, διεστάναι χωρὶς
Φδ8. 214 ᵇ27. Οβ13. 295 ᵃ31. οἰκεῖν χωρίς, μὴ μέντοι
τοσᾶτον ἄποθεν Πγ9. 1280 ᵇ18. ἵνα πλεῖν ἐν ὑμένι χωρὶς
ἕκαστον Ζιδ5. 680 ᵃ13. τᵘς ἄνωθεν ὀδόντας χωρὶς ἢ τᵘς
κάτωθεν Ζμβ16. 659 ᵇ25. — διῃρῆσθαι χωρὶς κατὰ γένη
τὴν πόλιν Πη10. 1329 ᵃ41. cf Ζμδ3. 643 ᵇ7. κοινῇ (καθό-
λᵘ, κοινῇ πάντες), opp χωρὶς (χωρὶς ἕκαστος, χωρὶς περὶ
τῶν καθ᾽ ἕκαστον sim) Πγ6. 1278 ᵇ24. 11. 1281 ᵇ13. δ2.
1289 ᵇ25. 14. 1297 ᵇ35. ε1. 1301 ᵃ23. 8. 1307 ᵇ26. η1.
1323 ᵃ21, ᵇ41. Μγ3. 1005 ᵃ23. μα1. 339 ᵃ8. 6. 343 ᵃ22.
Ζμα4. 644 ᵃ19, 31, ᵇ1. 5. 645 ᵇ10. γ1. 661 ᵇ1. Ζγδ1. 763
ᵇ21. ὑπάρχειν τινὶ sive κατηγορεῖσθαί τινος ἅμα, opp
χωρὶς Μζ15. 1040 ᵃ14. μδ9. 386 ᵃ9. διαστάντων χωρὶς
τᵘτων τῶν λόγων Πα6. 1255 ᵇ19. τὴν αὐτὴν φύσιν εἶναι,
opp χωρὶς Γα1. 314 ᵃ5. χωρὶς λαμβάνοντας θεωρεῖν ἑκάστ̄
τὴν φύσιν Ζια6. 491 ᵃ5. τῶν ἄκρων ἑκάτερον χωρὶς Ζμβ7.
652 ᵇ19. σκέπτεσθαι περί τινος χωρίς, χωρὶς ἀπό τινος
Μμ1. 1076 ᵃ27. Πβ5. 1262 ᵇ40. χωρὶς δηλᵘν, opp ἐν τῷ
λόγῳ (i e in contextu orationis) τι31. 181 ᵇ7. — χωρὶς
εἶναι, ὑπάρχειν (cf χωρίζειν p 860 ᵃ27, 35): ᵘθὲν τῶν καθόλᵘ
ὑπάρχει παρὰ τὰ καθ᾽ ἕκαστα χωρὶς sim Μζ16. 1040 ᵇ27.
Α9. 991 ᵇ1. μ5. 1079 ᵇ36 (Wz ad Κ2. 1 ᵃ25). — χωρὶς
c gen, ἀδύνατον χωρὶς εἶναι τᵘ ἐν ᵘ ἐστὶν Κ2. 1 ᵃ25.
μετὰ δυνάμεως, opp χωρὶς δυνάμεως, ᾗ χωρὶς δυνάμεως Πγ15. 1286 ᵇ7.
πλᾶτος χωρὶς φρονήσεως f 89. 1492 ᵃ16. — χωρὶς (i e
non habita ratione alicuius rei) τῆς φυσικῆς φιλίας al
Ηθ. 1163 ᵇ23. Πᵘ15. 1300 ᵃ31. χωρὶς τᵘ πῶς ἔχει
τἀληθές Ζμα1. 639 ᵃ14.

χωρισμός, syn διαίρεσις μδ9. 386 ᵃ13. opp μῖξις ΜΑ8.
989 ᵇ4. τὸ κενὸν χωρισμός τις τῶν ἐφεξῆς Φδ6. 213 ᵇ25.
χωρισμὸν ᵘ δέχεσθαι, syn συνεύχθαι Ηκ5. 1175 ᵇ20. —
χωρισμὸς ὁ κατὰ γένος τᵘ πολιτικᵘ πλήθᵘς ἐξ Αἰγύπτᵘ
Πη10. 1329 ᵃ23.

χῶρος. ὁ ᵘράνιος ἐκεῖνος χῶρος κ1. 391 ᵃ10. ὁ θεὸς καθαρὸς
ἐν καθαρῷ χώρῳ κ6. 400 ᵃ6 (v l τόπῳ Didot praef XIII).

Ψ

ψ. τὸ ξΨζ συμφωνίας φασὶν εἶναι Μν 6. 1093 ᵃ20.
ὅσα τελευτᾷ εἰς τὸ ν χ ρ χ ⟨σ χ⟩ ὅσα ἐκ τύτυ σύγκει-
ται πο 21. 1458 ᵃ10, 13. Vhl Poet III 316.

ψαθυρός. περὶ ψαθυρῦ, opp γλίσχρυν μθ 8. 385 ᵃ17. 9. 387
ᵇ11-15. τὸ ὕδωρ ψαθυρόν ἐστιν αι 4. 441 ᵃ25. cf πκα 6.
927 ᵇ10. διὰ τὸ ψαθυρὸς εἶναι ὁ γεγωνεῖ (ὁ ἀήρ), ἂν μὴ
λεῖον ᾖ τὸ πληγέν ψβ 8. 419 ᵇ35 Trdlbg p 384. ψὸν ψα-
θυρὸν ἰχθύων, μαλακίων Ζιγ 1. 510 ᵇ26. 10. 517 ᵇ6. ε 18.
549 ᵇ31. ζ 13. 567 ᵃ21. δύο ἄττα ψαθυρά Ζιδ 2. 527 ᵃ30.
τὸ ψαθυρὸν εὐπεπτότερον· τὸ τῷ μελικράτῳ φυραθὲν ἄλευ-
ρον ψαθυρώτερον sim πκα8. 927 ᵇ27. 11. 928 ᵃ6. 2. 927 ᵃ21.

ψαθυρότης. σήπιον ἔχον ἐν αὑτῷ ψαθυρότητα σομφήν Ζιδ1.
524 ᵇ26. ἡ ψαθυρότης ὑπὸ ξηρασίας γίνεται πκα 11. 928 ᵃ10.

ψακάζεσθαι. εἰκάζυσι λύχνῳ (ci, λύκυν codd) ψακαζομένῳ
μύωπα Ργ11. 1413 ᵃ4.

ψακάς. ἕκαστον τῶν μορίων ἐξ ὧν γίνεται συνισταμένων ἡ
ψακάς μγ 4. 373 ᵇ16. ὅταν μὲν κατὰ μικρὰ μόρια φέρη-
ται, ψακάδες, ὅταν δὲ κατὰ μείζω μόρια, ὑετὸς καλεῖται
μα 9. 347 ᵃ11. ἡ τῶ νέφυς θλίψις ἠπία ὖσα μαλακὰς ψα-
κάδας (v l ψακάδα) διασπείρει κ 4. 394 ᵃ30. ψακάδες διὰ
μικρότητα ἄνω ὀχῦνται, μεγάλαι καταφέρονται, μείζυς ἐν
ταῖς ἀλεειναῖς ἡμέραις μα 12. 348 ᵃ7, 11, ᵇ8. ὁ πυκναὶ αἱ
ψακάδες αἱ μεγάλαι πίπτυσιν μα 12. 348 ᵇ25.

ψαλίς. οἱ ὀμφαλοὶ λεγόμενοι ἐν ταῖς ψαλίσι λίθοις, οἱ
μέσοι κείμενοι κατὰ τὴν εἰς ἑκάτερον μέρος ἔνδεσιν ἐν ἁρ-
μονίᾳ τηρῦσι τὸ πᾶν σχῆμα τῆς ψαλίδος κ 6. 399 ᵇ30, 32.

ψάλλειν, ἐάν τις ψήλας τὴν νήτην ἐπιλάβῃ πιθ 24. 919 ᵇ15.
42. 921 ᵇ14.

ψαλτήριον τρίγωνον πιθ 23. 919 ᵇ12.

ψάλτης. τοῖς ἀστυνόμοις μέλειν περὶ τῶν ψαλτριῶν f 408. 30
1546 ᵃ40.

ψάμαθός τε κόνις τε (Hom I 385) Ργ11. 1413 ᵃ31.

Ψαμμήτιχος ὁ Γορδίυ Πε 12. 1315 ᵇ26.

ψάμμος. εἰ σωρῶ ἢ ὁρμαθῶ ψάμμυ τύποι τις φερόμενον
ταχὺ ψβ 8. 419 ᵇ24. ἡ θάλασσα ποιεῖ καθ' ἑαυτὴν ψάμ-
μον φτβ 2. 823 ᵇ19, 824 ᵃ1.

ψαμμώδεις τόποι φτβ 2. 823 ᵃ1.

ψᾶρος (cf Lob Par 137, 20. Prol 93, 22. ψᾶρος Aub II 496).
ποικίλος, μέγεθος ἡλίκον κόττυφος, φωλεῖ Ζυ26. 617 ᵇ26.
θ16. 600 ᵃ26. (sparus Thom, sturnus Gazae, Scalig. sca-
rus Alberto, étourneau C II 328. S II 131. Sturnus vul-
garis St. Cr. AΖι I 113, 123. K 895, 5. Su 125, 82. hodie
ψαρόι, μαυροπῦλι cf E 46, 26. Lnd 73.)

ψαρός. χ χίχλη τῶ μὲν χειμῶνος ψαρὰ τῶ δὲ θέρυς ποικίλα
τὰ περὶ τὸν αὐχένα ἴσχει Ζιι 49 B. 632 ᵇ19.

ψέγειν, ψέξαι, opp ἐπαινεῖν Ηθ 10. 1125 ᵇ16. Ργ15. 1416
ᵇ4, 6 al. τί ψέγεται ἢ ἐπαινεῖται νεβ7. 1223 ᵃ10 cf Ηε 10.
1135 ᵃ21. — ψεκτόν, opp ἐπαινετόν ἀρ 7. 1249 ᵃ26,
30. ὁ πίσον χ πῶς παραβαίνων ψεκτός Ηθ 11. 1126 ᵇ3.
cf 13. 1127 ᵃ31. ὁ λίαν ψεκτός Ηθ 13. 1127 ᵇ12. ὑπερ-
βολαὶ χ ἐλλείψεις, ἕξεις ψεκταί Ηθ 11. 1126 ᵇ7. 12. 1126
ᵇ17. φαῦλον χ ψεκτὸν τὸ ἄμετρον Ηθ 13. 1127 ᵇ9. μετὰ
κακίας χ ψεκτόν Ηε15. 1138 ᵃ32. ψεκτόν, syn φευκτόν τω5.
126 ᵃ30. dist φευκτόν, φαῦλον Ηη6. 1148 ᵇ4-6. ἀχρηστία
ψεκτοτέρα, ψεκτοτάτη ημβ 6. 1202 ᵇ11.

ψεκτικός. ψεκτικὸν εἶδος τῶν πολιτικῶν λόγων, opp ἐγκω-
μιαστικόν p2. 1421 ᵇ9, def p4. 1425 ᵇ38. περὶ τῦ ψεκτικῦ
εἴδυς p 4.

ψέλιον. ἵππος ἂν ψέλια χρυσᾶ ἔχῃ αὐτὸς φαῦλος ὤν f 89.
1492 ᵃ3.

ψελλίζειν. ἡ γλῶττα ἀπολύεται ὀψιαίτερον, ὥστε (τὰ παι-
δία) ψελλίζυσι χ τραυλίζυσιν Ζιθ 9. 536 ᵇ8. πια1. 898
ᵇ34. — med, ὅσοις μὴ λίαν ἀπολέλυται γλῶττα, ψελλί-
ζονται χ τραυλίζονται, τῦτο δ' ἐστὶν ἔνδεια τῶν γραμμά-
των Ζμβ17. 660 ᵃ26. — metaph, ψελλιζομένη ἔοικεν ἡ
πρώτη φιλοσοφία ΜΑ 10. 993 ᵃ15 Bz. εἴ τις λαμβάνει πρὸς
τὴν διάνοιαν χ μὴ πρὸς ἃ ψελλίζεται λέγων Ἐμπεδοκλῆς
ΜΑ 4. 985 ᵃ5. ἔνια γὰρ ψελλίζεται πρὸς ἄλληλα τῶν ὄν-
των χ ἐπαμφοτερίζει Γα10. 328 ᵇ9.

ψελλός. γλῶττα καταδεδεμένη, ὥσπερ τοῖς ψελλοῖς χ τοῖς
τραυλοῖς Ζια11. 492 ᵇ32. τραυλοὶ χ ψελλοὶ οἱ παῖδες πια30.
902 ᵇ22.

ψελλότης τῷ ἐξαίρειν τι, ἢ γράμμα ἢ συλλαβήν πια30. 902 ᵇ24.

ψευδάγγελος. Ὀδυσσεὺς ὁ ψευδάγγελος (tragoedia poetae
incerti) πο16. 1455 ᵃ14.

ψευδεγγραφεῖς γραφαὶ ἐλαγχάνοντο πρὸς τὰς θεσμοθέτας
f 378. 1541 ᵃ4. 379. 1541 ᵃ31, 41.

ψεύδεσθαι. δύναμις καθ' ἣν ἀληθεύομεν ἢ ψευδόμεθα ψγ3.
428 ᵃ4. ἀληθεύει ὁ τῦτο οἰόμενος, ἔψευσται ὁ ἐναντίως
ἔχων Μθ 10. 1051 ᵇ4. τῦτο λέγοντες ψευδόμεθα Μκ 6.
1063 ᵇ21. ὑδὲν διὰ τῦτο ψεῦδος ψεύσεται Μμ3. 1078
ᵃ19. ὁ λόγος ψεύδεται, opp ἀληθεύει ε 2. 16 ᵇ3, 5. πολλοὶ
βασανιζόμενοι καθ' ἑαυτῶν ἐψεύσαντο ρ17. 1432 ᵃ25.
ψεύσασθαί τι κατὰ τῶν τετελευτηκότων ὐχ ὅσιον f 40. 1481
ᵃ34. Κτησίας φανερός ἐστιν ἐψευσμένος Ζγβ 2. 736 ᵃ4. —
ὁ σοφιστικὸς λόγος ψευδόμενος Ηη3. 1146 ᵃ21. τι25. 180
ᵇ2 sqq. cf Zeller Gesch II 1. 188, 2. — ψευσάμενοι, syn
ἐξαπατήσαντες Πε4. 1304 ᵇ14, 9.

ψευδηγορεῖν πιθανά (Eurip f 400) Ρβ23. 1397 ᵃ17.

ψευδής λόγος Μδ 29. 1024 ᵇ26 (cf ψεῦδος). Αβ18. 66 ᵃ16.
τθ 12. 162 ᵇ3. πρότασις ὅλη ψευδής, ἐπί τι ψευδής Αβ2.
54 ᵃ1 Wz, ᵇ20. ὁ γεωμέτρης πῶς ψευδῆ ὑποτίθεται Αγ10.
76 ᵇ39. ἐκ ψευδῶν ἀληθές ἐστι συλλογίσασθαι Αβ 2. 53
ᵇ26. 16. 64 ᵇ7. τὰ ψευδῆ διὰ ποίυ παραλογισμῦ γίνεται
πιθανά πο24. 1460 ᵃ20-26. αἰτίαι ψευδεῖς μα6. 344 ᵃ3. —
πράγματα ψευδῆ def Μδ 29. 1024 ᵇ25. ἐκ τῶν ψευ-
δῶν ἀγαθῶν ἀληθὲς συμβαίνει κακόν Π12. 1297 ᵃ11. —
ἄνθρωπος ψευδής def Μδ 29. 1025 ᵃ2. ὡς ταὐτὸ δυναμένω
τῦ τ' ἀδίκυ χ τῦ ψευδῦς Πγ2. 1276 ᵃ2. τὸ θῆλυ ψευ-
δέστερον Ζιι1. 608 ᵇ12. — ψευδῶς, opp κατ' ἀλήθειαν
Αα29. 45 ᵇ10.

ψευδογραφεῖν τα1. 101 ᵃ10. θ1. 157 ᵃ2. ι 11. 172 ᵃ1.
pass, ψευδογραφεῖσθαι τε4. 132 ᵃ33. τὰ ψευδογραφύμενα
τθ10. 160 ᵇ35.

ψευδογράφημα τι11. 171 ᵇ12, 14.

ψευδογράφημα τι11. 171 ᵇ35, 37 (opp γεωμέτρης, γεωμε-
τρικός), 172 ᵃ10, ᵇ2.

ψευδοκλητείας γραφαὶ γίνονται πρὸς τὰς θεσμοθέτας f 378.
1541 ᵃ3. 379. 1541 ᵃ31.

ψευδομαρτυρεῖν. οἱ ψευδομαρτυρῦντες Ρα14. 1375 ᵃ12.
ψευδομαρτυρηθῆναι p16. 1432 ᵃ6.

ψευδομαρτυρία Ηε5. 1131 ᵃ7. — νόμος, δίκαι, κρίσεις
ψευδομαρτυριῶν p16. 1431 ᵇ41. Πβ 5. 1263 ᵇ21. 12. 1274
ᵇ6 (ψευδομαρτύρων codd). f 378. 1541 ᵃ11. ἁλίσκεσθαι
ψευδομαρτυριῶν Ρα15. 1376 ᵃ21.

ψευδομάρτυς. ψευδομάρτυρος δίκην ὐχ ὑφέξει p16. 1432
ᵃ6. αἱ δίκαι τῶν ψευδομαρτύρων (codd, ψευδομαρτυριῶν

Bentl Bk) Πβ12. 1274 ᵇ6.

ψεῦδος ποσαχῶς λέγεται Μδ29 Bz. τὸ λέγειν τὸ ὂν μὴ εἶναι ἢ τὸ μὴ ὂν εἶναι ψεῦδος Μγ7. 1011 ᵇ26. cf ἀληθής p 31 ᵇ46. περὶ τὰ ἀδιαίρετα ὐκ ἔστι ψεῦδος ἀδ' ἀπάτη ψγ6. 430 ª27. Μθ10. 1052 ª2 Bz. — συλλογισμὸς τῦ ψεύδὸς Αβ11. 61 ᵇ3. ἔστι διὰ ψεύδὸς τἀληθὲς δεῖξαι ηεα6. 1217 ª17. λύσις ἐριστικὴ συλλογισμῶ παρὰ ψεῦδος, syn παρ' ἀναίρεσιν τι33. 183 ª9-11. ἠ μόνον δεῖ τἀληθὲς εἰπεῖν ἀλλὰ κ τὸ αἴτιον τῦ ψεύδὸς Ηη15. 1154 ª23. τὸ πρῶτον ψεῦδος Αβ18. 66 ª16. ἀδὲν διὰ τῦτο ψεῦδος ψεύσεται 10 Μμ3. 1078 ª19. ὑποτίθενται τῦτο ψεῦδος Πη3. 1325 ᵇ3. Platonem falso τὸ μὴ ὂν, quod ὕλην esse voluit, idem ponere ac τὸ ψεῦδος Μν2. 1089 ª20 Bz, 28. cf μ3. 1078 ª21. — συμβαίνει ψεῦδος (in demonstrationibus indirectis), syn συμβαίνει ἀδύνατον Αα17. 37 ª36. 23. 41 ª30, 15 25, 32, 31. ψεῦδος, dist ἀδύνατον Αα15. 34 ª25 sqq, 37, ᵇ1. Οα12. 281 ᵇ3-14, 23. Μθ4. 1047 ᵇ13 Bz. τῦτο δ' ἐστὶ ψεῦδος sim Ζγγ1. 751 ª12. ε7. 787 ª10. δ3. 769 ª13. Ζιζ32. 579 ᵇ17. Ζμβ2. 648 ᵇ16. τῦτο ἐπιπόλαιον τὸ ψεῦδος Πγ12. 1282 ᵇ30. ὕτως λέγειν ἢ ψεῦδος ἢ μάταιον 20 Γα8. 326 ᵇ26.

ψεύστης Ηδ13. 1127 ᵇ16.

ψῆγμα. ἐκ τῦ λεπτομερεστάτυ συντιθεμένυ φασὶ γίγνεσθαι τἆλλα καθάπερ ἀν εἰ συμφυσωμένυ ψήγματος Ογ5. 304 ª21. τὸ ψῆγμα κ ἄλλα κονιορτώδη (ἐπιπλεῖ) ἐπὶ τῦ ἀέρος 25 Οδ6. 313 ª20.

ψηλαφᾶν. ἀν τις ψηλαφᾷ κ τρίβη τοῖς δακτύλοις Ζιζ17. 571 ª33. αἱ ὄρνιθες τῇ χειρὶ πῶς ψηλαφώμεναι Ζιζ2. 560 ª9. ἵνα μὴ λάβη ψηλαφῶν (?) ηεβ8. 1225 ª14.

ψήν. 1. οἱ καλύμενοι ψῆνες (v l ψῆρες cf Hermol Barb coroll 30 in Diosc p 21, 4, 60), eorum generatio, vita descr Ζιε32. 557 ᵇ26. (indicium Thom, ficarius culex Gazae, psen Scalig. C Π 705. S I 394. ova cynipum S Theophr. IV 375. Cynips psenes St. Cr. K 707, 3. Su 222, 33. ΑΖι I 172, 54. cf Albert magn ed Jessen 93. Leunis Synops 35 der Zool p 583. Heldreich 20. Lenz, Bot d Gr u Röm 422.) — 2. ἀν φύλλα κ ψῆνες ἠ φλοιὸς τῦ ἄρρενος φοίνικος τοῖς φύλλοις τῦ θήλεος συντεθείη φτα6. 821 ª14.

ψῆττα. τὸ τῶν ψηττῶν γένος, τὸ ὀχεῖον ὐκ ἔστιν, ψὰ φαίνεται ἔχοντα, refertur inter τὰς χυτάς, ἅπαξ τίκτει, κα- 40 θαμμίζει ἑαυτήν Ζιδ11. 538 ª20. ε9. 543 ª2. ι37. 620 ᵇ30. refertur inter τὰ σελάχη f 277. 1527 ᵇ41. (pecten Thom, basseca Alberto, passer Gazae Scalig. plie C II 652. cf S I 258, II 171. hist lit pisc 30. Pleuronectes lingua, rhombus, maxima St. Cr. K. 618, 6. barbue Cuv et 45 Val VII 240. cf M 285. Lewysohn Zool des Talmud 274. ΑΖι I 144, 84.) v ψηττοειδής.

ψηττοειδής. οἱ ψηττοειδεῖς τῶν ἰχθύων πῶς νέυσι Ζπ17. 714 ª6. iq τὸ τῶν ψηττῶν γένος. v ψῆττα.

ψηφίζεσθαι ταῦτα Πδ14. 1298 ᵇ32. πόλις ἢ ψηφίζεται 50 ἅπαντα τὰ δέοντα Ηη11. 1152 ª20. — διὰ τί ἐνίοις δικαστηρίοις τοῖς γένεσι μᾶλλον ἢ ταῖς διαθήκαις ψηφίῦνται πκθ3. 950 ᵇ6.

ψήφισμα ἀδὲν καθόλυ Πδ4. 1292 ª37. τὸ ψήφισμα πρακτὸν ὡς τὸ ἔσχατον Ηζ8. 1141 ᵇ27. opp νόμος Ηε14. 1137 55 ᵇ29, 32, 13. ψηφίσματα, syn ἐπιταγματα Πδ4. 1292 ª19. ὅπυ κύρια τὰ ψηφίσματα ἀλλὰ μὴ ὁ νόμος Πδ4. 1292 ª24, 35, ᵇ6. ψηφίσματα ἄκυρα Ηη10. 1151 ᵇ16. τὸ Μιλτιάδυ ψήφισμα Ργ10. 1411 ª10. τὰ ψηφίσματα τὰ γενόμενα φυλάττει ὁ γραμματεύς f 399. 1544 ᵇ2, 7. 60

ψηφισματώδης. τὰ ψηφισματώδη Ηε10. 1134 ᵇ10.

ψῆφος. ψῆφοι ποικίλαι θ105. 839 ᵇ23, 22. — ἀθροίζυσι τὰς μελίττας εἰς τὸ σμῆνος κροτῦντες ὀστράκοις κ ψήφοις Ζιι40. 627 ª17. — τὰς ψήφυς φέρειν (in computando) τι1. 165 ª10, 14. cf Μν5. 1092 ᵇ13. — de suffragiis, ἠ διαλογὴ τῶν ψήφων Πβ8. 1268 ᵇ17. ψῆφοι τετρυπημέναι, πλήρεις (ἄτρυπητοι) f 424. 1548 ᵇ7, 15. 426. 1548 ᵇ37. τῶν ψήφων ἴσων γινομένων ρ19. 1433 ª5. πκθ10. 951 ª21. 15. 952 ᵇ36. f 425. 1548 ᵇ20. θέσθαι ἐναντίαν ψῆφον ρ37. 1443 ª24. κρύβδην τὴν ψῆφον φέρειν, κρυπτῇ ψήφῳ ρ19. 1433 ª23. 3. 1424 ᵇ2.

ψηφοφορίας ἐστερῆσθαι ρ39. 1446 ᵇ22. διὰ ψηφοφορίας γίνεσθαι Πβ8. 1268 ª2.

ψήχεσθαι. ψήχεται ἡ πέτρα διὰ τὴν πληγὴν τῶν κυμάτων πκγ33. 935 ª13. τοῖς δὲ διὰ τὸ ψήχεσθαι, καθάπερ τὰ παλαιὰ τῶν οἰκοδομημάτων, ὐκ ἐγγίνεται ὁ τύπος μν1. 450 ᵇ3.

ψίαθος. ὑποτιθέμενος ὑπὸ τὴν ψίαθον εἰς τὴν γῆν ψὰ Ζιζ2. 559 ᵇ3.

ψιλομετρία, opp αὔλησις, κιθάρισις πο2. 1448 ª11. cf Bernays Dial 139. Herakl Briefe 116.

ψιλός. ὦτα τὰ μὲν ψιλὰ τὰ δὲ δασέα Ζια11. 492 ª32. ψιλὰ τὰ περὶ τὴν κεφαλήν· ὁ ἄνθρωπος ψιλότατον κατὰ τὸ σῶμα τῶν ζώων πάντων ἐστὶ sim Ζμδ14. 697 ᵇ18. Ζγβ6. 745 ᵇ16. Ζιζ30. 579 ª23. οἱ τὰ στήθη ψιλὰ ἄγαν ἔχοντες, opp δασέα φ6. 812 ᵇ17, 19. ψιλὸς ὑμήν Ζιγ13. 519 ᵇ5. γεωργία ψιλή, dist πεφυτευμένη Πα11. 1258 ᵇ18, 1259 ª1. οἱ ψιλοί, ἡ ψιλὴ δύναμις, τὸ ψιλόν, dist ὁπλῖται Πζ8. 1322 ᵇ1. 7. 1321 ª7, 13. ρ3. 1423 ᵇ4. κ6. 399 ᵇ8. διδάσκεσθαί τινα τὰς κύφας κ τὰς ψιλὰς ἐργασίας Πζ7. 1321 ª25. μυσικὴ ψιλή, opp μετὰ μελωδίας Πθ5. 1339 ᵇ20. λύρας φθόγγοι ὄντες ψιλοὶ πιθ43. 922 ª16. ψιλοὶ λόγοι, ἡ τῶν ψιλῶν λόγων λέξις, opp μέτρα πο1. 1447 ª29. Ργ2. 1404 ᵇ14, 33. τῇ χειρὶ μόνη ψιλῇ, opp προλαβόντα ὄργανον μχ21. 854 ª17. τὰς πράξεις αὐτὰς ψιλὰς φράζοντες, syn μηδὲν ἄλλο συμπαραλαμβάνοντες ρ32. 1438 ᵇ27. τὸ εἶναι ψιλόν (i e αὐτὸ καθ' αὑτὸ λεγόμενον) ε3. 16 ᵇ3. — ψιλαὶ εἰσι τῶν φωνῶν, ὅσαι γίγνονται χωρὶς τῆς τῦ πνεύματος ἐκβολῆς ακ804. ᵇ10. (cf ψιλότης.)

ψιλότης. ἀκολυθεῖ κατὰ τὸ σῶμα ᾧ αἱ κέρκοι δασύτητι κ ψιλότητι Ζιβ1. 499 ª11. ψιλότητι ᾗ δασύτητι τὰ στοιχεῖα διαφέρει πο20. 1456 ᵇ32.

ψιλῦν. ὠμμέναι πολλαὶ χελιδόνες εἰσὶν ἐν ἀγγείοις ἐψιλωμέναι πάμπαν Ζιθ16. 600 ª16 Aub. ψιλάμενα τὰ ὀστᾶ τῶν ὑμένων σφακελίζει Ζιγ13. 519 ª5.

ψιμμύθιον, ψιμύθιον. ψιμμύθιον exemplum τῆς λευκότητος Ηα4. 1096 ᵇ23 (v l ψιμύθιον). ξ4. 978 ª10. τὰς μήτρας ἀλείφυσιν ἐλαίῳ κεδρίνῳ ἢ ψιμυθίῳ (v l ψιμυθίῳ) Ζιη3. 583 ª23.

ψιττάκη (v l ψιτάκη, σιττάκη, σιτάκη), τὸ λεγόμενον ἀνθρωπόγλωττον, ὄρνεον Ἰνδικόν, refertur inter τὰ βραχυτράχηλα κ πλατύγλωττα κ μιμητικά· ἀκολαστότερον γίνεται, ὅταν πίη οἶνον Ζιθ12. 597 ᵇ27. (sitacus Thom, psittaca Gazae Scalig. perroquet C II 625. cf S I 625. Psittacus erithacus St. Cr. K 884, 1. Psittacus Alexandri Su 126, 85. ΑΖι I 113, 124. cf Beckm hist nat vett 49. Oken Isis 1830 p 831. Rose lib ord 210.) v συνῳδίνοντες ὄρνιθες p 734 ᵇ18.

Ψιττακηνῆ θ35. 833 ª1, 2.

ψόγος. τετράγωνος ἄνευ ψόγυ (Simonid fr 5) Ηα11. 1100 ᵇ22. ἔπαινοι κ ψόγοι ἐπὶ τῶν ἐκυσίων Ηγ1. 1109 ᵇ31, 1110 ª33. ψόγον, ἔπαινον ἔχειν ηεβ6. 1223 ª13. ἐπιδεικτικῦ τὸ μὲν ἔπαινος τὸ δὲ ψόγος Ρα3. 1358 ᵇ13. ἐγκωμίων κ ψό-

γων εὐπορήσεις ρ4. 1426 ª19. ποιεῖν ψόγνς, opp ὕμννς,
ἐγκώμια πο4. 1448 ᵇ27. Ὅμηρος ὃ ψόγον ἀλλὰ τὸ γελοῖον
δραματοποιήσας πο4. 1448 ᵇ37. Vhl Poet I 12.

ψοιά (Lob Phryn 301). φλέβες φέρνται παρὰ τὰς ψοιάς
(ψύας v l Bsm Pik, ψύας v l S), τὰ περὶ τὰς ψοιὰς ἀλ-
γήματα Ζιγ3. 512 ᵇ21, 25. ψόα Galen XVIII B 1001,
XV 131. Etym magn v ὀσφύς· ῥάχις ⟨ ψύα ὡς μὲν Ἀρ.
cf Daremberg not et extraits I 130, 31.

ψολόεις. ποῖοι τῶν κεραυνῶν ψολόεντες καλῦνται μγ1. 371
ª21. κ4. 395 ª26.

ψοφεῖν. cf ψόφος. πῶς γίγνεται τὸ ψοφεῖν Οβ9. 291 ª18.
ψβ8. 420 ᵇ14. Ζμγ3. 664 ᵇ2. ἥττον ἡ πληγὴ ψοφεῖ Ζιε16.
548 ᵇ3. ψοφῦντες (οἱ ἁλιεῖς λαμβάννσι τὰς δελφῖνας)
Ζιδ8. 533 ᵇ11. συνθέψιν ὅταν ψοφήσῃ (ὁ ποιμήν) Ζιι3.
610 ᵇ19. ψοφεῖ λίθοις Ζιδ8. 533 ᵇ24. ὁ Ζήνωνος λόγος,
ὡς ψοφεῖ τῆς κέγχρν ὁτινῦν μέρος Φη5. 250 ª20. ἡ πι-
μελὴ τήκεται, τὰ δὲ κυήματα πηδᾷ ⟨ ψοφεῖ ἐκθλιβόμενα
Ζιζ17. 571 ª32. χαλκὶς ψοφεῖ οἷον συριγμὸν Ζιδ9. 535ᵇ19.
τῶν μαλακίων ἐδὲν ψοφεῖ ἐδένα φυσικὸν ψόφον Ζιδ9. 535
ᵇ13. ἐρυγεῖν ⟨ ψοφῆσαι πι44. 895 ᵇ22. δεδιέναι κᾶν ψο-
φήσῃ μῦς Ηη6. 1149 ª8. τὰ ἔντομα ψοφεῖ τῷ ὑμένι Ζιδ9.
535 ᵇ7. — ψοφεῖν, dist φωνεῖν, φωνή ψβ8. 420 ᵇ30. Ζιδ9.
535 ᵇ3, 26.

ψόφησις, ὁ κατ᾽ ἐνέργειαν ψόφος, ἡ ἐνέργεια τῦ ψοφητικῦ
ψγ2. 426 ª1, 7, 12.

ψοφητικόν ἐστι τὸ κινητικὸν ἑνὸς ἀέρος συνεχείᾳ μέχρις
ἀκοῆς ψβ8. 420 ª3. ψοφητικόν ἐστι τῷ ποιεῖν τι δύνασθαι
τὴν αἴσθησιν μθ8. 385 ª3. τὸ ψοφητικὸν αἰσθανόμεθα δι᾽
ἑτέρων ψβ11. 423 ᵇ5, 13. — ζῷα ψοφητικά, dist ἄφωνα,
φωνήεντα Ζιa 1. 488 ª31.

ψόφος. περὶ ψόφν ψβ8. 420 ª21, 419 ᵇ9, 19. Οβ9. 291 ª10, 17. αι6. 446
ᵇ30. αχ800 ª1. πια6. 899 ª37, ᵇ14. 19. 901 ª17. 42. 904
ª10. ὁ ψόφος ὕστερον ἀφικνεῖται τῆς πληγῆς αι6. 446 ª24.
διὰ τί ὁ ψόφος διέρχεται διὰ τῶν πυκνῶν πια4. 904 ᵇ16.
ὁ ψόφος ἀόρατος Φε2. 226 ᵇ11. οἱ ὑπερβάλλοντες ψόφοι
διακναίυσι ⟨ τῶν ἀψύχων σωμάτων τὰς ὄγκνς, οἷον ὁ τῆς
βροντῆς Οβ9. 290 ᵇ34. — ψόφοι σύμφωνοι Οβ9. 290 ᵇ13.
ψόφοι σκληροί, μαλακοί, τραχεῖς, ὀξύτεροι αχ802 ᵇ40, 803
ª1, ᵇ12, 804 ª3. ῥοῖζον ⟨ πολὺν ἦχον ἀφιᾶσι ⟨ ψόφον αχ
αχ802 ª40. — ψόφος τῆς κωπηλασίας, κώπης, δικτύων
μβ9. 369 ᵇ11. Ζιδ8. 533 ᵇ16. νέφη φερόμενα σὺν ψόφῳ
sim μα12. 348 ª24. β8. 368 ª17, 19, 20. 9. 369 ᵇ1. ὁ ἐν
τῇ φλογὶ γινόμενος ψόφος μβ9. 369 ᵇ31. πληγή ἧς ὁ ψό-
φος καλεῖται βροντή μβ9. 369 ª31. cf γ1. 371 ᵇ12. ψόφος
σεισμῦ μβ8. 367 ª18, 4. ψόφος ὀστῦ (int ῥαγέντος) Ζιδ5.
595 ª4. ψόφος ἐν ταῖς ὑστέραις Ζιη2. 582 ᵇ10. (οἱ τὰς
ἰχθῦς θηρεύοντες) εὐλαβῦνται ψόφον ποιεῖν· οἱ δελφῖνες κα-
ρηβαρῦσιν ὑπὸ ψόφν sim Ζιθ8. 533 ᵇ16, 5, 13, 534 ᵇ8. —
ψόφος quomodo percipiatur ψβ8. διττὸς ὁ ψόφος, ὁ μὲν ὑ
ἐνέργεια, ὁ δὲ δύναμις ψβ8. 419 ᵇ5. ψ2. 426 ª8. ἡ κατ᾽
ἐνέργειαν ἀκοὴ ἅμα γίνεται ⟨ ὁ κατ᾽ ἐνέργειαν ψόφος ψψ2.
425 ᵇ31. αι3. 439 ª14. δεκτικὸν ψόφν τὸ ἄψοφον ψβ7.
418 ᵇ27. ἴδια τῶν αἰσθητῶν οἷον χρῶμα ψόφος χυμός
εν1. 458 ᵇ6. τίνα τῶν ζῴων ἔχει αἴσθησιν τῶν ψόφων Ζιδ8.
533 ª16. ι. 608 ª19. δέχεται στρεφόμενα πάντοθεν τὰς
ψόφνς μᾶλλον Ζμβ12. 657 ª17. τὸ ἔσχατον ὀστῦν, εἰς ὃ
ὥσπερ ἀγγεῖον ἔσχατον ἀφικνεῖται ὁ ψόφος Ζιa11. 492
ª19. ἀνήκεστὸ τε μικρὸς ψόφος ⟨ τρόπον τινὰ ὁ μέγας
⟨ βίαιος ψβ10. 422 ª25. πῶς ὐ συνακύομεν τῦ τῶν ἄστρων
ψόφν (Pythag) Οβ9. 290 ᵇ26. ἡ περὶ τὰς διαφορὰς ἀκρί-

βεια τῆς κρίσεως τῶν ψόφων Ζγε2. 781 ᵇ2. ἡ ἀκοὴ εἰσαγ-
γέλλει τὰς τῦ ψόφν διαφορὰς μόνον, ὀλίγοις δὲ (τῶν ζῳων)
⟨ τὰς τῆς φωνῆς αι1. 437 ª10. — ψόφος, dist φωνή Ζιδ9.
535 ª28. Ζγε7. 786 ᵇ24. cf φωνή ρ 842 ᵇ19. ψόφοι ἀγράμ-
ματοι ε1.16 ª29. ὁ γινόμενος ταῖς πτέρυξι ψόφος ὑ φωνή
Ζιδ9. 535 ᵇ31. τῶν μαλακίων ἐδὲν ψοφεῖ ἐδένα φυσικὸν
ψόφον Ζιδ9. 535 ᵇ14.

ψοφώδεις οἱ διθυραμβοποιοί Ργ3. 1406 ᵇ2.

ψύλλα (Lob Phryn 332). 1. v φαλάγγιον 1. a. — 2. (ψύλλη
C et ΑΖγ 24). τὸ τῶν ψυλλῶν (v l ψύλλων) γένος Ζμδ 6.
683 ª34. τὰ γένη τῶν καλυμένων ψυλλῶν (v l Bsm Aub,
ψυχῶν Gazae, M 221) Ζγα18. 723 ᵇ5. refertur inter
τῶν ἐντόμων ὅσα ζῇ θύμοῖς σαρκὸς ζώσης, τὰ πηδητικὰ
Ζιε31. 556 ᵇ22. Ζμδ 6. 683 ª34. αἱ ψύλλαι (v l ψύλλοι,
ψύλλοι) ἐκ μὲν τῆς ὀχείας πάντα γεννᾷ τὰς καλυμένας κό-
νιδας, ἐκ δὲ τύτων ἕτερον ἐδὲν γίνεται Ζιε31. 556
ᵇ22. cf Ζγα16. 721 ª8 (v l μύλλαι). 18. 723 ᵇ5 (v l 13).
ἐκ τῶν ψυλλῶν (v l Bsm Pik Aub, ψυχῶν S Bk) γίνονται
σκώληκες ὑοειδεῖς Ζιε1. 539 ᵇ12. ἐξ ἐλαχίστης σηπεδόνος,
ἐκ κόπρν ξηρᾶς, ἐκ σηπομένων ξηρῶν, συνίστανται Ζιε31.
556 ᵇ25. Ζγα16. 721 ª8 (pulex Thom Gazae Scalig. puce
C II 708. Pulex irritans St. Cr. K 702, 3. ΑΖγ 24, 81.
ΑΖι 172, 55. Su 228, 43.)

ψύλλος (Lob Phryn 332). οἱ καλύμενοι ψύλλοι Ζιδ10. 537
ª6 Aub. (Talitrus locusta K 613 3. St. Cr. Ichthyophthira
quaedam ΑΖι I 172, 56.)

ψύξις (ubique ψύξις Bk, non ψῦξις). ἡ ψύξις στέρησις θερ-
μότητός ἐστιν Ζγβ6. 743 ª36. ψύξις, syn ἀσθένεια ⟨ ἔν-
δεια θερμότητος Ζγε4. 784 ª33, 32. γίνεσθαι διὰ ψύξιν ἢ
θερμασίαν, διὰ ψύξιν ⟨ θερμότητα, ὑπὸ ψύξεως ⟨ θερμότη-
τος Ζγδ1. 764 ᵇ7. β4. 772 ª6. μα14. 351 ª31. ψύξει
(διὰ τὴν ψύξιν) συνίστασθαι, πήγνυσθαι μα4. 341 ᵇ36. 11.
347 ᵇ13. β4. 360 ª1. δ10. 388 ᵇ13, 389 ª22. Ζμβ7. 653
ª7. ἡ ψύξις ⟨ ἡ πῆξις αι5. 443 ᵇ16. Ζμβ7. 653 ᵇ4. θερ-
μότητες ⟨ ψύξεις μέχρι συμμετρίας τινὸς ποιῦσι τὰς γε-
νέσεις, μετὰ δὲ ταῦτα τὰς φθορὰς Ζγδ10. 777 ᵇ27. ἡ
ψύξις ἡ περὶ τὸν ἐγκέφαλον αι5. 444 ª9. διὰ ψύξιν κατα-
πίπτει τὰ βλέφαρα υ3. 457 ᵇ4. ἡ γινομένη ἐκ τῦ περιέχον-
τος ψύξις, syn κατάψυξις αν9. 474 ᵇ28, 475 ª4 al. τῶν
ζῴων τὰ πεφυκότα πρὸς τὴν κρᾶσιν τῆς ψύξεως τῆς ἐφ᾽
ἑκατέρῳ τύτων (ἀέρος ⟨ ὕδατος) Ζιθ2. 589 ª14.

ψυχαγωγεῖν. τὰ μέγιστα οἷς ψυχαγωγεῖ ἡ τραγῳδία, αἵ
τε περιπέτειαι ⟨ ἀναγνωρίσεις πο6. 1450 ª34, cf Bernays
Rh M 18, 156. Vhl Rgfolge p 168, 33. Schol in Platon
p 465 Bk,

ψυχαγωγικὸν ἡ ὄψις, ἀτεχνότατον δέ πο6. 1450 ᵇ17. cf
ψυχαγωγεῖν.

ψύχειν, opp θερμαίνειν Ζγβ6. 743 ᵇ2. ἐψύχθη μὲν τὸ θερ-
μαῖνον, ἐθερμάνθη δὲ τὸ ψῦχον Ζγδ3. 768 ᵇ21, 22. τὸ
ὕδωρ ψύχει Ζγε5. 785 ª31. ὅταν τὸ ὕδωρ ψύχῃ ταχὺ
βληθῶσιν μα12. 348 ᵇ33. τὴν ἀτμίδα ψύχυσι ⟨ συγκρί-
ννσι πάλιν εἰς ὕδωρ μα13. 350 ª13. — pass, συνιέναι ⟨
ψύχεσθαι τὴν ὑγροτέραν ἀναθυμίασιν μα4. 342 ª19. ἡ
ἀτμὶς ψυχομένη μα9. 346 ᵇ29. 11. 347 ᵇ18. β4. 360 ᵇ35.
ὁ ἀήρ, τὸ ἀτμιῶδες ὅταν ψυχθῇ Ζγβ2. 735 ᵇ35. μα10. 347
ª15. ξηραίνεται, πήγνυταί τι ψυχόμενον, ψυχθέν μδ5. 382
ᵇ17, 23. 7. 384 ª26. Ζγγ2. 752 ª35. β4. 739 ᵇ29. ψυ-
χόμενον γίγνεταί τι ὑγρὸν Ζγβ2. 735 ª31. ὑπερθερμανθέν-
τες ⟨ ψυχθῦσιν, εἰς τὸ μέσον καθίστανται ηεη5. 1239
ᵇ36. τὰ δυσώδη θερμὰ ὄντα, opp ἐψυγμένα πιγ5. 908
ª21. — ψύχεται impers usurpatum esse videtur, ταχὺ

γὰρ ψύχεται τῇ ἀντιπεριστάσει μα12. 349 ᵃ8.
ψυχεινότερα (v l ψυχινώτερα) τὰ σώματά ἐστι τῷ θέρυς ἢ τῷ χειμῶνος πλε4. 965 ᵃ1.
ψυχή. ἡ τῆς ψυχῆς ἱστορία τίμιόν τι χ̣ χαλεπόν ψα1. libros suos de anima scriptos saepe Ar citat ἐν τοῖς περὶ ψυ-χῆς, ἐκ τῶν περὶ ψυχῆς διωρισμένων sim ε1. 16 ᵃ8. Ζγβ3. 736 ᵃ37 al. cf Ἀριστοτέλης p 102 ᵇ60.

1. veterum philosophorum de anima placita Ar recenset et refellit ψα2. Democriti de anima sententia αν4. 472 ᵃ1-8. ψα2. 404 ᵃ8. διὰ τὴν ἀναπνοὴν χ̣ τὴν κατάψυξιν καλεῖσθαι ψυχήν ψα2. 405 ᵇ29. Orphicorum sententia ψα5. 410 ᵇ29. οἱ μὲν (Heraclitus) τῷ ζῴῳ τὴν ψυχὴν τιθέασι πῦρ ἢ τοιαύτην τινὰ δύναμιν φορτικῶς τιθέντες Ζμβ7. 652 ᵇ8. τὴν ψυχὴν ἐκ τῶν στοιχείων εἶναι ἀδύνατον ψα5. 409 ᵇ23-410 ᵇ15. cf Γβ6. 334 ᵃ10. ἐοίκασιν ὑπειληφέναι τὴν κίνησιν οἰκειότατον εἶναι τῇ ψυχῇ ψα2. 404 ᵃ22. cf Φθ9. 265 ᵇ32. ἡ κινουμένη τὸ σῶμα χ̣ αὐτὴ κινεῖ ψα3. κατὰ Πλάτωνα ἡ ψυχὴ ἐστι τὸ αὐτὸ ἑαυτὸ κινοῦν τζ3. 140 ᵇ3. Αθ8. 93 ᵃ24. 4. 91 ᵃ37. ψα2. 404 ᵃ21, ea notio refutatur ψα3. 408 ᵃ30sqq. ἀπεφήναντό τινες τὴν ψυχὴν ἀριθμὸν αὐτὸν αὑτὸν κινοῦντα ψα2. 404 ᵃ29. τζ3. 140 ᵇ2. Αθ 4. 91 ᵃ38 (cf Ξενοκράτης p 493 ᵇ9), ea notio refutatur ψα3. 408 ᵇ32-5. 409 ᵇ18. ἡ ψυχὴ ὐκ ἔστιν ἀριθμός τγ6. 120 ᵇ3. ἡ ψυχὴ διὰ τί ὐχ ἁρμονία ψα4. 407 ᵇ27-408 ᵃ29. f 41. 1481 ᵇ44, 1482 ᵃ17 (Bernays Dial p 27). cf Πϑ5. 1340 ᵇ19. τὴν τυχοῦσαν ψυχὴν εἰς τὸ τυχὸν σῶμα ἐνδύε-σθαι ἀ ἐνδέχεται ψα3. 407 ᵇ21-26. τῆς ψυχῆς εἶναι τι κρεῖττον χ̣ ἄρχον ἀδύνατον ψα5. 410 ᵇ12. οἱ πρότερον φι-λόσοφοι ὐ περὶ πάσης λέγυσι ψυχῆς ψα5. 410 ᵇ16sqq.

2. Aristotelica animae notio. a. ψυχὴ ἱ q ἀρχὴ ζωῆς. ἡ ψυχὴ τῦτο ᾧ ζῶμεν χ̣ αἰσθανόμεθα χ̣ διανοούμεθα πρώ-τως ψβ2. 414 ᵃ12. ζωή, αὕτη δὲ ψυχῆς ἐνέργεια Ηα6. 1098 ᵃ13, 7, 1. ἔστι ψυχῆς ἔργον τὸ ζῆν ποιεῖν νεβ1. 1219 ᵃ24. μετέχοντα τρόπον τινὰ ζωῆς πρότερον· δῆλν ὂν ὅτι ἔχει τινὰ δύναμει ψυχῆς Ζγβ5. 741 ᵃ23. Ἡράκλειτος χα-λεπόν φησιν εἶναι θυμῷ μάχεσθαι· ψυχῆς γὰρ ὠνεῖσθαι Πε11. 1315 ᵃ31. — ψυχὴ ἱ q vis vitalis: τὰ τοιαῦτα ζῷα τετράποδα ἐγένετο ὐ δυναμένης φέρειν τὸ βάρος τῆς ψυχῆς Ζμδ10. 686 ᵇ2, 27. ἡ ψυχὴ ἐστι οἷον ἀρχὴ τῶν ζῴων ψα1. 402 ᵃ7. Ζμα1. 641 ᵃ14-32. χ̣ ἐν τοῖς φυτοῖς ἀρχή τις ἔοικε ψυχὴ εἶναι ψα5. 411 ᵇ27sqq. — b. δοκεῖ μήτ' ἄνευ σώματος εἶναι μήτε σῶμά τι ἡ ψυχή ψβ2. 414 ᵃ20. 1. 412 ᵃ17. ζ1. 467 ᵇ13. ψυχή, dist τὸ ἔχον τὴν ψυχήν ψα1. 403 ᵃ3. — c. ἡ ψυχὴ λόγος τις ἂν εἴη χ̣ εἶδος, ἀλλ' ὐχ ὕλη χ̣ τὸ ὑποκείμενον ψβ2. 414 ᵃ13. ἡ ψυχὴ τὸ τί ἦν εἶναι χ̣ ὁ λόγος τῦ τοιυδὶ σώματος φυσικῦ τοιυδὶ ἔχοντος ἀρ-χὴν κινήσεως χ̣ στάσεως ἐν ἑαυτῷ ψβ1. 412 ᵇ16. ἡ ψυχὴ ὐσία ὡς εἶδος σώματος φυσικῦ δυνάμει ζωὴν ἔχοντος ψβ1. 412 ᵃ19. ἡ τῶν ζῴων ψυχὴ ἡ κατὰ τὸν λόγον ὐσία χ̣ τὸ εἶδος χ̣ τὸ τί ἦν εἶναι τῷ τοιῳδὶ σώματι Μζ10. 1035 ᵇ14 Bz. 11. 1037 ᵃ5. Ζγβ4. 738 ᵇ27. ἡ ψυχὴ ὐσία ὡς ἐνέργεια σώματός τινος· τὸ τί ἦν εἶναι τῷ εἴδει χ̣ τῇ ἐνερ-γείᾳ ὑπάρχει· ψυχὴ χ̣ ψυχῇ εἶναι ταὐτόν Μη3. 1043 ᵃ35sqq. ψυχή, quae est corporis animati causa formalis, eadem est causa movens et finalis Ζμα1. 641 ᵃ28. ψβ2. 415 ᵇ15, 8. Μθ8. 1017 ᵇ16. (metaph ψυχή, i q φύσις, ὐσία, τέλος: ἣν ἂν τὸ πελέκει τὸ εἶναι ὐσία αὐτῇ, χ̣ ἡ ψυχή· τῦτο ψβ1. 412 ᵇ13. ἀρχὴ χ̣ οἷον ψυχὴ ὁ μῦθος τῆς τρα-γῳδίας πο6. 1450 ᵃ38. ὁ πυρὸς ἔχει τινὰ ἐν αὑτῷ γλυκὺν χ̣ γλίσχρον χυμόν, ὅς ἐστι αὐτῷ καθάπερ ψυχή πκα12. 928 ᵃ13.) — d. ψυχή ἐστι ἐντελέχεια ἡ πρώτη σώματος

φυσικῦ δυνάμει ζωὴν ἔχοντος, σώματος φυσικῦ ὀργανικῦ ψβ1. 412 ᵃ27, ᵇ5. πρώτη dicitur ἐντελέχεια, quoniam est ἐντελέχεια non ὡς τὸ θεωρεῖν, sed ὡς ἐπιστήμη, non ὡς ὅρασις, sed ὡς ὄψις ψβ1. 412 ᵃ10, 413 ᵃ1. Trdlbg p 314. — e. περὶ ψυχῆς ἐνίας θεωρῆσαι τῦ φυσικῦ, ὅση μὴ ἄνευ τῆς ὕλης ἐστι Με1. 1026 ᵃ5 Bz. ψα1. 403 ᵃ28. Ζμα1. 641 ᵃ21-ᵇ9.

3. animae partes, facultates, dignitatis gradus. a. Πλά-των διείλετο τὴν ψυχὴν εἴς τε τὸ λόγον ἔχον χ̣ εἰς τὸ ἄλογον ημα1. 1182 ᵃ24. τριμερὴς ἡ ψυχὴ κατὰ Πλάτωνα αρ1. 1249 ᵃ31. cf ψ9. 432 ᵃ25. (ἀρετή, κακία ψυχῆς ὅλης, dist τῶν μορίων τῆς ψυχῆς αρ1. 1249 ᵇ28, 1250 ᵃ1.) ἀνθρώπω ἴδιον τὸ τριμερῆ ψυχὴν ἔχειν τε4. 133 ᵃ31. λέ-γεται περὶ ψυχῆς χ̣ ἐν τοῖς ἐξωτερικοῖς λόγοις ἀρκύντως ἔνια χ̣ χρηστέον αὐτοῖς, οἷον τὸ μὲν ἄλογον αὐτῆς εἶναι, τὸ δὲ λόγον ἔχον· ταῦτα δὲ πότερον διώρισται καθάπερ τὰ τῦ σώματος μόρια ἢ τῷ λόγῳ δύο ἐστι ἀχώριστα πεφυκότα, ὐδὲν διαφέρει πρὸς τὸ παρόν Ηα13. 1102 ᵃ27-32. ψυχῆς δύο μόρια τό τε ἄλογον χ̣ τὸ λόγον ἔχον ψγ9. 432 ᵃ26. Πα5. 1254 ᵇ9. 13. 1260 ᵃ5, 11. ηι15. 1334 ᵇ18, 22. Μζ2. 1046 ᵇ1 Bz. τῦ ἀλόγυ duae distinguuntur partes, altera τὸ αἴτιον τῦ τρέφεσθαι χ̣ αὐξεσθαι, τὸ φυτικὸν Ηα13. 1102 ᵃ33, ᵇ29 (sed idem θρεπτικόν appellatur μόριον τέ-ταρτον Ηζ13. 1144 ᵃ9, cf θρεπτικόν, λογιστικόν, θυμικόν, ἐπιθυμητικόν ημα4. 1185 ᵃ15-35), altera τὸ μετέχον πως λόγυ, ἣ κατήκοόν ἐστι αὐτῦ χ̣ πειθαρχικόν, τὸ ἐπιθυμη-τικὸν χ̣ ὅλως ὀρεκτικόν Ηα13. 1102 ᵇ30. haec altera pars eadem ad τὸ λόγον ἔχον refertur, τὸ λόγον ἔχον διττόν, τὸ μὲν ὡς ἐπιπειθὲς λόγῳ, τὸ δ' ὡς ἔχον χ̣ διανούμενον Ηα6. 1098 ᵃ3. 13. 1103 ᵃ2. ζ2. 1139 ᵃ5. νεβ1. 1219 ᵇ28. Πη14. 1333 ᵃ16. τῦ λόγον ἔχοντος τὸ μὲν ἐπιστημονικὸν τὸ δὲ λογιστικόν Ηζ2. 1139 ᵃ12 (ἐπιστημονικόν, βυλευτικόν ημα35. 1196 ᵇ13), πρὸς γὰρ τὰ τῷ γένει ἕτερα χ̣ τῶν τῆς ψυχῆς μορίων ἕτερον τῷ γένει τὸ πρὸς ἑκάτερον πεφυκός Ηζ2. 1139 ᵃ8. ψυχὴ ἐκ λόγυ χ̣ ὀρέξεως Πγ4. 1277 ᵃ6. ψυχῆς μόρια τὸ θρεπτικὸν (φυτικόν), αἰσθητικὸν χ̣ ὀρεκτικόν νεβ1. 1219 ᵇ24, 37. — b. τὰ ἐν τῇ ψυχῇ γινόμενα τρία ἐστι, πάθη δυνάμεις ἕξεις Ηβ4. 1105 ᵇ20sqq. νεβ1. 1218 ᵇ36. 2. 1220 ᵇ11 sqq. 4. 1221 ᵇ34. ημα7. 1186 ᵃ10 sqq. — c. ψυχῆς μόρια πῶς δεῖ λέγειν χ̣ πόσα ἀπορίαν ἔχει ψγ9. 432 ᵃ22-ᵇ7. (cf Volkmann Arist Psych p 10) τοῖς διαι-ρῦσι τὰ μέρη τῆς ψυχῆς, ἐὰν κατὰ τὰς δυνάμεις αὐτὰ ὁρί-ζωσι χ̣ χωρίζωσι, πάμπολλα γίνεται, θρεπτικὸν αἰσθητικὸν νοητικὸν βυλευτικόν, ἔτι ὀρεκτικόν ψγ10. 433 ᵇ1. τὰ μὲν ἄλλα τῆς ψυχῆς ἢ μόρια ἢ δυνάμεις, ὁποτέρως ποτὲ δεῖ καλεῖν ζ1. 467 ᵇ17 (cf μέρος p 455 ᵇ40). ἡ ψυχὴ κατὰ δύο ὥρισται δυνάμεις ὑ τῶν ζῴων, τῷ τε κριτικῷ χ̣ ἔτι τῷ κινεῖν ψγ9. 432 ᵃ15. δύο διαφοραῖς ὁρίζονται μάλιστα τὴν ψυχήν, κινήσει τε τῇ κατὰ τόπον χ̣ τῷ νοεῖν χ̣ τῷ κρίνειν χ̣ αἰσθάνεσθαι ψγ3. 427 ᵃ16. ἡ ψυχὴ τύτοις ὥρι-σται, θρεπτικῷ, αἰσθητικῷ, διανοητικῷ, κινήσει ψβ2. 413 ᵇ11. sed plerumque haec ad tria referuntur, τὸ θρεπτικόν, ὐ τὰ φυτὰ μετέχει ψβ2. 413 ᵇ8. Ζγβ4. 741 ᵃ1, τὸ αἰσθητικόν, quo animalia a plantis distinguuntur Ζγβ4. 741 ᵃ2. 3. 736 ᵃ30 (cf αἰσθητικός p 21 ᵇ6), τὸ νοητικόν quod humano generi peculiare est. (de continuo ab altero genere ad alterum transitu cf Ζιη1. cf φύσις p 836 ᵃ27.) in hac partium distinctione tamen ψυχῆς λόγος εἷς, quia inferior quaeque pars superioris fundamentum est et condi-tio ψβ3. 414 ᵇ20-415 ᵃ13. 2. 413 ᵃ31. distinguere inter se has partes Aristotelem voluisse, non seiungere, vel inde

apparet, quod τὸ θρεπτικόν (atque eadem in ceteris partibus ratio est) etiam appellat τὴν θρεπτικὴν δύναμιν τῆς ψυχῆς Ζγβ7. 745^{b}25. γ7. 757^{b}17, τὴν τῆς θρεπτικῆς ψυχῆς δύναμιν Ζγβ4. 740^{b}29. θρεπτικὴν δύναμιν, θρεπτικὴν ψυχήν ψγ12. 434^{a}22, 26, θρεπτικὴν ζωήν Ηα6. 1098^{a}7. — τὴν θρεπτικὴν ψυχὴν ἀνάγκη πᾶν ἔχειν ὅτι περ ἂν ζῇ καὶ ψυχὴν ἔχῃ ψγ12. 434^{a}22. ἡ θρεπτικὴ ψυχὴ καὶ τοῖς ἄλλοις ὑπάρχει καὶ πρώτη καὶ κοινοτάτη δύναμίς ἐστι ψυχῆς ψβ4. 415^{a}24. propterea ἡ θρεπτικὴ ψυχή dicitur πρώτη ψβ4. 416^{b}22. αν8. 474^{a}31, vel ἐσχάτη Ζγβ5. 741^{a}24. ἡ θρεπτικὴ ψυχή eadem est αὐξητική et γεννητική ψβ4. 416^{a}19, ^{b}25. ζ3. 469^{a}26. αν18. 479^{a}29. Ζγβ4. 740^{b}29–34, 37. Ηα6. 1098^{a}7. τὴν θρεπτικὴν ψυχὴν τὰ σπέρματα καὶ τὰ κυήματα δυνάμει ἔχει, ἐνεργείᾳ δ' οὔ Ζγβ3. 736^{b}8. ἡ θρεπτικὴ ψυχὴ ἐνεργείᾳ μὲν ἐν τοῖς ἔχουσι μία, δυνάμει δὲ πλείους ζ2. 468^{b}3. — τὸ ζῷον ὥρισται τῷ τὴν αἰσθητικὴν ἔχειν ψυχήν ζ4. 469^{b}4. Ζμδ5. 678^{b}2. τὰ ἐν τῇ φωνῇ τῶν ἐν τῇ ψυχῇ παθημάτων (ie τῶν αἰσθήσεων, φαντασμάτων) σύμβολα· παθήματα τῆς ψυχῆς ε1. 16^{a}3, 6. διορισμοῦ χάριν ἐστὶ τὸ διάζωμα, ὅπως ἡ τῆς αἰσθητικῆς ψυχῆς ἀρχὴ ἀπαθής ᾖ Ζμγ10. 672^{b}16. μίαν ἔχειν πάντα τὴν αἰσθητικὴν ψυχήν ἐνεργείᾳ Ζμγ5. 667^{b}23. ἡ ψυχὴ ἐν ᾗ τὸ εἶδος καὶ ἡ ἐπιστήμη κινῶσι τὰς χεῖρας Ζγα22. 730^{b}15. περὶ τῆς αἰσθητικῆς λεκτέον ψυχῆς καὶ περὶ τῆς νοητικῆς Ζγβ3. 736^{b}14. συμφέρον τὸ ἄρχεσθαι τῷ παθητικῷ μορίῳ ὑπὸ τοῦ νοῦ καὶ τοῦ μορίου τοῦ λόγον ἔχοντος Πα5. 1254^{b}8. τὸ ἀριθμῷ ἕν, τὸ εἴδει ἐν πῶς λέγεται ἡ ψυχή αι7. 447^{b}24. — ψυχή et νοῦς, πότερον ταὐτὰ ἢ ἕτερον ψα2. 404^{a}31, 405^{a}9, 13. πῶς ἔχει τῆς ἡμετέρας ψυχῆς ὁ νοῦς πρὸς τὰ τῇ φύσει φανερώτατα Μα1. 993^{b}10. πότερον ὅλῃ τῇ ψυχῇ νοοῦμεν, αἰσθανόμεθα, ἢ μορίοις ἑτέροις ἕτερα ψα5. 411^{a}30sqq. ἡ ψυχὴ τόπος εἰδῶν, οὔτε ὅλη ἀλλ' ἡ νοητική, οὔτε ἐντελεχείᾳ ἀλλὰ δυνάμει τὰ εἴδη ψγ4. 429^{a}27. ἡ ψυχὴ εἶδός τι f 42. 1482^{b}38. Bernays Dial p 25. τῇ διανοητικῇ ψυχῇ τὰ φαντάσματα οἷον αἰσθήματα ὑπάρχει ψγ7. 431^{a}14. ἡ ψυχὴ τὰ ὄντα πώς ἐστι πάντα ψγ8. 431^{b}21. περὶ τὰ τῆς θεωρητικῆς δυνάμεως οὐθέν πω φανερόν, ἀλλ' ἔοικε ψυχῆς γένος ἕτερον εἶναι, καὶ τοῦτο μόνον ἐνδέχεται χωρίζεσθαι καθάπερ τὸ ἀίδιον τοῦ φθαρτοῦ ψβ2. 413^{b}26. ἡ ψυχὴ τούτων, οὐ πᾶσα ἀλλ' ὁ νοῦς, πᾶσαν γὰρ ὑπομένειν ἀδύνατον Μλ3. 1070^{a}26. immortalitas animae quomodo demonstretur in dialogo Eudemo f 33. 1480^{a}11. 34. 1480^{b}2. Bernays Dial p 23 (περὶ φθορᾶς ψυχῆς cf μχ2. 465^{a}26–32). τὸν νοῦν, quamquam a ψυχῇ videtur plane seiungendus esse, tamen ab Aristotele partem ψυχῆς statui, vel ex iis locis apparet quos 2e attulimus, cf νοῦς p 491^{b}8. — d. διαφέρει οὐθέν ἔχει τὸ θῆλυ τὴν αὐτὴν ψυχήν Ζγβ5. 741^{a}7. διαφέρει οὐθὲν ἡ τῶν παιδίων ψυχὴ τῆς τῶν θηρίων ψυχῆς Ζιθ1. 588^{b}1. διαφέρουσι τιμιότητι αἱ ψυχαὶ καὶ ἀτιμίᾳ ἀλλήλων Ζγβ3. 736^{b}32. πολὺ δικαιότερον ἐπὶ τῆς ψυχῆς τοῦτο διωρίσθαι (int διαφέρειν τὰς τῶν ἐλευθέρων καὶ τὰς τῶν δούλων, οὐχ ὁμοίως ῥᾴδιον ἰδεῖν τὸ τῆς ψυχῆς κάλλος καὶ τὸ τοῦ σώματος Πα5. 1254^{b}38, 39.

4. animae et corpori quae intercedat ratio. a. ζῷον ἐκ ψυχῆς καὶ σώματος Πγ4. 1277^{a}6. λέγουσί τινες σύνθεσιν ἢ σύνδεσμον ψυχῆς σώματι τὸ ζῆν Μη6. 1045^{b}11. ζτ14. 151^{a}21. ἡ ψυχὴ πῶς ἔχει πρὸς τὴν κοινωνίαν τοῦ σώματος μχ2. 465^{a}31. (nostros animos cum corporibus copulatos ut vivos cum mortuis esse coniunctos f 36. 1480^{b}37.) οὐ δεῖ ζητεῖν εἰ ἓν ἡ ψυχὴ καὶ τὸ σῶμα, ὥσπερ οὐδὲ τὴν ἑκάστου ὕλην καὶ τὸ οὗ ὕλη ψβ1. 412^{b}6. οὐκ ἔστιν ἡ

ψυχὴ χωριστὴ τοῦ σώματος, ἢ μὴν ἀλλ' ἔνιά γε μέρη οὐδὲν κωλύει, διὰ τὸ μηδενὸς εἶναι σώματος ἐντελεχείας ψβ1. 413^{a}4. 2. 413^{b}28. (ἐοικέναι τὴν ἄνευ σώματος ζωὴν ταῖς ψυχαῖς κατὰ φύσιν οὖσαν (ὑγίεια, νόσῳ δὲ τὴν ἐν σώματι) f 35. 1480^{b}15.) τὸ αὐτὸ συμφέρει σώματι καὶ ψυχῇ Πα6. 1255^{b}11. δοκεῖ ἡ ψυχὴ καὶ τὸ σῶμα συμπαθεῖν ἀλλήλοις φ4. 1. 805^{a}10. πγ31. 875^{b}29. οὐκ ἔστι χεὶρ οὔτε ἄλλο τῶν μορίων οὐδὲν ἄνευ ψυχῆς Ζγα19. 726^{b}22. β1. 734^{b}25, 735^{a}5, 6. 5. 741^{a}11 (cf ὁμώνυμος p 514^{a}56). τῆς ψυχῆς τὸ περὶ τὸ ἧπαρ μόριον Ζμδ2. 676^{b}24. εἰ δὴ μή ἐστι τῆς ψυχῆς μηθὲν ὃ μὴ τοῦ σώματός ἐστιν ἔν τινι μορίῳ Ζγβ1. 734^{a}14. — b. ψυχῇ ζῶν μόριον μᾶλλον ἢ σῶμα Πθ4. 1291^{a}24. τὸ σῶμα τῆς ψυχῆς ἕνεκεν, βέλτιον ψυχὴ σώματος Ζμα5. 645^{b}19. δ10. 687^{a}9–26. Ζγβ1. 731^{a}29. ημβ10. 1208^{a}14. ἡ ψυχὴ τοῦ σώματος ἄρχει δεσποτικὴν ἀρχήν Πα5. 1254^{b}4 (Trdlbg de an p 147), ^{a}35, ^{b}2. νεη9. 1241^{b}18. 10. 1242^{a}29. ἡ ψυχὴ προστατικώτερον τε1. 128^{b}18. — ἰσχνότατος ὁ χαμαιλέων τῶν ᾠοτόκων ἐστίν· ὀλιγαιμότατον γάρ ἐστι πάντων· τούτου δ' αἴτιον τὸ ἦθος τοῦ ζῴου τὸ τῆς ψυχῆς Ζμδ11. 692^{a}22. — c. πότερον ἡ ψυχὴ λυπεῖται, χαίρει, κινεῖται, ἢ ὁ ἄνθρωπος τῇ ψυχῇ ψα4. 408^{b}1–15. τίνα ἐστὶ κοινὰ τῆς ψυχῆς καὶ τοῦ σώματος αι1. 436^{a}8. τὸ αἰσθάνεσθαι οὔτε τῆς ψυχῆς πάθος ἴδιον οὔτ' ἀψύχου σῶμα δυνατὸν αἰσθάνεσθαι υ1. 454^{a}10. ἀνάγκη ἕν τι εἶναι τῆς ψυχῆς, ᾧ ἅπαντα αἰσθάνεται αι7. 449^{a}9. οὐκ ἐπὶ τῷ ἐσχάτῳ σώματος ἡ ψυχὴ ἢ τῆς ψυχῆς τὸ αἰσθητήριόν ἐστιν, ἀλλὰ δῆλον ὅτι ἐντὸς αι2. 438^{b}9. — d. πῶς ἡ ψυχὴ κινεῖ τὸ σῶμα Ζκ6. 700^{b}10. ἡ ἀρχὴ τῆς ψυχῆς τῆς κινούσης Ζκ9. 702^{b}16. cf 10. 703^{a}37. τῆς θρεπτικῆς καὶ αἰσθητικῆς ψυχῆς ἡ ἀρχή ubi sedem suam habeat ζ1–4. (cf αἴσθησις p 20^{b}17, καρδία p 365^{b}34 (Zeller Gesch II 2, 374, 2). τὸ σπέρμα, τὸ κύημα πῶς ἔχει ψυχήν, τὸ τοῦ θήλεος σπέρμα οὐκ ἔχει ψυχῆς ἀρχήν Ζγβ1. 734^{a}1, 14, 735^{a}5, 6. 3. 736^{a}29, 36, 737^{a}16, 29. τοῖς τῆς ψυχῆς ἔργοις ὑπηρετικώτατον τῶν σωμάτων τὸ θερμόν ἐστιν· τὸ ζῆν καὶ ἡ ψυχῆς ἕξις μετὰ θερμότητός τινός ἐστι sim Ζμβ7. 652^{b}12. γ5. 668^{b}12. Ζγβ4. 740^{b}31. αν8. 474^{a}25. 13. 477^{a}17. 16. 478^{a}30. 18. 479^{a}29. 21. 480^{a}17. (εὐκινητοτέραν ἔχουσι τὴν αἴσθησιν τὰ λεπτοτέραν ἔχοντα τὴν ὑγρότητα καὶ καθαρωτέραν· διὰ γὰρ τοῦτο καὶ τῶν ἀναίμων ἔνια συνετωτέραν ἔχει τῶν ἐναίμων Ζμβ4. 650^{b}25.) ἡ ψυχὴ ἢ πῦρ Ζμβ7. 652^{b}13. πάσης ψυχῆς δύναμις ἑτέρου σώματος ἔοικε κεκοινωνηκέναι καὶ θειοτέρου τῶν καλουμένων στοιχείων, ἀνάλογον οὖσα τῷ τῶν ἄστρων στοιχείῳ Ζγβ3. 736^{b}30, 37. γίνεται ἐν γῇ καὶ ἐν ὑγρῷ τὰ ζῷα καὶ τὰ φυτὰ διὰ τὸ ἐν τῇ μὲν ὕδωρ ὑπάρχειν, ἐν δ' ὕδατι πνεῦμα, ἐν δὲ τούτῳ παντὶ θερμότητα ψυχικήν, ὥστε τρόπον τινὰ πάντα ψυχῆς εἶναι πλήρη Ζγγ11. 762^{a}21. — ἡ ἀναπνοὴ ἀπὸ τοῦ ἐντὸς ἔχει τὴν ἀρχήν, εἴτε ψυχῆς δύναμις εἴτε ψυχή δεῖ λέγειν ταύτην πν4. 482^{b}22. — e. νενεμημένων τῶν ἀγαθῶν τριχῇ, καὶ τῶν μὲν ἐκτὸς λεγομένων τῶν δὲ περὶ ψυχὴν καὶ σῶμα, τὰ περὶ ψυχὴν κυριώτατα λέγομεν Ηα8. 1098^{b}14. ημα3. νεβ1. 1218^{a}31 Fritzsche. Πη1. 1323^{a}16, ^{b}26.

5. ἡ ψυχὴ ἀκμάζει περὶ τὰ μάλιστα δεῖν πεντήκοντα Ρβ14. 1390^{b}11. ἡ ψυχὴ ἐὰν ᾖ πεπαιδευμένη, τὴν τοιαύτην εὐδαίμονα προσαγορευτέον ἐστίν f 89. 1491^{b}42. — μάλιστα ἐν τοῖς ὕπνοις ἡ ψυχὴ κινεῖται πλ14. 957^{a}9. ὅταν ἐν τῷ ὑπνῶν καθ' ἑαυτὴν γένηται ἡ ψυχή f12. 1475^{b}42. παραλογίζεται ἡ ψυχή Ργ7. 1408^{a}21. τοῖς τῆς ψυχῆς ὄμμασιν ὀξυδορκεῖν ρ1. 1421^{a}22. ἄνθρωπον προδιαβεβλημένον

V.

ἣ δέχεται ἡ ψυχή Ργ17. 1418 ᵇ15. πῶς ἔχει ὁ χρόνος
πρὸς τὴν ψυχήν, πότερον μὴ ὔσης τῆς ψυχῆς εἴη ἂν ὁ
χρόνος Φδ14. 223 ᵃ17, 21. — ψυχή, syn ἦθος, dist διάνοια
Πθ3. 1340 ᵃ6. 2. 1337 ᵇ11, ᵃ39. μεγαλοψυχίας ἐστὶν ἔχειν
τι βάθος τῆς ψυχῆς ϗ μέγεθος αρ5. 1250 ᵇ38. τὰ ἤθη 5
τῶν μακροβιωτέρων ζῴων ἐνδηλότερα, φαίνονται γὰρ ἔχοντά
τινα δύναμιν περὶ ἕκαστον τῶν τῆς ψυχῆς παθημάτων Ζιι1.
608 ᵃ14. — μία ψυχή Η8. 1168 ᵇ7. ηεη6. 1240 ᵇ3, 9.
ημβ11. 1211 ᵃ32, 34, cf παροιμία p 570 ᵇ40.

ψυχή. ἡ καλυμένη ψυχή, ἔντομον, ζῷον πτερωτόν, κεραίας 10
πρὸ τῶν ὀμμάτων ἔχει f 328. 1532 ᵇ32. Ζιδ7. 532 ᵃ27.
γίνονται ἐκ τῶν καμπῶν, descr f 328. 1532 ᵇ32. Ζιε19.
551 ᵃ14 (cf Bsm praef VIIᵇ extr). cf 1. 539 ᵇ12 (ψυχῶν
S Bk, ψυλλῶν v 1 Bsm Pik Aub). Ζγα18. 723 ᵇ5 (ψυχῶν
Gazae Bk, ψυλλῶν v 1 Bsm Aub). γένος τι ψυχῶν τίκτει 15
σκληρόν τι Ζιε19. 550 ᵇ26. (psycha Thomae, papilio Ga-
zae, Scalig. papillon C II 608. Papilio brassicae L et
Lepidoptera varia Su 201, 16. AZι I 173, 57. cf M 199,
221, 459.)

ψυχικός. ἀρχὴ ψυχικὴ Ζγβ3. 737 ᵃ8. γ1. 751 ᵇ6. 11. 762 20
ᵃ26, ᵇ17. Ζκ10. 703 ᵃ12. θερμότης ψυχικὴ Ζγβ1. 732 ᵃ18.
4. 739 ᵃ11. γ1. 752 ᵃ2. 11. 762 ᵃ20 (cf ψυχή p 865ᵇ35).
ἡ τῦ ψυχικῦ θερμῦ φύσις ἐν τοῖς ζῴοις Ζγγ4. 755 ᵃ20.
ψυχικὸν πῦρ αν15. 478 ᵃ16 (cf ἡ ἐν τῇ καρδίᾳ τῆς ψυχῆς
ἐμπύρωσις 16. 478 ᵃ29). ἔχειν τι ψυχικὸν μόριον, πάθος 25
ψβ12. 424 ᵃ33. ζ2. 468 ᵇ13. ψυχικαὶ ἡδοναί, opp σωματι-
καί Ηγ13. 1117 ᵇ28. τὸ ἤδεσθαι τῶν ψυχικῶν ἐστί Ηα9.
1099 ᵃ8.

ψῦχος. ψύχεος ἀντιάσαντα (Emped 330) Ζγα18. 723 ᵃ35.
— ψύχος, ψύχη, coni πάγος, πάγοι μγ1. 371 ᵇ6. Ζγβ2. 30
735 ᵇ28. ψύχος, opp καύματα μβ5. 362 ᵇ17. ψῦχος,
ψύχη, opp ἀλέα, ἀλέαι μδ1. 379 ᵃ26. Ζιε17. 549 ᵇ22.
θ12. 596 ᵇ22. Ζμδ5. 680 ᵃ29. opp πνίγη πκε6. 938 ᵃ37. αἱ
ὑπερβολαὶ τῦ ψύχες ϗ τῆς ἀλέας Ζιθ13. 598 ᵃ1. Ζμβ14.
658 ᵇ7. ἐν ταῖς σφόδρα ψύχεσι ϗ ἐν ταῖς σφόδρα ἀλέαις 35
Ζιθ13. 599 ᵃ19. τὸ ψῦχος συμβαίνει διὰ τὸ τὴν ἀναθυ-
μίασιν εἴσω περιτρέπεσθαι μβ8. 367 ᵃ31. αἰθρίας μᾶλλον
ψῦχος γίνεται ἢ ἐπινεφέλων ὄντων πκε18. 939 ᵇ15. ἰσχυρῦ
γενομένε ψύχες Ζιθ19. 602 ᵃ10. ὅταν ψύχη γίγνηται μᾶλ-
λον Ζιγ1. 519 ᵇ4. ὅταν ἧττον ᾖ ψῦχος μα12. 348 ᵃ2. ἐὰν 40
μὲν ᾖ ψῦχος, ἐὰν δ᾽ εὐδία Ζιζ15. 569 ᵇ5. πήγνυσθαι ψύχει,
ὑπὸ ψύχες μδ7. 384 ᵃ14. 9. 387 ᵇ10. ὑγρὰ γῆ ὑπὸ ψύ-
χες Ζμβ4. 651 ᵃ8. ὑπὸ ψύχες ἀοίκητα τὰ ὑπὸ τὴν ἄρκτον
μβ5. 362 ᵇ9. τὸ ψῦχος πιλητικόν πιθ8. 909 ᵇ18. ἐκ τῆς
γῆς τὰ ψύχη ἄρχεται πκγ34. 935 ᵃ23. 45

ψυχρολατρεῖν παρ29. 862 ᵇ36.

ψυχρός, cf θερμός. τὸ ψυχρὸν ποσαχῶς λέγεται Ζμβ2.
649 ᵇ6. τὸ ψυχρὸν ἀντίστροφον τῇ θερμότητι, ἐναντίον τῷ
θερμῷ Ζγβ6. 743 ᵇ28. Ζμγ7. 670 ᵇ21. τὸ ψυχρὸν ἢ στέ-
ρησις Μλ4. 1070 ᵇ21. τὸ ψυχρὸν φύσις τις ἀλλ᾽ ἢ στέ- 50
ρησις Ζμβ2. 649 ᵃ18. ὑγρὸν ϗ ξηρὸν ϗ θερμὸν ϗ ψυχρὸν
ὕλη τῶν συνθέτων σωμάτων ἐστίν· αἱ δ᾽ ἄλλαι διαφοραὶ
ταύταις ἀκολυθῦσιν Ζμβ1. 646 ᵃ17. γῆς φύσις ψυχρὰ
Ζμα1. 640 ᵇ10. ποιητικὰ τὸ θερμὸν ϗ τὸ ψυχρὸν μδ1.
378 ᵇ13. 8. 384 ᵇ28. Γβ2. 329 ᵇ24. ψυχρὸν τὸ συνάγον ϗ 55
συγκρίνον ὁμοίως τά τε συγγενῆ ϗ τὰ μὴ ὁμόφυλα Γβ2.
329 ᵇ29. cf αν4. 472 ᵃ34. πῶς ποιητικὸν τὸ ψυχρὸν μδ5.
382 ᵇ6-10. θερμὸν ϗ ψυχρὸν πυκνότητες δοκεῖ ϗ ἀραιό-
τητες εἶναί τινες Φθ7. 260 ᵇ10. τὸ βαρύτατον ϗ ψυχρό-
τατον γῆ ϗ ὕδωρ μα3. 340 ᵇ20. ὕδατα ψυχρά, θερμά 60

Ζγε6. 786 ᵃ5. δ2. 767 ᵃ34. ψυχρὰ ἡ θάλαττα διὰ τὸ βά-
θος Ζγε3. 783 ᵃ21. ποῖα θερμὰ ἢ ψυχρὰ τῶν πεπηγότων
ἢ τῶν ὑγρῶν μδ11. χυμοὶ ψυχροί, θερμοὶ μδ3. 380 ᵇ2.
τόποι ψυχροί, ψυχρότεροι, opp ἀλεεινοί, θερμοὶ μκ1. 466
ᵇ17, 20. μα3. 340 ᵃ21. 12. 348 ᵃ4. ἐν τοῖς ψυχροῖς τόποις
Πη7. 1327 ᵇ23. ἐν τοῖς ψυχροῖς Ζγε3. 783 ᵃ12. μκ1. 465
ᵃ10. cf αν14. 477 ᵇ26. χρόνος τῦ μηνὸς ψυχρότερος Ζγδ2.
767 ᵃ3. — τὸ ψυχρὸν ἄτροφον Ζμδ5. 682 ᵃ24. τὸ ψυ-
χρὸν σκληρύνει ϗ πυκνοῖ Ζγε3. 783 ᵃ37. τὸ ψυχρὸν σταλ-
τικόν, συσταλτικόν, στατικόν, φορὸν κάτω πκθ14. 937 ᵃ39.
ιγ5. 908 ᵃ23. τὰ ψυχρὰ δυσκίνητα φ6. 812 ᵃ19. ἀντιπε-
ριστάμενον εἴσω τὸ ψυχρὸν μα12. 348 ᵇ6. πκγ27. 943 ᵃ11.
τῦ θερμῦ ὑπὸ τῦ ψυχρῦ ἐκθλιβομένε Ζμβ4. 651 ᵃ8, 10.
cf 5. 651 ᵇ12. ἱδρῶτες ψυχροί, θερμοὶ πβ35. 870 ᵃ16. —
ψυχρότερα τὰ θήλεα τὴν φύσιν Ζγδ6. 775 ᵃ14. τῶν ζῴων
τίνα ψυχρά ἐστι τὴν φύσιν (ψυχρὰν ἔχει τὴν φύσιν) Ζγα10.
718 ᵇ35. β1. 733 ᵇ8. 8. 748 ᵃ23, 31sqq. γ1. 750 ᵃ12, ᵇ11.
3. 754 ᵃ33. 8. 758 ᵃ5. 11. 761 ᵇ6. ἐγκαθεύδειν ψυχρότεραι
οἶες αἰγῶν Ζιι3. 610 ᵇ31. ψυχρὸς τόπος (σώματος) Ζμγ4.
665 ᵇ30. ὅταν ᾖ τὰ περὶ τὸν ἐγκέφαλον ψυχρότερα τῆς
συμμέτρε κράσεως Ζμβ7. 652 ᵇ35. τὸ γήρας ψυχρόν (fort
ξηρόν, Bz Ar St IV 409) πγ26. 875 ᵃ14. — metaph, ψυ-
χροὶ ϗ μελαγχολικοί, opp θερμοὶ ϗ εὐφυεῖς ημβ6. 1203
ᵇ1. ὁ εὐτράπελος μέσος τῦ φορτικῦ ϗ τῦ ψυχρῦ ηεγ7.
1234 ᵃ21, cf ᵃ5. ληπτέον τὸν εὐλαβῆ ϗ ψυχρὸν ϗ ἐπίβυλον
Ρα9. 1367 ᵃ34. — rhetor, τὰ ψυχρὰ τὰ κατὰ τὴν λέξιν
πόθεν γίνεται Ργ3. ποιητικῶς λέγοντες τῇ ἀπρεπείᾳ τὸ γε-
λοῖον ϗ τὸ ψυχρὸν ἐμποιῦσιν Ργ3. 1406 ᵃ33.

Ψυχρός. ἐν τῇ Ἀσσυριτίδι ὁ καλύμενος ποταμὸς Ψυχρός
Ζιγ12. 519 ᵃ16 S Pik.

ψυχρότης, cf θερμότης. ἡ θερμότης ϗ ψυχρότης φαίνονται
ὁρίζεσθαι ϗ συμφύεσθαι ϗ μεταβάλλεσθαι τὰ ὁμογενῆ ϗ τὰ
μὴ ὁμογενῆ μδ1. 378 ᵇ15. ἣ μεταβάλλει ἡ θερμότης ϗ ἡ
ψυχρότης εἰς ἄλληλα, ἀλλὰ τὸ ὑποκείμενον Γα6. 322 ᵇ17.
ἡ ἔνδεια τῆς θερμότητος ψυχρότης ἐστίν μ2. 380 ᵃ8. ἡ
θερμότης τῦ τόπε ϗ ἡ ψυχρότης Ζγε7. 788 ᵃ18. Ζμβ2.
648 ᵃ27. κρατύσης τῆς ψυχρότητος μγ1. 371 ᵃ9. ψυχρό-
της πλείων, σφόδρα μα10. 347 ᵃ25. 12. 348 ᵇ19. Ζμβ7.
653 ᵃ33. πκγ34. 935 ᵃ24. — ἡ τῆς θρεπτικῆς ψυχῆς δύ-
ναμις, χρωμένη οἷον ὀργάνοις θερμότητι ϗ ψυχρότητι Ζγβ4.
740 ᵇ32. τῆς φύσεως διὰ ψυχρότητα πέττειν ἢ δυναμένης
Ζγβ4. 738 ᵃ13. cf Ζμδ5. 682 ᵃ22. ἡ ψυχρότης σκληρύνει
Ζγε3. 783 ᵃ15. — ψυχρότης τῆς φύσεως τῦ θήλεος Ζγα20.
728 ᵃ21. δ1. 765 ᵇ17. 6. 775 ᵃ17. ψυχρότης τῆς αἱματι-
κῆς τροφῆς Ζγδ1. 766 ᵇ17. ἡ ψυχρότης τῦ αἵματος, τῦ
ἐγκεφάλε Ζμβ4. 650 ᵇ20. 7. 652 ᵃ34. — (ψυχρότητι αι2.
438 ᵃ19, fort ὑγρότητι.)

ψωμίζειν. σῖτον ἣδ᾽ ἐάν τις ψωμίζῃ δύνανται καταπιεῖν
(οἱ γαμψώνυχες ὄρνιθες) Ζθ8. 592 ᵃ30.

ψωμίς. (ὁ πορφυρίων) τῶν λαμβανομένων ταμιεύεται μικρὰ
τὰς ψωμίδας f 272. 1527 ᵃ40.

ψώμισμα. εἴκασε (cf Δημοκράτης p 174 ᵇ57) τὺς ῥήτορας
ταῖς τίτθαις, αἱ τὸ ψώμισμα καταπίνεσαι τῷ σιάλῳ τὰ
παιδία παραλείφεσιν Ρα4. 1407 ᵃ7.

ψωμός. ἐοικέναι τὺς Σαμίυς τοῖς παιδίοις, ἃ τὸν ψωμὸν δέ-
χεται μέν, κλαίοντα δέ Ργ4. 1407 ᵃ2, cf Περικλῆς p 582
ᵃ1. ἐὰν μείζω ψωμὸν καταπίωμεν, πνιγόμεθα πλθ9. 964
ᵃ26.

ψώρα. ἀπὸ ψώρας οἱ πλησιάζοντες ἁλίσκονται πζ8. 887
ᵃ22.

Ω

ω. τὸ ω φωνῆεν, ἄνευ προσβολῆς ἔχον φωνὴν ἀκυστήν, ἀεὶ μακρόν πο20. 1456 ᵇ27. 21. 1458 ᵃ12.

ὠγύγιον πῦρ (Emp 226) αι2. 437 ᵇ32.

ὧδε. ὧδ᾽ ἕν ἀρξάμενοι λέγωμεν μα1. 339 ᵃ9. ὑπολάβοι ἄν τις ὧδε μάλιστα συμβαίνειν μα7. 345 ᵃ7 al.

ᾠδεῖον. πορεύεται εἰς τὸ ᾠδεῖον Μγ5. 1010 ᵇ11.

ᾠδή. οἱ μὲν νόμοι ἐκ ἐν ἀντιστρόφοις ἐποιοῦντο, αἱ δὲ ἄλλαι ᾠδαὶ αἱ χορικαὶ πιθ15. 918 ᵇ14. — οἱ ὑπὸ τὴν ᾠδὴν κρούοντες πιθ39. 921 ᵃ25 Bojesen. ᾠδὴ μιχθεῖσα λύρᾳ πιθ43. 922 ᵃ3. (οἱ πολλοὶ αὐληταὶ) ἀφανίζουσι τὴν ᾠδὴν πιθ9. 918 ᵃ28. αἱ μετ᾽ ᾠδῆς εὐθυμίαι ᾳ̳ ἐκστάσεις πλ1. 954 ᵃ25. ᾳ̳ ἦχω ᾠδὴ τίς ἐστιν πιθ42. 921 ᵇ19, 17. τῷ ἔαρος ἐκ τῆς ἀγέλης ἐκκρίνονται (πέρδικες) δι᾽ ᾠδῆς ᾳ̳ μάχης Ζυ8. 613 ᵇ24.

ὡδί. δόξειεν ἄν ὡδὶ σκοπουμένοις ἀδύνατον Οα9. 277 ᵇ30. ὡδὶ ἔχειν, συμβαίνειν Φθ1. 251 ᵇ2. Ηε13. 1137 ᵃ8. Ζμα1. 640 ᵇ1. ὡδὶ μέν, ὡδὶ δὲ Μζ5. 1031 ᵃ10. Ζμβ2. 649 ᵃ12. εἰς ἀντικείμενα ὡδὶ ⟨ἢ ὡδὶ⟩ Φε2. 225 ᵇ26. ὡδὶ μὲν ἐπίσταται, ἁπλῶς δ᾽ ἐκ ἐπίσταται Αγ1. 71 ᵃ28. ὡδὶ μέν... τὸ δὲ Ζμβ2. 649 ᵇ21, 23. — ὡδί absolute usurpatum ita ut verbum ex antecedentibus suppleatur πο25. 1461 ᵃ34, Vhl Poet IV 421.

ᾠδικός, dist φιλῳδός (v h v) ηεη2. 1238 ᵃ36, 37. ζῷα ᾠδικά, opp ἄνῳδα Ζια1. 488 ᵃ34. ᾠδικοὶ κύκνοι, βρένθος Ζυ12. 615 ᵇ2. 11. 615 ᵃ16. f 268. 1526 ᵇ36.

ὠδίνειν. ὅταν ὠδίνωσιν αἱ γυναῖκες Ζιη9. 586 ᵇ27. δοκεῖν ὠδίνειν αἱ γυναῖκες ἐνίοτε ᾳ̳ γινομένας ὠδῖνας Ζιη4. 584 ᵃ31.

ὠδίς. ἡ ὠδὶς ἐπίπονός ἐστιν Ζγδ6. 775 ᵃ37. τῷ ᾠῷ ἐν ὠδῖνι ὄντος· περὶ τὴν ὠδῖνα δεινὴ ἡ τῦ ἄρρενος (περιστερᾶς) θεραπεία· δοκοῦσιν ὠδίνειν αἱ γυναῖκες ἐνίοτε ᾳ̳ γινομένας ὠδῖνος· ἐνίαις περὶ τὰς ὠδῖνας οἱ ἰχῶρες ὕπωχροι, αἱματώδεις Ζιζ7. 560 ᵇ22. 17. 612 ᵇ35. η4. 584 ᵃ32. 9. 586 ᵇ34. συσχεθεῖσαν (τὴν κόρην) ὑπὸ τῆς ὠδῖνος ἀποκυῆσαι τὸν Ὅμηρον f 66. 1487 ᵃ4.

ᾠδός. συγκρύπτειν τὰ τῦ ᾠδῦ ἁμαρτήματα πιθ43. 922 ᵃ15. μετὰ Λεσβίου f 502. 1560 ᵇ2, cf παροιμία p 570 ᵇ5.

ὠθεῖν. cf ὦσις. ἀνάγκη κινεῖν ἕτερον ἢ ἕλκοντα ἢ ὠθῦντα κτλ Ρα5. 1361 ᵇ16. τὸ ὠθῦν ἀντωθεῖται πως Ζγδ3. 768 ᵇ19. εἴ τις εἰς ἀχύρων θημῶνα ὤσειε δαλόν μα7. 344 ᵃ26. τὸ μὲν ὀξὺ οἷον κεντεῖ, τὸ δ᾽ ἀμβλὺ οἷον ὠθεῖ ψβ8. 420 ᵇ2. τὰ πλατέα πολὺν ἀέρα ὠθῦντα δυσκίνητά ἐστιν Ζμδ12. 693 ᵇ17. ὁ ἄνεμος αὐτός ᾑ ὁ λίθος ὃν ἔωσεν Φθ5. 256 ᵃ25. — metaph, ἐπιθυμία ὠθῦσα ἐπὶ τὰς ἀπολαύσεις, syn ὁρμῶσα αρ3. 1250 ᵃ24. — pass, ὠθεῖ ὁ ὠσθεὶς ἀὴρ θάττω κίνησιν αρ8. 215 ᵃ16, 14. ἀνάγκη τὸ ὠθύμενον ἀντερειδεῖν ὅθεν ὠθεῖται μχ34. 858 ᵃ16. ὠσθείη ἂν βίᾳ τὸ ζῷον ψα3. 406 ᵇ6. πιεστὰ ὅσα ὠθύμενα εἰς αὑτὰ συνιέναι δύναται μδ9. 386 ᵃ30. ὁ μείζων κύκλος ὅσον ἐώσθη ὑπὸ τῦ ἐλάττονος μχ24. 856 ᵃ4. τὴν θάλατταν ἀθρόαν ὠθουμένην ὑπὸ τῦ πνεύματος μβ8. 368 ᵇ4. — ὠθεῖσθαι, i q φέρεσθαι, ὁρμᾶσθαι: αἱ ὑές ὠθῦνται ᾳ̳ πρὸς τὰς ἀνθρώπας sim Ζιζ18. 572 ᵇ25. 14. 568 ᵇ27. 18. 614 ᵃ11.

Ὠκεανὸς ᾳ̳ Τηθὺς γενέσεως πατέρες ΜΑ3. 983 ᵇ30. cf v4. 1091 ᵇ6. Ὠκεανὸ τὸ ἔξω τῆς οἰκυμένης πέλαγος κ3. 393 ᵃ17, ᵇ3, 11, 30. ἀδύνατον ἠπείροντο τὸν ὠκεανὸ οἱ πρότεροι, ᾳ̳ τῷ τάχ᾽ ἂν τῦτον τὸν ποταμόν (i e τῆς ἄνω ἀτμίδος ᾳ̳ τῦ κάτω ὕδατος) λέγοιεν τὸν κύκλῳ ῥέοντα περὶ τὴν γῆν μα9. 347 ᵃ6.

ὠκυβόλος ὁ μελανέατος Ζυ32. 618 ᵇ29.

ὠλέκρανον. (τὸ πρὸς Ἱπποκράτυς μὲν ἀγκών, ὑπὸ δὲ τῶν Ἀττικῶν ὠλέκρανον ὀνομαζόμενον Galen III 92, 142. XVIII B 512.) βραχίονος μόριον Ζκ1. 698 ᵇ3. 8. 702 ᵇ4, 11. Ζια15. 493 ᵇ27. ἡ ἐν τῷ ὠλεκράνῳ κάμψις Ζκ8. 702 ᵃ28. 13. 712 ᵃ14. Ζια15. 493 ᵇ32. (cf ΑΖι II tab III.)

ὠμιαία. τὰ νεῦρα τὰ πρὸς τὴν ἰσχὺν βοηθητικά, ἐπίτονός τε ᾳ̳ ὠμιαία (fort musculus deltoides) Ζιγ5. 515 ᵇ9. cf Galen XVIII 1, 386.

ὠμοπλάτη. αἱ καλύμεναι ὠμοπλάται· νώτω μέρη ὠμοπλάται δύο ᾳ̳ ῥάχις Ζιγ7. 516 ᵃ32. α15. 493 ᵇ12. τὰ περὶ τὰς ὠμοπλάτας φ3. 807 ᵇ14, 15. φλέβες ὑπὸ τὴν ὠμοπλάτην, πλεῖστα νεῦρα περὶ ὠμοπλάτας Ζιγ2. 512 ᵃ28. 3. 512 ᵇ27. 5. 515 ᵇ22. ὠμοπλάται, opp ἰσχία Ζπ9. 709 ᵃ11. 12. 711 ᵃ9. ὠμοπλάται πλατεῖαι ᾳ̳ διεστηκυῖαι, ὅτε λίαν συνδεδεμέναι ὅτε παντάπασιν ἀπολελυμέναι· ἄνω ἀνεσπασμέναι, ἄνω ἐπηρμέναι· διεστηκυῖαι ᾳ̳ μεγάλαι ᾳ̳ πλατεῖαι φ3. 807 ᵃ34, ᵇ21, 30, 808 ᵃ21. οἱ ὄρνιθες ἀντὶ ὠμοπλάτης· τὰ τελευταῖα ἐπὶ τῦ νώτυ τῶν πτερύγων ἔχυσιν Ζμδ12. 693 ᵇ1. ἡ φώκη εὐθὺς ἔχει μετὰ τὴν ὠμοπλάτην τὰς πόδας Ζιβ1. 498 ᵃ33. (cf ΑΖι II tab III.)

ῶμος. (Galen XIV 703 Da I 52.) βραχίονος Ζια15. 493 ᵇ26. τὰ ἐν τοῖς ὤμοις, αἱ καλύμεναι ὠμοπλάται· φλέβες κοινὸν μέρος πλευρᾶς ᾳ̳ βραχίονος ᾳ̳ ὤμυ μασχάλη Ζιγ7. 516 ᵃ31. 3. 514 ᵃ12. α14. 493 ᵇ8. τὸ μεταξὺ κεφαλῆς ᾳ̳ ὤμων κέκληται αὐχήν Ζμδ11. 691 ᵇ28. ὁ δεξιός Ζπ7. 707 ᵇ19. (οἱ ἀριστεροὶ Bsm probl ined p 298, 27.) ὦμος, opp ἰσχίον Ζκ1. 698 ᵇ3. ἐπὶ τὸ κυρτὸν ἔχει τὴν κάμψιν Ζπ13. 712 ᵃ16. cf Ζιβ1. 498 ᵃ25. τῷ ὤμῳ τὰ βάρη κινῦμεν· πονῦμεν τὸν ὦμον μάλιστα πε24. 883 ᵃ35. φέρειν τι ἐπὶ τῷ ὤμῳ μχ26. 857 ᵃ6. λέοντος ὦμοι ῥωμαλέοι· ζῴων διασταλευῦν ἐν τοῖς ὤμοις φ5. 809 ᵇ27, 33. οἱ ὦμοι πρὸς τὸ στῆθος συνηγμένοι, ἐξηρθρωμένοι, ἀσθενεῖς, ἄναρθροι, εὔλυτοι, δύσλυτοι συνεσπασμένοι, δασεῖς, ὀρθοὶ ἐκτεταμένοι φ6. 810 ᵇ29, 35, 37, 811 ᵃ1, 4, 812 ᵇ20, 813 ᵃ11, cf 12. ἀλὶ τρίβειν τὰς ὤμυς· ἐλεφᾶσι ἀληθεῖ τῆς ὤμυς, χαλάζαι περὶ τὰς ὤμυς (ὗῶν) Ζιθ26. 605 ᵃ31, ᵇ1. 21. 603 ᵇ18. ἡ κατὰ φύσιν αὐτῦ (τῦ θερμῦ) φορά ἐστιν ἐπὶ τὰς ὤμυς πι54. 897 ᵃ5. τὰς ἐν Νευροῖς βῦς ἐπὶ τῶν ὤμων ἔχειν τὰ κέρατα f 323. 1532 ᵇ2. cf Ζμγ2. 663 ᵃ36, ᵇ6.

ὠμός. τῷ μὴ κεκρατῆσθαι ὑπὸ τῆς θερμότητος ὠμὰ πάντα προσαγορεύεται μδ3. 380 ᵇ7 sqq. χαίρειν ὠμοῖς κρέασιν Ηη6. 1148 ᵃ22. ὠμὰ ᾠά πς4. 885 ᵇ37. γάλα ὠμὸν μδ3. 380 ᵇ8. τῶν φυομένων τὰ μὲν ἐψανά, τὰ δὲ ὠμὰ βρωτά πκ4. 923 ᵃ12. — κέραμος ὠμός μδ3. 380 ᵇ8. ἐν τοῖς ὠμοῖς κεραμίοις διαπιδεῖ τὸ ὕδωρ Ζγβ6. 743 ᵃ9. — metaph, ὠμοὶ ᾳ̳ θηριώδεις p1. 1420 ᵇ5. — ὠμῶς. τὰ ὠμῶς πραττόμενα f 551. 1569 ᵃ29.

ὠμότης λέγεται πολλαχῶς, ἡ ὠμότης ἀτέλεια, opp πέπανσις μδ2. 379 ᵇ13. 3. 380 ᵃ27-ᵇ11.

ὠμοφάγος. ὠμοφάγοι οἱ γαμψώνυχες· τοῖς ὠμοφάγοις ἅπαντα πολεμεῖ sim Ζμδ12. 694 ᵃ1, 693 ᵃ12. Ζυ1. 608 ᵇ25, 609 ᵇ1, 4.

ὠνεῖσθαι opp πωλεῖν Ηε7. 1132 ᵇ15. Ρβ23. 1397 ᵃ27. γ9. 1410 ᵃ19. ὠνεῖσθαι πολλῷ τὴν ὑπάρχυσαν, dist διδόναι ᾳ̳ καταλείπειν Πβ9. 1270 ᵃ19. τὰς γυναῖκας ἐωνῆσθαι παρ᾽ ἀλλήλων Πβ8. 1268 ᵇ41. ὠνεῖσθαι ψυχῆς (Heracl fr 69) Πε11. 1315 ᵃ31. ηεβ7. 1223 ᵇ24. pass ἐώνηται Ργ9. 1410 ᵃ18. — i q conducere οβ1350 ᵃ20. — ὤνητα ἀρχαί Πβ11. 1273 ᵃ36.

Rrrrr 2

ὠνή, συνάλλαγμα ἑκούσιον Ηε 5. 1131 ᵃ3. διατρίβειν περὶ ὠνὴν
ἢ πρᾶσιν, περὶ τὰς πράσεις ἢ τὰς ὠνάς Πδ 4. 1291 ᵇ20,
ᵃ5. ὠναὶ ἀγοραῖαι ηεα 4. 1215 ᵃ31 (ci Fr).

ὤνιος. φαίνεται ὤνια ἅπαντα εἶναι πλάτω Ρβ 16. 1391 ᵃ2.
ἃ τῷ νομίσματι ὤνια οβ 1345 ᵇ28. τὰ ὤνια Πα 11. 1259 5
ᵃ23. η 12. 1331 ᵃ33. ἐν τοῖς ὠνίοις Ηι 1. 1164 ᵇ12. ἐν τοῖς
ἰδίοις ὠνίοις μὴ διαμαρτάνειν Πβ 3. 1338 ᵃ41. — ὤνιοι δι᾽
ἀπορίαν Πβ 9. 1270 ᵇ10 (cf 10. 1272 ᵃ41).

ὠνομασμένως μεταφέρειν τὰ ἀνώνυμα Ργ 2. 1405 ᵃ36.
Ὦξος βωλία χρυσίω φέρει θ 46. 833 ᵇ14. f 248. 1523 ᵇ42. 10

ᾠοειδής. σχῆμα μὴ ἴσας ἔχον τὰς ἐκ τῦ μέσυ γραμμάς,
οἷον φακοειδὲς ἢ ᾠοειδὲς Οβ 4. 287 ᵃ20. σκωλήκιες ᾠοειδεῖ,
σκωλήκια ᾠοειδῆ Ζγβ 1. 733 ᵃ3. Ζιε 1. 539 ᵇ12. 28. 555
ᵇ24. 25. 555 ᵃ23. τὸ σύστημα τὸ ἐξ ἀρχῆς ᾠοειδὲς γίνε-
ται Ζγγ 9. 758 ᵇ3. τὰ ᾠοειδῆ (τῆς ἀγρίας λεπάδος) Ζιδ 4. 15
529 ᵇ18. cf ᾠώδης.

ὠόν. cf AΖγ9 sq. ᾠὰ ἢ σπέρματα ἢ τοιαῦται ἄλλαι ἀποκρί-
σεις Ζγδ 1. 733 ᵇ22. ὅσα ἐκ συνδυασμῦ τίκτει ζῷον ἢ ᾠὸν
ἢ σκώληκα Ζιδ 11. 537 ᵇ28. α 5. 489 ᵇ13. τὸ μὲν ζῷον
τέλειον, ὁ δὲ σκώληξ ἢ τὸ ᾠὸν ἀτελές Ζγβ 1. 733 ᵃ2. cf 20
α 10. 718 ᵇ34. ὁ σκώληξ ἐστιν ἔτι ἐν αὐξήσει ᾠὸν μαλα-
κόν· προελθόντα πάντα τὰ σκωληκώδη ἢ τῷ μεγέθει λα-
βόντα τέλος οἷον ᾠὸν γίγνεται· διαφέρει ᾠὸν ἢ σκώληξ
Ζγγ 9. 758 ᵇ21 cf 26, 16. β 1. 732 ᵃ29. τὸ ᾠὸν κύημα
ἐστι Ζγα 23. 731 ᵃ6. καλεῖται ᾠὸν μὲν τῶν κυημάτων τῶν 25
τελείων, ἐξ ᾧ γίνεται τὸ γινόμενον ζῷον, ἐκ μορίυ τὴν ἀρχήν,
τὸ δ᾽ ἄλλο τροφὴ τῷ γινομένῳ ἐστιν Ζγα 5. 489 ᵇ6. cf ε 19.
550 ᵇ29. Ζγβ 1. 732 ᵃ29. γ 11. 763 ᵃ2. Harvey p 45, 296,
77, 243. ἧττον ἔχει λόγον ἡ ἐκ τῶν ᾠῶν γένεσις· ἔχει
τινὰ δυνάμει ψυχὴν (θρεπτικήν) Ζγγ 11. 763 ᵃ5. β 5. 741 30
ᵃ23, 25, 19. τῷ δὲ ἀνάγκη ἐν τῇ ὑστέρᾳ εἶναι· ὁ γινό-
μενος τοῖς θήλεσιν ὑπὸ τῶν ᾠῶν ὄγκος ἐν τῇ κυήσει Ζγα 8.
718 ᵇ22. 11. 719 ᵃ25. 13. 720 ᵃ20. 16. 721 ᵃ20. ν ὑστέρα. τὰ
ᾠοτοκοῦντα ἐν τοῖς ᾠοῖς λαμβάνει τὴν διάκρισιν, κεχωρισμένα
τῆς μήτρας· τί αὔξει τὸ ᾠὸν Ζγβ 4. 740 ᵇ1. γ 1. 751 ᵃ6. 35
ἕκαστον τῶν ᾠῶν, ὅσον σῶμά τι τὸ ζῷόν ὄν, πρὸς τὸν τρό-
πον τὸν τῆς γενέσεως λαμβάνον ἀναγκαῖον· ἐντεῦθεν γὰρ ἡ
αὔξησις Ζμδ 5. 680 ᵇ29. cf 11. 692 ᵃ14. Ζγα 13. 720 ᵃ2.
ἡ τῶν ᾠῶν φύσις ὅταν λάβῃ τέλος, ἀναυξής ἐστι Ζγγ 9.
758 ᵇ34. τὸ συνιστάμενον ᾠόν, ἢ ὑγρότης ἢ ἐν τοῖς ᾠ- 40
οῖς Ζγβ 3. 737 ᵃ31. γ 2. 753 ᵃ34. ἐξ ἑνὸς τῷ ζῷων
Ζγα 20. 728 ᵇ36. cf 11. 719 ᵃ2. Ζιε 18. 550 ᵇ16. —
a. ᾠὸν τέλειον Ζγα 8. 718 ᵇ23, 33. 11. 719 ᵃ11. β 1.
732 ᵇ2, 733 ᵇ7. γ 1. 749 ᵃ17, 751 ᵃ25. 2. 754 ᵃ16. 4. 755
ᵃ6. 5. 755 ᵇ25, 756 ᵃ21. 9. 758 ᵃ35. ᾠοτοκεῖν τέλειον ᾠὸν 45
Ζγβ 1. 733 ᵃ5. τὸ τέλειον ᾠὸν ἢ λαμβάνει ἐξελθὸν αὔξησιν
Ζγγ 5. 755 ᵇ31. syn τὰ ἔσω τελειούμενα τῶν ᾠῶν Ζγγ 1.
749 ᵃ27. — ἀπολύεται τὸ ᾠὸν ἢ τὸ ζῷον ἐκ τῦ ᾠῦ γί-
νεται ἐν τῷ θήλει· ὅταν καταναλωθῇ ἢ ἐκ τῦ ᾠῦ τροφή,
τελειῦται ἀπὸ τῆς ὑστέρας, ἀλλ᾽ ἐκ ἀπολύεται Ζγβ 4. 737 ᵇ19-24. — ᾠὰ πλήρη μβ3. 50
359 ᵃ14. cf φτβ2. 824 ᵃ18-23. — b. ἀτελές Ζγα 8. 718
ᵇ24. 13. 719 ᵇ35. β 1. 732 ᵇ7, 733 ᵃ18, 19, 23, 28. γ 3.
754 ᵃ22. 4. 755 ᵃ8, 10. ἀτελῆ λέγω οἷον τά τε ᾠὰ ἢ τὰ
σπέρματα τῶν φυτῶν, ὅσα ἄρριζα αρ 17. 478 ᵇ31. τὰ 55
ἀτελῆ λαμβάνει ἔξω τὴν αὔξησιν sim Ζγα 1. 749 ᵃ26,
751 ᵃ25. 5. 755 ᵇ32, 756 ᵃ22. β 1. 732 ᵇ7. v l ᵃ20. — c. γό-
νιμον Ζγα 21. 730 ᵃ6, 20. β 5. 741 ᵃ20. Ζιζ 2. 559 ᵃ25.
3. 562 ᵃ31. 13. 567 ᵇ3. 14. 568 ᵇ9. v l ᵇ6 sq. — ἄγονον
Ζγα 21. 730 ᵃ21. Ζιζ 3. 562 ᵃ22. — d. τὰ ὑπηνέμια, ad- 60
dito nomine ᾠά vel omisso, Ζιζ 2. 559 ᵇ24, 28. 9. 564

ᵃ31. κ 7. 638 ᵃ25. Ζγα 21. 730 ᵃ4, 7, 32. β 5. 741 ᵃ17.
γ 1. 750 ᵇ21 et supra p 528 ᵇ42-44. def, ἐξ ὧν ὐ γίνεται
νεοττὸς ὐδείς Ζιε 1. 539 ᵃ31 Aub. ζ 2. 561 ᵃ2. τὴν ἀρχὴν
ἐκ ἔχει, διὸ ὐ γίνεται ἔμψυχον Ζγβ 3. 737 ᵃ30. cf Bsm probl
ined p 330, 16. ἐλάττω τῷ μεγέθει, ἧττον ἡδέα ἢ ὑγρό-
τερα τῶν γονίμων, πλήθει δὲ πλείω· αἱ τῶν ὑπηνεμίων συλ-
λήψεις ταχεῖαι γίνονται ταῖς πλείσταις, opp αἱ κυήσεις·
ὧπται ἱκανῶς ἤδη ἀνόχευτοι νεοττίδες ἀλεκτορίδων ἢ χηνῶν
τίκτεσαι ὑπηνέμια Ζιζ 2. 559 ᵇ24 Aub, 26, 560 ᵇ11. quae
aves ea pariant Ζιζ 2. 559 ᵇ28. f 274. 1527 ᵇ11. τὰ ὑπη-
νέμια ποτὲ γίνεται γόνιμα Ζγβ 5. 741 ᵃ30. γ 1. 751 ᵇ21,
24. Ζιζ 2. 560 ᵃ9, 13, 16. οἱ λέγοντες ὅτι ὑπολείμματά
ἐστι τὰ ὑπηνέμια τῶν ἔμπροσθεν ἐξ ὀχείας γινομένων ἐκ
ἀληθῆ λέγυσιν Ζιζ 2. 559 ᵇ21. opp τὰ ἐξ ὀχείας ἐνυπάρ-
χοντα, γενόμενα· τὰ γινόμενα διὰ τῆς ὀχείας ᾠά· τὰ γόνι-
μα εἰλημμένα, κυόμενα, γινόμενα Ζιζ 2. 560 ᵃ10, 12, 14. 3.
562 ᵃ22. Ζγγ 7. 757 ᵇ28. 1. 750 ᵇ33. Ζιζ 2. 560 ᵃ17.
561 ᵇ1. — ζεφύρια v supra p 308 ᵃ50. ὥρια p 542 ᵃ59.
κυνόσυρα p 415 ᵃ42. — e. Mammalium. ὐδὲν τῶν κητω-
δῶν φαίνεται ἔχον ᾠά, ἀλλ᾽ εὐθέως κύημα, καθάπερ ἄν-
θρωπος ἢ τὰ τετράποδα ζωοτόκα Ζιζ 12. 566 ᵇ4. εἴπερ
ἐγίγνοντό ποτε (ἄνθρωποι ἢ τετράποδα) γηγενεῖς, ὥσπερ
φασί τινες, δύο τρόπων γίνεσθαι τὸν ἕτερον· ἢ γὰρ ἐκ
σκώληκος συνισταμένυ τὸ πρῶτον ἢ ἐξ ᾠῶν Ζγγ 11. 762
ᵇ31. — f. avium, cf ὄρνις f et Oken Isis 1829 p 405. ἡ τῦ
ᾠῦ γένεσις ἢ ἡ γένεσις ἐκ τὸ ᾠῦ. τὸ τῦ ᾠῦ γένεσις μετὰ
τὴν ὀχείαν ἢ ἐκ τῷ ᾠῷ πάλιν συμπεττομένη ἢ τῷ τελειῦται
γένεσις ἐκ ἐν ἴσοις χρόνοις συμβαίνει πᾶσιν Ζιζ 2. 560 ᵇ16.
v γένεσις p 148 ᵇ60. ἡ τῦ ᾠῦ πρόσφυσις Ζγγ 3. 754 ᵇ11.
v ὄρνις p 528 ᵇ29. τὸ μὲν πρῶτον μικρὸν ἢ λευκὸν φαίνε-
ται, ἔπειτα ἐρυθρὸν ἢ αἱματῶδες, αὐξανομένυ δὲ ὠχρὸν ἢ
ξανθὸν ἅπαν· ἐὰν ὑπαρχόντων μικρῶν διαλείπῃ ἡ ὀχεία, ὐθὲν
ἐπαυξάνεται τὰ προϋπάρχοντα· ἐὰν δὲ πάλιν ὀχεύηται,
ταχεῖα γίνεται ἡ ἐπίδοσις εἰς τὸ μέγεθος Ζιζ 2. 559 ᵇ9, 17,
560 ᵃ18. ἡ αὔξησις τῶν ᾠῶν λαμβάνει τροφὴν τὸ ᾠὸν ἕως
ἂν αὐξάνηται, διὰ τίνος Ζγγ 2. 752 ᵃ24, 26, ᵇ1-10. α 21.
730 ᵃ17. τὸ ᾠὸν τελειῦται ἐντός, τὴν τελείωσιν τοῖς ᾠοῖς
ποιεῖ τὸ ἄρρεν Ζγγ 7. 757 ᵃ29, 32 saepius. ὅταν τελειωθῇ,
ἀπολύεταί τε ἢ ἐξέρχεται ὕτω τῷ καιρῷ ἐκ τῦ μαλακὸν
εἶναι μεταβάλλον ἐπὶ τὸ σκληρὸν Ζιζ 2. 559 ᵇ12. cf Ζγα 8.
718 ᵇ16, 17. ἀπολύεται ὅλον τὸ ᾠόν, χωρίζεται τῆς ὑστέ-
ρας Ζγγ 2. 752 ᵇ10. 3. 754 ᵇ12. cf Ζιζ 13. 567 ᵃ20. δόξαι
ἂν ἔξω τῆς ὑστέρας εἶναι τὰ ᾠά Ζιγ 1. 510 ᵇ30. ἀποτί-
κτειν τὰ ᾠά, ἡ ἄφεσις sim veluti Ζγα 21. 730 ᵃ19. γ 5.
756 ᵃ9, 12. (αἱ περιστεραὶ δύνανται ἤδη τῦ ᾠῦ ἐν ὑδῖνι
ἐντὸς κατέχειν, syn ὐ πρὶν μελλήσασα Ζιζ 2. 560 ᵇ22, 24.)
ἐξέρχεται μὲν ὕπω πεπηγός, ἐξελθὸν δὲ εὐθέως πήγνυται
ἢ γίνεται σκληρόν, ἐὰν μὴ ἐξῇ νενοσηκός· ποῖα προϊενται
τὰ ᾠά Ζια 5. 489 ᵇ14 et cf ὄρνις p 528 ᵇ33. τὰ ἐκβόλιμα
τῶν μικρῶν ᾠῶν Ζγγ 2. 752 ᵇ4. τῶν νέων ἢ ἐλάττω τὰ
Ζιε 14. 544 ᵇ19. (μαλακὰ τίκτυσιν ἐνίοτε αἱ ἀλεκτορίδες
Ζιζ 2. 559 ᵃ17. φαίνεται τὸ ἔμβρυον τὸ πρῶτον οἷον ᾠὸν ἐν
ὑμένι περιεχόμενον ἀφαιρεθέντος τῦ ὀστράκυ Ζιη 7. 586 ᵃ20.)
σκληρότερον ἄνωθεν ἢ κάτωθεν Ζγγ 2. 752 ᵃ14. cf Bsm probl
ined p 330, 21 cf 27. ἔχει τὸ ᾠὸν διαφοράν· τῇ μὲν ὀξὺ
τῇ δὲ πλατύτερον· ἐξιόντος ἡγεῖται τὸ πλατύ Ζιζ 2. ἐξέρχε-
ᵃ26. syn τῷ ᾠῷ γίνεται ἡ ἔξοδος οἷον ἐπὶ πόδας, ἐξέρχε-
ται ὕστερον τὸ ᾠῷ τὸ ὀξὺ Ζγγ 2. 752 ᵇ14, ᵃ16. τὸ ὀξὺ
Ζγγ 2. 752 ᵇ2, ᵃ18. 3. 754 ᵇ11. Ζιζ 3. 561 ᵃ10. ἀνόμοιον
τὸ τῶν διχρόων ᾠῶν ἢ ὐ πάμπαν στρογγύλον ἀλλ᾽ ἐπὶ
θάτερα ὀξύτερον Ζγγ 2. 752 ᵃ12. ἔστι τὰ μὲν μακρὰ ἢ

ὀξέα τῶν ὠῶν θήλεα, τὰ δὲ στρογγύλα χ̣ περιφέρειαν ἔχοντα κατὰ τὸ ὀξὺ ἄρρενα Ζιζ̅2. 559 ᵃ28 Aub (cf Harvei de gen an 46, 257, 260. Lenz Zool der Gr 326). τὸ ὄστρακον v h v 1a. χ̣ τὰ χρώματα τῶν ὠῶν διαφέρει κατὰ τὰ γένη τῶν ὀρνίθων, τῶν μὲν λευκά, τῶν δὲ ὠχρά, τῶν δὲ κατεστιγμένα, ἔνια ἐρυθρά Ζιζ̅2. 559 ᵃ22, 23. Democriti sent Ζγδ̅3. 769 ᵇ35. ὑμένες, ὀμφαλος, χόριον v h v. ἡ ἐν τοῖς ὠοῖς διάκρισις Ζγγ̅1. 752 ᵃ6. ἔχει φύσιν τῇ ὠῷ τὸ ὠχρὸν χ̣ τὸ λευκὸν ἐναντίαν ἢ μόνον τῷ χρώματι ἀλλὰ χ̣ τῇ δυνάμει (i e πότε ἢ πῶς πήγνυται ὑγραίνεται κτλ) Ζιζ̅2. 560 ᵇ21. Ζγγ̅2. 753 ᵃ35 sq. ὅταν ἤδη γίγνηται ἀδρότερον, διακρίνεται, χ̣ ἔσω μὲν τὸ ὠχρόν, ἔξω δὲ τὸ λευκὸν περίσταται Ζιζ̅2. 559 ᵇ11, cf ᵃ15. τὸ λευκὸν χ̣ τὸ ὠχρὸν κεχωρισμένον Ζγγ̅3. 754 ᵇ22, 755 ᵃ3. 2. 752 ᵇ26. 1. 751 ᵇ5. πολλαπλάσιον ἔχει τὰ τῶν ἐνύδρων κατὰ λόγον τὸ ὠχρὸν πρὸς τὸ λευκὸν Ζιζ̅2. 559 ᵃ21. ἡ λέκιθος v supra p 426 ᵃ21. δίχρωα Ζια̅5. 489 ᵇ14. Ζγγ̅1. 749 ᵃ18, 751 ᵃ31, ᵇ4. 7. 757 ᵇ9 et saepius. (τὰ ἀδιόριστα vel συγκεχυμένα ci Aub, τὸ τελευταῖον Bk Ζιζ̅3. 562 ᵇ1, cf Ζγδ̅3. 770 ᵃ18.) τὰ δίδυμα v supra p 194 ᵃ42. ὠῶν πλῆθος Ζιε̅9. 542 ᵇ17, 20 18. ζ4. 562 ᵇ3, 4, 9, 20. 5. 563 ᵃ11. 9. 564 ᵃ28, 30. 2. 559 ᵇ24. Ζγγ̅1. 750 ᵃ10, 18, 28 et saepe. v πολύγονος p 615 ᵇ46, ὀλιγόγονος p 503 ᵇ61 sim. — ἡ γένεσις ἐκ τῦ ὠῦ Ζιζ̅3. 561 ᵃ4, 562 ᵃ21 et supra p 148 ᵇ59, 528 ᵇ45. τὰ ὠὰ ἐκπέττεται (ἐκλέπεται v l, ci Aub) ἐπωαζόντων τῶν ὀρνίθων, ἢ μὴν ἀλλὰ χ̣ αὐτόματα ἐν τῇ γῇ ὥσπερ ἐν Αἰγύπτῳ, ἐν Συρακούσαις, ἐν ἀγγείοις ἀλεεινοῖς Ζιζ̅2. 559 ᵃ30, ᵇ2, 5, 6 et supra p 528 ᵇ53 (cf Hartmann Reise des B v Barnim, Anhang p 23. Lenz Zool d Griech 326). ἡ φύσις ἅμα τήν τε τῦ ζῴου ὕλην εἰς τὸ ὠὸν τίθησι χ̣ τὴν ἱκανὴν τροφὴν πρὸς τὴν αὔξησιν· συνεκτίκτει τὴν τροφὴν ἐν τῷ ὠῷ Ζγγ̅2. 752 ᵇ20, 22, 24. cf φτα̅2. 817 ᵃ32. Ζιζ̅10. 565 ᵃ2. ἀποκύεται τὸ ζῷον ἐκ μέρους τῦ ὠῦ· ἡ δ' ἀρχὴ τῦ ζῴου λαμβάνει ἐκ τῦ λευκῦ τὴν γενέσεως, τὴν δὲ τροφὴν ἐκ τῦ ὠχρῦ· ἐν τῷ ὀξεῖ ἡ ἀρχή, ἐκ τῦ ὀξέος γίνονται Ζγγ̅2. 752 ᵇ18, ᵃ18, 10. 1. 741 ᵇ5. 3. 754 ᵇ11. cf Ζιζ̅3. 561 ᵃ10. τριταῖα Ζμγ̅4. 665 ᵃ35. (ὁ σφυγμὸς) καθάπερ ἐν τοῖς ὠοῖς γίνεται φανερὸν πν4. 483 ᵃ16. ἡ ἐκκόλαψις τῶν ὠῶν· τιτρώσκει τὸ ὠὸν Ζιζ̅3. 561 ᵇ29. 4. 562 ᵇ20. ὠῶν σηκοὶ Ζιζ̅8. 564 ᵃ21. πότε διαφθείρεται τὰ ὠά· φθορά τις ὠῶν Ζγγ̅2. 753 ᵃ21. β5. 741 ᵃ22. Ζιζ̅2. 560 ᵃ4. τὰ ὠμὰ ὠὰ ᵘ δύναται δινεῖσθαι, ἀλλὰ καταπίπτει πς4. 885 ᵇ37. πολλὰ συνεράσας τις ὠὰ εἰς μίαν κύστιν Ζγγ̅1. 752 ᵃ4. ἀλεκτορίδι ὑποτίθεται τὰ ὠὰ ἄλλων ἐπῳάζειν Ζιζ̅9. 564 ᵇ3, cf 7. τὰς μωλωπας κωλύει χ̣ ὠὰ ἐπικαταγνίμενα πθ1. 889 ᵇ11, cf 14. — g. τῶν τετραπόδων ὠοτόκων χ̣ ὄφεων τὰ ὠὰ χ̣ σκληρόδερμα χ̣ δίχροα, τέλεια, μαλακόδερμα ἕως ἂν αὐξηται ἔχῃ, πρὸς τῷ διαζώματι συνίσταται καθάπερ τὰ τῶν ὀρνίθων, τελεύται δὲ τῶν ὠῶν τελεύται δὲ τὰ ζῷα θᾶττον ἐν ταῖς ἀλεειναῖς ἡμέραις Ζγγ̅2. 753 ᵃ2, 3, 17. α8. 50 718 ᵇ16, 17. (τῆς ὑστέρας) ἡ σχίσις χ̣ τὰ ὠὰ ἄνω πρὸς τῷ ὑποζώματι Ζιγ̅1. 511 ᵇ2. — κροκοδείλῳ τὸ ποταμίῳ v supra p 410 ᵇ17. — τῶν τρωγλοδυτικῶν ἢ ἐπὶ τοῖς ὠοῖς ἐφεδρεία χ̣ φυλακὴ Ζπ15. 713 ᵃ21. — τῶν ὄφεων τὰ ὠὰ ἐκλέπεται τῷ ὑστέρῳ ἔτει Ζιε̅34. 558 ᵇ3, cf supra p 550 ᵃ31-34. ἔχεως τὸ ὠὸν ὥσπερ τῶν ἰχθύων μονόχρων χ̣ μαλακόδερμον Ζιε̅34. 558 ᵃ26. Ζγα̅11. 718 ᵇ36, 38. — χελύνη τίκτει ὠὰ σκληρόδερμα χ̣ δίχροα, τὰ ὠὰ ἐκλέπεται τῷ ὑστέρῳ ἔτει, πολὺ πλῆθος Ζιε̅33. 558 ᵃ4, 7, 12. — h. piscium. ὐχ ὁμοιοτρόπως τοῖς τῶν ὀρνίθων ἔχει τὰ περὶ τὰ ὠὰ τῶν ἰχθύων Ζγγ̅5. 755 ᵇ28. οἱ πλεῖστοι γίνονται

ἐξ ὠῶν Ζιζ̅15. 596 ᵃ11. τὴν τελείωσιν τοῖς ὠοῖς ποιεῖ τὸ ἄρρεν Ζγγ̅7. 757 ᵃ32. τῶν ἰχθύων ἔνιοι αὐτόματα γεννῶσιν ὠά Ζιε̅1. 539 ᵇ3. cf δ11. 538 ᵃ21. ζ13. 567 ᵃ29, 31. Ζγγ̅1. 750 ᵇ31. ἔνιοι ὐκ ἔχυσιν ὔτε ὠὸν ὔτε θορὸν Ζιδ̅11. 538 ᵃ16, 8. ζ14. 569 ᵃ6. 15. 569 ᵃ18. γ10. 517 ᵇ7. — οἱ ὠοτοκῦντες. ἰσχύασιν ὠὸν ψαθυρόν Ζιζ̅13. 567 ᵃ21. γ10. 517 ᵇ6. (cf κωβιῶν πλατὺ χ̣ ψαθυρὸν τὸ ἀποτικτόμενον· θύννος τίκτει θυλακοειδές, ἐν ᾧ πολλὰ ἐγγίνεται χ̣ μικρὰ ὠὰ Ζιζ̅13. 567 ᵇ12. ε11. 543 ᵇ13 Aub.) ἐν τοῖς σφόδρα μικροῖς δοκεῖ ἑκατέραν (ὑστέραν) ὠὸν εἶναι ἕν· ἐν δύο ἐχόντων ὠὰ τῶν ἰχθύων τύτων, ὅσων λέγεται τὸ ὠὸν εἶναι ψαθυρόν· ἔστι γὰρ ὐχ ἓν ἀλλὰ πολλά, διὸ διαχεῖται εἰς πολλὰ Ζιγ̅1. 510 ᵇ25. cf ζ13. 567 ᵃ22. Ζγα̅8. 718 ᵇ11 Aub. αἱ ὑστέραι πλήρεις ὠῶν Ζγγ̅5. 756 ᵇ12. ὠὸν μονόχρων, def: ὐκ ἀποκεκριμένον ἔχει τὸ λευκὸν διά τε μικρότητα χ̣ διὰ τὸ πλῆθος τῦ ψυχρῦ χ̣ γεώδες, ὁ δίχρων ἀλλὰ μονόχρων, λευκότερον ἢ ὠχρότερον Ζγγ̅1. 751 ᵇ19. Ζιζ̅10. 564 ᵇ24. cf Ζγγ̅3. 754 ᵇ23 et supra p 473 ᵃ25. τίκτυσι χ̣ ἀφιᾶσι τὸ ὠόν, ὐκ ἐξαφιᾶσι ὐθέποτε ἅμα πᾶν ὠόν, belone dehiscente propter multitudinem ovorum utero parit Ζιζ̅13. 567 ᵇ22. 14. 568 ᵇ30, 1, ᵃ15, cf 16. ἄποθεν Ζμδ̅8. 684 ᵃ24. τὸ ἔσχατον τῦ ὠῦ σκληρότερον Ζγγ̅4. 755 ᵃ14. μαλακόδερμον Ζιε̅34. 558 ᵃ26 et saepius. ἢ ἀπὸ τῦ ὠῦ ἐγγιναμένη ὑγρότης Ζιζ̅13. 568 ᵃ2. προιέται τὰ ὠὰ ἀτελῆ, ἔξω γὰρ ἐπιτελεῖται χ̣ λαμβάνει τὴν αὔξησιν· τρόπον τινὰ ἔοικε τοῖς σκωληκοτοκῦσιν· ὠὰ σκωληκώδη Ζγα̅8. 718 ᵇ7. γ1. 749 ᵃ25. 7. 757 ᵃ29, 34, 30, 26. 4. 755 ᵃ14, ᵇ1. β1. 733 ᵃ30, 17. γ4. 755 ᵇ30. 20. ε17. 549 ᵃ20. ὠῶν κέλυφος v supra p 381 ᵃ47. ἄπλετον τὸ πλῆθος τῶν ὠῶν· τὸ μέγεθος Ζγγ̅4. 755 ᵃ28, 33, cf 35. 5. 755 ᵇ27. 7. 757 ᵃ23. Ζιε̅10. 543 ᵃ20. τέλος ὐθὲν (ὠὸν) λαμβάνει, ἐὰν μὴ ἐπιρράνη ὁ ἄρρην τὸν θορὸν Ζγγ̅5. 755 ᵇ5, cf 756 ᵃ19, 27. 7. 757 ᵃ17. Ζιζ̅13. 567 ᵇ5. διὰ ἂν τὸ θορῷ μιχθῇ τῶν ὠῶν, εὐθύς τε λευκότερα φαίνεται χ̣ μείζω ἐν ἡμέρᾳ· ὅσων ἂν ὠῶν ὁ θορὸς μὴ θίγῃ, ἀχρεῖον τὸ ὠὸν χ̣ ἄγονόν ἐστιν Ζιζ̅14. 568 ᵇ2, 7, cf 11. ἡ γένεσις ἐκ τῦ ὠῦ Ζιζ̅10. 564 ᵇ26, cf 30. 13. 567 ᵇ27. 14. 568 ᵇ14. Ζγγ̅4. 755 ᵃ11 et saepius. ὅταν ἀναλωθῇ τὸ ὠόν· ἀεὶ ἔλαττον γίνεται τὸ ὠὸν χ̣ τέλος ἀφανίζεται χ̣ εἰσδύεται ἔσω Ζιζ̅13. 568 ᵃ1. 10. 565 ᵃ2. ἡ ἀνάκαψις τῶν ὠῶν Ζγγ̅5. 756 ᵇ4, 7. cf Ζιε̅5. 541 ᵃ18. ζ13. 567 ᵃ32. σκεδάννυται τὸ ὠόν, ἀπόλλυται ἐν τῷ ὑγρῷ, opp σῴζεται Ζιζ̅14. 569 ᵃ2. 13. 567 ᵃ32 ᵇ1. τὰ παραλειπόμενα Ζιε̅5. 541 ᵃ19. τῶν ὠῶν διαφθείρεται τὸ πολὺ διὰ τὰς ἀλέας (τὰς ἀρρένας ci Aub) Ζιθ̅19. 602 ᵇ4. — οἱ ζῳοτόκοι (cf σέλαχος c). τὰ ὠὰ ἐνταῦθα (ἐν τῇ ὑστέρᾳ) γίνεται χ̣ ἄνω ἐπ' ἀρχῇ τῦ ὑποζώματος· εἶτα προελθόντα εἰς τὴν εὐρυχωρίαν ζῷα γίνεται ἐκ τῶν ὠῶν· τίκτεται Ζιγ̅1. 511 ᵃ9, 27 Aub. Ζιζ̅10. 564 ᵇ22, 565 ᵃ30, ᵇ2, 19. μεταστάντος τῦ ὠῦ ἐξ ἄλλυ τόπυ τῆς ὑστέρας εἰς ἄλλον· τῶν πλείστων πρὸς τῇ ὑστέρᾳ προσπέφυκε τὸ ὠὸν τέλειον· ἀπολύεται τῆς ὑστέρας Ζγγ̅1. 749 ᵃ21. 3. 754 ᵇ14, 16, 18, 19, 27, 28. ὐχ ἅμα πάντα λαμβάνει τελείωσιν τὰ ὠὰ (τῶν γαλεῶν) Ζιζ̅10. 543 ᵃ19. τέλειον ὠὸν ἐν αὐτοῖς μὲν ὠοτόκει, ἔξω δὲ ζῳοτόκει· βάτραχος ὠοτόκει μόνος θύραζε τέλειον ὠὸν, στερεὸν χ̣ στιφρὸν Ζγγ̅3. 754 ᵃ24, 26, 34. σελαχῶν ὠὰ ὑγρὰ χ̣ μαλακὰ τὴν φύσιν, μαλακόδερμον χ̣ μονόχρων Ζγγ̅3. 754 ᵃ35, 31. 1. 749 ᵃ22. β1. 733 ᵃ14. α1. 718 ᵇ36, 38. Ζιασ̅5. 489 ᵇ14. ἐν τῷ ὠῷ ὐκ ἐπιπολάζει τὸ γεηρὸν Ζγβ̅1. 733 ᵃ15, cf 17. ἀναλίσκεται τὰ ὠὰ Ζιζ̅10. 565 ᵇ6, cf 10. Ζγγ̅3. 754 ᵇ15. ἡ γένεσις ἐκ τῦ ὠῦ, ἐξ ἀκρῦ τῦ ὠῦ

Ζγγ3. 754 ᵇ2, 9. — τῶν ἀναίμων. καλεῖται ᾠὸν ἐκ ὀρθῶς τῶν καλάντων· τᾶτο γάρ ἐστιν οἷον τοῖς ἐναίμοις ὅταν εὐθηνῶσιν ἡ πιότης, syn εὐτροφία Ζμδ5. 680 ᵃ26, ᵇ7 (F 309, 35). — i. τῶν μαλακίων τὰ καλύμενα ᾠὰ τὰς περιέχοντας ὑμένας ὑστερικὰς ἔχει, syn ὑστερικὸν μόριον· ᾠὸν ἴσχει τὸ μὲν πρῶτον ἀδιόριστον, ἔπειτα διακρινόμενον γίνεται πολλὰ κ̀ ἀποτίκτει ἕκαστον τύτων ἀτελές· αὐξάνεται τὸ ᾠόν Ζγα3. 717 ᵃ5. 15. 720 ᵇ22. Ζιε17. 549 ᵃ20. τὰ ἐκτεκόντα, ὅ ἂν τὰ κυήματα αὐτῶν ᾖ, ἐπῳάζει Ζιε18. 550 ᵇ2. cf supra p 443 ᵃ28-32. — τῶν πολυπόδων v supra p 617 ᵇ7-13. — τῶν σηπιῶν (cf σηπία c. τευθὶς p 758 ᵃ21). — k. τῶν μαλακοστράκων. ἐν ταῖς ὑστέραις ἐγγίνεται τὸ ᾠόν, λαμβάνει θύραζε τὴν αὔξησιν Ζγα14. 720 ᵇ15. γ5. 755 ᵇ32. γίνεται τὰ ᾠὰ τῷ χρόνῳ ψαθυρά Ζιε18. 549 ᵇ30, cf supra p 444 ᵇ23. τῶν καραβῶν Ζιε17. 549 ᵃ27, ᵇ11, 12, cf supra p 364 ᵃ28. τοῖς καραβοειδέσιν πῆ ἡ τῶν ᾠῶν χώρα Ζιδ2. 526 ᵇ31, cf 28, 30. τὰ καραβώδη πλάκας ἔχει φυλακῆς χάριν τῶν ᾠῶν Ζγγ8. 758 ᵃ15. τῶν καρκίνων, καρίδων Ζμδ8. 684 ᵃ23, cf 25. Ζιδ2. 527 ᵃ20, 31, 526 ᵇ28, 30. — l. (τὰ κυήματα πολλῶν ἐντόμων) δόξειεν ἂν ᾠοῖς ἐοικέναι διὰ τὴν τῦ σχήματος περιφέρειαν Ζγγ9. 758 ᵇ10. τῶν ἀκρίδων διαμένει τὰ ᾠὰ τὸν χειμῶνα ἐν τῇ γῇ, syn περυσινὰ κυήματα, σκώληκες ᾠοειδεῖς Ζιε28. 536 ᵃ6, 7, ᵇ24. τέττιγες ᾠοτοκῦσιν ᾠὰ λευκά, τῶν ἀττελάβων τὰ ᾠὰ φθείρεται Ζιε30. 556 ᵇ14. 29. 556 ᵃ9. cf ψυχῶν γένος τι τίκτει σκληρὸν (sc ᾠὸν vel κύημα) ὅμοιον κνήκης σπέρματι, ἔσω δὲ χύμα Ζιε19. 550 ᵇ27 Aub. cf κονίς. — m. τῶν ὀστρακοδέρμων v supra p 536 ᵃ32. τὰ λεγόμενα ᾠὰ (ovaria) ᾠθὲν συμβάλλεται πρὸς τὴν γένεσιν, ἀλλ' ἐστὶν εὐτροφίας σημεῖον, οἷον ἐν τοῖς ἐναίμοις ἡ πιότης· τὰ καλύμενα ᾠὰ ἐκ ἔχει πόρον ἐν ἐθενί, ἀλλ' αὐτῆς τῆς σαρκὸς ἐπανοιδεῖ· τὸ λεγόμενον ᾠὸν τοῖς ἐχίσι πῆ, πότε ἐστίν Ζγγ11. 763 ᵇ5. Ζιδ4. 529 ᵃ11, 13, ᵇ1 Aub et supra p 536 ᵃ32. τῶν διθύρων τὸ ᾠὸν καλύμενον ἐκ τοῖς δεξιοῖς· τὸ καλύμενον ᾠὸν γίνεται ἐπὶ θάτερα μόνον ἐν τοῖς ὀστρέοις, syn τὸ τοιῦτον μόριον (τῶν κτενῶν) Ζμδ5. 680 ᵃ24, ᵇ8, 23. — ἐχίνων τῶν χερσαίων τὸ ᾠὸν ὁμοίως ἔχει Ζμδ5. 680 ᵇ12, cf 15, 21. τὰ καλύμενα ᾠὰ ἴσα τε τῷ ἀριθμῷ κ̀ περιττά, ἐκ ἄρτια, πέντε Ζμδ5. 680 ᵃ13, ᵇ4, 18, 26, cf 23, 680 ᵃ2. Ζιδ5. 530 ᵇ30. τὰ καλύμενα ᾠὰ μεγάλα ἐγγίνεται κ̀ ἐδώδιμα· ἔχυσι πάντες ᾠά, ἀλλ' ἔνιοι πάμπαν μικρὰ κ̀ ἐκ ἐδώδιμα, ἔνιοι πλήρεις ᾠῶν Ζιδ5. 530 ᵇ2, cf 11, 18. ε12. 544 ᵃ23. Ζμδ5. 680 ᵃ13, 17, 681 ᵃ3. — n. ᾠὸν ἐν ἀλεκτρυόνι ΖιΖ 2. 559, ᵇ16 'fort pathologische Geschwulst von Eiform' Aub. — ὁ καλύμενος ὑπό τινων ναυτίλος, ὑπ' ἐνίων δ' ᾠὸν πολυπόδος Ζιδ1. 525 ᵃ21 Aub. ἡ χρυσαλλὶς δύναμιν ᾠᾶ ἔχει Ζγβ1. 733 ᵇ15. — plantarum Ζγα23. 731 ᵃ5 (Emp 286). — πλῆθος ᾠῶν ci Aub, πᾶσαν ὥραν Bk Ζιε12. 544 ᵃ2. ᾠὸν ci W, ζῷον Bk Ζγα18. 724 ᵇ18.

ᾠοτοκεῖν. ὅσα ἔξω ζῳοτοκεῖ μόνον ἢ ᾠοτοκεῖ Ζιγ20. 521 ᵇ25. ὅσαπερ ζῳοτοκεῖται ἢ ᾠοτοκεῖται Ζμδ12. 693 ᵇ23. τὰ ᾠοτοκῦντα, opp τὰ ζῳοτοκῦντα· πάντα τὰ ζῳοτοκῦντα ἢ ᾠοτοκῦντα ἔναιμα ἐστιν κ̀ τὰ ἔναιμα ἢ ζῳοτοκεῖ ἢ ᾠοτοκεῖ, ὅσα μὴ ὅλως ἄγονά ἐστιν Ζγα8. 718 ᵇ2. β1. 732 ᵇ8, cf 16. τὰ ἔναιμα μὲν ᾠοτοκῦντα δέ Ζιγ19. 520 ᵇ29. τὰ ᾠοτοκῦντα τῶν ἐναίμων Ζγγ1. 749 ᵃ11. cf β1. 732 ᵃ28. ᾠθὲν ᾠοτοκεῖ χερσαῖον κ̀ ἔναιμον μὴ τετράπον ὂν ἢ ἄπυν ΖιΒ10. 502 ᵇ29. ᾠθὲν ἄναιμον ᾠοτοκεῖ ζῷον, τὸ πέμπτον γένος ἐκ ᾠοτοκεῖ ἐξ αὐτῆ Ζγγ1. 751 ᵃ34. β1. 733 ᵇ11. — ὅσα ᾠοτοκεῖ ΖιΒ16. 506 ᵇ25. γ1. 511 ᵃ24, syn

τὰ ᾠοτοκῦντα ΖιΒ12. 504 ᵇ4. γ1. 510 ᵇ8. δ10. 536 ᵇ31. ε19. 553 ᵃ5. Ζγβ4. 740 ᵇ1. γ1. 749 ᵃ17, 33, 751 ᵇ16. ε1. 779 ᵃ9. αν1. 470 ᵇ17, syn τὰ ᾠοτοκύμενα Ζγα21. 730 ᵃ19. β2. 746 ᵃ27. γ2. 753 ᵇ30, 34, 754 ᵃ6. 11. 763 ᵃ9. τὰ ᾠοτοκῦντα ᾠοτοκεῖ διαφερόντως Ζγα8. 718 ᵇ6. τὰ ᾠοτοκῦντα θύραζε Ζγβ1. 737 ᵇ20. γ1. 751 ᵃ24, 30. α12. 719 ᵇ19. τῶν ᾠοτοκῦντων τὰ μὲν τέλειον προΐεται τὸ ᾠὸν οἷον ὄρνιθες κ̀ ὅσα τετράποδα ᾠοτοκεῖ κ̀ ὅσα ἄποδα, τὰ δὲ ἀτελῆ Ζγβ1. 732 ᵇ2. cf Ζμδ11. 692 ᵃ14. Ζιζ1. 558 ᵇ10. πάντα τὰ πλωτὰ κ̀ πτηνὰ κ̀ πεζά, εἴτε ζῳοτοκεῖται ἢ ᾠοτοκεῖται Ζιγ7. 586 ᵃ22. ὅσα ᾠοτοκεῖ ἢ δίποδα ὄντα ἢ τετράποδα· πάντα ὅσα ᾠοτοκεῖ πόδας ἔχοντα· τῶν ᾠοτοκῦντων τά τε πτερυγωτὰ κ̀ τὰ φολιδωτὰ Ζιγ1. 509 ᵇ24. ε5. 541 ᵃ1. αν10. 475 ᵇ21. — τὰ ᾠοτοκῦντα τετράποδα vel τῶν τετραπόδων ΖιΒ13. 505 ᵃ23. Ζγα3. 716 ᵇ21. 12. 719 ᵇ21, syn ὅσα ᾠοτοκεῖ τῶν τετραπόδων ΖιΒ15. 505 ᵇ35. Ζγα8. 718 ᵇ4. γ5. 755 ᵇ30. Ζιγ1. 509 ᵇ7, syn τὰ τετράποδα ὅσα ᾠοτοκεῖ, τὰ τετράποδα μὲν ᾠοτοκῦντα δέ Ζγγ2. 754 ᵃ17. Ζιγ7. 516 ᵇ21. τὰ ᾠοτοκῦντα, syn τὰ τετράποδα κ̀ ᾠοτόκα Ζπ16. 713 ᵇ19. — τῶν ἀπόδων τὰ μὲν ζῳοτοκεῖ τὰ δὲ ᾠοτοκεῖ Ζγβ1. 732 ᵇ22. τὰ ἄλλα γένη τῶν ὄφεων ᾠοτοκεῖ, ἔχις δὲ ζῳοτοκεῖ μόνον, ᾠοτοκήσας ἐν αὐτῷ πρῶτον Ζιγ1. 511 ᵃ16, cf 4. α6. 490 ᵇ25. ε34. 558 ᵃ26. — τῶν ἰχθύων οἱ ᾠοτοκῦντες Ζιζ13. 567 ᵃ17. Ζγα15. 720 ᵇ24. γ5. 755 ᵇ16, 18, 26. 1. 749 ᵃ34, vel τὰ ᾠοτοκῦντα Ζιζ10. 564 ᵇ19. γ7. 516 ᵇ16, ὅσοι ᾠοτοκῦσιν ἐκτός, εἰς τὀμφανές, sim ΖιΖ10. 564 ᵇ14, 16. 13. 567 ᵃ18. γ10. 517 ᵇ6. Ζγα3. 717 ᵃ1. 13. 719 ᵇ3. γ1. 749 ᵃ24. 4. 755 ᵃ8, cf ᵇ1. ὅσα εἰς τὸ φανερὸν μὲν ᾠοτοκεῖ ἐν αὐτοῖς δ' ᾠοτοκεῖ· ἐν αὐτοῖς ᾠοτοκήσαντες ζῳοτοκῦσι sim Ζιγ1. 511 ᵃ25. β13. 504 ᵇ21. ζ10. 564 ᵇ17. α5. 489 ᵇ10. Ζγα12. 719 ᵇ22, 720 ᵃ17. 10. 718 ᵇ33. β1. 732 ᵃ35, 733 ᵃ5, cf 7, 9, 16, ᵇ5. 4. 737 ᵇ18. γ1. 749 ᵃ20. 3. 754 ᵃ24. 5. 755 ᵇ3. βάτραχος ᾠοτοκεῖ θύραζε τέλειον ᾠὸν μόνον Ζγγ3. 754 ᵃ25. — τὰ πεζὰ κ̀ ᾠοτόκα τῶν ζῴων ὅσα μὴ ᾠοτοκεῖ Ζιδ11. 538 ᵃ22. τὰ δ' ὅλως ἐκ ἀναπνεῖ τῶν ζῴων, σκωληκοτοκεῖται δὲ κ̀ ᾠοτοκεῖται· ὅσα μὴ ζῳοτοκεῖται ἀλλὰ σκωληκοτοκεῖται ἢ ᾠοτοκεῖται Ζγβ6. 742 ᵃ5. 1. 733 ᵇ26. cf Πα8. 1256 ᵇ13. ὅσων αἱ ὑστέραι μὴ πρὸς τῷ ὑποζώματί εἰσι μηδ' ᾠοτοκῦσιν Ζγα20. 728 ᵃ36, cf ᵇ4. — ὅτῳ δ' ᾠοτοκεῖ μακρὰ δένδρα πρῶτον ἐλαίας (Emp 286) Ζγα23. 731 ᵃ5.

ᾠοτοκία. ζῳοτοκεῖν ἄνευ ᾠοτοκίας· ὁ ζῳοτοκεῖν ἄνευ ᾠοτοκίας Ζγα20. 728 ᵇ7, 9. Ζιδ11. 538 ᵃ7.

ᾠοτόκος. τὸ τῶν ἰχθύων γένος, τό τε ζῳοτόκον κ̀ τὸ ᾠοτόκον αὐτῶν· ᾠοτόκον ἐστὶ τὸ τῶν ἰχθύων γένος Ζιε1. 539 ᵃ12. Ζγγ3. 754 ᵃ21. 5. 755 ᵇ4. οἱ ᾠοτόκοι ἰχθύες Ζιε5. 541 ᵃ31. ζ13. 567 ᵇ18. τῶν ἰχθύων οἱ ᾠοτόκοι· οἱ λεπιδωτοὶ πάντες ᾠοτόκοι Ζγγ9. 655 ᵃ19. ΖιΒ13. 505 ᵇ3. — τῶν ζῴων τὰ μὲν ζῳοτόκα τὰ δὲ ᾠοτόκα τὰ δὲ σκωληκοτόκα Ζια5. 489 ᵃ34. τὰ ᾠοτόκα, opp τὰ ζῳοτόκα Ζμγ6. 669 ᵃ27, ᵇ32. Ζγα13. 720 ᵃ16. τά τε ᾠοτόκα κ̀ τὰ ζῳοτόκα Ζγβ4. 739 ᵇ2. α13. 720 ᵃ19. Ζμδ10. 689 ᵇ3. — τὸ γένος τῶν ᾠοτόκων, vel πάντα τὰ ᾠοτόκα Ζγγ5. 755 ᵇ14. α13. 720 ᵃ5, vel τὰ ᾠοτόκα πν6. 484 ᵃ36. Ζια16. 495 ᵇ3. γ15. 519 ᵇ15. δ11. 538 ᵃ25. ε5. 540 ᵇ21, 541 ᵃ11. Ζγα21. 729 ᵃ34. γ7. 757 ᵃ22. τὰ πολλὰ τῶν μὴ ζῳοτόκων ἀλλ' ᾠοτόκων ΖιΒ15. 506 ᵃ14. τῶν ἐναίμων ζῴων ᾠοτόκων τὰ μὲν τετράποδα τὰ δ' ἄποδα· τὰ ᾠοτόκα κ̀ ᾠοτόκα Ζμδ11. 690 ᵇ12. 10. 685 ᵇ32. τῶν πεζῶν τὰ τετράποδα κ̀ ᾠοτόκα, τῶν πεζῶν ὅσα τε ζῳοτόκα κ̀ ὅσα ᾠοτόκα Ζιε3. 540 ᵃ28. 1. 539 ᵃ14. τὰ τετράποδα μὲν ᾠο-

τόκα δὲ τῶν πεζῶν, τὰ πεζὰ χ̖ ὠοτόκα χ̖ ἔναιμα Ζμγ6.
669 ᵃ29. β17. 660 ᵇ3. τὰ ὠοτόκα χ̖ πεζὰ Ζμδ̇11. 692
ᵃ21. cf Ζιβ17. 508 ᵃ10. γ10. 517 ᵇ5. τῶν τετραπόδων τὰ
μὲν ζωοτόκα τὰ δὲ ὠοτόκα Ζια6. 490 ᵇ21. cf 16. 495ᵇ3.
β1. 498 ᵃ13. αν11. 476 ᵇ1. τὰ τετράποδα χ̖ ἔναιμα χ̖
ὠοτόκα Ζιε33. 557 ᵇ32. cf β10. 502 ᵇ28. τὰ τετράποδα
μὲν τῶν ζῴων ὠοτόκα δέ Ζιβ17. 508 ᵃ4. cf Ζμδ̇1. 676
ᵃ24. τὰ τετράποδα τῶν ὠοτόκων Ζγα8. 718 ᵇ16. Ζμδ̇11.
691 ᵃ10. Ζιζ̇1. 558 ᵇ9. τὰ τετράποδα χ̖ ὠοτόκα Ζγγ2.
752 ᵇ32. α16. 721 ᵃ18. Ζμδ̇11. 691 ᵃ5. τὰ ὠοτόκα χ̖
τετράποδα Ζμγ7. 670 ᵇ1, 13. 12. 673 ᵇ20, 29. τὰ ὠοτόκα
τῶν τετραπόδων Ζια6. 490 ᵇ22. β15. 505 ᵇ29, 506 ᵇ6. ι50.
631 ᵇ22. Ζμβ13. 657 ᵃ26, 28. 16. 659 ᵇ1. δ11. 691 ᵃ31.
13. 697 ᵃ12. Ζγα4. 717 ᵇ5. γ2. 752 ᵇ34. ὅσα ὠοτόκα χ̖
τετράποδα Ζιδ̇9. 536 ᵃ5. τὰ ὠοτόκα χ̖ τετράποδα τῶν φολι-
δωτῶν Ζγα12. 719 ᵇ10. τὰ τρωγλοδυτικὰ τῶν τετραπόδων
χ̖ ὠοτόκων, syn τὰ ὠοτοκοῦντα Ζπ15. 713 ᵃ16. 16. 713
ᵇ19. τὰ ὀλίγαιμα πάντα χ̖ τὰ ὠοτόκα, τὰ πνεύμονα ἔχοντα
σομφὸν χ̖ ὠοτόκα Ζιθ4. 594 ᵃ9. 18. 601 ᵇ5. (Μ 141.)
ὠοφόρος. ἀκμάζωσι τῶν ἰχθύων οἱ ὠοφόροι τῷ ἔαρος Ζιι37.
621 ᵇ20.
ὠοφυλακεῖν. τῶν ἰχθύων τίνες ὠοφυλακῦσιν Ζιζ̇14. 568 ᵇ13,
569 ᵃ3, 5. ι37. 621 ᵃ23.
ὥρα. 1. αἱ κατ̛ ἐνιαυτὸν ὧραι μα14. 352 ᵃ30. ἐν ὥρᾳ τῇ
ἔτης Ζιι40. 625 ᵇ23. αἱ ὧραι κύκλῳ γίνονται χ̖ ἀνακάμ-
πτωσιν Γβ1. 338 ᵇ4. ἐν μεταβολῇ ὥρας, ἐν τῇ μεταβολῇ
τῶν ὡρῶν, αἱ τῶν ὡρῶν μεταβολαὶ μβ5. 361 ᵇ31. π65.
898 ᵇ9. α3. 859 ᵃ9. τραπείσης τῆς ὥρας Ζιι41. 628 ᵇ26.
ἡ τῆς ὥρας κίνησις χ̖ θερμότης Ζγβ6. 743 ᵃ35. διὰ τὸ
μήπω καθεστάναι μίαν ὥραν πκς13. 941 ᵇ31. κατὰ τὴν
ὥραν ἑκάστην, ἡ ἀντικειμένη ὥρα, αἱ ὧραι αἱ ἐναντίαι μβ4.
360 ᵇ2. 5. 362 ᵃ14. 6. 364 ᵃ33. ὧραι ἀλεεινότεραι μα12.
348 ᵇ6. κατὰ τὴν θερμοτέραν ὥραν Ζιθ13. 599 ᵃ7. ὥρα
εὔκρατος Ζγγ2. 752 ᵇ30. καλῶς χρῆσθαι τοῖς περὶ τὴν
ὥραν χρόνοις Πη16. 1335 ᵃ37. ὁ ζέφυρος δύο ὥρας ποιεῖ
ἔαρ χ̖ μετόπωρον πκς52. 946 ᵃ18. ἐαρινὴ ὥρα Ζιζ̇1. 558
ᵇ25. θ12. 597 ᵃ29. ὅταν ἡ ὥρα ἔλθῃ περὶ τροπάς Ζιε30.
556 ᵇ8. ὥρα λαθάνεμος (Simonid fr 12) Ζιε8. 542 ᵇ9.
ὥρα ἡ χώρα ψυχρά, χῶραι χ̖ ὧραι ἀλεειναί, ὧτε χῶραι
ὧτε ὧραι αἱ τυγχάναι μα11. 347 ᵇ24. 12. 349 ᵃ4. β7.365 ᵃ40
ᵃ35. ὧραι χ̖ ἡλικίαι τῆς ὀχείας ἑκάστοις εἰσὶν ὡρισμέναι
τῶν ζῴων Ζιε8. 542 ᵃ19. τίκτειν (ὀχεύειν, ὀχεύεσθαι) πᾶσαν
ὥραν Ζιε10. 543 ᵃ19, 23. ζ4. 562 ᵇ6. 31. 579 ᵃ32, τὴν
αὐτὴν ὥραν Ζιε33. 558 ᵃ1. ζ17. 570 ᵇ30. κατὰ ταύτην
τὴν ὥραν Ζιε5. 580 ᵇ3. ἐν τῇ καθηκύσῃ ὥρᾳ Ζιζ̇14. 568 ᵃ45
ᵃ17. ἐν τῇ ἀπαρτιζύσῃ ὥρᾳ Ζιε8. 542 ᵃ31. ἡ ἐπιύσα ὥρα
Ζιε33. 558 ᵃ4. μεταβάλλει τῶν ζῴων ἔνια κατὰ τὰς ὥρας,
ὥσπερ οἱ ἄνθρωποι κατὰ τὴν ἡλικίαν μεταβάλλωσιν sim
Ζγε6. 786 ᵃ31, 33. 3. 784 ᵃ4. Ζιγ12. 519 ᵃ8. ε14. 546
ᵃ18. θ1. 588 ᵇ31. 4νΒ. 632 ᵇ14. αἱ ὧραι τίνα ἔχωσι δύ- 50
ναμιν εἰς ὑγίειάν τε χ̖ νόσως πα8-12. 19. 20. 25-29.
αἱ καλαὶ τῶν ὅλων ὧραι, θέρη χ̖ χειμῶνας ἐπάγωσι τε-
ταγμένως, ἡμέρας χ̖ νύκτας κ5. 397 ᵃ12. — 2. universe,
i q χρόνος, καιρός. ἐν ταῖς ἀνὰ μέσον ὥραις μβ5. 361 ᵇ28.
ἡ ἶρις ὥραν χ̖ λόγον τοῦ αἰγνεται τῆς ἡμέρας μγ2. 371 ᵇ31. 55
ποῖαι ὧραι χ̖ χρόνοι εὐκίνητοι πρὸς ὀργήν Ρβ2. 1379 ᵃ25.
ἡ γεννητικὴ ὥρα ὑπερτείνει π65. 898 ᵇ8. ὥρα τῆς ὀχείας,
τῷ φωλεύειν, ἀκρατίσματος Ζιγ1. 509 ᵇ20. ζ30. 579 ᵃ26.
8. 564 ᵃ20. ὥρα πέψεως, φθορᾶς φτβ10. 829 ᵇ36. α1.
816 ᵇ21. τὰ δίκτυα ταύτην τὴν ὥραν (i e πρὸ ἡλίω ἀνα- 60
τολῆς, μετὰ τὴν δύσιν) ἀναιρῦνται Ζιθ19. 602 ᵇ9. πρὸ

ὥρας Ζιι34. 619 ᵇ26. Ζγγ9. 758 ᵇ20. ε8. 788 ᵇ12. χ6.
798 ᵇ30. — πόσαι αἱ ὧραι τῆς νυκτός f156. 1504 ᵇ6, 9,
11. — αἱ μικραὶ βοτάναι μιᾷ ὥρᾳ μιᾶς ἡμέρας γεννῶνται
φτβ1. 822 ᵇ5. — 3. ἐπιγιγνόμενόν τι τέλος, οἷον τοῖς
ἀκμαίοις ἡ ὥρα Ηκ4. 1174 ᵇ33. ληγύσης τῆς ὥρας ἐνίοτε
ἡ φιλία λήγει Ηθ5. 1157 ᵃ8. ὦ παῖδες, οἳ χαρίτων τε χ̖
πατέρων λάχετ̛ ἐσθλῶν, μὴ φθονεῖθ̛ ὥρας ἀγαθοῖσιν ὁμι-
λίαν f93. 1492 ᵇ30.
ὡραῖος. ὄμβροι ὡραῖοι μβ4. 360 ᵇ13. ὡραῖοι βόλοι ἰχθύων,
περὶ δυσμὰς ἡλίω χ̖ ἀνατολάς Ζιθ19. 602 ᵇ8. τότε δοκῦσιν
ὡραῖοι εἶναι (οἱ ἰχθύες), οἱ δὲ μετοπωρινοὶ χείρως Ζιθ15.
599 ᵇ22. — οἱ ἄνευ κάλλως ὡραῖοι (Plat rep X 601B)
Ργ4. 1406 ᵇ37, cf ὥρα 3.
ὡραιότης. διαφορὰ τῶν φυτῶν ἐν ὡραιότητι χ̖ ἀμορφίᾳ
φτα4. 819 ᵇ35.
Ὠρεός. ἐν Ὠρεῷ κατελύθη ἡ ὀλιγαρχία Πε3. 1303 ᵃ18. —
Ὠρείτης. Ἀντιφέρων μν1. 451 ᵃ9, Χαρίδημος οβ1351
ᵇ19.
ὥριμα γενομένῃ τῷ καρπῷ f530. 1566 ᵃ18.
ὡρισμένως, cf ὁρίζειν p 524 ᵇ34.
Ὠρίων. περὶ Ὠρίωνος ἀνατολὴ νηνεμία μβ5. 361 ᵇ23. χα-
λεπὸς ὁ Ὠρίων χ̖ δύνων χ̖ ἐπιτέλλων μβ5. 361 ᵇ30. πκς13.
941 ᵇ24, 26, 31. πα3. 859 ᵃ23 (cf Rose Anecd graeca I
p 20, 40). ζωὴ Ὠρίωνος μα6. 343 ᵇ24.
Ὠρομάσδης χ̖ Ζεύς, ὄνομα τῷ ἀγαθῷ δαίμονι f8. 1475
ᵃ38.
Ὠρωπός. Ἀριστοτέλης Γραῖαν καλεῖ τὴν νῦν Ὠρωπόν f570.
1571 ᵇ41, 37.
ὡς. 1. ὥς, adverbium demonstrativum, i q ὕτως. χ̖ ὣς Ογ4.
302 ᵇ24. κ5. 444 ᵇ5. ὗ̔ ὣς Ζιι37. 621 ᵇ1.
2. ὡς, adverbium modale relativum proprio sensu. κατὰ
τινα τάξιν, ὡς ἐνδέχεται μετέχειν τὰ ἐνταῦθα τάξεως μβ3.
358 ᵃ26 al. ὗ μὴν ἀποστατέον, ἀλλ̛ ὡς ἂν ἐνδέχηται, ὕτω
διοριστέον Ηι2. 1165 ᵃ15 al. ὡς ἐκείνων μετέχωσιν, ὕτω καὶ
Ζμβ16. 659 ᵇ29 al, vel om ὕτως: ὡς πρὸς ἑαυτὸν ἔχει ὁ
σπυδαῖος, ὡς πρὸς τὸν φίλον Ηι9. 1170 ᵇ5 al. ὡς ἂν ellip-
tice, εἰς θάλασσαν ὡς ἂν εἰς λιμένα κ3. 393 ᵃ19, cf ὡσανεί.
— ὅσα λέγεται ὡς δάκρυα μδ10. 388 ᵇ19. ὡς παθητι-
κοὶ λέγονται ηεβ2. 1220 ᵇ9. τὸ ὡς ὕλη λεγόμενον Φβ9.
200 ᵃ31. φύσις ἣν λέγομεν ὡς εἶδος ἢ ὡσίαν μδ2. 379
ᵇ26. cf 5. 382 ᵃ29. 12. 389 ᵇ28 al. — ἔστι μὲν ὡς...,
ἔστι δ̛ ὡς (ἔστι δ̛ ὡς ὗ) μγ7. 378 ᵃ32. Πα10. 1258
ᵃ31, 34. ε2. 1302 ᵃ36. 8. 1307 ᵇ37. Ηδ10.1134ᵇ28. ἔστιν
ὡς, opp ἁπλῶς μχ24. 856 ᵃ38. — ἐκ ἐναντίον τρόπον, ὡς
εἰρήκαμεν (i q ὃ εἰρήκαμεν) ρ4. 1426 ᵇ14. — ὡς ἀληθῶς
Ργ11. 1412 ᵃ20. Πη1. 1323 ᵃ24. Ηδ11. 1136 ᵃ15. τὸν
ὡς ἀληθῶς πολιτικὸν sim Πδ̇1. 1288 ᵇ27. γ9. 1280 ᵇ7.
Ηδ7. 1123 ᵇ29. χ10. 1179 ᵇ15, 22. τὸ ὡς ἀληθῶς Ηγ4.
1112 ᵃ7. ὡς ἑτέρως, opp ὡσαύτως π7. 169 ᵃ31. — ἡ με-
ταβολὴ διαφέρει ὗ μόνον περὶ ὃ ἀλλὰ χ̖ ὡς Γα5. 320 ᵃ26.
articulo addito ὡς substantivi vim accipit. πότερον τῷ
περὶ ταδὶ εἶναι ἢ ὃ ἀλλὰ τῷ ὡς Ηδ4. 1146 ᵇ17 (syn τῷ
πῶς ᵇ15). τὸ μὲν γὰρ ὡς διὰ τῶν μαθηματικῶν δῆλον, τὸ
δὲ περὶ ὃ διὰ τῶν φυσικῶν μχ847 ᵇ17.
3. ὡς usu coniunctionali, cum modis finitis post verba
dicendi raro videtur ab Ar usurpatum esse, λέγεται γῦν
Κλεισθένης τὸν ἀποκρίναντα τῆς νίκης αὐτὸν ὡς ἐστεφά-
νωσεν Πε12. 1315 ᵇ19. ὗ̔ ὡς ὑδέτερον ἀληθὲς ἐνδέχεται
λέγειν ε9. 18 ᵇ17. δεικνύναι ὡς Ρβ25. 1403 ᵃ13. ὁμολογεῖν
ὡς Ρα3. 1358 ᵇ34 (cf ὅτι ᵇ32). ἀμφισβητεῖν ὡς ὗ, ὗδὲν
φροντίζειν ὡς ὗ Ρα3. 1358 ᵇ31, 36. saepius usurpatum

legitur δῆλον ὡς, cf δῆλον p 173 ᵇ28. — aliquoties enunciatio per ν ὡς introducta per ν ὅτι continuatur, φανερὸν γὰρ ὡς εἴπερ ὁ χρόνος ἐστὶ συνεχής, ὅτι χ̔ τὸ μέγεθος Φζ2. 233 ᵃ13, similiter Φα7. 190 ᵇ17. θ7. 260 ᵃ23. (non interposita enunciatione coniunctim ὡς ὅτι legitur ατ969 ᵇ7.) comparari cum his potest quod enunciatio per ν ὡς introducta continuatur per infinitivum, λέγω γὰρ ὡς ὅ τι ἂν δόξῃ τοῖς πλείοσι τῶν πολιτῶν, τῦτ' εἶναι κύριον Πζ3.1316 ᵃ28. — in enunciato finali ὡς c opt κ6. 398 ᵃ22.

4. ὡς c participio, vel vulgatissimo usu, ὡς ἴσοι ὄντες, ὡς ἄνισοι ὄντες· ἐγχειρῦσι λέγειν ὡς δημοκρατίας ὔσης sim Πε1. 1301 ᵃ33, 34. δ9. 1294 ᵇ20. τβ6. 112 ᵇ18, 20. ι14. 173 ᵇ33 al, ὡς δέον cf δεῖν p 168 ᵃ19, ὡς προσῆκον Ρβ11. 1388 ᵇ5, τὸ τῶν ποταμῶν ὔτ' ἄθρόον ὔτε στάσιμον, ἀλλ' ὡς γιγνόμενον ἀεὶ φαίνεται μβ2. 354 ᵇ14 (ὡς ad alterum modo e duobus membris coordinatis additum, ἐκ ὀρθῶς ἔχοντος, ἀλλ' ὡς ἀναγκαίαν τὴν ἐπιμέλειαν ποιητέον Ργ1. 1404 ᵃ3), vel c accus participii quasi absoluto, τὸ βίαιον ἀναγκαῖον λέγεται, ὡς ταύτην ἀνάγκην ὖσαν sim Μδ5. 1015 ᵇ2. Α1. 981 ᵃ26. μβ9. 369 ᵇ17. Ζμδ2. 676 ᵇ18. 20 Ζγα2. 716 ᵇ8. 18. 725 ᵇ7. Πα1. 1252 ᵃ12. 2. 1252 ᵇ9. γ3. 1276 ᵃ12. ζ2. 1317 ᵃ41. θ4. 1338 ᵇ13. πο3. 1448 ᵃ37. 20. 1457 ᵃ12. ηεα8. 1218 ᵃ20. f82. 1490 ᵃ13. in utroque constructionis genere part ὢν interdum omittitur, ὡς σφετέρας τῆς χώρας ἐξέπεσον Πε3. 1303 ᵃ32. cf β9. 1270 ᵃ2. Ηγ1. 1145 ᵇ1. (τὰς μὲν ἀποκλινάσας ὡς πρὸς τὴν δημοκρατίαν Πδ8. 1293 ᵇ35.) γράφονται παρανόμων ὡς δεινὸν εἰ … ἔσται Πα6. 1255 ᵃ9. — ὡς ἄν c participio, ὡς ἐκ ἂν ἐπισταμένας Αγ3. 72 ᵇ9. ἕκαστον τῶν μορίων προσπίπτον, ὡς ἂν ἀπὸ πληγῆς ἑτέρας ὂν ακ803 ᵇ5. φωνῦσιν, ὡς ἂν τὸ πνεῦμα βιαζόμενον ακ804 ᵇ25.

5. ὡς c infinitivo, fere i q ὥστε. ὑμᾶς ὕτως ἐναντίως γινώσκειν, ὡς μηδὲ ἀπολογυμένων ἀκύειν ρ19. 1433 ᵃ7. 37. 1441 ᵇ38. — Aristoteli usitatum in formulis restrictivis: ὡς εἰπεῖν, quae formula saepissime, nec tamen ubivis, cum vocabulis universalibus, πᾶς, ὐδείς, μόνος sim, coniuncta est Φθ3. 253 ᵇ1. ΜΑ1. 980 ᵃ23 Bz. 5. 985 ᵇ31. β3. 998 ᵇ32. γ5. 1010 ᵃ30. ε2. 1026 ᵇ9, 16. ζ1. 1028 ᵇ7. Πγ11. 1282 ᵃ5. δ15. 1299 ᵃ29. ε4. 1304 ᵇ5. 10. 1310 ᵇ16, 1312 ᵇ23. η1. 1323 ᵃ20. 2. 1324 ᵇ6. 8. 1328 ᵇ16 al (cf εἰπεῖν p 221 ᵇ15-43). ὡς ἔπος εἰπεῖν Μζ14. 1039 ᵇ7. Πγ11. 1281 ᵇ20. ὡς ἁπλῶς εἰπεῖν, ὡς εἰπεῖν ἁπλῶς Πγ14. 1285 ᵃ31, ᵇ27. δ8. 1293 ᵇ33. 13. 1297 ᵇ33. 15. 1299 ᵃ25. φ1. 805 ᵇ14. ὡς ἐπὶ πᾶν εἰπεῖν ω9. 386 ᵇ23. ὡς ἐπὶ τὸ πᾶν εἰπεῖν μκ5. 466 ᵇ14. ὡς ὅλως εἰπεῖν μκ5. 466 ᵃ27. ὡς ἐπὶ τὸ πλεῖστον εἰπεῖν Πδ13. 1297 ᵇ33. ὡς ἐπὶ τὸ πολὺ εἰπεῖν μκ4. 466 ᵃ14. ὡς ἐν κεφαλαίοις εἰπεῖν αν16. 478 ᵇ1. ὡς ἐν κεφαλαίῳ (om εἰπεῖν) Ρβ16. 1391 ᵃ13. (ὡς ἔνι γε εἰπεῖν κ6. 398 ᵃ3.) ὡς τύπῳ περιλαβεῖν τα1. 101 ᵃ18. ὡς εἰκάσαι πρὸς μικρὸν μεῖζον μβ8. 366 ᵇ29. ὡς παρεικάσαι μείζονι μικρὸν μβ9. 369 ᵃ30. Ζια5. 490 ᵃ5.

6. huic usui videtur comparari posse (cf ὡς ἐν κεφαλαίοις εἰπεῖν et ὡς ἐν κεφαλαίῳ supra ᵃ47, ὡς ἐπὶ τὸ πολὺ et supra ᵃ46 ὡς ἐπὶ τὸ πολὺ εἰπεῖν) ὡς in formulis nonnullis, veluti ὡς ἐπὶ τὸ πολύ, cf πολύς p 618 ᵃ60-ᵇ12, ὡς τὰ πολλὰ cf πολύς p 618 ᵃ52, ὡς ἀνὰ μέρος Πδ15. 1300 ᵃ24. ὡς ἕκαστος, ὡς καθ' ἕκαστον, ὡς ἄθρόοι, ὡς σύμπαντες Πγ11. 1281 ᵇ2. 13. 1283 ᵇ34. δ4. 1291 ᵃ12. ὡς ἑκάστοις ὑπάρχει μέγεθος Ζια16. 494 ᵇ34. ἐλάχιστον ὡς κατὰ τὸ τῦ σώματος μέγεθος sim Ζιζ18. 60 573 ᵃ10. 30. 579 ᵃ22. β15. 506 ᵇ11. 17. 509 ᵃ16. (ἄπειρον

ὡς ἄνισον ὑπερτείνει πιε9. 912 ᵃ37, loc corr.)

7. ὡς i q πρός. βαδίζειν ὡς 'Αρχέλαον Ρβ23. 1398 ᵃ24. ἀνέπεισεν ὡς αὐτὸν ἐλθεῖν Πε4. 1303 ᵇ25.

ὡσανεί (cf ὥσπερ ἂν εἰ s ν ὥσπερ). πάντα ταῦτα ὁμοίως λέγεσθαι ὡσανεὶ σάρκες τῦ ἀνθρώπυ Μζ11. 1036 ᵇ10. μέγεθος ὡσανεὶ βῆς sim θ19. 831 ᵇ30. 30. 832 ᵇ15. 81. 836 ᵇ5. 89. 837 ᵇ13. 99. 838 ᵇ6. τὸ πρῶτον πνεῦμα ὡσανεὶ προδιαλύεται πκγ28. 934 ᵇ6. — ὡσεὶ πολεμίων ἔφοδον αὐτοῖς γινομένην ὔτω προσδοκώσιν θ119. 842 ᵃ3.

ὡσαύτως φβ5. 196 ᵇ10. ζ4. 234 ᵇ14 et saepe. ταὐτὰ τοῖς εἰρημένοις ἀλλ' ἐχ ὡσαύτως Πε2. 1302 ᵃ38. παραλογισμοὶ παρὰ τὸ ὡσαύτως λέγεσθαι τὰ μὴ ταὐτά τ22. ποῖα ὡσαύτως χ̔ ποῖα ὡς ἑτέρως λέγεται τ17. 169 ᵃ31. ὡσαύτως δὲ Φζ4. 235 ᵃ34. ὡσαύτως δὲ καί Ζμγ4. 667 ᵇ5. ὡς δ' αὕτως Ρβ9. 1386 ᵇ30. 22. 1396 ᵃ21. Ζμγ1. 662 ᵃ5.

ὥσις. αἱ ὑφ' ἑτέρυ κινήσεις τέτταρές εἰσιν, ὧσις ἕλξις ὄχησις δίνησις Φη2. 243 ᵃ24, 17. τῶν κινήσεων τῶν κατὰ τόπον ἀρχαὶ ὧσις χ̔ ἕλξις Ζπ2. 704 ᵇ23. ψγ10. 433 ᵇ25 Trdlbg. Φη2. 244 ᵃ7. ὧσις def αφ9. 386 ᵃ33. Φη2. 244 ᵃ7. ὧσις, dist πληγή πκδ9. 936 ᵇ39. μθ9. 386 ᵃ19. coni ῥῖψις μχ34. 858 ᵃ28. ἀεὶ ἡ ὧσις γίνεται τῦ ἐχομένυ πκγ28. 934 ᵇ7.

ὥσπερ, c acc abs participii, ὥσπερ δέον Οδ2. 309 ᵇ24. — in enunciatis comparativis a particula ὥσπερ exorsis interdum verbum e superioribus supplendum est, πῶς δεῖ γνωριμωτέρως λεχθῆναι χ̔ μᾶλλον ὥσπερ οἱ περὶ φύσεως (int λέγυσιν) Μι2. 1053 ᵇ14. πεποιημένην ἕξιν, ὥσπερ ἡ τῶν ἀθλητῶν ἕξις Πη16. 1335 ᵇ10. cf β4. 1262 ᵃ29. Ζιβ1. 498 ᵃ33. δ4. 529 ᵇ29. omittitur etiam interdum ea enunciatio demonstrativa, ad quam membrum relativum a part ὥσπερ incipiens referatur, ἐ γὰρ ὥσπερ αἱ βάναυσοι τὰ σώματα ἀχρεῖα ποιῦσιν (int ἡ γεωργικὴ ἀχρεῖα ποιεῖ) οα2. 1343 ᵇ3. τὸ ἔμμετρον προσέχειν ποιεῖ τυ ὁμοίυ ποτὲ πάλιν ἥξει. ὥσπερ δν τῶν κηρύκων προλαμβάνυσι τὰ παιδία τὸ 'τίνα αἱρεῖται ἐπίτροπον ὁ ἀπελευθερύμενος; Κλέωνα' (quasi plene dicatur γίγνεται ὂν ταὐτό, ὥσπερ) Ργ8. 1408 ᵇ24, eiusdem generis est Μβ4. 1000 ᵃ1 Bz, conferri potest Αα15. 34 ᵃ22 Wz. τ22. 178 ᵇ1 Wz et fortasse μθ12. 390 ᵃ31. — similis breviloquentia haud raro in formulis, qualis est ἐχ ὥσπερ λέγυσι, conspicitur, ubi enunciatio primaria a negatione ἐ exorsa et relativa a part ὥσπερ incipiens inter se coaluerunt, ἐκδύνυσι δὲ χ̔ οἱ ἔχεις τὸ γῆρας χ̔ τῦ ἔαρος χ̔ τῆς μετοπώρυ, χ̔ ἐχ ὥσπερ φασὶ τυς τῦτο τὸ γένος τῶν ὄφεων μὴ ἐκδύεσθαι μόνον Ζιθ17. 600 ᵇ25. cf β1. 498 ᵇ17. Ζιαβ10. 656 ᵃ15. ψβ2. 414 ᵃ22. Ργ2. 2. 1405 ᵇ9. α2. 1356 ᵃ10. Ηε10. 1135 ᵇ29. Vahlen Poet IV 422 ad πο25. 1461 ᵃ35. Heindorf et Stallb ad Plat Gorg 522a. — ὥσπερ i q quasi, ἐλήφθησαν ὥσπερ νόμυς Οα1. 268 ᵃ14. συμβαίνει ὥσπερ δύο γίνεσθαι τὸ ἓν αι2. 437 ᵇ2. ἡ τιμὴ ὥσπερ ἀξία τίς ἐστιν sim Ρα7. 1365 ᵃ8. 11. 1370 ᵃ6. β3. 1380 ᵇ15. 15. 1391 ᵃ17. ὥσπερ ὐδὲν (i e ὐδὲν ὡς εἰπεῖν, Vhl Poet I 53) εἶναι δοκεῖ Ζγα23. 731 ᵇ1. Φβ5. 197 ᵃ30. ὥσπερ πάντες ὁμολογῦσιν Ρα6. 1363 ᵃ11. ὥσπερ ἔτι αἰσθανόμεθα πιη10. 917 ᵇ15. κγ11. 932 ᵇ32. — ὥσπερ ἂν εἰ cum optativo, ὥσπερ ἂν εἴ τις λέγοι sim Ζμβ2. 649 ᵃ3. 8. 653 ᵇ26. α1. 641 ᵃ6. μα3. 340 ᵃ16 al, c ind imperf ὥσπερ κἂν εἰ γιγνόμενα ἐξ ἀλλήλων ὑπῆρχεν μα3. 340 ᵃ16 al. saepe omisso verbo elliptice ita usurpatur ut eandem fere atque ὥσπερ vim habeat, ἔχεις ὥσπερ ἂν εἰ ὁ καθεύδων Μλ9. 1074 ᵇ8. τότ' ἔστιν ἡ ὕλη, ὥσπερ ἂν εἰ θῆλυ ἄρρενος χ̔ αἰσχρὸν καλῦ Φα9. 192 ᵃ22. δεῖ νοῆσαι

τὸ λεγόμενον ὥσπερ ἂν εἰ γιγνομένης τῆς κινήσεως τρόπον
ὃν λέγυσί τινες Οβ14. 297 ᵃ13. μιμητὴς ὁ ποιητής, ὥσπερ
ἂν εἰ ζωγράφος ἤ τις ἄλλος εἰκονοποιός πο25. 1468 ᵇ8.
κεφύκασι τὰ ζῷα, ὡσπερανεὶ παρ' ὀχετὸν τὴν φλέβα ῥέυ-
σαν Ζγβ7. 746 ᵇ17. ὥσπερ κᾂν εἰ Ζγα18. 722 ᵃ30, 723
ᵇ31. perinde atque ὥσπερ etiam ὥσπερ ἂν εἰ significat
i q quasi, ὅσων ὥσπερ ἂν εἰ λαλός ἡ φύσις ἐστὶν μτ2.
463 ᵇ16. cf ψα5. 409 ᵇ27. coniunctim talia scribi malunt
Wz ad Αα15. 34 ᵃ22. Vhl Poet IV 408, sicuti coniunctim
ὡσπερανεί scriptum exhibetur Ζιβ8. 502 ᵇ17. θ2. 589ᵇ29.
Ζμδ5. 680 ᵃ8, 682 ᵃ11. 11. 691 ᵃ5. Ζπ3. 705ᵃ21. Ζγα23.
731 ᵇ7. γ9. 758ᵇ19. 11.761ᵃ31. δ4.770ᵇ24. — ὥσπερεί
i q quasi, ἔστι γὰρ ὡσπερεὶ ὄργανον πρὸ ὀργάνων ἡ χείρ
Ζμδ10. 687 ᵃ20. cf Ζιγ4. 514ᵇ18. ξ6. 979 ᵃ37. πα52.
865 ᵇ27. ε34. 884 ᵃ36. λζ3. 966 ᵃ24.
ὡσπερανεί, ὡσπερεί, v ὥσπερ.
ὥστε et cum modis finitis et cum inf apud Ar perinde
coniungitur atque apud alios scriptores. ὥστε sine verbo,
ὕλη τὸ ξηρὸν ϗ ὑγρόν, ὥστε ὕδωρ ϗ γῆ μδ10. 388 ᵃ22.
— ὥστε c inf interdum usurpatur, ubi simplicem infini-
tivum exspectes, συμβαίνει ὥστε αι2. 437 ᵇ8. ἔστω ἐνδε-
χόμενον ὥστε Φθ6. 258 ᵇ17. ἔστι δ' ὃ τὸ ἀποβεβληκὸς τὴν
ψυχὴν τὸ δύναμει ὂν ὥστε ζῆν ψβ1. 412 ᵇ26. ἀσθενεστέρα
(ἡ σελήνη) τὴν φύσιν ὥστε κρατεῖν τῦ ἀέρος μγ5. 376
ᵇ26. ἔστιν ὥστε Πε9. 1309 ᵇ32. πλα17. 959 ᵃ13. ὕτως
εὔλογον, ὥστε Οβ8. 289 ᵇ22. ὕτω δοκεῖ ὥστε Γβ5. 332
ᵃ9. ἄλλος τρόπος διαβολῆς, ὥστε πρὸς τὰ ἀμφισβητύμενα
ἀπαντᾶν ϸγ15. 1416 ᵃ6. ὅταν μηκέτι δύναται ποιεῖν τὸ
προωθῦν τὸ φερόμενον ὥστε ὠθεῖν μγ33. 858 ᵃ20. διὰ τί
τὸ ἐν τῷ ἡλίῳ θερμαινόμενον ὕδωρ ὥστε λύεσθαι ὐκ ἔστιν
ὑγιεινότερον πκδ14. 937 ᵃ34. — a particula ὥστε Ar inter-
dum exorditur apodosin enuntiationis conditionalis vel
causalis, Bz Ar St III 106-124; id quoniam per anoco-
luthiam quandam fit, praecipue tum locum habet, ubi
protasis per plura membra continuata vel parenthesibus
intercepta est, veluti ε12. 21 ᵇ10. Αγ24. 85 ᵇ26, 86 ᵃ13.
25. 86 ᵇ36. Φζ1. 232 ᵃ2. 2. 233 ᵇ10. Οβ4. 287 ᵇ13. γ1.
299 ᵇ23. μβ5. 363 ᵃ12. ψβ2. 414 ᵃ13. γ9. 432 ᵇ25. υ2.
455 ᵇ22. Μζ10. 1035ᵇ18Bz. μ7.1081 ᵃ32. Ηη15. 1154
ᵃ25. πο7. 1451 ᵃ3. 9. 1452 ᵃ10. ατ971 ᵇ30. πη18. 889 ᵃ7.
ημβ11. 1205ᵇ7. 11.1211ᵃ22; non desunt tamen exempla,
ubi vel post protasin satis brevem ac simplicem apodosis
particulam ὥστε habet, veluti Μι4. 1055 ᵃ23. x12. 1068
ᵇ1. Φε2. 226 ᵃ2, 3. ζ1. 232 ᵃ13.
ὥστης. τῶν σεισμῶν οἱ ἀνατρέποντες κατὰ μίαν πρόυσιν, ὃς
καλῦσιν ὥστας x4. 396 ᵃ8.
ὡστικὴ ϗ βιαστικὴ ἡ τῦ πνεύματος φύσις Ζκ10. 703 ᵃ23.
ὠτακυσταί Πε11. 1313 ᵇ14. πυλωροὶ ϗ ὠτακυσταί κ6.
398 ᵃ21.
ὠτάριον. ὁ ἐν τοῖς ὠταρίοις ῥύπος πικρὸς ὢν πότε γίνεται
γλυκύς f 228. 1519 ᵃ40. 264. 1526 ᵃ38.
ὠτειλή (cf Ὁμήρου p 508 ᵃ1) f 159. 1505 ᵃ2.
ὠτίς (v l ὄτις, ὀτίδες, ὠτίδες, νεοτίδες, νεοττίδες). refertur
inter τὰ μεγάλα, ἔχει τὸν στόμαχον εὐρὺν ϗ πλατὺν ὅλον,
ἀποφυάδας, συγκλεισθείσης τῆς θηλείας ἐπὶ τὴν γῆν ἐπιβαίνει
τὸ ἄρρεν, ἐπιψαύει περὶ λ' ἡμέρας Ζιζ6. 563 ᵃ29. cf ι33.
619 ᵇ13. β17. 509 ᵃ4, 22. ε2. 539 ᵇ30. cf p 275. 1527
ᵇ15, 25. (bistarda Thomae, otis i e avis tarda Gazae, otis

Scalig. outarde i e Otis houbara C II 601. 'otidem Ar no-
men accepisse a cristae genere, quod habet sp arab hou-
bara vocata' S I 428. cf Heuglin, Petermann geogr Mitth
1861 p 31α. Otis tarda St. Cr. K 494. ΑΖι I 113, 125.
O tarda et tetrax Su 142, 115. O tarda, tetrax, houbara
Gmel ΚαΖι 94, 44. hodie ὀτίδα, ἄγρια μισίρκα, ἀγριόγαλ-
λος cf Lnd 127. E 60.)
ὠτός, ὦτος. ὀρτύγων ἡγεμὼν πότε, descr Ζιθ12. 597 ᵇ17,
21 Aub. ἔχει περὶ τὰ ὦτα πτερύγια, διὸ ϗ ὦτος καλεῖται
f 276. 1527 ᵇ30. (ὁ πτύγξ) τὰς νύκτας θηρεύει ὥσπερ οἱ
ὠτοί (ci Su 96 Aub, ἀετοί Bk) Ζιι12. 615 ᵇ13. (otus Tho-
mae Gazae, nocturnus Scalig. hibou C II 417. i q νυκτι-
κόραξ v h v.)
ὠφέλεια. τιμωρία ἴση τῇ ὠφελείᾳ Ρα12. 1372 ᵇ1. μετέχειν
τῆς ὠφελείας Πγ6. 1279 ᵃ7. ἕνεκεν ὠφελείας Ζμγ2. 663
ᵇ13. πρὸς ὠφέλειαν ϗ χρῆσιν Ζμδ10. 690 ᵃ3. — αἱ ἐκ
τῆς ἀρχῆς ὠφέλειαι Πγ6. 1279 ᵃ13. ὐ μικρὰς ἔχειν ὠφε-
λείας μα14. 352 ᵇ25.
ὠφελεῖν τινα Πγ11. 1281 ᵇ36. ὠφελῦνται τὰ ζῷα ϗ χαί-
ρυσι μηρυκάζοντα Ζιι50. 632 ᵃ33. ὠφελεῖσθαι εἴς τι, opp
ἐλαττῦσθαι Ηθ16. 1163 ᵇ13, 10. τί ὠφεληθήσεται τέκτων
πρὸς τὴν αὑτῦ τέχνην Ηα4. 1097 ᵃ8. ὠφελήσεταί τις, opp
βλαβήσεται Πβ8. 1269 ᵇ17. — ὠφελεῖν non addito ob-
iecto, τὸ μέγεθος μᾶλλον βλάπτει ἢ ὠφελεῖ sim Ζμγ2.
663 ᵃ11. β5. 651 ᵃ37.
ὠφέλιμος. ἡ οἰκεία ἀρχὴ ὠφέλιμος ταῖς πόλεσιν Πγ13.
1284 ᵇ14. τὸ ὠφέλιμον, opp ζημία Ρα12. 1372 ᵇ15, 14.
ὠφέλιμον τὸ ποιητικὸν ἀγαθῦ, βλαβερὸν τὸ ποιητικὸν κακῦ
τζ9. 147 ᵃ34. η3. 153 ᵇ38. f 110. 1496 ᵃ37. ὠφέλιμον,
syn ἀγαθὸν δι' ἕτερον Ηα4. 1096 ᵃ15, 14. syn ἀγαθὸν τινι
Ηθ4. 1156 ᵇ14 (?). καταχρῆται ἐνίοτε ἡ φύσις εἰς τὸ ὠφέ-
λιμον τοῖς περιττώμασιν Ζμδ2. 677 ᵃ16.
ὦχρα. τὰ ὀρυκτὰ πάντα, οἷον ϗ ὦχρα μγ7. 378 ᵃ23.
ὠχριᾶν, opp ἐρυθραίνεσθαι, ἐρυθριᾶν Ηδ15. 1128 ᵇ14. Κ8. 9
ᵇ31. — τίνες ὠχριῶσιν πβ31. 869 ᵇ8. ια53. 905 ᵃ9. κζ6.
948 ᵃ37. f 233. 1520 ᵃ11.
ὠχριᾶν, dist ὠχρεῖν Κ8. 9 ᵇ32.
ὠχρόματοι φ6. 812 ᵇ8.
ὦχρος (Lob Par 341). φυτεύειν συμφέρει περὶ τὰ σμήνη
ὦχρας Ζιι40. 627 ᵇ17. (Pisum Ochrus Sprengel hist rei
herb I 98. Lathyrus Cicera L Fraas 52. Langkavel 4.)
ὠχρός. τὸ φαιὸν ϗ τὸ ὠχρὸν ϗ ὅσα ἄλλα χρώματα μεταξὺ
τῦ λευκῦ ϗ μέλανος Κ10. 12 ᵃ18. 8. 10 ᵇ17. Μι5. 1056
ᵃ30. ἔχειν χροιὰν ὠχρὰν Ζιβ11. 503 ᵇ4. ὠχρὸς ὁ πυρεττῶν
ημβ10. 1208 ᵃ25. ὠχρὸν τὸ πρόσωπον φοβυμένοις πκζ8.
948 ᵇ17. ἡ κύαα ὠχρά Αβ27. 70 ᵃ36. ὄρχεις ὠχρότεροι
Ζιγ1. 509 ᵇ6. γραφεῦσι υ' γραφεῖα τῆς ὠχρᾶς ϗ ὠχρο-
τέρας πκγ6. 932 ᵃ31. ϗα ὠχρά, dist λευκά, ἐρυθρά, κατε-
στιγμένα Ζιζ2. 559 ᵃ22. μήπω μεταβεβληκότος τῦ ϗῦ ἐκ
τῦ ὠχρῦ ὅλον εἶναι εἰς τὸ λευκαίνεσθαι Ζγα21. 730 ᵇ6. τὸ
τῦ ϗῦ ὠχρὸν ϗ ϗὸν φ29 ᵃ8-37.
ὠχρότης ϗ μελανία παθητικαὶ ποιότητες Κ8. 9 ᵇ22, 25. ὅταν
γένηται ἀλλοίωσις περὶ τὴν καρδίαν πολλὴν ποιεῖ τῦ σώμα-
τος διαφορὰν ἐρυθήμασι ϗ ὠχρότησιν Ζκ7. 701 ᵇ31. αἱ ἀπὸ
φόβων ὠχρότητες ϗ ἀπὸ πόνων φ4. 809 ᵃ10.
ᾠώδης σκώληξ Ζγβ1. 733 ᵇ13, cf ᾠοειδής. — ᾠώδης ὑγρό-
της, τροφή Ζιζ10. 565 ᵃ23, ᵇ10.

ADDENDA ET CORRIGENDA.

ἀγαθός p 1 ᵇ2, 8 a: τί ποτέ ἐστι τὸ βέλτιον τοῖς ἀνθρώποις
  ἡ τί τὸ πάντων αἱρετώτατον f 40. 1481 ᵇ4, ª44. τὸ ἄρι-
  στον, syn τὸ θεῖον f 15. 1476 ᵇ24.
ἄγονος p 6 ᵇ42 post 568 ᵇ8 a: f 313. 1531 ª33.
ᾄδειν p 8 ª57 a: τὰ (int ὑπὸ τῦ χορῦ) ᾀδόμενα (ci, διδό-
  μενα codd Bk) i e τὰ χορικά π018. 1456 ª28.
ἀετός p 11 ᵇ38 a: f 268. 1526 ᵇ35.
αἰδοῖον. p 15 ª5 [449 ª19] *l* 499 ª19. — p 15 ª44 a: οἱ
  κύαμοι αἰδοίοις ὅμοιοι (Pyth) f 190. 1512 ª8.
αἴθυια p 15 ᵇ43 a: f 241. 1522 ᵇ16.
αἴξ p 17 ᵇ58 post 611 ª4 a: f 241. 1522 ᵇ40.
αἴρειν p 18 ª55 a: αἴρειν τὸς δακτύλυς [τὸς Ἰδαίυς] f 610.
  1581 ª17, proverbium, cf Athen VI 222C. Schol ad Pers
  5, 119.
αἴσθησις p 21 ª34. cf Plat Gorg 465B v l.
αἰσθητήριον p 21 ª43 a: αἰσθητήριον πρῶτον, ἔσχατον ψβ12.
  424 ª24. γ2. 426 ᵇ16, Kampe Erkenntnisstheorie d Ar
  p 93.
Αἴσωπος p 22 ª53 a: fab 64 (Halm) resp πκς48. 945 ᵇ15.
ἀκαλήφη p 23 ᵇ37 a: Bk Anecd Gr I 370, 27. — p 23
  ᵇ38 a: τὰς ἀπὸ ἀκαλήφης δήξεις (ἔλαιον) ἰᾶται f 214.
  1517 ᵇ11.
ἄκος p 26 ᵇ53 a: τῶν ὗν τοιύτων ἄκη (ci Scalig, ἀρχή codd
  Bk) Πβ7. 1267 ᵇ5.
ἄκρα p 27 ª41 post 373 ᵇ10 a: Theophr f VI 31 ed Wim-
  mer. Humboldt Reise in aeq Geg II 472.
ἀκροᾶσθαι p 28 ª34 a: λοιπὸν ἂν εἴη πάντων ἢ (ἢ om ci
  Bernays) τῶν ἠκροαμένων ἔργον τι34. 184 ᵇ6.
ἀλεκτορίς p 30 ᵇ35 a: f 274. 1527 ᵇ11.
ἀλεκτρυών p 31 ª5 a: f 241. 1522 ᵇ22. μέγεθος ἀλεκτρυ-
  όνος f 272. 1527 ª33. 275. 1527 ᵇ17. ἀλεκτρυὼν λευκός
  f 190. 1512 ª13.
Ἀλκμαίων p 33 ª21. cf Philosophus incertus p 822 ᵇ7.
ἄλλοθεν Ζγβ4. 740 ª24 al.
ἄλφιτον p 36 ª61 a: ἄλφιτα ξηρά f 99. 1494 ª17.
ἀμφίβιος p 39 ᵇ24: cf Rose Ar Ps 309. Heitz fr Ar
  p 173ª.
ἀναδιδόναι p 44 ª32: ἀναδῦσθαι] ἀποδῦσθαι Meineke.
ἀναίσθητος p 46 ª15 a: ὑπὸ ἀναισθήτυ φθείρεται τὰ λεγό-
  μενα ὑπὸ τῦ χρόνυ πια28. 902 ª39, ᵇ4, 6.
Anacoluthia p 46 ᵇ46 a: ημβ15. 1213 ª4. — p 47 ª4, cf
  αν10. 475 ᵇ16.

Ἀναξαγόρας p 49 ᵇ60, cf Philosophus incertus p 821 ᵇ49,
  822 ª14, 58, ᵇ4, 31.
Ἀναξίμανδρος p 50 ª40, cf Philosophus incertus p 821
  ᵇ49, 822 ª25.
Ἀναξιμένης p 50 ª44 post 265 ᵇ30 a: Φα5. 188 ª22.
ἀνδράχνη p 54 ᵇ41 [Portulacea] *l* Portulaca.
Ἄνδριοι p 55 ª41 a: Ἄνδριοι Bkª.
ἄνευ p 56 ª52 a: ἀναγκαῖον λέγεται, ὃ ἄνευ ὐκ ἐνδέχεται ζῆν
  ὡς συναιτίυ Μδ5. 1015 ª21. cf Πη9. 1329 ª34. ἀναγκαῖος
  p 42 ᵇ12. Bernays Dial p 160.
ἄνθρωπος p 60 ᵇ49 a: hominem ad duas res, ut ait Ar,
  ad intelligendum et agendum esse natum quasi mortalem
  deum f 48. 1483 ᵇ15.
ἀνοιδεῖν p 61 ᵇ60 [728 ᵇ20] *l* 728 ᵇ28.
ἀνορροπύγιος p 62 ᵇ12 [καρκίνος] *l* καρκίνος.
ἀντικεῖσθαι p 64 ᵇ6 [Ζμδ] *l* Ζγδ.
ἀντιπόλεμοι (cod Aᶜ, ἀντίπαλοι Bk) Ρβ5. 1382 ᵇ20. cf
  Herod 4, 134. 8, 68. Thuc 3, 90.
ἀξιόπιστος p 70 ª2 [31] *l* 34.
ἀορτή p 71 ª20 [Thielemann] *l* Thielmann. — p 71 ª45 [li-
  nealis] *l* lienalis.
ἀπόζειν. τὰ ἔντομα ἀποζόντων πόρρω (ci Aub, ἀπόζον τι
  πόρρω ci Pik, τὰ ἔντομα ὄντα πόρρω Bk, ἔντομα πεζὰ
  ὄντα πόρρω v l) συναισθάνεται Ζιδ8. 534 ᵇ18 Aub. cf Lit
  Centralbl 1869 p 1084.
ἄποθεν p 81 ª4. syn πόρρω πκγ29. 934 ᵇ11, 21.
ἀποκάθαρσις p 81 ª59 [ª10] *l* ª13.
ἀπόκρισις p 82 ᵇ2 post 381 ᵇ11 a: f 231. 1519 ᵇ14.
ἀπορρηγνύναι p 85 ᵇ39 post ᵇ11-26 a: cf Usener Alex
  Aphrod p 38.
ἀποσχίζειν p 86 ª41 post ᵇ10, 6 a: ἀποσχιζομένων interpr
  vett S Pik, σχιζομένων Bk Ζιγ4. 515 ª7 Aub.
ἄρα p 90 ª41 post ª27 a: Zell II 31.
Ἀριστοτέλης. p 98 ᵇ60 erratum est in afferenda Ber-
  naysii sententia; is enim l l perinde atque Heitz l l et Zel-
  ler II, 2, 771 illis psychologiae verbis Platonis scholas
  respici statuit. — p 104 ᵇ7 a: Πολιτεῖαι possunt videri
  respici Ηκ10. 1181 ᵇ7, sed cf supra p 101 ª50.
ἄρκτος p 105 ᵇ55 a: ἐγένετο ἐν Καυλωνίᾳ ἡ λευκὴ ἄρκτος
  f 186. 1511 ª28.
ἄρνες p 106 ᵇ59 a: f 241. 1522 ᵇ44.
ἄρρην p 108 ª8 [547 ª34] *l* 757 ᵇ33. — p 108 ᵇ15 a: πολυ-

χρονιώτερα ἐν τοῖς ὄρνισι τῶν ἀρρένων τὰ θήλεα f 270.
1527ᵃ2. (τῶν φαττῶν) οἱ ἄρρενες ἢ αἱ θήλειαι ὐκ ἀπο-
λείπυσιν ἀλλήλυς f 271. 1527 ᵃ24.
ἀρτίως p 110 ᵃ16 a: περὶ ὦν τυγχάνομεν διωριχότες ἀρτίως
Πδ4. 1291 ᵃ39.
ἀρχαῖος p 110 ᵃ42 post ᵇ13 a: (Oncken Staatsl d Ar p 205
interpretatur νομοθέτης θέμενος τὰ ἀρχαιότατα).
Ἀρχίλοχος p 113 ᵇ49 a: cf Addenda p 875 ᵃ41.
ἀσιτία. τὸν μὲν ἐλεύθερον μήπω δὲ καταχλίσεως ἠξιωμένον
ἐν τοῖς συσσιτίοις ἀσιτίαις (ci Bernays, ἀτιμίαις codd Bk)
χολάζειν ἢ πληγαῖς, τὸν δὲ πρεσβύτερον τῆς ἡλικίας ταύτης
ἀτιμίαις ἀνελευθέροις Πη17. 1336 ᵇ10.
ἀτταγήν p 121 ᵃ17 a: Rose Ar Ps 293. — φάττα (codd
Bk, ἀτταγήν Scotus videtur legisse) Zγδ6. 774 ᵇ30.
αὐτοκίνητος p 124 ᵃ12 a: cf Herm Schol ad Plat Phaedr
p 116, 121 ed Ast.

Βάπυρον p 133 ᵇ1. ὑπό τε τῦ Λιβάνυ ἢ τῦ Βαπύρυ ὄρυς]
Βαργύλυ coll Plin V 78 ci Blau, Koner Zts f allg Erd-
kunde 1862 XII 372. ὑπό τε τῦ Λιβάνυ ὄρυς ἢ Βαφύρυ
ποταμῦ ci Meineke ad Steph Byz p 299.
βασιλεύς p 135 ᵃ27 [τρόχιλος] l τροχίλος.
βορρᾶς p 140 ᵃ7a: ἐν τοῖς πρὸς βορρᾶν (ἐν τοῖς προσβόροις
v l) Zγε3. 783 ᵃ31.
βοσκάς p 140 ᵃ10 l βόσκας.
βῦς p 142 ᵃ33 a: Hehn p 347.
βράστης p 142 ᵃ48 a: cf Strab IV 1, 7 p 182.
Βραυρών. ἐν Βραυρῶνι f 404. 1545 ᵇ38.
βρῖθος p 143 ᵃ35 a: χάλαζα γίνεται νιφετῦ συστραφέντος ἢ
βρῖθος ἐκ πιλήματος λαβόντος χ4. 394 ᵇ2.
βροτόεσσα v περιβροτόεις.

γε per errorem positum est p 147 ᵃ38, cum ponendum esset
p 146 ᵇ60.
γάλα p 144 ᵃ23 [Ζεῦ] l Zγδ.
γεηρός p 147 ᵇ9 [ᵇ29] l ᵇ27.
Γλαῦκος p 156 ᵃ35 a: Γλαῦκ', ἐπίκυρος ἀνήρ τόσσον φίλος
(ci, τὸν σὸν φίλον codd Bk) ἔσκε μάχηται (Archil fr 16)
γεη2. 1236 ᵃ35.
γόνος p 160 ᵇ59 post proles a: κλεινὸν ἀπολέσας γόνον
Ρβ23. 1397 ᵇ20, cf Ἀντιφῶν p 67 ᵇ58. — p 161 ᵃ3 a:
θ20. 832 ᵃ2.
γυμνασία p 163 ᵃ22 post 101 ᵃ27 a: cf Schol 254 ᵇ3.
γυμνός, coni ἀνυπόδητος (Plat Prot 321C) Zμδ10. 687
ᵃ24.

Dativus p 166 ᵇ11 a: ἐπίλογος τοῖς ἐνθυμήμασιν Ρβ20.
1394 ᵃ11.
δέ p 167 ᵃ43 [262 ᵃ11] l 262 ᵃ21.
δή p 173 ᵃ42 δὲ δή a: Zγγ2. 753 ᵃ11 (δ' ἤδη Aub e cod Z).
— p 173 ᵃ52 ἤ δή ... ἤ a: Zγβ1. 734 ᵃ5.
δηλῦν p 173 ᵇ60 a: δηλῦν c acc et inf, ὅτι δηλοῖ κρατεῖν
τὴν θερμότητα τὴν οἰκείαν τῦ ἀορίστυ μδ2. 380 ᵃ2.
δημαγωγεῖν p 174ᵃ32 ad 1270ᵇ14 a: (αὐτὐς om ci Oncken
Staatsl d Ar p 272).

Δημόκριτος p 175 ᵇ46 ad 640 ᵇ30a: ipsa Democriti verba
videntur respici, cf fr phys 9 Mullach p 209. — p 175
ᵇ53 post 405 ᵇ15 a: ψβ5. 416 ᵇ35. — p 176 ᵃ40 a: cf
Philosophus incertus p 821 ᵇ50, 54, 59, 822 ᵃ14, 44, ᵇ18,
27, 30, 39.
διαλογίζεσθαι p 184 ᵃ3 a: διαλογίζεσθαι τὰ λήμματα ἢ
τὰς γεγενημένας δαπάνας f 407. 1546 ᵃ27.
διάμετρος p 185 ᵃ21 a: de nominis διάμετρος usu Ar cf
Martin, Revue archéol 1866 p 343.
διαρκεῖν p 188 ᵃ38 post 349 ᵇ11 a: ἀν9. 475ᵃ25.
διαστομὲν p 189 ᵇ25 a: διαστομῶν (ci C S Pik Aub, διὰ
στομάτων codd Bk) Ζιε32. 557 ᵇ28.
Διογένης p 198 ᵇ25 a: cf Philosophus inc p 822ᵇ31, 47.
dorycnium f 318. 1534 ᵇ9. (fort Convolvulus dorycnium L
Fraas 170, cf Langkavel 50.)
Δορύλαιον p 204 ᵃ50 a: ci, cf σ973 ᵇ15.
δύναμις p 207 ᵃ19 post ᵃ18 a: Hχ10. 1181 ᵇ14.

ἕβδομος p 212 ᵃ27. cf Göttling ges Abh I 28.
ἐγείρειν p 212 ᵇ60 a: τὸ αὐτὸ βάρος ἀπὸ ἐλάττονος ἰσχύος,
εἰ μοχλεύεται, ἐγείρεται, ἢ ἀπὸ χειρός μχ18. 853 ᵃ38.
εἰ p 217 ᵃ46 a: ὥσπερ ἂν εἰ σταθμὸς πλείων ἑλκύση Πβ1.
1261 ᵃ27.
εἰπεῖν p 221ᵇ20 a: ἐρρέθη Κ9. 11 ᵇ12, 14. ῥητέον Ηβ7.1108
ᵃ14. — p 222 ᵃ11 εἴποιεν: cf Lob Path II 224.
εἰρήνη p 222 ᵃ42 a: τὸ μετέχειν τῆς κοινῆς εἰρήνης ποιεῖν τὸ
προσταττόμενον (ἐστίν) Ρβ23. 1399 ᵇ12. τὴν τοῖς ἄλλοις
κοινὴν εἰρήνην νομιζόντων τοῖς αὐτῶν ἰδίοις πόλεμον Ργ10.
1410 ᵇ30. cf Brandis, Philol IV 11.
εἰς p 222 ᵇ57 a: κρείττω προίετο ὐκ εἰς τιμὴν ἀλλ' εἰς χρῆσιν
f 150. 1503 ᵇ14.
εἷς p 223 ᵇ50 a: μία ψυχή, cf παροιμία p 570 ᵇ40.
ἐκεχειρία p 227 ᵃ30, 31 l ἐκεχειρία.
ἐκτοπίζειν p 232 ᵇ4 post ᵇ16 a: f 269. 1526 ᵇ41.
Ἐλαφιώεις p 235 ᵃ5 a: Lob Techn 181.
ἐλλείπειν p 238 ᵃ31 a: τὰ τοιαῦτα τυραννικὰ μὲν ἢ σω-
τήρια τῆς ἀρχῆς, ὐθὲν δ' ἐλλείπει μοχθηρίας Πε11. 1314
ᵃ13.
Ἐμπεδοκλῆς p 241 ᵇ10 [v 198] l v 298. — p 242 ᵃ42
post ᵇ13 a: Ζμβ2. 648 ᵃ25. — p 242 ᵇ58a: cf Philoso-
phus incertus p 821 ᵇ50, 822 ᵃ10, 16, ᵇ30, 44.
ἔναιμος p 246 ᵃ25 a: τίς ἐναίμω ἀρετή, intelligitur ἔναιμον
φάρμακον, medicamentum sanguini reprimendo.
ἐναντίος p 247 ᵇ13 a: συμβαίνει τὐναντίον ἀπὸ τῶν οἰκείων
ἡδονῶν τε ἢ λυπῶν Ηχ5. 1175 ᵇ21 Zell.
ἐνδεής p 248 ᵇ57 [ci ἡδέως] l ci ἐνδεώς.
ἐντείνειν p 253 ᵇ31 post ᵇ38 a: cf Orib II 858.
ἐπίκυρος v Addenda p 875 ᵃ41.
ἐπίτονος. τὰ νεῦρα τὰ πρὸς τὴν ἰσχὺν βοηθητικά, ἐπίτονός
τε ἢ ὠμιαῖα Ζιγ5. 515 ᵇ9 Aub. 'nomen aliunde ignora-
mus' S II 323.
ἐποπτικός. διὸ Πλάτων (Symp 210A) ἢ Ἀριστοτέλης ἐπο-
πτικὸν τῦτο τὸ μέρος τῆς φιλοσοφίας καλῦσιν Plut de Is
et Os p 382.
ἐρᾶν. διὸ εὑρηκέναι νεῖκος ὁ ἐρώμενος· τοιαῦτ' ἂν ὐκ ἐρῶν
λέγοι γεη8. 1238 ᵇ38, διὸ εἴρηκεν ἐκεῖνος ὁ ci Bz, rectius
διὸ εὖ εἴρηκεν ἐκεῖνος· ἐρώμενος τοιαῦτ' ἄν, ὐκ ἐρῶν λέγοι
emendavit Bernays.

Erasistrati sentensia resp, cf νεῦρον p 483 ᵇ33.

ἐρυθρόγραμμος p 288 ᵃ28 a: f 309. 1531 ᵃ2.

ἔσχατος p 289 ᵇ56, cf Addenda p 874 ᵃ16.

ἕτερος p 290 ᵇ37 a: ἕτερον τὸ ἀντέχειν κ̣ κρατεῖν Ηη8. 1150 ᵃ35. cf θ14. 1162 ᵇ22. ι2. 1165 ᵃ16. Πγ4. 1277 ᵇ21. α9. 1257 ᵃ19. — p 290 ᵇ38. ἄτερος aliquot locis pro ἕτε- 5 ρος restituendum ci Bernays, veluti πο4. 1448 ᵇ27. 11. 1452 ᵇ4.

Etymologica p 291 ᵃ46 a: δίχα (δύο) τζ4. 142 ᵇ12. ζῆν (ζεῖν) ψα2. 405 ᵇ28. κωμῳδοὶ (κωμάζειν, κώμη) πο3. 1448 ᵃ37. μεγαλοπρέπεια Ηδ4. 1122 ᵃ23. χερνῆτες (χείρ) 10 Πγ4. 1277 ᵃ39. — p 291 ᵃ55 [ᵃ39] l ᵃ30. — p 291 ᵃ61 a: ζέφυρος (ἑσπέρα) σ973 ᵇ12. f 238. 1521 ᵇ34. χαρίς (σκαίρειν) f 313. 1531 ᵃ29. μεγαλόψυχος ηεγ5. 1232 ᵃ28. μεθύειν (μετὰ τὸ θύειν) f 98. 1494 ᵃ5. νότος (νόσος) σ973 ᵇ7. f 238. 1521 ᵇ28. ὀβελός (ὀφέλλειν) f 539. 1567 ᵇ9. τρίγλη 15 (τρίς) f 313. 1531 ᵃ26.

εὐθύς p 296 ᵃ30 a: cf Lob Path I 616. II 283.

Εὐριπίδης p 300 ᵃ16 [T 733] l T 727. — p 300 ᵃ16 a: Iph T 144. Ργ6. 1408 ᵃ6 (?). Iph T 1162. Ργ14. 1415 ᵇ21 (?).   20

ἐφίζειν. ἐφιζύσης (codd Bk, ὑφιζύσης Ald C Aub) τῆς ἰλύος Ζιε16. 549 ᵃ10 Aub.

ἔχειν p 306 ᵃ35 [ᵃ12, ᵃ26] l ᵇ12, ᵃ26.

ἕως p 307 ᵇ39 post 513 ᵃ5 a: Ζμβ3. 650 ᵃ26.

Ζεύς p 308 ᵃ44 a: (ϝ διὰ τὰ ἐξ ἀνάγκης ηεβ6. 1223 ᵃ11, ϝ ⟨μὰ⟩ Δία τὰ ἐξ ἀνάγκης ci Meineke, Hermes 1869 p 162.)

Ζήνων p 309 ᵃ37 a: cf Philosophus incertus p 822 ᵃ3.

ζωή p 310 ᵃ50 a: τό τε γὰρ εὖ πράττειν κ̣ τὸ εὖ ζῆν τὸ αὐτὸ τῷ εὐδαιμονεῖν, ὧν ἕκαστον χρῆσίς ἐστι κ̣ ἐνέργεια, κ̣ ἡ ζωὴ κ̣ ἡ πρᾶξις ηεβ1. 1219 ᵇ2. cf Vhl Rgfolge p 159, 11 et βίος p 137 ᵃ53.

ἤ p 313 ᵃ33 a: cf τοι p 765 ᵃ44.

ἥλιος p 317 ᵃ53 a: ἄνθρωπος ἄνθρωπον γεννᾷ κ̣ ἥλιος Φβ2. 194 ᵇ13 Prtl. Μλ5. 1071 ᵃ15 Bz. cf ἄνθρωπος p 59 ᵇ40.

Ἡράκλειτος p 319 ᵇ55 l τὰ Ἡρακλείτυ διαστίξαι ἔργον. — p 320 ᵃ5 ad 1005 ᵇ25 cf Bernays Herakl Br p 147. — p 320 ᵃ11 ad 405 ᵃ25 a: cf Ζμβ7. 652 ᵇ7. — p 320 ᵃ17 a: cf Philosophus incertus p 822 ᵇ11.

Ἡσίοδος p 321 ᵃ32 ad 1242 ᵇ34 a: f 556. 1570 ᵃ12, cf Πιθεύς.

θάλαττα p 322 ᵃ46 post ᵇ3 a: ἡ θάλαττα ὑγιεινή πα52. 865 ᵇ20. ε34. 884 ᵃ28.

θηρίον p 330 ᵇ61 a: (θηρίων ci Rassow, θνητῶν codd Bk μν1. 450 ᵃ18.)

θνητός p 331 ᵇ55 a: ὐκ ἂν ὑπῆρχε πολλοῖς τῶν ἄλλων ζῴων, 55 ἴσως δ' ὐδενὶ τῶν θνητῶν (θηρίων ci Rassow) μν1. 450 ᵃ18.

θορός p 332 ᵇ1 piscium a: (cf Locher, Aretaeus aus Kappadocien p 131).

θυμικός p 335 ᵇ39 [ᵇ25] l ᵃ25. — p 335 ᵇ46 ad 491 60 ᵇ14 a: Aub.

θύμον p 335 ᵇ60 post 627 ᵃ1 a: δῆλον δ' ἐστὶν εὐθέως (τὸ μέλι) τὸ ἀπὸ θύμυ (ci Pik Aub, χυμῦ codd Bk) Ζιε22. 554 ᵃ10.

ἱέραξ p 341 ᵃ9 post Aub a: Beckmann Beitr II 160. Hehn 271.

ἱερός p 341 ᵃ48 a: ἱερὸς ὄφις v ὄφις p 550 ᵇ17, ὀφείδιον p 546 ᵇ44.

Ἰλεύς p 342 ᵃ23, Νηλεύς ci Bergk de vita Sophocl adn 26.

Impersonalis verborum usus p 342 ᵇ26 [ᵃ6] l ᵇ6. — p 342 ᵇ30 [ᵃ36] l ᵇ36. — p 342 ᵇ37 [ᵃ26] l ᵇ26. — p 342 ᵇ43 a: cf κωλύειν p 419 ᵇ43, λιθῦν p 431 ᵃ41, λιμνάζειν p 431 ᵇ1, νήνεμος p 485 ᵇ33, πνίγειν p 607 ᵃ18, προβαίνειν p 634 ᵇ36, προϊέναι p 638 ᵇ22, προχειμάζειν p 655 ᵃ12, σείειν p 675 ᵃ48, σχίζειν p 740 ᵇ26, ταραχή p 748 ᵃ4, ὑποδιδόναι p 796 ᵃ18, ὑποπνεῖν p 801 ᵃ53, χωρεῖν p 859 ᵇ42, ψύχειν p 863 ᵇ61.

Ἱπποκράτης iatros p 344 ᵃ32 a: cf Philosophus incertus p 822 ᵃ22, ᵇ17, 23.

Ἵππων p 346 ᵃ21 a: cf Philosophus incertus p 822 ᵇ28, 31, 48.

ἰχθύς p 351 ᵇ7 a: ἀκανθηρότεροι Ζιι37. 621 ᵇ16 Aub.

Ἴων philosophus, cf Philosophus incertus p 821 ᵇ36.

καθάπερ p 354 ᵃ20 [ᵃ5] l ᵇ5, [ᵃ14] l ᵃ18. — p 354 ᵃ22 [387] l 378. — p 354 ᵃ37 post ᵃ31 a: Ογ5. 304 ᵃ21.

καθύπερθεν f 306. 1530 ᵃ19.

καθώσπερ v l Ζγδ1. 764 ᵃ17, καθάπερ Bk.

καίπερ Ζγε3. 784 ᵃ20 al.

καίτοι p 358 ᵃ39 [225] l 224.

καλαμάρια. super τευθίδες rc Aᵃ add δοκεῖ εἶναι τὰ καλαμάρια Ζιδ1. 523 ᵇ29.

καλός p 360 ᵇ46 a: κάλλιον γὰρ (int ἐστὶ) τὰ τέκνα κολάζειν Ζγγ10. 760 ᵇ20.

κάραβος p 364 ᵇ29 [529 ᵃ29] l 529 ᵃ19.

καρίς p 366 ᵃ31 a: f 313. 1531 ᵃ29.

κάρος p 366 ᵃ45 a: f 330. 1533 ᵇ12.

κατοικίδιος p 379 ᵃ13 a: τὺς κατοικιδίυς μῦς f 337. 1534 ᵇ3.

κενός p 381 ᵇ29 a: φανείη ἂν τὸ λεγόμενον κενὸν ὡς ἀληθῶς κενόν Φθ8. 216 ᵃ27.

κιρράς p 393 ᵃ7 l κιρρός.

Κλεοφῶν p 393 ᵇ54 [Κλεοφῶν] l Κλεοφῶν.

κολάπτειν p 401 ᵃ16 a: (τὰ ᾠὰ κολάπτει Ζυ1. 609 ᵇ28 ci Sylb Pik, κλέπτει codd Bk.)

κολίαι p 401 ᵃ45 a: f 281. 1528 ᵃ20.

Comparationis gradus p 403 ᵃ5 a: Ζμβ17. 660 ᵃ20.

κονιορτώδης p 403 ᵇ1 ante ἐπὶ a: ἐπιπλεῖ.

κύαμος p 412 ᵃ31 a: f 232. 1520 ᵃ5.

λαιά p 421 ᵃ54 a: λείας scribendum ci Ritschl, Jahrb d Ver v Alterthfr im Rheinl 1866 XLI p 14.

Λάμια. τῶν ἐν Λαμίᾳ (ci, ἐν Σαλαμῖνι codd Bk) τελευτησάντων Ργ11. 1411 ᵃ32.

Λάμπρος p 423 b22, Λέανδρος ci Bergk de vita Sophocl adn 26.
λεπίς p 427 a19 a: λεπίδες (Emp 217) μβ9. 387 b5.
λευχός p 429 a3 a: ὁ λευχός, ἐρωδιῶν γένος, descr Zu1. 609 b22. 18. 617 a2. (Ardea argentea K 947, 2. Ardea alba AZι I 92, 34b. Ardea alba et garzetta Su 150, 132. cf Lnd 149, 150.)
λήμη p 430 a14 a: τὸ δάκρυον (πεπέφθαι φαμέν), ὅταν γένηται λήμη μδ2. 379 b32.
λόγος p 433 a18 a: λόγος usurpatum videtur ad significandum vocabulum compositum veluti εὐπρόσωπος f 83. 1490 a42.

μαζός p 441 a27 a: f 321. 1532 a42. Da I 38.
μακρόκερκος p 442 b52 a: μακρόκερκον (μακρόκεντρον Bk) ἔντομον ὁ σκορπίος Ziδ7. 532 a17, cf σκορπίος p 685 b12.
μᾶλλον p 445 a10 a: Φϑ9. 217 b26.
Μεγαρικοί, p 448 a53 a: cf Philosophus incertus p 822 a3.
μέλας p 451 a59 [799] l 779.
μέτοικος p 463 a35. δῆλυς μετοίκης Πγ2. 1275 b37 significare i q ἀπελευθέρης cf Bernays Herakl Br p 155.
μέχρι p 464 a53 [b22] l b32. — p 464 a55 post 1451 a10 a: τθ1. 155 b7. Vhl Rhet 62.
μή p 464 b57 a: τὰ πρῶτα νοήματα τίνι διοίσει τῷ μὴ φαντάσματα εἶναι ψγ8. 432 a12. τὸ παρεπόμενόν τινι ἀεὶ χαλεπὸν χωρίσαι τῷ μὴ γένος εἶναι τὸ6. 128 a39.
μναῖος p 470 b1 a: μναιαῖαι ci Pik, cf Dindorf, Philol 1870 p 82.
μνημονεύειν p 470 b44 a: (ὁ νᾶς) ὔτε μνημονεύει ὔτε φιλεῖ ψα4. 408 b28. cf γ5. 430 a23. Kampe Erkenntnissth d Ar p 28.
μῦς p 479 a2 a: κατοικίδιοι μύες f 337. 1534 b3.

Numerus p 490 b29 a: Γα2. 315 b35.

Ξενοκράτης p 493 a57 a: cf Philosophus incertus p 822 a34.

οἶνος p 501 b12 a: cf μεθύσκειν p 450 a55.
ὀνομάζειν p 515 b13 a: ὠνομασμένως v h v.
ὅπλον p 519 a34: ὅπλοις Πβ6. 1265 a23, ὁρίοις ci Oncken Staatsl d Ar p 204.
ὀρειπέλαργος (v l ὀρειπελαργός, cf Lob Par 378) v περκνόπτερος p 589 a41.
ὀρφῶς p 531 a40 a: E 92.
ὅσος p 533 a45 a: f 618. 1528 b12, 14.
ὁστισδήποτε p 534 a34 a: ὁτιδήποτε ΜΖ8. 1033 b5.
ὀσφραίνεσθαι p 537 b44 a: ὀσφραινόμενοι τῆς ὀσμῆς αὐτῶν Ziδ8. 534 a29.
ὀσφύς p 538 b60 a: Galen XIX 331.
ὐράνιος p 541 b2 post b19 a: cf ΜΙ10. 1075 b26.
ὗτος p 546 a39 a: εἰς δύο μέρη, τᾶτ' ἐστὶ τό τε ὁπλιτικὸν ᾗ τὸ βᾳλευτικόν Πη9. 1329 a31.
ὗτοσί p 546 b36 a: τᾳτί ἐστι τύχης ἔργον Πβ11. 1273 b21.

πάθημα p 555 a50 post b11 a: κ4. 394 a8.
πάθος p 557 a60 a: affectus quosdam si quis eis bene utatur pro armis esse f 94. 1493 a1, 28.
Πάνδαρος p 560 a46 a: f 597. 1577 b6.
παρακολυθεῖν p 564 a31 [συμπαρακολυθεῖν] l ἀκολυθεῖν.
Παρμενίδης p 569 b28 a: cf Philosophus incertus p 822 b35.
παροιμία p 570 a2, cf Addenda p 874 a12. — p 570 a17, 18, cf Addenda p 875 a41.
Πεισίστρατος p 575 b19 post b30 a: πόσα ἔτη κατέστη f 358. 1538 b31.
περί p 578 b54 a: πλ1. 954 a12.
περιτείνειν p 585 a15. περιτείνεται, fort παρατείνεται.
πιστεύειν p 595 a58 a: πιστευτέον Ζγγ10. 760 b31.
Πλάτων p 598 a60-b19 a: Tim 45D, 81AB, cf Philosophus incertus p 822 a51, 821 b51. Tim 66DE αι5. 443 b17, a21 (d). — p 599 a55 a: f11. 1475 b29. — p 599 b20 a: cf θυμοειδής p 335 b49.
πλῆθος p 603 b18 a: cf ἐπί p 269 a26. Eucken II 57.
πόα p 607 a41 a: Χαλκιδική θ20. 832 a1 Beckm.
Poeta incertus cf Addenda p 875 b59.
ποιεῖν p 608 b41 a: Vhl Rgfolge 165, n 15.
πολέμιος p 611 b14 a: ζῷα πολέμια ἀλλήλοις, opp εἰρηνῦντα Zu1. 608 b28, 610 a3, 609 a4, 12, 16, 22, b5, 9, 12, 14, 20, 28, 31, 34, 610 a5, 13. 2. 610 b2, 11 al.
πορεύεσθαι p 621 a39 post a4 a: cf Ζπ7. 707 a29.
προσήκειν p 645 b33 post a22 a: Pa9. 1367 b12. — p 645 b34 a: ὡς προσῆκον Ρβ11. 1388 b5.
προστιθέναι p 648 b38 a: cf Plat Phaedr 231 B.
πρότερος p 652 a23 a: Ζμβ1. 646 a25. — p 652 b41 a: τὸ πρῶτον ὃ σπέρμα ἐστίν, ἀλλὰ τὸ τέλειον Μλ8. 1073 a1. ν5. 1092 a17.
πρόχωσις, ν πρόσχωσις, cuius in v l ubique exhibetur πρόχωσις, cf Meineke vind Strab p 6.
Πυθαγόρειοι p 660 a56 a: cf Philosophus incertus p 822 b27.

Σαλαμίς p 670 b30. τῶν ἐν Σαλαμῖνι (ἐν Λαμίᾳ ci) τελευτησάντων Ργ11. 1411 a32.
σεσερῖνος p 676 b54 [a13] l a3.
Σιμωνίδης p 680 a58 a: χρὴ προσέχειν τῷ πολλῷ χρόνῳ ᾗ τοῖς πολλοῖς ἔθνεσιν (ci Bernays, ἔτεσιν codd) Πβ5. 1264 a2, respici Simonidem (fr 193) significavit Bernays.
σπέρμα p 691 a19 a: cf Philosophus incertus p 822 b14-45. — p 693 a11 post ὑγρόν a: (cf Ar fr in Schol in Hippocr et Gal ed Dietz II 479).
σπυδαῖος p 697 a17 [II 7] l II 77. — a: διὸ ᾗ φιλοσοφώτερον ᾗ σπυδαιότερον ποίησις ἱστορίας ἐστὶν πο9. 1451 b6.
Στιρίας cf Τυρρίας p 780 a21.
συμφωνία p 720 b38 [φθόγγοι] l ψόφοι. — p 720 b40 a: ὃ δὲ λέγυσί τινες τῶν περὶ τὰς συμφωνίας (ie τῶν μυσικῶν) αι7. 448 a20, sed τῶν om ci Bernays.
συνάγειν p 721 a45 post a24 a: Ζια17. 496 a19.
συνεκτίκτειν p 726 b21 a: Ζγγ2. 752 a21.
συρριζῦσθαι p 735 b12 a: v l ῥιζυμένων, cf S Theophr IV 53.

τέλειος p 751 b45 [285 b22] l 286 b22. — p 751 b46 a:

τὸ πρῶτον ἢ σπέρμα ἐστίν, ἀλλὰ τὸ τέλειον Μλ 8. 1073 ᵃ1.

τετράγωνος p 755 ᵇ18 a: cf Σιμωνίδης p 680 ᵃ57.

τυγχάνειν p 778 ᵇ2 a: τυγχάνυσι δὲ λόγυ διὰ τὸ πολλὰς τῶν ἐν ταῖς ἐξυσίαις ὁμοιοπαθεῖν Σαρδαναπάλλῳ Ηα3. 1095 ᵇ21 (cf τυγχάνειν λόγυ Demosth 19, 26. 24, 208).

ὕδωρ p 784 ᵃ11 post ᵃ25 a: (ἢ ξηραίνεται τὸ ὕδωρ ὑδ' ἐξέψεται ὑπὸ πυρός, ὅτι ὑκ ἀτμίζει διὰ γλισχρότητα μδ7. 384 ᵃ1, τὸ ἔλαιον Ideler ex v l, cf Thurot, Revue arch 1870 p 401.)

φειδωλός p 814 ᵃ34 a: cf φιλῳδός p 823 ᵃ44.

Φείδων ὁ Κορίνθιος p 814 ᵃ37, cf Oncken Staatsl d Ar p 203.

φθέγγεσθαι p 815 ᵇ44 a: cf φωνή p 842 ᵃ17-34.